*IL NUOVO
DIZIONARIO
INGLESE
GARZANTI*

IL NUOVO DIZIONARIO INGLESE GARZANTI

REDAZIONI
GARZANTI

Prima edizione: agosto 1984
Ristampa: aprile 1992

ISBN 88-11-50433-3

L'opera è stata realizzata dalle Redazioni Grandi Opere Garzanti dirette da Silvio Riolfo Marengo.

Direzione: Lucia Incerti Caselli.

Consulenza: Mary Nava Bolger • Dennis A. Chamberlin; Francesca Bandel Dragone, Spencer M. Di Scala, Helen Downes, John Brian Gannon, Geoffrey C. Hutchings, John Meddemmen, Stephen Thorne.

Redazione: Laura Bardare, Germana De Rossi Cantoni, Paola Celada Callegari, Rori Gervasoni, Graziella Ghigliazza, Frances Hotimsky, Adria Marconi, Giovanna Marzano, Gianna Milano, Bruna Teli • Voci grammaticali: Carla Barenghi Wetter, Franca Cenni • Voci di informatica: Adriana Sartor • Trascrizione fonetica: Giuseppina Manfrinato Gianforma • Americanismi: Geoffrey C. Hutchings • Ha collaborato alla revisione dei testi Paola Locatelli.

Revisione delle bozze: Fernando Scala • Gino Blasi, Pucci Campagna Petracca, Nadia Castagnino, Milena Maras Anastasi.

Impostazione grafica: Guido Villa.

Quindici anni fa, sulla scia delle opere maggiori (i dizionari di inglese Hazon), usciva il Dizionario Garzanti Inglese, che si proponeva di venire incontro alle esigenze di chi per lavoro, studio, o semplice informazione, sentisse il bisogno di uno strumento agile, moderno e di facile consultazione. Per poter continuare a soddisfare tali esigenze, enormemente accresciutesi in questi ultimi anni, Il Nuovo Dizionario Inglese Garzanti si presenta non solo ampiamente riveduto, ma arricchito e aggiornato in misura proporzionale alla recente evoluzione lessicale e linguistica.

L'aggiornamento si è sviluppato principalmente su tre direttrici: registrazione delle parole e delle accezioni che nel frattempo sono entrate nell'uso, rivolgendo una speciale attenzione alla lingua media (senza trascurare le forme familiari o gergali); introduzione della terminologia tecnica e scientifica di maggiore attualità (con particolare riguardo all'informatica e all'elettronica); accurata selezione e inserimento di americanismi. Molto più nutrito è, inoltre, il corredo degli esempi che ha lo scopo di agevolare la consultazione dell'opera, assicurandole un uso appropriato e proficuo anche e soprattutto nella scuola.

Come già nella precedente edizione, dal momento che entrambe le lingue offrono vaste possibilità di formazioni linguistiche mediante suffissi e prefissi, si è creduto opportuno omettere talvolta quei vocaboli meno significativi per la formazione e la traduzione (per esempio, avverbi in -ly o in -mente, sostantivi deverbali o denominali, aggettivi o avverbi e sostantivi formati con i suffissi -ful, -ing, -less, -some, participi presenti o passati ecc.), nella convinzione che all'intendimento di essi si possa giungere facilmente applicando le più semplici cognizioni linguistiche.

L'opera è completata da due appendici. La prima accoglie tavole dedicate ai pesi, alle misure e ai sistemi monetari dei paesi anglosassoni, gli alfabeti telefonici, i simboli matematici, due carte geografiche del Regno Unito e una degli Stati Uniti; la seconda comprende un ampio e aggiornato elenco di oltre 1000 fra sigle e abbreviazioni, una lista di nomi propri geografici, di persona e cognomi (con l'indicazione della corretta pronuncia) e una lista dei verbi irregolari.

• Nella sezione *inglese-italiano* si accompagna a ciascun lemma la relativa pronuncia, trascritta in base alle norme della *International Phonetic Association*, secondo il sistema originale di Daniel Jones. Nel caso che più lemmi immediatamente susseguentisi mantengano la stessa pronuncia, questa si riporta solo per il primo. Di alcuni lemmi si sono date le varianti fondamentali (forme forti e deboli), nonché la pronuncia americana.

• Nel corpo della voce si è rappresentato il lemma mediante lineetta.

• I lemmi di grafia uguale ma di *etimo differente* sono stati trattati come voci a sé e sono distinti fra loro da un esponente in cifre arabe con numerazione progressiva. Le diverse accezioni grammaticali di uno stesso vocabolo sono divise da una losanga (♦).

• Nell'ambito di ciascuna voce i significati fondamentali assunti dal lemma sono distinti mediante cifre arabe.

• Nella sezione *italiano-inglese* un asterisco (*) contrassegna i verbi irregolari inglesi dei quali si dà il paradigma nella sezione *inglese-italiano*, ove pure indicate le forme irregolari di plurale.

• Per i termini più comuni, nella sezione *italiano-inglese*, accanto al vocabolo in uso nel Regno Unito è stato dato anche il corrispondente vocabolo usato negli Stati Uniti.

Per es.: **benzina** *s.f.* petrol; (*amer.*) gasoline, gas.

Viceversa, nella sezione *inglese-italiano*, quando è registrato a lemma un termine americano, viene dato anche il corrispondente termine «inglese».

Per es.: **garbage-can** *s.* (*amer.* per *dustbin*) pattumiera.

• Fra i vocaboli composti sono registrati come voci a sé stanti quelli che hanno assunto maggiore rilievo nella lingua d'uso.

Riguardo al problema se essi vadano scritti come parola unica, con hyphen (-), o come due parole distinte, va tenuto conto che nei libri più recenti, nei giornali e nelle riviste si delinea una marcata tendenza verso un sempre minor uso dell'hyphen. Nella nostra opera abbiamo seguito uno dei più autorevoli dizionari inglesi moderni (Longman Dictionary of Contemporary English); ciò non toglie, tuttavia, che lo stesso vocabolo composto si possa trovare altrove scritto in un modo diverso da quello da noi registrato, dal momento che forme differenti convivono spesso nell'uso. È da notare che un vocabolo composto scritto come due parole distinte quando è usato come aggettivo attributivo prende quasi sempre un hyphen.

Per es.: **third degree** *s.* terzo grado: *third-degree murder, third -degree burn.*

• Nel caso che un lemma o gruppi di lemmi presentino varianti grafiche, esse sono state segnalate o sotto forma di rimando (per es.: **annunziare** e *deriv.* → **annunciare** e *deriv.*; **honor** e *deriv.* (*amer.*) → **honour** e *deriv.*) o nel lemma stesso (per es.: **encyclop(a)edia**).

Per i numerosissimi verbi inglesi che terminano in *-ize*, non è stata segnalata la variante *-ise* in quanto essa è sempre possibile.

Lettere e simboli
usati per la trascrizione fonetica

VOCALI

[i:] come in *see* [si:], *police* [pə'li:s], *clean* [kli:n]
[i] come in *six* [siks], *live* [liv], *money* ['mʌni]
[e] come in *yes* [jes], *bed* [bed], *head* [hed]
[æ] come in *cat* [cæt], *man* [mæn], *tax* [tæks]
[ɑ:] come in *car* [kɑ:*], *bath* [bɑ:θ], *yard* [jɑ:d]
[ɔ] come in *not* [nɔt], *dog* [dɔg], *cotton* ['kɔtn]

[ɔ:] come in *nor* [nɔ:*], *George* [dʒɔ:dʒ], *door* [dɔ:*]
[u] come in *put* [put], *good* [gud], *would* [wud]
[u:] come in *goose* [gu:s], *shoe* [ʃu:], *blue* [blu:]
[ʌ] come in *cut* [kʌt], *love* [lʌv], *country* ['kʌntri]
[ə:] come in *bird* [bə:d], *learn* [lə:n], *nurse* [nə:s]
[ə] come in *away* [ə'wei], *over* ['ouvə*], *centre* ['sentə*]

SEMIVOCALI

[w] come in *war* [wɔ:*], *well* [wel], *one* [wʌn]

[j] come in *yet* [jet], *yield* [ji:ld], *young* [jʌn]

DITTONGHI

[ei] come in *may* [mei], *made* [meid], *they* [ðei]
[ou] come in *home* [houm], *know* [nou], *coat* [kout]
[ai] come in *dine* [dain], *kind* [kaind], *right* [rait]
[au] come in *out* [aut], *house* [haus], *town* [taun]

[ɔi] come in *oil* [ɔil], *boy* [bɔi], *loyal* ['lɔiəl]
[iə] come in *ear* [iə*], *idea* [ai'diə], *beer* [biə*]
[ɛə] come in *air* [ɛə*], *there* [ðɛə*], *care* [kɛə*]
[uə] come in *secure* [si'kjuə*], *tour* [tuə*], *mature* [mə'tjuə*]

CONSONANTI

[b] come in *baby* ['beibi], *book* [buk], *able* ['eibl]
[d] come in *dear* [diə*], *loud* [laud], *garden* ['gɑ:dn]
[f] come in *fall* [fɔ:l], *free* [fri:], *off* [ɔf]
[g] come in *game* [geim], *big* [big], *exam* [ig'zæm]
[h] come in *he* [hi:], *hot* [hɔt], *who* [hu:]
[k] come in *cooking* ['kukin], *fact* [fækt], *Christmas* ['krisməs]
[l] come in *let* [let], *Alps* [ælps], *shall* [ʃæl]
[m] come in *mark* [mɑ:k], *mother* ['mʌðə*], *Tom* [tɔm]
[n] come in *no* [nou], *nice* [nais], *sun* [sʌn]
[p] come in *pencil* ['pensl], *spend* [spend], *lip* [lip]
[r] come in *rose* [rouz], *great* [greit], *merry* ['meri]

[s] come in *sea* [si:], *school* [sku:l], *kiss* [kis]
[t] come in *time* [taim], *tea* [ti:], *water* ['wɔ:tə*]
[v] come in *very* ['veri], *give* [giv], *glove* [glʌv]
[z] come in *amuse* [ə'mju:z], *passes* ['pɑ:siz], *zone* [zoun]
[ŋ] come in *long* [lɔŋ], *bringing* ['briŋiŋ], *king* [kiŋ]
[ʃ] come in *dash* [dæʃ], *sugar* ['ʃugə*], *ocean* ['ouʃən]
[tʃ] come in *church* [tʃə:tʃ], *child* [tʃaild], *each* [i:tʃ]
[ʒ] come in *pleasure* ['pleʒə*], *rouge* [ru:ʒ]
[dʒ] come in *gem* [dʒem], *job* [dʒɔb], *page* [peidʒ]
[θ] come in *thanks* [θæŋks], *three* [θri:], *north* [nɔ:θ]
[ð] come in *this* [ðis], *those* [ðouz], *father* ['fɑ:ðə*]

ALTRI SEGNI

* in fine di parola, indica [r] che normalmente si pronuncia solo se la parola che segue inizia con suono vocalico: *farther off* ['fɑ:ðər'ɔf]

' è l'accento tonico principale e precede la sillaba su cui posa maggiormente la voce: *brother* ['brʌðə*]

, è l'accento tonico secondario e precede la sillaba su cui la voce posa più brevemente; si ha soltanto nei polisillabi: *communication* [kə,mju:ni'keiʃən]

: dopo vocale, ne indica l'allungamento

(:) dopo vocale, indica che l'allungamento di questa è facoltativo

simboli fonetici in corsivo possono essere pronunciati o omessi.

Abbreviazioni

abbigl. abbigliamento	*fig.* figurato	*poss.* possessivo
abbr. abbreviazione	*fil.* filosofia	*pred.* predicato
aer. aeronautica	*fis.* fisica	*pref.* prefisso
agg. aggettivo, aggettivale	*fot.* fotografia	*prep.* preposizione
agr. agricoltura	*franc.* francese	*prep.art.* preposizione articolata
amer. americano	*gener.* generalmente	
anat. anatomia	*geogr.* geografia	*pres.* presente
antiq. antiquato	*geol.* geologia	*pron.* pronome
arald. araldica	*geom.* geometria	*prop.* proposizione
arc. arcaico	*ger.* gerundio	*prov.* proverbio
arch. architettura	*gramm.* grammatica	*psic.* psicologia, psicoanalisi
archeol. archeologia	*imp.* imperativo	
art. articolo	*imperf.* imperfetto	*qlco.* qualcosa
artig. artigianato	*impers.* impersonale	*qlcu.* qualcuno
astr. astronomia	*ind.* industria	*rad.* radiofonia
attr. attributivo	*indef.* indefinito	*rar.* raro, raramente
aut. automobile, automobilismo	*indet.* indeterminativo	*rec.* reciproco
avv. avverbio, avverbiale	*indic.* indicativo	*region.* regionale
biol. biologia	*inf.* infinito	*rel.* relativo
bot. botanica	*inter.* interiezione	*relig.* religione
card. cardinale	*interr.* interrogativo	*rem.* remoto
chim. chimica	*intr.* intransitivo	*ret.* retorica
chir. chirurgia	*invar.* invariato	*rifl.* riflessivo
cinem. cinematografia	*irl.* irlandese	*s.* sostantivo
comm. commercio	*iron.* ironico	*scherz.* scherzoso
compar. comparativo	*irr.* irregolare	*scient.* scientifico
compl.ind. complemento indiretto	*lat.* latino, latinismo	*scoz.* scozzese
compl.ogg. complemento oggetto	*locuz.* locuzione	*scult.* scultura
cond. condizionale	*lett.* letteratura	*sing.* singolare
cong. congiunzione, congiuntivo	*letter.* letterario	*sl.* slang (gergo)
contr. contrazione	*m.* maschile	*s.o.* someone
corr. correlativo	*mar.* marineria	*sogg.* soggetto
costr.pers. costruzione personale	*mat.* matematica	*spec.* specialmente
cuc. cucina	*mecc.* meccanica	*sport* sport, sportivo
deriv. derivati	*med.* medicina	*spreg.* spregiativo
det. determinativo	*metall.* metallurgia	*st.* storia, storico
dif. difettivo	*mil.* militare	*sthg.* something
dimostr. dimostrativo	*min.* mineralogia	*superl.* superlativo
dir. diritto	*mit.* mitologia	*t.* termine
distr. distributivo	*mus.* musica, musicale	*teatr.* teatro
ecc. eccetera	*no.pr.* nome proprio	*tecn.* tecnologia
eccl. ecclesiastico	*num.* numerale	*ted.* tedesco
econ. economia	*onom.* onomatopeico	*tel.* telefonia, telegrafia, telematica
edil. edilizia	*ord.* ordinale	
elettr. elettrologia, elettricità, elettronica	*ott.* ottica	*teol.* teologia
	p. participio	*tip.* tipografia
f. femminile	*pass.* passato	*tr.* transitivo
fam. familiare	*pers.* personale, persona	*tv* televisione
farm. farmacologia	*pitt.* pittura	*v.* verbo
ferr. ferrovie	*pl.* plurale	*vet.* veterinaria
	poet. poetico	*volg.* volgare
	pol. politica	*zool.* zoologia
	pop. popolare	→ vedi

ITALIANO - INGLESE

A

a¹ *s.f.* o *m.* a (*pl.* as, a's) // — *come Ancona,* (*tel.*) a for Andrew.

a² *prep.* **1** (*termine*) to **2** (*stato in luogo*) at; (*gener. riferito a città grande*) in: — *casa,* at home; *è nato — Milano, — Montepulciano,* he was born in Milan, at Montepulciano **3** (*moto a luogo*) to; (*con to arrive*) at, in; (*con home non si traduce*): *vado a Torino domani,* I am going to Turin tomorrow; *il treno arriva a Londra alle '1,* the train arrives in (*o* at) London at 9 p.m.; *va' — casa!,* go home! **4** (*tempo*) at; in; on: *alle 3,* at three o' lock; — *Pasqua,* at Easter; — *maggio,* in May; *al mio arrivo,* on my arrival **5** (*prezzo*) at: *vendere — mille lire il chilo,* to sell at a thousand lire a kilo **6** (*età*) at: — *e anni,* at three (years old) **7** (*distributivo*) a, an; by: *ll'ora,* an (*o* per) hour; — *due — due,* two by two; *al hilo, al metro,* a kilo, a metre; *al giorno,* a day; *vendere — dozzine,* to sell by the dozen **8** (*distanza*): — *dieci hilometri dal mare,* ten kilometres from the sea; — *una iornata di cammino,* a day's walk away.

abaco *s.m.* (*arch.*) abacus (*pl.* abaci).

abate *s.m.* abbot.

abat-jour (*franc.*) *s.m.* lampshade; (*lume*) table lamp.

abbacchiare *v.tr.* **1** to knock down with a pole **2** (*fig. fam.*) to dishearten, to depress.

abbacchiato *agg.* (*fig. fam.*) down-hearted.

abbacchiatura *s.f.* knocking down (of nuts, olives).

abbacchio *s.m.* (*region.*) (spring) lamb.

abbacinamento *s.m.* dazzle, dazzling.

abbacinare *v.tr.* to dazzle.

abbaco *s.m.* **1** (*arte di fare i conti*) art of computing **2** (*libro*) elementary arithmetic book **3** (*tavoletta per conti*) abacus (*pl.* abaci).

abbagliamento *s.m.* dazzle, dazzling.

abbagliante *agg.* dazzling // (*fari*) *abbaglianti,* (*aut.*) full-beam (*o* high-beam).

abbagliare *v.tr.* to dazzle (*anche fig.*).

abbaglio *s.m.* (*fig.*) blunder: *prendere* (*un*) —, to make a blunder.

abbaiare *v.intr.* to bark: — *contro qlcu.,* to bark at s.o. // — *alla luna,* to bay at the moon.

abbaino *s.m.* **1** skylight, dormer (-window) **2** (*soffitta*) garret.

abbandonare *v.tr.* **1** to leave*, to abandon; (*spec. vendo meno a un dovere*) to desert: *abbandonò moglie e gli,* he left (*o* deserted) his wife and children; — *la na-*, to abandon ship **2** (*trascurare*) to neglect **3** (*rinunciare a*) to give* up: *dovette — i suoi progetti,* he had give up his plans **4** (*lasciar cadere*): — *il capo sul etto,* to hang one's head; — *le braccia* (*lungo il corpo*), let one's arms drop // **-arsi** *v.rifl.* **1** (*lasciarsi andare*) to let* oneself go; (*alle passioni, al dolore ecc.*) to ve* oneself up (to sthg.); (*a vizi, fantasie*) to indulge a sthg.) **2** (*perdersi d'animo*) to lose* heart, to lose* urage **3** (*lasciarsi cadere*) to flop; (*rilassarsi*) to re-x: *abbandonati!,* relax!

abbandonato *agg.* **1** deserted; abandoned **2** (*trasurato*) neglected.

abbandono *s.m.* **1** (*trascuratezza*) neglect // *lasciare* —, to neglect // *lasciare una casa nell'*—, to let a use fall into decay **2** (*dir.*) desertion, abandon-ent **3** (*fig.*) abandon.

abbarbicare *v.intr.* to take* root // **-arsi** *v.intr.pron.* to cling* (*anche fig.*).

abbaruffarsi *v.rifl.* e *rifl.rec.* to scuffle; to come* to blows.

abbassalingua *s.m.* spatula.

abbassamento *s.m.* lowering; (*caduta*) fall.

abbassare *v.tr.* to lower (*anche fig.*); (*far scendere*) to let* down // — *un primato,* to beat a record // — *la radio, il volume della radio,* to turn down the radio // — *la cresta,* (*fig.*) to swallow one's pride // **-arsi** *v.rifl.* **1** to stoop (down) **2** (*fig.*) to lower oneself **3** (*diminuire*) to lower; (*di acque*) to subside; (*di vento*) to drop; (*di temperatura*) to fall*.

abbasso *avv.* downstairs ♦ *inter.* down (with s.o., sthg.): — *il tiranno!,* down with the tyrant!

abbastanza *avv.* **1** enough: .— *buono,* good enough; *hai — denaro?,* have you got enough money? (*o* money enough?); *non mangia* —, he doesn't eat enough **2** (*discretamente*) fairly, quite; (*fam.*) pretty: — *bene,* quite well; — *noioso,* quite (*o* rather) boring.

abbattere *v.tr.* **1** to pull down; (*con un colpo*) to knock down; (*alberi*) to fell: *lo abbatté con un colpo,* he knocked him down **2** (*animali*) to kill; (*con armi da fuoco*) to shoot* **3** (*aer.*) to shoot* down **4** (*scoraggiare*) to dishearten, to depress // **-ersi** *v.rifl.* **1** (*avvilirsi*) to lose* heart **2** (*cadere*) to fall*: — *al suolo,* to fall to the ground.

abbattimento *s.m.* (*depressione*) dejection, depression.

abbattuto *agg.* (*fig.*) dejected, depressed.

abbazia *s.f.* abbey.

abbaziale *agg.* abbatial.

abbecedario *s.m.* spelling-book; primer.

abbellimento *s.m.* **1** embellishment **2** *pl.* (*mus.*) grace-notes.

abbellire *v.tr.* to embellish, to beautify.

abbeverare *v.tr.*, **abbeverarsi** *v.rifl.* to water.

abbeverata *s.f.* watering.

abbeveratoio *s.m.* (drinking) trough.

abbiccì *s.m.* **1** alphabet // *esser all'*—, to be at the very beginning **2** (*abbecedario*) primer.

abbiente *agg.* well-to-do, well-off ♦ *s.m.pl.* the well-to-do // *gli abbienti e i non abbienti,* the haves and the have-nots; *i meno abbienti,* the not-too-well-off.

abbietto *agg.* e *deriv.* → **abietto** e *deriv.*

abbigliamento *s.m.* clothes (*pl.*) // *industria dell'*—, clothing industry; *negozio d'*—, clothes' shop.

abbigliare *v.tr.* to dress up.

abbinamento *s.m.* combining.

abbinare *v.tr.* to combine.

abbindolare *v.tr.* (*fig.*) to cheat, to swindle.

abbisognare *v.intr.* to need (s.o., sthg.).

abboccamento *s.m.* interview, talk.

abboccare *v.tr.* e *intr.* **1** to bite* (at sthg.): *non ha abboccato,* (*fig.*) he didn't rise to the bait **2** (*fig.*) to be* taken in **3** (*combaciare, far combaciare*) to join // **-arsi** *v.rifl.* e *rifl.rec.* to meet* (s.o.).

abboccato *agg.* (*di vino*) rather sweet.

abbonamento *s.m* **1** (*a giornale*) subscription: *fare un* —, to take out a subscription; *rinnovare l'*—, to renew one's subscription; *debbo disdire l'*—, I must give notice that I don't intend to renew my subscription

2 (*ferr. ecc.*) season ticket: — *settimanale, mensile,* weekly, monthly season ticket.

abbonare[1] *v.tr.* to take* out a subscription (for s.o. to sthg.) // **-arsi** *v.rifl.* to subscribe; (*ferr. ecc.*) to get* a season ticket (for sthg.) // — *ad un giornale,* to take out a subscription for a newspaper.

abbonare[2] *v.tr.* **1** to make* a reduction (in sthg.) **2** (*rimettere una somma ecc.*) to remit **3** (*perdonare*) to forgive*.

abbonato *s.m.* subscriber; (*a mezzi di trasporto, spettacoli*) season ticket holder; (*rad.*) radio-licence holder; (*tv*) television-licence holder; (*elenco abbonati, al telefono*) directory.

abbondante *agg.* **1** abundant, plentiful: *aggiungere — acqua,* to add plenty of water; *saranno tre etti abbondanti,* that's a good three hectogrammes **2** (*ricco*) abounding (in).

abbondanza *s.f.* plenty, abundance.

abbondare *v.intr.* **1** (*avere in abbondanza*) to have* plenty (of sthg.); to abound, to be* rich (in sthg.) **2** (*essere abbondante*) to be* plentiful.

abbordabile *agg.* accessible; (*spec. di persona*) approachable.

abbordaggio *s.m.* (*mar.*) boarding.

abbordare *v.tr.* **1** (*mar.*) to board **2** (*fig.*) (*una persona*) to approach // — *un argomento,* to tackle a subject // — *una curva,* to take a curve.

abborracciare *v.tr.* to bungle, to botch.

abborracciatura *s.f.* bungling, botching.

abbottonare *v.tr.* to button (up).

abbottonato *agg.* (*fig.*) reserved, reticent.

abbottonatura *s.f.* (row of) buttons.

abbozzare *v.tr.* **1** to sketch (*anche fig.*) **2** (*scult.*) to rough-hew.

abbozzo *s.m.* **1** sketch, outline **2** (*scult.*) rough cast.

abbracciare *v.tr.* **1** to hug, to embrace **2** (*carriera ecc.*) to embrace; (*partito, causa ecc.*) to espouse **3** (*comprendere, contenere*) to enclose, to include; (*fig.*) to cover: *un periodo che abbraccia molti anni,* a period that covers (*o* spans) many years // — *con lo sguardo,* to take in at a glance // **-arsi** *v.intr.pron.* to embrace (s.o., sthg.) ♦ *v.rifl.rec.* to embrace (each other, one another).

abbraccio *s.m.* hug, embrace.

abbrancare *v.tr.* to grasp, to grip, to clutch // **-arsi** *v.rifl.* to catch* hold (of s.o., sthg.).

abbreviare *v.tr.* to shorten, to cut* short; (*una parola*) to abbreviate.

abbreviativo *agg.* abbreviating.

abbreviatura, abbreviazione *s.f.* abbreviation.

abbrivare *v.tr.* (*mar.*) to get* (a ship) under way ♦ *v. intr.* (*mar.*) to make* headway.

abbrivio, abbrivo *s.m.* (*mar.*) headway: *prendere l'—,* to make headway; (*fig.*) to get the bit between one's teeth.

abbronzante *agg.* suntan (*attr.*) ♦ *s.m.* suntan oil, suntan lotion.

abbronzare *v.tr.* **1** to bronze **2** (*al sole*) to tan ♦ *v. intr.,* **-arsi** *v.rifl.* to get* tanned.

abbronzato *agg.* (sun)tanned.

abbronzatura *s.f.* tan.

abbrunare *v.tr.* **1** to darken **2** (*a lutto*) to drape in black // — *le bandiere,* to hang flags at half-mast.

abbrunato *agg.* draped in black.

abbrustolire *v.tr.* (*caffè*) to roast; (*pane*) to toast; (*carne*) to broil; *castagne abbrustolite,* roasted chestnuts.

abbrutimento *s.m.* brutishness.

abbrutire *v.tr.* to brutalize ♦ *v.intr.,* **-irsi** *v.intr.pron.* become* a brute.

abbuiare *v.tr.* to obscure ♦ *v.intr.impers.* to get* d // **-arsi** *v.intr.pron.* **1** to get* dark **2** (*fig.*) to dark

abbuono *s.m.* **1** (*comm.*) allowance **2** (*sport*) bis

abburattare *v.tr.* to sift.

abburattatura *s.f.* sifting.

abdicare *v.intr.* to abdicate (sthg.) (*anche fig.*).

abdicatario *agg.* abdicating ♦ *s.m.* abdicating pers

abdicazione *s.f.* abdication (*anche fig.*).

abduzione *s.f.* abduction.

Abele *no.pr.m.* Abel.

aberrare *v.intr.* to deviate.

aberrazione *s.f.* aberration.

abetaia *s.f.* fir-wood.

abete *s.m.* fir.

abietto *agg.* vile, contemptible.

abiezione *s.f.* degradation, vileness.

abigeato *s.m.* (*dir.*) cattle-stealing; (*di cavalli*) ho -stealing.

abile *agg.* **1** able, capable; (*intelligente*) clever (at, (*destro*) skilful (at, in): *un'— manovra,* a clever move (*fatto con abilità*) clever, skilful **3** (*idoneo*) fit: — *al s vizio militare,* fit for military service.

abilità *s.f.* ability, capability; (*perizia*) cleverness; (*strezza*) skill.

abilitare *v.tr.* **1** to qualify **2** (*dir.*) to entitle **3** (*in matica*) to enable; to validate.

abilitato *agg. e s.m.* qualified (teacher).

abilitazione *s.f.* qualification: *esame di —,* teache diploma exam.

abissale *agg.* abyssal; (*fig.*) abysmal.

Abissinia *no.pr.f.* Abyssinia.

abissino *agg. e s.m.* Abyssinian.

abisso *s.m.* abyss (*anche fig.*), chasm (*anche fig.*)

abitabile *agg.* inhabitable, habitable.

abitabilità *s.f.* habitability, habitableness.

abitacolo *s.m.* **1** (*di camion*) cabin; (*di automob* inside; (*di automobile sportiva*) cockpit **2** (*mar.*) bin cle **3** (*aer.*) cockpit.

abitante *s.m.* inhabitant.

abitare *v.intr.* to live (in, at): *abita a Roma, a Mon* he lives in Rome, at Monza; *abito in via X al n. 1* live in via X at No. 10 ♦ *v.tr.* to live (in a place), to inhal

abitativo *agg.* dwelling.

abitato *agg.* inhabited; (*popolato*) populated ♦ *s.* built-up area.

abitatore *s.m.* (*letter.*) inhabitant, dweller.

abitazione *s.f.* house // *casa d'—,* dwelling house.

abito *s.m.* **1** (*da uomo*) suit; (*da donna*) dress, froc *pl.* (*indumenti*) clothes: — *da cerimonia,* formal dre *abiti da lavoro,* working clothes; *abiti fatti,* ready-ma clothes **2** (*di sacerdote*) cassock; (*di frate*) frock // *stire l'—,* to enter the religious life **3** (*di anima* coat **4** (*disposizione*) habit.

abituale *agg.* habitual, usual.

abitualmente *avv.* habitually, usually.

abituare *v.tr.* to accustom; (*educare*) to bring* up **-arsi** *v.rifl.* to get* used (to sthg., doing), to get* acc tomed.

abituato *agg.* accustomed, used; (*educato*) brought u

abitudinario *agg. e s.m.:* (*uomo*) —, creature of hab

abitudine *s.f.* habit; (*usanza*) custom, use: *avere l'— fare qlco.,* to be in the habit of doing sthg.; *prendere u brutta —,* to fall into a bad habit // *come d'—,* as usu // *d'—,* as a rule.

bituro *s.m.* (*letter.*) humble dwelling.

biura *s.f.* abjuration.

biurare *v.tr.* to abjure.

blativo *agg. e s.m.* (*gramm.*) ablative.

blazione *s.f.* ablation.

bluzione *s.f.* ablution.

bnegazione *s.f.* abnegation, self-denial.

bnorme *agg.* abnormal.

bolire *v.tr.* to abolish.

bolizione *s.f.* abolition.

bolizionismo *s.m.* abolitionism.

bolizionista *s.m. e f.* abolitionist.

bominevole *agg.* abominable, detestable.

bominio *s.m.* abomination.

borigeno *s.m.* native // gli aborigeni, the natives (*o* le aborigines).

borrimento *s.m.* abhorrence, loathing.

borrire *v.tr. e intr.* to loathe (sthg.).

bortire *v.intr.* **1** to have* a miscarriage; (*non natural-mente*) to have* an abortion **2** (*fig.*) to fall* through.

bortivo *agg.* abortive ♦ *s.m.* abortifacient.

borto *s.m.* **1** miscarriage; (*procurato*) abortion **2** (*fig.*) abortion **3** (*informatica*) abort, abortion.

bramo *no.pr.m.* Abraham.

brasione *s.f.* abrasion.

brasivo *agg. e s.m.* abrasive.

brogare *v.tr.* to abrogate, to repeal.

brogazione *s.f.* abrogation, repeal.

bside *s.f.* apse.

bulia *s.f.* aboulia; (*fig.*) lack of willpower.

bulico *agg.* aboulic; (*fig.*) lacking in willpower.

busare *v.intr.* **1** (*usare malamente*) to misuse (sthg.); (*approfittare*) to take* advantage (of sthg.) // abusa nel *bere*, he drinks too much **2** (*sessualmente*) to rape (s.o.), to abuse (s.o.).

busivamente *avv.* illegally.

busivo *agg.* illegal.

buso *s.m.* (*cattivo uso*) abuse, misuse; (*uso eccessivo*) excessive use: fa — di caffè, he drinks too much coffee // — di potere, abuse of authority.

cacia *s.f.* acacia.

canto *s.m.* acanthus.

caro *s.m.* acarus (pl. acari).

cattolico *agg. e s.m.* non-Catholic.

cca *s.f.* letter H // non ne capimmo un'—, we could not make head or tail of it.

ccademia *s.f.* academy; (*scuola*) school, institute // *fare dell'*—, to talk to no purpose.

ccademicamente *avv.* academically.

ccademico *agg.* academic // corpo —, academic staff ♦ *s.m.* academician.

ccadere *v.intr.* to happen: che cosa è accaduto?, what's happened?; accadde una strana cosa, a funny thing happened; mi accadde di vederlo, I happened (*o* chanced) to see him.

ccaduto *s.m.* event, happening.

ccalappiacani *s.m.* dog-catcher.

ccalappiare *v.tr.* to catch*; to (en)snare (*anche fig.*).

ccalcarsi *v.rifl.* to crowd, to throng.

ccaldarsi *v.intr.pron.* to get* hot.

ccalorare *v.tr.* to stir up // **-arsi** *v.rifl.* to get* excited, to get* heated.

ccampamento *s.m.* encampment, camp.

ccampare *v.tr.* **1** to encamp **2** (*fig.*) to bring* forward: — delle scuse, to bring forward excuses // — un diritto su qlco., to lay* claim to sthg. // **-arsi** *v.rifl.* to

(en)camp: si accamparono presso il fiume, they camped near the river.

accanimento *s.m.* **1** fury, rage; (*odio*) inveterate hatred **2** (*tenacia*) doggedness, tenacity.

accanirsi *v.intr.pron.* **1** to attack (s.o., sthg.) ruthlessly **2** (*fig.*) to persist.

accanito *agg.* **1** ruthless **2** (*fig.*) inveterate.

accanto *avv. e prep.* next to; beside; close to: mi sedeva — a teatro, he was sitting next to me in the theatre; — al tavolo, beside the table; stammi —, keep close to me // abita — (a noi), he lives next door (to us) // qui, lì —, near here, near there ♦ *agg.* next // la casa, l'appartamento —, the house, the flat next door (*o* the next -door house, flat).

accantonare *v.tr.* **1** to set* aside **2** (*mil.*) to billet, to quarter.

accaparramento *s.m.* hoarding; (*comm.*) cornering.

accaparrare *v.tr.* **1** to hoard; (*comm.*) to corner **2** (*assicurarsi con caparra*) to secure **3** (*fig.*) (*procurarsi*) to gain, to capture.

accaparratore *s.m.* hoarder.

accapigliarsi *v.rifl. e rifl.rec.* to scuffle, to come* to blows; (*litigare*) to quarrel.

accapo *avv.* on a new line ♦ *s.m.* new line.

accappatoio *s.m.* bathrobe.

accapponarsi *v.intr.pron.*: mi si accapponò la pelle, I got gooseflesh all over.

accarezzare *v.tr.* **1** to caress, to fondle; (*un animale*) to stroke // — qlcu., qlco. con gli occhi, to look lovingly at s.o., sthg. **2** (*lusingare*) to flatter: — la vanità altrui, to flatter s.o.'s vanity **3** (*fig.*) (*vagheggiare*) to cherish, to entertain.

accartocciare *v.tr.* **1** to twist into a cone **2** (*spiegazzare*) to crumple (up) // **-arsi** *v.intr.pron.* to curl up, to shrivel.

accasare *v.tr.* to marry // **-arsi** *v.rifl.* to get* married.

accasciamento *s.m.* prostration; (*morale*) dejection.

accasciare *v.tr.* to prostrate; (*moralmente*) to deject // **-arsi** *v.rifl.* **1** (*cadere al suolo*) to fall* to the ground **2** (*fig.*) to lose* heart.

accasciato *agg.* prostrated; (*fig.*) dejected.

accasermare *v.tr.* (*mil.*) to barrack.

accatastare *v.tr.* to stack; to heap up (*anche fig.*).

accattare *v.tr.* **1** to beg **2** (*spreg.*) (*prendere a prestito*) to borrow.

accattivare *v.tr.* → **cattivare**.

accatto *s.m.* begging.

accattonaggio *s.m.* begging.

accattone *s.m.* beggar.

accavallamento *s.m.* (*di tendine ecc.*) strain.

accavallare *v.tr.* **1** to cross: — le gambe, to cross one's legs **2** (*nei lavori a maglia*) to pass over // **-arsi** *v.rifl.* **1** (*di fili ecc.*) to cross **2** (*di tendine*) to strain **3** (*fig.*) to overlap.

accecamento *s.m.* blinding.

accecare *v.tr.* **1** to blind **2** (*chiudere una apertura*) to stop up ♦ *v.intr.* to go* blind.

accedere *v.intr.* **1** (*avvicinarsi*) to approach (sthg.); (*entrare*) to enter (a place) **2** (*fig.*) (*acconsentire*) to comply (with sthg.) **3** (*informatica*) to access.

accelerare *v.tr.* to accelerate, to speed* up; (*assoluto, aumentare di velocità*) to go* faster: accelera un po', go a little faster // — il passo, to quicken one's step.

accelerato *agg.* quick; (*mecc. fis.*) accelerated ♦ *s.m.* slow train.

acceleratore *s.m.* accelerator.

accelerazione *s.f.* acceleration.

accendere *v.tr.* 1 to light*; (*mecc.*) to ignite // — *un fiammifero*, to strike a match; — *il gas*, to turn on the gas; — *la radio, la luce*, to switch on (*o* to put on) the radio, the light // — *un conto*, (*comm.*) to open an account // — *un'ipoteca*, (*dir.*) to mortgage 2 (*fig.*) to inflame, to kindle, to stir up 3 (*informatica*) to turn on // **-ersi** *v.intr.pron.* 1 to light* up (*anche fig.*); (*prender fuoco*) to catch* fire // — *in volto*, (*per ira ecc.*) to go* red 2 (*fig.*) (*per amore, ira ecc.*) to become* inflamed (with sthg.).

accendigas *s.m.* gaslighter.

accendino *s.m.* lighter.

accendisigari, accendisigaro *s.m.* lighter.

accennare *v.intr.* 1 to sign, to beckon; (*col capo*) to nod 2 (*fig.*) to hint (at sthg.); (*alludere*) to allude; (*menzionare*) to mention (sthg.): *con me non ha mai accennato al problema*, he never mentioned the problem to me 3 (*sembrare*) to show* signs (of sthg.): *il cielo accenna a rischiararsi*, the sky shows signs of clearing up ♦ *v.tr.* 1 to point (s.o., sthg.) 2 — *un motivo*, to sing, to play a few notes (of a tune).

accenno *s.m.* 1 sign, indication; (*col capo*) nod 2 (*fig.*) hint; (*allusione*) allusion; (*menzione*) mention: *fare* —, to hint; to allude; to mention.

accensione *s.f.* 1 lighting // — *di ipoteca*, (*dir.*) mortgage 2 (*di motori*) ignition: *chiavetta d'*—, ignition-key.

accentare *v.tr.* to accent, to put* an accent (on sthg.); (*con la voce*) to stress.

accentato *agg.* accented; (*con la voce*) stressed.

accentazione *s.f.* accentuation.

accento *s.m.* accent; (*tonico*) stress // *porre l'*— *su qlco.*, (*fig.*) to stress sthg.

accentramento *s.m.* centralization; (*pol.*) centralism.

accentrare *v.tr.* to centralize.

accentratore *agg.* centralizing ♦ *s.m.* centralizer.

accentuare *v.tr.* to stress, to emphasize // *questo accentuò il disagio*, this accentuated the inconveniences.

accentuato *agg.* (*marcato*) marked.

accentuazione *s.f.* stress (on), emphasis (on).

accerchiamento *s.m.* encirclement.

accerchiare *v.tr.* to encircle, to surround.

accertabile *agg.* ascertainable, controllable.

accertamento *s.m.* check, verification; (*del reddito*) assessment: — *fiscale*, tax assessment.

accertare *v.tr.* to check, to verify; (*constatare*) to ascertain: — *la verità di un fatto*, to ascertain the truth of a fact // — *il reddito*, to assess // **-arsi** *v.rifl.* to make* sure.

acceso *agg.* 1 lit up; alight (*pred.*) // — *d'ira*, in a temper, in a rage // *una fantasia accesa*, a fervid imagination 2 (*di colore*) vivid, bright 3 (*in volto*) flushed.

accessibile *agg.* 1 accessible 2 (*di persona*) approachable 3 (*di idea ecc.*) easily understood 4 (*di prezzo*) reasonable.

accessibilità *s.f.* accessibility.

accessione *s.f.* (*dir.*) accession.

accesso *s.m.* 1 access, admittance: *libero* —, free admittance; *vietare l'*—, to refuse admittance; *vietato l'*—, no trespassing 2 (*attacco*; *impeto*) fit: *un* — *di febbre*, a fit of fever; *in un* — *di collera*, in a fit of rage 3 (*informatica*) access: — *casuale*, random access; — *diretto*, direct access; — *diretto per chiave*, (*IBM*) random by key access; — *sequenziale*, serial (*o* sequential) access.

accessorio *agg. e s.m.* accessory // **accessori** (*mecc.*) fittings.

accestire *v.intr.* (*bot.*) to tiller.

accetta *s.f.* hatchet // *fatto con l'*—, (*fig.*) rough-hewn

accettabile *agg.* acceptable.

accettare *v.tr.* to accept (sthg.), to agree (to sthg., to do), to consent (to sthg., to do): *accettò di andare*, he consented (*o* agreed) to go.

accettazione *s.f.* 1 acceptance // *mancata* — (*comm.*) non-acceptance 2 (*ufficio*) reception desk.

accetto *agg.* (*gradito*) appreciated: *ben* —, welcome.

accezione *s.f.* meaning.

acchiappare *v.tr.* to catch*, to seize.

acchito *s.m.* lead // *di primo* —, at the first go.

acciaccare *v.tr.* (*schiacciare*) to crush; (*ammaccare*) to dent.

acciaccatura *s.f.* 1 dent 2 (*mus.*) acciaccatura.

acciacco *s.m.* infirmity.

acciaiare *v.tr.* (*metall.*) 1 (*trasformare in acciaio*) to convert into steel 2 (*rinforzare con l'acciaio*) to reinforce with steel.

acciaieria *s.f.* steel-mill, steelworks.

acciaio *s.m.* steel: — *al carbonio*, carbon steel; — *dolce*, mild (*o* soft) steel; — *duro*, hard steel; — *inossidabile*, stainless steel; — *semiduro*, medium steel; *rivestito in* —, steel-clad (*o* steel-plated) // *ha una tempra d'*—, he has got great stamina.

acciambellarsi *v.rifl.* to curl up.

acciarino *s.m.* 1 steel 2 (*di armi da fuoco*) flintlock 3 (*di ruota*) linchpin.

acciarpare *v.tr.* 1 to bungle 2 (*raccogliere disordinatamente*) to bundle together.

accidempoli *inter.* (*fam.*) the deuce!, Good Heavens!

accidentale *agg.* 1 casual, accidental 2 (*non essenziale*) accessory, additional.

accidentato *agg.* (*di terreno*) uneven.

accidente *s.m.* 1 accident, mishap // *per* —, by chance 2 (*fam.*) (*colpo apoplettico*) stroke: *per poco non mi è venuto un* —!, I nearly had a fit!; *ti prenderai un* —, (*malanno*) you'll catch something // *mandare un* — *a qlcu.*, to send s.o. to hell // *quel bambino è un* —, that child is a little devil 3 (*fam.*) (*niente*) damn (thing): *non mi importa un* —!, I don't care a damn!; *non ci capisco un* —!, I can't understand a damn thing! 4 (*fil.*) accident.

accidenti, acciderba *inter.* good God!, damn!

accidia *s.f.* sloth.

accidioso *agg.* slothful, indolent.

accigliarsi *v.intr.pron.* to frown.

accingersi *v.rifl.* to set* about (sthg., doing); to be* on the point of (doing).

acciocché *cong.* (*letter.*) in order that, so that.

acciottolato *s.m.* cobbled paving.

acciottolio *s.m.* clatter.

accipicchia *inter.* good Lord!

acciuffare *v.tr.* to seize, to catch*.

acciuga *s.f.* anchovy // *pigiati come acciughe*, packed like sardines.

acclamare *v.tr.* 1 to acclaim, to hail 2 (*approvare a gran voce*) to cheer ♦ *v.intr.* (*approvare a gran voce*) to cheer.

acclamazione *s.f.* acclamation, applause.

acclima(ta)re *v.tr.*, **acclima(ta)rsi** *v.rifl.* to acclimatize.

acclima(ta)zione *s.f.* acclimatization.

accludere *v.tr.* to enclose.

accluso *agg.* enclosed.

accoccare v.tr. **1** (al fuso) to fasten to the tip **2** (una freccia) to set* (an arrow) on the bowstring.

accoccolarsi v.rifl. to crouch (down).

accodare v.tr. to line up // **-arsi** v.rifl. to line up // — a qlcu., to follow s.o.

accogliente agg. cosy, warm.

accoglienza s.f. reception; (buona) welcome: fare buona — a qlcu., to welcome s.o.

accogliere v.tr. **1** to receive; (bene) to welcome*: lo accolsero a braccia aperte, he was welcomed with open arms **2** (accettare) to grant, to agree (to sthg.): — una richiesta, to agree to a request **3** (contenere) to accommodate.

accoglimento s.m. → accettazione.

accolito s.m. acolyte.

accollare v.tr. (caricare troppo) to overload // — una responsabilità a qlcu., to saddle s.o. with a responsibility // accollarsi le spese di qlcu., to take upon oneself the expenses for sthg.

accollato agg. high-necked.

accollatura s.f. neckline.

accollo s.m. (comm. dir.) tender.

accolta s.f. (letter.) meeting, gathering.

accoltellare v.tr. to stab, to knife.

accoltellatore s.m. stabber.

accomandante s.m. e f. (comm. dir.) limited partner.

accomandatario s.m. (comm. dir.) acting partner.

accomandita s.f. (comm. dir.) limited partnership.

accomiatare v.tr. (congedare) to give* (s.o.) leave; (licenziare) to dismiss // **-arsi** v.rifl. to take* leave (of s.o.), to say* goodbye (to s.o.).

accomodamento s.m. (compromesso, accordo) arrangement, agreement.

accomodante agg. yielding.

accomodare v.tr. **1** (riparare) to repair, to mend; (mettere in ordine) to set* in order: è ora di farlo —, it's time to have it mended **2** (sistemare; appianare) to settle, to arrange: — una lite, to settle a quarrel // ora t'accomodo io!, now I'll fix you! // **-arsi** v.intr.pron. to come*out right: tutto si accomoderà, it will all come out right ♦ v.rifl. **1** (sedersi) to sit* down: prego, si accomodi, please, sit down **2** (mettersi a proprio agio) to make*oneself comfortable ♦ v.rifl.rec. (accordarsi) to come* to an agreement.

accompagnamento s.m. **1** (mus.) accompaniment **2** (seguito) retinue, suite.

accompagnare v.tr. to accompany // — un ragazzo a scuola, to take a boy to school; — qlcu. a casa, to see s.o. home; — una signora, to escort a lady; — una sposa all'altare, to give a bride away // — l'uscio, to close the door carefully // **-arsi** v.rifl. **1** to keep* company (with s.o.) **2** (armonizzarsi) to go* with **3** (con uno strumento) to accompany oneself: si accompagnava con la chitarra, he accompanied himself on the guitar.

accompagnatore s.m. **1** escort **2** (mus.) accompanist **3** (sport) team-manager.

accomunare v.tr. **1** (unire) to unite (anche fig.); (associare) to associate **2** (mettere in comune) to share.

acconciare v.tr. to dress.

acconciatore s.m. hairdresser.

acconciatura s.f. **1** hair style **2** (ornamento) headdress.

accoarcio agg. (letter.) (adatto) fit, proper; (opportuno) convenient.

accondiscendere v.intr. to condescend; (accon-sentire) to consent // — ai desideri di qlcu., to comply with s.o.'s wishes.

acconsentire v.intr. to consent, to agree: — a una richiesta, to agree to a request.

accontentare v.tr. to satisfy, to content: mi piacerebbe accontentarti, ma..., I wish I could say yes, but... // **-arsi** v.rifl. to be* satisfied (with sthg.), to be* content (with sthg.).

acconto s.m. account: in —, on account; dare, lasciare un —, to leave a deposit.

accoppare v.tr. (pop.) to bump off.

accoppiamento s.m. **1** coupling **2** (fig.) matching.

accoppiare v.tr. **1** to couple; (appaiare) to pair **2** (fig.) to match // **-arsi** v.rifl. e rifl.rec. to couple, to mate // si sono accoppiati bene, they are made for each other.

accoppiata s.f. (ippica) double.

accoramento s.m. grief, heartache.

accorare v.tr. to grieve // **-arsi** v.intr.pron. to grieve (at, for sthg.).

accoratamente avv. sadly, sorrowfully.

accorato agg. sad, sorrowful.

accorciamento s.m. shortening.

accorciare v.tr. to shorten, to make* shorter ♦ v.intr. **-arsi** v.intr.pron. to become* short(er) // le giornate si stanno accorciando, days are drawing in.

accordare v.tr. **1** (concedere) to grant **2** (mus.) to tune (up) **3** (armonizzare) to match **4** (conciliare) (persone) to conciliate; (idee ecc.) to reconcile // **-arsi** v.rifl. e rifl.rec. to agree, to come* to an agreement.

accordato agg. **1** granted **2** (mus.) well-tuned.

accordatore s.m. tuner.

accordatura s.f. tuning.

accordo s.m. **1** agreement, consent: come d'—, as agreed; di comune —, by mutual (o common) consent; (siamo) d'—!, (we are) agreed!; essere, trovarsi d'—, to agree; mettersi d'—, giungere ad un —, to reach an agreement // andare d'— con qlcu., to get on well with s.o. **2** (mus.) chord.

accorgersi v.intr.pron. to notice (s.o., sthg.); (rendersi conto) to realize (sthg.); (divenire consapevole) to become* aware (of sthg.); non si accorse di me, he didn't notice me; mi accorsi di aver torto, I realized I was wrong; quando se ne accorse era troppo tardi, when he realized, it was too late; — del pericolo, to become aware of the danger // senza —, (inavvertitamente) inadvertently; (con facilità) with the greatest ease. ◦

accorgimento s.m. **1** (sagacia) sagacity, shrewdness **2** (espediente) trick.

accorrere v.intr. to run*, to hasten // — in aiuto di qlcu., to rush to the help of s.o.

accortezza s.f. (sagacia) sagacity, shrewdness; (astuzia) cunning.

accorto agg. (sagace) shrewd, sagacious; (astuto) cunning.

accosciarsi v.rifl. to squat (down).

accostamento s.m. (di colori, stili ecc.) matching.

accostare v.tr. **1** (mettere vicino) to put* near; (tirare vicino) to draw* near (sthg.), to draw* (sthg.) up to (s.o., sthg.): accostò a sé la sedia, he drew the chair up to himself **2** (persone) to approach **3** (porte, finestre) to set* ajar ♦ v.intr. **1** (avvicinarsi) to draw* in (to sthg.), to draw* alongside (sthg.): la nave stava accostando alla banchina, the ship was drawing in to the pier; accosta qui sul marciapiede, pull in here to the kerb **2** (mar.) (cambiar direzione) to turn // **-arsi** v.rifl.

to come* near (s.o., sthg.); to go* near (s.o., sthg.) //
— *all'Eucarestia*, to receive Holy Communion.
accostata *s.f.* (*mar.*) turn.
accostato *agg.* set ajar.
accosto *avv.* e *prep.* close (to): *fatti —*, come close //
la casa — alla nostra, the house next to ours // *camminare — al muro*, to hug the wall.
accovacciarsi *v.rifl.* to crouch (down).
accozzaglia *s.f.*, **accozzame** *s.m.* (*di cose*) mess, muddle; (*di persone*) strange mixture.
accozzare *v.tr.* (*cose*) to muddle; (*persone*) to mix (together).
accozzo *s.m.* mess, muddle.
accreditabile *agg.* creditable.
accreditare *v.tr.* **1** (*avvalorare*) to give* credit (to
sthg.) **2** (*un diplomatico*) to accredit **3** (*comm.*) to
credit.
accreditato *agg.* **1** qualified **2** (*munito di credenziali*) accredited.
accredito *s.m.* (*comm.*) credit.
accrescere *v.tr.* to augment.
accrescimento *s.m.* growth, increase.
accrescitivo *agg.* e *s.m.* (*gramm.*) augmentative.
accucciarsi *v.rifl.* to crouch (down); (*rannicchiarsi*) to
curl up.
accudire *v.intr.* to attend, to look (after sthg.) // *—
alle faccende domestiche*, to do the housework.
accumulare *v.tr.* to accumulate.
accumulatore *s.m.* **1** accumulator; (*aut.*) (storage)
battery **2** (*informatica*) accumulator.
accumulo *s.m.* heap.
accuratamente *avv.* carefully.
accuratezza *s.f.* care, thoroughness.
accurato *agg.* careful, thorough: *un'accurata perquisizione*, a thorough search.
accusa *s.f.* **1** accusation, charge **2** (*dir.*) indictment,
charge; (*per alto tradimento*) impeachment: *atto, capo
d'—*, bill, count of indictment; *testimone d'—*, witness for the prosecution; *l'— è di omicidio*, the charge
is (of) murder; *muovere un'— a qlcu.*, to bring a
charge against s.o. // *la Pubblica Accusa*, the Public
Prosecutor; (*amer.*) the District Attorney; *l'Accusa
ha chiesto vent'anni*, the Public Prosecutor asked for
twenty years.
accusare *v.tr.* **1** to accuse, to charge: *— qlcu. di assassinio*, to accuse s.o. of (*o* to charge s.o. with) murder;
— qlcu. di alto tradimento, to impeach s.o. // *— il destino*, (*fig.*) to blame fate **2** (*sentire*) to feel*: *— un forte
dolore*, to feel a severe pain // *— il colpo*, (*fig.*) to feel
hurt **3** (*comm.*) to acknowledge **4** (*a carte*) to declare.
accusativo *agg.* e *s.m.* (*gramm.*) accusative.
accusato *s.m.* (*dir.*) accused, defendant.
accusatore *s.m.* accuser; (*dir.*) prosecutor.
accusatorio *agg.* accusatory.
acefalo *agg.* acephalous; headless.
acerbità *s.f.* **1** unripeness **2** (*asprezza, durezza*)
sharpness.
acerbo *agg.* **1** unripe, green // *è un ragazzo ancora
—*, he is still very young **2** (*aspro*) sharp (*anche fig.*).
acero *s.m.* maple.
acerrimo *agg.superl.* implacable.
acetato *s.m.* acetate.
acetico *agg.* (*chim.*) acetic.
acetificare *v.tr.* to acetify.
acetilene *s.m.* acetylene.
acetilsalicilico *agg.* acetylsalicylic.

aceto *s.m.* vinegar.
acetone *s.m.* **1** (*chim.*) acetone **2** (*per unghie*) na
polish remover.
acetosa *s.f.* (*bot.*) garden sorrel.
acetosella *s.f.* (*bot.*) wood sorrel.
acetoso *agg.* vinegary, sour.
acheo *agg.* e *s.m.* (*st.*) Achaean.
Acheronte *no.pr.m.* (*geogr. mit.*) Acheron.
Achille *no.pr.m.* Achilles.
achillea *s.f.* (*bot.*) yarrow.
aciclico *agg.* acyclic.
acidificare *v.tr.* to acidify.
acidità *s.f.* acidity (*anche fig.*).
acido *agg.* acid (*anche fig.*) ♦ *s.m.* acid.
acidulo *agg.* acidulous.
acino *s.m.* grape; (*di ribes ecc.*) berry.
acme *s.f.* **1** acme **2** (*di malattia*) crisis* (*pl.* crises).
acne *s.m.* acne.
aconfessionale *agg.* (*relig.*) nondenominational
(*pol.*) nonsectarian.
aconito *s.m.* (*bot.*) aconite.
acqua *s.f.* **1** water: *— di mare*, sea water; *— dolce
salata*, fresh, salt water; *— minerale*, mineral water;
piovana, rain water; *— potabile*, drinking water // *— d
colonia*, eau de Cologne; *— ossigenata*, (*chim.*) hydro
gen peroxide // *sott'acqua*, underwater // *corso d'—
stream* (*o* water-course) *— cheta*, (*fig.*) sly person
(*fam.*) slyboots // *— in bocca!*, keep it under your hat
// *avere l'— alla gola*, to be in a tight corner // *fare —
to leak* // *fare un buco nell'—*, to beat the air // *metter
— sul fuoco*, to pour oil on troubled waters // *in cattive
acque*, in deep waters // *è — passata*, it's all water under the bridge // *ne è passata di — sotto i ponti!*, that's
a long time ago! **2** (*pioggia*) rain: *prese molt'—*, he go
drenched (*o* soaked) **3** (*di pietra preziosa*) water: *della
più bell'—*, (*di diamante*) of the first water.
acquaforte *s.f.* etching.
acquaio *s.m.* (kitchen) sink.
acquaiolo *s.m.* water-carrier.
acquamarina *s.f.* aquamarine.
acquaplano *s.m.* aquaplane.
acquaragia *s.f.* turpentine.
acquarello e *deriv.* → **acquerello** e *deriv.*
acquario *s.m.* aquarium // *l'Acquario*, (*astr.*) Aquarius.
acquartierare *v.tr.*, **acquartierarsi** *v.rifl.* to quarter.
acquasanta *s.f.* holy water.
acquasantiera *s.f.* (holy water) font.
acquatico *agg.* aquatic.
acquattarsi *v.rifl.* **1** to crouch (down); (*accosciarsi*) to
squat (down) **2** (*nascondersi*) to hide (out).
acquavite *s.f.* aqua vitae, spirits (*pl.*).
acquazzone *s.m.* shower.
acquedotto *s.m.* aqueduct.
acqueo *agg.* aqueous.
acquerellare *v.tr.* to paint with watercolours.
acquerellista *s.m.* e *f.* watercolourist.
acquerello *s.m.* watercolour.
acquerugiola *s.f.* drizzle.
acquicoltura *s.f.* aquiculture.
acquiescente *agg.* acquiescent.
acquiescenza *s.f.* acquiescence.
acquietare *v.tr.* to appease, to calm (down) // **-arsi**
v.rifl. to become* appeased, to quieten down.
acquifero *agg.* aquiferous: *falda acquifera*, aquifer.
acquirente *s.m.* e *f.* buyer.
acquisire *v.tr.* to acquire.

acquisito *agg.* acquired // *parente* —, in-law.

acquisizione *s.f.* **1** acquisition **2** (*informatica*) acquisition; collection: — *dati*, data acquisition (*o* collection); — *memoria*, storage acquisition.

acquistabile *agg.* purchasable.

acquistare *v.tr.* **1** to buy*, to purchase **2** (*ottenere*) to acquire, to get*, to obtain; (*guadagnare*) to gain: — *terreno*, to gain ground // *acquistarsi fama di*, to get a reputation for // *ti acquisterai molti amici*, you'll make a lot of friends ♦ *v.intr.* to improve: *ha acquistato in salute*, his health has improved.

acquisto *s.m.* purchase: *potere d'*—, purchasing power // *fare acquisti*, to do some shopping // *un buon* —, (*fam.*) a good buy.

acquitrino *s.m.* marsh, swamp, bog.

acquitrinoso *agg.* marshy, swampy, boggy.

acquolina *s.f.*: *far venire l'*— *in bocca a qlcu.*, to make s.o.'s mouth water.

acquoso *agg.* watery; (*acquitrinoso*) boggy.

acre *agg.* pungent, acrid, sharp (*anche fig.*).

acredine *s.f.* acridity; (*fig.*) acrimony.

acremente *avv.* pungently, acridly, sharply.

acrilico *agg.* acrylic: *filato* —, acrylic yarn.

acrimonia *s.f.* acrimony, pungency.

acrimonioso *agg.* acrimonious, pungent, harsh.

acro *s.m.* acre.

acrobata *s.m. e f.* acrobat.

acrobatico *agg.* acrobatic.

acrobatismo *s.m.* acrobatics (*pl.*), acrobatism.

acrobazia *s.f.* acrobatics (*pl.*).

acrocoro *s.m.* plateau.

acromatico *agg.* achromatic.

acronimo *s.m.* acronym (*anche informatica*).

acropoli *s.f.* acropolis.

acrostico *s.m.* acrostic.

acuire *v.tr.* to sharpen (*spec. fig.*).

aculeo *s.m.* aculeus (*pl.* aculei).

acume *s.m.* acumen, insight.

acuminare *v.tr.* to sharpen.

acuminato *agg.* sharp, pointed.

acustica *s.f.* acoustics.

acustico *agg.* acoustic // *apparecchio* —, hearing aid // *chitarra acustica*, acoustic guitar.

acutangolo *agg.* acute-angled.

acutezza *s.f.* acuteness.

acutizzare *v.tr.* to make* acute // **-arsi** *v.intr.pron.* to become* acute.

acuto *agg.* **1** acute; (*a punta*) pointed **2** (*violento, intenso*) intense, acute: *freddo* —, piercing cold; *malattia acuta*, acute illness **3** (*perspicace*) sharp, subtle: *ha una mente acuta*, he's keen-witted **4** (*di suono*) shrill **5** *accento* —, (*fonetica*) acute accent ♦ *s.m.* (*mus.*) high note.

adagiare *v.tr.* to lay* down gently, to put* down with care // **-arsi** *v.rifl.* to lie* down.

adagio[1] *avv.* **1** slowly **2** (*con delicatezza*) gently, carefully **3** (*a voce bassa*) low, softly ♦ *s.m.* (*mus.*) adagio.

adagio[2] *s.m.* (*proverbio*) adage, saying.

adamantino *agg.* adamantine (*anche fig.*).

adamitico *agg.* Adamic(al) // *in costume* —, (*scherz.*) in one's birthday suit.

Adamo *no.pr.m.* Adam.

adattabile *agg.* adaptable.

adattabilità *s.f.* adaptability.

adattamento *s.m.* adaptation.

adattare *v.tr.* to adapt, to adjust // **-arsi** *v.rifl.* **1** to adapt oneself, to adjust oneself: — *alle circostanze*, to adapt oneself to circumstances **2** (*rassegnarsi*) to resign oneself **3** (*di abito ecc.*) to fit (s.o., sthg.) **4** (*essere consono*) to suit (s.o., sthg.).

adattatore *s.m.* **1** (*mecc.*) adapter **2** (*informatica*) converter.

adatto *agg.* suitable (for), fit (for); (*giusto*) right: *è l'uomo* —, he's just the right man; *è la persona meno adatta per quel lavoro*, he is the worst choice for that work; *è la persona meno adatta per criticare*, he should be the last one to criticise.

addebitare *v.tr.* **1** to charge (sthg.) to s.o.'s account **2** (*fig.*) to charge (s.o. with sthg.).

addebito *s.m.* **1** debit: *nota di* —, debit note **2** (*accusa*) charge.

addendo *s.m.* addendum (*pl.* addenda).

addensamento *s.m.* **1** thickening; (*di nubi*) gathering **2** (*di persone*) crowd.

addensare *v.tr.* to thicken // **-arsi** *v.rifl.* **1** to thicken; (*di nuvole*) to gather **2** (*accalcarsi*) to throng (sthg.), to crowd (sthg.).

addentare *v.tr.* **1** to bite* **2** (*pane, mela ecc.*) to bite* (into sthg.).

addentellato *s.m.* **1** (*edil.*) toothing **2** *pl.* (*fig.*) (*appoggi*) contacts: *ha molti addentellati al ministero*, he can pull strings at the ministry **3** *pl.* (*fig.*) (*agganci, punti in comune*) connections: *questo episodio ha degli addentellati con lo spionaggio industriale*, this event has connections with industrial espionage.

addentrarsi *v.intr.pron.* to penetrate // — *in una questione*, to go into a question.

addentro *avv.* deep // *essere* — *in una questione*, to know a matter thoroughly.

addestramento *s.m.* training; (*mil.*) drilling.

addestrare *v.tr.*, **addestrarsi** *v.rifl.* to train; (*mil.*) to drill.

addetto *agg.* in charge (of sthg.); (*di ufficiale, diplomatico ecc.*) appointed.

addì *avv.*: — *23 luglio*, (on) the 23rd of July.

addiaccio *s.m.* (*bivacco*) bivouac // *dormire all'*—, to sleep in the open.

addietro *avv.* **1** (*letter.*) → indietro **2** (*fa*) ago; (*prima*) before // *per l'*—, in the past.

addio *s.m.* (*distacco*) parting; *pl.* (*saluti*) greetings // *dire* — *a qlcu.*, to say goodbye to s.o. // *discorso, festa di* —, a farewell speech, party ♦ *inter.* goodbye; (*fam.*) bye-bye; (*poet.*) farewell.

addirittura *avv.* **1** (*direttamente*) straight **2** (*senza indugio*) straight away **3** (*decisamente, veramente*) quite; (*completamente*) absolutely **4** (*persino*) even ♦ *inter.* go on!

addirsi *v.intr.pron.* to suit (s.o.), to become* (s.o.).

additare *v.tr.* to point (at s.o., sthg.); (*mostrare*) to point out, to show: — *il cammino a qlcu.*, to show s.o. the way.

additivo *s.m.* additive.

addivenire *v.intr.*: — *a un accordo*, to come* to an understanding (*o* agreement).

addizionale *agg.* additional, supplementary.

addizionare *v.tr.* **1** to add up, to sum up **2** (*informatica*) to add: — *una cifra troppo elevata*, to add over; — *una cifra troppo bassa*, to add short.

addizione *s.f.* **1** addition **2** (*informatica*) addition; (*rar.*) add: — *in parallelo*, parallel addition; — *seriale*, serial addition.

addobbare *v.tr.* to adorn, to decorate; (*persona*) to dress up // **-arsi** *v.rifl.* to dress up.

addobbo *s.m.* decoration; hangings (*pl.*).

addolcire *v.tr.* **1** to sweeten **2** (*fig.*) to soften: *gli anni gli hanno addolcito il carattere*, age has softened his character **3** (*calmare*) to soothe **4** (*metalli*) to soften // **-irsi** *v.intr.pron.* to soften; (*spec. di clima*) to grow* mild(er).

addolorare *v.tr.* to distress; (*ferire, offendere*) to hurt* s.o.'s feelings // *mi addolora sapere che...*, it grieves me to hear that...; *ne sono addolorato*, (*spiacente*) I regret (*o* I am sorry) // **-arsi** *v.intr.pron.* to be* grieved (at sthg.); (*essere spiacente*) to regret, to be* sorry.

addome *s.m.* abdomen.

addomesticabile *agg.* tamable.

addomesticare *v.tr.* to tame (*anche fig.*).

addomesticato *agg.* **1** tame **2** (*fig.*) rigged.

addominale *agg.* abdominal.

addormentare *v.tr.* **1** to put* to sleep; (*spec. di libro, spettacolo che annoia*) to send* to sleep; — *cullando*, to rock to sleep **2** (*calmare*) to soothe **3** (*anestetizzare*) to put* to sleep; (*una parte*) to anaesthetize // **-arsi** *v.intr.pron.* **1** to fall* asleep, to go* to sleep: *stenta sempre ad —*, he always has difficulty in getting to sleep // — *sugli allori*, to rest on one's laurels **2** (*intorpidirsi*) to go* to sleep: *mi si è addormentata una gamba*, I've got pins and needles in my leg.

addormentato *agg.* **1** asleep (*pred.*), sleeping **2** (*assonnato*) sleepy **3** (*tonto*) dozy; (*spec. di mente ecc.*) dull **4** (*intorpidito*) numb.

addossare *v.tr.* **1** (*appoggiare*) to lean*: *bisognerà — il tavolo alla parete*, the table will have to be placed against the wall **2** (*fig.*): — *a qlcu. la responsabilità di qlco.*, to hold s.o. responsible for sthg.; — *una colpa a qlcu.*, to put the blame on s.o. // *addossarsi un peso*, to shoulder a burden; *addossarsi la responsabilità di qlco.*, to take the responsibility for sthg. // **-arsi** *v.rifl.* (*appoggiarsi*) to lean* (against sthg.); (*per ripararsi*) to huddle (against sthg.).

addosso *avv.* on // (*dagli*) —!, get him, her (etc.)! // *d'—*: *non gli toglieva gli occhi d'—*, he did not take his eyes off him; *levarsi qlco., qlcu. d'—*, (*sbarazzarsene*) to get rid of sthg., s.o. // *avere — l'influenza ecc.*, to have influenza etc. // *avere il diavolo —*, to be possessed // **addosso a** *locuz.prep.* **1** on: *mettersi qlco. —*, to put sthg. on (*o* to put on sthg.) // *gettare qlco. — a qlcu.*, to throw sthg. at s.o., (*liquido, coperta ecc.*) to throw sthg. over s.o. // *gettarsi — a qlcu.* to jump on s.o.; (*assalirlo*) to attack s.o. // *gli stava sempre — perché finisse il lavoro*, he was always on at him to finish the work // *mettere le mani — a qlcu.*, (*colpirlo*) to hit s.o.; (*afferrarlo*) to catch s.o. // *non gli metta le mani —!*, keep your hands off him!; *mettere gli occhi — a qlcu., qlco.*, (*tenerlo d'occhio*) to keep an eye on s.o., sthg.; (*adocchiarlo*) to have one's eye on s.o., sthg. // *dare — a qlcu.*, (*assalirlo*) to attack s.o. (*anche fig.*); (*avercela con qlcu.*) to have it in for s.o. **2** (*vicino a*) close to // *essere uno — all'altro*, to be packed tight.

addottorarsi *v.rifl.* to graduate.

addottrinare *v.tr.* to indoctrinate.

addurre *v.tr.* to produce, to bring* forward; (*citare*) to quote // — *come scusa*, to plead.

adduzione *s.f.* adduction.

adeguamento *s.m.* (*di salari, prezzi*) adjustment.

adeguare *v.tr.* to adjust; (*proporzionare*) to make* fit (sthg.) // **-arsi** *v.rifl.* to adapt oneself.

adeguato *agg.* adequate; (*equo*) fair; (*proporzionato a*) in proportion to.

adempiere *v.tr.* to fulfil; (*eseguire*) to carry out ♦ *v.intr.* to fulfil: — *ai propri doveri*, to fulfil one's duties // **-ersi** *v.intr.pron.* to be* fulfilled; (*avverarsi*) to come* true.

adempimento *s.m.* fulfilment; carrying out.

adenoidi *s.f.pl.* adenoids.

adenoma *s.m.* (*med.*) adenoma.

adepto *s.m.* follower.

aderente *agg.* **2** (*di abito ecc.*) tight, close-fitting **2** (*fig.*) close (to sthg.) // — *ai fatti*, sticking to the facts ♦ *s.m.* supporter, follower.

aderenza *s.f.* **1** adhesion (*anche med.*) **2** *pl.* (*relazioni*) connexions, connections.

aderire *v.intr.* **1** to stick* (*anche fig.*) **2** (*accondiscendere; accettare*) (*a desideri, richieste*) to comply (with sthg.); (*a proposta, clausola*) to agree (to sthg.); (*a invito*) to accept (sthg.) **3** (*associarsi*) (*a partito*) to join* (sthg.); (*a sottoscrizione*) to subscribe (to sthg.); (*a opinione*) to agree (with sthg.)

adescamento *s.m.* enticement.

adescare *v.tr.* to lure, to entice; to wheedle.

adescatore *s.m.* wheedler.

adesione *s.f.* **1** adhesion **2** (*appoggio*) support; (*consenso*) assent; (*accettazione*) acceptance // *dare la propria — a qlco.* → *aderire* // *ritirare la propria — da un partito*, to leave a party.

adesivo *agg. e s.m.* adhesive // *gli adesivi*, (*etichette pubblicitarie*) stickers.

adesso *avv.* now; (*al giorno d'oggi*) nowadays; (*or ora*) just (now) // *da — in poi*, from now on // *fino —*, till now // *per —*, for the time being (*o* for the moment).

adiacente *agg.* adjacent (*anche geom.*); (*a contatto*) adjoining // — *a*, next to.

adiacenza *s.f.* nearness, vicinity // *nelle immediate adiacenze di...*, very close to...

adibire *v.tr.* to turn (into sthg.): *la stanza fu adibita a ufficio*, the room was turned into an office.

adimensionale *agg.* dimensionless.

adipe *s.m.* fat; (*pinguedine*) fatness.

adiposità *s.f.* adiposity; (*med.*) adiposis.

adiposo *agg.* adipose; (*grasso*) fat.

adirarsi *v.intr.pron.* to get* angry, to lose* one's temper.

adire *v.tr.* (*dir.*): — *un'eredità*, to take possession of an inheritance; — *un tribunale*, to apply to a court; — *le vie legali*, to start legal proceedings.

adito *s.m.* entry, access // *dare — a qlco.*, (*fig.*) to give cause for sthg. // *non dare — a speranze*, to allow no hope.

adocchiare *v.tr.* **1** to eye **2** (*scorgere*) to spot.

adolescente *agg.* adolescent ♦ *s.m.* youth, teenager, teenage boy ♦ *s.f.* girl, teenager, teenage girl.

adolescenza *s.f.* adolescence, youth; (*fam.*) teens.

Adolfo *no.pr.m.* Adolph.

adombrare *v.tr.* (*celare*) to hide*, to conceal // **-arsi** *v.intr.pron.* **1** (*di cavallo*) to shy **2** (*offendersi*) to resent (sthg.), to take* offence (at sthg.).

Adone *no.pr.m.* Adonis // **adone** *s.m.* Adonis.

adontarsi *v.intr.pron.* to take* offence (at sthg.).

adop(e)rare *v.tr.* to employ, to use // **-arsi** *v.rifl.* to endeavour, to take* great pains, to do* one's utmost.

adorabile *agg.* adorable, charming.

adorare *v.tr.* to adore, to worship.

adoratore *s.m.* adorer, worshipper.

adorazione *s.f.* adoration, worship.

adornare *v.tr.* to adorn, to deck out // **-arsi** *v.rifl.* to adorn oneself.

adorno *agg.* adorned (with).

adottabilità *s.f.* (*dir.*) adoptability: *dichiarare lo stato di — di un bambino*, to declare a child free for adoption; *non c'è lo stato di —*, there's no order freeing the child for adoption.

adottare *v.tr.* to adopt (*anche fig.*).

adottivo *agg.* adoptive.

adozione *s.f.* adoption: *il mio paese di —*, my adopted country.

adrenalina *s.f.* adrenalin.

Adriano *no.pr.m.* Adrian; (*st. romana*) Hadrian.

adriatico *agg.* Adriatic // **Adriatico, l'** *no.pr.m.* the Adriatic.

adulare *v.tr.* to flatter, to adulate.

adulatore *s.m.* flatterer, adulator.

adulatorio *agg.* flattering, adulatory.

adulazione *s.f.* flattery, adulation.

adultera *s.f.* adulteress.

adulterare *v.tr.* to adulterate.

adulterato *agg.* adulterated.

adulterazione *s.f.* adulteration.

adulterino *agg.* adulterine.

adulterio *s.m.* adultery.

adultero *s.m.* adulterer.

adulto *agg.* e *s.m.* adult, grown-up.

adunanza *s.f.* assembly, meeting: *diritto di —*, freedom of assembly; *indire un'—*, to call a meeting.

adunare *v.tr.*, **adunarsi** *v.intr.pron.* to assemble, to gather; to muster (*spec. mil.*).

adunata *s.f.* **1** (*mil.*) muster: *—!*, fall in! (*o form up!*) **2** (*riunione*) assembly, gathering.

adunco *agg.* hooked.

aerare *v.tr.* to air.

aeratore *s.m.* ventilator.

aerazione *s.f.* airing.

aereo[1] *agg.* **1** aerial, air (*attr.*) **2** (*fig.*) airy, aerial.

aereo[2] *s.m. abbr.* di **aeroplano**.

aeriforme *agg.* (*fis.*) aeriform.

aero-[1] *pref.* (*aria*) aero-.

aero-[2] *pref.* (*aviazione*) air-, aero-.

aerobrigata *s.f.* (*aer.*) wing.

aerodinamica *s.f.* aerodynamics.

aerodinamico *agg.* **1** aerodynamic // *freno —*, (*aer.*) airbrake **2** (*di linea affusolata*) streamlined.

aerodromo *s.m.* aerodrome; (*amer.*) airdrome.

aerofaro *s.m.* (*aer.*) air-beacon.

aerolito *s.m.* (*geol.*) aerolite.

aeromobile *s.m.* aircraft.

aeromodello *s.m.* model aircraft.

aeronauta *s.m.* e *f.* aeronaut.

aeronautica *s.f.* aeronautics // *Aeronautica Militare*, Air Force.

aeronautico *agg.* aeronautical.

aeronavale *agg.* air-sea (*attr.*).

aeronave *s.f.* airship; (*spaziale*) spacecraft, spaceship.

aeronavigazione *s.f.* air navigation.

aeroplano *s.m.* (aero)plane, (air)plane, aircraft; *— a reazione*, jet plane; *— da bombardamento*, bomber; *— da carico*, cargo plane; *— da combattimento*, fighter plane; *— di linea*, airliner; *— monomotore, multimotore*, single-engined aircraft, multi-engined aircraft; *— radiocomandato*, pilotless aircraft; *viaggiare in —*, to travel by plane.

aeroporto *s.m.* airport.

aeroportuale *agg.* airport (*attr.*).

aerosol *s.m.* aerosol.

aerostatica *s.f.* aerostatics.

aerostatico *agg.* aerostatic.

aerostat *s.m.* aerostat.

aerostazione *s.f.* air terminal.

afa *s.f.* sultriness.

afasia *s.f.* (*med.*) aphasia.

afelio *s.m.* (*astr. fis.*) aphelion.

affabile *agg.* affable, amiable.

affabilità *s.f.* affability, amiability.

affaccendarsi *v.rifl.* to busy oneself (with sthg., doing).

affaccendato *agg.* busy.

affacciare *v.tr.* (*esporre*) to put* forward // *— un dubbio*, to raise a doubt // **-arsi** *v.rifl.* **1** (*mostrarsi*) to show oneself (at sthg.), to appear (at sthg.) **2** (*presentarsi alla mente*) to occur (to s.o.) **3** (*dare su*) to face, to look out (on): *la finestra si affacciava sul cortile*, the window looked out on the courtyard.

affamare *v.tr.* to starve (out), to reduce to starvation.

affamato *agg.* **1** hungry, starving **2** (*fig.*) eager (for).

affamatore *s.m.* starver.

affannare *v.tr.* to trouble, to worry // **-arsi** *v.rifl.* **1** (*provare affanno*) to worry **2** (*affaccendarsi*) to bustle about, to busy oneself // *non affannarti!*, don't flog yourself to death!

affanno *s.m.* **1** difficulty in breathing; (*med.*) dyspn(o)ea **2** (*fig.*) anxiety.

affannoso *agg.* (*di respiro*) difficult // *vita affannosa*, difficult life; *lavoro —*, hectic work.

affardellare *v.tr.* to bundle up: *— lo zaino*, (*mil.*) to pack one's kitbag.

affare *s.m.* **1** affair; (*faccenda*) matter // *questo è un altro —*, that is another question // *è — di un attimo*, it won't take a minute // *non farne un — di stato!*, (*fam.*) don't make such a fuss about it! // *questo è — tuo*, this is your business **2** (*comm.*) business (*solo sing.*): *i suoi affari vanno a gonfie vele*, his business is thriving; *parlare d'affari*, to talk business; *viaggiare per affari*, to travel on business // *uomo d'affari*, businessman // *— fatto!*, that's settled! (*o* done!) **3** (*acquisto vantaggioso*) bargain: *fare un cattivo —*, to make a bad bargain; *non ho fatto certo un —, ma...*, it was no bargain, but... **4** (*fam.*) (*oggetto*) what-d'ye-call-it, whatnot: *che cos'è quell'—?*, what's that what-d'ye-call-it (*o* whatnot)?

affarismo *s.m.* mercantilism.

affarista *s.m.* speculator.

affarone *s.m.* bargain, very good business.

affascinante *agg.* charming, enchanting.

affascinare *v.tr.* to fascinate, to charm; to enchant.

affastellare *v.tr.* **1** to bundle up **2** (*ammucchiare*) to heap (up), to pile (up).

affaticare *v.tr.* to tire, to make* weary: *vedi di non affaticarlo*, try not to tire him // *— gli occhi*, to strain one's eyes // **-arsi** *v.rifl.* to tire oneself out (doing), to get* tired (doing): *— a furia di parlare*, to talk oneself tired.

affatto *avv.* **1** quite, absolutely **2** (*con negazione*) at all: *niente —*, not at all (*o* not in the least).

affatturare *v.tr.* to bewitch.

affé *inter.* (*antiq.*) (in) faith!

affermare *v.tr.* **1** (*dichiarare*) to affirm, to declare **2** (*letter.*) (*sostenere*) to assert: *— i propri diritti*, to assert one's rights // **-arsi** *v.rifl.* to make* a name for oneself, to be* successful; (*di prodotto*) to gain a hold (upon s.o., sthg.).

affermativamente *avv.* affirmatively.

affermativo *agg.* affirmative.

affermazione *s.f.* **1** affirmation, assertion **2** (*successo*) success.

afferrare *v.tr.* **1** to seize, to get* hold (of s.o., sthg.), to catch* **2** (*fig.*) to grasp // **-arsi** *v.rifl.* to clutch (at s.o., sthg.).

affettare[1] *v.tr.* (*tagliare a fette*) to slice (up).

affettare[2] *v.tr.* (*ostentare*) to affect, to feign.

affettato[1] *s.m.* sliced ham; sliced salami.

affettato[2] *agg.* (*ostentato*) affected, snobbish.

affettatrice *s.f.* slicing machine, slicer.

affettazione *s.f.* (*ostentazione*) affectation.

affettivo *agg.* affective.

affetto[1] *agg.* suffering (from sthg.) // *beni affetti da ipoteca*, (*dir.*) mortgaged property.

affetto[2] *s.m.* affection; love.

affettuosità *s.f.* affectionateness; fondness; love: — *di modi*, affectionate ways.

affettuoso *agg.* loving, affectionate // *saluti affettuosi da Giorgio*, love from George.

affezionarsi *v.rifl.* to become* fond (of s.o., sthg.) ♦ *v. rifl.rec.* to become* fond (of each other, one another).

affezionato *agg.* affectionate, fond; loving.

affezione *s.f.* **1** affection, fondness; love **2** (*med.*) affection.

affiancare *v.tr.* **1** (*mettere vicino*) to put* beside; (*mettere fianco a fianco*) to put* side by side: *gli fu affiancato un tecnico*, a technician was assigned to collaborate with him **2** (*aiutare*) to have* the assistance of (s.o.): *in quel progetto sarà affiancato da un tecnico*, he will have the assistance of a technician on that project **3** (*mil.*) to flank **4** (*mar.*) to come* alongside **5** (*appoggiare, sostenere*) to stand* by (s.o.): — *qlcu. nella lotta*, to stand by s.o. in the struggle // **-arsi** *v.rifl.* **1** to come* up by the side (of s.o., sthg.) **2** (*fig.*) to collaborate: *mi affiancherò a mio fratello in quel lavoro*, I'll collaborate with my brother in that work.

affiatamento *s.m.* harmony.

affiatarsi *v.intr.pron.* to get* on well (together).

affibbiare *v.tr.* **1** to buckle, to clasp **2** (*addossare*) to saddle (s.o. with sthg.); (*dare*) to give* // — *un soprannome a qlcu.*, to nickname s.o.

affidabilità *s.f.* reliability (*anche informatica*).

affidamento *s.m.* trust, confidence, reliance: *non mi dà grande —*, I don't trust him much.

affidare *v.tr.* **1** to entrust // — *alla memoria*, to commit to memory **2** (*confidare*) to confide // **-arsi** *v.rifl.* to rely (up) on (s.o., sthg.); (*avere fiducia in*) to trust (s.o., sthg.): *mi affido a voi*, I rely (up)on you; *mi affido al vostro buon senso*, I trust your common sense.

affievolire *v.tr.* to weaken // **-irsi** *v.intr.pron.* to grow* weak.

affiggere *v.tr.* to post up, to placard.

affilare *v.tr.* (*dare il filo*) to sharpen; (*sul cuoio*) to strop; (*sulla mola*) to grind; (*sulla pietra*) to hone // **-arsi** *v. intr.pron.* to get* thin.

affilato *agg.* **1** sharp **2** (*di viso*) thin.

affilatrice *s.f.* sharpening machine, sharpener.

affilatura *s.f.* sharpening.

affiliare *v.tr.* to affiliate, to associate // **-arsi** *v.rifl.* to become* a member (of sthg.), to join (sthg.).

affiliato *agg.* e *s.m.* affiliate, associate.

affiliazione *s.f.* affiliation.

affinare *v.tr.* **1** (*perfezionare*) to improve, to refine **2** (*assottigliare*) to make* thin(ner), to thin **3** (*metall.*) to refine // **-arsi** *v.rifl.* (*diventare migliore*) to improve, to get* refined.

affinché *cong.* so that, in order that.

affine *agg.* related, cognate // *prodotti affini*, related products ♦ *s.m.* (*spec. pl.*) (*dir.*) in-law.

affinità *s.f.* affinity.

affiochire *v.intr.*, **affiochirsi** *v.intr.pron.* (*di suono ecc.*) to grow* weak, to grow* faint; (*di luce*) to grow* dim.

affioramento *s.m.* **1** appearance **2** (*geol.*) outcrop.

affiorare *v.intr.* **1** to appear **2** (*mar.*) to surface **3** (*geol.*) to crop up.

affissione *s.f.* billposting, placarding: *è vietata l'—*, billstickers will be prosecuted.

affisso *s.m.* bill, placard, poster.

affittacamere *s.m.* landlord ♦ *s.f.* landlady.

affittanza *s.f.* rent.

affittare *v.tr.* **1** (*dare in affitto*) to let*, to rent **2** (*prendere in affitto*) to rent.

affitto *s.m.* rent // *canone d'—*, rent // *contratto d'—*, lease.

affittuario *s.m.* tenant.

affliggere *v.tr.* to afflict; (*tormentare*) to trouble // **-ersi** *v.rifl.* to grieve (at, for, over sthg.); (*tormentarsi*) to worry.

afflitto *agg.* sad // *gli afflitti*, the afflicted.

afflizione *s.f.* affliction.

afflosciare *v.tr.* to make* floppy // **-arsi** *v.intr.pron.* (*di muscoli*) to get* flabby; (*di vele, palloni ecc.*) to collapse; (*di fiori*) to droop // *si afflosciò al suolo*, he collapsed to the ground.

affluente *s.m.* affluent, tributary.

affluenza *s.f.* (*di acque*) flow; (*di persone*) concourse.

affluire *v.intr.* to flow* (*anche fig.*).

afflusso *s.m.* flow, influx (*anche fig.*).

affogare *v.tr.* to drown ♦ *v.intr.* to be* drowned; (*fig.*) to be* oppressed (with sthg.) // — *nei debiti*, to be overburdened with debts // *o bere o —*, sink or swim // **-arsi** *v.rifl.* to drown oneself.

affogato *agg.* drowned; (*fig.*) oppressed (with sthg.) // *un uovo —*, (*cuc.*) a poached egg.

affollamento *s.m.* (*l'affollarsi*) crowding; (*folla*) crowd.

affollare *v.tr.* to crowd // **-arsi** *v.intr.pron.* to crowd; (*di luogo*) to get* crowded.

affollato *agg.* crowded (with).

affondamento *s.m.* sinking.

affondare *v.tr.* **1** to sink* **2** (*fare più profondo*) to deepen ♦ *v.intr.* to sink*.

affondo *s.m.* (*sport*) thrust.

affossare *v.tr.* (*fig.*) to ditch // **-arsi** *v.intr.pron.* (*di occhi, guance*) to become* sunken in; (*di terreno*) to sink* in.

affossatore *s.m.* digger; (*di cimitero*) grave-digger.

affrancamento *s.m.* liberation.

affrancare *v.tr.* **1** (*liberare*) to (set*) free **2** (*corrispondenza*) to stamp.

affrancatura *s.f.* (*di corrispondenza*) postage.

affranto *agg.* **1** worn out, exhausted **2** (*dal dolore*) prostrated.

affratellamento *s.m.* getting friendly; (*unione*) joining; (*fraternizzazione*) fraternization.

affratellare *v.tr.* to make* (like) brothers, to unite // **-arsi** *v.rifl.rec.* to become* like brothers; (*fraternizzare*) to fraternize.

affrescare *v.tr.* to fresco.

affreschista *s.m.* e *f.* fresco-painter.

affresco *s.m.* fresco.

affrettare v.tr. to quicken, to hurry // -**arsi** v.rifl. to hasten, to hurry (up).

affrettato agg. hasty, hurried.

affrontare v.tr. to face; (fig.) to tackle:*— il nemico, to face the enemy; — la morte, il pericolo, to face death, danger; — una discussione, to face an argument // — le spese, to meet expenses // -**arsi** v.rifl.rec. (incontrarsi) to meet*; (venire alle mani) to come* to blows.

affronto s.m. affront, insult.

affumicare v.tr. 1 (annerire col fumo) to blacken with smoke; (riempire di fumo) to fill with smoke 2 (cuc.) to smoke.

affumicato agg. 1 blackened by smoke 2 (cuc.) smoked.

affusolare v.tr. to taper (off.).

affusolato agg. tapered, tapering.

affusto s.m. (mil.) gun carriage.

afidi s.m.pl. (zool.) aphides.

afnio s.m. (chim.) hafnium.

afonia s.f. (med.) aphonia.

afono agg. voiceless; (med.) aphonic.

aforisma, aforismo s.m. aphorism.

afoso agg. sultry.

Africa no.pr.f. Africa.

africano agg. e s.m. African.

afro- pref. Afro-.

afroasiatico agg. e s.m. Afro-Asian, Afro-Asiatic.

afrodisiaco agg. e s.m. aphrodisiac.

Afrodite no.pr.f. (mit.) Aphrodite.

afta s.f. (med.) aphtha (pl. aphthae).

agape s.f. party.

agata s.f. (min.) agate.

Agata no.pr.f. Agatha.

agave s.f. (bot.) agave, aloe.

agenda s.f. notebook, diary.

agente s.m. 1 agent: — di assicurazione, insurance agent; — di cambio, stockbroker; — commissionario, commission agent: — marittimo, shipping agent; — spedizioniere, forwarding agent; — pubblicitario, press agent; — delle tasse, tax collector; — segreto, secret agent; — provocatore, (pol.) «agent provocateur» // agenti atmosferici, atmospheric agents; — patogeno, pathogen (o pathogenic) agent 2 — (di polizia) policeman (pl. -men); — investigativo, detective.

agenzia s.f. agency: — d'informazione, news agency; — di pubblicità, advertising agency; — di trasporti, forwarding agency; — di viaggi, travel agency; — immobiliare, estate agency.

agerato s.m. (bot.) ageratum.

agevolare v.tr. to make* easier, to facilitate.

agevolazione s.f. facilitation // agevolazioni di pagamento, easy terms of payment.

agevole agg. easy.

agganciamento s.m. 1 hooking, clasping 2 (ferr.) coupling.

agganciare v.tr. 1 to hook, to clasp — il telefono, (interrompere la comunicazione) to hang* up 2 (ferr.) to couple (up).

aggeggio s.m. gadget, device.

aggettare v.intr. (arch.) to jut (out), to project.

aggettivo s.m. adjective.

aggetto s.m. projection.

agghiacciare v.tr. e intr., **agghiacciarsi** v.rifl. to freeze* (anche fig.): gli si agghiacciò il sangue (nelle vene), his blood froze in his veins; far — il sangue, to make one's blood run cold.

agghindare v.tr., **agghindarsi** v.rifl. to dress up.

aggio s.m. (comm.) agio, premium: — sull'oro, agio on gold; fare —, to be at a premium.

aggiogare v.tr. to yoke (anche fig.).

aggiornamento s.m. 1 bringing up to date // corso di —, refresher course 2 (rinvio) adjournment, postponement 3 (informatica) updating; update; (di dati) maintenance: — di una base di dati, data base maintenance.

aggiornare v.tr. 1 (mettere a giorno) to bring* up to date 2 (rinviare) to adjourn, to postpone // -**arsi** v.rifl. to get* up to date; to catch* up with the times.

aggiornato agg. up-to-date.

aggiotaggio s.m. (comm.) stockjobbing, agiotage.

aggiramento s.m. avoidance; (mil.) out-flanking.

aggirare v.tr. to avoid; (mil.) to outflank // -**arsi** v. intr.pron. 1 to wander (through, about), to roam (about): — nei boschi, per le strade, to wander through the woods, about the streets; vide un vagabondo che si aggirava nei pressi della casa, he saw a tramp hanging around the house 2 (di discorso ecc.) to be* about 3 (approssimarsi) to be* around: il prezzo si aggirava sulle cinque sterline, the price was around five pounds.

aggiudicare v.tr. to adjudge; (alle aste) to sell* // aggiudicarsi il primo premio, to win the first prize.

aggiudicazione s.f. adjudgement; (alle aste) sale.

aggiungere v.tr. to add // -**ersi** v.rifl. (di persona) to join (s.o.); (di cosa) to come* on top (of sthg.).

aggiunta s.f. 1 addition 2 (a documento) rider.

aggiuntare v.tr. to join.

aggiuntivo agg. additional.

aggiunto agg. e s.m. (assistente) assistant.

aggiustaggio s.m. adjustment, fitting.

aggiustare v.tr. 1 (riparare) to repair; (fam.) to fix: me lo sai —?, can you repair (o fix) it for me? // lo aggiusto io!, (fam.) I'll fix him 2 (adattare) to adjust, to fit* 3 (sistemare) to arrange, to settle // — i conti, (fig.) to settle accounts // -**arsi** v.intr.pron. (fam.) to come* out right: alla fine tutto si aggiusterà, it will all come out right in the end ♦ v.rifl.rec. (fam.) to come* to an agreement.

agglomeramento s.m. agglomeration; (di persone) crowding.

agglomerare v.tr. to agglomerate, to bring* together.

agglomerato s.m. agglomerate // — urbano, conurbation.

agglomerazione s.f. agglomeration; (di persone) crowding.

agglutinare v.tr. to agglutinate.

aggomitolare v.tr. to wind* up, to wind* into a ball // -**arsi** v.rifl. to curl up.

aggradare v.intr. (si usa alla 3ᵃ pers. sing. del pres. indic.) to like (sthg.) (costr. pers.): come vi aggrada, as you like (o as you please).

aggraffare v.tr. to clip.

aggraffatrice s.f. stapler; (ind.) stapling machine.

aggrapparsi v.rifl. to grasp (at sthg.), to clutch (at sthg.) (anche fig.).

aggravamento s.m. aggravation: (med.) exacerbation.

aggravante agg. aggravating ♦ s.f. (dir.) aggravating circumstance.

aggravare v.tr. to make* worse ♦ v.intr., -**arsi** v.intr.pron. to get* worse.

aggravio s.m. 1 (incomodo) inconvenience 2 (inasprimento) aggravation; (fiscale) increase // senza — di spese, without additional charges.

aggraziare *v.tr.* to make* graceful // **-arsi** *v.intr.pron.* to grow* graceful.

aggraziato *agg.* graceful.

aggredire *v.tr.* to attack (*anche fig.*), to assault.

aggregare *v.tr.* to aggregate; (*a un gruppo*) to associate, to admit // **-arsi** *v.rifl.* to join (s.o., sthg.).

aggregato *s.m.* **1** (*fis. geol.*) aggregate **2** (*insieme*) aggregation.

aggressione *s.f.* (*a stato*) aggression; (*a persona*) assault, attack: — *a mano armata*, armed assault; *essere vittima di un'*—, to be assaulted // *trattato di non* —, treaty of non-aggression.

aggressività *s.f.* aggressiveness.

aggressivo *agg.* aggressive.

aggressore *agg.* attacking ♦ *s.m.* aggressor; assailant.

aggricciarsi *v.rifl.* to shiver (with cold, fear).

aggrinzare, **aggrinzire** *v.tr.* to wrinkle (up) ♦ *v.intr.*, **-arsi**, **-irsi** *v.intr.pron.* to wrinkle, to shrivel (up).

aggrondare, **aggrottare** *v.tr.*: — *le ciglia, la fronte*, to frown.

aggrovigliare *v.tr.* to tangle, to entangle // **-arsi** *v.intr.pron.* to get* entangled.

aggrovigliato *agg.* entangled (*anche fig.*).

aggrumarsi *v.intr.pron.* to clot, to curdle.

agguagliare *v.tr.* (*essere uguale*) to equal, to be* equal (to s.o.).

agguantare *v.tr.* **1** to catch*, to grasp, to seize **2** (*mar.*) to hold on (to a rope) // **-arsi** *v.rifl.* to clutch (sthg.).

agguato *s.m.* ambush, ambuscade; (*trappola*) snare: *tendere un* —, to lay an ambush; (*fig.*) to lay a snare // *essere, stare in* —, to lie in wait.

agguerrire *v.tr.* **1** to train for warfare **2** (*fig.*) to inure // **-irsi** *v.rifl.* **1** to train oneself for warfare **2** (*fig.*) to harden, to become* inured (to sthg.).

agguerrito *agg.* **1** trained **2** (*fig.*) inured, hardened.

aghetto *s.m.* **1** (*stringa*) (tagged) lace **2** (*puntale di stringa*) tag.

agiatezza *s.f.* prosperity, wealth // *nell'*—, on easy street.

agiato *agg.* well-off, well-to-do.

agibile *agg.* (*di edificio*) fit for use.

agile *agg.* agile, nimble; (*di mano*) deft — *di mente*, quick of mind.

agilità *s.f.* agility, nimbleness; (*destrezza*) deftness — *di mente*, quickness of mind.

agio *s.m.* **1** comfort; (*comodo*) ease, leisure: *gli agi della vita*, the comforts of life; *sentirsi a proprio* —, to feel at one's ease; *non sentirsi a proprio* —, to feel ill at ease // *a bell'*—, at one's leisure (*o* without haste) **2** (*opportunità*) opportunity.

agiografia *s.f.* hagiography.

agiografico *agg.* hagiographic(al).

agire *v.intr.* **1** to act: — *nell'interesse di qlcu.*, to act on behalf of s.o.; — *per conto proprio*, to act on one's own account **2** (*comportarsi*) to behave: — *bene, male*, to behave well, badly **3** (*funzionare*) to work **4** (*dir.*) to take* legal proceedings.

agitare *v.tr.* to shake*; (*mescolando*) to stir: — *prima dell'uso*, shake well before using // — *la mano*, to wave one's hand // — *le masse*, to stir the masses // — *un problema*, to discuss (*o* to debate) a problem // **-arsi** *v.rifl.* **1** to fidget // — *nel sonno*, to toss and turn in one's sleep **2** (*di mare*) to get* rough **3** (*di pensieri, idee ecc.*) to seethe **4** (*essere inquieto*) to get* worried, to get* upset **5** (*pol.*) to agitate.

agitato *agg.* **1** worried, upset; (*irrequieto*) restless (*di mare*) rough **3** (*med.*) agitated.

agitatore *s.m.* agitator.

agitazione *s.f.* agitation.

agli *prep.art.m.pl.* to the → **a**[2].

aglio *s.m.* garlic: *testa d'*—, clove of garlic.

agnato *s.m.* (*dir.*) agnate.

agnellino *s.m.* lamb(kin) // — *di Persia*, Persian lamb.

agnello *s.m.* lamb // *un lupo in veste di* —, a wolf i sheep's clothing.

Agnese *no.pr.f.* Agnes.

agnizione *s.f.* recognition.

agnocasto *s.m.* (*bot.*) chaste tree.

agnosticismo *s.m.* agnosticism.

agnostico *agg.* e *s.m.* agnostic.

ago *s.m.* **1** needle: *infilare l'*—, to thread the needle — *da calza*, knitting needle; *lavoro ad* —, needlework // *cercare un* — *nel pagliaio*, to look for a needle in a haystack **2** (*di bilancia*) tongue, index **3** (*mecc.*) needle, tongue: — *dello scambio*, (*ferr.*) switch blade (tongue); — *d'inclinazione magnetica*, dipping needle **4** (*chim.*) (long thin) crystal **5** (*informatica*) (di stampante a punti*) pin.

agognare *v.tr.* (*letter.*) to long (for sthg.).

agone *s.m.* **1** athletic contest **2** (*poet.*) combat.

agonia *s.f.* pangs of death (*pl.*), agony (*anche fig.*).

agonismo *s.m.* spirit of emulation, competitive spirit.

agonistico *agg.* agonistic.

agonizzare *v.intr.* to be* in one's death agony.

agopuntura *s.f.* acupuncture: *sottoporsi a un trattamento di* —, to have acupuncture treatment.

agorafobia *s.f.* (*med.*) agoraphobia.

agoraio *s.m.* needlecase.

agostiniano *agg.* e *s.m.* Augustinian.

Agostino *no.pr.m.* Austin; (*st.*) Augustine.

agosto *s.m.* August.

agraria *s.f.* agricultural science.

agrario *agg.* agrarian // *perito* —, agricultural expert // *riforma agraria*, land reform ♦ *s.m.* landowner.

agreste *agg.* agrestic, rural, rustic.

agricolo *agg.* agricultural.

agricoltore *s.m.* farmer.

agricoltura *s.f.* agriculture.

agrifoglio *s.m.* holly.

agrimensore *s.m.* land-surveyor.

agrimensura *s.f.* land-surveying.

Agrippina *no.pr.f.* (*st.*) Agrippina.

agro[1] *agg.* **1** sour, acid **2** (*fig.*) sharp, harsh, pungent ♦ *s.m.* **1** (*succo di agrumi*) citrus juice **2** (*agrezza*) sourness.

agro[2] *s.m.* country surrounding a town // *l'Agro Pontino*, the Pontine plain.

agrodolce *agg.* bittersweet, sourish.

agronomia *s.f.* agronomy, agronomics.

agronomo *s.m.* agronomist.

agrumi *s.m.pl.* citrus fruits.

agucchiare *v.intr.* to sew* a little.

aguzzare *v.tr.* to sharpen (*anche fig.*) // *il bisogno aguzza l'ingegno*, (*prov.*) necessity is the mother of invention.

aguzzino *s.m.* **1** warder; jailer, gaoler **2** (*fig.*) despot.

aguzzo *agg.* sharp, pointed.

ah *inter.* ah!

ahi *inter.* ouch!

ahimè *inter.* alas!; (*povero me*) dear me!

ai *prep.art.m.pl.* to the → **a**[2].

◂ia *s.f.* threshing-floor.

Aia, L' *no.pr.f.* the Hague.

Aiace *no.pr.m.* (*lett.*) Ajax.

◂io *s.m.* (*antiq.*) tutor.

◂iola *s.f.* flowerbed // *è vietato calpestare le aiole*, keep off the grass.

◂ire *s.m.*: *dar l'— a qlco., a qlcu.*, to set* sthg. going, to tart s.o. off; *prendere l'—*, to start off.

◂irone *s.m.* (*zool.*) heron; (*cinerino*) ardea cinerea.

◂itante *agg.* sturdy, stalwart.

◂iutante *s.m.* **1** help(er); (*assistente*) assistant **2** (*mil.*) adjutant // *— di campo*, aide-de-camp.

◂iutare *v.tr.* to help: *non vedo chi potrebbe aiutarlo*, I an't think of anyone who could help him; *— qlcu. a ettersi il cappotto*, to help s.o. on with his overcoat; *— lcu. a uscire*, (*da un veicolo*) to help s.o. out // **-arsi** *.rifl.* to help oneself // *aiutati che il ciel t'aiuta*, (*prov.*) God helps those who help themselves ♦ *v.rifl.rec.* to elp (each other, one another).

◂iuto *s.m.* **1** help, aid; (*ai poveri ecc.*) relief: *chiedere —*, to call for help; *accorrere in — di qlcu.*, to come to he aid of s.o.; *fu mandato là in — di...*, he was sent here in aid of... **2** (*chi aiuta*) help(er); (*assistente*) as-sistant: *— regista*, production assistant **3** (*in-ormatica*) aid: *—programmatore*, backup programmer.

◂izzare *v.tr.* **1** (*un animale*) to set* (a dog etc.) on s.o.) **2** (*fig.*) to instigate, to goad.

◂l *prep.art.m.sing.* to the → **a²**.

◂la *s.f.* **1** wing // *la paura gli metteva le ali ai piedi*, fig.) fear lent him wings // *abbassare le ali*, (*fig.*) to ome off one's perch // *in un batter d'ali*, in a flash // *'— della servitù*, the servants' wing // *far —*, to form a double hedge **2** (*di cappello*) brim **3** (*sport*) wing: *destra, sinistra*, right, left wing; *mezz' — destra, sinistra*, nside right, left.

◂labarda *s.f.* halberd.

◂labardiere *s.m.* halberdier.

◂labastrino *agg.* alabaster (*attr.*)

◂labastro *s.m.* alabaster.

◂lacre *agg.* **1** brisk; (*sollecito*) prompt **2** (*fig.*) quick.

◂lacrità *s.f.* alacrity, briskness; (*sollecitudine*) prompti-ude.

◂laggio *s.m.* (*mar.*) haulage // *scalo di —*, slip.

◂lamaro *s.m.* frog.

◂lambicco *s.m.* still; (*antiq.*) alembic.

◂lano *s.m.* (*cane*) Great Dane // *— arlecchino*, dalma-ian (dog).

◂lare¹ *s.m.* (*di caminetto*) andiron, firedog.

◂lare² *v.tr.* (*mar.*) **1** to haul **2** (*una gomena*) to haul at a rope).

◂lare³ *agg.* wing (*attr.*), alar: *apertura —*, (*aer.*) wing span.

◂lasca *no.pr.f.* Alaska.

◂lato *agg.* **1** winged **2** (*fig.*) lofty.

◂lba *s.f.* dawn (*anche fig.*), daybreak.

◂lbagia *s.f.* haughtiness.

◂lbanese *agg.* e *s.m.* Albanian.

◂lbania *no.pr.f.* Albania.

◂lbatro *s.m.* (*zool.*) albatross.

◂lbeggiare *v.intr.* to dawn (*anche fig.*).

◂lberare *v.tr.* to plant (sthg.) with trees.

◂lberato *agg.* **1** planted with trees **2** (*di nave*) masted.

◂lberatura *s.f.* (*mar.*) masts (*pl.*), masting.

◂lbergare *v.tr.* **1** to lodge **2** (*fig.*) to cherish, to har-bour ♦ *v.intr.* to lodge, to dwell*.

◂lbergatore *s.m.* hotelkeeper.

alberghiero *agg.* hotel (*attr.*).

albergo *s.m.* **1** hotel: *scendere all'—*, to put up at a hotel // *casa-albergo*, residential hotel **2** (*antiq.*) (*ospi-talità*) hospitality.

albero *s.m.* **1** tree: *— da frutto*, fruit-tree // *— di Na-tale*, Christmas tree **2** (*mar.*) mast: *— di trinchetto*, foremast; *— di maestra*, mainmast; *— di mezzana*, mizzenmast **3** (*mecc.*) shaft: *— a camme*, camshaft; *— a gomiti*, crankshaft; *— di trasmissione*, propeller (*o* transmission) shaft; *— motore*, driving shaft.

Alberto *no.pr.m.* Albert.

albicocca *s.f.* apricot.

albicocco *s.m.* apricot-tree.

albinismo *s.m.* (*biol.*) albinism.

albino *agg.* e *s.m.* albino.

Albione *no.pr.f.* (*poet.*) Albion.

albo *s.m.* **1** roll, list: *— degli avvocati*, Law List; *— d'onore*, *— d'oro*, roll of honour; *essere iscritto all'—*, to be on the official roll; *radiare dall'—*, to strike off the roll **2** (*album*) album **3** (*per l'affissione di avvisi*) no-tice board; (*amer.*) bulletin-board.

albore *s.m.* (*spec. pl.*) dawning (*sing.*) // *gli albori della civiltà*, the dawning of civilization.

album *s.m.* album.

albume *s.m.* albumen.

albumina *s.f.* albumin.

albuminuria *s.f.* (*med.*) albuminuria.

alcali *s.m.* (*chim.*) alkali.

alcalino *agg.* (*chim.*) alkaline: *— terroso*, alkaline-earth.

alcaloide *s.m.* (*chim.*) alkaloid.

alcanna *s.f.* (*bot.*) alcanna.

alce *s.m.* elk.

alchechengi *s.m.* (*bot.*) winter-cherry.

alchimia *s.f.* alchemy.

alchimista *s.m.* alchemist.

alcione *s.m.* (*zool.*) kingfisher.

alcole *s.m.* → **alcool.**

alcolicità *s.f.* alcohol content.

alcolico *agg.* alcoholic // *gli alcolici*, spirits.

alcolismo *s.m.* alcoholism.

alcolista *s.m.* e *f.*, **alcolizzato** *agg.* e *s.m.* alcoholic.

alcolometro *s.m.* alcoholometer.

alcool *s.m.* alcohol // *darsi all'—*, to take to drink.

alcova *s.f.* alcove.

alcun, alcuno *agg.indef.* **1** *pl.* (*in proposizioni afferma-tive o interrogative da cui si attenda risposta affermativa*) some; a few: *alcuni anni fa*, some years ago; *disse alcu-ne parole di saluto*, he said a few words of greeting; *gra-diresti alcuni biscotti?*, will you have some biscuits? **2** (*in proposizioni negative*) any; (*se si usa nell'inglese la forma affermativa*) no: *senza — dubbio*, without any doubt; *non aveva — nemico*, he had no enemies; *non aveva alcuna notizia da una settimana*, he had had no (*o* he hadn't had any) news for a week ♦ *pron.indef.* **1** (*in proposizioni interrogative, dubitative, condizionali*) any-body, anyone (*riferiti a persona*); any (*riferito a cose e con partitivo*): *non hai incontrato —?*, haven't you met anybody?; *se — ti dicesse...*, if anyone were to tell you... **2** (*in proposizioni negative di forma non interro-gativa*) anybody, anyone (*riferito a persone*); any (*riferi-to a cose*); (*accompagnato da un partitivo*) any (*riferito a persone e a cose*); (*se si usa nell'inglese la forma affermati-va*) nobody, no one (*riferiti a persone*); none; (*accom-pagnato da un partitivo*) none: «*Hai dei libri inglesi?*», «*Non ne ho —*», "Have you got any English books?" "I have none (*o* I haven't any)"; *non vidi —*, I saw no one (*o* I didn't see anyone); *non vidi — di voi*, I didn't see any of you (*o* I saw none of you) **3** (*in prop. affermative*) somebody, someone; *pl.* some people (*solo riferito a persone*) some; a few; (*accompagnato da un partitivo*) some, a few: *alcuni di loro si lamentarono di aver sete*, some (*o* a few) of them complained of being thirsty; *alcuni lo approvano, altri no*, some (people) approve of it, some don't; *ne vendette alcuni*, he sold a few.

alcunché *pron.indef.* anything; (*in prop. affermative*) something.

aldeide *s.f.* (*chim.*) aldehyde.

aldilà *s.m.* hereafter // *spedir qlcu. all'—*, (*fam.*) to do s.o. in.

Aldo *no.pr.m.* Aldous.

alea *s.f.* chance, risk.

aleatorio *agg.* aleatory.

aleggiare *v.intr.* to linger; (*fig.*) to be* in the air.

alesaggio *s.m.* **1** (*mecc.*) bore **2** (*l'alesare*) (*a macchina*) boring; (*a mano*) reaming.

alesare *v.tr.* (*mecc.*) (*a macchina*) to bore; (*a mano*) to ream.

alesatore *s.m.* reamer.

alesatrice *s.f.* (*mecc.*) boring machine.

Alessandra *no.pr.f.* Alexandra.

Alessandria *no.pr.f.* (*d'Egitto*) Alexandria.

alessandrino *agg.* e *s.m.* Alexandrian // (*verso*) —, Alexandrine (line).

Alessandro *no.pr.m.* Alexander.

aletta *s.f.* (*mecc.*) fin.

alettone *s.m.* **1** (*aer.*) flap, aileron **2** (*mecc.*) (*di vettura da corsa*) stabiliser.

alfa *s.m.* o *f.* alpha // *dall'— all'omega*, from A to Z.

alfabetico *agg.* alphabetic.

alfabeto *s.m.* alphabet.

alfanumerico *agg.* (*informatica*) alphanumeric; (*IBM*) alphameric.

alfiere[1] *s.m.* **1** (*st. mil.*) ensign **2** (*mil.*) flagbearer **3** (*fig.*) forerunner.

alfiere[2] *s.m.* (*scacchi*) bishop.

alfine *avv.* in the end, eventually.

Alfredo *no.pr.m.* Alfred.

alga *s.f.* seaweed.

algebra *s.f.* algebra // *— booleana*, Boolean algebra.

algebrico *agg.* algebraic.

Algeri *no.pr.f.* Algiers.

Algeria *no.pr.f.* Algeria.

algerino *agg.* e *s.m.* Algerian.

aliante *s.m.* (*aer.*) glider.

alias *avv.* alias.

alibi *s.m.* (*dir.*) alibi.

alice *s.f.* anchovy.

Alice *no.pr.f.* Alice.

alidada *s.f.* (*geom.*) alidade.

alienabile *agg.* (*dir.*) alienable.

alienante *agg.* alienating; souldestroying.

alienare *v.tr.* to alienate (*anche fig.*).

alienato *agg.* (*dir.*) alienated ♦ *s.m.* lunatic.

alienazione *s.f.* alienation (*anche fig.*).

alienista *s.m.* e *f.* alienist.

alieno *agg.* opposed (to sthg., doing) against (stgh., doing) // *è — alla sua natura*, it's alien (*o* foreign) to his nature ♦ *agg.* e.s.m. (*essere vivente extraterrestre*) alien.

alimentare[1] *agg.* alimentary; food (*attr.*) (*generi*) *alimentari*, groceries; (*negozio*) grocery store, (*amer.*) grocer's.

alimentare[2] *v.tr.* to feed* (*anche informatica*) // **-arsi** *v.rifl.* to feed* (on sthg.).

alimentazione *s.f.* **1** feeding; (*speciale*) diet **2** (*mecc.*) feed **3** (*informatica*) feed: *— aciclica*, acyclic feed; *— ciclica*, cyclic feed; *— del nastro*, tape threading; *— elettrica*, power supply; *— per colonna* endwise feed; *— per riga*, sideways feed; *— schede* card feed.

alimento *s.m.* **1** food **2** *pl.* (*dir.*) alimony (*sing.*): *pagare, passare gli alimenti*, to pay alimony.

aliquota *s.f.* **1** quota, share **2** (*mat.*) aliquot.

aliscafo *s.m.* hydrofoil.

aliseo *s.m.* (*spec. pl.*) trade wind.

alitare *v.intr.* to breathe.

alito *s.m.* breath.

alla *prep.art.f.sing.* to the → **a**[2].

allacciamento *s.m.* connection.

allacciare *v.tr.* **1** to tie (up); (*fibbie*) to fasten; (*bottoni*) to button up // *— un'amicizia*, to make friends // *— relazioni d'affari*, to establish business connections **2** (*tecn.*) (*collegare*) to connect, to link.

allacciatura *s.f.* lacing; (*di fibbie ecc.*) fastening.

allagamento *s.m.* flood.

allagare *v.tr.* to flood // **-arsi** *v.intr.pron.* to be* flooded

allampanato *agg.* lanky, lean.

allargamento *s.m.* widening, broadening.

allargare *v.tr.* **1** to widen, to broaden: *— le ricerche* to widen the search; *— il proprio orizzonte*, to broaden (*o* to widen) one's horizons // *— il gioco*, (*sport*) to open up **2** (*abiti*) to let* out // **-arsi** *v.intr.pron.* to broaden, to widen, to spread* out: *la strada s'allarga* (*in un viale*), the street broadens (out into an avenue) // *mi si allargò il cuore a quella notizia*, that news took a weight off my mind // *le scarpe gli si sono allargate* his shoes became too big for him // *ci siamo allargat un po'*, we have spread out a bit.

allarmante *agg.* alarming.

allarmare *v.tr.* to alarm // **-arsi** *v.intr.pron.* to get* alarmed.

allarme *s.m.* alarm, warning, alert: *— aereo*, air-raid warning; *cessato —*, all clear; *in stato d'—*, on the alert.

allarmismo *s.m.* alarmism.

allarmista *s.m.* e *f.* alarmist, scaremonger.

allarmistico *agg.* alarmist.

allato, a lato *avv.* e *prep.* → **accanto**.

allattamento *s.m.* breast-feeding: *— artificiale*, bottle-feeding.

allattare *v.tr.* to suckle: *— artificialmente*, to bottle-feed

alle *prep.art.f.pl.* to the → **a**[2].

alleanza *s.f.* alliance.

allearsi *v.rifl.* to ally.

alleato *agg.* allied ♦ *s.m.* ally.

Alleghani, gli *no.pr.m.pl.* the Alleghenies.

allegare *v.tr.* **1** (*accludere*) to enclose **2** (*allappare*) *— i denti*, to set one's teeth on edge.

allegato *s.m.* (*comm.*) enclosure, attachment.

alleggerire *v.tr.* to relieve // **-irsi** *v.rifl.* **1** (*fig.*) to relieve oneself (of sthg.) **2** (*negli abiti*) to put* on lighter clothes.

allegoria *s.f.* allegory.

allegorico *agg.* allegorical.

allegramente *avv.* cheerfully, merrily.

allegretto *s.m.* (*mus.*) allegretto.

allegrezza *s.f.* mirth.

allegria *s.f.* cheerfulness, joy.

allegro *agg.* **1** merry, cheerful // *c'è poco da stare allegri!*, nothing to be glad about! // *è un po' —*, (*eufemi* *mo per «ha bevuto un po' troppo»*) he is a bit tipsy 2 (*di colore*) bright ♦ *s.m.* (*mus.*) allegro.

alleluia *s.m.* hallelujah, alleluia.

allenamento *s.m.* training.

allenare *v.tr.* to train, to coach // **-arsi** *v.rifl.* to train.

allenatore *s.m.* trainer, coach.

allentare *v.tr.* to loosen: *— il freno*, to release the brake // *— la sorveglianza*, to relax one's surveillance // **-arsi** *v.intr.pron.* to loosen (*anche fig.*).

allergene *s.m.* (*med.*) allergen.

allergia *s.f.* allergy.

allergico *agg.* allergic.

allergologo *s.m.* allergist.

allerta, all'erta *avv.*: *—!*, look out!; *stare —*, to be on the look out (*o* on the alert).

allestimento *s.m.* 1 preparation // *— delle vetrine*, window dressing // *— scenico*, staging 2 (*mar.*) rigging out, fitting out.

allestire *v.tr.* 1 to prepare // *— uno spettacolo*, to stage a production 2 (*mar.*) to rig out, to fit out.

allettamento *s.m.* allurement, enticement.

allettare *v.tr.* to allure, to entice.

allevamento *s.m.* 1 (*di animali*) breeding, rearing 2 (*luogo e insieme di animali*) -farm: *— di polli*, chicken farm // *— di cavalli*, stud, farm.

allevare *v.tr.* 1 (*bambini*) to bring* up 2 (*animali*) -reed*, to rear.

allevatore *s.m.* breeder.

alleviare *v.tr.* to relieve, to alleviate, to mitigate.

allibire *v.intr.* to be* (left) speechless.

allibramento *s.m.* registration, booking.

allibrare *v.tr.* to enter; to record.

allibratore *s.m.* bookmaker.

allietare *v.tr.* to cheer up.

allievo *s.m.* 1 pupil; (*scolaro*) schoolboy; (*studente*) student 2 (*apprendista*) apprentice 3 (*mil.*) cadet.

alligatore *s.m.* alligator.

allignare *v.intr.* to thrive* (*anche fig.*).

allineamento *s.m.* 1 alignment // *— salariale*, wage alignment 2 (*mil.*) dressing 3 (*tip., informatica*) alignment: *— a destra, sinistra*, right, left adjust (*o* justify); *— al byte*, byte boundary alignment.

allineare *v.tr.* 1 to line up 2 (*mil.*) to dress 3 (*informatica*) to justify // **-arsi** *v.rifl.* 1 to line up 2 (*mil.*) to dress: *— a destra!*, right dress! 3 (*pol.*) to side.

allo *prep.art.m.sing.* to the → **a²**.

allocco *s.m.* 1 (*zool.*) owl 2 (*fig.*) dunce, fool.

allocuzione *s.f.* allocution.

allodola *s.f.* skylark, lark.

allogare *v.tr.* 1 (*collocare in un impiego, luogo ecc.*) to place 2 (*ospitare*) to lodge.

allogeno *agg. e s.m.* alien.

alloggiamento *s.m.* 1 (*l'alloggiare*) quartering; billeting 2 (*alloggio*) (*in caserma*) quarters (*pl.*); (*in casa privata*) billet 3 (*mecc.*) housing.

alloggiare *v.tr. e intr.* 1 to lodge 2 (*mil.*) to quarter; (*in casa privata*) to billet.

alloggio *s.m.* 1 lodging; (*appartamento*) flat: *prendere —*, to stay // *vitto e —*, board and lodging // *crisi degli alloggi*, housing shortage 2 (*mil.mar.*) quarters (*pl.*); (*in casa privata*) billets.

allontanamento *s.m.* 1 leaving 2 (*licenziamento*) dismissal.

allontanare *v.tr.* 1 to move; (*far uscire*) to send* out; (*mandar via*) to send* away // *— un pericolo*, to avert a danger // *la droga l'ha allontanato dalla famiglia*, drugs

have estranged him from his family 2 (*licenziare*) to dismiss // **-arsi** *v.intr.pron.* 1 (*andar via*) to go* away 2 (*abbandonare*) to leave* (s.o., sthg.) // *— dalla retta via*, to desert the path of virtue // *— dall'argomento*, to get off the point.

allora *avv.* 1 then: *fin d'—*, since then; *sino —*, until then; *d'— in poi*, since then (on) // *il primo ministro di —*, the then Prime Minister // *i miei amici d'—*, my friends at that time // *—, just (then) // *— come —*, then (*o* at that time) // *— per —*, (*per quei tempi*) for those times; (*provvisoriamente*) for a time; (*riferito a futuro*) by then // *—sì che ero felice!*, that's when I was really happy! 2 *interr. e esclam.* (well)... then: *e —, che si fa?*, well then, what are we going to do? ♦ *cong.* 1 (*quindi*) so, therefore 2 (*pleonastico*): *giacché non ti decidi, — me ne vado*, as you won't make you mind up, I'll go.

allorché *cong.* when.

alloro *s.m.* laurel (*anche fig.*); (*cuc.*) bay // *riposare sugli allori*, to rest on one's laurels.

allorquando *cong.* (*letter.*) when.

allotropo *s.m.* (*chim.*) allotrope.

alluce *s.m.* big toe.

allucinante *agg.* hallucinative, hallucinatory.

allucinare *v.tr.* to hallucinate.

allucinazione *s.f.* hallucination.

allucinogeno *agg.* hallucinogenic ♦ *s.m.* hallucinogen.

alludere *v.intr.* to allude, to hint (at sthg.).

allume *s.m.* (*chim.*) alum.

allumina *s.f.* (*chim.*) alumina.

alluminio *s.m.* aluminium.

allungabile *agg.* extendible // *tavolo —*, leaf-table.

allungamento *s.m.* extension, lengthening.

allungare *v.tr.* 1 to lengthen, to extend: *— un vestito*, to let down a dress // *— il passo*, to quicken one's steps // *— la strada*, to go the long way round 2 (*stendere*) to stretch (out) // *— le mani su qlco.*, to lay hands on sthg. // *— gli orecchi*, to strain one's ears 3 (*fam.*) (*porgere*) to hand // *— una pedata a qlcu.*, to kick s.o. 4 (*annacquare*) to water // **-arsi** *v.rifl.* 1 to lengthen, to grow* long(er) // *le giornate si stanno allungando*, the days are drawing out 2 (*crescere*) to grow* tall 3 (*distendersi*) to stretch out.

allungato *agg.* oblong.

allungatura *s.f.* extension.

allungo *s.m.* (*calcio*) pass; (*atletica e ciclismo*) spurt; (*pugilato*) lunge.

allusione *s.f.* allusion, hint.

allusivo *agg.* allusive.

alluvionale *agg.* alluvial.

alluvionato *agg.* flooded, inundated, flood (*attr.*) ♦ *s.m.* flood victim.

alluvione *s.f.* flood.

almanaccare *v.intr.* to dream*(of s.o., sthg.).

almanacco *s.m.* almanac, calendar.

almeno *avv.* at least // *— smettesse di piovere!*, if only it would stop raining!

aloè *s.m.* (*bot. farm.*) aloe.

alone *s.m.* halo.

alosa *s.f.* (*zool.*) → **agone**.

alpaca *s.m.* alpaca.

alpacca *s.f. e m.* nickel silver, German silver.

alpe *s.f.* alp.

alpestre *agg.* 1 alpine 2 (*montagnoso*) mountainous.

Alpi, le *no.pr.f.pl.* the Alps.

alpigiano *s.m.* mountaineer.

alpinismo *s.m.* mountaineering.

alpinista *s.m.* e *f.* mountaineer.
alpino *agg.* alpine.
alquanto *agg.* **1** some, a certain amount of // *ha bevuto —*, (*vino ecc.*) he has drunk rather a lot **2** *pl.* several, a number of ♦ *pron.* **1** some, a certain amount of **2** *pl.* some, several ♦ *avv.* fairly; (*per qualità negative e davanti ai compar.*) rather: *— intelligente*, fairly (*o* somewhat) intelligent; *— stanco*, rather tired.
alt *inter.* e *s.m.* stop; (*mil.*) halt.
altalena *s.f.* **1** swing; (*tavola in bilico*) seesaw **2** (*fig.*) ups and downs (*pl.*).
altamente *avv.* highly; (*con v.*) very much.
altana *s.f.* roof-terrace.
altare *s.m.* altar: *— maggiore*, high altar // *sacrificio dell'—*, Mass // *mettere qlcu. sugli altari*, to make a god of s.o. // *scoprire gli altarini di qlcu.*, to discover s.o.'s secrets.
altea *s.f.* (*bot.*) alth(a)ea.
alterabile *agg.* **1** alterable; (*di merce*) perishable **2** (*falsificabile*) falsifiable; forgeable **3** (*fig.*) (*irritabile*) touchy.
alterare *v.tr.* **1** to alter; (*peggiorare*) to spoil*; (*latticini*) to turn sour **2** (*falsificare*) to falsify; (*spec. firma*) to forge: *— i fatti*, to distort (*o* misrepresent) facts; *— la verità*, to twist the truth // *— la calligrafia*, to disguise one's handwriting // **-arsi** *v.intr.pron.* **1** to alter; (*di colore*) to fade; (*di cibo*) to go* bad; (*di latticini*) to go* sour; (*di merci*) to perish // *la sua voce si alterò*, his voice faltered **2** (*turbarsi*) to be* upset; (*arrabbiarsi*) to get* angry.
alterato *agg.* **1** spoiled; (*adulterato*) adulterated **2** (*falsificato*) falsified; forged **3** (*turbato*) upset; (*irato*) angry // *voce alterata*, broken voice // *polso —*, quick pulse.
alterazione *s.f.* **1** alteration **2** (*di cibo*) adulteration **3** (*falsificazione*) falsification; (*spec. di firma*) forgery **4** (*della voce*) faltering **5** (*mus.*) inflection (of a note).
altercare *v.intr.* to quarrel, to wrangle.
alterco *s.m.* altercation, wrangle.
alterigia *s.f.* haughtiness, arrogance.
alternanza *s.f.* **1** alternation **2** (*agr.*) rotation of crops.
alternare *v.tr.* **1** to alternate **2** (*agr.*) to rotate // **-arsi** *v.rifl.* to alternate // *i familiari si alternavano al suo capezzale*, his family took turns at his bedside.
alternativa *s.f.* **1** alternative **2** (*l'alternarsi*) alternation.
alternativo *agg.* **1** alternative: *medicina —*, alternative medicine; *scuole alternative*, progressive schools **2** (*mecc.*) reciprocating.
alternato *agg.* **1** alternate **2** (*elettr.*) alternating **3** (*informatica*) alternate.
alternatore *s.m.* (*elettr.*) alternator.
alterno *agg.* alternate (*anche informatica*) // *a giorni alterni*, every other day // *le alterne vicende della vita*, the ups and downs of life.
altero *agg.* **1** lofty, proud, self-conceited **2** (*altezzoso*) haughty, arrogant.
altezza *s.f.* **1** height // *la nave era all'— di Capo Horn*, the ship was off Cape Horn **2** (*profondità*) depth **3** (*di tessuto*) width **4** (*altitudine, quota*) altitude // *non è all'— di (fare) quel lavoro*, he is not up to (doing) that work **5** (*di suono*) pitch **6** (*fig.*) (*di carattere, d'animo*) nobility **7** (*titolo*) Highness **8** (*tip.*) height-to-paper, type-height.

altezzoso *agg.* haughty.
alticcio *agg.* tipsy; (*amer.*) high.
altimetria *s.f.* altimetry.
altimetro *s.m.* altimeter.
altipiano *s.m.* plateau, tableland.
altisonante *agg.* high-sounding.
Altissimo, l' *s.m.* the Almighty.
altitudine *s.f.* altitude.
alto[1] *agg.* **1** high; (*spec. riferito a statura*) tall: *— cin que metri*, five metres high // *andare a testa alta*, to car ry one's head high // *tenere — il nome della famiglia*, t uphold the family name // *— Tedesco*, High Germa // *Alta Italia*, Northern Italy // *— Medioevo*, earl Middle Ages **2** (*fig.*) (*grande*) great; (*elevato*) high lofty **3** (*di suono*) (*acuto*) high(-pitched), shrill; (*forte loud // *leggere ad alta voce*, to read aloud **4** (*profondo deep: *acqua, neve alta*, deep water, snow **5** (*di tessuto wide ♦ *s.m.* upper part, top // *un ordine venuto dall'—* an order from above // *guardare qlcu. dall'— in bass* to look down on s.o. // *far cadere una cosa dall'—*, t deign to do sthg. // *gli alti e bassi della vita*, the ups an downs of life // *in —*, up: *mani in —!*, hands up!; *là i —*, up there; (*fig.*) *l'hai messo troppo in —*, you put it to high up; *in —*, (*in Cielo*) on High ♦ *avv.* high: *mirar —*, (*anche fig.*) to aim high.
alto[2] *s.m.: — là!*, stop!; (*mil.*) halt!
altoforno *s.m.* (*metall.*) blast-furnace.
altolocato *agg.* leading, outstanding.
altoparlante *s.m.* loudspeaker.
altopiano *s.m.* plateau, tableland.
altorilievo *s.m.* high relief, alto-relievo.
altresì *avv.* → **anche**.
altrettanto *agg.indef.* (*in prop. affermative*) as muc (*...as*), *pl.* as many (*...as*); (*in prop. negative*) as (*o s* much (*...as*), *pl.* as (*o so*) many (*...as*): *ho due fratelli altrettante sorelle*, I have two brothers and as many sis ters // *rispondimi con altrettanta franchezza*, answer m with the same frankness ♦ *pron.indef.* **1** (*in prop. affe mative*) as much (*...as*), *pl.* as many (*...as*); (*in prop. ne gative*) as (*o so*) much (*...as*), *pl.* as (*o so*) many (*...as*) (*la medesima cosa*) the same: «*Buona fortuna!*» «*Altret tanto a voi*», "Good luck!" "The same to you!"; *egli s alzò ed io feci —*, he got up and I did the same ♦ *avv.* con agg. e avv.* (*in prop. affermative*) as (*...as*); (*in pro negative*) as (*o so*) (*...as*): *è intelligente e — sensibile*, h is as intelligent as he is sensitive // *due volte —*, twic as much **2** *con v.* (*in prop. affermative*) as much (as (*in prop. negative*) as (*o so*) much (as): *egli studia molto lavora —*, he studies hard and works as much; *non stu dia —*, he doesn't study as much.
altri *pron.indef.* (*letter.*) (*solo sing.*) **1** others (*pl.*), othe people; (*qualcun altro*) someone else: *non l'ho detto a — che a te*, I have told no one but you // *né tu né — neither you nor anyone else // *non — che...*, no one else but... // *chi —?*, who else? // *taluno..., — some..., some...* (*o* some..., others...) **2** (*qualcuno*) people
altrieri *avv.* the day before yesterday.
altrimenti *avv.* differently ♦ *cong.* or else, otherwise.
altro *agg.* **1** other; (*in più, ancora*) more; (*ulteriore further; (*un altro*) another: *hai altri amici a Milano?* have you any other friends in Milan?; *gli altri miei amic ci*, my other friends; *altri due libri*, two more (*o* anothe two) books; *vuoi dell'— tè?*, would you like some mor tea?; *un'altra volta*, (*più tardi*) later; (*di nuovo*) again once more // *è tutt'altra cosa*, that's another (*o* a differ ent) matter // *un — Napoleone*, another (*o* a second

Napoleon // *chi* —?, who else?; *chiunque* —, anybody else; *cos'*—?, what else?; *in qualche* — *luogo*, somewhere else; *nessun* —, no one else; *nient'*—, nothing else; *qualcos'*—, something else; *poc'*—, little else; *qualcun* —, someone else **2** (*corr.*) → *altro pron.* nel senso 2 // *gli uni e gli altri scrittori*, all the writers **3** (*scorso*) last, other; (*prossimo*) next: *l'*— *giorno*, the other day; *quest'altra settimana*, next week **4** *noi altri, voi altri*, we, you.

altro *pron.* **1** other (one); (*in più, ancora*) more; (*un altro*) another (one), (*riferito a persona*) somebody else; (*chiunque altro*) anybody else; *pl.* others, other ones; (*riferito a persona*) others; (*altre persone, altra gente*) other people: *non ve ne sono altri*, there are not any others (*o* other ones); *ne vuoi degli altri, dell'*—?, would you like some more? // *è una ragione come un'altra*, it is a good enough reason // *era un turista come un* —, he was just an ordinary tourist // *pare un* —, he seems another person **2** (*corr.*): *alcuni..., altri...,* some..., some... (*o* some..., others...); (*l'*)*uno..., l'*—..., one..., the other...; *uno..., un* —..., one..., another...; *l'uno e l'*—, both; *né l'uno né l'*..., neither; (*in presenza di altra negazione*) either; *o l'uno o l'*—, either; *gli uni e gli altri*, they all (*o* all of them); (*compl.*) them all (*o* all of them) **3** (*rec.*): *l'un l'*—, one another; (*tra due*) each other **4** (*altra cosa*) something else, (*in prop. negative e nelle interr. dubitative o negative*) anything else; (*niente altro*) nothing else; (*di più*) more: *c'è dell'*—, there's some more // *ho ben* — *da fare!*, I have something better to do!; *ma non chiedo* —!, I'd like nothing better! // *penso a ben* —!, I'm thinking of something quite different! // *non* — *che*, nothing but // *non attendo* — *che il suo ritorno*, I am only waiting for him to come back // *bugiardo che non sei* —!, you're a liar if ever there was one! // — *è dire,* — *è fare*, it's one thing to talk and another to act // *tra l'*—, among other things // *più che* —, more than anything else // *tutt'*—, (*affatto*) not at all; (*al contrario*) on the contrary // *tutt'* — *che*, anything but // *senz'*—, certainly; (*indubbiamente*) undoubtedly // *se non* —, (*almeno*) at least **5** *esclam.*: — (*che*)!, of course!

altronde *avv.*: *d'*—, (*d'altra parte*) on the other hand; (*tuttavia*) however.

altrove *avv.* somewhere else; (*in prop. interr. o dubitative*) anywhere else.

altrui *agg.poss.* (*degli altri*) others', other people's; (*di qualcun altro*) someone else's: *non immischiarti nei fatti* —, don't poke your nose into other people's business; *la roba* —, someone else's property ♦ *pron.indef.* (*agli altri*) (to) others, other people ♦ *s.m.*: *l'*—, the property of others.

altruismo *s.m.* altruism, unselfishness.

altruista *s.m. e f.* altruist, unselfish person.

altruistico *agg.* altruistic, unselfish.

altura *s.f.* hill.

alunna *s.f.* pupil; student // *ex* —, old girl, alumna (*pl.* alumnae).

alunno *s.m.* pupil; student // *ex* —, old boy, alumnus (*pl.* alumni).

alveare *s.m.* beehive.

alveo *s.m.* riverbed.

alveolo *s.m.* alveolus (*pl.* alveoli).

alzabandiera *s.m.* the hoisting of the flag.

alzaia *s.f.* **1** towline, hawser **2** (*strada*) towpath.

alzare *v.tr.* **1** to lift (up), to raise; (*vele, bandiere ecc.*) to hoist: — *i prezzi*, to raise prices; — *la voce*, to raise

one's voice // — *gli occhi*, to look up // — *le spalle*, to shrug (one's shoulders) // — *le carte*, to cut the cards // — *il gomito*, (*fig.*) to lift the elbow // — *le mani su qlcu.*, to lay hands on s.o. // — *i tacchi*, to take to one's heels **2** (*costruire*) to build*; (*erigere*) to erect ♦ **-arsi** *v.rifl.e intr.pron.* **1** (*in piedi*) to stand* up **2** (*dal letto*) to get* up **3** (*di vento, sole*) to rise* **4** (*crescere in altezza*) to grow* tall **5** (*innalzarsi*): — *in volo*, to take wing.

alzata *s.f.* **1** (*l'alzare*) lifting up, raising; (*l'alzarsi*) rise, rising // — *d'ingegno*, (*fig.*) brainwave // — *di spalle*, shrug of the shoulders **2** (*vassoio a più ripiani*) epergne: *un* — *di frutta*, fruit stand **3** (*di credenza*) shelves (*pl.*); (*specchiera*) mirror **4** (*di scalino*) rise.

alzato *agg.* up; out of bed: *rimanere* — *tutta la notte*, to stay up all night; *non è ancora* —, he is not up yet ♦ *s.m.* (*arch.*) front elevation.

alzavola *s.f.* (*zool.*) teal.

alzo *s.m.* (*di fucile*) rear sight, back sight; (*di cannone*) elevating arc.

amabile *agg.* **1** amiable, lovable **2** (*di vino*) mellow.

amabilità *s.f.* amiability, lovableness.

amaca *s.f.* hammock.

amalgama *s.m.* amalgam.

amalgamare *v.tr.* to amalgamate.

amante *agg.* fond (of) ♦ *s.m.* lover ♦ *s.f.* mistress.

amanuense *s.m. e f.* amanuensis (*pl.* -ses).

amaramente *avv.* bitterly.

amaranto *agg. e s.m.* amaranth.

amarasca *s.f.* (*bot.*) marasca cherry.

amare *v.tr.* to love; (*piacere*) to be* fond (of s.o., sthg.), to like: *ama passeggiare*, he likes walking; *amerei che tu...*, I would like you to... ♦ **-arsi** *v.rifl.rec.* to love (each other, one another).

amareggiare *v.tr.* to embitter (*anche fig.*) // **-arsi** *v. intr.pron.* to grieve.

amarena *s.f.* (*bot.*) sour black cherry.

amaretto *s.m.* macaroon.

amarezza *s.f.* bitterness (*anche fig.*).

amarilli *s.f.* (*bot.*) amaryllis.

amaro *agg.* bitter (*anche fig.*) ♦ *s.m.* **1** bitterness (*anche fig.*) **2** (*liquore*) bitters (*pl.*).

amarognolo *agg.* bitterish.

amarra *s.f.* (*mar.*) mooring rope, hawser.

amarrare *v.tr.* (*mar.*) to moor.

amata *s.f.* sweetheart.

amato *agg.* beloved ♦ *s.m.* sweetheart.

amatore *s.m.* **1** lover **2** (*chi si occupa di un'arte per diletto*) amateur // *prezzo d'*—, collector's price.

amatorio *agg.* amatory.

amazzone *s.f.* **1** lady rider **2** (*mit.*) *le Amazzoni*, the Amazons // *Rio delle Amazzoni*, Amazon (River).

ambagi *s.f.pl.* ambages // *senza* —, plainly.

ambasceria *s.f.* embassy.

ambascia *s.f.* **1** breathlessness **2** (*gravissima afflizione*) anguish, distress.

ambasciata *s.f.* **1** embassy **2** (*messaggio*) message: *fare un'*—, to take (*o* to bring) a message.

ambasciatore *s.m.* ambassador.

ambasciatorio *agg.* ambassadorial.

ambasciatrice *s.f.* ambassadress.

ambedue *agg. e pron.* both.

ambidestro *agg.* ambidextrous.

ambientale *agg.* environmental.

ambientamento *s.m.* acclimatization.

ambientare *v.tr.* **1** to acclimatize **2** (*personaggio,* *fatto ecc.*) to set*; to place // **-arsi** *v.rifl.* to get* acclimatized; to adapt oneself.

ambiente *s.m.* **1** environment, milieu, surroundings (*pl.*); (*atmosfera*) atmosphere; (*di romanzo ecc.*) setting **2** (*stanza*) room: *temperatura —*, room temperature **3** (*informatica*) environment.

ambiguità *s.f.* ambiguousness, ambiguity.

ambiguo *agg.* **1** ambiguous **2** (*di persona*) suspicious.

ambio *s.m.* (*andatura del cavallo*) amble.

ambire *v.tr.* e *intr.* to long (for sthg., to do) // *un posto molto ambito*, a post much sought after.

ambito *s.m.* **1** limits (*pl.*) **2** (*fig.*) sphere, ambit; (*limiti*) limits (*pl.*), bounds (*pl.*): *nell'— della famiglia*, in one's family; *non rientra nell'— delle mie funzioni*, it is not in my sphere of work.

ambivalente *agg.* ambivalent.

ambizione *s.f.* ambition: *senza —*, without (any) ambition.

ambizioso *agg.* ambitious.

ambo¹ *agg.* e *pron.* both: *— i sessi*, both sexes.

ambo² *s.m.* (*al lotto, tombola*) pair, couple.

ambone *s.m.* (*arch.*) ambo.

ambra *s.f.* amber // *— grigia*, ambergris.

ambrato *agg.* **1** amber-coloured **2** (*odoroso d'ambra*) amber-scented.

Ambrogio *no.pr.m.* Ambrose.

ambrosia *s.f.* ambrosia.

ambulacro *s.m.* ambulatory.

ambulante *agg.* strolling, itinerant: *fruttivendolo —*, coster, costermonger; *suonatore —*, street-musician; *venditore —*, pedlar (*o* hawker) // *biblioteca —*, (*fig.*) walking encyclopaedia.

ambulanza *s.f.* ambulance.

ambulatorio *s.m.* outpatients' department.

Amburgo *no.pr.f.* Hamburg.

ameba *s.f.* amoeba.

Amelia *no.pr.f.* Amelia.

amen *inter.* amen // *in un —*, in a tick.

amenità *s.f.* **1** pleasantness, agreeableness **2** (*facezia*) pleasantry, joke.

ameno *agg.* **1** pleasant, agreeable **2** (*divertente*) amusing // *tipo —*, funny chap.

America *no.pr.f.* America: *— del Sud*, South America.

americanismo *s.m.* Americanism.

americanista *s.m.* e *f.* Americanist.

americanizzare *v.tr.* to Americanize // **-arsi** *v.rifl.* to become* Americanized.

americano *agg.* e *s.m.* American.

ametista *s.f.* amethyst.

amfetamina *s.f.* amphetamine.

amianto *s.m.* asbestos.

amica *s.f.* girlfriend.

amicarsi *v.tr.*: *— qlcu.*, to befriend s.o.

amichevole *agg.* friendly.

amicizia *s.f.* **1** friendship: *fare — con qlcu.*, to make friends with s.o. **2** *pl.* (*amici*) friends: *hai molte amicizie?*, have you many friends?

amico *agg.* **1** friendly; (*affezionato*) devoted **2** (*propizio*) favourable, propitious ♦ *s.m.* friend: *diventare — di qlcu.*, to make friends with s.o.; *— del cuore*, bosom friend // *siamo amici per la pelle*, we are cronies // *gli amici si riconoscono nelle avversità*, (*prov.*) a friend in need is a friend indeed.

amicone *s.m.* chum, pal; (*amer.*) buddy.

amidaceo *agg.* amylaceous.

amido *s.m.* starch.

Amleto *no.pr.m.* Hamlet.

ammaccare *v.tr.* to dent // **-arsi** *v.intr.pron.* to get* dented.

ammaccatura *s.f.* dent.

ammaestramento *s.m.* **1** teaching **2** (*di animali*) training.

ammaestrare *v.tr.* **1** to teach* **2** (*animali*) to train.

ammaestrato *agg.* (*di animale*) trained.

ammainabandiera *s.m.* the lowering of the flag.

ammainare *v.tr.* (*bandiera*) to lower, to haul down; (*vela*) to strike*.

ammalarsi *v.intr.pron.* to fall* ill, to be* taken ill; (*contrarre una malattia*) to get* (an illness): *si è ammalato di ulcera*, he got an ulcer; *si è ammalato di cuore*, he got a heart complaint.

ammalato *agg.* sick, ill (*pred.*): *— di...*, suffering from... ♦ *s.m.* sick person.

ammaliare *v.tr.* to bewitch, to charm.

ammaliatore *agg.* charming, bewitching ♦ *s.m.* charmer, enchanter.

ammaliatrice *s.f.* enchantress.

ammanco *s.m.* (*comm.*) deficit: *— di cassa*, deficit; *colmare un —*, to make good a deficit.

ammanettare *v.tr.* to handcuff.

ammannire *v.tr.* to prepare.

ammansire *v.tr.* **1** to domesticate, to tame **2** (*fig.*) to calm, to appease, to placate // **-irsi** *v.intr.pron.* **1** to become* tame **2** (*fig.*) to calm down.

ammantare *v.tr.* to mantle, to cloak (*anche fig.*), to wrap up (*anche fig.*) // **-arsi** *v.rifl.* to wrap oneself (in sthg.).

ammaraggio *s.m.* alighting on water.

ammarare *v.intr.* to alight on water.

ammassare *v.tr.* to heap (up), to amass; (*con cupidigia*) to hoard (up) // **-arsi** *v.rifl.* **1** (*affollarsi*) to crowd together **2** (*accumularsi*) to accumulate.

ammasso *s.m.* **1** heap, mass, hoard **2** stockpile: *portare il grano all'—*, to stockpile grain.

ammattimento *s.m.* annoyance, nuisance.

ammattire *v.intr.* to go* mad: *far —*, to drive mad.

ammattonato *agg.* brick (*attr.*) ♦ *s.m.* brick floor, brick pavement.

ammazzamento *s.m.* killing.

ammazzare *v.tr.* **1** to kill; (*assassinare*) to murder // *— il tempo*, to kill time **2** (*fig.*) to kill: *questo caldo mi ammazza*, this heat is killing me // **-arsi** *v.rifl.* **1** (*suicidarsi*) to kill oneself, to commit suicide // *— di lavoro*, (*fig.*) to overwork (*o* to work oneself to death) **2** (*rimanere ucciso*) to get* killed.

ammazzasette *s.m.* braggart.

ammazzata *s.f.*: *è stata un'—!*, it was murder!

ammazzatoio *s.m.* slaughterhouse, shambles (*pl.*).

ammenda *s.f.* **1** fine **2** (*riparazione*) amends (*pl.*): *fare — di qlco.*, to make amends for sthg.

ammennicolo *s.m.* **1** (*cavillo*) cavil; (*pretesto*) pretext **2** (*piccola entità*) trifle.

ammettere *v.tr.* **1** to admit // *— una domanda*, to grant a request **2** (*riconoscere*) to admit, to acknowledge **3** (*supporre*) to suppose: *ammettiamo che...*, suppose (that)... **4** (*permettere*) to allow.

ammezzato *s.m.* mezzanine (floor).

ammiccare *v.intr.* to wink (at s.o.).

amministrare *v.tr.* **1** to manage; (*gestire*) to run* // *— la giustizia*, to administer justice **2** (*eccl.*) to administer.

amministrativo *agg.* administrative.

mministratore *s.m.* **1** (*di beni, case, terreni*) admin-
itrator **2** (*comm.*) manager: — *delegato*, managing
rector.

mministrazione *s.f.* administration, management:
attiva —, mismanagement; *si rivolga in* —, apply to
*t*e management // *consiglio d'*—, board of directors
' *è una cosa di ordinaria* —, it's in the normal run of
*t*ings.

mmirabile *agg.* admirable.

mmiraglia *agg. e s.f.*: (*nave*) —, flagship.

mmiragliato *s.m.* **1** Admiralty **2** (*carica*) admiral-
*s*ip.

mmiraglio *s.m.* Admiral: *contr'*—, Rear Admiral; *vi-*
e —, Vice-Admiral.

mmirare *v.tr.* to admire.

mmirativo *agg.* admiring.

mmirato *agg.* admiring.

mmiratore *s.m.* **1** admirer; (*di attore ecc.*) fan **2**
orteggiatore) suitor.

mmiratrice *s.f.* admirer; (*di attore ecc.*) fan.

mmirazione *s.f.* admiration.

mmirevole *agg.* admirable.

mmissibile *agg.* acceptable, admissible.

mmissione *s.f.* **1** admission, admittance, entrance:
tame di —, entrance examination; *norme per l'*—,
*o*nditions for admittance; *tassa di* —, entrance fee **2**
iconoscimento) admission.

mmobiliare *v.tr.* to furnish.

mmobiliato *agg.* furnished.

mmodernare *v.tr.* to modernize.

mmodo *agg.* nice, proper ♦ *avv.* nicely, properly.

mmogliarsi *v.rifl.* to marry, to get* married.

mmogliato *agg.* married ♦ *s.m.* married man.

mmollare¹ *v.tr.* (*inzuppare*) to soak ♦ *v.intr.*, **-arsi** *v.*
*i*r.*pron.* (*inzupparsi*) to get* soaked.

mmollare² *v.tr.*, **ammollarsi** *v.intr.pron.* (*allentare*) to
*o*osen.

mmollire *v.tr.*, **ammollirsi** *v.intr.pron.* to soften.

mmoniaca *s.f.* ammonia.

mmonimento *s.m.* warning.

mmonio *s.m.* ammonium.

mmonire *v.tr.* to warn, to admonish.

mmonizione *s.f.* warning, admonition.

mmontare¹ *s.m.* amount; (*totale*) total.

mmontare² *v.intr.* to amount (to sthg.); to total (sthg.).

mmonticchiare *v.tr.*, **ammonticchiarsi** *v.rifl.* to heap
p.

mmorbare *v.tr.* to infect, to foul.

mmorbidente *s.m.* softener, fabric softener.

mmorbidire *v.tr.*, **ammorbidirsi** *v.intr.pron.* to soften
*a*nche fig.).

mmortamento *s.m.* amortization // *fondo di* —,
*s*king fund.

mmortare *v.tr.* to amortize.

mmortizzare *v.tr.* **1** to amortize **2** (*mecc.*) to damp.

mmortizzatore *s.m.* damper, shock absorber.

mmortizzazione *s.f.* → **ammortamento**.

mmosci(a)re *v.tr.* to make* flabby; (*fiori*) to make
*f*owers) droop // **-(a)rsi** *v.intr.pron.* to get* flabby; (*di
*f*ori) to droop.

mmostare *v.tr.* to crush grapes.

mmostatura *s.f.* grape-crushing.

mmucchiare *v.tr.*, **ammucchiarsi** *v.rifl.* to heap up.

mmuffire *v.intr.* to go* mouldy.

mmuffito *agg.* mouldy.

mmutinamento *s.m.* mutiny.

ammutinarsi *v.rifl.* to mutiny, to revolt.

ammutinato *agg.* mutinous ♦ *s.m.* mutineer.

ammutolire *v.intr.* to be* struck dumb.

amnesia *s.f.* amnesia.

amniocentesi *s.f.* (*med.*) amniocentesis.

amniotico *agg.* amniotic: *liquido* —, amniotic fluid.

amnistia *s.f.* amnesty.

amnistiare *v.tr.* to amnesty.

amo *s.m.* hook: *prendere all'*—, to hook.

amorale *agg.* amoral.

amoralità *s.f.* amorality.

amorazzo *s.m.* love-affair.

amore *s.m.* love // *amor proprio*, self-respect; self-conceit // *per* — *di*, for the sake of; *per* — *di Dio*, for
God's sake // *per* — *o per forza*, by hook or by crook
// *è un* —!, (*fam.*) it's a dear (*o a darling*)! // *che* —!,
(*fam.*) how charming! // *gli amori di*, (*vicende*) the love
story of; (*relazioni*) love affairs of; (*amanti*) mistresses,
lovers // *Amore* *no.pr.m.* (*mit.*) Cupid.

amoreggiamento *s.m.* flirtation.

amoreggiare *v.intr.* to flirt.

amorevole *agg.* loving.

amorevolezza *s.f.* lovingness.

amorfo *agg.* amorphous.

amorosamente *avv.* lovingly.

amoroso *agg.* **1** (*che vuol bene*) loving, affectionate **2** (*d'amore*) love (*attr.*).

amperaggio *s.m.* (*elettr.*) amperage.

ampere *s.m.* (*fis.*) ampere.

amperometro *s.m.* (*elettr.*) ammeter.

amperora *s.f.* (*fis.*) ampere-hour.

ampiamente *avv.* widely, extensively.

ampiezza *s.f.* **1** (*larghezza*) width; (*di ambiente*) spa-
ciousness // — *di vedute*, broadmindedness **2** (*fis.
elettr.*) amplitude.

ampio *agg.* (*largo*) broad, wide; (*spazioso*) spacious,
roomy; (*grande*) large, ample // *gonna ampia*, full skirt.

amplesso *s.m.* embrace.

ampliamento *s.m.* amplification, enlargement; (*aumento*) increase.

ampliare *v.tr.* to enlarge; (*aumentare*) to increase; (*fig.*)
to broaden: — *i propri interessi*, to broaden one's interests.

amplificare *v.tr.* **1** to enlarge; (*fig.*) to exaggerate **2**
(*tecn.*) to amplify.

amplificatore *s.m.* amplifier.

amplificazione *s.f.* amplification.

ampolla *s.f.* cruet; (*eccl.*) ampulla (*pl.* -ae).

ampollosità *s.f.* pomposity, bombast.

ampolloso *agg.* pompous, bombastic.

amputare *v.tr.* to amputate.

amputazione *s.f.* amputation.

amuleto *s.m.* amulet, charm.

anabattista *s.m. e f.* (*st. relig.*) Anabaptist.

anabbagliante *agg.* anti-dazzle // (*fari*) *anabbaglianti*,
(*aut.*) dipped (head)lights; (*amer.*) low beam.

anacoluto *s.m.* (*gramm.*) anacoluthon (*pl.* anacolutha).

anacoreta *s.m.* anchorite.

Anacreonte *no.pr.m.* (*st. lett.*) Anacreon.

anacronismo *s.m.* anachronism.

anacronistico *agg.* anachronistic.

anagrafe *s.f.* **1** register: — *tributaria*, tax register **2**
(*ufficio*) registry office.

anagrafico *agg.*: *dati anagrafici*, personal data; *ufficio*
—, registry office.

anagramma *s.m.* anagram.

anagrammare *v.tr.* to anagram(matize).

analcolico *agg.* non-alcoholic // *gli analcolici*, soft drinks.

anale *agg.* anal.

analfabeta *agg.* e *s.m.* e *f.* illiterate.

analfabetismo *s.m.* illiteracy.

analgesico *agg.* e *s.m.* analgesic.

analisi *s.f.* analysis (*pl.* analyses); (*prova*) test: — *automatica dei documenti*, (*informatica*) automatic abstracting; — *dei costi*, (*comm.*) cost analysis; — *del sangue*, blood test; — *di classe* (*informatica*) (*cobol*), class test; — *di mercato*, (*comm.*) market analysis; — *di relazione* (*informatica*) (*cobol*), relation test; — *grammaticale*, (*grammatical*) analysis; — *ottica*, (*informatica*) optical scanning; — *reticolare*, (*informatica*) network analysis // *in ultima* —, all things considered.

analista *s.m.* e *f.* analyst: — *di informatica*, computer analyst.

analitico *agg.* analytic(al).

analizzare *v.tr.* to analyse.

analogamente *avv.* likewise.

analogia *s.f.* analogy: *per* — *con...*, on the analogy of...

analogico *agg.* **1** analogical **2** (*informatica*) analogue; (*IBM*) analog.

analogo *agg.* analogous, similar.

ananas, ananasso *s.m.* pineapple.

anarchia *s.f.* anarchy.

anarchico *agg.* anarchic(al) ♦ *s.m.* anarchist.

anarchismo *s.m.* anarchism.

anarcoide *s.m.* anarchist.

Anastasio *no.pr.m.* (*st.*) Anastasius.

anatema *s.m.* anathema.

anatemizzare *v.tr.* to anathemize.

anatomia *s.f.* anatomy.

anatomico *agg.* anatomical.

anatomista *s.m.* e *f.* anatomist.

anatomizzare *v.tr.* to anatomize.

anatra *s.f.* duck.

anatroccolo *s.m.* duckling.

anca *s.f.* hip, haunch.

ancella *s.f.* (*letter.*) maid.

ancestrale *agg.* ancestral.

anche *avv.* **1** (*pure*) too, as well, also; (*in frasi negative*) either: *anch'io lo vidi*, I saw him too (*o* as well *o* I also saw him); *vide — me*, he saw me too (*o* as well *o* he also saw me); — *Giovanni non beve*, John does not drink either; «*Lo vidi ieri*»«*Anch'io*», "I saw him yesterday" "So did I" // *potremmo — dirglielo!*, after all, we could tell him! // *potremmo — andare!*, we might as well go! **2** (*davanti ai compar.*) even, still, yet **3** (*perfino*) even ♦ *cong.*: — (*a, se*), *quand'*—, even if (*o* though).

ancheggiare *v.intr.* to wiggle.

anchilosarsi *v.intr.pron.* to get* stiff.

anchilosato *agg.* stiff; (*med.*) ankylotic.

anchilosi *s.f.* stiffness; (*med.*) ankylosis.

anchilostoma *s.m.* hookworm; (*scient.*) ankylostoma.

ancia *s.f.* (*di strumenti a fiato*) reed.

ancillare *agg.* maid (*attr.*).

ancona *s.f.* (*tavola di altare*) altarpiece.

àncora *s.f.* **1** anchor: *gettare, levare l'*—, to cast, to weigh anchor; *stare all'*—, to be at anchor // — *di salvezza*, (*fig.*) sheet anchor **2** (*elettr.*) keeper.

ancora *avv.* **1** still; (*solo in frasi negative*) yet: *sei — qui?*, are you still here?; *non lo conoscevo — nel '48*, I still hadn't met him in 1948; *non sono — arrivati*, they have not arrived yet **2** (*di nuovo*) again **3** (*davanti compar.*) still, even, yet: *è — più difficile*, it is still even) more difficult **4** (*con pron.* e *agg. quantitativ* more: — *molti libri*, many more books; — *un po'*, a lit tle more; *pl.* a few more **5** (*di più, in prop. affermative* some more; (*in prop. negative* e *dubitative*) any more: *n vuoi —?*, do you want some more?; do you want an more?; *vorrei — del pane*, I should like some mo bread **6** (*più a lungo*) longer: *restate — un po'*, stay little longer.

ancoraggio *s.m.* anchorage, moorings (*pl.*).

ancorare *v.tr.*, **ancorarsi** *v.rifl.* to anchor (*anche fig.*).

ancorché *cong.* **1** (*anche se*) even if **2** (*sebbene* (al)though.

andamento *s.m.* course, progress; (*spec. d'affari*) tren // — *della casa*, running of the house.

andante *agg.* ordinary, common ♦ *s.m.* (*mus.*) andant

andare *v.intr.* **1** to go*: — *a far spese*, to go shop ping; — *per la propria strada, per i fatti propri*, to g one's own way; *chi va là?*, who goes there?; *andiam su!*, let's go // — *su, giù*, to go up, down // — *avan* (*avanzare*) to advance; (*precedere*) to go ahead; (*proce dere, continuare*) to go on; (*di orologio*) to be fast // – *dentro*, to go inside; to go into (sthg.) // — *dietro* *qlcu.*, to follow s.o.; (*corteggiare*) to run after s.o. // – *a gambe all'aria*, to tumble // — *di bene in meglio*, to get better and better; — *di male in peggio*, to go fror bad to worse // — *troppo oltre, troppo in là*, to go to far // — *per le lunghe*, to take a long time // — *a finir* (*che*), to end up (by) // — *a finire bene, a buon fine*, to end well; — *a finire male*, (*anche fig.*) to come to a ba end // — *a male*, to go badly // — *per funghi*, to go looking for mushrooms // *va per i vent'anni*, he is get ting on for twenty // *lasciar — qlcu.*, to let s.o. go; *la sciar — qlcu.*, to let sthg. drop // *lasciarsi —*, to let one self go // — *all'altro mondo*, to die // *o la va o la spac ca!*, now or never! // *se va, va*, there's nothing to los // *come va che...*, how is it that... // *andarne, andarci* mezzo, to suffer (from sthg.) // *ne va della vita*, it's matter of life and death // *ne va del mio onore*, m honour is at stake // *in cenere*, to go up in flames — *in fumo*, to go up in smoke; (*fig.*) to vanish into thi air // — *in pezzi*, to fall to pieces // — *in brodo di giug giole, in succhero*, to go into raptures // *va da s che...*, it goes without saying that... // *va là!*, come or (*o* go on!) **2** *andarsene*, to go* away, to leave*; (*c macchia*) to come* off; (*morire*) to die; *andiamocene* let's go; *devo andarmene*, I must be going // *la neve s ne va*, the snow is clearing up // *il paziente se ne andav a poco a poco*, the patient was fading away // *la m memoria se ne va*, I am losing my memory **3** (*procede re*) to go*: *andar bene, male*, to go well, badly; — *i gonfie vele*, to go swimmingly; — *a rotoli*, to go to th devil; *come va?*, how are you? (*o* how are things?) non gli andrà liscia*, he won't get away with it // – (*lume di*) *naso*, to play it by ear **4** (*funzionare*) to go* to work: *far — il motore*, to get the engine to go; *l'oro logio non va*, the watch doesn't go (*o* work); — *a carb ne*, to use (*o* to go on) coal // *questo lavoro non va*, th work is not good enough **5** (*essere*) to be*: — *pazz per qlco., per qlcu.*, to be mad about sthg., s.o.; *se no andiamo errati*, if we are not mistaken **6** (*dovere* must*; (*occorrere*) to need (*costr. pers.*): *va fatto*, it mu be done; *non va preso alla lettera*, it is not to be take literally; *va conservato in luogo fresco*, it must be kept i a cool place; *qui ci andrebbe ancora un chiodo*, you nee

other nail here **7** (*piacere*) to like (*costr. pers.*): que-
posto non mi va (a genio), I don't like this place // ti
di venire al cinema con me?, how (o what) about
ming to the pictures with me? **8** (*essere adatto*) to
it; (*di abito, essere della misura adatta*) to fit: mi va a
nnello, it fits me like a glove **9** (*essere di moda*) to
* fashionable, to be* in **10** (*aver corso legale*): que-
* banconote non vanno più, these banknotes are no
nger legal tender.

dare *s.m.* **1** going: un continuo — e venire, a con-
ual coming and going // a lungo —, in the long run
con l'— del tempo, with (the passing of) time **2** (*an-
tura*) walk, gait // correre a tutt'—, to go all out; pio-
a tutt'—, it is pouring down; spendere a tutt'—, to
end money like water.

data *s.f.* going: biglietto d'—, single (o amer. one
ray) ticket; biglietto di — e ritorno, return (o amer.
und-trip) ticket; viaggio di — e ritorno, return (o
ner. round) trip.

dato *agg.* **1** past // nei tempi andati, in the past **2**
g. fam.) (*rovinato*) ruined; (*finito*) finished.

datura *s.f.* **1** (*modo di camminare*) walk, gait **2**
locità, lunghezza del passo) pace // fare l'—, (*sport*)
set the pace.

dazzo *s.m.* **1** (*abitudine*) habit, custom **2** (*anda-
ento*) course.

nde, le *no.pr.f.pl.* the Andes.

dicappare *v.tr.* to handicap.

dino *agg.* Andean.

dirivieni *s.m.* comings and goings.

dito *s.m.* passage.

dorra *no.pr.f.* Andorra.

drea *no.pr.m.* Andrew.

drone *s.m.* hall.

eddotico *agg.* anecdotal.

eddoto *s.m.* anecdote.

elare *v.intr.* **1** to pant, to gasp **2** (*fig.*) to yearn
or sthg.).

elito *s.m.* **1** gasping **2** (*fig.*) yearning (for).

ello *s.m.* **1** ring; (*di catena*) link: — di fidan-
mento, engagement ring; — nuziale, wedding ring //
elli di fumo, smoke rings // — di congiunzione, inter-
ediary (o link) // — stradale, link **2** (*informatica*)
g; loop: — del nastro, ribbon loop; — di protezione
le», file protection ring; — di retroazione, feed
ack loop.

emia *s.f.* anaemia.

emico *agg.* anaemic.

emometro *s.m.* anemometer.

emone *s.m.* anemone // — di mare, (*zool.*) sea
emone.

estesia *s.f.* anaesthesia.

estesista *s.m. e f.* anaesthetist.

estetico *s.m.* anaesthetic.

estetizzare *v.tr.* to anaesthetize.

eurisma *s.m.* (*med.*) aneurism.

fibio *agg.* amphibian; (*mil.*) amphibious ♦ *s.m.* am-
ibian.

fiteatro *s.m.* amphitheatre.

fitrione *s.m.* host.

fora *s.f.* amphora (*pl.* amphorae).

fratto *s.m.* ravine, gorge.

frattuoso *agg.* anfractuous, winding.

gariare *v.tr.* to vex, to oppress.

gelico *agg.* angelic(al).

gelo *s.m.* **1** angel (*anche fig.*): — custode, guardian

angel // Lunedì dell'Angelo, Easter Monday **2** (*pesce*)
—, angel fish.

angheria *s.f.* vexation.

angina *s.f.* angina.

angiografia *s.f.* (*med.*) angiography.

angioino *agg.* (*st.*) Angevin.

angiologo *s.m.* angiologist.

angioma *s.m.* (*med.*) angioma.

angiporto *s.m.* alley; (*cieco*) cul-de-sac.

anglicanesimo, **anglicanismo** *s.m.* (*st. relig.*) Anglicanism.

anglicano *agg. e s.m.* Anglican.

anglicismo, **anglismo** *s.m.* anglicism.

anglista *s.m. e f.* angli(ci)st.

anglo- *pref.* Anglo-.

angloamericano *agg. e s.m.* Anglo-American.

anglofilia *s.f.* pro-English attitude.

anglofilo *agg. e s.m.* Anglophile.

anglosassone *agg. e s.m.* Anglo-Saxon.

angolare *agg.* angular // pietra —, (*anche fig.*) cornerstone.

angolo *s.m.* **1** corner: casa d'—, corner-house // un
— di cielo, a corner of heaven // mettere un bambino
nell'—, to put a child in the corner **2** (*fis. geom. mil.
ecc.*) angle: — di tiro, (*mil.*) angle of fire; — acuto,
(*geom.*) acute angle; — giro, piatto, (*geom.*) round,
straight angle; — ottuso, (*geom.*) obtuse angle; ad —
retto con, at a right angle to **3** (*luogo appartato*) (secluded) place, spot.

angoloso *agg.* angular; (*di viso*) bony.

angora *s.f.* angora: gatto, lana d'—, Angora cat, wool.

angoscia *s.f.* anguish, distress.

angosciare *v.tr.* to distress, to torment // **-arsi** *v.
intr.pron.* to grieve (over sthg.).

angosciato *agg.* distressed, tormented.

angoscioso *agg.* **1** distressing, tormenting **2** (*pieno
di angoscia*) distressed, tormented.

angostura *s.f.* angostura.

anguilla *s.f.* eel.

anguria *s.f.* watermelon.

angustia *s.f.* **1** (*ansia*) anxiety: essere in angustie per...,
to be anxious about... **2** (*miseria*) poverty, want.

angustiare *v.tr.* to worry // **-arsi** *v.intr.pron.* to worry
(about sthg.).

angusto *agg.* narrow (*anche fig.*).

anice *s.m.* aniseed.

anidride *s.f.* anhydride // — carbonica, carbon dioxide.

anilina *s.f.* aniline.

anima *s.f.* **1** soul // la buon'— di suo padre, his father,
God rest him // render l'— a Dio, to breath one's last
// essere un'— in pena, to be a soul in torment // essere l'— dannata di qlco., to be s.o.'s evil angel // reggere
l'— coi denti, to be at the end of one's tether // vendere
l'— a caro prezzo, to sell one's life dearly // rodersi l'—,
to torment oneself // far dannare l'— a qlcu., (*fam.*) to
torment s.o. (o to drive s.o. mad) // darei l'— per saperlo, I'd give anything to know // darsi — e corpo a
qlco., to give oneself body and soul to sthg. (o to throw
oneself heart and soul into sthg.) // essere l'— di qlco.,
to be the life and soul of sthg. // con tutta l'—, with all
one's heart; ci ha messo tutta l'—, he has set his heart
upon it // volersi un bene dell'—, to be extremely fond
of each other **2** (*parte centrale*) (*di arma da fuoco*)
bore; (*di cannone*) tube; (*di bottone*) mould; (*di legno,
corda*) heart **3** (*persona*) inhabitant, soul: non c'era —
viva, there wasn't a living soul there.

animale *agg.* e *s.m.* animal (*anche fig.*).
animalesco *agg.* bestial.
animalità *s.f.* animality.
animare *v.tr.* 1 to animate (*anche fig.*); (*conversazione, festa ecc.*) to enliven // *essere animato da*, (*sentimento, intenzione*) to be* inspired by 2 (*incoraggiare*) to encourage // **-arsi** *v.intr.pron.* 1 to get* livelier, to warm up: *l'atmosfera si andava animando*, the atmosphere was warming up 2 (*prendere coraggio*) to take* courage 3 (*acquistar vita*) to wake* up: *d'estate il paese si animava*, during the summer the village used to wake up (*o* to come alive).
animatamente *avv.* animatedly.
animato *agg.* 1 living: *esseri animati*, living beings // *cartoni animati*, animated cartoons 2 (*vivace*) animated, lively: *seguì una discussione animata*, a lively discussion ensued.
animatore *agg.* animating, enlivening ♦ *s.m.* animator, enlivener.
animazione *s.f.* 1 animation, liveliness 2 (*di strade ecc.*) life, bustle 3 (*cinem.*) animation.
animella *s.f.* sweetbread.
animismo *s.m.* animism.
animo *s.m.* 1 (*mente*) mind; (*cuore*) heart // *forza di —*, willpower; *grandezza d'—*, magnanimity // *di — gentile*, kind-hearted // *aprire l'— a qlcu.*, to open one's heart to s.o. // *avere l'— tranquillo*, to have an easy conscience // *avere qlco. nell'—*, to have sthg. on one's mind // *avere in — di...*, to have a (good) mind to... // *mettersi l'— in pace*, to resign oneself; *stare con l'— sospeso*, to be on tenterhooks // *con tutto l'—*, with all one's heart // *di mal —*, unwillingly; *di buon —*, willingly // *sta' di buon—!*, cheer up! 2 (*persona*) soul: *un — nobile, generoso*, a noble, generous soul 3 (*coraggio*) heart: *farsi —*, to take heart; *perdersi d'—*, to lose heart // *—!*, cheer up! 4 (*intendimento*) intention: *scoprii il suo vero —*, I discovered his real intention 5 *stato d'—*, mood: *non era nello stato d'— giusto per farlo*, he wasn't in the right mood for doing it.
animosità *s.f.* animosity, spite: *agire per —*, to act out of spite; *nutrire dell'— verso qlcu.*, to bear a grudge against s.o.
animoso *agg.* 1 brave, bold, courageous 2 (*ostile*) malevolent, spiteful 3 (*di animale*) fiery, spirited.
anitra *s.f.* duck; (*maschio*) drake.
Anna *no.pr.f.* Anne, Ann.
annacquare *v.tr.* 1 to water, to dilute 2 (*fig.*) to water down.
annacquato *agg.* 1 watered 2 (*fig.*) watered down.
annaffiare *v.tr.* to water.
annaffiatoio *s.m.* watering can.
annaffiatrice *s.f.* road-sprinkler.
annali *s.m.pl.* annals.
annalista *s.m.* e *f.* annalist.
annaspare *v.intr.* to grope (*anche fig.*); (*nell'acqua*) to flounder.
annata *s.f.* 1 year: *un'— d'affitto*, a year's rent 2 (*raccolto*) crop 3 (*di vino*) vintage.
annebbiare *v.tr.* 1 to make* foggy 2 (*occhi*) to dim; (*mente ecc.*) to dull ♦ *v.intr.impers.* to get* foggy // **-arsi** *v.intr.pron.* 1 to get* foggy 2 (*di vista*) to grow* dim 3 (*di mente, idee*) to get* confused.
annebbiato *agg.* foggy; (*di occhi*) dimmed; (*di mente*) dulled.
annegamento *s.m.* drowning: *morte per —*, death by drowning.

annegare *v.tr.* to drown ♦ *v.intr.* to get* drowned, [ ] be* drowned.
annegato *s.m.* drowned person.
annerire *v.tr.* e *intr.*, **annerirsi** *v.intr.pron.* to blacke[ ] to darken.
annessione *s.f.* annexation.
annesso *agg.* 1 adjoining 2 (*accluso*) enclosed [ ] *s.m.* 1 *annessi e connessi di qlco.*, everything connect[ ] with sthg. 2 *pl.* (*med.*) adnexa.
annettere *v.tr.* 1 to annex 2 — *importanza a una c[ ] sa*, to attach importance to a thing 2 (*accludere*) to e[ ] close.
Annibale *no.pr.m.* Hannibal.
annichilire *v.tr.* to annihilate, to destroy (*anche fig.*) [ ] **-irsi** *v.rifl.* (*fig.*) to humble oneself, to abase oneself.
annidarsi *v.rifl.* 1 (*fare il nido*) to nest, to build* [ ] nest 2 (*nascondersi*) to hide*.
annientamento *s.m.* annihilation, destruction.
annientare *v.tr.* to annihilate, to destroy (*anche fig.*) [ ] *la risposta lo annientò*, the answer crushed him // **-a[ ]** *v.rifl.* (*fig.*) to humiliate oneself, to abase oneself.
anniversario *agg.* e *s.m.* anniversary.
anno *s.m.* year: — *bisestile*, leap year; — *giuridico,* [ ] *nanziario, fiscale*, legal, financial, fiscal year; — *in c[ ] so*, present (*o* current) year; *l'— prossimo, l'— scors[ ]* next year, last year; *un — dopo l'altro*, year in year o[ ] (*o* year after year); *col passare degli anni*, as years go b[ ] *di — in —*, from year to year; *durante tutto l'—*, all ye[ ] round // *sono anni che non lo vedo*, I haven't seen hi[ ] for years; *sono cent'anni che non lo vedo*, I haven't se[ ] him for ages // *«Quanti anni hai?» «Ho vent'ann[ ]* "How old are you?" "I am twenty (years old)" [ ] *quando compi gli anni?*, when is your birthday? // *ne[ ] anni Venti, Trenta ecc.*, in the twenties, in the thirti[ ] etc. // *Capodanno*, New Year's Day; *aspettare l'[ ] nuovo*, to see the New Year in; *augurare a qlcu. il bu[ ] —*, to wish s.o. a happy New Year // *nel fiore de[ ] anni*, in the prime of life // *essere avanti negli anni*, [ ] be elderly // *levarsi gli anni*, to knock a few years o[ ] one's age // *è uno studente del terz'— di medicina*, he[ ] a third-year medical student.
annodare *v.tr.* to knot, to tie in a knot // — *relazio[ ] con qlcu.*, to establish contact with s.o. // **-a[ ]** *v.intr.pron.* to knot, to become* knotted.
annoiare *v.tr.* (*stancare*) to bore; (*infastidire*) to anne[ ] // **-arsi** *v.intr.pron.* to be* bored.
annoiato *agg.* bored // *avere un'aria annoiata*, to lo[ ] bored.
annonario *agg.* provision (*attr.*): *tessera annonaria*, r[ ] tion-card.
annoso *agg.* old.
annotare *v.tr.* 1 to make* a note (of sthg.), to j[ ] down 2 (*corredare di note*) to annotate.
annotazione *s.f.* annotation, note.
annottare *v.intr.impers.* to grow* dark, to get* dark.
annoverare *v.tr.* 1 to number, to count 2 (*enumer[ ] re*) to enumerate.
annuale *agg.* annual, yearly ♦ *s.m.* anniversary.
annualità *s.f.* annuity; (*reddito annuo*) yearly income.
annualmente *avv.* annually, yearly.
annuario *s.m.* yearbook: — *commerciale*, trade dire[ ] tory.
annuire *v.intr.* to nod (in assent).
annullamento *s.m.* 1 (*dir.*) annulment; (*di legge*) [ ] peal 2 (*di appuntamento, ordine, francobollo*) cancell[ ] tion.

nullare v.tr. 1 (dir.) to annul; (una legge) to real 2 (fig.) to annul 3 (disdire, cancellare) to can-
4 (mat.) to zero.

nunciare v.tr. to announce // chi devo —?, what
me shall I say?; farsi —, to give one's name // -arsi
fl. to give* one's name // si annuncia un bel tempo-
e, there is a storm blowing up.

nunciatore s.m., **annunciatrice** s.f. announcer; (ra-
fonico, televisivo) newscaster, newsreader.

nuncio s.m. 1 announcement, notice: dare un —,
announce; annunci economici, classified advertise-
ents; — mortuario, obituary (notice); — pubblicitario,
vertisement: mettere un — sul giornale, to put an ad-
tisement in a newspaper 2 (presagio) presage.

nunziare e deriv. → **annunciare** e deriv.

nuo agg. annual, yearly.

nusare v.tr. 1 to smell; (rumorosamente) to
ff 2 (fig.) to smell out.

nuvolare v.tr. to cloud (anche fig.) // -arsi
tr.pron. to become* cloudy, to cloud over.

o s.m. (anat.) anus.

odino agg. 1 (farm.) anodyne, soothing 2 (privo
efficacia) ineffective 3 (debole) weak.

odo s.m. (elettr.) anode.

ofele s.m. (zool.) anopheles.

omalia s.f. 1 anomaly 2 (informatica) (di funzio-
mento) trouble.

omalo agg. anomalous.

onimato s.m. anonymity: ha voluto conservare l'—,
wished to remain anonymous.

onimo agg. anonymous ♦ s.m. anonym.

ormale agg. abnormal.

ormalità s.f. abnormality.

sa s.f. 1 (manico) handle 2 (di fiume) bend 3
aat.) loop.

sare v.intr. to pant.

selmo no.pr.m. Anselm.

sia s.f. anxiety // stare in — per, to be anxious about.

sietà s.f. anxiety.

simare v.intr. to pant.

siolitico agg. tranquillising ♦ s.m. tranquilliser.

sioso agg. anxious.

ta s.f. (di finestra) shutter; (di armadio) door // tavo-
ad ante pieghevoli, drop-leaf table.

tagonismo s.m. antagonism.

tagonista s.m. e f. antagonist, opponent.

tartico agg. Antarctic: Circolo Polare Antartico,
tarctic Circle.

tartide no.pr.f. Antarctic.

tecedente agg. previous, preceding ♦ s.m. ante-
dent.

tecedentemente avv. previously, before.

tecedenza s.f. precedence, antecedence.

tecedere v.tr. e intr. (letter.) to precede, to antecede.

tecessore s.m. predecessor.

tefatto s.m. antecedents (pl.).

teguerra s.m. prewar period // prezzi (d') —, pre-
r prices.

telucano agg. (letter.) antelucan.

tenato s.m. ancestor, forefather.

tenna s.f. 1 (mar.) yard, yard 2 (palo) pole 3
ol.) antenna (pl. -ae) 4 (rad. tv) aerial.

teporre v.tr. to put* (sthg.) before; (preferire) to pre-
.

teprima s.f. preview; prerelease.

tera s.f. (bot.) anther.

anteriore agg. 1 (nello spazio) fore // luci anteriori,
(aut.) headlights 2 (nel tempo) previous, former.

anteriorità s.f. priority, precedence.

antesignano s.m. forerunner.

antiabbagliante agg. anti-dazzle // (fari) anti-
abbaglianti, (aut.) dipped (head)lights; (amer.) low
beam.

antiaerea s.f. antiaircraft.

antiaereo agg. antiaircraft.

antiallergico agg. anti-allergic.

antiappannante agg. defogging, demisting, anti-mist.

antiatomico agg. 1 (che protegge dalle esplosioni atomiche) anti-atomic, anti-nuclear: rifugio —, nuclear (o
atomic) shelter 2 (che si oppone all'uso di armi atomiche) anti-nuclear: dimostrazione antiatomica, anti
-nuclear demonstration.

antibiotico agg. e s.m. antibiotic.

anticaglia s.f. (spreg.) old stuff.

anticamente avv. in times past.

anticamera s.f. entrance, hall; (sala d'aspetto) waiting
room // fare —, to be kept waiting; far fare — a qlcu.,
to keep s.o. waiting (o to leave s.o. cooling his heels).

anticarro agg. (mil.) anti-tank.

antichità s.f. 1 antiquity 2 pl. (oggetti antichi) an-
tiques // negozio di —, antique shop.

anticiclone s.m. anticyclone.

anticipare v.tr. 1 to anticipate // — i tempi, (essere
un precursore) to be ahead of time; non anticipiamo (i
tempi)!, there is time enough yet! 2 (denaro) to advance ♦ v.intr. to be* early.

anticipatamente avv. in advance.

anticipato agg. in advance (pred.), advance (attr.): pagamento —, payment in advance.

anticipazione s.f. (di denaro) advance; (fig.) anticipation.

anticipo s.m. 1 advance; (caparra) deposit // è arrivato in —, he arrived early 2 (mecc.) spark advance.

anticlericale agg. e s.m. e f. anticlerical.

antico agg. (vecchio) old; (di mobili ecc.) antique; (del-
l'antichità) ancient // nei tempi antichi, in olden times
// all'antica, old-fashioned (agg.); in an old
-fashioned way (avv.) // gli antichi, the ancients // il
nuovo e l'—, the old and the new.

anticoagulante agg. anticlotting ♦ s.m. anticlotting
medicine.

anticomunista agg. e s.m. e f. anti-communist.

anticoncezionale agg. e s.m. contraceptive.

anticonformismo s.m. nonconformism.

anticonformista agg. e s.m. e f. nonconformist.

anticonformistico agg. anticonformistic.

anticongelante agg. e s.m. antifreeze.

anticorpo s.m. (med.) antibody.

anticostituzionale agg. anticonstitutional.

anticristo s.m. antichrist.

anticrittogamico agg. e s.m. fungicide.

antidemocratico agg. antidemocratic.

antidifterico agg. antidiphtheric.

antidiluviano agg. antediluvian.

antidoto s.m. antidote.

antielettrostatico agg. anti-static.

antiestetico agg. antiaesthetic.

antifascista agg. e s.m. e f. antifascist.

antifecondativo agg. e s.m. contraceptive.

antiflogistico agg. (farm.) antiphlogistic.

antifona s.f. (mus. eccl.) antiphon // capire l'—, (fig.)
to take the hint.

antifurto *agg. e s.m.*: (*dispositivo*) —, (*per auto*) anti -theft device; (*in casa ecc.*) burglar alarm.

antigas *agg.* gasproof // *maschera* —, gas mask.

antigelo *s.m.* antifreeze.

antigene *s.m.* (*med.*) antigen.

antigienico *agg.* unsanitary.

antigrandine *agg.* anti-hail.

Antille, le *no.pr.f.pl.* the Antilles.

antilope *s.f.* antelope.

antimateria *s.f.* (*fis.*) antimatter.

antimeridiano[1] *agg.* antemeridian: *le ore antimeridiane*, the morning hours.

antimeridiano[2] *s.m.* (*geogr.astr.*) opposite meridian.

antimilitarismo *s.m.* antimilitarism.

antimilitarista *s.m.* antimilitarist.

antimonarchico *agg.* antimonarchical ♦ *s.m.* antimonarchist.

antimonio *s.m.* (*chim.*) antimony.

antincendio *agg.* fire (*attr.*); (*a prova di incendio*) fireproof.

antinebbia *agg.* fog (*attr.*) // (*fari*) —, fog lights.

antinevralgico *agg. e s.m.* antineuralgic.

antinomia *s.f.* antinomy.

antiorario *agg.* anticlockwise.

antiossidante *agg.* antioxidant.

antipapa *s.m.* antipope.

antipastiera *s.f.* hors-d'œuvre dish.

antipasto *s.m.* hors-d'œuvre.

antipatia *s.f.* dislike: *avere, provare* —, to dislike; *prendere in* —, to come to dislike.

antipatico *agg.* unpleasant, disagreeable // *mi è* —, I dislike him.

antipiega *agg.* crease-resistant.

antipodi *s.m.pl.* antipodes // *essere agli* —, (*fig.*) to be poles apart.

antipolio *agg. e s.f.* polio inoculation.

antiquariato *s.m.* antique-dealing: *un pezzo di* —, an antique; *negozio d'*—, antique shop.

antiquario *agg.* antiquarian ♦ *s.m.* antique dealer.

antiquato *agg.* antiquated; (*fuori moda*) old -fashioned; (*disusato*) obsolete.

antireumatico *agg.* antirheumatic.

antiruggine *agg.* rustproof, antirust.

antisdrucciolevole *agg.* anti-skid.

antisemita *s.m. e f.* anti-Semite.

antisemitismo *s.m.* anti-Semitism.

antisettico *agg. e s.m.* antiseptic.

antisociale *agg.* antisocial.

antistaminico *agg.* antihistaminic ♦ *s.m.* antihistamine.

antistante *agg.* in front (of): *la casa* —, the house in front.

antistorico *agg.* anti-historical.

antitarmico *agg. e s.m.* moth-repellent.

antitesi *s.f.* antithesis (*pl.* antitheses).

antitetico *agg.* antithetical.

antitubercolare *agg.* anti-tubercular.

antiurto *agg.* shock-resistant, shockproof.

antivedere e *deriv.* → **prevedere** e *deriv.*

antivigilia *s.f.* two days before: *l'*— *delle elezioni*, two days before the election.

antologia *s.f.* anthology.

antologico *agg.* anthological.

Antonio *no.pr.m.* Ant(h)ony.

antonomasia *s.f.* antonomasia // *per* —, par excellence.

antrace *s.m.* (*med.*) anthrax.

antracite *s.f.* anthracite.

antro *s.m.* **1** (*caverna*) cave, cavern **2** (*fig.*) den.

antropico *agg.* (*scient.*) anthropic.

antropo- *pref.* anthropo-.

antropocentrico *agg.* anthropocentric.

antropofagia *s.f.* cannibalism, anthropophagy.

antropofago *agg.* cannibal (*attr.*), anthropophagous *s.m.* cannibal.

antropoide *agg. e s.m.* anthropoid.

antropologia *s.f.* anthropology.

antropologo *s.m.* anthropologist.

antropometria *s.f.* anthropometry.

antropomorfismo *s.m.* anthropomorphism.

antropomorfo *agg.* anthropoid, anthropomorphic, *scimmia antropomorfa*, anthropoid ape.

anulare *agg.* annular, ring-like ♦ *s.m.* ring finger.

Anversa *no.pr.f.* Antwerp.

anzi *cong.* in fact, indeed; (*o meglio*) or better still «*Le dispiace?*» «*Anzi!*», "Do you mind?" "Not at all"

anzianità *s.f.* seniority: *avanzamento per* —, promtion by seniority; — *di servizio*, occupational seniori

anziano *agg.* **1** elderly; (*vecchio*) old **2** (*di impiega ecc.*) senior ♦ *s.m.pl.* the elderly.

anzi che, anziché *cong.* **1** (*piuttosto che*) rath than **2** (*invece di*) instead of (sthg., doing) // **anzi ch no** *locuz.avv.* rather.

anzidetto *agg.* above-mentioned, aforesaid.

anzitempo *avv.* early.

anzitutto *avv.* first of all.

aorta *s.f.* aorta.

apartitico *agg.* non-sectarian.

apatia *s.f.* apathy, indifference.

apatico *agg.* apathetic, listless.

ape *s.f.* bee; (*maschio*) drone; — *operaia*, worker be — *regina*, queen bee; *nido di api*, honeycomb // *ni d'*—, (*ricamo*) smocking.

aperitivo *s.m.* aperitif.

apertamente *avv.* openly, plainly, frankly.

aperto *agg. e s.m.* **1** open: *all'aria aperta, all'*—, in th open (air); *una scuola all'*—, an open-air school; *vi* —, open face // *a viso* —, frankly // *di mente aper* open-minded // *aperta antipatia*, open dislike // *un*' perta professione di fede, an uncompromising declar tion of faith // *operazione a cuore* —, open-heart ope ation **2** *all'*—, (*rifer. a giochi, gare*) outdoor.

apertura *s.f.* **1** opening: — *a sinistra*, (*pol.*) openin to the left // — *di credito*, (*comm.*) cash credit // — *ostilità*, outbreak of hostilities // — *di un testamen* reading of a will // *ore di* —, business (*o openin* hours; (*di museo*) visiting hours // — *di mente*, broa mindedness **2** (*spacco, fenditura*) opening; (*foro*) hol (*di macchina automatica*) slot **3** (*di arco*) width, spa (*di compasso*) spread of compass legs): — *alare*, (*ae* wingspan **4** (*fot.*) aperture.

apice *s.m.* **1** apex (*pl.* apices) (*anche fig.*) **2** (*cim* top, summit.

apicoltore, apicultore *s.m.* bee-keeper, apiarist.

apicoltura, apicultura *s.f.* bee-keeping, apiculture.

apnea *s.f.* apn(o)ea.

apocalisse *s.f.* Apocalypse.

apocalittico *agg.* apocalyptic.

apocrifo *agg.* apocryphal // *libri apocrifi*, Apocryph

apodittico *agg.* apodictic.

apogeo *s.m.* (*astr.*) apogee; (*fig.*) climax.

apolide *agg. e s.m. e f.* stateless (person).

apolitico *agg.* non-political.

apollineo *agg.* Apollonian.

Apollo *no.pr.m.* (*mit.*) Apollo.

apologetico *agg.* apologetic.

apologia *s.f.* apologia.

apologista *s.m.* apologist.

apologo *s.m.* apologue.

apoplessia *s.f.* apoplexy.

apoplettico *agg.* apoplectic.

apostasia *s.f.* apostasy.

apostata *s.m.* e *f.* apostate.

apostolato *s.m.* apostolate.

apostolico *agg.* apostolic.

apostolo *s.m.* apostle // l'— delle genti, the apostle of the Gentiles.

apostrofare[1] *v.tr.* (*gramm.*) to apostrophize.

apostrofare[2] *v.tr.* to address.

apostrofe *s.f.* (*ret.*) apostrophe.

apostrofo *s.m.* apostrophe.

apotema *s.m.* apothem.

apoteosi *s.f.* apotheosis (*pl.* apotheoses) // fare l'— di qlcu., to sing s.o.'s praises.

appagamento *s.m.* satisfaction, fulfilment.

appagare *v.tr.* to satisfy: — i desideri di qlcu., to satisfy (o to fulfil) s.o.'s wishes // — l'occhio, to be pleasing to the eye // **-arsi** *v.rifl.* to be* satisfied (with sthg.).

appaiare *v.tr.* to couple, to pair.

Appalachi, gli *no.pr.m.pl.* the Appalachians.

appallottolare *v.tr.* to roll into a ball, to make* into balls // **-arsi** *v.intr.pron.* (*di impasto*) to form lumps; (*di lana*) to tangle (up).

appaltare *v.tr.* (*dare in appalto*) to offer for tender; (*prendere in appalto*) to undertake* by contract.

appaltatore *s.m.* contractor.

appalto *s.m.* contract: lavoro in —, contract work (o work on contract); concorrere per l'— di qlco., to make tender for sthg.; dare in —, to put out to contract; prendere in —, to undertake by contract; indire una gara per l'—, to call for tender.

appannaggio *s.m.* apanage, appanage.

appannamento *s.m.* 1 (*di vetri*) misting 2 (*della vista*) dimming.

appannare *v.tr.* 1 to blur, to dim (*anche fig.*) 2 (*vetri*) to mist // **-arsi** *v.intr.pron.* 1 (*di vetri*) to mist up 2 (*della vista*) to grow* dim; (*della voce*) to drop.

appannato *agg.* 1 (*di vetri*) misted 2 (*di vista*) dim.

apparato *s.m.* 1 (*apparecchiatura*) apparatus; (*mecc.*) contrivance, device // — critico, (*lett.*) apparatus criticus // — scenico, set 2 (*pompa*) display, show 3 (*anat.*) apparatus // — digerente, digestive organs 4 (*informatica*) (*di elaborazione*) computer equipment.

apparecchiare *v.tr.* 1 to prepare // — (la tavola), to lay the table 2 (*ind. tessile*) to dress // **-arsi** *v.rifl.* (*letter.*) to prepare oneself.

apparecchiatura *s.f.* apparatus.

apparecchio *s.m.* 1 apparatus; (*spec. rad. tv*) set; (*strumento*) instrument; (*congegno*) device, appliance: — acustico, hearing aid; — radio, radio set; — ricevente-trasmittente, receiver, transmitter // — per i denti, brace // resti all'—!, (*tel.*) hold the line! 2 (*aeroplano*) (*aero*)plane.

apparentarsi *v.rifl.* 1 to become* related (to s.o.) 2 (*pol.*) to adopt the same ticket.

apparente *agg.* apparent // morte —, catalepsy.

apparentemente *avv.* apparently.

apparenza *s.f.* appearance: le apparenze sono contro di lui, appearances are against him // salvare le apparenze, to save (o to keep up) appearances // in —, apparently // sotto false apparenze, under false pretences // sotto l'— di, under cover of // l'— inganna, all that glitters is not gold.

apparire *v.intr.* 1 to appear // un sorriso apparve sulle sue labbra, a smile came to his lips // — nella nebbia, to loom out of the fog 2 (*aver l'aspetto*) to look, to seem.

appariscente *agg.* striking, conspicuous; (*vistoso*) gaudy, showy.

apparizione *s.f.* apparition.

appartamento *s.m.* flat; (*amer.*) apartment; (*di albergo*) suite (of rooms).

appartarsi *v.rifl.* to set* oneself apart.

appartato *agg.* secluded, remote // rimanere —, to keep (oneself) to oneself // vivere —, to live in seclusion.

appartenenza *s.f.* belonging; (*l'essere proprietà di qlcu.*) possession.

appartenere *v.intr.* 1 to belong 2 (*a una società*) to be* a member (of sthg.) 3 (*spettare*) to lie* within s.o.'s competence.

appassionare *v.tr.* to interest deeply // **-arsi** *v.intr.pron.* to take* a great interest (in sthg.); to become* fond (of sthg.).

appassionato *agg.* 1 passionate 2 (*di qlco.*) keen (on sthg.), fond (of sthg.). ♦ *s.m.* fan.

appassire *v.intr.* to wither (*anche fig.*) // fare —, to wither.

appassito *agg.* withered, faded (*anche fig.*).

appellarsi *v.intr.pron.* to appeal.

appellativo *s.m.* appellative.

appello *s.m.* 1 (*dir.*) appeal: giudizio senza —, final appeal; senza —, not appealable; ricorrere in —, to appeal 2 (*chiamata*) call, roll call: fare l'—, to call (over) the roll; mancare all'—, to be absent 3 (*invocazione*) appeal, call: fare — a qlcu., to appeal to s.o. // fare — a tutto il proprio coraggio, to summon up all one's courage.

appena *avv.* 1 (*a fatica, a stento*) scarcely, hardly: potevo — vederlo, I could hardly see him 2 appena (appena), only just: (—) — tiepido, only just lukewarm; avrò — — il tempo di..., I'll only just have time to... 3 (*da poco*) just: era — partito, he had just left 4 (*soltanto*) only: sono — le due, it's only two o' clock 5 (*corr. con che o quando*) hardly, scarcely... when: aveva — finito, quando..., scarcely (o hardly) had he finished, when... ♦ *cong.*: (non) — (che), as soon as, no sooner... than: (non) — ebbe finito..., as soon as he had finished... (o no sooner had he finished, than...); (non) — verrà, as soon as he arrives.

appendere *v.tr.* to hang* (up): — i quadri alle pareti, to hang the pictures on the walls.

appendice *s.f.* appendix // romanzo d'—, serial.

appendicite *s.f.* appendicitis.

Appennini, gli *no.pr.m.pl.* the Apennines.

appesantire *v.tr.* to make* heavy; (*fig.*) to make* dull // occhi appesantiti dal sonno, eyes heavy with sleep // **-irsi** *v.intr.pron.* 1 to get* heavier 2 (*di persona*) to grow* stout.

appestare *v.tr.* 1 (*infettare*) to taint 2 (*diffondere cattivo odore*) to stink* out.

appestato *s.m.* plague-stricken person.

appetibile *agg.* desirable.

appetire *v.tr.* to crave (for sthg.), to desire eagerly.

appetito *s.m.* appetite: avere —, to be hungry; stuzzicare l'—, to whet the appetite.

appetitoso *agg.* 1 appetizing 2 (*allettante*) tempting, attractive.

appetto a *locuz.prep.* (*in confronto*) in comparison (with s.o., sthg.).

appezzamento *s.m.* plot.

appianare *v.tr.* **1** to level, to smooth **2** (*fig.*) to smooth over, to iron out; (*lite ecc.*) to settle.

appiattarsi *v.rifl.* to hide* (oneself).

appiattimento *s.m.* flattening (out).

appiattire *v.tr.*, **appiattirsi** *v.rifl.* to flatten.

appiccare *v.tr.* **1** (*appendere*) to hang* (up) **2** (*attaccare*): — *il fuoco a*, to set fire to; — *battaglia*, to give battle.

appiccicare *v.tr.* **1** to stick* **2** (*fig.*) (*appioppare*) to palm off, to fob off: *mi appiccicarono una moneta falsa*, they palmed off a bad coin on me // — *un soprannome*, to nickname ♦ *v.intr.* to be* sticky // **-arsi** *v.rifl.* to stick* (*anche fig.*), to adhere.

appiccicaticcio *agg.* sticky (*anche fig.*).

appiccicoso *agg.* sticky.

appiedare *v.tr.* to dismount.

appiè di *locuz.prep.* at the foot of.

appieno *avv.* fully; quite; thoroughly.

appigionare *v.tr.* to let*, to lease (out) // *appigionasi*, to let.

appigliarsi *v.rifl.* **1** to get* hold (of sthg.), to cling* **2** (*fig.*) to take* as a pretext.

appiglio *s.m.* **1** (*alpinismo*) hold **2** (*pretesto*) pretext // *dare* — *alle chiacchiere*, to give occasion to gossip.

appiombo *s.m.* perpendicularity // *prendere l'— di un muro*, to take the plumb of a wall.

appioppare *v.tr.* **1** to give* // — *uno schiaffo a qlcu.*, to slap s.o.'s face **2** (*fig.*) (*affibbiare*) to palm off, to fob off.

appisolarsi *v.intr.pron.* to doze off.

applaudire *v.tr.* e *intr.* to applaud (*anche fig.*); (*assoluto*) to clap (one's hands).

applauso *s.m.* **1** applause (*solo sing.*); (*a gran voce*) cheers (*pl.*): *applausi prolungati*, great applause (*o* loud cheers) **2** (*fig.*) praise, approval.

applausometro *s.m.* applausometer, clapometer.

applicabile *agg.* applicable: *questa regola è — a tutti i casi*, this rule applies to all cases.

applicare *v.tr.* **1** to apply; (*legge ecc.*) to enforce // — *le attenuanti di legge*, to take the extenuating circumstances into account **2** (*rivolgere*) to apply: — *la mente a qlco.*, to apply (*o* to turn) one's mind to sthg. **3** (*incollare*) to stick* **4** (*guarnizioni di abiti*) to appliqué // **-arsi** *v.rifl.* to apply oneself (to sthg.); to work hard (at sthg.).

applicato *agg.* applied.

applicazione *s.f.* **1** application; (*di legge ecc.*) enforcement // *in — della legge*, in pursuance of the law **2** (*impegno*) (close)attention, concentration **3** (*guarnizione*) trimming **4** (*informatica*) application, data processing: — *gestionale*, commercial data processing (*o* business application); — *industriale*, industrial data processing (*o* application); — *scientifica*, scientific data processing (*o* application).

applique *s.f.* wall lamp.

appoggiare *v.tr.* **1** to lean*; (*posare*) to lay*: *appoggialo sul tavolo*, lay it on the table; — *una scala al muro*, to lean a ladder against the wall // — *la testa sul cuscino*, to rest one's head on a pillow **2** (*favorire*) to back, to support: — *una candidatura*, to back (*o* to support) a candidature **3** (*nel calcio, passare*) to pass **4** (*comm.*) (*per l'incasso*) to remit (for collection) ♦ *v.intr.* to rest (on sthg.), to be* supported (by sthg.) // **-arsi** *v.rifl.* **1**

to lean* (on, against sthg.) **2** (*fig.*) to rely (upon, s.o.).

appoggio *s.m.* **1** support **2** (*fig.*) support, backing: *dare il proprio — a qlcu.*, to back s.o. up.

appollaiarsi *v.rifl.* to perch, to roost.

apporre *v.tr.* **1** to affix, to put* // — *la propria firma...*, to set one's signature to... **2** (*clausola ecc.*) to add, to append.

apportare *v.tr.* **1** (*modifiche ecc.*) to bring* in, to introduce **2** (*prove ecc.*) to bring* forward **3** (*causare*) to cause, to occasion.

apporto *s.m.* contribution.

appositamente *avv.* on purpose, deliberately.

apposito *agg.* suitable, proper; (*speciale*) special.

apposizione *s.f.* **1** affixing **2** (*gramm.*) apposition.

apposta *avv.* on purpose, intentionally, deliberately; (*espressamente*) specially // *occorre un arnese —*, a special tool is needed.

appostamento *s.m.* **1** (*agguato*) ambush **2** (*mil.*) emplacement **3** (*caccia*) lying in wait (for s.o., sthg.).

appostarsi *v.rifl.* to lie* in wait, to lurk.

apprendere *v.tr.* **1** to learn* **2** (*venire a sapere*) to learn*, to hear*: *l'ho appreso dalla radio*, I heard it on the radio; *si apprende da fonte attendibile che...*, we learn from a reliable source that... // *l'ho appreso dal giornale*, I read it in the newspaper.

apprendimento *s.m.* learning (*anche informatica*): — *artificiale, automatico*, machine learning.

apprendista *s.m.* e *f.* apprentice: *mettere qlcu. come — presso...*, to apprentice s.o. to...

apprendistato *s.m.* apprenticeship: *fare l'— presso qlcu.*, to serve one's apprenticeship with s.o.

apprensione *s.f.* apprehension, concern, anxiety: *nutrire apprensioni sulla sorte di qlcu.*, to feel anxious about s.o.'s fate; *essere in — per...*, to be anxious about...

apprensivo *agg.* apprehensive, uneasy, anxious: *è una madre troppo apprensiva*, she is an over-anxious mother.

appressarsi *v.rifl.* to approach (s.o., sthg.).

appresso *avv.* (*letter.*) (*in seguito*) later // *come —*, below (*o* as follows) ♦ *agg.* (*seguente*) next // **appresso (a)** *locuz.prep.* **1** (*vicino*) close to // *portarsi — qlcu.*, take s.o. with s.o. **2** (*dietro*) close behind // *andare — a qlcu.*, (*seguirlo*) to follow s.o.

apprestare *v.tr.* **1** (*preparare*) to prepare **2** (*apportare*) to bring* in, to introduce // **-arsi** *v.rifl.* to prepare (oneself) (for sthg., to do), to get* ready (for sthg., to do).

apprettare *v.tr.* to size.

apprettatura *s.f.* sizing.

appretto *s.m.* size; dressing: *dare l'—*, to size.

apprezzabile *agg.* appreciable.

apprezzamento *s.m.* **1** appreciation **2** (*giudizio*) judgement; (*osservazione*) remark: *fare apprezzamenti su qlcu., qlco.*, to make remarks about s.o., sthg.

apprezzare *v.tr.* to appreciate.

approccio *s.m.* approach: *tentare un —*, to make a tentative approach.

approdare *v.intr.* **1** to land **2** (*fig.*) to come* (to sthg.): *non — a nulla*, to come to nothing.

approdo *s.m.* **1** (*l'approdare*) landing **2** (*luogo*) landing-place.

approfittare *v.intr.* to profit (by s.o., sthg.); to take advantage // — *di un'occasione*, to avail (oneself) of an occasion // **-arsi** *v.intr.pron.* (*di qlcu., qlco.*) to take* advantage (of s.o., sthg.); to impose (on s.o., sthg.): *tutti approfittano di lui*, everybody takes advantage of him approfittarono della sua ospitalità, they imposed on s hospitality.

pprofondimento s.m. **1** deepening **2** (fig.) thorugh examination.

pprofondire v.tr. **1** to make* deeper, to deepen **2** ig.) to examine thoroughly, to probe, to go* deep nto sth.).

pprontare v.tr. to make* (sth.) ready, to prepare.

ppropriare v.tr. **1** (adattare) to adapt, to suit **2** ap-ropriarsi, (beni, denaro ecc.) to appropriate // **-arsi** intr.pron. (essere adatto) to suit (sth.), to fit (sth.).

ppropriato agg. appropriate, suitable (for), fit (for), roper.

ppropriazione s.f. appropriation // — fraudolenta, audulent conversion; — indebita, embezzlement.

pprossimarsi v.rifl. to approach, to come* near; (ge-r. fig.) to approximate; (di stagione ecc.) to draw* near.

pprossimativamente avv. approximately.

pprossimativo, approssimato agg. approximate, ugh.

pprossimazione s.f. approximation // — per ecces-, per difetto, (mat.) approximation to the nearest umber above, below // per—, approximately, roughly.

pprovare v.tr. **1** to approve (of sth., s.o.'s doing) **2** ccettare ufficialmente) to approve // il nuovo piano re-olatore è stato approvato, the new town-planning heme has been ratified // — una legge, to pass a bill.

pprovazione s.f. approval.

pprovvigionamento s.m. **1** provision, provision-g; (di viveri) victualling **2** pl. (rifornimenti) provi-ons, supplies; (vettovaglie) victuals.

pprovvigionare v.tr. to provision, to supply (s.o. ith sth.); (di cibo) to victual.

ppuntamento s.m. rendezvous, date; (professionale) ppointment: mi dispiace, ma ho un altro —, I'm sorry, ut I've got another appointment; fissare, prendere un - con qlcu., to make a date, an appointment with s.o.; ancare a, mantenere un —, to break, to keep an ap-ointment // per —, by appointment.

ppuntare[1] v.tr. **1** (puntare) to point at (s.o., sth.); li occhi) to fix **2** (con spilli) to pin (up) // — uno spil-su qlco., to stick a pin into sth. // **-arsi** v.intr.pron. to e* aimed (at s.o., sth.).

ppuntare[2] v.tr. (annotare) to make* a note (of sth.), jot down.

ppuntato s.m. (mil.) (carabinieri) corporal.

ppuntino avv. precisely; (spec. di cibi) nicely.

ppuntire v.tr. to point.

ppuntito agg. pointed.

ppunto[1] s.m. **1** note: prendere appunti, to take otes **2** (critica) reproof: muovere un — a qlcu., to give .o. a reproof.

ppunto[2] avv. **1** exactly, precisely; (proprio) just: è — uello che intendevo dire, that's just what I meant to ay **2** (nelle risposte): (per l')—, exactly, that's right.

ppurare v.tr. to verify, to ascertain.

pribile agg. opening: non è — dall'interno, it doesn't pen from the inside.

pribottiglie s.m. bottle opener.

prico agg. (letter.) sunny.

prile s.m. April // pesce d'—!, April fool!; fare un pe-ce d'— a qlcu., to make an April fool of s.o. // primo '—, All Fools' Day (o April Fools' Day).

priorismo s.m. apriorism.

prioristico agg. aprioristic.

pripista s.m. bulldozer.

aprire v.tr. to open (anche fig.): aprì una filiale in Au-stralia, he opened a branch in Australia; — l'animo a qlcu., to open one's heart to s.o. // — la porta con un calcio, to kick the door open // — bruscamente qlco., to fling sth. open // — il gas, to turn on the gas // — una porta (chiusa a chiave), to unlock a door // — la serie, to begin the series // — il corteo, to lead the pro-cession // — il fuoco, to open fire // — gli occhi a qlcu. su qlco., to open s.o.'s eyes to sth. // apriti cielo!, (fam.) good gracious! (o good heavens! o goodness gracious!) **2** (spaccare) to split*, to crack **3** (sezio-nare) to section, to dissect **4** (scavare) to dig*: aprì una fossa nel campo, he dug a ditch in the field **5** (incomin-ciare) to begin*, to open: aprì la serie, he began the se-ries; — il discorso, to begin to speak **6** (dichiarare) to declare, to reveal // **-irsi** v.intr.pron. **1** to open; (con violenza) to burst* open: le finestre della nostra casa si aprivano su un parco, the windows of our house opened on a park; lentamente la porta si aprì, the door slowly opened // — un varco tra la folla, to cut (o to push) one's way through the crowd **2** (fendersi) to crack, to split* **3** (sbocciare) to bloom **4** (confidarsi) to open one's mind (to s.o.), to unbosom oneself (to s.o.) **5** (rasserenarsi, di tempo) to clear up.

apriscatole s.m. tin opener, can opener.

aquila s.f. **1** eagle // dagli occhi d'—, eagle-eyed; sguardo d'—, keen (o penetrating) glance **2** (fig.) genius.

aquilino agg. aquiline // naso —, aquiline nose.

aquilone s.m. **1** north wind **2** (giocattolo) kite.

aquilotto s.m. eaglet, young eagle.

Aquisgrana no.pr.f. Aachen.

ara[1] s.f. altar.

ara[2] s.f. (unità di misura) are.

arabescare v.tr. to arabesque.

arabescato agg. arabesqued.

arabesco s.m. arabesque.

Arabia no.pr.f. Arabia // — Saudita, Saudi Arabia.

arabico agg. Arabic, Arabian // gomma arabica, gum -arabic.

arabile agg. arable.

arabo agg. (persone, cavalli) Arab; (tradizioni, costumi) Arabian ♦ s.m. **1** Arab; (rar.) Arabian **2** (lingua) Arabic // questo è — per me, this is Greek to me.

arachide s.f. peanut, groundnut.

aragosta s.f. lobster.

araldica s.f. heraldry.

araldico agg. heraldic.

araldo s.m. herald.

aramaico agg. e s.m. Aramaic.

arancia s.f. orange.

aranciata s.f. orangeade; (spremuta) orange squash, orange juice.

aranciato agg. orange.

arancio agg. e s.m. orange // fiori d'—, orange blossom.

arancione agg. e s.m. orange.

arare v.tr. **1** to plough; (amer.) to plow **2** (mar.) to drag.

arativo agg. ploughable, tillable, arable.

aratore s.m. ploughman (pl. -men), plougher.

aratrice s.f. motor plough.

aratro s.m. plough; (amer.) plow.

aratura s.f. ploughing.

araucaria s.f. (bot.) araucaria.

arazzo s.m. (piece of) tapestry, arras.

arbitraggio s.m. **1** (comm.) arbitrage **2** (sport) um-piring.

arbitrale *agg.* arbitration (*attr.*) // *collegio* —, (*dir.*) Arbitration Court.

arbitrare *v.tr.* 1 to arbitrate 2 (*sport*) to umpire; (*calcio, pugilato*) to referee: *chi arbitrerà la partita?*, who's going to referee the match? ♦ *v.intr.* to arbitrate, to act as arbitrator.

arbitrariamente *avv.* arbitrarily.

arbitrario *agg.* arbitrary.

arbitrato *s.m.* arbitration.

arbitrio *s.m.* 1 will // *libero* —, free will 2 (*atto arbitrario*) arbitrary act; *prendersi l'* — *di fare qlco.*, to take it upon oneself to do sthg.

arbitro *s.m.* 1 (*dir.*) arbitrator 2 (*sport*) umpire; (*calcio, pugilato*) referee 3 (*fig.*) arbiter.

arboreo *agg.* arboreous, arboreal.

arboricoltura *s.f.* arboriculture.

arboscello *s.m.* sapling.

arbusto *s.m.* shrub.

arca *s.f.* 1 ark // — *dell'Alleanza*, (*Bibbia*) Ark of the Covenant 2 (*sarcofago*) sarcophagus; tomb.

arcadico *agg.* Arcadian.

arcaico *agg.* archaic.

arcaismo *s.m.* archaism.

arcaizzante *agg.* archaic-sounding.

arcangelo *s.m.* archangel.

arcano *agg.* mysterious ♦ *s.m.* mystery.

arcata *s.f.* 1 (*arco*) arch; (*serie di archi*) arcade; (*passaggio ad arco*) archway 2 (*anat.*) arch: — *dentale*, dental arch.

archeologia *s.f.* archaeology.

archeologico *agg.* archaeological.

archeologo *s.m.* archaeologist.

archetipo *agg.* archetypal ♦ *s.m.* archetype.

archetto *s.m.* (*mus.*) bow.

archibugiere *s.m.* (*st.*) arquebusier.

archibugio *s.m.* (*st.*) arquebus.

Archimede *no.pr.m.* (*st.*) Archimedes.

architettare *v.tr.* (*fig.*) to plot, to plan: *che cosa sta architettando?* what is he up to?

architetto *s.m.* architect.

architettonico *agg.* architectural, architectonic: *barriere architettoniche*, hindrances.

architettura *s.f.* architecture.

architrave *s.m.* architrave, lintel.

archiviare *v.tr.* (*comm.*) to file; to shelve (*anche fig.*).

archivio *s.m.* 1 (*comm.*) file: — *anagrafico*, anagraphical file 2 *pl.* archives 3 (*informatica*) file: — *dei dati*, data file; — *di indirizzo*, address file; — *di lavoro*, scratch file; — *di lettura*, input file; — *originale* (*su disco*), master disk; — *parti*, item master file; *permanente, principale*, master file.

archivista *s.m.* archivist.

archivolto *s.m.* (*arch.*) archivolt.

arcicontento *agg.* (*fam.*) very happy.

arcidiacono *s.m.* (*eccl.*) archdeacon.

arciduca *s.m.* archduke.

arciduchessa *s.f.* archduchess.

arciere *s.m.* archer, bowman (*pl.* -men).

arcigno *agg.* sullen, sulky.

arcione *s.m.* saddle-bow; (*sella*) saddle: *montare in* —, to get into the saddle.

arcipelago *s.m.* archipelago.

arciprete *s.m.* (*eccl.*) archpriest.

arcivescovado *s.m.* archbishopric.

arcivescovile *agg.* archiepiscopal.

arcivescovo *s.m.* archbishop.

arco *s.m.* 1 (*arma*) bow; *tendere l'*—, to draw th bow; *tirare d'*—, to practise archery 2 (*geom.*) arc (*arch.*) arch: — *a sesto acuto*, ogive (*o* pointed arch); – *a tutto sesto*, round arch 4 (*mus.*) bow // *quartett d'archi*, string quartet; *strumenti ad* —, strings (*elettr.*) arc: — *voltaico*, electric arc; *lampada ad* – arc lamp 6 (*anat.*) arch.

arcobaleno *s.m.* rainbow.

arcolaio *s.m.* wool-winder, skein-winder.

arcuato *agg.* arched, arcuated; (*piegato*) bent // *dal gambe arcuate*, (*o* bandy-) legged.

Ardenne *no.pr.f.pl.* Ardennes.

ardente *agg.* 1 (*che brucia*) burning, scorching; (*infu cato*) (red-)hot, blazing 2 (*fig.*) burning (with); arden passionate, fiery: *preghiera* —, fervent prayer.

ardentemente *avv.* ardently, passionately.

ardere *v.tr.* (*bruciare*) 1 to burn* , to scorch 2 (*inar dire*) to dry up ♦ *v.intr.* to burn* (with) // — *d'ira*, t flame with rage // *la campagna ardeva sotto il sole*, th country was scorching in the sun // *ardeva la lotta*, th battle was raging.

ardesia *s.f.* slate.

ardimento *s.m.* → **ardire**.

ardimentoso *agg.* bold, daring.

ardire *s.m.* boldness, daring; (*coraggio*) courage; (*im pudenza*) impudence.

ardire *v.intr.* to dare* .

arditezza *s.f.* boldness, daring; (*coraggio*) courage.

ardito *agg.* 1 (*audace*) bold, daring; (*di idee*) avan -garde 2 (*rischioso*) risky, dangerous.

ardore *s.m.* 1 (*calore*) heat 2 (*fig.*) (*affetto*) ardou passion; (*vigore*) mettle.

arduo *agg.* 1 (*erto*) steep 2 (*fig.*) hard, difficult; (*ch richiede fatica*) laborious.

area *s.f.* area; ground // — *di rigore*, (*sport*) penalt area 2 (*geom.*) area, surface 3 (*informatica*) (*di me moria*) area: — *di comodo*, hold area; — *di fondo*, – *non prioritaria*, background space; — *di introduzione* input area block; — *di programma*, program storage instruction area; — *di ripristino*, recovery area; — *c servizio*, clearance space; — *di transito*, buffer.

arem *s.m.* harem.

arena[1] *s.f.* (*sabbia*) sand.

arena[2] *s.f.* 1 arena (*anche fig.*) 2 (*teatro*) open-ai theatre; (*cinem.*) open-air cinema.

arenaria *s.f.* (*min.*) sandstone.

arenarsi *v.intr.pron.* to run* aground; (*fig.*) to get bogged down.

arengario *s.m.* tribune.

arengo *s.m.* (*st.*) 1 (*assemblea*) assembly 2 (*luogo d raduno*) meeting place.

arenile *s.m.* sandy beach.

arenoso *agg.* sandy.

areopago *s.m.* (*st.*) Areopagus.

argano *s.m.* winch; (*mar.*) capstan.

argentare *v.tr.* to silver, to silver-plate.

argentato *agg.* 1 (*color argento*) silvery, silver 2 (*co perto d'argento*) silver-plated.

argentatura *s.f.* silver-plating: *dare l'* — *a qlco.*, t silver-plate sthg.

argenteo *agg.* silvery.

argenteria *s.f.* silver, silverware.

argentiere *s.m.* silversmith.

argentifero *agg.* argentiferous.

argentina *s.f.* sweater.

Argentina *no.pr.f.* Argentina.

argentino[1] *agg.* silvery: *suono* —, silvery sound.

argentino[2] *agg.* e *s.m.* (*dell'Argentina*) Argentine.

argento *s.m.* **1** silver // — *vivo*, (*chim.*) quicksilver (*o* mercury); *avere addosso l'*— *vivo*, (*fig.*) to be fidgety **2** (*arald.*) argent.

argilla *s.f.* clay.

argilloso *agg.* clayey.

arginare *v.tr.* **1** to embank **2** (*fig.*) to check: — *l'avanzata nemica*, to check the advancing enemy.

arginatura *s.f.* embankment.

argine *s.m.* embankment // *porre* — *a qlco.*, (*fig.*) to check sthg.

argo *s.m.* (*chim.*) argon.

argomentare *v.intr.* (*ragionare discutendo*) to argue, to discuss ♦ *v.tr.* (*dedurre*) to infer, to deduce.

argomentazione *s.f.* reasoning.

argomento *s.m.* **1** (*soggetto*) subject, topic: — *di conversazione*, topic of conversation; *torneremo sull'*—, we'll come back to the subject // *l'*— *è chiuso!*, the argument is closed! **2** (*fil.*) argument **3** (*motivo*) occasion, reason: *offrire* — *di biasimo*, to give occasion (*o* reason) for blame.

argonauta *s.m.* (*zool.*) paper nautilus.

arguire *v.tr.* to deduce, to infer.

arguto *agg.* witty.

arguzia *s.f.* **1** (*di spirito*) wit; humour **2** (*detto arguto*) witticism.

aria *s.f.* **1** air // *mi manca l'*—, I feel I am suffocating // *andare a prendere* (*una boccata d'*) —, to go out for a breath of air // *all'*— *aperta*, outdoor // *corrente d'*—, draught, (*amer.*) draft // *colpo d'*—, chill // *in linea di* —, as the crow flies // *per via d'*—, by air // *dare* — *ad una stanza*, to air a room // *andare all'*—, (*fig.*) to come to nothing // *andare a gambe all'*—, to fall head over heels // *buttare tutto all'*—, to mess up everything // *dire qlco. a mezz'*—, to throw out a remark // *cambiar* —, to have a change // *che* — *tira oggi?*, (*fam.*) how is the wind blowing today?; *non tira* — *buona per lui*, he is bad news **2** (*aspetto*) look, appearance: — *di famiglia*, family likeness; *ha l'*— *di un galantuomo*, he looks an honest man; *mi venne incontro con* — *triste*, he came to meet me with a sad look on his face // *darsi delle arie*, to give oneself airs **3** (*mus.*) tune; (*di opera*) aria.

Arianna *no.pr.f.* (*mit.*) Ariadne.

ariano *agg.* e *s.m.* Aryan.

aridamente *avv.* aridly, drily.

aridità *s.f.* aridity, dryness // — *di cuore*, hard-heartedness.

arido *agg.* arid, dry ♦ *s.m.pl.* dry substances.

aridocoltura *s.f.* dry farming.

arieggiare *v.tr.* **1** (*dare aria*) to air **2** (*somigliare*) to look like, to resemble ♦ *v.intr.* (*atteggiarsi*) to pose (as).

Ariele *no.pr.m.* (*lett.*) Ariel.

ariete *s.m.* **1** ram **2** (*mil.*) battering ram // *Ariete*, (*astr.*) Aries.

arietta *s.f.* (*mus.*) arietta.

aringa *s.f.* herring: — *affumicata*, kipper.

arioso *agg.* airy.

aristocratico *agg.* aristocratic ♦ *s.m.* aristocrat.

aristocrazia *s.f.* aristocracy.

Aristofane *no.pr.m.* (*st. lett.*) Aristophanes.

Aristotele *no.pr.m.* (*st. fil.*) Aristotle.

aristotelico *agg.* e *s.m.* (*fil.*) Aristotelian.

aristotelismo *s.m.* (*fil.*) Aristotelism.

aritmetica *s.f.* arithmetic.

aritmetico *agg.* arithmetical ♦ *s.m.* arithmetician.

aritmia *s.f.* ar(r)hythmia.

aritmico *agg.* ar(r)hythmic.

Arlecchino *no.pr.m.* (*teatr.*) Harlequin // **arlecchino** *s.m.* (*fig.*) clown.

arma *s.f.* **1** weapon (*anche fig.*), arm: *armi atomiche, nucleari*, atomic, nuclear weapons; *armi da fuoco*, fire-arms; *prendere le armi*, to take up arms; *all'armi!*, to arms!; *deporre le armi*, to lay down one's arms; *fu portato via sotto la minaccia delle armi*, he was taken away at gunpoint // *presentare le armi*, to present arms // *combattere all'*— *bianca*, to fight with cold steel // *passare per le armi qlcu.*, to kill s.o., to shoot s.o. // *porto d'armi*, licence to carry arms // *compagno d'armi*, fellow soldier // *l'onore delle armi*, military honours // *piazza d'armi*, (*anche fig.*) parade ground // *essere alle prime armi*, (*fig.*) to be a greenhorn **2** (*corpo dell'esercito*) force: *l'*— *azzurra*, the Air Force; *l'*— *navale*, the Navy // *essere sotto le armi*, to be in the forces.

armacollo, ad *locuz.avv.* baldric-wise.

armadillo *s.m.* armadillo.

armadio *s.m.* **1** cupboard, press; (*per abiti*) wardrobe: — *a muro*, built-in cupboard (*o* press); (*per abiti*) built-in wardrobe **2** (*per strumenti medici ecc.*) cabinet.

armaiolo *s.m.* gunsmith.

armamentario *s.m.* paraphernalia (*pl.*).

armamento *s.m.* **1** (*mil.*) armament // *corsa agli armamenti*, arms race; *controllo degli armamenti*, arms control **2** (*tecn.*) equipment; (*mar.*) rigging // *in* —, (*mar.*) in commission.

armare *v.tr.* **1** to arm **2** (*mar.*) to rig **3** (*edil.*) to reinforce; (*tecn. mineraria*) to timber // **-arsi** *v.rifl.* **1** to take* up arms **2** (*fig.*) to arm oneself // — *di coraggio*, to pluck up courage.

armata *s.f.* **1** army **2** (*mar.*) fleet // *l'Invincibile Armata*, (*st.*) the (Invincible) Armada.

armato *agg.* **1** armed (with) // — *fino ai denti*, armed to the teeth // *rapina a mano armata*, armed robbery **2** (*fornito*) provided (with), equipped (with); (*fig.*) full (of) // — *di coraggio*, armed with courage **3** (*edil.*) reinforced: *cemento* —, reinforced concrete ♦ *s.m.* (*spec. pl.*) soldier.

armatore *s.m.* (*proprietario*) shipowner; (*costruttore*) shipbuilder.

armatura *s.f.* **1** (*mil.*) armour **2** (*edil.*) (*impalcatura*) scaffolding; (*intelaiatura*) reinforcement.

arme *s.f.* (*arald.*) coat of arms.

armeggiamento *s.m.* (*fig.*) manoeuvring.

armeggiare *v.intr.* **1** to poke about **2** (*fig.*) (*intrigare*) to manoeuvre.

armeggio *s.m.* manoeuvre.

Armenia *no.pr.f.* Armenia.

armeno *agg.* e *s.m.* Armenian.

armento *s.m.* herd.

armeria *s.f.* armoury.

armiere *s.m.* gunsmith.

armigero *s.m.* armiger.

armilla *s.f.* (*archeol.*) armilla.

armistizio *s.m.* armistice.

armo *s.m.* crew.

armonia *s.f.* harmony, accord // *in* — *con*, in keeping with // *in piena* — *con i suoi principi*, in full agreement with his principles.

armonica *s.f.* **1** (*mus.*) harmonica: — *a bocca*, mouthorgan (*o* harmonica) **2** (*fis.*) harmonic.

armonicamente *avv.* **1** harmonically **2** (*armoniosamente*) harmoniously.

armonico *agg.* **1** harmonic // *cassa armonica*, (mus.) sound-box **2** (*armonioso*) harmonious.

armonio *s.m.* (mus.) harmonium.

armonioso *agg.* harmonious.

armonista *s.m.* e *f.* (mus.) harmonist.

armonium *s.m.* (mus.) harmonium.

armonizzare *v.tr.* to harmonize ♦ *v.intr.* **1** to harmonize **2** (*di colori, abiti*) to match.

Arnaldo *no.pr.m.* Arnold.

arnese *s.m.* **1** (*strumento*) tool, implement; (*spec. da cucina*) utensil **2** (*aggeggio*) gadget, contrivance // *cattivo —*, (fig.) fishy character **3** *male in —*, in bad condition (*o* shabby): *una persona male in —*, a seedy person.

arnia *s.f.* beehive.

arnica *s.f.* (bot.) arnica.

aroma *s.m.* **1** aroma // *aromi artificiali*, artificial flavouring **2** (*spezia*) spice.

aromatico *agg.* aromatic.

aromatizzare *v.tr.* to aromatize; (*insaporire*) to flavour; (*con spezie*) to spice.

arpa *s.f.* harp.

arpeggiare *v.intr.* **1** to harp, to play the harp **2** (*fare arpeggi*) to play arpeggios.

arpeggio *s.m.* arpeggio.

arpia *s.f.* harpy (*anche fig.*).

arpionare *v.tr.* to harpoon.

arpione *s.m.* **1** (*da baleniere*) harpoon **2** (*uncino*) hook **3** (ferr.) spike.

arpista *s.m.* e *f.* harpist.

arra *s.f.* (comm.) earnest.

arrabattarsi *v.intr.pron.* not to leave* a stone unturned.

arrabbiarsi *v.intr.pron.* to get* angry, to get* into a temper // *non t'arrabbiare!*, take it easy! (*o* keep cool!) // *fare arrabbiare qlcu.*, to make s.o. angry.

arrabbiato *agg.* **1** (*di persona*) angry, mad; (*di cane*) rabid, mad **2** (*accanito*) inveterate.

arrabbiatura *s.f.* rage: *prendersi un'—*, to get angry (*o* mad).

arraffare *v.tr.* (fam.) to grab, to snatch.

arrampicare *v.intr.*, **arrampicarsi** *v.intr.pron.* to climb (sthg. *o* up sthg.); (*con difficoltà*) to clamber (up sthg.) // *— sui vetri, sugli specchi*, (fig.) to maintain an attitude that won't hold water.

arrampicata *s.f.* **1** climb **2** (*alpinismo*) (mountain) climbing.

arrampicatore *s.m.* mountain climber // *— sociale*, (neol.) social climber.

arrancare *v.intr.* **1** to plod, to trudge **2** (*vogare con forza*) to row hard; to pull (at the oars).

arrangiamento *s.m.* arrangement: *— musicale*, musical arrangement.

arrangiare *v.tr.* **1** to arrange, to settle **2** (mus.) to arrange // *-arsi* *v.rifl.* to make* shift, to manage // *arrangiatevi!*, get on with it!

arrangiatore *s.m.* (mus.) arranger.

arrecare *v.tr.* **1** to bring* **2** (*causare*) to cause // *— piacere*, to give pleasure.

arredamento *s.m.* **1** interior decoration **2** (*l'arredare*) furnishing.

arredare *v.tr.* to furnish.

arredatore *s.m.* interior decorator; (cinem.) set decorator.

arredo *s.m.* furniture (*solo sing.*); furnishings (*pl.*) // *arredi sacri*, sacred vessels and vestments.

arrembaggio *s.m.* boarding.

arrendersi *v.rifl.* to surrender, to give* oneself up, t yield // *— al destino*, to yield to fate.

arrendevole *agg.* pliant, yielding, docile.

arrendevolezza *s.f.* pliability, docility.

arrestare *v.tr.* **1** (*fermare*) to stop **2** (*trarre in arre sto*) to arrest **3** (*informatica*) to halt; to stop // *-ar v.rifl.* **1** to stop **2** (*di computer*) to hang* up.

arresto *s.m.* **1** (*cattura*) arrest: *— semplice*, open ar rest; *arresti domiciliari*, house arrest; *dichiarare in —*, t put under arrest; *in stato d'—*, under arrest; *mandato —*, warrant; *spiccare un mandato d'—*, to issue a wa rant **2** (*fermata*) stop, arrest: *segnale d'—*, stop signa // *gli affari hanno subito un —*, business has come to standstill **3** *pl.* (mil.) arrest (*sing.*): *mettere agli arrest* to put under arrest **4** (mecc.) stop, catch; (*di appare chi sollevatori*) grip: *— di sicurezza*, safety catch; *valvot d'—*, cut-off valve **5** (*informatica*) stop.

arretramento *s.m.* **1** (*di truppe*) withdrawal; (*di confi ne ecc.*) shifting back **2** (*di rango*) loss of rank **3** (*ir formatica*) (*di uno spazio*) backspace.

arretrare *v.tr.* to pull back, to draw* back; (*truppe*) t withdraw* ♦ *v.intr.* to move back, to step back; (mil.) t withdraw*.

arretrato *agg.* **1** (*in ritardo*) behind: *è (in) — col paga mento*, he is behind with the payment **2** (*non ancor pagato*) outstanding: *spese, tasse arretrate*, outstandin, expenses, taxes **3** (*di mentalità*) backward **4** *numere —*, (*di rivista*) back number ♦ *s.m.pl.* arrears; (*di stipen dio*) backpay (*sing.*).

arricchimento *s.m.* wealth; (fig.) enrichment.

arricchire *v.tr.* to make* rich, to make* wealthy; (fig to enrich ♦ *v.intr.*, **-irsi** *v.intr.pron.* to get* rich.

arricchito *s.m.* nouveau-riche // *— di guerra*, wa profiteer.

arricciare *v.tr.* to curl // *— il naso*, to make a face // *-arsi* *v.intr.pron.* to curl up, to become* curly.

arricciato *agg.* curled, curly; (*di tessuto*) gathered.

arricciatura *s.f.* (*di capelli*) hair curling; (*di tessuto,* gathering.

arricciolare *v.tr.*, **arricciolarsi** *v.intr.pron.* to curl.

arridere *v.intr.* to be* favourable, to be* propitious, tc smile (on, upon s.o.).

arringa *s.f.* harangue; (dir.) address by counsel; (*della difesa*) plea.

arringare *v.tr.* to harangue.

arrischiare *v.tr.* to risk, to venture, to hazard; (*as soluto*) to take* the risk: *— la pelle*, to risk life and limb // *-arsi* *v.rifl.* to venture, to dare*: *si arrischiò a dire poche parole*, he ventured a few words.

arrischiato *agg.* risky; (*imprudente*) rash.

arrivare *v.intr.* **1** to arrive; (*in un luogo*) to arrive (at a place), to reach (a place), to get* to a place): *arriverò all'aeroporto alle 16*, I'll arrive at the airport at 4 p.m.; *non so se riuscirò ad — in tempo*, I don't know whether I'll get there in time; *il treno è arrivato in ritardo*, the train was late // *gli arrivarono altri due libri*, he received two other books **2** (fig.) to attain (sthg.), to achieve (sthg.): *— al proprio scopo*, to attain (*o* to achieve) one's ends // *— alla verità*, to get at the truth **3** (*riuscire*) to manage (to do); to succeed (in doing): *non arrivo mai a fare tutto*, I never get round to doing everything **4** (*aver successo*) to attain success **5** (*giungere al punto di*) to go* so far as (to do); (*essere ridotto a*) to be* reduced (to sthg., doing): *è arrivato a rubare per pagarsi la droga*, he even went so far as to steal to pay for the drug; *è arrivato a insultarmi*, he even insulted me.

arrivato *agg.* **1** successful: *è un uomo —*, he is a successful man **2** *ben —!*, welcome! ♦ *s.m.: i nuovi arrivati*, the parvenus (*o* upstarts) // *non essere l'ultimo —*, not to count for nothing.

arrivederci, arrivederla *inter.* goodbye; (*fam.*) see you soon, see you later: *— giovedì*, goodbye till (*o* see you on *o* see you) Thursday.

arrivismo *s.m.* (*sociale*) social climbing; (*professionale*) careerism.

arrivista *s.m. e f.* (*socialmente*) social climber; (*professionalmente*) careerist.

arrivo *s.m.* arrival: *al mio — a Milano*, on my arrival in Milan // *nuovi arrivi* (*di merce*), fresh supplies.

arroccamento *s.m.* **1** (*scacchi*) castling **2** *linea d'—*, (*mil.*) strategic highway.

arroccare *v.tr.* **1** (*scacchi*) to castle **2** (*mil.*) to protect, to defend // *-arsi v.rifl.* (*mil.*) to take* up a defensive position.

arrochire *v.tr.* to make* hoarse ♦ *v.intr.*, **-irsi** *v.intr.pron.* to get* hoarse.

arrogante *agg.* arrogant, haughty.

arroganza *s.f.* arrogance, haughtiness.

arrogarsi *v.tr.* (*dir.*) to arrogate to oneself.

arrossamento *s.m.* redness; (*eruzione*) rash.

arrossare *v.tr.* to redden; (*tinger di rosso*) to dye red // *-arsi v.intr.pron.* to redden.

arrossire *v.intr.* to blush, to turn red.

arrostire *v.tr.* to roast; (*sulla graticola*) to grill, to broil; (*il pane*) to toast // *-irsi v.rifl.: — al sole*, to broil in the sun.

arrosto *s.m.* roast ♦ *avv.: cuocere —*, to roast; *carne —*, roast (-meat).

arrotare *v.tr.* **1** to whet, to sharpen // *— i denti*, to grind one's teeth **2** (*con veicolo*) to take* a slice (off s.o.).

arrotatura *s.f.* whetting, sharpening.

arrotino *s.m.* knife grinder.

arrotolare *v.tr.* to roll up.

arrotondamento *s.m.* **1** (*per difetto*) truncation; (*per eccesso*) round off **2** (*informatica*) half adjust.

arrotondare *v.tr.* **1** to round, to make* round **2** (*una cifra*) to make* a round figure: *— alle 1000 lire superiori*, to round up to the nearest thousand lire // *— lo stipendio*, to add to one's salary // *-arsi v.intr.pron.* to become* round; (*di persona*) to get* plump.

arrovellarsi *v.rifl.* **1** (*stizzirsi*) to get* angry **2** *— (il cervello) per...*, to rack one's brains (to do).

arroventare *v.tr.* to make* red-hot // *-arsi v.intr.pron.* to become* red-hot.

arroventato *agg.* red-hot.

arruffamatasse *s.m. e f.* (*pop.*) swindler.

arruffapopoli *s.m. e f.* ringleader.

arruffare *v.tr.* to dishevel, to ruffle // *— la matassa*, (*fig.*) to complicate things.

arruffato *agg.* **1** dishevelled, ruffled **2** (*fig.*) (*intricato*) entangled, intricate.

arruffio *s.m.* confusion, disorder.

arruffone *s.m.* muddler, bungler.

arrugginire *v.tr. e intr.*, **arrugginirsi** *v.intr.pron.* to rust (*anche fig.*).

arrugginito *agg.* rusty (*anche fig.*).

arruolamento *s.m.* enlistment.

arruolare *v.tr.* to enlist // *-arsi v.rifl.* to enlist, to join the army // *— volontario*, to volunteer.

arsella *s.f.* (*zool.*) mussel.

arsenale *s.m.* (*per navi*) naval shipyard; (*per armi*) arsenal.

arsenico *s.m.* arsenic.

arsiccio *agg.* dryish.

arsione *s.f.* parching thirst.

arsura *s.f.* **1** sultriness **2** (*da sete*) parching thirst; (*da febbre*) feverish thirst.

artato *agg.* (*letter.*) forced.

arte *s.f.* **1** art: *opera d'—*, work of art; *arti applicate*, applied arts; *le Belle Arti*, the Fine Arts; *— plastica e figurativa*, painting and sculpture // *l'— per l'—*, art for art's sake // *il signor XY, in —...*, Mr. XY, on the stage... // *nome d'—*, (*di scrittore*) pen name // *figlio d'—*, born of (*o* into) a theatrical family // *l'— della guerra*, the art of war // *l'— di governare*, statesmanship // *senza né — né parte*, without any means of substance // *fatto a regola d'—*, done to perfection **2** (*abilità*) craftsmanship; (*destrezza*) skill: *non ha certo l'— di farsi amare*, he certainly hasn't the gift of making himself popular **3** (*astuzia*) art, cunning // *ad —*, on purpose **4** (*corporazione*) guild.

artefatto *agg.* adulterated.

artefice *s.m.* artificer; (*fig.*) author, creator.

arteria *s.f.* artery // *— di traffico*, arterial road (*o* thoroughfare) // *— ferroviaria*, main line.

arteriografia *s.f.* (*med.*) arteriography.

arteriosclerosi *s.f.* arteriosclerosis.

arterioso *agg.* arterial.

artesiano *agg.* artesian.

artico *agg.* arctic.

articolare[1] *agg.* articular // *dolori articolari*, pains in the joints.

articolare[2] *v.intr.*, **articolarsi** *v.rifl.* to articulate.

articolato *agg.* **1** articulate **2** (*mecc.*) articulated.

articolazione *s.f.* articulation; (*giuntura*) joint.

articolista *s.m. e f.* columnist.

articolo *s.m.* **1** article // *— di fondo, di apertura*, leading article (*o* editorial *o* leader) **2** (*comm.*) article; (*insieme di articoli trattati*) line: *— principale*, stock article; *articoli sportivi*, sports goods; *articoli per toeletta*, toilet articles; *è un — che va molto*, this article sells very well; *non trattiamo questo —*, we don't deal in this line **3** (*di contratto ecc.*) item **4** (*informatica*) item.

artificiale *agg.* artificial.

artificialmente *avv.* artificially.

artificiere *s.m.* **1** (*mil.*) artificer **2** (*pirotecnico*) pyrotechnist.

artificio *s.m.* **1** artifice **2** (*ricercatezza*) affectation **3** (*mil.*) explosive device.

artificioso *agg.* **1** artful **2** (*ricercato*) affected.

artigianale *agg.* artisan (*attr.*).

artigianato *s.m.* **1** (*arte manuale*) craftsmanship **2** (*classe artigiana*) craftsmen (*pl.*).

artigiano *agg.* artisan (*attr.*) ♦ *s.m.* artisan.

artigliare *v.tr.* to claw.

artigliere *s.m.* artilleryman (*pl.* -men).

artiglieria *s.f.* artillery // *pezzo d'—*, piece of ordnance.

artiglio *s.m.* claw; (*di rapaci*) talon // *cadere negli artigli di qlcu.*, to get into s.o.'s clutches.

artista *s.m. e f.* artist.

artisticamente *avv.* artistically.

artistico *agg.* artistic.

arto *s.m.* limb: *arti inferiori, superiori*, lower, upper limbs.

artrite *s.f.* arthritis.

artritico *agg.* arthritic: *dolori artritici*, pains in the joints ♦ *s.m.: è un —*, he suffers from arthritis.

artrosi *s.f.* arthrosis.

Artù *no.pr.m.* (*lett.*) Arthur.

Arturo *no.pr.m.* **1** Arthur **2** (*astr.*) Arcturus.

arvicola *s.m.* (*zool.*) field mouse (*pl.* mice).

arzigogolare *v.intr.* **1** (*fantasticare*) to muse (over sthg.) **2** (*cavillare*) to cavil (at sthg.).

arzigogolato *agg.* (*di abito ecc.*) fussy; (*di ragionamento ecc.*) captious.

arzigogolo *s.m.* **1** (*fantasticheria*) reverie **2** (*cavillo*) cavil.

arzillo *agg.* spry, lively.

Asburgo *no.pr.* (*st.*) Hapsburg.

ascella *s.f.* armpit.

ascellare *agg.* axillary.

ascendentale *agg.* ascending; (*dir.*) ascendant (*attr.*).

ascendente *agg.* ascending // *volo* —, (*aer.*) climbing flight ♦ *s.m.* (*influenza*) ascendancy ♦ *s.m.* e *f.* (*antenato*) ancestor.

ascendere *v.intr.* **1** to ascend **2** (*ammontare*) to amount ♦ *v.tr.* to ascend.

ascensionale *agg.* ascensional // *forza* —, (*aer.*) lifting power (*o* lift).

ascensione *s.f.* ascension; (*sport*) ascent // *l'Ascensione*, (*eccl.*) Ascension Day.

ascensore *s.m.* lift; (*amer.*) elevator.

ascensorista *s.m.* liftboy.

ascesa *s.f.* ascent; (*al trono*) accession.

ascesi *s.f.* mystical practice.

ascesso *s.m.* abscess.

asceta *s.m.* ascetic.

ascetica *s.f.* ascetics.

ascetico *agg.* ascetic.

ascetismo *s.m.* asceticism.

ascia *s.f.* axe // *fatto con l'*—, (*anche fig.*) rough-hewn.

ascissa *s.f.* (*mat.*) abscissa (*pl.* abscissae).

asciugacapelli *s.m.* hairdryer.

asciugamano *s.m.* towel.

asciugare *v.tr.* to dry; (*con un panno ecc.*) to wipe // — *le tasche di qlcu.*, (*fig.*) to empty s.o.'s pockets ♦ *v.intr.*, **-arsi** *v.intr.pron.* to dry (up), to get* dry ♦ *v.rifl.* to dry (oneself).

asciugatoio *s.m.* **1** towel **2** (*mecc.*) dryer.

asciuttezza *s.f.* **1** dryness; (*di stile*) pithiness, terseness **2** (*magrezza*) leanness.

asciutto *agg.* **1** dry (*anche fig.*) // *da tenere in luogo* —, to be kept dry // *pasta asciutta*, macaroni; spaghetti // *a ciglio* —, tearless // *rimanere a bocca asciutta*, (*fig.*) to be disappointed **2** (*magro*) lean ♦ *s.m.* (*luogo*) dry place; (*clima*) dry climate // *essere all'*—, (*essere senza soldi*) to be* hard up.

ascoltare *v.tr.* **1** to listen to (s.o., sthg.): *ascoltami!*, listen to me!; *lo ascoltarono fino in fondo*, they heard him out; — *il canto degli uccelli*, to listen to the birds singing; — *da un solo orecchio*, to be only half listening; — *la radio*, to listen to the radio; — *radio Londra*, to listen in to London **2** (*dar retta a*) to pay attention to (s.o., sthg.): *ascoltale attentamente!*, pay attention!; *non ascolta nessuno*, he won't listen to anyone; *non avete voluto ascoltarmi*, you would not listen to me; — *il consiglio di qlcu*, to take s.o.'s advice **3** (*assistere a*) to attend: — *le lezioni*, to attend classes; — *la messa*, to hear Mass ♦ *v.intr.* (*mettersi in ascolto, prestare orecchio*) to lend an ear.

ascoltatore *s.m.* **1** listener **2** *pl.* audience (*sing.*).

ascolto *s.m.* listening: *dare* — *a*, to listen to // *gruppo di* —, listeners' class.

ascorbico *agg.* (*chim.*) ascorbic.

ascrivere *v.tr.* **1** (*annoverare*) to count, to register **2** (*attribuire*) to ascribe: — *qlco. a lode, a biasimo di qlcu.*, to praise, to blame s.o. for sthg.; — *qlco. a merito di qlcu*, to credit s.o. with sthg.

asessuale *agg.* (*biol.*) asexual.

asettico *agg.* aseptic.

asfaltare *v.tr.* to asphalt.

asfaltatura *s.f.* asphalting.

asfalto *s.m.* asphalt.

asfissia *s.f.* asphyxia.

asfissiante *agg.* asphyxiating // *fa un caldo* —, it is stifling hot // *com'è* —!, what a bore!

asfissiare *v.tr.* to asphyxiate; (*con gas*) to gas // *morire asfissiato*, to die of asphyxia ♦ *v.intr.* to suffocate.

asfittico *agg.* (*med.*) asphyctic, asphyctous.

asfodelo *s.m.* asphodel.

Asia *no.pr.f.* Asia.

asiatico *agg.* e *s.m.* Asiatic, Asian.

asilo *s.m.* refuge, shelter: *dare* — *a qlcu*, to harbour s.o. // — *infantile*, nursery school // — *per i poveri*, home for the poor // — *politico*, political asylum; *diritto d'*—, (*pol.*) right of asylum; (*eccl.*) right of sanctuary.

asimmetria *s.f.* asymmetry.

asimmetrico *agg.* asymmetrical.

asina *s.f.* (she-)ass.

asinaio *s.m.* ass-driver.

asinata *s.f.* → **asineria**.

asincrono *agg.* asynchronous (*anche informatica*).

asineria *s.f.* **1** foolish act // *non dire asinerie!*, don't talk nonsense! **2** (*grande ignoranza*) gross ignorance.

asinino *agg.* asinine // *tosse asinina*, (*pop.*) (w)hooping cough.

asinità *s.f.* stupidity, asininity.

asino *s.m.* donkey, ass (*anche fig.*) // *la bellezza dell'*—, the passing beauty of youth // *strada a schiena d'*—, hogbacked road // *credere che un* — *voli*, to swallow anything // *qui casca l'*—, there's the rub // *fare come l'*— *di Buridano*, to be unable to make a choice // *legare l'*— *dove vuole il padrone*, to do as one's master wishes // *meglio un* — *vivo che un dottore morto*, (*prov.*) as long as you've got your health and strength.

asma *s.f.* (*med.*) asthma.

asmatico *agg.* asthmatic.

asociale *agg.* asocial.

asola *s.f.* buttonhole.

asparago *s.m.* asparagus.

aspergere *v.tr.* to sprinkle (with sthg.).

asperità *s.f.* asperity (*anche fig.*); (*di superficie*) unevenness.

asperrimo *agg.superl.* di **aspro**.

aspersione *s.f.* sprinkling.

aspersorio *s.m.* (*eccl.*) aspergillum.

aspettare *v.tr.* **1** to wait (for s.o., sthg.); (*con desiderio*) to look forward (to sthg.): *aspettami!*, wait for me!; *aspetta che arrivi il treno*, wait for the train to arrive; *aspetta un momento*, wait a minute; *aspettava quel giorno con impazienza*, he looked forward to that day impatiently // *farsi* — *da qlcu, far* — *qlcu*, to keep s.o. waiting // — *un bambino*, to be expecting (a baby) // *qui t'aspettavo!*, now we'll see what you can do! // *chi ha tempo non aspetti tempo*, (*prov.*) a stitch in time saves nine; *chi la fa l'aspetti*, (*prov.*) we reap as we sow **2** *aspettarsi*, to expect: *si aspettava un premio*, he expected a prize; *me l'aspettavo*, just as I expected.

aspettativa *s.f.* **1** expectation: *corrispondere all'*—, to me up to s.o.'s expectation(s) **2** (*esonero temporaːo*): *essere in —*, to be temporarily relieved of one's ːties; *chiedere una — per motivi di salute*, to ask for ːk leave.

ːpettazione *s.f.* expectation.

ːpetto[1] *s.m.* appearance, look // *di bell'—*, good ːoking; *che — ha?*, what does he look like?; *ha un —ːste*, he looks sad // *sotto questo —*, from this point of ːw.

ːpetto[2] *s.m.* waiting: *sala d'—*, waiting room.

ːpide *s.m.* asp.

ːpidistra *s.f.* (*bot.*) aspidistra.

ːpirante *agg.* aspirant ♦ *s.m.* **1** aspirant; (*candidato*) ːplicant (for) **2** (*mar.*) midshipman (*pl.* -men).

ːpirapolvere *s.m.* vacuum cleaner.

ːpirare *v.tr.* **1** to inhale, to breathe in **2** (*mecc.*) to ːck **3** (*fonetica*) to aspirate ♦ *v.intr.* to aspire // *—ːla mano di qlcu.*, to seek s.o.'s hand in marriage.

ːpirato *agg.* (*fonetica*) aspirate.

ːpiratore *s.m.* ventilator.

ːpirazione *s.f.* **1** aspiration **2** (*di motori*) inducːn; (*di pompe*) suction **3** (*fonetica*) aspiration.

ːpirina® *s.f.* aspirin®.

ːpo *s.m.* swift, reel.

ːportare *v.tr.* to remove.

ːportazione *s.f.* removal.

ːpramente *avv.* harshly.

ːprezza *s.f.* **1** sourness **2** (*ruvidezza*) roughness **3** ːg.) harshness **4** (*di clima*) rigours (*pl.*).

ːprì *s.m.* aigrette, egret.

ːprigno *agg.* sourish, tartish.

ːpro *agg.* **1** (*di sapore*) sour, tart; (*di odore*) punːnt **2** (*ruvido*) rough **3** (*fig.*) rough; (*di parole ecc.*) ːrsh **4** (*arduo*) hard.

ːsafetida *s.f.* (*farm.*) asafoetida.

ːsaggiare *v.tr.* **1** to taste, to have* a taste (of sthg.): ːssaggia se è cotto!*, (*fam.*) taste it to see if it's cooked **2** ːnetalli*) to assay.

ːsaggiatore *s.m.* taster.

ːsaggio *s.m.* **1** tasting **2** (*piccola quantità*) taste **3** ːdi metalli*) assay.

ːsai *avv.* **1** → *molto* **2** (*abbastanza*) enough **3** (*enːatico per nulla*): *m'importa —!*, I don't care!; *so — io!*, ːdon't know anything about it! ♦ *agg.* → *molto*.

ːsale *s.m.* axle.

ːsalire *v.tr.* to assail (*anche fig.*); (*cogliere*) to seize: *esːere assalito da dubbi, dal rimorso*, to be assailed with ːoubts, with remorse; *essere assalito dalla paura*, to be ːeized with fear; *la febbre l'ha assalito d'improvviso*, he ːvas suddenly seized with fever.

ːsaltare *v.tr.* to assault, to attack.

ːsalto *s.m.* assault, attack (*anche fig.*): *andare, muoveːe all'—*, to attack; *prendere d'—*, to take by storm // ːnezzi d'—*, means of attack // *truppe d'—*, storm (*o* ːhock) troops; *gruppo d'—*, storming-party.

ːsaporare *v.tr.* to relish (*anche fig.*).

ːsassinare *v.tr.* to murder (*anche fig.*).

ːsassinio *s.m.* murder (*anche fig.*).

ːsassino *agg.* **1** murderous **2** (*fig.*) killing ♦ *s.m.* ːnurderer.

ːsse[1] *s.f.* (*tavola di legno*) board, plank: *— da stiro*, ːroning board // *— di equilibrio*, (*ginnastica*) balancing ːorm.

ːsse[2] *s.m.* **1** (*geom. geogr.*) axis (*pl.* axes) // *l'Asse*, (*st.ːɔol.*) the Axis **2** (*mecc.*) axle // *— motore*, (*aut.*) drivːng axle.

asse[3] *s.m.* (*dir.*): *— ereditario*, hereditament; *— patriːmoniale*, entire patrimony // *— ecclesiastico*, Church estate.

assecondare *v.tr.* to satisfy; (*incoraggiare*) to encourage: *— i desideri di qlcu.*, to satisfy s.o.'s wishes.

assediante *agg.* besieging ♦ *s.m.* besieger.

assediare *v.tr.* to besiege (*anche fig.*).

assediato *agg.* besieged // *gli assediati*, the besieged.

assedio *s.m.* siege (*anche fig.*): *levare l'—*, to raise the siege; *stringere d'— una città*, to lay siege to a town // *stato d'—*, state of emergency.

assegnamento *s.m.* **1** assignment; (*somma assegnata*) allotment **2** (*affidamento*) reliance: *fare — su qlcu., qlco.*, to rely on s.o., sthg.

assegnare *v.tr.* **1** to assign; (*premio, ricompensa*) to award **2** (*informatica*) (*un valore ad un contatore*) to preset*.

assegnatario *s.m.* (*dir.*) assignee; (*di terre, rendite ecc.*) grantee.

assegnazione *s.f.* **1** assignment **2** (*informatica*) allocation; assignment: *— di tempo*, time slicing.

assegno *s.m.* **1** (*comm.*) cheque; (*amer.*) check: *emettere un —*, to issue a cheque; *— al portatore*, cheque to bearer; *— circolare*, banker's draft; *— in bianco*, blank cheque; *— a vuoto*, dud cheque // *contro —*, cash on delivery **2** *assegni familiari*, family allowances.

assemblatore *s.m.* (*informatica*) assembler; translator.

assemblea *s.f.* **1** meeting: *Assemblea Costituente*, (*dir.*) Statutory Meeting // *Assemblea legislativa*, Legislative Assembly **2** (*mar. mil.*) muster.

assembramento *s.m.* assemblage // *divieto di —*, ban on assembly.

assembrarsi *v.rifl.* to assemble.

assennato *agg.* sensible; (*saggio*) wise.

assenso *s.m.* assent, agreement.

assentarsi *v.rifl.* to absent oneself.

assente *agg.* **1** absent **2** (*distratto*) absent-minded ♦ *s.m.* absentee // *gli assenti*, the absent.

assenteismo *s.m.* absenteeism: *percentuale d'—*, absentee-rate.

assenteista *s.m. e f.* absentee.

assentire *v.intr.* to assent: *— col capo*, to nod (in) assent.

assenza *s.f.* **1** absence: *— ingiustificata*, unexplained absence // *fare assenze*, to be absent **2** (*mancanza*) lack.

assenzio *s.m.* absinth(e).

asserire *v.tr.* to affirm, to assert.

asserragliarsi *v.rifl.* to barricade oneself.

asserto *s.m.* assertion.

assertore *s.m.* champion.

asservimento *s.m.* enslavement.

asservire *v.tr.* to enslave // *-irsi* *v.rifl.* to become* a slave.

asserzione *s.f.* assertion.

assessorato *s.m.* Borough Council Clerk's Office.

assessore *s.m.* Borough Council Clerk.

assestamento *s.m.* **1** settlement **2** (*edil.*) bond.

assestare *v.tr.* to settle // *— un colpo*, to deal a blow // *-arsi* *v.rifl.* to settle (down).

assetare *v.tr.* to make* thirsty.

assetato *agg.* thirsty (for) (*anche fig.*): *essere —*, to be thirsty; (*fig.*) to thirst (for) // *gli assetati*, the thirsty.

assettare *v.tr.*, **assettarsi** *v.rifl.* to tidy (up).

assetto *s.m.* order; (*mil.*) trim: *in — di guerra*, in fighting trim.

asseverare *v.tr.* (*letter.*) to aver, to assert.

asseverazione *s.f.* (*letter.*) assertion.

assiale *agg.* (*geom.*) axial.

assicurare *v.tr.* **1** to assure: *ci assicurò che sarebbe ritornato*, he assured us he would be back **2** (*procurare*) to secure: — *il necessario alla famiglia*, to secure what is necessary to one's family **3** (*fissare*) to fasten; (*legare*) to tie (up) **4** (*comm.*) to insure: *per quanto sei assicurato contro gli incidenti?*, how much are you insured for against accidents? **5** (*posta*) to register // **-arsi** *v.rifl.* **1** to make* sure **2** (*comm.*) to insure oneself: — *contro i furti, gli incendi*, to insure oneself against theft, fire; — *sulla vita*, to take out a life assurance.

assicurata *s.f.* registered letter.

assicurato *agg.* (*comm.*) insured; (*sulla vita*) assured // *gli assicurati*, the insured (parties).

assicuratore *agg.* insurance (*attr.*) ♦ *s.m.* insurer; (*mar.*) underwriter.

assicurazione *s.f.* **1** assurance **2** (*comm.*) insurance: *società d'—, d'assicurazioni*, insurance company; — *sulla vita*, life assurance; — *contro gli incendi*, fire insurance; — *contro gli infortuni sul lavoro*, employer's liability (*o* industrial accident) insurance; — *contro terzi*, third party insurance; *polizza d'—*, insurance policy; *fare un'—*, to take out (*o* to effect) an insurance.

assideramento *s.m.* freezing // *morire per —*, to freeze to death.

assiderare *v.tr.* e *intr.*, **assiderarsi** *v.intr.pron.* to freeze*.

assiderato *agg.* frozen.

assiduamente *avv.* assiduously.

assiduità *s.f.* **1** assiduousness **2** (*frequenza*) regular attendance.

assiduo *agg.* **1** assiduous // *lavoratore —*, hard worker **2** (*di visitatore, cliente*) regular: *è un nostro — cliente*, he is one of our regular customers.

assieme *avv.* e *prep.* → **insieme**.

assieparsi *v.rifl.* to crowd (round sthg.).

assillante *agg.* pestering; (*molesto*) harassing.

assillare *v.tr.* to pester; (*molestare*) to worry.

assillo *s.m.* harassing thought: *avere l'— del denaro*, to be obsessed by money.

assimilabile *agg.* assimilable.

assimilare *v.tr.* to assimilate (*anche fig.*).

assimilazione *s.f.* assimilation.

assiolo *s.m.* (*zool.*) horned owl.

assioma *s.m.* axiom.

assiomaticamente *avv.* axiomatically.

assiomatico *agg.* axiomatic.

Assiria *no.pr.f.* Assyria.

assiro *agg.* e *s.m.* Assyrian.

assise *s.f.pl.* assizes // *Corte d'Assise*, Court of Assizes.

assistentato *s.m.* assistantship.

assistente *s.m.* e *f.* assistant: — *universitario*, assistant // — *di volo*, (*donna*) airhostess; (*uomo*) steward // — *sociale*, social worker.

assistenza *s.f.* **1** assistance: *prestare — a qlcu.*, to assist s.o. // — *legale*, legal aid // — *tecnica*, after -sales service // — *scolastica*, schools assistance // — *ospedaliera*, hospital treatment // *opera di —*, welfare institution **2** (*l'essere presente*) presence, attendance **3** (*informatica*) aid.

assistenziale *agg.*: *centro, ente —*, welfare centre; organization; *stato —*, welfare state; *opere assistenziali*, charities; *comitato —*, aid committee.

assistere *v.tr.* **1** to assist, to help // *se la fortuna vi assiste*, if fortune favours you **2** (*curare*) to nurse, to tend ♦ *v.intr.* to be* present (at sthg.), to see* (sthg.): *a un incidente*, to see an accident; — *a un incontro calcio, a un film*, to see a football match, a film // *una lezione*, to attend a lesson.

assito *s.m.* (*tramezza*) wooden partition; (*paviment* floor boards (*pl.*).

asso *s.m.* **1** (*a carte, dadi ecc.*) ace // *ha un — ne manica*, he has got something up his sleeve **2** (*spo* ace, champion: — *dell'aviazione*, ace (-pilot); — *del v lante*, crack racing-driver **3** *piantare in —*, (*qlcu.* leave (s.o.) in the lurch; (*qlco.*) to chuck up (sthg.).

associare *v.tr.* **1** (*prendere come socio*) to take* in partnership **2** (*riunire*) to join **3** (*fig.*) (*collegare*) associate // **-arsi** *v.rifl.* **1** to enter into partnershi (with s.o.) **2** (*a circolo ecc.*) to become* a member (sthg.), to join (sthg.) **3** (*prender parte*) to associa oneself (with s.o., sthg.) // *mi associo al tuo dolore*, sympathize with you in your grief.

associativo *agg.* associative.

associato *s.m.* associate, partner; (*a circolo ecc.*) men ber.

associazione *s.f.* association; (*società*) society: — *p litica, religiosa*, political, religious society; — *a delinqu re*, (*dir.*) criminal association; *diritto di —*, right of asso ciation; — *di idee*, association of ideas // — *operai* trade union // *quota d'—*, subscription (fee).

assodare *v.tr.* (*accertare*) to ascertain, to make* (sthg sure.

assoggettare *v.tr.* to subject // **-arsi** *v.rifl.* to subm (oneself).

assolato *agg.* sunny.

assoldare *v.tr.* to hire.

assolo *s.m.* (*mus.*) solo.

assolutamente *avv.* **1** absolutely **2** (*completamente* quite.

assolutezza *s.f.* absoluteness.

assolutismo *s.m.* absolutism.

assolutista *s.m.* e *f.* absolutist // *come sei —!*, hov dogmatic you are!

assolutistico *agg.* absolutist.

assoluto *agg.* e *s.m.* absolute (*anche informatica*).

àssolutorio *agg.* absolutory.

assoluzione *s.f.* **1** (*relig.*) absolution **2** (*dir.*) acquit tal.

assolvere *v.tr.* **1** (*relig.*) to absolve **2** (*dir.*) to ac quit **3** (*adempiere*) to accomplish.

assolvimento *s.m.* (*compimento*) accomplishment.

assomigliare *v.intr.* **1** to be* like (s.o.), to resemble (s.o.); (*riferito solo all'aspetto*) to look like (s.o.) // *asso miglia a suo padre*, he takes after his father **2** (*d suono*) to sound like; (*di odore*) to smell* like // **-ars** *v.rifl.rec.* to resemble (each other, one another), to be* alike: — *come due gocce d'acqua*, to be as alike as tw peas.

assommare *v.tr.* (*riunire in sé*) to combine ♦ *v.intr* (*ammontare*) to amount.

assonanza *s.f.* assonance.

assonnato *agg.* sleepy, drowsy.

assopimento *s.m.* drowsiness, doziness.

assopire *v.tr.* to make* drowsy, to make* dozy // **-irs** *v.intr.pron.* to grow* sleepy, to grow* drowsy.

assorbente *agg.* absorbing, absorbent // *carta —* blotting paper ♦ *s.m.* absorbent // — *acustico*, (*edil.*. soundproofing // — *igienico*, sanitary towel.

assorbimento *s.m.* absorption // — *di energia elettri ca*, electrical input.

atomo

assorbire *v.tr.* to absorb (*anche fig.*); (*solo liquidi*) to soak (up): *assorbe tutte le sue energie*, it absorbs (*o* takes up) all his energy // *l'affitto assorbe metà del mio stipendio*, my rent eats up half of my salary.

assordamento *s.m.* deafening.

assordante *agg.* deafening.

assordare *v.tr.* to deafen.

assortimento *s.m.* assortment: *ricco —*, large assortment.

assortire *v.tr.* to assort.

assortito *agg.* assorted; (*accoppiato, combinato*) matched: *bene, male —*, well-, ill-assorted; well-, ill -matched.

assorto *agg.* absorbed.

assottigliare *v.tr.* **1** (*rendere sottile*) to thin, to make* thin; (*fig.*) to sharpen **2** (*diminuire*) to diminish, to reduce // **-arsi** *v.intr.pron.* **1** (*diventar sottile*) to grow* thin, to grow* thinner **2** (*diminuire*) to diminish.

Assuàn *no.pr.f.* Aswan, Assuan.

assuefare *v.tr.* (*letter.*) to accustom // **-arsi** *v.intr.pron.* to get* accustomed, to get* used.

assuefazione *s.f.* habit // *non dà —*, (*di medicina*) non habit-forming.

assumere *v.tr.* **1** (*alle proprie dipendenze*) to engage, to take* on, to hire: *penso di — un ragioniere*, I think I'll take on an accountant **2** (*fig.*) (*impegno, responsabilità*) to take* on // *assumersi l'onere delle spese*, to foot the bill // *— informazioni*, to make inquiries // *— un'aria innocente*, to put on an innocent look; *— un'aria dignitosa*, to assume a dignified air.

Assunta *s.f.*: (*festa dell'*) *—*, Assumption Day (*o* Feast).

assunto *s.m.* (*tesi*) theory; (*compito*) task.

assuntore *s.m.* contractor.

assunzione *s.f.* **1** (*ascesa*) accession: *l'— al trono*, the accession to the throne **2** *Assunzione*, (*teol.*) Assumption: *festa dell'Assunzione*, Assumption Day **3** (*di impiegato ecc.*) engagement, hiring: *— temporanea*, temporary employment **4** (*di carica*) assumption.

assurdità *s.f.* absurdity // *dire delle —*, to talk nonsense.

assurdo *agg.* absurd, preposterous ♦ *s.m.* absurdity // *dimostrazione per —*, proof ab absurdo.

assurgere *v.intr.* (*letter.*) to rise*.

asta *s.f.* **1** pole // *— di bilancia*, arm of a balance // *— di bandiera*, flagstaff // *salto con l'—*, (*sport*) pole vault **2** (*primo segno di scrittura*) (straight)stroke: *fare le aste*, to draw pothooks **3** (*comm.*) auction: *vendita all'—*, auction(sale); *mettere, vendere all'—*, to auction; *banditore d'—*, auctioneer; *diritto d'—*, lot money **4** (*mar.*) boom; (*di timone*) rod: *— del parafulmine*, lightning rod // *— di presa*, (*di tram ecc.*) trolley.

astante *s.m. e f.* **1** onlooker, looker-on, bystander **2** (*medico*) *—*, doctor-on duty.

astanteria *s.f.* first-aid post.

astemio *agg.* teetotal ♦ *s.m.* teetotaller.

astenersi *v.rifl.* **1** to refrain, to forbear* **2** (*da cibi, bevande*) to abstain.

astenia *s.f.* asthenia.

astensione *s.f.* abstention: *— dal voto*, abstention.

astenuto *s.m.* abstainer: *gli astenuti*, the abstainers.

aster *s.m.* (*bot.*) aster.

asterisco *s.m.* asterisk.

asteroide *s.m.* asteroid.

asticciola *s.f.* (*di pennello*) handle; (*di penna*) holder.

astice *s.m.* (*zool.*) sea crayfish, sea crawfish.

asticella *s.f.* (*sport*) (jumping) bar.

astigmatico *agg.* astigmatic.

astigmatismo *s.m.* astigmatism.

astinenza *s.f.* abstinence.

astio *s.m.* grudge, resentment: *avere dell'— contro qlcu.*, to bear s.o. a grudge.

astiosità *s.f.* rancour, resentfulness.

astioso *agg.* rancorous, resentful.

astore *s.m.* (*zool.*) goshawk.

astrakàn *s.m.* astrakhan.

astrale *agg.* astral.

astrarre *v.tr.* to abstract ♦ *v.intr.* to leave* aside (sthg.) // **-arsi** *v.rifl.*: *— dalla realtà*, to withdraw from reality.

astrattezza *s.f.* abstractness.

astrattismo *s.m.* (*arte*) abstractionism.

astrattista *s.m. e f.* (*arte*) abstract artist.

astratto *agg. e s.m.* abstract // *in —*, in the abstract.

astrazione *s.f.* abstraction // *fare — da qlco.*, to leave sthg. out of consideration.

astringente *agg. e s.m.* astringent.

astro *s.m.* **1** star; (*pianeta*) planet **2** (*bot.*) aster.

astrofisica *s.f.* astrophysics.

astrolabio *s.m.* astrolabe.

astrologia *s.f.* astrology.

astrologico *agg.* astrological.

astrologo *s.m.* astrologer // *crepi l'—!*, (*scherz.*) good luck to you!

astronauta *s.m.* spaceman (*pl.* -men), astronaut ♦ *s.f.* spacewoman (pl. -women), astronaut.

astronautica *s.f.* astronautics.

astronave *s.f.* spaceship.

astronomia *s.f.* astronomy.

astronomico *agg.* astronomic(al).

astronomo *s.m.* astronomer.

astruseria *s.f.* abstruseness.

astruso *agg.* abstruse, obscure.

astuccio *s.m.* case, box // *— da lavoro*, workbox.

astuto *agg.* shrewd, astute.

astuzia *s.f.* **1** (*qualità*) shrewdness, astuteness **2** (*azione*) trick.

atavico *agg.* atavic.

atavismo *s.m.* atavism.

ateismo *s.m.* atheism.

ateista *s.m. e f.* atheist.

atelier (*franc.*) *s.m.* atelier.

Atena *no.pr.f.* (*mit.*) Athene.

Atene *no.pr.f.* Athens.

ateneo *s.m.* athenaeum; (*università*) university.

ateniese *agg. e s.m.* Athenian.

ateo *agg.* atheistic ♦ *s.m.* atheist.

atipico *agg.* atypical.

Atlante *no.pr.m.* (*mit.*) Atlas // **atlante** *s.m.* atlas.

atlantico *agg.* **1** Atlantic // *l'(Oceano) Atlantico*, the Atlantic (Ocean) // *Patto Atlantico*, North Atlantic Treaty **2** (*pol.*) pro-NATO: *politica atlantica*, pro-NATO policy.

atleta *s.m. e f.* athlete.

atletica *s.f.* athletics: *— leggera*, field event; *— pesante*, track.

atletico *agg.* athletic.

atmosfera *s.f.* atmosphere.

atmosferico *agg.* atmospheric.

atollo *s.m.* atoll.

atomico *agg.* atomic, atom (*attr.*).

atomizzare *v.tr.* to atomize.

atomo *s.m.* atom.

atonia *s.f.* (*med.*) atony.

atono *agg.* atonic.

atossico *agg.* nontoxic.

atrio *s.m.* **1** hall **2** (*anat.*) atrium.

atroce *agg.* atrocious, dreadful.

atrocemente *avv.* atrociously, dreadfully.

atrocità *s.f.* **1** atrociousness **2** (*cosa, fatto atroce*) atrocity.

atrofia *s.f.* (*med.*) atrophy.

atrofico *agg.* (*med.*) atrophic.

atrofizzare *v.tr.*, **atrofizzarsi** *v.intr.pron.* to atrophy.

attaccabile *agg.* **1** attachable **2** (*assalibile*) assailable **3** (*di primato*) breakable **4** (*chim.*) corrodible.

attaccabottoni *s.m. e f.* (*fam.*) gasbag, buttonholer.

attaccabrighe *s.m. e f.* troublemaker.

attaccamento *s.m.* attachment.

attaccante *agg.* attacking ♦ *s.m.* **1** attacker **2** (*sport*) forward.

attaccapanni *s.m.* (*gruccia*) coat hanger; (*a muro*) coat rack; (*a piantana*) clothes tree; (*mobile*) hallstand.

attaccare *v.tr.* **1** (*unire*) to attach, to fasten **2** (*cucire*) to sew* on // — *un bottone a qlcu.*, (*fig.*) to buttonhole s.o. **3** (*appiccicare*) to stick*: — *un manifesto*, to stick (*o to post*) up a bill **4** (*bestie da tiro*) to harness **5** (*appendere*) to hang* **6** (*assalire*) to attack // — *un primato*, (*sport*) to attack a record **7** (*iniziare*) to begin*; (*mus.*) to strike* up // *attaccar lite*, to pick a quarrel **8** (*malattia*) to pass on (*to s.o.*): *non voglio che mi attacchi l'influenza*, I don't want to catch your flu **9** (*chim.*) to corrode ♦ *v.intr.* **1** (*essere appiccicoso*) to be* sticky **2** (*attecchire*) to take* root; (*fig.*) to catch* on: *è una moda che non attaccherà*, this fashion will never catch on // *non attacca!*, that won't do! **3** (*essere contagioso*) to be* catching // **-arsi** *v.rifl.* **1** (*appigliarsi*) to cling*, to hang* on: *si salvò attaccandosi a un tronco galleggiante*, he saved himself by hanging on to a floating trunk **2** (*affezionarsi*) to get* fond (*of s.o., sthg.*): *è molto attaccato al padre adottivo*, he is very attached to his adopted father **3** (*fam.*) (*di cibi*) to stick* (*to the pan*) **4** (*azzuffarsi*) to come* to blows.

attaccaticcio *agg.* **1** sticky **2** (*fig.*) tiresome.

attaccato *agg.* (*fig.*) attached.

attaccatura *s.f.* joining; (*punto*) joint // *l'— della manica*, sleeve-cut.

attacchino *s.m.* billsticker.

attacco *s.m.* **1** (*punto d'unione*) junction; (*collegamento*) fastening // *attacchi*, (*degli sci*) bindings **2** (*elettr.*) plug // *l'— della lampadina*, bulb-socket **3** (*assalto*) attack **4** (*med.*) attack **5** (*inizio*) attack; (*mus.*) beginning; entry **6** (*calcio*) attack.

attagliarsi *v.intr.pron.* to suit (s.o.), to fit (s.o.).

attanagliare *v.tr.* to clutch // *attanagliato dai rimorsi*, gnawed by remorse.

attardarsi *v.intr.pron.* to linger, to loiter.

attecchimento *s.m.* taking root; rootage.

attecchire *v.intr.* **1** (*agr.*) to take* (root) **2** (*med.*) to take* **3** (*fig.*) to catch* on.

atteggiamento *s.m.* attitude.

atteggiare *v.tr.* to assume: — *le labbra al sorriso*, to assume a smile // **-arsi** *v.rifl.* to pose (as).

attempato *agg.* elderly, aged.

attendamento *s.m.* camping.

attendarsi *v.rifl.* (*piantare le tende*) to pitch tents; (*accamparsi*) to camp.

attendente *s.m.* (*mil.*) orderly, batman (*pl.* batmen).

attendere *v.tr.* to wait (for s.o., sthg.); (*comm.*) to await: *attenderò qui che ritorni*, I'll wait here for him to come back // *andare ad — qlcu. alla stazione*, to go to meet s.o. at the station // *c'era da attenderselo*, it was to be expected // *è atteso domani*, he is expected tomorrow // — *un bambino*, to be expecting (a baby) ♦ *v.intr.* **1** to wait: *è molto che attendi?*, have you been waiting long? **2** (*dedicarsi*) to attend (to sthg.), to devote oneself (to sthg.).

attendibile *agg.* reliable; credible: *una persona —*, a reliable person; *fonte —*, reliable source; *una notizia —*, some well-founded information.

attendibilità *s.f.* reliability; credibility.

attenersi *v.rifl.* to keep* (to sthg.), to stick* (to sthg.), to follow (sthg.) closely: — *ai fatti*, to stick to the point; — *alle istruzioni*, to follow the instructions.

attentamente *avv.* attentively; (*con cura*) carefully.

attentare *v.intr.* to attempt (sthg.) // **-arsi** *v.intr.pron.* to dare*.

attentato *s.m.* attentat; (*assassinio*) assassination; (*atto terroristico*) act of terrorism // — *alla libertà di stampa*, encroachment upon the freedom of the press.

attentatore *s.m.* (*alla vita*) (would-be) assassin; (*terrorista*) terrorist.

attenti *inter.* attention! // *star sull'—*, to stand at (*o to*) attention.

attento *agg.* attentive; careful // —!, take care! (*o* watch out!) // *attenti al cane*, beware of the dog; — *al gradino*, mind the step // *sta' —!*, be careful!; *sta' — a*, pay attention to // *stammi — al bambino*, look after the child for me.

attenuante *agg.* extenuating ♦ *s.f.* extenuating circumstance; extenuating proof: *non hai attenuanti*, you have no excuse.

attenuare *v.tr.* to attenuate, to subdue; (*diminuire la gravità di*) to extenuate // **-arsi** *v.intr.pron.* to attenuate, to weaken.

attenuazione *s.f.* attenuation, subduing; (*di colpa*) extenuation.

attenzione *s.f.* **1** attention, care: *maneggiare con —!*, handle with care!; *fare — a qlco.*, to take care of sthg.; *prestare — a qlcu., a qlco.*, to pay attention to s.o., to sthg. **2** (*cortesia*) regard, kindness: *ha sempre molte attenzioni per me*, he always lavishes attention on me.

attergare *v.tr.* to endorse.

atterraggio *s.m.* (*aer.*) landing: — *di fortuna, forzato*, emergency landing; — *radioguidato*, blind landing; *carrello di —*, undercarriage.

atterrare *v.tr.* to knock down; (*fig.*) to prostrate, to humiliate ♦ *v.intr.* (*aer.*) to land.

atterrire *v.tr.* to terrify, to frighten.

attesa *s.f.* wait; (*l'attendere*) waiting: *in — di una vostra sollecita risposta*, (*comm.*) awaiting your early reply; *in — di qlcu.*, waiting for s.o.

attestare[1] *v.tr.* (*certificare, testimoniare*) to attest, to certify.

attestare[2] *v.tr.* **1** (*mettere testa a testa*) to abut **2** (*mil.*) to bring* into position // **-arsi** *v.rifl.* (*mil.*) **1** (*riunirsi*) to concentrate; (*schierarsi*) to take* up position **2** (*formare una testa di ponte*) to establish a bridgehead.

attestato *s.m.* certificate; (*comm.*) testimonial.

attestazione *s.f.* **1** attestation **2** (*dimostrazione*) demonstration; sign.

atticciato *agg.* stocky.

attico *s.m.* **1** (*appartamento*) penthouse **2** (*fregio*) attic.

attiguo *agg.* contiguous, adjoining.

attillarsi *v.rifl.* to dress up.

attillato *agg.* **1** close-fitting, tight **2** (*azzimato*) dressed up.

attimo *s.m.* moment.

attinente *agg.* pertaining, belonging, relating.

attinenza *s.f.* relation, connection.

attingere *v.tr.* to draw*; (*fig.*) to obtain: — *informazioni*, to obtain information.

attinia *s.f.* (*zool.*) actinia.

attinio *s.m.* (*chim.*) actinium.

attirare *v.tr.* **1** to draw* (*anche fig.*): *ciò mi attirò il suo odio*, that drew upon me his hatred // *attirarsi delle critiche*, to come in for criticism **2** (*allettare*) to attract: *l'idea mi attira*, the idea attracts me **3** (*adescare*) to entice.

attitudinale *agg.* aptitude (*attr.*).

attitudine *s.f.* **1** aptitude, disposition, bent, flair: *ha molta — per le lingue*, he has a real flair for languages **2** (*atteggiamento*) attitude.

attivamente *avv.* actively.

attivare *v.tr.* to make* active; (*mettere in attività*) to put* into action.

attivazione *s.f.* activation.

attivismo *s.m.* party work, activism.

attivista *s.m.* e *f.* party worker, activist.

attività *s.f.* **1** activity: *campo di —*, sphere of activity; *in —*, in action (*o* at work); *mantenere in un'industria*, to keep an industry going; *il mercato è in grande —*, the market is in full swing (*o* booming) // *— di collegamento logico*, (*informatica*) (*PERT*) dummy activity **2** (*comm.*) profit; assets (*pl.*): *— e passività*, assets and liabilities.

attivo *agg.* **1** active; (*operoso*) industrious: *commercio —*, brisk trade; *in servizio —*, (*mil.*) on the active list; *verbo —*, (*gramm.*) active verb **2** (*comm.*) (*incassato*) received; (*da incassare*) receivable: *partita attiva*, the credit side entry ♦ *s.m.* **1** (*comm.*) assets (*pl.*): — *circolante*, current assets // *avere qlco. al proprio —*, to have sthg. to one's credit (*anche fig.*) **2** (*gramm.*) active form; (*di verbo*) active voice.

attizzare *v.tr.* to poke, to stir up (*anche fig.*).

attizzatoio *s.m.* poker.

atto¹ *s.m.* **1** action; act, deed: — *di coraggio*, act of courage // *tradurre, mettere in —*, to put into action // *fare — di presenza*, to put in an appearance // *all'— pratico*, in practice // *all'— del carico, della consegna*, on loading, on delivery // *nell'—, sull'—*, in the act // *in —*, in progress **2** (*atteggiamento*) attitude; (*gesto*) gesture: *nell'— di scrivere*, (while) writing // *fare (l') — di...*, to make as if to... // *in — di stima*, as a mark of esteem **3** (*fil.*) act **4** (*dir.*) deed; (*certificato*) certificate: — *apocrifo*, forged deed; — *di nascita*, birth certificate; — *di matrimonio*, marriage deed; — *di vendita*, bill of sale // *prendere — di*, to take note of; *dare — di*, to acknowledge **5** *pl.* records; (*dir.*) proceedings // *mettere agli atti*, (*archiviare*) to file; (*fig.*) (*dimenticare*) to forget **6** (*teatr.*) act: *commedia in tre atti*, three-act play // *— unico*, one-act play.

atto² *agg.* (*adatto, idoneo*) fit (for), suitable (for).

attonito *agg.* astonished, amazed, astounded.

attorcere *v.tr.* to twist.

attorcigliare *v.tr.* to twist, to twine // **-arsi** *v.rifl.* to twist, to twine; (*di serpente*) to coil.

attore *s.m.* **1** actor (*anche fig.*): — *comico*, comedian; *primo —*, leading man **2** (*dir.*) plaintiff.

attorniare *v.tr.* to surround, to encircle.

attorno *avv.* e *prep.* (a)round; about: *per dieci miglia —*, for ten miles (a)round; — *alla tavola*, (a)round the table; *tutt'—*, all around; *non c'era nessuno —*, there was nobody about; *vivono qui —*, they live hereabouts; *guardarsi —*, (*anche fig.*) to (a)round (*o* about) // *andare —*, to stroll about // *girare — a un problema*, (*fam.*) to beat* about the bush // *stare — a qlcu.*, (*per ottenere qlco.*) to pester s.o. (for sthg.) // *d'attorno → dattorno.*

attossicare *v.tr.* **1** (*letter.*) to poison **2** (*fig.*) (*amareggiare*) to embitter.

attraccare *v.intr.* to dock, to moor.

attracco *s.m.* **1** (*l'attraccare*) docking, mooring **2** (*molo*) dock; berth.

attraente *agg.* attractive.

attrarre *v.tr.* to attract, to draw* (*anche fig.*): *lasciarsi — da*, to fall for.

attrattiva *s.f.* attraction; (*fascino*) charm.

attraversamento *s.m.* crossing: — *pedonale*, pedestrian crossing.

attraversare *v.tr.* to cross; to pass through; to go* through: — *la strada*, to cross the street; — *la strada a qlcu.*, to cross s.o.'s path; — *un bosco*, to go through a wood; — *a nuoto un fiume*, to swim across a river; — *in aereo*, to fly across; — *in bicicletta, in automobile una città*, to cycle, to drive through a town; — *un periodo difficile*, to go through a difficult period.

attraverso *prep.* **1** (*moto per luogo*) across; (*con idea di penetrazione*) through: — *il fiume, la strada*, across (*o* over) the river, the road; — *il bosco*, through the wood // *— i secoli*, through the ages // *— grandi difficoltà*, after a lot of difficulties **2** (*trasversalmente*) across **3** (*tramite*) by (means of); (*riferito a persona*) through: — *la televisione*, by (means of) television ♦ *avv.* → *traverso* (*a*).

attrazione *s.f.* attraction.

attrezzare *v.tr.* (*equipaggiare*) to equip; (*rifornire di attrezzi*) to supply with tools; (*mar.*) to rig.

attrezzatura *s.f.* **1** equipment: *attrezzature produttive*, productive plants **2** (*mar.*) rigging **3** *pl.* (*informatica*) (*di soccorso, di riserva*) back-up facilities.

attrezzista *s.m.* **1** (*teatr.*) property man **2** (*sport*) gymnast.

attrezzo *s.m.* **1** (*utensile*) tool, implement **2** *pl.* (*sport*) appliances; (*nell'insieme*) apparatus (*sing.*) **3** *pl.* (*teatr.*) props, properties.

attribuire *v.tr.* **1** (*assegnare*) to assign, to award **2** (*riconoscere, imputare*) to attribute, to ascribe // *attribuirsi il merito di*, to claim credit for.

attributivo *agg.* attributive.

attributo *s.m.* attribute.

attribuzione *s.f.* attribution.

attrice *s.f.* actress.

attristare *v.tr.* (*rar.*) to sadden.

attrito *s.m.* friction (*anche fig.*).

attrupparsi *v.rifl.* to troop.

attuabile *agg.* feasible.

attuabilità *s.f.* feasibility.

attuale *agg.* **1** present, current // *è ancora —*, it is still topical **2** (*fil.*) actual // *grazia —*, (*teol.*) actual grace.

attualità *s.f.* **1** (*interesse*) topicality: *di viva —*, of great topicality **2** (*fatto, avvenimento*) news (*pl. con costr. sing.*) // *le — cinematografiche*, newsreel // *programma di —*, current events program(me).

attualizzare *v.tr.* to bring* up to date; (*amer.*) to update.

attualmente *avv.* at present, at the moment.

attuare *v.tr.* to put* (sthg.) into effect, to carry out // **-arsi** *v.intr.pron.* to be* fulfilled.

attuazione *s.f.* carrying out; fulfilment.

attutire *v.tr.* to mitigate; (*calmare*) to calm; (*suono*) to deaden, to muffle // **-irsi** *v.intr.pron.* to calm down, to become* deadened.

audace *agg.* **1** daring; (*coraggioso*) bold // *la fortuna aiuta gli audaci*, nothing ventured, nothing gained **2** (*licenzioso*) blue, risqué.

audacemente *avv.* daringly; boldly.

audacia *s.f.* daring; boldness.

audio *s.m.* (*tv*) audio.

audiovisivo *agg.* audio-visual.

auditivo *agg.* auditive, hearing (*attr.*).

auditorio, auditorium *s.m.* auditorium.

audizione *s.f.* **1** audition **2** (*dir.*) examination.

auge *s.m.* top // *essere in* (*grande*) —, (*fig.*) to be on the crest of the wave.

augurale *agg.* goodwill (*attr.*) // *biglietto* —, greetings card.

augurare *v.tr.* to wish: — *Buon Natale a qlcu.*, to wish s.o. a Merry Christmas // *augurarsi*, (*sperare*) to hope: *mi auguro di vederti presto*, I hope I'll see you soon.

augurio *s.m.* **1** wish: (*tanti*) *auguri!*, best wishes!; *fare gli auguri*, (*per il compleanno*) to wish (s.o.) a happy birthday; (*per Natale*) to wish (s.o.) a Merry Christmas **2** (*rar.*) (*presagio*) omen.

augusto[1] *agg.* august.

augusto[2] *s.m.* (*pagliaccio*) Auguste.

Augusto *no.pr.m.* Augustus // *l'età d'*—, the Augustan age.

aula *s.f.* (*scolastica*) schoolroom; (*universitaria*) lecture hall; (*di tribunale*) courtroom // — *magna*, assembly hall.

aulico *agg.* (*di corte*) courtly // *lingua aulica*, elevated (*o* highflown) language.

aumentare *v.tr.* to increase; (*ingrandire*) to enlarge; (*elevare*) to raise: *spero che non aumenteranno le tasse*, I hope taxation won't be raised ♦ *v.intr.* to increase; (*salire*) to rise*: *il numero delle vittime purtroppo è destinato ad* —, the number of the victims is unfortunately destined to rise // — *di peso*, to put on weight // — *di volume*, to swell (*o* to expand).

aumento *s.m.* increase; (*rialzo*) rise // — *di stipendio*, rise; (*fam.*) raise.

aura *s.f.* **1** breeze **2** (*fig.*) aura.

Aurelio *no.pr.m.* Aurelius.

aureo *agg.* **1** gold: *riserva aurea*, gold reserve **2** (*fig.*) golden: *periodo* —, golden age.

aureola *s.f.* halo, aureole.

aurica *agg. e s.f.*: (*vela*) —, gaff sail.

auricolare *agg.* auricular // *padiglione* —, auricle ♦ *s.m.* (*rad.*) earphone.

aurifero *agg.* auriferous // *terreno* —, goldfield.

auriga *s.m.* charioteer.

aurora *s.f.* dawn (*anche fig.*) // — *boreale*, aurora borealis.

auscultare *v.tr.* to auscultate.

auscultazione *s.f.* auscultation.

ausiliare *agg.* auxiliary.

ausiliaria *s.f.* WAAC.

ausiliario *agg.* auxiliary // *truppe ausiliarie*, auxiliary troops (*o* auxiliaries).

ausilio *s.m.* (*letter.*) help, aid.

auspicabile *agg.* desirable.

auspicare *v.tr.* to wish.

auspice *s.m.* patron.

auspicio *s.m.* **1** wish // *di buono, cattivo* —, good-, ill-omened **2** (*protezione*) patronage // *sotto gli auspici di*, under the auspices of.

austerità *s.f.* austerity.

austero *agg.* austere.

australe *agg.* austral, southern.

Australia *no.pr.f.* Australia.

australiano *agg. e s.m.* Australian.

Austria *no.pr.f.* Austria.

austriaco *agg. e s.m.* Austrian.

austroungarico *agg.* (*st.*) Austro-Hungarian.

autarchia[1] *s.f.* autarky, self-sufficiency.

autarchia[2] *s.f.* (*autogoverno*) autarchy.

autarchico[1] *agg.* autarkic.

autarchico[2] *agg.* (*che si governa da sé*) autarchic.

aut aut *s.m.* alternative, ultimatum: *porre un* —, to issue an ultimatum.

autenticare *v.tr.* to authenticate; (*dir.*) to certify.

autenticazione *s.f.* authentication.

autenticità *s.f.* authenticity.

autentico *agg.* authentic.

autiere *s.m.* (Service Corps) driver.

autista *s.m. e f.* driver: — *di piazza*, taxi-driver.

auto- *pref.* self-; auto-.

auto *s.f. abbr. di* **automobile**.

autoaccensione *s.f.* auto-ignition.

autoadesivo *agg.* (self-)adhesive, sticky: *etichetta autoadesiva*, sticky label ♦ *s.m.* sticker.

autoambulanza *s.f.* ambulance.

autobiografia *s.f.* autobiography.

autobiografico *agg.* autobiographical.

autoblindo *s.m. e f.* armoured car.

autobotte *s.f.* tank truck.

autobus *s.m.* bus // — *a due piani*, double-decker bus.

autocarro *s.m.* (motor-)lorry; (*amer.*) truck.

autocisterna *s.f.* tank truck, tanker.

autoclave *s.f.* autoclave.

autocolonna *s.f.* motor-convoy.

autocombustione *s.f.* spontaneous combustion.

autocontrollo *s.m.* self-control.

autocorriera *s.f.* coach; bus.

autocrate *s.m. e f.* autocrat.

autocrazia *s.f.* autocracy.

autocritica *s.f.* self-criticism.

autoctono *agg.* autochthonous.

autodafè *s.m.* (*st.*) auto-da-fé (*pl.* autos-da-fè).

autodecisione, autodeterminazione *s.f.* self-determination.

autodenuncia *s.f.* self-denunciation.

autodidatta *s.m. e f.* self-taught person.

autodifesa *s.f.* **1** self-defence **2** (*fig.*) apology.

autodromo *s.m.* motordrome.

autoemoteca *s.f.* mobile blood-bank.

autoferrotranviario *agg.* public transport (*attr.*).

autofilotranviario *agg.* public transport (*attr.*).

autofinanziamento *s.m.* self-financing.

autofinanziato *agg.* self-financed, self-financing, self-funding: *un giornale* —, a self-financing newspaper.

autofurgone *s.m.* van.

autogeno *agg.* autogenous.

autogestione *s.f.*: *in* —, under the workers' own management.

autogestito *agg.* under the workers' own management.

autogo(a)l *s.m.* own-goal.

autogonfiabile *agg.* self-inflating: *canotto* —, self-inflating canoe.

autogoverno *s.m.* self-government.

autografo *agg.* autograph (*attr.*) ♦ *s.m.* autograph.

autogrù *s.f.* breakdown crane; (*amer.*) wrecker.

autolesionismo *s.m.* **1** self-injury **2** (*fig.*) self-denigration.

autolesionista *s.m.* e *f.* **1** self-injurer **2** (*fig.*) self-denigrator.

autolettiga *s.f.* ambulance.

autolinea *s.f.* bus line.

automa *s.m.* e *f.* automaton (*anche fig.*).

automatico *agg.* automatic (*anche fig.*) // *distributore* —, slot machine ♦ *s.m.*: (*bottone*) —, press fastener (*o* clip).

automatismo *s.m.* automatism.

automatizzare *v.tr.* to automate.

automazione *s.f.* automation // — *d'ufficio*, (*informatica*) office automation (*abbr.* O.A., OA).

automezzo *s.m.* motor vehicle.

automobile *s.f.* motorcar, car: — *di serie*, mass-produced car (*o amer.* stock car); — *fuori serie*, custom-made car; *salone dell'*—, motor show.

automobilismo *s.m.* motoring.

automobilista *s.m.* e *f.* motorist.

automobilistico *agg.* motor (*attr.*): *incidente* —, car (*o* motor) accident; *circolazione automobilistica*, (motor) traffic circulation // *patente automobilistica*, driving licence.

automotrice *s.f.* railcar.

autonoleggio *s.m.* car rental.

autonomia *s.f.* **1** autonomy **2** (*aer.*) range.

autonomismo *s.m.* autonomism.

autonomista *s.m.* e *f.* autonomist.

autonomo *agg.* autonomous.

autopista *s.f.* (model) car-track.

autopompa *s.f.* fire engine.

autopsia *s.f.* post-mortem (examination), autopsy.

autopubblica *s.f.* taxi, cab.

autopullman *s.m.* coach; bus.

autoradio *s.f.* **1** (*automobile*) radio car **2** (*radio*) car radio.

autore *s.m.* author // *quadro d'*—, painting by a famous artist // *diritti d'*—, copyright; (*denaro*) royalties.

autorespiratore *s.m.* aqualung.

autorete *s.f.* own-goal.

autorevole *agg.* authoritative.

autorimessa *s.f.* garage.

autorità *s.f.* authority // *è un'* — *nel suo campo*, he is an authority in his field // *agire con piena* —, to act with full powers // *vincere d'*—, (*sport*) to beat hollow.

autoritario *agg.* authoritative // *Stato* —, authoritarian State.

autoritarismo *s.m.* authoritarianism.

autoritratto *s.m.* self-portrait.

autorizzare *v.tr.* to authorize.

autorizzazione *s.f.* **1** authorization; (*licenza*) licence: *avere l'* — *per la vendita di qlco.*, to be licensed to sell sthg. **2** (*documento*) permit.

autosalone *s.m.* car-showroom.

autoscatto *s.m.* (*fot.*) self-timer.

autoscontro *s.m.* bumper car.

autoscuola *s.f.* driving school.

autosilo *s.m.* multistorey car park.

autostazione *s.f.* bus terminal, bus station.

autostello *s.m.* motel.

autostop *s.m.* hitchhiking: *fare l'*—, to hitchhike (*o* to thumb a lift).

autostoppista *s.m.* e *f.* hitch-hiker.

autostrada *s.f.* motorway.

autostradale *agg.* motorway (*attr.*).

autosufficiente *agg.* self-sufficient.

autosufficienza *s.f.* self-sufficiency.

autosuggestione *s.f.* auto-suggestion.

autotassazione *s.f.* self-taxation system.

autotrasportare *v.tr.* to transport by road.

autotrasportatore *s.m.* road haulage firm.

autotrasporto *s.m.* road haulage.

autotreno *s.m.* lorry (with trailer); (*amer.*) truck (with trailer).

autoveicolo *s.m.* motor vehicle.

autovettura *s.f.* (motor)car.

autrice *s.f.* authoress.

autunnale *agg.* autumnal; autumn (*attr.*).

autunno *s.m.* autumn; (*amer.*) fall: *d'*—, *in* —, in autumn.

ava *s.f.* ancestor.

avallare *v.tr.* to guarantee.

avallo *s.m.* (*banca*) (bill) guarantee.

avambraccio *s.m.* forearm.

avamposto *s.m.* outpost.

Avana *no.pr.f.* Havana // **avana** *s.m.* (*sigaro*) Havana ♦ *agg.* (*colore*) tawny.

avancarica, ad *locuz.avv.*: *armi ad* —, muzzle loaders.

avancorpo *s.m.* (*arch.*) projection.

avanguardia *s.f.* **1** (*mil.*) vanguard, van (*anche fig.*): *essere all'*—, to be in the van **2** (*nelle arti*) avant-garde: *letteratura d'*—, avant-garde literature.

avannotto *s.m.* (*zool.*) fry.

avanscoperta *s.f.* reconnaissance: *andare in* —, to reconnoitre.

avanspettacolo *s.m.* curtain raiser.

avanti *avv.* **1** ahead (*anche fig.*); (*davanti*) in front; (*in avanti*) forward: *andare* — *fino al secondo semaforo*, go straight on as far as the second traffic light; *vieni* —, come in; *guardare* —, to look in front (*o* straight ahead); (*fig.*) to look ahead; *essere, portarsi* — *in un lavoro*, to be ahead, to go ahead with one's work; — *c'è posto*, there's room in front; *piegarsi in* —, to bend forward // *la chiesa è un po' più* —, the church is a little further on // *questo orologio è* (*dieci minuti*) —, this watch is (ten minutes) fast // —!, (*entrate!*) come in!; (*andate!*) go ahead!; (*mil.*) forward! // — *a tutto vapore*, (*mar.*) full steam ahead **2** (*prima*) before // *d'ora in* —, from now on // *non ora, più* —, not now, later // — *nella notte*, late at night ♦ *agg.* (*precedente*) before ♦ *inter.* (*suvvia*) come on!: —, *andiamo!*, come on, let's go! // **avanti (a)** *prep.* **1** (*di tempo*) before: — *Cristo*, before Christ (*abbr.* B.C.). **2** (*di luogo*) in front of, before; (*al cospetto di*) before: *guardava* — *a sé*, he was looking in front of him // **avanti che** *locuz.cong.* before (doing); (*piuttosto che*) rather than (do).

avanti *s.m.* (*sport*) forward.

avantieri *avv.* the day before yesterday.

avantreno *s.m.* forecarriage.

avanzamento *s.m.* **1** advancing; (*fig.*) advancement; (*progresso*) progress **2** (*promozione*) promotion **3** (*informatica*) advance; feed; progress: — *carta*, form feed; — *di un'interlinea*, line feed; — *lavori*, work progress; — *per articolo*, item advance.

avanzare[1] *v.tr.* **1** to advance (*anche fig.*); (*fig.*) to put* forward: — *un'ipotesi*, to advance (*o* to put forward) a hypothesis; *fu avanzato di grado*, he was promoted to a higher rank // — *pretese*, to claim // — *delle scuse*, to make some excuses 2 (*superare*) to surpass; (*fig.*) to be* superior (to s.o.) ♦ *v.intr.* to advance (*anche fig.*); (*andare avanti*) to move forward; to go* forward; (*venire avanti*) to come* forward: *dovettero — a piedi*, they had to advance on foot; — *negli anni*, to get on in years // **-arsi** *v.intr.pron.* to advance (*anche fig.*); (*fig.*) to get* on: *l'inverno si avanza*, winter is approaching.

avanzare[2] *v.tr.* 1 (*essere creditore*) to be* creditor (for sthg.) 2 (*risparmiare*) to save ♦ *v.intr.* (*rimanere*) to be* left (over): *se ti avanza tempo*, if you've got time to spare.

avanzata *s.f.* advance.

avanzato *agg.* advanced // — *negli anni*, elderly // *a un'ora avanzata della notte*, late at night.

avanzo *s.m.* 1 remainder; (*rimasuglio*) scrap // *avanzi di cibo*, leftovers // *con l'— di due*, (*mat.*) and two over // — *di galera*, jail-bird // *d'—*, more than enough 2 *pl.* (*vestigia*) remains, ruins.

avaria *s.f.* 1 (*mar.*) damage 2 (*comm.*) average 3 (*mecc.*) breakdown 4 (*informatica*) failure.

avariare *v.tr.* to spoil // **-arsi** *v.intr.pron.* (*di cibo*) to go* bad; (*di merci*) to perish; (*mecc.*) to break* down.

avariato *agg.* spoiled; (*di cibo*) bad; off (*pred.*).

avarizia *s.f.* stinginess, meanness; avarice.

avaro *agg.* stingy, mean; avaricious; (*fam.*) closefisted // — *di parole*, tight-lipped.

ave *inter.* hail! // **Ave** *s.f.* Hail Mary.

avello *s.m.* (*letter.*) sepulchre, tomb.

avemaria, avemmaria, ave Maria *s.f.* Hail Mary.

avena *s.f.* oats (*pl.*).

Aventino *no.pr.m.* Aventine.

avere *v.tr.* 1 (*ausiliare*) to have*: *il cane ha abbaiato tutta la notte*, the dog has been barking all night long; *ho letto il tuo libro*, I have read that book of yours 2 (*in senso generale*) to have*: *egli ha molti amici*, he has many friends; *ha gli occhi azzurri*, he has blue eyes; *ha spesso il raffreddore*, she often has colds 3 (*possedere*) to own, to possess, to have* (got): *aveva una grande tenuta*, he had (*o* owned) a big estate 4 (*ottenere*) to get*, to obtain: *ha avuto un buon impiego*, he has got a good job; — *qlco. a poco prezzo*, to get sthg. cheap 5 (*indossare*) to have* on, to wear*: *aveva (indosso) il cappotto nuovo*, he had his new coat on (*o* he was wearing his new coat) 6 — *da*, (*dovere*) to have* to (do sthg.): *ho da andare via presto*, I have to leave early 7 (*fraseologia*): *che hai?*, what's the matter (*o* what's wrong) with you?; — *a cuore*, to have at heart; — *bisogno di qlcu., qlco.*, to need s.o., sthg.; — *caldo*, to be (*o* to feel) hot; — *compassione di*, to be (*o* to feel) sorry for; — *da fare*, to be busy; — *da fare*, — *a che fare con qlcu., qlco.*, to have sthg. to do with s.o., sthg.; — *fame, freddo*, to be hungry, cold; — *in animo di fare qlco.*, to intend (*o* to mean) to do sthg.; — *in odio*, to hate; — *in pregio*, to esteem; — *per regola (di fare qlco.)*, to make it a rule (to do sthg.); — *probabilità di*, to stand a chance of; — *qlcu. al proprio servizio*, to have s.o. working for one: *l'ho al mio servizio da tre anni*, I've had him working for me for three years; — *ragione, torto*, to be right, wrong; — *sentore di qlco.*, to get wind of sthg.; — *sete*, to be thirsty; — *sonno*, to be sleepy; — *vergogna*, to be (*o* to feel) ashamed; *avercela con qlcu.*, to have it in for s.o.; *aversela a male*, to take offence.

avere *s.m.* 1 (*patrimonio*) property; belongings, possessions, riches (*pl.*) 2 (*comm.*) credit: *a vostro —*, to

your credit; *quant'è il vostro —?*, how much do I owe you?

averla *s.f.* (*zool.*) shrike.

Averno *s.m.* (*mit.*) Avernus.

Averroè *no.pr.m.* (*st. fil.*) Averroes.

aviatore *s.m.* aviator.

aviazione *s.f.* aviation; (*arma*) Air Force.

avicolo *agg.* avicultural.

avicoltore, avicultore *s.m.* aviculturist.

avicoltura, avicultura *s.f.* aviculture.

avidità *s.f.* avidity (for); (*ingordigia*) greed (for); (*desiderio*) eagerness (for sthg., to do): — *di sapere*, eagerness to learn.

avido *agg.* avid (for); (*ingordo*) greedy (for); (*desideroso*) eager (for sthg., to do).

aviere *s.m.* airman (*pl.* -men).

aviogetto *s.m.* jet.

aviolinea *s.f.* airline.

aviorimessa *s.f.* hangar.

aviotrasportare *v.tr.* to transport by air.

avitaminosi *s.f.* (*med.*) avitaminosis.

avito *agg.* ancestral.

avo *s.m.* 1 grandfather 2 *pl.* (*antenati*) ancestors.

avocare *v.tr.*: — *a sé*, to take it upon oneself.

avocazione *s.f.* (*dir.*) devolution.

avorio *s.m.* ivory.

avulso *agg.* (*letter.*) torn away.

avvalersi *v.intr.pron.* to avail oneself.

avvallamento *s.m.* subsidence.

avvallarsi *v.intr.pron.* to sink*.

avvallato *agg.* sunken in (*pred.*).

avvalorare *v.tr.* to confirm // **-arsi** *v.intr.pron.* to be* confirmed.

avvampare *v.intr.* to flare up (*anche fig.*); (*arrossire*) to flush: — *di collera*, to flare up in a temper.

avvantaggiare *v.tr.* to benefit, to favour // **-arsi** *v.rifl.* 1 to benefit (from sthg.), to profit (by sthg.); (*migliorare*) to improve (by sthg.) 2 (*guadagnare tempo, spazio*) to have* an advantage (over s.o.).

avvedersi *v.intr.pron.* to perceive (s.o., sthg.), to become* aware (of s.o., sthg.): — *dei propri errori*, to become aware of one's mistakes.

avvedutezza *s.f.* → **accortezza**.

avveduto *agg.* → **accorto**.

avvelenamento *s.m.* poisoning: — *da cibi guasti*, food poisoning; — *da arsenico*, arsenic poisoning.

avvelenare *v.tr.* to poison (*anche fig.*) // **-arsi** *v.rifl.* to poison oneself.

avvelenato *agg.* poisonous.

avvelenatore *s.m.* poisoner.

avvenente *agg.* attractive.

avvenenza *s.f.* loveliness.

avvenimento *s.m.* event; (*caso*) incident.

avvenire[1] *v.intr.* 1 to happen, to occur: *qualunque cosa avvenga*, whatever happens (*o* may happen) 2 *impers.* to happen, to chance (*gener. con costr. pers.*): *come avvenne che lo incontraste?*, how did you happen (*o* chance) to meet him?

avvenire[2] *agg. e s.m.* future // *in —*, in future // *giovane di grande —*, youth of great promise.

avvenirismo *s.m.* avantgardism.

avvenirista *s.m. e f.* avant-garde follower.

avventare *v.tr.* to hurl (*anche fig.*) // — *un giudizio*, to pass a rash judgement // **-arsi** *v.rifl.* to throw* oneself (on s.o., sthg.); to attack (s.o., sthg.) (*anche fig.*).

avventato *agg.* rash, reckless.

avventizio *agg.* temporary.

avvento *s.m.* **1** (*venuta*) coming **2** (*assunzione*) accession **3** (*eccl.*) Advent.

avventore *s.m.* patron.

avventura *s.f.* adventure // — *amorosa*, love affair // *per* —, by chance.

avventurarsi *v.rifl.* to venture (*anche fig.*).

avventuriera *s.f.* adventuress.

avventuriero *s.m.* adventurer.

avventurina *s.f.* (*min.*) aventurine.

avventuroso *agg.* adventurous; (*d'avventure*) adventure (*attr.*): *racconto* —, adventure story.

avverarsi *v.intr.pron.* to come* true.

avverbiale *agg.* adverbial.

avverbio *s.m.* adverb.

avversare *v.tr.* to oppose; (*ostacolare*) to hinder.

avversario *agg.* opposing ♦ *s.m.* opponent.

avversativo *agg.* adversative.

avversione *s.f.* dislike, aversion; (*ripugnanza*) loathing: *nutrire* — *per...*, to harbour an aversion for...

avversità *s.f.* adversity, misfortune // — *delle condizioni atmosferiche*, adverse weather conditions.

avverso *agg.* adverse; averse (to sthg., to doing) // *la parte avversa*, (*dir.*) the opposing party.

avvertenza *s.f.* **1** (*attenzione*) attention, care **2** (*avviso*) notice **3** *pl.* (*istruzioni*) directions.

avvertibile *agg.* noticeable, perceptible.

avvertimento *s.m.* warning, admonition.

avvertire *v.tr.* **1** (*informare*) to inform **2** (*mettere in guardia*) to warn, to caution: *ti avevo avvertito!*, I had warned you! **3** (*osservare*) to notice: — *un cambiamento*, to notice a change; (*dolore*) to feel*; (*rumore*) to hear*.

avvertito *agg.* shrewd.

avvezzare *v.tr.* to accustom: *un bambino avvezzato male*, a badly brought up child // **-arsi** *v.rifl.* to get* accustomed.

avvezzo *agg.* accustomed, used.

avviamento *s.m.* **1** starting; (*inizio*) start, beginning // *motorino d'*—, (*aut.*) starter // *scuola d'*—, technical school **2** (*comm.*) goodwill **3** (*aut.*) starter.

avviare *v.tr.* **1** to start, to set* going **2** (*iniziare*) to begin*, to start: — *un'industria*, to set up a business // — *la maglia*, to cast on stitches // **-arsi** *v.rifl.* to set* out: — *a scuola*, to set out for school; *avviati!*, go on!

avviato *agg.* **1** (*incominciato*) under way **2** (*di negozio ecc.*): (*bene*) —, prosperous (*o* thriving).

avvicendamento *s.m.* **1** alternation **2** (*agr.*) rotation, course, shift (of crops) **3** (*informatica*) scheduling: — *lavori*, job scheduling; — *sequenziale*, sequential scheduling.

avvicendare *v.tr.* **1** to alternate **2** (*agr.*) to rotate, to vary (crops) // **-arsi** *v.rifl.* to alternate.

avvicinamento *s.m.* approach, approaching.

avvicinare *v.tr.* to approach; (*tirar vicino*) to draw* near(er), to bring* near(er), to pull near(er): *avvicina un po' il tavolo*, pull the table a little nearer; — *una persona*, to approach a person; (*farne la conoscenza*) to meet a person // **-arsi** *v.rifl.* **1** to approach (s.o., sthg.), to get* near (s.o., sthg.): *si avvicinò alla porta e l'aprì*, he went over to the door and opened it // *si avvicina alla cinquantina*, he is getting on for fifty **2** (*assomigliare*) to be* similar to.

avvilente *agg.* **1** (*che scoraggia*) discouraging **2** (*umiliante*) humiliating.

avvilimento *s.m.* **1** (*scoramento*) discouragement, dejection **2** (*umiliazione*) humiliation.

avvilire *v.tr.* **1** (*scoraggiare*) to dishearten, to discourage **2** (*degradare*) to degrade **3** (*umiliare*) to humiliate // **-irsi** *v.rifl.* **1** (*scoraggiarsi*) to get* disheartened, to lose* heart **2** (*degradarsi*) to degrade oneself.

avvilito *agg.* **1** (*scoraggiato*) downcast, dejected, discouraged **2** (*umiliato*) humiliated.

avviluppare *v.tr.* (*avvolgere*) to envelop, to wrap up // **-arsi** *v.rifl.* **1** (*avvolgersi*) to wrap oneself up **2** (*aggrovigliarsi*) to get* entangled.

avvinazzato *agg.* drunk (*pred.*), drunken (*attr.*) ♦ *s.m.* soak.

avvincente *agg.* gripping, enthralling.

avvincere *v.tr.* to grip, to enthral: *una personalità che avvince*, a fascinating (*o* charming) personality.

avvinghiare *v.tr.* to clutch // **-arsi** *v.rifl.* to cling*.

avvio *s.m.* **1** start: *dare, prendere l'*—, to start **2** (*informatica*) start.

avvisaglia *s.f.* **1** (*scaramuccia*) skirmish⁻ **2** (*primo segno*) hint.

avvisare *v.tr.* **1** to inform, to let* (s.o.) know **2** (*mettere in guardia*) to warn: *ti avviso di stare attento!*, I warn you to be careful // *uomo avvisato, mezzo salvato*, (*prov.*) forewarned is forearmed.

avvisatore *s.m.* (*strumento d'allarme*) warning signal, alarm; (*di radioattività*) monitor; (*acustico*) horn, klaxon.

avviso¹ *s.m.* **1** notice (*gener. scritto*): — *di consegna*, delivery notice; — *di spedizione, di pagamento*, notice of dispatch, of payment; — *al pubblico*, public notice; *dare* —, to give notice; *come d'*—, as advised // — *al lettore*, foreword (*o* preface) **2** (*su giornale*) announcement; (*economico o commerciale*) advertisement **3** (*avvertimento*) warning // *mettere qlcu. sull'*—, to put s.o. on his guard; *essere, stare sull'*—, to be on one's guard: *ti sia d'*— *per il futuro*, let this be a warning to you for the future **4** (*opinione*) opinion, judgement: *a mio* —, in my opinion // *mutare d'*—, to change one's mind.

avviso² *s.m.* (*mar.*) advice-boat; (*st.*) aviso.

avvistare *v.tr.* to sight; to catch* sight of (s.o., sthg.).

avvitare *v.tr.* to screw // **-arsi** *v.rifl.* (*di aereo*) to spin*, to corkscrew.

avviticchiarsi *v.rifl.* to twine, to wind* (around sthg.).

avvivare *v.tr.* to enliven, to animate; (*colori*) to heighten.

avvizzire *v.intr.* to wither (*anche fig.*).

avvizzito *agg.* withered.

avvocata *s.f.* protectress.

avvocatessa *s.f.* lawyer.

avvocato *s.m.* **1** lawyer; (*negli Stati Uniti*) attorney (-at-law): — *della difesa, difensore*, counsel for the defence (*o* defending counsel); — *dell'accusa*, counsel for the prosecution (*o* prosecuting counsel); *rivolgersi a un* —, to consult a lawyer // *Ordine degli Avvocati*, Bar Council **2** (*in particolare, in Gran Bretagna*) solicitor (*presso le Corti inferiori*); barrister (*presso le Corti superiori*) **3** (*consulente legale*) legal adviser **4** (*fig.*) advocate // — *del diavolo*, devil's advocate // — *delle cause perse*, defender of lost causes.

avvocatura *s.f.* legal profession: *esercitare l'*—, to practise law.

avvolgere *v.tr.* **1** to wind*: — *un filo*, to wind the thread; (*arrotolare*) to roll up **2** (*aviluppare*) to wrap (up): — *del pane nella carta*, to wrap up some bread (in paper) // *la notte ci avvolse*, darkness closed in upon us // **-ersi** *v.rifl.* **1** (*avvilupparsi*) to wrap oneself up: *si* *avvolse strettamente nella coperta*, he wrapped himself up in the blanket **2** (*attorcigliarsi*) to twine, to wind* (around sthg.).

avvolgibile *agg.* rolling ♦ *s.m.* (rolling) blind.

avvolgimento *s.m.* **1** winding; (*l'arrotolare*) rolling (up); (*di pacchi*) wrapping up **2** (*elettr.*) winding **3** (*mil.*) enveloping movement.

avvoltoio (*zool.*) *s.m.* vulture (*anche fig.*).

avvoltolare *v.tr.* **1** to wrap roughly **2** (*arrotolare*) (*filo ecc.*) to wind* up; (*tappeti ecc.*) to roll up // **-arsi** *v.rifl.* **1** (*avvolgersi*) to wrap oneself up **2** (*rotolarsi*) to wallow.

azalea *s.f.* azalea.

azienda *s.f.* firm, business; concern: — *di stato*, state -controlled firm; *dirigente d'—*, business executive // — *agricola*, farm // — *elettrica*, electricity board // — *tranviaria* (*milanese, torinese*), (Milan, Turin) transport board // *Azienda Autonoma di Soggiorno*, local tourist office.

aziendale *agg.* firm (*attr.*), company (*attr.*).

azimut *s.m.* (*astr.*) azimuth.

azionaccia *s.f.* dirty trick.

azionare *v.tr.* to operate; (*motori ecc.*) to start, to set* in motion // — *i freni*, to apply the brakes.

azionario *agg.* share (*attr.*): *capitale —*, share capital; *mercato —*, share (*o* stock) market.

azione *s.f.* **1** action (*anche mil.*): — *reciproca*, interaction; *una buona, una cattiva —*, a good, a bad deed // *mettere in —*, to put into action // *abbi il coraggio delle tue azioni*, take responsibility for what you have done // *uomo d'—*, man of action **2** (*dir.*) action, lawsuit: — *penale*, penal action (*o* criminal prosecution); *intentare — legale contro qlcu.*, to bring an action against s.o. **3** (*comm.*) share: — *al portatore*, bearer share; — *gratuita*, bonus share; — *nominativa*, registered share; — *ordinaria*, ordinary share, (*amer.*) common stock; — *privilegiata*, preference share, (*amer.*) preferred share.

azionista *s.m. e f.* shareholder.

azotato *agg.* nitrogenous.

azoto *s.m.* (*chim.*) nitrogen, azote.

azteco *agg. e s.m.* Aztec.

azzannare *v.tr.* to seize with the fangs.

azzardare *v.tr.* to hazard, to risk, to venture: — *una domanda, un'ipotesi*, to venture a question, a hypothesis // **-arsi** *v.rifl.* to dare*, to venture: *non azzardarti a rispondere!*, don't dare answer!

azzardato *agg.* (*temerario*) risky, hazardous; (*precipitoso*) rash.

azzardo *s.m.* hazard, risk // *giocatore d'—*, gambler; *giochi d'—*, games of chance.

azzardoso *agg.* (*rischioso*) risky, hazardous; (*temerario*) bold.

azzeccagarbugli *s.m.* (*spreg.*) pettifogger.

azzeccare *v.tr.* to hit* (on sthg.) // *azzeccarla, non azzeccarla*, to hit, to miss the mark; *non ne azzecco una*, I can't do anything right.

azzerare *v.tr.* **1** to zero **2** (*informatica*) to clear; to set* to zero; (*amer.*) to zeroise; (*IBM*) to zero-fill; to reset*: — *dopo la stampa*, to blank after printing.

azzimarsi *v.rifl.* to dress up.

azzimato *agg.* dressed up.

azzimo *agg.* unleavened, azymous.

azzoppare, azzoppire *v.tr.* to lame ♦ *v.intr.* **-arsi, -irsi** *v.intr.pron.* to become* lame.

Azzorre, le *no.pr.f.pl.* the Azores.

azzuffarsi *v.rifl. e rifl.rec.* to come* to blows.

azzurrato *agg.* blue-tinted.

azzurreggiare *v.intr.* to have* a bluish tinge.

azzurrino *agg.* pale blue.

azzurro *agg. e s.m.* (sky) blue, azure // *l'—*, (*il cielo*) the skies // *il Principe Azzurro*, Prince Charming ♦ *s.m.* (*sport*) Italian national team member: *gli Azzurri hanno vinto*, the Italians won.

azzurrognolo *agg.* bluish.

B

b *s.f. o m.* b (*pl.* bs, b's) // — *come Bologna*, (*tel.*) b for Benjamin.

babau *s.m.* bogey.

babbeo *agg.* stupid ♦ *s.m.* blockhead.

babbo *s.m.* (*fam.*) dad, daddy // *Babbo Natale*, Father Christmas.

babbuccia *s.f.* slipper; (*orientale*) babouche; (*per neonato*) bootee.

babbuino *s.m.* **1** (*zool.*) baboon **2** (*fig.*) blockhead.

Babele *no.pr.f.* (*geogr. dell'antichità*) Babel // **babele** *s.f.* (*confusione*) babel, chaos.

babelico *agg.* (*fig.*) chaotic.

babilonese *agg. e s.m.* Babylonian.

Babilonia *no.pr.f.* (*geogr. dell'antichità*) Babylon // **babilonia** *s.f.* (*confusione*) babel, chaos.

babordo *s.m.* (*mar.*) port.

baby-sitter *s.m. e f.* baby-sitter: *fare da —*, to baby-sit.

bacare *v.tr.* to rot; (*fig.*) to corrupt // **-arsi** *v.intr.pron.* to become* worm-eaten.

bacato *agg.* worm-eaten; (*marcio*) rotten (*anche fig.*).

bacca *s.f.* berry.

baccalà *s.m.* **1** dried cod // *secco come un —*, thin as a rake **2** (*sciocco*) fool.

baccanale *s.m.* bacchanal; (*orgia*) orgy.

baccano *s.m.* uproar, din.

baccante *s.f.* Bacchante.

baccarà[1] *s.m.* (*gioco d'azzardo*) baccarat.

baccarà[2] *s.m.* (*cristallo*) Baccarat® glass.

baccellierato *s.m.* (*st.*) baccalaureate.

baccelliere *s.m.* (*st.*) bachelor.

baccello *s.m.* (*bot.*) pod.

bacchetta *s.f.* rod, stick; (*da direttore d'orchestra*) baton; (*di tamburo*) drumstick // — *magica*, magic wand // *comandare qlcu. a —*, to boss s.o. about: *si fa comandare a — dalla moglie*, he lets himself be bossed about by his wife.

bacchettone *s.m.* bigot.

bacchiare *v.tr.* to knock down (olives, nuts) with a pole.

acchiatura *s.f.* knocking down (of olives, nuts).

acchico *agg.* Bacchic.

acco *no.pr.m.* (*mit.*) Bacchus // *per —!*, by goodness! // *essere dedito a —*, to be a drinker.

acheca *s.f.* showcase; (*per comunicati*) notice board.

achelite *s.f.* bakelite®.

acherozzo, **bacherozzolo** *s.m.* (*bruco*) maggot; (*scarafaggio*) cockroach.

achicoltore, **bachicultore** *s.m.* sericulturist.

achicoltura, **bachicultura** *s.f.* sericulture.

aciamano *s.m.* hand-kissing // *fare il — a qlcu.*, to iss s.o.'s hand.

aciapile *s.m.* e *f.* bigot.

aciare *v.tr.*, **baciarsi** *v.rifl.rec.* to kiss.

aciato *agg.*: *rima baciata*, couplet.

acile *s.m.* (*letter.*) basin.

acillo *s.m.* bacillus (*pl.* bacilli).

acinella *s.f.* basin.

acino *s.m.* 1 (*bacinella*) basin 2 (*geogr.*) basin 3 *geol.*) field: *— carbonifero*, coalfield 4 (*mar.*) dock: *— di carenaggio*, dry dock; *far entrare una nave in —*, ɔ dock a ship 5 (*anat.*) pelvis.

acio *s.m.* kiss; (*con lo schiocco*) smacking kiss: *— l'addio*, farewell kiss; *dare (a qlcu.) il — della buona otte*, to kiss (s.o.) goodnight.

aco *s.m.* worm // *— da seta*, silkworm.

acologia *s.f.* sericultural science.

acucco *agg.* decrepit.

ada *s.f.*: *tenere a — qlcu.*, to hold s.o. at bay.

adare *v.intr.* 1 (*fare attenzione; preoccuparsi*) to ϻind (s.o., sthg.), to be careful: *bada!*, look out (o careʋl!); *bada al gradino*, mind the step; *bada molto alla ʋa salute*, he is careful about his health; *bada di non rrivare tardi*, be careful not to be late // *bada ai fatti ʋoi!*, mind your own business! // *senza — a spese*, reʋardless of expense; *non bada a spese*, money is no obʋct to him 2 (*prendersi cura*) to look after (s.o., sthg.); *spec. animali*) to tend (sthg.): *chi bada al bambino menʋre lei è al lavoro?*, who looks after the child while she is ʋt work?

adessa *s.f.* abbess.

adia *s.f.* abbey.

adilante *s.m.* navvy.

adilata *s.f.* 1 shovelful 2 (*colpo di badile*) blow with shovel: *dare una — a qlcu.*, to hit s.o. with a shovel.

adile *s.m.* shovel.

affo *s.m.* 1 moustache; (*di animali*) whiskers (*pl.*): ʋortare i baffi, to wear a moustache // *farsene un —*, ʋot to care a rap (about it) // *leccarsi i baffi*, to lick ʋne's chops // *ridere sotto i baffi*, to laugh in one's ʋeeve 2 (*macchia*) smear.

affuto *agg.* moustached, with a moustache.

agagliaio *s.m.* 1 (*di treno*) luggage van; (*amer.*) bagʋage car 2 (*di auto*) boot; (*amer.*) trunk.

agaglio *s.m.* luggage (*solo sing.*), baggage (*solo sing.*): *— a mano*, hand luggage; *deposito bagagli*, left luggage; ʋmer.*) baggage room; *fare, disfare i bagagli*, to pack, ɔ unpack // *parti con armi e bagagli*, he took the ʋouse with him.

agarinaggio *s.m.* ticket-touting; (*amer.*) scalping.

agarino *s.m.* ticket tout; (*amer.*) scalper.

agattella *s.f.* 1 trifle 2 (*mus.*) bagatelle.

aggianata *s.f.*: *fare, dire una —*, to boob.

aggiano *s.m.* dope.

agliore *s.m.* flare; flash (*anche fig.*).

agnante *s.m.* e *f.* bather; (*amer.*) swimmer.

bagnare *v.tr.* 1 to wet; (*immergere*) to dip; (*inzuppare*) to soak: *bagna i biscotti nel latte*, soak the biscuits in milk; *bagna la biancheria prima di stirarla*, damp(en) the linen before ironing it // *— i fiori*, to water flowers // *— la propria promozione*, to celebrate one's promotion 2 (*di mare, fiume ecc.*): to wash: *il fiume bagna la città*, the river flows through the town // **-arsi** *v.rifl.* 1 to get* wet: *guarda, ti sei bagnato tutto!*, look, you are all wet! 2 (*fare il bagno*) (*in luogo aperto*) to bathe; (*amer.*) to swim*; (*in vasca*) to take* a bath, to have a bath.

bagnarola *s.f.* (bath) tub.

bagnasciuga *s.m.* 1 (*mar.*) waterline 2 (*battigia*) shore-line.

bagnata *s.f.* soaking, drenching.

bagnato *agg.* wet: *— fradicio*, soaked to the skin; *— come un pulcino*, like a drowned rat; *era bagnato fino alle ossa*, he was wet to the skin.

bagnino *s.m.* lifeguard.

bagno *s.m.* 1 bath: *fare, prendere un —*, to have a bath // *mettere, tenere a —*, to soak // *essere in un — di sudore*, to be soaked with sweat // *bagni pubblici*, public baths // *— d'inversione*, (*fot.*) reversing bath 2 (*al mare ecc.*) bathe; (*amer.*) swim: *fare il —*, to bathe; (*amer.*) to swim 3 (*stanza da*) —, bathroom 4 — (*penale*), penal settlement.

bagnomaria *s.m.* bain-marie.

bagordare *v.intr.* to make* merry, to carouse.

bagordo *s.m.* merrymaking, carousal.

Bahama, le *no.pr.f.pl.* the Bahamas.

bai *s.m.*: *senza dire né ai né —*, without uttering a word.

baia[1] *s.f.*: *dare la — a qlcu.*, (*canzonarlo*) to make fun of s.o.

baia[2] *s.f.* (*geogr.*) bay.

baiadera *s.f.* bayadère.

bailamme *s.m.* uproar, din.

baio *agg.* e *s.m.* bay.

baiocco *s.m.* penny; *pl.* money (*sing.*).

baionetta *s.f.* bayonet.

baita *s.f.* (mountain) hut.

balalaica *s.f.* (*mus.*) balalaika.

balaustra, **balaustrata** *s.f.* balustrade.

balaustrino *s.m.* bow-compass.

balbettare *v.tr.* e *intr.* to stammer, to stutter.

balbettio *s.m.* stammering, stuttering.

balbuzie *s.f.* stammer, stutter.

balbuziente *agg.* stammering, stuttering ♦ *s.m.* e *f.* stammerer, stutterer.

Balcani, i *no.pr.m.pl.* 1 the Balkans 2 *i* (*Monti*) —, the Balkan Mountains.

balcanico *agg.* Balkan.

balconata *s.f.* 1 balcony // *prima, seconda —*, dress, upper circle 2 (*amer.*) gallery.

balcone *s.m.* balcony.

baldacchino *s.m.* canopy: *letto a —*, tester bed.

baldanza *s.f.* boldness.

baldanzoso *agg.* bold.

Baldassarre *no.pr.m.* Balthazar.

baldo *agg.* daring, bold, fearless.

baldoria *s.f.* rowdy party: *far —*, to carouse (*o* to make whoopee).

Baldovino *no.pr.m.* Baldwin.

Baleari, le *no.pr.f.pl.* the Balearic Islands.

balena *s.f.* 1 whale: *caccia alla —*, whaling; *stecca di —*, whalebone 2 (*fig.*) mountain of flesh.

balenare *v.intr.* 1 *impers.*: *balenò tutta la notte*, all night there was lightning (*o* there were flashes of lightning) **2** (*fig.*) to flash: *un'idea mi balenò nella mente*, an idea flashed through my mind.

baleniera *s.f.* whaler.

baleniere *s.m.* whaler.

balenio *s.m.* lightning; flashing.

baleno *s.m.* flash of lightning // *in un —*, in a flash.

balenottera *s.f.* (*zool.*) rorqual.

balenotto *s.m.* (*zool.*) whale-calf.

balestra *s.f.* **1** crossbow **2** (*aut.*) leaf spring.

balestruccio *s.m.* (*zool.*) house martin.

bàlia *s.f.* wet nurse: *— asciutta*, nurse.

balia *s.f.*: *in — di*, at the mercy of.

balipedio *s.m.* (*mil.*) firing-range.

balistica *s.f.* ballistics.

balistico *agg.* ballistic.

balistite *s.f.* ballistite.

balla[1] *s.f.* bale.

balla[2] *s.f.* (*volg.*) (*fandonia*) tall story.

ballabile *s.m.* dance tune.

ballare *v.tr. e intr.* to dance // *i vestiti gli ballavano addosso*, his clothes hung loosely on him // *la nave ballava*, the ship was rolling.

ballata *s.f.* **1** ballad **2** (*mus.*) ballade.

ballatoio *s.m.* gallery.

ballerina *s.f.* **1** dancer; (*classica*) ballerina, ballet dancer; (*di rivista*) chorus girl **2** (*scarpa*) ballerina (shoe) **3** (*zool.*) wagtail.

ballerino *s.m.* dancer; (*classico*) ballet dancer; (*di rivista*) dancer.

balletto *s.m.* ballet.

ballo *s.m.* **1** dance; (*il ballare*) dancing: *musica da —*, dance music; *fare un —*, to have a dance // *corpo di —*, corps de ballet // *essere in — dal mattino alla sera*, to be on the go from morning till night // *tirare in — qlco., qlcu.*, to bring sthg., s.o. into it **2** (*festa*) ball: *— studentesco*, hop **3** *— di San Vito*, (*med.*) St. Vitus's dance.

ballonzolare *v.intr.* to hop about.

ballottaggio *s.m.* second ballot.

balneare *agg.* bathing (*attr.*) // *stazione —*, seaside resort.

balneazione *s.f.* bathing: *divieto di —*, no bathing.

baloccarsi *v.rifl.* to idle away one's time.

balocco *s.m.* toy, plaything (*anche fig.*).

balordaggine *s.f.* **1** stupidity, foolishness **2** (*atto*) boob; (*detto*) nonsense (*solo sing.*).

balordo *agg.* **1** (*sciocco*) stupid, foolish **2** (*strano*) odd, funny // *sentirsi —*, to feel out of sorts.

balsamico *agg.* **1** balsamic **2** (*salubre*) healing.

balsamina *s.f.* (*bot.*) balsam.

balsamo *s.m.* balm (*anche fig.*); balsam.

baltico *agg.* Baltic // *il* (*Mar*) *Baltico*, the Baltic (Sea).

baluardo *s.m.* rampart, bulwark (*anche fig.*).

baluginare *v.intr.* to flash (*anche fig.*).

balza *s.f.* **1** cliff, crag **2** (*di abito*) flounce.

balzano *agg.* **1** (*di cavallo*) white-footed **2** (*stravagante*) queer, odd.

balzare *v.intr.* to jump, to leap*: *— a terra*, to jump down; *— di gioia*, to jump for joy; *— in piedi*, to jump to one's feet.

balzellare *v.intr.* to skip, to hop.

balzello *s.m.* (*tassa*) heavy tax.

balzelloni *avv.*: *avanzare —*, to hop along.

balzo[1] *s.m.* jump, leap.

balzo[2] *s.m.* (*di monte*) cliff, crag.

bambagia *s.f.* (*ovatta*) cotton wool; (*cascame*) cotto waste.

bambina *s.f.* child (*pl.* children); (*in fasce*) baby (girl).

bambinaia *s.f.* nurse; (*fam.*) nanny.

bambinata *s.f.* childish action.

bambino *s.m.* child (*pl.* children); (*in fasce*) baby(boy) *un — difficile*, a problem child // *racconti per bambin* nursery tales.

bamboccio *s.m.* **1** chubby child **2** (*bambola*) do **3** (*sciocco*) simpleton: *non fare il —!*, don't be silly!

bambola *s.f.* doll: *giocare alle bambole*, to play with doll

bamboleggiare *v.intr.* to simper.

bambolotto *s.m.* doll.

bambù *s.m.* bamboo.

banale *agg.* banal, trivial; commonplace.

banalità *s.f.* **1** banality, triviality **2** *pl.* (*sciocchezze* rubbish, nonsense (*solo sing.*).

banana *s.f.* **1** banana **2** (*di capelli*) sausage curl.

banano *s.m.* banana tree.

banca *s.f.* bank: *affari di —*, banking business; *impie gato di —*, bank clerk // *— corrispondente*, corr spondent bank; *— di emissione*, bank of issue // *— d dati*, (*elettronica*) data bank // *— del sangue*, blood bank

bancarella *s.f.* stall, booth; (*di libri*) bookstall.

bancario *agg.* banking, bank (*attr.*): *oneri bancar* bank charges; *operazione bancaria*, bank transactior *scoperto —*, bank overdraft ♦ *s.m.* bank clerk.

bancarotta *s.f.* bankruptcy: *fare —*, to go bankrupt.

bancarottiere *s.m.* bankrupt.

banchettare *v.intr.* to banquet.

banchetto *s.m.* banquet.

banchiere *s.m.* banker.

banchina *s.f.* **1** quay, dock; (*molo*) pier **2** (*di strada* sidepath.

banchisa *s.f.* ice pack.

banco *s.m.* **1** bench, seat: *— degli accusati*, dock; *— della giuria*, jury box; *— di chiesa*, pew; *— di scuola* desk; *— di vendita*, counter // *vendere sotto —*, to se under the counter **2** (*ind.*) bench: *— di prova*, (*tecn. test bench; (*fig.*) the acid test **3** (*di gioco*) bank: *f saltare il —*, to break the bank; *tenere il —*, to be bank er **4** (*banca*) bank **5** (*massa*) bank: *— di sabbia*, san bank **6** (*di pesci*) shoal of fish **7** *Banco del Lotto*, Ital ian State lottery agency.

Banco *no.pr.m.* (*lett.*) Banquo.

bancogiro *s.m.* (*t. bancario*) transfer.

bancone *s.m.* counter; bench.

banconiere *s.m.* shop assistant; (*barista*) barman (*p* -men).

banconota *s.f.* banknote: *distributore automatico c banconote* (*Bancomat*), cash dispenser, Bancomat.

banda[1] *s.f.* (*di delinquenti*) gang **2** (*di sonatori*) band

banda[2] *s.f.* (*arald.*) band **2** (*striscia di stoffa*) band stripe **4** (*informatica*) band; tape: *— perforazione completa*, chadded tape; *— a perforazion incompleta*, chadless tape; *— di frequenza*, frequenc band; *— movimenti*, transaction tape; *— perforat* data tape (*o* perforated tape *o* punched tape); *— pilota* control (*o* paper tape) loop.

banda[3] *s.f.* (*letter.*) side.

banderuola *s.f.* weathercock (*anche fig.*).

bandiera *s.f.* **1** flag; colours (*pl.*): *— a mezz'asta*, fla at half-mast // *mutar —*, to change sides **2** (*informa tica*) flag; flip-flop.

bandire *v.tr.* **1** to announce **2** (*esiliare*) to banish // *— i complimenti*, to put aside ceremony.

bandista *s.m.* bandsman (*pl.* -men).

bandita *s.f.* preserve.

banditismo *s.m.* outlawry.

bandito *s.m.* outlaw, bandit; (*rapinatore*) gangster, robber.

banditore *s.m.* **1** (*st.*) town crier **2** (*di aste pubbliche*) auctioneer **3** (*fig.*) supporter: *si fece — delle nuove idee*, he became an ardent supporter of the new ideas.

bando *s.m.* **1** announcement **2** (*esilio*) banishment: *mettere al —*, to banish // *— alle cerimonie!*, don't stand on ceremony!

bandoliera *s.f.* bandoleer // *a —*, baldric-wise.

bandolo *s.m.* end of a skein // *trovare il — della matassa*, (*fig.*) to solve a problem.

bantu *agg. e s.m.* Bantu (*pl.* Bantus).

baobàb *s.m.* baobab.

bar *s.m.* **1** bar(-room) **2** (*mobile*) bar.

bara *s.f.* coffin.

Barabba *no.pr.m.* (*Bibbia*) Barabas // **barabba** *s.m.* (*briccone*) scoundrel, rascal, rogue.

baracca *s.f.* hut, shack, shanty // *piantare — e buratti-ni*, to give everything up lock, stock and barrel// *sten-tare a mandare avanti la —*, to have trouble in making ends meet.

baraccamento *s.m.* hutment.

baraccone *s.m.* booth; (*di legno*) shed.

baraonda *s.f.* babel, chaos.

barare *v.intr.* to cheat (at cards).

baratro *s.m.* chasm, abyss (*anche fig.*).

barattare *v.tr.* to barter (*anche fig.*).

baratto *s.m.* barter; (*scambio*) exchange.

barattolo *s.m.* jar; (*di metallo*) tin, (*amer.*) can.

barba *s.f.* **1** beard: *— e capelli*, shave and haircut; *far la — a qlcu.*, to shave s.o.; *farsi la —*, to shave // *alla — di qlcu.*, at the expense of s.o.; *in — a*, in spite of (*o in the teeth of*) // *farla in — a qlcu.*, to do sthg. in the face of s.o. **2** (*bot.*) root-hair: *mettere le barbe*, to strike root **3** (*fam.*) (*noia*) bore: *che —!*, what a bore! (*o what a nuisance!*) // *far venire la — (a qlcu.)*, to bore (s.o.), to tears (*o* to death).

barbabietola *s.f.* (red-)beet, beetroot: *— da zucchero*, sugar beet (*o* white-beet).

barbacane *s.m.* (*edil.*) buttress; (*edil. mil.*) barbican.

barbagianni *s.m.* (*zool.*) barn owl, white owl.

barbaglio *s.m.* dazzle, glare.

barbaramente *avv.* barbarously.

barbarico *agg.* barbaric.

barbarie *s.f.* **1** barbarousness **2** (*crudeltà*) barbarity.

barbarismo *s.m.* barbarism.

barbaro *agg.* barbarous ♦ *s.m.* barbarian.

barbatella *s.f.* (*agr.*) root cutting; cutting.

barbiere *s.m.* barber.

barbitonsore *s.m.* (*scherz.*) barber.

barbiturico *s.m.* (*farm.*) barbiturate.

barbo *s.m.* (*zool.*) barbel.

barbogio *agg.* doting.

barbone *s.m.* (*cane*) (French) poodle.

barboso *agg.* (*fam.*) boring, tiresome.

barbugliare *v.intr.* to mumble.

barbuto *agg.* bearded.

barca *s.f.* boat: *— a remi*, rowing boat; *— a vapore*, steamboat; *— a vela*, sailing boat; *— da pesca*, fishing boat; *— di salvataggio*, lifeboat // *siamo tutti nella stes-sa —*, we are all in the same boat // *ha speso una — di soldi*, he spent a lot of money // *ha una — di soldi*, he's got loads of money.

barcaccia *s.f.* (*teatr.*) stage box.

barcaiolo *s.m.* boatman (*pl.* -men); (*di traghetto*) ferry-man (*pl.* -men).

barcamenarsi *v.intr.pron.* to get* along, to manage.

barcarizzo *s.m.* (*mar.*) gangway.

barcarola *s.f.* (*mus.*) barcarol(l)e.

barcollante *agg.* staggering, tottering.

barcollare *v.intr.* to stagger, to totter.

barcollio *s.m.* staggering, tottering.

barcolloni *avv.: entrò —*, he staggered into the room; *andare —*, to stagger along.

barcone *s.m.* **1** barge **2** (*di ponte*) pontoon.

bardana *s.f.* (*bot.*) burdock.

bardare *v.tr.* **1** to harness **2** (*scherz.*) to dress up // *-arsi* *v.rifl.* (*scherz.*) to dress up.

bardatura *s.f.* harness.

bardo *s.m.* (*st.*) bard.

bardotto *s.m.* (*zool.*) hinny.

barella *s.f.* stretcher, litter.

barellare *v.tr.* to carry on a stretcher.

barelliere *s.m.* stretcher-bearer.

barena *s.f.* sandbank, shelf.

bargiglio *s.m.* wattle.

baricentro *s.m.* barycentre.

barile *s.m.* barrel (*anche come unità di misura*); cask.

barilotto *s.m.* keg, small cask.

bario *s.m.* (*chim.*) barium.

barista *s.m.* **1** barman (*pl.* -men); (*amer.*) bartend-er **2** (*padrone di bar*) barkeeper; (*fam. amer.*) barkeep ♦ *s.f.* barmaid.

baritonale *agg.* baritone (*attr.*).

baritono *s.m.* baritone.

barlume *s.m.* **1** dim light, glimmer **2** (*fig.*) gleam; glimpse.

baro *s.m.* cardsharper, cheat.

barocco *agg. e s.m.* baroque.

barometrico *agg.* barometric.

barometro *s.m.* barometer.

baronale *agg.* baronial.

barone *s.m.* baron.

baronessa *s.f.* baroness.

baronetto *s.m.* baronet (*abbr.* Bart.); (*col nome*) Sir.

baronia *s.f.* barony.

barra *s.f.* **1** bar **2** (*mar.*) tiller, helm **3** (*mecc. fis.*) rod **4** (*segno grafico*) stroke **5** (*informatica*) bar.

barracano *s.m.* barracan.

barracuda *s.m.* (*zool.*) barracuda.

barrare *v.tr.* to bar.

barrato *agg.* barred.

barricare *v.tr.* to barricade // *-arsi* *v.rifl.* to barricade oneself.

barricata *s.f.* barricade.

barriera *s.f.* barrier (*anche fig.*).

barrire *v.intr.* to trumpet.

barrito *s.m.* trumpeting.

barrocciaio *s.m.* carter.

barroccio *s.m.* cart.

Bartolomeo *no.pr.m.* Bartholomew.

baruffa *s.f.* scuffle: *far —*, to scuffle.

baruffare *v.intr.* to scuffle.

barzelletta *s.f.* joke, funny story, gag.

basale *agg.* basic, fundamental.

basalto *s.m.* (*min.*) basalt.

basamento *s.m.* **1** base, pedestal; (*di colonna*) plinth **2** (*zoccolo di pareti*) skirting board; (*di muro esterno*) footing.

basare *v.tr.* to found, to base // **-arsi** *v.intr.pron.* to be* founded, to be* based.

basca, baschina *s.f.* skirt.

basco *agg.* e *s.m.* Basque // (*berretto*) —, beret.

bascula, basculla *s.f.* platform scale.

base *s.f.* **1** base: — *di lancio*, (*aer.*) launching field (*o* launching base); *basi missilistiche*, missile bases; *ritornare alla* —, (*aer.*) to return to base; (*fig.*) to come back **2** (*fondamento*) basis (*pl.* bases), foundation, ground // *in* — *a*, on the grounds of; *in* — *a ciò*, on these grounds **3** (*elemento base*) base // *a* — *di*, containing; *cocktail a* — *di gin*, gin base cocktail; *dieta a* — *di latte*, milk diet **4** (*arch.*) base **5** (*econ.*) standard: — *oro*, gold standard // — *monetaria*, monetary basis // — *di reddito*, (*di titolo*) income basis **6** (*chim.*) base **7** (*neol. pol.*) party supporters (*pl.*) **8** (*informatica*) (*di numero*) base // — *di dati*, data base; — *di dati relazionale*, relation data base ♦ *agg.* basic: *salario, prezzo* —, basic salary, price.

basetta *s.f.* sideburn, sideboard.

basic *s.m.* (*informatica*) basic.

basico *agg.* (*chim.*) basic.

basilare *agg.* basic, fundamental.

Basilea *no.pr.f.* Basle, Basel.

basilica *s.f.* basilica.

basilico *s.m.* basil.

basilisco *s.m.* (*zool.*) basilisk.

bassa *s.f.* lowlands (*pl.*).

bassezza *s.f.* **1** baseness, meanness **2** (*azione meschina*) mean action.

basso *agg.* **1** low: *bassa statura*, low stature // *il Basso Egitto*, (*geogr.*) Lower Egypt; *i Paesi Bassi*, (*geogr.*) the Low Countries // — *latino*, Low Latin // — *Medioevo*, late Middle Ages // *Messa bassa*, (*eccl.*) low Mass // *bassa stagione*, low season // *far man bassa*, to sack (*o* to plunder) **2** (*di bassa statura*) short **3** (*inferiore*) low, inferior: *bassa qualità*, inferior quality **4** (*abietto*) base, vile ♦ *s.m.* **1** lower part, bottom **2** (*mus.*) bass: *chiave di* —, bass clef // **da basso** *locuz.avv.* downstairs // **in basso** *locuz.avv.*: *è troppo in* —, it is too low; *appendilo un po' più in* —, hang it a bit lower; *cadere in* —, (*fig.*) to come down in the world.

bassofondo *s.m.* **1** (*geogr.*) shoal; shallow waters (*pl.*) **2** *pl.* (*fig.*) the underworld (*sing.*).

bassopiano *s.m.* lowlands (*pl.*).

bassorilievo *s.m.* bas(s)-relief.

bassotto *s.m.* (*cane*) dachshund.

basta[1] *s.f.* (*piega*) tuck.

basta[2] *inter.* stop it!, that's enough!: — *con i capricci!*, that's enough of your tantrums!

bastante *agg.* sufficient, enough.

bastardo *agg.* **1** bastard, illegitimate **2** (*di animale, pianta*) crossbred, mongrel **3** (*fig.*) bastard ♦ *s.m.* **1** bastard, illegitimate son **2** (*animale*) mongrel.

bastare *v.intr.* **1** to be* enough, to be* sufficient (for s.o.): *basta una parola per persuaderlo*, one word is enough to persuade him; *basti dire che...*, it is enough to say that...; *mi bastano mille lire*, a thousand lire will be enough for me // *basta, suvvia*, come on, then; *basta!*, enough! (*o* stop it! *o mar.* avast!) // *e basta*, (*non altro*) and that's all // *mi basta dare un'occhiata*, I can tell at a glance // *non mi basta l'animo* (*di fare qlco.*), I haven't the courage (to do sthg.) // — *a sé stesso*, to have no need of others (*o* to be self-sufficient) **2** (*durare*) to last (s.o.) // **basta che** *locuz.cong.* so long as.

bastimento *s.m.* ship, vessel; (*da trasporto*) cargo boat

bastione *s.m.* rampart, bastion.

basto *s.m.* packsaddle.

bastonare *v.tr.* to cudgel // *ha l'aria di un cane bastonato*, (*fig.*) he looks like a beaten dog.

bastonata *s.f.* blow with a stick, blow with a cudgel // *dare una* — *a qlcu.*, to hit s.o. with a stick (*o* to cudgel s.o.).

bastonatura *s.f.* cudgelling, caning.

bastone *s.m.* **1** stick; cane; staff (*anche fig.*); (*insegna di comando*) baton; (*randello*) cudgel, club: — *da passeggio*, walking stick // — *di maresciallo*, field-marshal's baton // *il figlio era il* — *della sua vecchiaia*, his son was the staff of his old age // *mettere il* — *tra le ruote a qlcu.*, to put a spoke in s.o.'s wheel **2** (*forma di pane*) French loaf.

batacchio *s.m.* clapper.

batata *s.f.* (*bot.*) sweet potato.

batiscafo *s.m.* bathysphere.

batista *s.f.* batiste, cambric.

batosta *s.f.* blow (*anche fig.*).

battaglia *s.f.* **1** battle, fight: — *navale*, sea battle; (*gioco*) (naval) battle // *schierare in ordine di* —, to draw up in battle order // *dare* — *a qlcu.*, to join battle with s.o. // — *elettorale*, election contest // *cavallo di* —, (*fig.*) "pièce de résistance" **2** (*conflitto*) conflict, struggle.

battagliare *v.intr.* to battle, to fight* (*anche fig.*).

battagliero *agg.* pugnacious; (*aggressivo*) aggressive.

battaglio *s.m.* **1** clapper **2** (*picchiotto*) knocker.

battagliola *s.f.* (*mar.*) rail.

battaglione *s.m.* battalion.

battelliere *s.m.* boatman (*pl.* -men).

battello *s.m.* boat; (*motonave*) steamer: — *da pesca*, fishing boat; — *di salvataggio*, lifeboat.

battente *s.m.* **1** (*di porta*) door (of a double door); (*di finestra*) window (of a double window) // *finestra a due battenti*, casement window // *chiudere i battenti*, (*fig.*) to close up **2** (*ind. tessile*) batten, sley **3** (*di orologio*) hammer.

battere *v.tr.* **1** to beat*; to strike*, to hit*: — *un tappeto*, to beat a carpet; — *la testa contro il muro*, to beat one's head against the wall; *l'orologio batté le quattro*, the clock struck four // — *le mani*, to clap (one's hands) // — *i piedi*, to stamp (one's feet) // — *il tempo*, to beat time // *batteva i denti* (*per il freddo*), his teeth were chattering // *battersi il petto*, (*fig.*) to repent // *in un batter d'occhio*, in the twinkling of an eye // *senza batter ciglio*, without batting an eyelid // — *il naso in qlcu.*, to run into s.o. // *non sapere dove* — *il capo*, to be at a loss // *batter cassa*, to cadge off s.o. // — *un sentiero*, to beat a path; — *la campagna*, to scour the country // *battersela*, to take to one's heels **2** (*sconfiggere*) to beat*: *furono battuti per la terza volta*, they were beaten for the third time **3** (*metall.*) to hammer; (*coniare*) to mint **4** (*trebbiare*) to thrash, to thresh **5** (*scrivere a macchina*) to type(write) **6** (*mar. mil.*) to fly*: — *bandiera inglese*, to fly an English flag **7** (*tennis*) to serve: *tocca a me* —, it's my turn to serve ♦ *v.intr.* **1** (*dare colpi*) to knock // — *in testa*, (*di motore*) to knock (*o* to pink *o* to ping) // — *e ribattere su qlco.*, to keep on about sthg. **2** (*di cuore, polso*) to throb, to beat* // **-ersi** *v.intr.pron* e *rifl.rec.* to fight* (*anche fig.*): *la legge proibisce di* — *in duello*, duelling is forbidden by law.

batteria *s.f.* 1 (*mil. elettr.*) battery 2 (*mus.*) drums (*pl.*), percussion 3 — *da cucina*, set of kitchenware 4 (*sport*) heat.

battericida *s.m.* bactericide ◆ *agg.* bactericidal.

batterio *s.m.* bacterium (*pl.* bacteria).

batteriologia *s.f.* bacteriology.

batteriologico *agg.* bacteriological.

batterista *s.m.* e *f.* (*mus.*) drummer.

battesimale *agg.* baptismal.

battesimo *s.m.* baptism (*anche fig.*), christening: *dare il — a qlcu.*, to baptize s.o.; *tenere a — un bambino*, to stand (as) godfather, godmother to a child // — *dell'aria*, first flight // — *di una nave*, launching ceremony.

battezzando *agg.* e *s.m.* (person) to be christened.

battezzante *s.m.* baptizer.

battezzare *v.tr.* 1 to baptize, to christen: — *un bambino con il nome di Carlo*, to christen a child Charles // — *il vino*, (*scherz.*) to water down wine 2 (*soprannominare*) to nickname.

battibaleno *s.m.*: *in un —*, in the twinkling of an eye.

battibecco *s.m.* squabble.

batticarne *s.m.* meat pounder.

batticuore *s.m.* throbbing // *avevo il —*, my heart was throbbing // *mi venne il —*, I was afraid (*o* scared).

battigia *s.f.* shore-line, waterside.

battiloro *s.m.* goldbeater.

battimano *s.m.* applause, clapping.

battipanni *s.m.* carpet-beater.

Battista *no.pr.m.* Baptist.

battistero *s.m.* baptistery.

battistrada *s.m.* 1 (*chi precede*) outrider: *fare da —*, to lead the way 2 (*di pneumatico*) tread.

battitappeto *s.m.* carpet-beater, hoover.

battito *s.m.* (*del cuore*) (heart)beat; (*del polso*) pulse // — *in testa*, (*mecc.*) knocking, pinging, pinking.

battitore *s.m.* 1 (*caccia*) beater 2 (*tennis*) server; (*cricket, baseball*) batsman (*pl.* -men) 3 (*nelle aste*) auctioneer.

battitura *s.f.* 1 beating 2 (*agr.*) threshing.

battuta *s.f.* 1 beating // — *di caccia*, beat 2 (*mus.*) bar // — *d'aspetto*, rest 3 (*tennis*) service 4 (*teatr.*) *cue* // *avere la — pronta*, to have a quick tongue 5 (*motto di spirito*) witticism.

battuto *agg.* 1 (*di ferro*) wrought 2 (*di strada*) (*molto frequentato*) busy ◆ *s.m.* (*di erbe*) chopped up vegetables (*pl.*).

batuffolo *s.m.* flock.

bau bau *onom.* bow-wow: *far —*, to bow-wow.

baud *s.m.* (*informatica*) baud: — *di frequenza*, frequency baud.

baule *s.m.* trunk; (*di automobile*) luggage rack: *disfare i bauli*, to unpack; *fare i bauli*, to pack.

bautta *s.f.* domino (*pl.* dominoes).

bauxite *s.f.* (*min.*) bauxite.

bava *s.f.* 1 slaver, slobber: *aver la — alla bocca*, (*fig.*) to foam at the mouth 2 (*di lumache*) slime 3 (*di baco da seta*) silk filament.

bavaglino *s.m.* bib.

bavaglio *s.m.* gag.

bavarese *agg.* e *s.m.* Bavarian ◆ *s.f.* (*cuc.*) Bavarian cream.

bavella *s.f.* 1 floss 2 (*tessuto*) floss-silk.

bavero *s.m.* collar // *prendere qlcu. per il —*, to seize s.o. by the scruff of his neck; (*fig.*) (*prenderlo in giro*) to pull s.o.'s leg.

Baviera *no.pr.f.* Bavaria.

bavoso *agg.* slavering, slobbery.

bazàr *s.m.* 1 department store 2 (*mercato orientale*) bazaar.

bazza[1] *s.f.* good luck: *che —!*, what luck!

bazza[2] *s.f.* (*mento sporgénte*) protruding chin.

bazzecola *s.f.* trifle.

bazzica *s.f.* (*gioco di carte*) bezique; (*gioco fatto col biliardo*) pool.

bazzicare *v.tr.* e *intr.* to haunt (a place, s.o.).

bazzotto *agg.* soft-boiled.

be' *inter.* (*apocope di bene*) well.

bearsi *v.rifl.* to delight (in sthg.).

beatamente *avv.* blissfully; happily.

beatificare *v.tr.* to beatify.

beatificazione *s.f.* beatification.

beatitudine *s.f.* beatitude.

beato *agg.* 1 blissful; happy // — *lui!*, (*fam.*) lucky man! 2 (*eccl.*) blessed ◆ *s.m.* (*eccl.*) blessed soul.

Beatrice *no.pr.f.* Beatrice, Beatrix.

bebè *s.m.* baby.

beccaccia *s.f.* woodcock.

beccaccino *s.m.* snipe.

beccafico *s.m.* (*zool.*) garden warbler.

beccaio *s.m.* butcher.

beccamorti *s.m.* (*spreg.*) grave-digger.

beccare *v.tr.* 1 to peck 2 (*fig.*) (*stuzzicare*) to tease 3 (*fam.*) (*prendere*) (*un ladro ecc.*) to catch*: *alla fine è stato beccato!*, finally they caught up with him! // *si è beccato venti anni*, he got twenty years // *si è beccato il primo premio*, he got (*o* won) the first price // **-arsi** *v.rifl.rec.* 1 (*di uccelli*) to peck each other 2 (*fig.*) (*litigare*) to quarrel, to bicker, to squabble: *non fanno che — tutto il giorno*, they do nothing but squabble all day.

beccata *s.f.* 1 (*colpo di becco*) peck 2 (*quantità afferrata col becco*) beakful.

beccheggiare *v.intr.* to pitch.

beccheggio *s.m.* pitch, pitching.

beccheria *s.f.* butcher's (shop).

becchime *s.m.* birdseed.

becchino *s.m.* grave-digger.

becco[1] *s.m.* beak // *bagnarsi il —*, to wet one's whistle // *mettere il — in*, to interfere with (*o* to poke one's nose into) // *chiudi il —!*, shut up! // *ecco fatto il — all'oca!*, there you are! (*o* now that's done!) // *non ha il — di un quattrino*, he is broke.

becco[2] *s.m.* (*zool.*) billy goat.

beccuccio *s.m.* 1 (*di ampolla*) neck; (*di teiera, caffettiera*) spout 2 (*per capelli*) pin.

becero *s.m.* lout.

beduino *s.m.* e *agg.* Bedouin.

bee *onom.* baa.

befana *s.f.* 1 (*Epifania*) Epiphany 2 (*festa dei bambini*) "Befana" 3 (*strenna*) gift, present 4 (*donna brutta*) hag.

beffa *s.f.* mockery, derision: *farsi beffe di qlcu., qlco.*, to ridicule (*o* to scoff at) s.o., sthg.

beffardo *agg.* mocking; scoffing.

beffare *v.tr.* to mock, to scoff // **-arsi** *v.intr.pron.* to scoff (at s.o., sthg.), to laugh at (s.o., sthg.).

beffeggiare *v.tr.* to jeer (at s.o., sthg.).

bega *s.f.* 1 tiff 2 (*faccenda fastidiosa*) trial: *avere delle beghe*, to have trouble.

beghina *s.f.* (*bigotta*) bigot.

begonia *s.f.* begonia.

beige (*franc.*) *agg.* e *s.m.* beige.

Beirut *no.pr.f.* Beirut.

belare *v.intr.* to bleat (*anche fig.*).

belato *s.m.* bleat.

belga *agg.* e *s.m.* Belgian.

Belgio *no.pr.m.* Belgium.

Belgrado *no.pr.f.* Belgrade.

bella *s.f.* **1** belle **2** (*innamorata*) sweetheart **3** (*bella copia*) fair copy **4** (*partita di spareggio*) play-off **5** (*bot.*): — *di giorno*, convolvulus; — *di notte*, marvel of Peru.

belladonna *s.f.* (*bot. farm.*) belladonna.

bellamente *avv.* (*iron.*) simply.

belletto *s.m.* rouge.

bellezza *s.f.* beauty; (*di uomo*) handsomeness // *istituto di* —, beauty parlour // *che* —!, splendid! // *finire in* —, to end up with a flourish; (*ritirarsi al culmine della carriera*) to retire while one is still at the top // *canta che è una* —, she sings like a bird // *la* — *di un anno*, a whole year // *ho speso la* — *di diecimila lire*, I have spent a cool ten thousand lire.

bellicismo *s.m.* warmongering.

bellico *agg.* war (*attr.*).

bellicoso *agg.* bellicose, belligerent: *una persona bellicosa*, a belligerent person // *con intenzioni bellicose*, belligerently.

belligerante *agg.* e *s.m.* belligerent.

belligeranza *s.f.* **1** belligerence **2** (*mil.*) belligerency // *non* —, non-belligerence.

bellimbusto *s.m.* dandy.

bello *agg.* **1** fine; (*spec. di donna*) beautiful; (*spec. di uomo*) handsome; (*di bambino*) lovely: *una bella giornata*, a fine day; *fa* —, it's fine // *ai suoi bei giorni*, in his day // *il bel sesso*, the fair sex // *un* — *spirito*, a wit // *farsi* —, to spruce up; (*vantarsi*) to blow one's own trumpet // (*buono*) good; (*piacevole*) nice, pleasant **3** (*fraseologia*): *bel* —, gently (*o* slowly); *bell'e vestito*, fully dressed // *bell'e fatto*, (*riferito ad abiti*) ready-made // *bell'e pronto*, nice and ready // *bell'e morto*, as dead as a door nail // *una bella età*, a ripe (old) age // *un bel mascalzone, un mascalzone* — *e buono*, a thorough rogue // *un bel pasticcio!*, there's a pretty mess! // *ti darò un bel niente*, I'll give you absolutely nothing // *una bella paura*, an awful fright // *a bella posta*, on purpose // *nel bel mezzo*, right in the middle // *avete un bel correre, non lo prenderete*, run as you may you won't catch him; *avete un bel parlare*, you can talk till you are blue in the face // *aveva un bel dire*, in spite of what he said...; *ebbi un bel cercare, ma non trovai niente*, search as I might, I found nothing // *ne ha fatte delle belle!*, the things he has been up to! // *ne ha raccontate delle belle su di te!*, he has told some nice stories about you! // *o bella! non lo sapevo*, well I never! I didn't know // *alla bell'e meglio*, any old how; (*appena appena*) by the skin of one's teeth // *questa è bella!*, that's a good one! // *scamparla bella*, to have a narrow escape (*o* a close shave).

bello *s.m.* **1** the beautiful; (*bellezza*) beauty: *sul più* —, at the right moment // *il* — *è che*..., the funny thing is that... // *che fate di* —?, what are you doing? // *ci volle del* — *e del buono per convincerlo*, it took a lot to persuade him // *il tempo si mette al* —, it is clearing up // *ora viene il* —, now you'll hear the best of it; (*iron.*) now the fat's in the fire **2** (*innamorato*) sweetheart.

belluino *agg.* bestial.

beltà *s.f.* (*poet.*) beauty.

belva *s.f.* **1** wild animal **2** (*fig.*) animal.

belvedere *s.m.* **1** (*arch.*) belvedere, gazebo // *vettura* —, (*ferr.*) observation (*o* panoramic) car **2** (*mar.*) mizzen-topgallant sail.

Belzebù *no.pr.m.* Beelzebub.

bemolle *s.m.* (*mus.*) flat.

benanche *cong.* (*rar.*) even if, though.

benché *cong.* although, though: — *lo sapesse*, (al)though he knew; — *tardi*, though late // *non avevo il* — *minimo sospetto*, I did not have even the slightest suspicion.

benda *s.f.* bandage // *le sacre bende*, the holy bands // *togliere la* — *dagli occhi a qlcu.*, (*fig.*) to open s.o.'s eyes.

bendare *v.tr.* to bandage // — *gli occhi a qlcu.*, (*fig.*) to blindfold s.o.

bene *s.m.* **1** good // *augurare del* — *a qlcu.* to wish s.o. well // *dire* — *di qlcu.*, to speak well of s.o. // *voler* — *a qlcu.*, to love s.o. // *è stato un* —, it was a blessing // *a fin di* —, for a good purpose // *ogni ben di Dio*, (*fig.*) all sorts of good things **2** (*persona amata*) darling **3** (*vantaggio*) advantage // *per il tuo, suo* —, for your, his sake **4** *pl.* property (*sing.*) // *beni mobili*, chattel, movables // *beni immobili*, real property; immovables // *beni personali*, goods and chattels // *beni di consumo*, consumer goods; *beni durevoli, non durevoli*, durable, non-durable goods; *beni fungibili*, fungible items // *avere dei beni al sole*, to be a man of property.

bene *avv.* **1** well: *abbastanza* —, fairly (*o* quite) well // *di* — *in meglio*, better and better // *né* — *né male*, so so // *persona per* —, (*onesta*) honest person // *sarebbe* — *che tu ti sbrigassi*, you had better hurry up **2** (*molto*) rather, very: *è ben tardi!*, it's rather late **3** (*nientemeno che*) no less than; *pl.* no fewer than: *ben venti ragazzi*, no fewer than (*o fam.* a good) twenty boys **4** (*rafforzativo*): *bisognerà* — *acconsentire*, we have no choice but to agree; *lo credo* —!, I can well believe it! (*o* I should think so, too!); *spero* — *che verrà!*, I should hope he would come!; *ne sei ben sicuro?*, are you quite sure?; *lo sgridai ben* —, I gave him a good telling-off ♦ *agg.: la gente* —, the smart set ♦ *inter.* (*suvvia*) come on; (*d'accordo, sta bene*) all right // *Bene!* Bravo! Good! Bravo!

benedettino *agg.* e *s.m.* Benedictine.

benedetto *agg.* blessed (*anche iron.*) // *acqua benedetta*, holy water // — *ragazzo!*, my dear boy!

Benedetto *no.pr.m.* Benedict, Bennet.

benedire *v.tr.* to bless // *va' a farti* —!, (*fam.*) go to blazes!; *mandare qlcu. a farsi* —, (*fam.*) to send s.o. to the devil.

benedizione *s.f.* blessing (*anche fig.*); (*alla fine delle funzioni*) benediction.

beneducato *agg.* well-bred.

benefattore *s.m.* benefactor.

benefattrice *s.f.* benefactress.

beneficare *v.tr.* to benefit.

beneficenza *s.f.* charity // *istituto di* —, charitable institution // *spettacolo di* —, benefit performance.

beneficiare *v.intr.* to benefit (by sthg.).

beneficiario *agg.* beneficiary ♦ *s.m.* (*fin.*) beneficiary; (*persona a cui è pagabile la polizza*) assured; (*persona assicurata*) insured.

beneficiata *s.f.* **1** (*teatr.*) benefit (night) **2** (*giornata favorevole*) one's lucky day.

beneficio *s.m.* **1** benefit: *a* — *di qlcu.*, for the benefit of s.o.; *trarre* — *da qlco.*, to benefit by sthg. // — *fisca-*

'e, taxation relief // accettare con — di inventario, to accept with benefit of inventory; (fig.) to accept (a suggestion etc.) for what it is worth **2** (dir. eccl.) benefice.

benefico agg. **1** beneficent **2** (di beneficenza) charitable // spettacolo —, benefit performance.

benemerenza s.f. merit.

benemerito agg. well-deserving.

beneplacito s.m. **1** consent **2** (arbitrio): a tuo, suo —, as you, as he likes.

benessere s.m. **1** well-being **2** (buona condizione economica) affluence, welfare // la società del —, the affluent society.

benestante agg. e s.m. well-off (person).

benestare s.m. assent, approval.

benevolenza s.f. benevolence.

benevolo agg. benevolent, well-disposed.

bengala s.m. Bengal light.

Bengala no.pr.m. Bengal.

bengalino s.m. (zool.) waxbill.

bengodi s.m.: il paese di —, Eldorado.

beniamino s.m. favourite.

Beniamino no.pr.m. Benjamin.

benignità s.f. **1** benignity **2** (di clima) mildness.

benigno agg. **1** benign (anche med.) **2** (di clima) mild.

beninteso avv. of course.

benna s.f. (mecc.) grab.

bennato agg. well-bred.

benpensante s.m. right-thinking person // i benpensanti, the respectable.

benservito s.m. testimonial: dare il — a qlcu., to give s.o. a testimonial; (licenziarlo) to dismiss s.o. (o fam. to give s.o. the sack).

bensì cong. **1** (ma) but: non bisogna usare la forza, — a persuasione, you mustn't use force but persuasion **2** (sì, invero) in fact: i pareri erano — diversi, ma non contrastanti, opinions were, yes (o in fact), different, but not contrasting.

benvenuto agg. e s.m. welcome: dare il — a qlcu., to welcome s.o.

benvolere v.tr.: farsi —, to make oneself liked (o popular); prendere a — qlcu., to take a liking to s.o.

benvoluto agg. well-liked, loved.

benzina s.f. petrol; (amer.) gasoline, gas; (per smacchiare) benzine, benzoline: fare il pieno di —, to fill up.

benzinaio s.m. (service-station) attendant.

benzoino s.m. benzoin.

benzolo s.m. (chim.) benzene, benzol.

beone s.m. drunkard.

beota s.m. **1** (abitante della Beozia) Boeotian **2** (fig.) blockhead.

bequadro s.m. (mus.) natural.

berbero agg. e s.m. Berber.

berciare v.intr. to bawl (at s.o.).

bere v.tr. **1** to drink*: — a lunghi sorsi, to drink long draughts; — a sazietà, to drink one's fill; — alla salute di qlcu., to drink (to) s.o.'s health; — fino all'ultima goccia, to drink up // — un uovo, to suck an egg // beviamoci su!, let's forget it! // — con gli occhi, (fig.) to look at s.o. in rapture // — le parole di qlcu., to drink in s.o.'s words // dare a — a qlcu. che..., to give s.o. to believe that...; a me non la dai a bere! you can't expect me to swallow that! **2** (assorbire) to absorb, to suck up.

bere s.m. drinking; (bevande) drinks (pl.).

bergamotto s.m. (bot.) bergamot.

beri beri, beriberi s.m. (med.) beriberi.

berillio s.m. (chim.) beryllium.

berillo s.m. (min.) beryl.

berlina[1] s.f. (gogna) pillory: mettere alla —, to put in the pillory (o to pillory).

berlina[2] s.f. **1** (carrozza) berlin **2** (automobile) saloon car; (amer.) sedan.

berlinese agg. Berlin (attr.) ♦ s.m. e f. Berliner.

Berlino no.pr.f. Berlin.

bermuda agg. e s.m. (calzoncini) —, bermuda shorts (o bermudas).

Bermude, le no.pr.f.pl. the Bermudas.

bermudiana s.f. (vela) triangular sail.

Berna no.pr.f. Berne.

Bernardo no.pr.m. Bernard.

bernardo l'eremita s.m. (zool.) hermit crab.

bernoccolo s.m. **1** bump **2** (fig.) gift, flair.

berretta s.f. cap.; (eccl.) biretta.

berretto s.m. cap: — con visiera, peaked cap.

bersagliare v.tr. **1** to have* (s.o.) under fire **2** (fig.) to bombard.

bersagliere s.m. "bersagliere" (pl. "bersaglieri") // alla bersagliera, boldly; (a capofitto) headfirst.

bersaglio s.m. **1** target; (di tiro al arco) butt: tiro al —, target-shooting; colpire il —, to hit the mark **2** (fig.) butt: è il — dei critici, he is the butt of the critics.

berta s.f. raillery, mockery: dare la —, to mock.

Berta no.pr.f. Bertha // il tempo che — filava, the good old times.

bertuccia s.f. (zool.) **1** Barbary ape **2** (donna brutta) hag.

besciamella s.f. (cuc.) bechamel.

bestemmia s.f. **1** oath, curse // è una —!, it's blasphemy! **2** (sproposito) nonsense (solo sing.): non dire bestemmie!, (fam.) don't talk nonsense!

bestemmiare v.intr. to curse, to swear*, to blaspheme: — come un turco, to swear like a trooper ♦ v.tr. **1** to curse, to swear* **2** (fig.) to jabber // bestemmia un po' d'inglese, he speaks broken English.

bestemmiatore s.m. blasphemer, swearer.

bestia s.f. **1** beast, animal // le bestie, (il bestiame) cattle // lavoro da —, drudgery // fare una vita da —, to lead a dog's life // il latino è la sua — nera, latin is his bête noire // montare in —, to lose one's temper (o to fly into a rage) **2** (fig.) (uomo sciocco) fool, blockhead.

bestiale agg. bestial, beastlike, beastly (anche fig.).

bestialità s.f. **1** bestiality, beastliness **2** (fig.) foolishness // non dire —!, (fam.) don't talk nonsense!

bestiame s.m. livestock; (bovino) cattle.

beta s.f. beta.

Betlemme no.pr.f. Bethlehem.

betoniera s.f. cement mixer.

bettola s.f. low dive: linguaggio da —, Billingsgate.

bettonica s.f. (bot.) betony.

betulla s.f. birch.

beuta s.f. beaker.

bevanda s.f. drink: — analcolica, soft drink.

beveraggio s.m. beverage; (per animali) mash.

beverino s.m. (bird-cage) trough.

beverone s.m. (per animali) mash.

bevibile agg. drinkable.

bevitore s.m. drinker: forte —, heavy drinker.

bevuta s.f. drink: fare una bella —, to have a good drink.

bi- pref. bi-.

biacca s.f. (chim.) white lead.

biada *s.f.* forage, fodder.
Biagio *no.pr.m.* Blaise.
bianca *s.f.* **1** white woman // *tratta delle bianche*, white slavery **2** (*tip.*) odd page, right-hand page, recto.
Bianca *no.pr.f.* Blanche.
Biancaneve *no.pr.f.* Snow White.
biancastro *agg.* whitish.
biancheggiare *v.intr.* (*essere bianco*) to be* white; (*diventare bianco*) to whiten // *i miei capelli cominciano a* —, my hair is turning white.
biancheria *s.f.* linen: — *da letto*, bed linen; — *da tavola*, table linen; — *personale*, underwear (*o* underclothes).
bianchetto *s.m.* **1** (*per bucato*) lye; (*per scarpe*) white shoe cleaner **2** *pl.* (*cuc.*) white anchovy.
bianchezza *s.f.* whiteness.
bianchiccio *agg.* whitish.
bianco *agg.* white // *carnagione bianca*, fair complexion // *foglio* —, (*non scritto*) blank sheet // *il Monte Bianco*, Mont Blanc // *voci bianche*, children's voices ♦ *s.m.* **1** white // *mangiare in* —, to eat plain food; *pesce in* —, boiled fish // *di punto in* —, all of a sudden // *far vedere* — *per nero a qlcu.*, to take s.o. in // *mettiamo nero su* —, let's put it in black and white **2** (*spazio bianco in un testo*) blank // *in* —, blank: *lasciare in* —, to leave blank; *assegno in* —, blank cheque; *cambiale in* —, blank draft **3** (*tip.*) (*del carattere*) shoulder.
biancospino *s.m.* hawthorn.
biasciare, biascicare *v.tr.* to mumble, to mutter.
biasimare *v.tr.* to blame.
biasimevole *agg.* blamable, blameworthy.
biasimo *s.m.* blame, censure // *degno di* —, blameworthy.
Bibbia *s.f.* Bible.
biberon (*franc.*) *s.m.* feeding bottle.
bibita *s.f.* drink // *bibite*, (*rinfreschi*) refreshments.
biblico *agg.* biblical.
bibliofilo *s.m.* bibliophile, book-lover.
bibliografia *s.f.* bibliography.
bibliografico *agg.* bibliographical.
biblioteca *s.f.* **1** library: — *circolante*, (lending) library **2** (*scaffale per libri*) bookcase, bookshelf **3** (*informatica*) library: — *dei moduli eseguibili*, core image library; — *dei programmi applicativi*, application library; — *di programmi*, program library; — *di routine di input, di output*, input, output library.
bibliotecaria *s.f.*, **bibliotecario** *s.m.* librarian.
bica *s.f.* stack (of corn).
bicamerale *agg.* (*pol.*) bicameral.
bicarbonato *s.m.* bicarbonate.
bicchierata *s.f.* drinking-party.
bicchiere *s.m.* **1** glass **2** (*contenuto*) glassful, glass // *il* — *della staffa*, the stirrup cup.
bici *s.f.* (*abbr. fam. di bicicletta*) bike.
bicicletta *s.f.* bicycle: *andare in* —, to ride a bicycle (*o* to cycle); *girare l'Italia in* —, to cycle round Italy.
biciclo *s.m.* velocipede; (*fam.*) penny-farthing.
bicipite *agg.* two-headed ♦ *s.m.* (*anat.*) biceps.
bicocca *s.f.* (*catapecchia*) hovel.
bicolore *agg.* two-colour (*attr.*); (*t. politico*) two-party: *governo* —, two-party government.
biconcavo *agg.* (*ott.*) biconcave.
biconvesso *agg.* (*ott.*) biconvex.
bidè *s.m.* bidet.
bidello *s.m.* (*custode*) caretaker; (*di università*) porter, beadle; (*inserviente*) attendant.
bidirezionale *agg.* two-way (*anche informatica*).

bidone *s.m.* **1** tank: — *per le immondizie*, dustbin **2** (*fam.*) (*truffa*) swindle; (*tiro mancino*) dirty trick.
bieco *agg.* wicked; sinister.
biella *s.f.* (*mecc.*) connecting rod.
biennale *agg.* **1** (*che ricorre ogni due anni*) biennial **2** (*che dura due anni*) two-year (*attr.*) ♦ *s.f.* biennial exhibition.
biennio *s.m.* (period of) two years.
bietola *s.f.* beet greens (*pl.*).
bietta *s.f.* wedge.
bifase *agg.* two-phase, diphase.
biffa *s.f.* sighting stake.
bifido *agg.* forked, bifid.
bifolco *s.m.* **1** ploughman (*pl.* -men) **2** (*fig.*) boor.
bifora *s.f.* mullioned window.
biforcarsi *v.intr.pron.* to fork, to bifurcate.
biforcazione *s.f.* bifurcation, fork.
biforcuto *agg.* forked, bifurcate(d).
bifronte *agg.* two-faced (*attr.*) (*anche fig.*).
biga *s.f.* chariot.
bigamia *s.f.* bigamy.
bigamo *agg.* bigamous ♦ *s.m.* bigamist.
bighellonare *v.intr.* to lounge, to loaf.
bighellone *s.m.* lounger, loafer.
bigino *s.m.* (*fam.*) crib; (*amer.*) pony.
bigio *agg.* **1** grey **2** (*fig.*) undecided.
bigiotteria *s.f.* costume jewellery.
biglia *s.f.*, **bigliardo** *s.m.* → **bilia, biliardo**.
bigliettaio *s.m.* (*su tram, autobus*) conductor; (*su treni*) ticket collector; (*di stazione*) booking clerk; (*di teatro*) box office attendant.
biglietteria *s.f.* (*di stazione*) booking office; (*amer.*) ticket office; (*di teatro*) box office; (*di campo sportivo*) gate.
biglietto *s.m.* **1** (*breve scritto*) note **2** (*cartoncino*) card: — *da visita*, visiting card; — *di invito*, invitation card; — *di Natale*, Christmas card **3** (*contrassegno d'un prezzo pagato*) ticket: — *a prezzo ridotto*, cheap ticket; — *circolare*, tourist (*o* circular) ticket; — *di andata e ritorno*, return ticket; (*amer.*) round-trip ticket; — *di favore, omaggio*, complimentary ticket; — *di prenotazione*, (*di un posto*) seat reservation; — *festivo*, weekend ticket; *essere munito di* —, to be provided with a ticket **4** (*banconota*) (bank)note: — *da mille lire*, a thousand lire (bank)note **5** (*comm.*) note.
bignè *s.m.* cream puff.
bignonia *s.f.* (*bot.*) bignonia.
bigodino *s.m.* (hair-)curler, roller.
bigoncia *s.f.* tub.
bigoncio *s.m.* tub.
bigotteria *s.f.*, **bigottismo** *s.m.* bigotry.
bigotto *agg.* bigoted ♦ *s.m.* bigot.
bikini *s.m.* bikini.
bilancia *s.f.* **1** balance, scale(s): — *a bilico*, platform scale; — *a molla*, spring balance; — *a ponte*, weigh bridge; *piatto della* —, scale pan **2** (*comm.*) balance: — *commerciale*, balance of trade; — *dei pagamenti*, balance of payments **3** (*rete da pesca*) trawling-net **4** (*d'orologio*) balance **5** *Bilancia* (*astr.*) Libra.
bilanciare *v.tr.* to balance (*anche fig.*).
bilanciere *s.m.* **1** beam **2** (*di orologio*) balance **3** (*mar.*) outrigger.
bilancio *s.m.* (*preventivo*) budget; (*consuntivo*) balance (*il documento contabile*) balance sheet: — *attivo*, credit balance; — *passivo*, debit balance; — *consuntivo*, final figures; — *fallimentare*, statement of affairs; —

reventivo, budget; — *sociale*, company report; — *i verifica*, trial balance; *approvare il* —, to pass the *budget*; *presentare il* —, to present the budget; *votare il* —, to vote the budget; *chiudere, fare il* —, to strike the *alance*; *(fig.)* to weigh the pros and cons; *mettere in* —, to estimate.

ilaterale *agg.* bilateral.

ile *s.f.* **1** bile **2** *(fig.)* rage, anger.

ilia *s.f.* **1** *(al biliardo) (palla)* ball; *(buca)* pocket **2** *vallina di vetro ecc.)* marble.

iliardino *s.m.* miniature billiards *(pl.)*.

iliardo *s.m.* billiards *(pl.)*.

iliare *agg.* bilious.

ilico *s.m.* **1** balance, equilibrium: *essere in* —, to be *oised (o* balanced); *mettere in* —, to balance **2** *(per-*o) pivot.

ilingue *agg.* bilingual.

ilinguismo *s.m.* bilingualism.

ilione *s.m.* **1** *(it., amer. e franc. = 1000³)* one thou-and millions, milliard; *(amer.)* billion **2** *(ted. e ingl. = 000⁴)* billion; *(amer.)* trillion.

ilioso *agg. (fig.)* peevish, sour.

imba *s.f.* child *(pl.* children); *(in fasce)* baby (girl).

imbo *s.m.* child *(pl.* children); *(in fasce)* baby (boy).

imensile *agg.* fortnightly.

imestrale *agg.* bimonthly.

imestre *s.m.* (period of) two months.

imetallismo *s.m.* bimetallic standard, bimetallism.

imotore *agg.* twin-engined *(attr.)* ♦ *s.m. (aer.)* twin engined plane.

inario¹ *agg.* binary: *cifra binaria*, binary digit; *codice* —, binary code; *dato* —, binary item; *notazione bina-ia*, binary notation; *numero* —, binary number.

inario² *s.m.* rail, line, track; *(marciapiede)* platform: — *a scartamento ridotto*, narrow-gauge line; — *morto*, ead-end *(o* siding); *doppio* —, double-track line; *il tre-o parte dal* — *7*, the train leaves from platform 7 // *iglietto di accesso ai binari*, platform ticket.

inato *agg.* in pairs, coupled; *(bot.)* binate.

inocolo *s.m.* binoculars *(pl.)*.

inomio *s.m.* **1** *(mat.)* binomial **2** *(fig.)* couple.

io- *pref.* bio-.

ioccolo *s.m. (di lana)* flock; *(di neve)* flake.

iochimica *s.f.* biochemistry.

iodegradabile *agg.* biodegradable.

iofisica *s.f.* biophysics *(pl.)*.

iogas *s.m.* biogas.

iogenesi *s.f.* biogenesis.

iografia *s.f.* biography.

iografico *agg.* biographical.

iografo *s.m.* biographer.

iologia *s.f.* biology.

iologico *agg.* biological.

iologo *s.m.* biologist.

ionda *s.f.* blonde.

iondastro *agg.* blondish, fairish.

iondeggiare *v.intr. (essere biondo)* to be* golden; *(di-entare biondo)* to turn golden.

iondina *s.f.* little blonde.

iondino *s.m.* fair-haired boy.

iondo *agg.* fair; *(dai capelli biondi)* fair-haired; *(spec. i donna)* blond: — *cenere*, ash-blond; — *rossiccio*, au-urn ♦ *s.m.* **1** fair-haired man **2** *(il colore biondo)*: *ha capelli di un bel* —, she has lovely blond hair.

iosfera *s.f. (scient.)* biosphere.

iossido *s.m. (chim.)* dioxide.

bipartire *v.tr.* to fork, to bifurcate.

bipartitico *agg.* two-party *(attr.)*; *(amer.)* bipartisan.

bipartizione *s.f.* bipartition.

bipede *agg.* e *s.m.* biped.

biplano *s.m.* biplane.

birba *s.f.*, **birbante** *s.m.* rascal, rogue.

birbanteria *s.f.* **1** rascality, roguishness **2** *(azione da birbante)* dirty trick.

birbantesco *agg.* roguish.

birbo *agg.* roguish ♦ *s.m.* rascal, rogue.

birbonata *s.f.* dirty trick.

birbone *agg.*: *un tiro* —, a dirty trick; *fa un freddo* —, it is bitterly cold ♦ *s.m.* rascal, rogue.

birboneria *s.f.* → **birbanteria**.

bireme *s.f.* bireme.

birichinata *s.f.* prank.

birichino *agg.* naughty ♦ *s.m.* little devil.

birillo *s.m.* skittle; *pl. (gioco)* skittles, ninepins.

Birmania *no.pr.f.* Burma.

birmano *agg.* e *s.m.* Burmese, Burman.

biro® *s.f.* biro®.

birra *s.f.* beer; ale: — *alla spina*, draught beer // *a tutta* —, *(fam.)* like greased lightning // *farci la* —, *(fam.)* to have no use for it.

birreria *s.f.* brasserie, beerhouse.

bis *avv.* e *s.m.* encore: *chiedere il* —, to encore; *concede-re il* —, to give an encore // *treno* —, relief train.

bisaccia *s.f.* saddlebag; *(zaino)* knapsack.

Bisanzio *no.pr.f.* Byzantium.

bisavola *s.f.* great-grandmother.

bisavolo *s.m.* great-grandfather.

bisbetica *s.f.* shrew.

bisbetico *agg.* irritable; *(di donna)* nagging, shrewish.

bisbigliare *v.tr.* e *intr.* to whisper.

bisbiglio *s.m.* whisper.

bisboccia *s.f.* carousal, spree: *far* —, to carouse *(o* to go on a spree).

bisca *s.f.* gambling house, gaming house, gambling den.

Biscaglia *no.pr.f.* Biscay.

biscaglina *s.f. (mar.)* Jacob's ladder.

biscazziere *s.m.* **1** gambling-house owner **2** *(fre-quentatore di bische)* gambler.

bischero *s.m. (mus.)* tuning peg.

biscia *s.f.* snake.

biscottare *v.tr.* to double-bake; *(tostare)* to toast.

biscottiera *s.f.* biscuit jar; *(spec. amer.)* cookie jar.

biscottificio *s.m.* biscuit factory.

biscotto *s.m.* biscuit; *(spec. amer.)* cookie: *pane* —, ship biscuit *(o* hard tack).

biscroma *s.f. (mus.)* demisemiquaver.

bisenso *s.m.* word with a double meaning.

bisessuale *agg.* bisexual.

bisestile *agg.* leap *(attr.)*, bissextile.

bisettimanale *agg.* biweekly.

bisettrice *s.f.* bisector.

bisillabo *agg.* dis(s)yllabic ♦ *s.m.* dis(s)yllable.

bislacco *agg.* queer, peculiar.

bislungo *agg.* oblong.

bismuto *s.m.* bismuth.

bisnipote *s.m.* e *f.* **1** *(di nonni)* great-grandchild *(pl.* -children); *(maschio)* great-grandson; *(femmina)* great -granddaughter **2** *(di zii)* *(maschio)* great-nephew; *(femmina)* great-niece.

bisnonna *s.f.* great-grandmother.

bisnonno *s.m.* great-grandfather.

bisogna *s.f. (letter.)* necessity, need.

bisognare *v.intr.* **1** *impers.* (*costr. pers. in inglese*) must*; to have* (to do): *bisogna, bisognerà partire domani*, we must leave, we will have to leave tomorrow; *bisogna che tu, egli parta subito*, you, he must leave at once; *bisogna diffidare*, you must be on your guard; *bisogna proprio dire che...*, I must say (that)...; *bisognerà strappare quel dente*, that tooth will have to come out // *bisogna sentirlo quando è arrabbiato!*, you ought to (*o* you should) hear him when he's angry! **2** (*aver bisogno*) (*costr. pers.*) to need, to want: *bisogna di molte cure*, he needs a lot of treatment.

bisogno *s.m.* (*necessità*) need, necessity; (*mancanza*) want; (*povertà*) poverty: *in caso di* —, in case of need; *non ci fu* — *di farlo*, there was no need to do it; *avere* — *di qlco.*, to want (*o* to need) sthg.; *ha urgente* — *di denaro*, he is in urgent need of money.

bisognoso *agg.* needy, poor: — *di aiuto*, needing help // *i bisognosi*, the poor (*o* the needy).

bisonte *s.m.* bison.

bisso *s.m.* byssus.

bistecca *s.f.* steak: *una* — *al sangue*, a rare steak; *una* — *ben cotta*, a well-done steak.

bistecchiera *s.f.* broiler, gridiron, grill.

bisticciare *v.intr.*, **bisticciarsi** *v.intr.pron.* to quarrel.

bisticcio *s.m.* **1** quarrel **2** (*gioco di parole*) pun.

bistrato *agg.* bistred; (*amer.*) bistered.

bistrattare *v.tr.* to ill-treat; to maltreat.

bistro *s.m.* bistre; (*amer.*) bister.

bisturi *s.m.* lancet.

bisunto *agg.* greasy, oily: *unto e* —, good and oily.

bit *s.m.* (*informatica*) bit: — *di contrassegno*, tag bit; — *di controllo*, check bit; — *di fermo, di punteggiatura*, punctuation bit; — *di informazione*, intelligence bit; — *di parità*, parity bit; — *di riempimento*, padding bit.

bitorzolo *s.m.* lump.

bitorzoluto *agg.* lumpy.

bitta *s.f.* (*mar.*) bollard, bitt.

bitter *s.m.* (bitter) aperitif.

bitumare *v.tr.* to bituminize.

bitume *s.m.* bitumen.

bituminoso *agg.* bituminous.

bivaccare *v.intr.* to bivouac.

bivacco *s.m.* bivouac.

bivalente *agg.* bivalent.

bivalve *agg.* bivalve(d), bivalvular.

bivio *s.m.* crossroad(s) (*anche fig.*); (*ferr.*) junction: *essere a un* —, (*fig.*) to be at a crossroads.

bizantinismo *s.m.* hair-splitting.

bizantino *agg.* **1** Byzantine **2** (*fig.*) hair-splitting ♦ *s.m.* Byzantine.

bizza *s.f.* whim, caprice; (*di bambini*) tantrum: *fare le bizze*, to kick up (tantrums).

bizzarria *s.f.* **1** oddness **2** (*atto, detto bizzarro*) quirk.

bizzarro *agg.* **1** peculiar, odd; (*strambo*) freakish; (*stravagante*) bizarre **2** (*di cavallo*) high-spirited.

bizzeffe, a *locuz.avv.* galore.

bizzoso *agg.* wayward.

blandire *v.tr.* to blandish.

blandizie *s.f.pl.* blandishments.

blando *agg.* bland.

blasfemo *agg.* blasphemous.

blasonato *agg.* titled.

blasone *s.m.* **1** blazon; coat of arms // *insozzare il proprio* —, to sully one's escutcheon **2** (*arald.*) heraldry.

blaterare *v.tr. e intr.* to blab.

blatta *s.f.* cockroach.

blenda *s.f.* (*min.*) blende.

blesità *s.f.* lisp.

bleso *agg.* lisping.

blinda *s.f.*, **blindaggio** *s.m.* armour plate.

blindare *v.tr.* to armour.

blindato *agg.* armoured, armour-plated.

bloccaggio *s.m.* **1** (*sport*) tackle **2** (*tecn.*) locking.

bloccare *v.tr.* **1** to block; (*deliberatamente*) to block up; (*arrestare*) to stop: *la folla bloccava l'uscita*, the crowd blocked (*o* jammed) the exit; — *un'uscita con mattoni*, to block up an exit with bricks; — *la palla*, to stop the ball **2** (*mil.*) to blockade **3** (*isolare*) to cut off; to isolate: *rimanere bloccati dalla neve*, to be cut off by the snow **4** (*mecc.*) to stall; to lock: — *i comandi*, to lock the controls **5** (*comm.*) to freeze*: — *i prezzi*, to freeze prices // — *un assegno*, to stop a cheque // **-arsi** *v.rifl.* **1** to stop **2** (*mecc.*) to stall.

bloccasterzo *s.m.* steering lock.

blocco[1] *s.m.* **1** block **2** (*comm.*) bulk, lot: *comprare in* —, to buy in bulk **3** (*pol.*) bloc, coalition **4** (*di carta*) pad: — *di carta da lettere*, writing pad; — *per appunti*, notebook **5** (*informatica*) block: — *dei record*, record block; — *di entrata*, input block (*o* entry block).

blocco[2] *s.m.* **1** (*mil.*) blockade: *rompere il* —, to force the blockade; *posto di* —, blockade post **2** (*su strade, ferrovie*) block: *segnale di* —, block signal **3** (*med.*) block **4** (*comm.*) freeze: — *dei prezzi*, price freeze; — *dei fitti*, rent freeze; — *dei salari*, wage freeze **5** (*informatica*) block: — *alla tastiera*, keyword lockout (*o* lockup); — *a lunghezza variabile*, variable block; — *di memoria*, storage block.

blu *agg. e s.m.* blue // *morbo* —, blue disease.

bluastro *agg.* bluish.

blue-jeans *s.m.pl.* jeans.

bluff *s.m.* bluff.

bluffare *v.intr.* to bluff.

blusa *s.f.* blouse.

blusotto *s.m.* blouse.

boa[1] *s.m.* (*zool.*) boa.

boa[2] *s.f.* (*mar.*) buoy.

boato *s.m.* rumbling.

bob *s.m.* (*sport*) bobsleigh.

bobina *s.f.* **1** bobbin, spool, reel **2** (*cinem.*) (*pellicola*) reel; (*rocchetto*) spool, reel **3** (*tip.*) paper reel (*elettr.*) coil.

bobinatrice *s.f.* reeler.

bocca *s.f.* **1** mouth // *in* — *al lupo!*, good luck! // *dire a mezza* —, to hint // *avere la* — *cattiva*, to have nasty taste in one's mouth // *essere di* — *buona*, not to be fussy // *essere sulla* — *di tutti*, to be the talk of the town // *levarsi il pan di* — *per qlcu.*, (*fig.*) to go without for s.o. // *restare a* — *asciutta*, to go without eating (*fig.*) to be left empty-handed // *restare a* — *aperta* (*fig.*) to be flabbergasted // *chiudere la* — *a qlcu.*, to gag s.o.; (*fig.*) to shut s.o.'s mouth **2** (*apertura*) opening, mouth // — *d'acqua*, hydrant // — *di alto forno*, throat // — *da fuoco*, gun // — *da incendio*, fire-plug // — *dello stomaco*, pit of the stomach **3** (*di fiume ecc.*) mouth **4** — *di leone*, (*bot.*) snapdragon.

boccaccesco *agg.* (*licenzioso*) licentious.

boccaccia *s.f.* grimace: *far le boccacce a qlcu.*, to make faces at s.o.

boccaglio *s.m.* **1** (*mecc.*) nozzle **2** (*di respiratore*) mouthpiece.

boccale *s.m.* jug; (*di metallo*) tankard.

boccaporto *s.m.* (*mar.*) (companion) hatch.

occascena *s.m.* (*teatr.*) stage.

occata *s.f.* mouthful // *prendere una — d'aria*, to take a breath of air.

occetta *s.f.* **1** small bottle **2** (*bocce*) bowl; (*biliardo*) billiard ball.

occheggiare *v.intr.* to gasp, to fight* for breath.

occhetta *s.f.* **1** (*di strumento musicale*) mouthpiece **2** — *stradale*, manhole **3** (*di serratura*) plate.

occhettone *s.m.* (*di serbatoio*) filler; (*per tubi*) pipe union.

occhino *s.m.* **1** (cigarette) holder **2** (*di pipa*) mouthpiece **3** (*di strumento musicale*) mouthpiece.

occia *s.f.* **1** bowl: *il gioco delle bocce*, bowls; *campo per il gioco delle bocce*, bowling green **2** (*per acqua*) water bottle; (*per vino*) wine decanter **3** (*scherz.*) (*testa*) pate.

occiare *v.tr.* **1** (*respingere*) to reject **2** (*agli esami*) to fail **3** (*alle bocce*) to scatter the opponents' bowls.

occiatura *s.f.* failure.

occino *s.m.* jack.

occio *s.m.* bud.

occiolo *s.m.* bud.

occola *s.f.* **1** (*orecchino*) earring **2** (*ferr.*) axle box.

occolo *s.m.* ringlet.

occoncino *s.m.* morsel: — *prelibato*, titbit (*o* choice morsel).

occone *s.m.* **1** bit, morsel // *mangiamo un —*, let's have a snack // — *amaro*, (*fig.*) bitter pill // — *del prete*, parson's nose // *contare i bocconi a qlcu.*, to begrudge s.o. the food he is eating // *a pezzi e* (*a*) *bocconi*, a bit at a time **2** (*boccata*) mouthful: *in un —*, in one mouthful: *mangiare qlco. in un —*, to gulp sthg. down.

occoni *avv.* face down(wards): *cadere —*, to fall flat on one's face.

oemia *no.pr.f.* Bohemia.

oemo *agg. e s.m.* Bohemian.

oero *agg.* Boer ♦ *s.m.* **1** Boer **2** (*dolce*) chocolate coated liqueur cherry.

ofonchiare *v.intr.* to grumble.

ogotà *no.pr.f.* Bogotà.

ohème *s.f.* Bohemian life.

oia *s.m.* executioner; (*per l'impiccagione*) hangman (*pl.* -men); (*per la decapitazione*) headsman (*pl.* -men) // *fa un freddo —*, (*pop.*) it's as cold as hell.

oiata *s.f.* (*volg.*) rubbish: *è una —*, it's rubbish.

oicottaggio *s.m.* boycott // *è un vero —!*, it's a real boycott!

oicottare *v.tr.* to boycott: — *una proposta, un progetto*, to work for the downfall of a proposal, of a plan.

olena *no.pr.* (*st.*) Boleyn.

olero *s.m.* bolero.

oleto *s.m.* (*bot.*) boletus.

olgia *s.f.* (*grande confusione*) bedlam.

olide *s.m.* **1** (*astr.*) bolide // *entrò, uscì come un —*, he charged in, out // *passò come un —*, he flashed past // *andare come un —*, to go like a bomb **2** (*veicolo velocissimo*) very fast car; (*da corsa*) racing car.

olina *s.f.* (*mar.*) bowline: *navigare di —*, to sail close hauled.

olivia *no.pr.f.* Bolivia.

olla[1] *s.f.* **1** bubble: — *di sapone*, soap bubble **2** (*vescica*) blister.

olla[2] *s.f.* **1** (*eccl.*) (Papal) bull **2** (*comm.*) → *bolletta*.

ollare *v.tr.* to stamp (*anche fig.*); (*a fuoco*) to brand (*anche fig.*).

bollato *agg.* stamped; (*a fuoco*) branded // *carta bollata*, officially stamped paper.

bollente *agg.* **1** boiling; (*molto caldo*) hot **2** (*fig.*) fiery.

bolletta *s.f.* **1** (*comm.*) bill; (*ricevuta*) receipt: — *del gas*, gas bill; — *di consegna*, delivery note; — *di imbarco*, shipping bill **2** *trovarsi, essere in —*, (*fam.*) to be flat broke.

bollettario *s.m.* (*comm.*) counterfoil-book.

bollettino *s.m.* **1** (*di notizie*) bulletin: — *di guerra*, war bulletin // — *meteorologico*, weather forecast **2** (*pubblicazione periodica*) gazette: — *ufficiale*, official gazette **3** (*modulo*) form: — *di sottoscrizione*, (*fin.*) subscription form.

bollilatte *s.m.* milk boiler.

bollire *v.intr.* to boil; (*a fuoco lento*) to simmer: *far —*, to boil // *cominciare a —*, to come to the boil // *qualcosa bolle in pentola*, something is brewing // — *di sdegno*, to seethe with indignation.

bollito *agg.* boiled ♦ *s.m.* boiled meat.

bollitore *s.m.* boiler.

bollitura *s.f.* boiling.

bollo *s.m.* stamp: — *a umido*, rubber stamp; — *a secco*, embossed seal // *marca da —*, revenue stamp // *carta da —*, officially stamped paper // — *di circolazione*, (*aut.*) road tax.

bollore *s.m.* **1** boiling, ebullition **2** (*fig.*) excitement, ardour.

bolo *s.m.*: — (*alimentare*), chewed food.

bolognese *agg. e s.m.* Bolognese (*pl. invar.*).

bolscevico *agg. e s.m.* Bolshevik, Bolshevist.

bolscevismo *s.m.* Bolshevism.

bolso *agg.* **1** (*di cavallo*) broken-winded **2** (*debole*) weak.

boma *s.m.* (*mar.*) boom.

bomba[1] *s.f.* **1** bomb: — *a gas*, chemical bomb; — *a mano*, hand grenade; — *antisommergibile, di profondità*, depth charge; *lanciare una —*, to throw a bomb; (*di aereo*) to drop a bomb // *a prova di —*, bombproof: *un alibi a prova di —*, a watertight alibi // *è stata una —*, (*fig.*) it was a bomb **2** (*cuc.*) krapfen, pastry puff **3** (*sport*) (*stimolante*) dope **4** (*gomma da masticare*) chewing gum.

bomba[2] *s.f.* (*nei giochi dei bambini*) base // *tornare a —*, to get back to the point.

bombarda *s.f.* (*st. mil.*) bombard.

bombardamento *s.m.* bombardment: — *aereo*, bombing (*o* air bombardment); — *pesante*, heavy bombardment (*o* strafing).

bombardare *v.tr.* **1** to shell; (*con aerei*) to bomb; (*pesantemente*) to strafe **2** (*fis.*) to bombard.

bombardiere *s.m.* bomber.

bombardino *s.m.* (*mus.*) euphonium.

bombardone *s.m.* (*mus.*) bombardon(e).

bombetta *s.f.* bowler (hat); (*amer.*) derby.

bombice *s.m.* (*zool.*) bombyx.

bombola *s.f.* cylinder; (*con spruzzatore*) spray: — *d'ossigeno*, oxygen cylinder; *una — di insetticida*, an insecticide spray; *è finita la — del gas*, the gas cylinder is finished.

bomboniera *s.f.* wedding keepsake; (*per dolci*) bonbonnière.

bompresso *s.m.* (*mar.*) bowsprit.

bonaccia *s.f.* **1** dead calm **2** (*fig.*) tranquillity, calm.

bonaccione *agg.* good-natured ♦ *s.m.* good-natured fellow.

bonarietà *s.f.* good nature, kindness.

bonario *agg.* good-natured, kind.

Bonifacio *no.pr.m.* Boniface.

bonifica *s.f.* 1 (land) reclamation 2 (*terra bonificata*) reclaimed land.

bonificare *v.tr.* 1 (*terreni*) to reclaim 2 (*mil.*) (*da mine*) to clear of mines; (*degassificare*) to degas 3 (*comm.*) to allow a discount (of sth.); to grant an allowance (of sth.) // — *una perdita*, to make good a loss.

bonifico *s.m.* (*t. bancario*) transfer.

bonomia *s.f.* good nature, bonhomie.

bontà *s.f.* 1 goodness // *abbiate la — di ascoltarmi*, will you be so kind as to listen to me? 2 (*di merce, prodotto ecc.*) (high) quality.

bonzo *s.m.* bonze.

booleano *agg.* (*informatica*) Boolean.

borace *s.m.* (*chim.*) borax.

boracifero *agg.* boraciferous.

Borbone *no.pr.* Bourbon.

borbonico *agg.* 1 Bourbon (*attr.*) 2 (*reazionario*) reactionary, conservative.

borbottare *v.tr.* (*pronunciare indistintamente*) to mumble ♦ *v.intr.* (*brontolare*) to grumble, to mutter.

borbottio *s.m.* mumbling.

borchia *s.f.* stud, boss; (*da tappezziere*) upholsterer's tack.

bordare *v.tr.* 1 (*orlare*) to hem 2 (*mecc.*) to rim; to bead 3 (*mar.*) (*spiegare le vele*) to spread* (sails).

bordata *s.f.* 1 (*di cannoni*) broadside 2 (*mar.*) (*il tratto percorso nel bordeggiare*) tack.

bordeggiare *v.intr.* (*mar.*) to tack.

bordello *s.m.* 1 brothel 2 (*volg.*) (*schiamazzo*) shindy.

borderò *s.m.* (detailed) statement.

bordo *s.m.* 1 edge; (*profilo*) border: *il — di un tavolo*, the edge of a table; *un — di seta rossa*, a border of red silk // — *del marciapiede*, kerb 2 (*mecc.*) (*spec. di oggetto rotondo*) rim 3 (*mar.*) board: *andare a —*, to go on board (*o* aboard); *tutti a —!*, all aboard!; *essere a —*, to be on board; *virare di —*, to tack about (*anche fig.*) // *giornale di —*, logbook // *franco —*, (*comm.*) free on board // *prendere qlcu. a —*, (*in automobile*) to give s.o. a lift 4 (*rifinitura di abito ecc.*) trimming; frill.

bordone[1] *s.m.* pilgrim's staff.

bordone[2] *s.m.* (*mus.*) (*di organo, piva*) drone bass // *tener — a qlcu.*, (*fig.*) to aid and abet s.o.

bordura *s.f.* 1 (*orlo*) hem; (*profilo*) border 2 (*cuc.*) garnishing.

boreale *agg.* boreal, northern.

borgata *s.f.* hamlet.

borghese *agg.* 1 middle-class (*attr.*), bourgeois: *pregiudizi borghesi*, middle-class prejudices; *gusti borghesi*, bourgeois tastes 2 (*civile*) civilian // *in —*, (*mil.*) in mufti; *poliziotto in —*, plain-clothes detective ♦ *s.m. e f.* member of the middle classes; (*spreg.*) bourgeois: *piccolo —*, member of the lower middle classes.

borghesia *s.f.* middle class(es), bourgeoisie: *l'alta, la piccola —*, the upper, the lower middle class.

borgo *s.m.* 1 village 2 (*sobborgo*) suburb.

Borgogna *no.pr.f.* Burgundy: *vino di —*, Burgundy (wine).

borgognone *agg. e s.m.* Burgundian.

borgomastro *s.m.* burgomaster.

boria *s.f.* haughtiness: *è un uomo pieno di —*, he is a (self-)conceited man.

borico *agg.* (*chim.*) boric.

borioso *agg.* haughty, conceited.

boro *s.m.* (*chim.*) boron.

borotalco® *s.m.* talcum powder.

borraccia *s.f.* water bottle; (*mil.*) canteen.

borraccina *s.f.* (*bot.*) moss.

borro *s.m.* 1 (*torrente*) freshet 2 (*fossato*) ditch.

borsa[1] *s.f.* 1 bag; (*borsetta*) handbag; — *della spesa*, shopping bag; — *da tabacco*, tobacco-pouch; — *pe documenti*, attaché case // — *per l'acqua calda*, h -water bottle // *avere le borse agli occhi*, to have bag under one's eyes // — *di pastore*, (*bot.*) shepherd purse 2 (*per denari*) purse; (*fig.*) money: *allargare cordoni della —*, to loosen the purse strings; *metter m no alla —*, to pay out; *o la — o la vita!*, your money *your life!* // — *di studio*, scholarship; grant 3 (*anat bursa* 4 (*informatica*) kit.

borsa[2] *s.f.* exchange: — *valori*, stock exchange; *azio trattate in —*, shares (*o* stocks) traded on the Stock E change: — *delle opzioni*, options exchange; *speculazi ne di —*, stockjobbing; *listino di —*, stock list; *agente —*, (stock)broker // — *nera*, black market.

borsaiolo *s.m.* pickpocket.

borseggiare *v.tr.* to pick s.o.'s pocket.

borseggio *s.m.* pocketpicking, pickpocketing.

borsellino *s.m.* purse.

borsetta *s.f.* handbag.

borsista *s.m. e f.* scholarship holder, grantee.

borsistico *agg.* stock-exchange (*attr.*).

boscaglia *s.f.* undergrowth, underwood.

boscaiolo *s.m.* forester, woodcutter.

boschetto *s.m.* thicket, grove.

boschivo *agg.* wooded: *terreno —*, woodland.

boscimano *s.m.* bosjesman (*pl.* -men).

bosco *s.m.* wood: — *ceduo*, coppice.

boscoso *agg.* wooded, woody.

Bosforo *no.pr.m.* Bosphorus.

bosso *s.m.* 1 box 2 (*legno*) boxwood.

bossolo *s.m.* cartridge.

bostrico *s.m.* (*zool.*) bostrychus.

botanica *s.f.* botany.

botanico *agg.* botanical ♦ *s.m.* botanist.

botola *s.f.* trapdoor.

botolo *s.m.* (*cane*) cur.

botta *s.f.* 1 (*colpo*) blow (*anche fig.*): *dare un sacco botte a qlcu.*, to give s.o. a thrashing; *menar botte orbi*, to lash out wildly; *è stata una bella — per lui!*, was a tough blow for him! 2 (*segno*) bruise 3 (*rum re sordo*) thud 4 (*scherma*) hit // — *e risposta*, thru and parry.

bottaio *s.m.* cooper.

bottarga *s.f.* botargo.

botte *s.f.* barrel, cask // *essere in una — di ferro*, (*fig* to be impregnable // *volta a —*, (*arch.*) barrel vault.

bottega *s.f.* shop: *ragazzo di —*, shop-boy; *è tempo chiudere —*, (*anche fig.*) it is time to shut up shop.

bottegaio *s.m.* shopkeeper; (*amer.*) storekeeper.

botteghino *s.m.* 1 (*di teatro*) box-office 2 (*ricevitor del lotto*) state lottery office.

bottiglia *s.f.* bottle: — *da vino*, wine bottle; *una — vino*, a bottle of wine // — *di Leyda*, (*fis.*) Leyden jar

bottiglieria *s.f.* wineshop.

bottino[1] *s.m.* (*di pirati*) booty; (*di ladri*) loot; (*di sold teschi*) plunder.

bottino[2] *s.m.* (*fogna*) cesspit.

botto *s.m.* blow // *di —*, (*improvvisamente*) suddenly

bottone *s.m.* 1 button: — *automatico*, press butto — *del colletto*, collar stud; *allacciare un —*, to fasten do up) a button // *mi ha attaccato un — che non iva più*, he buttonholed me and I couldn't get away 2 attacca — con tutti, she is a compulsive talker 2 occiolo) bud 3 (elettr.) (pulsante) button.

ttoniera s.f. 1 row of buttons 2 (quadro di coman-) switchboard.

tulismo s.m. (med.) botulism.

utique (franc.) s.f. boutique.

varo s.m. cowherd, cowboy.

ve s.m. (letter.) → **bue.**

vino agg. bovine ♦ s.m.pl. cattle.

x s.m. 1 (per cavalli) box 2 (aut. sport) pit 3 (au-imessa) garage 4 (per bambini) playpen.

xe s.f. boxing.

xer s.m. (cane) boxer.

zza¹ s.f. 1 (bugna) ashlar 2 (bernoccolo) bump.

zza² s.f. (spec. pl.) (tip.) proof.: tirare una —, to pull roof; correggere le bozze, to proofread; correttore di zze, proofreader; bozze in colonna, galley proofs; boz-impaginate, page proofs; prima —, flat proof; secon- —, revise; — di stampa, press proof.

zzello s.m. (mar.) block.

zzettista s.m. e f. 1 sketch-writer 2 (di cartelloni bblicitari) poster designer.

zzetto s.m. sketch.

zzolo s.m. 1 cocoon // chiudersi nel proprio —, .) to retreat into one's shell 2 (groviglio) tangle 3 umo) clot, lump.

aca s.f. 1 (ciascuna delle due parti che formano i cal-ni) trouser-leg 2 pl. (fam.) (pantaloni) trousers.

accare v.tr. 1 to hunt 2 (una persona) to hunt wn.

accetto, a locuz.avv. arm-in-arm.

acciale s.m. 1 (braccialetto) bracelet 2 (fascia por-a al braccio) armband.

acciolo s.m. bracelet.

accialetto s.m. bracelet.

acciante s.m. e f. labourer: — agricolo, farm-hand.

acciata s.f. 1 armful 2 (nuoto) stroke.

accio s.m. [pl.f. braccia, in senso proprio e come misu-pl.m. bracci, negli altri casi] 1 arm: si è rotto un —, broke an arm; sotto —, arm-in-arm; a braccia, by nd // accogliere qlcu. a braccia aperte, (fig.) to wel-me s.o. with open arms; a braccia conserte, with fold-arms // gettare le braccia al collo di qlcu., to fling e's arms round s.o.'s neck // incrociare le braccia, .) to go on strike // offrire il —, to offer one's arm si sentì cascar le braccia, his heart sank // essere il — tro di qlcu., to be s.o.'s right hand // il — secolare,) the secular arm 2 pl. (braccianti) labourers, nds 3 (misura di lunghezza) ell; (mar.) (misura di ofondità) fathom 4 (arch.) wing 5 (di croce) ab 6 (di fiume) arm; (di mare) sound, strait 7 ecc.) arm; (di bilancia) beam, bar; (di grammofono) ck-up) arm: — mobile, (di gru) (adjustable) jib 8 ormatica) arm: — di scrittura, — di lettura, (IBM) di accesso dati, access arm.

acciolo s.m. sedia a braccioli, armchair.

acco s.m. (cane) hound.

acconaggio s.m. poaching.

acconiere s.m. poacher.

ace s.f. embers (pl.) // farsi di —, (fig.) to blush.

achicefalo agg. (med.) brachycephalic.

achilogia s.f. (ret.) brachylogy.

aciere s.m. brazier.

aciola s.f. chop: — di maiale, pork chop.

adicardia s.f. (med.) bradycardia.

bradipo s.m. (zool.) sloth.

bradisismo s.m. bradyseism.

brado agg. wild, untamed: cavallo —, unbroken horse.

braille ® s.f. e agg. (sistema di scrittura in rilievo per cie-chi) Braille.

brama s.f. greed, avidity.

bramanesimo, bramanismo s.m. Brahmanism, Brah-minism.

bramano s.m. Brahman, Brahmin.

bramare v.tr. to long (for sthg.), to crave (for sthg.).

bramino s.m. Brahmin, Brahman.

bramire v.intr. to roar; to bellow; (di cervo) to bell.

bramito s.m. roar; bellow; (di cervo) bell.

bramosia s.f. greed (for sthg.), avidity (for sthg.).

bramoso agg. greedy (for), avid (for).

branca s.f. 1 (di tenaglie ecc.) jaw 2 (ramo, settore) branch.

brancata s.f. handful.

branchia s.f. gill, branchia (pl. branchiae).

brancicare v.tr. to fumble ♦ v.intr. to grope.

branco s.m. 1 (mandria) herd; (di lupi) pack; (di peco-re, di oche ecc.) flock; (di pesci) shoal, school 2 (spreg.) (di persone) herd, troop // a branchi, in crowds.

brancolare v.intr. to grope (one's way).

branda s.f. camp bed, folding bed.

Brandeburgo no.pr.m. Brandenburg.

brandello s.m. shred; (di tessuto) rag, tatter: con gli abiti a brandelli, in rags (o in tatters); cadere a brandelli, to fall to pieces; fare a brandelli, to tear to pieces (o to tear up).

brandire v.tr. to brandish.

brano s.m. 1 passage: brani scelti, selected passages 2 (brandello) piece, shred.

branzino s.m. (zool.) bass (fish).

brasare v.tr. (cuc.) to braise.

brasato agg. e s.m. (cuc.): (manzo) —, braised beef.

Brasile no.pr.m. Brazil, Brasil.

Brasilia no.pr.f. Brazilia.

brasiliano agg. e s.m. Brazilian.

brattea s.f. (bot.) bract.

bravaccio s.m. bully, swashbuckler: non fare il —!, stop boasting! (o stop bragging!).

bravamente avv. 1 (coraggiosamente) bravely 2 (con abilità) skilfully.

bravata s.f. piece of bravado; (millanteria) boast, brag.

bravo agg. 1 good (at) // fai il —, be good (o a good boy); da —!, su da —!, there's a good boy // —!, bra-vo! (o very well o well done!); alla brava, boldly 2 (dabbene) good; (degno di fiducia) trustworthy: è una brava persona, he is a trustworthy man // è brava gente, they are nice people 3 (fam.) (rafforzativo): dopo pran-zo si fa il suo — pisolino, after lunch he always has a good nap; avrà le sue brave ragioni, he must have his reasons ♦ s.m. (sgherro) brave.

bravura s.f. 1 (abilità) cleverness, skill 2 (ardimento) bravery.

breccia¹ s.f. breach // essere sulla —, (fig.) to be on the go; far —, (fig.) to wind one's way into s.o.'s heart.

breccia² s.f. (per strade) (road) metal.

brefotrofio s.m. foundling hospital.

Breitschwanz (ted.) s.m. breitschwans, broadtail.

Bretagna no.pr.f. 1 (regione francese) Brittanny 2 Gran —, (Great) Britain.

bretella s.f. 1 (gener. pl.) braces; (amer.) suspen-ders 2 — di rullaggio, (aer.) taxiways.

bretone agg. e s.m. Breton.

breve¹ *agg.* **1** short; (*solo riferito a tempo*) brief // *in* —, in short (*o* briefly) // *tra* —, shortly (*o* soon) // *a farla* —, to cut a long story short **2** (*fonetica, prosodia*) short ♦ *s.f.* **1** short syllable **2** (*mus.*) breve.

breve² *s.f.* (*lettera papale*) papal brief.

brevemente *avv.* briefly, shortly.

brevettare *v.tr.* to patent.

brevettato *agg.* patent (*attr.*), patented (*pred.*).

brevetto *s.m.* **1** patent: *presentare domanda di* —, to file a patent // *detentore di* —, patentee // *Ufficio Brevetti*, Patent Office **2** — *di pilota*, pilot's licence.

breviario *s.m.* **1** (*eccl.*) breviary **2** (*compendio*) compendium, summary.

brevità *s.f.* brevity, shortness; (*concisione*) conciseness // *per* —..., to keep it short...

brezza *s.f.* breeze.

bricco *s.m.* pot; jug: — *del caffè*, coffee pot; — *del latte*, milk jug.

bricconata *s.f.* dirty trick.

briccone *s.m.* rascal, rogue (*anche scherz.*).

bricconeria *s.f.* roguery; (*bricconata*) dirty trick.

briciola *s.f.* crumb // *ridurre in briciole*, to tear to pieces.

briciolo *s.m.* (tiny) bit; (*fig.*) grain, ounce.

bricolla *s.f.* smuggler's bag.

bridge *s.m.* (*gioco*) bridge.

briga *s.f.* **1** trouble, care: *prendersi, darsi la* — *di fare qlco.*, to take the trouble to do sthg. **2** (*lite*) quarrel: *attaccar* — *con qlcu.*, to pick a quarrel with s.o.

brigadiere *s.m.* (*dei carabinieri, polizia, guardie di finanza*) "brigadiere" (rank corresponding to a sergeant in the army).

brigantaggio *s.m.* brigandage, highway robbery.

brigante *s.m.* **1** brigand, highwayman (*pl.* -men) **2** (*scherz.*) rogue, rascal.

brigantino *s.m.* (*mar.*) brig: — *goletta*, brigantine.

brigare *v.intr.* to intrigue.

brigata *s.f.* **1** company; party // *poca* — *vita beata*, the fewer the better **2** (*mil.*) brigade.

Brigida *no.pr.f.* Bridget, Brigid.

briglia *s.f.* bridle; *pl.* (*redini*) reins // *a* — *sciolta*, (*anche fig.*) at full gallop.

brillamento *s.m.* (*di mina*) blasting.

brillante *agg.* **1** (*scintillante*) sparkling, brilliant **2** (*di colore*) vivid, bright **3** (*fig.*) (*spec. di persona, intelligenza, idea, risultato*) brilliant; (*spec. di idea, avvenire*) bright; (*di conversazione*) sparkling // *vita* —, gay life ♦ *s.m.* diamond.

brillantina *s.f.* brilliantine.

brillantino *s.m.* (*tessuto*) lustrine.

brillare¹ *v.intr.* **1** to shine* (*anche fig.*); (*spec. di stelle*) to twinkle; (*scintillare*) to sparkle; (*di luce fredda, metallica*) to glitter; to gleam **2** (*fig.*) (*farsi notare*) to be* conspicuous (for sthg.): *brilla per la sua assenza*, he is conspicuous by his absence ♦ *v.tr. e intr.*: (*far*) — *una mina*, to fire (*o* to blast) a mine.

brillare² *v.tr.* (*riso ecc.*) to hull, to husk.

brillatura *s.f.* hulling, husking.

brillio *s.m.* twinkling; glittering; gleaming.

brillo *agg.* tipsy, slightly drunk.

brina *s.f.* (white) frost, hoarfrost, rime.

brinare *v.intr.impers.*: *questa notte è brinato molto*, there was a heavy frost last night.

brinata *s.f.* hoarfrost.

brindare *v.intr.* to toast (s.o.), to drink* a toast: — *alla salute di qlcu.*, to drink s.o.'s health; — *con qlcu.*, to touch glasses with s.o.

brindello *s.m.* tatter, rag.

brindisi *s.m.* toast: *propose un* — *al nuovo senatore*, proposed a toast to the new senator.

brio *s.m.* vivacity, liveliness, animation: *parlare con* — to talk animatedly; *essere pieno di* —, to be full of li

brioche (*franc.*) *s.f.* (*cuc.*) brioche.

briofite *s.f.pl.* (*bot.*) bryophyta.

brioso *agg.* vivacious, lively, spirited.

briscola *s.f.* (*carta*) trump // *contare come il due di* (*fig.*) to count for nothing.

Britannia *no.pr.f.* Britain.

britannico *agg.* British // *Sua Maestà Britannica*, ▮ Britannic Majesty.

britanno *agg.* Britannic ♦ *s.m.* Briton.

brivido *s.m.* shiver; (*di paura, di orrore*) shudder; (*fa* creeps (*pl.*): *mi fa venire i brividi*, it gives me the cree

brizzolato *agg.* (*di capelli*) grizzled.

brocca *s.f.* **1** jug; (*che contiene acqua per lava* ewer **2** (*contenuto*) jugful.

broccatello *s.m.* (*tessuto*) brocatel(le).

broccato *s.m.* brocade.

brocco *s.m.* **1** (*ronzino*) jade **2** (*fig.*) second-rater; *sportivo*) rabbit.

broccolo *s.m.* **1** broccoli **2** *pl.* (*cime di rapa*) tur -tops.

broda *s.f.* **1** dishwater (*anche spreg. di cibo*); hogw (*anche spreg. di cibo*) **2** (*discorso prolisso*) hogwash.

brodaglia *s.f.* (*spreg.*) dishwater, hogwash.

brodetto *s.m.* (*zuppa di pesce*) fish soup.

brodo *s.m.* broth: — *lungo*, thin broth; — *ristre* consommé (*o* jelly broth); *tagliatelle, fettuccine in* noodle soup // *tutto fa* —, it's all grist to the mill *lasciar cuocere qlcu. nel suo* —, to let s.o. stew in his c juice.

brodoso *agg.*: *minestra brodosa*, thin soup.

brogliaccio *s.m.* (*comm.*) blotter.

brogliare *v.intr.* to intrigue.

broglio *s.m.* intrigue // — *elettorale*, (*pol.*) gerrymand

bromo *s.m.* (*chim.*) bromine.

bromuro *s.m.* (*chim.*) bromide.

bronchiale *agg.* bronchial.

bronchite *s.f.* bronchitis.

broncio *s.m.* sulkiness: *avere il* —, to be sulky; *f* *tenere il* —, to sulk.

bronco *s.m.* (*anat.*) bronchus (*pl.* bronchi).

broncopolmonite *s.f.* broncho-pneumonia.

brontolare *v.intr.* **1** to grumble **2** (*del tuono, del c* *none*) to rumble ♦ *v.tr.* to mumble.

brontolio *s.m.* **1** grumbling **2** (*del tuono, del c* *none*) rumbling.

brontolone *s.m.* grumbler.

bronzeo *agg.* bronze (*attr.*).

bronzina *s.f.* (*mecc.*) friction bearing.

bronzista *s.m.* worker in bronze.

bronzo *s.m.* bronze // *faccia di* —, (*fig.*) brazen-fa person.

brossura *s.f.* paperback(binding): *edizione in* —, perback edition.

brucare *v.tr.* to nibble.

bruciacchiare *v.tr.* to singe, to scorch.

bruciapelo, a *locuz.avv.* point-blank.

bruciare *v.tr.* **1** to burn*: *ha di nuovo bruciato l'ar* *sto*, he has burnt the roast again // *bruciarsi le cerve* to blow one's brains out // — *le tappe*, to be* a ahead **2** (*inaridire*) to blight ♦ *v.intr.* **1** to burn*, be* on fire **2** (*fig.*) to burn* (with sthg.), to be* afla

ith sthg.) **3** (*per irritazione*) to smart: *mi bruciano gli
chi*, my eyes are smarting **4** (*provocare bruciore*) to
ng*: *questo disinfettante non brucia*, this disinfectant
esn't sting // **-arsi** v.rifl. to burn* oneself ♦
ntr.pron. to burn*: *si è bruciata la carne*, the meat has
rnt.

uciaticcio *s.m.* **1** burnt residue **2** (*odore*) smell of
rning **3** (*sapore*) burnt taste.

uciato *agg.* **1** burnt **2** (*inaridito*) blighted **3** (*di
ore) maroon ♦ *s.m.* (*odore di bruciato*) smell of burn-
g // *questa carne sa di —*, this meat tastes burnt.

uciatore *s.m.* burner.

uciatura *s.f.* **1** burning **2** (*scottatura*) burn.

uciore *s.m.* burning; (*irritazione*) smart (*anche fig.*)
— di stomaco, heartburn.

uco *s.m.* grub; (*di farfalla*) caterpillar.

ghiera *s.f.* heath.

ulicante *agg.* swarming, teeming.

ulicare *v.intr.* to swarm (with s.o., sthg.).

ulichio *s.m.* swarm.

ullo *agg.* bare; (*squallido*) desolate.

uma *s.f.* **1** mist **2** (*tempo brumoso*) misty weather.

umoso *agg.* misty.

una *s.f.* brunette.

unire *v.tr.* to burnish.

unitura *s.f.* burnishing.

uno *agg.* brown; (*di occhi, capelli*) dark; (*di carnagio-
*] swarthy, dusky ♦ *s.m.* **1** (*colore*) brown **2** (*uomo
no) dark-haired man **3** (*lutto*) mourning.

usco *agg.* **1** sharp, tart **2** (*fig.*) brusque, rough **3**
provviso) sudden.

uscolo *s.m.* speck.

usio *s.m.* buzz.

usire *v.intr.* to buzz.

utale *agg.* **1** brutish **2** (*violento*) brutal.

utalità *s.f.* **1** brutishness **2** (*violenza*) brutality.

uto *agg.* **1** brute **2** (*violento*) brutal ♦ *s.m.* brute.

uto *no.pr.m.* (*st.*) Brutus.

uttezza *s.f.* ugliness.

utto *agg.* **1** ugly // *me la son vista brutta!*, (*fam.*) I
ught I'd had it! // — stupido!, you idiot! // *— coil peccato*, as ugly as sin **2** (*scialbo, insignificante*)
in: un volto piuttosto —, a rather plain face **3** (*di
etto malsano) ill-looking; sick; bad: *aver brutta cera*,
look sick **4** (*cattivo*) bad: *una brutta azione*, a bad
ion; brutte notizie, bad news; *— segno*, bad sign; *—
po, bad weather; *— voto*, bad mark; *avere un —
reddore, to have a bad cold; *fare brutta figura*, to cut
ad (*o a poor*) *figure // guardar — qlcu.*, to look
grily at s.o. **5** (*biasimevole*) mean, low-down;
onveniente) unseemly: *un — tiro*, a mean trick; *è sta-
una brutta azione*, it was a mean thing to do ♦ *s.m.
iness // il — è che...*, the worst (*o unfortunate*) thing
hat... // il tempo si sta mettendo al —, the weather is
*ning nasty.

uttura *s.f.* ugliness; (*cosa brutta*) ugly thing.

uxelles *no.pr.f.* Brussels.

bbola *s.f.* **1** fib **2** (*inezia*) trifle.

bbolo *s.m.* (harness-)bell.

bbone *s.m.* bubo (*pl.* buboes).

bbonico *agg.* bubonic.

ca *s.f.* **1** pit, hole // *— delle lettere*, letterbox // *—
suggeritore, (*teatr.*) prompter's box // *— del biliar-
billiard pocket // *— del golf*, hole // *— cieca*, pit-
2 (*avvallamento*) hollow.

caneve *s.m.* (*bot.*) snowdrop.

bucaniere *s.m.* (*st.*) buccaneer.

bucare *v.tr.* **1** to hole; (*forare*) to pierce; (*un pneumatico*) to puncture **2** (*pungere*) to prick // **-arsi** v.rifl.
(*fam.*) (*drogarsi*) to shoot* up ♦ *v.intr.pron.* (*di pneumatico*) to get* punctured, to puncture.

Bucarest *no.pr.f.* Bucharest.

bucato *s.m.* **1** washing // *lenzuolo di —*, freshly laun-
dered sheet **2** (*panni messi in bucato*) laundry.

bucatura *s.f.* piercing; (*di pneumatico*) puncturing.

buccia *s.f.* **1** peel; (*pelle*) skin; (*scorza*) rind // *rivedere le bucce a qlcu.*, to pick holes in s.o.'s work **2** (*corteccia*) bark.

bucherellare *v.tr.* to riddle.

bucinare *v.tr.* to spread* a rumour.

bucintoro *s.m.* (*st.*) bucentaur.

buco *s.m.* **1** hole (*anche fig.*): *chiudere, tappare un —*,
to stop a hole; (*fig.*) to pay off a debt // *fare un —
nell'acqua*, to flog a dead horse **2** (*dell'ago*) eye **3**
(*della chiave*) keyhole **4** (*tempo libero fra un impegno e
l'altro*) gap; free hour.

bucolico *agg.* bucolic.

Budapest *no.pr.f.* Budapest.

Budda *no.pr.m.* Buddha.

buddismo *s.m.* Buddhism.

buddista *agg.* Buddhist e *f.* Buddhist.

budello *s.m.* [*pl.f.* budella, budelle, *nel significato* 1
pl.m. budelli, *nel significato* 2] **1** bowel; (*volg.*) gut **2**
(*strada stretta*) alley.

budino *s.m.* pudding.

bue *s.m.* ox (*pl.* oxen) // *carne di —*, beef // *sangue di
—*, (*colore*) dark red.

Buenos Aires *no.pr.f.* Buenos Aires.

bufalo *s.m.* buffalo // *pelle di —*, buff.

bufera *s.f.* storm // *— di vento*, gale.

buffè, buffet (*franc.*) *s.m.* **1** (*mobile*) sideboard **2** (*tavolo per rinfreschi*; *bar della stazione*) buffet.

buffetto *s.m.* fillip.

buffo[1] *agg.* **1** funny **2** (*strano*) droll; odd **3** (*teatr.*)
comic.

buffo[2] *s.m.* (*di vento*) gust; (*di fumo ecc.*) puff.

buffonata *s.f.* **1** buffoonery **2** (*pagliacciata*) joke.

buffone *s.m.* **1** buffoon, clown: *è un —!*, he is a
clown! // *— di corte*, court jester (*o fool*) **2** (*fig.*)
clown: *smettila di fare il —*, stop clowning.

buffonesco *agg.* clownish.

buganvillea *s.f.* (*bot.*) bougainvillaea.

buggerare *v.tr.* (*volg.*) to swindle, to cheat.

bugia[1] *s.f.* lie: *dire bugie*, to tell lies; *— pietosa*, white lie
// *le bugie hanno le gambe corte*, (*prov.*) truth will out.

bugia[2] *s.f.* (*candeliere*) candlestick.

bugiardo *agg.* false; (*ingannevole*) deceitful ♦ *s.m.* liar:
dare del — a qlcu., to call s.o. a liar; *è un — patentato*,
he is a born liar.

bugigattolo *s.m.* hole; (*scherz.*) den.

bugliolo *s.m.* bucket.

bugna *s.f.* (*arch.*) ashlar.

bugnato *s.m.* (*arch.*) ashlar(-work).

buio *agg.* dark ♦ *s.m.* **1** dark, darkness: *— pesto, fitto*,
pitch dark; *al —*, (*anche fig.*) in the dark // *un salto nel
—*, a leap in the dark **2** (*poker*) ante.

bulbo *s.m.* **1** bulb **2** (*dell'occhio*) eyeball.

Bulgaria *no.pr.f.* Bulgaria.

bulgaro *agg.* Bulgarian ♦ *s.m.* **1** Bulgarian **2** (*cuoio*)
Russia leather.

bulino *s.m.* burin.

bulldog *s.m.* (*cane*) bulldog.

bulletta

bulletta *s.f.* tack.

bullone *s.m.* (*mecc.*) bolt // *dado del* —, nut; *gambo del* —, body.

bulloneria *s.f.* nuts and bolts (*pl.*).

bum *onom.* boom.

bunker *s.m.* bunker.

buonanima *s.f.*: *la* — *di suo padre, suo padre* —, his father, God rest him.

buonanotte *s.f.* e *inter.* goodnight: *dare la* —, to say goodnight // *...e* —!, (*iron.*) ...and that's that!

buonasera *s.f.* e *inter.* good evening: *dare la* —, to say good evening.

Buona Speranza, Capo di *no.pr.m.* Cape of Good Hope.

buoncostume *s.m.* public morality // *squadra del* —, vice squad.

buondì *s.m.* e *inter.* hallo!

buongiorno *s.m.* e *inter.* good morning: *dare il* —, to say good morning.

buongrado, di *locuz.avv.* with pleasure, willingly.

buongustaio *s.m.* gourmet.

buono *agg.* **1** good: *un buon coltello*, a good knife; *un buon dizionario*, a good dictionary; *una buona madre*, a good mother; *sii* —!, be a good boy! // — *come il pane*, as good as gold // *un buon diavolo*, a well -meaning fellow // *un uomo* — *tre volte*, (*fam.*) a simpleton **2** (*pregevole, di buona qualità*) good; first rate (*attr.*): *è un* — *romanzo*, it's a good novel // *il salotto* —, the front room; *l'abito* —, one's best suit **3** (*gradevole; gustoso*) good; nice; lovely, delicious: *un* — *pasto*, a delicious meal; *un buon vino*, a good wine; *che buon profumo hanno questi fiori!*, what a lovely scent these flowers have! (*o* don't these flowers smell lovely?); *come è buona questa minestra!*, very good (*o* nice) soup this! **4** (*di tempo*) fine: *tempo* —, fine weather // (*abbondante*) abundant; (*grande*) large; (*lungo*) long: *una buona dose*, a good strong dose; *un buon lasso di tempo*, quite a long while; *un chilo* —, a good kilo; *un'ora buona*, a good hour: *lo aspettai un'ora buona*, I waited for him more than an hour **6** (*propizio, vantaggioso*) good, profitable, advantageous: *un buon investimento*, a good (*o* advantageous) investment; *una buona occasione*, a favourable opportunity; *una buona stella*, a lucky star // *a buon prezzo*, cheap **7** (*adatto*) good, fit, suitable: — *da mangiare*, fit to eat **8** (*valido*) good: *questo biglietto non è più* —, this ticket is no good anymore; *non è una buona scusa*, that's no excuse; *ha dei buoni motivi*, he has good reasons // *a* — *diritto*, by right **9** (*abile*) good, clever, skilful: *un buon chirurgo*, a skilful surgeon; *un buon musicista*, a fine musician; *un buono scolaro*, a clever pupil // — *a nulla*, good-for-nothing **10** (*gentile, generoso, umano*) kind, benevolent, gracious, friendly: *buone parole*, kind words; *un buon ragazzo*, a good-natured boy; *una buona signora*, a kind-hearted lady; *persona di buon cuore*, good-hearted person; *sii tanto* — *da ascoltarmi*, be so kind (*o* so good) as to listen to me **11** (*onesto, rispettabile*) good, honest, virtuous, upright: *un buon cittadino*, an honest citizen; *di buona famiglia*, of good family (*o* with a good background) // *buona società*, high society **12** (*in frasi augurali*) good, happy: *buona fortuna!*, good luck!; *buona notte!*, goodnight! *buon viaggio!*, have a pleasant journey! **13** (*fraseologia*): *buon'anima*, late lamented // *buon pro vi faccia!*, much good may it do you! // *alla buona*, informal: *una persona alla buona*, a free and easy person; *una riunione alla buona*, an informal par-

ty; *era vestito molto alla buona*, he was dressed ve plainly; *facciamo alla buona*, let's not stand on cerem ny // *con le buone*, with persuasion (*o* without c straint) // *di buon grado*, with pleasure // *di buon'o* early (in the morning) // *di buon passo*, briskly // *buona voglia*, willingly // *Dio ce la mandi buona!*, G help us! // *darsi buon tempo*, to have a good time essere di buona bocca*, to eat everything and anythin (*fig.*) to be easily pleased // *essere in buona*, to be i good mood; (*essere in buoni rapporti con qlcu.*) to be good terms with s.o. // *essere, parlare in buona fede* be, to speak in good faith // *far buon viso a catt giuoco*, to put a good face on it // *guardare qlcu. buon occhio*, to look kindly on s.o. // *menar* —, bring good luck // *tornare in buona con qlcu.*, to ma it up with s.o.

buono[1] *s.m.* **1** good: *c'è del* — *in ciò*, there is son thing in it // *buon per te!*, luckily for you! // *ci volle bello e del* — *per convincerlo!*, he took a lot of convi ing! // *è un poco di* —, he is a nasty piece of work saper di* —, to smell good **2** (*persona*) good person.

buono[2] *s.m.* **1** (*comm.*) bill; (*titolo*) bond // — consegna*, delivery order (*o* bill); *Buoni del Tesoro*, (*da a 12 mesi*) Treasury bills; (*da 1 a 5 anni*) Treasury no (*o* bonds) **2** (*tagliando*) coupon.

buonsenso *s.m.* common sense: *una persona di* — sensible person.

buontempone *s.m.* bright spark.

buonuscita *s.f.* key money.

burattinaio *s.m.* puppet showman (*pl.* -men).

burattino *s.m.* puppet (*anche fig.*).

buratto *s.m.* sieve.

burbanza *s.f.* haughtiness, arrogance.

burbanzoso *agg.* haughty, arrogant.

burbero *agg.* churlish, surly, gruff.

burchiello *s.m.* (*mar.*) wherry.

bure *s.f.* (plough)beam.

burgravio *s.m.* (*st.*) burgrave.

burla *s.f.* **1** practical joke, trick, prank: *mi fecero u bella* —, they played a trick (*o* a practical joke) on r // *per* —, for fun **2** (*inezia*) joke, trifle.

burlare *v.tr.* to play a trick (on s.o.) ♦ *v.intr.* to joke -arsi* *v.intr.pron.* to make* fun (of s.o.).

burlesco *agg.* burlesque; (*di modi, tono ecc.*) mocki ♦ *s.m.* parody.

burletta *s.f.* practical joke, prank.

burlone *s.m.* joker.

burocrate *s.m.* Civil Servant; bureaucrat (*anche spreg*

burocratico *agg.* Civil Service (*attr.*); bureaucra (*anche spreg.*); (*pedante*) red tape (*attr.*).

burocrazia *s.f.* Civil Service; bureaucracy (*an spreg.*); (*pedanteria*) red tape.

burotica *s.f.* (*informatica*) office data processing.

burrasca *s.f.* storm // *c'è aria di* — *in casa*, there's storm brewing at home // *le burrasche della vita*, t stormy periods of life.

burrascoso *agg.* stormy (*anche fig.*).

burrificio *s.m.* dairy.

burro *s.m.* butter // *uova al* —, fried eggs.

burrone *s.m.* ravine, gorge.

burroso *agg.* buttery.

bus *s.m.* (*informatica*) (*di indirizzamento*) address bu

buscare *v.tr.* to get*; (*malattia*) to catch* // *buscar buscarne*, (*fam.*) to get a beating.

busillis *s.m.*: *qui sta il* —, there's the rub.

bussa *s.f.* blow: *prender le busse*, to get a beating.

ssare v.intr. to knock // — a quattrini, (fam.) to ask money.

ssola¹ s.f. compass // perdere la —, to lose one's d.

ssola² s.f. 1 (portantina) sedan chair 2 (riparo di ta) door-screen 3 (porta girevole) revolving door.

ssolotto s.m. dice-box.

sta s.f. 1 envelope // — paga, pay packet; (la lista 'e voci) pay slip 2 (astuccio) case 3 (borsetta) velope bag.

staia s.f. corsetmaker.

starella s.f. bribe: senz'altro ha distribuito qualche surely a few palms were greased.

stino s.m. corselet.

sto s.m. 1 bust 2 (indumento femminile) girdle; ero con stecche) corset; stays (pl.).

tano s.m. (chim.) butane.

tirroso agg. (letter.) buttery.

ttafuori s.m. 1 (teatr.) callboy 2 (di locale nottur- bouncer.

buttare v.tr. 1 to throw*; (con violenza) to fling*: — sassi contro un cane, to throw stones at a dog // — via, to throw away; — via il tempo, to waste time; — (via) il proprio denaro dalla finestra, to throw one's money down the drain // — giù, to knock down; (fig.) (scredi- tare) to discredit; (scoraggiare) to discourage; (scrivere in fretta) to jot down // — qlco. in faccia a qlcu., to fling sthg. in s.o.'s face 2 (emettere) to send* sthg. out: la sua ferita butta sangue, his wound is bleeding 3 (germogliare) to bud // -arsi v.rifl. to throw* oneself: l'aquila si buttò sull'agnello, the eagle pounced on the lamb; si buttò in mare, he jumped into the sea; — (giù) dalla finestra, to jump out of the window; — col para- cadute, to parachute // — giù, (sdraiarsi) to lie down; (fig.) (avvilirsi) to get depressed: non buttarti giù, (abbat- terti) don't let it get on top of you!

butterato agg. pockmarked.

buttero¹ s.m. (Maremma) cowboy.

buttero² s.m. (med.) smallpox scar.

byte s.m. (informatica) byte.

.f. o m. c (pl. cs, c's) // — come Como, (tel.) c for arlie.

bala s.f. 1 cab(b)ala 2 (intrigo) plot, intrigue, cabal.

baletta s.f. (mus.) cabaletta.

balistico agg. cabalistic.

baret (franc.) s.m. cabaret.

bina s.f. 1 box, booth; (di ascensore) cage, car; (di 'ocarro) cab; (di funivia) cable-car; — di blocco, (ferr.) nal box (o cabin); — di proiezione, projection booth; elettorale, polling booth; — telefonica, telephone x (o telephone booth o call box); (o mar. aer.) cabin — piloti, cockpit 3 (balneare) bathing hut.

binato s.m. cabin cruiser: — a vela, sailing cruiser.

blo, cablogramma s.m. cablegram, cable: per —, by ole.

botaggio s.m. cabotage: nave di piccolo —, coaster coasting vessel.

brare v.intr. (aer.) to zoom.

brata s.f. (aer.) zoom.

briolet (franc.) s.m. 1 (aut.) convertible 2 (carroz- cabriolet.

cao s.m. 1 (albero) cacao (tree) 2 (polvere) cocoa.

care v.intr. e tr. (volg.) to crap.

casenno s.m. (volg.) wiseacre.

catoa, cacatua s.m. cockatoo.

ccia¹ s.f. shooting; shoot; (con cani e cavalli o ad ani- li feroci) hunting; hunt: — alla volpe, foxhunting; — ssa, big game hunting; divieto di —, hunting (o oting) forbidden; riserva di —, game-reserve; sta- ne di —, shooting season; hunting season; abbiamo to buona — oggi, we had a good shoot, hunt today; dare a —, to go shooting; to go hunting; (fig.) to k; dare la — a qlcu., to hunt for s.o.

ccia² s.m. 1 (aer.) fighter; — a reazione, jet fight- 2 abbr. di → **cacciatorpediniere**.

cciabombardiere s.m. fighter bomber.

cacciagione s.f. game.

cacciare v.tr. 1 to shoot*; (animali feroci o con cani e cavalli) to hunt*: — la volpe, to go foxhunting 2 (dare la caccia a una persona) to hunt (for s.o.) 3 (scacciare) to drive* out, to send* away 4 (spingere; introdurre) to thrust*: cacciarsi una mano in tasca, to thrust one's hand into one's pocket 5 (mettere) to put*, to stick*: dove ho cacciato il mio ombrello?, where did I put (o stick) my umbrella?; — il naso negli affari altrui, to poke (o to stick) one's nose into other people's business // cacciarsi in testa qlco., to get sthg. into one's head 6 (emettere) to let* out, to utter 7 (fam.) (tirar fuori) to get* (sthg.) out: caccia subito i soldi, get the money out at once // -arsi v.rifl. (andare a finire) to get* to: dove ti sei cacciato?, where did you get to? // — nei guai, (fam.) to get into hot water.

cacciasommergibili s.m. submarine warship; (ingl.) frigate; (amer.) destroyer escort, submarine killer.

cacciata s.f. (scacciata) expulsion.

cacciatore s.m. 1 (di professione) hunter, huntsman (pl. -men); (dilettante) man fond of shooting: è un abile —, he is a good shot; è un appassionato —, he is very fond of shooting // cacciatori di teste, head hunters // giacca alla cacciatora, shooting jacket // pollo alla cac- ciatora, (cuc.) chicken cacciatore 2 (mil.) rifleman (pl. -men).

cacciatorpediniere s.m. destroyer.

cacciatrice s.f. huntress.

cacciavite s.m. screwdriver.

cachemire (franc.) s.m. cashmere wool.

cachessia s.f. (med.) cachexy.

cachet (franc.) s.m. 1 (farm.) cachet 2 (gettone di presenza) appearance money; occasional payment 3 (colorante per capelli) colour-rinse.

cachi¹ s.m. 1 (albero) Japanese persimmon (tree) 2 (frutto) Japanese persimmon.

cachi[2] *agg. e s.m.* khaki.

cacio *s.m.* cheese: *una forma di —*, a (whole) cheese // *cascare come il — sui maccheroni*, (*fig.*) to come (*o* to turn up) at the right moment (*o* in the nick of time) // *essere alto come un soldo di —*, to be knee-high to a grasshopper.

cacofonia *s.f.* cacophony.

cacofonico *agg.* cacophonous.

cactus *s.m.* (*bot.*) cactus.

cadauno *agg. e pron.indef.* each.

cadavere *s.m.* corpse // *è un — ambulante*, he is a walking ghost.

cadaverico *agg.* 1 cadaverous; (*med.*) cadaveric // *rigidità cadaverica*, rigor mortis 2 (*fig.*) deadly pale, cadaverous.

cadente *agg.* 1 falling // *stella —*, shooting (*o* falling) star // *il sol —*, the setting sun // *una casa —*, a dilapidated house 2 (*decrepito*) decrepit.

cadenza *s.f.* cadence; (*ritmo*) rhythm; (*passaggio virtuosistico*) cadenza // *in —*, rhythmically // *battere la —*, to beat time.

cadenzare *v.tr.* to mark the rhythm (of sth.).

cadenzato *agg.* cadenced; (*ritmico*) rhythmical.

cadere *v.intr.* 1 to fall* (down): *— a terra*, to fall to the ground; *— dalle scale*, to tumble down the stairs; *— in mare*, (*da un'imbarcazione*) to fall overboard // *— di mano*, to slip out of one's hand // *— in piedi*, to fall on one's feet (*anche fig.*) // *mi caddero le braccia*, my spirits fell (*o* I felt disheartened) // *mi cadono i capelli*, my hair is falling out // *— addormentato*, to fall asleep // *— ammalato*, to fall ill (*o* to be taken ill) // *— a proposito*, (*venire al momento giusto*) to come in the nick of time (*o* at the right moment); (*venir comodo*) to come in handy // *— in contraddizione*, to contradict oneself // *— in errore*, to make a mistake // *— nel nulla*, to come to nothing // *far —*, to bring about the fall of: *fecero — il governo*, they brought about the fall of the Government // *— dalle nuvole*, to be flabbergasted 2 *lasciar —*, to drop, to let* drop: *lo lasciò — per terra*, he dropped it to the floor; *lasciar — un argomento*, to drop a subject // *si lasciò — sul letto*, he flopped on to the bed 3 (*morire*) to fall*, to die 4 (*ricorrere*) fall*: *Pasqua cade tardi quest'anno*, Easter falls late this year 5 (*tramontare*) to set* // *al — del sole*, at sunset // *al — del giorno*, at the close of day 6 (*di vento*) to drop 7 (*far fiasco*) to flop 8 (*di stoffe, abiti*) to hang*, to fall* 9 (*di parole, terminare*) to end.

cadetto *agg.* cadet (*attr.*) ♦ *s.m.* cadet; (*mar.*) midshipman (*pl.* -men).

Cadice *no.pr.f.* Cadiz.

cadmio *s.m.* (*chim.*) cadmium.

caducità *s.f.* 1 caducity 2 (*fig.*) transience.

caduco *agg.* 1 caducous, deciduous // *denti caduchi*, milk teeth 2 (*fig.*) transient, transitory 3 *mal —*, falling sickness.

caduta *s.f.* 1 fall (*anche fig.*) // *— delle quotazioni*, (*Borsa*) drop in market prices // *— di controllo*, (*informatica*) control break 2 (*fis.*) drop: *— di temperatura*, drop in temperature; *— di tensione*, (*elettr.*) voltage drop; *— termica*, heat drop.

caduto *s.m.*: *i caduti*, the fallen; *monumento ai caduti*, war memorial.

caffè *s.m.* 1 coffee: *— macinato*, ground coffee; *— lungo*, weak coffee; *tazza da —*, coffee cup // *color —*, coffee-coloured 2 (*locale*) café: *— della stazione*, refreshment room // *— concerto*, café-chantant.

caffeina *s.f.* caffeine.

caffe(l)latte *s.m.* milk with coffee.

caffetteria *s.f.* refreshments.

caffettiera *s.f.* 1 coffee pot 2 (*scherz.*) (*locomo*|*automobile malandata*) old crock.

cafone *s.m.* oaf, lout, boor.

cafoneria *s.f.* oafishness, loutishness, boorishness.

cagionare *v.tr.* to cause.

cagione *s.f.* (*causa*) cause; (*motivo*) reason, motiv|*— di*, owing to (*o* because of *o* on account of).

cagionevole *agg.* sickly, weak, delicate: *salute* delicate health.

cagliare *v.intr.* to curdle.

caglio *s.m.* rennet.

cagna *s.f.* 1 bitch 2 (*spreg.*) (*pessima cantante*) ca| wauler.

cagnaccio *s.m.* cur.

cagnara *s.f.* 1 furious barking 2 (*clamore*) row, roar: *far —*, to make a row.

cagnesco *agg.* doglike // *guardare qlcu. in —*, scowl at s.o.; *guardarsi in —*, to scowl at each other

cagnolino *s.m.* (*cucciolo*) puppy; (*cane piccolo*) s| dog.

caimano *s.m.* cayman.

Caino *no.pr.m.* (*Bibbia*) Cain.

Cairo, Il *no.pr.m.* Cairo.

cala[1] *s.f.* (*geogr.*) cove, creek.

cala[2] *s.f.* (*mar.*) hold.

calabrese *agg. e s.m. e f.* Calabrian.

calabrone *s.m.* hornet.

calafatare *v.tr.* (*mar.*) to caulk.

calamaio *s.m.* inkpot.

calamaro *s.m.* calamary; (*fam.*) squid.

calamita *s.f.* magnet (*anche fig.*).

calamità *s.f.* calamity.

calamitare *v.tr.* to magnetize (*anche fig.*).

calamitato *agg.* magnetic.

calamo *s.m.* 1 (*bot.*) calamus (*pl.* calami) 2 (*fuste|penna d'uccello*) quill.

calanco *s.m.* (*geol.*) calanque.

calandra[1] *s.f.* (*zool.*) 1 woodlark 2 *— del gr|* cornweevil.

calandra[2] *s.f.* (*mecc.*) calender.

calandrare *v.tr.* (*mecc.*) to calender.

calandro *s.m.* (*zool.*) pipit.

calare *v.tr.* 1 to lower; (*far scendere*) to let* down *si calò il berretto sulle orecchie*, he pulled the cap do| over his ears // *— l'ancora*, to drop anchor 2 (*net| vori a maglia*) to decrease ♦ *v.intr.* 1 to descend // *calar della notte*, at nightfall // *— su di un paese*, to| vade a country 2 (*tramontare*) to set* // *al calar| sole*, at sunset 3 (*abbassarsi*) to abate; (*di vento, ten| ratura*) to drop; (*di suono, voce*) to lower: *finalment| febbre è calata*, his temperature is down at last // *— prezzo*, to go down in price 4 (*diminuire di peso*) lose* (weight): *sono calato due chili*, I have lost ♦ kilos // **-arsi** *v.rifl.* to let* oneself down.

calata *s.f.* 1 descent 2 (*invasione*) invasion 3 (*b| china*) quay.

calato *s.m.* (*nei lavori a maglia*) decreased stitch.

calca *s.f.* crowd, throng.

calcagno *s.m.* [*pl.m.* calcagni *in senso proprio; pl.f.* cagna, *in senso fig.*] heel // *stare alle calcagna di qlcu.* follow s.o. closely; (*pedinarlo*) to shadow s.o.

calcare[1] *v.tr.* 1 to press down // *— le orme di ql| to follow in s.o.'s footsteps // *— le scene*, to tread

ge // — la mano, (esagerare) to exaggerate; (fam.) to
erdo it 2 (ricalcare) to calk.

‖care[2] s.m. (min.) limestone.

‖careo agg. calcareous.

‖ce[1] s.f. lime: — viva, quicklime; — spenta, slaked
e.

‖ce[2], in locuz.avv. at the foot (of).

‖cedonio s.m. (min.) chalcedony.

‖cestruzzo s.m. concrete.

‖ciare v.tr. e intr. to kick.

‖ciatore s.m. footballer.

‖cificare v.tr., **calcificarsi** v.intr.pron. to calcify.

‖cina s.f. slaked lime.

‖cinaccio s.m. 1 flake of plaster 2 pl. debris (sing.).

‖cinaio s.m. lime pit.

‖cinare v.tr. (chim.) to calcine.

‖cinazione s.f. (chim.) calcination.

‖cinoso agg. lime (attr.), limy.

‖cio[1] s.m. 1 kick // prendere a calci qlcu., to kick
.; dare un — a qlcu., to kick s.o.; dare un — alla for-
a, to turn one's back on fortune // (sport): — d'ini-
, kickoff; — d'angolo, corner kick; — di punizione,
e kick; — di rigore, penalty 2 (gioco del) —, foot-
ll; (fam.) soccer.

‖cio[2] s.m. (chim.) calcium.

‖cio[3] s.m. (di fucile) rifle butt.

‖cistico agg. football (attr.).

‖co s.m. 1 cast 2 (disegno riportato) tracing.

‖cografia s.f. chalcography.

‖colabile agg. calculable.

‖colare v.tr. 1 to calculate, to reckon 2 (consi-
are) to consider, to take* (sthg.) into account: — i
taggi di qlco., to consider the advantages of sthg.

‖colatore agg. calculating ♦ s.m. 1 (mecc.) calcula-
; (elettronico) computer 2 (fig.) calculating man (pl.
n).

‖colatrice s.f. calculating machine; calculator.

‖colo s.m. 1 (mat.) calculus (pl. -ses) // essere bravo
calcoli, to be good at figures 2 (fig.) calculation;
nto) account // — delle probabilità, theory of proba-
ity // fece i suoi calcoli, he weighed up the pros and
ns.

‖colo s.m. (med.) calculus (pl. calculi), stone.

‖daia s.f. boiler: — a nafta, oil-fired boiler.

‖damente avv. (fig.) warmly.

‖dana s.f. (vampa) flush.

‖darrosta s.f. roast chestnut.

‖deggiare v.tr. to support warmly.

‖deraio s.m. coppersmith.

‖derone s.m. 1 cauldron 2 (fig.) hotchpotch.

‖do agg. warm (anche fig.); (molto caldo) hot: man-
ula finché è calda, eat it up while it's hot; è troppo —,
n posso berlo, it's too hot for me to drink // a sangue
, (anche fig.) warm-blooded // testa calda, hot-head-
 person // pigliarsela calda per qlco., to put one's
art into sthg. // notizie calde calde, hot news ♦ s.m.
at // avere, fare, tenere —, to be warm (o hot) //
ere qlco. in —, to keep sthg. hot // non mi fa né —
freddo, it leaves me cold.

‖eidoscopio s.m. kaleidoscope (anche fig.).

‖endario s.m. calendar.

‖ende s.f.pl. calends // rimandare qlco. alle —
che, to put sthg. off till doomsday.

‖endola s.f. (bot.) marigold.

‖esse s.m. gig.

‖ettare v.tr. to mortise ♦ v.intr. to fit closely.

calettatura s.f. mortising.

calibrare v.tr. to calibrate, to gauge.

calibro s.m. 1 calibre // grossi calibri, (mil.) heavy
guns; (fig.) big shots 2 (strumento) callipers (pl.).

calicanto s.m. (bot.) calycanthus.

calice[1] s.m. 1 glass 2 (eccl.) chalice.

calice[2] s.m. (bot.) calyx.

califfo s.m. caliph, calif.

California no.pr.f. California.

californiano agg. e s.m. Californian.

caligine s.f. thick fog.

caliginoso agg. foggy.

calla s.f. (bot.) calla.

callifugo agg. corn-removing ♦ s.m. corn-plaster.

calligrafia s.f. 1 calligraphy 2 (scrittura) handwriting // avere una bella, brutta —, to write a good, a bad
hand.

calligrafico agg. 1 handwriting (attr.), calligraph-
ic 2 (di artista o opera d'arte) formalist.

calligrafo s.m. 1 calligraphist // perito —, handwriting expert 2 (artista, scrittore ecc.) formalist.

callista s.m. e f. chiropodist.

callo s.m. corn // pestare i calli a qlcu., (anche fig.) to
tread on s.o.'s corns // fare il — a qlco., (fig.) to become hardened to sthg.

callosità s.f. callosity.

calloso agg. callous.

calma s.f. 1 calm // perdere la —, to lose one's temper // prendersela con —, to take it easy // — e sangue
freddo!, keep cool (o don't get excited)! 2 calme equatoriali, equatorial calms (o doldrums).

calmante agg. e s.m. (farm.) sedative.

calmare v.tr. 1 to calm; (placare) to appease 2 (lenire) to relieve: — il dolore, to relieve the pain // **-arsi**
v.rifl. e intr.pron. 1 to calm down; (placarsi) to become* appeased: il mare si è calmato, the sea calmed
down // calmati!, take it easy! 2 (di vento) to
drop.

calmierare v.tr. to fix the maximum price (of sthg.).

calmiere s.m. price control; price fixing: prezzo di —,
controlled price.

calmo agg. 1 calm 2 (Borsa) quiet.

calo s.m. drop, fall: — della temperatura, dei prezzi,
drop (o fall) in temperature, in prices.

calomelano s.m. (farm.) calomel.

calore s.m. heat; (moderato) warmth (anche fig.) // con
—, warmly (o heartily) // animale in —, animal on
heat.

caloria s.f. 1 (fis.) calorie 2 (med.) large calorie.

calorico agg. (fis.) caloric.

calorifero s.m. radiator.

calorifico agg. calorific.

calorosamente avv. warmly, heartily.

caloroso agg. 1 (cordiale) warm, hearty 2 (che non
sente il freddo): è —, he does not feel the cold.

calotta s.f. 1 cap // — polare, ice cap 2 (di cappello)
crown.

calpestare v.tr. to tread* (on sthg.) (anche fig.) // è
vietato — l'erba, keep off the grass.

calpestio s.m. pitter pat.

calunnia s.f. slander, calumny.

calunniare v.tr. to slander, to calumniate.

calunniatore s.m. slanderer, calumniator.

calunnioso agg. slanderous, calumnious.

calura s.f. heat wave.

calvario s.m. (fig.) calvary.

calvinismo *s.m.* Calvinism.

calvinista *s.m.* e *f.* Calvinist ♦ *agg.* Calvinistic.

Calvino *no.pr.m.* (*st.*) Calvin.

calvizie *s.f.* baldness.

calvo *agg.* bald.

calza *s.f.* (*corta*) sock; (*lunga*) stocking: *un paio di calze di nailon*, a pair of nylons; *venditore di calze*, hosier; *ho una — smagliata*, I've got a ladder (*o amer.* a run) in my stocking // *fare la —*, to knit.

calzamaglia *s.f.* leotard; (*collant*) tights (*pl.*).

calzante *agg.* **1** well-fitting: *descrizione —*, apt description **2** (*appropriato*) relevant ♦ *s.m.* shoehorn.

calzare *v.tr.* **1** (*infilare, indossare*) to put* on; (*portare*) to wear*: *che numero* (*di scarpe*) *calzi?*, what size do you wear? **2** (*fornire di scarpe*) to shoe* ♦ *v.intr.* to fit (s.o., sthg.) (*anche fig.*): — *a pennello*, to fit perfectly; *la tua osservazione non calza affatto*, your remark is quite irrelevant.

calzascarpe, calzatoio *s.m.* shoehorn.

calzatura *s.f.* footwear; (*scarpa*) shoe.

calzaturificio *s.m.* shoe factory.

calzerotto *s.m.* woollen sock.

calzetta *s.f.* sock // *mezza —*, (*fam. spreg.*) nitwit.

calzettone *s.m.* knee sock.

calzificio *s.m.* stocking factory; sock factory.

calzino *s.m.* (ankle) sock.

calzolaio *s.m.* shoemaker.

calzoleria *s.f.* shoemaker's; (*solo per vendita*) shoe shop.

calzoncini *s.m.pl.* shorts.

calzoni *s.m.pl.* trousers; (*amer.*) pants; (*per donna*) slacks: — *alla zuava*, knickerbockers; — *corti*, shorts; (*stretti al ginocchio*) breeches.

Cam *no.pr.m.* (*Bibbia*) Ham.

camaleonte *s.m.* chameleon (*anche fig.*).

camaleontismo *s.m.* (*fig.*) fickleness.

cambiadischi *s.m.* record changer.

cambiale *s.f.* (*comm.*) bill (of exchange), promissory note: — *all'incasso*, bill for collection; — *di favore*, accomodation bill; — *su piazza*, local bill; — *a vista*, bill at sight; — *a 30 giorni*, thirty-day bill; *coda di —*, allonge (*o* rider).

cambiamento *s.m.* change; (*modifica*) alteration: — *di marea*, turn of the tide; — *di rotta*, (*mar.*) alteration of course; — *di vento*, shift of wind; *hai fatto un gran —*, you have changed very much; *avremmo bisogno di un —*, (*d'aria, di lavoro*) we need a change.

cambiare *v.tr.* **1** to change: *cambiamo discorso*, let us change the subject; — *abito*, to change (one's clothes); — *casa*, to move; — *colore*, to change colour; (*impallidire*) to turn pale; — *direzione*, to change direction; — *marcia*, (*aut.*) to change (*o* shift) gear; — *le penne*, (*di uccelli*) to moult; — *posto*, to change one's seat: — *posto con qlcu.*, to change seats with s.o.; — *strada*, to take another road; — *treno*, to change train; — *vita*, to change one's way of life **2** (*trasformare*) to change: *la vita militare l'ha cambiato*, military life changed him **3** (*denaro, valuta*) to change ♦ *v.intr.* to change: *il tempo cambia*, the weather is changing // *tanto per —*, just for a change // **-arsi** *v.rifl.* **1** (*d'abito*) to change: *non ho nulla per cambiarmi*, I have nothing to change into **2** (*trasformarsi*) to change; (*mutarsi*) to turn (into s.o., sthg.).

cambiario *agg.* (*comm.*) of exchange: *effetto —*, bill of exchange; *vaglia —*, promissory note.

cambiavalute *s.m.* moneychanger.

cambio *s.m.* **1** change; (*scambio*) exchange: — *d'abi-*

ti, change of clothes // — *della guardia*, changing the guard // *in — di*, in exchange for; (*invece di*) instead of **2** (*econ.*) exchange; (*tasso*) exchange rate, r ((of exchange): — *fisso*, fixed exchange rate; — *flessi le*, floating exchange rate; *agente di —*, stockbrok broker; *lettera di —*, bill of exchange **3** (*mecc.*) ge shift: *leva del —*, gear lever; *scatola del —*, ge box; — *automatico*, automatic gearshift.

Cambogia *no.pr.f.* Cambodia.

cambusa *s.f.* (*mar.*) storeroom.

cambusiere *s.m.* (*mar.*) storekeeper.

camelia *s.f.* camellia.

camera *s.f.* **1** (*da letto*) bedroom: (*stanza in gene room:* — *dei bambini*, nursery: — *a un letto*, sin room: — *a due letti*, double room; — *d'affitto*, rent room (*o fam.pl.* digs); — *vista mare*, room overlooki the sea; *fare una —*, to do a room // *veste da —*, dre ing gown; (*solo da donna*) housecoat // — *arder death chamber // musica da —*, chamber music // — *oscura*, dark room // — *di sicurezza*, lockup // — *bl data*, (*banca*) vault; strong room // — *a gas*, gas cha ber **2** (*mobili*) (bedroom) suite **3** *Camera*, Plam House: *Camera dei Deputati*, Chamber of Deputie (*in Gran Bretagna*) House of Commons (*o* Low House); (*negli Stati Uniti*) House of Representativ *Camera dei Pari*, House of Lords (*o* Upper Hous *Camera dei Senatori*, Senate // *Camera del Lavo* Trade Union // *Camera di Commercio*, Chamber Commerce **4** (*tecn.*): — *di* (*de*)*compressione*, (d compression chamber; — *di scoppio*, chamber; — *d ria*, inner tube.

camerata[1] *s.f.* **1** (*dormitorio*) dormitory **2** (*compag di dormitorio*) roommates (*pl.*) **3** (*circolo*) associati

camerata[2] *s.m.* (*compagno d'armi*) comrade; (*scuola*) schoolmate, schoolfellow; (*amico*) friend.

cameratesco *agg.* friendly, comradely.

cameratismo *s.m.* camaraderie.

cameriera *s.f.* (*domestica*) (house)maid; (*che serve a t vola*) (parlour)maid; (*in albergo*) chambermaid; (*al storante*) waitress; — *a ore*, charwoman; — *di bord stewardess.

cameriere *s.m.* (*domestico*) servant; (*al ristoran* waiter: *capo —*, head waiter; — *di bordo*, steward.

camerino *s.m.* **1** dressing-room **2** (*mar.*) officer cabin.

camerlengo *s.m.* (*eccl.*) camerlengo.

Camerun *no.pr.m.* (*inglese*) Cameroons; (*frances* Cameroun.

camice *s.m.* **1** smock **2** (*eccl.*) surplice.

camicetta *s.f.* blouse.

camicia *s.f.* **1** (*da uomo*) shirt; (*da donna*) blouse: - *da notte*, (*da donna*) nightgown; (*da uomo*) nightshir *in maniche di —*, in one's sleeves; *darebbe anche la per suo figlio*, he'd give the shirt off his back for his so // — *di forza*, straitjacket // *le Camicie Nere*, t Black Shirts // *le Camicie Rosse*, the Red Shirts // *nato con la —*, he was born with a silver spoon in h mouth // *ridursi in —*, to be left penniless **2** (*tecn* jacket.

camiciaia *s.f.*, **camiciaio** *s.m.* shirtmaker.

camicino *s.m.* baby's vest.

camiciola *s.f.* **1** (*maglia*) vest; (*amer.*) undershirt (*camicia*) shirt.

camiciotto *s.m.* sports shirt.

camino *s.m.* **1** (*focolare*) fireplace: *gola del —*, flue chimney); *mensola del —*, mantelpiece **2** (*comignol*

...iniera) chimney; (*alto, di terracotta*) chimney pot: ...ppo di camini, chimney stack **3** (*alpinismo*) chimney.

...mion *s.m.* lorry; (*spec. amer.*) truck.

...miona(bi)le *agg.* heavy-traffic (*attr.*).

...mioncino *s.m.* van.

...mionetta *s.f.* jeep®.

...mionista *s.m.* lorry driver; (*spec. amer.*) truck driver.

...mitico *agg.* Hamitic.

...mma *s.f.* (*mecc.*) cam.

...mmelliere *s.m.* camel driver.

...mmello *s.m.* camel // (*pelo di*) —, camelhair.

...mmeo *s.m.* cameo.

...mminamento *s.m.* communication trench.

...mminare *v.intr.* **1** to walk; (*marciare*) to march: ...n può ancora —, he can't walk yet; *avanti, cammina!*, ...on!; *non — sul tappeto!*, don't tread on the carpet!; ...con passi pesanti, to tramp; — *in punta di piedi*, to ...toe // *cammina, cammina...*, after going a long ...y... // — *a quattro zampe*, to go on all fours // — ...itto, (*fig.*) to live uprightly **2** (*tecn.*) to go*, to run*, ...work* **3** (*fig.*) (*procedere*) to proceed.

...mminata *s.f.* **1** (*passeggiata*) walk, stroll: *andiamo* ...*are una* —, let us go for a walk **2** (*andatura*) walk, ...t.

...mminatore *s.m.* walker.

...mmino *s.m.* **1** way: *cammin facendo*, on the way; ...*sere in — verso un luogo*, to be on the way to a place; ...*re molto* —, to go a long way; (*fig.*) to be very suc-...ssful; *mettersi in* —, to set out; *ci sono dieci minuti di* ...*da qui*, it is ten minutes' walk from here **2** (*via*) ...y; (*sentiero*) path; (*strada*) road // *lasciare il retto* — ...g.) to go astray **3** (*informatica*) (*in uno schema a* ...cchi*) path.

...momilla *s.f.* (*bot.*) camomile; (*infuso*) camomile tea.

...morra *s.f.* Camorra.

...morrista *s.m.* Camorrist.

...mosciare *v.tr.* to shamoy, to chamois.

...moscio *s.m.* chamois; (*pelle*) chamois leather; ...m.) shammy.

...mpagna *s.f.* **1** country; (*paesaggio*) countryside: ...dare, vivere in —, to go (in)to, to live in the coun-... **2** (*terra coltivata*) land **3** (*mil.*) campaign **4** (*vil-...giatura*) holidays (*pl.*): *torneranno domani dalla* —, ...y're coming back from their holiday tomorrow; *an-...re in* —, to go on holiday **5** (*propaganda*) cam-...ign: — *giornalistica*, press campaign; — *pro-...zionale*, promotional campaign; — *pubblicitaria*, ad-...rtising campaign; — *di vendita*, sales drive, sales ...mpaign.

...mpagnolo *agg.* country (*attr.*); (*rustico*) rustic ♦ *s.m.* ...untryman (*pl.* -men); peasant.

...mpale *agg.* (*mil.*) field (*attr.*): *battaglia* —, pitched ...ttle // *una giornata* —, a strenuous day (*o* a field day).

...mpana *s.f.* **1** bell: *suonare le campane a martello*, to ...und (*o* to ring) the alarm bell; *suonare la — a morto*, ...knell (*o* to toll) // *a* —, bell-shaped // *sentir tutte e* ...e le campane, to hear both parties (*o* sides) // *tenere* ...cu. sotto una — di vetro, to keep s.o. in cotton wool **2** ...aso di vetro) bell jar.

...mpanaccio *s.m.* cow bell.

...mpanario *agg.* bell (*attr.*): *torre campanaria*, bell ...wer; *cella campanaria*, belfry.

...mpanaro *s.m.* bellringer.

...mpanello *s.m.* handbell; (*della porta*) doorbell: — ...allarme, alarm-bell; — elettrico, electric bell.

...mpanile *s.m.* bell tower.

campanilismo *s.m.* localism.

campanula *s.f.* (*bot.*) campanula; (*pop.*) bellflower.

campare *v.intr.* to live: — *alla giornata*, to live from hand to mouth; *campa alla meno peggio*, he gets by // — *d'aria*, to live on air // *campa cavallo che l'erba cresce*, (*prov.*) while the grass grows...

campata *s.f.* (*arch.*) span.

campato *agg.*: — *in aria*, groundless (*o* unfounded).

campeggiare *v.intr.* **1** to camp; (*mil.*) to encamp **2** (*risaltare*) to stand* out.

campeggiatore *s.m.* camper.

campeggio *s.m.* **1** (*accampamento*) camp **2** (*terreno*) camping ground.

campestre *agg.* rural; country (*attr.*) // *corsa* —, (*sport*) cross-country (race).

Campidoglio, il *s.m.* the Capitol.

campionare *v.tr.* to sample.

campionario *s.m.* set of samples; (*di stoffe*) samples -book ♦ *agg.* sample (*attr.*).

campionato *s.m.* championship.

campionatura *s.f.* sampling.

campione *s.m.* **1** (*comm.*) sample; (*di tessuti*) pattern: *conforme al* —, up to sample; *spedire come — senza valore*, to send by sample-post **2** (*sport*) champion: — *in erba*, budding champion **3** (*difensore*) champion.

campionessa *s.f.* championess.

campire *v.tr.* (*pitt.*) to prime.

campo *s.m.* **1** field (*anche fig.*): — *di grano*, corn -field **2** (*fis.*) field: — *visivo*, field of vision // — *angolare*, angle of view // — *d'onda*, (*rad.*) wave band **3** (*cinem.*) — *lungo, medio*, long, medium shot; *fuori* —, off screen **4** (*mil.*) field: — *di battaglia*, battlefield; — *minato*, mine field; *morì sul* —, he died in battle (*o* in action), *fu decorato sul* —, he was decorated on the battlefield; *scendere in* —, to come into action // *in — aperto*, in the open // *mettere, portare in* —, (*fig.*) to bring up for discussion **5** (*accampamento*) camp: *lettino da* —, camp bed; *mettere il* —, to pitch camp; *levare il* —, to strike camp // — *profughi*, refugee camp // — *di concentramento*, concentration camp // — *di sterminio*, extermination camp. **6** (*aer.*) airfield // — *d'atterraggio*, landing ground; — *di fortuna*, emergency landing ground **7** (*sport*) field; ground; course; (*area di gioco*) pitch: — *di corse*, (*ippodromo*) race course; — *di gioco*, playground; — *di golf*, golf course; — *sportivo*, sports ground; — *di tennis*, tennis court; *scendere in* —, (*di giocatori ecc.*) to come onto the field **8** (*informatica*) field: — *di controllo*, control field; — *di dati*, data field; — *indirizzo*, address part; — *di stampa*, printing field; — *di variabilità*, range **9** (*arald.*) field **10** (*pitt.*) background.

camposanto *s.m.* cemetery; (*presso la chiesa*) churchyard.

camuffamento *s.m.* disguise.

camuffare *v.tr.* to disguise // **-arsi** *v. rifl.* to disguise oneself.

camuso *agg.* snub // *dal naso* —, snub-nosed.

Canada *no.pr.m.* Canada.

canadese *agg.* e *s.m.* e *f.* **1** Canadian **2** (*tenda da campeggio*) canadienne (*s.*); canadienne-type (*agg.*).

canaglia *s.f.* **1** scoundrel, rascal **2** (*marmaglia*) rabble, riffraff.

canagliata *s.f.* dirty trick.

canagliesco *agg.* rascally, scoundrelly.

canale *s.m.* **1** canal: — *navigabile*, ship canal **2** (*braccio di mare*) channel: *il Canale della Manica*, the

(English) Channel **3** (*idraulica*) race; (*di gronda*) gutter; (*di scolo*) drain; (*per fognatura*) sewer **4** (*tv*) channel **5** (*anat.*) duct **6** (*informatica*) bus; channel; trunk; — *di entrata, uscita*, input, output channel (*o* trunk); — *di interfaccia*, interface channel (*o* trunk); — *multiplatore*, multiplexor; — *rapido*, (*tel.*), high-speed channel **7** (*fig.*) channel: *canali di distribuzione*, distribution channels.

canalizzare *v.tr.* to canalize.

canalone *s.m.* gully; ravine.

canapa *s.f.* hemp: *tela di* —, hempen cloth.

canapè *s.m.* **1** settee, sofa **2** (*cuc.*) canapé.

canapificio *s.m.* hemp mill.

canapino *s.m.* (*zool.*) warbler.

canapo *s.m.* hempen rope.

Canarie, le *no.pr.f.pl.* the Canary Islands.

canarino *s.m.* canary // *giallo* —, canary.

canasta *s.f.* canasta.

cancan[1] (*franc.*) *s.m.* can-can.

cancan[2] *s.m.* (*baccano*) row, racket: *fare un — del diavolo*, to kick up a row.

cancellare *v.tr.* **1** to erase; (*depennare*) to cross out; (*con una gomma*) to rub out; (*con uno strofinaccio*) to wipe out // — *dall'albo*, to strike off the rolls // — *lo schermo*, (*informatica*) to clear **2** (*fig.*) to wipe out, to sponge out: *un ricordo dalla propria mente*, to wipe a memory out of one's mind **3** (*comm. dir.*) to cancel; to write off // **-arsi** *v.intr.pron.* to fade.

cancellata *s.f.* railing.

cancellatura *s.f.* erasure.

cancellazione *s.f.* cancellation // — *di campo*, (*informatica*) field erasing.

cancelleria *s.f.* **1** (*ufficio di cancelliere*) chancellery **2** (*di tribunale*) record office **3** (*articoli di*) —, stationery (articles).

cancellierato *s.m.* chancellorship.

cancelliere *s.m.* **1** chancellor // *Cancelliere dello Scacchiere*, Chancellor of the Exchequer; *Gran Cancelliere*, Lord Chancellor **2** (*di tribunale*) registrar.

cancellino *s.m.* eraser.

cancello *s.m.* gate.

cancerizzarsi *v.intr.pron.* (*med.*) to cancerate.

cancerogeno *agg.* (*med.*) carcinogenic.

cancerologo *s.m.* cancerologist, cancer specialist.

canceroso *agg.* cancerous ♦ *s.m.* cancer patient.

canchero *s.m.* (*pop.*) **1** cancer **2** (*fig.*) (*persona molesta*) bore.

cancrena *s.f.* gangrene: *andare in* —, to gangrene.

cancrenoso *agg.* gangrenous.

cancro *s.m.* (*med.*) cancer; (*agr.*) canker.

Cancro *s.m.* (*astr.*) Cancer.

candeggiante *s.m.* bleaching agent.

candeggiare *v.tr.* to bleach.

candeggina® *s.f.* bleach®.

candeggio *s.m.* bleaching.

candela *s.f.* **1** candle; (*sottile*) taper // *il gioco non vale la* —, the game is not worth the candle // *puoi accendere una — alla Madonna!*, (*fam.*) you can thank your lucky stars! // *precipitare in* —, (*aer.*) to nosedive **2** (*elettr.*) candle: *quante candele ha questa lampada?*, what is the candlepower of this lamp? **3** (*aut.*) (sparking) plug; (*amer.*) (spark) plug: *le candele sono sporche*, the plugs are dirty.

candelabro *s.m.* branched candlestick.

candeliere *s.m.* **1** candlestick **2** (*mar.*) stanchion.

candelora *s.f.* (*eccl.*) Candlemas.

candelotto *s.m.* **1** short thick candle **2** (*di ghiaccio*) icicle **3** — *fumogeno*, smokebomb.

candidato *s.m.* candidate; (*chi fa domanda, aspirante*) applicant.

candidatura *s.f.* candidature.

candido *agg.* **1** (snow-)white (*attr.*) **2** (*fig.*) candid.

candire *v.tr.* to candy.

candito *agg.* candied // (*frutti*) *canditi*, candied fruit.

candore *s.m.* **1** whiteness **2** (*innocenza*) innocence **3** (*franchezza*) candour **4** (*ingenuità*) ingenuousness.

cane *s.m.* **1** dog: — *bastardo*, mongrel; — *da caccia*, hunting dog; (*per caccia a cavallo*) hound; — *da guardia, da pagliaio*, watchdog; — *da punta*, pointer; — *da riporto*, retriever; — *da slitta*, husky; — *poliziotto*, police dog; *una muta di cani*, (*da caccia*) a pack of hounds // *tempo da cani*, grotty weather // *fui accolto come un — in chiesa*, I could not have been less welcome // *ho fatto una fatica da cani ad alzarmi*, it was a real effort to get up // *non trovai un* —, I could not find a soul // *essere solo come un* —, to be alone and unloved // *morire come un* —, to die a dog's death // *essere come — e gatto*, to be like cat and dog // *canta da cani*, his singing is grotty // *menare il can per l'aia*, to beat about the bush // — *non mangia* —, (*prov.*) dog does not eat dog (*o* there is honour among thieves) // *non svegliare il can che dorme*, (*prov.*) let sleeping dogs lie **2** (*del fucile*) cock.

canea *s.m.* **1** (*muta*) pack of hounds **2** (*l'abbaiare della muta*) baying (*anche fig.*).

canestraio *s.m.* (*fabbricante*) basket-maker; (*venditore*) basket-seller.

canestro *s.m.* **1** basket; (*con coperchio*) hamper **2** (*il contenuto*) basketful.

canfora *s.f.* camphor.

canforato *agg.* camphoric; (*trattato con canfora*) camphorated: *olio* —, (*farm.*) camphorated oil.

cangiante *agg.*: *colore* —, iridescent colour; *seta* —, shot silk.

canguro *s.m.* kangaroo.

canicola *s.f.* heat wave, scorching heat: *i giorni della* —, the dog days.

canicolare *agg.* canicular.

canile *s.m.* (dog-)kennel.

canino *agg.* canine: *dente* —, canine tooth // *tosse canina*, (w)hooping cough.

canizie *s.f.* hoariness (*anche fig.*); (*capelli bianchi*) white hair.

canna *s.f.* **1** (*selvatica*) reed; (*coltivata*) cane: — *d'India*, rattan, bamboo cane // — *da pesca* (fishing) rod // *povero in* —, as poor as a church mouse **2** (*di fucile*) barrel **3** (*tubo*) pipe **4** (*bastone*) (Malacca-) cane.

cannella[1] *s.f.* spout.

cannella[2] *s.f.* (*bot. cuc.*) cinnamon.

cannello *s.m.* **1** (*per saldatura*) welding torch: — *fer ruminatorio*, blowpipe **2** (*di penna*) penholder.

canneto *s.m.* reed thicket.

cannibale *s.m.* cannibal.

cannibalesco *agg.* cannibalistic.

cannibalismo *s.m.* cannibalism.

cannocchiale *s.m.* telescope.

cannolicchio *s.m.* (*zool.*) solen.

cannonata *s.f.* gunshot // *che* —!, (*fam.*) what a hit!; *una* —!, (*fam.*) it's a smasher! (*o* it's smashing!).

cannone *s.m.* **1** (*mil.*) gun, cannon // *è un — in matematica*, he is a genius at maths; *sei un* —!, you're ter

...c! **2** (*piega di abito*) pleat: *sottana a cannoni*, box eated skirt.

￼nnoneggiamento *s.m.* shelling.

￼nnoneggiare *v.tr.* to shell.

￼nnoniera *s.f.* (*mar.*) **1** gunboat **2** (*apertura per il ￼nnone*) gunport.

￼nnoniere *s.m.* **1** (*mil.*) gunner **2** (*calcio*) (goal) ￼ooter.

￼nnuccia *s.f.* **1** (*per bibite*) straw **2** (*di pipa*) ￼em **3** (*di penna*) penholder.

￼noa *s.f.* canoe: *andare in —*, to canoe.

￼nocchia *s.f.* (*zool.*) squill.

￼none *s.m.* **1** canon **2** (*somma da pagare*) fee; ￼'*affitto*) rent: *— di abbonamento alla radio*, radio ￼cence fee.

￼nonica *s.f.* rectory; parsonage.

￼nonicato *s.m.* canonry.

￼nonico *agg.* canonical: *ore canoniche*, (*eccl.*) canoni- ￼l hours // *diritto —*, canon law ♦ *s.m.* canon.

￼nonista *s.m.* canonist.

￼nonizzare *v.tr.* to canonize.

￼nonizzazione *s.f.* canonization.

￼nopo *s.m.* (*archeol.*) Canopic jar.

￼noro *agg.* melodious // *uccelli canori*, songbirds.

￼nottaggio *s.m.* rowing.

￼nottiera *s.f.* (*maglietta*) vest, singlet.

￼nottiere *s.m.* oarsman (*pl.* -men), rower // *circolo ￼nottieri*, boating club.

￼notto *s.m.* **1** rowing boat, rowboat **2** (*di sal-￼taggio*) lifeboat.

￼novaccio *s.m.* **1** (*per stoviglie*) dishcloth **2** (*per ri-￼mo*) canvas **3** (*trama di un'opera*) plot.

￼ntabile *agg.* **1** singable **2** (*mus.*) cantabile.

￼ntante *s.m. e f.* singer.

￼ntare *v.intr.* **1** to sing*: *— a orecchio*, to sing by ￼r: *— a squarciagola*, to sing at the top of one's voice; ￼nta da tenore*, he sings tenor // *canta che ti passa*, ￼eer up, you'll get over it **2** (*del gallo*) to crow*; (*della ￼llina*) to cackle; (*degli uccelli in genere*) to sing*: (*cin-￼tare*) to chirp **3** (*fam.*) (*fare la spia*) to squeal // *￼r — qlcu.*, to make s.o. talk ♦ *v.tr.* to sing*: *— una ￼nzone a bocca chiusa*, to hum a song // *— vittoria su ￼lcu.*, to crow over s.o.; *non cantar vittoria!*, don't count ￼ur chickens before they are hatched! // *cantarla ￼iara*, to speak one's mind.

￼ntaride *s.f.* (*zool.*) cantharis (*pl.* -rides).

￼ntastorie *s.m.* ballad singer.

￼ntata *s.f.* **1** singsong **2** (*mus.*) cantata.

￼ntautore *s.m.* singer-composer.

￼nterano *s.m.* chest of drawers.

￼nterellare *v.tr. e intr.* to sing* softly; (*a bocca chiusa*) ￼o hum.

￼nterino *agg.* singing, warbling.

￼nticchiare *v.tr. e intr.* to sing* to oneself; (*a bocca ￼iusa*) to hum.

￼ntico *s.m.* hymn; (*Bibbia*) canticle, song.

￼ntiere *s.m.* yard; (*mar.*) dockyard, shipyard; (*di mi-￼era*) stope // *in —*, on the stocks.

￼ntilena *s.f.* singsong.

￼ntina *s.f.* **1** cellar // *avere una — ben fornita*, to ￼eep a good cellar // *— sociale*, wine-makers coopera-￼ve store **2** (*rivendita di vino*) wineshop **3** (*luogo buio ￼umido*) dark, damp place.

￼ntiniere *s.m.* cellarer.

￼nto[1] *s.m.* **1** singing; (*di cicala, grillo*) chirping; (*del ￼llo*) cockcrow // *— del cigno*, (*fig.*) swansong **2**

(*mus.*) canto; (*canzone*) song // *— di Natale*, Christ-mas carol // *— fermo, gregoriano*, Gregorian chant; *maestro di —*, singing-master **3** (*poesia*) poem, lyr-ic **4** (*parte di un poema*) canto.

canto[2] *s.m.* **1** (*angolo*) corner **2** (*parte*) side, part // *d'altro —*, on the other hand // *mettere da —*, (*anche fig.*) to put (*o* to set) aside.

cantonale[1] *agg.* cantonal.

cantonale[2] *s.m.* corner cupboard.

cantonata *s.f.* **1** corner, street-corner **2** (*fig.*) blun-der: *prendere una —*, to make a blunder.

cantone[1] *s.m.* corner // *giocare ai quattro cantoni*, to play puss-in-the-corner.

cantone[2] *s.m.* (*geogr.*) canton.

cantoniera *agg. e s.f.*: (*casa*) —, roadman's house.

cantoniere *s.m.* roadman (*pl.* -men); (*ferr.*) signalman (*pl.* -men).

cantore *s.m.* (*eccl.*) chorister.

cantoria *s.f.* choir.

cantuccio *s.m.* **1** (*luogo appartato*) nook **2** (*di pane, cacio*) bit.

canuto *agg.* white(-haired), hoary.

canzonare *v.tr.* to make* fun (of s.o., sthg.), to ridi-cule, to mock.

canzonatorio *agg.* mocking.

canzonatura *s.f.* mockery.

canzone *s.f.* **1** song // *è l'eterna —*, (*fig.*) it is the same old story **2** (*componimento poetico*) canzone (*pl.* canzoni).

canzonetta *s.f.* **1** pop song **2** (*poesia*) ditty.

canzonettista *s.m. e f.* music-hall singer; (*autore*) song-writer.

canzoniere *s.m.* **1** (*lett.*) collection of poems **2** (*rac-colta di canzoni*) songbook.

caolino *s.m.* (*min.*) kaolin.

caos *s.m.* chaos.

caotico *agg.* chaotic.

capace *agg.* **1** able: *non fui assolutamente — di farlo*, I wasn't able to do it at all; *non si sentiva — di affronta-re la situazione*, he did not feel up to facing the situa-tion // *è — di piovere*, it may (*o* might) rain // *sarebbe capacissimo di imbrogliarmi*, he would be quite capable of cheating me **2** (*esperto*) capable, clever; skilful **3** (*spazioso*) large, wide, capacious.

capacità *s.f.* **1** (*abilità*) ability, capability; (*perizia*) skill: *capacità manageriali*, management qualities; *uo-mo di grande —*, very able man; *avere la — di fare qlco.*, to be able to do sthg. **2** (*dir.*) (legal) capacity, (legal) competency **3** (*capienza, potenzialità*) capacity: *una — di duemila posti*, a seating capacity of two thousand; *— di produzione*, manufacturing capacity // *— del di-sco*, (*informatica*) disk capacity; *— di memoria*, storage capacity (*o* memory size); *— di trattamento*, through-put **4** (*fis.*) capacity.

capacitare *v.tr.* to persuade, to convince // *-arsi v.rifl.* to be* persuaded: *non riesco a capacitarmi di come ciò sia potuto accadere*, I cannot make out how it could have happened.

capanna *s.f.* hut; (*tugurio*) hovel.

capannello *s.m.* group of people; small crowd.

capanno *s.m.* **1** (*da caccia*) shooting box **2** (*per ba-gnanti*) bathing hut.

capannone *s.m.* **1** shed **2** (*aer.*) hangar.

caparbietà *s.f.* stubbornness, obstinacy.

caparbio *agg.* stubborn, obstinate.

caparra *s.f.* deposit: *come —*, as a deposit.

capata, **capatina** *s.f.* call, brief visit: *fare una — da qlcu.*, to drop in on s.o.; *fa' una — dal tabaccaio*, slip over to the tobacconist's; *fare una — in una città*, to make a flying visit to a town.

capeggiare *v.tr.* to lead*, to head.

capello *s.m.* hair; (*capigliatura*) hair (*solo sing.*): *capelli lisci, ondulati, ricciuti*, smooth, wavy, curly hair; *taglio di capelli*, haircut; *farsi tagliare i capelli*, to get a haircut; *raccogliersi, sciogliersi i capelli*, to put up, to let down one's hair; *rigeneratore dei capelli*, hair-restorer // *fino ai capelli*, up to one's eyes // *ne ho fin sopra i capelli!*, I have had quite enough of it! // *non ti torcerò un —*, I won't hurt a hair of your head // *capelli d'angelo*, (*cuc.*) fine vermicelli.

capellone *s.m.* long-haired youth.

capelluto *agg.* hairy, hirsute // *cuoio —*, scalp.

capelvenere *s.m.* (*bot.*) maidenhair.

capestro *s.m.* halter, rope // *mandare qlcu. al —*, to condemn s.o. to be hanged.

capezzale *s.m.* bolster // *al — di qlcu.*, at s.o.'s bedside.

capezzolo *s.m.* nipple, teat; (*di animale*) dug.

capienza *s.f.* capacity.

capigliatura *s.f.* hair (*solo sing.*).

capillare *agg.* e *s.m.* capillary.

capillarità *s.f.* (*fis.*) capillarity.

capinera *s.f.* blackcap.

capire *v.tr.* to understand*; (*rendersi conto di*) to realize: *è una regola difficile da —*, it is a rule that is hard to understand; *finalmente ha capito che non mi è simpatico*, at last he has realised that I don't like him // *non riesco a — di che si tratti*, I cannot make out what it is // *farsi —*, to make oneself understood.

capitale *agg.* **1** capital: *pena —*, capital punishment **2** (*principale*) main (*attr.*); chief (*attr.*); essential; fundamental // *di — importanza*, of major importance **3** *lettera —*, (*tip.*) capital letter.

capitale *s.m.* (*comm.*) capital: *— a fondo perduto*, sunk capital; *— azionario*, equity; (*amer.*) capital stock; *— d'esercizio*, current assets; *— e interessi*, principal and interest; *— fisso*, fixed capital; *— immobile*, real estate (*o reality*); *— mobile*, movable goods; *capitali in fuga*, flight capital; *— sociale*, share capital; (*amer.*) capital stock; *— versato*, paid-up capital.

capitale *s.f.* capital, capital city.

capitalismo *s.m.* capitalism.

capitalista *s.m.* e *f.* capitalist.

capitalistico *agg.* capitalist, capitalistic.

capitalizzare *v.tr.* to capitalize.

capitanare *v.tr.* to lead* // *— una squadra di calcio*, to captain a football team.

capitaneria *s.f.*: *— (di porto)*, harbour office.

capitano *s.m.* captain; (*aer. mil.*) flight lieutenant; (*capo, guida*) leader: *— di lungo corso*, sea captain; *— di porto*, harbour master; *— di vascello*, captain; *— in seconda*, mate // *— di ventura*, condottiere // *— d'industria*, captain of industry.

capitare *v.intr.* **1** (*giungere*) to come* (to a place); to arrive (at a place); (*fam.*) to turn up (at a place); *capitarono qui mentre meno li aspettavamo*, they came (*o arrived o turned up*) here when we least expected them // *— bene*, (*essere fortunato*) to be lucky; *— male*, (*essere sfortunato*) to be unlucky // *mi è capitato tra le mani*, I came across it // *gli è capitato un buon affare*, he came across a bargain // *se mi capita l'occasione...*, if I get the chance... **2** (*accadere*) to happen: *ecco quanto m'era capitato!*, here is what had happened to me!; *gli*

capitò una nuova disgrazia, a new misfortune befell (happened to him **3** (*impers.*) to happen, to chance capita spesso che io sia assente*, I often happen (chance) to be away; *mi capitò di rivederli alle corse*, happened (*o I chanced*) to see them again at the race // *dove capita*, anywhere // *come capita*, as it comes (*a chi capita, capita*, it's the luck of the draw.

capitello *s.m.* **1** capital **2** (*di libro*) head band.

capitolare *v.intr.* to capitulate.

capitolato *s.m.* contract.

capitolazione *s.f.* capitulation.

capitolino *agg.* capitoline.

capitolo *s.m.* **1** chapter **2** (*articolo di una con venzione*) article; (*di bilancio*) item **3** (*eccl.*) chapter / (*non*) *avere voce in —*, (not) to have a say in a matter.

capitombolare *v.intr.* to tumble down.

capitombolo *s.m.* headlong fall: *fare un — dalle scal* to tumble down the stairs.

capitone *s.m.* (*zool.*) large eel.

capo *s.m.* **1** head: *a — scoperto*, bare-headed; *da — piedi*, from head to foot; *mal di —*, headache; *chinare —*, to bow one's head; (*fig.*) to bow // *una buona lava ta di —*, a thorough dressing-down (*o telling off*) // *senza — né coda*, without rhyme or reason // *tra — collo*, unexpectedly **2** (*estremità*) head; end: *a — d letto*, at the head of the bed; *da un — all'altro*, from on end to the other // *in — a un mese*, within a month // *a —*, (*dettando*) new line (*o* new paragraph); *andare —*, to begin a new paragraph // *da —*, over again (from the beginning) // *andare in — al mondo*, to go to the end of the world // *finalmente ne sono venuto a — I got to the end of it at last!; *non viene mai a — di nient te*, he never concludes anything // *far — a*, (*fig.*) to (*pendere*) to be under; (*far riferimento*) to refer (to) // (*chi presiede*) head; leader: *— di azienda*, head of concern; *— di un partito*, leader of a party // *— conta bile*, chief accountant // *— reparto*, departmental hea // *—settore*, superintendent **4** (*geogr.*) cape **5** (*di be stiame*) animal; (*pl.*) heads **6** (*di vestiario*) article **7** (*a relazione ecc.*) item // *— d'accusa*, (*dir.*) charge // *— primo*, first of all // *per sommi capi*, in short: *una rela zione per sommi capi*, a summary account.

capobanda *s.m.* **1** (*di corpo bandistico*) band master **2** (*di banda criminale*) ringleader (of a gang).

capoc *s.m.* kapok.

capoccia *s.f.* head.

capoccia *s.m.* **1** (*capo di una famiglia contadina*) hea of a peasant household **2** (*fam.*) leader **3** (*sorveglian te di lavoratori*) works superintendent, overseer.

capoccione *s.m.* **1** (*region.*) (*testardo*) stubborn, pi -headed **2** (*fam.*) (*cervellone*) whiz kid; egghead (*fam.*) (*persona importante*) bigwig, big shot.

capoclasse *s.m.* e *f.* class prefect.

capocomico *s.m.* manager.

capocordata *s.m.* first man on the rope.

capocronista *s.m.* e *f.* city editor.

capocuoco *s.m.* head cook, chef.

capodanno, **capo d'anno** *s.m.* New Year's Day.

capodoglio *s.m.* (*zool.*) sperm whale.

capofamiglia *s.m.* e *f.* head of the family.

capofila *s.m.* e *f.* leader (*anche fig.*).

capofitto, *a locuz.avv.* head first; headlong (*anche fig.* *buttarsi a — in qlco.*, (*anche fig.*) to throw (*o* to fling oneself into sthg.

capogiro *s.m.* (fit of) dizziness, (fit of) giddiness: *un altezza che fa venire il —*, a dizzy height; *avere il —*, t xel dizzy; *far venire il — a qlcu.*, to make s.o. dizzy.

capolavoro *s.m.* masterpiece.

capolinea *s.m.* terminus.

capolino *s.m.* **1** *far —*, to peep in; (*dall'interno*) to peep out **2** (*bot.*) capitulum, head.

capolista *s.m.* head of a list.

capoluogo *s.m.* main town (of province, district).

capomastro *s.m.* foreman (*pl.* -men).

caponaggine *s.f.* stubbornness, obstinacy.

capone *s.m.* (*zool.*) gurnard.

capopezzo *s.m.* (*mil.*) (chief) gunner.

capoposto *s.m.* guard commander.

caporale *s.m.* **1** corporal **2** (*fig.*) sergeant major.

caporalesco *agg.* corporal's (*attr.*); (*fig.*) sergeant major's (*attr.*): *atteggiamento —*, sergeant major's attitude.

caporedattore *s.m.* editor-in-chief, chief editor.

caporeparto *s.m.* (*di fabbrica*) foreman (*pl.* -men); (*di grande magazzino*) manager ♦ *s.f.* forewoman (*pl.* women).

caporione *s.m.* ringleader.

caposala *s.m.* (*di fabbrica*) foreman (*pl.* -men); (*di albergo*) head-waiter ♦ *s.f.* (*di fabbrica*) forewoman (*pl.* women); (*di ospedale*) sister.

caposaldo *s.m.* **1** (*topografia*) datum (*pl.* -ta) **2** (*mil.*) stronghold **3** (*fig.*) basis (*pl.* bases).

caposcuola *s.m.* leader.

caposquadra *s.m.* **1** (*di operai*) foreman (*pl.* -men), chargehand **2** (*mil.*) squad-leader **3** (*sport*) team captain.

capostazione *s.m.* station master.

capostipite *s.m.* founder (of a family).

capotare *v.intr.* to overturn.

capotasto *s.m.* (*mus.*) nut.

capotavola *s.m.* head of the table.

capote (*franc.*) *s.f.* hood, top.

capotreno *s.m.* (ticket) inspector.

capoufficio *s.m.* manager; (*fam.*) boss.

capoverso *s.m.* **1** beginning of a paragraph **2** (*paragrafo*) paragraph.

capovolgere *v.tr.*, **capovolgersi** *v.rifl.* **1** to overturn, to turn upside down; (*spec. riferito a barca*) to capsize **2** (*fig.*) to reverse: *— una situazione*, to reverse a situation.

capovolgimento *s.m.* **1** overturning; (*spec. di barca*) capsizing **2** (*fig.*) upsetting.

cappa¹ *s.f.* **1** cloak; (*con cappuccio*) hooded cloak // *romanzo di — e spada*, cloak and dagger novel // *per un punto Martin perse la —*, for want of a nail the shoe was lost **2** (*di camino*) cowl **3** (*mar.*) tarpaulin.

cappa², **cappalunga** *s.f.* (*zool.*) mussel.

cappamagna *s.f.* ceremonial cloak, cappa magna // *mettersi in —*, to dress up.

cappella¹ *s.f.* **1** chapel **2** (*mus.*) choir; orchestra; choir and orchestra.

cappella² *s.f.* (*di fungo*) cap.

cappellaio *s.m.* hatter.

cappellania *s.f.* chaplaincy.

cappellano *s.m.* chaplain.

cappellata *s.f.* hatful // *far denaro a cappellate*, (*fam.*) to make money hand over fist.

cappelleria *s.f.* hat shop.

cappelliera *s.f.* hatbox.

cappellificio *s.m.* hat factory.

cappello *s.m.* **1** hat: *— a cilindro*, top hat; *— duro*, bowler hat (*o amer.* derby); *— floscio*, soft felt hat; *—*

da sole, sunhat; *— di paglia*, straw hat; *con il — in testa*, with one's hat on; *senza —*, bareheaded; *levarsi il —*, (*in segno di saluto*) to raise one's hat // *gli faccio tanto di —*, I take off my hat to him // *pigliar —*, (*fam.*) to take offence **2** (*oggetto a forma di cappello*) cap: *— di fungo*, cap of mushroom **3** (*fig.*) preface, introduction.

cappero *s.m.* (*bot.*) caper // *capperi!*, (*fam.*) gosh!

cappio *s.m.* slipknot, noose.

capponare *v.tr.* to caponize.

cappone *s.m.* capon.

cappotta¹ *s.f.* → **capote**.

cappotta² *s.f.* (*giacca dei marinai*) pea-jacket, watch-coat.

cappotto¹ *s.m.* (over)coat.

cappotto² *s.m.* (*a carte*) vole; (*sport*) love-game.

Cappuccetto Rosso *no.pr.f.* (*lett.*) Little Red Riding Hood.

cappuccino *s.m.* **1** (*eccl.*) Capuchin **2** (*caffè con latte*) "cappuccino" (coffee with milk).

cappuccio¹ *s.m.* **1** hood; (*di abito religioso*) cowl **2** (*tecn.*) cap².

cappuccio² *s.m.* → **cappuccino** *nel senso* 2.

cappuccio³ *agg.*: *cavolo —*, cabbagehead.

capra *s.f.* goat // *salvar — e cavoli*, to have it both ways.

capraio *s.m.* goatherd.

capretto *s.m.* kid // *pelle di —*, kid.

capriata *s.f.* (*edil.*) truss.

capriccio *s.m.* **1** whim, caprice, fancy; (*assurdità*) freak // *fare i capricci*, to have tantrums **2** (*mus.*) capriccio.

capriccioso *agg.* **1** (*bizzoso*) wilful, wayward **2** (*instabile*) fickle **3** (*strano*) whimsical; (*bizzarro*) bizarre, freakish.

capricorno *s.m.* (*zool.*) ibex // *Capricorno*, (*astr.*) Capricorn.

caprifoglio *s.m.* (*bot.*) honeysuckle.

caprino *agg.* goatish, caprine: *barba caprina*, goatee // *questione di lana caprina*, useless debate ♦ *s.m.* goatish smell.

capriola *s.f.* caper: *fare capriole*, to cut capers.

capriolo *s.m.* roe deer.

capro *s.m.* he-goat // *— espiatorio*, scapegoat.

caprone *s.m.* billy goat (*anche fig.*).

capsula *s.f.* **1** capsule **2** (*mil.*) percussion cap **3** (*di dente*) crown.

captare *v.tr.* **1** (*rad.*) to monitor, to pick up **2** (*cattivarsi*) to gain **3** (*discorsi, parole ecc.*) to catch*.

capufficio *s.m.* → **capoufficio**.

capzioso *agg.* captious.

carabattola *s.f.* trifle; *pl.* junk, odds and ends.

carabina *s.f.* carbine, carabine.

carabiniere *s.m.* **1** carabineer **2** "carabiniere" (Italian gendarme).

carachiri *s.m.* hara-kiri.

caracollare *v.intr.* to caracol(e).

caraffa *s.f.* carafe; (*per vino*) decanter.

Caraibi *no.pr.m.pl.* Caribbeans, Caribs // *il Mar dei —*, the Caribbean Sea.

caraibico *agg.* Caribbean.

carambola *s.f.* (*biliardo*) cannon: *far —*, to cannon.

caramella *s.f.* **1** sweet; sugar drop; (*amer.*) candy: *— per la tosse*, cough drop **2** (*monocolo*) monocle.

caramellare *v.tr.* to candy // *— lo zucchero*, to brown sugar.

caramello *s.m.* caramel.

caramelloso *agg.* sugary (*spec. fig.*).

caramente *avv.* dearly.

carato *s.m.* **1** carat **2** (*mar.*) part-ownership.

carattere *s.m.* **1** character, temper, disposition; nature: *di buon, cattivo —*, good-natured, ill-tempered // *un uomo senza —*, a spineless man **2** (*caratteristica, qualità*) characteristic, peculiarity **3** (*tip.*) type: *— gotico*, black letter; *— neretto*, bold (o boldface); *— corsivo*, Italic type (o Italics); *titolo a caratteri di scatola*, banner (headline) (o large-type headline) **4** (*lett.*) character: *commedia di —*, character play // *essere, non essere in —*, to be in, to be out of character **5** (*informatica*) character; *— di annullamento*, cancel character; *— a barre*, bar front: *— di controllo, di comando*, check character; *— di impaginazione, di messa in pagina*, layout character; *— di redazione*, editing character; *— di scambio codice*, escape character // *caratteri numerici*, numerics; *caratteri alfanumerici*, alphanumerics.

caratteriale *agg.* temperamentally aggressive: *ha dei disturbi caratteriali*, he is temperamentally aggressive.

caratterista *s.m. e f.* character actor.

caratteristica *s.f.* characteristic, feature.

caratteristico *agg.* characteristic, typical, peculiar (to).

caratterizzare *v.tr.* to characterize, to distinguish.

caratura *s.f.* **1** (*misurazione in carati*) carat **2** (*mar.*) part-ownership.

caravanserraglio *s.m.* **1** caravanserai **2** (*fig.*) bedlam.

caravella *s.f.* caravel, carvel.

carboidrati *s.m.pl.* carbohydrates.

carbonaia *s.f.* **1** (*catasta di legna da carbone*) charcoal pile **2** (*locale del carbone*) coal cellar.

carbonaio *s.m.* **1** coalman (*pl. -men*) **2** (*chi prepara carbone*) charcoal burner.

carbonaro *s.m.* (*st.*) Carbonaro (*pl.* Carbonari) ♦ *agg.* Carbonarist.

carbonato *s.m.* (*chim.*) carbonate.

carbonchio *s.m.* **1** (*min. vet.*) carbuncle **2** (*agr.*) smut.

carboncino *s.m.* **1** (*pitt.*) charcoal pencil // *disegnare a —*, to draw in charcoal **2** (*disegno*) charcoal drawing.

carbone *s.m.* **1** coal: *— animale*, bone black; *— bituminoso*, soft coal; *— di legna, — dolce*, charcoal; *— fossile*, pit coal; *— di storta*, retort graphite; *giacimento di —*, coalfield; *filone di —*, coal seam; *un pezzo di —*, a (lump of) coal // *— bianco*, white coal // *nero come il —*, coal-black // *stare sui carboni ardenti*, to be on tenterhooks **2** (*chim.*) carbon **3** (*med.*) anthrax.

carbonella *s.f.* charcoal.

Carboneria *s.f.* (*st.*) Carbonarist movement.

carbonico *agg.* (*chim.*) carbonic.

carboniera *s.f.* (*mar.*) coal-ship, collier.

carbonifero *agg.* carboniferous, coal (*attr.*).

carbonio *s.m.* (*chim.*) carbon: *ossido di —*, carbon monoxide.

carbonizzare *v.tr.*, **carbonizzarsi** *v.intr.pron.* **1** to char **2** (*scient.*) to carbonize.

carbonizzazione *s.f.* carbonization.

carbosiderurgico *agg.* coal and steel (*attr.*).

carburante *s.m.* **1** fuel: *rifornimento di —*, refuelling **2** (*benzina*) petrol; (*amer.*) gasoline; (*fam.*) gas.

carburare *v.tr.* (*metall.*) to carburize; (*chim.*) to carburet.

carburatore *s.m.* carburettor, carburetter.

carburazione *s.f.* carburation.

carburo *s.m.* (*chim.*) carbide.

carcadè *s.m.* roselle hemp.

carcame *s.m.* carcass, carcase.

carcassa *s.f.* **1** carcass, carcase **2** (*di scenario, di aereo*) framework; (*di edificio, di nave*) skeleton **3** (*fig. spreg.*) old crock.

carcerario *agg.* prison (*attr.*) // *guardia carceraria*, gaoler (o jailor).

carcerato *s.m.* prisoner ♦ *agg.* imprisoned.

carcerazione *s.f.* imprisonment.

carcere *s.m.* prison, gaol, jail: *fu condannato a venticinque anni di —*, he was sentenced to twenty-five years' imprisonment; *mettere in —*, to put into prison; *direttore delle carceri*, prison governor.

carceriere *s.m.* gaoler, jailor.

carcinoma *s.m.* (*med.*) carcinoma (*pl. -ata*).

carciofo *s.m.* artichoke.

carda *s.f.* carding machine, card.

cardanico *agg.* (*mecc.*) cardan (*attr.*): *giunto —*, cardan joint.

cardano *s.m.* (*mecc.*) cardan joint.

cardare *v.tr.* (*ind. tessile*) to card, to tease.

cardatore *s.m.* carder, teaser.

cardatrice *s.f.* (*mecc.*) card, carding machine.

cardatura *s.f.* carding.

cardellino *s.m.* goldfinch.

cardiaco *agg.* cardiac, heart (*attr.*): *disturbi cardiaci*, heart trouble.

cardias *s.m.* (*anat.*) cardia.

cardinalato *s.m.* (*ecc.*) cardinalship, cardinalate.

cardinale *agg.* cardinal.

cardinale *s.m.* (*eccl.*) cardinal.

cardine *s.m.* hinge, pivot (*anche fig.*): *fuori dai cardini*, off the hinges.

cardio- *pref.* cardio-.

cardiochirurgia *s.f.* heart surgery.

cardiochirurgo *s.m.* heart surgeon.

cardiocircolatorio *agg.* cardio-circulatory: *apparato —*, cardio-circulatory system.

cardiogramma *s.m.* (*med.*) cardiogram.

cardiologia *s.f.* cardiology.

cardiologo *s.m.* heart-specialist, cardiologist.

cardiopalma, cardiopalmo *s.m.* (*med.*) palpitations.

cardiopolmonare *agg.* cardio-pulmonary.

cardiotonico *agg. e s.m.* cardiotonic.

cardo *s.m.* **1** (*bot.*) thistle, (*mangereccio*) cardoon **2** (*strumento per cardare*) carding machine.

carena *s.f.* **1** (*mar.*) hull, bottom **2** (*aer.*) hull **3** (*zool. geol.*) carina (*pl.* carinae).

carenaggio *s.m.* careening: *bacino di —*, dry (o graving) dock.

carenare *v.tr.* (*mar.*) to careen; (*aer.*) to streamline.

carenato *agg.* **1** (*zool. mar.*) carinate **2** (*aer.*) streamlined.

carenatura *s.f.* (*mar.*) careening; (*aer.*) streamlining.

carenza *s.f.* want, lack; (*scarsità*) shortage.

carestia *s.f.* **1** famine **2** (*mancanza*) lack, dearth.

carezza *s.f.* caress: *fare delle carezze*, to caress (o to fondle); (*ad animali*) to stroke (o to pat).

carezzare *v.tr.* → **accarezzare**.

carezzevole *agg.* caressing, fondling; (*suadente*) coaxing.

cargo *s.m.* (*mar.*) cargo boat.

cariare *v.tr.* to decay, to rot // **-arsi** *v.intr.pron.* to decay.

cariatide *s.f.* (*arch.*) caryatid.

cariato *agg.* decayed, carious.

caribico *agg.* Caribbean.

caribù *s.m.* (*zool.*) caribou, cariboo.

carica *s.f.* **1** office; (*impiego*) appointment: *dimettersi* a una —, to resign from office; *entrare in* —, to take office; *accettare una* —, to accept an appointment; *una - di ministro*, an appointment as minister // *le alte cariche dello stato*, the dignities of the State **2** (*quantità i energia*) charge: — *di lancio*, propellant charge; — *di scoppio*, explosive charge; *orologio a* — *elettrica*, electric clock; *ridare la* — *a una batteria*, to charge a battery // *care la* — *a un orologio*, to wind up a watch // — *emotiva*, emotional potential; — *personale*, personal appeal **3** (*mil. sport*) charge: —!, charge!; *una* — *di cavalleria*, a cavalry charge // *a passo di* —, at the double // *tornare alla* —, (*anche fig.*) to return to the attack.

caricabatteria *s.m.* battery charger.

caricamento *s.m.* (*informatica*) (*di una pagina in memoria centrale*) page-in; (*di un programma*) program load.

caricare *v.tr.* **1** to load; (*prendere a bordo*) to take* (on): *avete finito di* —?, have you finished loading up?; — *un autocarro*, to load a lorry // — *eccessivamente*, to overload; — *una nave*, to load a ship // *caricarsi lo stomaco*, to overload one's stomach // — *qlcu. di responsabilità*, to burden s.o. with responsibilities **2** (*fig. esagerare*) to exaggerate // — *le tinte*, to deepen the colours (*o* to overcolour) // — *la dose*, to increase the dose // — *il prezzo di qlco.*, to raise the price of sthg. **3** (*riempire*) to fill; (*armi*) to load, to charge: — *a pipa*, to fill one's pipe; — *la stufa*, to fill (*o* to make up) the stove; — *un fucile*, to load a gun; — *una macchina fotografica*, to load a camera **4** (*mil.*) to charge: — *il nemico*, to charge the enemy; *diede ordine alla cavalleria di* —, he ordered the cavalry to charge **5** (*elettr.*) to charge: — *una batteria*, to charge a battery **6** (*un forno*) to charge **7** (*orologi, molle*) to wind* up **8** (*sport*) to charge ◆ **-arsi** *v.rifl.* to load oneself // — *di debiti*, to plunge into debt.

caricato *agg.* **1** (*affettato*) affected **2** (*esagerato*) exaggerated.

caricatore *s.m.* magazine.

caricatura *s.f.* caricature.

caricaturale *agg.* caricatural.

caricaturista *s.m. e f.* caricaturist.

carico *agg.* **1** loaded (with) (*anche fig.*), burdened (with) (*anche fig.*): — *di tasse*, burdened with taxes **2** (*riempito*) filled (with); (*pieno*) full (of) **3** (*di arma*) loaded (with) **4** (*di orologio*) wound up **5** (*di colore*) deep **6** (*di infuso*) strong.

carico *s.m.* **1** load; (*di nave*) cargo; (*di animale da soma*) burden: — *eccessivo*, overload; *nave da* —, cargo boat // — *di lavoro*, (*informatica*) (work) load **2** (*il caricare*) loading **3** (*fig.*) load, burden // *a — di qlcu.*, (*comm.*) to be charged to s.o. // *cinque persone a — del contribuente*, five persons dependent on the taxpayer // *congiunto a* —, dependent spouse // *dogana a vostro* —, duty to be paid by you // *le spese saranno a vostro* —, the expenses will be charged to you // — *tributario*, burden of taxation **4** (*dir.*) charge, imputation: *teste a* —, witness for the prosecution.

Cariddi *no.pr.f.* Charybdis.

carie *s.f.* decay, caries; (*cavità*) cavity.

carillon (*franc.*) *s.m.* carillon.

carino *agg.* lovely, nice, charming.

cariocinesi *s.f.* (*biol.*) karyokinesis.

cariosside *s.f.* (*bot.*) caryopsis.

carisma *s.m.* (*teol.*) charisma.

carismatico *agg.* charismatic: *capo* —, charismatic leader; *dono* —, the gift of charisma.

carità *s.f.* **1** charity; (*amore*) love // *per* —!, for goodness' sake! **2** (*beneficenza*) charity: *vivere di* —, to live on charity // — *pelosa*, interested charity **3** (*elemosina*) alms: *chiedere la* —, to beg (for alms).

caritatevole *agg.* charitable.

carlinga *s.f.* fuselage.

Carlo *no.pr.m.* Charles.

Carlomagno *no.pr.m.* (*st.*) Charlemagne.

carlona, alla *locuz.avv.* carelessly.

Carlotta *no.pr.f.* Charlotte.

carmelitano *agg. e s.m.* (*eccl.*) Carmelite.

carminio *s.m.* carmine.

carnagione *s.f.* complexion.

carnaio *s.m.* shambles // *la spiaggia era un* —, the beach was a mass of sprawling bodies.

carnale *agg.* carnal // *fratelli carnali*, brothers german.

carname *s.m.* → **carnaio**.

carne *s.f.* **1** flesh // — *della mia* —, my own flesh and blood // *in* — *ed ossa*, in the flesh // *resurrezione della* —, resurrection of the body // *rimettersi in* —, to put on flesh // — *da cannone*, (*fig.*) cannon fodder **2** (*come alimento*) meat: — *di bue*, beef // *avere troppa* — *al fuoco*, to have too many irons in the fire // *non essere né* — *né pesce*, to be neither fish nor fowl.

carnefice *s.m.* **1** executioner; (*per impiccagione*) hangman (*pl.* -men) **2** (*fig.*) tormentor.

carneficina *s.f.* carnage, slaughter.

carnet (*franc.*) *s.m.* booklet // — *di assegni*, chequebook // — *di viaggio*, (*aut.*) carnet.

carnevalata *s.f.* **1** carnival revelry **2** (*fig.*) joke.

carnevale *s.m.* carnival.

carnevalesco *agg.* carnival (*attr.*).

carnevalino *s.m.* **1** Quadragesima (Sunday) **2** (*nel rito ambrosiano*) mid-Lent.

carnicino *agg.* flesh-coloured.

carniere *s.m.* game-bag.

carnivoro *agg.* carnivorous ◆ *s.m.* carnivore // *i Carnivori*, Carnivora.

carnoso *agg.* fleshy.

caro *agg.* **1** dear: *attore* — *al pubblico*, well-liked actor // *mio* —, my darling // *aver* — *di fare qlco.*, to be glad to do sthg.: *aver* — *un collaboratore*, to value s.o.'s collaboration; *aver* — *qlcu.*, to love s.o.; *tenersi* — *qlco.*, *qlcu.*, to hold sthg., s.o. dear // *l'ha pagata cara*, (*fig.*) he had to pay for it! **2** (*costoso*) dear, expensive ◆ *s.m.pl.* loved ones, dear ones ◆ *avv.* dear, dearly.

carogna *s.f.* **1** carrion **2** (*fig.*) rotter, stinker.

carola *s.f.* round-dance, carol.

Carolina *no.pr.f.* Caroline.

carolingio *agg. e s.m.* Carolingian, Carlovingian.

Caronte *no.pr.m.* (*mit.*) Charon.

carosello *s.m.* **1** (*torneo*) tournament **2** (*giostra*) merry-go-round; (*amer.*) carousel **3** (*turbinio*) whirl.

carota *s.f.* **1** carrot // *pel di* —, carrots (*pl.*) **2** (*min.*) core.

carotaggio *s.m.* (*tecn.*) core-boring.

carotide *s.f.* (*anat.*) carotid.

carovana *s.f.* **1** caravan **2** (*folto gruppo*) large company.

carovaniere *s.m.* caravan-leader.

carovaniero *agg.* caravan (*attr.*).

carovita *s.m.* **1** high cost of living **2** (*indennità*) cost -of-living allowance.

carpa *s.f.* (*zool.*) carp.

Carpazi *no.pr.m.pl.* Carpathian Mountains.

carpenteria *s.f.* carpentry.

carpentiere *s.m.* carpenter; (*di navi*) shipwright.

carpine *s.m.* (*bot.*) hornbeam.

carpione *s.m.* large carp // *in* —, marinated.

carpire *v.tr.* to extort (*anche fig.*): — *qlco. a qlcu.*, to extort sthg. from s.o.

carpo *s.m.* (*anat.*) carpus (*pl.* carpi).

carpone, carponi *avv.* on all fours.

carrabile *agg.* cart (*attr.*): *passo* —, driveway.

carradore *s.m.* wheelwright.

carraio *agg.*: *porta carraia*, carriage gateway; *passo* —, driveway ♦ *s.m.* wheelwright.

carrareccia *s.f.* 1 (*strada*) cart track, cart way 2 (*solco*) wheel rut.

carré (*franc.*) *s.m.* (*abbigl.*) yoke // *pan* —, loaf.

carreggiabile *agg.* cart (*attr.*).

carreggiare *v.tr.* to cart.

carreggiata *s.f.* 1 carriageway // *strada a doppia* —, two-way street // *rimettere qlcu. in* —, to set s.o. right // *uscire di* —, (*fig.*) to go astray 2 (*solco*) wheel rut 3 (*distanza tra ruote*) gauge.

carreggio *s.m.* 1 (*trasporto con carri*) cartage 2 (*mil.*) transport 3 (*in miniera*) tramming.

carrellata *s.f.* (*cinem. tv*) dolly shot.

carrello *s.m.* 1 (*telaio*) (*ferr.*) bogie; (*di macchine ecc.*) (under-)carriage 2 (*vagoncino*) trolley, truck 3 (*cinem. tv*) dolly.

carretta *s.f.* 1 cart // *tirar la* —, (*fig.*) to drudge // *una vecchia* —, (*veicolo*) an old crock (*o a jalopy*) // *sei una* —, you are all aches and pains 2 (*mar.*) tramp.

carrettata *s.f.* cart-load.

carrettiere *s.m.* carter.

carretto *s.m.* handcart, barrow.

carrettone *s.m.* wa(g)gon.

carriaggio *s.m.* (*mil.*) transport.

carriera *s.f.* career: *ha fatto* —, he was successful in his career // *ufficiale di* —, regular (*o professional*) officer 2 (*velocità*) career, full speed: *di gran* —, at full speed.

carrierista *s.m. e f.* careerist.

carriola *s.f.* wheelbarrow.

carrista *s.m.* tankman (*pl.* -men).

carro *s.m.* 1 (*a due ruote*) cart; (*a quattro ruote*) wa(g)gon // — *attrezzi*, (*aut.*) breakdown van; (*amer.*) wrecker // — *funebre*, hearse // — *armato*, (*mil.*) tank // *Gran Carro, Piccolo Carro*, (*astr.*) Great Bear, Little Bear // *mettere il* — *innanzi ai buoi*, (*fig.*) to put the cart before the horse 2 (*ferr.*) railway wa(g)gon; (*amer.*) railway car: — *botte*, tank wagon; — *merci, goods* wa(g)gon; (*amer.*) freight car.

carrozza *s.f.* 1 carriage: — *di piazza*, cab 2 (*ferr.*) coach; (*amer.*) car: — *letto*, sleeping car; — *ristorante*, dining car.

carrozzabile *agg.* motor (*attr.*)

carrozzare *v.tr.* (*disegnare la carrozzeria*) to design the body (of a car); (*costruire la carrozzeria*) to make* the body (of a car): *carrozzata da*, body by.

carrozzella *s.f.* (*per invalidi*) wheelchair.

carrozzeria *s.f.* 1 body(work) 2 (*fabbrica, officina*) body shop.

carrozziere *s.m.* (*disegnatore*) body-designer; (*costruttore*) body-builder, body-maker; (*chi ripara la carrozzeria*) body-repairer.

carrozzina *s.f.* perambulator; (*fam.*) pram; (*amer.*) baby carriage.

carrozzino *s.m.* (*di motocicletta*) sidecar.

carrozzone *s.m.* (*di circo, zingari*) caravan.

carruba *s.f.* carob.

carrubo *s.m.* carob tree.

carrucola *s.f.* pulley.

carsico *agg.* (*geol.*) Karstic.

Carso *no.pr.m.* Karst.

carta *s.f.* 1 paper: — *asciugante, assorbente*, blottin, paper; — *da disegno*, drawing paper; — *da lettera,* writing paper; — *intestata*, headed notepaper; — *da giornale*, newsprint; — *da pacchi*, packing (*o wrapping,* paper; — *da parati*, wallpaper; — *greggia*, bóoly (, base) paper; — *patinata*, coated paper; — *piegata a ventaglio, in continuo*, fan fold paper // — *libera*, nor, mal paper; — *bollata*, officially stamped paper // — *oleata*, greaseproof paper // *mangiare alla* —, to dine , la carte 2 (*documento*) paper, document // — *bianca*, carte blanche // — *di credito*, credit card // *Cart, Verde*, (*assicurazioni*) Green Card (International Mo, tor Insurance Form) // *avere le carte in regola*, to be in, order (*o fam.* to be all right) 3 (*statuto*) charter 4 (*geografica*) map — *nautica*, chart 5 (*da gioco* card: *dare, mescolare le carte*, to deal, to shuffle the, cards; *fare le carte*, to shuffle and deal; (*di chiromante* to read the cards; *a chi tocca fare le carte?*, whose deal is, it? // *cambiare le carte in tavola*, to change one's tune // *giocare a carte scoperte*, to play fair.

cartacarbone *s.f.* carbon paper.

cartaceo *agg.* papery; paper (*attr.*).

Cartagine *no.pr.f.* (*geogr. st.*) Carthage.

cartagloria *s.f.* (*eccl.*) altar-card.

cartaio *s.m.* (*fabbricante*) paper-maker; (*venditore*) paper-seller.

cartamodello *s.m.* pattern.

cartamoneta *s.f.* paper money.

cartapecora *s.f.* parchment, vellum.

cartapesta *s.f.* papier-mâché.

cartario *agg.* paper (*attr.*): *industria cartaria*, paper industry.

cartastraccia *s.f.* waste paper.

carteggiare *v.intr.* (*mar. aer.*) (*tracciare o verificare una data rotta*) to chart a course, to plot a course ♦ *v.tr.* (*pulire una superficie con carta vetrata*) to sandpaper.

carteggio *s.m.* correspondence; (*raccolta di lettere*) letters (*pl.*).

cartella *s.f.* 1 (*di cartone*) folder; (*di cuoio*) briefcase 2 (*da scuola*) schoolbag; (*a tracolla*) satchel 3 (*pagina*) page, sheet // — *clinica*, chart // — *personale*, (*di impiegato*) personnel record // — *esattoriale*, income-tax form 4 (*polizza, azione*) share; (*obbligazione*) bond 5 (*della tombola*) tombola score-card; (*di lotteria*) lottery ticket.

cartellino *s.m.* 1 (*etichetta*) label 2 (*delle presenze*) time card, clock card: *firma il* — *alle 8*, he clocks in at eight a.m.

cartello[1] *s.m.* 1 bill; (*pubblicitario*) poster, placard // — *di divieto*, warning notice // — *indicatore*, signpost // — *dei prezzi*, price tab // — *di sfida*, challenge // *artista di* —, eminent artist 2 (*etichetta*) label 3 (*insegna*) signboard.

cartello[2] *s.m.* (*fin.*) cartel.

cartellone *s.m.* 1 placard, poster 2 (*teatr.*) bill // *tenere il* —, to run.

cartellonista *s.m.* commercial artist.

carter *s.m.* 1 (*mecc.*) crankcase; (*coppa dell'olio*) (oil-)sump 2 (*di bicicletta*) chain-guard.

cartesiano *agg. e s.m.* Cartesian.

Cartesio *no.pr.m.* (*st. fil.*) Descartes.

cartiera *s.f.* papermill.

cartiglio *s.m.* cartouche.

cartilagine *s.f.* cartilage.

cartilagineo, cartilaginoso *agg.* cartilaginous.

cartina *s.f.* **1** (*di medicinale*) dose **2** (*di aghi*) pack-et **3** (*per sigarette*) cigarette paper **4** (*geografica*) map.

cartoccio *s.m.* **1** bag **2** (*artiglieria*) powder charge **3** (*brattee di granoturco disseccate*) dried corn leaves.

cartografia *s.f.* cartography, map-making.

cartografo *s.m.* cartographer, map-maker.

cartolaio *s.m.* stationer.

cartoleria *s.f.* stationer's shop.

cartolina *s.f.* (post)card // — *precetto*, (*mil.*) call-up papers.

cartomante *s.m. e f.* fortune teller.

cartomanzia *s.f.* cartomancy.

cartonaggio *s.m.* pasteboard products (*pl.*).

cartonato *agg.* hard-bound.

cartoncino *s.m.* **1** card: — *da visita*, visiting card **2** (*cartone leggero*) thin pasteboard.

cartone *s.m.* **1** cardboard, pasteboard; (*molto grosso*) millboard **2** (*pitt.*) cartoon // *cartoni animati*, (*cinem.*) cartoons.

cartuccia *s.f.* cartridge: — *a palla*, ball cartridge; — *a salve*, blank cartridge // *mezza* —, (*spreg.*) shrimp.

cartucciera *s.f.* cartridge belt.

casa *s.f.* **1** house; home: — *di campagna*, country house; *andare a* —, to go home; *essere in* —, to be at home; *essere fuori di* —, to be out; *essere via da, lontano da* —, to be away from home; *restare a* —, to stay at home; *tornare a* —, to go, to come back home; *uscire di* —, to go out // *amico di* —, family friend // *essere di* —, to be familiar // *donna di* —, home-loving woman // *doveri di* —, household duties // *maestro di* —, butler // *fatto in* —, homemade // — *madre*, mother house // *dello studente*, students' hostel // — *di cura, di salute*, nursing home // *stare a* — *del diavolo*, to live in a godforsaken place // *metter su* —, to set up house; (*sposarsi*) to get married // *la* — *di Windsor*, the House of Windsor **2** (*comm.*) house, firm.

casacca *s.f.* (loose) shirt.

casaccio, a *locuz.avv.* at random: *un'osservazione fatta a* —, a random remark.

casale *s.m.* **1** (*gruppo di case in campagna*) hamlet **2** (*casolare*) farmhouse.

casalinga *s.f.* housewife (*pl.* -wives).

casalingo *agg.* **1** (*di casa*) domestic, homely: *abitudini casalinghe*, domestic habits; *atmosfera casalinga*, homely atmosphere **2** (*semplice*) plain, homely // *alla casalinga*, simply (*o* plainly) **3** (*fatto in casa*) homemade ♦ *s.m.pl.* kitchenware (*sing.*).

casamatta *s.f.* (*mil.*) casemate, pillbox.

casamento *s.m.* **1** tenement (house) **2** (*gli inquilini*) tenants (*pl.*).

casanova *s.m.* (*fig.*) casanova.

casareccio *agg.* homemade.

casaro *s.m.* dairyman (*pl.* -men).

casata *s.f.* lineage, family.

casato *s.m.* **1** (*stirpe*) family **2** (*antiq.*) (*cognome*) surname, family name.

casba *s.f.* Casbah; (*quartiere malfamato*) unsavoury district.

cascame *s.m.* waste.

cascamorto *s.m.* (*scherz.*) spoony: *fare il* —, to spoon.

cascante *agg.* limp; (*floscio*) flabby.

cascare *v.intr.* to fall* (down), to tumble (down); (*con fracasso*) to crash (down) // *nemmeno se cascasse il mondo*, come what may // *non casca il mondo se...*, nothing will happen even if... // *qui casca l'asino*, here is the stumbling block.

cascata *s.f.* **1** fall, waterfall **2** (*di perle, pizzi ecc.*) cascade.

caschimpetto *s.m.* pendant, pendent.

cascina *s.f.* **1** dairy farm **2** (*region.*) (*casa colonica*) farmstead.

cascinale *s.m.* farmstead.

casco *s.m.* **1** helmet; (*per motociclisti ecc.*) crash helmet; (*coloniale*) sun helmet **2** (*per capelli*) (hair-)drier **3** (*di banane*) bunch.

caseario *agg.* cheese (*attr.*).

caseggiato *s.m.* block (of buildings); (*grande casamento*) large tenement.

caseificio *s.m.* dairy.

caseina *s.f.* (*chim.*) casein.

casella *s.f.* **1** (*cassetta*) case, box: — *postale*, post (-office) box **2** (*riquadro di foglio*) square **3** (*informatica*) stacker; pocket: — *di ricezione schede*, card-stacker; — *di scarto*, reject pocket.

casellante *s.m.* (*ferr.*) signalman (*pl.* -men); (*di passaggio a livello*) level-crossing keeper.

casellario *s.m.* filing cabinet; (*ufficio*) filing office // — *giudiziario*, criminal records (office).

casello *s.m.* (*ferr.*) signalman's house; (*di autostrada*) tollhouse.

caserma *s.f.* barracks (*pl.*).

casermaggio *s.m.* barrack equipment.

casigliano *s.m.* co-tenant.

Casimiro *no.pr.m.* Casimir, Kasimir.

casino *s.m.* **1** (*chalet da caccia*) shooting lodge **2** (*circolo*) club, clubhouse **3** (*casa di tolleranza*) brothel **4** (*fig. volg.*) shambles; hell of a mess.

casinò *s.m.* (*casa da gioco*) casino.

casistica *s.f.* casuistry; case study.

caso *s.m.* **1** chance: *il* — *volle che lo incontrassi...*, I chanced to meet him... // *a* —, at random // *per* —, by chance **2** (*fatto, circostanza*) case; (*vicenda*) event; *un* — *di difterite*, a case of diphtheria; — *giuridico*, legal case; *esponimi il tuo* —, put your case to me; *i casi della vita*, the events of life; (*gli alti e bassi*) the ups and downs of life // *poniamo il* — *che...*, let us put the case (*o* let us suppose) that... // *questo fa al* — *nostro*, this is what we want // *non è il* —, it's not necessary // *in* —, in case // *nel* — *vi abbisognasse denaro*, should you need any money... // *in ogni* —, in any case (*o* at any rate) // *in tal* —, in that case // *pensate ai casi vostri*, mind your own business **3** (*attenzione*): *fare* — *a qlco., qlcu.*, to take sthg., s.o. into account; *non fare* — *a qlco., qlcu.*, to take no account of sthg., s.o. **4** (*gramm.*) case.

casolare *s.m.* farmhouse.

casomai *cong.* if, in case.

casotto *s.m.* **1** shelter **2** (*garitta*) sentrybox **3** (*mar.*): — *del timone*, wheelhouse; — *di rotta*, charthouse **4** → *casino* 4.

Caspio, Mar *no.pr.m.* Caspian Sea.

caspita *inter.* good gracious!

cassa *s.f.* **1** case, box // — *armonica*, sound box // — *da morto*, coffin **2** (*tip.*) (*per caratteri*) type case: — *per lettere maiuscole, minuscole*, upper, lower case **3** (*comm.*) cash: *pagare alla* —, to pay at the desk; *avere* *denaro in* —, to have money on hand; *pagamento per* —, cash payment; *pronta* —, ready cash; *libro* —, cash -book; — *di prelevamento automatico*, cash dispenser // *flusso di* —, cash flow **4** (*fondo*) fund: — *integrazione*, subsidised wages fund (*o* wages compensation fund); — *malattie*, sickness fund **5** (*anat.*): — *del timpano*, eardrum; — *toracica*, chest.

cassaforma *s.f.* (*edil.*) form, mould.

cassaforte *s.f.* safe.

Cassandra *no.pr.f.* (*lett.*) Cassandra.

cassapanca *s.f.* chest.

cassare *v.tr.* **1** to cancel **2** (*dir.*) to quash.

cassata *s.f.* "cassata" (Sicilian ice cream).

cassazione *s.f.* (*dir.*) cassation // *Corte di Cassazione*, Court of Cassation; (*in Gran Bretagna*) Supreme Court.

cassero *s.m.* (*mar.*) quarterdeck.

casseruola *s.f.* casserole, stewpan.

cassetta *s.f.* **1** (small) case; box: — *degli attrezzi*, tool-box; — *delle lettere*, letterbox; — *di sicurezza*, safe deposit box; — *di pronto soccorso*, first-aid kit **2** (*posto del cocchiere*) coach-box, coachman's seat: *montare a* —, to take the driver's seat; *stare a* —, to drive **3** (*cinem. teatr.*) takings (*pl.*): *successo di* —, financial success **4** (*nastro magnetico*) cassette: — *vergine*, blanc cassette.

cassettiera *s.f.* chest of drawers.

cassettista *s.m.* (*t. bancario*) **1** (*chi ha una cassetta di sicurezza*) safe deposit box holder **2** (*chi fa investimenti duraturi*) long-term investor.

cassetto *s.m.* drawer.

cassettone *s.m.* **1** chest of drawers **2** (*arch.*) lacunar.

cassia *s.f.* (*bot.*) cassia.

cassiere *s.m.* cashier.

cassiterite *s.f.* (*min.*) cassiterite.

cassone *s.m.* **1** large case **2** (*cassapanca*) chest **3** (*edil.*) caisson.

casta *s.f.* caste; (*rango*) rank.

castagna *s.f.* chestnut: — *d'India*, horse chestnut // *cavar le castagne dal fuoco per qlcu.*, to hold the baby for s.o. // *cogliere qlcu. in* —, to catch s.o. red-handed.

castagnaccio *s.m.* chestnut cake.

castagneto *s.m.* chestnut wood.

castagnette *s.f.pl.* castanets.

castagno *s.m.* (*albero*) chestnut (tree); (*legno*) chestnut (wood).

castagnola *s.f.* cracker.

castaldo *s.m.* steward.

castano *agg.* chestnut-coloured, brown: *capelli castani*, brown hair.

castellana *s.f.* chatelaine.

castellania *s.f.* castellany.

castellano *s.m.* lord of the manor.

castelletto *s.m.* (*apertura di credito*) credit line.

castello *s.m.* **1** castle // *fare castelli in aria*, to build castles in the air (*o* in Spain) **2** (*impalcatura*) scaffold // *aereo, mobile*, maintenance tower // — *motore*, (*aer.*) engine mounting // — *di poppa, di prua*, (*mar.*) quarterdeck, forecastle // — *dei bachi*, (*da seta*) silkworm frames **3** (*di miniera*) head frame.

castigamatti *s.m.* (*fig.*) martinet.

castigare *v.tr.* **1** to punish **2** (*letter.*) to emend, to correct.

castigatezza *s.f.* restraint, decency; (*di linguaggio, di stile*) purity.

castigato *agg.* chaste; (*di linguaggio, di stile*) chaste, pure // *edizione castigata*, expurgated edition.

castigo *s.m.* punishment // — *di Dio*, calamity.

castità *s.f.* chastity.

casto *agg.* chaste, pure.

castone *s.m.* setting.

castorino *s.m.* nutria.

castoro *s.m.* beaver.

castrare *v.tr.* to castrate, to geld.

castrato *s.m.* wether ♦ *agg.* castrated.

castrazione *s.f.* castration.

castrone *s.m.* wether.

castroneria *s.f.* (*volg.*) bilge // *dire castronerie*, to talk bunkum.

casuale *agg.* casual, fortuitous.

casualità *s.f.* chance.

casualmente *avv.* casually, by chance.

casuario *s.m.* (*zool.*) cassowary.

casupola *s.f.* poor house; (*tugurio*) hovel.

cataclisma *s.m.* cataclysm.

catacomba *s.f.* catacomb.

catafalco *s.m.* catafalque.

catafascio, a *locuz.avv.* topsyturvy: *andare a* —, to go to rack and ruin.

catalessi *s.f.* (*med.*) catalepsy.

catalettico *agg.* cataleptic.

cataletto *s.m.* bier.

catalisi *s.f.* (*chim.*) catalysis.

catalizzare *v.tr.* (*chim.*) to catalyze.

catalizzatore *s.m.* **1** (*chim.*) catalyst: — *negativo*, anticatalyst **2** (*fig.*) catalytic agent.

catalogare *v.tr.* to list, to catalogue.

catalogo *s.m.* catalogue, list.

catapecchia *s.f.* (*baracca*) hovel, hut; (*casa in rovina*) dilapidated house.

cataplasma *s.m.* **1** poultice **2** (*fig.*) bore.

catapulta *s.f.* catapult.

catapultare *v.tr.* to catapult.

catarifrangente *s.m.* reflector.

catarrale *agg.* catarrhal.

catarrine *s.f.pl.* (*zool.*) cata(r)rhines.

catarro *s.m.* catarrh.

catarroso *agg.* catarrhal.

catarsi *s.f.* catharsis.

catasta *s.f.* pile, heap.

catastale *agg.* cadastral.

catasto *s.m.* **1** cadastre; register of landed property **2** (*ufficio del*) —, land-registry office.

catastrofe *s.f.* catastrophe, disaster: — *finanziaria*, crash // *teoria delle catastrofi*, (*mat.*) catastrophe theory.

catastrofico *agg.* catastrophic.

catechismo *s.m.* catechism.

catechista *s.m.* e *f.* catechist.

catechistico *agg.* catechistic.

catechizzare *v.tr.* **1** to catechize **2** (*fig.*) to persuade.

catecumeno *s.m.* catechumen.

categoria *s.f.* category, class: — *salariale*, salary bracket.

categoricamente *avv.* categorically.

categorico *agg.* **1** (*assoluto*) categorical, absolute, unconditional // *rifiuto* —, flat refusal **2** (*fil.*) categorical **3** (*per categoria*) classified // *elenco* —, (*di telefono*) Yellow Pages.

catena *s.f.* **1** chain: *catene da neve*, (*aut.*) snow chains — *di trasmissione*, (*mecc.*) transmission chain; — *di bicicletta*, bicycle chain; *reazione a* —, (*chim.*) chain reaction; — *di avvenimenti*, chain of events; *una* — *di mon-*

ti, a chain of mountains // — *di montaggio*, assembly line; — *di produzione*, flow line // — *di campi*, (*informatica*) field strings; — *di stampa*, print chain // *liberarsi dalle catene del convenzionalismo*, to shake off the shackles of convention // *mordere la* —, to chafe (*o* to fret) the chain // *spezzare le catene*, to shake off one's fetters // *tenere qlcu. alla* —, to keep s.o. in complete subjection 2 (*edil.*) tie-beam, truss rod.

catenaccio *s.m.* 1 bolt: *chiudere a* —, to bolt 2 (*vecchia automobile*) old crock, jalopy 3 (*sport*) defensive play.

catenella *s.f.* small chain; (*collana*) necklace; (*bracciale*) bracelet.

cateratta *s.f.* 1 cataract 2 (*di canale*) sluice 3 (*med.*) cataract: *operare una* —, to remove a cataract.

Caterina *no.pr.f.* Catherine, Katherine.

caterva *s.f.* (*di persone*) crowd; (*di cose*) mass.

catetere *s.m.* (*med.*) catheter.

cateto *s.m.* cathetus (*pl.* catheti).

catinella *s.f.* basin.

catino *s.m.* 1 basin 2 (*arch.*) vault.

catione *s.m.* (*fis.*) cation.

catodico *agg.* (*fis.*) cathode (*attr.*), cathodic.

catodo *s.m.* (*fis.*) cathode.

Catone *no.pr.m.* (*st.*) Cato.

catorcio *s.m.* (*fam.*) old crock, jalopy.

catramare *v.tr.* to tar.

catrame *s.m.* tar.

cattedra *s.f.* 1 (*tavolo dell'insegnante*) desk; (*pulpito*) pulpit // *montare in* —, to lay down the law 2 (*ufficio*) (*nelle scuole medie*) teaching post; (*nelle università*) chair.

cattedrale *s.f.* cathedral.

cattedratico *agg.* 1 (*professorale*) professorial 2 (*pedantesco*) pedantic ♦ *s.m.* (full) professor.

cattivarsi *v.tr.* to win*, to gain.

cattiveria *s.f.* 1 wickedness, mischievousness; spitefulness; (*di bambini*) naughtiness: *l'ha fatto per* —, he did it out of spite (*o* malice) 2 (*azione cattiva*) wicked action; (*parole cattive*) spiteful remark, malicious remark: *ha detto una* —, he made a spiteful remark; *questa è una vera* —, this is really nasty; *fare una* — *a qlcu.*, to do s.o. an ill turn.

cattività *s.f.* captivity.

cattivo *agg.* bad; (*in senso morale*) evil, wicked: *persona cattiva*, wicked (*o* ill-natured) person; *bambino* —, naughty boy; *questa minestra è cattiva*, this soup is bad // *essere in* — *stato*, to be in bad condition // *di* — *carattere, di cattive maniere*, ill-tempered, ill-mannered // *cattive parole*, bitter (*o* harsh) words // *aria cattiva*, unhealthy air // *vento, mare* —, rough wind, sea // *fare una cattiva scelta*, to make a poor choice // *prendere qlcu. con le cattive*, to treat s.o. harshly ♦ *s.m.* bad; (*persona*) bad person, wicked person // *i cattivi*, the wicked.

cattolicesimo, cattolicismo *s.m.* Catholicism.

cattolicità *s.f.* 1 catholicity 2 (*i cattolici*) the Catholics (*pl.*).

cattolico *agg. e s.m.* Catholic.

cattura *s.f.* capture; (*arresto*) arrest.

catturare *v.tr.* to capture, to catch*, to seize; (*arrestare*) to arrest; (*far prigioniero*) to take* prisoner.

Catullo *no.pr.m.* (*st.lett.*) Catullus.

caucasico *agg. e s.m.* Caucasian.

Caucaso *no.pr.m.* Caucasus.

caucciù *s.m.* caoutchouc, indiarubber.

caule *s.m.* (*bot.*) caulis (*pl.* caules).

causa *s.f.* 1 cause (*anche fig.*); (*motivo*) reason, motive: — *ed effetto*, cause and effect; *tradire la* —, to betray the cause; *la vera* —, the real reason (*o* motive) // *per, a* — *di*, because of // *la Causa prima*, (*fil.*) the First Cause 2 (*dir.*) (law)suit, case: — *civile*, civil suit; — *penale*, criminal case; *far* — *a qlcu.*, to sue s.o.; *accettare di difendere una* —, to take a brief // *essere parte in* —, (*fig.*) to be concerned in the matter // *con cognizione di* —, knowing (sthg.) thoroughly.

causale *agg.* causal ♦ *s.f.* motive.

causalità *s.f.* causality.

causare *v.tr.* to cause, to give* rise (to sthg.).

causidico *s.m.* (*scherz. o iron.*) pettifogger.

causticità *s.f.* causticity (*anche fig.*).

caustico *agg.* caustic (*anche fig.*).

cautela *s.f.* caution.

cautelare *v.tr.* to protect, to secure // **-arsi** *v.rifl.* to take* precautions.

cauterio *s.m.* (*med.*) cautery.

cauterizzare *v.tr.* (*med.*) to cauterize.

cauterizzazione *s.f.* cauterization.

cauto *agg.* cautious: *andar* —, to proceed cautiously.

cauzionale *agg.* cautionary, caution (*attr.*).

cauzionare *v.intr.* to pay* a deposit.

cauzione *s.f.* security; (*garanzia*) guarantee; (*per libertà provvisoria*) bail: *rilasciare su* —, to release on bail.

cava *s.f.* quarry.

cavadenti *s.m.* (*spreg.*) toothdrawer.

cavalcare *v.tr.* 1 to ride* 2 (*stare a cavalcioni*) to bestride* 3 (*di strada, ponte ecc.*) to span ♦ *v. intr.* to ride* (on horseback).

cavalcata *s.f.* ride.

cavalcatura *s.f.* mount.

cavalcavia *s.m.* flyover, overpass.

cavalcioni, a *locuz.avv.* astride // *a* — *di*, astride.

cavaliere *s.m.* 1 (*chi cavalca*) rider, horseman (*pl.* -men); (*soldato a cavallo*) cavalryman (*pl.* -men) // *essere a* — *di un luogo*, to look over a place // *essere a* — *di due secoli*, to be at the turn of the century 2 (*st.*) knight — *errante, di ventura*, knight-errant 3 (*chi accompagna una donna*) (lady's) escort; (*in un ballo*) partner; (*spasimante*) gallant // *cavalier servente*, lady's man 4 (*di ordini cavallereschi*) knight; (*in Francia*) chevalier // *fare* — *qlcu.*, to knight s.o. // — *d'industria*, lord of industry.

cavalla *s.f.* mare.

cavalleggero *s.m.* trooper, cavalry soldier.

cavalleresco *agg.* 1 chivalrous (*anche fig.*), chivalric: *gesto* —, chivalrous gesture // *poesia cavalleresca*, chivalric poetry 2 (*di, da cavaliere*) knightly // *ordine* —, order of Knighthood.

cavalleria *s.f.* 1 chivalry 2 (*mil.*) cavalry.

cavallerizza[1] *s.f.* (*maneggio*) riding-school.

cavallerizza[2] *s.f.* (*amazzone*) horsewoman (*pl.* -women); (*di circo*) equestrienne.

cavallerizzo *s.m.* 1 (*maestro di equitazione*) riding master 2 (*di circo*) equestrian.

cavalletta *s.f.* grasshopper.

cavalletto *s.m.* 1 horse; trestle; (*per macchina fotografica, mitragliatrice*) tripod; (*da pittore*) easel 2 (*strumento di tortura*) rack.

cavallina *s.f.* 1 filly, young mare // *correre la* —, to sow one's wild oats 2 (*gioco*) leapfrog.

cavallino *agg.* equine, horse (*attr.*) // *mosca cavallina*, horsefly ♦ *s.m.* (*puledro*) colt // (*pelliccia di*) —, pony skin.

cavallo *s.m.* 1 horse: *a —!*, to horse! // *a —*, on horseback // *artiglieria a —*, horse-artillery // *a — di una sedia*, straddling a chair // *essere a —*, (*fig.*) to be safe // *coda di —*, pony tail // *andare col — di san Francesco*, to go on Shank's mare // *— (vapore)*, (*fis.*) horsepower // *— di Frisia*, (*mil.*) cheval-de-frise 2 (*attrezzo per ginnastica*) vaulting horse 3 (*scacchi*) knight 4 — (*dei pantaloni*), crotch.

cavallone *s.m.* billow.

cavalluccio *s.m.* pony // *— marino*, (*zool.*) sea horse // *portare qlcu. a —*, to give s.o. a piggyback.

cavapietre *s.m.* quarryman (*pl.* -men).

cavare *v.tr.* 1 (*estrarre*) to draw* out, to pull out: *un dente*, to pull out a tooth // *non — un ragno dal buco*, not to get anywhere 2 (*di dosso*) to take* off: *cavarsi il cappello*, to take off one's hat // *se l'è cavata bene*, (*a un esame ecc.*) he got on well; (*da un incidente*) he came out of it fairly well.

cavatappi *s.m.* corkscrew.

cavatina *s.f.* (*mus.*) cavatina.

cavatore *s.m.* quarryman (*pl.* -men).

cavaturaccioli *s.m.* corkscrew.

cavedano *s.m.* (*zool.*) chub.

cavedio *s.m.* (*arch.*) well.

caverna *s.f.* 1 cave // *uomo delle caverne*, cave-man 2 (*med.*) cavity.

cavernicolo *agg.* cave (*attr.*) ♦ *s.m.* caveman (*pl.* -men).

cavernoso *agg.* cavernous.

cavezza *s.f.* halter.

cavia *s.f.* guinea pig (*anche fig.*).

caviale *s.m.* caviar.

caviglia *s.f.* 1 (*anat.*) ankle 2 (*mar.*) (*per fissare cavi*) belaying pin 3 (*mar.*) (*della ruota del timone*) spoke.

cavigliera *s.f.* 1 ankle support 2 (*mar.*) belaying-pin rack.

cavigliere *s.m.* (*mus.*) head.

cavillare *v.intr.* to cavil (at, about sthg.).

cavillo *s.m.* cavil.

cavilloso *agg.* captious, carping.

cavità *s.f.* cavity.

cavo¹ *agg.* e *s.m.* hollow: *il — della mano*, the hollow of the hand.

cavo² *s.m.* cable // *cavi di collegamento*, (*informatica*) wiring.

cavolaia *s.f.* (*zool.*) cabbage butterfly, cabbage white butterfly.

cavolfiore *s.m.* cauliflower.

cavolo *s.m.* cabbage: *— cappuccio*, cabbage-head; *— verzotto*, savoy (*cabbage*); *cavoli di Bruxelles*, Brussels sprouts // *questo c'entra come i cavoli a merenda*, this has nothing to do with it.

cazzottare *v.tr.* (*volg.*) to fight*.

cazzotto *s.m.* (*volg.*) punch: *fare a cazzotti*, to fight.

cazzuola *s.f.* trowel.

ce *pron.pers. 1ᵃ pers.pl.* (*a noi*) (to) us ♦ *avv.* there: *— ne sono molti*, there are a lot (*o* many) // *— ne vuole molto*, it takes a lot.

cebo *s.m.* (*zool.*) cebus.

ceca *s.f.* (*zool.*) elver.

cecchino *s.m.* sniper, sharpshooter.

cece *s.m.* chickpea.

cecilia *s.f.* (*zool.*) caecilia.

Cecilia *no.pr.f.* Cecily.

cecità *s.f.* blindness.

ceco *agg.* e *s.m.* Czech.

Cecoslovacchia *no.pr.f.* Czechoslovakia.

cecoslovacco *agg.* e *s.m.* Czechoslovak.

cedere *v.intr.* 1 (*dare*) to give* // *— il passo a qlcu.*, to let s.o. pass // *— la direzione degli affari (a qlcu.)*, to hand over the management of the business (to s.o.) // *— le armi*, to surrender // *— una cambiale*, (*comm.*) to transfer a bill 2 (*vendere*) to sell*, to let* (s.o.) have ♦ *v. intr.* 1 (*arrendersi*) to surrender, to yield, to give* in 2 (*sprofondare*) to subside, to give* way: *sotto il peso il pavimento ha ceduto*, the floor gave way under the weight 3 (*fig.*) (*crollare*) to give* out: *le sue forze hanno ceduto*, his strength gave out 4 (*fig.*) (*essere inferiore*) to be* second (to s.o., sthg.).

cedevole *agg.* yielding, pliable; (*di terreno*) sinking.

cediglia *s.f.* cedilla.

cedimento *s.m.* 1 (*di terreno*) sinking 2 (*fig.*) (*l'arrendersi*) yielding, giving in.

cedola *s.f.* (*comm.*) coupon, dividend-warrant // *— di assegno*, cheque counterfoil; *— di dividendo*, dividend coupon.

cedolare *agg.*: *imposta —*, coupon-dividend tax.

cedrata *s.f.* limejuice.

cedro¹ *s.m.* (*agrume*) citron // *— candito*, candied citron-rind.

cedro² *s.m.* (*conifera*) cedar.

cedrone *s.m.*: (*gallo*) —, (*zool. pop.*) grouse (*pl. invar.*).

cedronella *s.f.* (*bot. pop.*) balm.

ceduo *agg.*: *bosco —*, coppice (*o* copse).

cefalea, cefalgia *s.f.* cephalalgia.

cefalico *agg.* cephalic.

cefalo *s.m.* (*zool.*) mullet.

Cefalonia *no.pr.f.* Cephalonia.

ceffo *s.m.* 1 (*muso*) muzzle; (*grugno*) snout 2 (*spreg.*) sinister face.

ceffone *s.m.* slap in the face.

celare *v.tr.* to conceal, to hide*: *— qlco. a qlcu.*, to conceal (*o* to hide) sthg. from s.o. // *-arsi* *v.rifl.* to hide*.

celeberrimo *agg.superl.* famous.

celebrante *agg.* celebrating ♦ *s.m.* celebrant.

celebrare *v.tr.* to celebrate.

celebrativo *agg.* commemorative.

celebrazione *s.f.* celebration.

celebre *agg.* famous, celebrated.

celebrità *s.f.* fame, celebrity.

celere *agg.* quick, swift // **Celere, la** *s.f.* (*polizia*) the Flying Squad.

celerità *s.f.* quickness, swiftness.

celesta *s.f.* (*strum. mus.*) celesta.

celeste *agg.* 1 (*del cielo*) celestial, heavenly 2 (*colore*) light blue ♦ *s.m.* 1 (*colore*) light blue 2 *pl.* (*dèi*) gods.

celestiale *agg.* celestial, heavenly.

Celestina *no.pr.f.* Celestine.

celestino *agg.* e *s.m.* pale blue, light blue.

celia *s.f.* jest, joke: *per —*, in jest.

celiare *v.intr.* to jest, to joke.

celibato *s.m.* celibacy, bachelorhood.

celibe *agg.* single, unmarried ♦ *s.m.* bachelor.

cella *s.f.* cell // *— frigorifera*, cold store.

cellophane ® (*franc.*) *s.m.* cellophane ®.

cellula *s.f.* cell // *— fotoelettrica*, photoelectric cell (*o* electric eye).

cellulare *agg.* cellular // *furgone —*, prison van (*o fam.* Black Maria).

cellulite *s.f.* cellulitis.

celluloide *s.f.* celluloid.

cellulosa *s.f.*, **cellulòsio** *s.m.* cellulose.

celtico *agg.* Celtic.

cembalo *s.m.* 1 cymbal 2→ **clavicembalo**.

cembro *s.m.* (*bot.*) cembra pine.

cementare *v.tr.* to cement (*anche fig.*).

cementificio *s.m.* cement factory.

cemento *s.m.* cement // — *armato*, reinforced concrete.

cena *s.f.* dinner, supper // *l'Ultima Cena*, the Last Supper.

cenacolo *s.m.* 1 supper-room // *il Cenacolo di Leonardo da Vinci*, Leonardo's Last Supper 2 (*accolta di artisti*) artistic coterie (*o* clique).

cenare *v.intr.* to have* supper, to have* dinner: *a che ora cenate di solito?*, what time do you usually have supper (at)?

cenciaiolo *s.m.* ragman (*pl.* -men), rag-picker.

cencio *s.m.* 1 rag // *cappello a* —, slouch hat // *essere (ridotto) un* —, to be flat out 2 (*per spolverare*) duster; (*per stoviglie*) dishcloth 3 *pl.* (*vesti poverissime*) rags, tatters: *coperto di cenci*, in rags.

cencioso *agg.* ragged, tattered.

ceneraio *s.m.* ashpan.

cenere *s.f.* 1 ash (*gener. pl.*): *ridurre in* —, to burn to ashes // *mercoledì delle Ceneri*, Ash Wednesday 2 *pl.* (*resti mortali*) ashes.

Cenerentola *no.pr.f.* Cinderella // **cenerentola** *s.f.* Cinderella.

cenerino *agg.* ashy, ashen.

cengia *s.f.* ledge.

Cenisio *no.pr.m.* Cenis.

cenno *s.m.* 1 (*gesto*) sign, gesture; (*col capo*) nod; (*con gli occhi*) wink; (*con la mano*) wave (of the hand): *ci fecero — di avvicinarci*, they beckoned to us to come nearer; *fece — di sì*, (*col capo*) he nodded (assent); *gli feci un* —, I nodded to him; *mi fece — di no col capo*, he shook his head at me 2 (*breve notizia*) mention // *non fatene* —, do not mention it 3 *pl.* (*breve trattato*) outline: *cenni di letteratura inglese*, an outline of English literature 4 (*indizio*) sign 5 (*comm.*): *a un vostro — saremo lieti di mandarvi i campioni*, on hearing from you, we shall be glad to send you the samples; *gradiremmo un — di ricevuta*, please acknowledge receipt.

cenobio *s.m.* c(o)enoby.

cenobita *s.m.* c(o)enobite.

cenone *s.m.* dinner: *il — di Capodanno*, the New Year's Eve dinner party.

cenotafio *s.m.* cenotaph.

censimento *s.m.* census.

censire *v.tr.* to take* a census (of s.o., sthg.).

censo *s.m.* 1 wealth, substance 2 (*st. romana*) census.

censore *s.m.* 1 censor 2 (*fig.*) fault-finder.

censorio *agg.* censorial.

censura *s.f.* 1 censorship // *quella scena fu tagliata dalla* —, that scene was cut out by the censor 2 (*fig.*) censure.

censurabile *agg.* censurable.

censurare *v.tr.* 1 to censor 2 (*fig.*) to censure.

centaurea *s.f.* (*bot.*) centaury.

centauro *s.m.* 1 (*mit.*) centaur 2 (*motociclista*) motorcyclist.

centellinare *v.tr.* to sip.

centenario *agg.* 1 (*che ha cento anni*) a hundred years old (*pred.*); hundred-year-old (*attr.*); centenarian 2 (*che ricorre ogni cento anni*) centennial ♦ *s.m.* 1 (*persona che ha cento anni*) centenarian 2 (*commemorazione*) centenary, hundredth anniversary.

centennio *s.m.* (*letter.*) (period of) a hundred years, century.

centesimale *agg.* centesimal.

centesimo *agg.num.ord.* e *s.m.* hundredth // — *di dollaro*, cent // *non vale un* —, it isn't worth a farthing // *non avere un* —, to be (quite) penniless; (*fam.*) to be skint.

centi- *pref.* centi-.

centigrado *agg.* centigrade.

centigrammo *s.m.* centigramme.

centilitro *s.m.* centilitre; (*amer.*) centiliter.

centimetrato *agg.* divided into centimetres // *nastro* —, tape measure.

centimetro *s.m.* 1 centimetre; (*amer.*) centimeter 2 (*nastro per misurare*) tape measure.

centina *s.f.* 1 (*edil.*) centering 2 (*aer.*) rib.

centinaio *s.m.* hundred // *a centinaia*, in hundreds.

centinare *v.tr.* to support with a centering.

cento *agg.num.card.* e *s.m.* a hundred: — *chilometri all'ora*, a hundred kilometres an (*o* per) hour; *una persona su* —, one person in (*o* out of) a hundred // — *di questi giorni!*, many happy returns (of the day)! // *è italiano al — per* —, it's a hundred per cent Italian.

centometrista *s.m.* e *f.* sprinter.

centomila *agg.num.card.* e *s.m.* a hundred thousand, one hundred thousand.

centone *s.m.* cento.

centopiedi *s.m.* (*zool.*) centipede.

centrale *agg.* central ♦ *s.f.* (*di ufficio, società ecc.*) head office // — *del latte*, dairy // — *telefonica*, (telephone) exchange // — *di polizia*, police station // — *elettrica*, power station // — *nucleare*, nuclear power station.

centralinista *s.m.* e *f.* operator.

centralino *s.m.* (telephone) exchange; (*di ditta ecc.*) switchboard.

centralismo *s.m.* (*pol.*) centralism, centralization.

centralista *s.m.* e *f.* centralist.

centralizzare *v.tr.* to centralize.

centralizzatore *agg.* centralizing ♦ *s.m.* centralizer.

centralizzazione *s.f.* centralization.

centrare *v.tr.* 1 (*colpire nel centro*) to hit* the centre (of sthg.): — *il bersaglio*, (*anche fig.*) to hit the mark 2 (*fissare nel centro*) to centre.

centrato *agg.* 1 (*fissato nel centro*) well-balanced 2 (*colpito nel centro*) hit; (*ben assestato*) well-aimed.

centrattacco, centravanti *s.m.* (*sport*) centre forward.

centrico *agg.* (*bot.*) centric.

centrifuga *s.f.* centrifuge.

centrifugare *v.tr.* to centrifuge, to centrifugate.

centrifugazione *s.f.* centrifugation.

centrifugo *agg.* centrifugal.

centrino *s.m.* doily.

centripeto *agg.* centripetal.

centrismo *s.m.* (*pol.*) centre party policy.

centrista *agg.* centre (*attr.*) ♦ *s.m.* (*pol.*) centre party supporter.

centro *s.m.* 1 centre; (*amer.*) center // *al — di una stanza*, in the middle of a room // *essere al — dell'attenzione*, to be the centre of everybody's attention // *far* —, (*anche fig.*) to hit the mark // — *culturale*, cultural centre; arts centre // — *di studi atomici*, atomic research centre // — *balneare, turistico*, seaside, tourist resort // — *nervoso*, (*anat.*) nervous centre 2 (*informatica*) center: — *di calcolo*, computer center (*o* data centre); — *di elaborazione dati*, data processing center (*o* department); — *elettronico*, electronic installation; — *smistamento messaggi*, message switching.

centrocampista *s.m.* (*sport*) mid-field player.

centroeuropeo *agg.* central-European.

centromediano *s.m.* (*sport*) centre halfback.

centrosinistra *s.m.* (*pol.*) centre-left: *governo di* —, centre-left coalition government.

centuplicare *v.tr.* 1 to centuple 2 (*fig.*) to redouble.

centuplo *agg.* centuple ♦ *s.m.* a hundred times (as much as).

centuria *s.f.* (*st. romana*) century.

centurione *s.m.* (*st. romana*) centurion.

ceppaia *s.f.* tree stump, stub.

ceppatello *s.m.* (*bot. pop.*) pore mushroom.

ceppo *s.m.* 1 (*base dell'albero*) stump, stub 2 (*famiglia, razza*) stock 3 (*da ardere*) log: — *di Natale*, yule log 4 (*per la decapitazione*) block 5 (*per battervi la carne*) block 6 *pl.* (*per prigionieri*) shackles, fetters (*anche fig.*) 7 (*aut.*) brake-block; (*per bloccare automobili posteggiate in sosta vietata*) wheel clamp 8 (*di aratro*) plough-stock.

cera[1] *s.f.* wax: — *da scarpe*, shoe (*o* boot) polish; *bianco come la* —, waxen (*o* extremely pale); *dare la* — *a*, to wax.

cera[2] *s.f.* (*aspetto*) air, look: *avere bella, buona* —, to look well; *avere una brutta* —, to look ill // *far buona* — *a qlcu.*, to give s.o. a hearty welcome.

ceralacca *s.f.* sealing wax.

ceramica *s.f.* 1 (*arte*) ceramics 2 (*oggetto in ceramica*) piece of pottery 3 (*materiale*) earthenware 4 *pl.* pottery (*sing.*).

ceramista *s.m. e f.* potter.

cerato *agg.* waxed; wax (*attr.*).

Cerbero *no.pr.m.* (*mit.*) Cerberus // **cerbero** *s.m.* (*custode severo*) watchdog.

cerbiatto *s.m.* fawn.

cerbottana *s.f.* blowpipe; (*giocattolo*) peashooter.

cerca *s.f.* 1 search, quest: *andare in* — *di qlco., qlcu.*, to go to look for sthg., s.o. 2 (*questua*) begging.

cercare *v.tr.* 1 to look for (s.o., sthg.), to search (for s.o., sthg.); to seek*: *cercalo bene*, have a good look for it; *non perdere tempo a cercarlo*, don't waste time looking for it; *che cosa stai cercando?*, what are you looking for? // — *qlco. per mare e per terra*, to look for sthg. high and low // *chi cerca trova*, (*prov.*) he who seeks will find 2 (*nei libri*) to look up 3 (*a tastoni*) to fumble (for sthg.) ♦ *v.intr.* (*tentare*) to try: *ho cercato di aiutarlo*, I tried to help him.

cercatore *s.m.* seeker, searcher: — *d'oro*, gold prospector.

cerchia *s.f.* circle (*anche fig.*): *entro la* — *delle mura*, within the walls.

cerchiare *v.tr.* to hoop.

cerchiato *agg.* (*di occhi*) black-ringed.

cerchietto *s.m.* 1 (*braccialetto*) bracelet 2 *pl.* (*gioco*) quoits 3 (*per capelli*) hair-band.

cerchio *s.m.* 1 circle: — *massimo* (*geogr.*) great circle; *girare in* —, to turn round // *fare* — *intorno a qlcu.*, to stand round s.o. // *fare il* — *della morte*, (*di motociclista*) to lap the wall of death 2 (*di botte*) hoop // *dare un colpo al* — *e l'altro alla botte*, to keep everybody happy 3 (*giocattolo*) hoop.

cerchione *s.m.* (*di ruota*) rim.

cereale *agg. e s.m.* cereal.

cerealicolo *agg.* cereal (*attr.*).

cerealicoltura, cerealicultura *s.f.* cereal-growing.

cerebellare *agg.* (*anat.*) cerebellar.

cerebrale *agg.* cerebral (*anche fig.*) ♦ *s.m.* highbrow, egghead.

cerebrospinale *agg.* (*anat.*) cerebro-spinal.

cereo *agg.* waxen, wax (*attr.*).

ceretta *s.f.* (*per depilazione*) wax.

cerfoglio *s.m.* (*bot.*) chervil.

cerimonia *s.f.* 1 ceremony 2 (*complimenti*) ceremony (*solo sing.*): *fare delle cerimonie*, to stand on ceremony.

cerimoniale *agg. e s.m.* ceremonial.

cerimoniere *s.m.* Master of Ceremonies (*abbr.* M.C.).

cerimonioso *agg.* ceremonious, formal.

cerino *s.m.* wax match, vesta.

cernecchio *s.m.* tuft of ruffled hair.

cernere *v.tr.* (*letter.*) to choose*, to select.

cernia *s.f.* (*zool.*) grouper; (*scient.*) epinephelus.

cerniera *s.f.* 1 hinge 2 (*di borsa*) claps 3 (*lampo*) zip fastener, zipper, (*fam.*) zip.

cernita *s.f.* choice, selection.

cero *s.m.* candle.

cerone *s.m.* grease paint; (*trucco*) make-up.

ceroplastica *s.f.* ceroplastics.

cerotto *s.m.* plaster.

cerro *s.m.* (*bot.*) Turkey oak.

certamente *avv.* certainly: *ma* —!, of course!

certezza *s.f.* certainty.

certificare *v.tr.* to certify, to attest.

certificato *s.m.* certificate: *rilasciare un* —, to issue a certificate; — *di matrimonio*, marriage certificate; — *di nascita*, birth certificate; — *di sana costituzione*, health certificate; — *di deposito*, certificate of deposit; — *di origine*, certificate of origin; — *azionario*, share certificate.

certo *agg.* certain, sure: *è cosa certa*, it is sure (*o* certain); «*Ne sei* —?» «*Ne sono certissimo*» "Are you certain (*o* sure) of it?" "I'm positive (*o* absolutely sure)"; *questa commedia avrà un successo* —, this play is certain to succeed (*o* una cosa è certa, che..., one thing is sure (*o* certain), that... ♦ *s.m.*: *sapere per* —, to know for certain (*o* sure); *tenere per* —, to be sure (*o* certain) // *lasciare il* — *per l'incerto*, to venture into the unknown ♦ *avv.* certainly: *ma* —!, of course!; *non è* — *un capolavoro*, it's by no means a masterpiece.

certo *agg.indef.* 1 certain: *un* — *numero*, a certain number // *un* — *Alfred Smith*, one (*o* a certain) Alfred Smith 2 (*quantitativo*) some: *dopo un* — *tempo*, after some time; *un* — (*qual*) *coraggio*, some courage 3 (*di tal genere*) such: *certe espressioni non dovreste usarle mai*, you should never use such expressions ♦ *pron.indef.pl.* some; (*certe persone*) some people: *certi sostengono che sia ancora vivo*, some people say he is still alive; *certi preferiscono il mare, altri la montagna*, some (people) prefer the sea, others the mountains.

certosa *s.f.* Carthusian monastery.

certosino *s.m.* Carthusian // *è un lavoro da* —, it's a job that calls for great patience // *vivere da* —, to live a retired life.

certuno *agg.indef.* some ♦ *pron.indef.* someone, somebody; *pl.* some; (*certune persone*) some people.

ceruleo *agg.* (*letter.*) cerulean, sky-blue.

cerume *s.m.* earwax, cerumen.

cerva *s.f.* hind.

cervelletto *s.m.* cerebellum.

cervello *s.m.* [*pl.m.* cervelli; *in certe locuzioni anche pl.f.* cervella] brain; (*fig.*) brains // *usare il* —, to use one's brains // *bruciarsi, farsi saltare le cervella*, to blow one's brains out // *è un* — *di gallina*, she is featherbrained // — *elettronico*, electronic brain // *lavaggio del* —, brainwashing // *gli diede di volta il* —, he went mad //

il — del partito, the brains of the Party // *senza —*, thoughtless.

cervellone *s.m.* **1** (*fam.*) brain, brainy person **2** (*scherz.*) (*detto di elaboratore*) "Big Brain"; (*detto di persona*) (*fam.*) guru.

cervellotico *agg.* bizarre.

cervicale *agg.* cervical.

cervice *s.f.* (*letter.*) nape of the neck.

Cervino, il *no.pr.m.* the Matterhorn.

cervo *s.m.* **1** deer (*pl. invar.*); (*il maschio*) stag **2** — *volante*, (*zool.*) stag-beetle; (*aquilone*) kite.

Cesare *no.pr.m.* Caesar // *cesare s.m.* (*imperatore*) Caesar // *date a — quel ch'è di —*, render unto Caesar the things that are Caesar's.

cesareo *agg.*: *taglio —*, (*chir.*) Caesarian operation.

cesarismo *s.m.* Caesarism.

cesellare *v.tr.* **1** to chisel **2** (*fig.*) to polish.

cesellatore *s.m.* chiseller.

cesello *s.m.* chisel // *lavorare di —*, (*fig.*) to polish.

cesio *s.m.* (*chim.*) caesium, cesium.

cesoia *s.f.* **1** (*mecc.*) shear **2** *pl.* (*forbici*) shears.

cespite *s.m.* source of income.

cespo *s.m.* tuft // *un — di lattuga*, a head of lettuce.

cespuglio *s.m.* bush, shrub.

cespuglioso *agg.* bushy.

cessare *v.intr.* **1** to cease (to do, doing); to leave* off (doing); to stop (doing): *la pioggia è cessata*, it has stopped raining // *— di vivere*, to breathe one's last **2** (*aver fine*) to end; (*gradatamente*) to subside, to die down ♦ *v.tr.* to cease, to stop // *cessate il fuoco!*, cease fire!

cessazione *s.f.* **1** cessation: *— delle ostilità*, cessation of hostilities **2** (*comm.*) discontinuance.

cessione *s.f.* transfer; (*dir.*) assignment, cession: *atto di —*, deed of assignment.

cesso *s.m.* latrine; (*volg.*) bog.

cesta *s.f.* **1** basket; (*grossa*) hamper **2** (*il contenuto*) basket(ful) **3** (*pelota*) "cesta".

cestello *s.m.* **1** crate: *— delle bottiglie del latte*, milk (bottle) crate **2** (*di lavatrice*) drum.

cestinare *v.tr.* **1** to throw* into the wastepaper basket **2** (*rifiutare un manoscritto*) to refuse (to publish).

cestino *s.m.* **1** small basket // *— da lavoro*, workbox // *— da viaggio*, packed lunch // *— della merenda*, lunch-box **2** (*per la carta straccia*) wastepaper basket.

cestista *s.m.* e *f.* basketball player.

cesto[1] *s.m.* **1** basket **2** (*pallacanestro*) (*canestro*) basket; (*punto segnato*) goal.

cesto[2] *s.m.* head: *un — di lattuga*, a head of lettuce; *far —*, (*accestire*) to tuft.

cesura *s.f.* (*metrica*) caesura.

cetaceo *s.m.* cetacean (*pl.* cetacea).

ceto *s.m.* class: *il — medio*, the middle class(es).

cetonia *s.f.* (*zool.*) cetonia, cetonian.

cetra *s.f.* (*mus.*) zither; (*ant.*) cithara.

cetriolino *s.m.* gherkin.

cetriolo *s.m.* cucumber.

Cevenne, le *no.pr.f.pl.* the Cevennes.

che[1] *pron.rel.* **1** *sogg.* (*riferito a persone*) who, that, (*nelle incidentali*) who; (*riferito a cose o animali*) that, which, (*nelle incidentali*) which: *ecco i libri — mi furono regalati*, here are the books that (*o* which) were given to me; *mio fratello, — abita con me, è ingegnere*, my brother, who lives with me, is an engineer **2** *ogg.* (*riferito a persone*) that, whom, (*nelle incidentali*) whom

(*non può essere mai tralasciato*); (*riferito a cose o animali*) that, which, (*nelle incidentali*) which (*non può essere mai tralasciato*): *è l'uomo più onesto — abbia mai incontrato*, he is the most honest man (that) I have ever met; *questo è il libro — avevo perso*, this is the book (that *o* which) I had lost; *la signora — stai guardando è mia madre*, the lady you are looking at is my mother; *questo è il libro — stavo guardando*, this is the book (that *o* which) I was looking at (*o* at which I was looking) **3** (*la qual cosa*) which: *il —*, which; *dal —*, from which // *col —*, with this (*o* that) **4** (*cosa che*): *non c'è — dire*, you can't deny it; *non ha di — vivere*, he has nothing to live on (*o* not at all) **5** (*in corr. con stesso, tale*) as, that → *stesso, tale* **6** (*quando*) when: *il giorno —*, the day (when) **7** (*dove*) where.

che[1] *agg.interr.* (*riferito a numero indeterminato di cose o persone*) what; (*riferito a numero limitato di cose o persone*) which: *giornale vuoi, il Sunday Times o l'Observer?*, which paper do you want, the Sunday Times or the Observer?; *— libri preferisci?*, what books do you prefer? // *— tipo è?*, what kind of person is he? // *— ora è?*, what is the time? (*o* what time is it?) ♦ *pron.interr.* (*che cosa*) what: *che (cosa) è questo?*, what is this?; *— guardi?*, what are you looking at?; *non so — dire*, I don't know what to say; *— altro (c'è)?*, what else? // *— è, — non è*, all of a sudden // *a — (pro)?*, what for?

che[1] *agg.esclam.* **1** what; (*con s. che in inglese ammettono il pl.*) what a: *— pazienza!*, *— bei libri!*, what patience!, what fine books!; *— bella giornata!*, what a lovely day! // *— peccato!*, what a pity! (*o* what a shame!); *— vergogna!*, what a disgrace! **2** (*con valore di come*) how: *— strano!*, how strange! ♦ *pron.esclam.* (*che cosa*) what! ♦ *inter.* what!

che[1] *pron.indef.* something: *c'era un —, un (certo) non so — di strano in lui*, there was something strange about him // *non un gran —, (non molto)* not much; *questa commedia non è un gran —*, (*fam.*) this play is nothing to write home about (*o* is not up to much).

che[2] *cong.* **1** (*dichiarativa*) that (*spesso omessa*): *dicono —..., they say (that)...; sono certo — arriverà presto*, I'm sure (that) he will arrive soon // *voglio, desidero — tu vada subito*, I want, I wish you to go at once // *bisogna — tu parta*, you must (*o* you have to) leave // *è necessario — tu...*, it's necessary for you to... **2** (*consec., finale, causale*) that: *è così gentile —...*, he is so kind that...; *bada — non si faccia male*, be careful that he doesn't hurt himself; *non già — io voglia...*, it is not that I want... **3** *compar.* than: *sono più furbi — intelligenti*, they are more cunning than intelligent **4** *corr.* → *sia.* sia **5** (*temporale*) (*quando*) when; (*dopo che*) after: *arrivai — era già partito*, he had already left when I arrived; *pagato — ebbe il conto...*, after paying the bill... **6** (*eccettuativa*) only, but: *non ho, non mi sono rimaste — poche lire*, I have only (*o* but) a few lire left; *non hai — dirmelo*, you have only (*o* but) to tell me **7** (*imperativa*): *— tutto sia in ordine!*, mind that everything is in order!; *— non se ne parli più*, let's drop it! **8** (*desiderativa*): *— il cielo non voglia!*, Heaven forbid!; *— Dio ti aiuti!*, (may) God help you! **9.** (*per introdurre prop. interr. ed esclam. non si traduce*): *— sia uscito?*, could he have gone out?

ché *cong.* (*ant. letter.*) → **poiché** e **affinché**.

checca *s.f.* (*spreg.*) poof.

checché *pron.indef.* (*letter.*) whatever.

checchessia *pron.indef.* (*letter.*) anything; (*tutto*) everything.

chela *s.f.* (*zool.*) chela (*pl.* chelae).

chellerina *s.f.* waitress.

chemisier (*franc.*) *s.m.* (*abbigl.*) shirtwaister, shirtwaist dress.

chepì *s.m.* (*mil.*) kepi.

cheratina *s.f.* keratin.

cherosene *s.m.* kerosene.

cherubino *s.m.* cherub.

chetare *v.tr.* (*letter.*) to quieten // **-arsi** *v.rifl.* to quieten down.

chetichella, alla *locuz.avv.* on the sly; (*segretamente*) secretly: *andarsene alla* —, to slip away unobserved.

cheto *agg.* (*letter.*) quiet.

chi *pron.interr.* **1** *sogg.* who: — *è?*, who is it?; — *siete?*, who are you?; — *è stato?*, who was it?; — *è stato a rompere questo bicchiere?*, (who was it) who broke this glass? // — *sarà mai?*, whoever can it be? **2** *ogg.* e *compl.* who(m): — *hai incontrato?*, who(m) did you meet?; *a* — *scrivi?*, who(m) are you writing to? **3** (*seguito da partitivo*) which: — *di voi, di noi*, which of you, of us **4** *poss.* whose: *di* — *è questo libro (rosso)?*, whose (red) book is this? *o* whose is this (red) book?; *di* — *è il libro che hai preso?*, whose book did you take?; *di* — *è la casa che abbiamo visto ieri?*, whose house was it we saw yesterday? ♦ *pron.esclam.* who: — (*lo*) *sa!*, who knows (*o* who can tell)!; — (*mai*) *l'avrebbe detto!*, whoever would have said so! // *a* — *lo dici!*, you're telling me!

chi *pron.rel.dimostr.* (*colui che, colei che*) *sogg.* he, she who, *compl.* him, her who(m); (*coloro che*) *sogg.* they who, *compl.* them who(m) [*queste forme letter. sono gener. sostituite da forme del tipo*: the person who(m); the man who(m); *pl.* those who(m), people who(m)]: — *ha fatto ciò deve essere pazzo*, the man who did that must be mad; *sono gentile con* — *è gentile con me*, I am kind to those who (*o* to people that) are kind to me ♦ *pron.rel.indet.* **1** (*chiunque*) *sogg.* whoever, anyone who, anybody who; *compl.* who(m)ever, anyone, anybody: *chiedilo a* — *vuoi*, ask who(m)ever (*o* anyone) you like; — *negasse ciò...*, whoever (*o* anyone who) denied that... **2** (*qualcuno che*) someone who, somebody who; (*in prop. negative*) anyone who, anybody who: *c'è* —, *non c'è* — *potrebbe farlo*, there is someone, there is nobody who could do it; *bisogna che trovi* — *lo aiuti*, he must find someone who can help him **3** — *...* —, (*alcuni... altri*) some... some (*o* others... others); (*uno... un altro*) one... another.

chiacchiera *s.f.* **1** talk; chatter: *smettetela con le vostre chiacchiere*, stop chattering; *fare due chiacchiere*, to have a chat // *non perdiamoci in chiacchiere!*, let's get to the point! **2** (*facilità di parola*) windbag: *avere molta* —, to have the gift of the gab **3** (*notizia infondata*) hearsay **4** (*pettegolezzo*) gossip.

chiacchierare *v.intr.* **1** to chat, to chatter: — *del più e del meno*, to talk about this and that **2** (*fare pettegolezzi*) to gossip.

chiacchierata *s.f.* **1** chat **2** (*discorso vuoto*) idle talk.

chiacchierino *agg.* chatty ♦ *s.m.* (*pizzo*) tatting.

chiacchierio *s.m.* babbling, chattering.

chiacchierone *s.m.* **1** chatterbox **2** (*pettegolo*) gossip.

chiama *s.f.* roll call: *fare la* —, to call the roll.

chiamare *v.tr.* **1** to call; (*alzando la voce*) to call out: — *aiuto*, to call for help; — *a testimonio*, (*dir.*) to call to witness; — (*qlcu.*) *con un cenno*, to beckon (to s.o.); —*in giudizio*, (*dir.*) to summon; — *un taxi*, to hail a taxi // — *le cose col loro nome*, (*fam.*) to call a spade a spade *o* *esser chiamato alla ribalta*, to be given a curtain call **2** (*mil.*) to call up: — *qlcu. sotto le armi*, to call s.o. up **3** (*far venire*) to send* for (s.o.) **4** (*al telefono*) to ring* up, to call: *lo chiamerò nel pomeriggio*, I'll call him (*o* I'll ring him up *o* I'll give him a ring) in the afternoon // *essere chiamati al telefono*, to be called to the phone **5** (*dar nome*) to name, to call // **-arsi** *v.intr.pron.* (*aver nome*) to be* called // *questo si chiama parlar chiaro*, this is putting it rather bluntly.

chiamata *s.f.* **1** call: — *interurbana*, trunk call // — *di procedura*, command statement **2** (*mil.*) call-up; (*amer.*) draft **3** (*appello*) roll call **4** (*teatr.*) curtain call **5** (*dir.*) summons.

chiara *s.f.* (*pop.*) egg white.

Chiara *no.pr.f.* Clara, Clare.

chiaramente *avv.* clearly; (*francamente*) frankly.

chiaretto *s.m.* (*vino*) claret.

chiarezza *s.f.* clearness (*anche fig.*); (*fig.*) lucidity.

chiarificare *v.tr.* to clarify (*anche fig.*).

chiarificazione *s.f.* clarification.

chiarimento *s.m.* explanation.

chiarire *v.tr.* to make* clear, to explain: — *un mistero*, to clear up a mystery.

chiaro *agg.* **1** clear (*anche fig.*); (*luminoso*) bright; (*di colore*) light // *non è ancora* — (*è ancora notte*), it's not yet light // *si fa* —, it is dawning // *di chiara fama*, of great renown **2** (*evidente*) clear, evident ♦ *s.m.* clearness, brightness; (*luce*) light: — *di luna*, moonlight; *vestirsi di* —, to wear light-coloured clothes // *con questi chiari di luna*, in these difficult times // *mettere* — *in qlco.*, to clear sthg. up; *venire in* — *di qlco.*, to get to the bottom of sthg. ♦ *avv.* clearly; (*francamente*) frankly: *veder* — *in qlco.*, to have a clear idea of sthg. // — *e tondo*, plainly.

chiarore *s.m.* gleam, glimmer: *il* — *dell'alba*, the first light of dawn; *il* — *lunare*, moonlight.

chiaroscuro *s.m.* (*pitt.*) chiaroscuro.

chiaroveggente *agg.* clairvoyant; (*dotato di intuito e perspicacia*) clear-sighted.

chiaroveggenza *s.f.* clairvoyance; (*perspicacia e intuizione*) clear-sightedness.

chiassata *s.f.* (*scenata*) row.

chiasso *s.m.* din; uproar, racket // *fare* —, to kick up a shindy; (*fig.*) to make a sensation.

chiassoso *agg.* **1** noisy, rowdy **2** (*di colore*) gaudy, loud.

chiatta *s.f.* barge; (*nei porti*) lighter: *ponte di chiatte*, pontoon bridge.

chiavarda *s.f.* bolt.

chiave *s.f.* **1** key (*anche fig.*) // — *maestra*, — *apritutto*, master key, skeleton key // *chiudere a* —, to lock // *tenere qlco., qlcu. sotto* —, to keep sthg., s.o. locked up // — *di un messaggio cifrato*, cipher-key // *romanzo a* —, "roman à clef" **2** (*tecn.*) spanner; (*amer.*) wrench // — *di strumento a corda*, peg // — *inglese*, monkey wrench **3** (*mus.*) clef **4** — *di volta*, (*arch.*) keystone **5** (*informatica*) — *del record*, record key; — *di identificazione*, password; — *di sicurezza*, security lock.

chiavetta *s.f.* **1** tap **2** (*mecc.*) key; (*trasversale*) cotter.

chiavica *s.f.* sewer.

chiavistello *s.m.* latch, bolt: — *a saliscendi*, thumb-latch; *mettere il* — *a una porta*, to bolt a door.

chiazza *s.f.* spot, stain.

chiazzare *v.tr.* to spot, to stain; (*con colori diversi*) to mottle.

chicca *s.f.* sweet; (*amer.*) candy.

chicchera *s.f.* **1** cup **2** (*contenuto*) cupful.

chicchessia *pron.indef.* (*letter.*) anyone, anybody.

chicchirichì *s.m.onom.* cock-a-doodle-doo.

chicco *s.m.* grain; (*di grandine*) hailstone; (*di caffè*) coffee bean; (*d'uva*) grape.

chiedere *v.tr.* **1** (*per sapere*) to ask; (*per avere*) to ask for (sthg.); (*imperiosamente*) to demand; (*umilmente*) to beg: *mi chiese di andare con lui*, he asked me to go with him; *gli chiesi del denaro*, I asked him for money; *— un favore a qlcu.*, to ask a favour of s.o.; *— perdono a qlcu. per qlco.*, to ask s.o.'s pardon for sthg.; *chiesi notizie di suo padre*, I asked after his father // *qlcu. ha chiesto di te*, s.o. asked for you // *non chiedergli troppo*, don't ask too much of him // *chiedersi come, perché ecc.*, to wonder (*o* to ask oneself) how, why etc. **2** (*informarsi*) to inquire: *è meglio che tu chieda all'ufficio informazioni*, you'd better ask at the information office **3** (*far pagare*) to charge: *chiede troppo per quella automobile*, he is asking too much for that car.

chierica *s.f.* tonsure.

chierichetto *s.m.* altar boy; (*corista*) choirboy.

chierico *s.m.* **1** clergyman (*pl.* -men) **2** (*seminarista*) minor clerk **3** (*bambino che serve la Messa*) altar boy.

chiesa *s.f.* **1** church: *andare in —*, to go to church // *uomo, donna di —*, churchgoer **2** *Chiesa*, (*comunità religiosa*) Church: *la Chiesa Anglicana*, the Church of England (*o* the Anglican Church).

chiesuola *s.f.* (*conventicola*) coterie, clique.

chifel *s.m.* (*cuc.*) croissant.

chiglia *s.f.* keel.

chignon (*franc.*) *s.m.* chignon.

chilo- *pref.* kilo-.

chilo[1] *s.m.* (*biol.*) chyle // *fare il —*, to have a nap.

chilo[2] *s.m.* (*misura di peso*) kilo.

chilociclo *s.m.* (*rad.*) kilocycle.

chilogrammo *s.m.* kilogram(me).

chilolitro *s.m.* kilolitre.

chilometraggio *s.m.* distance in kilometres; (*espresso in miglia*) mileage.

chilometrico *agg.* kilometric(al); (*fig.*) extremely long.

chilometro *s.m.* kilometre; (*amer.*) kilometer.

chilowatt *s.m.* (*elettr.*) kilowatt.

chilowattora *s.m.* (*elettr.*) kilowatt-hour.

chimera *s.f.* chimera (*anche fig.*).

chimerico *agg.* chimerical, fanciful.

chimica *s.f.* chemistry.

chimico *agg.* chemical: *sostanze chimiche*, chemicals ♦ *s.m.* chemist.

chimo *s.m.* (*biol.*) chyme.

chimono *s.m.* kimono.

china[1] *s.f.* slope; declivity // *si è messo su una brutta —*, he has taken a bad turn.

china[2] *s.f.* (*inchiostro*) India ink, China ink.

chinare *v.tr.* to bend*, to bow, to incline: *— il capo*, to bend one's head; (*fig.*) (*cedere*) to bow one's head (*o* to submit) // *-arsi* *v.rifl.* to stoop, to bend* down.

chincaglieria *s.f.* **1** (*gli oggetti*) knick-knacks; small fancy articles (*pl.*) **2** (*il negozio*) fancy goods shop.

chinina *s.f.* quinine.

chinino *s.m.* (*farm.*) quinine.

chino *agg.* bent, bowed.

chinotto *s.m.* (*bot.*) bigarade.

chioccia *s.f.* brooding hen.

chiocciare *v.intr.* to cluck.

chiocciata *s.f.* brood of chickens.

chioccio *agg.* clucking.

chiocciola *s.f.* **1** (*zool.*) snail // *scala a —*, spiral (*o* keyhole *o* winding) staircase **2** (*anat.*) cochlea.

chioccolare *v.intr.* **1** (*del merlo ecc.*) to whistle **2** (*gorgogliare*) to gurgle, to bubble.

chioccolio *s.m.* **1** (*del merlo ecc.*) whistling **2** (*gorgoglio*) gurgle, gurgling sound.

chiocciolo *s.m.* twittering.

chiodame *s.m.* nails (*pl.*).

chiodato *agg.* nailed; (*fornito di grossi chiodi*) hobnailed // *giunto chiodato*, (*mecc.*) riveted joint.

chiodatura *s.f.* **1** (*mecc.*) riveting **2** (*di scarpe*) nailing.

chiodino *s.m.* (*fungo*) honey agaric.

chiodo *s.m.* **1** nail; (*mecc.*) rivet; (*da scarpe da roccia*) hobnail; (*da strada*) stud: *ribadire un —*, to rivet a nail // *avere un — in testa*, to have a bee in one's bonnet // *magro come un —*, as thin as a rake // *è un suo —*, it's a mania of his // *roba da chiodi!*, it's fantastic! // *— scaccia —*, (*prov.*) one pain drives out another **2** (*alpinismo*) (*da montagna*) rock-piton, peg; (*da ghiaccio*) frost-nail **3** *— di garofano*, (*cuc.*) clove.

chioma *s.f.* **1** hair (*solo sing.*) **2** (*fogliame*) foliage; leaves (*pl.*) **3** (*astr.*) tail.

chiomato *agg.* long-haired.

chiosa *s.f.* note, gloss.

chiosare *v.tr.* to annotate, to gloss.

chiosco *s.m.* kiosk; (*per giornali*) news stand; (*per libri*) bookstall; (*per frutta e verdura*) fruit and vegetable stand.

chiostra *s.f.* enclosure; (*di denti*) set; (*di monti*) range.

chiostro *s.m.* cloister.

chiotto *agg.* quiet, still.

chiragra *s.f.* (*med.*) chiragra.

chirografo *s.m.* (*dir.*) chirograph.

chiromante *s.m. e f.* chiromancer, palmist.

chiromanzia *s.f.* chiromancy, palmistry.

chirurgia *s.f.* surgery.

chirurgico *agg.* surgical.

chirurgo *s.m.* surgeon.

chissà, chi sa *avv.* **1** goodness knows, who knows: *— quando lo rivedremo!*, goodness (*o* who) knows when we shall meet him again! // *— se verrà*, I wonder (*o* goodness knows) whether he will come **2** (*forse*) perhaps, maybe: *— che non venga anch'io*, perhaps I'll come too.

chitarra *s.f.* guitar.

chitarrista *s.m. e f.* guitarist.

chitina *s.f.* (*chim. zool.*) chitin.

chiù *s.m.* (*zool.*) horned owl.

chiudere *v.tr.* **1** to shut*, to close; (*sbarrare*) to bar; (*a chiave*) to lock; (*violentemente*) to slam: *chiudi la finestra, per favore*, shut the window, please // *— il gas, la luce, la radio*, to turn off the gas, the light, the radio // *— una strada al traffico*, to close a road to traffic // *— un buco*, to stop up a hole // *— una bottiglia*, to cork a bottle // *— il pugno*, to clench one's fist // *non ho chiuso occhio*, I have not slept a wink // *— gli occhi*, (*morire*) to end one's days // *— un occhio su qlco.*, to turn a blind eye to sthg. // *chiudi il becco!*, shut up! **2** (*sigillare*) to seal (up) **3** (*recingere*) to enclose **4** (*concludere*) to conclude; (*terminare*) to end, to close // *la banda chiudeva il corteo*, the band brought up the rear (of the procession) **5** (*rinchiudere*) to lock up, to shut* up **6**

(*un'attività*) to close (down); (*bruscamente*) to fold up: *la ditta dovrà — entro l'anno*, the firm will have to close down within the year; *la ditta ha chiuso dall'oggi al domani*, the firm folded up ♦ *v.intr.* to close: *la finestra non chiude*, the window won't close (*o* shut); *i negozi chiudono alle sei*, the shops close at six // **-ersi** *v.rifl.* **1** to close: *si chiude automaticamente*, it closes automatically **2** (*di tempo*) to cloud over, to become* cloudy **3** (*rinchiudersi*) to shut* oneself up; to lock oneself in; (*fig.*) to withdraw*: *mi sono chiuso dentro per sbaglio*, I locked myself in by mistake; *— in se stesso, nel proprio dolore*, to withdraw into oneself, into one's sufferings.

chiunque *pron.indef.* (*qualunque persona*) anyone, anybody: *— può farlo*, anyone (*o* anybody) can do that; *meglio di — altro*, better than anyone (*o* anybody) else ♦ *pron.rel.indef.* (*qualunque persona che*) **1** *sogg.* whoever, anyone who: *— venga, — telefoni*, whoever (*o* anyone who) comes, phones // *— tu sia*, whoever you are (*o* whoever you may be) **2** *ogg. e compl.indef.* who (m)ever, anyone: *— incontriate*, who(m)ever (*o* anyone) you meet **3** *di —*, (*poss.*) whosever: *di — sia questo libro*, whosever this book is (*o* may be) **4** (*seguito da partitivo*) whichever (one): *— di voi*, whichever (one) of you.

chiurlo *s.m.* (*zool.*) curlew.

chiusa *s.f.* **1** lock; (*diga*) dam: *porta di —*, lock-gate **2** (*recinto*) enclosure **3** (*conclusione*) end.

chiusino *s.m.* (*di buca*) cover, lid; (*stradale*) manhole cover.

chiuso *agg.* **1** closed, shut; (*a chiave*) locked: *è ancora —*, it is still closed; *i negozi sono chiusi la domenica*, shops are closed on Sundays // *— mente chiusa*, narrow mind // *persona chiusa*, reserved person // *cielo —*, overcast sky // *vocale chiusa*, close vowel **2** (*circondato, racchiuso*) enclosed **3** (*comm.*) settled, balanced ♦ *s.m.* (*recinto*) enclosure; (*per animali in genere*) pen; (*per pecore*) fold.

chiusura *s.f.* **1** closing: *— dei conti*, closing of accounts; *discorso di —*, closing speech; *ora di —*, closing time ; *— estiva*, (*di negozio, fabbrica ecc.*) summer closing (*o* shutdown) **2** (*serratura*) lock **3** (*allacciatura*) fastening: *— lampo*, zip (*o* zipper).

choc (*franc.*) *s.m.* shock.

ci *pron.pers. 1ª pers.pl.* **1** *ogg.* us; (*termine, a noi*) (to) us; *— ha visti*, he saw us; *— ha dato un buon indirizzo*, he gave us a good address **2** (*in costr. impers.*) we, one: *a volte — si lamenta senza ragione*, sometimes we complain (*o* one complains) without reason ♦ *pron.rifl.* ourselves (*gener. omesso*): *— lavammo*, we washed (ourselves); *— lavammo le mani*, we washed our hands; *— lagnammo*, we complained ♦ *pron.rec.* (*tra due*) each other, (*tra più di due*) one another ♦ *pron.dimostr.* it; this; that: *— penserò*, I'll think about it ♦ *avv.* **1** (*là*) there; (*qui*) here: *— andremo subito*, we shall go there at once; *— siamo, finalmente!*, here we are, at last! **2** (*esserci, volerci*) → essere, volere **3** (*pleon.*) (*non si traduce*): *non — vede*, he can't see.

ciabatta *s.f.* **1** slipper **2** (*scarpa scalcagnata*) old shoe, worn-out shoe.

ciabattare *v.intr.* to shuffle (along).

ciabattino *s.m.* cobbler.

ciaccona *s.f.* (*mus., danza*) chaconne.

ciak *s.m.* (*cinem.*) clapper.

cialda *s.f.* wafer.

cialdino *s.m.* (*farm.*) wafer.

cialdone *s.m.* cornet.

cialtrone *s.m.* (*persona poco attendibile*) a big talker; (*fam.*) creep: *è un —*, he always talks big.

ciambella *s.f.* **1** ring-shaped bun **2** (*salvagente*) lifebuoy.

ciambellano *s.m.* chamberlain.

ciancia *s.f.* tittle-tattle, gossip // *ciance!*, fiddlesticks!, nonsense!

cianciare *v.intr.* to chatter (away), to prattle (away).

ciancicare *v.tr.* e *intr.* **1** (*pronunciare indistintamente*) to mumble; (*balbettare*) to stammer (out) **2** (*biascicare*) to chew slowly.

cianfrusaglia *s.f.* junk, rubbish.

ciangottare *v.intr.* **1** to gabble, to jabber **2** (*ciarlare scioccamente*) to prattle (away) **3** (*di bambini*) to prattle **4** (*di uccelli*) to twitter ♦ *v.tr.* to mumble.

ciangottio *s.m.* **1** gabbling **2** (*di bambini*) prattling **3** (*di uccelli*) twittering.

cianidrico *agg.* hydrocyanic.

cianografia *s.f.* blueprint, cyanotype.

cianosi *s.f.* (*med.*) cyanosis.

cianotico *agg.* cyanotic.

cianuro *s.m.* cyanide.

ciao *inter.* (*fam.*) **1** (*incontrandosi*) hullo!; (*amer.*) hi! **2** (*congedandosi*) cheerio; bye-bye; so long!

ciaramella *s.f.* (*mus.*) bagpipe.

ciarda *s.f.* (*mus., danza*) czardas.

ciarla *s.f.* **1** (*loquacità*) talkativeness, loquacity **2** (*notizia falsa*) false report **3** (*pettegolezzo*) gossip.

ciarlare *v.intr.* to chatter (away).

ciarlataneria *s.f.* quackery, charlatanism.

ciarlatanesco *agg.* quack (*attr.*): *atteggiamento —*, quack attitude.

ciarlatano *s.m.* quack, charlatan.

ciarliero *agg.* talkative, chatty.

ciarlone *s.m.* gasbag.

ciarpame *s.m.* rubbish, junk.

ciascuno, ciascheduno *agg.indef.* (*solo sing.*) (*ogni*) every; (*con valore distr.*) each: *ciascun paese ha le sue usanze*, every country has its own customs; *ciascun libro costa...*, each book costs... ♦ *pron.indef.* (*solo sing.*) **1** (*ognuno, tutti*) everyone, everybody **2** (*con valore distr.*) each (one): *— di noi*, each (one) of us; *diede loro un regalo —*, he gave each one (*o* each of them) a present; *avrete un libro* (*per*) *—*, you will each get a book; *questi libri costano mille lire —*, these books cost a thousand lire each.

cibare *v.tr.* to feed*, to nourish // **-arsi** *v.rifl.* to eat* (sthg.); (*nutrirsi*) to feed* (on sthg.) // *— di speranze*, to cherish hopes.

cibaria *s.f.* victuals (*pl.*), provisions (*pl.*).

cibernetica *s.f.* cybernetics.

cibo *s.m.* food.

ciborio *s.m.* ciborium (*pl.* ciboria).

cicala *s.f.* **1** cicada (*pl.* cicadas *o* cicadae) // *— di mare*, squill **2** (*persona chiacchierona*) chatterbox.

cicalare *v.intr.* to chatter.

cicalata *s.f.* chat.

cicaleccio *s.m.* chattering, prattling.

cicalino *s.m.* (*elettr.*) bleeper.

cicatrice *s.f.* scar (*anche fig.*).

cicatrizzare *v.tr.* e *intr.*, **cicatrizzarsi** *v.intr.pron.* to heal.

cicca *s.f.* **1** butt; (*fam.*) fag end // *non vale una —*, it isn't worth a candle **2** (*di tabacco da masticare*) quid **3** (*gomma da masticare*) chewing gum.

ciccare *v.intr.* to chew tobacco.

cicchetto *s.m.* (*fam.*) **1** (*bicchierino di liquore*) pick-me-up, dram **2** (*ramanzina*) dressing-down: *gli faremo un* —, we'll tick him off (*o* we'll give him a dressing-down).

ciccia *s.f.* (*fam.*) flesh: *avere addosso molta* —, to be fat; *metter su* —, (*ingrassare*) to put on weight.

ciccioli *s.m.pl.* fried scraps of pork fat.

ciccione *s.m.* fat man; (*fam.*) fatty.

ciccioso *agg.* plump, fleshy.

Cicerone *no.pr.m.* (*st. lett.*) Cicero // **cicerone** *s.m.* (*guida*) guide, cicerone (*pl.* ciceroni).

cicisbeo *s.m.* **1** (*st.*) cicisbeo (*pl.* cicisbei) **2** (*damerino*) gallant.

ciclabile *agg.*: *pista* —, cycle-path.

Cicladi, le *no.pr.f.pl.* the Cyclades.

ciclamino *s.m.* cyclamen.

ciclare *v.intr.* (*informatica*) to hang* up in a loop.

ciclico *agg.* cyclic(al).

ciclismo *s.m.* cycling.

ciclista *s.m.* e *f.* cyclist.

ciclistico *agg.* cycling (*attr.*); cycle (*attr.*): *gara ciclistica*, cycle race; *giro* —, cycling tour.

ciclo *s.m.* cycle: *il* — *di re Artù*, (*lett.*) the Arthurian cycle; — *lavorativo*, work cycle // — *di esecuzione*, (*informatica*) execution cycle; — *di lavorazione*, operating routing; — *di trattamento scheda*, card cycle; — *di verifica del programma*, dry run; — *programmato*, canned cycle.

ciclocampestre *s.f.*, **ciclocross** *s.m.* (*sport*) cross-country cycle race.

cicloide *s.f.* cycloid.

ciclomotore *s.m.* moped.

ciclone *s.m.* cyclone, tornado.

ciclonico *agg.* cyclonic.

ciclope *s.m.* (*mit.*) Cyclops (*pl.* Cyclopes).

ciclopico *agg.* Cyclopean (*anche fig.*).

ciclostilare *v.tr.* to stencil.

ciclostile *s.m.* stencil machine.

ciclotrone *s.m.* (*fis.*) cyclotron.

cicogna *s.f.* stork // *l'arrivo della* —, (*fam.*) a visit from the stork.

cicoria *s.f.* chicory.

cicuta *s.f.* hemlock.

ciecamente *avv.* blindly.

cieco *agg.* blind (*anche fig.*): *obbedienza cieca*, blind obedience; — *da un occhio*, blind in one eye; *nato* —, born blind; *diventar* —, to go blind // *finestra cieca*, blind window // *vicolo* —, (*anche fig.*) blind alley // *intestino* —, (*anat.*) caecum // *andare alla cieca*, to go blindly on ♦ *s.m.* blind man // *i ciechi*, the blind; *ciechi di guerra*, blinded ex-servicemen.

cielo *s.m.* **1** sky; (*sede di Dio*) Heaven(s): — *coperto, sereno*, overcast, clear sky // *a* — *aperto*, (*di miniera*) opencast // *a* — *scoperto*, under the open sky // *grazie al* —, thank Heaven(s) (*o* thank goodness) // *per amore del* —, for Heaven's sake // *il Regno dei Cieli*, the Kingdom of Heaven // *santo* —!, good Heavens! (*o* my goodness!) // *lo sa il* —, Heaven knows // *volesse il* — *che...*, would to Heaven that... // *apriti* —!, (*fam.*) good gracious! // *alzare gli occhi al* —, to raise one's eyes to heaven // *essere al settimo* —, *toccare il* — *con un dito*, to be in seventh heaven // *portare al* —, *ai sette cieli*, to praise to the skies // *cose che non stanno né in* — *né in terra*, utter nonsense **2** (*volta*) ceiling; vault.

cifra *s.f.* **1** figure, number, numeral: *in cifre*, in figures **2** (*somma di denaro*) amount of money: *chiese una* — *esageratamente alta*, he asked an exorbitant price **3** (*segno di cifrario segreto*) cipher: *in* —, in cipher **4** (*monogramma*) cipher, monogram **5** (*informatica*) digit: — *di riempimento*, gap digit; — *di controllo*, check digit // *cifre*, numerics.

cifrare *v.tr.* **1** (*scrivere in cifrario*) to cipher; (*tradurre in cifra*) to code **2** (*ricamare le cifre*) to mark.

cifrario *s.m.* code.

cifrato *agg.* ciphered, cipher (*attr.*).

ciglio *s.m.* [*pl.f.* ciglia, *quelle dell'occhio*; *pl.m.* cigli, *negli altri significati*] **1** eyelash // *abbassare le ciglia*, to lower one's eyes // *non batté* —, (*fig.*) he did not bat an eyelid // *in un batter di* —, in a flash **2** (*bordo*) edge, brink, border.

ciglione *s.m.* **1** embankment **2** (*bordo*) edge, brink.

cigno *s.m.* swan.

cigolare *v.intr.* to creak, to squeak.

cigolio *s.m.* creaking, squeaking.

Cile *no.pr.m.* Chile.

cilecca *s.f.*: *far* —, to misfire (*anche fig.*).

cileno *agg.* e *s.m.* Chilean.

cilestrino *agg.* sky blue, light blue.

cilicio *s.m.* hair shirt.

ciliegia *s.f.* cherry // *rosso* —, cherry-red.

ciliegio *s.m.* (*albero*) cherry-tree; (*legno*) cherry-wood.

cilindrare *v.tr.* (*una strada*) to roll.

cilindrata *s.f.* (*aut.*) displacement, swept volume: *automobile di grossa* —, high-powered car.

cilindrico *agg.* cylindrical.

cilindro *s.m.* **1** (*geom. aut.*) cylinder **2** (*tip.*) roller: — *di pressione*, impression cylinder; — *essiccatore*, drying cylinder; — *portalastre*, plate cylinder **3** (*cappello*) top hat; (*fam.*) chimneypot.

cima *s.f.* **1** top, summit; peak: *cime nevose*, snowy summits // *in* —, at the top: *lo scaffale in* —, the top shelf // *ha rovistato la stanza da* — *a fondo*, he has searched the room from top to bottom; *ho letto il tuo libro da* — *a fondo*, I have read your book from beginning to end // *essere in* — *ai pensieri di qlcu.*, to be ever in s.o.'s thoughts **2** (*fig.*) genius, very clever person **3** (*mar.*) rope.

cimare *v.tr.* **1** (*piante*) to poll **2** (*tessuti*) to shear*.

cimasa *s.f.* (*arch.*) cyma (*pl.* cymae).

cimatore *s.m.* (*di tessuti*) shearer.

cimatrice *s.f.* (*mecc.*) shearer.

cimatura *s.f.* **1** (*di piante*) polling **2** (*di tessuti*) shearing **3** (*borra*) shearings (*pl.*).

cimbalo *s.m.* (*mus.*) cymbal // *andare in cimbali*, to be tipsy.

cimelio *s.m.* relic.

cimentare *v.tr.* **1** (*arrischiare*) to risk **2** (*provocare*) to provoke □ **-arsi** *v.rifl.* to venture (upon sthg.) // — *con qlcu.*, to compete with s.o.

cimento *s.m.* **1** risk: *mettere a* —, to risk **2** (*prova*) test: *mettere a* —, to test (*o* to try out).

cimice *s.f.* (bed)bug.

cimiero *s.m.* crest.

ciminiera *s.f.* smokestack.

cimino *s.m.* tip.

cimiteriale *agg.* cemetery (*attr.*).

cimitero *s.m.* **1** cemetery; (*a lato della chiesa*) churchyard **2** (*fig.*) (*di luogo*) wasteland.

cimolo *s.m.* heart.

cimos(s)a *s.f.* **1** selvage **2** (*cancellino*) eraser.

cimurro *s.m.* (*dei cani*) distemper; (*dei cavalli*) glanders (*pl.*).

Cina *no.pr.f.* China.

cinabro *s.m.* cinnabar.

cincia *s.f.* (*zool.*) titmouse (*pl.* titmice).

cinciallegra *s.f.* (*zool.*) great tit.

cincilla, cincillà *s.m.* (*zool.*) chinchilla.

cin cin *onom.* cheers.

cincischiare *v.tr.* **1** (*tagliuzzare*) to shred **2** (*sgualcire*) to rumple ♦ *v.intr.* (*perdere tempo*) to mess about.

cineamatore *s.m.* amateur film-maker.

cineasta *s.m.* e *f.* cinéaste.

cinecamera *s.f.* motion-picture camera.

cineclub *s.m.* film club.

cinedilettante *s.m.* e *f.* amateur film-maker.

cinegiornale *s.m.* newsreel.

cinelandia *s.f.* filmdom.

cinema *s.m.* cinema: — *muto*, silent cinema; — *sonoro*, talkies // *stella del* —, film star; (*amer.*) movie star // *industria del* —, film industry.

cinematica *s.f.* (*fis.*) kinematics.

cinematografare *v.tr.* to film.

cinematografia *s.f.* cinematography.

cinematografico *agg.* film (*attr.*); (*amer.*) movie (*attr.*): *attore* —, film actor; (*amer.*) movie actor.

cinematografo *s.m.* **1** cinema, (motion) pictures (*pl.*); (*amer.*) movies (*pl.*) **2** (*locale*) cinema; (*amer.*) movie theater, movie house.

cinepresa *s.f.* cinecamera.

cineproiettore *s.m.* film projector.

cinerama ® *s.m.* cinerama ®.

cineraria *s.f.* (*bot.*) cineraria.

cinerario *agg.* cinerary.

cinereo *agg.* ashy.

cinese *agg.* Chinese // *quartiere* —, Chinatown ♦ *s.m.* **1** (*abitante*) Chinese (*pl. invar.*) **2** (*lingua*) Chinese.

cineseria *s.f.* chinoiserie (*anche fig.*).

cineteca *s.f.* film library.

cinetica *s.f.* (*fis.*) kinetics.

cinetico *agg.* (*fis.*) kinetic.

cingalese *agg.* e *s.m.* Cingalese (*pl. invar.*).

cingere *v.tr.* **1** to gird // — *la spada*, to gird on one's sword // — *la corona*, to be crowned **2** (*circondare*) to surround // — *d'assedio*, to besiege (*o* to lay siege to).

cinghia *s.f.* **1** strap; (*cintura*) belt // *tirare la* —, (*fig.*) to tighten one's belt **2** (*mecc.*) belt: — *di trasmissione*, driving belt.

cinghiale *s.m.* **1** (*zool.*) (wild) boar **2** (*pelle conciata*) pigskin.

cingolato *agg.* track (*attr.*).

cingolo *s.m.* **1** track **2** (*eccl.*) cincture.

cinguettare *v.intr.* to twitter (*anche fig.*).

cinguettio *s.m.* twittering (*anche fig.*).

cinico *agg.* cynical ♦ *s.m.* cynic.

ciniglia *s.f.* chenille.

cinismo *s.m.* cynicism.

cinnamomo *s.m.* (*bot.*) cinnamon.

cinodromo *s.m.* greyhound (race)track.

cinofilo *agg.* dog-loving ♦ *s.m.* dog lover.

cinquanta *agg.num.card.* e *s.m.* fifty.

cinquantenario *agg.* fifty-year-old (*attr.*) ♦ *s.m.* fiftieth anniversary; (*st.*) jubilee.

cinquantennale *agg.* **1** (*che ricorre ogni cinquant'anni*) (recurring) every fifty years **2** (*che dura cinquant'anni*) fifty-year (*attr.*) ♦ *s.m.* fiftieth anniversary.

cinquantenne *agg.* fifty (years old) (*pred.*), fifty-year

-old (*attr.*) ♦ *s.m.* fifty-year-old man ♦ *s.f.* fifty-year-old woman.

cinquantennio *s.m.* (period of) fifty years.

cinquantesimo *agg.num.ord.* e *s.m.* fiftieth.

cinquantina *s.f.* about fifty, fifty or so // *una donna sulla* —, a woman of about fifty.

cinque *agg.num.card.* e *s.m.* five.

cinquecento *agg.num.card.* e *s.m.* five hundred // *il Cinquecento*, the sixteenth century.

cinquina *s.f.* **1** set of five **2** (*gioco*) set of five (winning) numbers **3** (*mil.*) five days' pay **4** (*teatr.*) actor's pay.

cinta *s.f.* town-walls (*pl.*); (*recinto*) fence // — *daziaria*, toll gates.

cinto *s.m.* **1** (*cintura*) belt **2** (*med.*) truss.

cintura *s.f.* **1** belt // — *di sicurezza*, safety belt **2** (*di gonna, pantaloni*) waistband **3** (*giro di vita*) waist.

cinturato *agg.* bias-belted.

cinturino *s.m.* strap.

cinturone *s.m.* belt.

Cinzia *no.pr.f.* Cynthia.

ciò *pron.dimostr.* **1** that; this; it: — *non ti riguarda*, that is no business of yours (*o* that is none of your business); — *mi dispiace*, I am sorry about it; *tutto* —, all this (*o* that) // — *nondimeno*, — *nonostante*, in spite of that (*o* this); (*tuttavia*) nevertheless // *oltre a* —, besides (*o* moreover) // *e con* —?, (*e allora?*) so what? **2** — *che*, what: *puoi fare* — *che vuoi*, you can do what you want (*o* like) // *tutto* — *che*, everything that.

ciocca *s.f.* lock; (*di fiori, frutti*) cluster.

ciocco *s.m.* log.

cioccolata *s.f.* chocolate: *una* (*tazza di*) —, a cup of chocolate // *color* —, chocolate.

cioccolatiera *s.f.* chocolate pot.

cioccolatino *s.m.* chocolate.

cioccolato *s.m.* chocolate: — *al latte*, milk chocolate.

cioè *avv.* that is (*abbr.* i.e.), that is to say; (*nelle enumerazioni*) namely (*abbr.* viz.).

ciondolare *v.intr.* **1** to dangle **2** (*fig.*) to loaf, to idle ♦ *v.tr.* to dangle.

ciondolo *s.m.* pendant, pendent.

ciondolone, ciondoloni *avv.* dangling.

ciotola *s.f.* bowl.

ciottolo *s.m.* pebble.

cip[1] *onom.* cheep: *far* — —, to cheep.

cip[2] *s.m.* (*al poker*) **1** (*puntata minima*) one white chip **2** (*gettone*) chip.

cipiglio *s.m.* frown // *fare il* — *a qlcu, guardare qlcu con* —, to frown at s.o.

cipolla *s.f.* **1** onion **2** (*orologio*) turnip.

cipollone *s.m.* (*orologio*) turnip.

cippo *s.m.* **1** cippus (*pl.* cippi) **2** (*di confine*) boundary stone.

cipresso *s.m.* cypress.

cipria *s.f.* powder // *darsi la* —, to powder.

cipriota *agg.* e *s.m.* Cypriot.

Cipro *no.pr.f.* Cyprus.

circa *avv.* e *prep.* (*pressappoco*) about, approximately: *due miglia* —, about two miles; *venne alle 3* —, he came (at) about 3 o'clock; *avrà* — *quarant'anni*, he is probably about forty ♦ **circa (a)** *locuz.prep.* (*riguardo a*) about, concerning, as to: *fammi sapere in tempo* — *la tua venuta*, let me know in time about your arrival.

Circe *no.pr.f.* (*mit.*) Circe.

circo *s.m.* **1** circus // — *equestre*, circus **2** (*geol.*) cirque.

circolante agg. circulating ♦ s.m. currency.

circolare¹ agg. circular ♦ s.f. 1 circular 2 (linea tranviaria) circle-line.

circolare² v.intr. 1 to circulate // circolate!, move along! 2 (diffondersi) to go* round.

circolatorio agg. (anat.) circulatory.

circolazione s.f. 1 circulation: mettere in —, to put ato circulation; — monetaria, currency // levare dalla - qlcu., (fam.) (arrestarlo) to pick s.o. up; (ucciderlo) to ao s.o. in 2 (traffico) traffic: — intensa, heavy traffic; ʿrada con — a senso unico, one-way street // — vieta-, no thoroughfare 3 (informatica) flow: — dei dati, ata flow.

circolo s.m. 1 circle: in —, in a circle // — vizioso, acious circle 2 (ambiente, gruppo di persone) circle: ʿrcoli politici, political circles 3 (associazione, luogo di ʿunione) club: — degli ufficiali, officers' club.

circoncidere v.tr. to circumcise.

circoncisione s.f. circumcision.

circondare v.tr. to surround (anche fig.); to encircle: il ʿardino era circondato da una siepe, the garden was ʿrrounded by a hedge; — qlcu. di cure, to surround ʿo. with care; — con uno steccato, to fence // -arsi rifl. to surround oneself: — di amici, to surround one-ʿlf with friends.

circondario s.m. 1 district 2 (zona circostante) ʿeighbourhood; surroundings (pl.).

circonferenza s.f. circumference.

circonflesso agg. 1 (di accento) circumflex 2 (inʿurvato) bent.

circonfondere v.tr. (letter.) to bathe (in sthg.).

circonlocuzione s.f. circumlocution.

circonvallazione s.f. (urbana) ring road; (per evitare ʿna città) by pass.

circonvenire v.tr. to circumvent, to deceive; to seduce.

circonvenzione s.f. (dir.) undue influence, circumʿention: — di incapace, circumvention of an incapaciʿated person.

circonvicino agg. surrounding; neighbouring.

circonvoluzione s.f. 1 circumvolution 2 (anat.) ʿonvolution.

circoscrivere v.tr. 1 (geom.) to circumscribe: — un ʿoligono ad un cerchio, to circumscribe a circle with a ʿolygon 2 (fig.) to circumscribe, to limit.

circoscrizione s.f. 1 circumscription 2 (territorio) ʿrea, district // — elettorale, constituency.

circospetto agg. cautious, circumspect.

circospezione s.f. caution, circumspection.

circostante agg. surrounding; neighbouring.

circostanza s.f. circumstance; (occasione) occasion: - aggravante, attenuante, (dir.) aggravating, extenuatʿg circumstance; in quella —, on that occasion; parole ʿi —, words suitable to the occasion; approfittare delle ʿrcostanze, to seize the opportunity.

circostanziare v.tr. to detail, (dir.) to circumstantiate.

circuire v.tr. to get* round.

circuito s.m. 1 circuit: corto —, (elettr.) short circuit; ʿterrompere un —, to break a circuit // — di trasferiʿento, (tel.) transmission hookup // — logico, (inforʿatica) decision element // — selettivo, (tel.) gate 2 (ʿport) (gara) race; (pista) racetrack.

circumnavigare v.tr. to circumnavigate.

circumnavigazione s.f. circumnavigation.

irenaica no.pr.f. Cyrenaica.

ireneo s.m. 1 Cyrenian, Cyrenean 2 (fig.) scapegoat.

irillico agg. Cyrillic.

Cirillo no.pr.m. Cyril.

Ciro no.pr.m. Cyrus.

cirro s.m. cirrus (pl. cirri).

cirrocumulo s.m. cirro-cumulus (pl. cirro-cumuli).

cirrosi s.f. (med.) cirrhosis.

cirrostrato s.m. cirro-stratus (pl. cirro-strati).

cisalpino agg. cisalpine.

cispa s.f. eye-rheum.

cispadano agg. cispadane.

cisposità s.f. rheuminess.

cisposo agg. rheumy.

cistercense agg. Cistercian.

cisterna s.f. 1 cistern; (serbatoio) tank: auto, nave —, tanker 2 (camion) tanker.

cisti s.f. (med.) cyst.

cistifellea s.f. (anat.) gall bladder.

cistite s.f. (med.) cystitis.

citare v.tr. 1 (dir.) to summon; (intentare causa a) to sue: fu citato in giudizio, he was sued 2 (riportare brani, parole altrui) to quote: cita sempre Shakespeare, he always quotes Shakespeare 3 (nominare come modello) to cite.

citarista s.m. e f. zither player; (ant.) citharist.

citazione s.f. 1 (da libro, discorso) quotation 2 (dir.) summons; (documento) subpoena.

citeriore agg. hither.

citiso s.m. (bot.) cytisus.

citofonare v.intr. (dalla strada) to use the entry phone; (dalla portineria) to use the housephone.

citofono s.m. (dalla portineria) housephone; (dalla strada) entry phone; (di ufficio, aereo ecc.) interphone, intercom.

citologia s.f. (biol.) cytology.

citoplasma s.m. (biol.) cytoplasm.

citrato s.m. citrate.

citrico agg. (chim.) citric.

citrullo agg. silly, foolish ♦ s.m. fool.

città s.f. 1 town: — di provincia, country town; — giardino, garden city; — universitaria, university town; (zona) university quarter; gente di —, townspeople; la parte alta, la parte bassa di una —, the upper, the lower town; vita di —, town life; non mi piace vivere in —, I don't like living in the town; andare in —, to go to town // è la favola della —, it is the talk of the town 2 (città grande, importante) city: la — di Londra e il suo centro d'affari, the city of London and the City // la — celeste, the Heavenly City // la Città Eterna, the Eternal City // città-stato, city-state.

Città del Capo no.pr.f. Cape Town.

cittadella s.f. citadel.

cittadinanza s.f. 1 citizenship: — onoraria, freedom of a city; acquistare la — britannica, to become a British subject; rinunciare alla —, to give up one's nationality 2 (popolazione) townspeople, townsfolk (pl.).

cittadino s.m. citizen: — americano, American citizen // — onorario di una città, freeman of a city // — britannico, British subject ♦ agg. town (attr.): i parchi cittadini, the town parks.

ciuccio s.m. (fam.) dummy.

ciuco s.m. donkey, ass.

ciuffo s.m. 1 (di capelli) forelock 2 (di penne, peli, erba) tuft.

ciuffolotto s.m. (zool.) bullfinch.

ciurlare v.intr.: — nel manico, (fam.) to play fast and loose.

ciurma s.f. crew (anche fig.).

ciurmaglia *s.f.* mob, rabble.

ciurmare *v.tr.* to cheat, to swindle.

ciurmatore *s.m.* cheat, swindler.

ciurmeria *s.f.* swindle.

civetta *s.f.* **1** owl // *auto* —, unmarked police car; *nave* —, (*mil.*) decoy ship // *articolo* —, loss leader **2** (*fig.*) flirt, coquette: *far la* —, to flirt.

civettare *v.intr.* to flirt, to coquet(te).

civetteria *s.f.* coquetry.

civettuolo *agg.* **1** coquettish **2** (*grazioso*) attractive, pretty.

civico *agg.* civic.

civile *agg.* **1** civil: *diritto*, *guerra* —, civil law; war; *matrimonio* —, registry-office marriage **2** (*contrapposto a militare*) civilian: *abito* —, civilian dress **3** (*cortese*) polite **4** (*civilizzato*) civilized ♦ *s.m.* civilian.

civilista *s.m.* (*dir.*) **1** civil lawyer **2** (*studioso*) civil law expert.

civilizzare *v.tr.* to civilize // **-arsi** *v.rifl.* to civilize oneself.

civilizzatore *agg.* civilizing ♦ *s.m.* civilizer.

civilizzazione *s.f.* civilization.

civilmente *avv.* **1** civilly // *sposato* —, married at a registry office **2** (*educatamente*) politely, civilly.

civiltà *s.f.* **1** civilization **2** (*cortesia*) politeness.

civismo *s.m.* public spirit; civic virtues (*pl.*).

clacson *s.m.* (*aut.*) horn.

clamore *s.m.* clamour, uproar; (*fig.*) sensation.

clamoroso *agg.* uproarious; (*fig.*) sensational.

clan *s.m.* clan (*anche fig.*).

clandestinità *s.f.* secretness.

clandestino *agg.* clandestine: *passeggero* —, stowaway // *movimento* —, underground (movement).

clangore *s.m.* (*letter.*) clangour.

claque (*franc.*) *s.f.* claque.

Clara *no.pr.f.* Clare, Clara.

clarinettista *s.m.* e *f.* clarinettist.

clarinetto *s.m.* clarinet.

clarino *s.m.* clarino (*pl.* clarini).

clarissa *s.f.* (*eccl.*) Poor Clare.

classe *s.f.* **1** class: *la* — *dirigente*, the ruling class; *lotta di* —, class war; *spirito di* —, esprit de corps (*o* solidarity) **2** (*stile*, *qualità*) class: *una donna che ha* —, *di* —, a woman who has class; *uno spettacolo di* —, a high-class (*o* a first-rate) show **3** (*mil.*) draft: *la* — *del 1925*, the conscripts born in 1925 **4** (*gli scolari*) class; (*corso*) form, (*amer.*) grade; (*aula*) classroom; *compagno di* —, classmate; *che* — *fai?*, what form are you in? **5** (*nei mezzi di trasporto*) class: *biglietto di prima* —, first class ticket; *viaggiare in prima* —, to travel first class.

classicheggiante *agg.* classicizing; (*spreg.*) pseudo-classical.

classicismo *s.m.* classicism.

classicista *s.m.* e *f.* classicist.

classicità *s.f.* classicality.

classico *agg.* **1** classic; (*gener. riferito alle arti*) classical: *studi classici*, classical studies; *musica classica*, classical music; *stile* —, classic style **2** (*tipico*, *tradizionale*) classic: *tessuto* —, classic cloth // *è il* — *tipo dell'impiegato*, he is a typical clerk ♦ *s.m.* classic.

classifica *s.f.* classification; (*elenco*) list: *è il primo in* —, he is at the top of the list; *capeggiare la* —, to head the list // *migliorare il proprio piazzamento in* —, (*di squadra*) to improve one's standing in the league.

classificare *v.tr.* to classify // **-arsi** *v.rifl.* to classify, to be* classified.

classificatore *s.m.* (*per documenti ecc.*) file.

classificazione *s.f.* classification.

classismo *s.m.* class-consciousness.

classista *s.m.* e *f.* class-conscious person ♦ *agg.* clas-conscious.

classistico *agg.* class-conscious.

Claudia *no.pr.f.* Claudia.

claudicante *agg.* lame.

Claudio *no.pr.m.* Claude.

clausola *s.f.* (*dir.*) clause // *clausole di un contratt* (*comm.*) provisions of a contract.

claustrale *agg.* claustral.

claustrofobia *s.f.* claustrophobia.

clausura *s.f.* **1** seclusion (*anche fig.*) **2** (*eccl.*) clois ter: *ordine di* —, enclosed (religious) order.

clava *s.f.* **1** club **2** (*da ginnastica*) Indian club.

clavicembalo *s.m.* harpsichord.

clavicola *s.f.* clavicle, collarbone.

clearing *s.m.* (*ingl.*) clearing agreement.

clematide *s.f.* (*bot.*) clematis.

clemente *agg.* clement, gentle; (*spec. di tempo*) mild.

Clemente *no.pr.m.* Clement.

Clementina *no.pr.f.* Clementine.

clementina *s.f.* (*bot.*) temple orange.

clemenza *s.f.* clemency; (*spec. di tempo*) mildness.

Cleopatra *no.pr.f.* (*st.*) Cleopatra.

cleptomane *s.m.* e *f.* kleptomaniac.

cleptomania *s.f.* kleptomania.

clericale *agg.* e *s.m.* e *f.* clerical.

clericalismo *s.m.* clericalism.

clero *s.m.* clergy.

clessidra *s.f.* sandglass; (*ad acqua*) clepsydra.

cliché (*franc.*) *s.m.* **1** (*tip.*) cliché, block: — *retinat* half-tone block **2** (*fig.*) cliché.

cliente *s.m.* e *f.* **1** (*di negozio*) customer **2** (*di profes* sionista) client.

clientela *s.f.* **1** (*di negozio ecc.*) customers (*pl.*); clien tele **2** (*di professionista*) practice.

clientelare *agg.* by, of political patronage: *assunzion clientelari*, appointments owed to political patronage.

clima *s.m.* climate.

climaterio *s.m.* (*fisiol.*) climacteric.

climatico *agg.* climatic // *stazione climatica*, health re sort.

climatizzare *v.tr.* to air-condition.

climatizzato *agg.* air-conditioned.

clinica *s.f.* clinic.

clinicamente *avv.* clinically.

clinico *agg.* clinical: *quadro* —, clinical picture // *ave l'occhio* —, (fam.) to have a quick eye ♦ *s.m.* clinicia

clip *s.f.* clip // *a* —, clip-on.

cliscè *s.m.* cliché (*anche fig.*).

clistere *s.m.* enema, clyster.

Clitennestra *no.pr.f.* (*lett.*) Clytemnestra.

clivia *s.f.* (*bot.*) kaffir lily, clivia.

clivo *s.m.* (*poet.*) hillock.

cloaca *s.f.* cloaca (*pl.* -ae); cesspit (*anche fig.*).

cloche (*franc.*) *s.f.* **1** (*cappello*) cloche **2** (*aer.*) con trol column **3** (*aut.*): *cambio a* —, floor gearshift.

cloridrico *agg.* (*chim.*) hydrochloric.

cloro *s.m.* (*chim.*) chlorine.

clorofilla *s.f.* chlorophyll.

clorofilliano *agg.* chlorophyllose.

cloroformio *s.m.* (*chim.*) chloroform.

cloroformizzare *v.tr.* to chloroform.

clorosi *s.f.* chlorosis.

cloruro *s.m.* (*chim.*) chloride.

clown *s.m.* clown.

co- *pref.* co-.

coabitare *v.intr.* to cohabit, to live together.

coabitazione *s.f.* cohabitation.

coadiutore *s.m.* **1** assistant **2** (*eccl.*) coadjutor.

coadiuvante *agg.* e *s.m.* coadjutant.

coagulante *agg.* coagulative ♦ *s.m.* coagulant.

coagulare *v.tr.*, **coagularsi** *v.intr.pron.* to coagulate; (*del latte*) to curdle.

coagulazione *s.f.* coagulation.

coagulo *s.m.* **1** coagulum (*pl.* coagula), clot; (*di latte*) curd **2** (*coagulante*) coagulant.

coalizione *s.f.* coalition.

coalizzare *v.tr.*, **coalizzarsi** *v.rifl.* to unite.

coana *s.f.* (*anat.*) choana.

coartare *v.tr.* (*letter.*) to coerce.

coartazione *s.f.* (*letter.*) coercion.

coattivo *agg.* coercive.

coatto *agg.* compulsory // *domicilio* —, (*dir.*) compulsory residence.

coazione *s.f.* (*dir.*) coercion.

cobalto *s.m.* (*chim.*) cobalt // (*colore*) —, cobalt blue.

cobaltoterapia *s.f.* (*med.*) cobalt therapy.

cobol *s.m.* (*informatica*) cobol.

cobra *s.m.* cobra.

coca *s.f.* coca // Coca-Cola ®, Coca-Cola ®, Coke ®.

cocaina *s.f.* cocaine.

cocainismo *s.m.* cocainism.

cocainomane *s.m.* e *f.* cocaine addict.

cocca *s.f.* **1** (*di freccia*) notch **2** (*di fazzoletto, grembiale ecc.*) corner.

coccarda *s.f.* cockade, rosette.

cocchiere *s.m.* coachman (*pl.* -men).

cocchio *s.m.* coach, carriage.

cocchiume *s.m.* **1** bunghole **2** (*tappo*) bung.

coccia *s.f.* (*parte dell'elsa*) sword-guard.

coccige *s.m.* (*anat.*) coccyx (*pl.* coccyges).

coccinella *s.f.* ladybird.

cocciniglia *s.f.* cochineal: *rosso di* —, cochineal.

coccio *s.m.* **1** (*terracotta*) earthenware **2** (*pezzetto*) potsherd, crock.

cocciutaggine *s.f.* stubbornness.

cocciuto *agg.* stubborn, pigheaded.

cocco¹ *s.m.* **1** (*albero*) coco **2** (*frutto*) coconut.

cocco² *s.m.* (*batterio*) coccus (*pl.* cocci).

cocco³ *s.m.* (*fam.*) (*il prediletto*) darling, pet.

cocco⁴ *s.m.* (*fam.*) (*uovo*) egg.

coccodrillo *s.m.* crocodile.

coccola *s.f.* (*bacca*) berry.

coccolare *v.tr.* to pet, to fondle.

coccolo *s.m.* (*fam.*) darling, pet.

coccoloni *avv.* squatting.

cocente *agg.* **1** scorching **2** (*fig.*) (*di lacrime*) scalding; (*di rimorso*) burning; (*di dolori*) searing.

Cocincina *no.pr.f.* Cochin China.

cocker *s.m.* (*cane*) cocker.

cocomero *s.m.* watermelon.

cocorita *s.f.* (*zool.*) budgerigar, (green) parakeet.

cocuzzolo *s.m.* **1** summit, top **2** (*della testa*) crown.

coda *s.f.* **1** tail (*anche fig.*) // *marciare in* —, to bring up the rear // *avere la* — *di paglia*, to have a guilty conscience // *con la* — *dell'occhio*, out of the corner of one's eye // *se il diavolo non ci mette la* —, if there are no snags // — *di cavallo*, (*acconciatura*) ponytail // *pianoforte a* —, grand piano **2** (*di abiti*) train // *giacca*

a — *di rondine*, tails **3** (*fila*) queue; (*amer.*) line: *fare la* —, *mettersi in* —, to queue up (*o* to line up) **4** (*informatica*) queue: — *di operazioni*, operation queue **5** — (*di cavallo*), (*bot.*) horsetail **6** — *di rospo*, (*zool.*) sea toad.

codardia *s.f.* cowardice.

codardo *agg.* cowardly, craven ♦ *s.m.* coward, funk.

codazzo *s.m.* train; (*folla*) crowd.

codesto *agg.dimostr.* **1** that (*pl.* those): — (*tuo*) *cappello*, that hat (of yours) **2** (*tale*) such ♦ *pron.dimostr.* **1** that (one); *pl.* those (ones) **2** (*ciò*) that.

codice *s.m.* **1** (*dir.*) code: — *civile, penale*, civil, criminal code // — *stradale*, highway code // — *postale*, postcode, postal code; (*amer.*) zipcode // — *fiscale*, fiscal (*o* tax) code, tax number // — *d'onore*, code of honour **2** (*cifrario*) code: *decifrare un* —, to read a code; *decifrare un telegramma in* —, to decode a telegram **3** (*informatica*) code: — *articolo*, item number; — *a barre*, bar code; — *assoluto*, absolute code; — *concatenato*, chain code; — *di caratteri*, character code; — *di funzione*, function code; — *di movimenti, di transazione*, transaction code; — *di stampa*, edit code; — *guasto*, log out **4** (*manoscritto antico*) codex (*pl.* codices).

codicillo *s.m.* **1** (*dir.*) codicil **2** (*scherz.*) (*poscritto*) postscript.

codifica *s.f.* (*informatica*) coding: — *in assoluto*, (*IBM*) absolute coding.

codificare *v.tr.* **1** to codify **2** (*informatica*) to code.

codificazione *s.f.* codification.

codino *s.m.* **1** pigtail **2** (*fig.*) reactionary.

codolo *s.m.* tang.

codrione *s.m.* rump.

coedizione *s.f.* joint publication.

coefficiente *s.m.* coefficient.

coercitivo *agg.* compulsory, coercive.

coercizione *s.f.* coercion, compulsion.

coerente *agg.* **1** coherent **2** (*fig.*) consistent, coherent: *agire in modo* —, to act consistently.

coerenza *s.f.* coherence (*anche fig.*); consistency (*solo fig.*).

coesione *s.f.* cohesion.

coesistente *agg.* coexistent, coexisting.

coesistenza *s.f.* coexistence: — *pacifica*, peaceful coexistence.

coesistere *v.intr.* to coexist.

coetaneo *agg.* e *s.m.* contemporary: *sono coetanei*, they are the same age.

coevo *agg.* coeval.

cofanetto *s.m.* casket.

cofano *s.m.* **1** (*forziere*) coffer **2** (*aut.*) bonnet; (*amer.*) hood.

coffa *s.f.* (*mar.*) top: — *di maestra*, maintop.

cogestione *s.f.* joint worker-management control.

cogitabondo *agg.* (*rar.*) thoughtful, musing.

cogli *prep.art.m.pl.* with the → **con**.

cogliere *v.tr.* **1** to pick: *è ora di* — *le fragole*, it's time to pick the strawberries // — *il frutto delle proprie fatiche*, to reap the fruits of one's labour **2** (*sorprendere*) to catch*: *furono colti da un acquazzone*, they were caught in a shower; *la notte li colse in viaggio*, the night overtook them on the way; — *sul fatto*, to catch red-handed (*o* in the act); *le sue dimissioni ci colsero di sorpresa*, his resignation took us by surprise **3** (*colpire*) to hit*: — *nel segno*, to hit the mark **4** (*afferrare*) to seize: — *l'occasione*, to seize the opportunity // — *la* *palla al balzo*, (*fig.*) to seize the opportunity // — *al volo un'osservazione*, to overhear a remark.

cognac ® *s.m.* cognac ®, French brandy.

cognata *s.f.* sister-in-law.

cognato *s.m.* brother-in-law.

cognizione *s.f.* **1** knowledge: *aver — di*, to know about (*o* to be aware of); *quando ne ebbi —*, when it came to my knowledge // *avere qualche — di*, to have a smattering of // *è un uomo di vaste cognizioni*, he is a man of considerable learning **2** (*dir.*) cognizance: *prendere — di qlco.*, to take cognizance of sthg. **3** (*fil.*) cognition.

cognome *s.m.* surname, family name: *— da nubile*, maiden name; *nome e —*, name and surname (*o amer.* first and last names).

coguaro *s.m.* (*zool.*) puma.

coi *prep.art.m.pl.* with the → **con.**

coibente *s.m.* (*fis.*) non-conductor.

coincidenza *s.f.* **1** coincidence **2** (*ferr.*) connection, connexion.

coincidere *v.intr.* to coincide.

cointeressare *v.tr.* (*comm.*) to make* (s.o.) a profit-sharing partner.

cointeressato *agg.* (*comm.*) profit sharing: *essere —*, to share profits ♦ *s.m.* profit sharing partner.

cointeressenza *s.f.* (*comm.*) profit sharing, share of profits; (*percentuale*) percentage.

coinvolgere *v.tr.* to involve.

coito *s.m.* coitus, coition.

coke *s.m.* coke.

col *prep. art.m.sing.* with the → **con.**

cola *s.f.* (*bot.*) cola, kola.

colà *avv.* there.

colabrodo *s.m.* colander, strainer.

colapasta *s.m.* colander.

colare *v.tr.* **1** to filter, to strain; (*spec. caffè*) to percolate **2** (*metall.*) to melt **3** (*versare goccia a goccia*) to drip ♦ *v.intr.* **1** to trickle; (*gocciolare*) to drip: *le lacrime le colavano lungo le gote*, tears trickled down her cheeks **2** (*far*) — *a picco*, (*mar.*) to sink*.

colata *s.f.* **1** (*metall.*) casting // *foro di —*, gate **2** (*di lava ecc.*) flow.

colatoio *s.m.* strainer.

colazione *s.f.* (*del mattino*) breakfast; (*di mezzogiorno*) lunch: *ora di —*, breakfast time; *far —*, to breakfast (*o* to have breakfast *o* to eat one's breakfast); to take (*o* to have) lunch (*o* to lunch); *invitare qlcu. a —*, to ask s.o. to lunch.

colbacco *s.m.* (*mil.*) busby; (*abbigl.*) Cossack hat.

colchico *s.m.* (*bot.*) colchicum, meadow saffron.

colcos *s.m.* kolkhoz.

colcosiano *agg.* kolkhoznik (*attr.*) ♦ *s.m.* kolkhoznik.

colecisti *s.f.* (*anat.*) gall bladder.

colecistite *s.f.* (*med.*) cholecystitis.

colecistografia *s.f.* (*med.*) cholecystography.

coledoco *s.m.* (*anat.*) choledoch (duct), choledochus.

colei *pron.dimostr.f.sing.* **1** *sogg.* she; *compl.* her; *sogg. e compl.* (*spreg.*) that woman **2** — *che* → **chi** *pron.rel.*

coleotteri *s.m.pl.* Coleoptera.

colera *s.m.* cholera.

coleroso *agg.* stricken with cholera ♦ *s.m.* cholera patient.

colesterina *s.f.* (*biol.*) cholesterin.

colesterolo *s.m.* (*biol.*) cholesterol.

colf *s.f.* "colf", a professional qualification for domestic workers.

colibrì *s.m.* humming bird.

colica *s.f.* colic.

colico *agg.* colic.

colino *s.m.* strainer.

colite *s.f.* (*med.*) colitis.

colla[1] *prep.art.f.sing.* with the → **con.**

colla[2] *s.f.* glue; (*solida*) paste // — *di pesce*, fish-glue (*o* isinglass).

collaborare *v.intr.* to collaborate // — *a un giornale*, to contribute to a newspaper.

collaboratore *s.m.* collaborator; (*di giornali*) contributor.

collaborazione *s.f.* collaboration, co-operation; (*a un giornale*) contribution.

collaborazionismo *s.m.* collaborationism.

collaborazionista *s.m. e f.* collaborationist.

collage *s.m.* collage.

collana *s.f.* **1** necklace **2** (*raccolta*) collection; (*di romanzi ecc.*) series.

collant *s.m.* tights.

collante *agg. e s.m.* adhesive.

collare *s.m.* **1** collar: *— per cane*, dog collar // **2** (*eccl.*) clerical collar.

collasso *s.m.* collapse // — *cardiaco*, heart failure.

collaterale *agg. e s.m. e f.* collateral.

collaudare *v.tr.* to test (*anche fig.*), to try out.

collaudatore *s.m.* tester; (*di aeroplani*) test pilot; (*di automobili*) test driver.

collaudo *s.m.* (*mecc. ind.*) test, testing: *— definitivo*, (*mecc.*) final inspection; *— delle caldaie*, (*mecc.*) boiler test; *volo di —*, (*aer.*) test flight; *fare il — di qlco.*, to put sthg. to the test; *superare un —*, to pass a test; *ingegnere addetto ai collaudi*, test engineer.

collazionare *v.tr.* to collate.

collazione *s.f.* collation.

colle[1] *prep.art.f.pl.* with the → **con.**

colle[2] *s.m.* hill.

colle[3] *s.m.* (*valico*) mountain pass.

collega *s.m. e f.* colleague.

collegabile *agg.* (*informatica*) connectable.

collegamento *s.m.* **1** connection: *— in serie*, (*elettr.*) series connection; *punto di —*, (*mecc.*) connecting point // — *radiofonico*, radio link // — *diretto*, (*tv.*) direct link-up // — *ufficiale di —*, (*aer.*) liason officer // *siamo in — costante con lui*, we are in constant touch with him **2** (*informatica, tel.*) connection; link: *— in circolare*, multi-address connection; *— multipunto*, (*tel.*) multipoint link; *— remoto*, remote attachment; *— unidirezionale*, one-way connection; *— via terminale*, (*tel.*) terminal session.

colleganza *s.f.* **1** (*rar.*) connection **2** (*l'essere colleghi*): *aver rapporti di — con qlcu.*, to be s.o.'s colleague.

collegare *v.tr.* to connect, to link: *linea ferroviaria che collega due città*, line that links up two towns; — *due avvenimenti*, to connect two events // **-arsi** *v.rifl.* **1** to connect, to link up // — *telefonicamente con...*, to get through to... **2** (*in una lega*) to confederate, to join in a league.

collegiale *agg.* collegiate, collegial, college (*attr.*) ♦ *s.m. e f.* boarder // *timido come un —*, as shy as a schoolboy.

collegialmente *avv.* by decision of a college.

collegiata *s.f.* collegiate church.

collegio *s.m.* **1** (*unione di persone aventi le stesse mansioni*) college: *il — dei Cardinali*, the College of Cardinals (*o* the Sacred College); *— degli ingegneri*, College of Engineers // *il — degli avvocati*, the Bar; *il — di di-*

esa, (dir.) (the advocates for) the defence; *il — giudi-ante, (dir.)* the Bench **2** (*scuola con convitto*) boarding school: *passò gli anni dell'adolescenza in —,* he spent the years of his adolescence in a boarding school; *— emminile, maschile,* boarding school for girls, for boys; *— religioso,* boarding school run by a religious order *// — militare,* military college (*o* academy) **3** (*eletto-ale*) constituency.

ollera *s.f.* anger; (*furia*) fury, rage: *un accesso di —,* a t of rage; *andare, montare in —,* to get angry; (*improv-isamente*) to fly into a rage (*o* temper); *essere in —,* to e angry; *far andare in — qlcu.,* to make s.o. angry *// — di Dio,* the wrath of God.

ollerico *agg.* irascible, hot-tempered, choleric.

olletta *s.f.* **1** collection (of money): *fare una —,* to ollect money **2** (*eccl.*) collect.

ollettame *s.m.* parcels (*pl.*) (for various destinations).

ollettivamente *avv.* collectively.

ollettivismo *s.m.* collectivism.

ollettivista *s.m. e f.* collectivist.

ollettivistico *agg.* collectivist.

ollettività *s.f.* community, collectivity.

ollettivizzare *v.tr.* to collectivize.

ollettivizzazione *s.f.* collectivization.

ollettivo *agg.* collective: (*nome*) —, (*gramm.*) collec-ve noun ♦ *s.m.* group: *— femminista,* a feminist roup.

olletto *s.m.* **1** collar; (*di pizzo*) collaret(te): *— alla arinara,* sailor collar; *— di pelliccia,* fur collar **2** *anat.*) neck: *il — di un dente,* the neck of a tooth.

ollettore *s.m.* **1** collector **2** (*mecc.*) manifold; (*di aldaia*) header **3** (*elettr.*) commutator **4** (*infor-atica*) bus ♦ *agg.* collecting.

ollettoria *s.f.*: *— delle imposte,* tax office; *— postale,* ub-postoffice.

ollezionare *v.tr.* to collect.

ollezione *s.f.* collection: *fare — di qlco.,* to collect sthg.

ollezionista *s.m. e f.* collector: *— di francobolli,* amp collector.

ollidere *v.intr.* to collide, to come* into collision.

ollimare *v.intr.* **1** to coincide; to tally (*anche fig.*) **2** *fis.*) to collimate.

ollimatore *s.m.* (*fis.*) collimator.

ollimazione *s.f.* **1** coincidence **2** (*fis.*) collimation.

ollina *s.f.* hill: *la cima della —,* the hilltop.

ollinetta *s.f.* hillock.

ollinoso *agg.* hilly.

ollirio *s.m.* eyewash, collyrium.

ollisione *s.f.* **1** collision, crash: *entrare in — con 'co.,* to collide with (*o* to crash into) sthg. **2** (*fig.*) con-ict, clash.

ollo[1] *prep.art.m.sing.* with the → **con**.

ollo[2] *s.m.* **1** neck: *allungare il —,* to crane one's eck; *gettarsi al — di qlcu.,* to fall on s.o.'s neck; *portare n bambino in —,* to carry a child in one's arms; *portare braccio al —,* to have one's arm in a sling *// prendere lcu. per il —,* to take (*o* to grab) s.o. by the scruff of his eck *// tirare il — a un pollo,* to wring a chicken's neck *// — del piede,* instep *// — di bottiglia,* bottleneck *// no al —,* up to one's eyes *// rompersi l'osso del —,* to reak one's neck *// a rotta di —,* at breakneck speed; *• cose vanno a rotta di —,* things are going from bad to orse **2** (*colletto*) collar: *abito con — alto,* polo-necked ress; *abito con — a giro,* round-necked dress; *abito con — a scialle,* shawl-necked dress; *abito con — aperto,* pen-necked dress.

collo[3] *s.m.* **1** (*di bagaglio*) item (of luggage) **2** (*pacco*) parcel, package.

collocamento *s.m.* **1** placing *// — a riposo,* pension-ing off **2** (*impiego*) position, job *// agenzia di —,* em-ployment bureau (*o* agency).

collocare *v.tr.* **1** to place (*anche fig.*) *// — a riposo,* to pension off *// — denaro,* (*comm.*) to invest money **2** (*trovare un impiego a*) to place, to employ **3** (*comm.*) to sell*, to place.

collocazione *s.f.* placing; (*di libri nelle biblioteche*) pressmark; (*amer.*) call-number.

colloidale *agg.* (*chim.*) colloidal.

colloide *s.m.* (*chim.*) colloid.

colloquiale *agg.* colloquial.

colloquio *s.m.* conversation; (*di lavoro, studio*) inter-view; (*esame*) oral (exam).

collorosso *s.m.* (*zool.*) red-throated loon.

colloso *agg.* sticky.

collottola *s.f.* nape, scruff.

colludere *v.intr.* (*dir.*) to collude.

collusione *s.f.* (*dir.*) collusion.

collutorio *s.m.* (*farm.*) mouthwash, gargle.

colluttazione *s.f.* fight, scuffle: *venire a —,* to come to blows.

colluvie *s.f.* **1** sewage **2** (*fig.*) rabble.

colma *s.f.* (*mar.*) flood tide.

colmare *v.tr.* **1** to fill up, to fill to the brim **2** (*fig.*) to fill; (*di onori ecc.*) to load: *— di gioia,* to fill with joy; *— un vuoto, una lacuna,* to fill a gap.

colmata *s.f.* land reclamation.

colmo[1] *agg.* full (*anche fig.*), full to the brim (*pred.*).

colmo[2] *s.m.* top, summit; (*fig.*) height *// essere al — dell'ira,* to be in a towering rage *// per — di sfortuna,* on top of it all (*o* to crown it all) *// questo è il —!,* that's the last straw!

colomba *s.f.* dove.

colombaccio *s.m.* woodpigeon.

colombaia *s.f.* dovecot.

colombario *s.m.* columbarium (*pl.* -ria).

colombella *s.f.* rock pigeon.

Colombia *no.pr.f.* Columbia.

Colombina *no.pr.f.* (*st. teatr.*) Columbine.

colombo *s.m.* **1** pigeon: *— viaggiatore,* carrier pi-geon **2** *pl.* (*innamorati*) sweethearts.

Colombo *no.pr.* (*st.*) Columbus.

colon *s.m.* (*anat.*) colon.

colonia *s.f.* **1** colony *// — di pionieri,* settlement **2** (*per bambini*) children's holiday camp: *— marina,* children's seaside camp.

Colonia *no.pr.f.* Cologne *// acqua di —,* eau-de-Co-logne.

colonìa *s.f.* (*dir.*) métayage.

coloniale *agg.* colonial ♦ *s.m.* **1** colonial; (*pioniere*) colonist, settler **2** (*generi coloniali*) colonial produce (*solo sing.*).

colonialismo *s.m.* colonialism.

colonialista *s.m. e agg.* colonialist.

colonico *agg.* of the farm, farm (*attr.*).

colonizzare *v.tr.* to colonize.

colonizzatore *s.m.* colonizer; settler.

colonizzazione *s.f.* colonization.

colonna *s.f.* **1** column, pillar (*anche fig.*) *// letto a co-lonne,* four-poster *// le colonne d'Ercole,* the pillars of Hercules *// — vertebrale,* spine *// — sonora,* (*cinem.*) soundtrack **2** (*tip.*) column: *bozza in —,* galley (-proof); *numeri in —,* column of figures **3** (*fila*) queue // *in — di marcia*, in marching order // *— d'assalto*, (*mil.*) spearhead // *quinta —*, fifth column.

colonnato *s.m.* (*arch.*) colonnade.

colonnello *s.m.* colonel: *tenente —*, lieutenant colonel.

colono *s.m.* **1** (*contadino*) farmer **2** (*abitante di una colonia*) colonist, settler.

colorante *agg.* colouring ♦ *s.m.* colouring (matter); (*tecn.*) dyestuff.

colorare *v.tr.* to colour; (*con tintura*) to dye: *il tramonto colorava il cielo di rosa*, the sunset dyed the sky a rosy pink // **-arsi** *v.intr.pron.* to colour; (*per l'imbarazzo*) to blush; (*per la collera, l'eccitazione*) to flush.

colorato *agg.* coloured; (*tinto*) dyed.

colorazione *s.f.* colouring; (*di tessuti*) dyeing.

colore *s.m.* **1** colour (*anche fig.*), hue: *colori solidi*, (*di stoffa*) fast colours; *di — chiaro*, light-coloured; *senza —*, colourless // *gente di —*, coloured people // *un viso dai colori accesi*, a ruddy face // *cambiar —*, (*impallidire*) to turn pale // *hai un brutto —*, you look ill // *diventare di tutti i colori*, to turn scarlet // *farne di tutti i colori*, to be up to all sorts of mischief // *passarne di tutti i colori*, to go through thick and thin **2** (*sostanza colorante*) colour, paint: *colori ad acquerello*, watercolours; *colori a olio*, oil colours; *una scatola di colori*, a paint box **3** (*poker*) flush.

colorificio *s.m.* paint factory.

colorire *v.tr.* to colour (*anche fig.*) // **-irsi** *v.intr.pron.* to colour (up).

colorista *s.m.* (*pitt.*) colourist.

coloristico *agg.* (*pitt.*) colouristic.

colorito *agg.* **1** coloured, vivid **2** (*di viso*) rosy: *molto —*, ruddy ♦ *s.m.* (*carnagione*) complexion.

coloritura *s.f.* colouring.

coloro *pron.dimostr.m.* e *f.pl.* **1** *sogg.* they; *compl.* them; *sogg.* e *compl.* (*spreg.*) those people **2** *— che →* **chi** *pron.rel.*

colossale *agg.* colossal, gigantic; (*fam.*) tremendous.

Colosseo *no.pr.m.* Colosseum.

colosso *s.m.* colossus.

colostro *s.m.* (*biol.*) colostrum.

colpa *s.f.* **1** fault, blame: *è — tua*, it is your fault; *non date la — a me!*, do not put the blame on me!; *prendersi la — di qlco.*, to take the blame for sthg. **2** (*colpevolezza*) guilt // *— lata*, (*dir.*) negligence.

colpevole *agg.* **1** guilty, culpable: *l'imputato fu dichiarato — di assassinio*, the defendant was found guilty of murder; *dichiararsi —*, to plead guilty **2** (*riprovevole*) blameworthy ♦ *s.m.* culprit.

colpevolezza *s.f.* guilt: *senso di —*, sense of guilt.

colpevolizzare *v.tr.* to make* (s.o.) feel guilty: *la madre viene spesso colpevolizzata per il fallimento dei figli*, a mother is often made to feel guilty for the failure of her children // **-arsi** *v.rifl.* to feel* guilty, to have* feelings of guilt.

colpire *v.tr.* to hit*, to strike* (*anche fig.*); (*con arma da fuoco*) to shoot*, to hit* // *— il contribuente*, to affect the taxpayer // *— nel segno*, (*azzeccarla*) to hit the nail on the head; (*riuscire in un disegno*) to hit it off // *— qlcu. nel vivo*, to touch s.o. on the raw.

colpo *s.m.* **1** blow, stroke: *dare, vibrare un — a qlcu.*, to give (*o* to deal *o* to strike) s.o. a blow; *un — di spazzola*, a brush stroke; *— basso*, (*anche fig.*) blow under the belt // *— apoplettico*, apoplectic stroke // *— d'aria*, chill; *— di sole*, sunstroke // *— di fortuna*, stroke of luck // *— di mano*, (*mil.*) surprise attack // *— di testa*, rash act; *non far colpi di testa*, don't act rashly //

— di fulmine, (*fig.*) stroke of lightning // *— di scena*, coup de théâtre // *— di telefono*, ring // *a — sicuro*, unhesitatingly // *di —*, suddenly // *d'un sol —*, at a single blow; *è un — d'occhio meraviglioso*, it is a marvellous view // *al primo — d'occhio*, at the first glance // *far —*, to make a sensation; *far — su qlcu.*, to make a hit with s.o. **2** (*d'arma da fuoco*) shot: *— a salve, a blank* (shot) **3** (*scherma*) *— di piatto*, flat stroke; *— di punta*, thrust; *— di taglio*, cut blow **4** (*giornalismo*) scoop **5** (*di rapinatori*) robbery: *fare un —*, to pull off a robbery; *il — del secolo*, the robbery of the century.

colposo *agg.* (*dir.*) unpremeditated: *omicidio —*, manslaughter.

coltella *s.f.* large kitchen-knife; (*da macellaio*) chopper.

coltellaccio *s.m.* **1** large knife **2** (*mar.*) studding-sail.

coltellata *s.f.* stab.

coltellinaio *s.m.* cutler.

coltello *s.m.* **1** knife; (*mecc.*) cutter: *— anatomico, surgical knife* // *guerra a —*, war to the knife // *avere il — per il manico*, to have the upper hand **2** (*di bilancia*) knife-edge.

coltivabile *agg.* cultivable.

coltivare *v.tr.* **1** to cultivate (*anche fig.*); (*far crescere*) to grow*: *— patate*, to grow potatoes; *— l'hobby della fotografia*, to cultivate the hobby of photography; *coltivarsi i favori di qlcu.*, to cultivate s.o.'s favours // *— una persona*, to curry favour with a person **2** (*tecn. mineraria*) to mine out.

coltivato *agg.* cultivated ♦ *s.m.* tillage.

coltivatore *s.m.* cultivator, grower: *— di tabacco*, tobacco-grower // *— diretto*, farmer.

coltivazione *s.f.* **1** cultivation; (*di piante*) growing: *— del tabacco*, tobacco growing **2** (*luogo coltivato*) plot.

coltivo *agg.* **1** cultivable **2** (*coltivato*) cultivated.

colto *agg.* cultivated, cultured.

coltre *s.f.* **1** blanket (*anche fig.*) **2** (*drappo funebre*) pall.

coltro *s.m.* coulter.

coltura *s.f.* **1** (*coltivazione*) cultivation; (*di piante*) growing **2** (*allevamento*) breeding **3** (*med.*) culture.

colubrina *s.f.* (*st. mil.*) culverin.

colui *pron.dimostr.m.sing.* **1** *sogg.* he; *compl.* him; *sogg.* e *compl.* (*spreg.*) that man **2** *— che →* **chi** *pron.rel.*

colza *s.f.* (*bot.*) colza.

coma *s.m.* coma.

comacino *agg.* of Como // *Maestri Comacini*, (*arte*) Comacine masters.

comandamento *s.m.* commandment.

comandante *s.m.* commander; (*mar.*) captain: *— in capo*, commander-in-chief; *— in seconda*, second-in-command; *— di bandiera*, flag captain // *— del porto*, harbour-master.

comandare *v.tr.* **1** to be* in command (of sthg.), to command **2** (*ordinare*) to order: *gli comandai di venire*, I ordered him to come // *comandi, Signora!*, Yes Ma'am? **3** (*destinare*) (*mil.*) to put* (s.o.) on; (*funzionari ecc.*) to call **4** (*mecc.*) to control; (*muovere*) to drive* // *— a mezzo di relè*, (*elettr.*) to relay.

comandata *s.f.* (*mar.*) detail.

comando *s.m.* **1** command: *assumere il —*, to take command; *essere al — di*, to be in command of; *avere al proprio —*, to have under one's command **2** (*ordine*) order // *ai vostri comandi!*, at your service! **3** (*sede di comandante*) headquarters (*pl.*) **4** (*mecc.*) drive; (*strumento*) control: *comandi di volo*, flying conols; — *a distanza*, remote control (*o* drive) **5** (*informatica*) (*ordine*) command; (*controllo*) control: — *di ntrollo*, control statement; — *operativo*, operation art); — *tasto di spostamento*, scrolling key.

omare *s.f.* **1** (*madrina*) godmother **2** (*fam.*) gossip.

omatoso *agg.* comatose.

ombaciare *v.intr.* to fit together.

ombattente *agg.* e *s.m.* combatant // *ex* —, ex erviceman; (*amer.*) veteran.

ombattere *v.intr.* e *t.* to fight* (*anche fig.*): — *a fianco di qlcu.*, to fight on s.o.'s side; — *ad armi pari*, to fight n equal ground.

ombattimento *s.m.* **1** fight (*anche fig.*) **2** (*sport*) atch — *fuori* —, knockout (*o* KO): *metter fuori* —, to nock out.

ombattività *s.f.* pugnacity, combativeness.

ombattivo *agg.* pugnacious, combative.

ombattuto *agg.* torn; (*indeciso*) undecided: *essere — a due decisioni*, to be torn between two decisions.

ombinare *v.tr.* **1** to combine; (*colori*) to match: *cer- di — bene i colori*, try to match the colours well **2** (*concludere*) to conclude; (*organizzare*) to arrange: — *n incontro*, to arrange a meeting; — *un affare*, to con- ude a bargain; — *un matrimonio*, to matchmake **3** (*fare*) to do*: *non ho combinato nulla*, I have not man- ged to get anything done; *ne ha combinata una delle ue!*, he's done it again! // *che cosa stai combinando?*, hat are you up to? ♦ *v.intr.* to agree; (*di colori*) to atch // **-arsi** *v.rifl.* **1** (*chim.*) to combine **2** (*fam.*): *uarda come ti sei combinata!*, look at the mess you are !

ombinata *s.f.* (*sport*) multiple event.

ombinazione *s.f.* **1** combination; (*di colori*) atch **2** (*caso*) chance // *per* —, by chance **3** (*bian- eria*) combinations (*pl.*).

ombriccola *s.f.* band, gang.

omburente *agg.* e *s.m.* comburent.

ombustibile *agg.* combustible ♦ *s.m.* fuel: *rifornire di* -, to fuel.

ombustibilità *s.f.* combustibility.

ombustione *s.f.* combustion // *camera di* —, (*di cal- aia*) firebox.

ombusto *agg.* burnt.

ombutta *s.f.* gang // *agire in* — *con qlcu.*, to work nd in glove with s.o. // *mettersi in* — *con qlcu.*, to n forces with s.o.

ome *avv.* e *cong.* **1** as; (*nei compar. di uguaglianza, in rr. con* così, tanto) as... as, (*in prop. negative*) (*o* so) as: *fa'* — *me*, — *ti ho detto*, do as I do, do as I told ou to; *è alto* — *te*, he is as tall as you; *non è così vec- io* — *sembra*, he is not so (*o* as) old as he looks // *m'è vero che mi chiamo...*, as sure as I am... // *vecchio om'è*, old as he is // *— pure*, as well as // *— da cam- one, richiesta*, as per sample, per request **2** (*somi- ianza*) like: *correva* — *un matto*, he ran like a mad an; *è medico* — *suo padre*, he is a doctor like his fa- er; *scrittori* —..., writers like (*o* such as)...; *un'occasio- e* — *questa*, such a chance (*o* a chance like this) // *mi costato qlco.* —..., it cost me sthg. like... **3** (*in qualità*) as: — *medico*, — *amico*, as a doctor, as a friend **4** *modo in cui*) how, the way: *ecco* — *gli dovresti rispon- ere*, that's the way (*o* how) you should reply to him; ' *attenzione a* — *parli*, be careful about the way (*o ow*) you speak **5** — *se*, as if, as though **6** (*interr. clam.*) how: — *stai?*, how are you?; *non so* — *si fa*, I n't know how to do it; — *mai?*, how on earth?; *co-*

m'è strano!, how strange (it is)!; — *parla bene!*, how well he speaks! // — *sarebbe a dire?*, what do you mean? // —?, *che hai detto?*, I beg your pardon? // — *fare?*, what's to be done? // *un lavoro fatto Dio sa* —, a job done any old how // *com'è che*, — *va che non mi hai telefonato?*, how come you didn't phone me? // (*Ma*) —! *Sei ancora qui?*, What! Are you still here? // *com'è*, — *non è*, somehow or other; (*all'improvviso*) all of a sudden // *e* —!, and how! **7** — ...*così*, (*con valore di* sia ... sia) as; both ... and; (*in prop. compar. e nelle similitudini*) as ... so: (*tanto*) *di giorno* — *di notte*, by day as by night; — *suo padre così sua madre*, both his fa- ther and his mother; — *parla così scrive*, as he writes so he speaks (*o* he writes as he speaks) **8** (*appena che*) as soon as, (*no sooner ... than* **9** (*poiché*) → **poiché 10** (*dichiarativa*, che) that ♦ *s.m.*: *il* — *e il perché*, the whys and wherefores; *volli sapere il* — *e il quando*, I wanted to know how and when.

comedone *s.m.* comedo (*pl.* comedones).

cometa *s.f.* comet.

comica *s.f.* (*cinem.*) slapstick (comedy).

comicità *s.f.* comicality.

comico *agg.* **1** comical; (*buffo*) funny **2** (*di com- media*) comic / *vis comica*, comic power ♦ *s.m.* **1** co- median, comic (actor) **2** (*comicità*) comicality.

comignolo *s.m.* **1** chimneypot **2** (*edil.*) ridge.

cominciare *v.tr.* e *intr.* to begin*, to start: *comincia a far buio presto*, it begins to get (*o* to grow) dark early; *comincia da metà pagina*, begin halfway down the page; *è cominciata la scuola*, school has begun; — *un lavoro*, to start work; *cominciò col dire che ...*, he began by saying that ... // *a* — *da oggi*, from today (on) // *chi ben comincia è alla metà dell'opera*, (*prov.*) well be- gun is half done.

comitale *agg.* of a count; (*di conte inglese*) of an earl.

comitato *s.m.* committee.

comitiva *s.f.* party.

comizio *s.m.* **1** meeting: *indire un* —, to call a meet- ing; *tenere un* —, to hold a meeting **2** (*st. romana*) comitia (*pl.invar.*).

comma *s.m.* **1** paragraph **2** (*mus.*) comma.

commando *s.m.* (*mil.*) commando.

commedia *s.f.* play; (*genere*) comedy: — *a soggetto*, improvised comedy; — *di costume*, comedy of man- ners — *musicale*, musical (comedy) // *la «Divina Commedia»*, "The Divine Comedy" // *fare la* —, (*fig.*) to sham (*o* to put it on); (*spec. di bambino*) to play up.

commediante *s.m.* **1** second-rate actor **2** (*fig.*) shammer.

commediografo *s.m.* playwright.

commemorare *v.tr.* to commemorate.

commemorativo *agg.* commemorating // *cerimonia* (*religiosa*) *commemorativa*, memorial service.

commemorazione *s.f.* commemoration.

commenda *s.f.* **1** commenda **2** (*eccl.*) commendam.

commendatore *s.m.* **1** commander **2** (*titolo italia- no*) "commendatore".

commendevole *agg.* (*letter.*) commendable.

commensale *s.m.* table companion.

commensurabile *agg.* commensurable.

commentare *v.tr.* to comment (on, upon sthg.): — *un avvenimento*, to comment on an event; — *un testo*, to make a comment on a text // — *la Bibbia*, to expound the Scriptures.

commentario *s.m.* (*lett.*) commentary.

commentatore *s.m.* commentator.

commento *s.m.* **1** comment; (*critica*) remark: *non fece commenti*, he made no comment **2** (*di un testo*) comment; (*note*) notes (*pl.*).

commerciale *agg.* commercial; business (*attr.*), trade (*attr.*): *banca, scuola, valore* —, commercial bank, school, value; *scambi commerciali*, trade.

commercialista *s.m.* business expert, business consultant.

commercializzare *v.tr.* to commercialize.

commerciante *s.m.* dealer: — *all'ingrosso*, wholesale dealer; — *al minuto*, retailer; — *in carbone, in granaglie*, coal, corn merchant; — *in pelli*, trader in skins.

commerciare *v.intr. e tr.* to trade, to deal* (with s.o. in sthg.).

commercio *s.m.* **1** commerce; (*scambio*) trade; (*affari*) business: — *all'ingrosso*, wholesale trade; — *al minuto, al dettaglio*, retail trade; — *bancario*, banking business; — *di esportazione, di importazione*, export, import trade; — *nazionale, estero*, home, foreign trade; *è nel* —, he is in business (*o* in trade) // *essere fuori* —, (*non in vendita*) not to be for sale; (*esaurito*) to be out of stock // *essere in* —, to be on sale; *mettere qlco. in* —, to put sthg. on the market **2** (*fig.*) (*traffico illecito*) prostitution: *far* — *di*, to prostitute **3** (*letter.*) (*relazione*) relations (*pl.*), dealings (*pl.*): — *epistolare*, correspondence.

commessa *s.f.* **1** shop girl, shop assistant **2** (*comm.*) (*ordinazione*) order.

commesso *s.m.* **1** (*d'ufficio*) clerk: — *viaggiatore*, (travelling) salesman (*o* commercial traveller) **2** (*di negozio*) shop assistant.

commessura *s.f.* → **commettitura**.

commestibile *agg.* edible ♦ *s.m.pl.* (*spec.mil.*) foods; (*spec.mil.*) provisions.

commettere *v.tr.* **1** (*fare*) to commit; to do*; to make*: — *un delitto*, to commit a crime; — *un'ingiustizia*, to do a wrong; — *uno sbaglio*, to make a mistake **2** (*ordinare*) to order **3** (*unire*) to join ♦ *v.intr.* (*combaciare*) to fit together.

commettitura *s.f.* **1** joining; (*fig.*) connection **2** (*punto di congiunzione*) join.

commiato *s.m.* leave: *prendere* — *da qlcu.*, to take leave of s.o.

commilitone *s.m.* comrade-in-arms.

comminare *v.tr.* (*dir.*) to threaten.

commiserare *v.tr.* to pity.

commiserazione *s.f.* pity, compassion.

commissariato *s.m.* commissionership; (*mil.*) commissariat // — *di polizia*, police station.

commissario *s.m.* commissary (*anche mil.*), commissioner; (*sovietico*) commissar: — *di esami*, member of the examining board; — *di Pubblica Sicurezza, di Polizia*, inspector; — *tecnico*, (*sport*) national team manager.

commissionare *v.tr.* to order.

commissionario *s.m.* agent.

commissione *s.f.* **1** errand: *fare una* —, to go on an errand; *talvolta i ragazzi fanno delle piccole commissioni per guadagnare qualche lira*, boys sometimes run errands to get some pocket money; *mandare qlcu. a fare una* —, to send s.o. on an errand // *fare delle commissioni*, to go shopping **2** (*comm.*) commission; (*ordinazione*) order: *fatto su* —, made to order; *passare una* — *a qlcu.*, to place an order with s.o.; — *bancaria*, bank commission; *vendere, comprare per* —, to sell, to buy on commission **3** (*comitato*) commission, committee,

board: — *d'esame*, board of examiners; — *d'inchiesto* committee of inquiry; — *interna*, (*di fabbrica*) shop committee.

commisurare *v.tr.* to proportion.

commisurazione *s.f.* proportioning.

committente *s.m.* purchaser, buyer.

commodoro *s.m.* (*mar.*) commodore.

commosso *agg.* moved, touched.

commovente *agg.* moving, touching; (*che suscita pietà*) pitiful.

commozione *s.f.* **1** emotion: *destare* — *in qlcu.*, to move s.o. **2** (*med.*) concussion: — *cerebrale*, concussion of the brain.

commuovere *v.tr.* to move, to touch: — *fino alle lacrime*, to move to tears // **-ersi** *v.intr.pron.* to be moved, to be* touched: *ella è facile a* —, she is easily moved.

commutabile *agg.* commutable.

commutare *v.tr.* **1** to commute **2** (*elettr.*) to commutate.

commutativo *agg.* commutative.

commutatore *s.m.* commutator; (*interruttore*) switch; (*tel.*) dial.

commutazione *s.f.* **1** commutation **2** (*rad. tel*) switching: — *di circuiti*, circuit switching.

comò *s.m.* chest of drawers.

comodamente *avv.* **1** comfortably **2** (*tranquillamente*) quietly **3** (*facilmente*) easily.

comodare *v.intr.* to suit: *fa' come ti comoda!*, suit yourself!

comodato *s.m.* (*dir.*) commodatum (*pl.* -ta).

comodino *s.m.* **1** night table **2** (*teatr.*) stooge (*anche fig.*): *fare da* —, to act as a stooge.

comodità *s.f.* comfort: *vivere tra le* —, to live in comfort.

comodo *agg.* **1** (*utile*) useful; (*opportuno*) convenient: *quando vi torna* —, when it suits you **2** (*maneggevole*) handy **3** (*confortevole*) comfortable **4** (*a proprio agio*) at ease: *stia* —!, don't get up! (*o* don't move!) **5** (*ampio*) large: *ti sta un po'* —, (*di abito*) it's a bit large for you ♦ *s.m.* comfort; ease; convenience: *con vostro* — at your convenience; *prendila con* —!, take it easy! *fare i propri comodi*, to do as one likes.

compaesano *s.m.* fellow townsman (*pl.* -men).

compagine *s.f.* framework; (*fig.*) body.

compagna *s.f.* **1** companion, mate **2** (*moglie*) wife.

compagnia *s.f.* **1** company: *essere in* — *di qlcu.*, to be in s.o.'s company; *far* — *a qlcu.*, to keep s.o. company; *godere della* — *di qlcu.*, to enjoy s.o.'s company (*gruppo di persone*) company, party: *frequentare una buona, cattiva* —, to keep good, bad company **3** (*società*) company // *Compagnia di Gesù*, Society of Jesus **4** (*teatr.*) company, troupe **5** (*mil.*) company.

compagno *agg.* (*uguale*) alike (*pred.*), very similar (*pred.*) ♦ *s.m.* **1** companion, mate, fellow, comrade: — *di scuola*, schoolfellow; — *di giochi*, playfellow; — *di tavola*, table companion; — *di lavoro*, fellow worker; — *d'armi*, comrade-in-arms; — *di viaggio*, fellow traveller; — *di bordo*, shipmate; *buon* —, good sort; *cattivo* —, (*fam.*) nasty piece of goods **2** (*marito*) husband (*di un gioco*) fellow, companion, the other **4** (*di ballo, di gioco*) partner **5** (*pol.*) comrade **6** *pl.*: *Rossi e Compagni, Rossi e C.*, Rossi and Company, Rossi & Co.

compagnone *s.m.* jolly fellow; (*fam.*) gay dog.

companatico *s.m.* something to eat with one's bread: *pane e* —, bread and something else.

comparaggio *s.m.* (*dir.*) collusion.

comparare *v.tr.* (*letter.*) to compare.

comparativo *agg.* e *s.m.* (*gramm.*) comparative.

comparato *agg.* comparative.

comparazione *s.f.* comparison.

compare *s.m.* **1** (*padrino*) godfather, sponsor; (*testi-one di matrimonio*) witness: *fare da — a un bambino*, stand godfather to a child **2** (*fam.*) (*compagno*) **3** (*complice*) accomplice, confederate.

comparire *v.intr.* **1** to appear **2** (*sembrare, apparire*) show* oneself, to appear **3** (*di libri*) to appear, to come* out: *il suo nuovo romanzo comparirà in libreria il prossimo mese*, his new novel will be in the bookshops next month **4** (*dir.*) to appear: — *in giudizio*, to appear before a court.

comparizione *s.f.* appearance // *mandato di —*, (*dir.*) summons.

comparsa *s.f.* **1** appearance **2** (*teatr. cinem.*) super (umerary), extra: *ruolo di —*, walk-on; *sostenere un ruolo di —*, to walk on **3** (*fig.*) bit player: *fare da —*, to be a bit player **4** (*dir.*) (*atto scritto*) statement.

compartecipazione *s.f.* (*comm.*) profit sharing: — *aziendale*, joint venture.

compartecipe *agg.* participating.

compartimento *s.m.* compartment: — *per fumatori*, (*ferr.*) smoker; — *stagno*, (*mar.*) watertight compartment **2** (*circoscrizione*) department.

comparto *s.m.* compartment.

compassato *agg.* (self-)controlled; (*di discorso*) measured.

compassionare *v.tr.* to pity.

compassione *s.f.* pity: *per —*, out of pity; *aver — di qcu.*, to have pity on s.o.; *fare —*, to arouse pity: *mi fai —*, I pity you; *sentire — per qlcu.*, to feel sorry for s.o.

compassionevole *agg.* **1** (*che fa compassione*) pitiable, pitiful **2** (*che ha compassione*) sympathetic, compassionate.

compasso *s.m.* compasses (*pl.*).

compatibile *agg.* **1** (*conciliabile*) compatible, consistent **2** (*scusabile*) understandable **3** (*informatica*) (*di sistema*) compatible ♦ *s.m.* (*informatica*) (*di unità*) plug-o-plug compatible.

compatibilmente *avv.* compatibly, consistently.

compatimento *s.m.* pity, compassion // *la guardò con aria di —*, he gave her a pitying look.

compatire *v.tr.* **1** (*compassionare*) to pity // *farsi —*, to make a fool of oneself **2** (*essere indulgente con*) to bear* (with s.o.); (*scusare*) to excuse: *compatitemi!, scuse me!* // **-irsi** *v.rifl.rec.* to bear* (with each other, one another).

compatriota *s.m.* fellow countryman (*pl.* -men), compatriot ♦ *s.f.* fellow countrywoman (*pl.* -women), compatriot.

compattezza *s.f.* **1** compactness **2** (*di partito ecc.*) unity, solidarity.

compatto *agg.* **1** compact, close, dense: *metalli compatti*, dense metals **2** (*fig.*) (*di partito ecc.*) solid, united.

compendiare *v.tr.* to abridge, to summarize.

compendio *s.m.* **1** abridgement, summary; (*fig.*) abstract: *in —*, abridged **2** (*breve trattazione*) compendium.

compendioso *agg.* succinct.

compenetrare *v.tr.* to penetrate (*anche fig.*) // **-arsi** *v.intr.pron.* to interpenetrate.

compensare *v.tr.* **1** (*risarcire; bilanciare*) to compensate: — *qlcu. dei danni subiti*, to compensate s.o. for his losses **2** (*pagare*) to pay* **3** (*ricompensare*) to reward.

compensato *s.m.* (*legno*) plywood.

compensazione *s.f.* **1** compensation **2** (*dir.*) set-off **3** (*comm.*) clearing: *stanza di —*, clearing-house.

compenso *s.m.* **1** payment, retribution; fee; (*ricompensa*) reward: — *simbolico*, token payment; *in — della sua ospitalità*, in return for his hospitality; *per —*, as a reward; *dietro —*, for payment // *in —...*, to make up for it (*o* in return)... **2** (*indennizzo*) compensation.

compera *s.f.* purchase // *fare compere*, to do some shopping.

comperare *v.tr.* → **comprare**.

competente *agg.* **1** competent, properly qualified // *è — in materia di finanza*, he is conversant with finance **2** (*adeguato*) adequate // *mancia —*, reward.

competenza *s.f.* **1** (*capacità*) competence, competency **2** (*dir.*) competence // *questo non è di sua —*, this is not within his province // *di — di*, pertaining to.

competere *v.intr.* **1** to compete, to rival **2** (*spettare, appartenere*) to be* due; (*dir.*) to come* under the jurisdiction (of s.o.): *è un titolo che gli compete*, it's a title that is due to him // *non compete a me giudicare*, it is not my place to judge.

competitività *s.f.* competitiveness.

competitivo *agg.* competitive.

competitore *s.m.* competitor, rival.

competizione *s.f.* competition, contest.

compiacente *agg.* obliging, complaisant.

compiacenza *s.f.* **1** kindness: *abbiate la — di aiutarmi*, be so kind as to help me **2** (*soddisfazione*) satisfaction.

compiacere *v.tr.* e *intr.* to please // — *qlcu. nei suoi desideri*, to comply with s.o.'s wishes // **-ersi** *v.intr.pron.* **1** to take* pleasure (in sthg.), to rejoice (at, in sthg.): *mi compiaccio di sentire che...*, I take pleasure in hearing that... **2** (*congratularsi*) to congratulate (s.o.): *mi compiaccio con te del tuo successo*, I congratulate you on your success **3** (*degnarsi*) to be* so kind as.

compiacimento *s.m.* **1** (*soddisfazione*) satisfaction, pleasure **2** (*congratulazione*) congratulations.

compiaciuto *agg.* pleased // *con aria compiaciuta*, with a self-satisfied (*o* smug) look.

compiangere *v.tr.* to pity; (*per lutto ecc.*) to sympathize (with s.o., in sthg.): *è da —*, he is to be pitied // *tutti compiansero la sua morte*, all mourned his death.

compianto *agg.* lamented, regretted: *il — Dottor Adams*, the late lamented Dr. Adams ♦ *s.m.* grief, sorrow.

compiere *v.tr.* **1** to do*, to perform: — *una buona azione*, to do a good deed // — *un delitto*, to commit a crime // — *il proprio dovere*, to fulfil (*o* to do) one's duty **2** (*finire, completare*) to finish, to complete // *per — l'opera*, on top of it all (*o* to crown it all) **3** (*gli anni*): *ha compiuto venti anni ieri*, he was twenty yesterday; *quanti anni compi?*, how old are you?; *quando compirai gli anni?*, when is your birthday? // **-ersi** *v. intr.pron.* to fulfil, to come* true.

compieta *s.f.* (*eccl.*) compline.

compilare *v.tr.* to compile // — *un documento*, to draw up a document // — *una lista*, to make (out) a list // — *un modulo*, to fill in (*o* up) a form.

compilatore *s.m.* **1** compiler **2** (*informatica*) compiler; processor.

compilazione *s.f.* compilation; (*di documento*) drawing up; (*di lista*) making out // — *automatica dei testi*, automatic typesetting.

compimento *s.m.* fulfilment // *condurre, portare a —*, to finish // *al — del quindicesimo anno*, on reaching his fifteenth year // *a — dell'opera*, on top of it all (*o* to crown it all).

compire *v.tr.* → **compiere**.

compitare *v.tr.* to spell* (out).

compitezza *s.f.* politeness, refined manners (*pl.*).

compito *agg.* polite.

compito *s.m.* **1** duty, task: *è — dei genitori...*, it is up to parents...; *è mio —*, it is my duty; *essere all'altezza di un —*, to be equal to a task **2** (*scolastico*) exercise, task: *— a casa*, homework; *un — di latino*, a Latin exercise; *— in classe*, classwork (*o* classtest); *fare i compiti*, to do one's homework **3** (*informatica*) task.

compiutamente *avv.* completely; (*perfettamente*) perfectly.

compiutezza *s.f.* completeness; (*perfezione*) perfection.

compiuto *agg.* complete.

compleanno *s.m.* birthday: *buon —!*, happy birthday!

complementare *agg.* complementary // *imposta —*, sliding-percentage earned-income tax // *materia —*, (*di studio universitario*) subsidiary subject.

complemento *s.m.* complement // *— indiretto, diretto*, (*gramm.*) indirect, direct object // *truppe di —*, reserve; *ufficiale di —*, reserve officer.

complessione *s.f.* constitution.

complessità *s.f.* complexity.

complessivamente *avv.* (*in totale*) altogether; (*tutto considerato*) on the whole // *ammontare — a*, (*comm.*) to amount to.

complessivo *agg.* total; (*di prezzo*) inclusive, comprehensive: *ammontare —*, (*comm.*) total amount // *indice —*, global index // *giudizio —*, overall judgement.

complesso *agg.* **1** complex // *numeri complessi*, compound numbers **2** (*complicato*) complicated, complex: *è un problema —*, it's a complicated (*o* tricky) problem ♦ *s.m.* **1** (*totalità*) all (*agg.*), all of; (*insieme*) whole: *il — degli impiegati*, all the (*o* all of the) employees; *bisogna considerare le cose nel loro —*, we must look on things as a whole // *in — sono soddisfatto*, on the whole I am satisfied **2** (*industria*) firm, company: *— farmaceutico*, chemical firm (*o* company) **3** (*mus.*) band; (*di musica pop*) pop group **4** (*psic.*) complex: *— di persecuzione*, persecution complex.

completamente *avv.* completely, entirely.

completamento *s.m.* completion.

completare *v.tr.* to complete, to finish.

completezza *s.f.* completeness.

completo *agg.* **1** complete; (*intero*) whole, entire: *— di...*, complete with (*o* including)... // *atleta —*, all-round athlete // *un pasto —*, a full meal **2** (*pieno*) full (up) // *completo*, (*cartello esposto negli alberghi ecc.*) complet (*o* no rooms) // *l'albergo è al —*, the hotel is full ♦ *s.m.* **1** (*abito da uomo*) suit **2** (*da donna*) costume, suit; (*di maglia*) twin set.

complicare *v.tr.* to complicate: *riesce sempre a — tutto*, he always manages to make things difficult // *complicarsi l'esistenza*, to complicate one's life // **-arsi** *v. intr.pron.* **1** to get* complicated **2** (*di malattia*) to worsen **3** (*di intreccio*) to thicken.

complicato *agg.* complicated, complex; (*di stile*) elaborate, involved.

complicazione *s.f.* complication // *20 giorni salvo complicazioni*, 20 days if no complications set in; *sono*

sopraggiunte delle complicazioni renali, kidney compli cations have set in.

complice *s.m. e f.* accomplice, accessory // *— in adt terio*, correspondent // *essere — in una congiura, in t crimine*, to be a party to a plot, a crime.

complicità *s.f.* complicity.

complimentare *v.tr.* to compliment, to pay* a co pliment (to s.o.): *— qlcu. per qlco.*, to compliment s on sthg. // **-arsi** *v.intr.pron.* to congratulate (s.o. on sthg

complimento *s.m.* **1** compliment: *far complimenti qlcu.*, to pay s.o. compliments; *andare a caccia di co plimenti*, to fish for compliments // *far complimenti*, stand on ceremony; *ti prego di non far complimen* please don't stand on ceremony // *senza complimer* frankly (*o* freely *o* without ceremony) **2** *pl.* (*osseq* regards, compliments **3** *pl.* (*congratulazioni*) congrat lations: *gli fecero molti complimenti per...*, they congra ulated him warmly on...

complimentoso *agg.* ceremonious.

complottare *v.intr.* to plot.

complotto *s.m.* plot, conspiracy: *— contro lo sta* conspiracy against the state.

componente *agg. e s.m. e f.* component; (*membri* member ♦ *s.m.pl.* (*informatica*): *componenti di progran mazione*, software; *componenti fisici dell'elaborato* hardware.

componibile *agg.* unit (*attr.*): *libreria —*, unit boo shelves.

componimento *s.m.* **1** (*lett. mus.*) composition (*scolastico*) essay, composition **3** (*dir.*) settlement.

comporre *v.tr.* **1** to compose // *— un numero*, (*te* to dial a number **2** (*costituire*) to constitute, to make up, to form: *due stanze e una cucina componevano il s alloggio*, his flat consisted of two rooms and a kitc en **3** (*atteggiare*) to put* on: *— il volto a un'espression di tristezza*, to put on a sad look **4** (*mettere in ordin* to arrange, to put* in order **5** (*conciliare*) to settle: *una lite*, (*dir.*) to settle a lawsuit **6** (*tip.*) to compose, set* up in type.

comportamentale *agg.* behavioural.

comportamento *s.m.* behaviour.

comportare *v.tr.* (*richiedere*) to involve, to requir to call for **2** (*consentire*) to allow; (*sopportare*) stand*, to bear* // **-arsi** *v.intr.pron.* to behave: *compo tati bene, come si deve!*, behave properly! (*o* behav yourself!); *non sempre è facile sapere come —*, it isr always easy to know how to behave; *— male*, to b have badly (*o* to misbehave).

comporto *s.m.* delay.

composite *s.f.pl.* (*bot.*) compositae.

compositivo *agg.*: *elemento —*, constituent part.

composito *agg.* composite.

compositoio *s.m.* (*tip.*) composing stick, stick.

compositore *s.m.* **1** (*mus.*) composer **2** (*tip.*) typ setter, compositor.

compositrice *s.f.* (*tip.*) composing machine.

composizione *s.f.* **1** composition **2** (*conciliazion* composition, settlement **3** (*tip.*) composition, settin (*testo composto*) matter: *— a mano*, hand compositic (*o* hand-setting).

compossesso *s.m.* joint ownership.

compossessore *s.m.* joint owner.

composta *s.f.* (*cuc.*) compote.

compostezza *s.f.* **1** behaviour **2** (*di stile, linguaggi* decorum.

compostiera *s.f.* bowl for compote.

•mposto *agg.* **1** compound // *interesse* —, compound interest **2** (*a posto*): *stai* —!, sit up properly!; *dere* —, to sit up straight **3** (*bot.*) composite ♦ *s.m.* •mpound.

ompra *s.f.* → **compera**.

omprare *v.tr.* **1** to buy*, to purchase: — *a buon ercato*, to buy cheap; — *a condizioni favorevoli*, to uy on favourable terms; — *all'ingrosso*, to buy whole-le; — *a rate*, to buy by instalments; — *per contanti*, » buy cashdown; — *a credito*, to buy on credit // — *a 'chi chiusi*, (*fam.*) to buy a pig in a poke; *lo comprerei a 'chi chiusi*, I would buy it like a shot **2** (*corrompere*) » bribe (s.o.): — *il silenzio di qlcu.*, to bribe s.o. to silence.

ompratore *s.m.* buyer, purchaser.

ompravendita *s.f.* (*dir.*) sale: *atto di* —, deed of sale.

omprendere *v.tr.* **1** (*includere*) to include, to com-rehend **2** (*capire*) to understand*; (*rendersi conto di*) » realize.

omprendonio *s.m.* (*scherz.*) understanding // *duro* ' —, slow(-witted).

omprensibile *agg.* intelligible, comprehensible.

omprensione *s.f.* understanding, comprehension.

omprensivo *agg.* **1** (*che dimostra comprensione*) nderstanding, sympathetic **2** (*comprendente*) com-rehensive, inclusive.

omprensorio *s.m.* district, territory.

ompresenza *s.f.* (co-)presence.

ompreso *agg.* **1** (*incluso*) included; inclusive: *tutto* -, all included, (*fam.*) all-in: *il costo del soggiorno tutto* – *è di...*, the all-in cost of the holiday is...; *dal 1° gen-aio al 15* —, from January 1st to January 15th inclu-ve; *tassa compresa*, tax included (*o* inclusive of ax) **2** (*capito*) understood **3** (*assorbito, immerso*) en-rossed (in): *era tutto* — *nella lettura del suo libro*, he /as completely engrossed in his book **4** (*consapevole*) live (to) **5** (*colpito, preso da un sentimento*) striken with).

ompressa *s.f.* **1** (*pastiglia*) tablet **2** (*di garza*) com-ress.

ompressione *s.f.* compression.

ompresso *agg.* **1** compressed **2** (*fig.*) repressed.

ompressore *agg.* compressing ♦ *s.m.* compressor: — *radale*, steamroller.

omprimere *v.tr.* **1** to compress **2** (*fig.*) to repress.

ompromesso *agg.* compromised ♦ *s.m.* compromise, rrangement // *vivere di compromessi*, to lead a life of ompromises.

ompromettente *agg.* compromising.

ompromettere *v.tr.*, **compromettersi** *v.rifl.* to com-romise.

omproprietà *s.f.* joint ownership, co-ownership.

omproprietario *s.m.* joint owner.

omprovare *v.tr.* to prove.

ompulsare *v.tr.* to consult.

ompunto *agg.* filled with compunction.

ompunzione *s.f.* compunction.

omputare *v.tr.* **1** to compute, to calculate **2** (*adde-itare*) to debit.

omputer *s.m.* computer → **elaboratore**.

omputista *s.m.* bookkeeper.

omputisteria *s.f.* bookkeeping.

omputo *s.m.* computation, calculation.

omunale *agg.* municipal; city (*attr.*); town (*attr.*): *mministrazione* —, municipal administration; *consi-lio* —, municipal (*o* town) council; *palazzo* —, city (*o* own) hall.

comunanza *s.f.* community.

comune[1] *agg.* e *s.m.* common: *la gente* —, the common people; *per nostro* — *accordo*, by mutual (*o* common) consent; *un nostro* — *amico*, a friend of ours; *in* —, unusual (*o* uncommon) // *genere* —, (*gramm.*) common gender // *senso* —, common sense // *luogo* —, commonplace // *uscire dalla* —, to abandon the scene.

comune[2] *s.m.* **1** (*in Italia, Francia, Belgio*) commune; (*negli altri stati*) municipality **2** (*organo amministrati-vo*) town council; (*palazzo del Comune*) town hall: *devo andare in* —, I have to go to the town hall **3** (*st.*) free city **4** *la Camera dei Comuni*, the House of Commons.

comunella *s.f.*: *far* — *con qlcu.*, to consort (*o* to asso-ciate) with s.o.

comunemente *avv.* usually, commonly.

comunicabile *agg.* communicable.

comunicando *s.m.* communicant.

comunicante *agg.* communicating.

comunicare *v.tr.* **1** to communicate; (*trasmettere*) to transmit: *gli comunicherò la notizia il più presto possi-bile*, I'll let him have the news as soon as possible // — *una malattia a qlcu.*, to infect s.o. with a disease **2** (*eccl.*) to administer Communion (to s.o.) ♦ *v.intr.* to communicate // **-arsi** *v.intr.pron.* **1** to spread* (*anche fig.*) **2** (*eccl.*) to receive Communion.

comunicativa *s.f.* communicativeness.

comunicativo *agg.* **1** communicative, open **2** (*che si comunica facilmente*) infectious.

comunicato *s.m.* bulletin, communiqué: — *commer-ciale*, commercial; — *stampa*, press release.

comunicazione *s.f.* communication: *tutte le comuni-cazioni sono interrotte*, all communications are inter-rupted; *comunicazioni ferroviarie*, railway communica-tions; — *telefonica*, (telephone) call; (*collegamento*) (telephone) connection; *strada di grande* —, highway; *dare* — *di qlco. a qlcu.*, to inform s.o. of sthg.; *mettere in* — *due persone*, to put two people in touch with each other; (*al telefono*) to put s.o. through to s.o.; *interrom-pere la* — *a qlcu.*, to cut s.o. off // *ministero delle Co-municazioni*, Ministry of Transport // *mezzi di* — *di massa*, mass media.

comunione *s.f.* **1** (*comunanza*) community **2** (*eccl.*) Holy Communion: *fare, ricevere la* —, to go to (*o* to receive) Holy Communion.

comunismo *s.m.* communism.

comunista *agg.* e *s.m.* e *f.* communist.

comunistizzare *v.tr.* to communize.

comunistoide *agg.* e *s.m.* e *f.* "pink".

comunità *s.f.* community.

comunitario *agg.* community (*attr.*).

comunque *avv.* (*in ogni caso*) in any case, anyhow: — *aveva torto*, in any case (*o* anyhow) he was wrong; *verrò* —, I'll come in any case (*o* anyhow) ♦ *cong.* **1** (*ma, tuttavia*) but, however: *non ne ho voglia*, — *verrò*, I don't feel like it, but I'll come **2** (*in qualunque modo*) however, no matter how: — *ti abbia risposto*, however he replied to you.

con *prep.* **1** (*compagnia, unione; qualità; causa; limita-zione*) with: *vivere, lavorare* — *qlcu.*, to live, to work with s.o.; *scarpe col tacco basso*, shoes with low heels; *col suo modo di fare si rende antipatico*, with his behav-iour he makes himself unpopular; *come va* — *il latino?*, how are you getting on with your Latin? // *avere del denaro* — *sé*, to have some money on one **2** (*modo*) with; in: — *coraggio*, with courage; — *un sorriso ami-*

chevole, with a friendly smile; — *voce fievole*, weakly (*o* in a weak voice) **2** *frittata coi carciofi*, an artichoke omelette **3** (*mezzo*) with; by: *scrivere — la penna*, to write with a pen; *arrivare — il treno, l'autobus*, to arrive by train, by bus; *pagare — un assegno*, to pay by cheque, to answer by letter; *ottenere qlco. — la forza, — l'insistenza*, to get sthg. by force, by (dint of) insisting; *che vuoi dire — questo?*, what do you mean by that? // *tutto si sistema col tempo*, time solves everything // *si abituerà col tempo*, he'll get used to it in time (*o* all in good time) **4** (*con valore di* nonostante) with, in spite of, for all: — *tutte le sue arie...*, for all his airs... **5** (*altri usi*): *col 1° di aprile*, on April 1st; — *la tua venuta*, on your arrival; — *l'inverno prossimo*, next winter // *non uscire — questo freddo*, — *la pioggia*, don't go out in this cold, in the rain; *col caldo si lavora male*, in hot weather it's difficult to work // *— mia grande gioia*, — *mio stupore*, to my great delight, to my amazement // *col leggere, col gridare*, by reading, by shouting // *cominciare, finire col dire*, to begin, to end by saying.

conato *s.m.* attempt // *avere conati di vomito*, to retch.

conca *s.f.* **1** basin; tub *— idraulica*, lock **2** (*bacino*) basin; (*valle*) dell.

concatenare *v.tr.* to link together, to join together // **-arsi** *v.rifl.rec.* to link, to join (each other, one another), to link up.

concatenazione *s.f.* concatenation.

concavità *s.f.* concavity.

concavo *agg.* concave, hollow.

concedere *v.tr.* **1** to grant, to award: *gli fu concessa una borsa di studio*, he was awarded a scholarship; *va bene, te lo concedo*, all right, I grant you that; *— un favore a qlcu.*, to grant s.o. a favour // *— un bis*, to give an encore **2** (*permettere*) to allow **3** (*ammettere*) to admit.

concento *s.m.* (*letter.*) harmony.

concentramento *s.m.* concentration // *campo di —*, concentration camp.

concentrare *v.tr.*, **concentrarsi** *v.rifl.* to concentrate (*anche fig.*): *concentrarsi su un problema*, to concentrate on a problem.

concentrato *agg.* **1** concentrated **2** (*assorto*) engrossed ♦ *s.m.* concentrate.

concentrazione *s.f.* concentration.

concentrico *agg.* concentric.

concepibile *agg.* conceivable.

concepimento *s.m.* conception (*anche fig.*).

concepire *v.tr.* **1** to conceive **2** (*immaginare*) to conceive; (*escogitare*) to devise **3** (*accogliere nell'animo*) to entertain: *— speranze*, to entertain hopes **4** (*comprendere*) to understand*: *non riesco a — come...*, I can't understand how...

conceria *s.f.* tannery.

concernere *v.tr.* to concern // *per quanto mi concerne...*, speaking for myself... (*o* as far as I am concerned...).

concertare *v.tr.* **1** (*mus.*) to tune; (*dirigere una prova*) to rehearse **2** (*organizzare, ordire*) to hatch.

concertato *agg.* **1** (*mus.*) concertato (*attr.*) **2** (*ordito, organizzato*) hatched // *a un'ora concertata*, at a fixed hour ♦ *s.m.* (*mus.*) concertato.

concertatore *agg.* e *s.m.*: (*maestro*) —, conductor.

concertazione *s.f.* (*mus.*) tuning; (*prova*) rehearsal.

concertista *s.m.* e *f.* concert artist.

concerto *s.m.* **1** (*spettacolo*) concert; (*composizione*)

concerto: *— per piano*, piano concerto // *— di camp\[…\]ne*, chimes **2** (*fig.*) (*accordo*) concert // *di —*, in conce\[…\]

concessionario *agg.* (*comm.*) concessionary, agen\[…\] *s.m.* (*comm.*) concession(n)aire: *— unico*, sole agent.

concessione *s.f.* **1** concession, grant: *fare una —*, make a concession; *per — reale*, by royal grant **2** (*d\[…\]* *pol.*) concession: *— petrolifera*, oil concession.

concessivo *agg.* concessive.

concetto *s.m.* **1** concept, idea **2** (*opinione*) opini\[…\] // *morire in — di santità*, to die in the odour of sancti\[…\]

concettoso *agg.* pregnant; (*conciso*) pithy.

concettuale *agg.* conceptual.

concezione *s.f.* conception.

conchiglia *s.f.* shell, conch.

concia *s.f.* (*di pelli*) tanning; (*di tabacco*) curing.

conciare *v.tr.* **1** (*pelli*) to tan; (*tabacco*) to cure **2** (\[…\] *durre in cattivo stato*) (*cose*) to mess up; (*persone*) to d\[…\] up: *guarda come hai conciato le scarpe*, look at how y\[…\] have messed up your shoes // *— qlcu. per le feste*, give s.o. a good thrashing **3** (*insudiciare*) to soil **-arsi** *v.rifl.* (*insudiciarsi*) to get* dirty; (*essere vestito modo strano*) to be* dolled up.

conciato *agg.* **1** (*di pelle*) tanned; (*di tabac\[…\]* cured **2** (*in cattivo stato*) (*di cosa*) messed up // *guar\[…\] come sei —!*, look at the state you are in!; *è proprio male*, he's really in a bad way **3** (*vestito in mo\[…\]* strano) dolled up.

conciatore *s.m.* tanner.

conciliabile *agg.* reconcilable.

conciliabolo *s.m.* conventicle // *terremo un —*, (*fan\[…\]* we'll put our heads together.

conciliante *agg.* conciliatory.

conciliare[1] *v.tr.* **1** to reconcile, to settle // *— u\[…\] contravvenzione*, to settle a fine; *concilia?*, do you wa\[…\] to settle the fine now? **2** (*procurare*) to win* // *— sonno a qlcu.*, to make s.o. sleepy.

conciliare[2] *agg.* conciliar ♦ *s.m.* conciliar father.

conciliativo *agg.* conciliatory.

conciliatore *agg.* conciliatory // *giudice —*, (*dir.*) Ju\[…\] tice of the Peace.

conciliazione *s.f.* reconcilement, settlement // *Conciliazione*, (*Patti Lateranensi*) Lateran Pacts.

concilio *s.m.* council.

concimaia *s.f.* manure pit.

concimare *v.tr.* to manure.

concimazione *s.f.* manuring.

concime *s.m.* manure // *— chimico*, fertilizer.

concio *s.m.* (*edil.*) ashlar.

concionare *v.intr.* to harangue.

concione *s.f.* harangue.

concisione *s.f.* concision, conciseness.

conciso *agg.* concise.

concistoro *s.m.* consistory.

concitato *agg.* excited // *in tono —*, excitedly.

concitazione *s.f.* excitement.

concittadino *s.m.* fellow-citizen.

conclamare *v.tr.* to acclaim.

conclave *s.m.* conclave.

conclavista *s.m.* conclavist.

concludente *agg.* conclusive.

concludere *v.tr.* **1** (*finire*) to conclude, to end, to fin\[…\] ish: *concluse il discorso con una citazione*, he ended hi\[…\] speech with a quotation **2** (*arrivare a una conclusione* to come* to a conclusion, to conclude: *è ora di —*, it'\[…\] time to come to a conclusion **3** (*fare*) to do*, to have (sthg.) done: *oggi non ho concluso niente*, I haven't ma\[…\]

ed to get anything done today; *è difficile — affari*
n lui, it's difficult to do business with him // *— la*
ice, to make peace ♦ *v.intr.* (*dedurre*) to guess, to de-
ace: *così abbiamo concluso che non è molto ricco*, from
is we guessed that he isn't very rich // **-ersi**
intr.pron. to conclude.

onclusione *s.f.* conclusion; (*fine*) end; (*chiusa*) close
' in —, after all that.

onclusivo *agg.* conclusive.

oncomitante *agg.* concomitant.

oncomitanza *s.f.* concomitance.

oncordanza *s.f.* **1** agreement **2** (*gramm.*) agree-
ent, concord.

oncordare *v.tr.* **1** to make* (sthg.) agree (*anche*
ramm.) **2** (*decidere di comune accordo*) to agree*
ipon sthg.); (*fissare*) to fix: *— un prezzo*, to fix a price
v.intr. to agree.

oncordatario *agg.* **1** (*dir. eccl.*) of concordat **2** (*dir.*
mm.) composition (*attr.*).

oncordato *s.m.* **1** (*dir. eccl.*) concordat **2** (*dir.*
mm.) composition.

oncorde *agg.* concordant // *essere concordi*, to agree.

oncordemente *avv.* concordantly; (*di comune ac-*
ordo) by common consent (*o* by mutual agreement).

oncordia *s.f.* concord.

oncorrente *agg.* **1** concurrent **2** (*rivale*) competing
s.m. e *f.* competitor (*anche comm.*); (*candidato*) candi-
ate (for); (*aspirante*) applicant (for).

oncorrenza *s.f.* competition; *— sleale*, unfair com-
etition; *prezzi di assoluta —*, extremely competitive
rices; *fare — a qlcu.*, to compete with s.o.

oncorrenziale *agg.* competitive.

oncorrere *v.intr.* **1** (*andare insieme*) to go* together;
venire insieme) to come* together **2** (*contribuire*) to
oncur, to contribute; (*partecipare*) to share (sthg.): *tut-*
o concorse a farmi perdere il treno, everything con-
ibuted to make me lose the train; *— a una spesa*, to
ontribute towards an expense **3** (*competere*) to com-
ete (for sthg.); (*aspirare*) to apply (for sthg.): *— per un*
ppalto, to make a tender.

oncorso *s.m.* **1** (*affluenza*) concourse; (*intervento*)
oncurrence **2** (*competizione*) competition; (*gara*)
ontest: *bandire un —*, to announce a competition; *ri-*
ultò secondo al — per la cattedra di filosofia, he came
econd in the national competitive examination or
concorso" for the chair of philosophy; *— musicale*,
usical contest // *— ippico*, horse show // *fuori —*,
ot competing // *— di bellezza*, beauty contest (*o*
ompetition) **3** (*dir.*) complicity: *— di reato*, aiding
nd abetting; *— di colpa*, contributory negligence.

oncretare *v.tr.* to concretize // **-arsi** *v.intr.pron.* to
ecome* concrete.

oncretezza *s.f.* concreteness.

oncretizzare *v.tr.* to concretize // **-arsi** *v.intr.pron.* to
ecome* concrete.

oncreto *agg.* e *s.m.* concrete // *in —*, in concrete
erms.

oncrezione *s.f.* concretion.

oncubina *s.f.* concubine.

oncubinato *s.m.* concubinage.

oncubino *s.m.* concubine.

onculcare *v.tr.* to tread* (*anche fig.*).

oncupiscenza *s.f.* concupiscence.

oncussione *s.f.* (*dir.*) extortion (by public official).

ondanna *s.f.* condemnation (*anche fig.*); (*sentenza e*
ena) sentence: *— a morte*, death sentence; *pronunciare*

una —, to pass a sentence; *scontare la propria —*, to
serve one's sentence.

condannabile *agg.* condemnable.

condannare *v.tr.* to condemn (*anche fig.*); (*pronuncia-*
re una condanna) to sentence: *— a morte*, to sentence (*o*
to condemn) to death // *fu condannato a una multa di*
20 sterline, he was fined twenty pounds // *il medico*
l'ha condannato, the doctor has given him up.

condannato *agg.* **1** condemned **2** (*spacciato*)
doomed ♦ *s.m.* convict // *la cella dei condannati a mor-*
te, the condemned cell.

condensare *v.tr.*, **condensarsi** *v.intr.pron.* to condense.

condensato *agg.* **1** condensed **2** (*riassunto*) a-
bridged // *romanzo —*, condensed novel.

condensatore *s.m.* condenser.

condensazione *s.f.* condensation.

condimento *s.m.* **1** seasoning; (*di insalata*) dressing **2** (*fig.*) sauce // *l'appetito è il miglior —*, appetite is
the best sauce.

condire *v.tr.* to season; (*insalata*) to dress.

condirettore *s.m.* joint manager; (*di giornale*) joint editor.

condiscendente *agg.* (*compiacente*) condescending;
(*indulgente*) indulgent; (*arrendevole*) compliant.

condiscendenza *s.f.* condescension // *con —*, conde-
scendingly.

condiscendere *v.intr.* to comply (with sthg.).

condiscepolo *s.m.* schoolfellow.

condividere *v.tr.* to share.

condizionale *agg.* conditional (*anche dir.*) ♦ *s.m.*
(*gramm.*) conditional (mood) ♦ *s.f.* (*dir.*) suspended
sentence.

condizionamento *s.m.* conditioning.

condizionare *v.tr.* to condition // *— l'aria*, to air
-condition.

condizionato *agg.* conditioned // *stanza ad aria con-*
dizionata, air-conditioned room.

condizionatore *s.m.*: *— (d'aria)*, air-conditioner.

condizione *s.f.* **1** condition: *non è in — di viaggiare*,
he is in no condition to travel // *essere in — di fare*
qlco., to be able to do sthg.; *mettere qlcu. in — di fare*
qlco., to enable s.o. to do sthg. **2** (*stato*) condition // *è*
in cattive condizioni di salute, he is in poor health; *la tua*
bicicletta è in cattive condizioni, your bicycle is in bad
repair; *in condizioni favorevoli*, in favourable conditions; *migliorare le proprie condizioni*, to better oneself **3** (*patto*) condition; *pl.* (*clausole*) terms: *a nessuna*
—, on no condition; *porre una —*, to lay down a condition; *alle solite condizioni*, (*comm.*) on the usual terms (*o*
conditions) // *condizioni di favore*, preferential terms
// *a — che*, on condition that **4** (*informatica*) condition: *— di ingresso*, entry condition; *— di inter-*
rogazione, inquiry mode; *— di eccedenza*, (*cobol*) overflow test.

condoglianza *s.f.* condolence // *fare le condoglianze a*
qlcu., to sympathize (*o* to condole) with s.o.: *la prego di*
porgere le mie condoglianze a suo fratello, I beg you to
convey my deepest sympathy to your brother.

condolersi *v.intr.pron.* (*letter.*) to condole, to sympathize: *— con qlcu. per qlco.*, to condole with s.o. upon
sthg.

condominiale *agg.* condominium (*attr.*) *spese condo-*
miniali, condominium expenses; *riunione —*, condominium meeting.

condominio *s.m.* **1** (*dir.*) condominium **2** (*com-*
proprietà) joint ownership // *in —*, jointly owned **3**

(*edificio*) condominium, jointly owned flat block; (*amer.*) cooperative apartment house: *assemblea di* —, condominium meeting.

condomino *s.m.* co-owner.

condonabile *agg.* remissible.

condonare *v.tr.* to remit.

condono *s.m.* remission.

condor *s.m.* condor.

condotta *s.f.* 1 conduct, behaviour: *la sua* — *è stata esemplare*, his behaviour has been exemplary 2 (*comando supremo*) leadership 3 (*di gara ecc.*) management 4 (*circoscrizione di medico*) district 5 (*tubazione*) pipe: — *forzata*, pressure pipe.

condottiero *s.m.* leader, guide.

condotto *agg.*: *medico* —, district doctor ♦ *s.m.* duct.

conducente *s.m.* conductive.

condurre *v.tr.* 1 (*portare, guidare*) to lead*; (*veicoli*) to drive*; (*accompagnare*) to take*: *mi condusse a teatro*, he took me to the theatre; — *qlcu. per mano*, to lead s.o. by the hand // *la strada conduce al fiume*, the road leads to the river // — *qlcu. alla disperazione*, to drive s.o. to despair // — *a fine*, to bring to an end 2 (*dirigere; amministrare*) to run*: — *un'azienda*, to run a business // — *per uno a zero*, (*sport*) to lead one to nil (*o* to nothing) // — *una vita disonesta*, to lead a dishonest life 3 (*fis.*) to conduct // **-ursi** *v.rifl.* (*agire*) to act, to behave.

conduttività *s.f.* conductivity.

conduttivo *agg.* conductive.

conduttore *agg.*: *filo* —, guideline; *motivo* —, leitmotiv ♦ *s.m.* 1 (*di veicoli*) driver 2 (*fis.*) conductor: — *elettrico*, electric wire.

conduttura *s.f.* duct, main; (*tubazione*) piping.

conduzione *s.f.* 1 (*dir.*) tenancy 2 (*fis.*) conduction.

confabulare *v.intr.* to confabulate, (*fam.*) to pow-wow.

confabulazione *s.f.* confabulation; (*fam.*) pow-wow.

confacente *agg.* suitable, proper.

confarsi *v.intr.pron.* (*letter.*) to suit (s.o.): *quel lavoro non gli si confà*, that job does not suit him.

confederale *agg.* confederal.

confederarsi *v.rifl.* to confederate.

confederato *agg.* e *s.m.* confederate.

confederazione *s.f.* 1 (*pol.*) confederation 2 (*lega*) confederacy, league.

conferenza *s.f.* 1 lecture // — *stampa*, press conference 2 (*assemblea*) conference: — *internazionale*, international conference // — *a tre*, (*tel.*) add-on.

conferenziere *s.m.* lecturer.

conferimento *s.m.* conferment, awarding: *giorno del* — *della laurea*, conferring day.

conferire *v.tr.* to confer, to award; (*dare*) to give*, to grant: — *il titolo di dottore a qlcu.*, to confer a doctor's degree on s.o. ♦ *v.intr.* (*abboccarsi*) to confer.

conferma *s.f.* confirmation.

confermare *v.tr.* to confirm // *l'eccezione conferma la regola*, the exception proves the rule // **-arsi** *v.rifl.* to prove oneself: *si è confermato un ottimo medico*, he proved himself (to be) a good doctor.

confermazione *s.f.* confirmation.

confessare *v.tr.* 1 to confess; (*riconoscere*) to acknowledge; (*ammettere*) to admit 2 (*eccl.*) to confess // **-arsi** *v.rifl.* to confess: *mi confesso incapace di reagire*, I confess I'm unable to react // — *colpevole*, (*dir.*) to plead guilty.

confessionale *agg.* e *s.m.* confessional // *sotto il segreto* —, under the seal of confession.

confessione *s.f.* 1 confession: *rendere piena* —, make a full confession 2 (*eccl.*) confession 3 (*fe professata*) denomination, confession.

confesso *agg.*: *esser reo* —, to have pleaded guilty.

confessore *s.m.* confessor.

confettare *v.tr.* to sugarcoat; (*candire*) to candy.

confetteria *s.f.* confectionery.

confettiera *s.f.* sweetmeat box; (*amer.*) candy box.

confetto *s.m.* 1 sugarcoated almond // *presto ma gerete i miei confetti*, I shall soon get married 2 (*farm* pill.

confettura *s.f.* 1 confectionery 2 (*marmellata*) jai preserve.

confezionare *v.tr.* 1 to manufacture, to make* // *confezionano camicie su misura*, shirts made to order (*impacchettare*) to wrap (up).

confezione *s.f.* 1 (*il confezionare*) manufacturing *si garantisce una* — *accurata*, we guarantee an acc rately finished product 2 (*involucro*) wrapping: — *r galo*, gift-wrapping 3 (*industria*) clothing industry *pl.* (*abiti fatti*) ready-made clothes // *negozio di conf zioni*, (*da uomo*) tailor's (shop); (*da donna*) dre shop.

confezionista *s.m.* e *f.* clothing manufacturer.

conficcare *v.tr.* to hammer, to drive* // **-arsi** *v.rifl.* run* into (sthg.): *una scheggia gli si conficcò nel dito*, splinter ran into his finger.

confidare *v.intr.* to trust: — *nella buona sorte*, to tru in good luck ♦ *v.tr.* to confide // **-arsi** *v.rifl.* to confic (in s.o.), to open one's heart (to s.o.).

confidente *agg.* confident ♦ *s.m.* confidant // — *del polizia*, informer (*o* supergrass) ♦ *s.f.* confidante.

confidenza *s.f.* 1 (*fiducia*) confidence, trust // *in* — in confidence 2 (*cosa confidata*) secret: *fare una* — *qlcu.*, to tell s.o. a secret 3 (*familiarità*) familiarity: *d re* — *a qlcu.*, to treat s.o. with familiarity; *essere in* — to be on familiar terms // *prendersi delle confidenze*, t take liberties.

confidenziale *agg.* confidential, private // *a titolo* — confidentially.

configurare *v.tr.* to shape // **-arsi** *v.intr.pron.* to take form (in s.o., sthg.).

configurazione *s.f.* configuration, shape // — *dell macchina*, (*informatica*) hardware configuration.

confinante *agg.* neighbouring ♦ *s.m.* neighbour.

confinare *v.intr.* (*esser confinante*) to border on (sthg. ♦ *v.tr.* (*relegare*) to confine; (*internare*) to intern // — *qlcu.*, (*dir.*) to send s.o. into forced residence // **-ars** *v.rifl.* to retire.

confinario *agg.* border, frontier (*attr.*).

confinato *s.m.* (*dir.*) forced resident.

confine *s.m.* border, frontier // *zona, territorio di* — borderland.

confino *s.m.* (*dir.*) forced residence: *mandare al* —, t send into forced residence.

confisca *s.f.* confiscation.

confiscare *v.tr.* to confiscate.

conflagrazione *s.f.* 1 conflagration 2 (*fig.*) sudde outbreak.

conflitto *s.m.* 1 conflict // *essere in* —, to clash (*guerra*) war.

conflittuale *agg.* politically contentious; socially con tentious: *situazione* —, strife-torn situation; *politica* — contentious policy.

conflittualità *s.f.* political strife; social strife; conten tiousness.

confluente *agg. e s.m.* confluent.

confluenza *s.f.* confluence.

confluire *v.intr.* **1** (*unirsi*) to meet*, to run* **2** (*fig.*) o meet*, to combine.

confondere *v.tr.* **1** (*mescolare*) to confuse, to mix up **2** (*scambiare*) to mistake*: *lo confondo sempre con suo fratello*, I always mistake him for his brother **3** (*turbare*) to confuse, to mix up // — *la vista*, to blur one's vision // — *il nemico*, to throw the enemy into confusion // **-ersi** *v.intr.pron.* **1** (*mescolarsi*) to mingle; (*di colori*) to blend* **2** (*turbarsi*) to be* disconcerted, to get* confused, to get* mixed up: *scusami, mi sono confuso*, sorry, I've got mixed up.

conformare *v.tr.* to conform; (*adattare*) to adapt // **-arsi** *v.rifl.* to conform.

conformazione *s.f.* conformation.

conforme *agg.* according (to): — *alle leggi*, according to (*o* in conformity with) the law // — *a campione*, as per sample // *copia* —, facsimile.

conformemente *avv.* accordingly.

conformismo *s.m.* conformism.

conformista *s.m. e f.* conformist.

conformistico *agg.* conformist.

conformità *s.f.* conformity.

confortante *agg.* comforting, consoling.

confortare *v.tr.* **1** to comfort; (*infondere coraggio*) to encourage **2** (*confermare*) to confirm, to support **3** (*ristorare*) to restore // **-arsi** *v.rifl.* to find* comfort.

confortevole *agg.* **1** (*che conforta*) comforting **2** (*comodo*) comfortable.

conforto *s.m.* **1** comfort, consolation, solace // *a — di*, in support of **2** (*comodità*) comfort.

confratello *s.m.* brother (*pl.* brethren).

confraternita *s.f.* brotherhood, confraternity.

confrontare *v.tr.* to compare; (*dir.*) to confront: — *due testimonianze*, to confront two witnesses.

confronto *s.m.* **1** comparison: *a — di, in — a*, in comparison with; *senza* —, beyond comparison; *reggere al* —, to stand comparison **2** (*dir.*) confrontation: *il prigioniero fu messo a — con i suoi accusatori*, the prisoner was confronted with his accusers.

confucianesimo *s.m.* (*relig.*) Confucianism.

Confucio *no.pr.m.* (*st.relig.*) Confucius.

confusionario *agg.* bungling, muddling ♦ *s.m.* bungler, muddler.

confusione *s.f.* **1** confusion; (*solo di cose*) muddle, mess // — *di razze*, medley of races // — *mentale*, (*med.*) mental derangement **2** (*baccano*) din, noise: *non è possibile lavorare in questa* —, it's not possible to work with this noise **3** (*per vergogna ecc.*) confusion.

confusionismo *s.m.* muddle-headedness.

confuso *agg.* **1** confused, muddled **2** (*indistinto*) vague, indistinct **3** (*imbarazzato*) embarrassed, confused.

confutare *v.tr.* to confute, to refute.

confutazione *s.f.* confutation, refutation.

congedare *v.tr.* to dismiss; (*mil.*) to discharge // **-arsi** *v.rifl.* to take* one's leave (of s.o.).

congedo *s.m.* **1** (*commiato*) leave: *prendere — da qlcu.*, to take leave of s.o. **2** (*permesso*) leave: *essere in* —, to be on leave (*o* on furlough) **3** (*mil.*): — *assoluto*, discharge; — *illimitato*, demobilization; *foglio di* —, discharge, demobilization papers; *andare, essere in* —, to be demobilized; (*fam.*) to be demobbed; *collocare, inviare in* —, to demobilize; *militare in* —, demobilized serviceman **4** (*poesia*) envoy.

congegnare *v.tr.* to devise, to contrive.

congegno *s.m.* (*mecc.*) device, contrivance; (*meccanismo*) mechanism: — *di sicurezza*, safety device.

congelamento *s.m.* **1** congealment, freezing: *punto di* —, (*fis.*) freezing point **2** (*med.*) frostbite.

congelare *v.tr.* **1** to freeze*, to congeal **2** (*comm.*) to freeze*: — *i salari*, to freeze wages // **-arsi** *v.intr.pron.* **1** to freeze* (*anche fig.*) **2** (*med.*) to become* frostbitten.

congelato *agg.* frozen, congealed: *cibi congelati*, frozen food // *credito* —, frozen credit.

congelatore *s.m.* freezer.

congenere *agg.* akin (*pred.*), alike (*pred.*); similar (*attr.*).

congeniale *agg.* congenial.

congenialità *s.f.* congeniality.

congenito *agg.* (*med.*) congenital.

congerie *s.f.* congeries, mass, heap.

congestionare *v.tr.* to congest.

congestionato *agg.* congested // *viso* —, flushed face.

congestione *s.f.* congestion (*anche fig.*) // — *cerebrale*, stroke // — *polmonare*, pneumonia.

congettura *s.f.* conjecture, surmise, supposition.

congetturale *agg.* conjectural.

congetturare *v.tr.* to conjecture, to surmise.

congiungere *v.tr.* to join; (*collegare*) to connect, to link // **-ersi** *v.rifl. e rifl.rec.* to join (s.o., sthg.) // — *in matrimonio*, to get married.

congiungimento *s.m.* joining, junction.

congiuntamente *avv.* jointly, together.

congiuntiva *s.f.* (*anat.*) conjunctiva.

congiuntivite *s.f.* conjunctivitis.

congiuntivo *agg.* **1** conjunctive **2** (*gramm.*) subjunctive: (*modo*) —, subjunctive (mood).

congiunto *agg.* joined; (*collegato*) connected (with sthg.), linked (with sthg.) ♦ *s.m.* relative, relation.

congiuntura *s.f.* **1** (point of) junction, joint **2** (*circostanza*) circumstance, conjuncture; (*situazione*) situation // — *economica*, economic crisis.

congiunturale *agg.* connected with the current economic situation (*attr.*).

congiunzione *s.f.* **1** junction **2** (*astr. gramm.*) conjunction.

congiura *s.f.* conspiracy, plot.

congiurare *v.intr.* to conspire, to plot.

congiurato *s.m.* conspirator, plotter.

conglobamento *s.m.* lumping together (*anche econ.*).

conglobare *v.tr.* to lump together (*anche econ.*).

conglomerare *v.tr.*, **conglomerarsi** *v.intr.pron.* to conglomerate.

conglomerato *s.m.* grouping; (*geol.*) conglomerate.

Congo *no.pr.m.* Congo.

congolese *agg. e s.m.* Congolese (*pl. invar.*).

congratularsi *v.intr.pron.* to congratulate (s.o. on sthg.).

congratulazione *s.f.* congratulation.

congrega *s.f.* gang, band.

congregare *v.tr.*, **congregarsi** *v.intr.pron.* to gather, to assemble.

congregazione *s.f.* congregation // — *di carità*, charitable institution.

congressista *s.m.* congressist.

congresso *s.m.* **1** congress // *atti del* —, proceedings (*o* minutes) of the conference **2** *il Congresso*, (*negli Stati Uniti*) Congress: *membro del Congresso*, Congressman (*pl.* -men).

congressuale *agg.* congress (*attr.*).

congrua *s.f.* (*eccl.*) State stipend.

congruenza *s.f.* congruence, congruency; (*convenienza*) suitability.

congruo *agg.* congruent (*spec. geom.*); (*adeguato*) adequate.

conguagliare *v.tr.* (*comm.*) to balance.

conguaglio *s.m.* balance, settlement // — *delle paghe*, levelling of wages // — *monetario*, currency (*o* monetary) adjustment.

coniare *v.tr.* to coin, to mint (*anche fig.*); (*medaglie*) to strike*.

coniazione *s.f.* coinage, mintage.

conico *agg.* conical.

conifera *s.f.* conifer // *le conifere*, Coniferae.

conigliera *s.f.* rabbit warren; (*gabbia*) rabbit hutch.

coniglio *s.m.* **1** rabbit (*anche la pelliccia*) **2** (*fig.*) chicken, coward.

conio *s.m.* **1** (*matrice per coniare*) minting die **2** (*il coniare*) coinage; (*impronta*) coin, brand, stamp: *moneta di nuovo* —, brand-new (*o* newly-minted) coin; *parole di nuovo* —, newly-minted words (*o* words of new coinage); *di ottimo* —, well coined **3** (*cuneo*) wedge.

coniugale *agg.* conjugal // *vita* —, married life.

coniugalmente *avv.* conjugally.

coniugare *v.tr.* (*gramm.*) to conjugate // **-arsi** *v.rifl.* to get* married.

coniugato *agg.* **1** (*sposato*) married **2** (*geom.*) conjugate ♦ *s.m.* married man.

coniugazione *s.f.* (*gramm.*) conjugation.

coniuge *s.m.* e *f.* consort // *i coniugi*, husband and wife; *i coniugi Rossi*, Mr. and Mrs. Rossi.

connaturare *v.tr.* to make* connatural // **-arsi** *v.intr. pron.* to grow* inveterate.

connaturato *agg.* ingrained, deeply rooted.

connazionale *s.m.* compatriot, fellow countryman (*pl.* -men) ♦ *s.f.* fellow countrywoman (*pl.* -women).

connessione *s.f.* **1** connection // — *elettrica*, (*informatica*) patch **2** (*fig.*) connection, association, link.

connesso *agg.* connected (*anche fig.*), joined.

connettere *v.tr.* **1** to connect, to join, to link **2** (*fig.*) to associate, to link, to connect // *non connetto più*, I can't concentrate any more **3** (*informatica*) to interface with // **-ersi** *v.intr.pron.* to be* connected (with).

connettivo *agg.* (*anat.*) connective.

connivente *agg.* conniving (at).

connivenza *s.f.* connivance (at, in).

connotato *s.m.* distinguishing feature // *rispondere ai connotati*, to answer to the description // *cambiare, rovinare i connotati a qlcu.*, (*fig.*) to beat s.o. black and blue.

connotazione *s.f.* connotation.

connubio *s.m.* **1** marriage, union **2** (*fig.*) union.

cono *s.m.* cone.

conocchia *s.f.* distaff.

conoide *s.m.* **1** (*geom.*) conoid **2** (*geol.*) cone.

conoscente *s.m.* e *f.* acquaintance.

conoscenza *s.f.* **1** knowledge: — *di se stesso*, self-knowledge; *avere una buona* — *di*, to have a good knowledge of // *prendere* — *di qlco.*, to make oneself acquainted with sthg.; *essere, venire a* — *di qlco.*, to be, to become acquainted with (*o* to get to know *o* to get knowledge of) sthg.; *fare la* — *di qlcu.*, to make s.o.'s acquaintance (*o* to meet s.o.) **2** (*dir.*) cognizance **3** (*persona*) acquaintance: *una persona di mia* —, an acquaintance of mine **4** (*sensi*) consciousness: *privo di* —, unconscious; *riprendere* —, to come to (*o* to recover) one's senses.

conoscere *v.tr.* **1** to know*: *conosco perfettamente difficoltà della situazione*, I'm well aware of the difficu ties of the situation; — *a fondo qlcu.*, to know s.o through and through; — *al sapore*, to know by th taste; — *di fama*, to know by reputation; — *qlcu. vista*, to know s.o. by sight // *conobbe un periodo tranquillità*, he had a peaceful period // *far* — *un ar colo*, (*comm.*) to advertise an article // *farsi* —, to mak oneself known (*o* to make a name for oneself) // *no conosce il mondo*, he has no experience of life // *nc conosce ragione*, he won't listen to reason // *non cono sce ostacoli*, nothing daunts him // *conosco i miei poll* (*fig.*) I know my customers! // *dal frutto si conosce l'a bero*, a tree is known by its fruits // *nelle sventure conoscono gli amici*, a friend in need is a friend ir deed **2** (*fare la conoscenza di*) to meet*: *l'ho cono sciuto a un congresso tre anni fa*, I met him at a congres three years ago // *fammi* — *tua moglie*, introduce m to your wife **3** (*dir.*) to take* cognizance (of sthg.) // **-ersi** *v.rifl.* to know* oneself // *conosci te stesso*, kno thyself ♦ *v.rifl.rec.* **1** to know* (each other, one anoth er) **2** (*incontrarsi per la prima volta*) to meet*.

conoscibile *agg.* knowable.

conoscitivo *agg.* cognitive.

conoscitore *s.m.* expert, connoisseur, good judge.

conosciuto *agg.* well-known, renowned, famous.

conquibus *s.m.* (*scherz.*) dough (*sing.*); wherewithal.

conquista *s.f.* conquest (*anche fig.*).

conquistare *v.tr.* **1** to conquer, to subdue **2** (*fig.*) te win*; (*ricchezze ecc.*) to acquire: — *il cuore di qlcu.*, te win s.o.'s heart.

conquistatore *s.m.* **1** conqueror **2** (*fam.*) (*rubacuo ri*) lady-killer.

consacrare *v.tr.* to consecrate (*anche fig.*) // — *le pro prie energie a...*, to devote one's energies to... // — *u sacerdote*, to ordain a priest // **-arsi** *v.rifl.* to devote oneself.

consacrazione *s.f.* consecration (*anche fig.*) (*di sacer dote*) ordination.

consanguineità *s.f.* consanguinity, blood relationship

consanguineo *agg.* consanguineous, akin (*attr.*) ♦ *s.m.* blood relation.

consapevole *agg.* conscious, aware.

consapevolezza *s.f.* consciousness, awareness.

conscio *agg.* conscious, aware.

consecutivo *agg.* **1** following: *il giorno* —, on the following day **2** (*di seguito*) consecutive: *per due or consecutive*, for two consecutive hours (*o* for two hours running) **3** (*gramm.*) consecutive.

consegna *s.f.* **1** (*comm.*) delivery: — *a domicilio* home delivery; — *contro assegno, pagamento alla* —, cash on delivery; — *mancata*, non-delivery; — *regolare*, safe and right delivery; — *sul luogo*, spot delivery; *spese di* —, delivery charges; *termini di* —, terms of de livery; *eseguire la* —, to effect the delivery; *alla* —, on delivery; *franco* —, free delivery // *passare le consegne* to hand over one's offices **2** (*deposito*) consignment: *merce in* —, goods on consignment; *partita in* —, con signment; *dare qlco. in* — *a qlcu.*, to entrust sthg. to s.o.; *ricevere qlco. in* —, to be entrusted with sthg. **3** (*spec. mil.*) orders (*pl.*): *mancare, venir meno alla* —, to disobey orders **4** (*mil.*) (*privazione della libera uscita* confinement: — *in caserma*, confinement to barracks; *essere di* —, to be under confinement.

consegnare *v.tr.* **1** to deliver; (*affidare*) to hand over: — *qlcu. alla polizia*, to hand s.o. over to the po-

lice 2 (*mil.*) to confine to barracks // *le truppe sono consegnate*, the troops are standing by.

conseguente *agg.* consequent (on); (*coerente*) consistent ♦ *s.m.* (*fil.*) consequent.

conseguenza *s.f.* consequence: *subire le conseguenze*, to take the consequences; *agirò in — degli ordini*, I'll act according to the orders // *di —*, consequently // *in — di*, because of.

conseguimento *s.m.* attainment.

conseguire *v.tr.* to attain, to reach; (*ottenere*) to get*: — *la laurea*, to get one's degree ♦ *v.intr.* to follow; (*derivare*) to ensue, to result: *ne consegue che...*, it follows that...; *ne conseguì la rottura del contratto*, the breaking of the contract ensued (*o* resulted) from this.

consenso *s.m.* 1 consent: *per — generale*, by general consent // *— verbale*, verbal assent 2 (*matrimoniale*) licence.

consensuale *agg.* (*dir.*) consensual // *separazione —*, separation by mutual consent.

consentire *v.intr.* 1 (*acconsentire*) to consent, to assent: — *a fare qlco.*, to consent to do sthg.; — *a qlco.*, to assent to sthg. 2 (*essere d'accordo*) to agree 3 (*permettere*) to allow.

consenziente *agg.* consenting.

conserto *agg.* interwoven // *a braccia conserte*, with folded arms.

conserva *s.f.* 1 preserve // *— di arance*, marmalade // *— di frutta*, jam // *cibi in —*, tinned foodstuffs (*o amer.* canned foodstuffs) // *tenere in —*, to preserve; *mettere in —*, to tin; (*amer.*) to can 2 (*il conservare*) preservation.

conserva, di *locuz.avv.* together // *navigazione di —*, sailing in convoy.

conservante *s.m.* preservative: *non contiene conservanti né coloranti*, contains no preservatives or colouring matter.

conservare *v.tr.* 1 to preserve (*anche fig.*); to keep* (*anche fig.*) 2 (*informatica*) to hold* ♦ **-arsi** *v.intr.pron.* to keep*: — *in salute*, to keep well.

conservativo *agg.* preservative // *sequestro —*, (*dir.*) preventive attachment.

conservato *agg.* preserved, kept // *ancora ben —*, still in good condition.

conservatore *agg.* 1 preserving 2 (*pol.*) conservative ♦ *s.m.* 1 (*funzionario*): — *delle ipoteche*, registrar of mortgages 2 (*pol.*) Conservative, Tory.

conservatorio *s.m.* conservatoire.

conservatorismo *s.m.* (*pol.*) conservatism.

conservazione *s.f.* preservation // *— in frigoriferi*, cold storage // *istinto di —*, instinct of self-preservation.

conserviero *agg.* canning (*attr.*).

consesso *s.m.* assembly.

considerare *v.tr.* 1 to consider, to think* (of sthg.): *considerata la sua inesperienza*, considering his lack of experience; *tutto considerato*, all things considered // *bisogna — che*, it must be borne in mind that 2 (*ritenere*) to consider, to regard; (*stimare*) to esteem: *consideralo fatto*, regard it as done // *lo considero una brava persona*, I think he is a fine person 3 (*contemplare*) (*dir.*) to consider // **-arsi** *v.rifl.* to consider oneself.

consideratezza *s.f.* cautiousness.

considerato *agg.* careful, cautious.

considerazione *s.f.* 1 consideration // *prendere qlco. in —*, to take sthg. into account // *in — di*, on account

of 2 (*stima*) esteem; regard // *godere di molta —*, to enjoy a good reputation.

considerevole *agg.* considerable.

consigliabile *agg.* advisable; (*opportuno*) expedient.

consigliare *v.tr.* to advise: *il dottore mi ha consigliato la montagna*, the doctor advised me to go to the mountains // *le consiglio questo libro*, I recommend you this book // *non vollero lasciarsi — da noi*, they would not take our advice // **-arsi** *v.intr.pron.* (*chieder consiglio*) to ask (s.o.'s) advice; (*consultarsi*) to consult (with s.o.) // *— con un avvocato*, to take counsel with a lawyer.

consigliere *s.m.* 1 adviser, counsellor 2 (*membro di un'assemblea*) member of a committee; (*membro di un consiglio*) councillor: *— comunale*, town councillor // *— d'amministrazione*, director // *— delegato*, managing director.

consiglio *s.m.* 1 advice (*solo sing.*): *un buon —*, a good piece of advice; *ascolta i miei consigli*, take my advice; *chiedere, dare —*, to ask for, to give advice 2 (*decisione, opinione*): *mutar —*, to change one's mind; *ridurre qlcu. a miglior —*, to bring s.o. to his senses; *venire a più miti consigli*, to come to one's senses; *la notte porta —*, sleep on it 3 (*corpo di persone*) council: — *comunale*, town council // *Consiglio di Stato*, Council of State; *Consiglio di Sicurezza*, Security Council; *Consiglio dei ministri*, Cabinet // *camera di —*, council chamber // *— direttivo, d'amministrazione*, board of directors (*o* executive board) // *— di fabbrica*, works council // *tenere, riunirsi in —*, to be in session.

consimile *agg.* similar; alike (*pred.*); like (*attr.*).

consistente *agg.* substantial; (*fig.*) sound.

consistenza *s.f.* 1 consistency, consistence; (*di colori*) fastness; (*di somme*) amount 2 (*fig.*) (*validità*) (*di sospetti, ragioni*) grounds; (*di idee*) soundness 3 (*comm.*) (*di cassa*) cash on hand; (*di magazzino*) stock on hand.

consistere *v.intr.* to consist.

consociare *v.tr.* to merge, to associate // **-arsi** *v.rifl.* e *rifl.rec.* to associate.

consociato *agg.* associate; (*di associazione*) member (*attr.*).

consociazione *s.f.* association.

consocio *s.m.* (*comm.*) partner; associate; (*di circolo, associazione*) member.

consolante *agg.* comforting; (*rallegrante*) cheering.

consolare[1] *v.tr.* 1 to console, to comfort; (*alleviare*) to relieve, to soothe: *— un dolore*, to relieve a sorrow // *mi consola vedere che stai bene*, it's a consolation to see (that) you are well 2 (*rallegrare*) to cheer up ♦ **-arsi** *v.rifl.* 1 to take* comfort, to be* comforted, to be* consoled 2 (*rallegrarsi*) to cheer up, to rejoice: *a quella notizia si consolò*, he cheered up at that news.

consolare[2] *agg.* consular // *residenza, visto —*, consul's residence, visa.

consolato *s.m.* consulate; (*carica e durata*) consulship.

consolazione *s.f.* comfort, consolation; (*sollievo*) solace; (*gioia*) joy // *premio di —*, booby prize.

console *s.m.* (*franc.*) consul // *il — Marcello*, Marcellus consul.

console *s.f.* (*franc.*) 1 (*mensola*) console 2 (*informatica*) console: *periferica*, remote console; *— di stampa*, (*IBM*) — *scrivente a tastiera*, console printer; *— di visualizzazione*, display console.

consolidamento *s.m.* consolidation (*anche econ.*).

consolidare *v.tr.*, **consolidarsi** *v.intr.pron.* to consolidate (*anche fig.*).

consolidato *s.m.* (*econ.*) consolidated annuities (*pl.*), consols (*pl.*).

consommé (*franc.*) *s.m.* (*cuc.*) consommé.

consonante *s.f.* consonant.

consonantico *agg.* consonantal.

consonantismo *s.m.* consonantism.

consonanza *s.f.* consonance (*anche fig.*).

consono *agg.* in accordance (with).

consorella *s.f.* (*eccl.*) sister.

consorte *s.m.* e *f.* consort: *principe —*, prince consort.

consorteria *s.f.* cabal.

consorziale *agg.* social.

consorziare *v.tr.* to form a consortium (of sthg.) // **-arsi** *v.rifl.rec.* to form a consortium.

consorziato *agg.* associated.

consorzio *s.m.* consortium // *— umano*, human society.

constare *v.intr.* **1** (*essere composto*) to consist **2** *impers.* (*risultare, essere noto*): *a quanto mi consta*, as far as I know (*o* I have heard); *mi consta che...*, it has come to my knowledge that...

constatare *v.tr.* to ascertain, to verify; (*certificare*) to certify // *— un errore*, to find a mistake // *potete constatarlo voi stessi!*, you can see for yourselves!

constatazione *s.f.* verification, ascertainment // *— di morte*, verification of death // *fare la — di qlco.*, to note (*o* to acknowledge) sthg.

consueto *agg.* usual, habitual, customary: *all'ora consueta*, at the usual time ♦ *s.m.* habit, custom // *come di —*, as usual // *ho dormito più del —*, I have slept more than usual.

consuetudinario *agg.* habitual, customary // *diritto —*, consuetudinary law.

consuetudine *s.f.* **1** custom, (*abitudine*) habit; (*dir.*) consuetudo: *come è nostra —*, as is our habit // *aver — con*, to be familiar with **2** (*comm.*) rule.

consulente *s.m.* consultant, adviser: *— legale*, legal adviser.

consulenza *s.f.* consultation, advice: *chiedere una — legale*, to seek legal advice.

consulta *s.f.* council: *— municipale*, town council.

consultare *v.tr.* to consult // **-arsi** *v.intr.pron.* **1** to consult **2** (*chiedere consiglio*) to ask s.o.'s advice ♦ *v. rifl.rec.* to consult (each other, one another).

consultazione *s.f.* consultation // *libro di —*, reference book.

consultivo *agg.* advisory, consultative.

consulto *s.m.* (*med.*) consultation: *tenere un —*, to hold a consultation.

consultorio *s.m.* (*ufficio consulenze*) advisory bureau; (*di medico*) consulting room: *— prematrimoniale*, pre-matrimonial advisory bureau.

consumare[1] *v.tr.* **1** to consume; (*logorare*) to use up; (*vestiario*) to wear* out // *consumato dalla ruggine*, eaten away (*o* corroded) by rust **2** (*corrente, benzina*) to use up: *questo apparecchio consuma molta elettricità*, this appliance uses a lot (of power) **3** (*mangiare*) to eat* // *— un pasto*, to take (*o* to have) a meal **4** (*dissipare*) to waste, to squander // **-arsi** *v.rifl.* **1** to consume; (*di combustibili*) to burn* out; (*di vestiario*) to wear* out **2** (*struggersi*) to pine away (with sthg.), to waste away (with sthg.).

consumare[2] *v.tr.* (*portare a compimento*) to commit // *— il matrimonio*, to consummate a marriage.

consumato[1] *agg.* worn-out (*anche fig.*); (*liso*) threadbare.

consumato[2] *agg.* (*abile, esperto*) consummate.

consumatore *s.m.* consumer.

consumazione[1] *s.f.* (*bibita*) drink; (*spuntino*) snack: *chi ha pagato la —?*, who has paid the bill?

consumazione[2] *s.f.* **1** consumption // *fino alla — dei secoli*, till the end of time **2** (*di matrimonio*) consummation.

consumismo *s.m.* consumer mentality; consumer society: *è tipico del —*, it's typical of the consumer mentality; *un tipico prodotto del —*, a typical consumer product.

consumistico *agg.* of the consumer society.

consumo *s.m.* consumption; (*spreco*) waste // *articoli, beni di —*, consumer goods // *cooperativa di —*, co-operative store // *pagare a —*, to pay according to amount consumed // *uso e —*, wear and tear // *per proprio uso e —*, for one's private use.

consuntivo *agg.* e *s.m.*: *fare un —*, (*fig.*) to draw up a balance sheet; *bilancio —*, (*comm.*) final balance.

consunto *agg.* **1** worn-out **2** (*sfinito*) worn-out, exhausted; (*fam.*) done up.

consunzione *s.f.* (*med.*) consumption.

consustanziale *agg.* (*teol.*) consubstantial.

consustanzialità *s.f.* (*teol.*) consubstantiality.

consustanziazione *s.f.* (*teol.*) consubstantiation.

conta *s.f.* (*nei giochi*) count.

contabile *agg.* bookkeeping (*attr.*) // *valore —*, book value ♦ *s.m.* e *f.* bookkeeper, accountant.

contabilità *s.f.* bookkeeping: *ufficio —*, bookkeeping department; *tenere la —*, to keep the books; *— fiscale*, tax accounting; *— nera*, black records; *sistema di — a ricalco*, carbon board bookkeeping.

contabilizzazione *s.f.* bookkeeping: *sistema di — meccanografico*, EDP bookkeeping; *sistema di — con macchina contabile*, accounting machine bookkeeping.

contachilometri *s.m.* speedometer.

contadinesco *agg.* rustic, peasant (*attr.*).

contadino *agg.* rustic, peasant (*attr.*) ♦ *s.m.* **1** (*campagnolo*) countryman (*pl.* -men), peasant **2** (*agricoltore*) farmer.

contado *s.m.* countryside surrounding a city.

contagiare *v.tr.* to infect.

contagio *s.m.* contagion, infection (*anche fig.*).

contagioso *agg.* contagious, infectious (*anche fig.*); (*fam.*) catching.

contagiri *s.m.* rev(olution) counter.

contagocce *s.m.* dropper.

contaminare *v.tr.* to contaminate (*anche fig.*).

contante *agg.* (*comm.*) ready (*attr.*): *denaro —*, cash (*o* ready) money ♦ *s.m.* cash, ready money: *acquisto per contanti*, cash purchase; *pagamento per contanti*, cash payment; *pagare in —*, to pay cash.

contare *v.tr.* **1** to count // *non l'ho contato*, I left him out // *contava più di 40 anni*, she was more than forty (years old) **2** (*considerare*) to consider // *senza —...*, without counting... **3** (*limitare, lesinare*) to dole out: *— il denaro a qlcu.*, to dole out money to s.o. **4** (*proporsi*) to think* (of doing), to intend: *che cosa conti di fare?*, what do you intend to do? **5** (*aspettarsi*) to expect: *contavo che mi avrebbe aspettato*, I expected him to be waiting for me **6** (*fam.*) (*raccontare*) to tell* ♦ *v.intr.* **1** to count: *— fino a dieci*, to count up to ten // *— alla rovescia*, (*missilistica*) to count down **2** (*avere importanza*) to count: *ciò non conta*, that counts for nothing // *e, ciò che più conta...*, and, what is more... **3** (*fare assegnamento*) to count, to rely: *non si può — su di*

...i, you can't count (*o* rely) on him; *potete contarci!*, ...ou may depend upon it!

...ontata *s.f.* rapid counting.

...ontato *agg.*: *ha i giorni contati*, his days are numbered; *ha i minuti contati*, every moment of his is precious; *avere il denaro —*, to have no money to spare; *...resentarsi col denaro —*, to have the exact money ready.

...ontatore *s.m.* **1** meter; (*fis.*) counter: *— del gas*, *del...acqua*, *della luce*, gas meter, water meter, light meter *// — cronometrico*, cyclometer (*o* mileage recorder) **2** (*...nformatica*) counter: *— di posizione*, locating counter; *— di totalizzazione*, accumulating counter.

...ontattare *v.tr.* to contact.

...ontatto *s.m.* **1** contact (*anche fig.*), touch, connec...on (*anche fig.*): *essere in, venire a — con qlcu.*, to be in, ...o come into contact (*o* touch) with s.o.; *mettersi in, ...rendere — con qlcu.*, to get in touch with s.o.; *tenersi ..., perdere il — con qlcu.*, to keep in, to lose contact (*o* ...ouch) with s.o.; *mettere in —*, to put in touch **2** (*elet...*) contact *// stabilire il —*, to make contact (*o* to ...witch on); *togliere il —*, to break contact (*o* to switch ...ff).

...onte *s.m.* count; (*in Gran Bretagna*) earl.

...ontea *s.f.* **1** (*divisione territoriale*) county; (*nei com...osti*) shire: *nella — di Cambridge*, in the county of ...ambridge (*o* in Cambridgeshire) **2** (*titolo, dominio di ...onte*) earldom.

...onteggiare *v.tr.* to charge: *— in più*, to charge extra.

...onteggio *s.m.* **1** count, counting: *— dei voti*, count...ng of the votes *// — alla rovescia*, countdown **2** *pl. ...alcoli*) calculations.

...ontegno *s.m.* **1** (*condotta*) behaviour **2** (*atteg...iamento*) attitude *// darsi un —*, to strike an attitude.

...ontegnoso *agg.* dignified; (*riservato*) reserved.

...ontemperare *v.tr.* **1** (*adattare*) to adapt **2** (*mo...lerare*) to mitigate, to moderate.

...ontemplare *v.tr.* **1** to gaze (at, upon s.o., sthg.), to ...ontemplate **2** (*meditare*) to contemplate **3** (*dir.*) to ...onsider.

...ontemplativo *agg.* contemplative.

...ontemplazione *s.f.* contemplation.

...ontempo, nel *locuz.avv.* at the same time, meanwhile.

...ontemporaneamente *avv.* simultaneously, contem...oraneously.

...ontemporaneità *s.f.* (*simultaneamente*), contempor...neity; (*simultaneità*) simultaneousness.

...ontemporaneo *agg.* contemporary; (*simultaneo*) si...nultaneous ♦ *s.m.* contemporary.

...ontendente *agg.* contending, opposing: *le parti con...endenti*, the opposing parties ♦ *s.m.* adversary, com...etitor: *i contendenti scesero in campo*, the competitors ...ntered the field.

...ontendere *v.tr.* **1** to compete (with s.o. for sthg.) **2** (*negare*) to deny ♦ *v.intr.* to quarrel: *contendevano per ...ose da nulla*, they were quarrelling over trifles *// -ersi ...rifl.rec.* to contend (for sthg.), to compete (for sthg.).

...ontenere *v.tr.* **1** to contain, to hold* **2** (*frenare*) to ... control; (*reprimere*) to restrain *// -ersi v.rifl.* **1** (*com...ortarsi*) to behave, to act **2** (*dominarsi*) to contain ...neself, to control oneself: *non potevano — dalla gioia*, ...hey could not contain themselves for joy *// non pote...vano — dal ridere*, they could not help laughing.

...ontenitore *s.m.* container.

...ontentare *v.tr.* to content, to satisfy *// -arsi v.rifl.* to ...be* content, to be* satisfied (with s.o., sthg., with ...doing).

contentatura *s.f.*: *di difficile —*, hard to please; *uomo di facile —*, easily satisfied man.

contentezza *s.f.* contentment, satisfaction; (*gioia*) joy: *con nostra grande —*, to our great satisfaction; *non stare in sé dalla —*, to be beside oneself with joy.

contentino *s.m.* sweetener.

contento *agg.* **1** (*pago*) content (with), satisfied (with) **2** (*lieto*) happy *// — come una pasqua*, as pleased as Punch.

contenuto *s.m.* **1** contents (*pl.*) **2** (*argomento*) content, subject matter.

contenzioso *s.m.* legal department.

conterie *s.f.pl.* glass beads.

conterraneo *agg.* of the same country ♦ *s.m.* fellow countryman (*pl.* -men).

contesa *s.f.* contest; (*disputa*) struggle; (*litigio*) quarrel.

conteso *agg.* contested.

contessa *s.f.* countess.

contessina *s.f.* count's daughter.

contestare *v.tr.* **1** (*contrastare*) to contest, to dispute; (*negare*) to deny **2** (*notificare*) to notify: *— una contravvenzione a qlcu.*, to fine s.o. **3** (*pol.*) to dissent from, to protest.

contestatore *s.m.* protester.

contestazione *s.f.* **1** contest, dispute: *in caso di —*, in case of contest; *appianare una —*, to settle a dispute **2** (*notifica*) notification **3** (*pol.*) confrontation, protest: *— globale*, all-out confrontation; *gli anni della —*, the years of confrontation.

contesto *s.m.* context.

contiguo *agg.* contiguous: *— a qlco.*, adjoining sthg.

continentale *agg.* continental *// l'Europa —*, the Continent.

continente *s.m.* continent *// il Nuovo Continente*, the New World.

continenza *s.f.* continence, temperance.

contingentare *v.tr.* **1** (*econ.*) to apply a quota (to imports, exports) **2** (*razionare*) to ration.

contingente[1] *agg.* e *s.m.* (*fil.*) contingent.

contingente[2] *s.m.* quota *// — di leva*, (*mil.*) call-up contingent.

contingenza *s.f.* **1** (*fil.*) contingency **2** (*circostanza fortuita*) circumstance *// indennità di —*, cost-of-living bonus (*o* allowance).

continuare *v.tr.* **1** to continue, to keep* on (with sthg.), to carry on **2** (*riprendere*) to take* up (again); to resume ♦ *v.intr.* **1** to continue, to go* on (doing), to keep* on (doing) *// continua*, (*alla fine di una puntata*) to be continued **2** (*proseguire*) to continue: *la strada continua fino alla piazza*, the road continues as far as the square.

continuativo *agg.* continuative.

continuatore *s.m.* continuator.

continuazione *s.f.* continuation *// in —*, continually.

continuità *s.f.* continuity.

continuo *agg.* continuous; (*molto frequente*) continual *// di —*, continually *// corrente continua*, (*elettr.*) direct current.

conto *s.m.* **1** (*calcolo*) calculation, account: *far di —*, to do sums (*o* to reckon up) *// fare i conti addosso a qlcu.*, to pry into s.o.'s financial affairs *// fare i conti con qlcu.*, to call s.o. to account *// fare i conti senza l'oste*, to reckon without one's host *// a conti fatti, in fin dei conti*, after all (*o* in conclusion) **2** (*comm.*) account: *— cassa*, cash account; *— corrente*, current account; *— bloccato*, blocked account; *— congiunto*, joint account; — *numerato*, numbered account; — *spese*, expense account; — *scoperto*, overdrawn account; *fare, tirare i conti*, to make up accounts **3** (*di ristorante, albergo*) bill **4** (*assegnamento*) reliance: *faccio* — *su di te*, I rely on you **5** (*stima, reputazione*) esteem: *tenere qlcu in poco* —, to think poorly of s.o.; *cose di nessun* —, things of no account **6** (*fraseologia*): *chiedere* — *di qlco.*, to ask about sthg. // *chiedere informazioni sul* — *di qlcu.*, to ask for information about s.o. // *far* — *di*, (*immaginare*) to imagine; (*proporsi*) to intend // *mettere* — *di fare* ..., to be worth (while) doing... // *mettersi per proprio* —, to set up for oneself // *per* — *mio*, as for me (*o* as far as I am concerned) // *a buon* —, in any case.

contorcersi *v.rifl.* to writhe (in sthg.).

contorcimento *s.m.* → **contorsione**.

contornare *v.tr* to surround (*anche fig.*).

contorno *s.m.* **1** contour, outline **2** (*cuc.*) vegetables (*pl.*): *carne con* —, meat and vegetables.

contorsione *s.f.* writhing (*solo sing.*), contortion.

contorsionista *s.m. e f.* contorsionist.

contorto *agg.* contorted, twisted; (*fig.*) involved.

contrabbandare *v.tr.* to smuggle.

contrabbandiere *s.m.* smuggler: — *di liquori*, (*amer.*) bootlegger ♦ *agg.* smuggling: *nave contrabbandiera*, smuggler.

contrabbando *s.m.* contraband, smuggling: *importare, esportare di* —, to smuggle in, out; *merce di* —, smuggled goods.

contrabbasso *s.m.* (*mus.*) double bass.

contraccambiare *v.tr.* to reciprocate, to return.

contraccambio *s.m.*: *in* — *di qlco.*, in return for sthg.

contraccettivo *agg. e s.m.* contraceptive.

contraccezione *s.f.* contraception.

contraccolpo *s.m.* **1** counterblow; (*di armi da fuoco*) recoil **2** (*fig.*) consequence.

contrada *s.f.* **1** (*rione di città*) (town) district **2** (*strada di città*) street.

contraddire *v.tr.* to contradict // **-irsi** *v.rifl.* to contradict oneself ♦ *v.rifl.rec.* to contradict (each other, one another).

contraddistinguere *v.tr.* to mark.

contraddittore *s.m.* contradictor.

contraddittorio *agg.* contradictory ♦ *s.m.* debate.

contraddizione *s.f.* contradiction // *in* — *con*, inconsistent with // *spirito di* —, contrariness.

contraente *agg.* contracting ♦ *s.m.* contractor // *i contraenti*, the contracting parties.

contraereo *agg.* antiaircraft.

contraffare *v.tr.* **1** to counterfeit; (*imitare*) to imitate **2** (*scimmiottare*) to ape, to mimic // **-arsi** *v.rifl.* to disguise oneself.

contraffatto *agg.* counterfeit; (*imitato*) imitated.

contraffazione *s.f.* counterfeit; (*imitazione*) imitation.

contrafforte *s.m.* **1** (*arch.*) buttress, counterfort **2** (*geogr.*) spur.

contraggenio, di *locuz.avv.* unwillingly.

contralto *s.m.* (*mus.*) contralto.

contrammiraglio *s.m.* rear admiral.

contrappasso *s.m.* retaliation.

contrappello *s.m.* second roll call.

contrappesare *v.tr.* to counterbalance (*anche fig.*).

contrappeso *s.m.* counterweight, counterbalance: *fare da* —, (*anche fig.*) to counterbalance.

contrapporre *v.tr.* to oppose; (*confrontare*) to contrast // **-orsi** *v.rifl.* to oppose (sthg.) ♦ *v.rifl.rec.* to contrast.

contrapposizione *s.f.* opposition, contrast.

contrapposto *agg.* opposite, contrasting ♦ *s.m.* opp site, contrary.

contrappunto *s.m.* (*mus.*) counterpoint.

contrariamente *avv.* on the contrary: — *alle mie p visioni*, contrary to my expectations.

contrariare *v.tr.* **1** to oppose **2** (*irritare*) to vex, annoy.

contrariato *agg.* vexed, annoyed.

contrarietà *s.f.* **1** contrariety **2** (*avversità*) misfo tune.

contrario *agg.* **1** contrary, opposite: *venti contra* contrary (*o* adverse) winds; *in direzione contraria*, in t opposite direction; *in senso* —, contrariwise; — *alle r gole*, against the rules; *essere* — *a*, to be opposed to *fino ad avviso* —, until further notice **2** (*sfavorevol* unfavourable; (*nocivo*) harmful ♦ *s.m.* contrary, opp site // *avere qlco. in* — *a* (*fare*) *qlco.*, to object (doing) sthg. // *al* —, on the contrary // *al* — *di*, d ferently from (*o* unlike).

contrarre *v.tr.* to contract // — *matrimonio* (*con qlcu* to marry (s.o.) // **-arsi** *v.rifl.* to contract.

contrassegnare *v.tr.* to mark.

contrassegno *s.m.* mark; (*informatica*) flip-flop.

contrastante *agg.* contrasting, clashing.

contrastare *v.intr.* to contrast, to clash ♦ *v.tr.* to op pose, to bar: — *il passo a qlcu.*, to bar s.o.'s way // **-ar** *v.rifl.rec.* to wrangle, to fight*.

contrastato *agg.* disputed // *un amore* —, a contras ed (*o* heavily opposed) love affair.

contrasto *s.m.* **1** contrast, clash **2** (*dissenso*) diffe ence; (*grande disaccordo*) conflict: — *di interessi*, con flict of interests.

contrattaccare *v.tr.* to counterattack (*anche fig.*).

contrattacco *s.m.* counterattack.

contrattare *v.tr.* to negotiate, to contract; (*mercan teggiare*) to haggle (about, over sthg.).

contrattazione *s.f.* negotiation, transaction.

contrattempo *s.m.* mishap, hitch.

contratto¹ *agg.* contracted.

contratto² *s.m.* contract: *fare un* —, to make a con tract; — *bilaterale*, indenture; — *di noleggio*, charte -party; — *d'affitto*, lease; — *di matrimonio*, marriag covenant // — *collettivo di lavoro*, collective labou agreement.

contrattuale *agg.* contractual.

contravveleno *s.m.* antidote (*anche fig.*).

contravvenire *v.intr.* to contravene (sthg.), to infring (sthg.).

contravventore *s.m.* offender.

contravvenzione *s.f.* **1** contravention, infringe ment **2** (*multa*) fine: *elevare una* — (*a qlcu.*), to fin (s.o.).

contravviso *s.m.* countermand.

contrazione *s.f.* contraction (*anche fig.*) // — *musco lare*, twitch; (*dolorosa*) cramp.

contre (*franc.*) *s.m.* (*nel bridge*) double.

contribuente *s.m.* taxpayer.

contribuire *v.intr.* to contribute (to, towards sthg.), t help (to do): — *alle spese*, to contribute towards expen ses; — *al successo di*, to contribute to the success of.

contributo *s.m.* contribution (*anche fig.*): — *in denaro* money contribution.

contribuzione *s.f.* contribution.

contristare *v.tr.* to grieve // **-arsi** *v.intr.pron.* to grieve (at, for, over s.o., sthg.).

contrito *agg.* contrite, penitent.

contrizione *s.f.* contrition.

contro (a, di) *prep.* against // *sbattere — il muro,* (*di veicoli*) to crash into the wall; (*di persona*) to bump into the wall // *scommettere due — uno,* to bet two to one // *una teoria — ragione,* a theory contrary to reason // *di —,* opposite: *la porta di —,* the door opposite // *di — a,* opposite (s.o., sthg.) ♦ *s.m.: il pro e il —,* the pros and cons.

controaliseo *s.m.* anti-trade (wind).

controbattere *v.tr.* to refute, to rebut.

controbilanciare *v.tr.* to counterbalance.

controcorrente *s.f.* counter-current // *andare —,* (*anche fig.*) to swim against the current.

controdata *s.f.* new date.

controfagotto *s.m.* (*mus.*) double bassoon.

controffensiva *s.f.* counteroffensive (*anche fig.*).

controfigura *s.f.* double, stand-in.

controfinestra *s.f.* storm-window, double-window.

controfirma *s.f.* counter-signature.

controfirmare *v.tr.* to countersign.

controindicare *v.tr.* to contraindicate.

controindicazione *s.f.* contraindication.

controllare *v.tr.* **1** (*verificare*) to check; (*ispezionare*) to examine // *— i conti,* (*comm.*) to audit the accounts **2** (*dominare*) to control // **-arsi** *v.rifl.* to control oneself: *non sa —,* he has no self-control.

controllo *s.m.* **1** (*verifica*) check; (*ispezione*) inspection; examination; (*di conti*) audit: *— dei biglietti,* ticket inspection; (*di conti*) audit: *— dei biglietti,* ticket inspection; — *doganale,* customs examination; — *delle conversazioni,* (*tel.*) wire tapping; *posto di —,* check point; *sotto —,* under control **2** (*dominio*) control: *avere il — di qlco.* to get control over sthg.; *perdere il — di se stesso,* to lose one's self-control · **3** (*regolamentazione*) control: *— delle nascite,* birth control; — *dei prezzi,* price control; — *monetario,* monetary control **4** (*informatica*) check, control: *— di disparità,* odd parity; — *di parità,* even parity; — *di programmazione,* coding control; — *periodico,* routine control.

controllore *s.m.* **1** inspector, controller // *— delle periferiche,* (*informatica*) device control unit **2** (*ferr.*) ticket inspector.

controluce *avv.* against the light // *essere (in) —,* to be against the light.

contromano *avv.* in the wrong direction.

contromarca *s.f.* pass-out (check).

contromarcia *s.f.* **1** countermarch **2** (*aut.*) reverse.

contromisura *s.f.* countermeasure.

controparte *s.f.* (*dir.*) counter-party.

contropartita *s.f.* **1** (*comm.*) counter-item **2** (*compenso*) compensation.

contropelo *s.m.: fare il —,* to shave against the lie of the hair; (*fig.*) to pick holes; *fare il pelo e il — a qlcu.,* to run s.o. down ♦ *avv.: spazzolare —,* (*tessuti*) to brush against the nap // *prendere qlcu. —,* to rub s.o. up the wrong way.

contropiede *s.m.* (*sport*) swift counteroffensive // *segnare di —,* to score with a swift counteroffensive // *cogliere qlcu. in —,* (*fig.*) to catch s.o. off balance.

controporta *s.f.* double door.

controproducente *agg.* self-defeating.

controprova *s.f.* **1** (*verifica*) countercheck; verification **2** (*dir.*) evidence to the contrary.

contrordine *s.m.* counter-order, countermand: *dare un —,* to countermand an order.

controriforma *s.f.* Counter-Reformation.

controrivoluzione *s.f.* counter-revolution.

controsenso *s.m.* contradiction in terms; (*assurdità*) nonsense, absurdity.

controspionaggio *s.m.* counterespionage.

controvento *locuz.avv.* against the wind, upwind.

controversia *s.f.* controversy.

controverso *agg.* controversial: *una questione controversa,* a vexed question.

controvoglia, contro voglia *locuz.avv.* unwillingly.

contumace *agg.* (*dir.*) contumacious.

contumacia *s.f.* **1** (*dir.*) default: *giudizio in —,* judgement by default; *sarà processato in —,* he will be tried in his absence **2** (*quarantena*) quarantine.

contumaciale *agg.* **1** (*dir.*) by default **2** (*di, per quarantena*) quarantine (*attr.*).

contumelia *s.f.* (*letter.*) contumely; insult, abuse.

contundente *agg.* blunt: *corpo —,* blunt instrument.

conturbante *agg.* disturbing, perturbing; (*eccitante*) thrilling, exciting; (*affascinante*) fascinating.

conturbare *v.tr.* to disturb, to perturb; (*eccitare*) to thrill, to excite // **-arsi** *v.intr.pron.* to be* perturbed.

contusione *s.f.* bruise, contusion.

contuso *agg.* bruised, contused.

contuttoché, con tutto che *cong.* though, although.

contuttociò *cong.* nevertheless.

convalescente *agg.* e *s.m.* e *f.* convalescent.

convalescenza *s.f.* convalescence.

convalescenziario *s.m.* convalescent home.

convalida *s.f.* (*dir.*) ratification.

convalidare *v.tr.* **1** to confirm; (*dir.*) to ratify, to affirm **2** (*avvalorare*) to corroborate.

convalidazione *s.f.* ratification, confirmation.

convalle *s.f.* (*broad*) valley.

convegno *s.m.* meeting: *darsi —,* to arrange a meeting; (*riunirsi*) to meet.

convenevoli *s.m.pl.* ceremony (*sing.*) // *fare i — a qlcu.,* to pay one's respects to s.o.

conveniente *agg.* **1** suitable (for), befitting (sthg.) **2** (*utile, vantaggioso*) profitable, advantageous **3** (*di prezzo*) convenient, favourable; (*a buon mercato*) cheap.

convenienza *s.f.* **1** (*utilità, vantaggio*) profit, advantage; (*di prezzo*) convenience, favourableness; (*basso costo*) cheapness: *per ragioni di —,* on grounds of expediency // *matrimonio di —,* marriage of convenience **2** (*decoro*) propriety, politeness.

convenire *v.intr.* **1** (*confluire*) to meet*, to gather; (*venire*) to come* **2** (*ammettere*) to admit; (*essere d'accordo*) to agree: *ha dovuto — che...,* he had to admit that... **3** (*adattarsi*) to suit (to sthg., s.o.) **4** (*tornare utile, vantaggioso*) to suit (s.o.): *per ragioni personali, mi conviene accettare quel lavoro,* for personal reasons, it suits me to take that job **5** (*essere opportuno*) had better (*costr. pers.*): *conviene che io resti,* I had better stay; *è tardi, ci conviene far presto,* it's late, we'd better hurry ♦ *v.tr.* (*stabilire*) to fix // **-irsi** *v.intr.pron.* to become* (s.o.), to suit (s.o.).

conventicola *s.f.* conventicle.

convento *s.m.* convent: *— di suore,* nunnery; *— di frati,* friary; *entrare in —,* (*di suore*) to enter a convent; (*di monaci*) to enter a monastery.

conventuale *agg.* e *s.m.* conventual.

convenuto *agg.* agreed upon; (*fissato*) fixed ♦ *s.m.* **1** agreement, settlement **2** (*dir.*) defendant **3** *i convenuti,* the persons present.

convenzionale *agg.* conventional; (*accettato*) accepted; (*prestabilito*) fixed.

convenzionare *v.tr.* to fix.

convenzionato *agg.* **1** fixed **2** *medico* —, Health Service doctor.

convenzione *s.f.* **1** convention, custom // *per* —, by common consent **2** (*dir.*) covenant **3** (*pol.*) agreement; convention.

convergente *agg.* converging, convergent.

convergenza *s.f.* convergence.

convergere *v.intr.* to converge.

conversa *s.f.* (*eccl.*) lay sister.

conversare *v.intr.* to talk, to converse.

conversatore *s.m.* talker // *buon* —, good conversationalist.

conversazione *s.f.* conversation, talk; (*fam.*) chat.

conversione *s.f.* **1** conversion // — *in legge di un decreto*, turning of a decree into a law **2** (*mutamento di direzione*) wheel, wheeling: — *a destra, a sinistra*, right, left wheel **3** (*informatica*) conversion; translation: — *dei codici*, code translation; — *dei dati*, data conversion.

converso *s.m.* (*eccl.*) lay brother.

convertibile *agg.* e *s.f.* convertible: *obbligazioni convertibili*, convertible bonds.

convertire *v.tr.* to convert: — *l'acqua in vapore*, to convert water into steam // **-irsi** *v.rifl.* to be* converted.

convertito *agg.* converted ♦ *s.m.* convert.

convertitore *s.m.* (*elettr.*) converter // — *numerico*, (*informatica*) digital converter; — *analogico/digitale*, ADC (analog/digital converter).

convessità *s.f.* convexity.

convesso *agg.* convex.

convezione *s.f.* (*fis.*) convection.

convincente *agg.* convincing.

convincere *v.tr.* **1** to convince, to persuade **2** (*dir.*) to convict // **-rsi** *v.rifl.* to convince oneself.

convincimento *s.m.* conviction, persuasion.

convinto *agg.* **1** convinced, persuaded: *parlare in tono* —, to speak earnestly (*o* with conviction) // *monarchico* —, out-and-out monarchist **2** (*dir.*): *è reo* — *di* ..., he has been convicted of...

convinzione *s.f.* conviction, persuasion: *avere la* — *che...*, to be convinced that...

convitato *s.m.* guest.

convito *s.m.* banquet.

convitto *s.m.* boarding school.

convittore *s.m.* boarder.

convivente *agg.* cohabiting ♦ *s.m.* cohabiting man ♦ *s.f.* cohabiting woman.

convivenza *s.f.* cohabitation, living together // *l'umana* —, human society.

convivere *v.intr.* to cohabit, to live together.

conviviale *agg.* convivial.

convocare *v.tr.* to convoke, to convene, to summon: — *il Parlamento*, to convoke Parliament; — *un'assemblea*, to call a meeting; — *i propri creditori*, to call a meeting of one's creditors.

convocazione *s.f.* convocation: *indire la* — *dei creditori*, to call a meeting of creditors.

convogliare *v.tr.* **1** to carry, to convey **2** (*di navi, scortare*) to convoy.

convoglio *s.m.* (*mar. mil.*) convoy; (*ferr.*) train // — *funebre*, funeral procession.

convolare *v.intr.*: — *a giuste nozze*, to be united in matrimony.

convolvolo *s.m.* convolvulus.

convulsione *s.f.* convulsion.

convulsivo *agg.* convulsive // *tosse convulsiva*, (w)hooping cough.

convulso *agg.* convulsive ♦ *s.m.* convulsion.

cooperare *v.intr.* to co-operate, to collaborate // — *a successo di qlco.*, to contribute to the success of sthg.

cooperativa *s.f.* co-operative society: — *di consumo*, co-operative store.

cooperativo *agg.* co-operative.

cooperazione *s.f.* co-operation, collaboration.

cooptare *v.tr.* to co-opt.

coordinare *v.tr.* to co-ordinate.

coordinata *s.f.* co-ordinate.

coordinativo *agg.* (*gramm.*) co-ordinative.

coordinato *agg.* co-ordinate.

coordinazione *s.f.* co-ordination.

coorte *s.f.* **1** (*st. mil.*) cohort **2** (*letter.*) (*folla*) crowd multitude.

copale *s.m.* **1** (*resina*) copal **2** (*pelle*) patent leather: *scarpe di* —, patent leather shoes.

copeco *s.m.* copeck.

Copenaghen *no.pr.f.* Copenhagen.

coperchio *s.m.* lid, cover: — *a vite*, screw cap.

copernicano *agg.* Copernican.

Copernico *no.pr.* (*st.*) Copernicus.

coperta *s.f.* **1** blanket; (*copriletto*) coverlet, bedspread: — *da viaggio*, (travelling) rug **2** (*mar.*) deck: — *di prua*, foredeck; *sotto* —, below deck; *tutti in* —!, all hands on deck!

copertamente *avv.* covertly, secretly.

copertina *s.f.* (book) cover: — *plastificata*, laminated cover.

coperto[1] *agg.* **1** (*riparato*) covered, sheltered // *carrozza coperta*, closed carriage // *passaggio* —, underground passage **2** (*ricoperto*) covered **3** (*di cielo*) overcast, cloudy **4** (*nascosto*) concealed, hidden // *batteria coperta*, (*mil.*) masked battery ♦ *s.m.*: *al* —, under cover; *mettersi al* —, to take shelter; *mettere, mettersi al* — *dalla pioggia*, to shelter from the rain.

coperto[2] *s.m.* **1** (*posto a tavola*) place; (*al ristorante*) cover: *una tavola di otto coperti*, a table laid for eight **2** (*prezzo del coperto*) cover charge.

copertone *s.m.* **1** tyre **2** (*telone*) tarpaulin.

copertura *s.f.* **1** covering // — *di un tetto*, roof covering (*o* roofing); *materiali da* —, roofing **2** (*di mobile, di poltrona*) cover **3** (*econ.*) coverage: — *bancaria*, bank coverage; — *aurea*, gold coverage.

copia[1] *s.f.* **1** copy: *bella* —, fair copy; *brutta* —, rough copy (*o* draft); — *autenticata* (*o notarile*), (*dir.*) certified copy; — *carbone*, carbon copy; — *conforme*, true copy; (*dir.*) transcript; — *di riserva*, (*informatica*) back-up copy; — *tipo*, master pattern **2** (*fot. cinem.*) print: — *eliografica*, blueprint.

copia[2] *s.f.* (*letter.*) (*abbondanza*) abundance: *ha libri in gran* —, he has plenty of books.

copialettere *s.m.* **1** (*registro*) letter-book **2** (*torchio*) letterpress.

copiare *v.tr.* **1** to copy **2** (*a scuola*) to crib.

copiativo *agg.* copying: *matita copiativa*, indelible-pencil // *carta copiativa*, carbon paper.

copiatrice *s.f.* copier; (*fotocopiatrice*) photocopier.

copiatura *s.f.* copying: — *a macchina, a mano*, machine copying, hand copying.

copiglia *s.f.* (*tecn.*) split pin.

copione *s.m.* (*teatr. cinem.*) script.

copiosità *s.f.* (*letter.*) copiousness.

copioso *agg.* plentiful, copious, abundant.

copista *s.m.* copyist.

copisteria *s.f.* typing office, typing agency; (*servizio fotocopie*) photocopying shop.

coppa *s.f.* **1** cup // — *per champagne*, champagne glass **2** (*di bilancia*) scale **3** (*sport*) cup **4** (*aut.*) sump.

coppetta *s.f.* (*med.*) cupping glass: *applicare le coppette a qlcu.*, to cup s.o.

coppia *s.f.* **1** (*di persone*) couple, pair: *formare una bella* —, to make a nice couple // *a coppie*, two by two **2** (*di animali*) pair; (*di cani da caccia*) couple (*spesso invar. al pl.*); (*di buoi*) yoke; (*di capi di selvaggina*) brace (*pl.invar.*) **3** (*di cose*) couple **4** (*fis.*) couple **5** (*carte*) pair: *doppia* —, two pairs.

coppiere *s.m.* cupbearer.

copra *s.f.* copra.

copricapo *s.m.* headgear.

copricostume *s.m.* beach robe.

coprifuoco *s.m.* curfew.

copriletto *s.m.* bedspread, counterpane.

coprimozzo *s.m.* (*mecc.*) hubcap.

coprire *v.tr.* **1** to cover (with sthg.) (*anche fig.*): — *di assi*, to plank; *coprirsi il volto con le mani*, to cover one's face with one's hands (*o* to bury one's face in one's hands) // *essere coperto dall'assicurazione*, to be covered by insurance // — *la ritirata*, (*mil.*) to cover the retreat **2** (*colmare*) (*di onori, insulti*) to load (with sthg.); (*di gentilezze*) to overwhelm (with sthg.) **3** (*di un suono*) to drown **4** (*occupare*) to fill: — *un posto, un impiego*, to fill a position **5** (*montare, di animali*) to cover ♦ **-irsi** *v.rifl.* **1** to cover oneself // — *di gloria*, to cover oneself with glory // *copriteivi (il capo)*, put your hat on **2** (*di cielo*) to become* overcast.

copriteiera *s.f.* tea cosy.

coproduzione *s.f.* co-production.

copto *agg.* Coptic ♦ *s.m.* Copt; (*lingua*) Coptic.

copula *s.f.* **1** copulation **2** (*gramm.*) copula.

copulativo *agg.* (*gramm.*) copulative.

coraggio *s.m.* **1** courage, bravery; heart: *è un uomo di* —, he is a man full of courage (*o* a courageous man); *mi mancò il* —, my courage (*o* my nerve) failed; *non aveva* —, he had no courage; *non ho il* — *di licenziarlo*, I have not the heart to dismiss him; *farsi* —, to pluck (*o* to screw) up courage; *perdere* —, to lose heart; *prendere* —, to take heart // *far* — *a qlcu.*, to cheer s.o. up // —*!*, cheer up! // *armarsi di* —, to brace (*o* to nerve) oneself // *prendere il* — *a due mani*, to take one's courage in both hands **2** (*impudenza*) impudence: *hai un bel* —*!*, you've got a nerve!

coraggioso *agg.* brave, courageous; (*ardito*) bold.

corale *agg.* choral; (*fig.*) unanimous ♦ *s.m.* (*mus.*) (*composizione*) chorale; (*libro*) book of chorales.

corallifero *agg.* coralliferous // *banco* —, coral reef.

corallino *agg.* coral (*attr.*), coralline.

corallo *s.m.* coral // *il Mar dei Coralli*, the Coral Sea.

corame *s.m.* (*min.*) stamped leather.

coramella *s.f.* strop.

Corano *s.m.* Koran.

corata, coratella *s.f.* pluck.

corazza *s.f.* **1** cuirass; (*armatura*) armour **2** (*di animale*) armour.

corazzare *v.tr.* to armour // **-arsi** *v.rifl.* (*fig.*) to fortify oneself.

corazzata *s.f.* (*mar.mil.*) battleship.

corazzato *agg.* armoured; (*fig.*) fortified: *truppe corazzate*, armoured corps.

corazzatura *s.f.* armour plate.

corazziere *s.m.* cuirassier.

corbeille (*franc.*) *s.f.* (*Borsa*) ring.

corbelleria *s.f.* **1** nonsense (*solo sing.*): *dire corbellerie*, to talk nonsense **2** (*atto da sciocco*) foolery **3** (*sproposito*) blunder.

corbello *s.m.* basket.

corbezzola *s.f.* (*bot.*) arbutus berry.

corbezzoli *inter.* good gracious!

corbezzolo *s.m.* (*bot.*) arbutus.

corda *s.f.* **1** cord; (*fune*) rope // *corde vocali*, vocal cords // *le corde del collo*, neck sinews // *mettere qlcu. alle corde*, to get s.o. on the ropes; (*fig.*) to get s.o. with his back against the wall // *dar* — *a qlcu.*, to give s.o. rope // *tagliar la* —, (*fam.*) to make off (*o* to cut and run) // *esser giù di* —, (*fam.*) to be in low spirits // *tenere qlcu. sulla* —, to keep s.o. on tenterhooks // *avere più di una* — *al proprio arco*, to have more than one string to one's bow // *non parliamo di* — *in casa dell'impiccato*, (*prov.*) that's a sore point **2** (*mus.*) string: — *di violino*, violin string // *strumento a* —, stringed instrument **3** (*trama di tessuto*) thread: *mostrare la* —, (*anche fig.*) to be threadbare **4** (*geom.*) chord.

cordame *s.m.* cordage; (*mar.*) rigging.

cordata *s.f.* rope: *in* —, on the rope.

cordiale *agg.* hearty, cordial; (*affabile*) warm // *cordiali saluti*, best wishes (*o* regards) ♦ *s.m.* (*liquore*) cordial.

cordialità *s.f.* cordiality.

cordialmente *avv.* cordially, heartily (*anche iron.*).

cordialone *s.m.* the life and soul of the party.

cordigliera *s.f.* (*geogr.*) cordillera.

cordiglio *s.m.* girdle.

cordoglio *s.m.* mourning.

cordone *s.m.* **1** cord (*anche anat.*) // — *di campanello*, bell pull **2** (*schieramento*) cordon // — *sanitario*, sanitary cordon **3** (*di ordine cavalleresco*) cordon **4** (*arch.*) cordon **5** (*elettr.*) flex.

corea *s.f.* (*med.*) chorea.

Corea *no.pr.f.* Korea.

coreano *agg. e s.m.* Korean // *collo alla coreana*, mandarin collar.

coregono *s.m.* (*zool.*) coregonus.

coreografia *s.f.* choreography.

coreografico *agg.* **1** choreographic **2** (*fig.*) spectacular.

coreografo *s.m.* choreographer.

Corfù *no.pr.m.* Corfu.

coriaceo *agg.* coriaceous (*anche fig.*).

coriandolo *s.m.* confetti (*pl.*).

coricare *v.tr.* **1** to lay* **2** (*mettere a letto*) to put* to bed // **-arsi** *v.rifl.* **1** to lie* down **2** (*andare a letto*) to go* to bed **3** (*tramontare*) to set*.

corifeo *s.m.* **1** (*teatr. greco*) coryphaeus (*pl.* coryphaei*) **2** (*fig.*) leader.

corindone *s.m.* (*min.*) corundum.

Corinna *no.pr.f.* Corinne.

Corinto *no.pr.m.* Corinth.

corinzio *agg.* Corinthian (*anche arch.*).

corista *s.m. e f.* **1** chorus member; (*di chiesa*) chorister **2** (*strumento*) tuning fork.

cormorano *s.m.* (*zool.*) cormorant.

cornacchia *s.f.* rook.

cornamusa *s.f.* bagpipe.

cornata *s.f.* butt: *dare una* — *a qlcu.*, to butt s.o.; (*spec. di toro*) to toss s.o.

cornea *s.f.* cornea.

corneale *agg.* corneal // *lenti corneali*, contact lenses.

Cornelio *no.pr.m.* Cornelius.

cornetta *s.f.* **1** (*mus.*) cornet // *suonatore di —*, cornet (player) **2** (*tel.*) receiver.

cornetto *s.m.* **1** (*mus.*) cornet **2** *— acustico*, ear-trumpet **3** (*dolce*) croissant.

cornice *s.f.* **1** frame; (*fig.*) setting: *mettere in —*, to put in a frame **2** (*arch.*) cornice **3** (*cengia*) ledge.

cornicione *s.m.* (*arch.*) cornice.

corniòla *s.f.* (*min.*) cornelian.

còrniola *s.f.* (*bot.*) cornel cherry.

corniolo *s.m.* (*bot.*) cornel.

corno *s.m.* (*pl.f.* **corna**, *di animali e nei sensi fig.*; *pl.m.* **corni**, *negli altri significati*) **1** horn; (*ramificato*) antler // *un pettine di —*, a horn comb // *un —!*, like hell I will!; *non capire un —*, not to understand a damned thing; *non valere un —*, not to be worth a fig // *avere qlcu. sulle corna*, to hate s.o.'s guts // *dire corna di qlcu.*, to run s.o. down // *fare le corna*, (*come scongiuro*) to touch wood // *fare le corna alla moglie, al marito*, to be unfaithful to one's wife, to one's husband; *avere, portare le corna*, (*di marito*) to be a cuckold // *rompersi le corna*, to get the worst of it **2** (*oggetto a forma di corno*) horn: *— da scarpe*, shoe horn // *— da caccia* hunting horn; *suonare il —*, (*da caccia*) to wind the horn // *il — dell'abbondanza*, the horn of plenty // *i corni del dilemma*, the horns of the dilemma // *i corni della luna*, the horns (*o cusps*) of the moon // *— di un'incudine*, beak (*o* beakiron) **3** (*mus.*) horn: *suonatore di —*, horn-player // *— inglese*, cor anglais.

Cornovaglia *no.pr.f.* Cornwall.

cornucopia *s.f.* cornucopia.

cornuto *agg.* horned ♦ *s.m.* (*volg.*) cuckold.

coro *s.m.* **1** chorus (*anche fig.*) // *tutti in —*, all together **2** (*gruppo di cantori*) chorus; (*di chiesa*) choir **3** (*schiera di angeli*) choir **4** (*arch.*) choir.

corolla *s.f.* corolla.

corollario *s.m.* corollary.

corona *s.f.* **1** crown; (*nobiliare*) coronet: *aspirare, rinunciare alla —*, to lay claim to, to renounce the crown **2** (*ghirlanda*) garland; (*serto*) wreath // *una città circondata da una — di colli*, a town ringed by hills // *far — intorno a qlcu.*, to form a circle round s.o. **3** (*moneta*) crown: *mezza —*, half crown; (*valore*) half a crown **4** *— (del rosario)*, rosary **5** (*di dente*) crown **6** (*mus.*) corona **7** *— dentata*, (*mecc.*) crown-wheel.

coronamento *s.m.* **1** crowning, achievement // *il — dei propri sogni*, the fulfilment of one's dreams **2** (*mar.*) (*di poppa*) taffrail.

coronare *v.tr.* **1** to crown (*anche fig.*) // *— i propri sogni*, to fulfil one's dreams **2** (*circondare*) to surround.

coronario *agg.* (*anat.*) coronary.

corpacciuto *agg.* corpulent.

corpetto, corpino *s.m.* bodice.

corpo *s.m.* **1** body: *il — umano*, the human body // *avere il diavolo in —*, to be possessed; *che cosa hai in —?*, what's got into you? // *andar di —*, to evacuate one's bowels // *combattimento a — a —*, infighting // *a — morto*, headlong // *— di Bacco!*, by Jove! **2** (*oggetto*) body: *corpi celesti*, heavenly bodies // *— contundente*, blunt instrument // *— del reato*, material evidence // *far — con qlco.*, to be an integral part of sthg. // *prender —*, to take (*o* to assume) shape // *tu dai — alle ombre*, you are letting your imagination run away with you **3** (*cadavere*) body, corpse **4** (*organismo*)

corps (*pl.invar.*): *— di ballo*, corps de ballet; *— diplomatico*, diplomatic corps // *— d'armata*, army corps; *— di guardia*, guard // *— di spedizione*, task force // *— insegnante*, teaching staff // *spirito di —*, team spir... (*o esprit de corps*) **5** (*raccolta*) corpus: *— iuris* (*o body of laws*) **6** (*tip.*) body: *— 6*, 6-poin... body.

corporale *agg.* e *s.m.* corporal.

corporativismo *s.m.* corporati(vi)sm.

corporativo *agg.* corporative.

corporatura *s.f.* build // *un ragazzo di forte —*, ... strongly-built boy.

corporazione *s.f.* association, guild.

corporeo *agg.* bodily, corporeal.

corpulento *agg.* corpulent.

corpus *s.m.* corpus (*pl.* corpora).

corpuscolare *agg.* corpuscular.

corpuscolo *s.m.* corpuscle, corpuscule.

Corpus Domini *s.m.* (*eccl.*) Corpus Christi.

Corrado *no.pr.m.* Conrad.

corredare *v.tr.* to equip, to fit out // *— una lettera d... documenti*, to accompany a letter with (the required) documents.

corredino *s.m.* layette.

corredo *s.m.* **1** outfit; (*di sposa*) trousseau; (*di soldato*) equipment **2** (*fig.*) store.

correggere *v.tr.* **1** to correct **2** (*informatica*) (*gli errori*) to clear; (*un programma*) to patch **3** (*caffè ecc.*) to lace // **-ersi** *v.rifl.* to reform.

correggia *s.f.* leather strap.

correggibile *agg.* corrigible.

corregionale *agg.* of the same region, of the same district.

correità *s.f.* (*dir.*) complicity.

correlativo *agg.* correlative.

correlazione *s.f.* correlation.

correligionario *agg.* of the same religion ♦ *s.m.* coreligionist.

corrente[1] *agg.* **1** current: *moneta —*, legal currency; *prezzo —*, current price; *mese —*, current month; *la mia lettera del 3 —*, my letter of 3rd inst.; *parola di uso —*, word in current (*o* common) use // *conto —*, current account **2** (*che scorre*) running, flowing: *acqua —*, running water **3** (*comune*) common ♦ *s.m.*: *al —*, (well) informed (*o* up to date); *lo mise al — della nostra decisione*, he acquainted him with (*o* informed him of) our decision; *tenersi al —*, to keep up to date.

corrente[2] *s.f.* **1** current, stream: *andare contro —*, (*anche fig.*) to swim against the stream; *seguire la —*, (*anche fig.*) to go (*o* to swim) with the stream **2** (*di aria*) draught; (*amer.*) draft **3** (*elettr.*) current: *— alternata, continua*, alternating, direct current // *presa di —*, socket; (*amer.*) outlet **4** (*fig.*) current: *letteraria*, literary current **5** (*pol.*) faction: *i giochi di potere delle correnti*, factional power-games.

correntemente *avv.* fluently.

correntista *s.m.* (*comm.*) account holder.

correo *s.m.* (*dir.*) accomplice.

correre *v.intr.* **1** to run* (*anche fig.*): *— dietro a*, to run after; *— in aiuto di qlcu.*, to run to s.o.'s aid; *— qua e là*, to run about // *corre voce che...*, it is rumoured (*o* there is a rumour) that... // *corrono cattive voci sul suo conto*, nasty rumours are circulating about him // *lasciar — qlco.*, to take no notice of sthg. **2** (*di veicoli*) to go*; (*andare velocemente*) to go* fast: *l'automobile correva a 180 km all'ora*, the car was going at 180 kilometres an hour **3** (*partecipare a corse sportive*) to run*, to race // *far — un cavallo*, to run (*o* to race) a horse **4** (*di tempo*) to elapse, to pass // *correva l'anno 1900*, (it was) in 1900 // *coi tempi che corrono*, as things are at present **5** (*intercorrere*) to be*: *da qui alla stazione ci corrono 3 miglia*, it is three miles from here to the station // *ci corre*, there is a great difference ♦ *v.tr.* to run*: *abbiamo corso il rischio di morire*, we ran the risk of dying // *— i sette mari*, to roam the seven seas.

corresponsabile *agg.* (*dir.*) jointly responsible.

corresponsione *s.f.* (*comm.*) payment: *dietro — di una piccola somma*, on payment of a small amount.

correttezza *s.f.* **1** correctness **2** (*proprietà; irreprensibilità*) propriety **3** (*onestà*) honesty.

correttivo *agg. e s.m.* corrective.

corretto *agg.* **1** correct, exact, right: *stile —*, correct style **2** (*onesto*) honest **3** (*irreprensibile*) proper: *tenere una condotta corretta*, to behave properly **4** (*di caffè ecc.*) laced: *caffè — col brandy*, black coffee laced with brandy.

correttore *s.m.* corrector // *— di bozze*, proofreader.

correzionale *agg.* correctional ♦ *s.m.* (*riformatorio*) reformatory.

correzione *s.f.* **1** correction; (*di testi letterari*) emendation // *— di bozze*, proofreading **2** (*informatica*) correction; recovery: *— di errore*, error recovery; *— e stampa*, editing; *— fuori sequenza*, patch **3** (*rimprovero*) reproof // *casa di —*, reformatory.

corrida *s.f.* bullfight.

corridoio *s.m.* passage; (*di treno, di grande edificio*) corridor; (*in Parlamento*) lobby // *— aereo*, aircorridor // *il — di Danzica*, the Danzig (*o* Polish) Corridor.

corridore *agg.* running; (*sport*) racing ♦ *s.m.* (*sport*): *— automobilista*, racing driver; *— ciclista*, racing cyclist.

corriera *s.f.* coach, bus; (*postale*) mail coach.

corriere *s.m.* **1** carrier **2** (*messaggero*) messenger // *— diplomatico*, diplomatic courier **3** (*posta*) mail.

corrigendo *agg. e s.m.*: (*minore*) — (*dir.*) juvenile offender.

corrimano *s.m.* handrail.

corrispettivamente *avv.* correspondingly.

corrispettivo *agg.* corresponding, equivalent ♦ *s.m.* **1** equivalent **2** (*compenso*) compensation // *senza —*, (*gratuitamente*) without payment.

corrispondente *agg.* correspondent, equivalent // *angoli corrispondenti*, (*geom.*) corresponding angles ♦ *s.m. e f.* correspondent: *— di guerra*, war correspondent; *— d'inglese*, correspondent for English.

corrispondenza *s.f.* **1** correspondence, agreement **2** (*carteggio*) correspondence; (*posta*) mail: *— in arrivo, in partenza*, incoming, outgoing mail; *sbrigare la —*, to get through the mail; *tenere un'assidua — con qlcu.*, to keep up assiduous correspondence with s.o.; *scuola per —*, correspondence school; *colonna della —*, (*giornalismo*) correspondence column // *— amorosa*, love letters.

corrispondere *v.intr.* **1** to correspond (to sthg.); (*essere in accordo*) to agree (with sthg.): *la sua versione non corrisponde alla mia*, his version does not agree with (*o* correspond to) mine // *la merce non corrispondeva al campione*, the goods were not in conformity with the sample // *non ha corrisposto alle speranze generali*, he has not come up to general expectations // *queste cifre corrispondono*, these figures tally // *— alle esigenze*, to meet requirements **2** (*coincidere*) coincide: *le mie ore di libertà non corrispondono alle tue*, my time off does

not coincide with yours **3** (*ricambiare*) to return (sthg.), to reciprocate (sthg.) ♦ *v.tr.* (*pagare*) to pay*; (*genericamente, pagare una certa somma*) to allow.

corrivo *agg.* **1** (*avventato*) rash **2** (*indulgente*) indulgent.

corroborante *agg.* **1** (*che rinvigorisce*) strengthening **2** (*fig.*) corroborative ♦ *s.m.* (*farm.*) corroborant.

corroborare *v.tr.* **1** (*rinvigorire*) to strengthen **2** (*fig.*) to corroborate.

corrodere *v.tr.* to corrode, to erode, to eat* away // **-ersi** *v.intr.pron.* to corrode, to wear* away.

corrompere *v.tr.* **1** to corrupt (*anche fig.*) **2** (*con denaro*) to bribe, to corrupt // **-ersi** *v.intr.pron.* **2** (*putrefarsi, guastarsi*) to rot, to decay **2** (*fig.*) to become* corrupt(ed).

corrosione *s.f.* corrosion.

corrosivo *agg. e s.m.* corrosive.

corroso *agg.* corroded, worn away.

corrotto *agg.* corrupt (*anche fig.*).

corrucciarsi *v.intr.pron.* to be* cut up (about sthg.), to be* upset (about sthg.).

corrucciato *agg.* cut up, upset.

corruccio *s.m.* angry distress.

corrugamento *s.m.* corrugation: *— della fronte*, wrinkling of the forehead.

corrugare *v.tr.*, **corrugarsi** *v.intr.pron.* to wrinkle, to corrugate // *— la fronte*, to knit one's brows (*o* to frown).

corruttela *s.f.* corruption, depravity.

corruttibile *agg.* corruptible; (*con denaro*) bribable.

corruttibilità *s.f.* corruptibility.

corruttore *agg.* corrupting ♦ *s.m.* corrupter; (*con denaro*) briber.

corruzione *s.f.* **1** corruption (*anche fig.*); (*decadimento*) deterioration, decay: *— di minorenni*, (*dir.*) corruption of minors **2** (*con denaro*) bribery, corruption.

corsa *s.f.* **1** run; (*il correre*) running: *di —*, at a run; (*in fretta*) in haste; *di gran —*, at full speed (*o* in great haste) // *fare una — dal droghiere*, to pop round to the grocer's // *la — agli armamenti*, the armaments race // *— all'oro*, gold rush **2** (*sport*) race; (*il correre*) racing: *— campestre*, cross-country race; *— di cavalli*, horse-race; *— su pista*, track race; *automobile da —*, racing car **3** (*tragitto su veicolo pubblico*) run // *prezzo della —*, fare // *partire con la prima —*, to leave by the first train **4** (*mecc.*) (*di pistone*) stroke.

corsaletto *s.m.* cors(e)let.

corsaro *s.m.* privateer; (*pirata*) pirate, corsair ♦ *agg.* privateering.

corsetto *s.m.* corset.

corsia *s.f.* **1** gangway, passage; (*amer.*) aisle **2** (*di ospedale*) ward **3** (*sport*) (*pista*) track **4** (*di autostrada*) lane: *autostrada a tre corsie*, three-lane motorway; *— di emergenza*, hard shoulder **5** (*passatoia*) runner.

Corsica *no.pr.f.* Corsica.

corsiero *s.m.* (*letter.*) steed.

corsivo *agg.* (*di scrittura*) cursive; (*tip.*) italic ♦ *s.m.* (*scrittura*) cursive; (*tip.*) italic type, italics (*pl.*) // *stampare in* (*carattere*) *—*, to italicize.

corso[1] *s.m.* **1** course (*anche fig.*): *la malattia segue il suo —*, the disease is running its course; *seguire il — dei propri pensieri*, to pursue the train of one's thoughts // *affari in —*, current business // *lavori stradali in —*, roadworks in progress // *dare — a una ordinazione*, (*comm.*) to carry out (*o* to execute) an order **2** (*di acque*) watercourse **3** (*di studi*) course: *un — di francese*, a course in French **4** (*corteo*) procession **5** (*strada principale*) main street **6** (*rotta*) course // *capitano di lungo —*, master mariner **7** (*di valuta*) circulation, currency: *fuori —*, out of circulation; *mettere in —*, to put into circulation; *avere — legale*, to be legal tender **8** (*econ.*) (*prezzo*) price; rate: *— di apertura, di chiusura*, opening, closing price; *— del cambio*, rate of exchange.

corso[2] *agg.* e *s.m.* Corsican.

corte *s.f.* **1** court: *tener — bandita*, to keep open house **2** (*cortile*) courtyard, court **3** (*dir.*) court, law court: *Corte d'Appello*, Court of Appeal; *Corte di Assise*, Court of Assizes; *Corte di Cassazione*, High Court (of Justice); (*amer.*) Supreme Court; *— marziale*, Court-martial **4** (*corteggiamento*) court, courtship: *fare la — a una ragazza*, to court a girl // *fare la — a una persona influente*, to curry favour with an influential person.

corteccia *s.f.* **1** (*bot.*) bark, rind **2** (*anat.*) cortex (*pl.* cortices).

corteggiamento *s.m.* courtship, courting.

corteggiare *v.tr.* to court, to woo, to pay* court (to s.o.).

corteggiatore *s.m.* suitor, admirer.

corteggio *s.m.* retinue, suite train.

corteo *s.m.* procession, train: *— funebre*, funeral (procession); *— nuziale*, bridal procession; *— di protesta*, demonstration parade.

cortese *agg.* (*gentile*) kind; (*compito*) polite, courteous.

cortesia *s.f.* **1** (*gentilezza*) kindness; (*modi compiti*) politeness, courtesy **2** (*favore, piacere*) favour // *per —*, please (*o* kindly).

cortigiana *s.f.* courtesan.

cortigianeria *s.f.* (*adulazione*) flattery; obsequiousness.

cortigianesco *agg.* (*adulatorio*) flattering; obsequious.

cortigiano *s.m.* **1** courtier **2** (*adulatore*) flatterer ♦ *agg.* **1** courtly **2** (*adulatorio*) flattering.

cortile *s.m.* courtyard, court; (*di fattoria*) farmyard // *animali da —*, poultry.

cortina *s.f.* curtain // *— di fumo*, (*mil.*) smokescreen; *— di fuoco*, (*mil.*) barrage // *— di ferro*, (*pol.*) iron curtain.

cortisone *s.m.* cortisone.

corto *agg.* short (*anche fig.*): *la tua giacca è corta di maniche*, your coat is short in the sleeves; *— di gambe*, short-legged; *— di mente*, dull; *avere la vista corta*, to be short-sighted // *per farla corta*, in short (*o* to cut a long story short) // *essere a — di soldi*, to be short of money (*o* to be hard-up) ♦ *avv.* short: *per tagliar —*, in short.

cortocircuito *s.m.* (*elettr.*) short circuit.

cortometraggio *s.m.* (*cinem.*) short (film).

corvè *s.f.* **1** (*mil.*) fatigue: *essere di —*, to be on fatigues **2** (*fam.*) (*compito pesante*) grind.

corvetta *s.f.* (*mar.*) corvette.

corvino *agg.* (*nero*) raven(-black).

corvo *s.m.* raven, crow.

cosa *s.f.* **1** thing: *come hai potuto fare una — simile?*, how could you do such a thing?; *ho molte cose da raccontarti*, I have many things to tell you; *voglio parlarti di una —*, there is a thing I want to talk to you about; *dimmi una —*, tell me something; *è una — da nulla, da poco*, it's a (mere) trifle; *non è una gran —*, it's not up to much; (*non è cosa grave*) it's nothing much; *questa è tutt'altra —*, this is quite a different thing // *sono cose di nessun valore*, this is rubbish (*o* junk) // *stando così le cose...*, as things are... // *— in sé*, (*fil.*) thing in se // *nessuna —*, nothing; *ogni —*, everything; *qualche*

something // *per prima —*, first of all // *per la qual —...*, and that's why... // *tante cose a tuo padre*, (my) regards (*o* remember me) to your father // *a cose fatte*, when everything is over // *ci sono in vista cose grosse*, something big is afoot // *è una — dell'altro mondo*, it is something beyond belief // *avere qualche — contro qlcu.*, (*rancore*) to have a grudge against s.o. // *— fatta capo ha*, (*prov.*) once it's done it's done // *da — nasce —*, (*prov.*) one thing leads to another **2** *che —?*, what?: *che — vuoi?*, what do you want?; *a che — stai pensando?*, what you are thinking about?; *dimmi a che — stai pensando*, tell me what you are thinking about **3** (*faccenda*) matter, affair; (*affare*) business: *le cose pubbliche*, public affairs; *è — mia*, that's my affair // *questo rende la — peggiore*, that makes things worse // *la — va da sé*, it is a matter of course // *prende le cose alla leggera*, he doesn't take anything seriously // *prendere le cose come vengono*, to take things as they come **4** (*opera, lavoro*) work **5** (*spec. pl.*) (*beni*) thing: *le cose assicurate*, the property insured.

cosacco *agg.* e *s.m.* Cossack.

coscia *s.f.* **1** thigh **2** (*di pollo ecc.*) leg **3** (*edil.*) abutment.

cosciale *s.m.* cuisse, cuish, thigh-guard.

cosciente *agg.* aware (*pred.*); conscious.

coscienza *s.f.* **1** conscience: *— larga*, accommodating conscience; *— pulita, sporca*, clear, guilty conscience; *un caso di —*, a matter of conscience; *rimorsi di —*, qualms of conscience; *per scrupolo di —*, for conscience's sake; *mi rimorde la —*, my conscience pricks me; *avere qlco. sulla —*, to have sthg. on one's conscience; *fare un esame di —*, to examine one's conscience // *in —*, in all conscience // *è un uomo senza —*, he is an unscrupulous man **2** (*consapevolezza*) consciousness: *aver — di qlco.*, to be conscious (*o* aware) of sthg. **3** (*coscienziosità*) conscientiousness: *è un uomo di —*, he is a conscientious man **4** (*conoscenza*) consciousness: *perdere, riprendere —*, to lose, to recover consciousness.

coscienziosità *s.f.* conscientiousness.

coscienzioso *agg.* conscientious.

coscio, cosciotto *s.m.* leg.

coscritto *s.m.* (*mil.*) conscript.

coscrizione *s.f.* (*mil.*) conscription.

cosecante *s.f.* (*mat.*) cosecant.

coseno *s.m.* (*mat.*) cosine.

così *avv.* **1** like this; this way; like that; that way; so; thus: *fallo —*, do it like this (*o* like that *o* this way *o* that way *o* thus); *non parlare —*, don't speak like that (*o* that way); *se è —...*, if it's like that...; *è fatto —!*, he is made that way!; *— finisce il libro*, thus (*o* in this way) the book ends; *— è, — sembra*, so it is, so it seems; *fu — che...*, so (*o* thus) it was that...; *proprio —!*, just (*o* quite) so!; *si espresse —*, he spoke thus (*o* in this way *o* as follows); *è alto —*, he is so high; *non più alto di —*, no taller than that (*o* this); *più di —*, more than that (*o* this) // *e — pure*, as well as // *ah, è —?*, is that so? // *meglio —*, so much the better // *basta —!*, that will do! // *— — , — cosà*, so so // *e —*, so and so // *— o —*, *— o cosà*, this way or that way // *disse — e —*, he said so and so; *fa' — e —*, do it this way (*o* like this) // *— sia*, so be it // *e — via*, and so on (*o* and so forth) // *per — dire*, so to speak **2** (*altrettanto*) so: *e — feci io*, and so did I **3** (*tanto*) (*con avv.*) so; (*con agg.*) so; such: *— a lungo*, so long; *è — facile*, it is so easy; *un ragazzo — intelligente, dei ragazzi — intelligenti*, such an intelligent boy (*o* so intelligent a boy), such intelligent boys; *della musica — bella*, such lovely music **4** *in corr. con* come → *come* **5** *— ... che, —... da*, (*con valore consec.*) so... that, so... as (to do): *è — piccolo che...*, it is so small that...; *non è — stupido da farlo*, he is not so stupid as to do it **6** (*dunque*) so; (*rafforzativo*) (well) then: —, *eccoti qua!*, so, there you are!; *e —, che farai?*, (well) what will you do then? **7** (*perciò*) so **8** (*desiderativo*): — *fosse!*, if only it were!; — (*volesse il cielo che*) *non fosse vero!*, if only (*o* would that) it were not true! **9** (*quantunque, sebbene*): — *malato* (*com'era*), sick as he was ♦ *agg.* (*tale, siffatto*) such; like that: *un'occasione —*, such a chance (*o* a chance like that) // **così da** *locuz.cong.* (so) that.

cosicché, così che *cong.* (*affinché*) so that; (*perciò*) so.

cosiddetto *agg.* so-called.

cosiffatto *agg.* such.

cosmesi, cosmetica *s.f.* cosmetology.

cosmetico *agg. e s.m.* cosmetic.

cosmico *agg.* cosmic.

cosmo *s.m.* cosmos.

cosmologia *s.f.* cosmology.

cosmologico *agg.* cosmological.

cosmonauta *s.m. e f.* cosmonaut.

cosmonautica *s.f.* astronautics.

cosmopolita *agg.* cosmopolitan ♦ *s.m. e f.* cosmopolitan, cosmopolite.

cosmopolitismo *s.m.* cosmopolitanism.

coso *s.m.* (*fam.*) what-d'ye-call-it, thingumajig, thingumibob: *quel — non serve a niente*, that what-d'ye-call-it is no good.

cospargere *v.tr.* to strew* (with sth.); (*spec. di liquidi*) to sprinkle (with sth.): *— di fiori*, to strew with flowers.

cospetto *s.m.* presence: *al — di qlcu.*, in the presence of (*o* before) s.o.

cospicuità *s.f.* conspicuousness.

cospicuo *agg.* **1** conspicuous, remarkable, outstanding **2** (*ingente*) considerable: *ha un reddito —*, he has a considerable income.

cospirare *v.intr.* to conspire, to plot.

cospiratore *s.m.* conspirator, plotter.

cospirazione *s.f.* conspiracy, plot.

costa *s.f.* **1** coast; coastline; (*litorale*) shore: *— irregolare*, rugged coastline; *— rocciosa*, rocky shore; *lungo la —*, coastwise (*o* along the coast); *verso la —*, coastward (s) (*o* toward the coast) // *Costa Azzurra*, Côte d'Azur; *Costa d'Avorio*, Ivory Coast; *Costa d'Oro*, Golden Coast **2** (*anat.*) rib **3** (*venatura*) rib, vein **4** (*fianco di collina*) (hill) side: *a mezza —*, halfway up the hill **5** (*di coltello, libro*) back.

costà *avv.* there.

costante *agg.* **1** constant: *pioggia —*, constant rain // *temperatura —*, uniform temperature; *tempo —*, settled weather **2** (*fermo, saldo*) steady, steadfast, firm: *essere — nei propri propositi*, to be firm (*o* steadfast) in one's principles ♦ *s.f.* (*fis. mat.*) constant.

Costantino *no.pr.m.* Constantine.

Costantinopoli *no.pr.f.* Constantinople.

costanza *s.f.* **1** constancy **2** (*fermezza*) steadfastness, firmness // *con —*, steadfastly (*o* steadily).

Costanza *no.pr.f.* Constance.

costare *v.intr.* to cost* (*anche fig.*): *quanto costa?*, how much is it?; *— caro*, to be expensive // *ti costerà caro*, (*fig.*) you'll pay a high price for it // *costa un occhio della testa*, it costs a mint of money // *costi quel che*

costi!, cost what it may! // *mi costa doverlo dire*, it pains me (*o* I regret) to have to say this.

Costarica *no.pr.f.* Costa Rica.

costaricano, costaricense *agg. e s.m.* Costa Rican.

costata *s.f.* chop.

costatare *v.tr.* → **constatare**.

costato *s.m.* chest, ribs (*pl.*).

costeggiare *v.tr.* **1** (*per mare*) to coast, to follow the coast (of sth.), to hug the coast (of sth.) **2** (*per terra*) to skirt, to run* along: *costeggiammo in auto il lago*, we drove along the shore of the lake; *camminammo costeggiando il torrente*, we walked beside the stream.

costei *pron.dimostr.f.sing.* (*spec.spreg.*) this woman; she (*sogg.*); her (*compl.*).

costellare *v.tr.* to stud (*anche fig.*): *prato costellato di fiori*, lawn studded with flowers; *traduzione costellata di errori*, translation studded (*o* packed) with mistakes (*o* full of mistakes).

costellazione *s.f.* constellation.

costernare *v.tr.* to dismay, to consternate.

costernato *agg.* dismayed: *guardare qlcu. con aria costernata*, to gaze at s.o. in blank dismay.

costernazione *s.f.* dismay, consternation.

costi *avv.* there.

costiera *s.f.* (stretch of) coast.

costiero *agg.* coastal // *nave costiera*, coaster.

costipare *v.tr.* **1** to amass **2** (*l'intestino*) to constipate // **-arsi** *v.intr.pron.* **1** (*di intestino*) to become* constipated **2** (*raffreddarsi*) to catch* a cold.

costipato *agg.* **1** (*di intestino*) constipated **2** (*essere raffreddato*) to have a bad cold.

costipazione *s.f.* **1** (*intestinale*) constipation **2** (*raffreddore*) cold.

costituente *agg.* constituent // *Assemblea Costituente*, (*pol.*) Constituent Assembly.

costituire *v.tr.* **1** to constitute, to found, to establish, to set* up; (*formare*) to form, to make* up: *— una società*, (*comm.*) to form a partnership // *— reato*, (*dir.*) to be a crime **2** (*nominare*) to appoint, to constitute: *lo costituì suo erede*, he constituted him his heir // **-irsi** *v.rifl.* **1** (*formarsi*) to form; (*divenire*) to become* **2** (*nominarsi*) to set* oneself up as: *— giudice*, to set oneself up as a judge // *— parte civile*, to institute civil proceedings **3** (*dir.*) to give* oneself up, to deliver oneself up: *l'assassino si costituì*, the murderer gave himself up // *— in giudizio*, to file a suit.

costitutivo *agg.* constituted, established.

costitutivo *agg.* constituent, constitutive // *atto —*, (*dir.*) deed of partnership.

costituzionale *agg.* constitutional.

costituzionalismo *s.m.* (*pol.*) constitutionalism.

costituzionalità *s.f.* (*pol.*) constitutionality.

costituzione *s.f.* **1** establishment **2** (*pol.*) constitution **3** (*struttura*) constitution: *uomo di delicata, robusta —*, man of a weak, strong constitution.

costo *s.m.* cost: *—, assicurazione e nolo*, cost, insurance and freight; *— di fabbricazione*, factory cost, manufacturing cost; *— di trasporto*, freight cost; *— medio*, average cost; *— reale*, actual cost; *— unitario*, unit cost; *determinazione dei costi*, costing; *sotto —*, under cost (*o* under price) // *a — della vita*, at the cost of (one's) life; *a nessun —*, by no means; *ad ogni —*, at all costs.

costola *s.f.* rib // *gli si contano le costole*, he is nothing but skin and bone // *stare alle costole di qlcu.*, to haunt s.o. // *mi sta alle costole perché io studi*, he keeps on at me about my studying.

costoletta *s.f.* cutlet.

costoro *pron.dimostr.m.* e *f.pl.* (*spec. spreg.*) these people; they (*sogg.*); them (*compl.*).

costoso *agg.* expensive, dear, costly.

costringere *v.tr.* **1** to compel, to force, to oblige **2** (*stringere*) to compress.

costrittivo *agg.* constrictive.

costrizione *s.f.* **1** constraint, compulsion: *per —*, under (*o* on) compulsion **2** (*rar.*) (*stringimento*) constriction.

costruire *v.tr.* **1** to build*, to construct *// — una teoria*, to develop a theory **2** (*gramm.*) to construct.

costruttivo *agg.* constructive.

costrutto *s.m.* **1** (*gramm.*) construction *// discorso senza —*, meaningless speech **2** (*profitto*) profit: *lavoro senza —*, profitless work.

costruttore *s.m.* builder, constructor.

costruzione *s.f.* **1** construction: *è in — una nuova strada*, a new road is under construction **2** (*edificio*) building **3** (*gramm.*) construction.

costui *pron.dimostr.m.sing.* (*spec. spreg.*) this man; he (*sogg.*); him (*compl.*).

costumanza *s.f.* usage, custom; (*abitudine*) habit.

costumatezza *s.f.* decency, propriety.

costumato *agg.* decent, virtuous.

costume *s.m.* **1** (*usanza*) custom, use, usage; (*abitudine personale*) habit: *non è suo — chiedere dei favori*, he is not in the habit of asking favours **2** (*condotta*) morals (*pl.*): *persone di buoni, cattivi costumi*, people of good, loose morals *// offendere il buon —*, to offend against morality **3** (*indumento*) costume: *— da bagno*, swimsuit (*o* bathing costume); *ballo in —*, fancy dress ball.

costumista *s.m.* e *f.* (*teatr. cinem.*) costume designer ♦ *s.f.* (*addetta ai costumi*) wardrobe mistress.

cotale *agg.* e *pron.* (*ant. o letter.*) → **tale**.

cotangente *s.f.* (*mat.*) cotangent.

cotanto *agg.pron.* e *avv.* (*letter.*) → **tanto**.

cote *s.f.* whetstone, hone.

cotechino *s.m.* "cotechino" (kind of spiced Italian sausage).

cotenna *s.f.* pigskin; (*del lardo*) rind.

cotesto *agg.* e *pron.dimostr.* → **codesto**.

cotillon (*franc.*) *s.m.* cotillion, cotillon.

cotogna *s.f.* (*bot.*) quince.

cotognata *s.f.* quince jam.

cotogno *s.m.* (*bot.*) quince (tree).

cotoletta *s.f.* → **costoletta**.

cotonare *v.tr.* to backcomb.

cotonato *agg.* (*di capelli*) backcombed ♦ *s.m.* silk and cotton fabric.

cotonatura *s.f.* back-combing.

cotone *s.m.* cotton: *— idrofilo*, cotton wool.

cotoneria *s.f.* cotton fabrics (*pl.*).

cotoniere *s.m.* cotton manufacturer.

cotoniero *agg.* cotton (*attr.*) *// operaio —*, cotton-spinner.

cotonificio *s.m.* cotton mill.

cotonina *s.f.* calico.

cotonoso *agg.* cottony.

cotta[1] *s.f.* **1** (*innamoramento*) crush: *la — gli è passata*, the crush has worn off; *si è preso una bella —*, he has fallen for her in a big way **2** (*rar.*) (*il cuocere*) cooking *// furbo di tre cotte*, artful dodger.

cotta[2] *s.f.* **1** (*eccl.*) surplice **2** (*di armatura*) hauberk.

cottimo *s.m.* **1** (*contratto*) contract on a piecework basis: *lavorare a —*, to work on a piecework basis (*o* to piecework); *prendere a —*, to undertake on a piecework basis; *lavoratore a —*, pieceworker **2** (*lavoro*) piecework.

cotto *agg.* **1** cooked; done; (*in forno*) baked: *ben, troppo, poco —*, (*di carne*) well-done, overdone, underdone (*o* rare) *// farne di cotte e di crude*, to be up to all sorts of tricks **2** (*fam.*) (*ubriaco*) drunk: *è —!*, he is dead drunk! **3** (*fam.*) (*innamorato*) head overheels in love **4** (*di sportivo*) exhausted ♦ *s.m.* brickwork.

cottura *s.f.* cooking; (*in forno*) baking: *di facile —*, easily cooked.

coturnice *s.f.* (*zool.*) coturnix.

coturno *s.m.* cothurnus (*pl.* -ni), buskin.

coupé (*franc.*) *s.m.* (*aut.*) coupé.

cova *s.f.* **1** (*il covare*) brooding **2** (*nido*) nest.

covare *v.tr.* **1** to brood **2** (*fig.*) to brood (over, on sthg.) *// — una malattia*, to be sickening for an illness ♦ *v.intr.* to smoulder *// gatta ci cova*, there is something fishy going on.

covata *s.f.* brood (*anche fig.*).

covile *s.m.* lair, den (*anche fig.*); (*cuccia*) kennel.

covo *s.m.* lair, den: *un — di ladri*, a den of thieves.

covone *s.m.* sheaf.

coyote *s.m.* coyote.

cozza *s.f.* mussel.

cozzare *v.intr.* **1** (*con le corna, col capo*) to butt, to toss; (*urtare*) to strike*; (*venire in collisione*) to collide (with sthg.) **2** (*fig.*) to collide (with sthg.), to clash (with sthg.) ♦ *v.tr.* to strike*.

cozzo *s.m.* (*con le corna, col capo*) butt; (*collisione*) collision; (*urto*) clash (*anche fig.*) *// dare di — in qlco.*, to bump into sthg.

crac *s.m.* **1** *onom.* crack **2** (*fallimento*) failure, bankruptcy.

cracking *s.m.* (*chim.*) cracking.

crampo *s.m.* cramp: *essere presi da un —*, to be seized with a cramp.

cranico *agg.* cranial.

cranio *s.m.* skull.

crapula *s.f.* guzzle.

crapulone *s.m.* guzzler.

crasso *agg.* crass, gross *// intestino —*, large intestine.

cratere *s.m.* crater.

crauti *s.m.pl.* sauerkraut (*sing.*).

cravatta *s.f.* tie: *— a farfalla*, bow tie.

creanza *s.f.* politeness; breeding: *persona senza —*, ill-bred person.

creare *v.tr.* **1** to create *// — un file*, (*informatica*) to create a file; *— un task*, to originate a task **2** (*suscitare*) to cause, to give* rise (to sthg.) **3** (*eleggere*) to create: *fu creato presidente*, he was appointed president; *— qlcu. cavaliere*, to knight s.o.

creativo *agg.* creative.

creato *agg.* created ♦ *s.m.* universe, creation.

creatore *s.m.* creator *// mandare qlcu. al Creatore*, (*fam.*) to do s.o. in.

creatura *s.f.* **1** creature **2** (*bambino*) little child *// una creaturina*, a poor little thing.

creazione *s.f.* **1** creation **2** (*elezione*) creation.

credente *agg.* believing ♦ *s.m.* believer.

credenza[1] *s.f.* **1** belief **2** (*opinione*) opinion **3** (*credito*) credit: *— dito*) credit: *a —*, on credit.

credenza[2] *s.f.* (*mobile*) dresser; cupboard.

credenziale *agg.* credential *// (lettere) credenziali*, credentials.

credere *v.intr.* (*prestar fede*) to believe (s.o., sthg.); (*credere nell'esistenza di qlco.*) to believe (in s.o., sthg.); (*aver fiducia*) to trust (s.o., sthg.): *mi creda...*, believe me...; *non crederle!*, don't believe her!; — *in Dio*, to believe in God; *puoi credergli*, you can trust him; *non credo in questa medicina*, I don't believe in this medicine // *far — qlco. a qlcu.*, to make s.o. believe sthg. ♦ *v.tr.* **1** to believe **2** (*pensare, reputare*) to think*: *crede che tutto gli sia permesso*, he thinks he can do whatever he likes; *lo credevo un amico*, I thought he was a friend (*o* I considered him a friend) // *credo di sì, di no*, I think so, I don't think so // *fate come credete*, do as you like // *lo credo bene!*, I should think so! // **-ersi** *v.rifl.* to think*: *si crede un poeta*, he thinks he is a poet; *si crede molto furbo*, he thinks he is very clever.

credibile *agg.* credible, believable.

creditizio *agg.* (*econ.*) credit (*attr.*).

credito *s.m.* **1** credit; (*stima*) esteem: *godere di molto —*, to be held in high esteem **2** (*comm.*) credit: *a —*, on credit; *metteremo la somma a vostro —*, we shall credit you with the amount; *far —*, to grant credit // *Istituto di Credito*, bank // *crediti inesigibili*, bad debts // — *garantito*, secured credit // — *ipotecario*, mortgage loan.

creditore *agg. e s.m.* creditor.

credo *s.m.* creed.

credulità *s.f.* credulity.

credulo *agg.* credulous.

credulone *agg.* gullible ♦ *s.m.* gull, dupe.

crema *s.f.* **1** cream: — *di cioccolato*, chocolate cream; — *di formaggio*, cream cheese; — *di piselli*, pea soup; — *evanescente*, vanishing cream // — *da scarpe*, shoe cream **2** (*di uova e latte*) custard.

cremagliera *s.f.* rack: *ferrovia a —*, rack railway.

cremare *v.tr.* to cremate.

crematorio *agg.* crematory // (*forno*) —, crematorium.

cremazione *s.f.* cremation.

cremisi *agg. e s.m.* crimson.

Cremlino *no.pr.m.* Kremlin.

cremortartaro *s.m.* (*chim.*) cream of tartar.

cren *s.m.* (*bot.*) horseradish.

creolina *s.f.* (*farm.*) creolin.

creolo *agg. e s.m.* creole.

crepa *s.f.* crack, fissure.

crepaccio *s.m.* cleft; (*di ghiacciaio*) crevasse.

crepacuore *s.m.* heartbreak: *morire di —*, to die of a broken heart.

crepapelle, a *locuz.avv.*: *mangiare a —*, to stuff oneself with food; *ridere a —*, to split one's sides with laughter.

crepare *v.intr.* **1** (*spaccarsi*) to crack **2** (*scoppiare*) to burst*: — *dalle risa*, to split one's sides with laughter; — *di rabbia*, to fume with rage // — *di salute*, to be bursting with good health **3** (*volg.*) (*morire*) to kick the bucket.

crepella *s.f.* crêpe, crepe.

crepitare *v.intr.* to crackle, to crepitate.

crepitio *s.m.* crackling, crackle.

crepuscolare *agg.* crepuscular, twilight (*attr.*): *luce —*, twilight // *poeti crepuscolari*, (*lett.*) the "crepuscolari" (school of Italian poetry of the early twentieth century).

crepuscolo *s.m.* **1** twilight, dusk: *al —*, at dusk (*o* in the twilight) **2** (*fig.*) decline.

crescendo *s.m.* (*mus.*) crescendo (*anche fig.*).

crescente *agg.* growing, increasing, rising.

crescenza *s.f.* growth, growing.

crescere *v.intr.* **1** to grow*; (*diventare adulto*) to grow* up // *la luna cresce*, the moon is waxing // *quel bambino cresce a vista d'occhio*, that child is shooting up // *far —*, to grow*: *farsi — i capelli*, to let one's hair grow; *farsi — la barba*, to grow a beard **2** (*aumentare*) to increase, to rise*: *il fiume stava crescendo*, the river was rising; *il* (*prezzo del*) *pane è cresciuto*, bread has gone up; — *di peso, di numero*, to increase in weight, in number // — *nella stima di qlcu.*, to rise in s.o.'s esteem **3** (*avanzare*) to be* left: *ne crescono tre*, there are three left ♦ *v.tr.* **1** (*aumentare*) to rise*, to increase **2** (*allevare*) to bring* up.

crescione *s.m.* (*bot.*) watercress.

crescita *s.f.* **1** growth **2** (*aumento*) growth, increase, rise.

cresima *s.f.* (*eccl.*) confirmation.

cresimando *s.m.* candidate for confirmation.

cresimare *v.tr.* to confirm.

Creso *no.pr.m.* (*st.*) Croesus // **creso** *s.m.* Croesus.

crespa *s.f.* **1** wrinkle **2** (*dell'acqua*) ripple **3** (*di stoffa*) crease.

crespato *agg.* crinkled.

crespo *agg.* **1** (*di capelli*) crimpy, frizzy **2** (*di tessuto*) crinkled ♦ *s.m.* crêpe, crepe.

cresta[1] *s.f.* **1** crest: — *di gallo*, cockscomb // *abbassare la —*, to come down off one's high horse; *alzare la —*, to grow insolent (*o fam.* to get cocky) // *essere sulla — dell'onda*, to be on the crest of the wave **2** (*di monte*) crest, ridge; (*cima*) peak.

cresta[2] *s.f.*: *far la — sulla spesa*, to take a rake-off (while shopping for s.o.).

crestina *s.f.* (*di domestica*) maidservant's cap.

crestomazia *s.f.* chrestomathy.

creta *s.f.* clay.

Creta *no.pr.f.* Crete.

cretese *agg. e s.m. e f.* Cretan.

cretineria *s.f.* **1** stupidity, imbecility **2** (*azione cretina*) stupid thing (to do); (*discorso cretino*) rubbish (*solo sing.*).

cretinismo *s.m.* **1** idiocy, imbecility; (*med.*) cretinism.

cretino *s.m.* **1** idiot, half-wit, fool **2** (*med.*) cretin ♦ *agg.* stupid, idiotic, daft.

cretonne (*franc.*) *s.m.* (*tessuto*) cretonne.

cricca *s.f.* gang.

cricco *s.m.* (*mecc.*) jack.

criceto *s.m.* hamster.

Crimea *no.pr.f.* the Crimea.

criminale *agg. e s.m. e f.* criminal.

criminalista *s.m.* criminal lawyer.

criminalità *s.f.* criminality.

criminalizzare *v.tr.* to criminalise, to treat (sthg.) as a crime, to treat (s.o.) as a criminal: — *i drogati*, to treat drug addicts as criminals.

crimine *s.m.* crime: *incolpare qlcu. di un —*, to charge s.o. with a crime.

criminologia *s.f.* criminology.

criminosità *s.f.* criminality.

criminoso *agg.* criminal.

crinale *s.m.* ridge.

crine *s.m.* horsehair: — *vegetale*, vegetable horsehair.

criniera *s.f.* mane.

crinolina *s.f.* crinoline.

criochirurgia *s.f.* (*med.*) cryosurgery.

crioterapia *s.f.* (*med.*) cryotherapy.

cripta *s.f.* crypt.

crisalide *s.f.* chrysalis (*pl.* chrysalides).

crisantemo *s.m.* chrysanthemum.

crisi *s.f.* **1** crisis (*pl.* crises); (*scarsità*) shortage: — *degli alloggi*, housing shortage; *scoppio di una* —, outbreak of a crisis // *attraversare una* —, *essere in periodo di* —, to pass through a crisis **2** (*med.*) fit, attack: — *di nervi*, nervous fit.

crisma *s.m.* (*eccl.*) chrism; (*fig.*) approval.

cristalleria *s.f.* **1** (*oggetti di cristallo*) crystalware (*solo sing.*) **2** (*fabbrica*) crystal factory.

cristalliera *s.f.* glass case.

cristallino *agg.* **1** crystalline (*anche fig.*), crystal (*attr.*) ♦ *s.m.* (*anat.*) crystalline lens.

cristallizzare *v.tr.* e *intr.*, **cristallizzarsi** *v.intr.pron.* to crystallize (*anche fig.*).

cristallizzazione *s.f.* crystallization.

cristallo *s.m.* crystal; (*lastra di vetro*) plate glass.

cristallografia *s.f.* crystallography.

cristianamente *avv.* like a Christian; in a Christian spirit.

cristianesimo *s.m.* Christianity.

cristiania *s.m.* (*sci*) Christiania.

cristianità *s.f.* **1** (*i cristiani*) Christendom **2** (*l'esser cristiano*) Christianity.

cristianizzare *v.tr.* to Christianize.

cristiano *agg.* e *s.m.* **1** Christian: *farsi* —, to become a Christian // *una casa da cristiani*, a decent house **2** (*fam.*) soul: *non c'era un* —, there wasn't a soul.

Cristina *no.pr.f.* Christine, Christina.

Cristo *no.pr.m.* Christ: *avanti, dopo* —, before, after Christ; *nel 25 a.C., d.C.*, in 25 B.C., A.D. // *un* — *del XV secolo*, a 15th-century crucifix // **cristo** *s.m.*: *un povero* —, a poor devil.

Cristoforo *no.pr.m.* Christopher.

cristologia *s.f.* (*teol.*) Christology.

criterio *s.m.* **1** criterion (*pl.* criteria), standard (of judgement); (*principio*) principle: *criteri letterari*, literary criteria // *a mio* —, in my opinion **2** (*fam.*) (*buon senso*) sense: *una persona di* —, a sensible person; *è senza* —, he has got no sense.

criterium *s.m.* (*ippica*) novices' race.

critica *s.f.* **1** criticism: — *letteraria, musicale*, literary, music criticism; — *ostile*, adverse criticism; *ha scritto delle buone critiche su Shakespeare*, he has written some good criticism on Shakespeare // *esporsi alle critiche*, to lay oneself open to criticism // *essere oggetto di* —, to be subject to criticism // *non curarsi delle critiche*, to ignore (*o* to take no notice of) criticism **2** (*insieme dei critici*) critics (*pl.*): *la* — *francese*, French critics **3** (*recensione*) review.

criticabile *agg.* **1** criticizable **2** (*biasimevole*) blamable.

criticare *v.tr.* **1** to criticize **2** (*biasimare*) to criticize, to blame // *farsi* —, to lay oneself open to criticism.

criticismo *s.m.* criticism.

critico *agg.* critical ♦ *s.m.* **1** critic; (*spec. di libri*) reviewer.

crittogama *s.f.* (*bot.*) cryptogam // *le Crittogame*, Cryptogamia.

crittografia *s.f.* cryptography.

crivellare *v.tr.* to riddle.

crivello *s.m.* sieve, riddle.

croccante *agg.* crisp ♦ *s.m.* (*cuc.*) nougat.

crocchetta *s.f.* (*cuc.*) croquette.

crocchia *s.f.* chignon, bun.

crocchiare *v.intr.* **1** to crack **2** (*gracidare*) to croak.

crocchio *s.m.* knot, cluster.

croccolone *s.m.* (*zool.*) great snipe.

croce *s.f.* cross (*anche fig.*): — *uncinata, gammata*, swastika; *a forma di* —, cruciform (*o* cross-shaped) // *firmare con la* —, to make one's cross // *fateci una* —!, forget it! // *tirare una* — *su un debito*, to write off a debt // *con le braccia in* —, with folded arms // *fare a testa e* — *per qlco.*, to toss up for sthg. // *vincere a testa o* —, to win the toss *a occhio e* —, roughly (*o* approximately) // *segno della* —, sign of the cross; *deposizione dalla Croce*, Deposition; *la S. Croce*, the Holy Cross // — *di Malta*, Maltese cross; — *di S. Andrea*, St. Andrew's cross; (*arald.*) saltire // *Croce Rossa*, Red Cross // *Croce del Sud*, (*astr.*) Southern Cross.

crocerossina *s.f.* Red Cross nurse.

crocevia *s.m.* crossroads.

crociata *s.f.* crusade (*anche fig.*).

crociato *agg.* crossed, cross (*attr.*) ♦ *s.m.* crusader.

crocicchio *s.m.* crossroads.

crociera[1] *s.f.* **1** (*di linee*) cross **2** (*arch.*) crossing; (*di volte*) cross-vault.

crociera[2] *s.f.* **1** cruise: *andare in* —, to go on a cruise // — *aerea*, airtrip **2** (*mil.*) (*missione di navi*) expedition.

crocifero *s.m.* crucifer.

crocifiggere *v.tr.* to crucify.

crocifissione *s.f.* crucifixion.

crocifisso *agg.* crucified ♦ *s.m.* crucifix.

croco *s.m.* (*bot.*) crocus.

croda *s.f.* cliff.

crogiolare *v.tr.* to simmer // **-arsi** *v.intr.pron.* to bask.

crogiolo *s.m.* crucible; (*fig.*) melting pot.

crollare *v.intr.* **1** to collapse (*anche fig.*), to fall* down: — *a terra*, to fall to the ground **2** (*lasciarsi cadere*) to slump **3** (*econ. comm.*) to slump ♦ *v.tr.* to shake* // — *le spalle*, to shrug one's shoulders.

crollo *s.m.* collapse (*anche fig.*); (*comm.*) slump: *un* — *in Borsa*, a Stock Exchange slump // *il* — *dell'Impero Romano*, the fall of the Roman Empire // — *del sistema nervoso*, nervous breakdown // *nessuno si aspettava il* — *di quell'azienda*, nobody expected that firm to go bankrupt.

cromare *v.tr.* to chromium-plate.

cromatico *agg.* chromatic.

cromatismo *s.m.* **1** (*mus. pitt.*) chromaticism **2** (*ott.*) chromatism.

cromato *agg.* chromium plated.

cromatura *s.f.* (*metall.*) chromium plating.

cromo *s.m.* (*chim.*) chromium, chrome.

cromosoma *s.m.* (*biol.*) chromosome.

cronaca *s.f.* **1** chronicle **2** (*di giornale*) news (*pl. costr.sing.*); reporting: — *letteraria*, book news (*o* reviews); — *nera, sportiva*, crime, sports news; — *mondana*, society news; (*fam.*) gossip column.

cronicario *s.m.* hospital for chronic patients.

cronicità *s.f.* (*med.*) chronicity.

cronico *agg.* chronic ♦ *s.m.* chronic invalid.

cronista *s.m.* e *f.* **1** (*di giornale*) reporter: — *di cronaca nera, sportiva*, crime, sports reporter **2** (*st.*) chronicler.

cronistoria *s.f.* chronicle.

cronografo *s.m.* chronograph.

cronologia *s.f.* chronology.

cronologico *agg.* chronological.

cronometraggio *s.m.* timing.

cronometrare *v.tr.* to time.

cronometria *s.f.* chronometry.

cronometrico *agg.* chronometric(al).

cronometrista *s.m.* timekeeper.

ronometro *s.m.* chronometer; (*orologio*) stopwatch.

rosta *s.f.* **1** crust: *la — del pane*, the crust of the bread; *— di formaggio*, cheese rind **2** (*di ferita ecc.*) cab **3** (*quadro di nessun valore*) daub.

rostacei *s.m.pl.* crustacea, shellfish.

rostata *s.f.* (*cuc.*) tart.

rostino *s.m.* (*per antipasto*) canapé; (*per zuppa*) roûton.

rotalo *s.m.* (*zool.*) rattlesnake.

rucciare *v.tr.* to trouble, to worry // **-arsi** *v.rifl.* to worry (about), to fret (about).

rucciato *agg.* worried: *avere un'aria crucciata*, to look worried.

ruccio *s.m.* (*dolore*) sorrow, grief; (*preoccupazione*) worry.

ruciale *agg.* crucial.

ruciforme *agg.* cruciform, cross-shaped.

ruciverba *s.m.* crossword (puzzle).

rudele *agg.* cruel; (*spietato*) merciless, ruthless; (*doloroso*) bitter, grievous: *destino —*, cruel fate; *parole crueli*, bitter (*o* cruel) words; *una — persecuzione*, a merciless persecution; *sei — con lui*, you are cruel to him.

rudeltà *s.f.* cruelty; (*inclemenza*) mercilessness, ruthessness; (*inumanità*) inhumanity: *— mentale*, mental ruelty; *fu una —*, it was a cruel thing to do.

rudezza *s.f.* **1** (*di cibo*) rawness **2** (*rigidità, asprezza*) harshness **3** (*crudeltà*) cruelty **4** (*di linguaggio*) coarseness.

rudo *agg.* **1** raw; (*poco cotto*) underdone // *seta cruda*, raw silk **2** (*aspro, rigido*) harsh: *la cruda realtà*, the rude facts; *colori crudi*, harsh colours; *inverno —*, severe winter **3** (*volgare*) coarse.

ruento *agg.* bloody.

rumiro *s.m.* blackleg, scab.

runa *s.f.* eye (of a needle).

rusca *s.f.* bran.

ruschello *s.m.* fine bran.

ruscotto *s.m.* (*di automobile*) dashboard; (*di aeroplano, di scooter ecc.*) instrument panel.

Cuba *no.pr.f.* Cuba.

ubatura *s.f.* cubage, cubature.

ubia *s.f.* (*mar.*) hawsehole.

ubico *agg.* cubic.

ubicolo *s.m.* cubicle.

ubismo *s.m.* (*st. pitt.*) cubism.

ubista *s.m.* (*st. pitt.*) cubist.

ubitale *agg.* **1** (*anat.*) cubital **2** (*di lettera, carattere*) ery large: *a caratteri cubitali*, in very large letters; *un tolo a caratteri cubitali*, a banner headline.

ubito *s.m.* **1** (*anat.*) ulna **2** (*antica misura*) cubit.

ubo *s.m.* cube.

uccagna *s.f.*: *paese di —*, land of milk and honey (*o* and of plenty); *albero della —*, greasy pole; *che —!*, vhat a feast!; *è una —!*, it's a dream!

uccetta *s.f.* **1** couchette **2** (*mar.*) berth.

ucchiaia *s.f.* **1** tablespoon **2** (*di legno*) wooden poon **2** (*strum. min.*) bricket.

ucchiaiata *s.f.* spoonful.

ucchiaino *s.m.* teaspoon; (*contenuto*) teaspoonful.

ucchiaio *s.m.* **1** spoon: *— da tavola*, tablespoon **2** *contenuto*) spoonful.

uccia *s.f.* **1** dog's bed // *fa' la —!*, lie down! **2** spreg.*) pallet.

ucciolo *s.m.* pup, puppy (*anche fig.*).

uccuma *s.f.* coffee pot.

ucina *s.f.* **1** kitchen; (*mil.*) cookhouse; (*mar.*) gal-ley **2** (*modo di cucinare*) cooking; (*arte del cucinare*) cuisine; (*cibo*) food: *— casalinga*, plain (*o* home) cooking; *— vegetariana*, vegetarian food; *libro di —*, cookery book; *utensili di —*, cooking utensils; *fare di —*, to cook **3** (*apparecchio di cottura*) cooker.

cucinare *v.tr.* to cook.

cuciniere *s.m.* (man-)cook.

cucire *v.tr.* **1** to sew*, to stitch: *macchina per —*, sewing machine; *— un bottone a una giacca*, to sew (*o* to stitch) a button on a coat // *— la bocca a qlcu.*, (*fig.*) to close s.o.'s mouth **2** (*chir.*) to stitch **3** (*mecc.*) to lace **4** (*con cucitrice*) to staple.

cucirino *s.m.* sewing thread.

cucito *s.m.* sewing, needlework.

cucitore *s.m.* sewer.

cucitrice *s.f.* **1** seamstress **2** (*macchina*) sewing machine; (*a graffette*) stapler; (*per libri*) stitcher.

cucitura *s.f.* **1** seam: *senza —*, seamless **2** (*il cucire*) sewing.

cucù *s.m.* cuckoo // *orologio a —*, cuckoo clock.

cuculo *s.m.* cuckoo.

cuffia *s.f.* **1** cap; (*da donna*) bonnet: *— da bagno*, bathing cap; *— da neonato*, baby's cap; *— da notte*, nightcap **2** (*rad. tel.*) headphones (*pl.*), earphones (*pl.*) **3** *— del suggeritore*, (*teatr.*) top of prompter's box.

cugina *s.f.*, **cugino** *s.m.* cousin: *ho tre cugine e due cugini*, I have three female cousins and two male cousins.

cui *pron.rel.m.* e *f. sing.* e *pl.* **1** *compl.ind.* (*riferito a persona*) that, who(m); (*riferito a cose o animali*) that, which: *il ragazzo (a) — parlai*, the boy who(m) (*o* that) I spoke to (*o* to whom I spoke); *il libro di — ti parlai*, the book (that *o* which) I spoke to you about (*o* about which I spoke to you); *lo zio Giorgio, a — stavo parlando...*, uncle George, to whom I was speaking... // *la ragione per —*, the reason why // *per —*, (*perciò*) that's why // *il modo in —*, the way (in which) **2** *il cui, di cui, poss.* (*riferito a persone*) whose; (*riferito a cose, animali*) of which, whose: *la signora il —, di — il figlio...*, the lady whose son...; *la signora nel — giardino...*, the lady in whose garden...; *il libro la — trama ho dimenticato...*, the book of which I've forgotten the plot (*o* whose plot I've forgotten) **3** (*dove*) where: *la casa in — nacqui*, the house where I was born (*o* the house I was born in) **4** (*quando*) when: *il giorno in —*, the day (when).

culaccio *s.m.* rump.

culatta *s.f.* **1** (*di arma da fuoco*) breech **2** (*di calzoni*) seat.

culinaria *s.f.* cookery.

culinario *agg.* culinary.

culla *s.f.* **1** cradle: *— a dondolo, sospesa*, swing cot; *far dondolare la —*, to rock the cradle // *dalla —*, (*fig.*) from the cradle (*o* from infancy) **2** (*fig.*) (*luogo di origine*) cradle, birthplace.

cullare *v.tr.* **1** to rock; (*cantando una ninna nanna*) to lull: *— un bimbo finché si addormenta*, to rock a baby to sleep **2** (*fig.*) (*illudere*) to lull // **-arsi** *v.rifl.* to cherish (sthg.), to indulge (in sthg.).

culminante *agg.* **1** culminating **2** (*astr.*) culminant.

culminare *v.intr.* to culminate.

culminazione *s.f.* (*astr.*) cultimation.

culmine *s.m.* (*cima*) summit, top; (*fig.*) climax, apex: *essere al —*, to be in full swing.

culo *s.m.* (*volg.*) arse.

culto *s.m.* **1** (*adorazione*) worship: *— degli eroi*, hero worship **2** (*religione*) faith **3** (*venerazione*) veneration, cult.

cultore *s.m.* lover.

cultura *s.f.* **1** culture, learning: *uomo di —*, learned man **2** (*biol.*) culture **3** (*coltivazione*) cultivation; (*di piante*) growing: *— del tabacco*, tobacco growing.

culturale *agg.* cultural.

culturismo *s.m.* physical culture.

cumino *s.m.* (*bot.*) cumin.

cumulare *v.tr.* to accumulate.

cumulativo *agg.* cumulative.

cumulo *s.m.* **1** (*mucchio*) heap, pile; (*gran quantità*) lot: *— d'incarichi*, plurality of offices // *— delle pene*, (*dir.*) non-concurrence of sentences **2** (*meteorologia*) cumulus (*pl.* cumuli).

cuneiforme *agg.* wedge-shaped, cuneiform.

cuneo *s.m.* **1** wedge // *a forma di —*, wedge-shaped **2** (*arch.*) quoin **3** (*mil.*) wedge.

cunetta *s.f.* (*per lo scolo delle acque*) gutter; (*di strada*) bump.

cunicolo *s.m.* **1** tunnel **2** (*di animali*) burrow **3** (*di miniera*) shaft.

cuoca *s.f.* cook.

cuocere *v.tr.* **1** to cook: *— alla griglia*, to grill; *— a lesso*, to boil; *— al forno*, to bake; *— arrosto*, to roast; *— in umido*, to stew; *far — a fuoco lento*, to simmer **2** (*mattoni ecc.*) to fire ♦ *v.intr.* (*offendere, ferire*) to smart: *l'insulto le cuoceva ancora*, she was still smarting from the insult.

cuoco *s.m.* cook: *primo —*, head cook.

cuoiame *s.m.* hides (*pl.*).

cuoio *s.m.* [*pl.m.* cuoi; *pl.f.* cuoia *nel significato* 2] **1** leather; (*pelle*) hide: *— artificiale*, imitation leather // *— capelluto*, (*anat.*) scalp **2** tirare le cuoia, to kick the bucket; (*amer.*) to croak.

cuora *s.f.* marshy meadow.

cuore *s.m.* **1** heart // *a — leggero*, with a light heart (*o* light heartedly) // *di buon —*, kind-hearted; *senza —*, heartless // *di —*, heartily; *di tutto —*, with all one's heart // *avere il — sulle labbra*, to wear one's heart on one's sleeve // *avere il — in gola*, to be panting; (*per l'emozione*) to have one's heart in one's mouth // *avere il — gonfio*, to be heavyhearted // *avere la morte nel —*, to be sick at heart // *il — mi dice che...*, I feel (in my heart) that... // *mi piange, mi si stringe, mi si spezza il —*, it breaks my heart // *mi si allarga il —*, I feel relieved // *mettersi il — in pace*, to set one's mind at rest // *mi sta a —*, I have it at heart // *prendersi a —*, to take sth. to heart // *lontano dagli occhi, lontano dal —*, out of sight, out of mind **2** (*fig.*) (*coraggio*) heart: *farsi —*, to take heart **3** (*centro*) heart, core // *nel — dell'estate*, at the height of summer; *nel — dell'inverno*, in the depths of winter; *nel — della notte*, at dead of night **4** *pl.* (*carte da gioco*) hearts.

cupamente *avv.* **1** darkly; (*di suono*) deeply **2** (*fig.*) gloomily, sullenly.

cupidigia *s.f.* cupidity, greed.

cupido *agg.* greedy, covetous.

Cupido *no.pr.m.* (*mit.*) Cupid.

cupo *agg.* **1** dark; (*di suono*) deep **2** (*fig.*) gloomy, sullen.

cupola *s.f.* **1** dome; (*piccola*) cupola **2** (*di cappello*) crown.

cupolino *s.m.* (*teatr.*) prompt box.

cura *s.f.* **1** care: *avere, prendersi — di*, to take care of; *affidare qlcu., qlco. alla — di*, to give s.o., sthg. into the care of; *abbi — di te*, take care of yourself (*o* look after yourself) // *la — della casa*, the housekeeping // *con molta —*, with great care // *a — di*, (*di pubblicazione, trasmissione*) edited by **2** (*eccl.*) cure **3** (*med.*) treatment; (*terapia specifica*) cure: *essere in —*, to be under treatment; *fare una —*, to follow a treatment; *— dell'uva*, grape cure; *il riposo è la — migliore*, rest is the best cure // *fare una — dimagrante*, to be on a diet.

curabile *agg.* curable.

curante *agg.*: *medico —*, personal doctor.

curare *v.tr.* **1** to take* care (of s.o., sthg.), to look after; (*procurare, badare*) to see* (to sthg.): *— i propri interessi*, to look after (*o* to see to) one's interests; *— che tutto sia pronto*, to see (to it) that everything is ready // *— la pubblicazione di un libro*, to edit a book **2** (*med.*) to treat, to cure: *l'ha curato per una polmonite*, he treated him for pneumonia // **-arsi** *v.rifl.* (*aver cura di sé*) to take* care of oneself; (*seguire una cura*) to follow a treatment ♦ *v.intr.pron.* (*occuparsi*) to take* care; (*interessarsi*) to care (about s.o., sthg.), to mind (s.o., sthg.): *non curarti di quello che dicono*, don't mind (*o* care about) what they say.

curaro *s.m.* curare.

curatela *s.f.* (*dir.*) trusteeship; (*di minore*) guardianship.

curativo *agg.* curative.

curato *s.m.* (*eccl.*) curate.

curatore *s.m.* **1** (*dir.*) trustee; (*di fallimento*) official receiver; (*di minore*) guardian **2** (*di una pubblicazione*) editor.

curia *s.f.* **1** (*st. romana*) curia **2** (*eccl.*): *la — romana*, the Curia; *— diocesana*, bishop's see **3** (*dir.*) bar association.

curiale *agg.* **1** curial **2** (*letter.*) (*forense*) forensic; (*aulico*) court (*attr.*).

curiosamente *avv.* **1** curiously **2** (*stranamente*) oddly.

curiosare *v.intr.* to be* curious (about sthg.); (*mettere il naso*) to pry (into sthg.), to nose (into sthg.).

curiosità *s.f.* **1** curiosity **2** (*stranezza*) oddness **3** (*oggetto curioso*) curio, curiosity.

curioso *agg.* **1** curious (about), inquisitive (about) **2** (*strano*) curious, odd ♦ *s.m.* (*gener. pl.*) (*spettatore*) onlooker, bystander.

curriculum (*lat.*) *s.m.* curriculum vitae // *— di studi*, academic curriculum.

cursore *s.m.* **1** (*di tribunale*) bailiff // *cursori pontifici*, (*eccl.*) papal messengers **2** (*parte scorrevole di un congegno*) slider **3** (*informatica*) cursor.

curva *s.f.* **1** curve // *— di livello*, (*geogr.*) contour line **2** (*di strada, fiume ecc.*) curve, bend: *— stretta*, sharp bend; *contro —*, reverse curve; *fare una —*, (*di strada*) to turn; *prendere una —*, to take a bend; *una strada tutta curve*, a winding road.

curvare *v.tr.* to curve; (*piegare*) to bend* // *— il capo*, (*anche fig.*) to bow one's head ♦ *v.intr.* (*di veicolo, strada ecc.*) to turn // **-arsi** *v.rifl.* (*inchinarsi*) to bend* down; (*fig.*) to bow ♦ *v.intr.pron.* (*diventar curvo*) to bend*.

curvatura *s.f.* **1** curvature: *dare una — a qlco.*, to curve sthg. **2** (*arch.*) sweep.

curvilineo *agg.* curvilinear.

curvo *agg.* curved; (*piegato*) bent.

cuscinetto *s.m.* **1** small cushion: *— puntaspilli*, pincushion // *— per timbri*, ink pad // *Stato —*, buffer state **2** (*mecc.*) bearing: *— a sfere*, ball bearing; *— a rulli*, roller-bearing.

scino *s.m.* cushion; (*guanciale*) pillow.

scus, cuscussù *s.m.* (*cuc.*) couscous: *ti piace il —?*, you like couscous?

scuta *s.f.* (*bot.*) dodder.

spide *s.f.* cusp; (*di lancia, freccia*) point; (*di monta-*) peak.

stode *s.m.* e *f.* **1** keeper; caretaker // — *delle car-*, jailor **2** (*portiere*) doorkeeper.

stodia *s.f.* **1** custody: *in buona —*, in safe custody; *idare qlco. alla — di qlcu.*, to place sthg. into s.o.'s stody **2** (*astuccio*) case.

stodire *v.tr.* **1** (*tenere, avere in custodia*) to keep*

(*anche fig.*) **2** (*aver cura di*) to look after; (*sorvegliare*) to guard; (*animali*) to tend.

cutaneo *agg.* cutaneous, skin (*attr.*).

cute *s.f.* skin; (*scient.*) cutis.

cuticagna *s.f.* (*scherz.*) (*collottola*) nape of the neck, scruff of the neck.

cutireazione *s.f.* (*med.*) cutaneous reaction, skin reaction.

cutrettola *s.f.* (*zool.*) wagtail.

cutter *s.m.* (*mar.*) cutter.

czar *s.m.* → **zar.**

czarda *s.f.* → **ciarda.**

D

s.f. o *m.* d (*pl.* ds, d's) // — *come Domodossola*, (*tel.*) d David.

prep. 1 (*moto da luogo, separazione, origine*) from: *dove venite?*, where do you come from? **2** (*moto a go*) to: *andiamo — loro*, let's go to them (*o* to their use); *andrò — mio zio*, I'll go to my uncle's; *devo an-re dal dottore*, I must go to the doctor **3** (*stato in luo-*) at: *abito — loro*, I live at their house (*o* with them); *aspetto — «Corrado»*, I'll wait for you at "Corrado's" *— noi non usa fare questo*, we don't do this // *si ste — Dior*, she is dressed by Dior (*o* she wears Dior thes) **4** (*moto per luogo*) through **5** (*tempo*) (*dura-*) for: *— oltre un anno*, for over a year; *— quanto tem-aspetti?*, how long have you been waiting?; *lo cono-— due mesi*, I have known him (for) two onths **6** (*tempo*) (*decorrenza*) since: *— prima della erra*, since before the war; *dal 1910*, since 1910; *è lle otto che lavoro*, I have been working since eight clock; *— che partì*, since he left; *a tre giorni dal suo rivo*, three days after his arrival // *— domani* (*in poi*), m tomorrow on // *cieco dalla nascita*, blind from rth **7** (*agente, causa efficiente*) by: *scritto —*, written 8 (*prezzo, valore; qualità*): *un francobollo — venti*, a twenty-lire stamp; *un brillante — un milione*, a mond worth a million; *una ragazza dai capelli bion-*a fair-haired girl (*o* a girl with fair hair) **9** (*come, a miglianza di; in qualità di*) like: *vivere — re*, to live e a king; *— buon italiano*, like a good Italian; *lasciar-— buoni amici*, to part as good friends **10** (*condizio-*) as: *— ricco*, as a rich man; *— bambino*, as a child *che farai — grande?*, what will you be when you w up? **11** (*in base a*) from: *dalla sua risposta ho ca-o che...*, from his answer I realized that... **12** (*con va-e di degno di*) like: *non è — te fare questo*, it's not like u to do that **13** (*in correlazione* con tanto, talmente, sì, a tal punto) as; that → *sotto tali voci* **14** —*... a*, m... to **15** — *sé, — solo* → *sé, solo* **16** (*seguito da*) to (+ *inf.*): *non hanno — vivere*, they have nothing live on // *una commedia — ridere*, an amusing play.

bbasso *avv.* (*al piano inferiore*) downstairs.

bbenaggine *s.f.* **1** simple-mindedness; (*credulità*) edulity **2** (*atto, discorso sciocco*): *commettere dabbe-aggini*, to do foolish things // *dire dabbenaggini*, to k nonsense.

dabbene *agg.* honest, upright.

daccanto (a) *locuz.prep.* → **accanto.**

daccapo *avv.* (*di nuovo*) again; (*ancora una volta*) once again; (*dall'inizio*) from the beginning: *ricominciare tut-to —*, to start all over again // *siamo —!*, it's the same old story!

dacché *cong.* **1** (*da quando*) since: — *ti conosco*, since I have known you **2** → **poiché.**

dadaismo *s.m.* (*arte*) Dadaism.

dado *s.m.* **1** die (*pl.* dice) // *il — è tratto!*, the die is cast! **2** (*arch.*) dado, die (*pl.* dies) **3** (*mecc.*) (screw) nut **4** (*cuc.*) soup cube.

daffare *s.m.* work, task // *darsi —*, to get busy: *datti —*, get cracking (*o* going).

Dafne *no.pr.f.* (*mit.*) Daphne.

daga *s.f.* dagger.

dagli, dai *inter.* (*fam.*) (*forza!*) go on!; (*suvvia!*) come on!; (*battilo!*) give it to him!, let him have it! // *e dagli!*, what again?, (*o* not again!) // *dai, smettila!*, give over!

dagli, dai *prep.art.m.pl.* from the; to the; at the; by the → **da.**

daina *s.f.* doe.

daino *s.m.* fallow deer (*pl. invar.*); (*per indicare il ma-schio*) buck: *pelle di —*, buckskin.

dal *prep.art.m.sing.* from the; to the; at the; by the → **da.**

dalia *s.f.* dahlia.

dalla *prep.art.f.sing.* from the; to the; at the; by the → **da.**

dalle *prep.art.f.pl.* from the; to the; at the; by the → **da.**

dallo *prep.art.m.sing.* from the; to the; at the; by the → **da.**

dalmata *agg.* e *s.m.* e *f.* Dalmatian.

Dalmazia *no.pr.f.* Dalmatia.

daltonico *agg.* colour-blind ♦ *s.m.* colour-blind man.

daltonismo *s.m.* colour blindness, daltonism.

d'altronde *avv.* on the other hand, however.

dama *s.f.* **1** lady (of rank): — *di Corte, d'onore*, lady-in-waiting // — *di carità*, lady visitor // — *di compa-gnia*, (lady) companion **2** (*nel ballo*) partner **3** (*gioco*) draughts (*pl.*); (*amer.*) checkers (*pl.*): *fare —*, to crown.

damascare *v.tr.* to damask.

damascato *agg.* damask (*attr.*).

damaschinare *v.tr.* (*metall.*) to damascene.
damaschino *agg.* Damascene.
Damasco *no.pr.f.* Damascus.
damasco *s.m.* (*tessuto*) damask.
damerino *s.m.* dandy, beau (*pl.* beaux), fop.
damigella *s.f.* damsel; (*di sposa*) bridesmaid.
damigiana *s.f.* demijohn; (*ind. chim.*) carboy.
dammeno *agg.* (*peggiore*) worse (than); (*inferiore*) inferior (to).
Damocle *no.pr.m.* (*st.*) Damocles.
danaro *s.m.* → denaro.
danaroso *agg.* wealthy, rich.
dancing *s.m.* dance hall.
dande *s.f.pl.* leading strings.
danese *agg.* Danish ♦ *s.m.* **1** (*abitante*) Dane **2** (*lingua*) Danish **3** (*cane*) (great) Dane.
Daniele *no.pr.m.* Daniel.
Danimarca *no.pr.f.* Denmark.
dannare *v.tr.* to damn // *far — qlcu.*, (*fam.*) to drive s.o. mad // **-arsi** *v.rifl.* **1** to be* damned, to go* to hell **2** (*affannarsi*) to sweat blood (over sthg., in doing).
dannato *agg.* **1** damned **2** (*fam.*) (*fortissimo*) terrible ♦ *s.m.* damned soul // *i dannati*, the damned ♦ *soffrire come un —*, to suffer hell.
dannazione *s.f.* damnation // *questo allievo è la mia —*, this pupil drives me mad ♦ *inter.* damn!
danneggiare *v.tr.* to damage.
danneggiato *agg.* damaged, injured ♦ *s.m.* (*dir.*) the injured party.
danno *s.m.* **1** damage; (*perdita*) loss: *patire, subire un —*, to suffer damage (*o* a loss); *— diretto*, (*dir.*) immediate damage; *responsabilità per danni*, (*dir.*) liability for damages; *i danni sono valutati a ...*, the damages are estimated to be ...; *condannare al risarcimento dei danni*, (*dir.*) to condemn to pay damages **2** (*a persona*) injury, harm: *nessun — alle persone*, no one was hurt (*o* there were no casualties); *recare — a qlcu.*, to do s.o. harm.
dannosità *s.f.* harmfulness.
dannoso *agg.* harmful, injurious, noxious // *— alla salute*, detrimental to health.
dantesco *agg.* Dantesque, Dantean.
dantista *s.m.* Dante scholar, Dantist.
Danubio *no.pr.m.* Danube.
danza *s.f.* dance; (*il danzare*) dancing: *scuola di — classica*, dance academy.
danzante *agg.* dancing // *tè —*, thé dansant // *serata —*, soirée.
danzare *v.intr.* to dance.
danzatore *s.m.* dancer.
Danzica *no.pr.f.* Danzig.
dappertutto *avv.* everywhere; (*fam.*) all over the place; (*amer.*) all over.
dappiè *avv.* at the foot.
dappiù *agg.* (*migliore*) better (than); (*superiore*) superior (to).
dappocaggine *s.f.* (*inettitudine*) inefficiency.
dappoco *agg.* (*che vale poco*) worthless; (*incapace*) inefficient.
dappresso *avv.* closely.
dapprima *avv.* at first; (*prima di tutto*) first of all.
dapprincipio *avv.* at first, in the beginning.
Dardanelli, i *no.pr.m.pl.* the Dardanelles.
dardeggiare *v.tr.* to dart.
dardo *s.m.* dart; arrow.
dare *v.tr.* **1** to give*: *— una cosa a qlcu.*, to give s.o.

sthg. (*o* sthg. to s.o.); *gli fu dato il permesso di uscire*, was given (*o* granted) permission to go out; *— (d consigli*, to give advice; *— una festa*, to give (*o* throw) party; *— in affitto*, to let // *— ad intendere, a bere qlcu.*, to lead (s.o.) to believe // *— il buon giorno qlcu.*, to wish s.o. good morning // *— alla luce un bar bino*, to give birth to a child // *— il latte*, (*allattare*) nurse // *— le dimissioni*, to resign // *— da pensare qlcu.*, to worry s.o. // *— del ladro a qlcu.*, to call s.o. thief // *— del tu a qlcu.*, to be on familiar (*o* on fir -name) terms with s.o.; *— del lei a qlcu.*, to be on fo mal terms with s.o.; *diamoci del tu!*, let's call each oth by our first names! // *darle a qlcu.*, to beat s.o. **2** (*pr durre*) to yield, to produce **3** (*attribuire*): *non gli si la sua età*, he doesn't look his age ♦ *v.intr.* **1** (*colpire*) hit* (s.o., sthg.): *— nel segno*, (*anche fig.*) to hit th mark // *darci dentro*, (*lavorar sodo*) to work hard sthg.; (*indovinare*) to hit the nail on the head // *— ne l'occhio*, to attract attention // *— ai nervi a qlcu.*, to g on s.o.'s nerves // *— alla testa*, to go to s.o.'s head *— in pianto*, to burst into tears **2** (*urtare*) to bum (into sthg.) **3** (*di casa, porta ecc.*) (*aprirsi*) to look (to sthg.), to open on (to sthg.); (*portare, condurre*) led* (into sthg.): *la porta dava sul cortile*, the door le into the courtyard; *le nostre finestre danno sulla piazz* our windows look on to (*o* open on *o* overlook) th square **4** (*di colore*) (*tendere*) to tend: *un verde che sul blu*, a bluish green // **darsi** *v.rifl.* to devote onese — *allo studio*, to devote oneself to study; *— al bere*, take to drink; *— al gioco*, to take to gambling; *— commercio*, to go into business // *— (per) malato*, swing the lead // *— da fare*, to take pains; (*affacce darsi*) to bustle about // *— prigioniero*, to give onese up (*o* to surrender) // *— per vinto*, to give up // *pu —*, (*o* perhaps): *può — che arrivi prima di me*, he may arrive before me // *si dà il caso che venga a mani*, he happens to be arriving tomorrow // *darsela gambe*, to take to one's heels // *non darsela per inte* to turn a deaf ear (to).
dare *s.m.* debit: *— e avere*, debit and credit.
Dario *no.pr.m.* (*st.*) Darius.
darsena *s.f.* dock.
darvinismo *s.m.* Darwinism.
darvinista *s.m.* Darwinist.
data *s.f.* date: *— di scadenza*, due date; *con la — bianco*, blank dated; *in — odierna*, as of today; *in ora ne di —*, by date; *cambiale a — fissa*, dated bill // *an cizia di vecchia —*, old friendship.
databile *agg.* datable.
datare *v.tr.* to date // *a — da*, as from (*o* beginni from).
datazione *s.f.* dating.
dativo *agg.* e *s.m.* dative.
dato *agg.* given // *date le attuali difficoltà*, consider (*o* in view of) the present difficulties // *— che*, since as) // *— e non concesso che...*, supposing (that)... *s.m.* **1** datum (*pl.* -a) // *dati statistici*, statistics // *— fatto*, fact **2** (*informatica*) data item: *— di composi (IBM) group item; *dati binari*, binary item; *dati da tr vare*, input data; *dati di emissione*, system output; *da di immissione*, system input; *dati inutili*, garbage; *da permanenti*, mater data.
datore *s.m.* giver // *— di lavoro*, employer.
dattero *s.m.* date // *— di mare*, (*zool.*) razor-clam.
dattilografa *s.f.* typist.
dattilografare *v.tr.* to type(write).

dattilografia *s.f.* typing, typewriting.

dattilografico *agg.* typing, typewriting.

dattilografo *s.m.* typist.

dattiloscritto *agg.* typewritten, typed ♦ *s.m.* typescript.

dattorno (a) *avv.* e *locuz.prep.* (a)round, about: *non lo voglio più* —, I don't want him (a)round (*o* about) any longer // *darsi* —, to take trouble // *levarsi* —, to get out of the way; *levarsi qlcu.* —, (*liberarsene*) to get rid of s.o.

davanti *avv.* in front ♦ *agg.* front (*attr.*): *i denti* —, front teeth // *le zampe* —, fore paws ♦ *s.m.* front // **davanti a** *locuz.prep.* **1** in front of; before; (*al cospetto di*) in the presence of: *non osò parlare — a suo padre*, he didn't dare to speak before (*o* in front of *o* in the presence of) his father; *guarda — a te*, look in front of you; *— a Dio, al giudice, ai miei occhi*, before God, the judge, my eyes; *— al pericolo, alla morte*, in the presence of danger, of death // *fuggire — al nemico*, to flee in the face of the enemy **2** (*dirimpetto*) opposite (s.o., sthg.): *la casa — alla scuola*, the house opposite the school.

davantino *s.m.* dickey, dicky.

davanzale *s.m.* windowsill.

Davide *no.pr.m.* David.

davvero *avv.* **1** really, indeed: *sono — simpatici*, they are really nice (*o* they are very nice indeed); *sei — gentile!*, (*anche iron.*) it's very kind of you!; *vi scriverà —?*, will he really write to you? // *— non ti dispiace?*, are you sure you don't mind? // *io non ci vado —*, I'm definitely not going // *dici —?*, are you in earnest? (*o* do you really mean what you say?); *dico —!*, I mean it! // *no —*, (*niente affatto*) not at all; (*neanche per sogno*) not on your life **2** (*nelle risposte*) (*sì certo*) of course; (*per esprimere meraviglia*) really.

daziario *agg.* toll (*attr.*), excise (*attr.*).

daziere *s.m.* exciseman (*pl.* -men).

dazio *s.m.* **1** (*imposta*) toll: *pagare il — per qlco.*, to pay toll on sthg. **2** (*ufficio daziario*) tollhouse // *il Dazio*, the Excise.

dea *s.f.* goddess.

deambulazione *s.f.* walking.

debbio *s.m.* (*agr.*) burn-beating.

debellare *v.tr.* to defeat, to overcome* (*anche fig.*).

debilitante *agg.* debilitating.

debilitare *v.tr.* to debilitate.

debilitazione *s.f.* debilitation.

debitamente *avv.* duly, properly.

debito[1] *agg.* due, proper // *a tempo* —, in due time.

debito[2] *s.m.* **1** debt: *— a breve termine*, short-term debt; *— a lungo termine*, long-term debt; *— consolidato*, consolidated debt; *— garantito*, secured debt; *— inesigibile*, bad debt; *— ipotecario*, mortgage debt; *— privilegiato*, privileged debt; *— pubblico*, national debt; *essere in — di qlco. verso qlcu.*, to owe s.o. sthg.; (*fig.*) to be indebted to s.o.; *fare debiti*, to run into debt; *segnare una somma a — di qlcu.*, to debit s.o. with an amount; *soddisfare un —*, to discharge a debt // *— d'onore, di gioco*, debt of honour **2** (*dovere, obbligo*) duty: *mi faccio un — di avvertirvi*, I consider it my duty to warn you.

debitore *s.m.* debtor // *essere — di qlco. verso qlcu.*, to owe s.o. sthg.

debole *agg.* weak (*anche fig.*), feeble (*anche fig.*); (*di luce, suono*) faint: *luce* —, faint light; *vista* —, weak sight; *essere — di cuore*, to have a bad heart; *carattere* —, weak character; *è — in matematica*, he is weak in mathematics // *il sesso* —, the weaker sex ♦ *s.m.* **1** weak person **2** (*punto debole*) weak point **3** (*preferenza*) weakness, partiality // *avere un — per qlcu.*, to have a liking for s.o.

debolezza *s.f.* weakness (*anche fig.*), feebleness (*anche fig.*); (*di luce, suono*) faintness.

debolmente *avv.* weakly, feebly; faintly.

debordare *v.intr.* to overflow.

debosciato *agg.* debauched ♦ *s.m.* debauchee.

debuttante *s.m.* debutant ♦ *s.f.* debutante; (*fam.*) deb.

debuttare *v.intr.* **1** to make* one's debut **2** (*in società*) to come* out.

debutto *s.m.* debut; (*in società*) coming out.

deca- *pref.* deca-, dec-.

decade *s.f.* decade; (*dieci giorni*) ten days.

decadente *agg.* **1** decaying (*attr.*) **2** (*lett.*) decadent.

decadentismo *s.m.* (*lett.*) decadentism.

decadenza *s.f.* **1** decline **2** (*arte lett.*) decadence **3** (*dir.*) forfeiture, loss.

decadere *v.intr.* **1** to decline; (*socialmente*) to come* down **2** *— da un diritto*, to lose (*o* to forfeit) a right.

decadimento *s.m.* decay (*anche fis.*).

decaduto *agg.* **1** impoverished **2** (*dir.*) forfeited, lapsed.

decaffeinizzare *v.tr.* to decaffeinate.

decaffeinizzato *agg.* decaffeinated.

decagrammo *s.m.* decagram(me).

decalcare *v.tr.* to transfer.

decalcificare *v.tr.* to decalcify // **-arsi** *v.intr.pron.* to become* decalcified.

decalcificazione *s.f.* decalcification.

decalcomania *s.f.* transfer.

decalitro *s.m.* decalitre; (*amer.*) decaliter.

decalogo *s.m.* decalogue.

decametro *s.m.* decametre; (*amer.*) decameter.

decampare *v.intr.* to decamp.

decanare[1] *v.tr.* to extol, to praise.

decanare[2] *v.tr.* (*chim.*) to decant.

decantazione *s.f.* (*chim.*) decantation.

decapitare *v.tr.* to behead, to decapitate.

decapitazione *s.f.* beheading, decapitation.

decappottabile *agg.* e *s.f.* (*aut.*) convertible.

decappottare *v.tr.* (*aut.*) to fold the top back.

decasillabo *agg.* (*metrica*) decasyllabic ♦ *s.m.* decasyllable.

decathlon *s.m.* decathlon.

decatissaggio *s.m.* (*ind. tessile*) decatizing.

decedere *v.intr.* to die.

deceduto *agg.* dead, deceased.

decelerare *v.tr.* to decelerate, to slow down.

decelerazione *s.f.* deceleration.

decemviro *s.m.* (*st. romana*) decemvir.

decennale *agg.* decennial ♦ *s.m.* tenth anniversary; (*amer.*) decennial.

decenne *agg.* ten (years old) (*pred.*); ten-year-old (*attr.*) ♦ *s.m.* ten-year-old boy ♦ *s.f.* ten-year-old girl.

decennio *s.m.* (period of) ten years, decade.

decente *agg.* decent.

decentralizzazione *s.f.* decentralization.

decentramento *s.m.* decentralization.

decentrare *v.tr.* to decentralize.

decenza *s.f.* decency, propriety, decorum.

decesso *s.m.* death, decease: *atto di —*, (*dir.*) death certificate.

deci- *pref.* deci-.

decidere *v.tr.* e *intr.* to decide, to determine: — *di fare qlco.*, to decide to do sthg.: *che cosa hai deciso?*, what have you decided?; *ho deciso di partire domani*, I have decided to leave tomorrow; — *lo sciopero*, to decide on a strike // — *una questione una volta per sempre*, to settle a question once for all // **-ersi** *v.intr.pron.* to make* up one's mind; (*indursi*) to bring* oneself: *non so decidermi ad andare così lontano*, I can't bring myself to go so far away.

decifrabile *agg.* decipherable.

decifrare *v.tr.* **1** to decipher; (*fam.*) to make* out **2** (*lettera, telegramma cifrato*) to decode **3** (*informatica*) to decode.

decigrammo *s.m.* decigram(me).

decilitro *s.m.* decilitre.

decima *s.f.* (*st.*) tithe: — *in natura*, tithe in kind.

decimale *agg.* decimal.

decimare *v.tr.* to decimate.

decimazione *s.f.* decimation.

decimetro *s.m.* decimetre.

decimo *agg.num.ord.* e *s.m.* tenth.

decimoprimo, decimosecondo *ecc. agg.num.ord.* → **undicesimo, dodicesimo** *ecc.*

decina *s.f.* **1** (*dieci*) ten: *a decine*, in tens **2** (*circa dieci*) about ten.

decisamente *avv.* **1** decidedly **2** (*risolutamente*) resolutely.

decisionale *agg.* decision-making (*attr.*): *capacità* —, ability to make decisions.

decisione *s.f.* decision.

decisivo *agg.* decisive // *voto* —, casting vote.

deciso *agg.* **1** decided, resolute // *essere* — *a tutto*, to be ready for anything **2** (*definito*) decided, settled.

declamare *v.tr.* e *intr.* to declaim.

declamatorio *agg.* declamatory; (*enfatico*) ranting, bombastic.

declamazione *s.f.* declamation.

declassare *v.tr.* (*ferr.*) to declass.

declinabile *agg.* (*gramm.*) declinable.

declinare *v.tr.* to decline // — *le proprie generalità*, to give one's (personal) particulars ♦ *v.intr.* **1** (*del sole*) to set* **2** (*degradare*) to slope down **3** (*scemare*) to decline, to wane **4** (*deviare*) to deviate.

declinazione *s.f.* **1** (*astr. fis.*) declination // — *nord, sud*, northing, southing **2** (*gramm.*) declension.

declino *s.m.* decline // *essere in* —, to be on the way out (*o* on the decline).

declivio *s.m.* declivity, slope.

decodificare *v.tr.* to decode.

decodificazione *s.f.* (*informatica*) code conversion.

decollare *v.intr.* (*aer.*) to take* off.

decollazione *s.f.* beheading, decollation.

decollo *s.m.* (*aer.*) takeoff: *pista di* —, take-off runway.

decolorante *agg.* decolo(u)rizing, bleaching ♦ *s.m.* decolorant, bleach®.

decolorare *v.tr.* to decolo(u)r, to bleach.

decolorazione *s.f.* decolo(u)rizing, bleaching: — *dei capelli*, (hair) bleaching.

decomporre *v.tr.*, **decomporsi** *v.intr.pron.* to decompose.

decomposizione *s.f.* decomposition.

decomposto *agg.* decomposed.

decompressione *s.f.* decompression.

decongelare *v.tr.* to defrost.

decongestionante *agg.* decongestant.

decongestionare *v.tr.* to decongest.

decorare *v.tr.* to decorate // *fu decorato al valor militare*, he was decorated for valour // *fu decorato di medaglia d'oro*, he was awarded a gold medal.

decorativo *agg.* decorative.

decorato *agg.* decorated ♦ *s.m.* holder of decoration.

decoratore *s.m.* decorator.

decorazione *s.f.* **1** decoration, ornament **2** (*medaglia*) decoration, medal.

decoro *s.m.* **1** decorum; (*dignità*) dignity: *il — del proprio rango*, the dignity of one's rank **2** (*vanto*) honour; (*orgoglio*) pride.

decoroso *agg.* decorous, proper.

decorrenza *s.f.* (*comm.*): *con — dal 3 marzo...*, beginning from (*o* as from) 3rd March...

decorrere *v.intr.* **1** (*trascorrere*) to pass, to elapse // *a — da*, beginning from **2** (*cominciare ad avere effetto*) to run*, to have* effect // *gli interessi decorrono dal primo del mese*, (*comm.*) interest is reckoned as from the first of the month.

decorso *s.m.* **1** (*il passare*) passing **2** (*periodo*) period, lapse **3** (*svolgimento*) course: *il — della malattia*, the course of the illness.

decotto *s.m.* decoction.

decrepitezza *s.f.* decrepitude.

decrepito *agg.* decrepit.

decrescente *agg.* decreasing // *la luna è in fase —*, the moon is waning.

decrescenza *s.f.* decrease, diminution.

decrescere *v.intr.* to decrease; (*della luna*) to wane // *la marea decresce*, the tide is ebbing.

decretare *v.tr.* **1** to decree, to ordain **2** (*concedere*) to award, to confer: *gli decretarono i massimi onori*, they conferred the greatest honours upon him.

decreto *s.m.* decree; (*dir.*) writ: — *di amnistia*, amnesty decree; — *di ingiunzione*, writ of injunction // — *legge*, Order in Council // — *penale*, judgement (*o* decision).

decubito *s.m.* (*med.*) decubitus // *piaga da* —, bedsore.

decuplicare *v.tr.* to decuple, to multiply by ten.

decuplo *agg.* decuple, tenfold ♦ *s.m.* decuple; ten times as much (as); (*con s. pl.*) ten times as many (as).

decurtare *v.tr.* to reduce, to curtail.

decurtazione *s.f.* reduction, curtailment.

dedalo *s.m.* labyrinth, maze.

Dedalo *no.pr.m.* (*mit.*) Daedalus.

dedica *s.f.* dedication.

dedicare *v.tr.* **1** to dedicate **2** (*consacrare*) to devote // **-arsi** *v.rifl.* to devote oneself.

dedicatorio *agg.* dedicatory.

dedicazione *s.f.* dedication.

dedito *agg.* **1** given up, devoted **2** (*a vizio*) addicted.

dedizione *s.f.* **1** devotion: — *al lavoro*, devotion to work **2** (*resa*) surrender.

deducibile *agg.* **1** deducible **2** (*detraibile*) deductible: *queste spese non sono deducibili*, these expenses cannot be deducted.

dedurre *v.tr.* **1** (*desumere*) to deduce, to infer **2** (*defalcare*) to deduct, to subtract // *dedotto il 2%*, off (*o* less) 2%.

deduttivo *agg.* deductive.

deduzione *s.f.* (*mat. fil.*) deduction: *con la — di, fatta — di*, after deduction of; *la — fu di 5000 lire*, the amount deducted was 5000 lire.

defalcare *v.tr.* to deduct, to subtract.

defalco *s.m.* deduction.

defecare *v.intr.* to defecate ♦ *v.tr.* (*chim.*) to clarify.

defecazione *s.f.* 1 defecation 2 (*chim.*) clarification.

defenestrare *v.tr.* 1 to throw* (s.o.) out of the window 2 (*licenziare*) to oust from office.

defenestrazione *s.f.* 1 (*il gettar dalla finestra*) defenestration 2 (*fig.*) dismissal.

deferente *agg.* 1 deferential, respectful 2 (*anat.*) deferent.

deferenza *s.f.* deference, respect.

deferimento *s.m.* (*dir.*) remittal; (*denuncia*) committal.

deferire *v.tr.* to submit // — *qlco. all'autorità giudiziaria*, to report s.o. to the police // *fu deferito al tribunale*, he was committed for trial.

defezionare *v.intr.* to desert.

defezione *s.f.* 1 defection 2 (*mil.*) desertion.

deficiente *agg.* 1 (*manchevole*) deficient; (*insufficiente*) insufficient; (*insoddisfacente*) unsatisfactory 2 (*med.*) mentally deficient ♦ *s.m.* e *f.* 1 (*med.*) mental deficient 2 (*fam.*) half-wit, moron.

deficienza *s.f.* 1 deficiency, lack; (*scarsità*) shortage 2 (*idiozia*) mental deficiency.

deficit *s.m.* (*comm.*) deficit.

deficitario *agg.* showing a deficit: *bilancio* —, debit balance.

defilare *v.tr.* (*mil.*) to move out of range // **-arsi** *v.rifl.* (*fam.*) to clear out rapidly.

definibile *agg.* definable.

definire *v.tr.* 1 to define 2 (*controversia ecc.*) to settle.

definitiva, in *locuz.avv.* (*dopo tutto*) after all; (*in conclusione, insomma*) to come* to the point.

definitivamente *avv.* once and for all, definitively, for good.

definitivo *agg.* definitive, final.

definito *agg.* definite // *non ben* —, vague.

definizione *s.f.* 1 definition 2 (*risoluzione*) settlement.

deflagrazione *s.f.* deflagration.

deflazionare *v.tr.* e *intr.* (*econ.*) to deflate.

deflazione *s.f.* (*econ.*) deflation.

deflazionistico *agg.* deflationary.

deflessione *s.f.* deflection; (*fig.*) deviation.

deflettere *v.intr.* to deflect, to deviate (*anche fig.*).

deflettore *s.m.* 1 deflector; (*mecc.*) baffle 2 (*di auto*) quarter vent: — *anteriore, posteriore*, front, rear quarter vent.

deflorare *v.tr.* to deflower.

deflorazione *s.f.* defloration.

defluire *v.intr.* to flow down; (*fig.*) to pour (out of sthg.).

deflusso *s.m.* 1 downflow; (*di marea*) ebb (tide); (*di onda*) undertow 2 (*fig.*) flow.

defoliante *agg.* defoliant.

deformante *agg.* deforming, distorting (*anche fig.*).

deformare *v.tr.* 1 to deform; (*legname*) to warp 2 (*fig.*) to distort, to warp // **-arsi** *v.intr.pron.* 1 to become* deformed; (*di legname*) to warp; (*perder forma*) to lose* one's shape 2 (*fig.*) to warp.

deformazione *s.f.* deformation, distortion (*anche fig.*).

deforme *agg.* deformed; (*brutto*) hideous.

deformità *s.f.* deformity.

defraudare *v.tr.* to defraud; (*fam.*) to cheat: — *qlcu. di qlco.*, to defraud s.o. of sthg. (*o* to cheat s.o. out of sthg.).

defunto *agg.* dead, late (*attr.*): *il mio* — *marito*, my late husband ♦ *s.m.* dead person; (*dir.*) deceased // *i defunti*, the dead.

degenerare *v.intr.* to degenerate (*anche fig.*).

degenerativo *agg.* degenerative.

degenerato *agg.* e *s.m.* degenerate.

degenerazione *s.f.* degeneration.

degenere *agg.* degenerate.

degente *agg.* bedridden ♦ *s.m.* e *f.* patient.

degenza *s.f.* 1 time in bed 2 (*in ospedale*) stay in hospital.

degli *prep.art.m.pl.* of the → **di**.

deglutire *v.tr.* to swallow.

deglutizione *s.f.* swallowing.

degnare *v.tr.* to deign, to deem worthy, to consider worthy: *non lo degnai d'una risposta*, I didn't deign to give him an answer (*o* I didn't consider him worthy of an answer) // **-arsi** *v.rifl.* to condescend // *degnatevi di rispondermi!*, be so kind as to answer me!

degnazione *s.f.* condescension // *avere un'aria di*—, to have a condescending air.

degno *agg.* worthy; (*meritevole*) deserving: — *di fiducia, di lode, di nota*, trustworthy, praiseworthy, noteworthy; — *di pietà, pitiable*; — *di essere citato*, worth mentioning; *è un uomo* —, he is a worthy man; *questo non è* — *di te*, this is unlike (*o* unworthy of) you // *non è* — *di allacciargli le scarpe*, he is not fit to tie his shoelaces.

degradabile *agg.* degradable.

degradante *agg.* degrading (*anche fig.*).

degradare *v.tr.* to degrade // **-arsi** *v.intr.pron.* to degrade oneself.

degradazione *s.f.* degradation.

degrado *s.m.* deterioration, decay, decline: *il* — *del territorio*, the decline of the region.

degustare *v.tr.* to taste.

degustazione *s.f.* tasting.

deh *inter.* for pity's sake!

dei *prep.art.m.pl.* of the → **di**.

deicida *s.m.* deicide.

deicidio *s.m.* deicide.

deiezione *s.f.* (*geol.*) detritus: *cono di*—, talus (*o* alluvial) cone.

deificare *v.tr.* to deify.

deindicizzare *v.tr.* to cease index-linking.

deindicizzazione *s.f.* the cessation of index-linking: — *degli affitti*, the cessation of the index-linking of rents.

deiscente *agg.* (*bot.*) dehiscent.

deismo *s.m.* (*fil.*) deism.

del *prep.art.m.sing.* of the → **di**.

delatore *s.m.* informer; (*dir.*) delator.

delazione *s.f.* tip-off; (*dir.*) delation.

delega *s.f.* 1 delegation 2 (*procura*) proxy; (*procura legale*) power of attorney: *per* —, by proxy.

delegare *v.tr.* to delegate.

delegato *agg.* delegated ♦ *s.m.* delegate.

delegazione *s.f.* 1 delegation 2 (*territorio*) area.

deleterio *agg.* harmful, deleterious.

delfino[1] *s.m.* 1 dolphin 2 (*nuoto*) (butterfly) dolphin.

delfino[2] *s.m.* 1 (*st. francese*) dauphin 2 (*fig.*) heir.

delibera *s.f.* resolution, decision.

deliberare *v.tr.* e *intr.* 1 to deliberate: *l'assemblea sta deliberando*, the assembly is deliberating; — *su qlco.*, to deliberate on sthg. (*o* to discuss sthg.) 2 (*decidere*) to decide: — *il da farsi*, to decide what to do ♦ *v.tr.* (*aggiudicare*) to knock down.

deliberatamente *avv.* deliberately.

deliberativo *agg.* deliberative.

deliberato *agg.* (*deciso, risoluto*) determined, resolved, resolute ♦ *s.m.* decision, resolution.

deliberazione *s.f.* 1 deliberation, decision: *per* — *del Parlamento*, by deliberation (*o* decision) of Parliament;

prendere una —, to take a decision **2** (*discussione*) discussion: *prendere parte a una* —, to take part in a discussion.

delicatezza *s.f.* **1** delicacy; (*di colori*) softness **2** *pl.* (*cibi*) delicacies **3** *pl.* (*lussi*) luxuries.

delicato *agg.* delicate (*anche fig.*); (*di colori*) soft // *gusti delicati*, refined tastes // *avere la mano delicata*, to have a light touch.

delimitare *v.tr.* to delimit; to define (*anche fig.*).

delimitatore *s.m.*: — *di carattere*, (*informatica*) character boundary.

delimitazione *s.f.* **1** delimitation **2** (*informatica*) definition: — *di campo*, field definition; — *di registrazione*, record mark.

delineare *v.tr.* to sketch; (*fig.*) to outline // *-arsi v. intr.pron.* **1** to stand* out, to show* (up); (*indistintamente*) to loom **2** (*fig.*) to seem, to appear.

delineato *agg.* definite, clear, well-defined.

delinquente *s.m.* criminal // *giovani delinquenti*, juvenile delinquents **2** (*fam.*) scoundrel.

delinquenza *s.f.* criminality // — *minorile*, juvenile delinquency.

delinquere *v.intr.* to commit a crime // *associazione a* —, (*dir.*) criminal conspiracy; (*fam.*) gang.

deliquio *s.m.* swoon, fainting fit: *cadere in* —, to faint (*o* to swoon).

delirare *v.intr.* to rave (*anche fig.*); to be* delirious // *sta delirando*, his mind is wandering.

delirio *s.m.* delirium; frenzy (*anche fig.*): — *febbrile*, delirious fever; *il pubblico era in* —, the audience was in a frenzy.

delitto *s.m.* (*dir.*) crime (*anche fig.*); (*grave*) felony; (*meno grave*) misdemeanour: *incolpare di un* —, to charge with a crime; *correo in un* —, accessory to a crime; — *capitale*, capital offence (*o* crime); — *contro l'ordine pubblico*, breach of the peace // — *d'onore*, crime of honour // *corpo del* —, corpus delicti.

delittuoso *agg.* criminal.

delizia *s.f.* delight: *con mia grande* —, to my great delight // *suona che è una* —, she plays delightfully.

deliziare *v.tr.* to delight // *-arsi v.rifl.* to delight (in sthg., in doing), to take* pleasure (in sthg., in doing).

delizioso *agg.* **1** delightful; (*incantevole*) charming **2** (*di sapore, profumo*) delicious.

della *prep.art.f.sing.* of the → **di**.

delle *prep.art.f.pl.* of the → **di**.

dello *prep.art.m.sing.* of the → **di**.

delta *s.m.* **1** delta **2** (*lettera dell'alfabeto greco*) delta.

deltaplano *s.m.* **1** (*apparecchio*) hang glider **2** (*sport*) hang gliding.

deltizio *agg.* (*geogr.*) delta (*attr.*), deltaic.

delucidare e *deriv.* → **dilucidare** e *deriv.*

deludere *v.tr.* to disappoint.

delusione *s.f.* disappointment.

deluso *agg.* disappointed; (*frustrato*) frustrated.

demagogia *s.f.* demagogy.

demagogico *agg.* demagogic(al).

demagogo *s.m.* demagogue.

demandare *v.tr.* (*dir.*) to submit (a case) to a court.

demaniale *agg.* State (*attr.*).

demanio *s.m.* State property.

demarcare *v.tr.* to mark.

demarcazione *s.f.* demarcation.

demente *agg.* insane, mad // *s.m.* lunatic, madman (*pl.* -men) ♦ *s.f.* lunatic, madwoman (*pl.* -women).

demenza *s.f.* insanity, madness; (*med.*) dementia.

demeritare *v.tr.* (*non meritare più*) to forfeit ♦ *v.int.* (*rendersi indegno*) to become* unworthy.

demerito *s.m.* demerit.

demilitarizzare *v.tr.* to demilitarize.

demiurgo *s.m.* (*fil.*) demiurge.

democraticità *s.f.* democratic spirit.

democratico *agg.* democratic ♦ *s.m.* democrat.

democratizzare *v.tr.* to democratize.

democrazia *s.f.* democracy.

democristiano *agg.* (*pol.*) Christian democratic ♦ *s.m.* Christian democrat.

demografia *s.f.* demography.

demografico *agg.* demographic.

demolire *v.tr.* **1** to demolish, to pull down **2** (*fig.*) to demolish, to tear* to pieces.

demolitore *agg.* destroying ♦ *s.m.* destroyer.

demolizione *s.f.* demolition (*anche fig.*), destruction.

demoltiplicare *v.tr.* (*mecc.*) to gear down.

demone *s.m.* demon, devil; (*spec. mit.*) daemon.

demoniaco *agg.* demoniacal.

demonio *s.m.* devil: *questo ragazzo è un* —, this boy is a little devil.

demonismo *s.m.* (*fil.*) demonism.

demoralizzare *v.tr.* to demoralize, to dishearten // *-arsi v.rifl.* to lose* heart.

demoralizzazione *s.f.* demoralization.

Demostene *no.pr.m.* (*st.lett.*) Demosthenes.

denaro *s.m.* **1** money (*solo sing.*): — *liquido*, ready cash (*o* money); *un po' di* —, a little money // *far* —, to make money // *il tempo è* —, (*prov.*) time is money (*st. romana*) denarius (*pl.* denarii).

denatalità *s.f.* fall in the birthrate.

denaturare *v.tr.* (*chim.*) to denature.

denaturato *agg.* (*chim.*) denatured.

denaturazione *s.f.* (*chim.*) denaturation.

denicotinizzare *v.tr.* to denicotinize.

denigrare *v.tr.* to disparage, to denigrate; (*fam.*) to run* down; (*parlar male*) to speak* ill (of s.o., sthg.).

denigratore *s.m.* detractor, denigrator.

denigratorio *agg.* disparaging, denigrating.

denigrazione *s.f.* disparagement, denigration.

denominare *v.tr.* to name, to call.

denominatore *s.m.* (*mat.*) denominator: *comun* — (*anche fig.*) common denominator.

denominazione *s.f.* denomination; (*nome*) name.

denotare *v.tr.* to denote, to indicate, to show*.

densimetro *s.m.* (*fis.*) hydrometer, densimeter.

densità *s.f.* **1** density; (*spessore*) thickness // — *di caratteri*, (*informatica*) character density **2** (*fis.*) density.

denso *agg.* dense; (*spesso*) thick: *nebbia densa*, dense (*o* thick) fog // *un libro* — *di idee*, a book packed with ideas.

dentale *s.f.* dental (consonant).

dentario *agg.* dental; tooth (*attr.*): *carie dentaria*, tooth decay.

dentata *s.f.* bite.

dentato *agg.* **1** toothed **2** (*bot.*) dentate **3** (*mecc.*) toothed; (*a sega*) serrated.

dentatura *s.f.* **1** set of teeth **2** (*mecc.*) toothing.

dente *s.m.* **1** tooth (*pl.* teeth): *denti incisivi, canini, molari*, incisors, canines, molars; — *di latte*, milktooth; *denti sporgenti*, buckteeth; *senza denti*, toothless; *farsi cavare un* —, to have a tooth out; *mettere i denti*, to cut one's teeth; *il bambino sta mettendo i denti*, the child is teething // *sorriso a denti stretti*, forced (

ight-lipped) smile // *non è pane per i miei denti, (non fa per me)* it is not my cup of tea; *non è pane per i tuoi denti, (è superiore alle tue possibilità)* you are biting off more than you can chew // *avere il — avvelenato con-ro qlcu.,* to have it in for s.o. // *essere armato fino ai denti,* to be armed to the teeth // *lottare con le unghie e oi denti,* to fight tooth and nail // *mostrare i denti,* to show one's teeth // *non aver nulla da mettere sotto i denti,* not to have a bite to eat // *parlare fra i denti,* to mumble (*o* to say sth. between one's teeth) // *stringe-e i denti,* to set one's teeth // *fuori il —, via il dolore,* remedy is the best cure // *al —,* underdone **2** (*oggetto a forma di dente*) tooth; (*di montagna*) jag; (*di ancora*) fluke; (*di ruota*) cog; (*di forchetta*) prong; (*di pettine, di ega*) tooth: *— di arresto, (mecc.)* pawl (*o* catch); *— di nnesto, (mecc.)* clutch claw.

dentellare *v.tr.* to indent, to notch.

dentellato *agg.* indented, notched.

dentellatura *s.f.* **1** indentation; (*a denti di sega*) ser-ration **2** (*filatelia*) perforation.

dentello *s.m.* tooth; (*tacca*) indent, notch.

dentice *s.m.* (*zool.*) dentex.

dentiera *s.f.* denture.

dentifricio *agg.* tooth (*attr.*) ♦ *s.m.* toothpaste; (*in pol-vere*) tooth powder; (*liquido*) mouth wash.

dentina *s.f.* dentine.

dentista *s.m. e f.* dentist.

dentistico *agg.* dental // *gabinetto —,* dentist's surgery.

dentizione *s.f.* dentition, teething.

dentro *avv.* **1** in; (*all'interno*) inside: *qui —,* in(side) here; *— e fuori,* in(side) and out(side); *venite —!,* come in! (*o* come inside!) // *andar —, (in prigione)* to go in-side; *ha passato — tre anni,* he did time for three years **2** (*fig.*) (*interiormente*) inwardly ♦ *prep.* **1** (*al-l'interno di*) in, inside; (*entro*) within: *— casa,* indoors; *— la casa,* in (*o* inside) the house; *— (al)le mura,* within the walls // *— di me pensai che...,* I thought to myself that... **2** (*riferito a tempo*) in, within: *— un mese,* in (*o* within) a month ♦ *s.m.* inside // **di dentro** *locuz.avv.* inside // **in dentro** *locuz.avv.* inwards.

denudare *v.tr.* to denude (*anche fig.*); (*scoprire*) to un-cover, to lay* bare // **-arsi** *v.rifl.* to strip, to undress.

denuncia, denunzia *s.f.* **1** charge, indictment **2** (*di-chiarazione*) declaration, statement // *— dei redditi,* in-come-tax return **3** (*di trattato*) denunciation.

denunciare, denunziare *v.tr.* **1** (*nascite, furti ecc.*) to report; (*alla dogana*) to declare: *l'ha denunciato un vici-no di casa,* one of his neighbours reported him to the police **2** (*manifestare*) to show* **3** (*un trattato*) to de-nounce.

denutrito *agg.* undernourished, underfed.

denutrizione *s.f.* undernourishment.

deodorante *agg.* deodorizing ♦ *s.m.* deodorant, deo-dorizer.

deodorare *v.tr.* to deodorize.

depauperamento *s.m.* impoverishment.

depauperare *v.tr.* to impoverish.

depenalizzare *v.tr.* to decriminalise.

depennare *v.tr.* to cross out, to strike* off.

deperibile *agg.* perishable: *merce —,* perishables (*pl.*).

deperimento *s.m.* **1** (*organico*) run-down condi-tion **2** (*di merci*) deterioration.

deperire *v.intr.* **1** to get* run-down: *è così deperito in questi ultimi tempi,* he looks so run-down recently **2** (*deteriorarsi*) to deteriorate.

depilare *v.tr.* to depilate.

depilatorio *agg.* depilatory, hair-removing (*attr.*): *cre-ma depilatoria,* depilatory cream ♦ *s.m.* hair remover, depilatory.

depilazione *s.f.* hair removal, depilation.

deplorare *v.tr.* **1** to deplore, to disapprove (of sth.): *è impossibile non — il suo modo di agire,* it's impossible not to disapprove of his way of acting **2** (*dolersi di, lamentare*) to be* grieved (at sth.), to mourn // *non si deplorano vittime,* there are no casualties.

deplorazione *s.f.* **1** (*disapprovazione*) disapproval **2** (*compianto*) lamentation, regret.

deplorevole *agg.* **1** (*biasimevole*) blameworthy, rep-rehensible: *condotta —,* reprehensible conduct **2** (*da compiangere*) deplorable, lamentable: *vivere in condi-zioni deplorevoli,* to live in deplorable conditions.

deponente *agg.* (*gramm.*) deponent ♦ *s.m.* (*dir.*) wit-ness, deponent.

deporre *v.tr.* **1** to put* (down), to lay* (down); (*met-tere da parte*) to lay* aside (*anche fig.*): *— un'idea,* to lay aside an idea; *— il proprio orgoglio,* to pocket one's pride // *— qlcu da una carica,* to remove s.o. from (an) office // *— un re,* to depose a king // *— le uova,* to lay eggs **2** (*dir.*) to witness, to bear* witness, to give* evi-dence // *questo non depone a tuo favore!,* this is not to your credit! (*o* this doesn't speak in your favour!).

deportare *v.tr.* to deport.

deportato *agg.* deported ♦ *s.m.* deportee.

deportazione *s.f.* deportation.

depositante *agg.* depositing ♦ *s.m.* depositor.

depositare *v.tr.* to deposit, to lodge, to file; (*immagaz-zinare*) to store; (*al guardaroba*) to leave*: *— il bilancio in tribunale,* to file a balance sheet in court; *depositerò la valigia alla stazione,* I'll leave my case at the left lug-gage (office) in the station.

depositario *agg.* depositary ♦ *s.m.* **1** (*comm.*) deposi-tary, trustee; (*in fallimento*) bailee; (*amer.*) trustee **2** (*confidente*) repository.

deposito *s.m.* **1** deposit: *— cauzionale,* guarantee de-posit; *— in conto corrente,* demand deposit; *— a ri-sparmio,* saving deposit; *— a termine,* time deposit; *— a tre mesi,* 90-day deposit; *— vincolato,* deposit time; *cassa depositi e prestiti,* deposit and consignment office; *denaro in —,* money on deposit // *avere qlco. in —,* to have sth. in trust // *dare qlco. in — a qlcu.,* to commit sth. to s.o.'s trust **2** (*il depositare*) depositing, storing, storage **3** (*luogo in cui si deposita*) warehouse, store-(house) // *— bagagli, (ferr.)* left luggage office; (*amer.*) checkroom (*o* baggage room) // *— delle locomo-tive, (ferr.)* engine shed // *— materiali,* stock yard // *— militare,* depot **4** (*sedimento*) deposit, sediment, dregs (*pl.*).

deposizione *s.f.* **1** deposition // *la Deposizione, (di Cristo)* the Deposition (from the Cross) **2** (*dir.*) depo-sition, evidence: *fare una —,* to give evidence.

depravato *agg.* depraved, corrupt ♦ *s.m.* corrupt man (*pl.* men).

depravazione *s.f.* depravation.

deprecabile *agg.* **1** blamable **2** (*spiacevole*) un-pleasant.

deprecare *v.tr.* to deprecate.

deprecativo *agg.* deprecatory, deprecative.

deprecazione *s.f.* deprecation.

depredare *v.tr.* to plunder, to pillage.

depressione *s.f.* depression // *essere in uno stato di —,* to be in low spirits.

depressivo *agg.* depressive.

depresso *agg.* depressed // *aree, zone depresse*, depressed (*o* underdeveloped) areas.

deprezzamento *s.m.* depreciation: — *del valore della moneta*, depreciation (*o* fall) in the value of money.

deprezzare *v.tr.* to depreciate.

deprimente *agg.* depressing.

deprimere *v.tr.* to depress (*anche fig.*).

depurare *v.tr.* to purify, to depurate // *—il gas*, to scrub gas.

depurativo *agg.* purifying, depurative.

depuratore *s.m.* purifier, depurator; (*mecc.*) cleaner // *— ad acqua*, (*chim.*) washer // *— per gas*, scrubber.

depurazione *s.f.* depuration, purification; (*chim.*) washing *— del gas*, (gas) scrubbing.

deputare *v.tr.* to depute, to delegate.

deputata *s.f.* (woman) deputy; (*in Gran Bretagna*) (woman) Member of Parliament; (*negli Stati Uniti*) Congresswoman (*pl.* -women).

deputato *s.m.* **1** (*pol.*) deputy; (*in Gran Bretagna*) Member of Parliament; (*negli Stati Uniti*) representative, Congressman (*pl.* -men) **2** (*delegato*) deputy, delegate, representative.

deputazione *s.f.* deputation; (*delegazione*) delegation // *— di Borsa*, Exchange syndical chamber.

dequalificare *v.tr.* **1** (*peggiorare la qualità*) to lower the quality (of) **2** (*ridurre la professionalità di qlco., qlcu.*) to reduce the professional standing (of).

dequalificato *agg.* **1** of lower quality, of inferior quality **2** unskilled, not requiring professional qualification.

dequalificazione *s.f.* deterioration: — *dei servizi*, deterioration of services; — *professionale*, professional downgrading.

deragliamento *s.m.* derailment.

deragliare *v.intr.* to go* off the rails // *far — un treno*, to derail a train.

derapaggio *s.m.* (*aut.*) skid, skidding; (*mar.*) dragging.

derapare *v.intr.* **1** (*aut.*) to skid **2** (*mar.*) to drag anchor.

derattizzazione *s.f.* de-ratting.

derelitto *agg.* forlorn, wretched, forsaken ♦ *s.m.* down-and-out // *un povero —*, a helpless wretch (*o* a down-and-out).

deretano *s.m.* buttocks (*pl.*); (*fam.*) bottom.

deridere *v.tr.* to laugh (at s.o., sthg.), to mock.

derisione *s.f.* mockery, ridicule, derision.

derisorio *agg.* mocking, derisory, derisive.

deriva *s.f.* **1** (*mar. aer.*) (*deviazione dalla rotta*) drift // *alla —*, (*mar.*) adrift: *andare alla —*, (*anche fig.*) to drift **2** (*mar.*) (*prolungamento della chiglia*) keel; (*aer.*) (*piano verticale della coda*) fin // *— mobile*, centreboard.

derivare¹ *v.intr.* (*provenire*) to derive, to come* **2** (*risultare*) to result, to ensue, to follow ♦ *v.tr.* **1** (*sviare la corrente*) to divert **2** (*far provenire*) to derive **3** (*elettr.*) to shunt.

derivare² *v.intr.* (*mar. aer.*) to drift.

derivata *s.f.* (*mat.*) derivative.

derivato *s.m.* **1** (*chim.*) derivative **2** (*sottoprodotto*) by-product: *i derivati del nylon*, the by-products of nylon.

derivazione *s.f.* **1** derivation **2** (*elettr.*) shunt.

derma *s.m.* (*anat.*) derm, derma.

dermatite *s.f.* (*med.*) dermatitis.

dermatologo *s.m.* dermatologist.

dermatosi *s.f.* (*med.*) dermatosis.

deroga *s.f.* derogation, departure: — *a una legge*, derogation of (*o* to) a law // *in — al regolamento*, making

an exception to the regulations // *in — alla precedent giurisprudenza*, departing (*o* in derogation) from former jurisprudence.

derogabile *agg.* that can be derogated.

derogare *v.intr.* **1** to deviate (from sthg.), to depart (from sthg.) **2** (*contravvenire*) to contravene (sthg.): — *a una legge*, to break a law.

derogazione *s.f.* derogation.

derrata *s.f.* (*spec. pl.*) **1** victual: *derrate alimentar* foodstuffs (*o* victuals) **2** (*merce*) commodity.

derubare *v.tr.* to rob.

deschetto *s.m.* cobbler's bench.

desco *s.m.* (dinner)table.

descrittivo *agg.* descriptive.

descrittore *agg.* describing ♦ *s.m.* describer.

descrivere *v.tr.* to describe, to delineate.

descrivibile *agg.* describable.

descrizione *s.f.* description // — *particolareggiat* (*comm.*) specification // — *movimento*, (*informatica* entry description.

desensibilizzazione *s.f.* (*med.*) desensitization.

desertico *agg.* desert, waste, desolate.

deserto *agg.* **1** (*disabitato*) desert, uninhabited, wild *un'isola deserta*, a desert island // *asta deserta*, (*dir.* void auction sale // *l'udienza andò deserta*, (*dir.*) th sitting was declared void **2** (*solitario*) lonely, solitary (*appartato*) secluded **3** (*letter.*) (*abbandonato*) deserted forsaken ♦ *s.m.* desert; (*luogo disabitato, privo di vita* wilderness: *il — del Sahara*, the Sahara Desert // *pre dicare al —*, to talk to deaf ears.

desiderabile *agg.* desirable, to be* desired.

desiderare *v.tr.* to wish; (*volere*) to want; (*ardentemen te*) to long (for sthg.), to yearn (for sthg.), to desire: *de siderate che io venga con voi?*, do you wish (*o* want) me to come with you?; — *qlco. da qlcu.*, to want sthg. from (*o* of) s.o.; *non può — niente di meglio*, he cannot wis for anything better // *farsi —*, (*essere in ritardo*) to be late; *fare aspettare* (*qlcu.*), to keep (s.o.) waiting // *la sciar a —*, (*deludere*) to come short of expectations (*non soddisfare*) to be unsatisfactory; *la sua educazion lascia molto a —*, his education leaves much to be de sired; *non lasciar nulla a—*, to be quite satisfactory (*o* t come up to expectations).

desiderata *s.m.pl.* desiderata, wishes.

desiderio *s.m.* wish; (*brama*) desire, longing, hanker ing (for s.o., sthg.): *secondo il — di mio padre*, at (*o* by my father's wish // *accondiscendere a un—*, to grant a request.

desideroso *agg.* desirous, (*bramoso*) eager (for), long ing (for): *è molto — di conoscerti*, he is longing to mee you.

designare *v.tr.* to designate, to appoint: *nel luogo desi gnato*, at the appointed place.

designazione *s.f.* designation, appointment.

desinare *s.m.* dinner.

desinare *v.intr.* to dine, to have* dinner.

desinenza *s.f.* termination.

desistere *v.intr.* to cease (doing), to desist (from doing) *— dai propri propositi*, to give up one's purpose

desolante *agg.* distressing; (*deprimente*) depressing.

desolare *v.tr.* to distress.

desolato *agg.* **1** distressed // *siamo desolati d'appren dere che...*, we regret to hear that... **2** (*di luogo*) deso late, barren.

desolazione *s.f.* **1** distress, grief **2** (*di luogo*) desola tion.

despota *s.m.* despot.

desquamazione *s.f.* desquamation.

dessert (*franc.*) *s.m.* (*cuc.*) dessert.

destabilizzante *agg.* destabilising.

destabilizzare *v.tr.* to destabilise.

destare *v.tr.* **1** to wake* (up) **2** (*scuotere dall'inerzia*) o wake* up, to rouse **3** (*suscitare*) to awaken*, to ouse // — *i ricordi*, to wake memories // **-arsi** *v. ntr.pron.* to wake* up (*anche fig.*).

destinare *v.intr.* **1** to destine // *il loro piano è destina- o a fallire*, their plan is bound (*o* doomed) to fail **2** (*assegnare*) to assign, to allot; (*nominare*) to appoint **3** *indirizzare*) to address.

destinatario *s.m.* (*di lettera*) addressee; (*di merci*) con- ignee // *spese a carico del* —, charges forward.

destinazione *s.f.* **1** destination: *giungere a* —, (*di persone*) to reach one's destination; (*di cose*) to reach destination; *non giungere a* —, (*di merci*) to fail to each destination **2** (*incarico*) appointment.

destino *s.m.* destiny; (*fato*) fate; (*sorte*) fortunes pl.) // *era* — *che andasse a finire così*, it was fated (*o destined*) to finish like that **2** (*destinazione*) destina- ion // *merce franco* —, (*comm.*) goods free of carriage.

destituire *v.tr.* to dismiss; (*mil.*) to cashier: — *qlcu. da n incarico*, to relieve s.o. of his charge.

destituito *agg.* destitute, devoid // *accusa destituita di ondamento*, groundless (*o* unfounded) charge.

destituzione *s.f.* dismissal.

desto *agg.* **1** awake: *ben* —, wide awake // *tener de- sta l'attenzione di qlcu.*, to hold s.o.'s attention **2** (*viva- ce*) lively.

destra *s.f.* **1** right hand **2** (*parte destra*) right: *a* —, on the right; *volti a* —, turn to the right; *tenere la* —, to keep (to the) right // *dare, cedere la* —, to walk on s.o.'s left // *a* — *e a sinistra*, (*ovunque*) everywhere **3** pol.) the Right // *la* — *di un partito*, the right wing of a party.

destreggiarsi *v.intr.pron.* to manage (*anche fig.*).

destrezza *s.f.* dexterity; (*abilità*) skill.

destriero *s.m.* (*letter.*) steed.

destrismo *s.m.* dexterity.

destro *agg.* **1** right; (*situato a destra*) right-hand (*attr.*) // *essere il braccio* — *di qlcu.*, (*fig.*) to be s.o.'s right -hand man **2** (*abile*) skilful (in), clever (at) **3** (*arald.*) dexter.

destrorso *agg.* **1** (*che gira in senso orario*) clockwise *attr.*): *movimento* —, clockwise movement **2** (*che va da sinistra a destra*) left-to-right: *scrittura destrorsa*, left- to-right writing.

destrosio *s.m.* (*chim.*) dextrose.

desumere *v.tr.* **1** (*dedurre*) to infer, to deduce; (*sup- porre*) to suppose **2** (*trarre*) to draw*.

detenere *v.tr.* **1** to hold*; (*dir.*) to withhold* **2** (*te- nere prigioniero*) to detain.

detentivo *agg.* detentive: *pena detentiva*, sentence of imprisonment.

detentore *s.m.* holder.

detenuto *agg.* imprisoned ♦ *s.m.* prisoner, convict.

detenzione *s.f.* **1** imprisonment, detention: — *pre- ventiva*, preventive detention; *leggi sulla* — *preventiva*, remand laws **2**(*il detenere*) holding; (*dir.*) withholding.

detergente *agg.* cleansing: *crema, latte, lozione* —, cleansing cream, milk, lotion ♦ *s.m.* detergent; (*di bel- lezza*) cleanser.

detergere *v.tr.* to cleanse; (*asciugare*) to dry.

deterioramento *s.m.* deterioration.

deteriorare *v.tr.*, **deteriorarsi** *v.intr.pron.* to deteriorate.

deteriore *agg.* inferior; (*peggiore*) worse.

determinabile *agg.* determinable.

determinante *agg.* determinant; (*decisivo*) determina- tive, decisive.

determinare *v.tr.* **1** (*stabilire*) to determine **2** (*cau- sare*) to produce, to cause.

determinativo *agg.* **1** determinative **2** (*gramm.*) definite.

determinato *agg.* **1** determinate; (*fissato*) fixed // *per un* — *numero di anni*, for a term of years **2** (*parti- colare*) particular; (*dato*) given **3** (*deciso*) determined.

determinazione *s.f.* **1** determination // — *dei costi*, (*comm.*) costing **2** (*decisione*) decision // *agire con* —, to act resolutely.

determinismo *s.m.* (*fil.*) determinism.

deterrente *agg.* e *s.m.* deterrent.

detersivo *agg.* e *s.m.* detergent.

detestabile *agg.* detestable.

detestare *v.tr.* to detest, to hate.

detonante *agg.* detonating; (*esplosivo*) explosive // *ca- psule detonanti*, percussion caps ♦ *s.m.* explosive.

detonare *v.intr.* to detonate.

detonatore *s.m.* detonator.

detonazione *s.f.* detonation.

detrarre *v.tr.* **1** to deduct **2** (*letter.*) (*diffamare*) to detract.

detrattore *s.m.* detractor.

detrazione *s.f.* deduction: *detrazioni fiscali*, fiscal al- lowances.

detrimento *s.m.* damage, detriment // *a* — *di*, to the prejudice of // *andare a* — *di*, to be harmful (*o* detri- mental) to.

detrito *s.m.* **1** debris (*pl. invar.*), rubble (*pl. invar.*) **2** pl. (*geol.*) detritus (*solo sing.*).

detronizzare *v.tr.* to dethrone, to depose (*anche fig.*).

detta, a *locuz.avv.*: *a* — *del signor X*, according to (what) Mr. Smith (says).

dettagliante *s.m.* (*comm.*) retailer.

dettagliare *v.tr.* **1** to detail **2** (*comm.*) to retail.

dettagliatamente *avv.* in detail.

dettagliato *agg.* detailed.

dettaglio *s.m.* **1** detail: *nei dettagli*, in every detail **2** (*comm.*) retail: *vendere al* —, to sell retail (*o* to retail).

dettame *s.m.* (*letter.*) dictate.

dettare *v.tr.* to dictate: — *le condizioni*, to dictate one's terms // — *legge*, to lay down the law // *farò come mi detta la coscienza*, I'll do as my conscience tells me.

dettato *s.m.* dictation.

dettatura *s.f.* dictation: *scrivere sotto* —, to write from dictation.

detto *agg.* **1** called, named; (*soprannominato*) nick- named **2** (*comm.*) said, above-mentioned ♦ *s.m.* say- ing: *secondo il vecchio* —, as the old saying goes.

deturpare *v.tr.* to disfigure, to deface.

deturpazione *s.f.* disfigurement, defacement.

deuterio *s.m.* (*chim.*) deuterium.

devastare *v.tr.* to devastate, to ravage (*anche fig.*).

devastatore *agg.* devastating, ravaging ♦ *s.m.* devasta- tor, ravager.

devastazione *s.f.* devastation; (*rovina*) ravage.

deviante *agg.* deviant: *comportamento* —, deviant be- haviour.

deviare *v.intr.* to deviate (*anche fig.*), to swerve (*anche fig.*): — *dal retto cammino*, to deviate (*o* to depart) from the straight and narrow path // *far* — *un'auto, un* *treno*, to divert a car, a train ♦ *v.tr.* to divert (*anche fig.*) // — *un treno*, to divert a train.

deviatore *s.m.* 1 (*ferr.*) pointsman (*pl.* -men), shunter 2 (*elettr.*) shunt.

deviazione *s.f.* deviation (*anche fig.*); (*stradale*) detour: *fare una* —, to deviate; (*di veicoli*) to make a detour // — *della colonna vertebrale*, curvature of the spine.

deviazionismo *s.m.* (*pol.*) deviationism.

deviazionista *s.m.* (*pol.*) deviationist.

devitalizzare *v.tr.* (*med.*) to devitalize.

devitalizzazione *s.f.* (*med.*) devitalization.

devoluzione *s.f.* (*dir.*) devolution, assignment.

devolvere *v.tr.* 1 (*dir.*) to devolve (sthg. on s.o.), to assign // — *una causa ad altro tribunale*, to transfer a case to another Court 2 (*destinare ad altro uso*) to assign, to allocate: *la somma è stata devoluta alla ricerca*, the sum was assigned to research.

devoto *agg.* 1 devout 2 (*fervente, sincero*) devout, sincere 3 (*affezionato*) devoted // *il vostro devotissimo*, (*nelle lettere*) yours sincerely.

devozione *s.f.* 1 devotion, devoutness 2 *pl.* (*preghiere*) devotions 3 (*dedizione, attaccamento*) devotion.

di *prep.* 1 (*specificazione; possesso; denominazione*) of: *ciascuno — voi*, each of you; *l'arrivo della nave*, the arrival of the ship (*o* the ship's arrival); *il giornale — ieri*, yesterday's newspaper; *il libro — Paolo*, Paul's book; *quell'amico — Paolo*, that friend of Paul's; *quella penna è — mio fratello*, that pen is my brother's; *le poesie — Shelley*, Shelley's poems; *la città — Roma*, the town of Rome; *la chiesa — S. Pietro*, St. Peter's // *una poesia — Shelley*, a poem by Shelley // *il treno delle dieci*, the ten o'clock train // *l'ottobre del 1965*, October 1965 // *la farmacia — via X*, the chemist's in via X // *un personaggio dell'Otello*, a character in Othello 2 (*partitivo*) some; (*in prop. negative, interr. e dubitative*) any: *dammi del pane*, give me some bread; *hai del denaro?*, have you got any money? 3 (*moto da luogo; separazione; origine*) from: *allontanarsi — casa*, to go away from home; — *dove sei?*, where are you from? (*o* where do you come from?) // *uscir — casa*, to go out; (*definitivamente*) to leave home // *Giorgio — Pietro*, George son of Peter 4 (*tempo*) in; by: — *sera*, — *mattino*, in the evening, in the morning; — *giorno*, by day; — *notte*, at night; — *maggio*, in May; *d'estate*, in summer 5 (*argomento*) about, of: *parlare — qlcu.*, — *qlco.*, to talk about (*o* of) s.o., sthg.; *parlare — politica*, to talk (about) politics 6 (*nei compar. di maggioranza e minoranza*) than; (*nei superl. rel.*) of; in: *è più, meno alto — te*, he is taller, less tall than you; *studia meno — me*, he studies less than me (*o* than I do); *il più giovane dei miei amici*, the youngest of my friends; *la più bella città del mondo*, the most beautiful town in the world 7 (*seguito da inf.*): *gli dissi — venire*, I told him to come; *crede — aver ragione*, he thinks he is right; *smettila — gridare*, stop shouting 8 (*fraseologia*): *una giacca — lana*, a woollen jacket; *una medaglia d'oro*, a gold medal // *un carico — due tonnellate*, a two-ton load; *una multa — mille lire*, a thousand-lira fine; *un tavolo — due metri*, a table two metres long // *un orologio — poche lire*, a watch worth only a few liras // — *due in due*, in twos // *un bambino — tre anni*, a three-year-old child (*o* a child of three) // *un uomo — alta statura*, *un uomo — lettere*, a tall man, a man of letters // *più giovane — qualche anno*, a few years younger.

di *s.m.* (*letter., giorno*) day: *due volte al —*, twice a day.

dia- *pref.* dia-.

diabete *s.m.* diabetes.

diabetico *agg. e s.m.* diabetic.

diabolico *agg.* diabolical; (*malvagio*) fiendish, devilish

diacono *s.m.* (*eccl.*) deacon.

diacritico *agg.* diacritic(al).

diadema *s.m.* 1 (*corona*) diadem 2 (*gioiello*) tiara.

diafano *agg.* 1 diaphanous 2 (*fig.*) (*pallido*) pale (*sottile*) slender, willowy.

diaframma *s.m.* 1 (*ott. fot.*) diaphragm 2 (*anat.*) diaphragm 3 (*elemento divisorio*) partition, screen.

diagnosi *s.f.* diagnosis (*pl.* diagnoses).

diagnostica *s.f.* diagnostics.

diagnosticare *v.tr.* to diagnose.

diagnostico *agg.* diagnostic.

diagonale *agg.* diagonal: *in (linea) —*, diagonally ♦ *s.*, (*geom.*) diagonal ♦ *s.m.* (*tessuto*) twill.

diagramma *s.m.* diagram; (*grafico*) chart, graph; (*informatica*) flowchart: — *a barre*, — *di Gantt*, bar chart — *a blocchi*, (*informatica*) flow diagram; — *di flusso*, system flowchart; — *di gestione*, management chart — *della produzione*, production curve.

diagrammazione *s.f.* (*informatica*) flowcharting.

dialettale *agg.* dialect (*attr.*).

dialettica *s.f.* dialectic, dialectics.

dialettico *agg.* dialectic(al) ♦ *s.m.* dialectician.

dialetto *s.m.* dialect.

dialisi *s.f.* (*chim. e med.*) dialysis.

dialogare *v.intr.* to converse ♦ *v.tr.* to write* the dialogue (of a scene etc.).

dialogico *agg.* dialogue (*attr.*).

dialogo *s.m.* dialogue (*anche fig.*).

diamante *s.m.* 1 (*min.*) diamond: *anello di diamanti* diamond ring // *nozze di —*, diamond wedding // *lavorazione a punta di —*, (*arch.*) diamondwork 2 (*per vetrai*) (cutting) diamond 3 (*tip.*) diamond 4 (*mar.*) (*di ancora*) crown.

diametrale *agg.* diametric(al), diametral.

diametralmente *avv.* diametrically: — *opposto*, (*anche fig.*) diametrically opposed.

diametro *s.m.* diameter: *ruota di 60 centimetri di —* wheel 60 centimetres in diameter.

diamine *inter.* damn it! // *che — state cercando?*, what on earth are you looking for?

diana *s.f.* (*mil.*) reveille // *Diana*, (*stella del mattino*) Lucifer.

Diana *no.pr.f.* Diana.

dianzi *avv.* (*poco fa*) just; (*or ora*) just now: *l'ho visto —* I saw him just now (*o* I have just seen him).

diapason *s.m.* 1 (*mus.*) tuning fork 2 (*estensione d' suoni*) compass, range.

diapositiva *s.f.* slide: — *a colori*, colour slide.

diarchia *s.f.* diarchy.

diaria *s.f.* (daily) travelling allowance.

diario *s.m.* diary, journal; — *di bordo*, logbook; — *d' classe*, record of classwork; — *scolastico*, homework book.

diarrea *s.f.* diarrhoea.

diaspora *s.f.* (*st.*) diaspora.

diaspro *s.m.* (*min.*) jasper.

diastole *s.f.* diastole.

diatermano *agg.* (*fis.*) diathermanous.

diatomea *s.f.* (*bot.*) diatom.

diatonico *agg.* (*mus.*) diatonic.

diatriba *s.f.* diatribe.

diavola, alla *locuz.avv.*: *pollo alla —*, (*cuc.*) devilled (*broiled*) chicken.

diavoleria *s.f.* **1** devilry **2** (*cosa strana*): *che cos'è questa —?*, (*fam.*) what's that affair?

diavoleto *s.m.* hubbub, uproar.

diavoletto *s.m.* **1** (*bambino vivace*) little devil **2** (*bigodino*) (hair) curler.

diavolio *s.m.* **1** hubbub, uproar **2** (*moltitudine confusa*) mob.

diavolo *s.m.* devil // *— !*, the devil! // *povero —!*, poor devil! // *un vento del —*, a devil of a wind // *che il — ti porti!*, *va' al —!*, go to hell! // *che — vuoi?*, what the devil do you want? // *dove — eri andato?*, where the devil (*o* where on earth) did you go? // *abitare a casa del —*, to live in a God-forsaken spot // *quel bambino è un —*, that boy is a little devil (*o* terror) // *è un buon —*, he is a good fellow // *sono come il — e l'acqua santa*, there's no love lost between them // *avere un — per capello*, to be in a rage // *fare il — a quattro*, to play the devil // *il — fa le pentole ma non i coperchi*, (*prov.*) truth will out.

dibattere *v.tr.* to debate, to discuss: *— un problema, una questione*, to discuss a problem, a question // **-ersi** *v.rifl.* to struggle (*anche fig.*).

dibattimento *s.m.* hearing.

dibattito *s.m.* debate, discussion: *dirigere un —*, to lead a discussion; *alla proiezione seguirà un —*, the film will be followed by a discussion.

dibattuto *agg.* controversial, vexed.

diboscamento *s.m.* deforestation.

diboscare *v.tr.* to deforest.

dicastero *s.m.* office; (*negli Stati Uniti*) department: *— degli Esteri*, Foreign Office; (*negli Stati Uniti*) State Department.

dicembre *s.m.* December.

diceria *s.f.* rumour.

dichiarare *v.tr.* to declare: *— guerra a un paese*, to declare war on (*o* upon) a country; *fu dichiarato colpevole, innocente*, he was declared guilty, innocent // *— il reddito*, to declare one's income // **-arsi** *v. rifl.* **1** to declare oneself: *— contrario, favorevole a qlco.*, to come out against, for sthg. **2** (*fare una dichiarazione d'amore*) to declare one's love.

dichiaratamente *avv.* declaredly.

dichiarativo *agg.* declarative.

dichiarato *agg.* declared.

dichiarazione *s.f.* declaration: *— bancaria*, bank declaration; *— di guerra*, declaration of war // *— dei redditi*, income-tax return // *fare una — (d'amore) a una ragazza*, to declare one's love to a girl.

diciannove *agg.num.card.* e *s.m.* nineteen.

diciannovenne *agg.* nineteen (years old) (*pred.*); nineteen-year-old (*attr.*) ♦ *s.m.* nineteen-year-old youth ♦ *s.f.* nineteen-year-old girl.

diciannovesimo *agg.num.ord.* e *s.m.* nineteenth.

diciassette *agg.num.card.* e *s.m.* seventeen.

diciassettenne *agg.* seventeen (years old) (*pred.*); seventeen-year-old (*attr.*) ♦ *s.m.* seventeen-year-old youth ♦ *s.f.* seventeen-year-old girl.

diciassettesimo *agg.num.ord.* e *s.m.* seventeenth.

diciottenne *agg.* eighteen (years old) (*pred.*); eighteen-year-old (*attr.*) ♦ *s.m.* eighteen-year-old youth ♦ *s.f.* eighteen-year-old girl.

diciottesimo *agg.num.ord.* e *s.m.* eighteenth.

diciotto *agg.num.card.* e *s.m.* eighteen.

dicitore *s.m.* speaker; (*teatr.*) reciter.

dicitura *s.f.* caption.

dicotomia *s.f.* dichotomy.

didascalia *s.f.* **1** (*di illustrazione*) caption **2** (*spec. pl.*) (*cinem.*) subtitles (*pl.*) **3** (*spec. pl.*) (*teatr.*) (*su copione*) stage directions (*pl.*).

didascalico *agg.* didactic.

didattica *s.f.* didactics.

didattico *agg.* didactic // *direttore —*, headmaster (of an elementary school).

didentro *avv.* → *dentro, di* ♦ *s.m.* inside: *dal —*, (from the) inside; *al —*, (on the) inside.

didietro *avv.* → *dietro, di* ♦ *agg.* back, rear // *le zampe —*, hind legs ♦ *s.m.* **1** back, rear **2** (*fam.*) (*sedere*) behind, bottom.

Didone *no.pr.f.* (*lett.*) Dido.

dieci *agg.num.card.* e *s.m.* ten.

diecimila *agg.num.card.* e *s.m.* ten thousand.

diedro *agg.* e *s.m.* dihedral (angle).

dielettrico *agg.* e *s.m.* (*fis.*) dielectric.

dieresi *s.f.* diaeresis (*pl.* diaereses).

Diesel *agg.* e *s.m.* Diesel // *motore —*, Diesel engine.

diesis *s.m.* (*mus.*) sharp.

dieta[1] *s.f.* diet: *— lattea*, milk diet; *— dimagrante*, slimming diet; *essere a —*, to be on a diet; *tenere qlcu. a —*, to keep s.o. on a diet.

dieta[2] *s.f.* (*assemblea*) diet.

dietetica *s.f.* dietetics.

dietetico *agg.* dietetic(al).

dietologo *s.m.* dietician, dietist.

dietro *avv.* behind: *lì, qui —*, behind there, here; *visto —*, seen from behind (*o* from the back) ♦ *prep.* behind; (*dopo*) after: *— la (o alla) casa*, behind the house, behind us; *uno — l'altro*, one after the other // *essere — a far qlco.*, (*fam.*) to be up to sthg. // *— ricevuta, — pagamento*, against receipt, on payment; *— domanda*, on request ♦ *s.m.* back, rear // **di dietro** *avv.* behind ♦ *agg.* e *s.m.* → **didietro**.

dietro front *s.m.* (*mil.*) about turn, (*amer.*) about face // *fare —*, (*fig.*) to do an about turn.

difatti *cong.* → **infatti**.

difendere *v.tr.* **1** to defend: *— la patria dal nemico*, to defend one's country against the enemy // *sa — la sua opinione*, he can hold his own **2** (*dir.*) to defend, to plead: *— qlcu.*, to plead for s.o. // **-ersi** *v.rifl.* to defend oneself (against s.o., sthg.) // *— fino all'ultimo*, to fight to the last // *sa — bene da solo*, he can hold his own.

difensiva *s.f.* defensive: *essere sulla —*, to be on the defensive.

difensivo *agg.* defensive.

difensore *agg.* defending // *avvocato —*, counsel for the defence ♦ *s.m.* **1** defender **2** (*dir.*) counsel for the defence **3** (*fig.*) supporter; advocate.

difesa *s.f.* defence: *a — di*, in defence of; *legittima —*, (*dir.*) self-defence; *senza —*, defenceless; *mettersi in posizione di —*, to stand on one's guard; *prendere le difese di qlcu.*, to take s.o.'s part // *spese per la —*, military expenditure // *guerra di —*, defensive warfare.

difeso *agg.* **1** (*riparato*) sheltered **2** (*fortificato*) fortified.

difettare *v.intr.* **1** to be* lacking (in sthg.); to lack (sthg.): *— di viveri*, to lack (*o* to be short of) provisions; *difetta di buon senso*, he lacks (*o* is lacking in) common sense **2** (*essere difettoso*) to be* faulty (in sthg.).

difettivo *agg.* defective.

difetto *s.m.* **1** (*fisico*) defect, imperfection; (*morale*) fault, shortcoming: *è senz'altro il principale dei suoi difetti*, it's undoubtedly his major fault (*o* shortcoming) // *senza difetti*, faultless // *essere in —*, to be wrong **2**

(*tecn.*) defect, fault: — *di lavorazione*, defect in workmanship **3** (*informatica*) *prendere per* —, (*un valore, un'opzione ecc.*) to default **4** (*mancanza*) lack, want; (*scarsità*) shortage // *la memoria gli fa* —, (his) memory fails him; *fa — l'acqua*, water is lacking (*o* wanting); *se ti fa — il coraggio...*, if you lack courage...

difettoso *agg.* defective, faulty.

diffamare *v.tr.* to defame; (*con parole*) to slander; (*con scritti*) to libel.

diffamatore *s.m.* (*con parole*) slanderer; (*con scritti*) libeller.

diffamatorio *agg.* defamatory; (*con parole*) slanderous; (*con scritti*) libellous.

diffamazione *s.f.* defamation; (*verbale*) slander; (*scritta*) libel: *querela per* —, (*dir.*) libel suit.

differente *agg.* different (from), unlike (s.o., sthg.) (*pred.*).

differenza *s.f.* difference: — *di temperatura, qualità*, difference in temperature, quality // *c'è una bella* —!, there is quite a difference!; *non c'è* —, it makes no difference // *a — di*, unlike.

differenziale *agg.* differential ♦ *s.m.* (*aut.*) differential (gear).

differenziare *v.tr.*, **differenziarsi** *v.rifl.* to differentiate; (*distinguere, distinguersi*) to distinguish.

differenziazione *s.f.* differentiation.

differibile *agg.* that can be deferred.

differimento *s.m.* deferment, postponement; (*aggiornamento*) adjournment.

differire *v.intr.* (*essere diverso*) to differ, to be* different: *differivano fra loro per...*, they differed (*o* were different) from one another in... ♦ *v.tr.* (*rimandare*) to defer, to postpone; (*aggiornare*) to adjourn: — *la partenza di pochi giorni*, to postpone (*o* to put off) leaving for a few days.

difficile *agg.* **1** difficult, hard: *tempi difficili*, hard times; *una domanda a cui è — rispondere*, a difficult question to answer; *è — accontentarlo*, he is difficult to please **2** (*scontroso*) difficult; (*incontentabile*) fastidious, particular: *un ragazzo* —, a difficult boy; *è — nel mangiare*, he is fastidious (*o* particular) about food **3** (*poco probabile*) improbable, unlikely: *è — che egli venga*, he is unlikely (*o* not likely) to come (*o* it is improbable he will come) ♦ *s.m.* difficulty.

difficilmente *avv.* **1** with difficulty **2** (*con scarsa probabilità*): *un'occasione che — si presenterà ancora*, an opportunity that is unlikely (*o* not likely) to turn up again.

difficoltà *s.f.* difficulty // *la — sta nel fatto che...*, the trouble is that... // *tutto si svolse senza* —, everything went off without a hitch // *essere in* —, to be in trouble; (*finanziarie*) to be in (financial) difficulties // *fare, sollevare* —, to raise (*o* to make) objections.

difficoltoso *agg.* (*difficile*) difficult, hard.

diffida *s.f.* warning, notice: *dare una — a qlcu.*, to give s.o. public notice (*o* to give s.o. warning).

diffidare *v.intr.* to distrust (s.o., sthg.), to mistrust (s.o., sthg.) ♦ *v.tr.* to give* (s.o.) warning, to give* (s.o.) public notice: *fu diffidato più volte*, he was cautioned several times.

diffidente *agg.* distrustful, mistrustful, suspicious: *è una persona molto* —, he is a very suspicious person.

diffidenza *s.f.* **1** distrust, mistrust: *provare — verso qlcu.*, to distrust s.o. **2** (*sospetto*) suspicion: *suscitare la — di qlcu.*, to arouse s.o.'s suspicions.

diffondere *v.tr.* to diffuse, to spread*: *le mosche diffondono malattie*, flies spread disease; — *calore, luce, un*

---

odore, to diffuse heat, light, a scent; — *dicerie, voci, t〔* spread rumours; — *notizie*, to spread news; (*per radio* to broadcast news // **-ersi** *v.intr.pron.* **1** to spread*: *l〔 notizia si diffuse velocemente*, the news spread rapid-ly **2** (*dilungarsi*) to dwell*: — *su un argomento*, tc dwell on a subject.

difforme *agg.* (*non conforme*) different, unlike (s.o. sthg.): — *dall'originale*, different from the original (*o* unlike the original).

diffrazione *s.f.* (*fis.*) diffraction.

diffusamente *avv.* diffusely; (*ampiamente*) thoroughly, abundantly: *tratteremo l'argomento più — la prossima volta*, we shall go deeper into the subject next time.

diffusione *s.f.* **1** diffusion, spreading; (*di giornale, rivista ecc.*) circulation **2** (*chim. fis.*) diffusion; (*fis. atomica*) scattering.

diffuso *agg.* **1** widespread // *luce diffusa*, diffused lighting **2** (*prolisso*) diffuse, longwinded.

diffusore *s.m.* **1** (*chi diffonde*) spreader **2** (*di luce*) diffuser; (*a globo*) light globe **3** (*rad.*) loudspeaker.

difilato *avv.* straight: *va' a casa* —!, go straight home!

difterico *agg.* diphtheric.

difterite *s.f.* diphtheria.

diga *s.f.* (*di sbarramento*) dam; (*di protezione*) dike; (*frangiflutto*) breakwater.

digerente *agg.* digestive.

digeribile *agg.* digestible: *il pesce bollito è molto* —, boiled fish is very easy to digest.

digeribilità *s.f.* digestibility.

digerire *v.tr.* to digest: *non digerisco bene*, my digestion is not good; *non ho digerito*, I'm suffering from indigestion (*o* I haven't digested my lunch, supper etc.) **2** (*fig.*) (*assimilare*) to master, to assimilate, to digest **3** (*fig.*) (*tollerare*) to bear*, to tolerate, to stand*.

digestione *s.f.* digestion.

digestivo *agg.* e *s.m.* digestive.

digià, di già *avv.* → **già.**

digitale[1] *agg.* digital // *impronte digitali*, fingerprints.

digitale[2] *s.f.* (*bot.*) digitalis; (*pop.*) foxglove.

digitare *v.tr.* (*informatica*) to key in.

digitigrado *agg.* (*zool.*) digitigrade.

digiunare *v.intr.* to fast.

digiuno[1] *agg.*: *sono* —, I haven't eaten anything // *è completamente — di latino*, he knows no Latin at all.

digiuno[2] *s.m.* fast: *un giorno di — non gli farà male*, one day without food won't do him any harm; *un po' di — gli farà bene*, a little starvation will do him good // *il — quaresimale*, the lenten fast; *giorni di* —, (*eccl.*) fast- (*o* fasting-) days // *stare a* —, to fast (*o* to be fasting) // *un cucchiaio a* —, a spoonful before breakfast // *non si devono bere alcolici a* —, you mustn't drink alcohol on an empty stomach // *essere a — di notizie*, to be without news.

dignità *s.f.* **1** dignity **2** (*ufficio, rango*) dignity, rank: *fu elevato a un'alta* —, he rose to a high rank.

dignitario *s.m.* dignitary.

dignitosamente *avv.* with dignity, in a dignified way.

dignitoso *agg.* dignified; (*nobile*) noble: *assumere un'aria dignitosa*, to assume a dignified air.

digradare *v.intr.* **1** to slope down (to sthg.), to descend gradually **2** (*di colori*) to shade (off) (into sthg.).

digressione *s.f.* digression: *fare una* —, to make a digression.

digrignare *v.tr.*: — *i denti*, to gnash (*o* to grind) one's teeth.

digrossare *v.tr.* **1** to thin (down), to whittle (down, away): — *un diamante*, to cut a diamond **2** (*sbozzare*) to rough-hew* **3** (*fig.*) to teach* (s.o.) the first elements.

diguazzare *v.intr.* to splash (about), to paddle.

dilagare *v.intr.* to spread* (*anche fig.*).

dilaniare *v.tr.* **1** to tear* to pieces, to rend **2** (*fig.*) to tear*, to lacerate.

dilapidare *v.tr.* to squander, to dissipate.

dilapidazione *s.f.* squandering.

dilatabile *agg.* dilatable, expansible.

dilatabilità *s.f.* dilatability, expansibility.

dilatare *v.tr.*, **dilatarsi** *v.intr.pron.* **1** to dilate, to expand, to swell*; (*estendere, estendersi*) to enlarge, to widen **2** (*fis.*) to expand.

dilatazione *s.f.* **1** dilatation (*anche med.*), expansion **2** (*fis.*) dilation.

dilatorio *agg.* (*dir.*) dilatory.

dilavamento *s.m.* washing away.

dilavare *v.tr.* to wash away; (*far sbiadire*) to fade.

dilavato *agg.* washed away; (*sbiadito*) colourless, faded.

dilazionare *v.tr.* to defer, to postpone, to delay.

dilazione *s.f.* delay, respite: *concedere, ottenere una — di pagamento*, to grant, to obtain a delay in payment; *domandare una — di pagamento*, to ask for a deferment of payment.

dileggiare *v.tr.* to mock, to scoff (at s.o., sthg.).

dileggio *s.m.* mockery, derision.

dileguare *v.tr.* to disperse, to dispel: — *ogni dubbio*, to dispel all doubts ♦ *v.intr.*, **-arsi** *v.intr.pron.* to disappear, to vanish; (*spec. di immagine, suono*) to fade away.

dilemma *s.m.* dilemma.

dilettante *s.m. e f.* amateur; (*teatr.*) amateur player; (*amer.*) ham: *suona bene per essere una —*, she plays well for an amateur // *da —*, as an amateur; *lavoro da —*, amateurish work; *fare qlco. da —*, to dabble in sthg. // *pittore —*, amateur painter.

dilettantesco *agg.* amateurish.

dilettantismo *s.m.* dilettantism, amateurism.

dilettantistico *agg.* amateurish.

dilettare *v.tr.* to entertain // **-arsi** *v.intr.pron.* to take* delight (in sthg.); to delight (in sthg.); (*di pittura ecc.*) to dabble (in sthg.).

dilettevole *agg.* pleasant, agreeable // *unire l'utile al —*, to combine business with pleasure.

diletto[1] *agg.* beloved, dear, dearly loved ♦ *s.m.* beloved, darling.

diletto[2] *s.m.* delight, pleasure: *con nostro grande —*, to our great delight; *trovar — nel far qlco.*, to take delight in doing sthg. // *per —*, for pleasure.

diligente *agg.* **1** diligent **2** (*accurato*) careful, accurate.

diligentemente *avv.* **1** diligently; (*con zelo*) zealously **2** (*accuratamente*) carefully, accurately.

diligenza[1] *s.f.* diligence; (*zelo*) zeal.

diligenza[2] *s.f.* (*carrozza*) stagecoach, diligence.

dilucidare *v.tr.* to elucidate.

dilucidazione *s.f.* elucidation.

diluire *v.tr.* to dilute; (*con acqua*) to water down; (*una vernice*) to thin.

diluizione *s.f.* dilution.

dilungarsi *v.intr.pron.* (*su argomento ecc.*) to dwell (on sthg.), to linger (on sthg.), to speak* at length (about sthg.) // *non dilungarti troppo*, keep it short.

diluviare *v.intr.* **1** *impers.* to rain in torrents, to pour: *sta diluviando*, it is pouring **2** (*fig.*) to pour, to shower: *diluviarono gli applausi*, there was a storm of applause.

diluvio *s.m.* **1** deluge: *un — di pioggia*, a deluge of rain // *il — universale*, the Deluge (*o* the Flood) **2** (*fig.*) shower; (*di parole, domande*) deluge // *un — di lacrime*, a flood of tears.

dimagramento *s.m.* **1** loss of weight: *subire un forte —*, to lose a lot of weight **2** (*di terreno*) impoverishment.

dimagrante *agg.* slimming: *cura —*, slimming diet.

dimagrare, **dimagrire** *v.intr.* to lose* weight, to slim; (*solo per malattia*) to get*thin: *è dimagrato due chili*, he has lost two kilos ♦ *v.tr.* **1** to slim, to make* thin **2** (*fare sembrare magro*) to make* (s.o.) look slimmer.

dimenare *v.tr.* to wave, to swing*; (*la coda*) to wag // **-arsi** *v.rifl.* to move about restlessly, to fidget; (*agitarsi*) to toss about; (*camminando*) to sway one's hips.

dimenìo *s.m.* waving, swinging; (*di coda*) wagging; (*camminando*) swaying (of one's hips).

dimensione *s.f.* dimension; (*grandezza*) size: *a tre dimensioni*, three-dimension (*attr.*), three-dimensional (*abbr.* 3-D).

dimenticanza *s.f.* **1** forgetfulness; (*svista*) oversight: *per —*, inadvertently (*o* because of an oversight) **2** (*oblio*) oblivion.

dimenticare *v.tr.*, **dimenticarsi** *v.intr.pron.* to forget*: *dimenticati di avermi visto!*, forget ever seeing me! // *far dimenticare il proprio passato*, to live down one's past // *— un'offesa*, (*perdonarla*) to forgive an offence // *— i propri interessi*, (*trascurarli*) to be unmindful of one's interests.

dimenticatoio *s.m.* oblivion: *scommetto che è finito nel —*, I bet it has been pigeonholed (*o* filed away).

dimentico *agg.* forgetful; (*noncurante*) unmindful.

dimesso *agg.* humble, modest; (*trasandato*) shabby.

dimestichezza *s.f.* familiarity, intimacy // *avere — con qlco.*, to be familiar with sthg.: *non ho molta — con l'elettronica*, I am not well up in electronics // *avere — con qlcu.*, to be on familiar terms with s.o.

dimettere *v.tr.* **1** (*da una carica*) to dismiss, to discharge, to remove **2** (*da un ospedale*) to discharge // **-ersi** *v.rifl.* to resign (an office).

dimezzare *v.tr.* to halve, to divide into halves.

diminuendo *s.m.* (*mus.*) diminuendo.

diminuire *v.tr.* **1** (*ridurre*) to reduce, to diminish: — *i prezzi*, to reduce (*o* to bring down) prices; — *la velocità*, to slow down (*o* to reduce speed) // — *le spese*, to curtail (*o* to cut down) expenses **2** (*nei lavori a maglia*) to decrease ♦ *v.intr.* to diminish; (*spec. di temperatura, vento ecc.*) to drop: *il livello delle acque è diminuito*, the level of the water has dropped; *il numero degli abbonati è diminuito*, the number of subscribers has diminished (*o* fallen *o* gone down); — *di valore*, to lose value; *il rumore è diminuito*, the noise has lessened.

diminutivo *agg. e s.m.* diminutive // *Pino è un — di Giuseppe*, Joe is short for Joseph.

diminuzione *s.f.* drop, decrease; (*riduzione*) reduction: — *delle richieste*, drop in demand; — *delle ore lavorative*, reduction in working hours; *ha subito una — della vista*, his eyesight has worsened.

dimissionario *agg.* resigning.

dimissione *s.f.* **1** resignation **2** (*il dimettere*) removal, dismissal: *presentare le dimissioni*, to hand in one's resignation.

dimora *s.f.* **1** (*abitazione*) residence, abode, home: *senza fissa —*, without fixed abode **2** (*permanenza*) stay, residence.

dimorare *v.intr.* **1** to live, to reside, to dwell* **2** (*soggiornare*) to stay, to sojourn.

dimostrabile *agg.* demonstrable, provable.

dimostrabilità *s.f.* demonstrability.

dimostrante *s.m.* e *f.* demonstrator; protester.

dimostrare *v.tr.* **1** to show* // — *vent'anni,* to look twenty; *dimostra più, meno della sua età,* he looks older, younger than he is; *non dimostra la sua età,* he doesn't look his age **2** (*provare*) to demonstrate, to prove, to show* // **-arsi** *v.rifl.* to show* oneself, to prove: *egli si dimostrò un eroe,* he proved (himself) (to be) a hero.

dimostrativo *agg.* demonstrative // *azione dimostrativa,* (*mil.*) demonstration.

dimostratore *s.m.* demonstrator.

dimostrazione *s.f.* **1** demonstration (*anche mat.*), proof **2** (*manifestazione popolare*) demonstration, (*fam.*) demo: *ci sarà una — contro la fame nel mondo,* there will be a demonstration against hunger in the world // *fare una —,* to demonstrate.

din *s.m.* (*fot.*) din.

dina *s.f.* (*fis.*) dyne.

Dina *no.pr.f.* Dinah.

dinamica *s.f.* (*fis.*) dynamics.

dinamico *agg.* **1** (*energico*) dynamic, energetic **2** (*fis.*) dynamic(al).

dinamismo *s.m.* **1** (*energia*) dynamism, energy **2** (*fil. fis.*) dynamism.

dinamitardo *agg.* dynamite (*attr.*) ♦ *s.m.* dynamiter, dynamitard.

dinamite *s.f.* dynamite.

dinamo *s.f.* (*elettr.*) dynamo, generator.

dinamometro *s.m.* dynamometer.

dinanzi *avv., agg.* e *locuz.prep.* → **davanti.**

dinasta *s.m.* dynast.

dinastia *s.f.* dynasty.

dinastico *agg.* dynastic.

din din *onom.* ding-ding, tinkling.

dindio, dindo *s.m.* (*zool.*) turkey.

din don *onom.* ding-dong.

diniego *s.m.* denial; (*rifiuto*) refusal.

dinoccolato *agg.* slouching.

dinosauro *s.m.* dinosaur.

dintorni *s.m.pl.* outskirts, environs; vicinity (*sing.*): *nei — di...,* on the outskirts of...

dintorno, d'intorno *avv.* e *prep.* (a)round, about; (*tutt'attorno*) all around → *attorno* e *dattorno.*

dio *s.m.* **1** god: *simile a un —,* godlike // *canta da —,* he is a smashing singer // *si crede un —,* he thinks he's God Almighty // *considerare qlcu. un —,* to worship s.o. **2** Dio (*nella tradizione cristiana*) God: — *Onnipotente,* God Almighty; *in nome di —,* in God's name // *grazie a —,* thank heaven (*o* goodness) // *per l'amor di —!,* for goodness' sake! // — *lo voglia!,* God grant it!; — *non voglia!,* God forbid! // — *ce la mandi buona!,* God help us! // *a — piacendo,* God willing (*o* please God!) // *come — volle,* somehow or other // *com'è vero —,* as God's my witness // *se — vuole ho finito,* thank God I have finished // *solo io lo sa,* God only knows // *piove che — la manda,* it is raining cats and dogs // *successe l'ira di —,* hell broke loose // *l'uomo propone e — dispone,* (*prov.*) man proposes and God disposes.

diocesano *agg.* diocesan.

diocesi *s.f.* diocese.

Diocleziano *no.pr.m.* (*st.*) Diocletian.

diodo *s.m.* (*rad.*) diode.

Diogene *no.pr.m.* (*st. fil.*) Diogenes.

dionea *s.f.* (*bot.*) Venus's-flytrap.

Dionigi *no.pr.m.* **1** Den(n)is **2** (*st.*) Dionysius.

dionisiaco *agg.* Dionysiac, Dionysian: *feste dionisiache,* Dionysiac festivals.

Dioniso *no.pr.m.* (*mit.*) Dionysus.

diottra *s.f.* **1** (*topografia*) diopter **2** (*geodesia*) alidade

diottria *s.f.* (*ott.*) diopter, dioptre.

diottrica *s.f.* (*fis.*) dioptrics.

dipanare *v.tr.* **1** to wind* (off) into a ball // — *una matassa,* to unravel a skein **2** (*fig.*) (*districare*) to disentangle, to unravel, to clear up.

dipartimento *s.m.* (*circoscrizione*) department; (*mar.*) area, naval district // — *di Stato,* (*negli Stati Uniti*) State Department.

dipartita *s.f.* (*letter.*) (*morte*) death.

dipendente *agg.* **1** dependent (on s.o., sthg.), depending (on s.o., sthg.) **2** (*gramm.*) dependent (on sthg.), subordinate ♦ *s.m.* e *f.* (*impiegato*) employee; (*subordinato*) subordinate.

dipendenza *s.f.* **1** dependence // *essere alle dipendenze di qlcu.,* to be in s.o.'s service **2** *pl.* (*di edificio*) annex (*sing.*).

dipendere *v.intr.* **1** (*derivare*) to derive, to proceed **2** (*essere subordinato*) to depend (on s.o., sthg.): *dipende direttamente dal direttore,* he's directly responsible to the manager // *dipende!,* that depends! // *dipende solo da te!,* it's up to you! // *questi avvenimenti non dipendono dalla nostra volontà,* these events are not within our control // *tutto il personale dipende da lui,* he is the head of the whole staff // *non — che da sé stessi,* to be one's own master.

dipingere *v.tr.* to paint (*anche fig.*); (*ritrarre*) to portray: — *all'acquerello,* to paint in watercolours; — *dal vero,* to paint from life; — *qlco. di rosso, di verde,* to paint something red, green // *la gioia era dipinta sul suo viso,* joy was depicted on her face // **-ersi** *v.rifl.* to paint, to make* up ♦ *v.intr.pron.* (*fig.*) (*apparire*) to appear, to show*.

dipinto *agg.* painted // *non vorrei vivere là nemmeno —!,* I would not live there for worlds! ♦ *s.m.* painting: *un — di Tiziano,* a painting by Titian.

diploma *s.m.* diploma: *avere un —,* to hold a diploma; *prendere un —,* to take a diploma // — *di licenza media,* middle school leaving certificate; — *di maturità,* upper school leaving certificate; — *di abilitazione magistrale,* Teacher's Diploma; — *di laurea,* degree certificate.

diplomare *v.tr.* to give* (s.o.) a diploma // **-arsi** *v. intr.pron.* to get* a diploma.

diplomatica *s.f.* diplomatics.

diplomatico *agg.* diplomatic ♦ *s.m.* diplomat.

diplomato *agg.* trained, qualified, holding a diploma ♦ *s.m.* diploma-holder.

diplomazia *s.f.* diplomacy.

diportarsi *v.intr.pron.* (*letter.*) to behave.

diporto *s.m.* pleasure: *fare qlco. per —,* to do sthg. for pleasure (*o* as a pastime) // *imbarcazione da —,* pleasure boat.

dipresso, a un *locuz.avv.* about.

diradare *v.tr.* to thin; (*nebbia*) to clear // *diradò le sue visite,* she called on us less frequently // *una luce diradò le tenebre,* a light broke through the darkness // **-arsi** *v.intr.pron.* to thin; (*di nebbia*) to clear.

diramare *v.tr.* (*un ordine, una circolare ecc.*) to issue; (*una notizia*) to spread*; (*per radio*) to broadcast* // **-arsi** *v.intr.pron.* to branch; (*di strada*) to branch off.

diramazione *s.f.* **1** branch // *linea di —,* (*ferr.*)

branch line **2** (*diffusione*) diffusion, spreading; (*per radio*) broadcasting.

dire *v.tr.* (*nel senso di* enunciare, affermare *e quando introduce un discorso diretto*) to say*; (*nel senso di* raccontare, riferire, informare, *se è indicata la persona cui si parla*) to tell*: «*Aspettatemi,*» *ci disse,* "Wait for me," he said to us; *disse di aspettarlo,* he said to wait for him; *ci disse di aspettarlo,* he told us to wait for him; *dice che ha, di avere fame,* he says he is hungry; *diteci il vostro nome,* tell us your name; *come si dice in francese?,* how do you say that in French? // *mi si dice che...,* I am told that...; *si dice che...,* it is said (*o* they say) that...; *si dice che io sia...,* I am said to be...; *si direbbe che...,* one would say that... // *che ne diresti...,* what about...? // *come ha detto?,* (*per chiedere di ripetere*) I beg your pardon? // *chi ti dice che verrà?,* how do you know he will come? // *spenderò, diciamo, tre sterline,* I shall spend, say (*o* let us say), three pounds // *ehi, dico!,* I say! // *non c'è che —,* and no mistake; *è detto tutto,* I need say no more; *è tutto —,* which is saying a lot; *basti — che...,* suffice it to say that... // *l'hai detto!,* quite so! (*o* exactly!) // *a chi lo dici!,* you're telling me!; *questo lo dici tu!,* that's what you say!; *te l'avevo detto!,* I told you so!; *te lo dico io!,* I can tell you!; *dici davvero, sul serio?,* are you serious? (*o* in earnest?) // *inutile — che,* it goes without saying that // *non se l'è fatto — due volte,* he didn't wait to be told twice // *detto fatto,* no sooner said than done // *così dicendo...,* with this... // *per così —, così per —, si fa (tanto) per —,* so to say (*o* so to speak); *come si suol —,* as they say // *non fo per —,* I'm not boasting // *oso, oserei —,* I dare say (*o* I daresay) // *vale a —,* that is to say // *— bugie, la verità,* to tell lies, the truth // *a — il vero,* to tell the truth // *— buongiorno, buonasera, addio a qlcu.,* to say good day, goodnight, goodbye to s.o. *— di sì, di no,* to say yes, no // *— tra sé,* to say to oneself; *detto fra noi,* in confidence (*o* confidentially) // *— bene, male di qlcu.,* to speak well, ill of s.o. // *— dei versi,* to recite poetry // *— pane al pane,* to call a spade a spade // *— la propria,* to have one's say // *aver da — con qlcu.,* to have a tiff with s.o.; *aver da — su qlco.,* to find fault with sthg. // *mandare a —,* to send word // *sentir —,* to hear; *per sentito —,* by hearsay (*o* by all accounts) // *voler —,* to mean // *un viso che non dice nulla,* a blank face; *questo nome non mi dice niente,* this name means nothing to me // **dirsi** *v.rifl.* to profess: *si dicevano nostri amici,* they professed to be friends of ours.

dire *s.m.* words (*pl.*); (*discorso*) speech // *oltre ogni —,* beyond all description // *hai un bel —, non mi convinci!,* talk as much as you like, you won't persuade me! // *fra il — e il fare c'è di mezzo il mare,* (*prov.*) (it's) easier said than done.

diretta *s.f.* **1** (*tv*) live show **2** (*via*) direct route.

direttamente *avv.* directly; (*spec. con verbi di moto*) direct, straight // *rispondere — a una domanda,* to give a direct (*o* straight) answer to a question.

direttissima *s.f.* **1** (*sport*) shortest route **2** (*processo per —*, (*dir.*) trial with simplified formalities (to permit prompt procedure).

direttissimo *s.m.* (*ferr.*) fast train.

direttiva *s.f.* directive, instruction.

direttivo *agg.* leading; (*di dirigente*) managing // *consiglio —,* board (of directors) ♦ *s.m.* (*di partito, sindacato*) leaders (*pl.*).

diretto *agg.* **1** direct: *linea diretta,* direct line; *chiamata diretta,* (*al telefono*) direct dialling // *complemento*

—, (*gramm.*) direct object // *vettura diretta,* (*ferr.*) through carriage // *risposta diretta,* straight answer **2** (*inteso*) meant (for) **3** *essere — a,* to be going to ♦ *s.m.* **1** (*pugilato*) straight: *— destro, sinistro,* straight right, left **2** (*ferr.*) through train.

direttore *s.m.* **1** manager, director: *— di azienda,* factory manager (*o* director); *— generale,* general manager (*o* chief executive); *— amministrativo,* director (*o* administration manager); *— commerciale, delle vendite,* sales manager; *— finanziario,* financial manager; *— del personale,* personnel manager; *vice—,* assistant manager // *— responsabile, (di giornale)* editor // *— d'orchestra,* conductor // *— tecnico, (sport)* team manager; *— di gara,* referee // *— di macchina, (mar.)* chief engineer // *— spirituale,* spiritual adviser (*o* director) **2** (*di scuola*) headmaster; (*di collegio universitario*) principal; (*di prigione*) governor: *— didattico,* elementary school headmaster.

direttoriale *agg.* directorial.

direttorio *s.m.* **1** executive board **2** *Direttorio,* (*st. francese*) Directory.

direttrice *s.f.* **1** directress; (*di giornale*) (lady) editor; (*di scuola*) headmistress; (*di collegio universitario*) lady principal **2** (*geom.*) directrix (*pl.* -trices) **3** (*mil. pol.*) direction.

direzionale *agg.* directional // *centro —,* business area.

direzione *s.f.* **1** direction, way: *in — di,* in the direction of; *andarono in quella —,* they went that way (*o* in that direction); *che — avete preso?,* which way did you go? **2** (*di società, ente*) management; (*di giornale*) editorship; (*di scuola*) headmastership; (*di partito*) leadership: *— commerciale,* sales management // *avere la — di tutto,* to be in sole charge **3** (*sede*) administrative department; (*ufficio del direttore*) manager's office **4** (*consiglio direttivo*) board of directors.

dirigente *agg.* leading ♦ *s.m.* **1** executive; manager **2** (*pol.*) leader.

dirigere *v.tr.* **1** to direct; (*indirizzare*) to address // *— una nave in porto,* to steer (*o* to direct) a ship to a harbour // *— lo sguardo verso,* to turn one's gaze towards **2** (*guidare*) to lead*; (*una ditta, una società*) to manage; (*un'orchestra*) to conduct; (*un giornale*) to edit // *— i lavori,* to superintend (*o* to supervise *o* to direct) work // **-ersi** *v.rifl.* (*andare*) to make* for (s.o., sthg.), to head for (s.o., sthg.): *l'ho visto che si dirigeva verso lo stadio,* I saw him making for the stadium; *detto questo si diresse verso casa,* having said this he made for home.

dirigibile *agg.* dirigible ♦ *s.m.* airship.

dirigismo *s.m.* (*pol.*) state planning // *— economico,* planned economy.

dirigista *s.m.* supporter of state planning.

dirimente *agg.* (*dir.*) diriment.

dirimere *v.tr.* to settle.

dirimpetto *avv.* opposite: *la scuola è —,* the school is opposite; *le due case sono —,* the two houses are opposite each other ♦ *agg.* opposite: *la casa --,* the house opposite // **dirimpetto, a** *locuz.prep.* opposite (s.o., sthg.): *al teatro,* opposite the theatre; *sedevano l'uno — all'altro,* they were sitting opposite each other.

diritta *s.f.* right hand: *a—,* on the right.

diritto¹ *agg.* **1** straight; (*eretto*) erect: *strada diritta,* straight road; *capelli diritti,* straight hair; *stare —,* to stand erect // *calligrafia diritta,* upright handwriting // *per — o per traverso,* by hook or by crook **2** (*destro*) right(-hand) ♦ *s.m.* **1** right side // *il — e il rovescio di una moneta,* the obverse and reverse of a coin **2**

(*nei lavori a maglia*) plain stitch **3** (*tennis*) forehand ♦ *avv.* straight; (*direttamente*) directly // *scrivere* —, to write an upright hand // *rigar* —, to behave oneself // *tirare* —, to go ahead.

diritto2 *s.m.* **1** right: *esercitare un* —, to assert (*o* to enforce) a right; *far valere i propri diritti*, to vindicate one's rights; *avere* — *a qlco.*, to be entitled to sthg.; *diritti civili*, civil rights; *diritti acquisiti*, vested (*o* acquired) rights; *diritti portuali*, harbour dues; — *privilegiato*, preferential claim; — *di ritenzione*, lien; — *dei terzi*, third-party right // *diritti d'autore*, copyright; (*introiti*) royalties; *diritti di riproduzione cinematografica*, film rights; *tutti i diritti riservati*, all rights reserved // — *di bollo*, stamp duty // *diritti di banchina*, wharfage; *diritti di bacino*, dockage; *diritti di canale*, canal tolls; *diritti doganali*, customs duties // — *di vita e di morte su qlcu.*, power of life and death over s.o.; — *a buon* —, rightfully (*o* by right); *di pieno* —, by full right **2** (*legge*) law: — *civile, penale*, civil, criminal law; — *ecclesiastico*, canon law; — *internazionale*, international law; *studiare* —, to study (*o* to read) law.

dirittura *s.f.* **1** — *d'arrivo*, (*sport*) finishing straight **2** (*rettitudine*) rectitude, honesty.

dirizzone *s.m.* blunder: *prendere un* —, to make a blunder.

diroccato *agg.* tumbledown, dilapidated.

dirompente *agg.* bursting // *bomba* —, fragmentation bomb.

dirottamento *s.m.* **1** (*mar.*) change of course **2** (*di aereo*) hijacking.

dirottare *v.tr.* to divert ♦ *v.intr.* **1** to change route; (*mar.*) to change course **2** (*aerei*) to hijack.

dirottatore *s.m.* (*di aereo*) hijacker.

dirotto *agg.* heavy; (*di pianto*) desperate // *piovere a* —, to pour.

dirozzare *v.tr.* **1** to polish **2** (*fig.*) to refine.

dirupato *agg.* steep.

dirupo *s.m.* crag.

disabitato *agg.* uninhabited, desert.

disabituare *v.tr.* to get* (s.o.) out of a habit // **-arsi** *v.rifl.* to get* rid of a habit.

disaccordo *s.m.* disagreement; (*dissenso*) variance; (*disarmonia*) discord: *essere in* — *con qlcu.*, to be at variance with s.o.; *mettere* — *tra due persone*, to set two persons at variance.

disadattato *agg.* maladjusted ♦ *s.m.* misfit.

disadatto *agg.* unfit (for).

disadorno *agg.* unadorned: *una stanza disadorna*, a bare room.

disaffezionarsi *v.intr.pron.* to lose* one's affection (for s.o.).

disaffezione *s.f.* disaffection.

disagevole *agg.* uncomfortable; (*difficile*) hard.

disagiato *agg.* **1** uncomfortable **2** (*povero*) poor, needy // *in condizioni disagiate*, in straitened circumstances.

disagio *s.m.* **1** uneasiness: *essere, sentirsi a* —, to be, to feel uneasy (*o* ill at ease) // *è una persona che mette a* —, he is a person who makes you feel uneasy; *se fai così lo metti a* —, if you do that you will make him feel ill at ease (*o* uncomfortable) **2** *pl.* discomforts; (*difficoltà*) hardship: *vivere tra i disagi*, to live uncomfortably.

disalberare *v.intr.* (*mar.*) to dismast.

disalimentare *v.tr.* (*elettr.*) to disconnect.

disamina *s.f.* examination, inquiry: *fare una attenta* — *di qlco.*, to examine sthg. carefully.

disaminare *v.tr.* to examine carefully.

disamorare *v.tr.* to estrange // **-arsi** *v.intr.pron.* to fall* out of love (with s.o., sthg.).

disamorato *agg.* estranged; (*indifferente*) indifferent.

disamore *s.m.* estrangement; (*indifferenza*) indifference.

disancorare *v.tr.* (*mar.*) to unmoor // **-arsi** *v.intr.* (*mar.*) to unmoor; (*fig.*) to get* away.

disapprovare *v.tr.* to disapprove.

disapprovazione *s.f.* disapproval.

disappunto *s.m.* disappointment.

disarcionare *v.tr.* to unsaddle.

disarmare *v.tr.* **1** to disarm (*anche fig.*) **2** (*smantellare*) to dismantle **3** (*edil.*) (*liberare dalle armature*) to take* down the scaffolding (of sthg.) ♦ *v.intr.* **1** to disarm **2** (*fig.*) to yield, to surrender.

disarmato *agg.* disarmed (*anche fig.*).

disarmo *s.m.* **1** disarmament **2** (*smantellamento*) dismantling.

disarmonia *s.f.* discord (*anche fig.*).

disarmonico *agg.* discordant.

disarticolare *v.tr.* to loosen (one's joints) // **-arsi** *v.rifl.* to be* dislocated.

disastro *s.m.* **1** disaster // *combinare disastri, un* —, (*fam.*) to make a mess **2** (*grave incidente*) crash: — *aereo*, air crash.

disastroso *agg.* disastrous; (*rovinoso*) ruinous.

disattento *agg.* inattentive.

disattenzione *s.f.* inattention // *errore di* —, slip.

disattivare *v.tr.* to unprime.

disavanzo *s.m.* (*econ.*) deficit: *colmare il* —, to make up a deficit.

disavventura *s.f.* mishap, misadventure.

disavvertenza *s.f.* inadvertence.

disavvezzare *v.tr.* to get* (s.o.) out of a habit // **-arsi** *v.rifl.* to get* rid of a habit.

disbrigare *v.tr.* to dispatch; (*corrispondenza*) to clear off, to get* through.

disbrigo *s.m.* dispatch; (*di corrispondenza*) clearing off, getting through.

discapito *s.m.* damage // *a* — *di...*, to the prejudice of...

discarica *s.f.* **1** dumping: *divieto di* —, tip no rubbish **2** (*luogo*) dump, tip; waste: — *industriale*, industrial waste.

discarico *s.m.* justification // *a mio* —, to clear myself // *testimonio a* —, (*dir.*) witness for the defence.

discendente *agg.* descending ♦ *s.m. e f.* descendant.

discendenza *s.f.* **1** descent **2** (*discendenti*) offspring, descendants (*pl.*).

discendere *v.intr.* **1** to descend; (*andare giù*) to go* down; (*venire giù*) to come* down // *il fiume discende verso il mare*, the river flows toward the sea **2** (*calare*) to fall*; (*tramontare*) to set* **3** (*trarre origine*) to descend ♦ *v.tr.* to descend; (*andare giù*) to go* down; (*venire giù*) to come* down.

discente *s.m. e f.* (*letter.*) learner.

discepolo *s.m.* disciple.

discernere *v.tr.* to discern // — *il bene dal male*, to distinguish between right and wrong.

discernimento *s.m.* discernment.

discesa *s.f.* **1** descent: *una* — *ripida*, a steep descent // *strada in* —, downhill road; *essere in* —, (*di strada*) to go downhill // — *in picchiata*, (*aer.*) nosedive **2** (*invasione*) invasion.

discesista *s.m.* (*sport*) downhill racer.

dischetto *s.m.* (*informatica*) diskette; floppy disk.

dischiudere *v.tr.* **1** to open **2** (*svelare*) to disclose // **-ersi** *v.intr.pron.* to open.

discinto *agg.* scantily dressed.

disciogliere *v.tr.* **1** to dissolve; (*fondere*) to melt; (*neve*) to thaw **2** (*slegare*) to unbind* // **-ersi** *v.intr.pron.* to dissolve; (*fondersi*) to melt; (*di neve*) to thaw.

disciolto *agg.* dissolved.

disciplina *s.f.* **1** discipline: *imporre la* —, to enforce discipline; *tenere la* —, to keep discipline // *consiglio di* —, disciplinary council // *sala di* —, (*mil.*) guardhouse **2** (*materia di studio*) discipline **3** (*flagello*) scourge, discipline.

disciplinare[1] *v.tr.* to discipline; (*regolare*) to regulate: — *il traffico*, to regulate the traffic.

disciplinare[2] *agg.* disciplinary.

disciplinatezza *s.f.* discipline.

disciplinato *agg.* disciplined.

disco *s.m.* **1** disk, disc: *il — della luna*, the disk of the moon // *ernia del* —, (*med.*) slipped disk // — *telefonico*, telephone dial // — *orario*, parking-time indicator disc // — *volante*, flying saucer // — *estraibile*, (*informatica*) removable disk **2** (*mus.*) record: — *ad alta fedeltà*, high fidelity record **3** (*sport*) discus // — *sul ghiaccio*, (ice) hockey **4** (*ferr.*) (*segnale*) disk signal **5** (*mecc.*) disk.

discobolo *s.m.* **1** discus thrower **2** (*nell'antichità classica*) discobolus (*pl.* discoboli).

discografia *s.f.* discography.

discografico *agg.* record (*attr.*) // *un successo* —, a hit record.

discoide *agg.* e *s.m.* discoid.

discolo *agg.* mischievous; (*cattivo*) naughty ♦ *s.m.* naughty boy; (*scherz.*) little rogue.

discolpa *s.f.* justification // *che avete da dire a vostra* —?, what have you to say for yourself?

discolpare *v.tr.* to clear, to exculpate // **-arsi** *v.rifl.* to clear oneself; (*giustificarsi*) to justify oneself.

disconoscere *v.tr.* to disown.

disconoscimento *s.m.* disownment // — *di paternità*, refusal of paternity.

discontinuità *s.f.* discontinuity.

discontinuo *agg.* discontinuous.

discordante *agg.* **1** discordant **2** (*fig.*) (*di opinioni, testimonianze*) conflicting; (*di colori, suoni*) clashing.

discordanza *s.f.* **1** discordance **2** (*fig.*) (*di testimonianze, opinioni*) conflict; (*di colori, suoni*) clash.

discordare *v.intr.* **1** to disagree (with s.o., sthg.), to be* at variance (with s.o., sthg.) **2** (*di colori*) to clash (with sthg.).

discorde *agg.* discordant // *essere di parere* —, to be of different opinions.

discordia *s.f.* discord; (*disaccordo*) variance: *mettere la — fra due persone*, to set two people at variance // *seminare la* —, to sow the seeds of discord.

discorrere *v.intr.* to talk (sthg., about sthg., to s.o., with s.o.): — *di politica, di sport*, to talk politics, sport; — *del più e del meno*, to talk about this and that // *e via discorrendo*, and so on // *discorri bene, tu, ma...*, it is all very well for you to talk, but...

discorsivo *agg.* **1** conversational **2** (*loquace*) talkative.

discorso *s.m.* **1** speech: *pronunciare, tenere un* —, to make a speech // — *della Corona*, speech from the Throne **2** (*conversazione*) conversation, talk: *il — cadde sulla politica*, the conversation turned to politics // *attaccar — con qlcu.*, to engage s.o. in conversation // *perdere il filo del* —, to lose the thread of a conversation // *cambiamo* —!, let's change the subject! // *che discorsi!*, what rubbish! // *senza tanti discorsi*, frankly // *questo è un altro* —, that is another story **3** (*gramm.*) speech: — *diretto, indiretto*, direct, indirect speech; *le parti del*—, the parts of speech.

discosto *agg.* e *avv.* far: *poco* — *da*, not far from.

discoteca *s.f.* disco.

discredito *s.m.* discredit: *cadere in* —, to fall into disrepute.

discrepante *agg.* discrepant.

discrepanza *s.f.* discrepancy.

discretamente *avv.* **1** (*abbastanza bene*) fairly well, pretty well **2** (*con discrezione*) discreetly.

discreto *agg.* **1** discreet **2** (*moderato*) moderate; (*ragionevole*) reasonable **3** (*abbastanza buono*) fairly good; (*passabile*) passable // *un — numero di amici*, a good many friends.

discrezionale *agg.* (*dir.*) discretionary.

discrezione *s.f.* discretion // *arrendersi a* —, to surrender at discretion // *con* —, discreetly (*o* moderately).

discriminare *v.tr.* **1** to discriminate **2** (*dir.*) to extenuate.

discriminazione *s.f.* discrimination.

discussione *s.f.* **1** discussion; (*dibattito*) debate: *argomento in* —, argument under discussion; *aprire, iniziare la* —, to open, to start the debate **2** (*litigio*) argument: *ogni giorno discussioni, pianti... non è vita questa*, arguments and tears every day... this is no life.

discusso *agg.* discussed; (*dibattuto*) debated.

discutere *v.tr.* to discuss // *questo non si discute*, there is no question about this ♦ *v.intr.* to argue: *smettila di* —!, stop arguing!

discutibile *agg.* debatable; (*opinabile*) questionable: *gusto* —, questionable taste.

disdegnare *v.tr.* to disdain.

disdegno *s.m.* disdain: *avere in* —, to disdain.

disdetta *s.f.* **1** (*dir.*) notice: *dare la — a un inquilino*, to give a tenant notice to quit **2** (*sfortuna*) bad luck: *che* —!, what bad luck!

disdicevole *agg.* (*letter.*) unbecoming.

disdire[1] *v.tr.* **1** to unsay*; (*ritrattare*) to take* back, to retract: *dire e* —, to say and to unsay **2** (*annullare*) to cancel // — *un abbonamento*, to discontinue (*o* to withdraw) a subscription.

disdire[2] *v.intr.* to be* unbecoming.

disdoro *s.m.* (*rar.*) dishonour; (*onta*) shame.

diseducare *v.tr.* to give* (s.o.) bad habits; (*viziare*) to spoil*.

disegnare *v.tr.* **1** to draw*: — *a penna*, to draw with a pen; — *dal vero*, to draw from life **2** (*fig.*) to outline **3** (*progettare*) to design.

disegnatore *s.m.* designer; (*meccanico*) draughtsman (*pl.* -men):— *di moda*, fashion designer.

disegno *s.m.* **1** drawing; (*schizzo*) sketch; (*di tessuto*) pattern: — *a mano libera*, free-hand drawing; — *a matita*, pencil drawing; *fare il — di un abito*, to draw the sketch for a dress // *disegni animati*, (*cinem.*) (animated) cartoons // — *industriale*, industrial design **2** (*progetto*) plan; (*schema*) scheme // — *di legge*, bill.

diserbante *s.m.* (*agr.*) weed killer, herbicide.

diseredare *v.tr.* to disinherit.

diseredato *agg.* e *s.m.* poor, destitute // *i diseredati*, the poor (*o* the destitute).

disertare *v.tr.* e *intr.* to desert // — *le lezioni*, to play truant.

disertore *s.m.* deserter.

diserzione *s.f.* desertion.

disfacimento *s.m.* 1 ruin; (*decadimento*) decay 2 (*decomposizione*) decomposition.

disfare *v.tr.* 1 to undo*: — *un pacco*, to undo (*o* to open) a parcel; — *un nodo*, to undo (*o* to untie) a knot // — *un baule*, to unpack a trunk 2 (*sciogliere*) to melt // **-arsi** *v.rifl.* to get* rid (of s.o., sthg.): *è ora di — di questi vecchi mobili*, it's time to get rid of this old furniture ♦ *v.intr.pron.* 1 to decay; (*sfiorire*) to wither 2 (*sciogliersi*) to melt.

disfatta *s.f.* defeat, rout.

disfattismo *s.m.* defeatism.

disfattista *s.m.* e *f.* defeatist.

disfatto *agg.* 1 (*slegato*) undone 2 (*sconfitto*) defeated 3 (*sciolto*) melted 4 (*decomposto*) decomposed 5 (*molto stanco*) worn-out.

disfida *s.f.* (*letter.*) challenge.

disfunzione *s.f.* (*med.*) disorder, trouble.

disgelare *v.tr.* to defrost, to thaw ♦ *v.intr.* to thaw.

disgelo *s.m.* thaw.

disgiungere *v.tr.* to disjoin, to detach, to separate.

disgiuntivo *agg.* (*gramm.*) disjunctive.

disgrazia *s.f.* 1 misfortune; (*sfortuna*) mischance, bad luck: *che —!*, what hard luck! // *per —*, unfortunately (*o* by mischance) // *cadere, essere in —*, to fall into, to be in disfavour (*o* disgrace); *cadere in — presso qlcu.*, to lose s.o.'s favour; *le disgrazie non vengono mai sole*, it never rains but it pours 2 (*incidente*) accident.

disgraziatamente *avv.* unfortunately, unluckily.

disgraziato *agg.* 1 unfortunate, unlucky; (*infelice*) miserable, wretched 2 (*deforme*) misshapen ♦ *s.m.* wretch: *è un —*, he is a poor wretch // *povero —!*, poor devil! // *che —!*, (*fam.*) what a rat!

disgregare *v.tr.*, **disgregarsi** *v.intr.pron.* to disintegrate; (*fig.*) to break* up.

disgregante *agg.* disintegrating.

disgregazione *s.f.* disintegration, breaking up.

disguido *s.m.* wrong delivery: *c'è stato un —*, the letter has gone astray.

disgustare *v.tr.* to disgust: *sono disgustato dalle sue menzogne*, I am disgusted with his lies; *tutto ciò mi disgusta*, I am sick to death of it all // **-arsi** *v.intr.pron.* to be* disgusted (at, by sthg., with s.o.).

disgustato *agg.* disgusted: *si allontanò —*, he went away in disgust.

disgusto *s.m.* disgust, loathing; (*repulsione*) repulsion.

disgustoso *agg.* disgusting, loathsome.

disidratare *v.tr.* 1 (*chim.*) to dehydrate 2 (*tecn. mineraria*) to dewater.

disidratazione *s.f.* 1 (*chim.*) dehydration 2 (*tecn. mineraria*) dewatering.

disilludere *v.tr.* to disillusion, to open s.o.'s eyes // **-ersi** *v.intr.pron.* to be* disillusioned, to have* one's eyes opened.

disillusione *s.f.* disillusion, disenchantment.

disimparare *v.tr.* to forget*, to unlearn*.

disimpegnare *v.tr.* 1 to redeem, to take* out of pawn 2 (*liberare da un impegno*) to release 3 (*compiere*) to fulfil: — *bene un incarico*, to perform a task well // **-arsi** *v.rifl.* 1 to free oneself 2 (*cavarsela*) to manage; to extricate oneself: *saprà — da quella situazione*, he will be able to extricate himself from that situation.

disimpegno *s.m.* 1 redeeming, taking out of pawn 2 (*il liberarsi da un impegno*) freeing // *stanzino di —*, boxroom 3 (*adempimento*) fulfilment.

disincagliare *v.tr.* 1 (*mar.*) to refloat 2 (*fig.*) to get* (sthg.) moving.

disincantato *agg.* disenchanted.

disinfestare *v.tr.* to disinfest.

disinfestazione *s.f.* disinfestation.

disinfettante *agg.* e *s.m.* disinfectant.

disinfettare *v.tr.* to disinfect.

disinfezione *s.f.* disinfection.

disingannare *v.tr.* to undeceive, to disabuse // **-arsi** *v.rifl.* to undeceive oneself.

disinganno *s.m.* disillusion, disappointment.

disinibito *agg.* uninhibited.

disinnescare *v.tr.* to unprime, to defuse.

disinnesco *s.m.* unpriming, defusing.

disinnestare *v.tr.* (*mecc.*) to disengage, to unclutch.

disinnesto *s.m.* (*mecc.*) disengagement, release.

disinserire *v.tr.* (*elettr. mecc.*) to disconnect; to release.

disintegrare *v.tr.*, **disintegrarsi** *v.intr.pron.* to disintegrate // — *l'atomo*, to split the atom.

disintegrazione *s.f.* disintegration // — *dell'atomo*, splitting of the atom.

disinteressare *v.tr.* to disinterest, to divest of interest // **-arsi** *v.intr.pron.* to take* no interest (in s.o., sthg.).

disinteressato *agg.* disinterested, unselfish.

disinteresse *s.m.* 1 disinterestedness, unselfishness 2 (*indifferenza*) indifference.

disintossicare *v.tr.* (*med.*) to detoxicate.

disintossicazione *s.f.* detoxication.

disinvolto *agg.* unconstrained, unembarrassed; (*di modi, andatura*) easy.

disinvoltura *s.f.* lack of constraint; (*di modi, andatura*) ease // *comportarsi con —*, to be at one's ease.

disistima *s.f.* lack of esteem, disesteem; (*disprezzo*) contempt.

disistimare *v.tr.* to disesteem; (*disprezzare*) to despise.

dislivello *s.m.* 1 difference in level; (*inclinazione*) gradient: — *stradale*, gradient of a road 2 (*ineguaglianza*) inequality.

dislocamento *s.m.* 1 (*mar.*) displacement 2 (*distaccamento*) detachment.

dislocare *v.tr.* 1 (*mar.*) to displace 2 (*mil.*) to detach.

dislocazione *s.f.* 1 removal; (*mil.*) detachment 2 (*mil.*) (*ubicazione*) emplacement 3 (*geol.*) dislocation.

dismisura, a *locuz.avv.* excessively, beyond measure.

disobbligare *v.tr.* to release from a duty // **-arsi** *v.rifl.* to do* sthg. in return (for sthg.), to give* sthg. in return (for sthg.).

disoccupato *agg.* unemployed // *essere —*, to be unemployed (*o* out of work) ♦ *s.m.* unemployed person // *i disoccupati*, the unemployed.

disoccupazione *s.f.* unemployment // *sussidio di —*, dole: *ricevere il sussidio di —*, to be on the dole.

disonestà *s.f.* 1 dishonesty: *agire con —*, to behave dishonestly 2 (*atto disonesto*) swindle.

disonesto *agg.* 1 dishonest, deceitful; (*fraudolento*) fraudulent 2 (*impudico*) licentious.

disonorare *v.tr.* to dishonour, to disgrace.

disonorato *agg.* dishonoured.

disonore *s.m.* dishonour; (*vergogna*) disgrace: *perse con —*, he lost dishonourably; *far — al proprio nome*, to bring dishonour to one's own name; *fuggire sarebbe un —*, to flee would be a disgrace; *è il — della sua famiglia*, he is a disgrace to his family.

isonorevole *agg.* dishonourable; (*vergognoso*) disgraceful: *tenere una condotta —*, to behave disgracefully.

isopra *avv. e agg.* → *sopra, di* ♦ *s.m.* top.

isordinare *v.tr.* to disarrange, to untidy; (*confondere*) ɔ confuse ♦ *v.intr.* to be* immoderate: *non disordini, ni raccomando*, be careful in your eating habits.

isordinatamente *avv.* untidily; (*confusamente*) conusedly.

isordinato *agg.* **1** untidy; (*confuso*) confused: *una ʔanza disordinata*, an untidy room; *un uomo —*, an untidy man; *racconto —*, confused story **2** (*sregolato*): *ita disordinata*, disorderly life; *è — nel mangiare*, he ʔas irregular eating habits; *è — nelle spese*, he is erratic ɪ his expenditure.

isordine *s.m.* **1** disorder, untidiness; (*confusione*) ɔnfusion: *in —*, in disorder (*o* confusion); (*fam.*) at xes and sevens; *capelli in —*, dishevelled hair **2** (*sreʔolatezza*) immoderation; disorderliness **3** (*tumulto*) ʔisorder, commotion, tumult.

isorganico *agg.* incoherent.

isorganizzare *v.tr.* to disorganize, to upset* // *-arsi* .*intr.pron.* to become* disorganized.

isorganizzato *agg.* disorganized.

isorganizzazione *s.f.* disorganization.

isorientamento *s.m.* disorientation; (*fig.*) bewilderʔent.

isorientare *v.tr.* to disorientate; (*fig.*) to bewilder, to ʔisorientate // *-arsi* *v.intr.pron.* to lose* one's bearings; *fig.*) to get* bewildered.

isorientato *agg.* disorientated; (*fig.*) bewildered.

isormeggiare *v.tr.* to unmoor.

isossare *v.tr.* to bone.

isotto *avv. e agg.* → *sotto, di* ♦ *s.m.* bottom.

ispaccio *s.m.* dispatch, despatch: *— telegrafico*, teleɪram.

isparato *agg.* disparate, dissimilar.

isparere *s.m.* difference of opinion, dissension.

ispari *agg.* odd // *giocare a pari e —*, to play odds ʔnd evens.

isparità *s.f.* disparity, inequality, difference.

isparte, in *locuz.avv.* aside; apart: *mettere, lasciare ʔlco. in —*, (*serbare*) to put (*o* to set) sthg. apart (*o* ʔside): *per il momento mettilo in —*, put it aside for the ʔoment; *mettere qlco. in —*, (*scartare*) to put (*o* to lay) ʔthg. aside; *mettere qlco. in —*, to put s.o. aside; *prendeʔ qlco. in —*, to take s.o. aside; *stare in —*, to stand ʔside; (*fig.*) to stand aloof.

ispendio *s.m.* heavy expense; (*di forze, tempo*) waste.

ispendioso *agg.* expensive.

ispensa *s.f.* **1** (*distribuzione*) distribution **2** (*stanʔa*) pantry, larder; (*mobile*) cupboard **3** (*pubblicazione ʔeriodica*) number: *romanzo a dispense*, serial novel // ʔispense universitarie, duplicated lecture notes **4** (*eccl.*) ʔispensation **5** (*esonero*) exemption.

ispensare *v.tr.* **1** (*distribuire*) to dispense, to distribʔte, to give* out **2** (*esentare*) to exonerate, to exempt: *— qlcu. dai lavori pesanti*, to relieve s.o. from heavy duʔies; *— qlcu. dal servizio*, (*di pubblico ufficiale, militare ʔcc.*) to relieve s.o. of his duties.

ispensario *s.m.* public health centre.

ispensiere *s.m.* (*addetto alla dispensa*) steward.

ispepsia *s.f.* (*med.*) dyspepsia.

ispeptico *agg. e s.m.* dyspeptic.

isperare *v.intr.* to despair, to give* up hope: *non bisoʔna —*, we must hope for the best; *non devi mai —!*, never say die!; *si dispera di salvarla*, her life is despaired

of // *-arsi* *v.intr.pron.* to give* way to despair; (*scoraggiarsi*) to be* disheartened // *quel ragazzo mi fa proprio —*, that boy really drives me crazy.

disperatamente *avv.* desperately.

disperato *agg.* **1** despairing; (*senza speranza*) desperate, hopeless: *un caso —*, a desperate case; *in un tono —*, despairingly; *essere —*, to be in despair; (*scoraggiato*) to be disheartened; *suo padre è in condizioni di salute disperate*, his father's condition is hopeless **2** (*accanito*) desperate ♦ *s.m.* wretch; (*senza denaro*) beggar, pauper // *lavorare come un —*, (*fam.*) to work like mad // *correre come un —*, (*fam.*) to run like the wind.

disperazione *s.f.* **1** despair: *ridurre qlcu. alla —*, to drive s.o. to despair // *ho scelto questo per —*, I chose this for lack of anything better // *quel ragazzo è la — dei suoi genitori*, (*fam.*) that boy is the despair of his parents; *sei la mia —!*, you'll be the death of me! **2** (*stato di disperazione*) desperation; despondency, dejection.

disperdere *v.tr.* **1** to disperse, to scatter; (*dissipare*) to dispel: *— i dimostranti*, to disperse (*o* to break up) the demonstrators **2** (*consumare, sciupare*) to waste, to dissipate: *— le proprie energie*, to dissipate one's energies // *-ersi* *v.rifl.* **1** (*sparpagliarsi*) to disperse **2** (*elettr.*) to tail off **3** (*fig.*) to waste oneself.

dispersione *s.f.* **1** (*sparpagliamento*) dispersion, scattering **2** (*consumo*) waste **3** (*elettr.*) leak, leakage **4** (*fis.*) dispersion // *— del calore*, loss of heat.

dispersivo *agg.* dispersive, wasteful (*anche fig.*).

disperso *agg.* (*smarrito*) missing, lost: *la lettera andò dispersa*, the letter was missing; *dato per —*, (*in guerra*) reported missing ♦ *s.m.* missing soldier.

dispetto *s.m.* **1** spite: *fare qlco. per —*, to do sthg. out of spite; *far dispetti a qlcu.*, to be spiteful to s.o. // *a — di*, in spite of **2** (*stizza*) vexation: *con mio grande —...*, much to my vexation.

dispettoso *agg.* spiteful.

dispiacere *v.intr.* **1** (*riuscire sgradevole*) to offend (sthg.): *un sapore che dispiace al palato*, a taste that offends the palate **2** (*essere spiacente*) to be* sorry, to regret (*costr. pers.*): *mi dispiace!*, I'm sorry!; *me ne dispiace molto*, I am very sorry about (*o* I regret) it **3** (*scontentare*) to displease (s.o.); (*irritare*) to vex (s.o.) // *a costo di dispiacergli*, at the risk of incurring his disfavour // *se non vi dispiace*, if you please.

dispiacere *s.m.* **1** (*rincrescimento*) regret, sorrow; (*dolore*) grief: *con molto — dovemmo partire subito*, to our great regret we had to leave immediately; *mi fa — di non poter venire*, I regret that I cannot come; *ha avuto molti dispiaceri nella sua vita*, he has had a lot of troubles in his life; *è stato un grosso — per lui*, it caused him great sorrow **2** (*fastidio, preoccupazione*) trouble.

dispiegare *v.tr.* **1** to unfold; (*le vele*) to unfurl **2** (*allargare*) to spread* (out).

displuvio *s.m.* **1** (*geogr.*) watershed, divide // *linea di —*, ridge **2** (*arch.*) hip.

dispnea *s.f.* (*med.*) dyspn(o)ea.

disponibile *agg.* **1** available: *abbiamo poco denaro —*, we have little money at our disposal; *rendersi —*, to become available **2** (*libero*) free, vacant.

disponibilità *s.f.* availability: *— bancarie*, deposits with banks; *— finanziarie*, liquid assets // *essere in —*, (*mil.*) to be unattached // *nave in —*, (*mar.*) ship in dry dock.

disporre *v.tr.* **1** to arrange, to dispose // *— la merce in vetrina*, to display the goods in the window **2** (*pre-*

parare) to prepare: — *la cena*, to get (*o* to prepare) supper **3** (*rendere disposto*) to dispose: *le sue parole lo disposero alla clemenza*, her words left him inclined to forgiveness ♦ *v.intr.* **1** to dispose, to have* (s.o., sthg.) at one's disposal: *disponete pure di me*, you may consider me at your disposal; *i nostri studenti dispongono di due biblioteche*, our students have access to two libraries; *usò tutti i mezzi di cui disponeva*, he used all the means at his disposal; — *di grossi capitali*, to have a large capital at one's command **2** (*per testamento*): — *dei propri beni in favore di qlcu.*, to make over one's property to s.o.; *poco prima di morire ha disposto dei suoi beni*, just before dying he made testamentary disposition of his property **3** (*ordinare, stabilire*) to order; (*di legge, regolamento ecc.*) to provide // **-orsi** *v.rifl.* to prepare (for sthg., to do); to get* ready (for sthg., to do): — *all'azione*, to prepare for action; — *a partire*, to get ready to leave.

dispositivo *agg.* regulating ♦ *s.m.* **1** (*mecc.*) device, contrivance; gear: — *antiluce*, (*fot.*) light lock; — *di arresto*, (*aer.*) arresting gear; — *di lancio*, (*mil.*) launcher // — *di fine nastro*, (*informatica*) tape out device; — *di intercettazione*, (*IBM*) (*tel.*) gate **2** (*dir.*) purview.

disposizione *s.f.* **1** disposal, arrangement: — *la delle stanze di un appartamento*, the distribution of rooms in a flat; *la* — *di una pagina*, (*tip.*) the layout **2** (*ordine, prescrizione*) order, instruction: — *di legge*, (*dir.*) provision of the law; *disposizioni testamentarie*, testamentary dispositions; *fino a nuove disposizioni*, till further instructions // *sono a tua* —, I am at your disposal; *avere tempo a propria* —, to have time at one's disposal **3** (*inclinazione*) inclination, bent: *avere* — *allo studio*, to have a natural bent for study: *non ha* — *per la musica*, he has no inclination for music.

disposto *agg.* **1** ready, willing; (*incline*) disposed, inclined: *sono* — *a farlo*, I am willing (*o* ready) to do it; *essere ben* — *verso qlcu.*, to be favourably disposed towards s.o.; *sentirsi* — *a fare qlco.*, to feel inclined to do sthg. **2** *ben* —, (*di costituzione robusta*) strong, vigorous ♦ *s.m.* (*dir.*) provision.

dispotico *agg.* despotic.

dispotismo *s.m.* despotism.

dispregio *s.m.* contempt, scorn: *tenere in* —, to despise.

disprezzabile *agg.* despicable, contemptible // *un capitale non* —, a considerable capital.

disprezzare *v.tr.* to despise, to scorn: — *un consiglio*, to scorn a piece of advice; *disprezza tutti*, he looks down on everybody.

disprezzo *s.m.* contempt, scorn: *tenere qlco., qlcu. in* —, to hold sthg., s.o. in contempt.

disputa *s.f.* **1** dispute; (*fil.*) disputation: *non soggetto a* —, beyond dispute **2** (*lite*) quarrel.

disputare *v.intr.* **1** to dispute (about sthg.) **2** (*litigare*) to argue: *disputano sempre per motivi futili*, they are always arguing over trifles **3** (*contendere*) to contend (for sthg.), to fight* (for sthg.) ♦ *v.tr.* **1** (*discutere*) to discuss: — *una causa*, to discuss a case **2** (*contendere*) to contend (for): — *un primato*, to contend for a record **3** (*gare*) to play; (*di box*) to fight*: *la partita sarà disputata a Pavia*, the match will be played in Pavia; *è stata una gara molto disputata*, it was a hard-won match // — *una corsa*, to run a race // — *un incontro di calcio*, to play a match // **-arsi** *v.rifl.rec.* to contend (for sthg.), to fight* (for sthg.); *due francesi si sono disputati il terzo posto*, two Frenchmen fought (*o* had a close struggle for) the third place.

disquisizione *s.f.* disquisition.

dissacrare *v.tr.* **1** (*sconsacrare*) to deconsecrate (*fig.*) to debunk: — *l'idea di patria*, to debunk patriotism

dissalare *v.tr.* to desalinate.

dissalazione *s.f.* desalination.

dissaldare *v.tr.* to unsolder.

dissanguamento *s.m.* **1** bleeding: *morì per* —, he bled to death **2** (*fig.*) impoverishment.

dissanguare *v.tr.* to bleed* (*anche fig.*); (*impoverire*) to impoverish, to exhaust // — *le casse dello Stato*, to draw heavily on the Treasury // **-arsi** *v.intr.pron.* to bleed*; (*impoverirsi*) to become* impoverished; (*esaurirsi*) to be* exhausted.

dissanguato *agg.* **1** bloodless, drained of blood: *morire* —, to bleed to death **2** (*fig.*) impoverished.

dissapore *s.m.* disagreement, variance.

disseccare *v.tr.* to dry up; (*terreno*) to parch; (*foglie, fiori*) to wither // **-arsi** *v.intr.pron.* to dry up (*anche fig.*); (*di terreno*) to parch; (*di fiori, foglie*) to wither.

disselciare *v.tr.* to unpave.

dissellare *v.tr.* to unsaddle.

disseminare *v.tr.* **1** to disseminate, to scatter **2** (*fig.*) to spread*, to disseminate.

disseminazione *s.f.* dissemination, spreading (*anche fig.*).

dissennato *agg.* mad, foolish.

dissenso *s.m.* **1** dissent, disagreement **2** (*disapprovazione*) disapproval **3** (*divergenza ideologica e politica*) dissent, dissidence.

dissenteria *s.f.* dysentery.

dissentire *v.intr.* to dissent, to disagree (with s.o. sthg.): *dissentono su questo punto*, they are at variance (*o* are not in agreement) on this point.

dissenziente *agg.* dissenting, dissident; (*relig.*) nonconformist (*attr.*) ♦ *s.m.* **1** (*pol.*) dissident **2** (*relig.*) Nonconformist.

disseppellire *v.tr.* **1** to disinter, to exhume, to unearth (*anche fig.*) **2** (*richiamare dall'oblio*) to revive

dissequestrare *v.tr.* to release from sequestration.

dissertare *v.intr.* to dissert (upon sthg.), to discourse (upon sthg.).

dissertazione *s.f.* dissertation: *fare una* — *su qlco.*, to deliver a dissertation upon sthg.

disservizio *s.m.* disorganization.

dissestare *v.tr.* (*finanziariamente*) to ruin.

dissestato *agg.* **1** in financial difficulties; (*rovinato*) ruined **2** (*di strada*) in bad condition.

dissesto *s.m.* **1** trouble, difficulty: — *finanziario*, financial difficulty **2** (*fallimento*) bankruptcy.

dissetante *agg.* thirst-quenching: *bibita* —, thirst-quenching drink.

dissetare *v.tr.* to quench s.o.'s thirst // **-arsi** *v.rifl.* to quench one's thirst; (*bere*) to drink*; (*di animali*) to water.

dissezione *s.f.* dissection.

dissidente *agg.* dissenting, dissident; (*relig.*) nonconformist (*attr.*) ♦ *s.m.* dissenter; (*relig.*) Nonconformist.

dissidenza *s.f.* dissidence.

dissidio *s.m.* dissension, disagreement, variance; (*litigio*) quarrel: *il* — *tra Chiesa e Stato*, the split between Church and State; *comporre un* —, to settle (*o* to make up) a quarrel; *essere in* — *con qlcu.*, to be at variance with s.o.

dissigillare *v.tr.* to unseal.

dissimile *agg.* different (from, to), unlike (s.o., sthg.) (*pred.*).

dissimulare *v.tr.* to dissimulate, to dissemble.

distinguere

dissimulatore *s.m.* dissembler ♦ *agg.* dissimulating.

dissimulazione *s.f.* dissembling.

dissipare *v.tr.* to dissipate (*anche fig.*): — *un dubbio*, to dissipate (*o* to dispel) a doubt // — *il proprio denaro*, to squander one's money // **-arsi** *v.intr.pron.* to dissipate (*anche fig.*).

dissipato *agg.* dissipated, dissolute.

dissipatore *s.m.* squanderer, spendthrift.

dissipazione *s.f.* **1** (*spec. di denaro*) squandering **2** (*morale*) dissipation.

dissociabile *agg.* dissociable.

dissociare *v.tr.* to dissociate, to separate // **-arsi** *v.rifl.* to dissociate.

dissociato *agg.* (*psic.*) dissociated ♦ *s.m.* **1** sufferer from dissociation **2** (*scherz.*) absent-minded, scatter-brained.

dissociazione *s.f.* dissociation, separation.

dissodamento *s.m.* (*agr.*) breaking up.

dissodare *v.tr.* (*agr.*) to break* up // — *il campo, il terreno*, (*fig.*) to prepare the ground.

dissolubile *agg.* dissoluble, dissolvable.

dissolubilità *s.f.* dissolubility.

dissolutezza *s.f.* dissoluteness, looseness.

dissoluto *agg.* dissolute, loose.

dissoluzione *s.f.* dissolution (*anche fig.*).

dissolvenza *s.f.* (*cinem.*) fading: — *in apertura*, fade-in; — *in chiusura*, fade-out.

dissolvere *v.tr.* **1** to dissolve: *l'acqua dissolve lo zucchero*, water dissolves (*o* melts) sugar **2** (*disperdere*) to dispel (*anche fig.*): *la fede dissolve ogni dubbio*, faith dispels all doubts // **-ersi** *v.intr.pron.* **1** to dissolve, to melt // *la nebbia si dissolse*, the fog cleared up **2** (*disperdersi*) to vanish: *le ombre si dissolvono all'alba*, shadows vanish (*o* fade away) at dawn.

dissomiglianza *s.f.* dissimilarity.

dissonante *agg.* **1** dissonant, discordant **2** (*discordante*) disagreeing.

dissonanza *s.f.* **1** dissonance, discord **2** (*discordanza*) disagreement.

dissonare *v.intr.* **1** (*mus.*) to be* out of tune **2** (*discordare*) to disagree (with s.o., sthg.).

dissotterrare *v.tr.* to disinter, to exhume, to unearth (*anche fig.*).

dissuadere *v.tr.* to dissuade, to deter: — *qlco. da qlco., dal fare qlco.*, to dissuade (*o* to deter) s.o. from doing sthg.

dissuasione *s.f.* dissuasion, determent.

dissuggellare *v.tr.* to unseal.

distaccamento *s.m.* (*mil.*) detachment.

distaccare *v.tr.* **1** to detach (*anche fig.*); (*separare*) to separate **2** (*trasferire*) to transfer **3** (*sport*) to leave* behind // **-arsi** *v.intr.pron.* **1** to come* off; (*rompersi*) to break* off // — *dalla famiglia*, to drift away from one's family // — *dal mondo*, to withdraw from the world **2** (*spiccare*) to stand* out.

distaccato *agg.* **1** detached, separated, cut off // *in una sede distaccata*, in a separate building **2** (*fig.*) (*indifferente*) detached, indifferent // — *dal mondo*, unworldly.

distacco *s.m.* **1** detachment **2** (*fig.*) (*separazione*) separation; (*partenza*) parting **3** (*indifferenza*) detachment, indifference **4** (*sport*) gap; (*vantaggio*) lead: *vinsero con un forte* — *sugli altri*, they won with a good lead over the others.

distante *agg.* **1** distant, remote, far off, far away: *la città era distante cinque miglia*, the town was five miles away; — *da*, far from (*o* a long way from) // *essere distanti di gusti, di opinioni*, to differ in tastes, in opinions **2** (*fig.*) (*distaccato*) distant: *una persona* —, a distant (*o* stand-offish) person; *uno sguardo* —, a distant look ♦ *avv.* far, far off, far away: *non riesco a vedere così* —, I cannot see as far as that.

distanza *s.f.* distance: — *tra due centri*, (*mecc.*) centre distance; — *visiva*, (*ott.*) optical range; *alla* — *di tre miglia*, at a distance of three miles (*o* three miles away); *non si vedeva nulla a quella* —, one could see nothing from that distance // *a* — *di venti anni*, after twenty years (*o* twenty years later) // *la corsa è sulla* — *di mille miglia*, the race is over a distance of one thousand miles // *a, in* —, at a distance, in the distance // *mantenere le distanze*, to keep one's distance // *stare a rispettosa* — *da qlcu.*, (*iron.*) to give a wide berth to s.o. // *tenere qlcu. a* —, to keep s.o. at arm's length (*o* at a distance).

distanziamento *s.m.* gap, distance.

distanziare *v.tr.* **1** (*allentare, rilassare*) to relax (*anche fig.*): — *i nervi*, to relax **2** (*allungare*) to stretch (out); (*allargare*) to spread*: — *le braccia*, to stretch (out) one's arms **3** (*stendere*) to lay* // **-ersi** *v.rifl.* **1** (*sdraiarsi*) to lie* down **2** (*rilassarsi*) to relax // *la situazione si è distesa*, the situation has eased **3** (*estendersi*) to spread*, to stretch (out).

distanziare *v.tr.* **1** (*allentare, rilassare*) to space: *distanzia bene le parole e le righe*, space the words and the lines properly **2** (*lasciare indietro*) to outstrip: *è riuscito a distanziarlo sul rettilineo*, he succeeded in outdistancing (*o* outstripping) him on the straight **3** (*fig.*) to distance, to outstrip.

distare *v.intr.*: *dista circa venti miglia da Londra*, it is about twenty miles from London; *il paese dista cinque chilometri*, the village is five kilometres away; *quanto dista?*, how far is it?

distendere *v.tr.* **1** (*allentare, rilassare*) to relax (*anche fig.*): — *i nervi*, to relax **2** (*allungare*) to stretch (out); (*allargare*) to spread*: — *le braccia*, to stretch (out) one's arms **3** (*stendere*) to lay* // **-ersi** *v.rifl.* **1** (*sdraiarsi*) to lie* down **2** (*rilassarsi*) to relax // *la situazione si è distesa*, the situation has eased **3** (*estendersi*) to spread*, to stretch (out).

distensione *s.f.* **1** stretching; (*di un muscolo*) straining **2** (*rilassamento*) relaxation (*anche fig.*) **3** (*pol.*) relaxation of tension, distension.

distensivo *agg.* relaxing // *una politica distensiva*, policy of distension.

distesa *s.f.* **1** expanse, stretch **2** (*fila*) row.

disteso *agg.* **1** (*allungato*) stretched // *braccia distese*, outstretched arms // *era lungo* — *sul letto*, he was stretched at full length on the bed // *cadere lungo* —, to fall flat **2** (*spiegato*) spread **3** (*sdraiato*) lying: *mettiti* — *per un po'*, lie down for a while **4** (*rilassato*) relaxed **5** *a distesa*, continuously: *le campane suonano a distesa*, the bells are ringing a full peal; *gridare a distesa*, to shout at the top of one's voice.

distico *s.m.* (*metrica*) couple of lines; (*in rima*) couplet.

distillare *v.tr. e intr.* to distil // *distillò in quell'opera tutta la sua scienza*, he poured all his knowledge into that work.

distillato *agg.* distilled ♦ *s.m.* (*chim.*) distillate.

distillatore *s.m.* distiller.

distillazione *s.f.* (*chim.*) distillation // *prodotto di* —, distillate.

distilleria *s.f.* distillery.

distinguere *v.tr.* **1** to distinguish: — *le perle vere dalle false*, to distinguish real pearls from imitation ones; — *suoni, colori*, to distinguish noises, colours; *la ragione distingue l'uomo dalle bestie*, reason distinguishes man from the animals // *non distinguo la tua voce dalla sua*, I can't tell your voice from his // *non li so* —, I can't tell which is which **2** (*contrassegnare*) to mark **3** (*di-*

videre) to divide // **-ersi** *v.rifl.* (*segnalarsi*) to distinguish oneself; (*farsi notare*) to make* oneself conspicuous (by sthg., doing sthg.).

distinta *s.f.* (*comm.*) list: — *della merce*, packing list; — *di sconto*, list of bills for discount // — *di cassa*, cash statement // — *di versamento*, paying-in slip.

distintamente *avv.* 1 distinctly 2 (*nella chiusa di una lettera*) faithfully, truly: *vi salutiamo* —, we remain, yours faithfully.

distintivo *agg.* distinctive, distinguishing: *segno* —, mark ♦ *s.m.* badge.

distinto *agg.* 1 (*diverso*) distinct, separate 2 (*chiaro*) distinct, clear 3 (*signorile, ragguardevole*) distinguished // *avere un'aria distinta*, to look distinguished // *distinti saluti*, best regards; (*nella chiusa di una lettera*) yours faithfully (*o* yours truly).

distinzione *s.f.* distinction // *senza* —, indiscriminately.

distogliere *v.tr.* to turn away (*anche fig.*); (*dissuadere*) to dissuade; (*distrarre*) to divert.

distonia *s.f.* (*med.*) distonia.

distorcere *v.tr.* to twist (*anche fig.*).

distorsione *s.f.* 1 (*med.*) sprain 2 (*rad. tv*) distortion.

distrarre *v.tr.* 1 to distract 2 (*divertire*) to entertain 3 (*sottrarre denaro*) to misappropriate // **-arsi** *v.rifl.* 1 to be* distracted, to get* distracted // *non distrarti!*, don't let your mind wander! 2 (*svagarsi*) to amuse oneself: *ha bisogno di* —, he needs distractions.

distrattamente *avv.* (*svagatamente*) absent-mindedly; (*inavvertitamente*) inadvertently, unintentionally.

distratto *agg.* (*svagato*) absent-minded; (*disattento*) inattentive.

distrazione *s.f.* 1 absent-mindedness, distraction; (*disattenzione*) carelessness: *errore di* —, careless mistake (*o* slip) // *per* —, inadvertently; (*per disattenzione*) out of carelessness 2 (*svago*) distraction 3 (*sottrazione di denaro*) misappropriation.

distretto *s.m.* 1 district 2 (*mil.*) recruiting centre, recruiting office.

distrettuale *agg.* district (*attr.*): *giudice* —, district judge; *tribunale* —, District Court.

distribuire *v.tr.* 1 to distribute, to give* (out), to hand out: — *le paghe*, to hand out the wages // — *le carte*, (*al gioco*) to deal the cards // — *onorificenze*, to award honours // — *la posta*, to deliver the mail // — *le parti di una commedia*, to cast a play // — *colpi a destra e a sinistra*, to hit out right and left // — *uniformemente il colore*, to spread colour evenly 2 (*porre, disporre*) to place, to arrange.

distributivo *agg.* distributive.

distributore *s.m.* distributor (*anche mecc.*): — *d'accensione*, (*aut.*) ignition distributor // — *automatico*, slot machine // — *di benzina*, (*aut.*) petrol pump; (*amer.*) gasoline pump.

distribuzione *s.f.* 1 distribution // — *della posta*, mail delivery // — *dei servizi*, allotment of duties // — *di energia elettrica*, electrical supply // — *dei ruoli*, (*teatro*) casting 2 (*aut.*) timing system: *organi della* —, timing gears // *albero della* —, cam shaft 3 (*disposizione*) arrangement; layout: *la* — *dei mobili di una stanza*, the arrangement of the furniture in a room; *la* — *delle stanze in un appartamento*, the layout of the rooms in a flat.

districare *v.tr.* to disentangle (*anche fig.*): — *un nodo*, to untie a knot // **-arsi** *v.rifl.* (*fig.*) to get* out of (sthg.) // *si è districato il meglio possibile*, he managed as well as he could.

distruggere *v.tr.* 1 to destroy (*anche fig.*) 2 (*rendere inutile*) to ruin.

distruttivo *agg.* destructive.

distrutto *agg.* destroyed (*anche fig.*) // *un uomo* —, a broken man.

distruttore *agg.* destroying ♦ *s.m.* destroyer.

distruzione *s.f.* 1 destruction: *istinto di* —, destructive instinct 2 (*rovina*) ruin.

disturbare *v.tr.* 1 to disturb; (*causare fastidio*) to give* trouble (to s.o.); (*seccare*) to bother, to annoy: — *la quiete pubblica*, to disturb the public peace; *scusatemi se vi disturbo*, excuse my disturbing you; *spiacente di disturbarvi tanto*, sorry to give you so much trouble // *ti disturbo se sto seduto qui?*, am I in your way if I sit here? // *ti disturba se fumo?*, do you mind my smoking? 2 (*sconvolgere*) to upset* 3 (*rad. tv*) (*intenzionalmente*) to jam // *quel programma era molto disturbato per via della temporale*, because of the storm there was a lot of interference on that programme // **-arsi** *v.rifl.* to trouble (oneself): *non disturbarti a scrivere*, don't trouble to write

disturbatore *s.m.* disturber: — *della quiete pubblica*, disturber of the peace.

disturbo *s.m.* 1 trouble; (*seccatura*) nuisance; (*della quiete pubblica*) disturbance: *nessun* —, no trouble at all; *prendersi il* — *di fare qlco.*, to take the trouble of doing (*o* to do) sthg. // *senza il minimo* —, without the slightest inconvenience // *potrebbe aiutarmi se non le è di disturbo?*, could you help me if it's no trouble for you? 2 (*malattia*) trouble // *ha avuto un leggero* —, he wasn't very well 3 (*rad.*) (*intenzionale*) jamming; (*non intenzionale*) interference // *disturbi atmosferici*, atmospherics // *ricezione senza disturbi*, interference-free reception.

disubbidiente *agg.* disobedient.

disubbidienza *s.f.* disobedience (of sthg.).

disubbidire *v.intr.* to disobey (s.o., sthg.); (*trasgredire*) to break*: — *agli ordini*, to break orders.

disuguaglianza *s.f.* inequality; (*differenza*) difference // — *di età*, disparity of (*o* in) age.

disuguale *agg.* unequal; (*differente*) different; (*irregolare*) irregular.

disumano *agg.* inhuman, cruel.

disunione *s.f.* disunion; (*discordia*) discord, dissension.

disunire *v.tr.* to disunite, to divide.

disunito *agg.* disunited, divided: *famiglia disunita*, divided (*o* disunited) family.

disusato *agg.* obsolete, out-of-date: *parole disusate*, obsolete words.

disuso *s.m.* disuse: *cadere in* —, to fall into disuse; *parole cadute in* —, obsolete words.

disutile *agg.* useless.

disvolere *v.tr.* (*rar.*) to wish no longer.

ditale *s.m.* thimble.

ditata *s.f.* fingermark // *mi ha dato una* — *in un occhio*, he stuck his finger in my eye.

diteggiatura *s.f.* (*mus.*) fingering.

ditirambo *s.m.* (*lett.*) dithyramb.

dito *s.m.* finger; (*del piede*) toe: — *mignolo*, little finger; *mettersi le dita nel naso*, to pick one's nose // *un* — *di vino*, a finger of wine // *gli dai un* — *e si prende una mano*; give him an inch and he'll take a mile // *ha le dita d'oro*, she is very clever with her fingers // *non aveva la forza di alzare un* —, he was so weak he couldn't move a finger // *non mosse un* — *per noi*, he didn't lift a finger to help us // *me la lego al* —, I won't forget this (*o* you'll pay for this) // *mettere il* — *sulla piaga*, to

•ring up a sore point // *aver qlco. sulla punta delle dita*, ›o have sthg. at one's fingertips // *tra moglie e marito* •on mettere il —, (*prov.*) don't interfere between hus-•and and wife.

ïitola *s.f.* (*bot.*) clavaria.

ïitta *s.f.* firm, concern, business: *Spett. Ditta*, (*negli in- ïirizzi*) Messrs.; (*nell'introduzione di una lettera*) Dear Sirs; *sciogliere una —*, to dissolve a firm.

ïittafono ® *s.m.* dictaphone ®.

ïittamo *s.m.* (*bot.*) dittany.

ïittatore *s.m.* dictator.

ïittatoriale *agg.* dictatorial.

ïittatura *s.f.* dictatorship.

ïittico *s.m.* diptych.

ïittongo *s.m.* diphthong.

ïiuresi *s.f.* (*med.*) diuresis.

ïiuretico *agg.* e *s.m.* (*med.*) diuretic.

ïiurno *agg.* diurnal; day (*attr.*): *lavoro —*, day-work; *›re diurne*, daytime // *spettacolo —*, (*teatr.*) matinée.

ïiuturno *agg.* long-lasting.

ïiva *s.f.* (film)star.

ïivagare *v.intr.* to wander, to digress, to stray, to diva- ›ate: *— da un tema*, to wander from a subject ♦ *v.tr.* (*distrarre*) to divert, to distract **2** (*mutarsi*) **-arsi** *v.rifl.* **1** to be* ›distracted **2** (*divertirsi*) to amuse oneself.

ïivagazione *s.f.* wandering, digression.

ïivampare *v.intr.* to burst* into flames // *— d'ira*, to flare up.

ïivano *s.m.* sofa, couch; (*senza spalliera*) divan.

ïivaricare *v.tr.* to open wide.

ïivaricato *agg.* wide apart, spread apart: *stare a gam- ›e divaricate*, to stand with one's legs astride.

ïivario *s.m.* difference.

ïivedere *v.tr.*: *dare a —*, to show clearly.

ïivelto *agg.* torn off, pulled off: *— dalla radice*, eradi- cated (*o* uprooted).

ïivenire *s.m.* (*fil.*) becoming.

ïivenire, diventare *v.intr.* **1** to become*: *divenne fa- ›moso*, he became famous; *divenne generale, dottore*, he became a general, a doctor **2** (*mutarsi lentamente*) to grow* (into s.o., sthg.); (*mutarsi rapidamente*) to turn (into s.o., sthg.); (*fam.*) to get* (*solo con agg. e p.pass.*): *l'acqua diventò ghiaccio*, the water turned into ice; *è di- ventato un uomo*, he has grown into a man; *diverrà un ›buon attore*, he will make a good actor; *— acido*, to turn sour; *— alto*, to grow (*o* to get) tall; *— vecchio*, to get old // *— rosso*, to turn red.

ïiverbio *s.m.* dispute, quarrel.

ïivergente *agg.* divergent, diverging.

ïivergenza *s.f.* divergence // *— d'opinioni*, disagree- ment.

ïivergere *v.intr.* to diverge.

ïiversamente *avv.* otherwise, differently, in a differ- ent way // *— da*, differently from ♦ *cong.* (*altrimenti*) otherwise, or else.

ïiversificare *v.tr.* to diversify ♦ *v.intr.*, **-arsi** *v.intr.pron.* to be* different, to differ; (*diventar diverso*) to get* dif- ferent.

ïiversione *s.f.* diversion (*anche mil.*).

ïiversità *s.f.* diversity, difference; (*varietà*) variety.

ïiversivo *agg.* **1** (*atto a deviare*) deviating **2** (*che di- strae*) diverting ♦ *s.m.* diversion, distraction // *ho biso- gno di un —*, I need a change.

ïiverso *agg.* **1** different // *allora il caso è —!*, that puts a different complexion on the matter! **2** (*di diver- so genere*) various, different; (*comm.*) sundry: *creditori* *diversi*, (*comm.*) sundry creditors ♦ *agg.* e *pron.indef.pl.* (*parecchi*) several: *ne mancano diversi*, there are several missing; *erano in diversi*, there were several of them.

divertente *agg.* amusing, entertaining.

divertimento *s.m.* **1** amusement, entertainment; (*passatempo*) pastime, recreation: *lo fa per puro —*, he does it just to amuse himself; *con grande — di...*, to the great amusement of... // *buon —!*, have a good time! // *che —!*, what fun! **2** (*mus.*) divertimento (*pl.* diver- timenti), divertissement.

divertire *v.tr.* to amuse, to entertain // **-irsi** *v.rifl.* to amuse oneself, to enjoy oneself: *divertiti!*, enjoy your- self! (*o* have a good time!); *pensa solo a —*, he thinks of nothing but enjoying himself // *— alle spalle di qlcu.*, to make fun of s.o.

divertito *agg.* amused: *con aria divertita*, with an air of amusement.

divezzare *v.tr.* to wean (*anche fig.*) // **-arsi** *v.rifl.* to get* rid of the habit (of doing).

dividendo *s.m.* (*mat. comm.*) dividend: *— differito*, de- ferred dividend; *azione a — differito*, deferred share; *— di fine anno*, year-end dividend.

dividere *v.tr.* **1** to divide (*anche mat.*), to split* up: *il partito è diviso da lotte interne*, the party is torn by inter- nal disputes; *— in due*, to divide in two; *— per cinque*, to divide by five; *— in parti*, to divide into parts **2** (*se- parare*) to separate **3** (*condividere*) to share: *— la gio- ia, il dolore, l'opinione altrui*, to share s.o.'s joy, sorrow, opinion; *— le spese*, to share expenses **4** (*chim.fis.*) to split* // (*fig.*) **-ersi** *v.intr.pron.* to divide; (*fendersi*) to break* (up), to crack ♦ *v.rifl.* e *rifl.rec.* (*separarsi*) to part; (*di coniugi*) to separate: *— da qlcu., da qlco.*, to part from s.o., with sthg.

divieto *s.m.* prohibition // *— di affissione*, billstickers will be prosecuted; *— di parcheggio*, no parking; *— di .transito*, no thoroughfare.

divinare *v.tr.* (*letter.*) to divine; (*prevedere*) to foresee*; (*predire*) to foretell*, to prophesy: *— le intenzioni di qlcu.*, to divine s.o.'s intentions; *— la sorte di qlcu.*, to foretell s.o.'s future.

divinazione *s.f.* divination.

divincolare *v.tr.* **-arsi** *v.rifl.* to wriggle, (*riuscendo a liberarsi*) to wriggle out (of sthg.): *il pesce si divincolò dalle mie mani*, the fish wriggled out of my hands.

divinità *s.f.* divinity.

divinizzare *v.tr.* to deify.

divino *agg.* **1** divine; (*simile a un dio*) godlike // *scienza divina*, theology **2** (*fig.*) heavenly, divine.

divisa¹ *s.f.* **1** uniform: *— ordinaria*, service dress; *in — di gala*, wearing full dress **2** (*motto*) motto.

divisa² *s.f.* (*comm.*) currency.

divisamento *s.m.* (*rar.*) plan, design.

divisare *v.tr.* (*letter.*) to plan, to design.

divisibile *agg.* divisible: *— per due*, divisible by two.

divisibilità *s.f.* divisibility.

divisione *s.f.* **1** division: *— corazzata*, (*mil.*) armed division; *— navale*, (*mil.*) naval division; *generale di —*, major general; *muro di —*, partition(-wall) **2** (*ammi- nistrazione*) department: *capo —*, head of a department.

divisionismo *s.m.* (*pitt.*) pointillism(e).

divismo *s.m.* **1** stardom **2** (*infatuazione per i divi*) star cult, star worship.

diviso *agg.* **1** divided: *— in tre parti*, divided in(to) three parts; *— per tre*, divided by three **2** (*separato*) separated.

divisore *s.m.* divisor: *massimo comun —*, (*mat.*) greatest common divisor.

divisorio *agg.* dividing, separating: *muro —*, partition (-wall) ♦ *s.m.* partition.

divo *s.m.* star.

divorare *v.tr.* to devour (*anche fig.*); to eat* up, to wolf (down): *era così affamato che ha divorato il panino in un attimo*, he was so hungry that he gulped down (*o* devoured) the sandwich in a flash; *è divorato dall'orgoglio*, he is eaten up with pride; *l'amore, l'odio lo divorano*, he is consumed with (*o* devoured by) love, hatred // *— un patrimonio*, to squander (*o* to consume) a fortune // *— qlcu. con gli occhi*, to devour s.o. with one's eyes.

divoratore *agg.* devouring, voracious ♦ *s.m.* voracious eater, devourer.

divorziare *v.intr.* to divorce (s.o.), to be* divorced: *ha divorziato da lei due anni fa*, he divorced her two years ago.

divorziato *agg.* divorced ♦ *s.m.* divorcee.

divorzio *s.m.* divorce (*anche fig.*): *chiedere il —*, to apply for a divorce.

divorzista *agg.* pro-divorce ♦ *s.m.* e *f.* 1 divorce supporter 2 (*avvocato*) divorce lawyer.

divulgare *v.tr.* 1 to spread*, to divulge, to reveal; (*per radio*) to broadcast*; (*per televisione*) to telecast* 2 (*esporre in forma accessibile*) to popularize // **-arsi** *v. intr.pron.* to spread*.

divulgativo *agg.* popularizing.

divulgatore *s.m.* divulger; (*scrittore ecc.*) popularizer.

divulgazione *s.f.* 1 divulgation, spreading 2 (*esposizione in forma accessibile*) popularization.

dizionarietto *s.m.* pocket dictionary.

dizionario *s.m.* dictionary: *— geografico*, gazetteer.

dizione *s.f.* 1 diction 2 (*recitazione*) recital 3 (*pronuncia*) pronunciation.

do *s.m.* (*mus.*) C, do.

Dobermann *s.m.* (*cane*) Dobermann.

doccia *s.f.* 1 shower(-bath); (*a scopo terapeutico*) douche: *fare la —*, to take (*o* to have) a shower(-bath) // *dare una — fredda a qlcu.*, (*fig.*) to damp s.o.'s enthusiasm 2 (*condotto per l'acqua*) water pipe 3 (*grondaia*) gutter.

doccione *s.m.* (*arch.*) gargoyle.

docente *agg.* teaching ♦ *s.m.* teacher // *libero —*, university teacher.

docenza *s.f.* teaching // *libera —*, qualification as university teacher (similar to Ph.D.) // *ottenere la libera —*, to qualify for university teaching.

docile *agg.* 1 docile, tractable, easily led, submissive 2 (*di materiale*) tractable, malleable, easily worked, easy to work.

docilità *s.f.* 1 docility, tractability, submissiveness 2 (*di materiale*) tractability.

documentabile *agg.* documentable.

documentare *v.tr.* to document, to support by documents // **-arsi** *v.rifl.* to gather documentary evidence.

documentario *agg.* documentary ♦ *s.m.* (*cinem.*) documentary (film) // *— di attualità*, newsreel.

documentazione *s.f.* 1 documentation 2 *pl.* (*documenti*) documents, papers.

documento *s.m.* 1 document, paper; (*dir.*) instrument, deed: *documenti di bordo*, (*mar.*) ship's papers; *mancata esibizione di documenti*, (*dir.*) failure to produce documents; *— di identità*, identity card; *favorite i vostri documenti!*, (show me) your papers, please!; *comprovare con documenti*, to support with documents //

documenti contro accettazione, (*comm.*) documents against acceptance (*abbr.* d/a); *documenti contro pagamento*, (*comm.*) documents against payment (*abbr.* d/p) // *— stampato*, (*informatica*) hard copy 2 (*testimonianza*) document, evidence, proof.

dodecafonia *s.f.* (*mus.*) dodecaphony.

dodecafonico *agg.* (*mus.*) dodecaphonic.

dodicenne *agg.* twelve (years old) (*pred.*); twelve-year-old (*attr.*) ♦ *s.m.* twelve-year-old boy ♦ *s.f.* twelve-year-old girl.

dodicesimo *agg.num.ord.* twelfth ♦ *s.m.* 1 twelfth 2 (*tip.*) duodecimo.

dodici *agg.num.card.* e *s.m.* twelve.

doga *s.f.* (*di botte*) stave.

dogana *s.f.* 1 customs (*pl.*): *agente di —*, customs agent; *dichiarazione per la —*, customs declaration; *esattore delle dogane*, customs collector; *franco —*, customs free; *soggetto a —*, dutiable (*o* customable); *pagare —*, to pay customs; *passare la —*, to go through the customs 2 (*edificio*) customs house.

doganale *agg.* customs (*attr.*): *dichiarazione —*, customs entry (*o* bill of entry); *visita —*, customs inspection.

doganiere *s.m.* customs officer.

doge *s.m.* (*st.*) doge.

doglia *s.f.* sharp pain // *doglie del parto*, labour pains; *avere le doglie*, to be in labour.

doglianza *s.f.* (*rar.*) complaint.

dogma *s.m.* dogma.

dogmatico *agg.* dogmatic.

dogmatismo *s.m.* dogmatism.

dolce *agg.* 1 sweet: *non ha un carattere —*, he is not a sweet-tempered person // *il — far niente*, pleasant idleness // *la mia — metà*, my better half 2 (*mite, lieve*) gentle; (*di clima*) mild 3 (*metall.*) soft 4 (*fonetica*) soft ♦ *s.m.* sweet, sweetmeat; (*torta*) cake.

dolcemente *avv.* sweetly; (*delicatamente*) gently; (*lievemente*) softly.

dolcevita *s.f.* (*moda*) polo-necked pullover.

dolcezza *s.f.* 1 sweetness // *le dolcezze e le amarezze della vita*, the ups and downs of life // *— mia*, honey 2 (*fig.*) (*di clima*) mildness; (*di suono, di colore*) softness.

dolciario *agg.* confectionary: *industria dolciaria*, confectionery.

dolciastro *agg.* 1 sweetish, sickly sweet: *un profumo —*, a sickly-sweet smell 2 (*fig.*) mellifluous.

dolcificante *agg.* e *s.m.* sweetener; (*nelle diete*) cyclamate.

dolcificare *v.tr.* to sweeten.

dolciume *s.m.* (*spec. pl.*) sweetmeat, sweet; bonbon.

dolente *agg.* 1 afflicted, grieved, sorrowful; (*spiacente*) sorry 2 (*che fa male*) aching.

dolere *v.tr.* 1 to ache: *mi duole un dente*, I have a toothache 2 (*rincrescere*) to regret, to be* sorry (for, about sthg.): *mi duole informarvi*, I regret to inform you // **-ersi** *v.intr.pron.* 1 to regret (sthg., doing), to be* sorry (for, about sthg.), to grieve (at, for, over sthg.): *mi dolgo di averlo detto*, I am sorry I said it 2 (*protestare*) to complain (of, about sthg.).

dolicocefalo *agg.* dolichocephalic ♦ *s.m.* dolichocephal.

dolina *s.f.* (*geol.*) dolina, doline.

dollaro *s.m.* dollar: *biglietti da 1, 2, 5, 10 dollari*, (*collettivamente*) greenbacks.

dolo *s.m.* 1 (*dir.*) malice, mens rea: *con —*, maliciously 2 (*inganno*) fraud, fraudulent intention.

dolomia *s.f.* dolomite.

Dolomite *s.f.* (*min.*) dolomite.

Dolomiti, le *no.pr.f.pl.* the Dolomites.

dolorante *agg.* aching, sore: *tutto —*, aching all over.

dolorare *v.intr.* (*letter.*) to suffer.

dolore *s.m.* **1** pain, ache: *— di stomaco, di testa*, stomach-ache, headache; *ho un forte — a un braccio*, I feel (*o* have) a sharp pain in my arm; *sono tutto un —*, I am aching all over **2** (*dolore morale*) sorrow, grief; *(rincrescimento)* regret: *con suo grande — dovette rinunciare*, to his deep regret he was forced to give up; *abbandonarsi al —*, to give way to grief.

dolorifico *agg.* painful.

doloroso *agg.* **1** (*di dolore fisico, morale*) painful: *una sensazione dolorosa*, a sensation of pain **2** (*triste*) sorrowful, sad **3** (*che causa dolore*) grievous.

doloso *agg.* (*dir.*) fraudulent / *incendio —*, arson.

domanda *s.f.* **1** (*interrogazione*) question: *porre, fare una —*, to ask (*o* to put) a question **2** (*richiesta*) request (for); (*perentoria*) demand; (*scritta*) application: *accogliere una —*, to grant a request; *— di ammissione, a una scuola ecc.*) application; *— di impiego, di assunzione*, application for a job; *fare — di impiego*, to apply for a job; *respingere una —*, to dismiss an application; *— di pagamento*, (*comm.*) application for payment / *— di divorzio, di grazia*, (*dir.*) petition for a divorce, or mercy / *— di matrimonio*, proposal / *— di informazioni*, letter of inquiry / *— di pensione*, pension claim **3** (*su —*, by request: *su vostra —*, at your request **3** (*econ.*) demand (for): *— e offerta*, supply and demand.

domandare *v.tr.* (*per sapere*) to ask; (*per avere*) to ask (for sthg.); (*esigere*) to demand; (*con insistenza*) to beg: *— qlco. a qlcu.*, to ask s.o. for sthg.; *sarà meglio domandarlo a un vigile*, we had better ask a policeman; *domandagli se ci porta a casa in macchina*, ask him if he will take us home in his car; *— l'ora*, to ask the time; *— il permesso*, to ask permission / *— la parola*, to ask leave to speak / *— scusa, perdono*, to ask for pardon / *mi domando se sia felice*, I wonder whether he is happy / *domando e dico, se ci si comporta così*, well I ask you, if that's the carry on (*o* the way you behave) ♦ *v. intr.* (*chiedere notizie*) to ask (about s.o., sthg.), to inquire (after s.o., sthg.) / *ho visto Laura e mi ha domandato di te*, I met Laura and she was asking for you.

domani *avv.* tomorrow: *— mattina*, tomorrow morning; *— l'altro*, the day after tomorrow; *— a otto*, tomorrow week / *a —*, goodbye till tomorrow (*o fam. see you tomorrow*) / *dall'oggi al —*, (*immediatamente*) immediately; (*improvvisamente*) suddenly; (*in qualsiasi momento*) at any time / *rimandare qlco. dall'oggi al —*, to put off sthg. from today to tomorrow / *dagli oggi e dagli —*, in the long run / *parlerebbe fino a —*, he would talk for ever ♦ *s.m.* tomorrow; (*il futuro*) future: *la scienza di —*, the science of tomorrow (*o* of the future).

domare *v.tr.* **1** to tame; (*cavalli*) to break* (in) **2** (*fig.*) (*sedare*) (*una rivolta*) to quell; (*un incendio*) to quench **3** (*fig.*) (*frenare*) to subdue.

domatore *s.m.* tamer: *— di leoni*, lion-tamer.

domattina *avv.* tomorrow morning.

domenica *s.f.* Sunday; *— (a) otto*, a week on Sunday (*o* the Sunday after next) / *— delle Palme*, Palm Sunday; *— di Pasqua*, Easter Sunday; *— in Albis*, Low Sunday; *ti vedrò — prossima*, I'll see you next Sunday; *— vedo la —*, I see him on Sundays / *gli abiti della —*, (*scherz.*) one's Sunday best.

domenicale *agg.* Sunday (*attr.*).

domenicano *agg. e s.m.* Dominican.

Domenico *no.pr.m.* Dominic.

domestico *agg.* **1** (*che appartiene alla casa, alla famiglia*) domestic; household (*attr.*) / *divinità domestiche*, household gods / *pareti domestiche*, (*fig.*) home **2** (*di animali*) domestic ♦ *s.m.* (domestic) servant / *i domestici*, the servants.

domiciliare *agg.* domiciliary.

domiciliato *agg.* domiciled; (*abitante*) living.

domicilio *s.m.* domicile; (*abitazione*) home: *— coatto*, forced residence; *— d'elezione*, domicile of choice; *— di pagamento*, (*comm.*) paying agent; paying office; *— legale*, (*di ditta*) registered office; *prendere —*, to take up domicile / *violazione di —*, housebreaking.

dominante *agg.* dominant; (*prevalente*) prevailing; (*principale*) main: *la moda —*, the prevailing fashion / *carattere —*, (*biol.*) dominant character / *la (nota) —*, (*anche fig.*) the dominant (note).

dominare *v.tr.* **1** to dominate (*anche fig.*); (*controllare*) to control: *lasciarsi — dalla passione*, to be dominated by passion / *— la situazione*, to be master of the situation **2** (*sovrastare*) to dominate, to overlook: *la collina domina la pianura*, the hill dominates the plain ♦ *v.intr.* to dominate (over s.o., sthg.), to rule (over s.o., sthg.); (*predominare*) to prevail (over s.o., sthg.) / *in quella casa domina il disordine*, disorder reigns in that house / **-arsi** *v.rifl.* to control oneself.

dominatore *s.m.* ruler, dominator.

dominazione *s.f.* domination, rule: *sotto la — romana*, under Roman rule.

domineddio *s.m.* (*fam.*) God.

dominicano *agg. e s.m.* Dominican / *Repubblica Dominicana*, Dominican Republic.

dominio *s.m.* **1** domination, rule / *avere il — sui mari*, to rule over the seas / *— di sé*, self-control **2** (*territorio dominato*) domain, dominion **3** (*proprietà*) property / *di pubblico —*, of public knowledge **4** (*fig.*) (*campo*) domain, field.

domino¹ *s.m.* (*st. abbigl.*) domino.

domino² *s.m.* (*gioco*) dominoes (*pl.*): *tessera del —*, domino.

don *s.m.* Don.

donare *v.tr.* to give*, to present: *— qlco. a qlcu.*, to give s.o. sthg. (*o* to present s.o. with sthg.) / *— il sangue*, to give blood ♦ *v.intr.* (*conferire bellezza ecc.*) to suit (s.o.), to become* (s.o.).

donativo *s.m.* gift, present.

donatore *s.m.* **1** donor, giver / *— di sangue*, blood donor **2** (*dir.*) donor.

donazione *s.f.* donation, gift: *atto di —*, deed of gift; *in — fiduciaria*, in trust.

Don Chisciotte *no.pr.m.* (*lett.*) Don Quixote.

donchisciottesco *agg.* quixotic.

donde *avv.* (*letter.*) whence: *— venite?*, whence do you come? / *averne ben —*, to have good reason (for sthg., for doing).

dondolare *v.tr.* to swing*: *far —*, to rock; (*far oscillare*) to swing ♦ *v.intr.*, **-arsi** *v.rifl.* **1** to rock; (*oscillare*) to swing*, to sway **2** (*fig.*) (*gingillarsi*) to idle (about).

dondolio *s.m.* rocking, swinging.

dondolo *s.m.* swing / *sedia, cavallo a —*, rocking chair, rocking horse.

dongiovanni *s.m.* Don Juan.

donna *s.f.* **1** woman (*pl.* women) / *— di strada*, streetwalker / *— di classe*, lady / *— di servizio*, maid; *— a ore*, charwoman / *è più — di sua sorella*, she is more of a woman than her sister // *la — cannone*, the fat lady **2** (*a carte, scacchi*) queen **3** (*titolo italiano*) donna.

donnaiolo *s.m.* Don Juan; (*sl.*) wolf.

donnesco *agg.* **1** womanly, womanlike **2** (*effeminato*) womanish.

donnicciola *s.f.* (*spreg.*) milksop.

donnino *s.m.* (*ragazza assennata*) little woman.

donnola *s.f.* (*zool.*) weasel.

dono *s.m.* **1** gift, present: *fare un —*, to make a present; *fare — a qlcu. di qlco.*, to give s.o. sthg. as a present (*o* to present s.o. with sthg.) // *in —*, as a present **2** (*facoltà naturale*) gift, talent: *— di natura*, natural gift // *avere un — per*, to have a talent (*o* gift) for // *avere il — di...*, to have the knack of...

donzella *s.f.* (*letter.*) maiden, damsel.

dopo *avv.* **1** (*riferito a tempo*) after, afterwards; then; (*più tardi*) later; (*più avanti, in seguito*) later (on); (*subito dopo*) next: *un anno —*, a year later; *il giorno —*, the day after (*o* the next day); *qualche giorno —*, a few days later (on) (*o* after); *molto tempo —, poco tempo —*, long after, not long after; *e — che accade?*, what happened after(wards) (*o* then *o* next)?; *prima lavora, — uscirai*, first do your work, then (*o* after *o* afterwards) you can go out; *io torno —*, I'll come back later // *a —*, (*arrivederci*) see you later **2** (*riferito a luogo*) after; (*subito dopo*) next; (*dietro*) behind // *la casa* (*subito*) —, the next house ♦ *prep.* **1** (*riferito a tempo*) after; (*oltre*) past; (*da, a partire da*) since: *— cena*, after supper; *fin — le due*, till past (*o* after) two o'clock; *rimandiamo la cosa a — Natale*, let's put it off till after Christmas; *non l'ho più visto — Pasqua*, I have not seen him since Easter **2** (*riferito a luogo*) after; (*oltre*) past: *— la chiesa*, past the church.

dopobarba *agg.* aftershave (*attr.*) ♦ *s.m.* aftershave (lotion).

dopoché, dopo che *cong.* **1** after: *venne — egli era partito*, she came after he had gone **2** (*dacché*) since.

dopodomani *avv. e s.m.* the day after tomorrow.

dopoguerra *s.m.* postwar period: *attività del —*, postwar activities.

dopolavoro *s.m.* "dopolavoro" (institution organizing workers' free-time activities).

dopopranzo *avv.* in the afternoon ♦ *s.m.* afternoon.

doposci *s.m.* (*moda*) après ski.

doposcuola *s.m.* scholastic activities during after-school hours.

dopotutto *avv.* after all.

doppiaggio *s.m.* (*cinem.*) dubbing.

doppiamente *avv.* doubly.

doppiare¹ *v.tr.* **1** (*mar.*) to double, to round; (*passando a sopravvento*) to weather **2** (*sport*) to lap.

doppiare² *v.tr.* (*cinem.*) to dub.

doppiato *agg.* (*cinem.*) dubbed ♦ *s.m.* (*cinem.*) dub.

doppiatore *s.m.* (*cinem.*) dubber.

doppietta *s.f.* **1** (*fucile*) double-barrelled shotgun **2** (*aut.*) double-declutch: *fare la —*, to double-declutch *o amer.* to double-clutch.

doppiezza *s.f.* duplicity, doubleness.

doppio *agg.* **1** double, twofold: *in — esemplare*, in duplicate; *una misura doppia*, a size twice as large (*o* great) *doppi vetri*, double-glazing // *partita doppia*, (*comm.*) double entry // *doppia stampa*, (*informatica*) ghosting **2** (*ambiguo*) double-faced, double-dealing, deceitful **3** (*mecc.*) dual ♦ *s.m.* **1** double; twice as much (as); (*con s. pl.*) twice as many (as): *più caro del* —, twice as expensive; *ho il — della tua età*, I am twice your age **2** (*tennis*) doubles (*pl.*) ♦ *avv.* double.

doppione *s.m.* duplicate, copy, doubly.

doppiopetto *agg.* (*abito*) double-breasted: *giacca a —*, double-breasted coat (*o* jacket).

dorare *v.tr.* **1** to gild*; (*con lamina d'oro*) to gold-plate **2** (*cuc.*) to dip in beaten egg.

dorato *agg.* **1** gilded, gilt; (*ricoperto di lamina d'oro*) gold-plated: *a lettere dorate*, in gilt letters // *gioventù dorata*, gilded youth **2** (*color d'oro*) golden.

doratura *s.f.* gilding: *— artificiale*, imitation gilding; *— elettrolitica*, gold-plating.

Dori *s.m.pl.* (*st.*) Dorians.

dorico *agg.* Doric, Dorian: *ordine —*, (*arch.*) Doric order.

dorifora *s.f.* (*zool.*) potato beetle.

dormicchiare *v.intr.* to doze, to drowse.

dormiente *agg.* sleeping ♦ *s.m.* **1** sleeper **2** (*edil.*) sleeper, ground-beam.

dormiglione *s.m.* slug-a-bed.

dormire *v.intr.* **1** to sleep*, to be* asleep: *— bene*, to sleep well; *— tutto d'un sonno*, to sleep the whole night through; *— della grossa, profondamente*, to sleep soundly; *— come un ghiro, come una marmotta*, to sleep like a top, like a log; *— dodici ore di seguito*, to sleep the clock round; *continuare a —*, to sleep on; *— più del solito*, to oversleep oneself; *andare a —*, to go to bed; *avere voglia di —*, to feel sleepy; *non trovare da —*, to find no sleeping accomodation; *possiamo darvi da —*, we can give you a bed; *il rumore gli impedisce di —*, noise keeps him awake // *dormiva a occhi aperti, in piedi*, he couldn't keep his eyes open // *— con un occhio solo*, to be wary // *— tra due guanciali*, to rest easy // *— sugli allori*, to rest on one's laurels // *dormirci su, sopra*, to sleep (up)on sthg. // *la natura dorme in inverno*, nature is dormant in winter // *una storia che fa —*, a boring tale // *chi dorme non piglia pesci*, (*prov.*) the early bird catches the worm **2** (*fig.*) (*giacere*) to remain inactive; to be* dormant: *l'istanza dorme da parecchi mesi*, the petition has been lying for several months; *le passioni che dormono nel suo cuore*, the passions dormant in his heart; *quell'affare dormiva da un pezzo*, that matter had been neglected for a long time; *lasciar — i propri capitali*, to leave one's capital dormant; *mettere una pratica a —*, to let a matter rest ♦ *v.tr.* to sleep*: *— sonni tranquilli*, to sleep peacefully // *— il sonno eterno*, to sleep one's last sleep.

dormita *s.f.* sleep: *fare una bella —*, to sleep like a log, *hai proprio bisogno di una buona —!*, what you need is a good sleep!

dormitorio *s.m.* dormitory; (*sl. scolastico*) dorm.

dormiveglia *s.m.* drowsiness, doziness: *essere nel —*, to be in a doze.

Dorotea *no.pr.f.* Dorothy, Dorothea.

dorsale *agg.* dorsal: *spina —*, backbone (*o* spine) ♦ *s.f.* (*di monte*) ridge.

dorso *s.m.* **1** back // *a — di mulo*, on a mule **2** (*nuoto*) backstroke.

dosaggio *s.m.* dosage.

dosare *v.tr.* **1** to dose **2** (*distribuire con parsimonia*) to dole out // *— le parole*, to weigh one's words.

dose *s.f.* **1** quantity; (*farm. chim.*) dose: *a piccole dosi*, in small doses // *una buona — di...*, a good deal of...; *avere una buona — di superbia, di sfacciataggine*, to be very proud, impudent // *rincarare la —*, to make matters worse.

dosso *s.m.* **1** back // *togliersi di — gli abiti*, to take off one's clothes; *togliersi un peso di —*, (*fig.*) to get a weight off one's mind **2** (*piccola altura*) hillock.

dotale *agg.* dotal.

dotare *v.tr.* **1** to endow, to gift (*spec. fig.*): *è stato dotato di grandi qualità*, he was endowed with great qualities **2** (*fornire*) to provide, to equip, to fit up, to furnish: *— un paese di scuole*, to provide a village with schools.

dotato *agg.* **1** gifted (with sthg.), endowed (with sthg.): *un musicista assai —*, a gifted musician **2** (*fornito*) provided (with sthg.); equipped (with sthg.), fitted up (with sthg.), furnished (with sthg.).

dotazione *s.f.* **1** (*rendita fissa*) endowment **2** (*mil.*) outfit, equipment: *dare in —*, to equip.

dote *s.f.* **1** dowry: *assegnare, dare in —*, to give as a dowry // *cacciatore di —*, fortune hunter **2** (*patrimonio di pubblico istituto*) endowment **3** (*fig.*) (*dono naturale*) gift, endowment; (*qualità*) quality.

dotto *agg.* learned; (*esperto*) expert, skilled ♦ *s.m.* scholar, learned man.

dottorale *agg.* doctoral; (*pedante*) pedantic.

dottorato *s.m.* doctorate: *conseguire il —*, to take one's doctor's degree.

dottore *s.m.* **1** (*laureato*) graduate; (*solo se in possesso di titolo analogo alla nostra libera docenza*) doctor: *buon giorno, Dottor Bianchi!*, good morning, Mr. Bianchi!; *è — in legge*, he has a Law degree; *è — in matematica, scienze ecc.*, he has a degree in mathematics, science etc. **2** (*medico*) doctor (of medicine); physician: *buon giorno, Dottor Brown*, good morning, Dr. Brown; *manda a chiamare il —*, send for the doctor; *mio padre è —*, my father is a physician **3** (*erudito*) doctor // *i Dottori della Chiesa*, (*teol.*) the Doctors of the Church // *meglio un asino vivo che un — morto*, (*prov.*) better a living dog than a dead lion.

dottoressa *s.f.* **1** (*laureata*) (woman) graduate **2** (*in medicina*) lady doctor, woman doctor.

dottrina *s.f.* **1** learning, erudition: *un uomo di grande —*, a vastly learned man **2** (*insieme di teorie*) doctrine: *la — di Monroe*, Monroe Doctrine **3** (*catechismo*) catechism: *andare a —*, to go to Sunday school.

dottrinale *agg.* doctrinal.

dottrinario *agg. e s.m.* doctrinaire.

double-face (*franc.*) *agg.* reversible.

dove *avv.* **1** where: *— andate?*, where are you going?; *dimmi dov'è!*, tell me where he is!; *la casa — vive*, the house where he lives (*o* the house he lives in) // *da, di —*, (from) where: *di — veniste?*, where did you come from?; *non so da — cominciare*, I don't know where to begin // *fin —?*, how far?: *fin — li ha seguiti?*, how far did he follow them? // *fin —*, to where // *fin — posso*, as far as I can // *per —?*, which way?: *per — è passato?*, which way did he go? **2** — *che*, (*dovunque*) wherever: — *che vada*, wherever I (may) go // — *che sia*, (*in qualunque luogo*) anywhere ♦ *cong.* (*letter.*) (*se; invece*) where ♦ *s.m.*: *il — e il quando*, where and when // *in ogni, per ogni —*, everywhere; *da ogni —*, from everywhere.

dovere *v.intr.* **1** (*obbligo*) must (*solo nel pres.*), to have to (do), to have* got to (do); (*negli ordini o nei tempi del passato quando quanto stabilito non ha avuto luogo*) to be* (to do): *deve andare*, he must go (*o* he has to go *o* he has got to go); *devi farlo subito*, you must do *o* you have to do *o* you have got to do it at once; *dobbiamo essere pronti prima delle cinque*, we have to be (*o*

we have got to be *o* we must be) ready before five o'clock; *dovette abbandonare il suo paese*, he had (*o* was obliged) to leave his country; *dovendo partire fra un'ora...*, having to leave in an hour...; *dovrete fare quello che vi si dice*, you'll have to do what you are told; *dovemmo accettare*, we had to accept; *dovevamo incontrarlo ieri, ma...*, we were to meet him yesterday, but...; *doveva diventare il nostro nuovo direttore, ma...*, he was to have been our new manager, but...; *tutti gli ufficiali devono presentarsi al colonnello*, all the officers are to report to the colonel **2** (*in frasi negative per esprimere proibizione*) must not, not to be to: *non deve andare*, he must not go (*o* he isn't to go) **3** (*essere necessario*) must, to have* to (do), to have* got to (go), to need: *devo venire?*, must I come? (*o* have I to come *o* have I got to come *o* need I come?) *oppure* do I have (*o* do I need) to come?; *devi conoscere bene l'inglese se vuoi far domanda per quel posto*, you must (*o* have to *o* have got to *o* need to) know English well if you want to apply for that job **4** (*non essere necessario*) need not (do), not to have* (to do), not to have* got to (do): *non devi finire il lavoro stasera*, you needn't finish (*o* you don't have to finish *o* you haven't got to finish) the work tonight // *non è detto che debba essere italiano*, he need not be Italian **5** (*supposizione, forte probabilità*) must, (*spec. amer.*) to have* got to; (*in prop. negative*) cannot: *deve essere tardi*, it must (*o* it's got to) be late; *deve essere già a casa*, he must (*o* he's got to) be at home already; *doveva essere ammalato*, he must have been (*o* he'd got to be) ill; *non deve essere ancora partito*, he can't have left yet **6** (*devo...?, dobbiamo...?*, con valore di *vuoi che...?, volete che...?*) shall: *devo passare a prenderti?*, shall I call for you?; *dobbiamo aprire la finestra?*, shall we open the window? **7** (*al cond.*) ought (to do), should: *dovrebbero arrivare per le otto*, they ought to get here by eight; *egli dovrebbe partire stasera*, he should leave tonight **8** (*al cong.*) should, were (to do): *se dovesse venire...*, if he should come... (*o* should he come...); *se io dovessi incontrarlo*, if I were to (*o* should) meet him **9** (*essere dovuto, essere da attribuire*) to be* due: *lo si deve alla sua negligenza*, it is due to his negligence **10** (*essere stabilito che*) to be due: *il treno deve arrivare alle 4,39*, the train is due (to arrive) at 4.39 ♦ *v.tr.* (*essere debitore di*) to owe: *gli devo cinque sterline*, I owe him five pounds.

dovere *s.m.* **1** duty: *i suoi doveri di madre*, her duties as a mother; *per senso del —*, from a sense of duty; *com'è mio —*, as is my duty; *ho il — d'informarvi*, I must inform you; *mancare al proprio —*, to fail in one's duty; *sottrarsi al proprio —*, to shirk one's duty; *sento il — di...*, I feel bound to... (*o* I feel I must); *morì vittima del —*, he died doing his duty // *a —*, properly // *più del —*, more than necessary // *prima il — poi il piacere*, (*prov.*) work before pleasure **2** *pl.* (*saluti, convenevoli*) (kind) regards, respects.

doveroso *agg.* right and proper.

dovizia *s.f.* (*letter.*) abundance, wealth.

dovizioso *agg.* rich; (*di persona*) wealthy.

dovunque *avv.* (*dappertutto*) everywhere; (*in qualsiasi luogo*) anywhere: *lo si trova —*, you can find it everywhere (*o* anywhere) ♦ *cong.* wherever: *— voi siate*, wherever you are (*o* may be).

dovuto *agg.* due; (*giusto*) right, proper; (*adeguato*) adequate: *nel modo —*, in the proper way; *nel tempo —*, in due course ♦ *s.m.* due: *mi avete dato più del —*, you have given me more than my due.

dozzina *s.f.* **1** dozen: *una mezza —*, half a dozen (*o*

half dozen); *tre dozzine di bottiglie*, three dozen bottles // *a dozzine*, in dozens // *di, da* —, cheap **2** (*pensione*) board and lodging: *stare a — da qlcu.*, to board with s.o.; *tenere a —*, to board.

dozzinale *agg.* cheap, second-rate, common; (*di persona*) coarse.

dozzinante *s.m.e f.* boarder.

draconiano *agg.* Draconian, Draconic.

draga *s.f.* dredge.

dragaggio *s.m.* dredging.

dragamine *s.m.* (*mar. mil.*) minesweeper.

dragare *v.tr.* **1** to dredge **2** (*mine*) to sweep*.

draglia *s.f.* (*mar.*) stay.

drago *s.m.* dragon.

dragomanno *s.m.* dragoman.

dragona *s.f.* (*mil.*) sword knot.

dragone *s.m.* **1** (*drago*) dragon **2** (*mil.*) dragoon **3** (*sport*) dragon.

dramma[1] *s.m.* **1** (*treatr.*) drama; play: — *lirico*, (*mus.*) opera; — *pastorale*, pastoral drama; — *storico*, historical play **2** (*fig.*) (*vicende tristi*) tragedy.

dramma[2] *s.f.* (*antica moneta*) drachm(a).

drammaticità *s.f.* dramaticism, dramatic character.

drammatico *agg.* dramatic: *autore, scrittore* —, dramatist (*o* playwright).

drammatizzare *v.tr.* to dramatize: *non* —!, don't pile on the agony (*o* don't exaggerate!).

drammaturgo *s.m.* dramatist, playwright.

drappeggiare *v.tr.* to drape // **-arsi** *v.rifl.* to drape oneself.

drappeggio *s.m.* draping, drape.

drappella *s.f.* (*mil.*) (*banderuola*) pennon.

drappello *s.m.* (*mil.*) squad.

drapperia *s.f.* **1** drapery **2** (*magazzino di drappi*) draper's shop.

drappo *s.m.* cloth // — *funebre*, pall.

drastico *agg.* drastic.

drenaggio *s.m.* drainage: — *fiscale*, fiscal drag.

drenare *v.tr.* to drain.

dribblare *v.tr.* (*sport*) to dribble.

dribbling *s.m.* (*sport*) dribbling.

drin drin *onom.* ringing.

dritta *s.f.* **1** (*mano destra*) right hand **2** (*parte destra*) right **3** (*mar.*) starboard.

dritto *agg.* **1** → *diritto* **2** (*fam.*) (*furbo*) crafty ♦ *s.m.* **1** → *diritto* **2** (*fam.*) (*persona furba*) fast worker.

drittofilo *s.m.*: *tagliare una stoffa in* —, to cut a cloth on the straight.

drizzare *v.tr.* **1** to straighten, to make* straight **2** (*rizzare*) to erect // — *le orecchie*, (*anche fig.*) to prick up one's ears // **-arsi** *v.rifl.* to straighten (up); (*alzarsi*) to stand* up, to rise*.

droga *s.f.* **1** drug, dope **2** (*spezia*) spice.

drogare *v.tr.* **1** to drug, to dope; (*cibo, bevanda*) to doctor **2** (*insaporire*) to spice, to season **2** **-arsi** *v.rifl.* to take* drugs; (*essere un tossicomane*) to be* a drug addict.

drogato *agg.* drug-dependent, drug-addicted ♦ *s.m.* drug addict.

drogheria *s.f.* grocer's (shop), grocery store: *articoli di* —, groceries.

droghiere *s.m.* grocer: *vado dal* —, I'm going to the grocer's.

dromedario *s.m.* dromedary.

dualismo *s.m.* (*fil.*) dualism.

dubbio *s.m.* doubt: *senza* —, no doubt (*o* without

doubt *o* undoubtedly); *senza l'ombra di* —, without a shadow of doubt; *è fuori di — che...*, it is beyond doub that...; *nutrire, avere dubbi in merito a qlco.*, to have one's doubts about sthg.; *era in — sul da farsi*, he wa in doubt (about) what to do; *questo mi lascia in* —, this leaves me doubtful; *avevo il — che...*, I suspected that... *mettere in* —, to (call in) question ♦ *agg.* **1** (*incerto* doubtful, uncertain // *di — gusto*, in doubtful taste **2** (*ambiguo*) dubious, ambiguous.

dubbioso *agg.* doubtful, dubious.

dubitare *v.intr.* **1** to doubt (sthg.); (*essere in dubbio* to be* in doubt (about sthg.): *dubito che possa farcela*, I doubt he'll make it; *non ho mai dubitato della sua vitto ria*, I never had any doubts about his victory; *ne dubito* I have my doubts // *verrò, non* —!, I'll come, depend on it! **2** (*diffidare*) to distrust, to mistrust (s.o.) **3** (*sospettare*) to suspect (s.o.).

dubitativo *agg.* dubitative.

Dublino *no.pr.f.* Dublin: *abitante di* —, Dubliner.

duca *s.m.* duke.

ducale *agg.* ducal // *il Palazzo Ducale di Venezia*, the Palace of the Doges in Venice.

ducato *s.m.* **1** dukedom **2** (*feudo*) duchy **3** (*moneta*) ducat.

duce *s.m.* (*capo*) chief, leader.

duchessa *s.f.* duchess.

duchessina *s.f.* duke's daughter.

duchino *s.m.* duke's son.

due *agg.num.card.* e *s.m.* two: — *su dieci*, two out o ten; — *volte*, twice: — *volte tanto*, twice as much; (*rife rito a pl.*) twice as many; *ogni — giorni*, every other day; *tutti e* —, both (of them); *a — a* —, two by two *in* —, in two: *piegare, spezzare in* —, to fold, to break in two (*o* in half) // *una delle* —!, one or the other! // *sono le* —, it is two o'clock // *dire* — *parole a qlcu.*, to have a word with s.o. // *dirne* — *a qlcu.*, to give s.o. a piece of one's mind.

duecentesimo *agg.num.ord.* e *s.m.* two hundredth.

duecento *agg.num.card.* e *s.m.* two hundred // *il Due cento*, the thirteenth century.

duellante *s.m.* duellist.

duellare *v.intr.* to duel, to fight* a duel.

duello *s.m.* duel: — *alla pistola*, duel with pistols; — *all'ultimo sangue*, duel to the death; *battersi in* —, to fight a duel.

duemila *agg.num.card.* e *s.m.* two thousand // *il* — the twenty-first century // *l'uomo del* —, the man of the future.

due pezzi *s.m.* **1** (*costume da bagno*) two-piece bathing suit **2** (*completo*) two-piece ensemble, two -piece outfit.

duetto *s.m.* (*mus.*) duet.

dugongo *s.m.* (*zool.*) dugong.

dulcamara *s.f.* (*bot.*) woody nightshade, bittersweet.

duna *s.f.* dune.

dunque *cong.* **1** (*perciò*) so, therefore **2** (*rafforzativo* then, well (then); so: —?, well?; *che volete* —?, what do you want then?; *eccoti* — *arrivato*, there you are then (*o* so here you are); *su* —, *dimmi*, well (then), tell me ♦ *s.m.*: *venire al* —, to come to the point; *trovarsi al* —, to find oneself at the crossroads.

duo *s.m.* (*mus.*) duet.

duodecimo *agg.num.ord.* (*letter.*) twelfth.

duodenale *agg.* (*anat.*) duodenal.

duodeno *s.m.* (*anat.*) duodenum (*pl.* -na).

duomo *s.m.* **1** cathedral // *il Duomo di Milano*, the

Duomo (*o* the Cathedral) of Milan **2** (*ferr.*) dome, steam dome.

duplex *agg.* e *s.m.*: (*telefono*) —, (two-)party line.

duplicare *v.tr.* to duplicate, to double.

duplicato *s.m.* duplicate.

duplicatore *s.m.* duplicator // — *tipografico*, Multigraph ® // — *di tensione*, (*rad.*) voltage doubler.

duplice *agg.* double, twofold.

duplicità *s.f.* duplicity (*anche fig.*).

duracino *agg.*: clingstone (*attr.*): *pesca duracina*, clingstone peach.

duralluminio *s.m.* Duralumin ®.

duramente *avv.* hard; (*aspramente*) harshly, roughly.

durante *prep.* during // *vita natural* —, all one's life (long).

durare *v.intr.* **1** to last: *sono sicura che questa giacca durerà una vita*, I'm sure this jacket will last a lifetime // *è una bella stoffa ma non credo durerà molto*, it's a nice material but I don't think it will wear well // *non durò a lungo in quella casa*, he did not remain long in that house ♦ *v.tr.* to endure, to bear*, to stand*: *duro fatica a crederlo*, I can hardly believe it // *chi la dura la vince*, (*prov.*) patience has its reward.

durata *s.f.* **1** duration, length // *per tutta la* — *di*, throughout // *la* — *di una carica*, the tenure of an office // *per la* — *di dieci anni*, for a term of ten years // *il suo soggiorno fu di breve* —, his stay was short **2** (*di stoffe*) wear: *essere di lunga* —, to last long (*o* to wear well): *un tessuto di lunga* —, a material that wears well; *ne garantisco la* —, it is guaranteed longwearing **3** (*informatica*) timing: — *di guasto*, fault time.

duraturo *agg.* **1** lasting // *la pace non sarà duratura*, peace will not last long **2** (*di colore*) fast.

durevole *agg.* durable, lasting.

durezza *s.f.* **1** hardness // *pietra di grande* —, very hard stone **2** (*asprezza*) harshness, hardness; (*rigidità*) stiffness.

duro *agg.* hard // *pane* —, stale bread // *acqua dura*, hard water // — *d'orecchio*, hard of hearing // *carcere* —, solitary confinement // *tempi duri*, hard times // *voce dura*, hard voice // *avrai la vita dura all'inizio!*, you will have to rough it at the start! // *è* — *da cuocere*, it takes a long time to cook // *fu molto* — *verso di noi*, he was very hard on us // *ha la pelle dura*, (*fam.*) he is thick-skinned // *ha il sonno molto* —, he sleeps like a log // *avere la testa dura*, to be very stubborn // *questo problema sarà un osso* —, this problem will be a hard nut to crack // *avere dei lineamenti duri*, to be hard-featured // *io supplicavo, e lui* —, (*fam.*) I pleaded, but he was as hard as they come ♦ *s.m.* **1** *gli piace dormire sul* —, he likes a hard bed **2** (*fam.*) (*persona dal carattere duro*) tough // *non fare il* —, don't act the bully ♦ *avv.*: *tener* —, to hold out.

durone *s.m.* callosity, hardened skin.

duttile *agg.* ductile, pliable (*anche fig.*).

duttilità *s.f.* ductility, pliability (*anche fig.*).

E

e *s.f.* o *m.* e (*pl.* es, e's) // — *come Empoli*, (*tel.*) e for Edward.

e, ed *cong.* **1** and: *tu* — *io*, you and I // — *i bambini?*, what about the children? // — ... — ..., both... and...: — *tuo padre* — *tua madre*, both your father and your mother // *tutti* — *due*, both; *tutti* — *tre*, all three (of them) // *John Smith* — *Co.*, John Smith & Co. **2** (*invece, ma*) but.

ebanista *s.m.* (*chi lavora l'ebano*) ebonist; (*chi lavora legni pregiati*) cabinet-maker.

ebanisteria *s.f.* **1** (*bottega d'ebanista*) cabinet-maker's shop **2** (*arte dell'ebanista*) cabinet-making, cabinet work.

ebanite *s.f.* (*chim.*) ebonite, vulcanite.

ebano *s.m.* ebony: *del color dell'*—, *fatto di* —, ebony (*attr.*) // *nero come l'*—, jet-black.

ebbene *cong.* well, (well) then: —, *potete andare*, well, you may go (*o* you may go then) // *hai sbagliato,* — *paga!*, you have made a mistake and you must pay for it.

ebbrezza *s.f.* intoxication // *l'*— *della vittoria*, the elation of the victory // — *dell'amore*, rapture of love.

ebbro *agg.* inebriated (with), intoxicated (with): — *di gloria*, intoxicated with glory // — *di gioia*, mad with joy.

ebdomadario *agg.* weekly, hebdomadal ♦ *s.m.* weekly.

ebete *agg.* idiotic, stupid, dull-witted: *sorriso* —, stupid (*o* idiotic) smile ♦ *s.m.* idiot, blockhead.

ebetismo *s.m.* feeblemindedness, stupidity, idiocy; (*med.*) hebetude.

ebollizione *s.f.* ebullition // *punto di* —, boiling point // *temperatura di* —, boiling temperature.

ebraico *agg.* Hebrew, Jewish, Hebraic ♦ *s.m.* (*lingua*) Hebrew.

ebraismo *s.m.* Hebraism, Judaism.

ebrea *s.f.* Hebrew, Jewess.

ebreo *agg.* Hebrew, Jewish ♦ *s.m.* **1** Hebrew, Israelite, Jew **2** (*lingua*) Hebrew.

eburneo *agg.* ivory (*attr.*).

ecatombe *s.f.* massacre, slaughter.

eccedente *agg.* **1** excessive, in excess (*pred.*), surplus (*attr.*) **2** (*comm.*) exceeding ♦ *s.m.* excess, surplus.

eccedenza *s.f.* **1** excess, surplus, overplus // — *di peso*, overweight **2** (*informatica*) (*IBM*) overflow.

eccedere *v.tr.* to exceed, to go* beyond ♦ *v.intr.* to go* too far // *eccede nel bere*, he drinks too much.

eccellente *agg.* excellent, first-rate // *era di umore* —, he was in the best of moods (*o* in high spirits).

eccellenza *s.f.* **1** excellence; (*preminenza*) preeminence // *per* —, preeminently; (*per antonomasia*) par excellence **2** (*titolo*) Excellency.

eccellere *v.intr.* to excel (s.o.): *eccelle in matematica*, he excels in mathematics.

eccelso *agg.* lofty, sublime // *l'Eccelso*, the Most High.

eccentricità *s.f.* **1** (*stranezza*) eccentricity, peculiarity, strangeness, oddity **2** (*mecc.*) eccentricity.

eccentrico *agg.* **1** (*strano*) eccentric, peculiar, strange, odd(ish) **2** (*mecc.*) eccentric ♦ *s.m.* **1** (*persona stravagante*) eccentric person, odd fellow **2** (*mecc.*) eccentric.

eccepire *v.tr.* to object.

eccessivamente *avv.* excessively, exceedingly; (*smodatamente*) immoderately // *caricare* —, to overload // *lavorare* —, to overwork.

eccessivo *agg.* excessive, extreme; (*smodato*) immoderate.

eccesso *s.m.* excess // *— di potere*, (*dir.*) action "ultra vires" // *multare per — di velocità*, to fine for speeding // *coscienzioso fino all'—*, exceedingly conscientious // *scrupoloso all'—*, scrupulous to a fault // *peccare per — di zelo*, to be overzealous.

eccetera *s.m.* et cetera (*abbr.* etc.), and so on, and so forth.

eccetto *prep.* except(ing), but, save, bar(ring): *tutti, — voi*, everybody, except (*o* but *o* save) you // **eccetto che** *locuz.cong.* **1** (*a meno che*) unless: *verrò, — che se stessi male*, I'll come, unless I am ill **2** (*tranne che*) but, except.

eccettuare *v.tr.* to except, to exclude, to leave* out.

eccettuato *avv.* excepted: *nessuno —*, no one excepted; *eccettuati i presenti*, present company excepted (*o* excluded).

eccezionale *agg.* exceptional, extraordinary // *misura —*, emergency measure // *in via —*, as an exception.

eccezione *s.f.* **1** exception: *salvò eccezioni*, with certain exceptions // *ad — di lui*, except him // *in via di —*, as an exception // *un pianista d'—*, an exceptional pianist **2** (*dir.*) exception; (*obiezione*) objection.

ecchimosi *s.f.* ecchymosis (*pl.* ecchymoses), bruise.

eccì *onom.* atishoo.

eccidio *s.m.* slaughter, massacre, carnage.

eccipiente *s.m.* (*farm.*) excipient.

eccitabile *agg.* excitable.

eccitamento *s.m.* **1** excitement **2** (*incitamento*) incitement, urge.

eccitante *agg.* exciting; (*stimolante*) stimulating ♦ *s.m.* stimulant.

eccitare *v.tr.* **1** to excite, to stimulate, to stir (up) **2** (*provocare, suscitare*) to rouse, to provoke // **-arsi** *v. intr.pron.* to get* excited.

eccitazione *s.f.* **1** excitement // *essere in uno stato di grande —*, to be in a dither **2** (*elettr.*) excitation.

ecclesiastico *agg.* ecclesiastic(al), clerical: *cappello —*, clerical hat; *foro —*, ecclesiastical court ♦ *s.m.* priest, ecclesiastic, clergyman (*pl.* -men).

ecco *avv.* **1** (*qui*) here; (*là*) there: *— i tuoi libri*, here are your books; *— il treno che arriva*, here (*o* there) is the train coming; *— lassù il castello*, there is the castle, up there; *— un bambino ubbidiente*, there's (*o* that's a good boy // *— qui!*, here you are! // *— ciò che mi ha detto*, this is what he said to me; *— ciò che succede...*, this is what happens... // *— come, — perché*, this is how, this is why; (*conclusivo*) that's how, that's why // *— fatto*, that's that // *— tutto*, that's all // *quand'—*, when suddenly (*o* when all of a sudden) // *—, siamo alle solite!*, here we go again! // *— avevo ragione io!*, you see I was right! **2** (*in unione ai pron. pers.*): *eccolo* (*qui*), here he, it is; *eccolo* (*là*), there he, it is; *eccomi* (*qua*), here I am; *eccomi!*, (*vengo*) I'm coming!; *eccoti* (*qua*), *eccoti arrivato*, here you are; *eccoti il libro*, here is your book; *eccoti servito*, there you are; (*iron.*) you asked for it!

eccome *avv.* e *inter.* and how!

echeggiare *v.intr.* to echo (with sthg.); (*risuonare*) to resound (with sthg.).

echino *s.m.* (*arch.*) echinus (*pl.* echini).

eclettico *agg.* eclectic.

eclettismo *s.m.* eclecticism.

eclissare *v.tr.* **1** (*astr.*) to eclipse **2** (*fig.*) to eclipse, to outshine*, to overshadow // **-arsi** *v.intr.pron.* **1** (*astr.*) to be* eclipsed **2** (*fig.*) (*svanire*) to disappear, to vanish; (*svignarsela*) to steal* away.

eclisse, eclissi *s.f.* (*astr.*) eclipse.

eclittica *s.f.* (*astr.*) ecliptic.

eco *s.f.* o *m.* [*pl.m.* echi] echo (*anche fig.*) // *far — alle parole di qlcu.*, to echo s.o.'s words // *«echi di cronaca»*, (*giornalismo*) "town talk".

ecogoniometro *s.m.* (*mar.*) asdic.

ecografia *s.f.* (*med.*) ecography.

ecologia *s.f.* ecology, oecology.

ecologico, ecologista *agg.* ecological.

ecologista *s.m.* e *f.* environmentalist.

ecologo *s.m.* ecologist.

ecometro *s.m.* (*mar.*) echo sounder.

economato *s.m.* **1** (*ufficio*) steward's office; (*nelle università*) bursar's office **2** (*carica*) stewardship; (*nelle università*) bursarship.

economia *s.f.* **1** economy, thrift; (*risparmio*) saving // *in —*, on the cheap // *senza —*, generously, abundantly; (*scialacquando*) thriftlessly // *fare economie*, to save up // *fare —*, to cut down expenses **2** (*scienza*) economics // *— politica*, political economy // *— domestica*, domestic science; (*amer.*) home economics **3** (*arte di amministrare*) economy: *— controllata*, controlled economy; *— pianificata*, planned economy; *— sommersa*, black economy.

economico *agg.* **1** (*relativo all'economia*) economic **2** (*fatto con economia*) economical; (*a buon prezzo*) cheap.

economista *s.m.* e *f.* economist.

economizzare *v.tr.* **1** to economize, to cut* down (expenses) **2** (*risparmiare*) to save (up).

economo *agg.* economical, thrifty ♦ *s.m.* steward.

ectoplasma *s.m.* ectoplasm.

ecumenico *agg.* (*eccl.*) (o)ecumenical.

ecumenismo *s.m.* ecumenism.

eczema *s.m.* (*med.*) eczema.

edema *s.m.* (*med.*) (o)edema.

eden *s.m.* Eden, earthly paradise.

edera *s.f.* ivy: *coperto d'—*, ivy-clad.

edicola *s.f.* **1** newspaper kiosk, bookstall **2** (*tempietto*) aedicule **3** (*tabernacolo*) tabernacle.

edificante *agg.* edifying.

edificare *v.tr.* **1** (*costruire*) to build* (up), to erect **2** (*stimolare al bene*) to edify.

edificazione *s.f.* **1** building **2** (*buon esempio*) edification.

edificio *s.m.* building, edifice (*anche fig.*).

edile *agg.* building (*attr.*) // *perito —*, (qualified) builder's overseer.

edilizia *s.f.* building, building industry // *capolavoro di —*, masterpiece of the builder's art // *materiale per —*, building material.

edilizio *agg.* building (*attr.*).

Edimburgo *no.pr.f.* Edinburgh.

Edipo *no.pr.m.* (*lett.*) Oedipus // *complesso di —*, (*psic.*) Oedipus complex.

edito *agg.* published.

editore *agg.* publishing // *casa editrice*, publishing house (*o* publishers) ♦ *s.m.* publisher.

editoria *s.f.* book industry, publishing trade.

editoriale *agg.* e *s.m.* editorial.

Editta *no.pr.f.* Edith.

editto *s.m.* edict.

edizione *s.f.* **1** edition: — *a tiratura limitata*, limited edition; — *riveduta e corretta*, revised edition; *questo libro ha avuto numerose edizioni*, this book has run into numerous editions // — *a cura di*, edited by **2** (*di giornale*) issue: — *straordinaria*, special issue // *l'ultima* —, the latest edition // *ultima* — *della sera*, (late) night-final.

Edmondo *no.pr.m.* Edmund.

edoardiano *agg.* e *s.m.* Edwardian.

Edoardo *no.pr.m.* Edward.

edonismo *s.m.* (*fil.*) hedonism.

edonistico *agg.* (*fil.*) hedonistic.

edotto *agg.* informed, acquainted (with sthg.) // *rendere* — *qlcu. di qlco.*, to inform s.o. of (*o* to acquaint s.o. with) sthg.

educanda *s.f.* (convent) boarder // *sembrare una* —, to look like a schoolgirl // *vestita da* —, primly dressed.

educandato *s.m.* girls' boarding school; (*di suore*) convent boarding school.

educare *v.tr.* **1** to educate; (*esercitare, ammaestrare*) to train **2** (*allevare*) to bring* up, to rear.

educativo *agg.* educational, instructive.

educato *agg.* polite; (*ben allevato*) well-bred.

educatore *s.m.*, **educatrice** *s.f.* educator.

educazione *s.f.* **1** education, upbringing // — *fisica*, gymnastics (*o* physical training) **2** (*buone maniere*) good breeding, good manners (*pl.*) // *senza* —, ill-bred (*o* ill-mannered) // *insegnare l'* — *a qlcu.*, to teach s.o. manners.

edulcorare *v.tr.* to edulcorate.

efebo *s.m.* (*letter.*) ephebe.

efelide *s.f.* freckle; (*med.*) ephelis (*pl.* -lides).

effemeride *s.f.* ephemeris (*pl.* ephemerides).

effeminatezza *s.f.* effeminacy.

effeminato *agg.* effeminate, womanish.

efferatezza *s.f.* cruelty, ferocity.

efferato *agg.* cruel, ferocious.

effervescente *agg.* effervescent; (*fam.*) fizzy.

effervescenza *s.f.* **1** effervescence; (*fam.*) fizz **2** (*fig.*) agitation.

effettivamente *avv.* actually, really.

effettivo *agg.* **1** actual, real // *socio* —, active partner **2** (*efficace*) effective ♦ *s.m.* **1** — *di cassa*, (*comm.*) cash on hand **2** *pl.* (*mil.*) effectives.

effetto *s.m.* **1** effect, result, consequence; (*tecn.*) effect: *effetti di luce*, (*teatr.*) lighting effects // *senza* —, of no avail (*o* ineffectual) // *a doppio, semplice* —, (*mecc.*) double-acting, single-acting // *a tutti gli effetti*, in every respect // *a tutti gli effetti legali*, for all legal purposes // *per* — *di*, because of (*o* in consequence of *o* owing to) // *in effetti*, as a matter of fact (*o* actually *o* in effect) **2** (*impressione*) impression, effect: *fare l'*— *di...*, to give the impression of... // *frase a* —, words meant for effect // *scena a* —, sensational scene // *fare un grande* —, to make (*o* to create) a sensation **3** (*attuazione, esecuzione*) effect, action: *mandare qlco. a* —, to bring sthg. (*o* to carry sthg.) into effect; *avere* —, (*dir.*) to take effect (*o* to become operative); *la legge avrà* — *retroattivo*, (*dir.*) the law will have a retroactive (*o* retrospective) effect **4** (*comm.*) bill: *effetti attivi*,

passivi, bills receivable, payable; — *cambiario*, bill of exchange; — *negoziabile*, negotiable bill **5** *effetti personali*, personal effects (*o* personal belongings) **6** *dare l'*— *a una palla*, to screw (*o* to put a screw on) a ball.

effettuare *v.tr.* to effect, to carry* into effect, to bring* into effect, to bring* about; (*realizzare*) to carry* out, to execute: — *un piano*, to carry out a plan // **-arsi** *v.intr.pron.* (*aver luogo*) to take* place.

effettuazione *s.f.* execution; (*realizzazione*) fulfilment.

efficace *agg.* efficacious, effectual, effective: *un oratore* —, an effective speaker; *è un farmaco molto* —, it is a very efficacious medicine.

efficacia *s.f.* efficaciousness; effectiveness; efficacy // — *giuridica*, validity in law; *avere* — *giuridica*, to have legal effect.

efficiente *agg.* efficient.

efficienza *s.f.* efficiency: *ho sempre ammirato la sua* —, I have always admired his efficiency // *motore di grande* —, high-efficiency engine // *il nostro impianto è in piena* —, our plant is in full working order // *mettere, mantenere in* —, to set, to keep in working order // *sono in piena* —, I am in good form.

effigiare *v.tr.* (*letter.*) to portray; (*dipingere*) to paint.

effigie *s.f.* (*letter.*) image; (*ritratto*) portrait.

effimera *s.f.* (*zool.*) ephemera (*pl.* ephemerae).

effimero *agg.* ephemeral, short-lived; (*solo fig.*) transient.

efflorescenza *s.f.* efflorescence.

efflusso *s.m.* efflux, outflow.

effluvio *s.m.* (*letter.*) effluvium (*pl.* effluvia), exhalation; (*emanazione*) emanation.

effondere *v.tr.* (*letter.*) **1** to pour out **2** (*fig.*) to give* vent (to sthg.) // **-ersi** *v.intr.pron.* to spread*.

effrazione *s.f.* (*dir.*) housebreaking; (*di notte*) burglary.

effusione *s.f.* effusion; — *di lacrime*, shedding of tears // *effusioni amorose*, show of affection // *salutare qlcu. con* —, to greet s.o. warmly.

egemonia *s.f.* hegemony.

egemonico *agg.* hegemonic, ruling.

Egeo, mar *no.pr.m.* the Aegean Sea.

egida *s.f.* (*fig.*) protection.

Egidio *no.pr.m.* Giles.

egira *s.f.* (*st. islamica*) hegira, hejira.

Egitto *no.pr.m.* Egypt.

egittologia *s.f.* Egyptology.

egittologo *s.m.* Egyptologist.

egiziano *agg.* e *s.m.* Egyptian.

egizio *agg.* e *s.m.* (ancient) Egyptian.

egli *pron.pers.m. 3ª pers.sing.sogg.* he // — *stesso disse ciò*, he said so himself (*o* he himself said so).

egloga *s.f.* (*lett.*) eclogue.

egocentrico *agg.* egocentric, self-centred ♦ *s.m.* egocentric man, self-centred man.

egocentrismo *s.m.* egocentrism, egocentricity.

egoismo *s.m.* egoism, selfishness.

egoista *s.m.* e *f.* egoist, selfish person.

egoistico *agg.* egoistic(al), selfish.

egotismo *s.m.* egotism, self-conceit.

egregio *agg.* eminent, distinguished // *Egregio Signore*, Dear Sir; *Egregio Signor John Smith*, (*negli indirizzi*) Mr. John Smith (*o rar.* John Smith Esq.).

eguale e *deriv.* → **uguale** e *deriv.*

egualitario *agg.* e *s.m.* (*pol.*) egalitarian, equalitarian.

egualitarismo *s.m.* (*pol.*) egalitarianism, equalitarianism.

ehi *inter.* hey, hi.

ehm *inter.* ahem.

eiettabile *agg.* which may be ejected: *sedile —*, ejector seat.

eiettore *s.m.* ejector.

eiezione *s.f.* ejection.

elaborare *v.tr.* **1** to elaborate, to work out **2** *(di calcolatore elettronico)* to process.

elaborato *agg.* **1** elaborate, carefully prepared **2** *(informatica)* processed: *non —*, unprocessed ♦ *s.m.* paper: *— d'esame*, examination paper.

elaboratore *s.m.* computer: *— asincrono, sincrono*, asynchronous, synchronous computer; *— asservito*, slave computer; *— centrale*, mainframe (o CPU o computer); *— digitale*, digital computer; *— domestico*, home computer; *— da ufficio*, desk-top computer; *— di riserva*, back up computer; *— principale, centrale*, (tel.) host; *— sequenziale*, sequential computer; *— seriale*, serial computer; *— universale*, multi-purpose computer.

elaborazione *s.f.* **1** elaboration *(anche fig.)* **2** *(di piano)* formulation **3** *(di prodotto)* manufacture **4** *(informatica)* processing: *— dei dati*, data processing; *— automatica dei testi*, text processing; *— ad alta priorità*, foreground processing; *— a bassa priorità, a priorità secondaria*, background processing; *— a blocchi*, batch processing; *— a distanza dei dati*, (tel.) teleprocessing; *— delle informazioni*, information processing; *— in linea collegata con l'elaboratore*, on-line (processing).

elargire *v.tr.* to lavish: *— denaro a qlcu.*, to lavish money on s.o.

elargizione *s.f.* donation, gift.

elasticità *s.f.* elasticity, resilience *(anche fig.)*; *(di molle)* springiness *(agilità)* agility, nimbleness: *— mentale*, mental agility // *— di coscienza*, elasticity of conscience.

elasticizzato *agg.* elasticized.

elastico *agg.* **1** elastic, resilient *(anche fig.)*; *(di molle)* springy // *coscienza elastica*, elastic conscience // *passo —*, springy step // *fascia elastica*, corselet **2** *(agile, flessibile)* agile, nimble, pliable ♦ *s.m.* **1** rubber band; *(tessuto elastico)* elastic **2** *pl. (delle calze)* *(da uomo)* sock-suspenders; *(da donna)* garters **3** *(del letto)* spring mattress.

Elba *no.pr.f. (fiume)* Elbe.

elefante *s.m.* elephant.

elefantesco *agg.* elephantine.

elefantessa *s.f.* cow-elephant, female elephant.

elefantiasi *s.f.* elephantiasis *(anche fig.)*.

elegante *agg.* elegant, smart, stylish // *un scusa —*, a diplomatic excuse.

elegantemente *avv.* elegantly, smartly: *se l'è cavata —*, he pulled it off with style.

elegantone *s.m.* dandy, fop.

eleganza *s.f.* **1** *(di persona, abito)* elegance, smartness, stylishness; *(di modi)* refinement **2** *(di stile)* elegance.

eleggere *v.tr.* to elect; *(nominare)* to nominate, to appoint: *— un deputato*, to return a Member of Parliament // *— il proprio domicilio*, to elect domicile.

eleggibile *agg.* eligible.

eleggibilità *s.f.* eligibility.

elegia *s.f.* elegy.

elegiaco *agg.* elegiac *(anche fig.)*.

elementare *agg.* elementary: *conoscenza —*, elementary knowledge; *scuola —*, primary school.

elementarità *s.f.* elementariness.

elemento *s.m.* **1** element *(anche chim.)*: *la furia degli elementi*, the fury of the elements; *— di batteria*, (elettr. battery cell; *— di gruppo*, *(informatica)* group item // *essere, non essere nel proprio —*, (fig.) to be in, out o one's element **2** *pl. (rudimenti, principi)* elements, rudi ments **3** *(persona)* person: *è un buon —*, he is a capa ble person.

elemosina *s.f.* alms *(gener. sing.)*, charity: *cassetta pe l'—*, almsbox; *chiedere l'—*, to beg; *fare l'—*, to give alms; *vivere d'—*, to live on charity.

elemosinare *v.intr. e tr.* to beg *(anche fig.)*.

elemosiniere *s.m.* almoner.

Elena *no.pr.f.* Helen, Helena.

elencare *v.tr.* to list, to make* a list of (sthg.) *(enumerare)* to enumerate.

elencazione *s.f.* listing.

elenco *s.m.* list; *(catalogo)* catalogue: *fare un —*, t draw up a list; *— del telefono*, telephone directory (e phone book).

Eleonora *no.pr.f.* Eleanor, Elinor.

elettivo *agg.* elective // *affinità elettiva*, elective affinity

eletto *agg.* **1** elect, chosen // *il popolo —*, the chosel people **2** *(di pregio)* noble; *(scelto)* select ♦ *s.m.*: *nuov —*, newly-elected member // *gli eletti (da Dio)*, the elect

elettorale *agg.* electoral: *collegio —*, constituency; *di ritto —*, franchise; *operazioni elettorali*, polls; *cabina —* polling box; *i risultati elettorali*, the election results.

elettorato *s.m.* **1** *(insieme degli elettori)* electorate **2** *(diritto al voto)* franchise; *(diritto di essere eletto)* eligibility

elettore *s.m.* elector, voter; *(di un singolo collegio eletto rale)* constituent.

elettrauto *s.m.* **1** *(officina)* (car) electrical repairs **2** *(operaio)* (car) electrician.

elettrice *s.f.* woman elector, woman voter; *(di un sin golo collegio elettorale)* constituent.

elettricista *s.m.* electrician.

elettricità *s.f.* electricity *(anche fig.)*: *— di contatto* contact electricity; *— di strofinio*, frictional electricity

elettrico *agg.* *(che funziona a elettricità)* electric *(anche fig.)*; *(che ha relazione con l'elettricità)* electrical: *cucine elettrica*, electric cooker; *impianto —*, electrical equip ment // *motore —*, electromotor; *sedia elettrica*, elec tric chair // *far morire qlcu. sulla sedia elettrica*, to ele trocute s.o. // *blu —*, electric blue.

elettrificare *v.tr.* to electrify.

elettrificazione *s.f.* electrification.

elettrizzare *v.tr.* **1** to electrify **2** *(fig.)* to electrify, t thrill // *-arsi* *v.intr.pron.* to be* electrified; *(fig.)* to be* thrilled (at sthg.).

elettrizzato *agg.* electrified *(anche fig.)*.

elettrizzazione *s.f.* electrification *(anche fig.)*.

elettro- *pref.* electro-.

elettrocalamita *s.f.* electromagnet.

elettrocardiogramma *s.m.* electrocardiogram.

elettrochimica *s.f.* electrochemistry.

elettrochoc *s.m.* shock treatment.

elettrodinamico *agg.* electrodynamic.

elettrodo *s.m.* *(fis.)* electrode.

elettrodomestico *agg.* e *s.m.* (electrical) household appliance.

elettrodotto *s.m.* power line.

elettroencefalogramma *s.m.* electroencephalogram.

elettrogeno *agg.* generating electricity: *gruppo —* generator.

elettrolisi *s.f.* electrolysis.

elettrolitico *agg.* electrolytic.

elettrolito *s.m.* electrolyte.

ettromagnete *s.m.* electromagnet.
ettromagnetico *agg.* electromagnetic.
ettromagnetismo *s.m.* electromagnetism.
ettromeccanico *agg.* electromechanical.
ettromotore *agg.* electromotive: *forza elettromotrice,* ectromotive force ♦ *s.m.* electromotor.
ettromotrice *s.f.* (*ferr.*) electric locomotive.
ettrone *s.m.* (*fis.*) electron: — *negativo,* negatron; — *ositivo,* positron.
ettronica *s.f.* electronics.
ettronico *agg.* electronic.
ettroscopio *s.m.* electroscope.
ettrostatico *agg.* electrostatic.
ettrotecnica *s.f.* electrotechnology.
ettrotecnico *agg.* electrotechnic(al): *ingegnere —,* ectrical engineer ♦ *s.m.* electrotechnician.
ettrotreno *s.m.* electric train.
evare *v.tr.* **1** to elevate (*anche fig.*), to raise **2** (*erire*) to erect **3** (*mat.*) to raise: — *un numero al qua-ato, al cubo,* to square, to cube a number // **-arsi** *v. 'l.* to rise* (*anche fig.*).
evatezza *s.f.* loftiness.
evato *agg.* **1** elevated; (*alto*) high **2** (*fig.*) elevated, fty.
evatore *s.m.* elevator.
evazione *s.f.* **1** elevation (*anche fig.*), raising // *l'E-vazione (dell'Ostia),* (*eccl.*) the Elevation of the Host ' — *a potenza,* (*mat.*) raising **2** (*astr.*) altitude **3** (*ar-lieria*) elevation.
ezione *s.f.* **1** election: *elezioni politiche,* general elec-ons; *elezioni amministrative,* local (government) elec-ons **2** (*letter.*) (*scelta*) choice.
fo *s.m.* (*mit.*) elf.
ila *no.pr.m.* Elijah.
ica *s.f.* **1** (*geom.*) helix (*pl.* helices), spiral: *ad —,* spi-1 **2** (*aer.mar.*) propeller; (*di elicottero*) rotor: *pale di -,* propeller blades.
icoidale *agg.* **1** (*geom.*) helicoidal **2** (*mecc.*) helical.
icottero *s.m.* helicopter (*fam.amer.*) chopper.
idere *v.tr.* **1** to annul **2** (*gramm.*) to elide // **-ersi** *rifl.rec.* to annul each other.
iminare *v.tr.* **1** to eliminate; (*fam.*) to get* rid (of)., sthg.) **2** (*uccidere*) to eliminate; (*fam.*) to do* o.) in.
iminatoria *s.f.* (*sport*) preliminary heat.
iminatorio *agg.* preliminary.
iminazione *s.f.* elimination.
lo *s.m.* (*chim.*) helium.
iocentrico *agg.* heliocentric.
iocentrismo *s.m.* (*st. astr.*) heliocentricism.
iografia *s.f.* heliography.
ioterapia *s.f.* heliotherapy.
ioterapico *agg.* sun (*attr.*): *cura elioterapica,* sun eatment.
iotipia *s.f.* heliotypy.
iotropio *s.m.* (*bot. min.*) heliotrope.
iporto *s.m.* heliport.
isa *no.pr.f.* Eliza.
isabetta *no.pr.f.* Elizabeth.
isabettiano *agg. e s.m.* Elizabethan.
isio *agg.* (*mit.*) Elysian: *i Campi Elisi,* the Elysian elds.
isione *s.f.* **1** annulment **2** (*gramm.*) elision.
isir *s.m.* elixir: — *di lunga vita,* elixir of life.
iso *s.m.* (*mit.*) Elysium.
la *pron.pers.f. 3ª pers.sing.sogg.* **1** she // — *stessa lo*

ammise, she admitted it herself (*o she herself admitted it*) **2** (*formula di cortesia*) you.
elleboro *s.m.* (*bot.*) hellebore.
ellenico *agg.* (*letter.*) Hellenic.
ellenismo *s.m.* Hellenism.
ellenistico *agg.* Hellenistic.
ellisse *s.f.* (*geom.*) ellipse.
ellissi *s.f.* (*gramm.*) ellipsis (*pl.* ellipses).
ellissoide *s.m.* (*geom.*) ellipsoid.
ellittico *agg.* (*geom. gramm.*) elliptic(al).
elmetto *s.m.* helmet.
elmo *s.m.* helmet.
elocuzione *s.f.* (*letter.*) elocution.
elogiare *v.tr.* to praise.
elogiativo *agg.* laudatory.
elogio *s.m.* praise; (*letter.*) eulogy: *ti faccio i miei elogi per...,* I congratulate you on...
eloquente *agg.* eloquent (*anche fig.*).
eloquenza *s.f.* eloquence // *l'— del denaro,* the power of money.
eloquio *s.m.* (*letter.*) style (of speech).
elsa *s.f.* hilt.
elucubrare *v.tr.* to elucubrate (on, about sthg.).
elucubrazione *s.f.* lucubration.
eludere *v.tr.* to evade.
elvetico *agg. e s.m.* Helvetian, Swiss.
elzeviro *s.m.* **1** Elzevir (publication) **2** (*articolo di giornale*) literary article.
emaciato *agg.* emaciated.
emanare *v.tr.* **1** to emanate; (*esalare*) to exhale **2** (*leggi, decreti ecc.*) to promulgate ♦ *v.intr.* to emanate.
emanazione *s.f.* **1** emanation; (*esalazione*) exhalation **2** (*di leggi, decreti ecc.*) promulgation.
emancipare *v.tr.* to emancipate // **-arsi** *v.rifl.* to emancipate oneself, to get* emancipated.
emancipato *agg.* emancipated.
emancipazione *s.f.* emancipation.
Emanuele *no.pr.m.* Emmanuel, Immanuel.
emarginare *v.tr.* **1** to write* on the margin **2** (*escludere*) to exclude, to discriminate against.
emarginato *agg.* excluded, discriminated against (*pred.*) ♦ *s.m.* a person, group that is excluded, discriminated against.
emarginazione *s.f.* exclusion, discrimination.
ematico *agg.* (*med.*) h(a)ematic.
ematite *s.f.* (*min.*) h(a)ematite.
ematoma *s.m.* (*med.*) h(a)ematoma.
emazia *s.f.* erythrocyte.
embargo *s.m.* (*mar.*) embargo: *sottoporre le merci ad —,* to lay an embargo on goods.
emblema *s.m.* emblem; (*simbolo*) symbol.
emblematico *agg.* emblematic(al); (*simbolico*) symbolic(al).
embolia *s.f.* embolism.
embolo *s.m.* embolus (*pl.* emboli).
embrice *s.m.* tile.
embriologia *s.f.* embryology.
embrionale *agg.* embryonic, embryo (*attr.*); (*fig.*) rudimentary, undeveloped: *stato —,* embryo stage.
embrione *s.m.* embryo (*anche fig.*).
emendamento *s.m.* amendment; (*di testo*) emendation.
emendare *v.tr.* to amend; (*un testo*) to emend // **-arsi** *v.rifl.* to amend.
emergente *agg.* emergent, emerging.
emergenza *s.f.* emergency.
emergere *v.intr.* **1** to emerge, to come* to the sur-

face; (di sottomarino) to surface 2 (elevarsi) to rise* 3 (fig.) (apparire) to emerge, to appear, to come* out 4 (fig.) (distinguersi) to distinguish oneself.

emerito agg. 1 emeritus 2 (iron.) notorious.

emersione s.f. emersion // in —, afloat.

emerso agg. emersed.

emetico agg. e s.m. (farm.) emetic.

emettere v.tr. 1 to emit, to give* out: — un grido, to utter (o to emit) a cry 2 (mettere in circolazione; emanare) to issue: — carta moneta, to issue paper currency; — un decreto, to issue a decree 3 (esprimere) to express.

emi- pref. hemi-.

emiciclo s.m. hemicycle.

emicrania s.f. migraine.

emigrante agg. e s.m. e f. emigrant.

emigrare v.intr. to emigrate; (di animali) to migrate.

emigrato s.m. e agg. emigrant: — politico, political exile.

emigratorio agg. migratory.

emigrazione s.f. emigration; (di animali) migration.

Emilia no.pr.f. Émily, Emilia.

Emilio no.pr.m. Emil.

eminente agg. 1 (alto) high 2 (fig.) (illustre) eminent, outstanding, distinguished.

eminenza s.f. eminence (anche fig.); height // Sua Eminenza, His Eminence; (dando del Lei) Your Eminence.

emiplegia s.f. (med.) hemiplegia.

emiro s.m. emir.

emisfero s.m. hemisphere.

emissario s.m. 1 emissary 2 (geogr.) effluent.

emissione s.f. 1 (econ.) issue: — eccessiva, overissue; azione di nuova, vecchia —, new, existing share 2 (fis.) emission; (tel.) sending; (di gas ecc.) discharge // antenna d'—, (rad.) transmitting aerial 3 (informatica) output:— a stampa, printer output.

emittente agg. 1 (econ.) issuing 2 (rad.) broadcasting, transmitting ♦ s.f. (rad.) transmitter ♦ s.m. e f. (di assegno) drawer.

emo- pref. haemo-.

emofilia s.f. (med.) h(a)emophilia.

emoglobina s.f. (biol.) h(a)emoglobin.

emolliente agg. e s.m. emollient.

emolumento s.m. emolument.

emopoiesi s.f. (biol.) hemopoiesis.

emopoietico agg. hemopoietic.

emorragia s.f. h(a)emorrhage.

emorragico agg. h(a)emorrhagic.

emorroidi s.f.pl. piles; (t. scient.) h(a)emorrhoids.

emostatico agg. e s.m. (farm.) h(a)emostatic // matita emostatica, styptic pencil.

emoteca s.f. blood bank.

emotività s.f. emotivity, emotionality.

emotivo agg. emotional: è troppo emotiva, she is too emotional.

emottisi s.f. (med.) h(a)emoptysis.

emozionante agg. exciting.

emozionare v.tr. to excite; (commuovere) to move, to touch // -arsi v.intr.pron. to get* excited: si emoziona per un nonnulla, he gets excited over nothing.

emozionato agg. excited; (commosso) (deeply) moved, deeply stirred.

emozione s.f. emotion.

empiema s.m. (med.) empyema.

empietà s.f. impiety, ungodliness.

empio agg. impious, ungodly.

empire v.tr. → riempire.

empireo s.m. empyrean.

empirico agg. empiric(al) ♦ s.m. empiric.

empirismo s.m. (st.fil.) empiricism.

empito s.m. (letter.) impetus.

emporio s.m. 1 (centro commerciale) emporiu , trade centre 2 (negozio) (department) store.

emù s.m. emu, emeu.

emulare v.tr. to emulate.

emulatore s.m. emulator, rival.

emulazione s.f. emulation.

emulo s.m. emulator, rival.

emulsionare v.tr. (fis.) to emulsify.

emulsione s.f. emulsion.

encefalite s.f. (med.) encephalitis.

encefalo s.m. encephalon (pl. -la).

enciclica s.f. encyclical, encyclic.

enciclopedia s.f. encyclopaedia.

enciclopedico agg. encyclopaedic.

enclitico agg. (gramm.) enclitic.

encomiabile agg. praiseworthy, laudable.

encomiare v.tr. to commend, to praise.

encomiastico agg. encomiastic, panegyric, laudato

encomio s.m. 1 encomium, panegyric; (lode) pra , commendation 2 (mil.) mention in dispatch (amer.) citation.

endecasillabo agg. hendecasyllabic ♦ s.m. hende , syllable.

endemico agg. (med.) endemic.

endiadi s.f. (ret.) hendiadys.

endo- pref. endo-.

endocrino agg. (anat.) endocrine.

endocrinologia s.f. (med.) endocrinology.

endogeno agg. (geol.) endogenous.

endovenoso agg. intravenous: (iniezione) endoveno , intravenous injection.

Eneide s.f. (lett.) Aeneid.

energetico agg. 1 tonic 2 (che riguarda l'energ , energy (attr.): bilancio —, energy balance; crisi ener , tica, energy crisis.

energia s.f. energy: — elettrica, electric power; — , cleare, nuclear energy; — solare, solar energy // un , mo senza —, a listless man // deve metterci un po' di , he must put his back into it.

energico agg. energetic, active; (potente, efficace) po , erful, strong, energetic.

energumeno s.m. 1 energumen, demoniac 2 (p , sona violenta) furious man, madman (pl. -men) , (fam.) (prepotente) bully.

enfasi s.f. emphasis.

enfatico agg. emphatic.

enfiare v.tr. to inflate // -arsi v.intr.pron. to swell* , become* swollen.

enfisema s.m. (med.) emphysema.

enfiteusi s.f. (dir.) emphyteusis.

enigma s.m. enigma, riddle, puzzle: parlare per enig , to speak in riddles.

enigmatico agg. enigmatic(al), puzzling.

enigmista s.m. e f. enigmatographer; (appassionat , enigmistica) puzzle enthusiast: è un bravo —, he's g , at (doing) puzzles.

enigmistico agg. puzzle (attr.).

ennesimo agg. 1 (mat.) nth: elevare all'ennesima , tenza, to raise to the nth power 2 (fig.) umpteenth.

enologia s.f. oenology.

enologico agg. oenological.

enologo *s.m.* oenologist.

enorme *agg.* 1 huge, enormous 2 (*fig.*) tremendous; (*fam.*) awful.

enormità *s.f.* 1 hugeness, enormousness 2 (*fig.*) (*grosso errore*) blunder; (*assurdità*) absurdity; (*mostruosità*) enormity.

enoteca *s.f.* stock of vintage wines; wine store.

Enrica, Enrichetta *no.pr.f.* Henrietta.

Enrico *no.pr.m.* Henry, Harry.

ente *s.m.* 1 (*fil.*) being 2 (*istituzione*) (corporate) body, corporatiòn: *enti locali*, local authority // *Ente Autonomo del Turismo*, Local Tourist Organization.

enteroclisma *s.m.* enema, clyster.

enterocolite *s.f.* (*med.*) enterocolitis.

entità *s.f.* 1 (*fil.*) entity 2 (*importanza*) importance 3 (*di danni, spese ecc.*) extent.

entomologia *s.f.* entomology.

entomologo *s.m.* entomologist.

entrambi *agg.pron.pl.* both: — *i fratelli, entrambe le sorelle*, both brothers, both sisters; «*Hai ancora i genitori?*» «*Sì*, —», "Are your parents alive?" "Yes, both (of them) are"; *vennero* —, *entrambe*, they both came (*o* both of them came); *conosco* —, I know them both (*o* both of them).

entrante *agg.* next.

entrare *v.intr.* 1 to enter (sthg.), to go* in; (*venir dentro*) to come* in: *entrarono nel suo ufficio*, they entered (*o* went into) his office; — *correndo*, to run in; — *precipitosamente*, to rush (*o* to dash) in; *impedire a qlcu. di* —, to keep s.o. out // *la chiave non entra nella serratura*, the key does not fit the lock // *non riesco a farlo* — *nella scatola*, I can't get it into the box // *entrerò un istante tornando dall'ufficio*, I shall look (*o* drop) in on my way back from the office // — *nel partito comunista*, to join (*o* to become a member of) the Communist Party // — *nel sessantesimo anno* (*di età*), to enter upon one's sixtieth year // — *in guerra*, to enter into war // — *in azione*, (*mil.*) to go into action // — *in ballo*, (*fig.*) to intervene // — *in corrispondenza con qlcu.*, to enter into correspondence with s.o. // — *in argomento*, to get straight to the point // *come posso farglielo* — *in testa?*, how can I drive it into his head? 2 (*avere relazione, avere a che fare*) to have* to do with (s.o., sthg.): *che c'entra?*, what has that got to do with it?; *voi non c'entrate*, this is no business of yours 3 (*stare, essere contenuto*) to go* into (sthg.): *non entra nella valigia*, it does not go into the suitcase.

entrata *s.f.* 1 entrance (*anche fig.*); (*l'entrare*), entry: — *e uscita*, way in and out (*o* entrance and exit); — *trionfale*, triumphal entry; — *in carica*, entrance into office; — *di servizio*, tradesmen's entrance; (*amer.*) delivery entrance; — *principale, sul retro*, front door, back door; — *libera*, free admission 2 *pl.* (*redditi*) income (*sing.*); (*spec. dello stato*) revenue (*sing.*); (*incassi*) receipts: *entrate lorde*, gross receipts; *entrate e spese*, revenue and expenditure; *pubbliche entrate*, public revenue 3 (*informatica*) input.

entratura *s.f.*: *ha delle entrature al ministero*, he is well in at the Ministry.

entro *prep.* 1 (*tempo*) in, within: — *due settimane*, within (*o* in) two weeks; — *sera*, — *oggi*, before (the) evening, before today; — *l'inverno*, before the end of the winter; — *il 30 giugno*, (*comm.*) not later than (*o* before) June 30th 2 (*luogo*) within; — *le mura*, within the walls; — *un raggio di due miglia*, within a radius of two miles // — *casa*, indoors.

entrobordo *s.m.* inboard, motorboat; (*motore*) inboard, motor.

entroterra *s.m.* inland, hinterland.

entusiasmante *agg.* thrilling, exciting.

entusiasmare *v.tr.* to arouse enthusiasm (in s.o.), to fill with enthusiasm // *la folla fu entusiasmata da queste parole*, the crowd was carried away by these words // **-arsi** *v.intr.pron.* to become* enthusiastic (over sthg.), to get* excited (about sthg.).

entusiasmo *s.m.* enthusiasm.

entusiasta *agg.* enthusiastic (about).

entusiastico *agg.* enthusiastic.

enucleare *v.tr.* to enucleate.

enucleazione *s.f.* enucleation.

enumerare *v.tr.* to enumerate.

enumerazione *s.f.* enumeration.

enunciare *v.tr.* to enunciate.

enunciativo *agg.* enunciative.

enunciato *s.m.* proposition, terms (*pl.*).

enunciazione *s.f.* enunciation.

enuresi *s.f.* (*med.*) enuresis.

enzima *s.m.* (*chim.*) enzyme.

eolico *agg.* (*di Eolo, dell'Eolia*) Aeolian; (*del vento*) aeolian wind (*attr.*).

epa *s.f.* (*ant.*) belly.

epatico *agg.* hepatic.

epatite *s.f.* (*med.*) hepatitis.

epica *s.f.* epic.

epicentro *s.m.* epicentre.

epico *agg.* epic(al); (*eroico*) heroic: *gesta epiche*, heroic deeds.

epicureismo *s.m.* epicureanism.

epicureo *agg.* epicurean ♦ *s.m.* 1 (*fil.*) Epicurean 2 (*gaudente*) epicure.

Epicuro *no.pr.m.* (*st. fil.*) Epicurus.

epidemia *s.f.* epidemic (*anche fig.*).

epidemico *agg.* epidemic(al).

epidermico *agg.* epidermic.

epidermide *s.f.* epidermis.

Epifania *s.f.* Epiphany; Twelfth Night.

epigastrio *s.m.* (*anat.*) epigastrium (*pl.* -ia).

epiglottide *s.f.* (*anat.*) epiglottis.

epigono *s.m.* 1 (*letter.*) epigone, imitative follower 2 *pl.* (*di Tebe*) Epigones.

epigrafe *s.f.* epigraph.

epigrafia *s.f.* epigraphy.

epigrafico *agg.* epigraphic.

epigramma *s.m.* epigram.

epilessia *s.f.* (*med.*) epilepsy.

epilettico *agg.* e *s.m.* epileptic.

epilogo *s.m.* epilogue.

episcopale *agg.* episcopal.

episcopato *s.m.* episcopate.

episodico *agg.* episodic(al); (*accidentale*) incidental.

episodio *s.m.* episode.

epistassi *s.f.* (*med.*) epistaxis.

epistemologia *s.f.* epistemology.

epistola *s.f.* epistle.

epistolare *agg.* epistolary.

epistolario *s.m.* (collection of) letters: *l'— del Manzoni*, Manzoni's letters.

epitaffio *s.m.* epitaph.

epitelio *s.m.* (*anat.*) epithelium (*pl.* -lia).

epiteto *s.m.* epithet.

epizootico *agg.* epizootic.

epoca *s.f.* 1 epoch; (*età*) age; (*era*) era: *l'— elisabet-*

tiana, the Elizabethan Age; *ciò segnò una nuova —*, that marked a new era // *scoperta che fece —*, an epoch-making discovery // *auto d'—*, vintage car; *mobile d'—*, period furniture **2** (*tempo*) time; (*periodo*) period: *un mese fa a quest'—*, this time last month.

epopea *s.f.* epic; (*serie di poemi epici*) epos; (*serie di imprese eroiche*) heroic deeds.

epos *s.m.* (*singolo poema*) epic (poem); (*insieme di poemi epici*) epos.

eppure *cong.* (and) yet, but.

epurare *v.tr.* to purge.

epurazione *s.f.* purge.

equanime *agg.* impartial, unprejudiced.

equanimità *s.f.* (*equilibratezza*) equanimity; (*imparzialità*) impartiality.

equatore *s.m.* equator: *passare l'—*, to cross the line.

equatoriale *agg.* equatorial // *regione delle calme equatoriali*, (*mar.*) the doldrums.

equazione *s.f.* equation: *— di primo grado*, simple equation; *— di secondo grado*, quadratic equation.

equestre *agg.* equestrian // *circo —*, circus.

equiangolo *agg.* (*geom.*) equiangular.

equidistante *agg.* equidistant.

equilatero *agg.* (*geom.*) equilateral.

equilibrare *v.tr.*, **equilibrarsi** *v.rifl.* to balance, to equilibrate.

equilibrato *agg.* well-balanced (*anche fig.*); (*di buon senso*) sensible: *male —*, ill-balanced.

equilibrio *s.m.* balance (*anche fig.*); (*buon senso*) common sense: *ha perso l'— ed è caduto*, he lost his balance and fell; *far perdere l'— a qlcu*, to throw s.o. off his balance; *tenersi in —*, to keep one's balance; *mettere, tenere qlco. in —*, to balance sthg. // *rompere l'— di qlco.*, to upset (the equilibrium of) sthg.

equilibrismo *s.m.* acrobatics (*pl.*) (*anche fig.*).

equilibrista *s.m. e f.* equilibrist, acrobat.

equino *agg. e s.m.* equine // *piede —*, (*med.*) clubfoot.

equinoziale *agg.* equinoctial.

equinozio *s.m.* equinox.

equipaggiamento *s.m.* equipment, outfit.

equipaggiare *v.tr.* **1** to equip (*anche fig.*), to fit out **2** (*fornire di equipaggio*) to man: *— una nave*, to man a vessel // *-arsi* *v.rifl.* to equip oneself.

equipaggiato *agg.* **1** equipped, fitted out **2** (*provvisto di equipaggio*) manned.

equipaggio *s.m.* **1** (*di nave, aereo*) crew // *membro dell'—*, (*mar.*) hand; *tutto l'— sul ponte!*, all hands on deck! **2** (*carrozza*) equipage.

equiparare *v.tr.* (*innalzando*) to level up; (*abbassando*) to level down.

equiparazione *s.f.* levelling up; levelling down.

équipe (*franc.*) *s.f.* team.

equipollente *agg.* equipollent.

equiseto *s.m.* (*bot.*) equisetum (*pl.* equiseta); (*pop.*) horsetail.

equità *s.f.* equity; (*imparzialità*) impartiality.

equitazione *s.f.* (horse-)riding // *fate dell'—?*, do you ride?

equivalente *agg. e s.m.* equivalent.

equivalenza *s.f.* equivalence.

equivalere *v.intr.* to be* equivalent, to be* the same as: *questo equivale a dire che...*, this is the same as saying that... // *-ersi* *v.rifl.rec.* to be* equivalent.

equivocare *v.intr.* to mistake*; (*fraintendere*) to misunderstand*.

equivocità *s.f.* equivocalness; (*ambiguità*) ambiguity.

equivoco *agg.* **1** (*poco chiaro*) equivocal, ambiguous **2** (*dubbio, sospetto*) equivocal, suspicious // *un tipo —*, a shady (*o* fishy) character ♦ *s.m.* mistake; (*malinteso*) misunderstanding // *a scanso di equivoci*, to avoid misunderstandings // *giocare sull'—*, to equivocate.

equo *agg.* equitable; (*giusto*) fair, just; (*imparziale*) impartial.

era *s.f.* era; (*epoca*) age, period.

erariale *agg.* fiscal.

erario *s.m.* **1** public treasury **2** (*Tesoreria dello Stato*) Treasury.

erba *s.f.* **1** grass: *filo d'—*, blade of grass // *un pittore in —*, a budding painter **2** (*pianta erbacea*) herb: *— medica*, lucerne (*o* alfalfa); *erbe aromatiche*, pot -herbs **3** (*sl.*) (*droga*) grass.

erbaccia *s.f.* weed: *togliere le erbacce*, to weed.

erbaceo *agg.* herbaceous.

erbaggio *s.m.* vegetable; (*per aromatizzare*) herb.

erbaiolo *s.m.* (*erborista*) herbalist; (*erbivendolo*) greengrocer.

erbario *s.m.* herbarium.

erbicida *agg.* herbicidal ♦ *s.m.* weedkiller, herbicide.

erbivendolo *s.m.* greengrocer.

erbivoro *agg.* herbivorous.

erborista *s.m.* herbalist.

erboristeria *s.f.* **1** (*la scienza*) herbalism **2** (*negozio*) herbalist's.

erboso *agg.* grassy.

Ercole *no.pr.m.* (*mit.*) Hercules // **ercole** *s.m.* Hercules.

erculeo *agg.* Herculean.

erede *s.m.* heir: *— universale*, sole heir; *senza eredi*, heirless; *essere — di qlco.*, to be heir to sthg.

eredità *s.f.* **1** inheritance; (*spec. fig.*) heritage: *lasciare in —*, to bequeath **2** (*biol.*) heredity.

ereditare *v.tr.* to inherit.

ereditarietà *s.f.* heredity.

ereditario *agg.* hereditary // *principe —*, crown prince; (*in Gran Bretagna*) Prince of Wales.

ereditiera *s.f.* heiress.

eremita *s.m.* anchorite, hermit (*anche fig.*).

eremitaggio *s.m.* hermitage.

eremo *s.m.* hermitage; (*monastero*) monastery.

eresia *s.f.* heresy // *non dire eresie!*, (*fam.*) don't talk nonsense!

ereticale *agg.* heretical.

eretico *agg.* heretical ♦ *s.m.* heretic.

erettile *agg.* erectile.

eretto *agg.* erect; (*diritto*) upright: *col capo —*, with head erect.

erezione *s.f.* **1** erection **2** (*costruzione*) building **3** (*fondazione*) foundation.

erg *s.m.* (*fis.*) erg.

ergastolano *s.m.* convict (serving a life sentence); (*sl.*) lifer.

ergastolo *s.m.* **1** life imprisonment: *condanna all'—*, life sentence **2** (*prigione*) prison.

ergersi *v.intr.pron.* to rise*.

ergo *cong.* ergo; (*perciò*) therefore.

ergonomia *s.f.* ergonomics.

erica *s.f.* (*bot.*) heather.

erigendo *agg.* to be built.

erigere *v.tr.* **1** to erect, to raise **2** (*fondare*) to set* up **3** (*elevare a una dignità*) to raise (to sthg.), to erect (into sthg.) // *-ersi* *v.rifl.* to set* up (as s.o., sthg.); *— a critico*, to set up as a critic.

Erinni *no.pr.f.* (*mit.*) Erinys (*pl.* Erinyes).

erisipela *s.f.* (*med.*) erysipelas.

eritema *s.m.* (*med.*) erythema.

erma *s.f.* (*archeol.*) herm.

ermafroditismo *s.m.* (*biol.*) hermaphroditism.

ermafrodito *agg.* e *s.m.* (*biol. bot.*) hermaphrodite.

Ermanno *no.pr.m.* Herman.

ermellino *s.m.* ermine.

ermetico *agg.* **1** hermetic, airtight; (*all'acqua*) watertight; (*ai gas*) gasproof **2** (*fig.*) obscure, esoteric **3** (*lett.*) belonging to "Ermetismo" (modern Italian school of poetry).

ermetismo *s.m.* **1** obscurity **2** (*lett.*) "Ermetismo" modern Italian school of poetry).

Ernesto *no.pr.m.* Ernest.

ernia *s.f.* (*med.*) hernia.

erniario *agg.* hernial: *cinto —*, truss.

Erode *no.pr.m.* (*st.*) Herod.

erodere *v.tr.* to erode.

eroe *s.m.* hero.

erogare *v.tr.* **1** to allocate; (*concedere*) to grant **2** (*gas, acqua ecc.*) to deliver.

erogazione *s.f.* **1** allocation; (*concessione*) granting **2** (*di gas, acqua ecc.*) delivery.

eroico *agg.* heroic.

eroicomico *agg.* mock-heroic.

eroina[1] *s.f.* heroine.

eroina[2] ® *s.f.* (*farm.*) heroin ®.

eroinomane *s.m.* e *f.* heroin addict.

eroismo *s.m.* heroism: *atto d'—*, heroic deed.

erompere *v.intr.* to burst* out (*anche fig.*).

erosione *s.f.* erosion.

erosivo *agg.* erosive.

erotico *agg.* erotic.

erotismo *s.m.* eroti(ci)sm.

erotizzare *v.tr.* (*psic.*) to erotize.

erotomane *s.m.* erotomaniac.

erpete *s.m.* (*med.*) herpes.

erpicare *v.tr.* (*agr.*) to harrow.

erpice *s.m.* (*agr.*) harrow.

errabondo *agg.* (*letter.*) roaming, wandering.

errante *agg.* wandering, roaming // *l'Ebreo —*, the Wandering Jew.

errare *v.intr.* **1** to wander (about), to roam (about, around) // *— per terra e per mare*, to rove over land and sea **2** (*sbagliare*) to err, to make* a mistake: *— è umano*, to err is human.

errata corrige *s.m.* (*lat.*) errata (*pl.*).

erratico *agg.* erratic.

errato *agg.* **1** wrong // *se non vado —*, if I am not mistaken **2** (*informatica*) invalid.

erroneamente *avv.* erroneously, by mistake.

erroneo *agg.* erroneous; (*sbagliato*) wrong.

errore *s.m.* **1** mistake, error: *— di calcolo*, miscalculation; *— di francese*, mistake in French; *— giudiziario*, miscarriage of justice; *per —*, by mistake; *essere in —*, to be in error (*o* to be mistaken); *fare un —*, to make a mistake // *salvo —*, if I am not mistaken **2** (*informatica*) error: *— di classificazione*, sequence check; *— da cumulo*, accumulating error; *— da programma*, (program) bug; *— di macchina*, machine check (*o* error).

erta *s.f.* **1** steep slope **2** *all'—!*, look out!; *stare all'—*, to be on the alert.

erto *agg.* steep.

erudire *v.tr.* to instruct // *— la mente*, to educate the mind.

erudito *agg.* learned, scholarly ♦ *s.m.* scholar.

erudizione *s.f.* erudition; (*cultura*) learning.

eruttare *v.tr.* to erupt, to belch ♦ *v.intr.* to belch.

eruttivo *agg.* eruptive.

eruzione *s.f.* eruption.

esacerbare *v.tr.* to exacerbate.

esaedro *s.m.* (*geom.*) hexahedron.

esagerare *v.tr.* to exaggerate ♦ *v.intr.* to go* too far, to exceed: *non —!*, (*fam.*) you are overdoing it!; *tende sempre a —*, he always tends to exaggerate (*o fam.* he always lays it on a bit thick).

esagerato *agg.* exaggerated; (*di prezzo*) exorbitant // *sei un —!*, (*fam.*) you are overdoing it! (*o* you do make a fuss!).

esagerazione *s.f.* exaggeration.

esagitato *agg.* over-excited.

esagonale *agg.* hexagonal.

esagono *s.m.* (*geom.*) hexagon.

esalare *v.tr.* to exhale // *— l'ultimo respiro*, to breathe one's last ♦ *v.intr.* to exhale, to rise*.

esalazione *s.f.* exhalation; (*spec. pl.*) fume: *esalazioni di zolfo*, fumes of sulphur.

esaltare *v.tr.* **1** to exalt; (*lodare*) to extol **2** (*entusiasmare*) to elate.

esaltato *agg.* elated; (*eccitato*) excited ♦ *s.m.* hothead; (*fanatico*) fanatic.

esaltazione *s.f.* exaltation.

esame *s.m.* **1** examination: *— della vista*, sight test; *esami medici*, medical examinations; *essere all'—*, to be under examination; *prendere in —*, to consider // *— di coscienza*, examination of one's conscience **2** (*scolastico*) examination; (*fam.*) exam: *— di storia*, history exam; *— di concorso*, competitive examination; *dare, sostenere un —*, to take (*o* to sit for) an examination.

esametro *s.m.* (*metrica*) hexameter.

esaminando *s.m.* candidate.

esaminare *v.tr.* to examine; (*considerare*) to consider, to look into (sthg.).

esaminatore *agg.* examining: *commissione esaminatrice*, examining committee ♦ *s.m.* examiner.

esangue *agg.* **1** almost bloodless: *giaceva — sul letto*, he lay on the bed drained of life **2** (*fig.*) deadly pale.

esanime *agg.* lifeless, inanimate.

esantema *s.m.* (*med.*) exanthema (*pl.* -ata).

esasperante *agg.* exasperating.

esasperare *v.tr.* to exasperate // **-arsi** *v.intr.pron.* to become* irritated, to lose* all patience.

esasperazione *s.f.* exasperation, irritation.

esattamente *avv.* **1** exactly **2** (*precisamente*) exactly, precisely; (*proprio*) just.

esattezza *s.f.* **1** exactitude, exactness: *per l'— erano ventiquattro*, to be exact there were twenty-four **2** (*accuratezza*) accuracy **3** (*correttezza*) correctness **4** (*puntualità*) punctuality.

esatto *agg.* **1** exact; (*giusto, corretto*) correct, right, true: *ciò è del tutto —*, that is quite correct (*o* true) **2** (*accurato*) accurate, careful **3** (*puntuale*) punctual **4** (*di orologio*) right.

esattore *s.m.* collector; (*delle imposte*) tax collector.

esattoria *s.f.* collector's office.

esaudire *v.tr.* to grant: *la mia preghiera fu esaudita*, my prayer was answered.

esauriente *agg.* exhaustive.

esaurimento *s.m.* (*med.*) exhaustion // *— nervoso*, nervous breakdown.

esaurire *v.tr.* to exhaust (*anche fig.*), to wear* out (*an-*

che fig.): — *un argomento*, to exhaust a subject; — *la pazienza di qlcu.*, to exhaust (*o* to wear out) s.o.'s patience // — *una miniera*, to work out a mine // — *le scorte*, to use up the reserves // **-irsi** *v.intr.pron.* **1** to get* exhausted, to wear* oneself out: *la mia pazienza si è esaurita*, my patience is exhausted **2** (*di denaro, merci*) to run* out; (*di sorgente*) to dry up; (*di miniera*) to be* worked out; *ben presto la scorta d'acqua si esaurì*, the supply of water ran out very quickly.

esaurito *agg.* **1** exhausted, worn out; (*di articolo, merce*) sold out // *miniera esaurita*, worked-out mine // *piatto —*, (*al ristorante*) off the menu // *tutto —*, (*sulle locandine*) sold out // *questo libro è —*, this book is out of print **2** (*di persona*) run down, exhausted.

esausto *agg.* exhausted, worn-out.

esautorare *v.tr.* to deprive of authority.

esautorato *agg.* deprived of (all) authority.

esautorazione *s.f.* deprivation (of authority).

esazione *s.f.* exaction, collection.

esborso *s.m.* outlay, expenditure.

esca *s.f.* **1** bait (*anche fig.*): *mettere l' — all'amo*, to bait the hook **2** (*sostanza infiammabile*) tinder: *prender fuoco come l'—*, to catch fire like tinder // *dar — all'odio*, to arrouse hatred; *dare — all'amore*, to fan a flame.

escandescenza *s.f.*: *dare in escandescenza*, to fly into a rage.

escatologico *agg.* (*fil.*) eschatological.

escavatore *s.m.* excavator: — *a cucchiaia*, mechanical shovel.

escavazione *s.f.* excavation, excavating.

Eschilo *no.pr.m.* (*st. lett.*) Aeschylus.

eschimese *agg.* Eskimo (*attr.*): *cane —*, Eskimo dog (*o* Husky) ♦ *s.m.* Eskimo.

esclamare *v.intr.* to exclaim, to cry (out).

esclamatovo *agg.* exclamatory, exclamation (*attr.*).

esclamazione *s.f.* exclamation; (*gramm.*) interjection.

escludere *v.tr.* to exclude; (*scartare*) to rule out: — *qlcu. da un posto, un privilegio*, to exclude s.o. from a place, a privilege // — *dagli esami*, not to admit to the exams // *escludo che si possa partire*, I doubt we can leave // *non escludo che tu abbia ragione*, I admit you may be right // *esclusi i presenti*, present company excepted.

esclusione *s.f.* exclusion // *a — di*, except.

esclusiva *s.f.* **1** (*brevetto*) patent; (*diritto esclusivo*) (*comm.*) sole right, exclusive right **2** (*rappresentanza in*) —, sole agency: *avere l' — di qlco.*, to be the sole agent for sthg.; *dare l' — a qlcu.*, to appoint s.o. as sole agent // *concedere un'intervista in — a qlcu.*, to grant an exclusive interview to s.o.

esclusivista *s.m. e f.* **1** self-opinionated person **2** (*comm.*) sole agent.

esclusività *s.f.* exclusiveness.

esclusivo *agg.* **1** exclusive; (*unico*) sole: *articolo, diritto —*, exclusive article; right; *rappresentante —*, sole agent **2** (*di persona*) self-opinionated.

escogitare *v.tr.* to devise, to think* up.

escomio *s.m.* (*dir.*) notice (to quit).

escoriazione *s.f.* abrasion, excoriation.

escremento *s.m.* excrement, faeces (*pl.*).

escrescenza *s.f.* excrescence; (*porro*) wart.

escrezione *s.f.* excretion.

Esculapio *no.pr.m.* (*st. med.*) Aesculapius.

escursione *s.f.* **1** (*gita di piacere*) excursion, trip; (*a piedi*) hike: *fare un'—*, to make (*o* to go on) an excursion **2** (*mil.*) excursion **3** (*di temperatura*) range (*o* temperature).

escursionista *s.m. e f.* excursionist, tripper; (*a piedi*) hiker.

escussione *s.f.* (*dir.*) examination: — *dei testi*, examination of witnesses.

escutere *v.tr.* (*dir.*) to examine.

esecrabile *agg.* execrable, detestable.

esecrare *v.tr.* to execrate, to detest.

esecrazione *s.f.* execration.

esecutivo *agg.* (*dir.*) executive // *sentenza esecutiva*, executory judgement; *sospendere gli atti esecutivi*, to stay execution ♦ *s.m.* executive: *l' — d'un partito*, the party executive.

esecutore *s.m.* **1** executor: — *testamentario*, (*dir.*) executor **2** (*di musica*) performer **3** (*carnefice*) executioner.

esecuzione *s.f.* **1** carrying out, execution: *mettere in — un progetto*, to carry out a plan // — *su calcolatore*, (*informatica*) computer run **2** (*sentenza capitale*) capital punishment; (*esecuzione di sentenza capitale*) execution // *ordine d'—*, death warrant **3** (*dir.*) performance, execution: — *di una sentenza*, execution of a sentence; *andare in —*, to come into force **4** (*mus. teatr.*) performance.

esedra *s.f.* (*arch.*) exedra (*pl.* exedrae).

esegesi *s.f.* exegesis (*pl.* exegeses).

esegeta *s.m.* exegete.

esegetico *agg.* exegetic(al).

eseguibile *agg.* feasible, achievable.

eseguire *v.tr.* **1** to execute, to carry out, to perform — *gli ordini di qlcu.*, to execute (*o* to act upon *o* to carry out) s.o.'s orders **2** (*mus. teatr.*) to perform **3** (*dir.*) to execute: — *una sentenza*, to execute a sentence **4** (*informatica*) to execute: — *una copiatura*, to take a dump; — *una diramazione*, to take a branch; — *una scansione*, (*IBM*) to scan.

esempio *s.m.* **1** example, instance: *secondo l' — di...*, following (*o* after) the example of...; *fammi un —!*, give me an example!; *citare qlcu. a —*, to hold s.o. up as an example; *dare l' — a qlcu.*, to set s.o. an example; *prendere — da qlcu.*, to follow s.o.'s example; *essere di — a qlcu.*, to be an example to s.o. // *per —*, for instance (*o* for example) // *è un — di virtù*, she is a paragon of virtue **2** (*ammonimento*) example, warning: *servire di — a qlcu.*, to be a warning to s.o. **3** (*esemplare*) example, specimen.

esemplare[1] *agg.* exemplary, model (*attr.*) // *darò di quel tizio una punizione —*, I'll make an example of that fellow.

esemplare[2] *s.m.* **1** specimen **2** (*modello*) model, pattern **3** (*copia di libro*) copy.

esemplificare *v.tr.* to exemplify, to illustrate.

esemplificazione *s.f.* exemplification, illustration.

esentare *v.tr.* to exempt // — *qlcu. da un incarico*, to relieve s.o. of (*o* to excuse s.o. from) a charge // **-arsi** *v.rifl.* to free oneself (from sthg., doing), to get* out (of sthg., doing).

esente *agg.* exempt, free: — *da imposta*, duty-free (*o* free of duty); — *da tasse*, tax-free (*o* exempt from taxes); *titolo — da tasse*, (*comm.*) tax-exempt security.

esenzione *s.f.* exemption.

esequie *s.f.pl.* exequies, obsequies, funeral rites.

esercente *s.m. e f.* (*bottegaio*) shopkeeper; (*dettagliante*) retailer, retail dealer: *prezzi per esercenti*, prices for the trade; *sconto per esercenti*, trade discount.

esercire *v.tr.* (*un'azienda*) to manage (a business), to run* (a business); (*un negozio*) to keep* (a shop), to run* (a shop); (*un commercio*) to carry on (a trade).

esercitare *v.tr.* **1** to exercise, to practise; (*fare uso di*) to exert: — *la pazienza*, to exercise one's patience; — *una virtù*, to practise a virtue; *esercitò tutta la sua influenza per riuscire*, he exerted all his influence (in order) to be successful **2** (*dir.*) to exercise **3** (*professione, mestiere*) to practise, to carry on: — *un commercio*, to be in business; *esercitava il mestiere di calzolaio*, he was a shoemaker **4** (*addestrare*) to train, to drill (*spec. mil.*) // **-arsi** *v.rifl.* to practise.

esercitazione *s.f.* **1** exercise, practice **2** (*mil.*) drill.

esercito *s.m.* **1** army: — *regolare*, standing (*o* regular) army; — *tradizionale*, conventional army // *Esercito della Salvezza*, Salvation Army **2** (*fig.*) (*folla*) host, army.

esercizio *s.m.* **1** exercise: *fare dell'*—, to take some exercise; *fare un* —, to do an exercise // *essere fuori* —, to be out of practice // *fare esercizi al piano*, to practise the piano (*o* to do some piano practice) **2** (*uso, pratica*) use, practice, exercise // *porre in* —, to put into service // *nell'*— *delle sue funzioni*, in the discharge of his duties **3** (*mil.*) (*esercitazione*) drill(ing) **4** (*relig.*) practice **5** (*negozio*) shop **6** (*comm.*): — *finanziario*, financial year.

esibire *v.tr.* **1** to exhibit, to show*; (*mettere in mostra*) to display, to show* off **2** (*dir.*) to produce, to exhibit // **-irsi** *v.rifl.* **1** to show* off, to parade **2** (*in spettacoli*) to perform: — *in uno spettacolo*, to take part in a show.

esibizione *s.f.* **1** (*mostra*) exhibition, show; (*il fare sfoggio*) display, ostentation, showing-off **2** (*spettacolo*) show.

esibizionismo *s.m.* exhibitionism, showing-off.

esibizionista *s.m.* e *f.* exhibitionist, show-off.

esigente *agg.* exacting.

esigenza *s.f.* **1** demand, requirement; (*bisogno, necessità*) need, necessity **2** (*pretesa*) pretension.

esigere *v.tr.* **1** to require, to demand, to exact: *esigi troppo da me*, you ask too much of (*o* from) me; — *soddisfazione*, to demand satisfaction **2** (*fig.*) to call for (sthg.), to require: *questo lavoro esige molta pazienza*, this work requires (*o* calls for) a lot of patience **3** (*riscuotere*) to exact, to collect.

esigibile *agg.* **1** due, payable: — *a vista*, payable on demand **2** (*riscuotibile*) collectable.

esiguità *s.f.* exiguity, exiguousness, scantiness.

esiguo *agg.* exiguous, small, little.

esilarante *agg.* exhilarating.

esilarare *v.tr.* to exhilarate.

esile *agg.* **1** slender, thin **2** (*fig.*) (*debole*) weak.

esiliare *v.tr.* to exile, to banish (*anche fig.*) // **-arsi** *v. rifl.* to go* into exile; (*fig.*) to retire.

esiliato *s.m.* exile.

esilio *s.m.* exile, banishment: *andare in* —, to go into exile // *mandare in* —, to banish.

esilità *s.f.* slenderness; (*fig.*) weakness.

esimere *v.tr.* to exempt, to free: *questo mi esime da ogni responsabilità*, this relieves me of all responsability // **-ersi** *v.rifl.* to evade, to avoid, to get* out (of sthg.).

esimio *agg.* (*eccellente*) excellent; (*eminente*) eminent: — *signor Rossi*, dear Mr. Rossi.

esistente *agg.* existing; (*vivente*) living: *tuttora* —, (*di persona*) surviving; (*di cosa*) extant.

esistenza *s.f.* existence.

esistenziale *agg.* existential.

esistenzialismo *s.m.* (*fil.*) existentialism.

esistenzialista *agg.* e *s.m.* e *f.* existentialist.

esistere *v.intr.* to exist, to be*; (*vivere*) to live.

esitante *agg.* hesitant, hesitating, irresolute; (*di voce*) faltering: *con fare* —, hesitatingly.

esitare *v.intr.* **1** to hesitate, to waver // *senza* —, unhesitatingly (*o* without hesitation) **2** (*di voce*) to falter.

esitazione *s.f.* hesitation, hesitancy, wavering: *mostrare* — *a fare qlco.*, to hesitate in doing sthg. // *basta con le esitazioni!*, no more shilly-shallying!

esito *s.m.* **1** result, outcome, issue // *buon* —, success **2** (*di dramma*) dénouement.

esocrino *agg.* exocrine.

esodo *s.m.* exodus // *l'Esodo*, (*Bibbia*) the Exodus.

esofago *s.m.* oesophagus; (*pop.*) gullet.

esogeno *agg.* (*biol. geol.*) exogenous.

esonerare *v.tr.* to exonerate; (*liberare*) to free, to relieve (of sthg.); (*esentare*) to exempt.

esonero *s.m.* exoneration; (*esenzione*) exemption.

Esopo *no.pr.m.* (*st. lett.*) Aesop.

esorbitante *agg.* exorbitant.

esorbitare *v.intr.* to exceed, to go* beyond (sthg.).

esorcismo *s.m.* exorcism.

esorcizzare *v.tr.* to exorcize.

esordiente *agg.* exordial ◊ *s.m.* e *f.* beginner, novice.

esordio *s.m.* **1** exordium; (*di un discorso*) preamble; (*inizio*) beginning **2** (*debutto*) début.

esordire *v.intr.* **1** (*cominciare*) to begin*, to start **2** (*debuttare*) to make* one's début **3** (*in una professione*) to begin* practising (sthg.).

esornativo *agg.* decorative, ornamental.

esortare *v.tr.* to urge, to exhort.

esortativo *agg.* exhortative, exhortatory.

esortazione *s.f.* exhortation.

esosfera *s.f.* (*fis.*) exosphere.

esosità *s.f.* **1** (*avidità*) greediness // *l'*— *di un prezzo*, the exorbitance of a price **2** (*odiosità*) hatefulness.

esoso *agg.* **1** (*avido*) greedy // *prezzo* —, exorbant price **2** (*odioso*) hateful, odious.

esoterico *agg.* esoteric(al).

esotermico *agg.* exothermic.

esotico *agg.* exotic.

esotismo *s.m.* exoticism.

espandere *v.tr.* to spread* (out), to extend // **-ersi** *v.rifl.* (*estendersi*) to extend*; (*accrescere il proprio territorio*) to extend its territory.

espansione *s.f.* **1** expansion **2** (*effusione*) effusiveness.

espansionismo *s.m.* (*pol.*) expansionism.

espansività *s.f.* **1** (*esuberanza*) effusiveness, demonstrativeness **2** (*di gas ecc.*) expansiveness.

espansivo *agg.* **1** (*esuberante*) expansive, extrovert, effusive, demonstrative **2** (*di gas, forza ecc.*) expansive.

espatriare *v.intr.* to leave* one's country, to expatriate oneself.

espatrio *s.m.* expatriation.

espediente *s.m.* expedient, device // *vivere di espedienti*, to live on one's wits.

espellere *v.tr.* to expel.

esperantista *s.m.* e *f.* Esperantist.

esperanto *s.m.* Esperanto.

esperienza *s.f.* **1** experience: *non ha molta* — *nel suo lavoro*, he hasn't much experience in his job; *lo so per* —, I know it from (*o* by) experience; (*imparare qlco. per — personale*, to learn sthg. by personal experience

(*o fam.* to learn sthg. the hard way) **2** (*conoscenza*) familiarity (with sthg.) **3** (*esperimento*) experiment.
esperimentare *v.tr.* → **sperimentare**.
esperimento *s.m.* **1** experiment: *fare un* —, to make an experiment **2** (*tentativo, prova*) test, trial.
esperire *v.tr.* to try // — *le vie legali*, to bring an action.
esperto *agg.* **1** (*abile*) expert, skilful, skilled **2** (*che ha esperienza*) experienced ♦ *s.m.* expert.
espettorare *v.tr.* to expectorate.
espettorazione *s.f.* expectoration.
espiare *v.tr.* **1** to expiate **2** (*riparare*) to atone (for sthg., doing).
espiatorio *agg.* expiatory // *capro* —, scapegoat.
espiazione *s.f.* expiation.
espirare *v.intr. e tr.* to expire, to breathe out.
espirazione *s.f.* expiration.
espletamento *s.m.* accomplishment.
espletare *v.tr.* to dispatch, to accomplish, to fulfil.
esplicare *v.tr.* to carry on; (*portare a termine*) to carry out.
esplicativo *agg.* explanatory, explicative.
esplicito *agg.* explicit, outspoken, express.
esplodere *v.intr.* to explode, to burst*; (*di mina*) to blow* up // — *in una risata*, to burst into laughter // *far* —, to explode; (*una mina*) to blow up ♦ *v.tr.* (*sparare*) to fire.
esplorabile *agg.* explorable.
esplorare *v.tr.* **1** to explore **2** (*mil.*) to scout, to reconnoitre **3** (*med.*) to explore, to probe **4** (*tv*) to scan **5** (*informatica*) to scan.
esplorativo *agg.* explorative, exploratory.
esploratore *s.m.* **1** explorer // *giovane* —, Boy Scout **2** (*mil.*) scout **3** (*mar. mil.*) scout (cruiser).
esplorazione *s.f.* **1** exploration **2** (*mil.*) reconnaissance; scouting expedition: *fare un'* — *del terreno*, to reconnoitre the ground; *mandare qlcu. in* —, to send s.o. on a scouting expedition **3** (*med.*) exploration **4** (*tv*) scanning.
esplosione *s.f.* explosion (*anche fig.*).
esplosivo *agg. e s.m.* explosive.
esponente *s.m.* **1** (*rappresentante*) exponent, representative **2** (*mat.*) exponent, index **3** (*lemma*) lemma.
esponenziale *agg. e s.f.* (*mat.*) exponential.
esporre *v.tr.* **1** (*mettere in mostra*) to show*, to exhibit, to display, to expose; (*manifesto, avviso*) to stick* up, to post up **2** (*a rischio*) to expose // — *la vita*, to risk one's life **3** (*spiegare*) to expound, to state, to set* forth // *alle condizioni esposte*, (*comm.*) at the terms stated **4** (*abbandonare un neonato*) to expose **5** (*fot.*) to expose // **-orsi** *v.rifl.* **1** to expose oneself: *è sciocco* — *a pericoli inutili*, it's foolish to run unnecessary risks (*o* to expose oneself to unnecessary danger) **2** (*compromettersi*) to compromise oneself.
esportare *v.tr.* to export.
esportatore *agg.* exporting ♦ *s.m.* exporter.
esportazione *s.f.* export: *articolo d'* —, export; — *di capitali*, capital export // *occuparsi di* —, to be in the export trade.
esposimetro *s.m.* (*fot.*) exposure meter.
espositivo *agg.* expositive.
espositore *s.m.* exhibitor.
esposizione *s.f.* **1** exposure: — *all'aria, alla luce*, exposure to air, light // — *a mezzogiorno*, southerly exposure // — *della situazione finanziaria*, statement of affairs **2** (*mostra*) exhibition, show: *sala d'*—, showroom // *«esposizione»*, (*nelle vetrine*) display (only).

esposto *agg.* **1** exposed: — *in vetrina*, displayed in the shop window; *fra le opere esposte c'era una scultura di Picasso*, among the works exhibited there was one of Picasso's sculptures **2** (*rivolto*) facing ♦ *s.m.* **1** (*dir.*) statement (of facts), account (of facts); (*petizione*) petition **2** (*trovatello*) foundling.
espressione *s.f.* expression // *sguardo senza* —, blank (*o* vacant) look; *il suo viso aveva un'* — *triste*, her face had a sad look // *dare* — *a un sentimento*, to express a feeling.
espressionismo *s.m.* expressionism.
espressionista *s.m. e f.* expressionist.
espressività *s.f.* expressiveness.
espressivo *agg.* expressive, meaningful.
espresso *agg.* express // *caffè* —, espresso coffee ♦ *s.m.* **1** (*lettera*) express letter; (*amer.*) special delivery letter // *mandare un pacco per* —, to send a parcel express **2** (*caffè*) espresso (coffee) **3** (*treno*) express.
esprimere *v.tr.* **1** to express; (*con parole*) to word, to couch: *non so come esprimerti il mio dispiacere*, I can't tell you how sorry I am **2** (*significare*) to signify // **-ersi** *v.rifl.* to express oneself; (*parlare*) to speak* // *non so come esprimermi*, I don't know how to say it.
esprimibile *agg.* expressible.
espropriare *v.tr.* to expropriate, to dispossess.
esproprio *s.m.* expropriation.
espugnabile *agg.* conquerable.
espugnare *v.tr.* **1** to conquer **2** (*fig.*) (*sopraffare*) to overcome*.
espugnazione *s.f.* conquest.
espulsione *s.f.* expulsion.
espulsivo *agg.* expulsive.
espulsore *s.m.* (*di arma da fuoco*) ejector.
espungere *v.tr.* to expunge, to delete.
espunzione *s.f.* expunction.
espurgare *v.tr.* to expurgate.
essa *pron.pers.f. 3ᵃ pers.sing.* (*riferito a donna o animale femmina*) she (*sogg.*), her (*compl. ind.*); (*riferito a cosa o animale di sesso non specificato*) it (*sogg. e compl. ind.*).
esse *pron.pers.f. 3ᵃ pers.pl.* (*riferito a persone, animali e cose*) they (*sogg.*), them (*compl. ind.*).
essenza *s.f.* essence.
essenziale *agg. e s.m.* essential.
essenzialità *s.f.* essentiality.
essenzialmente *avv.* essentially.
essere *v.intr.* **1** to be*: *è buono*, it's good; *non è in casa*, he is not in // *chi è?*, who is it?; *sei tu?*, is it you?; *sono io*, it is I (*o* it's me); *sono stato io a chiamarti*, it was I who called you; *sono stato a Parigi*, I have been to Paris // *esserci*: *c'è nulla per me?*, isn't there anything for me? (*o* is there nothing for me?); *non c'è da aver paura*, there is nothing to be afraid of; *che c'è?*, what's the matter? (*o* what's up?); *che c'è di nuovo?*, what's new?; *ci siamo!*, (*eccoci*) here we are!; (*siamo alle solite*) here we go again!; *quanto c'è da Roma a Milano?*, (*distanza*) how far is Milan from Rome?; (*tempo*) how long does it take from Milan to Rome? // — *di: di chi è questa casa?*, whose house is this?; *è di mio fratello*, it is my brother's; *è di Napoli*, he is (*o* comes) from Naples; *è di famiglia illustre*, he comes of a well-known family; *è di legno*, it's made of wood // — *da: non è da te*, it isn't like you; *non sono da meno di lui*, I'm worth as much as he is; *è un libro da premiare*, it is a book which merits a prize **2** (*ausiliare dei tempi semplici della coniugazione passiva*) to be*: *il libro sarà mandato domani*, the book will be sent tomorrow **3** (*ausiliare dei*

tempi composti della coniugazione attiva) to have*: *è andato*, he has gone; *è piovuto recentemente?*, has it rained recently?; *mi sono lavato*, I have washed (myself) **4** (*fraseologia*): — *più di là che di qua*, to be more dead than alive // *tempi che furono*, times past // *come se niente fosse*, as if nothing had happened; *quello che è stato è stato*, let bygones be bygones; *che sarà di me?*, what will become of me? // *così sia*, so be it; (*eccl.*) amen; *ebbene sia!*, well, so be it!; *sia come (si) sia*, be that as it may // *sarà!...*, maybe!... // *è per questo che sono venuto*, that's why I have come // *se non fosse stato per mio padre...*, if it had not been (*o* but) for my father... // *due anni or sono*, two years ago; *sono due ore che ti aspetto*, I have been waiting for you (for) two hours // *quant'è?*, (*di prezzo*) how much is it?; (*di peso*) how much does it weigh? // — *giù*, (*fisicamente*) to be run down; (*moralmente*) to be down in the mouth.

essere *s.m.* **1** being: *esseri umani*, human beings: *esseri extraterrestri*, extraterrestrials (*o* extraterrestrial beings) **2** (*fam.*) (*persona*) person, creature **3** (*esistenza*) existence **4** (*essenza*) nature: *conoscere qlco. nel suo vero* —, to know the real nature of sthg.

essi *pron.pers.m. 3ª pers.pl.* (*riferito a persone, animali e cose*) they (*sogg.*), them (*compl. ind.*).

essiccare *v.tr.*, **essiccarsi** *v.intr.pron.* to dry up.

essiccatoio *s.m.* drier, dryer.

essiccazione *s.f.* drying (process).

esso *pron.pers.m. 3ª pers.sing.* (*riferito a uomo o animale maschio*) he (*sogg.*), him (*compl. ind.*); (*riferito a cosa o animale di sesso non specificato*) it (*sogg. e compl. ind.*).

essudato *s.m.* (*med.*) exudate, exudation.

est *s.m.* east: *a* — *di*, (to the) east of // *dell'* —, eastern; east (*attr.*).

estasi *s.f.* ecstasy, rapture: *andare in* — *per qlco.*, to go into raptures over sthg.

estasiare *v.tr.* to enrapture, to throw* into raptures // **-arsi** *v.intr.pron.* to be* enraptured, to go* into raptures.

estate *s.f.* summer: *d'* —, *in* —, in summer(time) // — *di San Martino*, Indian summer.

estatico *agg.* ecstatic; (*estasiato*) enraptured.

estemporaneo *agg.* extemporaneous, extemporary.

estendere *v.tr.* to extend **2** (*compilare*) to draw* up // **-ersi** *v.rifl.* **1** to extend; (*diffondersi*) to spread* **2** (*misurare*) to stretch.

estensione *s.f.* **1** (*l'estendere*) extension // *per* —, by extension **2** (*distesa*) expanse **3** (*ampiezza*) extent // *in tutta l'* — *del termine*, in the full meaning of the word // — *della memoria di controllo*, (*informatica*) control storage increment **4** (*mus.*) range, compass, extension.

estensivo *agg.* extensive.

estensore *agg.*: *muscolo* —, extensor ♦ *s.m.* **1** (*compilatore*) compiler **2** (chest) expander.

estenuante *agg.* exhausting.

estenuare *v.tr.* to exhaust, to tire out // **-arsi** *v.intr.pron.* to get* exhausted, to tire oneself out.

estenuato *agg.* exhausted, tired out.

estenuazione *s.f.* exhaustion.

Ester *no.pr.f.* Esther.

estere *s.m.* (*chim.*) ester.

esterificazione *s.f.* (*chim.*) esterification.

esteriore *agg.* outside (*anche fig.*); (*esterno*) external.

esteriorità *s.f.* appearance.

esteriorizzazione *s.f.* (*psic.*) exteriorization.

esternamente *avv.* externally, exteriorly.

esternare *v.tr.* to express, to manifest.

esterno *agg.* external, exterior, outside (*attr.*) // *per uso* —, for external use // (*allievo*) —, day-boy ♦ *s.m.* **1** outside: *all'* —, (on the) outside **2** *pl.* (*cinem.*) outdoor shooting, location work.

estero *agg.* foreign ♦ *s.m.* foreign countries // (*andare*) *all'* —, (to go) abroad.

esterofilia *s.f.* xenomania.

esterofilo *agg.* xenophilous ♦ *s.m.* xenophile.

esterrefatto *agg.* **1** (*atterrito*) terrified, aghast **2** (*sbigottito*) flabbergasted, amazed.

esteso *agg.* large, wide, extensive // *per* —, in full; (*dettagliatamente*) in detail.

esteta *s.m.* e *f.* aesthete.

estetica *s.f.* aesthetics.

estetico *agg.* aesthetic.

estetismo *s.m.* aestheticism.

estetista *s.f.* beautician.

estetizzante *agg.* aesthetic.

estimatore *s.m.* appraiser.

estimo *s.m.* (*dir.*) estimate.

estinguere *v.tr.* to put* out, to extinguish (*anche fig.*): — *l'incendio*, to put out (*o* to extinguish) the fire // — *la sete*, to slake (*o* to quench) one's thirst // — *un debito*, to pay off (*o* to extinguish) a debt // **-ersi** *v.intr.pron.* to go* out; (*finire*) to die, to die out, to come* to an end.

estinto *agg.* **1** extinguished; (*non più esistente*) extinct **2** (*morto*) dead, deceased ♦ *s.m.* deceased man: *l'* —, (*dir.*) the deceased.

estintore *s.m.* (fire) extinguisher.

estinzione *s.f.* extinction; (*di sete*) quenching: — *anticipata*, (*di debito*) pre-payment.

estirpare *v.tr.* **1** to extirpate, to eradicate, to root out (*anche fig.*) **2** (*chir.*) to extirpate; (*denti*) to pull out.

estirpazione *s.f.* **1** extirpation, eradication **2** (*chir.*) extirpation; (*di dente*) extraction.

estivare *v.tr.* e *intr.* to aestivate.

estivo *agg.* summer (*attr.*).

estone *agg.* e *s.m.* e *f.* Est(h)onian.

Estonia *no.pr.f.* Est(h)onia.

estorcere *v.tr.* to extort, to wring: — *denari a qlcu.*, to extort money from s.o.; — *un favore a qlcu.*, to wring a favour from (*o* out of) s.o.

estorsione *s.f.* extortion.

estradare *v.tr.* (*dir.*) to extradite.

estradizione *s.f.* (*dir.*) extradition.

estradosso *s.m.* (*arch.*) extrados.

estradotale *agg.* (*dir.*): *beni estradotali*, paraphernalia.

estraibile *agg.* folding, pull-out, foldaway: *letto* —, foldaway bed.

estraneo *agg.* **1** not related, not connected (with), extraneous: *essere* — *a qlco.*, to have nothing to do with sthg.; *preferisco rimanere* — *alla faccenda*, I prefer to have nothing to do with the matter; *gente estranea*, strangers; *persona estranea alla famiglia*, person outside the family // *corpo* —, foreign body **2** (*alieno*) foreign: *è* — *alla mia natura*, it's foreign to my nature ♦ *s.m.* stranger.

estraniare *v.tr.* to estrange // **-arsi** *v.rifl.* to get* estranged: — *dal mondo*, to live estranged from the world.

estrapolare *v.tr.* e *intr.* to extrapolate (*anche fig.*).

estrapolazione *s.f.* (*mat.*) extrapolation.

estrarre *v.tr.* **1** to extract (*anche min.*), to draw* out, to take* out, to pull out: — *un dente*, to extract a tooth (*o fam.* to draw *o* to pull out a tooth); *farsi — un dente*, to have a tooth out; *— una radice*, (*mat.*) to extract a root // *— a sorte*, to draw lots **2** (*da una cava*) to quarry **3** (*informatica*) (*dati*) to output*; to select.

estrattivo *agg.* extractive.

estratto *s.m.* **1** extract: *— di carne di manzo*, beef extract; *estratti medicinali*, medicinal extracts **2** (*riassunto, condensato*) abstract, summary; (*articolo, saggio ripubblicato a parte*) offprint // *— di sentenza*, (*dir.*) docket // *— conto*, (*comm.*) statement of account; bank statement.

estrazione *s.f.* **1** extraction: *— di un dente*, extraction (*o* drawing) of a tooth // *— manuale di schede da un archivio*, (*informatica*) pulling **2** (*da una cava*) quarrying **3** (*di lotteria*) drawing (of lottery numbers) // *— a sorte*, drawing lots.

estremamente *avv.* extremely.

estremismo *s.m.* extremism.

estremista *s.m. e f.* extremist: *— di destra*, extreme rightist; *— di sinistra*, extreme leftist.

estremità *s.f.* **1** extremity, end **2** *pl.* (*anat.*) extremities, limbs: *le — inferiori, superiori*, the lower, upper limbs.

estremo *agg.* extreme: *misure estreme*, drastic (*o* extreme) measures; *mi ricevette con estrema cortesia*, he received me with extreme courtesy // *estrema destra, sinistra*, (*pol.*) extreme right, left // *l'Estremo Oriente*, the Far East // *estrema unzione*, Extreme Unction ♦ *s.m.* **1** extreme: *scrupoloso all'—*, scrupulous in the extreme (*o* to the highest degree); *andare agli estremi*, to go to extremes; *portare le cose all'—*, to carry matters to extremes // *essere agli estremi*, (*morente*) to be on the point of death // *gli estremi si toccano*, extremes meet **2** *pl.* (*di un contratto*) terms; (*di un documento*) data: *non ci sono gli estremi per un processo*, (*dir.*) there aren't sufficient grounds for an action.

estrinsecare *v.tr.* to express, to manifest // *-arsi v.rifl.* to be* expressed: *il pensiero si estrinseca con la parola*, thought is expressed by language.

estrinsecazione *s.f.* expression, manifestation.

estrinseco *agg.* extrinsic.

estro *s.m.* **1** (*ispirazione*) inspiration: *— poetico*, poetic inspiration (*o* fire) **2** (*capriccio*) whim; caprice; fancy: *gli è saltato l'— di...*, he has taken it into his head to...; *agire secondo l'—*, to follow one's fancy.

estrogeno *s.m.* estrogen.

estromettere *v.tr.* to put* out, to turn out.

estromissione *s.f.* (*espulsione*) expulsion; (*esclusione*) exclusion.

estroso *agg.* capricious, whimsical.

estroversione *s.f.* extroversion.

estroverso *agg.* extroverted ♦ *s.m.* extrovert.

estuario *s.m.* estuary; (*di fiumi scozzesi*) firth.

esuberante *agg.* exuberant.

esuberanza *s.f.* exuberance (*anche fig.*) // *— di mano-dopera*, excess of labour // *ad —*, plentifully.

esulare *v.intr.* **1** to go* into exile **2** (*fig.*) to be* beyond (sthg.): *esula dalla mia competenza*, this matter does not lie within my competence.

esulcerare *v.tr.* **1** (*med.*) ulcerate **2** (*fig.*) (*esacerbare*) to exacerbate.

esule *s.m.* exile.

esultante *agg.* exultant, exulting, rejoicing.

esultanza *s.f.* exultation, great joy.

esultare *v.intr.* to exult (over, in sthg.), to rejoice (at sthg.).

esumare *v.tr.* **1** to exhume **2** (*fig.*) to unearth.

esumazione *s.f.* **1** exhumation **2** (*fig.*) unearthing.

età *s.f.* age: *che — hai?*, what age are you? (*o* how old are you?); *avere la stessa —*, to be the same age; *dalla più tenera —*, from one's earliest years; *due figli in tenera —*, two children of tender age; *un uomo d'—*, *già in —*, an elderly man; *era ancora in minore —*, he was still under age; *quando raggiunse la maggiore —*, when he came of age; *aver l'— della ragione*, to have reached the age of reason; *senza limiti d'—*, no age limit; *essere in — da marito*, to be of marriageable age; *morire in — avanzata*, to die at a good old age // *— difficile*, awkward age // *l'— dell'oro, dell'argento*, the Golden, the Silver Age; *l'— della pietra*, the Stone Age.

etera *s.f.* (*nella Grecia antica*) hetaira (*pl.* hetairai); (*cortigiana*) courtesan.

etere *s.m.* (*chim.*) ether.

etereo *agg.* ethereal.

eternamente *avv.* eternally.

eternare *v.tr.* to etern(al)ize, to make* eternal, to immortalize // *-arsi v.rifl.* to become* eternal, to become* immortal.

eternità *s.f.* eternity // *è un'— che non lo vedo*, I haven't seen him for ages.

eterno *agg.* eternal, everlasting, endless: *la vita eterna*, eternal life; *— dolore*, endless pain; *un discorso —*, a never-ending speech // *in —*, for ever ♦ *s.m.* eternal // *l'Eterno*, (*Dio*) the Eternal.

etero- *pref.* hetero-, heter-.

eterodossia *s.f.* heterodoxy.

eterodosso *agg.* heterodox.

eterogeneità *s.f.* heterogeneity.

eterogeneo *agg.* heterogeneous.

etica *s.f.* ethics.

etichetta[1] *s.f.* label; (*amer.*) tag: *— gommata*, gummed label (*o* stick-on label); *attaccare un'— a qlco.*, to label sthg.

etichetta[2] *s.f.* (*cerimoniale*) etiquette // *senza —*, unceremoniously.

etico *agg.* (*fil.*) ethical.

etile *s.m.* (*chim.*) ethyl.

etilene *s.m.* (*chim.*) ethylene.

etilico *agg.* ethylic, ethyl (*attr.*).

etilismo *s.m.* (*med.*) alcoholism.

etimo *s.m.* etymon.

etimologia *s.f.* etymology.

etimologico *agg.* etymological.

etiope, etiopico *agg.* Ethiopian ♦ *s.m.* **1** (*abitante*) Ethiopian **2** (*lingua*) Ethiopic.

Etiopia *no.pr.f.* Ethiopia.

etisia *s.f.* (*med.*) phthisis.

etnico *agg.* ethnic(al).

etnografia *s.f.* ethnography.

etnografico *agg.* ethnographic.

etnologia *s.f.* ethnology.

etnologo *s.m.* ethnologist.

etrusco *agg. e s.m.* Etruscan.

ettaro *s.m.* hectare.

ette *s.m.* (*fam.*): *non capire un —*, not to understand a thing; *non dire —*, not to utter a single word.

etto- *pref.* hecto-.

etto, ettogrammo *s.m.* hectogram(me).

ettolitro *s.m.* hectolitre; (*amer.*) hectoliter.

ettometro *s.m.* hectometre; (*amer.*) hectometer.

Ettore *no.pr.m.* Hector.

eucalipto *s.m.* eucalyptus.

eucaristia *s.f.* (*eccl.*) Eucharist.

eucaristico *agg.* Eucharistic.

Euclide *no.pr.m.* (*st. mat.*) Euclid.

eufemismo *s.m.* euphemism.

eufemistico *agg.* euphemistic.

eufonia *s.f.* euphony.

eufonico *agg.* euphonious.

euforia *s.f.* euphoria.

euforico *agg.* high-spirited.

Eufrate *no.pr.m.* Euphrates.

euganeo *agg.* Euganean.

eugenetica *s.f.* eugenics.

eugenetico *agg.* eugenic.

Eugenio *no.pr.m.* Eugene.

eunuco *s.m.* eunuch.

Eurasia *no.pr.f.* Eurasia.

eurasiatico *agg.* Eurasian.

Euripide *no.pr.m.* (*st. lett.*) Euripides.

euritmia *s.f.* eurythmy.

euritmico *agg.* eurythmic.

eurobbligazione *s.f.* Eurobond.

eurocentrico *agg.* European centred.

eurocomunismo *s.m.* Eurocommunism.

eurodivisa *s.f.* Eurocurrency.

eurodollaro *s.m.* Eurodollar.

euromercato *s.m.* Euromarket.

euromissile *s.m.* European-based missile.

Europa *no.pr.f.* Europe.

europeismo *s.m.* Europeanism.

europeista *s.m.* e *f.* e *agg.* Europeanist.

europeizzare *v.tr.* to Europeanize.

europeo *agg.* e *s.m.* European.

eurovisione *s.f.* Eurovision.

eutanasia *s.f.* euthanasia.

Eva *no.pr.f.* Èva; (*Bibbia*) Eve.

evacuare *v.tr.* e *intr.* to evacuate.

evacuazione *s.f.* evacuation.

evadere *v.intr.* to escape (from sthg.) (*anche fig.*); to run* away: — *dalla prigione*, to break prison (*o* to escape from prison) ‖ *v.tr.* (*comm.*): — *la corrispondenza*, to clear correspondence; — *un ordine*, to carry out (*o amer.* to fill) an order; — *una pratica*, to dispatch a piece of business.

evanescente *agg.* fading, vanishing.

evanescenza *s.f.* fading (*anche tecn.*), evanescence.

evangelico *agg.* evangelical.

evangelista *s.m.* evangelist ‖ *san Giovanni Evangelista*, St. John the Evangelist.

evangelizzare *v.tr.* to evangelize.

evangelizzazione *s.f.* evangelization.

evangelo *s.m.* → **vangelo.**

evaporare *v.intr.* to evaporate: *fare* —, to evaporate.

evaporatore *s.m.* evaporator.

evaporazione *s.f.* evaporation.

evasione *s.f.* escape (*anche fig.*); (*fam.*) getaway; (*fiscale*) evasion: *è stato il suo terzo tentativo d'*—, it was his third attempt to escape from prison; *ieri notte c'è stato un tentativo d'*—, last night there was an attempted jailbreak ‖ *letteratura d'*—, escapist literature ‖ *dare* — *a un ordine*, (*comm.*) to carry out (*o amer.* to fill) an order; *dare* — *a una pratica*, (*comm.*) to dispatch a piece of business.

evasivo *agg.* evasive.

evaso *agg.* **1** runaway (*attr.*) **2** (*comm.*) dispatched; carried out ♦ *s.m.* runaway.

evasore *s.m.* evader: — *fiscale*, tax evader.

Evelina *no.pr.f.* Eveline, Evelyn.

evenienza *s.f.* eventuality; (*occasione*) occasion: *in ogni* —, at all events (*o* in any case); *nell'* — *di una guerra*, in the event of a war; *per ogni* —, for any occasion; *ti lascio il denaro per ogni* —, I'll leave you the money in case you need it.

evento *s.m.* event.

eventuale *agg.* possible, any: *per eventuali informazioni scrivere a...*, for any information please write to...

eventualità *s.f.* eventuality ‖ *in ogni* —, at all events ‖ *nell'* — *della sua partenza*, in the event of his leaving.

eventualmente *avv.* (*in caso*) if, in case: — *dovesse venire...*, in case he should come...; — *fosse necessario ritornerò*, if necessary I'll come back.

eversivo *agg.* (*letter.*) destructive, eversive.

evidente *agg.* obvious, manifest, plain.

evidenza *s.f.* evidence ‖ *essere in* —, to stand out (*o* to be conspicuous) ‖ *mettere in* —, to stress (*o* to emphasize); (*dare risalto*) to bring* out ‖ *tenere in* — *qlco.*, to give prominence to sthg. ‖ *mettersi in* —, to make oneself conspicuous; *si mise in* — *per il suo buon lavoro*, he made himself conspicuous by his good work ‖ *arrendersi all'*—, to bow to the facts.

evidenziare *v.tr.* (*far risaltare*) to give* prominence (to sthg.).

evidenziatore *s.m.* highlighter.

evirare *v.tr.* to emasculate.

evirato *agg.* emasculate.

evitabile *agg.* avoidable.

evitare *v.tr.* **1** to avoid: *cercò di evitarla*, he tried to avoid her; — *di fare qlco.*, to avoid doing sthg. ‖ — *una domanda*, to evade a question **2** (*risparmiare*) to spare: *mi evitò il disturbo di uscire*, he spared me the trouble of going out.

evo *s.m.* age: *il Medio Evo*, the Middle Ages.

evocare *v.tr.* to evoke.

evocativo *agg.* evocative.

evocazione *s.f.* evocation.

evolutivo *agg.* evolutive.

evoluto *agg.* **1** (*biol.*) evolutional, evolutionary **2** (*progredito, moderno*) progressive ‖ *una donna evoluta*, a modern woman ‖ *un paese* —, a highly civilized country ‖ *un uomo* —, a liberal-minded man.

evoluzione *s.f.* evolution.

evoluzionismo *s.m.* evolutionism.

evoluzionista *s.m.* e *f.* evolutionist.

evolvere *v.tr.* to develop, to evolve ‖ **-ersi** *v.intr.pron.* to evolve.

evviva *inter.* e *s.m.* hurrah; (*amer.*) hooray: *gridare* —, to hurrah (*o* to cheer).

ex *prep.* ex-, former: — *presidente*, ex- (*o* former) president; — *combattente*, ex-serviceman.

exploit (*franc.*) *s.m.* exploit.

extra (*lat.*) *agg.* e *s.m.* extra ‖ *di qualità* —, first rate (*attr.*) ‖ *guadagni* —, perks.

extra- *pref.* extra-.

extraconiugale *agg.* extramarital.

extraeuropeo *agg.* extraeuropean.

extraparlamentare *agg.* extraparliamentary.

extrasensoriale *agg.* extrasensory.

extrasistole *s.f.* (*med.*) extrasystole.

extraterrestre *agg.* e *s.m.* e *f.* extraterrestrial.

extraterritoriale *agg.* extraterritorial.

extraterritorialità *s.f.* extraterritoriality.

extraurbano *agg.* suburban.

eziandio *avv.* e *cong.* (*antiq.*) also.

F

f *s.f.* o *m.* f (*pl.* fs, f's) // — come Firenze, (*tel.*) f for Frederick.

fa[1] *s.m.* (*mus.*) fa, F.

fa[2] *voce del v.* fare *usata in espressioni di tempo* ago: *un mese* —, *due giorni* —, a month ago, two days ago; *molto tempo* —, a long time ago; *non molto tempo* —, *poco tempo* —, not long ago; *poco* —, just now (*o* a minute ago); *due sabati* —, *due domeniche* — *ecc.*, two weeks ago.

fabbisogno *s.m.* needs (*pl.*), requirements (*pl.*) // — *nazionale*, national demand.

fabbrica *s.f.* **1** factory; (*officina*) works: — *di automobili*, motor works (*o amer.* automobile plant); — *di mattoni*, brickyard; *capo* —, foreman; *contabilità di* —, factory bookkeeping; *prezzo di* —, cost price **2** (*fabbricazione*) manufacture, making; (*costruzione*) construction: *a prezzo di* —, at cost price // *marchio di* —, trademark **3** (*edificio*) building, structure // *questa è la* — *di San Pietro!*, this will take a month of Sundays! (*o* this is an endless job!).

fabbricabile *agg.* manufacturable: *area* —, (building) site (*o* building ground); (*per abitazioni*) housing area.

fabbricante *s.m.* manufacturer, maker.

fabbricare *v.tr.* **1** (*produrre, fare*) to manufacture, to produce, to make* **2** (*costruire*) to build*, to construct // *fabbricarsi un alibi*, to create an alibi (for oneself) **3** (*inventare*) to invent, to make* up.

fabbricato *s.m.* building: — *a uso di abitazione*, residential building // *imposta sui fabbricati*, real estate tax.

fabbricazione *s.f.* **1** (*produzione*) manufacture, make, making; — *in serie*, mass production; — *nazionale*, home manufacture; *scarpe di* — *italiana*, shoes of Italian make (*o* manufacture) **2** (*costruzione*) building.

fabbriceria *s.f.* (*eccl.*) vestry-board.

fabbro *s.m.* **1** — (*ferraio*) blacksmith **2** (*fig.*) creator.

fabiano *agg. e s.m.* (*della "Fabian Society"*) Fabian.

faccenda *s.f.* **1** matter, business (*solo sing.*), affair; (*fam.*) thing: — *di stato*, State affair; *una brutta* —, a bad (*o* nasty) business affair; *è una* — *seria*, it is a serious matter (*o* business); *ho un paio di faccende da sbrigare*, I have a couple of things to see to; *non è una* — *che ti riguarda*, this is no business of yours (*o* this is none of your business); *sono stanco dell'intera* —, I am tired of the whole business // *essere in faccende*, to be busy **2** *pl.* (*lavori domestici*) housework (*sing.*): *sbrigare le faccende*, to do the housework.

faccendone *s.m.* busybody, meddler.

facchinaggio *s.m.* porterage: *spese di* —, porterage.

facchino *s.m.* porter // *lavorare come un* —, to work like a slave (*o* to slave).

faccia *s.f.* **1** face: *guardare in* — *qlcu.*, to look s.o. in the eye (*o* in the face) // *non guardare in* — *nessuno*, to put number one first; (*dire ciò che si pensa*) to say* what one thinks // *glielo dirò in* —, I'll tell him so to his face // *che* — (*tosta*)!, what cheek! // *perdere la* —, to lose face; *salvare la* —, to save one's face // *fare la* — *lunga*, to pull a long face // *fare delle facce*, to make (*o* to pull) faces // *fare qlco. alla* — *di qlcu.*, (*pop.*) to do sthg. in spite of s.o. // *farsi la* —, (*truccarsi*) to make (oneself) up // *questo abito ha cambiato* —, this dress looks new // *hai una bella* — *questa mattina*, you look well this morning; *hai una brutta* —, you don't look up to the mark (*o* you don't look very fit) // *ha una* — *da mascalzone*, he looks a rascal // *a* — *in su, in giù*, face up, face down // *a* — *a* —, face to face // *di* — *a*, in front of (*o* opposite); *due posti di* —, two seats facing each other **2** (*lato*) face, side: *le facce di un cubo*, the faces (*o* sides) of a cube; *la* — *di una moneta*, the face (*o* headside) of a coin // *scomparire dalla* — *della terra*, to disappear from the face of the earth.

facciale *agg.* facial.

facciata *s.f.* **1** (*arch.*) front, facade **2** (*pagina*) page.

facciola *s.f.* bands (*pl.*).

faceto *agg.* facetious, waggish; (*arguto*) witty.

facezia *s.f.* pleasantry, jest, joke; (*arguzia*) witty remark, witticism: *dire delle facezie*, to crack jokes.

fachiro *s.m.* fakir.

facile *agg.* **1** easy: *è più* — *dirlo che farlo*, (it is) easier said than done // *una donna di facili costumi*, a woman of easy virtue // *avere la parola* —, (*fam.*) to have the gift of the gab // *avere un carattere* —, to be easy to get on with **2** (*che si ottiene con poca fatica*) facile: *vittoria* —, facile (*o* easy) victory **3** (*incline*) prone, inclined: — *all'ira*, prone to anger (*o* quick-tempered): *ha l'insulto* —, he is very quick to insult others; *ha la critica* —, he is very quick to criticize **4** (*probabile*) likely, probable: *è* — *che egli parta subito*, he is likely to leave at once (*o* he will probably leave at once).

facilità *s.f.* **1** facility, ease: *con* —, easily; *parlare con* —, to speak fluently; *ha* — *di parola*, he is an eloquent speaker (*o fam.* he has the gift of the gab) **2** (*l'essere facile*) easiness: *ti è nota la* — *del tuo compito*, you know what an easy job you have (*o* how easy your job is).

facilitare *v.tr.* to facilitate, to make* easy; (*rendere più facile*) to make* easier.

facilitazione *s.f.* facility // *facilitazioni di pagamento*, easy terms.

facilmente *avv.* **1** easily **2** (*probabilmente*) probably.

facilone *s.m.* superficial person.

faciloneria *s.f.* superficiality.

facinoroso *agg.* riotous, ruffianly, violent ♦ *s.m.* ruffian, rough.

facocero *s.m.* (*zool.*) warthog.

facola *s.f.* (*astr.*) facula (*pl.* faculae).

facoltà *s.f.* **1** faculty: *essere in pieno possesso delle proprie* —, to be in full possession of all one's faculties **2** (*autorità, potere*) faculty, authority, power; (*diritto*) right; (*libertà*) liberty: — *di scelta*, option: *non rientra nelle mie* — *deciderlo*, it's not within my power to decide about it **3** (*di università*) faculty; (*amer.*) school: *la* — *di medicina*, the faculty of Medicine (*o* the Medical faculty); *frequenta la* — *di medicina, di legge*, he is a medical, a law student.

facoltativo *agg.* optional, facultative.

facoltoso *agg.* wealthy, rich, well-off.

facondia *s.f.* fluency of speech.

facondo *agg.* eloquent.

facsimile *s.m.* facsimile.

factotum *s.m.* factotum.

faesite ® *s.f.* insulating material.

faggio *s.m.* (*albero*) beech; (*legno*) beechwood.

fagiano *s.m.* pheasant.

famiglia

fagiolino *s.m.* French bean, green bean // — *nano*, kidney bean.

fagiolo *s.m.* **1** bean **2** (*fam.*) (*studente universitario del secondo anno*) second year student; (*amer.*) sophomore **3** *andare a* —, (*fam.*) (*di cosa*) to suit (s.o.) down to the ground; (*di persona*) to get* on very well (with s.o.).

faglia[1] *s.f.* (*geol.*) fault: *piano di* —, fault plane.

faglia[2] *s.f.* (*tessuto*) faille.

fagocitare *v.tr.* **1** (*biol.*) to phagocyte **2** (*assorbire, divorare*) to absorb, to swallow (up).

fagotto[1] *s.m.* bundle // *far* —, (*fam.*) to bundle out.

fagotto[2] *s.m.* (*mus.*) bassoon.

faida *s.f.* (right of) feud.

faina *s.f.* beechmarten, stonemarten.

falange *s.f.* **1** (*st.*) phalanx **2** (*anat.*) phalanx (*pl.* phalanges), phalange **3** (*pol.*) falange.

falangetta *s.f.* (*anat.*) phalangette.

falangina *s.f.* (*anat.*) middle joint (of a finger).

falasco *s.m.* (*bot.*) bog grass.

falcata *s.f.* **1** (*di cavallo*) curvet **2** (*di persona*) stride.

falcato *agg.* (*a forma di falce*) falcate, hooked.

falce *s.f.* **1** scythe // — *e martello*, hammer and sickle **2** (*di luna*) crescent.

falcetto *s.m.* sickle, reaping hook.

falchetta *s.f.* (*mar.*) washboard.

falciare *v.tr.* to mow*; (*fig.*) to mow* down.

falciata *s.f.* mowing.

falciatore *s.m.* mower.

falciatrice *s.f.* mower.

falciatura *s.f.* mowing.

falcidia *s.f.* **1** reduction **2** (*strage*) slaughter.

falcidiare *v.tr.* to reduce, to cut* (down).

falco *s.m.* hawk.

falcone *s.m.* **1** (*zool.*) falcon **2** (*edil.*) derrick.

falconeria *s.f.* falconry.

falconiere *s.m.* falconer.

falda *s.f.* **1** (*geol.*) stratum (*pl.* -ta), layer: — *acquifera*, aquifer **2** (*di neve*) (snow) flake: *nevica a larghe falde*, the snow is falling in large flakes **3** (*di cappello*) brim, flap: *cappello a larghe falde*, broad-brimmed hat **4** (*di abito*) tail: *abito a falde*, tailcoat (*o* tails) **5** (*di tetto*) pitch **6** (*pendio di monte*) slope // *alle falde del monte*, at the foot of the mountain.

faldella *s.f.* **1** (*lamina*) thin layer **2** (*pezzuola di tela*) lint **3** (*per imbottitura*) flocks (*pl.*).

faldistor(i)o *s.m.* (*eccl.*) faldstool.

falegname *s.m.* joiner.

falegnameria *s.f.* **1** joinery **2** (*bottega*) joiner's workshop.

falena *s.f.* **1** (*zool.*) moth **2** (*bioccolo di cenere*) flake of ashes.

falesia *s.f.* (*geol.*) cliff.

falla *s.f.* leak (*anche fig.*): *formazione di una* —, springing of a leak; *avere una* —, *delle falle*, to be leaky; *chiudere una* —, to stop a leak.

fallace *agg.* fallacious, deceptive.

fallacia *s.f.* fallacy, fallaciousness.

fallare *v.intr.* (*letter.*) to err.

fallibile *agg.* (*rar.*) fallible.

fallico *agg.* phallic.

fallimentare *agg.* bankruptcy (*attr.*).

fallimento *s.m.* **1** (*comm.*) bankruptcy: *fare* —, to go bankrupt (*o* to fail); *presentare istanza di* —, to file a petition of bankruptcy **2** (*fig.*) failure; flop: *i suoi sforzi finirono in un* —, his efforts ended in failure.

fallire *v.intr.* **1** (*comm.*) to go* bankrupt; (*fam.*) to go* under **2** (*fig.*) to fail, to be* unsuccessful **3** (*venir meno*) to fail ♦ *v.tr.* to miss: — *il colpo*, to miss the mark.

fallito *agg.* **1** (*comm.*) bankrupt **2** (*fig.*) unsuccessful ♦ *s.m.* **1** (*comm.*) bankrupt: — *riabilitato*, discharged bankrupt **2** (*fig.*) failure.

fallo[1] *s.m.* **1** fault: *essere in* —, to be at fault; *cogliere qlcu. in* —, to catch s.o. red-handed // *mettere un piede in* —, to take a false step // *senza* —, undoubtedly **2** (*sport*) foul: — *di mano*, (*calcio*) hands.

fallo[2] *s.m.* phallus.

falloso *agg.* **1** faulty **2** (*sport*) foul.

falò *s.m.* bonfire.

falpalà *s.m.* falbala, furbelow, flounce.

falsamente *avv.* falsely, untruly.

falsare *v.tr.* **1** (*alterare*) to distort **2** (*falsificare*) to falsify.

falsariga *s.f.* **1** sheet of lined paper **2** (*fig.*) pattern, model, guide: *sulla* — *di*, after the style of.

falsario *s.m.* counterfeiter.

falsatura *s.f.* (*sartoria*) insertion.

falsetto *s.m.* (*mus.*) falsetto.

falsificare *v.tr.* to falsify, to counterfeit.

falsificatore *s.m.* falsifier, counterfeiter.

falsificazione *s.f.* falsification, forgery, counterfeiting.

falsità *s.f.* **1** falseness, falsity: *la* — *della sua condotta*, his double-dealing **2** (*menzogna*) falsehood.

falso *agg.* **1** false: *è stato un* — *allarme*, it was a false alarm // *nota falsa*, false note, (*mus.*) wrong note // — *orgoglio*, false pride // *falsa testimonianza*, perjury // *sotto falsa luce*, in a false light // *gioielli falsi*, imitation jewellery // *fare un passo* —, (*fig.*) to take a false step // *è una falsa magra*, she is not so thin as she looks **2** (*falsificato*) falsified, forged, counterfeit; (*di monete*) false: *assegno* —, *firma falsa*, forged cheque, forged signature; *un quadro* —, a fake; *un* — *Renoir*, a fake Renoir ♦ *s.m.* **1** forgery: *reato di* —, forgery; — *in atto pubblico*, forgery of an official document **2** (*ciò che è falso*): *distinguere il vero dal* —, to tell the true from the false; *giurare il* —, to commit perjury; *essere nel* —, to be mistaken.

fama *s.f.* fame, renown; (*reputazione*) reputation, repute: *la sua* — *di drammaturgo nacque allora*, his fame as a playwright was made then; *acquistarsi gran* —, to win fame; *avere* — *di essere coraggioso*, to have a reputation for courage; *è un uomo di dubbia* —, he is a man of doubtful repute; *lo conosco di* —, I have heard of him // *corre* — *che...*, it is said that... // *la Fama*, (*mit.*) Fame.

fame *s.f.* **1** hunger (*anche fig.*): *aver* —, to be hungry; *aver* — *di* (*gloria ecc.*), to hunger for (glory etc.) // *sciopero della* —, hunger strike // *morire di* —, to die of starvation // *un morto di* —, a wretch // *far morire qlcu. di* —, to starve s.o. to death // *ho una* — *da lupo!*, I'm simply starving! // *essere brutto come la* —, to be as ugly as sin // *lavorare per non morir di* —, to work to keep body and soul together **2** (*carestia*) famine.

famelico *agg.* famished, ravenous.

famigerato *agg.* ill-famed, notorious.

famiglia *s.f.* family: *ha* —?, is he (*o* she) married?; *ha una* — *numerosa*, he has a large family; *farsi una* —, to get married; *capirai, ha una* — *a carico*, you know how it is, he has a family to support; *in seno alla* —, in the bosom of one's family; *capita anche nelle migliori famiglie*, it happens in the best of families; *fa parte della* —, he is one of the family; *è di buona* —?, does he come of a good family?; *capo* —, head of a family; *padre, madre di* —, father, mother of a family; *sostegno della* —, breadwinner; *sentirsi in* —, to feel like one of the family; *hanno la stessa aria di* —, there is a family likeness between them // *lutto di* —, a death in the family // *è un segreto di* —, it's a family secret // *è un uomo tutto lavoro e* —, he is dedicated to his work and his family // *tornare in* —, to go back home // *la Sacra Famiglia*, the Holy Family // *essere di* — *con qlcu.*, to be on familiar terms with s.o.

famigliare e *deriv.* → **familiare** e *deriv.*

famigliola *s.f.* (*bot.*) honey agaric.

familiare *agg.* 1 domestic, homely, family (*attr.*): *vita* —, family life // *bilancio* —, household budget 2 (*intimo*) familiar: *essere* — *con qlcu.*, to be familiar with s.o. 3 (*semplice*) informal ♦ *s.m.* e *f.* (*parente*) relative.

familiarità *s.f.* familiarity: *essere in rapporti di* — *con qlcu.*, to be on familiar terms with s.o.

familiarizzare *v.intr.*, **familiarizzarsi** *v.intr.pron.* to familiarize.

famoso *agg.* famous, renowned, well-known.

fanale *s.m.* 1 lamp; (*lanterna*) lantern 2 (*aut. mar.*) light: — *anteriore*, headlight; — *posteriore*, rear light; *fanalino*, — *di coda*, taillight.

fanaleria *s.f.* lights (*pl.*).

fanalista *s.m.* lighthouse keeper.

fanatico *agg.* fanatic(al) ♦ *s.m.* fanatic; (*fam.*) (*tifoso, ammiratore*) fan.

fanatismo *s.m.* fanaticism.

fanatizzare *v.tr.* to fanaticize.

fanciulla *s.f.* (young) girl; (*poet.*) maiden.

fanciullesco *agg.* childish, childlike (*attr.*).

fanciullezza *s.f.* childhood; (*di ragazzo*) boyhood; (*di ragazza*) girlhood.

fanciullo *agg.* young ♦ *s.m.* young boy, child (*pl.* children).

fandonia *s.f.* (*bugia*) lie: *raccontare fandonie*, to tell tall stories // *fandonie!*, nonsense!

fanello *s.m.* (*zool.*) linnet.

fanerogama *s.f.* (*bot.*) phanerogam.

fanfaluca *s.f.* (*fandonia*) story, yarn.

fanfara *s.f.* 1 (*banda*) (brass) band 2 (*composizione*) fanfare.

fanfaronata *s.f.* fanfaronade, swaggering.

fanfarone *s.m.* braggart, boaster: *fare il* —, to blow one's own trumpet.

fangatura *s.f.* (*med.*) mud bath.

fanghiglia *s.f.* slush; (*di fiume, canale ecc.*) slime, sludge.

fango *s.m.* 1 mud; (*di palude*) mire // *gettare* — *addosso a qlcu.*, to throw mud at s.o. // *cresciuto nel* —, brought up in the gutter; *cadere nel* —, to go to the dogs; *raccogliere dal* —, to raise from the gutter 2 *pl.* (*med.*) mud baths: *fare la cura dei fanghi*, to have mud bath treatment 3 *pl.* (*ind. geol.*) mud (*sing.*), sediment (*sing.*), sludge (*sing.*).

fangoso *agg.* muddy; (*di fiume*) slimy, sludgy.

fannullone *s.m.* idler, lounger, loafer, sluggard; (*fam.*) lazy-bones.

fanone *s.m.* whalebone, baleen.

fantaccino *s.m.* foot soldier, infantryman (*pl.* -men).

fantapolitica *s.f.* political fantasy.

fantascienza *s.f.* science fiction.

fantasia *s.f.* 1 (*immaginazione*) imagination; fancy; (*cose immaginate*) fantasy, phantasy: *hai una* — *troppo accesa*, you have too lively an imagination; *sono tutte fantasie*, they are all fantasies 2 (*desiderio, capriccio*)

fancy; notion, whim: *una* — *passeggera*, a passing fancy; *gli prese la* — *di andare a Brighton*, he took the notion of going to Brighton 3 (*riferito a gioielli, abiti ecc.*): *gioielli* —, costume jewellery; *tessuto* —, printed material (*o* print) 4 (*mus.*) fantasia.

fantasioso *agg.* fanciful.

fantasista *s.m.* e *f.* artiste.

fantasma *s.m.* 1 ghost, phantom, spectre: *casa infestata da fantasmi*, haunted house 2 (*immagine illusoria*) phantasm.

fantasmagoria *s.f.* phantasmagoria.

fantasmagorico *agg.* phantasmagoric.

fantasticare *v.intr.* e *tr.* to fancy; (*sognare a occhi aperti*) to daydream, to build* castles in the air.

fantasticheria *s.f.* reverie; (*sogno a occhi aperti*) daydream.

fantastico *agg.* 1 imaginary, fanciful, fantastic(al) // *facoltà fantastica*, imaginative faculty 2 (*fam.*) (*straordinario*) extraordinary, wonderful, fantastic.

fante *s.m.* 1 infantryman (*pl.* -men), foot soldier 2 (*nelle carte*) knave, jack.

fanteria *s.f.* infantry: — *a cavallo*, mounted infantry // *il 48°* —, the 48th foot.

fantesca *s.f.* (*letter.*) maidservant, maid.

fantino *s.m.* jockey.

fantoccio *s.m.* puppet; (*fig.*) stooge // *governo* —, puppet government.

fantomatico *agg.* phantom.

farabutto *s.m.* scoundrel, rogue.

faraona *s.f.* (*zool.*) guinea fowl.

faraone *s.m.* 1 (*st.*) Pharaoh 2 (*gioco*) faro.

farcire *v.tr.* to stuff.

farcito *agg.* stuffed.

fardello *s.m.* bundle; (*fig.*) burden.

fare *v.tr.* 1 (*in senso generale, astratto e nel senso di agire*) to do*: *che cosa fai?*, what are you doing?; *che debbo* — (*di lui*)?, what shall I do (with him)? // *ecco fatto!*, that's that! // *niente da* —, nothing doing // *avere molto, niente da* —, to have a lot, nothing to do; *non aver niente a che* — *con*, to have nothing to do with // *non è il modo di* —, it isn't the way to behave // *non fa altro che dormire*, he does nothing but sleep // *bene a qlcu.*, to do s.o. good // *fai bene, male a comportarti così*, you're right, wrong to behave like that // *male a qlcu.*, to do s.o. harm (*o* to harm s.o.) // *mi fa male lo stomaco*, my stomach aches // *farsi male*, to hurt oneself // *chi fa da sé fa per tre*, (*prov.*) if you want a thing done well do it yourself // *chi la fa l'aspetti*, (*prov.*) you'll get your deserts // *non fare agli altri quello che non vorresti fosse fatto a te*, (*prov.*) do as you would be done by 2 (*nel senso di creare, produrre*) to make*: *il fornaio fa il pane*, the baker makes bread; *una torta fatta con latte e farina*, a cake made with milk and flour; *il vino si fa con l'uva*, wine is made from grapes; *una casa fatta di mattoni*, a house made of bricks // — *il totale*, to add up // *3 più 3 fa 6*, 3 and 3 make 6 (*o* 3 and 3 are 6); *3 per 4 fa 12*, 3 times 4 makes (*o* is) 12 // *tutto fa brodo*, (*prov.*) it's all grist to the mill 3 (*essere*) to be*: — *l'insegnante*, to be a teacher // — *parte del personale*, to be a member of the staff 4 (*avere*) to have*: *il villaggio fa duecento abitanti*, the village has two hundred inhabitants 5 (*rifornirsi*) to get*: — *benzina*, to get some petrol // — *il pieno*, to fill up the tank // *la nave fece carbone*, the ship took on coal 6 (*dire*) to say*: «*Quando partite?*» *fece egli*, "When are you leaving?" he said // *non fece parola*, he didn't say a word **7** (*reputare*) to think*: *non lo facevo così sciocco*, I did not think he was so silly **8** (*segnare*): *questo orologio fa le cinque*, it is five o' clock by this watch **9** (*teatr.*) to play: *— la parte di Jago*, to play Iago *— da interprete*, to act as interpreter *— il finto tonto*, to play the innocent // *— finta*, to pretend **10** (*praticare*): *— dello sport, della politica*, to go in for sport, politics; *— del tennis*, to play tennis *— del teatro, del cinema*, to be in the theatre, in the cinema // *faremo una partitina a poker*, we'll play some poker **11** (*percorrere*) to go*: *ho ancora 3 km da —*, I've still got three kilometres to go; *quella macchina fa cento chilometri all'ora*, that car does sixty miles an hour; *fa 20 km con un litro di benzina*, it does 20 km to a litre **12** (*in sostituzione del verbo usato nella proposizione reggente*) to do*: *spese il suo denaro meglio di quel che avrei fatto io*, he spent his money better than I would have done **13** (*seguito da infinito in senso attivo*) (*costringere*) to make*; (*persuadere*) to get*; (*lasciare*) to let*: *fammi parlare!*, let me speak!; *falla venire*, get her to come; *mi ha fatto piangere*, he made me cry; *il vento fece cadere le foglie*, the wind made the leaves fall // *far andare una macchina*, (*mecc.*) to start a machine (*o* to get a machine to start) // *far aspettare qlcu.*, to keep s.o. waiting // *far chiamare qlcu.*, to send for s.o. // *far entrare qlcu.*, to let s.o. in; *far accomodare* to show s.o. in // *far notare qlco. a qlcu.*, to point sth. out to s.o. // *far proseguire lettere, merci*, to forward (*o* to send on) letters, goods // *far sapere a qlcu.*, to let s.o. know // *far vedere qlco. a qlcu.*, to show s.o. sthg. **14** (*seguito da infinito in senso passivo*) to have*, to get*: *fate spedire la lettera*, have (*o* get) the letter posted **15** (*fraseologia*): *che classe fai?*, what class are you in?; *faccio la prima media*, I'm in the first form // *— l'atto di*, to make as if (to do) // *— cosa grata a qlcu.*, to oblige s.o. // *— guerra a qlcu., qlco.*, to be against s.o., sthg. // *far fuori qlcu.*, to do s.o. in; *far fuori un patrimonio*, to run through a fortune; *far fuori un vestito*, to wear out a dress; *far fuori un piatto di spaghetti*, to eat up (*o* to finish off) a plate of spaghetti // *far su qlcu.*, to talk s.o. into it // *farla a qlcu.*, to have s.o.: *te l'ho fatta!*, I caught you!; *a me non la si fa!*, you can't take me in like that! // *farsela con qlcu.*, to have an affair with s.o. // *farcela*, to manage: *ce l'ho fatta!*, I've made it!; *non ce la faccio più*, I can't go on any more; *che vuoi farci?*, there's nothing you can do about it; *è uno che ci sa —*, he knows what he's doing // *noi siamo fatti così*, we're like that // *lascia —!*, don't bother! (*o* never mind!); *lascialo —!*, leave him alone! // *darsi da —*, to take trouble to do sthg.: *datti da —!*, get on with it! // *ha fatto di tutto per riuscire*, he did his utmost to succeed // *ha tanto fatto che...*, he kept on until... // *faccia pure!, fai pure!*, please do!; *faccia lei!*, I leave it to you; *faccia come se fosse a casa sua*, make yourself at home // *fa lo stesso*, it makes no difference; *non fa nulla*, it doesn't matter // *tutto fa*, every little helps // *per farla breve*, to cut it short // *farsi degli amici, nemici*, to make friends, enemies // *farsi la macchina*, to get oneself a car // *farsi una bevuta*, to have a good drink // *farsi due risate*, to have a good laugh // *non so che farmene*, it's no use to me // *fa fino*, it's chic ♦ *v.intr.* **1** *impers.* (*di condizioni atmosferiche*) to be*: *che tempo fa?*, what's the weather like?; *fa bel tempo*, it's fine **2** (*essere adatto*) to suit: *questa casa non fa per me*, this house doesn't suit me **3** (*seguito da consecutiva*): *— in modo di*, to try to (do); *fate in modo di non farvi vedere*,

take care not to be seen; *fate che non vi veda*, don't let him see you // *— sì che*, to see* to it that; (*causare*) to cause; (*combinare*) to arrange: *bisognerà far sì che tutto funzioni bene*, you must see (to it) that everything works perfectly; *la sua trascuratezza ha fatto sì che dieci persone perdessero la vita*, his carelessness caused the death of ten people; *alla fine è riuscito a far sì che si incontrassero*, in the end he managed to arrange for everybody to meet **4** (*fraseologia*): *fece per entrare quando...*, he was just going to enter, when... // *— in tempo a*, to be just in time to (do) // *si fa presto a dire*, it's easy to say // **farsi** *v.intr.pron.* **1** (*diventare*) to turn out, to grow* (into): *si è fatta una bella ragazza*, she has turned out (*o* grown into) a very pretty girl // *— cattolico*, to turn Catholic (*o* to become a Catholic) **2** (*andare*) to go*; (*venire*) to come*: *— avanti*, to go, to come forward; (*fig.*) to push oneself forward; (*offrirsi*) to come forward // *fatevi in là*, get out of my way **3** *impers.* (*di tempo*) to get*: *si fa buio, tardi*, it's getting dark, late ♦ *v.rifl.* to make* oneself // *si è fatto da sé*, he is a self-made man // *— amare, capire*, to make oneself loved, understood // *— notare*, to attract attention; (*di proposito*) to make oneself conspicuous.

fare *s.m.* **1** manner; (*maniere*) manners (*pl.*) **2** *sul far del giorno*, at daybreak; *sul far della notte*, at nightfall.

faretra *s.f.* quiver.

farfalla *s.f.* **1** butterfly // *— notturna*, moth // *— di baco da seta*, silk moth **2** *nuoto a —*, butterfly stroke **3** (*mecc.*) *valvola a —*, throttle (valve).

farfallina *s.f.* (*fig.*) flirt.

farfallone *s.m.* (*fig.*) philanderer.

farfugliare *v.tr.* e *intr.* to mumble.

farina *s.f.* flour; (*grossa*) meal: *— bianca*, white flour; *— gialla*, maize meal; *fior di —*, pure wheat flour // *— di riso*, ground rice // *— lattea*, powdered milk // *— fossile*, fossil flour // *questa non è — del tuo sacco*, someone else had a finger in this pie // *la — del diavolo va in crusca*, (*prov.*) the devil's meal is all bran.

farinaceo *agg.* farinaceous ♦ *s.m.* starchy food // *la patata è un —*, potato is starchy // *i farinacei*, starch.

faringe *s.f.* (*anat.*) pharynx.

faringite *s.f.* pharyngitis.

farinoso *agg.* mealy // *neve farinosa*, powdery snow // *mela farinosa*, spongy apple.

fariseo *s.m.* Pharisee.

farmaceutico *agg.* pharmaceutical.

farmacia *s.f.* **1** (*scienza*) pharmacy **2** (*negozio*) chemist's (shop); (*amer.*) drugstore.

farmacista *s.m.* e *f.* chemist; (*amer.*) druggist.

farmaco *s.m.* medicinal drug; (*medicina*) medicine.

farmacologia *s.f.* pharmacology.

farmacopea *s.f.* pharmacopoeia.

farneticare *v.intr.* to rave; (*fig.*) to talk nonsense.

faro *s.m.* **1** (*mar.*) lighthouse; (*aer.*) beacon // *— di civiltà*, (*fig.*) guiding light **2** (*aut.*) headlight, headlamp.

farragine *s.f.* farrago, medley.

farraginoso *agg.* farraginous.

farro *s.m.* (*bot.*) spelt.

farsa *s.f.* farce (*anche fig.*).

farsesco *agg.* farcical.

farsetto *s.m.* doublet.

fascetta *s.f.* **1** wrapper // *— editoriale*, blurb **2** (*busto da donna*) girdle.

fascettatrice *s.f.* tying-up machine.

fascia *s.f.* **1** band // *— elastica*, girdle // *stampati sotto —*, printed matter under cover // *— retributiva*, wage scale **2** pl. (*da neonato*) swaddling bands // *bambino in fasce*, babe in arms; *essere in fasce*, (*anche fig.*) to be in the cradle **3** (*benda*) bandage **4** (*zona*) zone.

fasciame *s.m.* (*mar.*) (*in legno*) planking; (*metallico*) plating.

fasciare *v.tr.* **1** to bandage **2** (*avvolgere*) to wrap **3** (*un neonato*) to swaddle.

fasciatura *s.f.* **1** bandaging **2** (*le fasce*) bandages (*pl.*).

fascicolo *s.m.* **1** fascicle; (*numero*) issue **2** (*opuscolo*) booklet **3** (*pratica*) dossier // — *personale*, (personal) record.

fascina *s.f.* fascine.

fascino *s.m.* charm, fascination.

fascinoso *agg.* fascinating.

fascio *s.m.* **1** bundle, sheaf; (*mazzo*) bunch // *un — di rette*, (*geom.*) a bundle of straight lines // *fare d'ogni erba un —*, to lump everything together **2** pl. (*st. romana*) fasces.

fascismo *s.m.* Fascism.

fascista *agg. e s.m. e f.* Fascist.

fase *s.f.* **1** (*stadio*) stage; (*periodo*) period **2** (*astr. elettr.*) phase: *concordanza, discordanza di —*, (*elettr.*) phase coincidence, phase difference // *fuori —*, out-of-phase **3** (*aut.*) stroke // *mettere in — il motore, l'accensione*, to time the engine, the ignition **4** (*informatica*) (*di elaborazione*) run; step.

fastello *s.m.* faggot.

fasti *s.m.pl.* **1** (*st. romana*) fasti **2** (*fig.*) memorable deeds; memorable events.

fastidio *s.m.* trouble, annoyance, vexation: *ti vai a cercare dei fastidi*, you are looking for trouble; *dare — a qlcu.*, to trouble s.o. (*o* to annoy s.o.); *non mi dare —!*, don't bother me!

fastidioso *agg.* troublesome; tiresome; wearisome; (*spec. di cosa*) annoying.

fastigio *s.m.* **1** (*arch.*) fastigium **2** (*fig.*) (*apogeo*) height, peak.

fasto *s.m.* pomp, splendour, magnificence.

fastosità *s.f.* pomp, splendour, magnificence.

fastoso *agg.* magnificent, sumptuous.

fasullo *agg.* false; (*sl.*) phon(e)y.

fata *s.f.* fairy: *il paese delle fate*, fairyland; *racconti di fate*, fairy-tales.

fatale *agg.* **1** fatal // *donna —*, vamp (*o* glamour girl) **2** (*inevitabile*) inevitable, fated, destined.

fatalismo *s.m.* fatalism.

fatalista *s.m. e f.* fatalist.

fatalità *s.f.* **1** fatality **2** (*il fato*) fate, destiny.

fatato *agg.* **1** enchanted, magic **2** (*di fata*) fairy: *bacchetta fatata*, fairy wand.

fatica *s.f.* **1** (*stanchezza*) weariness, fatigue: *resiste bene alla —*, he doesn't tire easily; *organismo resistente alla —*, tough constitution // *morto di —*, dog-tired (*o* dead-beat) **2** (*lavoro faticoso*) labour; toil, fatigue, hard work: *la — del contadino*, the peasant's toil; *mi è costato —*, it took me a lot of work; *che —!*, what an effort! // *abito da —*, working clothes; (*mil.*) fatigue dress // *cavallo da —*, carthorse // *uomo di —*, man to do the heavy work // *è — sprecata*, it is wasted effort // *vive col frutto delle sue fatiche*, he lives on his work **3** (*difficoltà*) difficulty: *durare, fare — a fare qlco.*, to have difficulty in doing sthg.; *a —*, with difficulty **4** (*mecc.*) fatigue.

faticare *v.intr.* **1** to toil, to work hard, to labour **2** (*stentare*) to have* difficulty (in doing).

faticata *s.f.* drudgery; (*sl.*) grind.

faticosamente *avv.* **1** laboriously: *guadagnarsi la vita —*, to work hard for a living **2** (*con difficoltà*) with difficulty.

faticoso *agg.* fatiguing, tiring; laborious.

fatidico *agg.* **1** fatidical, prophetic **2** (*fatale*) fatal.

fatiscente *agg.* crumbling, dilapidated: *un edificio —*, a dilapidated building.

fato *s.m.* fate.

fatta *s.f.* (*specie*) kind, sort: *gente di ogni —*, people of every sort.

fattezze *s.f.pl.* features.

fattibile *agg.* feasible, practicable.

fattispecie *s.f.* (*dir.*) case in point, matter in hand // *nella —*, in this case.

fattivo *agg.* effective, efficacious.

fatto *agg.* **1** (*maturo*) ripe: *formaggio —*, ripe cheese // *uomo —*, fullgrown man // *era giorno —*, it was broad daylight **2** (*adatto*) fit: *non sono — per questa vita*, I am not fit for this sort of life **3** (*fraseologia*): *— a macchina*, machine-made; *— a mano*, handmade; *— in casa*, homemade // *abiti fatti*, ready-made clothes; *abiti fatti su misura*, tailor-made (*o* made to measure) clothes; (*amer.*) custom-made clothes // *ben —!*, well done! // *ben —*, (*di cosa*) well-made; (*di persona*) well-proportioned // *sono — così*, I am (made) like this // *a questo punto vien — di chiedersi se...*, at this point the question arises whether... // *mi vien — di pensare che...*, I am led (*o* inclined) to think that...

fatto *s.m.* **1** fact; (*azione*) action, deed; (*avvenimento*) event: *raccontami i fatti*, tell me the facts; *vogliamo fatti, non parole*, we want deeds, not words; *il — si svolge a Londra*, the action takes place (*o* the story is set) in London // *— di cronaca*, (piece of) news // *— di sangue*, (*omicidio*) murder // *— d'arme*, military action // *cogliere qlcu. sul —*, to catch s.o. red-handed // *lo misi di fronte al — compiuto*, I presented him with a fait accompli // *passare alle vie di —*, to come to blows // *il — è che, — sta che...*, the fact (*o* the point) is that... // *in — di*, as regards: *in — di eleganza nessuno la supera*, as far as elegance is concerned she is second to none **2** (*affare*) affair; business (*solo sing.*): *bada ai fatti tuoi!*, mind your own business!; *egli sa il — suo*, he knows his business (*o* he knows what he is about); *ormai è un — personale*, he is now taking it as a personal matter // *dire il — suo a qlcu.*, to give s.o. a piece of one's mind.

fattore *s.m.* **1** factor // *il Sommo Fattore*, Our Maker **2** (*amministratore di beni rurali*) (farm) bailiff.

fattoria *s.f.* farm; (*casa*) farmhouse.

fattoriale *agg.* (*mat.*) factorial.

fattorino *s.m.* errand boy; (*di ufficio*) office boy; (*del telegrafo*) telegraph boy.

fattrice *s.f.* (*cavalla*) brood mare.

fattucchiera *s.f.* witch, sorceress.

fattura *s.f.* **1** (*il fare qlco.*) making **2** (*lavorazione*) work, workmanship: *un gioiello di squisita —*, a jewel of exquisite workmanship **3** (*comm.*) invoice: *— saldata*, receipted invoice; *— pro-forma*, proforma invoice; *libro fatture*, invoice book **4** (*pop.*) (*stregoneria*) witchcraft.

fatturare *v.tr.* **1** (*adulterare*) to adulterate **2** (*comm.*) to invoice.

fatturato *s.m.* (*comm.*) sales turnover, sales volume.

fatuità *s.f.* fatuousness, fatuity.

fatuo *agg.* fatuous // *fuoco —*, ignis fatuus; (*fam.*) will -o'-the-wisp.

fauci *s.f.pl.* jaws (*anche fig.*); (*scient.*) fauces.

fauna *s.f.* fauna.

fauno *s.m.* faun.

fausto *agg.* propitious, lucky.

fautore *agg.* promoting, supporting ♦ *s.m.* promoter, supporter, upholder.

fava *s.f.* broad bean.

favella *s.f.* (*letter.*) speech: *perdere l'uso della —*, to lose one's power of speech; *riprender l'uso della —*, to recover the use of speech.

favellare *v.intr.* to speak*, to talk.

favilla *s.f.* spark (*anche fig.*): *far faville*, to sparkle.

favo *s.m.* **1** honeycomb **2** (*med.*) favus.

favola *s.f.* **1** fable; (*racconto*) story, tale: *le favole di Esopo*, Aesop's fables; *i bambini amano ascoltare le favole*, children like to listen to stories // *non è che una —*, (*frottola*) it is all a story **2** (*oggetto di pettegolezzi*) laughingstock, talk.

favoleggiare *v.intr.* to tell* tales, to tell* stories // *— di tempi passati*, to romance over past times.

favolista *s.m. e f.* fabulist.

favoloso *agg.* fabulous.

favore *s.m.* favour: *gli affari volsero a mio —*, the business turned in my favour; *posso chiederti un —?*, may I ask you a favour? (*o* a favour of you?); *fammi il — di tacere*, do me a favour and shut up; *fare un — a qlcu.*, to do s.o. a favour; *godere del — di qlcu.*, to stand high in s.o.'s favour; *colmare qlcu. di favori*, to heap favours upon s.o. // *a vostro —*, (*comm.*) to your credit; *emettere un assegno a — di qlcu.*, to write out a cheque in s.o.'s favour // *biglietto di —*, complimentary ticket // *cambiale di —*, accomodation bill // *condizioni di —*, preferential terms // *prezzo di —*, special price // *col — delle tenebre*, under cover of darkness // *per —*, please.

favoreggiamento *s.m.* (*dir.*) aiding and abetting.

favoreggiare *v.tr.* (*dir.*) to aid and abet.

favoreggiatore *s.m.* (*dir.*) abettor, abetter, accessory.

favorevole *agg.* favourable.

favorire *v.tr.* **1** to favour: *lo favorite senza merito*, you are favouring him unduly **2** (*aiutare*) to aid, to help: *— la digestione*, to help one's digestion **3** (*sostenere, favoreggiare*) to support, to back **4** (*promuovere*) to promote, to encourage, to foster: *— l'amicizia tra i popoli*, to foster friendship among peoples; *— le arti*, to promote (*o* to encourage) the arts **5** (*in formule di cortesia*): *favorite i biglietti!*, tickets please! // *favorite entrare*, please come in // *favorisca rispondermi*, will you kindly reply to me (*o* be so kind as to reply to me) // *favoritemi quella copia*, give me that copy, please // *vuol —?*, will you have some?

favorita *s.f.* favourite, mistress.

favoriti *s.m.pl.* (*fedine*) (side-)whiskers.

favoritismo *s.m.* favouritism // *ottenere qlco. per —*, to get sthg. by favour.

favorito *agg. e s.m.* favourite.

fazione *s.f.* faction: *spirito di —*, factious spirit (*o* factiousness).

fazioso *agg.* factious ♦ *s.m.* sectionary.

fazzoletto *s.m.* handkerchief; (*fam.*) hanky: *— da collo*, scarf.

febbraio *s.m.* February.

febbre *s.f.* fever; temperature: *— da cavallo*, violent (*o* raging) fever; *— gialla*, yellow fever; *— malarica*, malarial fever; *accesso di —*, bout of fever; *avere la —*, to be feverish; *ha la — molto alta*, he has a very high temperature // *la — dell'oro*, the gold fever; (*la corsa all'o-*

ro) the gold rush // *— del guadagno, degli onori*, lust for money, honours // *— politica*, passion for politics.

febbriciattola *s.f.* slight fever.

febbricitante *agg.* feverish.

febbrile *agg.* feverish.

feccia *s.f.* **1** dregs (*pl.*), lees (*pl.*) **2** (*fig.*) dregs (*pl.*), scum.

feci *s.f.pl.* faeces; (*escrementi*) excrement (*sing.*).

fecola *s.f.* cornflour; (*amer.*) corn starch: *— di patate*, potato starch (*o* flour).

fecondare *v.tr.* **1** to fecundate **2** (*rendere fertile*) to fertilize; (*fig.*) to stimulate.

fecondazione *s.f.* fecundation: *— artificiale*, (artificial) insemination.

fecondità *s.f.* **1** fecundity **2** (*fertilità*) fertility (*anche fig.*).

fecondo *agg.* **1** prolific, fecund **2** (*fertile*) fertile (in) (*anche fig.*).

fede *s.f.* **1** faith; (*credenza*) belief; (*fiducia*) trust: *un atto di —*, an act of faith; *— politica*, political creed // *prestare — a qlcu, qlco.*, to believe s.o., sthg. // *far — di*, to bear witness to // *in buona, mala —*, in good, bad faith // *degno di —*, reliable // *in fede mia!*, on my word! // *tenere — alla parola data*, to keep one's word **2** (*anello nuziale*) wedding ring.

fedecommesso *s.m.* (*dir.*) fideicommissum (*pl.* fideicommissa).

fedele *agg.* **1** faithful // *restare — a una promessa*, to abide by a promise; *restare — a qlcu.*, to be faithful to s.o. **2** (*veritiero*) faithful; (*attendibile*) reliable ♦ *s.m. e f.* **1** believer // *i fedeli*, the faithful (*o* the believers); (*di una parrocchia*) the parishioners **2** (*seguace*) follower.

fedelmente *avv.* **1** faithfully **2** (*esattamente*) exactly.

fedeltà *s.f.* **1** fidelity, faithfulness; (*obbedienza*) allegiance, loyalty **2** (*veridicità*) fidelity, accuracy **3** (*rad.*) fidelity: *ad alta —*, high fidelity (*o* Hi-Fi).

federa *s.f.* pillowcase.

federale *agg.* federal.

federalismo *s.m.* (*pol.*) federalism.

federalista *agg. e s.m.* (*pol.*) federalist.

federarsi *v.rifl.* e *rifl.rec.* to federate.

federato *agg.* federate.

federazione *s.f.* federation.

Federica *no.pr.f.* Frederica.

Federico *no.pr.m.* Frederic(k) // *— Barbarossa*, (*st.*) Frederick Barbarossa.

fedifrago *agg.* unfaithful.

fedina *s.f.* **1** police record: *— penale*, criminal record; *avere la — sporca, pulita*, to have a police record, a clean record **2** *pl.* (*basette lunghe*) (side-)whiskers.

fegatelli *s.m.pl.* (*cuc.*) roasted pork liver (*sing.*).

fegatini *s.m.pl.*: *— di pollo*, (*cuc.*) chicken liver (*sing.*).

fegato *s.m.* **1** liver: *soffrire di —*, to suffer from one's liver // *— d'oca*, (*cuc.*) goose liver // *non mangiarti il —!*, don't let it get you!; *ogni volta che ci pensa, si mangia il —*, every time he thinks of it, it gets him **2** (*coraggio*) pluck; (*fam.*) guts (*pl.*): *ha del —*, he has got pluck.

fegatoso *agg.* bilious (*anche fig.*); (*fam.*) liverish.

felce *s.f.* (*bot.*) fern: *— aquilina*, bracken.

feldmaresciallo *s.m.* (*mil.*) field marshal.

feldspato *s.m.* (*min.*) feldspar.

felice *agg.* happy; (*fortunato*) lucky // *scegliere con mano —*, to make a happy choice // *— di conoscerla*, (*nelle presentazioni*) how do you do?; (*amer.*) glad to meet you.

Felice *no.pr.m.* Felix.

felicemente *avv.* happily; (*con successo*) successfully // *arrivare* —, to arrive safely.

felicità *s.f.* happiness; (*beatitudine*) bliss.

felicitarsi *v.intr.pron.* to congratulate (s.o.): — *con qlcu. per qlco.*, to congratulate s.o. on sthg..

felicitazioni *s.f.pl.* congratulations.

felino *agg.* feline; (*fig.*) catlike // *con passo* —, with stealthy step.

fellone *s.m.* felon, ruffian; (*traditore*) traitor.

felpa *s.f.* plush.

felpato *agg.* **1** plushy; (*rivestito di felpa*) plush-lined: *tessuto* —, napped fabric **2** (*fig.*) soft, noiseless // *a passi felpati*, stealthily.

feltro *s.m.* felt: *cappello di* —, felt hat.

feluca *s.f.* **1** cocked hat **2** (*mar.*) felucca.

femmina *s.f.* **1** female (*attr.*): *un canarino* —, a hen canary; *un elefante* —, a cow elephant; *un gatto* —, a queen cat **2** (*persona di sesso femminile*) girl; (*spreg.*) female // *mala* —, loose woman // *vite* —, female screw.

femmineo *agg.* (*letter.*) feminine.

femminile *agg.* **1** female // *scuola* —, girls' school **2** (*da donna*) womanly, feminine // *rivista* —, women's magazine **3** (*gramm.*) feminine ♦ *s.m.* (*gramm.*) feminine gender // *al* —, in the feminine.

femminilità *s.f.* womanliness, femininity.

femminino *s.m.* femininity // *l'eterno* —, the eternal feminine.

femminismo *s.m.* feminism.

femminista *agg.* e *s.m.* e *f.* feminist.

femminuccia *s.f.* (*spreg.*) milksop.

femorale *agg.* femoral.

femore *s.m.* femur, thighbone.

fendente *s.m.* (*scherma*) cutting blow.

fendere *v.tr.* **1** to cleave*, to split*; (*spaccare*) to break* (up), to crack **2** (*fig.*) to cleave*, to cut* through // — *la folla*, to plough one's way through the crowd.

fenditura *s.f.* cleft, split; (*spaccatura*) crack, fissure.

fenice *s.f.* phoenix.

fenicio *agg.* e *s.m.* Phoenician.

fenico *agg.* (*chim.*): *acido* —, carbolic acid.

fenicottero *s.m.* (*zool.*) flamingo.

fenolo *s.m.* (*chim.*) phenol.

fenomenale *agg.* phenomenal; (*eccezionale*) extraordinary.

fenomeno *s.m.* **1** phenomenon (*pl.* phenomena) **2** (*fam.*) (*prodigio*) wonder: *un* — *vivente*, a living wonder.

fenomenologia *s.f.* (*fil.*) phenomenology.

ferale *agg.* (*letter.*) fatal; (*tetro*) dismal, gloomy.

feretro *s.m.* coffin.

feria *s.f.* **1** (*eccl.*) feria **2** *pl.* holidays, vacation (*sing.*): *ferie estive*, summer holidays; *ferie pagate*, paid (*statutory*) holidays; *fare 15 giorni di ferie*, to take a fortnight's holiday; *andare in ferie*, to go on holiday.

feriale *agg.* **1** weekday (*attr.*): *giorno* —, weekday (*o* working day) **2** (*eccl.*) ferial.

ferimento *s.m.* wounding.

ferino *agg.* feral, wild.

ferire *v.tr.* **1** to wound; (*produrre lesioni a*) to injure, to hurt*: — *al petto, alla testa*, to wound in the chest, in the head // *senza colpo* —, without striking a blow // *si ferì a un braccio*, he injured his arm **2** (*fig.*) to injure, to hurt*: — *i sentimenti di qlcu.*, to hurt s.o.'s feelings; — *qlcu. nel suo amor proprio*, to injure s.o.'s self-esteem // **-irsi** *v.rifl.* to hurt* oneself.

ferita *s.f.* wound (*anche fig.*); (*lesione*) injury: *una brutta* —, an ugly wound; — *da arma da fuoco*, gunshot wound; *una* — *al braccio*, a wound in the arm; *medicare, fasciare una* —, to dress, to bandage a wound; *riportare ferite in un incidente*, to be hurt (*o* injured) in an accident.

ferito *agg.* wounded (*anche fig.*); (*infortunato*) injured, hurt (*anche fig.*): *gravemente, leggermente* —, seriously, slightly wounded ♦ *s.m.* wounded (person); (*mil.*) casualty.

feritoia *s.f.* loophole; (*di cantina ecc.*) slit.

feritore *s.m.* wounder.

ferma *s.f.* **1** (*mil.*) (term of) service **2** (*caccia*) set: *cane da* —, setter; pointer.

fermacarte *s.m.* paperweight.

fermacravatta *s.m.* tiepin.

fermaglio *s.m.* clasp; (*per carte, capelli ecc.*) clip.

fermamente *avv.* firmly; (*decisamente*) resolutely.

fermare *v.tr.* **1** to stop; (*arrestare*) to arrest; (*contenere, frenare*) to check: — *un assegno*, to stop a cheque; — *un attacco*, to check an attack **2** (*fissare*) to fasten; (*fig.*) to fix: — *l'attenzione su qlco.*, to fix one's attention on sthg. **3** (*procedere al fermo di*) to hold* ♦ *v.intr.* **1** to stop; (*di navi*) to call (at a place) **2** (*di cane da ferma*) to set*, to point // **-arsi** *v.intr.pron.* **1** to stop // — (*a parlare*) *con qlcu.*, to stop and talk to s.o. // — *di botto*, to stop short **2** (*trattenersi in un luogo*) to stop, to stay (*indugiare*) to dwell*, to linger // *si fermò sulla porta prima di uscire*, he paused at the door before going out.

fermata *s.f.* stop, halt: — *d'autobus*, bus stop; — *facoltativa*, request stop; — *obbligatoria*, regular stop; — *provvisoria*, temporary stop.

fermentare *v.intr.* to ferment (*anche fig.*).

fermentazione *s.f.* fermentation.

fermento *s.m.* **1** ferment **2** (*fig.*) ferment, turmoil.

fermezza *s.f.* steadiness; (*spec. fig.*) firmness, steadfastness.

fermo *agg.* **1** still: *star* —, to stand still; *sta'* —!, keep quiet! // *tenere* — *qlcu.*, to hold s.o. fast // *il treno è* —, the train is stationary // — *posta*, poste restante **2** (*saldo*) steady, firm (*anche fig.*): — *proposito*, firm decision; *con mano ferma*, with a steady hand // — *stante*, considering that // *per* —, certainly: *tenere per* —, to take for granted ♦ *s.m.* **1** (*mecc.*) lock, catch **2** (*dir.*) (*arresto provvisorio*) detention // *procedere al* — *di qlcu.*, to hold s.o. **3** (*confisca, sequestro*) distraint, seizure: *mettere il* — *su qlco.*, to distrain upon sthg. // *mettere il* — *su un assegno*, to stop a cheque.

fermoposta *s.m.* poste restante; (*amer.*) general delivery.

feroce *agg.* ferocious (*anche fig.*), fierce, cruel: *uno sguardo* —, a ferocious look // *bestie feroci*, wild beasts.

ferocia *s.f.* ferocity, fierceness, cruelty.

ferodo ® *s.m.* (*aut.*) (brake) lining.

ferraglia *s.f.* (*rottami di ferro*) scrap iron // *rumore di* —, clanking noise (*o* rattle).

ferragosto *s.m.* mid-August; (*il giorno di ferragosto*) feast of the Assumption.

ferramenta *s.f.pl.* hardware (*sing.*), ironmongery (*sing.*): *negoziante di* —, ironmonger; *negozio di* —, hardware store (*o* ironmonger's shop).

ferramento *s.m.* iron tool.

ferrare *v.tr.* **1** to fit with iron: — *un bastone*, to put a ferrule on a stick; — *una porta*, to fit locks and hinges to a door **2** (*cavalli*) to shoe.

ferrato *agg.* **1** (iron) shod // *scarpe ferrate*, hobnailed hoes // *strada ferrata*, railway; (*amer.*) railroad **2** ~ben preparato*) strong (in), good (at): *è — in musica*, he ~s well up in music.

~erravecchio *s.m.* scrap iron dealer.

~erreo *agg.* iron (*attr.*) (*anche fig.*): *una volontà ferrea*, ~n iron will // *corona ferrea*, Iron Crown.

~erriera *s.f.* **1** ironworks; iron foundry **2** (*lamina-* ~io*) rolling mill.

~erro *s.m.* **1** iron: — *battuto*, wrought iron; — *fuso*, ~ast iron; — *laminato, profilato, trafilato*, rolled, sec-~ion, drawn iron; *filo di* —, (iron) wire; *lamiera di* —, ~ron sheet; *minerale di* —, iron ore; *rottami di* —, scrap ~ron (*sing.*); *rivestito di* —, iron-clad // *ha una salute di* —, he has an iron constitution; *ha uno stomaco di* —, ~e has a cast-iron stomach // *disciplina di* —, iron dis-~ipline // *l'età del* —, the Iron Age // *tocca* —!, touch ~vood! // *battere il — finché è caldo*, (*prov.*) to strike ~while the iron is hot **2** (*attrezzo*) tool // — *da calza*, ~nitting needle; *lavorare ai ferri*, to knit // — (*da stiro*), ~ron // — *di cavallo*, horseshoe // *ferri chirurgici*, sur-~ical instruments // *cuocere carne ai ferri*, to grill (*o* to ~roil) meat // *essere ai ferri corti con qlcu.*, to be at log-~erheads with s.o. // *mettere un paese a — e fuoco*, to ~ay a country waste **3** *pl.* (*ceppi*) irons, chains, fetters: ~o misero ai ferri*, they put him in irons.

~erroso *agg.* ferrous.

~errovia *s.f.* railway; (*amer.*) railroad: — *sopraelevata*, ~verhead (*o* elevated) railway; (*sl. amer.*) el; — *a un bi-* ~nario*, single-track railway; (*spedire*) *per* —, (to send) by ~ail (*o* by train).

~erroviario *agg.* railway (*attr.*); (*amer.*) railroad (*attr.*): ~rario* —, railway timetable // *casello* —, level-crossing ~keeper's house.

~erroviere *s.m.* railwayman (*pl.* -men), railway worker.

~erruginoso *agg.* ferruginous.

~ertile *agg.* fertile (*anche fig.*); fruitful, productive.

~ertilità *s.f.* fertility, fruitfulness, productiveness.

~ertilizzante *agg.* fertilizing ♦ *s.m.* fertilizer.

~ervente *agg.* fervent, ardent.

~ervere *v.intr.dif.* **1** (*essere nel pieno dell'ardore, dell'at-* ~ività*): *ferveva la battaglia*, the battle was raging; *ferve la disputa*, the discussion is hot; *in casa fervono i prepa-* ~rativi*, the house is bustling with preparations **2** (*let-* ~ter.*) (*essere cocente*) to be* burning.

~ervido *agg.* fervid, fervent, ardent: *fervidi auguri*, best ~wishes.

~ervore *s.m.* fervour, heat (*anche fig.*); (*zelo*) zeal: *con* —, with zeal.

~ervorino *s.m.* (*esortazione*) exhortation; (*predicozzo*) ~talking-to: *gli farò un bel* —, (*fam.*) I'll give him a good ~talking-to (*o* dressing down).

~esseria *s.f.* (*volg.*) boloney.

fesso[1] *agg.* cracked; (*spaccato in due*) cloven // *voce fessa*, cracked voice.

fesso[2] *agg.* e *s.m.* (*volg.*) idiot, fool.

fessura *s.f.* crack, fissure, cleft; (*fenditura*) slit; (*per get-* ~tone ecc.*) slot; (*falla*) leak.

festa *s.f.* **1** holiday; (*religiosa*) feast: — *civile*, public ~holiday; (*in Inghilterra*) bank holiday; *feste mobili*, ~movable feasts; *feste comandate*, fixed holidays; *oggi è* —, today is a holiday; *far* —, (*riposare*) to have a holi-~day; (*stare allegri*) to make merry // — *del villaggio*, ~village fête // *la — di Sant'Antonio*, St. Anthony's Day // *le Feste* (*di Natale*), Christmas Holidays; *Buone Fe-* ~ste!*, Season's Greetings!; *augurare a qlcu. Buone Feste*, ~to wish s.o. a Merry Christmas and a Happy New

Year // *abiti della* —, Sunday clothes (*o* Sunday best) // *conciare qlcu. per le feste*, to beat s.o. black and blue **2** (*compleanno*) birthday; (*onomastico*) name-day, Saint's day **3** (*festival*) festival **4** (*ricevimento*) party; (*trattenimento*) entertainment: — *da ballo*, dance (party); (*molto formale*) ball // *guastare la* —, to be a spoil sport // *far — a qlcu.*, to give s.o. a hearty welcome // *far la — a qlcu.*, (*ucciderlo*) to make away with s.o. (*o* to bump s.o. off).

festaiolo *agg.* feast-loving (*attr.*); fond of parties (*pred.*).

festante *agg.* rejoicing, jubilant, joyful.

festeggiamento *s.m.* (*spec.pl.*) festivity, celebration.

festeggiare *v.tr.* **1** to celebrate **2** (*accogliere festosa-* ~mente*) to give* a hearty welcome (to s.o.).

festicciola *s.f.* informal party.

festino *s.m.* soirée.

festival *s.m.* festival.

festività *s.f.* festivity: — *pagata*, vacation with pay.

festivo *agg.* Sunday (*attr.*): *giorni festivi*, (Sundays and) public holidays.

festone *s.m.* **1** (*ornamento di fiori, fregi*) festoon **2** (*ricamo*) scallop.

festoso *agg.* joyful, cheerful, gay; (*cordiale*) hearty.

festuca *s.f.* (wisp of) straw.

fetente *agg.* f(o)etid, stinking (*anche fig.*) ♦ *s.m.* (*volg.*) stinker.

feticcio *s.m.* fetish, fetich(e).

feticismo *s.m.* fetishism, fetichism.

feticista *agg.* fetishistic, fetichistic ♦ *s.m.* fetishist, fetichist.

fetido *agg.* f(o)etid, stinking (*anche fig.*).

feto *s.m.* f(o)etus.

fetore *s.m.* stink, stench.

fetta *s.f.* **1** slice; (*rotonda*) round: *una — di pancetta*, a slice (*o* rasher) of bacon; *tagliare qlco. a fette*, to slice sthg. (*o* to cut sthg. into slices) **2** (*piccolo pezzo*) piece, bit.

fettuccia *s.f.* tape; (*nastro*) ribbon.

feudale *agg.* feudal.

feudalesimo *s.m.* feudalism.

feudatario *agg.* e *s.m.* feudatory.

feudo *s.m.* feud, fief, feoff, fee // *investire qlcu. di un* —, to enfeoff s.o.

fez *s.m.* fez.

fiaba *s.f.* fable, fairy tale, story.

fiabesco *agg.* **1** (*da fate*) fairy-like **2** (*favoloso*) fabu-~lous, fantastic.

fiacca *s.f.* **1** (*stanchezza*) weariness, tiredness **2** (*pi-* ~grizia*) laziness // *battere la* —, (*fam.*) to be sluggish.

fiaccare *v.tr.* **1** to wear* out, to tire out, to exhaust; (*indebolire*) to weaken **2** (*spezzare*) to break* (down) (*anche fig.*).

fiaccheraio *s.m.* cabman (*pl.* -men), cabdriver.

fiacchezza *s.f.* (*debolezza*) weakness; (*stanchezza*) weariness.

fiacco *agg.* **1** (*debole*) weak, exhausted // *mercato* —, (*comm.*) dull market **2** (*stanco*) weary, tired.

fiaccola *s.f.* torch (*anche fig.*): *alla luce di fiaccole*, by torchlight.

fiaccolata *s.f.* torchlight procession.

fiala *s.f.* phial, vial.

fiamma *s.f.* **1** flame (*anche fig.*); (*molto viva*) blaze; (*mobile, oscillante*) flare: *dare alle fiamme*, to commit to the flames (*o* to burn) // *in fiamme*, aflame (*o* burning *o* in a blaze) // *rosso* —, bright red // *alla* —, (*cuc.*) flambé // *ritorno di* —, (*mecc.*) backfire: *avere un ritor-*

no di —, *(fig.)* to go back to one's old flame // *le vennero le fiamme al viso*, *(arrossi)* she flushed; *(si adirò)* she
blazed with anger // *i suoi occhi lanciavano fiamme*, his
eyes blazed *(o he looked daggers)* // *far fuoco e
fiamme*, *(usare ogni mezzo)* to leave no stone unturned **2** *(mar.)* pennant **3** *pl.* *(mil.)* streamers.

fiammante *agg.* flaming: *rosso* —, bright red // *nuovo*
—, brand-new.

fiammata *s.f.* blaze.

fiammeggiare *v.intr.* **1** to blaze (with sthg.) *(anche
fig.)* **2** *(splendere)* to shine*.

fiammifero *s.m.* match: — *svedese*, safety match; *accendere un* —, to strike a match.

fiammingo *agg.* Flemish ♦ *s.m.* **1** Fleming **2** *(lingua)*
(the) Flemish (language).

fiancata *s.f.* **1** *(colpo col fianco)* side blow **2** *(lato)*
side **3** *(mar.)* broadside.

fiancheggiare *v.tr.* **1** to flank *(anche mil.)*; *(costeggiare)* to border **2** *(fig.)* *(aiutare, sostenere)* to support, to
help.

fiancheggiatore *s.m.* *(pol.)* supporter.

fianco *s.m.* **1** side *(anche fig.)*: *di* — *a me, al mio* —,
by *(o* at) my side; *ho male a un* —, I have a pain in my
side // — *a* —, side by side // *misure dei fianchi*, hips
// *prestare il* — *alle critiche*, to lay oneself open to criticism // —, *destro, sinistro*, *(mar.)* starboard, port
side **2** *(mil.)* flank: *un attacco sul* —, a flank attack //
— *destro, sinistro!*, right, left turn!

fiandra *s.f.*: *tela di* —, damask linen.

Fiandre *no.pr.f.pl.* Flanders.

fiasca *s.f.* flask.

fiaschetteria *s.f.* wineshop.

fiasco *s.m.* **1** (straw covered) bottle **2** *(fig.)* fiasco,
flop.

fiatare *v.intr.* **1** to breathe **2** *(fig.)* *(parlare)* to say* a
word.

fiato *s.m.* **1** breath: *avere il* — *corto, grosso*, *essere senza* —, to be out of breath; *con quanto* — *avevo in gola*,
at the top of my voice; *prender* —, to take breath; *(fig.)*
to rest a while; *trattenere il* —, to hold one's breath //
in un —, in a jiffy // *bere (qlco.)* *tutto d'un* —, to gulp
sthg. down // *mi fece rimanere senza* —, he took my
breath away // *dar* — *alle trombe*, to sound the trumpets; *(fig.)* to spread the news **2** *strumenti a* —, *fiati*,
(mus.) wind instruments.

fibbia *s.f.* buckle.

fibra *s.f.* **1** fibre: — *di vetro*, fibreglass; *valigia di* —,
fibre suitcase **2** *(fig.)* *(costituzione)* physique.

fibroma *s.m.* *(med.)* fibroma *(pl.* fibromata).

fibroso *agg.* fibrous.

ficcanaso *s.m.* e *f.* intruder, busybody.

ficcare *v.tr.* to thrust*, to drive*: *(mettere)* to put* —
— *in testa qlco. a qlcu.*, to get sthg. into s.o.'s head //
il naso dappertutto, to poke one's nose into everything
// — *gli occhi addosso a qlcu.*, to stare hard at s.o. //
-arsi *v.rifl.* *(mettersi)* to get* oneself (into): — *nei guai*,
to get oneself into trouble; *dove si saran ficcate le forbici?*, where did the scissors get to? // — *in casa*, to shut
oneself up in the house.

fiche *(fr.)* *s.f.* chip, counter.

fico *s.m.* fig: *foglia di* —, fig leaf // — *d'India*, prickly
pear // — *secco*, dried fig // *non me ne importa un* —
(secco), *(volg.)* I couldn't care less *(o* I don't give a damn).

ficus *s.m.* *(bot.)* ficus.

fidanzamento *s.m.* engagement.

fidanzare *v.tr.* to engage, to affiance: *essere fidanzato*

(con qlcu.), to be engaged (to s.o.) // **-arsi** *v.rifl.
rifl.rec.* to get* engaged (to s.o.).

fidanzata *s.f.* girlfriend; *(ufficiale)* fiancée.

fidanzato *s.m.* boyfriend; *(ufficiale)* fiancé.

fidare *v.tr.* *(affidare)* to entrust, to commit ♦ *v.intr.
(confidare)* to trust (s.o.), to rely (on s.o., sthg.) // **-arsi**
v.intr.pron. **1** *(aver fiducia)* to trust (s.o.), to rely (on
s.o., sthg.): *non mi fido molto di lui*, I don't trust him
very much; *è una persona di cui ci si può* —, he is a reliable person **2** *(osare)* to dare*: *non mi fido a guidare in
città*, I am afraid to drive in town.

fidato *agg.* trustworthy, reliable.

fideiussione *s.f.* guarantee.

fido[1] *agg.* *(letter.)* *(fedele)* faithful, devoted ♦ *s.m.* devoted follower; faithful attendant.

fido[2] *s.m.* *(credito)* credit.

fiducia *s.f.* trust, confidence, reliance: — *in sé stessi*,
self-confidence *(o* self-assurance); *avere* — *in qlcu.*, to
trust s.o.; *godere della* — *di qlcu.*, to enjoy s.o.'s confidence; *con* —, with confidence *(o* confidently) // *impiegato di* —, confidential clerk // *uomo di* —, reliable
man; *(braccio destro)* right-hand man // *nella* — *che
accoglierete la mia richiesta*, *(comm.)* feeling confident
(that) you will kindly grant my request // *abuso di* —,
(dir.) breach of trust // *voto, questione di* —, *(pol.)* vote
of confidence.

fiduciario *agg.* *(dir.)* fiduciary; trust *(attr.)* ♦ *s.m.* *(dir.)*
fiduciary; trustee.

fiduciosamente *avv.* trustfully, confidently.

fiducioso *agg.* trusting, trustful, confident.

fiele *s.m.* **1** *(anat.)* bile, gall **2** *(fig.)* gall; *(odio)*
hatred; *(rancore)* rancour.

fienagione *s.f.* **1** *(il tagliare il fieno)* haymaking **2**
(epoca del taglio del fieno) hay-time.

fienile *s.m.* hay-loft.

fieno *s.m.* hay: *meta di* —, haystack // *febbre da* —,
hay fever.

fiera[1] *s.f.* fair; *(esposizione)* exhibition // *Fiera Campionaria di Milano*, Milan Trade Fair.

fiera[2] *s.f.* *(animale feroce)* wild beast.

fierezza *s.f.* **1** fierceness, cruelty **2** *(orgoglio)*
pride **3** *(audacia)* boldness.

fiero *agg.* **1** *(crudele)* fierce, cruel **2** *(orgoglioso)*
proud **3** *(audace)* bold, daring.

fievole *agg.* feeble, weak; *(di luce, suono)* dim.

fifa *s.f.* *(fam.)* funk // *aver* —, to be in a funk.

fifone *s.m.* *(fam.)* funk.

figlia *s.f.* **1** daughter **2** *(fig.)* *(bolletta)* counterfoil;
(comm.) leaf.

figliare *v.tr.* to bring* forth; *(della cagna)* to pup; *(della
cavalla)* to foal; *(della gatta)* to kitten; *(della mucca)* to
calve; *(della pecora)* to lamb; *(della scrofa)* to pig; *(di
bestia feroce)* to cub.

figliastra *s.f.* stepdaughter.

figliastro *s.m.* stepson // *i figliastri*, stepchildren.

figlio *s.m.* son; *(fam.)* boy; *(bambino)* child *(pl.* children): *i miei figli*, my children // — *di papà*, spoilt
young man // — *di mamma*, mama's boy // *è* — *d'arte*, acting runs in his family // *tal padre, tal* —, like son.
father, like son.

figlioccia *s.f.* goddaughter.

figlioccio *s.m.* godson.

figliola *s.f.* **1** *(figlia)* daughter **2** *(ragazza)* girl.

figliolanza *s.f.* children *(pl.)*: *una numerosa* —, a large
family.

figliolo *s.m.* **1** *(figlio)* son **2** *(ragazzo)* boy.

figura *s.f.* **1** figure // — *retorica*, figure of speech // *ritratto a mezza* —, half-length portrait // *un vestito che fa* —, a dress that looks well // *fare la* — *dello sciocco*, to play the fool // *fare una bella, cattiva* —, to cut a fine, poor figure; *fare una* — *barbina*, to cut a very poor figure **2** (*illustrazione*) illustration, picture; (*tavola*) plate **3** (*personaggio*) plate; (*di romanzo, opera teatrale*) character **4** (*mus.*) figure **5** (*nelle carte da gioco*) court card; (*negli scacchi*) piece **6** (*danza, pattinaggio*) figure.

figurante *s.m.* e *f.* walk on, supernumerary.

figurare *v.tr.* **1** (*rappresentare*) to represent **2** (*immaginare*), to imagine, to fancy; (*pensare*) to think*: *me l'ero figurato diverso*, he is different from what I had imagined; *figurati che l'avevo scambiato per suo fratello!*, just think (*o* imagine) I had mistaken him for his brother!; *«Ti, la disturbo?», «Figurati, si figuri!»*, "Am I bothering you", "Not at all!" // *figuriamoci!, figurati, (altro che)* you bet! (*o* you must be joking); (*neanche per sogno*) not on your life; (*ma va là*) come on! ♦ *v.intr.* **1** (*far figura*) to cut* a good figure, to look well **2** (*apparire*) to appear, to be*.

figurativo *agg.* figurative.

figurato *agg.* **1** figure (*attr.*): *ballo* —, figure dance **2** (*illustrato*) picture (*attr.*), illustrated **3** (*ret.*) figurative.

figurazione *s.f.* figuration.

figurina *s.f.* **1** (*statuetta*) figurine, statuette **2** (*cartoncino*) coupon, card.

figurinista *s.m.* e *f.* (*moda*) fashion designer; (*teatr.*) costume designer.

figurino *s.m.* **1** (*modello*) fashion plate **2** (*giornale di moda*) fashion journal.

figuro *s.m.* (*spreg.*) blackguard, scoundrel, villain.

fila *s.f.* **1** row, line, file: *in prima* —, in the front row // — *di stanze*, suite of rooms // *il maestro mise in* — *gli alunni*, the schoolmaster lined up his pupils // *fare la* —, to queue (up) (*o* to line up) // *di* —, (*uno dopo l'altro*) in succession; (*ininterrottamente*) continuously: *piove per dieci giorni di* —, it rained for ten days running (*o* in a row) // *in* — *indiana*, in single (*o* Indian) file // *un fuoco di* — *di domande*, a barrage of questions // *per* — *destra, sinistra!*, right, left wheel! // *rompete le file!*, dismiss! **2** *pl.* (*esercito*) army (*sing.*).

filaccia *s.f.* ravellings (*pl.*): — *di lino*, lint.

filaccioso *agg.* **1** (*di stoffa*) easily-frayed **2** (*filamentoso*) filamentous.

Filadelfia *no.pr.f.* Philadelphia.

filamento *s.m.* filament.

filamentoso *agg.* filamentous, filamentary.

filanca ® *s.f.* stretch-nylon.

filanda *s.f.* spinning mill; (*della seta*) silk mill.

filante *agg.*: *stella* —, (*astr.*) falling star; (*di carta*) (paper) streamer.

filantropia *s.f.* philanthropy.

filantropico *agg.* philanthropic(al).

filantropo *s.m.* philanthropist, philanthrope.

filare¹ *s.m.* row, line.

filare² *v.tr.* **1** to spin* **2** (*mar.*) (*mollare*) to pay* out, to ease off ♦ *v.intr.* **1** (*di liquido, scendere in un filo*) to rope, to be* ropy **2** (*correre*) to run*; (*andar via*) to go* away, to make* off // *fila!*, off with you!; *filate a casa*, go straight home // — *a tutta velocità*, (*aut.*) to go flat out // — *a tredici nodi*, (*mar.*) to do thirteen knots **3** (*comportarsi bene*) to behave // *far* — *qlcu.*, to make s.o. behave (*o* to make s.o. toe the line) **4** (*amoreggiare*) to date (s.o.), to go* steady (with s.o.).

filarmonica *s.f.* philharmonic.

filarmonico *agg.* e *s.m.* philharmonic.

filastrocca *s.f.* **1** (*per bambini*) nursery rhyme **2** (*discorso sconnesso, lungo, noioso*) rigmarole, balderdash.

filatelia *s.f.* philately.

filatelico *agg.* philatelic ♦ *s.m.* philatelist.

filato *agg.* **1** spun // *zucchero* —, candy floss **2** (*coerente*) consistent: *discorso, ragionamento* —, consistent speech, reasoning **3** (*di seguito*): *dieci giorni filati*, ten days on end (*o* running) ♦ *s.m.* (*ind. tessile*) yarn: — *casalingo*, homespun yarn; — *da maglieria*, knitting (*o* hosiery) yarn; — *sintetico*, synthetic yarn.

filatoio *s.m.* **1** spinning wheel; (*mecc.*) spinning machine, spinning frame **2** (*filanda*) spinning mill.

filatura *s.f.* **1** (*ind. tessile*) spinning: — *della lana*, wool spinning **2** (*filanda*) spinning mill.

file (*ingl.*) *s.m.* (*informatica*) (*IBM*) file: — *di dati*, data file; — *di emissione, di uscita*, output file; — *di immissione*, di ingresso, input file; — *di movimenti*, transaction file; — *protetto*, locked file.

filettare *v.tr.* **1** to ornament, to border (with thin ribbons, strings etc.) **2** (*mecc.*) to thread.

filettatura *s.f.* **1** edging, trimming, border **2** (*mecc.*) screw cutting; (*filetto*) (screw) thread: — *semplice*, single screw thread.

filetto *s.m.* **1** (*bordo*) border **2** (*sottile tratto di penna*) serif **3** (*mil.*) stripe **4** (*tip.*) rule **5** (*mecc.*) (*di vite*) thread **6** (*cuc.*) fil(l)et **7** — *della lingua*, (*anat.*) fraenum.

filiale *agg.* filial ♦ *s.f.* (*comm.*) branch; (*di banca*) branch(office).

filiazione *s.f.* **1** filiation **2** (*derivazione*) derivation.

filibustiere *s.m.* **1** (*st.*) filibuster, pirate **2** (*fig.*) (*farabutto*) scoundrel.

filiera *s.f.* (*mecc.*) (screw cutting) die; (*trafila*) draw -plate; (*ind. tessile*) spinneret(te).

filiforme *agg.* threadlike, filiform.

filigrana *s.f.* **1** filigree **2** (*di carta*) watermark.

filigranato *agg.* **1** filigreed **2** (*di carta*) watermarked.

filippica *s.f.* philippic, tirade.

Filippine, le *no.pr.f.pl.* the Philippines.

filippino *agg.* Philippine ♦ *s.m.* native of the Philippines.

Filippo *no.pr.m.* Philip // — *il Bello*, (*st.*) Philip the Fair.

filisteo *agg.* e *s.m.* **1** (*Bibbia*) Philistine **2** (*spreg.*) philistine.

fillossera *s.f.* (*zool.*) phylloxera.

film *s.m.* film, (motion) picture; (*amer.*) movie: — *muto*, silent film; — *parlato*, talking picture (*o sl.* talkie); — *sonoro*, sound film; — *al rallentatore*, slow-motion picture.

filmare *v.tr.* to film; (*spec. brevi scene*) to shoot*.

filmina *s.f.* filmstrip.

filo *s.m.* [*pl.m.* fili; *pl.f.* fila *in alcune espressioni particolari*] **1** thread; (*ind. tessile*) yarn: — *per cucire*, sewing thread; — *di ordito*, warp yarn; — *difettoso*, spotted yarn; — *forte*, firm yarn; *guanti di* — *di Scozia*, lisle (*o* cotton) gloves; *lana a sei fili*, six-ply wool // *un* — *d'aria*, a breath of air // *un* — *d'erba*, a blade of grass // *un* — *di fumo*, a wisp of smoke // *per* — *e per segno*, in detail (*o* thoroughly) // *ho preso il treno per un* —, I caught the train by the skin of my teeth // *la poverina era ridotta a un* —, the poor thing was worn to a shadow // *rimane un* — *di speranza*, there is still a faint hope // *parlare con un* — *di voce*, to speak in a very weak (*o* thin) voice // *dare del* — *da torcere a qlcu.*, to give s.o. a lot of trouble; (*essere un avversario difficile*) to be a hard nut to crack for s.o. // *essere appeso a un* —, to hang by a thread // *fare il — a qlco.*, to have one's eye on sthg.; *fare il — a qlcu.*, to date (*o* to court) s.o. // *perdere il — del ragionamento*, to lose the thread of one's argument **2** (*tecn.*) wire: — *adduttore*, (*elettr.*) lead; — *di ferro, metallico*, wire; — *di terra*, (*elettr. rad.*) earth wire; — *spinato*, barbed wire // — *a piombo*, (*edil.*) plumb(-line) **3** (*taglio*) edge // *passare qlcu. a fil di spada*, to put s.o. to the sword **4** *pl.*: *le fila di una storia*, the threads of a story; *è lui che tiene le fila*, (*fig.*) he is the one who holds the reins; *imbrogliare le fila*, to muddle things up.

filobus *s.m.* trolleybus.

filocomunista *agg.* pro-communist ♦ *s.m. e f.* fellow traveller.

filodendro *s.m.* (*bot.*) philodendron.

filodiffusione *s.f* wire broadcasting.

filodrammatico *agg.*: *compagnia filodrammatica*, company of amateur actors // *rappresentazioni filodrammatiche*, amateur theatricals ♦ *s.m.* amateur actor.

filologia *s.f.* philology.

filologico *agg.* philologic(al).

filologo *s.m.* philologist.

filone *s.m.* **1** (*geol.*) seam, vein, lode: — *di lava*, stream of lava **2** (*di fiume*) current **3** (*di pane*) French bread **4** (*fig.*) current.

filoneismo *s.m.* (*rar.*) avant-garde enthusiasm.

filosofare, filosofeggiare *v.intr.* to philosophize.

filosofia *s.f.* philosophy: *dottore in —*, Doctor of Philosophy // *prendila con —!*, take it easy!

filosoficamente *avv.* philosophically.

filosofico *agg.* philosophic(al).

filosofo *s.m.* philosopher.

filovia *s.f.* **1** trolleybus line **2** (*filobus*) trolleybus.

filoviario *agg.* trolleybus (*attr.*).

filtrabile *agg.* filterable.

filtrare *v.tr.* to filter, to filtrate ♦ *v.intr.* **1** to filter; (*di caffè*) to percolate: *la luce filtrava da sotto la porta*, the light filtered through under the door **2** (*fig.*) (*trapelare*) to ooze out, to filter.

filtro[1] *s.m.* **1** filter; (*di sigaretta*) filter tip: *sigarette con —*, filter cigarettes; (*di luce*, colour screen (*o* light filter) **2** (*colino*) (*da brodo, tè*) strainer.

filtro[2] *s.m.* (*pozione magica*) philtre.

filugello *s.m.* (*zool.*) silkworm.

filza *s.f.* **1** string // *una — di numeri*, a string of numbers **2** (*di documenti*) file **3** (*punto di cucito*) running stitch.

finale *agg.* **1** (*ultimo*) last; (*conclusivo*) final: *esame — di diritto*, law final **2** (*fil. gramm.*) final ♦ *s.m.* **1** (*di opere teatrali ecc.*) conclusion **2** (*mus.*) finale ♦ *s.f.* **1** (*desinenza*) ending **2** (*sport*) final: *entrare in —*, to get to the finals.

finalismo *s.m.* (*fil.*) finalism.

finalista *s.m. e f.* (*sport*) finalist.

finalità *s.f.* **1** aim, purpose **2** (*fil.*) finality.

finalmente *avv.* **1** at last **2** (*in ultimo*) finally.

finanche, financo *avv.* (*rar.*) even.

finanza *s.f.* **1** finance: *mondo della —*, financial world; *scienza delle finanze*, finance; *entrare nella —*, to go into finance **2** *pl.* (*entrate dello Stato*) finances; public revenue (*sing.*): *funzionario della —*, revenue officer; *intendenza di —*, revenue office // *guardia di —*, (*doganiere*) customs officer // *le mie finanze sono in ribasso*, (*fam.*) I am short of cash.

finanziamento *s.m.* **1** financing **2** (*fondi*) funds (*pl.*).

finanziare *v.tr.* to finance.

finanziaria *s.f.* finance company.

finanziario *agg.* financial: *essere in buone condizioni finanziarie*, to be well off (*o* to be in easy circumstances); (*comm.*) to enjoy a good financial position; *essere in cattive condizioni finanziarie*, to be in straitened circumstances; (*comm.*) to be in financial difficulties; *società finanziaria*, holding; *mercato —*, financial market.

finanziera *s.f.* **1** (*moda*) frock coat; (*amer.*) Prince Albert **2** (*cuc.*) ragout prepared with chicken giblets.

finanziere *s.m.* financier; (*guardia di finanza*) customs officer.

finché *cong.* **1** till, until: *lo aspetterò — (non) verrà*, I'll wait for him until (*o* till) he comes **2** (*per tutto il tempo che*) as long as: — *vivrò*, as long as I live.

fine[1] *s.f.* end: *a — mese*, at the end of the month; *alla — della giornata*, at the end of the day // *mettere a qlco.*, to put an end to sthg. // *è la —*, this is the end; *è il principio della —*, it's the beginning of the end // *giungere alla —*, to come to an end // *era vicino alla —*, he was nearing his end // *in fin di vita*, at the point of death // *volgere alla —*, to draw to an end (*o* to a close) // —, (*al termine di opere letterarie, pellicole ecc.*) the end // — *settimana*, weekend // *alla —*, *in fin dei conti*, in the end; *alla fin —*, (*fam.*) after all // *senza —*, endless // *fare una brutta —*, to come to a bad end // *che — ha fatto la mia penna?*, where has my pen got to? ♦ *s.m.* **1** (*scopo*) purpose, end, aim: *il — ultimo*, the ultimate aim (*o* purpose) // *a — di*, in order to // *a fin di bene*, with the best intentions // *al solo — di*, with the sole object of // *avere un secondo —*, to have a hidden purpose **2** (*risultato, conclusione*) result, conclusion, issue: *portare un affare a buon —*, to carry a matter through // *a lieto —*, with a happy ending.

fine[2] *agg.* fine; (*acuto*) subtle; (*raffinato*) refined: *lineamenti fini*, fine features; *ironia —*, subtle irony; *udito —*, sharp (*o* keen) ear.

finestra *s.f.* window: — *a battenti*, casement window; — *a ghigliottina*, sash window // *o mangiar questa minestra o saltar questa —*, (*prov.*) there's no choice between the devil and the deep blue sea // *stare alla —*, (*fig.*) to wait and see.

finestrino *s.m.* (*di treno, di auto*) window: — *abbassabile*, drop window.

finezza *s.f.* fineness; (*raffinatezza*) finesse, polish; (*acume*) subtlety.

fingere *v.tr. e intr.* to pretend, to feign: *fingerò di non conoscerti*, I'll pretend I don't know you; *fingeva di essere ubriaco*, he pretended to be drunk; — *indifferenza*, to feign indifference // -ersi *v.rifl.* to pretend: *si finse ammalato*, he pretended to be ill.

finimenti *s.m.pl.* harness (*sing.*): *mettere i — a un cavallo*, to harness a horse.

finimondo *s.m.*: *che —!*, what a pandemonium!; *è successo un —*, there was hell to pay.

finire *v.tr.* **1** to finish; (*metter fine a*) to end: *ho finito di leggere il tuo libro*, I finished (reading) your book; *finì il suo discorso con queste parole...*, he ended his speech with these words... // — *i propri giorni*, to pass away // — *uno*, to finish s.o. off **2** — *di*, to stop (*più ger.*): *finiscila di seccarmi*, stop bothering me; *finiscila di gridare così!*, (will you) stop shouting like that! // *finiscila!*, stop it! ♦ *v.intr.* **1** to finish, to end, to come* to an end: *lo spettacolo finisce alle 11*, the show finishes at 11 o'clock; *uscì prima che il film fosse finito*, he came out before the end of the film; *la lezione è finita*, the lesson s over; *far — qlco.*, to put an end to sthg.; *un discorso che non finisce più*, an endless speech (*o* a speech that goes on and on) // *— col, per fare qlco.*, to end (up) by doing sthg. // *la cosa non finisce qui!*, that's not the end (*o* the last) of it // *tutto finì in una risata*, it all ended up in laughter // *— male*, to come to a bad end // *— in fumo*, to end in smoke // *tutto è bene ciò che finisce bene, (prov.)* all's well that ends well **2** *(essere esaurito)* to be* finished; *(di merci)* to be* sold out: *quel tessuto è finito*, that material is sold out **3** *(sboccare)* to end **4** *(capitare; essere mandato)* to end up: *— in prigione*, to end up in prison // *dov'è andato a — il mio libro?*, where has my book got to?

finissaggio *s.m. (ind.)* finishing.

finitezza *s.f.* (high) finish.

finito *agg.* **1** finished: *la commedia è finita*, the play is over; *il tempo a vostra disposizione è —*, your time is up // *è finita!*, it's all over! // *farla finita con*, to put an end to: *facciamola finita con questi imbrogli*, let's put a stop to (*o* let's put an end to) this cheating; *fatela finita!*, have done with it! **2** *(perfetto)* perfect, accomplished **3** *(spacciato)* done for *(pred.)*; through: *sei —, era la tua ultima occasione*, you're through, that was your last chance; *è un uomo —*, he is done for; *(senza salute)* he is a broken man **4** *(gramm.)* finite.

finitura *s.f.* finish(ing): *dare l'ultima — a un vestito*, to give the finishing touches to a dress.

finlandese *agg.* Finnish ♦ *s.m.* **1** *(abitante)* Finn, Finlander // *i Finlandesi*, the Finns **2** *(lingua)* (the) Finnish (language).

Finlandia *no.pr.f.* Finland.

finnico *agg.* Finnic.

fino[1] (a) *prep.* **1** *(tempo)* till, until; up to: *— a domani*, till tomorrow; *— a ora*, till now (*o* so far *o* up to now); *— al 31 dicembre*, up to (*o* till *o* until) December 31st; *— a quel momento*, till that moment (*o* up to that moment) // *da... — a*, from... to // *— a quando?*, till when?; *(per quanto tempo?)* how long? **2** *(spazio)* as far as; up to: *— a Napoli*, as far as Naples; *— a questo punto*, up to this point; *fin là*, as far as there // *da Roma — a Milano*, from Rome to Milan // *fin dove, — a che punto?*, how far? // *fin dove*, to where; *(fig.)* as far as // *— all'ultimo*, to the last // *— all'ultimo centesimo*, to the last penny; *— all'ultimo uomo*, to the last man **3** *(seguito da inf.)* so much that: *gridò — a perdere il fiato*, he shouted so much that he was out of breath // *fino da locuz.prep.* **1** *(tempo)* since: *fin d'allora, fin da ieri, fin dal 1800*, since then, since yesterday, ever since 1800; *fin dalla sua infanzia*, since his childhood; *fin da quando*, since; *fin da quando?*, since when? // *fin da domani*, from tomorrow // *fin d'ora*, from now on; *(subito)* right now **2** *(spazio)* from ♦ *avv. (persino)* even // *fin che, fino a che locuz.cong.* → **finché**.

fino[2] *agg.* **1** *(acuto, sottile)* subtle **2** *(puro)* refined.

finocchio *s.m.* **1** fennel **2** *(omosessuale)* poof, queen, queer.

finora *avv.* till now, up to now; *(per ora)* so far: *— non l'ho visto*, I haven't seen him so far (*o* up to now); *— non ne avevo mai sentito parlare*, I had never heard of it up to now (*o* till now *o* before).

finta *s.f.* **1** pretence, sham: *è tutta una —*, it is all pretence (*o* sham); *far — di...*, to pretend (*o* to feign) to...: *far — di niente*, to pretend not to notice **2** *(sport)* feint.

fintantoché *cong.* → **finché**.

finto *agg.* **1** *(falso)* false; *(simulato)* feigned, pretended **2** *(non reale)* sham *(attr.)*, mock *(attr.)*: *— attacco*,

mock attack **3** *(artificiale)* artificial: *fiori finti*, artificial flowers; *perle finte*, imitation pearls.

finzione *s.f.* **1** pretence, sham; *(falsità)* falsehood **2** *(immaginazione)* fiction: *— scenica*, stage fiction.

fio *s.m.*: *pagare il — di qlco.*, to pay the penalty of sthg.

fioccare *v.intr.* **1** *impers.* to snow **2** *(fig.)* to shower: *fioccarono i regali*, there was a shower of gifts.

fiocco[1] *s.m.* **1** bow; *(nappa)* tassel // *coi fiocchi*, first rate **2** *(batuffolo di lana, cotone ecc.)* flock **3** *(falda)* flake: *— di neve*, snowflake.

fiocco[2] *s.m. (mar.)* jib.

fiochezza *s.f. (di luce)* dimness; *(di suono)* faintness.

fiocina *s.f.* harpoon.

fiocinare *v.tr.* to harpoon.

fioco *agg. (di luce)* dim; *(di suono)* faint: *con voce fioca*, in a faint voice.

fionda *s.f.* catapult, sling.

fioraia *s.f.* florist; *(ambulante)* flower girl.

fioraio *s.m.* florist; *(ambulante)* flower vendor.

fiorame *s.m.*: *a fiorami*, flowered *(attr.)*.

fiorato *agg.* flowered.

fiordaliso *s.m.* cornflower, bluebottle.

fiordo *s.m.* fjord, fiord.

fiore *s.m.* **1** flower; *(spec. di albero da frutto)* blossom: *fiori artificiali*, artificial flowers; *fiori di ciliegio*, cherry blossoms // *essere in —*, to be in bloom (*o* in flower); *(di alberi da frutto)* to be in blossom **2** *(parte scelta)* cream: *— di latte*, cream; *il — della società*, the cream of society // *un — di mascalzone*, a prize rascal (*o* a first class rogue); *un — di ragazza*, an attractive (*o* lovely) girl; *è un — di galantuomo*, he is an upright man through and through // *essere nel — degli anni*, to be in the prime of life // *ha fior di quattrini*, he has pots of money **3** *pl. (nelle carte)* clubs **4** *(superficie)*: *ella pregava a fior di labbra*, she was whispering her prayers; *ho i nervi a fior di pelle*, my nerves are on edge; *a fior d'acqua*, on the surface of the water.

fiorellino *s.m.* floweret.

fiorente *agg.* **1** thriving, flourishing **2** *(di ragazza)* comely, buxom.

fiorentino *agg. e s.m.* Florentine..

fioretto[1] *s.m. (scherma)* foil.

fioretto[2] *s.m.* **1** *(il meglio di qlco.)* flower // *«I Fioretti di san Francesco»*, "The Little Flowers" of St. Francis" **2** *(piccola rinuncia)* act of mortification **3** *pl. (mus. ret.)* flourishes, embellishments.

fioriera *s.f.* flowerstand, jardinière.

fiorino *s.m. (moneta)* florin.

fiorire *v.intr.* **1** to flower, to bloom; *(spec. di alberi da frutto)* to blossom **2** *(fig.)* to flourish **3** *(chim.)* to effloresce.

fiorista *s.m. e f.* fiorist.

fiorito *agg.* **1** full of flowers; *(in fiore)* in flower *(pred.)* in bloom *(pred.)*; *(spec. di alberi da frutto)* in blossom *(pred.)*: *un prato —*, a meadow full of flowers **2** *(fig.)* flovery, florid **3** *(chim.)* covered with efflorescence.

fioritura *s.f.* **1** flowering, blooming; *(spec. di alberi da frutto)* blossoming: *epoca della —*, blossoming season // *quell'albero ha una bella —*, that tree has beautiful blossom **2** *(fig.)* flourishing **3** *(chim.)* efflorescence.

fiorone *s.m. (bot.)* early fig.

fiotto *s.m.* gush: *sgorgare a fiotti*, to gush forth.

Firenze *no.pr.f.* Florence.

firma *s.f.* **1** signature: *apporre la propria — a qlco.*, to put one's signature to sthg. // *ci farei la —!*, *(fam.)* I'd settle for that! **2** *(nome famoso)* famous name.

firmamento *s.m.* firmament.

firmare *v.tr.* to sign; (*sottoscrivere*) to subscribe.

firmatario *s.m.* signatory, signer; (*sottoscrittore*) subscriber: *il — di un accordo*, the signatory to an agreement.

fisarmonica *s.f.* accordion.

fisarmonicista *s.m. e f.* accordionist, accordion player.

fiscale *agg.* **1** fiscal: *ritenuta —*, tax at source // *legislazione —*, revenue laws // *anno —*, financial year **2** (*fig.*) (*rigoroso*) rigorous, strict.

fiscalismo *s.m.* **1** rigorous tax system **2** (*rigorismo*) rigour.

fiscalità *s.f.* fiscality; (*sistema fiscale*) financial system.

fiscalizzazione *s.f.* state financing, state coverage (of).

fischiare *v.intr.* **1** to whistle; (*in segno di disapprovazione*) to hiss; (*di sirena, segnale acustico*) to hoot **2** (*di orecchi*) to buzz: *mi fischiano le orecchie*, I have a buzzing in my ears; (*parlano di me*) my ears are burning **3** (*di proiettile ecc.*) to whiz(z), to whir(r) ♦ *v.tr.* **1** to whistle: *— un'aria*, to whistle a tune **2** (*in segno di disapprovazione*) to hiss, to hoot, to boo: *fu fischiato e dovette lasciare il palcoscenico*, he was hissed off the stage.

fischiata *s.f.* whistling; (*di disapprovazione*) hissing, hooting.

fischiatore *agg.* whistling ♦ *s.m.* whistler.

fischiettare *v.tr.* to whistle.

fischietto *s.m.* whistle; (*mar.*) pipe.

fischio *s.m.* **1** whistle; (*di disapprovazione*) hiss; (*di sirena*) hoot; (*di proiettile*) whiz(z), whir(r) **2** (*nelle orecchie*) buzzing.

fischione *s.m.* (*zool.*) curlew.

fisciù *s.m.* (*sciolletto*) fichu.

fisco *s.m.* **1** (*tesoro pubblico*) public treasury; (*in Gran Bretagna*) Treasury, Exchequer **2** (*entrate dello Stato*) public revenue; (*in Gran Bretagna*) Inland Revenue **3** (*funzionari fiscali*) revenue authorities (*pl.*).

fisica *s.f.* physics.

fisico *agg.* physical; (*del corpo*) bodily ♦ *s.m.* **1** (*scienziato*) physicist **2** (*costituzione*) physique, constitution **3** (*figura*) figure.

fisima *s.f.* (*capriccio*) whim; (*fantasia, ghiribizzo*) fancy: *quante fisime (hai)!*, (*fam.*) how fussy you are!

fisiologia *s.f.* physiology.

fisiologico *agg.* physiological.

fisionomia *s.f.* **1** physiognomy; (*volto*) face; (*lineamenti*) features (*pl.*): *la sua — non mi è nuova*, his face is familiar to me **2** (*aspetto caratteristico di un luogo ecc.*) appearance, aspect: *la — di un luogo*, the aspect of a place.

fisionomico *agg.* physiognomic(al).

fisionomista *s.m. e f.* physiognomist // *è un buon —*, he has a good memory for faces.

fisioterapia *s.f.* physiotherapy.

fissaggio *s.m.* **1** (*mecc.*) fixing, fastening, clamping **2** (*chim. fot.*) fixing: *bagno di —*, fixing bath.

fissare *v.tr.* **1** to fix, to fasten, to secure; (*con spillo*) to pin // *— qlco. nella memoria*, to fix sthg. in one's memory **2** (*guardare fissamente*) to gaze (at s.o., sthg.), to stare (at s.o., sthg.), to look hard (at s.o., sthg.): *non è educato — le persone*, it's not polite to stare at people // *— qlcu. in viso*, to look s.o. in the face **3** (*stabilire*) to fix, to appoint: *— un appuntamento*, to fix an appointment: *l'appuntamento è fissato per il 31 luglio*, the appointment has been arranged (*o* fixed) for 31st July // *— la residenza*, to take up one's residence **4** (*prenotare*) to engage, to book, to reserve **5** (*chim. fot.*) to fix

// **-arsi** *v.intr.pron.* **1** to be* fixed: *i suoi occhi si fissarono sul quadro*, he fixed his eyes (*o* his eyes were fixed) on the picture **2** (*ostinarsi*) to fix one's mind (*or* sthg.), to set* one's heart (*on* sthg.): *si è fissato di voler fare il fantino*, he has set his heart on being a jockey **3** (*stabilirsi*) to settle, to take* up ones residence.

fissato *agg.* maniac: *poveretto, è —*, poor fellow, he is obsessed (*o* he has got a bee in his bonnet).

fissato-bollato *s.m.* (*Borsa*) bought contract, contract note.

fissatore *s.m.* **1** (*chim. fot.*) fixer // *bagno —*, fixing bath **2** (*per capelli*) setting lotion.

fissazione *s.f.* **1** fixation **2** (*idea fissa*) fixed idea, obsession; (*med.*) monomania **3** (*chim. fot.*) fixing.

fissile *agg.* (*fis.*) fissionable, fissile.

fissione *s.f.* (*fis.*) fission.

fissità *s.f.* fixity; (*di sguardo*) steadiness.

fisso *agg.* fixed: *chiodo, idea fissa*, fixed idea; *sguardo —*, fixed look; (*a*) *prezzi fissi*, (at) fixed prices // *luce fissa*, steady light // *impiego —*, regular job // *senza fissa dimora*, with no fixed address // *reddito —*, steady income // *a intervalli fissi*, at regular intervals ♦ *avv.*: *guardare — qlcu., qlco.*, to stare (at) s.o., sthg.

fistola *s.f.* **1** (*mus.*) Pan-pipe **2** (*med.*) fistula.

fitoterapia *s.f.* (*bot.*) phytotherapy.

fitta *s.f.* sharp pain: *ho una — al fianco*, I have a stitch in my side // *provare una — al cuore*, to feel a pang.

fittavolo *s.m.* tenant.

fittile *agg.* fictile; clay (*attr.*).

fittizio *agg.* **1** fictitious, sham (*attr.*) **2** (*informatica*) dummy.

fitto[1] *agg.* **1** (*conficcato*) driven in **2** (*denso, spesso*) thick, dense (*anche fig.*): *una rete fitta*, a close net; *è buio —*, *notte fitta*, it is pitch dark // *a capo —*, headlong (*anche fig.*) ♦ *s.m.* thick: *nel — della foresta*, in the thick (*o* depth) of the forest.

fitto[2] *s.m.* (*affitto*) rent.

fittone *s.m.* (*bot.*) tap root.

fiumana *s.f.* **1** swollen stream **2** (*fig.*) stream.

fiume *s.m.* **1** river: *bacino di —*, river basin; *letto di —*, riverbed **2** (*fig.*) flood, stream, torrent: *un — di lacrime*, a flood of tears; *un — di parole*, a torrent of words.

fiutare *v.tr.* **1** to smell*; (*rumorosamente*) to sniff **2** (*seguire col fiuto*) to scent: *— la selvaggina*, to scent game **3** (*intuire*) to scent, to smell*: *— un imbroglio*, (*fam.*) to smell a rat.

fiuto *s.m.* scent, nose, sense of smell: *il cane riconosce al — il padrone*, a dog recognizes his master's scent // *avere buon — per qlco.*, (*fig.*) to have a good flair (*o* nose) for sthg.

flabello *s.m.* (*eccl.*) flabellum (*pl.* flabella).

flaccido *agg.* flabby, flaccid.

flacone *s.m.* bottle.

flagellare *v.tr.* **1** to flagellate, to scourge, to whip **2** (*del mare*) to lash // **-arsi** *v.rifl.* to whip oneself.

flagellazione *s.f.* flagellation, scourging.

flagello *s.m.* **1** (*frusta*) scourge, whip **2** (*fig.*) scourge, plague; (*calamità*) calamity; (*rovina*) ruin.

flagrante *agg.* (*dir.*) flagrant // *cogliere qlcu. in —*, to catch s.o. in the act (*o* to catch s.o. red-handed).

flagranza *s.f.* (*dir.*) flagrancy.

flan (*franc.*) *s.m.* (*cuc.*) flan.

flanella *s.f.* flannel: *pantaloni di —*, flannels.

flangia *s.f.* (*tecn.*) flange.

flano *s.m.* (*tip.*) flong.

flato *s.m.* flatus.

latulenza *s.f.* flatulence.

lautato *agg.* fluty: *voce flautata*, flute-like voice.

lautista *s.m.* e *f.* flautist, flute player.

lauto *s.m.* flute.

lebile *agg.* 1 (*lamentevole*) plaintive 2 (*debole*) faint.

lebite *s.f.* phlebitis.

leboclisi *s.f.* (*med.*) phleboclysis.

lemma *s.f.* 1 (*calma*) coolness, phlegm, calmness 2 (*med.*) phlegm.

lemmatico *agg.* phlegmatic.

lemmone *s.m.* (*med.*) phlegmon.

lessibile *agg.* flexible (*anche fig.*), pliable (*anche fig.*).

lessibilità *s.f.* flexibility (*anche fig.*), pliability (*anche fig.*).

lessione *s.f.* 1 flexion 2 (*fig.*) (*diminuzione*) fall 3 (*sport*) bending 4 (*gramm.*) flexion.

lessuoso *agg.* flexuous; (*di corpo*) supple.

lettere *v.tr.* to bend*, to flex.

licorno *s.m.* (*mus.*) tuba.

lirt *s.m.* flirt, flirtation.

lirtare *v.intr.* to flirt.

lora *s.f.* flora.

loreale *agg.* floral // *stile* —, art nouveau (style).

loricoltore *s.m.* floriculturist.

loricoltura *s.f.* floriculture.

loridezza *s.f.* prosperity; (*di salute*) healthy appearance.

lorido *agg.* thriving, flourishing: *un bambino* —, a plump child; *una donna florida*, a buxom woman; *un aspetto* —, a healthy aspect; *un'industria florida*, a flourishing industry.

lorilegio *s.m.* florilegium (*pl.* florilegia).

loscio *agg.* flabby (*anche fig.*).

lotta *s.f.* fleet.

lottiglia *s.f.* flotilla.

luente *agg.* flowing (*anche fig.*) // *discorso* —, fluent speech.

luentemente *avv.* fluently.

luidificato *agg.* fluidised, fluidified.

luidità *s.f.* 1 fluidity (*anche fig.*) 2 (*scorrevolezza*) fluency.

luido *agg.* fluid; (*scorrevole*) flowing, fluent // *situazione fluida*, unstable situation ♦ *s.m.* fluid: — *magnetico*, magnetic fluid.

luire *v.intr.* to flow.

luodinamica *s.f.* flow dynamics.

luorescente *agg.* fluorescent.

luorescenza *s.f.* fluorescence.

luoro *s.m.* fluorine.

lussione *s.f.* (*med.*) fluxion.

lusso *s.m.* 1 flux 2 (*di marea*) flood (tide): — *e riflusso*, (*anche fig.*) ebb and flow 3 (*informatica*) flow: — *dei messaggi in rete*, message traffic; — *di immissione*, flow stream.

lussometro *s.m.* flowmeter; (*per misurare il flusso di induzione magnetica*) fluxmeter.

lutto *s.m.* wave, billow.

luttuante *agg.* fluctuating, floating: *debito* —, floating debt; *prezzi fluttuanti*, fluctuating prices.

luttuare *v.intr.* to fluctuate; (*fig.*) to waver.

luttuazione *s.f.* fluctuation (*anche fig.*); (*econ.*) floating.

luviale *agg.* river (*attr.*), fluvial.

lobia *s.f.* phobia; (*avversione*) aversion (to); (*odio*) hatred.

loca *s.f.* seal: *pelle, pelliccia di* —, sealskin.

locaccia *s.f.* cake // *render pan per* —, (*prov.*) to give tit for tat.

locale *agg.* (*ott.*) focal: *distanza* —, focal length.

focalizzare *v.tr.* to bring* into focus: — *i termini del problema*, to bring the terms of the problem into focus.

foce *s.f.* mouth, outlet.

focolaio *s.m.* (*med.*) focus; (*fig.*) hotbed.

focolare *s.m.* 1 hearth: *presso il* —, by the fireside 2 (*casa, famiglia*) home 3 (*mecc.*) furnace.

focomelia *s.f.* (*med.*) phocomelia.

focomelico *agg.* phocomelic.

focoso *agg.* hot, fiery: *cavallo* —, fiery (*o* mettlesome) horse; *temperamento* —, hot temper.

fodera *s.f.* 1 (*interna*) lining 2 (*copertura*) cover.

foderare *v.tr.* 1 to line (with sthg.) 2 (*rivestire*) to cover.

foderato *agg.* 1 lined: — *di seta*, silk-lined 2 (*rivestito*) covered (with).

fodero *s.m.* scabbard, sheath: *rimettere la spada nel* —, to sheathe the sword.

foga *s.f.* impetuosity; (*ardore*) ardour, passion.

foggia *s.f.* 1 (*moda*) fashion; (*maniera*) manner, way, style // *di vecchia* —, old fashioned 2 (*forma*) shape.

foggiare *v.tr.* to form, to fashion; (*modellare*) to mould.

foglia *s.f.* 1 leaf: — *di tè*, tealeaf; *senza foglie*, leafless; *mettere le foglie*, to bud (*o* to come into leaf *o* to put forth leaves) // *tremare come una* —, to shake like a leaf // *mangiar la* —, (*fig.*) to take the hint // — *d'oro*, gold-leaf 2 (*motivo ornamentale*) foil.

fogliame *s.m.* foliage: *pianta da* —, foliage plant.

foglio *s.m.* 1 sheet: — *da disegno*, drawing sheet; — *di risguardo*, (*tip.*) endpaper, flyleaf; *fogli stesi*, (*tip.*) sheets; — *volante*, leaflet // — *di programmazione*, (*informatica*) coding form // — *di via*, expulsion order; (*mil.*) travel warrant 2 (*pagina*) leaf 3 (*banconota*) banknote 4 (*giornale*) (news)paper 5 (*di metallo*) sheet, plate.

fogliolina *s.f.* leaflet, young leaf.

fogna *s.f.* 1 sewer 2 (*fig.*) cesspool.

fognatura *s.f.* sewerage: — *di una città*, city sewer system.

foia *s.f.* heat; lust (*anche fig.*).

fola *s.f.* 1 fable 2 (*fandonia*) fib.

folade *s.f.* (*zool.*) pholas (*pl.* pholades).

folaga *s.f.* (*zool.*) coot.

folata *s.f.* gust, squall.

folclore *s.m.* folklore.

folcloristico *agg.* folkloristic.

folgorare *v.intr.* 1 (*lampeggiare*) to lighten 2 (*letter.*) (*splendere*) to shine*, to beam ♦ *v.tr.* (*colpire con la folgore*) to strike* with lightning // — *qlcu. con lo sguardo*, to crush s.o. with a look // *rimaner folgorati*, (*da corrente elettrica*) to be electrocuted.

folgorazione *s.f.* striking with lightning // *morte per* —, (*da corrente*) death from electric shock.

folgore *s.f.* lightning, thunderbolt.

folklore *s.m.* → **folclore**.

folla *s.f.* 1 crowd, throng 2 (*fig.*) host: *una* — *di ricordi*, a host of memories.

follatura *s.f.* (*ind. tessile*) fulling.

folle *agg.* 1 (*pazzo*) mad, insane; (*sciocco*) foolish 2 (*aut.*): *in* —, in neutral; *mettere in* —, to put into neutral; *andare, procedere in* —, to coast (*o* to drive in neutral).

folleggiare *v.intr.* 1 (*agire da folle*) to behave* like a fool 2 (*divertirsi*) to make* merry, to frolic.

folletto *s.m.* sprite, elf // *è proprio un* (*vero*) —*!*, (*di bambino*) he's a regular imp!

follia *s.f.* **1** (*pazzia*) madness, lunacy // *amare qlcu. alla* —, to be head-over-heels in love with s.o. **2** (*atto*) sheer folly.

follicolare *agg.* follicular.

follicolo *s.m.* (*anat.*) follicle.

foltezza *s.f.* thickness.

folto *agg.* e *s.m.* thick.

fomentare *v.tr.* to foment, to instigate.

fomentatore *s.m.* fomenter.

fomento *s.m.* fomentation, instigation.

fomite *s.m.* (*letter.*) source, cause.

fon[1] *s.m.* (*fis.*) phon.

fon[2] *s.m.* (*asciugacapelli*) hairdryer.

fonazione *s.f.* (*med.*) phonation.

fonda *s.f.* (*mar.*) anchorage: *andare alla* —, to go to an anchorage; *essere alla* —, to be moored (*o* to ride at anchor).

fondaco *s.m.* **1** (*region.*) (*negozio di tessuti*) draper's shop **2** (*st.*) (*magazzino*) warehouse, store.

fondale *s.m.* **1** (*teatr.*) backdrop, backcloth **2** (*mar.*) depth: — *basso*, shallow (*o* shoal).

fondamentale *agg.* fundamental.

fondamento *s.m.* [*pl.f.* fondamenta *in senso proprio*; *pl.m.* fondamenti *nei sensi fig.*] **1** foundation: *tracciare le fondamenta*, to mark out the foundations **2** (*fig.*) (*base, principio*) basis (*pl.* bases), foundation, ground // *senza* —, groundless: *questa diceria è senza* —, this rumour is entirely without foundation.

fondare *v.tr.* **1** to found; (*una ditta*) to establish: *Casa fondata nel 1859*, House established in 1859 // — *un giornale, una rivista*, to start a newspaper, a magazine // — *un impero*, to build an empire **2** (*fig.*) (*basare*) to found, to base, to ground: — *una teoria su false premesse*, to base a theory on false premises // **-arsi** *v.rifl.* to base oneself (on sthg.), to be* founded (on, upon, in sthg.); (*fare assegnamento*) to rely (on, upon sthg.): — *sulle promesse di qlcu.*, to rely on s.o.'s promises; *mi piacerebbe sapere su che cosa si fonda il suo giudizio*, I'd like to know what he bases his judgement on.

fondatamente *avv.* rightly.

fondatezza *s.f.* (*fig.*) foundation, ground; (*verità*) truth: *senza* —, groundless (*agg.*), groundlessly (*avv.*); *con* —, with grounds.

fondato *agg.* well-grounded, well-founded.

fondatore *s.m.* founder.

fondazione *s.f.* **1** foundation (*anche edil.*): — *di una ditta*, establishment (*o* foundation) of a business **2** (*istituzione*) institution: — *benefica*, welfare institution.

fondello *s.m.* bottom; (*di calzoni*) crotch.

fondente *agg.* melting, fusing ♦ *s.m.* **1** (*metall.*) flux **2** (*dolce*) fondant.

fondere *v.tr.* **1** (*liquefare*) to melt, to fuse // — *le bronzine*, (*aut.*) to burn out the bearings **2** (*far colare in una forma*) to cast*, to mould **3** (*unire*) to blend*; (*società*) to merge: — *due colori*, to blend two colours; — *due partiti*, to unite (*o* to merge) two parties ♦ *v.intr.* to melt // **-ersi** *v.intr.pron.* to melt // — *in lacrime*, to melt into tears ♦ *v.rifl.rec.* (*unirsi*) to blend*; (*di società*) to merge.

fonderia *s.f.* foundry.

fondiario *agg.* landed, land (*attr.*): *proprietà fondiaria*, land(ed) property.

fondina[1] *s.f.* (*fodero di pistola*) holster.

fondina[2] *s.f.* (*region.*) soup plate.

fondista *s.m.* (*sport*) long-distance runner.

fonditore *s.m.* melter, foundryman (*pl.* -men); (*spec. di statue ecc.*) caster.

fondo *agg.* deep // *piatto* —, soup plate ♦ *s.m.* **1** bottom: — *marino*, sea-bottom; *doppio* —, false (*o* double bottom; *a* — *piatto*, flat-bottomed; *dal* — *del mio cuore*, from the bottom of my heart; *andare a* —, to sink; *mandare a* — *una nave*, to sink a ship // *toccare il* —, (*anche fig.*) to touch bottom // *andare al* — *di una questione*, to examine a question thoroughly // *andare fino in* —, (*portare a compimento*) to see sthg. through to the end; (*far luce*) to get to the bottom (of sthg.) // — *stradale*, road bed; — *stradale dissestato*, road surface in bad condition // *il* — *dei calzoni*, the seat // *fondi di magazzino*, remnants (*o* odds and ends) // *da cima a* —, from top to bottom // *in* —, *in* — *in* — after all // *conoscere qlcu., qlco. a* —, to know s.o., sthg. thoroughly // *fare un a* —, (*scherma*) to lunge // *dar* — *al proprio patrimonio*, to squander one's fortune; *dar* — *alle provviste*, to use up one's provisions **2** (*fine, estremità*) end: *in* — *al corridoio*, at the end of the corridor **3** (*natura, indole*) nature **4** (*feccia*) dregs (*pl.*); (*di caffè ecc.*) grounds (*pl.*) **5** (*sfondo*) background **6** (*podere*) farm: — *rustico*, landed property **7** (*denaro*) fund: — *di garanzia*, trust fund; *fondi residui*, surplus funds; *capitale a* — *perduto*, sunk capital; — *di cassa* cash on hand; — *di ammortamento*, (*di società*) sinking fund; *fondi d'investimento*, (*fin.*) (*Gran Bretagna*) unit (*o* investment) trust; (*amer.*) mutual fund; — *d'investimento a capitale fisso, variabile*, closed-end, open-end investment trust; — *di riserva*, reserves // *Fondo Monetario Internazionale*, International Monetary Fund // *fondi neri*, slush fund **8** (*sport*): *linea di* —, (*calcio*) goal line; (*tennis*) baseline.

fondovalle *s.m.* bottom of the valley.

fonendoscopio *s.m.* (*med.*) stethoscope.

fonetica *s.f.* phonetics.

fonetico *agg.* phonetic.

fonico *agg.* phonic, sound (*attr.*).

fonografico *agg.* phonographic.

fonografo *s.m.* phonograph.

fonogramma *s.m.* phonogram.

fonologia *s.f.* phonology.

fonovaligia *s.f.* portable record player.

fontana *s.f.* **1** fountain **2** (*fonte*) spring, source.

fontanella *s.f.* (*anat.*) fontanel(le).

fontanile *s.m.* (*geol.*) spring.

fonte *s.f.* **1** spring; (*fontana*) fountain **2** (*fig.*) source // *sapere da buona, sicura* —, to have on good authority ♦ *s.m.*: — *battesimale*, font.

foraggero *agg.* fodder (*attr.*).

foraggiare *v.tr.* to forage, to fodder.

foraggio *s.m.* forage, fodder: — *immagazzinato nei silos*, silage; *piante da* —, fodder plants.

foraneo *agg.* **1** rural **2** (*mar.*) outside the harbour **3** *vicario* —, (*eccl.*) rural dean.

forare *v.tr.* to perforate; (*biglietti*) to punch; (*pneumatici*) to puncture; (*con punteruolo, trapano*) to drill, to bore; (*al tornio*) to bore out // *ho forato* (*un pneumatico*), I had a puncture.

forato *agg.* e *s.m.*: (*mattone*) —, hollow brick.

foratura *s.f.* perforation; (*di biglietto*) punching; (*di pneumatico*) puncture.

forbici *s.f.pl.* scissors; (*cesoie*) shears: *colpo di* —, a snip (of scissors); — *da giardiniere*, (*per potare*) secateurs; (*per regolare siepi ecc.*) shears.

forbiciata *s.f.* snip, cut.

orbicina *s.f.* (*zool.*) earwig.

orbire *v.tr.* **1** to clean; (*lustrare*) to furbish **2** (*fig.*) to polish.

orbitezza *s.f.* (*rar.*) (*fig.*) polish, refinement.

orbito *agg.* **1** polished **2** (*fig.*) polished; refined: *stile —*, polished style; *persona forbita, linguaggio —*, refined person, language.

orca *s.f.* **1** fork; (*agr.*) pitchfork, hayfork **2** (*patibolo*) gallows, gibbet // *meriterebbe la —*, he deserves hanging // *va' sulla —!*, go and hang yourself!

orcella *s.f.* **1** fork **2** (*mil.*) bracket: *far —*, to bracket **3** (*di volatili*) wishbone **4** (*del telefono*) rest **5** (*passo alpino*) saddle, mountain pass **6** (*dei remi*) rowlock.

orchetta *s.f.* fork // *essere una buona —*, to be a hearty eater // *parlare in punta di —*, to speak affectedly.

orchettata *s.f.* forkful.

orchettone *s.m.* carving fork.

orcina *s.f.* hairpin.

orcipe *s.m.* (*chir.*) forceps (*pl. invar.*).

orcone *s.m.* pitchfork; (*da letame*) dung-fork.

orense *agg.* forensic.

orese *agg.* rural, rustic.

oresta *s.f.* forest.

orestale *agg.* forest (*attr.*).

oresteria *s.f.* guestrooms (*pl.*).

orestierismo *s.m.* foreignism.

orestiero *agg.* foreign ♦ *s.m.* (*straniero*) foreigner; (*estraneo*) stranger.

orfait (*franc.*) *s.m.* lump sum.

orfettario *agg.* all-in, comprehensive.

orfora *s.f.* dandruff, scurf.

orgia *s.f.* forge, smithy.

orgiare *v.tr.* **1** to forge **2** (*fig.*) (*modellare*) to shape, to mould, to form.

oriero *agg.* foreboding, portending: *quelle nuvole sono foriere di pioggia*, those clouds forebode rain ♦ *s.m.* harbinger.

orma *s.f.* **1** form; shape: *— di governo*, form of government; *a — di S*, S-shaped; *un invito fatto solo pro —*, an invitation made as a mere matter of form; *sotto — di*, in the form of; *il progetto sta prendendo — nella mia mente*, the plan is taking shape in my mind; *badare alle forme*, to attach importance to forms // *essere in —*, to be in good form **2** (*stampo*) mould; (*amer.*) mold: *— per scarpe*, shoe tree; (*da calzolaio*) last // *una — di formaggio*, a cheese.

formaggiera *s.f.* grated cheese dish.

formaggino *s.m.* processed cheese.

formaggio *s.m.* cheese: *— dolce, piccante*, soft, strong cheese; *— parmigiano*, Parmesan (cheese).

formale *agg.* formal: *fare l'analisi — di un'opera*, to analyze the form of a work.

formalina *s.f.* (*chim.*) formalin.

formalismo *s.m.* formalism.

formalista *s.m.* e *f.* formalist.

formalità *s.f.* formality.

formalizzarsi *v.intr.pron.* to take* offence; (*scandalizzarsi*) to be* shocked (by sthg.).

formalmente *avv.* formally.

formare *v.tr.* **1** to form: *formano una bella coppia*, they make a handsome couple // *— il carattere*, to form one's character // *— un numero telefonico*, to dial a phone number // *ti sei formato un'idea sbagliata su di lui*, you have got a wrong idea about him **2** (*costituire*) to make* up: *la famiglia è formata di tre persone*, the

family is made up of three people; *— una società*, to form a company // **-arsi** *v.intr.pron.* **1** to form: *questa idea in lui si andò formando con gli anni*, this idea took shape in his mind as the years passed **2** (*crescere, svilupparsi*) to grow*, to develop.

formativo *agg.* formative.

formato *s.m.* size; (*di libri, francobolli ecc.*) format.

formatura *s.f.* (*metall.*) moulding.

formazione *s.f.* **1** formation, forming, making: *uno stato in via di —*, a nation in the making **2** (*geol. meteorologia*) formation **3** (*aer. mil.*) formation: *una intera —*, (*aer.*) a whole flight; *volo in —*, (*aer.*) mass flight; *volare in —*, (*aer.*) to fly in formation **4** (*addestramento*) training: *— professionale*, professional training.

formella *s.f.* (*mattonella*) tile; (*riquadro decorato*) panel.

formica *s.f.* ant.

formicaio *s.m.* **1** anthill, formicary **2** (*fig.*) a seething mass.

formicaleone *s.m.* (*zool.*) ant-lion.

formichiere *s.m.* (*zool.*) anteater.

formico *agg.* (*chim.*) formic.

formicolare *v.intr.* **1** to swarm (with s.o., sthg.) **2** (*per intorpidimento*) to tingle: *mi formicola la mano*, I have (got) pins and needles in my hand.

formicolio *s.m.* **1** (*brulichio*) swarming, swarm **2** (*di parte del corpo intorpidita*) tingling; (*fam.*) pins and needles; *pl.* (*med.*) formication.

formidabile *agg.* formidable, dreadful; (*fam.*) fantastic.

formoso *agg.* buxom.

formula *s.f.* formula.

formulare *v.tr.* **1** to formulate **2** (*esprimere*) to express.

formulario *s.m.* formulary.

formulazione *s.f.* formulation.

fornace *s.f.* furnace.

fornaio *s.m.* **1** baker **2** (*negozio*) baker's shop.

fornello *s.m.* **1** stove **2** (*di miniere*) shoot, chute **3** (*di pipa*) bowl.

fornicare *v.intr.* to fornicate.

fornicazione *s.f.* fornication.

fornice *s.m.* (*arch.*) barrel-vault.

fornire *v.tr.* to supply, to provide, to furnish: *— qlcu. di qlco., qlco. a qlcu.*, to supply (*o* to furnish *o* to provide) s.o. with sthg.

fornito *agg.* supplied (with), provided (with), furnished (with): *negozio ben —*, well-stocked shop.

fornitore *s.m.* supplier, furnisher, provider; (*all'ingrosso*) wholesaler; (*su larga scala*) purveyor.

fornitura *s.f.* supply(ing); (*merci fornite*) goods supplied (*pl.*); (*attrezzatura*) fittings (*pl.*), equipment.

forno *s.m.* **1** (*da cucina*) oven: *— a microonde*, microwave oven; *carne al —*, roast meat // *questa stanza è un —*, this room is like an oven **2** (*negozio*) baker's shop, bakery **3** (*metall.*) furnace **4** (*per calce, cemento, materiali*) kiln; (*per vasellame*) stove **5** (*med.*) oven.

foro[1] *s.m.* (*buco*) hole.

foro[2] *s.m.* **1** (*st. romana*) forum **2** (*tribunale*) court (of justice); (*gli avvocati*) the Bar: *entrare a far parte del —*, to be called to the Bar; *— competente*, place of jurisdiction.

forosetta *s.f.* (*scherz.*) country wench.

forra *s.f.* gorge, ravine.

forse *avv.* **1** perhaps, maybe: *— hai ragione*, perhaps (*o* maybe) you're right; *«Andrai domani?» «Forse sì, — no»*, "Will you go tomorrow?", "Perhaps I will, perhaps I won't" **2** (*circa*) about: *saranno — 10*, there are about 10 (of them) ♦ *s.m.*: *senza* —, definitely; *essere in* —, to be in doubt; *mettere qlco. in* —, to throw doubt upon (*o* to question) sthg.

forsennato *agg.* mad, frantic ♦ *s.m.* madman (*pl.* -men), frantic man.

forte *agg.* **1** strong (*anche fig.*): *— della mia innocenza*, strong in my innocence; *una guarnigione — di 5000 uomini*, a garrison 5,000 strong; *ricorrere alla maniera* —, to have recourse to strong action // *essere — in qlco.*, to be good at sthg. // *fatti* —!, brace up!; (*non abbatterti*) buck up! // *è più — di me*, (*fig.*) I can't help it **2** (*di malanni*) bad, severe: *un — mal di testa*, a bad (*o* severe) headache; *un — raffreddore*, a bad (*o* heavy) cold **3** (*grande*) large, considerable: *un — guadagno*, a large gain; *una cifra molto* —, a very high figure **4** (*violento*) heavy: *un — acquazzone*, a heavy shower **5** (*di suono*) loud **6** (*acido*) sour **7** (*di colore*) brilliant; (*che non sbiadisce*) fast ♦ *s.m.* **1** strong man **2** (*nerbo; punto di forza*): *il — dell'esercito*, the main body of the army; *il mio — è la matematica*, my strong point is mathematics **3** (*fortezza*) fortress, fort **4** (*acidità*) sourness.

forte *avv.* **1** (*fortemente*) strongly // *tienti* —!, hold tight! **2** (*ad alta voce*) in a loud voice, loudly **3** (*duramente, intensamente*) hard: *picchia* —!, strike hard!; *piove* —, it is raining heavily **4** (*velocemente*) fast **5** (*fam.*) (*veramente*) really: *è bella* —, she is really lovely.

fortemente *avv.* **1** strongly **2** (*grandemente*) greatly; (*altamente*) highly; (*profondamente*) deeply.

fortezza *s.f.* **1** fortress // *— volante*, (*aer.*) flying fortress **2** (*forza morale*) fortitude.

fortificare *v.tr.* **1** to strengthen, to fortify; (*rinvigorire*) to invigorate **2** (*mil.*) to fortify.

fortificazione *s.f.* fortification.

fortilizio *s.m.* (*mil.*) fortalice, small fort.

fortino *s.m.* (*mil.*) redoubt.

fortran *s.m.* (*informatica*) fortran.

fortuito *agg.* fortuitous, chance (*attr.*).

fortuna *s.f.* **1** fortune; (*buona sorte*) luck; (*successo*) fortune, success: *buona* —!, good luck!; *che* —!, what a piece of luck!; *avere* —, to be lucky; (*avere successo*) to be successful; (*di un libro ecc.*) to be a success; *avere la — di*, to have the good fortune to; *avere una — sfacciata*, to be shamelessly lucky; *portare* —, to bring luck // *tentare la* —, to try one's luck (*o* fortune) // *cercare* —, to seek one's fortune // *leggere la* —, to tell fortunes // *— (volle) che...*, luckily... // *per* —, luckily (*o* fortunately) // *la ruota della* —, the wheel of Fortune **2** (*patrimonio*) fortune: *far* —, to make a fortune // *beni di* —, wealth **3** *di* —, emergency (*attr.*): *atterraggio di* —, emergency landing; *albero, timone di* —, (*mar.*) jury mast, jury rudder.

fortunale *s.m.* storm, tempest.

fortunatamente *avv.* luckily, fortunately.

fortunato *agg.* **1** lucky, fortunate // *fortunatissimo* (*di conoscerla*)!, how do you do! (*o amer.* very glad to meet you!) **2** (*che ha successo*) successful.

fortunoso *agg.* eventful.

foruncolo *s.m.* pimple; (*grosso*) boil.

forza *s.f.* **1** strength (*solo sing.*); (*spec. morale*) force: *— di carattere*, force of character; *— di volontà*, willpower; *— bruta*, brute force; *usare la* —, to employ force; *non avere la — di*, to be unable to; *perdere, riprendere le forze*, to lose, to recover one's strength; *ciò è superiore alle mie forze*, this is beyond me; *essere allo stremo delle forze*, to be exhausted // *le forze della natu-*

ra, natural forces // *— lavoro*, work force // *far — su*, to press; *si alzò facendo — sui gomiti*, he lifted himself up leaning on his elbows; *far — sui remi*, to row hard // *farsi* —, to be brave; *fatti* —!, pull yourself together // *a (viva)* —, *di* —, *con la* —, by force; *entrare di* — *i un luogo*, to force one's way into a place // *a — di*, by dint of; *a — di lavorare si è stancato*, he got tired through too much working // *a — di braccia*, by strength of arm // *a tutta* —, (*mar.*) at full speed; (*con la massima energia*) with all one's might // *con* —, with force // *con tutte le proprie forze*, with all one's might // *in — di*, on the strength of // *per* —, perforce (necessarily): *devo andarci per* —, I must (*o* am force to) go // *per — di cose*, by force of circumstances // *u caso di — maggiore*, a question of force majeure // *— come on! // — bella* —!, (*iron.*) it didn't kill you! **2** (*efficacia, potere*) force; (*intensità*) strength: *la — di un argomento*, the force of an argument; *la — di un affetto* the strength of an affection // *è la — dell'abitudine*, it i just a habit // *aver — di legge*, to have the force o law **3** (*fis.*) force **4** (*mil.*) force: *forze armate*, armed forces (*o* army); *forze aeree*, air force // *la — pubblica* police force (*o* the Force).

forzare *v.tr.* **1** to force: *— una serratura*, to pick (*o* t force) a lock; *— una porta*, to break open a door // *— il blocco*, (*mil.*) to run the blockade // *— il senso di un parola*, to strain (the meaning of) a word // *— la man a qlcu.*, to force s.o.'s hand **2** (*sforzare*) to strain, t force: *— la vista*, to strain one's eyes; *— la voce, l'anda tura*, to force one's voice, one's pace // *senza* —, effort lessly **3** (*costringere*) to force.

forzatamente *avv.* forcedly; (*per forza*) necessarily.

forzato *agg.* forced: *sorriso* —, forced smile // *inter pretazione forzata*, (*di una parola*) strained interpreta tion // *lavori forzati*, hard labour // *marcia forzata* forced march ♦ *s.m.* convict.

forzatura *s.f.* forcing; (*lo sforzare*) straining.

forziere *s.m.* coffer; (*cassaforte*) safe.

forzoso *agg.* forced // *moneta a corso* —, (*econ.*) lega tender coin.

forzuto *agg.* brawny; (*muscoloso*) muscular.

foschia *s.f.* haze, mist.

fosco *agg.* **1** dark; (*offuscato*) dull // *dipingere, de scrivere qlco. a tinte fosche*, to paint sthg. in dark col ours **2** (*tetro*) gloomy (*anche fig.*).

fosfato *s.m.* (*chim.*) phosphate.

fosforescente *agg.* phosphorescent.

fosforescenza *s.f.* phosphorescence.

fosforo *s.m.* (*chim.*) phosphorus.

fossa *s.f.* **1** ditch; (*buca*) pit, hole; (*depressione*) holl low // *— oceanica*, (*geogr.*) ocean deep **2** (*tomba* grave // *avere un piede nella* —, to have one foot in the grave // *scavarsi la — con le proprie mani*, to cut one' own throat **3** (*anat.*) fossa (*pl.* fossae): *fosse nasali*, na sal fossae (*o* cavities).

fossato *s.m.* fosse; (*intorno a castelli ecc.*) moat.

fossetta *s.f.* dimple.

fossile *agg. e s.m.* fossil (*anche fig.*).

fossilizzarsi *v.intr.pron.* to fossilize (*anche fig.*).

fosso *s.m.* ditch: *scavare un* —, to make (*o* to dig) ditch // *saltare il* —, (*fig.*) to cross the Rubicon.

foto *s.f.* (*fam.*) photo, snapshot.

fotocellula *s.f.* photoelectric cell, photocell.

fotocomposizione *s.f.* phototypesetting, photocom position.

fotocopia *s.f.* photostat ®, photocopy.

fotocopiare *v.tr.* to photocopy.

fotocopiatrice *s.f.* photocopier.

fotocronaca *s.f.* photoreport.

fotoelettricità *s.f.* photoelectricity.

fotoelettrico *agg.* photoelectric.

fotogenesi *s.f.* (*biol.*) photogenesis.

fotogenico *agg.* photogenic.

fotogiornale *s.m.* illustrated news magazine.

fotografare *v.tr.* to photograph // *farsi* —, to have one's photograph taken.

fotografia *s.f.* **1** photograph: — *a colori*, colour photograph; — *istantanea*, snapshot; *fare, prendere una* — *a qlcu.*, to take a photograph of s.o.; *farsi fare una* —, to have one's photograph taken **2** (*arte fotografica*) photography.

fotografico *agg.* photographic (*anche fig.*): *apparecchio* —, *macchina fotografica*, camera.

fotografo *s.m.* photographer.

fotogramma *s.m.* **1** (*cinem.*) frame **2** (*fot.*) photogram.

fotoincisione *s.f.* photogravure.

fotomodella *s.f.* model.

fotomontaggio *s.m.* photomontage.

fotone *s.m.* (*fis.*) photon.

fotoreporter *s.m.* press photographer.

fotoriproduzione *s.f.* photographic reproduction.

fotoromanzo *s.m.* picture story.

fotosintesi *s.f.* (*bot.*) photosynthesis.

fotostatico *agg.* photostatic.

fototipia *s.f.* collotype (process).

fototipista *s.m.* collotype printer.

foulard (*franc.*) *s.m.* **1** (silk) scarf, foulard **2** (*tessuto*) foulard.

fra[1] *prep.* **1** between (*spec. fra due*); among, amongst (*spec. fra più di due*): — *me e te*, between you and me; *essere* — *amici*, to be among friends // — *le montagne*, in the mountains // — *la nebbia*, in the fog // — *l'altro*, among other things; (*inoltre*) besides // — *una cosa e l'altra*, what with one thing and another // *dire, pensare* — *sé e sé*, to talk, to think to oneself // — *le lacrime*, in tears // — *tutti*, — *tutto*, (*complessivamente*) in all; — *tutti*, (*tutti insieme*) all together; — *tutti e due*, between the two of them // *bella* — *le belle*, the most beautiful of all // *lo guardò con un sorriso* — *l'ironico e il divertito*, he looked at him with a smile that was half ironic and half amused **2** (*nel mezzo di*) among, in the middle of, amid(st): — *la folla*, among (*o* in the middle of) the crowd **3** (*tempo*) in, within: — *poco*, soon; — *una settimana*, in (*o* within) a week **4** (*partitivo*) of: *il migliore* — *tutti*, the best of all; *uno solo* — *tanti*, one of (*o* among) many // *uno* — *mille*, one in a thousand.

fra[2] *s.m.* (*frate*) Brother.

frac *s.m.* tailcoat; (*fam.*) tails (*pl.*).

fracassare *v.tr.* to smash, to shatter: — *uno specchio*, to smash (*o* to shatter) a glass to pieces // *fracassarsi l'osso del collo*, to break one's neck.

fracasso *s.m.* din, racket; (*di cose che cadono*) crash: *far* —, to make noise // *la notizia fece un gran* —, the news caused an uproar.

fradicio *agg.* **1** (*marcio*) rotten (*anche fig.*) **2** (*inzuppato*) wet through: *bagnato* —, soaking wet // *ubriaco* —, dead drunk.

fragile *agg.* **1** fragile // —, (*iscrizione su casse, imballaggi ecc.*) fragile **2** (*fig.*) frail; (*debole*) weak.

fragilità *s.f.* **1** fragility **2** (*fig.*) frailty; (*debolezza*) weakness.

fragola *s.f.* strawberry.

fragore *s.m.* din, crash: *il* — *delle armi*, the clash of arms.

fragoroso *agg.* roaring.

fragrante *agg.* fragrant.

fragranza *s.f.* fragrance.

fraintendere *v.tr.* to misunderstand*, to misinterpret.

frammentario *agg.* fragmentary (*anche fig.*).

frammento *s.m.* fragment (*anche fig.*).

frammettere *v.tr.* to interpose // **-ersi** *v.rifl.* (*frapporsi*) to interpose (between sth.); (*immischiarsi*) to interfere (in sth.), to meddle (in, with sth.).

frammezzo *prep.* among ♦ *avv.* in the middle of, in the midst of // *mettersi* —, to interpose.

frammischiare *v.tr.* to intermingle.

frana *s.f.* landslide.

franamento *s.m.* **1** sliding down; (*crollo*) giving way **2** (*frana*) landslide.

franare *v.intr.* to slide* down; (*crollare*) to give* way.

Franca *no.pr.f.* Fanny, Francie.

francamente *avv.* frankly, honestly.

Francesca *no.pr.f.* Frances.

francescano *agg.* e *s.m.* Franciscan.

Francesco *no.pr.m.* Francis.

francese *agg.* French ♦ *s.m.* **1** Frenchman (*pl.* -men) // *i Francesi*, the French **2** (*lingua*) (the) French (language).

francesina *s.f.* Frenchie.

francesismo *s.m.* Gallicism.

franchezza *s.f.* frankness // *parlare con* —, to speak frankly.

franchigia *s.f.* **1** immunity; (*dir.*) franchise: — *diplomatica*, diplomatic immunity // *franchigie costituzionali*, constitutional safeguards // *concessione di franchigie*, enfranchisement **2** (*esenzione da tasse ecc.*) exemption // *in* — *doganale*, duty-free // *in* — *postale*, post(age) free **3** (*assicurativa*) franchise **4** (*mar.*) furlough, leave: *in* —, on furlough (*o* on leave).

Francia *no.pr.f.* France.

franco- *pref.* Franco-.

franco[1] *agg.* **1** (*schietto*) frank **2** (*coraggioso*) bold **3** (*sicuro*) confident: *è* — *nella guida*, he is a confident driver **4** (*comm.*) free: — *a richiesta*, free on application; — *di dazio*, duty-free; — *di porto*, carriage free; — *a domicilio*, free delivery; — *fabbrica*, free at works (*o* ex factory); *un porto* —, a free port // *deposito* —, bonded warehouse // *farla franca*, to get away with sth. // — *tiratore*, (*mil.*) sniper; (*neol. pol.*) defector ♦ *avv.* frankly: *parlar* —, to speak frankly.

franco[2] *agg.* (*st.*) Frankish ♦ *s.m.* (*st.*) Frank.

franco *s.m.* (*moneta*) franc.

Franco *no.pr.m.* Frank.

francobollo *s.m.* stamp: *un* — *da tre penny*, a three-penny stamp; *album per francobolli*, stamp album; *metti il* — *a questa cartolina*, stamp this card.

Francoforte *no.pr.f.* Frankfort, Frankfurt.

frangente *s.m.* **1** (*ondata*) breaker **2** (*bassofondo*) shoal; (*scogliera*) reef **3** (*fig.*) (*situazione difficile*) difficult situation.

frangersi *v.intr.pron.* to break*.

frangetta *s.f.* fringe; (*di capelli*) bang.

frangia *s.f.* fringe; (*di capelli*) bang // *aggiungere delle frange a un discorso*, to embellish a story.

frangiflutti *s.m.* breakwater.

frangivento *s.m.* windbreak.

franoso *agg.* crumbly, friable.

frantoio *s.m.* grinder; (*per olive*) oil press; (*per rocce*) crusher; (*per carbone*) pulverizer.

frantumare *v.tr.* to shatter; (*schiacciando*) to crush // **-arsi** *v.intr.pron.* to break* (up) (*anche fig.*).

frantume *s.m.* (*spec. pl.*) fragment: *andare in frantumi*, to break into fragments; *ridurre in frantumi qlco.*, to smash sthg.

frappa *s.f.* (e)scalloped flounce.

frappé (*franc.*) *s.m.* shake.

frapporre *v.tr.* to interpose // **-orsi** *v.rifl.* to interpose; (*intervenire*) to intervene.

frasario *s.m.* **1** vocabulary **2** (*tipico di un gruppo*) jargon.

frasca *s.f.* (leafy) branch // *saltar di palo in* —, to jump from one thing to another.

frascheggiare *v.intr.* **1** (*stormire*) to rustle **2** (*civettare*) to flirt.

fraschetta *s.f.* coquette, flirt.

frase *s.f.* **1** sentence // — *fatta*, stock phrase **2** (*mus.*) phrase **3** (*informatica*) statement.

fraseggiare *v.intr.* (*mus.*) to phrase.

fraseggio *s.m.* (*mus.*) phrasing.

fraseologia *s.f.* phraseology.

fraseologico *agg.* phraseological.

frassino *s.m.* (*albero*) ash (tree); (*legno*) ash.

frastagliare *v.tr.* to indent.

frastagliato *agg.* indented; (*ineguale*) uneven.

frastornare *v.tr.* **1** to stun **2** (*disturbare*) to disturb **3** (*distrarre*) to distract.

frastornato *agg.* dizzy.

frastuono *s.m.* din, uproar.

frate *s.m.* friar, monk; (*come appellativo*) Brother: — *laico*, lay brother // *frati minori*, Friars Minor (*o* Minorites).

fratellanza *s.f.* brotherhood.

fratellastro *s.m.* half-brother.

fratello *s.m.* **1** brother: — *di latte*, foster-brother **2** (*fratello di fede*) brother (*pl.* brethren).

fraternità *s.f.* brotherliness, fraternity.

fraternizzare *v.intr.* to fraternize.

fraterno *agg.* brotherly, fraternal.

fratesco *agg.* monkish.

fratricida *agg.* fratricidal ♦ *s.m. e f.* fratricide.

fratricidio *s.m.* fratricide.

fratta *s.f.* scrub, brushwood.

frattaglie *s.f.pl.* pluck (*sing.*); (*rigaglie*) giblets.

frattanto *avv.* meanwhile, in the meantime.

frattempo *s.m.* meantime, meanwhile: *nel* —, in the meanwhile.

fratto *agg.* (*mat.*) over: *due* — *tre*, two over three.

frattura *s.f.* **1** fracture **2** (*fig.*) (*di rapporti*) breaking (off); (*disaccordo*) disagreement: *nella nostra amicizia si creò una* —, our friendship broke off.

fratturare *v.tr.* to fracture // *fratturarsi un braccio*, to break one's arm.

fraudolento *agg.* fraudulent.

frazionamento *s.m.* **1** division; (*netto, deliberato*) splitting **2** (*informatica*) split; subdivision.

frazionare *v.tr.* **1** to divide **2** (*mat.*) to fractionize **3** (*chim.*) to fractionate.

frazionario *agg.* fractional.

frazionato *agg.* divided up.

frazione *s.f.* **1** fraction // *in una* — *di secondo*, in a split second **2** (*parte staccata di un comune*) hamlet.

freatico *agg.* (*geol.*) water-bearing, aquiferous: *falda freatica*, water-bearing stratum.

freccia *s.f.* **1** arrow: *scagliare una* —, to shoot an arrow // *come una* —, like a shot; *partire come una* —, to dart off // *la Freccia Azzurra*, (*ferr.*) the Blue Arrow // *ali a* —, (*aer.*) swept-back wing **2** (*aut.*) direction indicator **3** (*cuspide*) spire **4** (*fig.*) (*frecciata*) shaft.

frecciata *s.f.* **1** arrow shot **2** (*osservazione pungente*) taunt, shaft.

freddamente *avv.* coldly.

freddare *v.tr.* **1** to make* cold, to cool (*anche fig.*) (*uccidere*) to kill // **-arsi** *v.intr.pron.* to get* cold, to cool down (*anche fig.*).

freddezza *s.f.* **1** coldness (*anche fig.*) **2** (*sangue freddo*) sangfroid.

freddo *agg.* **1** cold; (*non intenso ma sgradevole*) chilly: *diventar* —, to grow cold; *in autunno le sere sono fredde* the evenings are chilly in autumn // *animale a sangue* —, cold-blooded animal // *sangue* —, (*fig.*) sangfroid *mantenere il proprio sangue* —, to keep a cool head **2** (*fig.*) cold, cool: *i suoi modi erano freddi*, his manners were cool (*o* chilly); *mostrarsi — con qlcu.*, to be cold (*o* cool) towards s.o. ♦ *s.m.* cold: *fa* —, it is cold; *fa un — cane*, it is bitterly cold; *aver* —, to be (*o* to feel) cold *ho — alle mani*, my hands are cold; *tremare, morire di* —, to shiver, to die with cold // *colpo di* —, chill // *prender* —, to catch a chill // *i grandi freddi*, the winter cold // *a* —, when cold; *conservazione a* —, cold storage // *al* —, out in the cold // *non mi fa né caldo né* —, it doesn't affect me one way or another // *questa storia mi fa venir* —, (*fig.*) this story makes my blood run cold.

freddoloso *agg.* sensitive to cold // *essere* —, to feel the cold.

freddura *s.f.* pun: *dire freddure*, to make puns.

fregagione *s.f.* rub down, rubbing down; (*med.*) friction.

fregare *v.tr.* **1** to rub; (*pavimenti ecc.*) to scrub: — *due cose l'una contro l'altra*, to rub two things together; *fregarsi le mani*, to rub one's hands **2** (*volg.*) (*imbrogliare*) to take* (s.o.) in; (*rubare*) to pinch.

fregata[1] *s.f.* rub(bing); (*per pulire*) scrub(bing).

fregata[2] *s.f.* (*mar.*) frigate // *capitano di* —, commander

fregatura *s.f.* (*volg.*) **1** (*imbroglio*) swindle: *che* —! what a swindle! **2** (*contrattempo*) let down (*o* sell).

fregiare *v.tr.* to decorate, to adorn // **-arsi** *v.rifl.* **1** to adorn oneself (with sthg.) **2** (*fig.*) to use (sthg.): — *del titolo di sir*, to use the title of sir.

fregio *s.m.* **1** (*arch.*) frieze **2** (*ornamento*) ornament, embellishment.

frego *s.m.* stroke // *tirare un — su qlco.*, to cross sthg. out.

fregola *s.f.* (*di animali in genere*) heat; (*di pesci*) spawning; (*di cervi, camosci ecc.*) rutting: *essere in* —, to be in heat.

fremente *agg.* quivering (with), trembling (with): — *d'ira*, fuming.

fremere *v.intr.* **1** to quiver (with sthg.), to tremble (with sthg.); (*rabbrividire*) to shudder (with sthg.): — *di gioia, piacere*, to thrill with joy, pleasure; — *d'impazienza*, to fret with impatience; *far — d'ira*, to fill with rage (*o* to enrage) **2** (*stormire*) to rustle.

fremito *s.m.* **1** quiver; (*di gioia, eccitazione ecc.*) thrill (*brivido*) shudder; (*palpito*) throb: *il suo cuore ebbe un* —, his heart gave a throb **2** (*di foglie, alberi ecc.*) rustle, rustling.

frenaggio *s.m.* (*mecc.*) locking; (*aut.*) braking.

frenare *v.tr.* **1** to brake, to apply the brake(s) (to sthe.) **2** (*fig.*) to restrain, to check, to repress, to curb ♦ *v.intr.* to put* on the brake, to brake // **-arsi** *v.rifl.* to restrain oneself, to check oneself.

frenastenia *s.f.* (*med.*) retarded mental state, phrenasthenia.

frenastenico *agg.* e *s.m.* (*med.*) phrenasthenic.

frenata *s.f.* braking: *la macchina si fermò con una brusca* —, the car braked suddenly to a standstill; *fare una* —, to brake (suddenly).

frenatore *s.m.* (*ferr.*) brakesman (*pl.* -men).

frenesia *s.f.* **1** (*furore, follia*) frenzy, fury **2** (*desiderio sfrenato*) mania, craze.

frenetico *agg.* **1** frantic, frenetic, frenzied; (*delirante*) raving: *è pazzo* —, he is raving mad **2** (*entusiastico*) enthusiastic.

freniatra *s.m.* e *f.* psychiatrist.

freno *s.m.* **1** brake: — *ad aria compressa*, (*aut. ferr.*) airbrake; — *a disco*, disk brake; — *a mano*, (*aut.*) hand brake; — *a pedale*, (*aut.*) foot brake; — *di sicurezza*, (*mecc.*) emergency brake; *bloccare i freni*, to jam the brakes; *dare un colpo di* —, to clap on the brake; *stringere il* —, *i freni*, (*di bicicletta*) to put on the brake; *togliere il* —, to release the brake; *usare il* —, to apply the brake // *avidità senza* —, uncurbed (*o* unbridled) cupidity; *metter* — *a qlco.*, to check (*o* to restrain *o* to put a check on *o* to put a restraint on) sthg.; *tenere a* — *qlcu.*, to keep in check (*o* to put a restraint on) s.o.; *non conoscere più* —, to break through every (*o* to break loose from all) restraint; *allentare il* —, to slacken the reins; *stringere i freni*, to tighten the reins **2** (*morso del cavallo*) bit.

frenologo *s.m.* phrenologist.

frenulo *s.m.* (*anat.*) fr(a)enum.

frequentare *v.tr.* **1** to frequent; (*scuola, lezioni, circoli*) to attend; (*alberghi, negozi*) to patronize // *quel luogo è frequentato dagli spiriti*, that place is haunted (by ghosts) // — *i Sacramenti*, (*eccl.*) to frequent the Sacraments **2** (*persone*) to mix (with s.o.).

frequentato *agg.* frequented; (*di scuola ecc.*) attended; (*di albergo, ristorante ecc.*) patronized.

frequentatore *s.m.* habitué; (*cliente assiduo*) regular customer: — *di cinema*, cinemagoer; — *di teatri*, theatregoer; *essere un* (*assiduo*) — *della casa di qlcu.*, to be a frequent caller at s.o.'s house.

frequente *agg.* frequent // *di* —, frequently (*o* often).

frequenza *s.f.* **1** frequency: — *del polso*, (*med.*) pulse frequency (*o* rate); *ad alta, bassa* —, (*rad. tv*) high-, low-frequency (*attr.*): *modulazione di* —, frequency modulation **2** (*affluenza*) concourse: — *di spettatori*, crowd **3** (*assiduità*) attendance // *con* —, frequently.

fresa *s.f.* (*mecc.*) milling cutter, mill.

fresare *v.tr.* (*mecc.*) to mill.

fresatrice *s.f.* (*mecc.*) milling machine, miller: — *per ingranaggi*, gear cutting machine.

freschezza *s.f.* freshness.

fresco *agg.* fresh; (*di temperatura*) cool // *fieno* —, new-mown hay // *uova fresche*, new-laid (*o* fresh) eggs // *vernice fresca*, wet paint // — *come una rosa*, as fresh as a daisy // *avvenimento di fresca data*, recent event // *di* —, newly (*o* freshly) // *un ragazzo* — *di scuola*, a boy fresh from school // *se credi di imbrogliarmi, stai* —!, if you think you can fool me, you are in for a surprise! ♦ *s.m.* **1** (*di temperatura*) cool, coolness: *prendere il* — *sul balcone*, to take the air on the balcony; *tenere qlco. in* —, to keep sthg. cool // *stare al* —, (*in prigione*) (*sl.*) to be in clink (*o* to be in the cool-

er) **2** (*affresco*) fresco: *dipingere a* —, to paint in fresco (*o* to fresco) **3** (*stoffa*) light wool material.

frescura *s.f.* cool, coolness.

fresia *s.f.* (*bot.*) freesia.

fretta *s.f.* haste; (*affannosa*) hurry: *avere* — *di partire*, to be in a hurry to leave; *fare* — *a qlcu.*, to hurry (*o* to hustle) s.o.; *in* —, in a hurry (*o* hastily); *fai in* —!, hurry up!; *preparativi fatti in* —, hurried preparations // *in tutta* —, with all possible speed; *ritornare indietro in tutta* —, to hasten (*o* to hurry) back; *salire, scendere in tutta* —, to rush up, down.

frettazza *s.f.* **1** (*mar.*) scrubbing brush **2** (*edil.*) hawk.

frettoloso *agg.* hasty, hurried.

freudiano *agg.* Freudian.

friabile *agg.* friable, crumbly.

friabilità *s.f.* friability, friableness.

fricandò *s.m.* (*cuc.*) fricandeau.

fricassea *s.f.* (*cuc.*) fricassee.

friggere *v.tr.* to fry: *padella per* —, frying pan // *mandare qlcu. a farsi* —, to send s.o. to the devil ♦ *v.intr.* **1** to fry // — (*d'impazienza*), (*fig.*) to fidget and fret **2** (*sfrigolare*) to sizzle, to frizzle.

friggitore *s.m.* (*chi vende cose fritte*) seller of fried food.

friggitoria *s.f.* fried food shop; (*di pesce e patate*) fish and chips (shop).

friggitrice *s.f.* fryer.

frigidezza *s.f.* frigidness.

frigidità *s.f.* frigidity.

frigido *agg.* frigid, cold.

frigio *agg.* Phrygian.

frignare *v.intr.* to whimper, to whine.

frigo *s.m.* (*fam.*) fridge, frig.

frigorifero *agg.* refrigerating, refrigerant, freezing: *carro* —, (*ferr.*) refrigerator car // *magazzino* —, cold store ♦ *s.m.* refrigerator.

fringuello *s.m.* finch.

frinire *v.intr.* to chirp.

frittata *s.f.* omelet(te): *fare una* —, to make an omelette; (*fig.*) (*combinare un guaio*) to make a hash (of sthg.); (*rompere inavvertitamente*) to smash (sthg.).

frittella *s.f.* **1** (*cuc.*) pancake; (*di frutta e pastella*) fritter **2** (*fam.*) (*macchia d'unto*) grease stain.

fritto *agg.* fried // *cose fritte e rifritte*, (*fig.*) stale joke (*o* stale news) // *essere* —, (*fig.*) to be done for ♦ *s.m.* fry, fried food: — *di pesce*, fried fish.

frittura *s.f.* fry.

frivolezza *s.f.* **1** (*l'esser frivolo*) frivolity, frivolousness **2** (*cosa frivola*) trifle.

frivolo *agg.* frivolous.

frizionare *v.tr.* to massage, to rub.

frizione *s.m.* **1** rub, rubbing; (*massaggio*) massage; (*med.*) friction **2** (*mecc. aut.*) clutch: *disco della* —, clutch plate; *distaccare, innestare la* —, to declutch, to engage (*o* to put in) the clutch.

frizzante *agg.* **1** (*di aria*) bracing **2** (*effervescente*) sparkling **3** (*pungente*) sharp; (*di parole*) witty.

frizzare *v.intr.* **1** to tingle **2** (*di bevanda effervescente*) to sparkle.

frizzo *s.m.* (*arguzia mordace*) gibe, jeer: *lanciare frizzi a qlcu.*, to jeer at s.o.

frodare *v.tr.* to defraud.

frode *s.f.* fraud.

frodo *s.m.* smuggling, contraband: *merce di* —, smuggled (*o* contraband) goods // *cacciare di* —, to poach // *cacciatore di* —, poacher.

frogia *s.f.* nostril (of a horse).

frollare v.intr., **frollarsi** v.intr.pron. (diventare frollo) to become* tender; (di selvaggina) to become* high.

frollo agg. 1 (di carne) tender; (di selvaggina) high // pasta frolla, (cuc.) pastry 2 (fig.) (di persona senza energia) flaccid.

frombola s.f. sling, catapult.

fromboliere s.m. slinger.

fronda[1] s.f. 1 leafy branch; (di felce, di palma) frond 2 (foglia) leaf.

fronda[2] s.f. (st. francese) Fronde // vento di —, (fig.) current of rebellion.

frondista s.m. e f. 1 (st. francese) frondeur 2 (pol.) member of the opposition, political opposer.

frondosità s.f. 1 leafiness 2 (di stile) luxuriance.

frondoso agg. 1 leafy 2 (di stile) luxuriant.

frontale agg. frontal: osso —, brow-ridge (o frontal bone); scontro —, head-on crash.

fronte s.f. 1 forehead; (faccia) face: — ampia, larga, spaziosa, broad forehead // a — alta, holding one's head high // glielo si leggeva in —, you could see it in his face // — a destra!, right turn!; — a sinistra!, left turn! // testo con traduzione a —, parallel text // a — a —, face to face // di — a, (posizione) opposite, in front of (s.o., sthg.); (a paragone di) in comparision with (s.o., sthg.) 2 (arch.) front, frontage: le finestre sulla —, the front windows // —, 1 (mil.) front: — di battaglia, battle front; andare al —, to go to the front // far — a, to face: far — a una situazione difficile, to face up to a difficult situation; far — alle spese, agli impegni, to meet expenses, one's engagements 2 (pol.) front, union.

fronteggiare v.tr. 1 (opporsi a) to face, to confront 2 (stare di fronte) to face, to front.

frontespizio s.m. 1 (arch.) frontispiece 2 (di libro) title page.

frontiera s.f. frontier, border: abitanti di —, frontiersmen.

frontista s.m. e f. (dir.) frontager.

frontone s.m. (arch.) pediment; (arte gotica) gable.

fronzolo s.m. (spec. pl.) 1 frill, frippery 2 (fig.) frills (pl.).

frotta s.f. crowd, throng; (di animali) flock: una — di scolari, a troop of schoolboys // a frotte, in flocks.

frottola s.f. (piccola bugia) fib; (fandonia) nonsense, humbug: raccontar frottole, to tell fibs; son tutte frottole!, it's all humbug!

fru-fru onom. frou-frou, rustling.

frugale agg. frugal: pasto —, frugal meal; è un uomo —, he is a man of frugal habits.

frugalità s.f. frugality.

frugare v.tr. e intr. to search (sthg.), to rummage; (minuziosamente) to ransack (sthg.): — nelle tasche di qlcu., to rummage in (o to search) s.o.'s pockets.

frugivoro agg. frugivorous.

frugoletto, frugolo s.m. lively little child.

fruibile agg. enjoyable.

fruire v.intr. to enjoy (sthg.).

frullare v.tr. to whip, to whisk ♦ v.intr. 1 (di ali) to whir(r) 2 (fig.) to whirl // che cosa ti frulla per il capo?, what on earth are you thinking of?

frullato s.m. shake: — di latte, milk shake.

frullatore s.m. liquidizer, (amer.) blender.

frullino s.m. whisk.

frullo s.m. whir(r).

frumento s.m. wheat.

frusciare v.intr. to rustle.

fruscio s.m. rustle, rustling.

frusta s.f. 1 whip: fu condannato a venti colpi di —, he was sentenced to twenty strokes of the lash 2 (frullino) whisk.

frustare v.tr. to whip; (staffilare) to lash (anche fig.), to flog; (flagellare) to scourge.

frustata s.f. lash.

frustino s.m. (riding) whip, (riding) crop.

frusto agg. worn-out; (di tessuto) threadbare.

frustrare v.tr. to frustrate, to thwart, to foil.

frustrazione s.f. frustration.

frutta s.f. fruit: — cotta, stewed fruit; — fresca, secca, fresh, dried fruit; — in scatola, tinned fruit.

fruttare v.intr. 1 to bear* fruit (anche fig.) 2 (econ.) to bear* interest ♦ v.tr. 1 (dare come utile) to yield 2 (procurare) to bring*.

frutteto s.m. orchard.

frutticoltore s.m. fruit grower.

frutticoltura s.f. fruit growing.

fruttiera s.f. fruit bowl, fruit stand.

fruttifero agg. 1 fructiferous, fruit-bearing; (fertile) fruitful 2 (econ.) interest-bearing: buono —, interest-bearing security 3 (fig.) profitable.

fruttificare v.intr. to fructify, to bear* fruit (anche fig.).

fruttivendolo s.m. greengrocer; (ambulante) costermonger.

frutto s.m. [pl.m. frutti; pl.f. frutta nel senso 2] 1 fruit (anche fig.): il — di una ricerca, the fruits of research; dar frutti, to bear (o to yield) fruit // frutti di mare, seafood // senza —, fruitless; (inutilmente) fruitlessly 2 pl. (frutti vegetali e commestibili) fruit (gener. sing.) // essere alle frutta, to be at the end of dinner 3 (econ.) (interesse) interest; (profitto) profit; (rendita) income: mettere a —, to invest.

fruttuoso agg. fruitful; (vantaggioso) advantageous; (utile) profitable.

fu agg. (defunto) late: il — signor Smith, the late Mr. Smith.

fucilare v.tr. to shoot*.

fucilata s.f. (rifle)shot: sparare una —, to fire a shot.

fucilazione s.f. (execution by) shooting: — in massa, mass shooting.

fucile s.m. rifle: sparo, colpo di —, (rifle) shot; — ad aria compressa, airgun; — a doppia canna, double-barrelled gun; — da caccia, shotgun; — mitragliatore, submachine gun (o tommy gun).

fucileria s.f. musketry: scarica di —, fusillade.

fuciliere s.m. (mil.) rifleman (pl. -men): corpo fucilieri, rifle corps.

fucina s.f. forge, smithy.

fucinare v.tr. to forge (anche fig.).

fucinatura s.f. forging.

fuco s.m. (zool.) drone.

fucsia s.f. (bot.) fuchsia.

fuga s.f. 1 flight; (evasione) escape; (di innamorati) elopement: darsi alla — , to take to flight; mettere in —, to put to flight 2 (falla, apertura) escape; (spec. di liquidi) leakage: — di gas, escape of gas 3 (successione) flight; suite: una — di scalini, a flight of stairs; una — di stanze, a suite of rooms 4 (mus.) fugue.

fugace agg. fleeting, transient, short-lived.

fugacità s.f. transience.

fugare v.tr. (letter.) to put* to flight; (fig.) to dispel.

fuggevole agg. fleeting, transient, short-lived.

fuggiasco agg. e s.m. fugitive, runaway.

fuggifuggi s.m. stampede.

fuggire v.intr. to run* away, to flee*; (evadere) to esape; (*di innamorati*) to elope: — *dalla prigione*, to escape from prison; — *di casa*, to run away from home // *il tempo fugge*, time flies ♦ *v.tr.* (*evitare*) to avoid, to shun.

uggitivo *agg. e s.m.* fugitive, runaway.

ulcro *s.m.* fulcrum (*pl.* fulcra).

ulgido *agg.* brilliant (*anche fig.*) // *un — ideale*, a luminous ideal.

ulgore *s.m.* radiance; splendour (*anche fig.*).

uliggine *s.f.* soot.

ulligginoso *agg.* sooty.

ull *s.m.* (*poker*) full house.

ulmicotone *s.m.* guncotton.

ulminante *agg.* fulminating; (*fig.*) withering.

ulminare *v.tr.* 1 to strike* by lightning 2 (*colpire con scarica elettrica*) to electrocute; (*abbattere con arma a fuoco*) to shoot* (s.o.) dead 3 (*fig.*) to wither // **arsi** *v.intr.pron.* to burn* out.

ulminato *s.m.* (*chim.*) fulminate.

ulminazione *s.f.* fulmination.

ulmine *s.m.* lightning, thunderbolt // *veloce come un —*, as quick as lightning // *un — a ciel sereno*, (*fig.*) a bolt from the blue // *colpo di —*, (*fig.*) love at first sight.

ulmineo *agg.* as quick as lightning.

ulvo *agg.* tawny: *dai capelli fulvi*, titian-haired.

umacchio *s.m.* 1 (*fumo*) wisp of smoke 2 (*legno se-micarbonizzato*) smouldering wood.

umaiolo *s.m.* 1 (*di casa*) chimneypot 2 (*di locomoti-a, nave*) smokestack, funnel.

umante *agg.* (*che emette fumo*) smoking; (*che emette apore*) steaming.

umare *v.tr.* to smoke // *vietato —*, no smoking // *— ome un turco, come una ciminiera*, to smoke like a himney ♦ *v.intr.* (*mandare fumo o vapore*) to smoke; *per ebollizione*) to steam // *— di rabbia*, to fume (with age).

umarola *s.f.* (*geol.*) fumarole.

umata *s.f.* 1 smoke signal 2 (*il fumare tabacco*) smoke: *fare una fumata*, to have a smoke.

umatore *s.m.* smoker: *è un — accanito*, he is a heavy moker // *sala fumatori*, smoking room.

umettistico *agg.*: *film, racconto —*, banal film, story.

umetto *s.m.* (*spec. pl.*) (*vignetta*) cartoon; (*serie di vi-nette*) strip cartoon; (*giornale a fumetti*) comic.

umigare *v.intr.* (*emettere fumo, vapore*) to smoke.

umista *s.m.* stove-repairer.

umo *s.m.* 1 smoke // *far —*, (*di stufa, camino ecc.*) to moke // *ti disturba il —?*, do you mind my smoking?; *vere il vizio del —*, to be a chronic smoker // *color — i Londra*, charcoal grey // *lo vedo come il — negli oc-hi*, I can't bear the sight of him // *andare in —*, to go p in smoke (*o* to come to nothing); (*di progetto*) to fall hrough // *mandare qlco. in —*, to send sth. crashing // *non c'è — senza arrosto*, there is no smoke without a ire 2 (*vapore*) vapour, fume; (*di pentola, minestra ecc.*) team 3 *pl.* (*fig.*) fumes: *essere in preda ai fumi dell'al-ool*, to be in one's cups.

umogeno *agg.* smoke (*attr.*): *cortina fumogena*, mokescreen ♦ *s.m.* the smoke producer.

umosità *s.f.* smokiness.

umoso *agg.* smoky.

unambolesco *agg.* tightrope walking (*anche fig.*).

unambolismo *s.m.* tightrope walking (*anche fig.*).

unambolo *s.m.* tightrope walker (*anche fig.*), funam-ulist (*anche fig.*).

une *s.f.* rope; (*cavo*) cable: — *metallica*, wire rope; —

di acciaio, steel cable; — *di sicurezza*, safety cable; — *di trazione*, (*mecc.*) traction (*o* hauling) rope; — *portante*, (*mecc.*) load (*o* standing) rope // *tiro alla —*, (*sport*) tug-of-war.

funebre *agg.* 1 funeral: *canto —*, dirge; *ufficio —*, Office for the Dead 2 (*cupo, lugubre*) funereal, gloomy, mournful.

funerale *s.m.* funeral // *i funerali*, the obsequies (*o* the funeral).

funerario *agg.* funeral, funerary.

funereo *agg.* funereal, gloomy, mournful.

funestare *v.tr.* to afflict, to distress.

funesto *agg.* fatal.

fungaia *s.f.* 1 mushroom-bed 2 (*fig.*) (*gran numero*) cluster.

fungere *v.intr.* to act: — *da capo*, to act as leader.

fungo *s.m.* mushroom; (*bot. med.*) fungus (*pl.* fungi): *andare per funghi*, to go mushrooming.

funicolare *s.f.* funicular (railway).

funicolo *s.m.* (*anat.*) funiculus (*pl.* funiculi).

funivia *s.f.* cableway.

funzionale *agg.* functional.

funzionalità *s.f.* functionality.

funzionamento *s.m.* 1 operation 2 (*informatica*) operation: — *in locale*, off-line operation; — *sequen-ziale*, sequential operation.

funzionare *v.intr.* 1 to work, to operate, to function 2 (*fungere*) to act, to function.

funzionario *s.m.* official, officer: — *statale*, (*in Gran Bretagna*) civil servant.

funzione *s.f.* 1 function // *in —*, (*mecc.*) working // *entrare in —*, to come into operation // *— di registra-zione*, (*informatica*) log function 2 (*carica, ufficio*) off-ice: *cessare dalle funzioni*, to retire from office; *esercita-re le funzioni di*, to perform the duties of; *era là in — di arbitro*, he was there acting as umpire.

fuochista *s.m.* stoker, fireman (*pl.* -men).

fuoco *s.m.* 1 fire (*anche fig.*): *— !, al — !*, fire!, fire!; *— di fila*, running fire; *aprite il — !*, (*mil.*) open fire!; *cessate il — !*, (*mil.*) cease fire!; *— di sbarramento*, (*mil.*) barrage; *fare — contro qlcu., qlco.*, to fire at s.o., sthg.; *bollare a —*, (*anche fig.*) to brand; *prender —*, to catch fire; (*fig.*) to flare up; *un — di paglia*, a flash in the pan // *— di Sant'Antonio*, (*med.*) St. Anthony's fire (*o* ery-sipelas) // *— di Sant'Elmo*, St. Elmo's fire (*o* corpo-sant) // *— fatuo*, ignis fatuus (*o* will-o'-the-wisp) // *ha del — per piacere?*, may I have a light, please? // *per lei andrei nel —*, (*fig.*) I'd go through fire and water for her // *farsi di —*, to blush // *mettere la mano sul — per qlco.*, to stake one's life on sthg. 2 (*focolare*) fire; hearth; (*caminetto*) fireside: *stava seduto presso il —*, he was sitting by the fire 3 (*fuochi d'artificio*) fire-works 4 (*fis. mat. fot.*) focus (*pl.* focuses): *messa a —*, (*fot.*) focusing; *dispositivo di messa a —*, (*fot.*) focusing device; *mettere a —*, (*fot.*) to focus (*o* to focalize).

fuorché *prep.* except(ing), but, save // *— in alcuni casi*, except (*o* save) in a few cases ♦ *cong.* except: *farei tutto — scrivere*, I would do everything except write.

fuori *avv.* out; (*all'esterno*) outside; (*all'aperto*) out-doors; *aspettami (lì) —*, wait for me outside; *essere —*, *andare — (di casa)*, to be out, to go out; *cenare — (di casa)*, to dine out; *buttar — qlcu. (di casa)*, to throw s.o. out; *vengo ora di, da —*, I've just come in // *è — (di prigione) da sei mesi*, he's been out for six months // *—!*, get out! // *o dentro o —!*, in or out!; (*fig.*) (*deciditi*) make up your mind! // *— le prove!*, show me, us the evidence! // — *la verità!*, out with it! // — *l'autore!*, (*teatr.*) author!, author! ♦ *s.m.* outside // **fuori (di, da)** *prep.* out of; outside: *gettare qlco.* — *dalla finestra*, to throw sth. out of the window; — *della stanza*, — *d'I- talia*, outside the room, outside Italy; *abita* — *città*, — *Milano*, he lives out of town, outside Milan; *è* — *città*, — *Milano*, he is out of town, out of Milan; — *di qui!*, get out of here! // *vivere* — *di casa*, to live on one's own // *io ne sono* —, (*fig.*) I'm out of it // *essere* — *di sé*, (*dalla gioia*) to be beside oneself (with joy) // *vivere* — *del proprio tempo*, to be out of step with the times // *siamo* — *dell'inverno*, we've got over the winter // **di fuori** *locuz.avv.* ≈ *fuori* // *andar di* —, (*traboccare*) to spill over; (*bollendo*) to boil over // **in fuori** *lo- cuz.avv.*: *essere in* —, *sporgere* (*in*) —, to stick out (*o* to jut out *o* to project); *sporgersi in* —, to lean out; *spinge- re in* —, to push out; *braccia in* —!, arms out! // *occhi in* —, bulging eyes.

fuoribordo *s.m.* outboard motorboat.

fuoriclasse *agg.* outstanding, exceptional, first-rate, top-notch ♦ *s.m.* e *f.* top-notcher, first-rater.

fuorigioco *s.m.* (*sport*) offside.

fuorilegge *s.m.* e *f.* outlaw.

fuoriserie *agg.* made to order, custom-made ♦ *s.f.* special-bodied car.

fuoristrada *s.f.* e *m.* off-road vehicle.

fuoruscire *v.intr.* to come* out; (*di liquidi*) to flow.

fuoruscita *s.f.* coming out; (*di liquidi*) flow.

fuoruscito *s.m.* (political) exile; (*profugo*) refugee.

fuorviare *v.tr.* to lead* astray (*anche fig.*) ♦ *v.intr.* **-arsi** *v.rifl.* to go* astray.

furbacchione *s.m.* cunning fellow; (*fam.*) sly dog, sly- boots.

furberia *s.f.* cunning, craft; (*sagacia*) shrewdness.

furbesco *agg.* cunning, crafty.

furbo *agg.* cunning, artful, crafty; (*sagace*) shrewd.

furente *agg.* furious (with s.o., sth., at doing); mad (at, with): — *d'ira*, mad with rage.

fureria *s.f.* (*mil.*) orderly room.

furetto *s.m.* (*zool.*) ferret.

furfante *s.m.* rascal, scoundrel, knave // *quel* — *di mio figlio*, (*scherz.*) my scamp of a son.

furfanteria *s.f.* rascality, knavery.

furgoncino *s.m.* small (delivery) van.

furgone *s.m.* van, delivery van: — *per traslochi*, furni- ture van; — *postale*, mail van.

furia *s.f.* **1** fury (*anche fig.*); (*rabbia*) rage: *mi ha ag- gredito come una* —, he went for me like a mad bull; *andare su tutte le furie*, to fly into a rage; *a* — *di*, by dint of **2** (*grande fretta*) hurry, haste: *avere* —, to be in a

hurry; *fare* — *a qlcu.*, to hurry s.o. // *di* —, hurriedl *// in fretta e* —, in a hurry.

furibondo *agg.* furious.

furiere *s.m.* (*mil.*) paymaster.

furiosamente *avv.* furiously.

furioso *agg.* **1** furious (at): *diventare* —, to fly into rage; *rendere* — *qlcu.*, to enrage s.o. **2** (*violento, impe tuoso*) violent, wild.

furore *s.m.* fury (*anche fig.*); (*rabbia*) rage: *fu preso d —*, he flew into a rage (*o* a passion) // *a furor di popol (col consenso generale*) by public acclaim // — *poetic* poetic frenzy // *far* —, (*fam.*) to be (all) the rage; (*e lavoro teatrale*) to be (quite) a hit, to make a hit.

furoreggiare *v.intr.* to be* (all) the rage; (*di lavoro tea trale*) to be* (quite) a hit, to make* a hit.

furtivo *agg.* stealthy, furtive.

furto *s.m.* theft; (*dir.*) larceny: — *con scasso*, burglary *piccolo* —, petty larceny; *commettere un* —, to steal.

fusa *s.f.pl.: fare le* —, to purr.

fuscello *s.m.* twig.

fusciacca *s.f.* sash, cummerbund.

fusello *s.m.* **1** (*mecc.*) axle arms (*pl.*) **2** (*per merletti* bobbin.

fusibile *agg.* fusible ♦ *s.m.* (*elettr.*) fuse.

fusione *s.f.* **1** (*di metalli*) fusion, founding; (*di mate riale non metallico*) melting; (*in una forma*) casting **2** (*fig.*) fusion: *la* — *di due partiti*, the fusion of two par ties // — *di colori*, blending of colours **3** (*di societ commerciali*) merger, merging, amalgamation **4** (*in formatica*) merging.

fuso[1] *agg.* melted.

fuso[2] *s.m.* **1** spindle // — *orario*, time zone **2** (*di an cora*) shank.

fusoliera *s.f.* (*aer.*) fuselage.

fustagno *s.m.* fustian.

fustigare *v.tr.* to flog, to lash.

fustigazione *s.f.* flogging, lashing.

fusto *s.m.* **1** trunk: *piante d'alto* —, forest trees // — *di una chiave*, shank of a key **2** (*fam.*) (*giovane prestan te*) he-man (*pl.* he-men) **3** (*arch.*) shaft **4** (*di lamiera* drum; (*di legno*) barrel, keg, cask **5** (*intelaiatura*) frame

futile *agg.* trifling, petty: *cose futili*, trifles.

futilità *s.f.* pettiness.

futurismo *s.m.* (*arte*) futurism.

futurista *agg.* e *s.m.* e *f.* (*arte*) futurist.

futuro *agg.* future: *penso agli anni futuri*, I am thinking of the years to come ♦ *s.m.* **1** future: *in* —, in the fu ture **2** (*gramm.*) future (tense): — *anteriore*, future perfect.

futurologia *s.f.* futurology.

G

g *s.f.* o *m.* g (*pl.* gs, g's) // — *come Genova*, (*tel.*) g for George.

gabardine (*franc.*) *s.f.* gabardine.

gabbana *s.f.*, **gabbano** *s.m.* loose overcoat // *voltar* —, (*fig.*) to be a weathercock.

gabbare *v.tr.* to cheat, to swindle // *passata la festa, gabbato lo santo*, (*prov.*) the danger is passed and God forgotten // **-arsi** *v.intr.pron.* to mock (s.o.), to jeer (at s.o.).

gabbia *s.f.* 1 cage; (*per imballaggio*) crate: — *dell'ascensore*, shaft, well; — *per polli*, chicken coop; — *per uccelli*, birdcage; *uccello di* —, cagebird // — *toracica*, (*anat.*) chest // — *degli imputati*, dock // — *di matti*, mad-house // *mettere in* —, to put in jail // (*mar.*) (*vela quadra*) topsail // *albero di* —, topmast.

gabbiano *s.m.* (sea)gull.

gabbiere *s.m.* (*mar.*) topman (*pl.* -men).

gabbo *s.m.*: *prendere a* — *qlco.*, (*prenderla alla leggera*) to make light of sthg.; *farsi* — *di qlcu., qlco.*, (*burlarsi*) to make fun of s.o., sthg.

gabella *s.f.* (*antiq.*) excise, tax.

gabellare *v.tr.* 1 (*antiq.*) to tax, to excise 2 (*far passare*) to pass (s.o.) off (as), to make* (s.o.) pass (for).

gabelliere *s.m.* (*antiq.*) exciseman (*pl.* -men).

gabinetto *s.m.* 1 closet; (*studio*) study: — *di consultazione*, consulting room; — *di fisica*, physics laboratory; — *di storia naturale*, private natural history collection 2 (*pol.*) (*ministero*) ministry; (*complesso dei ministri*) cabinet // *capo di* —, principal private secretary 3 (*luogo di decenza*) lavatory, toilet.

Gabriele *no.pr.m.* Gabriel.

gaelico *agg.* Gaelic ♦ *s.m.* 1 (*abitante*) Gael 2 (*lingua*) Gaelic.

gaffa *s.f.* (*mar.*) boat hook.

gaffe (*franc.*) *s.f.* blunder: *fare una* —, to drop a brick (*o* to put one's foot in it).

gagà *s.m.* dandy.

gaggia *s.f.* (*bot.*) acacia.

gagliardetto *s.m.* 1 flag 2 (*mar.*) pennant, pennon.

gagliardia *s.f.* vigour, strength.

gagliardo *agg.* vigorous, strong.

gaglioffo *agg.* rascally, knavish ♦ *s.m.* rogue rascal, knave.

gagnolare *v.intr.* to whine.

gaiezza *s.f.* 1 (*allegria*) gaiety, cheerfulness, mirth 2 (*di colore*) liveliness, brightness.

gaio *agg.* 1 gay, merry, cheerful 2 (*di colore*) lively, bright.

gala *s.f.* 1 (*festa*) gala: *abito di* —, gala dress; *rappresentazione di* —, gala performance 2 (*mar.*) (*pavese*) flags (*pl.*): *issare la* —, to dress (a) ship 3 (*fiocco*) bow.

galalite *s.f.* (*chim. ind.*) Galalith ®.

galante *agg.* 1 gallant 2 (*amoroso*) love (*attr.*): *lettera* —, love letter (*o* billet-doux).

galantemente *avv.* gallantly.

galanteria *s.f.* 1 gallantry, courteousness 2 (*complimento*) compliment: *dire delle galanterie a una signora*, to pay compliments to a lady.

galantina *s.f.* (*cuc.*) galantine.

galantuomo *s.m.* honest man, upright man: *agire da* —, to behave like a gentleman.

galassia *s.f.* (*astr.*) galaxy.

galateo *s.m.* 1 (*trattato*) book of etiquette 2 (*buone maniere*) (good)manners (*pl.*).

galea *s.f.* (*st.mar.*) galley.

galena *s.f.* (*min.*) galena // *radio a* —, crystal set.

galeone *s.m.* (*st. mar.*) galleon.

galeotto[1] *s.m.* 1 (*rematore di galea*) galley slave 2 (*detenuto*) convict 3 (*furfante*) rascal.

galeotto[2] *s.m.* (*mezzano*) pimp, procurer.

galera *s.f.* 1 (*st. mar.*) galley 2 (*prigione*) prison, jail, gaol: *andare, mandare in* —, to go, to send to prison (*o* to jail) // *avanzo di* —, jailbird (*o* gaolbird) // *questa è una* —, (*fig.*) this is a wretched life // *fare una vita da* —, (*fig.*) to drudge and slave.

galero *s.m.* (*eccl.*) cardinal's hat.

Galilea *no.pr.f.* Galilee.

galileo *agg.* e *s.m.* Galilean.

galla *s.f.* (*bot.*) gall: *noce di* —, oak gall.

galla, a *locuz.avv.* afloat, floating, on the surface: *stare a* —, to float; *tenere a* —, *di qlcu., qlco.*, to keep s.o., sthg. afloat; *tenersi a* —, (*anche fig.*) to keep afloat; *venire a* —, to emerge (*o* to come to the surface); (*fig.*) to come to light (*o* to emerge).

gallato *agg.* (*di uovo*) fecundated.

galleggiamento *s.m.* floating // *linea di* —, (*mar.*) waterline.

galleggiante *agg.* floating ♦ *s.m.* 1 float 2 (*tecn.*) ballcock 3 (*boa*) buoy.

galleggiare *v.intr.* to float; (*di aerostato, aliante*) to glide.

galleria *s.f.* 1 (*di ferrovia, strada*) tunnel; (*passaggio sotterraneo*) subway: — *della metropolitana*, tube-tunnel; *sbocco di* —, tunnel opening 2 (*di miniera*) gallery: — *di accesso*, adit; — *di passaggio*, gangway; — *di ventilazione*, windway 3 (*per esposizioni*) gallery: — *d'arte*, art gallery 4 (*di teatro*) gallery; (*di cinema*) balcony, gallery: *prima* —, dress circle; *seconda* —, upper circle 5 (*strada coperta e pedonale*) arcade 6 (*aerodinamica*) tunnel: — *del vento*, wind tunnel.

Galles *no.pr.m.* Wales.

gallese *agg.* Welsh // *i gallesi*, the Welsh (people) ♦ *s.m.* 1 (*abitante*) Welshman (*pl.* -men) 2 (*lingua*) (the) Welsh (language).

galletta *s.f.* (*per soldati*) biscuit; (*per marinai*) ship biscuit, hard tack.

galletto *s.m.* 1 young cock, cockerel // *fare il* —, (*fig.*) to be cocky; (*con le donne*) to be a ladies' man 2 (*mecc.*) wing nut.

gallicismo *s.m.* Gallicism.

gallico *agg.* Gallic.

gallina *s.f.* hen; (*la carne*) fowl, chicken: — *faraona*, Guinea hen (*o* Guinea fowl) // *zampe di* —, (*rughe*) crow's-feet // *avere il coraggio di una* —, to be chicken-hearted // *meglio un uovo oggi che una* — *domani*, (*prov.*) a bird in the hand is worth two in the bush.

gallinacei *s.m.pl.* gallinaceans.

gallinella *s.f.* young hen, pullet // — *d'acqua*, moor hen (*o* water hen).

gallio *s.m.* (*chim.*) gallium.

gallo *s.m.* 1 cock, rooster: — *cedrone*, grouse; — *da combattimento*, gamecock (*o* fighting cock); — *d'India*, turkey (*o* turkey-cock); *combattimento di galli*, cockfight // *essere il* —₹ *della Checca*, to be the cock of the walk (*o a* ladykiller); *fare il —*, to strut **2** *peso —*, (*pugilato*) bantamweight.

gallonato *agg.* gallooned.

gallone[1] *s.m.* **1** braid **2** (*mil.*) stripe; (*a forma di V*) chevron: *meritare, perdere i galloni*, to get, to lose one's stripes.

gallone[2] *s.m.* (*misura*) gallon.

galoppante *agg.* galloping.

galoppare *v.intr.* to gallop (*anche fig.*).

galoppata *s.f.* gallop, galloping (*anche fig.*): *fare una —*, to have a gallop.

galoppatoio *s.m.* riding track.

galoppatore *s.m.* galloper.

galoppino *s.m.* (*fattorino*) errand-boy, messenger // *— elettorale*, canvasser.

galoppo *s.m.* gallop: *al, di —*, at a gallop; (*fig.*) at full speed; *mettersi al —*, to break into a gallop; *partire al —*, to gallop away; *andare al gran —*, to ride at full gallop; *spingere un cavallo al gran —*, to gallop a horse; *piccolo —*, easy gallop (*o* canter): *andare al piccolo —*, to canter along.

galoscia *s.f.* golosh, galosh, overshoe.

galvanico *agg.* (*elettr.*) galvanic.

galvanizzare *v.tr.* (*fis.*) to galvanize (*anche fig.*).

galvanometro *s.m.* (*elettr.*) galvanometer.

galvanoplastica *s.f.* electrotyping.

gamba *s.f.* **1** leg: *a gambe larghe*, with legs apart; *un tavolo a tre gambe*, a three-legged table; *gambe storte*, bandy (*o* bow) legs; *avere le gambe storte*, to be bow-legged // *a mezza —*, up to one's knees // *a quattro gambe*, on all fours // *avere buone gambe*, to be a good walker // *cadere a gambe levate*, to fall on one's back // *corse a gambe levate*, he ran as fast as his legs would carry him // *mandare qlcu. a gambe levate*, to trip s.o. up // *darsela a gambe*, to take to one's heels // *essere in —*, to be smart (*o* to be on the ball); (*di persona anziana*) to be alive and kicking // *sentirsi malfermo sulle gambe*, to be shaky on one's pins // *sentirsi in —*, to feel on top of the world // *prendere qlco. sotto —*, to attach no importance to sthg. (*o* to underrate sthg.) // *chi non ha testa abbia gambe*, (*prov.*) little wit in the head makes much work for the feet **2** (*di nota, lettera*) stem **3** (*aer.*) leg, strut.

gambale *s.m.* **1** legging **2** (*parte alta di stivale*) bootleg.

gambata *s.f.* stride.

gamberetto *s.m.* shrimp.

gambero *s.m.* (*di mare*) shrimp; (*gamberone*) prawn; (*di acqua dolce*) crayfish, crawfish // *rosso come un —*, as red as a (boiled) lobster.

gambetto *s.m.* (*agli scacchi*) gambit.

gambo *s.m.* **1** (*stelo*) stem, stalk **2** (*mecc.*) stem.

gamella *s.f.* mess tin.

gamete *s.m.* (*biol.*) gamete.

gamma[1] *s.f.* (*alfabeto greco*) gamma.

gamma[2] *s.f.* range, gamut (*anche fig.*) // *— di frequenze*, (*rad.*) frequency band // *— di lunghezze d'onda*, (*rad.*) waveband.

ganascia *s.f.* **1** jaw // *mangiare a quattro ganasce*, to eat voraciously; (*fig.*) to make large profits **2** (*ferr.*) fishplate **3** (*mecc.*) jaw; (*aut.*) (*di freno*) brake shoe.

gancio *s.m.* hook (*anche nel pugilato*).

gang *s.f.* (*banda, gruppo*) gang, bunch.

ganga *s.f.* (*min.*) gangue.

Gange *no.pr.m.* Ganges.

ganghero *s.m.* (*cardine*) hinge // *essere fuori dei gangheri*, to be beside oneself; *uscire dai gangheri*, to fly into a temper.

ganglio *s.m.* ganglion: *— nervoso*, ganglion cell.

gangsterismo *s.m.* gangsterism.

ganimede *s.m.* dandy, fop, beau (*pl.* beaux): *fare il —*, to play the beau.

ganzo *s.m.* (*spreg.*) paramour, lover.

gara *s.f.* **1** competition: *entrare in — con qlcu. pe. qlco.*, to enter into competition with s.o. for sthg.; *iscriversi a una —*, to enter a competition // *fare a —*, to compete (*o* to vie): *entrambi fecero a — per aiutarlo*, they outdid each other in helping him **2** (*competizione sportiva*) contest; (*corsa*) race: *vincere la —*, to carry of the prize **3** (*comm.*) (*concorso per una fornitura*) tender

garage (*franc.*) *s.m.* garage.

garagista *s.m.* **1** garage hand; (*meccanico*) mechanic **2** (*padrone di garage*) garage keeper, garage owner.

garante *s.m.* guarantor, warranter, surety ♦ *agg.*: *essere — per qlcu.*, to vouch (*o* to answer) for s.o.; *farsi — pe. qlcu.*, to stand surety for s.o. (*o* to go bail for s.o.).

garantire *v.tr.* **1** to guarantee: *questo ombrello è ga rantito di seta pura*, this umbrella is guaranteed pure silk **2** (*rendersi garante*) to guarantee (for s.o.), to vouch for (s.o., sthg.), to answer for (sthg.); (*spec. dir.*) to stand* surety (for s.o.), to act as surety (for s.o.) **3** (*assicurare*) to assure, to warrant // *garantito!*, I'll warrant! (*o* no doubt! *o* depend on it!) // *te lo garantisco io!*, (*fam.*) I can tell you that! // *-irsi* *v.rifl.* to guarantee oneself.

garantito *agg.* guaranteed.

garanzia *s.f.* **1** guarantee, warranty: *— di un anno, a* year's guarantee // *dare, non dare —*, (*fig.*) to be reliable, unreliable **2** (*somma, beni di garanzia*) security; (*pegno*) pledge // *a — di*, in security for (*o* as a guarantee for) // *senza —*, (*di cambiale*) without recourse.

garbare *v.intr.* to like (s.o., sthg.) (*costr. pers.*); to please (s.o.): *questa sistemazione non mi garba*, I don't like this arrangement (*o* this arrangement doesn't suit me).

garbatezza *s.f.* politeness; (*amabilità*) amiability; (*grazia*), gracefulness.

garbato *agg.* polite, well-mannered; (*amabile*) amiable; (*aggraziato*) graceful.

garbo *s.m.* **1** politeness, courtesy; (*belle maniere*) good manners (*pl.*); (*grazia*) grace, gracefulness: *con bel, mal —*, with a good, bad grace; *senza —*, (*sgarbatamente*) rudely; (*goffamente*) awkwardly (*o* clumsily); *ha molto — nel vestire, nel parlare*, he has a distinguished manner of dressing, of speaking // *con —*, nicely (*o* properly) **2** (*mar.*) garboard.

garbuglio *s.m.* muddle, confusion, mess.

gardenia *s.f.* gardenia.

gareggiare *v.intr.* to compete, to vie.

garganella *s.f.*: *bere a —*, to drink out of the bottle.

gargarismo *s.m.* gargle: *fare dei gargarismi*, to gargle.

gargarizzare *v.intr.* to gargle.

gargarozzo *s.m.* (*pop.*) throat, gullet.

garibaldino *agg.* Garibaldian // *alla garibaldina*, slap-dash ♦ *s.m.* Garibaldian, Garibaldi's follower.

garitta *s.f.* **1** (*di sentinella*) sentry box **2** (*di guardiano*) cabin, shelter.

garofano *s.m.* **1** carnation, pink **2** (*pianta aromatica*) clove-tree.

garrese *s.m.* (*del cavallo*) withers (*pl.*).

garretto *s.m.* **1** (*di quadrupede*) hock, hough **2** (*di uomo*) Achille's tendon.

garrire *v.intr.* **1** (*di uccelli*) to twitter **2** (*di bandiera*) to flap, to flutter.

garrito *s.m.* (*di uccelli*) twitter.

garrulo *agg.* (*cinguettante*) chirping, twittering.

garza *s.f.* gauze.

garzatura *s.f.* (*ind. tessile*) teaseling.

garzone *s.m.* **1** (*apprendista*) apprentice; (*ragazzo di negozio*) shop-boy, errand-boy **2** (*poet.*) (*giovanetto*) lad, youth.

gas *s.m.* gas: *accendere, spegnere il* —, to turn on, to turn off the gas; *alzare, abbassare il* —, to turn up, to turn down the gas; *conduttura del* —, gas pipe; *contatore del* —, gas meter; *becco del* —, gas burner; *società del* —, gas company; *esattore del* —, gasman // — *asfissiante*, poison (*o* asphyxiating) gas: *lanciare* — *asfissianti contro il nemico*, to gas the enemy // — *esilarante*, laughing gas // — *liquido*, liquid petroleum gas // *a* —, gas (*attr.*): *forno a* —, gas oven; *apparecchi a* —, gas fittings // *andare a tutto* —, (*fam.*) to go flat out.

gasdotto *s.m.* gas pipeline.

gasolio *s.m.* (*chim.*) gas oil, diesel oil.

gassa *s.f.* (*mar.*) loop, eye.

gas(s)are *v.tr.* **1** to aerate, to carbonate, to charge with gas **2** (*uccidere col gas*) to gas.

gas(s)ato *agg.* (*fam.*) excited, bubbling over (with excitement).

gas(s)ificare *v.tr.* (*fis.*) to gasify.

gas(s)ista *s.m.* gas fitter, gasman (*pl.* -men).

gas(s)ometro *s.m.* gasholder, gasometer.

gas(s)oso *agg.* gaseous // *acqua gassosa*, soda water.

gastrico *agg.* gastric.

gastrite *s.f.* gastritis.

gastroenterite *s.f.* gastroenteritis.

gastronomia *s.f.* gastronomy.

gastronomico *agg.* gastronomic(al).

gastronomo *s.m.* gastronome(r), gastronomist.

gatta *s.f.* cat, queen cat, female cat; (*fam.*) pussy(cat); tabby (cat) // — *ci cova!*, there is something in the wind! (*o* there is something brewing!) // *che* — *da pelare!*, that's a pretty kettle of fish!; *ho altre gatte da pelare*, I have other fish to fry; *prendersi una* — *da pelare*, to let oneself in for sthg. // *quando la* — *non c'è, i sorci ballano*, (*prov.*) when the cat's away the mice will play; *tanto va la* — *al lardo che ci lascia lo zampino*, (*prov.*) the pitcher went to the well once too often.

gattabuia *s.f.* (*scherz.*) clink, lockup; (*amer.*) hoosegow // *in* —, in quod (*o amer.* jugged).

gattamorta *s.f.* (*fam.*): *essere una* —, *fare la* —, to be sanctimonious.

gattice *s.m.* (*bot.*) white poplar.

gattina *s.f.*, **gattino** *s.m.* kitten, little cat.

gatto *s.m.* cat, tomcat, male cat, he-cat; (*fam.*) pussy(cat): — *rosso*, ginger cat; — *siamese*, Siamese cat; — *soriano*, tabby (cat); *pelliccia di* —, cat-fur // — *a nove code*, cat-o'-nine-tails // — *delle nevi*, snowmobile // — *mammone*, bogey (*o* bogy) // *vivere come cane e* —, to live a cat-and-dog life // *eravamo in quattro gatti*, there was hardly a soul there // *pesce* —, catfish.

gattonare *v.tr.* e *intr.* to crawl.

gattoni *avv.* on all fours // *gatton* —, stealthily.

gattopardo *s.m.* leopard.

gattuccio *s.m.* (*pesce*) roussette.

gaudente *agg.* pleasure-loving; (*dissipato*) fast ♦ *s.m.* rake, viveur.

gaudio *s.m.* joy; (*letizia*) mirth; (*felicità*) happiness,

bliss // *mal comune mezzo* —, (*prov.*) trouble shared is trouble halved.

gaudioso *agg.* joyous, joyful; mirthful.

gavetta *s.f.* (*mil.*) mess-tin // *venire dalla* —, (*di ufficiale*) to rise from the ranks; (*di borghese*) to be a self-made man.

gavitello *s.m.* (*mar.*) buoy.

gavotta *s.f.* (*mus.*) gavotte.

gazza *s.f.* magpie.

gazzarra *s.f.* din, uproar, hubbub: *fare* —, to make a hullabaloo.

gazzella *s.f.* gazelle.

gazzetta *s.f.* gazette // *Gazzetta Ufficiale*, (Official) Gazette.

geco *s.m.* (*zool.*) gecko.

geisha *s.f.* geisha.

gelare *v.tr.* e *intr.* to freeze*: *il fiume gelò*, the river froze over; *qui si gela*, it is freezing cold here // *far* —, to freeze; *quella notizia mi fece* — *il sangue*, my blood ran cold at the news.

gelata *s.f.* frost.

gelataio *s.m.* ice-cream man, ice-cream vendor.

gelateria *s.f.* ice-cream parlour.

gelatiera *s.f.* ice-cream machine.

gelatina *s.f.* **1** gelatine; (*spec. dolce*) jelly: — *di frutta*, fruit jelly; *pollo in* —, chicken in aspic **2** (*chim.*) gelatin(e): — *esplosiva*, blasting gelatine.

gelatinoso *agg.* gelatinous.

gelato *agg.* frozen; (*gelido*) icy: *un lago* —, a frozen lake ♦ *s.m.* ice cream, ice: — *di cioccolato, fragola*, chocolate, strawberry ice (cream); — *da passeggio*, ice (cream) lolly; *cono* —, ice cream cone.

gelido *agg.* icy (*anche fig.*), freezing.

gelo *s.m.* **1** (*freddo intenso*) intense cold; (*fig.*) chill **2** (*brina*) frost.

gelone *s.m.* chilblain.

gelosia *s.f.* **1** jealousy: *per* —, from (*o* out of) jealousy; *provar* — *per qlcu.*, to be jealous of s.o. **2** (*cura scrupolosa*) great care: *conservare qlco. con* —, to keep sthg. with great care.

geloso *agg.* jealous.

gelso *s.m.* mulberry (tree).

gelsomino *s.m.* jasmine.

gemellaggio *s.m.* (*neol.*) twinship.

gemellare *agg.* twin (*attr.*).

gemello *agg.* twin (*attr.*): *anima gemella*, twin soul ♦ *s.m.* **1** twin **2** (*di polsino*) cuff links (*pl.*) // *Gemelli*, (*astr.*) Gemini (*sing.*).

gemere *v.intr.* **1** to moan, to groan, to wail: — *di dolore*, to groan in pain **2** (*stridere*) to groan.

geminato *agg.* geminate.

Gemini *s.m.pl.* (*astr.*) Gemini (*sing.*).

gemito *s.m.* groan, moan, wail.

gemma *s.f.* **1** gem, jewel (*anche fig.*) **2** (*bot.*) bud, gemma (*pl.* gemmae): *mettere le gemme*, to put forth buds (*o* to bud).

gemmare *v.intr.* (*bot.*) to bud, to gemmate.

gemmazione *s.f.* (*bot.*) gemmation.

gendarme *s.m.* gendarme.

gendarmeria *s.f.* **1** (*corpo dei gendarmi*) gendarmerie **2** (*caserma*) gendarme barracks.

gene *s.m.* (*spec. pl.*) (*biol.*) gene.

genealogia *s.f.* genealogy; (*discendenza*) descent.

genealogico *agg.* genealogical.

genepi *s.m.* (*bot.*) artemisia.

generale *agg.* **1** general, common: *assemblea* —,

general assembly // in —, in general (o generally) // star sulle generali, to speak in general terms 2 (di più alto grado, principale) general.

generale s.m. (mil.) general; (aer.) marshal: — d'armata, general; — di brigata, brigadier; — di corpo d'armata, lieutenant general; — in capo, commander in chief.

generalessa s.f. 1 (di un convento) mother general 2 (fig.) battleaxe.

generalità s.f. 1 generality: nella — dei casi, in most cases 2 pl. (dati personali): dare le —, to give one's (personal) particulars.

generalizzare v.tr. e intr. to generalize.

generalizzazione s.f. generalization.

generalmente avv. generally, in general, as a general rule.

generare v.tr. 1 to procreate, to generate (anche fig.), to beget* (anche fig.); (produrre) to produce 2 (tecn.) to generate, to produce.

generativo agg. generative.

generatore agg. generative, generating, productive ♦ s.m. generator: — di radiofrequenza, oscillator.

generatrice s.f. 1 (mat.) generatrix (pl. generatrices) 2 (elettr.) generator.

generazione s.f. generation: di — in —, from generation to generation.

genere s.m. 1 family, race, kind: il — umano, the human race (o mankind o humanity) // in —, generally 2 (fil. biol.) genus (pl. genera) 3 (tipo, qualità, specie) kind, sort: gente d'ogni —, all sorts of people; che — d'affari trattate?, what is your line (of business)? // nel suo — è un artista, he is an artist in his way 4 (gramm.) gender 5 (lett. arti) genre: il — comico, comedy; il — drammatico, drama; il — tragico, tragedy // pittura di —, genre-painting 6 (prodotto) product: generi di prima necessità, commodities.

genericità s.f vagueners.

generico agg. generic; (indeterminato) indefinite, vague // restare nel —, to keep it vague ♦ s.m. (teatr.) utility man.

genero s.m. son-in-law.

generosità s.f. generosity, open-handedness; (liberalità) liberality, munificence.

generoso agg. 1 generous, open-handed // vino —, full-bodied wine 2 (abbondante) plentiful, generous, copious.

genesi s.f. genesis, origin, birth: la — della storia, history in the making // Genesi, (Bibbia) Genesis.

genetica s.f. genetics.

genetico agg. genetic.

genetista s.m. e f. geneticist.

genetliaco agg. birthday (attr.) ♦ s.m. birthday.

genetta s.f. (zool.) genet.

gengiva s.f. gum: soffre di infiammazione alle gengive, he has an inflammation of his gums; mi sanguinano facilmente le gengive, my gums bleed easily.

gengivite s.f. gingivitis.

genia s.f. (spreg.) pack, set: una — di farabutti, a pack of scoundrels.

geniale agg. ingenious, clever: un'idea —, a bright (o a brilliant) idea (o fam. a brainwave).

genialità s.f. ingeniousness, cleverness.

genialoide s.m. eccentric genius.

geniere s.m. (mil.) engineer.

genio[1] s.m. 1 genius: l'ho sempre detto che sei un —, I've always said you are a genius; colpo di —, stroke of

genius 2 (talento, inclinazione) genius, talent, bent // andare a —, to be to one's taste (o to be to one's liking o to please o to suit): il suo modo di fare non mi va a —, his behaviour isn't to my liking 3 (divinità tutelare) genius (pl. genii): il — del luogo, genius loci; il mio — tutelare, my guardian spirit.

genio[2] s.m.: il —, (mil.) Engineers (pl.) (o Engineer Corps); (nell'esercito britannico) Royal Engineers (pl.); (nell'esercito degli Stati Uniti) Corps of Engineers.

genitale agg. genital ♦ s.m.pl. (anat.) genitals, genitalia.

genitivo agg. e s.m. (gramm.) genitive: — sassone, possessive case.

genitore s.m. parent.

gennaio s.m. January.

genocidio s.m. genocide.

Genova no.pr.f. Genoa.

genovese agg. e s.m. Genoese.

gentaglia s.f. mob, rabble.

gente s.f. 1 people (collettivo con costr. pl.), persons (pl.); (fam.) folk (collettivo con costr. pl.): molta —, a lot of (o many) people; poca —, few people; — di chiesa, clergy; (devoti) church-going people; — di mare, sea folk; — per bene, respectable people; brava —, nice people // la mia — sta in campagna, my people (o folks) live in the country 2 (popolo) people, nation: diritto delle genti, law of nations.

gentildonna s.f. gentlewoman (pl. -women).

gentile agg. 1 kind; (cortese) polite: essere — con qlcu., to be kind to s.o.; è stato — a fare ciò, è stato — da parte tua fare ciò, it was kind of you to do that; vuoi essere così — da chiudere la porta?, will you be so kind as to shut the door? // Gentile sig.na X, Gentilissima sig.ra X, (sulle buste) Miss X, Mrs. X 2 (delicato, grazioso) gentle // il gentil sesso, the fair sex.

gentilezza s.f. kindness; (cortesia) politeness: per — verso qlcu., out of kindness to s.o.; fare una — a qlcu., to do s.o. a favour; mi hanno colmato di gentilezze, they overwhelmed me with kindness; fatemi la — di uscire, will you please go out? // per —!, please!

Gentili s.m.pl. (st.) Gentiles.

gentilizio agg. noble // stemma —, coat of arms.

gentilmente avv. kindly; (cortesemente) politely.

gentiluomo s.m. gentleman (pl. -men): — di campagna, country gentleman (o squire).

genuflessione s.f. genuflexion: fare una —, to genuflect.

genuflettersi v.intr.pron. to genuflect, to kneel* (down).

genuinità s.f. genuineness.

genuino agg. genuine.

genziana s.f. gentian.

geo pref. geo-.

geocentrico agg. geocentric.

geocentrismo s.m. geocentricism.

geochimica s.f. geochemistry.

geode s.m. o f. (min.) geode.

geodesia s.f. geodesy.

geodetico agg. geodetic, geodesic.

geofisica s.f. geophysics.

geografia s.f. geography.

geografico agg. geographic(al): carta geografica, map; atlante —, atlas.

geografo s.m. geographer.

geoide s.m. geoid.

geologia s.f. geology.

geologico agg. geologic(al).

geologo s.m. geologist.

eometra *s.m.* e *f.* land-surveyor.

eometria *s.f.* geometry.

eometrico *agg.* geometric(al).

eopolitica *s.f.* geopolitics.

eorgico *agg.* georgic.

eranio *s.m.* geranium.

erarca *s.m.* 1 (*eccl.*) hierarch 2 (*capo*) leader.

erarchia *s.f.* hierarchy.

erarchico *agg.* hierarchic // *per via gerarchica*, rough official channels.

eremia *no.pr.m.* Jeremy, Jeremiah.

eremiade *s.f.* jeremiad.

erente *s.m.* manager // *— di un giornale*, managing ditor.

erenza *s.f.* management.

ergale *agg.* slang (*attr.*): *di natura —*, slangy.

ergo *s.m.* slang; (*di una particolare classe professio-ale*) jargon: *— della malavita*, cant; *parola del —*, ang word; *— sportivo*, sports jargon; *parlare in —*, to lk slang.

eriatra *s.m.* e *f.* geriatrician.

eriatria *s.f.* (*med.*) geriatrics.

eriatrico *agg.* geriatric: *ospedale —*, geriatric hospi-al.

erla *s.f.* pannier.

ermania *no.pr.f.* Germany.

ermanico *agg.* Germanic; (*tedesco*) German // *l'Im-ero Germanico*, the German Empire.

ermanio *s.m.* (*chim.*) germanium.

ermanismo *s.m.* Germanism.

ermanista *s.m.* e *f.* Germanist.

ermanistica *s.f.* Germanic studies.

ermano[1] *agg.* german: *fratello —*, brother-german.

ermano[2] *s.m.* (*zool.*): *— reale*, mallard.

erme *s.m.* 1 (*biol.*) germ // *in —*, in germ 2 (*fig.*) *origine*) germ, source.

ermicida *agg.* germicidal ♦ *s.m.* germicide.

erminale *agg.* (*biol.*) germinal.

erminare *v.intr.* (*biol.*) to germinate (*anche fig.*).

erminazione *s.f.* (*biol.*) germination.

ermogliare *v.intr.* 1 to sprout, to shoot* 2 (*fig.*) to erminate, to spring* up.

ermoglio *s.m.* shoot, sprout.

eroglifico *s.m.* hieroglyph (*anche fig.*).

ierolamo *no.pr.m.* Jerome.

erontologia *s.f.* (*med.*) gerontology.

erosolimitano *agg.* Hierosolymitan.

erundio *s.m.* (*gramm.*) gerund: *al —*, in the gerund.

ierusalemme *no.pr.f.* Jerusalem.

essato *agg.* 1 plaster: *benda gessata*, plaster ban-age 2 (*di stoffa*) pinstriped: *un abito —*, pinstriped uit.

esso *s.m.* 1 (*min.*) gypsum 2 (*impasto di polvere di esso usato in med., edil. ecc.*) plaster: *modello in —*, laster mould 3 (*pezzetto di gesso*) chalk: *— per sarti*, ailor's chalk; *segnare col —*, to chalk (up) 4 (*scult.*) laster statue.

essoso *agg.* chalky.

esta *s.f.pl.* deeds, feats.

estante *agg.* pregnant ♦ *s.f.* pregnant woman.

estatorio *agg.* (*eccl.*) gestatorial.

estazione *s.f.* gestation (*anche fig.*).

esticolare *v.intr.* to gesticulate.

estione *s.f.* 1 management, running: *— aziendale*, usiness management; *— del personale*, personnel management 2 (*informatica*) management: *— dei*

dati, data management; *— della libreria*, library maintenance.

gestire[1] *v.intr.* (*gesticolare*) to gesticulate.

gestire[2] *v.tr.* 1 (*amministrare*) to manage, to run* 2 (*informatica*) to manage: *gestito con elaboratore*, computer-assisted.

gesto *s.m.* 1 gesture 2 (*azione*) action, deed: *un bel —*, a noble deed.

gestore *s.m.* manager.

gestuale *agg.* gestural; of gesture (*pred.*).

Gesù *no.pr.m.* Jesus: *— Cristo*, Jesus Christ; *— Bam-bino*, Child Jesus.

gesuita *s.m.* Jesuit.

gesuitico *agg.* jesuitical (*anche fig.*).

gesuitismo *s.m.* jesuitism, jesuitry.

gettare *v.tr.* 1 to throw*, to cast*; (*con violenza*) to fling*, to hurl: *— un sasso contro un vetro*, to throw a stone against a pane of glass; *— un piatto per terra*, to throw a plate on to the ground; *— un oggetto fuori dal-la finestra*, to throw an object out (of) the window; *— insulti contro qlcu.*, to hurl insults at s.o.; *— un bacio a qlcu.*, to throw s.o. a kiss; *— un'occhiata*, to cast a glance; *— un grido*, to utter a cry; *— la lenza, le reti*, to cast the line, the nets; *— qlco. contro qlcu.*, to throw sthg. at s.o. // *— dentro*, to throw in // *— fuori (da)*, to throw out (of) // *— giù, in terra*, to throw down; *— giù un muro*, to pull down a wall; *— a terra qlcu.*, (*con un colpo*) to knock s.o. down // *— indietro*, to throw back; *— indietro la testa*, to throw one's head back // *— su*, to throw on // *— via*, to throw away: *— via tempo e denaro*, to waste time and money // *— i soldi dalla finestra*, to throw one's money out of the window (*o* to squander one's money) // *— qlco. in faccia a qlcu.*, (*fig.*) to throw sthg. in s.o.'s teeth // *— a mare*, to throw overboard; *— a mare un progetto*, to throw over a plan 2 (*emettere liquidi*) to spout: *la fontana non get-ta più*, the fountain is no longer playing 3 (*tecn.*) to cast* 4 (*porre*) to lay*: *— le fondamenta*, (*anche fig.*) to lay the foundations 5 (*fig.*) (*fruttare*) to yield ♦ *v. intr.* (*bot.*) to sprout // **-arsi** *v.rifl.* 1 to throw* oneself: *— ai piedi di qlcu.*, (*anche fig.*) to throw oneself at s.o.'s feet; *— a terra*, to throw oneself down; *— in mare*, to jump into the sea; *— dalla finestra*, to jump out of the window; *— in ginocchio*, to fall on one's knees; *— sul nemico*, to fall on the enemy; *gli si gettò contro all'im-provviso*, he suddenly went for him 2 (*sfociare*) to flow (into sthg.): *il Po si getta nell'Adriatico*, the Po flows into the Adriatic.

gettata *s.f.* 1 (*tecn.*) cast 2 (*di armi da fuoco*) range 3 (*diga*) jetty 4 (*bot.*) shooting.

gettito *s.m.* (*provento*) yield, profit.

getto *s.m.* 1 throw: *— del martello, del peso*, (*sport*) throw of the hammer, put(t) of the weight 2 (*di liqui-di, gas ecc.*) jet, spout // *a — continuo*, continuously // *di —*, effortlessly 3 (*bot.*) shoot 4 (*tecn.*) casting 5 (*mecc.*) jet // *aereo a —*, jet.

gettone *s.m.* disc; (*amer.*) token // *— di presenza*, at-tendance check.

geyser *s.m.* (*geol.*) geyser.

ghepardo *s.m.* cheetah.

gheppio *s.m.* (*zool.*) kestrel.

gheriglio *s.m.* kernel.

gherminella *s.f.* trick: *mi fecero una —*, they played a trick upon me.

ghermire *v.tr.* 1 to pounce (on sthg.) (*anche fig.*); (*di rapaci*) to swoop down (on sthg.) 2 (*afferrare*) to clutch.

gherone *s.m.* gusset.

ghetta *s.f.* spot; *pl.* (*per bambini*) leggings.

ghetto *s.m.* ghetto.

ghiacciaia *s.f.* icebox.

ghiacciaio *s.m.* glacier.

ghiacciare *v.tr.* e *intr.* to freeze* (*anche fig.*).

ghiacciata *s.f.* crushed-ice drink.

ghiacciato *agg.* (*gelato*) frozen; (*freddissimo*) iced, ice -cold.

ghiaccio *s.m.* ice; (*galleggiante*) floe: *tenere in* —, to keep on ice; *whisky col* —, whiskey on the rocks // — *secco*, dry ice // *secchiello del* —, ice pail // *freddo come il* —, as cold as ice // *mettere in* — *una bottiglia*, to ice a bottle.

ghiacciolo *s.m.* 1 icicle 2 (*gelato*) ice-lolly.

ghiaia *s.f.* gravel; (*di fiume, spiaggia ecc.*) pebbles (*pl.*): *ricoprire di* — *un vialetto*, to gravel a path // *letto di* —, (*ferr.*) ballast.

ghiaione *s.m.* moraine.

ghiaioso *agg.* gravelly // *spiaggia ghiaiosa*, pebbly beach.

ghianda *s.f.* acorn.

ghiandaia *s.f.* (*zool.*) jay.

ghiandola *s.f.* gland.

ghiandolare *agg.* glandular.

ghibellino *agg.* e *s.m.* (*st.*) Ghibelline.

ghibli *s.m.* gibleh.

ghiera *s.f.* 1 (*di bastone, ombrello ecc.*) ferrule 2 (*mecc.*) metal ring.

ghigliottina *s.f.* guillotine.

ghigliottinare *v.tr.* to guillotine.

ghigna *s.f.* smirk.

ghignare *v.intr.* 1 to smirk 2 (*pop.*) to laugh uproariously.

ghigno *s.m.* smirk.

ghinea *s.f.* guinea.

ghingheri *s.m.pl.*: *essere in* —, to be dressed up to the nines; *mettersi in* —, to dress up.

ghiotta *s.f.* (*cuc.*) dripping-pan.

ghiotto *agg.* 1 gluttonous, greedy: *essere* — *di qlco.*, to like sthg. very much 2 (*appetitoso*) inviting, delicious, tasty.

ghiottone *s.m.* glutton, gourmand.

ghiottoneria *s.f.* 1 gluttony 2 (*cibo ghiotto*) dainty, delicacy; titbit (*anche fig.*).

ghiozzo *s.m.* (*zool.*) gudgeon, goby.

ghirba *s.f.* 1 waterskin 2 (*gergo mil.*) skin: *salvare la* —, to save one's skin.

ghiribizzo *s.m.* whim, fancy, caprice: *se mi salta il* — *sono capace di partire subito*, if the fancy takes me I could leave at once.

ghirigoro *s.m.* flourish, scroll.

ghirlanda *s.f.* garland, wreath.

ghiro *s.m.* dormouse (*pl.* dormice) // *dormire come un* —, to sleep like a log.

ghisa *s.f.* cast iron.

già *avv.* 1 already: *lo so* —, I already know it; — *le dieci!*, ten o'clock already!; *è* — *di ritorno?*, is he back already? // *non* — *come medico ma come amico*, not as a doctor but as a friend // — *citato*, above-mentioned // — *descritto*, previously described // — *confezionato*, ready-made 2 (*un tempo*) once; (*precedentemente*) formerly: *la città,* — *capitale del regno*, the town, once capital of the kingdom; *il signor Y,* — *primo ministro*, Mr. Y, once (*o a former*) Prime Minister; *via X,* — *via Y*, Via X, formerly Via Y 3 (*con valore di affermazione o constatazione*) of course: — ..., *hai ragione,* course..., you are right // *eh* —, *lo sapevo!*, ah yes, knew! // **già che** *locuz.cong.* → **giacché**.

Giacarta *no.pr.f.* Djakarta.

giacca *s.f.* coat, jacket.

giacché *cong.* as, since: — *lo vuoi*, since (*o* as) yc want it; — *sei qui*, as (*o* seeing) you're here; — *ci sei, ne fai il piacere di...*, while you're about it, would you min (+*ger.*)...

giacchio *s.m.* casting net.

giacente *agg.* 1 lying; (*di capitale*) uninvested (*dir.*) in abeyance 2 (*di posta*) unclaimed.

giacenza *s.f.* (*l'essere giacente*) lying // *capitale in* — uninvested capital // *merce in* —, (*non ritirata*) ur claimed goods // *denaro in* — *presso una banc* money lying at a bank // *giorni di* —, (*controstallie*) de murrage.

giacere *v.intr.* to lie*: — *sul fianco, bocconi, supino*, t lie on one's side, on one's face, on one's back; *mettere a* —, to lie down // *chi muore giace e chi vive si dà pac* (*prov.*) let the dead bury the dead.

giaciglio *s.m.* pallet.

giacimento *s.m.* deposit: — *di petrolio*, oilfield; — *c sale*, saltmine.

giacinto *s.m.* hyacinth.

giacitura *s.f.* position.

giacobinismo *s.m.* (*st.*) Jacobinism.

giacobino *agg.* e *s.m.* (*st.*) Jacobin.

Giacomo *no.pr.m.* James.

giaculatoria *s.f.* ejaculation.

giada *s.f.* jade.

giaggiolo *s.m.* iris.

giaguaro *s.m.* jaguar.

gialappa *s.f.* (*farm.*) jalap.

giallastro, gialliccio *agg.* yellowish.

giallo *agg.* e *s.m.* yellow // — *d'uovo*, yolk // *libro* — detective story (*o* thriller *o fam.* whodunit); *film* — thriller.

giallognolo *agg.* yellowish, faded yellow.

Giamaica *no.pr.f.* Jamaica.

giamaicano *agg.* e *s.m.* Jamaican.

giammai *avv.* never; (*una volta*) ever: *se* — *lo rivedrò, i* I ever see him again.

Gianicolo *no.pr.m.* Janiculum.

giannizzero *s.m.* 1 janissary, janizary 2 (*fig.*) (*se guace*) satellite.

giansenismo *s.m.* (*st. relig.*) Jansenism.

giansenista *agg.* e *s.m.* e *f.* (*st. relig.*) Jansenist.

Giappone *no.pr.m.* Japan.

giapponese *agg.* e *s.m.* e *f.* Japanese (*pl. invar.*).

giara *s.f.* jar.

giardinaggio *s.m.* gardening: *fare del* —, to do the gardening.

giardinetta *s.f.* (*aut.*) station wagon, estate car.

giardinetto *s.m.* (*fin.*) diversified portfolio.

giardiniera *s.f.* 1 woman gardener (*pl.* women gar deners) 2 (*mobile di sostegno per vasi di fiori*) flowe -stand, jardinière 3 (*cuc.*) pickled vegetables (*pl.*).

giardiniere *s.m.* gardener.

giardino *s.m.* garden: — *pensile*, roof garden // — *d'infanzia*, kindergarten.

giarrettiera *s.f.* suspender; (*che cinge la coscia*) garte // *Ordine della Giarrettiera*, Order of the Garter.

giavellotto *s.m.* javelin.

gibboso *agg.* gibbous, humped.

giberna *s.f.* (*mil.*) cartridge pouch.

Gibilterra *no.pr.f.* Gibraltar: *lo stretto di —*, the Straits of Gibraltar.

gibus *s.m.* opera hat, gibus crush-hat.

gigante *s.m.* giant (*anche fig.*) // *fare passi da —*, to make great strides.

giganteggiare *v.intr.* to tower (above s.o., sthg.), to 'ise* like a giant (*anche fig.*).

gigantesco *agg.* gigantic (*anche fig.*).

gigantismo *s.m.* (*med.*) giantism, gigantism.

gigaro, gighero *s.m.* (*bot.*) arum.

gigione *s.m.* ham: *fare il —*, to overact (*o* to ham).

giglio *s.m.* 1 lily 2 (*arald.*) fleur-de-lis.

Gilberto *no.pr.m.* Gilbert.

gilda *s.f.* (*st.*) guild.

gilè *s.m.* waistcoat.

gimnoto *s.m.* (*zool.*) gymnotus, electric eel.

gincana *s.f.* (*sport*) gymkhana.

gineceo *s.m.* gynaeceum (*pl.* gynaecea).

ginecologia *s.f.* gynaecology.

ginecologico *agg.* gynaecological.

ginecologo *s.m.* gynaecologist.

ginepraio *s.m.* 1 juniper thicket 2 (*fig.*) (*situazione intricata*) difficult situation, fix.

ginepro *s.m.* juniper.

ginestra *s.f.* broom: *— spinosa*, furze (*o* gorse *o* whin).

Ginevra *no.pr.f.* Geneva.

ginevrino *agg. e s.m.* Genevan.

gingillarsi *v.intr.pron.* 1 to trifle 2 (*perdere tempo*) to waste time; (*indugiare*) to loiter.

gingillo *s.m.* 1 (*ninnolo*) (k)nick-(k)nack; (*di poco valore*) trinket 2 (*balocco*) plaything (*anche fig.*).

ginnasiale *agg.* secondary school (*attr.*); (*amer.*) high school (*attr.*) ♦ *s.m. e f.* secondary school student; (*amer.*) high school student.

ginnasio *s.m.* secondary school; (*amer.*) high school.

ginnasta *s.m. e f.* gymnast.

ginnastica *s.f.* gymnastics: *— da camera*, physical exercises; *— ritmica*, callisthenics // *scarpe per —*, gym shoes (*o* sneakers).

ginnastico *agg.* gymnastic.

ginnico *agg.* athletic, gymnastic.

ginocchiera *s.f.* 1 (*sport*) knee-guard, knee-pad // *— elastica*, elastic knee-band 2 (*di pantaloni*) knee-lining.

ginocchio *s.m.* knee: *in —*, on one's knees (*o* kneeling); *cadere in —*, to fall on one's knees; *in —!*, down on your knees(*s*)! (*o* kneel down!); *fino alle ginocchia*, knee-deep; *tenere sulle ginocchia*, to hold on one's knees.

ginocchioni *avv.* on one's knees.

Gioacchino *no.pr.m.* Joachim.

Giobbe *no.pr.m.* (*Bibbia*) Job.

giocare *v.intr.* 1 to play: *ha giocato due ore al pallone ieri*, he played football for two hours yesterday; *sai — a poker?*, do you know how to play poker?; *a chi tocca —?*, whose turn is it to play?; *— a carte, a scacchi, a tennis*, to play cards, chess, tennis; *gioca bene a carte*, he plays a good game of cards; *— a palla*, to play ball // *a che gioco giochiamo?*, what is your little game? // *— sulle parole*, to play (up)on words 2 (*d'azzardo*) to gamble: *è uno cui piace — forte*, he's one who likes to play for high stakes 3 (*in Borsa*) to speculate; to play the market: *— al rialzo*, to bull; *— al ribasso*, to bear ♦ *v.tr.* 1 to play // *— un tiro a qlcu.*, to play a joke on s.o. 2 (*scommettere*) to bet*, to stake: *ho giocato 1000 lire sul favorito*, I bet (*o* I put) a thousand lire on the favourite; *ci giocherei la testa*, I'd bet (*o* stake) my life on it // *giocarsi l'impiego*, to risk one's job 3 (*ingannare, prendere in giro*) to cheat: *mi ha giocato bene*, he really did me; *ti giochi di me*, you are making a fool of me.

giocata *s.f.* 1 (*partita*) game 2 (*puntata*) stake 3 (*combinazione*) combination.

giocatore *s.m.* 1 player 2 (*d'azzardo*) gambler.

giocattolo *s.m.* toy, plaything (*anche fig.*).

giocherellare *v.intr.* to play (around), to toy (with sthg.), to fiddle (with sthg.).

gioco *s.m.* 1 play; (*regolato da norme*) game: *— leale, sleale*, fair, foul play; *— di carte*, game of cards; *giochi di società*, parlour games; *— di pazienza*, puzzle; *giochi all'aperto*, outdoor games; *un — da bambini*, a game for children (*o* a children's game); *non è un — da bambini*, (*fig.*) it's no easy job // *— di Borsa*, speculation on the Stock market // *— pesante*, (*sport*) rough play; *fuori —*, (*sport*) offside; *campi di —*, sports ground; *terreno di —*, (*calcio*) pitch; (*tennis*) court // *— di colori*, colour effects; *giochi di luce*, light effects; *giochi d'acqua*, the playing of the fountains // *avere un bel —*, (*a carte*) to have a good hand; (*sport*) to be a good player (*o* to play well) // *avere buon —*, to have a good chance (of success); *avere buon — con qlcu.*, to twist s.o. round one's little finger // *fare il — di qlcu.*, to play s.o.'s game // *fare il doppio — (con qlcu.)*, to double cross s.o. // *scoprire il proprio —*, to show one's hand // *ho capito il suo —*, I know what he is up to // *qui entrano in — molti elementi*, many things come into this; *ci sono in — molti problemi*, there are many problems involved; *è in — il suo onore*, his honour is at stake // *mettere in — la (propria) vita*, to risk one's life // *il — è fatto!*, and that's it! // *fare, dire qlco. per —*, to do, to tell sthg. in fun // *farsi, prendersi — di qlcu.*, to make fun of s.o.; *prendersi — dei sentimenti altrui*, to play with s.o.'s feelings (*o* emotions) // *ogni bel — dura poco*, (*prov.*) good things come to an early end 2 (*d'azzardo*) gambling: *casa da —*, gambling house (*o* casino); *perdere al —*, to lose money gambling; *perdere una fortuna al —*, to gamble away a fortune 3 (*necessario per giocare*) (*a scacchi, dama, domino*) set; (*a carte*) pack 4 (*al tennis*) game 5 (*mecc.*): *— di serratura*, action of a lock; *— di un pistone*, stroke of a piston.

gioco forza *s.m.*: *esser —*, to be necessary.

giocoliere *s.m.* juggler.

giocondità *s.f.* gaiety, mirth, cheerfulness.

giocondo *agg.* gay, merry, cheerful.

giocoso *agg.* playful, jesting // *opera giocosa*, comic opera.

giogaia¹ *s.f.* (*geogr.*) mountain range.

giogaia² *s.f.* (*dei ruminanti*) dewlap.

giogo *s.m.* 1 yoke (*anche fig.*): *mettere i buoi sotto il —*, to yoke the oxen 2 (*di bilancia*) beam 3 (*cima*) summit, top; (*valico*) pass.

gioia¹ *s.f.* joy, delight // *—di vivere*, joie de vivre // *con mia grande —*, to my great joy; *raggiante di —*, beaming with joy.

gioia² *s.f.* (*gemma*) gem, precious stone // *le gioie*, the jewels.

gioielleria *s.f.* 1 (*arte*) jewellery making 2 (*negozio*) jeweller's shop.

gioielliere *s.m.* jeweller.

gioiello *s.m.* jewel // *gioielli*, jewellery (*o* jewels).

gioioso *agg.* joyful, joyous, cheerful, merry.

gioire *v.intr.* to rejoice (at sthg.), to be* glad (of sthg.).

Gionata *no.pr.m.* Jonathan.

Giordania *no.pr.f.* Jordan.

Giordano *no.pr.m. (fiume)* Jordan.

Giorgio *no.pr.m.* George.

giornalaio *s.m.* newsvendor, newsagent.

giornale *s.m.* **1** (news)paper: — *quotidiano,* daily (newspaper); *sul —,* in the (news)paper; *fondare un —,* to start a newspaper; *è il direttore del — locale,* he's the editor of the local (news)paper // — *murale,* bulletin // *il — radio,* the news // *i giornali,* the press **2** *(registro)* journal; *(diario)* diary: *registrazione a —,* journal -entry // — *di bordo,* log.

giornaliero *agg.* daily.

giornalismo *s.m.* **1** journalism **2** *(la stampa)* press.

giornalista *s.m.* journalist, reporter, press man *(pl. men); (amer.)* newsman *(pl. -men)* ♦ *s.f.* journalist, reporter.

giornalistico *agg.* journalistic.

giornalmente *avv.* daily.

giornata *s.f.* day; *(lavoro di un giorno)* day's work; — *di otto ore lavorative,* eight-hour working day; *due giornate di cammino,* a two days' walk; *voglio finirlo in —,* I want to finish it before the day is over; *bisogna consegnarlo in —,* it must be delivered today; *durante la —,* during (*o* in the course of) the day // *lavorare a —,* to work by the day; *(di domestica)* to char // *gli devo due giornate,* I owe him two days' wages // *vivere alla —,* to live from day to day.

giorno *s.m.* day: *un — d'estate,* a summer day; — *festivo,* holiday; — *feriale,* weekday; *un — di permesso,* a day off; *in agosto passerò dieci giorni in montagna,* in August I'll spend ten days in the mountains; *sarò assente qualche —,* I'll be absent for a few days; *ho un — libero,* I have a day off; *tutti i giorni,* every day; *tutto il (santo) —,* all (the) day (*o* the whole day); — *e notte,* night and day; *un — o l'altro,* one of these days; *a, tra giorni,* in a few days; — *per —,* day by day; *di —,* by (*o* during the) day // — *di consegna,* delivery day // — *di valuta, (fin.)* value date // *al —, il —,* a day // *a giorni sì, a giorni no,* sometimes yes, sometimes no // *può tornare da un — all'altro,* he may return any day; *è cambiato da un — all'altro,* he changed from one day to another // *che — è?, (del mese)* what is the date?; *(della settimana)* what day is it? // *ai nostri giorni, al — d'oggi,* nowadays // *i fatti del —,* the day's news // *l'uomo del —,* the man of the day // *illuminato a —,* brightly lit // *in pieno —,* in broad daylight // *sul far del —,* at daybreak // *al cadere del —,* at sunset // *far di notte —,* to turn night into day // *ha i giorni contati,* his days are numbered // *dare gli otto giorni,* to give a week's notice // *a —, (in architettura, oreficeria ecc.)* open work(ed) // *ricamo, punto a —,* hemstitch // *tenersi a — di tutto,* to keep abreast of things.

giostra *s.f.* **1** merry-go-round; *(amer.)* carousel **2** *(combattimento)* joust; *(torneo)* tournament.

giostrare *v.intr.* **1** to joust **2** *(fig.)* to manoeuvre.

Giosuè *no.pr.m.* Joshua.

giovamento *s.m.* benefit, advantage: *trarre — da qlco.,* to benefit from (*o* by) sthg.

giovane *agg.* **1** young: — *di spirito,* young at heart; *il più — dei miei fratelli, (tra due)* my younger brother; *(tra più di due)* my youngest brother; *da —,* when (I, he, etc. was) young; *sono più — di lui di quattro anni,* I am his junior by four years // *il — Rossi,* Rossi junior **2** *(giovanile)* youthful: *viso —,* young-looking face **3** *(non stagionato)* new ♦ *s.m.* **1** young man,

youth // *i giovani,* young people **2** *(aiutante)* assistan ♦ *s.f.* young woman, girl.

giovanile *agg.* juvenile; *(da giovane)* youthful: *di aspet to —,* young-looking.

Giovanna *no.pr.f.* Joan, Jo(h)anna.

Giovanni *no.pr.m.* John, Jack // — *Battista,* John th Baptist.

giovanotto *s.m.* **1** young man **2** *(fam.) (scapolo* bachelor.

giovare *v.intr.* **1** *(essere di utilità)* to be* of use: *a ch giova?,* what is the use of it?; *giova sapere,* it is useful t know; *le sue ampie conoscenze gli hanno indubbiament giovato,* the wide circle of his acquaintances has un doubtedly served him; *i vostri consigli mi giovarono molto,* your advice was of great help to me **2** *(fare be ne)* to be* good (for s.o., sthg.), to do* (s.o., sthg.) good *non gli giova certo far tardi alla sera,* it certainly doesn' do him any good to stay up late at night // **-arsi** *v intr.pron.* to avail oneself (of sthg.) // — *del consiglio d qlcu.,* to profit by (*o* to benefit from) s.o.'s advice.

Giove *no.pr.m. (mit.)* Jove, Jupiter // *barba di —,* (bot. Jupiter's beard // *(astr.)* Jupiter.

giovedì *s.m.* Thursday: — *(a) otto,* a week on Thurs day (*o* Thursday week *o* the Thursday after next); *un — mattina,* one (*o* on a) Thursday morning; *il —,* or Thursdays // *Giovedì Santo,* Maundy Thursday.

giovenca *s.f.* heifer.

giovenco *s.m.* bull-calf *(pl. -calves).*

gioventù *s.f.* **1** youth: *in —, al tempo della mia —, in my youth, when I was young; *nella prima —,* in one' early youth; *non essere più nella prima —,* to be n longer in one's prime **2** *(i giovani)* youth, young peo ple *(costr. pl.)* // *la — dorata,* gilded youth // *la — bruciata,* the beat generation.

giovevole *agg.* useful, profitable, advantageous // — *alla salute,* good for s.o.'s health.

gioviale *agg.* genial, jovial, jolly: *un riso —,* a hearty laugh; *un vecchietto —,* a genial old man; *un viso —, a jolly face.

giovialità *s.f.* geniality, joviality, jollity.

giovinastro *s.m.* hooligan; *(amer.)* hoodlum.

giovinezza *s.f.* youth: *nella prima —,* in one's early youth.

gipsoteca *s.f.* gallery of plaster casts.

girabile *agg. (comm.)* endorsable, indorsable.

giradischi *s.m.* record player; turntable.

giradito *s.m. (med.)* whitlow.

giraffa *s.f. (zool.)* **1** giraffe **2** *(cinem. rad. tv)* boom.

giramento *s.m. (di capo)* dizziness: *avere un — di capo* to feel dizzy; *avere giramenti di capo,* to have fits of diz ziness.

giramondo *s.m.* globetrotter.

girandola *s.f.* **1** catherine wheel **2** *(giocattolo)* wind mill **3** *(fig.)* weathercock, vane.

girandolare *v.intr.* to wander, to stroll: — *per la città* to stroll about the town; — *per i campi,* to ramble through the fields.

girandolone *s.m.* stroller, rambler.

girante *s.m. (comm.)* endorser ♦ *s.f. (mecc.) (di ventila tore)* fan wheel.

girare *v.tr.* **1** to turn: — *gli occhi, la testa verso qlcu.,* to turn one's eyes, one's head towards s.o. (*o* to look in s.o.'s direction); — *la pagina,* to turn over the page; — *una carta, (scoprirla)* to turn up a card // *girato l'ango lo,* just around the corner // *fa — la testa a tutti,* every body falls (*o* goes) for her // — *le cose in modo che, da,* to put things in such a way that // — *bene una frase*, to give a neat turn to a phrase **2** (*evitare*) to avoid: — *una difficoltà*, to avoid a difficulty // — *una domanda*, to evade a question // — *un ostacolo*, to go round an obstacle **3** (*viaggiare*) to travel, to tour: — *il mondo*, to travel all over the world **4** (*cinem.*) (*di regista*) to shoot*, to take*, to film; (*di attore*) to play, to act // «*Silenzio, si gira!*», "Quiet and film'em!" **5** (*comm.*) to endorse: — *una cambiale*, to endorse a bill ♦ *v.intr.* **1** to turn: — *a destra*, to turn (to the) right; — *sui cardini*, to turn (*o* to swing) on the hinges; *il balcone gira intorno a tutta la casa*, the balcony goes all around the house; *il sentiero gira intorno al prato*, the path winds around the lawn // *che vi gira?*, what's come over you? // *gira al largo!*, sheer off! // — *a vuoto*, (*mecc.*) to idle // *mi gira la testa*, my head is spinning (*o* I feel dizzy) // *se mi gira di andare*, (*fam.*) if I feel like going **2** (*fare il giro di negozi, musei ecc.*) to go* around: *ho girato tutto il giorno per i negozi*, I went around the shops all day **3** (*camminare senza meta*) to wander about: — *per le strade*, to stroll about the streets // *gira e rigira lo abbiamo trovato finalmente*, after a long search we found him at last // *gira e rigira non abbiamo concluso nulla*, no matter how hard we tried, we didn't come to any conclusion ♦ **-arsi** *v.rifl.* to turn; (*completamente*) to turn around // — *nel letto*, to turn over in one's bed // *non sapere da che parte* —, (*fig.*) not to know which way to turn.

girarrosto *s.m.* roasting-jack; (*spiedo*) spit.

girasole *s.m.* sunflower.

girata *s.f.* **1** (*distribuzione delle carte*) deal **2** (*comm.*) endorsement: — *in bianco*, blank endorsement.

giratario *s.m.* (*comm.*) endorsee.

giravolta *s.f.* **1** full turn; (*piroetta*) twirl: *fare una* —, to turn round **2** (*fig.*) (*mutamento repentino*) shift.

girellare *v.intr.* to wander, to stroll.

girello *s.m.* **1** (*per bambini*) (baby-)walker, go-cart **2** (*macelleria*) rump **3** (*fondo di carciofo*) heart.

girevole *agg.* revolving: *porta* —, revolving door // *ponte* —, swing bridge.

girifalco *s.m.* (*zool.*) gyrfalcon.

girino *s.m.* tadpole.

giro *s.m.* **1** turn, turning: — *di vite*, (*anche fig.*) turn of the screw; *chiudere a doppio* —, to double lock // *il motore fa' 2000 giri al minuto*, the engine does 2000 revolutions (*o* revs.) per minute // *mandare su di giri*, (*il motore*) to rev (up); *essere su di giri*, to be revved up; (*fig.*) to feel on top of the world // *disco a 33 giri*, 33 r.p.m. record (*o* long play) // *un* — *di parole*, a roundabout expression // *sono fuori dal suo* —, (*come ambiente sociale*) we don't move in the same circle // *da quando sono in pensione sono fuori dal* —, since I retired I've been out of touch // *sono fuori dal* — *adesso*, (*di ex delinquente*) I'm out of that racket now // — *di affari*, turnover; — *di fondi*, cash-transfer // *a* — *di posta*, by return (post) **2** (*perimetro, circonferenza*) circle, circuit: *il* — *delle mura*, the circuit of the city walls **3** (*percorso*) round: — *di pista*, (*sport*) lap; *il postino sta facendo il suo* —, the postman is doing his round // *perdemmo la strada e facemmo un lungo* —, we lost our way and made a long detour // *questa storiella farà il* — *della città*, this story will go around the town // *fare il* — *dei locali notturni*, to do the nightclubs // *il Giro d'Italia*, the Tour of Italy **4** (*passeggiata*) short walk, stroll; (*viaggio*) tour, trip; *fece un* — *nel parco*, he went for a stroll in the park; *fare un* — *in auto*, to go for a

drive; *fare un* — *in bicicletta*, to take a ride on a bicycle; *fare il* — *del mondo*, to go on a trip round the world **5** (*periodo*) period, time: *nel* — *di pochi giorni*, in the course of a few days (*o* in a few days' time) **6** (*nei lavori a maglia*) row **7** (*fraseologia*): *volgere lo sguardo in* —, to look around; *sedersi in* —, to sit around; *prendere in* — *qlcu.*, to pull s.o.'s leg; *mettere in* —, (*dicerie*) to spread; *andare in* —, (*a spasso*) to go around; *essere sempre in* —, to be always out and around; *debiti in* —, outstanding debts.

girocollo *s.m.* **1** (*lavori a maglia*) neck-opening **2** (*di abito*) neck(line): *un abito a* —, a round-necked dress.

giroconto *s.m.* (*fin.*) bank clearing.

giromanica *s.m.* armhole // *abito* —, sleeveless dress.

girone *s.m.* (*calcio*): — *di andata*, first series (of games); — *di ritorno*, second series (of games).

gironzolare *v.intr.* to wander, to stroll.

giroscopio *s.m.* gyroscope.

girotondo *s.m.*: *facciamo il* —, let's play "ring-a-ring -o'-roses".

girovagare *v.intr.* to wander, to stroll.

girovago *s.m.* vagabond, tramp; (*amer.*) hobo // *attori girovaghi*, strolling players.

gita *s.f.* trip, excursion: — *in barca*, boat excursion; *fare una* —, to take a trip (*o* to make an excursion); *fare una* — *a piedi, in automobile*, to go for a hike, to go for a drive.

gitano *s.m.* Spanish gipsy.

gitante *s.m. e f.* tripper, excursionist.

gittata *s.f.* (*di arma*) range: *cannoni a lunga* —, long -range guns.

giù *avv.* down; (*dabbasso*) downstairs: — *dall'albero!*, get down from the tree!; — *di lì!*, get down!; — *per un pendio*, down a slope; *qui* —, down here // — *le mani!*, hands off! // *andare su* —, (*salire e scendere*) to go up and down; (*andare avanti e indietro*) to go to and fro // *andare* —, (*deperire*) to fail; (*diminuire*) to drop // *questa medicina non mi va* —, I can't swallow this medicine; *questa non mi va* —!, (*fig.*) I won't stand for it! // *abita in via X o* — *di lì*, he lives in via X or somewhere round there // *avrà trent'anni o* — *di lì, su per* —, he must be about thirty or so (*o* or thereabouts) // *in* —, *all'ingiù*, down, downward(s): *guardare in* —, *all'ingiù*, to look down(wards); *con il capo in* —, *la faccia in* —, head, face downwards; *tuffarsi a capo in* —, to dive head first; *cadere a testa in* —, to fall headlong // *la chiesa è più in* —, the church is further (*o* farther) down // *dal ginocchio in* —, below the knee // *bambini dai sette anni in* —, children of seven and under // *dalle mille lire in* —, from a thousand lire downwards // *da Roma in* —, south of Rome.

giubba[1] *s.f.* (*giacca*) coat, jacket; (*di fantino*) jockey's shirt; (*di militare*) blouse.

giubba[2] *s.f.* (*criniera del leone*) mane.

giubbetto *s.m.* jacket.

giubbotto *s.m.* jacket: — *antiproiettile*, fla(c)k jacket.

giubilare *v.intr.* to jubilate, to exult ♦ *v.tr.* (*mettere a riposo*) to pension off; (*destituire*) to dismiss.

giubileo *s.m.* jubilee: *anno del* —, jubilee year.

giubilo *s.m.* jubilation, rejoicing.

Giuda *no.pr.m.* (*Bibbia*) Judas; (*il figlio di Giacobbe*) Judah // *i figli di* —, the Jews // **giuda** *s.m.* (*traditore*) Judas, traitor.

giudaico *agg.* Judaic.

giudaismo *s.m.* Judaism.

Giudea *no.pr.f.* Judea, Judaea.

giudeo *agg.* (*della Giudea*) Judaean; (*ebreo*) Jewish ♦ *s.m.* (*abitante della Giudea*) Judaean; (*ebreo*) Jew.

giudicare *v.tr.* **1** to judge: *non sta a me —*, it's not for me to judge; *lascio a voi — se ho torto o ragione!*, I leave it to you whether I am right or wrong!; *l'hanno giudicato male*, they misjudged him; *a — da*, to judge by (*o* judging by); *— la situazione*, to take in the situation **2** (*dir.*) to judge: *— qlcu. colpevole, innocente*, to find s.o. guilty, not guilty; *— un accusato*, to pass judgement on a prisoner **3** (*considerare, pensare*) to consider, ponder, think*: *lo giudicarono pazzo*, everybody thought he was mad; *non giudicammo consigliabile proseguire*, we didn't think it advisable to go on.

giudicato *s.m.* (*dir.*) sentence, judgement: *passare in —*, to be beyond recall.

giudice *s.m.* judge: *— istruttore*, investigating magistrate; *— di Corte d'Appello*, High Court Judge; *— conciliatore*, Justice of the Peace; *— popolare*, juror (*o* juryman); *atteggiarsi, erigersi a —*, to set oneself up as judge // *il collegio dei giudici*, the Bench.

Giuditta *no.pr.f.* Judith.

giudiziale *agg.* (*dir.*) judicial: *vendita —*, sale by order of the Court.

giudiziario *agg.* (*dir.*) judicial: *cauzione giudiziaria*, security for costs // *ufficiale —*, bailiff; *carcere —*, prison.

giudizio *s.m.* **1** (*dir.*) judg(e)ment; (*sentenza*) sentence; (*causa, processo*) trial, (law)suit: *— esecutivo*, enforceable judgement; *— sommario*, summary trial; *riforma di un —*, reversal of judgement; *ebbe un — sfavorevole*, the judgement went against him; *dare, pronunciare un — su qlcu., qlco.*, to pass judgement on s.o., sthg. (*o* to give judgement on s.o., sthg.); *rinviare qlcu. a —*, to commit s.o. for trial; *sedere in —*, to sit in judgement; *sostenere un —*, to stay proceedings; *trascinare qlcu. in — per diffamazione*, to sue s.o. for libel; *comparire in —*, to appear before the Court; *citare in —*, to summon; *mi rimetto al tuo —*, it is for you to decide // *il — universale, finale*, the Last Judgement // *il giorno del —*, Doomsday (*o* the Day of Judgement) // *— di Dio*, (*st. medievale*) ordeal **2** (*opinione*) judg(e)ment, opinion: *a mio —*, in my judgement (*o* opinion); *secondo il — di*, in the judgement (*o* opinion) of; *a — di tutti è una persona molto competente*, everyone considers him to be a very competent person; *dare un — su qlcu., qlco.*, to give an opinion on s.o., sthg. **3** (*saggezza*) wisdom; (*buon senso*) good sense, common sense: *aver —*, to be sensible (*o* wise); *non hai affatto —!*, you have no sense at all!; *certo che ha dimostrato di non avere un briciolo di —*, he has certainly demonstrated that he hasn't got an ounce of (common) sense; *fare —*, to behave oneself; *mettere —*, to become (*o* to grow) wise; (*calmarsi, diventare serio*) to settle down // *età del —*, age of reason // *dente del —*, wisdom tooth.

giudizioso *agg.* judicious, sensible.

giuggiola *s.f.* (*bot.*) jujube // *andare in brodo di giuggiole*, to be thrilled.

giuggiolo *s.m.* (*bot.*) jujube (tree).

giugno *s.m.* June.

giugulare *agg.* (*anat.*) jugular: *vena —*, jugular vein.

giulebbe *s.m.* julep.

Giulia *no.pr.f.* Julia.

Giuliana *no.pr.f.* Juliana.

giuliano¹ *agg.* of Venezia Giulia ♦ *s.m.* inhabitant of Venezia Giulia.

giuliano² *agg.* (*di Giulio Cesare*) Julian.

Giuliano *no.pr.m.* Julian.

Giulietta *no.pr.f.* Juliet.

Giulio *no.pr.m.* Julius.

giulivo *agg.* gay, joyous, joyful, cheerful.

giullare *s.m.* jester, buffoon; (*menestrello*) minstrel.

giumenta *s.f.* mare.

giumento *s.m.* (*bestia da soma*) beast of burden.

giunca *s.f.* (*mar.*) junk.

giuncaia *s.f.* reed-bed, bed of rushes.

giunchiglia *s.f.* jonquil.

giunco *s.m.* reed, rush.

giungere *v.intr.* **1** to arrive (at, in a place), to come* (to a place, to sthg.); to reach (a place, sthg.): *— in una città*, to arrive at a town (*o* to reach a town *o* to get to a town); *fece del suo meglio per — in tempo*, he did his best to arrive in time; *mi è giunta notizia che...*, I have heard that...; *fin dove lo sguardo può —*, as far as the eye can reach; *nessun suono giungeva al mio orecchio*, not a sound reached my ears; *— all'età di novant'anni*, to reach the age of ninety; *— giunse a minacciarmi*, he went so far as to threaten me // *— alla meta*, (*fig.*) to achieve one's aim // *— a vie di fatto*, to come to blows // *mi giunge nuovo*, it's news to me **2** (*riuscire*) to succeed (in doing) ♦ *v.tr.* (*congiungere*) to join.

giungla *s.f.* jungle.

Giunone *no.pr.f.* (*mit.*) Juno.

giunonico *agg.* Junoesque.

giunta¹ *s.f.* **1** (*aggiunta*) addition, increase // *per —*, in addition (*o* into the bargain) **2** (*di peso*) makeweight **3** (*sartoria*) insert, inset.

giunta² *s.f.* (*comitato*) committee; (*in Spagna, America Latina e Italia*) junta: *— comunale*, town council; *— provinciale*, provincial council; (*in Gran Bretagna*) county council; *— regionale*, regional (*o* district) committee.

giuntare *v.tr.* **1** (*unire*) to join; (*con cuciture*) to sew* together **2** (*cinem.*) to splice.

giunto *s.m.* (*mecc.*) joint; (*di accoppiamento*) coupling; (*costruzioni navali*) seam: *— a snodo*, knuckle joint; *— a incastro*, (*carpenteria*) gain joint; *— cardanico, universale*, universal joint; *— idraulico*, hydraulic (*o* hydrodrive) coupling (*o* fluid flywheel); (*con tenuta ad acqua*) hydraulic joint.

giuntura *s.f.* **1** joint **2** (*anat.*) joint, articulation.

giunzione *s.f.* **1** (*il giuntare*) junction, connection **2** (*mecc.*) (*giunto*) joint // *senza —*, seamless.

giuramento *s.m.* oath: *sotto —*, on (*o* under) oath; *fare, prestare un —*, to take an oath; *mancare al —*, to break one's oath; *cerimonia ufficiale del —*, swearing-in-ceremony; *formula del —*, wording of the oath.

giurare *v.tr.* to swear*: *— su qlco., qlcu.*, to swear by sthg., s.o.; *— e spergiurare*, to keep swearing by all the gods; *— sulla Bibbia*, to swear on the Bible (*o* to kiss the Book) // *giurarla a qlcu.*, to swear vengeance on s.o.

giurato *agg.* sworn ♦ *s.m.* (*dir.*) juryman (*pl.* -men) // *i giurati*, the jury; *banco dei giurati*, jury box.

giureconsulto *s.m.* jurisconsult, jurisprudent.

giuri *s.m.* jury.

giuria *s.f.* jury.

giuridico *agg.* juridical; legal: *ente —*, juridical person; *posizione giuridica*, legal position; *stato —*, (legal) status; *studi giuridici*, law studies; *uguaglianza giuridica*, legal equality.

giurisdizionale *agg.* jurisdictional.

giurisdizione *s.f.* jurisdiction: *essere sotto la — di...*, to come within (*o* under) the jurisdiction of...

iurisperito *s.m.* jurisconsult, jurisprudent.

iurisprudenza *s.f.* jurisprudence.

Giuseppe *no.pr.m.* Joseph.

Giuseppina *no.pr.f.* Josephine.

iusquiamo *s.m.* (*bot.*) henbane.

iustacuore *s.m.* jerkin.

iustamente *avv.* rightly, justly, properly.

iustapporre *v.tr.* to juxtapose.

iustapposizione *s.f.* juxtaposition.

iustezza *s.f.* **1** exactness, correctness, precision: — *di un'opinione*, soundness of an opinion **2** (*tip.*) measure.

iustificabile *agg.* justifiable.

iustificare *v.tr.* **1** to justify: — *l'assenza di qlcu.*, to xcuse s.o. for his absence **2** (*tip.*) to justify // **-arsi** *v.rifl.* **1** to justify oneself **2** (*discolparsi*) to clear oneself.

iustificazione *s.f.* justification, excuse: *a — di qlco.*, in justification (*o* excuse) of sthg.; *a titolo di —*, as a ustification.

iustizia *s.f.* **1** justice; (*equità*) fairness, equity: *con —*, justly; *per — verso qlcu.*, in justice (*o* fairness) to .o.; *fare, rendere — a qlcu.*, to do justice to s.o. **2** (*dir.*) ustice; law: *la — seguì il suo corso*, the law had its way; *assicurare alla —*, to bring to justice; *cadere nelle mani della —*, to be brought to justice; *farsi — da sé*, to take the law into one's own hands // *Palazzo di Giustizia*, Law Courts.

iustiziare *v.tr.* to execute, to put* to death: — *sulla sedia elettrica*, to electrocute.

iustiziere *s.m.* executioner.

giusto *agg.* **1** just, right; (*equo*) fair: *siamo giusti!*, let us be fair!; *essere — con qlcu.*, to be just to s.o. // *tenersi al — mezzo*, to stick to a happy medium **2** (*esatto*) right: *il tuo orologio è — o avanti?*, (*fam.*) is your watch right or fast? // *la tua minestra è giusta di sale?*, (*fam.*) is there enough salt in your soup? // *arrivare all'ora giusta*, to arrive on the stroke of time // *l'uomo — al posto —*, the right man in the right place // *per dirla giusta*, to call a spade a spade // *è un cattivo soggetto, ma quello che è — è —, lavora sodo*: he is a nasty type, but to give him his due he works hard **3** (*legittimo*) legitimate, lawful ♦ *avv.* **1** (*con giustezza, precisione*) exactly, precisely: *colpire —*, (*fig.*) to strike home; *veder —*, to take the right view of things **2** (*proprio, appunto*) just; very (*agg. attr.*): — *in quel momento*, at that very moment ♦ *s.m.* **1** (*uomo retto*) just (*o* upright) man // *i giusti*, the just **2** (*ciò che è giusto*) what is right.

glabro *agg.* hairless, glabrous; (*liscio*) smooth.

glacé (*franc.*) *agg.* **1** (*cuc.*) iced: *marrons glacés*, marrons glacés **2** *guanti —*, glacé-kid gloves.

glaciale *agg.* **1** (*molto freddo*) glacial (*anche fig.*), icy (*anche fig.*), frigid **2** (*geol. geogr.*) glacial: *era —*, Glacial Period (*o* Glacial Age); *le regioni glaciali*, ice regions; *zona —*, frigid zone.

glaciazione *s.f.* (*geol.*) glaciation.

gladiatore *s.m.* gladiator.

gladiolo *s.m.* gladiolus.

glassa *s.f.* (*cuc.*) icing, frosting.

glassare *v.tr.* (*cuc.*) to ice, to frost.

glauco *agg.* (*letter.*) glaucous, blue green.

glaucoma *s.m.* (*med.*) glaucoma.

gleba *s.f.* (*poet.*) glebe // *servo della —*, serf.

gli[1] *art.det.m.pl.* → **i**.

gli[2] *pron.pers.m.* 3ª *pers.sing.* (*termine*) **1** (*riferito a persona*) (to) him; (*riferito a cosa o animale*) (to) it **2** (*fam. per loro*) (to) them.

glicemia *s.f.* (*med.*) glycaemia.

gliceride *s.m.* (*chim.*) glyceride.

glicerina *s.f.* (*chim.*) glycerine, glycerol.

glicine *s.m.* wistaria.

gliela *pron.pers.composto* 3ª *pers.* it (to) him, her, it; her to him, her; (*riferito a pl.*) it (to) them; her to them.

gliele *pron.pers.composto* 3ª *pers.* them to him, her, it; (*riferito a pl.*) them to them.

glieli *pron.pers.composto* 3ª *pers.* them to him, her, it; (*riferito a pl.*) them to them: — *diede*, he gave them to him, her, it, them; — *presentò*, he introduced them to him, her, them.

glielo *pron.pers.composto* 3ª *pers.* it (to) him, her, it; him to him, her; (*riferito a pl.*) it (to) them; him to them: — *diedi*, I gave it to him, her, it, them; — *presentai*, I introduced him to him, her, them.

gliene *pron.pers.composto* 3ª *pers.* → **ne**[2].

glifo *s.m.* **1** (*arch.*) glyph **2** (*mecc.*) link-block.

glissare *v.intr.* to touch on; (*eludere*) to hedge.

glittica *s.f.* glyptics.

globale *agg.* total, inclusive.

globo *s.m.* globe, sphere: — *celeste, terrestre*, celestial, terrestrial globe // — *dell'occhio*, (*anat.*) eyeball.

globoso *agg.* globous, globose.

globulo *s.m.* **1** (*piccolo corpo rotondo*) globule **2** (*biol.*) corpuscle.

gloria[1] *s.f.* glory: *per la maggior — di Dio*, for the greater glory of God; *farsi — di qlco.*, to glory in sthg.; *rendere — a Dio*, to glorify God // *che Dio l'abbia in —!*, God bless him! // *lavorare per la —*, to work for nothing.

gloria[2] *s.m.* (*preghiera*) gloria // *tutti i salmi finiscono in —*, (*prov.*) it's the same old story.

gloriarsi *v.rifl.* **1** to glory (in sthg.), to be* proud (of sthg.), to take* a pride (in sthg.), to pride oneself (upon sthg.): *non c'è proprio niente di cui —*, there's absolutely nothing to be proud of **2** (*millantarsi*) to boast (about, of sthg.): *si gloriava di imprese mirabolanti*, he boasted of prodigious exploits.

glorificare *v.tr.* to glorify, to praise, to magnify, to laud, to extol.

glorificazione *s.f.* glorification.

glorioso *agg.* **1** glorious **2** (*orgoglioso*) proud: *andare — di qlco.*, to be proud of sthg. **3** (*teol.*) glorified.

glossa *s.f.* gloss; (*nota*) note.

glossare *v.tr.* to gloss, to annotate.

glossario *s.m.* glossary.

glossina *s.f.* (*zool.*) glossina.

glottide *s.f.* (*anat.*) glottis.

glottologia *s.f.* glottology, glossology.

glottologo *s.m.* glottologist.

glucide *s.m.* (*chim.*) glucide.

glucosio *s.m.* glucose.

glu glu *onom.* glug glug.

glutammico *agg.* (*chim.*) *acido —*, glutamic acid.

gluteo *s.m.* gluteus (*pl.* glutei).

glutinato *agg.* gluten (*attr.*).

glutine *s.m.* (*chim.*) gluten.

gnaulare *v.intr.* to miaow, to mew.

gneiss *s.m.* (*geol.*) gneiss.

gnomico *agg.* gnomic.

gnomo *s.m.* gnome.

gnomone *s.m.* (*della meridiana*) gnomon.

gnorri *s.m.*: *far lo —*, to feign ignorance.

gnoseologia *s.f.* gnoseology, gnosiology.

gnoseologico *agg.* gnoseological, gnosiological.

gnu *s.m.* (*zool.*) gnu.

gobba *s.f.* 1 hump, hunch 2 (*protuberanza*) hump: *terreno pieno di gobbe*, humpy ground 3 (*donna gobba*) hunchback.

gobbo *agg.* humpbacked, hunchbacked; (*curvo*) bent: *camminare* —, to walk with hunched shoulders ♦ *s.m.* 1 humpback, hunchback // *essere lasciato con qlco. sul* —, to be stuck with sthg. 2 (*gobba*) hump.

goccia *s.f.* 1 drop: «*Vuoi del vino?*» «*Proprio una* —», "Will you have some wine?" "Just a drop" // *a* — *a* —, drop by drop // *fino all'ultima* —, to the last drop // *la* — *che fa traboccare il vaso*, the straw that breaks the camel's back // *è come una* — *nel mare*, it is like a drop in the ocean (*ornamento a forma di goccia*) drop; *pl.* (*orecchini*) eardrops.

gocciare *v.tr. e intr.* to drip.

goccio *s.m.* drop.

gocciola *s.f.* drop.

gocciolare *v.tr. e intr.* to drip, to trickle // *ti gocciola il naso*, your nose is running.

gocciolatoio *s.m.* drip.

gocciolìo *s.m.* dripping, trickling.

gocciolo *s.m.* drop.

godere *v.tr.* 1 to enjoy: *si sta godendo le vacanze*, he is enjoying his holidays; *godersi la vita*, to enjoy life // *è uno che se la sa* —, he knows how to enjoy himself 2 (*fruire*) to enjoy: — *buona salute*, to enjoy good health ♦ *v.intr.* 1 to enjoy (sthg.); (*rallegrarsi*) to be* glad (about sthg.), to rejoice (at, in sthg.): — *della felicità altrui*, to rejoice in the happiness of others 2 (*fruire*) to enjoy (sthg.) (*anche fig.*): *godiamo della sua amicizia*, he favours us with his friendship.

godereccio *agg.* 1 pleasure-loving: *una vita godereccia*, a gay life 2 (*che dà godimento*) pleasurable.

godet (*franc.*) *s.m.* flare: *gonna a* —, flared skirt.

godimento *s.m.* 1 enjoyment; (*piacere*) pleasure 2 (*dir.*) (*uso*) enjoyment.

goffaggine *s.f.* 1 awkwardness, clumsiness 2 (*atto goffo*) clumsy action.

goffo *agg.* awkward, clumsy.

goffrare *v.tr.* to emboss.

goffratura *s.f.* embossing.

Goffredo *no.pr.m.* Geoffrey; Jeffrey; (*st.*) Godfrey.

gogna *s.f.* pillory: *mettere alla* —, (*anche fig.*) to pillory.

gola *s.f.* 1 throat: *soffre molto di mal di* —, he's always getting a sore throat; *quelle parole gli si fermarono in* —, those words stuck in his throat // *avere un nodo alla* —, to have a lump in one's throat // *cantare, urlare a* — *spiegata*, to sing, to yell at the top of one's voice 2 (*golosità*) gluttony: *la* — *sarà la sua rovina*, his fondness for food will be the death of him // *far* — *a qlcu.*, to tempt (*o* to appeal to) s.o. 3 (*geogr.*) gorge 4 (*imboccatura*) (*di camino*) chimney; (*di armi da fuoco*) muzzle.

goletta *s.f.* schooner.

golf *s.m.* 1 jumper, (*con bottoni*) cardigan; (*maglione*) pullover, sweater 2 (*sport*) golf: *giocare a* —, to play golf.

golfo *s.m.* gulf // *la Corrente del Golfo*, the Gulf Stream.

Golgota *no.pr.m.* Golgotha.

goliardia *s.f.* 1 university students (*pl.*) 2 (*spirito goliardico*) university spirit.

goliardico *agg.* 1 university (*attr.*): *cappello* —, university hat 2 (*st.*) goliardic.

goliardo *s.m.* 1 university student 2 (*st.*) goliard.

golosità *s.f.* 1 greediness, gluttony 2 (*boccone prelibato*) dainty, titbit.

goloso *agg.* greedy: *essere* — *di dolci*, to have a sweet tooth; *è* — *di ciliege*, he is a glutton for cherries.

gomena *s.f.* (*mar.*) cable, hawser.

gomitata *s.f.* nudge // *farsi avanti a gomitate*, to elbow one's way forward.

gomito *s.m.* 1 elbow // — *a* —, side by side: — *a* — *con qlcu.*, close to s.o. // *dar di* — *a qlcu.*, to nudge s.o. // *olio di* —, (*fam.*) elbow grease 2 (*di manica*) elbow *avere i gomiti fuori*, to be out at the elbows 3 (*di strada, di fiume*) sharp bend: *la strada fa un* —, the road bends sharply 4 (*di tubo*) elbow; (*di albero motore*) crank.

gomitolo *s.m.* clew, ball (of thread): *avvolgere a* —, to wind into a ball.

gomma *s.f.* 1 (India) rubber; (*sostanza resinosa*) gum: *stivali di* —, rubber boots // — *da masticare* chewing gum // — *lacca*, shellac 2 (*pneumatico*) tyre (*amer.*) tire: *avere una* — *a terra*, to have a flat tyre 3 (*per cancellare*) rubber, eraser: — *da inchiostro, da matita*, ink, pencil eraser 4 (*med.*) gumma.

gommapiuma ® *s.f.* foam rubber: *materasso di* —, foam rubber mattress.

gommato *agg.* 1 gummed 2 (*di ruota*) complete with tyre.

gommifero *agg.* gummiferous.

gommista *s.m.* tyre-dealer, (*amer.*) tire-dealer.

gommone *s.m.* motorised inflatable dinghy.

gommoso *agg.* gummy, rubbery.

gondola *s.f.* gondola.

gondoliere *s.m.* gondolier.

gonfalone *s.m.* gonfalon; (*stendardo*) banner.

gonfaloniere *s.m.* banner-bearer; (*st.*) gonfalonier.

gonfiare *v.tr.* 1 to swell*; (*con aria, gas*) to inflate: — *un pneumatico*, to pump up a tyre // — *le gote*, to puff out one's cheeks 2 (*esagerare*) to exaggerate // — *qlcu.*, to puff up (*o* to inflate) s.o. // -**arsi** *v.intr.pron.* to swell* (*anche fig.*): — *di superbia*, to swell with pride.

gonfiato *agg.* swollen // *sei un pallone* —, you are swollenheaded.

gonfiatura *s.f.* 1 swelling; (*ad aria*) inflation 2 (*esagerazione*) exaggeration; (*montatura*) puff.

gonfiezza *s.f.* 1 swelling, inflation 2 (*di stile*) bombast.

gonfio *agg.* 1 swollen; (*di aria, gas ecc.*) inflated: *la caviglia è molto gonfia*, his ankle is very swollen; *un pneumatico troppo* —, an over-inflated tyre; *il torrente è* — *per la pioggia*, the stream is swollen with rain // *a gonfie vele*, splendidly 2 (*fig.*) inflated, swollen; (*di stile*) bombastic: — *di boria*, swollen with pride.

gonfiore *s.m.* swelling.

gong *s.m.* gong.

gongolare *v.intr.* to rejoice (at, in sthg.), to be* overjoyed (at sthg.): — *di gioia*, to be overjoyed.

goniometro *s.m.* goniometer; (*per disegno*) protractor.

gonna *s.f.* skirt: — *diritta, svasata, a pieghe*, tight, flared, pleated skirt; — *pantalone*, divided skirt; (*amer.*) culotte skirt; — (*a*)*portafoglio*, wrapround skirt.

gonnella *s.f.* skirt // *è ancora attaccato alla* — *di sua madre*, he is still tied to his mother's apron strings.

gonnellino *s.m.* (short) skirt // — *scozzese*, kilt.

gonococco *s.m.* gonococcus (*pl.* gonococci).

gonorrea *s.f.* (*med.*) gonorrhoea.

gonzo *s.m.* simpleton, fool.

gora *s.f.* 1 (*di mulino*) (*canale*) millrace; (*riserva d'acqua*) millpond 2 (*stagno*) pond; (*palude*) marsh.

gordiano *agg.* Gordian: *nodo —*, (*anche fig.*) Gordian knot.

gorgheggiare *v.intr.* to warble, to trill.

gorgheggio *s.m.* warble, trill.

gorgiera *s.f.* 1 gorget 2 (*st. abbigl.*) ruff.

gorgo *s.m.* whirlpool, vortex (*anche fig.*).

gorgogliare *v.intr.* (*di liquidi*) to gurgle, to bubble; (*di intestini*) to rumble.

gorgoglio *s.m.* (*di liquidi*) gurgling, bubbling; (*di intestini*) rumbling.

gorilla *s.m.* 1 gorilla 2 (*guardia del corpo*) bodyguard.

gotico *agg.* Gothic ♦ *s.m.* (*lingua, arte*) Gothic.

gotta *s.f.* gout.

Gottardo *no.pr.m.* St. Gothard.

gottazza *s.f.* (*mar.*) (bailing) scoop.

gottoso *agg.* gouty.

governante *s.m.* ruler ♦ *s.f.* housekeeper; (*istitutrice*) governess.

governare *v.tr.* 1 to govern (*anche fig.*), to rule (*anche fig.*): *governa con il pugno di ferro*, he governs with an iron fist 2 (*avere cura di*) to look after, to take* care (of s.o., sthg.) 3 (*mar.*) to steer ♦ *v.intr.* (*mar.*) to steer: *la nave non governa più*, the ship refuses to steer.

governativo *agg.* government (*attr.*), governmental; *impiegato —*, government employee; (*in Gran Bretagna*) civil servant; *scuola governativa*, state school.

governatorato *s.m.* 1 (*divisione amministrativa*) governorate 2 (*carica*) governorship.

governatore *s.m.* governor: *— generale*, governor-general; *poteri di —*, gubernatorial powers.

governatura *s.f.* (*di animali*) care (of animals), tending (animals); (*di cavalli*) grooming.

governo *s.m.* 1 (*il governare*) government: *cattivo —*, bad government (*o* misgovernment) // *— delle anime*, direction of the souls // *— della casa*, housekeeping 2 (*potere, dominio*) rule 3 (*pol.*) government: *il — ha chiesto la fiducia*, the government has asked for a vote of confidence; *il — è caduto*, the government has fallen; *negare la fiducia al —*, to pass a vote of no confidence; *il — si riunì*, a cabinet meeting was held; *formare un nuovo —*, to form a new government (*o* cabinet); *uomo di —*, (*statista*) statesman 4 (*informatica*) control device.

gozzo *s.m.* 1 goitre // *empirsi il —*, (*fam.*) to gorge (*o* to stuff oneself) // *ce l'ho sul —*, (*fam.*) I cannot swallow it 2 (*di uccello*) crop.

gozzoviglia *s.f.* carousal, spree.

gozzovigliare *v.intr.* to carouse, to go* on a spree.

gracchiare *v.intr.* to croak (*anche fig.*), to crow.

gracidare *v.intr.* to croak.

gracidio *s.m.* croaking.

gracile *agg.* weak, delicate, frail.

gracilità *s.f.* weakness, frailness, frailty.

gradasso *s.m.* boaster, braggart, blusterer: *non fare il —!*, stop bragging!

gradatamente *avv.* gradually, by degrees.

gradazione *s.f.* gradation; (*di colori*) shade // *— alcolica*, alcoholic strength.

gradevole *agg.* agreeable, pleasant, pleasing: *— al gusto*, palatable.

gradiente *s.m.* (*fis.*) gradient // *— atmosferico*, lapse // *— termico*, lapse rate (*o* amer. thermal gradient).

gradimento *s.m.* pleasure, liking: *di mio, di tuo —*, to my, your liking // *indice di —*, (*rad. tv*) popularity index // *speriamo che la nostra offerta sia di vostro —*, we hope that our offer will meet with your approval.

gradinare *v.tr.* 1 to chisel (with a gradine) 2 (*in ascensioni alpine*) to cut* steps (in the ice).

gradinata *s.f.* 1 staircase, flight of steps 2 (*di stadio, teatro*) tiers (*pl.*).

gradino *s.m.* 1 step, stair, gradin(e): *sul — più basso*, on the bottom step (*o* stair); *salire, scendere di un —*, to go up, to come down a step 2 (*alpinismo*) foothold.

gradire *v.tr.* 1 to like; (*desiderare*) to wish: *gradirei che tu venissi*, I should like you to come; (*come preghiera*) I wish you would come 2 (*accettare*) to accept; (*accogliere con gioia*) to welcome: *voglia — i miei migliori saluti*, please accept my best greetings; *l'ho gradito moltissimo*, I highly appreciated it (*o* I was delighted with it).

gradito *agg.* 1 (*piacevole*) pleasant, agreeable: *sono sicuro di fargli cosa gradita*, I am sure he will be pleased 2 (*bene accetto*) welcome // *in risposta alla gradita Vostra*, (*comm.*) in reply to your letter.

grado¹ *s.m.*: di umidità, degree of humidity (*o* humidity ratio); *un angolo di dieci gradi*, an angle of 10° (ten degrees); *la notte di Natale ci furono 9° sotto zero*, on Christmas night there were —9°C. (nine degrees centigrade below freezing); *— comparativo*, (*gramm.*) comparative degree; *cugino di primo, secondo —*, first, second cousin; *omicidio di primo, secondo —*, first, second degree murder; *in minor —*, in a lesser degree; *per gradi*, by degrees (*o* step by step *o* gradually) 2 (*condizione*): *essere in — di fare qlco.*, to be able to do sthg. (*o* to be in a position to do sthg.): *non so quando sarò in — di darvi una risposta*, I don't know when I'll be able to give you an answer 3 (*mil.*) rank: *mi è superiore di —*, he is above me in rank; *avere il — di maggiore*, to hold the rank of major 4 (*ceto, rango*) rank.

grado² *s.m.*: *di buon —*, with pleasure (*o* willingly).

graduale *agg.* gradual ♦ *s.m.* (*eccl.*) gradual.

gradualità *s.f.* gradualness, graduality.

graduare *v.tr.* to graduate, to grade; (*uno strumento*) to graduate, to scale.

graduato *agg.* 1 (*progressivo*) graded, gradual, progressive 2 (*provvisto di scala graduata*) graduated: *bicchiere —*, graduated measure ♦ *s.m.* (*mil.*) non-commissioned officer // *graduati e truppa*, rank and file // *tutti i graduati*, all ranks.

graduatoria *s.f.* 1 classification 2 (*di candidati a un concorso*) (pass-)list: *è riuscito il primo della —*, he came (*o* was) first 3 (*in una causa di fallimento*) graded list (of creditors).

graduazione *s.f.* graduation, scale.

graffa *s.f.* 1 (*per carte*) clip 2 (*tip.*) brace 3 (*mecc.*) (*per cinghia di trasmissione*) belt fastener, belt fastening claw 4 (*edil.*) cramp.

graffiare *v.tr.* to scratch.

graffiatura *s.f.* scratch.

graffietto *s.m.* 1 little scratch 2 (*strumento artigianale*) surface gauge.

graffio *s.m.* scratch.

graffire *v.tr.* to make* graffiti.

graffito *s.m.* graffito (*pl.* graffiti).

grafia *s.f.* 1 (*scrittura*) writing, handwriting 2 (*ortografia*) spelling.

grafica *s.f.* graphic arts (*pl.*).

grafico *agg.* graphic ♦ *s.m.* 1 (*diagramma*) graph 2 (*chi si occupa di arti grafiche*) graphic artist.

grafite *s.f.* graphite, plumbago, blacklead.
grafologia *s.f.* graphology.
grafologo *s.m.* graphologist.
grafomane *s.m.* graphomaniac.
grafomania *s.f.* graphomania.
grafospasmo *s.m.* (*med.*) graphospasm, writer's cramp.
gragn(u)ola *s.f.* **1** (*grandine*) hail **2** (*fig.*) (*grande quantità*) shower.
gramaglie *s.f.pl.* (*abito di lutto*) mourning (*sing.*); (*di vedova*) weeds: *mettersi in* —, to go into mourning.
gramigna *s.f.* couch (grass), twitch grass; (*erbaccia*) weed // *crescere come la* —, to grow like a weed.
graminacee *s.f.pl.* (*bot.*) Gramineae.
grammatica *s.f.* grammar: *errori di* —, grammatical mistakes // *val più la pratica della* —, (*prov.*) practice is better than theory.
grammaticale *agg.* grammatical, grammar (*attr.*).
grammatico *agg.* grammatic(al) ♦ *s.m.* grammarian; (*spreg.*) pedant.
grammatura *s.f.* substance.
grammo *s.m.* gram(me): — *atomo*, (*chim.*) gram atom.
grammofonico *agg.* gramophonic.
grammofono ® *s.m.* gramophone ®.
gramo *agg.* **1** (*infelice*) miserable, wretched **2** (*cattivo*) bad // *raccolto* —, poor crop.
gramola *s.f.* **1** (*per fibre tessili*) brake, scutch **2** (*per la pasta*) kneading-trough.
gramolare *v.tr.* **1** (*fibre tessili*) to brake, to scutch **2** (*pasta*) to knead.
grana¹ *s.f.* (*struttura molecolare di metalli, minerali ecc.*) grain: *a, di* — *fine, grossa*, fine-grained, coarse-grained; *grossezza della* —, grain size.
grana² *s.f.* (*fam.*) (*seccatura*) trouble: *ci sono grane in vista*, there is trouble ahead; *questo lavoro mi dà un sacco di grane*, this work is giving me a headache (*o this job is a pain in the neck*); *piantare una* —, to cause trouble.
grana³ *s.f.* (*fam.*) (*soldi*) dough.
granaglie *s.f.pl.* corn (*sing.*), grain (*sing.*), cereal (*sing.*): *commerciante di* —, corn dealer.
granaio *s.m.* barn; (*spec. per grano*) granary.
granario *agg.* wheat (*attr.*).
granata¹ *s.f.* (*scopa*) broom.
granata² *s.f.* **1** (*frutto*) pomegranate **2** (*pietra preziosa*) garnet.
granata³ *s.f.* (*mil.*) grenade.
granatiere *s.m.* **1** (*mil.*) grenadier **2** (*fig.*) tall imposing person.
granatina *s.f.* grenadine; (*granita*) crushed-ice drink.
granato *agg.* garnet red.
Gran Bretagna *no.pr.f.* Great Britain.
grancassa *s.f.* bass drum // *battere la* —, (*fig.*) to bang the big drum; *battere la* — *per qlcu., qlco.*, to build s.o., sthg. up.
grance(v)ola *s.f.* (*zool.*) cancer.
granchio *s.m.* **1** crab **2** (*fig.*) (*errore*) blunder: *pigliare un* —, to make a blunder.
grandangolare *agg.* (*fot.*) wide-angle (*attr.*), pantoscopic.
grande *agg.* **1** (*spec. in senso morale e fig.*) great; (*grosso*) big; (*ampio*) large; (*largo*) wide, broad: *un* — *poeta*, a great poet; *un* — *errore*, a big mistake; *egli ha un gran cuore*, he has a big heart; — *esperienza*, wide experience; *una famiglia molto* —, a very big family; *con mia* — *meraviglia*, much to my astonishment (*o to my great astonishment*); *fa un gran caldo*, it is very hot // — *bevitore*, heavy drinker // *il gran pubblico*, the general public // *i Grandi Laghi*, the Great Lakes // *la Grande Guerra*, the Great War // *Alessandro il Grande*, Alexander the Great // *in* —, on a large scale // *in gran che*, he doesn't work very hard; *questo film non è un gran che*, this picture is nothing extraordinary (*o not up to much*) **2** (*alto, elevato*) high; (*di statura*) tall: *grandi altezze*, great heights **3** (*adulto*) grown-up **4** (*nei titoli ufficiali*) grand: *Gran Maestro*, Grand Master ♦ *s.m.* **1** (*adulto*) grown-up: *che cosa farai da* —?, what are you going to be when you grow up? **2** (*uomo importante*) great man // *i grandi*, the great // *i Quattro Grandi*, (*pol.*) the Big Four **3** (*titolo ufficiale*) grandee.
grandeggiare *v.intr.* **1** to tower (above s.o., sthg.); (*fig.*) to stand* out **2** (*darsi aria da gran signore*) to show* off.
grandemente *avv.* greatly; (*moltissimo*) very much; (*altamente*) highly; (*profondamente*) deeply.
grandezza *s.f.* **1** greatness; (*mole*) bigness; (*estensione*) largeness; (*larghezza*) width, breadth **2** (*altezza*) height; (*fig.*) loftiness **3** (*taglia, dimensione*) size: *a* — *naturale*, full-size(d) **4** (*grandiosità, fasto*) grandeur **5** (*liberalità*) liberality; (*prodigalità*) lavishness **6** (*astr.*) magnitude **7** (*mat.fis.*) quantity.
grandinare *v.intr.impers.* to hail: *grandina*, it is hailing ♦ *v.intr.* (*fig.*) to shower, to hail.
grandinata *s.f.* hailstorm, hail (*anche fig.*).
grandine *s.f.* hail (*anche fig.*): *chicco di* —, hailstone.
grandinio *s.m.* thick fall of hail.
grandiosità *s.f.* grandiosity, grandeur.
grandioso *agg.* grand, majestic, imposing, stately: *stile* —, grand style.
granduca *s.m.* grand duke.
granducale *agg.* grand-ducal.
granducato *s.m.* grand duchy.
granduchessa *s.f.* grand duchess.
granello *s.m.* **1** grain (*anche fig.*): *un* — *di pepe*, a peppercorn **2** (*seme di frutta*) pip, seed.
graniglia *s.f.* grit.
granire *v.intr.* (*agr.*) to seed.
granita *s.f.* crushed-ice drink.
granitico *agg.* **1** granitic **2** (*fig.*) solid, strong, hard.
granito *s.m.* (*min.*) granite.
granivoro *agg.* granivorous.
grano *s.m.* **1** (*frumento*) wheat **2** (*cereale in genere*) corn: *borsa del* —, corn exchange; *commercio del* —, corn trade **3** (*granello*) grain (*anche fig.*); (*di cereali*) kernel, grain, corn; (*di collana*) bead **4** (*unità di peso*) grain.
granturco *s.m.* Indian corn, maize.
granulare *agg.* granular.
granulare *v.tr.* to granulate.
granulo *s.m.* granule.
granuloma *s.m.* (*med.*) granuloma.
granuloso *agg.* granulous.
grappa *s.f.* grappa (distillation of grape-pips).
grappolo *s.m.* bunch, cluster: *a grappoli*, in clusters (*o bunches*).
graspo *s.m.* grape-stalk.
grassaggio *s.m.* greasing.
grassatore *s.m.* robber.
grassazione *s.f.* robbery.
grassetto *agg. e s.m.* (*tip.*): (*carattere*) —, bold-faced.
grassezza *s.f.* fatness.
grasso *agg.* **1** fat; (*corpulento*) stout **2** (*unto*) greasy, oily // *cucina grassa*, rich cooking; *formaggio* —, rich

cheese // *la settimana grassa*, Shrovetide // *pianta grassa*, cactus **3** (*abbondante*) abundant, prosperous **4** (*fertile*) fertile **5** (*licenzioso*) licentious // *far grasse risate*, to laugh heartily ♦ *s.m.* fat; (*specialmente per lubrificare*) grease: *macchia di —*, grease stain; *i grassi ti sono nocivi*, fats are bad for your health // *mangiare di —*, to eat meat.

grassoccio *agg.* plump.

grassone *s.m.* fat man, stout man; (*sl.*) fatty.

grata *s.f.* grating.

gratella *s.f.* (*cuc.*) grill, gridiron: *carne in —*, grilled meat; *misto in —*, mixed grill.

graticciata *s.f.* trelliswork.

graticcio *s.m.* **1** hurdle; (*per piante rampicanti*) trellis, trelliswork **2** (*ind. tessile*) lattice **3** (*per frutta, bachi da seta*) wickerwork shelf.

graticola *s.f.* (*cuc.*) gridiron, grill: *cotto sulla —*, grilled (*o* broiled).

gratifica *s.f.* bonus: *— natalizia*, Christmas bonus.

gratificare *v.tr.* **1** to gratify **2** (*dare una gratifica*) to give* a bonus (to s.o.).

gratificazione *s.f.* gratification.

gratis *avv.* gratis, free.

gratitudine *s.f.* gratitude, gratefulness.

grato *agg.* **1** grateful, thankful; (*obbligato*) obliged: *con animo —*, with gratitude (*o* gratefully); *vi saremmo grati se...*, you would greatly oblige us if... **2** (*gradito, ben accetto*) welcome.

grattacapo *s.m.* trouble, anxiety, worry: *avere dei grattacapi*, to be worried: *dare dei grattacapi a qlcu.*, to worry s.o.

grattacielo *s.m.* skyscraper.

grattapugia *s.f.* scratchbrush.

grattare *v.tr.* **1** to scratch; (*raschiare*) to scrape (off); (*cancellare*) to erase **2** (*grattugiare*) to grate // *pane grattato*, breadcrumbs **3** (*fam.*) (*rubare*) to pinch ♦ *v.intr.* **1** (*stridere*) to scrape **2** (*aut.*) (*nel cambiare le marce*) to grate.

grattata *s.f.* **1** scratching; (*raschiata*) scraping **2** (*aut.*) (*nel cambiare le marce*) grating.

grattugia *s.f.* grater.

grattugiare *v.tr.* to grate.

gratuità *s.f.* gratuitousness.

gratuitamente *avv.* **1** free, gratis **2** (*senza motivo*) gratuitously, without cause.

gratuito *agg.* **1** free, gratuitous: *azione gratuita*, (*finanza*) bonus share; *prestito —*, interest-free loan **2** (*ingiustificato*) gratuitous; (*infondato*) unfounded.

gravame *s.m.* burden; (*imposta*) tax.

gravare *v.tr.* to burden, to encumber: *— qlcu. di tasse*, to burden s.o. with taxes ♦ *v.intr.* to weigh (heavily).

gravato *agg.* burdened, encumbered.

grave *agg.* **1** (*pesante*) heavy: *responsabilità —*, heavy responsibility // *essere — di anni*, to be advanced in age **2** (*solenne, austero*) grave, solemn: *avere un aspetto —*, to look grave **3** (*grande*) great; (*importante*) serious, important, weighty: *— compito*, hard (*o* difficult) task; *— dolore*, deep sorrow; *gravi torti*, grievous wrongs; *peccato —*, great sin; *malattia —*, serious illness; *le sue condizioni sono gravi*, he is in a serious condition // *essere —*, (*gravemente ammalato*) to be seriously ill **4** (*fonetica*) grave **5** (*di voce, suono*) low, grave ♦ *s.m.* (*fis.*) (heavy) body.

gravemente *avv.* **1** (*pesantemente*) heavily **2** (*austeramente*) gravely **3** (*seriamente*) seriously; (*grandemente*) greatly: *— offeso*, deeply offended.

gravidanza *s.f.* pregnancy: *essere nel sesto mese di —*, to be six months pregnant.

gravido *agg.* pregnant (*anche fig.*): *— di conseguenze*, full of (*o* pregnant with) consequences; (*di animale*) with young (*pred.*).

gravità *s.f.* **1** (*solennità, serietà*) gravity, seriousness; (*importanza*) importance, gravity **2** (*fis.*) gravity: *assenza di —*, zero, zero gravity.

gravitare *v.intr.* to gravitate (*anche fig.*).

gravitazionale *agg.* (*fis.*) gravitational.

gravitazione *s.f.* (*fis.*) gravitation.

gravoso *agg.* heavy, burdensome, oppressive: *compito —*, irksome task.

grazia *s.f.* **1** grace; (*fascino*) charm // *con —, di buona —*, with a good grace // *Sua, Vostra Grazia*, His, Her, Your Grace **2** (*benevolenza*) favour, grace: *entrare nelle grazie di qlcu.*, to win s.o.'s favour (*o* to get into s.o.'s good graces) **3** (*favore, concessione straordinaria*) favour; (*condono di una pena*) pardon, mercy: *domanda di —*, petition for mercy; *accordare la —*, to grant a pardon // *colpo di —*, (*anche fig.*) coup de grâce (*o* finishing stroke) // *ti faccio — dei particolari*, I won't trouble you with the details // *di —!*, if you please! // *in —di*, owing to; (*in considerazione di*) on account of **4** (*teol.*) grace // *ogni — di Dio*, all sorts of good things // *per — di Dio*, by the grace of God // *troppa —* (*S. Antonio*)!, it never rains but it pours **5** (*ringraziamento*) thanks (*pl.*): *rendere — a Dio*, to give thanks to God // *grazie tante!, mille grazie!*, many thanks! (*o* thank you very much!) // *grazie ai miei sforzi*, thanks to my endeavours.

Grazia *no.pr.f.* Grace.

graziare *v.tr.* **1** (*dir.*) to pardon **2** (*fig.*) to grant (s.o. sthg.).

grazie *inter.* thank you!, thanks!

grazioso *agg.* **1** pretty, graceful **2** (*letter.*) gracious.

greca *s.f.* (*fregio*) Greek fret.

grecale *s.m.* (*vento*) northeast wind.

Grecia *no.pr.f.* Greece.

grecista *s.m.* e *f.* Hellenist.

greco *agg.* Greek ♦ *s.m.* **1** (*abitante*) Greek **2** (*lingua*) (the) Greek (language) **3** (*vento*) northeast wind.

gregario *s.m.* **1** (*mil.*) private **2** (*fig.*) follower **3** (*ciclismo*) (secondary) member of a cycling team.

gregge *s.m.* herd (*anche fig.*), flock (*anche fig.*).

greggio *agg.* **1** raw; (*di metallo*) unrefined, coarse; (*di tessuto*) unbleached; (*di zucchero*) brown **2** (*fig.*) crude, unrefined.

gregoriano *agg.* Gregorian.

Gregorio *no.pr.m.* Gregory.

grembiale, grembiule *s.m.* apron; (*abito*) simple summer frock; (*da bambino*) pinafore, smock.

grembo *s.m.* **1** lap **2** (*ventre*) womb **3** (*fig.*) bosom.

gremire *v.tr.* to fill, to crowd // **-irsi** *v.intr.pron.* to fill up, to get* crowded.

gremito *agg.* full, filled (with), crowded (with).

greppia *s.f.* crib; manger.

gres *s.m.* grès, stoneware.

greto *s.m.* gravel bank.

gretola *s.f.* (*di gabbia*) bar.

grettezza *s.f.* **1** (*meschinità*) meanness, shabbiness; (*ristrettezza di mente*) narrow-mindedness **2** (*spilorceria*) stinginess.

gretto *agg.* **1** (*meschino*) mean, shabby; (*dalla mente ristretta*) narrow-minded **2** (*spilorcio*) stingy.

greve *agg.* (*letter.*) heavy.

grezzo *agg.* → **greggio**.

gridare *v.tr.* e *intr.* to shout, to cry (out): — *aiuto*, to shout (*o* to cry *o* to call) for help; — *con quanto fiato si ha in gola*, to cry (*o* to shout) at the top of one's voice; — *di dolore*, to cry out with pain.

grido *s.m.* [*pl.f.* grida *nel senso* 1; *pl.m.* gridi *nel senso* 2] **1** (*di persona*) cry, shout: *grida* (*di entusiasmo*) *e applausi*, cheers and applause; *ci furono grida e fischi*, there were shouts and hoots; *mandare un — di terrore*, to shriek with terror // — *di guerra*, war cry // *di —*, famous // *l'ultimo —* (*della moda*), the latest fashion (*o* style) **2** (*di animale*) cry.

grifagno *agg.* **1** predatory: *uccello —*, bird of prey **2** (*fig.*) fierce.

griffa *s.f.* **1** (*mecc.*) jaw **2** (*cinem.*) claw.

grifo *s.m.* snout.

grifone *s.m.* **1** (*mit. arald.*) griffin, gryphon **2** (*uccello rapace*) griffon.

grigiastro *agg.* greyish.

grigio *agg.* **1** grey, gray **2** (*triste*) sad, gloomy; (*monotono*) dull ♦ *s.m.* grey, gray.

grigiore *s.m.* greyness.

grigioverde *agg.* grey-green ♦ *s.m.* (*mil.*) grey-green uniform (of the Italian army).

griglia *s.f.* **1** (*graticola*) grill, gridiron: *cuocere alla —*, to grill // *misto —*, (*cuc.*) mixed grill **2** (*di forno, stufa ecc.*) grate **3** (*schermo, riparo*) grille: — *del radiatore*, (*aut.*) radiator grille **4** (*elettr.rad.*) grid.

grigliare *v.tr.* to grill.

grilletto *s.m.* trigger: *premere il —*, to pull the trigger.

grillo *s.m.* **1** cricket: *il canto del —*, the chirp(ing) of the cricket // *indovinala —!*, (*fam.*) guess, if you can! **2** (*fig.*) fancy, whim: *avere il capo pieno di grilli*, to be full of fancies.

grillotalpa *s.m.* mole cricket.

grimaldello *s.m.* picklock.

grinfia *s.f.* claw, clutch (*anche fig.*).

grinta *s.f.* (*fig.*) gumption; determination.

grintoso *agg.* resolute, decisive; (*coraggioso*) plucky.

grinza *s.f.* **1** (*di stoffa*) crease: *il tuo vestito non fa una —*, your dress fits you like a glove // *il tuo ragionamento non fa una —*, your argument is flawless **2** (*ruga*) wrinkle.

grinzoso *agg.* **1** (*di stoffa*) creasy **2** (*rugoso*) wrinkly.

grippare *v.intr.*, **gripparsi** *v.intr.pron.* (*mecc.*) to seize.

grisaglia *s.f.* (*tessuto*) grisaille.

grissino *s.m.* bread-stick.

grisù *s.m.* firedamp.

Groenlandia *no.pr.f.* Greenland.

gromma *s.f.* (*incrostazione*) incrustation; (*tartaro*) tartar.

grommoso *agg.* encrusted, incrusted.

gronda *s.f.* eaves (*pl.*) // *cappello a —*, sou' wester.

grondaia *s.f.* (*eaves*) gutter.

grondante *agg.* streaming; (*gocciolante*) dripping: — *d'acqua*, dripping wet; — *di sangue*, streaming with blood; — *di sudore*, dripping with sweat.

grondare *v.intr.* to stream; (*gocciolare*) to drip: — *di sudore*, to drip (with) sweat ♦ *v.tr.* to pour.

grongo *s.m.* (*zool.*) conger (eel).

groppa *s.f.* **1** (*di quadrupede*) croup(e), rump, back: *in, sulla —*, on the back **2** (*di persona*) back **3** (*di monte*) rounded top.

groppata *s.f.* buck.

groppo *s.m.* knot // *avere un — alla gola*, to have a lump in one's throat.

groppone *s.m.* (*scherz.*) back: *ho sessant'anni sul —*, I have all the weight of sixty years on my shoulders; *piegare il —*, to put one's back into sthg.

grossa *s.f.*: *dormire della —*, to sleep like a log.

grossezza *s.f.* bigness; (*dimensione*) size; (*volume*) bulk; (*spessore, densità*) thickness.

grossista *s.m.* e *f.* wholesale dealer, wholesaler.

grosso *agg.* **1** big; (*esteso*) large: *una grossa città*, a large (*o* big) city; *grossi guadagni*, large profits // *un uomo grande e —*, a portly man // *dito —*, big toe // *scarpe grosse*, heavy shoes // *mare —*, rough sea; *il fiume è —*, the river is swollen // *avere il fiato —*, to be out of breath // *avere il cuore —*, to have a heavy heart // *mi fai venire la testa grossa*, you drive me crazy // *un pezzo —*, a big shot **2** (*spesso, denso*) thick: *muro —*, thick wall; *labbra grosse*, thick lips // *vino —*, heavy (*o* fullbodied) wine **3** (*grezzo, grossolano*) coarse: *panno —*, coarse cloth // *fare la voce grossa*, to speak in a threatening voice // — *modo*, roughly (*o* broadly speaking) **4** (*grave*) big, serious: *un — errore*, a big mistake; *un — guaio*, a serious matter // *parole grosse*, hard words // *questa è grossa*, this is rather too much // *l'hai fatta grossa!*, now you have done it! // *dirle grosse*, to tell tall stories // *sbagliare di —*, to be wide of the mark ♦ *s.m.* (*la maggior parte*) main body; (*massa*) bulk: *il — dell'esercito*, the main body of the army; *il — del carico*, the bulk of the cargo.

grossolanità *s.f.* coarseness (*anche fig.*); (*di errore*) grossness.

grossolano *agg.* coarse (*anche fig.*) // *errore —*, gross blunder // *lavoro —*, rough job.

grotta *s.f.* cave; (*spec. artificiale*) grotto.

grottesca *s.f.* (*pitt.*) grotesque.

grottesco *agg.* e *s.m.* grotesque.

groviera *s.m.* o *f.* Gruyère.

groviglio *s.m.* **1** tangle **2** (*fig.*) (*confusione, intrigo*) entanglement; (*fam.*) mess.

gru *s.f.* **1** crane **2** (*mecc.*) crane; (*mar.*) davit.

gruccia *s.f.* **1** crutch: *camminare con le grucce*, to walk (*o* to go) on crutches **2** (*per abiti*) (dress) hanger.

grufolare *v.intr.* **1** to root **2** (*fig.*) to make* a pig of oneself.

grugnire *v.intr.* to grunt (*anche fig.*).

grugnito *s.m.* grunt (*anche fig.*).

grugno *s.m.* snout; (*spreg.*) (*faccia*) snout, mug: *rompere il — a qlcu.*, to smash s.o.'s face in.

grulleria *s.f.* **1** foolishness, silliness, stupidity **2** (*azione da grullo*) foolish action.

grullo *agg.* foolish, silly, stupid.

gruma *s.f.* encrustation; (*delle botti*) tartar; (*delle condutture dell'acqua*) fur.

grumo *s.m.* clot: *formare dei grumi*, to clot.

grumoso *agg.* clotted.

gruppo *s.m.* **1** group, cluster; (*solo di persone*) party // — *di lavori*, (*informatica*) batch; — *di lavoro*, shift **2** (*med.*) group: — *sanguigno*, blood group **3** (*mecc.*) set, unit. **4** (*scult.*) group.

gruzzolo *s.m.* hoard, nest egg.

guadagnare *v.tr.* **1** to gain; (*con il lavoro*) to earn; (*al gioco*) to win*: *non pensa ad altro che a —*, he is interested only in making money; — *su una vendita*, to make a profit on a sale; *guadagnarsi la vita*, to earn one's living // *visto di giorno, questo posto ci guadagna davvero!*, by day this place looks much better indeed! // — *tempo*, to gain time; — *il tempo perduto*, to make up for lost time; — *terreno*, (*anche fig.*) to gain ground; — *terreno sugli altri corridori*, (*sport*) to gain on the othr runners **2** (*fig.*) (*conquistare*) to earn, to win* **3** (*raggiungere*) to gain, to reach.

guadagno *s.m.* **1** (*ciò che si ricava dal proprio lavoro*) earnings (*pl.*) **2** (*in commercio*) profits (*pl.*) **3** (*vincita al gioco*) winnings (*pl.*) **4** (*fig.*) (*profitto*) gain, profit, advantage.

guadare *v.tr.* to ford, to wade.

guado *s.m.* ford: *passare a* —, to ford (*o* to wade).

guai *inter.* woe!: — *a voi se mi tradite!*, woe betide you if you betray me!; — *se non arriva!*, heaven help us if he doesn't arrive!

guaina *s.f.* **1** sheath **2** (*busto*) girdle.

guaio *s.m.* trouble, difficulty, scrape, fix: *che* —!, what a nuisance!; *combinare guai*, to make trouble; *essere in un mare di guai*, to be in a very bad fix.

guaiolare, guaire *v.intr.* to yelp.

guaito *s.m.* yelp.

gualcire *v.tr.* to crease, to wrinkle; (*spec. carta*) to crumple.

gualdrappa *s.f.* caparison.

guancia *s.f.* cheek: *a* —, cheek to cheek.

guanciale *s.m.* pillow; (*cuscino*) cushion.

guancialino *s.m.* (*puntaspilli*) pincushion.

guano *s.m.* guano.

guantaio *s.m.* glover.

guantiera *s.f.* glove-box.

guanto *s.m.* **1** glove // *calzare come un* —, (*anche fig.*) to fit like a glove // *trattare qlcu. coi guanti*, to handle s.o. with kid gloves // *un ladro in guanti gialli*, a gentleman thief **2** (*di cavaliere antico*) gauntlet // *gettare, raccogliere il* —, (*fig.*) to throw down, to pick up the gauntlet.

guantone *s.m.* boxing glove.

guardaboschi *s.m.* forester.

guardacaccia *s.m.* gamekeeper.

guardacoste *s.m.* **1** coastguard **2** (*nave*) coastguard boat.

guardafili *s.m.* lineman (*pl.* -men).

guardalinee *s.m.* linesman (*pl.* -men).

guardamano *s.m.* sword-guard.

guardapesca *s.m.* fishing warden.

guardaportone *s.m.* doorkeeper.

guardare *v.tr.* **1** to look (at s.o., sthg.); (*fissamente*) to gaze (at s.o., sthg.); (*a occhi spalancati*) to stare (at s.o., sthg.) // *guarda che roba!*, just look at that! // *guarda chi si vede!*, look who's here! // — *qlcu. di buon occhio, di mal occhio*, to look favourably, unfavourably on s.o. // — *qlcu. di traverso*, to look askance at s.o. // *farsi* —, to attract attention **2** (*di sfuggita*) to glance (at s.o., sthg.); (*furtivamente*) to peep (at s.o., sthg.): — *dal buco della serratura*, to peep through the keyhole **3** (*osservare*) to watch // (*sorvegliare*) to take* care (of s.o., sthg.), to look after (s.o., sthg.): *guardato a vista*, closely watched // *Dio ne guardi!*, God forbid! **5** (*considerare*) to consider, to view: *cercate di — la questione dal nostro punto di vista*, try to look at (*o* to consider) the matter from our point of view **6** (*esaminare*) to look over (s.o., sthg.): — *una traduzione*, to look over a translation ♦ *v.intr.* **1** to look: *guarda!*, look!; *guarda bene prima di attraversare la strada*, look carefully before crossing the road; *guardate a destra*, look (to the) right; — *in un telescopio*, to look through a telescope; *egli continuava a guardarsi intorno*, he kept looking about himself; *guardando dalla finestra si vede il Tevere*, from the window you can see the Tiber // *la finestra guarda sul cortile*, the window looks out on (to) the

courtyard **2** (*essere orientato*) to face: *la casa guarda a mezzogiorno*, the house faces (to the) south **3** (*considerare*) to look (on, upon s.o., sthg.), to regard (s.o., sthg.) **4** (*cercare*) to try; (*fare attenzione*) to take* care, to be* careful: *guarda di non far tardi*, try not to be late; *guarda di non cadere*, be careful not to fall // **-arsi** *v.rifl.* **1** to look at oneself **2** (*fare attenzione*) to mind (sthg.); to beware (of s.o., sthg.); (*astenersi*) to refrain: *guardatevi bene dal perderlo!*, mind you don't lose it!; *guardatevi dai borsaioli*, beware of pickpockets; *guardati dall'offenderlo!*, be careful not to offend him!; *guardatevi dal fare troppe domande*, refrain from asking (*o* try not to ask) too many questions // *me ne guardo bene!*, heaven forbid! ♦ *v.rifl.rec.* to look (at each other, one another); to gaze (at each other, one another): *si guardarono a lungo senza dire una parola*, they gazed at each other for a long time without uttering a word.

guardaroba *s.m.* **1** wardrobe **2** (*di cinema, teatro*) cloakroom; (*fam.*) cloaks.

guardarobiera *s.f.* **1** (*di casa privata, di albergo*) linen maid **2** (*di cinema, teatro*) cloakroom attendant **3** (*l'addetta ai costumi*) wardrobe mistress.

guardarobiere *s.m.* cloakroom attendant.

guardasigilli *s.m.* Minister of Justice.

guardata *s.f.* look; (*occhiata*) glance.

guardia *s.f.* **1** watch, guard: *turno di* —, (*mil.*) watch; *essere di* —, to be on guard; *fare la* — *a qlco.*, to guard sthg.; *fare la* — *a qlcu.*, to watch (over) s.o.; *fare buona* —, to keep a good watch // *mettere in* — *qlcu.*, to warn s.o. // *medico di* —, doctor on duty // — *medica*, first aid station **2** (*persona*) guard; (*sentinella*) sentry, sentinel: — *campestre*, country warden; — *di pubblica sicurezza*, policeman; — *forestale*, forester (*o* forest warder); — *del corpo*, bodyguard // *guardie e ladri*, (*gioco*) cops (*o* police) and gangsters **3** (*sport*) guard: *in* —, (*scherma*) on guard **4** (*di libro*) flyleaf **5** (*di fiume*) safety high water mark.

guardiamarina *s.m.* midshipman (*pl.* -men).

guardiano *s.m.* keeper; (*di armenti*) herdsman (*pl.* -men); (*di pecore*) shepherd; — *notturno*, night watchman // *Padre Guardiano*, (*eccl.*) Father Guardian.

guardina *s.f.* lockup.

guardingo *agg.* cautious, wary, careful.

guardiola *s.f.* porter's lodge.

guardrail *s.m.* crash barrier.

guarentigia *s.f.* (*dir.*) guarantee, guaranty.

guari *avv.*: (*or*) *non è* —, (*letter.*) not long ago.

guaribile *agg.* (*di malattia*) curable: *è* — *in dieci giorni*, he will recover in ten days.

guarigione *s.f.* recovery; (*di ferite*) healing.

guarire *v.intr.* **1** to recover, to get* over (sthg.), (*rimarginare*) to heal: — *da una malattia*, to recover (*o* to get over) an illness **2** (*fig.*) to get* out (of sthg.) ♦ *v.tr.* to cure (*anche fig.*), to heal (*anche fig.*); (*solo persone*) to restore to health: *mi guarì dalla polmonite*, he cured me of pneumonia.

guaritore *s.m.* healer; (*spreg.*) quack (doctor).

guarnigione *s.f.* (*mil.*) garrison: *mettere una* — *in una città*, to garrison a town.

guarnire *v.tr.* **1** to supply: — *una città di soldati*, to garrison a town **2** (*ornare*) to trim: — *un abito di pizzi*, to trim a dress with lace **3** (*cuc.*) to garnish.

guarnizione *s.f.* **1** trimming, decoration **2** (*cuc.*) garnish **3** (*tecn.*) packing, lining.

guascone *agg.* e *s.m.* Gascon.

guastafeste *s.m.* e *f.* spoilsport; (*fam.*) wet blanket.

guastamestieri *s.m.* bungler; (*chi intralcia l'attività altrui*) menace.

guastare *v.tr.* **1** to spoil* (*anche fig.*); (*rovinare*) to ruin (*anche fig.*), to mar (*anche fig.*): — *la festa a qlcu.*, to spoil s.o.'s fun; *nulla potrebbe — la nostra gioia*, nothing could mar our joy; *guastarsi l'appetito*, to spoil one's appetite; *guastarsi la reputazione*, to ruin one's good name // *questo non guasta*, that won't do any harm **2** (*alimenti*) to taint // **-arsi** *v.intr.pron.* **1** to spoil*, to get* spoiled // *il tempo si è guastato*, the weather has changed for the worse // — *con qlcu.*, to fall out (*o* to quarrel) with s.o. **2** (*di alimenti*) to taint, to go* bad **3** (*di un meccanismo*) to break* (down).

guastatore *s.m.* (*mil.*) sapper.

guasto[1] *agg.* **1** spoilt (*anche fig.*); (*danneggiato*) damaged; (*di meccanismi*) out of order: *ho la radio guasta*, my radio doesn't work **2** (*avariato*) rotten: *uova guaste*, bad (*o* rotten) eggs // *un dente —*, a decayed tooth.

guasto[2] *s.m.* **1** damage; (*di meccanismo*) breakdown: *c'è un — al televisore*, there is something wrong with the television set; *un — all'impianto elettrico*, a failure in the electric system **2** (*informatica*) fault; (*anomalia di funzionamento*) trouble: — *macchina*, machine failure.

Guatemala *no.pr.m.* Guatemala.

guazza *s.f.* dew.

guazzabuglio *s.m.* muddle, jumble.

guazzare *v.intr.* to wallow (*anche fig.*).

guazzetto *s.m.* (*cuc.*) stew.

guazzo *s.m.* **1** puddle, pool **2** (*pitt.*) gouache: *pittura a —*, gouache (painting).

guelfo *agg.* (*st.*) Guelphic ♦ *s.m.* (*st.*) Guelph.

guêpière (*franc.*) *s.f.* foundation (garment); (*stringivita*) waspie.

guercio *agg.* cross-eyed: *occhi guerci*, squinting eyes; *ha l'occhio sinistro —*, he has a squint in his left eye ♦ *s.m.* cross-eyed man.

guerra *s.f.* **1** war; (*il guerreggiare*) warfare: — *a oltranza*, war without quarter; — *chimica*, chemical warfare; — *mondiale*, world war; — *di logoramento*, war of attrition; — *di posizione, di trincea*, trench warfare; — *fredda*, cold war; — *dei nervi*, war of nerves; *canto di —*, war song; *consiglio di —*, council of war; *paesi in —*, countries at war; *andare in —*, to leave for the front; *essere in —*, to be at war; *fare la —*, to serve in the war; *fare — a qlcu.*, to wage (*o* to make) war on s.o. // *Guerra delle Due Rose*, Wars of the Roses // *Guerra di Troia*, Trojan War **2** (*fig.*) war; (*conflitto*) conflict, clash: — *di interessi*, clash of interests // — *a coltello*, war to the knife.

guerrafondaio *s.m.* warmonger.

guerreggiare *v.intr.* to war, to wage war (on s.o.).

guerresco *agg.* **1** war (*attr.*) **2** (*bellicoso*) warlike.

guerriero *agg.* warlike ♦ *s.m.* warrior.

guerriglia *s.f.* guer(r)illa.

guerrigliero *s.m.* guer(r)illa (fighter).

gufo *s.m.* **1** owl **2** (*fig.*) bear.

guglia *s.f.* spire; (*di montagna*) peak, pinnacle.

gugliata *s.f.* needleful.

Guglielmina *no.pr.f.* Wilhelmina.

Guglielmo *no.pr.m.* William.

Guiana *no.pr.f.* Guiana.

guida *s.f.* **1** guide: — *turistica*, (tourists') guide; — *alpina*, (mountain) guide; *fare da — a qlcu.*, to act as s.o.'s guide // *sotto la — di*, under the guidance of;

(*sotto il comando di*) under the leadership of **2** (*libro*) guide; (*per città, musei ecc.*) guide book // — *telefonica*, telephone directory (*o* book) **3** (*tecn.*) guide; (*binario*) (guide-)rail **4** (*passatoia*) (carpet) runner **5** (*aut.*) drive, driving: — *a destra, a sinistra*, right-hand, left-hand drive; *esame, lezioni di —*, driving test, lessons; *lato di —*, driver's side; *scuola —*, driving school.

guidare *v.tr.* **1** to guide (*anche fig.*): — *la mano a qlcu.*, to guide s.o.'s hand; *lasciarsi — dalle passioni*, to be guided by one's passions **2** (*dirigere*) to lead*: — *una spedizione*, to lead an expedition // — *un'azienda*, to manage a business **3** (*veicoli*) to drive*: *sai —?*, can you drive? // — *una nave*, to steer a ship.

guidatore *s.m.* driver.

Guido *no.pr.m.* Guy.

guidoslitta *s.f.* (*sport*) bobsleigh, bobsled.

Guinea *no.pr.f.* Guinea.

guinzaglio *s.m.* leash, lead: *tenere un cane al —*, to keep a dog on the leash // *mettere il — a qlcu.*, to keep s.o. on a lead.

guisa *s.f.* (*letter.*) guise; (*maniera*) way, manner: *in tal —*, this way (*o* thus) // *in, a — di*, like.

guitto *s.m.* strolling player; (*spreg.*) third-rate player.

guizzante *agg.* **1** wriggling **2** (*scattante*) darting **3** (*di fiamma*) flickering.

guizzare *v.intr.* **1** to wriggle: — *via dalle mani di qlcu.*, to wriggle out of s.o.'s hands **2** (*muoversi rapidamente*) to dart **3** (*di luce*) to flash **4** (*di fiamma ecc.*) to flicker.

guizzo *s.m.* **1** wriggle **2** (*di fiamma*) flicker **3** (*balzo, scatto*) dart **4** (*di luce*) flash.

gulasch *s.m.* (*cuc.*) goulash.

guscio *s.m.* shell; (*di legumi*) pod, shell: — *d'uovo*, egg shell; — *di noce*, (*mar.*) cockleshell // *chiudersi nel, uscire dal proprio —*, (*fig.*) to withdraw into, to come out of one's shell.

gustare *v.tr.* **1** to taste, to try **2** (*godere*) to enjoy (*anche fig.*): — *un capolavoro*, to enjoy (*o* to appreciate) a masterpiece.

Gustavo *no.pr.m.* Gustavus.

gusto *s.m.* **1** taste: *piacevole al —*, agreeable to the taste **2** (*sapore*) taste; (*aroma*) flavour: *non avere alcun —*, to be tasteless; *vari gusti di gelato*, different flavours (*o* kinds) of ice cream; — *di fragola*, strawberry flavour **3** (*senso estetico*) taste: *una persona di (buon) —*, a person of taste; *avere buon, cattivo —*, to have good, bad taste; *non avere —*, to be tasteless; *con buon —*, in good taste; *vestito con buon —*, dressed with good taste **4** (*preferenza, inclinazione*) taste: *ciò (non) è di mio —*, this is (not) to my taste (*o* liking); *essere di gusti difficili*, to be hard to please; *è questione di gusti*, it is a matter of taste; *ognuno ha i suoi gusti, tutti i gusti son gusti*, every man to his taste **5** (*piacere*) liking; (*entusiasmo*) relish: *di —*, heartily; *oggi ha mangiato con —*, today he really enjoyed his meal; *ma ci provi — a farlo arrabbiare?*, do you really get a kick out of making him angry?; *non c'è — a parlare con te*, you are no fun to talk to; *prendere — a (fare) qlco.*, to enjoy (doing) sthg. // *comincia a prenderci —*, (*sta diventando un'abitudine*) it's beginning to become a habit with him // *prendersi il — di...*, to give oneself the pleasure of... **6** (*stile*) style; (*maniera*) manner: *di — ottocentesco*, in nineteenth-century style.

gustoso *agg.* **1** tasty, savoury **2** (*piacevole*) agreeable; (*divertente*) amusing.

guttaperca *s.f.* gutta-percha.

gutturale *agg.* guttural.

H

h *s.f.* h (*pl.* hs, h's): — *muta*, silent h; *non aspirare l'*—, to drop one's h's // — *come hotel*, (*tel.*) h for Harry.

habitué (*franc.*) *s.m.* habitué, regular customer: — *del cinema*, cinemagoer; (*amer.*) moviegoer; *è un* —, he is a regular.

habitus (*lat.*) *s.m.* **1** (*bot. zool.*) habitus **2** (*fig.*) habit.

hangar (*franc.*) *s.m.* hangar.

Hannover *no.pr.f.* Hanover.

harakiri *s.m.* hara-kiri.

hascisc *s.m.* hashish, hasheesh.

Hawai *no.pr.f.pl.* Hawaii.

hertz *s.m.* (*elettr.*) Hertz.

hertziano *agg.* Hertzian: *onde hertziane*, Hertzian waves.

Himalaia *no.pr.f.* the Himalayas.

Hinterland (*ted.*) *s.m.* hinterland.

hitleriano *agg. e s.m.* Hitlerite.

honorem, ad *locuz.lat.* honorary: *laurea ad* —, honorary degree.

hostess *s.f.* hostess, stewardess.

hôtel (*franc.*) *s.m.* hotel.

humus (*lat.*) *s.m.* humus.

hurrà *inter.* hurrah!, hurray!: *gridare* —, to cheer (*o* to shout hurrah).

I

i *s.f.* o *m.* i (*pl.* is, i's) // — *come Imola*, (*tel.*) i for Isaac // *mettere i puntini sulle* —, to dot one's i's and cross one's t's.

i *art.det.m.pl.* the **1** (*spesso non si traduce*): *i bambini amano i giocattoli*, children love toys; *i buoni film sono rari*, good films are rare; *ha gli occhi azzurri*, he, she has blue eyes; *i miei amici*, my friends **2** (*si traduce con l'agg. poss.*): *i nonni vivono con noi*, our grandparents live with us; *si tolse gli stivali*, he took his boots off; *ti sei tagliato i capelli?*, did you have your hair cut? **3** (*si traduce col partitivo*): *vai a comperare i fiammiferi*, go and buy some matches; *hai comperato i fiammiferi?*, did you buy any matches?

iarda *s.f.* yard.

iattanza *s.f.* boastfulness: *parlare con* —, to speak boastfully.

iattura *s.f.* (*rar.*) (*sfortuna*) misfortune; (*disgrazia*) calamity.

iberico *agg.* Iberian.

ibernare *v.intr. e tr.* to hibernate.

ibernazione *s.f.* hibernation.

ibis *s.m.* ibis.

ibisco *s.m.* hibiscus.

ibridare *v.tr.* to hybridize.

ibridazione *s.f.* hybridization.

ibridismo *s.m.* hybridism.

ibrido *agg. e s.m.* hybrid.

Icaro *no.pr.m.* (*mit.*) Icarus.

icastico *agg.* figurative.

iceberg *s.m.* iceberg.

icona *s.f.* icon.

iconoclasta *s.m.* iconoclast ♦ *agg.* iconoclastic.

iconografia *s.f.* iconography.

iconografico *agg.* iconographic(al).

iconostasi *s.f.* (*arch.*) iconostasis (*pl.* -es).

Iddio *s.m.* God.

idea *s.f.* **1** idea: *un'* — *fissa*, a fixed idea (*o* an idée fixe); *un'* — *luminosa*, a brilliant (*o* bright) idea; *per associazione di idee*, by an association of ideas; *mi è venuta un'* —, I have got an idea (*o* a brainwave); *non ho la minima* —, I haven't the faintest (*o* the slightest) idea; *non puoi neppure fartene un'* —, you cannot even imagine it; *la sua* — *avrebbe anche potuto funzionare*, his idea could (*o* might) even have worked; *è sempre un vulcano di idee*, his head is always teeming with ideas // *che* —!, what an idea! // *neanche per* —!, by no means! // *è un'* — *barbina!*, what an odd idea! **2** (*opinione*) mind, opinion: *secondo la tua* —, in your opinion; *siamo tutti della stessa* —, we are all of one mind; *sono della tua* —, I am of your mind; *cambiare* —, to change one's mind; *ho le mie idee in merito*, I have my own ideas on the subject; *ho* — *che dovrò lavorare anche domani*, I have an idea that I am going to work also tomorrow **3** (*intenzione*) mind, intention: *ho* — *di prendermi, che mi prenderò una lunga vacanza*, I think I'll take a long holiday; *non ho la minima* — *di far ciò*, I haven't the slightest intention of doing that; *avere una mezza* — *di fare qlco.*, to have half a mind to do sthg. **4** (*ideale*) ideal: *molti sono morti per un'* —, many have sacrificed their lives (*o* have died) for an idea **5** (*fam., un po'*) hint: *mettici un'* — *di brandy*, add just a hint of brandy; *abbondante olio, un po' di prezzemolo e un'* — *di aglio*, plenty of oil, a little parsley and just a hint of garlic.

ideale *agg. e s.m.* ideal.

idealismo *s.m.* idealism (*anche fil.*).

idealista *s.m. e f.* idealist (*anche fil.*).

idealistico *agg.* idealistic (*anche fil.*).

idealità *s.f.* **1** ideality **2** (*ideale*) ideal.

idealizzare *v.tr.* to idealize.

idealizzazione *s.f.* idealization.

ideare *v.tr.* **1** to conceive **2** (*proporsi*) to plan.

ideatore *s.m.* inventor.

idem (*lat.*) *avv.* the same.

identico *agg.* identical.

identificabile *agg.* identifiable.

identificare *v.tr.* to identify // **-arsi** *v.rifl.* to identify oneself.

identificativo *s.m.* (*informatica*) identification.

identificazione *s.f.* identification // — *gruppo movimenti*, (*informatica*) batch number.

identikit *s.m.* identikit.

identità *s.f.* identity.

ideografico *agg.* ideographic.

ideogramma *s.m.* ideogram, ideograph.

ideologia *s.f.* ideology.

ideologico *agg.* ideological.

ideologo *s.m.* ideologist.

idi *s.m.* o *f.pl.* Ides.

idillico *agg.* idyllic.

idillio *s.m.* **1** (*lett.*) idyll **2** (*fig.*) romance.

idioma *s.m.* language.

idiomatico *agg.* idiomatic // *espressione idiomatica*, idiom.

idiosincrasia *s.f.* **1** (*med.*) idiosyncrasy **2** (*avversione*) aversion (to).

idiota *agg.* idiotic, foolish ♦ *s.m.* e *f.* idiot.

idiotismo *s.m.* (*linguistica*) idiom.

idiozia *s.f.* idiocy // *non dire idiozie!*, don't talk nonsense!

idolatra *agg.* idolatrous ♦ *s.m.* idolater.

idolatrare *v.tr.* **1** to worship **2** (*fig.*) to idolize.

idolatria *s.f.* idolatry.

idoleggiare *v.tr.* to idolize.

idolo *s.m.* idol (*anche fig.*).

idoneità *s.f.* fitness; (*attitudine*) suitability.

idoneo *agg.* fit (for sthg., to do); (*adatto*) suitable (for).

idra *s.f.* (*zool.*) hydra.

idrante *s.m.* **1** (*presa*) hydrant, fire-plug **2** (*pompa*) pump, hose **3** (*autobotte*) water waggon.

idratante *agg.* **1** (*chim.*) hydrating **2** (*cosmesi*) moisturizing: (*lozione*) —, moisturizing lotion.

idratare *v.tr.* **1** (*chim.*) to hydrate **2** (*cosmesi*) to moisturize.

idratazione *s.f.* hydration.

idrato *agg.* (*chim.*) hydrated ♦ *s.m.* hydrate.

idraulica *s.f.* hydraulics.

idraulico *agg.* hydraulic ♦ *s.m.* plumber.

idrico *agg.* water (*attr.*).

idro- *pref.* hydro-.

idrobiologia *s.f.* hydrobiology.

idrocarburo *s.m.* (*chim.*) hydrocarbon.

idrocefalia *s.f.* (*med.*) hydrocephalus.

idroelettrico *agg.* hydroelectric.

idrofilo *agg.* **1** absorbent: *cotone* —, cotton wool **2** (*bot.*) hydrophilous.

idrofobia *s.f.* hydrophobia; (*rabbia*) rabies.

idrofobo *agg.* **1** rabid, mad **2** (*fig.*) furious.

idrogenazione *s.f.* (*chim.*) hydrogenation.

idrogeno *s.m.* (*chim.*) hydrogen: *bomba all'*—, hydrogen bomb.

idrografia *s.f.* hydrography.

idrografico *agg.* hydrographic.

idrolisi *s.f.* (*chim.*) hydrolysis.

idrolitico *agg.* (*chim.*) hydrolytic.

idrologia *s.f.* hydrology.

idromele *s.m.* hydromel.

idrometra *s.f.* (*zool.*) water strider.

idrometro *s.m.* hydrometer.

idropico *agg.* dropsical, hydropic ♦ *s.m.* dropsical subject.

idropisia *s.f.* dropsy, hydropsy.

idroplano *s.m.* (*mar.*) hydroplane.

idrorepellente *agg.* water-repellent.

idroscalo *s.m.* seaplane station.

idroscivolante *s.m.* (*mar.*) hydroplane.

idrosfera *s.f.* hydrosphere.

idrosolubile *agg.* soluble in water (*pred.*).

idrossido *s.m.* hydroxide.

idrostatica *s.f.* hydrostatics.

idrotermale *agg.* hydrothermal.

idrovia *s.f.* waterway.

idrovolante *s.m.* seaplane.

idrovora *s.f.* (*mecc.*) water-scooping machine.

iella *s.f.* (*region.*) badluck.

iena *s.f.* **1** hy(a)ena **2** (*fig.*) wolf; (*di donna*) she-devil.

ieratico *agg.* (*fig.*) stately.

ieri *avv.* e *s.m.* yesterday: — *sera*, yesterday evening (*o* last night); — *notte*, last night (*o* yesterday night); *tutto* —, all day yesterday; *l'altro* —, the day before yesterday; *l'altro* — *sera*, the evening before last; *il giornale di* —, yesterday's paper; *una settimana* —, *otto giorni* —, yesterday week // *il fatto non è di* —, this happened a long time ago.

iettatore *s.m.* bird of ill omen, Jonah.

iettatura *s.f.* **1** evil eye **2** (*sfortuna*) bad luck, ill-luck.

igiene *s.f.* hygiene // *l'*— *dei denti*, care of the teeth // *Ufficio d'Igiene*, Public-Health Office.

igienico *agg.* **1** hygienic, sanitary: *carta igienica*, toilet paper **2** (*sano*) healthy.

igienista *s.m.* hygienist.

igloo, iglù *s.m.* igloo.

ignaro *agg.* ignorant, unaware.

ignavia *s.f.* sloth, indolence.

ignavo *agg.* e *s.m.* indolent.

ignifugo *agg.* fireproof (*attr.*).

ignobile *agg.* ignoble, mean, base.

ignobilmente *avv.* ignobly, meanly, basely.

ignominia *s.f.* ignominy, disgrace.

ignominioso *agg.* ignominious.

ignorante *agg.* ignorant; (*non istruito*) unlearned ♦ *s.m.* ignoramus (*pl.* ignoramuses).

ignoranza *s.f.* ignorance; (*mancanza di istruzione*) lack of education.

ignorare *v.tr.* **1** (*non sapere*) not to know*, to be* ignorant (of sthg.), to be* unaware (of sthg.) **2** (*trascurare*) to ignore.

ignoto *agg.* unknown, unfamiliar, strange ♦ *s.m.* unknown // *figlio d'ignoti*, parentage unknown.

ignudo *agg.* naked.

igrometro *s.m.* (*fis.*) hygrometer.

igroscopico *agg.* hygroscopic.

igroscopio *s.m.* (*fis.*) hygroscope.

iguana *s.f.* (*zool.*) iguana.

iguanodonte *s.m.* (*zool.*) iguanodon.

ih *inter.* (*sorpresa*) oh!, ah!; (*disgusto*) ugh!

il *art.det.m.sing.* the **1** (*spesso non si traduce*): *l'anno scorso*, last year; *il dott. Smith*, Dr. Smith; *il giorno di Natale*, Christmas Day; *il Giappone*, Japan; *il Monte Bianco*, Mont Blanc; *il tuo ombrello*, your umbrella; *l'oro e il platino sono metalli preziosi*, gold and platinum are precious metals; *il viaggiare è interessante*, travelling is interesting; *mi piace il verde*, I like green; *sto studiando il francese*, I am studying French; *il padre di Enrico*, Henry's father; *viene il sabato*, he comes on Saturdays; *il Falstaff*, Falstaff **2** (*si traduce con l'agg. poss.*): *perché non bevi il caffè?*, why don't you drink your coffee?; *togliti il cappello*, take off your hat **3** (*si traduce con l'art. indet.*): *devo prendere l'ombrello?*, shall I take an umbrella?; *ha il naso affilato*, he has a sharp nose **4** (*si traduce col partitivo*): *hai comperato il sale?*, did you buy any salt?; *va' a comperare il vino*, go and buy some wine **5** (*con valore distributivo*): *cento lire il mazzo*, a hundred lire a bunch; *un milione l'anno*, a million a year.

ilare *agg.* cheerful, gay.

ilarità *s.f.* **1** hilarity, mirth; (*buon umore*) cheerfulness **2** (*riso*) laughter: *provocare l'—*, to make people laugh.

ileo *s.m.* (*anat.*) **1** (*osso*) ilium (*pl.* ilia) **2** (*parte dell'intestino tenue*) ileum.

iliaco *agg.* iliac: *osso —*, hipbone.

Iliade *s.f.* (*st. lett.*) Iliad.

illanguidire *v.tr. e intr.* to weaken.

illazione *s.f.* illation, deduction.

illecito *agg.* illicit; (*illegale*) unlawful, illegal.

illegale *agg.* illegal, unlawful.

illegalità *s.f.* illegality.

illeggiadrire *v.tr.* to embellish ♦ *v.intr.* to become* lovely.

illeggibile *agg.* illegible.

illegittimità *s.f.* illegitimacy.

illegittimo *agg.* illegitimate.

illeso *agg.* unhurt, uninjured.

illetterato *agg. e s.m.* illiterate.

illibatezza *s.f.* chastity.

illibato *agg.* chaste.

illiberale *agg.* illiberal.

illiberalità *s.f.* illiberality.

illiceità *s.f.* (*dir.*) unlawfulness.

illimitato *agg.* boundless (*anche fig.*), unbounded (*anche fig.*); unlimited (*anche fig.*): *autorità illimitata*, unlimited authority; *un numero — di persone*, an unlimited number of people.

illividire *v.tr.* to make* livid ♦ *v.intr.* to turn livid.

illogicità *s.f.* illogicality.

illogico *agg.* illogical.

illudere *v.tr.* to deceive; (*fam.*) to fool // **-ersi** *v.rifl.* to deceive oneself; (*fam.*) to fool oneself // *— sul conto di qlcu.*, to have illusions about s.o. // *non mi illudo certo di riuscire a convincerlo*, it's not that I hope to succeed in convincing him // *si illudeva di sapere tutto*, he flattered himself that he knew everything.

illuminante *agg.* illuminating: *gas —*, illuminating gas // *grazia —*, enlightening grace.

illuminare *v.tr.* **1** to light* (up) (*anche fig.*), to illuminate: *la felicità le illuminava il viso*, happiness lit up her face // *— a giorno*, to floodlight **2** (*fig.*) (*mostrare la verità*) to enlighten: *le sue parole mi illuminarono*, his words enlightened me // **-arsi** *v.intr.pron.* to lighten (*anche fig.*).

illuminato *agg.* **1** lit up // *— a giorno*, floodlit **2** (*fig.*) enlightened.

illuminazione *s.f.* lighting; (*fig.*) enlightenment // *— a giorno*, floodlighting.

illuminismo *s.m.* (*st. fil.*) Enlightenment.

illuminista *agg.* (*st. fil.*) Enlightenment (*attr.*) ♦ *s.m.* (*st. fil.*) Enlightenment thinker.

illusione *s.f.* illusion, dream // *farsi illusioni*, to delude oneself; (*fam.*) to kid oneself.

illusionismo *s.m.* conjuring.

illusionista *s.m. e f.* conjurer.

illuso *s.m.* fool // *povero —!*, poor fool! // *sei un —!*, you are in for a rude awakening.

illusorio *agg.* illusory, illusive.

illustrare *v.tr.* **1** to illustrate, to explain, to elucidate **2** (*adornare con figure*) to illustrate **3** (*rendere illustre*) to make* illustrious, to make* famous.

illustrativo *agg.* illustrative.

illustratore *s.m.* illustrator.

illustrazione *s.f.* **1** illustration, picture **2** (*rar.*) (*spiegazione*) illustration, explanation, elucidation.

illustre *agg.* illustrious, famous, renowned // *un — ignoto*, an overnight celebrity.

imbacuccare *v.tr.* to muffle up, to wrap up // **-arsi** *v.rifl.* to wrap oneself up.

imbaldanzire *v.tr.* to embolden, to make* bold ♦ *v. intr.*, **-irsi** *v.intr.pron.* to become* bold, to grow* bold.

imballaggio *s.m.* **1** packing, package, wrapping, boxing; (*in balle*) baling: *— compreso, — gratis*, packing included, packing free; *carta d'—*, wrapping (*o* brown) paper **2** (*spesa d'imballaggio*) cost of packing.

imballare[1] *v.tr.* **1** to pack, to package, to box; (*in balle*) to bale **2** (*avvolgere*) to wrap up.

imballare[2] *v.tr.* (*aut.*) to race: *— un motore*, to race an engine.

imballo *s.m.* → **imballaggio**.

imbalsamare *v.tr.* to embalm; (*animale*) to stuff.

imbalsamatore *s.m.* embalmer; (*di animali*) stuffer, taxidermist.

imbalsamazione *s.f.* embalmment; (*l'imbalsamare*) embalming; (*di animali*) stuffing.

imbambolato *agg.* (*stordito*) stunned, punch-drunk; (*per meraviglia*) bewildered; (*per sonno*) sleepy, drowsy // *sguardo —*, blank look // *muoviti, non star lì —!*, come on, don't stand there gaping!

imbandierare *v.tr.* to deck with flags, to flag.

imbandire *v.tr.* **1** (*apparecchiare*) to lay* sumptuously **2** (*preparare*) to prepare.

imbarazzante *agg.* embarrassing, awkward; (*che rende perplesso*) puzzling, perplexing.

imbarazzare *v.tr.* **1** to embarrass **2** (*ostacolare*) to hamper, to encumber.

imbarazzato *agg.* **1** embarrassed, ill at ease (*pred.*), uncomfortable **2** (*perplesso*) perplexed, puzzled.

imbarazzo *s.m.* embarrassment; (*difficoltà*) difficulty: *essere in —*, (*in una situazione imbarazzante*) to be in an awkward situation; (*non sapere che via prendere*) to be in a fix; *mettere qlcu. in —*, to make s.o. feel ill at ease; (*render perplesso*) to baffle (*o* to puzzle) s.o.; *togliere qlcu. d'—*, to help s.o. out of a difficulty // *non avere che l'— della scelta*, to have only too much to choose from (*o* to have only to take one's pick) // *— di stomaco*, stomach trouble.

imbarbarimento *s.m.* barbarization.

imbarbarire *v.tr.* to barbarize; (*stili, lingua*) to corrupt ♦ *v.intr.*, **-irsi** *v.intr.pron.* to become* barbarous; (*di lingua*) to grow* corrupt.

imbarcadero *s.m.* landing stage; (*molo*) pier.

imbarcare *v.tr.* to take* on board, to embark // *— acqua*, (*mar.*) to ship water // **-arsi** *v.rifl.* **1** (*salire a bordo*) to go* on board: *a che ora dobbiamo imbarcarci?*, at what time must we go on board (*o* board the ship)? **2** (*entrare a far parte dell'equipaggio*) to embark: *ha deciso di imbarcarsi su un mercantile*, he has decided to embark on a cargo boat **3** (*fig.*) to embark (upon sthg.): *— in un'impresa difficile*, to embark on a difficult enterprise.

imbarcarsi *v.intr.pron.* (*di legno*) to warp.

imbarcazione *s.f.* boat: *— da diporto*, pleasure boat; *— di salvataggio*, lifeboat.

imbarco *s.m.* embarkation, embarking, shipment: *porto d'—*, port of shipment; *spese d'—*, loading expenses.

imbardare *v.intr.* (*aer.*) to yaw, to swing*.

imbardata *s.f.* (*aer.*) yaw, ground loop.

imbastardire *v.tr.* to bastardize; (*una lingua*) to corrupt.

imbastire *v.tr.* **1** to tack, to baste **2** (*fig.*) (*abbozzare*) to put* together; (*piani, progetti*) to sketch, to block out.

imbastitura *s.f.* **1** tacking, basting **2** (*fig.*) (*abbozzo*) sketch, outline.

imbattersi *v.intr.pron.* to meet* (with s.o.), to run* into (s.o.), to come* across (s.o.); (*fam.*) to bump into (s.o.).

imbattibile *agg.* invincible, unbeatable.

imbavagliare *v.tr.* to gag (*anche fig.*).

imbeccare *v.tr.* **1** to feed* **2** (*fig.*) to prompt.

imbeccata *s.f.* **1** beakful **2** (*fig.*) prompting, prompt: *dar l'— a qlcu.*, to prompt s.o.

imbecille *agg.* stupid; (*med.*) imbecile.

imbecillità *s.f.* imbecility.

imbelle *agg.* **1** unwarlike **2** (*vile*) cowardly, faint-hearted.

imbellettare *v.tr.*, **imbellettarsi** *v.rifl.* to make* up.

imbellire *v.tr.* to beautify, to embellish ♦ *v.intr.* to become* prettier, to improve in looks.

imberbe *agg.* **1** beardless **2** (*senza esperienza*) inexperienced, callow.

imbestialire *v.intr.*, **imbestialirsi** *v.intr.pron.* **1** (*abbrutirsi*) to become* brutish **2** (*adirarsi*) to fly* into a passion, to get* furious.

imbevere *v.tr.* to imbue, to drench, to soak // **-ersi** *v.intr.pron.* **1** to become* imbued (with sthg.), to soak (in sthg.); (*assorbire*) to absorb (sthg.) **2** (*fig.*) to imbibe (sthg.).

imbevuto *agg.* imbued (with sthg.) (*anche fig.*), drenched (with sthg.), soaked (in sthg.) (*anche fig.*).

imbiancare *v.tr.* to whiten; (*muri*) to whitewash; (*tessuti*) to bleach ♦ *v.intr.*, **-arsi** *v.intr.pron.* **1** (*del cielo*) to dawn **2** (*incanutire*) to grow* grey.

imbiancatura *s.f.* (*di muri*) whitewashing; (*di tessuti*) bleaching.

imbianchino *s.m.* **1** (house) painter, whitewasher **2** (*fig. iron.*) dauber.

imbiondire *v.tr.* to make* fair, to make* blond ♦ *v.intr.* to become* fair, to turn fair; (*di messi*) to ripen.

imbizzarrire *v.intr.*, **imbizzarrirsi** *v.intr.pron.* **1** (*di cavallo*) to become* restive **2** (*fig.*) to fire up, to fly* into a passion.

imboccare *v.tr.* **1** to feed* **2** (*fig.*) to prompt **3** (*entrare*) to enter: *— una strada*, to take a road.

imboccatura *s.f.* **1** (*di tubi ecc.*) mouth, opening **2** (*ingresso*) entrance **3** (*di strumento a fiato*) mouthpiece, embouchure.

imbocco *s.m.* entrance.

imbonimento *s.m.* **1** (*di venditore*) sales talk; (*fam.*) spiel **2** (*esaltazione di cosa, persona senza valore*) blurb.

imbonire *v.tr.* to harangue.

imbonitore *s.m.* tout; (*di spettacoli*) barker.

imborghesire *v.tr.* to make* bourgeois // **-irsi** *v.intr. pron.* to become* bourgeois.

imboscare *v.tr.* (*gergo mil.*) to get* s.o. off military service // **-arsi** *v.rifl.* (*gergo mil.*) to dodge military service.

imboscata *s.f.* ambush.

imboscato *s.m.* dodger; (*amer.*) draft dodger.

imboschimento *s.m.* afforestation.

imboschire *v.tr.* to afforest.

imbottigliamento *s.m.* **1** bottling **2** (*mil.*) blockade **3** (*per traffico stradale*) traffic jam.

imbottigliare *v.tr.* **1** to bottle **2** (*mil.*) to blockade // **-arsi** *v.rifl.* to get* caught in a traffic jam.

imbottigliato *agg.* bottled; (*fig.*) blocked.

imbottire *v.tr.* **1** to stuff, to pad; (*spec. abiti, per renderli più caldi*) to wad; (*trapuntare*) to quilt: *— le spalle*, to pad shoulders **2** (*fig.*) to cram, to stuff.

imbottita *s.f.* quilt.

imbottito *agg.* stuffed, padded; (*spec. di abito, per renderlo più caldo*) wadded: *cappotto —*, heavily-lined overcoat; *spalle imbottite*, padded shoulders; *coperta imbottita*, quilt // *panino —*, sandwich.

imbottitura *s.f.* stuffing; (*di spalle ecc.*) padding; (*per abiti, per renderli più caldi*) wadding; (*per trapunte*) quilting.

imbracare *v.tr.* to sling.

imbracciare *v.tr.* (*un'arma*) to aim; (*lo scudo*) to put* on (a shield).

imbranato *agg.* awkward, clumsy ♦ *s.m.* duffer, bungler.

imbrancare *v.tr.*, **imbrancarsi** *v.rifl.* to herd (*anche fig.*).

imbrattacarte *s.m.* (*spreg.*) scribbler, hack.

imbrattare *v.tr.* to soil, to dirty, to smear; (*con sostanze fluide*) to stain **2** (*fig.*) to soil, to smear.

imbrattatele *s.m.* (*spreg.*) dauber.

imbrifero *agg.*: *bacino —*, catchment basin.

imbrigliare *v.tr.* to bridle (*anche fig.*).

imbroccare *v.tr.* **1** to hit*: *l'hai imbroccata!*, you hit the mark! **2** (*risposte ecc.*) to guess.

imbrogliare *v.tr.* **1** (*ingannare*) to take* in, to swindle, to cheat **2** (*confondere*) to muddle, to mix up **3** (*intricare*) to tangle, to entangle (*anche fig.*) **4** (*mar.*) to clew up, to brail up (sails) // **-arsi** *v.intr.pron.* **1** to get* confused **2** (*intricarsi*) to get* tangled (*anche fig.*).

imbrogliato *agg.* (*confuso, poco chiaro*) involved, complicated, intricate: *una faccenda imbrogliata*, an intricate matter.

imbroglio *s.m.* **1** (*inganno*) trick, swindle, fraud **2** (*faccenda confusa o intricata*) muddle, mess: *è un bel l'—*, it is a fine mess **3** (*groviglio*) tangle, confusion, mess.

imbroglione *s.m.* trickster, cheat, swindler.

imbronciarsi *v.intr.pron.* to sulk, to be* sulky.

imbronciato *agg.* **1** sulky **2** (*di cielo*) overcast.

imbrunire *v.intr.* **1** (*rar.*) (*diventar bruno*) to brown **2** *impers.* to get* dark, to darken: *incominciava ad —*, it was beginning to get dark ♦ *s.m.* nightfall, dusk.

imbruttire *v.tr.* to make* ugly; to spoil* the beauty (of s.o., sthg.) ♦ *v.intr.* to become* ugly.

imbucare *v.tr.* to post.

imbullettare *v.tr.* to tack.

imburrare *v.tr.* to butter.

imbutiforme *agg.* funnel-shaped.

imbuto *s.m.* funnel.

imeneo *s.m.* **1** (*inno nuziale*) hymeneal, wedding hymn **2** *pl.* (*nozze*) hymeneals, nuptials.

imitabile *agg.* imitable.

imitare *v.tr.* to imitate.

imitativo *agg.* imitative.

imitatore *s.m.* imitator.

imitazione *s.f.* imitation: *a — di*, in imitation of.

immacolato *agg.* immaculate.

immagazzinare *v.tr.* to store (up) (*anche fig.*).

immaginabile *agg.* imaginable.

immaginare *v.tr.* **1** to imagine, to fancy: *non puoi — quanto sia difficile*, you can't imagine how difficult it is; *me l'immaginavo più grande*, I fancied (*o* imagined) it was bigger **2** (*supporre*) to suppose, to imagine: *immagino che vorrai dirmi che...*, I think that you are going to tell me that...

immaginario *agg.* imaginary // *malato* —, hypochondriac.

immaginativa *s.f.* imagination.

immaginativo *agg.* imaginative.

immaginazione *s.f.* imagination: *un avvenimento che passa ogni* —, an unheard-of happening.

immagine *s.f.* 1 image: — *riflessa nell'acqua*, reflection on water; *parlare per immagini*, to speak in images // *è l'— della salute*, he is the picture of health // *a — di qlcu.*, to the likeness of s.o. 2 (*informatica*) picture.

immaginoso *agg.* imaginative.

immalinconire *v.tr.* to make* melancholy ♦ *v.intr.*, **-irsi** *v.intr.pron.* to grow* melancholy.

immancabile *agg.* unfailing, inevitable; (*certo*) sure, certain.

immane *agg.* huge, enormous; (*fig.*) appalling.

immanente *agg.* (*fil.*) immanent.

immanenza *s.f.* (*fil.*) immanence, immanency.

immangiabile *agg.* inedible.

immantinente *avv.* immediately, at once.

immarcescibile *agg.* (*letter.*) incorruptible.

immateriale *agg.* immaterial.

immatricolare *v.tr.* to matriculate; (*registrare*) to register; (*iscrivere*) to enrol // **-arsi** *v.rifl.* to matriculate; (*iscriversi*) to enrol.

immatricolazione *s.f.* matriculation; (*registrazione*) registration; (*iscrizione*) enrolment.

immaturità *s.f.* unripeness; (*fig.*) immaturity.

immaturo *agg.* 1 unripe; (*fig.*) immature 2 (*prematuro*) premature, untimely.

immedesimarsi *v.rifl.* to identify oneself (with s.o.).

immediatamente *avv.* immediately, at once.

immediatezza *s.f.* immediateness, immediacy.

immediato *agg.* immediate.

immemorabile *agg.* immemorial: *da tempo* —, from time immemorial.

immemore *agg.* forgetful.

immensità *s.f.* immensity.

immenso *agg.* immense, vast, huge, enormous.

immergere *v.tr.* to immerse; (*leggermente*) to dip; (*con forza*) to plunge: — *la penna nell'inchiostro*, to dip one's pen in the ink; *gli immerse il pugnale nel petto*, he plunged a dagger into his heart // **-ersi** *v.rifl.* 1 to plunge (into sthg.); (*spec. di sottomarino*) to submerge; (*tuffarsi*) to dive 2 (*fig.*) (*dedicarsi con impegno*) to immerse oneself, to give* oneself up (to sthg.).

immeri(ta)tamente *avv.* undeservedly.

immeritato *agg.* undeserved, unmerited.

immeritevole *agg.* undeserving.

immersione *s.f.* 1 immersion (*anche fig.*); (*con delicatezza*) dip, dipping; (*con forza*) plunge 2 (*di sottomarino*) submersion; (*di palombaro*) dive: — *rapida*, crash -dive 3 (*mar.*) (*pescaggio*) draught: *linea di* —, waterline.

immettere *v.tr.* 1 to admit, to let* in // — *nel possesso*, (*dir.*) to put in possession 2 (*infondere*) to infuse, to instil.

immigrante *agg. e s.m. e f.* immigrant.

immigrare *v.intr.* to immigrate.

immigrato *agg. e s.m.* immigrant.

immigrazione *s.f.* immigration.

imminente *agg.* (near) at hand, imminent.

imminenza *s.f.* imminence, nearness.

immischiare *v.tr.* to involve, to implicate, to mix up: — *qlcu. in un delitto*, to implicate s.o. in a crime // **-arsi** *v.rifl.* to meddle (with sthg.), to interfere (with sthg.).

immiserimento *s.m.* impoverishment.

immiserire *v.tr.* to impoverish ♦ *v.intr.*, **-irsi** *v.intr. pron.* 1 to become* poor 2 (*perder vigore*) to weaken.

immissario *s.m.* tributary, affluent.

immissione *s.f.* 1 letting in // — *in possesso*, (*dir.*) conferment 2 (*informatica*) entry: — *dei dati*, data entry.

immobile *agg.* immovable; (*fermo*) motionless, still: *rimanere* —, to remain motionless (*o* to keep still) ♦ *s.m.* immovable // *gli immobili*, immovables (*o* immovable property *o* real estate).

immobiliare *agg.* immovable: *credito* —, credit based on real property; *imposta* —, tax on realty; *istituto di credito* —, land loan bank; *proprietà* —, real estate (*o* real property *o* immovable property); *società* —, building society.

immobilismo *s.m.* (*pol.*) ultra-conservatism.

immobilità *s.f.* immobility; (*lo stare fermo*) stillness: *essere costretto all'*—, to be constrained to immobility; *l'— delle acque*, the stillness of the water.

immobilizzare *v.tr.* 1 to immobilize; (*tener fermo*) to hold* fast; (*legare*) to make* fast, to tie 2 (*comm.*) to tie up, to lock up.

immobilizzazione *s.f.* 1 immobilization 2 (*comm.*) tying up.

immoderato *agg.* immoderate, excessive.

immodestia *s.f.* immodesty.

immodesto *agg.* immodest.

immolare *v.tr.* to immolate, to sacrifice // **-arsi** *v.rifl.* to sacrifice oneself.

immolazione *s.f.* immolation, sacrifice.

immondezza *s.f.* 1 filthiness, foulness 2 (*spazzatura*) garbage, refuse, rubbish.

immondezzaio *s.m.* garbage heap, garbage dump; (*edil.*) garbage deposit.

immondizia *s.f.* 1 dirt, filth 2 (*spazzatura*) garbage, refuse, rubbish: *bruciatore per l'*—, incinerator; *camion delle immondizie*, dustcart; *bidone per l'*—, dustbin // *vietato depositare le immondizie*, no dumping.

immondo *agg.* filthy, foul.

immorale *agg.* immoral.

immoralità *s.f.* immorality.

immortalare *v.tr.* to immortalize.

immortale *agg.* 1 immortal // *gli Immortali*, (*gli dei*) the Immortals 2 (*fig.*) immortal, everlasting, imperishable.

immortalità *s.f.* immortality.

immoto *agg.* motionless, still.

immune *agg.* immune; (*libero*) free: — *da pregiudizi*, free from prejudices.

immunità *s.f.* immunity: — *parlamentare, diplomatica*, parliamentary, diplomatic immunity.

immunitario *agg.* immunising, of immunity (*pred.*).

immunizzare *v.tr.* to immunize (against sthg.), to render immune (against sthg.).

immusonirsi *v.intr.pron.* to become* sullen.

immusonito *agg.* sulky, sullen: *essere* —, to have the sulks.

immutabile *agg.* immutable, unchangeable.

immutabilità *s.f.* immutability, unchangeableness.

immutato *agg.* unchanged.

impacchettare *v.tr.* 1 to parcel up, to make* (sthg.) into a parcel 2 (*fig.*) (*legare*) to tie up.

impacciare *v.tr.* 1 to hamper, to encumber, to hinder; (*imbarazzare*) to embarrass: *queste maniche lunghe mi impacciano nei movimenti*, these long sleeves hamper my movements **2** (*disturbare*) to inconvenience, to trouble // *queste scatole per terra mi impacciano*, these boxes on the floor are in my way // **-arsi** *v.intr.pron.* (*immischiarsi*) to meddle (with, in sthg.), to interfere (with sthg.).

impacciato *agg.* **1** (*goffo*) awkward, clumsy **2** (*imbarazzato*) embarrassed, uneasy, uncomfortable, ill at ease (*pred.*).

impaccio *s.m.* **1** obstacle, hindrance (*anche fig.*): *è più d'— che d'aiuto*, it's more of a hindrance than a help; *essere d'— a qlcu.*, to be in s.o.'s way // *togliersi di —*, to get out of a scrape **2** (*imbarazzo*) embarrassment.

impacco *s.m.* compress.

impadronirsi *v.intr.pron.* **1** to take* possession (of s.o., sthg.) (*anche fig.*) (*anche fig.*), to seize (s.o., sthg.) (*anche fig.*): *la paura si impadronì di lui*, fear took possession (*o* got hold) of him **2** (*fig.*) (*imparare a fondo*) to master (sthg.), to become* master (of sthg.): *non si è ancora impadronito del mestiere*, he hasn't yet mastered the trade.

impagabile *agg.* priceless, invaluable.

impaginare *v.tr.* (*tip.*) to make* up, to page.

impaginatore *s.m.* maker-up.

impaginazione *s.f.* layout.

impagliare *v.tr.* **1** (*coprire di paglia*) to cover with straw: *— seggiole*, to bottom chairs with straw **2** (*riempire di paglia*) to stuff with straw.

impagliatore *s.m.* **1** (*di seggiole*) chair-mender **2** (*di animali*) stuffer, taxidermist.

impagliatura *s.f.* **1** (*di seggiole*) chair-mending **2** (*di animali*) stuffing.

impalare *v.tr.* **1** to impale **2** (*viticoltura*) to stake, to prop up // **-arsi** *v.rifl.* (*scherz.*) to stiffen.

impalato *agg.* (*rigido*) stiff.

impalcatura *s.f.* **1** (*edil.*) (*nelle costruzioni*) scaffolding; (*struttura di sostegno*) structure, frame (*anche fig.*) **2** (*di albero*) crutch **3** (*di corna di cervo*) antlers (*pl.*).

impallidire *v.intr.* **1** to turn pale (with sthg.), to grow* pale (with sthg.) **2** (*di luce, stelle, luna*) to grow* dim, to grow* faint **3** (*di colori, ricordi*) to fade.

impallinare *v.tr.* to hit* with shot.

impalmare *v.tr.* (*letter.*) to espouse.

impalpabile *agg.* impalpable.

impaludarsi *v.intr.pron.* to become* swampy, to turn into a swamp.

impanare¹ *v.tr.* (*cuc.*) to dip in breadcrumbs.

impanare² *v.tr.* (*mecc.*) to thread.

impancarsi *v.rifl.* to set* oneself up as a judge.

impaniare *v.tr.* to lime // **-arsi** *v.intr.pron.* **1** to be* caught with lime **2** (*fig.*) to get* mixed up.

impannata *s.f.* (*intelaiatura*) (window) framework.

impantanarsi *v.intr.pron.* to stick* in the mud, to be* bogged down.

impaperarsi *v.intr.pron.* **1** to make* a slip; (*fam.*) to slip up **2** (*impappinarsi*) to stammer, to falter.

impappinarsi *v.intr.pron.* to stammer, to falter.

imparabile *agg.* (*calcio*) unstoppable.

imparare *v.tr.* to learn*: *— a fare qlco.*, to learn how to do sthg.; *— a leggere*, to learn to read // *non è mai troppo tardi per —*, live and learn // *— a proprie spese*, to learn the hard way.

imparaticcio *s.m.* **1** (*cosa imparata male*) thing badly learned **2** (*lavoro da principiante*) work of a novice.

impareggiabile *agg.* incomparable, unparalleled.

imparentarsi *v.intr.pron.* to become* related (to s.o.): *— con una famiglia*, to marry into a family.

impari *agg.* unequal, not up to: *il nostro esercito era — di forze*, our army was unequal (*o* not up to) the enemy's strength; *essere — al compito*, to be unequal (*o* not to be up to) the task // *— di numero*, lacking in number.

imparisillabo *agg.* e *s.m.* (*gramm.*) imparisyllabic.

imparruccato *agg.* bewigged, periwigged.

impartire *v.tr.* to impart, to give*.

imparziale *agg.* impartial, fair, unbiased.

imparzialità *s.f.* impartiality, fairness.

impassibile *agg.* impassible, impassive.

impassibilità *s.f.* impassibility, impassiveness.

impastare *v.tr.* **1** (*cuc.*) to knead, to work into dough **2** (*ridurre in pasta*) to pug, to make* into a paste **3** (*incollare*) to paste **4** (*pitt.*) to impaste.

impastato *agg.* **1** (*cuc.*) kneaded **2** (*ridotto in pasta*) made into a paste **3** (*incollato*) pasted **4** (*fig.*) full.

impastatrice *s.f.* mixer: *— per pane*, dough mixer.

impasto *s.m.* **1** (*pasta di pane*) dough; (*l'impastare*) kneading **2** (*pitt.*) "impasto" **3** (*miscuglio*) mixture, medley.

impastoiare *v.tr.* **1** to shackle, to clog **2** (*fig.*) to impede, to fetter.

impataccare *v.tr.* to soil, to daub; (*con liquidi*) to spatter (with sthg.).

impattare *v.tr.* to be* quits (with s.o.).

impatto *s.m.* impact.

impaurire *v.tr.* to frighten // **-irsi** *v.intr.pron.* to get* frightened.

impavesata *s.f.* bulwarks (*pl.*).

impavido *agg.* fearless, undaunted.

impaziente *agg.* impatient; (*ansioso*) anxious, eager.

impazientirsi *v.intr.pron.* to lose* one's patience.

impazienza *s.f.* impatience; (*ansietà*) anxiety.

impazzare *v.intr.* to be* at one's height // *il carnevale impazza*, the carnival is at its height **2** (*cuc.*) to curdle.

impazzata, all' *locuz.avv.* madly, wildly: *correre all'—*, to run like a madman.

impazzimento *s.m.*: *questo lavoro è un —*, this is a brain-racking task; *sorvegliare tutti questi bambini è un vero —*, looking after so many children drives one crazy.

impazzire *v.intr.* **1** to become* insane, to go* mad: *— di, per il dolore*, to go mad with pain; *far — qlcu.*, (*anche fig.*) to drive s.o. mad; *sei impazzito?*, are you crazy? // *— per il jazz*, to be mad on (*o* about) jazz // *— per trovare qlco.*, to go mad looking for sthg. // *sto impazzendo per fare questa traduzione*, this translation is driving me crazy **2** (*della bussola*) to spin*.

impeccabile *agg.* faultless, impeccable.

impeciare *v.tr.* to pitch, to coat with pitch.

impedenza *s.f.* (*elettr.*) impedance.

impedimento *s.m.* **1** impediment, hyndrance; (*ostacolo*) obstacle: *essere di — a qlcu., qlco.*, to hinder s.o., sthg. **2** (*dir. canonico*) impediment.

impedire *v.tr.* **1** to prevent: *— qlcu. di fare qlco.*, to prevent (*o* to stop) s.o. (from) doing sthg.; *— che avvenga qlco.*, to prevent sthg. (from) taking place: *impedirò con tutte le mie forze che se ne vada*, I shall do all I can to prevent him (*o* his) leaving **2** (*impacciare*) to hinder, to hamper; (*ostacolare*) to obstruct: *— i movimenti*, to hinder s.o.'s movements; *— il passaggio*, to obstruct (*o* to bar) the way.

impedito *agg.* unable to move: *ho un braccio —*, I am unable to move my arm.

impegnare *v.tr.* **1** to pawn (*anche fig.*), to pledge (*an-*

che fig.): — *la propria parola*, to pledge (*o* to plight) one's word   2 (*obbligare, vincolare*) to bind*: *questo ti impegna a...*, this binds you to...   3 (*tenere impegnato*) to engage: — *qlcu. in una conversazione*, to engage s.o. in conversation; — *una ragazza per un ballo*, to engage a girl for a dance // *un lavoro che impegna molto tempo*, a work that takes up a lot of time   4 (*prenotare*) to book; (*noleggiare*) to hire // **-arsi** *v.rifl.*   1 to commit oneself, to bind* oneself: *ormai non posso dire di no, mi sono impegnato*, at this stage I can't say no, I've already committed myself; — *a fare qlco.*, to commit oneself to doing (*o* to undertake to do) sthg.   2 (*dedicarsi con impegno*) to dedicate oneself (to sthg.): — *di più nello studio*, to dedicate oneself more seriously to study.

impegnativo *agg.*   1 binding   2 (*di lavoro, incarico*) exacting   3 (*di competizione, partita ecc.*) challenging.

impegnato *agg.*   1 engaged, busy: *sono già —*, I have a previous engagement   2 (*di intellettuale*) committed.

impegno *s.m.*   1 engagement; (*obbligo*) commitment, obligation: *impegni familiari*, family commitments; *ho già un —*, I've got a previous engagement; *far fronte a un —*, to satisfy an obligation; *con l'— di*, on the undertaking that; *senza — (da parte tua)*, without obligation (on your part)   2 (*occupazione, incarico*) engagement: *un — di lavoro*, a business engagement   3 (*informatica*) commitment   4 (*zelo*) care, attention: *con —*, seriously (*o* with care); *mette molto — in quello che fa*, he puts a lot of enthusiasm into everything he does.

impegolare *v.tr.* to pitch // **-arsi** *v.rifl.* (*fig.*) to get* involved, to get* mixed up.

impelagarsi *v.rifl.* to get* involved // — *in un mare di guai*, to get into a sea of troubles.

impellente *agg.* impelling, impellent.

impellicciato *agg.* wrapped in a fur.

impenetrabile *agg.* impenetrable (*anche fig.*).

impenitente *agg.*   1 impenitent, unrepentant   2 (*fig.*) inveterate: *scapolo —*, inveterate bachelor.

impennacchiare *v.tr.* to crest.

impennacchiato *agg.* plumed.

impennaggio *s.m.* (*aer.*) empennage.

impennarsi *v.intr.pron.*   1 (*di cavallo*) to rear (up)   2 (*di aereo*) to zoom   3 (*fig.*) (*inalberarsi*) to bristle.

impennata *s.f.*   1 (*di cavallo*) rearing   2 (*di aereo*) zoom   3 (*fig.*) outburst, sudden fit.

impensabile *agg.* unthinkable.

impensato *agg.* unthought-of; (*inaspettato*) unforeseen, unexpected.

impensierire *v.tr.* to worry // **-irsi** *v.intr.pron.* to worry (about sthg.), to get* anxious (about sthg.).

impensierito *agg.* worried (about), anxious (about).

imperante *agg.* ruling, prevailing.

imperare *v.intr.* to reign (over sthg.); (*dominare*) to rule (over sthg.).

imperativo *agg.* imperative, authoritative; (*perentorio*) peremptory ♦ *s.m.* (*gramm. fil.*) imperative: *l'— categorico*, the categorical imperative.

imperatore *s.m.* emperor.

imperatrice *s.f.* empress.

impercettibile *agg.* imperceptible.

imperdonabile *agg.* unforgivable, unpardonable.

imperfetto *agg.*   1 imperfect; (*difettoso*) faulty, defective   2 (*tempo*) —, (*gramm.*) imperfect (tense).

imperfezione *s.f.* imperfection; (*difetto*) defect.

imperiale[1] *agg.* imperial // *Sua Maestà Imperiale*, His Imperial Majesty.

imperiale[2] *s.m.* (*di carrozze ecc.*) imperial, top.

imperialismo *s.m.* imperialism.

imperialista *s.m.* imperialist.

imperialistico *agg.* imperialistic.

imperiosità *s.f.* imperiousness.

imperioso *agg.*   1 imperious   2 (*fig.*) (*irresistibile*) irresistible; (*impellente*) impelling.

imperituro *agg.* (*letter.*) imperishable, undying.

imperizia *s.f.* lack of skill.

imperlare *v.tr.* to pearl (*anche fig.*), to bead (*anche fig.*): *fronte imperlata di sudore*, forehead beaded with perspiration.

impermalire *v.tr.* to annoy, to vex // **-irsi** *v.intr.pron.* to take* offence (at sthg.).

impermeabile *agg.* impermeable: — *all'acqua*, waterproof; — *all'aria*, airtight ♦ *s.m.* mackintosh, raincoat.

impermeabilità *s.f.* impermeability.

impermeabilizzare *v.tr.* to (water)proof.

impermeabilizzato *agg.* waterproofed.

imperniare *v.tr.*   1 to pivot   2 (*fig.*) (*fondare*) to base: *il discorso è imperniato sulla politica estera*, the speech hinges on foreign policy.

impero *s.m.* empire (*anche fig.*) // *stile* —, Empire style.

imperscrutabile *agg.* inscrutable, impenetrable.

impersonale *agg.* impersonal.

impersonare *v.tr.*   1 to personify   2 (*di attore*) to interpret // **-arsi** *v.intr.pron.*   1 to take* bodily form: *in lui si impersona l'allegria*, he is the personification of joy   2 (*di attore*) to identify oneself.

imperterrito *agg.* undaunted; (*impassibile*) impassive.

impertinente *agg.* impertinent.

impertinenza *s.f.* impertinence.

imperturbabile *agg.* imperturbable.

imperturbabilità *s.f.* imperturbability.

imperversare *v.intr.* to rage // *imperversa la moda delle gonne corte*, (*scherz.*) short skirts are the rage this year.

impervio *agg.* inaccessible.

impeto *s.m.*   1 impetus; (*impetuosità*) vehemence // *pieno d'—*, impetuous // *sostenere l'— del nemico*, to withstand the enemy's assault   2 (*fig.*) (*impulso*) impulse; (*slancio*) transport: *agire d'—*, to act on impulse; *in un — di gioia*, in a transport of joy.

impetrare *v.tr.*   1 to impetrate   2 (*supplicare*) to beseech*, to beg.

impettito *agg.* upright; (*rigido*) stiff: *camminare tutto —*, to strut; *se ne stava tutto —*, he stood upright with his chest flung out.

impetuosità *s.f.* impetuosity.

impetuoso *agg.* impetuous (*anche fig.*).

impiallacciare *v.tr.* to veneer.

impiallacciatura *s.f.*   1 veneering   2 (*legno per impiallacciare*) veneer.

impiantare *v.tr.*   1 to install   2 (*fig.*) to establish, to set* up: — *un'azienda*, to establish (*o* to set up) a firm.

impiantito *s.m.* floor: — *di legno*, wooden floor (*o* flooring).

impianto *s.m.*   1 plant, installation: — *della luce elettrica*, lighting plant; *c'è un guasto all'— elettrico centrale*, there's a breakdown in the central electrical system; — *di riscaldamento*, heating plant (*o* system); — *idrico*, water system; *impianti sanitari*, sanitary fittings; *impianti sportivi*, sports grounds   2 (*l'impiantare*) installation; (*fig.*) establishment // *spese d'—*, installation expenses.

impiastrare *v.tr.* to smear; (*insudiciare*) to soil: — *di catrame*, to smear with tar.

impiastricciare *v.tr.* to smear; (*imbrattare*) to soil: *impiastricciarsi le mani di marmellata*, to soil one's hands with jam.

impiastro *s.m.* 1 (*med.*) poultice 2 (*fig.fam.*) pain in the neck.

impiccagione *s.f.* hanging.

impiccare *v.tr.* to hang* // **-arsi** *v.rifl.* to hang* oneself // *impiccati!*, go (and) hang yourself!

impiccato *agg.* hanged // *è impiccata in quel vestito così stretto*, (*fam.*) she looks stiff in such a tight dress ♦ *s.m.* hanged man.

impicciare *v.tr.* to hinder // **-arsi** *v.rifl.* to meddle (with sthg.).

impiccio *s.m.* 1 (*ostacolo*) hindrance // *essere d'— a qlcu.*, to be in s.o.'s way // *non mi va di portarmelo dietro, sarà senz'altro d'—*, I don't want to bring him along with me, he is bound to be a nuisance 2 (*guaio*) trouble, mess: *cacciarsi in un —*, to get oneself into trouble (*o* into a mess).

impiccione *s.m.* meddler, busybody.

impiccolire *v.tr.* to make* smaller ♦ *v.intr.* to become* smaller.

impiegare *v.tr.* 1 to employ, to use; (*tempo*) to spend* // *il treno impiegò due ore*, the train took two hours // *— male il proprio tempo*, to waste one's time // *— il proprio denaro in titoli*, to invest one's money in stocks 2 (*assumere*) to employ, to engage // **-arsi** *v. rifl.* to find* a job, to get* a job.

impiegatizio *agg.* clerical, white-collar (*attr.*): *classe impiegatizia*, white-collar class; *lavoro —*, clerical (*o* office) work.

impiegato *s.m.* employee, office worker; (*contabile, commesso*) clerk: *— di banca*, bank clerk; *gli impiegati*, the staff; *— statale*, civil servant.

impiego *s.m.* 1 (*uso*) use, employment; (*di denaro*) investment 2 (*posto, lavoro*) position, situation, job: *cercare (un) —*, to look for a job; *essere senza —*, to be out of a job (*o* to be unemployed); *ha un buon —*, he has a good job; *avere un — statale*, to be in the Civil Service.

impietosire *v.tr.* to move to pity // **-irsi** *v.intr.pron.* to be* moved to pity.

impietrire *v.tr.* e *intr.*, **impietrirsi** *v.intr.pron.* to petrify.

impigliare *v.tr.* to entangle (*anche fig.*) // **-arsi** *v.rifl.* to get* entangled (*anche fig.*): *mi si è impigliata la manica nella maniglia*, my sleeve caught in the handle.

impigrire *v.tr.* to make* lazy // **-irsi** *v.intr.pron.* to become* lazy.

impinguare *v.tr.* (*fig.*) to enrich // **-arsi** *v.intr.pron.* (*fig.*) to get* rich.

impinzare *v.tr.* to stuff.

impiombare *v.tr.* 1 (*sigillare*) to seal with lead 2 (*otturare*) to fill: *— un dente*, to fill a tooth 3 (*mar.*) to splice.

impiombatura *s.f.* 1 (*il sigillare con piombo*) lead sealing 2 (*otturazione*) filling 3 (*mar.*) splice.

impiparsi *v.intr.pron.* (*volg.*) not to care a rap (about sthg.).

implacabile *agg.* implacable.

implantologia *s.f.* (*med.*) implantation.

implicare *v.tr.* 1 to involve: *non voglio essere implicato in questa faccenda*, I don't want to be (*o* to get) involved in this matter 2 (*comportare; significare*) to imply: *questo implicherà un ritardo*, this will entail (*o* imply) a delay.

implicazione *s.f.* implication.

implicito *agg.* implicit.

implorare *v.tr.* to implore, to beg: *— qlco. da qlcu.*, to implore s.o. for sthg.; *— pietà dal vincitore*, to implore the conqueror's pity.

implorazione *s.f.* supplication.

implume *agg.* fledgeless, unfledged.

impoetico *agg.* unpoetical.

impolitico *agg.* 1 (*non politico*) unpolitical 2 (*imprudente*) impolitic, inexpedient.

impollinare *v.tr.* (*bot.*) to pollinate.

impollinazione *s.f.* (*bot.*) pollination.

impoltronire *v.tr.* to make* lazy ♦ *v.intr.*, **-irsi** *v.intr.pron.* to get* lazy.

impolverare *v.tr.* to cover with dust // **-arsi** *v.intr.pron.* to get* dusty.

impomatare *v.tr.* to pomade.

impomatato *agg.* 1 pomaded 2 (*spreg.*) sleeked up.

imponderabile *agg.* imponderable.

imponderabilità *s.f.* imponderability.

imponente *agg.* stately, imposing, impressive.

imponenza *s.f.* stateliness, majesty.

imponibile *agg.* taxable, assessable ♦ *s.m.* taxable income, assessable income.

impopolare *agg.* unpopular.

impopolarità *s.f.* unpopularity.

imporporare *v.tr.* to purple // **-arsi** *v.intr.pron.* to redden: *— in viso*, to blush.

imporre *v.tr.* 1 to impose: *— una tassa*, to impose a tax; *— qlco. a qlcu.*, to impose sthg. on s.o. // *— le mani*, to lay on hands // *imporsi un compito gravoso*, to take on a difficult task 2 (*ordinare*) to command: *mi impose di partire*, he commanded me to leave; *— silenzio*, to command silence 3 (*dare*) to give*: *le fu imposto il nome di Maria*, she was given the name of Mary // **-orsi** *v.rifl.* to impose oneself (on s.o., sthg.); 2 (*dominare*) to dominate (s.o., sthg.): *egli si imponeva a tutti per la forza di volontà*, he dominated everybody owing to his strong will 3 (*farsi rispettare*) to assert one's authority 4 (*aver successo*) to become* popular, to be* successful: *non tarderà a —*, it won't be long before he attracts attention 4 (*rendersi necessario*) to become* necessary: *s'impose un cambiamento*, a change became necessary.

importante *agg.* important ♦ *s.m.* main point.

importanza *s.f.* importance: *attribuire, dare — a qlco.*, to attach importance to sthg. // *darsi —*, to give oneself airs.

importare *v.tr.* 1 (*introdurre*) to import: *— una moda*, to import a fashion 2 (*implicare*) to mean*, to imply: *questo importa una grande spesa*, this implies great expense ♦ *v.intr.gener.impers.* 1 (*avere peso, importanza, valore*) to care (*costr. pers.*); to matter, to be* of importance, to be* of consequence: *non gl'importa della sua famiglia*, he doesn't care about his family; *certo che importa!*, but it does matter!; *che t'importa?*, what does it matter to you? (*o* what do you care about it?); *non importa!*, it doesn't matter! (*o* never mind!); *non me ne importa niente!*, I couldn't care less!; *se non puoi venire non importa*, if you can't come it doesn't matter 2 (*occorrere*) to be* necessary, to need (*costr. pers.*): *non importa che tu venga*, you needn't come.

importatore *s.m.* importer.

importazione *s.f.* 1 (*l'importare*) importation // *articoli d'—*, imports // *certificato d'—*, import certificate 2 (*merci importate*) import: *le importazioni superano le esportazioni*, imports exceed exports.

importo *s.m.* amount.

importunare *v.tr.* to bother, to importune.

importuno *agg.* (*fastidioso*) boring; (*molesto*) tiresome, troublesome: *verrei se non temessi d'essere* —, I'd come if I weren't afraid of being a nuisance.

imposizione *s.f.* imposition.

impossessarsi *v.intr.pron.* to seize (stg.), to get* hold (of stg.).

impossibile *agg.* impossible: *è — per me andarci*, it is impossible for me to go there; *ha un carattere* —, he has an impossible (*o* unbearable) character ♦ *s.m.*: *farei l'— per lui*, I should do anything for him // *non ti aspettare l'— da me!*, don't expect me to do miracles!

impossibilità *s.f.* impossibility: *sono nell'— di venire*, it is absolutely impossible for me to come.

impossibilitato *agg.* unable.

imposta *s.f.* **1** tax, duty: *imposte dirette, indirette*, direct, indirect taxation; — *alla fonte*, tax at source; withholding tax; — *sulle società*, corporation tax; — *sul reddito*, income tax; *esente da* —, tax (*o* duty) -free **2** (*di finestra*) shutter **3** (*arch.*) impost.

impostare[1] *v.tr.* **1** to plan (out): — *un lavoro*, to plan a job **2** (*incominciare*) to start, to set* up **3** (*informatica*) to set*; to key in; to enter **4** (*basare*) to base **5** (*mar.*) to lay* down **6** (*mus.*) to pitch // **-arsi** *v.rifl.* to get* set.

impostare[2] *v.tr.* to post; (*amer.*) to mail.

impostazione[1] *s.f.* **1** planning: *l'— di un lavoro*, the planning of a job **2** (*mar.*) laying down **3** (*mus.*) pitching.

impostazione[2] *s.f.* posting; (*amer.*) mailing.

impostore *s.m.* impostor.

impostura *s.f.* imposture.

impotente *agg.* impotent.

impotenza *s.f.* impotence.

impoverimento *s.m.* impoverishment.

impoverire *v.tr.* to impoverish ♦ *v.intr.*, **-irsi** *v.intr.pron.* to become* poor.

impraticabile *agg.* impracticable.

impraticabilità *s.f.* impracticability.

impratichirsi *v.intr.pron.* to practise: *è necessario che tu ti impratichisca*, you must get some practice.

imprecare *v.intr.* to curse (s.o., stg.).

imprecazione *s.f.* curse, imprecation.

imprecisabile *agg.* indeterminable, indefinable.

imprecisato *agg.* undetermined, undefined.

imprecisione *s.f.* imprecision.

impreciso *agg.* imprecise.

impregiudicato *agg.* unprejudiced.

impregnare *v.tr.* to impregnate (*anche fig.*): *aria impregnata di fumo*, air impregnated with smoke; — *la mente di pregiudizi*, to impregnate (*o* to imbue) the mind with prejudices // **-arsi** *v.intr.pron.* to become* impregnated (with stg.).

imprendere *v.tr.* (*intraprendere*) to undertake*; (*incominciare*) to begin*.

imprendibile *agg.* impregnable.

imprenditore *s.m.* entrepreneur // — *edile*, building contractor.

impreparato *agg.* unprepared (for).

impreparazione *s.f.* unpreparedness.

impresa *s.f.* **1** undertaking, enterprise; (*che comporta un rischio*) venture: *imbarcarsi in un'*—, to embark on an enterprise // *si accinge a una nuova* —, he is undertaking stg. new // *la mia ricerca è stata un'— disperata*, my search was a wild-goose chase **2** (*azione*) deed;

(*gesta*) exploit **3** (*azienda*) firm, concern: — *di costruzioni*, — *edile*, builders (*o* building contractors).

impresario *s.m.* entrepreneur; (*teatr.*) impresario.

imprescindibile *agg.* that cannot be disregarded, that cannot be set aside.

imprescrittibile *agg.* imprescriptible.

impressionabile *agg.* **1** (*che si turba facilmente*) easily affected: *non è un tipo* —, he is not easily affected (*o* upset) **2** (*facile allo spavento*) easily frightened **3** (*fot.*) sensitive.

impressionabilità *s.f.* **1** impressionability **2** (*fot.*) sensitivity.

impressionante *agg.* awful, frightening; (*terribile*) tremendous.

impressionare *v.tr.* **1** to make* an impression (on s.o.); (*colpire*) to strike*; (*turbare*) to affect: *quella notizia mi ha impressionato*, that news made an impression on me; *la sua prontezza ci impressionò*, his promptness struck us **2** (*spaventare*) to frighten **3** (*fot.*) to expose // **-arsi** *v.intr.pron.* **1** to be* affected: *si impressiona facilmente*, he is easily upset (*o* affected) **2** (*spaventarsi*) to be* frightened.

impressione *s.f.* **1** impression; (*sensazione*) sensation: *l'— del sigillo sulla cera*, the impression of a seal on the wax; *ho l'— che...*, I have the impression (*o* feeling) that (*o* it is my impression that)...; *mi fece cattiva* —, he made a bad impression on me; *mi fece buona* —, he impressed me favourably; *un'— di freddo, di caldo*, a sensation of cold, warmth **2** (*ristampa*) impression.

impressionismo *s.m.* (*st. pitt.*) impressionism.

impressionista *s.m.* e *agg.* (*st. pitt.*) impressionist.

impressionistico *agg.* (*st. pitt.*) impressionistic.

imprestare *v.tr.* to lend*, to loan (*spec. amer.*): — *qlco. a qlcu.*, to lend s.o. stg. (*o* stg. to s.o.).

imprevedibile *agg.* unforeseeable.

imprevidente *agg.* improvident.

imprevidenza *s.f.* improvidence.

imprevisto *agg.* unforeseen, unexpected ♦ *s.m.* unforeseen event: *in caso di* —, in case of emergency; *tener conto degli imprevisti*, to allow for contingencies.

impreziosire *v.tr.* to make* precious; (*fig.*) to enrich.

imprigionare *v.tr.* to imprison (*anche fig.*), to put* in prison: *rimanere imprigionati dalla neve*, to remain imprisoned by the snow // — (*le acque di*) *un fiume*, to confine a river.

imprimere *v.tr.* **1** to impress, to imprint, to stamp // *essere impresso nella memoria*, to be engraved (*o* impressed) in one's memory; *imprimersi qlco. nella mente*, to get stg. firmly fixed in one's head **2** (*stampare*) to print **3** (*comunicare*) to give*, to impart: — *un movimento a un corpo*, to set a body in motion // **-arsi** *v. intr.pron.* to remain impressed, to remain engraved.

imprimitura *s.f.* priming.

improbabile *agg.* improbable, unlikely: *è — che si faccia vivo*, it is improbable (*o* unlikely) that he will turn up.

improbabilità *s.f.* improbability, unlikelihood.

improbo *agg.* **1** (*malvagio*) wicked **2** (*duro, faticoso*) hard, toilsome: *è un lavoro* —, it is a real piece of drudgery.

improduttività *s.f.* unproductiveness.

improduttivo *agg.* unproductive // *denaro* —, idle money.

impronta *s.f.* **1** impression, mark, print: — *delle ruote*, track (*o* trace) of the wheels; — *del piede*, footprint; *impronte digitali*, fingerprints **2** (*fig.*) stamp, mark: — *del genio*, stamp (*o* mark) of genius.

improntare *v.tr.* to stamp, to mark (*anche fig.*): — *un discorso a severità*, to stamp a speech with severity // **-arsi** *v.intr.pron.* to stamp oneself, to be* stamped.

improntato *agg.* marked (by): *l'incontro fu — alla massima cordialità*, their meeting was marked by extreme cordiality.

improntitudine *s.f.* impudence.

impronto, all' *locuz.avv.* at sight.

improperio *s.m.* insult: *coprire qlcu. d'improperi*, to heap insults upon (*o* to abuse) s.o.

improprietà *s.f.* impropriety; (*inesattezza*) inaccuracy.

improprio *agg.* improper.

improrogabile *agg.* that cannot be put off: *una data* —, a final date.

improrogabilmente *avv.* with no possibility of delay.

improvvisamente *avv.* suddenly, all of a sudden.

improvvisare *v.tr. e intr.* to improvise: — *al pianoforte*, to improvise (*o* to extemporize) on the piano // **-arsi** *v.rifl.* to become* in a day: *dovette — cuoco*, he had to improvise as a cook; *non ci s'improvvisa direttori*, one can't become a manager in a day // — *poeta*, to play the poet.

improvvisata *s.f.* surprise: *fare una — qlcu.*, to give s.o. a surprise.

improvvisatore *s.m.* improvisator.

improvvisazione *s.f.* improvisation.

improvviso *agg.* **1** sudden // *all'*—, suddenly (*o* all of a sudden) **2** (*inaspettato*) unexpected // *all'*—, unexpectedly **3** (*imprevisto*) unforeseen ♦ *s.m.* (*mus.*) impromptu.

imprudente *agg.* imprudent; (*avventato*) rash; (*poco saggio*) unwise: *una decisione* —, a rash (*o* unwise) decision; *guida* —, reckless driving; *siamo stati imprudenti a fare...*, we were unwise to do...

imprudenza *s.f.* imprudence; (*avventatezza*) rashness, unwiseness.

impudente *agg.* impudent, saucy.

impudenza *s.f.* impudence.

impudicizia *s.f.* immodesty, shamelessness, impudicity.

impudico *agg.* immodest, shameless.

impugnare[1] *v.tr.* **1** (*afferrare*) to grasp, to grip // — *le armi*, to take up arms **2** (*tenere nel pugno*) to hold*.

impugnare[2] *v.tr.* to contest, to impugn: — *un testamento*, to contest a will.

impugnatura *s.f.* (*manico*) handle; (*di oggetti a lama*) haft; (*spec. di spada*) hilt.

impugnazione *s.f.* (*dir.*) impugnment: — *di un testamento*, contestation of a will.

impulsività *s.f.* impulsiveness; (*irriflessività*) rashness, hastiness.

impulsivo *agg.* **1** impulsive; (*irriflesso*) rash, hasty: *ha un carattere molto* —, he has a very impulsive character; *è sempre stato (molto)* —, he has always been (very) impulsive (*o* hasty) **2** (*fis. mecc. elettr.*) impulsive, impelling: *forza impulsiva*, impelling force.

impulso *s.m.* **1** impulse: *sotto l'— del momento*, on the spur of the moment; *agire d'*—, to act on impulse // *dare — al commercio*, to boost trade **2** (*fis.*) impetus; (*elettr. med.*) impulse **3** (*informatica*) pulse: — *di comando*, drive pulse; — *di inibizione*, inhibit pulse; — *di posizionamento*, set pulse; — *di temporizzazione*, clock pulse.

impunemente *avv.* with impunity; (*senza danno*) unscathed, without harm: *attraversò — le linee nemiche*, he went through the enemy lines unscathed.

impunità *s.f.* impunity.

impunito *agg.* unpunished; (*fam.*) scot-free.

impuntarsi *v.intr.pron.* to dig* one's heels in (*anche fig.*): *quando s'impunta, non c'è verso di fargli cambiare idea*, when he digs his heels in, there is no way of making him change his mind; — *in un'idea*, to persist in an idea.

impuntire *v.tr.* to quilt.

impuntura *s.f.* **1** stitching: *grossa* —, saddle stitch **2** (*di trapunta*) quilting.

impunturare *v.tr.* **1** to stitch **2** (*trapuntare*) to quilt.

impurità *s.f.* impurity.

impuro *agg.* impure.

imputabile *agg.* **1** imputable, ascribable **2** (*accusabile*) chargeable (with): — *di omicidio*, chargeable with murder.

imputare *v.tr.* **1** to impute; (*attribuire*) to ascribe, to attribute: *imputarono a lui la sconfitta*, they ascribed the defeat to him; *non gliela si può — a colpa*, this can't be held against him **2** (*accusare*) to charge (with sthg.), to accuse.

imputato *s.m.* (*dir.*) defendant, accused.

imputazione *s.f.* charge, imputation: *capo d'*—, charge.

imputridire *v.intr.* to putrefy, to rot ♦ *v.tr.* to rot.

imputridito *agg.* rotten.

in *prep.* **1** (*stato in luogo*) in; at; (*su, sopra*) on; (*dentro*) inside: — *Francia*, in France; — *Varese*, at Varese; — *tavola*, on the table; *nel cielo*, in the sky; *aspettami nel parco*, wait for me in the park; *essere — campagna*, — *città*, — *prigione*, to be in the country, in town, in prison; *essere — casa*, to be at home; *avere qlco. — mano*, to have sthg. in one's hand; *trovare — qlcu. un amico*, to find a friend in s.o.; *serbare — cuore*, to keep in one's heart **2** (*moto a luogo*) to; (*movimento verso l'interno, penetrazione*) into; *andare — Francia*, to go to France; *mettilo nella scatola*, put it in(to) the box; *va' — cucina*, go into the kitchen; *andare — città*, — *prigione*, to go to town, to prison; *andare — montagna*, — *campagna*, to go to the mountains, to the country; *salire — treno*, to get in (*o* on) a train **3** (*moto per luogo*) *correre nei campi*, to run through the fields; *passeggiare — giardino*, to walk round (*o* in) the garden; *viaggiare — Italia*, to travel round (*o* in) Italy **4** (*tempo*) in; at: — *marzo*, — *primavera*, in March, in spring; — *una mattina d'estate*, one (*o* on a) summer morning; — *quel giorno*, (on) that day; — *questo momento*, at this moment; — *tutta la mia vita*, in all my life; *nel 1960*, in 1960; *nel pomeriggio*, in the afternoon; *lo farò — due ore*, I shall do it in two hours; *tre volte — due anni*, three times in two years // *nello stesso tempo*, at the same time **5** (*materia*): *una borsa — pelle bianca*, a white leather bag; *un cavallo — legno*, a wooden horse **6** (*mezzo*) by: *viaggiare — treno*, — *aeroplano*, — *automobile*, to travel by train, by plane, by car **7** (*modo*) in: — *pantofole*, — *calzoncini*, wearing slippers, shorts; *vestita — nero*, dressed in black; — *modo gentile*, in a kindly way; — *tono irato*, in an angry tone; — *italiano*, to speak in Italian **8** (*predicativo*): *siamo — due*, — *molti*, there are two of us, a lot of us; *erano — pochi*, there were few of them **9** (*seguito da inf. con valore di ger.*): *nell'entrare lo vidi subito*, on entering I saw him at once; *nell'andare a casa*, on the way home; *nel salire — automobile*, (on) getting into the car; *nel fare ciò*, in doing that; *nel lavarlo*, while washing it.

inabile *agg.* **1** (*incapace*) incapable (of), unable (to do): — *al lavoro*, unable to work **2** (*non idoneo*) unfit (for sthg., to do): — *al servizio militare*, unfit for military service.

inabilità *s.f.* **1** (*incapacità*) inability, incapacity **2** (*inidoneità*) unfitness (for sthg., to do) **3** (*per infortunio ecc.*) disablement, disability **4** (*dir.*) incapacity.

inabissare *v.tr.*, **inabissarsi** *v.intr.pron.* to sink*.

inabitabile *agg.* uninhabitable; (*tecn.*) unfit: *l'appartamento fu dichiarato —*, the flat was declared unfit.

inabitato *agg.* uninhabited.

inaccessibile *agg.* inaccessible, unapproachable // *cuore — alla pietà*, heart inaccessible to pity.

inaccessibilità *s.f.* inaccessibility, unapproachableness.

inaccettabile *agg.* unacceptable (to).

inacerbire *v.tr.* to exacerbate, to embitter // **-irsi** *v.intr.pron.* to become* exacerbated, to grow* bitter.

inacetire *v.intr.* to turn into vinegar.

inacidire *v.tr.* to sour (*anche fig.*) ♦ *v.intr.*, **-irsi** *v.intr.pron.* **1** to sour, to turn sour **2** (*fig.*) to get* embittered, to get* sour.

inadatto *agg.* unsuitable (for), unsuited (for); (*non fatto per*) unfit (for sthg., to do).

inadeguatezza *s.f.* inadequacy.

inadeguato *agg.* inadequate.

inadempiente *agg.* defaulting ♦ *s.m.* defaulter.

inadempienza *s.f.* non-fulfilment, non-performance, non-execution: — *di contratto*, non-performance of a contract.

inafferrabile *agg.* elusive (*anche fig.*).

inagibile *agg.* impracticable; (*di edificio*) unfit (for use).

inagibilità *s.f.* impracticability.

inalare *v.tr.* (*med.*) to inhale.

inalatore *s.m.* (*med.*) inhaler.

inalazione *s.f.* (*med.*) inhalation.

inalberare *v.tr.* to hoist: — *una bandiera*, to hoist a flag // **-arsi** *v.intr.pron.* **1** (*di cavalli*) to rear up **2** (*adirarsi*) to lose* one's temper, to get* angry.

inalienabile *agg.* inalienable.

inalienabilità *s.f.* inalienability.

inalterabile *agg.* inalterable, unchangeable.

inalterabilità *s.f.* inalterability.

inalterato *agg.* unchanged.

inalveare *v.tr.* to canalize.

inamidare *v.tr.* to starch.

inamidato *agg.* **1** starched **2** (*fig.*) starchy.

inamidatura *s.f.* starching.

inammissibile *agg.* inadmissible, not admissible.

inammissibilità *s.f.* inadmissibility.

inamovibile *agg.* irremovable.

inamovibilità *s.f.* irremovability.

inane *agg.* (*letter.*) inane.

inanellato *agg.* **1** (*di capelli*) curly **2** (*ornato di anelli*) ringed.

inanimato *agg.* inanimate, lifeless (*anche fig.*).

inanità *s.f.* (*letter.*) inanity.

inanizione *s.f.* (*med.*) inanition.

inappagabile *agg.* unsatisfiable.

inappagato *agg.* unsatisfied.

inappellabile *agg.* (*dir.*) unappealable, inappellable.

inappellabilità *s.f.* (*dir.*) inappellability.

inappellabilmente *avv.* (*dir.*) without appeal, with no possibility of appeal.

inappetente *agg.* lacking in appetite.

inappetenza *s.f.* lack of appetite.

inapplicabile *agg.* inapplicable.

inapprezzabile *agg.* **1** (*inestimabile*) invaluable, inestimable **2** (*irrilevante*) imperceptible, inappreciable.

inappuntabile *agg.* irreproachable, impeccable, faultless // — *nel vestire*, faultlessly dressed.

inarcare *v.tr.*, **inarcarsi** *v.intr.pron.* to arch, to curve: *inarcare le sopracciglia*, to arch (*o* to raise) one's brows.

inargentare *v.tr.* to silver.

inaridire *v.tr.* **1** to dry up, to parch **2** (*fig.*) to make* arid, to dull ♦ *v.intr.*, **-irsi** *v.intr.pron.* **1** to dry up **2** (*fig.*) to become* arid, to become* dull.

inarrestabile *agg.* (*poet.*) ceaseless, unceasing.

inarrivabile *agg.* **1** (*irraggiungibile*) unattainable, inaccessible **2** (*impareggiabile*) incomparable, unsurpassable.

inarticolato *agg.* inarticulate.

inascoltato *agg.* unheard, unheeded.

inaspettato *agg.* unexpected.

inasprimento *s.m.* **1** embitterment, exacerbation **2** (*aggravamento*) aggravation.

inasprire *v.tr.* **1** to embitter, to exacerbate **2** (*aggravare*) to aggravate, to heighten ♦ *v.intr.*, **-irsi** *v.intr.pron.* to become* embittered, to become* exacerbated.

inastare *v.tr.* to hoist // — *le baionette*, to fix bayonets.

inattaccabile *agg.* unassailable (*anche fig.*); (*irreprensibile*) irreproachable, unexceptionable.

inattendibile *agg.* unreliable, untrustworthy; (*infondato*) unfounded, groundless: *fonte —*, unreliable source.

inatteso *agg.* unexpected.

inattività *s.f.* inactivity, idleness.

inattivo *agg.* **1** inactive, idle // *capitale —*, (*comm.*) capital lying idle (*o* unemployed capital) **2** (*informatica*) idle.

inattuabile *agg.* impracticable, unfeasible.

inattuale *agg.* out-of-date.

inaudito *agg.* unheard-of; (*inconcepibile*) incredible.

inaugurale *agg.* inaugural: *discorso —*, inaugural (*o* opening) address.

inaugurare *v.tr.* to inaugurate (*anche fig.*); (*aprendo al pubblico*) to open; (*monumenti, statue ecc.*) to unveil: — *una mostra*, to open an exhibition // — *un vestito*, (*fam.*) to wear a dress for the first time.

inaugurazione *s.f.* inauguration; (*apertura*) opening; (*di monumenti, statue ecc.*) unveiling: *cerimonia d'—*, inauguration ceremony.

inavveduto *agg.* careless, thoughtless.

inavvertenza *s.f.* inadvertence.

inavvertitamente *avv.* inadvertently, unintentionally.

inavvertito *agg.* unnoticed, unperceived.

inazione *s.f.* inaction, inactivity.

incagliare *v.tr.* to hinder, to hamper ♦ *v.intr.*, **-arsi** *v.intr.pron.* **1** (*mar.*) to run* ashore, to ground, to strand **2** (*fig.*) to get* stuck, to get* clogged; (*assoluto*) to come* to a standstill: *si incagliò alle prime difficoltà*, he got stuck at the first difficulties.

incaglio *s.m.* **1** (*ostacolo*) obstacle, hindrance, impediment **2** (*mar.*) stranding, running aground.

incaico *agg.* Incaic.

incalcolabile *agg.* incalculable.

incallire *v.tr.* e *intr.*, **incallirsi** *v.intr.pron.* to harden (*anche fig.*).

incallito *agg.* callous (*anche fig.*).

incalorire *v.tr.* to provoke inflammation // **-irsi** *v. intr.pron.* to get* excited, to get* heated.

incalzante *agg.* (*imminente*) imminent: *pericolo —*, imminent danger; *minaccia —*, urgent threat.

incalzare *v.tr.* **1** to follow closely, to chase **2** (*fig.*) to press: *il pericolo incalza*, danger is imminent; *il tempo incalza*, time is pressing.

incameramento *s.m. (dir.)* confiscation.

incamerare *v.tr.* 1 *(dir.)* to confiscate 2 *(appropriarsi di)* to appropriate.

incamminare *v.tr.* to start: — *un'azienda*, to start a business; — *qlcu. in una professione*, to start s.o. in a profession// **-arsi** *v.intr.pron.* 1 to set* out, to make* one's way: — *verso casa*, to set out for home 2 *(fig.)* to start: — *sulla via della perfezione*, to start on the way to perfection.

incanalare *v.tr.* 1 to canalize 2 *(fig.)* to channel off: — *il traffico*, to channel off the traffic // *i suoi pensieri sono incanalati in una sola direzione*, all his thoughts turn in one direction // **-arsi** *v.intr.pron.* 1 to be* canalized 2 *(fig.)* to channel off.

incancellabile *agg.* indelible *(anche fig.)*.

incancrenire *v.intr.*, **incancrenirsi** *v.intr.pron.* 1 to gangrene 2 *(fig.)* to become* deeply rooted.

incandescente *agg.* 1 incandescent 2 *(fig.)* heated: *la seduta si svolse in un'atmosfera —*, the meeting took place in a heated atmosphere.

incandescenza *s.f.* incandescence.

incannare *v.tr. (ind. tessile)* to wind*, to spool.

incannatura *s.f. (ind. tessile)* winding, spooling.

incannucciare *v.tr.* 1 to reed 2 *(una pianta)* to stake.

incantare *v.tr.* to enchant *(anche fig.)*, to charm *(anche fig.)* // *non mi incanti!*, you don't take me in! // **-arsi** *v.intr.pron.* 1 to be* enchanted: — *di fronte a qlco.*, to be enchanted by sthg. // *quando studia si incanta spesso*, when he studies he often goes off in a daze *(inceppparsi)* to jam.

incantato *agg.* 1 enchanted // *anello —*, magic ring 2 *(affascinato)* spellbound: *restare — ad ascoltare*, to listen spellbound.

incantatore *s.m.* enchanter // — *di serpenti*, snake charmer.

incantesimo *s.m.* spell, charm: *fare un —*, to cast a spell; *rompere l'—*, to break the spell.

incantevole *agg.* charming; *(meraviglioso)* wonderful.

incanto[1] *s.m.* enchantment; *(fascino)* charm: *questo luogo è un vero —*, this place is really charming // *come per —*, as if by a (magic) spell // *quest'abito ti sta d'—*, this dress suits you perfectly.

incanto[2] *s.m. (asta)* auction: *vendere all'—*, to sell by auction; *vendita all'—*, auction sale.

incanutire *v.intr.* to turn white.

incapace *agg.* 1 incapable: — *di fare qlco.*, incapable of doing *(o unable to do)* sthg. 2 *(dir.)* incapacitated (from) ♦ *s.m. (dir.)* incapacitated person.

incapacità *s.f.* incapacity (for sthg.).

incaparbire *v.intr.*, **incaparbirsi** *v.intr.pron.* to take* it into one's head: *si è incaparbito a farlo*, he took it into his head to do it; *non incaparbirti così*, don't be so obstinate!

incaponirsi *v.intr.pron. (fam.)* to take* it into one's head: — *a fare qlco.*, to take it into one's head to do sthg.

incappare *v.intr.* to run* into (s.o., sthg.): — *in un tranello*, to be caught in a snare; — *in qlcu.*, to fall in with s.o.

incappucciare *v.tr.* to hood *(anche fig.)*.

incappucciato *agg.* hooded // *montagne incappucciate di neve*, mountains capped with snow.

incapricciarsi *v.intr.pron.* to take* a fancy (to s.o., sthg.); *(innamorarsi)* to fall* (for s.o.).

incapsulare *v.tr.* 1 to seal 2 *(un dente)* to crown.

incarcerare *v.tr.* to imprison.

incaricare *v.tr.* to charge, to entrust: — *qlcu. di qlco.*, to charge *(o* to entrust) s.o. with sthg.; *sono stato incaricato di comunicarle...*, I have been instructed to communicate to you...; — *qlcu. di fare qlco.*, to charge s.o. to do sthg. // **-arsi** *v.rifl.* to take* upon oneself: — *di fare qlco.*, to take (it) upon oneself *(o* to undertake) to do sthg.; *me ne incarico io*, I'll see to it myself.

incaricato *agg.*: *persona incaricata*, person in charge // *(professore) —*, temporary teacher; *(di università)* associate professor ♦ *s.m.* person in charge: *l'— di questo settore*, the man in charge of this section; *vi manderemo un nostro —*, we shall send you one of our employees // — *d'affari*, chargé d'affaires.

incarico *s.m.* 1 charge; *(compito)* task: *avere l'— di fare qlco.*, to be charged to do sthg...; *assumersi l'— di fare...*, to undertake to do; *affidare a qlcu. un —*, to entrust s.o. with a task // *per — di*, on behalf of; *sono partito per — del direttore*, I left on my manager's instructions 2 *(insegnamento fuori ruolo)* temporary teaching contract.

incarnare *v.tr.* to incarnate, to embody // **-arsi** *v.intr.pron.* 1 to become* incarnate 2 → *incarnire*.

incarnato *agg.* 1 incarnate *(pred.)*: *è l'avarizia incarnata*, he is the incarnation *(o* embodiment) of avarice // *il Verbo —*, *(teol.)* the Word Incarnate 2 *(roseo)* rosy, rose-pink ♦ *s.m.* rosiness.

incarnazione *s.f.* incarnation, embodiment.

incarnire *v.intr.*, **incarnirsi** *v.intr.pron. (di unghia)* to grow* in (to the flesh): *avere un'unghia incarnita*, to have an ingrown nail.

incarognire *v.intr.*, **incarognirsi** *v.intr.pron.* 1 to rot 2 *(fig.) (di persone)* to become* bitter.

incartamento *s.m.* dossier, documents *(pl.)*.

incartapecorire *v.intr.*, **incartapecorirsi** *v.intr.pron.* to shrivel.

incartapecorito *agg.* shrivelled.

incartare *v.tr.* to wrap (up) in paper.

incasellare *v.tr.* to pigeonhole *(anche fig.)*, to classify *(anche fig.)*.

incassare *v.tr.* 1 to embed: — *una presa di corrente nel muro*, to embed *(o* to set) a plug in the wall; — *il meccanismo di un orologio*, to enclose the works of a clock // — *un fiume*, to embank a river 2 *(chiudere in una cassa)* to pack in a case 3 *(riscuotere)* to collect // — *un assegno*, to cash a cheque 4 *(pugilato)* to take* (a blow) // *ha incassato bene il colpo*, *(fig.)* he has taken the blow well.

incassato *agg.* set; *(di fiume)* deeply embanked: *un armadio —* *(nel muro)*, a wardrobe set in the wall // *una strada incassata fra le rocce*, a road between steep rocks.

incassatore *s.m. (pugilato)* boxer who can take punishment.

incasso *s.m.* 1 collection 2 *(somma incassata)* takings *(pl.)*, receipts *(pl.)*: *gli incassi di un mese*, a month's takings *(o* receipts).

incastellatura *s.f.* frame; *(impalcatura)* scaffolding.

incastonare *v.tr.* to set*, to mount.

incastonatura *s.f.* setting, mounting.

incastrare *v.tr.* 1 to embed; *(inserire)* to fit (sthg.) in: — *un mattone nel cemento*, to embed a brick in cement 2 *(incastonare)* to set* // **-arsi** *v.intr.pron.* to stick*: *la chiave si è incastrata nella serratura*, the key has stuck in the lock ♦ *v.rifl.rec.* to fit (together).

incastro *s.m.* joint: — *a coda di rondine*, dovetail (joint); *punto di* —, joint.

incatenare *v.tr.* to chain, to enchain (*anche fig.*); (*mettere ai ferri*) to fetter, to shackle (*anche fig.*): — *l'attenzione*, to enchain (*o* to rivet) the attention; — *i cuori*, to enchain (*o* to captivate) the hearts.

incatenato *agg.* chained; (*in catene*) fettered (*anche fig.*), shackled (*anche fig.*) // *rima incatenata*, (*metrica*) terza rima.

incatramare *v.tr.* to tar.

incattivire *v.tr.* to embitter ♦ *v.intr.*, **-irsi** *v.intr.pron.* to become* embittered.

incauto *agg.* incautious; (*sventato*) rash.

incavare *v.tr.* to hollow (out), to scoop out.

incavato *agg.* **1** hollow **2** (*di guance ecc.*) hollow, sunken.

incavatura *s.f.* hollow; (*scanalatura*) groove.

incavo *s.m.* hollow; (*cavità*) cavity; (*scanalatura*) groove: *l'— dell'ascella*, the armpit.

incavolarsi *v.intr.pron.* to fly off the handle.

incazzarsi *v.intr.pron.* (*volg.*) to get* pissed off.

incazzato *agg.* (*volg.*) pissed off, fucking annoyed.

incazzatura *s.f.* (*volg.*) fury, rage.

incedere *v.intr.* (*letter.*) to walk in a stately fashion.

incedere *s.m.* (*letter.*) stately gait, stately walk.

incendiare *v.tr.* to set* (sthg.) on fire, to set* fire (to sthg.) // — *gli animi*, to inflame the minds // **-arsi** *v.intr.pron.* to catch* fire.

incendiario *agg.* incendiary (*anche fig.*) ♦ *s.m.* incendiary.

incendio *s.m.* fire (*anche fig.*): *scoppiò un* —, a fire broke out; *segnale d'*—, fire alarm.

incenerire *v.tr.* to burn* to ashes, to incinerate // *qlcu. con lo sguardo*, to wither s.o. with a glance // **-irsi** *v.intr.pron.* to burn* to ashes.

inceneritore *s.m.* incinerator.

incensamento *s.m.* (*fig.*) flattering, adulation.

incensare *v.tr.* **1** to cense, to incense **2** (*fig.*) to flatter, to fawn (up)on (s.o.).

incensiere *s.m.* censer; (*a trespolo*) incense burner.

incenso *s.m.* incense (*anche fig.*).

incensurabile *agg.* irreproachable.

incensurato *agg.* uncensured, blameless: *essere* —, (*dir.*) to have a clean record ♦ *s.m. è un* —, (*dir.*) he has a clean record.

incentivare *v.tr.* to boost.

incentivo *s.m.* incentive, spur, stimulus (*pl. stimuli*).

inceppamento *s.m.* **1** jam, block **2** (*informatica*) jam: — *scheda*, card jam.

inceppare *v.tr.* **1** to jam, to block **2** (*ostacolare*) to obstruct, to hamper, to hinder // **-arsi** *v.intr.pron.* to jam.

incerare *v.tr.* to wax.

incerato *agg.* waxed // (*tela*) *incerata*, oilskin.

incertezza *s.f.* **1** uncertainty, doubt: *essere nell'*—, to be in a state of uncertainty; *tenere qlcu. nell'*—, to keep s.o. in suspense; *nell'*—, *ho chiesto di nuovo*, being in doubt I asked again; *nell'*—, *è meglio rinunciare all'idea*, in this state of uncertainty it is better to give up the idea **2** (*indecisione*) hesitation, indecision: *ebbe un attimo di* —, he had a moment's hesitation; *rispose con qualche* —, he answered with some hesitancy.

incerto *agg.* uncertain (about, of, as to): *una risposta incerta*, an uncertain answer; *sono* — *su quello che dovrei dire*, I am doubtful (*o* undecided) as to what I should say // *luce incerta*, dim (*o* feeble) light ♦ *s.m.* **1**

uncertainty **2** *pl.* (*guadagni occasionali*) incidental profits, perquisites; (*fam.*) perks **3** *pl.* (*casi imprevedibili*) uncertainties.

incespicare *v.intr.* to stumble (over sthg.) // — *nel parlare*, to stumble in one's speech.

incessante *agg.* unceasing, incessant.

incesto *s.m.* incest.

incestuoso *agg.* incestuous.

incetta *s.f.* (*comm.*) corner(ing), buying up; (*raccolta*) collecting: *fare* — *di qlco.*, (*comm.*) to corner sthg. (*o* to buy sthg. up).

incettare *v.tr.* to corner, to buy* up.

incettatore *s.m.* buyer-up (*pl.* buyers-up).

inchiavardare *v.tr.* to bolt, to fasten with a bolt.

inchiesta *s.f.* inquiry, investigation; (*dir.*) (*spec. per morte improvvisa*) inquest: *aprire, fare un'*— *su qlco.*, to make (*o* to set up) an inquiry about sthg.

inchinare *v.tr.* to bow, to incline, to bend*: — *la testa*, to bow one's head // **-arsi** *v.rifl.* **1** to bow (down); (*di donna, fare una riverenza*) to curtsey (s.o.) // *m'inchino davanti alla tua onestà*, I bow to your honesty **2** (*sottomettersi*) to bow, to submit: *s'inchinò al suo volere*, he bowed (*o* submitted) to his will.

inchino *s.m.* bow; (*riverenza femminile*) curtsey: *fare un* — (*a qlcu.*), to bow (to s.o.); (*di donna*) to make* a curtsey (to s.o.).

inchiodare *v.tr.* to nail (*anche fig.*), to rivet (*anche fig.*): *è inchiodato a letto*, he is bedridden; *sta sempre inchiodato al tavolino*, he never budges from his table // **-arsi** *v.intr.pron.* **1** (*fermarsi di colpo*) to stop dead **2** (*sbattere violentemente*) (*fam.*) to crash.

inchiodatura *s.f.* nailing, riveting.

inchiostrare *v.tr.* to ink.

inchiostro *s.m.* ink: — *di China*, Indian (*o* China) ink; *dita sporche d'*—, inky fingers.

inciampare *v.intr.* **1** to stumble (over sthg.) (*anche fig.*) // — *nel parlare*, to stumble (*o* to stammer) in one's speech **2** (*imbattersi in qlcu.*) to run* across (s.o.).

inciampo *s.m.* snag, stumbling block.

incidentale *agg.* **1** accidental; (*accessorio*) incidental **2** (*gramm.*) parenthetic(al).

incidentalmente *avv.* incidentally; (*casualmente*) accidentally, by chance.

incidente *s.m.* **1** (*infortunio*) accident: — *automobilistico, ferroviario*, car, train accident; — *sul lavoro*, accident at work; *avere un* —, to meet with an accident **2** (*fatto, episodio*) incident: *un curioso* —, a strange incident **3** (*disputa, questione*) argument: *sollevare un* —, (*dir.pol.*) to raise an objection.

incidenza *s.f.* incidence.

incidere[1] *v.tr.* **1** to engrave, to cut*, to carve **2** (*ad acquaforte*) to etch **3** (*su nastro, disco ecc.*) to record **4** (*chir.*) to incise, to lance.

incidere[2] *v.intr.* **1** (*gravare*) to weigh heavily // *una tassa che incide sul datore di lavoro*, a tax that falls on the employer **2** (*influire*) to affect.

incinerazione *s.f.* incineration, cremation.

incinta *agg.* pregnant, with child (*pred.*).

incipiente *agg.* incipient.

incipriare *v.tr.*, **incipriarsi** *v.rifl.* to powder: *si incipria troppo*, she puts too much powder on.

incirca, all' *locuz.avv.* about, approximately.

incisione *s.f.* **1** (*taglio*) incision, cut; (*chir.*) incision, lancing **2** (*arte*) engraving: — *ad acquaforte*, etching; — *a stampa*, print; — *su legno*, wood engraving **3** (*su nastro, disco ecc.*) recording.

incisività *s.f.* sharpness.

incisivo *agg.* incisive (*anche fig.*) ♦ *s.m.* (*anat.*) incisor.

inciso *s.m.* (*gramm.*) parenthetic clause, parenthesis // *per —*, incidentally (*o* by the way).

incisore *s.m.* engraver; (*d'acqueforti*) etcher.

incitamento *s.m.* incitement, stimulus (*pl.* stimuli), spur.

incitare *v.tr.* to incite, to stimulate: *— alla ribellione*, to stir up (*o* to instigate) rebellion.

incivile *agg.* **1** (*non civilizzato*) uncivilized, barbarous **2** (*scortese*) uncivil, boorish.

incivilimento *s.m.* civilization.

incivilire *v.tr.* to civilize // **-irsi** *v.intr.pron.* to become* civilized.

inciviltà *s.f.* **1** (*barbarie*) barbarism **2** (*maleducazione*) incivility, boorishness.

inclassificabile *agg.* unclassifiable.

inclemente *agg.* inclement.

inclemenza *s.f.* inclemency.

inclinare *v.tr.* to incline (*anche fig.*); (*piegare*) to bend*: *— la testa*, to bend one's head ♦ *v.intr.* **1** to lean*, to slope **2** (*fig.*) to incline, to be* inclined, to be* disposed: *— all'ozio*, to be inclined (*o* to incline) to laziness // **-arsi** *v.rifl.* **1** to incline, to slope, to tilt **2** (*piegarsi*) to bend* **3** (*di nave*) to list **4** (*di aeroplano*) to bank **5** (*di ago magnetico*) to dip.

inclinazione *s.f.* **1** (*pendenza*) inclination, slope, slant; (*di strada*) gradient: *l'— di un tetto*, the slope of a roof; *— magnetica*, (*fis.*) dip **2** (*fig.*) (*tendenza*) inclination, tendency, propensity **3** (*fig.*) (*attitudine, talento*) turn, bent, talent.

incline *agg.* inclined, prone, disposed: *— all'ira*, prone to anger.

inclito *agg.* (*letter.*) glorious, noble.

includere *v.tr.* **1** (*comprendere*) to include, to comprise: *— qlcu. nel numero degli amici*, to include s.o. among one's friends **2** (*allegare*) to enclose **3** (*implicare*) to imply.

inclusione *s.f.* inclusion.

inclusivo *agg.* inclusive.

incluso *agg.* **1** included: *le spese di trasporto sono incluse nel prezzo*, (*comm.*) the price is inclusive of freight **2** (*allegato*) enclosed.

incoccare *v.tr.* to nock, to notch.

incoercibile *agg.* irrepressible, incoercible.

incoerente *agg.* **1** incoherent **2** (*contraddittorio*) inconsistent.

incoerenza *s.f.* **1** incoherence, incoherency **2** (*contraddizione*) inconsistency: *comportamento pieno di —*, inconsistent behaviour.

incogliere *v.intr.* (*letter.*) to befall*.

incognita *s.f.* **1** (*mat.*) unknown (quantity) **2** (*fig.*) uncertainty: *è un'—*, he is a dark horse.

incognito *agg.* unknown ♦ *s.m.* incognito: *in —*, incognito.

incollare *v.tr.* **1** to stick*; (*con colla solida*) to paste; (*con colla liquida*) to glue **2** (*fig.*) to press, to glue: *col viso incollato alla finestra*, with his face glued (*o* pressed) to the window // **-arsi** *v.intr.pron.* to stick* (*anche fig.*): *— contro un muro*, to press one's body to a wall.

incollatura[1] *s.f.* sticking; (*con colla solida*) pasting; (*con colla liquida*) gluing.

incollatura[2] *s.f.* (*ippica*) neck: *vincere per una —*, to win by a neck.

incollerirsi *v.intr.pron.* to get* angry, to lose* one's temper, to fly* into a rage.

incolmabile *agg.* immeasurably great.

incolonnare *v.tr.* to line up; (*numeri, parole*) to draw* up (in columns): *— i prigionieri*, to line up the prisoners // **-arsi** *v.rifl.* to form columns.

incolonnatore *s.m.* (*informatica*) tabulator.

incolore, incoloro *agg.* colourless (*anche fig.*).

incolpare *v.tr.* to charge, to accuse, to inculpate: *— qlcu. di omicidio*, to charge s.o. with (*o* to accuse s.o. of murder.

incolpevole *agg.* innocent, blameless.

incolto *agg.* **1** (*di terreno*) untilled, uncultivated **2** (*trascurato, disordinato*) untidy: *barba incolta*, unkempt beard **3** (*ignorante*) uncultured, uneducated.

incolume *agg.* unharmed, unhurt.

incolumità *s.f.* safety.

incombente *agg.* **1** impending: *pericolo —*, impending danger **2** (*spettante*) incumbent.

incombenza *s.f.* commission; (*compito*) task: *dare, ricevere un'—*, to give, to receive a commission.

incombere *v.intr.* **1** to impend (over s.o., sthg.) **2** (*spettare*) to be* incumbent (on s.o., sthg.), to be* one's duty: *non incombe a me avvisarlo*, it is not my duty (*o* concern) to notify him.

incombustibile *agg.* incombustible.

incominciare *v.tr.* e *intr.* to begin*, to start: *— bene*, to have a good start; *— un nuovo lavoro*, to begin (*o* to start on) a new job; *incomincerà a lavorare lunedì*, he'll begin work on Monday; *non — a lamentarti*, don't start complaining // *a — da*, beginning from // *per — devo dirvi...*, to begin with (*o* first of all) I must tell you.. // *chi bene incomincia è a metà dell'opera*, (*prov.*) well begun is half done.

incommensurabile *agg.* incommensurable.

incommensurabilità *s.f.* incommensurability.

incomodare *v.tr.* to inconvenience, to trouble // **-arsi** *v.rifl.* to trouble (about sthg., doing), to bother (about sthg., doing): *non s'incomodi a venire*, don't bother coming.

incomodità *s.f.* (*rar.*) uncomfortableness.

incomodo *agg.* **1** uncomfortable; (*fastidioso*) troublesome **2** (*fig.*) inconvenient: *a un'ora incomoda*, at an inconvenient time ♦ *s.m.* (*fastidio*) trouble: *scusi l'—*, sorry to trouble you; *se non ti è d'—*, if it is not inconvenient for you; *essere d'—*, to be in the way; *togliere l'—*, to take one's leave // *fare il, da terzo —*, (*fam.*) to play gooseberry.

incomparabile *agg.* incomparable.

incomparabilità *s.f.* incomparableness.

incompatibile *agg.* incompatible.

incompatibilità *s.f.* incompatibility.

incompetente *agg.* e *s.m.* incompetent.

incompetenza *s.f.* incompetence.

incompiutezza *s.f.* incompleteness.

incompiuto *agg.* unfinished.

incompletezza *s.f.* incompleteness.

incompleto *agg.* incomplete.

incomposto *agg.* **1** (*disordinato*) disorderly, disordered **2** (*sconveniente*) unbecoming, unseemly.

incomprensibile *agg.* incomprehensible.

incomprensibilità *s.f.* incomprehensibility.

incomprensione *s.f.* incomprehension.

incompreso *agg.* (*non compreso*) not understood; (*mal compreso*) misunderstood // *genio —*, misunderstood genius // *sono un —*, no one ever understands me.

incomunicabile *agg.* incommunicable.

incomunicabilità *s.f.* incommunicability.

inconcepibile *agg.* inconceivable.

inconciliabile *agg.* irreconcilable.

inconciliabilità *s.f.* irreconcilability.

inconcludente *agg.* inconclusive // *persona* —, a good-for-nothing.

inconcusso *agg.* (*letter.*) unshaken, firm.

incondizionato *agg.* unconditional, unconditioned: *resa incondizionata*, unconditional surrender; *riflesso* —, (*psic.*) unconditioned reflex.

inconfessabile *agg.* unmentionable.

inconfessato *agg.* unconfessed.

inconfondibile *agg.* unmistakable.

inconfutabile *agg.* irrefutable.

incongruente *agg.* inconsequent, incongruous.

incongruenza *s.f.* inconsequence, incongruousness.

incongruo *agg.* incongruous.

inconoscibile *agg.* e *s.m.* (*fil.*) unknowable.

inconsapevole *agg.* unaware, ignorant.

inconsapevolezza *s.f.* unawareness, ignorance.

inconsapevolmente *avv.* unawares.

inconsciamente *avv.* unconsciously.

inconscio *agg.* e *s.m.* unconscious.

inconseguente *agg.* (*di cosa*) inconsequent; (*di persona*) incoherent.

inconseguenza *s.f.* (*di cosa*) inconsequence; (*di persona*) incoherence.

inconsiderato *agg.* inconsiderate; (*avventato*) rash.

inconsistente *agg.* flimsy; (*fig.*) groundless.

inconsistenza *s.f.* flimsiness; (*fig.*) groundlessness.

inconsolabile *agg.* inconsolable.

inconsueto *agg.* unusual.

inconsulto *agg.* rash.

incontaminato *agg.* uncontaminated.

incontenibile *agg.* uncontainable, irrepressible.

incontentabile *agg.* hard to please (*pred.*), exacting.

incontentabilità *s.f.* exactingness.

incontestabile *agg.* incontestable, unquestionable.

incontestabilità *s.f.* incontestability.

incontestato *agg.* undisputed.

incontinente *agg.* incontinent.

incontinenza *s.f.* incontinence.

incontrare *v.tr.* 1 to meet*; (*imbattersi in*) to meet* with (s.o., sthg.): — *delle difficoltà*, to meet with difficulties; — *il favore di qlcu.*, to find favour with s.o. (*o* to meet s.o.'s favour) // *il suo libro incontra molto*, his book is a success; *è un cantante che incontra poco*, as a singer he is not very popular 2 (*sport*) to play (against): *il Milan incontrerà l'Inter*, Milan will play Inter // *X incontrerà Y al Madison Square Garden il mese prossimo*, X will meet (*o* fight) Y at Madison Square Garden next month // **-arsi** *v.intr.pron.* e *rifl.rec.* to meet*: — *con qlcu.*, to meet s.o.; *ci incontreremo alla stazione*, we'll meet at the station; *ci siamo incontrati per caso a Torino*, we met by chance (*o* we happened to meet) in Turin; *abbiamo stabilito di incontrarci sabato*, we've arranged to meet on Saturday; *due rette parallele non si incontrano mai*, parallel lines never meet; *le due squadre s'incontreranno domenica prossima*, the two teams will meet next Sunday // *i nostri gusti s'incontrano*, we have similar tastes.

incontrario, all' *locuz.avv.*: *fa sempre all'* — *di quel che gli si dice*, he always does the opposite (*o* the contrary) of what he is told; *si è messo il golf all'*—, he put his pullover on back to front.

incontrastabile *agg.* incontestable.

incontrastato *agg.* uncontested.

incontro[1] *s.m.* 1 meeting, encounter: *fare un brutto* —, to meet (up with) an unpleasant character 2 (*sport*) match; (*amer.*) meet.

incontro[2] *avv.*: *qui* —, (*dirimpetto*) opposite // *all'*—, on the contrary // **incontro a** *locuz.prep.* toward(s); to: *andare* — *a qlcu.*, to go toward(s) s.o.; (*andare a riceverlo*) to go and meet s.o.; (*aiutarlo*) to help s.o. // *correre* — *a qlcu.*, to run up to (meet) s.o. // *se il prezzo vi sembra alto, cercheremo di venirvi* —, if the price seems high to you, we shall try to meet you halfway // *andare* — *ai desideri di qlcu.*, to meet s.o.'s wishes // *andare* — *a difficoltà*, to come up against difficulties // *andare* — *a dei guai*, to ask for trouble (*o fam.* to ask for it) // *andare* — *alla morte*, to go to one's death // *andare* — *a spese*, to incur expenses 2 (*contro*) against: — *al nemico*, against the enemy 3 (*rar.*) (*dirimpetto*) opposite.

incontrollabile *agg.* incontrollable, uncontrollable.

incontrovertibile *agg.* incontrovertible.

inconveniente *s.m.* disadvantage, drawback, snag.

inconvertibile *agg.* inconvertible.

inconvertibilità *s.f.* inconvertibility.

incoraggiamento *s.m.* encouragement.

incoraggiante *agg.* encouraging, heartening.

incoraggiare *v.tr.* to encourage // **-arsi** *v.rifl.rec.* to encourage (each other, one another).

incorare *v.tr.* (*rar.*) to encourage.

incordare *v.tr.* to string*.

incordatura *s.f.* (*l'incordare*) stringing; (*l'insieme delle corde*) strings (*pl.*).

incornare *v.tr.* to gore.

incorniciare *v.tr.* to frame.

incorniciatura *s.f.* frame, framing.

incoronare *v.tr.* to crown: — *qlcu. di alloro*, to crown s.o. with laurels.

incoronazione *s.f.* coronation.

incorporare *v.tr.* 1 to incorporate (*anche fig.*) 2 (*paesi, territori*) to annex.

incorporeità *s.f.* incorporeity.

incorporeo *agg.* incorporeal.

incorreggibile *agg.* incorrigible.

incorreggibilità *s.f.* incorrigibility.

incorrere *v.intr.* to incur (sthg.): — *nell'ira dei genitori*, to incur one's parents' anger // — *nel pericolo di annegare*, to run the risk of drowning // — *in un errore*, to make a mistake.

incorrotto *agg.* uncorrupted.

incorruttibile *agg.* incorruptible.

incorruttibilità *s.f.* incorruptibility.

incosciente *agg.* 1 unconscious 2 (*irresponsabile*) reckless.

incoscienza *s.f.* 1 unconsciousness 2 (*irresponsabilità*) recklessness.

incostante *agg.* inconstant; (*mutevole*) changeable.

incostanza *s.f.* inconstancy; (*mutevolezza*) changeableness.

incostituzionale *agg.* unconstitutional.

incostituzionalità *s.f.* unconstitutionality.

incredibile *agg.* incredible, unbelievable.

incredibilità *s.f.* incredibility.

incredibilmente *avv.* incredibly, unbelievably.

incredulità *s.f.* incredulity.

incredulo *agg.* incredulous (about): *un sorriso* —, an incredulous smile ♦ *s.m.* unbeliever.

incrementare *v.tr.* to promote; (*aumentare*) to increase.

incremento *s.m.* increment; (*aumento*) increase, growth: *dare — a qlco.*, to promote sthg.

increscioso *agg.* unpleasant.

increspare *v.tr.*, **incresparsi** *v.intr.pron.* (*di acque*) to ripple; (*di capelli, tessuti ecc.*) to crimp.

increspatura *s.f.* **1** (*di capelli, tessuti ecc.*) crimping **2** (*insieme di crespe*) (*di acque*) ripples (*pl.*); (*di tessuti*) creases (*pl.*), crimps (*pl.*).

incretinire *v.tr.* to make* stupid, to stupefy ♦ *v.intr.* to grow* stupid.

incriminare *v.tr.* to incriminate: — *qlcu. per omicidio*, to indict s.o. for murder.

incriminato *agg.* incriminated; (*di cosa*) incriminating.

incriminazione *s.f.* indictment.

incrinare *v.tr.* to crack // — *la propria reputazione*, to damage one's reputation // — *un'amicizia*, to mar a friendship // **-arsi** *v.intr.pron.* to crack // *la nostra amicizia si sta incrinando*, our friendship is beginning to break up.

incrinatura *s.f.* crack; (*fig.*) split.

incrociare *v.tr.* **1** to cross: — *qlco. per la strada*, to meet s.o. on the road; — *la rotta di una nave*, to cross the bows of a ship // — *la spada con qlcu.*, to cross swords with s.o. // — *le dita*, to cross fingers **2** (*animali, piante*) to cross, to interbreed* ♦ *v.intr.* (*mar. aer.*) to cruise // **-arsi** *v.rifl.rec.* to cross (each other); (*incontrarsi*) to meet*.

incrociato *agg.* crossed // *fuoco* —, (*mil.*) crossfire.

incrociatore *s.m.* (*mar. mil.*) cruiser.

incrocio *s.m.* **1** crossing; (*crocevia*) crossroads **2** (*di razze*) crossbreed.

incrollabile *agg.* unshakable (*anche fig.*).

incrostare *v.tr.* to encrust // **-arsi** *v.intr.pron.* to become* encrusted (with sthg.); (*di superfici metalliche*) to scale.

incrostazione *s.f.* incrustation.

incrudelire *v.intr.* **1** to become* cruel **2** (*infierire*) to act with cruelty (against s.o., sthg.).

incrudire *v.intr.* **1** to grow* worse **2** (*di metalli*) to harden.

incruento *agg.* bloodless.

incubatrice *s.f.* incubator.

incubazione *s.f.* incubation (*anche fig.*).

incubo *s.m.* nightmare (*anche fig.*): *da* —, nightmarish; *essere un — per qlcu.*, to haunt s.o.

incudine *s.f.* anvil // *essere tra l'— e il martello*, to be between the devil and the deep sea.

inculcare *v.tr.* to inculcate.

incunabolo *s.m.* incunabulum (*pl.* -la).

incuneare *v.tr.* to wedge // **-arsi** *v.rifl.* to wedge oneself in.

incupire *v.tr.* to darken (*anche fig.*) ♦ *v.intr.*, **-irsi** *v.intr.pron.* **1** to darken **2** (*fig.*) to become* gloomy: (*si*) *incupì in volto*, his brow darkened.

incurabile *agg.* e *s.m.* incurable.

incurabilità *s.f.* incurability, incurableness.

incurante *agg.* careless, heedless.

incuria *s.f.* negligence; (*trascuratezza*) carelessness.

incuriosire *v.tr.* to make* (s.o.) curious, to arouse the curiosity (of s.o.) // **-irsi** *v.intr.pron.* to become* curious (about sthg.).

incursione *s.f.* incursion, raid: — *aerea*, air raid.

incurvamento *s.m.* **1** bending, curving **2** (*curva*) bend, curve.

incurvare *v.tr.*, **incurvarsi** *v.intr.pron.* to curve; (*piegare, piegarsi*) to bend*.

incurvire *v.intr.* to bow (down).

incustodito *agg.* unguarded // *passaggio a livello* —, unattended level crossing.

incutere *v.tr.* to inspire (with sthg.): — *rispetto*, to command respect; — *spavento*, to frighten (o to inspire with dread); — *timore*, to awe.

indaco *s.m.* indigo ♦ *agg.* indigo(-blue).

indaffarato *agg.* busy (with sthg., doing sthg.).

indagare *v.tr.* to investigate, to inquire (into sthg.): *la polizia indaga*, the police are making inquiries.

indagatore *agg.* inquiring ♦ *s.m.* investigator, inquirer.

indagine *s.f.* inquiry (about), investigation (of): *nel corso delle indagini*, during our, your etc. inquiries (o investigations); *fare delle indagini* (*su qlco.*), to make inquiries (about sthg.).

indebitamente *avv.* unduly; (*ingiustamente*) unjustly; (*illecitamente*) unlawfully.

indebitarsi *v.rifl.* to run* into debt: — *con qlcu.*, to get into debt with s.o.

indebitato *agg.* indebted: *essere — fin sopra i capelli*, to be up to one's ears in debt.

indebito *agg.* undue; (*illecito*) unlawful; (*immeritato, ingiusto*) undeserved, unjust.

indebolimento *s.m.* **1** weakening (*anche fig.*) **2** (*debolezza*) weakness.

indebolire *v.tr.* to weaken (*anche fig.*) // **-irsi** *v.intr.pron.* **1** to weaken (*anche fig.*), to grow* weak(er) (*anche fig.*) **2** (*di suoni, colori*) to fade.

indecente *agg.* indecent.

indecenza *s.f.* indecency: *è un'*—*!*, it's a disgrace!

indecifrabile *agg.* indecipherable (*anche fig.*); (*illeggibile*) illegible.

indecisione *s.f.* indecision.

indeciso *agg.* **1** undecided: *sono ancora* —, I haven't made up my mind yet **2** (*non risolto*) undecided, unsettled.

indeclinabile *agg.* (*gramm.*) indeclinable.

indecorosamente *avv.* indecorously.

indecoroso *agg.* indecorous.

indefessamente *agg.* indefatigably, tirelessly.

indefesso *agg.* indefatigable, tireless.

indefettibile *agg.* unfailing.

indefinibile *agg.* indefinable.

indefinitamente *avv.* indefinitely.

indefinitezza *s.f.* indefiniteness.

indefinito *agg.* indefinite.

indeformabile *agg.* **1** shape-retaining: *mi hanno assicurato che è* —, they assured me it keeps its shape **2** (*tecn.*) stress-resistant.

indegnamente *avv.* **1** unworthily, undeservingly **2** (*turpemente*) basely.

indegnità *s.f.* **1** unworthiness **2** (*azione indegna*) base action.

indegno *agg.* **1** unworthy: *è un atto — di lui*, it is an action unlike (o unworthy of) him **2** (*spregevole*) base, unworthy.

indeiscente *agg.* (*bot.*) indehiscent.

indelebile *agg.* indelible (*anche fig.*).

indelicatezza *s.f.* indelicacy.

indelicato *agg.* indelicate; (*indiscreto*) tactless.

indemagliabile *agg.* no-run (*attr.*): *calze indemagliabili*, no-run stockings.

indemoniato *agg.* **1** possessed, demoniac **2** (*fig.*) furious, frantic ♦ *s.m.* demoniac // *gridare come un* —, to shout like one possessed.

indenne *agg.* unharmed, uninjured.

indennità *s.f.* allowance; (*per danni, perdite ecc.*) indemnity; — *di contingenza*, (*comm.*) cost-of-living bonus; — *di licenziamento*, (*comm.*) severance pay; — *di mensa*, mess allowance; — *parlamentare*, emoluments of a Member of Parliament.

indennizzare *v.tr.* to indemnify, to compensate: — *qlcu. di qlco.*, to indemnify (*o* to compensate) s.o. for sthg.

indennizzo *s.m.* indemnity // *domanda di* —, claim for damages.

indentro *avv.* in(wards); (*in profondità*) deeply: *è troppo* —, it is too far in; *spingere, spostare* — *qlco.*, to push in, to move in sthg. // *camminare con i piedi* —, to turn in one's toes // *avere gli occhi* —, to have deep set eyes // *all'*—, inwards.

inderogabile *agg.* binding; (*inevitabile*) unavoidable: *principio* —, inviolable principle; *impegno* —, unavoidable engagement // *scadenza* —, final expiry.

inderogabilmente *avv.* unavoidably // — *scaduto*, finally expired.

indescrivibile *agg.* indescribable.

indesiderabile *agg.* undesirable.

indesiderato *agg.* undesired.

indeterminabile *agg.* indeterminable.

indeterminatezza *s.f.* indeterminateness.

indeterminativo *agg.* (*gramm.*) indefinite.

indeterminato *agg.* indeterminate.

indeterminazione *s.f.* **1** indetermination **2** (*irresolutezza*) irresolution.

indi *avv.* (*letter.*) **1** (from) thence **2** (*tempo*) then, afterwards // — *a un anno*, a year later; — *a poco*, shortly after (*o* after a short time).

India *no.pr.f.* India.

indiano *agg.* Indian ♦ *s.m.* Indian; (*d'America*) American Indian // *fare l'*—, to feign ignorance.

indiavolato *agg.* **1** (*indemoniato*) demonic, possessed **2** (*fam.*) restless: *un ragazzo* —, a restless boy; *rumore* —, devil of a din; *ritmo* —, crazy rhythm.

indicare *v.tr.* **1** to indicate; (*col dito*) to point at (s.o., sthg.); (*mostrare*) to show*: *può indicarmi la strada?*, can you show me the way?; — *l'uscita*, to show the way out **2** (*denotare*) to denote*, to show: *ciò indica che non hai capito*, that shows that you haven't understood.

indicativo *agg.* indicative // (*modo*) —, indicative (mood).

indicato *agg.* fit, suitable; (*giusto*) right: *è la persona indicata per questo lavoro*, he is the fit person for this job.

indicatore *agg.* indicative, indicating (*attr.*) ♦ *s.m.* **1** indicator; (*misuratore*) gauge // — *di direzione*, (*aut.*) trafficator // *cartello* —, signpost **2** (*informatica*) flag: — *di zona*, area code.

indicazione *s.f.* **1** (*l'indicare*) indication **2** (*informazione*) information (*solo sing.*) **3** (*istruzione*) direction.

indice *s.m.* **1** (*dito*) forefinger, index finger **2** (*lancetta*) indicator, index **3** (*informatica*) index: — *posto in basso*, subscript **4** (*mat.*) index (*pl.* indices) **5** (*statistica*) index; rate: — *azionario*, share index; — *del costo della vita*, cost-of-living index; — *dei prezzi*, price index; — *di disoccupazione*, jobless rate **6** (*di libro*) index // *l'Indice dei libri proibiti*, (*eccl.*) Index (Librorum Prohibitorum); *all'Indice*, on the Index **7** (*segno*) sign.

indicibile *agg.* ineffable, unutterable.

indicizzare *v.tr.* to index, to index-link: — *i salari*, to index-link wages.

indicizzazione *s.f.* indexation.

indietreggiare *v.intr.* **1** to draw* back, to withdraw*; (*mil.*) to fall* back **2** (*fig.*) to give* in (to, before sthg.): — *di fronte a una difficoltà*, to give in before a difficulty.

indietro *avv.* **1** back; behind: (*andate*) —!, go, move back!; (*state*) —, stand back!; *tenere* — *la folla*, to held the crowd back; *tirarsi* —, to draw back; (*fig.*) to back out // *essere* —, (*anche fig.*) to be behind; (*mentalmente*) to be backward; (*essere arretrato*) to be behind the times; (*di orologio*) to be slow: *quest'orologio è* — (*di cinque minuti*), this watch is (five minutes) slow; *essere* — *coi pagamenti*, to be in arrears with one's payments; *essere* — *col proprio lavoro*, to be behind in one's work; *essere* — *in latino ecc.*, (*essere debole*) to be weak in Latin etc. // *come sei* —!, (*fam.*) how stupid you are! // *rimanere* —, (*anche fig.*) to remain behind; (*essere lasciato indietro*) to be (*o* to get) left behind (*anche fig.*) // *tornare* —, to go back (*anche fig.*) // *fare un passo* —, to step backwards; (*fig.*) to go back a little // *dare, volere* — *qlco.*, (*fam.*) to give, to want sthg. back **2** (*direzione*) back, backward(s): *andare* (*all'*)—, to go backwards; *cadere all'*—, to fall over backwards; *guardare* —, (*anche fig.*) to look back; *andare avanti e* —, to go to and fro; *non andare né avanti né* —, not to go either backwards or forwards; (*fig.*) to be at a standstill // *macchina, — tutta!*, (*mar.*) full speed astern! // *viaggiare all'*—, (*in treno*) to travel with one's back to the engine.

indifeso *agg.* (*non difeso*) undefended; (*inerme*) defenceless.

indifferente *agg.* **1** indifferent // *non* —, (*notevole*) sizable: *una cifra non* —, a sizable figure // *per me è* —, it is all the same to me **2** (*fis.*) neutral.

indifferenza *s.f.* indifference.

indifferenziato *agg.* undifferentiated.

indifferibile *agg.* not defferable (*pred.*).

indigeno *agg.* e *s.m.* native.

indigente *agg.* indigent, needy.

indigenza *s.f.* indigence, need.

indigestione *s.f.* indigestion: *fare* (*un'*)—, to have indigestion.

indigesto *agg.* indigestible, heavy (*anche fig.*).

indignare *v.tr.* to make* indignant // **-arsi** *v.intr.pron.* to become* indignant, to get* angry.

indignazione *s.f.* indignation.

indimenticabile *agg.* unforgettable.

indio¹ *s.m.* (American) Indian.

indio² *s.m.* (*chim.*) indium.

indipendente *agg.* **1** independent (of) **2** (*informatica*) (*di unità, di gruppo*) stand-alone.

indipendenza *s.f.* independence.

indire *v.tr.* to announce; (*radunare*) to call, to summon: *le elezioni sono state indette per il 10 marzo*, the elections have been announced for 10th March; — *un'adunanza*, to call a meeting; — *una riunione parlamentare*, to summon Parliament.

indiretto *agg.* indirect.

indirizzare *v.tr.* **1** (*avviare, rivolgere*) to direct, to address: *lo indirizzai alla politica*, I directed him towards politics; *queste osservazioni non erano indirizzate a te*, these remarks were not addressed to you **2** (*una lettera*) to address // **-arsi** *v.rifl.* **1** (*dirigersi*) to direct one's steps **2** (*rivolgersi*) to address oneself.

indirizzario *s.m.* address book.

indirizzatore *s.m.* (*informatica*) dispatcher.

indirizzo *s.m.* **1** address: — *di comodo*, accomodation address **2** (*tendenza*) trend **3** (*direzione*) direction, turn // *ha preso un — di studi classico*, he has taken up classical studies **4** (*discorso*) address **5** (*informatica*) address: — *assoluto*, absolute, specific address; — *della pista*, (*IBM*) — *guida*, home address; — *di aggancio*, link; — *di memoria*, memory location; — *rilocabile*, relocable address; — *spiazzabile*, floating address.

indisciplina *s.f.* indiscipline.

indisciplinatezza *s.f.* indiscipline.

indisciplinato *agg.* undisciplined, unruly.

indiscreto *agg.* indiscreet.

indiscrezione *s.f.* indiscretion.

indiscriminato *agg.* indiscriminate.

indiscusso *agg.* undisputed.

indiscutibile *agg.* unquestionable, indisputable.

indispensabile *agg.* essential: *è — che tu venga subito*, it is essential that you should come at once.

indispettire *v.tr.* to vex, to irritate // **-irsi** *v.intr.pron.* to get* vexed: — *per qlco.*, to get vexed at sthg.

indisponente *agg.* irritating.

indisporre *v.tr.* to irritate.

indisposizione *s.f.* indisposition.

indisposto *agg.* indisposed, unwell (*pred.*).

indissolubile *agg.* indissoluble.

indissolubilità *s.f.* indissolubility.

indistintamente *avv.* **1** (*senza eccezioni*) without exception **2** (*confusamente*) indistinctly.

indistinto *agg.* indistinct.

indistruttibile *agg.* indestructible.

indisturbato *agg.* undisturbed.

indivia *s.f.* endive.

individuale *agg.* individual.

individualismo *s.m.* individualism.

individualista *s.m. e f.* individualist.

individualità *s.f.* individuality.

individualizzare *v.tr.* to individualize.

individuare *v.tr.* **1** (*caratterizzare*) to characterize **2** (*riconoscere*) to single out, to recognize.

individuazione *s.f.* **1** (*caratterizzazione*) characterization **2** (*riconoscimento*) singling out.

individuo *s.m.* individual, fellow.

indivisibile *agg.* indivisible.

indivisibilità *s.f.* indivisibility.

indiviso *agg.* undivided.

indiziare *v.tr.* to throw* suspicion (on s.o.).

indiziario *agg.* (*dir.*) presumptive.

indiziato *agg. e s.m.* (*dir.*) suspect.

indizio *s.m.* **1** indication, sign **2** (*dir.*) circumstantial evidence.

indocile *agg.* indocile.

indocilità *s.f.* indocility.

Indocina *no.pr.f.* Indochina, Indo-China.

indocinese *agg. e s.m.* Indo-Chinese (*pl. invar.*).

indoeuropeo *agg.* Indo-European.

indole *s.f.* nature: *una persona di buona —*, a good -natured person; *è pigro d'—*, he is lazy by nature.

indolente *agg.* indolent.

indolenza *s.f.* indolence.

indolenzimento *s.m.* soreness.

indolenzire *v.tr.* to make* stiff: *il freddo mi ha indolenzito le mani*, the cold has made my hands stiff // **-irsi** *v.intr.pron.* to become* stiff.

indolenzito *agg.* aching, sore: *sono tutto —*, I am aching all over.

indolore, indoloro *agg.* painless.

indomabile *agg.* untam(e)able; (*fig.*) indomitable.

indomani, l' *avv.* the next day, the following day: *l'— del suo arrivo*, (on) the day after his arrival.

indomito *agg.* indomitable.

Indonesia *no.pr.f.* Indonesia.

indonesiano *agg. e s.m.* Indonesian.

indorare *v.tr.* to gild* (*anche fig.*) // — *la pillola*, to gild the pill // **-arsi** *v.intr.pron.* to become* golden.

indossare *v.tr.* (*avere indosso*) to wear*; (*mettersi indosso*) to put* on.

indossatrice *s.f.* (fashion) model, mannequin: *fare l'—*, to be a model (*o* to model).

indosso *avv.* on: *avere qlco. —*, to have sthg. on; *mettere —*, to put on.

indostano *agg. e s.m.* Hindustani.

indotto[1] *agg.* (*letter.*) (*non dotto*) unlearned, illiterate.

indotto[2] *agg.* **1** driven **2** (*elettr.*) induced **3** (*econ.*) ancillary ♦ *s.m.* (*elettr.*) armature.

indovina *s.f.* fortune-teller.

indovinare *v.tr.* **1** to guess; (*prevedere*) to divine, to foresee // *tirare a —*, to guess **2** (*azzeccare*) to choose* right: — *un accostamento di colori*, to choose the right colours // *non ne indovina una*, he never does anything right.

indovinato *agg.* well-chosen; (*ben riuscito*) successful.

indovinello *s.m.* puzzle; (*enigma*) riddle.

indovino *s.m.* diviner, soothsayer.

indù *agg. e s.m.* Hindu, Hindoo.

indubbio *agg.* undoubted; (*certo*) certain.

indubitabile *agg.* indubitable, unquestionable.

indubitato *agg.* undoubted; (*certo*) certain.

indugiare *v.intr.* to delay (in doing); (*esitare*) to hesitate // **-arsi** *v.intr.pron.* to linger on.

indugio *s.m.* delay // *senza indugi*, without delay // *rompere, troncare gli indugi*, not to dally.

indulgente *agg.* indulgent (to, towards).

indulgenza *s.f.* indulgence: *mostrare — verso qlcu.*, to be indulgent to s.o. // — *plenaria*, (*eccl.*) plenary indulgence.

indulgere *v.intr.* (*secondare*) to comply (with sthg.); (*abbandonarsi a passioni ecc.*) to indulge (in sthg.).

indulto *s.m.* (*dir.*) general pardon.

indumento *s.m.* garment.

indurimento *s.m.* hardening.

indurire *v.tr.* to harden (*anche fig.*) ♦ *v.intr.*, **-irsi** *v.intr. pron.* to harden (*anche fig.*); (*di calce, cemento*) to set*.

indurre *v.tr.* **1** to induce; (*spingere*) to lead*: — *in errore*, to mislead; — *in tentazione*, to lead into temptation **2** (*dedurre*) to infer **3** (*elettr.*) to induce.

industria *s.f.* **1** industry: *grande, piccola —*, big, small industry; — *petrolifera, metallurgica*, oil, metal industry; — *pesante*, heavy industry **2** (*operosità*) industry; (*abilità*) skill.

industriale *agg.* industrial ♦ *s.m.* industrialist.

industrializzare *v.tr.* to industrialize.

industrializzazione *s.f.* industrialization.

industriarsi *v.intr.pron.* to strive*; (*fare del proprio meglio*) to do* one's best.

industrioso *agg.* industrious.

induttivo *agg.* inductive.

induttore *s.m.* (*elettr.*) inductor.

induzione *s.f.* (*fil. fis.*) induction // *per —*, by induction.

inebetire *v.tr.* to dull ♦ *v.intr.*, **-irsi** *v.intr.pron.* to grow* dull, to become* stupid.

inebetito *agg.* dull, stupid: — *dal dolore*, stupid with pain.

inebriante *agg.* inebriating (*anche fig.*).

inebriare *v.tr.* to inebriate (*anche fig.*) // **-arsi** *v.intr.* *ron.* to be* inebriated (*anche fig.*).

ineccepibile *agg.* irreprehensible, unexceptionable: *ondotta* —, irreprehensible conduct.

inedia *s.f.* inanition, starvation // *morire d'* —, (*fig.*) to *e* bored to death.

inedito *agg.* unpublished ♦ *s.m.* unpublished work.

ineducato *agg.* ill-bred, impolite.

ineffabile *agg.* ineffable.

ineffabilità *s.f.* ineffability.

inefficace *agg.* **1** (*che non produce l'effetto desiderato*) inefficacious, ineffective: *un rimedio* —, an ineffica-cious remedy **2** (*inutile*) ineffectual.

inefficacia *s.f.* **1** (*incapacità di produrre l'effetto desi-derato*) inefficacy, ineffectiveness **2** (*inutilità*) ineffec-tualness.

inefficiente *agg.* inefficient.

inefficienza *s.f.* inefficiency.

ineguagliabile *agg.* unequalled, unrivalled.

ineguale *agg.* unequal; (*non uniforme*) uneven.

inelegante *agg.* inelegant; (*rozzo*) unrefined; (*sgrazia-o*) ungraceful: *atteggiamento* —, ungraceful (*o* inel-egant) pose; *ha uno stile* —, his style lacks elegance.

ineleganza *s.f.* inelegance.

ineluttabile *agg.* ineluctable, relentless; (*inevitabile*) inavoidable.

ineluttabilità *s.f.* relentlessness.

inenarrabile *agg.* unutterable, unspeakable.

inequivocabile *agg.* unequivocal, unmistakable.

inerente *agg.* inherent (in); (*connesso con*) involved in): *difetto* — *alla natura umana*, fault inherent in hu-man nature; *spese inerenti al trasporto*, expenses in-volved in transport.

inerenza *s.f.* inherence.

inerme *agg.* unarmed; (*indifeso*) defenceless.

inerpicarsi *v.intr.pron.* to scramble (up); — *su per la collina*, to scramble up the hill.

inerte *agg.* inert (*anche fig.*) // *peso* —, (*fig.*) deadweight.

inerzia *s.f.* **1** (*fis.*) inertia **2** (*fig.*) (*inoperosità*) inertia, sluggishness.

inerziale *agg.* (*fis.*) inertial.

inesattezza *s.f.* **1** inexactness **2** (*errore*) inaccuracy, mistake.

inesatto[1] *agg.* inexact; (*non corretto*) incorrect.

inesatto[2] *agg.* (*comm.*) (*non riscosso*) uncollected.

inesaudito *agg.* unfulfilled.

inesauribile *agg.* inexhaustible (*anche fig.*).

inesausto *agg.* unexhausted.

inescusabile *agg.* inexcusable.

ineseguibile *agg.* inexecutable; (*inattuabile*) imprac-ticable.

ineseguito *agg.* not carried out (*pred.*).

inesigibile *agg.* irrecoverable: *debito* —, bad debt.

inesistente *agg.* non-existent; (*immaginario*) unreal.

inesistenza *s.f.* non-existence.

inesorabile *agg.* inexorable.

inesorabilità *s.f.* inexorability.

inesorabilmente *avv.* inexorably.

inesperienza *s.f.* inexperience.

inesperto *agg.* inexperienced.

inespiabile *agg.* inexpiable.

inespiato *agg.* unexpiated.

inesplicabile *agg.* inexplicable.

inesplorato *agg.* unexplored.

inesploso *agg.* unexploded.

inespressivo *agg.* inexpressive.

inespresso *agg.* unexpressed.

inesprimibile *agg.* inexpressible, unutterable.

inespugnabile *agg.* impregnable (*anche fig.*).

inestimabile *agg.* inestimable.

inestinguibile *agg.* inextinguishable (*anche fig.*), un-quenchable (*anche fig.*).

inestricabile *agg.* inextricable.

inettitudine *s.f.* **1** inaptitude (for), incapability, unfit-ness (for) **2** (*dappocaggine*) ineptitude.

inetto *agg.* **1** unsuited (for, to sthg., for doing) **2** (*sciocco, di poco valore*) inept, silly.

inevaso *agg.* (*comm.*) outstanding: *pratica inevasa*, outstanding file // *lettera inevasa*, unanswered letter.

inevitabile *agg.* inevitable.

inezia *s.f.* trifle: *offendersi per un'* —, to take offence at a mere trifle.

infagottare *v.tr.* to muffle up; (*vestire male*) to bundle up // **-arsi** *v.rifl.* to muffle oneself up; (*vestirsi male*) to bundle oneself up.

infallibile *agg.* infallible.

infallibilità *s.f.* infallibility.

infallibilmente *avv.* infallibly, unfailingly.

infamante *agg.* defamatory, slanderous; (*vergognoso*) shameful, disgraceful: *libello* —, defamatory libel; *con-dotta* —, shameful behaviour.

infamare *v.tr.* to defame, to slander; (*screditare*) to dis-grace.

infame *agg.* **1** infamous, vile: *un* — *assassino*, a vile murderer; *un* — *sospetto*, a vile (*o* infamous) suspi-cion **2** (*fam.*) (*pessimo*) vile, awful: *tempo* —, awful weather.

infamia *s.f.* **1** infamy; disgrace: *un marchio d'* —, a brand of infamy; *macchiarsi d'* —, to cover (*o* to brand) oneself with infamy; *la sua condotta è un'* — *per noi tut-ti*, his behaviour is a disgrace to us all; *coprire qlcu. d'* —, to bring disgrace on s.o. **2** (*azione infame*) infamy: *è una vera* —!, it's really infamous! **3** (*fam.*) (*cosa pessi-ma*) disgrace.

infangare *v.tr.* to muddy, to spatter with mud; (*fig.*) to sully: *mi sono infangato le scarpe*, I have messed my shoes with mud // **-arsi** *v.rifl.* to get* muddy.

infante *s.m.* e *f.* infant, (new-born) baby.

infanticida *s.m.* e *f.* infanticide.

infanticidio *s.m.* infanticide.

infantile *agg.* **1** (*di, per bambini*) children's (*attr.*); childish, infantile; (*da bambino*) childlike: *malattie in-fantili*, childhood diseases; *innocenza* —, childlike inno-cence; *asilo* —, Kindergarten **2** (*puerile*) childish.

infantilismo *s.m.* (*med.*) infantilism.

infanzia *s.f.* **1** infancy (*anche fig.*); childhood **2** (*i bambini*) children (*pl.*).

infarcire *v.tr.* to stuff (with sthg.) (*anche fig.*).

infarinare *v.tr.* to flour.

infarinatura *s.f.* **1** flouring **2** (*fig.*) smattering.

infarto *s.m.* (*med.*) infarct; (*fam.*) heart attach.

infastidire *v.tr.* to annoy, to trouble; (*importunare*) to worry, to bother; (*annoiare*) to bore // **-irsi** *v.intr.pron.* to become* annoyed.

infaticabile *agg.* indefatigable, tireless.

infatti *cong.* in fact, as a matter of fact; (*veramente*) in-deed; really: — *è un'eccezione*, in fact (*o* as a matter of fact) it is an exception; «*Sembri stanco*» «*Infatti lo so-no*», "You look tired" "Indeed I am"; *credi tu,* —, *che...?*, do you really think that...? // *avrebbe dovuto scrivere*, —...!, he ought to have written, but as you can see...!

infatuarsi *v.intr.pron.* (*di una persona*) to fall* (for s.o.); (*di una cosa*) to become* infatuated (with sthg.).

infatuato *agg.* infatuated (with), crazy (about): — *di sé stesso*, (self-)conceited.

infatuazione *s.f.* infatuation.

infausto *agg.* inauspicious, ill-omened; (*sfortunato*) unlucky.

infecondità *s.f.* sterility (*anche fig.*).

infecondo *agg.* sterile (*anche fig.*).

infedele *agg.* 1 unfaithful (*anche fig.*): — *a una promessa*, false to a promise; *marito* —, unfaithful husband 2 (*fig.*) (*non accurato*) inaccurate ♦ *s.m.* e *f.* infidel.

infedeltà *s.f.* unfaithfulness; (*slealtà*) faithlessness; (*tra coniugi*) infidelity.

infelice *agg.* 1 unhappy; (*disgraziato*) wretched: *avere l'aria* —, to look unhappy 2 (*che non ha successo*) unsuccessful; (*sfortunato*) unlucky; (*cattivo*) bad: *un oratore, una traduzione* —, a bad orator, translation 3 (*inappropriato*) inappropriate; (*inopportuno*) untimely: *una parola* —, an inappropriate word; *scherzo* —, untimely joke // *una situazione* —, an awkward situation ♦ *s.m.* e *f.* unhappy person; (*disgraziato*) wretch.

infelicemente *avv.* 1 unhappily; (*disgraziatamente*) wretchedly 2 (*senza successo*) unsuccessfully; (*sfortunatamente*) unluckily; (*malamente*) badly 3 (*inappropriatamente*) inappropriately; (*inopportunamente*) untimely.

infelicità *s.f.* 1 unhappiness // *passò l'infanzia nella più profonda* —, he spent his childhood in the utmost wretchedness 2 (*dappocaggine*) worthlessness 3 (*inopportunità*) inopportunity.

infeltrire *v.tr.* e *intr.*, **infeltrirsi** *v.intr.pron.* to felt.

inferiore *agg.* 1 inferior: *essere* — *a qlcu. in qlco.*, to be inferior to s.o. in sthg. 2 (*più basso; sottostante; meno elevato*) lower: *le classi inferiori*, the lower classes; *il corso* — *di un fiume*, the lower course of a river; *arti, prezzo, velocità inferiori*, lower limbs, price, speed // *abita al piano* —, he lives on the floor below // — *alla media*, below average // — *a dodici*, less than twelve // *la popolazione di quella città è di un milione* — *alla nostra*, the population of that city is smaller than ours by a million // *essere* — *alla propria fama, all'aspettativa*, not to come up to one's reputation, expectation 3 (*di grado inferiore*) junior ♦ *s.m.* inferior; (*subalterno*) subordinate.

inferiorità *s.f.* inferiority: *complesso d'*—, inferiority complex; *la sua miopia lo mette in uno stato d'*—, he is handicapped by his short sight.

inferiormente *avv.* below; (*più in basso*) in the lower part.

inferire *v.tr.* 1 (*dare, arrecare*) to inflict: — *un colpo a qlcu.*, to inflict a blow on s.o. 2 (*dedurre*) to infer 3 (*mar.*) to bend*.

infermare *v.intr.* to fall* ill.

infermeria *s.f.* infirmary; (*di nave*) sickbay.

infermiera *s.f.* nurse // — *capo*, matron // *fare da* — *a qlcu.*, to nurse s.o.

infermiere *s.m.* (male) nurse.

infermità *s.f.* illness // — *mentale*, mental illness.

infermo *agg.* invalid (*attr.*), ill (*pred.*); (*per vecchiaia*) infirm: *mia madre è inferma da molti anni*, my mother has been an invalid for many years; *cadere* —, to become an invalid; *giacere* — *nel letto*, to be confined to bed // *essere* — *alle gambe*, to be crippled; *essere* — *al braccio sinistro*, to have one's left arm crippled // — *di mente*, weak-minded ♦ *s.m.* e *f.* invalid.

infernale *agg.* 1 infernal, hellish; (*diabolico*) diabolic *le potenze infernali*, the infernal power; *astuzia* —, diabolic cunning 2 (*fig.*) (*terribile*) awful: *fa un caldo* — it's awfully hot.

inferno *s.m.* hell // *c'è un rumore d'*—, there is a hell of a noise; *va' all'*—!, go to hell!

inferocire *v.tr.* to make* fierce; (*esasperare*) to exasperate ♦ *v.intr.* to get* fierce; (*infierire*) to be* merciless (towards s.o.) // **-irsi** *v.intr.pron.* to get* fierce; (*di animali*) to get* wild; (*stizzirsi*) to fly* into a passion.

inferocito *agg.* (*feroce*) furious; (*adirato*) enraged.

inferriata *s.f.* grille, (iron) grating.

infervorare *v.tr.* to fill with enthusiasm (for sthg.) // *il capitano infervorò le sue truppe alla battaglia*, the captain roused his troops to battle // **-arsi** *v.intr.pron.* to warm up, to get* excited.

infervorato *agg.* 1 excited, enthusiastic // *una discussione infervorata*, an animated discussion 2 (*assorbito*) engrossed.

infestante *agg.* infesting: *erba* —, infesting weed.

infestare *v.tr.* to infest (*anche fig.*).

infestazione *s.f.* infestation.

infesto *agg.* harmful.

infettare *v.tr.* to infect; (*inquinare*) to pollute; (*fig.*) to corrupt // **-arsi** *v.intr.pron.* to become* infected; (*fig.*) to become* corrupted.

infettivo *agg.* infectious // *il morbillo è* —, measles are catching.

infetto *agg.* infected; (*fig.*) corrupt.

infeudare *v.tr.* 1 to enfeoff 2 (*assoggettare*) to subject // **-arsi** *v.rifl.* to become* subjected.

infezione *s.f.* infection.

infiacchimento *s.m.* enfeeblement.

infiacchire *v.tr.* to weaken, to enfeeble ♦ *v.intr.*, **-irsi** *v.intr.pron.* to become* weak, to lose* one's strength.

infiammabile *agg.* inflammable (*anche fig.*): *sostanze infiammabili*, inflammables.

infiammabilità *s.f.* inflammability.

infiammare *v.tr.* 1 to set* on fire, to kindle (*anche fig.*) 2 (*fig.*) (*eccitare*) to inflame, to kindle, to excite, to stir (up) 3 (*fig.*) (*arrossare*) to redden 4 (*med.*) to inflame // **-arsi** *v.intr.pron.* 1 to catch* fire 2 (*fig.*) (*eccitarsi*) to become* inflamed (with); (*assoluto*) to get* excited 3 (*fig.*) (*arrossarsi*) to redden 4 (*med.*) to get* inflamed.

infiammato *agg.* 1 in flames (*attr.*) 2 (*fig.*) (*acceso di colore*) flaming 3 (*fig.*) (*appassionato*) inflamed 4 (*med.*) inflamed.

infiammatorio *agg.* inflammatory.

infiammazione *s.f.* inflammation.

infiascare *v.tr.* to put* into flasks.

infiascatura *s.f.* putting into flasks.

inficiare *v.tr.* (*dir.*) 1 to invalidate 2 (*mettere in dubbio*) to deny the validity (of sthg.), to impugn.

infido *agg.* untrustworthy.

infierire *v.intr.* 1 (*incrudelire*) to be* pitiless (towards s.o.) 2 (*imperversare*) to rage.

infiggere *v.tr.* to drive* (*anche fig.*): — *un'idea in testa a qlcu.*, to drive an idea into s.o.'s head // — *una spada, un pugnale nel petto di qlcu.*, to thrust a sword, a dagger into s.o.'s breast // **-ersi** *v.intr.pron.* to penetrate (into sthg.).

infilare *v.tr.* 1 to thread; to string*; (*far scorrere*) to slip: — *un ago*, to thread a needle; — *le perle*, to string the pearls; — *un anello al dito*, to slip a ring on to a finger // — *qlcu. con la spada*, to run s.o. through //

— *un pollo sullo spiedo*, to put a chicken on the spit // — *una serie interminabile di errori*, to make an endless string of mistakes // — *una sciocchezza dopo l'altra*, to accumulate nonsense // *non ne infila una giusta*, he doesn't get anything right **2** (*passare per, prendere*) to take*: — *una strada*, to take a road; — *la porta*, to take the door **3** (*introdurre*) to insert; to slip: — *la chiave nella serratura*, to insert (o to fit) the key into the lock; — *la mano in tasca*, to slip one's hand into one's pocket // *si è infilato un dito in un occhio*, he stuck a finger into his eye **4** (*indossare*) to put* on; (*velocemente*) to slip on: (*si*) *infilò la giacca*, he slipped on his jacket // **-arsi** *v.rifl.* to slip: — *nel letto*, to slip into bed // *si infilò tra la folla*, he mingled with the crowd.

infilata *s.f.* **1** row; (*di stanze*) suite **2** (*di ingiurie, errori ecc.*) string **3** (*mil.*) enfilade.

infiltrarsi *v.intr.pron.* to infiltrate (through sthg.) (*anche fig.*).

infiltrazione *s.f.* infiltration.

infilzare *v.tr.* **1** to pierce // — *qlcu. da parte a parte*, to run s.o. through // — *i tordi sullo spiedo*, to line thrushes on the spit // — *bugie*, to tell a string of lies **2** (*conficcare*) to stick*.

infilzata *s.f.* row, string (*anche fig.*).

infimo *agg.* **1** the lowest **2** (*fig.*) the lowest, the meanest.

infine *avv.* **1** (*alla fine, finalmente*) at last: — *si decise a venire!*, at last he decided to come! **2** (*da ultimo, spec. nelle enumerazioni*) finally **3** (*insomma*) ultimately; (*in breve*) in short, in a word: (*ma*) —, *che voleva da te?*, what did he ultimately want from you? **4** (*in fondo, dopo tutto*) after all.

infingardaggine *s.f.* laziness.

infingardo *agg.* lazy ♦ *s.m.* lazy person, sluggard.

infinità *s.f.* **1** infinity **2** (*gran numero*) large number, multitude: *un'— di gente*, a large crowd of people (o swarms of people); *un'— di modi di fare qlco.*, infinite ways of doing sthg.

infinitamente *avv.* infinitely; (*fam.*) awfully.

infinitesimale *agg.* infinitesimal.

infinitesimo *agg. e s.m.* (*mat.*) infinitesimal.

infinitivo *agg.* (*gramm.*) infinitive.

infinito *agg.* **1** (*immenso*) infinite, boundless, immeasurable **2** (*interminabile*) infinite, endless, interminable **3** (*innumerevole*) infinite, innumerable, numberless ♦ *s.m.* **1** infinite **2** (*gramm.*) infinitive **3** (*mat.*) infinity // *all'—*, (*mat.*) to infinity; (*infinite volte*) innumerable (o numberless) times // *regolare all'—*, (*fot.*) to focus for infinity.

infinocchiare *v.tr.* (*fam.*) to take* in, to cheat, to deceive.

infioccare, infiocchettare *v.tr.* to tassel, to adorn with tassels.

infiochire *v.tr.* (*suono*) to make* weak; (*luce*) to make* dim ♦ *v.intr.* (*di suono*) to grow* weak; (*di luce*) to grow* dim.

infiorare *v.tr.* **1** to adorn with flowers **2** (*fig.*) to adorn.

infiorescenza *s.f.* (*bot.*) inflorescence.

infirmare *v.tr.* to invalidate.

infischiarsi *v.intr.pron.* (*fam.*) not to care (a rap) (about so., sthg.): *me ne infischio!*, I couldn't care less (o I don't care a damn!)

infisso *s.m.* frame.

infittire *v.tr. e intr.*, **infittirsi** *v.intr.pron.* to thicken.

inflazionare *v.tr.* to inflate.

inflazione *s.f.* inflation // *un'— di laureati*, an inflated number of graduates.

inflazionistico *agg.* inflationary.

inflessibile *agg.* inflexible, unyielding, unbending; (*severo, rigido*) stern, strict: *un giudice —*, a stern judge.

inflessibilità *s.f.* inflexibility; (*severità*) sternness.

inflessione *s.f.* inflexion.

infliggere *v.tr.* to inflict (sthg. on s.o.).

influente *agg.* influential.

influenza *s.f.* **1** influence: *essere sotto l'— di qlco.*, to be under the influence of sthg.; *avere molta —*, to be very influential **2** (*med.*) influenza; (*fam.*) flu.

influenzale *agg.* influenzal: *un attacco —*, an attack of influenza.

influenzare *v.tr.* to influence, to affect: — *l'opinione pubblica*, to influence (o to affect) public opinion.

influire *v.intr.* to influence (s.o., sthg.), to affect (s.o., sthg.): *ciò non influirà sulle mie decisioni*, that will have no influence on my decisions; — *sui prezzi*, to affect prices.

influsso *s.m.* influence.

infocare *v.tr.* to make* red-hot // **-arsi** *v.intr.pron.* (*fig.*) to kindle.

infocato *agg.* burning; (*arroventato*) red-hot: *guance infocate*, burning cheeks.

infognarsi *v.intr.pron.* (*pop.*) to get* stuck: — *nei debiti*, to get up to the neck in debt.

in folio *agg. e s.m.* (*lat.*) folio: *un volume —*, a folio volume (o a volume in folio) ♦ *avv.* in folio.

infoltire *v.intr.* to get* thick.

infondatezza *s.f.* groundlessness.

infondato *agg.* groundless.

infondere *v.tr.* to infuse, to inspire: — *coraggio a qlcu.*, to infuse courage into s.o. (o to infuse s.o. with courage).

inforcare *v.tr.* **1** to mount, to get* on (sthg.): — *una bicicletta, un cavallo*, to get on (o to mount) a bicycle, a horse // — *gli occhiali*, to put on one's spectacles **2** (*fieno ecc.*) to pitchfork.

inforcatura *s.f.* fork.

informale *agg.* (*arte*) informal.

informare *v.tr.* **1** to inform, to acquaint: — *qlcu. di qlco.*, to inform s.o. about (o of) sthg. (o to acquaint s.o. with sthg.) **2** (*plasmare*) to shape, to mould // **-arsi** *v.intr.pron.* **1** to inquire, to enquire: — *della salute di qlcu.*, to inquire after s.o.; — *intorno a qlco., a qlcu.*, to inquire about sthg., s.o. **2** (*conformarsi*) to conform.

informatica *s.f.* informatics.

informativo *agg.* informative // *a puro titolo —*, for information only.

informato *agg.* informed: *bene —*, well-informed.

informatore *agg.* informing, animating ♦ *s.m.* informer.

informazione *s.f.* information (*solo sing.*); inquiry: *informazioni ufficiose*, semi-official information; *servizio informazioni*, information service; *ufficio informazioni*, inquiry office (o information bureau); *è un'— interessante*, it is an interesting piece of information.

informe *agg.* shapeless.

informicolirsi *v.intr.pron.* to have* pins and needles: *mi si è informicolito un braccio*, I have pins and needles in my arm.

infornare *v.tr.* to put* into an oven.

infornata *s.f.* batch (*anche fig.*).

infortunarsi *v.intr.pron.* to get* injured.

infortunato *agg.* injured.

infortunio *s.m.* accident: — *sul lavoro*, accident at work; *assicurazione contro gli infortuni*, accident insurance.

infortunistica *s.f.* industrial accident research.

infortunistico *agg.* industrial accident (*attr.*).

infossarsi *v.intr.pron.* (*di guance, occhi*) to become* hollow.

infossato *agg.* (*incavato*) sunken, hollow: *guance infossate*, sunken cheeks.

infracidire *v.intr.* to rot.

infradiciare *v.tr.* to drench, to soak // **-arsi** *v.intr.pron.* to get* drenched, to get* soaked.

infradiciatura *s.f.* drenching, soaking.

inframmettenza *s.f.* interference (with, in).

inframmettere *v.tr.* to interpose // **-ersi** *v.rifl.* to interfere (with, in sthg.).

inframmezzare *v.tr.* to interpose: *discorso inframmezzato di citazioni*, speech sprinkled with quotations.

infrangere *v.tr.* **1** to shatter (*anche fig.*), to crush (*anche fig.*) **2** (*violare*) to infringe: — *una legge*, to infringe a law; — *le regole*, to break the rules // **-ersi** *v.rifl.* **1** to break* (up) **2** (*fig.*) to be* shattered.

infrangibile *agg.* unbreakable; (*di vetro*) shatterproof.

infranto *agg.* shattered, crushed // *cuore* —, broken heart.

infrarosso *agg.* infrared.

infrascritto *agg.* undermentioned.

infrasettimanale *agg.* weekday (*attr.*): *festa* —, midweek holiday.

infrastruttura *s.f.* infrastructure, substructure.

infrasuono *s.m.* infrasonic wave, infrasonic vibration.

infrazione *s.f.* infraction, infringement, breach.

infreddarsi *v.intr.pron.* to catch* a cold.

infreddatura *s.f.* cold: *prendere un'* —, to catch a cold.

infreddolirsi *v.intr.pron.* to be* chilled.

infrequente *agg.* infrequent, rare.

infrollire *v.intr.* **1** to become* tender; (*di selvaggina*) to become* high **2** (*fig.*) to get* slack, to slacken.

infruttescenza *s.f.* (*bot.*) infructescence.

infruttifero *agg.* unfruitful (*anche fig.*), unproductive (*anche fig.*) // *capitale* —, ◀(*comm.*) capital bearing no interest.

infruttuoso *agg.* fruitless, unfruitful (*anche fig.*).

infuori, all' *locuz.avv.* out; (*con movimento*) outwards // **all'infuori di** *locuz.prep.* except, but, save; apart from: *nessuno all'* — *di te*, nobody except (*o* but) you; *all'* — *di questo non ti dirò altro*, apart from (*o* except for) this I won't tell you anything.

infuriare *v.intr.* to rage // **-arsi** *v.intr.pron.* to fly* into a passion.

infuriato *agg.* enraged, furious, raging.

infusibile *agg.* (*fis.*) infusible.

infusione *s.f.* infusion.

infuso *agg.* infused ◆ *s.m.* infusion.

ingabbiare *v.tr.* **1** to cage; (*in una stia*) to coop **2** (*fig.*) to coop up.

ingaggiare *v.tr.* **1** to engage, to hire // — *un nuovo portiere*, (*calcio*) to acquire a new goalkeeper **2** (*mil.*) to enlist, to enrol **3** (*battaglia, lotta ecc.*) to engage.

ingaggio *s.m.* engagement, hiring; (*mil.*) enlistment // *premio di* —, signing-on bonus.

ingagliardire *v.tr.* e *intr.*, **ingagliardirsi** *v.intr.pron.* to strengthen.

ingannare *v.tr.* **1** to deceive, to fool // — *la fame*, to beguile one's hunger // — *il tempo*, to while away time // *l'apparenza inganna*, you can't judge by appearances **2** (*frodare, truffare*) to cheat, to swindle, to take* in **3** (*essere infedele a*) to be* unfaithful (to s.o.): — *la moglie, il marito*, to be unfaithful to one's wife, husband // **-arsi** *v.intr.pron.* to be* mistaken.

ingannatore *agg.* deceiving ◆ *s.m.* deceiver.

ingannevole *agg.* deceptive, deceiving.

inganno *s.m.* deceit, deception; (*frode*) fraud: *con l'* —, by fraud; *trarre in* —, to deceive; *usare l'* —, to practice deception // *cadere in* —, to be mistaken.

ingarbugliare *v.tr.* to entangle (*anche fig.*) // **-arsi** *v.intr.pron.* to get* entangled (*anche fig.*).

ingarbugliato *agg.* entangled (*anche fig.*).

ingegnarsi *v.intr.pron.* to contrive; (*fare del proprio meglio*) to do* one's best.

ingegnere *s.m.* engineer: — *elettrotecnico, meccanico, minerario*, electrical, mechanical, mining engineer.

ingegneria *s.f.* engineering: — *aeronautica, navale*, aeronautical, naval engineering; — *industriale*, industrial engineering.

ingegno *s.m.* talent, genius: *avere un* — *pronto*, to be quick-witted; *mancare di* —, to be slow-witted; *opera d'* —, talented piece of work; *avere un* — *poetico*, to have a poetic genius; *un uomo d'* —, a man of talent (*o* a genius).

ingegnosità *s.f.* ingeniousness, cleverness.

ingegnoso *agg.* ingenious, clever.

ingelosire *v.tr.* to make* jealous // **-irsi** *v.intr.pron.* to become* jealous.

ingenerare *v.tr.* to produce, to cause.

ingeneroso *agg.* ungenerous.

ingenito *agg.* inborn, innate.

ingente *agg.* considerable, huge.

ingentilire *v.tr.* to refine // **-irsi** *v.intr.pron.* to become* refined.

ingenuità *s.f.* ingenuousness, naivety.

ingenuo *agg.* ingenuous, naïve ◆ *s.m.* naïve person: *sei un* —, you are naïve // *fare l'* —, to put on an innocent air (*o* to feign innocence).

ingerenza *s.f.* interference (with, in).

ingerire *v.tr.* to swallow, to ingest // **-irsi** *v.intr.pron.* to meddle (with, in sthg.), to interfere (with, in sthg.).

ingessare *v.tr.* to plaster.

ingessatura *s.f.* plastering.

ingestione *s.f.* ingestion.

inghiaiare *v.tr.* to gravel.

Inghilterra *no.pr.f.* England.

inghiottire *v.tr.* to swallow (up) (*anche fig.*).

inghippo *s.m.* (*fam.*) snag.

inghirlandare *v.tr.* to wreathe, to (en)garland (*anche fig.*).

ingiallire *v.tr.* to yellow ◆ *v.intr.* to become* yellow.

ingigantire *v.tr.* **1** to magnify **2** (*fig.*) to exaggerate, to magnify ◆ *v.intr.* to become* enormous.

inginocchiarsi *v.intr.pron.* to kneel* (down); (*cadere in ginocchio*) to fall* on one's knees: — *davanti a qlcu.*, to kneel to s.o.

inginocchiatoio *s.m.* prie-dieu, kneeling bench.

ingioiellare *v.tr.* to bejewel (*anche fig.*) // **-arsi** *v.rifl.* to adorn oneself with jewels.

ingiù *avv.* → *giù* // **all'ingiù** *locuz.avv.* → *giù*.

ingiungere *v.tr.* to enjoin, to order: — *a qlcu. di fare qlco.*; to enjoin (*o* to order) s.o. to do sthg.

ingiunzione *s.f.* injunction, order: — *di pagamento*, injunction to pay.

ingiuria *s.f.* **1** insult; (*affronto*) affront: *coprire qlcu. di ingiurie*, to abuse (*o* to insult) s.o. roundly; *fare, recare* — *a qlcu.*, to do s.o. wrong; *recare* — *al nome di qlcu.*, to damage s.o.'s name (*o* reputation) **2** (*danno*) damage, injury // *le ingiurie del tempo*, the ravages of time.

ingiuriare *v.tr.* to insult, to abuse.

ingiurioso *agg.* insulting.

ingiustamente *avv.* unjustly, unfairly.

ingiustificabile *agg.* unjustifiable.

ingiustificato *agg.* unjustified.

ingiustizia *s.f.* unjustice, unfairness; (*torto*) wrong: *è un'—!*, it's unfair!; *fare un'— a qlcu.*, to wrong s.o.

ingiusto *agg.* unjust, unfair: *condanna ingiusta*, unjust condemnation; *essere — con qlcu.*, to be unfair to s.o.

inglese *agg.* English: *corsivo —*, English script // *all'—*, after the English fashion; *giardino all'—*, landscape garden; *andarsene all'—*, to take French leave; (*da una festa*) to slip away without saying goodbye ♦ *s.m.* **1** (*abitante*) Englishman (*pl.* -men) // *gli inglesi*, the English (people) **2** (*lingua*) (the) English (language) ♦ *s.f.* Englishwoman (*pl.* -women).

inglorioso *agg.* inglorious.

ingobbire *v.intr.*, **ingobbirsi** *v.intr.pron.* to become* hunchbacked.

ingoiare *v.tr.* to swallow (*anche fig.*), to gulp down (*anche fig.*) // *— la pillola, un rospo*, to swallow the bitter pill.

ingolfamento *s.m.* (*di motore*) flooding.

ingolfarsi *v.intr.pron.* **1** (*formare un golfo*) to form a gulf **2** (*fig.*) to throw* oneself (into sthg.): *— nei debiti*, to plunge into debt **3** (*di motore*) to flood.

ingollare *v.tr.* to swallow, to gulp down.

ingolosire *v.tr.* to tempt (*anche fig.*) // **-irsi** *v.intr.pron.* to become* greedy.

ingombrante *agg.* cumbersome, encumbering.

ingombrare *v.tr.* to obstruct, to encumber: *— il traffico*, to obstruct the traffic // *questo tavolo ingombra*, this table is in the way.

ingombro *agg.* obstructed (with), encumbered (with): *un tavolo — di libri*, a table littered with books.

ingombro *s.m.* **1** obstruction, encumbrance // *essere d'—*, to be in s.o.'s way **2** (*volume*) volume: *questa valigia non è di grande —*, this suitcase does not take (up) much space (*o* room).

ingommare *v.tr.* to gum.

ingordigia *s.f.* greed (for), greediness (for) (*anche fig.*): *mangiare con —*, to eat greedily.

ingordo *agg.* greedy (for) (*anche fig.*).

ingorgare *v.tr.* to choke (up), to block (up) // **-arsi** *v.intr.pron.* to be* choked (up); (*spec. di condotti*) to be* blocked (up).

ingorgo *s.m.* obstruction, blocking up: *un — del traffico*, a traffic jam.

ingovernabile *agg.* ungovernable, uncontrollable.

ingozzare *v.tr.* **1** (*per fretta*) to gulp down; (*per avidità*) to gobble, to wolf down **2** (*oche ecc., per ingrassarle*) to cram.

ingranaggio *s.m.* **1** (*mecc.*) gear; (*ruota dentata*) cogwheel: *— a corona*, ring gear; *— cilindrico*, spur gear; *— conico*, bevel gear; *— del cambio*, speed gear; *ingranaggi di un orologio*, cogwheels of a clock; *— folle*, idle gear; *sistema di ingranaggi*, gearing **2** (*fig.*) mechanism.

ingranare *v.tr.* (*mecc.*) to interlock, to engage: *— la prima* (*marcia*), to put into (*o* to engage) the first gear ♦ *v.intr.* **1** (*mecc.*) to mesh, to engage **2** (*fam.*) to get* on: *non riesco a — con quella gente*, I can't get on with those people.

ingrandimento *s.m.* **1** enlargement (*anche fig.*) **2** (*ott.*) magnification: *lente d'—*, magnifying glass **3** (*fot.*) enlargement.

ingrandire *v.tr.* **1** to enlarge: *— una fotografia*, to enlarge a photo **2** (*ott.*) to magnify **3** (*esagerare*) to ex-

aggerate, to magnify // **-irsi** *v.intr.pron.* to enlarge, to grow* larger // *l'azienda si è ingrandita molto in questi ultimi anni*, the firm has come on a lot in the last few years; *quel commerciante vorrebbe —*, that dealer would like to increase his business.

ingranditore *s.m.* (*fot.*) enlarger.

ingrassamento *s.m.* **1** fattening; (*di oche ecc.*) cramming **2** (*concimazione*) manuring.

ingrassare *v.tr.* **1** to fatten, to make* fat; (*oche ecc.*) to cram **2** (*far sembrare più grasso*) to make* (s.o., sthg.) look fatter **3** (*lubrificare*) to grease **4** (*concimare*) to manure ♦ *v.intr.*, **-arsi** *v.intr.pron.* to grow* fat, to get* fat, to fatten (up): *si è ingrassata di nuovo*, she has put on weight again // *è ingrassato alle mie spalle*, he enriched himself at my expense.

ingrasso *s.m.* **1** fattening; (*di oche ecc.*) cramming: *animali da —*, animals for fattening **2** (*concime*) manure.

ingratitudine *s.f.* ingratitude, ungratefulness.

ingrato *agg.* **1** ungrateful (to) // *terra ingrata*, barren land **2** (*sgradevole*) unpleasant, disagreeable: *lavoro —*, unpleasant work.

ingravidare *v.tr.* to make* pregnant ♦ *v.intr.* to become* pregnant.

ingraziarsi *v.tr.* to ingratiate oneself (with s.o.): *— qlcu.*, to get into s.o.'s good graces.

ingrediente *s.m.* ingredient.

ingresso *s.m.* **1** (*l'entrare*) entry: *— trionfale*, triumphal entry // *il suo — nella vita politica*, his first steps in political life **2** (*entrata*) entrance: *— di servizio*, tradesmen's entrance; *— principale*, front door **3** (*accesso*) admittance: *— libero*, free admittance; *biglietto d'—*, admittance ticket; (*in stazione*) platform ticket // *ingressi*, (*teatr.*) standing tickets // *vietato l'—*, no admittance **4** (*informatica*) input → *introduzione* // *periferica di —*, input device.

ingrossamento *s.m.* swelling.

ingrossare *v.tr.* **1** to swell*: *la pioggia ingrossò i fiumi*, the rain swelled the rivers; *questi cibi ingrossano il fegato*, this food swells the liver // *andò a — le file dei disoccupati*, he went to enlarge the ranks of the unemployed **2** (*far sembrare più grosso*) to make* (s.o., sthg.) look fatter ♦ *v.intr.*, **-arsi** *v.intr.pron.* **1** to swell* **2** (*di mare*) to rise* **3** (*ingrassare*) to grow* fat, to get* fat.

ingrosso, all' *locuz.avv.* **1** wholesale (*attr.*): *vendere all'—*, to sell wholesale **2** (*all'incirca*) about.

ingrugnato *agg.* (*fam.*) sulky.

ingrullire *v.tr.* e *intr.* (*region.*) to dull.

inguaiare *v.tr.* (*fam.*) to get* into trouble // **-arsi** *v.rifl.* (*fam.*) to get* oneself into trouble.

inguainare *v.tr.* to sheathe.

ingualcibile *agg.* crease-resistant (*attr.*).

inguantato *agg.* gloved.

inguaribile *agg.* incurable.

inguinale *agg.* inguinal.

inguine *s.m.* groin.

ingurgitare *v.tr.* to gulp (down).

inibire *v.tr.* **1** to inhibit **2** (*vietare*) to forbid*: *— a qlcu.* (*di fare*) *qlco.*, to forbid s.o. (to do) sthg.

inibito *agg.* inhibited.

inibitorio *agg.* inhibitory.

inibizione *s.f.* **1** inhibition **2** (*dir.*) prohibition.

inidoneo *agg.* unfit (for sthg., to do), unapt (for sthg., to do).

iniettare *v.tr.* to inject.

iniettato *agg.* injected // *occhi iniettati di sangue*, bloodshot eyes.

iniettore *s.m.* (*mecc.*) injector.

iniezione *s.f.* injection.

inimicare *v.tr.* to alienate, to estrange // **-arsi** *v. intr.pron.*: — *con qlcu.*, to make an enemy of s.o. ♦ *v.ri-fl.rec.* to become* enemies.

inimicizia *s.f.* hostility.

inimitabile *agg.* inimitable.

inimmaginabile *agg.* unimaginable.

inintelligibile *agg.* unintelligible.

ininterrotto *agg.* continuous, unbroken: *sonno —*, unbroken sleep.

iniquità *s.f.* iniquity.

iniquo *agg.* iniquitous.

iniziale *agg.* **1** initial: *stadio —*, initial stage **2** (*dell'inizio*) starting: *velocità —*, starting speed ♦ *s.f.* initial // *— maiuscola*, capital letter.

inizialmente *avv.* at first.

iniziare *v.tr.* **1** to begin*, to start: — *a fare qlco.*, to begin (*o* to start) to do (*o* doing) sthg.; — *la conversazione con qlcu.*, to start the conversation with s.o.; — *un'impresa commerciale*, to start a commercial enterprise; — *un viaggio*, to start on a journey // *per —...*, to begin with... (*o* first of all...) **2** (*avviare, introdurre*) to initiate: — *qlcu. a una scienza, a un'arte*, to initiate s.o. in a science, in an art ♦ *v.intr.*, **-arsi** *v.intr.pron.* to begin*, to start.

iniziativa *s.f.* initiative; (*intraprendenza*) enterprise: *fare qlco. di propria —*, to do sthg. on one's own initiative; *per — di...*, on the initiative of...; *spirito d'—*, spirit of enterprise.

iniziato *s.m.* initiate.

iniziatore *s.m.* initiator.

iniziazione *s.f.* initiation.

inizio *s.m.* beginning: *l'— di un romanzo*, the beginning of a novel; *dall'— alla fine*, from beginning to end.

innaffiare e *deriv.* → **annaffiare** e *deriv.*.

innalzamento *s.m.* elevation.

innalzare *v.tr.* **1** (*elevare*) to raise (*anche fig.*), to elevate (*anche fig.*): — *l'animo di qlcu.*, to elevate s.o.'s mind; — *le braccia*, to raise one's arms // — *al settimo cielo*, to raise to the skies **2** (*erigere*) to raise, to erect: — *un monumento*, to raise a monument **3** (*rendere più alto*) to heighten, to make* higher: — *una casa di due piani*, to make a house two storeys higher // **-arsi** *v. intr.pron.* to rise*: *il fumo si innalzava verso il cielo*, the smoke was rising towards the sky.

innamoramento *s.m.* falling in love.

innamorare *v.tr.* to charm, to fascinate // **-arsi** *v. intr.pron.* **1** to fall* in love (with s.o.) **2** (*di qlco.*) to take* a liking (to sthg.) ♦ *v.rifl.rec.* to fall* in love (with each other).

innamorata *s.f.* girlfriend.

innamorato *agg.* **1** in love (with) **2** (*che esprime amore*) loving: *occhi innamorati*, loving eyes ♦ *s.m.* boyfriend.

innanzi *avv.* **1** → *avanti* **2** (*in poi*) on, onward(s): *da oggi, d'ora —*, from now on(wards); *da allora —*, thenceforward (*o* thenceforth) **3** (*prima*) before: *un mese —*, a month before // **innanzi (a)** *locuz.prep.* **1** → *davanti* **2** (*prima di*) before: — *sera*, before evening; — *tempo*, early; (*prematuramente*) before one's time; — *tutto*, (*soprattutto*) above all; (*prima di tutto*) first of all.

innato *agg.* natural; innate: *idee innate*, (*fil.*) innate ideas.

innaturale *agg.* unnatural.

innegabile *agg.* undeniable.

inneggiare *v.intr.* **1** (*cantare inni*) to hymn **2** (*levare lodi*) to praise (s.o.), to exalt (s.o.).

innervazione *s.f.* innervation.

innervosire *v.tr.* to get* on s.o.'s nerves // **-irsi** *v. intr.pron.* to get* irritated; (*agitarsi*) to become* agitated; — *per qlco.*, to get irritated at sthg.

innescare *v.tr.* to prime.

innesco *s.m.* primer.

innestare *v.tr.* **1** (*agr. chir.*) to graft **2** (*med.*) to inoculate, to vaccinate: — *a qlcu. il vaccino del vaiolo*, to inoculate s.o. against smallpox **3** (*inserire*) to insert // — *la prima* (*marcia*), (*aut.*) to put into the first gear.

innesto *s.m.* **1** (*agr. chir.*) graft, grafting: — *di tessuti*, transplantation **2** (*med.*) inoculation, vaccination **3** (*mecc.*) clutch.

inno *s.m.* hymn // — *nazionale*, national anthem.

innocente *agg.* e *s.m.* e *f.* innocent // *dichiararsi —* (*dir.*) to plead not guilty // *una bugia —*, a white lie // *fare l'—*, to feign innocence.

innocenza *s.f.* innocence.

Innocenzo *no.pr.m.* Innocent.

innocuità *s.f.* innocuousness.

innocuo *agg.* innocuous, harmless // *un tipo —*, a wishy-washy character.

innominabile *agg.* unmentionable.

innovare *v.tr.* to innovate.

innovatore *agg.* innovating ♦ *s.m.* innovator.

innovazione *s.f.* innovation.

innumerevole *agg.* innumerable.

inoculare *v.tr.* to inoculate (s.o. with sthg.) (*anche fig.*).

inodore, inodoro *agg.* odourless.

inoffensivo *agg.* harmless, inoffensive.

inoltrare *v.tr.* to forward, to send* on // **-arsi** *v. intr.pron.* to advance; to enter (*anche fig.*): *man mano che si inoltravano...*, as they advanced...

inoltrato *agg.* advanced, late: *nel pomeriggio —*, late in the afternoon.

inoltre *avv.* besides, moreover, furthermore.

inoltro *s.m.* forwarding.

inondare *v.tr.* to flood (*anche fig.*) // *le lacrime le inondarono il viso*, tears streamed down her face.

inondazione *s.f.* flood, inundation.

inoperosità *s.f.* inactivity.

inoperoso *agg.* inactive // *capitale —*, (*econ.*) unemployed capital.

inopinabile *agg.* **1** (*impensabile*) inconceivable **2** (*imprevedibile*) unforeseeable.

inopinato *agg.* unexpected.

inopportunità *s.f.* **1** (*intempestività*) inopportuneness **2** (*l'essere fuori luogo*) inappropriateness.

inopportuno *agg.* **1** (*intempestivo*) inopportune **2** (*fuori luogo*) inappropriate.

inoppugnabile *agg.* incontestable, unquestionable.

inorganico *agg.* inorganic.

inorgoglire *v.tr.* to make* proud: *il tuo successo lo inorgoglisce molto*, your success makes him very proud ♦ *v.intr.*, **-irsi** *v.intr.pron.* to become* proud, to get* proud.

inorridire *v.tr.* to horrify, to shock ♦ *v.intr.* to be* horrified: *inorridimmo all'idea*, we were struck with horror (*o* we were horror-stricken) at the idea.

inospitale *agg.* inhospitable; (*non confortevole*) uncomfortable.

inospitalità *s.f.* inhospitality.

inosservanza *s.f.* failure to observe.

nosservato *agg.* **1** unobserved **2** (*inadempiuto*) unfulfilled.

nossidabile *agg.* stainless.

nquadramento *s.m.* **1** (*mil.*) organization **2** (*comm.*) classification, arrangement // — *sindacale*, trade-union demarcation.

nquadrare *v.tr.* **1** to frame; (*fig.*) to set*: — *una figura in un periodo storico*, to set a figure against its historical background // *non riesco a — quel problema*, I can't make out that problem **2** (*mil.*) to organize **3** (*sindacalmente o politicamente*) to fit into **4** (*fot. cinem.*) to frame.

nquadratura *s.f.* (*fot. cinem.*) shot.

nqualificabile *agg.* despicable.

nquietante *agg.* worrying, disquieting // *una bellezza* —, a devastating beauty.

nquietare *v.tr.* (*preoccupare*) to worry; (*fortemente*) to alarm // *fare — qlcu.*, to make s.o. cross // **-arsi** *v. intr.pron.* to worry; (*stizzirsi*) to get* cross.

nquieto *agg.* **1** restless // *sonno —*, troubled sleep **2** (*preoccupato*) uneasy (about), worried (about): *il suo silenzio mi rende —*, his silence makes me feel uneasy **3** (*arrabbiato*) cross.

nquietudine *s.f.* **1** restlessness **2** (*preoccupazione*) uneasiness, worry // *stato d'—*, anxious state of mind // *dissipare le inquietudini di qlcu.*, to set s.o.'s mind at ease.

nquilino *s.m.* tenant.

nquinamento *s.m.* pollution.

nquinante *agg.* pollutive: *sostanza —*, pollutant ♦ *s.m.* pollutant.

nquinare *v.tr.* **1** to pollute, to defile **2** (*fig.*) to corrupt; (*stile ecc.*) to mar.

nquirente *agg.* investigating // *magistrato —*, examining magistrate.

inquisire *v.tr.* (*rar.*) to investigate ♦ *v.intr.* to inquire (of s.o., about, after sthg.).

inquisitore *agg.* inquiring, searching: *uno sguardo —*, a searching look ♦ *s.m.* inquisitor.

inquisitorio *agg.* inquiring, searching.

inquisizione *s.f.* inquisition // *la Santa Inquisizione*, (*st.*) the Inquisition.

insabbiamento *s.m.* **1** sanding up; (*di porti*) silting up **2** (*fig.*) (*di pratiche, leggi*) shelving.

insabbiare *v.tr.* **1** to cover with sand; (*riempire di sabbia*) to silt up **2** (*fig.*) (*una pratica, una legge ecc.*) to shelve // **-arsi** *v.intr.pron.* **1** to get* covered with sand; (*riempirsi di sabbia*) to silt up **2** (*fig.*) (*di pratica, legge ecc.*) to be* shelved.

insaccare *v.tr.* **1** to put* into sacks, to sack **2** (*fig.*) (*stipare*) to cram; (*infagottare*) to bundle up **3** (*carne*) to make* into sausages // **-arsi** *v.intr.pron.* **1** (*pigiarsi dentro*) to squeeze **2** (*infagottarsi*) to wear* baggy clothes.

insaccato *agg.* **1** packed into a sack, sacked **2** (*fig.*) (*pigiato*) squeezed; (*infagottato*) bundled up ♦ *s.m.pl.* sausages.

insalata *s.f.* **1** salad **2** (*fig.*) (*mescolanza*) mixture; (*confusione*) muddle.

insalatiera *s.f.* salad bowl.

insaldare *v.tr.* to starch.

insalivazione *s.f.* insalivation.

insalubre *agg.* unhealthy, insalubrious.

insalubrità *s.f.* unhealthiness, insalubrity.

insalutato *agg.* unsaluted // *se ne andò — ospite*, he left without saying goodbye.

insanabile *agg.* **1** incurable **2** (*fig.*) irremediable, incurable.

insanguinare *v.tr.* to stain with blood (*anche fig.*).

insanguinato *agg.* bloodstained.

insania *s.f.* insanity, madness.

insano *agg.* insane, mad; (*di azione*) crazy.

insaponare *v.tr.* to soap; (*con schiuma*) to lather.

insaponata, insaponatura *s.f.* soaping; (*con schiuma*) lathering: *dare una bella — a qlco.*, to soap sthg. well.

insapore, insaporo *agg.* flavourless.

insaporire *v.tr.* to flavour, to season.

insaputa, all' *locuz.avv.* unknown to; without the knowledge of.

insaziabile *agg.* insatiable, unappeasable (*anche fig.*).

insaziabilità *s.f.* insatiability.

inscatolare *v.tr.* to can; (*sotto vuoto*) to tin.

inscenare *v.tr.* **1** to stage, to put* on the stage **2** (*fig.*) to stage, to carry out: — *una dimostrazione*, to stage (*o* to carry out) a demonstration.

inscindibile *agg.* inseparable.

inscrivere *v.tr.* **1** (*geom.*) to inscribe **2** → **iscrivere**.

insecchire *v.intr.* **1** to become* dry, to dry up **2** (*dimagrire*) to get* thin.

insediamento *s.m.* installation; (*stanziamento*) settling.

insediare *v.tr.* to install // **-arsi** *v.rifl.* **1** to install oneself **2** (*di popolazioni*) to settle.

insegna *s.f.* **1** (*emblema*) insignia (*pl.*) // *le insegne del potere*, the emblems of power **2** (*decorazione*) decoration **3** (*bandiera*) flag; (*mil. mar.*) colours (*pl.*) **4** (*stemma*) coat of arms; (*motto*) motto **5** (*di negozio, cartello indicatore*) sign(board): *insegne al neon*, neon signs.

insegnamento *s.m.* **1** teaching **2** (*istruzione*) education, (*spec. privato*) tuition: — *elementare, secondario*, primary, secondary education // *si diede all'—*, he became a teacher **3** (*lezione*) lesson: *questo ti servirà d'—*, let this be a lesson to you.

insegnante *agg.* teaching ♦ *s.m. e f.* teacher: — *d'inglese*, English teacher; *egli fa l'—*, he is a teacher.

insegnare *v.tr.* to teach*: — *qlco. a qlcu.*, to teach s.o. sthg.; — *a qlcu. a fare qlco.*, to teach s.o. to do sthg. **2** (*per professione*) to teach*, to be* a teacher (of sthg.) **3** (*indicare*) to show: *potete insegnarmi la strada?*, can you show me the way?

inseguimento *s.m.* pursuit, chase: *essere all'— di qlcu.*, to be in pursuit of s.o.

inseguire *v.tr.* to pursue, to chase.

inseguitore *s.m.* pursuer, chaser.

insellatura *s.f.* saddleback.

inselvatichire *v.tr.* **1** to make* wild **2** (*fig.*) to make* unsociable ♦ *v.intr.*, **-irsi** *v.intr.pron.* **1** to grow* wild **2** (*fig.*) to grow* unsociable.

inseminazione *s.f.* insemination.

insenatura *s.f.* inlet, cove, creek.

insensatezza *s.f.* **1** foolishness, senselessness **2** (*atto, detto insensato*) nonsense (*solo sing.*).

insensato *agg.* foolish, senseless.

insensibile *agg.* insensible // *una persona —*, an unfeeling person // *mani insensibili per il freddo*, hands numb with cold.

insensibilità *s.f.* insensibility.

inseparabile *agg.* inseparable.

inseparabilità *s.f.* inseparability.

insepolto *agg.* unburied.

inserimento *s.m.* insertion, introduction.

inserire *v.tr.* **1** to insert; (*adattando*) to fit in **2** (*in-*

cludere) to include **3** (*elettr.*) to connect; (*una spina*) to plug in **4** (*informatica*) to insert // **-irsi** *v.rifl.* (*diventar parte*) to become* part (of sthg.); (*introdursi*) to get* into (sthg.), to introduce oneself (into sthg.): — *nell'ambiente finanziario*, to introduce oneself into the financial world; — *fra i candidati*, to appear on the list of candidates; — *nella conversazione*, to join in the conversation; *un nuovo fatto si inserisce nella storia di questo periodo*, a new fact comes into the history of this period.

inserto *s.m.* **1** file **2** (*fogli inseriti*) supplement **3** (*cinem.*) insert.

inservibile *agg.* useless, of no use (*pred.*).

inserviente *s.m.* attendant; (*uomo di fatica*) odd-job man: *un — d'ospedale*, a hospital attendant.

inserzione *s.f.* **1** insertion; (*l'inserire*) inserting **2** (*pubblicitaria*) advertisement **3** (*elettr.*) connection.

inserzionista *s.m.* e *f.* advertiser.

insetticida *agg.* insecticidal // *polvere —*, insect powder ♦ *s.m.* insecticide.

insettivoro *agg.* insectivorous ♦ *s.m.* insectivore.

insetto *s.m.* insect; (*amer.*) bug // *gli Insetti*, the Insecta.

insicurezza *s.f.* insecurity.

insicuro *agg.* insecure.

insidia *s.f.* **1** snare (*anche fig.*); (*inganno*) deceit: *tendere un'— a qlcu.*, to lay a snare for s.o. **2** (*pericolo*) danger, peril.

insidiare *v.tr.* to lay* snares (for s.o.), to lay* traps (for s.o.), to lie* in wait (for s.o.) // — *una donna*, to attempt to seduce a woman ♦ *v.intr.* to make* an attempt (on sthg.): — *alla vita di qlcu.*, to make an attempt on s.o.'s life.

insidioso *agg.* insidious // *domanda insidiosa*, tricky question.

insieme *avv.* **1** together: *usciremo tutti —*, we'll all go out together // *questi due colori non stanno bene —*, these two colours don't go together (*o* don't match) // *tutto, tutti —*, all together // *mettere —*, to put together; (*raccogliere*) to get* together; *mettere — una frase*, to make up a sentence **2** (*allo stesso tempo*) at the same time: *arrivarono tutti —*, they all arrived at the same time (*o* together); *rideva e piangeva —*, he was laughing and crying at the same time // **insieme a, con** *locuz.prep.* (together) with.

insieme *s.m.* **1** whole: *un — armonioso*, a harmonious whole; — *di colori*, group of colours; *l'— degli attori era ottimo*, the whole cast was magnificent // *questo quadro manca d'—*, this painting lacks unity // *idea di —*, broad (*o* general) idea (of a subject); *sguardo d'—*, comprehensive view // *nell'—*, as a whole (*o* on the whole): *gli allievi, presi nell'—, erano ben preparati*, the pupils, taken as a body, were well prepared **2** (*abbigl.*) outfit **3** (*mat.*) set **4** (*informatica*) (*di pezzi, di parti di programma*) assembly: — *di caratteri*, character array; — *di circuiti*, circuitry; — *di programmi pronti per l'uso*, package.

insiemistica *s.f.* sets, set theory.

insigne *agg.* **1** famous, illustrious; (*notevole*) remarkable **2** (*iron.*) notorious.

insignificante *agg.* **1** insignificant **2** (*di somma, denaro*) trivial, trifling **3** (*di persona*) plain: *un tipo —*, a wishy-washy character.

insignire *v.tr.* to decorate: *fu insignito di una medaglia d'oro*, he was decorated with a gold medal; — *qlcu. di un titolo*, to confer a title upon s.o.: *fu insignito del titolo di baronetto*, he was granted the title of Baronet.

insincerità *s.f.* insincerity.

insincero *agg.* insincere.

insindacabile *agg.* unquestionable.

insinuante *agg.* **1** insinuating, insinuative **2** (*persuasivo*) ingratiating // *parole insinuanti*, (*lusinghevoli*) flattering words.

insinuare *v.tr.* **1** (*introdurre*) to introduce **2** (*fig.*) to insinuate: — *un dubbio, un sospetto*, to insinuate a doubt, a suspicion; *che cosa vorresti—?*, what are you insinuating (*o* hinting at?) **3** — (*un credito*), (*dir.*) to lodge a proof of debts // **-arsi** *v.rifl.* to creep* (*anche fig.*), to insinuate oneself (*anche fig.*): *un ladro si insinuò nella casa*, a thief crept into the house; *un dubbio si insinuò nella sua mente*, a doubt crept into his mind; — *nelle grazie di qlcu.*, to insinuate oneself into s.o.'s favour.

insinuazione *s.f.* **1** insinuation, innuendo (*pl.* innuendoes): *fare insinuazioni su qlcu.*, to make insinuations about s.o. **2** — (*di credito*), (*dir.*) proof of debts.

insipidezza *s.f.* **1** insipidity, tastelessness **2** (*fig.*) insipidity, dullness.

insipido *agg.* **1** insipid, tasteless **2** (*fig.*) insipid, dull.

insipiente *agg.* (*letter.*) insipient.

insipienza *s.f.* (*letter.*) insipience.

insistente *agg.* **1** insistent, persistent **2** (*incessante*) unceasing, incessant.

insistentemente *avv.* **1** insistently, persistently **2** (*incessantemente*) unceasingly, incessantly.

insistenza *s.f.* insistence, insistency.

insistere *v.intr.* to insist (on sthg., on doing): *insisti perché venga*, insist on his coming (*o* insist that he should come); — *con qlcu. sulla necessità di fare qlco.*, to urge on s.o. the necessity of doing sthg.

insito *agg.* inborn, innate.

insocievole *agg.* unsociable.

insoddisfatto *agg.* dissatisfied, discontented.

insoddisfazione *s.f.* dissatisfaction, discontent.

insofferente *agg.* intolerant; (*irritabile*) impatient.

insofferenza *s.f.* intolerance; (*irritabilità*) impatience.

insoffribile *agg.* unbearable.

insolazione *s.f.* **1** insolation **2** (*colpo di sole*) sunstroke, insolation: *colpito da —*, suffering from sunstroke.

insolente *agg.* insolent, impudent, pert.

insolentire *v.intr.* (*diventare insolente*) to become* insolent; (*comportarsi in modo insolente*) to be* insolent ♦ *v.tr.* to abuse, to insult.

insolenza *s.f.* insolence, impudence, pertness: *è un'— da parte sua*, it is impudent of him; *dire delle insolenze a qlcu.*, to say insolent words to s.o.

insolito *agg.* unusual; (*strano*) strange.

insolubile *agg.* insoluble.

insolubilità *s.f.* insolubility.

insoluto *agg.* **1** unsolved **2** (*non pagato*) unpaid, outstanding.

insolvente *agg.* e *s.m.* (*dir.*) insolvent.

insolvenza *s.f.* (*dir.*) insolvency.

insolvibile *agg.* insolvent.

insolvibilità *s.f.* (*dir.*) insolvency.

insomma *avv.* **1** (*in breve*) in short, in a word: — *non mi piace*, in short, I don't like it **2** (*per esprimere impazienza*) well: —, *vieni si o no?*, well, are you coming or not?; —, *finiamola!*, well, let's get it over with!

insommergibile *agg.* unsinkable.

insondabile *agg.* unfathomable (*anche fig.*).

insonne *agg.* **1** sleepless; (*di persona*) wakeful **2** (*fig.*) (*infaticabile*) indefatigable.

insonnia *s.f.* sleeplessness, insomnia.

insonnolito *agg.* drowsy, sleepy: *essere* —, to be (*o* to feel) drowsy.

insonorizzare *v.tr.* to soundproof.

insonorizzato *agg.* soundproof.

insonorizzazione *s.f.* soundproofing.

insopportabile *agg.* unbearable, intolerable: *è* —*!*, he is utterly unbearable!

insopprimibile *agg.* unsuppressible.

insorgenza *s.f.* onset.

insorgere *v.tr.* 1 (*ribellarsi*) to rise* (up), to rebel, to revolt 2 (*protestare*) to protest: *insorsero tutti contro quella proposta*, they all protested against that proposal 3 (*sorgere, manifestarsi*) to arise*.

insormontabile *agg.* insurmountable, insuperable.

insorto *agg.* insurgent, rebellious ♦ *s.m.* insurgent, rebel.

insospettabile *agg.* above suspicion.

insospettato *agg.* 1 unsuspected 2 (*imprevisto*) unexpected.

insospettire *v.tr.* to make* suspicious, to rouse s.o.'s suspicions // **-irsi** *v.intr.pron.* to become* suspicious, to begin* to suspect.

insostenibile *agg.* untenable, unsustainable: *un argomento* —, an untenable argument; *una posizione* —, (*mil.*) an untenable (*o* indefensible) position; (*fig.*) an untenable position // *un pretesto* —, a weak pretext // *un attacco* —, an irresistible attack // *un dolore* —, an unbearable pain // *una situazione* —, an unbearable situation // *è una spesa — per me*, it is a too great an expense for me.

insostituibile *agg.* irreplaceable.

insozzare *v.tr.* to dirty, to soil; (*fig.*) to sully: — *il buon nome della propria famiglia*, to disgrace the good name of one's family.

insperabile *agg.* not to be hoped for; (*inaspettato*) undreamed-of.

insperatamente *avv.* unexpectedly.

insperato *agg.* 1 unhoped-for 2 (*inaspettato*) unexpected.

inspiegabile *agg.* inexplicable, unexplainable.

inspirare *v.tr.* to inhale.

inspirazione *s.f.* inhalation.

instabile *agg.* unsteady, unstable; (*variabile*) changeable, unsettled: *tempo* —, unsettled (*o* changeable) weather; *equilibrio* —, (*fis.*) unstable equilibrium.

instabilità *s.f.* unsteadiness, instability; (*variabilità*) changeability, variability.

installare *v.tr.* 1 to install: — *un impianto*, to install a plant 2 (*sistemare*) to settle, to establish // **-arsi** *v.rifl.* to settle (down), to establish oneself: *si è installato in casa mia e non vuole andarsene*, he has settled into my house and does not intend to leave.

installatore *s.m.* (*tecnico*) technician; (*operaio*) workman (*pl.* -men).

installazione *s.f.* installation // — *di soccorso*, (*informatica*), backup facilities; *parco installazioni* (*presso clienti*), (*spec. amer.*) base.

instancabile *agg.* indefatigable, tireless.

instaurare *v.tr.* to set* up, to establish, to found: — *una nuova moda*, to start a new fashion.

instauratore *s.m.* founder.

instaurazione *s.f.* establishment, foundation.

insù *avv.*, **all'insù** *locuz.avv.* → **su**.

insubordinato *agg.* insubordinate.

insubordinazione *s.f.* insubordination.

insuccesso *s.m.* failure.

insudiciare *v.tr.* to soil, to dirty, to stain; (*fig.*) to defile // *insudiciarsi le mani*, to dirty one's hands // **-arsi** *v.rifl.* to dirty oneself.

insufficiente *agg.* insufficient: *istruzione* —, poor education; *il cibo è* —, there is a shortage of food (*o* there is not enough food) // *il tuo compito è* —, your work is below the pass mark // *essere* — *in una materia*, to be backward (*o* behind) in a subject.

insufficienza *s.f.* 1 insufficiency; (*mancanza*) shortage, want, lack: — *cardiaca*, (*med.*) cardiac insufficiency; — *di manodopera*, shortage of hands 2 (*a scuola*) low mark.

insufflare *v.tr.* to insufflate.

insulare *agg.* insular.

insulina *s.f.* (*chim.*) insulin.

insulsaggine *s.f.* 1 silliness, stupidity 2 (*cosa insulsa*) nonsense (*solo sing.*); *dire insulsaggini*, to talk nonsense.

insulso *agg.* silly, stupid.

insultante *agg.* insulting.

insultare *v.tr.* to insult, to abuse.

insulto *s.m.* 1 insult, abuse: *è un — alla miseria!*, it is an insult to poverty!; *incassare un* —, to suffer (*o* to tolerate) an insult; *coprire qlcu. di insulti*, to heap abuses on s.o. 2 (*med.*) attack.

insuperabile *agg.* 1 unsuperable 2 (*fig.*) (*incomparabile*) unsurpassable; (*imbattibile*) unbeatable.

insuperato *agg.* unsurpassed; (*imbattuto*) unbeaten.

insuperbire *v.tr.* to make* proud ♦ *v.intr.*, **-irsi** *v.intr.pron.* to pride oneself (on sthg.): *non hai nulla di che insuperbirti*, you have nothing to be proud of.

insurrezionale *agg.* insurrectional, insurrectionary: *spirito* —, spirit of revolt.

insurrezione *s.f.* insurrection, revolt.

insussistente *agg.* non-existent; (*infondato*) groundless.

insussistenza *s.f.* non-existence; (*infondatezza*) groundlessness.

intabarrato *agg.* muffled up.

intaccare *v.tr.* 1 (*fare tacche in*) to notch 2 (*corrodere*) to corrode: *gli acidi intaccano i metalli*, acids corrode (*o* eat into) metals 3 (*una somma, un capitale ecc.*) to draw* on 4 (*danneggiare*) to damage (*anche fig.*), to injure (*anche fig.*).

intaccatura *s.f.*, **intacco** *s.m.* indentation; (*tacca*) notch.

intagliare *v.tr.* to carve, to cut*.

intagliatore *s.m.* carver.

intaglio *s.m.* carving.

intangibile *agg.* intangible.

intangibilità *s.f.* intangibility.

intanto *avv.* 1 (*nel frattempo*) meanwhile, in the meantime; (*allo stesso tempo*) at the same time; (*per ora*) for the moment, for the present: — *le ore passavano*, in the meantime hours went by; *ascoltava la radio e* — *lavorava*, he was listening to the radio and working at the same time; — *questo può bastare*, this is enough for the moment 2 (*anzitutto*) first of all 3 (*fam.*) (*ma*) but: *dice di sì e* — *non fa nulla*, he says yes but (*o* in the meantime) he does nothing // **intanto che** *locuz.cong.* while: — *che aspetto farò una telefonata*, while I'm waiting I'll make a phone call.

intarsiare *v.tr.* to inlay*.

intarsiato *agg.* inlaid.

intarsiatore *s.m.* inlayer.

intarsio *s.m.* inlay: *lavoro d'* —, inlay work (*o* marquetry).

intasamento *s.m.* stopping up, stoppage.

intasare v.tr., **intasarsi** v.intr.pron. to stop up, to clog.

intascare v.tr. to pocket, to put* into one's pocket.

intatto agg. intact.

intavolare v.tr. (iniziare) to begin*, to start: — una discussione, to begin a discussion.

integerrimo agg. very honest.

integrale agg. **1** complete, integral: edizione —, unabridged edition ♦ pane —, wholemeal bread **2** (mat.) integral ♦ s.m. (mat.) integral.

integralismo s.m. hard-line policy.

integralista s.m. e f. hard-liner.

integrante agg. integrating.

integrare v.tr., **integrarsi** v.intr.pron. to integrate.

integrativo agg. integrative.

integrato agg. integrated (anche elettr.): minoranze etniche integrate, integrated ethnic minorities ♦ s.m. integrated person or group.

integrazione s.f. integration.

integrità s.f. integrity (anche fig.), entireness, completeness: — di un testo, integrity of a text; — di vita, integrity of life.

integro agg. **1** complete **2** (fig.) (onesto) honest; (solo di persona) upright.

intelaiare v.tr. **1** (tessile ecc.) to mount on the loom **2** (inquadrare; montare lo scheletro, l'ossatura di macchine, strutture) to frame.

intelaiatura s.f. **1** framework (anche fig.) **2** (l'intelaiare) framing.

intellettivo agg. intellective.

intelletto s.m. intellect; (mente) mind // perdere il bene dell'—, to lose one's wits.

intellettuale agg. e s.m. e f. **1** intellectual: facoltà intellettuali, intellectual faculties; progresso —, intellectual progress; lavoro —, brain work; posa a —, fa l'—, he pretends to be an intellectual **2** (iron.) highbrow.

intellettualismo s.m. intellectualism.

intellettualistico agg. intellectualistic.

intellettualità s.f. intellectuality.

intellettualoide agg. e s.m. e f. (iron.) highbrow.

intelligente agg. intelligent.

intelligenza s.f. **1** intelligence **2** (comprensione) understanding: il commento facilita l'— del poema, the footnotes facilitate the understanding of the poem **3** (vivacità d'ingegno) cleverness **4** (intesa) understanding.

intelligibile agg. intelligible.

intelligibilità s.f. intelligibility.

intemerata s.f. (rar.) tirade, rebuke.

intemerato agg. stainless, irreproachable.

intemperante agg. intemperate.

intemperanza s.f. intemperance.

intemperie s.f.pl. (inclement) weather (sing.): esposto alle —, exposed to the weather; resistente alle —, weatherproof.

intempestività s.f. untimeliness.

intempestivo agg. untimely.

intendente s.m. superintendent.

intendenza s.f. (organo, territorio, uffici) superintendency.

intendere v.tr. **1** (udire, venire a sapere) to hear*: ho inteso dire che è partito, I have heard that he left **2** (comprendere) to understand*: mi diede a, mi lasciò, mi fece — che l'aveva fatto, he gave me to understand that he had done it; — a volo, to catch immediately // questo s'intende, this goes without saying // s'intende, of course // intendersela con qlcu., to have an understanding with s.o.: credo che l'avvocato se la intenda col testi-

mone, I think there is an understanding between the lawyer and the witness // intendetevela col mio segretario, talk the matter over with my secretary **3** (ascoltare) to listen (to s.o., sthg.): non intende ragione, he won't listen to reason **4** (significare) to mean*: che cosa intendi con questa parola?, what do you mean by this word? **5** (avere intenzione di) to intend; (volere) to mean*: che cosa intendi fare?, what do you intend to do?; non intendevo offenderti, I didn't mean to hurt your feelings // non la intendo come voi, I don't agree with you // **-ersi** v.intr.pron. (aver cognizione) to be* a (good) judge, to be* expert (in sthg.): non m'intendo di pittura, I am no judge of painting; non m'intendo di queste cose, I know nothing about these things ♦ v.rifl. e rifl.rec. (mettersi d'accordo) to come* to an agreement, to come* to terms, to agree; (andare d'accordo) to get* along // ci siamo intesi?, is it clear?; intendiamoci bene!, let this be quite clear! // ve la intendete a meraviglia, you get on very well together.

intendimento s.m. **1** understanding **2** (intenzione) intention.

intenditore s.m. connoisseur (of), good judge: non so no un — di vini, I am not a connoisseur in (o a good judge of) wines.

intenerimento s.m. (commozione) emotion; (compassione) compassion.

intenerire v.tr. **1** to soften **2** (commuovere) to move (to pity) // **-irsi** v.intr.pron. to be* moved (to pity).

intensificare v.tr. **1** to intensify **2** (rendere più frequente) to make* more frequent // **-arsi** v.intr.pron. **1** to intensify **2** (diventare più frequente) to become* more frequent.

intensificazione s.f. intensification.

intensità s.f. intensity.

intensivo agg. intensive: coltura intensiva, intensive cultivation.

intenso agg. intense.

intentare v.tr. (dir.) to bring*: — causa contro qlcu., to bring legal action against s.o.

intentato agg. unattempted, untried: non lasciar nulla d'—, to leave no stone unturned.

intento¹ agg. intent: — a (fare) qlco., intent on (doing) sthg.

intento² s.m. aim, object, purpose: raggiungere il proprio —, to achieve one's object; nascondere i propri intenti, to keep one's aims secret // con l'—, nell'— di, with the intention of.

intenzionale agg. intentional, deliberate.

intenzionalità s.f. intentionality.

intenzionato agg. disposed: bene, male — verso qlcu., well-, ill-disposed towards s.o.

intenzione s.f. intention: non ho — di..., I have no intention of...; ho — di andare a vivere in campagna, I intend to go and live in the country; che intenzioni hai?, what are your plans? // avere delle buone intenzioni, to be well-meaning; le sue intenzioni erano buone ma..., his intentions were good (o he meant well) but... // avere una mezza — di fare..., to have half a mind to do...; con — (deliberatamente) on purpose (o deliberately); senza —, unintentionally.

intepidire v.tr. e intr. → **intiepidire**.

interagire v.intr. to interact, to act on one another: le due circostanze interagiscono, the two circumstances act upon each other.

interamente avv. completely, entirely // capitale — versato, fully paid (up) capital.

interattivo *agg.* (*informatica*) terminal oriented.

interazione *s.f.* interaction.

intercalare[1] *agg.* intercalary ♦ *s.m.* **1** pet expression **2** (*ritornello*) refrain.

intercalare[2] *v.tr.* **1** to intercalate **2** (*informatica*) (*IBM*) to collate.

intercambiabile *agg.* interchangeable.

intercapedine *s.f.* interspace.

intercedere *v.intr.* **1** to intercede: — *presso qlcu.*, to intercede with s.o. **2** (*letter.*) (*essere, intercorrere*) (*di spazio*) to exist; (*di tempo*) to pass.

intercessione *s.f.* intercession.

intercessore *s.m.* intercessor.

intercettare *v.tr.* to intercept.

intercettazione *s.f.* interception.

intercomunale *s.f.* (*tel.*) trunk call, long-distance call.

intercomunicante *agg.* intercommunicating.

intercontinentale *agg.* intercontinental.

intercorrere *v.intr.* (*di tempo*) to pass, to elapse; (*di spazio*) to be*: *tra una parete e l'altra intercorrono due metri*, it's two metres from one wall to the other // *fra i due non intercorrono buoni rapporti*, their relations are a bit strained.

intercostale *agg.* intercostal.

interdetto *agg.* **1** (*dir.*) deprived of civil rights: — *dai pubblici uffici*, excluded from civic functions **2** (*eccl.*) interdicted **3** (*proibito*) interdicted, forbidden **4** (*sbalordito*) dumbfounded **5** (*informatica*) disabled.

interdetto *s.m.* (*eccl.*) interdict.

interdipendente *agg.* interdependent.

interdipendenza *s.f.* interdependence.

interdire *v.tr.* **1** to interdict, to forbid*, to prohibit **2** (*dir.*) to deprive of civil rights; — *qlcu. dai pubblici uffici*, to exclude s.o. from civic functions **3** (*eccl.*) to interdict.

interdisciplinare *agg.* interdisciplinary.

interdizione *s.f.* **1** interdiction, prohibition **2** (*dir.*) withdrawal of civil rights **3** (*eccl.*) interdiction.

interessamento *s.m.* interest (in, sthg.), concern (for s.o., sthg.) // *per — di*, by the good offices of.

interessante *agg.* interesting // *essere in stato —*, to be expecting (*o* pregnant).

interessare *v.tr.* **1** to interest: — *qlcu. a un argomento*, to interest s.o. in a subject // — *qlcu. in un'azienda*, (*comm.*) to give s.o. an interest in a business **2** (*riguardare*) to concern: *la faccenda mi interessa da vicino*, the matter concerns me closely **3** (*implicare*) to affect: *la lesione non interessa il cuore*, the injury does not affect the heart ♦ *v.intr.* to be* of interest; (*importare*) to matter, to be* important: *ti interessa un'auto sportiva in ottimo stato?*, are you interested in a sports car in excellent condition?; *questo argomento non interessa ai nostri lettori*, this subject is of no interest to our readers; *non interessa*, this does not matter // **-arsi** *v.intr.pron.* **1** to take* an interest (in s.o., sthg.): *egli si interessò molto al caso*, he took a great interest in the case; *non si interessa di politica*, he is not interested in politics; *non m'interesso di pittura moderna*, I'm not interested in modern painting **2** (*prendersi cura*) to care (for, about s.o., sthg.) // *interessati degli affari tuoi!*, mind your own business!

interessato *agg.* **1** interested, concerned: *essere — in un'azienda*, to have a concern in a business **2** (*opportunistico*) interested, selfish // *amore —*, cupboard love

// *persona interessata*, opportunist ♦ *s.m.* party concerned, interested party: *tutti gli interessati*, all concerned.

interesse *s.m.* **1** interest: *non hai — a farlo*, you have no interest in doing it; *avere un — nascosto da servire*, to have an axe to grind; *badare ai propri interessi*, to mind one's own business; *prendere — a qlco.*, to take interest in sthg. **2** (*comm.*) interest: — *composto*, compound interest; — *legale*, legal interest; — *maturato*, accrued interest; — *di mora*, default interest; *interessi passivi*, interest paid; *tasso di —*, interest rate; *fruttare l'— del 5%*, to bear (*o* to yield) interest at 5%; *prendere a prestito con —*, to borrow at interest.

interessenza *s.f.* (*comm.*) profit sharing: *avere un'—*, to have a share in the profits.

interezza *s.f.* entirety.

interfaccia *s.f.* (*informatica*) interface.

interfacciare *v.tr.* (*informatica*) to interface with.

interfacoltà *s.f.* student committee, student council.

interferenza *s.f.* interference.

interferire *v.intr.* to interfere.

interferone *s.m.* (*biol.*) interferon.

interfono *s.m.* intercom.

interiezione *s.f.* (*gramm.*) interjection.

interim *s.m.* interim: *assumere l'—*, to carry on (during a vacancy).

interinale *agg.* temporary, interim (*attr.*).

interinato *s.m.* interim, temporary office.

interino *agg.* temporary, provisional, interim (*attr.*) // *medico —*, locum (tenens).

interiora *s.f.pl.* entrails, bowels.

interiore *agg.* inner (*attr.*), interior (*attr.*) // *vita —*, spiritual life.

interiorità *s.f.* **1** (*natura intima*) inwardness **2** (*vita interiore*) interior life.

interlinea *s.f.* **1** line space **2** (*informatica*) line space; spacing.

interlineare[1] *agg.* interlinear.

interlineare[2] *v.tr.* to interline.

interlineatura *s.f.* (*tip.*) leading.

interlocutore *s.m.* interlocutor.

interlocutorio *agg.* interlocutory.

interloquire *v.intr.* to put* in a word; (*fam.*) to chime in.

interludio *s.m.* (*mus.*) interlude.

intermediario *agg.* intermediary ♦ *s.m.* **1** mediator **2** (*comm.*) broker, middleman (*pl.* -men).

intermedio *agg.* intermediate.

intermezzo *s.m.* **1** (*intervallo*) interval **2** (*teatr. mus.*) intermezzo.

interminabile *agg.* interminable, endless.

interministeriale *agg.* interministerial.

intermittente *agg.* intermittent.

intermittenza *s.f.* intermittence, intermittency.

internamente *avv.* **1** (*all'interno*) inside, internally **2** (*nell'intimo*) inwardly.

internamento *s.m.* internment.

internare *v.tr.* to intern: — *in un manicomio*, to put into (*o* to send to) an asylum // **-arsi** *v.intr.pron.* to penetrate (into sthg.), to go* deeply (into sthg.) (*anche fig.*).

internato[1] *agg.* interned ♦ *s.m.* **1** (*confinato politico*) internee **2** (*in manicomio*) inmate.

internato[2] *s.m.* **1** (*scuola convitto*) boarding school **2** (*periodo di frequenza o di pratica*) internship.

internazionale *agg.* international // **Internazionale**

s.f. (*associazione operaia socialista*) (Labour and Socialist) International ♦ *s.m.* (*inno dei lavoratori socialisti*) the Internationale.

internazionalismo *s.m.* internationalism.

internazionalista *s.m.* e *f.* internationalist.

internazionalità *s.f.* internationality.

internazionalizzare *v.tr.* to internationalize.

internista *s.m.* e *f.* (*med.*) internist.

interno *agg.* **1** internal; interior (*attr.*); inner (*attr.*): *combustione interna,* internal combustion; *organi interni,* internal organs; *angolo* —, (*geom.*) interior angle; *superficie interna,* inner surface // *alunno* —, boarder // *commercio* —, home trade // *medico* —, intern (e) **2** (*interiore*) inner (*attr.*), inward (*attr.*): *una gioia interna,* an inward happiness **3** (*geogr.*) inland (*attr.*) ♦ *s.m.* **1** (*parte interna*) inside; (*geogr.*) interior, inland // *gli Interni,* (*pol.*) Home Affairs; (*amer.*) the Interior **2** (*fodera*) lining **3** (*cinem. tv*) interior shot, studio shot **4** (*tel.*) extension: *telefono 24073 — 234,* telephone 24073 extension 234

intero *agg.* **1** (*tutto*) whole, all: *l'intera Europa,* the whole of (*o* all) Europe; *l'— giorno,* the whole (*o* all the) day; *si è mangiata un'intera scatola di biscotti,* he ate a whole box of biscuits **2** (*completo, indiviso*) entire (*attr.*), whole, complete: *l'ha ingoiato* —, he swallowed it whole; *un'intera collezione,* a complete collection; *l'intera responsabilità,* the whole responsability // *abito* —, dress **3** (*intatto, integro*) intact ♦ *s.m.* whole // *per* —, in full (*o* entirely).

interparlamentare *agg.* interparliamentary.

interpellante *agg.* e *s.m.* e *f.* interpellant.

interpellanza *s.f.* interpellation.

interpellare *v.tr.* **1** (*nell'uso parlamentare*) to interpellate **2** (*interrogare*) to ask.

interplanetario *agg.* interplanetary.

interpolare *v.tr.* to interpolate.

interpolazione *s.f.* interpolation.

interporre *v.tr.* to interpose // **-orsi** *v.rifl.* to interpose, to mediate; (*intervenire*) to intervene.

interposizione *s.f.* interposition; (*intervento*) intervention.

interposto *agg.* interposed // *per interposta persona,* through the medium of a third party.

interpretare *v.tr.* **1** to interpret, to explain, to construe: *come interpreti i fatti?,* how do you explain the facts?; *non so come* — *la sua domanda,* I don't know how to interpret his question // — *la Sacra Scrittura,* to expound the Scriptures // — *male,* to misunderstand* (*o* to misinterpret) **2** (*teatr. cinem. mus.*) to play, to interpret: — *un ruolo importante in un film,* to star in a film.

interpretariato *s.m.* interpreting.

interpretativo *agg.* interpretative.

interpretazione *s.f.* interpretation: — *errata,* misinterpretation; *dare una falsa* — *di un brano,* to misinterpret a passage.

interprete *s.m.* e *f.* **1** interpreter: — *simultaneo,* simultaneous interpreter; *fare da* — *a qlcu.,* to act as interpreter for s.o.; *si fece* — *dei miei pensieri,* he spoke for me **2** (*mus.*) interpreter; (*teatr. cinem.*) actor; (*f.*) actress.

interprovinciale *agg.* interprovincial.

interpunzione *s.f.* punctuation.

interramento *s.m.* **1** (*il riempire di terra*) filling up with earth **2** (*il coprire di terra*) covering with earth **3** (*di tubazioni*) burying; (*di semi*) planting.

interrare *v.tr.* **1** (*riempire di terra*) to fill up with

earth **2** (*coprire di terra*) to cover with earth: — *le tubazioni,* to bury the pipes // — *un seme,* to plant a seed // **-arsi** *v.intr.pron.* (*riempirsi di terra*) (*di alveo, porto*) to get* filled with earth.

interregno *s.m.* interregnum (*pl.* interregna).

interrogare *v.tr.* **1** to question, to ask (questions), to interrogate: *non parlare se non sei interrogato,* don't speak unless you're asked a question; *fu interrogato a lungo dalla polizia,* the police asked him a lot of questions **2** (*esaminare*) to examine; (*consultare*) to consult: — *qlcu. con lo sguardo,* to look at s.o. inquiringly.

interrogativo *agg.* e *s.m.* interrogative.

interrogatorio *agg.* interrogatory ♦ *s.m.* (*dir.*) examination: — *dei propri testimoni,* examination-in-chief; *contro* —, cross-examination; — *di terzo grado,* third degree.

interrogazione *s.f.* **1** interrogation **2** (*domanda*) question, query **3** (*scolastica*) oral test **4** (*informatica*) inquiry; query.

interrompere *v.tr.* **1** to interrupt, to break* off; (*sospendere*) to stop: — *una conversazione,* to interrupt (*o* to break off) a conversation; — *qlcu. bruscamente,* to cut s.o. short; *il traffico è stato interrotto per un'ora,* the traffic has been hold up for an hour **2** (*elettr. tel.*) to cut* off **3** (*informatica*) (*un programma*) to abort // **-ersi** *v.intr.pron.* to stop, to break* off.

interrotto *agg.* interrupted; (*di strada*) blocked.

interruttore *s.m.* switch: *girare l'—,* (*per accendere*) to switch on; (*per spegnere*) to switch off **2** (*informatica*) circuit breaker: — *a doppio effetto,* alternate switch; — *di alimentazione,* power switch.

interruzione *s.f.* **1** interruption, break: *senza* —, without a break (*o* uninterruptedly) **2** (*informatica*) (*di programma*) interrupt: — *anzi tempo,* abortion; — *di esecuzione di programma,* abort.

intersecare *v.tr.* to intersect // **-arsi** *v.rifl.rec.* to intersect, to cross (each other).

intersezione *s.f.* intersection.

interstizio *s.m.* interstice.

interurbano *agg.* **1** interurban **2** (*tel.*) trunk (*attr.*), long-distance (*attr.*): (*telefonata*) *interurbana,* trunk call (*o* long-distance call).

intervallare *v.tr.* to space.

intervallo *s.m.* **1** interval, break, pause; (*cinem. teatr.*) entr'acte, intermission **2** (*spazio*) space, interval.

intervenire *v.intr.* **1** to intervene **2** (*essere presente*) to attend (sthg.), to be* present (at sthg.): — *a un'adunanza,* to attend a meeting **3** (*chir.*) to operate.

interventismo *s.m.* (*pol.*) interventionism.

interventista *s.m.* e *f.* (*pol.*) interventionist.

intervento *s.m.* **1** intervention // *politica del non* —, non-intervention policy **2** (*presenza*) presence **3** (*chir.*) operation.

intervista *s.f.* interview.

intervistare *v.tr.* to interview.

intervistatore *s.m.* interviewer.

intesa *s.f.* **1** (*accordo*) agreement, accord: *venire a una* —, to come to an agreement (*o* to terms) // *con l'—che,* on the understanding that **2** (*pol.*) entente // *la Triplice Intesa,* (*st.*) the Triple-Entente.

inteso *agg.* **1** (*convenuto, stabilito*) agreed upon: *come* —, as agreed upon // (*siamo*) *intesi?,* is it clear? // *non darsene per* —, to take no notice of it (*o* to turn a deaf ear to it) **2** (*mirante*) aimed (at sthg., at doing), meant (to do).

intessere *v.tr.* **1** to interweave* **2** (*fig.*) to contrive.

testardirsi *v.intr.pron.* → **intestarsi**.

testare *v.tr.* **1** (*mettere l'intestazione a*) to head // *la omanda va intestata a...*, the request must be addressed to... **2** (*comm. dir.*) (*automezzi*) to register (under s.o.'s name); (*beni immobili*) to put* (under s.o.'s ame); *la casa è stata intestata alla moglie*, the house as put under his wife's name // **-arsi** *v.intr.pron.* (*mettersi in testa*) to take* into one's head; (*ostinarsi*) to persist.

testatario *agg.* holding ♦ *s.m.* holder.

testato[1] *agg.* **1** headed: *carta intestata*, letterhead **2** (*ostinato*) stubborn, obstinate.

testato[2] *agg.* (*dir.*) (*senza testamento*) intestate.

testazione *s.f.* **1** heading; (*di carta da lettere*) letterhead // — *di colonna*, (*informatica*) column heading **2** (*titolo*) title.

testinale *agg.* intestinal.

testino[1] *agg.* intestine, domestic, civil: *guerre intestine*, civil wars.

testino[2] *s.m.* (*anat.*) intestine.

ntiepidire *v.tr.* **1** (*riscaldando*) to warm (up) **2** (*raffreddando*) to cool ♦ *v.intr.*, **-irsi** *v.intr.pron.* **1** (*riscaldandosi*) to warm up **2** (*raffreddandosi*) to cool down.

ntimare *v.tr.*) **1** to order, to enjoin // — *la resa a qlcu.*, to call upon s.o. to surrender **2** (*notificare*) to notify // — *la guerra*, to declare war.

ntimazione *s.f.* **1** (*ordine*) order, injunction **2** (*notizia*) notice, notification // — *di guerra*, declaration of war.

ntimidatorio *agg.* intimidatory.

ntimidazione *s.f.* intimidation.

ntimidire *v.tr.* **1** to make* shy, to make* timid **2** (*intimorire*) to intimidate // **-irsi** *v.intr.pron.* **1** to become* shy, to become* timid **2** (*intimorirsi*) to be* intimidated.

ntimista *s.m. e f.* intimist.

ntimità *s.f.* **1** intimacy: *essere in — con qlcu.*, to be on intimate terms with s.o.; *nell' — della famiglia*, in the intimacy of one's family **2** (*di ambiente*) privacy: *creare un'atmosfera di —*, to create a cozy atmosphere.

ntimo *agg.* **1** (*interno*) innermost, inmost (*anche fig.*) **2** (*nascosto*) intimate // *biancheria intima*, personal underwear **3** (*fig.*) intimate: *un — amico*, an intimate (*o close*) friend; *un pranzo —*, an intimate dinner ♦ *s.m.* **1** *nell'—*, deep down inside; *nell'— del mio cuore*, in my heart of hearts **2** (*amico, parente*) intimate.

ntimorire *v.tr.* to frighten, to intimidate // **-irsi** *v. intr.pron.* to get* frightened.

ntingere *v.tr.* to dip.

ntingolo *s.m.* **1** (*sugo*) gravy **2** (*pietanza*) stew.

ntirizzire *v.tr.* to benumb, to numb // **-irsi** *v.intr.pron.* to grow* numb.

ntirizzito *agg.* numb, benumbed: *sono — dal freddo*, I am numb with cold.

ntisichire *v.intr.* **1** to go* into consumption **2** (*fig.*) (*intristire*) to grow* weak; (*di pianta*) to wilt.

ntitolare *v.tr.* **1** to entitle **2** (*dedicare*) to dedicate // **-arsi** *v.intr.pron.* to be* called: *il libro si intitola...*, the book is called... (*o the title of the book is...*).

ntitolazione *s.f.* **1** (*l'intitolare*) entitling **2** (*titolo*) title, heading **3** (*dedica*) dedication.

ntoccabile *agg. e s.m.* untouchable.

ntollerabile *agg.* intolerable, unbearable.

ntollerante *agg. e s.m.* intolerant.

ntolleranza *s.f.* intolerance.

ntonacare *v.tr.* to plaster.

ntonacatura *s.f.* plastering.

intonaco *s.m.* plaster.

intonare *v.tr.* **1** (*cominciare a cantare*) to intone; (*fam.*) to strike* up: — *un salmo*, to intone a psalm // — *le lodi di qlcu.*, to sing s.o.'s praises **2** (*accordare*) to tune **3** (*fig.*) (*armonizzare*) to suit: — *la cornice al quadro*, to suit the frame to the picture // **-arsi** *v.intr.pron.* to be* in tune (with sthg.), to harmonize (with sthg.); (*fam.*) to fit in (with sthg.); (*di colori*) to match (with sthg.): *questa poltrona non s'intona col resto dell'arredamento*, this armchair doesn't fit in with the rest of the furniture.

intonato *agg.* **1** (*in armonia*) in tune (with); in harmony (with): *ha una voce intonata*, she sings in tune; — *all'ambiente*, in tune with the surroundings; *non essere —*, to be* out of tune (*o* not to be* in tune) **2** (*di colori*) matching.

intonazione *s.f.* **1** intonation, pitch **2** (*l'intonare strumenti*) tuning **3** (*accento*) accent **4** (*di colori*) matching.

intonso *agg.* uncut, untrimmed.

intontimento *s.m.* daze.

intontire *v.tr.* to daze, to muddle; (*con un colpo*) to stun ♦ *v.intr.*, **-irsi** *v.intr.pron.* to become* dazed.

intontito *agg.* dazed, muddled; (*stordito*) stunned.

intoppare *v.tr.* to come* across (s.o., sthg.) ♦ *v.intr.* to bump (into s.o., sthg.) (*anche fig.*).

intoppo *s.m.* obstacle, hindrance (*anche fig.*).

intorbidare, intorbidire *v.tr.* **1** (*rendere torbido*) to make* muddy, to muddy **2** (*fig.*) (*turbare*) to trouble; (*annebbiare*) to make* hazy // **-arsi, -irsi** *v.intr.pron.* **1** (*diventar torbido*) to become* muddy **2** (*fig.*) to become* troubled: *la situazione si intorbida*, the situation becomes troubled **3** (*fig.*) (*annebbiarsi*) to become* hazy: *gli si intorbidò la vista*, his eyesight became hazy.

intormentire *v.tr.* to benumb // **-irsi** *v.intr.pron.* to grow* numb.

intorno *avv. e agg.* → **attorno** // *all'—*, around // **intorno a** *locuz.prep.* **1** (a)round, about → *attorno* **2** (*circa*) about: — *a Natale*, about (*o* around) Christmas; *è — ai cinquanta*, he is about fifty **3** (*argomento*) on; about: *lavorare — a un progetto*, to work on a project; *un saggio — a...*, an essay on...; *parlare — a un argomento*, to talk about (*o* on) a subject.

intorpidimento *s.m.* numbness.

intorpidire *v.tr.* to benumb, to numb ♦ *v.intr.*, **-irsi** *v. intr.pron.* to grow* numb.

intossicare *v.tr.* to poison, to intoxicate // **-arsi** *v. intr.pron.* to get* poisoned, to get* intoxicated.

intossicazione *s.f.* poisoning, intoxication.

intradosso *s.m.* (*arch.*) intrados.

intraducibile *agg.* untranslatable.

intralciare *v.tr.* **1** to hinder, to hamper: — *i movimenti*, to hinder (*o* to hamper) s.o.'s movements // — *il traffico*, to hold up the traffic **2** (*fig.*) to hold* up; to hinder: — *il progresso*, to hold up (*o* to hinder) the progress.

intralcio *s.m.* obstacle, hindrance.

intrallazzare *v.intr.* to intrigue.

intrallazzatore *s.m.* swindler, racketeer, intriguer.

intrallazzo *s.m.* swindle, intrigue, racket.

intramezzare *v.tr.* → **inframezzare**.

intramontabile *agg.* everlasting, eternal.

intramuscolare *agg.* intramuscular ♦ *s.f.* intramuscular injection.

intransigente *agg.* intransigent, uncompromising.

intransigenza *s.f.* intransigence.

intransitivo *agg.* e *s.m.* intransitive.

intrappolare *v.tr.* to trap (*anche fig.*).

intraprendente *agg.* enterprising.

intraprendenza *s.f.* enterprise, initiative.

intraprendere *v.tr.* to undertake*, to embark (on sth.): — *una carriera*, to embark on (*o* upon) a career; — *una professione*, to enter a profession // — *gli studi*, to begin one's studies.

intrattabile *agg.* intractable.

intrattabilità *s.f.* intractability.

intrattenere *v.tr.* to entertain // — *qlcu. su un argomento*, to talk to s.o. on a subject // **-ersi** *v.intr.pron.* to dwell* (on, upon sth.), to linger (over sth.): — *a parlare, in conversazione*, to stop to talk.

intrav(v)edere *v.tr.* **1.** (*vedere di sfuggita*) to catch* a glimpse (of s.o., sth.); (*vedere indistintamente*) to see* indistinctly **2** (*fig.*) (*intuire*) to guess; (*prevedere*) to foresee*.

intrecciare *v.tr.* to interlace, to intertwine; (*nastri, capelli*) to braid, to plait // — *danze*, to dance // — *una relazione amorosa*, to embark on a love affair.

intrecciatura *s.f.* interlacement.

intreccio *s.m.* **1** interlacement **2** (*fig.*) (*trama*) plot.

intrepidezza *s.f.* intrepidity.

intrepido *agg.* intrepid, brave.

intricare *v.tr.* to tangle, to entangle // **-arsi** *v.intr.pron.* to get* tangled (*anche fig.*).

intricato *agg.* **1** tangled **2** (*fig.*) involved; (*di trama, intreccio*) complicated.

intrico *s.m.* tangle, maze: *un* — *di viuzze*, a tangle (*o* maze) of lanes; — *di idee*, confusion (*o* maze) of ideas.

intridere *v.tr.* to soak, to saturate: — *d'acqua la farina*, to mix flour and water.

intrigante *agg.* intriguing; (*indiscreto*) meddlesome.

intrigare *v.intr.* to intrigue, to plot // **-arsi** *v.intr.pron.* to meddle (with, in sth.).

intrigo *s.m.* plot: *ordire intrighi*, to plot; *fiutare un* —, to smell a rat.

intrinseco *agg.* intrinsic.

intrinsichezza *s.f.* (*rar.*) intimacy.

intriso *agg.* **1** soaked (in), drenched (with): *straccio* — *d'olio*, oil-soaked rag **2** (*imbrattato*) soiled (with), dirty (with).

intristire *v.intr.* **1** (*incattivire*) to grow* wicked **2** (*deperire*) to pine away **3** (*di piante*) to wilt.

introdotto *agg.* **1** well-known, well-established: — *nell'alta società*, well-known in high society // *un rappresentante ben* —, a salesman with many contacts // *un articolo ben* —, an article which sells well **2** (*importato di contrabbando*) smuggled **3** (*esperto*) well acquainted (with).

introdurre *v.tr.* **1** to introduce (*anche fig.*); (*inserire*) to insert; (*in libri, rappresentazioni*) to bring* in: — *qlcu. allo studio della storia*, to introduce s.o. to the study of history; — *una chiave nella toppa*, to insert a key in the lock; *introdusse nel suo romanzo alcuni personaggi storici*, he brought some historical characters into his novel // — *un discorso*, to bring up a subject **2** (*ficcare con forza*) to thrust* **3** (*fare entrare*) to show* in // — *qlcu. di soppiatto*, to slip s.o. in // *lo introdussi in casa Rossi*, I introduced him to the Rossi's // — *qlcu. in società*, to introduce s.o. into society **4** (*informatica*) (*dati di tastiera*) to key in; (*programma di memoria*) to load; to feed in **5** (*importare di contrabbando*) to smuggle // **-ursi** *v.rifl.* **1** to get* in, to get* into (sth.); (*furtivamente*) to slip in, to slip (into sth.); (*stri-*

sciando) to creep* in, to creep* (into sth.): — *in casa dalla finestra*, to get into the house through the window; — *dalla finestra*, to get in through the window **2** (*fig.*) (*di idee ecc.*) to penetrate (sth.).

introduttivo *agg.* introductory, preliminary.

introduzione *s.f.* **1** introduction **2** (*informatica*) input, entry: — *dei dati*, data entry, data input; — *de dati a tastiera*, keyboard data entry; — *di bit parassiti*, drop-in; — *frontale*, front feed.

introitare *v.tr.* to cash.

introito *s.m.* **1** (*comm.*) profit, return; takings (*pl.*) **2** (*eccl.*) introit.

intromettersi *v.rifl.* to interfere (in, with sth.), to meddle (in, with sth.); (*interporsi*) to intervene.

intromissione *s.f.* interference, intrusion; (*intervento*) intervention.

intronare *v.tr.* to deafen.

introspettivo *agg.* introspective.

introspezione *s.f.* introspection.

introvabile *agg.* not to be* found (*pred.*).

introversione *s.f.* (*psic.*) introversion.

introverso *agg.* (*psic.*) introverted ♦ *s.m.* (*psic.*) introvert.

intrufolare *v.tr.*, **intrufolarsi** *v.rifl.* (*fam.*) to slip in.

intrugliare *v.tr.* **1** to concoct **2** (*fig.*) (*confondere*) to mix up.

intruglio *s.m.* **1** concoction **2** (*confusione*) mess.

intrupparsi *v.rifl.* to troop.

intrusione *s.f.* intrusion.

intruso *s.m.* intruder, interloper.

intuibile *agg.* intuitable, perceivable.

intuire *v.tr.* to perceive by intuition, to divine, to sense: — *i pensieri di qlcu.*, to guess s.o.'s thoughts.

intuitivo *agg.* intuitive // *ma è* —!, it is evident!

intuito *s.m.* intuition, insight: — *per qlco.*, insight into sth.; *per* —, by intuition.

intuizione *s.f.* intuition, perception: *l'*— *della verità*, the perception of truth; *per* —, by intuition.

inturgidire *v.intr.*, **inturgidirsi** *v.intr.pron.* to swell* (up).

inumanità *s.f.* **1** inhumanity, cruelty **2** (*atto inumano*) cruelty.

inumano *agg.* inhuman.

inumare *v.tr.* to inhume, to bury.

inumazione *s.f.* inhumation, burial.

inumidire *v.tr.* to moisten, to damp: — *la biancheria*, to sprinkle the linen // **-irsi** *v.intr.pron.* to become* moist, to become* damp.

inurbamento *s.m.* urbanization of the rural population.

inurbanamente *avv.* uncivilly, rudely.

inurbanità *s.f.* incivility, rudeness.

inurbano *agg.* uncivil, rude.

inurbarsi *v.intr.pron.* to concentrate in the cities.

inusitato *agg.* unusual.

inutile *agg.* **1** useless, (of) no use: *è* — *parlare con lui*, it is no use talking to him **2** (*non necessario*) unnecessary; (*superfluo*) superfluous.

inutilità *s.f.* uselessness.

inutilizzabile *agg.* inserviceable.

invadente *agg.* intrusive; (*intrigante*) meddlesome ♦ *s.m.* e *f.* intruder; (*intrigante*) meddler.

invadenza *s.f.* intrusiveness; (*l'essere intrigante*) meddlesomeness.

invadere *v.tr.* to invade (*anche fig.*); (*spec. di piante, animali, pestilenze*) to overrun*: *fu invaso dalla paura*, fear invaded him; — *il mercato*, (*comm.*) to invade the market; *il fiume invase i campi*, the river flooded the fields; *il fuoco aveva invaso tutto il palazzo*, the fire had spread through the whole building; *le tenebre invasero 'a campagna*, darkness cloaked the countryside; — *il campo di qlcu.*, (*fig.*) to poach on s.o.'s ground.

nvaghirsi *v.intr.pron.* **1** to take* a fancy (to s.o., sthg.) **2** (*innamorarsi*) to fall* in love (with s.o.).

nvalicabile *agg.* impassable; (*fig.*) insuperable.

invalidare *v.tr.* (*dir.*) to invalidate.

nvalidità *s.f.* **1** infirmity **2** (*non validità*) invalidity **3** (*dir.*) invalidity: — *permanente e totale*, total permanent incapacity; — *temporanea*, temporary incapacity.

nvalido *agg.* **1** invalid, disabled **2** (*non valido*) invalid **3** (*dir.*) void, invalid ♦ *s.m.* invalid // — *di guerra*, disabled ex-serviceman.

invalso *agg.* prevailing.

invano *avv.* in vain, vainly, uselessly.

invariabile *agg.* invariable; (*di tempo*) unchangeable.

invariabilità *s.f.* invariability; (*di tempo*) unchangeableness, stableness.

invariato *agg.* unvaried, unchanged.

invasamento *s.f.* **1** possession **2** (*esaltazione*) exaltation.

invasare[1] *v.tr.* **1** to possess, to haunt **2** (*di passioni*) to fill.

invasare[2] *v.tr.* (*mettere in vaso*) to pot.

invasato *s.m.* possessed person.

invasione *s.f.* invasion.

invaso *s.m.* (*tecn.*) capacity: *la vasca ha un — di 30 litri*, the tub holds 30 litres.

invasore *agg.* invading ♦ *s.m.* invader.

invecchiamento *s.m.* (*di cose*) ageing; (*di persone*) growing old.

invecchiare *v.intr.* (*di cose*) to age; (*di persone*) to grow* old: *invecchia, ma sta bene*, he is getting on in years, but he is well ♦ *v.tr.* **1** (*cose*) to age **2** (*persone*) to make* (s.o.) look older.

invece *avv. e cong.* instead; (*al contrario*) but, on the contrary // **invece di** *locuz.prep.* instead of.

inveire *v.intr.* to inveigh, to rail against (s.o., sthg.).

invelenire *v.tr.* to embitter, to exasperate ♦ *v.intr.*, **-irsi** *v.intr.pron.* to get* embittered.

invendibile *agg.* unsaleable; (*amer.*) unsalable.

invenduto *agg.* unsold.

inventare *v.tr.* to invent // — *un piano*, to devise a plan // *ne inventa tante!*, he tells so many lies! // *le inventa tutte*, he is always up to something (*o* to some new trick).

inventariare *v.tr.* to make* an inventory (of sthg.).

inventario *s.m.* inventory: *fare l'—*, to take stock // *con beneficio d'—*, with reservation.

inventiva *s.f.* inventiveness.

inventore *agg.* inventing ♦ *s.m.* inventor.

invenzione *s.f.* **1** invention // *brevetto d'—*, patent **2** (*bugia*) lie, story: *è tutta un'—*, it's all made up.

inverecondia *s.f.* (*impudicizia*) immodesty; (*impudenza*) impudence.

inverecondo *agg.* (*impudico*) immodest; (*impudente*) impudent.

invernale *agg.* wintry; winter (*attr.*): *sport invernali*, winter sports.

invernata *s.f.* winter.

inverniciare *v.tr.* to paint.

inverno *s.m.* winter: *d'—*, in winter // *giardino d'—*, winter garden.

invero *avv.* (*letter.*) actually.

inverosimiglianza *s.f.* improbability.

inverosimile *agg.* unlikely.

inversione *s.f.* inversion (*anche gramm.*); (*tecn.*) reversal // — *di marcia*, (*aut.*) U-turn // — *di rotta*, (*mar. mil.*) turnabout.

inverso *agg.* **1** inverse (*anche mat.*); (*opposto*) opposite, contrary **2** (*region.*) (*di cattivo umore*) in a bad mood ♦ *s.m.* opposite, contrary.

invertebrato *agg. e s.m.* (*zool.*) invertebrate (*anche fig.*) // *gli Invertebrati*, Invertebrata.

invertibile *agg.* reversible.

invertire *v.tr.* to invert, to reverse // — *la marcia*, (*aut.*) to make a U-turn // — *le parti*, (*fig.*) to turn the tables (on s.o.): *fra noi si sono invertite le parti*, he has turned the tables on me.

invertito *s.m.* invert.

invertitore *s.m.* (*mecc.*) reverse gear.

invescare *v.tr.* → **invischiare**.

investigare *v.tr.* to investigate.

investigativo *agg.* investigative // *agente —*, detective.

investigatore *s.m.* investigator // — *privato*, private detective.

investigazione *s.f.* investigation, inquiry.

investimento *s.m.* **1** collision, crash // *subire un —*, to be run over **2** (*comm.*) investment: *politica d'—*, investment policy.

investire *v.tr.* **1** to invest: — *qlcu. di pieni poteri*, to give s.o. (*o* to invest s.o. with) full powers **2** (*travolgere*) to run* over (s.o., sthg.); (*di navi*) to foul // *mi investì con una sfilza di insulti*, he fired a string of abuse at me **3** (*comm.*) to invest // **-irsi** *v.rifl.* to invest oneself (with sthg.) // — *della propria parte*, to get under the skin of one's part; — *della propria autorità*, to exert one's authority to the full.

investitura *s.f.* investiture.

inveterato *agg.* inveterate.

invetriata *s.f.* (*finestra*) glass window; (*porta a vetri*) glass door.

invetriato *agg.* **1** glazed **2** (*coperto di ghiaccio*) glassy.

invettiva *s.f.* invective.

inviare *v.tr.* to send*; (*spedire*) to forward; (*per nave*) to ship // — *su un canale*, (*tel.*) to channel.

inviato *s.m.* **1** envoy **2** (*giornalista*) correspondent: — *speciale*, special correspondent.

invidia *s.f.* envy: *la farai morire d'—*, she will be green with envy; *fare —*, to rouse envy; *fare — a qlcu.*, to make s.o. envious; *per —*, out of envy.

invidiabile *agg.* enviable.

invidiare *v.tr.* to envy, *non aver niente da — a*, to lose nothing in comparison with.

invidioso *agg.* envious.

invigorire *v.tr.* to invigorate (*anche fig.*).

invilire *v.tr.* **1** to deject **2** (*render vile*) to make* mean.

inviluppare *v.tr.* to envelop (*anche fig.*).

inviluppo *s.m.* tangle, snarl.

invincibile *agg.* invincible.

invincibilità *s.f.* invincibility.

invio *s.m.* sending; (*spedizione*) forwarding; (*di denaro*) remittance.

inviolabile *agg.* inviolable.

inviolabilità *s.f.* inviolability.

inviolato *agg.* inviolate.

inviperirsi *v.intr.pron.* to become* furious.

inviperito *agg.* furious.

invischiare *v.tr.* **1** to lime **2** (*fig.*) to entangle // **-arsi** *v.intr.pron.* to get* entangled (with sthg.).

invisibile *agg.* invisible.

invisibilità *s.f.* invisibility.

inviso *agg.* disliked (by).

invitante *agg.* inviting.

invitare *v.tr.* **1** to invite: *ti ha invitato al suo matrimonio?*, has he invited you to his wedding?; *non ha invitato nessuno*, he hasn't invited anybody // *questo silenzio invita al sonno*, this silence invites sleep // *mi inviti a nozze*, it's my cup of tea **2** (*richiedere*) to request, to beg: *fu invitato a spiegarsi*, he was requested to explain himself **3** (*alle carte*) to call: — *a quadri*, to call for diamonds.

invitato *s.m.* guest.

invito *s.m.* **1** invitation: *diramare inviti*, to send out invitations **2** (*a poker*) opening stake: *mille lire di* —, an opening stake of one thousand lire.

invitto *agg.* (*letter.*) unconquered, undefeated.

invocare *v.tr.* **1** to invoke // — *aiuto*, to cry for help **2** (*fare appello a*) to appeal (to s.o., sthg.).

invocazione *s.f.* invocation.

invogliare *v.tr.* to induce; (*persuadere*) to persuade.

involare *v.tr.* (*letter.*) to steal* // **-arsi** *v.rifl.* to vanish, to disappear.

involgarire *v.tr.* to make* (s.o.) look vulgar // **-irsi** *v.intr.pron.* to coarsen; (*di lineamenti*) to grow* coarse.

involgere *v.tr.* to wrap (up).

involo *s.m.* (*aer.*) takeoff.

involontario *agg.* involuntary.

involtare *v.tr.* to wrap (up).

involtino *s.m.* (*cuc.*) olive.

involto *s.m.* **1** (*fagotto*) bundle; (*pacco*) parcel; (*cartoccio*) bag **2** (*involucro*) covering.

involucro *s.m.* **1** covering **2** (*bot.*) involucre.

involutivo *agg.* regressive.

involuto *agg.* involved.

involuzione *s.f.* **1** involution (*anche med.*) **2** (*regresso*) regression.

invulnerabile *agg.* invulnerable.

invulnerabilità *s.f.* invulnerability.

inzaccherare *v.tr.* to splash with mud.

inzeppare *v.tr.* to cram, to stuff.

inzolfare *v.tr.* to sulphurate.

inzuccherare *v.tr.* to sugar (*anche fig.*).

inzuppare *v.tr.* to soak, to drench: — *il pane nel vino*, to soak bread in wine.

inzuppato *agg.* soaked (with), drenched (with), wet through.

io *pron.pers.m.* e *f. 1ª pers.sing.* I: *devo farlo* —?, shall I do it? (*o* have I (got) to do it?); *sono* — *che gliel'ho detto*, *sono stato* — *a dirglielo*, it was I who told him; *te lo dico* —!, I assure you!; «*Chi è?*» «*Io*», "Who is it?" "It is I" (*o fam.* "it is me") // — *sottoscritto*, I the undersigned // —, *al tuo posto*, if I were you // — *come* —..., I for my part... (*o* as for me, I...) // — *stesso*, *proprio* —, I myself, I...myself // *da allora non sono stato più* —, since then I have never been myself // *glielo dirò*, *o non sono più* —, I shall tell him or die in the effort ♦ *s.m.*: *l'* — *e il non* —, (*fil.*) the ego and the non-ego; *mettere il proprio* — *dinanzi a tutto*, to put oneself first; *pensare solo al proprio* —, to think only of oneself.

iodico *agg.* iodic.

iodio *s.m.* (*chim.*) iodine // *tintura di* —, (tincture of) iodine.

iodoformio *s.m.* (*chim.*) iodoform.

ioduro *s.m.* (*chim.*) iodide.

ioide *agg.* e *s.m.* (*anat.*) hyoid.

iole *s.f.* (*mar.*) yawl.

ione *s.m.* (*fis.*) ion.

ionico *agg.* Ionic.

ionio *agg.* e *s.m.* Ionian // *il Mar Ionio*, *lo Ionio*, the Ionian Sea.

ionizzazione *s.f.* (*fis.*) ionization.

ionosfera *s.f.* ionosphere.

iosa,a *locuz.avv.* in plenty, in abundance.

iota *s.m.* iota.

iper- *pref.* hyper-.

iperbole *s.f.* **1** (*ret.*) hyperbole **2** (*geom.*) hyperbola.

iperbolico *agg.* hyperbolic.

ipercritico *agg.* hypercritical.

iperglicemia *s.f.* (*med.*) hyperglycemia.

ipermetro *agg.* (*prosodia*) hypermetric(al).

ipermetrope *agg.* (*med.*) hypermetropic.

ipermetropia *s.f.* (*med.*) hypermetropia.

ipernutrizione *s.f.* (*med.*) hypernutrition.

ipersensibile *agg.* hypersensitive ♦ *s.m.* e *f.* hypersensitive person.

ipersensibilità *s.f.* hypersensitivity.

ipertensione *s.f.* (*med.*) hypertension.

iperteso *agg.* e *s.m.* hypertensive.

ipertiroideo *agg.* hyperthyroid (*attr.*).

ipertrofia *s.f.* (*med.*) hypertrophy.

ipertrofico *agg.* hypertrophic.

ipnosi *s.f.* hypnosis.

ipnotico *agg.* hypnotic.

ipnotismo *s.m.* hypnotism.

ipnotizzare *v.tr.* to hypnotize.

ipnotizzatore *s.m.* hypnotizer, hypnotist.

ipo- *pref.* hypo-.

ipocondria *s.f.* (*med.*) hypochondria.

ipocondriaco *agg.* e *s.m.* hypochondriac.

ipocrisia *s.f.* hypocrisy.

ipocrita *agg.* hypocritical ♦ *s.m.* e *f.* hypocrite, dissembler.

ipodermico *agg.* hypodermic.

ipodermoclisi *s.f.* (*med.*) hypodermoclysis.

ipofisi *s.f.* (*anat.*) hypophysis.

ipogastrio *s.m.* (*anat.*) hypogastrium (*pl.* hypogastria).

ipogeo *s.m.* (*archeol.*) hypogeum (*pl.* hypogea).

ipoglicemia *s.f.* (*med.*) hypoglycemia.

ipostatico *agg.* hypostatic.

ipoteca *s.f.* mortgage: — *di primo grado*, first mortgage; *mettere un'* — *su qlco.*, to mortgage sthg.

ipotecare *v.tr.* to mortgage.

ipotecario *agg.* mortgage (*attr.*).

ipotensione *s.f.* (*med.*) hypotension.

ipotensivo *agg.* (*med.*) hypotensive.

ipotenusa *s.f.* (*geom.*) hypotenuse.

ipotesi *s.f.* hypothesis (*pl.* hypotheses); (*supposizione*) supposition: *la tua* — *è errata*, your supposition is wrong // *nella migliore delle* —, at the best; *nella peggiore delle* —, at the worst (*o* if the worst comes to the worst) // *se*, *per* —, *tu venissi...*, supposing you should come...

ipoteso *agg.* (*med.*) hypotensive.

ipotetico *agg.* hypothetic(al).

ipotrofia *s.f.* (*med.*) hypotrophy.

ippica *s.f.* horse racing // *datti all'* —!, (*scherz.*) go fly a kite!

ippico *agg.* horse (*attr.*): *concorso* —, race meeting; *corse ippiche*, horse races.

ippocampo *s.m.* (*zool.*) hippocampus (*pl.* -pi).

ippocastano *s.m.* horse chestnut (tree).

ippocrate *no.pr.m.* (*st. med.*) Hippocrates.

ippodromo *s.m.* racecourse.

ippogrifo *s.m.* (*mit.*) hippogriff, hippogryph.

ippopotamo *s.m.* hippopotamus (*pl.* -mi).

ipsilon *s.f.* o *m.* upsilon.

ipsometrico *agg.* (*geodesia*) hypsometric(al).

ira *s.f.* rage, fury, wrath: *folle d'—*, mad with rage; *l'— è un peccato*, anger is a sin; *agire sotto l'impulso dell'—*, to act in a fit of anger; *eccitare l'— di qlcu.*, to provoke s.o. to anger; *essere preso dall'—*, to be carried away with anger // *l'— divina*, the wrath of God.

iracheno *agg. e s.m.* Iraqi.

iracondia *s.f.* irascibility, wrathfulness.

iracondo *agg.* irascible, quick-tempered, choleric.

iraniano *agg. e s.m.* Iranian, Persian.

iranico *agg.* Iranian, Persian.

irascibile *agg.* irascible, hot-tempered, choleric.

irascibilità *s.f.* irascibility.

irato *agg.* angry, irate, wrathful.

ireos *s.m.* (*bot.*) (*region.*) iris.

iridato *agg.* rainbow-coloured, iridal, iridian // *conquistare la maglia iridata*, (*ciclismo*) to become world (cycling) champion.

iride *s.f.* **1** (*anat.*) iris (*pl.* irides) **2** (*bot.*) iris (*pl.* irises) **3** (*arcobaleno*) rainbow.

iridescente *agg.* iridescent; (*di lacca per unghie*) frosted.

iridescenza *s.f.* iridescence.

iridio *s.m.* (*chim.*) iridium.

iris *s.m.* (*bot.*) iris.

Irlanda *no.pr.f.* Ireland; (*pol.*) Eire.

irlandese *agg.* Irish ♦ *s.m.* **1** (*abitante*) Irishman (*pl.* -men) // *gli Irlandesi*, the Irish (people) **2** (*lingua*) (the) Irish (language).

ironia *s.f.* irony: *— amara*, biting irony; *fare dell'—*, to speak ironically // *per — della sorte*, by a twist of fate.

ironico *agg.* ironic(al).

ironizzare *v.tr.* to ironize.

iroso *agg.* angry, wrathful.

irradiamento *s.m.* irradiation, radiation.

irradiare *v.tr. e intr.* **1** to radiate (*anche fig.*), to irradiate (*anche fig.*): *il suo viso irradiava gioia*, his face radiated joy **2** (*trasmettere per radio*) to broadcast* // **-arsi** *v.intr.pron.* to radiate, to spread*.

irradiazione *s.f.* irradiation: *— di raggi X*, irradiation of X-rays.

irraggiare e *deriv.* → **irradiare** e *deriv.*

irraggiungibile *agg.* unreachable; (*fig.*) unattainable.

irragionevole *agg.* irrational, unreasonable; (*assurdo*) absurd.

irragionevolezza *s.f.* unreasonableness, irrationality; (*assurdità*) absurdity.

irrancidire *v.intr.* to go* rancid, to become* rank.

irrazionale *agg.* irrational.

irrazionalismo *s.m.* irrationalism.

irrazionalità *s.f.* irrationality.

irreale *agg.* unreal.

irrealizzabile *agg.* impracticable, unfeasible: *un progetto —*, an impracticable (*o* impossible) scheme; *un sogno —*, a dream that cannot come true.

irrealtà *s.f.* unreality.

irreconciliabile *agg.* irreconciliable.

irrecuperabile *agg.* irrecoverable, irretrievable; (*fig.*) a hopeless case.

irrecusabile *agg.* irrecusable, irrefutable, undeniable.

irredentismo *s.m.* (*pol.*) irredentism.

irredentista *s.m. e f.* (*pol.*) irredentist.

irredento *agg.* unredeemed.

irredimibile *agg.* irredeemable.

irrefragabile *agg.* (*letter.*) undisputable.

irrefrenabile *agg.* unrestrainable, irrepressible.

irrefutabile *agg.* irrefusable, indisputable.

irreggimentare *v.tr.* to regiment.

irregolare *agg.* irregular; (*non uniforme*) uneven: *terreno —*, uneven ground.

irregolarità *s.f.* irregularity; (*mancanza di uniformità*) unevenness.

irreligione *s.f.* irreligion.

irreligiosità *s.f.* irreligiosity.

irreligioso *agg.* irreligious.

irremissibile *agg.* irremissible, unpardonable.

irremovibile *agg.* immovable; (*fig.*) firm, unyielding: *decisione —*, firm decision.

irreparabile *agg.* irreparable, irretrievable.

irreperibile *agg.* impossible to find (*pred.*): *rendersi —*, to hide (oneself) away.

irreprensibile *agg.* irreproachable, faultless, blameless.

irreprensibilità *s.f.* irreproachability, irreproachableness, faultlessness, blamelessness.

irrequietezza *s.f.* restlessness, uneasiness.

irrequieto *agg.* restless, uneasy.

irrequietudine *s.f.* restlessness, uneasiness.

irresistibile *agg.* irresistible.

irresolutezza *s.f.* irresolution, indecision, hesitation, wavering.

irresoluto *agg.* irresolute, hesitating, wavering.

irrespirabile *agg.* unbreathable, irrespirable; (*soffocante*) stifling, suffocating (*anche fig.*).

irresponsabile *agg.* irresponsible.

irresponsabilità *s.f.* irresponsibility.

irrestringibile *agg.* unshrinkable.

irretire *v.tr.* to (en)snare, to (en)trap.

irreversibile *agg.* irreversible.

irreversibilità *s.f.* irreversibility.

irrevocabile *agg.* irrevocable; (*dir.*) absolute.

irriconoscibile *agg.* unrecognizable.

irridere *v.tr.* to deride, to mock.

irriducibile *agg.* irreducible; (*ostinato*) indomitable.

irriflessione *s.f.* thoughtlessness, heedlessness.

irriflessivo *agg.* thoughtless, heedless.

irrigabile *agg.* irrigable.

irrigare *v.tr.* to irrigate.

irrigatore *s.m.* irrigator.

irrigazione *s.f.* irrigation.

irrigidimento *s.m.* stiffening; (*fig.*) tightening.

irrigidire *v.tr.* to stiffen; (*fig.*) to tighten (up) // **-irsi** *v.intr.pron.* to stiffen; (*fig.*) to be* inflexible: *— sull'attenti*, to stand to attention; *si era irrigidito in un rifiuto*, he was inflexible in his refusal.

irrigidito *agg.* **1** stiff **2** (*fig.*) unyielding.

irriguardoso *agg.* disrespectful.

irriguo *agg.* **1** irriguous **2** (*che irriga*) irrigative.

irrilevante *agg.* insignificant; (*di poco conto*) slight.

irrimediabile *agg.* irrimediable, irreparable.

irrinunciabile *agg.* irrevocable; indispensable.

irripetibile *agg.* unrepeatable; (*unico*) unique.

irrisione *s.f.* derision; (*scherno*) mockery.

irrisorio *agg.* **1** derisive, mocking **2** (*di prezzi, salari ecc.*) ridiculously low: *prezzo —*, ridiculous price.

irrispettoso *agg.* disrespectful.

irritabile *agg.* irritable.

irritabilità *s.f.* irritability.

irritante *agg.* irritating.

irritare *v.tr.* **1** to irritate; (*infastidire*) to annoy, to vex **2** (*infiammare*) to irritate // **-arsi** *v.intr.pron.* **1** to get* angry (at s.o., sthg.) **2** (*infiammarsi*) to become* irritated.

irritato *agg.* irritated; (*seccato*) annoyed, vexed.

irritazione *s.f.* irritation.

irriverente *agg.* irreverent.

irriverenza *s.f.* irreverence.

irrobustire *v.tr.* to strengthen // **-irsi** *v.intr.pron.* to grow* strong(er).

irrogare *v.tr.* (*dir.*) to inflict: — *una pena a qlcu.*, to inflict a penalty on s.o.

irrompere *v.intr.* to rush (into sthg.), to burst* (into sthg.); (*di acque*) to overflow (sthg.).

irrorare *v.tr.* **1** to bedew; (*spruzzare*) to sprinkle **2** (*agr.*) to spray.

irroratrice *s.f.* spraying machine.

irrorazione *s.f.* **1** sprinkling **2** (*agr.*) spraying.

irruente *agg.* impetuous.

irruenza *s.f.* impetuousness, impetuosity.

irruzione *s.f.* irruption: *fare — in un luogo*, to burst into a place.

irsuto *agg.* shaggy, bristly.

irto *agg.* **1** bristly: *barba irta*, bristly beard **2** (*pieno di punte*) bristling (with) (*anche fig.*).

Isabella *no.pr.f.* Isabella, Isabel.

Isacco *no.pr.m.* Isaac.

Isaia *no.pr.m.* Isaiah.

isba *s.f.* isba.

ischialgia *s.f.* (*med.*) ischialgia.

ischio *s.m.* (*anat.*) ischium (*pl.* ischia).

iscritto *s.m.* member; (*a una gara*) competitor: *gli iscritti al club*, the members of the club.

iscrivere *v.tr.* to enrol, to enter; (*registrare*) to register, to record: — *qlcu. a un club*, to enrol s.o. as a member of a club; — *qlcu. a una scuola*, to enter s.o. (*o s.o.'s* name) for a school // **-ersi** *v.rifl.* to enrol (for sthg.), to enter (sthg.): — *a una scuola, a un club*, to enter a school, a club; — *a un concorso, a una gara*, to go in for a competition; — *a un partito*, to join a party; — *all'università*, to matriculate (*o amer.* to register at the university).

iscrizione *s.f.* **1** enrolment; (*a università*) matriculation; (*amer.*) registration: *domanda d'—*, application; *modulo d'—*, application form; *tassa d'—*, entrance fee **2** (*epigrafe*) inscription.

Iside *no.pr.f.* (*mit.*) Isis.

Islam *s.m.* Islam.

islamico *agg.* Islamic.

islamismo *s.m.* Islamism.

islamita *s.m. e f.* Islamite.

Islanda *no.pr.f.* Iceland.

islandese *agg.* Icelandic ♦ *s.m.* **1** Icelander **2** (*lingua*) (the) Icelandic (language).

iso- *pref.* iso-.

isobara *s.f.* (*geogr.*) isobar.

isobata *s.f.* (*geogr.*) isobath.

isocronismo *s.m.* (*fis.*) isochronism.

isocrono *agg.* isochronous, isochronal.

isogonica *s.f.* (*geogr.*) isogonic (line).

isoieta *s.f.* (*geogr.*) isohyet.

isoipsa *s.f.* (*geogr.*) contour (line).

isola *s.f.* **1** island (*anche fig.*) // *le Isole Britanniche*, the British Isles // — *culturale*, cultural island // — *pedonale*, pedestrian precinct; — *spartitraffico*, — *salvagente*, traffic safety island **2** (*isolato*) block (of houses).

isolamento *s.m.* **1** isolation **2** (*fis.*) insulation: — *acustico*, soundproofing.

isolano *agg.* insular, island (*attr.*) ♦ *s.m.* islander.

isolante *agg.* (*fis.*) insulating ♦ *s.m.* insulator.

isolare *v.tr.* **1** to isolate, to cut* off // — *una sostanza*, (*chim.*) to isolate a substance **2** (*fis.*) to insulate // **-arsi** *v.rifl.* to seclude oneself.

isolato *agg.* **1** isolated; (*separato*) secluded: *tenersi, vivere — dalla gente*, to hold oneself, to stand aloof from the crowd **2** (*fis.*) insulated ♦ *s.m.* block (of houses).

isolatore *s.m.* (*elettr.*) insulator.

isolazionismo *s.m.* (*pol.*) isolationism.

isolazionista *agg. e s.m.* (*pol.*) isolationist.

isoletta *s.f.*, **isolotto** *s.m.* islet, small island.

isomero *agg.* (*chim.*) isomeric ♦ *s.m.* (*chim.*) isomer.

isoscele *agg.* (*geom.*) isosceles.

isoterma *s.f.* (*geogr.*) isotherm.

isotermico *agg.* (*fis.*) isothermal.

isotopo *agg.* (*chim.*) isotopic ♦ *s.m.* (*chim.*) isotope.

Isotta *no.pr.f.* Isolde, Iseult.

ispano- *pref.* Hispano-.

ispessire *v.tr.* **1** to thicken **2** (*aumentare*) to increase // **-irsi** *v.intr.pron.* **1** to become* thick(er) **2** (*intensificarsi*) to become* more frequent.

ispettivo *agg.* inspective, inspection (*attr.*).

ispettorato *s.m.* **1** inspectorate **2** (*carica di ispettore*) inspectorship.

ispettore *s.m.* inspector: — *scolastico*, school inspector; — *di polizia*, police inspector.

ispezionare *v.tr.* to inspect.

ispezione *s.f.* inspection.

ispido *agg.* **1** bristly; (*spec. di animali*) hispid **2** (*fig.*) (*di persona*) touchy; (*di cosa*) prickly.

ispirare *v.tr.* to inspire: — *qlco. a qlcu.*, to inspire s.o. with sthg. // *ispira simpatia*, people take to him // **-arsi** *v.intr.pron.* to be* inspired (by s.o., sthg.).

ispirato *agg.* inspired // — *a*, inspired by: *libro — al socialismo*, socialist-inspired book.

ispiratore *agg.* inspiring ♦ *s.m.* inspirer.

ispirazione *s.f.* inspiration: *prendere — da*, to draw inspiration from; *opera di — comunista*, communist-inspired work.

Israele *no.pr.m.* Israel.

israeliano *agg. e s.m.* Israeli.

israelita *agg. e s.m.* Israelite.

israelitico *agg.* Israelite.

issare *v.tr.* **1** to hoist: — *la bandiera*, to hoist the flag **2** (*sollevare un peso ecc.*) to lift.

issopo *s.m.* (*bot.*) hyssop.

istamina *s.f.* (*farm.*) histamine.

istantanea *s.f.* (*fot.*) snapshot, snap.

istantaneità *s.f.* instantaneousness.

istantaneo *agg.* instantaneous.

istante *s.m.* instant: *all'—*, on the instant (*o* instantly); *fra un —*, in an instant; *nell'— che lo vidi*, the instant I saw him; *in questo stesso —*, this very instant; *per qualche —*, for a few minutes.

istanza *s.f.* **1** application (for), request (for): — *di pagamento*, application for payment **2** (*dir.*) instance: *su — di*, at the instance of; *tribunale di prima —*, court of first instance; *tribunale di seconda, di ultima —*, court of appeal, of final appeal.

isterico *agg.* hysteric(al) // *crisi isterica*, fit of hysteria // *avere un attacco —*, to fall into hysterics ♦ *s.m.* hysterical man.

isterilire *v.tr.* to dry up (*anche fig.*) // **-irsi** *v.intr.pron.* to become* barren; (*fig.*) to dry up.

isterismo *s.m.* hysteria.

istigare *v.tr.* to instigate, to incite: — *qlcu. al male*, to incite s.o. to evil.

istigatore *s.m.* instigator.

istigazione *s.f.* instigation, incitement: *su — di qlcu.*, at (*o* on) s.o.'s instigation.

istillare e *deriv.* → **instillare** e *deriv.*

istintivamente *avv.* instinctively.

istintivo *agg.* instinctive.

istinto *s.m.* instinct: *per —*, by instinct; *d'—*, on instinct; *seguire l'—*, to follow one's instinct.

istituire *v.tr.* 1 to institute, to set* up, to establish // — *una legge*, to enter a bill // — *un confronto*, to make a comparison 2 (*fondare*) to found 3 (*dir.*) to appoint: — *qlcu. proprio erede*, to appoint s.o. (as) one's heir.

istitutivo *agg.* institutive.

istituto *s.m.* 1 institute 2 (*istituzione*) institution 3 (*banca*) bank.

istitutore *s.m.* 1 (*fondatore*) founder 2 (*precettore*) tutor.

istituzionale *agg.* (*dir.*) institutional.

istituzione *s.f.* 1 institution 2 *pl.* (*elementi fondamentali di una disciplina ecc.*) institutes: *le Istituzioni di Giustiniano*, the Institutes of Justinian.

istmico *agg.* isthmian.

istmo *s.m.* isthmus.

istogramma *s.m.* histogram.

istologia *s.f.* histology.

istologico *agg.* histological.

istoriare *v.tr.* to adorn with figures.

istoriato *agg.* historiated.

istradare *v.tr.* to direct; (*fig.*) to guide, to direct: — *qlcu. in una professione*, to guide s.o. into (*o* towards) a profession.

istriano *agg.* e *s.m.* Istrian.

istrice *s.m.* 1 porcupine 2 (*fig.*) crosspatch.

istrione *s.m.* 1 (*teatr. spreg.*) ham: *far l'—*, to ham 2 (*buffone*) fool; (*commediante*) ranter.

istrionesco *agg.* histrionic.

istrionismo *s.m.* histrionics (*pl.*).

istruire *v.tr.* 1 to instruct 2 (*educare*) to educate 3 (*consigliare*) to advise // *ti hanno istruito bene!*, (*iron.*) how well you've been taught! 4 (*dir.*) to prepare: — *un processo*, to prepare a case // **-irsi** *v.intr.pron.* to learn*: *sente il bisogno di —*, he feels the need of learning.

istruito *agg.* educated; (*colto*) learned.

istruttivo *agg.* instructive.

istruttore *s.m.* instructor; (*sport*) trainer: — *di guida*, driving instructor // *caporale —*, (*mil.*) drill sergeant // *giudice —*, (*dir.*) examining magistrate.

istruttoria *s.f.* (*dir.*) judicial inquiry.

istruttorio *agg.* (*dir.*) preliminary: *il periodo —*, the preliminary proceedings.

istruzione *s.f.* 1 education // — *tecnica, professionale*, technical, vocational training // *Ministero della Pubblica Istruzione*, Ministry of Education 2 (*insegnamento*) teaching: — *gratuita*, free tuition 3 (*indicazione*) instruction, direction: *istruzioni per l'uso*, directions for use; *secondo le vostre istruzioni*, according to your instructions 4 (*dir.*) (*istruttoria*) judicial inquiry 5 (*informatica*) instruction; statement: — *di richiamo*, call instruction; — *di salto*, jump instruction; — *di salto calcolato*, switch; — *di scelta logica*, discrimination instruction.

istupidire *v.tr.* to stun, to daze; (*di droghe, medicine, forti emozioni*) to stupefy.

Italia *no.pr.f.* Italy.

italianista *s.m.* e *f.* Italianist.

italianità *s.f.* Italianity.

italianizzare *v.tr.* to Italianize.

italiano *agg.* e *s.m.* Italian.

italico *agg.* 1 (*dell'antica Italia*) Italic 2 (*letter.*) (*italiano*) Italian: *la penisola italica*, the Italian peninsula 3 (*tip.*) italic ♦ *s.m.* (*tip.*) italics.

italo- *pref.* Italo-: — *americano*, Italo-American.

iterare *v.tr.* (*letter.*) to iterate, to repeat.

iterativo *agg.* iterative.

iterazione *s.f.* 1 (*letter.*) iteration 2 (*informatica*) (*IBM*) loop.

itinerario *s.m.* itinerary.

itterico *agg.* e *s.m.* (*med.*) icteric.

itterizia *s.f.*, **ittero** *s.m.* jaundice, icterus.

ittico *agg.* ichthyic.

ittiolo *s.m.* (*farm.*) ichthyol ®.

ittiologia *s.f.* ichthyology.

ittiologico *agg.* icthyologic(al).

ittiologo *s.m.* ichthyologist.

Iugoslavia *no.pr.f.* Yugoslavia, Jugoslavia.

iugoslavo *agg.* e *s.m.* Yugoslav, Jugoslav.

iuta *s.f.* jute.

Ivanoe *no.pr.m.* Ivanhoe.

ivi *avv.* (*letter.*) (*lì*) there; (*lì dentro*) therein // — *accluso*, joined thereto (*o* therewith); — *incluso*, enclosed therein.

J

j *s.f.* o *m.* j (*pl.* js, j's) // — *come Jersey*, (*tel.*) j for Jack // **J** *s.m.* (*fante, nelle carte da gioco*) Jack, Knave.

jacquard (*franc.*) *agg.* e *s.m.* Jacquard // *lavorazione a —*, Jacquard weave.

jais (*franc.*) *s.m.* (*guarnizione*) jet: *nero —*, jet-black.

jazz *s.m.* jazz: — *caldo*, hot jazz; — *freddo*, cool jazz; *orchestra —*, jazz band.

jazzista *s.m.* e *f.* jazz player.

jazzistico *agg.* jazz (*attr.*).

jolly *s.m.* (*carta da gioco*) joker.

judò *s.m.* (*lotta libera giapponese*) judo.

jungla *s.f.* → **giungla**.

junior *agg.* e *s.m.* junior: *categoria juniores*, (*sport*) junior group.

K

k *s.f.* o *m.* k (*pl.* ks, k's) // — *come kursaal*, (*tel.*) k for king // **K** *s.m.* (*re, nelle carte da gioco*) King.
kamikaze *s.m.* kamikaze.
kantiano *agg.* (*st. fil.*) Kantian.
Keplero *no.pr.* Kepler.
kermesse (*franc.*) *s.f.* kermess, kermis.

kiwi *s.m.* (*zool.*) kiwi.
knock-out *s.* e *avv.* (*pugilato*) knockout // *essere* —, t[be knocked out; *mettere* —, to knock out (*o* to KO).
koala *s.m.* (*zool.*) koala.
kolchòz *s.m.* kolkhoz.
krapfen (*ted.*) *s.m.* (*cuc.*) doughnut.

L

l *s.f.* o *m.* l (*pl.* ls, l's) // — *come Livorno*, (*tel.*) l for Lucy // (*fatto*) *a L*, L (*attr.*); L-shaped.
la[1] *art.det.f.sing.* the → **il**.
la[2] *pron.pers.f.* 3ª *pers.sing.ogg.* **1** (*riferito a persona*) her; (*riferito a cose o animali*) it: *cercala*, look for her, it // *eccola!*, here she, it is! **2** (*formula di cortesia*) you: — *ringrazio, signora*, thank you, madam **3** (*in espressioni ellittiche*): *l'hai fatta grossa!*, now you've done it!; *non ce la faccio più*, I can't stick it any more; *smettila!*, stop it!
la[3] *s.m.* (*mus.*) A, la.
là *avv.* there: — *dentro*, inside there, in there; — *fuori*, outside there; — *sopra, sotto*, on, under there; *eccolo* —!, there he, it is!; *quei ragazzi* —, those boys there; *voglio quello* —, *quel libro* —, I want that one (over there), that book (over) there; *togliti di* —, get out of there; *sono passati di* — *ieri*, they passed there yesterday // *qua e* —, → *qua* // *chi va* —?, *chi è* —?, who goes there?, who is there? // *ehi* —!, hey there! // *è di* —, (*nell'altra stanza*) he is in the other room: *sono andati di* —, (*nell'altra stanza*) they went into the other room; (*da quella parte*) they went that way // *spostalo più in* —, move it over // *voltarsi in* —, (*con la persona*) to turn around // *farsi, tirarsi in* —, (*da parte*) to move up // *andremo in* — *con gli esami*, the exams will finish later // *andando in* — *con gli anni*, as the years pass // *essere in* — *con gli anni*, to be on in years // *più in* —, (*nel tempo*) later on; (*nello spazio*) further on // *le sue nozioni di latino non vanno più in* —, his knowledge of Latin does not go any further; *non vedere più in* — *del proprio naso*, not to see further than one's nose // *andare troppo in* —, (*eccedere*) to go too far // *ma va'* —!, come off it! // *va'* —, *ammettilo!*, come on, admit it! // —, *ho finito!*, now then, I've finished! // *il mondo di* —, the hereafter // *essere più di* — *che di qua*, to be more dead than alive // *al di là* *locuz.avv.* on the other side // *(al) di là da* *locuz.prep.* beyond, on the other side of.
labaro *s.m.* labarum.
labbro *s.m.* [*pl.f.* labbra *nel senso* 1, *pl.m.* labbri *nel senso* 2] **1** lip: — *superiore, inferiore*, upper, lower lip; *labbra sottili, carnose*, thin, thick lips; *accostare un bicchiere alle labbra*, to put a glass to one's lips; *stringere le labbra*, to tighten one's lips // *le parole gli morirono sulle labbra*, the words froze on his lips // *quel nome gli*

sfuggì dalle labbra, that name escaped his lips // *pendere dalle labbra di qlcu.*, to hang on s.o.'s lips // *parlare a fior di labbra*, to whisper; *invito a fior di labbra*, half-hearted invitation; *sorridere a fior di labbra*, to force a smile **2** (*orlo*) lip, brim: *i labbri di una ferita*, the lips of a wound.
labiale *agg.* e *s.f.* (*fonetica*) labial.
labile *agg.* **1** (*debole*) failing, weak: *memoria* —, weak (*o* poor) memory **2** (*letter.*) (*fugace*) fleeting, transient.
labilità *s.f.* **1** (*debolezza*) weakness **2** (*letter.*) (*fugacità*) transience, transiency.
labirinto *s.m.* **1** labyrinth (*anche fig.*) **2** (*di siepi, sentieri ecc.*) maze (*anche fig.*).
laboratorio *s.m.* **1** laboratory **2** (*nei magazzini, nelle botteghe ecc.*) workroom, workshop.
laboriosità *s.f.* laboriousness.
laborioso *agg.* **1** industrious, laborious **2** (*faticoso*) laborious, toilsome, wearisome.
laburismo *s.m.* (*pol.*) Labourism.
laburista *s.m.* (*pol.*) Labourite, Labourist // *i laburisti*, Labour ♦ *agg.* Labour (*attr.*) // *votare* —, to vote Labour
lacca *s.f.* **1** lacquer **2** (*per capelli*) hair spray, hair lacquer.
laccare *v.tr.* **1** to lacquer **2** (*capelli*) to lacquer, to spray with lacquer.
laccato *agg.* lacquered.
laccatura *s.f.* lacquering.
lacchè *s.m.* lackey (*anche fig.*).
laccio *s.m.* **1** noose; (*lazo*) lasso **2** (*trappola*) snare (*anche fig.*): *prendere al* —, (*fig.*) to ensnare **3** (*legaccio*) lace, string: *lacci da scarpe*, shoelaces **4** (*legame*) tie.
lacciolo *s.m.* (*trappola*) snare.
lacerare *v.tr.* to lacerate (*anche fig.*), to tear* (*anche fig.*) // **-arsi** *v.intr.pron.* to tear* (*anche fig.*).
lacerazione *s.f.* laceration.
lacero *agg.* **1** torn; (*cencioso*) ragged **2** (*med.*) lacerated, jagged: *ferita* — *-contusa*, lacerated and contused wound.
lacerto *s.m.* (*anat.*) biceps.
laconicità *s.f.* laconicism.
laconico *agg.* laconic(al).
lacrima *s.f.* **1** tear: *con le lacrime agli occhi*, with tears in one's eyes; *col volto rigato di lacrime*, with a tear-stained face; *sciogliersi in lacrime, piangere a calde lacri-*

me, to dissolve into tears; *versar lacrime*, to shed tears // *ha le lacrime in tasca*, tears come easy to her eyes **2** (*goccia*) drop.

lacrimale *agg.* lachrymal.

lacrimare *v.intr.* **1** (*per irritazione*) to water **2** (*piangere*) to weep*.

lacrimazione *s.f.* lachrymation.

lacrimevole *agg.* pitiful // *con voce* —, in a tearful voice (*o* tearfully).

lacrimogeno *agg.* lachrymatory // *gas* —, teargas.

lacrimoso *agg.* tearful.

lacuale *agg.* lake (*attr.*).

lacuna *s.f.* **1** lacuna (*pl.* lacunae), gap (*anche fig.*): *colmare una* —, to fill (up) a gap **2** (*tip.*) blank.

lacunare *s.m.* (*edil.*) lacunar.

lacunoso *agg.* full of gaps: *un resoconto* —, an incomplete account.

lacustre *agg.* lake (*attr.*), lacustrine.

laddove *cong.* whereas, while.

ladino *agg.* e *s.m.* Ladin.

ladreria *s.f.* robbery.

ladresco *agg.* thievish: *colpo* —, theft.

ladro *agg.* thievish ♦ *s.m.* thief; (*scassinatore*) housebreaker; (*di notte*) burglar; — *matricolato*, arrant thief // — *di cuori*, lady-killer // — *in guanti gialli*, gentleman thief // *al* —!, stop thief! // *vestito come un* —, dressed like a tramp // *l'occasione fa l'uomo* —, (*prov.*) opportunity makes a thief.

ladrone *s.m.* robber; (*di strada*) highwayman (*pl.* -men).

ladruncolo *s.m.* pilferer.

laggiù *avv.* (*in fondo a*) down there; down below; (*lontano*) over there: — *nel pozzo*, down there in the well; — *nella valle*, down below in the valley; *vedi quella casa* —?, can you see the house over there?

lagna *s.f.* (*fam.*) (*di persona*) drip, pain in the neck; (*di cosa*) bore.

lagnanza *s.f.* complaint: *motivo di* —, ground for complaint; *fare, esporre le proprie lagnanze*, to bring one's complaints.

lagnarsi *v.intr.pron.* to complain: — *di, per qlco.*, to complain about (*o* of) sthg.

lago *s.m.* **1** lake: — *aperto*, lake with an outlet; — *glaciale*, glacial lake; — *vulcanico*, volcanic lake // *essere in un* — *di sudore*, to be in a sweat **2** (*fig.*) pool: *un* — *di sangue*, a pool of blood.

lagrima e *deriv.* → **lacrima** e *deriv.*

laguna *s.f.* lagoon.

lagunare *agg.* lagoon (*attr.*).

laicale *agg.* lay, laic(al).

laicato *s.m.* laity.

laicismo *s.m.* laicism.

laicità *s.f.* laicity.

laicizzare *v.tr.* to laicize, to secularize.

laico *agg.* lay, laic(al) ♦ *s.m.* layman (*pl.* -men).

laidezza *s.f.* filth (*anche fig.*).

laido *agg.* filthy (*anche fig.*).

lama[1] *s.f.* blade: *a due lame*, double-bladed.

lama[2] *s.m.* (*zool.*) llama.

lama[3] *s.m.* (*sacerdote di Budda*) Lama.

lamantino *s.m.* (*zool.*) manatee.

lambiccare *v.tr.* (*fig.*) to examine with care // *lambiccarsi il cervello*, to rack one's brains.

lambiccato *agg.* (*fig.*) farfetched.

lambiccatura *s.f.* (*fig.*) farfetchedness.

lambire *v.tr.* to lick; (*fig.*) (*di acqua*) to lap; (*di fiamme*) to lick.

lamé (*franc.*) *agg.* e *s.m.* lamé.

lamella *s.f.* lamella (*pl.* lamellae).

lamentare *v.tr.* to lament // **-arsi** *v.intr.pron.* to lament; (*gemere*) to moan; (*lagnarsi*) to complain: *mi lamenterò col direttore*, I will complain to the manager; *non posso lamentarmi*, I've nothing to complain about.

lamentela *s.f.* complaint.

lamentevole *agg.* **1** mournful **2** (*pietoso*) pitiful.

lamento *s.m.* lament; (*gemito*) moaning; (*lagnanza*) complaint.

lamentoso *agg.* plaintive, mournful.

lametta *s.f.* razor blade.

lamiera *s.f.* plate, sheet: — *ondulata*, corrugated iron.

lamina *s.f.* leaf, foil: — *d'oro*, gold-leaf.

laminare[1] *agg.* laminar.

laminare[2] *v.tr.* to laminate; (*metall.*) to roll.

laminato[1] *agg.* laminated ♦ *s.m.* laminate.

laminato[2] *agg.* e *s.m.* (*tessuto*) lamé.

laminatoio *s.m.* (*mecc.*) rolling mill.

laminatura *s.f.* lamination.

lampada *s.f.* lamp: — *al neon*, neon light; — *a pila*, (*portatile*) flashlight (*o* torch).

lampadario *s.m.* chandelier.

lampadina *s.f.* (electric) bulb: — *tascabile*, flashlight (*o* torch); — *smerigliata*, frosted bulb.

lampante *agg.* clear.

lampara *s.f.* (*mar.*) "lampara" (fishing boat equipped with lamps for night-fishing).

lampeggiamento *s.m.* **1** lightning **2** (*bagliore*) flashing; (*nelle segnalazioni*) blinking.

lampeggiare *v.intr.* **1** to lighten **2** (*di luce, fuoco*) to flash; (*di segnalazioni*) to blink **3** (*fig.*) to sparkle (with sthg.) ♦ *v.intr.impers.* to lighten.

lampeggiatore *s.m.* (*aut.*) flashing indicator; (*amer.*) blinker.

lampionaio *s.m.* lamplighter.

lampione *s.m.* **1** street-lamp // — *alla veneziana*, Chinese lantern **2** (*di carrozza*) lamp.

lampo *s.m.* **1** lightning (*solo sing.*) // *telegramma* —, express telegram **2** (*luce istantanea*) flash (*anche fig.*): *un* — *di genio*, a flash of genius; *i suoi occhi mandavano lampi di collera*, his eyes flashed with anger // — *al magnesio*, (*fot.*) flash // *l'automobile passò come un* —, the car flashed by // *correva come un* —, he was running like greased lightning // *lo indovinò in un* —, he guessed it in a flash.

lampone *s.m.* raspberry.

lampreda *s.f.* lamprey.

lana *s.f.* wool: — *ruvida*, harsh wool; — *seta*, woolsilk; *un gomitolo di* —, a ball of wool // — *d'acciaio*, steel wool; — *di vetro*, glass wool // *di* —, woollen; wool (*attr.*): *filo di* —, woollen yarn; *tessuto di* — *pettinato*, worsted fabric // *è una buona* —!, (*iron.*) he is a fine rascal!

lanceolato *agg.* (*bot.*) lanceolate.

lancetta *s.f.* **1** (*di orologio*) hand: *la* — *dei minuti*, the minute hand **2** (*chir.*) lancet **3** (*mecc.*) pointer.

lancia[1] *s.f.* **1** lance // — *in resta*, lance in rest // *spezzare una* — *in favore di qlcu.*, to plead s.o.'s cause **2** (*tubo metallico*) nozzle.

lancia[2] *s.f.* (*mar.*) launch: *di salvataggio*, lifeboat.

lanciafiamme *s.m.* (*mil.*) flamethrower.

lanciamissili *agg.* rocket-launching (*attr.*), missile — launching; *rampa* —, rocket-launching ramp ♦ *s.m.* rocket-launcher.

lanciarazzi *s.m.* (*mil.*) rocket-launcher.

lanciare *v.tr.* **1** to throw*, to fling*, to hurl: — *pietre contro qlcu.*, to throw stones at s.o.; — *qlco. in aria*, to fling (*o* to toss) sthg. up; — *un siluro*, to launch (*o* to discharge) a torpedo // — *un cavallo*, to start a horse off at full gallop // — *un motore*, to speed up an engine // — *un grido*, to give (*o* to utter) a cry (*o* to cry out) // — *un'idea*, to throw out an idea **2** (*far conoscere, diffondere*) to launch: — *un film*, to launch a film; — *una moda*, to launch (*o* to set) a fashion // **-arsi** *v.rifl.* **1** to throw* oneself, to fling* oneself, to hurl oneself: *egli si lanciò nell'acqua*, he threw himself (*o* dashed) into the water; *si lanciò fuori dalla stanza*, he flung himself out of the room; — *all'inseguimento di qlcu.*, to dash off in pursuit of s.o. **2** (*fig.*) to launch: — *in una discussione*, to launch into a discussion; — *nella politica*, to launch out into politics.

lanciasiluri *s.m.* (*mar. mil.*) torpedo-tube.

lanciatore *s.m.* thrower; (*baseball*) pitcher.

lanciere *s.m.* lancer.

lancinante *agg.* shooting: *dolore* —, shooting pain.

lancio *s.m.* **1** (*atto del lanciare*) throwing, hurling; (*distanza a cui si lancia qlco.*) throw: *è stato un bel* —, it was a good throw; — *di bombe, paracadutisti*, dropping of bombs, paratroopers; *un* — *di siluri*, a discharge (*o* launching) of torpedoes; — *col paracadute*, parachuting; — *con apertura ritardata*, (*di paracadute*) delayed drop; — *del peso*, (*sport*) putting the weight **2** (*lancio pubblicitario*) launching **3** (*missilistica*) launching: *rampe di* —, launching pads **4** (*informatica*) (*iniziale*) bootstrap.

landa *s.f.* barren land; (*brughiera*) moor, heath.

landò *s.m.* landau.

laneria *s.f.* woollens (*pl.*).

languidezza *s.f.* languidness.

languido *agg.* languid; (*tenero, sentimentale*) languishing: *voce languida*, languid voice; *occhi languidi*, languishing eyes.

languire *v.intr.* **1** to languish (with sthg.); (*struggersi*) to pine (with, for sthg.): — *d'amore*, to be lovesick; — *nella solitudine*, to mope in solitude **2** (*fig.*) (*indebolirsi*) to flag: *la conversazione langue*, the conversation flags **3** (*fig.*) (*di luce*) to fade.

languore *s.m.* languor; (*debolezza*) faintness weakness: *con* —, languidly; *occhi pieni di* —, languishing eyes // — *di stomaco*, pangs of hunger.

laniccio *s.m.* fluff.

laniere *s.m.* wool manufacturer.

laniero *agg.* woollen; wool (*attr.*): *industria laniera*, wool industry.

lanificio *s.m.* wool(len) mill; wool(len) factory.

lanolina *s.f.* (*chim.*) lanolin(e).

lanosità *s.f.* woolliness.

lanoso *agg.* woolly.

lanterna *s.f.* lantern // — *magica*, magic lantern.

lanug(g)ine *s.f.* down.

lanzichenecco, lanzo *s.m.* (*st.*) lansquenet.

laonde *cong.* (*rar.*) therefore.

laotiano *agg.* e *s.m.* Laotian.

lapalissiano *agg.* (self-)evident, obvious.

laparatomia *s.f.* (*chir.*) laparotomy.

lapicida *s.m.* (*archeol.*) lapicide.

lapidare *v.tr.* to lapidate, to stone (to death).

lapidario *agg.* lapidary (*anche fig.*).

lapidazione *s.f.* lapidation, stoning (to death).

lapide *s.f.* (*commemorativa*) (memorial) tablet; (*sepolcrale*) tombstone.

lapillo *s.m.* lapillus (*pl.* lapilli).

lapis *s.m.* pencil.

lapislazzuli *s.m.* lapis lazuli.

lappare *v.intr.* to lap.

lappola *s.f.* (*bot.*) burdock.

lappone *agg.* Lappish ♦ *s.m.* e *f.* Lapp, Laplander.

Lapponia *no.pr.f.* Lapland.

lapsus *s.m.* slip.

lardellare *v.tr.* to lard (*anche fig.*).

lardello *s.m.* chopped bacon fat.

lardo *s.m.* lard.

lardoso *agg.* fat.

largamente *avv.* abundantly: *spendere* —, to throw one's money around.

largheggiare *v.intr.* to be* free (with sthg.).

larghezza *s.f.* **1** width, breadth: *un libro della* — *di trenta centimetri*, a book 30 centimetres wide (*o* in width); *lunghezza e* —, length and breadth // — *di interessi*, wideness of interests; — *di vedute*, broadmindedness **2** (*liberalità*) liberality, generosity; (*abbondanza*) largeness: — *di mezzi*, largeness of means.

largire *v.tr.* (*rar.*) to bestow (sthg. upon s.o.).

largizione *s.f.* bestowal.

largo *agg.* **1** wide (*anche fig.*), broad (*anche fig.*): *una larga estensione di terreno*, a wide expanse of land; *un* — *margine di guadagno*, a wide margin of profit; *foglie larghe*, broad leaves; *un fosso* — *dieci metri*, a ditch ten metres wide; *vesti larghe*, loose-fitting clothes; *fare larghe concessioni*, to make big concessions // *in senso* —, in a broad sense // *alla larga*, away (*o* at a distance): *stare alla larga da qlcu.*, to keep away from s.o. **2** (*liberale*) liberal, generous **3** (*fonetica*) broad ♦ *s.m.* **1** breadth, width // *fare* — (*a qlcu.*), to make room (for s.o.); *farsi* —, (*anche fig.*) to make one's way; *farsi* — *tra la folla*, to elbow one's way through the crowd // *in lungo e in* —, far and wide **2** (*mar.*) open sea, offing: *andare al* —, to take to the open sea; *prendere il* —, to set sail; (*fig.*) to run away; *al* — *di Genova*, off Genoa **3** (*mus.*) largo.

larice *s.m.* larch.

laringe *s.f.* (*anat.*) larynx.

laringeo *agg.* laryng(e)al.

laringite *s.f.* (*med.*) laryngitis.

larva *s.f.* **1** (*zool.*) larva (*pl.* larvae) **2** (*fantasma*) ghost // *ridotto a una* —, reduced to a skeleton.

larvale *agg.* larval.

larvato *agg.* disguised, hidden.

lasca *s.f.* (*zool.*) roach.

lasciapassare *s.m.* pass; (*salvacondotto*) safe-conduct.

lasciare *v.tr.* **1** to leave*: *lasciò tutto in disordine*, he left everything in a mess; *la ferita mi ha lasciato una cicatrice*, the wound has left me with a scar; *ha lasciato la famiglia*, he has deserted (*o* abandoned) his family; *ha lasciato la fidanzata*, he has broken it off with his fiancée; *mio fratello lascia la scuola*, my brother is leaving school; *la nuova strada lascia fuori il paese*, the new road bypasses the village; *il suo modo d'agire mi lascia perplesso*, his behaviour leaves me at a loss // *lascialo stare!*, leave him alone! // *ha lasciato detto a sua madre che...*, he left word with his mother that... // *lascia il colore*, (*di tessuto*) it runs // — *in libertà qlcu.*, to release (*o* to free) s.o. **2** (*dimenticare*) to leave*; (*omettere*) to omit: *ho lasciato gli occhiali a casa*, I have left my spectacles at home; *non possiamo* — *da parte un indizio così grave*, we can't omit such a serious piece of evidence **3** (*rimetterci*) to lose*: *in quell'incidente ci lasciò la vita*, he lost his life in that accident // *lasciarci la pelle*, to be killed // *lasciarci la camicia*, to lose one's shirt   **4** (*lasciare in eredità*) to leave*, to will; (*beni personali*) to bequeath   **5** (*concedere, permettere, mollare*) to let* (s.o., sthg. do): *lascia (andare) la corda!*, let go the rope!; *lasciamo fare a Dio*, let's leave it in the hands of God; *ti ha lasciato entrare?*, has he let you in?; *lascia che venga con te*, let me come with you; *lasciami andare!*, let me go!; *lascia che ti dia un consiglio*, let me give you some advice // *lascia perdere i soldi!*, forget about money! // *lascia correre!*, take no notice!   **6** (*serbare*) to keep*, to leave*: *lasciami questa carne per cena*, keep this meat for my supper   **7** (*concedere*) to let* (s.o.) have, to give*: *vi hanno lasciato l'appartamento a buon mercato*, they let you have the flat at a very good price ♦ *v.intr.* (*smettere*) to stop // **-arsi** *v.rifl.* to let* oneself: *non mi lascerò truffare*, I am not going to be cheated; *non si lascia mai consigliare*, he won't ever take advice // *a lasciarsi andare* // *questo cibo si lascia mangiare*, this food is barely eatable ♦ *v.rifl.rec.* to part: *si lasciarono all'alba*, they parted at daybreak.

lascito *s.m.* legacy: *un — in denaro*, a legacy of money (*o a bequest*).

lascivia *s.f.* lasciviousness, lust.

lascivo *agg.* lascivious, lustful.

lasco *agg.* loose.

lassativo *agg.* e *s.m.* laxative.

lassismo *s.m.* laxism.

lassista *agg.* lax, permissive.

lasso¹ *agg.* (*allentato, rilassato*) loose (*anche fig.*).

lasso² *s.m.* lapse: *dopo un certo — di tempo*, after a lapse of time.

lassù *avv.* up there; (*al piano di sopra*) upstairs.

lastra *s.f.*   **1** slab; (*spec. metallica*) plate: *— di acciaio*, steel plate; *— di ardesia*, slate; *— di vetro*, glass sheet; *— per pavimentazione stradale*, flagstone   **2** (*fot.*) plate; (*radiografia*) X-ray (photograph).

lastricare *v.tr.* to pave.

lastricato *s.m.* pavement.

lastricatura *s.f.* paving.

lastrico *s.m.* pavement // *essere sul —*, to be down and out; *gettare qlcu. sul —*, to turn s.o. out of house and home; (*rovinare*) to ruin s.o.

lastrone *s.m.*   **1** large slab; (*spec. metallico*) large plate   **2** (*parete di roccia*) sheer rock face.

latente *agg.* latent; (*nascosto*) concealed, hidden.

laterale *agg.*   **1** lateral, side (*attr.*): *cappella —*, side-chapel; *entrata —*, side entry (*o* entrance); *via —*, by-street, byroad   **2** (*fig.*) side (*attr.*), secondary.

lateralmente *avv.* laterally.

lateranense *agg.* Lateran (*attr.*): *Concilio —*, Lateran Council; *Patti lateranensi*, Lateran Pact (*o* Treaty).

Laterano *agg.* e *no.pr.m.* Lateran: *il (Palazzo) —*, the Lateran (Palace); *S. Giovanni in —*, St. John Lateran.

laterite *s.f.* (*min.*) laterite.

laterizi *s.m.pl.* bricks and tiles.

laterizio *agg.* lateritious; (*di mattoni*) brick (*attr.*).

latice *s.m.* latex.

latifondista *s.m.* e *f.* rich landowner.

latifondo *s.m.* large landed estate.

latineggiante *agg.* latinizing.

latinismo *s.m.* Latinism.

latinista *s.m.* e *f.* Latinist.

latinità *s.f.*   **1** Latin: *bassa —*, Low Latin   **2** (*carattere latino*) Latinism.

latinizzare *v.tr.* to latinize.

latino *agg.* e *s.m.* Latin // *vela latina*, (*mar.*) lateen sail.

latitante *agg.* (*dir.*) absconding: *essere —*, to be at large; *rendersi —*, to abscond.

latitanza *s.f.* (*dir.*) evasion (from justice): *darsi alla —*, to abscond (*o* to evade arrest).

latitudinale *agg.* latitudinal.

latitudine *s.f.* latitude: *trenta gradi di — nord*, thirty degrees North latitude.

lato¹ *s.m.* side: *a — di*, by the side of; *ai due lati di*, on both sides of; *da tutti i lati*, on all sides; (*da ogni direzione*) from every side; *di —*, sideways // *da un —*, (*fig.*) on one hand; *d'altro —*, (*fig.*) on the other hand // *il — bello, brutto delle cose*, the bright, gloomy side of things // *il — debole di qlcu.*, s.o.'s weak spot.

lato² *agg.*: *in senso —*, in a broad sense.

latore *s.m.* bearer.

latrare *v.intr.* to bark.

latrato *s.m.* bark, barking.

latria *s.f.* (*teol.*) latria.

latrina *s.f.* latrine, lavatory.

latrocinio *s.m.* theft, stealing.

latta *s.f.*   **1** tin: *una scatola di —*, a tin box; *oggetti di —*, tinware   **2** (*recipiente*) tin, can: *in latte*, tinned (*o* canned).

lattaio *s.m.* milkman (*pl.* -men), dairyman (*pl.* -men).

lattante *agg.* unweaned ♦ *s.m.* e *f.* suckling.

lattazione *s.f.* lactation.

latte *s.m.*   **1** milk: *— acido*, sour milk; *— a lunga conservazione*, UHT milk (= ultra-heat-treated milk), long -life milk; *— condensato*, condensed milk; *— di mucca*, cow's milk; *— fresco, appena munto*, new milk; *— in polvere*, powdered milk; *— magro, intero*, skim, whole milk; *— parzialmente scremato*, partially skim(med) milk; *centrale del —*, milk distribution centre; *vitello da —*, sucking calf; *bianco come il —*, milk-white // *— di mandorle*, milk of almonds // *avere ancora il — alla bocca*, (*fam.*) to be still wet behind the ears   **2** (*liquido simile al latte*) milk: *— detergente*, cleansing milk; *— di calce*, milk of lime.

latteo *agg.* milk (*attr.*); (*simile al latte*) milky // *crosta lattea*, (*med.*) milk-crust // *Via Lattea*, (*astr.*) Milky Way.

latteria *s.f.* dairy.

latticinio *s.m.* dairy product.

lattiera *s.f.* milk-jug.

lattiero *agg.* milk (*attr.*).

lattifero *agg.* lactiferous.

lattiginoso *agg.* lacteal; (*simile al latte*) milky.

lattina *s.f.* can, tin.

lattoniere *s.m.* tinsmith; (*ambulante*) tinker.

lattonzolo *s.m.* (*maialino da latte*) sucking pig.

lattosio *s.m.* (*chim.*) lactose.

lattuga *s.f.* lettuce.

lauda *s.f.* (*lett.*) "lauda": *— drammatica*, mystery play.

laudano *s.m.* (*farm.*) laudanum.

laurea *s.f.* (university) degree: *— ad honorem*, honorary degree; *— in legge*, law degree; *diploma di —*, degree certificate; *conseguire, prendere una —*, to take a degree.

laureando *agg.* e *s.m.* final-year undergraduate.

laureare *v.tr.* to confer a degree (on s.o.) // **-arsi** *v.rifl.*   **1** to graduate: *— a pieni voti*, to graduate with full marks   **2** (*fig.*) to establish oneself (as sthg.): *— campione del mondo*, to establish oneself as a world champion.

laureato *agg.*   **1** graduate: *è — in legge*, he has a degree in law **2** (*coronato d'alloro*) laureate: *poeta —*, Poet Laureate ♦ *s.m.* graduate.

lauro *s.m.* laurel, bay (tree).

lauto *agg.* abundant; (*sontuoso*) sumptuous: *lauti guadagni*, large profits.

lava *s.f.* lava.

lavabile *agg.* washable.

lavabo *s.m.* washstand.

lavacro *s.m.* (*rar.*) bathing // *santo —*, baptism.

lavaggio *s.m.* washing: *— a secco*, dry cleaning // *— del cervello*, brainwashing.

lavagna *s.f.* **1** blackboard **2** (*min.*) slate.

lavamano *s.m.* washstand; (*catino*) washbasin.

lavanda[1] *s.f.* washing, wash // *— gastrica*, gastric washout.

lavanda[2] *s.f.* (*bot.*) lavender.

lavandaia *s.f.* laundress.

lavandaio *s.m.* laundryman (*pl.* -men).

lavanderia *s.f.* laundry; (*a gettone*) launderette; (*amer.*) laundromat.

lavandino *s.m.* (*region.*) sink.

lavapiatti *s.m.* e *f.* dishwasher.

lavare *v.tr.* to wash (*anche fig.*): *questa stoffa si lava facilmente*, this material washes easily; *— a secco*, to dry clean; *— i piatti*, to wash up (the dishes); *lavarsi il viso*, to wash one's face // *lavarsene le mani*, to wash one's hands of it // **-arsi** *v.rifl.* to wash (oneself).

lavastoviglie *s.m.* dishwasher.

lavata *s.f.* wash: *darsi una* (*bella*) *—*, to have a (good) wash // *— di capo*, telling-off.

lavativo *s.m.* (*persona noiosa*) pain in the neck; (*scansafatiche*) lazybones.

lavatoio *s.m.* washhouse.

lavatrice *s.f.* washing machine.

lavatura *s.f.* washing: *— a secco*, dry cleaning // *— di piatti*, (*anche fig.*) dishwater.

lavello *s.m.* sink; (*lavabo*) washbasin.

lavico *agg.* lava (*attr.*).

lavina *s.f.* avalanche.

lavorante *s.m.* workman (*pl.* -men) ♦ *s.f.* (woman) worker, girl.

lavorare *v.intr.* **1** to work; (*con fatica*) to labour, to toil, to drudge: *— molto, sodo*, to work hard; *— troppo*, to overwork; *questo negozio lavora poco*, this shop doesn't do much business; *— a contratto*, to work on contract; *— a giornata intera, a mezza giornata*, to work full time, half time; *—a, intorno a qlco.*, to work at (*o* on) sthg.; *— con qlcu.*, to carry on (*o* to do) business with s.o.; *— d'ago*, to do needlework; *— d'intarsio*, to inlay; *— di sarto*, to work as a tailor; *far — molti operai*, to employ many workers // *l'Italia che lavora*, the working population of Italy // *— di fantasia*, to exaggerate (*o* to make up stories) // *— di gomiti*, to elbow (one's way through) // *il veleno sta lavorando*, the poison is having its effect // *chi non lavora non mangia*, (*prov.*) no mill, no meal **2** (*funzionare*) to operate, to work // *far — una macchina*, to run an engine ♦ *v.tr.* to work; (*trattare*) to process: *— a freddo, a caldo*, (*metall.*) to cold-work, to hot-work // *— la terra*, to till the soil // *lavorarsi qlcu.*, to work on s.o. (*o* to talk s.o. round).

lavorativo *agg.* **1** working: *giorno —*, workday **2** (*di terreno*) tillable.

lavorato *agg.* **1** wrought: *argento —*, wrought silver **2** (*non greggio*) worked: *pietra lavorata*, worked stone.

lavoratore *s.m.* worker: *— accanito*, hard worker; *— a cottimo*, pieceworker; *— agricolo*, farmhand; *— alla giornata*, day labourer; *— intellettuale*, brainworker; *sindacato dei lavoratori*, trade union.

lavorazione *s.f.* **1** processing, working; (*manifattura*) manufacture; (*esecuzione, fattura*) workmanship, work: *— a caldo, a freddo*, (*metal.*) hot-working, cold-working; *— dei metalli*, metal-working; *— accurata*, fine piece of work(manship); *— a catena*, (*ind.*) line production; *— a mano*, handwork; *— a pieno ritmo*, full-scale processing; *ciclo di —*, operation (*o* working) schedule; *impianti e macchinari relativi alla —*, processing (*o* manufacturing) equipment; *metodo di —*, processing **2** (*di terreno*) tilling, cultivation.

lavorio *s.m.* **1** intense activity **2** (*fig.*) intrigue.

lavoro *s.m.* **1** work; (*faticoso*) labour; (*noioso, ingrato*) drudgery: *— a domicilio*, homework; *— a mano*, handwork; *lavori di casa*, housework; *— di cucito*, needlework; *— a ore, a giornata*, work by the hour, by the day; *— su ordinazione*, work to order; *— in proprio*, self-employment; *— di gruppo, d'équipe*, teamwork; *— qualificato*, skilled labour; *contratto di —*, labour contract; *mercato del —*, labour market; *condizoni di —*, working conditions; *turno di —*, shift; *sul —*, at work; *andare, essere al —*, to go to, to be at work; *cessare il —*, to stop working (*o* the work); *mettersi al —*, to set to work; *eccesso di —*, overwork // *— nero*, black work // *— in pietra*, stonework; *— in rilievo*, embossed work // *quel quadro è un bel —*, that picture is a fine piece of work // *il Parlamento ha ripreso i lavori*, Parliament is in session again // *Ufficio del Lavoro*, Labour Exchange // *conflitto tra capitale e —*, conflict between capital and labour **2** (*occupazione*) job: *domanda di —*, application for a job; *offerta di —*, offer of a job; *essere senza —*, to be out of work **3** (*azione degli elementi*) work, action **4** (*teatr.*) play **5** (*fam.*) (*guaio*) mess: *hai fatto un bel —!*, a fine mess you have made! **6** (*informatica*) job.

Lazio *no.pr.m.* Latium.

lazzaretto *s.m.* lazaretto.

lazzarone *s.m.* (*poltrone*) slacker; (*canaglia*) scoundrel.

lazzeruolo *s.m.* (*bot.*) azarole (tree).

lazzo *s.m.* joke, jest.

le[1] *art.det.f.pl.* the → **i**.

le[2] *pron.pers.f.3a pers.sing.* (*termine*) **1** (*riferito a persona*) (to) her; (*riferito a cose o animali*) (to) it: *— dissi che...*, I told her that... **2** (*formula di cortesia*) (to) you.

le[3] *pron.pers.f.3a pers.pl.ogg.* them: *— conosco*, I know them // *eccole!*, here they are!

leale *agg.* loyal; (*fedele*) faithful; (*onesto*) fair: *non è — da parte tua*, it isn't fair of you.

lealtà *s.f.* loyalty; (*fedeltà*) faithfulness; (*onestà*) fairness.

lebbra *s.f.* leprosy.

lebbrosario *s.m.* leprosarium.

lebbroso *agg.* leprous ♦ *s.m.* leper.

lecca lecca *s.m.* lollipop.

leccapiedi *s.m.* e *f.* (*spreg.*) toady, bootlicker.

leccarda *s.f.* (*cuc.*) dripping pan.

leccare *v.tr.* **1** to lick // *— i piedi a qlcu.*, to lick s.o.'s shoes (*o* to flatter s.o.) // *leccarsi le labbra*, to lick one's lips **2** (*fig.*) to butter up (s.o.), to kowtow (to s.o.) // **-arsi** *v.rifl.* **1** to lick oneself **2** (*lisciarsi per sembrare bello*) to groom oneself.

leccata *s.f.* lick, licking.

leccato *agg.* affected.

leccio *s.m.* (*bot.*) ilex, holm-oak.

eccornia *s.f.* delicacy, dainty.

ecitina *s.f.* (*chim.*) lecithin.

ecito *agg.* lawful; (*permesso*) allowed (*pred.*), permit-ed (*pred.*): *crede che a lei tutto sia* —, she thinks she can do what she likes; *mi è* — *farvi un'altra domanda?*, may ask you another question?; *non ti è* — *far ciò*, you are not allowed to do that; *potreste dirmi, se è* —, *quando...*, would you be so kind as to tell me when... ♦ *s.m.* right: *l* — *e l'illecito*, right and wrong.

edere *v.tr.* **1** (*offendere*) to offend (against sthg.); (*danneggiare*) to injure, to damage: — *la reputazione di qlcu.*, to injure (*o* to damage) s.o.'s reputation **2** (*med.*) to injure.

ega¹ *s.f.* **1** (*pol.*) league, alliance **2** (*associazione*) as-sociation: *far* — *con qlcu.*, to take up with s.o. **3** (*chim.*) alloy: — *d'acciaio*, alloy steel; *metallo di bassa* —, base metal; *titolo di una* —, fineness // *di buona* —, (*fig.*) genuine; *di cattiva* —, (*fig.*) vulgar (*o* low).

ega² *s.f.* (*misura*) league.

egaccio *s.m.* string, twine.

egale *agg.* **1** legal: *consulente* —, legal adviser; *medi-ina* —, forensic medicine; *studio* —, lawyer's office // *er vie legali*, by legal means; *procedere per vie legali*, to ake legal proceedings // *avere forza* —, to be legally valid **2** (*conforme alla legge*) lawful: *mezzi legali*, law-ul mean // *ora legale*, summer time ♦ *s.m.* lawyer.

egalità *s.f.* legality, lawfulness.

egalitario *agg.* respectful of legality.

egalizzare *v.tr.* (*rendere legale*) to legalize; (*autenti-are*) to authenticate.

egalizzazione *s.f.* legalization; (*autenticazione*) authentication.

egalmente *avv.* legally, lawfully.

egame *s.m.* **1** bond; (*vincolo*) tie: *legami del sangue*, blood ties **2** (*connessione*) connection, link **3** (*infor-matica*) (*IBM*) connection.

egamento *s.m.* (*anat.*) ligament.

egare¹ *v.tr.* **1** to tie (up), to bind* (*anche fig.*); (*assi-urare con fune ecc.*) to fasten: — *un pacco*, to tie up a parcel; — *strettamente*, to bind fast; *sono legati da inti-ma amicizia*, they are bound together by a close friend-ship // *pazzo da* —, raving lunatic // — *la lingua a qlcu.*, to tie s.o.'s tongue // — *le mani a qlcu.*, (*fig.*) to ie s.o.'s hands // *essere legato mani e piedi*, (*fig.*) to be ied hand and foot **2** (*rilegare*) to bind* **3** (*incastona-re*) to set* **4** (*fig.*) (*connettere*) to connect ♦ *v.intr.* **1** (*aver connessione*) to be* connected **2** (*amalgamarsi*) to thicken; (*di metalli*) to alloy // **-arsi** *v.rifl.* to bind* neself, to tie oneself (to sthg.) // — *d'amicizia con qlcu.*, to make friends with s.o. // *si è legato a gente pe-ricolosa*, he got tied up with dangerous types // *è trop-o giovane per* —, (*sentimentalmente*) he is too young to e tied.

egare² *v.tr.* (*dir.*) to bequeath.

egatario *s.m.* (*dir.*) legatee.

egato¹ *agg.* **1** tied, bound: *sono legati da interessi co-muni*, they have interests in common **2** (*fig.*) (*unito piritualmente*) intimate **3** (*privo di agilità*) stiff.

egato² *s.m.* (*dir.*) legacy, bequest: *fare un* —, to leave a egacy (*o* to make a bequest).

egato³ *s.m.* ambassador; (*eccl.*) legate.

egatoria *s.f.* bookbinder's.

egatura *s.f.* binding; (*di libro*) bookbinding: — *in cuo-o*, leather binding.

egazione *s.f.* legation.

egge *s.f.* **1** law; (*legge singola*) act: *la* — *della giungla*, the law of the jungle; *leggi di guerra*, war legislation; *a termini di* —, as by law enacted; *con tutti i benefici di* —, with all the benefits of the law; *disegno, progetto di* —, bill; *proposta di* —, draft bill; *presentare un progetto di* — *al Parlamento*, to bring a bill before Parliament; *in base alla* —, according to the law; *in base alla* — *128*, in accordance with the law no. 128; *rispettoso delle leg-gi, sottomesso alle leggi*, law-abiding; *tutti sono uguali di-nanzi alla* —, all are equal before the law; *ricorrere alla* —, to go to law // *fatta la* —, *trovato l'inganno*, (*prov.*) every law has a loophole **2** (*regola*) rule.

leggenda *s.f.* **1** legend **2** (*fig.*) (*diceria*) tale **3** (*iscri-zione*) inscription, legend.

leggendario *agg.* legendary.

leggere *v.tr.* to read* (*anche fig.*); (*sfogliando*) to skim through: — *da capo a fondo*, to read through; — *fra le righe*, to read between the lines; — *una comunicazione*, to read out a notice; — *nel futuro*, to read the future; — *la mano a qlcu.*, to read s.o.'s hand; — *nel pensiero a qlcu.*, to read s.o.'s thoughts; — *della musica a prima vista*, to read music at sight; — *per addormentarsi*, to read oneself to sleep // *aver letto molto*, to be well-read // *nell'attesa di leggervi...*, (*comm.*) hoping to hear from you...

leggerezza *s.f.* **1** lightness **2** (*agilità*) nimbleness **3** (*frivolezza, volubilità*) levity, lightness; (*avventatezza*) thoughtlessness // *agire con* —, to act thoughtlessly // *fu una* — *da parte sua*, it was thoughtless of him.

leggermente *avv.* **1** lightly **2** (*agilmente*) nimbly **3** (*senza riflessione*) thoughtlessly, lightly; (*frivolmente*) frivolously **4** (*superficialmente*) slightly.

leggero *agg.* **1** light; (*di tè, caffè*) weak: *vino* —, light wine // *cavalleria leggera*, (*mil.*) light cavalry // *musica leggera*, light music // *avere il sonno* —, to be a light sleeper **2** (*lieve*) slight: *ho un* — *mal di testa*, I have a slight headache // *una pioggia leggera*, a drizzle **3** (*agile*) nimble, light: *un passo* —, a light (foot)step; *dita leggere*, nimble fingers **4** (*frivolo, volubile*) light, frivo-lous; (*poco serio*) light; (*avventato*) thoughtless // *a cuor* —, light-heartedly // *alla leggera*, (*senza pensarci*) thoughtlessly; *prendi gli esami un po' troppo alla leggera*, you don't take your exams seriously.

leggiadria *s.f.* loveliness, prettiness.

leggiadro *agg.* lovely, pretty.

leggibile *agg.* readable.

leggio *s.m.* reading desk; (*per musica*) music stand.

legiferare *v.intr.* to legislate, to make* laws.

legionario *s.m.* legionnaire.

legione *s.f.* legion // *Legion d'Onore*, Legion of Hon-our // *Legione Straniera*, Foreign Legion.

legislativo *agg.* legislative.

legislatore *s.m.* legislator.

legislatura *s.f.* **1** legislative power **2** (*periodo di cari-ca, assemblea*) legislature.

legislazione *s.f.* legislation // — *ferroviaria*, railway laws.

legittima *s.f.* (*dir.*) legitim.

legittimare *v.tr.* (*dir.*) to legitimize; (*un figlio*) to legiti-mate; (*legalizzare*) to legalize.

legittimazione *s.f.* (*dir.*) legitimation.

legittimismo *s.m.* (*st.*) legitimism.

legittimità *s.f.* (*dir.*) legitimacy.

legittimo *agg.* legitimate: *figlio* —, legitimate child; *è un desiderio* —, it is a legitimate desire // *legittima dife-sa*, self-defence.

legna *s.f.* firewood: — *verde, secca, dolce, dura*, green, dry, soft, hard wood; *far —*, to gather firewood; *spaccar —*, to chop (*o* to split) wood // *stufa a —*, wood-burning stove // *mettere — al fuoco*, (*fig.*) to add fuel to the fire.

legnaia *s.f.* wood-store.

legname *s.m.* wood; (*da costruzione*) timber; (*amer.*) lumber: — *non stagionato*, green wood; — *piallato*, surfaced timber // — *per cartiere*, pulpwood.

legnare *v.tr.* (*fam.*) to trounce.

legnata *s.f.* blow with a club // *meriterebbe, merita, un sacco di legnate*, he deserves a good flogging.

legno *s.m.* **1** wood: — *dolce, duro*, soft, hard wood; — *di faggio*, beechwood; *di —*, wooden; *lavorazione del —*, woodwork; *lavoro in —*, woodwork; (*edil.*) timber-work; *pasta di —*, wood pulp // *rivestimento in —*, (*edil.*) wainscot // *testa di —*, (*fig.*) blockhead **2** (*silografia*) wood engraving.

legnosità *s.f.* woodiness.

legnoso *agg.* **1** woody; woodlike (*attr.*) **2** (*fig.*) (*di carne*) leathery; (*di ortaggi*) stringy; (*di persone*) stiff.

leguleio *s.m.* (*spreg.*) pettifogger.

legume *s.m.* legume.

leguminose *s.f.pl.* Leguminosae.

lei *pron.pers.f.* *3ª pers.sing.* **1** (*compl.*) her; (*sogg.*) she → **lui 2** (*formula di cortesia*) you.

leitmotiv (*ted.*) *s.m.* leitmotiv.

lembo *s.m.* **1** border; (*orlo*) edge **2** (*zona, fascia*) strip // *gli estremi lembi della Terra*, the ends of the earth.

lemma *s.m.* headword, entry (word).

lemme lemme *locuz.avv.* very slowly; very leisurely.

lena *s.f.* (*energia*) vigour, energy // *dovrai lavorare di buona — se vuoi finire*, you'll have to put your back into it (*o* you'll have to get down to it) if you want to finish // *mettersi di buona —*, to get down to it.

lendine *s.m.* nit.

lenire *v.tr.* to calm, to soothe, to mitigate.

lenitivo *agg. e s.m.* **1** (*farm.*) lenitive **2** (*fig.*) palliative.

lenocinio *s.m.* **1** panderism **2** (*fig.*) artifice.

lenone *s.m.* pimp, pander.

lentamente *avv.* slowly.

lente *s.f.* **1** lens: — *a contatto*, contact lens; — *d'ingrandimento*, magnifying lens **2** *pl.* (*occhiali*) spectacles, glasses.

lentezza *s.f.* slowness // *camminava con —*, he walked very slowly // *lavora con una certa —*, he is rather slow at his work.

lenticchia *s.f.* lentil.

lentiggine *s.f.* freckle.

lentigginoso *agg.* freckled, freckly.

lento *agg.* **1** slow; (*a capire*) dull // *a fuoco —*, on a low flame; (*in un forno*) in a slow oven; *essere — in qlco., a fare qlco.*, to be slow in (*o* at) sthg., at doing sthg. **2** (*allentato*) loose.

lenza *s.f.* fishing-line.

lenzuolo *s.m.* [*pl.m.* lenzuoli; *pl.f.* lenzuola, *il paio che si mette nel letto*] sheet.

Leonardo *no.pr.m.* Leonard // — *da Vinci*, Leonardo da Vinci.

leoncino *s.m.* lion cub.

leone *s.m.* lion // — *marino*, sea lion // *bocca di —*, (*bot.*) snapdragon // *Leone*, (*astr.*) Leo.

Leone *no.pr.m.* Leo.

leonessa *s.f.* lioness.

leonino *agg.* leonine, lion-like (*attr.*): *aveva un coraggio —*, he was as brave as a lion // *ha una forza leonina*, he is as strong as an ox.

leopardo *s.m.* leopard: *pelle di —*, leopard-skin.

lepidezza *s.f.* **1** wit **2** (*motto arguto*) witticism.

lepido *agg.* witty.

leporino *agg.* leporine // *labbro —*, harelip.

lepre *s.f.* hare: — *in salmì*, (*cuc.*) jugged hare.

leprotto *s.m.* leveret.

lercio *agg.* filthy.

lerciume *s.m.* filth.

lesbica *s.f.* lesbian.

lesena *s.f.* (*arch.*) pilaster.

lesina *s.f.* **1** (*strum.*) awl **2** (*fig.*) tightness.

lesinare *v.tr.* to grudge ♦ *v.intr.* to be* stingy (with sthg.).

lesionare *v.tr.* to damage.

lesione *s.f.* **1** (*danno*) damage **2** (*med.*) lesion; (*nel linguaggio comune*) injury **3** (*crepa*) crack.

lesivo *agg.* (*letter.*) damaging, harmful.

leso *agg.* injured, damaged // *lesa maestà*, (*dir.*) les-majesty.

lessare *v.tr.* to boil.

lessicale *agg.* lexical.

lessico *s.m.* lexicon.

lesso *agg.* boiled ♦ *s.m.* boiled meat // *a —*, boiled.

lestezza *s.f.* quickness, swiftness.

lesto *agg.* quick, swift // — *di mano*, light-fingered.

lestofante *s.m. e f.* cheat, swindler.

letale *agg.* lethal, deadly.

letamaio *s.m.* **1** dungpit; (*mucchio di letame*) dung hill **2** (*fig.*) dunghill; (*riferito a casa*) pigsty.

letame *s.m.* **1** manure, dung: *un mucchio di —*, dungheap **2** (*fig.*) filth.

letargico *agg.* lethargic: *in stato —*, in a state of hibernation.

letargo *s.m.* **1** lethargy (*anche fig.*) **2** (*di animali*) (*invernale*) hibernation; (*estivo*) (a)estivation: *cadere in —*, to go into hibernation.

Lete *no.pr.m.* (*mit.*) Lethe.

letizia *s.f.* gladness, joy.

lettera *s.f.* letter: *lettere corsive*, italics; *lettere cubitali*, block letters; — *aperta*, open letter; — *circolare*, form letter; — *di credito*, letter of credit; — *di procura*, letter of attorney; *lettere non recapitate*, dead letters // *scrivere un numero in lettere*, to write a number in words // *Belle Lettere*, literature // *alla —*, literally: *tradurre alla —*, to translate word for word (*o* literally *o* verbatim) // *giorno da scrivere a lettere d'oro*, red-letter day // — *morta*, (*fig.*) dead letter.

letterale *agg.* literal.

letteralmente *avv.* literally.

letterarietà *s.f.* literariness.

letterario *agg.* literary.

letterato *agg.* well-read, lettered ♦ *s.m.* literary man, man of letters.

letteratura *s.f.* literature.

lettiera *s.f.* litter.

lettiga *s.f.* stretcher, litter.

lettighiere *s.m.* stretcher-bearer.

letto *s.m.* bed: — *a una piazza*, single bed; — *a due piazze*, double bed; — *di ferro*, iron bedstead; — *a piume*, feather bed; — *elastico*, spring bed; — *a castello*, bunk bed; *divano —*, sofa bed; — *disponibile*, spare bed; — *estraibile*, a fold-away bed; *è ora di andare a —*, it's bedtime; *essere a —*, to be in bed; *fare il —*, to make the bed; *essere inchiodato in un —*, to be bedridden // *posto —*, bed // — *di dolore*, sickbed; — *di morte*, deathbed; *un — di rose*, (*fig.*) a bed of roses //

sei cascato dal — stamattina!, (*fig.*) you're up with the lark today!

lettone *agg.* e *s.m.* e *f.* Latvian, Lettonian ♦ *s.m.* (*lingua*) Lettish.

Lettonia *no.pr.f.* Latvia.

lettorato *s.m.* (*universitario*) modern language assistantship.

lettore *s.m.* **1** reader: *il pubblico dei lettori*, the reading public **2** (*nelle università*) modern language assistant.

lettura *s.f.* **1** reading: — *ad alta voce*, reading aloud; *brani di* —, reading passages; *la commedia è poco interessante alla* —, the play is not very interesting to read; *quel libro è di piacevole* —, that book makes pleasant reading // *prima, seconda* — *di un disegno di legge*, first, second reading of a bill // — (*del contatore*) *del gas*, meter reading **2** (*ciò che si legge*) literature, books (*pl.*): *cattive letture*, bad books **3** (*interpretazione*) reading **4** (*informatica*) reading: — *a scansione*, scanning.

leucemia *s.f.* leukaemia.

leucemico *agg.* leukaemic.

leucoma *s.m.* (*med.*) leucoma.

leva[1] *s.f.* **1** (*mecc.*) lever: — *del freno*, brake lever; *di avviamento, di arresto*, starting, cut-off lever; — *di innesto, di disinnesto*, engaging, release lever; *far* —, to lever (*o* to prize) // *far* — *sui sentimenti di qlcu.*, to play on s.o.'s feelings **2** (*fig.*) stimulus, incentive.

leva[2] *s.f.* (*mil.*) call-up, conscription, levy: *la* — *del 1947*, the conscripts of 1947; *essere di* —, to be due for call-up.

levante *s.m.* east // *vento di* —, east wind // *il Levante*, (*geogr.*) the Levant.

levantino *agg.* e *s.m.* Levantine.

levare *v.tr.* **1** (*sollevare, alzare*) to raise, to lift (*anche fig.*): — *il bicchiere alla salute di qlcu.*, to raise one's glass to s.o.; — *un grido*, to utter a cry **2** (*togliere, rimuovere*) to take* off, to take* away, to remove: — *la tovaglia*, to take off the tablecloth; — *un dente*, to pull a tooth out; — *la posta*, to clear the letterbox // *se si levano due o tre persone...*, (*eccettuandole*) two or three people excepted... // — *la fame*, to appease s.o.'s hunger; — *la sete*, to quench s.o.'s thirst // — *un vizio a qlcu.*, to break s.o. of a vice // *levati questa sciocca idea dalla testa*, get that silly idea out of your head // *mi levo tanto di cappello di fronte a quest'uomo*, hat to this man // *levarsi una voglia, un capriccio*, to satisfy a wish, a whim // **-arsi** *v.rifl.* **1** (*togliersi da un luogo*) to get* out (of a place): *levati di lì*, get out (*o* clear out) of the way **2** (*alzarsi*) to rise*; (*dal letto*) to get* up; (*in volo*) to take* off: — *in piedi*, to rise to one's feet.

levata *s.f.* **1** rising: — *del sole*, sunrise (*o* rising of the sun) // — *di scudi*, strong protest **2** (*della posta*) collection, clearance: *la* — *è stata appena fatta*, the letter-box has just been cleared **3** (*agr.*) germination.

levatoio *agg.*: *ponte* —, drawbridge.

levatrice *s.f.* midwife.

levatura *s.f.* intelligence, understanding: *di scarsa* —, of little intelligence.

levigare *v.tr.* to smooth, to make* smooth; (*una superficie di pietra*) to face.

levigatezza *s.f.* smoothness.

levigato *agg.* smooth; (*di pietra*) faced.

levigazione *s.f.* smoothing; (*di superficie di pietra*) facing.

levita *s.m.* (*st. ebraica*) Levite.

levità *s.f.* lightness (*anche fig.*), levity (*anche fig.*).

levitare *v.intr.* (*metapsichica*) to levitate.

levitazione *s.f.* (*metapsichica*) levitation.

levriere, levrièro *s.m.* greyhound.

lezio *s.m.* affectation, mannerism.

lezione *s.f.* **1** lesson: — *collettiva*, class; — *privata*, private lesson; — *universitaria*, lecture; *ora di* —, period; *le lezioni di inglese cominceranno domani*, (the) English classes will start tomorrow; *dare, prendere lezioni*, to give, to take lessons; *fare* —, to teach; (*all'università*) to lecture // *saltare le lezioni*, to play truant (*o* to skip classes) // *che questo ti serva di* —!, let this be a lesson to you!; *ti meriti una* — *coi fiocchi*, you deserve a good lesson **2** (*variante, interpretazione*) reading.

leziosaggine *s.f.* **1** affectedness, affectation, mannerism **2** (*moine*) simpering.

lezioso *agg.* affected, mincing, mannered.

lezzo *s.m.* stink, stench.

li[1] *art.det.m.pl.* (*usato soltanto nelle date*): *Roma*, — *5 aprile*, Rome 5th April (*o* April 5th).

li[2] *pron.pers.m.* *3ª pers.pl.ogg.* them: *chiamali subito*, call them at once // *eccoli!*, here they are!

lì *avv.* there: *di, da qui a* —, from here to there; *è andato su di* —, he went up there; *scendi giù di* —, come (*o* get) down off there; *fermo* —!, stop there! // *guardate* — *che pasticcio!*, just look at that mess! // *qui è* —, → *qua* // *di* — *a un mese*, a month later; *di* — *a poco*, after a while; *di* — *a pochi giorni*, after a few days // *fin* —, as far as there; (*fig.*) as far as that (*o* up to that point) // *giù di* —, (*press'a poco*) so (*o* thereabouts) // — *per* —, (*dapprima*) at first; (*sul momento*) there and then // *oramai col denaro siamo* —, (*sta finendo*) we have almost run out of money; *oramai siamo* — *con gli esami*, (*sono vicini*) the exams are on top of us; *se non sono mille chilometri, saremo* —, if it's not a thousand kilometres, it must be about that; *se non ha settant'anni, siamo* —, if he is not seventy, he is not far from it // *siamo sempre* —, (*alle solite*) it's always the same old story // *essere* — — *per fare qlco.*, to be on the point of doing sthg. // *la cosa non finì* —, the matter didn't end there // *ha un po' di pensione e tutto finisce* —, he has a small pension and that's all // *tutto finì* —, that was that // *cfr. là*.

liana *s.f.* liana, liane.

libagione *s.f.* libation.

libanese *agg.* e *s.m.* e *f.* Lebanese (*pl. invar.*).

Libano *no.pr.m.* Lebanon.

libare *v.tr.* (*assaggiare, gustare*) to sip.

libbra *s.f.* **1** pound **2** (*antica misura di peso romana*) libra (*pl.* librae).

libecciata *s.f.* southwest gale.

libeccio *s.m.* "libeccio" (southwest wind).

libellista *s.m.* libeller; (*diffamatore*) defamer.

libello *s.m.* libel.

libellula *s.f.* dragonfly.

liberale *agg.* **1** liberal: *arti liberali*, liberal arts // *Partito Liberale*, Liberal Party **2** (*generoso*) generous ♦ *s.m.* liberal // *i Liberali*, (*pol.*) the Liberals.

liberalismo *s.m.* (*pol.*) liberalism.

liberalità *s.f.* liberality; (*generosità*) generosity.

liberalizzare *v.tr.* to liberalize.

liberalizzazione *s.f.* liberalization.

liberamente *avv.* freely: *per parlare* —, to speak freely.

liberare *v.tr.* **1** to free; (*mettere in libertà*) to set* free; (*salvare*) to rescue: — *la mente da pregiudizi*, to free one's mind of prejudice; — *un prigioniero*, to release (*o* to set free *o* to free) a prisoner; — *qlcu. da un obbligo*, to free s.o. from an obligation; — *qlcu. da un pericolo*, to rescue s.o. from a danger // *Dio ci scampi e liberi!*, God forbid! // *liberaci dal male*, deliver us from evil **2** (*chim.*) to liberate // **-arsi** *v.rifl.* to free oneself, to get* free; (*sbarazzarsi*) to get* rid (of s.o., sthg.): *mi sono liberato di loro*, I have got rid of them; — *dalla stretta di qlcu.*, to free oneself from s.o.'s grasp; — *dai propri impegni*, to get free from one's commitments.

liberatore *agg.* liberating ♦ *s.m.* liberator, deliverer.

liberazione *s.f.* liberation, freeing; (*il mettere in libertà*) release // — *da un'ipoteca*, (*comm.*) redemption of a mortgage // — *da un obbligo*, (*comm.*) release from an obligation.

liberiano *agg. e s.m.* Liberian.

liberismo *s.m.* (*econ.*) free trade.

liberista *s.m.* (*econ. pol.*) free trader.

libero *agg.* **1** free: *sono — dalle due alle tre*, I am free (*o* not engaged) between two and three; *essere — di fare qlco.*, to be free to do sthg.; *lasciare qlcu. — di fare ciò che vuole*, to give s.o. a free hand; *l'ho lasciato — nel pomeriggio*, I have given him the afternoon free (*o* off) // — *da imposte*, duty-free; — *da ipoteche*, free from mortgage; — *da pregiudizi*, free from prejudice; *tempo —*, free time; (*dal lavoro*) time off; *ore libere*, (*fuori servizio*) off-duty hours; *un giorno — alla settimana*, one day off a week // —, (*di taxi*) for hire // *allo stato —*, (*chim.*) free // *esercizi a corpo —*, free gymnastics // *stile —*, (*nuoto*) freestyle **2** (*vacante*) vacant: *non so se quel posto di cameriere sarà ancora —*, I don't know whether that job as a waiter will still be going **3** (*aperto*) open; (*sgombro*) clear: *all'aria libera*, in the open air; *strada libera*, clear road; *via libera*, (*ferr.*) line clear // *gli ho dato via libera*, I gave him the go-ahead **4** (*licenzioso*) free, loose.

libertà *s.f.* **1** liberty, freedom; (*indipendenza*) independence: *avere piena — d'azione*, to have full liberty; — *di commercio*, freedom of trade (*o* free trade); — *di culto, di parola*, freedom of religion, of speech; — *di stampa*, freedom of the press; — *provvisoria*, (*sotto cauzione*) bail: *accordare la — provvisoria a qlcu.*, to let s.o. out on bail; *essere in — vigilata*, to be out on parole // *domani è il mio giorno di —*, tomorrow is my free day (*o* my day off) // *in —*, at liberty; (*a proprio agio*) at home; (*di animali*) free; *mettere in — un accusato*, to discharge an accused; *mettersi in —*, to make oneself at home // *in tutta —*, freely // *prendersi delle — con qlcu.*, to take liberties with s.o. // *trattare qlcu. con troppa —*, to be too familiar with s.o. **2** (*licenziosità*) looseness // — *di linguaggio*, coarseness of speech.

libertario *agg. e s.m.* libertarian.

liberticida *agg. e s.m.* liberticide.

libertinaggio *s.m.* libertinism.

libertino *agg.* loose ♦ *s.m.* libertine, rake.

liberty *agg. e s.m.*: (*stile*) —, modern style.

Libia *no.pr.f.* Libya.

libico *agg. e s.m.* Libyan.

libidine *s.f.* lust.

libidinoso *agg.* lustful, lewd.

libraio *s.m.* bookseller.

librario *agg.* book (*attr.*): *commercio —*, book trade.

librarsi *v.rifl.* to hover.

libreria *s.f.* **1** bookshop, bookstore: — *di occasioni*, second-hand bookshop **2** (*biblioteca*) library: — *circolante*, lending library **3** (*scaffale*) bookcase, bookshelves (*pl.*).

libresco *agg.* bookish.

librettista *s.m.* librettist.

libretto *s.m.* **1** (*mus.*) libretto **2** (*piccolo libro*) booklet, (small) book: — *di assegni*, chequebook; — *di deposito*, passbook; — *di risparmio*, savings book; — *di circolazione*, (*aut.*) logbook; — *di lavoro*, employment card; — *di matricola*, (*mil.*) paybook; — *universitario* university student's record-book.

libro *s.m.* **1** book: — *da messa*, missal; — *di bordo*, logbook; — *di cucina*, cookery book; — *di lettura*, reader; — *di preghiere*, prayer book; — *di testo*, text book; — *paga*, payroll; *proibire un —*, to ban a book // — *all'indice*, book on the Index // — *d'oro*, social register // — *nero*, blacklist (*o* black book) // — *poliziesco*, detective story; — *giallo*, crime story // — *e madre e figlia*, counterfoil book; — *di cassa*, cash-book; — *mastro*, ledger; — *giornale*, journal; *mettere a —*, to book (*o* to enter); *tenere i libri in partita doppia semplice*, to keep the books by double-entry, by single-entry // *parlare come un — stampato*, to speak like a book **2** (*bot.*) liber.

licantropo *s.m.* lycanthrope.

licantropìa *s.f.* lycanthropy.

liccio *s.m.* (*ind. tessile*) heald; (*amer.*) heddle.

liceale *agg.* pertaining to a "Liceo" ♦ *s.m. e f.* student of a "Liceo", secondary school student.

liceità *s.f.* (*dir.*) lawfulness.

licenza *s.f.* **1** licence: — *di caccia, di pesca*, shooting licence, fishing licence; — *d'esercizio*, (*comm.*) trading licence; — *d'importazione*, (*comm.*) import licence; — *matrimoniale*, marriage licence; *tassa di —*, licence fee: *gli hanno revocato la —*, they took his licence away; (*permesso*) permission, leave (*anche mil.*): — *per malattia*, sick leave; *con — dell'autore*, by permission of the author; *con sua —*, with your permission (*o* by your leave); *chiedere —*, to ask leave; *prendersi la — di fare qlco.*, to take leave to do sthg.; *essere in —*, to be on leave; *ottenere una — di due giorni*, to get two days' leave **3** (*libertà*) licence: — *poetica*, poetic licence **4** (*a scuola*): — *elementare*, 11 plus; — *liceale*, school leaving certificate.

licenziamento *s.m.* dismissal, discharge: *ingiusto —*, unfair dismissal; *indennità di —*, severance pay; *dismissal compensation*.

licenziare *v.tr.* **1** to dismiss, (*fam.*) to sack, to fire: *è stato licenziato in tronco*, he was dismissed without notice **2** (*conferire un diploma a*) to confer a diploma (on s.o.) // **-arsi** *v.rifl.* **1** to give* up one's job; (*dare le dimissioni*) to resign one's office: *ho intenzione di licenziarmi*, I intend (*o* am going to) give notice **2** (*ottenere un diploma*) to take* one's certificate.

licenziato *agg.* **1** (*da posto di lavoro*) sacked, fired **2** (*da una scuola*) certificated: — *da*, with a certificate from ♦ *s.m.* (*da una scuola*) licentiate.

licenziosità *s.f.* licentiousness.

licenzioso *agg.* licentious.

liceo *s.m.* "Liceo" (State secondary school): — *classico, scientifico*, "Liceo" specializing in classical, scientific studies.

lichene *s.m.* lichen.

licitazione *s.f.* **1** (*offerta all'asta*) bid, bidding **2** (*vendita all'asta*) auction sale.

Licurgo *no.pr.m.* (*st.*) Lycurgus.

Lidia *no.pr.f.* Lydia.

lido *s.m.* beach: *il Lido di Venezia*, the Venice Lido // *patrii lidi*, (*poet.*) one's homeland.

lieto *agg.* happy, glad; (*allegro*) cheerful, gay; merry

linguella

(*contento*) pleased, delighted: *sono — che tu sia guarito,* I am glad (*o* delighted) you have recovered; *di umore —,* in good humour; *era sempre —,* he was always cheerful // *un — evento,* a happy event.

lieve *agg.* light, slight (*spec. fig.*): *una — brezza,* a light breeze; *un tocco —,* a light touch; *c'era una — differenza di opinioni fra di noi,* there was a slight difference of opinion between us.

lievemente *avv.* **1** lightly, slightly (*spec. fig.*) **2** (*con delicatezza*) gently, softly.

lievitare *v.tr.* to leaven ♦ *v.intr.* to rise* (*anche fig.*).

lievito *s.m.* **1** leaven; (*di birra*) yeast; (*in polvere*) baking powder **2** (*fig.*) ferment.

lift *s.m.* liftboy, liftman (*pl.* -men); (*amer.*) elevator operator.

ligio *agg.* (*fedele*) faithful, true; (*osservante*) observant (of): *— al dovere,* faithful to one's duty; *— alle regole,* observant of rules; *essere — ai propri principi,* to be true to one's principles.

lignaggio *s.m.* lineage, descent.

ligneo *agg.* wooden, ligneous.

lignite *s.f.* (*min.*) lignite, brown coal.

ligure *agg. e s.m. e f.* Ligurian.

ligustro *s.m.* (*bot.*) privet.

liliale *agg.* (*letter.*) lily-like (*attr.*).

Liliana *no.pr.f.* Lilian.

lilla (*o lillà*) *s.m.* (*bot.*) lilac ♦ *agg. e s.m.* (*colore*) lilac.

lillipuziano *agg. e s.m.* Lilliputian.

lima *s.f.* file // *lavorar di —,* (*fig.*) to polish.

limaccioso *agg.* slimy, muddy.

limare *v.tr.* **1** to file; (*con limatrice*) to shape **2** (*fig.*) (*parole, scritti*) to polish **3** (*fig. letter.*) (*tormentare*) to torment.

limatura *s.f.* **1** filing **2** (*minuscole particelle*) filings (*pl.*).

limbo *s.m.* Limbo.

limitabile *agg.* limitable.

limitare[1] *s.m.* threshold (*anche fig.*).

limitare[2] *v.tr.* to limit (*anche fig.*): *— le spese,* to limit the expenses; *— la velocità,* to limit speed // **-arsi** *v.rifl.* to limit oneself // *si limitò a sgridarlo,* he just reproached him.

limitatezza *s.f.* limitation.

limitativo *agg.* restrictive: *clausola limitativa,* (*dir.*) restrictive clause.

limitato *agg.* limited; (*ristretto*) restricted, narrow: *capitali limitati,* limited capital; *responsabilità limitata,* (*comm.*) limited liability; *intelligenza limitata,* limited intelligence; *persona di mentalità limitata,* narrow-minded person.

limitazione *s.f.* limitation, restriction.

limite *s.m.* limit (*anche fig.*); (*confine*) boundary, border: *— di tempo,* time limit; *avere coscienza dei propri limiti,* to be conscious of one's limits; *fuori dai limiti,* out of bounds; *entro un certo —,* (*fig.*) within limits; *passare i limiti, ogni —,* to go too far; *questo passa ogni —,* that's the limit // *— delle nevi perenni,* snowline // *caso —,* borderline case // *superare il — di velocità,* to exceed the speed limit // *punizione dal —,* (*calcio*) free kick from the edge of the area.

limitrofo *agg.* neighbouring, bordering, limitrophe: *paese —,* borderland.

limo *s.m.* slime, mud.

limonata *s.f.* lemonade; (*di limone spremuto*) lemon-squash.

limoncina *s.f.* (*bot. pop.*) burning bush.

limone *s.m.* (*albero*) lemon (tree); (*frutto*) lemon: *succo di —,* lemon juice // *color —,* lemon-coloured // *— spremuto,* (*fig.*) squeezed lemon.

limonite *s.f.* (*min.*) limonite.

limpidezza *s.f.* clearness; limpidity.

limpido *agg.* clear; (*di acqua, occhi, stile*) limpid.

lince *s.f.* lynx // *una persona dagli occhi di —,* a lynx-eyed person.

linciaggio *s.m.* lynching.

linciare *v.tr.* to lynch.

lindo *agg.* (*pulito*) clean; (*in ordine*) tidy, neat.

linea *s.f.* line: *— punteggiata,* dotted line; *— spartitraffico,* traffic line; *— aerea,* airline; *— ferroviaria,* railway line; *— di rotta,* (*mar.*) course; *— del fuoco,* (*mil.*) line of fire; *prima —,* (*mil.*) front (*o* fighting) line; *vittoria su tutta la —,* (*anche fig.*) victory all along the line; *— di attacco,* (*sport*) forward line; *— di raccordo,* connecting line; *— di condotta,* line of action; *la — è occupata,* (*al telefono*) the line is engaged; *mettere in —,* (*tel.*) to connect; *— di trasmissione,* (*tel.*) communication line; data transmission line; *— dedicata,* (*tel.*) dedicated line; *non mi piace la — di quella automobile,* I don't like the line of that car // *— spartiacque,* (*geogr.*) watershed // *mantenere la —,* to keep one's figure.

lineamenti *s.m.pl.* **1** (*del viso*) features **2** (*elementi essenziali*) outlines: *— di letteratura inglese,* outlines of English literature.

lineare *agg.* **1** linear **2** (*fig.*) unswerving: *condotta —,* unswerving moral conduct; *un ragionamento —,* a straightforward reasoning.

linearità *s.f.* linearity.

lineetta *s.f.* dash; (*trattino d'unione*) hyphen.

linfa *s.f.* **1** (*biol.*) lymph **2** (*bot.*) sap.

linfadenite *s.f.* (*med.*) lymphadenitis.

linfatico *agg.* lymphatic.

linfatismo *s.m.* (*med.*) lymphatism.

lingotto *s.m.* bar; (*d'oro, d'argento*) ingot.

lingua *s.f.* **1** tongue: *— di bue,* oxtongue; *— salmistrata,* (*cuc.*) corned tongue; *hai la — sporca,* your tongue is coated (*o* furred) // *lingue di gatto,* (*biscotti*) finger biscuits // *— blasfema,* (*persona blasfema*) blasphemous person; *è una — sacrilega,* he has an evil tongue // *che —!,* what a chatterbox!; *che — lunga hai!,* don't you ever stop talking? // *avere la — sciolta,* to have a glib (*o* ready) tongue; *frenare la —, tenere la — a posto,* to hold one's tongue; *sciogliere la — a qlcu.,* to loosen s.o.'s tongue // *avere qlco. sulla punta della —,* to have sthg. on the tip of one's tongue // *la — batte dove il dente duole,* (*prov.*) the tongue ever turns to the aching tooth // *ferisce più la — che la spada,* (*prov.*) the pen is mightier than the sword **2** (*linguaggio*) language, tongue: *— morta,* dead language; *— parlata,* spoken language; *— madre,* mother tongue; *paesi, gente di — inglese,* English-speaking countries, people **3** (*striscia di terra*) tongue, strip of land.

linguacciuto *agg.* chatty, talkative; (*pettegolo*) gossipy.

linguaggio *s.m.* **1** language: *— colorito,* colourful language; *— violento,* strong language // *che —!,* mind your language! **2** (*informatica*) language: *— a basso ciclo,* low-level language; *— di controllo (del supervisore),* control language; *— di programmazione,* programming language; *— di programmazione evoluto,* (*IBM*) *— avanzato,* high-level language; *— macchina,* computer (machine) language.

linguale *agg.* lingual.

linguella *s.f.* (*filatelia*) (stamp) hinge.

linguetta *s.f.* **1** tongue **2** (*di busta*) flap.

linguista *s.m.* e *f.* linguist.

linguistica *s.f.* linguistics.

linguistico *agg.* linguistic.

linificio *s.m.* flax mill.

linimento *s.m.* liniment.

lino *s.m.* **1** (*pianta, fibra*) flax: — *a fibre lunghe*, long flax; *seme di* —, linseed **2** (*tela di lino*) linen.

linoleum *s.m.* linoleum.

linone *s.m.* (*ind. tessile*) lawn.

linosa *s.f.* linseed.

linotipia *s.f.* linotyping.

linotipista *s.m.* e *f.* linotypist, linotyper.

linotype® *s.f.* Linotype®.

liocorno *s.m.* (*mit.*) unicorn.

liofilizzato *agg.* lyophilised, freeze-dried ♦ *s.m.* freeze-dried product.

liofilizzazione *s.f.* (*chim.*) lyophilization.

lipide *s.m.* (*chim.*) lipide.

lippa *s.f.* (*gioco*) tipcat.

Lipsia *no.pr.f.* Leipzig.

liquefare *v.tr.*, **liquefarsi** *v.intr.pron.* to liquefy; (*sciogliere, sciogliersi*) to melt.

liquefazione *s.f.* liquefaction; (*scioglimento*) melting.

liquidare *v.tr.* to liquidate; (*un conto*) to settle; (*merci*) to sell* off; (*un'azienda*) to wind* up: — *gli arretrati*, to pay up arrears // — *qlcu.*, to pay s.o. off; (*liberarsene*) to get* rid of s.o.; (*ucciderlo*) to bump s.o. off // — *una questione*, to settle a question.

liquidatore *s.m.* (*dir. comm.*) liquidator: — *di fallimento*, official receiver.

liquidazione *s.f.* **1** liquidation; (*di conti, debiti*) settling, settlement; (*di ditta*) winding-up; (*di merci*) selling off, sale; — *di danni*, liquidation of damages; *prezzi di* —, sale prices; *vendita di* —, clearance sale; *mettere in* —, to put into liquidation **2** (*di fine lavoro*) severance pay.

liquido *agg.* **1** liquid **2** (*comm.*) ready, available: *denaro* —, cash; *fondi liquidi*, available funds ♦ *s.m.* **1** liquid, fluid **2** *pl.* (*comm.*) cash of hand.

liquirizia *s.f.* liquorice.

liquore *s.m.* liqueur; *pl.* (*distillati, cognac, grappa ecc.*) spirits: *gli piacciono i liquori*, he is fond of strong drink.

liquoroso *agg.*: *vino* —, strong sweet wine.

lira[1] *s.f.* (*moneta*) lira: — *sterlina*, pound sterling.

lira[2] *s.f.* (*mus.*) lyre // *uccello* —, lyrebird.

lirica *s.f.* **1** lyric poetry: *la* — *amorosa del Petrarca*, Petrarch's love poetry **2** (*componimento lirico*) lyric (poem) **3** (*il teatro lirico*) opera.

liricità *s.f.* lyricism.

lirico *agg.* **1** lyric(al) **2** (*mus.*) opera (*attr.*): *cantante* —, opera singer; *teatro* —, opera house ♦ *s.m.* lyric(al) poet.

lirismo *s.m.* lyricism.

Lisbona *no.pr.f.* Lisbon.

lisca *s.f.* fish-bone.

lisciare *v.tr.* **1** to smooth; (*levigare*) to polish: *lisciarsi i capelli*, to smooth one's hair **2** (*accarezzare*) to stroke **3** (*adulare*) to flatter // **-arsi** *v.rifl.* (*agghindarsi*) to smarten oneself up; (*fam.*) to smooth oneself up.

lisciata *s.f.* smooth.

lisciatura *s.f.* smoothing; (*fig.*) flattering.

liscio *agg.* **1** smooth (*anche fig.*) // *tutto va* —, everything is going smoothly // *passarla liscia*, to get off scot-free **2** (*di bevanda alcolica*) neat.

liscivia *s.f.* lye.

liscoso *agg.* full of bones.

liseuse (*franc.*) *s.f.* bed-jacket.

liso *agg.* threadbare, worn-out.

lista *s.f.* **1** strip, band **2** (*elenco*) list // — *delle vivande*, menu // — *dei candidati*, list of candidates // — *elettorale*, (*pol.*) Electoral Register **3** (*informatica*) list: — *di opzioni proposte all'operatore*, menu; — *di verifica*, check list.

listare *v.tr.* to stripe; (*bordare*) to edge.

listato *agg.* striped; (*bordato*) edged: — *a lutto*, black-edged.

listello *s.m.* (*arch.*) fillet.

listino *s.m.* list: — *di Borsa*, Stock-Exchange list; — *delle estrazioni*, list of drawings; — *delle quotazioni*, quotation list; — *prezzi*, price list; — *ufficiale*, official list; *prezzi di* —, list prices.

litania *s.f.* **1** (*eccl.*) litany **2** (*fig.*) (*sequela*) string.

litantrace *s.m.* (*min.*) lithanthrax.

lite *s.f.* **1** quarrel, row: *attaccar* — *con qlcu.*, to pick a quarrel with s.o. **2** (*dir.*) lawsuit: *comporre una* —, to settle a suit.

litiasi *s.f.* (*med.*) lithiasis.

litigante *s.m.* **1** quarreller; (*rissante*) brawler // *tra i due litiganti il terzo gode*, (*prov.*) while two dogs strive for a bone the third runs away with it **2** (*dir.*) litigant.

litigare *v.intr.* **1** to quarrel (about, over sthg.), to argue (over, about sthg.), to have* a row (over, about sthg.) **2** (*dir.*) to go* to law.

litigio *s.m.* quarrel, row.

litigioso *agg.* quarrelsome, argumentative; (*dir.*) contentious.

litio *s.m.* (*chim.*) lithium.

litogenesi *s.f.* (*geol.*) lithogenesis.

litografare *v.tr.* to lithograph.

litografia *s.f.* **1** lithography **2** (*riproduzione litografica*) lithograph **3** (*officina*) lithographic press.

litografico *agg.* lithographic.

litografo *s.m.* lithographer.

litologia *s.f.* lithology.

litorale *agg.* e *s.m.* littoral.

litoraneo *agg.* coastal, coast (*attr.*).

litosfera *s.f.* (*geol.*) lithosphere.

litro *s.m.* litre; (*amer.*) liter.

littore *s.m.* (*st. romana*) lictor.

littorina *s.f.* diesel-electric train.

littorio *agg.* lictorian.

Lituania *no.pr.f.* Lithuania.

lituano *agg.* e *s.m.* Lithuanian.

liturgia *s.f.* liturgy.

liturgico *agg.* liturgic(al): *musica liturgica*, church music.

liutaio *s.m.* maker of stringed instruments.

liuto *s.m.* lute.

livella *s.f.* level.

livellamento *s.m.* levelling (*anche fig.*).

livellare *v.tr.* to level, to make* level (*anche fig.*) // **-arsi** *v.intr.pron.* to become* level (*anche fig.*).

livellatore *agg.* levelling ♦ *s.m.* leveller.

livellatrice *s.f.* (*mecc.*) buldozer.

livellazione *s.f.* levelling.

livello *s.m.* level (*anche fig.*): *differenze di* —, differences in level; *sopra il, sotto il, a* — *del mare*, above, below, at sea level; — *salariale*, rate of pay (*o wage level*) // *passaggio a* —, level crossing // *essere allo stesso* — *di qlcu.*, to be on a level (*o on a par*) with s.o.

lividezza *s.f.* lividness.

livido *agg.* livid (*with*) (*anche fig.*): *era* — *di collera*, he

lontana, alla

was livid with rage; *era — di invidia*, he was green with envy ♦ *s.m.* bruise: *era coperto di lividi*, he was covered with bruises (*o* he was all black and blue).

lividura *s.f.* lividness; (*livido*) bruise.

Livio *no.pr.m.* (*st.*) Livy.

livore *s.m.* (*invidia*) envy; (*astio*) spite.

livornese *agg.* of Leghorn ♦ *s.m.* e *f.* inhabitant of Leghorn.

Livorno *no.pr.f.* Leghorn.

livrea *s.f.* **1** livery **2** (*di uccelli*) plumage.

lizza *s.f.*: *entrare in —*, to enter into competition; *essere in —*, to be competing.

lo[1] *art.det.m.sing.* the → **il**.

lo[2] *pron.pers.m.* 3*a pers.sing.* **1** *ogg.* (*riferito a persona*) him; (*riferito a cose e animali*) it: *non — vedo*, I can't see him, it // *eccolo!*, here he, it is! **2** *ogg.* (*con valore di ciò, questo*): *diglielo*, tell him; *non — fare*, don't do it; *— credo anch'io*, I think so too; *— dica a me*, tell me; *— si sa*, everybody knows (that); *— so, I know*; *l'ho offeso senza volerlo*, I offended him unwittingly (*o* but I didn't mean to) **3** (*col valore di tale con voci del verbo essere*): «*È medico?*» «*Lo è*», "Is he a doctor?" "Yes he is"; *sembra vecchio, ma non — è*, he looks old, but he isn't.

lobato *agg.* (*bot.*) lobate.

lobbia *s.f.* homburg (hat).

lobo *s.m.* lobe.

locale[1] *agg.* local // *anestesia —*, local anaesthetic ♦ *s.m.* (*abitante indigeno*) native.

locale[2] *s.m.* room; *pl.* (*spec. di negozio, ufficio*) premises: *— caldaie*, boiler room; (*mar.*) stokehold; *— notturno*, nightclub; *— per magazzinaggio*, storeroom; *cambiamento nella disposizione dei locali*, alteration of premises.

località *s.f.* locality: *una — amena*, a beauty spot.

localizzabile *agg.* **1** locatable **2** (*che si può circoscrivere*) that can be localized.

localizzare *v.tr.* **1** to locate **2** (*circoscrivere*) to localize // **-arsi** *v.intr.pron.* to localize.

localizzazione *s.f.* **1** location **2** (*limitazione*) localization.

locanda *s.f.* inn.

locandiera *s.f.*, **locandiere** *s.m.* innkeeper.

locandina *s.f.* playbill.

locare *v.tr.* to let*.

locatario *s.m.* (*dir.*) lessee; (*affittuario*) tenant.

locativo *agg.* rent (*attr.*): *valore —*, rental value.

locatore *s.m.* (*dir.*) lessor; (*chi dà in affitto*) landlord.

locazione *s.f.* lease; (*affitto*) tenancy: *casa in —*, house on a lease; *disdetta di —*, notice to quit.

locomotiva *s.f.* locomotive: *— a vapore*, steam locomotive // *sbuffare come una —*, (*scherz.*) to puff like an engine.

locomotore *s.m.* locomotive.

locomozione *s.f.* locomotion: *mezzi di —*, means of transport.

loculo *s.m.* burial niche, loculus (*pl.* loculi).

locusta *s.f.* locust.

locuzione *s.f.* expression, phrase; (*frase idiomatica*) idiom: *— avverbiale*, (*gramm.*) adverbial phrase.

lodare *v.tr.* to praise // *Dio sia lodato!*, praise be to God! // **-arsi** *v.rifl.* to praise oneself // *chi si loda s'imbroda*, (*prov.*) self-praise is no praise.

lodatore *s.m.* (*rar.*) praiser.

lode *s.f.* praise: *ciò torna a sua —*, he must be praised for this; *merita una —*, he deserves praise // *— a Dio!*,

God be praised!; *dar — a Dio*, to praise god // *senza infamia e senza —*, without praise or blame // *tessere le lodi di qlcu.*, to sing s.o.'s praises.

lodevole *agg.* praiseworthy, laudable, commendable.

lodo *s.m.* (*dir.*) award.

Lodovico *no.pr.m.* Ludovic, Ludowick.

logaritmico *agg.* (*mat.*) logarithmic.

logaritmo *s.m.* (*mat.*) logarithm: *— addizionale*, addition logarithm; *— decimale*, common logarithm.

loggia *s.f.* **1** (*arch.*) loggia **2** (*circolo massonico*) lodge.

loggiato *s.m.* open gallery.

loggione *s.m.* (*teatr.*) gallery.

logica *s.f.* logic: *procedere a fil di —*, to proceed logically.

logicità *s.f.* logicality.

logico *agg.* logical ♦ *s.m.* logician.

logistica *s.f.* (*mil.*) logistics (*pl.*).

logistico *agg.* logistic(al).

loglio *s.m.* (*bot.*) darnel // *distinguere il grano dal —*, (*Bibbia*) to separate the grain from the chaff.

logogrifo *s.m.* logogriph, word puzzle.

logoramento *s.m.* wearing out (*anche fig.*); (*fig.*) (*di salute*) wasting away // *— della mente, dei nervi*, mental, nervous strain // *il suo lavoro lo sottopone a un continuo —*, his job imposes a continuous strain on him // *azioni di —*, (*mil.*) guerrilla warfare (*o* attacks).

logorante *agg.* wearing.

logorare *v.tr.* **1** to wear* out **2** (*fig.*) to wear* out; (*consumare*) to use up; (*salute*) to waste away // *— gli occhi con la lettura*, to ruin one's eyes (with) reading // **-arsi** *v.intr.pron.* **1** to wear* out **2** (*fig.*) to wear* (oneself) out.

logorio *s.m.* wear and tear; (*fig.*) strain: *il — dei nervi*, the nervous strain; *il — della vita moderna*, the strain (*o* wear and tear) of modern life.

logoro *agg.* worn(-out) (*anche fig.*); (*di salute*) wasted (away).

lolla *s.f.* husk.

lombaggine *s.f.* lumbago.

Lombardia *no.pr.f.* Lombardy.

lombardo *agg.* e *s.m.* Lombard.

lombare *agg.* (*anat.*) lumbar.

lombata *s.f.* (*cuc.*) sirloin.

lombo *s.m.* loin.

lombrico *s.m.* earthworm.

londinese *agg.* London (*attr.*); (*di popolano di Londra*) Cockney (*attr.*): *dialetto —*, Cockney ♦ *s.m.* e *f.* Londoner; (*popolano di Londra*) Cockney.

Londra *no.pr.f.* London.

longanime *agg.* patient, forbearing.

longanimità *s.f.* forbearance, longanimity.

longarina *s.f.* (*edil.*) girder.

longevità *s.f.* longevity.

longevo *agg.* long-lived, longeval.

longherone *s.m.* **1** (*aut.*) side member, side frame **2** (*aer.*) (*di fusoliera*) longeron; (*dell'ala*) (wing) spar.

longilineo *agg.* lanky.

longitudinale *agg.* longitudinal // *trave —*, (*aer.*) longitudinal.

longitudinalmente *avv.* lengthwise, longitudinally.

longitudine *s.f.* longitude: *— in ore e minuti*, longitude in time.

longobardo *agg.* e *s.m.* Longobard, Lombard.

lontana, alla *locuz.avv.* at a distance // *parenti alla —*, distant relations // *assomigliare a qlcu. alla —*, to look slightly like s.o.

lontanamente *avv.* slightly, faintly; (*vagamente*) vaguely // *non ci penso neppure —*, I am not even thinking about it // *non sapevo neppure — come cominciare*, I hadn't the faintest idea how to start.

lontananza *s.f.* distance: *in —*, in the distance; (*da lontano*) from a distance; (*a distanza*) at a distance // *era afflitto per la — dai suoi cari*, it grieved him to be so far away from his family; *la — da casa gli pesa molto*, he suffers a lot from homesickness // *sentire la — di qlcu.*, to miss s.o.

lontano *agg.* **1** far, far off, far away: *un paese —*, a far off (*o* distant) country; *ora viviamo lontani*, now we live far apart; *è lontana la stazione?*, is the station far away? (*o* is it far to the station?); *la stazione non è lontana*, the station isn't far (*o* far off *o* far away) (*o* it isn't far to the station); *la stazione è lontana*, the station is a long way off (*o* it is a long way to the station) // *— due miglia*, two miles away // *più —*, farther (*o* further) away; *il più — possibile*, the farthest (away) possible // *gli amici lontani*, absent friends // *— da*, (*anche fig.*) far from: *questo è ben — dall'essere perfetto*, this is very far from (being) perfect // *tenere — qlco., qlcu.*, to keep stgh., s.o. away; *tenersi — da qlco., qlcu.*, to keep away from stgh., s.o.; *stammi lontana, ho il raffreddore*, stay away from me (*o* don't come near me), I've got a cold; *stai lontana!*, keep away! **2** (*distante nel tempo*) distant // *i miei ricordi più lontani*, my earliest recollections **3** (*vago*) vague, faint **4** (*di parentela*) distant.

lontano *avv.* a long way (away), far (away): *il più — possibile*, as far away as possible; *non abitano —, — da qui*, they don't live far away, far (away) from here; *abitano —, molto più —*, they live a long way away, much farther (*o* further) away; *andare —*, (*anche fig.*) to go far // *essere — da casa*, to be away from home // *tenersi — da qlco.*, to keep away from s.o. // *da, di —*, from a distance; *venire di, da —*, to come from a long way off, away // *nulla è più — dal vero*, nothing is farther from the truth // *vedere —*, (*fig.*) to be farsighted // *portare —*, (*fig.*) to carry far; (*in lontananza*) a long way away, far away; *— si vedeva del fumo*, a long way away a wisp of smoke could be seen; *non riesco a vedere tanto —*, I cannot see as far as that.

lontra *s.f.* otter.

lonza *s.f.* (*cuc.*) surloin of pork.

loquace *agg.* loquacious, talkative.

loquacità *s.f.* talkativeness, loquacity.

loquela *s.f.* **1** speech, faculty of speech **2** (*modo di parlare*) way of speaking.

lordare *v.tr.* to soil (*anche fig.*).

lordo *agg.* **1** filthy (*anche fig.*), grimy: *mani lorde di sangue*, bloodstained hands **2** (*comm.*) gross.

lordura *s.f.* grime (*anche fig.*), filth (*anche fig.*).

Lorenzo *no.pr.m.* Laurence, Lawrence.

loro *agg.poss.m.* e *f.* **1** their; (*loro proprio*) their own: *un — amico*, a friend of theirs; *alcuni — libri*, some of their books (*o* some books of theirs); *hanno una casa —?*, have they got a house of their own?; *non invidio la — ricchezza*, I don't envy them their money // *per — ricordo*, in their memory **2** (*pred. nominale*) theirs: *questa casa è —*, this house is theirs **3** (*formula di cortesia*) your; (*pred. nominale*) yours **4** (*in espressioni ellittiche*): *la — del 5 aprile*, (*lettera*) their (*formula di cortesia* your) letter of 5th April; *sta dalla — (parte)*, he is on their side ♦ *pron.poss.m.* e *f.* **1** theirs: *questa stanza è la —*, this room is theirs **2** (*formula di cortesia*) yours ♦ *s.m.* **1** *vivono del —*, they live on their income; *spen-*

dono del —, they spend their own money **2** *pl.*: *i —*, their family; (*partigiani, seguaci*) their supporters // *è uno dei —*, he is one of them.

loro *pron.pers.m.* e *f.* *3ᵃ pers.pl.* **1** *compl.* them; (*termine, a loro*) (to) them: *disse — che...*, he told them that... // *ero da — ieri*, I was at their house yesterday **2** *sogg.* they: *sono —*, it is they (*o fam.* it's them); *sono — che...*, it is they who...; *questo lo dicono —!*, that's what they say!; *l'han detto —*, they said so; *studia meno di —*, he studies less than they do; *se io fossi —*, if I were they; *— stessi, proprio —*, they themselves, they... themselves // *perché non sono tutti come —?*, why isn't everybody like them? // *non sembrano più —*, they do not seem themselves any more // *— così generosi!*, such generous people! // *beati —!*, lucky fellows! // *— due, — tre*, the two, the three of them **3** (*formula di cortesia*) you.

losanga *s.f.* lozenge.

Losanna *no.pr.f.* Lausanne.

losco *agg.* **1** (*bieco*) sinister **2** (*di dubbia onestà*) suspicious; (*fam.*) fishy: *avere un'aria losca*, to look suspicious // *c'è del —*, (*fam.*) it smells fishy.

loto *s.m.* lotus.

lotta *s.f.* **1** struggle (*anche fig.*); (*battaglia*) fight: *— a corpo a corpo*, hand-to-hand struggle; *la — per la vita*, the struggle for life; *sostenere una — con qlcu.*, to have a fight with s.o. // *le sue passioni erano in —*, his passions were struggling within him // *essere in — con qlcu.*, (*fig.*) to be at loggerheads with s.o. **2** (*sport*) wrestling // *— libera*, catch-as-catch-can.

lottare *v.intr.* **1** to fight* (*anche fig.*); (*a lungo e faticosamente*) to struggle (*anche fig.*) **2** (*sport*) to wrestle.

lottatore *s.m.* **1** struggler, fighter (*anche fig.*) **2** (*sport*) wrestler.

lotteria *s.f.* lottery: *— di beneficenza*, charity lottery; *ha vinto alla —*, he won a prize in the lottery.

lottizzare *v.tr.* (*urbanistica*) to lot.

lottizzazione *s.f.* (*urbanistica*) lotting.

lotto *s.m.* **1** state lottery: *estrazione del —*, drawing of the lottery // *giocare un numero al —*, to put a bet on a (lottery) number // *ho vinto un terno al —*, (*anche fig.*) I have hit the jackpot **2** (*porzione, contingente*) lot // *un — di merci*, a stock of goods **3** (*informatica*) (*di schede*) batch.

lozione *s.f.* lotion.

lubrico *agg.* lubricous (*anche fig.*).

lubrificante *agg.* lubricating ♦ *s.m.* lubricant.

lubrificare *v.tr.* to lubricate.

lubrificazione *s.f.* lubrication // *— a olio*, (*mecc.*) oiling.

Luca *no.pr.m.* Luke.

lucchetto *s.m.* padlock.

luccicare *v.intr.* to shine* (with stgh.); to glisten (with stgh.); to sparkle (with stgh.): *l'armatura luccicava al sole*, the armour shone in the sun; *i suoi occhi luccicavano di gioia, di pianto*, her eyes sparkled with joy, glistened with tears; *il lago luccicava al chiaro di luna*, the lake was glistening in the moonlight.

luccichio *s.m.* glitter; sparkle; (*di stella*) twinkling.

luccicone *s.m.* teardrop // *le vennero i lucciconi agli occhi*, tears came to her eyes.

luccio *s.m.* pike.

lucciola *s.f.* firefly; (*senza ali*) glow-worm // *mostrare lucciole per lanterne*, to make believe that the moon is made of green cheese // *prende lucciole per lanterne*, he can't tell chalk from cheese.

luce *s.f.* **1** light: *— della luna*, moonlight; *— diurna*, daylight; *alla — del sole*, by the light of the sun; *(fig.)* openly; *contro —*, against the light; *guardò l'uovo contro —*, she held the egg up to the light; *alla — della ragione*, by the light of reason; *la stanza riceve — da due finestre, dal cortile*, light enters the room through two windows, through a window overlooking the courtyard // *dar — a un locale*, to let light into a room // *in buona, cattiva —, (anche fig.)* in a good, bad light; *mettere qlco. in buona, cattiva —*, to describe s.o. in a good, bad light // *mettere in —, (fig.)* to bring out // *far — (su qlco.), (fig.)* to throw light (on sthg.) // *portare alla —*, to bring to light // *venire alla —, (divenir manifesto)* to come to light // *vedere la —, venire alla —, (nascere)* to be born // *dare alla —*, to give birth to // *chiudere gli occhi alla —, (morire)* to die **2** *(aut.)* luci di posizione, side lights; *luci di arresto*, brake lights **3** *(arch.)* span **4** *(vetrina)* window: *un negozio con tre luci*, a shop with three windows.

lucente *agg.* bright, shining.

lucentezza *s.f. (di cosa che emana luce)* brilliancy, brightness; *(di cosa che è lucida)* sheen, shine: *la — del pavimento*, the shine of the floor; *la — dei capelli*, the sheen of one's hair.

lucerna *s.f.* (oil) lamp.

Lucerna *no.pr.f.* Lucerne.

lucernario *s.m.* skylight.

lucertola *s.f.* lizard.

lucherino *s.m. (zool.)* siskin.

Lucia *no.pr.f.* Lucy.

lucidamente *avv.* lucidly.

lucidare *v.tr.* to polish.

lucidatore *s.m.* polisher.

lucidatrice *s.f.* (floor) polisher.

lucidatura *s.f.* polishing.

lucidità *s.f.* lucidity // *momento di —*, lucid interval.

lucido *agg.* **1** shiny, glossy; *(lucidato)* polished // *— come uno specchio*, as bright as a new pin // *la sua casa è sempre tirata a —*, his house is always spick and span **2** *(fig.)* lucid // *una lucida esposizione dei fatti*, a lucid presentation of the facts // *mente lucida*, lucid (*o* clear) mind ♦ *s.m.* **1** polish; *(lucentezza)* glossiness **2** *(materia che conferisce lucentezza)* polish: *— per le scarpe*, shoe polish; *(nero)* blacking **3** *(ricalco)* tracing.

Lucifero *no.pr.m.* Lucifer.

lucignolo *s.m.* wick.

lucrare *v.tr.* to gain: *— le indulgenze, (eccl.)* to gain indulgences.

lucrativo *agg.* lucrative.

lucro *s.m.* gain: *a scopo di —*, for the sake of gain.

lucroso *agg.* lucrative, profitable.

luculliano *agg.* Lucullan.

ludibrio *s.m.* **1** mockery: *mettere qlcu., qlco. in —*, to make a mockery of s.o., sthg. **2** *(oggetto di scherno)* butt.

lue *s.f. (med.)* lues.

luetico *agg.* luetic.

luglio *s.m.* July.

lugubre *agg.* gloomy, lugubrious; *(funereo)* mournful.

lui *pron.pers.m. 3ª pers.sing.* **1** *compl.* him; *(termine, a lui)* (to) him // *ero da — ieri*, I was at his house yesterday // *sta in, a —*, it is up to him **2** *sogg.* he: *è —*, it is he (*o fam.* it's him); *è — che...*, it is he who...; *l'ha detto —*, he said so; *studiano meno di —*, they study less than he (does); *non fare come —*, don't do as he does; *se io fossi —*, if I were him; *— stesso, proprio —*, he himself,

he... himself // *perché non sono tutti come —?*, why isn't everybody like him? // *non sembra più —*, he does not seem himself any more // *è tutto —, (di ritratto)* it is just like him (*o* it's the very image of him) // *— così ricco!*, such a wealthy person! // *beato —!*, lucky fellow!

Luigi *no.pr.m.* Louis, Lewis.

Luigia, Luisa *no.pr.f.* Louise, Louisa.

Luisiana *no.pr.f.* Louisiana.

lumaca *s.f.* snail // *a passo di —*, at a snail's pace.

lumacone *s.m.* **1** slug **2** *(fig.)* slowcoach.

lume *s.m.* **1** light *(anche fig.)*: *— di candela*, candlelight // *far — a qlcu.*, to light s.o. // *far — su qlco., (fig.)* to throw (*o* to shed) light on sthg. // *il — della fede*, the light of Faith // *il — della ragione*, the light of reason: *perdere il — della ragione*, to lose one's temper // *perdere il — degli occhi*, to lose one's sight; *(fig.)* to be blinded by anger // *ho bisogno dei tuoi lumi*, I need your advice // *il secolo dei lumi, (st. fil.)* the Age of Enlightenment **2** *(lampada)* lamp: *— a petrolio*, oil lamp // *accendere un — alla Madonna*, to light a candle to our Lady.

lumen *s.m. (fis.)* lumen.

lumicino *s.m.* small light // *cercare qlco. col —*, to look for sthg. with a fine-tooth comb // *essere ridotto al —*, to be at one's last gasp.

lumiera *s.f.* chandelier.

luminare *s.m.* luminary.

luminaria *s.f.* **1** illuminations *(pl.)* **2** *(illuminazione pubblica)* public illumination.

luminescente *agg. (fis.)* luminescent.

luminescenza *s.f. (fis.)* luminescence.

lumino *s.m.* nightlight; *(del cimitero)* commemorative lamp.

luminosità *s.f.* brightness, luminosity.

luminoso *agg.* bright *(anche fig.)*: *occhi luminosi*, bright eyes // *stanza luminosa*, room full of light // *corpo —*, luminous body // *sorgente luminosa*, source of light.

luna *s.f.* **1** moon: *— calante*, waning moon; *— crescente*, crescent (*o* waxing) moon; *mezza —*, half moon; *— nuova*, new moon; *— piena*, full moon; *chiaro di —*, moonlight; *a questi chiari, lumi di —, (fig.)* in these hard times; *notte di —*, a moonlight night // *— di miele*, honeymoon // *faccia di — piena, (fam.)* face like a full moon // *avere la —*, to be in a bad mood // *domandare la —*, to ask for the moon; *promettere la —*, to promise the moon (and stars) **2** *pesce —*, moonfish.

luna-park *s.m.* funfair.

lunare *agg.* lunar: *luce —*, moonlight.

lunario *s.m.* almanac // *sbarcare il —, (fam.)* to make both ends meet.

lunatico *agg.* moody.

lunazione *s.f. (astr.)* lunation.

lunedì *s.m.* Monday: *— (a) otto*, a week on Monday (*o* Monday week *o* the Monday after next); *un — mattina*, one (*o* on a) Monday morning; *il —*, on Mondays // *il — di Pasqua*, Easter Monday.

lunetta *s.f.* **1** *(arch. eccl.)* lunette // *finestra a —*, fanlight **2** *(di scarpa)* counter.

lungaggine *s.f.* **1** slowness **2** *(prolissità)* prolixity.

lungamente *avv.* long, for a long time.

lunghezza *s.f.* length: *tre metri di —*, three metres in length (*o* three metres long) // *— d'onda, (rad.)* wave length // *vincere per una —, (sport)* to win by a length.

lungi *avv. (letter.)* far: *— da me l'idea, il pensare*, far it be from me the idea, to think.

lungimirante *agg.* farsighted, foresighted.

lungimiranza *s.f.* farsightedness, foresightedness.

lungo *agg.* **1** long: — *dieci metri*, ten metres long; *avere le gambe lunghe*, to be long-legged // *avere le mani lunghe*, (*fam.*) to be light-fingered // *avere la lingua lunga*, to be a chatterbox; (*essere pettegolo*) to be a gossip // — *disteso*, headlong // *di gran lunga*, (by) far // *da — tempo*, (for) a long time // *a —*, long // *a — andare, alla lunga*, in the long run; *a — andare mi stancai*, I got tired eventually // *andare per le lunghe*, to take a long time // *farla lunga*, to keep on // *saperla lunga*, to know what's what (*o* to know better) **2** (*alto*) tall: — *come una pertica*, as tall as a lamppost **3** (*fam.*) (*lento*) slow // *essere — a fare qlco.*, to take a long time doing sthg. // — *come la fame*, painfully slow **4** (*diluito*) weak **5** (*fonetica*) long ♦ *s.m.* length: *per il —*, in length // *in — e in largo*, far and wide // *tirare in —*, to drag.

lungo *prep.* **1** along: — *il fiume*, along the river **2** (*durante*) during.

lungofiume *s.m.* riverside.

lungolago *s.m.* lake-front.

lungomare *s.m.* sea-front.

lungometraggio *s.m.* (*cinem.*) full-length film.

lunotto *s.m.* (*aut.*) rear window.

lunula *s.f.* lunule; (*fam.*) half moon.

luogo *s.m.* **1** place: — *di nascita*, birthplace; — *di provenienza*, place of origin; *mettere qlco. in — sicuro*, to put sthg. in a safe place // *sul —*, on the spot // — *consacrato*, sacred place; — *santo*, hallowed (*o* sanctified) ground; *i Luoghi Santi*, the Holy Places (of Palestine) // *il — del delitto*, the scene of the crime // — *di pena*, prison (*o* penitentiary) // *in nessun —*, nowhere; *in ogni —*, everywhere; *in qualsiasi —*, anywhere // *a tempo e —*, at the proper time and place; *fuori —*, out-of-place // *in primo —*, first of all (*o* in the first place) // *in alto —*, in high circles (*o* places) // *in — di*, instead of // *tener — di*, to act as // *aver —*, to take place; *la riunione avrà — a Milano*, the meeting will be held in Milan // *dar — a*, to give rise to; (*causare*) to give cause for; *tutto dà — a credere che...*, everything leads us to believe that... // *non — a procedere*, (*dir.*) non-suit; *pronunziare un non — a procedere*, to enter a non-suit **2** (*spazio*) room // *far —*, to make way **3** — *comune*, commonplace **4** — *geometrico*, locus (*pl.* loci).

luogotenente *s.m.* **1** deputy **2** (*mil.*) lieutenant.

luogotenenza *s.f.* **1** deputyship **2** (*mil.*) lieutenantship.

lupa *s.f.* she-wolf.

lupacchiotto *s.m.* wolf cub.

lupinella *s.f.* (*bot.*) sainfoin.

lupino *s.m.* (*bot.*) lupin(e).

lupo *s.m.* wolf: *cane —*, Alsatian dog // — *di mare*, sea perch; (*fig.*) seadog // *tempo da lupi*, stormy weather // *ho una fame da —*, I could eat a horse // *gridare al —*, to cry wolf // *il — perde il pelo ma non il vizio*, (*prov.*) old habits die hard.

luppolo *s.m.* (*bot.*) hop.

lupus *s.m.* (*med.*) lupus.

lurido *agg.* filthy, dirty (*anche fig.*).

luridume *s.m.* filth, dirt (*anche fig.*).

lusco *agg.* (*rar.*): *tra il — e il brusco*, at dusk.

lusinga *s.f.* **1** allurement, enticement; (*adulazione*) flattery **2** (*illusione*) illusion, false hope, delusion.

lusingare *v.tr.* **1** to allure, to entice; (*adulare*) to flatter: — *l'amor proprio di qlcu.*, to flatter s.o.'s vanity **2** (*nutrire con vane speranze*) to deceive, to delude // **-arsi** *v.rifl.* to flatter oneself; (*nutrire false speranze*) to delude oneself, to entertain illusions; (*sperare*) to hope.

lusinghiero *agg.* alluring, enticing, tempting; (*adulatore*) flattering.

lussare *v.tr.* to dislocate, to luxate.

lussazione *s.f.* dislocation, luxation.

Lussemburgo *no.pr.m.* Luxemburg.

lusso *s.m.* **1** luxury: *vivere nel —*, to live in the lap of luxury // *di —*, luxury (*attr.*); de luxe: *articoli di —*, luxury articles; *edizione di —*, de luxe edition **2** (*pompa, ricchezza*) pomp, display, magnificence.

lussuoso *agg.* luxurious, sumptuous, de luxe.

lussureggiante *agg.* luxuriant.

lussuria *s.f.* lust, lewdness, lasciviousness.

lussurioso *agg.* lustful, lewd, lascivious.

lustrale *agg.* lustral // *acqua —*, (*eccl.*) holy water; (*st. romana*) lustral water.

lustrare *v.tr.* **1** to polish **2** (*st. romana*) to lustrate.

lustrascarpe *s.m.* shoeblack; (*amer.*) shoe-shine (boy).

lustrino *s.m.* (*spec. pl.*) sequin.

lustro[1] *s.m.* (*periodo di cinque anni*) five years, five-year period, lustrum.

lustro[2] *agg.* glowing (with), shining (with); (*lucidato*) polished, shiny: *le tue scarpe sono molto lustre*, your shoes are very shiny // *occhi lustri di pianto*, eyes red from crying ♦ *s.m.* **1** lustre, brilliance, gloss **2** (*prestigio*) lustre, renown // *dar —*, to bring honour.

luteranesimo *s.m.* Lutheranism.

luterano *agg. e s.m.* Lutheran.

Lutero *no.pr.m.* (*st. relig.*) Luther.

lutto *s.m.* **1** mourning: *abito da —*, mourning; — *stretto*, full mourning; *mezzo —*, half mourning; *fascia da —*, mourning band; *mettere, smettere il —*, to go into, to come out of mourning **2** (*disgrazia*) misfortune; (*dolore*) grief.

luttuoso *agg.* mournful, sorrowful; (*triste*) sad.

M

m *s.f.* o *m.* m (*pl.* ms, m's) // — *come Milano*, (*tel.*) m for Mary.

ma[1] *cong.* but: *non solo..., — anche*, not only..., but also; — *che dici!*, (but) what are you saying!; — *ti dico che l'ho visto!*, but I tell you I saw it!; *bello, — bello davvero!*, lovely, (but) really lovely!; *ha parlato bene, — proprio bene!*, he spoke well, very well indeed!; — *che bella sorpresa!*, what a pleasant surprise!; — *insomma, taci!*, for heaven's sake, be quiet! // — *bravo!*, (*iron.*) that's a clever boy! // — *come?*, (*com'è possibile?*) but how? // — *come! Sei ancora qui?*, for heaven's sake! Are you still here? // — *davvero?*, really? // — *sì!*, why (*o* yes), of course! (*o* yes, sure!); — *sì che è vero!*, it's true, I tell you! // — *certo!*, yes, sure! // — *no!*, of course not!; (*per esprimere meraviglia*) no! (*o* really?); — *no, non lo devi dire!*, no!, of course you mustn't say it! // — *via!, — che!*, go on! (*o* come off it!) ♦ *s.m.* but: *i tuoi se e i tuoi —*, your ifs and buts; *c'è un —*, there is a but; *non c'è — che tenga*, I'll have none of your buts.

ma[2] *inter.*: «*Chi è quella signora?*» «*Ma!*», "Who is that lady?" "Goodness knows!"; *Ma! Non può farci niente!*, Well! There is no help for it!

macabro *agg.* macabre, gruesome.

macaco *s.m.* **1** macaco, macaque **2** (*fig.*) fool.

macadàm *s.m.* (*selciato*) macadam.

macaone *s.m.* (*zool.*) swallowtail (butterfly).

macché *inter.* (*no, mai più*) of course not!; (*neanche per sogno*) not on your life!; (*suvvia*) go on!, come off it!

maccheroni *s.m.pl.* macaroni (*sing.*).

maccheronico *agg.* macaronic // *latino —*, (*fam.*) dog-latin.

macchia[1] *s.f.* **1** stain (*anche fig.*), spot (*anche fig.*), blot (*anche fig.*), blemish (*solo fig.*); (*piccola*) speck: — *di vernice*, blob of paint; *le macchie di un leopardo*, the spots of a leopard; — *di fango*, mudstain; — *di sangue*, bloodstain; — *di unto, di vino*, grease, wine stain; *con macchie*, spotted; *senza —*, (*anche fig.*) spotless (*o* immaculate); *cavaliere senza — e senza paura*, fearless and blameless knight; *fare, lasciare una —*, to make, to leave a dirty mark // *particolare che fa — in un quadro*, detail that stands out in a picture **2** (*med.*) macula, spot **3** (*astr.*) spot: *macchie solari*, sunspots.

macchia[2] *s.f.* (*boscaglia*) bush, scrub // *alla —*, (*clandestinamente*) clandestinely: *stampare alla —*, to print clandestinely; *darsi alla —*, to take to the bush (*o* maquis); *vivere alla —*, to be an outlaw.

macchiare *v.tr.* to stain (*anche fig.*), to spot (*anche fig.*), to blemish (*solo fig.*); (*sporcare*) to soil (*anche fig.*): — *di fango*, to spatter (*o* to bespatter) with mud; — *di vino*, to stain with wine // **-arsi** *v.rifl.* e *intr.pron.* to stain, to get* stained; (*sporcarsi*) to soil (*anche fig.*).

macchiato *agg.* **1** (*chiazzato*) spotted // *caffè —*, (*fam.*) coffee with a dash of milk **2** (*di cavallo ecc.*) dappled.

macchietta *s.f.* **1** (*pitt.*) sketch, caricature **2** (*persona vivace e bizzarra*) character, card **3** (*teatr.*) character study.

macchiettare *v.tr.* to speckle.

macchiettista *s.m.* **1** (*teatr.*) character actor **2** (*caricaturista*) caricaturist.

macchina *s.f.* **1** machine; (*congegno*) engine: — *au-*

tomatica, automatic machine; — *a vapore*, steam engine; — *per il caffè*, coffee machine; — *per, da cucire*, sewing machine; — *per, da scrivere*, typewriter; — *piegafogli*, (*tip.*) folding machine; — *per maglieria*, knitting machine; — *utensile*, machine tool; — *fotografica*, camera; *sala macchine*, engine room; *lavorazione a —*, machine work; *fatto a —*, machinemade; *andare in —*, (*tip.*) to go to press; *mettere in —*, (*tip.*) to print // — *elettorale*, voting machine // *far — indietro*, (*fig.*) to back out **2** (*automobile*) car: — *da corsa*, racing car; — *decappottabile*, convertible; — *di serie*, production model; *andare in —*, to go by car (*o* to drive).

macchinalmente *avv.* mechanically.

macchinare *v.tr.* to plot, to scheme.

macchinario *s.m.* machinery.

macchinazione *s.f.* machination, intrigue, plot.

macchinista *s.m.* **1** (*ferr.*) engine driver; (*amer.*) engineer; (*mar.*) (ship's) engineer **2** (*teatr.*) scene shifter.

macchinoso *agg.* complicated, complex.

macedone *agg.* e *s.m.* e *f.* Macedonian.

macedonia *s.f.* fruit salad.

macellaio *s.m.* butcher (*anche fig.*): *negozio di —*, butcher's shop: *è andata dal —*, she's gone to the butcher's.

macellare *v.tr.* to butcher (*anche fig.*), to slaughter (*anche fig.*).

macellazione *s.f.* slaughter.

macelleria *s.f.* butcher's shop.

macello *s.m.* **1** slaughterhouse, shambles (*pl.*) **2** (*il macellare*) slaughter (*anche fig.*) // *che —!*, (*fam.*) what a disaster!

macerare *v.tr.* **1** to soak, to steep **2** (*ind.*) to macerate; (*ind. tessile*) to ret; (*pelli*) to bate **3** (*fig.*) to macerate // **-arsi** *v.rifl.* **1** to rot **2** (*fig.*) to waste away (with sthg).

maceratoio *s.m.* (*ind. tessile*) rettery.

maceratore *s.m.* (*ind.*) macerator.

macerazione *s.f.* **1** soaking, steeping **2** (*ind.*) maceration; (*ind. tessile*) retting; (*di pelli*) bating **3** (*fig.*) maceration.

macerie *s.f.pl.* ruins, rubble (*sing.*).

macero *agg.* **1** soaked (with) **2** (*ind. tessile*) retted ♦ *s.m.* maceration // *carta da —*, waste paper // *mandare al —*, to sell as waste paper.

Machiavelli *no.pr.* (*st.*) Machiavelli.

machiavellico *agg.* Machiavellian (*anche fig.*).

machiavellismo *s.m.* Machiavellism, Machiavellianism.

macigno *s.m.* (*pietra arenaria*) hard sandstone; (*masso*) stone: *duro come un —*, as hard as stone // *è un —*, he is a blockhead // *quel libro è un —!*, that book is heavy going!

macilento *agg.* emaciated, lean.

macina *s.f.* grindstone, millstone.

macinabile *agg.* grindable.

macinacaffè *s.m.* coffee mill, coffee grinder.

macinapepe *s.m.* pepper mill, pepper grinder.

macinare *v.tr.* (*grano*) to mill, to grind*; (*caffè, pepe*) to grind* // — *chilometri*, to eat up a lot of road // *acqua passata non macina più*, (*prov.*) let bygones be bygones.

macinato *s.m.* 1 (*farina*) flour 2 (*carne tritata*) mince.

macinazione *s.f.* milling, grinding; (*di caffè, pepe*) grinding.

macinino *s.m.* 1 grinder, mill: — *da caffè*, coffee mill 2 (*scherz.*) (*automobile malandata*) crock, jalop.

maciullare *v.tr.* 1 (*fibre tessili*) to brake 2 (*fig.*) (*stritolare*) to crush.

macramè *s.m.* macramé.

macro- *pref.* macro-.

macrobiotica *s.f.* macrobiotics.

macrocefalo *agg.* (*med.*) macrocephalous.

macrocosmo *s.m.* macrocosm.

macroscopico *agg.* macroscopic.

macula *s.f.* (*med.*) macula (*pl.* maculae).

maculato *agg.* (*letter.*) spotted, speckled.

madama *s.f.* (*arc.* o *scherz.*) 1 milady 2 the police.

madamigella *s.f.* (*scherz.*) milady.

madapolàm *s.m.* madapol(l)am.

Maddalena *no.pr.f.* Magdalen(e).

Madera *no.pr.f.* Madeira.

madia *s.f.* 1 (*spianatoia*) kneading-trough 2 (*mobile*) (kneading-)trough with cupboard.

madido *agg.* wet, soaked: — *di sudore*, bathed in sweat.

Madonna *s.f.* the Virgin Mary, Our Lady: *cappella della* —, Lady Chapel // — *santa!*, Good Lord (o Heavens)! // *le Madonne di Raffaello*, Raphael's Madonnas // *ha un viso da* —, she looks like an angel.

madonnina *s.f.* 1 little Madonna 2 — *infilzata*, (*fam.*) little hypocrite // *ha un'aria da* — *infilzata*, she looks as if butter wouldn't melt in her mouth.

madornale *agg.* huge, enormous; (*grossolano*) gross.

madre *s.f.* 1 mother: *senza* —, motherless; *è* — *di famiglia*, she is the mother of a family; *divenir* —, to give birth to a child; *fare da* — *a qlcu.*, to be a mother to s.o. // *la* — *comune*, mother-earth // — *natura*, Mother Nature // *ragazza* —, unmarried mother 2 (*eccl.*) Mother: — *badessa*, Abbess 3 (*anat.*) mater: *dura, pia* —, dura, pia (mater) 4 (*di vino, aceto*) mother 5 (*matrice*) counterfoil, stub.

madrelingua, madre lingua *s.f.* mother tongue.

madrepatria *s.f.* mother-country, native land.

madreperla *s.f.* mother-of-pearl: *bottone di* —, pearl -button.

madreperlaceo *agg.* pearly.

madrepora *s.f.* madrepore.

madreporico *agg.* madreporic, madrepore (*attr.*).

madreselva *s.f.* (*bot.*) honeysuckle.

madrevite *s.f.* (*mecc.*) 1 nut screw 2 (*filiera*) die: — *per tubi*, pipe die.

madrigale *s.m.* madrigal.

madrina *s.f.* godmother: — *della nuova nave sarà la signora X. Y.*, the new ship will be launched by Mrs. X. Y.

maestà *s.f.* 1 majesty; (*imponenza*) stateliness; (*grandiosità*) grandeur 2 (*titolo*): *Maestà*, Your Majesty; *la Maestà del Re, della Regina, Sua Maestà il Re, la Regina*, His Majesty, the King, Her Majesty, the Queen; *le loro Maestà*, Their Majesties 3 (*pitt.*) Majesty.

maestosamente *avv.* majestically.

maestosità *s.f.* majesty; (*imponenza*) stateliness; (*grandiosità*) grandeur.

maestoso *agg.* majestic, grand; (*imponente*) stately, imposing: *aspetto* —, stately appearance.

maestra *s.f.* 1 (school) teacher, schoolmistress: — *di ballo*, dancing mistress; — *elementare, giardiniera*, elementary, nursery schoolteacher; *fare la* —, to be a pri-

mary schoolteacher // *la storia è* — *di vita*, history is the key to understanding life // *quella ragazza è* — *nel mentire*, that girl is a past mistress at lying 2 (*mar.*): *albero di* —, mainmast.

maestrale *s.m.* (*vento*) mistral.

maestranza *s.f.* (*spec. pl.*) workers (*pl.*), workmen (*pl.*).

maestria *s.f.* 1 skill, ability, mastery 2 (*astuzia*) trickery.

maestro *s.m.* 1 master; (*insegnante*) teacher: — *elementare*, elementary schoolteacher; — *di scuola*, schoolmaster; — *di sci*, ski instructor; — *di ballo*, dancing-master // *il* (*divino*) *Maestro*, the Master // — *artigiano*, master craftsman // *Gran Maestro*, (*di ordine cavalleresco*) Grand Master // *i Maestri del Rinascimento*, the masters of the Renaissance // — *di cerimonie*, Master of Ceremonies // *è* — *nell'imbrogliare*, he is a past master in deceit // *nessuno nasce* —, (*prov.*) no man is born wise 2 (*mus.*) master: — *del coro*, chorus master // — *concertatore e direttore d'orchestra*, conductor 3 (*vento*) mistral ♦ *agg.* 1 (*principale*) main: *albero* —, (*mar.*) mainmast; *muro* —, (*edil.*) main wall 2 (*abile*) masterly, skilful: *colpo* —, master stroke; *mano maestra*, skilful hand: *con mano maestra*, skilfully.

mafia *s.f.* Maf(f)ia.

maga *s.f.* sorceress; (*strega*) witch.

magagna *s.f.* 1 flaw, defect, imperfection (*anche fig.*): *ci deve essere sotto qualche* —, there must be a snag somewhere; *coprire le proprie magagne*, to cover up one's own defects 2 (*acciacco*) ailment, infirmity: *pieno di magagne*, full of aches and pains 3 (*di frutta*) rottenness.

magari *inter.* if only...: — *venisse!*, if only he would come! (o I wish he would come!) // — !, (*eccome!*) (*fam.*) not half! (o you bet! o and how!) ♦ *avv.* 1 (*perfino*) even: *potrebbe* — *offendersi*, he might even be offended 2 (*forse*) perhaps, maybe: — *non verrà*, perhaps he will not come ♦ *cong.* (*anche se*) even if: — *dovessi offenderlo*, even if I were to offend him.

magazzinaggio *s.m.* (*comm.*) storage.

magazziniere *s.m.* warehouseman (*pl.* -men).

magazzino *s.m.* warehouse, storehouse; (*militare*) depot; *magazzini generali*, warehouse // *in* —, in store; *mettere in* —, to store // *fondi di* —, unsold stock // *grandi magazzini*, department stores (o big stores).

Magellano *no.pr.* Magellan // *Stretto di* —, Straits of Magellan.

maggengo *agg.*: *fieno* —, first-crop hay.

maggese *s.m.* fallow (land): *lasciare a* —, to fallow.

maggio *s.m.* May // *il primo* —, (*Calendimaggio*) May Day; (*festa dei lavoratori*) Labour Day.

maggiolino *s.m.* (*zool.*) (May)beetle.

maggiorana *s.f.* (*bot.*) marjoram.

maggioranza *s.f.* 1 majority; (*la maggior parte*) the greater part, most: *nella* — *dei casi*, in most cases; *la* — *dei suoi amici era con lui*, most of his friends were with him; *gli ospiti erano in* — *italiani*, most of the guests were Italian 2 (*pol.*) majority: *a* —, by majority; *il partito di* —, the majority party; *avere la* —, to be in the majority; *eletto con una* — *di dieci voti*, elected by a majority of ten votes; — *precostituita*, (*pol.*) predetermined majority.

maggiorare *v.tr.* to increase, to raise: — *una fattura del 10%*, to put 10% on an invoice.

maggiorasco *s.m.* (*dir. st.*) majorat.

maggiorazione *s.f.* increase; (*somma aggiunta*) additional charge.

maggiordomo *s.m.* butler.

maggiore *agg.* **1** (*più grande*) *compar.* greater; *superl.rel.* the greatest, (*fra due*) the greater; (*più grosso*) *compar.* larger; bigger; *superl.rel.* the largest, (*fra due*) the larger; the bigger; (*più alto*) *compar.* higher; *superl.rel.* the highest, (*fra due*) the higher; (*più lungo*) *compar.* longer; *superl.rel.* the longest, (*fra due*) the longer; (*più importante*) major; *superl.rel.* the major; (*migliore*) *compar.* better; *superl.rel.* the best, (*fra due*) the better; *una quantità* —, a larger (*o* greater) quantity; *un numero* —, a greater (*o* higher *o* bigger) number; *il nostro maggior poeta*, our greatest poet; *il suo* — *difetto*, his greatest fault; *con* — *cura*, with greater care; *con la* — *attenzione*, with the greatest attention; *di* — *interesse*, of greater interest; *uno spazio* —, a larger space; *una somma* —, a larger (*o* bigger) amount; *la spesa* —, the biggest expense; *un prezzo* —, *una cifra* —, a higher price, figure; *la velocità* —, the highest speed; *il* — *offerente*, the highest bidder; *una distanza* —, a longer distance; *uno dei maggiori affluenti del Po*, one of the most important (*o* one of the major) tributaries of the Po; *i maggiori esponenti*, the major exponents; *un danno* —, heavier damage; *maggiori dettagli*, further details; — *fortuna*, better luck; *avere* — *probabilità di*, to have a better chance of; *maggiori possibilità* (*di*), more possibility (of); *dare* — *importanza*, to give more importance; *causare maggiori danni*, to cause more damage; *otto è* — *di cinque*, eight is more than five; *poeti, opere maggiori*, major poets, works; *Dante* —, the most important works of Dante // *arti maggiori*, the major arts // *astri maggiori*, major stars // *albero* —, (*mar.*) mainmast // *San Domenico Maggiore*, St. Dominic the Greater // *Lago Maggiore*, Lake Maggiore // *Ordini Maggiori*, (*eccl.*) Higher Orders; *altare* —, high altar // *Ospedale Maggiore*, General Hospital // *andar per la* —, to be very popular (*o* to be all the rage) **2** (*più vecchio*) *compar.* older; *superl.rel.* the oldest, (*fra due*) the older; (*di fratelli*) (*fra due*) *compar.* elder, *superl.rel.* the elder; (*fra più di due*) *compar.* eldest, *superl.rel.* the eldest: *è* — *di me* (*di due anni*), he is (two years) older than I am; *il figlio* —, the elder, the eldest brother, son; *chi è il* —?, who is the eldest?, which is the elder? // — *età*, (*dir.*) majority // *raggiungere la* — *età*, to come of age // *Scipione il Maggiore*, Scipio the Elder **3** (*mat. mus. logica*) major: *tono* —, (*mus.*) major key; *do* —, (*mus.*) C major ♦ *s.m.* **1** (*primogenito*) the eldest, (*fra due*) the elder; (*di grado*) superior **2** (*mil.*) major; (*aer.*) squadron leader; — *generale*, major general **3** *pl.* (*dir.*) (*maggiorenni*) those who are of age; (*antenati*) ancestors; (*ant.*) (*maggiorenti*) personages, elders (of a city).

maggiorenne *agg.* of age: *diventare* —, to come of age; *essere* —, to be of age ♦ *s.m. e f.* (*dir.*) major.

maggiorente *s.m.* leading figure; elder (of a city).

maggiorità *s.f.* (*mil.*) orderly room.

maggioritario *agg.* (*pol.*) majoritarian.

maggiormente *avv.* **1** more; (*ancora di più*) even more; (*molto di più*) much more **2** (*tanto più*) (all) the more: *fui* — *sorpreso dal momento che*..., I was (all) the more surprised as... **3** (*più di tutto*) most: *ciò che mi preoccupa* —, what worries me most.

Magi *s.m.pl.* Magi // *i re* —, the three Wise Men.

magia *s.f.* magic (*anche fig.*): — *nera, bianca*, black, white magic; (*come*) *per* —, (as if) by magic.

magiaro *agg. e s.m.* Magyar.

magico *agg.* magic (*attr.*), magical.

magistero *s.m.* **1** teaching: *esercitare il* —, to teach; *il* — *della Chiesa*, the teaching of the Church // *frequento il* — *di inglese*, I am specializing in English (*o amer.* I am an English major) **2** (*fig.*) (*maestria*) mastery.

magistrale *agg.* **1** magisterial: *in tono* —, in a magisterial tone // *scuola, istituto* —, training college (for primary schoolteachers) // *abilitazione* —, teacher's diploma **2** (*fatto con maestria*) masterly.

magistralmente *avv.* in a masterly manner.

magistrato *s.m.* **1** magistrate: *in qualità di* —, in one's magisterial capacity **2** (*letter.*) (*chi riveste una carica pubblica*) official, authority.

magistratura *s.f.* magistrature, magistracy.

maglia *s.f.* **1** stitch: — *diritta, rovescia*, plain, purl stitch; — *gettata*, cast-on stitch; — *rasata*, stocking stitch; — *a trecce*, cable stitch; *giacca a* — *rasata*, plain knitted jacket; *ago da* —, knitting needle; *lavoro, lavorazione a* —, knitting; *lavorare a* —, to knit; *fatto a* —, knitted; *mi è caduta una* —, I have dropped a stitch; *aumentare, calare una* —, to cast on, to cast off a stitch; *riprendere una* —, to pick up a stitch // *abito di* —, jersey dress **2** (*di rete ecc.*) mesh// *cadere nelle maglie di*, (*fig.*) to fall into the meshes of **3** (*indumento intimo*) vest; (*di atleti ecc.*) jersey // *la* — *rosa del Giro d'Italia*, the leader of the cycle tour of Italy.

magliaia *s.f.* knitter.

maglieria *s.f.* **1** knitwear: *macchina per* —, knitting machine; *negozio di* —, knitwear shop **2** (*fabbrica di confezioni in maglia*) knitwear factory.

maglietta *s.f.* jumper; (*indumento intimo*) vest.

maglificio *s.m.* knitwear factory.

maglio *s.m.* **1** mallet **2** (*mecc.*) hammer.

maglione *s.m.* pullover; sweater; heavy jumper.

magma *s.m.* (*geol.*) magma.

magnaccia *s.m.* pimp.

magnanimità *s.f.* magnanimity; (*generosità*) generosity.

magnanimo *agg.* magnanimous; (*generoso*) generous.

magnate *s.m.* magnate: *un* — *del petrolio*, an oil magnate.

magnesia *s.f.* magnesia.

magnesio *s.m.* (*chim.*) magnesium.

magnete *s.m.* **1** (*fis.*) magnet **2** (*mecc.*) magneto.

magnetico *agg.* magnetic (*anche fig.*).

magnetismo *s.m.* magnetism.

magnetite *s.f.* (*min.*) loadstone.

magnetizzare *v.tr.* to magnetize (*anche fig.*).

magnetizzazione *s.f.* magnetization.

magnetofono® *s.m.* (tape) recorder.

magnetosfera *s.f.* magnetosphere.

magnificare *v.tr.* to extol, to glorify: — *Dio*, to praise God.

magnificenza *s.f.* **1** magnificence **2** (*munificenza*) munificence.

magnifico *agg.* **1** magnificent; (*splendido*) splendid **2** (*munifico*) munificent.

magniloquenza *s.f.* magniloquence.

magnitudine *s.f.* (*astr.*) magnitude.

magno *agg.* (*letter.*) great // *aula magna*, assembly hall // *Alessandro Magno*, Alexander the Great // *Magna Carta*, (*st.*) Magna Charta.

magnolia *s.f.* magnolia.

mago *s.m.* magician (*anche fig.*); (*stregone*) wizard, sorcerer.

magone *s.m.* (*dial.*) **1** (*dei polli*) gizzard **2** (*fig.*): *avere il* —, to feel blue (*o* to feel low *o* to be down in the dumps); *far venire il* — *a qlcu.*, to give s.o. the blues.

magra *s.f.* **1** low level: *il fiume è in* —, the river is low **2** (*fig.*) (*scarsezza*) shortage: *tempi di* —, hard times **3** (*fam.*) (*brutta figura*): *ha fatto una* —, he cut a poor figure.

magramente *avv.* meagrely; (*poveramente*) scantily.

magrezza *s.f.* **1** thinness, leanness **2** (*fig.*) (*scarsità*) shortage.

magro *agg.* **1** thin, lean: *molto* —, skinny; — *come un chiodo*, as thin as a rake // *carne magra*, lean meat // *terreno* —, sterile soil **2** (*fig.*) (*scarso*) meagre, scanty: *una magra consolazione*, a meagre consolation; *magre probabilità di successo*, slim (*o* slender) chances of success // *un'annata magra*, a lean year // *magre scuse*, lame (*o* poor) excuses // *fare una magra figura*, to cut a poor figure ♦ *s.m.* **1** lean (meat) **2** (*eccl.*) abstinence: *giorno di* —, day of abstinence; *mangiare di* —, to abstain from meat.

mah *inter.* who knows!

mai *avv.* never; (*in presenza di negazione e nel senso di talvolta*) ever: «*Siete* — *stati a Londra?*» «*No, non ci siamo* — *stati*», "Have you ever been to London?" "No, we have never been there"; *non l'ha* — *visto nessuno*, nobody ever saw him; — *uomo fu più ammirato*, never was a man more admired; *senza averci* — *pensato*, without ever having thought of it; *farei tutto, questo* —*!*, I would be prepared to do anything but never that! // *non sia* — *detto che...*, never let it be said that... // *non si sa* —*!*, you never can tell! // — *e poi* —, never! // — *più*, never again // — *più!*, of course not!; (*neanche per sogno*) not on your life! // *caso* —, *se* —, in case: *caso* — *tornasse*, in case he comes back; *caso* — *dovesse piovere*, in case it rains; *se* — *dovessi incontrarlo...*, in case (*o* if) I should meet him... // *se* — *un giorno tu dovessi incontrarlo*, if ever you should meet him // *che cosa* —, what on earth; *chi* —, who on earth; *come* —, how on earth; (*perché mai*) why on earth; *dove* —, where on earth // *meno che* —, less than ever // *peggio che* —, worse than ever // *più che* —, more than ever // *quasi* —, hardly ever (*o* almost never) // — *dica la verità!*, he never tells the truth! // *sono più felice che* —*!*, I am happier than ever // *è quanto* — *testardo, è un testardo che* —, *quant'altri* —, he is terribly obstinate; *ho una sete che* —, I am terribly thirsty // *lo odiava quanto* —, he hated him more than ever // *ha tanti* — *amici!*, he has so many friends! // *quanto è* — *sciocco!*, how terribly silly he is! ♦ *s.m.*: *il giorno del* —, never.

maiale *s.m.* **1** pig, hog, swine (*pl.invar.*) // *mangiare come un* —, (*male*) to eat like a pig; (*troppo*) to make a pig of oneself **2** (*carne*) pork.

maialino *s.m.* piglet.

maiolica *s.f.* majolica.

maionese *s.f.* (*cuc.*) mayonnaise.

Maiorca *no.pr.f.* Majorca.

mais *s.m.* maize, Indian corn.

maiuscola *s.f.* capital (letter).

maiuscoletto *s.m.* (*tip.*) small capitals (*pl.*).

maiuscolo *agg.* capital: *lettera maiuscola*, capital letter ♦ *s.m.* capitals (*pl.*): *scrivere in* —, to write in capitals.

malaccorto *agg.* unwise, ill-advised.

malachite *s.f.* (*min.*) malachite.

malafede *s.f.* bad faith: *essere in* —, to be in bad faith.

malaffare *s.m.*: *donna di* —, prostitute; *gente di* —, crooks.

malagevole *agg.* (*difficile*) difficult, hard; (*scomodo*) uncomfortable.

malagrazia *s.f.* rudeness: *fare qlco. di, con* —, to do sthg. rudely.

malalingua *s.f.* backbiter, slanderer.

malamente *avv.* badly.

malandato *agg.* in a bad condition: — *in salute*, in poor health (*o* run down).

malandrino *agg.* roguish (*anche scherz.*), rascally (*anche scherz.*) ♦ *s.m.* **1** robber **2** (*scherz.*) rogue, rascal.

malanimo *s.m.* malevolence, ill-will, malice.

malanno *s.m.* **1** misfortune; (*calamità*) calamity; (*danno*) damage // *un* — *non viene mai solo*, (*prov.*) troubles never come singly **2** (*malattia*) illness, disease: *ti buscherai un* —*!*, you will catch your death **3** (*persona molesta*) nuisance.

malapena, a *locuz.avv.* hardly, scarcely.

malaria *s.f.* (*med.*) malaria.

malarico *agg.* malarial.

malaticcio *agg.* sickly, ailing.

malato *agg.* **1** sick; ill (*pred.*): *una persona malata*, a sick person; *cadde* — *di polmonite*, he was taken ill with pneumonia; *è* — *di fegato*, he suffers from his liver // *è malata di gelosia*, she is sick with jealousy **2** (*di piante*) diseased **3** (*morboso*) unhealthy, morbid ♦ *s.m.* patient.

malattia *s.f.* illness; (*grave, spec. infettiva*) disease; (*malessere, spec. di stomaco*) sickness: — *professionale*, occupational disease // *assicurazione contro le malattie*, health insurance; *indennità di* —, sickness benefit.

malauguratamente *avv.* unluckily, unfortunately.

malaugurato *agg.* ill-fated, inauspicious.

malaugurio *s.m.* ill omen, evil omen // *uccello del* —, bird of ill omen.

malavita *s.f.* **1** (criminal) underworld: *darsi alla* —, to embark on a life of crime **2** (*malviventi*) gangsters (*pl.*).

malavoglia *s.f.* unwillingness, bad will: *fare qlco. di* —, to do sthg. half-heartedly.

malavveduto *agg.* unwary, unwise.

malcapitato *agg.* unlucky, unfortunate ♦ *s.m.* victim; (*sventurato*) unfortunate person.

malcerto *agg.* (*rar.*) uncertain.

malconcio *agg.* in a bad state; (*ammaccato*) battered; (*sciupato*) shabby: *portava un vecchio cappello* —, he was wearing an old battered hat; *vestito* —, shabby dress; *tutto pesto e* —, black and blue all over.

malcontento *agg.* dissatisfied (with), discontented (with): *è sempre* — he is never satisfied ♦ *s.m.* discontent, dissatisfaction: *oggetto di* —, cause for dissatisfaction; *mostrare il proprio* —, to show (*o* to express) one's displeasure.

malcostume *s.m.* (*immoralità*) immorality; (*corruzione*) corruption.

maldestro *agg.* **1** awkward, clumsy **2** (*inesperto*) inexperienced, green.

maldicente *agg.* slanderous ♦ *s.m.* e *f.* backbiter, slanderer, scandalmonger.

maldicenza *s.f.* backbiting, slander; (*scherz.*) gossip: *fare della* —, to gossip.

maldisposto *agg.* ill-disposed (towards): *sono* — *a fare ciò*, I am not keen on doing it; *è* — *verso di lui*, he is prejudiced against him.

male *s.m.* **1** evil: *il bene e il* —, good and evil; *indurre qlcu. al* —, to lead s.o. astray // *non c'è* —, not too bad (o pretty well); «Com'è?» «Non c'è —», "What's it like?" "It's not bad" // non pensavo a nulla di —, I did not mean any harm 2 (sventura) ill, evil, misfortune: augurare del — a qlcu., to wish s.o. ill // portare —, to bring bad luck // a estremi mali, estremi rimedi, (prov.) desperate ills, need desperate remedies // non tutto il — viene per nuocere, (prov.) it's an ill wind that blows nobody any good 3 (dolore fisico) pain, ache: mal di cuore, heart disease; mal di denti, toothache; mal di gola, sore throat, mal di stomaco, stomach-ache; mal di testa, headache; mal d'aria, airsickness; mal d'auto, car-sickness; mal di mare, seasickness; mal di montagna, mountain-sickness: avere il mal d'aria, d'auto, di mare, di montagna, to be airsick, carsick, seasick, mountain-sick; far —, (dolere) to hurt: mi fanno — le braccia, my arms ache (o hurt) 4 (danno) harm; (torto) wrong: non c'è niente di —, there is no harm in it; fare del — a qlcu., to hurt (o to wrong) s.o. // poco —, it doesn't matter // metter —, to sow discord.

male avv. 1 badly // — informato, ill-informed // capire —, to misunderstand // giudicare —, to mis-judge // bene o — ce la sbrigheremo, we shall manage it somehow or other — !, that's bad! // per — che va-da, at the worst // di — in peggio, from bad to worse // andare a —, to go bad // aversene, prendersela a — (per qlco.), to be hurt by sthg. (o to take sthg. in bad part) 2 (fam.) (con valore di agg.): quella ragazza non è —, that girl isn't bad-looking; questo quadro non è —, this picture is quite good.

maledettamente avv. (fam.) awfully.

maledetto agg. 1 cursed // —!, damned (o d—d)! // i maledetti, (i dannati) the damned // maledetti gli ingrati!, cursed be the ungrateful!; — quel mascalzone!, hang (o confound) the rotter!; — il giorno che l'incon-trai!, a curse on the day when I met him! 2 (fam.) damned, cursed; (terribile) awful, terrible: maledetta scocciatura!, what a cursed (o damned) nuisance!; mi fece una paura maledetta, it frightened me to death.

maledire v.tr. to curse, to damn.

maledizione s.f. curse, malediction: avere la — addos-so, to be accursed // —!, damn!

maleducato agg. rude; (spec. di persona) ill-bred, ill -mannered; (zotico) uncouth: un ragazzo —, an ill-bred boy; non essere così — con tua sorella!, don't be so rude to your sister!

maleducazione s.f. rudeness, ill-breeding.

malefatta s.f. mischief.

maleficio s.m. 1 spell: fare un —, to cast a spell 2 (misfatto) misdeed, crime.

malefico agg. harmful, evil.

maleodorante agg. smelly, stinking.

malerba s.f. weed.

malese agg. e s.m. e f. Malay.

Malesia no.pr.f. Malaya.

malessere s.m. 1 indisposition, malaise 2 (senso di disagio) uneasiness.

malevolenza s.f. malevolence, ill-will; (malignità) spite.

malevolo agg. malevolent; (maligno) spiteful.

malfamato agg. ill-famed: luogo —, place of ill fame.

malfare s.m. ill-doing.

malfatto agg. badly done; badly made; (malformato) ill-shaped; (di vestito) badly-cut.

malfattore s.m. evil-doer.

malfermo agg. 1 shaky, unsteady, tottering: mano malferma, shaky (o unsteady) hand 2 (di salute) poor, delicate.

malfido agg. 1 untrustworthy, unreliable 2 (incerto) uncertain, unsure.

malformazione s.f. malformation.

malfunzionamento s.m. (informatica) fault.

malgarbo s.m. rudeness, discourtesy.

malgascio agg. e s.m. Malagasy.

malgoverno s.m. misgovernment, misrule; (cattiva amministrazione) mismanagement.

malgrado prep. in spite of, notwithstanding: — tutti i suoi difetti, in spite of all his faults (o for all o with all his faults); — la pioggia, in spite of (o for all) the rain // mio —, against my will; (con mio rincrescimento) much to my regret // **malgrado (che)** cong. although, though: — non l'avessi mai visto, though I had never seen him.

malia s.f. 1 sorcery, enchantment 2 (fascino) charm.

maliarda s.f. charming woman; (fam.) vamp.

maliardo agg. bewitching.

malignare v.intr. (parlar male) to malign (s.o.), to speak* evil (of s.o., sthg.), to speak* maliciously (of s.o., sthg.); (pensare male) to think* ill, to think* badly (of s.o., sthg.).

malignità s.f. malice, malignity, spite: stai dicendo delle —, you are being very malicious (o spiteful); sono tutte — di tuo fratello, they are just your brother's spiteful stories.

maligno agg. 1 malicious, spiteful 2 (malefico) evil, malignant: influenza maligna, malign influence // il Maligno, the Evil One 3 (di malattia) malignant.

malinconia s.f. melancholy, gloom; (abbattimento) de-pression, dejection; (tristezza) sadness: la — dei roman-tici, the melancholy of the Romantics; afflitto da —, suffering from depression; ho una grande —, I feel very depressed.

malinconicamente avv. gloomily; (con abbattimento) dejectedly; (tristemente) sadly.

malinconico agg. melancholy, gloomy; (abbattuto) depressed, dejected; (triste) sad; (che dà malinconia) melancholy, dismal, depressing: pensieri malinconici, gloomy thoughts; tempo —, dismal weather; aveva un'aria malinconica, he looked sad.

malincuore, a locuz.avv. (controvoglia) unwillingly, re-luctantly; (senza entusiasmo) half-heartedly.

malintenzionato agg. malicious, ill-disposed ♦ s.m. ill -intentioned person.

malinteso agg. mistaken ♦ s.m. misunderstanding.

malioso agg. fascinating, charming.

malizia s.f. 1 malice 2 (furbizia allusiva) mischie-vousness 3 (astuzia) artfulness, cunning; (trucco) trick.

malizioso agg. 1 malicious 2 (birichino) mischie-vous 3 (astuto) sly, artful, cunning.

malleabile agg. malleable (anche fig.).

malleabilità s.f. malleability, malleableness.

malleolo s.m. (anat.) malleolus (pl. malleoli).

mallevadore s.m. surety, guarantor: essere — di qlcu., to stand surety for s.o.

malleveria s.f. surety, guarantee.

mallo s.m. husk; (della noce) walnut husk.

malloppo s.m. 1 (region.) bundle 2 (scherz.) (refurti-va) swag, loot.

malmenare v.tr. to manhandle; (picchiare) to beat* up.

malmesso agg. 1 slovenly 2 (male arredato) poorly furnished.

malnato agg. 1 (maleducato) loutish 2 (deplorevole) deplorable 3 (disgraziato) wretched.

malo agg. (letter.) bad: mala sorte, bad luck; male parole, offensive words; *in — modo*, rudely; *prese le mie parole in mala parte*, he took my words in bad part (*o* amiss).

malocchio *s.m.* evil eye: *gettare il — a qlcu.*, to cast an evil eye on s.o.

malora *s.f.* ruin: *andare in —*, to go to ruin (*o fam.* to go to the dogs); *mandare in — qlcu.*, to bring s.o. to ruin // *va' alla, in —!*, go to the devil!

malore *s.m.* (fit of) faintness: *essere colto da —*, to feel suddenly faint.

malsano *agg.* **1** unhealthy, sickly **2** (*insalubre*) unhealthy; (*nocivo*) unwholesome, pernicious.

malsicuro *agg.* **1** unsafe, insecure **2** (*incerto*) uncertain; (*di persona*) irresolute **3** (*inattendibile*) unreliable; insecure.

malta *s.f.* **1** (*edil.*) mortar **2** (*catrame minerale*) maltha.

Malta *no.pr.f.* Malta.

maltempo *s.m.* bad weather.

maltese *agg. e s.m. e f.* Maltese (*pl. invar.*) // *cane —*, Maltese dog // *febbre —*, Malta fever.

malto *s.m.* malt.

maltolto *agg.* ill-gotten ♦ *s.m.* ill-gotten property.

maltosio *s.m.* (*chim.*) maltose.

maltrattamento *s.m.* ill-treatment.

maltrattare *v.tr.* to ill-treat, to ill-use, to maltreat // *— una lingua*, (*parlarla male*) to murder a language.

maltusiano *agg.* Malthusian.

malumore *s.m.* **1** bad mood: *rispondere di —*, to answer snappishly **2** (*incomprensione*) slight disagreement.

malva *s.f.* (*bot.*) mallow // *color —*, mauve.

malvagio *agg.* wicked, evil // *il pranzo non era —*, (*fam.*) the dinner was not bad ♦ *s.m.* wicked man.

malvagità *s.f.* **1** wickedness, evil **2** (*atto malvagio*) evil deed, evil action **3** (*detto malvagio*) evil word.

malvasia *s.f.* **1** (*uva*) malvasia **2** (*vino*) malmsey.

malversare *v.tr.* (*dir.*) to embezzle.

malversatore *s.m.* (*dir.*) embezzler.

malversazione *s.f.* (*dir.*) embezzlement.

malvestito *agg.* **1** (*vestito di stracci*) shabby **2** (*vestito senza gusto*) badly dressed.

malvisto *agg.* unpopular (with): *è molto — nell'ambiente di lavoro*, he's very unpopular with his colleagues.

malvivente *s.m.* gangster, criminal, (*sl.*) crook.

malvolentieri *avv.* reluctantly, unwillingly.

malvolere *v.tr.* to dislike: *prendere a — qlcu.*, to take a dislike to s.o.

malvolere *s.m.* ill-will; (*malvagità*) wickedness.

mamma *s.f.* mama, mum(my), mother // *— mia!*, good gracious! (*o* my goodness!).

mammalucco *s.m.* (*fam.*) (*sciocco*) simpleton.

mammario *agg.* (*anat.*) mammary.

mammella *s.f.* mamma (*pl.* mammae); (*fam.*) breast; (*di animali da latte*) udder.

mammifero *agg.* mammiferous, mammalian ♦ *s.m.* mammal // *i Mammiferi*, the Mammalia.

mammola *s.f.* **1** (*bot.*) violet **2** (*fanciulla modesta*) shy violet.

mammone *s.m.* (*fam.*) mother's boy.

mammùt *s.m.* mammoth.

manata *s.f.* **1** (*manciata*) handful **2** (*colpo dato con la mano*) slap.

manca *s.f.* left hand // *a dritta e a —*, on all sides.

mancamento *s.m.* **1** (*svenimento*) swoon, fainting fit **2** (*fallo*) fault; (*difetto*) defect, shortcoming.

mancante *agg.* **1** missing **2** (*che difetta*) lacking (in).

mancanza *s.f.* **1** lack: *di rispetto*, lack of respect; *— di prove*, (*dir.*) want (*o* lack) of evidence // *— di educazione*, bad manners // *— di mano d'opera*, shortage of labour // *in — di meglio*, for want of something better **2** (*assenza*) absence: *sentire la — di qlcu, qlco.*, to miss s.o., sthg. **3** (*errore*) fault: *commettere una — verso qlcu.*, to wrong s.o. **4** (*difetto*) defect, shortcoming.

mancare *v.intr.* **1** to lack (sthg.); (*essere mancante di*) to be* lacking (in sthg.); (*di cose*) (*non esserci*) not to be*; (*essere assente*) to be* absent: *gli manca il buon senso*, he lacks (*o* he is lacking in) common sense; *manca di tutto*, he lacks everything; *manca il tempo per farlo*, there's no time to do it; *mancano le prove*, there's no proof; *— da scuola*, to be absent from school // *a la minestra manca di sale*, the soup needs salt // *le mancano due denti*, she has two teeth missing // *gli manca un venerdì*, he's dotty // *venire a —, — ai vivi*, to die **2** (*sentire la mancanza di*) to miss (s.o., sthg.): *mi manchi molto*, I miss you very much **3** (*venir meno*) to fail (s.o.); (*venire a mancare*) to run* out (of sthg.): *gli mancarono le forze*, his strength failed him // *è mancata la luce*, the light has gone out // *sentirsi —*, to feel faint // *sentirsi — il terreno sotto i piedi*, to feel lost **4** (*nelle espressioni di tempo e spazio*) to be*: *mancano 10 minuti alle 3*, it's 10 minutes to 3; *mancano 2 ore alla partenza*, we're leaving in two hours (*o* it's two hours to the departure time); *manca ancora un miglio*, there's one more mile to go // *poco mancò che non morisse*, he (very) nearly died // *ci mancava anche questa!*, this is the limit!; (*o*) *mancherebbe altro!*, that would be the limit! **5** (*venir meno o impegno ecc.*): *cerca di non — all'appuntamento*, do try to turn up at the appointment; *— alla parola data, di parola*, not to keep one's promises; *— di rispetto a qlcu.*, to be rude to s.o.; — «*Grazie, non mancherò*», "I shan't fail" **6** (*commettere una mancanza*) to err: *ha mancato gravemente*, he erred seriously ♦ *v.tr.* to miss: *— il bersaglio*, to miss the mark; *ho mancato l'autobus per pochi minuti*, I missed the bus by a few minutes.

mancato *agg.* **1** would-be, manqué: *un artista —*, a would-be artist **2** (*fallito*) unsuccessful // *colpo —*, misfire **3** (*non avvenuto*): *— arrivo*, nonarrival; *— pagamento*, nonpayment.

manche (*franc.*) *s.f.* **1** (*sport*) heat; (*tennis*) set **2** (*alle carte*) hand.

manchevole *agg.* faulty.

manchevolezza *s.f.* **1** fault, shortcoming **2** (*imperfezione*) imperfection.

mancia *s.f.* tip, gratuity: *dare la — a qlcu.*, to tip s.o. // *— competente*, reward.

manciata *s.f.* handful: *a manciate*, in handfuls.

mancina *s.f.* left hand // *a —*, to the left.

mancino *agg.* **1** left **2** (*che usa la mano sinistra*) left-handed **3** (*sleale*) treacherous // *colpo —*, unfair trick ♦ *s.m.* left-hander.

Manciuria *no.pr.f.* Manchuria.

manco[1] *agg.* left // *a dritta e a manca*, everywhere.

manco[2] *avv.* not even // *— a dirlo*, obviously; *— per idea, — per sogno*, by no means // *— male!*, (*fam.*) good thing too!

mandamentale *agg.* district (*attr.*): *carcere —*, local prison.

mandamento *s.m.* district.

mandante *s.m.* (*dir.*) principal.

mandarancio *s.m.* (*bot.*) clementine.

mandare *v.tr.* **1** to send*: — *a chiamare (qlco.), a prendere (qlcu, qlco.)*, to send for (s.o., sthg.); — *a dire qlco. a qlcu*, to send word to s.o.; — *due righe*, to drop a line // *non glielo mandò a dire*, she told him so to his face // — *un bacio*, to blow a kiss // — *avanti qlcu*, *(farsi precedere)* to send s.o. ahead (*o* on); — *avanti la famiglia*, to support one's family; — *avanti un'azienda, la casa*, to run a business, the house // — *via, (licenziare)* to dismiss; — *via sui due piedi*, to sack s.o. on the spot // — *giù, (anche fig.)* to swallow; *questa non la mando giù*, I won't stand for it! // — *per via mare*, to ship // — *a effetto, a compimento*, to carry out // — *a gambe all'aria qlcu*, to send s.o. sprawling // *piove che Dio la manda*, it's raining cats and dogs // *Dio ce la mandi buona!*, God help us! // *Dio manda il freddo secondo i panni*, *(prov.)* God tempers the wind to the shorn lamb **2** *(emettere)* to emit: — *calore*, to emit heat; — *un profondo sospiro*, to sigh deeply; — *un profumo, un suono dolce*, to have a sweet smell, tone; — *un grido*, to utter (*o* to let out) a cry.

mandarino[1] *s.m. (dignitario cinese)* mandarin.

mandarino[2] *s.m.* tangerine, mandarin(e).

mandata *s.f.* **1** batch **2** *(di chiave)* turn // *chiudere a doppia —*, to double-lock.

mandatario *s.m. (dir.)* mandatary.

mandato *s.m.* **1** *(incarico)* mandate, commission; *dare — a qlcu. di...*, to commission s.o. to...; *eseguire un —*, to carry out a commission // — *di tutela*, *(dir.)* guardianship **2** *(dir.)* warrant: — *d'arresto, di cattura*, warrant of arrest; — *di comparizione*, summons to appear; — *di perquisizione*, search warrant **3** *(pol.)* mandate.

mandibola *s.f.* jaw.

mandola *s.f. (mus.)* mandola.

mandolinista *s.m. e f.* mandolinist.

mandolino *s.m.* mandolin(e).

mandorla *s.f.* **1** almond // *occhi a —*, almond -shaped eyes **2** *(seme, gheriglio)* kernel.

mandorlato *agg.* containing almonds.

mandorlo *s.m.* almond (tree).

mandria *s.f.* herd.

mandriano *s.m.* herdsman *(pl. -men)*.

mandrillo *s.m. (zool.)* mandrill.

mandrino *s.m. (mecc.)* mandrel, mandril; *(albero porta-utensile di fresatrice ecc.)* spindle.

mandritta *s.f.*: *a —*, to the right.

maneggevole *agg.* **1** handy: *poco —*, unwieldy **2** *(fig.) (trattabile)* biddable, docile.

maneggiare *v.tr.* **1** *(impastare)* to mould **2** *(strumenti ecc.)* to handle *(anche fig.)*: *sa — la penna*, he knows how to handle a pen **3** *(persone)* to handle, to deal* with (s.o.): *è una persona piuttosto difficile da —*, he is rather difficult to deal with **4** *(cavalli)* to manage.

maneggio *s.m.* **1** *(il maneggiare)* handling; *(uso)* use: — *delle armi*, arms drill **2** *(intrigo)* plot: *i suoi maneggi furono scoperti*, his plot was laid bare **3** *(equitazione)* *(l'esercizio del cavalcare)* manège; *(galoppatoio)* riding track: *scuola di —*, riding school.

maneggione *s.m. (intrigante)* schemer, intriguer: *è un gran —*, he has a finger in many pies.

manesco *agg.* rough: *un uomo —*, a man quick with his fists.

manette *s.f.pl.* handcuffs: *gli misero le —*, they handcuffed him.

manforte, man forte *s.f.* help: *... e tuo fratello gli diede*

—, *... and your brother backed him up; prestare —*, to (give) help.

manganare *v.tr. (ind. tessile)* to mangle.

manganatura *s.f. (ind. tessile)* mangling.

manganellare *v.tr. (rar.)* to cudgel.

manganellata *s.f.* blow with a cudgel.

manganello *s.m.* cudgel.

manganese *s.m. (chim.)* manganese.

mangano *s.m. (ind. tessile)* mangle.

mangereccio *agg.* edible, eatable.

mangeria *s.f.* illicit gain, illicit profit.

mangiabile *agg.* eatable.

mangiacassette *s.m.* cassette player.

mangiadischi® *s.m.* record player.

mangianastri® *s.m.* cassette player.

mangiapane *s.m.* idler, loafer: *è un — a tradimento*, he is a parasite.

mangiapreti *s.m.* anticlerical.

mangiare *v.tr. e intr.* **1** to eat*; *(consumare i pasti)* to have* one's meals; *(pranzare)* to dine; *(a mezzogiorno)* to lunch; *(alla sera)* to have* supper: — *a sazietà*, to eat one's fill; — *con appetito*, to eat heartily; — *svogliatamente*, to pick (at one's food); — *troppo*, to overeat; — *di grasso*, to eat meat; — *di magro*, to abstain from eating meat; *vuoi da —?*, would you like something to eat?; *si è mangiato tutta la minestra*, he has eaten up all his soup; *ristorante in cui si mangia bene*, restaurant where the food is good; *gli uccelli gli mangiavano nella mano*, the birds are out of his hands; *dare da —*, to feed; *farsi da —*, to cook; *farsi da —*, to cook one's own meal(s) // — *come un lupo*, to eat like a horse; — *per quattro*, to have a huge meal; — *come un uccellino*, to have the appetite of a sparrow // *mangiarsi le unghie*, to bite one's nails // *mangiarsi il fegato per qlco.*, to worry oneself sick over sthg. // — *vivo qlcu.*, to bite s.o.'s head off // *mangiarsi qlcu. con gli occhi*, to devour s.o. with one's eyes // —, *mangiarsi le parole*, to mumble // — *la foglia*, to smell a rat **2** *(di macchine, ecc., consumare)* to consume, to eat* up **3** *(dissipare)* to waste, to squander: *si è mangiato l'intero patrimonio in pochi anni*, he squandered away the whole patrimony in a few years **4** *(corrodere)* to corrode, to eat* (into sthg.); *(portar via)* to eat* away: *gli acidi mangiano i metalli*, acids eat into (*o* corrode) metals **5** *(nel gioco della dama, degli scacchi ecc.)* to take*.

mangiare *s.m.* **1** eating **2** *(cibo)* food; *(pasto)* meal: — *leggero*, light food.

mangiata *s.f. (fam.)* square meal: *ho fatto una bella —*, I have had a square meal; *fare una bella — di...*, to stuff oneself with...

mangiatoia *s.f.* manger.

mangiatore *s.m.* eater: *è un (buon) —*, he's a good eater.

mangiatoria *s.f. (scherz.)* feed.

mangime *s.m.* fodder; *(per pollame)* chicken feed; *(per uccelli)* birdseed.

mangione *s.m.* hearty eater, big eater.

mangiucchiare *v.tr.* to pick (at sthg.), to nibble (at sthg.).

mango *s.m. (bot.)* mango.

mangrovia *s.f. (bot.)* mangrove.

mangusta *s.f. (zool.)* mongoose.

mania *s.f.* **1** mania: — *di persecuzione*, persecution mania **2** *(fig.)* mania (for); *(fissazione)* fad (for); craze: *ha la — di fare collezioni*, he has a mania for collecting things.

maniaco *agg.* **1** maniac(al) **2** *(fig.) (fanatico)* mad (about), keen (on): *è — dello sport*, he is mad keen on (*o* mad about) sports ♦ *s.m.* maniac (*anche fig.*): *un — del calcio*, a football maniac (*o* a football fiend).

manica *s.f.* **1** sleeve: *maniche a tre quarti*, three -quarterlength sleeves; *senza maniche*, sleeveless; *mezza —*, half sleeve; *in maniche di camicia*, in one's shirt-sleeves; *rimboccarsi, tirarsi su le maniche*, to roll up one's sleeves *// è un altro paio di maniche*, that is another pair of shoes (*o* that's a horse of a different colour) *// essere di — larga*, to be indulgent; *essere di — stretta*, to be strict *// essere nella — di qlcu.*, to be in s.o.'s good books **2** *— a vento*, (*aer.*) wind sleeve (*o* wind sock) **3** (*spreg.*) (*gruppo*) gang, band.

Manica, la *no.pr.f.* the (English) Channel.

manicaretto *s.m.* titbit, delicacy.

manichino *s.m.* mannequin; (*per sarti*) tailor's dummy.

manico *s.m.* **1** handle: *— dell'ombrello*, umbrella -stick; *— di scopa*, broomstick *// il difetto sta nel —*, the fault lies in the original idea **2** (*di strumenti musicali a corda*) neck.

manicomio *s.m.* (lunatic) asylum, madhouse (*anche fig.*).

manicotto *s.m.* **1** muff **2** (*mecc.*) sleeve, coupling.

manicure *s.m.* e *f.* **1** manicurist **2** (*cura delle mani*) manicure.

maniera *s.f.* **1** manner; (*modo*) way, fashion: *in questa —*, thus (*o* in this way); *la sua — di parlare*, his way of speaking (*o* the way he speaks) *// in — che*, so that *// in una — o nell'altra*, somehow or other *// in ogni —*, at all costs **2** *pl.* (*modi*) manners; manner (*sing.*), bearing (*sing.*): *buone, belle, cattive maniere*, good, bad manners; *che maniere!*, what manners! **3** (*stile*) style, manner: *alla — di*, after (*o* in the style of) *// — mannered.

manierato *agg.* affected; (*di stile ecc.*) mannered.

manierismo *s.m.* (*arte*) mannerism.

manierista *s.m.* e *f.* (*arte*) mannerist.

maniero *s.m.* castle, manor; (*residenza di signori di campagna*) manor house.

manifattore *agg.* (*rar.*) manufacturing.

manifattura *s.f.* **1** manufacture: *la — della seta*, silk manufacture **2** (*manufatto*) manufacture: *manifatture per uomo*, men's wear **3** (*fabbrica*) manufactory: *— tabacchi*, tobacco factory.

manifatturiere *s.m.* manufacturer, factory owner; (*operaio*) factory worker.

manifatturiero *agg.* manufacturing.

manifestante *s.m.* e *f.* demonstrator.

manifestare *v.tr.* **1** to show*, to manifest; (*esprimere*) to express: *— impazienza*, to show (*o* to manifest) impatience; *— i propri sentimenti*, to show one's feelings; *— l'intenzione, il desiderio di...*, to express the intention of, the wish to... **2** (*pol.*) to demonstrate *// -arsi* *v.rifl.* to show* (oneself): *— incapace di fare qlco.*, to show (oneself) unable to do sthg., to reveal (oneself) unable to do sthg.

manifestazione *s.f.* **1** display, manifestation: *— di coraggio*, display of courage; *— di gioia*, manifestation (*o* display) of joy **2** (*pol.*) demonstration **3** (*spettacolo pubblico*) — *musicale*, musical performance; *— sportiva*, sporting event.

manifestino *s.m.* leaflet.

manifesto *agg.* manifest; (*chiaro*) clear, evident: *— a tutti*, known to everybody; *rendere —*, to disclose (*o* to reveal).

manifesto *s.m.* **1** poster, placard; (*spec. teatrale*) bill **2** (*scritto programmatico*) manifesto.

maniglia *s.f.* **1** handle: *— della porta*, door-handle; *— alzacristallo*, window winder **2** (*mar.*) shackle.

manigoldo *s.m.* rascal, scoundrel *// piccolo —!*, little rascal!

manioca *s.f.* (*bot.*) manioc.

manipolare *v.tr.* **1** to manipulate (*anche fig.*): *— un'elezione*, to manipulate (*o* to rig) an election **2** (*ordire*) to concoct **3** (*adulterare*) to adulterate; (*falsificare*) to falsify.

manipolatore *s.m.* manipulator (*anche fig.*); concoctor (*anche fig.*).

manipolazione *s.f.* **1** manipulation (*anche fig.*) **2** (*adulterazione*) adulteration.

manipolo *s.m.* **1** (*st. romana, eccl.*) maniple **2** (*fastello*) sheaf **3** (*letter.*) handful: *un — di soldati*, a handful of soldiers.

maniscalco *s.m.* **1** farrier **2** (*st.*) marshal.

manna *s.f.* **1** manna (*anche fig.*) *// aspettare la — dal cielo*, to wait for manna from heaven **2** (*farm.*) manna.

mannaia *s.f.* axe; (*della ghigliottina*) blade.

mannello *s.m.* sheaf.

mannite *s.f.* (*farm.*) mannite.

mano *s.f.* **1** hand: *a —*, by hand; *fatto a —*, hand-made; *prendere qlco. in —*, to take sthg. in hand; *tenere qlco. in —*, to hold sthg. (in one's hand) (*o* to keep sthg. in one's hand); *prendere qlcu. per —*, to take s.o. by the hand; *tenere qlcu. per —*, to hold s.o. by the hand; *tenersi per —*, to hold hands; (*con*) *la — nella —*, hand in hand *// documenti alla — per favore*, please have your papers ready *// dare la — a qlcu.*, (*per salutare*) to shake hands with s.o.; *darsi la —*, to shake hands *// possono darsi la —*, (*si assomigliano*) they are two of a kind *// tendere la —*, to hold out one's hand; (*fig.*) to beg *// dare una — a qlcu.*, to give (*o* to lend) s.o. a hand *// essere nelle mani di qlcu.*, to be in s.o.'s hands *// mettersi nelle mani di qlcu.*, to put oneself into s.o.'s hands *// cadere nelle mani di qlcu.*, to fall into s.o.'s hands *// essere in buona mani*, to be in good hands *// mettere le mani su qlco.*, to lay one's hands on sthg. *// mettere — alla spada*, to draw one's sword *// mettere — a qlco.*, to put (*o* to set) one's hands to sthg. *// tenere le mani avanti*, to safeguard oneself *// mettersi le mani nei capelli*, to be at one's wits end *// mettersi una — sulla coscienza*, to look into one's heart *// avere le mani legate*, to have one's hands tied *// avere le mani bucate*, to let money slip through one's fingers *// avere le mani di pastafrolla*, to be a butterfingers *// starsene con le mani in —*, to twiddle one's thumbs *// parlare col cuore in —*, to wear one's heart on one's sleeve *// chiedere la — di qlcu.*, to ask (for) s.o.'s hand *// avere qlco. per le mani*, to have sthg. on one's hands *// prendere la — a qlcu.*, (*fig.*) to get out of hand; *lasciarsi, farsi prendere la — da qlco.*, to let sthg. get out of hand *// ci farai la —*, (*a lavoro ecc.*) you'll get used to it; *prender su la — a qlco.*, (*impratichirsi*) to get the knack of sthg. *// per —*, at the hand(s) of *// fuori —*, out of the way *// sotto —*, in front of s.o. *// di seconda —*, second-hand *// una persona alla —*, an informal person *// a — a —*, little by little *// man — che*, as: *man — che gli anni passano*, as (the) years go by *// qua la —!*, let's shake hands! *// giù le mani!*, hands off! *// mani fredde cuore caldo*, (*prov.*) cold hand warm heart **2** (*fig.*) (*stile*) hand: *il quadro rivela la — di un maestro*, the painting shows the hand of a master **3** (*direzione*) side: *contro*

—, on the wrong side of the road; *tenere la —*, to keep to one's right **4** (*strati di colore, di vernice ecc.*) coat // *dare l'ultima — a qlco.*, to give sthg. the finishing touch **5** (*nei giochi di carte*) hand: *fare un'altra —*, to play another hand; *fare una — a bridge*, to take a hand at bridge; *chi è di —?*, whose lead is it?

manodopera *s.f.* labour, manpower: *— non qualificata*, unskilled workers.

manometro *s.m.* manometer, pressure gauge: *— dell'olio*, oil pressure gauge.

manomettere *v.tr.* **1** to tamper (with sthg.) **2** (*fig.*) (*violare*) to violate **3** (*st. romana*) to manumit.

manomissione *s.f.* **1** tampering **2** (*st. romana*) manumission.

manomorta *s.f.* (*dir.*) mortmain.

manopola *s.f.* **1** handle **2** (*di radio ecc.*) knob **3** (*guanto*) mitten.

manoscritto *agg.* handwritten ♦ *s.m.* manuscript.

manovalanza *s.f.* labour; (*edil.*) hodmen (*pl.*).

manovale *s.m.* labourer; (*edil.*) hodman (*pl.* -men).

manovella *s.f.* **1** crank, handle: *— di avviamento*, (*aut.*) starting handle // *dare il primo giro di —*, (*di un film*), to start filming **2** (*mecc.*) crank.

manovra *s.f.* manoeuvre (*anche fig.*): *grandi manovre*, (*mil.*) general manoeuvres; *terreno di manovre*, (*mil.*) area for manoeuvres; *posti di —*, (*mil.*) action stations; *fare manovre*, to manoeuvre; *manovre politiche*, political manoeuvring (*o* jockeying).

manovrare *v.tr.* to operate; (*fig.*) to manoeuvre // *— le vele*, to handle the sails.

manovratore *s.m.* **1** operator: *— di scambi*, (*ferr.*) signalman **2** (*di tram*) (tram) driver.

manrovescio *s.m.* backhanded slap.

mansalva, a *locuz.avv.* with impunity.

mansarda *s.f.* (*arch.*) attic, mansard; (*con terrazzo*) penthouse.

mansione *s.f.* function, duty; (*incarico*) office: *è — del vigile dirigere il traffico*, the duty of a policeman is to direct the traffic; *avere le mansioni di presidente*, to hold the office of president; *avere mansioni direttive*, to have executive duties; *non rientra nelle mie mansioni*, it is not my duty.

mansueto *agg.* (*di animale*) gentle; (*di persona*) mild, meek // *occhi mansueti*, gentle eyes.

mansuetudine *s.f.* meekness, mildness.

mantecare *v.tr.* to whip, to whisk.

mantella *s.f.* cloak.

mantellina *s.f.* cape.

mantello *s.m.* **1** cloak, mantle **2** (*strato*) mantle **3** (*di animali*) coat, hair; (*di molluschi*) mantle.

mantenere *v.tr.* **1** (*conservare*) to keep*, to maintain: *— buone relazioni con qlcu.*, to maintain good relations with s.o.; *— l'equilibrio*, to keep one's balance; *— in vita qlcu.*, to keep s.o. alive; *— l'ordine*, to keep (*o* to maintain) order // *— una posizione*, (*mil.*) to hold a position **2** (*sostentare*) to maintain, to support: *ha una famiglia da —*, he has a family to support **3** (*conservare in buono stato*) to maintain: *— le strade*, to maintain (*o* to keep up) the roads **4** (*tener fede a*) to keep*: *— una promessa*, to keep a promise **5** (*sostenere*) to maintain: *— un'opinione*, to maintain an opinion // **-ersi** *v.intr.pron. e rifl.* **1** to keep*: *spero che il tempo si mantenga bello*, I hope the weather keeps fine; *— giovane*, to keep young; *— in buona salute*, to keep fit (*o* in good health) **2** (*sostentarsi*) to earn one's living.

mantenimento *s.f.* **1** maintenance, preservation: *—*

delle istituzioni, preservation of institutions; *il — dell'ordine*, the maintenance of order **2** (*sostentamento*) support, maintenance; (*di moglie separata dal marito*) alimony **3** (*manutenzione*) maintenance, upkeep: *il — della rete stradale*, the upkeep of the road network; *il — di un esercito*, the maintenance of an army.

mantenuta *s.f.* mistress, kept woman.

mantenuto *s.m.* gigolo.

mantice *s.m.* **1** bellows (*pl.*) // *soffiare come un —*, to puff and blow **2** (*di carrozza, auto ecc.*) hood.

mantide *s.f.* (*zool.*) mantis.

mantiglia *s.f.* mantilla.

mantissa *s.f.* (*mat.*) mantissa.

manto *s.m.* **1** cloak (*anche fig.*), mantle **2** (*strato*) mantle.

Mantova *no.pr.f.* Mantua.

mantovana *s.f.* **1** (*arch.*) bargeboard **2** (*di tendaggio*) pelmet.

mantovano *agg. e s.m.* Mantuan.

manuale *agg.* manual ♦ *s.m.* manual, handbook.

manualistico *agg.* handbook (*attr.*).

manubrio *s.m.* **1** handle; (*di bicicletta*) handlebars **2** (*attrezzo per ginnastica*) dumbbell.

manufatto *agg.* manufactured ♦ *s.m.* manufactured article: *manufatti di lana*, woollen articles (*o* woollens).

manutengolo *s.m.* (*spreg.*) accomplice.

manutenzione *s.f.* upkeep, maintenance; (*di automobile, macchinario ecc.*) servicing: *personale addetto alla —*, maintenance staff; *spese di —*, servicing expenses // *fermo per —*, out of order (*o* under repair).

manzo *s.m.* **1** steer **2** (*carne*) beef: *— lesso*, boiled beef; *arrosto di —*, roast beef; *una bistecca di —*, a beefsteak.

maoismo *s.m.* Maoism.

maoista *agg. e s.m. e f.* Maoist.

maomettano *agg. e s.m.* (*relig.*) Mohammedan.

Maometto *no.pr.m.* (*st. relig.*) Mohammed, Mahomet.

mappa *s.f.* map: *— altimetrica*, contour map // *— della memoria*, (*informatica*) storage map.

mappamondo *s.m.* **1** (*globo*) globe **2** (*mappa*) map of the world.

marabù *s.m.* marabou.

maracas *s.f.pl.* (*mus.*) maracas.

marachella *s.f.* trick, prank.

maragià *s.m.* maharajah.

marameo *inter.*: *far — a qlcu*, to thumb one's nose at s.o. (*o* to cock a snook at s.o.).

marasca *s.f.* (*bot.*) marasca (cherry).

maraschino *s.m.* maraschino.

marasco *s.m.* (*bot.*) marasca (cherry-tree).

marasma *s.m.* **1** marasmus **2** (*fig.*) (*decadenza*) decadence **3** (*fig.*) (*confusione*) chaos.

maratona *s.f.* (*sport*) Marathon (race): *fare una —*, to compete in a Marathon; (*amer.*) to marathon; (*fig.*) to sweat blood.

maratoneta *s.m.* (*sport*) marathon runner; (*amer.*) marathoner.

marc' *inter.*: *avanti —!*, forward march!

marca *s.f.* **1** (*comm.*) brand: *è una buona — di sigari*, this is a good brand of cigars // *prodotto di —*, high -quality product // *correre per una —*, (*sport*) to race for a firm **2** (*da bollo*) revenue stamp **3** (*scontrino, gettone*) token; (*amer.*) check.

marcantonio *s.m.* (*fam.*) tall, strong man: *è un bel pezzo di —*, he is some he-man.

marcare *v.tr.* **1** to mark; (*spec. a fuoco*) to brand //

— *qlcu. d'infamia*, to brand s.o. with infamy **2** (*segnare*) to score: — *i punti*, (*al gioco*) to keep the score **3** (*calcio*) to mark **4** (*accentuare*) to accentuate, to emphasize **5** — *visita*, (*mil.*) to report sick.

marcassite *s.f.* (*min.*) marcasite.

marcatempo *s.m.* timekeeper.

marcato *agg.* marked (*anche fig.*).

marcatore *s.m.* **1** marker **2** (*chi segna i punti*) scorer.

marcatura *s.f.* **1** marking; (*spec. a fuoco*) branding **2** (*di punti*) scoring.

marchesa *s.f.* marquise.

marchesato *s.m.* marquisate, marquessate.

marchese *s.m.* marquis, marquess.

marchesina *s.f.* marquis's daughter.

marchesino *s.m.* marquis's son.

marchiano *agg.* gross.

marchiare *v.tr.* to stamp; (*spec. a fuoco*) to brand.

marchingegno *s.m.* thingamajig, thingamabob.

marchio *s.m.* **1** stamp; (*spec. a fuoco*) brand **2** (*fig.*) brand, mark: — *d'infamia*, mark of infamy // *avere il* — *del traditore*, to be branded as a traitor **3** (*comm.*) mark: — *di fabbrica*, trademark; — *di fabbrica depositato*, registered trademark.

marcia *s.f.* **1** march: — *funebre*, funeral march; — *nuziale*, wedding march; — *per la pace*, peace march; *formazione di* —, (*mil.*) order of march; *essere in* —, to be on the march; *mettersi in* —, to start (*o* to set) out; *in* —!, march! **2** (*aut.*) gear; (*velocità*) speed: — *avanti*, forward gear: *andare a* — *avanti*, to go forward; (*di nave*) to go ahead; — *indietro*, reverse gear: *andare a* — *indietro*, to reverse; (*di nave*) to go astern; *fare* — *indietro*, to go backwards; (*fig.*) to back out; *innestare la* — *indietro*, to go into reverse; *uscire a* — *indietro*, to back out; *mettere in* —, *ingranare la* —, to get into gear.

marciapiede *s.m.* pavement; (*amer.*) sidewalk; (*di stazione*) platform // *battere il* —, to walk the streets.

marciare *v.intr.* **1** to march: — *in colonna*, to march in a line (*o* column); — *in coda*, to bring up the rear; — *in testa*, to lead the march; *entrare marciando*, to march in; *far* —, to march // — *per la pace*, to take part in a march for peace (*o* in a peace march) **2** (*dirigersi*) to march (*on* sthg.): — *sulla città*, to march on the town **3** (*fam.*) (*funzionare*) to work.

marciatore *s.m.* (*sport*) walker.

marcio *agg.* **1** rotten: *frutta marcia*, rotten fruit; *legno* —, rotten (*o* decayed) wood **2** (*fig.*) (*corrotto*) corrupt, rotten: *società marcia*, corrupt society // *aver torto* —, to be absolutely wrong // *essere stufo* — (*di*), to be utterly fed up (with) ♦ *s.m.* **1** rotten part // *quel pesce sa di* —, that fish smells rotten **2** (*pus, materia*) pus, matter **3** (*fig.*) (*corruzione*) corruption.

marcire *v.intr.* to rot (*anche fig.*).

marcita *s.f.* (*agr.*) water meadow.

marciume *s.m.* putrefaction; (*fig.*) corruption, rottenness.

marco *s.m.* (*moneta*) mark.

Marco *no.pr.m.* Mark, Marcus.

marconigramma *s.m.* (*rad.*) marconigram, radiogram.

marconista *s.m.* radio operator.

marconiterapia *s.f.* (*med.*) diathermy.

mare *s.m.* **1** sea: — *calmo, piatto*, smooth sea; — *mosso, agitato*, rough sea; — *grosso*, heavy sea; — *lungo*, long sea; — *chiuso, interno*, inland sea; *per terra e per* —, by land and sea; *il* — *è calmo come l'olio*, the sea is like a sheet of glass (*o* as calm as a millpond); *un'onda lo gettò in* —, a wave swept him overboard; *cadere*

in —, to fall into the sea // *una città di* —, a town on the sea // *gente di* —, seafolk // *forze di terra e di* —, (*mil.*) land and sea forces // *in* — *aperto*, off shore // *essere in alto* —, to be at sea; *la questione è ancora in alto* —, (*fig.*) the question is still under discussion; *siamo ancora in alto* —!, (*fig.*) we still have a long way to go! // *mettere in* —, to set afloat // *prendere il* —, to set sail // *spedire via* —, (*comm.*) to ship // *un uomo in* —!, man overboard! **2** (*luogo di mare*) seaside: *passare le vacanze al* —, to spend one's holidays at the seaside; *andare al* —, to go to the seaside **3** (*fig.*) (*grande quantità*) sea, ocean; (*moltitudine*) crowd, multitude: *un* — *di gente*, a tremendous crowd; *un* — *di guai*, a sea of troubles.

marea *s.f.* tide: *alta, bassa* —, high, low tide; — *calante, montante*, ebb tide, flood tide; — *massima, sizigiale, equinoziale*, spring tide; — *minima, di quadratura*, neap tide // *una* — *di gente*, a stream of people.

mareggiata *s.f.* seastorm.

maremma *s.f.* maremma (*pl.* maremmae).

maremmano *agg.* maremma (*attr.*) ♦ *s.m.* inhabitant of Maremma.

maremoto *s.m.* seaquake.

mareografo *s.m.* tide gauge.

maresciallo *s.m.* (*mil.*) **1** (*ufficiale*) marshal; (*in Gran Bretagna*) field marshal **2** (*sottufficiale*) warrant officer.

maretta *s.f.* (*mar.*) choppy sea: *c'è un po' di* — *oggi*, it is a bit choppy today.

marezzare *v.tr.* to marble; (*stoffe*) to water.

marezzato *agg.* marbled, veined; (*di stoffe*) watered.

marezzo *s.m.* marbling; (*di stoffe*) watering.

margarina *s.f.* (*cuc.*) margarine.

margherita *s.f.* marguerite; (*pratolina*) daisy.

Margherita *no.pr.f.* Margaret.

marginale *agg.* **1** marginal **2** (*secondario*) secondary.

marginare *v.tr.* to margin.

marginatore *s.m.* margin stop.

marginatura *s.f.* **1** margining **2** (*tip.*) furniture.

margine *s.m.* **1** border; (*ciglio*) edge; (*di pagina*) margin; (*di ferita*) lips (*pl.*): *il* — *della strada*, the edge of the road; *scrivere in* —, to write in the margin // *vivere ai margini della società*, to live on the borders of society **2** (*fig.*) margin: *un largo* — *di tempo*, a wide margin of time; — *di guadagno*, margin of profit.

margotta *s.f.* (*agr.*) layer.

Maria *no.pr.f.* Mary.

mariano *agg.* (*eccl.*) Marian: *mese* —, the month of Mary.

marina *s.f.* **1** navy: — *da guerra*, Navy; — *mercantile*, merchant navy **2** (*costa*) coastline; (*riva del mare*) seashore **3** (*pitt.*) seascape.

marinaio *s.m.* **1** sailor, seaman (*pl.* -men): — *scelto*, able seaman // — *di coperta*, deck hand // *promessa da* —, gambler's promise // — *d'acqua dolce*, (*scherz.*) freshwater sailor **2** *pl.* (*equipaggio*) crew (*sing.*).

marinare *v.tr.* **1** (*cuc.*) to pickle, to souse **2** — *la scuola*, to play truant.

marinaresco *agg.* sailor-like; seafaring: *canzone marinaresca*, shanty; *vita marinaresca*, seafaring life.

marinaro *agg.* seafaring, maritime: *popolo* —, seafaring people; *una nazione marinara*, a maritime nation // *Repubbliche marinare*, Marine Republics // *vestito, colletto alla marinara*, sailor suit, sailor collar // *nuoto alla marinara*, sidestroke.

marinatura *s.f.* (*cuc.*) pickling, sousing.

marineria *s.f.* navy.

marino *agg.* sea (*attr.*): *acqua marina*, sea-water // *blu* —, navy blue // *carte marine*, charts.

mariolo *s.m.* rogue (*anche scherz.*).

marionetta *s.f.* puppet (*anche fig.*), marionette: *andare alle marionette*, to go to a puppet show.

marionettista *s.m. e f.* puppet master; (*burattinaio*) puppeteer.

maritale *agg.* marital.

maritalmente *avv.* maritally; as husband and wife.

maritare *v.tr.* to marry // **-arsi** *v.rifl.* to get* married.

marito *s.m.* husband // *prendere* —, to get married // *una ragazza da* —, a girl of marriageable age.

maritozzo *s.m.* (*cuc.*) soft roll.

marittimo *agg.* sea (*attr.*); marine, maritime; *porto* —, seaport; *clima* —, marine (*o* maritime) climate // *commercio* —, shipping business // *le Alpi Marittime*, the Maritime Alps ♦ *s.m.* seaman (*pl.* -men).

marmaglia *s.f.* rabble.

marmellata *s.f.* jam; (*d'arance*) marmalade.

marmifero *agg.* **1** (*contenente marmo*) abounding in marble **2** (*di, del marmo*) marble (*attr.*).

marmista *s.m.* marblecutter.

marmitta *s.f.* **1** pot **2** (*aut.*) silencer, muffler **3** (*geol.*) pothole.

marmittone *s.m.* (*scherz.*) (*recluta*) rookie.

marmo *s.m.* marble: — *dipinto*, imitation marble // *un cuore di* —, a heart of stone.

marmocchio *s.m.* (*scherz.*) tot.

marmoreo *agg.* marble (*attr.*) // *era di un pallore* —, she was as white as marble.

marmorizzato *agg.* marbled.

marmotta *s.f.* **1** marmot: *pelliccia di* —, marmot (fur) **2** (*fig.*) lazybones // *dormire come una* —, to sleep like a dormouse.

marna *s.f.* (*geol.*) marl.

Marna *no.pr.f.* Marne.

marocchino *agg.* Moroccan ♦ *s.m.* **1** (*abitante*) Moroccan **2** (*cuoio*) Morocco.

Marocco *no.pr.m.* Morocco.

maroso *s.m.* billow.

marra *s.f.* **1** (*agr.*) hoe **2** (*dell'àncora*) fluke.

marrano *s.m.* boor, lout.

marrone *agg.* brown ♦ *s.m.* chestnut // *marroni canditi*, marrons glacés.

marsigliese *agg.* Marseillaise.

marsina *s.f.* tailcoat.

marsupiale *s.m.* marsupial.

marsupio *s.m.* marsupium (*pl.* marsupia).

Marta *no.pr.f.* Martha.

Marte *no.pr.m.* Mars // *campo di* —, (*mil.*) parade ground.

martedì *s.m.* Tuesday: — (*a*) *otto*, a week on Tuesday (*o* Tuesday week *o* the Tuesday after next); *un* — *mattina*, one (*o* on a) Tuesday morning; *il* —, *ogni* —, on Tuesdays // — *grasso*, Shrove Tuesday.

martellamento *s.m.* **1** hammering, pounding **2** (*pulsazioni*) throbbing.

martellare *v.tr.* **1** to hammer (*anche fig.*): — *a freddo*, to cold-hammer; — *qlcu. di domande*, to plague (*o* to hammer) s.o. with questions **2** (*battere*) to beat*, to pound: — *di colpi*, to beat furiously; — *l'uscio*, to pound (at) the door **3** (*mil.*) to pound: — *una posizione*, to pound a position ♦ *v.intr.* (*pulsare*) to throb.

martellata *s.f.* **1** blow of a hammer **2** (*fig.*) heavy blow.

martellato *agg.* hammered: *ferro* —, hammered ironwork // *cristallo* —, faceted crystal.

martellatore *s.m.* hammerer.

martelletto *s.m.* **1** (*di pianoforte*) hammer **2** (*di banditore d'asta ecc.*) gavel.

martello *s.m.* **1** hammer: — *da roccia*, piton hammer; — *ad aria compressa*, pneumatic hammer; — *perforatore*, hammerdrill // *piantare un chiodo a colpi di* —, to hammer in a nail // *suonare a* —, to ring the tocsin (*o* the alarm) **2** (*di orologio*) striker; (*di porta*) knocker **3** (*anat.*) malleus (*pl.* mallei) **4** (*sport*) hammer **5** (*zool.*): *pesce* —, hammerhead.

martinetto *s.m.* (*mecc.*) jack.

martingala *s.f.* **1** half belt **2** (*di cavallo*) martingale.

Martino *no.pr.m.* Martin.

martin pescatore *s.m.* (*zool.*) kingfisher.

martire *s.m. e f.* martyr (*anche fig.*): — *della libertà*, martyr in the cause of freedom; — *del lavoro*, a slave to work; *atteggiarsi a* —, to act the martyr.

martirio *s.m.* **1** martyrdom **2** (*fig.*) torture.

martirizzare *v.tr.* to martyrize (*anche fig.*), to make* a martyr (of s.o.) (*anche fig.*).

martirologio *s.m.* martyrology.

martora *s.f.* marten // *una pelliccia di* —, a sable (fur).

martoriare *v.tr.* to torture (*anche fig.*) // **-arsi** *v.rifl.* (*fig.*) to torture oneself // — *il cervello*, to rack one's brains.

marxismo *s.m.* Marxism.

marxista *s.m. e f.* Marxist.

marxistico *agg.* marxist.

marzaiola *s.f.* (*zool.*) garganey.

marzapane *s.m.* (*cuc.*) marzipan.

marziale *agg.* martial (*anche fig.*), soldierly: *corte* —, court-martial // *arti marziali*, martial arts.

marziano *s.m.* Martian.

marzo *s.m.* March.

mas *s.m.* (*mar. mil.*) motor torpedo boat (abbr. MTB).

mascalzonata *s.f.* dirty trick.

mascalzone *s.m.* cad, scoundrel.

mascella *s.f.* (*anat.*) jaw.

mascellare *agg.* maxillary, jaw (*attr.*) ♦ *s.m.* (*anat.*) jaw bone.

maschera *s.f.* **1** mask: — *antigas*, gas mask; — *mortuaria*, (death) mask; — *subacquea*, underwater mask; *ballo in* —, masked ball; *mettersi in* —, to put on fancy dress // — *di bellezza*, facepack // *gettar la* —, to throw off one's mask; *giù la* —!, (*fam.*) come off it! **2** (*persona mascherata*) masker **3** (*personaggio della commedia dell'arte*) mask character, stock character **4** (*espressione del volto*) features (*pl.*), face **5** (*di cinema, teatro*) usher; (*donna*) usherette.

mascheramento *s.m.* **1** masking **2** (*mil.*) camouflage.

mascherare *v.tr.* **1** to mask, to put* a mask on (s.o.); (*con costumi*) to dress up as: — *un bambino da pagliaccio*, to dress up a child as a clown **2** (*fig.*) (*celare*) to mask, to disguise, to conceal **3** (*mil.*) to mask; (*mimetizzare*) to camouflage // **-arsi** *v.rifl.* to put* on a mask; (*mettersi in costume*) to put* on fancy dress; to dress up as (s.o., sthg.).

mascherata *s.f.* masquerade (*anche fig.*).

mascherato *agg.* **1** masked **2** (*fig.*) (*nascosto*) concealed, disguised **3** (*mil.*) masked; (*mimetizzato*) camouflaged.

mascherina *s.f.* **1** (*di scarpa*) shoe-front **2** (*aut.*) radiator grille.

mascherone *s.m.* (*arch.*) (grotesque) mask.

maschiaccio *s.m.* **1** rude boy **2** (*ragazza di maniere mascoline*) tomboy, hoyden.

maschile *agg.* **1** male: *scuola —*, boys' school **2** (*virile*) manly, masculine **3** (*gramm.*) masculine ♦ *s.m.* (*gramm.*) masculine.

maschilismo *s.m.* male chauvinism.

maschilista *s.m. e f.* male chauvinist ♦ *agg.* malechauvinist (*attr.*).

maschio[1] *agg.* **1** male // *elefante —*, bull elephant **2** (*virile*) manly, masculine, virile: *un aspetto —*, a manly appearance ♦ *s.m.* **1** male; (*ragazzo*) boy; (*uomo*) man (*pl.* men); (*figlio*) son: *è un — o una femmina?*, is it a boy or a girl? (*o* is it a he or a she?) **2** (*tecn.*) male: *— della vite*, male screw **3** (*per filettare*) tap.

maschio[2] *s.m.* (*torre di fortezza*) keep, donjon.

mascolinità *s.f.* masculinity.

mascolinizzarsi *v.intr.pron.* to masculinize.

mascolino *agg.* masculine.

mascotte (*franc.*) *s.f.* mascot.

masnada *s.f.* gang, band.

masnadiere *s.m.* highwayman (*pl.* -men).

masochismo *s.m.* masochism.

masochista *s.m. e f.* masochist.

masonite ® *s.f.* masonite ®.

massa *s.f.* **1** mass; (*mucchio*) heap (*anche fig.*): *— d'aria*, air mass; *una — di libri*, a heap of books; *una — di sciocchezze*, a load of nonsense // *in —*, in bulk **2** (*folla, popolo*) mass: *partito di —*, party appealing to the mass(es); *produzione di —*, mass production; *adunanza in —*, mass-meeting; *si sollevarono in —*, they rose in a body **3** (*arch.*) mass, volume **4** (*fis.*) mass **5** (*elettr.*) earth: *fare —, mettere a —*, to earth **6** (*comm. dir.*): *— attiva*, liquid assets; *— passiva*, liabilities; *— fallimentare*, bankruptcy assets.

massacrante *agg.* killing, exhausting.

massacrare *v.tr.* **1** to massacre, to slaughter, to butcher **2** (*picchiare con violenza*) to thrash **3** (*affaticare*) to exhaust, to prostrate **4** (*rovinare*) to spoil, to ruin.

massacratore *s.m.* exterminator.

massacro *s.m.* massacre, slaughter, butchery // *— di ebrei*, pogrom.

massaggiare *v.tr.* to massage.

massaggiatore *s.m.* masseur.

massaggiatrice *s.f.* masseuse.

massaggio *s.m.* massage // *— cardiaco*, heart massage.

massaia *s.f.* housewife.

massello *s.m.* **1** (*metall.*) ingot, lump: *— di acciaio*, steel ingot **2** (*edil.*) (rectangular) block.

masseria *s.f.* farm.

masserizie *s.f.pl.* household effects.

massetere *s.m.* (*anat.*) masseter.

massicciata *s.f.* roadbed; (*ferr.*) ballast.

massiccio *agg.* **1** massive, solid; (*di corporatura*) stout: *oro —*, solid gold **2** (*fig.*) heavy // *bombardamento —*, strafe ♦ *s.m.* (*geogr.*) massif.

massificare *v.tr.* to standardize.

massima *s.f.* **1** maxim, principle, rule: *avere come —*, to make it a rule // *in linea di —*, generally speaking // *accordo di —*, general agreement **2** (*detto, proverbio*) saying, maxim, proverb **3** (*grado massimo di temperatura, pressione barometrica*) maximum.

massimale *agg.* maximal, maximum (*attr.*) ♦ *s.m.* maximum.

massimalismo *s.m.* (*pol.*) Maximalism.

massimalista *s.m.* (*pol.*) Maximalist.

massimamente *avv.* chiefly, especially.

Massimiliano *no.pr.m.* Maximilian.

massimo *agg.superl.* (*il più grande*) greatest; maximum (*attr.*); (*l'estremo*) extreme, utmost; (*il più alto*) highest; (*il più lungo*) longest; (*il migliore*) best: *con la massima cura*, with the greatest care; *della massima importanza*, of the utmost (*o* greatest) importance; *la quantità massima*, the greatest (*o* largest) quantity; *l'altitudine, la densità, la larghezza massima*, the maximum altitude, density, width; *il carico —, il peso —*, the maximum load, weight; *la velocità, la temperatura massima*, the highest (*o* maximum) speed, temperature; *la cifra, l'offerta massima*, the highest figure, offer; *il grado —*, the highest degree; *il tempo —, la distanza massima*, the longest time, distance; *il — risultato*, the best result // *il — comun divisore*, (*mat.*) the greatest common factor (*o* divisor) // *peso —*, (*sport*) heavyweight // *tempo —*, (*sport*) time limit ♦ *s.m.* **1** maximum: *il — della velocità*, the maximum (*o* top) speed; *il — della pressione*, the maximum pressure; *il — (della pena)*, the heaviest sentence (*o* the maximum penalty) // *laurearsi col — dei voti*, to get a first(-class degree) // *essere al — della sopportazione*, to be at one's wit's end **2** (*tutto ciò che*) most: *questo è il — che io possa fare*, this is the most I can do // *al massimo* *locuz.avv.* at (the) most; (*moltissimo*) very much.

masso *s.m.* rock, block.

massone *s.m.* freemason.

massoneria *s.f.* Freemasonry.

massonico *agg.* masonic.

mastello *s.m.* tub: *— per il bucato*, wash-tub.

masticare *v.tr.* **1** to chew, to masticate // *masticò amaro, veleno*, it was a bitter pill for him to swallow **2** (*pronunciare indistintamente*) to mumble; to stammer // *mastica un po' di francese*, he has a smattering of French.

masticatorio *agg.* masticatory.

masticazione *s.f.* chewing, mastication.

mastice *s.m.* mastic // *— per vetrai*, putty.

mastino *s.m.* (*cane*) mastiff.

mastite *s.f.* (*med.*) mastitis.

mastodonte *s.m.* mastodon (*anche fig.*).

mastodontico *agg.* (*fig.*) mastodontic.

mastoide *s.f.* (*anat.*) mastoid.

mastoideo *agg.* (*anat.*) mastoid, mastoidal.

mastoidite *s.f.* (*med.*) mastoiditis.

mastro *agg.* *s.m.* (*comm.*): (*libro*) *—*, ledger // *registrare a —*, to post ♦ *s.m.* master: *— d'ascia*, carpenter.

masturbazione *s.f.* masturbation.

matassa *s.f.* skein, hank: *dipanare una —*, to unravel a skein; (*fig.*) to sort things out.

matematica *s.f.* mathematics; (*fam.*) maths.

matematicamente *avv.* mathematically.

matematico *agg.* mathematical ♦ *s.m.* mathematician.

materassaio *s.m.* mattress-maker.

materassino *s.m.* (inflatable) rubber mattress.

materasso *s.m.* mattress: *— di crine*, hair mattress; *— di lana*, wool mattress.

materia *s.f.* **1** (*sostanza*) matter, substance; (*materiale*) matter, material: *— bruta*, brute matter; *— inorganica, organica*, (*chim.*) inorganic, organic substance; *le materie prime*, raw materials; *— colorante*, dyestuff // *— grigia*, (*anat.*) grey matter **2** (*argomento*) matter, subject: *una — di controversia*, a controversial matter; — *di riflessione*, food for thought; *catalogo per materie*, subject catalogue; *indice delle materie*, table of contents; *non so nulla in —*, I know nothing of the subject; *sa tutto in — di musica*, he knows everything about music; *pronunciarsi in —*, (*dir.*) to pass judgement on the matter; *entrare in —*, to broach a subject **3** (*di studio*) subject **4** (*occasione, motivo*) matter, reason, grounds (*pl.*): *dare — di preoccupazione*, to give grounds for worry **5** (*pop.*) (*pus*) matter.

materiale *agg.* **1** material: *aiuto —*, material help; *necessità materiali*, material needs; *errore —*, careless slip ♦ *non ho il tempo — di farlo*, I just haven't the time to do it **2** (*rozzo, grossolano*) rough, unpolished ♦ *s.m.* material, stuff: *— da costruzione*, building material; *— di sterro*, spoil; *— di recupero*, salvage; *— alluvionale*, alluvium; *— scolastico*, teaching equipment.

materialismo *s.m.* materialism: *— storico*, historical materialism.

materialista *agg.* materialistic(al) ♦ *s.m. e f.* materialist.

materialistico *agg.* materialistic(al).

materialità *s.f.* materiality.

materializzare *v.tr.* to materialize.

materialmente *avv.* **1** materially // *è — impossibile...*, it's physically impossible... **2** (*grossolanamente*) roughly.

maternità *s.f.* **1** motherhood, maternity **2** (*clinica ostetrica*) maternity hospital.

materno *agg.* (*di, proprio della madre*) motherly, mother (*attr.*); (*da parte di madre*) maternal: *dal lato —*, on one's mother side // *scuola materna*, nursery school.

Matilde *no.pr.f.* Mat(h)ilda.

matita *s.f.* pencil: *— copiativa*, copying-pencil; *sottolineare con la —*, to underline in pencil.

matraccio *s.m.* (*chim.*) matrass.

matriarcato *s.m.* matriarchy, matriarchate.

matrice *s.f.* **1** matrix **2** (*comm.*) counterfoil, stub: *registro a —*, counterfoil book **3** (*informatica*) matrix: *— a punti*, dot matrix.

matricida *agg.* matricidal ♦ *s.m. e f.* matricide.

matricidio *s.m.* matricide.

matricola *s.f.* **1** matricula, register; (*mil.*) regimental roll: *numero di —*, (matriculation) number **2** (*studente*) freshman (*pl.* -men): *festa delle matricole*, freshmen's rag.

matricolare[1] *agg.* matricular.

matricolare[2] *v.tr.* to matriculate.

matricolato *agg.* matriculated // *un imbroglione —*, a notorious swindler.

matrigna *s.f.* stepmother // *la natura è — in questi paesi*, Nature is harsh in these lands.

matrimoniale *agg.* matrimonial, conjugal: *camera, letto —*, double room, double bed.

matrimonio *s.m.* **1** marriage; (*sacramento*) matrimony: *— d'amore*, love match; *congiungere in —*, to join in marriage; *unirsi in —*, to marry (*o* to get married): *ha fatto un buonissimo —*, he has made a very good match **2** (*cerimonia, festa nuziale*) wedding: *— civile, — religioso*, civil, religious wedding; *anniversario di —*, wedding anniversary.

matrona *s.f.* matron: *pare una —*, she has a matronly figure.

matronale *agg.* matronly, matronal, matronlike: *una donna di aspetto —*, a matron-like woman.

matroneo *s.m.* (*arch.*) women's gallery.

matta *s.f.* (*jolly*) joker; (*qualsiasi altra carta*) wild card.

mattacchione *s.m.* lively spark, joker, wag.

mattana *s.f.* (*fam.*) bad mood, fit of bad temper.

mattatoio *s.m.* slaughterhouse, abattoir.

mattatore *s.m.* (*teatr.*) spotlight chaser: *fare il —*, to steal the show.

mattazione *s.f.* slaughter(ing).

Matteo *no.pr.m.* Matthew.

matterello *s.m.* rolling-pin.

mattina *s.f.* morning: *abito da —*, morning dress; *dalla — alla sera*, from morning to evening; *di prima —*, early in the morning; *alzarsi presto la —*, to rise with the lark (*o* to get up early).

mattinata *s.f.* **1** morning: *in —*, in the morning (*o* before noon) **2** (*teatr.*) matinée, afternoon performance.

mattiniero *agg.* early-rising: *persona mattiniera*, early riser (*o* early bird).

mattino *s.m.* morning (*anche fig.*): *i giornali del —*, the morning newspapers; *alzarsi di buon —*, to get up early (*o* to rise with the lark).

matto[1] *agg.* **1** mad, crazy: *— furioso*, raving mad; *diventar —*, to go mad; *far diventar — qlcu.*, to drive s.o. mad // *— da legare*, as mad as a March hare (*o* as a hatter) // *che testa matta!*, what a hotheaded fool! // *c'è da diventar —!*, it is enough to drive you mad (*o* crazy)! // *è mezzo —*, he is half crazy // *fossi —!*, what do you take me for (*o* do you think I am mad)? // *va — per la musica*, he is crazy about music **2** (*non lucido*) mat **3** (*di pietre, metalli*) false **4** (*fam.*) (*grande*): *matte risate*, hilarious laughter; *ci avrei un gusto — se...*, I shouldn't half laugh if...; *si vogliono un bene —*, they are mad about each other ♦ *s.m.* madman (*pl.* -men), lunatic // *cose da matti!*, this is ridiculous (*o* this is sheer madness)! // *quel — del nostro amico*, that crazy friend of ours // *non tutti i matti sono al manicomio*, there are more out than in.

matto[2] *agg.* (*scacchi*) *scacco —*, checkmate.

mattoide *agg.* half-crazy, dotty, nutty ♦ *s.m.* (*tipo strambo*) screwball, eccentric, nut; (*spericolato*) madcap.

mattone *s.m.* **1** brick: *— cavo*, hollow brick; *— forato*, airbrick; *— refrattario*, firebrick; *costruzione in mattoni*, brickwork; *rosso —*, brick-red **2** (*cosa, persona noiosa*) bore: *questo libro è un vero —*, this book is really boring.

mattonella *s.f.* **1** tile: *a mattonelle*, tiled **2** (*polvere di carbone compressa*) briquette **3** (*sponda del biliardo*) cushion.

mattutino *agg.* morning (*attr.*) ♦ *s.m.* (*eccl.*) matins (*pl.*): *la campana suonava il —*, the bell was ringing for matins.

maturare *v.tr. e intr.* **1** to ripen, to mature (*anche fig.*): *l'idea maturò nel tempo*, the idea matured in time // *lasciare — il vino*, to mellow wine **2** (*med.*) to come* to a head **3** (*comm.*) to accrue.

maturazione *s.f.* **1** maturity, ripening: *giungere a —*, to become ripe (*o* to ripen) **2** (*med.*) maturation.

maturità *s.f.* ripeness (*spec. fig.*), maturity // *esame di —*, school-leaving examination (taken after five years of "Liceo").

maturo *agg.* **1** ripe, mature (*spec. fig.*): *una coppia matura*, a middle-aged couple; *di età matura*, of ripe age **2** (*med.*) mature: *questo foruncolo è —*, this boil has come to a head **3** (*comm.*) due, mature.

matusa *s.m.* old fogey, has-been.

Matusalemme *no.pr.m.* Methuselah.

Maurizio *no.pr.m.* Maurice // *isola —*, Mauritius.

mausoleo *s.m.* mausoleum.

mazurca *s.f.* mazurka.

mazza *s.f.* **1** club: — *da golf*, (golf) club; — *da baseball*, baseball bat // — *ferrata*, (*st. mil.*) mace **2** (*da passeggio*) walking stick, cane **3** (*grosso martello*) sledgehammer // — *battente*, (*mecc.*) ram (*o* tup) **4** (*simbolo d'autorità*) mace.

mazzapicchio *s.m.* cooper's mallet; (*di macellaio*) poleaxe.

mazzata *s.f.* sledge-hammer blow; (*fig.*) heavy blow: *fu una —!*, it was a stunning blow!

mazzetta *s.f.* **1** (*di banconote, di fogli*) bundle **2** (*bustarella*) bribe.

mazziere *s.m.* mace-bearer.

mazzo *s.m.* bunch // — *di carte*, pack of cards // *fare il —*, (*alle carte*) to (shuffle and) deal // *mettere tutti in un —*, to lump everybody together.

mazzuolo *s.m.* **1** mallet **2** (*da grancassa*) bass drumstick.

me *pron.pers.m.* e *f.1ª pers.sing.* **1** *ogg. e compl.ind.* me; (*termine*) (to) me: *dammene*, give me some; *datemelo*, give it to me; *fammelo leggere*, let me read it; *egli venne da —*, he came to me (*o* to my house); *lo faccio da —*, I do it by myself; *so da — ciò che devo fare*, I myself know what I must do; *ne tengo uno per —*, I am keeping one for myself // *per —*, in quanto a —, as for me (*o* as far as I am concerned) // *secondo —*, in my opinion // *dissi tra — (e —)*, I said to myself // *non saper né di — né di te*, to be insipid **2** *sogg.* I; me: *povero —!*, poor me!; *fate come —*, do as I do; *ne sai quanto —*, you know as much as I do (about it); *è più alto di —*, he is taller than me (*o* than I am); *se tu fossi —*, if you were me.

meandro *s.m.* meander (*anche fig.*).

Mecca, la *no.pr.f.* Mecca // *la — del cinema*, the Mecca of the cinema.

meccanica *s.f.* **1** mechanics **2** (*meccanismo*) mechanism.

meccanicismo *s.m.* (*fil.*) mechanicalism.

meccanicità *s.f.* mechanicalness.

meccanico *agg.* mechanical (*anche fig.*) ♦ *s.m.* mechanic, mechanician.

meccanismo *s.m.* **1** mechanism // — *di un orologio*, works of a watch // — *di trascinamento carta*, (*informatica*) automatic carriage **2** (*ordinamento*) machine, machinery **3** (*fil.*) process.

meccanizzare *v.tr.* to mechanize // **-arsi** *v.intr.pron.* to become* mechanized.

meccanizzato *agg.* mechanized.

meccanizzazione *s.f.* mechanization.

meccanografia *s.f.* mechanography.

meccanografico *agg.* mechanographic(al): *centro —*, mechanographic centre.

Mecenate *no.pr.m.* (*st.*) Maecenas // **mecenate** *s.m.* Maecenas.

mecenatismo *s.m.* patronage.

meco *pron.pers.m.* e *f. 1ª pers.sing.* (*con me*) with me.

medaglia *s.f.* **1** medal: — *al merito*, medal of merit; — *al valore*, medal for valour // *ogni — ha il suo rovescio*, there are two sides to everything; *meriti una —*, you deserve a medal **2** (*contrassegno*) badge // — *di riconoscimento*, (*mil.*) identity disc.

medagliere *s.m.* **1** collection of medals **2** (*vetrina*) medal case.

medaglione *s.m.* **1** locket **2** (*arch.*) medallion **3** (*cuc.*) "medaglione" (round slice of meat).

medesimo *agg.* e *pron.* → **stesso**.

media *s.f.* **1** average: — *oraria*, average per hour; *alla*

— *di*, at an average of; *la — dei prezzi*, the average price; *fare la — di qlco.*, to average sthg. // *in —*, on the (*o* on) average; *facevamo in — duecento miglia al giorno*, we averaged two hundred miles a day; *mi sono costate in — cento lire l'una*, I paid an average of a hundred lire each **2** (*mat.*) mean.

mediana *s.f.* **1** (*mat.*) median **2** (*calcio*) halfback line.

medianico *agg.* mediumistic.

mediano *agg.* medial, mean; (*scient.*) median // *albero —*, (*mar.*) mainmast // *linea mediana*, (*calcio*) halfback line // *punto —*, mid (*o* middle) point ♦ *s.m.* (*calcio*) halfback.

mediante *prep.* (*per mezzo di*) by, by means of; (*attraverso*) through: — *raccomandata*, by registered post; — *corriere*, by road; — *un microscopio*, by means of a microscope; — *l'immaginazione*, by using one's imagination; — *il suo agente*, through his agent.

mediastino *s.m.* (*anat.*) mediastinum.

mediatore *s.m.* **1** mediator // *agire da —*, (*fam.*) to act as a go-between **2** (*comm.*) broker, agent.

mediazione *s.f.* **1** mediation **2** (*comm.*) brokerage: *diritti di —*, brokerage rates **3** (*compenso*) commission.

medicamento *s.m.* medicament.

medicamentoso *agg.* medicinal.

medicare *v.tr.* **1** to dress (sthg.) **2** (*fig.*) to heal **3** (*trattare con sostanze medicinali*) to medicate.

medicazione *s.f.* dressing.

medicina *s.f.* medicine: — *del lavoro*, industrial medicine; *dottore in —*, doctor of medicine; *libri di —*, medical books; *esercitare la —*, to practise medicine // *frequenta la facoltà di —*, he is a medical student // *per molti mali non vi sono medicine*, for many diseases there are no remedies // *questo sarà per lui una — salutare*, (*fig.*) this will cure him.

medicinale *agg.* medicinal ♦ *s.m.* medicine.

medico *agg.* medical: *sottoporsi a visita medica*, to undergo a medical examination // *visita medica*, doctor's visit // -*chirurgico*, medico-chirurgical // — -*legale*, medico-legal ♦ *s.m.* **1** doctor: — *aziendale*, company doctor; — *chirurgo*, surgeon; — *consulente*, consultant; — *curante*, family doctor; — *generico*, general practitioner; — *legale*, police doctor; — *militare*, army medical officer; *consultare un —*, to see a doctor // — *pietoso fa la piaga verminosa*, (*prov.*) the tender surgeon makes a foul wound **2** (*fig.*) healer.

medievale *agg.* medieval.

medievalista *s.m.* e *f.* medievalist.

medio *agg.* **1** middle: *media età*, middle age; *di media età*, middle-aged // *l'uomo medio*, the average man // *grandezza media*, middle size // *qualità media*, medium quality **2** (*che risulta da una media*) average: *tempo —*, (*astr.*) mean time **3** (*tecn.*) medium ♦ *s.m.* **1** (*dito medio*) middle finger **2** (*mat.*) mean (term).

mediocre *agg.* second-rate, mediocre; (*scadente*) poor: *lavoro —*, second-rate work; *profitto —*, (*a scuola*) poor progress.

mediocremente *avv.* rather badly, poorly.

mediocrità *s.f.* mediocrity // *vivere nella —*, to live an undistinguished life.

medioevo *s.m.* Middle Ages (*pl.*): *alto —*, Dark Ages; *basso —*, late Middle Ages.

medioleggero *agg.* e *s.m.* (*pugilato*) welterweight.

mediomassimo *agg.* e *s.m.* (*pugilato*) cruiser weight.

meditabondo *agg.* meditative // *essere —*, to be pensive.

meditare *v.tr.* **1** to meditate; (*ponderare*) to ponder **2** (*escogitare*) to think* (of doing) // — *vendetta*, to meditate revenge ♦ *v.intr.* to meditate (on sthg.); (*ponderare*) to ponder (over sthg.): — *sulle proprie disgrazie*, to brood over one's misfortune.

meditativo *agg.* meditative.

meditazione *s.f.* meditation.

mediterraneo *agg.* Mediterranean // *il* (*mar*) *Mediterraneo*, the Mediterranean (Sea).

medium *s.m.* e *f.* medium.

medusa *s.f.* jellyfish.

Mefistofele *no.pr.m.* Mephistopheles.

mefistofelico *agg.* Mephistophelean (*anche fig.*) // *sorriso* —, devilish smile.

mefitico *agg.* poisonous // *aria mefitica*, foul air.

mega- *pref.* mega-.

megafono *s.m.* megaphone.

megalite *s.m.* megalith.

megalitico *agg.* megalithic.

megalomane *agg.* e *s.m.* e *f.* megalomaniac.

megalomania *s.f.* megalomania.

megaton *s.m.* (*fis. atomica*) megaton.

megera *s.f.* witch.

meglio *avv.* **1** *compar.* better: *pensaci, rifletttici* —, think it over a little more; *è — preparato di te*, he is better prepared than you are; *lo conosco — di te*, I know him better than you do; *molto* —, much better; — *ancora*, better still // *cambiare in* —, to change for the better // *di bene in* —, better and better // *o* —, or rather // *per — dire*, to be more exact // *non potrebbe andar — di così*, things couldn't be better than they are // *va — in latino*, he is improving in Latin **2** *superl.rel.* best: *il — organizzato*, the best-organized; (*tra due*) the better-organized; *il — possibile*, as well as one can (*o* the best one can) ♦ *agg.compar.invar.* better: *qualcosa di* —, something better; *niente di* —, nothing better; *in mancanza di* —, for want of something better; *non chiedo di* —, I couldn't ask for anything better; *credetti* —..., I thought it was better to...; *è — non partire*, it is better not to leave; *sarebbe — che tu andassi, faresti — ad andare*, you had better go // — *per lui!*, all (*o* so much) the better for him! // (*tanto*) —!, — *così!*, so much the better! // (*è*) — *che nulla*, better than nothing // — *tardi che mai*, (*prov.*) better late than never ♦ *agg.superl.rel.* best: *ciò che puoi fare di* —, the best you can do; *fai come credi* (*sia*) —, do as you think best ♦ *s.m.* (*la miglior cosa*) the best thing; (*la parte migliore*) the best part: *prendersi il* —, to take the best part; *il — era andarsene*, the best thing (to do) was to go away // *fare del proprio* —, to do one's best // *agire per il* —, to act for the best // *le cose vanno per il* —, things are going better, as well as they can // *per il tuo* —, for your own good // *avere la* —, to have the better (of s.o.) // *il — è nemico del bene*, (*prov.*) let well enough alone // **alla (bell'e) meglio** *locuz.avv.* somehow or other.

meharista *s.m.* meharist(e).

mela *s.f.* apple: — *renetta*, rennet; — *ruggine*, russet (apple); *mele cotte*, stewed apples.

melagrana *s.f.* pomegranate.

melanzana *s.f.* eggplant, aubergine.

melarancia *s.f.* orange.

melassa *s.f.* molasses, treacle.

melato *agg.* honeyed (*anche fig.*).

melensaggine *s.f.* **1** foolishness; (*di persone*) slowness **2** (*atto, discorso melenso*) nonsense (*solo sing.*).

melenso *agg.* foolish; dull ♦ *s.m.* simpleton.

melico *agg.* melic // (*poesia*) *melica*, melic (poetry).

meliga *s.f.* (*bot.*) melic grass.

melissa *s.f.* (*bot.*) lemon balm.

mellifluo *agg.* honeyed; (*di modi, persone*) ingratiating.

melma *s.f.* slime; mire (*anche fig.*).

melmoso *agg.* slimy // *terreno* —, muddy ground.

melo *s.m.* apple-tree.

melodia *s.f.* **1** melody, tune // *una — popolare*, a folk-song **2** (*fig.*) melodiousness.

melodico *agg.* melodic.

melodioso *agg.* melodious.

melodramma *s.m.* **1** opera, music drama **2** (*fig.*) melodrama.

melodrammatico *agg.* **1** operatic **2** (*fig.*) melodramatic: *gesto* —, melodramatic gesture.

melograno *s.m.* pomegranate(-tree).

melone *s.m.* melon.

membrana *s.f.* **1** (*anat. bot.*) membrane **2** (*acustica*) diaphragm.

membranoso *agg.* membranous.

membro *s.m.* [*pl.f.* membra *nel senso* 1; *pl.m.* membri *negli altri sensi*] **1** (*anat.*) limb // — (*virile*), member **2** (*persona*) member // *diventare — di una associazione*, to join an association **3** (*scient.*) member // *il primo, il secondo — di un'equazione*, the left-hand, the right-hand side of an equation.

memorabile *agg.* memorable.

memorandum *s.m.* **1** memorandum (*pl.* memoranda) **2** (*libretto*) notebook.

memore *agg.* mindful; (*riconoscente*) grateful (for).

memoria *s.f.* **1** memory; (*ricordo*) recollection: — *confusa*, dim memory; — *fedele*, reliable memory; — *di ferro*, tenacious memory; *a — d'uomo*, within living memory; *in — di*, in memory of; *cercare, frugare, rivangare nella* —, to search one's memory; *se la — non sbaglia, non mi tradisce*, if my memory does not fail me; *suonare, dipingere a* —, to play, to paint from memory // *a* —, by heart // *richiamare alla* —, to call to mind // *la scena mi si è impressa nella* —, the scene stuck in my mind // *medaglia alla* —, posthumously awarded medal // *pro* —, memorandum **2** (*oggetto, ricordo*) souvenir; (*ricordo di famiglia*) heirloom **3** (*dissertazione*) paper **4** (*nota, appunto*) memoir **5** (*informatica*) (*di elaboratore*) memory; store, storage: — *a bolle*, bubble memory; — *ad accesso casuale*, random access memory; — *addizionale esterna*, add-on memory; — *addizionale interna*, add-in memory; — *a nuclei*, core memory; — *a tamburo*, drum memory; — *ausiliaria*, secondary storage; — *centrale*, primary store; — *di archivio*, file store; — *di controllo*, control storage; — *esterna*, external memory, storage; — *interna di computer*, computer store; — *rapida*, fast-access memory; — *secondaria*, slave memory; — *tampone, intermediaria*, (*IBM*) — *di transito*, buffer (storage); — *virtuale*, virtual memory; — *volatile, non permanente*, volatile memory **6** *pl.* (*note autobiografiche, storiche*) memoirs.

memoriale *s.m.* **1** (*petizione*) memorial, petition **2** (*libro*) memorials (*pl.*), memoirs (*pl.*) **3** (*raccolta di documenti*) record.

memorialista *s.m.* e *f.* memorialist.

memorizzare *v.tr.* **1** to memorize **2** (*informatica*) to store; (*PERT*) to save: — *il contenuto di un accumulatore*, to unload.

memorizzazione *s.f.* (*informatica*) storage.

mena *s.f.* plot, intrigue.

menabò *s.m.* (*tip.*) dummy.

menadito, a *locuz.avv.* perfectly.

menare *v.tr.* **1** (*condurre*) to lead*; (*portare*) to take*, to bring* (*anche fig.*): *lo menò via con sé*, he took (*o* brought) him away with him; *menar buono, gramo*, to bring good, bad luck // *menar vanto* (*di*), to boast (about) // *— qlco. per le lunghe*, to drag sthg. out // *— qlcu. per il naso*, to lead s.o. a merry dance // *— il can per l'aia*, to beat about the bush **2** (*agitare, muovere*): *— un colpo*, to strike a blow; *— le mani*, to hit out; *— calci*, to kick; *— la lingua*, to gossip; *il cane menava la coda*, the dog was wagging its tail.

mendace *agg.* mendaceous; (*falso*) false; (*ingannevole*) misleading: *parole mendaci*, false words.

mendicante *agg. e s.m. e f.* mendicant.

mendicare *v.tr.* to beg; to beg for (sthg.) (*anche fig.*): *— il cibo, la vita*, to beg for food, to beg for a living // *— complimenti*, to fish for compliments.

mendicità *s.f.* **1** mendicity, beggary; (*il mendicare*) begging **2** (*i mendicanti*) beggars (*pl.*).

mendico *agg. e s.m.* mendicant.

menefreghismo *s.m.* (*volg.*) don't-give-a-damn attitude; couldn't care less attitude.

menefreghista *s.m. e f.* (*volg.*) couldn't-care-less-person; couldn't-care-less-type: *è un —*, he is a "I-don't -give-a-damn" type.

Menelao *no.pr.m.* (*lett.*) Menelaus.

menestrello *s.m.* minstrel.

meninge *s.f.* (*anat.*) meninx (*pl.* meninges).

meningite *s.f.* (*med.*) meningitis.

menisco *s.m.* (*anat. fis.*) meniscus.

meno *avv. e agg.* **1** (*nei compar. di minoranza*) less; (*con s.pl.*) fewer: *molto, poco —*, much, little less; *oggi fa — freddo*, it's less cold today; *ho — pazienza di te*, I have less patience than you; *hanno — amici di noi*, they have fewer friends than we have; *oggi ho — appetito*, I'm not so hungry today; *non è — studioso di te*, he is just as hardworking as you (*o* no less hardworking than you); *non per questo è — intelligente*, he is not (the) less (*o* none the less) intelligent for that; *ha due anni — di me*, he is two years younger than I am; *in — tempo possibile*, as quickly as possible // *— che niente*, next to nothing // *— chiacchiere!*, less of your chatter! // *non —*, no(t) less; *anche, persino —*, even less; *— di*, less than; *non — di*, no(t) less than; *più o —*, more or less // *poco più poco —*, more or less // *chi più chi —*, some more some less // *uno più, uno —*, one more or less; *giorno più, giorno —*, one day more or less // *né più né —*, neither more nor less; (*proprio così*) just like that // *si è comportato come uno sciocco né più né —*, he behaved like a fool and nothing more **2** (*in espressioni ellittiche*): *oggi ho aspettato* (*molto*) *—*, I didn't wait so long today; *tra non — di un mese*, in no(t) less than a month; *in — di tre ore*, in less than three hours; *guadagnare —*, to earn less; *acquistare, vendere a —, per —*, to buy, to sell more cheaply (*o* for less); *mi aspettavo — da lui*, I didn't expect so much from him // *in men che non si dica*, in (less than) no time **3** (*quanto*) *—*, (*tanto*) *—*, the less..., the less: *— si lavora, — si lavorerebbe*, the less you work, the less you feel like working **4** (*nel superl. rel. di minoranza*) the less (*fra due*), the least (*fra più di due*) // *lavora il — possibile*, he works as little as possible **5** (*mat.*) minus: *sette — tre è uguale a quattro*, seven minus three is four (*o* three from seven leaves four); *la temperatura è — due*, temperature is two below zero; *ci sono mille lire in —, di —*, (*mancano mille lire*) there is a thousand lire missing; *ho speso mille lire in —*, I spent a thousand lire less; *uno di —!*, one less!; *non eravamo in — di otto*, there were no(t) less than eight of us // *se avessi vent'anni di —!, in —!*, if only I were twenty years younger! // *sono le otto — cinque*, it is five to eight **6** (*con valore di* no) not: *non so se accetterà o —*, I don't know whether he will accept or not **7** (*fraseologia*): *men*(*o*) *che —: tu non lo faresti e io — che —*, you wouldn't do it and even less would I; *non sa parlare l'italiano, men*(*o*) *che — l'inglese*, he cannot even speak Italian, let alone English // *— che mai*, less than ever // *quanto —*, (*almeno*) at least // *se non l'ha detto a te ancor —, tanto — lo dirà a me*, if he didn't tell you, there is even less chance of his telling me // *conosce poco il tedesco e ancor — il francese*, he knows a little German, and even less French // *quando — ci si pensa*, when you least expect it // *— male*, thank goodness; it's a good job: *— male che sei arrivato a tempo*, thank goodness (*o* it's a good job *o* a good thing) you've arrived in time; *— male!, avrebbe potuto andar peggio*, thank goodness!, it could have been worse // *sempre —, → sempre // senza —*, certainly // *niente —, → nientemeno // per lo —, → perlomeno // fare a — di qlcu, di* (*fare*) *qlco.*, to do without s.o., (doing) sthg. // *non ho potuto fare a — di ridere*, I couldn't help laughing // *venire —*, (*venire a mancare*) to fail (s.o.): *mi venne — il coraggio*, my courage failed me // *venir — alla parola data*, to break one's word // *venir —*, (*svenire*) to faint // *essere da —* (*di qlcu.*), to be less than s.o. ♦ *s.m.* **1** the least: *è il — che io possa fare*, that is the least I can do // *parlare del più e del —*, to talk about nothing in particular (*o* about this and that) // *dal più al —*, (*all'incirca*) approximately **2** (*mat.*): *il segno del —*, the minus sign **3** *i —*, (*la minoranza*) the minority ♦ *prep.* but, except: *— due*, *— loro*, but (*o* except) (for) two, them; *ho pensato a tutto — che a fare i biglietti*, I thought of everything but buying the tickets // *a —, che, a — di*, unless: *a — che non piova*, unless it rains.

menomare *v.tr.* **1** to lessen, to diminish **2** (*fig.*) (*danneggiare*) (*fisicamente*) to disable; (*moralmente*) to detract (from sthg.).

menomato *agg.* **1** reduced, diminished: *essere — nei propri diritti*, to be limited in one's rights // *si sente per...*, he feels inferior because... **2** (*di arti, sensi*) impaired; (*di persona*) disabled: *essere — nella vista, nell'udito*, to have poor eyesight, to be hard of hearing.

menomazione *s.f.* **1** reduction, diminution **2** (*di arti, sensi*) impairment; (*di persona*) disablement.

menopausa *s.f.* menopause.

mensa *s.f.* **1** table: *una lauta, povera —*, a bountiful, poor table **2** (*di scuola, di convento ecc.*) refectory; (*di ufficiali*) mess; (*di soldati*) cookhouse; (*di fabbrica, ditta*) canteen: *— universitaria*, university (*o* students') restaurant **3** (*eccl.*) altar // *la Mensa Eucaristica*, the Holy Communion.

mensile *agg.* monthly ♦ *s.m.* monthly pay.

mensilità *s.f.* **1** (*rata, importo mensile*) monthly instalment, monthly payment; (*stipendio mensile*) monthly salary // *tredicesima —*, Christmas bonus **2** (*l'essere mensile*) monthly nature, monthly character.

mensilmente *avv.* monthly.

mensola *s.f.* **1** (wall) shelf, bracket; (*mobile*) console; (*di caminetto*) mantelpiece **2** (*arch.*) corbel.

menta *s.f.* mint: *— peperita*, peppermint.

mentale *agg.* mental.

mentalità *s.f.* mentality.

mente *s.f.* **1** mind: — *ristretta, limitata*, narrow mind: *persona dalla* — *ristretta*, narrow-minded person // *come ti è venuta in* — *questa idea?*, how did you get this idea? (*o* how did this idea come into your head?); *gli venne in* — *che...*, it struck him that... // *cosa ti salta in* —?, what on earth are you thinking of?; (*ma cosa fai?*) what do you think you're doing? // *non mi passò neppure per la* — *di farlo*, it did not even cross my mind to do that // *togliti di* — *quell'idea!*, get that idea out of your head! // *ficcarsi in* — *di fare qlco.*, to take it into one's mind (*o* head) to do sthg. // *avere in* — *di fare qlco.*, to have a mind to do sthg. // *calcolare a* —, to reckon mentally // *porre* — *a qlco.*, to keep one's mind on (*o* to pay attention to) sthg. // *fare* — *locale su qlco.*, to concentrate on sthg. // *a* — *fredda*, in cold blood: *considerare qlco. a* — *fredda*, to consider sthg. impartially // *a* — *fresca*, with a clear mind **2** (*memoria*) mind, memory: *passare, uscire di* —, to slip one's memory (*o* to pass out of one's mind) // *non mi viene in* — *il suo nome*, I can't remember his name // *a* —, by heart **3** (*persona di spiccate doti intellettuali*) mind, intellect.

mentecatto *agg.* insane, mad ♦ *s.m.* **1** madman (*pl.* -men) **2** (*fam. spreg.*) (*sciocco*) fool, idiot.

mentire *v.intr.* to lie* // — *spudoratamente*, to tell gross lies.

mentito *agg.* false, sham.

mentitore *s.m.* liar.

mento *s.m.* chin: — *in fuori*, protruding chin; *doppio* —, double chin: *una signora col doppio* —, a double -chinned lady // *l'onor del* —, (*scherz.*) the beard.

mentolo *s.m.* (*chim.*) menthol.

mentre *cong.* **1** (*temporale*) while; as; (*quando*) when: *legge sempre* — *mangia*, he always reads while (*o* when) (he is) eating; *accadde* — *dormivo*, it happened while I was sleeping; *lo incontrai* — *si recava a teatro*, I met him as he was going to the theatre **2** (*invece*) but, while, whereas **3** (*finché*) while, as long as: *fallo* — *sei in tempo*, do it while you have time ♦ *s.m.*: *in quel* —, (*in quel momento*) at that moment; (*nel frattempo*) meanwhile (*o* in the meantime); *nel* — *che*, while.

menu *s.m.* menu, bill of fare.

menzionare *v.tr.* to mention, to name.

menzione *s.f.* mention: *degno di* —, worth mentioning; *fare* — *di qlco.*, to mention s.o.

menzogna *s.f.* lie, falsehood: *un cumulo di menzogne*, a pack of lies.

menzognero *agg.* **1** (*di persona*) mendacious, lying, untruthful **2** (*di cosa*) false, untrue.

meraviglia *s.f.* **1** wonder, marvel; (*sorpresa*) astonishment, surprise: *fui sopraffatto dalla* —, I was wonderstruck; *mi lanciò uno sguardo pieno di* —, he looked at me in wonder; *mi fa* — *che tu dica questo*, I am surprised you say this // *a* —, excellently: *questo vestito ti va a* —, (*fam.*) this dress suits you to a T **2** (*cosa meravigliosa*) wonder, marvel // *che* —!, how splendid! // *dire meraviglie di qlco.*, to speak in glowing terms of s.o.

meravigliare *v.tr.* to amaze, to astonish, to surprise // **-arsi** *v.intr.pron.* to be* amazed (at s.o., sthg.), to be* astonished (at s.o., sthg.), to be* surprised (at s.o., sthg.) // *non c'è da* — *che...*, no wonder that... // *mi meraviglio di te!*, I am surprised at you!

meravigliato *agg.* amazed, astonished.

meraviglioso *agg.* wonderful, marvellous ♦ *s.m.* **1** (*lett.*) the supernatural **2** (*aspetto sorprendente*) wonder.

mercante *s.m.* merchant, trader, dealer: — *all'ingrosso*, wholesale trader; — *di bestiame, di grano*, cattle, corn dealer // *fare orecchi da* —, to turn a deaf ear.

mercanteggiare *v.intr.* **1** to trade, to deal* **2** (*speculare*) to speculate (in sthg.) (*anche fig.*) **3** (*tirare sul prezzo*) to bargain, to haggle ♦ *v.tr.* to traffic (in sthg.); (*fig.*) to sell*.

mercantile *agg.* mercantile, commercial, merchant (*attr.*): *nave* —, merchant ship; *codice* —, commercial code; *legislazione* —, mercantile law ♦ *s.m.* (*nave*) cargo ship, merchant ship, merchantman (*pl.*-men).

mercantilismo *s.m.* (*econ.*) mercantilism.

mercanzia *s.f.* (*merce*) merchandise, goods (*pl.*), wares (*pl.*) // *saper vendere la propria* —, (*fig.*) to make the most of oneself.

mercato *s.m.* **1** (*luogo*) market (place): — *del bestiame*, cattle market; *città sede di* —, market town; *andare al* —, to go to market; *giorno di* —, market day **2** (*econ.*) market: — *attivo, calmo, debole, sostenuto*, brisk, calm, dull, steady market; — *con tendenza al rialzo, al ribasso*, bull, bear market; — *dei titoli, azionario*, stock -market; — *obbligazionario*, bond market; *previsioni di* —, market forecast; *prezzo di* —, market price; *quotazione di* —, market quotation; *ricerche, inchieste di* —, market research; *tendenza di* —, market trend; *valore di* —, market value; *valutazione di* —, market appraisal; *lanciare sul* —, to put on the market // *Mercato Comune Europeo*, European Common Market // — *nero*, black market // *a buon* —, cheaply (*anche fig.*): *articoli a buon* —, low-priced goods (*o* cheap goods) **3** (*trattazione, affare*) deal, bargain.

merce *s.f.* goods (*pl.*), wares (*pl.*), merchandise, commodity: — *disponibile*, goods on hand; *merci esenti da dogana*, duty-free commodities; *la* — *in magazzino*, stock; — *sdoganata*, duty paid goods; — *soggetta a dazio*, dutiable goods; *questa* — *è molto ricercata*, these goods are in great demand.

mercé *s.f.* (*letter.*) **1** (*pietà*) mercy: *avere* — *di qlco.*, to have mercy (*o* pity) on s.o. **2** (*balìa*) mercy: *alla* — *di...*, at the mercy of...

mercede *s.f.* **1** pay **2** (*ricompensa*) reward.

mercenario *agg.* e *s.m.* mercenary.

merceologia *s.f.* technology of commerce.

merceologico *agg.* pertaining to the technology of commerce.

merceria *s.f.* (*negozio*) haberdasher's (shop).

mercerizzato *agg.* (*ind. tessile*) mercerized.

merciaio *s.m.* haberdasher; (*ambulante*) pedlar.

mercoledì *s.m.* Wednesday: — (*a*) *otto*, a week on Wednesday (*o* Wednesday week *o* the Wednesday after next); *un* — *mattina*, one (*o* on a) Wednesday morning; *il* —, on Wednesdays.

mercurio *s.m.* mercury, quicksilver.

Mercurio *s.m.* (*astr.*) Mercury.

merda *s.f.* (*volg.*) shit.

merdoso *agg.* shitty.

merenda *s.f.* (afternoon) snack: *sta facendo* —, he is having his tea.

meretrice *s.f.* whore, prostitute.

meridiana *s.f.* sundial.

meridiano *agg.* meridian, noon (*attr.*) ♦ *s.m.* meridian: — *fondamentale*, first meridian.

meridionale *agg.* southern; (*posto, rivolto a sud*) south (*attr.*): *clima, stato* —, southern climate, state; *entrata, lato* — *di una casa*, south entrance, side of a house; *costa* —, south coast; *Italia* —, Southern Italy ♦ *s.m.* e *f.* Southerner.

meridione *s.m.* south.

meriggio *s.m.* (*letter.*) midday, noon (*attr.*).

meringa *s.f.* (*cuc.*) meringue.

merino *agg.* e *s.m.* merino.

meritare *v.tr.* to deserve, to merit; (*valere la pena di*) to be* worth (doing): (*si*) *merita un premio*, he deserves a prize; *se l'è meritato!*, he thoroughly deserved it!; *è questo che gli meritò la promozione*, this is what earned him his promotion; *questa poesia merita di essere letta*, this poem is worth reading.

meritatamente *avv.* deservedly, justly.

meritevole *agg.* deserving, worthy.

merito *s.m.* **1** merit: *persona di* —, person of merit; *secondo il* —, according to one's merits (*o* deserts); *avere qualche* —, to be of some merit; *non è un gran* — *fare ciò*, there isn't much merit in doing this; *per meriti speciali*, for exceptional merit // *per* — *di*, thanks to: *per* — *mio*, thanks to me // *rendere* — *a qlcu.*, to reward s.o. **2** (*pregio*) virtue, merit **3** (*dir.*) merits (*pl.*) // *in* — *a*, as to (*o* as regards); *avrai istruzioni in* —, you will receive instructions about this; *non so niente in* —, I know nothing about the matter.

meritorio *agg.* meritorious, deserving.

merlano *s.m.* (*zool.*) whiting.

merlato *agg.* embattled, crenel(l)ate, crenel(l)ated.

merlatura *s.f.* battlement, crene(l)lation.

merletto *s.m.* lace.

merlo[1] *s.m.* **1** blackbird **2** (*fig.*) simpleton, noodle.

merlo[2] *s.m.* (*arch.*) merlon.

merluzzo *s.m.* cod(fish).

mero *agg.* (*fig.*) mere; (*puro*) pure.

mesata *s.f.* **1** month **2** (*paga mensile*) month's salary, month's pay.

mescere *v.tr.* to pour (out).

meschinità *s.f.* **1** poverty, misery **2** (*grettezza*) meanness, shabbiness **3** (*azione meschina*) mean action.

meschino *agg.* **1** poor, miserable **2** (*gretto*) mean, shabby // *fare una figura meschina*, to cut a poor figure ♦ *s.m.* wretch.

mescita *s.f.* wine shop // *banco di* —, bar.

mescolanza *s.f.* **1** mixing, mingling **2** (*miscuglio*) mixture; (*miscela*) blend.

mescolare *v.tr.* to mix, to mingle // — *le carte*, to shuffle the cards **2** (*tè, caffè, liquori, tabacco*) to blend **3** (*rimestare*) to stir // **-arsi** *v.rifl.* **1** to mix, to mingle: — *alla folla*, to mingle with (*o* in) the crowd **2** (*di tè, caffè, liquori, tabacco*) to blend **3** (*impicciarsi*) to meddle (with sthg.).

mescolata *s.f.* mixing; (*rimestata*) stir: *dare una* — *alla minestra*, to stir the soup.

mese *s.m.* **1** month: — *civile*, calendar month; *quanti ne abbiamo del* —?, what day of the month is it? (*o* what is the date?); *non lo vedo da mesi*, I haven't seen him for months **2** (*paga di un mese*) month's pay; (*affitto di un mese*) month's rent.

messa[1] *s.f.* (*eccl.*) Mass: — *cantata*, sung Mass; — *da morto*, requiem; *ascoltare la* —, to hear Mass; *celebrare la* —, to celebrate Mass; *servire* (*la*) —, to serve Mass.

messa[2] *s.f.* (*il mettere*) placing, putting: — *in vendita*, putting up for sale // — *in opera*, installation // — *a punto*, (*di un motore*) tuning; (*fig.*) fixing of the salient points // — *a posto*, (*informatica*) (*di nastro*) threading // — *a punto*, (*informatica*) (*verifica*) checkout; (*di programma*) debugging // — *a valore logico*, (*informatica*) to set // — *in forma*, (*informatica*) editing // — *in mo-*

to, in marcia, (*mecc.*) starting // — *a fuoco*, (*fot.*) focusing // — *a terra*, (*elettr.*) grounding // — *in piega*, (hair)set // — *in scena*, staging; (*fig.*) act.

messaggero *s.m.* messenger; (*fig.*) harbinger.

messaggio *s.m.* message (*anche fig.*) // — *di errore*, (*informatica*) error message.

messale *s.m.* missal.

messe *s.f.* **1** crop; (*raccolto*) harvest (*anche fig.*) **2** (*mietitura*) reaping **3** *pl.* corn (*sing.*).

messia *s.m.* Messiah (*anche fig.*).

messianico *agg.* Messianic.

Messico *no.pr.m.* Mexico // *Città del* —, Mexico City.

messinscena *s.f.* **1** staging **2** (*fig.*) act: *la sua è tutta una* —, he is only putting on an act.

messo *s.m.* messenger; (*di tribunale*) usher // — *papale*, (papal) legate.

mestatore *s.m.* (*intrigante*) intriguer.

mestierante *s.m.* e *f.* worker; (*spreg.*) hack.

mestiere *s.m.* **1** trade, craft; (*professione*) profession: *il* — *di fabbro*, the craft (*o* trade) of a blacksmith; *fa il calzolaio di* —, he is a shoemaker by trade; *esercitare un* —, to carry on a trade // *arti e mestieri*, arts and crafts // *ferri del* —, tools of the trade // *gli incerti del* —, the hazards of the trade // *essere del* —, to be an expert **2** (*perizia*) skill, craftsmanship.

mestizia *s.f.* sadness.

mesto *agg.* sad: *avere l'aria mesta*, to look sad.

mestola *s.f.* ladle; (*con buchi*) (hand) strainer.

mestolo *s.m.* ladle.

mestolone *s.m.* (*zool.*) shoveller.

mestruale *agg.* menstrual.

mestruazione *s.f.*, **mestruo** *s.m.* menstruation, menses (*pl.*).

meta[1] *s.f.* goal, aim // *la* — *del nostro viaggio*, our destination // *senza* —, aimlessly.

meta[2] *s.f.* (*di fieno, paglia*) stack.

metà *s.f.* **1** half: — *del mio tempo, dei miei libri*, half (of) my time, (of) my books // *a* —, half; *fatto a* —, half done // *dividere qlco. a* —, to divide sthg. in half; *dividiamo a* — *le spese*, let's share expenses // *essere a* — *di qlco.*, to be halfway through sthg. // *fare a* — *di qlco. con qlcu.*, to go halves (*o* fifty-fifty) with s.o. in sthg. // *fare qlco. a* —, to do sthg. by halves // *lasciare qlco. a* —, to leave sthg. half done // *a* — *prezzo*, (at) half-price // *a* — *strada*, halfway // *per...*, *per* —..., half..., half... **2** (*centro*) middle: *a* — *dell'estate*, in the middle of summer **3** (*fig. scherz.*): *la mia* —, my better half.

metabolismo *s.m.* metabolism.

metacarpo *s.m.* (*anat.*) metacarpus.

metadone *s.m.* (*chim.*) methadone.

metafisica *s.f.* metaphysics.

metafisico *agg.* metaphysical ♦ *s.m.* metaphysician.

metafora *s.f.* (*ret.*) metaphor: *parlare sotto* —, to speak metaphorically.

metaforico *agg.* metaphoric(al).

metallico *agg.* metallic, metal (*attr.*): *rivestimento* —, metal plating; *suono* —, clang (*o* metallic sound): *dare un suono* —, to clang.

metallifero *agg.* metalliferous.

metallizzato *agg.* metal (*attr.*).

metallo *s.m.* metal: — *base*, base (*o* parent) metal; — *fragile*, brittle metal; — *prezioso, nobile*, noble metal.

metalloide *s.m.* metalloid.

metallurgia *s.f.* metallurgy.

metallurgico agg. metallurgic(al) ♦ s.m. metallurgist.

metalmeccanico agg. metallurgic(al) and mechanic(al) // i metalmeccanici, metal workers and mechanics.

metamorfico agg. metamorphic.

metamorfosi s.f. metamorphosis (pl. -ses).

metanifero agg. methane-producing.

metano s.m. methane.

metanodotto s.m. methane pipeline.

metapsichico agg. metapsychic(al).

metastasi s.f. (med.) metastasis (pl. -ses).

metatarso s.m. (anat.) metatarsus.

metempsicosi s.f. metempsychosis (pl. -ses).

meteora s.f. meteor // il suo successo passò come una —, he had a meteoric success.

meteorico agg. meteoric.

meteorismo s.m. (med.) meteorism.

meteorite s.f. meteorite.

meteorologia s.f. meteorology.

meteorologico agg. meteorologic(al), weather (attr.): bollettino —, weather report; previsioni meteorologiche, weather forecast; ufficio —, weather bureau.

meteorologo s.m. meteorologist.

meteoropatia s.f. (med.) meteoropathy.

meticcia s.f. mestizo.

meticcio agg. mestizo (attr.) ♦ s.m. mestizo.

meticolosità s.f. meticulousness.

meticoloso agg. meticulous, painstaking.

metile s.m. (chim.) methyl.

metilico agg. (chim.) methylic, methyl (attr.).

metodico agg. methodical.

metodista s.m. e f. (relig.) Methodist.

metodo s.m. 1 method: — scientifico, scientific method; non avere —, to lack method; fare qlco. con —, to do sthg. with method // letture senza —, desultory reading // conosco i suoi metodi, I know his methods // — di vita, way of living // — di accesso, (informatica) access level; — di registrazione su nastro, tape mode 2 (nei titoli di testi) tutor, method: — di pianoforte, piano tutor (o method) 3 (calcio) W formation: giocare con il —, to play the W formation.

metodologia s.f. methodology.

metodologico agg. methodological.

metopa s.f. (arch.) metope.

metraggio s.m. length (in metres): che — desidera?, how many metres do you want?

metratura s.f. length (in metres).

metrica s.f. metrics.

metrico agg. 1 metric 2 (poesia) metrical.

metro s.m. 1 metre; (amer.) meter 2 (strumento per misurare) rule: — a nastro, tape measure; — pieghevole, folding rule 3 (maniera) way // ognuno giudica secondo il suo —, everybody has his own yardstick of judgement 4 (prosodia) metre; (amer.) meter.

metrologia s.f. metrology.

metronomo s.m. (mus.) metronome.

metronotte s.m. night watchman (pl. -men).

metropoli s.f. metropolis.

metropolita s.m. (eccl.) metropolitan.

metropolitana s.f. underground, tube; (amer.) subway.

metropolitano agg. metropolitan ♦ s.m. (vigile urbano) policeman (pl. -men).

mettere v.tr. 1 to put*; (collocare, deporre) to place, to set*; (posare, deporre) to lay* (down), to put* (down): mise il denaro in tasca, he put the money into his pocket; mettilo dritto!, set it straight!; guarda dove metti i piedi, watch where you put your feet // — il bucato fuori ad asciugare, to hang the washing out // abbiamo messo l'aria condizionata, we have installed air-conditioning // — a dieta, to put on a diet // — a disposizione di qlcu., to put at s.o.'s disposal // — al corrente di qlco., to put s.o. wise about sthg. (o to wise s.o. up) // — a riposo qlcu., (mandare in pensione) to pension s.o. off // — a grano un campo, to plant a field with corn (o to put a field under corn) // — qlcu. in collegio, to send s.o. to a boarding school // — in cantiere un lavoro, to get started on a job // — in conto qlco. a qlcu., to put sthg. on s.o.'s account // — la seconda, (aut.) to engage second gear // — dentro qlcu., (in prigione) to imprison s.o. // — fuori, to put out; — fuori qlcu., (scacciarlo) to throw s.o. out; — fuori denaro per qlco., to lay out money on sthg.; — fuori la voce che..., to spread out the rumour that... // — giù, to put down; come la metti giù dura!, (fam.) what a fuss you make!; — giù due righe, to write a line // — su, to put on; — su la minestra, (fam.) to put the soup on; — su un negozio, to set up a shop; — su uno spettacolo, to stage a production // — insieme, to put together; (raccogliere) to gather, to collect // — sotto qlcu., (investire) to run s.o. over; (far lavorare) to put s.o. to work // — cura a fare qlco., to take care in doing sthg. // — la testa a partito, a posto, to settle down // mettercela tutta, (fam.) to do one's very best // metterci un po' di entusiasmo, to put some enthusiasm into sthg. // metterci un po' di buona volontà, to do sthg. with a will // — gioia, tristezza (in qlcu.), to make (s.o.) happy, sad; — fame, sete (a qlcu.), to make (s.o.) hungry, thirsty; — paura a qlcu., to scare (o to frighten) s.o.; — soggezione (a qlcu.), to make (s.o.) feel uneasy // come la mettiamo?, what shall we do about it? 2 (emettere, metter fuori) to put* forth: — un grido, to give (o to utter) a cry; — le radici, (anche fig.) to take root; — i denti, to cut one's teeth (o to teeth) // — giudizio, to get sense 3 (impiegare) to take*: quanto tempo ci hai messo a farlo?, how long did it take you to do it?; // non ci mette niente a dire una bugia, he doesn't think twice about telling a lie 4 (indossare, far indossare) to put* on; (portare) to wear*: metti il vestito nuovo, put on your new dress; cosa metti questa sera?, what are you wearing tonight? 5 (far pagare) to charge: quanto ti hanno messo per vitto e alloggio?, how much did they charge you for board and lodging? 6 (ammettere) to suppose: mettiamo che abbia ragione, (let us) suppose he is right; metti che non ti credano..., suppose they don't believe you... 7 (paragonare) to compare: non vorrai — la mia casa con la tua?, how can you compare your house with mine?; la sua è molto più bella, neanche da —!, vuoi —!, (fam.) hers is much nicer, there is no comparison ♦ v.intr. (sboccare) to lead* (to sthg.); (di acque) to flow (into sthg.): questo sentiero mette sulla strada maestra, this path leads to the main road // **-ersi** v.rifl. e intr.pron. 1 to put* oneself; to place oneself: ci mettemmo a tavola a mezzogiorno, we sat down to lunch at noon; si mise vicino a sua moglie, he placed himself near his wife; — a letto, to go to bed; (ammalarsi) to take to one's bed; — a sedere, to sit down // — a capo di qlco., to put oneself at the head of sthg. // — a proprio agio, in libertà, to make oneself at home (o comfortable) // mettetevi sotto!, get down to it! 2 (incominciare) to begin*, to start, to set* (to sthg.); to set* about (doing sthg.): si mise al lavoro, he set to work; si mise a piovere, it began to rain; si mise a mangiare, he began eating // quando ci si mette, riesce sempre, whenever he puts his heart into it (o his mind to it), he always succeeds // *non mi ci metto neanche*, I shall not even attempt it **3** (*indossare*) to put* on; (*portare*) to wear*: — *in abito da sera*, to wear evening dress; *non ho niente da mettermi*, I've (got) nothing to wear **4** (*volgersi, diventare*) to turn out: *la situazione si mette male*, the situation is taking a turn for the worse; *il tempo si mette al bello*, the weather is turning out fine; *le cose sembrano — male*, things seem to be taking a bad turn (o to be turning out badly).

mezza *s.f.* half-hour: *è la —*, it is half past twelve.

mezzadria *s.f.* métayage.

mezzadrile *agg.* **1** (*di mezzadro*) métayer (*attr.*); (*amer.*) shareman (*attr.*) **2** (*di mezzadria*) métayage (*attr.*).

mezzadro *s.m.* métayer; (*amer.*) shareman (*pl.* -men).

mezzala *s.m.* (*calcio*) inside forward.

mezzaluna *s.f.* **1** half moon **2** (*emblema dell'islamismo*) crescent **3** (*coltello*) mincing-knife.

mezzana *s.f.* **1** (*mar.*) mizzen(sail): *albero di —*, mizenmast **2** (*ruffiana*) go-between.

mezzanino *s.m.* mezzanine (floor).

mezzano *agg.* middle, medium (*attr.*) ♦ *s.m.* **1** mediator **2** (*ruffiano*) pimp.

mezzanotte *s.f.* midnight.

mezzatinta *s.f.* halftone.

mezzeria *s.f.* (*centro della strada*) crown of the road; (*linea bianca al centro della strada*) dividing line.

mezzo *agg.* **1** half: *mezza bottiglia di vino*, half a bottle of wine; *mezza dozzina di volte*, half-a-dozen times; *mezza lunghezza*, half-length; *ho letto — libro*, I have read half the book; *due anni e —*, two years and a half // *— e —*, so so // *mezzi guanti*, mittens // *bastò una mezza parola perché capisse*, a hint was enough to make him understand // *c'era — mondo*, everybody was there **2** (*medio*) middle: *mezza età*, middle age; *di mezza età*, middle-aged ♦ *s.m.* **1** half: *sono le tre e —*, it is half past three // *fare le cose a —*, to do things by halves; *lasciare a — un lavoro*, to leave a job half -finished **2** (*punto mediano*) middle // *nel bel — della festa*, in the very middle of the party // *il giusto —*, the golden mean // *via di —*, middle course // *ci sono andato di — io*, I had to suffer for it // *mettersi di —*, to interfere **3** (*strumento*) means // *mezzi d'assalto*, (*mil.*) assault craft // *mezzi da sbarco*, landing craft // *a — posta aerea*, by airmail // *mezzi di fortuna*, makeshift // *per — di*, by; (*attraverso*) through; *lo ebbi per — di un mio amico*, I got it through a friend of mine **4** (*fis.*) medium **5** *pl.* (*denaro*) means, money (*sing.*): *una persona con mezzi*, a person of means; *egli ha molti mezzi*: he is well off **6** *pl.* (*informatica*) aids ♦ *avv.* half: *— aperto*, half-open; *— cieco*, half-blind; *gli ho — detto quello che era successo*, I gave him a hint on what had happened // *siamo — parenti*, we are practically relatives // **in mezzo, a** *locuz.prep.* in the middle of; (*fra molti*) among; (*fra due*) between.

mezzobusto *s.m.* **1** bust **2** (*spreg.*) (*annunciatore TV*) news speaker, (*amer.*) newscaster.

mezzodì *s.m.* midday, noon.

mezzofondista *s.m.* e *f.* (*sport*) middle-distance runner.

mezzofondo *s.m.* (*sport*) middle-distance race.

mezzogiorno *s.m.* **1** midday, noon: *pieno —*, high noon **2** (*sud*) South.

mezzosangue *s.m.* e *f.* half-breed.

mezzosoprano *s.m.* (*mus.*) mezzo-soprano.

mezzuccio *s.m.* mean trick.

mi[1] *pron.pers.m.* e *f. 1ª pers.sing.ogg.* me; (*termine*) (to)

me: *non — lasciò partire*, he didn't let me go; *dammi quel libro*, give me that book // *— sono comperato un libro*, I have bought myself a book // *eccomi!*, here I am! ♦ *pron.rifl.* myself (*gener. omesso*): *— sono divertito*, I enjoyed myself; *— vestii*, I dressed (myself); *— lavai le mani*, I washed my hands; *perché dovrei lamentarmi?*, why should I complain?

mi[2] *s.m.* (*mus.*) E, mi.

miagolare *v.intr.* to mew, to miaow; (*fig.*) (*cantare male*) to caterwaul.

miagolio *s.m.* mewing.

miao *onom.* miaow.

miasma *s.m.* miasma.

mica[1] *avv.* (*fam.*): *non ci sono — stato*, I didn't go there at all; *non costa — tanto*, it doesn't cost (so) very much.

mica[2] *s.f.* (*min.*) mica.

miccia *s.f.* fuse.

miceneo *agg.* Mycenaean.

Michele *no.pr.m.* Michael.

micidiale *agg.* lethal, deadly.

micio *s.m.* tomcat; (*fam.*) pussy(cat).

micosi *s.f.* (*med.*) mycosis.

micro- *pref.* micro-.

microbico *agg.* microbic.

microbio *s.m.* microbe.

microbiologia *s.f.* microbiology.

microbo *s.m.* microbe.

microcefalia *s.f.* (*med.*) microcephaly.

microchirurgia *s.f.* microsurgery.

microcircuito *s.m.* microcircuit // *— integrato*, (*elettr.*) chip.

microcosmico *agg.* microcosmic.

microcosmo *s.m.* microcosm.

microfilm *s.m.* microfilm.

microfono *s.m.* microphone; (*fam.*) mike; (*di telefono*) mouthpiece.

microfotografia *s.f.* **1** microphotography **2** (*riproduzione*) microphotograph.

micrometrico *agg.* micrometric(al).

micromotore *s.m.* **1** small motor **2** (*piccola motocicletta*) scooter.

micron *s.m.* micron, mikron.

microonda *s.f.* (*fis.*) microwave: *forno a microonde*, microwave oven.

microprocessore *s.m.* microprocessor.

microrganismo *s.m.* microorganism.

microscopico *agg.* microscopic(al).

microscopio *s.m.* microscope: *al —*, under a microscope.

microsolco *s.m.* microgroove; (*disco a 33 giri*) long -playing record; (*disco a 45 giri*) forty-five.

microspia *s.f.* bugging device, bug.

midollare *agg.* medullary.

midollo *s.m.* **1** (*anat.*) marrow, medulla (*pl.* medullae): *— osseo*, medulla ossium; *— spinale*, spinal cord // *bagnato fino al —*, wet through (o soaked to) the skin // *quell'uomo è inglese fino al —*, that man is English to the backbone **2** (*del legno*) pith.

miele *s.m.* honey // *adesso è tutta —, ma...*, now she is a sweet as honey, but...

mielite *s.f.* (*med.*) myelitis.

mietere *v.tr.* **1** to reap // *si miete quel che si semina*, (*prov.*) we reap as we sow // *— allori*, (*fig.*) to win (o to reap) laurels **2** (*fig.*) (*di epidemie ecc., uccidere*) to mow* down: *la mitragliatrice ha mietuto molte vittime*, the machine gun has mown down many victims.

mietitore *s.m.* reaper.

mietitrebbiatrice *s.f.* combine harvester.

mietitrice *s.f.* reaper; (*mecc.*) harvester: — *legatrice*, combine with binder attachment.

mietitura *s.f.* **1** reaping **2** (*il tempo in cui si miete*) harvest (time) **3** (*il raccolto*) harvest.

migliaccio *s.m.* (*cuc.*) black pudding.

migliaio *s.m.* thousand // *a migliaia*, in thousands.

migliarino *s.m.* (*zool.*) yellowhammer.

miglio[1] *s.m.* mile: — *marittimo*, nautical mile // *era lontano mille miglia dall'immaginare che...*, he was far from imagining that...

miglio[2] *s.m.* (*bot.*) millet.

miglioramento *s.m.* improvement, amelioration: — *economico*, rise in pay.

migliorare *v.tr.* to improve, to better: — *le proprie condizioni*, to better oneself ♦ *v.intr.* to improve, to get* better, to mend: *il nostro malato migliora lentamente*, our patient is slowly recovering (*o* getting better); — *di salute*, to improve in health.

migliore *agg.* **1** *compar.* better: *non è — di suo fratello*, he is no better than his brother; *non c'è medico —*, there is no better doctor; *non c'è cosa — che...*, there is nothing better than...; *diventare —*, to get better; *rendere qlcu. —*, to make s.o. better // *rimandare qlco. a tempo —*, to put off sthg. to a more convenient time (*o* moment) // *giorni migliori*, better days // *passare a miglior vita*, to go to a better life **2** *superl.rel.* the best; (*fra due*) the better: *il mio — amico*, my best friend; *il — della classe*, the best in the class; *dei due è il —*, he is the better of the two; *scelse il —*, *i migliori*, he chose the best (one), the best (ones); *siamo i migliori amici del mondo*, we are the best of friends; *nel — dei modi, nel modo —*, in the best possible way; *nel — dei casi*, at (the) best ♦ *s.m. e f.* (*la persona migliore*) the best // *vinca il —*, may the best man win.

miglioria *s.f.* improvement: *contributo di —*, (*dir.*) tax on improved real estate value.

mignatta *s.f.* (*zool.*) leech.

mignolo *agg. e s.m.*: (*dito*) —, little finger; (*del piede*) little toe.

mignon (*franc.*) *agg.*: *pasticceria —*, pâtisserie mignonne; *lampadina —*, miniature light bulb.

migrare *v.intr.* to migrate.

migratore *agg. e s.m.* migrant.

migratorio *agg.* migratory.

migrazione *s.f.* migration.

milanese *agg. e s.m.* Milanese.

Milano *no.pr.f.* Milan.

miliardario *agg. e s.m.* multimillionaire.

miliardo *s.m.* a thousand million(s), milliard; (*amer.*) billion.

miliare *agg.*: *pietra —*, (*anche fig.*) milestone.

milionario *s.m.* millionaire.

milione *s.m.* million: *milioni di abitanti*, millions of inhabitants; *due milioni di abitanti*, two million inhabitants // *è ricco a milioni*, he is worth millions // *non lo farei neanche per un —*, I wouldn't do it for a million pounds (*o* for alla the tea in China).

milionesimo *agg.num.ord. e s.m.* millionth.

militante *agg. e s.m. e f.* militant.

militare[1] *agg.* military; (*caratteristico dei militari*) soldierly: *saluto —*, salute; *la vita —*, soldiering (*o* army-life) // *alla —*, in a soldierly way ♦ *s.m.* soldier: — *di carriera*, regular soldier.

militare[2] *v.intr.* **1** to soldier, to serve in the army **2**

(*aderire a una corrente, a un movimento*) to actively support (sthg.).

militaresco *agg.* soldierlike, soldierly.

militarismo *s.m.* militarism.

militarista *s.m.* militarist.

militarizzare *v.tr.* to militarize.

militarizzazione *s.f.* militarization.

militarmente *avv.* militarily: *salutare —*, to salute.

milite *s.m.* militiaman (*pl.* -meni) // *il Milite Ignoto*, the Unknown Soldier (*o* Warrior).

militesente *s.m.* exempt from military service.

milizia *s.f.* **1** (*professione delle armi*) soldiering **2** (*esercito*) Army; (*truppe*) troops (*pl.*).

miliziano *s.m.* militiaman (*pl.* -men).

millantare *v.tr.* to boast (of, about sthg.), to brag (of, about sthg.), to vaunt // *millantato credito*, (*dir.*) false pretences // **-arsi** *v.rifl.* to boast, to brag.

millantatore *s.m.* braggart.

millanteria *s.f.* boasting, bragging.

mille *agg.num.card. e s.m.* a thousand: — *sterline*, a (*o* one) thousand pounds // *a — a —*, by the thousand // *uno su —*, one in a thousand // *— grazie*, thank you very much.

millefoglie *s.m.* **1** (*bot.*) milfoil, yarrow **2** (*cuc.*) millefeuille.

millenario *agg.* a thousand years old (*pred.*), thousand-year-old (*attr.*); millennial, millenarian ♦ *s.m.* millennial, millenary, thousandth anniversary.

millennio *s.m.* millennium, millenary.

millepiedi *s.m.* millepede, millipede.

millerighe *s.m. e agg.* ribbed fabric.

millesimo *agg.num.ord.* thousandth ♦ *s.m.* **1** thousandth, millesimal **2** (*data, anno*) year.

milli- *pref.* milli-.

milligrammo *s.m.* milligram(me).

millimetrato *agg.* millimetered.

millimetro *s.m.* millimetre; (*amer.*) millimeter.

millimicron *s.m.* millimicron, micromillimetre.

milza *s.f.* spleen.

mimare *v.tr.* to mime.

mimesi *s.f.* (*fil.*) mimesis.

mimetico *agg.* **1** (*imitativo*) mimetic(al), mimic **2** (*mimetizzato*) camouflage (*attr.*), mimetic.

mimetismo *s.m.* mimicry, mimetism.

mimetizzare *v.tr.*, **mimetizzarsi** *v.rifl.* to camouflage.

mimetizzazione *s.f.* camouflage.

mimica *s.f.* **1** (*teatr.*) mimic art, (the art of) miming: *ha una — straordinaria*, she is a born mimic **2** (*il gesticolare parlando*) mimicry.

mimico *agg.* mimic: *attore —*, mimic (actor); *l'arte mimica*, the art of mime; *linguaggio —*, sign language.

mimo *s.m.* **1** (*teatr.*) mime; (*attore*) mime, mimic (actor) **2** (*zool.*) mockingbird.

mimosa *s.f.* mimosa.

mina *s.f.* **1** mine: — *galleggiante*, floating mine; — *antisommergibili*, submarine (*o* torpedo) mine; — *terrestre*, landmine; — *vagante*, drifting mine; *far brillare una —*, to explode (*o* to spring) a mine **2** (*di matita*) lead.

minaccia *s.f.* threat, menace: *passare alle minacce*, to start threatening.

minacciare *v.tr.* to threaten, to menace.

minaccioso *agg.* threatening, menacing.

minare *v.tr.* **1** to mine **2** (*insidiare, indebolire*) to undermine, to sap, to mine.

minareto *s.m.* minaret.

minatore *s.m.* miner; (*di carbone*) coalminer.

minatorio *agg.* threatening, minatory.

minchionare *v.tr.* (*volg.*) to pull s.o.'s leg.

minchione *s.m.* (*volg.*) gullible person: *fare il* —, to be gullible.

minchioneria *s.f.* (*volg.*) **1** (*l'essere minchione*) gullibility **2** (*stupidaggine*) idiotic thing.

minerale *agg.* mineral ♦ *s.m.* mineral; (*greggio*) ore: — *di zolfo*, sulphur ore.

mineralizzare *v.tr.*, **mineralizzarsi** *v.intr.pron.* to mineralize.

mineralogia *s.f.* mineralogy.

mineralogista *s.m.* e *f.* mineralogist.

minerario *agg.* mining, mine (*attr.*).

minestra *s.f.* soup.

minestrone *s.m.* **1** (*cuc.*) "minestrone" (vegetable soup with rice) **2** (*miscuglio*) mix-up.

mingherlino *agg.* slight, thin, skinny.

miniare *v.tr.* to paint in miniature; (*manoscritti*) to illuminate.

miniato *agg.* illuminated.

miniatore *s.m.* miniaturist; (*di manoscritti*) illuminator.

miniatura *s.f.* miniature.

miniaturizzare *v.tr.* to miniaturise, to miniaturize.

minidisco *s.m.* (*informatica*) (*IBM*) diskette, floppy disk.

miniera *s.f.* mine (*anche fig.*).

minigolf *s.m.* miniature golf.

minigonna *s.f.* miniskirt.

minima *s.f.* **1** (*mus.*) minim; (*amer.*) half note **2** (*temperatura*) minimum.

minimamente *avv.* in the least; (*affatto*) at all: *non faceva* — *freddo*, it wasn't at all cold (*o fam.* it wasn't the least bit cold); *non lo conosco* —, I don't know him at all.

minimizzare *v.tr.* to minimize.

minimo *agg.superl.* **1** (*il più piccolo*) least; slightest; smallest; minimum (*attr.*); (*il più basso*) lowest; (*il più corto*) shortest: *la minima differenza*, the least (*o* the smallest *o* the slightest) difference; *il* — *dubbio, sforzo*, the slightest (*o* the least) doubt, effort; *non ha la minima importanza*, it hasn't the least (*o* slightest) importance; *non ne ho la minima idea*, I haven't the faintest (*o* least) idea; *la quantità minima*, the smallest quantity; *l'altitudine, la densità, la larghezza minima*, the minimum altitude, density, width; *il carico, il peso* —, the minimum load, weight; *la velocità, la temperatura minima*, the lowest (*o* minimum) speed, temperature; *il prezzo, la cifra, l'offerta minima*, the lowest price, figure, offer; *la distanza minima, il tempo* —, the shortest distance, time (*piccolissimo*) very small; very slight; (*bassissimo*) very low; (*cortissimo*) very short: *una quantità, una spesa minima*, a very small quantity, expense; *una differenza minima, uno sforzo* —, a very slight effort, difference; *la distanza è minima*, it's no distance ♦ *s.m.* **1** minimum: *il* — *della velocità, della pressione*, the minimum speed, pressure; *il* — *della pena*, the minimum penalty; *ridurre le spese al* —, to reduce expenses to a minimum // *un* — *di buon senso*, an ounce (*o* a grain) of sense **2** (*aut.*) idling (speed): *regolare il* —, to set the idling; *questo motore non tiene il* —, this engine won't idle; *girare al* —, to tick over (*o* to idle) **3** (*la minima cosa*) the least: *era il* — *che tu potessi fare*, this was the least you could do // **al minimo**, **come minimo** *locuz.avv.* at least, at the very least.

minio *s.m.* (*chim.*) minium, red lead.

ministeriale *agg.* ministerial // *crisi* —, cabinet crisis.

ministero *s.m.* **1** (*ufficio, funzione*) office, function; (*eccl.*) ministry **2** *Ministero*, (*dipartimento amministrativo di uno stato*) Ministry: — *degli Esteri*, Ministry of Foreign Affairs; (*in Inghilterra*) Foreign Office; (*negli Stati Uniti*) State Department; — *della Pubblica Istruzione*, (*in Inghilterra*) Ministry of Education; (*negli Stati Uniti*) Board of Education; — *dell'Interno*, (*in Inghilterra*) Home Office; (*negli Stati Uniti*) Department of the Interior; — *del Tesoro*, (*in Inghilterra*) Treasury; (*negli Stati Uniti*) Treasury Department; — *di Grazia e Giustizia*, (*in Inghilterra*) Lord Chancellor's Department; (*negli Stati Uniti*) Department of Justice **3** (*governo*) government; (*Gabinetto, Consiglio dei Ministri*) cabinet: *fece parte del* — *Crispi*, he served as a minister under Crispi **4** *Pubblico Ministero*, (*dir.*) Public Prosecutor; (*negli Stati Uniti*) District Attorney.

ministro *s.m.* **1** minister: — *degli Esteri*, Minister for Foreign Affairs; (*in Inghilterra*) Secretary of State for Foreign Affairs (*o fam.* Foreign Secretary); (*negli Stati Uniti*) Secretary of State; — *dell'Interno*, Minister of the Interior; (*in Inghilterra*) Secretary of State for the Home Department (*o fam.* Home Secretary); (*negli Stati Uniti*) Secretary of the Interior; *Primo Ministro*, Prime Minister; — *del Commercio*, (*in Inghilterra*) President of the Board of Trade; (*negli Stati Uniti*) Secretary of Commerce; — *del Tesoro*, (*in Inghilterra*) Chancellor of the Exchequer; (*negli Stati Uniti*) Secretary of the Treasury; — *di Grazia e Giustizia*, (*in Inghilterra*) Lord Chancellor; (*negli Stati Uniti*) Attorney General // — *plenipotenziario*, minister **2** (*eccl.*) clergyman (*pl.* -men) // — *del culto*, minister of religion.

minoranza *s.f.* minority.

minorare *v.tr.* to disable, to maim.

minorato *agg.* disabled ♦ *s.m.* disabled person: *minorati di guerra*, (*soldati*) war-disabled ex-servicemen; (*civili*) war-disabled persons // — *psichico*, mental deficient.

minorazione *s.f.* disablement; (*spec. fisica*) disabling, maiming // — *mentale*, mental deficiency.

minore *agg.* **1** (*più piccolo*) *compar.* smaller, less; *superl.rel.* the smallest, the least, (*fra due*) the smaller, the less; (*più basso*) *compar.* lower; *superl.rel.* the lowest, (*fra due*) the lower; (*più corto*) *compar.* shorter; *superl.rel.* the shortest, (*fra due*) the shorter; (*meno grave, importante*) *compar.* minor; *superl.rel.* the minor: *con* — *cura, attenzione*, with less care, attention; *di* — *interesse, responsabilità*, of minor (*o* less) interest, responsibility; *una somma* —, *una spesa* —, a smaller amount, expense; *con una spesa* —, with less expense; *un prezzo* —, *una cifra* —, a lower price, figure; *il* — *offerente*, the lowest bidder; *una distanza* —, a shorter distance; *pena* —, lighter penalty; *minor fortuna*, less luck; *avere* — *probabilità di*, to have less probability of; *col* — *sforzo possibile*, with the least possible effort; *causare minori danni*, to cause less damage; *in* — *tempo*, in less time; *nel* — *tempo possibile*, in the least possible time // *poeti, opere minori*, minor poets, works // *arti minori*, minor arts // *astri minori*, minor stars // *Ordini Minori*, (*eccl.*) Minor Orders // *Frati Minori*, (*eccl.*) Friars Minor (*o* Minorites) // *Asia Minore*, Asia Minor // *scegliere il male* —, to choose the lesser evil **2** (*più giovane*) *compar.* younger; *superl.rel.* the youngest, (*fra due*) the younger: *è* — *di me* (*di due anni*), he is (two years) younger than I am; *il fratello, il figlio* —, the youngest, the younger brother, son // *chi è il* —?, who is the youngest?, which is the younger? //

285 miseria

— età, *(dir.)* minority // **essere —,** *(dir.)* to be under age // **vietato ai minori di sedici anni,** forbidden to children under sixteen years of age // *Bruto Minore,* the Younger Brutus; *Catone il Minore,* Cato the Younger **3** *(mus. mat. logica)* minor: *tono —,* *(mus.)* minor key; *do —,* *(mus.)* C minor ♦ *s.m.* **1** *(cadetto)* the youngest, *(fra due)* the younger; *(di grado)* junior **2** *(minorenne)* minor.

minorenne *agg.* under age ♦ *s.m. e f.* *(dir.)* minor // *tribunale dei minorenni,* juvenile court.

minorile *agg.* juvenile, minor *(attr.).*

minorità *s.f.* *(dir.)* minority // *uscire di —,* to come of age.

minoritario *agg.* *(pol.)* minority *(attr.).*

Minosse *no.pr.m.* *(mit.)* Minos.

Minotauro *no.pr.m.* *(mit.)* Minotaur.

minuendo *s.m.* *(mat.)* minuend.

minuetto *s.m.* *(mus.)* minuet.

minuscolo *agg.* small; *(piccolo)* tiny, diminutive.

minuta *s.f.* rough copy.

minutaglia *s.f.* bits and pieces *(pl.),* odds and ends *(pl.).*

minutamente *avv.* minutely.

minuteria *s.f.* odds and ends *(pl.).*

minuto¹ *agg.* **1** small, minute // *pioggia minuta,* drizzle // *il popolo —,* the common people **2** *(dettagliato)* detailed // *nei più minuti particolari,* to the last detail **3** *(di poco conto)* petty **4** *(comm.):* *al —,* (by) retail: *prezzo al —,* retail price; *vendere al —,* to retail.

minuto² *s.m.* minute: *— primo,* minute; *— secondo,* second; *mancano dieci minuti alle cinque,* it is ten minutes to five; *sono le quattro e venti minuti,* it is twenty minutes past four // *sarò qui tra mezzo —,* I'll be back in a minute // *sto contando i minuti!,* I can hardly wait!

minuzia *s.f.* trifle.

minuzioso *agg.* detailed; *(anche di persona)* meticulous, thorough.

minuzzolo *s.m.* scraps *(pl.).*

minzione *s.f.* *(med.)* urination.

mio *agg.poss.* **1** my; *(mio proprio)* my own: *un — amico,* a friend of mine *(o* one of my friends); *alcuni miei libri,* some books of mine; *vorrei avere una casa mia,* I wish I had a house of my own *(o* my own house) // *qualcosa, niente di —,* something, nothing of my own // *bambino —,* my dear child; *mia cara,* my dear; *amico —,* my *(dear)* friend; *caro —,* old fellow *(o* old man) // *sentite, ragazzi miei,* listen to me, boys *(o* lads) **2** *(pred. nominale)* mine: *questa casa è mia,* this house is mine **3** *(in espressioni ellittiche):* *la mia del 5 corr.,* *(lettera)* mine *(o* my letter) of the 5th inst.; *anch'io ho avuto le mie (disgrazie),* I've had a rough *(o* bad) time of it, too; *egli è dalla mia (parte),* he is on my side // *voglio dire la mia,* I want to have my say // *ne ho detta, ne ho fatta una delle mie,* I have put my foot in it again ♦ *pron.poss.* mine: *è il —,* it's mine ♦ *s.m.* **1** *(ciò che è mio)* what's mine: *mi accontento del —,* I'm satisfied with what I have got; *ci ho rimesso del —,* I lost my own money; *vivo del —,* I live on my income **2** *pl.: i miei,* my family; *(seguaci)* my supporters.

miocardio *s.m.* *(anat.)* myocardium.

miocardite *s.f.* *(med.)* myocarditis.

miologia *s.f.* *(med.)* myology.

miope *agg.* shortsighted, myopic ♦ *s.m. e f.* shortsighted person *(anche fig.),* myope.

miopia *s.f.* shortsightedness *(anche fig.),* myopia.

miosotide *s.f.* *(bot.)* myosotis.

mira *s.f.* **1** aim: *ha una — straordinaria,* he is a won-

derful shot; *pigliare, prendere la —,* to take aim // *prendere di — qlcu.,* to make s.o. the object of one's attacks **2** *(bersaglio)* target **3** *(scopo)* aim, intention; *(disegno)* design: *ha mire troppo alte,* he is aiming too high; *avere mire su qlcu, qlco.,* to have designs on s.o., sthg. **4** *(mirino)* sight.

mirabile *agg.* *(degno di lode)* admirable; *(meraviglioso)* wonderful // *— visione,* heavenly vision.

mirabilia *s.f.pl.* wonders: *fare —,* to work wonders.

mirabilmente *avv.* admirably; *(meravigliosamente)* wonderfully.

mirabolante *agg.* astonishing, amazing.

miracolato *agg.* miraculously healed ♦ *s.m.* miraculously-healed person.

miracolo *s.m.* **1** miracle *(anche fig.);* *(fig.)* wonder: *si gridò al —,* "a miracle" was the cry *(o* everyone said it was a miracle); *fare miracoli,* *(anche fig.)* to work miracles // *per —,* by a miracle: *se la cavò per —,* he had a narrow escape // *sapere vita, morte e miracoli di qlcu.,* to know all about s.o.'s business **2** *(st. teatr.)* miracle (play).

miracoloso *agg.* miraculous; *(portentoso)* wonderful, marvellous.

miraggio *s.m.* mirage.

mirare *v.intr.* to aim (at s.o., sthg., doing) *(anche fig.),* to take* aim (at s.o., sthg.); *mirò attentamente prima di sparare,* he took accurate aim before shooting; *— troppo in alto,* to aim high; *(fig.)* to set one's sights too high // *il suo discorso mira a provare che...,* his speech sets out to prove that...

miria- *pref.* *(mat.)* myria-.

miriade *s.f.* myriad.

miriagrammo *s.m.* myriagram(me).

miriametro *s.m.* myriametre.

mirino *s.m.* *(di arma da fuoco, di strumento ottico)* (fore)sight; *(di apparecchio fotografico)* viewfinder.

mirra *s.f.* *(bot.)* myrrh.

mirtillo *s.m.* bilberry, whortleberry.

mirto *s.m.* myrtle.

misantropia *s.f.* misanthropy.

misantropo *s.m.* misanthrope, misanthropist.

miscela *s.f.* mixture *(anche aut.);* *(di tè, caffè, tabacco)* blend.

miscelare *v.tr.* to mix; *(tè, caffè, tabacco)* to blend.

miscelatore *s.m.* mixer.

miscellanea *s.f.* miscellanea, miscellany.

mischia *s.f.* fray, fight, tussle.

mischiare *v.tr.* **1** to mix, to mingle; *(amalgamare)* to blend **2** *(le carte)* to shuffle // **-arsi** *v.rifl.* e *rifl.rec.* to mix, to mingle (with sthg.); *(amalgamarsi)* to blend.

misconoscere *v.tr.* *(non voler riconoscere)* not to acknowledge, to ignore; *(negare)* to deny; *(stimare meno del merito)* to underestimate.

miscredente *agg.* misbelieving ♦ *s.m. e f.* misbeliever.

miscuglio *s.m.* mixture.

miserabile *agg.* **1** miserable, wretched **2** *(scarso)* miserable, poor, paltry: *un salario —,* a paltry wage **3** *(vile)* despicable, mean ♦ *s.m.* **1** wretch **2** *(spreg.)* scoundrel.

miserabilità *s.f.* miserableness, wretchedness.

miseramente *avv.* **1** miserably, wretchedly **2** *(scarsamente)* poorly.

miserando *agg.* miserable, pitiable, pitiful.

miserevole *agg.* miserable, pitiable, pitiful.

miseria *s.f.* **1** misery, penury, poverty: *andare, cadere in —,* to fall into poverty *(o* penury); *essere ridotto in*

—, to be reduced to poverty // — *nera*, dire poverty // *piange sempre* —, he's always moaning about being hard up // *porca* —!, damn! **2** (*inezia*) trifle: *costa una* —, it costs only a trifle; *ti ha pagato una* —, he paid you almost nothing; *l'ho avuto per una* —, I got it for a song **3** *pl.* (*disgrazie*) misfortunes, troubles **4** (*meschinità*) meanness.

misericordia *s.f.* mercy: *senza* —, merciless (*agg.*); mercilessly (*avv.*); *affidarsi alla* — *di qlcu.*, to throw oneself on s.o.'s mercy; *avere* — *di qlcu.*, to have mercy on s.o.; *gridare* —, to cry for mercy // —!, good gracious!

misericordioso *agg.* merciful.

misero *agg.* **1** (*povero, scarso*) poor, scanty, miserable **2** (*miserabile, infelice*) wretched, miserable // — *me!*, poor me! **3** (*di abito*) skimpy.

misfatto *s.m.* misdeed, crime.

misirizzi *s.m.* (*giocattolo*) roly-poly.

misoginia *s.f.* misogyny.

misogino *agg.* misogynous.

misoneismo *s.m.* misoneism.

misoneista *s.m. e f.* misoneist.

missaggio *s.m.* (*cinem.*) mixing // *tecnico del* —, mixer.

missile *s.m.* missile: — *a razzo*, rocket missile; *rampe per missili*, missile ramps; *lanciare un* —, to launch a missile.

missilistica *s.f.* missil(e)ry.

missilistico *agg.* missile (*attr.*).

missionario *agg. e s.m.* missionary.

missione *s.f.* mission: *mandare in* — *segreta*, to send on a secret mission.

missiva *s.f.* missive, letter.

misterioso *agg.* mysterious.

mistero *s.m.* mystery: *far* — *di qlco.*, to make a mystery of sthg. // *quell'uomo è un* —, that man is an enigma.

mistica *s.f.* **1** mystical theology **2** (*letteratura mistica*) mystic literature.

misticismo *s.m.* mysticism.

mistico *agg.* mystic(al) ♦ *s.m.* mystic.

mistificare *v.tr.* to hoax, to gull, to deceive.

mistificatore *s.m.* deceiver, hoaxer.

mistificazione *s.f.* hoax, deception.

misto *agg.* mixed: *scuola mista*, mixed school; (*spec. scuole medie e superiori*) coeducational school ♦ *s.m.* mixture.

mistura *s.f.* mixture.

misura *s.f.* **1** measure; (*misurazione*) measurement; (*quantità*) amount: — *di lunghezza, superficie, volume*, linear, square, cubic measure; *prendere le misure*, (*di sarto*) to take s.o.'s measurements // *a* — *che...*, as...: — *che aumenterà il lavoro aumenteremo il personale*, as the work increases we shall increase the staff // *la* — *è colma*, I am sick and tired of it **2** (*taglia, dimensione*) size // *su* —, custom-made: *abiti su* —, clothes made to measure; (*amer.*) custom-made clothes **3** (*limite*) limit; (*moderazione*) moderation: *lo farò nella* — *delle mie forze*, I shall do it to the best of my ability // *con* —, moderately // *fuori* —, (*fig.*) excessive (*agg.*); excessively (*avv.*), beyond measure **4** (*provvedimento*) measure, step: *misure di polizia*, police measures // *mezze misure*, (*fig.*) half measures.

misurabile *agg.* measurable.

misurare *v.tr.* **1** to measure; (*tecn.*) to gauge: — *la pioggia*, to gauge the rainfall // — *la temperatura a qlcu.*, to take s.o.'s temperature // — *una stanza a grandi passi*, to pace (up and down) a room **2** (*valutare*) to estimate, to judge // — *le proprie forze*, to try one's strength **3** (*limitare*) to limit; (*soppesare*) to weight: — *le parole*, to weigh one's words // *mi misurano il pane*, they keep me short of bread; *gli misura il cibo*, she counts every bite he takes **4** (*indumenti*) to try on ♦ *v.intr.* to measure, to be*: *misura tre metri in larghezza*, it is three metres across (*o* wide) // -**arsi** *v.rifl.* (*competere*) to compete; (*venire alle mani*) to come* to blows.

misurato *agg.* measured; (*moderato*) moderate; (*prudente*) cautious: *gesti misurati*, measured (*o* deliberate) gestures.

misuratore *s.m.* **1** (*chi misura*) measurer **2** (*strumento*) meter, gauge: — *di livello*, (*topografia*) hypsometer; — *di profondità*, (*mar.*) depthometer.

misurazione *s.f.* measurement; (*tecn.*) gauging.

misurino *s.m.* (small) measure.

mite *agg.* **1** meek, mild **2** (*di clima*) mild **3** (*moderato*) moderate // *lo ridussero a più miti consigli*, they made him see reason.

mitezza *s.f.* **1** meekness, mildness **2** (*di clima*) mildness **3** (*moderazione*) moderation.

mitico *agg.* mythical.

mitigabile *agg.* mitigable.

mitigare *v.tr.* to mitigate; (*passioni*) to appease; (*dolore*) to relieve // -**arsi** *v.intr.pron.* **1** to be* appeased, to calm down: *la sua severità si mitigò*, his strictness relaxed **2** (*di clima*) to become* mild.

mitigazione *s.f.* mitigation; (*di passioni*) appeasement; (*di dolore*) relief.

mitilo *s.m.* (*zool.*) mussel.

mitizzare *v.tr.* to mythicise.

mitizzazione *s.f.* mythicising.

mito *s.m.* myth // *far cadere un* —, to explode a myth.

mitologia *s.f.* mythology.

mitologico *agg.* mythological.

mitomane *s.m. e f.* (*med.*) mythomaniac.

mitomania *s.f.* (*med.*) mythomania.

mitra[1] *s.f.* (*eccl.*) mitre.

mitra[2] *s.m.* (*mil.*) tommy gun, machinegun.

mitraglia *s.f.* (*mil.*) grapeshot.

mitragliamento *s.m.* machinegun fire.

mitragliare *v.tr.* to machinegun.

mitragliatrice *s.f.* machinegun: — *a nastro*, belt-fed machinegun; — *girevole*, free gun.

mitragliera *s.f.* machinegun.

mitragliere *s.m.* (*mil.*) machinegunner.

mitrale *agg.* (*anat.*) mitral.

Mitridate *no.pr.m.* (*st.*) Mithridates.

mitridatismo *s.m.* (*med.*) mithridatism.

mitteleuropeo *agg.* Middle European, Central European.

mittente *s.m. e f.* sender: *da rispedire al* —, return to sender.

mnemonico *agg.* mnemonic.

mo' *apocope di modo*: *a* — *di*, as: *a* — *d'esempio*, as an example.

mobile *agg.* **1** (*che si muove*) mobile: *truppe mobili*, mobile troops // *rene* —, (*med.*) floating kidney; *squadra* —, flying squad **2** (*che può essere mosso*) movable: *caratteri mobili*, (*tip.*) movable types; *piattaforma* —, (*mecc.*) travelling platform // *beni mobili*, chattels // *imposta sulla ricchezza* —, tax on capital, business and wages **3** (*mutevole, incostante*) changeable, fickle ♦ *s.m.* piece of furniture: *sono tuoi questi mobili?*, is this furniture yours? // *mobili componibili*, sectional furniture // *mobili in serie*, mass-produced furniture.

mobilia *s.f.* furniture.

mobiliare[1] *agg.* (*dir.*) movable, personal.
mobiliare[2] *v.tr.* to furnish.
mobiliere *s.m.* 1 (*fabbricante*) furniture maker 2 (*venditore*) furniture dealer.
mobilificio *s.m.* furniture factory.
mobilio *s.m.* furniture (solo *sing.*).
mobilità *s.f.* 1 mobility 2 (*mutevolezza, incostanza*) inconstancy, fickleness.
mobilitare *v.tr.* to mobilize.
mobilitazione *s.f.* mobilization.
moca *s.m.* Mocha (coffee).
mocassino *s.m.* moccasin.
moccio *s.m.* (*volg.*) snot.
moccioso *agg.* snotty(-nosed) ♦ *s.m.* brat.
moccolo *s.m.* 1 (*mozzicone di candela*) candle end // *tenere il* —, to play gooseberry 2 (*fam.*) (*bestemmia*) oath, swearword.
moda *s.f.* fashion, style; (*modelli*) fashions (*pl.*): *la — attuale*, the current fashion; *la — primaverile*, spring fashion(s); *la — femminile*, women's fashion(s) // *alta* —, haute couture // *casa di mode*, fashion house // *lanciare una* —, to set a fashion; *venire di* —, to become fashionable; *passare di* —, to go out of fashion // *alla* —, fashionable; *all'ultima* —, in the latest fashion // *di* —, in fashion, trendy; *di gran* —, all the fashion; *è molto di* —, it's very much in the fashion (*o* it's very trendy); *è il male di* —, it's the fashionable illness (*o* ailment) // *fuori* —, out of fashion.
modale *agg.* modal.
modalità *s.f.* form; (*formalità*) formality: *le — di un contratto*, the form of a contract; *— di pagamento*, conditions of payment.
modanatura *s.f.* (*arch.*) moulding.
modella *s.f.* model.
modellare *v.tr.* to model (*anche fig.*), to mould, to fashion (*anche fig.*).
modellatore *s.m.* modeller.
modellatura *s.f.* modelling, moulding.
modellino *s.m.* model.
modellismo *s.m.* modelling.
modellista *s.m.* e *f.* modelist.
modellistica *s.f.* modelling.
modello *s.m.* 1 model, pattern: *un — di vestito*, (*in carta*) a dressmaker's pattern; *un* — (*esclusivo*), (*moda*) an exclusive (design); *è un'automobile di vecchio* —, this car is an old model (*o* design); *disegnare, riprodurre dal* —, to draw, to reproduce from a model (*o* pattern) // *prendere qlco., qlco. per* —, to take s.o., sthg. as one's model // *servire da — a un artista*, (*posare per lui*) to sit for an artist 2 (*stampo*) mould (*anche fig.*); (*corpo su cui si forma lo stampo*) pattern.
moderare *v.tr.* 1 to moderate, to control; (*mitigare*) to mitigate: *— le parole*, to curb (*o* to moderate) one's language 2 (*diminuire*) to reduce: *— le spese*, to cut down expenses; *— la velocità*, to reduce speed (*o* to slow down) // *-arsi* *v.rifl.* to moderate oneself, to control oneself, to restrain oneself; (*frenare la propria collera*) to keep* one's temper.
moderatamente *avv.* moderately.
moderatezza *s.f.* moderateness.
moderato *agg.* 1 moderate, temperate: *è — nel bere*, he is a moderate drinker 2 (*mus.*) moderato ♦ *s.m.* moderate (person).
moderatore *agg.* moderating ♦ *s.m.* 1 moderator 2 (*tecn.*) regulator; (*fis. atomica*) moderator; (*metall.*) inhibitor.

moderazione *s.f.* moderation.
modernamente *avv.* in the modern manner.
modernismo *s.m.* (*st. fil.*) modernism.
modernità *s.f.* modernity.
modernizzare *v.tr.* to modernize, to bring* up to date // *-arsi* *v.rifl.* to bring* oneself up to date.
moderno *agg.* modern, up-to-date (*attr.*).
modestamente *avv.* modestly.
modestia *s.f.* modesty: *falsa, finta* —, false (*o* mock) modesty; *non peccare di* —!, don't be over modest!
modesto *agg.* modest // *un'aria modesta*, an unassuming air; *una casa modesta*, an unpretentious house.
modicità *s.f.* moderation, moderateness; (*basso prezzo*) cheapness.
modico *agg.* moderate: *prezzo* —, reasonable price.
modifica *s.f.* alteration, modification: *apportare delle modifiche a qlco.*, to make changes in sthg.
modificabile *agg.* modifiable.
modificare *v.tr.* 1 to alter, to modify 2 (*informatica*) (*dalla tastiera*) to patch // *-arsi* *v.intr.pron.* to modify oneself.
modificazione *s.f.* modification.
modista *s.f.* milliner.
modisteria *s.f.* millinery; (*negozio*) milliner's (shop).
modo *s.m.* 1 way: *il miglior — di fare qlco.*, the best way to do (*of* doing) sthg.; *allo stesso* —, (in) the same way; *in — singolare*, in a strange way; *in nessun* —, not at all; *secondo il mio — di vedere*, in my opinion; *gli diedi — di fare un buon affare*, I put him on to a good bargain; *pensano allo stesso* —, they think alike; *non gli ha dato — di spiegarsi*, he didn't give him the opportunity to explain himself; *non parlare in questo* —, don't speak like that // *a — suo è onesto*, in his way he is honest; *a — suo ti vuol bene*, in his way he is fond of you; *lasciami fare a — mio*, let me do it my (*o* things) my own way // *di — che*, (and) so // *in — da*, in such a way as to; (*finale*) so as to // *in un — o in un altro*, in one way or another // *in certo (qual)* —, in a certain way // *in che* —, how // *in particolar* —, particularly // *in qualche* —, somehow // *in tutti i modi, ad ogni* —, in any case // *c'è — e — di fare qlco.*, there are ways and ways of doing things // *fare in* —, (*cercare*) to try // *avverbio di* —, (*gramm.*) adverb of manner 2 (*tratto, garbo*) manners (*pl.*): *parlare a qlcu. con bel* —, to speak politely to s.o. // *una persona a* —, a well-bred person // *far qlco. a* —, to do sthg. properly // *in malo* —, rudely 3 (*locuzione*) expression: *— di dire*, idiom // *per* — *di dire*, so to speak (*o* so to say) 4 (*misura*) measure: *oltre* —, excessively (*o* extremely) 5 (*gramm.*) mood 6 (*mus.*) key, mode 7 (*informatica*) mode: *— conversazionale*, conversational mode; *— iniziale*, start mode.
modulare[1] *v.tr.* to modulate.
modulare[2] *agg.* modular.
modulato *agg.* modulated.
modulatore *s.m.* modulator: *— di frequenza*, (*rad.*) frequency modulator.
modulazione *s.f.* modulation // *— di frequenza*, (*rad.*) frequency modulation (*abbr.* FM).
modulo *s.m.* 1 form: *— di assunzione*, labour engagement sheet; *compilare, riempire un* —, to fill up (*o* in) a form 2 (*mat. mecc.*) modulus (*pl.* moduli) 3 (*informatica*) (*di programma*) module; (*documento*) form 4 (*numismatica*) diameter (of coin) 5 (*arch.*) module, diameter.
moffetta *s.f.* (*zool.*) skunk.

mogano *s.m.* mahogany.

moggio *s.m.* bushel.

mogio *agg.* depressed: — —, crestfallen.

moglie *s.f.* wife: *aver* —, to have a wife; *cercar* —, to seek a wife; *prender* —, to get married; *prendere in* —, to marry.

mohair *(franc.) s.m. (tessuto, filato)* mohair.

moina *s.f.* wheedling: *fare moine a qlcu. per indurlo a fare qlco.*, to wheedle a person into doing sthg.

moire *(franc.) s.m. (tessuto)* moire.

mola *s.f.* **1** grindstone, grinding wheel **2** *(macina da mulino)* millstone **3** *(zool.)* sunfish.

molare[1] *v.tr.* to grind*; *(affilare)* to whet // — *il cristallo*, to cut crystal.

molare[2] *agg.* **1** *(anat.)* molar **2** *pietra* —, millstone ♦ *s.m.* molar.

molassa *s.f. (geol.)* molasse.

molato *agg.* ground // *cristallo* —, cut crystal.

molatrice *s.f.* grinding machine, grinder.

molatura *s.f.* grinding.

molazza *s.f.* edge runner mill.

mole *s.f.* **1** mass // *una grande* — *di lavoro*, a vast amount *(o* mountains) of work **2** *(dimensione)* size; proportions *(pl.).*

molecola *s.f. (chim.)* molecule.

molecolare *agg. (chim.)* molecular.

molestamente *avv.* annoyingly.

molestare *v.tr.* to molest, to bother, to annoy // *non — il gatto!*, don't tease the cat!

molestia *s.f.* nuisance, trouble.

molesto *agg.* troublesome, bothersome, annoying // *pensieri molesti*, harassing thoughts.

molibdeno *s.m. (chim.)* molybdenum.

molino *s.m.* → **mulino**.

molitorio *agg. (rar.)* molinary.

molla *s.f.* **1** spring // *(di orologio)* mainspring: — *a spirale*, coil spring; *arresto a* —, spring pawl; *caricato a* —, spring loaded // *scattare come una* —, to spring up **2** *pl. (per il fuoco)* tongs // *bisogna trattarlo con le molle*, he needs careful handling **3** *(incentivo)* spring, mainspring, spur.

mollare *v.tr. (allentare)* to slacken; *(lasciar andare)* to let* go: — *la presa*, to let go // *fare a tira e molla*, to shilly-shally *(o* to dilly-dally) ♦ *v.intr. (cedere)* to give* in.

molle *agg.* **1** *(morbido)* soft **2** *(bagnato)* wet; *(umido)* moist: *terra* —, moist earth // — *di sudore*, drenched in sweat **3** *(flaccido)* flabby, limp **4** *(fig.) (debole)* weak, feeble ♦ *s.m.* **1** soft part **2** *mettere in, stare a* —, to soak.

molleggiamento *s.m.* springiness.

molleggiare *v.intr.* to be*springy; to be* elastic: *questa poltrona molleggia bene*, this easy chair is well -sprung // **-arsi** *v.intr.pron.* to walk with a springy step.

molleggiato *agg.* springy.

molleggio *s.m.* **1** springiness **2** *(di automobile)* springing: *quella macchina ha un buon* —, that car is well-sprung.

mollemente *avv.* **1** *(senza severità)* softly **2** *(debolmente)* weakly **3** *(languidamente)* languidly.

molletta *s.f.* **1** *(per il bucato)* clothes peg; *(per capelli)* hairpin **2** *pl. (per il ghiaccio)* ice tongs; *(per lo zucchero)* sugar tongs.

mollettiera *s.f. (fascia)* puttee.

mollettone *s.m.* thick flannel.

mollezza *s.f.* **1** *(morbidezza)* softness **2** *(debolezza)* weakness **3** *(rilassatezza)* laxity // — *di costumi*, looseness of morals **4** *pl. (comodità, piaceri)* luxury *(sing.): vivere tra le mollezze*, to live in the lap of luxury.

mollica *s.f.* crumb.

molliccio *agg.* **1** softish **2** *(umidiccio)* dampish **3** *(floscio)* limp, flabby ♦ *s.m.* damp ground, soggy ground.

mollo *agg.* → **molle**.

mollusco *s.m.* **1** mollusc // *i Molluschi*, the Mollusca **2** *(persona senza volontà)* sluggard // *è un* —, he hasn't any backbone.

molo *s.m.* mole; *(banchina)* wharf, dock // *diritti di* — *(comm.)* pierage.

Moloc *no.pr.m. (mit.)* Moloch // **moloc** *s.m. (zool.)* moloch.

molosso *s.m. (cane)* Molossian.

molteplice *agg.* manifold; *(svariato)* various.

molteplicità *s.f.* variety.

moltiplica *s.f. (mecc.)* gear.

moltiplicabile *agg.* multipliable.

moltiplicando *s.m.* multiplicand.

moltiplicare *v.tr.*, **moltiplicarsi** *v.intr.pron.* to multiply // — *gli sforzi*, to redouble one's efforts.

moltiplicatore *agg.* multiplying ♦ *s.m.* multiplier // — *di velocità*, *(mecc.)* overdrive.

moltiplicazione *s.f.* multiplication.

moltissimo *agg.indef.superl.* **1** very much *(in prop. affermative è gener. sostituito da* a great deal*): ha moltissima pazienza coi bambini*, she has got a great deal of patience with children; *non ho* — *tempo*, I haven't very much time; *spesero* — *denaro*, they spent a great deal of *(o* ever so much) money // *c'è moltissima differenza*, there is a very great difference; *guadagna* —, he earns a lot (of money) *(o* a great deal of money) **2** *(in espressioni ellittiche):* — *(tempo)*, a very long time; very long *(usato solo in prop. interr. e negative): è* — *tempo che non vado a Roma*, it is a very long time *(o* it is ages) since I last went to Rome **3** *pl.* very many *(in prop. affermative è gener. sostituito da* a great many*): hanno moltissimi libri*, they have a great many books ♦ *pron.indef.* **1** very much *(in prop. affermative è gener. sostituito da* a great deal*): ne ho* —, I have a great deal *(o* ever so much); *non ne avevo* —, I hadn't got very much // — *di quanto dice è vero*, very much of what he says is true; *suo padre ha fatto* — *per lei*, her father did a great deal *(o* ever so much) for her **2** *pl.* very many; *(moltissime persone)* very many (people) *(gener. non usato in prop. affermative);* a great many; a great many (people): *ne ho moltissimi*, I've got a great many *(o* ever so many); *moltissimi sostengono che...*, a great many people maintain that...; *eravamo in moltissimi*, there were a great many of us; *non erano in moltissimi*, there weren't very many ♦ *avv.* very much, a great deal // *lavorare* —, to work very hard.

moltitudine *s.f.* multitude, host; *(di persone)* great crowd; *(spec. di animali)* great number.

molto *agg.indef.* **1** much *(in prop. affermative è gener. sostituito da* a lot of, plenty of, a great deal of*): fu sprecato* — *tempo*, much *(o* a lot of *o* lots of) time was wasted; *c'è* — *carbone in cantina?*, is there much *(o* plenty of) coal in the cellar?; *non ho molta pazienza*, I have not much patience; *ho* — *tempo*, I have plenty *(o* a lot *o* lots) of time // *ho molta sete*, I am very thirsty // *con* — *piacere, con molta cura*, with great pleasure, care **2** *pl.* many, a large number of; *(gener. in prop. affermative)* a lot of, plenty of, a great many, a good many, lots of: *dopo molti anni*, after many years; *ci sono molte au-*

tomobili a Roma?, are there many cars in Rome?; *non ho molti libri*, I have not many books; *ha molti amici*, he has a lot (*o* lots of) friends // *dopo molti e molti anni*, after many a year **3** (*riferito a tempo*) long: — (*tempo*), a long time; long (*solo in prop. interr. e negative*): *da* — (*tempo*), for a long time; for long; *fra non* — (*tempo*), before long; *hai dovuto attendere* — (*tempo*)?, did you have to wait long?; *ho aspettato* — (*tempo*), I waited a long time; *non ho atteso* — (*tempo*), I didn't wait long // *dopo* — *aspettare*, after waiting a long time **4** (*in espressioni ellittiche non temporali*): *ci corre* — *tra...*, there's a great difference between...; *ci vuole* — *per vivere bene*, you need a good deal of money to live comfortably; *non c'è* — *da qui alla stazione*, it's not far from here to the station; *non ci vuole* — *a...*, it doesn't take much to... // *dopo* — *gridare*, after shouting a lot ♦ *pron.indef.* **1** much (*in prop. affermative e gener. sostituito da* a lot, plenty): *non ne sa* —, she doesn't know much; *«Hai del pane?» «Ne ho* —*», «Non ne ho* —*»*, "Have you any bread?" "I have got a lot (*o* lots *o* plenty)", "I haven't got much (*o* a lot)"; *ne hai* —*?*, have you got much (*o* a lot)? **2** *pl.* many (*gener. non usato in prop. affermative*); a lot, plenty (*gener. in prop. affermative*): *«Ne ho molti», «Non ne ho molti»*, "I have a lot (*o* lots *o* plenty)", "I haven't many" **3** (*molte cose, gran cosa*) much, a lot, a great deal: — *di quanto dice è vero*, much of what he says is true; *c'è* — *di vero in ciò che dice*, there is a good deal (*o* a lot) of truth in what he says; *ha fatto* — *per lui*, he did a lot (*o* a good deal) for him; *è già* — *se...*, it's already a lot if... // *a dir* —, a far —, at the most **4** *pl.* (*molte persone*) many (people): *fu lodato da molti*, he was praised by many (people); *siete in molti*, there are a lot of you ♦ *avv.* **1** (*con agg. e con p.pass.*) very: — *grande*, very large; — *presto*, very early; — *divertente*, very amusing; — *conosciuto*, (very) well -known // *uno scrittore* — *letto*, a widely-read writer // *il Molto Reverendo...*, the Very Reverend... **2** (*con agg. e avv. compar.*) much: — *di più*, much more; — *meglio*, much better; — *meno*, *più*, much less, more; — *più freddo*, much (*o* far) colder; — *migliore*, much (*o* far) better (*o* better by far); — *più lentamente*, much more slowly **3** (*con p.pass.*) much, greatly: — *apprezzato*, greatly appreciated; — *odiato*, — *criticato*, much hated, much criticized; *rimasi* — *colpito da ciò che disse*, I was (very) much (*o* greatly) impressed by what he said **4** (*in prop. negative o interr.*) much; (*in prop. affermative*) a lot: *non ho dormito* —, I didn't sleep much; *egli legge* —, he reads a lot; *mi piace* —, I like it very much; *studiare, lavorare* —, to study, to work hard ♦ *s.m.: il poco e il* —, too much and too little.

momentaneamente *avv.* at the moment, at present; (*temporaneamente*) temporarily.

momentaneo *agg.* momentary; temporary.

momento *s.m.* **1** moment; (*tempo*) time: *un* —*!*, just a moment!; *esco un* —, I am going out for a moment; *non c'è un* — *da perdere*, there is no time to lose; *non ho mai un* — *libero*, I never have any spare time; *nello stesso* —, at the same moment; *il gran* — *è arrivato*, the supreme moment has come; *proprio al* — *giusto*, just at the right moment (*o* time); *al* — *opportuno*, at the right moment; *cogliere il* — *favorevole*, to choose the right moment; *in un brutto* —, at the wrong moment; *è un* — *critico*, it is a critical moment; *momenti difficili*, hard times; *è il* — *buono per partire*, it is the right moment to leave; *non è il* — *di scherzare*, this is no time for tri-

fling; *lo farò* (*in*) *un altro* —, I'll do it another time; *quando sarà il* — *deciderò*, when the time comes I'll decide; *è giunto il* — *di...*, the time has come when... // *ci sono dei momenti in cui...*, there are times when... // *al* — *della consegna*, at the time of delivery // *a un dato* —, at a given time // *in un primo, al primo* —, at first // *per il* —, for (*o* at) the moment // *sul* —, there and then // *da un* — *all'altro*, at any moment // *dal* — *che*, since // *fin dal* — *in cui*, ever since // *ogni* —, continually // *a momenti*, (*tra poco*) in a moment; (*per poco*) nearly // *l'uomo del* —, the man of the moment // *un capriccio del* —, a passing fad **2** (*letter.*) moment **3** (*fis.*) moment.

monaca *s.f.* nun: — *di clausura*, an enclosed order nun; *farsi* —, to become a nun.

monacale *agg.* (*di monaco*) monk's; (*di monaca*) nun's.

monacarsi *v.rifl.* (*farsi monaco*) to become* a monk; (*farsi monaca*) to become* a nun.

monachella *s.f.* **1** (*suorina*) little nun **2** *pl.* (*faville del focolare*) sparks.

monachesimo *s.m.* monasticism.

monachina *s.f.* (*spec. pl.*) spark.

monaco *s.m.* monk // *l'abito non fa il* —, the cowl does not make the monk.

Monaco *no.pr.f.* **1** (*di Baviera*) Munich **2** (*principato di*) —, Monaco.

monade *s.f.* (*fil.*) monad.

monarca *s.m.* monarch.

monarchia *s.f.* monarchy.

monarchico *agg.* monarchic(al) ♦ *s.m.* monarchist.

monastero *s.m.* monastery.

monastico *agg.* monastic.

moncherino *s.m.* stump.

monco *agg.* **1** maimed: — *di un braccio*, one-armed **2** (*fig.*) incomplete, mutilated.

moncone *s.m.* **1** stump **2** (*fig.*) fragment.

mondana *s.f.* prostitute.

mondanità *s.f.* worldliness; (*cosa mondana*) mundanity.

mondano *agg.* **1** earthly, worldly **2** (*della società elegante*) society (*attr.*), fashionable: *una riunione mondana*, a society gathering; *vita mondana*, social life.

mondare *v.tr.* **1** to clean; (*da erbacce*) to weed; (*dalla buccia*) to peel; (*cereali*) to winnow **2** (*fig.*) (*purificare*) to cleanse, to purify.

mondariso *s.f.* rice-weeder.

mondatura *s.f.* **1** cleaning; (*da erbacce*) weeding; (*dalla buccia*) peeling; (*di cereali*) winnowing **2** (*scorie*) waste (matter); (*rifiuti*) refuse.

mondezzaio *s.m.* **1** rubbish pit; (*letamaio*) dung-hill **2** (*fig.*) (*luogo sozzo*) pigsty.

mondina *s.f.* → **mondariso**.

mondo¹ *agg.* **1** clean **2** (*fig.*) (*puro*) pure, undefiled: — *da vizi*, free from vices.

mondo² *s.m.* **1** world: *in, per tutto il* —, all over the world; *la cosa più facile del* —, the easiest thing in the world // *uomo di* —, man of the world // *vecchio come il* —, as old as the hills // *per nessuna cosa, nulla al* —, not for the world // *neppure per tutto l'oro del* —, not for (all) the world // *essere solo, non avere nessuno al* —, to be alone in the world // *andare in capo al* —, to go to the world's end // *abita in capo al* —, he lives miles away // *mettere al* —, to bring into the world; *venire al* —, to be born (*o* to come into the world) // *rinunciare al* —, to forsake the world // *vivere fuori del*

—, to live cut off from the world // *in che — vivi?*, where do you come from? // *vivere nel — della luna*, to have one's head in the clouds // *non è la fine del —!*, it is not the end of the world // *cascasse il —*, no matter what happens // *l'altro —*, the other (*o* the next) world; *andare all'altro —*, to pass away // *cose dell'altro —!*, it's unbelievable (*o* just fancy)! // *il — è bello perché è vario*, variety is the spice of life // *com'è piccolo il —!*, what (*o* it's) a small world! // *così va il —!*, such is life! // *da che — è —*, from time immemorial // *un — di*, (*fam.*) a world of, a lot of // *divertirsi un —*, to have a very good time (*o* a lot of fun) // *il — non fu fatto in un giorno*, (*prov.*) Rome was not built in a day // *tutto il — è paese*, (*prov.*) it's the same the whole world over **2** (*ambiente*) world; (*la gente*) people (*pl.*), everybody: *il — commerciale*, the world of commerce; *il — ride di lui*, everybody laughs at him // *il bel, il gran —*, the beau-monde (*o* the fashionable world) **3** (*gioco*) hopscotch.

mondovisione *s.f.* world vision, international TV transmission via satellite.

monegasco *agg. e s.m.* Monegasque.

monelleria *s.f.* prank, mischief (*solo sing.*).

monellesco *agg.* mischievous.

monello *s.m.* urchin; (*scherz.*) little rascal.

moneta *s.f.* **1** coin: *— da dieci lire*, 10-lira coin; *— da sei lire*, a sixpence **2** (*denaro*) money: *— circolante*, currency; *— legale*, legal tender; *— spicciola*, change // *pagare della stessa —*, to give tit for tat **3** (*spiccioli*) change: *non ho —*, I have no change.

monetario *agg.* monetary.

monetazione *s.f.* monetization.

monetizzare *v.tr.* to monetize.

mongolfiera *s.f.* fire balloon.

mongolismo *s.m.* (*med.*) mongolism.

mongolo *agg.* Mongolian ♦ *s.m.* Mongol.

mongoloide *agg.* **1** Mongolian **2** (*med.*) mongoloid.

monile *s.m.* necklace; (*gioiello*) jewel.

monito *s.m.* monition; (*avvertimento*) warning.

monitore *s.m.* (*tv*) monitor.

mono- *pref.* mono-; (*davanti a vocale*) mon-.

monoblocco *agg.* monobloc ♦ *s.m.* (*mecc.*) cylinder block.

monocolo *agg.* one-eyed ♦ *s.m.* monocle.

monocolore *agg.* plain-colour (*attr.*) // *governo —*, one-party cabinet.

monocorde *agg.* (*letter.*) monotonous.

monocromia *s.f.* monochrome.

monocromo *agg.* monochrome.

monodia *s.f.* (*mus.*) monody.

monofase *agg.* (*fis.*) single-phase (*attr.*).

monogamia *s.f.* monogamy.

monogamo *agg.* monogamous.

monografia *s.f.* monograph.

monografico *agg.* monographic // *corso —*, monographic course.

monogramma *s.m.* monogram.

monolingue *agg.* one-language (*attr.*), monolingual.

monolitico *agg.* monolithic.

monolito *s.m.* monolith.

monolocale *s.m.* one-room flat; (*amer.*) studio apartment.

monologo *s.m.* monologue, soliloquy.

monomio *s.m.* (*mat.*) monomial.

monomotore *agg.* single-engined ♦ *s.m.* (*aer.*) single-engined plane.

monopattino *s.m.* scooter.

monopetto *agg.* single-breasted ♦ *s.m.* (*cappotto*) single-breasted coat; (*abito*) single-breasted suit.

monoplano *s.m.* (*aer.*) monoplane.

monopolio *s.m.* monopoly (*anche fig.*) // *— di Stato*, State monopoly.

monopolistico *agg.* monopolistic.

monopolizzare *v.tr.* to monopolize (*anche fig.*).

monopolizzatore *agg.* monopolizing (sthg.) ♦ *s.m.* monopolizer: *è il — della conversazione*, he is monopolizing the conversation.

monoposto *agg.* single-seater (*attr.*).

monoprogrammazione *s.m.* (*informatica*) uniprogramming.

monorotaia *s.f.* monorail.

monoscopio *s.m.* monoscope.

monosillabico *agg.* (*gramm.*) monosyllabic.

monosillabo *agg.* monosyllabic ♦ *s.m.* (*gramm.*) monosyllable // *rispondere a monosillabi*, to reply in monosyllables.

monoteismo *s.m.* (*relig.*) monotheism.

monoteista *s.m.* (*relig.*) monotheist.

monoteistico *agg.* monotheistic.

monotipia *s.f.* (*tip.*) monotype system.

monotipista *s.m.* (*tip.*) monotypist.

monotonia *s.f.* monotony.

monotono *agg.* monotonous (*anche fig.*).

monotype® *s.f.* monotype ®.

monovalente *agg.* monovalent.

monsignore *s.m.* (*eccl.*) monsignor (*pl.* -i).

monsone *s.m.* monsoon: *— estivo, invernale*, wet, dry monsoon.

monsonico *agg.* monsoonal.

monta *s.f.* **1** covering **2** (*luogo dove si tengono gli stalloni e i tori*) stud farm.

montacarichi *s.m.* lift.

montaggio *s.m.* **1** (*mecc.*) assemblage, assembling // *reparto —*, assembly (*o* assembling) bay **2** (*cinem.*) editing; (*amer.*) cutting.

montagna *s.f.* mountain (*anche fig.*): *mal di —*, mountain sickness; *ferrovia di —*, mountain railway; *luogo di villeggiatura in alta —*, mountain resort; *ho passato l'estate in —*, I spent the summer in the mountains; *andare in —*, to go to the mountains // *il discorso della —*, (*Bibbia*) the Sermon on the Mount // *montagne russe*, switchback.

montagnoso *agg.* mountainous: *paesaggio —*, mountain scenery.

montanaro *agg.* mountain (*attr.*) ♦ *s.m.* mountaineer.

montanino *agg.* mountain (*attr.*).

montante *agg.* rising; (*di pendii*) uphill // *colletto —*, stand-up collar // *spalle montanti*, high shoulders ♦ *s.m.* **1** (*mecc. edil.*) standard, upright; (*pilastro*) post: *il pallone colpì il —*, (*calcio*) the ball hit the goalpost **2** (*aer.*) strut **3** (*pugilato*) uppercut.

montare *v.intr.* **1** to climb* (up) (sthg.; on, to sthg.); to mount (sthg.); to get* (on sthg.): *montami sulle spalle*, climb up on my shoulders; *— su un albero*, to climb a tree; *— a cavallo*, to mount (*o* to get on) a horse; (*cavalcare*) to ride*; *— in carrozza*, to get into a carriage; *— su una bicicletta*, to get on a bicycle // *il sangue gli montò alla testa*, he flew into a rage // *— su tutte le furie*, to see red // *— in superbia*, to put on airs **2** (*salire, di liquidi*) to rise* ♦ *v.tr.* **1** to mount; (*cavalcare*) to ride* // *— la guardia*, to mount guard // *— la testa a qlcu.*, to turn s.o.'s head: *il successo gli*

ha montato la testa, success has gone to his head (*o he has grown too big for his boots*) // *— una notizia, una persona*, to build up a piece of news, a person // *— l'orologio*, to wind one's watch **2** (*di animale, nell'accoppiamento*) to cover, to mount **3** (*mettere insieme*) to assemble: *— un motore*, to assemble an engine **4** (*incastonare, incorniciare*) to mount **5** (*installare*) to mount, to place **6** (*la panna*) to whip **7** (*cinem.*) to edit; (*amer.*) to cut* // **-arsi** *v.intr.pron.* (*eccitarsi*) to get* excited; (*fam.*) to get* worked up; (*inorgoglirsi*) to get* swollen headed.

montata *s.f.* **1** mountain climbing **2** *— lattea*, (*med.*) the rise of the milk.

montato *agg.* (*di uovo*) beateu; (*di panna*) whipped; (*di persona*) swollen headed.

montatore *s.m.* **1** (*mecc.*) fitter, assembler **2** (*cinem.*) editor; (*amer.*) cutter.

montatura *s.f.* **1** (*mecc.*) fitting, assembling **2** (*di occhiali*) frame **3** (*fig.*): *non è che una —*, it's all made up; *non era che una — pubblicitaria*, it was all a publicity stunt.

montavivande *s.m.* service lift, service hatch.

monte *s.m.* **1** mountain (*anche fig.*); (*seguito da nome proprio*) mount // *a —*, uphill; (*di fiume*) upstream; *a — della diga, del ponte*, above the lock, the bridge // *un — di libri*, a mountain of books **2** (*carte scartate al gioco*) discarded cards (*pl.*) // *mandare a — qlco.*, (*fig.*) to cause sthg. to fail; (*disdire*) to call off: *mandare a — una partita*, to scrap a game; *egli mandò a — i nostri progetti*, he upset all our plans; *l'incontro fu mandato a —*, the meeting was cancelled // *andare a —*, (*fig.*) to fall through **3** (*insieme delle poste*) pool; jackpot; (*fam.*) kitty **4** (*banca*) bank; (*istituto di prestiti su pegno*) state pawnshop, mont-de-piété (*pl.* monts-de-piété): *portare l'orologio al —*, to pawn (*o fam.* to hock) one's watch.

montepremi *s.m.* prize money, jackpot: *il — del totocalcio*, football pool prize money.

montone *s.m.* ram // *carne di —*, mutton.

montuosità *s.f.* **1** mountainousness **2** (*collina*) hill.

montuoso *agg.* mountainous.

monumentale *agg.* monumental.

monumento *s.m.* monument // *mi condusse a visitare i monumenti della città*, he took me on a sightseeing tour of the town.

moquette *s.f.* fitted carpet, wall-to-wall carpet.

mora[1] *s.f.* (*bot.*) (*di gelso*) mulberry; (*di rovo*) blackberry.

mora[2] *s.f.* **1** (*rar. letter.*) (*indugio*) delay **2** (*comm.*): *essere in —*, to be in arrears; (*interessi di*) —, interest on arrears.

morale *agg.* moral ♦ *s.f.* **1** (*fil.*) ethics, moral philosophy **2** morals (*pl.*) **3** (*conclusione didascalica*) moral ♦ *s.m.* morale // *essere giù di —*, to feel blue; *essere su di —*, to be in a good mood.

moraleggiare *v.intr.* to moralize.

moralismo *s.m.* moralism.

moralista *s.m. e f.* moralist.

moralistico *agg.* moralistic.

moralità *s.f.* **1** morality; (*condotta morale*) morals (*pl.*) **2** (*st. teatr.*) morality (play).

moralizzare *v.tr.* to moralize.

moralizzazione *s.f.* moralization.

moratoria *s.f.* moratorium.

moratorio *agg.* moratory.

morbidezza *s.f.* softness; (*di colori*) delicacy.

morbido *agg.* **1** soft; (*pitt.*) delicate **2** (*fig.*) (*arrende-*

vole) docile ♦ *s.m.* **1** (*morbidezza*) softness **2** (*cosa morbida*): *cadde sul —*, he fell on something soft.

morbilità *s.f.* sickness rate.

morbillo *s.m.* measles (*pl.*).

morbo *s.m.* disease.

morbosità *s.f.* morbidity.

morboso *agg.* **1** morbid **2** (*med.*) unhealthy.

morchia *s.f.* (*di olio d'oliva*) olive-oil dregs (*pl.*).

mordace *agg.* biting, cutting: *critica, spirito —*, biting criticism, wit.

mordacità *s.f.* pungency.

mordente *agg.* biting (*anche fig.*); caustic (*fig.*) ♦ *s.m.* **1** (*chim.*) mordant **2** (*spirito aggressivo*) drive, push, bite: *quello scrittore manca di —*, that writer has not any drive (*o* élan); *la squadra mancava di —*, the team lacked go (*o* in spirit).

mordere *v.tr.* **1** to bite* (*anche fig.*): *il cane lo ha morso alla gamba*, the dog bit him in the leg // *— il freno*, to champ the bit; (*fig.*) to strain at the leash // *— la polvere*, to bite the dust // *mordersi le labbra, la lingua*, to bite one's lip(s), one's tongue // *mordersi la lingua*, (*fig.*) to bite one's tongue off; *mi sarei morso la lingua, le mani*, (*per rabbia*) I could have kicked myself **2** (*afferrare, conficcarsi in*) to grip **3** (*intaccare, corrodere*) to bite* (into sthg.).

morello *agg.* blackish ♦ *s.m.* black horse.

morena *s.f.* moraine.

morenico *agg.* morainic, morainal.

morente *agg.* dying (*anche fig.*) ♦ *s.m.* dying man.

moresco *agg.* Moorish // *stile —*, Moresque (style).

moretta *s.f.* brunette.

Morfeo *no.pr.m.* (*mit.*) Morpheus // *essere in braccio a —*, to be in the land of Nod (*o* in the arms of Morpheus).

morfina *s.f.* morphia, morphine.

morfinismo *s.m.* (*med.*) morphinism.

morfinomane *s.m. e f.* morphinomaniac.

morfologia *s.f.* morphology.

morfologico *agg.* morphologic(al).

morganatico *agg.* morganatic.

moria *s.f.* **1** pestilence, plague **2** (*del bestiame*) murrain; (*del pollame*) fowl plague.

moribondo *agg.* dying ♦ *s.m.* dying man // *i moribondi*, the dying.

morigeratamente *avv.* soberly, temperately.

morigeratezza *s.f.* sobriety, moderation.

morigerato *agg.* sober, moderate, temperate.

moriglione *s.m.* (*zool.*) red-throated loon.

morire *v.intr.* **1** to die (*anche fig.*): *— di malattia, tisico, di fame*, to die of an illness, of tucborolosis, of hunger; *— di polmonite, per una ferita*, to die from pneumonia, from a wound; *— prematuramente*, to die before one's time; *— santamente*, to die a holy death; *— male*, to come to a bad end; *— solo come un cane*, to die a dog's death; *— annegato*, to be drowned; *— di freddo*, to freeze to death; (*fig.*) to be freezing; *freddo da —*, bitterly cold; *far —*, (*anche fig.*) to kill; *— di paura*, (*fig.*) to be frightened to death; *far — qlcu. di paura*, to frighten s.o. to death; *— dalla curiosità*, to be curiosity; *— dal ridere*, to split one's sides laughing // *lavorò tanto da —*, he worked himself to death // *credevo di —*, I thought I'd die // *mi sentivo — al solo pensiero*, I could have died at the very thought // *piuttosto — che...*, I'd rather die than... // *lo farò a costo di —*, I'll do it even if it kills me // *vorrei — se non è vero*, (*fam.*) I'll be damned if it isn't true // *chi non muore si rivede!*, fancy meeting you again! // *non si sa di che morte si* *deve* —, no one knows what the future holds in store // *meglio di così si muore*, you can't have anything better than that **2** (*di luce, colori, suoni*) to die away **3** (*spegnersi, estinguersi*) to die out **4** (*tramontare*) to set* **5** (*terminare*) to end: *il treno muore a Roma*, the terminus is at Rome **6** (*a carte*) to play the dummy.

morire *s.m.* death // *al — del giorno*, at the close of day.

morituro *agg.* doomed to die, about to die.

mormone *s.m.* (*st.relig.*) Mormon.

mormorare *v.intr.* **1** to murmur; (*bisbigliare*) to whisper **2** (*parlar male*) to speak* ill, to speak* badly; (*esprimere malcontento*) to grumble (about s.o., sthg.) ♦ *v.tr.* **1** to murmur; (*bisbigliare*) to whisper: — *una preghiera*, to murmur (*o* to breathe) a prayer // *si mormora che...*, it is rumoured that... **2** (*borbottare*) to mutter, to mumble.

mormorazione *s.f.* **1** (*lamentela*) complaining, grumbling **2** (*maldicenza*) backbiting.

mormorio *s.m.* **1** murmur; (*bisbiglio*) whispering; (*di ruscello*) babbling **2** (*lamentela*) complaining, grumbling **3** (*maldicenza*) gossip.

moro[1] *agg.* dark, black • *s.m.* Moor; (*negro*) negro.

moro[2] *s.m.* (*bot.*) mulberry (tree).

morosità *s.f.* (*dir.*) default.

moroso *agg.* defaulting, in arrears (*pred.*).

morra *s.f.* mor(r)a.

morsa *s.f.* **1** (*mecc.*) vice **2** (*arch.*) toothing.

morsetto *s.m.* (*carpenteria*) clamp; (*mecc.*) (*dispositivo di fermo*) holdfast; (*elettr.*) terminal: — *d'attacco*, connecting terminal.

morsicare *v.tr.* to bite*: *il cane gli morsicò una mano*, the dog bit him in the hand.

morsicatura *s.f.* bite.

morso *s.m.* **1** bite: *staccare qlco. con un* —, to bite sthg. off; *dare un — a qlcu.*, to bite s.o. **2** (*fig.*) sting // *i morsi della fame*, the pangs of hunger **3** (*boccone*) bite **4** (*di cavallo*) bit: *mettere il — a un cavallo*, to put the bit in a horse's mouth.

mortaio *s.m.* mortar // *pestar l'acqua nel* —, (*fare una cosa inutile*) to beat the air.

mortale *agg.* **1** (*che causa la morte*) mortal: *combattimento* —, mortal combat (*o* a fight to the death); *ferita* —, mortal wound (*o* deathwound); *incidente* —, fatal accident **2** (*simile a morte*) deadly, deathlike, deathly: *pallore* —, deathlike pallor **3** (*fig.*) (*implacabile*) deadly, mortal: *odio* —, deadly (*o* mortal) hatred ♦ *s.m.* e *f.* mortal // *fortunato* —!, you lucky fellow (*o* chap)!

mortalità *s.f.* mortality.

mortalmente *avv.* **1** mortally // *odiare qlcu.* —, to hate s.o. to death **2** (*come la morte*) deadly, deathly.

mortaretto *s.m.* squib, (fire) cracker: *far scoppiare i mortaretti*, to let off squibs.

morte *s.f.* **1** death: — *per annegamento*, death by drowning; *ferito a* —, mortally wounded; *in punto di* —, on the point of dying (*o* of death); *sino alla* —, till death; *fedele sino alla* —, faithful unto death; *essere tra la vita e la* —, to be between life and death; *morire di* — *naturale, violenta*, to die a natural, a violent death; *fare una buona, una cattiva* —, to die a good, a bad death; *mettere, mandare a* — *qlcu.*, to put s.o. to death; *a — il traditore!*, death to (*o* hang) the traitor! // *letto di* —, deathbed // *atto di* —, death certificate // *un poema in — di*, a poem on the death of // *silenzio di* —, deathly silence // *quel figlio sarà la mia* —, that son of mine will be the death of me // *andare incontro a*

sicura —, to face certain death // *guardare la — in faccia*, to look death in the face // *trovare la* —, to find one's death // *venire a* —, to die (*o* to pass away) // *avercela a — con qlcu., odiare a — qlcu.*, to hate s.o. like poison **2** (*cuc.*) (*la miglior fine*) the best way of cooking.

mortella *s.f.* (*bot.*) myrtle.

mortificare *v.tr.* to mortify // **-arsi** *v.rifl.* to mortify oneself.

mortificato *agg.* mortified.

mortificazione *s.f.* mortification.

morto *agg.* dead: — *di fame*, starving (*o* starved) to death; (*fig.*) penniless; — *di freddo*, frozen to death; (*fig.*) frozen stiff; — *di paura*, dead with fright; *nato* —, stillborn; *cascar* —, to drop down dead; — *e sepolto*, dead and gone (*o* dead and buried) // *mezzo* —, half-dead // *più — che vivo*, more dead than alive // *ore morte*, dead hours // *punto* —, (*fig.*) deadlock (*o* standstill) // *uomo* —, finished man; *è un uomo* —, he is done for (*o* he is a goner); *se ti muovi sei un uomo* —!, if you move you are a dead man! // *cadere a corpo* —, to collapse // *acqua morta*, stagnant water // *capitale* —, (*econ.*) idle (*o* unproductive) capital // *mercato* —, (*econ.*) dead market ♦ *s.m.* **1** dead man, corpse: *i morti*, the dead // *fare il* —, to pretend to be dead; (*nuoto*) to float (on one's back) // *il giorno dei Morti, i Morti*, All Souls' Day // *essere un — di fame*, to be a down-and-out // *ci scappa il* —, anything might happen! **2** (*alle carte*) dummy **3** (*denaro nascosto*) hoard.

Morto, Mar *no.pr.m.* Dead Sea.

mortorio *s.m.* funeral, burial: *la festa era un* —, the party was a real funeral.

mortuario *agg.* mortuary // *camera mortuaria*, mortuary.

MOS *s.m.* (*informatica*) MOS: — *complementare*, complementary MOS (CMOS).

mosaicista *s.m.* e *f.* mosaicist, mosaic worker.

mosaico *s.m.* mosaic: — *romano*, tessellated paving; *pavimentazione a* —, mosaic flooring.

mosca *s.f.* **1** fly: — *cavallina*, horsefly; *uova di* —, flyblow // *morivano come mosche*, they died like flies // *non farebbe male ad una* —, he wouldn't hurt a fly // *sei più fastidioso di una* —, (*fam.*) you are a pain in the neck // *si sentiva volare una* —, you could have heard a pin drop // *rimanere con un pugno di mosche*, to remain empty-handed // *(zitto e)* —, keep it dark // — *bianca*, (*fig.*) rara avis // — *cieca*, blindman's buff // — *volante*, (*med.*) floating speck // *gli saltò una — al naso*, he lost his temper; (*fam.*) he flew off the handle **2** (*barbetta*) imperial, goatee **3** (*esca*) fly.

Mosca *no.pr.f.* Moscow.

moscaiola *s.f.* fly net; (*armadietto*) meat-safe.

moscardino *s.m.* **1** (*zool.*) dormouse (*pl.* dormice); (*piccolo polpo*) small octopus **2** (*bellimbusto*) dandy.

moscato *s.m.* muscatel ♦ *agg.*: *uva moscata*, muscat grapes; *noce moscata*, nutmeg.

moscerino *s.m.* **1** midge, gnat **2** (*spreg. fig.*) midget.

moschea *s.f.* mosque.

moschettata *s.f.* musket shot.

moschetteria *s.f.* (*mil.*) musketry.

moschettiere *s.m.* musketeer // *alla moschettiera*, mousquetaire (*attr.*).

moschetto *s.m.* musket.

moschettone *s.m.* snap link.

moschicida *agg.* fly (*attr.*): *carta* —, flypaper.

moscio *agg.* flabby, flaccid // *parlare con l'erre moscia*, to speak with a French "r".

moscone *s.m.* **1** bluebottle, blowfly **2** (*corteggiatore*) suitor **3** (*imbarcazione*) "moscone" (kind of catamaran).

moscovita *agg. e s.m. e f.* Muscovite.

Mosè *no.pr.m.* (*Bibbia*) Moses.

mossa *s.f.* **1** movement // *essere sulle mosse* (*di partire*), to be about to leave // *prendere le mosse da qlco.*, to start from sthg. **2** (*al gioco*) move (*anche fig.*): *fare una* —, to make a move; *ha fatto una* — *sbagliata, falsa*, he has made a false move **3** (*sport*) starting post.

mosso *agg.* **1** (*agitato*): *mare* —, rough sea **2** (*ondulato*): *capelli mossi*, wavy hair **3** (*fot.*) blurred **4** (*mus.*) mosso.

mostarda *s.f.* **1** mustard **2** (*di frutta*) "mostarda" (sweet fruit pickles).

mosto *s.m.* must.

mostra *s.f.* **1** show, exhibition: — *d'arte*, art exhibition; — *di fiori*, flower show // *essere in* —, to be on show; *mettersi in* —, to attract attention // *mettere in* — *la propria erudizione*, to make a show of (*o* to display) one's erudition // *far* — *di*, to pretend: *far* — *di leggere*, to pretend to be reading **2** (*ostentazione*) display, ostentation: — *di abilità*, display of skill; *far* — *di cultura*, to show off (*o* to display) one's learning // *fare bella* — *di sé*, to make a fine display **3** (*campione*) sample **4** (*risvolto*) lapel.

mostrare *v.tr.* to show*; (*dimostrare, provare*) to prove, to demonstrate: — *la strada a qlcu.*; to show s.o. the way; — *la porta a qlcu.*, to show s.o. the door; *questo mostra che agì in malafede*, this proves that he acted in bad faith; — *di aver giudizio, coraggio*, to show judgement, courage; *mostra di che cosa sei capace*, show what you can do // *mostra più anni di quelli che ha*, he looks older than he really is // *ve lo mostrerò con un esempio*, I'll make it clear with an example // — *qlcu. a dito*, to point at s.o. // **-arsi** *v.rifl.* **1** to show* oneself: *si mostrò molto crudele*, he showed himself (to be) very cruel; *si mostrò vigliacco*, he proved (himself) to be a coward **2** (*apparire*) to appear: *si mostrò in pubblico*, he appeared in public.

mostrina *s.f.* (*mil.*) collar badge.

mostro *s.m.* monster (*anche fig.*): *è un* — *di intelligenza*, he is phenomenally intelligent.

mostruosità *s.f.* monstrosity, monstrousness.

mostruoso *agg.* monstrous (*anche fig.*) // *un errore* —, a huge mistake.

mota *s.f.* mud, mire.

motilità *s.f.* motility.

motivare *v.tr.* **1** to cause, to motivate: — *un dissenso*, to cause a difference of opinion; *la lite fu motivata da un malinteso*, the quarrel was motivated by a misunderstanding **2** (*dir.*) to justify: — *un decreto, una sentenza*, to justify (*o* to explain the reasons for) a decree, a judgment.

motivato *agg.* motivated.

motivazionale *agg.* motivational.

motivazione *s.f.* **1** motivation **2** (*dir.*) justification.

motivo *s.m.* **1** reason, ground: *per il* — *sopra detto*, for the above (*o* aforementioned) reason; *ho fondati motivi di credergli*, I have good grounds for believing him; *non gli ho mai dato* — *di pensarlo*, I have never given him any reason to think so; *dar* — *di credere...*, to give reason to believe...; *spiegare il* — *per cui...*, to state the reason for which... // *a* — *di*, owing to (*o* because of) **2** (*mus.*) theme, motif: — *conduttore*, leitmotif **3** (*di abiti, disegni*) motif.

moto- *pref.* motor (*attr.*).

moto[1] *s.m.* **1** motion: — *alternato, uniforme, rettilineo*, reciprocating, uniform, rectilinear motion; *il* — *degli astri*, the movement of the heavenly bodies; — *ondoso*, swell; — *perpetuo*, (*fis.*) perpetual motion; *in* —, in motion (*o* on the move); (*mecc.*) turning // *questo bambino è sempre in* —, this child is never still // *tutta la polizia è in* —, all the police are in action // *mettere in* —, (*mecc.*) to start; (*fig.*) to move // *mettersi in* —, to start (*o* to set out *o fam.* to get moving) // *verbi di moto*, (*gramm.*) verbs of motion // *fare del* —, to take exercise **2** (*impulso*) impulse: *i moti del cuore*, the impulses of the heart **3** (*sommossa*) rebellion, revolt, rising: *i moti del 1821*, the risings of 1821; — *rivoluzionario*, rebellion (*o* uprising) **4** (*mus.*) moto.

moto[2] *s.f.* (*abbr. di motocicletta*) motorbike.

motobarca *s.f.* motorboat.

motocarro *s.m.* three-wheeled van.

motocarrozzetta *s.f.* sidecar.

motocicletta *s.f.* motorcycle.

motociclismo *s.m.* motorcycling.

motociclista *s.m. e f.* motorcyclist.

motociclistico *agg.* motorcycle (*attr.*).

motociclo *s.m.* motorcycle; (*fam.*) motorbike.

motocross *s.m.* (*sport*) motorcycle cross-country race.

motofurgone *s.m.* van.

motoleggera *s.f.* lightweight motorcycle.

motonautica *s.f.* motorboating; (*sport*) speedboating: *gara di* —, speedboat race.

motonautico *agg.* motorboat (*attr.*).

motonave *s.f.* motorship.

motopeschereccio *s.m.* motor fishing-boat.

motore *agg.* motor: *forza motrice*, (*mecc.*) motive power // *albero* —, (*mecc.*) crankshaft ♦ *s.m.* (*mecc.*) engine: — *a combustione interna, a scoppio*, internal combustion engine; — *a due, a quattro tempi*, two-, four -stroke engine; — *a reazione*, jet engine; — *di riserva*, spare engine; — *fuoribordo*, outboard engine; *il* — *dell'automobile si è fermato*, the car engine went dead; *il* — *perde giri*, the engine is misfiring; *avviare un* —, to start an engine.

motoretta *s.f.* (*motor*) scooter.

motorino *s.m.* moped // — *d'avviamento*, (*aut.*) starter.

motorio *agg.* motor (*attr.*).

motorismo *s.m.* motorism.

motorista *s.m.* engineer.

motoristica *s.f.* motor-engineering.

motorizzare *v.tr.*, **motorizzarsi** *v.rifl.* to motorize // *che aspetti a motorizzarti?*, what are you waiting for to buy yourself a car?

motorizzazione *s.f.* motorization.

motoscafo *s.m.* motorboat.

motosilurante *s.f.* motor torpedo boat.

motoveicolo *s.m.* motor vehicle.

motoveliero *s.m.* (*mar.*) sailing ship (with an auxiliary engine).

motrice *s.f.* (*mecc.*) engine.

motteggiare *v.intr.* to joke, to jest ♦ *v.tr.* to tease, to make* fun (of s.o., sthg.).

motteggiatore *agg.* waggish ♦ *s.m.* wag, joker.

motteggio *s.m.* **1** banter, raillery **2** (*detto arguto*) joke, jest.

motto *s.m.* **1** motto (*pl.* mottoes) **2** (*detto, proverbio*) saying **3** (*facezia*) witticism, pleasantry **4** (*parola*) *senza far* —, without a word.

movente *s.m.* cause; (*dir.*) motive.

movenza *s.f.* movements (*pl.*).

movimentare *v.tr.* to enliven, to animate.

movimentato *agg.* **1** lively, animated; (*pieno di movimento*) busy: *festa movimentata*, lively party; *strada movimentata*, busy street **2** (*ricco di avvenimenti*) eventful: *il secondo atto è poco —*, the second act does not contain much action.

movimento *s.m.* **1** movement: *fare un — col braccio*, to move one's arm; *essere impedito nei movimenti*, to be impeded (*o* hindered) in one's movements; *mettere, mettersi in —*, to set in motion (*o* to start) // *essere sempre in —*, to be always on the go // *— politico, letterario*, political, literary movement // *— di truppe*, (*mil.*) soldiers' evolution **2** (*traffico*) traffic; (*andirivieni*) movement, bustle; (*trambusto*) bustle, activity: *— dei viaggiatori*, the flow of travellers; *c'è sempre un gran — in piazza*, there is always a great bustle (*o* activity) in the square // *una città senza —*, a lifeless town.

moviola® *s.f.* (*cinem.*) film-editing machine; (*amer.*) editor.

mozione *s.f.* motion: *sostenere, far approvare una —*, to carry a motion.

mozzare *v.tr.* to cut* off // *— la coda a un animale*, to dock an animal's tail // *la paura le mozzò le parole in bocca*, fear made the words die on her lips // *— il fiato*, to take s.o.'s breath away.

mozzatura *s.f.* cutting-off; (*di coda*) docking.

mozzicone *s.m.* butt: *— di candela*, candle-end; *— di sigaretta*, cigarette-end (*o* butt).

mozzo[1] *agg.* cut (off); (*di coda*) docked // *col fiato —*, panting (*o* puffing) // *voce mozza dalla paura*, voice choked with fear.

mozzo[2] *s.m.* **1** (*mar.*) ship's boy **2** (*di stalla*) stable boy.

mozzo[3] *s.m.* (*mecc.*) hub: *— della ruota*, wheel hub (*o* nave); *— dell'elica*, (*mar.*) screw boss; (*aer.*) propeller hub (*o* boss).

mucca *s.f.* cow: *— da latte*, milk cow (*o* milker).

mucchio *s.m.* heap (*anche fig.*): *un — di bugie*, a pack of lies; *un — di gente*, a lot of people.

mucillaggine *s.f.* (*bot. chim.*) mucilage.

muco *s.m.* mucus.

mucosa *s.f.* (*anat.*) mucous membrane.

mucoso *agg.* mucous.

muda *s.f.* moult, moulting.

muffa *s.f.* mould // *sapere di —*, (*sapore*) to taste mouldy; (*odore*) to smell mouldy // *fare la —*, (*anche fig.*) to go mouldy.

muffire *v.intr.* → **ammuffire**.

muffola *s.f.* **1** (*guanto a manopola*) mitten **2** (*di forno*) muffle.

muflone *s.m.* (*zool.*) mouf(f)lon.

mugghiare e *deriv.* → **muggire** e *deriv.*

muggine *s.m.* (*zool.*) mullet.

muggire *v.intr.* **1** to bellow **2** (*di mare, vento*) to roar.

muggito *s.m.* **1** bellow **2** (*di mare, vento*) roar.

mughetto *s.m.* **1** lilly of the valley **2** (*med.*) thrush.

mugnaio *s.m.* miller.

mugolare *v.intr.* (*di cani*) to howl; (*lamentarsi*) to whine.

mugolio *s.m.* (*di cani*) howling; (*di persone*) whining.

mugolio® *s.m.* (*farm.*) mug(h)o pine oil.

mulatta *s.f.* mulattress.

mulattiera *s.f.* mule-track.

mulattiere *s.m.* muleteer, mule-driver.

mulattiero *agg.* mule (*attr.*).

mulatto *s.m.* mulatto.

muliebre *agg.* feminine, womanly.

mulinare *v.tr.* **1** (*far girare intorno*) to whirl **2** (*rimuginare*) to brood over (sthg.); (*macchinare*) to plot: *— qlco. nella mente*, to turn sthg. over in one's mind ♦ *v.intr.* to whirl.

mulinello *s.m.* **1** (*d'acqua*) whirlpool; (*d'aria*) whirlwind **2** (*ventilatore*) ventilating fan **3** (*di canna da pesca*) fishing reel.

mulino *s.m.* mill: *— ad acqua*, watermill; *— a vento*, windmill // *chi va al — s'infarina*, you can't touch pitch without being defiled // *tirare acqua al proprio —*, to bring grist to one's own mill // *parlare come un — a vento*, to rattle on like a machinegun.

mulo *s.m.* mule: *a dorso di —*, on a mule.

multa *s.f.* fine: *dare la — a qlcu.*, to fine s.o.

multare *v.tr.* to fine.

multi- *pref.* multi-.

multicolore *agg.* multicolour(ed).

multiforme *agg.* multiform, manifold.

multilaterale *agg.* many-sided, multilateral.

multimilionario *s.m.* multimillionaire.

multinazionale *agg.* e *s.f.* multinational.

multiplatore *s.m.* (*informatica*) multiplexer.

multiplo *agg.* multiple ♦ *s.m.* (*mat.*) multiple: *minimo comune —*, least common multiple.

multiproprietà *s.f.* (*comm.*) (freehold) time-share.

multirischio *agg.* all-risk insurance policy, comprehensive insurance policy.

mummia *s.f.* mummy (*anche fig.*).

mummificare *v.tr.* to mummify.

mummificazione *s.f.* mummification.

mungere *v.tr.* to milk (*anche fig.*).

mungitore *s.m.* milker.

mungitrice *s.f.* milking machine.

mungitura *s.f.* milking.

municipale *agg.* town (*attr.*), municipal: *consiglio —*, town council.

municipalismo *s.m.* municipalism.

municipalità *s.f.* municipality.

municipalizzare *v.tr.* to municipalize.

municipalizzazione *s.f.* municipalization.

municipio *s.m.* **1** (*comune, municipalità*) municipality **2** (*palazzo*) townhall.

munificenza *s.f.* munificence, liberality.

munifico *agg.* munificent, liberal, open-handed // *un dono —*, a handsome gift.

munire *v.tr.* **1** (*fortificare*) to fortify, to strengthen: *— una città di mura*, to fortify a town with walls **2** (*provvedere*) to supply (s.o. with sthg.), to provide (s.o. with sthg.) // *— una cambiale di girata*, to endorse a bill // **-irsi** *v.rifl.* to provide oneself (with sthg.) // *— di un fucile*, to take a gun.

munito *agg.* **1** fortified **2** (*fornito*) provided (with).

munizione *s.f.* (*spec. pl.*) munition; ammunition (*solo sing.*).

muovere *v.tr.* e *intr.* to move (*anche fig.*): *— alla volta di un luogo*, to set off (*o* out) for a place; *— un passo*, to make (*o* to take) a step; *— critiche*, to arouse criticism // *— la curiosità di qlcu.*, to arouse s.o.'s curiosity // *— guerra contro un paese*, to attack a country // *— rimproveri a qlcu.*, to reproach s.o. // **-ersi** *v.rifl.* to move, to stir: *non mi muoverò di qui*, I shan't move from here; *non muoverti!*, don't move; *quel bambino non fa che —*, that child is always fidgeting // *muoviti!*, hurry up! // *ti muovi?*, are you coming? // *non si muove foglia che Dio non voglia*, (*prov.*) man proposes, God disposes.

muraglia *s.f.* **1** wall // *la Grande Muraglia*, the Great Wall of China **2** (*barriera*) barrier.

muraglione *s.m.* massive wall.

murale *agg.* mural, wall (*attr.*) ♦ *s.m.* mural.

murare *v.tr.* to wall up // **-arsi** *v.rifl.* (*fig.*) to shut* oneself up, to immure oneself.

murario *agg.* building (*attr.*) // *cinta muraria*, surrounding wall.

murata *s.f.* (*mar.*) ship's side.

muratore *s.m.* bricklayer.

muratura *s.f.* walling // *lavoro in* —, brick work.

murena *s.f.* moray.

muriatico *agg.* (*chim.*) muriatic.

murice *s.m.* (*zool.*) murex.

muro *s.m.* [*pl.m.* muri *nel senso* 1; *pl.f.* mura *nel senso* 2] **1** wall; barrier (*anche fig.*): — *di cinta*, boundary wall; — *di confine*, party wall; — *maestro*, main wall // *superare il* — *del suono*, (*aer.*) to break the sound barrier // *battere la testa contro un* —, to run one's head against a wall // *essere con le spalle al* —, to be with one's back to the wall // *mettere qlcu. al* —, (*per fucilarlo*) to put s.o. up against a wall // *parlare al* —, to speak to deaf ears // *anche i muri hanno orecchie*, walls have ears **2** *pl.* (*cinta di città ecc.*) walls: *le mura della città*, the town walls // *chiudersi tra quattro mura*, to shut oneself up.

musa *s.f.* **1** (*mit.*) Muse **2** (*ispirazione poetica*) muse.

muschiato *agg.* musky // *bue* —, musk-ox // *rosa muschiata*, musk rose.

muschio[1] *s.m.* (*biol. farm.*) musk.

muschio[2], **musco** *s.m.* (*bot.*) moss.

muscolare *agg.* muscular.

muscolatura *s.f.* musculature.

muscolo *s.m.* **1** muscle **2** (*cuc.*) meaty part **3** (*zool.*) mussel.

muscoloso *agg.* muscular, brawny.

muscoso *agg.* mossy.

muscovite *s.f.* muscovite.

museo *s.m.* museum: — *di storia naturale*, natural history museum; *pezzo da* —, (*anche fig.*) museum piece // — *delle statue di cera*, waxworks.

museruola *s.f.* muzzle: *mettere, togliere la* — *a un animale*, to muzzle, to unmuzzle an animal // *mettere la* — *a qlcu.*, to muzzle (*o* to silence) s.o.

musica *s.f.* music (*anche fig.*): — *da camera*, chamber music; — *sacra*, church music; — *leggera*, light music; *maestro di* —, music master; *eseguire una* —, *un pezzo di* —, to play (*o* to perform) a piece of music; *mettere in* —, to set to music // *cambia* —!, change your tune! // *è la solita* —!, it is the same old story!

musicabile *agg.* suitable for setting to music.

musicale *agg.* musical, music (*attr.*): *accademia* —, Academy of Music; *circolo* —, music club; *dramma* —, *opera* // *ha molto senso* —, he has a flair for music.

musicalità *s.f.* musicality.

musicante *s.m.* **1** (*spreg.*) second-rate musician **2** (*di banda*) bandsman (*pl.* -men).

musicassetta *s.f.* music-cassette.

musicista *s.m. e f.* musician.

musicologia *s.f.* musicology.

musicologo *s.m.* musicologist.

musicomane *s.m. e f.* musicomane.

musino *s.m.* pretty little face.

musivo *agg.* mosaic (*attr.*).

muso *s.m.* **1** (*di animale*) muzzle; (*grugno*) snout **2** (*di persona, fam.*) face: *dire qlco. a qlcu. sul* —, to say

sthg. to s.o.'s face // *spaccare il* — *a qlcu.*, to smash s.o.'s face **3** (*fam.*) (*broncio*) long face: *avere il* —, to be sulky; *fare, mettere il* — *lungo*, to pull a long face.

musone *s.m.* (*fam.*) sulky person, sulker.

musoneria *s.f.* sulkiness, moroseness.

mussare *v.intr.* to froth; (*del vino*) to sparkle.

mussola, mussolina *s.f.* muslin.

mustacchi *s.m.pl.* m(o)ustache (*sing.*).

musulmano *agg. e s.m.* Moslem.

muta[1] *s.f.* **1** relay; (*cambio*) change **2** (*di animali*) (*di penne, pelliccia*) moult; (*di pelle, corna*) shedding **3** (*di vino*) pouring off **4** (*serie*) set.

muta[2] *s.f.* (*di cani*) pack of hounds; (*di cavalli*) team of horses.

mutabile *agg.* changeable; (*incostante*) fickle.

mutabilità *s.f.* changeability; (*incostanza*) fickleness.

mutamento *s.m.* change; (*alterazione*) alteration; (*variazione*) variation: — *in meglio, in peggio*, change for the better, for the worse.

mutande *s.f.pl.* **1** (*da donna*) knickers; (*fam.*) panties **2** (*da uomo*) pants; (*lunghe*) long pants, drawers.

mutandine *s.f.pl.* briefs.

mutante *agg.* (*biol.*) mutant.

mutare *v.tr.* **1** to change: — *discorso*, to change the subject; — *opinione*, to change one's mind; — *vita*, to change one's way of living; — *qlcu. in meglio, in peggio*, to change s.o. for the better, for the worse **2** (*di animali*) (*pelle, corna*) to shed*; (*penne, pelliccia*) to moult ♦ *v.intr.* to change (sthg.): — *d'abito*, to change one's clothes.

mutazione *s.f.* **1** change; (*alterazione*) alteration; (*variazione*) variation **2** (*biol.*) mutation.

mutevole *agg.* fickle.

mutevolezza *s.f.* fickleness.

mutilare *v.tr.* to maim, to cripple; to mutilate (*anche fig.*).

mutilato *agg.* maimed, crippled; mutilated (*anche fig.*) ♦ *s.m.* cripple: — *di guerra*, war cripple.

mutilazione *s.f.* maiming; mutilation (*anche fig.*): *subì una grave* — *in guerra*, he was disabled during the war.

mutilo *agg.* (*letter.*) mutilated.

mutismo *s.m.* **1** (*med.*) dumbness, mutism **2** (*ostinato silenzio*) mutism: *chiudersi in un ostinato* —, to maintain a stubborn silence (*o* to close up like a clam).

muto *agg.* dumb, mute; (*non sonoro, silenzioso*) silent; (*senza parole*) speechless: — *dalla nascita*, born dumb; *e muta*, (*fonetica*) mute "e"; *consonante muta*, (*fonetica*) silent consonant; *un* — *dolore*, a silent grief; *cinema* —, silent film // *carta muta*, (*geogr.*) blank map // *essere* — *come un pesce*, to be as dumb as an oyster; — *come una tomba*, silent as the grave ♦ *s.m.* dumb person, mute: *il linguaggio dei muti*, deaf-and-dumb language.

mutria *s.f.* standoffishness.

mutua *s.f.*: (*cassa*) —, health insurance (scheme); *medico della* —, panel doctor.

mutualistico *agg.* **1** (*biol.*) mutual **2** (*della mutua*) health insurance (*attr.*): *sistema* —, health insurance scheme.

mutualità *s.f.* mutual help, mutual assistance.

mutuare *v.tr.* **1** (*prendere in prestito*) to borrow **2** (*dare in prestito*) to lend*.

mutuatario *s.m.* borrower.

mutuato *s.m.* health insurance scheme contributor.

mutuo[1] *agg.* mutual, reciprocal.

mutuo[2] *s.m.* loan: — *ipotecario*, mortgage loan.

N

n *s.f.* o *m.* n (*pl.* ns, n's) // — *come Napoli*, (*tel.*) n for Nellie.

nababbo *s.m.* nabob; (*fam.*) tycoon.

nacchera *s.f.* **1** *pl.* (*mus.*) castanets **2** (*zool.*) bivalve.

nadir *s.m.* (*astr.*) nadir.

nafta *s.f.* (*chim.*) naphtha; (*per motori Diesel*) Diesel oil // *a* —, oil-firing.

naftalina *s.f.* naphthalene (powder); (*in palline*) mothballs; *mettere in, togliere dalla* —, to put in, to remove from mothballs.

naia[1] *s.f.* (*zool.*) naja.

naia[2] *s.f.* (*gergo mil.*) military service, discipline: *fare la* —, to do one's bit.

nailon *s.m.* → **nylon**.

nandù *s.m.* (*zool.*) nandu.

nanismo *s.m.* dwarfishness; (*med.*) nanism.

nanna *s.f.* bye-bye(s): *andare a* —, to go to bye-bye(s); *fare la* —, to sleep.

nano *agg.* e *s.m.* dwarf.

Napoleone *no.pr.m.* (*st.*) Napoleon.

napoleonico *agg.* Napoleonic.

napoletana *s.f.* "napoletana" (Italian percolator).

napoletano *agg.* e *s.m.* Neapolitan.

Napoli *no.pr.f.* Naples.

nappa *s.f.* **1** tassel **2** (*pelle*) napa leather **3** (*scherz.*) (*grosso naso*) conk, big nose.

nappo *s.m.* (*letter.* o *scherz.*) goblet.

narcisismo *s.m.* narcissism.

narcisistico *agg.* narcistic, narcissistic.

narciso *s.m.* narcissus.

narcoanalisi *s.f.* (*med.*) narco-analysis.

narcosi *s.f.* narcosis (*pl.* narcoses).

narcotico *agg.* e *s.m.* narcotic.

narcotizzare *v.tr.* to narcotize.

nardo *s.m.* (*bot.*) nard, spikenard.

narghilè *s.m.* narghile, nargile(h), hookah.

nari *s.f.pl.* (*letter.*) nostrils.

narice *s.f.* nostril.

narrare *v.tr.* e *intr.* to tell*, to relate.

narrativa *s.f.* fiction.

narrativo *agg.* narrative.

narratore *s.m.* **1** storyteller **2** (*scrittore*) writer.

narrazione *s.f.* **1** (*il narrare*) narration **2** (*racconto*) narrative, story, tale.

nartece *s.m.* (*arch.*) narthex.

narvalo *s.m.* (*zool.*) narwhal, sea-unicorn.

nasale *agg.* nasal.

nasalizzare *v.tr.* (*rar.*) to nasalize.

nasalizzazione *s.f.* nasalization.

nascente *agg.* (*di astro*) rising; (*che ha inizio*) dawning.

nascere *v.intr.* **1** to be* born: — *da genitori poveri*, to be born of poor parents // *deve ancora* — *chi saprà risolvere tali problemi*, the man is yet unborn who can solve such problems // *è nato per fare l'avvocato*, he was born to be a lawyer // *nessuno nasce artista*, artists aren't born, but made // *non sono nato ieri*, I wasn't born yesterday // *è nato con la camicia*, he was born with a silver spoon in his mouth // *non sono nato per queste cose*, I am not cut out for these things // *l'ho visto* —, I have known him since the day he was born // *le è nata una figlia*, she gave birth to a baby girl //

gli è nato un figlio, he has a newborn baby son // — *sotto una cattiva stella*, to be born under an unlucky star // *da cosa nasce cosa*, one thing leads to another **2** (*di ovipari*) to be* hatched **3** (*di piante*) to come* up; (*di foglie*) to sprout **4** (*di astro*) to rise*; (*del giorno*) to dawn **5** (*di fiume*) to rise*, to have* its source: *il Po nasce dal Monviso*, the Po rises on Monviso **6** (*fig.*) (*avere origine*) to rise*, to arise* // *mi nacque il sospetto che...*, I began to suspect that... // *la nostra ditta è nata nel 1935*, our firm was founded (*o* established) in 1935 **7** *far* —, (*causare*) to cause (*o* to bring forth): *far* — *dei disordini*, to stir up trouble; *far* — *un'idea*, to give birth to an idea; *ciò mi fece* — *l'idea di viaggiare*, that gave me the idea of travelling; *far* — *la speranza che...*, to give rise to the hope that... ♦ *s.m.*: *soffocare qlco. sul* —, to nip sthg. in the bud; *al* — *del giorno*, at the break of day (*o* of dawn); *al* — *del sole*, at sunrise; *un progetto morto sul* —, a stillborn scheme (*o* plan).

nascita *s.f.* **1** birth: — *prematura*, premature birth; *alla* —, at birth: *luogo di* —, birthplace; *atto, certificato di* —, birth certificate; *muto dalla* —, dumb from birth (*o* born dumb); *era inglese di* —, he was English by birth; *nobile di* —, highborn (*o* of noble birth); *quel titolo gli spettava per* —, that title was his by birthright // *controllo delle nascite*, birth control // *prima della, dopo la* — *di Cristo*, before, after Christ **2** (*di astro*) rising: *la* — *del sole*, sunrise; *la* — *del giorno*, the dawn (*o* daybreak) **3** (*fig.*) (*origine*) origin.

nascituro *s.m.* unborn child.

nascondarello *s.m.* (*gioco*) hide-and-seek.

nascondere *v.tr.* to hide* (*anche fig.*), to conceal (*anche fig.*): — *qlco. a qlcu.*, to hide sthg. from s.o.; *nascose la sua identità*, he kept his identity hidden; *nascose il viso tra le mani*, she hid (*o* buried) her face in her hands; *non nascondo che sono preoccupato*, I make no secret of (*o* I don't conceal) the fact that I am worried; *sapeva bene come* — *il suo odio*, he was well able to disguise his hatred // **-ersi** *v.rifl.* to hide* (oneself): *dove è andato a* —?, where has he gone and hidden himself? // *ma vai a nasconderti!*, (*vergognati!*) get lost!; *giocare a* —, to play hide-and-seek.

nascondiglio *s.m.* hiding-place; (*fam.*) hideout.

nascondino *s.m.* (*gioco*) hide-and-seek: *giocare a* —, to play hide-and-seek.

nascostamente *avv.* secretly.

nascosto *agg.* hidden, concealed; (*segreto*) secret: *dolore* —, secret grief // *di* —, secretly.

nasello *s.m.* (*zool.*) whiting.

naso *s.m.* nose: — *affilato*, sharp nose; — *all'insù*, turned-up nose (*o* snub nose); — *a punta*, pointed nose; *fazzoletto da* —, handkerchief // *a lume di* —, by guesswork; *andare a* (*lume di*) —, to follow one's instinct // *sotto il* — *di qlcu.*, (right) under s.o.'s nose // *non mettere mai la punta del* — *fuori casa*, he never pokes his nose out of doors // *arricciare il* — (*di fronte*) *a qlco.*, to turn up one's nose at sthg. // *cacciare, ficcare, mettere il* — *in qlco.*, to poke (*o* to thrust) one's nose into sthg. // *chiudere la porta sul* — *a qlcu.*, to shut the door in s.o.'s face // *non vedere più in là del proprio* —, not to see farther (*o* further) than the end of one's nose // *non ricordarsi dal* — *alla bocca*, to have a head (*o* memory) like a sieve // *parlare con il* —, to speak through one's nose // *prendere, menare qlcu. per il* —, to lead s.o. a merry dance // *restare con un palmo di* —, *con tanto di* —, to feel done // *avere* (*buon*) —, to have a good nose for sthg.

nassa *s.f.* fishpot; (*per anguille*) eel-basket; (*per aragoste*) lobsterpot.

nastrino *s.m.* (*decorazione*) ribbon.

nastro *s.m.* **1** ribbon: — *del cappello*, hatband **2** (*tecn.*) tape, band, ribbon: — *adesivo*, adhesive tape; — *d'acciaio*, steel band; — *di macchina per scrivere*, typewriter ribbon; — *di mitragliatrice*, machinegun belt; — *isolante*, insulating tape; — *per registrazione*, recording tape; — *trasportatore*, (*ind.*) conveyer belt; *metro a* —, tape measure **3** (*informatica*) tape: — *di carta continua*, web; — *perforato*, punched tape; — *permanente*, master tape; — *pilota*, control (*o* paper tape) loop; — *vuoto*, blank tape.

nastroteca *s.f.* (*informatica*) tape library.

nasturzio *s.m.* (*bot.*) nasturtium (*pl.* -ia).

nasuto *agg.* big-nosed (*attr.*).

natale *agg.* native; birth (*attr.*): *il mio paese* —, my native country; *giorno* —, birthday ♦ *s.m.* **1** (*giorno natale*) birthday **2** *pl.* (*nascita*) birth (*sing.*): *dare i natali a*, to be the birthplace of; *ebbe i natali a, in ...*, he was born in...; *essere di illustri, umili natali*, to be of noble, humble birth.

Natale *s.m.* Christmas (*abbr.* Xmas): *buon* —!, Merry Christmas!; *i migliori auguri di buon* —, best wishes for a merry Christmas; *vacanze di* —, Christmas holidays; *a* —, on Christmas day; (*durante il periodo natalizio*) at Christmas // *Babbo* —, Santa Claus // *albero di* —, Christmas tree.

natalità *s.f.* birth rate, natality.

natalizio *agg.* **1** Christmas (*attr.*): *vacanze natalizie*, Christmas holidays **2** (*natale*) native; birth (*attr.*): *giorno* —, birthday.

natante *s.m.* (*mar.*) craft, boat.

natatoia *s.f.* fin.

natatorio *agg.* natatorial.

natica *s.f.* buttock.

natio *agg.* (*poet.*) native.

natività *s.f.* nativity.

nativo *agg.* **1** native: *sono* — *di questi luoghi*, I am a native of these parts **2** (*innato*) inborn, innate **3** (*di metallo*) natural // *allo stato* —, in one's natural state ♦ *s.m.* native // *i nativi*, the natives.

nato *agg.* born (of): — *morto*, stillborn; *bambino appena* —, newborn baby // *a grandi cose*, born to great things // *un poeta* —, a born poet; *un bugiardo* —, a born liar // *la signora Rossi, nata Bianchi*, Mrs. Rossi, née Bianchi // *era suo padre* — *e sputato*, he was the spitting image of his father ♦ *s.m.* **1** (*figlio*) son: *il suo primo* —, his firstborn child **2** (*persona nata in un certo anno*): *i nati nel 1930*, those born in 1930.

natta *s.f.* (*med.*) wen.

natura *s.f.* **1** nature: *la* — *umana*, human nature; *legge di* —, law of nature // — *morta*, (*pitt.*) still life // *allo stato di* —, in the natural state // *madre* —, mother nature // *pagare in* —, to pay in kind; *scambio in* —, exchange in kind **2** (*indole*) nature, disposition, character // *di, per* —, by nature: *egli è buono di* —, he is good-natured **3** (*caratteristiche*) characteristics (*pl.*): *la* — *del clima*, the characteristics of the climate.

naturale *agg.* natural: *forze naturali*, natural forces; *scienze naturali*, natural sciences; *parla in modo molto*

—, he speaks in a very natural way; *questo è* —, this is natural; *i suoi capelli sono di un biondo* —, she is a natural blonde // *figlio* —, natural child // *morte* —, natural death // *al* —, life-size (*attr.*): *ritratto al* —, life-size portrait // *vita natural durante*, all one's life long ♦ *s.m.* (*ant.*) (*indole*) nature, character, disposition.

naturalezza *s.f.* naturalness; (*spontaneità*) spontaneity; (*semplicità*) simplicity: *con* —, unaffectedly; *manca di* —, she is affected.

naturalismo *s.m.* naturalism.

naturalista *s.m.* e *f.* naturalist.

naturalistico *agg.* naturalistic.

naturalità *s.f.* (*dir.*) (right of) citizenship.

naturalizzare *v.tr.* (*dir.*) to naturalize // **-arsi** *v.rifl.* to become* naturalized.

naturalizzazione *s.f.* (*dir.*) naturalization.

naturalmente *avv.* **1** (*in modo naturale*) naturally **2** (*per natura*) by nature **3** (*certamente*) naturally, of course.

naturismo *s.m.* naturism.

naturista *s.m.* e *f.* naturist.

naufragare *v.intr.* **1** to be* (ship)wrecked **2** (*fallire*) to be* wrecked; to miscarry, to fall* through: — *per, a causa di qlco.*, to be wrecked by sthg.; *i suoi piani naufragarono*, his schemes miscarried (*o* fell through).

naufragio *s.m.* **1** (ship)wreck **2** (*fallimento*) failure, wreck.

naufrago *s.m.* shipwrecked person: *i naufraghi furono raccolti da una nave*, the survivors were picked up by a ship.

nausea *s.f.* nausea; (*fig.*) nausea, disgust: *avere la* —, to feel sick (*o fam.* to feel queasy); *ho* — *quel cibo*, I can't bear the sight of that food; *far venire, dare la* —, to make sick (*anche fig.*); *ripetere qlco. fino alla* —, to repeat sthg. ad nauseam.

nauseabondo, nauseante *agg.* nauseating (*anche fig.*).

nauseare *v.tr.* to nauseate (*anche fig.*), to make* sick (*anche fig.*).

nauseato *agg.* nauseated (at, by) (*anche fig.*), disgusted (at, by, with) (*anche fig.*), sick (of) (*anche fig.*).

nautica *s.f.* seamanship.

nautico *agg.* nautical // *sport nautici*, aquatic sports.

nautilo *s.m.* (*zool.*) nautilus.

navale *agg.* naval: *cantiere* —, dockyard (*o* shipyard).

navalmeccanica *s.f.* shipbuilding.

navalmeccanico *agg.* shipbuilding (*attr.*) ♦ *s.m.* shipbuilding labourer.

navata *s.f.* (*centrale*) nave; (*laterale*) aisle: *chiesa a tre navate*, church with three aisles.

nave *s.f.* ship; vessel: — *a due alberi*, two-master; — *d'alto mare*, seagoing ship; — *gemella*, sister ship; — *corsara*, corsair; — *da cabotaggio*, coaster; — *da carico*, cargo-boat (*o* freighter); — *da guerra*, warship; — *di linea*, liner; — *mercantile*, merchant ship (*o* merchantman); — *ospedale*, hospital ship; — *passeggeri*, passenger ship; — *per trasporto truppe*, troopship; — *scorta*, convoy ship; — *scuola*, training ship.

navetta *s.f.* shuttle: — *spaziale*, space shuttle.

navicella *s.f.* **1** (*di dirigibile*) nacelle; (*di veicolo spaziale*) capsule **2** (*eccl.*) incense boat.

navigabile *agg.* navigable.

navigabilità *s.f.* **1** navigability **2** (*capacità di tenere il mare*) seaworthiness.

navigante *agg.* seafaring ♦ *s.m.* sailor, seaman (*pl.* -men).

navigare *v.intr.* **1** to sail, to navigate: *ha navigato per tutti i mari*, he has sailed the seven seas; *naviga da tren-*

t'anni, he has been at sea for thirty years; *questa imbarcazione naviga bene*, this boat behaves well // — *secondo il vento*, (*fig.*) to trim one's sail according to the wind **2** (*di mezzi aerei*) to navigate ♦ *v.tr.* to sail, to navigate.

navigato *agg.* (*esperto*) experienced: *un giovane* —, a young man who has been around // *una donna navigata*, a loose woman.

navigatore *agg.* seafaring ♦ *s.m.* navigator.

navigazione *s.f.* navigation: — *a vela*, sailing; — *aerea*, air navigation; — *fluviale*, river navigation; *compagnia di* —, (*mar.*) shipping company (*o* shipping line); (*aer.*) airline.

naviglio *s.m.* **1** (*flotta*) fleet: — *mercantile*, merchant ships **2** (*rar.*) (*nave*) ship.

nazareno *agg.* Nazarene.

nazionale *agg.* national; home (*attr.*): *industria* —, home industry ♦ *s.f.* national team ♦ *s.m.* (inter)national.

nazionalismo *s.m.* nationalism.

nazionalista *agg. e s.m. e f.* nationalist.

nazionalistico *agg.* nationalist(ic).

nazionalità *s.f.* nationality: *avere la* — *italiana*, to be of Italian nationality.

nazionalizzare *v.tr.* to nationalize.

nazionalizzazione *s.f.* nationalization.

nazionalsocialismo *s.m.* National Socialism; Nazism.

nazionalsocialista *s.m.* National Socialist; Nazi.

nazione *s.f.* nation.

nazismo *s.m.* Nazism.

nazista *agg. e s.m.* Nazi.

ne *avv.* from there: — *vengo ora*, I have just come from there ♦ *particella pron.* **1** about, of him, her, it, them; about, of this, that: *non* — *voglio più sapere*, I don't want to hear any more about (*o* of) it, him etc.; — *ho abbastanza*, I have enough of that; *ve* — *ricordaste?*, did you remember it?; — *ho letto alcune pagine*, I read a few pages (of it); *gliene parlerò*, I'll speak to him, her, them about it **2** (*talvolta si rende con l'agg. poss.*): — *divenne amico*, he became his, her friend; — *apprezzai il valore*, I appreciated his, her, its value **3** (*partitivo*) some; (*in frasi negative in presenza di un'altra negazione e in frasi interr.*) any; (*in frasi negative quando non ci sia un'altra negazione*) none; *se accompagnato da num. o da agg. indef. non si traduce*; (*con num. o agg. indef. accompagnati da agg. qualificativo*) one; ones: *gliene diedi ancora*, I gave him, her, it some more; *«Gliene hai dati?»* *«No»*, "Have you given him some (*o* any to him)?" "No, I haven't given him any (*o* any to him)"; *«Ne hai?»* *«Sì,* — *ho, Non* — *ho, Ne ho due (belli), Ne ho molti»*, "Have you any?" "Yes, I have some, I have none (*o* I haven't any), I have two (good ones), I have a lot (*o* many)" // — *racconta di bugie!*, he does tell a lot of lies! **4** (*di ciò, per ciò, con ciò*): *posso dubitarne?*, could I doubt it?; *che te* — *fai?*, what do you do with it?; — *sono convinto*, I am convinced of it; — *sono felice*, I'm happy about it // *non avertene a male*, don't take offence // *non* — *vale la pena*, it isn't worth it // *non me* — *importa*, I don't care about it **5** (*da ciò*) from that: — *consegue...*, (from that) it follows... **6** (*pleonastico*): *me* — *vado a spasso*, I'm going for a walk; *se* — *andò*, he went away **7** (*in espressioni ellittiche*): — *ha fatte di belle*, he has been up to all sorts of tricks; *gliene disse un sacco*, he gave him, her a good ticking off (*o* telling off *o* he told him, her off).

né *cong.* **1** (*neppure, neanche*) neither, nor; (*in presen-*

za di altra negazione) either: *non l'ho visto* — *voglio vederlo*, I have not seen him, neither (*o* nor) do I want to see him (*o* and I don't want to see him, either); *non l'ho mai visto* — *conosciuto*, I have never seen him nor heard of him // *ha voluto farlo* — *io lo condanno*, he wanted to do it, and I don't blame him **2** — *...* —, neither... nor; (*in presenza di altra negazione*) either... or: — *tu* — *io lo faremo*, neither of us will do it; *senza mangiare* — *bere*, without (either) eating or drinking // — *da una parte* — *dall'altra*, on neither side // — *più* — *meno* (*che*), neither more nor less (than) // *l'uno* — *l'altro*, neither; either: — *l'uno* — *l'altro lo videro*, neither (of them) saw him; *non conosco* — *l'uno* — *l'altro*, I don't know either (of them) (*o* I know neither of them).

neanche *avv. e cong.* **1** neither, nor: *«Non sono mai andato a Parigi, e tu?»* *«Neanche io»*, "I have never been to Paris, and you?" "Neither have I"; *neanch'io lo so*, I don't know it either; *io non posso andarci, lui* —, I can't go there, neither (*o* nor) can he (*o* and he cannot either); *non gli ho scritto e* — *voglio scrivergli*, I didn't write to him and I don't want to (either) // — *per sogno!*, not on your life!; (*affatto*) not at all! **2** (*rafforzativo di negazione*) even: — *uno*, not even one (*o* not a single one); *senza* — *voltarsi*, without even turning round; *non l'ho* — *visto*, I have not even seen him; *non ha* — *un amico, un soldo*, he hasn't got (even) a single friend, a penny; — *un bambino lo direbbe*, not even a child would say it.

nebbia *s.f.* fog (*anche fig.*); (*mista a fumo*) smog; (*foschia*) mist; (*da calore*) haze: — *bassa*, ground fog; *il paesaggio era avvolto nella* —, the landscape was shrouded in mist // *cortina di* —, (*mil.*) smokescreen.

nebbioso *agg.* foggy (*anche fig.*).

nebulare *agg.* (*astr.*) nebular.

nebulizzare *v.tr.* to atomize; (*spec. med.*) to nebulize.

nebulizzatore *s.m.* atomizer; (*spec. med.*) vaporizer.

nebulizzazione *s.f.* atomization; (*spec. med.*) nebulization.

nebulosa *s.f.* (*astr.*) nebula (*pl.* nebulae).

nebulosità *s.f.* nebulosity (*anche fig.*).

nebuloso *agg.* nebulous (*anche fig.*).

necessario *agg.* necessary: *è* — *che io lo veda*, I must see him (*o* it is necessary for me to see him); *non è* — *che tu venga*, you need not come; *avere il denaro* —, to have enough money; *i documenti necessari per partire*, the documents required to leave ♦ *s.m.* necessity, necessary: *il puro, lo stretto* —, the bare necessities; *il* — *per scrivere*, writing materials.

necessità *s.f.* **1** necessity; (*bisogno*) need: *avere* — *di qlco.*, to be in need of (*o* to need) sthg.; *in caso di* —, if necessary (*o* if need be); *secondo le necessità*, as needed; *trovarsi nella* — *di fare qlco.*, to be compelled to do sthg. // *di, per* —, out of (*o* from) necessity // *di prima* —, indispensable (*o* fare di* — *virtù*, to make a virtue of necessity **2** (*indigenza*) necessity.

necessitare *v.intr.* **1** (*aver bisogno*) to need (sthg.) **2** (*essere necessario*) to be* necessary ♦ *v.tr.* (*ant.*) (*costringere*) to compel, to force.

necroforo *s.m.* undertaker.

necrologia *s.f.* **1** obituary (notice) **2** (*orazione funebre*) funeral oration.

necrologio *s.m.* **1** necrology **2** (*annuncio sul giornale*) obituary (notice).

necropoli *s.f.* necropolis.

necroscopia *s.f.* necropsy.

necroscopico *agg.* necroscopic(al): *perizia necroscopica*, postmortem (examination).

necrosi *s.f.* (*biol.*) necrosis.

necrotico *agg.* (*med.*) necrotic.

nefandezza *s.f.* nefariousness, wickedness.

nefando *agg.* nefarious, wicked.

nefasto *agg.* ill-fated; (*di malaugurio, funesto*) ominous.

nefrite *s.f.* (*med.*) nephritis.

nefritico *agg. e s.m.* (*med.*) nephritic.

nefropatia *s.f.* (*med.*) nephropathy.

negabile *agg.* deniable.

negare *v.tr.* **1** to deny: *negò di averlo visto*, he denied having seen him; *non si può — che abbia ragione*, it cannot be denied that he is right; *negarsi ogni lusso*, to deny oneself every luxury **2** (*rifiutare*) to deny, to refuse.

negativa *s.f.* **1** negative: *mantenersi sulla —*, to maintain a negative attitude **2** (*fot.*) negative.

negativamente *avv.* negatively: *rispose —*, he replied in the negative.

negativo *agg.* **1** negative; (*sfavorevole*) unfavourable: *il mio parere è —*, my opinion is unfavourable **2** (*mat. fis. fot.*) negative.

negato *agg.* incapable, unapt (at): *essere — a qlco.*, to have no gift for sthg.

negatore *agg.* denying ♦ *s.m.* denier.

negazione *s.f.* **1** denial; (*espressione negativa*) negative **2** (*fig.*) negation: *è la — del buon senso*, he is the negation of common sense.

neghittoso *agg.* slothful; (*pigro*) lazy.

negletto *agg.* **1** neglected **2** (*sciatto*) slovenly.

negli *prep.art.m.pl.* → **in**.

negligente *agg.* negligent (of), careless (of).

negligentemente *avv.* negligently, carelessly.

negligenza *s.f.* **1** negligence, carelessness: *per —*, through negligence **2** (*atto negligente*) (piece of) negligence.

negoziabile *agg.* negotiable.

negoziante *s.m. e f.* **1** trader, dealer: *— di porcellane*, china dealer; *— al minuto*, retailer; *— all'ingrosso*, wholesaler **2** (*gestore di negozio*) shopkeeper.

negoziare *v.tr.* to negotiate: *— la pace*, to negotiate peace.

negoziato *s.m.* (*spec. pl.*) negotiation.

negoziatore *s.m.* negotiator.

negozio *s.m.* **1** shop; (*amer.*) store: *— al dettaglio, all'ingrosso*, retail, wholesale shop; *— di libri*, bookshop; *— di scarpe*, shoeshop **2** (*affare, operazione*) piece of business, deal // *— giuridico*, (*dir.*) agreement.

negriero *agg.* slave (*attr.*): *nave negriera*, slave ship (*o* slaver) ♦ *s.m.* slaver; (*fig.*) slave driver.

negro *agg.* negro (*attr.*): *razza negra*, negro race ♦ *s.m.* coloured man, negro; (*spreg.*) nigger.

negromante *s.m.* necromancer.

negromanzia *s.f.* necromancy.

negus *s.m.* Negus.

nei *prep.art.m.pl.* → **in**.

nel *prep.art.m.sing.* → **in**.

nella *prep.art.f.sing.* → **in**.

nelle *prep.art.f.pl.* → **in**.

nello *prep.art.m.sing.* → **in**.

nembo *s.m.* **1** nimbus, raincloud **2** (*fig.*) (*nugolo*) cloud.

nembostrato *s.m.* nimbostratus (*pl.* -ti).

Nemesi *no.pr.f.* (*mit.*) Nemesis // **nemesi** *s.f.* nemesis (*pl.* nemeses): *— storica*, nemesis.

nemico *agg.* **1** hostile (to), opposed (to): *sorte nemi-*

ca, adverse (*o* hostile) fate; *farsi — qlcu.*, to make an enemy of s.o. // *è il peggior — di sé stesso*, he's his own worst enemy **2** (*nocivo*) harmful (to), bad (for) **3** (*del nemico*) enemy (*attr.*): *l'esercito —*, the enemy army ♦ *s.m.* enemy: *passare al —*, to go over to the enemy // *— pubblico n. 1*, public enemy no. 1

nemmeno *avv. e cong.* → **neanche**.

nenia *s.f.* **1** dirge, lament **2** (*cantilena*) singsong (*anche fig.*).

neo *s.m.* **1** mole; (*posticcio*) beauty spot **2** (*fig.*) (*piccola pecca*) flaw.

neo- *pref.* neo-.

neoclassicismo *s.m.* neoclassicism.

neoclassico *agg.* neoclassic(al) ♦ *s.m.* **1** neoclassicist **2** (*stile*) neoclassic(al) style.

neofita, neofito *s.m.* neophyte (*anche fig.*).

neolatino *agg.* Neo-Latin.

neolitico *agg. e s.m.* (*geol.*) Neolithic.

neologismo *s.m.* neologism.

neon *s.m.* neon: *insegna al —*, neon sign.

neonato *agg.* newborn ♦ *s.m.* (newborn) baby.

neonazismo *s.m.* neo-Nazism.

neonazista *s.m. e f. e agg.* neo-Nazi.

neorealismo *s.m.* neorealism.

neorealista *s.m.* neorealist.

neozelandese *agg.* New Zealand (*attr.*) ♦ *s.m. e f.* New Zealander.

nepalese *agg. e s.m. e f.* Nepalese (*pl. invar.*).

nepitella *s.f.* (*bot.*) catmint.

nepotismo *s.m.* nepotism.

neppure *avv. e cong.* → **neanche**.

nequizia *s.f.* iniquity.

nerastro *agg.* blackish.

nerbata *s.f.* lash: *prendere a nerbate*, to lash.

nerbo *s.m.* **1** (*nervo*) nerve **2** (*frusta*) lash **3** (*fig.*) strength.

nerboruto *agg.* brawny, strong-limbed.

nereggiare *v.intr.* **1** (*apparire nero*) to be* black (with sthg.); (*diventare nero*) to become* black (with sthg.) **2** (*formare una massa nera*) to form a black mass.

neretto *s.m.* (*tip.*) boldface.

nero *agg.* **1** black; (*scuro*) dark: *capelli, occhi neri*, dark hair, eyes // *— come il carbone*, as black as coal // *pane —*, brown bread // *mercato nero, borsa nera*, black market // *lavoro —*, black work; *fare del lavoro —*, (*amer.*) to work under the table // *pozzo —*, cesspool // *vino —*, red wine // *cronaca nera*, crime news // *il Continente Nero*, the Black Continent // *il mar Nero*, the Black Sea // *bestia nera*, bugbear // *pecora nera*, black sheep **2** (*tetro, malinconico*) black, gloomy; *disperazione nera*, black (*o* deepest) despair; *veder tutto —*, to look on the black (*o* dark) side of things; *essere —, di umore —*, to be in a very bad mood // *vivere nella più nera miseria*, to live in dire poverty **3** (*scellerato, empio*) wicked, black: *un'anima nera*, a sinner ♦ *s.m.* **1** black: *essere vestito di —*, to be dressed in black; *tingere di —*, to dye black; *mettere bianco su —*, to put pen to paper; *fotografia in bianco e —*, black and white photo **2** (*tip.*) bold.

nerofumo *s.m.* lampblack.

nervatura *s.f.* **1** (*bot. zool.*) nervation **2** (*anat.*) nerves (*pl.*) **3** (*arch.*) ribs (*pl.*).

nervino *agg.* nervine.

nervo *s.m.* **1** nerve: *attacco, crisi di nervi*, fit of nerves; *essere malato di nervi*, to be suffering from nervous exhaustion; *il caffè eccita i nervi*, coffee makes you nervy;

calmare i nervi, to soothe the nerves; *calma i tuoi nervi!*, calm down!; *nervi d'acciaio*, nerves of steel // *sta in piedi a forza di nervi*, he lives on his nerves // *avere i nervi*, to be on edge // *avere i nervi a pezzi*, to be a bundle of nerves // *dare ai nervi*, to get on one's nerves // *fare venire i nervi a qlcu.*, to get on s.o.'s nerves // *essere tutto nervi*, to be full of nervous energy **2** (*pop.*) (*tendine*) tendon **3** (*bot.*) nervure, rib, vein, nerve **4** (*dell'arco, della lira*) string.

nervosamente *avv.* nervously.

nervosismo *s.m.* nervousness.

nervoso *agg.* **1** (*di nervi*) nervous: *esaurimento —*, nervous breakdown; *terminazione nervosa*, nerve ending; *ganglio —*, nerve ganglion **2** (*irritabile*) irritable, short-tempered; (*eccitabile*) excitable; (*fam.*) nervy ♦ *s.m.* **1** irritability; excitability: *avere il —*, to be on edge **2** (*persona nervosa*) irritable person; (*persona eccitabile*) highly-strung person.

nespola *s.f.* medlar // *nespole!*, (*fam.*) Good Heavens! (*o* Good Lord!) // *dare le nespole a qlcu.*, (*fam.*) to give s.o. a good hiding.

nespolo *s.m.* medlar (tree).

nesso *s.m.* connection.

nessuno *agg.indef.* **1** no; (*in presenza di altra negazione*) any: *nessun colore è così brillante*, no colour is as bright; (*non ha nessuna pazienza con i bambini*, he has no (*o* he hasn't any) patience with children; *senza nessun motivo*, without any reason (*o* with no reason) // *nessuna cosa*, nothing; anything / *nessuna persona,* → *nessuno* (*pron.*) // *nessun amico gli era vicino*, none of his friends was close to him; *nessun nostro amico*, none of our friends // *in nessun luogo*, nowhere; anywhere // *in nessun modo*, in any way, in no way; (*affatto*) not at all **2** (*qualche*) any: *nessuna notizia?*, any news?; *c'è nessun inglese che...?*, is there any Englishman who...? ♦ *pron.indef.* **1** (*riferito a persone*) nobody, no one; (*in presenza di altra negazione*) anybody, anyone; (*accompagnato da partitivo e riferito sia a persone sia a cose*) none; (*in presenza di altra negazione*) any: *— lo sa*, nobody knows; *non parla mai con —*, he never speaks to anybody; *— di noi*, none of us; *— di questi libri*, none of these books; *non ho visto — di voi*, I did not see any of you; «*Quanti errori hai fatto?*» «*Nessuno*», "How many mistakes did you make?" "None" (*o* "I didn't make any") // *presenti 25, assenti —*, twenty-five present, none absent **2** (*qualcuno*) anybody, anyone; (*accompagnato da un partitivo*) any: *c'è — che voglia venire?*, is there anybody who wants to come?; *c'è —*, (is there) anybody in?; *hai visto — dei miei amici, di loro?*, have you seen any of my friends, of them?; *— di voi lo sa?*, do any of you know it? ♦ *s.m.* nobody, no one: *non è —*, he is a nobody // *i figli di —*, nobody's children // *terra di —*, no-man's-land.

nettamente *avv.* clearly.

nettare[1] *s.m.* nectar.

nettare[2] *v.tr.* to clean, to cleanse (*anche fig.*).

nettezza *s.f.* **1** cleanness, cleanliness (*anche fig.*): *servizio di — urbana*, municipal street cleansing and refuse collection services **2** (*precisione, chiarezza*) neatness.

netto *agg.* **1** clean; (*senza macchia*) spotless (*anche fig.*): *mani nette*, clean hands (*anche fig.*) **2** (*chiaro, preciso*) clean, clear, sharp: *un colpo —*, a clean blow; *un — rifiuto*, a point-blank (*o* blunt) refusal; *contorni netti*, clear (*o* sharp) outline; *un taglio —*, a clean cut *o di —*, clean off: *lo tagliò di —*, he cut it clean off **3**

(*comm.*) net: *guadagno —*, net (*o* clear) profit; *peso —*, net weight; *rendita netta di imposte*, tax-free income ♦ *avv.* plainly.

Nettuno *no.pr.m.* (*mit. astr.*) Neptune.

netturbino *s.m.* street sweeper.

neurochirurgia *s.f.* neurosurgery.

neurochirurgo *s.m.* neurosurgeon.

neurologia *s.f.* neurology.

neurologico *agg.* neurologic(al).

neurologo *s.m.* neurologist.

neuropatia *s.f.* (*med.*) neuropathy.

neuropatico *agg.* neuropathic ♦ *s.m.* neuropath.

neuropatologia *s.f.* neuropathology.

neurosi *s.f.* → **nevrosi**.

neurovegetativo *agg.* neurovegetative.

neutrale *agg. e s.m.* neutral.

neutralismo *s.m.* neutralism.

neutralista *s.m. e f.* (*pol.*) neutralist.

neutralità *s.f.* neutrality.

neutralizzare *v.tr.* to neutralize; (*gli effetti*) to counteract.

neutralizzazione *s.f.* neutralization.

neutrino *s.m.* (*fis.*) neutrino.

neutro *agg.* **1** neutral: *territorio —*, no-man's-land **2** (*gramm. bot. zool.*) neuter.

neutrone *s.m.* (*fis.*) neutron.

nevaio *s.m.* snowfield.

nevato *agg.* snowy ♦ *s.m.* névé.

neve *s.f.* snow: *— marcia*, slush; *nevi eterne*, perpetual snow; *accecato dalla —*, snow-blind; *bloccato, isolato dalla —*, snowbound; *bollettino della —*, snow reports; *coperto di —*, snow-covered; *cumulo di —*, snowdrift; *pupazzo di —*, snowman; *la stagione delle nevi*, the snowy season // *fare a palle di —*, to throw snowballs // *montare le chiare a —*, (*cuc.*) to beat egg whites stiff.

nevicare *v.intr.impers.* to snow: *Guarda! Nevica*, Look! It's snowing.

nevicata *s.f.* snowfall.

nevischio *s.m.* sleet.

nevoso *agg.* snowy.

nevralgia *s.f.* neuralgia.

nevralgico *agg.* neuralgic.

nevrastenia *s.f.* neurasthenia.

nevrastenico *agg. e s.m.* neurasthenic.

nevrite *s.f.* (*med.*) neuritis (*pl.* neuritides).

nevrosi *s.f.* (*med.*) neurosis (*pl.* neuroses).

nevrotico *agg. e s.m.* neurotic.

nevvero *interr.*: *è arrivato, —?*, he has arrived, hasn't he?; *sei stanco, —?*, you are tired, aren't you?

nibbio *s.m.* (*zool.*) kite.

nibelungo *s.m.* nibelung.

nicchia *s.f.* niche.

nicchiare *v.intr.* to shilly-shally, to dither.

nichel *s.m.* nickel.

nichelare *v.tr.* (*ind.*) to nickel.

nichelatura *s.f.* (*ind.*) nickel-plating.

nichelcromo *s.m.* nickelchromium alloy.

nichelino *s.m.* (*fam.*) nickel coin; (*piccola moneta*) small coin.

nichilismo *s.m.* (*fil. pol.*) nihilism.

nichilista *s.m. e f.* (*fil. pol.*) nihilist.

Nicola *no.pr.m.* Nic(h)olas.

nicotina *s.f.* nicotine.

nidiace(o) *s.m.* unfledged bird.

nidiata *s.f.* nest; (*covata*) brood // *una — di bambini*, a swarm of children.

nidificare *v.intr.* to nest, to nidify.

nido *s.m.* **1** nest; (*di uccello da preda*) aerie, aery, eyrie: *un — d'aquila*, eagles' aerie; *— di vipere*, (*anche fig.*) nest of vipers **2** (*covo*) den **3** (*casa, patria*) home **4** (*giardino d'infanzia*) crèche (*o* day nursery).

niellare *v.tr.* to niello, to inlay* with niello.

niello *s.m.* niello.

niente *pron.indef.* **1** nothing; (*in presenza di altra negazione*) anything: *— è certo*, nothing is certain; *non abbiamo visto —*, we have not seen anything (*o* we have seen nothing); *non dà mai — a nessuno*, he never gives anything to anybody; *— di meglio, di nuovo*, nothing better, new; *e a me —?*, I get anything? // *— altro*, nothing else; *— altro che*, nothing but // «*Grazie, signora*» «*Niente, si figuri!*», "Thank you, Madam" "Don't mention it!" (*o* "You're welcome!") // *non aver — a che fare con...*, to have nothing to do with... // *quella cura non gli ha fatto —*, that treatment did nothing for him // *non mi sono fatto —*, I didn't hurt myself // *lavorare, lamentarsi per —*, to work, to complain for nothing // *parlare per —*, to waste one's breath; *non serve a —*, it's no use // *non cambia —*, (*fa lo stesso*) it makes no odds // *fare finta di non sapere —*, to pretend not to know anything // *facendo finta di —*, *come se — fosse accaduto*, pretending nothing had happened (*o* as if nothing were the matter) // *come se — fosse*, (*con la massima facilità*) as if there were nothing to it // *non fa —*, it doesn't matter; *se non ti fa —*, if you have no objection... (*o* if you don't mind...) // *non posso farci —*, I can do nothing about it // *una ferita da —*, a scratch (*o* a very slight wound) // *una cosa da —*, a trifle (*o* a mere nothing) // *non sa — di —*, he knows nothing about nothing // *un buono a —*, a good-for-nothing **2** (*qualche cosa*) anything: *ti serve — altro?*, do you need anything (else)?; *c'è — di nuovo?*, anything new?; *hai — in contrario?*, have you any objections?; *hai mai visto — di così divertente?*, did you ever see anything so funny? // *non per —...*, (*non senza ragione*) it's not for nothing (that)... ♦ *s.m.* (*è un —*, he is a mere nothing (*o* he is a cipher); *l'ho avuto per (un) —*, I got it for next to nothing; *tutto finì in (un) —*, it all came to nothing (*o* everything fell through); *arrabbiarsi per —*, to get angry about nothing; *offendersi per (un) —*, to take offence at the slightest thing; *non ha fatto un bel —*, he didn't do anything at all // *l'ha fatto in meno di un —*, he did it in less than no time (*o* he did it in a trice) // *ridursi un —*, to wear oneself out // *ridursi a —*, to come to nothing // *essere ridotto a —*, (*un'ombra*) to be worn to a shadow; *ridursi al —*, to lose everything // *venire dal —*, to come up from nothing // *riconoscere il proprio —*, to recognize one's nothingness ♦ *avv.* **1** (*punto, affatto*) not at all: *— male!*, not bad at all!; *non gli assomiglia —*, she is not at all (*o* not a bit) like him; *non m'importa —*, I don't care about it in the least; *non lo voglio vedere per —*, I don't want to see him at all // *se — — gli si dà ascolto...*, (*fam.*) once you begin to listen to him... // *speravo di convincerlo, ma lui —!*, I hoped to convince him but he wasn't having any **2** (*molto poco*): *non ci metto — a farlo*, it won't take me a minute to do it ♦ *agg.invar.* (*fam.*): *— paura!*, (*non preoccuparti*) don't worry!; *— scherzi!*, let's not joke!; *— scuse!*, no apologies! // *non aveva — paura*, he wasn't afraid at all.

nientedimeno, nientemeno *avv.* **1** no less than; (*riferito solo a cosa*) nothing less than: *era — (che) il re in persona*, it was no less than the king himself **2**

(*esclam.*) fancy!; I say!; (*suvvia! non ci credo!*) (*fam.*) you don't say!; go on!

nigeriano *agg. e s.m.* Nigerian.

Nilo *no.pr.m.* Nile.

nimbo *s.m.* nimbus, halo.

ninfa *s.f.* nymph.

ninfea *s.f.* nymphaea; (*pop.*) waterlily.

ninfomane *s.f.* nymphomaniac.

ninnananna *s.f.* lullaby, cradle song: *cantare la — a un bambino*, to lull a child to sleep.

ninnare *v.tr.* to sing* to sleep, to lull to sleep.

ninnolo *s.m.* **1** knick-knack, trinket **2** (*balocco*) plaything, toy.

nipote *s.m.* **1** (*di zii*) nephew; (*di nonni*) grandson, grandchild (*pl.* -children): *— acquisito*, acquired nephew **2** *pl.* (*discendenti*) progeny (*sing.*), posterity (*sing.*) ♦ *s.f.* (*di zii*) niece; (*di nonni*) granddaughter, grandchild (*pl.* -children).

nipponico *agg.* Nipponian.

nirvana *s.m.* (*relig. indù*) nirvana.

nitidamente *avv.* **1** neatly **2** (*chiaramente*) clearly, distinctly.

nitidezza *s.f.* **1** neatness (*anche fig.*) // **2** (*chiarezza*) clearness.

nitido *agg.* **1** (*pulito*) neat, tidy **2** (*chiaro*) clear: *stampa nitida*, clear print **3** (*di stile*) pure.

nitore *s.m.* (*poet.*) **1** (*nitidezza*) neatness, clearness (*anche fig.*) **2** (*splendore*) splendour.

nitrato *s.m.* nitrate: *— d'argento*, silver nitrate; (*chim. farm.*) lunar caustic.

nitrico *agg.* nitric.

nitrire *v.intr.* to neigh, to whinny.

nitrito *s.m.* neigh, whinny.

nitroglicerina *s.f.* nitroglycerin(e).

nitroso *agg.* nitrous.

niveo *agg.* niveous.

no *avv.* **1** (*risposta negativa assoluta*) no: «*Hai letto questo libro?*» «*No*», "Have you read this book?", "No (I haven't)"; *la mia risposta è —*, my answer is no; *dir di —*, to say no // *— e poi —*, no, a thousand times no // *—, grazie*, no, thank you // *sì o —?*, yes or no? // *ma —, non posso crederci!*, but no, I can't believe it!; *questo —, non lo devi dire!*, oh no, you know that's not true! **2** (*quando, in inglese, c'è un v., espresso o sottinteso, o un avv.*) not: *— di certo*, certainly not; *forse —*, perhaps (*o* maybe) not; *perché —?*, why not?; *bello o —, a me piace*, beautiful or not, I like it; *credo, suppongo di —*, I don't think so, I don't suppose so; *preferisco di —*, I'd rather not; *se mi piace lo compero; se —, —*, if I like it I'll buy it; if not, I won't; *spero di —*, I hope not; *mi pare di —*, I think not; *vieni o —?*, are you coming or not? **3** (*fraseologia*): *anzi che —*, rather; *stupido anzi che —*, rather stupid // *né sì né —*, neither yes nor no; (*in presenza di negazione*) either yes or no // *più sì che —*, more likely yes than no // «*Partirai?*» «*Forse sì, forse —*», "Are you leaving?" "I may and I may not" // *se —*, otherwise (*o* or else *o* if not) // *come —!*, certainly; (*eccome*) and how! // *uno sì e uno —*, every other person (*o* every other person) // *un giorno sì e uno —*, every other day // *è difficile, non dico di —*, it's difficult I must admit (*o* I can't deny it); *non sa dir di —*, he doesn't know how to say no // *fa freddo, —?*, it's cold, isn't it? // *saranno le — quindici*, there will be about fifteen of them // *far cenno di —, far di — col capo*, to shake one's head ♦ *s.m.* (*voto negativo*) no (*pl.* noes); (*rifiuto*) refusal: *non mi aspettavo un —*, I didn't expect a refusal; *essere per il* —, to be against it; *essere tra il sì e il* —, to be unable to make up one's mind (*o* to be undecided) // *un bel* —, *un* — *chiaro e tondo*, a flat refusal.

nobildonna *s.f.* noblewoman (*pl.* -women).

nobile *agg.* noble (*anche fig.*): *una persona di animo* —, a noble-minded person ♦ *s.m.* nobleman (*pl.* -men), noble ♦ *s.f.* noblewoman (*pl.* -women).

nobiliare *agg.* noble, nobiliary.

nobilitare *v.tr.* to ennoble (*anche fig.*) // **-arsi** *v.rifl.* to ennoble oneself.

nobiltà *s.f.* nobility.

nobiluomo *s.m.* nobleman (*pl.* -men).

nocca *s.f.* knuckle.

nocchiero *s.m.* (*mar.*) helmsman (*pl.* -men), steersman (*pl.* -men).

nocchio *s.m.* knot, knob.

nocchiuto *agg.* knotty.

nocciola *agg.* hazel, hazel-brown ♦ *s.f.* hazel nut // *noccioline americane*, peanuts.

nòcciolo *s.m.* **1** stone: — *di ciliegia*, cherry-stone **2** (*punto essenziale*) heart, kernel, core: *il* — *della faccenda*, the heart of the matter // *veniamo al* —!, let us come to the point!

nocciòlo *s.m.* hazel (tree).

noce *s.m.* **1** (*albero*) walnut (tree) **2** (*legno*) walnut: *un tavolo di* —, a walnut table ♦ *s.f.* walnut: *olio di* —, walnut-oil // — *di cocco*, coconut // — *di vitello*, (*cuc.*) "noix de veau" // — *di burro*, (*cuc.*) knob of butter // — *del piede*, (*anat.*) malleolus.

nocepesca *s.f.* nectarine.

nocività *s.f.* harmfulness.

nocivo *agg.* noxious, harmful.

nodo *s.m.* **1** knot (*anche fig.*): — *d'amore*, love knot; — *piatto*, reef knot; — *semplice*, single knot; *quella nave fa venti nodi*, that ship does twenty knots; *fare un* — *al fazzoletto*, to tie a knot in one's handkerchief; *farsi il* — *alla cravatta*, to knot (*o* to tie) one's tie // — *nei capelli*, tangle in one's hair // *avere un* — *alla gola*, to have a lump in one's throat // *far* — *alla gola*, to stick in one's throat // *tutti i nodi vengono al pettine*, (*prov.*) (sooner or later) truth will out **2** (*punto cruciale*) crux **3** (*centro di collegamento*) junction: — *ferroviario, stradale*, railway, road junction **4** (*teatr.*) plot.

nodosità *s.f.* knottiness.

nodoso *agg.* knotty.

nodulo *s.m.* nodule.

Noè *no.pr.m.* (*Bibbia*) Noah.

noi *pron.pers.m.* e *f.* 1ᵃ *pers.pl.* **1** *sogg.* we: *dobbiamo andarci* —?, shall we go there?; *siamo stati* — *a...*, it was we (*o fam.* us) who... // — *stessi, proprio* —, we ourselves, we... ourselves // — (*altri*) *italiani*, we Italians // *siamo* —!, it's we! (*o fam.* it's us!) **2** *compl.* us // *da* —, (*nel nostro paese*) in our country; (*nella nostra famiglia*) in our family; (*a casa nostra*) at home // *veniamo a* —!, let's get back to the subject! **3** (*con valore impers.*) one, you **4** *sogg.* (*pl. di maestà*) we; *compl.* us.

noia *s.f.* **1** (*tedio*) boredom, tedium, ennui: *che* —!, what a bore!; *leggere mi è venuto a* —, I've got bored with reading // *avere a* — *qlco.*, to be fed up with sthg. // *ripetere qlco. fino alla* —, to repeat sthg. ad nauseam // *ammazzare, vincere la* —, to kill (*o* to relieve) the boredom // *morire di* —, to die of boredom: *far morire di* —, to bore stiff (*o* to death) **2** (*fastidio*) worry, nuisance; (*guaio*) trouble // *luce che dà* —, irritating light // *ti do* —?, am I disturbing you?

noialtri *pron.pers.m.pl.sogg.* we; *compl.* us.

noiosità *s.f.* boredom.

noioso *agg.* **1** boring, tiresome **2** (*fastidioso*) annoying.

noleggiare *v.tr.* to hire; (*mar.*) to charter, to freight: *si noleggiano biciclette*, bicycles for hire.

noleggiatore *s.m.* hirer; (*mar.*) charterer, freighter.

noleggio *s.m.* **1** hire; (*mar.*) charter, freight // — *di un film*, renting of a film; *contratto di* —, (*mar.*) charter party; *vettura da* —, car for hire **2** (*prezzo*) hire, rental: *quant'è di questa automobile?*, what does it cost to hire this car? **3** (*luogo*) place of hire.

nolente *agg.* unwilling.

nolo *s.m.* hire; (*mar.*) freight: *dare a* —, to hire (out); *prendere a* —, to hire.

nomade *agg. e s.m. e f.* nomad.

nomadismo *s.m.* nomadism.

nome *s.m.* **1** name: — *di battesimo*, Christian (*o* first) name; — *di famiglia*, family name (*o* surname); *senza* —, nameless; *le hanno dato* — *Maria*, they have called her Mary; *chiamare qlco. per* —, to call s.o. by name; *portare il* — *di qlcu.*, to be named (*o* called) after s.o.; *viaggiare sotto falso* —, to travel under an assumed name (*o* incognito); *fare il* — *di qlcu.*, to name s.o.; (*proporre*) to propose s.o. (as) // — *di battaglia*, nom de guerre; (*di attore*) stage name; (*di scrittore*) nom de plume // *i più bei nomi dell'aristocrazia*, the flower of the aristocracy // *a* — *di*, in the name of (*o* on behalf of) // *di* —, by name; (*nominalmente*) in name; *di* — *e di fatto*, in name and in fact; *di* — *Maria*, Mary by name; *conoscere qlcu. di* —, to know s.o. by name; *essere padrone solo di* —, to be master in name only // *in* — *di*, in the name of; *in* — *della legge*, in the name of the law // *in* — *del Cielo!*, for goodness' sake! // *sotto il* — *di*, under the name of; *essere conosciuto sotto il* — *di...*, to go by the name of... // *avere, godere di un buon* — *come avvocato ecc.*, to have a good name as a lawyer etc. // *chiamare le cose col loro* —, to call a spade a spade // *farsi un* —, to make a name for oneself **2** (*gramm.*) noun, substantive.

nomea *s.f.* notoriety: *ha una* — *di ladro*, he is a notorious thief.

nomenclatore *agg.* nomenclatural.

nomenclatura *s.f.* nomenclature.

nomignolo *s.m.* nickname, pet name.

nomina *s.f.* appointment: *decreto di* —, (*dir.*) decree of appointment; *ottenere la* — *a direttore*, to be appointed director.

nominale *agg.* nominal: *appello* —, roll call; *valore* —, nominal value (*o* face value).

nominare *v.tr.* **1** (*dare il nome*) to name, to call **2** (*menzionare*) to mention: *non l'ho mai sentito* —, I have never heard of it **3** (*eleggere*) to appoint: *lo hanno nominato ambasciatore*, he has been appointed ambassador.

nominatività *s.f.* (*comm.*) registration (in holder's name).

nominativo *agg.* **1** (*gramm.*) nominative: *caso* —, nominative case **2** (*comm.*) registered: *rendere nominativa un'obbligazione*, to register a bond ♦ *s.m.* **1** (*gramm.*) nominative **2** (*nome*) name.

non *avv.* **1** not (*contratto in* n't): — *dirlo*, do not (*o* don't) say that; — *era stanco*, he was not (*o* wasn't) tired; — *parla mai*, he never speaks; — *venne nessuno*, nobody came; *è meglio* — *andare*, it's better not to go; *è molto che* — *lo vedo*, it's a long time since I saw him last; *tu l'hai detto,* — *io,* you said so, not me; *che egli venga o che* — *venga...,* whether he comes or not...; *fa più freddo di quanto* (—) *pensassi,* it's colder than I thought // — *pochi,* not a few // — *appena,* as soon as // — *...mai,* never // — *sempre,* not always // — *senza...,* not without // — *più tardi,* no later (*o* not later) // *dottore* — *dottore,* doctor or no doctor // — *c'è di che,* not at all (*o* don't mention it) // — *che ne sia contento, ma...,* not that I am pleased about it, but... // *non che sia stupido, ma...,* not that he is stupid, but... // — *posso* — *protestare,* I cannot but protest // *non è se* — *un bugiardo,* (*non altro che*) he is nothing but a liar // *poco mancò che* (—) *rimanesse ucciso,* he was nearly (*o* all but) killed; *per poco* — *caddi,* I nearly fell (*o* I all but fell) // *quanto* — *ho fatto per quel ragazzo!,* what didn't I do for that boy! // *le bugie che* — *mi ha detto!,* what lies he told me! // *se* — *fosse per...,* but for... // *se* — *fosse che l'ho visto io stesso...,* but for the fact that I saw it for myself... **2** (*pref. negativo*) non: — *conformista,* nonconformist; — *intervento,* nonintervention // *l'io e il* — *io,* (*fil.*) the ego and the non-ego.

nonagenario *agg. e s.m.* nonagenarian.

nonché *cong.* **1** (*tanto meno, tanto più*) let alone: *è proibito parlarne* — *scriverne,* it's forbidden to speak about it, let alone (*o* as well as) to write about it **2** (*e inoltre*) as well as: *è sciocco* — *presuntuoso,* he is silly as well as presumptuous.

noncurante *agg.* careless, heedless.

noncuranza *s.f.* carelessness, heedlessness.

nondimeno *cong.* nevertheless, however: *ho molto da fare,* — *verrò,* I have got a lot to do, nevertheless (*o* however *o* all the same) I'll come.

nonna *s.f.* grandmother; (*fam.*) grandma, grand-mam(m)a; (*dim. affettuoso*) granny.

nonnina *s.f.* granny.

nonnino *s.m.* granddad, grandad.

nonno *s.m.* **1** grandfather; (*fam.*) grandpa(pa); (*dim. affettuoso*) grandad: *i miei nonni,* my grandparents **2** *pl.* (*antenati*) ancestors, forefathers.

nonnulla *s.m.* trifle: *si offende per un* —, he takes offence at nothing.

nono *agg.num.ord. e s.m.* ninth.

nonostante *prep.* in spite of, notwithstanding: — *tutto ciò,* in spite of all that, for all (*o* with all) that; *venne* — *la pioggia,* he came in spite of (*o* for all) the rain ♦ *cong.* though, although: — *fosse tardi,* though it was late; — (*che*) *io glielo avessi detto,* though I had told him.

non plus ultra *s.m.* height: *il* — *della stupidità,* the height of stupidity; *questo è il* —, this is the best that money can buy.

nonsenso *s.m.* nonsense.

nontiscordardimé *s.m.* (*bot.*) forget-me-not.

nonviolenza *s.f.* nonviolence.

nord *s.m.* north: *a* — *di,* (to the) north of // *del* —, northern; north (*attr.*): *abitanti del* —, northerners; *America del nord,* North America // *verso, a* —, north-ward (*agg.*); northwards (*avv.*).

nordamericano *agg. e s.m.* North American.

nordico *agg.* **1** northern: *clima* —, northern climate **2** (*dell'Europa settentrionale*) Nordic ♦ *s.m.* **1** Northerner **2** (*dell'Europa settentrionale*) Nordic.

nordista *agg. e s.m. e f.* (*st. amer.*) Federal.

nord-ovest *s.m.* northwest.

Norimberga *no.pr.f.* Nuremberg.

norma *s.f.* **1** rule, norm, standard; (*principio*) principle: *norme di sicurezza,* safety rules; *le buone norme del-*

l'educazione, the rules (*o* principles) of good education; *dettar le norme,* to set the standards; *attenersi alle norme,* to act according to the rules; *trasgredire le norme,* to break the rules **2** (*che dà norma*) standard (*attr.*): — *è buona* —, it is advisable // *a* — *di legge,* as laid down by law // *di* —, as a rule // *per vostra* — *e regola,* for your information **2** (*istruzione*) instruction, direction; (*regolamento*) regulation: *norme per l'uso,* instructions (*o* directions) for use; *le norme vigenti,* the regulations in force.

normale *agg.* **1** normal; (*abituale*) usual; (*regolare*) regular: *polso* —, regular pulse; *temperatura* —, normal temperature; *è nel suo stato* —, he is in his usual health **2** (*che dà norma*) standard (*attr.*): *dimensione* —, standard dimension **3** (*geom.*) normal ♦ *s.f.* (*geom.*) normal, perpendicular ♦ *s.m.* normal: *al di sotto, sopra del* —, below, above normal.

normalità *s.f.* normality.

normalizzare *v.tr.* to normalize.

normalizzazione *s.f.* normalization.

normalmente *avv.* normally, as a rule.

Normandia *no.pr.f.* Normandy.

normanno *agg. e s.m.* Norman.

normativa *s.f.* rules, conditions: — *contrattuale,* conditions stipulated by contract.

normativo *agg.* normative.

normografo *s.m.* (*tecn.*) stencil.

norvegese *agg. e s.m. e f.* Norwegian.

Norvegia *no.pr.f.* Norway.

nosocomio *s.m.* hospital.

nossignore *avv.* no, Sir.

nostalgia *s.f.* (*della patria, casa*) homesickness; (*di cose passate*) nostalgia: *avere, provare* —, to feel homesick; *soffrire di* —, to suffer from homesickness; to feel nostalgia (for); *ho* — *dei miei amici,* I miss my friends.

nostalgico *agg.* **1** (*che causa nostalgia*) nostalgic **2** (*che soffre di nostalgia*) (*per la patria, la casa ecc.*) homesick; (*per le cose passate*) nostalgic ♦ *s.m.* **1** nostalgic person **2** (*chi rimpiange il fascismo*) one who regrets the passing of Fascism.

nostrale, **nostrano** *agg.* locally made; (*di piante, frutta ecc.*) locally grown; (*di animali*) locally bred.

nostro *agg.poss.* **1** our, (*nostro proprio*) our own: *un* — *amico,* a friend of ours; *alcuni nostri amici,* some of our friends (*o* some friends of ours); *vorremmo avere una casa nostra,* we would like to have a house of our own; *qualcosa, niente di* —, something, nothing of our own // *l'ha fatto per amor* —, he did it for our sake // *in, a casa nostra,* in, at our house **2** (*come pred. nominale*) ours: *questo giardino è* —, this garden is ours (*o* belongs to us) **3** (*in espressioni ellittiche*): *la nostra* (*lettera*) *del 10 corr.,* ours (*o* our letter) of the 10th inst.; *è sempre dalla nostra* (*parte*), he is always on our side; *anche noi abbiamo avuto le nostre!,* we have had a bad (*o* rough) time of it too ♦ *pron.poss.* ours ♦ *s.m.* **1** *viviamo del* —, we live on our own income; *ci rimettiamo del* —, we are losing our money **2** *il Nostro,* the Author **3** *pl.*: *i nostri,* our family; (*partigiani*) our supporters, (*soldati*) ours (*o* our soldiers); *non è dei nostri,* (*non parteggia per noi*), he is not on our side; *sarai dei nostri domani sera?,* will you join us tomorrow evening?; *è uno dei nostri,* he is one of us // *arrivano i nostri!,* here come the goodies.

nostromo *s.m.* (*mar.*) boatswain, bo'sun: *primo* —, boatswain's mate.

nota *s.f.* **1** note: — *a piè di pagina,* footnote; *note caratteristiche,* distinguishing marks; — *del traduttore,* translator's note; *le sette note musicali*, the seven notes of the scale; *dare la —*, (*a orchestra*) to give an "A", (*a cantante*) to give the note; *trovare la — giusta*, to hit the right note; *prendere —*, to take note, (*per iscritto*) to write down; *abbiamo preso —*, (*comm.*) we have duly noted; *prender — di un ordine*, to book an order // *prendi —!*, notice! // *una — di allegria*, a cheerful note // *— diplomatica*, diplomatic note // *— di ringraziamento*, a note of thanks // *degno di —*, noteworthy // *note caratteristiche*, (*giudizi*) reports // *una — di biasimo*, a disciplinary note // *le dolenti note*, the doleful notes: *ora incominciano le dolenti note*, now the trouble starts 2 (*conto*) bill: *per piacere, mi prepari la —*, will you prepare the bill, please? 3 (*lista*) list: *la — della spesa*, the shopping list; *mettersi in —*, to put one's name down.

notabile *agg. e s.m.* notable.

notaio *s.m.* notary.

notare *v.tr.* 1 (*prendere nota di*) to note, to write* down // *non ho niente contro di lui, nota bene, ma...*, I have nothing against him, mind you, but... 2 (*osservare*) to notice; (*con parole*) to remark, to observe // *far —*, to point out 3 (*indicare con nota*) to mark: *— a margine*, to mark in the margin.

notariato *s.m.* profession of notary: *esercitare il —*, to be a notary.

notarile *agg.* notarial: *copia —*, certified copy; *studio —*, notary's office.

notazione *s.f.* 1 notation 2 (*annotazione*) annotation.

notes *s.m.* (*blocco*) notebook; (*agenda*) diary.

notevole *agg.* 1 (*degno di nota*) remarkable, noteworthy, notable: *non abbiamo visto nulla di —*, we saw nothing worth talking about 2 (*considerevole, grande*) considerable.

notifica *s.f.* notification.

notificare *v.tr.* 1 (*dir.*) to report, to notify: *— una citazione a...*, to serve a summons on... 2 (*render noto*) to inform: *— qlco. a qlcu.*, to inform s.o. of sthg.

notificazione *s.f.* 1 notification: *ricevere — di qlco.*, to be notified of sthg. 2 (*avviso*) notice.

notizia *s.f.* 1 news (*pl. con costr. sing.*); (*solo sing.*) *che notizie?*, what is the news?; *è una — interessante*, it is an interesting piece of news; *dammi tue notizie*, let me hear from you; *hai notizie di lui?*, have you any news of him? // *ultime notizie del giornale radio*, the final news // *non fa —*, it doesn't interest anybody 2 (*informazione*) information (*solo sing.*); (*dato*) note: *notizie bibliografiche*, bibliographical notes; *notizie storiche*, historical data (*o* notes).

notiziario *s.m.* news (*pl. con costr. sing.*): *— del mattino*, morning news.

noto *agg.* well-known: *è — a tutti che...*, everybody knows that...; *render — qlco. a qlcu.*, to make sthg. known to s.o. ♦ *s.m.*: *il —*, the known.

notorietà *s.f.* renown.

notorio *agg.* well-known: *atto —*, affidavit.

nottambulo *s.m.* night bird.

nottata *s.f.* night.

notte *s.f.* night: *giorno e —*, night and day; *non posso passare la — qui*, I cannot stay here overnight; *al cader, al calar, sul far della —*, at nightfall; *si fa —*, night (*o* darkness) falls; *alle due di —*, at two o'clock in the morning; *nel cuor della —*, at dead of night // *— bianca*, sleepless night // *buona —!*, goodnight!; (*iron.*) that's that; *dare la buona —*, to say (*o* to bid) goodnight // «*Le Mille e una Notte*», (*lett.*) "The Arabian Nights" // *non passerà la —*, (*fig.*) he won't see this night out (*o* he won't last the night) // *la — dei tempi*, the mists of time // *correrci quanto dal giorno alla —*, to be as different as chalk and cheese // *la — porta consiglio*, sleep on it // *è peggio che andar di —*, (*fam.*) that's even worse.

nottetempo *avv.* by night, during the night.

nottola[1] *s.f.* 1 (*pipistrello*) noctule 2 (*civetta*) owl.

nottola[2] *s.f.* (*di cancelli ecc.*) latch.

nottolino *s.m.* 1 (*piccolo saliscendi, per porte ecc.*) doorlatch 2 (*mecc.*) pawl, pallet: *— di arresto*, ratchet (*o* pawl).

notturno *agg.* night (*attr.*); nocturnal; (*di ogni notte*) nightly: *guardiano —*, night watchman ♦ *s.m.* 1 (*eccl.*) nocturn 2 (*mus.*) nocturne.

novanta *agg.num.card. e s.m.* ninety.

novantenne *agg.* ninety (years old) (*pred.*); ninety-year-old (*attr.*) ♦ *s.m.* ninety-year-old man ♦ *s.f.* ninety-year-old woman.

novantesimo *agg.num.ord. e s.m.* ninetieth.

novantina *s.f.* about ninety // *raggiungere la —*, to reach the age of ninety.

nove *agg.num.card. e s.m.* nine.

novecento *agg.num.card. e s.m.* nine hundred // *il Novecento*, the twentieth century.

novella *s.f.* 1 short story, tale 2 (*letter.*) (*notizia*) news (*pl. con costr. sing.*): *la buona —*, the good news.

novellare *v.intr.* to tell* stories, to tell* tales.

novellatore *s.m.* storyteller.

novelliere *s.m.* short-story writer.

novellino *agg.* inexperienced, raw ♦ *s.m.* (*fam.*) greenhorn.

novellista *s.m. e f.* short-story writer.

novellistica *s.f.* short-story writing.

novello *agg.* 1 new // *pollo —*, spring chicken; *sposi novelli*, newly married couple 2 (*nuovo, secondo*) second.

novembre *s.m.* November.

novena *s.f.* (*eccl.*) novena.

novennale *agg.* 1 (*che dura nove anni*) lasting nine years, nine-year (*attr.*) 2 (*che accade ogni nove anni*) occurring every nine years.

noverare *v.tr.* (*letter.*) to enumerate, to count.

novero *s.m.* number: *mettere qlcu. nel — dei propri amici*, to number s.o. among one's friends.

novilunio *s.m.* new moon.

novità *s.f.* 1 novelty, newness 2 (*cosa nuova*) novelty; (*innovazione*) change: *la — della moda*, the latest fashions; *per loro fu una —*, it was a new experience for them; *tenersi al corrente delle —*, to keep up with new ideas; *non è una —*, this is nothing new // *— libraria*, new book; *— teatrale*, new play 3 (*notizia*) news (*pl. con costr. sing.*): *che — vi sono?*, what is the news?

noviziato *s.m.* 1 (*eccl.*) novitiate, noviciate, noviceship 2 (*tirocinio*) apprenticeship.

novizio *s.m.* 1 (*eccl.*) novice 2 (*principiante*) beginner, apprentice.

nozionale *agg.* notional.

nozione *s.f.* notion, idea: *nozioni di grammatica*, elements of grammar; *non ha la — del bene e del male*, he has no sense of good and evil; *perdere la — del tempo*, to lose all sense (*o* idea) of time.

nozionistico *agg.*: *cultura nozionistica*, knowledge consisting only of facts and figures; *esame —*, exam based only on facts and figures.

nozze *s.f.pl.* wedding (*sing.*), marriage (*sing.*); nuptials:

— *d'argento, d'oro*, silver, golden wedding; *pranzo di* —, wedding breakfast; *viaggio di* —, honeymoon; *passare a seconde* —, to marry for the second time.

nube *s.f.* cloud: *senza nubi*, cloudless; *una — di tristezza gli oscurò il volto*, his face clouded with sadness.

nubifragio *s.m.* downpour.

nubile *agg.* unmarried, single ♦ *s.f.* unmarried woman, single woman; *(dir.)* spinster.

nuca *s.f.* nape of the neck: *colpire qlcu. alla* —, to hit s.o. on the back of the neck.

nucleare *agg.* nuclear: *energia* —, atomic energy.

nucleo *s.m.* **1** nucleus *(pl.* nuclei): *— magnetico,* *(fis.)* magnet core **2** *(informatica)* core **3** *(gruppo)* group: *il — familiare*, the family.

nudismo *s.m.* nudism.

nudista *s.m. e f.* nudist.

nudità *s.f.* nakedness, bareness; *(di una parte del corpo)* bareness.

nudo *agg.* naked, bare *(anche fig.)*; *(di una parte del corpo)* bare: *a piedi nudi*, bare-foot(ed); *pareti nude*, bare walls *// — come un verme*, stark naked *(o fam.* in one's birthday suit) *// — e crudo*, plain *(o* candid) *(agg.)*; bluntly *(avv.) // mettere a* —, to lay bare ♦ *s.m.* *(arte)* nude.

nugolo *s.m.* cloud.

nulla *pron.avv. e s.m.* → **niente**.

nullaosta *s.m.* permit; *(eccl.)* nihil obstat: *— per una nave*, certificate of clearance.

nullatenente *agg.* without property ♦ *s.m. e f.* person without property.

nullità *s.f.* nullity *// è una* —, he is a nonentity *(o a* cipher).

nullo *agg.* *(dir.)* null, void: *un incontro* —, *(sport)* a draw; *scheda nulla*, spoiled vote; *dichiarare — un atto*, to annul an act.

nume *s.m.* numen *(pl.* numina), deity: *— tutelare*, tutelary deity.

numerabile *agg.* numerable.

numerale *agg.* numeral ♦ *s.m.* *(gramm.)* numeral adjective.

numerare *v.tr.* **1** to number **2** *(contare)* to count.

numerario *agg.* *(comm.)* cash *(attr.)*: *riserva numeraria*, cash (reserve) ♦ *s.m.* *(comm.)* (ready) cash.

numeratore *s.m.* **1** numerator **2** *(macchina)* numbering machine.

numerazione *s.f.* **1** numbering, numeration **2** *(mat.)* numeration **3** *(informatica)* notation: *— binaria*, binary number system.

numerico *agg.* **1** numerical **2** *(informatica)* digital.

numero *s.m.* **1** number: *— fisso*, *(mat.)* fixed number; *— intero*, *(mat.)* whole number; *— primo*, *(mat.)* prime number; *numeri romani*, Roman numerals; *— di targa*, (plate) number; *abitare al — 5*, to live at no. 5 *// senza* —, without number *(o* numberless) *// nel — di dieci*, ten in number *// erano cinque di* —, they were just five *// un gran — di*, a large number of *(o a* great many) *// — chiuso*, quota number *// — legale*, quorum *// — casuale*, *(informatica)* random number *// — d'ordine*, *(informatica)* sequence number *// essere del* —, to be in the group *// fare* —, to make up the number *// andare nel — dei più*, to join the great majority *// dare i numeri*, to give lucky numbers; *(fig.)* to go off one's head *// estrarre i numeri (del lotto)*, to draw the numbers *// che — di scarpe porti?*, what size shoes do you wear? **2** *(gramm.)* number: *di — singolare, plurale*, in the singular, plural number **2** *(di gior-*

nale, rivista) number, issue: *continua al prossimo* —, to be continued in the next issue; *— unico*, single number **4** *(di spettacolo)* number *// è un — quel ragazzo!*, that boy is a star turn **5** *(spec. pl.)* *(qualità)* quality: *uno scrittore che ha dei numeri*, a gifted writer *// — uno*, first-class; *(spreg.)* notorious **6** *(lett.)* *(ritmo)* numbers *(pl.)*, rhythm.

numeroso *agg.* numerous.

numismatica *s.f.* numismatics *(pl.)*.

numismatico *agg.* numismatic ♦ *s.m.* numismatist.

nunziatura *s.f.* *(eccl.)* nunciature.

nunzio *s.m.* messenger *// — apostolico*, apostolic nuncio.

nuocere *v.intr.* to harm (s.o., sthg.), to hurt* (s.o., sthg.); *(danneggiare)* to damage (s.o., sthg.): *non nuocerà ripeterglielo*, it won't hurt to tell him again *// tentar non nuoce*, there is no harm in trying *// non tutto il male vien per* —, *(prov.)* it's an ill wind that blows nobody any good.

nuora *s.f.* daughter-in-law.

nuotare *v.intr.* **1** to swim*: *— a rana, a crawl, a farfalla*, to do the breaststroke, the crawl, the butterfly; *— sul dorso*, to swim on one's back **2** *(fig.)* to roll, to wallow: *— nell'oro*, to roll *(o* to wallow) in money.

nuotata *s.f.* swim: *fare una* —, to go for a swim.

nuotatore *s.m.* swimmer.

nuoto *s.m.* swimming: *gara di* —, swimming race; *sono andato a — fino a quell'isola*, I swam to that island; *passare un fiume a* —, to swim (across) a river; *salvarsi a* —, to swim to safety.

nuova *s.f.* news *(pl. con costr. sing.) // nessuna — buona* —, no news is good news.

nuovaiorchese *agg.* New York *(attr.)* ♦ *s.m. e f.* New Yorker.

nuovamente *avv.* again.

Nuova York *no.pr.f.* New York.

Nuova Zelanda *no.pr.f.* New Zealand.

nuovo *agg.* **1** new: *è come* —, it is as good as new; *argomento sempre* —, topic which never fails to interest; *casa di nuova costruzione*, newly-built house; *questo mi giunge* —, this is new to me; *viso* —, unknown face; *un modello più* —, a more up-to-date model *// essere — del mestiere*, to be new to the job; *essere — di un luogo*, to be new to a place *// anno — vita nuova*, ring out the old, ring in the new **2** *(altro, ulteriore)* new, further: *fino a — ordine*, till further orders; *prendi un foglio* —, take a fresh sheet; *seguì una nuova pausa*, another pause followed *// passare a nuove nozze*, to remarry *// un — Manzoni*, a second Manzoni ♦ *s.m.* new: *che c'è di* —?, what's new?; *non c'è niente di* —, there is no news *(o* there is nothing new) *// di* —, again *// rimettere a* —, to renovate *// non c'è nulla di — sotto il sole*, *(prov.)* there is nothing new under the sun *// allora ci* —!, *(arrivederci)* well, goodbye again.

nutria *s.f.* *(zool.)* coypu.

nutrice *s.f.* (wet) nurse.

nutriente *agg.* nourishing, nutritious *// crema* —, nourishing-cream.

nutrimento *s.m.* nutriment, nourishment; *(fig.)* food *(solo sing.)*.

nutrire *v.tr.* **1** to feed*; *(spec. fig.)* to nourish **2** *(fig.)* *(provare)* to nourish, to nurse: *— affetto per qlcu.*, to be fond of s.o.; *— molta stima per qlcu.*, to hold s.o. in great esteem *// -irsi v.rifl.* to feed* (on sthg.) *(anche fig.)*.

nutritivo *agg.* nutritious, nutritive.

nutrito *agg.* **1** fed, nourished: *ben* —, *mal* —, well

-fed, ill-fed **2** (*fig.*) (*sostanzioso*) substantial; (*intenso*) hearty.

nutrizione *s.f.* nutrition.

nuvola *s.f.* cloud: — *di pioggia*, rain cloud; *senza nuvole*, cloudless // *aver la testa nelle nuvole*, to have one's head (*o* to be) in the clouds // *cascare dalle nuvole*, to be taken aback.

nuvolaglia *s.f.* mass of clouds.

nuvolo *s.m.* **1** cloudy weather **2** (*fig.*) (*moltitudine*) cloud; (*sciame*) swarm.

nuvolosità *s.f.* cloudiness.

nuvoloso *agg.* cloudy; (*spec. del cielo*) overcast.

nuziale *agg.* wedding (*attr.*), nuptial: *abito* —, wedding dress; *cerimonia* —, wedding.

nylon® *s.m.* nylon®: *calze di* —, nylon stockings (*o* nylons); *filato di* —, nylon yarn.

O

o[1] *s.f. o m.* o (*pl.* os, oes, o's) // — *come Otranto*, (*tel.*) o for Oliver.

o[2] *cong.* **1** or // (—)...—, either...or: — *questo* — *quello*, either this or that // — *l'uno* — *l'altro*, either: *prendi* — *l'uno* — *l'altro* (*libro*), take either (book) // (*sia*) *che tu lo voglia* — *no*, whether you want it or not **2** (*altrimenti*) otherwise, or (else).

oasi *s.f.* oasis (*pl.* oases).

obbedire e *deriv.* → **ubbidire** e *deriv.*

obbiettare e *deriv.* → **obiettare** e *deriv.*

obbiettivo e *deriv.* → **obiettivo** e *deriv.*

obbligare *v.tr.* to oblige, to compel; (*con la forza*) to force: *mi ha obbligato a seguirlo*, he compelled me to follow him // **-arsi** *v.rifl.* to undertake*, to bind* oneself.

obbligato *agg.* **1** (*riconoscente*) obliged, grateful **2** (*fissato*) fixed, set: *percorso* —, (*sport*) fixed (*o* set) course **3** (*costretto*) compelled: *sarò* — *a partire al mattino presto*, I'll be compelled (*o* I'll have) to leave early in the morning.

obbligatorietà *s.f.* obligatoriness.

obbligatorio *agg.* compulsory, obligatory: *servizio militare* —, compulsory military service.

obbligazione *s.f.* **1** obligation: *contrarre un'* —, (*dir.*) to undertake an obligation **2** (*comm.*) bond, debenture: — *convertibile*, convertible bond; — *dello stato*, Government bond; — *fondiaria*, mortgage bond; — *indicizzata*, index-linked bond; *obbligazioni a reddito fisso*, fixed income bonds.

obbligazionista *s.m.* e *f.* bondholder.

obbligo *s.m.* **1** obligation (*anche fig.*); (*dovere*) duty: *avere l'* — *di fare qlco.*, to be bound to do sthg.; *assolvere i propri obblighi verso qlcu.*, to fulfil one's obligations towards s.o.; *assumere l'* — *di fare qlco.*, to undertake to do sthg.; *sono molto in* — *verso di lui*, I am greatly indebted to him; *non sentirti in* — (*di ricambiare*), don't feel obliged to repay // *obblighi militari*, military service // — *di leva*, compulsory military service // *contributo d'* —, compulsory contribution // *essere d'* —, to be required // *è d'* — *l'abito nero*, evening dress obligatory **2** (*condizione*) condition: *con l'* — *di*, on condition that.

obbrobrio *s.m.* shame, disgrace // *questa casa è un* —, this house is a disgrace.

obbrobrioso *agg.* **1** shameful, disgraceful **2** (*orribile*) dreadful.

obelisco *s.m.* obelisk.

oberato *agg.* overburdened // — *di lavoro*, overworked.

obesità *s.f.* obesity.

obeso *agg.* obese.

obice *s.m.* howitzer.

obiettare *v.tr.* to object.

obiettività *s.f.* objectivity.

obiettivo *agg.* **1** objective **2** (*fig.*) (*imparziale*) unbiased: *un giudizio* —, an unbiased judgement; *un parere* —, an unbiased opinion ♦ *s.m.* **1** (*mil.*) target, objective **2** (*scopo*) aim **3** (*ott. fot.*) lens: — *a fuoco fisso*, fixed-focus lens; — *di grande, piccola lunghezza focale*, long-focus, short-focus lens; — *quadrangolare*, wide-angle lens.

obiettore *s.m.* objector // — *di coscienza*, conscientious objector.

obiezione *s.f.* objection: *rispondere a un'* —, to meet an objection; *sollevare un'* —, to raise an objection.

obitorio *s.m.* morgue.

oblatore *s.m.* donator.

oblazione *s.f.* **1** offering **2** (*eccl.*) oblation **3** (*dir.*) payment of a fine out of court.

obliare *v.tr.* to forget*.

oblio *s.m.* oblivion: *cadere nell'* —, to sink into oblivion.

obliquamente *avv.* **1** sideways; slantwise **2** (*fig.*) obliquely, deceitfully.

obliquità *s.f.* **1** obliqueness **2** (*fig.*) obliquity.

obliquo *agg.* **1** oblique, skew: *linea obliqua*, oblique line // *occhiata obliqua*, sidelong glance; *pioggia obliqua*, driving rain **2** (*fig.*) oblique, underhand.

obliterare *v.tr.* (*letter.*) to obliterate.

obliterazione *s.f.* (*letter.*) obliteration.

oblò *s.m.* porthole.

oblungo *agg.* oblong.

oboe *s.m.* (*mus.*) oboe.

obolo *s.m.* offering: *raccogliere l'* —, to take the collection.

obsoleto *agg.* (*letter.*) obsolete.

oca *s.f.* **1** goose (*pl.* geese): — *maschio*, gander; *guardiano di oche*, gooseherd; *un branco d'oche*, a gaggle of geese // *penna d'* —, goose quill // *gioco dell'* —, the game of goose // *passo dell'* —, (*mil.*) goosestep // *avere la pelle d'* —, to have gooseflesh; *far venire la pelle d'* — *a qlcu.*, to give s.o. the creeps **2** (*persona stupida*) goose, simpleton.

ocaggine *s.f.* stupidity, foolishness.

ocarina *s.f.* (*mus.*) ocarina.

occasionale *agg.* **1** immediate **2** (*fortuito*) fortuitous, chance (*attr.*) **3** (*saltuario*) occasional.

occasionalmente *avv.* **1** (*saltuariamente*) occasionally, now and then **2** (*fortuitamente*) by chance.

occasionare *v.tr.* (*rar.*) to occasion.

occasione *s.f.* **1** occasion; (*opportunità*) opportunity; (*possibilità*) chance: *lasciare sfuggire un'*—, to miss an opportunity; *cogliere l'*—, to seize (*o* to take) the opportunity; *se si presenterà l'*—..., should the opportunity arise... // *all'*—, if necessary // *l'*— *fa l'uomo ladro*, (*prov.*) opportunity makes the thief **2** (*buon affare*) bargain: *è stata una vera* —, it was a real bargain // *di* —, bargain (*attr.*); (*di seconda mano*) second-hand **3** (*circostanza*) occasion: *in molte occasioni*, on many occasions // *poesie d'*—, occasional verse **4** (*causa*) cause.

occhiaia *s.f.* eye socket // *avere le occhiaie*, to have rings under one's eyes.

occhiali *s.m.pl.* (*a stanghetta*) spectacles, glasses; (*a molla*) pince-nez (*sing.*): — *da vista*, glasses (*o* spectacles); — *da miope, da presbite*, glasses for shortsightedness, glasses for longsightedness; — *da motociclista*, goggles; — *da neve*, snowgoggles; — *da sole*, sunglasses; *astuccio per gli* —, spectacle case; *portare gli* —, to wear glasses.

occhialino *s.m.* lorgnette.

occhialuto *agg.* spectacled (*attr.*), wearing spectacles (*pred.*).

occhiata[1] *s.f.* look; (*rapida*) glance: *dare un'*— *a qlco.*, to have a look at sthg.; *lanciare un'*— *a qlcu.*, to cast a look at s.o.; *scambiarsi un'*— *d'intesa*, to exchange meaning looks; *lo si vede alla prima* —, it's obvious at the first glance.

occhiata[2] *s.f.* (*zool.*) ray.

occhiataccia *s.f.* black look.

occhieggiare *v.tr.* to cast* glances (at s.o., sthg.) ♦ *v.intr.* to peep, to peer.

occhiello *s.m.* **1** buttonhole; (*per corda o fettuccia*) eyelet: *con un fiore all'*—, with a buttonhole (flower) **2** (*tip.*) half title, bastard title.

occhio *s.m.* **1** eye: *occhi infossati*, sunken eyes; *occhi sporgenti*, protruding eyes; *occhi a mandorla*, almond eyes; *avere gli occhi neri*, to be black eyed; *avere gli occhi storti*, to be cross-eyed; *avere gli occhi lucidi di pianto, di febbre*, to have one's eyes full of tears, to have feverish eyes; *strizzare gli occhi*, (*per il sole ecc.*) to screw up one's eyes; *a occhi chiusi*, with one's eyes closed; (*fig.*) blindly // — *di vetro*, glass-eye // — *vitreo*, glassy stare // *avere qlco. sott'*—, to have sthg. in front of s.o. // *avere gli occhi da gatto*, to have eyes like a cat; *avere gli occhi di lince*, to be keensighted // *avere gli occhi fuori dalla testa*, (*anche fig.*) to have one's eyes popping out of one's head // *dove hai gli occhi?*, where are your eyes? // *avere occhi dappertutto*, to have eyes in the back of one's head // *avere* — *per qlco.*, to have an eye for sthg. // *chiudere un* — *su qlco.*, to turn a blind eye to sthg. // *fare un* — *nero a qlcu.*, to give s.o. a black eye // *misurare qlco. a* —, to measure sthg. by sight // — *al borsellino!*, watch your purse! // *dormire con gli occhi aperti*, to sleep with one eye open // *a* — *nudo*, with the naked eye // *a quattr'occhi*, in private // *a perdita d'*—, as far as the eye can see // *a vista d'*—, before one's very eyes // *in un batter d'*—, in a twinkling of an eye // *agli occhi miei*, as I see things // *agli occhi del mondo*, in the eyes of the world // *guardare qlcu. dritto negli occhi*, to look (at) s.o. straight in the eye // *interrogare qlcu. con gli occhi*, to look at s.o. inquiringly // *mettere gli occhi addosso a qlcu., qlco.*, to lay one's eyes on s.o., sthg. // *cercare qlcu. con gli occhi*, to look round for s.o. // *fare gli occhi dolci a qlcu.*, to make sheep's eyes at s.o. // *mangiarsi qlcu., qlco. con gli occhi*, to devour s.o., sthg. with one's eyes // *anche l'*— *vuole la sua parte*, looks count for something // *tenere d'*— *qlcu., qlco.*, to keep an eye on s.o., sthg. // *mettere qlco. sotto gli occhi di qlcu.*, to draw s.o.'s attention to sthg. // *costare un* — *della testa*, to cost the earth // *pagare un* — *della testa*, to pay through the nose // *darei un* — *per averlo*, I would give the world to have it // *dare nell'*—, to catch the eye // *uova all'*— *di bue*, sunny-side up eggs // — *per* — *dente per dente*, (*prov.*) an eye for an eye, a tooth for a tooth; *lontano dagli occhi, lontano dal cuore*, (*prov.*) out of sight, out of mind; — *non vede cuore non duole*, (*prov.*) what the eye does not see the heart doesn't grieve over **2** (*cosa a forma d'occhio*): *occhi del brodo*, specks of fat on soup; *gli occhi del formaggio*, the holes in cheese; *gli occhi delle penne del pavone*, the ocelli on peacock's feathers; — *di gatto*, (*min.*) cat's eye; — *di pernice*, — *pollino*, soft corn **3** (*bot.*) bud **4** (*tecn.*) eye: — *di bue*, (*edil.*) bull's eye; — *magico*, (*rad.*) magic eye **5** (*tip.*) face.

occhiolino *s.m.*: *far l'*— *a qlcu.*, to wink at s.o.

occidentale *agg.* western; (*posto, rivolto a ovest*) west (*attr.*): *la civiltà* —, western civilization; *il lato* — *di una casa*, the west side of a house; *costa* —, west coast; *Indie Occidentali*, West Indies.

occidentalista *agg. e s.m. e f.* occidentalist.

occidentalizzare *v.tr.* to occidentalize.

occidente *s.m.* west.

occipitale *agg.* occipital.

occipite *s.m.* (*anat.*) occiput.

occludere *v.tr.* (*letter.*) to occlude, to stop up; (*ostruire*) to obstruct.

occlusione *s.f.* **1** occlusion, stoppage; (*ostruzione*) obstruction **2** (*med.*) occlusion.

occlusivo *agg.* occlusive.

occorrente *agg.* necessary, requisite, required ♦ *s.m.* the necessary, everything necessary: — *per scrivere*, writing materials.

occorrenza *s.f.* necessity, need // *all'*—, in case of need (*o* necessity).

occorrere *v.intr.* **1** *impers.* (*essere necessario*) → *bisognare* nel senso 1 **2** (*abbisognare*) to want, to need (*costr. pers.*): *mi occorrono molti soldi*, I need a lot of money; *occorre molto tempo...*, much time is needed (*o* required)...; *non mi occorre altro*, I do not want anything else.

occultamento *s.m.* concealment: *fu accusato di* — *di prove*, — *di cadavere*, he was accused of having concealed evidence, the corpse.

occultare *v.tr.* (*letter.*) to hide*, to conceal // **-arsi** *v. rifl.* to hide*.

occultismo *s.m.* occultism.

occultista *s.m. e f.* occultist.

occulto *agg.* **1** hidden **2** (*magico*) occult.

occupante *agg.* occupying ♦ *s.m. e f.* occupant, occupier // *il primo* —, (*dir.*) the first occupier.

occupare *v.tr.* **1** to occupy (*anche mil.*) // — *una casa, un appartamento* (*abusivamente*), to squat in a house, in a flat **2** (*il tempo*) to occupy, to spend*: *occupa molto tempo leggendo*, she spends a lot of time reading **3** (*fig.*) (*tener occupato*) to keep* busy: *mi occupa tutta la giornata*, it keeps me busy all day long; *questo lavoro mi occupa troppo tempo*, this work takes up too much of my time **4** (*cariche, uffici*) to occupy, to hold*: *occupa un posto di alta responsabilità*, he occupies a position of high responsibility; *occupa la cattedra di filosofia a Pisa*, he holds (*o* has) the chair of philoso-

phy at Pisa **5** (*ingaggiare, far lavorare*) to employ //
-arsi *v.intr.pron.* **1** (*badare*) to attend (to sthg.); to see*
(to s.o., sthg.); (*dedicarsi*) to devote oneself (to sthg.): *di
che cosa ti occupi?*, what is your job?; *chi si occuperà di
prenotare i posti?*, who will see to booking the seats?;
occupati tu dei bambini, you see to the children // *occupati dei fatti tuoi*, mind your own business **2** (*trovar lavoro*) to find* a job.

occupato *agg.* **1** (*di cosa*) taken // *la linea è occupata*,
(*tel.*) the line is engaged **2** (*di persona*) busy, engaged:
sono molto —, I am very busy; *sei occupato oggi pomeriggio?*, are you busy this afternoon?; *era* — *a scrivere
una lettera*, he was busy writing a letter.

occupazionale *agg.* employment (*attr.*): *crisi* —, employment crisis.

occupazione *s.f.* **1** occupation: *truppe di* —, occupation troops (*o* army) // — *di memoria di un programma*, (*informatica*) memory requirements **2** (*attività*)
occupation; (*impiego*) job, employment: *piena* —, full
employment; (*aumentare l'* —), to increase employment **3** (*dir.*) occupancy: — *abusiva*, squatting.

Oceania *no.pr.f.* Oceania.

oceanico *agg.* oceanic (*anche fig.*), ocean (*attr.*).

oceano *s.m.* ocean // *l'Oceano Atlantico*, the Atlantic
Ocean.

oceanografia *s.f.* oceanography.

oceanografico *agg.* oceanographic(al).

ocelot (*franc.*) *s.m.* (*zool.*) ocelot.

ocra *s.f.* ochre.

oculare *agg.* ocular, eye (*attr.*): *bulbo* —, eyeball; *testimonio* —, eyewitness ♦ *s.m.* (*fis.*) eyepiece.

oculatezza *s.f.* caution; (*saggezza*) wisdom.

oculato *agg.* cautious; (*saggio*) wise.

oculista *s.m. e f.* oculist.

oculistico *agg.* oculistic.

odalisca *s.f.* odalisque.

ode *s.f.* ode: *odi barbare*, barbarian odes.

odiare *v.tr.* to hate, to loathe, to detest.

odierno *agg.* **1** today's (*attr.*), of today (*pred.*): *in data
odierna*, as of today **2** (*del momento*) modern, present
-day (*attr.*); *l'odierna crisi degli alloggi*, the present
-day housing crisis.

odio *s.m.* hatred, hate: — *di classe*, class hatred; —
ereditario, (family) feud; *attirarsi, tirarsi l'*—, to make
oneself hated; *avere in* —, to hate; *fare qlco. in* —*a
qlcu.*, to do sthg. out of hatred for s.o.; *prendere qlcu.,
qlco. in* —, to conceive a strong aversion for s.o., sthg.

odiosità *s.f.* hatefulness, odiousness.

odioso *agg.* hateful, odious, loathsome.

odissea *s.f.* odyssey.

odontalgico *agg. e s.m.* odontalgic.

odontoiatra *s.m. e f.* dentist, odontologist.

odontoiatria *s.f.* dentistry, odontology.

odontotecnico *s.m.* dental technician.

odorare *v.tr.* **1** (*fiutare*) to smell* **2** (*intuire*) to
smell* (out), to scent (out) ♦ *v.intr.* to smell* (*anche
fig.*), to scent (*anche fig.*): *la faccenda odora di losco*, the
affair smacks (*o* smells) of trickery.

odorato *s.m.* smell.

odore *s.m.* **1** smell, odour, scent: *c'è* — *di chiuso nella
stanza*, this room smells musty; *c'è* — *di sigaro*, there is
a smell of cigar; *non sento nessun* —, I can't smell anything; *avere buono, cattivo* —, to smell good, bad; *sentire* — *di bruciato*, to smell sthg. burning **2** (*fig.*) odour:
morire in — *di santità*, to die in the odour of sanctity **3** *pl.* (*cuc.*) herbs.

odorifero *agg.* odoriferous, fragrant.

odoroso *agg.* fragrant, sweet-scented.

Ofelia *no.pr.f.* (*lett.*) Ophelia.

offa *s.f.* sop.

offendere *v.tr.* **1** to offend: — *qlcu. nell'onore*, to offend s.o.'s honour // — *Dio*, to offend against God **2**
(*violare*) to infringe on s.o.'s rights // — *la legge*, to
break the law **3** to injure; (*vista, udito*) to offend //
-ersi *v.intr.pron.* to feel* hurt (by sthg.), to be* offended
(at, by sthg.), to take* offence: *si offende facilmente*, he
takes offence easily; *si offese per il suo comportamento*,
he was offended by (*o* he took umbrage at) his behaviour.

offensiva *s.f.* (*mil.*) offensive.

offensivo *agg.* offensive.

offensore *s.m.* offender.

offerente *s.m. e f.* offerer; (*a un'asta*) bidder: *il miglior*
—, the highest bidder.

offerta *s.f.* **1** offer **2** (*donazione*) offering **3** (*comm.*)
offer; (*a un'asta*) bid; (*econ.*) supply // *legge della domanda e dell'*—, (*econ.*) law of demand and supply //
fare un'— *per un appalto*, to make a tender.

offertorio *s.m.* (*eccl.*) offertory.

offesa *s.f.* **1** offence (to s.o., against sthg.); (*grave*) insult: *sia detto senza* —, no offence meant; *ingoiare
un'*—, to swallow an insult; *subire un'*—, to suffer a
wrong; *recare* — *a qlcu.*, to give offence to s.o. **2** (*mil.*)
offence // *armi di* —, offensive weapons.

offeso *agg.* **1** offended (at, by), hurt: *si è sentita offesa
dal suo rifiuto*, she felt hurt by his refusal // *sono* — *con
lui*, I am annoyed with him **2** (*leso*) injured ♦ *s.m.* offended person.

officiante *agg.* (*eccl.*) officiating ♦ *s.m.* (*eccl.*) officiant.

officiare *v.intr.* (*eccl.*) to officiate.

officina *s.f.* (work)shop // *capo* —, foreman.

officioso *agg.* **1** courteous, civil **2** (*rar.*) (*non ufficiale*) unofficial.

offrire *v.tr.* **1** to offer: *posso offrirti un caffè?*, can I offer you a cup of coffee?; *si fa sempre* — *da bere da tutti*,
he always cadges drinks from everybody; — *qlco. in
dono*, to offer sthg. as a gift // — *da bere a qlcu.*, to
stand s.o. a drink // *ti posso offrire ospitalità per questa
notte*, I can put you up for the night **2** (*presentare*) to
offer: *mi offrì l'opportunità di conoscerla*, he offered me
the chance to meet her; *non offre alcun interesse*, it's not
in the least interesting; *è un lavoro che offre molte possibilità*, it's a job that offers (*o* presents) many possibilities **3** (*comm.*) to offer, to tender; (*a un'asta*) to bid*
// **-irsi** *v.rifl.* **1** to offer: *si offrì di aiutarmi*, he offered
to help me; — *per qlco.*, to volunteer for sthg. **2** (*di
cosa; presentarsi*) to present itself: *un bel paesaggio gli si
offrì alla vista*, a beautiful landscape met his eyes.

offuscamento *s.m.* darkening (*anche fig.*), dimming
(*anche fig.*), clouding (over) (*anche fig.*): *l'* — *della ragione*, the dimming (*o* the clouding over) of one's mental
faculties.

offuscare *v.tr.* to darken (*anche fig.*), to dim (*anche
fig.*), to obscure (*anche fig.*); (*fot. cinem.*) to blur: *il fumo
aveva offuscato il cielo*, the smoke had darkened the
sky; — *la fama di qlcu.*, to obscure s.o.'s fame; *i suoi
occhi erano offuscati dalle lacrime*, her eyes were
dimmed with tears // **-arsi** *v.intr.pron.* to grow* dark
(*anche fig.*), to grow* dim (*anche fig.*), to become* ob-
scured (*anche fig.*).

oftalmico *agg.* ophthalmic.

oggettivare *v.tr.* to objectify // **-arsi** *v.intr.pron.* to
take* concrete shape.

oggettivazione *s.f.* (*fil.*) objectivation.

oggettività *s.f.* objectivity.

oggettivo *agg.* objective.

oggetto *s.m.* **1** object // *essere — d'invidia da parte di qlcu.*, to be envied by s.o. // *era diventato — di scherno generale*, he had become a laughingstock **2** (*cosa materiale*) thing, article: *oggetti da viaggio*, travelling articles; *oggetti preziosi*, valuables **3** (*argomento*) subject.

oggi *avv. e s.m.* **1** today: — *a otto*, today week (*o* a week today); — *a quindici*, today fortnight (*o* a fortnight today); *da — in poi*, from today on; *fino a —, a tutt'—*, up to today; — *stesso, proprio oggi*, this very day; *il giornale di —*, today's newspaper; *dall' — al domani possono succedere tante cose*, between today and tomorrow so many things may happen // — *a me, domani a te*, today me, tomorrow thee // *la gioventù d'—*, the young people of today // *i romanzieri d'—*, present-day novelists **2** (*al giorno d'oggi*) nowadays, these days: *al giorno d'—, — come —*, nowadays; — *come — non posso farlo*, for the time being I can't do it; — *molti giovani preferiscono le materie scientifiche*, nowadays many young people prefer the scientific subjects.

oggidì, oggigiorno *avv.* nowadays.

ogiva *s.f.* **1** (*arch.*) ogive: *a —*, ogival **2** (*mil.*) ogive, nose (*anche aer.*).

ogivale *agg.* (*arch.*) ogival // *arco —*, pointed arch.

ogni *agg.indef.* **1** every; (*tutti*) all; (*ciascuno*) each: — *giorno*, every day; — *sorta di cose*, all sorts of things; — *studente ricevette un premio*, each student received a prize; — *lunedì*, every monday // — *cosa*, everything // *in — parte*, everywhere // — *tanto*, now and then; *una volta — tanto*, every now and then // — *ben di Dio*, all sorts of good things // *ti auguro — bene*, I wish you all the best **2** (*qualsiasi*) any: *a — costo*, at any cost (*o* at all costs); *in, a — modo*, anyway (*o* in any case) // *fuor d'— dubbio*, beyond all doubt **3** (*distributivo, con numerali*) every: — *due, tre mesi*, every two, three months (*o* every second, third month).

ogniqualvolta *cong.* whenever.

Ognissanti *s.m.* All Saints' Day.

ognora *avv.* always.

ognuno *pron.indef.* **1** everybody, everyone // — *per sé e Dio per tutti*, (*prov.*) everyone for himself and God for all **2** (*seguito dal partitivo*) each (one): — *di loro*, each of them; — *di loro ha due libri*, they each have two books (*o* they have two books each) // *ritornarono — a casa propria*, each went back to his own home.

oh *inter.* oh!: —, *povero me!*, oh, dear! (*o* oh, my! *o* heavens!).

ohé *inter.* hi!, hi there!

ohi *inter.* ouch!

ohibò *inter.* oh!, now then!

ohimè *inter.* alas!

olà *inter.* hey there!, you there!

Olanda *no.pr.f.* Holland.

olandese *agg.* Dutch ♦ *s.m.* **1** (*abitante*) Dutchman (*pl.* -men) **2** (*lingua*) (the) Dutch (language) **3** (*formaggio*) Dutch cheese.

oleandro *s.m.* oleander.

oleario *agg.* oil (*attr.*).

oleastro *s.m.* (*bot.*) oleaster.

oleato *agg.* oiled: *carta oleata*, grease-proof paper; (*per disegno*) tracing paper.

oleificio *s.m.* oil mill.

oleodotto *s.m.* pipeline.

oleografia *s.f.* (*pitt.*) **1** (*processo*) oleography **2** (*quadro*) oleograph.

oleografico *agg.* oleographic; (*stereotipato*) stereotyped.

oleoso *agg.* oily, oil (*attr.*): *liquido —*, oily liquid; *seme —*, oil-seed.

olezzante *agg.* (*letter.*) sweet-smelling, fragrant.

olezzare *v.intr.* (*letter.*) to smell* sweetly, to be* fragrant.

olezzo *s.m.* (*letter.*) fragrance, sweet smell.

olfattivo *agg.* olfactory.

olfatto *s.m.* smell.

oliare *v.tr.* to oil.

oliatore *s.m.* (*mecc.*) oilcan.

oliera *s.f.* cruet (stand).

oligarchia *s.f.* oligarchy.

oligarchico *agg.* oligarchic(al) ♦ *s.m.* oligarch.

oligopolio *s.m.* (*econ.*) oligopoly.

Olimpia *no.pr.f.* (*geogr.*) Olympia.

olimpiade *s.f.* **1** Olympiad **2** *pl.* (*sport*) Olympic games.

olimpico *agg.* **1** Olympic: *giochi olimpici*, Olympic games **2** (*dell'Olimpo*) Olympian, celestial; (*fig.*) Olympian.

olimpionico *agg.* Olympic ♦ *s.m.* athlete chosen for the Olympics.

Olimpo *no.pr.m.* Olympus.

olio *s.m.* oil: — *vergine*, virgin oil; — *di semi*, seed oil; — *di mais*, corn oil; — *combustibile, pesante*, fuel oil; — *da cucina*, cooking oil; — *da tavola*, salad oil; — *di fegato di merluzzo*, cod-liver oil; *sott'—*, in oil // *liscio come l'—*, as smooth as silk; *il mare era liscio come l'—*, the sea was as smooth as a millpond // *tutto andò liscio come l'—*, everything went very smoothly (*fam.* swimmingly *o* without a hitch) // *gettare — sul fuoco*, (*fig.*) to throw oil on the flames // — *santo*, (*eccl.*) Holy Oil.

oliva *s.f.* olive: *olio d'—*, olive oil.

olivastro *agg.* olive (*attr.*), olivaceous: *carnagione olivastra*, olive complexion.

oliveto *s.m.* olive grove, olive yard.

Oliviero *no.pr.m.* Oliver, Olivier.

olivina *s.f.* (*min.*) olivine.

olivo *s.m.* olive (tree): *ramoscello d'—*, olive branch // *Domenica degli Olivi*, Palm Sunday // *il Monte degli Olivi*, Mount Olivet.

olmo *s.m.* elm (tree).

olocausto *s.m.* **1** sacrifice, holocaust: *fare — di qlco.*, to sacrifice sthg.; *offrire in —*, to sacrifice **2** (*eccl.*) the Sacrifice of the Mass.

olografo *agg. e s.m.* (*dir.*) holograph.

oloturia *s.f.* (*zool.*) holothuria.

oltraggiare *v.tr.* to outrage.

oltraggio *s.m.* outrage: *recare — al pudore*, to outrage decency; *recare — a qlcu.*, to commit an outrage on (*o* against) s.o.

oltraggioso *agg.* outrageous.

oltralpe *avv.* on the other side of the Alps // *d'—*, from the other side of the Alps.

oltramontano *agg. e s.m.* ultramontane.

oltranza, a *locuz.avv.* to the bitter end; to the death.

oltranzismo *s.m.* (*pol.*) extremism.

oltranzista *s.m. e f.* (*pol.*) extremist.

oltre *avv.* **1** (*di luogo*) further, farther: *non vuole andare —*, he doesn't want to go any further (*o* farther); *è andato troppo —*, (*anche fig.*) he has gone too far (*o* più —*, further on // *non —*, no further **2** (*di tempo*) longer: *non posso aspettare —*, I cannot wait any longer //

più —, later on // *non* —, no more // *un mese e* —, over (*o* more than) a month (*o* a month and more) // *ragazzi di diciotto anni e* —, boys of eighteen and over ♦ *prep.* **1** (*al di là di*) beyond: — *quelle montagne*, beyond (*o* on the other side of) those mountains; — *la chiesa c'è il cimitero*, past (*o* beyond) the church there is the churchyard; — *misura*, beyond measure; — *ogni limite*, beyond every limit; — *ogni dire*, beyond words (*o* all description) — *ogni credere*, beyond all belief // *paesi d'— oceano*, oversea(s) countries **2** (*più di*) over, more than: *costa* — *diecimila lire*, it costs over (*o* more than) ten thousand lire // *non ti aspetterò* — *le cinque*, I won't wait for you beyond (*o* later than) five **3** — (*a*), (*in aggiunta*) besides; (*all'infuori di*) apart from: — (*a*) *quelle case possiede un albergo*, besides (*o* as well as) those houses he owns a hotel; *non venne nessuno* — *a lui*, apart from him nobody came // **oltre a, che** *locuz.cong.* besides: — *a essere ignorante*, — *che ignorante*, besides being ignorant; — *a non voler studiare*, besides refusing to study.

oltrecortina *s.m.* (*pol.*): *paesi d'—*, Iron Curtain countries: *venire d'—*, to come from behind the Iron Curtain ♦ *agg.* Iron Curtain (*attr.*).

oltremanica *avv.* across the Channel.

oltremare *avv.* oversea(s): *paesi d'—*, oversea countries ♦ *agg. e s.m.* (*colore*) ultramarine.

oltremodo *avv.* exceedingly.

oltremondano *agg.* (*letter.*) ultramundane.

oltreoceano *avv.* beyond the seas.

oltrepassare *v.tr.* to go* (beyond sthg.); (*eccedere*) to exceed: — *il limite di velocità*, to exceed the speed limit // — *i limiti*, (*fig.*) to go too far.

oltretomba *s.m.* hereafter, beyond.

omaccione *s.m.* hefty man.

omaggio *s.m.* **1** (*ossequio*) homage: *rendere* — *a qlcu.*, to pay homage to s.o. // *in* — *alla verità*, in the interests of truth **2** (*pl.*) (*saluti*) respects, compliments: *porgere i propri omaggi a qlcu.*, to pay one's respects to s.o. **3** (*dono*) free gift: — *dell'autore*, with the author's compliments; *copia* (*in*) —, complimentary copy; *fare* — *di qlco. a qlcu.*, to present s.o. with sthg. **4** (*st.*) homage.

ombelicale *agg.* umbilical.

ombelico *s.m.* navel; umbilicus (*pl.* umbilici).

ombra *s.f.* **1** (*opposto di luce*) shade: *le ombre della sera, della notte*, the shades of evening, of night; *all'*—, in the shade; *luci e ombre*, (*pitt.*) light and shade // *cono d'—*, (*astr.*) umbra // *mettere in* — *qlcu, qlco.*, (*fig.*) to put s.o., sthg. in the shade // *restare, tenersi nell'*—, (*fig.*) to keep in the shade // *tramare nell'*—, to plot secretly **2** (*immagine oscura, parvenza*) shadow (*anche fig.*): *non c'è* — *di dubbio!*, there is not a shadow of (a) doubt!; *non c'è* — *di retorica nei suoi scritti*, there is no suggestion of rhetoric in his writings; *sul suo viso appar-ve un'*— *di tristezza*, a hint of melancholy passed across her face // *ombre cinesi*, ombres chinoises // *essere l'* — *di sé stesso*, to be the mere shadow of one's former self // *ridursi un'*—, to wear oneself to a shadow // *dar* — *a qlcu.*, to overshadow s.o. // *dar corpo alle ombre*, to invent difficulties // *essere l'* — *di qlcu.*, to be s.o.'s shadow // *prendere* —, (*di cavallo*) to shy; (*di persona*) to take umbrage // *essere nato all'* — *del Cupolone*, to be born in Rome **3** (*spettro, spirito*) shade: *l'* — *di Virgilio*, the shade of Virgil; *il mondo delle ombre*, the shades.

ombreggiare *v.tr.* **1** to shade **2** (*pitt.*) to shade (in).

ombreggiato *agg.* **1** shaded **2** (*pitt.*) shaded-in.

ombreggiatura *s.f.* (*pitt.*) shading; (*tratteggio*) hatching.

ombrellaio *s.m.* **1** umbrella man **2** (*venditore*) umbrella seller.

ombrellata *s.f.* blow with an umbrella.

ombrellino *s.m.* **1** (*da sole*) parasol, sunshade **2** (*baldacchino*) canopy.

ombrello *s.m.* umbrella: *fodero d'—*, umbrella sheath; *intelaiatura dell'—*, umbrella frame; *manico d'—*, umbrella handle.

ombrellone *s.m.* beach umbrella.

ombretto *s.m.* eyeshadow.

ombrosità *s.f.* **1** shadiness **2** (*suscettibilità*) touchiness; (*di cavalli*) skittishness.

ombroso *agg.* **1** shady, shadowy, shaded **2** (*suscettibile*) touchy; (*di cavalli*) skittish.

omega *s.m.* omega.

omelette (*franc.*) *s.f.* omelet(te).

omelia *s.f.* homily (*anche fig.*).

omeopatia *s.f.* (*med.*) hom(o)eopathy.

omeopatico *agg.* hom(o)eopathic ♦ *s.m.* hom(o)eopath.

omerico *agg.* Homeric.

omero *s.m.* **1** (*anat.*) humerus (*pl.* humeri) **2** (*spalla*) shoulder.

Omero *no.pr.m.* Homer.

omertà *s.f.* conspiracy of silence.

omettere *v.tr.* to omit, to leave* out: — *di fare qlco.*, to omit doing (*o* to do) sthg.

omicida *agg.* homicidal, murderous: *mania* —, homicidal mania // *l'arma* —, the weapon used for the murder ♦ *s.m. e f.* homicide; (*assassino*) murderer.

omicidio *s.m.* homicide; (*assassinio*) murder: — *prete-rintenzionale*, (*dir.*) manslaughter; — *colposo*, chance -medley; — *premeditato*, wilful murder; (*amer.*) first -degree murder; — *per legittima difesa*, homicide in self -defence; *processo per* —, murder trial; *accusa d'*—, accusation of murder.

omicron *s.m.* omicron.

ominide *s.m.* (*antropologia*) hominid.

omissione *s.f.* omission: *fu accusato di* — *di soccorso*, he was accused of having failed to offer assistance.

omnibus *s.m.* local train.

omo- *pref.* homo-, homoeo-.

omogeneità *s.f.* homogeneity.

omogeneizzare *v.tr.* to homogenize.

omogeneizzato *agg.* homogenized ♦ *s.m.* (homogenized) baby food.

omogeneo *agg.* homogeneous.

omologare *v.tr.* **1** (*dir.*) to homologate, to approve: *fare* — *un testamento*, to obtain probate of a will **2** (*riconoscere*) to ratify: — *un primato*, (*sport*) to ratify a record; *il tempo non è stato omologato*, (*sport*) the time was not ratified.

omologazione *s.f.* **1** (*dir.*) homologation, approval: — *di un testamento*, probate of a will **2** (*riconoscimento ufficiale*) ratification.

omologo *agg.* homologous.

omonimia *s.f.* homonymy: *un caso d'*—, they happen to have the same name.

omonimo *agg.* homonymous, homonymic ♦ *s.m.* **1** namesake **2** (*linguistica*) homonym.

omosessuale *agg. e s.m.* homosexual.

omosessualità *s.f.* homosexuality.

onagro *s.m.* (*zool.*) onager.

onanismo *s.m.* onanism.

oncia *s.f.* ounce // *non ha un'* — *di buon senso*, he has not an ounce of common sense.

oncologia *s.f.* oncology.

oncologico *agg.* oncologic.

oncologo *s.m.* oncologist.

onda *s.f.* **1** wave *(anche fig.)*: — *lunga*, roller; *fendere, tagliare le onde*, to breast the waves; *seguire l'—*, *(anche fig.)* to go with the stream // *a onde*, wavy **2** *(fis. rad.)* wave: — *d'urto*, shock wave; — *luminosa*, *(fis.)* light -wave; *onde medie, lunghe, corte, cortissime*, *(rad.)* medium, long, short, ultrashort waves; *andare in —*, *(rad.)* to be broadcast; *mettere in —*, *(rad.)* to broadcast; *essere in —*, to be on (the air).

ondata *s.f.* wave *(anche fig.)*; *(grossa onda)* billow: — *di entusiasmo*, wave of enthusiasm; — *di caldo*, heat-wave; — *di freddo*, cold spell // *a ondate*, in waves.

onde *cong.* so that, in order that: — *tu sappia*, so that *(o* in order that) you may know ♦ *avv.* *(letter.)* *(di dove)* whence.

ondeggiamento *s.m.* **1** *(di imbarcazione)* rolling, rocking **2** *(di messi, masse ecc.)* waving, swaying; *(di bandiera)* fluttering **3** *(fig.)* wavering, hesitation.

ondeggiante *agg.* **1** *(di imbarcazione)* rolling, rocking **2** *(di messi, masse ecc.)* waving, swaying; *(di bandiera)* fluttering **3** *(fig.)* wavering, hesitating, vacillating.

ondeggiare *v.intr.* **1** *(di imbarcazione)* to rock, to roll **2** *(di messi, masse ecc.)* to wave, to sway; *(di bandiera)* to flutter; *(di capelli)* to blow*; *(di fiamma)* to flicker: *le bandiere ondeggiavano al vento*, the flags were fluttering in the wind **3** *(fig.)* to waver, to hesitate.

ondina *s.f.* **1** *(mit.)* undine **2** *(nuotatrice)* (expert) swimmer.

ondosità *s.f.* undulation.

ondoso *agg.* undulating, undulatory.

ondulare *v.tr.* to wave: *mi farò — i capelli*, I shall have my hair waved ♦ *v.intr.* to undulate.

ondulato *agg.* **1** wavy, undulating **2** *(di lamiera ecc.)* corrugated.

ondulatorio *agg.* undulatory: *movimento —*, wavelike motion.

ondulazione *s.f.* **1** undulation, waviness **2** *(movimento ondulatorio)* undulation, wavelike motion **3** *(di capelli)* wave.

onere *s.m.* burden, onus *(solo sing.)*: *oneri diretti*, direct expenses; — *fiscale*, tax; *oneri tributari*, burden of taxation.

onerosità *s.f.* *(dir.)* onerousness.

oneroso *agg.* onerous, burdensome.

onestà *s.f.* honesty: *uomo di specchiata —*, a man of spotless integrity.

onestamente *avv.* honestly.

onesto *agg.* **1** honest: *un uomo —*, an honest *(o* upright) person **2** *(moderato)* decent: *prezzo —*, moderate *(o* fair) price ♦ *s.m.* **1** *(ciò che è onesto)* the honest thing **2** *(persona onesta)* honest person.

onice *s.f.* onyx.

onirico *agg.* oneiric.

onnipossente, onnipotente *agg.* **1** almighty, omnipotent // *l'Onnipotente*, *(Dio)* the Almighty **2** *(fig.)* all-powerful.

onnipotenza *s.f.* omnipotence, almightiness.

onnipresente *agg.* omnipresent, ubiquitous.

onnipresenza *s.f.* omnipresence, ubiquity.

onnisciente *agg.* omniscient; *(scherz.)* know-all *(attr.)*.

onniscienza *s.f.* omniscience.

onniveggente *agg.* all-seeing.

onniveggenza *s.f.* all-embracing vision.

onnivoro *agg.* omnivorous.

onomastico *agg.* onomastic: *giorno —*, name day ♦ *s.m.* name day, saint's day.

onomatope(i)a *s.f.* *(ret.)* onomatopoeia.

onomatopeico *agg.* *(ret.)* onomatopoeic(al).

onorabile *agg.* honourable.

onorabilità *s.f.* honourableness.

onoranza *s.f.* honour.

onorare *v.tr.* **1** to honour; *(rendere onore a)* to pay* honour (to s.o.): *egli mi onora della sua amicizia*, he honours me with his friendship **2** *(conferire onore a)* to be* an honour (to s.o., sthg.): *il suo eroismo onora la patria*, his heroism is an honour to his country // **-arsi** *v.rifl.* *(essere onorato)* to be* proud (of sthg.).

onorario[1] *agg.* honorary.

onorario[2] *s.m.* honorarium, fee.

onorato *agg.* honoured; *(rispettabile)* honourable, respectable.

onore *s.m.* **1** honour: *uomo d'—*, man of honour; *ci accolse con tutti gli onori*, he received us with great ceremony; *è l'— della famiglia*, he is an honour to his family; *rendere — a un re*, to pay honour to a king; *questo sentimento ti fa —*, this sentiment does you credit *(o* honour) // *damigella d'—*, bridesmaid // *serata d'—*, performance in honour of // *l'onor del mento*, the beard // *sì, vostro Onore*, yes, Your Honour // *— al merito!*, give praise where praise is due // *a — del vero*, to tell the truth // *fare — alla propria firma*, to honour one's signature // *fare — a un pranzo*, to do justice to a dinner // *fare gli onori di casa*, to do the honours (of the house) // *farsi — in qlco.*, to excel in sthg. // *rendere gli onori militari*, to render military honours // *salire agli onori degli altari*, to be raised to the altars // *togliere l'— (a una donna)*, to seduce (a woman) **2** *pl.* *(nel bridge)* honours.

onorevole *agg.* **1** honourable **2** *(titolo dei deputati)* Honourable *(gener. reso con* Signor *o* Mr. *nei testi inglesi)*: *onorevoli deputati*, Honourable Members; *l'— Ricasoli*, Signor *(o* Mr.) Ricasoli.

onorificenza *s.f.* **1** honour: *conferire un'— a qlcu.*, to confer an honour upon s.o. **2** *(decorazione)* decoration.

onorifico *agg.* *(che dà onore)* honorific; *(conferito per onorare)* honorary: *carica onorifica*, honorary office; *titolo —*, courtesy *(o* honorific) title.

onta *s.f.* shame, disgrace, dishonour; *(affronto)* insult: *cancellare un'—*, to wipe out an insult; *coprire d'— qlcu.*, to cover s.o. with shame // *a — di*, in spite of.

ontano *s.m.* *(bot.)* alder.

ontologico *agg.* *(fil.)* ontological.

opacità *s.f.* opacity, opaqueness.

opacizzare *v.tr.* to make* opaque.

opaco *agg.* opaque; *(di suoni, colori)* dull; *(di superficie)* mat.

opale *s.m.* opal.

opalescente *agg.* opalescent.

opalescenza *s.f.* opalescence.

opalina *s.f.* opaline.

opalino *agg.* opaline.

opera *s.f.* **1** work: — *critica*, criticism; *tutte le opere di Dante*, Dante's complete works; *l'ultima — di Moravia*, Moravia's latest book // *opere in muratura*, masonry; *opere fluviali*, fluvial works // — *morta*, *(mar.)* topsides; — *viva*, *(mar.)* bottom // *coronare l'—*, to crown it all // *e per compir l'—*, and to crown it // *mettere in — un progetto*, to put a plan into practice // *messa in —*, installation // *all'—!*, to work!; *essere all'—*, to be at work; *mettersi all'—*, to get down to work // *sonata* *per pianoforte — 27*, piano sonata Opus 27 (*o* Op. 27) **2** (*melodramma*) opera: *cantante d'—*, opera singer; *teatro dell'—*, opera house **3** (*azione*) work, action, deed: *opere di carità, di beneficienza*, charitable works; *— buona*, good work // *fare — di persuasione presso qlcu.*, to try to convince s.o. // *non fiori ma opere di bene*, no flowers **4** (*mezzo*) means (*pl.*); (*aiuto*) help: *per — di*, thanks to; *mi avvalsi dell'— sua*, I availed (myself) of his services **5** (*istituzione*) institution, organization, society.

operabile *agg.* operable.

operaia *s.f.* (female) worker.

operaio *agg.* working, worker (*attr.*): *classe operaia*, working class; *formica operaia*, worker ant ♦ *s.m.* workman (*pl.* -men), worker, hand; (*addetto a una macchina*) operator; (*in fabbrica*) operative: *— qualificato*, semi-skilled worker; *— non qualificato*, labourer; unskilled worker; *— specializzato*, skilled worker, specialized worker.

operante *agg.* acting, working.

operare *v.tr.* **1** to operate, to do*, to perform, to work **2** (*chir.*) to operate (on s.o.): *— qlcu. a caldo*, to operate on s.o. in the acute stage; *— qlcu. a freddo*, to operate on s.o. between attacks; *— qlcu. al fegato*, to operate on s.o.'s liver; *farsi —*, to undergo an operation ♦ *v.intr.* (*agire*) to operate, to work, to act: *il veleno operò lentamente*, the poison worked slowly; *— su larga scala*, to operate on a large scale // **-arsi** *v.intr.pron.* **1** (*farsi operare*) to undergo* an operation **2** (*verificarsi*) to take* place.

operativo *agg.* operative.

operato *agg.* (*ind. tessile*) diapered ♦ *s.m.* action: *render conto del proprio —*, to account for one's behaviour.

operatore *s.m.* operator: *— cinematografico, televisivo*, cameraman; *— di Borsa*, stockbroker; *aperto solo agli operatori*, open to the trade only.

operatorio *agg.* operating.

operazione *s.f.* operation: *— d'appendicite*, operation for appendix; *subire un'—*, to undergo an operation // *operazioni al secondo*, (*informatica*) operation per second (*abbr.* ops); *operazioni ausiliarie*, (*informatica*) housekeeping; *operazioni concatenate*, (*informatica*) chain operations.

operetta *s.f.* operetta.

operettistico *agg.* operetta (*attr.*).

operistico *agg.* opera (*attr.*).

operosità *s.f.* activity.

operoso *agg.* active.

opificio *s.m.* factory.

opinabile *agg.* opinionable: *il suo giudizio è —*, his judgement is a matter of opinion.

opinare *v.intr.* (*rar.*) to think*, to be* of (the) opinion.

opinione *s.f.* **1** opinion: *l'— pubblica*, public opinion; *ha un'— ben precisa in merito*, he has a very definite idea (*o* opinion) about the matter; *condivido la tua —*, I agree with you (*o* I am of the same opinion); *secondo l'— di...*, in the opinion of...; *essere dell'— che...*, to be of opinion that...; *avere il coraggio delle proprie opinioni*, to have the courage of one's convictions // *la matematica non è un'—*, facts are facts **2** (*stima*) opinion: *scadere nell'— di qlcu.*, to fall in s.o.'s esteem; *avere una buona, cattiva — di qlcu.*, to have a good opinion of s.o., not to have a good opinion of s.o.; *avere un'alta — di sé*, to have a high opinion of oneself; *gode di una buona —*, he is highly esteemed.

op là *inter.* upsy-daisy; alley-oop; up (*o* over) you go!

opossum *s.m.* opossum.

oppiaceo, oppiato *agg.* opiate.

oppio *s.m.* opium (*anche fig.*) // *fumeria d'—*, opium den.

oppiomane *s.m. e f.* opium addict.

oppiomania *s.f.* opium addiction.

opponibile *agg.* opposable.

opporre *v.tr.* **1** to oppose // *— un ostacolo a qlcu.*, to raise an obstacle against s.o. // *— resistenza*, to offer resistance **2** (*obiettare*) to object // **-orsi** *v.intr.pron.* to oppose (sthg.): *bisogna — alla violenza*, violence must be opposed // *mi oppongo*, I object.

opportunamente *avv.* opportunely.

opportunismo *s.m.* opportunism.

opportunista *s.m. e f.* opportunist.

opportunistico *agg.* opportunist.

opportunità *s.f.* **1** opportuneness **2** (*occasione favorevole*) opportunity: *cogliere l'—*, to seize the opportunity.

opportuno *agg.* opportune; (*adatto*) right.

oppositore *s.m.* opponent, opposer.

opposizione *s.f.* opposition: *fare — a qlco.*, to oppose (*o* to object to) sthg. // *partito d'—*, opposition (party) // *essere all'—*, (*pol.*) to be in opposition; *passare all'—*, (*pol.*) to pass (*o* to go) over to the opposition.

opposto *agg.* opposite; (*contrario*) contrary: *il lato — della strada*, the opposite side of the road; *la direzione opposta*, the opposite (*o* contrary) direction; *punti di vista opposti*, opposite (*o* opposing) points of view // *l'uno — all'altro*, facing each other // *diametralmente —*, exactly opposite ♦ *s.m.* opposite, contrary // *all'—*, on the contrary.

oppressione *s.f.* oppression.

oppressivo *agg.* oppressive.

oppresso *agg.* oppressed // *difendere gli oppressi*, to defend the oppressed.

oppressore *s.m.* oppressor.

opprimente *agg.* oppressive.

opprimere *v.tr.* to weigh down (*anche fig.*); (*fig.*) to oppress: *questo caldo opprime il respiro*, this heat is oppressive.

oppugnabile *agg.* impugnable.

oppugnare *v.tr.* (*contrastare*) to impugn.

oppure *cong.* or; (*altrimenti*) or (else), otherwise.

optare *v.intr.* to opt.

opulento *agg.* opulent, wealthy.

opulenza *s.f.* opulence, wealth.

opuscolo *s.m.* booklet; (*politico, scientifico*) pamphlet.

opzionale *agg.* optional.

opzione *s.f.* option // *diritto di —*, (*Borsa*) call option // *— di stampa*, (*informatica*) print option.

ora¹ *s.f.* **1** hour: *un'— e mezzo*, an hour and a half; *mezz'—*, half an hour; *un'— di lezione, di cammino*, an hour's lesson, walk; *un'— di orologio*, a whole hour; *un'— buona*, a good (*o* full) hour; *un'oretta*, about an hour; *l'orologio batte le ore e le mezz'ore*, the clock strikes the hours and (the) half hours // *— zero, X*, zero hour // *ore di punta*, rush (*o* peak) hours; *ore morte*, off-peak hours // *ore piccole*, small hours; *fare le ore piccole*, to stay up to the small hours // *100 km all'—*, 100 km an hour // *10.000 lire all'—*, 10.000 liras an hour // *da un'— all'altra*, suddenly; (*in brevissimo tempo*) in a moment // *di — in —*, hourly // *di buon'—*, early // *alla buon'—!*, at last! // *nelle prime ore del pomeriggio*, in the early (hours of the) afternoon (*o* early in the afternoon) // *notizie dell'ultima —*, the latest news; (*sui giornali*) stop-press news // *ore canoniche*, (*eccl.*) canonical hours; *libro d'ore*, Book of Hours; *le quarant'ore*, the Forty Hours **2** (*nel computo del tempo*) time: — *astronomica*, sidereal time; — *legale, estiva*, summer (*o* daylight-saving) time; — *media di Greenwich*, Greenwich mean time; — *ufficiale, del fuso*, standard time; — *dei pasti*, meal times; — *di chiusura*, closing time; *che* — *è, che ore sono?*, what time is it (*o* what is the time)?; *che* — *fai?*, what time do you make it?; *sai l'* — *esatta?*, do you know the right time? *è a una cert'* —, when the time comes // *a tutte le ore*, at any time (*o* hour) // *è* — *di andare*, it is time to go; *è* — *che vada*, it is time I went; *sarebbe* — *che tu andassi a letto*, it's time for you to go to bed (*o* it's time you went to bed) // *non vedo l'* — *di partire*, I'm looking forward to leaving (*o* I'm dying to leave) // *la mia* — *si avvicina*, (*fig.*) my time is drawing near; *la mia* — *è suonata*, (*fig.*) my hour has come.

ora[2] *avv.* **1** now: *che cosa fai* —?, what are you doing now? *e* —?, and now (what)? — *o mai più*, now or never // *proprio* —, right now // *per* —, for the time being (*o* for the moment *o* for the present); — *come* —, at this very moment (*o* at the moment); (*per il momento*) for the time being (*o* for the moment *o* for the present) // *prima d'* —, before (now) // *fino a* —, so far (*o* up to now) // *fin, sin d'* —: *lo so fin d'* —, I know it already; *ringraziandovi fin d'* —, (*comm.*) thanking you in advance // *da* — *in poi, in avanti*, from now on // — *sì che son contento*, now (at last) I'm really satisfied // *mesi or sono*, months ago; *or è un anno che non lo vedo*, it's a year now since I saw him **2** (*appena*) just: *siamo arrivati* —, we have just arrived // *or* —, just (this moment) **3** (*subito*) in a moment: — *lo faccio*, I'll do it in a moment (*o* now) ♦ *cong.* **1** now: — *avvenne che...*, now it happened that...; — *che cosa faresti al posto mio?*, now what would you do if you were me? // — *che lo vedo lo riconosco*, now that I see him, I recognize him // — *che ci penso...*, now that I think of it... // *or bene, or dunque*, now then // —...— ..., now...now...: — *qui* — *là*, now here, now there **2** (*ma*) but.

oracolo *s.m.* oracle (*anche fig.*).

orafo *s.m.* goldsmith.

orale *agg.* e *s.m.* oral.

oramai *avv.* → **ormai**.

orango, orangutan *s.m.* orangutang.

orario *agg.* **1** time (*attr.*): *fuso* —, time zone; *segnale* —, time signal // *in senso* —, clockwise **2** (*all'ora*) per hour: *velocità oraria*, speed per hour ♦ *s.m.* **1** hours (*pl.*); time: — *d'apertura*, hours of business; — *di chiusura*, closing time; — *di lavoro ridotto*, short time; — *flessibile*, flextime; — *d'ufficio*, office hours; — *di visita*, visiting hours // *lavorare fuori* —, to work overtime **2** (*tabella dell'orario*) timetable: — *ferroviario*, railway timetable // *essere in* —, to be on time.

orata *s.f.* (*zool.*) gilthead.

oratore *s.m.* orator // — *sacro*, preacher.

oratoria *s.f.* oratory.

oratorio[1] *agg.* oratorial, oratorical.

oratorio[2] *s.m.* **1** oratory **2** (*per ragazzi*) Sunday school **3** (*mus.*) oratorio.

Orazio *no.pr.m.* Horatio; (*st. lett.*) Horace.

orazione *s.f.* **1** prayer **2** (*discorso*) oration.

orbare *v.tr.* (*letter.*) to bereave*.

orbe *s.m.* (*letter.*) orb // *l'* — *terrestre, terracqueo*, the world.

orbene *cong.* well; (*suvvia*) come on.

orbettino *s.m.* (*zool.*) blindworm, slowworm.

orbita *s.f.* **1** orbit (*anche fig.*) // *mettere in* —, to orbit **2** (*anat.*) eyesocket // *con gli occhi fuori dell'* —, with flashing (*o* blazing) eyes.

orbitale *agg.* orbital.

orbitare *v.intr.* to orbit.

orbo *agg.* **1** (*letter.*) (*privato*) bereaved **2** (*cieco*) blind ♦ *s.m.* blind man (*pl.* men) // *menar botte da orbi*, to lash out wildly.

orca *s.f.* (*zool.*) grampus.

orchessa *s.f.* ogress.

orchestra *s.f.* orchestra; (*da ballo*) dance band.

orchestrale *agg.* orchestral ♦ *s.m.* member of (an) orchestra.

orchestrare *v.tr.* to orchestrate.

orchestrazione *s.f.* orchestration.

orchidea *s.f.* orchid.

orcio *s.m.* pitcher.

orco *s.m.* ogre (*anche fig.*).

orda *s.f.* horde (*anche fig.*).

ordigno *s.m.* mechanism, device, contrivance.

ordinale *agg.* e *s.m.* ordinal.

ordinamento *s.m.* **1** (*sistemazione*) arrangement; (*disposizione*) order, disposition **2** (*regolamento*) regulations (*pl.*); (*sistema*) system; — *civile*, civil code; — *giudiziario*, legal system; — *politico*, political system; — *militare*, military regulations; — *scolastico*, educational system **3** (*informatica*) sorting: — *a blocchi*, block sort; — *esterno*, string merging; — *interno*, string generation.

ordinanza *s.f.* **1** (*mil.*) ordinance, order // *berretto di* —, service cap; *divisa di, fuori* —, regulation, nonregulation uniform; *ufficiale d'* —, orderly officer **2** (*mil.*) (*attendente*) batman (*pl.* -men) **3** (*dir.*) ordinance: — *d'amnistia*, amnesty ordinance; — *municipale*, bylaw.

ordinare *v.tr.* **1** to order: *gli ordinò di entrare, di uscire*, he was ordered in, out; *ho ordinato alla sarta un vestito nuovo*, I've ordered a new dress from the dressmaker; *il medico mi ha ordinato una vacanza*, the doctor has ordered me to take a holiday // *vogliono* —?, (*al ristorante*) would you like to order?; *hai già ordinato il caffè?*, have you already ordered coffee? **2** (*sistemare*) to arrange; (*mettere in ordine*) to put* in order, to tidy (up): — *una stanza*, to tidy up a room; *devo* — *le mie carte*, I must put (*o* set) my papers in order; — *le truppe per la battaglia*, to draw up the troops in order of battle; — *i propri affari*, to arrange one's affairs // — *le idee*, to put one's ideas in order **3** (*eccl.*) to ordain, to give* holy orders (to s.o.) **4** (*informatica*) to sort.

ordinariamente *avv.* ordinarily, usually.

ordinario *agg.* **1** ordinary, usual, routine (*attr.*); (*normale*) normal; (*medio*) average (*attr.*): *spese ordinarie*, ordinary expenses; *biglietto* —, ordinary ticket; *lavoro* —, routine job // *cosa di ordinaria amministrazione*, a routine matter // *professore* —, professor **2** (*grossolano*) common: *gente ordinaria*, common people; *modi ordinari*, common ways; *è vestita in modo* —, she is commonly dressed ♦ *s.m.* **1** ordinary: *fuori dell'* —, out of the ordinary; *secondo l'* —, according to habit (*o* custom) **2** (*eccl.*) Ordinary **3** (*professore*) professor.

ordinata *s.f.* **1** (*mat.*) ordinate **2** (*aer. mar.*) frame.

ordinatamente *avv.* in an orderly way; (*metodicamente*) methodically.

ordinativo *s.m.* (*comm.*) order.

ordinato *agg.* **1** tidy, orderly: *una persona ordinata*, an orderly (*o* a tidy) person; *una stanza ordinata*, a tidy room; *una vita ordinata*, an orderly life **2** (*eccl.*) ordained.

ordinatore *s.m.* organizer, arranger.

ordinazione[1] *s.f.* (*eccl.*) ordination.

ordinazione[2] *s.f.* (*comm.*) order: *fatto su* —, made to order (*o* custom-made).

ordine *s.m.* **1** order: — *alfabetico, cronologico*, alphabetical, chronological order; — *di arrivo*, order of arrival; — *di battaglia*, battle array; *in* — *sparso*, in open order; *numero d'*—, serial number; *in* — *di età, d'importanza*, in order of age, importance; *in* — *di data*, according to dates; *mettere, lasciare in* —, to put (*o* to set), to leave in order; *essere, non essere in* —, to be in, out of order; *mettersi in* —, to tidy oneself up // *le forze dell'*—, the police (force) // *ritirarsi in buon* —, (*fig.*) to retire in good order // *un lungo* — *di persone, di navi*, a long line of people, ships // — *di idee*, scheme of things: *entrare nell'* — *di idee di fare qlco.*, to come round to the idea of doing sthg. // *questo è un altro* — *di cose*, this is a different thing altogether // *problemi di* — *tecnico*, problems of a technical nature (*o* technical problems) // *di prim'*—, first-rate (*attr.*): *un artista di prim'*—, a first-rate artist; *d'infimo* —, third-rate **2** (*categoria*) order; (*classe*) rank: — *sociale, professionale*, social, professional rank; — *religioso*, religious order; — *cavalleresco*, order of Chivalry // *l'* — *dei medici, degli avvocati*, the medical council, the bar council // — *dorico, ionico*, (*arch.*) Doric, Ionic order // — *di insetti*, order of insects **3** (*teol.*) order: *ordini sacri*, holy orders: *ricevere gli ordini* (*sacri*), to take (holy) orders **4** (*comando*) order: *dare* — *di fare qlco., che qlco. sia fatto*, to give orders for sthg. to be done (*o* that sthg. should be done); *ricevette l'* — *di andare all'estero*, he was ordered abroad; *essere agli ordini di qlcu.*, to be at s.o.'s beck and call; (*mil.*) to be under s.o.'s orders // *ai vostri ordini!*, at your service! // *parola d'*—, password // *per* — *di*, by order of // *fino a nuovo* —, until further orders // *in* — *a*, with regard to // — *di pagamento*, (*comm.*) order of payment; — *di pagamento, di bonifico* (*a banca*), bank payment order; *libro degli ordini*, (*comm.*) order book; *accusare ricevimento d'*—, (*comm.*) to acknowledge an order; *evadere un* —, to carry out an order; *passare un* —, (*comm.*) to remit (*o* to send in) an order // — *del giorno*, agenda: *questioni all'* — *del giorno*, items on the agenda; *passare all'* — *del giorno*, to proceed with the business (*o* the agenda) of the day; *è un argomento all'* — *del giorno*, (*fig.*) it's an every day (*o* a common) topic **5** (*informatica*) (*comando*) command; (*sequenza*) sequence.

ordire *v.tr.* **1** (*ind. tessile*) to warp **2** (*fig.*) to plot: — *un complotto*, to hatch a plot; — *una congiura contro qlcu.*, to intrigue (*o* to plot) against s.o.

ordito *s.m.* (*ind. tessile*) warp // *un* — *di bugie*, a pack of lies.

orditore *s.m.* **1** (*ind. tessile*) warper **2** (*fig.*) plotter.

orditura *s.f.* **1** (*ind. tessile*) warping **2** (*fig.*) (*struttura*) structure; (*intreccio*) plot.

orecchia *s.f.* (*spec. region.*) → **orecchio**.

orecchiabile *agg.* catchy.

orecchiante *agg.* e *s.m.* (*che, chi suona*) (person) who plays by ear; (*che, chi canta*) (person) who sings by ear // *è un* —!, (*fig. spreg.*) he's just a parrot!

orecchietta *s.f.* (*anat.*) auricle.

orecchino *s.m.* earring; (*pendente*) eardrop.

orecchio *s.m.* **1** ear: *male d'*—, earache; *dire una cosa all'* — *di qlcu.*, to say sthg. in s.o.'s ear // *m'è giunto*

all'—..., it's come to my knowledge (that)... // *dare, prestare* — *a qlco.*, to give ear (*o* to lend an ear) to sthg. // *entrare da un* — *e uscire dall'altro*, to go in one ear and out the other // *essere tutto orecchi*, to be all ears; *allungare, tendere l'*—, to prick up one's ears // *fare orecchi da mercante*, to turn a deaf ear // *lacerare gli orecchi*, to deafen // *avere* — *per la musica*, to have an ear for music; *suonare, cantare a* —, to play, to sing by ear // *i muri hanno orecchie*, (*prov.*) walls have ears **2** (*di ancora*) fluke; (*di aratro*) mouldboard **3** (*di pagina*) dog-ear.

orecchione *s.m.* **1** (*zool.*) long-eared bat **2** (*mil.*) trunnion **3** *pl.* (*med.*) mumps.

orecchiuto *agg.* long-eared (*attr.*).

orefice *s.m.* (*orafo*) goldsmith; (*gioielliere*) jewe(l)ler.

oreficeria *s.f.* **1** (*negozio d'orafo*) goldsmith's (shop); (*gioielleria*) jeweller's (shop) **2** (*arte dell'orafo*) goldsmith's art; (*arte del gioielliere*) jeweller's art: *articoli d'*—, goldsmith's (*o* jeweller's) wares.

orfano *agg.* e *s.m.* orphan: *era orfana*, she was an orphan (girl); *rimase* — *da bambino*, he was left an orphan when (he was) still a child; *un* — *di guerra*, a war orphan.

orfanotrofio *s.m.* orphanage.

Orfeo *no.pr.m.* (*mit.*) Orpheus.

organetto *s.m.* **1** hurdy-gurdy, barrel organ: *suonatore di* —, organ grinder **2** (*armonica*) harmonica; (*fisarmonica*) concertina.

organicamente *avv.* organically.

organicità *s.f.* organic unity.

organico *agg.* organic: *chimica organica*, organic chemistry; *un tutto* —, an organic whole ♦ *s.m.* personnel, staff.

organigramma *s.m.* **1** (*di azienda, ufficio*) organization chart **2** (*informatica*) computer flow chart.

organino *s.m.* → **organetto**.

organismo *s.m.* **1** organism: *deperimento dell'*—, physical decline **2** (*fig.*) body: *un* — *amministrativo*, an administrative body.

organista *s.m.* e *f.* organist.

organizzare *v.tr.* to organize // **-arsi** *v.rifl.* to organize oneself, to get* organized.

organizzativo *agg.* organizational.

organizzato *agg.* organized.

organizzatore *agg.* organizing ♦ *s.m.* organizer.

organizzazione *s.f.* organization.

organo *s.m.* **1** organ (*anche fig.*): *gli organi dell'udito*, the organs of hearing; *trapianto d'organi*, organ transplant; *l'* — *del governo, di un partito*, the organ of the government, of a party **2** (*mus.*) organ: *canne d'*—, organ pipes **3** (*mecc.*) part: — *motore*, engine part; — *di trasmissione*, transmission part.

organza *s.f.* (*tessuto*) organza, organdy, organdie.

organzino *s.m.* organzine: *un abito d'*—, a silk-knit dress.

orgasmo *s.m.* **1** excitement **2** (*med.*) orgasm.

orgia *s.f.* **1** orgy **2** (*fig.*) riot: — *di colori*, riot of colour.

orgiastico *agg.* orgiastic(al).

orgoglio *s.m.* pride: *è pieno d'*—, he is puffed up with pride.

orgoglioso *agg.* proud.

orientale *agg.* eastern; (*posto, rivolto a est*) east (*attr.*); (*dell'Oriente*) oriental: *frontiera, paese* —, eastern boundary, country; *costa* —, east coast; *tappeto, arte* —, oriental carpet, art // *Chiesa Orientale*, Eastern Orthodox Church ♦ *s.m.* e *f.* Oriental.

orientaleggiante *agg.* oriental-inspired.

orientalista *s.m.* e *f.* Orientalist.

orientamento *s.m.* **1** orientation; bearings (*pl.*): *senso di* —, sense of direction; *perdere l'*—, to lose one's bearings **2** (*tendenza*) trend: *l'— della politica*, the political trend // — *professionale*, vocational guidance **3** (*rad. mar. aer.*) bearing.

orientare *v.tr.* **1** to orientate, to orient: — *la bussola*, to orient the compass **2** (*fig.*) (*dirigere, indirizzare*) to direct: — *qlcu. verso una professione*, to direct s.o. towards a profession **3** (*mar.*) to trim: — *le vele*, to trim one's sails ♦ **-arsi** *v.rifl.* **1** to find* one's bearings; to find* one's way **2** (*raccapezzarsi*) to see* one's way clear; *non riesco a orientarmi in questo affare*, I can't see my way clear in this business **3** (*tendere*) to tend, to lean*: *l'opinione pubblica sembra* — *a sinistra, destra*, public opinion seems to be leaning to the left, right.

orientativo *agg.* orientation (*attr.*).

orientato *agg.* orientated, oriented: *una casa ben orientata*, a house that gets the sun; *sono* — *verso un'auto di seconda mano*, I have more or less opted for a second -hand car.

orientazione *s.f.* orientation.

oriente *s.m.* east: *ad* —, east of // *il Vicino, Medio, l'Estremo Oriente*, the Near, Middle, Far East.

orifiamma *s.f.* (*st.*) orifiamme.

orifizio *s.m.* opening, orifice.

origano *s.m.* (*bot.*) origan(um).

originale *agg.* **1** original: *peccato* —, original sin; *uno scrittore* —, an original writer // *stoffa inglese* —, genuine English fabric **2** (*strano*) odd, strange ♦ *s.m.* **1** original **2** (*persona strana*) eccentric, original.

originalità *s.f.* **1** originality **2** (*stranezza*) oddness, strangeness; (*eccentricità*) eccentricity.

originare *v.tr.* to originate, to give* rise (to sthg.) // **-arsi** *v.intr.pron.* to originate (from, in sthg.), to arise*.

originario *agg.* **1** native; (*di cose*) indigenous (to): *essere* — *di*, to come from **2** (*primitivo*) original, former.

origine *s.f.* **1** origin; (*inizio*) beginning: *avere* — *da*, to originate from (*o* in), to arise from (*o* out of); *dare* — *a*, to give rise to; *risalire alle origini di qlco.*, to trace sthg. (back) to its origin // *l'* — *di un fiume*, the source of a river // *in, all'*—, originally **2** (*provenienza, nascita*) origin: *di nobile, umile* —, of noble, humble origin; *luogo d'* —, place of origin // *certificato d'*—, (*dir.*) certificate of origin // *di dubbia* —, of doubtful provenance.

origliare *v.intr.* to eavesdrop.

orina *s.f.* urine.

orinale *s.m.* urinal, chamber pot.

orinare *v.intr.* to urinate.

orinatoio *s.m.* (public) urinal.

oriundo *agg.*: *essere* — *di Milano*, to be of Milanese extraction ♦ *s.m.* (*sport*) foreign player of Italian extraction.

orizzontale *agg.* horizontal ♦ *s.f.pl.* (*nei cruciverba*) across.

orizzontalità *s.f.* horizontal position.

orizzontare *v.tr.* to orientate // **-arsi** *v.rifl.* to find* one's bearings (*anche fig.*): *non riesco più ad orizzontarmi*, I cannot find my bearings.

orizzonte *s.m.* horizon (*anche fig.*): — *astronomico*, astronomical horizon; *all'*—, on the horizon; *alto sull'*—, high above the horizon // *avere un* — *ristretto*, to be narrow-minded // *fare un giro d'*—, to make a (general) survey.

Orlando *no.pr.m.* Roland.

orlare *v.tr.* to hem; (*bordare*) to trim: — *a giorno*, to hemstitch; — *una giacca di pelliccia*, to trim a jacket with fur.

orlatore *s.m.* hemmer.

orlatura *s.f.* **1** hemming **2** (*orlo*) hem.

orlo *s.m.* **1** edge; (*spec. circolare*) rim, brim: *l'— del bicchiere*, the rim of the glass; *l'— del cappello*, the brim of the hat // *sull'— del precipizio, della rovina*, on the brim (*o* verge) of ruin // *sull'— della disperazione*, on the brink of despair **2** (*di tessuti, abiti ecc.*) hem: *accorciare l'*—, to shorten (*o* to take up) the hem; *fare l'*—, to hem (*o* to turn up the hem); — *a giorno*, hemstitch.

orma *s.f.* footprint; (*traccia*) track, trace (*anche fig.*): *imprimere le proprie orme sulla neve*, to leave one's footprints in the snow; *ricalcare, seguire le orme di qlcu.*, (*anche fig.*) to follow in s.o.'s footsteps; *le orme della passata grandezza*, the traces of past greatness.

ormai *avv.* **1** (by) now, by this time; (*riferito al passato*) by then, by that time: — *dovresti saperlo*, you ought to know that by now (*o* by this time); — *era troppo tardi*, by then (*o* by that time) it was too late **2** (*quasi*) almost, nearly: — *siamo arrivati*, we've almost arrived.

ormeggiare *v.tr.*, **ormeggiarsi** *v.rifl.* (*mar.*) to moor.

ormeggio *s.m.* (*mar.*) **1** mooring: — *di prua*, bow -fast (*o* head-mooring); — *di poppa*, stern-fast (*o* stern -mooring) **2** *pl.* moorings: *levare gli ormeggi*, to pick up the moorings.

ormonale *agg.* hormonal.

ormone *s.m.* (*biol.*) hormone.

ornamentale *agg.* ornamental.

ornamentazione *s.f.* ornamentation; (*ornamenti*) ornaments (*pl.*).

ornamento *s.m.* ornament.

ornare *v.tr.* to adorn; (*decorare*) to decorate; (*guarnire*) to trim: *quel vestito è ornato di pizzo*, that dress is trimmed with lace; *le strade erano ornate di bandiere*, the streets were decorated (*o* hung) with flags // — *il proprio stile*, to embellish one's style // **-arsi** *v.rifl.* — to adorn oneself (with sthg.).

ornatista *s.m.* ornamentalist.

ornato *agg.* adorned (with); (*guarnito*) trimmed (with); (*di stile*) ornate ♦ *s.m.* **1** ornamentation **2** (*arte del decorare*) art of decoration.

ornello *s.m.* (*bot.*) manna ash.

ornitologia *s.f.* ornithology.

ornitologo *s.m.* ornithologist.

ornitorinco *s.m.* (*zool.*) platypus.

oro *s.m.* **1** gold: — *fino, greggio*, refined, unrefined gold; — *lavorato*, wrought gold; — *falso*, imitation gold; *orologio d'*—, gold watch // — *nero*, black gold // *un cuore d'*—, a heart of gold // *una persona d'*—, a wonderful person // *occasione d'*—, golden opportunity // *pagare qlco. a peso d'*—, to pay for sthg. through the nose // *prendere qlco. per* — *colato*, to take sthg. as (*o* for) gospel truth // *non è tutt'*— *quel che riluce*, (*prov.*) all that glitters is not gold **2** *pl.* jewellery (*sing.*) **3** *pl.* (*nelle carte da gioco*) diamonds.

orogenesi *s.f.* (*geol.*) orogeny, orogenesis.

orografia *s.f.* orography.

orografico *agg.* orographic(al).

orologeria *s.f.* **1** watchmaker's (shop) **2** (*meccanismo*) clockwork // *bomba ad* —, time bomb.

orologiaio *s.m.* watchmaker.

orologio *s.m.* clock; (*da polso, da tasca*) watch: — *a carica automatica*, self-winding watch; — *da polso*, wristwatch; — *da subacqueo*, diving watch; — *da tavolo*, table clock; — *solare*, sundial; *il mio* — *è avanti, in-*

dietro (*tre minuti*), my watch is (three minutes) fast, slow; *il tuo — va avanti, indietro cinque minuti al giorno*, your watch gains, loses five minutes a day; *mettere un — all'ora esatta*, to set a clock (*o* to put a clock right); *mettere avanti, indietro un — (di un'ora)*, to put a clock on, back (an hour) *// è un —!*, he is always on the dot *// — pilota*, (*informatica*) master clock.

oroscopo *s.m.* horoscope.

orpello *s.m.* tinsel (*anche fig.*).

orrendo *agg.* horrifying, appalling; (*orribile*) horrible: *è — a vedersi*, it is an appalling sight.

orribile *agg.* horrible; (*pessimo*) awful: *tempo —*, awful (*o* very bad) weather; *una morte —*, an awful (*o* a ghastly) death.

orrido *agg.* horrid, horrible, awful ♦ *s.m.* **1** horridness **2** (*precipizio*) ravine; (*gola*) gorge.

orripilante *agg.* horripilant, horrifying.

orrore *s.m.* horror: *con mio grande —*, to my unspeakable horror; *avere in —, avere — di qlcu, qlco.*, to loathe (*o* to have a horror of) s.o., sthg.; *fare — a qlcu.*, to horrify s.o.; (*disgustare*) to disgust s.o.; *mi fa — pensarci*, I dread to think of it *// quel quadro è un —*, that picture is awful.

orsa *s.f.* (*zool.*) she-bear *// Orsa Maggiore, Minore*, (*astr.*) Great, Little Bear.

orsacchiotto *s.m.* **1** bear cub **2** (*giocattolo*) teddy bear.

orso *s.m.* bear (*anche fig.*): *— polare, grigio, bruno*, polar, grizzly, brown bear; *caccia all'—*, bear hunting; *pelle d'—*, bearskin *// un —*, (*fig.*) (*poco socievole*) a lone wolf *// vendere la pelle dell'— prima che sia morto*, (*prov.*) don't count your chickens before they are hatched.

orsù *inter.* come on!

ortaggio *s.m.* vegetable.

ortaglia *s.f.* kitchen garden.

ortensia *s.f.* (*bot.*) hydrangea.

ortica *s.f.* (*bot.*) nettle, urtica.

orticaria *s.f.* (*med.*) nettle rash, urticaria.

orticolo *agg.* horticultural.

orticoltore, orticultore *s.m.* horticulturist.

orticoltura, orticultura *s.f.* horticulture.

ortivo *agg.* kitchen-garden (*attr.*), market-garden (*attr.*).

orto *s.m.* kitchen garden; (*di un orticoltore*) market garden; (*amer.*) truck farm *// — botanico*, botanical gardens.

ortocentro *s.m.* (*geom.*) orthocentre.

ortoclasio *s.m.* (*min.*) orthoclase.

ortodossia *s.f.* orthodoxy (*anche fig.*).

ortodosso *agg.* orthodox (*anche fig.*) *// la Chiesa Ortodossa*, the (Eastern) Orthodox Church ♦ *s.m.pl.* Orthodox(es).

ortofrutticolo *agg.* fruit and vegetable (*attr.*).

ortognato *agg.* (*anat.*) orthognathous.

ortogonale *agg.* (*geom.*) orthogonal.

ortografia *s.f.* spelling, orthography.

ortografico *agg.* orthographic.

ortolano *s.m.* **1** (*venditore di frutta e verdura*) greengrocer **2** (*orticoltore*) market gardener **3** (*zool.*) ortolan ♦ *agg.* garden (*attr.*).

ortopedia *s.f.* (*chir.*) orthopaedics.

ortopedico *agg.* orthopaedic: *tacco —*, wedge heel ♦ *s.m.* orthopaedist.

orza *s.f.* (*mar.*) **1** (*canapo*) bowline *// andare all'—*, to sail close to the wind **2** (*fianco della nave sopravvento*) weather side.

orzaiolo *s.m.* (*med.*) sty(e).

orzare *v.intr.* (*mar.*) to luff, to sail close to the wind.

orzata *s.f.* (*bibita*) barley water.

orzo *s.m.* barley.

osanna *s.m.* hosanna.

osannare *v.intr.* **1** to sing* hosannas **2** (*gridare evviva*) to hail enthusiastically.

osare *v.tr.* **1** (*come v. servile*) to dare: *egli non osa venire*, he dare not come (*o* he doesn't dare to come) *// oserei dire...*, I would (*o* one might) even go so far as to say... (*avere la temerità*) to be* daring, to be* bold: *come osi parlarmi così?!*, how dare you speak to me like this?! ♦ *v.tr.* (*arrischiare*) to attempt, to risk: *— il tutto per tutto*, to risk one's all.

oscenamente *avv.* **1** obscenely **2** (*orribilmente*) horribly.

oscenità *s.f.* obscenity.

osceno *agg.* **1** obscene; (*indecente*) indecent **2** (*orribile*) horrible.

oscillare *v.intr.* **1** to swing*, to sway; (*di fiamma*) to flicker *// far —*, to swing **2** (*esitare*) to hesitate **3** (*di prezzi*) to vary **4** (*scient.*) to oscillate.

oscillatore *s.m.* (*scient.*) oscillator.

oscillatorio *agg.* oscillatory, oscillating.

oscillazione *s.f.* **1** swing(ing); (*di fiamma*) flickering **2** (*di prezzi*) variation **3** (*scient.*) oscillation: *— dell'immagine*, (*cinem.*) unsteady picture; *— del suono*, (*cinem.*) flutter.

oscilloscopio *s.m.* oscilloscope.

oscuramento *s.m.* **1** darkening (*anche fig.*) **2** (*in tempo di guerra*) blackout.

oscurantismo *s.m.* obscurantism.

oscurantista *s.m. e f.* obscurant(ist).

oscurare *v.tr.* **1** to darken (*anche fig.*): *la nube oscura il sole*, the cloud hides the sun *// — la fama di qlcu.*, to overshadow s.o.'s fame **2** (*in tempo di guerra*) to black out *// -arsi* *v.intr.pron.* to darken (*anche fig.*).

oscurità *s.f.* darkness; (*fig.*) obscurity.

oscuro *agg.* **1** dark; (*fig.*) obscure *// camera oscura*, (*fot.*) camera obscura; (*locale in cui lavora il fotografo*) darkroom **2** (*difficile*) hard, difficult **3** (*sconosciuto*) unknown **4** (*umile*) obscure: *di oscuri natali*, of obscure origins ♦ *s.m.* dark: *all'—*, in the dark; *mi ha tenuto all'— per anni dei suoi affari poco puliti*, he has kept me in the dark for years about his shady dealings.

Osiride *no.pr.m.* (*mit.*) Osiris.

osmosi *s.f.* (*fis.*) osmosis.

ospedale *s.m.* hospital, infirmary: *— da campo*, field hospital.

ospedaliero *agg.* hospital (*attr.*): *sciopero degli ospedalieri*, hospital workers' (*o* hospital staff) strike ♦ *s.m.* hospitaller.

ospedalizzare *v.tr.* to admit to a hospital.

ospitale *agg.* hospitable.

ospitalità *s.f.* hospitality: *il dovere dell'—*, the host's duty; *dare, offrire — a qlcu.*, to give, to offer s.o. hospitality; *avere il dono dell'—*, to have the gift of warm hospitality.

ospitare *v.tr.* to give* hospitality (to s.o.); (*fam.*) to put* (s.o.) up.

ospite *s.m. e f.* **1** (*chi ospita*) (*uomo*) host; (*donna*) hostess **2** (*persona ospitata*) guest.

ospizio *s.m.* hospice *// — per poveri*, workhouse *// — per vecchi*, home for the old.

ossame *s.m.* heap of bones.

ossario *s.m.* ossuary, charnel house.

ossatura *s.f.* **1** bone structure // *una persona dall'— grossa*, a big-boned person // *essere di — minuta*, to have small bones **2** (*arch.*) frame(work).

osseina *s.f.* (*chim. biol.*) ossein.

osseo *agg.* bony, osseous.

ossequente *agg.* **1** (*rispettoso*) respectful (of) **2** (*obbediente*) obedient.

ossequiare *v.tr.* to pay* one's respects (to s.o.).

ossequio *s.m.* **1** (*omaggio*) homage: *rendere —*, to pay homage **2** *pl.* (*saluti deferenti*) respects, regards **3** (*obbedienza*) obedience.

ossequiosamente *avv.* respectfully.

ossequiosità *s.f.* respectfulness.

ossequioso *agg.* respectful.

osservante *agg.* observant, observing: *cittadino — della legge*, law-abiding citizen.

osservanza *s.f.* observance: *in — alla legge*, in conformity with the law.

osservare *v.tr.* **1** to observe, to watch; (*esaminare*) to examine **2** (*rispettare, mantenere*) to observe, to keep*; to comply (with sthg.); (*attenersi a*) to keep* to (sthg.): *— il silenzio*, to observe silence; *— le regole, la legge*, to observe (*o* to comply with) the rules, the law; *— una dieta rigorosa*, to keep to a strict diet **3** (*considerare, notare*) to notice; (*rilevare*) to point out: *hai osservato che...*, did you notice that...; *far — un errore*, to point out a mistake **4** (*obiettare*) to make* an objection (to sthg.).

osservatore *agg.* observing ♦ *s.m.* observer.

osservatorio *s.m.* **1** observatory **2** (*mil.*) observation post.

osservazione *s.f.* **1** observation // *mettere qlcu. in —*, (*med.*) to put s.o. under observation **2** (*nota, giudizio*) comment, remark: *la tua — è molto pertinente*, your observation (*o* comment) is extremely relevant; *permettersi un'—*, to venture a remark **3** (*rimprovero*) reproach, criticism: *fare delle osservazioni a qlcu.*, to criticize s.o.; *sono stanca delle sue osservazioni*, I'm tired of his criticism.

ossessionante *agg.* haunting, obsessing.

ossessionare *v.tr.* to haunt, to obsess.

ossessione *s.f.* obsession.

ossessivo *agg.* haunting, obsessing.

ossesso *s.m.* person possessed.

ossia *cong.* **1** (*cioè*) that is **2** (*o meglio*) or rather.

ossidare *v.tr.*, **ossidarsi** *v.intr.pron.* (*chim.*) to oxidize.

ossidazione *s.f.* (*chim.*) oxidization.

ossidiana *s.f.* (*min.*) obsidian.

ossido *s.m.* oxide: *— di calcio*, calcium oxide.

ossidrico *agg.* oxy-hydrogen: *fiamma ossidrica*, oxy-hydrogen flame; *tagliare con la fiamma ossidrica*, to flame-cut.

ossificare *v.tr.*, **ossificarsi** *v.intr.pron.* to ossify.

ossigenare *v.tr.* **1** (*chim.*) to oxygenate, to oxygenize **2** (*capelli*) to peroxide.

ossigenato *agg.* **1** (*chim.*) oxygenated, oxygenized **2** (*di capelli*) peroxided.

ossigenazione *s.f.* (*chim.*) oxygenation.

ossigeno *s.m.* oxygen // *tenda a —*, oxygen tent.

ossiuro *s.m.* (*zool.*) oxyuris.

osso *s.m.* [*pl.m.* ossi; *pl.f.* ossa *in senso proprio o con significato collettivo*] bone: *— sacro*, sacrum; *una persona dalle ossa grosse*, a big-boned person // *— di seppia*, cuttlebone // *bisogna fare economia sino all'—*, we must practise the strictest economy // *è tutt'ossa, è pelle e ossa*, he is skin and bones // *freddo che penetra nelle ossa*, penetrating (*o* biting) cold; *il freddo mi penetra nelle ossa*, I am chilled (*o* frozen) to the bone // *essere di carne e ossa*, to be made of flesh and blood // *è un — duro*, he's a tough guy // *farsi le ossa*, to get experience.

ossuto *agg.* bony.

ostacolare *v.tr.* to obstruct; (*impacciare*) to hamper, to hinder; (*essere di svantaggio*) to be* a handicap (to s.o.); *il suo capo gli ostacolò molto la carriera per gelosia*, his career was considerably obstructed by his boss's jealousy // *— un matrimonio*, to impede a marriage.

ostacolista *s.m.* (*atletica*) hurdler; (*ippica*) steeplechaser.

ostacolo *s.m.* **1** obstacle, hindrance; (*svantaggio*) handicap: *non è certo un — da sottovalutare*, this obstacle must not be underestimated; *essere d'— a*, to be a bar to (*o* to stand in the way of) **2** (*sport*) hurdle: *corsa a ostacoli*, (*atletica*) hurdle race; (*ippica*) steeple chase.

ostaggio *s.m.* hostage: *tenere qlcu. in —*, to hold s.o. as a hostage.

ostare *v.intr.* to hinder (s.o., sthg.).

oste *s.m.* host, innkeeper, landlord.

osteggiare *v.tr.* to oppose.

ostello *s.m.* **1** (*poet.*) dwelling, abode; (*rifugio*) refuge **2** (*per la gioventù*) (youth) hostel.

ostensorio *s.m.* (*eccl.*) monstrance.

ostentare *v.tr.* to ostentate, to show* off.

ostentatamente *avv.* ostentatiously.

ostentato *agg.* ostentatious.

ostentazione *s.f.* ostentation, showing off.

osteologia *s.f.* (*med.*) osteology.

osteologo *s.m.* (*med.*) osteologist.

osteoporosi *s.f.* (*med.*) osteoporosis.

osteria *s.f.* tavern, inn.

osteriggio *s.m.* (*mar.*) skylight.

ostessa *s.f.* landlady, innkeeper's wife.

ostetrica *s.f.* midwife: *— diplomata*, registered midwife.

ostetricia *s.f.* obstetrics, midwifery.

ostetrico *agg.* obstetric(al): *clinica ostetrica*, maternity home ♦ *s.m.* obstetrician.

ostia *s.f.* **1** (*eccl.*) host **2** (*cialda*) wafer.

ostico *agg.* (*duro*) hard, irksome; (*aspro*) harsh; (*difficile*) difficult.

ostile *agg.* hostile, adverse, opposed: *atteggiamento —*, hostile attitude.

ostilità *s.f.* **1** hostility, enmity: *provare — verso qlcu.*, to feel hostility (*o* enmity) towards s.o. **2** *pl.* (*mil.*) hostilities.

ostinarsi *v.intr.pron.* to persist (in sthg., in doing); (*insistere*) to insist (on sthg., on doing): *perché ti ostini a contraddirlo?*, why do you insist on contradicting him?; *si ostina a pretendere di aver ragione*, he continues to insist that he's right; *se si ostina dovremo provvedere*, if he persists we'll have to take action.

ostinatamente *avv.* obstinately, stubbornly, mulishly; (*persistentemente*) persistently.

ostinatezza *s.f.* obstinacy, stubbornness, mulishness; (*persistenza*) persistency.

ostinato *agg.* obstinate, stubborn, mulish; (*solo di persona*) pigheaded; (*persistente*) persistent: *incontrare una resistenza ostinata*, to meet with dogged (*o* stubborn) resistence // *— come un mulo*, as stubborn as a mule.

ostinazione *s.f.* obstinacy, stubbornness; (*persistenza*) persistency.

ostracismo *s.m.* ostracism: *dare l'— a qlcu.*, to ostracize s.o. (*o* to send s.o. to Coventry).

ostrica *s.f.* oyster.

ostrogoto *agg.* Ostrogothic ♦ *s.m.* 1 Ostrogoth 2 (*fig.*) barbarian 3 (*linguaggio incomprensibile*): *è — per me*, it is Greek to me; *parlare —*, to speak double-Dutch.

ostruire *v.tr.* to obstruct, to block; (*solo condutture*) to clog.

ostruzione *s.f.* obstruction.

ostruzionismo *s.m.* obstructionism; (*pol.*) stonewalling.

ostruzionista *s.m. e f.* obstructionist; (*pol.*) stonewaller.

otarda *s.f.* (*zool.*) bustard.

otaria *s.f.* (*zool.*) sea lion, otary.

Otello *no.pr.m.* (*lett.*) Othello.

otite *s.f.* (*med.*) otitis.

otoiatra *s.m.* (*med.*) ear specialist.

otorinolaringoiatra *s.m.* (*med.*) otolaryngologist; ear, nose and throat specialist.

otre *s.m.* goatskin.

ottagonale *agg.* (*geom.*) octagonal.

ottagono *s.m.* (*geom.*) octagon.

ottano *s.m.* (*chim.*) octane.

ottanta *agg.num.card.* e *s.m.* eighty.

ottantenne *agg.* eighty (years old) (*pred.*); eighty-year-old (*attr.*) ♦ *s.m.* eighty-year-old man ♦ *s.f.* eighty-year-old woman.

ottantennio *s.m.* (period of) eighty years.

ottantesimo *agg.num.ord.* e *s.m.* eightieth.

ottantina *s.f.* about eighty, some eighty // *ha passato l'—*, he is over eighty.

ottativo *agg.* e *s.m.* (*gramm.*) optative.

ottava *s.f.* 1 (*eccl. mus.*) octave 2 (*metrica*) ottava rima, octave.

ottavino *s.m.* (*mus.*) piccolo.

ottavo *agg.num.ord.* eighth ♦ *s.m.* 1 eighth 2 (*tip.*) octavo.

ottemperanza *s.f.* compliance: *in — a*, in compliance with.

ottemperare *v.intr.* to comply (with sthg.).

ottenebramento *s.m.* darkening, obscuring, clouding (over) (*anche fig.*).

ottenebrare *v.tr.* to darken, to obscure, to cloud (*anche fig.*) // **-arsi** *v.intr.pron.* to cloud.

ottenere *v.tr.* to obtain, to get*, to gain; (*raggiungere*) to achieve: *non otterrai niente da lui*, you won't get anything out of him; *non potei — di vederlo*, I couldn't get permission to see him; *— delle informazioni*, to get information; *— un premio, una vittoria, la fiducia di qlcu.*, to win (*o* to gain) a prize, a victory, s.o.'s trust.

ottenibile *agg.* obtainable.

ottentotto *agg.* e *s.m.* Hottentot (*anche fig.*).

ottetto *s.m.* (*mus.*) octet.

ottica *s.f.* optics.

ottico *agg.* optic(al) ♦ *s.m.* optician.

ottimale *agg.* optimal, optimum.

ottimamente *avv.* very well, extremely well.

ottimare *v.tr.* to optimize.

ottimismo *s.m.* optimism: *essere portato all'—*, to be an optimist.

ottimista *s.m.* e *f.* optimist.

ottimistico *agg.* optimistic(al).

ottimo *agg.superl.* very good, excellent: *un'ottima idea*, an excellent idea; *essere di — umore*, to be in a very good mood (*o* temper); *essere in ottima salute*, to be in the best of health; *è un — amico*, he is the best of friends ♦ *s.m.* (one's) best, (one's) peak.

otto *agg.num.card.* e *s.m.* eight // *— volante*, switchback // *oggi (a) —*, today week (*o* a week today) // *è*

chiaro come quattro e quattro fa —, it's as plain as a pikestaff.

ottobre *s.m.* October.

ottocentesco *agg.* nineteenth-century (*attr.*).

ottocento *agg.num.card.* e *s.m.* eight hundred // *l'Ottocento*, the nineteenth-century.

ottomana *s.f.* ottoman.

ottomano *agg.* e *s.m.* Ottoman.

ottonaio *s.m.* brass worker, brazier.

ottonario *agg.* (*metrica*) octosyllabic ♦ *s.m.* (*metrica*) octosyllabic verse.

ottone *s.m.* 1 brass 2 *pl.* (*mus.*) brass (*sing.*).

ottuagenario *agg.* e *s.m.* (*letter.*) octogenarian.

ottundere *v.tr.* (*rar.*) to blunt, to dull (*anche fig.*).

otturare *v.tr.* to stop (up), to close, to plug: *— un dente*, to fill a tooth; *— una falla*, (*mar.*) to stop a leak // **-arsi** *v.intr.pron.* to stop (up), to seal.

otturatore *s.m.* 1 (*mil.*) lock 2 (*cinem. fot.*) shutter.

otturazione *s.f.* stopping, filling.

ottusangolo *agg.* (*geom.*) obtuse-angled.

ottusità *s.f.* slowness, dullness.

ottuso *agg.* 1 slow, dull: *dalla mente ottusa*, dull-minded 2 (*smussato*) blunt 3 (*geom.*) obtuse.

ouverture (*franc.*) *s.f.* (*mus.*) overture.

ovaia *s.f.* (*anat.*) ovary.

ovale *agg.* e *s.m.* oval.

ovario *s.m.* (*bot. anat.*) ovary.

ovatta *s.f.* wadding; (*cotone idrofilo*) cotton wool.

ovattare *v.tr.* to wad, to stuff with wadding.

ovattato *agg.* padded; (*di suoni*) muffled; (*di ambienti, di atmosfera*) cosy.

ovazione *s.f.* ovation.

ove *avv.* (*letter.*) where ♦ *cong.* (*letter.*) if, in case.

ovest *s.m.* west: *a —*, in the west; *a — di*, (to the) west of // *dell'—*, western; west (*attr.*): *abitante dell'—*, westerner; *vento dell'—*, west (*o* westerly) wind.

Ovidio *no.pr.m.* (*st. lett.*) Ovid.

ovile *s.m.* sheepfold, fold.

ovino *agg.* ovine ♦ *s.m.* sheep (*pl. invar.*) // *gli Ovini*, Ovines.

oviparo *agg.* oviparous // *gli Ovipari*, Ovipara.

ovoidale *agg.* ovoid(al), egg-shaped.

ovoide *agg.* e *s.m.* ovoid.

ovolaccio *s.m.* (*bot.*) toadstool.

ovolo *s.m.* (*bot.*) golden agaric.

ovulazione *s.f.* ovulation.

ovulo *s.m.* 1 ovum (*pl.* ova) 2 (*bot.*) ovule.

ovunque *avv.* → **dovunque**.

ovvero *cong.* or; (*cioè*) that is.

ovviare *v.intr.* to obviate (sthg.).

ovvio *agg.* obvious.

oziare *v.intr.* to loaf about, to idle about.

ozio *s.m.* 1 idleness, sloth: *passare la vita in —*, to idle one's life away (*o* to lead a life of idleness); *stare in —*, to loaf about // *l'— è il padre dei vizi*, (prov.) the Devil finds work for idle hands 2 (*inoperosità*) inactivity 3 (*riposo*) leisure: *momenti, ore d'—*, leisure moments, spare time.

oziosamente *avv.* idly: *parlare—*, to talk nonsense; *passeggiare —*, to wander about.

oziosità *s.f.* idleness.

ozioso *agg.* idle: *discorso —*, idle talk; *domande oziose*, idle questions; *vita oziosa*, idle life // *capitale —*, uninvested capital.

ozonizzare *v.tr.* (*chim.*) to ozonize.

ozono *s.m.* (*chim.*) ozone.

P

p *s.f.* o *m.* p (*pl.* ps, p's) // — *come Padova*, (*tel.*) p for Peter.

pacatezza *s.f.* calmness, quietness.

pacato *agg.* calm, quiet: *con voce pacata*, quietly (*o* in a calm voice).

pacca *s.f.* slap, smack: *dare una — sulle spalle a qlcu.*, to slap s.o. on the shoulder.

pacchetto *s.m.* packet; (*piccolo pacco*) small parcel: *un — di sigarette*, a packet of cigarettes // — *azionario*, (*comm.*) shareholding (*o* shares) // — *applicativo*, (*informatica*) application package.

pacchia *s.f.* (*fam.*) cinch: *che —!*, what a godsend!; *questo lavoro è una —!*, this job is cushy!

pacchiano *agg.* (*di persona*) flashy; (*di cosa*) flashy, gaudy: *una cravatta pacchiana*, a loud tie.

pacco *s.m.* parcel: — *assicurato*, registered parcel; *spedire per — postale*, to send by parcel post; *fare un —*, to make up a parcel.

paccottiglia *s.f.* shoddy goods (*pl.*).

pace *s.f.* **1** peace: *per amor di —*, for the sake of peace and quiet; *che — c'è qui!*, how peaceful (*o* quiet) it is here!; *turbare la —*, to disturb the peace; *non mi dà un momento di —*, he gives me no peace; *essere in — con qlcu.*, to be at peace (*o* to be on good terms) with s.o.; *cercare di mettere —*, to try to bring about peace; *fare la — con qlcu.*, to make peace with s.o.; *non si dà —*, she can't find peace; *questo pensiero non mi dà —*, this thought won't leave me alone // *lasciami in —!*, leave me in peace! // *mettersi il cuore in —*, to set one's heart (*o* mind) at rest // — *all'anima sua!*, peace be with him! // *la — eterna*, eternal rest // *santa —!*, my goodness! // *riposa in —*, rest in peace **2** (*stato di non belligeranza*) peace: *trattato di —*, peace treaty; *conferenza della —*, peace conference; *tempo di —*, peacetime; *chiedere la —*, to ask for peace; *firmare la —*, to sign the peace; *essere in —*, to be at peace.

pachiderma *s.m.* pachyderm // *che —!*, (*persona grassa*) what an elephant!

pachistano *agg.* e *s.m.* Pakistani.

paciere *s.m.* peacemaker.

pacificare *v.tr.* **1** to reconcile **2** (*rendere pacifico*) to pacify, to bring* peace (to sthg.) // **-arsi** *v.rifl.* to be (*o* become*) reconciled.

pacificatore *agg.* **1** (*che riconcilia*) reconciling **2** (*che rende pacifico*) pacifying, appeasing ♦ *s.m.* **1** (*chi riconcilia*) reconciler, peacemaker **2** (*chi rende pacifico*) pacifier, appeaser.

pacificazione *s.f.* **1** reconciliation **2** (*il rendere pacifico*) pacification, appeasement.

pacifico *agg.* **1** (*che ama la pace; che è in pace*) pacific, peaceable **2** (*calmo, tranquillo*) peaceful, calm **3** (*fuori discussione*) self-evident: *è — che...*, it is self-evident that...

pacifismo *s.m.* pacifism.

pacifista *s.m.* e *f.* pacifist.

pacioccone *s.m.* **1** (*adulto*) plump easygoing person **2** (*bambino*) roly-poly baby.

padano *agg.* Po (*attr.*).

padella *s.f.* **1** frying pan // *cadere dalla — nella brace*, (*prov.*) to jump out of the frying pan into the fire **2** (*per malati*) bedpan.

padiglione *s.m.* **1** (*tenda*) pavilion, tent **2** (*edificio isolato*) pavilion: — *di ospedale*, hospital pavilion; — *di caccia*, hunting lodge **3** (*anat.*) outer ear, auricle.

Padova *no.pr.f.* Padua.

padovano *agg.* e *s.m.* Paduan.

padre *s.m.* father: — *adottivo*, foster (*o* adoptive) father; — *di famiglia*, father of a family; *si comporta da buon — di famiglia*, he behaves like a good father; *fare il — severo*, to act the hard-hearted father; *di — in figlio*, from father to son; *far da — a qlcu.*, to be a father to s.o.; *da —*, as a father; (*paternamente*) like a father // *i nostri padri*, our forefathers (*o* ancestors) // *tale il —, tale il figlio*, like father like son // *il Santo Padre*, the Holy Father // *Dio Padre*, God the Father.

padreterno *s.m.* God Almighty.

padrino *s.m.* godfather; (*di duello*) second.

padrona *s.f.* **1** mistress: *la — di casa*, the lady of the house; (*quando riceve*) the hostess; *la — sono io!*, I'm in charge here! **2** (*proprietaria*) owner, proprietress **3** (*di albergo ecc.*) landlady.

padronale *agg.* private (*attr.*): *casa —*, manor house.

padronanza *s.f.* mastery, command, control // — *di sé*, self-control.

padrone *s.m.* **1** master // — *!, padronissimo!*, do as you like! // *essere padroni di sé*, to be self-controlled; *non è più — di sé*, he has lost control of himself; *essere — della situazione*, to be master of the situation // *sono — di fare ciò che voglio*, I am free to do as I like // *essere a —*, to be in (s.o.'s) service (*o* employment) // *farla da —*, to lord it **2** (*proprietario*) owner: *il — di casa*, (*chi affitta*) landlord; (*proprietario*) householder **3** (*di albergo ecc.*) landlord **4** (*datore di lavoro*) employer; (*fam.*) boss: *è un — all'antica*, he's an old-fashioned employer.

padroneggiare *v.tr.* to master, to command // **-arsi** *v.rifl.* to control oneself.

paesaggio *s.m.* **1** landscape, scenery; (*panorama*) view: — *di montagna*, mountain scenery; — *marino*, seascape **2** (*pitt.*) landscape, paysage.

paesaggista *s.m.* e *f.* landscape painter, landscapist.

paesaggistica *s.f.* landscape painting.

paesano *agg.* country (*attr.*), rustic, rural ♦ *s.m.* countryman (*pl.* -men), peasant // *i paesani*, country folk.

paese *s.m.* **1** (*nazione*) country: — *d'origine*, country of origin; *paesi europei*, European countries; *i paesi di lingua inglese*, English-speaking countries // *i paesi in via di sviluppo*, developing countries // *il — dei balocchi*, Toy-Town **2** (*territorio*) country, land: — *fertile*, fertile country **3** (*luogo*) place: — *natio*, birthplace (*o* native place); *avere nostalgia del proprio —*, to be homesick // *mandare a quel —*, (*fam.*) to send to hell // — *che vai, usanza che trovi*, (*prov.*) when in Rome, do as the Romans do // *tutto il mondo è —*, (*prov.*) it is the same the whole world over **4** (*villaggio*) village; (*cittadina*) town: *al mio — tutti parlano dialetto*, at home (*o* in my village) everybody speaks dialect; *andare in — a fare spese*, to go shopping in the village // *abita in un paesino di montagna*, he lives in a small village in the mountains.

Paesi Bassi, i *no.pr.m.pl.* the Low Countries.

paffuto *agg.* chubby, plump.

paga *s.f.* pay, wages (*pl.*): — *base*, basic wage; — *giornaliera*, daily pay; *a mezza* —, on half-pay; *busta* —, pay packet; *foglio di* —, pay roll (*o* pay slip); *libro* —, wages book.

pagabile *agg.* payable: — *alla consegna*, payable on delivery; — *a vista*, payable at sight; — *all'ordine*, payable to order.

pagaia *s.f.* paddle.

pagamento *s.m.* (*comm.*) payment: — *alla consegna*, cash on delivery (*abbr.* COD); — *anticipato*, payment in advance; — *a rate*, payment by instalments; — *contrassegno*, cash on delivery; — *in contanti*, cash payment, (payment) cash down; — *in natura*, payment in commodities (*o* in kind); *avviso di* —, notice of payment; *dilazioni di* —, deferred payment; *facilitazioni di* —, deferred payments; *dietro* — *di*, on payment of; *fino a totale* —, until fully paid; *mancato* —, non -payment; *mandato, ordine di* —, money order; *dilazionare il* —, to grant an extension of payment.

paganesimo *s.m.* paganism, heathenism.

pagano *agg. e s.m.* pagan, heathen.

pagare *v.tr.* **1** to pay*: *hai pagato il libro?*, did you pay for the book?; *quanto l'hai pagato?*, how much did you pay for it?; *l'ho pagato mille lire*, I paid a thousand liras for it; *l'ho pagato molto caro*, I paid a lot for it *//* *far* —, to charge: *quanto te l'ha fatto* —?, how much did he charge for it?; *certo che sa farsi* —, he has no qualms about charging *//* — *il fio, lo scotto*, to pay the penalty *//* — *salato qlco.*, to pay the earth for sthg. *//* — *qlco. un occhio della testa*, to pay through the nose for sthg. *//* *l'ho pagata cara*, I paid dearly for it; *pagherai cara la tua impertinenza*, you'll have to pay for your insolence; *me la pagherai!*, you'll pay for it! *//* *non so cosa pagherei per averlo*, I would give anything to have it *//* — *di persona*, to pay (for sthg.) personally *//* — *qlcu. a parole*, to put s.o. off with fine words *//* — *qlcu. della stessa moneta*, to pay s.o. back in his own coin *//* *il crimine non paga*, crime doesn't pay *//* *chi rompe paga*, (*prov.*) the breaker pays **2** (*offrire*) to stand*: (to treat (s.o. to sthg.): *pago io!*, it's on me!; — *da bere a qlcu.*, to stand s.o. a drink; *oggi tocca a me* —!, today it's my turn to pay.

pagatore *s.m.* payer: *ufficiale* —, paymaster.

pagella *s.f.* (school)report.

paggio *s.m.* page *//* *pettinatura alla* —, pageboy (*o* bobbed)hair.

pagherò *s.m.* (*comm.*) promissory note.

pagina *s.f.* **1** page; (*foglio*) leaf: — *dispari*, right-hand page (*o* recto); — *pari*, left-hand page (*o* verso); *a piede, in testa di* —, at the foot, at the top of the page; *è a* — *52*, it is on page 52; *numerare le pagine*, to page; *voltare* —, to turn over the page; (*fig.*) to turn over a new leaf **2** (*fig.*) (*episodio*) chapter.

paglia *s.f.* straw: *color* —, straw-colour; *letto di* —, straw bed; *tetto di* —, thatch *//* — *di ferro*, (*per pavimenti*) steel wool *//* *essere una* — *al vento*, to be a straw in the wind *//* *mettere la* — *vicino al fuoco*, to tempt fate *//* *uomo di* —, (*fig.*) a man of straw.

pagliacciata *s.f.* buffoonery.

pagliaccio *s.m.* clown, buffoon.

pagliaio *s.m.* straw stack, rick of straw.

pagliericcio *s.m.* palliasse, straw mattress.

paglierino *agg.* straw-coloured.

paglietta *s.f.* **1** (*cappello*) straw hat **2** (*per lucidar pentole*) steel wool.

pagliuzza *s.f.* **1** small straw **2** (*di metallo*) particle.

pagnotta *s.f.* round loaf.

pago *agg.* satisfied (with), content(ed) (with).

pagoda *s.f.* pagoda.

paguro *s.m.* (*zool.*) hermit crab.

paillard (*franc.*) *s.f.* (*cuc.*) grilled steak.

paillettes (*franc.*) *s.f.pl.* sequins.

paio *s.m.* **1** (*di cose uguali o che vanno usate insieme*) pair: *un* — *di guanti, d'occhiali*, a pair of gloves, of spectacles **2** (*due, circa due*) couple, two: *un* — *di giorni*, a couple of (*o* two) days **3** (*di selvaggina*) brace; (*di buoi*) yoke: *un* — *di fagiani*, a brace of pheasants; *quattro paia di buoi*, four yoke of oxen.

paiolo *s.m.* pot, cauldron.

pala *s.f.* **1** shovel **2** (*di remo, elica*) blade; (*di ruota*) paddle **3** — *d'altare*, (*pitt.*) altarpiece.

paladino *s.m.* paladin; (*fig.*) champion: *farsi* — *di qlcu., di qlco.*, to champion s.o.'s cause, the cause of sthg.

palafitta *s.f.* **1** (*edil.*) (*sostegno di pali*) pile work **2** (*abitazione*) lake dwelling, pile dwelling.

palafreniere *s.m.* groom.

palafreno *s.m.* palfrey.

palamidone *s.m.* frock coat.

palamita *s.f.* (*zool.*) bonito.

palamite *s.m.* suspended fishing tackle.

palanca¹ *s.f.* (*mar.*) gangway.

palanca² *s.f.* (*pop.*) penny: *le palanche*, money.

palanchino *s.m.* palanquin, palankeen.

palandrana *s.f.* **1** (men's) dressing gown **2** (*scherz.*) tent.

palata *s.f.* (*quantità*) shovelful *//* *avere, far denaro a palate*, to have, to make pots of money.

palatale *agg.* palatal.

palatino¹ *agg.* palatine.

palatino² *agg.* (*anat.*) palatine.

palato *s.m.* **1** palate: — *molle, duro*, soft, hard palate **2** (*senso del gusto*) palate, taste: *gradevole al* —, palatable.

palazzina *s.f.* villa.

palazzo *s.m.* **1** palace; (*casa signorile*) mansion: *congiura di* —, palace plot *//* — *municipale*, town hall **2** (*grosso edificio*) building; (*di appartamenti*) block of flats: *abita nel mio* —, he lives in my block of flats; *è un* — *di uffici*, it's an office building *//* *il* — *di vetro*, the U.N. Building.

palco *s.m.* **1** (*teatr.*) box: *un* — *di prima fila*, a box in the first row; *un* — *di proscenio*, a stage box; — *d'onore*, royal box **2** (*pedana*) stand, platform; (*patibolo*) scaffold: — *delle autorità*, authorities' stand; *il* — *della banda musicale*, the bandstand **3** (*tavolato*) flooring, boarding; (*impalcatura*) scaffolding, stage **4** (*di cervo*) antler.

palcoscenico *s.m.* (*teatr.*) stage (*anche fig.*).

paleo- *pref.* palaeo-.

paleocristiano *agg.* (*arte*) Palaeo-Christian.

paleografia *s.f.* palaeography.

paleografo *s.m.* palaeographer.

paleolitico *agg. e s.m.* palaeolithic.

paleontologia *s.f.* palaeontology.

paleontologo *s.m.* pal(a)eontologist.

palesare *v.tr.* to reveal, to disclose *//* **-arsi** *v.rifl.* to reveal oneself.

palese *agg.* obvious, clear, manifest; (*noto*) known: *rendere* —, to make clear.

Palestina *no.pr.f.* Palestine.

palestra *s.f.* **1** gymnasium **2** (*esercizio ginnico*) gymnastics **3** (*fig.*) training: *la scuola è — di vita*, school is a good training for life.

paletnologia *s.f.* paleoethnology.

paletnologo *s.m.* paleoethnologist.

paletta *s.f.* **1** (*per focolare*) fireside shovel; (*dei bambini*) spade; (*per il dolce*) cake server; (*per la spazzatura*) dustpan **2** (*di capostazione*) signal stick; (*di vigile*) stick **3** (*di elica, ruota*) blade.

paletto *s.m.* (*chiavistello*) bolt; (*di recinto ecc.*) stake → **palo**.

palina *s.f.* rod: — *graduata*, levelling rod.

palingenesi *s.f.* palingenesis.

palinodia *s.f.* palinode.

palinsesto *s.m.* palimpsest.

palio *s.m.*: *mettere in* —, to offer as a prize.

palissandro *s.m.* rosewood, palisander.

palizzata *s.f.* paling, fence; (*mil.*) palisade.

palla *s.f.* **1** ball: — *da biliardo, da golf, da tennis*, billiard, golf, tennis ball; — *di gomma*, rubber ball; *giocare a* —, to play ball // — *di neve*, snowball; *battaglia a palle di neve*, snow fight; *giocare a palle di neve*, to throw snowballs // *afferrare la* — (*al volo*), to catch the ball // *prendere, afferrare la* — *al balzo*, (*fig.*) to seize an opportunity // *avere una* — *al piede*, (*fig.*) to be hamstrung // — *ovale*, (*sport*) rugby **2** (*mil.*) bullet: — *da cannone*, shell; — *da fucile*, bullet **3** (*per votazione*) ballot.

pallacanestro *s.f.* (*sport*) basketball.

pallanuoto *s.f.* (*sport*) water polo.

pallavolo *s.f.* (*sport*) volleyball.

palleggiamento *s.m.* (*calcio*) dribbling; (*tennis*) knocking up.

palleggiare *v.tr.* to toss ♦ *v.intr.* (*calcio*) to dribble; (*tennis*) to knock up // **-arsi** *v.rifl.rec.* to saddle each other (one another) (with sthg.): — *la responsabilità*, (*la*) *responsabilità*, to saddle each other (*o* one another) with the responsibility.

palleggio *s.m.* (*calcio*) dribbling; (*tennis*) knock-up: *fare del* —, (*tennis*) to knock up.

palliativo *agg.* e *s.m.* palliative (*anche fig.*).

pallido *agg.* **1** pale, wan: *giallo* —, pale yellow; — *di paura*, pale with fright; — *come un morto*, as white as death // *viso* —, paleface // (*debole*) dim; (*vago*) faint, slight: *un* — *ricordo*, a vague memory; *non ne ho la più pallida idea*, I haven't the faintest (*o* slightest) idea.

pallina *s.f.* (*bilia*) marble.

pallino *s.m.* **1** (*alle bocce*) jack; (*al biliardo*) spot, white ball **2** (*fig.*) (*mania*) craze, mania: *ha il* — *delle automobili*, he has a craze for cars; *ha il* — *della puntualità*, he's a sticker for punctuality **3** *pl.* (*per fucile da caccia*) small shot (*collettivo gener. costr. sing.*); pellets **4** *pl.* (*su tessuti*) dots // *cravatta a pallini*, polka-dot tie.

pallonata *s.f.* blow with a ball.

palloncino *s.m.* **1** (*per bambini*) (toy) balloon **2** (*di aerostati*) balloon · **3** (*lampioncino*) Chinese lantern; (*di Natale*) coloured ball.

pallone *s.m.* **1** ball; (*palloncino*) balloon: *gioco del* —, football; *giocare al* —, (*al calcio*) to play football // *è un* — *gonfiato*, (*fig.*) he has a swollen head **2** (*aerostato*) balloon: — *frenato*, captive balloon; — *sonda*, sounding balloon **3** *fiocco* —, (*mar.*) spinnaker.

pallonetto *s.m.* (*tennis*) lob.

pallore *s.m.* pallor, paleness.

pallottola *s.f.* **1** pellet **2** (*di fucile*) bullet.

pallottoliere *s.m.* abacus (*pl.* abaci).

palma[1] *s.f.* (*albero*) palm: — *da datteri*, date palm // *Domenica delle Palme*, Palm Sunday // *la* — *della vittoria*, the palm of victory; *cedere la* — *a qlcu.*, to yield the palm to s.o.; *riportare la* —, to bear the palm.

palma[2] *s.f.* **1** (*della mano*) palm: *giungere le palme*, to clasp one's hands // *portare, tenere in* — *di mano*, to hold s.o. in great esteem **2** (*dei piedi dei palmipedi*) web foot.

palmare *agg.* **1** (*anat.*) palmar **2** (*fig.*) clear.

palmato *agg.* **1** (*bot.*) palmate **2** (*di piedi di palmipedi*) webbed.

palmento *s.m.*: *mangiare a quattro palmenti*, to eat greedily.

palmeto *s.m.* palm grove.

palmipedi *s.m.pl.* palmipeds.

palmizio *s.m.* **1** (*albero*) palm **2** (*ramo*) palm branch.

palmo *s.m.* **1** palm **2** (*misura*) span // *essere alto un* —, to be very short // *con un* — *di naso*, panting like mad // *restare con un* — *di naso*, to feel let down // *non cedere di un* —!, don't give an inch! // *a* — *a* —, inch by inch // *conoscere un luogo a* — *a* —, to know every inch of a place.

palo *s.m.* pole, post; (*paletto*) stake; (*per fondamenta ecc.*) pile: — *della luce*, pole; — *del telegrafo*, telegraph pole; — *a traliccio*, (*elettr.*) pylon; — *della porta*, (*sport*) goalpost; *rigido come un* —, as stiff as a poker // *saltare di* — *in frasca*, to jump from one thing to another // *fare il* —, (*mentre uno ruba*) to keep a lookout.

palombaro *s.m.* diver.

palombo *s.m.* (*zool.*) dogfish.

palpabile *agg.* palpable (*anche fig.*).

palpabilità *s.f.* palpability.

palpare *v.tr.* to feel*, to touch.

palpata *s.f.* touch.

palpazione *s.f.* (*med.*) palpation.

palpebra *s.f.* eyelid: *battere le palpebre*, to blink.

palpeggiare *v.tr.* to finger.

palpitante *agg.* palpitating, throbbing (*anche fig.*) // *un argomento di* — *interesse*, a fascinating subject // *romanzo* — *d'interesse*, gripping novel.

palpitare *v.intr.* **1** (*del cuore*) to palpitate, to throb **2** (*fig.*) (*fremere*) to quiver (with sthg.): — *per qlcu.*, (*stare in ansia*) to be very anxious (*o* to be on thorns) about s.o.

palpitazione *s.f.* palpitation, throbbing: *mi fa venire le palpitazioni*, it makes my heart throb.

palpito *s.m.* throb (*anche fig.*).

paltò *s.m.* overcoat.

paludamento *s.m.* **1** (*st.*) paludament **2** (*veste ampia*) mantle.

paludato *agg.* **1** wearing a paludament **2** (*fig.*) (*solenne*) pompous.

palude *s.f.* marsh, fen, bog; (*molto estesa*) swamp; (*temporanea*) morass, quagmire: — *salmastra*, salt marsh; *bonificare una* —, to reclaim fenland.

paludoso *agg.* marshy, fenny, boggy; swampy: *terreno* —, marshland.

palustre *agg.* marshy, boggy: *uccelli palustri*, fen birds.

pampino *s.m.* (*bot.*) vine leaf.

pan- *pref.* pan-.

panacea *s.f.* panacea.

Panama *no.pr.m.* Panama // **panama** *s.m.* (*cappello*) Panama.

panamegno, panamense *agg.* e *s.m.* Panamanian.

panamericano *agg.* Pan-American.

panare *v.tr.* (*cuc.*) to sprinkle with breadcrumbs.

panca *s.f.* bench; (*senza schienale*) form; (*di chiesa*) pew; (*di parco*) park bench.

pancaccio *s.m.* plank bed.

pancetta *s.f.* (*cuc.*) bacon.

panchetto *s.m.* stool; (*per i piedi*) footstool.

panchina *s.f.* bench; (*di parco*) park bench.

pancia *s.f.* **1** tummy: *dolor di* —, tummy ache // *che —!*, what a stomach! // *metter su* —, to put on weight // *se ne stava* — *all'aria*, he was lying on his back // *tenersi la* — *dalle risa*, to hold one's sides with laughter // *a terra!*, lie face down! **2** (*di fiasco ecc.*) belly.

panciata *s.f.* **1** belly flop: *dare una* —, to do a belly flop **2** (*fam.*) (*scorpacciata*) bellyful: *fare una* —, to eat one's fill.

panciera *s.f.* body belt.

panciolle, in *locuz.avv.*: *stare in* —, to lounge.

pancione *s.m.* fatty.

panciotto *s.m.* waistcoat.

panciuto *agg.* pot-bellied; (*di cosa*) bulging.

pancone *s.m.* **1** (*di falegname*) (carpenter's) bench **2** (*asse robusta*) plank, thick board.

pancotto *s.m.* (*cuc.*) bread soup.

pancreas *s.m.* (*anat.*) pancreas.

pancreatico *agg.* pancreatic.

pandemonio *s.m.* pandemonium.

pane[1] *s.m.* **1** bread: — *azzimo, non lievitato*, unleavened bread; — *casereccio*, homemade bread; — *di segala*, rye bread; — *fresco, rafftermo*, fresh, stale bread; *pan grattato, trito*, breadcrumbs; — *integrale*, wholemeal bread; — *in cassetta*, loaf; — *tostato*, toast; *pan di Spagna*, sponge cake; *una fetta di* —, a slice of bread; *un tozzo di* —, a crust of bread // *comperare qlco. per un tozzo di* —, to buy sthg. for a song // *l'albero del* —, breadfruit tree // *dire* — *al* — *e vino al vino*, to call a spade a spade // *essere buono come il* —, to be as good as gold // *mettere qlcu. a* — *e acqua*, to put s.o. on bread and water // *trovare* — *per i propri denti*, to meet one's match // *non si vive di solo* —, (*prov.*) man does not live by bread alone // *rendere pan per focaccia*, (*prov.*) to give tit for tat **2** (*forma di pane*) loaf; (*panino*) roll **3** (*oggetto a forma di pane*): — *di burro*, slab of butter; *cappello a pan di zucchero*, witch's hat **4** (*fig.*) food // *guadagnarsi il* —, to earn one's living // *ha sempre mangiato il* — *a tradimento*, he has never paid his way // *togliere il* — *di bocca*, to take the bread out of s.o.'s mouth.

pane[2] *s.m.* (*di vite*) thread.

panegirico *s.m.* panegyric.

panello *s.m.* oilcake.

panetteria *s.f.* (*forno*) bakery; (*negozio*) baker's (shop).

panettiere *s.m.* baker.

panfilo *s.m.* yacht.

pangermanismo *s.m.* (*pol.*) Pangermanism.

pangolino *s.m.* (*zool.*) pangolin.

pangrattato *s.m.* breadcrumbs (*pl.*).

pania *s.f.* birdlime.

panico[1] *agg.* e *s.m.* panic: *preso dal* —, panic-stricken; *lasciarsi prendere dal* —, to panic.

panico[2] *s.m.* (*bot.*) millet.

paniere *s.m.* basket.

panificare *v.tr.* to make* into bread ♦ *v.intr.* to make* bread.

panificatore *s.m.* baker.

panificazione *s.f.* breadmaking.

panificio *s.m.* (*forno*) bakery; (*negozio*) baker's (shop).

panino *s.m.* roll: — *imbottito*, sandwich.

panna[1] *s.f.* cream: — *montata*, whipped cream.

panna[2] *s.f.* **1** (*mar.*): *in* —, hove-to **2** (*mecc.*) breakdown.

panneggiare *v.tr.* to drape.

panneggio *s.m.* drapery.

pannello *s.m.* **1** (*stoffa leggera*) light cloth **2** (*arch. edil.*) panel: — *isolante*, insulating panel; — *radiante*, panel radiator; *riscaldamento a pannelli (radianti)*, panel heating // — *di interconnessione*, (*informatica*) access panel **3** (*di vestito*) draping.

panno *s.m.* **1** (*stoffa*) cloth (*pl.* cloths) **2** *pl.* (*abiti*) clothes // *essere, mettersi nei panni di qlcu.*, to be, to put oneself in s.o.'s place (*o* shoes) **3** *pl.* (*bucato*) washing (*sing.*) // *lavare i panni sporchi in pubblico*, to wash one's dirty linen in public.

pannocchia *s.f.* panicle; (*di granoturco*) cob.

pannolino *s.m.* **1** (*per bambini*) napkin; (*fam.*) nappy **2** (*assorbente igienico*) sanitary towel.

panorama *s.m.* **1** view, panorama; (*marino*) seascape **2** (*fig.*) outline, general view.

panoramica *s.f.* **1** (*cinem. fot.*) panorama **2** (*rassegna*) survey: — *della cinematografia tedesca*, survey of German cinema.

panoramico *agg.* panoramic: *fotografia panoramica*, (*cinem. fot.*) panorama; *terrazza panoramica*, terrace with a view; *con vista panoramica*, with a panoramic view.

panpepato *s.m.* (*cuc.*) gingerbread.

pantagruelico *agg.* Pantagruelian.

pantalonaia *s.f.* trouser maker.

Pantalone *no.pr.m.* (*st. teatr.*) Pantaloon // *paga* —, the taxpayer will pay.

pantaloni *s.m.pl.* trousers; slacks (*anche da donna*): — *bermuda*, bermuda shorts (*o* Bermudas); — *corti*, shorts; — *da sci*, ski trousers.

pantano *s.m.* (*fango*) slush, mire; (*luogo pantanoso*) quagmire (*anche fig.*).

panteismo *s.m.* (*fil.*) pantheism.

panteista *s.m.* e *f.* (*fil.*) pantheist.

panteistico *agg.* (*fil.*) pantheistic(al).

pantera *s.f.* panther; (*femmina*) pantheress.

pantheon *s.m.* pantheon.

pantofola *s.f.* slipper.

pantofolaio *s.m.* (*di persona che ama stare in casa*) home-bird: *mio marito è un* —, my husband is a pipe and slippers man.

pantografo *s.m.* pantograph.

pantomima *s.f.* pantomime.

panzana *s.f.* fib, story.

Paola *no.pr.f.* Paula, Pauline.

Paolo *no.pr.m.* Paul.

paonazzo *agg.* purple.

papà *s.m.* dad, daddy, pa.

papa *s.m.* Pope // — *nero*, Black Pope // *a ogni morte di* —, once in a blue moon // *stare, vivere come un* —, to live like a lord // *morto un* — *se ne fa un altro*, (*prov.*) the king is dead, long live the king.

papabile *agg.* e *s.m.* likely to be elected (Pope).

papaia *s.f.* (*bot.*) papaw, paw paw, papaya.

papale *agg.* papal.

papalina *s.f.* skullcap.

papalino *agg.* papal ♦ *s.m.* Papal supporter.

papato *s.m.* papacy.

papaverina *s.f.* papaverine.

papavero *s.m.* poppy: — *selvatico*, corn (*o* field) poppy // *un alto* —, (*fig.*) a bigwig.

papera *s.f.* **1** duckling **2** (*errore*) slip.

papero *s.m.* duckling.

papessa *s.f.: la — Giovanna*, (*st.*) Pope Joan.

papilla *s.f.* (*anat. bot.*) papilla (*pl.* papillae).

papiro *s.m.* papyrus (*pl.* papyri).

papirologia *s.f.* papyrology.

papista *s.m.* e *f.* papist.

pappa *s.f.* (*per bambini*) pap; (*vivanda troppo cotta*) mush // *— reale*, royal jelly // *trovare la — fatta*, (*fig.*) to find everything on a plate; *voler la — fatta*, (*fig.*) to want to be spoon-fed // *è una — molle*, (*fig.*) he has no backbone.

pappafico *s.m.* (*mar.*) fore topgallant sail.

pappagallesco *agg.* parrot-like.

pappagallo *s.m.* **1** parrot **2** (*oggetto sanitario*) urinal.

pappagorgia *s.f.* double chin.

pappardella *s.f.* (long) rigmarole.

pappare *v.tr.* (*fam.*) **1** to wolf, to gorge: *si è pappato tutto*, he has wolfed (*o* eaten up) the lot **2** (*fig.*) to grab.

pappataci *s.m.* sand fly.

pappatoria *s.f.* (*fam.*) feed: *l'ora della —*, feeding time // *non pensa che alla —*, he only thinks of stuffing himself.

paprica *s.f.* paprika, red pepper.

para *s.f.* para rubber: *scarpe* (*con suole*) *di —*, rubber -soled shoes.

parabola[1] *s.f.* parable.

parabola[2] *s.f.* (*mat.*) parabola // *essere al vertice della —*, (*fig.*) to be at the very top; (*solo riferito a persona*) to be at one's peak.

parabolico *agg.* parabolic(al).

parabordo *s.m.* (*mar.*) fender.

parabrezza *s.m.* (*aut.*) windscreen; (*amer.*) windshield.

paracadutare *v.tr.* to parachute.

paracadute *s.m.* parachute: *— ad apertura automatica*, automatic parachute; (*discendere col —*, to parachute; *lanciarsi col —*, to bale out.

paracadutista *s.m.* parachutist; (*mil.*) paratrooper: *reparti di paracadutisti*, paratroops.

paracarro *s.m.* kerbstone.

paradigma *s.m.* (*gramm.*) paradigm.

paradisea *s.f.* (*zool.*) bird of paradise.

paradisiaco *agg.* heavenly, paradisiac(al).

paradiso *s.m.* paradise, heaven (*anche fig.*): *è bellissimo qui, è un —!*, it's beautiful here, it's like paradise! // *— fiscale*, tax heaven // *il — terrestre*, the Earthly Paradise // *andare in —*, (*morire*) to go to heaven // *guadagnarsi il —*, to earn a place in paradise (*o* heaven) // *sentirsi in —*, to be in seventh heaven // *uccello del —*, bird of paradise.

paradossale *agg.* paradoxical.

paradosso *s.m.* paradox.

parafango *s.m.* mudguard.

parafernale *agg.* (*dir.*) paraphernal: *beni parafernali*, paraphernalia.

paraffina *s.f.* (*chim.*) paraffin.

parafrasare *v.tr.* to paraphrase.

parafrasi *s.f.* paraphrase.

parafulmine *s.m.* lightning conductor, lightning rod.

parafuoco *s.m.* firescreen.

paraggi *s.m.pl.* **1** (*mar.*) coastal waters **2** neighbourhood (*sing.*); environs: *vivo in questi —*, I live around here (*o* in the neighbourhood); *non c'è un giornalaio nei —*, there isn't a newsagent's in the neighbourhood; *resti nei — oggi?*, will you be around today?

paragonabile *agg.* comparable (to, with).

paragonare *v.tr.* to compare; (*mettere a confronto*) to

compare (s.o., sthg. with s.o., sthg.): *neppure lontanamente si possono —*, they cannot be remotely compared with each other (*o* one another) // *-arsi v.rifl.* to compare oneself (with, to s.o., sthg.).

paragone *s.m.* comparison: *fare un —*, to make a comparison; *mettere a —*, to compare; *reggere il —*, to stand comparison // *a — di*, in comparison with // *senza —*, beyond compare (*o* comparison) // *la pietra di —*, yardstick.

paragrafo *s.m.* paragraph.

paraguaiano *agg.* e *s.m.* Paraguay, Paraguayan.

paralisi *s.f.* (*med.*) paralysis, palsy (*anche fig.*): *— cardiaca*, paralysis of the heart; *— infantile*, infantile paralysis (*o* poliomyelitis); *— progressiva*, progressive (*o* ascending) paralysis; *colpito da —*, stricken with paralysis (*o* palsy-stricken).

paralitico *agg.* e *s.m.* paralytic.

paralizzare *v.tr.* to paralyze (*anche fig.*): *lo sciopero degli scaricatori ha paralizzato il porto di Londra*, the dockers' strike has brought the port of London to a standstill.

parallela *s.f.* **1** parallel **2** *pl.* (*sport*) parallel bars.

parallelepipedo *s.m.* parallelepiped (*pl.* -a).

parallelismo *s.m.* parallelism.

parallelizzatore *s.m.* (*informatica*) deserializer; series -to-parallel converter.

parallelo *agg.* parallel ♦ *s.m.* parallel: *fare un —*, (*paragonare*) to draw a parallel // *messa in —*, (*elettr.*) paralleling.

parallelogrammo *s.m.* parallelogram.

paralume *s.m.* lampshade.

paramento *s.m.* **1** (*eccl.*) hanging: *paramenti a lutto*, black hangings (*o* drapings) **2** (*del sacerdote*) vestment **3** (*edil.*) face, facing.

parametro *s.m.* **1** (*mat.*) parameter **2** *pl.* (*informatica*) input data.

paramilitare *agg.* paramilitary.

paramontura *s.f.* facing.

paranco *s.m.* (*mar.*) tackle.

paraninfo *s.m.* paranymph.

paranoia *s.f.* (*med.*) paranoia.

paranoico *agg.* e *s.m.* (*med.*) paranoiac.

paraocchi *s.m.* blinkers.

parapetto *s.m.* parapet; (*di nave*) bulwark.

parapiglia *s.m.* turmoil, confusion.

parapioggia *s.m.* umbrella.

parapsicologia *s.f.* parapsychology.

parare *v.tr.* **1** to adorn, to deck, to decorate // *— una chiesa a lutto*, to hang a church with black **2** (*evitare*) to parry, to ward off: *— un colpo*, to parry a blow // *— un goal*, (*sport*) to make a save **3** (*riparare, proteggere*) to shield, to protect (against sthg.) ♦ *v.intr.*: *andar a —*, to drive at (sthg.): *non so dove vadano a — le sue parole*, I don't know what he is driving at // *-arsi v.rifl.* (*presentarsi*) to appear, to present oneself: *— dinanzi a qlcu.*, to appear before s.o.

parascolastico *agg.* State School Board (*attr.*).

parasole *s.m.* sunshade.

parassita *agg.* parasitic(al) ♦ *s.m.* **1** parasite **2** (*scroccone*) parasite; (*fam.*) sponger.

parassitismo *s.m.* (*biol.*) parasitism.

parastatale *agg.* government-controlled, State -controlled (*attr.*): *ente —*, government-controlled body ♦ *s.m.* e *f.* employee of a government-controlled body.

parastinchi *s.m.* shin guard.

parata[1] *s.f.* **1** parry **2** (*calcio*) save: *effettuare una —*, to make a save.

parata[2] *s.f.* parade: *abito di —*, full dress; *sfilare in —*, to march on parade // *vista la mala —...*, when he saw that things were taking a bad turn...

paratia *s.f.* (*mar.*) bulkhead.

paratifo *s.m.* (*med.*) paratyphoid.

parato *s.m.* **1** hanging; (*tappezzeria*) tapestry // *carta da —*, wallpaper **2** (*mar.*) bar.

paratoia *s.f.* (*idraulica*) sluice gate.

paraurti *s.m.* **1** (*aut.*) bumper **2** (*ferr.*) buffer stop; (*amer.*) bumping post.

paravento *s.m.* screen // *far da — a qlcu.*, to shield s.o.

parcella *s.f.* bill.

parcellizzare *v.tr.* to split* up into small parts, to fragment.

parchè *s.m.* parquet.

parcheggiare *v.tr.* to park.

parcheggio *s.m.* parking: *area di —*, parking place (*o* lot); *vietato il —*, no parking.

parchimetro *s.m.* parking meter.

parco[1] *s.m.* **1** park: *— nazionale*, national park // *— di divertimenti*, funfair; (*amer.*) amusement park **2** (*recinto*) yard.

parco[2] *agg.* frugal, sparing; (*parsimonioso*) parsimonious; (*moderato*) moderate: *una parca mensa*, a frugal table; *uomo — nel bere, nel mangiare*, moderate drinker, frugal eater; *è — di lodi*, he is sparing of praise.

parecchio *agg.indef.* **1** quite a lot of: *ho — tempo libero oggi*, I have quite a lot of spare time today; *— tempo fa*, quite some time ago; *parecchie volte*, several times // *spendere —*, to spend quite a lot; *guadagnare —*, to earn quite a lot // *ci corre — fra quei due*, there is a big difference between those two **2** *pl.* several; (*un gran numero di*) quite a lot of: *parecchi miei amici*, several friends of mine; *vive a Londra da parecchi anni*, he has been living in London for several years; *conosce parecchie persone*, he knows quite a lot of people **3** (*in espressioni di tempo*) quite a long; (*in frasi interr.*) long: *— (tempo)*, quite a long time; *aspetto da — (tempo)*, I've been waiting for quite a long time; *hai aspettato — (tempo)?*, have you waited long? ♦ *pron.indef.* quite a lot: «*Quanto lavoro hai ancora da fare?*» «*Parecchio*», "How much work have you still to do?" "Quite a lot" **2** *pl.* several; (*un gran numero*) quite a lot, quite a few; (*parecchia gente*) quite a lot of people: *parecchi di noi*, several of us; *eravamo in parecchi*, there were several (*o* quite a few) of us; *ne ho comprati parecchi*, I've bought quite a lot of them ♦ *avv.* quite (*con agg.*), quite a lot: *— giovane*, quite young; *ci ho pensato —*, I've thought of it quite a lot // *distare — da*, to be quite a long way from.

pareggiamento *s.m.* **1** (*comm.*) balancing **2** (*livellamento*) levelling.

pareggiare *v.tr.* **1** (*comm.*) to balance: *— il bilancio, i conti*, to balance the budget, the accounts **2** (*livellare*) to level; (*tagliando*) to trim: *— una superficie*, to level a surface; *— a la lunghezza dei capelli*, to trim s.o.'s hair **3** (*eguagliare*) to match, to equal ♦ *v.intr.* (*sport*) to draw*.

pareggiato *agg.* (*di scuola*) officially recognized.

pareggio *s.m.* **1** (*comm.*) balance // *il bilancio si chiuderà in —*, the budget will balance **2** (*sport*) draw.

parentado *s.m.* **1** relations (*pl.*), relatives (*pl.*) **2** (*legame di parentela*) relationship, kinship.

parente *s.m.* e *f.* relative, relation: *parenti stretti, lontani*, close, distant relatives // *— acquisito*, in-law.

parentela *s.f.* **1** relationship: *grado di —*, degree of relationship; *vincolo di —*, family tie **2** (*insieme dei parenti*) relations (*pl.*), relatives (*pl.*).

parentesi *s.f.* parenthesis (*pl.* -ses); (*segno grafico*) bracket: *— aperta, chiusa*, open, closed bracket; *chiuso tra —*, in brackets // *tra — devo dirti che...*, by the way I must tell you that... // *è stata una — breve, ma piacevole*, it was a brief, but pleasant, interlude.

parentetico *agg.* parenthetic(al).

parere *v.intr.* **1** to seem, to look, to appear; (*somigliare a*) to look like, to be* like: *pare una persona intelligente*, he seems (*o* appears) to be an intelligent person; *pare molto triste*, he looks very sad; *il lago pare uno specchio*, the lake is (*o* looks) like a mirror // *pare rabarbaro*, it tastes like rhubarb // *pare velluto*, it feels like velvet // *pareva un'esplosione*, it sounded like an explosion // *senza —*, without its being realized **2** *impers.* (*sembrare*) to seem: *pare strano, impossibile che...*, it seems strange, impossible that...; *pare di sì*, it seems so; *pare che sia molto ricco*, it seems he is (*o* he seems to be) very rich // *a quanto pare...*, it seems that...; (*assol.*) so it seems // *pare che voglia piovere*, it looks like rain // *mi pare un secolo che non lo vedo*, it seems ages since I saw him // *mi pare un sogno*, it seems (to me) like a dream **3** *impers.* (*pensare*) to think* (*costr. pers.*); (*credere*) to seem (*gener. costr. pers.*): *mi pare ne pare?*, what do you think of it?; *mi pare che abbia ragione*, I think he is right (*o* he seems to be right); *mi pare di conoscerlo*, I seem to know him // *fa' come ti pare*, do as you like // *come mi pare e piace*, as I like // *ma vi pare!*, don't mention it! // *mi pareva!*, (*l'avevo ben detto*) I thought so!

parere *s.m.* opinion: *a mio —*, in my opinion // *non sono del (suo) —*, I do not agree (with him); *non sono del — di...*, I don't like the idea of... // *siete tutti del mio —?*, do you all agree with me? // *cambiar —*, to change one's mind.

paresi *s.f.* (*med.*) paresis.

parete *s.f.* **1** wall: *— divisoria*, partition (wall) // *fra le pareti domestiche*, at home **2** (*di monte*) face.

pargoletto, **pargolo** *s.m.* child (*pl.* children).

pari[1] *agg.* **1** equal; (*stesso*) same: *di — altezza*, of equal (*o* the same) height; *di — grado*, of the same rank (*o* degree *o* grade); *in — tempo*, in the same time; *a — condizioni*, under the same conditions; *è un mio —*, he is my equal // *trattare qlcu. da — a —*, to treat s.o. as one's equal // *si è comportato da par suo*, he behaved like his true self // *essere —*, (*anche fig.*) to be quits; (*nel punteggio*) to be level; (*di forze*) to be evenly matched; *è — al suo compito*, he is up to the task // *far —*, to draw // *far — e patta*, to be quits // *due —*, two all; *quaranta —*, (*al tennis*) deuce // *a — merito*, dead heat // *copiare — —*, to lift bodily; (*parola per parola*) to copy word for word // *al — di*, like // *alla —*, all square; *rimborsabile alla —*, (*comm.*) redeemable at par; *mettersi alla — con qlcu.*, to place oneself on the same level as s.o.: *stare alla — presso una famiglia*, to stay au pair in a family // *in —: mettersi in — col proprio lavoro*, to catch up with one's work // *senza —*, unequalled (*o* matchless) // *saltare a piè — un ostacolo*, to jump an obstacle with one's feet together // *saltare a piè — una pagina, una difficoltà*, to skip a page, to surmount a difficulty **2** (*divisibile per due*) even: *i numeri —*, the even numbers; *essere in numero —*, to be even in number // *far — e dispari*, to toss up **3** (*equivalente*) equivalent // *far — e dispari*, to toss up **3** (*equivalente*) equivalent **4** (*senza dislivelli*) level.

pari[2] *s.m.* peer // *dignità di Pari*, peerage.

paria *s.m.* pariah *(anche fig.).*

Paride *no.pr.m.* Paris.

parietale *agg.* wall *(attr.)* ♦ *s.m. (anat.)* parietal bone.

parificare *v.tr.* to equal.

parificato *agg.* equalled // *scuola parificata*, officially recognized school.

parificazione *s.f.* equalization.

Parigi *no.pr.f.* Paris.

parigino *agg.* e *s.m.* Parisian.

pariglia *s.f.* pair // *render la —*, to give tit for tat.

parimenti *avv.* similarly.

parisillabo *agg.* parisyllabic.

parità *s.f.* parity // *— salariale*, equal pay // *a — di condizioni*, under the same conditions; *a — di diritti*, rights being equal // *in —*, *(sport)* in a draw.

paritario *agg.* on equal terms.

paritetico *agg. (pol.)* joint *(attr.).*

parlamentare[1] *agg.* parliamentary; *(amer.)* congressional: *regime —*, parliamentary regime ♦ *s.m.* Member of Parliament; *(amer.)* Congressman *(pl.* -men).

parlamentare[2] *v.intr.* to parley.

parlamentarismo *s.m.* parliamentarianism.

parlamento *s.m.* Parliament; *(amer.)* Congress: *seduta del —*, Parliamentary sitting; *(amer.)* Congressional session; *i rappresentanti del —*, Parliamentary representatives; *un ramo del —*, a branch of Parliament.

parlante *agg.* talking // *i ben, i mal parlanti*, persons who speak correctly, incorrectly // *è il ritratto — di suo padre*, he is the very image of his father.

parlantina *s.f.* talkativeness // *che —!*, what a chatterbox!

parlare *v.intr.* **1** to speak*, to talk: *di che cosa state parlando?*, what are you speaking *(o* talking) about?; *— di affari, di lavoro, di politica*, to talk business, shop, politics; *non voglio — io tutto il tempo*, I don't want to do all the talking myself; *quel bambino non parla ancora*, that baby doesn't talk yet; *— fra sé e sé*, *— sottovoce*, to speak in a low voice *(o* to whisper); *— ad alta voce*, to speak aloud *(o* to speak up); *— a gesti*, to talk by signs; *— in dialetto*, to speak in *(o* to use a) dialect; *— con gli occhi*, to have very expressive eyes; *— ininterrottamente*, to talk and talk; *— fino a diventare rauco*, to talk oneself hoarse; *— spedito*, to speak fast; *— chiaro*, to speak clearly; *(fig.)* to speak one's mind: *questo si chiama parlar chiaro*, this is straight talking; *pronto, chi parla?*, hello, who's speaking? // *parli sul serio?*, do you mean it? *(o* are you serious?) // *parlo per esperienza*, I'm speaking from experience // *parla per te!*, speak for yourself! // *parliamo d'altro!*, let's change the subject! // *non parliamone più!*, let's not talk about it any more // *parla tanto per —*, he talks for the sake of talking // *parla come un libro stampato*, he talks like a book; *— forbito*, to speak carefully // *— bene, male di qlcu.*, to speak well, ill of s.o. // *— del più e del meno*, to talk of this and that // *si parla di licenziarlo*, there is some talk of dismissing him // *— a una ragazza*, *(amoreggiare)* to walk out with a girlfriend // *— al vento, al muro*, to talk to the wall *(o* to waste one's breath) // *far —*, to make (s.o., sthg.) talk; *far — di sé*, to get oneself talked about; *non mi far —!*, don't make me say more! **2** *(tenere un discorso)* to address (s.o.) **3** *(trattare)* *(a voce)* to speak*; *(per iscritto)* to write* // *ne parlava il giornale di ieri*, it was in yesterday's newspaper // *non voglio sentirne —*, I won't hear of it // *per ora non se ne parla*, for the moment it hasn't been men-

tioned // *non mette conto di parlarne*, it isn't worth mentioning // *per non — di*, not to mention ♦ *v.tr.* to speak* // *— arabo, turco, ostrogoto*, to speak double '-Dutch // *-arsi* *v.rifl.rec.* **1** to speak*: *ci siamo parlati al telefono*, we spoke on the 'phone **2** *(pop.) (amoreggiare)* to walk out.

parlare *s.m.* **1** talk: *ci fu, si fece un gran — di ciò*, there was a lot of talk about it **2** *(parlata)* dialect.

parlata *s.f.* (way of) speaking; *(dialetto)* dialect.

parlato *agg.* spoken ♦ *s.m.* **1** *(dialogo di un film)* dialogue **2** *(fam.) (cinema)* talkie.

parlatore *s.m.* conversationalist.

parlatorio *s.m.* parlour; *(spec. di carcere)* visitors' room.

parlottare *v.intr.* to whisper; *(di bambini)* to mumble.

parlottio *s.m.* whispering; *(di bambini)* mumbling.

parmigiano *agg.* e *s.m.* Parmesan.

parnaso *s.m.* **1** poetry **2** *(i poeti)* poets *(pl.).*

parodia *s.f.* parody.

parodiare *v.tr.* to parody.

parodistico *agg.* parodistic.

parola *s.f.* **1** word: *ripetere — per —*, to repeat word for word // *— d'ordine*, password // *parole crociate*, crossword puzzle; *gioco di parole*, pun // *l'ultima —*, the last word; *(il prezzo minimo)* the lowest price; *non è detta l'ultima —*, the last word has not been said; *le ultime parole famose*, famous last words // *è una —!*, it's no easy job! // *in una —*, in a word; *in poche parole*, in a few words; *in parole povere*, in plain words // *la persona in —*, the person we have been talking about // *far — di qlco., a qlcu.*, to mention *(o* to speak of) sthg. to s.o.; *non far, non dir — di qlco.*, not to breathe *(o* not to say) a word about sthg. // *buttò là una mezza —*, he threw in a word // *metterci una buona —*, to put in a word // *mettere parole in bocca a qlcu.*, to prompt s.o. // *non riesco a cavargli una — di bocca*, I can't get a word out of him // *mi hai tolto la — di bocca*, you took the words out of my mouth // *restare senza parole*, to remain speechless // *non ho parole per ringraziarti*, I don't know how to thank you // *passar —*, to pass the word on // *passare dalle parole ai fatti*, to pass from words to blows // *venire a parole con qlcu.*, to have words with s.o. // *a buon intenditor poche parole*, *(prov.)* a word to the wise (is sufficient) **2** *(facoltà di parlare)* speech: *perdere la —*, to lose the power *(o* faculty) of speech // *avere la — facile*, to have a glib *(o* ready) tongue **3** *(discorso)* words *(pl.)*: *vogliamo fatti e non parole*, we want deeds and not words; *meno parole!*, don't talk too much!; *tutte parole!*, it's all hot air! // *rivolgere la — a qlcu.*, to address s.o. // *chiedere la —*, to ask leave to speak; *(pol.)* to raise a point of order; *la — a Mr. Smith*, I will now call on Mr. Smith; *dare la — a qlcu.*, to call upon s.o. to speak; *prendere la —*, to begin to speak *(o* to take the floor); *togliere la — a qlcu.*, not to allow s.o. to say any more **4** *(promessa, impegno)* word: *un uomo di —*, a man of his word; *essere di —*, to keep one's word; *mantenere la —*, to keep one's word; *non mantenere la —*, to break one's word; *credere a qlcu. sulla —*, to take s.o.'s word; *prendere qlcu. in —*, to take s.o. at his word // *— d'onore*, word of honour; *— mia, d'onore*, on my bonded word *(o* honestly); *ti do la mia —*, I give you my word (of honour) // *essere in — con qlcu.*, to have half promised to s.o. *(per affari)* to be negotiating with s.o. **5** *(informatica) (di macchina)* word: *— chiave*, keyword; *— di controllo*, word check; *— di identificazione*, call word.

parolaccia *s.f.* bad word // *dire parolacce a qlcu.*, to call s.o. names.

parolaio *s.m.* chatterbox.

paroliere *s.m.* (*di canzoni*) lyricist.

parossismo *s.m.* paroxysm.

parossistico *agg.* paroxysmal.

parotide *s.f.* (*anat.*) parotid gland.

parotite *s.f.* (*med.*) parotitis.

parquet (*franc.*) *s.m.* parquet.

parricida *s.m.* e *f.* parricide.

parricidio *s.m.* parricide.

parrocchetto *s.m.* (*mar.*) fore-topmast.

parrocchia *s.f.* **1** parish **2** (*chiesa*) parish church.

parrocchiale *agg.* parish (*attr.*).

parrocchiano *s.m.* parishioner.

parroco *s.m.* parish priest; (*protestante*) parson.

parrucca *s.f.* **1** wig **2** (*zazzera*) long hair.

parrucchiere *s.m.* hairdresser: — *per signora*, lady's hairdresser // — *per uomo*, barber.

parruccone *s.m.* fogey, fossil.

parsimonia *s.f.* parsimony.

parsimonioso *agg.* parsimonious.

partaccia *s.f.*: *fare una* — (*a qlcu.*), to act the villain (to s.o.); (*far fare una brutta figura*) to let (s.o.) down.

parte *s.f.* **1** part; (*porzione*) share, portion // — *di loro*, some of them // *gran* — *di*, a lot (*o* a large part) of; *gran* — *della gente*, a great many people; *la maggior* — *di*, most (of) (*o* the majority of); *per la maggior* —, for the most part // *in* —, in part (*o* partly); *in gran* —, *in massima* —, mostly (*o* for the most part) // *aver* — *in qlco.*, to have a hand in sthg. // *essere a* — *di qlco.*, to be informed of sthg. // *prender* — *a qlco.*, to take part in sthg.; (*condividere*) to share sthg. // *far* — *di*, to be part of; *fa* — *della famiglia*, he is one of the family // *farsi* — *del leone*, to take the lion's share // *fare le parti*, (*a tavola*) to do the serving **2** (*luogo*) part: *dalle mie parti si parla in dialetto*, in my part of the country they speak dialect // *da qualche* —, somewhere // *come mai da queste parti?*, what are you doing round here? **3** (*lato*) side, part: *dalla* — *destra, sinistra*, on the right, left; *da che* — *viene il vento?*, what direction is the wind coming from? // *a* —, apart (from): *a* — *qualche eccezione*, apart from a few exceptions; *scherzi a* —, joking apart; *in una lista a* —, in a separate list; *il servizio è a* —, the service is extra // *da* —, aside: *mettere da* —, (*risparmiare*) to put aside; (*trascurare*) to put on one side; *farsi, tirarsi da* —, (*anche fig.*) to step aside (*o* to get out of the way) // *da una* —..., *dall'altra*..., (*fig.*) on one hand..., on the other... // *d'altra* —..., on the other hand... // *da* — *a* —, right through // *da* — *di*, from; *da* — *di padre, di madre*, on one's father's, mother's side; *da* — *mia*, for my part (*o* as for me); *digli da* — *mia che*..., tell him from me that...; *molto gentile da* — *tua*, very kind of you; *salutalo da* — *mia*, give him my (kind) regards // *da ogni* —, *da tutte le parti*, on all sides (*o* in every direction); (*di moto*) from all sides // *da tutte e due le parti*, on both sides // *da questa* —, *prego!*, this way, please! // *non so da che* — *cominciare*, I don't know where to start // *da due mesi a questa* —, for two months; *da Pasqua a questa* —, since Easter // *essere dalla* — *del torto*, to be in the wrong // *prendere qlco. in buona, mala* —, to take sthg. in good part, amiss **4** (*partito*) party: *spirito di* —, party spirit // *prendere, tenere le parti di qlcu.*, to side with s.o. **5** (*ruolo*) role: *la* — *principale, secondaria*, the leading, minor (*o* secondary) role; *assegnare una* — *a qlcu.*, to cast s.o.

for a part // (*un*) *a* —, (*teatr.*) (an) aside // *fa sempre la* — *dello stupido*, he is always playing the fool // *fare una brutta* — *a qlcu.*, to behave badly towards s.o. **6** (*comm. dir.*) party: *le due parti in un contratto*, the two parties to a contract; *le parti in causa*, the parties to the case; *la* — *lesa, interessata*, the injured, interested party; — *civile*, plaintiff **7** (*mus.*) part **8** (*informatica*) (*di indirizzo*) address part; — *fuori testo di scheda perforata*, zone; — *superiore della memoria*, upper memory.

partecipante *s.m.* e *f.* (*spec. pl.*) the people present (at).

partecipare *v.intr.* **1** to take* part (in sthg.); (*condividere*) to share (sthg., in sthg.): — *agli utili*, to share in the profits; — *alle spese*, to share the expenses; — *al dolore di qlcu.*, to share s.o.'s grief **2** (*presenziare*) to be* present ♦ *v.tr.* (*annunciare*) to announce.

partecipazione *s.f.* **1** sharing: — *agli utili*, profit sharing; *ha una* — *nella società*, he has a share in the company // — *statale*, state shareholding **2** (*l'esser presente*) presence **3** (*annuncio*) announcement: — *di nozze*, wedding announcement.

partecipe *agg.* taking part // *rendere qlcu.* — *di qlco.*, to acquaint s.o. with sthg.

parteggiare *v.intr.* to side (with s.o., sthg.), to take* sides (with s.o., sthg.).

partenogenesi *s.f.* (*biol.*) parthenogenesis.

partenopeo *agg.* Parthenopean.

partenza *s.f.* **1** departure: *orario di* —, departure time // *essere in* —, to be leaving; *treno in* —, train leaving // *segnale di* —, starting signal **2** (*sport*) start: — *da fermo*, standing start; — *lanciata*, flying start; *linea di* —, starting line; *punto di* —, (*anche fig.*) starting point.

particella *s.f.* particle.

participio *s.m.* (*gramm.*) participle.

particola *s.f.* (*eccl.*) host.

particolare *agg.* particular; (*speciale*) special: *un caso* —, a particular case; *un favore* —, a special favour; *un saluto* —..., special wishes to... // *il segretario* — *del presidente*, the president's private secretary // *segni particolari*, (*sul passaporto*) special peculiarities // *in* —, particularly ♦ *s.m.* detail, particular.

particolareggiare *v.tr.* to detail.

particolareggiato *agg.* detailed.

particolarismo *s.m.* **1** particularism **2** (*parzialità*) partiality.

particolarità *s.f.* **1** particularity, peculiarity **2** (*cosa particolare*) particular.

partigianeria *s.f.* partisanship.

partigiano *agg.* e *s.m.* partisan.

partire *v.intr.* to leave*; (*mettersi in moto*) to start, to set* out: — *in treno, in aereo, in nave*, to leave by train, by plane, by ship; — *di buon'ora*, to leave early; — *per il fronte*, to leave for the front; — *per un lungo viaggio*, to set off on a long journey // — *come una freccia*, to be off like a shot // — *in quarta, in tromba*, to shoot (*o* to whizz) off! // *si parte!*, off we go!; *siamo partiti!*, we are off! // *far* — *un colpo di fucile*, to let off a gun; *parti un colpo di fucile*, a shot was fired; *far* — *un'automobile*, to start a car // — *è un po' morire*, (*prov.*) to part is to die a little **2** (*muovere, principiare*) to start (*anche fig.*): *la strada parte dalla piazza*, the road starts from the square; — *da un'idea sbagliata*, to start from a wrong idea // *a* — *da*, beginning from; *a* — *da questa pagina*, from this page onwards // *è partito dal niente*, he has risen from nothing **3** (*provenire*) to come*: *un grido partì dalla folla*, a cry rose (*o* came) from the crowd.

partita *s.f.* **1** game; (*incontro*) match: *una — di calcio, di cricket*, a football, cricket match; *fare, giocare una —*, to play a game // *— di caccia*, hunting party // *dar — vinta a qlcu.*, (*fig.*) to give in to s.o. **2** (*comm.*) (*di merce*) lot, stock: *a, in, per partite*, by lots **3** (*contabilità*) entry: *— semplice, doppia*, single, double entry // *è una — chiusa*, (*fig.*) it's settled once and for all.

partitario *s.m.* (*comm.*) ledger.

partitivo *agg.* partitive.

partito *s.m.* **1** party: *i partiti di centro, di destra, di sinistra*, the Centre, the Right, the Left; *iscriversi a un —*, to become a member of a party **2** (*decisione*) decision; (*soluzione*) solution: *non so che — prendere*, I can't make up my mind what to do; *scegliere il — migliore*, to make the best choice // *— preso*, out of prejudice // *prendere — per, contro qlcu.*, to side with, against s.o. **3** (*stato, condizione*) condition, state: *ridurre qlcu., essere ridotto a mal —*, to bring s.o. to, to be in a sorry plight **4** (*profitto*) advantage **5** (*occasione di matrimonio*) catch: *un buon —*, a good catch.

partitocrazia *s.f.* partitocracy.

partitura *s.f.* (*mus.*) score.

partizione *s.f.* partition.

parto *s.m.* **1** childbirth, delivery: *— prematuro*, premature birth; *— indolore*, painless delivery; *— gemellare*, twin-birth; *morire di —*, to die in childbirth **2** (*di animali*) birth, delivery **3** (*fig.*) product // *— poetico*, poetical work.

partoriente *agg.* in labour (*pred.*) ♦ *s.f.* woman in labour.

partorire *v.tr.* **1** to give* birth (to a child); (*spec. di animali*) to bring* forth **2** (*fig.*) (*generare*) to beget*.

parvenza *s.f.* appearance, aspect; (*fig.*) shadow: *una — di verità*, a shadow of truth.

parziale *agg.* partial: *eclissi —*, partial eclipse; *risultati parziali*, results so far // *essere — verso qlcu.*, to be partial to s.o.

parzialità *s.f.* partiality: *fare — per qlcu.*, to be partial to (*o* to favour) s.o.

pascere *v.tr.* **1** to graze, to pasture **2** (*fig.*) (*nutrire*) to feed* // **-ersi** *v.rifl.* to feed* (on sthg.) (*anche fig.*).

pascià *s.m.* pasha // *vivere come un —*, to live like a lord.

pasciuto *agg.*: (*ben*) *—*, well-fed.

pascolare *v.tr.* e *intr.* to graze, to pasture.

pascolo *s.m.* pasture: *terreno da —*, pasture land; *essere al —*, to be grazing // *divieto di —*, no grazing.

Pasqua *s.f.* Easter; (*degli ebrei*) Passover: *— alta, bassa*, late, early Easter; *buona —!*, Happy Easter! // *fare la —*, to do one's Easter duties // *uovo di —*, Easter egg // *felice come una —*, as happy as the day is long (*o* as gay as a lark).

pasquale *agg.* Easter (*attr.*); (*della Pasqua ebraica*) Paschal: *agnello —*, Paschal lamb; *vacanze pasquali*, Easter holidays.

passabile *agg.* passable; (*discreto*) fairly good.

passaggio *s.m.* **1** passing, passage; (*traversata*) crossing: *il — della processione*, the passing (*o* passage) of the procession; *il — delle Alpi*, the crossing of the Alps // *il primo — del satellite*, the first pass of the satellite // *vietato il —*, no thoroughfare // *diritto, servitù di —*, right of way // *essere di —*, to be passing (through) // *— di proprietà*, (*dir.*) transfer of property **2** (*luogo di transito*) passage: *un — tra i monti*, a

mountain pass // *— pedonale*, pedestrian crossing // *aprirsi un — attraverso qlco.*, to make one's way through sthg. // *impedire, ostruire il —*, to obstruct the way **3** (*su nave*) passage; (*su altro veicolo*) lift: *chiedere un —*, to ask for a lift; (*fare l'autostop*) to hitch a lift **4** (*mus. lett.*) passage **5** (*sport*) pass **6** (*informatica*) (*da un'applicazione a un'altra*) migration.

passamaneria *s.f.* **1** trimming, passementerie **2** (*negozio*) mercery.

passamano *s.m.* (*fettuccia per guarnizione*) trimming braid.

passamontagna *s.m.* balaclava.

passanastro *s.m.* slotted lace.

passante *s.m.* e *f.* passerby ♦ *s.m.* (*di cintura ecc.*) loop.

passaporto *s.m.* Passport: *— collettivo*, group passport; *— falso*, forged passport; *chiedere il —*, to apply for a passport; *rinnovare il —*, to renew one's passport; *mi è scaduto il —*, my passport has expired.

passare *v.intr.* **1** to pass: *l'autobus è già passato*, the bus has already passed; *passerà di qui*, he will pass by here; *— dalla porta, dalla finestra*, to pass through the door, the window; *— per una strada*, to pass (*o* to go) along a street; *— attraverso, per i campi*, to go across the fields; *— davanti a qlcu., a qlco.*, to go past s.o., sthg.; *— oltre*, to pass by; *passiamo in terrazzo?*, shall we go out on to the terrace?; *di qui non si passa*, you can't get through here // *lasciatemi —!*, let me pass! // *far — qlcu.*, (*fare entrare*) to let s.o. in // *— da (casa di) qlcu.*, to call on s.o.; *— a prendere qlcu.*, to call for s.o. // *— attraverso molte difficoltà*, to pass through many difficulties // *— dal riso alle lacrime*, to pass from laughter to tears // *— da un argomento all'altro*, to change from one subject to another // *— ad altro*, to go on to sthg. else // *— a vie di fatto*, to come to blows // *— alla storia*, to go down in history // *— inosservato*, to go unnoticed // *— sopra a qlco.*, (*fig.*) to overlook sthg. // *per questa volta passi!*, I'll let you off for this time! // *— di moda*, to go out of fashion **2** (*trascorrere*) to pass, to elapse, to go* by: *come passa il tempo!*, how time flies! // (*ci*) *passa una gran differenza*, there is a great difference **3** (*cessare*) to pass: *il dolore sta passando*, the pain is passing off // *passerà anche questa*, it won't last forever // *tutto passa*, everything comes to an end // *le passerà, non ti preoccupare*, you will get over it, don't worry **4** (*essere approvato*) to pass: *il progetto di legge è passato*, the bill has passed; *— a un esame*, to pass an examination **5** *— per*, to pass for: *— per ricco*, to be considered rich (*o* to pass for a rich man) // *farsi — per*, to pass oneself off as **6** (*a carte*) to pass ♦ *v.tr.* **1** to pass (*anche fig.*); (*attraversare*) to cross: *— un esame*, to pass an examination // *ha passato la cinquantina*, he is over fifty // *— il peso*, to be overweight // *avrà trent'anni e passa*, he must be over thirty // *due chili e passa*, two kilos and over // *— qlco. in rassegna*, (*anche fig.*) to pass sthg. in review **2** (*trascorrere*) to pass, to spend*; (*fig.*) to go* through // *— un brutto periodo, un brutto momento*, to go through a bad time // *come te la passi?*, how are you getting on? // *passarsela bene, male*, to be well off, badly off // *ne ho passate tante*, I have been through a lot (of troubles) **3** (*dare*) to pass, to give*: *guarda le fotografie e passale, falle passare* (*agli altri*), look at the pictures and pass them on (to the others); *passami il burro per piacere*, please pass the butter // *— la palla*, (*sport*) to pass the ball // *ti passo mio padre*, (*al telefono*) I'll pass you over to my father **4** (*far scorrere*) to pass: *— una cor-*

da intorno a qlco., to pass a rope round sthg.; *passarsi una mano sugli occhi*, to pass one's hand over one's eyes **5** (*trapassare*) to run* through, to pierce: *il proiettile gli passò il polmone*, the bullet pierced his lung **6** (*cuc.*) to strain; (*la verdura*) to purée.

passata *s.f.*: *dare una — di straccio al pavimento*, to wipe the floor with a wet cloth; *una — di vernice*, a coat of paint // *— in macchina*, (*informatica*) routine.

passatempo *s.m.* pastime: *— preferito*, hobby; *per —*, as a pastime.

passato *agg.* **1** past; (*scorso*) last: *gli anni, i giorni passati*, past years, days; *nei tempi passati*, in the old times; *la settimana passata*, last week // *avere trent'anni passati*, to be over thirty // *sono le due passate*, it is past two o'clock **2** (*gramm.*) past: *participio —*, past (*o* perfect) participle ♦ *s.m.* **1** past: *in —*, in the past; *ha un — oscuro*, (*equivoco*) he has a shady past // *chiudere con il proprio —*, to close with the past **2** (*gramm.*) past: *— prossimo*, present perfect; *— remoto*, (simple) past **3** (*cuc.*) soup: *— di verdura*, vegetable soup.

passatoia *s.f.* (carpet) runner.

passaverdura *s.m.* vegetable sieve.

passeggero *agg.* passing; (*transitorio*) transient: *successo —*, short-lived success; *un malessere —*, a temporary (*o* passing) indisposition ♦ *s.m.* passenger: *passeggeri in transito*, passengers in transit.

passeggiare *v.intr.* to walk, to stroll: *— per i viali*, to walk along the avenues; *è un continuo — avanti e indietro*, there are constant comings and goings.

passeggiata *s.f.* **1** walk, stroll; (*a cavallo, con un veicolo ecc.*) ride: (*andare a*) *fare una —*, to go for a walk // *la — spaziale*, (*degli astronauti*) walk in space **2** (*luogo dove si passeggia*) (public) walk; (*lungomare, lungolago*) promenade.

passeggiatrice *s.f.* streetwalker.

passeggino *s.m.* pushchair; (*amer.*) stroller.

passeggio *s.m.* **1** walk: *andare a —*, to go for a walk; *condurre, portare qlcu. a —*, to take s.o. out for a walk // *abito da —*, walking dress **2** (*la gente che passeggia*) promenaders (*pl.*); (*luogo dove si passeggia*) walk, promenade.

passe-partout (*franc.*) *s.m.* **1** master key (*anche fig.*) **2** (*di cornice*) passe-partout.

passera *s.f.* hen sparrow.

passerella *s.f.* footbridge; (*di nave*) gangway; (*di aereo*) ramp // *sfilare sulla —*, to parade on the platform.

passero *s.m.* sparrow.

passerotto *s.m.* little sparrow.

passibile *agg.* liable (to): *— di denuncia*, liable to prosecution.

passiflora *s.f.* (*bot.*) passionflower.

passionale *agg.* passionate // *delitto —*, crime passionnel.

passionalità *s.f.* passionate nature.

passione *s.f.* **1** passion: *il gioco è diventato la sua —*, gambling has become a passion with him; *avere — per qlco.*, to be keen on sthg.; *prendere — a qlco.*, to take a liking to sthg. // *accecato dalla —*, blinded by passion **2** (*afflizione*) suffering, pain **3** (*relig.*) Passion: *settimana di Passione*, Passion week.

passista *s.m.* (*sport*) long-distance cyclist.

passività *s.f.* **1** passivity, passiveness **2** (*comm.*) liabilities (*pl.*).

passivo *agg.* **1** passive: *verbo —*, passive verb; *è — di fronte a qualunque stimolo*, he remains passive before any stimulus **2** (*comm.*): *bilancio —*, debit balance;

cambiali passive, bills payable; *interesse —*, interest allowed ♦ *s.m.* **1** (*gramm.*) passive **2** (*comm.*) liabilities (*pl.*) // *essere in —*, (*fam.*) to be in the red.

passo[1] *s.m.* **1** step (*anche fig.*); (*andatura*) pace (*anche fig.*): *fare un — avanti*, to take a step forward; (*fig.*) to make a great step forward; *fare un — indietro*, to take a step backwards; (*fig.*) to slip back; *fare un — falso*, (*anche fig.*) to take a false step; *fare, muovere i primi passi*, (*anche fig.*) to take one's first steps; *affrettare, rallentare il —*, to quicken, to slacken one's pace; *allungare il —*, to lengthen one's stride; *si sentivano dei passi*, we could hear footsteps; *tornare sui propri passi*, (*anche fig.*) to retrace one's steps; *seguire i passi di qlcu.*, to tread in s.o.'s steps // *fare due, quattro passi*, to go for a stroll // *segnare il —*, (*anche fig.*) to mark time // *perdere, rompere il —*, to fall out of step, to break step // *tenere il —, stare al —*, to keep (in) step; (*fig.*) to keep up (with sthg.) // *andare, procedere di pari —*, (*fig.*) to proceed at the same pace (*o* rate) // *andare al —*, (*di cavallo*) to pace // *— di parata*, parade pace // *— romano*, goosestep // *——*, very slowly // *— a —*, step by step // *a — di corsa*, at the double // *a — d'uomo*, at (a) walking pace // *di buon —*, at a good pace // *al —!*, (*mil.*) keep in step! // *di questo —...*, at that rate... // *e via di questo —*, and so on // *a due passi da qui*, within a step from here // *camminare a grandi passi*, to stride; *l'inverno si avvicina a grandi passi*, winter is coming on apace // *a ogni —*, at every turn // *fare il — più lungo della gamba*, to bite off more than one can chew // *fare il — secondo la gamba*, to cut one's coat according to one's cloth // *fare passi da gigante*, to make great strides **2** (*movimento particolare*) step: — di danza, dance step **3** (*brano*) passage **4** (*tecn.*) (*di vite*) pitch **5** (*cinem.*) gauge: *pellicola a — normale, ridotto*, standard, substandard (gauge) film **6** (*informatica*) (*di elaborazione*) step *——*, step by step; stepped mode.

passo[2] *s.m.* **1** (*passaggio*) passage: *dare, cedere il —*, to give way; *sbarrare il — a qlcu.*, to block s.o.'s way // *uccelli di —*, migratory birds **2** (*geogr.*) pass.

passo[3] *agg.* (*appassito*) withered; (*secco*) dried // *uva passa*, raisin.

pasta *s.f.* **1** dough: *fare, lavorare la —*, to knead dough // *una persona di — frolla*, a spineless person // *una — d'uomo*, a good-natured man // *avere le mani in —*, to have a finger in the pie **2** (*per minestre ecc.*) pasta: *— alimentare*, alimentary paste; *— all'uovo*, noodle (*gener. pl.*); *— fatta in casa*, homemade pasta **3** (*impasto*) paste **4** (*pasticcino*) pastry.

pasteggiare *v.intr.* to eat* (a meal) // *— a champagne*, to drink champagne with one's meals.

pastella *s.f.* (*cuc.*) batter.

pastello *s.m.* pastel: *disegno a —*, pastel; *matita a —*, pastel; *colori —*, pastel colours.

pastetta *s.f.* (*cuc.*) batter.

pasticca *s.f.* lozenge: *— per la tosse*, cough lozenge.

pasticceria *s.f.* **1** confectioner's (shop) **2** (*pasticcini*) pastries (*pl.*).

pasticciare *v.tr.* to bungle, to mess (up).

pasticciere *s.m.* confectioner.

pasticcino *s.m.* pastry, cake; (*amer.*) cookie.

pasticcio *s.m.* **1** (*cuc.*) pie: *— di carne*, meatpie **2** (*lavoro disordinato*) mess: *che —!*, what a mess!; *fare pasticci*, to mess things up **3** (*situazione intricata*) trouble: *essere nei pasticci*, to be in trouble; *cacciarsi nei pasticci*, to get into trouble; *togliere qlcu. dai pasticci*, to get s.o. out of trouble (*o* a tight spot).

pasticcione *s.m.* bungler; (*confusionario*) muddler.
pastificio *s.m.* pasta factory.
pastiglia *s.f.* tablet.
pasto *s.m.* meal: *un magro* —, a poor meal; *fare due pasti al giorno*, to have two meals a day; *lontano dai pasti*, in between meals; *ora dei pasti*, meal time; *mangiare fuori* —, to eat between meals // *saltare il* —, to skip a meal // *dare qlco. in* — *a qlcu.*, to feed sthg. to s.o. // *dare qlco. in* — *al pubblico*, to spread sthg.
pastoia *s.f.* 1 hobble 2 (*fig.*) fetter.
pastone *s.m.* 1 chickenfeed 2 (*fig.*) hash.
pastorale *agg.* 1 pastoral: *poesia* —, pastoral poetry 2 (*eccl.*) pastoral; (*di vescovo*) bishop's ♦ *s.m.* (*eccl.*) crosier, pastoral staff ♦ *s.f.* 1 (*mus.*) pastorale 2 (*eccl.*) pastoral.
pastore *s.m.* 1 shepherd (*anche fig.*) 2 (*prete protestante*) minister 3 (*razza canina*) sheep dog: — *scozzese*, collie; — *tedesco*, Alsatian.
pastorella *s.f.* shepherdess.
pastorizia *s.f.* sheep-breeding.
pastorizzare *v.tr.* to pasteurize.
pastorizzato *agg.* pasteurized.
pastorizzazione *s.f.* pasteurization.
pastosità *s.f.* 1 doughiness; (*morbidezza*) softness 2 (*di colori, suoni*) mellowness.
pastoso *agg.* 1 doughy; (*morbido*) soft 2 (*di colori, suoni*) mellow // *vino* —, mellow wine.
pastrano *s.m.* overcoat, greatcoat.
pastura *s.f.* pasture, pasturage: *terreno da* —, grazing ground.
patacca *s.f.* 1 (*moneta di nessun valore*) worthless coin 2 (*cosa di nessun valore*) junk // *rifilare una* — *a qlcu.*, to palm off a fake on s.o. 3 (*scherz.*) (*decorazione*) decoration; (*sl.*) gong 4 (*macchia*) stain, spot.
patata *s.f.* potato: — *americana, dolce*, sweet potato (*o* batata); *patate fritte*, (*a bastoncino*) chips, (*amer.*) French fries; (*croccanti*) crisps, (*amer.*) chips; *patate novelle*, new potatoes.
patatrac *onom.* crash, bang ♦ *s.m.* 1 (*crollo finanziario*) crash 2 (*disastro*) disaster.
patella *s.f.* (*zool.*) limpet.
patema *s.m.* anxiety.
patena *s.f.* (*eccl.*) paten.
patentato *agg.* trained // *un cretino* —, (*scherz.*) a first class idiot.
patente[1] *agg.* open, patent.
patente[2] *s.f.* licence: — *di guida*, driving licence.
patentino *s.m.* temporary licence.
patereccio *s.m.* (*med.*) whitlow.
paternale *s.f.* lecture, scolding: *fare una* — *a qlcu.*, to read s.o. a lecture.
paternalismo *s.m.* paternalism.
paternalistico *agg.* paternalist(ic).
paternità *s.f.* paternity.
paterno *agg.* paternal.
paternostro *s.m.* Lord's Prayer, Paternoster.
patetico *agg.* moving, pathetic; (*spreg.*) tear-jerking ♦ *s.m.* pathetic // *dare, cadere nel* —, to lapse into a sob story // *non fare il* —!, don't get emotional!
pathos *s.m.* pathos.
patibolare *agg.* sinister // *faccia* —, gallows bird.
patibolo *s.m.* gallows, scaffold.
patimento *s.m.* pain, suffering.
patina *s.f.* 1 (*su metalli e cose usate*) patina 2 (*strato di vernice*) coat of varnish 3 (*di porcellana, di carta*) glaze 4 (*sulla lingua*) coating.

patinare *v.tr.* 1 (*verniciare*) to varnish 2 (*porcellana, terracotta*) to glaze; (*carta*) to coat.
patinato *agg.* 1 (*di metalli ecc.*) patinated 2 (*verniciato*) varnished 3 (*di porcellana, terracotta*) glazed; (*di carta*) coated 4 (*della lingua*) coated.
patire *v.tr.* 1 to suffer: — *il caldo, il freddo*, to suffer from the heat, the cold; — *la fame*, to starve; *far* — *la fame a qlcu.*, to starve s.o. // — *le pene dell'inferno*, to go through hell 2 (*sopportare*) to bear*, to stand*: *mai e poi mai patirò un simile affronto*, never would I stand for a similar affront ♦ *v.intr.* to suffer (from sthg.).
patito *agg.* sickly(-looking) ♦ *s.m.* (*fam.*) fan: *è un* — *del jazz*, he is a jazz fan.
patogeno (*med.*) pathogenic.
patologia *s.f.* pathology.
patologico *agg.* pathologic(al).
patologo *s.m.* pathologist.
Patrasso *no.pr.f.* Patras // *mandare qlco. a* —, to upset the apple cart.
patria *s.f.* 1 country, fatherland, native land: — *d'elezione*, adoptive country; *amor di* —, love of one's country (*o* native land); *in* — *e all'estero*, at home and abroad; *far ritorno, ritornare in* —, to return to one's native land (*o* country) // *la* — *celeste*, the heavenly home // *ai caduti per la* —, to the Fallen // *altare della* —, the tomb of the Unknown Soldier // *la madre* —, the mother country // *i senza* —, stateless people 2 (*luogo nativo*) birthplace; (*fig.*) homeland.
patriarca *s.m.* patriarch.
patriarcale *agg.* patriarchal.
patriarcato *s.m.* 1 patriarchy, patriarchism 2 (*eccl.*) patriarchate.
patrigno *s.m.* stepfather.
patrimoniale *agg.* patrimonial // *rendita* —, property income // *tassa* —, property tax.
patrimonio *s.m.* estate; (*fig.*) patrimony, heritage // *il* — *artistico*, the artistic patrimony // — *pubblico*, public property // *accumulare un* —, to make a fortune // *costare un* —, to cost the earth.
patrio *agg.* 1 of one's own country; (*natio*) native: *amor* —, love of one's country 2 (*paterno*) paternal: *patria potestà*, paternal authority.
patriota *s.m. e f.* patriot.
patriottardo *agg. e s.m.* jingoist.
patriottico *agg.* patriotic.
patriottismo *s.m.* patriotism.
Patrizia *no.pr.f.* Patricia.
patriziato *s.m.* patriciate.
patrizio *agg. e s.m.* patrician.
Patrizio *no.pr.m.* Patrick.
patrizzare *v.intr.* to take* after one's father.
patrocinare *v.tr.* to support, to sponsor // — *una causa*, to plead a cause.
patrocinio *s.m.* defence, pleading: — *gratuito*, (*dir.*) legal aid.
patronato *s.m.* 1 patronage: *sotto il* — *di*, under the patronage of (*o* sponsored by) 2 (*istituzione di carità*) charitable institution.
patronessa *s.f.* patroness.
patronimico *agg. e s.m.* patronymic.
patrono *s.m.* 1 patron 2 (*dir.*) counsel for the defence, defending counsel.
patta[1] *s.f.* (*di tasca*) flap.
patta[2] *s.f.* draw, tie: *far* —, to draw // *essere pari e* —, to be quits.
patteggiare *v.intr.* to come* to terms ♦ *v.tr.* to negotiate.

pattinaggio *s.m.* skating: — *a rotelle*, roller-skating; — *su ghiaccio*, ice-skating; *pista di* —, skating rink.

pattinare *v.intr.* to skate.

pattinatore *s.m.* skater.

pattino *s.m.* **1** skate: — *a rotelle*, roller skate; — *da ghiaccio*, ice skate **2** (*mecc.*) sliding block **3** (*di aereo*) skid; (*di slitta*) runner.

patto *s.m.* **1** (*accordo*) pact, agreement: *attenersi, stare ai patti*, to keep to the agreement; *venire a patti*, to come to an agreement; *fare un* —, to come to an arrangement; *stringere un* —, to make a pact // *il Patto Atlantico*, the Atlantic Pact **2** (*condizione*) term, condition: *accetto a questi patti*, on these terms I accept; *venire a patti con qlcu.*, to come to terms with s.o. // *a — che*, on condition that // *a nessun* —, by no means // *patti chiari amicizia lunga*, (*prov.*) even reckoning makes long friends.

pattuglia *s.f.* (*mil.*) patrol: *essere di* —, to be on patrol (*o* to patrol).

pattugliamento *s.m.* (*mil.*) patrol.

pattugliare *v.tr.* e *intr.* (*mil.*) to patrol.

pattuire *v.tr.* to agree (on sthg.); (*stipulare*) to arrange.

pattuito *agg.* agree upon: *il prezzo* —, the agreed price.

pattumiera *s.f.* dustbin; (*amer.*) garbage can.

paturnie *s.f.pl.* dumps, blues: *avere le* —, to be in the dumps.

pauperismo *s.m.* pauperism.

paura *s.f.* fear, dread; (*spavento*) fright, scare: *morto di* —, (*fig.*) scared to death; *pieno di* —, afraid (*o* fearful); *senza* —, fearless; *far — a qlcu.*, to scare s.o.; *avere — di qlco.*, to fear sthg. // *aveva — di arrivare in ritardo*, he was afraid he might arrive late; «*Ti sei fatto male?*» «*Ho — di sì*», "Have you hurt yourself?" "I'm afraid so!" // *per — che...*, for fear that (*o* lest *o* in case): *non verrò per — che piova*, I will not come for fear that (*o* lest *o* in case) it should rain // *per — di...*, for fear of...; *per — del peggio*, in case the worst should come to the worst // *brutto da far* —, frightfully ugly // *è una strada che fa* —, it is a frightful road // *mettere* —, to frighten (*o* to scare) // *che* —!, what a fright (*o* scare)! // *niente* —!, don't be afraid.

paurosamente *avv.* **1** (*con paura*) fearfully, timorously **2** (*immensamente*) dreadfully.

pauroso *agg.* **1** (*che ha paura*) fearful, afraid (*attr.*); (*timoroso*) timid, timorous // — *come un coniglio*, as timid as a rabbit **2** (*che incute paura*) frightening, terrifying.

pausa *s.f.* **1** pause; (*nel lavoro*) interval, break **2** (*mus.*) rest, pause; (*amer.*) hold **3** (*tel.*) timeout.

paventare *v.tr.* to fear.

pavesare *v.tr.* to dress (with flags).

pavese *s.m.* bunting: *alzare il gran* —, to dress a ship.

pavido *agg.* fearful, timid, timorous.

pavimentare *v.tr.* (*una strada*) to pave: — *a macadam*, to macadamize **2** (*una stanza*) to floor; (*con assi*) to plank.

pavimentazione *s.f.* **1** (*di strada*) paving **2** (*di stanza*) flooring: — *a parquet*, parquet (flooring); — *in legno*, wood flooring.

pavimento *s.m.* floor // — *a parquet*, parquet.

pavoncella *s.f.* lapwing.

pavone *s.m.* peacock.

pavoneggiarsi *v.intr.pron.* to show* off, to boast.

pazientare *v.intr.* to wait patiently.

paziente *agg.* e *s.m.* patient.

pazienza *s.f.* patience: *devi avere — con lui*, you must

be patient with him; *è un lavoro di* —, it is a job that requires a great deal of patience; *una — da santo*, the patience of a saint; *con santa* —, with saintly (*o* unfailing) patience; *mettere alla prova la — di qlcu.*, to try (*o* to test) s.o.'s patience; *far perdere la — a qlcu.*, to make s.o. lose his temper // *mi scappa la* —, my patience gives out // *giochi da* —, puzzles (*o* teasers) // —!, never mind! (*o* don't worry!).

pazzamente *avv.* madly; wildly.

pazzerellone *agg.* featherheaded ♦ *s.m.* featherhead.

pazzesco *agg.* **1** crazy **2** (*fig.*) unreasonable; (*incredibile*) incredible.

pazzia *s.f.* **1** madness, insanity **2** (*cosa o azione insensata*) folly: *che* —!, that's crazy!; *non farò la — di accettare*, I wouldn't be so mad as to accept // *fare delle pazzie*, to act like a fool.

pazzo *agg.* **1** mad (*anche fig.*), crazy (*anche fig.*) insane (*anche fig.*); lunatic: — *frenetico*, frantic; — *di gioia, di dolore*, mad with joy, grief; *ha uno zio* —, he has a lunatic uncle; *diventar* —, to go mad; *far diventar — qlcu.*, to drive s.o. mad // — *da legare*, raving mad // *innamorato* —, madly in love // *andar — per qlco.*, to be crazy (*o* mad) about sthg. // *darsi alla pazza gioia*, to go wild // *fare spese pazze*, to spend a fortune // *che idea pazza!*, that's a crazy idea! // *cose da pazzi!*, incredible (*o* crazy) things! **2** (*eccessivo, smoderato*) wild ♦ *s.m.* madman (*pl.* -men), lunatic.

pazzoide *s.m.* e *f.* nut.

pecari *s.m.* (*zool.*) peccary.

pecca *s.f.* fault // *senza pecche*, faultless.

peccaminoso *agg.* sinful.

peccare *v.intr.* **1** (*commettere un peccato*) to sin; (*errare*) to err // *pecca di eccessiva indulgenza*, his fault is his excessive indulgence // *è meglio — in generosità che in avarizia*, it is better to err on the side of generosity than on the side of avarice // — *d'avarizia, di gola*, to commit the sin of avarice, of greed **2** (*difettare*) to lack (sthg.): *quel disegno pecca nella prospettiva*, there's a lack of prospective in that drawing.

peccato *s.m.* sin: — *mortale, originale, veniale*, mortal, original, venial sin; *cadere in* —, to lapse into sin // *brutto come il* —, as ugly as sin // *che* —!, what a pity! // *è un — che...*, it is a pity that... // *chi di voi è senza — scagli la prima pietra*, he that is without sin among you, let him cast the first stone // — *confessato è mezzo perdonato*, (*prov.*) a fault confessed is half redressed.

peccatore *s.m.* sinner.

pecchia *s.f.* (*zool.*) bee.

pecchione *s.m.* (*zool.*) drone.

pece *s.f.* pitch: — *da calzolai*, cobbler's wax; — *greca, colophony*; — *liquida*, tar: *coprire di* —, to pitch // *la notte era nera come la* —, the night was pitch-dark.

pechblenda *s.f.* (*min.*) pitchblende.

pechinese *agg.* e *s.m.* Pekin(g)ese (*pl. invar.*) // (*cane*) —, pekin(g)ese.

Pechino *no.pr.f.* Peking.

pecora *s.f.* sheep (*pl. invar.*); (*femmina*) ewe: — *nera*, (*anche fig.*) black sheep.

pecoraio *s.m.* shepherd.

pecorella *s.f.* **1** lamb (*anche fig.*) **2** *pl.* (*nuvole*) fleecy clouds; *cielo a pecorelle*, fleecy sky // *cielo a pecorelle, acqua a catinelle*, (*prov.*) a mackerel sky means rain.

pecorone *s.m.* (*fig.*) sheep (*pl. invar.*).

peculato *s.m.* (*dir.*) peculation, embezzlement.

peculiare *agg.* peculiar (to), characteristic (of).

peculiarità *s.f.* peculiarity, characteristic.

peculio *s.m.* savings (*pl.*); (*fam.*) nest egg.

pecuniario *agg.* pecuniary // *pena pecuniaria*, fine.

pedaggio *s.m.* toll: *ponte a —*, toll bridge; *autostrada a —*, (*amer.*) tollway.

pedagogia *s.f.* pedagogy, pedagogics.

pedagogico *agg.* pedagogic(al).

pedagogista *s.m. e f.* educationist, pedagogist.

pedagogo *s.m.* pedagogue.

pedalare *v.intr.* to pedal, to cycle.

pedalata *s.f.* **1** (*modo di pedalare*) way of pedalling: *una — sciolta, disuguale*, an easy, uneven way of pedalling **2** (*spinta data sul pedale*): *lo raggiunsi con poche pedalate*, I pedalled a few more times and caught him up.

pedale *s.m.* pedal: *— del freno*, (*aut.*) (foot)brake (pedal); *— dell'acceleratore*, (*aut.*) accelerator (pedal); *— della frizione*, (*aut.*) clutch (pedal); *— del piano, del forte*, (*di organo, pianoforte*), soft, loud pedal; *— di macchina per cucire*, treadle.

pedaliera *s.f.* **1** (*aer.*) rudder bar; rudder pedals (*pl.*) **2** (*di organo*) pedal board, pedal clavier.

pedana *s.f.* **1** dais; (*piattaforma*) platform **2** (*sport*) springboard; (*scherma*) piste // *— di lancio*, ring **3** (*poggiapiedi*) footboard.

pedante *agg.* pedantic ♦ *s.m. e f.* pedant // *che —!*, what a stuffed shirt!

pedanteria *s.f.* pedantry.

pedantesco *agg.* pedantic.

pedata *s.f.* **1** kick // *prendere a pedate qlcu.*, to kick s.o. // *cacciare qlcu. a pedate*, to kick s.o. out **2** (*impronta*) footprint.

pederasta *s.m.* p(a)ederast.

pedestre *agg.* pedestrian, dull: *imitazione —*, pedestrian imitation; *stile —*, dull style.

pedestremente *avv.* dully, in a pedestrian way.

pediatra *s.m. e f.* paediatrician.

pediatria *s.f.* paediatrics.

pediatrico *agg.* paediatric: *clinica pediatrica*, children's hospital.

pedicure *s.m. e f.* **1** chiropodist **2** (*mestiere del pedicure*) chiropody **3** (*cura dei piedi*) pedicure: *farsi fare la —*, to have a pedicure.

pediluvio *s.m.* footbath.

pedina *s.f.* (*alla dama*) piece; (*agli scacchi*) pawn; (*fig.*) pawn // *muovere una —*, to make a move; (*fig.*) to pull strings // *essere una — nelle mani di qlcu.*, to be a pawn in s.o.'s hands.

pedinamento *s.m.* shadowing.

pedinare *v.tr.* to shadow.

pedissequo *agg.* slavish.

pedivella *s.f.* (*mecc.*) pedal crank.

pedonale *agg.* pedestrian (*attr.*), for pedestrians (*pred.*): *passaggio —*, (*per attraversare la strada*) pedestrian crossing.

pedone *s.m.* **1** pedestrian // *passaggio riservato ai pedoni*, footpath **2** (*agli scacchi*) pawn.

pedule[1] *s.m.* foot of a stocking, foot of a sock.

pedule[2] *s.f.pl.* (*scarpe*) climbing boots; (*da riposo*) house-boots.

peduncolo *s.m.* peduncle.

pegamoide ® *s.f.* pegamoid ®.

peggio *agg.compar.* worse; *superl.rel.* the worst: *tu sei — di me*, you are worse than I am (*o* than me) // *ciò che puoi fare di —*, the worst (thing) you can do; *non c'è nulla di —*, there is nothing worse // *c'è di —*, there's sthg. worse // *quel che è —*, what is worse (*o* more) //

— che —, from worse to worse // *alla —*, at (the) worst (*o* if the worst comes to the worst) // *avere la —*, to get the worst of it // *campare alla meno —*, to manage (as well as one can) ♦ *s.m.* the worst: *il — è che...*, the worst of it is that...; *il — deve ancora venire*, the worst is still to come; *temere il —*, to fear the worst; *non bisogna pensare al —*, you must not expect the worst ♦ *avv.* **1** *compar.* worse: *cento volte —*, a hundred times worse; *molto —*, much worse // *— ancora, ancora —*, worse still, even worse // *— che mai*, worse than ever // *— di così si muore!*, nothing could be worse! // *di male in —*, worse and worse (*o* from bad to worse) // *sempre —*, worse and worse // *tanto —!*, so much the worse! // *— per lui*, so much the worse for him // *cambiare in —*, to change for the worse **2** *superl.rel.* the worst: *le donne — vestite erano...*, the worst-dressed women were... // *la — vestita delle due*, the worse-dressed of the two.

peggioramento *s.m.* worsening.

peggiorare *v.tr.* to make* worse ♦ *v.intr.* to get* worse: *il malato continua a —*, the patient is getting worse and worse.

peggiorativo *agg. e s.m.* pejorative.

peggiore *agg.* **1** *compar.* worse: *molto —*, much worse; *non è — di suo fratello*, he is no worse than his brother; *diventar —*, to get worse (*o* to worsen) **2** *superl.rel.* the worst: *il mio — nemico*, my worst enemy; *un delinquente della peggior specie*, a criminal of the worst type; *la cosa — che potrebbe accadere è che...*, the worst (thing) that could happen is that...; *fare qlco. nel — dei modi, nel modo —*, to do sthg. in the worst (possible) way // *nel — dei casi*, if the worst comes to the worst ♦ *s.m.*: *i peggiori*, the worst.

pegno *s.m.* **1** pledge, pawn: *agente di pegni*, pawnbroker; *agenzia di pegni*, pawnshop; *polizza di —*, pawn ticket; *in —*, in pawn; *dare, prendere a prestito su —*, to lend, to borrow on pledge; *riscattare un —*, to redeem a pledge **2** (*segno, attestato*) token, pledge: *in — di amicizia*, in token of friendship **3** (*nei giochi*) forfeit: *gioco dei pegni*, forfeits.

pelago *s.m.* (*letter.*) sea.

pelame *s.m.* hair; (*di cane, cavallo ecc.*) coat.

pelapatate *s.m.* (potato) peeler.

pelare *v.tr.* **1** to remove the hair (from sthg.); (*spennare*) to pluck // *— qlcu.*, (*scherz.*) (*tagliargli i capelli*) to crop s.o.'s hair; (*fargli pagare un prezzo elevato*) to fleece s.o.; *in quel ristorante pelano*, they make you pay through the nose in that restaurant **2** (*spellare*) to skin; (*sbucciare*) to peel // *-arsi* *v.intr.pron.* (*fam.*) to become* bald, to go* bald.

pelata[1] *s.f.* (*scherz.*) (*testa calva*) bald head.

pelata[2] *s.f.* (*lo spillar denaro*): *che —!*, we were fleeced.

pelato *agg.* bald // *zucca pelata*, (*scherz.*) bald pate.

pellaccia *s.f.* tough person // *è una —*, he is a tough.

pellagra *s.f.* (*med.*) pellagra.

pellagroso *agg. e s.m.* pellagrous.

pellame *s.m.* hide, leather.

pelle *s.f.* **1** skin; (*carnagione*) complexion: *malattia della —*, skin disease; *prima, seconda —*, (*anat.*) outer, true skin // *a fior di —*, skin-deep // *amici per la —*, bosom friends // *ci giocherei la —*, (*fam.*) I would stake my life on it // *essere — e ossa*, to be skin and bones // *farsi una — di risate*, (*fam.*) to split one's sides with laughter // *avere la — d'oca*, to have gooseflesh; *far venire la — d'oca a qlcu.*, to give s.o. the creeps // *fare la — a qlcu.*, to do s.o. in // *non stare più nella —*

(*per la gioia*), to be beside oneself (with joy) // *rimetterci la* —, to lose one's life // *salvare la* —, to save one's skin // *vendere cara la* —, to sell one's life dearly **2** (*di animali*) skin; (*spessa e dura*) hide: — *conciata, greggia*, dressed, undressed hide; — *di vitello*, calfskin; *articoli in* —, leather goods // *mezza* —, (*legatura di libro*) half-leather binding **3** (*buccia*) peel, skin; (*del latte*) skin; (*del formaggio*) rind // — *d'uovo*, (*tessuto*) muslin.

pellegrina *s.f.* pelerine.

pellegrinaggio *s.m.* pilgrimage.

pellegrino *s.m.* pilgrim: *i Padri Pellegrini*, (*st.*) the Pilgrim Fathers.

pellerossa *s.m. e f.* redskin.

pelletteria *s.f.* **1** (*articoli in pelle*) leather goods (*pl.*) **2** (*negozio*) leather goods shop.

pellettiere *s.m.* leather goods dealer.

pellicano *s.m.* pelican.

pellicceria *s.f.* furrier's (shop).

pelliccia *s.f.* **1** fur: *animali da* —, furred animals (*o* fur); *guarnito di* —, fur-lined **2** (*mantello*) fur coat: — *di visone*, mink coat.

pellicciaio *s.m.* furrier.

pellicola *s.f.* **1** (*sottile membrana*) film, pellicle, membrane **2** (*fot. cinem.*) film: — *impressionata, non impressionata*, exposed, unexposed film; — *ininfiammabile*, safety film.

pelo *s.m.* **1** hair; (*peluria*) down // *il* — *dell'acqua*, the surface of the water // *un ragazzo di primo* —, a callow youth // *se l'è cavata per un* —, he had a narrow squeak; *si salvò per un* —, he saved his life by a hair's breadth // *avere il* — *sullo stomaco*, to be ruthless // *cercare il* — *nell'uovo*, to split hairs // *fare il* — *e il contropelo a qlcu.*, to give s.o. a clean shave; (*fig.*) to speak ill (*o* badly) of s.o. // *non aver peli sulla lingua*, to be very outspoken **2** (*pelame*) coat, hair; (*pelliccia*) fur: *cane dal* — *lungo, dal* — *raso*, long-haired (*o* shaggy), short-haired dog; *collo di* —, fur collar; *scarpe col* —, fur-lined shoes **3** (*di tessuto grezzo*) pile; (*lavorato*) nap.

Peloponneso *no.pr.m.* Peloponnese, Peloponnesus // *la guerra del* —, (*st.*) the Peloponnesian war.

peloso *agg.* hairy; (*ispido*) shaggy.

peltro *s.m.* pewter.

peluche (*franc.*) *s.m.* plush.

peluria *s.f.* down: *coperto di* —, downy.

pelvi *s.f.* (*anat.*) pelvis.

pelvico *agg.* pelvic.

pena *s.f.* **1** (*punizione*) punishment, penalty: — *capitale*, capital punishment; — *di morte*, death penalty; — *pecuniaria*, fine; *sotto* — *di*, under penalty (*o* on pain of); *scontare una* —, to undergo a term of punishment **2** (*dolore fisico*) pain, suffering; (*afflizione*) pain, pang; (*dispiacere*) sorrow: *mi fa* —, I feel sorry for him; *essere in* — *per qlcu.*, to be anxious (*o* worried) about s.o.; *stare in* —, to worry; *sentire, aver* — *per qlco., qlcu.*, to grieve at sthg., for s.o. // *sembra un'anima in* —, he seems to be a soul in torment **3** (*disturbo*) trouble: *darsi la* — *di fare qlco.*, to (take the) trouble to do sthg.; *non ne vale la* —, it isn't worth while; *non vale la* — *di andare*, it isn't worth going // *a mala* —, hardly (*o* scarcely).

penale *agg.* **1** criminal **2** (*relativo alla pena*) penal ♦ *s.f.* penalty, fine.

penalista *s.m.* criminal lawyer.

penalità *s.f.* penalty.

penalizzare *v.tr.* to penalize, to penalise.

penalizzazione *s.f.* penalization.

penare *v.intr.* **1** to suffer: *ha finito di* —, his sufferings are over **2** (*durar fatica*) to be* hardly able; (*trovare difficile*) to find* it difficult.

pencolare *v.intr.* **1** to stagger, to totter, to wobble **2** (*tentennare*) to hesitate, to waver.

pendaglio *s.m.* pendant // — *da forca*, gallows bird.

pendente *agg.* **1** hanging, pendent **2** (*inclinato*) leaning **3** (*dir.*) pendent, pending: *una causa* —, a pending suit ♦ *s.m.* **1** (*orecchino*) earring **2** (*ciondolo*) pendant.

pendenza *s.f.* **1** slope, incline **2** (*grado d'inclinazione*) gradient, grade **3** (*dir.*) pending suit; (*comm.*) outstanding account: *regolare una* —, to settle an action.

pendere *v.intr.* **1** to hang* (down) // *ti pende la sottoveste*, your petticoat is showing **2** (*inclinare*) to lean*, to incline: — *da un lato*, to lean on one side; *la bilancia pende dalla sua parte*, (*fig.*) the scales are tipped in his favour **3** (*essere in declivio*) to slope, to slant: *la strada pende molto*, the road is very steep **4** (*incombere*) to hang* (over sthg.), to overhang* (*anche fig.*) **5** (*di causa, lite ecc.*) to be* pending **6** (*propendere*) to incline, to be* inclined.

pendice *s.f.* slope, slant.

pendio *s.m.* slope, slant: *essere in, a* —, to be sloping (*o* to slope).

pendola *s.f.* pendulum clock: — *da tavolo*, pendule(tte).

pendolare¹ *v.intr.* to pendulate.

pendolare² *agg.* pendular.

pendolare³ *s.m.* (*neol.*) commuter // *fare il* —, to commute.

pendolo *s.m.* pendulum: *orologio a* —, (*appoggiato a terra*) grandfather clock.

pendulo *agg.* pendulous // *velo* —, (*anat.*) uvula.

pene *s.m.* penis.

penetrabile *agg.* penetrable.

penetrante *agg.* piercing, penetrating; (*di odore*) penetrating, pungent; (*di mente*) acute, discerning.

penetrare *v.tr.* **1** to penetrate; (*a fatica, con oggetto acuto*) to pierce **2** (*arrivare a capire, conoscere*) to penetrate, to get* to the heart (of sthg.): — *un mistero*, to fathom a mistery ♦ *v.intr.* **1** to penetrate (into sthg.); (*a fatica, con oggetto acuto*) to pierce (into sthg.); (*passare attraverso*) to pass through (sthg.); (*entrare*) to go* into (sthg.), to enter (sthg.), (*furtivamente*) to steal* (into sthg.) **2** (*di notizie, idee*) to penetrate (into sthg.); (*di freddo, suono*) to pierce (into sthg.).

penetrazione *s.f.* penetration.

penicillina *s.f.* (*farm.*) penicillin.

peninsulare *agg.* peninsular.

penisola *s.f.* peninsula.

penitente *agg. e s.m. e f.* penitent.

penitenza *s.f.* **1** penance **2** (*nei giochi*) forfeit.

penitenziario *agg.* penitentiary ♦ *s.m.* prison, gaol, jail; (*amer.*) penitentiary.

penitenziere *s.m.* (*eccl.*) penitentiary.

penna *s.f.* **1** (*di uccello*) feather: *mettere le penne*, to fledge; *mutare le penne*, to moult // *ci ha lasciato le penne*, (*fam.*) he did not get away unscathed **2** (*per ornamento*) plume **3** (*per scrivere*) pen: — *a sfera*, ball-point; — *stilografica*, fountain pen; *disegno a* —, pen -and-ink drawing; *passare a* —, to ink in // *lasciare nella* —, to leave out // *non sa tenere la* — *in mano*, (*fig.*) he can't put pen to paper **4** (*scrittore*) writer **5** (*estremità del martello*) peen **6** (*parte della freccia*) feather (of arrow) **7** (*mus.*) (*plettro*) quill.

pennacchio *s.m.* plume: *ornato di* —, plumed // — *di fumo*, wreath of smoke.

pennarello *s.m.* felt-tip pen, fibre-tip pen.

pennellare *v.intr.* to brush.

pennellata *s.f.* stroke of the brush: — *da maestro*, masterstroke // *dare l'ultima* —, to give the finishing touch.

pennellatura *s.f.* **1** brushwork **2** (*med.*) painting.

pennellessa *s.f.* flat brush.

pennello *s.m.* brush; (*da pittore*) paintbrush: — *da imbianchino*, whitewash brush; — *per la barba*, shaving brush // *arte del* —, painting // *fare qlco. a* —, to do sthg. perfectly // *stare a* —, to suit to T (*o* to fit like a glove).

pennino *s.m.* nib.

pennivendolo *s.m.* (*spreg.*) hack.

pennone *s.m.* **1** (*mar.*) yard spar **2** (*bandiera*) pennon.

pennuto *agg.* feathered ♦ *s.m.* bird.

penombra *s.f.* dim light, twilight.

penosità *s.f.* painfulness.

penoso *agg.* painful.

pensabile *agg.* thinkable, imaginable.

pensamento *s.m.* thinking.

pensante *agg.* thinking.

pensare *v.tr.* to think*: *pensavo sciocco farlo*, I thought it silly to do it; *penso di no*, I don't think so; *penso di sì*, I think so; *ti penso sempre*, I always think of you // *pensa!*, just think of it! // *una ne fa e una ne pensa*, he is always up to something new // *chi l'avrebbe pensato!*, who would have thought of it (*o* imagined it)! ♦ *v.intr.* **1** to think* (*of s.o., sthg., of doing*): *ci penserò su, sopra*, I'll think it over; *ho altro da* —, I have more important business to attend to; *la sua salute mi dà da* —, his health worries me; — *bene di qlcu.*, to think well of s.o.; — *male di qlcu.*, to have a bad opinion of (s.o.); — *male di qlco.*, to think ill of sthg. **2** (*badare*) to look after (s.o., sthg.) // *pensa ai fatti tuoi, per te*, mind your own business.

pensata *s.f.* idea.

pensatore *s.m.* thinker // *libero* —, freethinker.

pensierino *s.m.* child's brief composition.

pensiero *s.m.* **1** thought: *assorto nei suoi pensieri*, absorbed in thought; *la lettura del* —, thought reading; *essere pieno di pensieri per qlcu.*, to be full of thought for s.o.; *è un* — *gentile!*, it's a kind thought // *essere sopra* —, to be miles away // *viola del* —, (*bot.*) pansy **2** (*mente*) mind: *riandare col* — *al passato*, to think back to (*o* over) the past **3** (*opinione*) mind, opinion: *dire il proprio* —, to speak one's mind **4** (*ansia, preoccupazione*) trouble, worry: *stare in* — *per qlcu., qlco.*, to worry about s.o., sthg. **5** (*intenzione, proposito*) idea, intention.

pensieroso *agg.* thoughtful; (*meditabondo*) pensive.

pensile *agg.* hanging // *giardino* —, roof garden.

pensilina *s.f.* shelter; (*tettoia*) penthouse.

pensionabile *agg.* pensionable.

pensionamento *s.m.* retirement: — *anticipato*, early retirement; — *per anzianità*, old age pension.

pensionante *s.m.* boarder; (*ospite pagante*) paying guest.

pensionare *v.tr.* (*mettere in pensione*) to pension off; (*per limiti d'età*) to superannuate.

pensionato *agg.* retired ♦ *s.m.* **1** pensioner, retired person **2** (*convitto*) student's hostel.

pensione *s.f.* **1** (*assegno vitalizio*) pension: — *di guerra*, war pension; — *di invalidità*, disability pension; —

di vecchiaia, old age pension; *concedere una* —, to grant a pension; *riscuotere la* —, to draw one's pension // *essere in* —, to be retired; *andare in* —, to retire // *mettere in* —, to pension off **2** (*vitto e alloggio*) board and lodging: — *completa*, full board; *far* —, *tenere a* —, to take in boarders; *essere a* — *presso...*, to board at **3** (*albergo*) boardinghouse.

pensionistico *agg.* pension (*attr.*): *riforma pensionistica*, pension reform.

pensoso *agg.* thoughtful; (*malinconico*) pensive.

pentagonale *agg.* pentagonal.

pentagono *s.m.* (*geom.*) pentagon.

pentagramma *s.m.* (*mus.*) pentagram.

pentametro *s.m.* (*metrica*) pentameter.

Pentecoste *s.f.* (*eccl.*) Whitsun; (*degli ebrei*) Pentecost: *domenica di* —, Whitsunday.

pentimento *s.m.* repentance (for sthg.); (*rincrescimento*) regret (for sthg.).

pentirsi *v.intr.pron.* **1** to repent (sthg., of sthg.); (*rammaricarsi*) to regret (sthg., doing): — *dei propri peccati*, to repent (of) one's sins // *pensaci prima per non pentirti poi*, look before you leap **2** (*cambiare proposito*) to change one's mind.

pentito *agg.* (*riferito a terrorista*) reformed ♦ *s.m.* reformed terrorist.

pentola *s.f.* **1** pot: — *di terracotta*, earthenware pot; — *a pressione*, pressure cooker // *qualcosa bolle in* —, (*fig.*) something is brewing **2** (*contenuto*) potful.

pentotal ® *s.m.* (*farm.*) pentothal ®.

penultimo *agg.* e *s.m.* last but one.

penuria *s.f.* shortage; (*di cibo*) dearth // — *di mezzi*, lack of means.

penzolare *v.intr.* to dangle, to hang* (down).

penzoloni *avv.* dangling.

peonia *s.f.* (*bot.*) peony.

pepaiola *s.f.* **1** pepper pot **2** (*macinapepe*) pepper mill.

pepare *v.tr.* to pepper.

pepato *agg.* **1** peppery **2** (*fig.*) (*pungente*) biting; (*esorbitante*) exorbitant.

pepe *s.m.* (*bot.*) Black Pepper; (*spezia*) pepper: — *in chicchi, macinato*, whole, ground pepper; — *grano di* —, peppercorn // *è una ragazza tutto* — *e* —, she is full of pep // *capelli sale e* —, grizzly hair.

peperoncino *s.m.* chilli.

peperone *s.m.* Capsicum; (*il frutto*) pepper; (*piccante*) chilli.

pepita *s.f.* nugget.

peplo *s.m.* peplos, peplum.

pepsina *s.f.* pepsin.

peptico *agg.* peptic.

peptone *s.m.* (*chim.*) peptone.

per *prep.* **1** (*moto per luogo*) through; (all) over; (*senza direzione fissa*) about: *passai* — *Milano*, I passed (*o* I went) through Milan; *correre* — *i campi*, to run through the fields; — *tutto il paese*, all over the country; *vagabondare* — *il mondo*, to wander around the world; *vagabondare* — *le strade*, to stroll about the streets // — *terra*, — *mare*, by land, by sea // *scendere* — *la collina*, to go down the hill **2** (*moto a luogo*) for: *partire* — *Roma*, to leave for Rome // *va* — *i quaranta*, he is getting on for forty **3** (*stato in luogo*) in: — *la strada*, in the street // *sedeva* — *terra*, he was sitting on the ground, on the floor **4** (*estensione*) for: *questa strada si estende* — *venti miglia*, this road goes on for 20 miles **5** (*tempo*) for; (*entro*) by; (*per un intero periodo* *di tempo*) through (out): — *mezz'ora*, — *ore*, for half an hour, for hours; — *tutta l'estate*, all through (*o* throughout) the summer; *è nevicato* — *tutta la notte*, it has snowed all (through the) night; *deve essere pronto* — *il mio compleanno*, — *il giorno di Pasqua*, — *lunedì*, it must be ready for my birthday, by Easter Sunday, by Monday; *sarò di ritorno* — *le cinque*, I'll be back by five o'clock; *torno* — *Natale*, I'll be back for Christmas **6** (*mezzo*) by: — *posta*, by post; — *via aerea*, by airmail; — *radio*, by radio; — *mezzo di* → *mediante* // *parlare* — *telefono con qlcu.*, to speak on the phone to s.o. // *tenere* — *mano qlcu.*, to hold s.o. by hands **7** (*prezzo*) for: *l'ho venduto* — *2.000 lire*, I have sold it for 2,000 lire **8** (*causa*) for; owing to; because of; out of: *fu premiato* — *il suo coraggio*, he was rewarded for his courage; *noto* —..., famous for...; *stanco* — *il lavoro*, tired because of work; — *dispetto*, *orgoglio*, out of spite, pride; *non potevamo veder nulla* — *la nebbia*, we could not see anything because of (*o* owing to) the fog // — *rabbia*, — *paura*, through rage, through fear // — *paura di offenderlo ho taciuto*, for fear of offending him I kept quiet **9** (*colpa*) for: *fu processato* — *omicidio*, he was tried for murder **10** (*vantaggio*, *svantaggio*, *inclinazione*, *scambio*) for: *fallo* — *me*, do it for me; *è nocivo* — *la tua salute*, it is bad for your health // *passione* — *la musica*, love for (*o* of) music; *tre a due* — *la Nazionale*, three two for (*o* to) the National team // *è un'onta*, *un onore* — *la sua famiglia*, he is a disgrace, an honour to his family **11** (*fine*) for: *la lotta* — *la vita*, the struggle for life // *libro* — *bambini*, children's book **12** (*limitazione*) for; (*nei riguardi di*) to: *è troppo difficile* — *lui*, it's too difficult for him; *fu un padre* — *me*, he was a father to me; — *quanto mi riguarda*, as far (*o* in so far) as I'm concerned **13** (*distributivo*): *dieci* — *cento*, ten per cent; — *persona*, per head (*o* each); *marciare* — *due*, to march in (*o* by) twos; *dividere* — *classi*, to divide in(to) classes; *dieci* — *volta*, ten at a time; *giorno* — *giorno*, day by day; — *giorno*, a day **14** (*mat.*) by: *moltiplicare* — *tre*, to multiply by three **15** (*nei compl. predicativi*) as; for: *avere* — *amico*, to have as a friend; *dare* — *morto*, to give for dead // *entrare* — *primo*, to enter first **16** (*in prop. finali*) (in order) to (do): *sono venuto* — *parlarti*, *vederti*, I have come to speak to you, to see you **17** (*in prop. causali*) for (doing): *fu imprigionato* — *aver rubato*, he was sent to prison for stealing; — *non esserci andato*, for not going **18** (*in prop. concessive e consecutivi*) — *sciocco che egli sia*, however foolish he may be; — *costoso che sia*, however expensive it is (*o* no matter how expensive it may be); — *essere un ragazzo*, *era*..., for (*o* although) a boy he was...; *troppo bello* — *essere vero*, too good to be true; *abbastanza vecchio* — *essere*..., old enough to be...

pera *s.f.* **1** pear: *pere al forno*, baked pears // *cascare come una* — *cotta*, (*innamorarsi*) to fall head over heels in love; (*addormentarsi di colpo*) to drop off into a deep sleep // *ragionamento a* —, (*fam.*) an argument without head or tail **2** (*scherz.*) (*testa*) head, pate **3** (*interruttore elettrico*) pear switch.

peraltro *avv.* besides.

perbacco *inter.* good heavens.

perbene *agg.* honest, respectable; nice: *una persona* —, an honest character; *una ragazza* —, a very nice girl; *una famiglia* —, a respectable (*o* decent) family ♦ *avv.* well; properly; nicely: *fare le cose* —, to do things nicely // *andò tutto* —, everything went off all right (*o* *amer.* fine *o* O.K.).

perbenismo *s.m.* respectability.

perborato *s.m.* (*chim.*) perborate.

percalle *s.m.* (*tessuto*) percale.

percentuale *agg.* per cent: *tasso* —, rate per cent; *incremento* —, increase per cent ♦ *s.f.* percentage.

percepibile *agg.* **1** perceptible **2** (*riscuotibile*) receivable.

percepire *v.tr.* **1** to perceive, to become* aware (of sthg.): — *un suono*, to hear a sound; — *un pericolo*, to become aware of (*o* to sense) a danger; — *una certa ostilità*, to become aware of (*o* to sense) a certain hostility **2** (*riscuotere*) to receive: — *lo stipendio*, to receive one's salary.

percettibile *agg.* perceptible: *suoni percettibili*, audible sounds.

percettivo *agg.* perceptive.

percezione *s.f.* perception.

perché *avv.interr.* why: — *l'hai fatto?*, why did you do it (*o* what did you do it for)?; *dimmi* —, tell me why; *ecco* —, that's why; — *no?*, why not?; — *mai?*, why on earth? ♦ *cong.* **1** because; as, since: *non ho potuto vederlo* — *non c'era*, I couldn't see him because he wasn't there; — *sì*, because I want to (*o* just because); — *no*, because I don't want to **2** (*affinché*) so that; (*per paura che*) lest: *chiuse la porta* — *il cane non uscisse*, he shut the door so that the dog couldn't go out (*o* lest the dog should go out); *te lo dico* — *tu lo sappia*, I'm telling you this so that you should know **3** (*in correlazione con* troppo): *il tavolo è troppo pesante* — *si possa sollevarlo*, the table is too heavy to lift ♦ *s.m.* why; (*ragione*) reason: *non so il* —, I don't know why; *senza un* —, without any (particular) reason // *i* — *dei bambini*, children's questions // *il* — *e il percome*, the why and the wherefore.

perciò *cong.* so, therefore.

percorrenza *s.f.* route.

percorrere *v.tr.* to cover, to go* along (sthg.); to go* through (sthg.) (*anche fig.*): — *una distanza*, to cover a distance; *percorse la strada da cima a fondo*, he went right down (*o* along) the street; *avevo già percorso un buon tratto di strada*, I had already gone a long way; — *un paese in automobile*, to drive through a country; *ha percorso tutte le tappe di una brillante carriera*, he went through all the stages of a brilliant career.

percorribile *agg.* practicable.

percorso *s.m.* **1** run; (*distanza*) distance; (*tragitto*) way, journey: *durante il* —, on the way **2** (*corso*) course; (*tracciato*) route: *il* — *di un fiume*, the course of a river; *il* — *di un treno*, the route of a train **3** (*informatica*) path: — *di nastro*, tape path; — *di scheda*, card path.

percossa *s.f.* blow, stroke.

percuotere *v.tr.* to strike* (*anche fig.*), to hit*, to beat*: — *qlcu. a morte*, to beat s.o. to death.

percussione *s.f.* percussion.

percussore *s.m.* (*mil.*) striker.

perdente *agg.* losing ♦ *s.m.* loser.

perdere *v.tr.* to lose* (*anche fig.*): — *la strada*, to lose one's way; — *la testa per qlcu.*, to lose one's heart to s.o.; *un'abitudine*, to lose a habit: *fare* — *un'abitudine a qlcu.*, to break s.o. off a habit; — *di vista*, *d'occhio qlcu.*, *qlco.*, to lose sight of s.o., sthg.: *l'ho perso di vista da molti anni*, I haven't seen him for years; — *l'anno*, (*a scuola*) to lose a year // *lascia* —!, forget it! // *lascialo* —, let him go (to hell) // *la sua insolenza gli fece* — *il posto*, his insolence cost him his job // — *colpi*, (*di fuci-*

le, motore) to misfire // *— i sensi*, to lose one's senses // *— la faccia*, to lose face // *— le staffe*, (*fig.*) to lose one's temper // *saper —*, to be a good loser 2 (*mancare, non riuscire a prendere*) to miss: *— il treno*, to miss the train 3 (*sprecare*) to waste, to fritter away: *non — tempo a parlare*, don't waste your time talking; *— l'occasione giusta*, to miss one's chance 4 (*rovinare*) to ruin 5 (*di contenitori*) to leak // **-ersi** *v.intr.pron.* 1 (*smarrirsi*) to lose* oneself; to get* lost // *— d'animo*, to lose heart // *— in un bicchier d'acqua*, to stumble over trifles // *— dietro a qlcu., qlco.*, to waste one's time on s.o., sthg. // *— in chiacchiere*, to waste (one's) time chatting // *iniziarono il corso in 20, ma la metà si perse per strada*, 20 started the course but half of them fell by the wayside // *— in sciocchezze*, to waste one's time on trifles 2 (*svanire*) to vanish; (*scomparire*) to disappear 3 (*andare smarrito*) to be* mislaid, to get* lost.

perdifiato, a *locuz.avv.*: *correre a —*, to run at breakneck speed; *gridare a —*, to shout at the top of one's voice.

perdigiorno *s.m.* e *f.* idler, loafer.

perdinci *inter.* good Lord!, my goodness!

perdita *s.f.* 1 loss: *lavorare in —*, to work at a loss; *conto profitti e perdite*, (*comm.*) profit and loss account // *a — d'occhio*, as far as the eye can see // *— di bit*, (*informatica*) drop-out; *— di funzionalità*, degradation 2 (*sciupio*) waste 3 (*di liquidi o gas*) leak; (*elettr.*) loss.

perditempo *s.m.* 1 waste of time 2 (*di persona*) idler, loafer.

perdizione *s.f.* ruin, perdition.

perdonare *v.tr.* 1 to forgive* 2 (*scusare*) to excuse: *perdona il disturbo*, excuse me for troubling you (*o* excuse my troubling you) 3 (*risparmiare*) to spare // *un male che non perdona*, an incurable disease.

perdono *s.m.* forgiveness, pardon: *chiedere il — a qlcu*, to ask s.o.'s pardon; *ottenere il —*, to obtain pardon // *la miglior vendetta è il —*, (*prov.*) the noblest vengeance is to forgive.

perdurare *v.intr.* to last; (*persistere*) to persist: *il maltempo perdura*, bad weather continues.

perdutamente *avv.* desperately // *essere — innamorati*, to be madly in love.

perduto *agg.* 1 lost 2 (*dissoluto*) fallen 3 (*rovinato*) ruined: *sono —*, I am ruined (*o* lost) 4 (*sprecato*) wasted.

peregrinare *v.intr.* to wander, to roam.

peregrinazione *s.f.* wandering, roaming.

peregrino *agg.* rare, uncommon; (*strano*) strange, singular; (*prezioso*) precious.

perenne *agg.* perennial, perpetual; (*eterno*) everlasting: *gioia —*, everlasting joy; *nevi perenni*, perpetual snows; *pianta —*, perennial (plant).

perennemente *avv.* perennially, perpetually; (*per sempre*) for ever.

perentorietà *s.f.* peremptoriness.

perentorio *agg.* peremptory: *un ordine —*, a peremptory (*o* sharp) order.

perequare *v.tr.* to equalize.

perequazione *s.f.* equalization.

perfettamente *avv.* perfectly // *hai — ragione*, you are quite right // *«Ti è chiaro?» «Perfettamente»*, "Is that clear?" "Perfectly (*o* quite) clear".

perfettibile *agg.* perfectible.

perfetto *agg.* perfect // *un — gentiluomo*, a perfect gentleman // *dizione perfetta*, faultless diction // *è —!*, that's perfect! ♦ *s.m.* (*gramm.*) perfect (tense).

perfezionabile *agg.* perfectible.

perfezionamento *s.m.* perfecting; (*miglioramento*) improving; (*specializzazione*) specialization // *studi di —*, (*per laureati*) postgraduate studies; (*genericamente*) specialized studies.

perfezionare *v.tr.* to perfect; to bring* to perfection; (*migliorare*) to improve // **-arsi** *v.intr.pron.* to improve; (*specializzarsi*) to specialize.

perfezione *s.f.* perfection: *fare qlco. alla —*, to do sthg. to perfection.

perfezionismo *s.m.* perfectionism.

perfezionista *s.m.* e *f.* perfectionist.

perfidia *s.f.* perfidy; (*malvagità*) wickedness.

perfido *agg.* perfidious; (*malvagio*) wicked.

perfino *avv.* even // *è arrivato — a dire che...*, he went so far as to say...

perforare *v.tr.* to perforate, to bore; (*trapassare*) to pierce.

perforato *agg.* perforated // *schede perforate*, punched cards.

perforatore *s.m.* perforator.

perforatrice *s.f.* 1 perforator; (*di centri meccanografici*) card punch 2 (*di rocce, terreno ecc.*) drill.

perforazione *s.f.* 1 perforation; (*di rocce*) drilling 2 (*informatica*) punch: *— di nastro*, tape punch; *— di schede*, card punch; *— dodici*, Y-punch.

pergamena *s.f.* parchment: *carta —*, parchment (*o* vellum) paper.

pergamo *s.m.* (*letter.*) pulpit.

pergola *s.f.* pergola.

pergolato *s.m.* pergola, bower, arbour.

pericardio *s.m.* pericardium (*pl.* -dia).

Pericle *no.pr.m.* (*st.*) Pericles.

pericolante *agg.* tottering, tottery: *edificio —*, dangerous building.

pericolare *v.intr.* to totter, to threaten to fall.

pericolo *s.m.* 1 danger, peril; (*rischio*) risk: *correre un —*, to be in danger; *corre il — di essere licenziato*, he is in danger of being sacked; *esporsi al —*, to risk (*o* to endanger) one's life; *mettere in — la propria vita, la vita di qlcu.*, to endanger (*o* to jeopardize) one's life, s.o.'s life; *scongiurare un —*, to ward off a danger; *tenersi lontano dal —*, to keep out of danger // *fuori —*, out of danger // *in — di morte*, in danger of death // *in — di vita*, in peril of one's life // *— pubblico*, public menace (*o* public enemy) // *a mio rischio e —*, at my own risk 2 (*fam.*) (*probabilità*) fear, danger: *non c'è —!*, no fear!; *non c'è — che venga*, there is no fear of his coming.

pericolosità *s.f.* dangerousness.

pericoloso *agg.* dangerous, perilous; (*rischioso*) risky: *percorso —*, dangerous route; *un uomo —*, a dangerous man; *una scelta pericolosa*, a dangerous choice; *essere su un terreno —*, (*fig.*) to be on dangerous ground; *sono concorrenti poco pericolosi*, they are no threat as competitors.

perielio *s.m.* (*astr.*) perihelion (*pl.* perihelia).

periferia *s.f.* outskirts (*pl.*); (*sobborghi*) suburbs (*pl.*): (*quartiere di*) *—*, outskirts (district); *abitare in —*, to live in the suburbs.

periferico *agg.* 1 outskirts (*attr.*); (*suburbano*) suburban 2 (*scient.*) peripheric.

perifrasi *s.f.* periphrasis.

perifrastico *agg.* periphrastic.

perigeo *s.m.* (*astr.*) perigee.

perimetrale *agg.* perimetric(al).

perimetro *s.m.* (*geom.*) perimeter.

periodare *v.intr.* to make* sentences.

periodicità *s.f.* periodicity.

periodico *agg.* periodic ♦ *s.m.* periodical.

periodo *s.m.* **1** period: — *di preavviso*, *(di impiegati)* period of notice; — *di prova*, *(di impiegati)* probationary *(o* trial) period; *(di macchine)* testing period // *quel ragazzo va a periodi*, that boy works by fits and starts // — *di attesa*, *(informatica)* time-out **2** *(gramm.)* sentence, period.

peripatetico *agg. e s.m.* *(st. fil.)* peripatetic.

peripezia *s.f.* vicissitude, ups and downs *(pl.).*

periplo *s.m.* periplus, circumnavigation.

perire *v.intr.* to perish, to die; *(andar distrutto)* to be* destroyed.

periscopio *s.m.* periscope.

peristaltico *agg.* peristaltic.

perito *s.m.* expert, surveyor: — *industriale*, engineer; — *calligrafo*, handwriting expert.

peritoneo *s.m.* *(anat.)* periton(a)eum.

peritonite *s.f.* peritonitis.

perizia *s.f.* **1** *(maestria)* skill, skilfulness, ability **2** *(dir.)* expert judgement, expert report; *(valutazione)* valuation, survey: — *dei danni*, damage survey; — *psichiatrica*, psychiatric examination; *fare una —*, to make a valuation.

perizoma *s.m.* loincloth.

perla *s.f.* **1** pearl *(anche fig.)*: *perle coltivate*, culture(d) pearls; *perle false, finte*, imitation pearls; *filo, vezzo di perle*, string of pearls; *grigio —*, pearl grey // *è una — di donna*, she is a pearl *(o* jewel) of a woman // *gettar perle ai porci*, to cast pearls before swine **2** *(scherz.)* *(strafalcione)* howler.

perlaceo *agg.* pearly.

perlato *agg.* pearly // *orzo —*, pearl barley.

perlifero *agg.* pearl *(attr.)*: *ostrica perlifera*, pearl oyster.

perlomeno *avv.* at least.

perlopiù *avv.* **1** usually **2** *(per la maggior parte)* mostly, for the most part.

perlustrare *v.tr.* to reconnoitre; *(di polizia)* to patrol.

perlustratore *s.m.* scout.

perlustrazione *s.f.* reconnaissance; *(di polizia)* patrol: *andare in —*, to go on a reconnaissance *(o* to go out scouting).

permalosità *s.f.* touchiness.

permaloso *agg.* touchy.

permanente *agg.* permanent // *esercito —*, standing army // *mostra —*, permanent exhibition ♦ *s.f.* permanent wave; *(fam.)* perm.

permanenza *s.f.* stay, sojourn: *buona —!*, have a nice stay! // *in —*, permanently.

permanere *v.intr.* *(rimanere)* to remain; *(persistere)* to persist.

permeabile *agg.* permeable.

permeabilità *s.f.* permeability.

permeare *v.tr.* to permeate *(anche fig.)*.

permesso[1] *agg.* permitted, allowed.

permesso[2] *s.m.* **1** permission, leave: *col vostro —*, with your permission; *ho il — di adoperarlo*, I have permission to use *(o* I am allowed to use) it **2** *(di soldato, impiegato ecc.)* leave (of absence): *soldato in —*, soldier on leave // *documento di —*, permit // *rilasciare un —*, to grant a permit.

permettere *v.tr.* to permit, to allow, to let*: — *qlco. a qlcu.*, to allow s.o. sthg.; *gli permise di andare*, he let him go; *non mi è permesso di usarlo*, I am not allowed *(o*

permitted) to use it; *non permetto che ti insulti*, I don't allow him to insult you // *è permesso (entrare)?*, may I come in?; *permesso!*, excuse me (please)!; *permettete?*, may I?; *permettetemi di presentarvi il mio amico*, let me introduce my friend to you // *Dio permettendo*, God willing // *tempo permettendo*, weather permitting // *permettersi (il lusso di)*, to afford: *non me lo posso —*, I can't afford it // *mi permetto di dirvi...*, I take the liberty of telling you... // *come ti permetti?!*, how do you dare?!

permissivismo *s.m.* permissiveness.

permissivo *agg.* permissive.

permuta *s.f.* *(dir.)* exchange, barter.

permutabile *agg.* exchangeable.

permutare *v.tr.* to exchange, to barter; *(mat.)* to permute.

permutazione *s.f.* *(mat.)* permutation.

pernice *s.f.* partridge // *occhio di —*, soft corn.

pernicioso *agg.* pernicious, malignant.

perno *s.m.* pivot *(anche fig.)*, pin, stud; *(cardine)* hinge *(anche fig.)* // — *girevole*, *(mecc.)* pivot pin; *fare — su qlco.*, *(anche fig.)* to pivot upon sthg. // — *di trascinatore*, *(informatica)* pin.

pernottamento *s.m.* overnight stay.

pernottare *v.intr.* to spend* the night.

pero *s.m.* pear tree.

però *cong.* but, yet; *(tuttavia)* however; *(nondimeno)* nevertheless.

perone *s.m.* *(anat.)* fibula.

peronospora *s.f.* mildew.

perorare *v.tr. e intr.* to plead: — *una causa*, to plead a cause.

perorazione *s.f.* **1** pleading **2** *(ret.)* peroration.

perossido *s.m.* *(chim.)* peroxide.

perpendicolare *agg. e s.f.* perpendicular.

perpendicolo *s.m.*: *a —*, perpendicularly.

perpetrare *v.tr.* to perpetrate, to commit.

perpetua *s.f.* (priest's) housekeeper.

perpetuare *v.tr.* to perpetuate // *-arsi* *v.intr.pron.* to last, to endure.

perpetuità *s.f.* perpetuity.

perpetuo *agg.* perpetual: *carcere —*, life imprisonment; *memoria perpetua*, everlasting memory; *moto —*, perpetual motion.

perplessità *s.f.* perplexity, puzzlement.

perplesso *agg.* perplexed, puzzled.

perquisire *v.tr.* to search: — *qlcu.*, *(alla dogana)* to frisk s.o.

perquisizione *s.f.* *(dir.)* perquisition: *mandato di —*, search warrant.

persecutore *s.m.* persecutor.

persecuzione *s.f.* persecution: *mania di —*, persecution complex // *è una vera —!*, it's becoming a persecution!

perseguibile *agg.* *(dir.)* prosecutable.

perseguire *v.tr.* **1** to pursue: — *un obiettivo*, to pursue an aim **2** *(dir.)* to prosecute.

perseguitare *v.tr.* to persecute; *(ossessionare)* to haunt.

perseguitato *s.m.* persecutee.

perseverante *agg.* persevering.

perseveranza *s.f.* perseverance.

perseverare *v.intr.* to persevere.

persiana *s.f.* shutter: — *avvolgibile*, sliding *(o* folding) shutter.

persiano *agg. e s.m.* Persian.

persico[1] *agg.* Persian.

persico[2] *s.m.*: *pesce* —, perch.

persino *avv.* → **perfino**.

persistente *agg.* persistent.

persistenza *s.f.* persistence.

persistere *v.intr.* to persist: *il maltempo persiste*, the bad weather never seems to stop.

perso *agg.* lost: *dare qlcu., qlco. per* —, to give s.o., sthg. up for lost // — *per* —, I've nothing to lose (*o* there's no harm trying).

persona *s.f.* **1** person: *una — perbene*, a respectable person; *una — molto importante*, a very important person (VIP); *le persone della famiglia*, the members of the family; *c'è una — che ti aspetta*. there is s.o. waiting for you; *sono venute molte persone*, many people have come; *è una brava* —, he is a good type; *trattare per interposta* —, to deal through a third person // — *di servizio*, servant // — *giuridica*, (*dir.*) body corporate // *a* —, per head // *in, di* —, personally // *è lui in* —, it's the man himself // — *per* —, one by one (*o* one after the other) // *un verbo in prima* —, a verb in the first person // *rispondere in prima* —, to accept responsibility **2** (*corpo*) body.

personaggio *s.m.* character; (*ruolo*) role: *personaggi e interpreti*, characters and cast // *è un — da romanzo*, he is like a character out of a novel // *è diventato un — importante*, he has become an important man // *sei proprio un bel* —!, you are a real character!

personale *agg.* personal: *biglietto strettamente* —, non-transferable ticket; *è un'opinione del tutto* —, it's an absolutely personal opinion ♦ *s.m.* **1** staff: — *direttivo*, managing body; *far parte del — di una ditta*, to be on the staff of a firm // *mobilità del* —, staff mobility; labour mobility **2** (*corporatura, figura*) figure ♦ *s.f.* (*mostra*) one-man show.

personalità *s.f.* **1** personality **2** (*persona importante*) important person, personality; (*fam.*) big shot **3** — *giuridica*, (*dir.*) legal status.

personalizzare *v.tr.* to personalize.

personalmente *avv.* personally.

personificare *v.tr.* to personify.

personificazione *s.f.* personification.

perspicace *agg.* perspicacious, shrewd.

perspicacia *s.f.* perspicacity, shrewdness.

perspicuo *agg.* perspicuous, clear.

persuadere *v.tr.* (*convincere*) to convince: *lasciarsi* —, to let oneself be convinced (*o* persuaded); *non mi* —!, it doesn't convince me! // -**ersi** *v.rifl.* to persuade oneself: *non posso persuadermi che sia vero*, I cannot bring myself to believe (that) it is true.

persuasione *s.f.* persuasion; (*convinzione*) conviction: *aver la* — *che...*, to be convinced that...; *capacità di* —, powers of persuasion.

persuasivo *agg.* persuasive.

persuaso *agg.* persuaded; (*convinto*) convinced.

persuasore *s.m.* persuader // — *occulto*, hidden persuader.

pertanto *cong.* therefore // *non* —, (*tuttavia*) however (*o* all the same).

pertica *s.f.* **1** pole **2** (*misura di lunghezza*) rod, pole, perch; (*misura di superficie*) square rod, square pole, square perch **3** (*attrezzo ginnico*) climbing pole.

pertinace *agg.* pertinacious, persistent.

pertinacia *s.f.* pertinacity.

pertinente *agg.* pertaining: *domanda, risposta* —, pertinent question, answer; *una domanda non* —, an irrelevant question.

pertinenza *s.f.* pertinence, relevance: *ciò non è di mia* —, that is not my business.

pertosse *s.f.* (*med.*) whooping cough.

pertugio *s.m.* hole; (*stretto passaggio*) narrow passage.

perturbare *v.tr.* to perturb; (*sconvolgere*) to upset*.

perturbatore *agg.* disturbing ♦ *s.m.* upsetter.

perturbazione *s.f.* **1** perturbation, agitation: — *mentale*, mental derangement **2** (*meteorologia*) disturbance; (*astr.*) perturbation.

Perú *no.pr.m.* Peru // *vale un* —, he is worth his weight in gold.

peruviano *agg.* e *s.m.* Peruvian.

pervadere *v.tr.* to pervade (*anche fig.*).

pervenire *v.intr.* **1** to reach (s.o., sthg.), to arrive (at sthg.) (*anche fig.*) **2** (*fig.*) (*conseguire*) to attain (to sthg.).

perversione *s.f.* perversion.

perversità *s.f.* perverseness.

perverso *agg.* perverse.

pervertimento *s.m.* perversion.

pervertire *v.tr.* to pervert; (*corrompere*) to corrupt, to lead* astray // -**irsi** *v.intr.pron.* to degenerate.

pervertito *agg.* perverted ♦ *s.m.* pervert.

pervicace *agg.* obstinate, stubborn.

pervicacia *s.f.* obstinacy, stubbornness.

pervinca *s.f.* (*bot.*) periwinkle // (*color*) —, periwinkle (blue).

pesa *s.f.* **1** (*pesatura*) weighing **2** (*luogo per pesare*) weigh-house **3** (*bascula*) weighing-machine.

pesante *agg.* heavy (*anche fig.*): *responsabilità* —, grave responsibility; *c'era un'aria* —, the air was sultry; *è una persona così* —!, he is such a bore!; *avere il sonno* —, to be a heavy sleeper.

pesantezza *s.f.* heaviness.

pesare *v.tr.* e *intr.* to weigh (*anche fig.*): *questo lavoro gli pesa*, he finds this work heavy going // *gli pesa alzarsi presto*, he finds it very hard to get up early // — *le proprie parole*, to weigh one's words // *un silenzio pesava sull'assemblea*, a heavy silence hung over the meeting // — *sulla coscienza*, to weigh on one's conscience.

pesata, pesatura *s.f.* weighing.

pesca[1] *s.f.* (*bot.*) peach.

pesca[2] *s.f.* **1** (*il pescare*) fishing; (*industria*) fishing: — *con la lenza*, angling; — *d'alto mare*, deep-sea fishing **2** (*ciò che si è pescato*) catch: — *abbondante*, good catch; *fare buona* —, to have a good haul **3** (*lotteria*) lucky dip.

pescaggio *s.m.* (*mar.*) draught.

pescare *v.tr.* **1** to fish: — *con la lenza*, to angle; *andare a* — *trote*, to go fishing for trout; *ho pescato due trote*, I caught two trout // — *nel torbido*, to fish in troubled waters **2** (*fig.*) (*riuscire a trovare*) to fish out: *dove hai pescato quell'orologio?*, where did you fish (*o* dig) out that watch? **3** (*fig.*) (*cogliere sul fatto*) to catch* red-handed: *ti ho pescato!*, I've caught you red-handed! **4** (*alle carte*) to draw* ♦ *v.intr.* (*di nave*) to draw*.

pescatore *s.m.* fisher; fisherman (*pl.* -men); (*con la lenza*) angler: — *di coralli, di perle*, coral diver, pearl diver.

pesce *s.m.* fish (*gener. pl. invar.*): — *d'acqua dolce*, freshwater fish; — *di mare*, saltwater fish; *ha pescato molti pesci*, he has caught a lot of fish // *pesci rossi*, goldfish // *muto come un* —, as dumb as an oyster // *sano come un* —, as fit as a fiddle // *vispo come un* —, as lively as a cricket // *i pesci grossi mangiano i piccoli*, might overcomes right // *non sapere che pesci pigliare*, to be at one's wits' end // *sentirsi come un — fuor d'ac-*

qua, to feel like a fish out of water // *chi dorme non piglia pesci*, (*prov.*) the early bird catches the worm // *i Pesci*, (*astr.*) Pisces.

pescecane *s.m.* shark (*anche fig.*).

peschereccio *agg.* fishing ♦ *s.m.* fishing boat.

pescheria *s.f.* (*negozio*) fish shop; (*mercato*) fish market.

peschiera *s.f.* fishpond.

pesciaiola *s.f.* fish kettle.

pescivendolo *s.m.* fishmonger.

pesco *s.m.* peach (tree).

pescoso *agg.* full of fish.

pesista *s.m.* (*sport*) weight lifter.

peso *s.m.* **1** weight: — *lordo, netto*, gross, net weight; — *giusto, abbondante, scarso*, exact, full, short weight; *senza* —, weightless; *eccedenza di* —, overweight; *aggiungere qlco. per fare il* —, to add sthg. to make up the weight; *rubare sul* —, to give short weight // — *atomico, molecolare*, (*fis.*) atomic, molecular weight; — *specifico*, (*fis.*) specific gravity // — *morto*, (*anche fig.*) deadweight // *pagare a* — *d'oro*, to pay the earth for it // *piegarsi sotto il* — *di qlco.*, (*anche fig.*) to give way under the weight of sthg. // *sostenere il* — *di qlco.*, to bear the weight of sthg. // *sollevare di* —, to snatch up; (*fig.*) to blow (s.o.) up // *dare* — *a qlco.*, to give weight to sthg. // *non ha alcun* — *per me*, it carries no weight with me // *usare due pesi e due misure*, to judge by two different standards // *avere un* — *sullo stomaco*, to have sthg. lying heavy on one's stomach // *levarsi un* — *dallo stomaco*, to take a great weight off one's mind // *cadde di* —, he fell heavily **2** (*onere*) burden: *essere di* — *a*, to be a burden **3** (*sport*) weight: *lancio del* —, putting the shot; *sollevamento pesi*, weight lifting // *recinto del* —, (*ippica*) weighing-in room // (*pugilato*): — *gallo, bantamweight*; — *leggero*, lightweight; — *massimo*, heavyweight; — *medio*, middleweight; — *mosca*, flyweight; — *piuma*, featherweight.

pessimismo *s.m.* pessimism.

pessimista *s.m.* e *f.* pessimist.

pessimistico *agg.* pessimistic.

pessimo *agg.superl.* very bad: *un* — *insegnante*, a very bad (*o fam.* hopeless) teacher // *un* — *individuo*, a nasty piece of work.

pesta *s.f.* (*spec. pl.*) track: *sulle peste di qlco.*, on the track of s.o. // *seguire le peste di qlcu.*, (*fig.*) to follow in s.o.'s footsteps // *essere nelle peste*, to be up the creek.

pestaggio *s.m.* **1** beating **2** (*rissa*) scuffle.

pestare *v.tr.* **1** to pound, to crush **2** (*calpestare*) to tread* (on sthg.): — *i piedi a qlcu.*, (*anche fig.*) to tread on s.o.'s toes **3** (*picchiare*) to beat*, to hit*, to thrash: — *qlcu. per benino*, to give s.o. a sound thrashing; — *un pugno sul tavolo*, to strike the table with one's fist // — *i piedi*, to stamp one's feet.

peste *s.f.* plague (*anche fig.*); (*st.*) Black Death // — *lo colga!*, a plague on him! // *sei una vera* —, you are a real pest // *dire* — *e corna di qlcu.*, to run s.o. down.

pestello *s.m.* pestle.

pesticciare *v.tr.* to trample.

pesticida *agg.* pesticida ♦ *s.m.* pesticide.

pestifero *agg.* **1** plague-bearing **2** (*fig.*) pestiferous.

pestilenza *s.f.* **1** pestilence **2** (*fetore*) stench.

pestilenziale *agg.* pestilential (*anche fig.*).

pesto *agg.* pounded, crushed // — *buio*, pitch-dark // *avere gli occhi pesti*, to have rings under one's eyes // *avere le ossa peste*, to feel stiff // *fare gli occhi pesti a qlcu.*, to give s.o. a black eye.

petalo *s.m.* petal.

petardo *s.m.* **1** (*pirotecnica*) cracker, squib **2** (*ferr.*) fog-signal.

petecchia *s.f.* (*med.*) red rash; petechia (*pl.* -ae).

petecchiale *agg.* petechial.

petit-gris (*franc.*) *s.m.* Russian grey squirrel fur, petit-gris.

petizione *s.f.* petition.

peto *s.m.* fart.

Petrarca *no.pr.* (*st. lett.*) Petrarch.

petrarchesco *agg.* Petrarchian.

petrarchismo *s.m.* (*lett.*) Petrarchism.

petrarchista *s.m.* e *f.* Petrarchist.

petrodollari *s.m.pl.* petrodollars.

petro(l)chimica *s.f.* petrochemistry; (*industria*) petrochemical industry.

petroliera *s.f.* tanker.

petrolifero *agg.* oil (*attr.*): *giacimento* —, oilfield; *industria petrolifera*, oil industry; *pozzo* —, oil well // *azioni petrolifere*, oil shares.

petrolio *s.m.* oil, petroleum; (*da illuminazione*) paraffin (oil): — *grezzo*, crude oil (*o* petroleum); *lampada a* —, paraffin lamp; *trovare il* —, to strike oil.

pettegola *s.f.* gossip, gossipy woman.

pettegolare *v.intr.* to gossip.

pettegolezzo *s.m.* gossip.

pettegolo *agg.* gossipy ♦ *s.m.* gossip.

pettinare *v.tr.* **1** to comb: — *un bambino*, to comb a child's hair // *chi ti pettina?*, who does your hair? **2** (*ind. tessile*) (*lana*) to comb, to card; (*lino, canapa*) to hackle // **-arsi** *v.rifl.* to comb one's hair.

pettinata *s.f.* combing: *darsi una* —, to comb one's hair; *farsi dare una* —, to have one's hair combed (out).

pettinato *s.m.* (*ind. tessile*) worsted.

pettinatrice *s.f.* **1** hairdresser **2** (*ind. tessile*) comber.

pettinatura *s.f.* **1** (*acconciatura*) hairdo, hair style, coiffure **2** (*ind. tessile*) (*di lana*) combing, carding; (*di lino, canapa*) hackling.

pettine *s.m.* **1** comb: — *fitto, rado*, fine-tooth(ed), wide-tooth(ed) comb // *darsi un colpo di* —, (*fam.*) to run a comb through one's hair // *tutti i nodi vengono al* —, (*prov.*) your crimes will catch up with you **2** (*ind. tessile*) (*per lana*) comb; (*per lino, canapa*) hackle // — *di telaio*, reed **3** (*zool.*) pecten (*pl.* pectines), scallop.

pettirosso *s.m.* robin.

petto *s.m.* **1** breast; (*torace*) chest: *a* — *nudo*, bare chested; *circonferenza di* —, chest measurement; *fino al* —, up to one's breast // *battersi il* —, to beat one's breast; (*fig.*) to repent // *do di* —, (*mus.*) high C from the chest; *voce di* —, voice from the chest // *malato di* —, consumptive; *malattie di* —, chest troubles // *prendere, affrontare qlcu., qlco. di* —, to face up to s.o., sthg. **2** (*fig.*) heart **3** (*cuc.*) breast: *petti di pollo*, chickens' breasts **4** (*di abito*) breast; (*di camicia*) front: *giacca a doppio* —, *a un* —, double-breasted, single-breasted coat.

pettorale *agg.* pectoral, breast (*attr.*) ♦ *s.m.* (*di cavallo*) breast-band.

pettorina *s.f.* (*di grembiule*) bib; (*di abito*) dickey.

pettoruto *agg.* **1** full-breasted **2** (*fig.*) (*tronfio*) haughty, cocky: *passeggiava su e giù tutto* —, he was strutting up and down.

petulante *agg.* impertinent; (*fam.*) cheeky.

petulanza *s.f.* impertinence; (*fam.*) cheekiness.

petunia *s.f.* (*bot.*) petunia.

pezza *s.f.* **1** roll: *vendere in* —, to sell by the roll // *tessuti in* —, piece goods // *da lunga* —, for a long time (*o while*) **2** (*toppa*) patch; (*ritaglio*) cutting: *un abito pieno di pezze*, a suit full of patches (*o a well-patched suit*); *una bambola di* —, a rag doll // *trattare qlcu. come una* — *da piedi*, (*fig.*) to treat s.o. like dirt // *metterci una* —, (*anche fig.*) to patch sthg. **3** — *d'appoggio*, (*comm.*) voucher.

pezzato *agg.* spotted; (*di cavallo*) dappled.

pezzatura[1] *s.f.* speckling; (*di cavallo*) dappling.

pezzatura[2] *s.f.* (*dimensione*) size.

pezzente *s.m. e f.* **1** ragamuffin **2** (*mendicante*) beggar.

pezzo *s.m.* **1** piece: *un bel* — *di carne*, a nice piece of meat; (*taglio*) a nice cut of meat // *a, in pezzi*, (*anche fig.*) to pieces; *essere in, a pezzi*, (*anche fig.*) to be in pieces; *i suoi nervi erano a pezzi*, his nerves were in shreds; *andare in pezzi*, to go to pieces; *fare a pezzi*, to break (*o to pull*) to pieces; (*strappare*) to tear to pieces // *a pezzi e bocconi*, piecemeal // *uomo tutto di un* —, man of firm character // *un* — *grosso*, a bigwig, a big hog, a heavy weight // *un bel* — *di donna, di uomo*, a fine figure of a woman, of a man // *che* — *d'asino!*, what an ass! // — *duro*, ice-cream slice // — *di ricambio*, spare part **2** (*elemento di un insieme*) piece: *un servizio di posate da 12 pezzi*, a twelve-piece cutlery service; *li vende a mille lire al* —, he sells them at a thousand liras each; *costume da bagno a un* —, *a due pezzi*, a one-piece, two-piece swimsuit // *un* — *degli scacchi*, a pawn; *i pezzi degli scacchi*, chessmen **3** (*di tempo e spazio*): *non lo vedo da un* —, I haven't seen him for quite a long time; *un bel* — *di strada*, (quite) a long way **4** (*articolo di giornale*) article; (*resoconto*) report; (*brano*) passage **5** (*di denaro*) (*banconota*) note; (*moneta*) coin, piece **6** (*mus.*) piece: — *a quattro mani*, piece for four hands; — *di bravura*, a brilliant display of technique.

pezzuola *s.f.* band.

piacente *agg.* attractive.

piacere *v.intr.* to like (s.o., sthg.) (*costr. pers.*); (*essere appassionato*) to be* fond (of s.o., sthg.): *mi piace che tutto sia in ordine*, I like everything to be in order; *mi piacerebbe venire con te*, I'd like to come with you; *mi sarebbe piaciuto venire con te*, I would have liked to come (*o I would like to have come o I would have liked to have come*) with you; *quella ragazza piace a tutti*, everybody likes that girl; *quel tipo continua a non piacermi*, I still don't like that fellow; *ti piace la musica rock?*, do you like rock music?; *ti piace viaggiare?*, do you like travelling?; *bisogna lavorare, piaccia o non piaccia*, you must work whether you like it or not // *un piatto che piace molto*, an appetizing dish // *a Dio piacendo*, God willing // *faccio come mi pare e piace*, I do as I please.

piacere *s.m.* **1** pleasure: *mi fa* — *vederti*, I am pleased (*o delighted*) to see you; *ti farebbe* — *venire con me?*, would you like to come with me?; *vai pure se ti fa* —, go if you want to; *abbiamo il* — *di informarla...*, we are pleased to inform you...; *non ho il* — *di conoscerlo*, I haven't the pleasure of his acquaintance; *provare* — *nel fare qlco.*, to take pleasure (*o delight*) in doing sthg. // — *!*, (*nelle presentazioni*) how do you do!; — *di conoscerla!*, glad to meet you // *con* —*!*, with pleasure! // *minuti piaceri*, minor pleasures // *viaggio, gita di* —, pleasure trip; *sei qui per lavoro o per* —?, are you here on business or for pleasure? **2** (*favore*) favour; (*gentilezza*) kindness: *domandare un* — *a qlcu.*, to ask a favour of s.o.; *fare un* — *a qlcu.*, to do s.o. a favour (*o*

kindness); *ho bisogno di un* — *da te*, I need a favour from you // *per* —, (*if you*) please // *fammi il* —*!*, (*iron.*) come off it! (*o come now!*) **3** (*volontà*) will: *a* —, at will (*o pleasure*).

piacevole *agg.* pleasant; (*gradevole*) agreeable.

piacevolezza *s.f.* **1** pleasantness, agreeableness **2** (*scherzo*) pleasantry.

piacimento *s.m.* (*letter.*) liking: *a* —, (as much) as one likes; *non è di suo* —, it is not to his liking.

piaga *s.f.* **1** sore; wound // *girare il coltello nella* —, to twist the knife in the wound // *mettere il dito sulla* —, to touch on a sore point // *riaprire vecchie piaghe*, (*fig.*) to reopen old wounds **2** (*fig.*) (*calamità*) evil, plague: — *sociale*, social evil; *la* — *della droga*, the evil of drugs **3** (*persona noiosa*) nuisance, pain in the neck: *che* —*!*, what a pest!

piagare *v.tr.* to cover with sores.

piagato *agg.* sore-covered.

piagnisteo *s.m.* whining; (*di bambino*) grizzling, whimpering.

piagnucolare *v.intr.* to whine; (*di bambino*) to grizzle, to whimper.

piagnucolio *s.m.* whining; (*di bambino*) grizzling, whimpering.

piagnucolone *s.m.* whiner; (*di bambino*) grizzler, whimperer, crybaby.

piagnucoloso *agg.* whining; (*di bambino*) grizzling, whimpering.

pialla *s.f.* plane.

piallare *v.tr.* to plane.

piallatore *agg. e s.m.* planer.

piallatrice *s.f.* (*mecc.*) planer, planing machine.

piallatura *s.f.* planing.

piana *s.f.* plain.

pianeggiante *agg.* level.

pianella *s.f.* **1** (*pantofola*) slipper **2** (*mattonella*) tile.

pianerottolo *s.m.* landing.

pianeta[1] *s.m.* planet.

pianeta[2] *s.f.* (*eccl.*) chasuble.

piangente *agg.* weeping // *salice* —, weeping willow.

piangere *v.intr.* **1** to cry, to weep*: — *dal dolore*, to cry with pain; — *di rabbia*, to weep with rage; — *di gioia*, to weep for joy; *aveva gli occhi rossi a forza di* —, her eyes were red with crying; *mi piangono gli occhi per il freddo, il fumo*, my eyes are watering with the cold, the smoke; — *a calde lacrime*, to weep one's heart out; *è un film, una storia che fa* —, it's a tearjerker, a sob story // *beati quelli che piangono*, (*Bibbia*) blessed are they that mourn // — *come un vitello*, to blubber // *mi piange il cuore*, it breaks my heart // *è inutile* — *sul latte versato*, (*prov.*) it's no use crying over spilt milk **2** (*di pianta*) to bleed* ♦ *v.tr.* **1** to weep*: — *tutte le proprie lacrime*, to weep one's fill; — *lacrime amare*, to shed bitter tears **2** (*dolersi*) to mourn, to grieve (over sthg., for sthg.): — *la morte di qlcu.*, to mourn s.o.'s death; — *i propri peccati*, to grieve over one's sins; — *la perdita di qlcu.*, to grieve for the loss of s.o. // *piange sempre miseria*, he is always pleading poverty // *chi è causa del suo mal, pianga sé stesso*, (*prov.*) as you have made your bed so must you lie on it.

pianificare *v.tr.* to plan.

pianificato *agg.* planned: *economia pianificata*, planned economy.

pianificatore *agg.* planning ♦ *s.m.* planner.

pianificazione *s.f.* planning: — *aziendale*, company planning.

pianista *s.m.* e *f.* pianist.

piano *agg.* **1** flat, level, even: *strada piana*, level road; *superficie piana*, even surface // *geometria piana*, plane geometry // *corsa piana*, flat race **2** (*chiaro*) clear, plain **3** (*semplice*) simple: *parole piane*, simple words // *messa piana*, low mass **4** (*gramm.*) paroxytone ♦ *avv.* **1** slowly, slow: *va' —*, go slowly! (*o* take it easy!) // *vacci —!*, (*fai attenzione*) be careful! // *pian —*, *pian pianino*, little by little // *chi va — va sano e va lontano*, (*prov.*) slow and steady wins the race **2** (*sommessamente*) softly, quietly // *fa' —*, don't make noise // *parlare —*, to speak in a low voice **3** (*mus.*) piano.

piano[1] *s.m.* **1** plane: *— inclinato*, (*geom.*) inclined plane // *il — del tavolo*, the top of the table // *— stradale*, roadway // *piani di coda*, (*aer.*) empennage; *— alare*, (*aer.*) plane (*o* wing area) // *essere sullo stesso —*, (*fig.*) to be on the same level // *mettere, porre due cose sullo stesso —*, (*fig.*) to consider two things equally important // *primo —*, (*arte*) foreground // (*fot. cinem. tv*) close up // *in primo —*, in the foreground // *un artista di primo —*, an artist of the first rank (*o* a first-rate artist); (*amer.*) a top-notch artist // *passare in secondo —*, to take a backseat **2** (*di casa*) floor, storey; (*di autobus*) deck: *il — superiore di un edificio*, the top storey (*o* floor) of a building; *— terreno*, *— terra*, *— rialzato*, ground floor; (*amer.*) first floor; *a due piani*, two-storied; *autobus a due piani*, double-decker; *primo —*, first floor; (*amer.*) second floor; *abito al terzo —*, I live on the third floor **3** (*pianura*) plain.

piano[2] *s.m.* (*progetto, schema*) plan, project: scheme: *non è il caso di fare piani nel futuro*, there's no point in making plans (*o* projects) for the future; *questo ha mandato a monte i miei piani*, this has upset all my plans; *— a lunga scadenza*, long-term plan (*o* project) // *— di battaglia*, plan for action // *— di lavoro*, (*programma*) programme // *— di studi*, syllabus // *— quinquennale*, five-year plan // *— regolatore*, town plan; town-planning scheme.

piano[3] *s.m.* (*fam.*) (*pianoforte*) piano.

pianoforte *s.m.* piano, pianoforte: *— a coda*, grand (piano); *— a mezza coda*, baby grand; *— verticale*, upright (piano).

pianola *s.f.* (*mus.*) pianola.

pianoro *s.m.* plateau, tableland.

pianoterra *s.m.* ground floor.

pianta *s.f.* **1** plant: *— acquatica*, aquatic plant; *— da fiore*, flowering plant; *— da frutto*, fruit-bearing plant **2** (*del piede, di scarpa*) sole **3** (*di edificio, podere ecc.*) plan; (*carta topografica*) map **4** *in — stabile*, on the permanent staff: *personale in — stabile*, permanent staff **5** *di sana —: inventare una storia di sana —*, to make up a story; *rifare qlco. di sana —*, to do sthg. anew (*o* all over again).

piantagione *s.f.* plantation.

piantagrane *s.m.* e *f.* (*fam.*) troublemaker.

piantana *s.f.* upright: *lampada a —*, standard lamp; (*amer.*) floor lamp.

piantare *v.tr.* **1** to plant **2** (*conficcare*) to stick*, to drive*, to plant: *— un chiodo nel muro*, to drive a nail into a wall; *— un palo per terra*, to plant a stake into the ground // *— una tenda*, to pitch a tent // *— gli occhi addosso a qlcu.*, to fix one's eyes on s.o. // *— una grana*, (*fam.*) to make trouble **3** (*collocare*) to place, to set*, to plant **4** (*fam.*) (*lasciare*) to quit, to leave*: *— a mezzo un lavoro*, to quit (*o* to leave) a job unfinished // *piantala!*, stop it! (*o* cut it out!); *piantala di fare doman-*

de!, stop asking me questions! // *— in asso qlcu.*, to leave s.o. in the lurch; (*un innamorato*) to leave s.o.; (*amer.*) to give s.o. the go-by // **-arsi** *v.rifl.* to plant oneself, to place oneself: *mi si piantò davanti*, he planted (*o* placed) himself in front of me ♦ *v.rifl.rec.* to leave* each other, to part: *si sono piantati*, they parted (*o* left each other) ♦ *v.intr.pron.* to stick*: *la freccia si piantò nel muro*, the arrow stuck in the wall.

piantato *agg.* **1** planted: *— a ciliegi*, planted with cherries **2** (*confitto*) driven **3** (*riferito alla corporatura*) sturdy, well-built: *una persona ben piantata*, a sturdy (*o* well-built) person.

piantatore *s.m.* planter.

pianterreno *s.m.* ground floor; (*amer.*) first floor: *a —*, on the ground floor.

pianto *s.m.* **1** weeping, crying **2** (*lacrime*) tears (*pl.*): *scoppiare in —*, to burst into tears **3** (*dolore*) grief; (*per lutto*) mourning.

piantonamento *s.m.* guarding.

piantonare *v.tr.* to (keep*) under guard.

piantone *s.m.* (*mil.*) soldier on guard // *essere di —*, to be on guard.

pianura *s.f.* plain: *in —*, on the plain.

piastra *s.f.* **1** plate **2** (*di serratura*) lock plate **3** (*moneta*) piastre.

piastrella *s.f.* tile: *pavimento a piastrelle*, tiled floor.

piastrellare *v.tr.* to tile.

piastrellista *s.m.* tiler.

piastrina *s.f.* (*mil.*) identity disk.

piattaforma *s.f.* platform; (*girevole*) revolving table, turntable: *— di tiro*, (*mil.*) firing base; *— di carico*, loading platform; *— di lancio*, (*di missile, razzo*) launch(ing) pad; *— per la ricerca petrolifera*, rig // *— continentale*, (*geol.*) continental shelf.

piattello *s.m.*: *tiro al —*, (*sport*) clay pigeon shooting.

piattina *s.f.* (*elettr.*) flat (electric) wire.

piatto *agg.* **1** flat **2** (*fig.*) flat, dull: *stile —*, flat style; *vita piatta*, dull (*o* uneventful) life ♦ *s.m.* **1** plate: *— da frutta*, dessert plate; *— fondo*, soup plate; *— grande*, *da portata*, dish; *asciugare i piatti*, to dry the dishes; *lavare i piatti*, to wash up; (*amer.*) to do the dishes **2** (*vivanda*) dish: *— caldo*, *freddo*, hot, cold dish; *— di carne*, dish of meat **3** (*portata*) course: *il — forte*, the main course; *primo*, *secondo —*, first, second course **4** (*della bilancia*) scale pan **5** (*del grammofono*) turntable **6** (*di una lama*) flat: *colpire di —*, to strike with the flat of one's sword **7** *pl.* (*mus.*) cymbals **8** (*alle carte*) jackpot.

piattola *s.f.* **1** crab louse (*pl.* crab lice) **2** (*fig.*) (*persona noiosa*) pain in the neck.

piazza *s.f.* **1** square // *mettere i propri affari in —*, to tell everybody one's business // *fare — pulita di qlco.*, *qlcu.*, to make a clean sweep of sthg., s.o.: *i ladri fecero — pulita*, the thieves stole everything // *scendere in —*, (*fare una dimostrazione*) to demonstrate; *manifestazione di —*, mass meeting // *— d'armi*, parade ground **2** (*posto*) place // *letto a una*, *due piazze*, single, double bed **3** (*comm.*) market // *fare la —*, to visit customers // *rovinare la — a qlcu.*, (*fig.*) to elbow in on s.o. **4** (*scherz.*) (*calvizie*) bald patch: *andare in —*, to go bald **5** (*piazzaforte*) fortress.

piazzaforte *s.f.* fortress, stronghold (*anche fig.*).

piazzaiolo *agg.* vulgar ♦ *s.m.* lout.

piazzale *s.m.* square.

piazzamento *s.m.* place.

piazzare *v.tr.* **1** (*comm.*) to place **2** (*collocare*) to set*, to put* // **-arsi** v.rifl. (sport) to be* placed: — al secondo posto, to be the runner up // si è piazzato bene, (fig.) he has a good position.

piazzata s.f. (street) row, (street) squabble // fare una —, to make a scene.

piazzato agg. 1 placed // essere ben —, to have a good position; (robusto) to be well-built 2 (alle corse dei cavalli) placed.

piazzista s.m. 1 salesman (pl. -men) 2 (viaggiatore di commercio) commercial traveller.

piazzola s.f. 1 (mil.) (per mortai) pit; (per cannone) emplacement 2 (di strada) lay-by 3 — (di partenza), (golf) tee.

picaresco agg. picaresque.

picca[1] s.f. 1 (arma) pike 2 pl. (nei giochi di carte) spades // contare come il fante di picche, to count for nothing // rispondere picche, to refuse flatly.

picca[2] s.f. (puntiglio) spite.

piccante agg. 1 sharp, piquant, strong; (con spezie) spicy 2 (fig.) (mordace, pungente) biting 3 (fig.) (licenzioso) spicy.

piccarsi v.intr.pron. 1 (pretendere) to claim; to pride oneself (on sthg., on doing) 2 (ostinarsi) to persist (in sthg., in doing) 3 (impermalirsi) to take* offence (at sthg.).

piccato agg. resentful, piqued.

picchè s.m. (tessuto) piqué.

picchettare v.tr. 1 to stake out 2 (neol.) to picket.

picchetto[1] s.m. 1 (paletto) stake peg 2 (mil.) picket: ufficiale di —, orderly officer; essere di —, to be on picket duty 3 (di scioperanti) picket.

picchetto[2] s.m. (gioco di carte) piquet.

picchiare v.tr. (percuotere) to hit*, to beat*, to strike*; (bastonare) to cudgel; (battere) to bang; (leggermente) to tap: — qlcu. di santa ragione, to give s.o. a good thrashing; — sodo qlcu., to thrash s.o. ♦ v.intr. 1 (battere) to beat* (against, on sthg.); (bussare) to knock (at sthg.); (con forza) to bang (on sthg.); (leggermente) to tap (on sthg.): — alla porta, to knock at the door 2 (urtare) to hit*: ho picchiato col gomito contro il tavolo, I hit my elbow against the table // — a tutti gli usci, to ask for help from all and sundry // — in testa, (di motore) to knock (o to ping o to pink) 3 (insistere) to insist 4 (aer.) to nosedive // **-arsi** v.rifl.rec. to come* to blows.

picchiata s.f. 1 (il picchiare) beating; thrashing 2 (aer.) nosedive: scendere in —, to nosedive.

picchiatello agg. nutty, pixilated: è un po' —, he is a bit touched ♦ s.m. loony, nut.

picchiatore s.m. (pugilato) puncher.

picchiettare v.tr. 1 (battere leggermente) to tap, to patter 2 (punteggiare) to spot, to speckle; (in arte) to stipple.

picchiettio s.m. tapping, pattering.

picchio s.m. woodpecker.

picchiotto s.m. knocker.

piccineria s.f. 1 (meschinità) meanness; (grettezza) narrow-mindedness 2 (azione meschina) mean trick.

piccino agg. 1 little; (per dimensione) small, tiny // farsi — —, to cower 2 (meschino) mean ♦ s.m. child (pl. children); little one.

picciolo s.m. stem.

piccionaia s.f. 1 dovecot // tirar sassi in —, (fig.) to throw a stone in one's own garden 2 (soffitta) loft 3 (loggione) gallery; (fam.) gods (pl.); (amer.) peanut gallery.

piccione s.m. pigeon, dove: — femmina, hen pigeon; — maschio, cock pigeon; — viaggiatore, carrier pigeon // prendere due piccioni con una fava, to kill two birds with one stone.

picco s.m. 1 peak, mountaintop // a —, perpendicularly: una costa a — sul mare, a sheer cliff above the sea // andare, colare, mandare a —, to sink 2 (mar.) peak, gaff.

piccolezza s.f. 1 smallness, littleness: la — di questa stanza, the small dimensions of this room 2 (meschinità) meanness 3 (inezia) trifle.

piccolo agg. 1 small; (spec. vezzeggiativo) little: a piccole dosi, in small doses // questa casa è (come) l'altra in —, this house is like the other on a smaller scale // nel proprio —, in one's own small way // farsi —, to cower 2 (di statura) short 3 (giovane) young: il figlio più —, the youngest son // da —, when a child // fare le ore piccole, to keep late hours 4 (di poca importanza) petty, slight; (meschino) mean; (limitato) narrow: piccola indisposizione, slight indisposition // per le piccole spese, for small (o minor) expenses 5 (breve) short: dopo un — intervallo, after a short interval ♦ s.m. child (pl. children); little one: i piccoli, the little ones; (di animali) the young.

piccone s.m. pick, pickaxe.

piccozza s.f. ice axe.

picrico agg. (chim.) picric.

pidocchieria s.f. 1 stinginess 2 (azione gretta) mean action.

pidocchio s.m. 1 louse (pl. lice): — delle piante, plant louse 2 (fig. volg.) niggard.

pidocchioso agg. 1 infested with lice 2 (spilorcio) stingy, mean, niggardly.

piè s.m. (poet.) foot (pl. feet) // il — veloce Achille, (the) swift-footed Achilles // saltare a — pari, to jump with one's feet together; (fig.) to skip // a ogni — sospinto, constantly.

pied-de-poule (franc.) s.m. hound's-tooth check.

piede s.m. 1 foot (pl. feet): avere i piedi piatti, dolci, to be flat-footed; avere mal di piedi, to have sore feet; schiacciare qlco. con un —, to stamp sthg. flat // — biforcuto, cloven hoof // sotto i piedi, underfoot: mettere sotto i piedi qlcu., (fig.) to trample on s.o. // sentirsi mancare la terra sotto i piedi, to feel lost // a piedi, on foot: corsa a piedi, footrace; andare a piedi, to walk; rimanere a piedi, (perdere il treno, l'autobus) to miss the train, the bus // a — libero, (sotto cauzione) on bail: imputato a — libero, summoned to appear // dalla testa ai piedi, from head to foot // in piedi, on one's feet: in piedi!, (comando) stand up!; stare in piedi, (anche fig.) to stand; posto in piedi, (a teatro ecc.) standing room; essere in piedi alle 5, (essere alzato) to be up at 5; è di nuovo in piedi, (dopo una malattia) he's on his feet again // prender —, to get a foothold // darsi la zappa sui piedi, to cut off one's nose (o to spite one's face) // fare qlco. coi piedi, to bungle sthg. // ragionare con i piedi, to reason like a fool // andare coi piedi di piombo, to proceed very cautiously // avere le ali ai piedi, to be fleet -footed // tenere il — in due staffe, to run with the hare and hunt with the hounds // togliti dai piedi!, get out of the way! (o clear out!) // mi è sempre tra i piedi, he is always in my way // non ci ho mai messo —, I have never set foot in the place // sui due piedi, on the spot // sul — di guerra, on a war footing // su un — di parità, on an equal footing 2 (fig.) (parte inferiore) foot (pl. feet) 3 (misura di lunghezza) foot (pl. feet) 4 (*metrica*) foot (*pl.* feet) **5** — *di porco*, (*leva per scassinare*) crowbar.

piedino *s.m.* (*di macchina per cucire*) pressure foot.

piedistallo *s.m.* pedestal (*anche fig.*).

piedritto *s.m.* (*arch.*) pier.

piega *s.f.* **1** fold; (*il segno della piega*) crease, wrinkle: *questa stoffa non prende la* —, this material does not crease // *messa in* —, set: *fare la messa in* —, to set; *farsi fare la messa in* —, to have one's hair set // *le cose stavano prendendo una brutta* —, *una* — *migliore*, things were taking a bad turn, a turn for the better // *quando gli dissi che lo avevano licenziato non fece una* —, when I told him he had been sacked, he did not turn a hair **2** (*fatta ad arte*) pleat; (*dei calzoni*) crease: *gonna a pieghe*, pleated skirt.

piegamento *s.m.* **1** (*il piegare*) folding, bending **2** (*flessione*) flexion.

piegare *v.tr.* **1** to fold (up) **2** (*flettere*) to bend* — *il capo*, to bend one's head; (*in segno di saluto e fig. sottomettersi*) to bow (one's head) **3** (*fig.*) (*domare, sottomettere*) to bend*, to subdue ♦ *v.intr.* **1** to bend*; (*voltare*) to turn **2** (*di nave, piegarsi su un fianco*) to heel over // **-arsi** *v.rifl.* **1** to bend*: — *sulle ginocchia*, to bend one's knees **2** (*cedere*) to yield, to give* in; (*sottomettersi*) to submit.

piegatrice *s.f.* (*tip.*) folder.

piegatura *s.f.* folding; (*curvatura*) bending.

pieghettare *v.tr.* to pleat.

pieghettato *agg.* pleated: *gonna pieghettata*, pleated skirt.

pieghettatura *s.f.* **1** pleating: — *a cannoni*, box pleating; — *a soleil*, sunburst pleating **2** (*pieghe*) pleats (*pl.*).

pieghevole *agg.* pliable, pliant, flexible; (*atto ad essere piegato*) folding ♦ *s.m.* folder.

Piemonte *no.pr.m.* Piedmont.

piemontese *agg. e s.m.* Piedmontese (*pl. invar.*).

piena *s.f.* **1** flood, spate **2** (*folla, ressa*) crowd **3** (*pienezza*) fullness.

pienamente *avv.* fully, completely, entirely.

pienezza *s.f.* fullness; (*culmine*) height.

pieno *agg.* **1** full: — *zeppo*, — *come un otre*, full up; *il treno era* — *zeppo*, the train was packed; *non parlare con la bocca piena*, don't speak with your mouth full // *giornata piena*, busy day // *essere* — *di lavoro*, to be up to one's eyes in work // — *di ogni ben di Dio*, blessed with everything // *a piena velocità*, at full (*o* top) speed // *a piene mani*, by handfuls; (*fig.*) liberally // *in* —, (*completamente*) completely (*o* entirely *o* fully); (*esattamente*) exactly; (*nel mezzo*) in the middle; *in* — *giorno*, in broad daylight; *in* — *inverno*, in the depths of winter; *in piena notte*, at dead of night; *in piena stagione*, at the height of the season; *in* — *viso*, full (*o* right) in the face // *nel* — *vigore delle forze*, at the height of one's powers // *fu promosso a pieni voti*, he passed with flying colours **2** (*non cavo internamente*) solid: *mattone* —, solid brick ♦ *s.m.* **1** (*colmo*) height, middle: *nel* — *della bellezza*, in the full bloom of one's beauty **2** (*ressa, folla*) crowd **3** (*carico completo*) (*di nave*) full cargo; (*di carro ecc.*) full load: *fare il* — (*di benzina*), to fill (it) up.

pienone *s.m.* (*a teatro ecc.*) full house.

pietà *s.f.* **1** pity, mercy, compassion: *fare qlco. per* —, to do sth. out of pity; *trattare qlcu. senza* —, to treat s.o. mercilessly (*o* pitilessly); *avere* — *di qlcu.*, to have pity on s.o.; *ho* — *di lui, mi fa* —, I'm sorry for him, he

moves me to compassion; *fare* —, to arouse pity; *chiedere, invocare* —, to cry for mercy // *per* —!, for pity's sake! (*o* for mercy's sake!) // *faceva* — *ai sassi*, it was enough to make the stones weep // *canta che fa* —, he is a hopeless singer **2** (*devozione*) piety **3** (*pitt. scult.*) Pietà.

pietanza *s.f.* **1** (main) course **2** (*piatto*) dish.

pietismo *s.m.* (*st. relig.*) Pietism; (*fig.*) pietism.

pietista *s.m. e f.* (*st. relig.*) Pietist; (*fig.*) pietist.

pietistico *agg.* pietistic(al).

pietosamente *avv.* pitifully.

pietoso *agg.* **1** (*misericordioso*) merciful, compassionate, pitiful **2** (*che desta compassione*) piteous, pitiable, pitiful: *essere in uno stato* —, to be in an awful state; *avere un aspetto* —, to look bad // *fare una figura pietosa*, to cut a bad figure.

pietra *s.f.* stone: — *angolare*, cornerstone; — *di confine*, landmark; — *di paragone*, (*anche fig.*) touchstone; — *focaia*, flint; — *dura*, semiprecious stone; — *preziosa*, precious stone; — *refrattaria*, firestone; — *tombale*, tombstone; *cava di* —, stone quarry (*o* stone pit); *lastra di* —, stone slab; (*per strade*) flagstone; *lavorazione della* —, stonedressing; *taglio della* —, stonecutting // — *filosofale*, philosophers' stone // — *infernale*, (*chim.*) silver nitrate // *cuore di* —, heart of stone // *mettere una* — *su qlco.*, to let bygones be bygones // *non lasciare* — *su* —, not to leave a stone standing // *posare la prima* —, to lay the foundation stone // *età* —, Stone Age.

pietraia *s.f.* (*cumulo di pietre*) heap of stones; (*terreno pietroso*) stony ground.

pietrificare *v.tr.* to petrify (*anche fig.*); (*sbalordire*) to stun // **-arsi** *v.intr.pron.* to petrify.

pietrificato *agg.* petrified (*anche fig.*); (*sbalordito*) stunned: *rimase* — *alla notizia, per la paura*, he was stunned by the news, petrified with fear; *rimase* — *alla vista della rivoltella*, he froze at the sight of the revolver.

pietrina *s.f.* (*per accenditori*) flint.

pietrisco *s.m.* rubble.

Pietro *no.pr.m.* Peter.

pietroso *agg.* ston(e)y.

pievano *s.m.* parish priest.

pieve *s.f.* **1** (country) parish **2** (*chiesa parrocchiale*) parish church.

pifferaio *s.m.* fifer, piper.

piffero *s.m.* fife, pipe.

pigiama *s.m.* pyjamas (*pl.*): *due pigiama*, two pairs of pyjamas.

pigia pigia *s.m.* awful crush.

pigiare *v.tr.* to press; (*stipare*) to cram; (*comprimere*) to squeeze: *pigiati come sardine*, packed like sardines; — *l'uva*, (*coi piedi*) to tread grapes.

pigiatrice *s.f.* winepress.

pigiatura *s.f.* pressing.

pigionante *s.m. e f.* tenant.

pigione *s.f.* rent: *stare a* — *presso...*, to lodge with...; *tenere a* —, to let rooms to.

pigliare *v.tr.* → **prendere**.

piglio[1] *s.m.* holding, catching: *dar di* — *a qlco.*, to grab sthg.

piglio[2] *s.m.* look.

Pigmalione *no.pr.m.* Pygmalion.

pigmentazione *s.f.* pigmentation.

pigmento *s.m.* pigment.

pigmeo *agg. e s.m.* pygmy, pigmy.

pigna *s.f.* **1** pinecone; (*di abete*) fircone **2** (*arch.*) crown, vertex.

pignatta *s.f.* pot.

pignoleria *s.f.* fussiness, finickiness.

pignolo *agg.* fussy, particular ♦ *s.m.* fuss pot.

pignone *s.m.* **1** (*argine*) embankment **2** (*mecc.*) pinion (gear).

pignoramento *s.m.* (*dir.*) attachment, distraint.

pignorare *v.tr.* (*dir.*) to attach, to distrain.

pigolare *v.intr.* to peep, to cheep.

pigolio *s.m.* peeping, cheeping.

pigrizia *s.f.* laziness, sloth, sluggishness.

pigro *agg.* **1** lazy, indolent, slothful, sluggish **2** (*lento*) sluggish: *intelletto* —, dull mind.

pila[1] *s.f.* **1** pile, heap **2** (*elettr.*) battery, cell, pile: — *a secco*, dry battery; — *di ricambio*, refill; *la* — *è scarica*, the battery is flat; *funziona a pile*, it works on (*o* off) batteries **3** (*pilastro di ponte*) pier.

pila[2] *s.f.* (*vasca di pietra*) stone vessel; (*acquasantiera*) holy water stoup.

pilare *v.tr.* (*riso*) to husk.

pilastro *s.m.* column (*anche fig.*), pillar (*anche fig.*), pier, pilaster.

Pilato *no.pr.m.* (*st.*) Pilate // *mandare qlcu. da Erode a* —, to drive s.o. from pillar to post.

pilatura *s.f.* (*del riso*) husking.

pilifero *agg.* piliferous.

pillacchera *s.f.* splash (of mud).

pillola *s.f.* pill (*anche fig.*).

pilone *s.m.* pillar; (*di ponte*) pier; (*di linee elettriche*) pylon.

pilorico *agg.* (*anat.*) pyloric.

piloro *s.m.* (*anat.*) pylorus (*pl.* pylori).

pilota *s.m.* pilot; (*di automezzo*) driver // *pesce* —, pilot fish.

pilotaggio *s.m.* pilotage.

pilotare *v.tr.* to pilot; (*automezzo*) to drive*.

piluccare *v.tr.* to pick, to nibble (at sthg.): *smetti di* —, stop picking (at) the food.

pimento *s.m.* (*bot.*) pimento.

pimpante *agg.* (*fam.*) elated.

pinacoteca *s.f.* picture gallery, pinacotheca.

pinastro *s.m.* (*bot.*) pinaster.

pince (*franc.*) *s.f.* (*sartoria*) dart.

pindarico *agg.* Pindaric.

Pindaro *no.pr.m.* (*st.lett.*) Pindar.

pineale *agg.*: *glandola* —, (*anat.*) pineal gland.

pineta *s.f.* pinewood, pinery.

ping-pong *s.m.* ping-pong, table tennis.

pingue *agg.* **1** fat, corpulent: *diventare* —, to put on fat **2** (*abbondante*) rich (*anche fig.*).

pinguedine *s.f.* fatness, corpulence, obesity.

pinguino *s.m.* penguin.

pinna[1] *s.f.* fin; (*per nuotare*) flipper.

pinna[2] *s.f.* (*mollusco marino*) pinna.

pinnacolo *s.m.* pinnacle.

pino *s.m.* pine(tree): *ago di* —, pine needle.

pinolo *s.m.* pine seed, pignolia.

pinta *s.f.* pint.

pinza *s.f.* **1** pliers (*pl.*), pincers (*pl.*); (*molto piccola*) tweezers (*pl.*) // — (*obliteratrice*), (*per perforare tessere ecc.*) punch **2** (*chir.*) forceps (*pl. invar.*) **3** *pl.* (*chele*) pincers.

pinzare *v.tr.* **1** to sting* **2** (*unire con graffette*) to staple.

pinzatrice *s.f.* stapler.

pinzetta *s.f.* tweezers (*pl.*).

pio *agg.* **1** pious, devout, religious // *un* — *desiderio*, (*scherz.*) a distant hope // *.luoghi pii*, holy places · **2** (*benefico*) charitable: *opera pia*, charitable institution.

Pio *no.pr.m.* Pius.

pioggia *s.f.* rain (*anche fig.*): *una* — *a dirotto*, heavy rain(fall) (*o* a downpour); — *fine*, *pioggerella*, drizzling rain (*o* drizzle); — *scrosciante*, driving (*o* pelting) rain; *una goccia di* —, a raindrop; *scroscio di* —, shower (of rain); *sotto la* —, in the rain; *prima di arrivare fummo sorpresi dalla* —, we were caught in the rain before arriving // *minaccia* —, it looks like rain // *e giù* —*!*, it never stops raining // *fare la* — *e il bel tempo*, (*fig.*) to lay down the low (*o* to come the heavy) // *le grandi piogge*, the rains // *stagione delle piogge*, rainy season (*o* rains).

piolo *s.m.* peg; (*di scala*) rung: *scala a pioli*, ladder // *dritto come un* —, as stiff as a ramrod.

piombaggine *s.f.* (*min.*) plumbago.

piombare[1] *v.intr.* **1** to fall* (heavily) // — *nella miseria*, to fall (*o* to be plunged) into poverty · **2** (*buttarsi*) (*spec. di uccelli*) to pounce, to assault (s.o., sthg.), to assail (s.o., sthg.) **3** (*precipitarsi*) to rush; (*giungere inaspettatamente*) to come* unexpectedly.

piombare[2] *v.tr.* **1** to plumb, to seal with lead **2** (*rivestire di piombo*) to cover with lead; (*un dente*) to stop.

piombatura *s.f.* **1** sealing, leading **2** (*di dente*) stop.

piombifero *agg.* plumbiferous.

piombino *s.m.* **1** (*edil.*) plumb, plummet **2** (*sigillo di piombo*) leaden seal **3** (*per reti da pesca*) plummet, plumb, lead **4** (*sartoria*) lead.

piombo *s.m.* **1** lead // *a*, *in* —, perpendicularly; *il sole era a* — *sulla nostra testa*, the sun was beating straight down on our heads; *non essere a* —, to be out of plumb // *un cielo di* —, a leaden sky // *sonno di* —, heavy sleep // *cadere di* —, to fall plumb **2** (*sigillo*) (leaden) seal **3** (*palle di fucile*) bullets (*pl.*); (*pallini da caccia*) shot **4** (*tip.*) lead.

pioniere *s.m.* pioneer.

pionierismo *s.m.* **1** pioneering **2** (*spirito audace*) pioneering spirit.

pio pio *onom.* peep.

pioppaia *s.f.*, **pioppeto** *s.m.* poplar grove.

pioppicoltura *s.f.* poplar growing.

pioppo *s.m.* poplar: — *bianco*, white poplar (*o* abele); — *tremolo*, aspen.

piorrea *s.f.* (*med.*) pyorrhoea.

piovano *agg.* rain (*attr.*).

piovasco *s.m.* shower.

piovere *v.intr.* **1** *impers.* to rain: *oggi vuol* —, *sembra voglia* —, it looks like rain today; *piove forte*, it is lashing; — *a dirotto*, *a catinelle*, to rain cats and dogs // *ci piove in casa*, our roof leaks (*o* lets the rain in) **2** (*fig.*) to rain (upon s.o., sthg.) (*anche fig.*), to pour (*anche fig.*): *piovevano inviti da tutte le parti*, invitations poured in from all sides.

piovigginare *v.intr.impers.* to drizzle.

piovigginoso *agg.* drizzly, rainy.

piovosità *s.f.* rainfall.

piovoso *agg.* rainy.

piovra *s.f.* (giant) squid.

pipa *s.f.* pipe: — *di radica*, briar pipe.

pipare *v.intr.* to smoke a pipe.

pipata *s.f.* pipe: *facciamo una* —, let's have a pipe.

pipì *s.f.* piddle: *fare* —, to piddle (*o* to pee).

pipistrello *s.m.* **1** bat **2** (*pastrano*) inverness.

pipita *s.f.* hangnail.

pira *s.f.* pyre.

piramidale *agg.* **1** pyramidal **2** (*enorme*) huge, enormous.

piramide *s.f.* pyramid // *a* (*forma di*) —, pyramidically (*avv.*); pyramid-shaped (*o* pyramid-like) (*agg.*) // — *d'erosione*, earth pillar.

pirata *s.m.* pirate: *nave* —, pirate ship // — *della strada*, hit-and-run driver // *edizione pirata*, piratical edition.

pirateria *s.f.* piracy.

piratesco *agg.* piratic(al).

pirenaico *agg.* Pyrenean.

Pirenei, i *no.pr.m.pl.* the Pyrenees.

Pireo *no.pr.m.* Piraeus.

pirico *agg.*: *polvere pirica*, gunpowder.

pirite *s.f.* (*min.*) pyrite(s).

piroetta *s.f.* pirouette.

piroettare *v.intr.* to pirouette.

pirofila *s.f.* Pyrex ®.

pirofilo *agg.* fire-resistant.

piroga *s.f.* pirogue, piragua.

piromane *s.m.* pyromaniac.

piromania *s.f.* pyromania.

piroscafo *s.m.* steamer, steamship: — *di linea*, liner.

piroscissione *s.f.* (*chim.*) pyrolysis.

pirotecnica *s.f.* pyrotechnics, pyrotechny.

pirotecnico *agg.* pyrotechnic, firework (*attr.*): *fuochi pirotecnici*, fireworks; *spettacolo* —, firework display (*o* fireworks) ♦ *s.m.* pyrotechnist.

piscatorio *agg.* piscatory // *anello* —, (*eccl.*) piscatory ring.

piscia *s.f.* (*volg.*) piss; (*di animali*) stale.

pisciare *v.intr.* (*volg.*) to piss; (*di animali*) to stale.

pisciatoio *s.m.* (public) urinal.

piscicoltura *s.f.* pisciculture.

piscina *s.f.* swimming pool.

pisello *s.m.* (green) pea: *verde* —, pea green.

pisolare *v.intr.* to snooze, to doze.

pisolo, pisolino *s.m.* nap, snooze, doze; (*fam.*) forty winks (*pl.*): *fare un pisolino*, to take a nap (*o* forty winks).

pispola *s.f.* (*zool.*) titlark, pipit.

pisside *s.f.* (*eccl.*) pyx.

pista *s.f.* **1** (*orma*) footprint, footstep; (*traccia*) track; (*di animale*) trail, track: *essere sulle piste di qlcu.*, to be on s.o.'s track; *non perdere le piste di qlcu.*, to keep track of s.o. **2** (*corsia*) track: — *per ciclisti*, cycle track **3** (*informatica*) track; (*di nastro magnetico*) channel: — *di lettura*, reading track; — *di nastro*, tape track; — *di scorrimento scheda*, card bed; — *di sincronizzazione*, clock track; — *di trascinamento scheda*, card track **4** (*sport*) track; (*di corse equestri*) racecourse: — *per corse di automobili*, motor-racing track; — *per corse di bicicletta*, cycling track; *giro di* —, lap *—!*, *—!*, watch out! **5** (*aer.*) runway, strip: — *d'emergenza*, airstrip; — *di lancio*, runway (*o* strip) **6** (*di circo*) ring **7** (*da ballo*) dance floor.

pistacchio *s.m.* pistachio // *color* —, pistachio.

pistillo *s.m.* (*bot.*) pistil.

pistola *s.f.* pistol: — *a tamburo*, revolver; *colpo di* —, pistol shot; — *per verniciatura a spruzzo*, spray gun.

pistolero *s.m.* gunman (*pl.* -men).

pistolettata *s.f.* pistol shot.

pistone *s.m.* **1** (*mecc.*) piston **2** (*di strumenti a fiato*) piston.

Pitagora *no.pr.m.* (*st. fil.*) Pythagoras.

pitagorico *agg.* Pythagorean.

pitale *s.m.* chamber pot; (*fam.*) potty.

pitecantropo *s.m.* pithecanthropus (*pl.* -i).

pitoccheria *s.f.* **1** beggarly action; mean action **2** (*l'esser pitocco*) stinginess.

pitocco *s.m.* **1** (*mendicante*) beggar **2** (*spilorcio*) stingy person, mean person.

pitone *s.m.* python.

pitonessa *s.f.* fortune-teller.

pittima *s.f.* pain in the neck, bore.

pittore *s.m.* painter.

pittoresco *agg.* picturesque.

pittorico *agg.* pictorial.

pittura *s.f.* **1** (*l'arte del dipingere*) painting **2** (*dipinto*) picture, painting: — *a olio*, oil painting **3** (*fig.*) (*descrizione*) picture, description **4** (*vernice*) paint: — *fresca*, wet paint.

pitturare *v.tr.* to paint: — *di rosso*, to paint in red // **-arsi** *v.rifl.* (*fam.*) to make* up.

pituitario *agg.* (*anat.*) pituitary.

più *avv.* **1** (*nel compar. di maggioranza*) more; ...er: *difficile*, more difficult; *è* — *alto*, — *grosso di me*, he is taller, bigger than I am; — *facile*, easier; — *intelligente*, cleverer; — *stretto*, narrower; — *velocemente*, more quickly (*o* faster); *è* — *gentile di quanto pensassi*, he is kinder than I thought; *studia* — *di quanto studiasse prima*, he studies more than he did before; *lavoro* (*molto*) — *di lui*, I work (much) more than he (does); — *di così non posso fare*, I cannot do more than this; *ha* — *di vent'anni*, he is more than twenty; *ha tre anni* — *di me*, he is three years older than I am // *due volte* — *grande di...*, twice as large as... // *sempre* — *difficile*, more and more difficult; *sempre* — *buio*, darker and darker // (*quanto*) —...(*tanto* —), the more...the more: (*quanto*) — *lo guardo* (*tanto*) — *mi piace*, the more I look at it the more I like it; (*quanto*) —...(*tanto*) *meno*, the more...the less // *era poco* — *di mezzanotte*, it was a little after midnight // *mille lire e non di* —, one thousand lire and no more; *mille lire o poco* —, one thousand lire or a little more **2** (*nel superl. rel.*) the most; the ...est; (*fra due*) the more; the...est: *è la* — *bella, la* — *carina*, she is the most beautiful, the prettiest; *è il* — *intelligente dei due fratelli*, he is the more intelligent (*o* the cleverer) of the two brothers; *è quello che lavora di* —, he is the one who works (the) most // *ciò che* — *importa*, the most important thing (*o* what is most important) **3** (*in frasi negative per indicare che un'azione o un fatto è cessato o cesserà*) no longer, not any longer, no more, not any more: *non farlo* —, don't do it any more; *non* — *giovane*, no longer young; *non lo vedrò* —, I shall never see him again // *non è* —, (*è morto*) he has passed away // *non* —!, never more! **4** (*mat.*) plus: *due* — *due fanno quattro*, two plus two is four (*o* two and two are four) // *la temperatura è* — *tre*, the temperature is three above zero // *c'era una differenza in* —, there was (something) more (*o* extra) **5** (*fraseologia*): — *che mai*, more than ever; *al* —, *tutt'al* —, at the most; *per di* —, moreover (*o* what's more); *per lo* —, → *perlopiù*; *tanto* — *che*, all the more so because; *a* — *non posso*, *il* — *possibile*, as much as possible (*o* as hard as one can); *niente di* —, nothing more; *credersi da* —, to have a high opinion of oneself; *fare il di* —, to show off ♦ *agg.* **1** more: *ha* — *amici di me*, he has more friends than I have; *vieni con* — *amici che puoi*, come with as many friends as possible **2** (*diversi*) several: — *volte*, several times ♦ *s.m.* **1** *il* — *è fatto*, most of it is done; *il* — *è incominciare*, the most important thing is to get started; *il* — *è che...*, the thing is that... // *passare nel* *numero dei* —, to pass away **2** (*mat.*): *il segno del* —, the plus sign **3** *i* —, most people ♦ *prep.* plus: *un milione* — *le spese*, one million plus expenses.

piuma *s.f.* feather; (*piumaggio*) plumage: *cuscino di* —, feather pillow // *essere una* —, to be as light as a feather // *peso* —, (*pugilato*) featherweight.

piumaggio *s.m.* plumage.

piumato *agg.* plumed.

piumino *s.m.* **1** (*di cigni, oche ecc.*) down **2** (*copriletto di piuma*) eiderdown **3** (*giaccone*) quilted jacket, blouson **4** (*per la cipria*) powder puff.

piumone ® *s.m.* duvet, continental quilt.

piuttosto *avv.* rather; (*fam.*) pretty: — *stanco*, rather (*o* somewhat) tired; — *di più che di meno*, rather more than less // *è* — *esperto in materia*, he is quite an expert in this field // — *ti presto io i soldi*, I would rather lend you the money myself // **piuttosto che** *locuz. cong.* rather than, sooner than: *sarebbe morto* — *che parlare*, he would rather (*o* sooner) have died than speak.

piva *s.f.* **1** (*mus.*) bagpipe // *tornare con le pive nel sacco*, to return empty-handed **2** *aver la* —, (*fam.*) to have a long face.

pivello *s.m.* greenhorn: *essere un* —, to be green.

piviale *s.m.* (*eccl.*) cope.

piviere *s.m.* (*zool.*) plover.

pizza *s.f.* **1** (*cuc.*) pizza **2** (*cinem.*) reel(-box).

pizzardone *s.m.* (*scherz.*) bobby.

pizzeria *s.f.* pizzeria, pizza shop, pizza house.

pizzicagnolo *s.m.* delicatessen seller.

pizzicare *v.tr.* **1** to pinch; (*con forza*) to nip **2** (*di insetti*) to bite* **3** (*di sostanza acre*) to burn* **4** (*fig.*) (*cogliere di sorpresa*) to catch*: *farsi* —, to get pinched **5** (*mus.*) to pluck ♦ *v.intr.* **1** (*prudere*) to itch: *mi sento tutto* —, I am itching all over **2** (*causare pizzicore*) to tickle.

pizzicato *s.m.* (*mus.*) pizzicato.

pizzicheria *s.f.* delicatessen shop.

pizzico *s.m.* **1** pinch **2** (*fig.*) little bit.

pizzicore *s.m.* itch (*anche fig.*).

pizzicotto *s.m.* pinch; (*forte*) nip.

pizzo *s.m.* **1** (*picco di montagna*) peak **2** (*barba*) pointed beard **3** (*merletto*) lace (*solo sing.*).

placabile *agg.* placable.

placare *v.tr.* **1** to appease **2** (*mitigare*) to soothe; (*diminuire*) to lessen // **-arsi** *v.intr.pron.* to calm down; (*diminuire*) to subside.

placca *s.f.* **1** plate; (*ornamentale*) plaque **2** (*med.*) spot.

placcare *v.tr.* **1** to plate: — *in oro*, to plate with gold **2** (*rugby*) to tackle.

placcato *agg.* plated.

placenta *s.f.* placenta (*pl.* placentae).

placidità *s.f.* placidity, calm.

placido *agg.* placid, calm, peaceful.

plafond *s.m.* (*di salari, pensioni*) ceiling: — *salariale*, wage ceiling.

plafoniera *s.f.* ceiling light.

plaga *s.f.* region, district.

plagiare *v.tr.* to plagiarize.

plagiario *s.m.* plagiarist.

plagio *s.m.* plagiarism.

planare *v.intr.* to glide down, to plane down.

planata *s.f.* (*aer.*) glide.

plancia *s.f.* bridge.

plancton *s.m.* (*biol.*) plankton.

planetario *agg.* planetary ♦ *s.m.* planetarium (*pl.* planetaria).

planimetria *s.f.* planimetry.

planimetrico *agg.* planimetric(al).

planisfero *s.m.* planisphere.

plantigrado *agg. e s.m.* plantigrade.

plasma *s.m.* plasma.

plasmabile *agg.* mouldable.

plasmare *v.tr.* to mould (*anche fig.*).

plasmodio *s.m.* (*biol.*) plasmodium.

plastica *s.f.* **1** plastic art; art of modelling **2** (*chir.*) plastic surgery; (*operazione*) plastic operation **3** (*materia*) plastic: *un sacchetto di* —, a plastic bag.

plasticare *v.tr.* to model.

plasticità *s.f.* plasticity.

plastico *agg.* plastic: *atteggiamento* —, statuesque pose; *le materie plastiche*, plastics ♦ *s.m.* **1** plastic model **2** (*carta topografica*) relief map **3** *bomba al* —, plastic bomb.

plastificare *v.tr.* (*chim. ind.*) to plasticize.

plastilina ® *s.f.* Plasticine ®.

platano *s.m.* plane (tree).

platea *s.f.* **1** (*teatr.*) (*anteriore*) stalls (*pl.*); (*posteriore*) pit: *poltrona di* —, stall; *poltroncina di* —, pit stall **2** (*arch.*): — *in calcestruzzo*, concrete bed.

plateale *agg.* low.

platina *s.f.* platen.

platinare *v.tr.* **1** to platinize **2** (*capelli*) to have* a platinum rinse.

platinato *agg.* **1** platinized, platinum plated **2** (*di capelli*) platinum-blonde.

platino *s.m.* platinum.

platirrine *s.f.pl.* (*zool.*) Platyrrhina.

Platone *no.pr.m.* (*st. fil.*) Plato.

platonico *agg.* Platonic // *s.m.* Platonist.

platonismo *s.m.* (*st. fil.*) Platonism.

plaudire *v.intr.* to applaud; (*fig.*) to approve.

plausibile *agg.* plausible.

plausibilità *s.f.* plausibility.

plauso *s.m.* applause; (*consenso*) praise.

plebaglia *s.f.* (*spreg.*) mob, plebs.

plebe *s.f.* **1** populace **2** (*st. romana*) plebs (*pl.* plebes).

plebeo *agg. e s.m.* plebeian.

plebiscitario *agg.* plebiscitary.

plebiscito *s.m.* plebiscite (*anche fig.*).

pleiade *s.f.* Pleiad.

plenario *agg.* plenary.

plenilunio *s.m.* full moon.

plenipotenziario *agg. e s.m.* plenipotentiary.

pleonasmo *s.m.* (*ret.*) pleonasm.

pleonastico *agg.* pleonastic.

plesso *s.m.* (*anat.*) plexus.

pletora *s.f.* (*med.*) plethora (*anche fig.*).

pletorico *agg.* (*med.*) plethoric; (*fig.*) superabundant.

plettro *s.m.* (*mus.*) plectrum (*pl.* plectra).

pleura *s.f.* (*anat.*) pleura (*pl.* pleurae).

pleurico *agg.* (*anat.*) pleural.

pleurite *s.f.* (*med.*) pleurisy.

pleuritico *agg.* pleuritic.

plico *s.m.* cover; (*sigillato*) sealed envelope // *in* — *separato*, (*comm.*) under separate cover.

plinto *s.m.* (*arch.*) plinth.

plissé (*franc.*) *agg.* pleated.

plotone *s.m.* (*mil.*) platoon // — *d'esecuzione*, firing squad.

plumbeo *agg.* leaden.

plurale agg. e s.m. plural // al —, in the plural.
pluralismo s.m. pluralism.
pluralista agg. e s.m. e f. pluralist.
pluralistico agg. pluralistic, pluralist.
pluralità s.f. plurality.
pluriaggravato agg. (dir.) with aggravating circumstances.
pluricellulare agg. (biol.) pluricellular.
pluridecorato agg. e s.m. much decorated (serviceman).
pluriennale agg. many year (attr.).
plurimo agg. multiple // voto —, (pol.) plural vote.
plurinominale agg. (pol.) plurinominal.
plurisecolare agg. many century (attr.).
plusvalore s.m. (econ.) surplus.
pluteo s.m. pluteus (pl. plutei).
plutocrate s.m. plutocrat.
plutocratico agg. plutocratic.
plutocrazia s.f. plutocracy.
plutonio s.m. (chim.) plutonium.
pluviometro s.m. rain gauge.
pneumatico agg. pneumatic // macchina pneumatica, (fis.) air pump ♦ s.m. tyre, tire: — cinturato, bias-belted tyre; — radiale, radial tyre.
pneumotorace s.m. (med.) pneumothorax.
po' agg. e pron. → **poco**.
pochezza s.f. insufficiency; (limitatezza) narrowness.
pochino agg.indef. not much; pl. not many: il pane è —, we have not much bread; gli studenti sono pochini, there are not many students ♦ pron.indef. very little; pl. very few; me ne hai dato —, you gave me very little (of it); me ne hai dati pochini, you gave me very few (of them) ♦ avv. very little: guadagna —, he earns very little // un pochino pron.indef. 1 a little, a bit 2 (riferito a tempo) a little: un — prima, a little before 3 (in espressioni ellittiche non temporali) a bit: spostati un —, move up a bit; parlane un — con tuo padre, talk it over with your father ♦ avv. a bit: sto un — meglio, I'm a bit better.
poco agg.indef. 1 little; pl. few: con poca, pochissima spesa, with little, very little (o almost no) expense; poca gente, few people; i pochi amici che ha, the few friends he has; mi rimane — tempo, I have little time left // non — coraggio, no little (o not a little) courage // è poca cosa, it's nothing (o it's a drop in the ocean) // pochi discorsi!, cut the chatter!; poche chiacchiere!, cut the cackle! // siamo (in) pochi a saperlo fare, few of us know how to do it 2 pl. (alcuni) a few: inviterò i miei genitori e pochi amici, I'll invite my parents and a few friends 3 (riferito a tempo) short: ho aspettato —, pochissimo tempo, I waited for a short, a very short time; — (tempo) fa, poc'anzi, a short time ago; da —, pochissimo (tempo), (poco fa) a short time ago; (tempo continuato) for a short time (o for a little while); di lì a — (tempo), shortly after (o after a while); fra —, very soon (o in a little while); a fra —, see you soon; in — tempo, in a short time; era partito da —, pochissimo (tempo), he had just left 4 (in espressioni ellittiche non temporali): cosa da —, a mere trifle (o a bagatelle); moneta da —, a small coin; costa —, (anche iron.) it's cheap; l'ho comprato per —, I bought it cheaply; un milione mi pare —, (troppo poco) a million seems too little to me; per — non cadevo, I nearly fell; ci vuol — a capire, it doesn't (o wouldn't) take much to understand; mi manca —, pochissimo a finire, I've nearly finished; c'è — pochissimo da qui a casa mia, my house is not far from here, is very near here // con quei pochi che ha, che guadagna, with

the little he has, he earns // questa minestra sa di —, this soup has little taste; quella ragazza sa di —, that girl is insipid (o colourless) ♦ pron.indef. 1 little; pl. few: «Hai del burro?» «Ne ho —, pochissimo», "Have you any butter?" "Only a little, very little"; pochi dicono ciò che pensano, few speak their minds; pochi di noi, few of us; tu, io e pochi altri, you, I and few others; rimane —, pochissimo da fare, there is little, very little left to do // c'è — da fare, da dire, there is nothing to do, to say; c'è — da ridere, da scherzare, there is nothing to laugh about, to joke about // è — dire che ha torto, it's not enough to say he is wrong; a dir —, to say the least // e ti par —?, does it seem nothing to you? (o do you think that's nothing?) // il che non è —, which is something // per — che abbia fatto, despite the little I did // non te la prendere per così —, don't worry for such a little thing 2 pl. (alcuni) a few: «Hai molti amici?» «Solo pochi», "Have you many friends?" "Only a few" ♦ avv. 1 (con agg. e avv. positivi; con p. pres., talvolta con p. pass. se usati come agg.) not very: — intelligente, not very bright; — conosciuto, not very well-known; — letto, little read; sto — bene, I'm not very well 2 (con agg. e avv. compar.) not much; little: è — più alto di me, he is not much taller than I am; è — più che un ragazzo, he is little more than a boy 3 (con p. pres. e verbi) little: il suo aiuto fu — apprezzato, his help was little appreciated; studia molto —, pochissimo, he studies very little; ci vede —, he can't see very well; il primato fu superato di —, the record was just beaten // me ne importa —, I don't care much; — importa se, it doesn't matter if // per — che si rifletta..., think a little (o a bit) and you will realize that... // o nulla, little or nothing // né punto né —, not at all // a — a —, little by little // un poco, un po' pron.indef. 1 a little, some; (con s.pl.) a few, some: un — di pane, a little (o some) bread; un po' di persone, a few (o some) people; un altro —, some (o a little) more; costa un po' di più, it costs (o is) a little more // che po' po' di mascalzone!, what a scoundrel!; che po' po' di sfacciataggine!, what cheek!; con quel po' po' di soldi che ha!, with all that he has! 2 (in espressioni di tempo): un po' (di tempo), a short time; un bel po' (di tempo), rather a long time (o quite a while); un altro po' (di tempo), a little longer; un po' (di tempo) prima, dopo, fa, a short time before, later, ago; da un po' (di tempo), some time ago; (riferito al pass.) some time before; (tempo continuato) for some time ♦ avv. 1 a bit: è un po' strano, it's a bit (o rather) strange // fa un po' ridere, (fam.) it gives you (a) laugh // s'è parlato un po' di questo e un po' di quello, we spoke about this and that 2 (enfatico): senti un po'!, look!; vediamo un po'!, let's see!; ma guarda un po'!, look what's happened (to me)!; guarda un po' che cosa hai combinato!, look what you've done!; dimmi un po' tu se non ho ragione, you tell me if I'm wrong (o I'm not right) // poco, po' s.m. 1 little: — o niente, little or nothing (o next to nothing); il — che ho è tuo, what little I have is yours // facciamo un po' per uno, let's share it 2 è un — di buono, he is no good; è una — di buono, she is loose.
podagra s.f. (med.) podagra.
podagroso agg. podagrous.
podere s.m. farm.
poderoso agg. powerful (anche fig.).
podestà s.m. (st.) podesta.
podio s.m. platform; (di direttore d'orchestra) podium.
podismo s.m. (sport) walking and running.
podista s.m. e f. (sport) walker and runner.

podistico *agg.* walking and running (*attr.*).

poema *s.m.* **1** (long) poem: — *sinfonico*, symphonic poem **2** (*iron.*) riot.

poesia *s.f.* **1** poetry **2** (*componimento poetico*) poem.

poeta *s.m.* poet.

poetare *v.intr.* to write* poems.

poetastro *s.m.* poetaster.

poetessa *s.f.* poetess.

poetica *s.f.* **1** poetics **2** (*concezione poetica*) poetic conception.

poeticità *s.f.* poeticality.

poetico *agg.* poetic(al).

poggiare[1] *v.intr.* **1** to rest; (*fig.*) to be* based **2** (*spostarsi*) to move.

poggiare[2] *v.intr.* (*mar.*) to bear* away, to keep* away from the wind.

poggiatesta *s.m.* headrest.

poggio *s.m.* hillock, hill.

poh *inter.* pooh!

poi *avv.* **1** then : *prima questo*, — *quello*, first this (one), then that (one) // *e* —?, and then (*o* what then)? **2** (*dopo di ciò*) afterwards: *spendendo tutto ora, non avremo più niente* —, spending everything now, we won't have anything left afterwards **3** (*più tardi*) later: *ci vedremo* —, *a* —, see you later **4** (*inoltre*) and then; (*in secondo luogo*) secondly: *e* —, *vedi, c'è dell'altro*, and then, you see, there is something else; *prima di tutto...*, — *...*, first of all..., secondly... **5** (*avversativo*) but: *io dico così, tu* — *fa' quello che vuoi*, that's what I say, but (*o* then) you can do what you like **6** (*enfatico, rafforzativo*): *ah, questa* — *non la sapevo!*, well, I must say I did not know this; *questo* — *no!*, oh no! I'm sorry; *questo* — *non lo dimenticherò*, this I shall certainly not forget; *questa* — *non gliela perdono*, but for this I won't forgive him; *perché* — *te la prendi così?*, why are you getting so het up about it then?; *che cosa ho fatto* — *di male?*, what harm did I do?; *io* — *che colpa ne ho?*, what fault is it of mine?; *io* — *non c'entro*, it's nothing to do with me; *e* — *si lamentano!*, and then they complain!; *sarà* — *vero?*, do you think it's really true?; *si va* —?, shall we go then?; *hai* — *deciso che cosa farai?*, have you finally decided what you're going to do?; *no e* — *no!*, no and no again!; *non è* — *così difficile*, after all it's not so difficult; *in quanto* — *ai suoi meriti...*, as for his merits...

poiana *s.f.* (*zool.*) buzzard.

poiché *cong.* **1** as, since: — *avevo sonno andai a letto*, as (*o* since) I was sleepy I went to bed **2** —, *poi che*, (*temporale*) after; (*non appena*) as soon as.

pois (*franc.*) *s.m.* polka dot: *abito a* —, polka-dot dress; *a* — *bianchi*, with white polka dots.

poker *s.m.* poker.

polacca *s.f.* **1** polonaise **2** (*stivaletto*) bootee.

polacco *agg.* Polish ♦ *s.m.* **1** Pole **2** (*lingua*) Polish.

polare *agg.* polar: *stella* —, pole star.

polarità *s.f.* polarity (*anche fig.*).

polarizzare *v.tr.* to polarize (*anche fig.*) // **-arsi** *v. intr.pron* (*fig.*) to be* focused (on sthg.).

polarizzatore *agg.* polarizing ♦ *s.m.* (*ott.*) polarizer.

polarizzazione *s.f.* polarization (*anche fig.*).

polca *s.f.* polka.

polemica *s.f.* polemic; (*controversia*) controversy: *essere in* — *con qlcu.*, to be in disagreement with s.o.

polemicità *s.f.* polemic spirit.

polemico *agg.* polemic(al).

polemista *s.m.* e *f.* polemist.

polemizzare *v.intr.* to polemize.

polena *s.f.* (*mar.*) figurehead.

polenta *s.f.* (*fig. fam.*) slowcoach.

polentina *s.f.* (*cataplasma*) poultice.

polentone *s.m.* slowcoach.

poli- *pref.* poly-.

poliambulatorio *s.m.* outpatients' department.

poliandria *s.f.* polyandry.

policlinico *s.m.* polyclinic.

policromatico *agg.* polychromatic.

policromia *s.f.* polychromy.

policromo *agg.* polychrome.

poliedrico *agg.* **1** (*geom.*) polyhedral **2** (*fig.*) versatile.

poliedro *s.m.* (*geom.*) polyhedron.

poliestere *s.m.* polyester.

polietilene *s.m.* (*chim.*) polyethylene.

polifonia *s.f.* (*mus.*) polyphony.

polifonico *agg.* (*mus.*) polyphonic.

poligamia *s.f.* polygamy.

poligamo *agg.* polygamous ♦ *s.m.* polygamist.

poliglotta, poliglotto *agg.* e *s.m.* polyglot.

poligonale *agg.* (*geom.*) polygonal.

poligono *s.m.* **1** (*geom.*) polygon **2** — (*di tiro*), (shooting) range.

poligrafare *v.tr.* (*tip.*) to hectograph.

poligrafia *s.f.* hectographic reproduction.

poligrafico *agg.* hectographic // *stabilimento* —, printing office ♦ *s.m.* (*operaio*) printer.

poligrafo *s.m.* **1** (*tip.*) hectograph **2** (*fig.*) (*scrittore versatile*) polygraph.

polimerizzazione *s.f.* (*chim.*) polymerization.

polimero *agg.* (*chim.*) polymeric ♦ *s.m.* (*chim.*) polymer.

polimetro *s.m.* (*letter.*) polymetric poem.

polimorfo *agg.* polymorphous.

Polinesia *no.pr.f.* Polynesia.

polinesiano *agg.* e *s.m.* Polynesian.

polinomio *s.m.* (*mat.*) polynomial.

polio(mielite) *s.f.* (*med.*) polio(myelitis).

poliomielitico *agg.* poliomyelitic ♦ *s.m.* polio victim.

polipo *s.m.* **1** polyp **2** (*med.*) polypus.

polisillabo *agg.* polysyllabic ♦ *s.m.* polysyllable.

polistirolo *s.m.* (*chim.*) polystyrene.

politecnico *agg.* e *s.m.* polytechnic.

politeismo *s.m.* polytheism.

politeista *s.m.* e *f.* polytheist ♦ *agg.* polytheistic.

politeistico *agg.* polytheistic.

politene *s.m.* (*chim.*) polythene.

politezza *s.f.* polish, finish.

politica *s.f.* **1** politics: — *estera, interna*, foreign, home politics; *darsi alla* —, to go into politics; *fare della* —, to engage in politics; *parlare di* —, to talk politics; *ritirarsi dalla* —, to retire from political life **2** (*linea di condotta*) policy (*anche fig.*): — *aziendale*, company policy; — *degli investimenti*, investment policy.

politicante *s.m.* petty politician.

politicizzare *v.tr.* to politicize.

politico *agg.* **1** political: — *-economico*, politico -economic; — *sociale*, politico-social; *uomo* —, politician // *delitto* —, political crime **2** (*fig.*) (*abile, sagace*) politic ♦ *s.m.* politician.

polito *agg.* (*letter.*) polished (*anche fig.*).

polittico *s.m.* polyptych.

polivalente *agg.* **1** (*chim.*) polyvalent **2** multivalent.

polivalenza *s.f.* polyvalence; (*informatica*) versatility.

polizia *s.f.* police: *agente di* —, policeman; *ufficio di* —, police station; *chiamare la* —, to call the police; — *giudiziaria*, (*in Inghilterra*) Criminal Investigation Department; (*negli USA*) Federal Bureau of Investigation; — *stradale*, traffic police; — *tributaria*, Excise and Revenue police; (*negli USA*) Internal Revenue Intelligence Service; — *scientifica*, scientific branch (of the police force).

poliziesco *agg.* police (*attr.*): *stato* —, police state // *romanzo* —, detective story (*o* thriller); *film* —, thriller.

poliziotto *s.m.* policeman (*pl.* -men) // *cane* —, police dog.

polizza *s.f.* **1** (*comm.*) policy: — *d'assicurazione*, insurance policy; — *d'assicurazione sulla vita*, life policy; — *nulla*, void policy; — *nominativa*, named (*o* special) policy; — *beneficiario della* —, policy holder // — *di carico*, bill of lading **2** (*del lotto*) lottery ticket **3** (*del Monte di Pietà*): — (*di pegno*), pawnticket.

polla *s.f.* spring (of water).

pollaio *s.m.* poultry pen, hen house.

pollaiolo *s.m.* poulterer.

pollame *s.m.* poultry.

pollastra, pollastrella *s.f.* pullet; (*fig.*) lass(ie).

pollastro *s.m.* **1** cockerel **2** (*fig. scherz.*) (*semplaciotto*) mug; (*amer.*) sucker.

polleria *s.f.* poulterer's (shop).

pollice *s.m.* **1** thumb // — *verso*, thumbs down **2** (*misura*) inch.

pollicoltore *s.m.* poultry farmer.

pollicoltura *s.f.* poultry farming.

polline *s.m.* pollen.

pollivendolo *s.m.* poulterer.

pollo *s.m.* **1** chicken: — *d'allevamento*, battery chicken; — *novello*, spring chicken; — *ruspante*, farm chicken; *allevamento di polli*, poultry farm // *andare a letto coi polli*, to go to bed very early // *è una cosa che farebbe ridere i polli*, it's enough to make a cat laugh // *conoscere i propri polli*, to know one's customers **2** (*fig.*) (*semplaciotto*) mug; (*amer.*) sucker: *ho trovato un — da spennare*, (*al gioco*) I have found a lamb to be fleeced.

pollone *s.m.* (*bot.*) sucker.

polmonare *agg.* pulmonary.

polmonaria *s.f.* (*bot.*) pulmonaria.

polmone *s.m.* lung: *respirare a pieni polmoni*, to breathe deeply // — *d'acciaio*, (*med.*) iron lung.

polmonite *s.f.* pneumonia.

polo[1] *s.m.* pole: — *nord, sud*, North, South Pole; — *artico, antartico*, Arctic, Antarctic Pole // *essere ai poli opposti*, to be poles asunder // *è il — economico di quella regione*, it is the pole of economic activity in that district.

polo[2] *s.m.* (*sport*) polo.

Polonia *no.pr.f.* Poland.

polpa *s.f.* **1** (*di frutto*) pulp **2** (*di carne*) lean meat, boned meat **3** (*fig.*) meat.

polpaccio *s.m.* calf.

polpastrello *s.m.* fingertip.

polpetta *s.f.* (*cuc.*) rissole: — *di carne*, meatball (*o* meat rissole); — *di pesce*, fishcake // *far polpette di qlcu.*, to beat s.o. to pulp.

polpettone *s.m.* **1** (*cuc.*) meat roll, meat loaf **2** (*fig.*) hash.

polpo *s.m.* (*zool.*) octopus.

polposo *agg.* pulpy.

polputo *agg.* fleshy.

polsino *s.m.* cuff, wristband.

polso *s.m.* **1** (*anat.*) wrist **2** (*pulsazione*) pulse: — *frequente*, quick (*o* rapid) pulse; *il malato ha il — debole*, the patient's pulse is weak (*o* low); *tastare il — a*

qlcu., to feel s.o.'s pulse **3** (*polsino*) cuff **4** (*fig.*) energy, firmness: *un uomo di* —, an energetic (*o* a firm) man; *essere di* —, to have backbone.

poltiglia *s.f.* **1** mush, pulp // *ridurre qlcu. in* —, to reduce s.o. to pulp **2** (*fanghiglia*) mud, mire; (*di neve sciolta*) slush.

poltrire *v.intr.* **1** to lie* lazily in bed **2** (*oziare*) to idle.

poltrona *s.f.* **1** easy chair: — *a rotelle*, wheelchair; — *bergère*, wing chair; — *letto*, chairbed **2** (*teatr.*) (orchestra) stall.

poltroncina *s.f.* (*teatr.*) pit-stall.

poltrone *s.m.* idler, sluggard; (*fam.*) lazybones.

poltroneria *s.f.* idleness, laziness, indolence.

polvere *s.f.* **1** dust: *levare, togliere, fare la* —, to dust // *gettar — negli occhi a qlcu.*, (*fig.*) to throw dust in s.o.'s eyes // *far mordere la — a qlcu.*, to make s.o. bite the dust **2** (*sostanza polverizzata*) powder: — *da sparo, pirica*, gunpowder; — *di carbone*, coal dust; — *d'oro*, gold dust // *in* —, powdered; *ridurre in* —, to reduce to a powder; (*fig.*) to destroy.

polveriera *s.f.* **1** (*mil.*) (powder) magazine **2** (*fig.*) powder keg.

polverificio *s.m.* powder factory.

polverizzabile *agg.* pulverizable.

polverizzare *v.tr.* to pulverize (*anche fig.*).

polverizzatore *s.m.* pulverizer, atomizer.

polverizzazione *s.f.* pulverization.

polverone *s.m.* great cloud of dust // *sollevare un* —, (*fig.*) to raise hell.

polveroso *agg.* dusty.

pomata *s.f.* **1** salve, ointment **2** (*per capelli*) pomade.

pomellato *agg.* dapple(d): *grigio* —, dapple-grey.

pomello *s.m.* **1** (*della guancia*) cheek **2** (*di maniglia, leva*) knob, ball-grip.

pomeridiano *agg.* **1** afternoon (*attr.*) **2** (*di ore*) p.m. (post meridiem): *il treno parte alle 3 pomeridiane*, the train leaves at 3 p.m.

pomeriggio *s.m.* afternoon: *nel, di* —, in the afternoon.

pomice *s.f.* pumice (stone).

pomicoltura *s.f.* pomology, fruit growing.

pomo *s.m.* **1** (*albero*) apple tree; (*frutto*) apple // *il — della discordia*, the apple of discord **2** (*di bastone*) head; (*di spada*) pommel.

pomodoro *s.m.* tomato.

pompa[1] *s.f.* **1** (*fasto*) pomp // *in — magna*, in great style // *impresa di pompe funebri*, undertaker's (business) **2** (*ostentazione*) display, ostentation // *far — di sé*, to show off.

pompa[2] *s.f.* (*mecc.*) pump: — *antincendio*, fire engine; — *della benzina*, petrol pump; — *da bicicletta*, bicycle pump; — *aspirante*, suction pump.

pompaggio *s.m.* (*idraulica*) pumping.

pompare *v.tr.* **1** to pump (up) **2** (*fig.*) to puff, to blow* up.

pompeiano *agg.* (*di Pompei*) Pompeian.

pompelmo *s.m.* (*bot.*) grapefruit.

pompiere *s.m.* fireman (*pl.* -men): *il corpo dei pompieri*, the fire brigade.

pomposità *s.f.* pomposity, pompousness.

pomposo *agg.* pompous.

ponce *s.m.* punch: — *al rum*, rum punch.

ponderabile *agg.* ponderable.

ponderabilità *s.f.* ponderability.

ponderare *v.tr.* e *intr.* to ponder, to consider.

ponderatamente *avv.* after reflection, after careful meditation.

ponderatezza *s.f.* reflection, deliberation.

ponderato *agg.* (*di cosa*) pondered, considered; (*di persona*) circumspect.

ponderazione *s.f.* (*il ponderare*) pondering; (*riflessione*) reflection, consideration.

ponderoso *agg.* ponderous.

ponente *s.m.* **1** west: *a — di*, (to the) west of **2** (*vento*) west wind.

ponfo *s.m.* swelling.

ponte *s.m.* **1** bridge: *— della ferrovia*, railway bridge; *— di chiatte*, pontoon bridge; *— girevole*, revolving (*o* swing) bridge; *— levatoio*, drawbridge; *— sospeso*, suspension bridge // *— aereo*, air lift // *— radio*, radio link // *testa di —*, (mil.) bridgehead // *rompere, tagliare i ponti con qlcu.*, to break it off with s.o. // *fare il —*, (*fra due giorni di vacanza*) to have a long weekend; (*ginnastica*) to make a bridge **2** (*impalcatura per muratori*) scaffold **3** (*mar.*) deck: *— di comando*, (fore)bridge; *— di coperta*, main (*o* upper) deck; *— di manovra*, hurricane bridge; *— di stiva*, lower deck; *a tre ponti*, three-decker; *sul —*, on deck // *tutti sul —!*, all hands on deck! **4** (*elettr.*) bridge **5** (*odontoiatria*) bridge **6** (*di auto*) axle; (*di autofficina*) hoist, auto-lift.

pontefice *s.m.* **1** (*eccl.*) pontiff: *il Sommo Pontefice*, sovereign pontiff **2** (*st. romana*) pontifex (*pl.* pontifices).

ponteggio *s.m.* (*edil.*) scaffolding.

ponticello *s.m.* (*di strumento a corde*) bridge.

pontiere *s.m.* (*mil.*) pontonier, pontoneer.

pontificale *agg.* e *s.m.* pontifical.

pontificare *v.intr.* to pontificate.

pontificato *s.m.* pontificate.

pontificio *agg.* papal.

pontile *s.m.* wharf, pier: *— da sbarco*, landing wharf; *— di scarico*, unloading wharf.

pontino *agg.* Pontine.

pontone *s.m.* pontoon.

pope *s.m.* (*eccl.*) pope.

popeline (*franc.*) *s.m.* (*tessuto*) poplin.

popolaccio *s.m.* populace, mob.

popolamento *s.m.* population.

popolana *s.f.* common woman.

popolano *agg.* of the (common) people ♦ *s.m.* man of the people // *i popolani*, the common people.

popolare[1] *v.tr.* to populate, to people (*anche fig.*) // **-arsi** *v.intr.pron.* to become* populated.

popolare[2] *agg.* **1** popular: *casa —*, council house; *quartiere —*, working-class neighbourhood; *rendere —*, to popularize **2** (*tradizionale del popolo*) folk (*attr.*): *canto —*, folk song.

popolareggiante *agg.* popularizing.

popolaresco *agg.* folk-like.

popolarità *s.f.* popularity.

popolarizzare *v.tr.* to popularize.

popolato *agg.* **1** populated **2** (*affollato*) crowded.

popolazione *s.f.* **1** population: *la — è di 200.000 abitanti*, the population is 200,000 **2** (*popolo, nazione*) people.

popolino *s.m.* common people.

popolo *s.m.* **1** people (*nell'uso fam. può avere la s del pl.*); (*folla*) crowd; (*popolino*) lower classes (*pl.*): *i pregiudizi del —*, popular prejudices; *sobillatori del —*, agitators; *tra il compianto del —*, lamented by the people // *venir* (*su*) *dal —*, to come of humble origins // *— grasso*, rich bourgeoisie // *a grida di —*, by public acclamation **2** (*nazione*) nation, people; (*razza*) people, race.

popoloso *agg.* populous.

popone *s.m.* (*bot.*) watermelon.

poppa[1] *s.f.* (*mar.*) stern: *da — a prua*, fore and aft; *vento in —*, aft (*o* stern) wind.

poppa[2] *s.f.* (*anat.*) breast; (*di animale*) dug.

poppante *agg.* sucking ♦ *s.m.* suckling.

poppare *v.tr.* to suck.

poppata *s.f.* **1** (*atto del poppare*) suck: *l'ora della —*, feed-time **2** (*quantità di latte poppato*) feed.

poppatoio *s.m.* (*bottiglia*) (feeding) bottle.

poppavia, a *locuz.avv.* (*mar.*) abaft.

populismo *s.m.* populism.

populista *s.m.* e *f.* populist.

porca *s.f.* (*agr.*) ridge.

porcaio[1] *s.m.* (*luogo sporco*) pigsty (*anche fig.*).

porcaio[2], **porcaro** *s.m.* **1** (*guardiano*) swineherd **2** (*mercante*) pig dealer.

porcellana *s.f.* **1** china: *tazza di —*, china cup **2** (*oggetti*) china (ware) (*solo sing.*).

porcellanato *agg.* glazed.

porcellino *s.m.* **1** piglet // *— d'India*, guinea pig **2** (*bambino sporco*) little pig.

porcello *s.m.* pig.

porcheria *s.f.* **1** (*roba sporca*) dirt, filth **2** (*atto indecente*) filthy act; (*detto indecente*) filthy word: *dire delle porcherie*, to talk filth **3** (*cibo, cosa ripugnante*) disgusting stuff **4** (*opera malfatta*) rubbish, trash.

porcile *s.m.* pigsty (*anche fig.*).

porcino *agg.* porcine; pig (*attr.*) // *dagli occhi porcini*, pig-eyed ♦ *s.m.* (*fungo*) boletus.

porco *s.m.* pig; swine (*pl. invar.*); (*cuc.*) pork: *— selvatico*, wild boar; *guardiano di porci*, swineherd // *mangiare come un —*, to eat like a pig.

porcospino *s.m.* (*istrice*) porcupine; (*riccio*) hedgehog (*anche fig.*).

porfido *s.m.* (*min.*) porphyry.

porgere *v.tr.* **1** (*offrire*) to offer; (*dare*) to give*; (*con le mani*) to hand // *— aiuto*, to help // *— ascolto, orecchio a qlcu.*, to listen to s.o. // *— la guancia*, to offer one's cheek **2** (*pronunciare, esporre*) to present.

pornografia *s.f.* pornography.

pornografico *agg.* pornographic.

pornografo *s.m.* pornographer.

poro *s.m.* pore.

porosità *s.f.* porosity.

poroso *agg.* porous.

porpora *s.f.* purple: *rosso —*, purple red.

porporato *agg.* clothed in purple ♦ *s.m.* Cardinal.

porporina *s.f.* (*chim.*) purpurin.

porporino *agg.* purple.

porre *v.tr.* **1** to put*; (*collocare, disporre*) to place, to set*; (*posare, deporre*) to lay* (down), to put* (down) // *— fine a qlco.*, to put an end to sthg. // *— fiducia, speranza in qlcu.*, to place one's trust, one's hopes in s.o. // *— freno a qlco.*, to curb sthg. // *— mano a qlco.*, to begin sthg. // *— rimedio*, to put right // *— in dubbio*, to doubt // *— in evidenza*, to emphasize // *— qlco. in disparte*, to put sthg. aside // *— un nome a qlcu.*, to give a name to s.o. // *— senza por tempo in mezzo*, without delay **2** (*sottoporre, presentare*) to put*: *— una domanda a qlcu.*, to put a question to s.o. // *— la candidatura*, to propose as a candidate // *— ai voti*, to put to the vote **3** (*supporre*) to suppose: *poni che non possa venire*, suppose I can't come // *poniamo il caso che...*, suppose that... **4** (*coltivare*) to plant // **porsi** *v.rifl.* **1** to put* oneself; (*collocarsi, disporsi*) to place oneself, to set* oneself: *— a sedere*, to sit down **2** (*accingersi*) to set* about (sthg., doing) // **posto che** *locuz.cong.* (*dato che*) since; (*ammesso che*) supposing (that), assuming (that).

porro *s.m.* **1** (*bot.*) leek **2** (*escrescenza*) wart.

porta *s.f.* **1** door: — *a vetri*, glass door; — *blindata*, safety door; — *girevole*, revolving door; — *principale*, front door; — *secondaria, di servizio*, back door; *accompagnare qlcu. alla* —, to see (*o* to show) s.o. to the door; *abitare* — *a* — *con qlcu.*, to live next door to s.o. // *porte stagne*, (*mar.*) watertight doors // *a porte chiuse*, (*dir.*) in camera: *il processo fu tenuto a porte chiuse*, the case was heard in camera // *sistema della* — *aperta*, (*econ.*) open-door system // *mettere qlcu. alla* —, to turn s.o. out; *quella è la* —!, get out of here! // *prendere la* —, to make for the door // *chiudere la* — *in faccia a qlcu.*, to shut the door in s.o.'s face (*anche fig.*) // *sfondare una* —*aperta*, (*fig.*) to flog a dead horse // **2** (*di città, di mura ecc.*) gate // *le porte dell'inferno*, the gates of Hell // *il nemico era alle porte*, the enemy were at the gates // *l'inverno è alle porte*, winter is almost here // *vive fuori* —, he lives just outside the town **3** (*calcio*) goal: *tirare in* —, to shoot at goal.

portabagagli *s.m.* **1** (*di treno, autobus ecc.*) luggage rack **2** (*di automobili ecc.*) boot; (*sul tetto*) roof rack **3** (*facchino*) porter.

portabandiera *agg.* e *s.m.* flagbearer.

portabiti *s.m.* clothes stand.

portacarte *s.m.* paper holder.

portacatino *s.m.* washstand.

portacenere *s.m.* ashtray.

portachiavi *s.m.* key holder, key case.

portacipria *s.m.* compact.

portadischi *s.m.* **1** record holder; (*a rastrelliera*) record rack **2** (*piatto del giradischi*) turntable.

portaerei *s.f.* (*mar.*) aircraft carrier.

portaferiti *s.m.* (*mil.*) stretcher-bearer.

portafinestra *s.f.* French window.

portafoglio(o) *s.m.* **1** (*per i soldi*) wallet, notecase // *alleggerire qlcu. del* —, to pick s.o.'s pocket // *mettere mano al* —, to put one's hand in one's pocket **2** (*busta per documenti*) portfolio; (*carica ministeriale*) portfolio; ministerial office // — *titoli*, security holding (*o* securities portfolio).

portafortuna *s.m.* mascot, amulet: *ciondolo* —, lucky charm.

portagioie, portagioielli *s.m.* jewel-case.

portale *s.m.* portal.

portalettere *s.m.* postman (*pl.* -men).

portamento *s.m.* **1** gait **2** (*condotta*) behaviour, conduct.

portamonete *s.m.* purse.

portamunizioni *s.m.* (*mil.*) ammunition carrier.

portante *agg.* carrying // *fune* —, cable // *muro* —, main wall.

portantina *s.f.* **1** sedan chair **2** (*lettiga*) stretcher, litter.

portanza *s.f.* **1** (*portata*) carrying capacity **2** (*aer.*) lift.

portaombrelli *s.m.* umbrella stand.

portaordini *s.m.* messenger.

portapacchi *s.m.* carrier.

portapenne *s.m.* penholder.

portare *v.tr.* **1** (*verso chi parla, ascolta*) to bring*; (*andare a prendere*) to fetch: *portami i libri che ho lasciato sul tavolo*, fetch me the books I left on the table; *ti porto una tazza di tè?*, shall I bring you a cup of tea? // *devo* — *in tavola?*, shall I serve the dinner? // *questo vento porterà pioggia*, this wind will bring rain // *porta questa lettera a mio fratello, alla posta*, take this letter to my brother, to the post office **2** (*lontano da chi parla; accompagnare*) to take*: *mi porti al cinema questa sera?*, will you take me to the pictures tonight?; *mi portò a casa in automobile*, he drove me home // — *via*, to take away; (*trasportare*) to carry away; (*rubare*) to steal; (*fig.*) (*tempo*) to take: *il vento gli portò via il cappello*, the wind blew his hat off **3** (*portare con fatica, trasportare*) to carry: — *una valigia*, to carry a suitcase; *quei cavi portano l'elettricità*, those lines carry the electricity; — *a braccia, in braccio qlcu.*, to carry s.o. in one's arms // *ognuno ha la propria croce da* —, everyone has his own cross to bear // — *vasi a Samo, acqua al mare*, to carry coals to Newcastle **4** (*portare con sé*) (*in quel luogo*) to take*; (*in questo luogo*) to bring*; (*abitualmente*) to carry: *se vai in Inghilterra porta l'impermeabile*, if you're going to England take your mackintosh; *se vieni a casa mia porta i dischi*, if you're coming to see me bring your records; *mio nonno porta sempre un bastone*, my grandfather always carries a stick **5** (*condurre*) to lead*: *questa strada porta all'albergo*, this road leads to the hotel // *sono portato a credere che...*, I'm inclined to believe that... // — *un piano a compimento*, to carry out a plan // — *qlcu. a conoscenza di qlco.*, to bring sthg. to s.o.'s knowledge **6** (*indossare, avere*) to wear*; (*avere indosso*) to have* on: — *gli occhiali*, to wear glasses **7** (*nutrire nell'animo*) to nourish, to bear*: — *odio*, to nourish feelings of hatred **8** (*causare*) to cause **9** (*produrre*) to bear*, to produce **10** (*avere*) to bear*, to have*: *questa lettera porta una data sbagliata*, this letter has the wrong date on it **11** (*sopportare*) to bear*, to endure // *non porta bene il vino*, he can't hold (*o* carry) his drink **12** (*addurre*) to bring* forward, to put* forward: — *prove, buone ragioni, un esempio*, to bring (*o* to put) forward proofs, good reasons, an example **13** (*mat.*) to carry: *scrivo 5 e porto 3*, I put down 5 and carry 3 **14** (*avere la portata di*) (*di automezzo*) to have* a load capacity (of sthg.); (*di bilancia*) to weigh up to sthg.; (*di arma da fuoco*) to have* a range (of sthg.) // **-arsi** *v.rifl.* **1** (*spostarsi*) to move // (*andare*) to go*; (*venire*) to come* **3** (*comportarsi*) to behave.

portaritratti *s.m.* photograph frame.

portariviste *s.m.* magazine rack.

portasapone *s.m.* soap dish; (*incassato nel muro*) soap-dish recess.

portasigarette *s.m.* cigarette case.

portastecchini *s.m.* toothpick holder.

portata *s.f.* **1** (*di pranzo*) course: *un pranzo di quattro portate*, a four-course dinner **2** (*di arma da fuoco*) range; (*di strumento ottico*) range, reach; (*di nave*) burden; (*di automezzo, bilancia, ponte*) capacity: — *lorda*, (*mar.*) dead weight; — *massima*, maximum capacity // *fuori* —, out of range; (*fig.*) out of reach // *a* — *di mano, di voce*, within reach, call **3** (*di fiume*) flow; (*di pompa*) pump delivery **4** (*fig.*) capacity, reach: *la conferenza era alla* — *di tutti*, the lecture was within everybody's grasp; *il prezzo è alla* — *di tutti*, the price is within everybody's reach **5** (*fig.*) (*importanza*) importance, significance.

portatile *agg.* portable.

portato *agg.* inclined: *è* — *alle lingue*, he has a gift (*o* he is gifted) for languages // *sono* — *a credere che...*, I am inclined to believe that... ♦ *s.m.* (*risultato*) result, effect.

portatore *s.m.* **1** carrier; bearer (*anche fig.*) // — *di germi*, (germ) carrier **2** (*comm.*) bearer: *assegno al* —, cheque to bearer; *pagabile al* —, payable to bearer.

portatovagliolo *s.m.* napkin ring.

portauovo *s.m.* eggcup.

portavasi *s.m.* vase; (*sostegno*) flower stand.

portavivande *s.m.* food container // *carrello* —, trolley.

portavoce *s.m.* spokesman (*pl.* -men), mouthpiece: — *ufficiale*, official spokesman.

portello *s.m.* shutter; (*di nave*) port; (*di aereo*) entrance hatch.

portento *s.m.* prodigy, miracle; (*meraviglia*) wonder, marvel: *fare, operare portenti*, to work wonders (*o miracles*) // *questo bambino è un* —!, this child is a prodigy!

portentoso *agg.* prodigious, miraculous; (*meraviglioso*) wonderful, marvellous.

porticato *s.m.* arcade.

portico *s.m.* **1** (*arch.*) portico; (*ingresso di casa*) porch **2** (*porticato, di solito con negozi*) arcade **3** (*nelle case rurali*) shed.

portiera *s.f.* **1** door **2** (*tendaggio*) portiere.

portierato *s.m.* post as caretaker // *spese di* —, caretaker's fees.

portiere *s.m.* **1** janitor, porter, caretaker; (*amer.*) (building) superintendent **2** (*di albergo*) hall porter; (*amer.*) doorman (*pl.* -men) **3** (*sport*) goalkeeper, goalie.

portinaia *s.f.* concierge, portress, caretaker.

portinaio *s.m.* janitor, porter, caretaker; (*amer.*) (building) superintendent.

portineria *s.f.* janitor's lodge; (*di università, di collegio ecc.*) porter's lodge: *lascia la lettera in* —, leave the letter downstairs with the janitor.

porto[1] *s.m.* harbour; (*complesso portuario*) port: — *di carico, di scarico*, port of loading, of discharge; — *d'imbarco, di sbarco*, port of embarkation, of disembarkation; — *di mare*, seaport; — *di scalo*, port of call; — *fluviale, lacustre*, river port (*o* harbour); — *militare*, naval port (*o* naval base); — *rifugio*, port of refuge; *capitaneria di* —, harbour (master's) office; *capitano di* —, harbour master; *entrare in* —, to come into port (*o* to enter harbour); *essere in* —, to be in port; (*fig.*) to have reached one's goal // — *franco*, (duty-)free port // *la loro casa è un* — *di mare*, their house is like a hotel // *condurre in* —, (*fig.*) to accomplish (*o* to carry out).

porto[2] *s.m.* **1** (*trasporto*) carriage **2** (*licenza*) licence: — *d'armi*, gun licence.

Portogallo *no.pr.m.* Portugal.

portoghese *agg.* Portuguese ♦ *s.m.* **1** (*abitante*) Portuguese (*pl. invar.*) **2** (*lingua*) (the) Portuguese (language) **3** (*fig.*) gatecrasher.

portolano *s.m.* (*mar.*) portolano, portulan.

portone *s.m.* front door, main door.

portoricano *agg. e s.m.* Puerto Rican.

Portorico *no.pr.m.* Puerto Rico.

portuale *agg.* harbour (*attr.*): *città* —, port; *diritti portuali*, harbour dues ♦ *s.m.* docker, longshoreman (*pl.* -men).

porzione *s.f.* portion, share; (*di cibo*) helping: *in quel ristorante le porzioni sono molto ridotte*, the helpings are very small in that restaurant.

posa *s.f.* **1** laying, placing: *la* — *di un cavo, di una mina*, the laying of a cable, of a mine **2** (*per un ritratto, per una foto*) sitting: *mettersi in* —, to sit **3** (*letter.*) (*riposo, quiete*) rest; (*mus.*) pause: *senza* —, incessantly;

non avere, trovare —, to have, to find no rest **4** (*atteggiamento studiato*) pose: *lo fa per* —, it's a pose; *è solo una* —, it's just a pose (*o* an act) // *assumere una* — *da superuomo*, to pose as a superman **5** (*fot.*) exposure: *tempo di* —, time exposure.

posacavi *s.f.* (*mar.*) cable ship.

posamine *s.f.* (*mar.*) minelayer.

posapiano *s.m. e f.* (*scherz.*) slowcoach.

posare *v.tr.* to lay* (down), to put* (down): — *la mano sulla spalla di qlcu.*, to lay one's hand on s.o.'s shoulder; *non so dove* — *questo vaso*, I do not know where to put this vase; *posò il pacco ed entrò*, he put the parcel down and came in; — *un cavo, una mina*, to lay a cable, a mine // — *gli occhi su qlco.*, to lay one's eyes on sthg. ♦ *v.intr.* **1** (*poggiare*) to rest; (*fig.*) to be* based: *il tuo ragionamento non posa su dati di fatto*, your reasoning is not based on facts **2** (*per un ritratto ecc.*) to pose, to sit* **3** (*assumere un atteggiamento non spontaneo*) to pose: — *a vittima*, to pose as a victim **4** (*di liquido*) to stand*, to settle // **-arsi** *v.rifl.* **1** to alight; (*depositarsi*) to settle **2** (*aer.*) to land, to alight.

posata *s.f.* (*coltello*) knife; (*forchetta*) fork; (*cucchiaio*) spoon; *pl.* cutlery (*solo sing.*); (*amer.*) silverware: *un servizio da sei di posate d'argento*, a silver cutlery set for six; (*amer.*) a sterling silverware set for six.

posateria *s.f.* cutlery.

posato *agg.* sedate; (*calmo*) calm.

posatore *s.m.* **1** layer; (*di cavi*) cableman (*pl.* -men) **2** (*poseur*): *che* —!, doesn't he put it on! (*o* what a fraud he is!).

poscritto *s.m.* postscript.

posdomani *avv.* the day after tomorrow.

positiva *s.f.* (*fot.*) positive.

positivismo *s.m.* (*st. fil.*) positivism.

positivista *s.m. e f.* (*fil.*) positivist.

positivistico *agg.* positivistic.

positività *s.f.* positivity, positiveness.

positivo *agg.* positive; (*effettivo, reale*) real, actual: *giudizio* —, positive judgement; *fatto* —, real (*o* actual) fact; *risposta positiva*, affirmative answer // *polo* —, (*elettr.*) positive pole // *è* — *che...*, it is certain that... // *di* —, for certain // *una persona positiva*, a matter-of-fact (*o* practical) person.

posizionamento *s.m.* (*tecn.*) set.

posizionare *v.tr.* (*tecn.*) to set*.

posizione *s.f.* **1** position (*anche fig.*): — *chiave*, key position; *una* — *molto scomoda*, a very uncomfortable position; *non riesco a trovare una* — *comoda*, I can't get comfortable; *trovarsi in una* — *imbarazzante*, to be in an embarassing position // — *sociale*, social standing; *farsi una* —, to acquire a position // *prendere* —, (*in una controversia*) to take sides (*o* to get off the fence) // *prendere una* —, (*mil.*) to win a position // *guerra di* —, trench warfare // *luci di* —, sidelights; parking lights; (*mar.*) navigation lights **2** (*informatica*) location; position: — *della virgola*, point location; — *di memoria*, storage location; — *di perforazione*, code position; — *iniziale*, leading position; — *riservata in memoria*, dedicated core location.

posologia *s.f.* **1** (*med.*) posology **2** (*di medicinali*) dose.

posporre *v.tr.* **1** to place (sthg.) after (*anche fig.*) **2** (*posticipare*) to postpone, to put* off.

posposizione *s.f.* postponement.

possedere *v.tr.* **1** to possess (*anche fig.*), to have* **2** (*conoscere a fondo*) to master.

possedimento *s.m.* possession; (*proprietà immobiliare*) estate // — *coloniale*, colony.

posseduto *agg.* possessed ♦ *s.m.* demoniac.

possente *agg.* (*letter.*) powerful.

possessione *s.f.* **1** estate **2** (*invasamento*) possession.

possessivo *agg.* possessive.

possesso *s.m.* **1** possession: — *legittimo*, (*dir.*) lawful possession // *rientrare in* — *di qlco.*, to recover sthg. **2** (*spec. pl.*) (*proprietà immobiliare*) estate.

possessore *s.m.* possessor; (*proprietario*) owner; (*detentore*) holder.

possibile *agg.* possible: *è ancora* — *che venga*, he may still come (*o* it is still possible that he will come); *non credo mi sarà* — *essere qui*, I do not think it will be possible for me to be here; *questo non mi è* —, I can't possibly do it // *al più presto* —, as soon as possible // *il più, il meno* —, as much, as little as possible ♦ *s.m.* possible: *fare* (*tutto*) *il* —, to do everything possible (*o* to do one's best).

possibilismo *s.m.* possibilism.

possibilista *agg.* e *s.m.* possibilist.

possibilità *s.f.* **1** possibility; opportunity: *avere la* — *di fare qlco.*, to be in a position to do sthg. **2** *pl.* (*mezzi economici*) means.

possibilmente *avv.* if possible.

possidente *s.m.* e *f.* property owner; (*di terre*) landowner.

posta *s.f.* **1** post, mail: *per* —, by post (*o* by mail); *spedire per* —, to post (*o* to mail); *a giro di* —, by return of post; — *aerea*, airmail; — *in arrivo, in partenza*, inward, outward mail; *distribuzione della* —, delivery; *è arrivata la* —?, has the post (*o* mail) arrived? // *fermo* —, poste restante // — *pneumatica*, pneumatic dispatch **2** (*ufficio postale*) post (office); *Posta centrale*, General Post Office; *impiegato delle Poste*, post-office clerk // *Poste e Telegrafo*, postal and telegraph services **3** (*corriera postale*) mail coach; (*stazione*) stage: *cavalli di* —, post horses **4** (*posto determinato, assegnato*) (*di cacciatore*) position; (*di sentinella*) post: *mettersi, stare alla* —, to lie in wait; (*fig.*) to spy on **5** (*di animali nella stalla*) stall **6** (*di nave*) mooring **7** (*al gioco, in una scommessa*) stake (*anche fig.*): *raddoppiare la* —, to double the stakes // *la* — *in gioco*, (*fig.*) the game at stake **8** (*di rosario*) decade **9** *a bella* —, on purpose.

postagiro *s.m.* post-office transfer.

postale *agg.* postal; post (*attr.*), mail (*attr.*): *cassetta* —, mailbox; *regolamento* —, postal regulations; *spese postali*, postage; *vaglia* —, postal order, (*USA*) money order; *conto corrente* —, post-office current account // *succursale* —, branch post office ♦ *s.m.* (*aereo*) mail plane; (*nave*) mail boat, mail steamer; (*treno*) mail train.

postare *v.tr.* (*mil.*) to station; to post // **-arsi** *v.intr.pron.* to lie* in wait.

postazione *s.f.* (*mil.*) emplacement.

postbellico *agg.* postwar (*attr.*).

postdatare *v.tr.* to postdate.

posteggiare *v.tr.* to park.

posteggiatore *s.m.* **1** (*sorvegliante di parcheggio*) parking attendant **2** (*suonatore girovago*) strolling musician.

posteggio *s.m.* **1** parking lot, parking place: — *a pagamento*, pay car park; — *autorizzato*, authorized parking; — *di autopubbliche*, taxi(cab) stand; *tariffa di* —, parking charge **2** (*per venditori di piazza*) stall // *tassa di* —, market dues.

postelegrafonico *agg.* postal, telegraph and telephone (*o* P.T.T.) (*attr.*) ♦ *s.m.* post-office employee.

postelementare *agg.* postelementary.

postema *s.f.* (*med.*) abscess.

posteriore *agg.* **1** (*nello spazio*) back // *luci posteriori*, (*auto*) rear lights // *gambe posteriori*, hind legs **2** (*nel tempo*) following.

posteriorità *s.f.* posteriority.

posteriormente *avv.* **1** in the back **2** (*dopo*) afterwards.

posterità *s.f.* posterity.

postero *s.m.* (*spec. pl.*) posterity (*sing.*).

posticcio *agg.* artificial, false ♦ *s.m.* postiche.

posticipare *v.tr.* to postpone.

posticipatamente *avv.* **1** (*dopo l'invio*) on arrival **2** (*alla fine del contratto*) when due.

posticipato *agg.* **1** deferred **2** (*alla fine del contratto*) payable when due.

posticipazione *s.f.* deferment, delay.

postiglione *s.m.* postilion, postillion.

postilla *s.f.* note, gloss; (*a piè di pagina*) footnote.

postillare *v.tr.* to annotate, to gloss.

postino *s.m.* postman (*pl.* -men).

posto *s.m.* **1** place: *questo libro non è al suo* —, this book is not in its place; *questa sciarpa non sta a* —, this scarf won't stay in place; *va' al tuo* —, go to your place // *mettere qlco. a* —, to put sthg. in its proper place; *rimettere qlco. a* —, to replace sthg. (*o* to put sthg. back) // *mettere qlco. a* —, (*aggiustare*) to repair sthg.; *metterò io le cose a* —, (*fig.*) I'll get things straight // *mettere qlcu. a* —, (*fig.*) to put s.o. in his place; *mettere qlcu. a* —, (*trovargli lavoro*) to find a job for s.o. // *mettere la testa a* —, to settle down // *avere la coscienza a* —, to have an easy conscience // *essere a* —, (*sistemato*) to be settled; (*pulito, in ordine*) to be neat: *tutto è a* —, everything is settled (*o* all right); *i suoi documenti sono a* —, his papers are in order; *sono a* —?, do I look all right?; *adesso siamo a* —, (*iron.*) now we're finished; *una persona a* —, a respectable person // *tenga le mani a* —!, hands off!; *tieni la lingua a* —!, hold your tongue! // *fuori* —, (*anche fig.*) out of place // *al mio* —, in my place; *al tuo* —, in your place (*o* if I were you); *al* — *di*, instead of **2** (*spazio*) room; space: *non c'è più* —, there is no more room; *fagli* —, make room for him; *nella mia auto c'è* — *per altre due persone*, in my car there is room for two people more; *occupare troppo* —, to take up too much room (*o* space) **3** (*luogo, spazio adibito a usi particolari*) (*di ancoraggio, di ormeggio*, (*mar.*) berth; — *di blocco stradale*, road block; — *di guardia*, sentry post; — *di medicazione*, first-aid post (*o* station); — *di pilotaggio*, (*aer.*) cockpit; — *di polizia*, police station; — *macchina*, parking; — (*telefonico*) *pubblico*, public telephone exchange **4** (*sito*) place; spot: *è un* — *delizioso, così tranquillo*, it's a delightful spot, so quiet; *sul* — *troverà un nostro impiegato*, you'll find one of our employees on the spot **5** (*sedile*) seat: — *libero, occupato*, free, engaged seat; *ho prenotato un* —, I reserved (*o* booked) a seat; *prender* —, to take a seat // *posti di platea*, seats in the stalls; *posti di balconata*, seats in the balcony; *posti in piedi*, standing room // — *di guida*, driver's seat; *auto a quattro posti*, four-seater car **6** (*lavoro*) job; (*impiego*) post, position: *ha un buon* — *in banca*, he has a good job in the bank; *cerca* —, he is looking for a job; *ha perso il* —, he has lost his job; *ha cambiato* —, he has changed his job; *creare nuovi posti di lavoro*, to create new jobs.

postoperatorio *agg.* postoperative.

postribolo *s.m.* brothel.

postulante *s.m.* e *f.* **1** petitioner **2** (*per un impiego*) applicant **3** (*eccl.*) postulant.

postulare *v.tr.* **1** to petition (for sthg.) **2** (*eccl. fil.*) to postulate.

postulato *s.m.* postulate.

postumo *agg.* posthumous ♦ *s.m.pl.* aftereffects (*anche fig.*); (*di sbornia*) hangover (*sing.*).

potabile *agg.* drinking; (*fam.*) drinkable.

potare *v.tr.* to prune; (*una siepe*) to trim.

potassa *s.f.* (*chim.*) potash.

potassico *agg.* (*chim.*) potassic.

potassio *s.m.* (*chim.*) potassium.

potatura *s.f.* pruning; (*di siepe*) trimming.

potentato *s.m.* **1** (*stato, potenza*) power **2** (*principe sovrano*) potentate.

potente *agg.* powerful; (*efficace*) potent ♦ *s.m.* powerful man ♦ *i potenti*, the powerful.

potenza *s.f.* **1** power; (*forza*) strength; (*efficacia*) potency // *le grandi potenze europee*, the great powers of Europe // *la — di un numero*, (*mat.*) the power of a number: *x alla decima potenza*, x to the power of ten // *in —*, potential (*agg.*); potentially (*avv.*): *in — siamo più forti di loro*, potentially we are stronger than they are **2** (*mecc.*) power; (*in cavalli*) horsepower: *— di decollo*, (*aer.*) takeoff power; *— fiscale, di targa*, (*di motore*) nominal horsepower.

potenziale *agg.* e *s.m.* potential.

potenzialità *s.f.* potentiality; (*capacità*) capacity (*anche mecc.*).

potenziamento *s.m.* potentiation; (*incremento*) increase.

potenziare *v.tr.* to potentiate; (*incrementare*) to increase.

potere *v.intr.* **1** (*possibilità materiale o dipendente dalla capacità del sogg.*) can (*indic. e cong. pres.*), could (*indic. e cong. pass., cond.*); to be* able: *potresti venire a trovarmi stasera?*, could you come and see me tonight?; *prometto di fare tutto ciò che posso*, I promise I shall do all I can; *se lo avessi saputo prima, avrei potuto aiutarti*, if I had known before I could have helped you; *vorrei poterti aiutare*, I wish I could help you // *poté, non poté andare*, he was able to go, he could not (*o* was not able to) go; *potendo, partirò domani*, if I can, I'll leave tomorrow; *potranno venire domani?*, will they be able to (*o* can they) come tomorrow? // *a più non posso*, all out // *un uomo che può*, (*che ha denaro*) a man of means // *non ne posso più*, (*sono sfinito*) I am exhausted; (*sono al limite della sopportazione*) I am at the end of my tether (*o* I can't stand it any more): *non ne posso più di lui*, I can't stand him any longer // *portane più che puoi*, bring as much, as many as you can; *vieni più in fretta che puoi*, come as quickly as you can; *vieni più presto che puoi*, come as soon as you can // *volere è —*, (*prov.*) where there's a will there's a way **2** (*possibilità dipendente dalla volontà altrui*) may (*indic. pres.*), might (*indic. pass. nel discorso indiretto e cond.*) (*entrambe le forme sono spesso sostituite nell'uso corrente da* can, could, to be able); to be* allowed, to be* permitted: *chiese se poteva vederlo*, he asked if he might (*o* could) see him; *disse che potevamo prenderlo*, he said we might (*o* could) take it; *posso entrare?*, can (*o* may) I come in?; *vedrai che non potrai entrare*, you will see that you are not allowed in **3** (*eventualità*) may, might; (*probabilità*) to be* likely: *è tardi, ma può ancora venire*, it is late, but he may still come; *posso, potrei aver torto*, I may, I might

be wrong; *potrebbe arrivare domani, ma ne dubito*, he might come tomorrow, but I doubt it // *può darsi*, maybe // *può darsi che*, may (*costr. pers.*), maybe: *può darsi che ti abbia scritto*, maybe he has (*o* he may have) written to you **4** (*quando esprime auguri*) may; (*esortazione*) might: *che tu possa essere felice!*, may you be happy!; *potrei almeno provare*, you might at least try ♦ *v.tr.* (*poter avere, poter fare*): *può molto per te*, he can do a lot for you; *— molto presso qlcu.*, to have great influence with s.o.

potere *s.m.* power: *non ho — su di loro*, I have no power over them // *— d'acquisto*, purchasing power // *— calorifico*, calorific value (*o* power) // *al —*, in power // *partito al —*, party in power // *in mio, tuo ecc. —*, in my, your etc. power; *cadde in suo —*, he fell into his power // *pieni poteri*, full powers; *ambasciatore con pieni poteri*, (ambassador) plenipotentiary: *dare, conferire pieni poteri*, to grant full powers // *il quarto —*, the Press // *il quinto —*, the mass media.

potestà *s.f.* power: *patria —*, paternal authority.

pot-pourri (*franc.*) *s.m.* potpourri; (*mus.*) medley.

pouf (*franc.*) *s.m.* pouf(fe), hassock.

povero *agg.* poor (in) // *— di idee*, lacking (in) ideas // *— me!*, dear me! // *— te se lo fai*, you'll be sorry if you do it ♦ *s.m.* **1** poor man // *i poveri*, the poor (*o* poor people) // *— di spirito*, dull-witted person // *beati i poveri in ispirito*, (*Bibbia*) blessed are the poor in spirit **2** (*mendicante*) beggar.

povertà *s.f.* **1** poverty; (*mancanza*) lack **2** (*improduttività, deficienza, meschinità*) poorness.

pozione *s.f.* potion, draught.

pozza *s.f.* **1** (*pozzanghera*) puddle **2** (*chiazza di liquido*) pool.

pozzanghera *s.f.* puddle.

pozzetta *s.f.* (*delle gote, del mento ecc.*) dimple.

pozzetto *s.m.* **1** (*tecn.*): *— di fognature*, grit trap; *— raccolta detriti*, (*edil.*) drain well **2** (*mar.*) cockpit.

pozzo *s.m.* **1** well: *— artesiano*, artesian well // *— nero*, cesspool // *— di scienza*, he is a well of learning // *è un — di san Patrizio*, it is a bottomless pit // *ha un — di soldi*, he's loaded **2** (*per estrazione del petrolio*) oil well: *— ad eruzione spontanea*, gusher; *perforare un —*, to drill a well **3** (*di miniere*) pit; (*stretto*) shaft: *— carbonifero*, coal pit; *— di aerazione*, ventilating shaft (*o* airshaft) **4** (*alle carte*) pack.

Praga *no.pr.f.* Prague.

pragmatismo *s.m.* (*fil.*) pragmatism.

pragmatista *s.m.* (*fil.*) pragmatist.

prammatica *s.f.* custom, use: *essere di —*, to be customary // *risposta di —*, regulation answer.

pranzare *v.intr.* to dine, to have* dinner; (*solo a mezzogiorno*) to (have*) lunch.

pranzo *s.m.* dinner; (*solo a mezzogiorno*) lunch: *— ufficiale*, formal dinner; *invito a —*, invitation to dinner; *il — è pronto*, dinner is ready; *è ora di —*, it is dinner time // *sala da —*, dining room // *prima di —*, before dinner; *dopo —*, in the afternoon.

prassi *s.f.* routine; (*fil.*) praxis.

prataiolo *s.m.* (*fungo*) meadow mushroom.

prateria *s.f.* grassland, prairie.

pratica *s.f.* **1** practice: *mettere in — qlco.*, to put sthg. into practice // *in —*, (*praticamente*) practically (*o* in practice) **2** (*esperienza, conoscenza*) experience (in sthg., with s.o.): *parlo per —*, I speak from experience // *far —*, to train (*o* to do one's training); *perdere la —*, to lose the knack; *prendere —*, to get the knack **3** (*af-*

fare, faccenda) matter, affair // — *illecita*, illegal activity **4** (*incartamento*) file, dossier; (*documento*) paper: *smarrire una* —, to lose (*o* mislay) a file; *sto facendo le pratiche per il passaporto*, I am getting the papers ready for my passport // *insabbiare una* —, to shelve a case **5** *pl.* (*complesso di atti, formule ecc.*) practices.

praticabile *agg.* practicable: *la strada non è* —, the road is not practicable.

praticabilità *s.f.* practicability.

praticamente *avv.* practically.

praticante *agg.* practising // *cattolico* —, practising Catholic; *anglicano* —, communicant member of the Church of England ♦ *s.m.* **1** (*apprendista*) apprentice **2** (*relig.*) (regular) churchgoer.

praticare *v.tr.* **1** to practise // — *il mercato nero*, to deal on the black market **2** (*frequentare*) to frequent, to associate (with s.o.): *pratica gente disonesta*, he frequents (*o* mixes with) dishonest people **3** (*fare*) to make*: — *uno sconto*, to give a reduction.

praticità *s.f.* practicalness, practicality.

pratico *agg.* **1** practical: *nella vita pratica*, in real life; *scarpe pratiche*, sensible shoes; *senso* —, common sense; *questo strumento è molto* —, this tool is very handy // *all'atto* —, in actual fact **2** (*esperto*) experienced (in), skilled (in) // *sei — di Parigi?*, do you know Paris? (*o* are you familiar with Paris?).

praticone *s.m.* old hand.

prato *s.m.* (*naturale*) meadow; (*rasato*) lawn.

pratolina *s.f.* daisy.

pravo *agg.* (*letter.*) depraved, wicked, perverse.

pre- *pref.* pre-; fore-.

preagonico *agg.* (*med.*) preagonal.

prealpino *agg.* Prealpine.

preambolo *s.m.* preface, preamble // *senza tanti preamboli*, without wasting words.

preannunziare *v.tr.* **1** to (pre)announce, to forewarn **2** (*essere il segno di*) to foreshadow.

preannunzio *s.m.* forewarning; (*presagio*) foreshadowing.

preatletico *agg.* preliminary.

preavvertire, preavvisare *v.tr.* to inform in advance; (*mettere in guardia*) to forewarn.

preavviso *s.m.* notice, forewarning: *dietro* —, upon notice.

prebellico *agg.* prewar (*attr.*).

prebenda *s.f.* **1** (*eccl.*) prebend **2** (*profitto*) profit.

preborsa *s.m.* (*econ.*) premarket dealing.

precarietà *s.f.* precariousness.

precario[1] *agg.* precarious // *salute precaria*, poor health.

precario[2] *s.m.* (*dir.*) precarium (*pl.* precaria).

precauzionale *agg.* precautionary.

precauzione *s.f.* precaution; (*cautela*) caution: *misure di* —, precautionary measures.

prece *s.f.* (*letter.*) prayer.

precedente *agg.* preceding, previous; (*passato*) former: *il giorno* —, the previous day (*o* the day before); *il giorno — alla partenza*, the day preceding (*o* before) the departure; *in tempi precedenti*, in former times; *saldo del conto* —, balance of former account ♦ *s.m.* **1** precedent: *un fatto senza precedenti*, an unprecedented occurrence; *costituire un* —, to become (*o* to constitute) a precedent **2** *pl.* (*condotta precedente*) record (*sing.*): *precedenti penali*, criminal record.

precedentemente *avv.* previously, formerly; (*prima*) before.

precedenza *s.f.* precedence (*anche fig.*); (*priorità*) priority: *avere la — su...*, to have (*o* to take) precedence (*o* priority) over... // *dare la* —, (*di veicoli*) to give right of way; *segnale di* —, right-of-way sign // *in* —, previously.

precedere *v.tr.* to precede (*anche fig.*): — *qlcu. di qualche ora*, to precede s.o. by a few hours ♦ *v.intr.* to come* first, to precede.

precessione *s.f.* (*rar.*) precession.

precettare *v.tr.* **1** to summon **2** (*mil.*) to recall to duty: *i ferrovieri in sciopero furono precettati*, the railway workers on strike were recalled to work under military law.

precettazione *s.f.* (*mil.*) mobilization, call-up.

precettistica *s.f.* **1** precepts (*pl.*) **2** (*l'insegnare con precetti*) teaching by precepts.

precetto *s.m.* **1** rule; (*ordine*) order **2** (*dir. relig.*) precept // *festa di* —, holy day of obligation **3** (*cartolina*) —, (*mil.*) call-up notice.

precettore *s.m.* preceptor; (*istitutore*) tutor.

precipitare *v.tr.* **1** to throw* headlong **2** (*fig.*) to rush: *non precipitiamo*, let's not be overhasty ♦ *v.intr.* **1** to fall* (*anche fig.*); (*di aereo*) to crash **2** (*fig.*) (*di eventi ecc.*) to come* to a head **3** (*chim.*) to precipitate // -**arsi** *v.rifl.* to throw* oneself ♦ *v.intr.pron.* (*affrettarsi*) to rush: — *a casa*, to rush home.

precipitato *agg.* precipitate, hasty ♦ *s.m.* (*chim.*) precipitate.

precipitazione *s.f.* precipitation (*anche fig.*).

precipitosamente *avv.* headlong (*anche fig.*); (*frettolosamente*) hastily.

precipitoso *agg.* precipitate; (*fig.*) rash: *un giudizio* —, a rash judgement.

precipizio *s.m.* precipice // *correre a* —, to run headlong // *sull'orlo del* —, (*fig.*) on the brink of ruin.

precipuo *agg.* principal, main.

precisamente *avv.* precisely.

precisare *v.tr.* to specify, to state precisely: — *l'indirizzo*, to give the exact address.

precisazione *s.f.* clarification: *devo fare una* —, there is one point I want to make clear.

precisione *s.f.* **1** precision; (*accuratezza*) accuracy: *strumento di* —, precision instrument **2** (*esattezza*) preciseness, exactness: — *di linguaggio*, preciseness of speech // — *di contorni*, sharpness of outline.

preciso *agg.* **1** precise; (*esatto*) exact: *una definizione precisa*, a precise (*o* an exact) definition // *una persona precisa*, a careful person // *alle cinque precise*, at five sharp **2** (*definito*) definite, exact: *senza una ragione precisa*, for no definite reason; *avere un'idea precisa*, to have a clear idea; *non so nulla di* —, I have no definite (*o* precise) information **3** (*identico*) identical **4** (*esatto, puntuale*) punctual; (*riferito a ore*) sharp: *alle 9 precise*, at 9 sharp; *questo orologio è molto* —, this watch keeps very good time.

preclaro *agg.* illustrious.

precludere *v.tr.* to preclude // *si è precluso ogni possibilità di carriera*, he has cut off all chances of making a career.

preclusione *s.f.* (*dir.*) foreclosure.

precoce *agg.* **1** precocious // *delinquente* —, juvenile delinquent **2** (*prematuro*) premature.

precocità *s.f.* precociousness, precocity.

precompresso *agg.* prestressed ♦ *s.m.* (*tecn.*) prestressed concrete.

preconcetto *agg.* preconceived ♦ *s.m.* preconception.

preconizzare *v.tr.* **1** to foretell*, to predict **2** (*eccl.*) to preconize.

precordi *s.m.pl.* (*anat.*) pr(a)ecordia.

precorrere *v.tr.* to forerun*; (*prevenire*) to anticipate: — *i tempi*, to be ahead of one's times; — *gli eventi*, to anticipate events.

precorritore *agg.* forerunning (sthg.) ♦ *s.m.* forerunner, precursor.

precostituito *agg.* preconcerted.

precotto *agg.* precooked ♦ *s.m.* precooked food.

precristiano *agg.* pre-Christian.

precursore *agg.* precursory ♦ *s.m.* forerunner, precursor.

preda *s.f.* **1** prey (*anche fig.*); (*animale cacciato*) quarry: *uccello da* —, bird of prey; *cadere in* — *a* ..., to fall a prey to...; *la casa era in* — *alle fiamme*, the house was in flames; *era in* — *ad una crisi di pianto*, she was having a fit of crying; *essere in* — *al dolore*, to be grief-stricken **2** (*bottino*) booty, plunder.

predare *v.tr.* to plunder, to prey (upon sthg.).

predatore *agg.* predatory ♦ *s.m.* plunderer.

predecessore *s.m.* **1** predecessor **2** *pl.* (*antenati*) ancestors.

predella *s.f.* predella; (*di cattedra*) platform; (*di un trono*) dais.

predellino *s.m.* footboard.

predestinare *v.tr.* to predestine, to predestinate.

predestinato *agg.* predestined: *essere* — *al successo*, to be marked out for success.

predestinazione *s.f.* predestination.

predeterminare *v.tr.* to predetermine.

predeterminazione *s.f.* predetermination.

predetto *agg.* aforesaid, above-mentioned.

predica *s.f.* **1** sermon: *fare, tenere una* —, to give, to hold a sermon **2** (*fam.*) (*ramanzina*) telling off: *fare una* — *a qlcu.*, to give s.o. a telling off.

predicare *v.tr.* to preach; (*fare una predica*) to sermonize (*anche fig.*).

predicativo *agg.* (*gramm.*) predicate (*attr.*).

predicato *s.m.* **1** (*gramm.*) predicate **2** *essere in* — *di, per*, to be considered for.

predicatore *s.m.* preacher (*anche fig.*) // *frati predicatori*, preaching friars.

predicatorio *agg.* predicatory; (*spreg.*) preachifying.

predicazione *s.f.* preaching.

predicozzo *s.m.* (*scherz.*) lecture, talking-to: *fare un* — *a qlcu.*, to give s.o. a lecture.

prediletto *agg.* favourite; (*il più caro*) dearest: *il mio amico* —, my dearest friend ♦ *s.m.* pet, favourite.

predilezione *s.f.* predilection.

prediligere *v.tr.* to prefer.

predire *v.tr.* **1** to foretell*, to predict: — *il futuro a qlcu.*, to tell s.o.'s future **2** (*preannunziare*) to forebode, to portend.

predisporre *v.tr.* **1** to predispose **2** (*preparare*) to arrange **3** (*informatica*) to preset*; to prepare.

predisposizione *s.f.* **1** bent, inclination **2** (*med.*) predisposition, proneness **3** (*informatica*) presetting.

predisposto *agg.* **1** arranged; preset **2** (*a malattie ecc.*) predisposed.

predizione *s.f.* prediction.

predominante *agg.* predominant.

predominare *v.intr.* to predominate; (*avere la meglio*) to prevail (over s.o., sthg.).

predominio *s.m.* predominance; (*supremazia*) supremacy.

predone *s.m.* robber.

preesistente *agg.* preexistent.

preesistenza *s.f.* preexistence.

preesistere *v.intr.* to preexist.

prefabbricare *v.tr.* to prefabricate.

prefabbricato *agg.* prefabricated: *casa prefabbricata*, prefabricated house, (*fam.*) prefab ♦ *s.m.* prefab.

prefabbricazione *s.f.* prefabrication.

prefazio *s.m.* (*eccl.*) preface.

prefazione *s.f.* preface.

preferenza *s.f.* preference: *avere* — *per qlcu, qlco.*, to prefer s.o., sthg. // *di* —, preferably; (*generalmente*) generally; (*preferenziale*) preferential: *voto di* —, preferential vote.

preferenziale *agg.* preferential: *titoli, azioni preferenziali*, (*econ.*) preference stock (*o* shares); *voto* —, preferential vote.

preferibile *agg.* preferable: *sarebbe* — *parlargli*, it would be better to speak to him.

preferibilmente *avv.* preferably.

preferire *v.tr.* **1** to prefer; to like better (*fra due*) to like best (*fra molti*) **2** (*giudicare opportuno*) to choose*, to like: *fate come preferite*, do as you like.

preferito *agg.* e *s.m.* favourite.

prefestivo *agg.* preholiday.

prefettizio *agg.* prefectorial; prefect (*attr.*).

prefetto *s.m.* prefect.

prefettura *s.f.* prefecture.

prefiggere *v.tr.* to fix // **-ersi** *v.intr.pron.* to propose to oneself; to be* determined: *mi prefiggo di farlo*, I am determined to do it.

prefigurare *v.tr.* to prefigure.

prefigurazione *s.f.* prefiguration.

prefisso *s.m.* prefix.

pregare *v.tr.* **1** to pray **2** (*domandare*) to ask; (*supplicare*) to beg; (*richiedere*) to request: *siete pregati di essere puntuali*, please be punctual; *ti prego di comportarti bene*, I beg you to behave well // *lo fece senza farsi* —, he did it without much persuading; *non farti* —, come off it // *prego?*, pardon?; (*nei negozi*) can I help you?

pregevole *agg.* valuable.

preghiera *s.f.* **1** prayer; (*prima dei pasti*) grace **2** (*domanda, richiesta*) request, entreaty: — *di aiuto*, request for help; *su* — *di qlcu.*, at s.o.'s request; *rimanere sordo alle preghiere di qlcu.*, to remain deaf to s.o.'s entreaties; *rivolgere una* — *a qlcu.*, to make a request to s.o.

pregiare *v.tr.* to esteem // **-arsi** *v.rifl.* to be* honoured: *mi pregio comunicarvi che...*, I have the pleasure to tell you that...

pregiato *agg.* **1** (*stimato*) esteemed // *Pregiatissimo Signore*, (*nelle lettere*) Dear Sir; *Pregiatissimo Signor Giuseppe Rossi*, (*negli indirizzi*) Mr. Giuseppe Rossi (*o* Giuseppe Rossi Esq.). **2** (*prezioso*) valuable; quality (*attr.*): *vino* —, quality wine.

pregio *s.m.* **1** (*stima*) esteem, regard **2** (*valore*) value: *di* —, valuable **3** (*merito*) merit; (*buona qualità*) fine quality.

pregiudicare *v.tr.* to prejudice, to compromise; (*danneggiare*) to harm: *senza* — *i miei diritti*, without prejudicing my rights.

pregiudicato *agg.* bound to fail ♦ *s.m.* (*dir.*) previous offender.

pregiudiziale *agg.* preliminary ♦ *s.f.* (*dir.*) prejudicial question.

pregiudizievole *agg.* prejudicial, detrimental.

pregiudizio *s.m.* **1** prejudice *//* *pregiudizi di classe*, social-class hangups **2** (*danno*) damage.

pregnante *agg.* pregnant.

pregno *agg.* **1** (*gravido*) pregnant **2** (*pieno*) full; (*saturo*) saturated (with); (*impregnato*) impregnated (with).

prego *inter.* not at all!, don't mention it!

pregustare *v.tr.* to look forward (to sthg., doing).

preistoria *s.f.* prehistory: *della* —, prehistoric.

preistorico *agg.* prehistoric (*anche fig.*).

prelatizio *agg.* prelatical: *abito* —, prelate's gown.

prelato *s.m.* (*eccl.*) prelate.

prelatura *s.f.* (*eccl.*) prelacy.

prelavaggio *s.m.* pre-wash.

prelazione *s.f.* (*dir.*) preemption: *diritto di* —, right of preemption.

prelevamento *s.m.* **1** (*comm.*) drawing; (*somma prelevata*) amount drawn: — *di cassa*, cash drawing; *fare un* —, to draw.

prelevare *v.tr.* **1** to draw* **2** (*fig.*) (*rubare*) to steal*; (*arrestare*) to arrest; (*andare a prendere*) to pick up.

prelibato *agg.* delicious.

prelievo *s.m.* drawing.

preliminare *agg.* preliminary ♦ *s.m.* (*spec. pl.*) **1** (*premessa*) introduction **2** (*primo accordo*) preliminary.

preludere *v.intr.* **1** (*preannunziare*) to prelude (sthg.), to foreshadow (sthg.) **2** (*introdurre*) to introduce (sthg.).

preludio *s.m.* prelude.

pre-maman *agg. e s.m.*: (*gonna*) —, maternity skirt; (*abito*) —, maternity dress.

prematrimoniale *agg.* prematrimonial.

prematuro *agg.* premature: *era* — (*il*) *farlo*, it was too early to do it.

premeditare *v.tr.* to premeditate; (*ideare*) to plan.

premeditato *agg.* premeditated: *assassinio* —, wilful murder.

premeditazione *s.f.* premeditation: *delitto senza* —, unpremeditated crime.

premente *agg.* **1** (*urgente*) pressing, urgent **2** *pompa* —, (*mecc.*) force pump.

premere *v.intr.* **1** to press (*anche fig.*) **2** (*importare, stare a cuore*) to interest: *mi preme che lo faccia subito*, it is very important for me that he should do it at once; *mi preme saperlo*, I am anxious to know ♦ *v.tr.* to press: — *il pulsante!*, press the button! *//* — *un tasto*, (*informatica*) to depress; to press.

premessa *s.f.* **1** (*di uno scritto*) introduction; (*di un discorso*) preliminary remarks (*pl.*) **2** (*fil.*) premise, premiss **3** (*fig.*) introduction: *come* — *non c'è male*, as an introduction it's not bad.

premettere *v.tr.* **1** to premise: *avevo premesso che...*, I had stated in advance that...; *premesso che egli abbia ragione...*, granted that he is right... **2** (*mettere prima*) to put* before, to place before.

premiare *v.tr.* **1** to award (s.o.) a prize *//* *fu premiato con una borsa di studio*, he was awarded a scholarship **2** (*ricompensare*) to reward.

premiazione *s.f.* awarding of prize(s).

premier *s.m.* Prime Minister.

preminente *agg.* preeminent.

preminenza *s.f.* preeminence.

premio *s.m.* **1** prize: *primo* —, first prize; — *di consolazione*, consolation prize; — *in denaro*, cashprize; *distribuzione dei premi*, prizegiving; *assegnare un* — *a qlcu.*, to award s.o. a prize; *ricevere qlco. in* —, to receive sthg. as a prize *//* — *Nobel*, Nobel prize *//* *Gran Pre-*

mio, Grand Prix *//* — *d'ingaggio*, signing-on fee **2** (*ricompensa*) reward **3** (*comm.*) premium: — *d'assicurazione*, insurance premium; — *d'assicurazione sulla vita*, life premium.

premolare *agg. e s.m.* (*anat.*) premolar.

premonire *v.tr.* to forewarn.

premonitore *agg.* premonitory.

premonizione *s.f.* premonition, presentiment.

premorienza *s.f.* (*dir.*) predecease.

premorire *v.intr.* to predecease (s.o.).

premunire *v.tr.* to fortify beforehand; (*spec. fig.*) to forearm **-irsi** *v.rifl.* to take* protective measures; (*armarsi*) to arm oneself *//* — *contro il freddo*, to get ready for the cold.

premura *s.f.* **1** hurry, haste: *aver* —, to be in a hurry (*o in haste*); *fare qlco. di* —, to do sthg. in haste (*o in a hurry*); *far* — *a qlcu.*, to hurry s.o. up *//* *mi farò* — *di avvisarlo*, I shall see to it that he is notified **2** (*gentilezza*) kindness; (*attenzione*) attention: *è sempre pieno di premure con tutti*, he is always very kind to everybody.

premuroso *agg.* kind; (*pieno di attenzioni*) thoughtful.

prenatale *agg.* antenatal; (*spec. amer.*) prenatal.

prendere *v.tr.* **1** to take*; (*acciuffare, acchiappare*) to catch*: — *un ladro*, to catch a thief; *lasciarsi, farsi* —, to let oneself be caught; *lo prese la paura*, he was seized with fright; *prese il fagiano al primo colpo*, he got the pheasant first shot; — *una fortezza*, to take (*o to capture*) a fortress; — *un taxi*, to take a taxi; — *il treno*, to catch (*o to take*) a train *//* — *qlcu. in braccio*, to take s.o. in one's arms; — *qlcu. per mano*, to take s.o. by the hand *//* — *qlcu. per il collo*, to take s.o. by the scruff of the neck; (*fig.*) to twist s.o.'s arm *//* — *in giro, per il bavero*, to pull s.o.'s leg; (*imbrogliare*) to pull a fast one on s.o. *//* — *qlcu. in simpatia, in antipatia*, to take a liking, a dislike to s.o.; *esser preso d'amore per qlcu.*, to fall in love with s.o. *//* — *su*, to take; (*raccogliere*) to pick up *//* *andare a* —, to fetch; *verrò a prenderti nel pomeriggio*, I'll call for you in the afternoon *//* — *il raffreddore*, to catch a cold; — *la tosse*, to get a cough; — *freddo*, to get cold; *ho preso tanta pioggia*, I got soaking wet *//* *prendersi la responsabilità di qlco.*, to take (*o to assume*) responsibility for sthg. *//* *prenderle*, to be beaten; (*di bambini*) to be smacked (*o spanked*): *quante ne ha prese!*, what a thrashing he got! *//* — *o lasciare!*, take it or leave it! *//* *ha preso da suo padre*, she takes after her father *//* *lo presi per mio fratello*, I took (*o mistook*) him for my brother *//* *per chi mi prendi?*, who(m) do you take me for? *//* *che ti prende?*, what's up? *//* *non so come prenderlo, è così nervoso*, I don't know how to handle him, he is so irritable *//* *prendersela*, to take it amiss; *se l'è presa con me*, he got angry with me; *non prendertela!*, don't worry about it!; *prendersela comoda*, to take it easy; *prendersela a cuore*, to take it to heart *//* *dare una notizia prendendola alla lontana*, to break the news gently *//* — *a*, (*incominciare*) to start (doing) *//* — *alla lettera*, to take literally **2** (*assumere*) to assume; (*personale*) to take* on (s.o.): — *la direzione di una ditta*, to assume the management of a firm; — *un impiegato*, to take on a clerk *//* — *informazioni*, to make inquiries **3** (*occupare*) to take* up: *quel lavoro mi prenderà tutta la giornata*, that work will take up my whole day **4** (*comprare*) to buy*, to get*: *bisogna che prenda un po' di pane*, I must buy (*o get*) some bread **5** (*ottenere; guadagnare*) to get*: *prende sempre brutti voti*, he always gets bad marks; *quanto prendi alla settimana?*, how much do you get (*o* earn) a week? **6** (*far pagare*) to charge: *quanto prendi per una lezione?*, how much do you charge (*o* ask) for a lesson? ♦ *v.intr.* **1** (*voltare*) to turn: — *a sinistra, a destra*, to turn (to the) left, (to the) right // — *per i campi*, to strike out across the fields **2** (*attecchire*) to take* root **3** (*rapprendersi*) to set*: *il cemento non ha preso*, the cement has not set // **-ersi** *v. rifl.* (*afferrarsi*) to grab (sthg.).

prendibile *agg.* takeable; (*espugnabile*) pregnable.

prendisole *s.m.* **1** sunsuit **2** (*abito*) sundress.

prenome *s.m.* Christian name.

prenotare *v.tr.*, **prenotarsi** *v.rifl.* to book.

prenotazione *s.f.* booking, reservation // — *posti*, seats reservation; *ufficio prenotazioni*, booking office.

prensile *agg.* prehensile.

preoccupante *agg.* worrying.

preoccupare *v.tr.* to worry, to trouble // *qualcosa la preoccupa*, she has something on her mind // **-arsi** *v. intr.pron.* to worry (about s.o., sthg.), to be* worried (about s.o., sthg.): *non preoccuparti*, don't worry; *si preoccupa troppo per suo figlio*, she worries too much about her son.

preoccupato *agg.* worried (about), troubled (by).

preoccupazione *s.f.* worry, care // *quel ragazzo è una vera* — *per me*, that boy is a real worry to me.

preordinamento *s.m.* prearrangement.

preordinare *v.tr.* to prearrange.

preordinazione *s.f.* prearrangement.

preparare *v.tr.* to prepare // — *un ragazzo a un e-same*, to coach (*o* to prepare) a boy for an exam // — *la strada*, (*fig.*) to pave the way // **-arsi** *v.rifl.* to get* ready, to prepare (oneself): *è tempo di* — *a partire*, it's time to get ready to leave.

preparativo *s.m.* (*spec.pl.*) preparation.

preparato *agg.* prepared (for) // *la tavola è preparata*, the table is laid ♦ *s.m.* (*chim. farm.*) preparation.

preparatorio *agg.* preparatory.

preparazione *s.f.* preparation: — *sportiva*, training.

prepensionamento *s.m.* early retirement.

preponderante *agg.* preponderant; (*prevalente*) prevailing.

preponderanza *s.f.* preponderance; (*prevalenza*) prevalence; (*superiorità*) superiority.

preporre *v.tr.* **1** (*mettere davanti*) to put* before, to place before **2** (*preferire*) to prefer **3** (*mettere a capo*) to put* at the head.

preposizionare *v.tr.* (*informatica*) to preset*.

preposizione *s.f.* (*gramm.*) preposition.

preposto *s.m.* **1** (*eccl.*) canon **2** (*dirigente*) person in charge (of).

prepotente *agg.* overbearing: *non mi piace il suo carattere* —, I don't like his overbearing character ♦ *s.m. e f.* domineering fellow; (*fam.*) bully // *non fare il* —!, don't bully!

prepotenza *s.f.* **1** overbearing manner; (*fam.*) bullying **2** (*azione da prepotente*) overbearing action.

prepuzio *s.m.* foreskin.

preraffaellismo *s.m.* (*st. arte*) Pre-Raphaelism.

preraffaellita *agg.* e *s.m.* (*st. arte*) Pre-Raphaelite.

prerogativa *s.f.* **1** prerogative **2** (*qualità*) quality.

preromanticismo *s.m.* Pre-Romanticism.

preromantico *agg.* e *s.m.* Pre-Romantic.

presa *s.f.* **1** hold, grasp: *abbandonare la* —, to let go one's hold; (*fig.*) to give in // *cane da* —, retriever // *macchina da* —, cine-camera; *trasmissione in* — *diretta*, live broadcast // — *di posizione*, (*fig.*) taking sides //

— *di possesso*, taking possession; (*di carica ecc.*) taking up (office etc.) // — *in giro*, leg-pull // *far* —, (*di cemento*) to set; (*di colla*) to stick; (*di pianta*) to take (root); *le sue parole fecero* — *sul pubblico*, (*fig.*) his words gripped the audience // *essere alle prese con qlco.*, to grapple with sthg.; *essere alle prese con qlcu.*, to be busy with s.o. **2** (*d'aria, acqua*) intake; (*di gas*) outlet; (*di corrente*) plug, socket // — *di terra*, (*elettr.*) earth plate **3** (*espugnazione*) seizure; (*cattura*) capture **4** (*per maneggiare utensili molto caldi*) (pot) holder **5** (*pizzico*) pinch **6** (*alle carte*) trick **7** (*sport*) grip.

presagio *s.m.* **1** omen, presage: *è di buon, cattivo* —, it is a good, bad omen **2** (*presentimento*) presentiment: *avere* — *di qlco.*, to have a presentiment of sthg. **3** (*predizione*) prediction.

presagire *v.tr.* **1** (*prevedere*) to foretell* **2** (*essere presago di*) to forebode.

presago *agg.* foreboding: *essere* — *di*, (*prevedere*) to have a presentiment of.

presalario *s.m.* state help for undergraduates.

presbiopia *s.f.* presbyopia.

presbite *agg.* longsighted; (*per vecchiaia*) presbyopic ♦ *s.m.* e *f.* longsighted person; (*per vecchiaia*) presbyope.

presbiteriano *agg.* e *s.m.* Presbyterian.

presbiterio *s.m.* presbytery.

prescegliere *v.tr.* to choose*, to select.

prescelto *agg.* chosen, selected ♦ *s.m.* the selected person.

presciente *agg.* prescient.

prescienza *s.f.* prescience.

prescindere *v.intr.* to leave* (sthg.) apart // *a* —, *prescindendo da ciò*, apart from this.

prescolare *agg.* preschool: *età* —, preschool age.

prescritto *agg.* prescribed // *è* — *l'abito da sera*, evening dress obligatory.

prescrivere *v.tr.* to prescribe.

prescrizione *s.f.* **1** (*med. dir.*) prescription: *caduto in* —, invalidated by prescription **2** (*precetto*) precept, (*regola*) regulation.

presentabile *agg.* presentable.

presentare *v.tr.* to present; (*esibire*) to show* // — *i conti*, to render accounts // — *le armi*, (*mil.*) to present arms **2** (*inoltrare*) to send* in (sthg.) // — *un reclamo*, to make a complaint **3** (*mostrare, offrire*) to present, to offer: *la città presentava un triste spettacolo*, the town offered a sad sight // — *garanzie, vantaggi*, to offer security, advantages // — *i propri omaggi*, to pay one's respects // — *le proprie scuse*, to present one's apologies **4** (*far conoscere*) to introduce: *presentami il tuo amico*, introduce me to your friend // **-arsi** *v.rifl.* **1** to present oneself // — *ad un esame*, to sit for (*o* to take) an examination // — *come candidato a qlco.*, to run as a candidate for sthg. // *a quest'ora ti presenti!*, this is the time you arrive! **2** (*farsi conoscere*) to introduce oneself **3** (*offrirsi*) to offer; (*capitare*) to occur: *quando si presenta l'occasione*, when opportunity offers **4** (*sembrare*) to seem: *la vendita si presenta come un grosso affare*, the sale seems to be a very good bargain // *quella ragazza si presenta molto bene*, that girl looks very nice.

presentatore *s.m.* presenter; (*di varietà ecc.*) compère; (*di programmi quiz*) question master //. **-trice** *s.f.* presenter; (*di varietà ecc.*) compère; (*di programmi quiz*) quizgirl.

presentazione *s.f.* **1** presentation; (*introduzione*) introduction // *contro — di documenti*, upon production of documents (*o* against documents) **2** (*di una persona a un'altra*) introduction; (*a corte*) presentation // *dovresti fare le presentazioni*, you should do the introducing.

presente[1] *agg.* **1** present: *il — mese*, the current month; *— mio padre*, in the presence of my father; *— a sé stesso*, self-possessed; *far — qlco. a qlcu.*, to bring sthg. to s.o.'s attention; *avere, tenere — qlco.*, to bear (*o* to keep) sthg. in mind: *non ho — se egli ci fosse o no*, I can't remember whether he was there or not; *essere — nella memoria di qlcu.*, to remain in s.o.'s memory // *—!*, here! **2** (*questo*) this: *la — settimana*, this week; *la — lettera*, (*comm.*) this letter ♦ *s.m.* **1** present (time): *il — e il futuro*, the present and the future // *al —*, at present **2** (*gramm.*) present (tense) **3** *pl.* those present: *nessuno dei presenti lo vide*, none of the bystanders saw him ♦ *s.f.* (*lettera*) this letter: *con la —*, (*comm.*) herewith; *nella —*, (*comm.*) herein.

presente[2] *s.m.* (*dono*) present, gift.

presentemente *avv.* at present, now.

presentimento *s.m.* foreboding, presentiment.

presentire *v.tr.* to have* a foreboding (of sthg.), to have* a presentiment (of sthg.).

presenza *s.f.* **1** presence: *in — di*, in the presence of // *— d'animo, di spirito*, presence of mind // *di —*, (*di persona*) in person (*o* personally) // *fare atto di —*, to put in (*o* to make) an appearance // *una ragazza di bella —*, a fine-looking girl; *si richiede bella —*, must be good-looking; *una persona senza —*, a person of no presence **2** (*a scuola, in ufficio*) attendance.

presenziare *v.tr. e intr.* to attend // *— a un esame*, to be present at an examination.

presepe, presepio *s.m.* crib.

preservare *v.tr.* to preserve.

preservativo *s.m.* preservative.

preservazione *s.f.* preservation.

preside *s.m.* headmaster: *— di facoltà*, dean ♦ *s.f.* headmistress.

presidente *s.m.* president; (*di assemblea*) chairman (*pl.* -men); (*al Parlamento inglese e americano*) speaker: *il — del Consiglio*, the Premier (*o* the Prime Minister); *il — del consiglio di amministrazione*, the chairman (*o amer.* president) of the board of directors; *il — di una repubblica*, the president of a republic // **-essa** *s.f.* lady president; (*di assemblea*) lady chairman.

presidenza *s.f.* **1** presidency **2** (*di un'assemblea*) chair; chairmanship: *a quella riunione la — era al sig. B.*, at that meeting Mr. B. took the chair (*o* was the chairman) **3** (*di società*) management; (*insieme dei direttori*) board of directors **4** (*di scuola*) headmastership; (*studio del preside*) headmaster's study.

presidenziale *agg.* presidential: *repubblica —*, presidential republica.

presidiare *v.tr.* (*mil.*) to garrison.

presidiario *agg.* garrison (*attr.*).

presidio *s.m.* **1** garrison: *comandante del —*, garrison commander **2** (*mil.*) fortress **3** (*fig.*) (*difesa*) defence, protection.

presiedere *v.intr. e tr.* **1** to preside: *— (a) un'assemblea*, to preside over (*o* at) a meeting **2** (*dirigere*) to be* in charge (of sthg.) **3** (*fig.*) to control.

pressa *s.f.* (*mecc.*) press.

pressaforaggi(o) *s.m.* (*agr.*) forage press, hay press.

pressante *agg.* urgent.

pressappoco *avv.* about; (*circa*) near enough; (*più o meno*) more or less: *sono — le tre*, it is about three; *saranno — 5 kg*, there must be about 5 kilos.

pressare *v.tr.* to press: *— a freddo, a caldo*, (*mecc.*) to cold-press, to hot-press.

pressatura *s.f.* (*mecc.*) pressing.

pressi *s.m.pl.* neighbourhood (*sing.*): *in quei —*, nearby (*o* in the neighbourhood); *spero che nei — ci sia una stazione della metropolitana*, I hope there's a tube station nearby // *nei — di*, near; *nei — di Roma*, on the outskirts of Rome.

pressione *s.f.* pressure (*anche fig.*): *— del sangue*, (*med.*) blood pressure; *aumento, caduta di —*, (*fis.*) pressure increase, drop // *sotto —*, (*anche fig.*) under pressure // *mantenere la —*, to keep up steam // *mettere in —*, to raise steam // *fare — su qlcu.*, (*fig.*) to put pressure on s.o.; *non amo ricevere pressioni*, I don't like to be pushed.

presso *avv.* nearby, close at hand: *lì — c'è un fiume*, there is a river nearby (*o* close at hand); *la sua casa è qui —*, his house is near here (*o* nearby) // *da —*, closely; *più da —*, closer (*o* nearer); *farsi più da —*, to approach; *incalzare da —*, to be at s.o.'s heels; *vedere la morte da —*, to see death at close quarters ♦ *prep.* **1** near: *— Roma*, near Rome **2** (*accanto a*) by, next to: *— la porta*, by (*o* next to) the door **3** (*a casa di, nell'ufficio di*) at; (*con*) with; (*per*) for; (*negli indirizzi*) care of (*abbr.* c/o): *abita — mia zia, — di noi*, he lives at my aunt's, with us; *lavora — X, — una ditta svizzera*, he works at X's (*o* for X), with (*o* for) a Swiss firm; *Sig. X — Sig. Y*, Mr. X c/o Mr. Y // *ambasciatore — la Santa Sede*, Ambassador to the Holy See // *far ricerche — un ufficio*, to make enquiries at an office // *godere stima — qlcu.*, to be highly esteemed by s.o. **4** (*fra*) among.

pressoché *avv.* nearly, almost.

pressurizzare *v.tr.* to pressurize.

pressurizzazione *s.f.* pressurization.

prestabilire *v.tr.* to prearrange, to preestablish, to fix (sthg.) in advance.

prestabilito *agg.* preestablished, fixed in advance.

prestanome *s.m.* man of straw, dummy.

prestante *agg.* good-looking.

prestanza *s.f.* (*bell'aspetto*) fine appearance.

prestare *v.tr.* to lend*: *— denaro a interesse*, to lend money on interest; *farsi — qlco. da qlcu.*, to borrow sthg. from s.o. // *— aiuto*, to lend a (helping) hand // *— giuramento*, to take an oath // *— orecchio, ascolto*, to lend an ear (*o* to listen) // *— la propria opera*, to give one's services // **-arsi** *v.rifl.* **1** to lend* oneself; (*acconsentire*) to consent // *questa frase si presta a un malinteso*, this sentence may cause a misunderstanding **2** (*adoperarsi, dare aiuto*) to be* useful, to help (s.o.): *si presta volentieri per tutti*, he is always willing to lend everybody a hand **3** (*essere adatto*) to be* fit (for sthg., for doing), to be* suitable: *questo tessuto non si presta per un cappotto*, this material isn't suitable for an overcoat.

prestazione *s.f.* **1** *pl.* (*servizi*) services **2** (*di motore, di atleta*) performance **3** *— d'opera*, (*dir.*) work done.

prestidigitazione *s.f.* conjuring, sleight of hand, legerdemain.

prestigiatore *s.m.* conjurer, conjuror.

prestigio *s.m.* **1** (*influenza, autorità*) prestige: *mancare di —*, to be lacking in prestige; *una marca, un prodotto di —*, a mark, a product of prestige **2** (*fascino*) glamour, aura **3** (*prestidigitazione*) conjuring, sleight of hand: *giochi di —*, conjuring tricks.

prestigioso *agg.* fascinating, bewitching.

prestinaio *s.m.* (*region.*) baker.

prestito *s.m.* **1** loan: — *a interesse*, loan at interest; — *a lunga, breve scadenza*, long-term, short-term loan; — *dello stato*, Government loan; — *di guerra*, war loan; *agenzia di prestiti su pegno*, pawnshop; *a* —, on loan; *dare in* —, to lend; *prendere qlco. in* — *da qlcu.*, to borrow sthg. of (*o* from) s.o.; *rimborsare un* —, to redeem a loan; *emettere un* —, to issue (*o* to float) a loan **2** (*in linguistica*) loanword.

presto *avv.* **1** soon, before long: *sarà qui* —, he will soon be here (*o* he will be here before long); *torna* —!, come back soon!; *arrivederci a* —, see you soon // — *o tardi*, sooner or later (*o* eventually) // *al più* —, as soon as possible // *ben* —, very soon **2** (*di buon'ora*) early: *al mattino* —, early in the morning // *è* — *per partire*, it's too early to leave **3** (*in fretta*) quickly: *fa'* —!, be quick! (*o* hurry up!); *farò* —, I'll be quick (*o* only a moment); *ha fatto* — *a cambiare idea*, he soon changed his mind; *è* — *detto*, it's soon said // *si fa* — *a farlo*, it's easily done; *si fa* — *a dirglielo*, it's easy to tell him; *si fa* — *a dire, vorrei vedere te al mio posto*, it's easy for you to talk, but I'd like to see you in my shoes ♦ *inter.* quick!, hurry up! ♦ *s.m.* (*mus.*) presto.

presule *s.m.* prelate; (*vescovo*) bishop.

presumere *v.tr.* to presume; (*congetturare*) to conjecture; (*credere*) to think*: *presumo che abbia ragione*, I presume he is right.

presumibile *agg.* presumable.

presuntivo *agg.* presumptive.

presunto *agg.* presumed; (*supposto*) supposed: *erede* —, (*dir.*) heir presumptive: *morte presunta*, (*dir.*) presumed death.

presuntuosità *s.f.* presumptuousness.

presuntuoso *agg.* presumptuous, self-conceited.

presunzione *s.f.* **1** presumption, conceit // *quanta* —!, how conceited he is! **2** (*supposizione*) assumption, supposition, presumption.

presupporre *v.tr.* **1** (*supporre*) to assume, to suppose, to presume: *i nuovi macchinari presuppongono un'alta conoscenza tecnologica*, the new machinery presumes on first-class technical knowledge **2** (*richiedere*) to require.

presupposizione *s.f.* assumption, supposition.

presupposto *s.m.* presupposition: *partendo da questi presupposti*, starting from these assumptions.

prete *s.m.* **1** priest: *farsi* —, to take orders; — *operaio*, worker priest **2** (*fam.*) (*scaldaletto*) bed warmer.

pretendente *s.m.* pretender; (*corteggiatore*) suitor.

pretendere *v.tr.* **1** (*sostenere*) to claim, to profess, to pretend: *pretende d'aver ragione*, he claims he is right **2** (*esigere*) to demand, to want: *pretende un prezzo esagerato*, he asks an exorbitant price; *pretendo che mi dica la verità*, I want him to tell me the truth; *questo è* — *molto*, that's asking a lot; *l'impossibile*, to demand the impossible ♦ *v.intr.* to pretend.

pretensione *s.f.* pretence.

pretensioso, pretenzioso *agg.* pretentious.

preterintenzionale *agg.* (*dir.*) unintentional: *omicidio* —, manslaughter; (*amer.*) second-degree murder.

pretesa *s.f.* **1** (*presunzione*) pretension, pretence: *non ho la* — *di esserti superiore*, I don't pretend (*o* claim) to be better than you; *non ho la* — *di vincere*, I don't expect to win; *non ha alcuna* — *di bellezza o di stile*, it is without any pretence (*o* has no pretensions) to beauty or style // *con la* —, under pretence // *senza pretese*,

unpretentious (*agg.*), unpretentiously (*avv.*) **2** (*esigenza*) claim, demand: *è di poche pretese*, he is very easy to please; *ha molte pretese*, he is very hard to please.

preteso *agg.* supposed, alleged // *pretesa nobiltà*, self-styled nobility.

pretesto *s.m.* **1** pretext, excuse: *col* — *di vedermi*, on (*o* under) the pretext of seeing me; *sono soltanto pretesti*, they are only excuses **2** (*occasione*) opportunity, occasion.

pretino *s.m.* young priest.

pretore *s.m.* **1** magistrate, justice of the peace **2** (*st. romana*) praetor.

pretoriano *agg. e s.m.* (*st. romana*) praetorian.

pretorio *agg.* **1** magisterial **2** (*st. romana*) praetorial.

pretorio *s.m.* (*st. romana*) praetorium.

prettamente *avv.* merely, purely, simply.

pretto *agg.* pure.

pretura *s.f.* magistrate's court.

prevalente *agg.* prevalent, prevailing.

prevalenza *s.f.* prevalence; (*supremazia*) supremacy.

prevalere *v.intr.* to prevail (against, over s.o., sthg.).

prevaricare *v.intr.* to prevaricate; (*abusare del proprio potere*) to abuse one's office.

prevaricatore *s.m.* prevaricator.

prevaricazione *s.f.* prevarication; (*abuso di potere*) malversation.

prevedere *v.tr.* **1** to foresee*, to forecast*: *avrei dovuto prevederlo*, I should have foreseen it **2** (*di legge, contratto ecc.*) to provide (for sthg.).

prevedibile *agg.* foreseeable: *tutto ciò era* —, all this could have been foreseen.

preveggente *agg.* foreseeing, provident.

preveggenza *s.f.* foresight, prevision.

prevenire *v.tr.* **1** (*precedere*) to precede, to forestall, to anticipate: — *una domanda*, to anticipate a request **2** (*evitare*) to prevent, to ward off, to avert **3** (*avvertire in anticipo*) to inform, to (fore)warn.

preventivare *v.tr.* (*comm.*) to estimate.

preventivo *agg.* preventive, precautionary: *misure preventive*, precautionary measures; *medicina preventiva*, preventive medicine; *carcere* —, preventive detention // *bilancio* —, budget; *spese preventive*, estimated costs ♦ *s.m.* (*comm.*) estimate: *far fare un* —, to have an estimate made.

prevenuto *agg.* **1** prejudiced, biased: *è* — *contro di te*, he has a prejudice (*o* bias) against you **2** (*preavvisato*) forewarned ♦ *s.m.* (*dir.*) accused.

prevenzione *s.f.* **1** bias, prejudice: *senza* —, unprejudiced (*o* unbiased) **2** (*il prevenire*) prevention; (*misura preventiva*) precautionary measure: — *infortuni*, accident prevention.

previdente *agg.* provident, farsighted.

previdenza *s.f.* providence, foresight: *uomo di grande* —, very farsighted man // — *sociale*, social security.

previdenziale *agg.* providential: *oneri previdenziali*, social welfare contributions; *riforma* —, social security reform.

previo *agg.*: *previa autorizzazione*, by authority received; — *avviso, accordo*, upon notice, agreement; — *consenso delle parti interessate*, subject to agreement of the interested parties; — *pagamento*, against payment.

previsione *s.f.* **1** forecast, prevision; (*aspettativa*) expectation: *previsioni meteorologiche*, weather forecast; *oltre ogni* —, beyond every expectation **2** (*comm.*) estimate.

previsto *agg.* **1** foreseen, forecast; (*comm.*) estimate: *un calo nelle vendite era —*, a drop (*o* fall) in sales had been foreseen **2** (*di legge, contratto ecc.*) provided (for): *caso —*, case provided for ♦ *s.m.* what is expected: *le trattative durarono più a lungo del —*, the negotiations lasted longer than expected.

prevosto *s.m.* (*eccl.*) (*parroco*) parson; (*dignità capitolare*) canon.

preziosismo *s.m.* (*st. lett.*) euphuism, preciosity.

preziosità *s.f.* **1** preciousness **2** (*ricercatezza*) preciosity.

prezioso *agg.* **1** precious (*anche fig.*) // *fare il —*, to wait to be coaxed **2** (*ricercato*) precious, affected ♦ *s.m.* (*spec. pl.*) jewels.

prezzemolo *s.m.* parsley.

prezzo *s.m.* **1** price: *— a forfait*, price by the job; *— all'ingrosso*, wholesale price; *— al minuto, al dettaglio*, retail price; *— controllato*, fixed price; *— corrente, del giorno*, current (*o* market *o* ruling) price; *— di apertura, chiusura*, opening, closing price; *— d'acquisto*, purchase price; *— di costo*, cost price; *— di favore*, special price; *— di listino*, list price; *ultimo —*, rock-bottom price; *aumentare, abbassare i prezzi*, to raise, to reduce prices // *erano prezzi esorbitanti*, (*fam.*) it was daylight robbery // *pagare a caro — qlco.*, (*anche fig.*) to pay dearly for sthg. // *discutere il —*, to bargain // *tirare sul —*, to haggle about the price // *— d'affezione*, collector's price // *oggetto di poco, di gran —*, object of little, great value // *— del riscatto*, ransom price // *— del silenzio*, hush money // *a — di grandi sacrifici*, at the cost of great sacrifices // *a qualunque —*, at any cost **2** (*del percorso in treno, tram ecc.*) fare.

prezzolare *v.tr.* to bribe.

prezzolato *agg.* hired, bribed // *stampa prezzolata*, hireling press.

prigione *s.f.* **1** prison, jail, gaol: *mandare, mettere in —*, to send to (*o* to put into) prison **2** (*pena*) imprisonment **3** (*mil.*) detention.

prigionia *s.f.* imprisonment, captivity: *fece tre anni di —*, he was imprisoned for three years.

prigioniero *agg.* imprisoned ♦ *s.m.* prisoner: *— di guerra*, prisoner of war; *fare, essere fatto —*, to take, to be taken prisoner.

prillare *v.intr.* to twirl; (*di fuso*) to spin*.

prima¹ *avv.* **1** before: *il giorno —*, the day before; *molto —*, long before; *come —*, as before; *da —*, before **2** (*in anticipo*) beforehand, in advance: *un'altra volta dimmelo —*, tell me beforehand (*o* in advance) next time **3** (*più presto*) earlier; sooner: *non puoi venire —?*, can't you come earlier?; *vieni —, se puoi*, come sooner, if you can; *— verrai meglio sarà*, the sooner you come the better it will be // *— o poi*, sooner or later // *quanto —*, (*presto*) soon (*o* before long); (*il più presto possibile*) as soon as possible // *ho fatto — io!*, I did it first! **4** (*un tempo, una volta*) once // *egli non è più quello di —*, he is not the man he was // *ora siamo più amici di —*, now we are closer (*o* better) friends than ever **5** (*per prima cosa*) first; (*in un primo tempo*) at first: *— mangiamo, poi usciremo*, let us eat first, then go out; *— pensavo di poter venire, ma poi...*, at first I thought I could come, but then...; *— c'è una piazza, poi...*, first there is a square, then... // **prima di** *locuz.prep.* before: *— delle 7*, before 7 (o'clock); *— di Cristo*, before Christ // *— di tutto*, first of all // **prima che, di** *locuz.cong.* **1** before: *— che essi venissero*, before they came; *— di partire, ti telefonerò*, I'll ring you

up before leaving (*o* before I leave) **2** (*piuttosto che*) sooner than, rather than.

prima² *s.f.* **1** (*a scuola*) first class; (*amer.*) first grade **2** (*ferr.*) first class **3** (*teatr.*) first night; (*cinem.*) première **4** (*aut.*) first (gear) **5** (*scherma e ginnastica*) basic position **6** (*ora canonica*) prime.

primario *agg.* primary // *scuola primaria*, primary school ♦ *s.m.* head physician.

primate *s.m.* (*eccl.*) primate.

primati *s.m.pl.* (*zool.*) Primates.

primaticcio *agg.* early.

primatista *s.m. e f.* (*sport*) record-holder.

primato *s.m.* **1** preeminence, supremacy: *avere, tenere il —*, to hold the supremacy **2** (*sport*) record: *battere il —*, to break (*o* to beat) the record.

primavera *s.f.* spring: *in —*, in spring (*o* in springtime) // *— della vita*, the springtime of life // *deve aver visto molte primavere*, he must have seen many winters // *una rondine non fa —*, (*prov.*) one swallow does not make a summer.

primaverile *agg.* spring (*attr.*); springlike: *piogge primaverili*, spring rains; *in Sicilia in inverno la temperatura è —*, in Sicily in winter the temperature is springlike.

primeggiare *v.intr.* to excel (*s.o.*).

primigenio *agg.* primitive, primigenial.

primipara *s.f.* primipara.

primitivo *agg.* **1** primitive // *ha modi primitivi*, he has crude manners // *i primitivi*, the primitives **2** (*pristino*) pristine, original.

primizia *s.f.* **1** first fruit; (*di verdura*) early vegetable **2** (*notizia recentissima*) brand-new piece of news.

primo *agg.num.ord.* **1** first; (*tra due*) former // *— piano*, (*cinem.*) close up // *Atto I, Scena II*, Act one, Scene two // *Carlo —*, Charles the First // (*minuto*) *—*, minute; *— (piatto)*, first dish // *sulle prime, a tutta prima*, at first **2** (*principale, più importante*) first; leading; (*migliore*) best // *il — cittadino (della città)*, the mayor // *— attore*, leading actor; *prima attrice*, leading lady; *prima donna*, (*opera*) prima donna **3** (*iniziale; più lontano nel tempo*) early: *la prima infanzia*, early childhood // *di — mattino*, early in the morning **4** (*prossimo*) next **5** (*passato, precedente*) former ♦ *pron. e s.m.* first; (*tra due*) former: *il — che parla finisce male!*, the first person who speaks will come to a bad end!; *il —..., il secondo...*, the former..., the latter... // *il — dell'anno*, New Year's Day // *il — nato*, the firstborn // *ai primi del mese*, at the beginning of the month; *ai primi dell'Ottocento*, in the early nineteenth century; *ai primi di maggio*, in early May // *essere il — della classe*, to be top of the class.

primogenito *agg.* eldest, firstborn; (*fra due*) elder ♦ *s.m.* firstborn.

primogenitura *s.f.* primogeniture.

primordiale *agg.* primordial, primeval.

primordio *s.m.* (*spec. pl.*) beginning, origin: *i primordi della civiltà*, the dawn of civilization.

primula *s.f.* primrose.

princesse (*franc.*) *s.f.* princess(e) dress.

principale *agg.* principal, main, chief: *proposizione —*, (*gramm.*) principal (*o* main) clause; *la strada —*, the main street // *la sede — di una banca*, the head office of a bank ♦ *s.m.* (*capo d'azienda*) principal; (*direttore*) manager; (*padrone*) master; (*datore di lavoro*) employer; (*fam.*) boss.

principato *s.m.* principality.

principe *s.m.* prince: *un — reale*, a royal prince; *il —*

reale, the Prince Royal; *Principe di Galles*, Prince of Wales; *(tessuto)* Prince of Wales check // *— del Foro*, leading light of the Bar.

principesco *agg.* princely.

principessa *s.f.* princess.

principiante *s.m.* e *f.* beginner.

principiare *v.tr.* e *intr.* to begin*, to start // *a — da*, beginning with: *a — da oggi*, (as) from today (*o* from today on).

principio *s.m.* **1** beginning: *al — dell'anno*, at the beginning of (*o* early in) the year; *proprio dal —*, from the very beginning; *dare — a qlco.*, to begin sthg. // *da, in, al, sul —*, at the beginning (*o* at first) // *dal — alla fine*, from beginning to end **2** *(legge; fondamento; sistema)* principle: *un uomo senza principi*, a man of no principles; *per —*, on principle // *a partire dal — che...*, starting from the principle that... **3** *pl. (elementi, rudimenti)* principles, rudiments **4** *(origine, causa)* origin, cause // *il — del bene, del male*, *(fil.)* the principle of good, of evil.

priora *s.f.* *(eccl.)* prioress.

priorato *s.m.* priorate.

priore *s.m.* *(eccl. st.)* prior.

priorità *s.f.* priority: *diritto di —*, right of priority; *avere la —*, to have priority.

prioritario *agg.* having the right of priority.

prisma *s.m.* *(geom. ott.)* prism.

prismatico *agg.* prismatic.

privare *v.tr.* to deprive // **-arsi** *v.rifl.* to deprive oneself; *(negarsi)* to deny oneself (sthg.), to give* up (sthg.): *dovetti privarmi anche di questa soddisfazione*, I had to deny myself (*o* give up) even this satisfaction; *si privò di tutto ciò che aveva*, he deprived himself of everything he had.

privatamente *avv.* privately, in private.

privatista *s.m.* e *f.* external student; *(agli esami)* external candidate.

privativa *s.f.* **1** *(monopolio)* monopoly // *diritto di —*, patent (*o* patent-right) **2** *(spaccio di tabacchi)* tobacconist's (shop).

privatizzazione *s.f.* privatisation.

privato *agg.* private // *in —*, in private // *iniziativa privata*, personal initiative // *diritto —*, private low ♦ *s.m.* private citizen, private person.

privazione *s.f.* **1** deprivation; *(perdita)* loss **2** *pl. (rinunce)* privations.

privilegiare *v.tr.* *(favorire)* to favour.

privilegiato *agg.* e *s.m.* **1** privileged // *i privilegiati*, the privileged **2** *(comm.)* preference *(attr.)*: *titoli privilegiati*, preference stock; *creditore —*, privileged creditor.

privilegio *s.m.* **1** privilege: *concedere, godere di un —*, to grant, to enjoy a privilege **2** *(documento)* licence **3** *(dir.)* lien.

privo *agg.* devoid, destitute; *(mancante)* lacking (in), wanting (in): *— di buon senso*, devoid of common sense; *— di mezzi*, destitute of means; *— di entusiasmo*, lacking in enthusiasm; *— di padre*, fatherless // *cadere — di sensi*, to faint.

pro¹ *prep.* for: *— infanzia abbandonata*, for waifs and strays // *— bono pacis*, for the sake of peace // *— forma*, as a matter of form; *(comm.)* pro forma ♦ *s.m.* pros *(pl.)*: *il — e il contro*, the pros and cons.

pro² *s.m.* advantage, profit, benefit: *a mio —*, to my advantage // *a che —?*, what for?: *a che — lavorare tanto?*, what is the use of working so hard? // *buon — gli faccia!*, much good may it do him!

probabile *agg.* probable; likely: *molto —*, very likely (*o* most probable); *poco —*, unlikely (*o* hardly probable); *è assai poco —*, it is most unlikely; *è — che egli parta*, it is probable that he will leave (*o* he is likely to leave).

probabilismo *s.m.* *(fil. teol.)* probabilism.

probabilità *s.f.* probability, likelihood; *(possibilità)* chance: *che — ci sono?*, what are the probabilities? (*o* the chances?); *c'è una — su cento*, there is one chance in a thousand; *ha buone — di vincere*, he has a good chance of winning // *con ogni —*, in all probability (*o* most likely) // *calcolo delle —*, *(mat.)* calculus of probability.

probante *agg.* probative.

probatorio *agg.* *(dir.)* probative.

probità *s.f.* probity.

probiviri *s.m.pl.* arbiters.

problema *s.m.* problem *(anche fig.)*.

problematica *s.f.* (the) problems *(pl.)*.

problematicità *s.f.* problematic(al) nature.

problematico *agg.* problematic(al).

probo *agg.* *(letter.)* honest, upright.

proboscide *s.f.* trunk, proboscis.

procaccia *s.m.* carrier.

procacciare *v.tr.* to get*: *come si procaccia da vivere?*, how does he earn his living? // *procacciarsi dei guai*, to get into trouble.

procacciatore *s.m.* commission agent.

procace *agg.* provocative.

pro capite *(lat.)* *locuz.avv.* per head, per person.

procedere *v.intr.* **1** to proceed, to go* on *(anche fig.)*: *procedevano adagio*, they went on slowly; *procedi oltre, questo non m'interessa*, go on, this does not interest me; *— di buon passo*, to walk at a good pace **2** *(fig.)* *(iniziare)* to start (sthg.), to begin* (sthg.): *procediamo all'elenco delle merci, all'inventario*, let's go (*o* move) on to the list of the goods, to the inventory; *— al sequestro dei beni*, to issue a writ of attachment **3** *(fig.)* *(comportarsi)* to behave; *(agire)* to act: *bisogna — con risolutezza*, we must act resolutely **4** *(dir.)* to proceed: *— per vie legali*, to take legal proceedings **5** *(aver origine)* to derive, to come*.

procedimento *s.m.* **1** process **2** *(dir.)* proceedings *(pl.)*: *iniziare il — contro qlcu.*, to begin proceedings against s.o.

procedura *s.f.* **1** *(dir.)* procedure: *— burocratica*, burocratic procedure; *— penale*, criminal proceedings **2** *(informatica)* procedure: *— di abbandono*, aborting procedure; *— di rilevazione di controllo*, checkpoint procedure; *— di riserva*, backup procedure.

procedurale *agg.* *(dir.)* procedural.

procellaria *s.f.* *(zool.)* stormy petrel.

procelloso *agg.* *(letter.)* stormy, tempestuous.

processare *v.tr.* to try // *— far —*, to bring to trial (*o* to prosecute).

processionaria *s.f.* *(zool.)* processionary.

processione *s.f.* procession.

processo *s.m.* **1** process: *— chimico*, chemical process; *— di lavorazione*, process of manufacture // *— morboso*, course of an illness // *— discontinuo* *(informatica)* batch process **2** *(dir.)* trial; *(causa)* action, lawsuit; *(procedimento)* proceedings *(pl.)*: *— penale*, criminal trial; *— civile*, lawsuit (*o* civil proceedings); *andare sotto —*, to be tried; *essere sotto —*, to be on trial; *mettere qlcu. sotto —*, to bring s.o. to trial // *— verbale*, minutes *(pl.)*.

processore *s.m.* (*informatica*)(*unità centrale*) processor.

processuale *agg.* (*dir.*) of a trial, trial (*attr.*) // *spese processuali*, costs; *atti processuali*, judicial acts.

procinto, in *locuz.avv.*: *essere in — di*, to be on the point of (*o* to be about to).

procione *s.m.* (*zool.*) procyon.

proclama *s.m.* proclamation.

proclamare *v.tr.* to proclaim // *— un decreto, una legge*, to promulgate a decree, a law.

proclamazione *s.f.* proclamation.

proclive *agg.* inclined: *è — all'ozio*, he is inclined to be lazy.

proconsole *s.m.* (*st. romana*) proconsul.

procrastinare *v.tr.* to postpone, to adjourn.

procrastinazione *s.f.* procrastination.

procreare *v.tr.* to procreate.

procreazione *s.f.* procreation.

procura *s.f.* **1** power of attorney; proxy: *— generale*, full power of attorney; *dare la — a qlcu.*, to accord power of attorney to s.o.; *bisognerà che tu ti faccia dare una —*, you will have to procure (*o* to get) power of attorney; *avere la — di qlcu.*, to stand proxy for s.o.; *per —*, by proxy: *sposarsi per —*, to marry by proxy **2** (*ufficio, sede*) solicitor's office // *alla — di stato*, at the Attorney General's office.

procurare *v.tr.* **1** to procure, to get*: *— i biglietti*, to get the tickets; *procurarsi da vivere*, to get a living; *procurarsi delle noie*, to get into trouble **2** (*cercare*) to try **3** (*causare*) to cause.

procuratore *s.m.* **1** attorney **2** (*legale*) (*in Inghilterra*) solicitor; (*negli Stati Uniti*) attorney-at-law // *Procuratore Generale*, Attorney General; *Sostituto Procuratore*, Solicitor General **3** *Procuratore del Re, della Repubblica*, (*in Inghilterra*) Public Prosecutor; (*negli Stati Uniti*) District Attorney **4** (*sport*) manager **5** (*chi ha una procura*) procurator, proxy; (*comm.*) representative.

proda *s.f.* shore; (*di fiume*) bank.

prode *agg.* valiant ♦ *s.m.* valiant man.

prodezza *s.f.* **1** prowess, bravery **2** (*atto di coraggio*) brave deed // *che bella —!*, a fine feat indeed!

prodigalità *s.f.* prodigality, lavishness.

prodigare *v.tr.* to lavish (*anche fig.*) // *-arsi v.rifl.* to do* all one can.

prodigio *s.m.* prodigy; (*meraviglia*) marvel, wonder: *fare prodigi*, to work wonders: *un — della tecnica*, a miracle of technology // *bambino —*, infant prodigy; (*miracolo*) miracle.

prodigiosità *s.f.* prodigiousness.

prodigioso *agg.* prodigious; (*meraviglioso*) marvellous, wonderful.

prodigo *agg.* prodigal, lavish; (*di denaro*) (very) generous: *essere — di consigli*, to lavish advice (on) // *il figliuol —*, the prodigal son ♦ *s.m.* lavish person.

proditorio *agg.* treacherous.

prodotto *s.m.* **1** product: *prodotti agricoli*, agricultural products; *— derivato, secondario*, by-product; *prodotti di bellezza*, beauty products; *— lordo*, gross product; *— nazionale, estero*, home, foreign product **2** (*risultato, frutto*) fruit, result, product **3** (*mat.*) product.

prodromo *s.m.* (*spec. pl.*) **1** warning sign **2** (*med.*) symptom.

produrre *v.tr.* **1** to produce; (*generare, dare*) to yield, to bear* **2** (*causare, originare*) to cause **3** (*mostrare, presentare*) to show*: *— il biglietto, i documenti*, to show one's ticket, documents // *— un testimone*, (*dir.*)

to call a witness // *-ursi v.rifl.*: *si produsse nella parte di Amleto*, he played Hamlet.

produttività *s.f.* productivity, productiveness.

produttivo *agg.* productive.

produttore *agg.* **1** productive, producing **2** (*che fabbrica*) manufacturing ♦ *s.m.* **1** producer // *— cinematografico*, film producer **2** (*comm.*) agent.

produzione *s.f.* **1** production; (*fabbricazione*) manufacture: *— a ciclo continuo*, continuous flow production; *— in massa*, mass production; *— nazionale, estera*, home, foreign production; *eccesso di —*, overproduction // *premio di —*, production bonus // *direttore di —*, (*cinem.*) producer **2** (*quantità prodotta in un dato tempo da macchine, industrie ecc.*) output: *la — annua*, the annual output **3** (*presentazione*) exhibition // *— di un testimonio*, (*dir.*) calling of a witness.

proemio *s.m.* (*lett.*) proem.

profanare *v.tr.* **1** to profane; (*violare*) to violate **2** (*fare uso indegno*) to debase.

profanatore *agg.* profaning; (*che viola*) violating ♦ *s.m.* profaner; (*chi viola*) violator.

profanazione *s.f.* profanation; (*violazione*) violation.

profanità *s.f.* profanity.

profano *agg.* **1** secular: *letteratura profana*, secular literature **2** (*irriverente*) profane **3** (*inesperto*) ignorant (of sthg.): *essere — in una scienza*, to be ignorant of a science ♦ *s.m.* **1** the profane **2** (*persona inesperta*) layman (*pl.* -men).

proferire *v.intr.* **1** to utter // *— una sentenza*, (*dir.*) to pronounce judgment **2** (*offrire*) to offer.

professare *v.tr.* to profess // *-arsi v.rifl.* to profess oneself.

professionale *agg.* professional; (*preparatorio ad un mestiere*) vocational: *orientamento, formazione —*, vocational guidance, training.

professionalità *s.f.* professionalism.

professione *s.f.* **1** (*attività intellettuale*) profession; (*mestiere*) trade: *— liberale*, learned profession; *che esercita tuo padre?*, what is your father's profession?; *esercita la — di medico*, he is a physician; *esercitare la, una libera —*, to be an independent professional man // *di —*, by profession; by trade: *elettricista di —*, an electrician by trade **2** (*dichiarazione*) profession: *— di fede*, profession of faith.

professionismo *s.m.* professionalism.

professionista *s.m. e f.* **1** professional: *libero —*, independent professional **2** (*sport*) professional.

professionistico *agg.* professionalistic.

professorale *agg.* **1** professorial **2** (*iron.*) pedantic.

professorato *s.m.* professorship.

professore *s.m.* **1** teacher, (school)master; (*titolare di cattedra universitaria*) professor; *— di disegno*, drawing teacher; *— incaricato*, (*universitario*) lecturer; (*amer.*) assistant professor; *è il mio — di terza*, he is my third-form master; (*amer.*) he is my third-grade teacher **2** (*mus.*) instrumentalist: *è un — d'orchestra del Covent Garden*, he is a member of the Covent Garden orchestra // *-essa s.f.* **1** teacher, mistress; (*titolare di cattedra universitaria*) (lady) professor: *è — di piano*, she teaches the piano; *è la mia — di terza, di latino*, she is my third-form, my Latin mistress **2** (*iron.*) bluestocking.

profeta *s.m.* prophet (*anche fig.*).

profetare *v.tr.* to prophesy.

profetessa *s.f.* prophetess.

profetico *agg.* prophetic(al).

progresso

profetizzare *v.tr.* to prophesy.

profezia *s.f.* prophecy: *le profezie si sono avverate*, the prophecies were fulfilled.

profferire *v.tr.* (*letter.*) to offer.

profferta *s.f.* offer.

proficuo *agg.* profitable; (*utile*) useful.

profilare *v.tr.* **1** to border **2** (*delineare*) to delineate **3** (*mecc.*) to profile // **-arsi** *v.intr.pron.* to be*out lined: — *all'orizzonte*, to be outlined against the horizon.

profilassi *s.f.* (*med.*) prophylaxis.

profilato *agg.* **1** edged, bordered; (*di vestito*) trimmed **2** (*delineato*) outlined ♦ *s.m.* (*metall.*) section, structural shape.

profilattico *agg.* (*med.*) prophylactic ♦ *s.m.* contraceptive.

profilatura *s.f.* **1** (*per abito*) edging, trimming **2** (*mecc.*) profiling, forming.

profilo *s.m.* **1** (*linea di contorno*) outline // — *alare*, (*aer.*) wing contour **2** (*di viso*) profile: *di —*, in profile **3** (*punto di vista*) point of view: *sotto il — tecnico*, from the technical point of view (*o* technically speaking); *considerandolo sotto questo —*, considering it from this viewpoint **4** (*studio critico-biografico*) monograph (on s.o., sthg.), sketch (on s.o., sthg.) **5** (*arch.*) profile, section.

profittare *v.intr.* **1** to profit (from, by s.o., sthg.); (*abusare*) to take* undue advantage: — *dei consigli di qlcu*, to profit by s.o.'s advice **2** (*progredire*) to progress, to make* progress.

profittatore *s.m.* exploiter; (*in tempo di guerra*) profiteer.

profittevole *agg.* profitable.

profitto *s.m.* **1** profit; (*vantaggio*) advantage; (*beneficio*) benefit: *mettere a — qlco.*, to turn sthg. to profit; *metti a — la tua conoscenza dell'inglese*, make good use of your English; *trarre — da qlco.*, to benefit from sthg. **2** (*guadagno*) profit, gain **3** *pl.* (*redditi*) profits; profit (*sing.*): *conto profitti e perdite*, (*comm.*) profit and loss account.

profluvio *s.m.* **1** overflow **2** (*med.*) flow.

profondamente *avv.* deeply, profoundly: — *commosso*, deeply moved; *dormire —*, to sleep soundly (*o* like a log); — *addormentato*, fast asleep; *odiare qlcu. —*, to hate s.o. intensely.

profondere *v.tr.* to lavish; (*denaro*) to squander: — *il proprio denaro in divertimenti*, to squander one's money on pleasure // **-ersi** *v.rifl.* to be* lavish (of, in sthg.).

profondimetro *s.m.* depth gauge.

profondità *s.f.* depth.

profondo *agg.* **1** deep (*anche fig.*): *profonda conoscenza, malinconia*, deep knowledge, melancholy; *cadere in un sonno —*, to fall into a deep sleep; — *un metro*, a metre deep **2** (*che ha profonde radici*) deep-rooted: *una profonda antipatia*, a deep-rooted dislike ♦ *s.m.* **1** depth: *emergere dal — del mare*, to come out of the depths of the sea // *nel — del mio cuore*, at the bottom of my heart **2** (*psic.*) the unconscious.

profugo *agg. e s.m.* refugee.

profumare *v.tr.* to perfume, to scent // **-arsi** *v.rifl.* to put* on scent: *non mi profumo mai*, I never use perfume (*o* scent).

profumatamente *avv.* (*ad alto prezzo*) dearly, at a high price; (*generosamente*) generously, liberally: *l'ho pagato —*, (*un oggetto ecc.*) I paid the earth (*o* I paid through the nose) for it.

profumato *agg.* sweet-smelling; (*impregnato di profumo*) scented, perfumed.

profumeria *s.f.* perfumery: *negozio di —*, perfumery (*o* perfumer's shop).

profumiere *s.m.* perfumer.

profumo *s.m.* perfume, scent; (*fragranza*) fragrance (*anche fig.*): *mandare un buon —*, to smell good.

profusione *s.f.* profusion, overabundance.

profuso *agg.* profuse.

progenie *s.f.* progeny, issue; descendants (*pl.*).

progenitore *s.m.* ancestor, forefather, progenitor // **-trice** *s.f.* ancestress, progenitress.

progettare *v.tr.* to plan.

progettazione *s.f.* planning; (*progetto*) plan // — *automatizzata*, (*informatica*) computer-aided design.

progettista *s.m. e f.* planner, designer.

progettistica *s.f.* planning technique.

progetto *s.m.* plan, project: — *di massima*, preliminary project // — *di legge*, bill // — *edilizio*, housing scheme.

prognato *agg.* prognathous, prognathic.

prognosi *s.f.* (*med.*) prognosis (*pl.* prognoses): — *riservata*, a reserved prognosis.

programma *s.m.* **1** program(me); (*prospetto*) prospectus (*pl.* prospectuses): — *delle corse*, (*sport*) race card; — *elettorale*, electoral programme; — *scolastico*, syllabus (*o* program); *secondo il —*, according to plan; *che — hai?*, what are your plans? // *non ho in — di partire*, I am not thinking of leaving // *fuori —*, (*cinem.*) shorts and advertisements; (*mus. teatr.*) supplementary piece: *essere fuori —*, (*anche fig.*) not to be on the program // *doppio —*, double-feature program **2** (*di macchina calcolatrice*) routine **3** (*informatica*) program(me); routine: — *ad alta priorità*, foreground program; — *applicativo*, application routine; *programmi applicativi*, application software; — *automatico*, automatic routine; — *di assemblaggio*, assembler; — *di canale*, channel program; — *di chiamata del compilatore*, guida, prompter; — *di inizializzazione*, initial program load (IPL); — *di messa a punto*, debugging package; — *di traduzione*, compiler; — *di utilità*, utility program; — *di valutazione prestazioni*, benchmark program; — *elaborativo*, processing program; — *in corso di esecuzione*, program IN operation; — *non prioritario*, — *secondario*, background program; — *non corretto, non messo a punto*, undebugged program; — *per la gestione*, manager; — *principale*, main program; — *supervisore*, supervisor; — *traduttore*, processor; *prova del —*, program checkout.

programmare *v.tr.* **1** to program(me) **2** (*informatica*) to code; to schedule.

programmatico *agg.* programmatic.

programmatore *s.m.* programmer.

programmazione *s.f.* programming // — *in linguaggio macchina*, (*informatica*) absolute programming, coding; — *realizzata da un programmatore*, hand coding; — *tandem*, (*IBM*) dual programming; *riga di —*, coding line.

programmista *s.m.* program director.

progredire *v.intr.* to get* on, to progress.

progressione *s.f.* progression.

progressismo *s.m.* progressism.

progressista *s.m. e f.* progressive, progressist.

progressivo *agg.* progressive.

progresso *s.m.* progress (*solo sing.*); headway; (*perfezionamento*) improvement: *fare progressi in qlco.*, to improve in sthg.; *sta facendo piccoli progressi nei suoi studi*, he's making little headway in his studies.

proibire v.tr. **1** to forbid*, to prohibit: *mi proibirono di parlare*, I was forbidden to speak; *ti proibisco di uscire*, I forbid you to go out // *proibito fumare*, no smoking **2** (*impedire*) to prevent, to hinder.

proibitivo agg. prohibitive: *prezzi proibitivi*, prohibitive prices.

proibizione s.f. prohibition.

proibizionismo s.m. prohibitionism.

proiettare v.tr. **1** to project, to cast*, to throw* (out) **2** (*cinem.*) to show*.

proiettile s.m. **1** shell, projectile, shot **2** (*pallottola*) bullet, (*cartuccia*) cartridge: — *calibro 22*, 22-calibre bullet.

proiettore s.m. **1** projector: — *aeronautico*, aeronautical light; — *di segnalazione del traffico aereo*, air-traffic signal light **2** (*cinem.*) (motion-picture) projector, (movie) projector: — *per diapositive*, slide projector.

proiezione s.f. **1** projection **2** (*fot. cinem. tv*) projection: *sala di —*, projection room **3** (*cinematografica*) showing, screening: *conferenza con proiezioni*, lecture and film show.

prole s.f. issue, offspring, progeny.

proletariato s.m. proletariat(e).

proletario agg. e s.m. proletariat(e).

proliferare v.intr. to proliferate.

proliferazione s.f. (*biol.*) proliferation.

prolificare v.intr. to proliferate.

prolificazione s.f. prolification.

prolificità s.f. prolificness.

prolifico agg. prolific.

prolissità s.f. prolixity.

prolisso agg. prolix: *un oratore —*, a longwinded speaker.

pro loco s.f. (*lat.*) local tourist office.

prologo s.m. prologue.

prolunga s.f. **1** extension **2** (*mil.*) waggon.

prolungabile agg. prolongable, extendable.

prolungamento s.m. prolongation, extension; (*allungamento*) lengthening: — *delle vacanze*, extension of the holidays; — *di una sillaba*, (*gramm.*) lengthening of a syllable.

prolungare v.tr. to prolong, to extend; (*allungare*) to lengthen; (*protrarre*) to protract // **-arsi** v.intr.pron. **1** (*continuare*) to continue, to extend: *causa il — della sua assenza*, owing to his prolonged absence **2** (*dilungarsi*) to dwell* (on sthg.).

prolusione s.f. **1** opening address, opening lecture **2** (*informatica*) paper.

promemoria s.m. memorandum.

promessa[1] s.f. promise: *promesse vane*, empty promises; *rottura di — (di matrimonio)*, breach of promise; *con la — di...*, on the promise that...; *essere impegnato da una —*, to be bound by promise; *mancare alla —*, to break one's promise // *quel ragazzo è una —*, he is a boy of promise.

promessa[2] s.f. (*fidanzata*) fiancée.

promesso agg. promised ♦ s.m. (*fidanzato*) fiancé.

promettente agg. promising.

promettere v.tr. to promise: — *in moglie*, to promise in marriage // *questo ragazzo promette bene*, this is a promising boy // *— mari e monti*, to promise the moon.

prominente agg. prominent, jutting.

prominenza s.f. prominence.

promiscuità s.f. promiscuity.

promiscuo agg. **1** mixed; (*spec. sessualmente*) promiscuous: *scuola promiscua*, mixed school (*o* coed

school); *matrimonio —*, mixed marriage // *ad uso —*, (*di veicolo*) dual-purpose **2** (*gramm.*) common.

promontorio s.m. promontory, headland.

promosso agg. successful ♦ s.m. successful student.

promotore agg. promoting ♦ s.m. promoter.

promozionale agg. promotional.

promozione s.f. **1** (*avanzamento di grado*) promotion, advancement: *ottenere la — a capitano*, to be promoted captain **2** (*comm.*) sales promotion.

promulgare v.tr. to promulgate.

promulgazione s.f. promulgation.

promuovere v.tr. **1** (*far avanzare di grado*) to promote **2** (*a scuola*) to pass: *non so se sarò promosso*, I do not know whether I'll pass **3** (*sostenere*) to promote, to further, to foster: — *un progetto di legge*, to promote a bill **4** (*provocare*) to cause, to provoke.

pronao s.m. (*arch.*) pronaos (*pl.* pronaoi).

pronipote s.m. **1** (*di bisnonno*) great-grandson, great-grandchild; (*di prozio*) grand-nephew // *i pronipoti*, (*maschi e femmine*), great-grandchildren **2** *pl.* (*discendenti*) descendents ♦ s.f. **1** (*di bisnonno*) great-grand-daughter, great-grandchild; (*di prozio*) grand-niece.

pronome s.m. (*gramm.*) pronoun.

pronominale agg. (*gramm.*) pronominal.

pronosticare v.tr. to prognosticate, to foretell*, to forecast*.

pronostico s.m. forecast, prediction, prognostic: *fare un —*, to forecast (*o* to predict).

prontamente avv. readily, quickly; (*senza indugio*) promptly: *rispose —*, the answer came pat.

prontezza s.f. readiness, quickness // *— di spirito*, ready wit; (*in situazione di emergenza*) presence of mind // *con —*, promptly.

pronto agg. **1** ready: — *all'azione*, ready for action; *sei — per incominciare?*, are you ready to begin?; *trovatevi pronti alle cinque*, be ready at five o'clock; *tener — qlco.*, to keep sthg. ready; *tenersi —*, to keep ready *o* —!, (*al telefono*) hallo! (*o* hullo!) // *pronti, via!*, ready, steady, go! **2** (*lesto, rapido*) prompt, quick: — *nelle risposte*, prompt in one's answers; *un ragazzo —*, a quick-witted (*o* an alert) boy; *risposta pronta*, prompt answer // *pronta consegna*, (*comm.*) prompt delivery; *pronta spedizione*, (*comm.*) immediate conveyance.

prontuario s.m. handbook.

pronuncia s.f. pronunciation: *cattiva —*, faulty pronunciation; *dizionario di —*, pronouncing dictionary; *ha un difetto di —*, he has an impediment in his speech.

pronunciabile agg. pronounceable.

pronunciamento s.m. (*st.*) military revolt.

pronunciare v.tr. **1** to pronounce; (*proferire*) to utter: *sentii — il suo nome*, I heard his name (mentioned); — *male*, to mispronounce **2** (*dire*) to say*; (*recitare*) to deliver // **-arsi** v.intr.pron. to declare one's opinion: — *contro un progetto*, to declare oneself against a plan.

pronunciato agg. **1** pronounced, uttered **2** (*rilevato, spiccato*) pronounced, marked: *un — accento dialettale*, a marked local accent // *un mento —*, a protruding chin ♦ s.m. decision.

pronunzia e deriv. → **pronuncia** e deriv.

propaganda s.f. **1** publicity; (*spreg.*) propaganda: — *elettorale*, election campaigning (*o* electioneering); *far — a un prodotto*, to advertise a product **2** (*comm.*) advertising // — *insistente*, boosting (*o* plugging) // *vendita di —*, special sale.

propagandare v.tr. **1** to publicize, to propagandize:

— *un'idea*, to spread an idea **2** (*comm.*) to advertise *//* — *insistentemente*, to boost (*o* to plug).

propagandista *s.m.* e *f.* **1** propagandist **2** (*comm.*) salesman (*pl.* -men), advertiser.

propagandistico *agg.* propagandist(ic); (*comm.*) advertising: *stampa propagandistica*, (*pol.*) propaganda press.

propagare *v.tr.* to propagate, to spread*; (*luce, calore ecc.*) to give* out *//* **-arsi** *v.intr.pron.* to propagate; (*di luce*) to travel.

propagatore *s.m.* propagator.

propagazione *s.f.* propagation.

propagginare *v.tr.* (*agr.*) to layer.

propagginazione *s.f.* (*agr.*) layering.

propaggine *s.f.* **1** (*agr.*) layer **2** (*diramazione*) ramification.

propalatore *s.m.* divulgator.

propalazione *s.f.* spreading, divulgation.

propano *s.m.* (*chim.*) propane.

propedeutica *s.f.* propaedeutics.

propedeutico *agg.* propaedeutic.

propellente *s.m.* propellant.

propendere *v.intr.* to be* inclined, to tend: — *per il sì, per il no*, to have nothing against, to be against.

propensione *s.f.* **1** tendency, inclination **2** (*simpatia*) liking.

propenso *agg.* inclined; (*favorevole*) favourable.

propilei *s.m.pl.* propylaea.

propilene *s.m.* (*chim.*) propylene.

propinare *v.tr.* to give*; (*somministrare*) to administer.

propiziare *v.tr.* to propitiate.

propiziatorio *agg.* propitiatory.

propiziazione *s.f.* propitiation.

propizio *agg.* **1** propitious **2** (*opportuno*) favourable *//* *il momento* —, the right moment.

proponente *agg.* proposing ♦ *s.m.* proposer.

proponibile *agg.* proposable.

proponimento *s.m.* resolution, purpose, resolve: *fare buoni proponimenti*, to make good resolutions *//* *far* — *di*, to resolve to; *ho fatto* — *di non fumare più*, I have resolved not to smoke any more.

proporre *v.tr.* **1** to propose; (*suggerire*) to suggest: — *a esempio*, to set up (*o* to point out) as an example; *ha proposto una vacanza in campeggio*, he suggested a camping holiday **2** (*stabilire*) to propose, to intend: *mi proponevo di venirti a trovare, ma...*, I intended to come and see you, but...; *proporsi un obiettivo*, to set oneself a target (*o* an objective).

proporzionale *agg.* proportional: *grandezze direttamente proporzionali*, (*mat.*) proportional dimensions ♦ *s.f.* proportional system.

proporzionalità *s.f.* proportionality.

proporzionalmente *avv.* proportionally.

proporzionare *v.tr.* to proportion.

proporzionatamente *avv.* proportionately.

proporzionato *agg.* **1** proportioned **2** (*adeguato*) proportionate.

proporzione *s.f.* proportion; (*rapporto*) ratio: — *diretta, inversa*, (*mil.*) direct, inverse ratio; *estremi, medi di una* —, (*mat.*) extremes, means of a proportion; *senza proporzioni*, out of proportion (*o* disproportionate).

proposito *s.m.* purpose; (*intenzione*) intention; (*scopo*) aim, object: *questo non serve al mio* —, this does not answer my purpose; *cambiare* —, to change one's mind; *ho fatto il* — *di studiare di più*, I have decided to study more *//* *di* —, on purpose (*o* intentionally) *//* *a*

— *di*, with regard to *//* *fuori* (*di*) —, *male a* —, out of place, ill-timed (*o* inopportune) (*agg.*), at the wrong moment (*avv.*) *//* *a* —, *quando partirai?*, by the way, when are you leaving? *//* *ciò che disse era molto a* —, what he said was very much to the purpose (*o* to the point) *//* *questo viene, capita a* —, (*serve allo scopo*) this suits the purpose perfectly; (*al momento opportuno*) this comes just at the right time *//* *arrivare proprio a* —, to arrive in the nick of time.

proposizione *s.f.* (*gramm.*) clause: — *principale, subordinata*, main, subordinate clause.

proposta *s.f.* proposal: — *di matrimonio*, proposal (of marriage): *fare una* — *di matrimonio*, to propose; — *di pace*, peace proposal(s) *//* — *di legge*, (parliamentary) bill.

propriamente *avv.* **1** (*esattamente*) exactly **2** (*con proprietà*) properly **3** (*in senso proprio*) literally.

proprietà *s.f.* **1** property: *quel quadro è di mia* —, that picture is my property (*o* belongs to me) *//* — *letteraria*, copyright *//* *diritto di* —, right of ownership **2** (*possedimento*) property, estate **3** (*il proprietario, l'insieme dei proprietari*) ownership, owners: *le decisioni della* —, the decisions of the owners **4** (*caratteristica*) property, characteristic **5** (*correttezza, decoro*) propriety, correctness.

proprietario *s.m.* owner, proprietor; (*di locanda, pensione*) landlord: — *terriero*, landowner: *piccolo* — *terriero*, smallholder.

proprio *agg.* **1** typical, characteristic **2** (*adatto*) apt; (*letterale*) literal: *termine* —, suitable term; *espressioni proprie*, apt phrases; *il significato* — *di una parola*, the literal meaning of a word **3** (*mat. gramm.*) proper **4** *vero e* —, real (*o* proper) ♦ *agg.poss.* **1** one's (own): *amare la propria famiglia*, to love one's family; *ciascuno* (*di noi*) *ama la propria famiglia*, each (of us) loves his family; *ogni uomo ha il* — *destino*, every man has his own destiny; *non tutti sono soddisfatti del* — *lavoro*, not all are satisfied with their job **2** (*rafforzativo di poss.*) own: *l'ho visto con i miei propri occhi*, I saw it with my own eyes; *ha una teoria sua propria*, he has a theory of his own ♦ *pron.poss.* one's own: *preferire il lavoro altrui al* —, to prefer other people's work to one's own ♦ *s.m.* one's (own): *dare a ciascuno il* —, to give everybody his own *//* *ha una ditta in* —, he has a business of his own; *lavorare in* —, to work on one's own account.

proprio *avv.* **1** just, exactly: — *così*, just (*o* exactly) so *//* — *in quel momento*, at that very moment; — *ora che devo uscire*, right (*o* just) now that I'm going out; — *ora me lo chiedi?*, do you have to ask me now?; — *ieri che...*, just yesterday when...; *me lo diceva* — *ieri*, he was telling me only yesterday *//* *è* — *lui!*, (but) it is him! *//* «*Vuoi andarci davvero?*» «*Sì,* —», "Do you really want to go there?" "Yes, I do" **2** (*veramente*) really: *è* — *impossibile*, it is really (*o* quite) impossible *//* *non è* — *vero!*, it isn't true! *//* *è* — *vero che...*, it's really true that...

propugnare *v.tr.* to support; (*combattere per qlco.*) to fight* (for sthg.).

propugnatore *s.m.* supporter; (*difensore*) defender.

propulsione *s.f.* propulsion: — *a razzo*, (*aer.*) rocket propulsion.

propulsivo *agg.* propulsive.

propulsore *s.m.* propeller.

prora *s.f.* prow, bow, head: — *diritta*, straight stem; *a* —, at the bow; *albero di* —, foremast; *vento di* —, head wind.

proravia *locuz.avv.*: *a* —, (*mar.*) ahead.

proroga *s.f.* **1** (*dir.*) (*rinvio*) adjournment **2** (*dilazione*) respite; (*di pagamento*) extension.

prorogabile *agg.* **1** (*rinviabile*) adjournable, postponable **2** (*prolungabile*) extendable.

prorogabilità *s.f.* possibility to be postponed.

prorogare *v.tr.* **1** (*rinviare*) to put* off, to postpone **2** (*prolungare*) to extend.

prorompente *agg.* unrestrained: *entusiasmo —*, wild enthusiasm.

prorompere *v.intr.* **1** to burst* (out) (*anche fig.*); to break* out (*anche fig.*) **2** (*di liquidi*) to gush out (of sthg.).

prosa *s.f.* **1** prose (*anche fig.*): *poema in —*, prose poem; *opere in —*, prose works **2** (*teatr.*): *compagnia di —*, dramatic company; *preferisco la — all'opera*, I enjoy a play better than an opera.

prosaico *agg.* prosaic (*anche fig.*): *che vita prosaica!*, what a dull life!; *come sei —!*, how matter-of-fact you are!

prosastico *agg.* prose (*attr.*).

prosatore *s.m.* prose writer.

proscenio *s.m.* (*teatr.*) proscenium (*pl.* -ia).

prosciogliere *v.tr.* **1** to free, to release **2** (*dir.*) to acquit.

proscioglimento *s.m.* **1** release **2** (*dir.*) acquittal.

prosciugamento *s.m.* **1** drying up; (*artificiale*) draining **2** (*med.*) drainage.

prosciugare *v.tr.* to dry up; (*artificialmente*) to drain ♦ *v.intr.*, **-arsi** *v.intr.pron.* to dry up.

prosciutto *s.m.* ham: *— cotto, crudo*, ham, raw ham.

proscritto *agg.* proscribed ♦ *s.m.* exile, outlaw.

proscrivere *v.tr.* to proscribe.

proscrizione *s.f.* proscription.

prosecuzione *s.f.* prosecution, continuation.

proseguimento *s.m.* continuation // *buon —!*, all the best!; (*in viaggio*) enjoy the rest of your journey!

proseguire *v.tr.* to continue, to carry on ♦ *v.intr.* to go* on, to continue // *far — una lettera*, to forward a letter.

proselitismo *s.m.* proselytism.

proselito *s.m.* proselyte.

prosodia *s.f.* prosody.

prosopopea *s.f.* **1** prosopopoeia **2** (*fig.*) affectation, haughtiness: *ha molta —*, he is very haughty.

prosperare *v.intr.* to thrive*, to prosper; (*economicamente*) to do* well.

prosperità *s.f.* prosperity, prosperousness; (*benessere*) wealth // *auguri e —!*, good luck and prosperity! // *ondata di —*, boom.

prospero *agg.* **1** prosperous, thriving: *salute prospera*, very good health **2** (*favorevole*) happy, lucky, fortunate.

prosperoso *agg.* **1** prosperous, thriving **2** (*florido, in salute*) healthy: *una ragazza prosperosa*, a buxom girl.

prospettare *v.tr.* **1** to show*, to point out; to propose: *— un'ipotesi*, to formulate a hypothesis **2** (*guardare*) to look (out) on (to sthg.) // **-arsi** *v.rifl.*: *mi si prospetta una promozione*, I'm in for promotion; *la situazione si prospetta difficile*, the situation appears to be difficult.

prospettico *agg.* perspective (*attr.*): *effetto —*, perspective effect.

prospettiva *s.f.* **1** perspective: *quadro senza —*, picture out of perspective // *una — d'insieme*, a comprehensive view **2** (*possibilità futura*) prospect, view: *senza prospettive*, without any prospects; *una — di lavoro*, a prospect of work; *non ho che la — di passare le vacanze in città*, I've no other prospect but to spend my holidays in town // *in —*, in view of.

prospetto *s.m.* **1** (*vista*) view **2** (*fronte*) front: *di —*, facing; *palco di —*, front box; *visto di —*, see from the front **3** (*specchietto*) prospectus; (*sommario*) summary **4** (*informatica*) (*IBM*) report.

prospezione *s.f.* (*geol.*) prospecting.

prospiciente *agg.* facing, looking on (to sthg.).

prossimamente *avv.* **1** (very) soon, in a short time, presently, before long **2** (*cinem.*) coming shortly ♦ *s.m.* (*cinem.*) trailer.

prossimità *s.f.* closeness, proximity // *in — di*, in proximity to: *in — delle montagne*, near the mountains.

prossimo *agg.* **1** near (sthg.), close; at hand (*pred.*): *la scuola è prossima alla piazza*, the school is near (*o* close to) the square; *in un — futuro*, in the near future; *essere — alla fine*, to be near the end; (*fig.*) to be near one's end; *esser — a fare qlco.*, to be going to do sthg. // *parente —*, near (*o* close) relative // *è — ai vent'anni, alla quarantina*, he is nearly twenty, near his forties **2** (*seguente nel tempo e nello spazio*) next: *l'anno, il mese —*, next year, month; *il — villaggio*, the next village // *il 15 ottobre —*, on 15th October next; *il 15 del mese —*, (*comm.*) on the 15th prox **3** (*vicino nel passato*) close: *avvenimenti a noi prossimi*, events still close to us // (*gramm.*): *passato —*, present perfect; *trapassato —*, past perfect ♦ *s.m.* fellowmen (*pl.*) // *rispetto per il —*, respect for one's neighbour // *ama il — tuo come te stesso*, thou shalt love thy neighbour as thyself.

prostata *s.f.* (*anat.*) prostate (gland).

prosternarsi *v.rifl.* to prostrate (oneself).

prostituire *v.tr.* to prostitute (*anche fig.*) // **-irsi** *v.rifl.* **1** to become* a prostitute **2** (*fig.*) to prostitute oneself.

prostituta *s.f.* prostitute.

prostituzione *s.f.* prostitution.

prostrare *v.tr.* to prostrate (*anche fig.*) // **-arsi** *v.rifl.* to prostrate oneself.

prostrato *agg.* prostrate (with) (*anche fig.*): *— dal dolore*, overwhelmed by grief.

prostrazione *s.f.* prostration (*anche fig.*).

protagonista *s.m.* e *f.* leading character (*anche fig.*); (*teatr.*) main part, leading part.

proteggere *v.tr.* **1** to protect, to shield; (*riparare*) to shelter: *— dal freddo*, to shelter from the cold **2** (*tutelare, custodire*) to watch over (s.o., sthg.), to guard // *che Dio ti protegga!*, God keep you! **3** (*favorire*) to favour; (*patrocinare*) to patronize; (*incoraggiare*) to protect, to encourage: *la fortuna protegge gli audaci*, fortune favours the brave; *— le arti*, to patronize the arts.

proteico *agg.* (*chim.*) protein (*attr.*), proteinous, proteinic.

proteiforme *agg.* proteiform, protean.

proteina *s.f.* (*chim.*) protein.

protendere *v.tr.* to stretch (out): *— le braccia*, to stretch out one's arms // **-ersi** *v.rifl.* to stretch oneself; (*in avanti*) to lean* forward: *si protese nello sforzo*, he leaned forward in the effort.

proteo *s.m.* (*zool.*) proteus.

protervia *s.f.* arrogance.

protervo *agg.* arrogant.

protesi *s.f.* prosthesis.

proteso *agg.* outstretched.

protesta *s.f.* **1** protest: *fare qlco. per —*, to do sthg. in protest; *fare, organizzare una —*, to stage a protest; *fare una — formale*, to lodge a protest; *sollevare una —*, to raise a protest // *la — giovanile*, juvenile protest **2** (*dichiarazione*) protestation // *— di amicizia*, profession of friendship.

proverbiale

protestante *agg.* e *s.m.* e *f.* (*relig.*) Protestant.
protestantesimo *s.m.* (*relig.*) Protestantism.
protestare *v.tr.* e *intr.* to protest: *si protestava innocente*, he protested he was innocent // *amicizia per qlcu.*, to profess friendship for s.o. // *— un attore*, to sack an actor; *essere protestato*, (*di attore*) to get the sack // *— una cambiale*, (*con protesto definitivo*) to protest a bill; (*con protesto preliminare*) to note a bill: *assegno protestato*, returned (*o* dishonoured) cheque.
protestatario *agg.* protesting // *un articolo —*, an article of protest.
protesto *s.m.* (*comm.*) protest; (*preliminare*) noting: *atto, avviso di —*, certificate, notice of protest; *levare — a carico di una persona*, to serve a protest on a person // *in —*, under protest: *lasciar andare una cambiale in —*, to dishonour a bill; *un assegno in —*, a returned (*o* a dishonoured) cheque.
protettivo *agg.* protective.
protetto *agg.* **1** protected; (*riparato*) sheltered **2** (*favorito*) favoured; (*patrocinato*) patronized ♦ *s.m.* protégé, favourite.
protettorato *s.m.* (*pol.*) protectorate.
protettore *s.m.* **1** protector **2** (*mecenate, patrono*) patron: *santo —*, patron saint **3** (*sfruttatore di prostitute*) ponce **4** (*st.*) Protector: *lord —*, Lord Protector.
protezione *s.f.* **1** protection // *misure di — antiaerea*, air-raid precautions // *società per la — degli animali*, society for prevention of cruelty to animals // *sotto la — delle Belle Arti*, under the control of the Fine Arts' Institute (*o* Organization) **2** (*mecenatismo, patronato*) patronage: *chiedere la — di qlcu.*, to solicit s.o.'s patronage (*o* support); *prendere qlcu. sotto la propria —*, to take s.o. under one's patronage.
protezionismo *s.m.* (*econ.*) protectionism.
protezionista *s.m.* (*econ.*) protectionist.
protezionistico *agg.* protectionist: *regime —*, protectionist regime.
protiro *s.m.* (*arch.*) vestibule.
proto *s.m.* (*tip.*) foreman (*pl.* -men), overseer.
protocollare¹ *v.tr.* to file, to record.
protocollare² *agg.* protocol (*attr.*).
protocollo *s.m.* **1** (*di trattato*) protocol **2** (*registro*) record, register: *essere a —*, to be on record; *mettere a —*, to record (*o* to file) // *formato —*, foolscap **3** (*cerimoniale*) protocol.
protone *s.m.* (*fis.*) proton.
protoplasma *s.m.* (*biol.*) protoplasm.
protoplasmatico *agg.* (*biol.*) protoplasmic.
protosincrotrone *s.m.* (*fis.*) proton-synchrotron.
prototipo *s.m.* prototype // *è il — dello stupido*, he is the perfect idiot // *è il — dello svizzero*, he is a typical Swiss.
protozoi *s.m.pl.* (*biol.*) Protozoa.
protrarre *v.tr.* **1** to protract, to prolong **2** (*differire*) to put* off, to postpone, to defer // **-arsi** *v.intr.pron.* to be* prolonged; (*durare*) to last: *questa situazione si protrae da tempo*, this situation has continued (*o* lasted) for a long time.
protrazione *s.f.* **1** protraction **2** (*differimento*) putting off, deferment.
protuberante *agg.* protuberant.
protuberanza *s.f.* protuberance.
prova *s.f.* **1** proof; (*testimonianza*) evidence (*solo sing.*): *— a carico*, (*dir.*) evidence for the prosecution; *— a discarico*, (*dir.*) evidence for the defence; *assolto per insufficienza di prove*, (*dir.*) acquitted on the

grounds of insufficient proof; *diede — di essere un vero amico*, he proved to be a real friend; *ti racconto tutte queste cose a — delle mie asserzioni*, I am telling you all these things to support my assertions; *dare buona — di sé*, to give a good account of oneself; *dare — di coraggio*, to give a proof of one's courage // *fino a — contraria*, until one has proof to the contrary **2** (*esperimento*) trial, test: *periodo di —*, trial period; *— conclusiva*, crucial test; *— del sangue*, blood test; *volo di —*, test flight; *banco di —*, testing bench; *campo di —*, proving ground; *ho preso un'automobile in —*, I have taken a car on trial; *lo assumerò in —*, I shall give him a trial; *reggere alla —*, to stand the test; *superare una —*, to pass a test // *— del fuoco*, ordeal (*o* trial) by fire; (*fig.*) decisive test // *a — di cannone*, shellproof // *a — di bomba*, bombproof // *un amico a tutta —*, a proven (*o* tried) friend // *una memoria a tutta —*, a sure memory // *mettere qlcu., qlco. alla —*, to test s.o., sthg. out; *la mia pazienza è stata messa a dura —*, my patience has been sorely tried **3** (*esame*) test, examination: *sostenere una —*, to take (*o* to sit for) an examination; *la — scritta di italiano*, the Italian paper (*o* written examination) **4** (*tentativo*) try: *farò una —*, I shall try; *lasciami fare una —*, let me have a try (*o* a go) at it **5** (*sofferenza, sventura*) trial **6** (*risultato, riuscita*) result **7** (*sport*) (*di qualificazione*) preliminary; event **8** (*di abito, durante la confezione*) fitting: *mettere in — un abito*, to make a dress ready for a fitting **9** (*teatr.*) rehearsal: *— generale*, dress rehearsal **10** (*tip.*) (printing) proof: *foglio di —*, specimen page.
provabile *agg.* provable, demonstrable.
provare *v.tr.* **1** (*dimostrare*) to prove, to show*: *quel-l'avvenimento provò che aveva ragione*, the event proved him right **2** (*tentare, sperimentare*) to try: *proviamo un po'*, let's have a try; *anche se non lo hai mai fatto, provaci!*, even if you have never done it, have a try! (*o* have a smack *o* try it out) // *— per credere*, (you) try and see **3** (*mettere alla prova*) to test, to try: *fu duramente provato dalle avversità*, he was severely tried by hardships; *— la capacità di qlcu.*, to test s.o.'s abilities **4** (*sentire*) to feel*; (*conoscere per esperienza*) to experience: *— simpatia, avversione per qlcu.*, to have a liking, an aversion for s.o.; *...so cosa significa, l'ho provato anch'io*, ...I know what it means, I've been through the same (experience) myself **5** (*abiti ecc.*) to try on; (*abito in confezione*) to have* a fitting: *devo andare dalla sarta a —, a provarmi un abito*, I have to go to the dressmaker's for a fitting **6** (*collaudare*) to test **7** (*saggiare*) to try, to test **8** (*teatr.*) to rehearse **9** (*assaggiare*) to taste // **-arsi** *v.rifl.* (*cimentarsi*) to try // *provati e vedrai!*, you just try!
provato *agg.* **1** tried: *un amico —*, a proven friend; *un fisico — dalla fatica*, a physique worn-out by fatigue **2** (*dimostrato*) evident **3** (*mecc.*) tested.
provenienza *s.f.* origin; (*luogo*) provenance; (*fonte*) source: *qual è la — di queste merci?*, where do these goods come from? *d'ignota —*, from an unknown source // *di dubbia —*, of doubtful (*o* questionable) origin.
provenire *v.intr.* **1** to come*: *— da una buona famiglia*, to come of a good family **2** (*fig.*) to originate, to be* caused (by sthg.), to be* brought about (by sthg.).
provento *s.m.* proceeds (*pl.*).
provenzale *agg.* e *s.m.* e *f.* Provençal.
proverbiale *agg.* proverbial.

proverbio *s.m.* proverb; saying: *come dice il —*, as the saying goes; *giocare ai proverbi*, to play proverbs.

provetta *s.f.* (*chim.*) test tube: *— graduata*, graduated measuring tube // *figlio della —*, test-tube baby.

provetto *agg.* skilled.

provincia *s.f.* province: *vita di —*, provincial life; *vivere in —*, to live in the provinces.

provinciale *agg. e s.m.* provincial: *gusti, abitudini provinciali*, provincial tastes, habits ♦ *s.f.* (*strada*) main road.

provincialismo *s.m.* provincialism.

provino *s.m.* **1** (*chim.*) (*provetta*) test tube **2** (*teatr.*) try-out, audition **3** (*cinem.*) (*di attore*) screen test; (*di film*) test strip; (*di film, a scopo reclamistico*) trailer.

provocante *agg.* provocative.

provocare *v.tr.* **1** to provoke; (*far sorgere*) to give* rise (to sthg.), to rouse: *— il malcontento*, to give rise to discontent // *— la collera di qlcu.*, to excite s.o.'s anger **2** (*istigare*) to provoke.

provocatore *agg. e s.m.* provocative // *agente —*, agent provocateur.

provocatorio *agg.* provocative.

provocazione *s.f.* provocation: *— grave*, serious provocation; *non rispondere alle provocazioni*, don't respond to the provocation.

provvedere *v.intr.* to provide (for sthg.); (*occuparsi*) to see*; (*sistemare*) to arrange (sthg.): *— ai bisogni della famiglia*, to provide for one's family; *chi provvederà ai bambini?*, who will provide for the children?; *— a un pagamento*, to see to a payment; *ha già provveduto a tutto*, he has already seen to (*o* arranged) everything; *occorre — subito*, a quick decision must be taken // *severamente nei confronti di qlcu.*, to take severe measures against s.o. ♦ *v.tr.* **1** to provide; (*fornire*) to supply: *— qlcu. di qlco.*, to provide (*o* to supply) s.o. with sthg. **2** (*preparare*) to prepare // **-ersi** *v.rifl.* to provide oneself (with sthg.).

provvedimento *s.m.* measure // *— disciplinare*, disciplinary step // *provvedimenti sanitari*, health precautions.

provveditorato *s.m.* (government) department *— agli studi*, provincial education office.

provveditore *s.m.* head of a (government) department *— agli studi*, provincial director of education.

provveduto *agg.* provided (with); (*fornito*) supplied (with) // *un lettore —*, a wary reader.

provvidenza *s.f.* providence.

provvidenziale *agg.* providential.

provvido *agg.* provident; (*saggio*) wise.

provvigione *s.f.* (*comm.*) commission: *vendita a —*, sale on commission.

provvisorio *agg.* provisional; (*temporaneo*) temporary: *governo —*, provisional government // *in via provvisoria*, provisionally (*o* temporarily).

provvista *s.f.* provisions (*pl.*), supplies (*pl.*); (*di merce*) stock: *far —*, *provviste*, to take in provisions; *avere una buona — di*, to be well supplied with // *restare a corto di provviste*, to run short of supplies.

provvisto *agg.* provided (with); (*fornito*) supplied (with).

prozio *s.m.* great-uncle.

prua *s.f.* (*mar.*) prow // *da poppa a —*, fore and aft // *vento di —*, head wind.

prudente *agg.* prudent; (*cauto*) cautious // *sii —!*, be careful! // *giudicai — andarmene*, I thought it wise to go away.

prudenza *s.f.* **1** prudence // *—!*, be careful! (*o* caution!) // *la — non è mai troppa*, you can never be too

careful **2** (*precauzione*) precaution: *per —*, as a precaution.

prudenziale *agg.* prudential; (*precauzionale*) precautionary.

prudere *v.intr.* to itch: *mi prudeva dappertutto*, I was itching all over // *mi prudevano le mani dalla voglia di dargli uno schiaffo*, I was itching to box his ears // *mi prude la lingua dalla voglia di dirgli...*, I have a good mind to tell him...

prugna *s.f.* plum // *— secca*, prune.

prugnola *s.f.* sloe.

prugnolo *s.m.* blackthorn.

pruneto *s.m.* (*bot.*) thicket of thorn bushes.

pruno *s.m.* (*bot.*) **1** thorn bush **2** (*spina*) thorn.

prurigine *s.f.* **1** itch **2** (*med.*) prurigo.

pruriginoso *agg.* itching.

prurito *s.m.* itch (*anche fig.*).

prussiano *agg. e s.m.* Prussian.

prussico *agg.* (*chim.*) prussic.

pseudo- *pref.* pseudo-.

pseudonimo *s.m.* pseudonym: *sotto lo — di*, under the pen name of.

psicanalisi *s.f.* psychoanalysis.

psicanalista *s.m. e f.* psychoanalyst.

psicanalitico *agg.* psychoanalytic(al).

psicanalizzare *v.tr.* to psychoanalyse.

psicastenia *s.f.* (*med.*) psychasthenia.

psiche *s.f.* psyche.

Psiche *no.pr.f.* (*mit.*) Psyche // **psiche** *s.f.* (*specchiera*) cheval glass.

psichedelico *agg.* psychedelic.

psichiatra *s.m. e f.* psychiatrist.

psichiatria *s.f.* psychiatry.

psichiatrico *agg.* psychiatric // *ospedale —*, mental hospital.

psichico *agg.* psychic.

psico- *pref.* psycho-.

psicofarmaco *s.m.* (*farm.*) psychotrope drug.

psicofisico *agg.* psychophysical.

psicologia *s.f.* psychology.

psicologico *agg.* psychological.

psicologo *s.m.* psychologist.

psicopatico *agg.* psychopathic ♦ *s.m.* psychopath.

psicosi *s.f.* psychosis (*pl.* psychoses).

psicosomatico *agg.* psychosomatic.

psicotecnica *s.f.* psychotechnics.

psicotecnico *agg.* psychometric: *esame —*, (psychometric) aptitude test.

psicoterapia *s.f.* psychotherapy // *— di gruppo*, group (psycho) therapy.

psittacosi *s.f.* (*med.*) psittacosis.

puah *inter.* phooey!, ugh!

pubblicabile *agg.* publishable.

pubblicano *s.m.* publican.

pubblicare *v.tr.* to publish; (*emettere*) to issue: *— un libro, un giornale*, to publish a book, a newspaper; *— un decreto*, to issue a decree.

pubblicazione *s.f.* **1** publication; (*di leggi, decreti ecc.*) issue, issuing: *una — a fascicoli*, a publication in serial form; *— mensile*, monthly; *— settimanale*, weekly // *— di una sentenza*, (*dir.*) notice of issue of a sentence **2** *pl.* (*di matrimonio*) banns: *fare le pubblicazioni*, to publish the banns.

pubblicista *s.m. e f.* occasional contributor (to a newspaper).

pubblicità *s.f.* **1** advertising: *piccola —*, advertisements; *ufficio di —*, advertising office; *far — a qlco.*, to advertise sthg.; *(fig.)* to broadcast sthg. // *dare poca — a qlco.*, to keep a low profile on sthg. **2** *(l'essere pubblico)* publicity.

pubblicitario *agg.* advertising: *avviso —*, advertisement; *una trovata pubblicitaria*, a publicity stunt; *intermezzo —*, publicity break, publicity slot.

pubblico *agg.* public: *opinione pubblica*, public opinion // *ordine —*, public order // *debito —*, National Debt // *ente —*, public body (*o* institution) // *scuola pubblica*, state school; *(amer.)* public school // *servizi pubblici*, public services // *lavori pubblici*, public works // *spese pubbliche*, public expenses // *— funzionario*, civil servant // *— ufficiale*, public official // *diritto —*, public law // *render —*, to make public (*o* to broadcast) // *di dominio —*, of common (*o* public) knowledge // *di interesse —*, of public interest ♦ *s.m.* **1** public: *il — dei lettori*, the reading public; *il — non è ammesso*, the public is (*o* are) not admitted // *in —*, in public **2** *(di spettatori)* audience.

pube *s.m.* *(anat.)* pubis *(pl. pubes)*.

pubere *agg.* pubescent.

pubertà *s.f.* puberty.

pudibondo *agg.* *(letter.)* modest; *(iron.)* prudish.

pudicizia *s.f.* modesty.

pudico *agg.* modest; *(vergognoso)* bashful.

pudore *s.m.* **1** modesty, decency: *offesa al —*, offence against decency; *oltraggio al —*, indecent behaviour // *senza —*, shameless *(agg.)*; shamelessly *(avv.)* **2** *(ritegno)* reserve.

puericultrice *s.f.* nurse.

puericultura *s.f.* child care.

puerile *agg.* childish.

puerilità *s.f.* childishness.

puerizia *s.f.* *(letter.)* childhood.

puerpera *s.f.* puerpera *(pl. puerperae)*.

puerperale *agg.* puerperal.

puerperio *s.m.* puerperium *(pl. puerperia)*.

pugilato *s.m.* boxing, pugilism: *guanti da —*, boxing gloves; *incontro di —*, boxing match; *fare del —*, to box.

pugilatore, **pugile** *s.m.* boxer, pugilist.

pugilistico *agg.* boxing *(attr.)*; pugilistic: *incontro —*, boxing match.

puglia *s.f.* **1** *(gettone)* counter, fish **2** *(l'insieme dei gettoni)* pool, jackpot.

pugna *s.f.* *(letter. o scherz.)* fight, battle.

pugnace *agg.* *(letter.)* pugnacious, bellicose.

pugnalare *v.tr.* to stab: *— alle spalle*, *(fig.)* to stab (s.o.) in the back.

pugnalata *s.f.* **1** stab: *fu colpito con una —*, he was stabbed **2** *(fig.)* blow, shock.

pugnale *s.m.* dagger: *colpo di —*, stab.

pugno *s.m.* **1** fist: *aprire il —*, to open one's fist; *stringere il —*, to clench one's fist; *colpire col —*, to punch; *mostrare i pugni a qlcu.*, to shake one's fist at s.o. // *di proprio —*, in one's own handwriting // *in —*, in one's hand; *tenere*, *avere qlcu. in —*, to have s.o. under one's thumb; *avere la vittoria in —*, to have victory within one's grasp // *usare il — di ferro*, *(fig.)* to use ironfisted methods; *(fam.)* to come the heavy **2** *(colpo)* punch, blow: *assestare*, *dare un — in un occhio, sul naso a qlcu.*, to punch s.o. in the eye, on the nose; *prendere a pugni*, to strike s.o. (*o* to use one's fists on s.o.) // *fare a pugni*, to fight (*o* to box); *(fig.)* to clash: *dovemmo fare a pugni per passare*, we had to fight our way through // *essere un — in un occhio*, to be an eyesore **3** *(manciata)* fist-

ful, handful *(anche fig.)*: *rimanere con un — di mosche*, to be left empty-handed.

pula *s.f.* chaff.

pulce *s.f.* flea // *gioco della —*, tiddleywinks // *mettere una — in un orecchio a qlcu.*, to sow doubts in s.o.'s mind.

Pulcinella *no.pr.* *(st. teatr.)* Punchinello // *segreto di —*, open secret // **pulcinella** *s.m.* *(fig.)* clown.

pulcino *s.m.* chick // *bagnato come un —*, drenched to the bone // *un — nella stoppa*, a helpless creature.

puledra *s.f.* filly.

puledro *s.m.* colt.

puleggia *s.f.* *(mecc.)* pulley.

pulire *v.tr.* **1** to clean; *(lavare)* to wash; *(con strofinaccio ecc.)* to wipe: *— a secco*, to dry clean; *pulirsi la bocca*, *(col tovagliolo)* to wipe one's mouth; *— i denti*, to brush one's teeth; *pulirsi il naso*, to blow one's nose **2** *(lucidare)* to polish.

pulita *s.f.* cleaning: *dare una — a qlco.*, to clean sthg.

pulito *agg.* clean *(anche fig.)*; *(fig.)* clear: *casa pulita*, clean house; *una coscienza pulita*, a clear conscience // *un affare —*, it's a clean (*o* straight) piece of business // *far piazza pulita*, *(mangiare tutto)* to eat up everything; *(portar via tutto)* to clean out everything // *lasciar qlcu. —*, *(fig.)* to clean s.o. out ♦ *avv.* cleanly; *(fig.)* decently.

pulitore *s.m.* cleaner.

pulitrice *s.f.* *(mecc.)* buffing wheel, polishing machine.

pulitura *s.f.* cleaning; *(lucidatura)* polishing: *— a secco*, dry cleaning.

pulizia *s.f.* *(il pulire)* cleaning; *(l'essere pulito)* cleanliness, cleanness: *— urbana*, city cleansing; *far —*, to clean up; *(fig.)* to make a clean sweep; *fare le pulizie di Pasqua*, to do the spring cleaning.

pullman *s.m.* **1** coach **2** *(ferr.)* Pullman.

pullover *s.m.* pullover; *(per donna)* jumper.

pullulare *v.intr.* to swarm (with s.o., sthg.), to teem (with s.o., sthg.).

pulmino *s.m.* van.

pulpito *s.m.* pulpit // *da che — viene la predica!*, look who's talking! // *salire sul —*, to lay down the law.

pulsante *s.m.* push button, buzzer: *— del campanello*, bell push.

pulsare *v.intr.* to throb, to pulsate *(anche fig.)*.

pulsazione *s.f.* pulsation, throb, throbbing: *pulsazioni cardiache*, pulsations.

pulvino *s.m.* *(arch.)* pulvino, dosseret.

pulviscolo *s.m.* atomy: *— atmosferico*, motes.

pulzella *s.f.* *(ant. o scherz.)* maid.

pum *onom.* bang!

puma *s.m.* puma.

pungente *agg.* **1** thorny, prickly **2** *(che irrita i sensi o la pelle)* pungent, sharp: *odore —*, pungent smell; *freddo —*, sharp (*o* piercing) cold **3** *(fig.)* sharp, biting: *un rimprovero —*, a sharp rebuke; *ironia —*, biting irony.

pungere *v.tr.* *(di ago, spina)* to prick *(anche fig.)*; *(di insetto)* to sting* *(anche fig.)*: *pungersi un dito*, to prick one's finger; *il freddo mi pungeva la faccia*, the cold stung my face // *mi punge la curiosità*, I am itching with curiosity; *mi punge il desiderio di vederlo*, I am itching to see him // *— qlcu. sul vivo*, to cut s.o. to the quick.

pungiglione *s.m.* sting.

pungitopo *s.m.* *(bot.)* butcher's broom, knee-holly.

pungolare *v.tr.* to goad *(anche fig.)*, to spur on.

pungolo *s.m.* goad.

punibile *agg.* punishable.

punire *v.tr.* to punish; *(fig.,* danneggiare*)* to hit*.
punitivo *agg.* punitive.
punitore *agg.* punishing, punitive ♦ *s.m.* punisher.
punizione *s.f.* **1** punishment: *infliggere una — a qlcu.*, to inflict a punishment on s.o. **2** *(sport)* penalty: *calcio di —*, free kick.
punta[1] *s.f.* **1** point; *(estremità)* tip, end; *(di albero, campanile)* top: *la — di un ago*, the point of a needle; *la — del dito*, fingertip; *con la — all'insù*, point upwards; *ha la — troppo aguzza*, it is too pointed; *fare la — a una matita*, to sharpen a pencil // *avere qlco. sulla — della lingua*, to have sthg. on the tip of one's tongue // *camminare in — di piedi*, to walk on tiptoe (*o* to tiptoe) // *uomo di —*, a leading light // *ora di —*, rush hour // *la — massima di caldo*, the maximum temperature // *prendere qlcu. di —*, to clash with s.o. // *una — di sale*, a pinch of salt // *una — di zucchero*, a spot of sugar // *una — di invidia*, a touch of envy **2** *(tecn.)* *(di tornio)* centre; *(per perforazioni)* bit; *(da trapano)* drill: *— di diamante*, diamond point **3** *(promontorio)* point, cape **4** *(cima montuosa)* peak, summit.
punta[2] *s.f.: cane da —*, pointer.
puntale *s.m.* **1** metal point **2** *(di bastone, ombrello ecc.)* ferrule **3** *(di stringa)* tag.
puntamento *s.m.* *(mil.)* aim.
puntare[1] *v.tr.* **1** *(appoggiare con forza)* to push: *— l'ombrello in terra*, to stick the umbrella into the ground; *— i gomiti sulla tavola*, to set one's elbows on the table // *— i piedi*, to put one's foot down **2** *(dirigere)* to point, to direct; *(anche fig.)*; *(prendere la mira)* to point, to aim; *(solo con armi)* to sight, to level: *— il dito verso qlcu.*, to point at (*o* to) s.o.; *— gli occhi addosso a qlcu.*, to fix one's eyes on s.o.; *— l'attenzione, i propri sforzi su qlco.*, to direct one's attention, efforts towards sthg.; *— il fucile contro qlcu.*, to aim (*o* to level) one's gun at s.o. **3** *(scommettere)* to bet*, to wager: *— cinquecento lire su un cavallo*, to bet five hundred lire on a horse // *— sul cavallo perdente*, *(fig.)* to back the wrong horse // *— sul fascino personale*, to count on one's personal charm **4** *(fam.)* *(appuntare)* to pin (up) ♦ *v.intr.* **1** to aim (at s.o., sthg.) *(anche fig.)* **2** *(dirigersi)* to head : *— a nord*, to head north // **-arsi** *v.rifl.: — sulle gambe*, to dig one's heels in.
puntare[2] *v.tr.* *(caccia)* to point.
puntaspilli *s.m.* pincushion.
puntata[1] *s.f.* **1** *(al gioco)* stake, bet **2** *(breve visita)* flying visit **3** *(colpo)* thrust.
puntata[2] *s.f.* *(di uno scritto pubblicato periodicamente)* instalment: *storia a puntate*, serial story.
puntatore *s.m.* **1** *(mil.)* marksman *(pl.* -men*)* **2** *(al gioco)* bettor, better.
punteggiare *v.tr.* **1** to prick **2** *(gramm.)* to punctuate.
punteggiato *agg.* **1** dotted, pricked: *— di rosso*, dotted with red **2** *(gramm.)* punctuated.
punteggiatura *s.f.* **1** dotting, pricking **2** *(gramm.)* punctuation.
punteggio *s.m.* *(sport)* score; points *(pl.)*.
puntellare *v.tr.* **1** to prop (up), to shore (up) **2** *(fig.)* *(sostenere)* to back (up).
puntellatura *s.f.* propping, shoring: *— di sostegno*, *(edil.)* crib.
puntello *s.m.* prop *(anche fig.)*, shore, support.
punteria *s.f.* **1** *(mecc.)* tappet **2** *(mil.)* sights.
punteruolo *s.m.* awl; *(per ricamatrici)* stiletto.
puntiforme *agg.* like a spot *(pred.)*.
puntiglio *s.m.* obstinacy, stubbornness: *è un uomo di*

*—, he is a punctilious man; *non si tratta che di un —*, it is nothing but obstinacy // *per —*, out of pique.
puntiglioso *agg.* punctilious; *(ostinato)* obstinate.
puntina *s.f.* **1** *(del giradischi)* stylus, needle **2** *(da disegno)* drawing pin **3** *(mecc.)* point.
puntinismo *s.m.* *(arte)* pointillism(e).
puntino *s.m.* dot: *puntini di sospensione*, dots // *a —: cotto a —*, done to a turn; *fare qlco. a —*, to do sthg. properly.
punto *s.m.* **1** point: *punti cardinali*, cardinal points; *— di arresto*, *(fis.)* stop: *— di rottura*, *(fis.)* breaking point // *raggiunto il — di cottura...*, when cooked... // *— di vista*, point of view *(o* viewpoint*)* // *— per —*, point by point // *di — in bianco*, point-blank // *vestito di tutto —*, fully dressed // *vieni al —*, come to the point // *facciamo il — della situazione*, let's see where we stand now // *mettere a —*, *(motore)* to tune; *(elettr.)* to line up; *(ott.)* to focus; *(fig.)* to restate **2** *(momento)* point, moment: *a che — è il tuo lavoro?*, how far have you got with your work? *a che — siamo?*, where are we?; *essere a un buon —*, to be at *(o* to have reached*)* a good stage; *essere a un — morto*, to be at a dead end // *alle 10 in —*, at ten o'clock sharp **3** *(luogo)* point, place, spot: *la villa è in un bellissimo —*, the villa is beautifully situated; *— di vendita*, point of sale; *— di ritrovo*, rendez vous; *la faccenda è a questo —*, the matter has got to this point; *— in cui stanno le cose...*, as matters stand...; *le cose sono al — di prima*, things stand as before // *essere sul — di fare qlco.*, to be about to do sthg. **4** *(grado)* degree, extent: *a tal — che...*, to such a point that...; *fino a un certo —*, to a certain extent **5** *(gramm.)*: *punti di sospensione*, dots; *— esclamativo*, exclamation mark; *— e virgola*, semicolon; *— fermo*, full stop; *— e a capo*, full stop and new paragraph; *— interrogativo*, question mark; *due punti*, colon // *fare —*, *(fermarsi)* to stop *(o* to come to a full stop*)* **6** *(mus.)* dot **7** *(da cucito, nella maglia)* stitch: *— croce*, cross-stitch; *— a giorno*, hemstitch; *— catenella*, chain stitch; *— erba*, stem stitch; *— indietro*, backstitch; *— rovescio*, purl stitch; *— pieno*, satin stitch; *crescere, calare un —*, to add, to slip a stitch; *lasciar cadere un —*, to drop a stitch; *mettere su, tirare giù i punti*, to cast on, to cast off stitches // *devo dare un — al mio vestito*, I must stitch up my dress; *non sa dare neanche un —*, she cannot sew a stitch // *mi hanno dato tre punti*, *(med.)* I had three stitches // *un — in tempo ne salva cento*, *(prov.)* a stitch in time saves nine **8** *(termine scolastico)* mark **9** *(al gioco)* point; *pl.* *(punteggio)* score *(sing.)*: *come stiamo a punti?*, what is the score?; *vincere ai punti*, to win on points **10** *(tip.)* point **11** *(di libro ecc.)* passage **12** *(di colore)* shade **13** *(informatica)* point: *— a —*, point-to-point; *— di ingresso*, entry point; *— di interruzione*, breakpoint; *— macchina*, index point; *— di riferimento*, benchmark; *— di riversamento*, *— di ripresa*, checkpoint; *— di salto*, branchpoint ♦ *agg.: non...—*, *(region.)* not...any *(o* no*)*: *non ho — voglia di uscire con te*, I have no wish whatsoever to go out with you ♦ *avv.: né — né poco*, nothing at all; *poco o —*, little or nothing.
puntone *s.m.* rafter.
puntuale *agg.* punctual: *è sempre —*, he is always on the dot.
puntualità *s.f.* punctuality.
puntualizzare *v.tr.* to pinpoint.
puntualmente *avv.* **1** *(all'ora stabilita)* punctually; *(fam.)* on the dot **2** *(fam.)* *(come al solito)* as usual **3** *(punto per punto)* point by point.

puntura *s.f.* **1** (*di insetto*) sting; (*morsicatura*) bite; (*di spina, ago ecc.*) prick **2** (*iniezione*) injection; (*fam.*) jab; (*amer.*) shot: *fare una — a qlcu.*, to give s.o. an injection **3** (*dolore acuto*) pain (*anche fig.*).

puntuto *agg.* pointed.

punzecchiare *v.tr.* **1** (*di insetti*) to sting*; (*morsicare*) to bite*; (*di spina, ago ecc.*) to prick **2** (*fig.*) to tease: *smettila di punzecchiarlo*, stop teasing him // **-arsi** *v. rifl.rec.* to tease (each other, one another).

punzecchiatura *s.f.* **1** (*di insetti*) sting; (*morsicatura*) bite; (*di spina, ago ecc.*) prick: *— di zanzara*, mosquito bite **2** (*fig.*) teasing.

punzonare *v.tr.* (*mecc.*) to punch, to stamp.

punzonatore *s.m.* puncher.

punzonatrice *s.f.* punch, punch press.

punzonatura *s.f.* punching.

punzone *s.m.* (*mecc.*) punch.

pupa[1] *s.f.* **1** (*fam.*) (*bambina*) baby **2** (*ragazza*) doll.

pupa[2] *s.f.* (*crisalide*) pupa (*pl.* pupae).

pupattola *s.f.* doll.

pupazzetto, pupazzo *s.m.* puppet.

pupilla *s.f.* pupil // *essere la — degli occhi di qlcu.*, to be the apple of s.o.'s eye.

pupillo *s.m.* (*dir.*) pupil, ward.

pupo *s.m.* (*fam.*) (*bambino*) baby.

puramente *avv.* merely; (*solamente*) only.

purché *cong.* **1** provided, as long as: *fa' come vuoi — tu ti decida*, do as you like provided (*o* as long as) you make up your mind **2** (*desiderativo*) if only: *— sia vero!*, if only it were true!

pure *avv.* **1** also; (*in fine di frase*) too, as well; (*perfino*) even: *come — sapevamo che...*, as we also knew that...; *verrò io —*, I shall come too (*o* as well); *— i muri hanno orecchie*, even walls have ears **2** (*concessivo*): *vieni, entra —*, please (*o* do) come in; *restate — seduti*, do remain seated; *vai —*, you may go **3** (*proprio*): *è pur bello, vero...!*, how nice, true it is...!; *credi — che è un genio*, believe me, he is a genius ♦ *cong.* **1** even though; (*anche se*) (even) if: *pur sapendolo, non dissi nulla*, even though I knew, I said nothing; *dovessi pur rimetterci la vita lo farò*, I'll do it, if it kills me // *se —, quando — me l'avessero detto*, even if they had told me // *non lo vorrei, fosse pur d'oro*, I wouldn't have it at any price // *pur di averlo, pagherei qualunque prezzo*, I would pay any price just to have it; *pur di vederla, farebbe qualsiasi cosa*, he would do anything, if only he could see her **2** (*tuttavia*) but, yet: *è molto povero, — non si lamenta mai*, he is very poor, but (*o* yet) he never complains // *bisogna pur campare!*, you have got to live! // *un bel giorno dovrai pur deciderti!*, one fine day, you must finally decide.

purè *s.m.*, **purea** *s.f.* (*cuc.*) mash, purée: *— di patate*, mashed potatoes.

purezza *s.f.* purity, pureness.

purga *s.f.* **1** purgative **2** (*pol.*) purge.

purgante *agg. e s.m.* purgative.

purgare *v.tr.* **1** to purge **2** (*purificare*) to purge, to purify **3** (*eccl.*) (*espiare*) to expiate **4** (*scritti*) to ex-

purgate **5** (*nettare*) to clean; (*da erbacce*) to weed // **-arsi** *v.rifl.* **1** to purge oneself **2** (*purificarsi*) to purge oneself, to purify oneself.

purgativo *agg.* purgative.

purgato *agg.* **1** (*depurato*) purged **2** (*castigato, puro*) purified **3** (*di libro*) expurgated.

purgatorio *s.m.* purgatory.

purificare *v.tr.* to purify, to purge.

purificatoio *s.m.* (*eccl.*) purificator.

purificatore *agg.* purificatory, purifying ♦ *s.m.* purifier.

purificazione *s.f.* purification.

purismo *s.m.* purism.

purista *s.m. e f.* purist.

purità *s.f.* purity, pureness.

puritanesimo *s.m.* (*st. relig.*) Puritanism (*anche fig.*).

puritano *agg. e s.m.* (*st. relig.*) Puritan (*anche fig.*).

puro *agg.* **1** pure: *— di mente*, pure in mind; *cielo —*, clear sky; *coscienza pura*, clear conscience; *vino —*, undiluted wine; *parla nel più — inglese*, he speaks the purest English **2** (*mero, semplice*) sheer, pure: *il — necessario*, what is strictly necessary; *la pura verità*, the plain truth.

purosangue *agg. e s.m.* thoroughbred.

purpureo *agg.* purple.

purtroppo *avv.* unfortunately.

purulento *agg.* purulent.

pus *s.m.* pus.

pusillanime *agg.* pusillanimous, cowardly ♦ *s.m.* coward.

pusillanimità *s.f.* pusillanimity, cowardice.

pustola *s.f.* pustule; (*foruncolo*) pimple.

pustoloso *agg.* pustulous; (*foruncoloso*) pimply.

putacaso *locuz.avv.* suppose, supposing.

putativo *agg.* putative.

putiferio *s.m.* hubbub; (*fam.*) shindy: *che —!*, what a bedlam!; *sollevare un —*, to kick up a shindy.

putredine *s.f.* **1** putridity, rottenness (*anche fig.*) **2** (*cosa putrefatta*) rot.

putrefare *v.intr.*, **putrefarsi** *v.intr.pron.* to putrefy, to rot.

putrefatto *agg.* putrefied, rotten.

putrefazione *s.f.* putrefaction, decomposition.

putrella *s.f.* (*edil.*) iron beam, girder.

putrescente *agg.* putrescent.

putrescibile *agg.* putrescible.

putrido *agg.* putrid, rotten (*anche fig.*).

putridume *s.m.* rot (*anche fig.*).

puttana *s.f.* (*volg.*) whore, harlot.

putto *s.m.* putto (*pl.* putti).

puzza *s.f.* stink, stench // *avere la — sotto il naso*, (*fig.*) to be standoffish (*o* uppity).

puzzare *v.intr.* to stink*, to smell* bad: *— di acido*, to smell sour; *— di vino, aglio*, to smell of wine, garlic // *mi puzza*, (*ho il sospetto di qlco.*) I smell a rat // *ti puzza il denaro?*, why do you waste your money?

puzzo *s.m.* → **puzza**.

puzzola *s.f.* (*zool.*) polecat, fitchew.

puzzolente *agg.* stinking, bad-smelling.

Q

q *s.f.* o *m.* q (*pl.* qs, q's) // — *come Quarto*, (*tel.*) q for Queen.

qua *avv.* **1** here: (*in*) — *e* (*in*) *là*, here and there; *da* — *a là*, from here to there // (*per*) *di* —, this way // (*al*) *di* — *di*, on this side of // — *a mano!*, put it there (*o give me a hand)! // il mondo di* —, this world // *per ulteriori esempi cfr.* qui **2** (*in espressioni di tempo*): *da un anno in* —, for the last year (or so); *da un po' di tempo in* —, for some time now; *da quando in* —?, since when?

quacchero *s.m.* (*st. relig.*) Quaker.

quaderno *s.m.* exercise-book, copybook.

quadragesima *s.f.*: (*domenica di*) —, Quadragesima.

quadrangolare *agg.* quadrangular.

quadrangolo *s.m.* (*geom.*) quadrangle.

quadrante *s.m.* **1** (*geom. astr.*) quadrant **2** (*di orologio*) dial **3** — (*solare*), sundial.

quadrare *v.tr.* (*geom.*) to square, to quadrate ♦ *v.intr.* **1** to fit in; (*adattarsi*) to suit (s.o., sthg.) // *è un ragionamento che non quadra*, it is an argument that does not hold water // *far* — *i conti*, to balance the accounts **2** (*fam.*) (*piacere, garbare*) to like (*costruzione pers.*): *non mi quadra*, I do not like it.

quadrato *agg.* **1** square: *dalle spalle quadrate*, square-shouldered **2** (*fig.*) level-headed, sensible: *un uomo* —, a level-headed (*o sensible*) man ♦ *s.m.* **1** (*mat. geom.*) square // — *ufficiali*, (*mar.*) wardroom **2** (*pugilato*) (boxing) ring.

quadratura *s.f.* (*geom. astr.*) quadrature // *la* — *del cerchio*, the squaring of the circle: *trovare la* — *del cerchio*, (*fig.*) to square the circle.

quadrello *s.m.* **1** (*mattonella quadrata*) square tile **2** (*lima quadrangolare*) square file **3** (*righello*) square ruler.

quadrettare *v.tr.* to divide into squares.

quadrettato *agg.* squared; (*di tessuti*) check (*attr.*), chequered; (*amer.*) checke(re)d.

quadretto *s.m.* **1** check: *a quadretti*, (*di carta*) squared; (*di tessuti*) check (*attr.*), chequered **2** (*piccolo quadro, dipinto*) small picture **3** sight.

quadricromia *s.f.* (*fot. tip.*) four-colour process.

quadridimensionale *agg.* four-dimensional.

quadriennale *agg.* quadrennial.

quadriennio *s.m.* (period of) four years, quadrennium (*pl.* quadrennia).

quadrifoglio *s.m.* **1** four-leaved clover **2** (*raccordo a*) —, cloverleaf.

quadrifora *agg.* e *s.f.*: (*finestra*) —, (*arch.*) window with four lights.

quadriga *s.f.* quadriga (*pl.* quadrigae).

quadrigemino *agg.*: *parto* —, birth of quadruplets.

quadriglia *s.f.* (*musica e danza*) quadrille.

quadrilatero *agg.* e *s.m.* quadrilateral.

quadrimestrale *agg.* four-monthly.

quadrimestre *s.m.* (period of) four months.

quadrimotore *s.m.* (*aer.*) four-engined plane.

quadrinomio *s.m.* (*mat.*) quadrinomial expression.

quadripartito *agg.* quadripartite: (*governo*) —, quadripartite government.

quadrireattore *agg.* e *s.m.* four-jet (plane).

quadrisillabo *agg.* quadrisyllabic ♦ *s.m.* quadrisyllable.

quadrivio *s.m.* **1** crossroads **2** (*nella scuola medievale*) quadrivium (*pl.* quadrivia).

quadro[1] *agg.* square // *testa quadra*, (*scherz.*) blockhead.

quadro[2] *s.m.* **1** picture (*anche fig.*), painting: — *a olio*, oil painting; *quadri murali*, wall pictures; *galleria di quadri*, picture gallery; *fare un* — *della situazione*, to give a picture of the situation // *questo è il* — *della situazione*, this is how things are **2** (*figura quadrata*) square: *a quadri*, check (*attr.*), chequered: *vorrei un disegno a quadri*, I should like a check (pattern) **3** (*vista, spettacolo*) sight: *che* — *commovente!*, what a moving sight! **4** (*tabella*) table // — *riassuntivo*, summary **5** (*teatr. cinem.*) scene **6** (*mil.*) cadre **7** (*elettr.*) board, panel: — *a pulsanti*, press-button board // — *di comando*, control board; (*informatica*) console **8** (*cinem. tv*) (*inquadratura*) frame: *fuori* —, out of frame **9** *pl.* (*carte*) diamonds **10** (*dirigente*) manager: *quadri intermedi*, middle management; *quadri superiori*, top management; *legge* —, statutory law.

quadrumane *agg.* quadrumanous ♦ *s.m.* quadruman (e).

quadrumvirato *s.m.* (*st.*) quadrumvirate.

quadrupede *agg.* e *s.m.* quadruped.

quadruplicare *v.tr.*, **quadruplicarsi** *v.intr.pron.* to quadruple.

quadruplice *agg.* fourfold, quadruple.

quadruplo *agg.* quadruple, fourfold ♦ *s.m.* quadruple: four times as much (as); (*con s.pl.*) four times as many (as): *16 è il* — *di 4*, 16 is four times 4; *guadagna il* — *di me*, he earns four times as much as I do.

quaggiù *avv.* down here // *le cose di* —, things of this world.

quaglia *s.f.* quail.

qualche *agg.indef.* **1** (*in prop. affermative; in prop. interr. che attendono risposta affermativa*) some; (*in prop. interr.*) any; (*alcuni*) a few: — *mese fa*, some (*o a few*) months ago; — *mio amico*, some friends of mine (*o some of my friends*); — *altra notizia*, some other news; *c'è* — *difficoltà?*, is there any difficulty?; *vuoi* — *rivista?*, would you like some magazines? // — *cosa*, → *qualcosa* // — *volta*, sometimes **2** (*uno...o l'altro*) (*in prop. affermative; in prop. interr. che attendono risposta affermativa*) some (...old other); (*in prop. interr.*) any: *trova sempre* — *scusa*, he always finds some excuse (*o other*); — *giorno lo verrà a sapere*, some day or other he will come to know it; — *volta si farà male*, some time or other he will hurt himself // *in* — *posto, luogo, da* — *parte*, somewhere (*or other*); anywhere // *in* — *modo me la caverò*, some way or other I'll get by; *un lavoro fatto in* — *modo*, a rather scrappy piece of work // *un* — *rimedio ci sarà pure*, there must be some solution.

qualcheduno *pron.indef.* → **qualcuno**.

qualcosa *pron.indef.* **1** something: — *di nuovo, di bello*, something new, beautiful; *andiamo a prendere* — (*da bere, da mangiare*), let's go and have something (to drink, to eat); *qualcos'altro*, something else // *è* — —!, that's something! // *se dovesse capitargli* —, should anything happen to him // *c'entra per* —, he's got something to do with it // *è un ingegnere o* — *di simile*, he is an engineer or something // *l'ha pagato* — *come 100.000 lire*, he paid something like 100.000 lire (for it); *costa* — *meno*, — *più di 100.000 lire*, it costs something less, something more than 100.000 lire; *costa 5000 lire e*

—, it costs five thousand lire odd; *c'è un treno alle quattro e —*, there is a train at four-something or other **2** *in prop.interr., dubitative e condizionali*) anything; (*in prop. interr. che attendono risposta affermativa e nelle formule di cortesia*) something: *c'è — alla radio?*, is there anything on the wireless?; *c'è — che non va?*, is there something wrong?; *vuoi — da bere?*, will you have something to drink?

qualcuno *pron.indef.* **1** (*in prop. affermative, interr. che attendono risposta affermativa*) someone, somebody; (*partitivo*) some: *viene* —, someone (*o* somebody) is coming: — *di loro non venne*, some of them didn't come // *qualcun altro*, someone else // — *di mia conoscenza*, someone I know **2** (*in prop. interr., negative, dubitative, condizionali*) anybody, anyone; (*partitivo*) any: *c'è —?*, (is) anybody there?; — *di voi ha parlato?*, have any of you spoken?; *non so se — accetterà*, I don't know whether anybody will accept; *se telefonasse —, di' che non sono in casa*, if anybody rings up, say I'm not in // *qualcun altro*, anybody else **3** (*alcuni, certi*) some (people); (*alcuni, pochi*) a few: — *è venuto, altri no*, some (people) have come and some haven't; *solo — era di valore*, only a few were of any value.

quale *agg.* **1** *interr.* (*riferito a un numero limitato di cose o persone*) which: — *libro vuoi?, questo o quello?*, which book do you want? this one or that (one)? **2** *interr.* (*riferito a un numero illimitato di cose o persone*) what: *quali libri ti piacciono?*, what books do you like? // *sentii (un) non so — desiderio*, I felt a vague longing **3** (*correlativo di* tale) *as: è* (*tale*) — *lo lasciai*, it was I left it; *è tale — il tuo*, it is exactly the same as yours; *è tale e —*, (*come prima*) it is just the same as before; (*è la stessa cosa*) it's all the same; *è tale e — me l'hai descritto*, it is exactly as you told me it was; *te lo restituirò tale e —*, I'll give it back to you exactly as it is // *è tale e — suo fratello*, he is just like his brother; *è suo padre tale e —*, he is the spitting image (*o* dead spit) of his father; (*di carattere*) he is just like his father // *alcune lingue quali il francese e l'italiano*, some languages such as French and Italian // *artigiani quali ora non esistono più*, artisans that no longer exist // *qual madre, tal figlia*, like mother, like daughter **4** *esclam.* what (a) *pl.* what: — *errore!*, what a mistake!; — *sciocchezza!*, what nonsense!; *quali tristi pensieri!*, what sad thoughts! **5** *indef.* (*qualunque*) whatever: *quali* (*che*) *siano i suoi difetti*, whatever his faults may be **6** (*letter.*) (*correlativo di* quale) some **7** (*pleonastico*): *c'era una certa qual amarezza nelle sue parole*, there was a certain bitterness in his words; *in un certo qual modo*, in a certain way **8** *la qual cosa*, which **9** *per la —: un lavoro non tanto per la —*, a rather scrappy piece of work; *è una persona* (*non tanto*) *per la —*, he is (not) a very straight person ♦ *pron.* **1** *interr.* (*riferito a un numero limitato di cose o persone*) which: — *di questi quadri preferisci?*, which of these pictures do you like best? **2** *interr.* (*riferito a un numero illimitato di cose o persone*) what: *qual è il prezzo di questa merce?*, what is the price of these goods?; *non so quali siano le sue intenzioni*, I don't know what his intentions are **3** *rel.sogg. e ogg.* → *che*; *compl.ind.* → *cui.* **4** *indef.* (*letter.*) (*correlativo di* quale) some ♦ *avv.* (*in qualità di*) as: *sono venuto — rappresentante di mio fratello*, I have come as my brother's representative.

qualifica *s.f.* qualification; (*titolo*) title: — *di idoneità all'insegnamento*, teaching qualification; *meritarsi la — di*, to deserve the title of.

qualificabile *agg.* qualifiable.

qualificare *v.tr.* **1** to qualify: — *qlcu. per bugiardo*, to qualify s.o. as a liar **2** (*definire*) to call, to qualify: *non so come — il tuo atto*, I do not know how to define your action ♦ **-arsi** *v.rifl.* **1** to introduce oneself as **2** (*meritarsi una qualifica*) to qualify: *si sono qualificati per le finali*, (*sport*) they qualified for the finals.

qualificativo *agg.* qualificative, qualifying: *aggettivo —*, (*gramm.*) qualifying adjective.

qualificato *agg.* qualified; *operaio —*, skilled worker.

qualificazione *s.f.* qualification.

qualità *s.f.* **1** quality; (*proprietà*) property: *articolo di buona —*, (good-)quality article; *vino di prima —, di — inferiore*, choice, inferior wine // *in — di amico*, as a friend **2** *pl.* (*doti*) qualities **3** (*sorta, specie*) kind, sort: *gente di ogni —*, all sorts of people.

qualitativamente *avv.* qualitatively.

qualitativo *agg.* qualitative.

qualora *cong.* if, in case: — *piova, piovesse*, if (*o* in case) it rains, it should rain.

qualsiasi, qualunque *agg.indef.* **1** any: *a — costo*, at any cost (*o* at all costs); *a — prezzo*, at any price // — *cosa*, anything // *in — modo*, anyhow // *uno —*, anyone; *uno — di noi*, any one of us; *uno — dei due fratelli*, either of the two brothers (*o* either brother) // *altro libro*, any other book **2** (*quale che sia*) whatever; (*riferito a numero limitato*) whichever: — *siano le sue proposte*, whatever his proposals may be; *da — parte si voltasse, non vedeva che sabbia*, whichever way he turned, he saw nothing but sand; *verrò con — tempo*, I'll come whatever the weather may be (*o* hail, rain or snow) // — *cosa*, whatever // *per una ragione —*, for one reason or another **3** (*ogni*) every, each: — *persona io incontrassi*, every (*o* each) person I met // — *cosa*, everything **4** (*posposto al s., gener. spreg.*) ordinary, common: *un uomo —*, an ordinary man; *una vecchia casa —*, just a common old house.

qualunquismo *s.m.* indifferentism.

qualunquista *agg.* indifferent ♦ *s.m. e f.* (*st.*) indifferentist.

quando *avv. e cong.* **1** *interr.* when: — *verrà?*, when will he come?; *non so — verrà*, I don't know when he will come // *a —?*, when?; *a — la laurea?*, when will you take your degree?; *fino a —?*, till when (*o* how long)? // *da —?*, since when?; (*per quanto tempo*) how long?; «*È ammalato*» «*Da —?*», "He's ill" "Since when?"; *da — abita qui?*, how long has he been living here? *o di —?: di — è questa rivista?*, what is the date of this magazine?; *sai di — è quella chiesa?*, do you know when that church dates from? // *per —?*, when? **2** (*temporale*) when; (*ogniqualvolta*) whenever: *glielo dirò — lo vedrò*, I'll tell him when I see him; *il giorno — sono nato*, the day (when) I was born; *vieni — vuoi*, come whenever you want // *quand'ecco*, when suddenly // — *che sia*, whenever (it is) // *da —*, since: *da — abito qui*, since I've been living here; *da — l'ho conosciuto*, since I met him // *di —*, of (the time) when // *di — in —*, from time to time (*o* now and then *o* occasionally) // *cerca di aver finito per — tornerò*, try to finish for when I come back // *fino a —*, till (*o* until); (*fintantoché*) as long as // — *si nasce fortunati!*, talk about luck! // — *meno te l'aspetti*, when least you expect it // — *mai ho detto una cosa simile!*, I'm sorry I ever said such a thing! **3** (*con valore condizionale o causale*) if: *quand'è così...*, if that's so (the case)...; *quand'anche*, even if (*o* even though) **4** (*con valore av-*

versativo) when: *perché va a piedi — potrebbe andare in automobile?*, why does he walk when he could go by car? **5** (*correlativo*): *quando... quando*, sometimes... sometimes ♦ *s.m.* when: *il come e il —*, the how and the when.

quantificare *v.tr.* to quantify.

quantistico *agg.* quantum (*attr.*): *fisica quantistica*, quantum physics.

quantità *s.f.* quantity: — *necessaria*, required amount; *in gran —*, in large quantities; (*in abbondanza*) in abundance // *una* (*grande*) — *di*, a lot of.

quantitativo *agg.* **1** quantitative **2** (*gramm.*): *aggettivo —*, adjective of quantity; *avverbio —*, adverb of degree ♦ *s.m.* quantity, amount: — *occorrente*, amount wanted (*o* needed).

quanto[1] *avv.* **1** *interr.* how: — *è largo?*, how wide is it?; *chissà — gli piacerà*, who knows how he'll like it; *mi ha aiutato molto, non ti so dire —*, I can't tell you how much he helped me **2** *esclam.* how (*con agg.*); how much (*con v.*): — *è bello!*, how beautiful it is!; *non sai — ho lavorato!*, you've no idea how much (*o* how hard) I worked!; *hanno riso, e —!*, they laughed, and how! **3** (*in correlazione con* tanto) as: *è* (*tanto*) *studioso — intelligente*, he is as studious as intelligent; *è* (*tanto*) *intelligente — lui*, he is as intelligent as he is (*o* him); *ho lavorato — lui*, I worked as much as he did (*o* him); *non è* (*tanto*) *facile — tu credi*, it's not so easy as you think; *è* (*tanto*) *curioso — una scimmia*, he is as curious as a cat // — *più...tanto più, meno, →* più 1 // *tanto...*—, (*e... e*) both... and: *tanto io — mio fratello*, both my brother and I // *non tanto per...— per*, not so much for... but (*o* as) for // *quant'è vero Dio!*, as God's my judge! // *quant'è vero che mi chiamo...*, as sure as my name is... // — *mai*, extremely, very much indeed: *mi sono divertito — mai*, I enjoyed myself very much indeed (*o* I had a whale of a time); *è — mai carino*, it's very pretty indeed **4** (*per quel che riguarda*) as for: (*in*) — *a me*, as for me (*o* as far as I am concerned); (*in*) — *a ciò*, as for that **5** (*per dare valore di superl. rel.*): — *più rapidamente* (*possibile*), as fast (*o* quickly) as possible // — *meno*, at least **6** (*fraseologia*): *in —* (*che*), since (*o* as); (*perché*) because: *in — minorenne*, since (*o* as) he is under age // *in —*, (*in qualità di*), as: *in — medico*, as a doctor // *per —*: *per — camminasse velocemente*, although he walked fast; *per — indaffarato tu sia*, however busy you are; *per —, è pur sempre una seccatura*, still (*o* however), it's annoying // *oggi non gli si può parlare da — è nervoso*, (*fam.*) you can't say a word to him today as he is so excitable.

quanto[1] *agg.* **1** *interr.* how much; *pl.* how many: — *denaro hai speso?*, how much money have you spent?; *non so per — tempo, quanti giorni resterà qui*, I don't know how long, how many days he will stay here // *quanti anni hai?*, how old are you? **2** *interr.* (*in espressioni ellittiche di tempo*) how long: — *è che non lo vedi?*, how long is it since you saw him?; *da — mi aspetti?*, how long have you been waiting for me?; *di — sono in ritardo?*, how late am I?; *fra — sarà pronto?*, how soon (*o* when) will it be ready?; *fra — saremo a Roma?*, how long before we reach Rome?; *ogni — passa l'autobus?*, how often (*o* how frequently) does the bus run? **3** *interr.* (*in espressioni ellittiche non di tempo*): — *costa?*, how much is it?; — *ha di febbre?*, what is his temperature?; *quanti ne abbiamo oggi?*, what's the date today?; — *c'è da qui alla stazione?*, how far is the station? **4** *esclam.* how much; *pl.* how many: — *tempo sprecato!*,

how much time wasted!; *quanti anni sono passati!*, how many (*o* so many) years have passed!; — *fiato spreca to!*, such a lot of breath wasted!; *quante me ne ha dette!*, how he insulted me!; *quante ne ha combinate oggi!*, how naughty he's been today! // — (*tempo*) *ci hai messo!*, how long you've taken! // — *freddo faceva!*, how cold it was! **5** (*in correlazione con* tanto) as: *non ho tanta pazienza — lui*, I haven't as much patience as he has (*o* him) // *ho tante preoccupazioni quante non ne immagin[i] neppure*, I have more worries than you can even dream of // *prendi — denaro vuoi*, take as much money as you want; *tienilo — tempo vuoi*, keep it as long as you like; *ha guadagnato — ha voluto*, he earned as much as he wanted; *l'ho pagato — vale*, I paid what it was worth **6** *per —*, despite: *per quante ricchezze abbiate* despite all your riches.

quanto[1] *pron.* **1** *interr.* how much; *pl.* how many: — *ne vuoi?*, how much do you want (of it)?; *quanti di voi?*, how many of you? // — *c'è di vero in ciò che dice?*, how much truth (*o* what truth) is there in what he says? **2** *esclam.* how much; *pl.* how many: — *ne hai consumato!*, how much you've used up!; *che bei libri, e quanti!*, such beautiful books, and so many! **3** (*in correlazione con* tanto) as: *ne ho tanti quanti ne ha lui*, I have as many as he has (*o* him) ♦ *pron. rel.* **1** (*quello che*) what; (*tutto quello che*) all (that): *ho fatto — ho potuto*, I did what I could; — *ho è tuo*, all I have is yours! // — *è — di meglio si possa trovare*, it's the best you can find // *in risposta a — sopra*, in reply to the above // — *basta*, (*med. e cuc.*) sufficient... to // *per — io ne sappia*, as far as I know; *per — mi riguarda*, as far as I am concerned; *per — io faccia*, whatever I do // *questo è —*, that's all (*o* that's it) **2** *pl.* (*tutti quelli che*) all those (who), whoever (*con costr. sing.*): *quanti desiderino iscriversi*, whoever wishes (*o* all those who wish) to register **3** (*in frasi comparative*): *abbiamo ottenuto meno di — pensassimo*, we received less than we expected.

quanto[2] *s.m.* (*fis.*) quantum (*pl.* -a): *la teoria dei quanti*, quantum theory.

quantunque *cong.* (al)though: — (*sia*) *giovane*, although he is young.

quaranta *agg.num.card.* e *s.m.* forty.

quarantena *s.f.* quarantine.

quarantenne *agg.* forty (years old) (*pred.*); forty-year-old (*attr.*) ♦ *s.m.* forty-year-old man ♦ *s.f.* forty-year-old woman.

quarantennio *s.m.* (period of) forty years.

quarantesimo *agg.num.ord.* e *s.m.* fortieth.

quarantina *s.f.* about forty // *ha passato la —*, he is over forty; *avvicinarsi alla —*, to be getting on for forty.

quarantotto *agg.num.card.* e *s.m.* forty-eight // *che —!*, what a mess! // *scoppiò un —*, hell broke loose // *mandare qlco. a carte —*, to mess sthg. up.

quaresima *s.f.* (*eccl.*) Lent: *mezza —*, Mid-Lent // *fare —*, to keep Lent.

quaresimale *agg.* Lenten ♦ *s.m.* (*eccl.*) Lenten Sermon.

quaresimalista *s.m.* (*eccl.*) Lenten preacher.

quark *s.m.invar.* (*fis.*) quark.

quarta *s.f.* **1** (*aut.*) fourth gear // *partire in — per qlco.*, (*fig.*) to dash at sthg. **2** (*nell'ordinamento scolastico*) fourth class; (*amer.*) fourth grade **3** (*astr.*) quarter **4** (*mar.*) rhumb **5** (*mus.*) fourth **6** (*scherma*) quart, carte.

quartana *s.f.* (*med.*) quartan (fever), quartan ague.

quartetto *s.m.* (*mus.*) quartet.

quartiere *s.m.* **1** (*di una città*) neighbourhood, secion; (*rione amministrativo*) ward (of a town), district: *quartieri alti*, exclusive neighbourhood; *quartieri bassi*, slums; — *residenziale*, residential area 2 (*alloggio*) lodgings (*pl.*) 3 (*mil.*) quarters (*pl.*); (*caserma*) barracks (*pl.*): — *d'inverno*, winter quarters; *quartier generale*, headquarters // *lotta senza* —, fight without quarter.

quartierino *s.m.* (*edil.*) small flat.

quartina *s.f.* 1 (*poesia*) quatrain 2 (*mus.*) quadruplet 3 (*filatelia*) block of four.

quartino *s.m.* 1 quarter of a litre 2 (*mus.*) small clarinet.

quarto *agg.num.ord.* fourth ♦ *s.m.* 1 fourth; (*quarta parte*) quarter: *un — di pollo*, a quarter of a chicken; *un — della popolazione*, a fourth (*o* a quarter) of the population; *il primo — di luna*, the first quarter of the moon; *dividere qlco. in quarti*, to divide sthg. into quarters // *fare il —*, (*a carte, tennis ecc.*) to make a fourth 2 (*nelle determinazioni di tempo*) quarter: *tre quarti d'ora*, three quarters of an hour; (*sono*) *le due e un —*, (it is) a quarter past two; (*sono*) *le cinque e tre quarti*, (it is) a quarter to six; (*sono*) *le nove meno un —*, (it is) a quarter to nine // *un — d'ora*, a quarter of an hour; *ho passato un brutto — d'ora*, I went through a bad quarter of an hour; *un — d'ora di pace, di celebrità*, a brief spell of peace, of fame 3 (*tip.*) quarto 4 (*arald.*) quarter 5 *pl.* (*sport*) *quarti di finale*, quarterfinals.

quarzifero *agg.* (*min.*) quartziferous.

quarzite *s.f.* (*min.*) quartzite.

quarzo *s.m.* (*min.*) quartz.

quasi *avv.* 1 almost, nearly; hardly (*con significato negativo*): — *pieno*, nearly full; *siamo — arrivati*, we're nearly there; «*Hai finito?*» «*Quasi!*», "Have you finished?" "Almost!"; *è — un'ora che ti aspetto*, I've been waiting for you (for) almost an hour; *sono — le tre*, it's nearly (*o* almost) three (o'clock); — *sempre*, almost always; — *mai*, hardly ever; — *tutti*, almost (*o* nearly) all; — *nessuno*, hardly anybody; — *niente*, almost nothing // *sono venti o* —, there are almost twenty of them // *è — in miseria*, he's almost penniless; *senza* —, without the almost // — — *glielo dico*, I'm almost tempted to tell him; — — *sarebbe meglio...*, all in all it would be better...; (—) — *cadevo*, I nearly fell 2 (*in alcuni composti*) quasi: — *contratto*, quasi-contract; — *delitto*, quasi-delict // *quasi* (*che*) *cong.* almost as if: *insisteva* — (*che*) *avesse ragione lui*, he insisted almost as if he were right.

quassia *s.f.* (*bot. farm.*) quassia.

quassù *avv.* up here.

quaterna *s.f.* 1 set of four numbers; (*vincita*) set of four winning numbers 2 (*di nomi*) list of four names.

quaternario *agg.* 1 (*geol.*) Quaternary 2 (*di quattro sillabe*) of four syllables; (*di quattro versi*) of four lines ♦ *s.m.* 1 (*geol.*) Quaternary 2 (*verso di quattro sillabe*) line of four syllables.

quatto *agg.* 1 crouching 2 (*silenzioso*) silent // — —, very quietly: *svignarsela* — —, to steal away.

quattordicenne *agg.* fourteen (years old) (*pred.*); fourteen-year-old (*attr.*) ♦ *s.m.* fourteen-year-old boy ♦ *s.f.* fourteen-year-old girl.

quattordicesimo *agg.num.ord.* e *s.m.* fourteenth.

quattordici *agg.num.card.* e *s.m.* fourteen.

quattrino *s.m.* farthing, penny: *non vale un —*, it isn't worth a farthing; *sono senza un —*, I am broke; *essere pieno di quattrini*, to be rolling in money; *fare quattrini*, to make money; *star male a quattrini*, to be hard up.

quattro *agg.num.card.* e *s.m.* four // *in — e quattr'otto*,

in (less than) no time // *dirne — a qlcu.*, to give s.o. a piece of one's mind // *farsi in —*, to go out of one's way.

quattr'occhi, a *locuz.avv.* privately, in confidence.

quattrocentesco *agg.* fifteenth-century (*attr.*); (*in Italia*) Quattrocento (*attr.*).

quattrocento *agg.num.card.* e *s.m.* four hundred // *il Quattrocento*, the fifteenth century.

quegli, quei *pron.pers.dimostr.sing.* (*letter.*) he; (*in correlazione con* questi) the former.

quello *agg.dimostr.* 1 that; *pl.* those: *quel ragazzo* (*lì*), that boy (there); *quelle ragazze*, those girls; *quel mio amico*, that friend of mine; *quell'altro quadro*, that other picture // *quel tal libro*, that book // *ha detto tante di quelle sciocchezze!*, he talked such rubbish! // *ho preso uno di quegli spaventi, uno spavento di quelli!*, I got such a fright! 2 (*in funzione di art. det.*) the: *quel poco che avevo*, the little I had 3 (*in espressioni ellittiche*): *ne ho udite di quelle!*, the things I've heard! // *in quel dì*, in; (*nelle vicinanze di*) in the neighbourhood of (*o* near) // *in quella*, (at) that very moment; *in quella che...*, at the very moment that... ♦ *pron.dimostr.* 1 that (one); *pl.* those: *non è — il libro che volevo*, that's not the book I wanted; *non il tuo libro ma — di tuo fratello*, not your book but your brother's // *quei due*, those two // *è sempre —*, he is always the same // — (*sì che*) *sapeva parlare!*, ah, there was a man who knew how to speak! // *gran giorno fu —!*, that was a great day!; *gran fortuna fu quella!*, that was a great piece of luck! 2 (*determinato da agg. qualificativo, da espressione attr. o da prop. rel.*) the one; *pl.* the ones: — *verde*, the green one; — *del piano di sotto*, the one who lives below // *non è più — di una volta*, he is no longer the man he was // *per quel che ne so io*, for all (*o* as far as) I know 3 (*seguito da pron. relativo*) (*con valore di colui*) the one, the man; (*con valore di* colei) the woman; *pl.* (*con valore di coloro*) the people; (*con valore di chiunque*) whoever, anyone 4 (*con valore di egli*) he; (*ella*) she; (*essi, esse*) they: *e quelli risposero...*, and they answered... 5 — *che*, (*ciò che*) what: *tutto — che*, everything (*o* all) (that) 6 —...*questo*, (*per indicare la prima e la seconda di cose o persone già menzionate*) the former... the latter // *questo —*, (*con valore di* l'uno... l'altro) one... one (*o* one... the other); (*con valore di* alcuni... altri) some... some (*o* some... others) 8 (*con valore di* quanto): *è più intelligente di — che pensavo*, he is more intelligent than I thought.

querceto *s.m.* oak wood, oak grove.

quercia *s.f.* oak (tree).

querela *s.f.* (*dir.*) action, lawsuit: *sporger — contro qlcu.*, to bring an action against s.o.

querelante *s.m.* e *f.* (*dir.*) plaintiff.

querelare *v.tr.* (*dir.*) to bring* an action (against s.o.), to take* proceedings (against s.o.), to sue (s.o.).

querelato *s.m.* (*dir.*) defendant.

querulo *agg.* querulous, complaining.

quesito *s.m.* question; (*problema*) problem.

questi *pron.pers.dimostr.sing.* (*letter.*) he; this man; (*in correlazione con* quegli) the latter.

questionare *v.intr.* to dispute.

questionario *s.m.* questionnaire.

questione *s.f.* 1 question; (*faccenda*) matter: *questioni economiche*, economic questions; — *personale*, personal matter; *in —*, in question (*o* at issue): *il libro, l'uomo in —*, the point at issue; *è — di vita o di morte*, it is a matter of life and death // *non chiamarmi in —*, don't drag me into the matter // *non farne una* —!, don't make an issue of it! // *la — è che...*, the point in that... // *qui sta la* —, this in the point **2** (*pol.*) problem: *la — meridionale*, the problem of the South (of Italy) **3** (*dubbio*) doubt, question: *mettere in — che...*, to dispute that...: *mettere in* —, (*dubitare di*) to question **4** (*lite*) quarrel; (*disputa*) dispute.

questo *agg.dimostr.* **1** this; *pl.* these: — *ragazzo* (*qui*), this boy (here); *queste ragazze*, these girls; — *mio amico*, this friend of mine; *quest'altro quadro*, this other picture; *mi ha detto queste precise parole*, these are his exact words // *in, a* — *modo*, so // *l'ho visto con questi occhi*, I saw it with my own eyes **2** (*in espressioni di tempo*) this; (*prossimo*) next; (*scorso*) last: *in* — *momento*, at this moment; *questa settimana*, this week // *quest'oggi*, today // *uno di questi giorni*, one of these days // *questi ultimi venti anni*, the last twenty years **3** (*in espressioni ellittiche*): *questa si che è bella, buona!*, that's really a good one!; *prendi questa!*, take this!; *questa me la pagherai cara*, you'll pay dearly for this; *questa non me l'aspettavo*, I didn't expect this; *quando riceverai questa mia*, when you receive this letter ♦ *pron.dimostr.* **1** this (one); *pl.* these // —*sì che è vino*, that's what you call a wine! // *lo va dicendo a* — *e a quello*, he goes around telling everybody **2** (*con valore di agg.*) he; (ella) she; (*pl.* esse, essi) they **3** (*con valore di ciò*) that, this; — *è quanto disse*, that's what he said; *tutto* — *è sbagliato*, this is all wrong; *per* — *ho rifiutato*, that is why I refused // — *ed altro*, all this and more // — *mai!*, never, I tell you! // *e con* — *ti saluto*, and with that I leave you // *ho fatto un errore, e con* —?, I've made a mistake, so what? // *con tutto* —, *è felice*, with all that, he is happy **4** (*quello...* —, (*per indicare la prima e la seconda di cose o persone già menzionate*) the former... the latter.

questore *s.m.* "questore" ("Chief of Police in Italy).

questua *s.f.* begging; (*in chiesa*) collection: *proibita la* —, no begging.

questuante *agg.* begging ♦ *s.m.* e *sf.* beggar.

questuare *v.intr.* to beg.

questura *s.f.* (*ufficio di pubblica sicurezza*) police-head-quarters (*pl.*).

questurino *s.m.* (*spreg.*) flatfoot (*pl.* flatfoots).

qui *avv.* **1** here: *da* — *a lì*, from here to there: *non si muoverebbe da* — *a lì*, he wouldn't stir an inch; *di* — *non si passa*, you cannot get through here; *eccomi* —, here I am; — *dentro, fuori*, (in) here, (out) here; *il negozio* — *sotto*, the shop down below // *è gente di* —, they are people from here // — *giace*, here lies // — *accluso, allegato*, (*comm.*) herewith enclosed // *tutto* —?, in that all? // — *comincia il bello*, now the fun begins // — *ti voglio!*, now you're asking! // — *hai torto*, this in where you're wrong // — *bisogna decidersi*, at this stage we mist make a decision // *di* — *la sua antipatia per la matematica*, hence his dislike for maths **2** (*in espressioni di tempo*): *di* — *a poco*, in a short time; *di* — *a una settimana, a otto giorni*, in a week's time, a week today; *di* — *a un anno*, a year from now; *fin* — *ha taciuto*, so far he has said nothing.

quid *s.m.* (*lat.*) something.

quiescenza *s.f.* quiescence.

quietanza *s.f.* receipt; acknowledgement; (*per atto pubblico*) release // *per* —, paid (*o* received).

quietanzare *v.tr.* to receipt.

quietare *v.tr.* to calm, to soothe // **-arsi** *v.rifl.* to quiet-(en) down, to calm down.

quiete *s.f.* **1** calm; (*riposo*) rest // *la* — *della notte*, the stillness of the night // *turbare la* — *pubblica*, to disturb the (public) peace **2** (*contrapposto a moto*) rest.

quietismo *s.m.* (*st. relig.*) quietism.

quietista *s.m.* e *f.* (*st. relig.* quietist.

quieto *agg.* quiet, calm; (*fermo*) still; (*fig.*) tranquil // *non può restare* —, he can't keep still (*o* he's always fidgeting); *sta'* —!, (*taci*) be (*o* keep) quiet!; (*non muoverti*) keep still!

quinario *agg.* e *s.m.* (line) of five syllables.

quindi *cong.* so therefore ♦ *avv.* then, afterwards.

quindicenne *agg.* fifteen (years old) (*pred.*); fifteen-year-old (*attr.*) ♦ *s.m.* fifteen-year-old boy ♦ *s.f.* fifteen-year-old girl.

quindicennio *s.m.* (period of fifteen years.

quindicesimo *agg.num.ord.* e *s.m.* fifteenth.

quindici *agg.num.card.* e *s.m.* fifteen // — *giorni fa*, a fortnight ago; *fra* — *giorni*, in a fortnight; *oggi a* — today fortnight (*o* fortnight today).

quindicina *s.f.* **1** about fifteen // *una* — *di giorni* about a fortnight **2** (*paga di quindici giorni*) fortnight's pay.

quindicinale *agg.* fortnightly.

quinquagenario *agg.* (*letter.*) quinquagenarian ♦ *s.m.* (*cinquantenario*) fiftieth anniversary; (*st.*) jubilee.

quinquagesima *s.f.* (eccl.) Quinquagesima (Sunday).

quinquennale *agg.* quinquennial.

quinquennio *s.m.* (period of five years, quinquennium (*pl.* quinquennia).

quinta *s.f.* **1** (*nell'ordinamento scolastico*) fifth year; (*amer.*) fifth grade **2** (*mus.*) fifth **3** (*teatr.*) wing // *dietro le quinte*, (*anche fig.*) behind the scenes // *operare tra le quinte*, to work underhand.

quintale *s.m.* quintal.

quinterno *s.m.* five sheets (*pl.*).

quintessenza *s.f.* quintessence.

quintetto *s.m.* (*mus.*) quintet(te).

quinto *agg.num.ord.* e *s.m.* fifth.

quintuplicare *v.tr.* to quintuple.

qui pro quo *s.m.* quid pro quo.

Quirinale *no.pr.m.* (*geogr.*) Quirinal.

quisquilia *s.f.* trifle.

quivi *avv.* (*letter.*) (*qui*) here; (*là*) there.

quiz *s.m.* quiz: *trasmissione, programma a* —, quiz program(me).

quorum *s.m.* quorum.

quota *s.f.* **1** quota; (*parte*) share; (*rata*) instalment: — *d'abbonamento*, subscription; — *d'immigrazione*, immigration quota; — *d'iscrizione*, entrance fee **2** (*aer.*) altitude, height: *perdere* —, to lose height; *prendere* —, to climb (*o* to gain height); *volare ad alta, bassa* —, to fly high, low **3** (*topografia*) altitude // — *zero*, sea-level **4** (*ippica*) odds (*pl.*).

quotare *v.tr.* **1** (*Borsa*) to quote (at) **2** (*valutare*) to appreciare, to estimate // **-arsi** *v. rifl.* to subscribe (sthg.).

quotato *agg.* **1** (*Borsa*) quoted: *prezzo precedentemente, ultimamente* —, prior, up-to-date price **2** (*valutato*) appreciated, valued: *un operaio* —, a highly valued worker.

quotazione *s.f.* (*Borsa*) quotation: — *di apertura, di chiusura*, opening, closing quotation.

quotidianamente *avv.* daily.

quotidiano *agg.* e *s.m.* daily.

quoto *s.m.* (*mat.*) quotient.

quoziente *s.m.* quotient // — *d'intelligenza*, I.Q. (Intelligence Quotient).

R

s.f. o m. r (*pl.* rs, r's) // — *come Roma*, (*tel.*) r for Robert.

abarbaro *s.m.* rhubarb.

abberciare *v.tr.* to patch (up).

abbia *s.f.* **1** rage, anger, fury: *mi fa* —, it makes me
ngry; *essere preso dalla* —, to fly into a rage; *morire di*
—, to be boiling with rage; *schiumare di* —, to be
oaming with rage // *mi fa una* — *quando parla così!*, it
nakes my blood boil to hear him talk like that! **2**
idrofobia) rabies, hydrophobia.

abbino *s.m.* Rabbi.

abbioso *agg.* **1** furious, angry **2** (*idrofobo*) rabid,
ydrophobic.

abbonire *v.tr.*, **rabbonirsi** *v.intr.pron.* to calm down,
o quiet(en) down.

abbrividire *v.intr.* to shiver.

abbuffare *v.tr.* to ruffle.

abbuffo *s.m.* reprimand: *fare un* — *a qlcu.*, to repri-
nand s.o.

abbuiarsi *v.intr.pron.* **1** (*di tempo*) to darken; (*annotare*) to get* dark **2** (*fig.*) (*offuscarsi, di viso*) to darken;
turbarsi, di persona) to get* sulky: (*si*) *è rabbuiato in
volto*, his face darkened.

abdomante *s.m. e f.* water-diviner, dowser: *bacchetta
di* —, divining rod (*o* dowsing rod).

raccapezzare *v.tr.* (*raccogliere*) to gather, to put* together // **-arsi** *v.intr.pron.* to see* one's way ahead //
non mi ci raccapezzo, I can't make head or tail of it.

raccapricciante *agg.* horrifying, bloodcurdling.

raccapricciare *v.intr.* to horrify.

raccapriccio *s.m.* horror: *un brivido di* —, a shudder;
scena che desta —, horrifying scene; *provare* — *ad uno
spettacolo*, to shudder (*o* to be horrified) at a sight.

raccattapalle *s.m.* (*tennis*) ball-boy; (*golf*) caddy.

raccattare *v.tr.* **1** to pick up **2** (*raccogliere, mettere
insieme*) to collect.

racchetta *s.f.* (*sport*) racket: — *da neve*, snowshoe; —
da ping-pong, table-tennis bat; — *da tennis*, tennis
racket // *racchette degli sci*, ski sticks.

racchio *agg.* (*fam.*) ugly.

racchiudere *v.tr.* to hold*, to include.

raccogliere *v.tr.* **1** to pick up; (*fiori, frutta ecc.*) to
pick: — *un fazzoletto*, to pick up a handkerchief; —
cotone, to pick cotton // — *i feriti*, to pick up the
wounded // — *l'allusione*, to take the hint **2** (*radunare, mettere insieme*) to gather, to get* together; (*denaro*)
to collect: *era intento a* — *le sue cose*, he was busy getting his things together // — *le idee*, to collect one's
ideas // — *lodi*, to earn praise **3** (*collezionare*) to collect **4** (*ricevere*) to receive // *raccolse molta simpatia*,
he was well liked by everybody **5** (*aver come raccolto*)
to reap, to harvest // — *il frutto del proprio lavoro*, to
reap the fruits of one's work // *si raccoglie quel che si
semina*, (*prov.*) as ye sow, so shall ye reap; *chi non semina, non raccoglie*, (*prov.*) he that does not sow, does not
mow **6** (*accogliere, dar rifugio a*) to take* in **7** (*ripiegare*): — *le ali*, (*di uccello*) to fold its wings; — *le vele*, to
furl the sails **8** (*informatica*) to collect // **-ersi**
v.intr.pron. **1** to gather, to assemble: — *intorno a qlcu.*,
to gather around s.o. **2** (*concentrarsi*) to collect one's
thoughts, to concentrate: — *in preghiera*, to recollect
oneself in prayer.

raccoglimento *s.m.* concentration; (*in preghiera*) recollection: *ascoltare con il massimo* —, to listen with the
greatest attention.

raccogliticcio *agg.* collected at random.

raccoglitore *s.m.* **1** picker; gatherer: — *di cotone*,
cotton picker **2** (*collezionista*) collector **3** (*cartella per
documenti ecc.*) binder; (*ad anelli*) ring binder.

raccolta *s.f.* **1** (*il raccogliere cereali*) harvesting; (*uva*)
vine-harvesting; (*di cotone, luppolo ecc.*) picking **2**
(*raccolto*) harvest, crop; (*dell'uva*) vintage, vine harvest **3** (*epoca del raccolto*) harvest time **4** (*collezione*)
collection: *fa* — *di francobolli*, he collects stamps // —
dati, (*informatica*) (*IBM*) data collection **5** (*adunanza*)
gathering: *chiamare a* — *le truppe*, to assemble the
troops; *suonare a* —, to sound the rally // *chiamare a*
— *le proprie energie*, to pull oneself together.

raccolto *agg.* **1** (*colto*) picked **2** (*adunato*) collected,
gathered **3** (*concentrato*) absorbed, engrossed **4** (*intimo*) cosy **5** (*rannicchiato*) curled up, crouching.

raccolto *s.m.* crop, harvest; (*dell'uva*) vintage: *epoca
del* —, harvest time; *si prevede un* — *abbondante, scarso*, a good, poor harvest is expected.

raccomandabile *agg.* (*di persona*) reliable; (*di cosa*)
recommendable // *poco* —, suspicious.

raccomandare *v.tr.* **1** to recommend **2** (*lettere, pacchi ecc.*) to register // **-arsi** *v.rifl.* to recommend oneself; (*appellarsi*) to appeal to // *mi raccomando non dimenticare l'appuntamento*, please, don't forget (*o* do remember) the appointment.

raccomandata *s.f.* registered letter: *fare una* —, to
register a letter; — *con ricevuta di ritorno*, registered letter with return receipt.

raccomandato *agg.* **1** recommended **2** (*di lettera,
pacchi ecc.*) registered ♦ *s.m.* person who can pull
strings: *è un* — *di ferro*, he has a cast-iron recommendation.

raccomandazione *s.f.* **1** recommendation: *lettera di*
—, letter of introduction **2** (*di lettere, pacchi ecc.*) registration **3** (*esortazione*) exhortation; (*consiglio*) advice.

raccomodare *v.tr.* **1** to mend; (*riparare*) to repair: —
un orologio, to repair a watch; — *un vestito*, to mend a
dress **2** (*mettere in ordine*) to put* in order.

raccomodatura *s.f.* mending, repairing.

racconciare *v.tr.* **1** (*raccomodare*) to mend; (*riparare*) to repair: — *una strada*, to repair a road **2** (*correggere migliorando*) to improve.

raccontare *v.tr.* to tell*, to narrate: *raccontano che...*,
people say (*o* it is said) that... // *a me la racconti?*, (*non
ci credo*) tell it to the marines // *ringrazia Dio che questa la puoi* —, thank God you have lived to tell the tale
// *raccontarne delle belle*, to spin yarns // — *per filo e
per segno*, to narrate in detail.

racconto *s.m.* **1** story, tale: — *di fate*, fairy tale; *libro
di racconti*, storybook **2** (*resoconto*) account; (*relazione*) report.

raccorciare *v.tr.* to shorten.

raccordare *v.tr.* to join together, to connect.

raccordo *s.m.* **1** (*mecc.*) connection, union **2** (*per tubazioni*) pipe fitting **3** (*ferr.*) sidetrack; loop line; (*di
autostrada*) link (road); — *anulare*, ring road.

Rachele *no.pr.f.* Rachel.

rachide *s.m.* o *f.* (*med.*) r(h)achis.

rachitico *agg.* **1** rickety **2** (*stentato*) stunted.

rachitismo *s.m.* (*med.*) rickets.

racimolare *v.tr.* to scrape together.

rada *s.f.* (*mar.*) roadstead.

radar *s.m.* radar.

radarista *s.m.* radar controller, radar operator.

raddensare *v.tr.* to thicken, to condense.

raddobbare *v.tr.* (*mar.*) to refit.

raddobbo *s.m.* (*mar.*) repair, refit.

raddolcire *v.tr.* **1** to sweeten; (*fig.*) to soften; (*calmare*) to soothe **2** (*metallo, acqua*) to soften.

raddoppiamento *s.m.* **1** doubling: *il — di una linea*, (*ferr.*) the laying of a second track **2** (*gramm.*) reduplication.

raddoppiare *v.tr.* **1** to double; (*fig.*) to redouble: *la linea verrà raddoppiata*, (*ferr.*) a second track will be laid; *— il proprio zelo*, to redouble one's zeal **2** (*gramm.*) to reduplicate.

raddoppiato *agg.* **1** doubled; (*fig.*) redoubled **2** (*gramm.*) reduplicated.

raddoppio *s.m.* doubling: *fare il — dell'autostrada*, to double the motorway.

raddrizzamento *s.m.* straightening.

raddrizzare *v.tr.* to straighten // *— la testa, le idee a qlcu*, to put s.o. on the right path.

raddrizzatore *s.m.* **1** straightener **2** (*elettr.*) rectifier.

radente *agg.* grazing // *attrito —*, (*fis.*) rolling friction.

radere *v.tr.* **1** to shave // *farsi —*, to have a shave **2** (*abbattere*) to raze: *— al suolo*, to raze (to the ground) **3** (*sfiorare*) to graze, to skim // *-ersi* *v.rifl.* to shave.

radiale *agg.* radial.

radiante[1] *agg.* radiant (*anche fig.*): *pannello —*, radiating panel.

radiante[2] *s.m.* (*geom.*) radiant.

radiare *v.tr.* to expel; (*un nome*) to strike off; (*dall'esercito*) to cashier.

radiatore *s.m.* radiator.

radiazione[1] *s.f.* (*fis.*) radiation.

radiazione[2] *s.f.* (*espulsione*) expulsion; (*di nome*) striking off.

radica *s.f.* (*legno*) briar (wood).

radicale *agg.* radical // *il partito —*, (*pol.*) the radical party ♦ *s.m.* e *f.* (*gramm.*) radical, root ♦ *s.m.* (*mat.*) radical.

radicalismo *s.m.* (*pol.*) radicalism.

radicando *s.m.* (*mat.*) radicand.

radicare *v.intr.*, **radicarsi** *v.intr.pron.* to root, to take* root.

radicato *agg.* deep-rooted, deeply rooted, deep-seated.

radicchio *s.m.* chicory.

radice *s.f.* root: *mettere —*, to take (*o* to strike) root (*spec. fig.*) // *— quadrata, cubica*, (*mat.*) square, cube root; *segno di —*, (*mat.*) radical sign.

radio- *pref.* radio-.

radio[1] *s.m.* (*anat.*) radius (*pl.* radii).

radio[2] *s.m.* (*chim.*) radium.

radio[3] *s.f.* **1** radio, wireless; (*apparecchio*) radio (set), wireless (set), set: *— portatile ricevente e trasmittente*, walkie-talkie (*o* walky-talky); *alla —*, on the radio; *trasmissione —*, broadcast; *ascoltare qlco. alla —*, to listen to sthg. on the radio; *trasmettere per —*, to broadcast **2** (*sede*) radio: *è impiegato alla —*, he is on the radio staff.

radioamatore *s.m.* radio amateur.

radioascoltatore *s.m.* radio listener; ham.

radioattività *s.f.* (*fis.*) radioactivity.

radioattivo *agg.* (*fis.*) radioactive: *ferro —*, radio iron *periodo —*, (*fis. atomica*) half-life; *pioggia radioattiva* fallout.

radioaudizione *s.f.* **1** (*ascolto*) listening; listening -in **2** (*programma*) broadcast: *abbonamento alle radiodioaudizioni*, wireless licence.

radiobussola *s.f.* (*aer. mar.*) radio compass.

radiocomandare *v.tr.* to radio control.

radiocomandato *agg.* radio-controlled.

radiocomando *s.m.* radio control.

radiocomunicazione *s.f.* radio-communication.

radiocronaca *s.f.* (*running*) commentary: *— in collegamento diretto*, live broadcast; *— registrata*, recorded commentary.

radiocronista *s.m.* e *f.* (*radio*) commentator.

radiodiffusione *s.f.* broadcasting, broadcast.

radiodramma *s.m.* radio play.

radioestesia *s.f.* radiesthesia.

radiofaro *s.m.* radio beacon.

radiofonia *s.f.* radiophony.

radiofonico *agg.* radio, wireless (*attr.*).

radiofoto *s.f.* radiophotograph.

radiogoniometro *s.m.* radiogoniometer, direction finder.

radiografare *v.tr.* to radiograph.

radiografia *s.f.* **1** (*l'immagine ottenuta*) radiograph, X-ray photograph, radiogram: *fare una —*, to take a radiograph **2** (*il procedimento*) radiography, X-ray photography.

radiografico *agg.* radiographic.

radiogramma *s.m.* radiogram, radiotelegram.

radiogrammofono *s.m.* radiogram(ophone).

radioguidare *v.tr.* to radiocontrol.

radioisotopo *s.m.* radioisotope.

radiologia *s.f.* radiology.

radiologico *agg.* radiological.

radiologo *s.m.* radiologist.

radiomessaggio *s.m.* radio message.

radioonda *s.f.* radio wave.

radiopilota *s.m.* radio pilot.

radioricevente *agg.* (radio-)receiving ♦ *s.f.* **1** (*apparecchio*) radio receiver, receiving set **2** (*stazione*) (radio-)receiving station.

radioricevitore *s.m.* radio receiver, receiving set.

radioricezione *s.f.* reception.

radioscopia *s.f.* radioscopy.

radioscopico *agg.* radioscopic: *esame —*, X-ray examination.

radioso *agg.* radiant, beaming, bright: *una giornata radiosa*, a bright day; *un sorriso —*, a radiant smile.

radiosonda *s.f.* radiosonde.

radiotecnica *s.f.* radiotechnology.

radiotecnico *agg.* radio-technological ♦ *s.m.* radio technician.

radiotelefonia *s.f.* radiotelephony.

radiotelefono *s.m.* radio(tele)phone.

radiotelegrafia *s.f.* radiotelegraph(y).

radiotelegrafista *s.m.* e *f.* radiotelegraphist, radiotelegraph operator.

radiotelegramma *s.m.* radio(tele)gram.

radiotelescopio *s.m.* (*astr.*) radio telescope.

radiotelevisione *s.f.* radio and television.

radiotelevisivo *agg.* radio and television (*attr.*).

radioterapia *s.f.* (*med.*) radiotherapy.

radioterapico *agg.* (*med.*) radiotherapeutic.

radioterapista *s.m.* e *f.* radiotherapist.

radiotrasmettere *v.tr.* to broadcast; (*a una determinata persona*) to radio.

radiotrasmettitore *s.m.* radio transmitter.

radiotrasmissione *s.f.* broadcasting, broadcast; — *delle immagini*, photoradio // — *a premi*, give-away show.

radiotrasmittente *agg.* broadcasting ♦ *s.f.* radio transmitter.

rado *agg.* 1 rare, thin, sparse: *case rade*, scattered houses; *vegetazione rada*, sparse vegetation 2 (*non frequente*) infrequent; occasional // *di* —, rarely; *non di* —, quite often.

radunare *v.tr.*, **radunarsi** *v.rifl.* to assemble, to gather.

radunata *s.f.* assembly, gathering.

raduno *s.m.* meeting; (*spec. pol.*) rally.

radura *s.f.* glade, clearing.

rafano *s.m.* (*bot.*) radish.

Raffaele, Raffaello *no.pr.m.* Raphael.

raffazzonare *v.tr.* to patch up.

raffazzonatura *s.f.* patching (up).

rafferma *s.f.* (*mil.*) deferment of demobilization.

raffermare *v.tr.* 1 to confirm 2 (*mil.*) to defer s.o.'s demobilization // **-arsi** *v.rifl.* (*mil.*) to sign on again.

raffermo *agg.* stale.

raffica *s.f.* 1 gust: *vento a raffiche*, gusts of wind 2 (*di armi da fuoco*) burst, volley.

raffigurabile *agg.* representable.

raffigurare *v.tr.* 1 to represent // *me lo ero raffigurato diverso*, I had imagined him different 2 (*riconoscere*) to recognize.

raffilare *v.tr.* 1 (*affilare*) to sharpen, to whet 2 (*pareggiare tagliando*) to trim, to pare.

raffinamento *s.m.* 1 refining: — *a fuoco*, (*ind.*) forge-refining 2 (*fig.*) refinement.

raffinare *v.tr.* to refine (*anche fig.*): — *l'oro*, to purify gold // **-arsi** *v.rifl.* to become* refined, to refine (*anche fig.*).

raffinatamente *avv.* in a refined way, refinedly.

raffinatezza *s.f.* refinement (*anche fig.*): *persona di grande* —, very refined person.

raffinato *agg.* refined (*anche fig.*).

raffinatore *s.m.* refiner.

raffinazione *s.f.* refining.

raffineria *s.f.* refinery: — *di petrolio*, oil refinery.

raffio *s.m.* grapnel, grappling iron.

raffittire *v.tr.* to thicken, to make* thicker // **-irsi** *v. intr.pron.* to thicken; (*di tessuti*) to shrink*.

rafforzamento *s.m.* reinforcement, strengthening (*anche fig.*).

rafforzare *v.tr.* to reinforce, to strengthen (*anche fig.*); (*mil.*) to fortify // **-arsi** *v.intr.pron.* to grow* stronger, to get* stronger.

raffreddamento *s.m.* 1 (*ind.*) cooling: — *ad acqua, ad aria*, water-, air-cooling; *liquido di* —, coolant 2 (*fig.*) coolness.

raffreddare *v.tr.* to make* cold; (*leggermente*) to cool (*anche fig.*) // **-arsi** *v.intr.pron.* 1 to get* cold, to grow* cool, to cool (down) (*anche fig.*): *il suo entusiasmo si è raffreddato*, his enthusiasm has cooled down 2 (*prendere un raffreddore*) to catch* a cold, to get* a cold.

raffreddato *agg.* 1 cooled 2 (*infreddato*): *è molto* —, he has a nasty cold.

raffreddore *s.m.* cold: *un forte* —, a heavy cold.

raffrenare *v.tr.* to restrain, to check // **-arsi** *v.rifl.* to restrain oneself, to check oneself.

raffrontare *v.tr.* to compare; (*testi*) to collate; (*dir.*) to confront.

raffronto *s.m.* comparison; (*di testi*) collation; (*dir.*) confrontation.

rafia *s.f.* raffia.

ragade *s.f.* (*med.*) rhagades (*pl.*).

raganella *s.f.* 1 (*zool.*) tree frog 2 rattle.

ragazza *s.f.* 1 girl; (*sotto ai vent'anni*) teenager: *nome da* —, maiden name 2 (*innamorata*) girl(friend).

ragazzaglia *s.f.* mob of youngsters.

ragazzata *s.f.* boyish escapade.

ragazzo *s.m.* 1 boy; (*giovane uomo*) youth; (*fam.*) lad: *un* — *di dieci anni*, a boy of ten; *ragazzi sotto i vent'anni*, teenagers // *da* —, when a boy: *lo conosco fin da* —, I have known him since he was a boy (*o* lad) 2 (*innamorato*) boyfriend 3 (*garzone, fattorino*) boy, errand-boy, shop-boy; (*di ufficio*) office-boy 4 (*fam.*) (*persona*) fellow, chap, boy; (*amer.*) guy: *forza ragazzi!*, come on boys! (*o* men!).

raggelare *v.tr.* to freeze*.

raggiante *agg.* radiant (with) (*anche fig.*); (*fig.*) beaming with; — *di gioia*, radiant with joy.

raggiare *v.intr.* to shine* (with sthg.); (*fig.*) to beam (with sthg.) ♦ *v.tr.* to radiate; (*fig.*) to be* radiant (with sthg.).

raggiato *agg.* radiate, radial.

raggiera *s.f.* 1 (*disposizione a raggiera*) radial arrangement: *a* —, radial (*agg.*); radially (*avv.*) 2 (*fascio di raggi*) rays (*pl.*) 3 (*dell'ostensorio*) monstrance.

raggio *s.m.* 1 ray (*anche fig.*); (*fascio di luce*) beam: — *di luna*, moonbeam (*o* ray of moonlight); — *di sole*, sunbeam (*o* ray of sunlight); — *luminoso*, ray of light; *raggi X*, X-rays 2 (*geom. mecc.*) radius; (*di ruota*) spoke 3 (*area, campo*) range, radius: — *d'azione*, range (*o* field) of action; *fu cercato nel* — *di un chilometro*, a search was carried out for him within a radius of one kilometre.

raggirare *v.tr.* to trick, to cheat, to swindle.

raggiro *s.m.* trick, cheat, deceit.

raggiungere *v.tr.* 1 to reach, to arrive (at a place), to get* (to s.o., sthg.); (*unirsi a*) to join: *va' avanti, ti raggiungo presto*, go (on) ahead, I'll soon catch up with you 2 (*conseguire*) to attain, to achieve: — *un accordo*, to come to (*o* to reach) an agreement 3 (*colpire*) to hit*.

raggiungibile *agg.* 1 reachable 2 (*conseguibile*) attainable, achievable.

raggomitolare *v.tr.* to roll up, to make* (sthg.) into a ball // **-arsi** *v.rifl.* to curl up, to roll oneself up.

raggranellare *v.tr.* to scrape together.

raggrinzire *v.tr.* to wrinkle (up); (*tessuti ecc.*) to crumple // **-irsi** *v.intr.pron.* to become* wrinkled, to wrinkle.

raggrumare *v.tr.*, **raggrumarsi** *v.intr.pron.* to clot.

raggruppamento *s.m.* gathering // — *delle informazioni*, (*informatica*) batching.

raggruppare *v.tr.* 1 to gather 2 (*informatica*) to pool // **-arsi** *v.intr.pron.* to gather.

ragguagliare *v.tr.* 1 (*pareggiare*) to level 2 (*paragonare*) to compare 3 (*informare*) to inform.

ragguaglio *s.m.* 1 (*paragone*) comparison 2 (*informazione*) information; (*relazione*) report.

ragguardevole *agg.* considerable.

ragia *s.f.* resin, rosin: *acqua* —, turpentine.

ragià *s.m.* rajah.

ragionamento *s.m.* **1** reasoning // *che ragionamenti!*, what nonsense! **2** (*discorso*) talk.

ragionare *v.intr.* **1** to reason (about, upon sthg.): *non sa —*, he cannot reason **2** (*discutere*) to discuss (sthg.), to talk (over sthg.): *ne ragionerò con lui*, I shall talk it over with him; *impossibile — con lui*, it's impossible to make him see reason.

ragionatamente *avv.* **1** by reasoning **2** (*ragionevolmente*) reasonably.

ragionato *agg.* **1** reasoned // *grammatica ragionata*, explanatory grammar **2** (*ragionevole*) reasonable.

ragionatore *s.m.* reasoner.

ragione *s.f.* **1** (*facoltà intellettiva*) reason: *perdere la —*, to lose one's senses (*o* wits); *perdere il lume della —*, to go off one's head // *contro —*, contrary to all reason // *— pura, pratica*, (*fil.*) pure, pratical reason **2** (*motivo, argomento valido*) reason: *dimmi la — per cui l'hai fatto*, tell me the reason why you've done it; *ho — di temere*, I have reason to fear; *non è una* (*buona*) *—*, that is no reason; *non so la — di tutto ciò*, I do not know the reason for all that; *ragioni di famiglia*, family reasons; *assente per ragioni di salute*, absent on account of ill-health // *— di essere*, raison d'être (*o* reason for existence): *il suo sospetto non aveva più — d'essere*, his suspicion was no longer justified // *a maggior — deve andare*, all the more reason for his going; *è una — di più per licenziarlo*, that's another reason for dismissing him // *— per cui*, that's why // *per nessuna —*, for no reason (*o* on no account) // *a ragion veduta*, after due consideration // *dare, rendere — di qlco.*, to give the reason for sthg. // *darsi, rendersi — di qlco.*, to understand the reason for sthg. // *rendere di pubblica —*, to divulge // *darsi, farsi una —*, to resign oneself **3** (*diritto, giustizia*) right, reason: *a — o a torto*, rightly or wrongly; *essere dalla parte della —*, to be in the right; *ha — di sgridarlo*, he is right in scolding him; *avere mille ragioni, — da vendere*, to be dead right; *non voleva darmi —*, he did not want to admit I was right; *il tempo ci darà —*, time will tell; *appartenere di —*, to belong by right // *ragion di stato*, reason of State // *aver — di qlcu., qlco.*, to get the better (*o* the upper hand) of s.o., sthg. // *far valere le proprie ragioni*, to assert oneself // *darle di santa — a qlcu.*, to beat s.o. soundly; *prenderle di santa —*, to get a sound beating // *ricorrere a chi di —*, to apply to the proper person **4** (*rapporto, proporzione*) ratio, proportion; (*tasso*) rate: *in — del 10%*, at the rate of 10% **5** *— sociale*, (*comm.*) style (*o* trade name).

ragioneria *s.f.* accountancy; (*contabilità*) bookkeeping.

ragionevole *agg.* reasonable; (*di buon senso*) sensible.

ragionevolezza *s.f.* reasonableness.

ragioniere *s.m.* accountant; (*contabile*) bookkeeper.

raglan *s.m.* raglan: *maniche* (*alla*) *—*, raglan sleeves.

ragliare *v.intr.* to bray (*anche fig.*).

raglio *s.m.* bray, braying.

ragnatela *s.f.* cobweb, (spider's) web.

ragno *s.m.* spider: *tela di —*, cobweb // *non cavare un — dal buco*, (*fig.*) to get nowhere.

ragù *s.m.* (*cuc.*) ragout.

raid *s.m.* **1** (*sport*) race **2** (*mil.*) raid.

Raimondo *no.pr.m.* Raymond, Raymund.

raion *s.m.* (*ind. tessile*) rayon.

rallegramento *s.m.* **1** rejoicing **2** *pl.* congratulations: *fare a qlcu. i propri rallegramenti per qlco.*, to congratulate s.o. on sthg.

rallegrare *v.tr.* to cheer (up), to make* glad, to gladden // *-arsi* *v.intr.pron.* **1** to rejoice (at sthg.), to be* glad (about sthg.) **2** (*congratularsi*) to congratulate (s.o. on sthg.).

rallentamento *s.m.* slackening, slowing down; (*di velocità*) slackening of speed, slowing (down).

rallentare *v.tr.* to slacken (*anche fig.*) ♦ *v.intr.* to slow down, to slacken speed.

rallentatore *s.m.* **1** (*mecc.*) decelerator **2** (*cinem.*) slow-motion camera // *il mio lavoro procede col —*, am making slow progress in my work.

ramaglia *s.f.* chopped-off branches (*pl.*).

ramaio *s.m.* coppersmith.

ramaiolo *s.m.* ladle.

ramanzina *s.f.* telling-off, scolding: *fare una — a qlcu.*, to give s.o. a good telling-off.

ramare *v.tr.* **1** to copper, to copperize **2** (*agr.*) to spray with copper sulphate.

ramarro *s.m.* green lizard.

ramato *agg.* **1** (*coperto di rame*) copper-covered **2** (*color rame*) copper-coloured: *capelli ramati*, titian hair.

ramatura *s.f.* copper plating, coppering.

ramazza *s.f.* broom // *essere* (*comandato*) *di —*, (*mil.*) to be detailed for cleaning.

ramazzare *v.tr.* to sweep*.

rame *s.m.* (*metall.*) copper: *monete di —*, copper coins; *rivestire di —*, to copper **2** *pl.* (*oggetti in rame*) copper (*solo sing.*).

ramifero *agg.* (*min.*) copper-bearing (*attr.*).

ramificare *v.intr.*, **ramificarsi** *v.intr.pron.* to ramify.

ramificato *agg.* branched, ramified.

ramificazione *s.f.* ramification.

ramingo *agg.* wandering.

ramino *s.m.* (*gioco di carte*) rummy.

rammagliare *v.tr.* to mend a ladder.

rammagliatura *s.f.* mending (of a ladder).

rammaricare *v.tr.* to afflict // *-arsi* *v.intr.pron.* **1** to regret (sthg., doing), to be* sorry (about sthg.) **2** (*lamentarsi*) to complain (of, about sthg.).

rammarico *s.m.* regret, sorrow: *esprimere il proprio —*, to express one's regret.

rammendare *v.tr.* to darn.

rammendatrice *s.f.* darner.

rammendo *s.m.* darn; (*atto del rammendare*) darning: *cotone da —*, darning cotton.

rammentare *v.tr.* to remember, to recall; (*richiamare alla memoria*) to remind (s.o. of sthg.) // *-arsi* *v.intr.pron.* to remember, to recall.

rammollimento *s.m.* softening // *— cerebrale*, softening of the brain.

rammollire *v.tr.* to soften (*anche fig.*) // *-irsi* *v.intr.pron.* to soften, to go* soft (*anche fig.*): *gli si è rammollito il cervello*, he has gone a bit soft in the head.

rammollito *agg.* soft (*anche fig.*).

rammorbidire *v.tr.* to soften // *-irsi* *v.intr.pron.* to become* gentler, to become* kinder.

ramo *s.m.* **1** branch (*anche fig.*): *il — di un lago*, the arm of a lake // *— d'affari*, branch (*o* line) of business // *— scientifico, letterario*, scientific, literary field; *non è il mio —*, it's not my field // *avere un — di pazzia*, to have a touch of insanity; (*scherz.*) to be a bit dotty **2** (*di minerale*) vein **3** (*di corna*) antler.

ramolaccio *s.m.* (*bot.*) radish.

ramoscello *s.m.* twig.

rampa *s.f.* **1** (*ripida salita*) steep slope **2** (*di scale*) flight **3** (*per missili, di strade ecc.*) ramp: *— di lancio*, launch(ing) ramp **4** (*zool. arald.*) paw.

rampante *agg.* (*arald.*) rampant.

rampicante *agg.* climbing, creeping: *pianta* —, climber (*o* creeper) ♦ *s.m.* **1** (*bot.*) creeper **2** *pl.* (*zool.*) Creepers.

rampichino *s.m.* (*zool.*) tree creeper.

rampino *s.m.* hook // *attaccarsi a tutti i rampini*, (*fig.*) to hang on by tooth and nail.

rampogna *s.f.* (*letter.*) reproach.

rampollare *v.intr.* (*rar.*) **1** (*di acqua*) to spring* **2** (*di pianta*) to shoot* **3** (*sorgere*) to rise*.

rampollo *s.m.* **1** (*discendente*) offspring, scion **2** (*scherz.*) (*bambino*) brat, child **3** (*di acqua*) spring **4** (*di pianta*) shoot, scion.

rampone *s.m.* **1** (*mar.*) harpoon **2** (*da montagna*) crampon.

ramponiere *s.m.* (*mar.*) harpooner.

rana *s.f.* frog // *uomo* —, frogman.

rancidire *v.intr.* to become* rancid.

rancido *agg.* rancid, rank: *sapere di* —, to have a rancid (*o* rank) taste.

rancio *s.m.* (*mil.*) ration (*gener.pl.*).

rancore *s.m.* grudge: *senza* —, without bearing a grudge; *portare, serbare* — *a qlcu.*, to bear s.o. a grudge.

randa *s.f.* (*mar.*) spanker.

randagio *agg.* stray, wandering: *cane* —, stray dog.

randellata *s.f.* blow with a club.

randello *s.m.* club, cudgel.

ranetta *s.f.* → **renetta**.

rango *s.m.* **1** rank, standing: *decadere dal proprio* —, to come down in the world; *occupare un* — *superiore, inferiore a qlcu.*, to rank above, below s.o. **2** (*mil.*) (*schiera, fila*) rank: *formare i ranghi*, to fall in(to) line; *rientrare nei ranghi*, to fall in again; *serrare i ranghi*, to close up; *uscire dai ranghi*, to break the ranks.

rannicchiarsi *v.rifl.* to crouch // — *sotto le coperte*, to curl up under the blankets.

ranno *s.m.* lye.

rannodare *v.tr.* **1** to retie **2** (*fig.*) (*riprendere, riallacciare*) to renew.

rannuvolamento *s.m.* clouding over.

rannuvolare *v.intr.* to get* cloudy // **-arsi** *v.intr.pron.* **1** to get* cloudy **2** (*fig.*) to darken; (*diventare triste*) to become* gloomy: *si rannuvolò in viso*, his face darkened.

rannuvolato *agg.* **1** cloudy **2** (*fig.*) (*accigliato*) frowning, gloomy.

ranocchio *s.m.* frog.

rantolare *v.intr.* **1** to wheeze **2** (*in punto di morte*) to have* the death rattle.

rantolio *s.m.* **1** wheezing **2** (*della morte*) death rattle.

rantolo *s.m.* rattle.

ranuncolo *s.m.* ranunculus; (*giallo*) buttercup.

rapa *s.f.* turnip // *testa di* —, (*fig.*) thickhead, numskull // *voler cavar sangue da una* —, (*fam.*) to try to draw blood from a stone.

rapace *agg.* **1** predatory: *uccello* —, bird of prey **2** (*fig.*) rapacious, greedy: *sguardo* —, greedy look ♦ *s.m.* bird of prey.

rapacità *s.f.* rapacity; (*avidità*) greed.

rapare *v.tr.* to crop: — *qlcu. a zero*, to shave s.o.'s head // **-arsi** *v.rifl.* to crop one's hair.

rapata *s.f.* cropping.

raperonzolo *s.m.* (*bot.*) rampion.

rapida *s.f.* rapids (*pl.*).

rapidità *s.f.* swiftness, rapidity, quickness.

rapido *agg.* swift, rapid, quick: — *sguardo*, swift glance ♦ *s.m.* (*ferr.*) express.

rapimento *s.m.* **1** abduction; (*spec. di bambino*) kidnapping **2** (*estasi*) rapture, ecstasy.

rapina *s.f.* robbery: — *a mano armata*, armed robbery.

rapinare *v.tr.* to rob.

rapinatore *s.m.* robber.

rapire *v.tr.* **1** to abduct; (*spec. bambini*) to kidnap **2** (*estasiare*) to ravish, to enrapture.

rapito *agg.* **1** (*di persona*) abducted; (*spec. di bambino*) kidnapped **2** (*estasiato*) ravished, enraptured: *sguardo* —, ravished expression.

rapitore *s.m.* abductor; (*spec. di bambini*) kidnapper.

rappacificare *v.tr.* to reconcile // **-arsi** *v.rifl.* e *rifl.rec.* to make* peace.

rappacificazione *s.f.* reconciliation.

rappezzare *v.tr.* **1** to patch **2** (*fig.*) (*mettere insieme*) to piece together: — *un articolo*, to piece together an article.

rappezzatura *s.f.* **1** patching **2** (*parte rappezzata*) patch.

rappezzo *s.m.* **1** patch **2** (*ripiego*) poor substitute.

rapportare *v.tr.* **1** to report, to tell* **2** (*disegno*) to transfer, to reproduce.

rapportatore *s.m.* **1** reporter, relater **2** (*strum.*) protractor.

rapporto *s.m.* **1** (*relazione scritta o orale*) report; statement: *il* — *mensile di una banca*, the monthly statement of a bank; *andare a* —, to report; *chiamare qlcu. a* —, to summon s.o. **2** (*relazione, connessione*) relation: *essere in* — *d'amicizia con qlcu.*, to be on friendly terms with s.o.; *avere un* — *di lavoro con qlcu.*, to have business dealings with s.o.; *essere in* — *di parentela*, to be related to s.o.; *mettersi in* — *con qlcu.*, to get in touch with s.o.; *essere in buoni rapporti con qlcu.*, to be on good terms with s.o.; *rompere i rapporti*, to sever (*o* to break off) relations // *in* — *a...*, in relation to...; (*riguardo a*) in connection with... (*o* with reference to...) // *sotto tutti i rapporti*, in all respects **3** (*sessuale*) intercourse **4** (*mat. mecc. ecc.*) ratio: — *fra natalità e mortalità*, the birth-death ratio; — *di velocità*, speed ratio; *nel* — *di cinque a quindici*, (*mat.*) in the ratio of five to fifteen **5** (*informatica*) report; (*relazione*) ratio: — *di intervento*, call report; — *di segnalazione anomalie*, exception report.

rapprendere *v.tr. e intr.*, **rapprendersi** *v.intr.pron.* (*coagulare, coagularsi*) to coagulate; (*rassodarsi*) to set*; (*di latte*) to curdle.

rappresaglia *s.f.* retaliation; (*spec. mil.*) reprisal: *per* —, in (*o* by way of) reprisal; *fare rappresaglie contro qlcu.*, to retaliate against s.o.

rappresentabile *agg.* performable.

rappresentante *s.m. e f.* representative, deputy, agent: — *esclusivo*, (*comm.*) sole agent.

rappresentanza *s.f.* **1** representation; (*deputazione*) deputation: *la* — *dei lavoratori*, a workers' deputation; *agire in* — *di qlcu.*, to act on behalf of s.o. // *spese di* —, entertainment expenses: *indennità per le spese di* —, entertainment allowance // *automobile di* —, limousine // *uffici di* —, prestige offices **2** (*comm.*) agency.

rappresentare *v.tr.* **1** to represent, to depict // *non me lo rappresentavo così*, I didn't imagine it like that **2** (*simboleggiare*) to 'symbolize, to represent, to stand* for **3** (*essere il rappresentante di*) to represent; to act for (s.o., sthg.); (*comm.*) to be* agent (for s.o., sthg.): *l'avvocato XY rappresenta la difesa*, XY is the counsel for the defence **4** (*teatr.*) to perform, to act, to do*, to stage; (*fam.*) to put* on **5** (*significare*) to mean*: *que-*

sto lavoro rappresenta molto per lui, this job means a lot to him.

rappresentativa *s.f. (sport)* representative team.

rappresentativo *agg.* representative.

rappresentazione *s.f.* **1** representation; *(descrizione)* description // *— analogica, (informatica)* analog representation **2** *(teatr.)* performance // *sacre rappresentazioni,* mystery *(o* miracle) plays **3** *(fil.)* representation.

rapsodia *s.f.* rhapsody.

rapsodo *s.m.* rhapsode, rhapsodist.

raptus *s.m.* raptus.

raramente *avv.* rarely, seldom.

rarefare *v.tr.,* **rarefarsi** *v.intr.pron.* to rarefy.

rarefatto *agg.* rarefied.

rarefazione *s.f.* rarefaction, rarefying.

rarità *s.f.* rarity.

raro *agg.* rare: *un caso —,* an exceptional case; *un uomo di rare virtù,* a man of uncommon virtues // *è una bestia rara,* he's one in a million.

rasare *v.tr.* **1** to shave **2** *(pareggiare)* to smooth: *— un prato,* to mow a lawn // **-arsi** *v.rifl.* to shave*.

rasatello *s.m.* cotton satin.

rasato *agg.* **1** *(sbarbato)* shaven **2** *(liscio)* smooth **3** *(simile a raso)* satin *(attr.).*

rasatura *s.f.* **1** shaving, shave **2** *(lisciatura)* smoothing; *(di prato)* mowing.

raschiamento *s.m.* **1** scraping **2** *(chir.)* curettage.

raschiare *v.tr.* **1** to scrape, to scratch; *(cancellare)* to erase, to scratch out // *raschiarsi la gola,* to clear one's throat **2** *(chir.)* to curette.

raschiata *s.f.* scraping, scratching.

raschiatoio *s.m.* scraper.

raschiatura *s.f.* **1** scraping, scratching **2** *(segno lasciato raschiando)* scrape, scratch.

raschietto *s.m.* scraper; *(per cancellare)* eraser.

raschio *s.m.* clearing one's throat.

rasentare *v.tr.* **1** to go* close (to sthg.), to nearly touch, to shave*; *(con movimento veloce)* to skim; *(gener. sfiorando l'oggetto)* to graze: *— il bersaglio,* to go close to *(o* to shave) the target **2** *(fig.)* to go* close (to sthg.), to nearly touch, to border (on sthg.): *— la vittoria,* to come very close to victory; *rasenta il ridicolo,* it borders on the ridiculous; *il suo comportamento rasenta la pazzia,* his behaviour borders on madness // *— il codice penale,* to be just within the law // *— la quarantina,* to be coming up to forty.

rasente *prep. e avv.* very close (to), very near: *camminare — al, il muro,* to walk very close to *(o* hugging) the wall // *volare — l'acqua, all'acqua,* to skim *(o* to graze) the water.

raso *agg.* shaven; *(di capelli)* cropped // *un bicchiere pieno —,* a glass full to the brim // *tabula rasa,* a blank // *— terra,* along the ground: *un tiro — terra, (calcio)* a ground shot; *un ragionamento — terra,* prosaic reasoning ♦ *s.m.* satin: *— operato,* brocaded satin.

rasoiata *s.f.* razor slash.

rasoio *s.m.* razor: *— di sicurezza,* safety razor; *il filo del —, (anche fig.)* the razor's edge // *camminare sul filo del —,* to be on a razor edge.

raspa *s.f.* rasp.

raspare *v.tr.* **1** *(levigare con la raspa)* to rasp, to file, to scrape **2** *(irritare)* to rasp, to irritate **3** *(grattare con le unghie)* to scratch.

raspino *s.m.* rasper, smoothing-file.

raspio *s.m.* rasping, rasping noise.

rassegna *s.f.* **1** *(mil.) (rivista)* review; *(ispezione)* inspection: *passare in —,* to review; to inspect **2** *(festival)* festival: *— di successi, (canzoni)* hit parade **3** *(mostra)* show, exhibit: *— di prodotti tessili,* textile show **4** *(recensione)* review **5** *(esame, analisi)* survey **6** *(periodico)* magazine, review.

rassegnare *v.tr.* to hand in: *— le dimissioni dal comitato,* to resign from the committee // **-arsi** *v.intr.pron.* to resign oneself: *devi rassegnarti,* you must resign yourself to it *(o* accept it).

rassegnato *agg.* resigned.

rassegnazione *s.f.* resignation.

rasserenare *v.tr.* **1** to clear (up), to brighten up **2** *(fig.)* to put* (s.o.) in better spirits: *quella notizia lo rasserenò,* that piece of news relieved him // **-arsi** *v.intr.pron.* **1** to clear (up), to brighten up **2** *(fig.)* to recover one's spirits.

rasserenato *agg.* **1** clear (again) **2** *(fig.)* in better spirits.

rassettare *v.tr.* **1** to arrange, to tidy (up), to put* in order **2** *(riparare)* to mend, to repair // **-arsi** *v.rifl.* to tidy oneself, to make* oneself tidy.

rassettatura *s.f. (il rassettare)* tidying (up), arranging.

rassicurante *agg.* reassuring; *(incoraggiante)* encouraging.

rassicurare *v.tr.* to reassure; *(incoraggiare)* to encourage // **-arsi** *v.intr.pron.* **1** to be* reassured, to recover confidence: *sembrò —,* he appeared reassured; *rassicurati, va tutto bene!,* cheer up, all is well *(o* everything is going well)! **2** *(assicurarsi)* to make* sure.

rassicurazione *s.f.* assurance, reassurance.

rassodamento *s.m.* **1** hardening, stiffening **2** *(fig.)* strengthening, consolidation.

rassodare *v.tr. e intr.* **1** to harden **2** *(fig.)* to strengthen, to consolidate // **-arsi** *v.intr.pron.* to harden.

rassomigliante *agg.* like (s.o., sthg.), similar, alike *(pred.).*

rassomiglianza *s.f.* likeness, resemblance.

rassomigliare *v.intr.* to be* like (s.o.), to look like (s.o.) // **-arsi** *v.rifl.rec.* to be* alike.

rastrellamento *s.m.* raking; *(fig.)* combing.

rastrellare *v.tr.* to rake; *(fig.)* to comb.

rastrellata *s.f.* **1** *(quantità)* rakeful **2** *(colpo di rastrello)* rake.

rastrellatura *s.f.* raking.

rastrelliera *s.f.* **1** *(per il fieno)* hay rack **2** *(per i piatti)* plate rack **3** *(per fucili)* rifle rack; *(per fucili da caccia)* gun rack.

rastrello *s.m.* rake.

rastremato *agg. (arch.)* tapered.

rastremazione *s.f. (arch.)* tapering.

rata *s.f.* instalment: *rate mensili, annuali,* monthly, annual instalments; *a rate,* by instalments; *(fam.)* on the never-never // *per —,* pro rata.

rateale *agg.* by instalments: *pagamento —,* payment by instalments; *vendita —,* hire purchase (sale) *(o* credit buying); *importo —,* instalment *(o* payment).

ratealmente *avv.* by instalments.

rateare *v.tr.* to divide into instalments.

rateazione *s.f.* instalments *(pl.).*

rateo *s.m. (comm.)* accrual: *— attivo, passivo,* accrued income, expenses.

ratifica *s.f. (dir.)* ratification, confirmation.

ratificare *v.tr. (dir.)* to ratify.

rat-musqué *(franc.) s.m.* musk rat.

ratto[1] *s.m.* abduction; *(di bambini)* kidnapping // *il — delle Sabine,* the rape of the Sabines.

ratto[2] *s.m.* (*zool.*) rat.

rattoppare *v.tr.* to patch, to mend (*anche fig.*).

rattoppatura *s.f.*, **rattoppo** *s.m.* **1** patch **2** (*il rattoppare*) patching up, mending (*anche fig.*).

rattrappimento *s.m.* **1** (*contrazione*) contraction (of muscles) **2** (*intorpidimento*) benumbing.

rattrappire *v.tr.* to stiffen, to make* stiff // **-irsi** *v. intr.pron.* to be* stiff.

rattrappito *agg.* **1** (*contratto*) contracted **2** (*intorpidito*) benumbed.

rattristare *v.tr.* to sadden; (*addolorare*) to grieve // **-arsi** *v.intr.pron.* to become* sad; (*addolorarsi*) to grieve (at, for, over sthg.).

raucedine *s.f.* hoarseness: *avere la* —, to have a hoarse voice.

rauco *agg.* hoarse.

ravanello *s.m.* radish.

ravizzone *s.m.* rape: *olio di* —, rape oil.

ravvalorare *v.tr.* to add value (to sthg.).

ravvedersi *v.intr.pron.* to mend one's ways, to reform.

ravvedimento *s.m.* reformation.

ravviare *v.tr.* to tidy (up).

ravviata *s.f.* tidying (up): *darsi una — ai capelli*, to tidy one's hair.

ravvicinamento *s.m.* **1** approach(ing) **2** (*fig.*) reconciliation.

ravvicinare *v.tr.* **1** to bring* closer **2** (*riconciliare*) to reconcile // **-arsi** *v.rifl.* **1** to draw* closer **2** (*riconciliarsi*) to reconcile.

ravviluppare *v.tr.* to wrap up // **-arsi** *v.rifl.* to wrap oneself up.

ravvisabile *agg.* recognizable.

ravvisare *v.tr.* to recognize.

ravvivare *v.tr.* to revive (*anche fig.*); (*fuoco*) to stir; (*colori*) to brighten up // **-arsi** *v.intr.pron.* to revive.

ravvolgere *v.tr.* to wrap (up) // **-ersi** *v.rifl.* to wrap oneself up.

ravvoltolare *v.tr.* to wrap (up) // **-arsi** *v.rifl.* to wrap oneself up.

rayon *s.m.* (*ind. tessile*) rayon.

raziocinante *agg.* reasoning.

raziocinio *s.m.* **1** reason **2** (*ragionamento*) reasoning, ratiocination **3** (*buon senso*) common sense.

razionale *agg.* rational.

razionalismo *s.m.* (*fil.*) rationalism.

razionalista *s.m.* e *f.* (*fil.*) rationalist.

razionalistico *agg.* rationalistic.

razionalità *s.f.* rationality.

razionalizzare *v.tr.* to rationalize.

razionalizzazione *s.f.* rationalization.

razionamento *s.m.* rationing.

razionare *v.tr.* to ration.

razione *s.f.* **1** ration **2** (*porzione*) portion.

razza[1] *s.f.* **1** race; (*di animali*) breed: *incrociare le razze*, to crossbreed; *di — incrociata*, crossbred; *di — pura*, purebred: *un cane di — pura*, a dog with a pedigree // *un cavallo di* —, a thoroughbred horse // *un calciatore di* —, a class football player // *odio di* —, racial hatred **2** (*discendenza*) descent, stock: *è di buona* —, he comes of sound stock **3** (*genere*) kind: *gente di tutte le razze*, all kinds of people // *che — di cretino!*, what a prize idiot!

razza[2] *s.f.* (*pesce*) skate.

razza[3] *s.f.* (*della ruota*) spoke.

razzia *s.f.* raid, foray: *fare* —, to sack.

razziale *agg.* racial, race (*attr.*).

razziare *v.tr.* to sack, to plunder.

razziatore *agg.* sacking ♦ *s.m.* sacker, plunderer.

razzismo *s.m.* racialism, racism.

razzista *agg.* e *s.m.* e *f.* racist, racialist.

razzistico *agg.* racist, racialist.

razzo *s.m.* **1** (*pirotecnico*) rocket, skyrocket; (*per segnalazioni*) signal rocket, flare **2** (*proiettile*) rocket; (*missile*) missile.

razzolare *v.intr.* **1** to scratch (about) **2** (*rovistare*) to rummage.

re[1] *s.m.* king // *i Re Magi*, the Magi (*o* the Three Wise Men) // *il — dell'acciaio*, the steel magnate // *il — dei cuochi*, the prince of cooks // *il — degli animali*, the king of animals.

re[2] *s.m.* (*mus.*) D, re.

reagente *agg.* reacting ♦ *s.m.* (*chim.*) reagent.

reagire *v.intr.* to react.

reale[1] *agg.* real ♦ *s.m.* the real; (*realtà*) reality.

reale[2] *agg.* (*di re*) royal // *i reali*, the royal family.

realismo[1] *s.m.* realism.

realismo[2] *s.m.* (*pol.*) royalism.

realista[1] *s.m.* e *f.* (*fil.*) realist.

realista[2] *s.m.* e *f.* (*persona monarchica*) royalist // *essere più — del re*, to out-Herod Herod.

realistico *agg.* realistic.

realizzabile *agg.* feasible; workable, realizable (*anche comm.*): *è un progetto non* —, it's an impossible project.

realizzare *v.tr.* **1** to carry out; (*conseguire*) to achieve: *— un'idea, un progetto*, to carry out an idea, a plan // *— i propri sogni*, to realize one's dream **2** (*convertire in denaro*) to realize **3** (*informatica*) to implement // **-arsi** *v.intr.pron.* to be* realized // *il suo sogno si realizzò*, his dream came true // *il suo progetto non si realizzò*, his plan didn't come off.

realizzazione *s.f.* **1** realization; (*conseguimento*) achievement **2** (*realizzo*) realization **3** (*teatr.*) production; (*messa in scena*) staging.

realizzo *s.m.* realization // *prezzi di* —, cost prices.

realmente *agg.* really; (*veramente*) truly.

realtà *s.f.* reality: *attenersi alla* —, to stick to realities // *in* —, as a matter of fact.

reame *s.m.* kingdom.

reato *s.m.* (*minore*) offence; (*grave*) crime // *corpo del* —, corpus delicti.

reattività *s.f.* (*fis.*) reactivity.

reattivo *agg.* (*chim.*) reactive: *carta reattiva*, test paper ♦ *s.m.* **1** (*chim.*) reagent **2** (*psic.*) test.

reattore *s.m.* **1** (*fis. atomica*) reactor // *— nucleare*, nuclear reactor; (*pila atomica*) atomic pile **2** (*aereo a reazione*) jet (plane).

reazionario *agg.* e *s.m.* reactionary.

reazione *s.f.* reaction: *— a catena*, chain reaction // *motore a* —, jet engine.

rebbio *s.m.* prong.

reboante *agg.* **1** booming **2** (*fig.*) bombastic.

rebus *s.m.* **1** rebus **2** (*fig.*) riddle.

recalcitrare *v.intr.* → **ricalcitrare**.

recapitare *v.tr.* to deliver.

recapito *s.m.* **1** address: *ha il — a...*, his address is at... **2** (*consegna*) delivery.

recare *v.tr.* **1** to bear* (*anche fig.*): *— doni*, to bear gifts // *— ad effetto*, to carry out // *— a termine*. to finish (off) **2** (*cagionare*) to bring* about, to cause; to give*: *non vorrei recarti disturbo*, I shouldn't like to cause (*o* to give) any trouble; *recar dolore*, to cause sorrow; *— conforto*, to bring comfort; *— gioia*, to bring joy; — *gioia a qlcu.*, to make s.o. happy // **-arsi** *v. intr.pron.* to go*.

recedere *v.intr.* (*rar.*) to withdraw* (from sthg.); (*rinunciare*) to give* up (sthg.).

recensione *s.f.* **1** review: — *di un libro*, book review: *fare la — di un libro*, to review a book **2** (*filologia*) collation.

recensire *v.tr.* to review.

recensore *s.m.* reviewer.

recente *agg.* recent; (*ultimo*) late; (*nuovo*) new: *negli anni recenti*, in recent (*o* late) years; *di —*, recently.

recentissime *s.f.pl.* (*di giornali*) the latest news.

recessione *s.f.* recession, slump.

recessivo *agg.* recessive.

recesso *s.m.* **1** recess (*anche fig.*) **2** (*dir.*) (*ritiro*) withdrawal **3** (*il recedere*) withdrawing.

recidere *v.tr.* to cut* (off); (*chir.*) to amputate.

recidiva, recidività *s.f.* **1** (*dir.*) recidivism **2** (*med.*) relapse.

recidivo *agg.* **1** (*dir.*) recidivous **2** (*med.*) relapsing ♦ *s.m.* **1** (*dir.*) recidivist **2** (*mat.*) relapser.

recingere *v.tr.* to surround, to enclose.

recintare *v.tr.* to enclose; (*con steccato*) to fence.

recinto *s.m.* **1** enclosure; (*per animali da cortile*) pen; (*per bambini*) playpen **2** (*steccato*) fence **3** (*sport*) ring.

recipiente *s.m.* container; (*ind.*) vat; (*di latta*) can, tin.

reciprocamente *avv.* reciprocally, mutually: *aiutarsi —*, to help each other (*o* one another).

reciprocità *s.f.* reciprocity.

reciproco *agg.* **1** reciprocal, mutual: *amore —*, mutual love **2** (*mat. gramm.*) reciprocal.

recisamente *avv.* resolutely.

recisione *s.f.* (*chir.*) excision.

reciso *agg.* **1** cut (off); (*chir.*) excised **2** (*fig.*) (*risoluto*) resolute, determined: *una risposta recisa*, a flat answer.

recita *s.f.* performance: — *all'aperto*, outdoor performance.

recital *s.m.* (*teatr.*) recital.

recitare *v.tr.* **1** to recite: — *un sonetto*, to recite a sonnet // — *una lezione*, to repeat a lesson // — *le preghiere*, to say one's prayers **2** (*teatr.*) to act, to play: *sembra che reciti*, she seems to be acting (*o* playing a part) // *recita bene la parte della vittima*, he plays the victim well // — *la commedia*, (*fig.*) to act (a part).

recitativo *agg. e s.m.* (*mus.*) recitative.

recitazione *s.f.* **1** recitation **2** (*teatr.*) acting // *scuola, insegnante di —*, drama school, teacher.

reclamare *v.tr.* to claim ♦ *v.intr.* to complain; (*protestare*) to protest.

réclame (*franc.*) *s.f.* **1** (*pubblicità*) advertising: *fare della — a un prodotto*, to advertise a product **2** (*avviso pubblicitario*) advertisement; (*fam.*) ad **3** (*opuscolo pubblicitario*) leaflet.

reclamistico *agg.* advertising.

reclamizzare *v.tr.* to advertise.

reclamo *s.m.* complaint: *inoltrare, respingere un —*, to make, to reject a complaint.

reclinare *v.tr.* (*letter.*) to bow, to bend*.

reclusione *s.f.* **1** seclusion **2** (*dir.*) imprisonment, confinement.

recluso *agg.* secluded ♦ *s.m.* prisoner.

reclusorio *s.m.* prison, gaol, jail.

recluta *s.f.* recruit (*anche fig.*): *una nuova — del calcio*, a new recruit to football.

reclutamento *s.m.* (*mil.*) recruitment, enlistment: *ufficio di —*, recruiting office.

reclutare *v.tr.* (*mil.*) to recruit, to enlist.

recondito *agg.* hidden: *scopo —*, hidden purpose // *pensieri reconditi*, inmost thoughts.

record *s.m.* record: *battere un —*, to break (*o* to beat) a record: *stabilire un —*, to set up a record // *a tempo di —*, in record time.

recriminare *v.intr.* **1** (*dir.*) to recriminate **2** (*lamentarsi*) to complain.

recriminazione *s.f.* **1** (*dir.*) recrimination **2** (*lamentela*) complaint.

recrudescenza *s.f.* recrudescence, recurrence, return: *una — di influenza*, a fresh outbreak of influenza; *una — di cattivo tempo*, a further spell of bad weather.

recto *s.m.* (*di foglio*) recto; (*di moneta, medaglia*) obverse

recuperare e *deriv.* → **ricuperare** e *deriv.*

redarguire *v.tr.* to scold, to reproach.

redattore *s.m.* **1** compiler **2** (*di giornale, di casa editrice*) member of the editorial staff // — *capo*, editor (in chief).

redazionale *agg.* editorial.

redazione *s.f.* **1** compiling, drawing up **2** (*di giornale*) editing **3** (*insieme dei redattori*) editorial staff; (*ufficio*) editorial office **4** (*versione*) version.

redditività *s.f.* profitability; performance.

redditizio *agg.* profitable, remunerative.

reddito *s.m.* income; (*gener. dello stato*) revenue: — *lordo, netto*, gross, net income; — *medio*, average income; — *nazionale*, national income; — *pubblico*, public revenue; *redditi da lavoro*, earnings; — *del capitale*, return on capital; *godere di un largo —*, to enjoy a large income; *spendere più del proprio —*, to exceed one's income // *redditi commerciali*, profit from trade or business // *titoli a — fisso*, fixed-interest securities.

redento *agg.* redeemed.

redentore *agg.* redeeming ♦ *s.m.* redeemer.

redenzione *s.f.* redemption: *senza possibilità di —*, past redemption.

redigere *v.tr.* to compile, to draw* (up): — *un contratto*, to draft (*o* to draw up) a contract // — *un articolo*, to write an article; (*di redattore di giornale*) to subedit an article.

redimere *v.tr.* to redeem // **-ersi** *v.rifl.* to redeem oneself.

redimibile *agg.* redeemable.

redimibilità *s.f.* redeemability, redeemableness.

redingote (*franc.*) *s.f.* frock coat.

redini *s.f.pl.* reins (*anche fig.*): *abbandonare le —*, to drop the reins; *tenere le —*, to hold the reins; *tirare le —*, to draw rein.

redivivo *agg.* **1** restored to life **2** (*fig.*) (*novello*) new, second.

reduce *agg.* returning: *è — da molte battaglie*, he has been through many a battle ♦ *s.m.* survivor.

refe *s.m.* thread.

referendum *s.m.* referendum.

referenza *s.f.* reference.

referenziare *v.tr.* to give* (s.o.) a reference; to reference ♦ *v.intr.* to give* one's references.

referenziato *agg.* referenced.

referto *s.m.* report: — *medico*, medical report.

refettorio *s.m.* refectory.

refezione *s.f.* meal: — *scolastica*, school meal.

refrattarietà *s.f.* refractoriness (*anche fig.*).

refrattario *agg.* **1** (*ind.*) refractory, fire proof: *materiale —*, refractory material; *terra refrattaria*, fireclay **2** (*restio*) refractory: — *alla legge*, unwilling to accept the law; *un ragazzo — alla disciplina*, a refractory boy; *è — a ogni consiglio*, he is deaf to all advice; *essere — a qlco.*, to have no inclination for sthg.

refrigerante *agg.* **1** (*che raffredda*) refrigerating, refrigerant: *cella —*, refrigerator; *miscela —*, freezing mixture **2** (*che dà refrigerio*) cooling, refreshing.

refrigerare *v.tr.* **1** to refrigerate **2** (*rinfrescare*) to cool, to refresh.

refrigeratore *s.m.* refrigerator.

refrigerazione *s.f.* refrigeration.

refrigerio *s.m.* **1** refreshment **2** (*conforto*) comfort; (*sollievo*) relief.

refurtiva *s.f.* loot.

refuso *s.m.* (*tip.*) misprint.

regalare *v.tr.* **1** to present (s.o. with sthg., sthg. to s.o.), to make* a present (of sthg.), to give*: *ho intenzione di regalargli un cane*, I'm going to give him a dog; *me lo regali?*, will you give it to me (as a present)? // *regalarsi qlco.*, to allow oneself sthg. **2** (*vendere a buon prezzo*) to sell* cheap; (*fam.*) to give* away.

regale *agg.* (*da re*) regal; (*di re*) royal: *corona —*, royal crown; *portamento —*, regal bearing.

regalia *s.f.* **1** gratuity **2** *pl.* produce given by a tenant farmer to his landlord.

regalità *s.f.* royalty, regality.

regalo *s.m.* present, gift: *— di nozze*, wedding present; *in —*, as a present; *fare un — a qlcu.*, to give s.o. a present.

regata *s.f.* regatta.

reggente *agg.* e *s.m.* e *f.* regent.

reggenza *s.f.* regency.

reggere *v.tr.* **1** to bear*, to support; to carry, to hold*: *— un peso*, to bear a weight; *il ponte è retto da due pilastri*, the bridge is supported by two pillars; *quella corda non lo reggerà*, that rope will not hold him; *le colonne reggono il peso di tutto il tetto*, the columns carry (*o* bear) the weight of the whole roof // *non reggo bene il vino*, I can't take much wine // *questo verbo regge l'infinito*, (*gramm.*) this verb must be followed by the (*o* an) infinitive **2** (*tenere in mano*) to hold*: *reggimi il bastone, il cappello*, hold my stick, my hat // *— il moccolo*, (*fig.*) to play gooseberry **3** (*governare*) to rule (over); (*dirigere*) to run*: *— un'azienda*, to run a firm; *— un paese*, to rule a country ♦ *v.intr.* **1** (*resistere*) to hold* (out): *sono stanco, non reggo più*, I am tired, I cannot go on any longer; *non so quanto potrò* —, I do not know how long I can hold out // *non mi regge il cuore a vederlo così afflitto*, it breaks my heart to see him so sad **2** (*stare in piedi*) to stand* // *il tuo discorso non regge*, your words do not make sense **3** (*durare*) to last: *il bel tempo non reggerà a lungo*, the fine weather will not last long **4** (*sopportare*) to stand* (sthg.), to bear* (sthg.): *— ad un colpo*, to stand up to (*o* to bear) a blow; *— alle fatiche*, to stand up to hard work // *— alla prova*, to stand the test // *— al confronto con...*, to bear comparison with... // *-ersi* *v.rifl.* to stand*: *si regge in piedi, sulle gambe a fatica*, he can hardly stand // *ero così stanco che non mi reggevo più*, I was so tired that I could not go on any longer // *— a una ringhiera*, to hold on to a rail // *quel paese si regge a repubblica*, that country is a republic.

reggia *s.f.* royal palace.

reggicalze *s.m.* suspender belt.

reggimento *s.m.* **1** (*mil.*) regiment **2** (*fig.*) (*folla*) host, crowd.

reggipetto *s.m.* brassière; (*fam.*) bra.

reggiposata *s.m.* kniferest.

reggiseno *s.m.* brassière; (*fam.*) bra.

regia *s.f.* **1** (*cinem.*) direction: *— di...*, directed by... **2** (*teatr.*) production; (*amer.*) direction: *— di...*, produced by...

regicida *s.m.* e *f.* regicide.

regicidio *s.m.* regicide.

regime *s.m.* **1** (*pol.*) régime, regime **2** (*regole di igiene*) regimen; (*dieta*) diet: *essere a —*, to be on a diet **3** (*fis. geogr.*) system: *il — dei venti*, the wind system; *— climatico*, climate // *il — di un fiume*, the regimen of a river **4** (*mecc.*) rate, speed: *andare a pieno —*, to be operating fully.

regina *s.f.* queen: *— madre*, queen mother; *la — Vittoria*, Queen Victoria // *la — della festa*, the belle of the ball.

reginetta *s.f.* queen: *— di bellezza*, beauty queen.

regio *agg.* royal.

regionale *agg.* regional.

regionalismo *s.m.* **1** regionalism **2** (*pol.*) regional government.

regionalista *s.m.* e *f.* regionalist.

regionalistico *agg.* regionalist(ic).

regione *s.f.* region.

regista *s.m.* e *f.* **1** (*cinem. teatr.*) director: *aiuto —*, assistant director **2** (*cinem.*) director: *aiuto —*, assistant director.

registrabile *agg.* registrable; (*tecn.*) recordable.

registrare *v.tr.* **1** to register: *— una nascita*, to register a birth; *— un'automobile*, to register a car // *— una fattura*, to enter an invoice // *— un ordine*, to book an order **2** (*con appositi strumenti*) to record: *— una temperatura*, to record a temperature; *— un discorso* (*con un magnetofono*), to record (*o* to tape) a speech **3** (*mecc.*) (*mettere a punto*) to adjust // *— un orologio*, to regulate a watch.

registratore *s.m.* register; (*di suoni*) recorder: *— (a nastro)*, tape recorder; *— di cassa*, cash register.

registrazione *s.f.* **1** registration **2** (*con strumenti*) recording: *— su nastro*, (tape) recording; *cabina di —*, recording-room **3** (*mecc.*) (*messa a punto*) adjusting **4** (*informatica*) recording; writing; (*IBM*) logging: *— cronologica*, logging; *— di lunghezza variabile*, variable length record; *— unitaria*, unit record.

registro *s.m.* **1** register: *— della parrocchia*, parish register; *— di classe*, class register; *— a matrice*, (*comm.*) counterpart register; *essere a —*, to be on record; *mettere a —*, to enter (*o* to book) // *Ufficio del Registro*, Registrar's Office (*o* Registry) **2** (*mus.*) register, compass: *— dell'organo*, stop (*o* register) // *cambiare —*, (*fig.*) to change one's attitude **3** (*mecc.*) register; (*di orologio*) regulator **4** (*informatica*) register: *— accumulatore*, accumulating register; *— di indice*, index register; *— di lavoro*, working register; *— traslatore*, shift register.

regiudicata *agg.* (*dir.*) without appeal (*pred.*) ♦ *s.f.* (*dir.*) final judgement.

regnante *agg.* reigning; (*fig.*) prevailing ♦ *s.m.* e *f.* sovereign, monarch.

regnare *v.intr.* to reign (*anche fig.*).

regno *s.m.* **1** kingdom (*anche fig.*); (*letter.*) realm: *il — animale, vegetale, minerale*, the animal, vegetable, mineral kingdom; *il — della poesia*, the realm of poetry **2** (*periodo di regno*) reign: *sotto il — di*, during (*o* in) the reign of **3** (*autorità e dignità di re*) throne, kingship.

regola *s.f.* **1** rule: *di —*, as a rule // *questo non fa —*, this doesn't create a precedent // *è buona* —, it is advisable // *per tua* —, for your information // *essere fatto, fare qlco. a* — *d'arte*, to be, to produce a work of art // *in* —, in order: *essere in* — *coi pagamenti*, to have effected all payments; *essere in* — *con la legge*, to be legally in order; *dobbiamo metterci in* — *coi pagamenti*, we must settle our payments; *fare le cose in* —, to do things properly; *avere le carte in* —, to have one's papers in order; *(fig.)* to have all the requisites necessary // *in piena* —, perfectly // *questo ti serva di* —, this can serve you as an example // *l'eccezione conferma la* —, *(prov.)* the exception proves the rule **2** *(moderazione, misura)* moderation **3** *(eccl.)* rule: *la* — *francescana*, the rule of St. Francis.

regolabile *agg.* adjustable.

regolamentare[1] *agg.* regulation *(attr.)*, prescribed: *non è* —, it is against the rules.

regolamentare[2] *v.tr.* to regulate.

regolamentazione *s.f.* regulation.

regolamento *s.m.* regulations *(pl.)*: — *edilizio*, building code; — *interno di una società*, *(comm.)* articles of association **2** *(il regolare)* regulation: — *di un conto*, *(anche fig.)* settlement of an account; *la sua uccisione ha tutta l'aria di un* — *dei conti*, his murder to all appearance is a settlement of accounts.

regolare[1] *v.tr.* to regulate; *(mettere a punto)* to adjust: — *un orologio*, to regulate a watch; — *un telescopio*, to adjust a telescope // — *il traffico*, to direct the traffic // *(sistemare)* to settle: — *un conto, una questione*, to settle an account, a matter // **-arsi** *v.rifl.* **1** to act: *non so come regolarmi*, I don't know how to behave; *saprò regolarmi la prossima volta!*, I shall know what to do next time! **2** *(controllarsi)* to control oneself.

regolare[2] *agg.* regular.

regolarità *s.f.* regularity: *con* —, regularly // *prova di* —, *(aut.)* time trial.

regolarizzare *v.tr.* to regularize.

regolarizzazione *s.f.* regularization.

regolatezza *s.f.* **1** sobriety; *(moderazione)* moderation **2** *(regolarità)* regularity.

regolato *agg.* **1** regular **2** *(ordinato)* orderly; *(moderato)* moderate.

regolatore *agg.* regulating // *piano* —, town-planning scheme ♦ *s.m.* **1** regulator **2** *(mecc.)* governor; *(elettr.)* regulator // — *di tensione*, voltage regulator // — *di volume*, *(rad.)* volume control.

regolazione *s.f.* **1** regulation **2** *(mecc.)* adjustment: *vite di* —, adjusting screw.

regolo *s.m.* **1** ruler: — *calcolatore*, slide rule **2** *(listello)* list.

regredire *v.intr.* to regress.

regressione *s.f.* **1** regression **2** *(geol.)* recession.

regressivo *agg.* regressive, retrogressive.

regresso *s.m.* regression.

reietto *agg.* rejected ♦ *s.m.* outcast.

reimbarco *s.m.* reembarkation.

reimpiegare *v.tr.* to reinvest.

reincarnazione *s.f.* reincarnation *(anche fig.)*.

reingaggio *s.m.* *(sport)* renewal of contract: *premio di* —, renewal (of contract) bonus.

reintegrare *v.tr.* **1** to reinstate, to restore: — *qlcu. nel suo ufficio*, to reinstate s.o. in his office **2** *(risarcire)* to indemnify.

reintegrativo *agg.* restorative.

reintegrazione *s.f.* **1** reinstatement, restoration **2** *(risarcimento)* indemnification.

reiterare *v.tr.* *(letter.)* to reiterate.

reiterazione *s.f.* reiteration.

relais *(franc.)* *s.m.* *(elettr.)* relay.

relativamente *avv.* comparatively, relatively // — *a*, with regard to *(o* as regards*)*.

relativismo *s.m.* *(fil.)* relativism.

relativistico *agg.* *(fil. fis.)* relativistic.

relatività *s.f.* relativity // *teoria della* —, *(fis.)* theory of relativity.

relativo *agg.* **1** relative: — *a*, relative to; *(riguardante)* concerning // *numero* —, *(mat.)* directed number // *pronome* —, *(gramm.)* relative pronoun **2** *(rispettivo)* respective.

relatore *s.m.* **1** rapporteur; *(portavoce)* spokesman *(pl.* -men*)* **2** *(di tesi di laurea)* "relatore" (supervisor of one's thesis).

relazionare *v.tr.* to report (on sthg.); *(informare)* to inform.

relazione *s.f.* **1** relation; *(legame, nesso)* connection: — *d'affari, d'amicizia*, business, friendly relation; — *di causa e effetto*, relation between cause and effect; *avere, non avere* — *con*, to have some, no connection with; *mettere in* — *due fatti*, to relate a fact to another; *stringere* — *con qlcu.*, to enter into relations with s.o. // *relazioni pubbliche*, public relations // *in stretta* —, closely connected // *in* — *a*, in relation to **2** *(resoconto)* report: *fare una* — *su qlco.*, to make a report *(o* to report*)* on sthg. **3** *(conoscenza)* acquaintance, connection: *ha molte relazioni*, he has many acquaintances *(o* connections*)* **4** *(amorosa)* (love) affair.

relè *s.m.* *(elettr.)* relay.

relegare *v.tr.* to relegate.

relegazione *s.f.* relegation.

religione *s.f.* **1** religion: — *di stato*, established religion; *abbracciare, abiurare una* —, to embrace, to abjure a religion **2** *(culto)* worship, cult **3** *(scrupolosità)* religious care.

religiosità *s.f.* religiousness.

religioso *agg.* religious: *abito* —, religious habit; *matrimonio* —, religious wedding // — *silenzio*, religious silence ♦ *s.m.* religious; *(monaco)* monk; *(frate)* friar.

reliquia *s.f.* relic.

reliquiario *s.m.* reliquary, shrine.

relitto *s.m.* *(mar.)* wreck; *(insieme di rottami)* wreckage: *relitti galleggianti*, floating wreckage // *un* — *della società*, an outcast of society // *non è più che un* —, he's a mere wreck of his former self.

remare *v.intr.* to row; *(con palette)* to paddle.

remata *s.f.* **1** row: *farò una* —, I shall have a row **2** *(colpo di remo)* stroke.

rematore *s.m.* rower, oarsman *(pl.* -men*)*.

remeggiare *v.intr.* to row.

remiganti *s.f.pl.*: *(penne)* —, remiges.

remigare *v.intr.* *(di ali)* to flap.

reminiscenza *s.f.* reminiscence, memory.

remissibile *agg.* remissible.

remissione *s.f.* **1** remission // *senza* —, unremittingly **2** *(remissività)* submissiveness, meekness: *con* —, meekly.

remissività *s.f.* submissiveness.

remissivo *agg.* submissive, yielding.

remo *s.m.* oar; *(a pala larga)* paddle; *(corto e leggero)* scull: *barca a due, quattro remi*, single scull, double scull; *colpo di* —, stroke; *pala di* —, oar blade; *tirare i remi in barca*, *(fig.)* to draw in one's horns.

Remo *no.pr.m.* Remus.

remora¹ *s.f.* **1** (*dilazione*) delay **2** (*impedimento*) impediment.

remora² *s.f.* (*zool.*) remora.

remoto *agg.* **1** remote, distant **2** (*appartato*) secluded **3** (*gramm.*): *passato —*, past simple tense; *trapassato —*, past perfect.

remunerare e *deriv.* → **rimunerare** e *deriv.*

rena *s.f.* (*letter.*) sand.

renale *agg.* (*anat.*) renal.

renano *agg.* Rhine (*attr.*).

rendere *v.tr.* **1** to give* back, to return: *gli hai reso i suoi soldi?*, have you given him back his money?; *glielo resi ieri*, I gave it back to him yesterday // *— l'anima a Dio, l'ultimo respiro*, to breathe one's last // *— la libertà a qlcu.*, to set s.o. free // *— la parola a qlcu.*, (*fig.*) to release s.o. from his word // *— la vista ai ciechi*, to make the blind see // *vuoto a —*, returnable bottle **2** (*contraccambiare*) to render, to return, to repay*: *— il saluto a qlcu.*, to return s.o.'s greeting; *— una visita*, to return a visit **3** (*produrre, fruttare*) to yield, to produce: *renderà due milioni di lire*, it will yield two million lire; *rende il 6% di interesse*, it yields 6% interest; *questo terreno non rende*, this land produces nothing; *quell'affare non rese molto*, that business did not pay very well; *il burro rende più della margarina*, butter goes farther (*o* further) than margarine **4** (*dare, fare*) to render, to give*: *— gli onori militari*, to render military honours; *— conto di qlco.*, to give (an) account of sthg.; *— lode a*, to praise; *— un servizio a qlcu.*, to do s.o. a favour; *un buon, un cattivo servizio a qlcu.*, to do s.o. a good, bad turn; *— testimonianza*, to bear witness // *— le armi*, to surrender **5** (*far diventare*) to make*: *— di pubblica ragione*, to make public; *— felice, nervoso*, to make happy, nervous **6** (*esprimere, riprodurre*) to render; to express: *— pensieri, sentimenti*, to express thoughts, feelings // *rendo l'idea?*, do you see what I mean? **7** (*tradurre*) to render, to translate // **-ersi** *v.rifl.* **1** to become*: *— ridicolo*, to make oneself ridiculous; *— utile*, to make oneself useful // *— conto*, to realize **2** (*recarsi*) to go*.

rendiconto *s.m.* statement, report.

rendimento *s.m.* **1** rendering: *— di conti*, rendering of accounts // *— di grazie*, thanksgiving **2** (*produzione*) (*resa*) output: *— all'ora*, output per hour; *— massimo*, (*di un impianto*) peak efficiency output; *il — di un'azienda*, the yield of a firm; *ottenere da una macchina il massimo del —*, to get the optimum performance from a machine // *— scolastico*, scholastic results (*pl.*).

rendita *s.f.* (*privata*) income; (*di pubbliche amministrazioni*) revenue; (*di titoli*) interest.

rene *s.m.* kidney: *— mobile*, floating kidney.

renella *s.f.* (*med.*) gravel.

renetta *s.f.* (*mela*) rennet.

reni *s.f.pl.* back (*sing.*).

renitente *agg.* unwilling, reluctant // *soldato — alla leva*, absentee; *essere — alla leva*, to fail to report for military service.

renitenza *s.f.* unwillingness, reluctance // *— alla leva*, absenteeism.

renna *s.f.* **1** (*zool.*) reindeer (*pl. invar.*): *femmina di —*, doe reindeer; *maschio di —*, buck reindeer **2** (*la pelle conciata*) buckskin.

Reno *no.pr.m.* Rhine.

renoso *agg.* sandy.

reo *agg.* **1** guilty: *dichiararsi —*, (*dir.*) to plead guilty **2** (*malvagio*) wicked, evil ♦ *s.m.* offender; (*dir.*) culprit: *— confesso*, (*dir.*) defendant pleading guilty.

reostato *s.m.* (*elettr.*) rheostat.

reparto *s.m.* **1** department, division: *capo —*, (*di uffici*) department head; (*di fabbrica*) foreman; (*di grandi magazzini*) department manager **2** (*mil.*) unit, detachment: *un — d'artiglieria*, an artillery unit (*o* detachment).

repellente *agg.* repellent, repulsive (*anche fig.*) ♦ *s.m.* repellent: *— per zanzare*, mosquito repellent.

repentaglio *s.m.* risk, danger: *mettere a —*, to risk.

repentinità *s.f.* suddenness.

repentino *agg.* sudden, unexpected.

reperibile *agg.* to be found (*pred.*).

reperibilità *s.f.* possibility of finding.

reperimento *s.m.* **1** finding, discovery **2** (*informatica*) retrieval.

reperire *v.tr.* to find*, to trace.

reperto *s.m.* **1** (*med.*) report **2** (*dir.*) evidence; (*corpo del reato*) exhibit.

repertorio *s.m.* **1** inventory **2** (*teatr.*) repertory.

replica *s.f.* **1** reply, retort: *una — spiritosa*, a witty retort **2** (*obiezione*) objection **3** (*copia, facsimile*) replica, copy **4** (*di lavoro teatrale*) performance: *la commedia ebbe molte repliche*, the play had a long run **5** (*ripetizione*) repetition.

replicabile *agg.* **1** answerable **2** (*obiettabile*) objectionable **3** (*ripetibile*) repeatable.

replicare *v.tr.* **1** to reply; (*con forza*) to retort **2** (*obiettare*) to object: *obbedire senza —*, to obey without question **3** (*ripetere*) to repeat: *la commedia fu replicata quindici volte*, the play had a run of fifteen nights; *questa sera si replica*, this evening there will be a repeat performance.

reportage (*franc.*) *s.m.* report.

reporter *s.m.* reporter.

reprensibile e *deriv.* → **riprensibile** e *deriv.*

repressione *s.f.* repression.

repressivo *agg.* repressive.

represso *agg.* repressed.

repressore *agg.* repressive ♦ *s.m.* represser.

reprimenda *s.f.* reprimand, rebuke.

reprimere *v.tr.* to repress (*anche fig.*), to check (*anche fig.*): *— una sommossa*, to repress a riot; *— uno sbadiglio*, to suppress (*o* to stifle) a yawn.

reprobo *agg.* reprobate.

repubblica *s.f.* republic.

repubblicano *agg.* e *s.m.* republican.

repulisti *s.m.*: *fare un — (di qlco.)*, (*fam.*) to make a clean sweep (of sthg.).

repulsa *s.f.* repulsion.

repulsione *s.f.* repulsion.

repulsivo *agg.* repulsive.

reputare *v.tr.* **1** to consider; (*pensare, ritenere*) to think*, to believe: *è reputato un bravo attore*, he is considered a good actor **2** (*stimare*) to have* a high opinion (of s.o., sthg.): *non lo reputo molto*, I do not think much of him // **-arsi** *v.rifl.* to consider oneself: *si reputa molto intelligente*, he considers himself very intelligent.

reputazione *s.f.* reputation, repute: *ha una cattiva —*, he has a bad reputation.

requie *s.f.* (*riposo*) rest; (*pace*) peace // *senza —*, (*ininterrottamente*) unceasingly; (*senza risparmiarsi*) unflaggingly.

requiem *s.m.* o *f.* (*preghiera*) prayer for the dead // (*messa di*) —, Requiem (Mass).

requisire *v.tr.* to requisition, to commandeer.

requisito *s.m.* qualification: *requisiti professionali*, job requirements.

requisitoria *s.f.* **1** (*dir.*) (Public Prosecutor's) final speech (*o* address) **2** (*fig.*) reprimand.

requisizione *s.f.* requisition.

resa *s.f.* **1** (*capitolazione*) surrender: — *incondizionata*, inconditional surrender **2** (*rendimento*) yield; (*di carbone, benzina ecc.*) power **3** (*restituzione*) return, restitution **4** — *dei conti*, (*comm.*) rendering of accounts // *prima o poi verrà la* — *dei conti*, (*fig.*) sooner or later the hour of reckoning will arrive; *alla* — *dei conti non so chi ci farà più bella figura*, when all's said and done I don't know who will cut a better figure.

rescindere *v.tr.* (*dir.*) to annul, to rescind.

rescindibile *agg.* (*dir.*) rescindable.

rescissione *s.f.* (*dir.*) annulment, rescission.

resecare *v.tr.* **1** to cut* off **2** (*chir.*) to resect.

reseda *s.f.* (*bot.*) reseda.

resezione *s.f.* (*chir.*) resection.

residence *s.m.* service flats, (*amer.*) apartment hotel.

residente *agg. e s.m.* resident: *non residenti*, nonresidents.

residenza *s.f.* residence: *cambiamento di* —, change of abode; *luogo di* —, place of residence; *obbligo di* —, residence is required; — *di città*, — *di campagna*, town house, country house.

residenziale *agg.* residential: *complesso* —, group of residential buildings.

residuato *agg.* residual ♦ *s.m.*: — *di guerra*, war surplus.

residuo *agg.* remaining, residual ♦ *s.m.* residue, remainder; (*chim.*) residuum, residual product.

resilienza *s.f.* (*fis.*) resilience.

resina *s.f.* resin, rosin: *colla di* —, resin size.

resinato *agg.* resin-treated // *vino* —, retsina wine.

resinoso *agg.* resinous.

resistente *agg.* **1** resistant; (*a prova di*) proof (against sthg.): — *all'acqua, al fuoco*, waterproof, fireproof (*o* fire-resistant) **2** (*forte*) strong, tough; (*riferito a colori*) fast.

resistenza *s.f.* **1** resistance (*anche fig.*); (*capacità di sopportazione*) endurance: *ha una gran* — *agli sforzi*, he has great physical resistance; *gara di* —, (*sport*) endurance test **2** (*elettr. fis. ecc.*) resistance: *coefficiente di* —, (*fig.*) drag coefficient; — *all'urto*, impact (*o* shock) resistance **3** (*di apparecchio elettrico*) resistance (coil).

resistere *v.intr.* **1** to resist (s.o., sthg.), to withstand* (s.o., sthg.); (*a lungo, ripetutamente*) to hold* out (against s.o., sthg.) (*anche fig.*): — *fino alla fine*, to hold on to the last **2** (*sopportare*) to bear* (sthg.), to endure (sthg.), to put* up with (sthg.): *me ne sono andato, non resistevo più!*, I left, I couldn't stand it any more! **3** (*non essere danneggiato, intaccato*) to be* proof (against sthg.): *questa sostanza resiste al fuoco*, this substance is proof against fire (*o* is fireproof).

resocontista *s.m. e f.* reporter.

resoconto *s.m.* report, relation.

respingente *s.m.* (*ferr.*) buffer.

respingere *v.tr.* **1** to repel, to drive* back // — *una lettera al mittente*, to return a letter to the sender **2** (*rifiutare*) to reject, to refuse, to decline **3** (*riprovare, bocciare*) to fail; (*a concorso*) to reject: *essere respinto in un esame*, to fail (in) an examination; — *un candidato*, to reject a candidate.

respinta *s.f.* **1** recoil **2** (*sport*) throwing back.

respinto *agg.* **1** repelled **2** (*rifiutato*) rejected, refused **3** (*riprovato*) rejected // *i respinti*, (*a scuola*) the failed (*o* failures).

respirabile *agg.* respirable, breathable.

respirabilità *s.f.* respirability.

respirare *v.tr. e intr.* **1** to breathe, to respire (*anche fig.*) **2** (*prendere fiato*) to get* one's breath.

respiratore *s.m.* **1** (*med.*) respirator **2** (*per la respirazione subacquea*) aqualung; (*tubo di maschera subacquea*) breathing tube, schnorkel **3** (*per ossigeno*) oxygen mask.

respiratorio *agg.* respiratory.

respirazione *s.f.* respiration, breathing: — *difficile*, shortness of breath; — *bocca a bocca*, mouth to mouth respiration; *praticare la* — *artificiale*, to apply artificial respiration.

respiro *s.m.* **1** breath; (*il respirare*) breathing: *un profondo* —, a deep breath; *trattenere il* —, to hold one's breath // *dare l'ultimo* —, to breathe one's last // *quando è andato via ho tirato un* — *di sollievo*, when he went away I heaved a sigh of relief **2** (*fig.*) respite, rest // *opera di largo* —, wide-ranging work.

responsabile *agg.* responsible (for sthg.), answerable (for sthg.), liable (for sthg.): *essere* — *dei danni*, to be liable for damages // *direttore* —, (*di una rivista ecc.*) editor ♦ *s.m.* the person in charge; (*direttore*) manager: *il* — *è momentaneamente assente*, the person in charge is absent at the moment.

responsabilità *s.f.* responsibility; (*comm. dir.*) liability: *grave* —, heavy responsibility; *sotto la mia* —, on my own responsibility; *assumersi la* —, to take the responsibility upon oneself.

responso *s.m.* response: *il* — *dei medici*, the opinion of the doctors.

ressa *s.f.* crowd, throng: *far* — *intorno a qlcu.*, to crowd round s.o.

resta¹ *s.f.* (*st.*) rest: (*con la*) *lancia in* —, with lance in rest.

resta² *s.f.* (*treccia di agli o di cipolle*) string.

restante *agg.* remaining ♦ *s.m.* remainder.

restare e *deriv.* → **rimanere** e *deriv.*

restaurabile *agg.* restorable.

restaurare *v.tr.* to restore.

restauratore *s.m.* restorer.

restaurazione *s.f.* restoration.

restauro *s.m.* restoration; (*riparazione*) repair: *chiuso per restauri*, closed for repairs; *in* —, under repair.

restio *agg.* **1** unwilling, loath, reluctant **2** (*di bestie da soma*) jubbing (at), restive.

restituibile *agg.* returnable.

restituire *v.tr.* **1** to return, to give* back **2** (*reintegrare, richiamare*) to restore.

restituzione *s.f.* **1** restitution, return **2** (*reintegrazione*) restoration.

resto *s.m.* **1** remainder, rest: *pensate voi a tutto il* —, I leave everything else to you; *pagare il* — *a rate*, (*comm.*) to pay the balance in instalments // *del* —, (*inoltre*) moreover (*o* besides); (*per altro*) on the other hand: *è stanco; anch'io del* —, he is tired; so am I for that matter // *in quanto al* —, (as) for the rest **2** (*mat.*) remainder **3** (*di una somma di denaro*) change: *devo darvi un* — *di 250 lire*, I must give you 250 lire change; *mi dispiace, non ho il* —, I'm sorry, I've no change **4** *pl.* (*avanzi*) remains; (*di un esercito*) remnant(s) // *resti di cibo*, leftovers // *resti mortali*, mortal remains.

restringere *v.tr.* **1** to narrow; (*contrarre*) to contract; (*vestiti ecc.*) to take* in, to tighten **2** (*limitare*) to limit, to restrict; (*diminuire*) to lessen, to reduce // **-ersi** *v. intr.pron.* **1** to narrow, to get* narrower; (*contrarsi*) to contract; (*di tessuti*) to shrink* **2** (*farsi più vicini*) to close up.

restrittivo *agg.* restrictive.

restrizione *s.f.* restriction: *senza restrizioni*, unreservedly; *— mentale*, mental reservation.

resurrezione *s.f.* resurrection.

resuscitare *v.tr.* e *intr.* → **risuscitare**.

retaggio *s.m.* heritage, inheritance (*anche fig.*).

retata *s.f.* netful, catch, haul (*anche fig.*): *fare una —*, to raid.

rete *s.f.* **1** net: *— a deriva*, driftnet; *— a strascico*, trawl net; *— della bicicletta*, chainguard; *— del letto*, bedspring; *— metallica*, wire netting; *tirare, gettare la —*, to haul in, to cast the net // *calze di nylon a —*, mesh nylons **2** (*intreccio, sistema*) network, system: *— ferroviaria, stradale, telefonica*, railway, roadway, telephone system (*o* network); *— di distribuzione*, (*di un prodotto*) distribution network **3** (*informatica tel.*) network: *— a derivazione multipla*, (*tel.*) multipoint network; *— analogica*, analog network; *— di commutazione a pacchetti*, (*tel.*) packet switching network; *— di elaboratori*, computer network; *— di trasmissione*, (*tel.*) communication network; *— di trasmissione dati*, (*tel.*) data communication network; *— logica*, (*tel.*) logic network **4** (*fig.*) (*inganno*) net, snare, trap: *tendere una —*, to lay a snare **5** (*tennis*) tennis net: *gettare la palla in —*, to net the ball; *scendere a —*, to come up to the net **6** (*calcio*) net; (*porta, punto*) goal: *la partita finì a reti inviolate*, the game ended nil-nil; *fare, segnare una —*, to score a goal **7** (*borsa per la spesa*) string-bag.

reticella *s.f.* (*su treni ecc.*) luggage rack.

reticente *agg.* reticent.

reticenza *s.f.* reticence.

reticolare *agg.* reticular.

reticolato *agg.* reticulate ♦ *s.m.* **1** (*rete metallica*) wire netting **2** (*tracciato di linee*) network **3** (*mil.*) barbed-wire entanglement.

reticolo *s.m.* **1** network **2** (*ott.*) reticle.

rètina *s.f.* (*anat.*) retina (*pl.* retinae).

rètina *s.f.* (*per capelli*) hairnet.

retinite *s.f.* (*med.*) retinitis.

retino *s.m.* **1** hand net **2** (*tip.*) screen: *punto del —*, screen dot.

retore *s.m.* rhetorician, rhetor.

retorica *s.f.* rhetoric.

retorico *agg.* rhetorical.

retoricume *s.m.* (*spreg.*) verbosity, bombast.

retrattile *agg.* retractile, retractible.

retribuire *v.tr.* to remunerate, to pay*.

retributivo *agg.* retributive.

retribuzione *s.f.* remuneration, payment: *— al lordo, al netto*, gross (*o* total), net payment.

retrivo *agg.* reactionary.

retro *s.m.* back.

retroattività *s.f.* retroactivity, retrospective effect.

retroattivo *agg.* retroactive, retrospective.

retroazione *s.f.* feedback (*anche informatica*).

retrobottega *s.m.* back (of a shop).

retrocarica, a *locuz.avv.* breech-loading.

retrocedere *v.tr.* (*mil.*) to degrade, to reduce in rank ♦ *v.intr.* **1** to retreat, to withdraw*, to recede (*anche fig.*) **2** (*sport*) to move down, to move back, to demote.

retrocessione *s.f.* **1** retrocession **2** (*sport*) relegation.

retrodatare *v.tr.* to backdate.

retrodatazione *s.f.* backdating.

retrogrado *agg.* **1** retrograde **2** (*antiquato*) out-of-date, old-fashioned // *politica retrograda*, reactionary policy.

retroguardia *s.f.* rearguard: *stare nella —*, to bring up the rear.

retromarcia *s.f.* **1** reverse (gear): *innestare la —*, to go into reverse **2** (*movimento all'indietro*) backing: *fare la —*, to back (up).

retropalco *s.m.* (*teatr.*) upstage, upstage area.

retrorazzo *s.m.* retro-rocket.

retroscena *s.m.* **1** (*teatr.*) backstage **2** (*fig.*) backstairs business: *non conosco il — di questa faccenda*, I don't know what is behind all this.

retrospettivo *agg.* retrospective.

retrostante *agg.* at the back (*pred.*), lying behind (*pred.*).

retroterra *s.m.* hinterland, inland.

retroversione *s.f.* **1** retranslation **2** (*med.*) retroversion.

retrovia *s.f.* (*spec. pl.*) zone behind the front.

retrovisivo *agg.* rear-view (*attr.*); (*amer.*) rear-vision (*attr.*): *specchietto —*, driving mirror, rear-view mirror.

retrovisore *s.m.* driving mirror.

retta[1] *s.f.*: *dar — a qlcu.*, to pay attention to s.o.

retta[2] *s.f.* (*somma fissa*) (boarding) fee.

retta[3] *s.f.* (*geom.*) straight line.

rettale *agg.* rectal.

rettangolare *agg.* (*geom.*) rectangular.

rettangolo *agg.* right-angled ♦ *s.m.* rectangle.

rettifica *s.f.* **1** rectification, correction **2** (*mecc.*) grinding **3** (*informatica*) (*di carattere*) character adjustment.

rettificare *v.tr.* **1** to rectify, to correct **2** (*mecc.*) to grind*.

rettificato *agg.* rectified // *s.m.* rectified product.

rettificazione *s.f.* rectification.

rettifilo *s.m.* straight stretch; (*sport*) straight.

rettile *agg.* e *s.m.* reptile (*anche fig.*) // *i Rettili*, Reptilia.

rettilineo *agg.* rectilinear, rectilineal ♦ *s.m.* straight: *— d'arrivo*, (*sport*) final straight.

rettitudine *s.f.* rectitude, uprightness, honesty.

retto *agg.* **1** straight // *angolo —*, right angle **2** (*leale, onesto*) honest, upright, straight **3** (*giusto, corretto*) right, correct ♦ *s.m.* **1** (*il giusto, l'onesto*) the right **2** (*anat.*) rectum **3** (*di pagina*) recto.

rettorato *s.m.* rectorship.

rettore *s.m.* **1** (*eccl.*) rector **2** (*di università*) rector, Principal; (*spec. amer.*) President // *Magnifico Rettore*, Chancellor.

reuma *s.m.* rheumatism.

reumatico *agg.* rheumatic(al).

reumatismo *s.m.* rheumatism; (*fam.*) rheumatics: *— articolare*, rheumatoid arthritis.

revanscismo *s.m.* revanche.

revanscista *s.m.* e *f.* revanchist.

revanscistico *agg.* revanchist.

reverendo *agg.* e *s.m.* reverend.

reverenziale *agg.* reverential.

reversale *s.f.* receipt.

reversibile *agg.* reversible.

reversibilità *s.f.* reversibility.

revisionare *v.tr.* (*mecc.*) to overhaul.

revisione *s.f.* **1** revision **2** (*dir.*) review **3** (*comm.*) audit **4** (*mecc.*) overhaul(ing).

revisionismo *s.m.* (*pol.*) revisionism.

revisionista *s.m.* revisionist.

revisionistico *agg.* revisionist.

revisore *s.m.* **1** reviser **2** (*comm.*) auditor.

reviviscenza *s.f.* revival, reviviscence.

revoca *s.f.* revocation, repeal.

revocabile *agg.* revocable.

revocare *v.tr.* to revoke, to repeal.

revocativo *agg.* revocatory, revoking.

revocazione *s.f.* revocation, repeal.

revolver *s.m.* revolver.

revolverata *s.f.* revolver shot.

revulsione *s.f.* (*med.*) revulsion.

revulsivo *agg.* e *s.m.* (*farm.*) revulsive.

Rh *agg.* (*med.*): (*fattore*) —, Rh (factor).

ri- *pref.* re-.

riabbassare *v.tr.* to lower again.

riabbattere *v.tr.* to demolish again.

riabbracciare *v.tr.* to embrace again.

riabilitare *v.tr.* **1** (*rimettere in buona fama*) to rehabilitate **2** (*dir.*) to reinstate, to restore **3** (*abilitare di nuovo*) to requalify // **-arsi** *v.rifl.* to rehabilitate oneself.

riabilitazione *s.f.* rehabilitation.

riabituare *v.tr.* to accustom again // **-arsi** *v.rifl.* to get* accustomed again, to get* used again.

riaccendere *v.tr.* **1** to relight*, to light* again: — *la luce*, to put (*o* switch) the light on again **2** (*fig.*) to reinflame, to excite again, to stir up again // **-ersi** *v.intr.pron.* **1** (*di fuoco*) to flare up again; (*di luce*) to go* on again, to come* on again **2** (*fig.*) to rekindle; (*di passioni*) to flare up again.

riacchiappare *v.tr.* to catch* again, to recapture.

riaccomodare *v.tr.* to repair again, to mend again; (*sistemare*) to settle again.

riaccompagnare *v.tr.* to take* back, to see* back.

riaccostare *v.tr.* to reapproach, to approach again, to draw* near again; (*porte, finestre*) to close lightly // **-arsi** *v.rifl.* to reapproach // — *alla religione*, to come back to the Church.

riacquistare *v.tr.* **1** to buy* back **2** (*ricuperare*) to recover, to regain.

riacutizzare *v.tr.* to make* acute again // **-arsi** *v. intr.pron.* to become* acute again.

riadattamento *s.m.* readaptation.

riadattare *v.tr.* to readapt // **-arsi** *v.rifl.* to readapt oneself.

riaddormentare *v.tr.* to send* to sleep again // **-arsi** *v.intr.pron.* to fall* asleep again.

riaffacciare *v.tr.* to present again; (*fig.*) to bring* forward again // **-arsi** *v.rifl.* to reappear; (*fig.*) to strike* (s.o.) again.

riaffermare *v.tr.* to reaffirm // **-arsi** *v.rifl.* to reaffirm oneself.

riagganciare *v.tr.* (*il telefono*) to hang* up.

riaggravare *v.tr.* to make* worse again // **-arsi** *v. intr.pron.* to get* worse again.

riallacciare *v.tr.* **1** to tie (up) again; (*scarpe*) to lace up again **2** (*riprendere*) to renew // **-arsi** *v.rifl.* (*fig.*) to relate (to).

rialzamento *s.m.* **1** raising **2** (*rialzo*) rise.

rialzare *v.tr.* **1** to lift up (again) // — *la testa*, to lift one's head **2** (*rendere più alto*) to make* higher, to raise // **-arsi** *v.rifl.* to get* up (again); (*fig.*) to rise*.

rialzista *s.m.* (*in Borsa*) bull.

rialzo *s.m.* **1** rise: *un — nei prezzi*, a rise in prices // *tendenza al —*, (*Borsa*) upward trend (*o* bullish tendency) **2** (*delle scarpe*) support.

riamare *v.tr.* to return s.o.'s love.

riammettere *v.tr.* to readmit.

riammissione *s.f.* readmission.

riammogliarsi *v.intr.pron.* to remarry.

riandare *v.intr.* to go* again ♦ *v.tr.* (*letter.*) (*ricordare*) to recall.

rianimare *v.tr.* **1** to reanimate **2** (*rincuorare*) to cheer up // **-arsi** *v.intr.pron.* **1** to recover one's senses **2** (*animarsi di nuovo*) to get* lively again: *in settembre la città si rianima*, in September the town gets lively again **3** (*rincuorarsi*) to cheer up.

rianimazione *s.f.* reanimation; resuscitation: *reparto —, intensive care unit.

riannodare *v.tr.* **1** to knot again **2** (*fig.*) to renew.

riannuvolarsi *v.intr.pron.* to cloud over again.

riapertura *s.f.* reopening // — *dei corsi*, beginning o term.

riappaltare *v.tr.* **1** to contract again **2** (*appaltare ad altri*) to subcontract.

riappalto *s.m.* subcontract.

riapparire *v.intr.* to reappear.

riapparizione *s.f.* reappearance.

riaprire *v.tr.*, **riaprirsi** *v.intr.pron.* to reopen.

riardere *v.tr.* **1** to burn* again **2** (*disseccare*) to dry // *v.intr.* to burn* (*anche fig.*).

riarmare *v.tr.* **1** to rearm **2** (*mar.*) to refit **3** (*edil.*) to reinforce // **-arsi** *v.rifl.* to rearm.

riarmo *s.m.* rearmament.

riarso *agg.* parched; (*secco*) dry.

riassaporare *v.tr.* to relish again (*anche fig.*).

riassestare *v.tr.* to rearrange // **-arsi** *v.rifl.* to settle again.

riassettare *v.tr.* to tidy (up) // **-arsi** *v.rifl.* to tidy oneself (up).

riassetto *s.m.* **1** tidying up **2** (*riorganizzazione*) reorganization.

riassicurazione *s.f.* (*comm.*) reinsurance.

riassopire *v.tr.*, **riassopirsi** *v.intr.pron.* to drowse again.

riassorbimento *s.m.* reabsorption; (*med.*) resorption.

riassorbire *v.tr.*, **riassorbirsi** *v.rifl.* to reabsorb; (*med.*) to resorb.

riassumere *v.tr.* **1** to sum up, to summarize **2** (*assumere di nuovo*) to take* again; (*impiegati*) to reemploy.

riassuntivo *agg.* summarizing, recapitulatory.

riassunto *s.m.* summary // — *analitico*, (*informatica*) abstract.

riassunzione *s.f.* **1** reemployment **2** (*dir.*) resumption.

riattaccare *v.tr.* **1** to reattach; (*con colla*) to stick again // — *un bottone*, to sew a button on **2** (*riprendere*) to resume **3** (*il telefono*) to hang* up.

riattare *v.tr.* to repair.

riattivare *v.tr.* to reactivate // *hanno riattivato il traffico sulla strada del Sempione*, the Simplon highway has been reopened to traffic; *la linea Milano-Firenze è stata riattivata*, the Milan-Florence trains are running normally again // — *la circolazione del sangue*, to stimulate the blood circulation // — *il commercio*, to open up trade again.

riattivazione *s.f.* reactivation; (*di strada*) reopening to traffic.

riavere *v.tr.* **1** to have* again **2** (*avere indietro*) to get* back, to get* again; (*ricuperare*) to recover // **-ersi** *v.intr.pron.* to recover; (*tornare in sé*) to recover one's senses.

‣iavvicinamento *s.m.* (second) approach; (*riconciliazione*) reconciliation.

‣iavvicinare *v.tr.* **1** to approach again **2** (*riconciliare*) to reconcile // **-arsi** *v.rifl.* **1** to approach again **2** (*riconciliarsi*) to become* reconciled.

‣ibadire *v.tr.* **1** to rivet **2** (*fig.*) to confirm // — un argomento, to go over a subject.

‣ibalderia *s.f.* roguery.

‣ibaldo *s.m.* rogue.

‣ibalta *s.f.* **1** flap // *scrivania a* —, drop-front desk **2** (*teatr.*) front of the stage // *luci della* —, (*fig.*) limelight // *presentarsi alla* —, to appear before the curtain; (*fig.*) to come on (to) the scene; *tornare alla* —, (*fig.*) (*di persona*) to return to public life; (*di questione*) to come* up again.

‣ibaltabile *agg.*: *sedile* —, drop seat; *schienale* —, reclining seat; *autocarro* —, dump truck, (*o dumper*).

‣ibaltamento *s.m.* turnover; (*di barca*) capsizing.

‣ibaltare *v.tr. e intr.*, **ribaltarsi** *v.intr.pron.* to turn over; (*di barca*) to capsize.

‣ibassare *v.tr.* to lower, to reduce ♦ *v.intr.* to go* down.

‣ibassista *s.m.* (*Borsa*) bear.

‣ibasso *s.m.* **1** fall, drop: *un* — *nei prezzi*, a fall (*o* drop) in prices; *i prezzi sono in* —, prices are falling; *giocare al* —, (*Borsa*) to bear // *essere in* —, (*fig.*) to be on the wane **2** (*sconto*) discount, reduction.

‣ibattere *v.tr.* **1** to beat* again, to strike* again: — *un materasso*, to remake a mattress; — *una cucitura*, to fell a seam; (*stirarla*) to press a seam // — *un chiodo*, to clinch a nail // *batti e ribatti, l'ha capita*, by dint of repetition, he grasped it **2** (*confutare*) to refute: — *gli argomenti dell'avversario*, to refute one's opponent's arguments **3** (*replicare*) to reply: *non ho trovato niente da* —, I had no comeback **4** (*sport*) to return.

‣ibattezzare *v.tr.* **1** to rebaptize **2** (*fig.*) to rename.

‣ibattitura *s.f.* **1** (*di cucitura*) fell **2** (*alla macchina per scrivere*) retyping.

‣ibattuta *s.f.* (*sport*) return.

‣ibellare *v.tr.* to cause to revolt // **-arsi** *v.intr.pron.* to rebel (against s.o., sthg.), to revolt (against s.o., sthg.).

‣ibelle *agg.* rebellious, rebel (*attr.*): *esercito* —, rebel army; *temperamento* —, rebellious character // *era* — *ad ogni disciplina*, he was unamenable to discipline // *malattia* —, obstinate disease // *riccioli ribelli*, unruly locks ♦ *s.m. e f.* rebel.

‣ibellione *s.f.* rebellion: *atto di* —, rebellious act; *in aperta* —, in open revolt; *reprimere una* —, to quell a rebellion.

‣ibes *s.m.* redcurrant: — *nero*, blackcurrant.

‣iboccare *v.intr.* to overflow* (with sthg.).

‣ibollimento *s.m.* **1** bubbling **2** (*fermentazione*) fermentation.

‣ibollio *s.m.* bubbling.

‣ibollire *v.intr.* **1** to boil (*anche fig.*): — *di rabbia*, to boil (over) with rage **2** (*fermentare*) to ferment.

‣ibrezzo *s.m.* disgust: *fare* — *a qlcu.*, to disgust s.o. (*o* to make s.o. sick); *provar* — *per qlco.*, to be disgusted at sthg.

‣ibuttante *agg.* disgusting, revolting.

‣ibuttare *v.tr.* **1** (*gettare di nuovo*) to throw* again **2** (*respingere con la forza*) to repel (*anche fig.*) ♦ *v.intr.* **1** (*fig.*) (*ripugnare*) to disgust (s.o.) **2** (*agr.*) to bud again // **-arsi** *v.rifl.* to throw* oneself back: *si è ributtato nel lavoro*, he threw (*o* flung) himself back into his work again.

‣icacciare *v.tr.* **1** to turn out again, to drive* out

again **2** (*respingere*) to repel: — *il nemico*, to repel the enemy **3** (*mandar giù, indietro*) to push back: — *un urlo in gola*, to stifle a cry // — *indietro le lacrime*, to keep one's tears back // — *in gola un'ingiuria a qlcu.*, to make s.o. take back an insult **4** (*rimettere, rificcare*) to thrust* again // **-arsi** *v.rifl.* to thrust* oneself again: *si è ricacciato nei pasticci*, he has got into trouble again.

ricadere *v.intr.* **1** to fall* (down) again (*anche fig.*); (*cadere giù*) to fall* back: — *a terra*, to fall back on to the ground; — *in errore*, to fall back (*o* to relapse) into error // — *ammalato*, to fall ill again **2** (*pendere*) to hang* (down): *i capelli le ricadevano sulle spalle*, her hair was down on her shoulders **3** (*toccare*) to fall*: *tutte le responsabilità ricadono su di lui*, all the responsibility falls on him.

ricaduta *s.f.* relapse (*anche fig.*).

ricalcabile *agg.* (*di disegno*) traceable.

ricalcare *v.tr.* **1** to pull down **2** (*un disegno*) to trace, to transfer **3** (*fig.*) (*riprodurre esattamente*) to imitate, to follow.

ricalcitrante *agg.* recalcitrant.

ricalcitrare *v.intr.* **1** (*di cavallo*) to kick (out) **2** (*fig.*) to kick (against sthg.).

ricalco *s.m.* tracing: *carta da* —, tracing paper.

ricamare *v.tr.* to embroider (*anche fig.*).

ricamatrice *s.f.* embroideress.

ricambiare *v.tr.* to return.

ricambio *s.m.* **1** replacement // *di* —, spare: *pezzo di* —, (*aut.*) spare part **2** (*contraccambio*) exchange, return: *in* —, in return **3** (*med. biol.*) metabolism: *malattie del* —, metabolic diseases.

ricamo *s.m.* embroidery (*anche fig.*): needlework: *ricami in oro*, gold-lace embroidery.

ricapitare *v.intr.* **1** to arrive again (at a place) **2** (*accadere di nuovo*) to happen again.

ricapitolare *v.tr.* to sum up // *ricapitolando*, in short (*o* summing up).

ricapitolazione *s.f.* recapitulation, summing-up.

ricaricare *v.tr.* **1** to reload **2** (*batteria*) to recharge **3** (*orologio*) to wind up again.

ricascare *v.intr.* → **ricadere** *nel senso* 1.

ricattare *v.tr.* to blackmail.

ricattatore *s.m.* blackmailer.

ricattatorio *agg.* blackmailing.

ricatto *s.m.* blackmail(ing).

ricavare *v.tr.* **1** to get*: — *una notizia da un giornale*, to get news from a newspaper **2** (*dedurre*) to deduce; (*trarre*) to draw*: *da ciò si può* — *che*, from this one can deduce that; *puoi* — *le conclusioni che vuoi*, you can draw your own conclusions // — *una regola*, to work out a rule **3** (*guadagnare*) to gain, to make* (a profit): *non ne ricaverai un grande utile*, you will not get much out of it.

ricavato *s.m.* **1** proceeds (*pl.*) **2** (*fig.*) fruit.

ricavo *s.m.* proceeds (*pl.*).

Riccardo *no.pr.m.* Richard // — *Cuor di Leone*, (*st.*) Richard Coeur de Lion, Richard the Lion Heart.

ricchezza *s.f.* **1** wealth, riches (*pl.*); (*l'essere ricco*) richness: *la* — *del sottosuolo*, the riches of the subsoil; — *nazionale*, national wealth; *ricchezze artistiche*, artistic riches (*o* wealth); *esibizione di* —, display of wealth (*o* substance) **2** (*abbondanza*) wealth, plenty, richness: — *di materie prime*, wealth (*o* plenty) of raw materials; — *di linguaggio*, wealth (*o* richness) of language.

riccio¹ *agg.* curly ♦ *s.m.* **1** curl: *farsi i ricci*, to curl one's hair **2** (*di violino*) scroll.

riccio[2] *s.m.* **1** (*zool.*) hedgehog: — *di mare*, sea urchin **2** (*bot.*) (chestnut) husk.

ricciolo *s.m.* curl.

riccioluto, ricciuto *agg.* curly.

ricco *agg.* **1** rich, wealthy // *un — palazzo*, a magnificent house; *un — dono*, a rich (*o* valuable) gift **2** (*abbondante*) rich (in), abounding (in): — *di idee*, full of ideas ♦ *s.m.* rich man, wealthy man: *i ricchi*, the rich (*o* the wealthy): *un nuovo —*, a nouveau riche.

ricerca *s.f.* **1** search: *la — della verità*, the search for truth; *le ricerche dell'aereo riprenderanno domani*, the search for the plane will be continued tomorrow // *alla — di*, in search of (*o* in pursuit of); *correre alla — di un dottore*, to run to find a doctor **2** (*a carattere scientifico*) research: *lavoro di —*, research work; *fare lunghe ricerche su qlco.*, to carry on long research into sthg. **3** (*indagine*) investigation, inquiry: *con ulteriori ricerche scoprì che...*, on further investigation he discovered that...; *fare delle ricerche su qlco.*, to make enquiries about sthg.: *farò ulteriori ricerche*, I shall make (*o* carry out) further enquiries **4** (*informatica*) research; retrieval: — *di guasto*, trouble hunting; — *e correzione del guasto*, troubleshooting; — *operativa*, operating logic.

ricercare *v.tr.* **1** to look for (s.o., sthg.) again **2** (*cercare con cura*) to seek*, to seek* for (s.o., sthg.), to search for (s.o., sthg.): *essere ricercato dalla polizia*, to be sought (*o* wanted) by the police; — *le cause di un fenomeno*, to search for the causes of a phenomenon **3** (*investigare, studiare*) to investigate, to enquire (into sthg.): — *le cause di un incidente*, to investigate the causes of an accident.

ricercatezza *s.f.* **1** (*raffinatezza*) refinement **2** (*affettazione*) affectation.

ricercato *agg.* **1** sought-after, in demand (*pred.*): *questo non è un articolo —*, there is no demand for this article **2** (*raffinato*) precious, recherché: *linguaggio —*, precious language; *è ricercata nel vestire*, she dresses in an overrefined style **3** (*affettato*) affected **4** (*dalla polizia*) wanted ♦ *s.m.* wanted person.

ricercatore *s.m.* **1** seeker, searcher **2** (*chi fa ricerche scientifiche*) researcher.

ricetrasmittente *agg.* two-way (*attr.*) ♦ *s.f.* two-way radio, transmitter receiver.

ricetta *s.f.* **1** (*med.*) prescription **2** (*cuc.*) recipe **3** (*fig.*) formula.

ricettacolo *s.m.* receptacle.

ricettare *v.tr.* to receive stolen goods; (*sl.*) to fence.

ricettario *s.m.* **1** (*med.*) prescription book, book of prescriptions **2** (*cuc.*) recipe book.

ricettatore *s.m.* receiver of stolen goods; (*sl.*) fence.

ricettazione *s.f.* receiving of stolen goods; (*sl.*) fencing.

ricettività *s.f.* receptivity, receptiveness.

ricettivo *agg.* receptive.

ricetto *s.m.* (*letter.*) shelter.

ricevente *agg.* receiving: *apparecchio —*, receiving set ♦ *s.m.* (*comm.*) consignee.

ricevere *v.tr.* **1** to receive // — *il battesimo*, to be baptized **2** (*prendere*) to get*, to take*: *questa stanza non riceve abbastanza luce*, this room does not get enough light; — *in prestito*, to borrow; — *giovamento da qlco.*, to benefit by sthg. **3** (*ammettere, accogliere*) to admit; *fu ricevuto nel nostro gruppo*, he was admitted into our group **4** (*dare il benvenuto*) to welcome **5** (*ammettere nel proprio domicilio ecc.*) to receive, to be* at home (to visitors); (*dare udienza*) to grant audience (to s.o.): *il dottore riceve dalle 14 alle 16*, the doctor receives patients from 2 to 4 p.m. **6** (*rad. tel.*) to receive.

ricevimento *s.m.* **1** (*il ricevere*) receiving; (*comm.*) receipt: *al — della merce*, on receipt of the goods **2** (*ammissione*) admission **3** (*trattenimento, festa*) reception, party.

ricevitore *s.m.* **1** (*rad. tel.*) receiver; (*cornetta*) handset: *il — è fuori posto*, the handset has not been replaced properly; — *telefonico*, receiver; — *telegrafico*, Morse receiver; — *a galena*, crystal receiver **2** (*chi riscuote denaro per enti pubblici*): — *delle imposte*, tax collector; — *del Registro*, registrar.

ricevitoria *s.f.* receiving-office.

ricevuta *s.f.* (*comm.*) receipt: — *a saldo*, receipt in full; *accusare — di*, to acknowledge receipt of.

ricezione *s.f.* (*rad. tel.*) reception: *disturbare la —*, to interfere with reception.

richiamare *v.tr.* **1** (*chiamare di nuovo*) to call again, *chiamai e richiamai*, I called and called; *ti richiamerò fra dieci minuti*, (*al telefono*) I'll call you back in ten minutes // — *sotto le armi*, to recall for military service **2** (*chiamare indietro, far tornare*) to call back, to recall; (*ritirare*) to withdraw*: — *un ambasciatore*, to recall an ambassador; — *qlcu. in carica*, to recall s.o. to office; — *le truppe*, to withdraw the troops // — *al'ordine*, to call to order // — *qlcu. al dovere*, to recall s.o. to his duty // — *in vita*, to restore (*o* to bring back) to life // — *qlco. alla mente di qlcu.*, to recall sthg. to s.o.'s mind (*o* to remind s.o. of sthg.) **3** (*attirare*) to draw* — *l'attenzione di qlcu.*, to draw s.o.'s attention; *la nuova commedia richiama un grande pubblico*, the new play is a great draw **4** (*rimproverare*) to rebuke, to reprimand **5** (*informatica*) (*un sottoprogramma*) to call // -**arsi** *v.intr.pron.* (*riferirsi*) to refer; (*appellarsi*) to appeal: — *alle disposizioni di legge*, to appeal to the provisions of the law.

richiamato *agg.* recalled ♦ *s.m.* recalled serviceman (*pl.* -men).

richiamo *s.m.* **1** recall // — *alle armi*, recall to arms // — *all'ordine*, call to order // *il — del mare*, the call of the sea // *segno di —*, (*tip.*) cross-reference mark // *uccello da —*, decoy **2** (*voce, gesto con cui si richiama*) call.

richiedente *s.m.* e *f.* **1** petitioner; (*in domande di lavoro*) applicant **2** (*tel.*) calling party.

richiedere *v.tr.* **1** (*chiedere di nuovo*) to ask for (sthg.) again; (*chiedere in restituzione*) to ask for (sthg.) back **2** (*chiedere per sapere*) to ask; (*chiedere per tenere*) to ask for (sthg.): — *nome e cognome a qlcu.*, to ask s.o. his name; — *aiuto a qlcu.*, to ask s.o. for help **3** (*esigere*) to require, to need: *si richiede la massima puntualità*, the utmost punctuality is required.

richiesta *s.f.* request; (*comm., di prodotti ecc.*) demand: *a —*, on request; *a — di*, by request of; *dietro — scritta* on written application; *dietro vostra —*, at your request; *c'è una gran — di questo articolo*, this article is in great demand; *c'è una gran — di tecnici*, there is a great demand for technicians; *far — di qlco.*, to make a request for sthg.

richiesto *agg.* **1** requested: *articolo molto —*, article much in demand **2** (*necessario*) required, necessary.

richiudere *v.tr.* to close again, to shut* again // -**ersi** *v.intr.pron.* (*di porte ecc.*) to close again, to shut* again **2** (*di ferita*) to heal (up).

riciclaggio *s.m.* recycling.

riciclare *v.tr.* **1** to recycle **2** (*estens.*) (*reinvestire*) to reinvest **3** (*denaro sporco*) to launder (illicitly acquired money).

riciclo *s.m.* (*informatica*) (*IBM*) feedback.

ricino *s.m.* ricinus: *olio di* —, castor oil.

ricogliere *v.tr.* **1** to pick again **2** (*sorprendere*) to catch* again.

ricognitore *s.m.* **1** reconnoitrer **2** (*aer.*) air scout, reconnaissance aircraft, spotter.

ricognizione *s.f.* **1** (*mil.*) reconnaissance: *aereo da* —, air scout; *essere in* —, to be on a reconnaissance; *fare una* —, to reconnoitre **2** (*dir.*) recognition; (*controllo*) survey.

ricollegare *v.tr.* to link again (*anche fig.*); (*connettere*) to connect // **-arsi** *v.rifl.* to be* connected (with sthg.).

ricolmare *v.tr.* **1** to fill to the brim, to fill up **2** (*fig.*) to load (s.o. with sthg.).

ricolmo *agg.* full to the brim; (*traboccante*) overflowing (with) (*anche fig.*); (*fig.*) (*carico*) loaded (with).

ricominciare *v.tr. e intr.* to begin* again, to start again // *si ricomincia?*, are you at it again?

ricomparire *v.intr.* to reappear.

ricomparsa *s.f.* reappearance.

ricompensa *s.f.* reward, recompense: *in* — *di*, as a reward for // — *al valore*, medal.

ricompensare *v.tr.* to reward, to recompense.

ricomporre *v.tr.* **1** (*opera letteraria, musicale*) to rewrite* **2** (*rimettere insieme*) to reassemble **3** (*riassestare*) to re-form, to form again, to recompose: — *un ministero*, to re-form a ministry // — *il viso*, to recompose one's features **4** (*tip.*) to recompose, to reset*.

ricomposizione *s.f.* **1** (*di opera letteraria, musicale*) rewriting **2** (*il rimettere insieme*) reassembling **3** (*il riassestare*) reformation, recomposition **4** (*tip.*) recomposition, resetting.

ricomprare *v.tr.* to repurchase, to buy* again; (*ciò che si era venduto*) to buy* back.

riconciliabile *agg.* reconcilable.

riconciliare *v.tr.* **1** to reconcile: — *due persone*, to reconcile one person to (*o* with) another **2** (*procurare nuovamente*) to win* again // **-arsi** *v.rifl.* to become* reconciled (to s.o.), to make* (it) up // — *con Dio*, to make one's peace with God ♦ *v.rifl.rec.* to become* reconciled, to make* (it) up, to make* friends again: *si è riconciliato con suo fratello?*, did he make it up with his brother?

riconciliatore *s.m.* reconciler.

riconciliazione *s.f.* reconciliation.

ricondannare *v.tr.* to condemn again.

ricondurre *v.tr.* **1** (*condurre di nuovo*) to lead* again **2** (*condurre indietro*) to take* back, to bring* back, to lead* back: — *qlcu. sulla retta via*, to lead s.o. back to the straight and narrow; — *a casa*, to take home; *tutto questo ci riconduce al punto di partenza*, all this brings us back to square one (*o* where we started from).

riconferma *s.f.* reconfirmation.

riconfermare *v.tr.* to reconfirm // **-arsi** *v.rifl.* to prove oneself again.

riconfortare *v.tr.* to comfort, to cheer up // **-arsi** *v.rifl.* to take* comfort, to cheer up.

ricongiungere *v.tr.* to rejoin // **-ersi** *v.rifl.* to join again (s.o., sthg.), to rejoin (s.o., sthg.).

ricongiungimento *s.m.*, **ricongiunzione** *s.f.* **1** (*di cose*) joining **2** (*di persone*) meeting.

riconnettere *v.tr.* to reconnect.

riconoscente *agg.* grateful, thankful.

riconoscenza *s.f.* gratitude, thankfulness.

riconoscere *v.tr.* **1** to recognize: — *qlcu. al passo, alla voce*, to recognize (*o* to know) s.o. by his walk, by his voice; — *il vero dal falso*, to tell the true from the false **2** (*ammettere*) to recognize, to acknowledge: *riconosco di essermi sbagliato*, I recognize that I was mistaken; — *il proprio errore, la propria colpa*, to acknowledge one's mistake, one's guilt **3** (*accettare come legittimo*) to recognize, to acknowledge: — *un figlio*, to acknowledge a child **4** (*identificare*) to identify: *non saprei mai* — *una perla vera*, I shall never be able to distinguish a real pearl // **-ersi** *v.rifl.* (*dichiararsi*) to admit: *l'imputato si riconobbe colpevole*, the defendant admitted his guilt; *mi riconosco incapace di affrontare la situazione*, I admit (*o* acknowledge) I am incapable of facing up to the situation ♦ *v.rifl.rec.* to recognize, to recognise (each other, one other).

riconoscibile *agg.* recognizable.

riconoscimento *s.m.* **1** recognition **2** (*ammissione*) admission // — *di un servizio*, in recognition of a service **3** (*legittimazione*) recognition **4** (*identificazione*) identification: *segno di* —, identification mark; — *del cadavere*, identification of the corpse.

riconquista *s.f.* reconquest.

riconquistare *v.tr.* to reconquer; (*fig.*) to win* back.

riconsacrare *v.tr.* to reconsecrate.

riconsegna *s.f.* **1** redelivery **2** (*restituzione*) restitution, return.

riconsegnare *v.tr.* **1** to redeliver **2** (*restituire*) to return, to hand back.

riconsiderare *v.tr.* to reconsider.

riconvenzione *s.f.* (*dir.*) counterclaim.

riconversione *s.f.* reconversion.

riconvocazione *s.f.* resummons (*pl.*).

ricoperto *agg.* covered (with sthg.); (*di metallo*) plated: — *di argento*, silver-plated // *dente* —, plated tooth.

ricopertura *s.f.* covering; (*di metallo*) platting; (*di mobili*) cover.

ricopiare *v.tr.* to copy; (*copiare di nuovo*) to copy again; (*copiare in bella copia*) to make* a fair copy (of sthg.).

ricopiatura *s.f.* **1** (*il ricopiare*) recopying **2** (*copia*) copy.

ricoprire *v.tr.* **1** to cover (*anche fig.*); (*coprire di nuovo*) to re-cover **2** (*fig.*) (*colmare*) to load: — *qlcu. di regali, onori*, to load s.o. with gifts, honours **3** (*ind.*) to coat: — *di piombo*, to coat with lead **4** (*occupare*) to fill: — *una carica*, to fill (to occupy) a post.

ricordare *v.tr.* **1** to remember; (*richiamare alla propria memoria*) to recollect, to recall: *ricordi il suo nome?*, do you remember his name?; *non ricordo che egli abbia detto questo*, I do not remember his saying that; *non riesco a* — *il suo nome*, I cannot recall his name **2** (*far ricordare*) to remind; (*richiamare alla memoria*) to recall: *gli ricordai la sua promessa*, I reminded him of his promise; *il suo stile ricorda...*, his style recalls...; *questo mi fa* — *che devo parlargli*, this reminds me that I must talk to him // *ricordami a tuo fratello*, remember me to your brother **3** (*menzionare*) to mention // **-arsi** *v. intr.pron.* to remember (s.o., sthg.); (*richiamare alla propria memoria*) to recollect, to recall: *ricordati di telefonarmi*, remember to phone me // *me ne ricorderò per un pezzo!*, I shan't forget it in a hurry! // *non si ricorda dal naso alla bocca, da qui a lì*, he can't even remember his own name.

ricordo *s.m.* 1 recollection; (*lontano*) memory: *conservare un — preciso di qlco.*, to retain a clear memory of sthg.; *serbare un — piacevole di qlco.*, to have a pleasant recollection of sthg.; *ne ho solo un vago —*, I have only a vague (*o* faint) recollection of it // *degno di —*, worth remembering 2 (*oggetto ricordo*) (*di luogo, avvenimento*) souvenir; (*di persona defunta*) memento; (*di persona assente, lontana*) keepsake: *negozio di ricordi*, souvenir shop; *— di famiglia*, heirloom 3 (*testimonianza*) record 4 *pl.* (*memorie*) reminiscences; (*lett.*) memoirs.

ricorrente *agg.* recurrent, recurring ♦ *s.m. e f.* petitioner; (*dir.*) appellant, claimant.

ricorrenza *s.f.* 1 recurrence 2 (*anniversario*) anniversary; (*giorno*) day.

ricorrere *v.intr.* 1 to apply; to resort; to have* recourse; (*fare appello*) to appeal: *devo — al suo aiuto*, I have to have recourse to his help; *— all'autorità*, to apply to the authorities; *— alla forza*, to resort to force; *— alle vie legali*, to have recourse to legal proceedings 2 (*dir.*) to appeal: *— in appello*, to appeal 3 (*ripetersi*) to recur 4 (*di date*) to fall*: *oggi ricorre il mio compleanno*, today is my birthday 5 (*correre di nuovo*) to run* again; (*correre indietro*) to run* back; (*fig.*) to go* back.

ricorso *s.m.* 1 resort, recourse: *fare — a un amico*, to (have) resort to a friend 2 (*dir.*) petition; (*a magistrato superiore*) appeal: *— in appello*, appeal; *fare — in appello*, to appeal; *su — di qlcu.*, on a petition by s.o. (*o* at s.o.'s petition); *fare — contro una sentenza*, to appeal against a sentence; *presentare un — a qlcu.*, to file a petition with s.o. 3 (*ritorno periodico*) recurrence.

ricostituente *agg. e s.m.* (*farm.*) tonic.

ricostituire *v.tr.* 1 to reconstitute; (*ristabilire*) to reestablish; (*restaurare*) to restore 2 (*formare di nuovo*) to re-form, to form again // **-irsi** *v.intr.pron.* 1 to be* reconstituted 2 (*formarsi di nuovo*) to re-form.

ricostituzione *s.f.* reconstitution; (*il ristabilire*) reestablishment.

ricostruire *v.tr.* to rebuild*, to reconstruct (*anche fig.*) // *— un testo*, to restore a text.

ricostruttore *agg.* reconstructive ♦ *s.m.* rebuilder, reconstructor (*anche fig.*).

ricostruzione *s.f.* rebuilding, reconstruction (*anche fig.*).

ricotta *s.f.* cottage cheese // *mani di —*, butterfingers.

ricotto *agg.* 1 recooked, cooked again 2 (*metall.*) annealed: *rame —*, soft copper.

ricottura *s.f.* 1 recooking 2 (*metall.*) annealing.

ricoverare *v.tr.* (*dar asilo*) to shelter, to give* shelter (to s.o.): *— all'ospizio*, to take to a home (for the aged) 2 (*in ospedale*) to hospitalize, to admit to hospital: *è stato ricoverato all'ospedale di Ivrea*, he has been sent to the hospital (*o* hospitalized) in Ivrea // **-arsi** *v.rifl.* to take* shelter.

ricoverato *agg. e s.m.* 1 (*in un istituto*) inmate 2 (*in un ospedale*) patient.

ricovero *s.m.* 1 (*rifugio*) shelter, refuge 2 (*in ospedale*) admission to a hospital 3 (*asilo, ospizio*) home.

ricreare *v.tr.* 1 (*creare di nuovo*) to recreate 2 (*fig.*) to restore: *— lo spirito*, to restore s.o.'s spirits // **-arsi** *v. rifl.* to amuse oneself.

ricreativo *agg.* recreative; (*piacevole*) pleasant: *lettura ricreativa*, light reading.

ricreatorio *s.m.* recreational institute.

ricreazione *s.f.* recreation; (*intervallo*) break // *l'ora della —*, playtime.

ricredersi *v.intr.pron.* to change one's mind.

ricrescita *s.f.* new growth, fresh growth.

ricucitura *s.f.* 1 seam 2 (*il ricucire*) resewing.

ricuocere *v.tr.* (*metall.*) to anneal.

ricuperabile *agg.* recoverable, recuperable.

ricuperare *v.tr.* to recover; (*mar.*) to salvage: *— il tempo perduto*, to make up for lost time.

ricuperatore *s.m.* (*mecc. mil.*) recuperator.

ricupero *s.m.* 1 recovery // *corsi di —*, remedial courses // *partita di —*, (*sport*) game to make up 2 (*salvamento*) rescue; (*mar.*) salvaging 3 (*informatica*) retrieval; recovery: *— automatico delle informazioni*, information retrieval.

ricurvo *agg.* (*molto curvo*) bent, curved; (*ritorto*) crooked: *spalle ricurve*, round shoulders.

ricusa *s.f.* 1 refusal, denial 2 (*dir.*) objection.

ricusabile *agg.* refusable.

ricusare *v.tr.* 1 to refuse; (*negare*) to deny 2 (*dir.*) to object (to s.o., sthg.): *— un testimonio*, to object to a witness.

ridacchiare *v.intr.* to giggle, to snigger.

ridanciano *agg.* jolly.

ridare *v.tr.* 1 (*dare di nuovo*) to give* again // *dagli e ridagli*, try and try again 2 (*restituire*) to give* back, to return.

ridda *s.f.* turmoil.

ridente *agg.* 1 smiling 2 (*piacevole*) pleasant.

ridere *v.intr.* 1 to laugh (at s.o., sthg.): *è una cosa da —*, this will make you laugh; (*è un'inezia*) it's only a trifle; *ti farai — dietro da tutti*, you will become a laughingstock; *tutti ridono alle sue spalle*, everybody laughs at him behind his back; *— forzatamente*, to give a forced laugh // *c'era da morire dal —!*, it was terribly funny! // *lo disse solo per —*, (*per scherzo*) he only said it for fun // *ma non farmi —!*, don't make me laugh! // *gli occhi gli ridevano di gioia*, his eyes were sparkling with joy // *rideva in cuor suo, sotto i baffi*, he was laughing up his sleeve // *— in faccia a qlcu.*, to laugh in s.o.'s face // *far — i sassi, i polli*, to make a cat laugh // *prendere qlco. in —*, to laugh sthg. off // *chi ride il venerdì, piange la domenica*, (*prov.*) laugh today and cry tomorrow; *ride bene chi ride ultimo*, (*prov.*) who laughs last laughs best 2 (*arridere*) to smile (on s.o., sthg.).

ridestare *v.tr.* 1 (*destare di nuovo*) to wake* (up) again 2 (*destare*) to awaken 3 (*ravvivare*) to rouse (again) // **-arsi** *v.intr.pron.* to wake* up again.

ridicolaggine *s.f.* (*cosa ridicola*) nonsense (*solo sing.*); (*l'essere ridicolo*) ridiculousness.

ridicolezza *s.f.* nonsense (*solo sing.*).

ridicolizzare *v.tr.* to ridicule.

ridicolo *agg.* 1 ridiculous, absurd 2 (*meschino*) paltry ♦ *s.m.* 1 ridicule // *gettare il — su qlcu.*, to make a laughingstock of s.o., sthg. // *mettere in — qlcu, qlco.*, to ridicule s.o., sthg. // *cadere nel —*, to fall into ridicule 2 (*comicità*) ridiculousness: *non ne vedo il —*, I can't see the funny (*o* ridiculous) side of it.

ridimensionamento *s.m.* reappraisal; (*riorganizzazione*) reorganization.

ridimensionare *v.tr.* to reappraise; (*riorganizzare*) to reorganize.

ridire *v.tr.* 1 (*dire di nuovo*) to say* again; to tell* again: *dire e —*, to say over and over again 2 (*riferire*) to repeat 3 (*obiettare*) to object (to s.o., sthg.), to find* fault (with sthg.): *trova sempre da — su tutto*, he always has something to say about everything.

ridondante *agg.* redundant.

▲bdondanza *s.f.* (super)abundance.

▲bdondare *v.intr.* to superabound (in, with sthg.), to overflow (with sthg.).

▲bdosso *s.m.*: *a —*, very near, close at hand; *(alle spalle)* at the back, behind // *a — di*, close to (*o* very near).

▲bdotta *s.f.* redoubt.

▲bdotto *agg.* reduced: *a tariffa ridotta*, with a discount; *formato —*, small size; *in proporzioni ridotte*, on a small scale // *— in cattive condizioni, mal —*, in a bad state // *edizione ridotta*, abridged edition ♦ *s.m.* (*teatr.*) foyer, lounge; (*amer.*) lobby.

▲bducente *agg.* reducing ♦ *s.m.* reducer.

▲bducibile *agg.* reducible.

▲bdurre *v.tr.* **1** (*diminuire*) to reduce, to cut* down // *— un'opera letteraria*, to abridge a literary work **2** (*convertire*) to reduce, to turn (sthg. into sthg.): *— il ferro in acciaio*, to reduce iron to (*o* to turn iron into) steel; *— i metri in decimetri*, to reduce metres into decimetres; *ha ridotto la casa un immondezzaio*, he turned the house into a dump // *— ai minimi termini*, (*mat.*) to reduce to the lowest terms; (*fig.*) to reduce to next to nothing // *— in pezzi*, to break in(to) pieces // *— in polvere*, to reduce to powder // *— qlco. in briciole*, to crumble sthg. up **3** (*adattare*) to adapt; (*tradurre*) to translate: *— per lo schermo*, to adapt for the screen **4** (*portare, costringere*) to reduce, to drive*: *— al silenzio, all'obbedienza*, to reduce to silence, to obedience; *— alla follia*, to drive to madness; *— alla rovina*, to bring to ruin; *essere ridotto a fare qlco.*, to be reduced to doing sthg. **5** (*ricondurre*) to take* back, to bring* back // *— alla ragione*, to bring to reason // **-ursi** *v.intr.pron.* **1** to reduce oneself, to come* (down): *si ridusse a vendere tutto*, he was reduced to selling everything; *le spese si riducono a poco*, the expenses come (down) (*o* amount) to very little **2** (*diventare*) to be* reduced, to become*: *si è ridotto come un vagabondo senza dimora*, he has become a wanderer without fixed abode **3** (*ritirarsi*) to retire.

▲bduttivo *agg.* reductive (*anche fig.*).

▲bduttore *agg.* reducing ♦ *s.m.* **1** reducer **2** (*mecc.*) reducer; (*di eliche*) reduction gear ♦ (*fot.*) adapter.

▲bduzione *s.f.* **1** reduction, cut: *— dei prezzi*, reduction in prices; *— dei salari*, cut in wages (*o* wagecut) **2** (*sconto*) discount: *fare, praticare una —*, to give (*o* to grant) a discount **3** (*adattamento*) adaptation; (*mus.*) arrangement **4** (*chim. mecc.*) reduction.

▲becco *avv.* here (s.o., sthg.) is, are again: *rieccoci!*, here we go again!; *— la pioggia*, here is (*o* comes) the rain again.

▲becheggiare *v.intr.* to reecho.

▲bedificare *v.tr.* to rebuild*, to reconstruct.

▲bedizione *s.f.* new edition.

▲beducare *v.tr.* to reeducate.

▲beducazione *s.f.* reeducation.

▲belaborare *v.tr.* to elaborate again.

▲belaborazione *s.f.* reelaboration.

▲beleggere *v.tr.* to reelect.

▲beleggibile *agg.* reeligible.

▲beleggibilità *s.f.* reeligibility.

▲belezione *s.f.* reelection.

▲bemergere *v.intr.* to reemerge.

▲bempire *v.tr.* **1** to fill (up) (*anche fig.*); (*imbottire*) to stuff: *— qlcu., qlco. di ...*, to fill (up) s.o., sthg. with...; *ti ha riempito la testa di sciocchezze*, he has stuffed your head with nonsense; *la sua visita mi ha riempito di gioia*,

I was overjoyed by his visit **2** (*scrivere in spazi vuoti*) to fill in (sthg.): *riempia questo modulo*, fill in this form // **-irsi** *v.intr.pron.* to fill (up) (with sthg.), to fill oneself (with sthg.), to be* filled (with sthg.) ♦ *v.rifl.* (*fam.*) (*rimpinzarsi*) to stuff oneself (with sthg.), to cram oneself (with sthg.).

▲biempimento *agg.* filling ♦ *s.m.* **1** (*pleonasmo*) expletive, pleonasm **2** (*cosa che riempie*) filling: *è solo un —!*, it's just a stopgap!

▲biempitura *s.f.* filling (up); (*cuc.*) stuffing.

▲bientrante *agg.* receding, hollow: *superficie —*, concave surface; *torace —*, hollow chest.

▲bientranza *s.f.* recess; (*di costa*) indentation.

▲bientrare *v.intr.* **1** (*entrare di nuovo*) to reenter (sthg.), to enter (sthg.) again; (*tornare*) to return (to sthg.); to go* back (to sthg.); to come* back (to sthg.): *è ora di — (a casa)*, it is time to go (*o* to return) home; *— alla base*, (*mil.*) to return to base // *— in gara*, to come back into the competition // *— in gioco*, to return to the game // *— in possesso di qlco.*, to come back into possession of sthg. // *lo sciopero è rientrato*, the strike has been called off // *— in sé*, to come to oneself **2** (*far parte*) to fall* within (sthg.), to come* within (sthg.); to form part (of sthg.), to be* part (of sthg.), to come* into (sthg.): *non rientra nel mio campo*, this doesn't fall (*o* come) within my province **3** (*piegare in dentro*) to recede: *vicino alle scale la parete rientra a formare una nicchia*, near the stairs the wall recedes to form a niche **4** *far —*, (*tip.*) to indent.

▲bientro *s.m.* **1** reentry; (*ritorno*) return, coming back **2** (*rientranza*) recess **3** (*astronautica*) retro-firing.

▲biepilogare *v.tr.* to recapitulate, to summarize, to sum up; (*fam.*) to recap: *riepilogando...*, to recap...

▲biepilogo *s.m.* recapitulation, summing up; (*fam.*) recap.

▲biesame *s.m.* reexamination.

▲biesaminare *v.tr.* to reexamine, to examine again.

▲biessere *v.intr.* to be* again // *ci risiamo con queste sue lamentele!*, there he goes again with his grumbling!

▲biesumare *v.tr.* to dig* up, to exhume.

▲biesumazione *s.f.* digging up, exhumation.

▲bievocare *v.tr.* **1** to recall, to reevoke; (*con magia*) to conjure up(again) **2** (*commemorare*) to commemorate.

▲bievocazione *s.f.* **1** recalling, reevocation **2** (*commemorazione*) commemoration.

▲bifacimento *s.m.* **1** remaking **2** (*di opera letteraria*) rifacimento (*pl.* -i), rewriting.

▲bifare *v.tr.* **1** to do* again; to make* again, to remake*: *— i letti*, to make the beds // *— un esame*, to take an exam(ination) again // *— la pace*, to make it up again // *rifà sempre lo stesso discorso*, it's always the same old story **2** (*ricostruire*) to rebuild* **3** (*rileggere*) to reelect: *l'hanno rifatto sindaco*, he was reelected mayor **4** (*restaurare, risistemare*) to repair: *bisognerà — i bagni*, the bathrooms will have to be renovated; *la facciata è da —*, the facade needs restoration **5** (*ripercorrere*) to retrace **6** (*imitare*) to imitate, to ape: *— la firma di qlcu.*, to forge s.o.'s signature // **-arsi** *v.rifl.* e *intr.pron.* **1** to make* up (again): *così abbiamo potuto rifarci delle spese*, so we were able to make up for the expenses; *— del tempo perduto*, to make up for lost time; *— una vita*, to make a new life for oneself // *— vivo*, to reappear **2** (*vendicarsi*) to get* even (with s.o.), to revenge oneself: *si è rifatto sulla persona sbagliata*, he revenged himself (*o* took it out) on the wrong person **3** (*risalire*) to go* back: *per capirlo bisogna — alla sua infanzia*, to understand him it is necessary to go back to his childhood   **4** (*seguire, imitare*) to follow.

rifasciare *v.tr.* to bandage again.

rifatto *agg.* remade; redone: *la mia stanza non è rifatta*, my room has not been done.

riferibile *agg.* **1** referable **2** (*raccontabile*) repeatable, fit to be told.

riferimento *s.m.* **1** reference: *con — a...*, with reference to...; *punto di —*, landmark // *segno di —*, reference mark **2** (*aer.*) datum (*pl.* data).

riferire *v.tr.* **1** to report, to refer; (*fam.*) to tell*: *devi — tutto ciò che vedi*, you must report everything you see; *riferirò* (*quanto mi hai detto*) *al direttore*, I'll refer what you said to the manager **2** (*attribuire*) to ascribe // **-irsi** *v.rifl.* to refer (to sthg.) «*A cosa ti riferisci?*» «*Mi riferisco a quanto ha detto ieri*», "What are you referring to?" "I am referring to what he said yesterday".

riffa *s.f.* (*region.*): *di — o di raffa*, by hook or by crook.

rifiatare *v.intr.* **1** to breathe (*anche fig.*) **2** (*parlare*) to utter a single word.

rifilare *v.tr.* **1** (*tagliare a filo*) to trim **2** (*fam.*) (*dire, dare di fila*): *— una lista di nomi*, to trot out a string of names; *gli rifilò due ceffoni*, he let fly a couple of blows at him **3** (*fam.*) (*appioppare*) to palm off.

rifinire *v.tr.* to finish, to give* the finishing touch (to sthg.).

rifinitezza *s.f.* finish.

rifinito *agg.* well-finished.

rifinitura *s.f.* final touches (*pl.*).

rifiorire *v.intr.* **1** to blossom again **2** (*fig.*) to flourish again.

rifiorita *s.f.* renewed blossoming.

rifioritura *s.f.* **1** new blossom; (*fig.*) reflourishing; (*ripresa*) revival **2** (*abbellimento*) embellishment **3** (*di macchie*) reappearance.

rifiutabile *agg.* refusable.

rifiutare *v.tr.* to refuse; (*respingere*) to reject; (*declinare*) to decline: *— un invito*, to decline an invitation; *— una proposta*, to refuse a proposal // **-arsi** *v.intr.pron.* to refuse.

rifiuto *s.m.* **1** refusal: *opporre un —*, to refuse // *materiale, merce di —*, waste material, goods **2** (*cosa rifiutata*) waste (*solo sing.*), rubbish (*solo sing.*): *cassetta dei rifiuti*, rubbish bin // *i rifiuti della società*, the dregs of society; *è un — della società*, he is an outcast of society.

riflessione *s.f.* **1** (*fis.*) reflection, reflexion **2** (*meditazione*) consideration, reflection: *dopo matura —*, on thinking it over **3** (*osservazione*) remark.

riflessivo *agg.* **1** thoughtful, reflective **2** (*gramm.*) reflexive.

riflesso *agg.* reflex (*anche fig.*); (*fis.*) reflected ♦ *s.m.* **1** reflection (*anche fig.*) // *di —*, (*di conseguenza*) as a consequence; (*indirettamente*) indirectly **2** (*sfumatura di colore*) hue **3** (*med.*) reflex: *controllare i riflessi*, to check s.o.'s reflexes.

riflettente *agg.* reflecting, reflective.

riflettere *v.tr.* to reflect (*anche fig.*) ♦ *v.intr.* to think* over: *riflettete bene!*, think it over!; *dopo aver molto riflettuto*, after much thought; *senza —*, thoughtlessly // **-ersi** *v.rifl.* **1** to be reflected (*anche fig.*) **2** (*ripercuotersi*) to have* repercussions (on s.o., sthg.).

riflettore *s.m.* searchlight; (*cinem. teatr.*) floodlight // *schermo —*, reflector // *essere illuminato dai riflettori*, to be floodlit.

rifluire *v.intr.* **1** (*fluire indietro*) to flow back (*anche fig.*) **2** (*fluire di nuovo*) to flow again.

riflusso *s.m.* reflux; (*fig.*) flow.

rifocillare *v.tr.* to restore, to give* refreshment (to s.o.) // **-arsi** *v.rifl.* to restore oneself, to take* refreshment.

rifondere *v.tr.* **1** to recast* **2** (*rimborsare*) to refund, to reimburse: *— le spese a qlcu.*, to refund s.o.'s expenses **/** *— i danni*, to pay compensation for **3** (*fig.*) (*ricomporre*) to recompose.

riforma *s.f.* **1** reform **2** (*mil.*) exemption on medical grounds.

riformabile *agg.* **1** reformable **2** (*mil.*) subject to exemption on medical grounds.

riformare *v.tr.* **1** to form again **2** to reform **3** (*mil.*) to declare unfit for military service.

riformato *agg.* reformed ♦ *s.m.* **1** (*mil.*) (*nella leva*) rejected conscript **2** *pl.* (*relig.*) the Reformed.

riformatore *s.m.* reformer.

riformatorio *s.m.* reformatory.

riformismo *s.m.* reformism.

riformista *agg. e s.m. e f.* reformist.

riformistico *agg.* reformist(ic).

rifornimento *s.m.* **1** (*il rifornire*) supplying (with), providing (with); (*aer. aut.*) refuelling: *stazione, posto di —*, (*aut.*) filling station; (*amer.*) gas station **2** (*scorta*) supply // *fare — di benzina*, to get some petrol.

rifornire *v.tr.* to supply (with sthg.), to provide (with sthg.) // **-irsi** *v.rifl.* to supply oneself (with sthg.) // *— di acqua*, (*mar.*) to take on water // *— di benzina*, to get some petrol.

rifrangere *v.tr.* **1** to break* again **2** (*fis.*) to refract // **-ersi** *v.intr.pron.* **1** to break* **2** (*fis.*) to be* refracted.

rifrattore *s.m.* (*astr.*) refractor.

rifrazione *s.f.* (*fis.*) refraction.

rifriggere *v.tr.* **1** to fry again **2** (*fig.*) to harp (on the same things, ideas etc.).

rifritto *agg.* **1** fried again **2** (*fig.*) stale, trite.

rifuggire *v.intr.* **1** (*fuggire di nuovo*) to escape again **2** (*fig.*) to shrink* (from s.o., sthg.) ♦ *v.tr.* (*rar.*) to avoid.

rifugiarsi *v.intr.pron.* **1** to take* shelter **2** (*cercare conforto*) to seek* comfort.

rifugiato *agg. e s.m.* refugee.

rifugio *s.m.* shelter (*anche fig.*), refuge (*anche fig.*): *— antiaereo*, air-raid shelter; *— antiatomico*, fallout shelter; *— sotterraneo*, dugout; *— di montagna*, (mountain) refuge; *dare — a qlcu.*, to shelter s.o.

rifulgere *v.intr.* to glow (with sthg.) (*anche fig.*).

rifusione *s.f.* **1** (*nuova fusione*) recasting **2** (*rimborso*) refund, reimbursement: *— dei danni*, indemnification (*anche fig.*).

rifuso *agg.* **1** (*fuso di nuovo*) remelted **2** (*rimborsato*) refunded, reimbursed.

riga *s.f.* **1** line: *scrivimi due righe*, drop me a line // *fare una —* (*a maglia*), to knit a row **2** (*fila*) row: *su una —*, in a row // *mettersi in —*, (*mil.*) to line up; *rompere le righe*, (*mil.*) to break ranks; *rompete le righe!*, fall out! // *stare in —*, (*fig.*) to toe the line (*stecca da disegno*) rule // *— a T*, T-square **4** (*striscia*) stripe // *a righe*, striped // *un quaderno a righe*, a ruled copybook **5** (*scriminatura*) parting: *farsi la — a sinistra*, to part one's hair on the left.

rigaglie *s.f.pl.* (*cuc.*) giblets.

rigagnolo *s.m.* rivulet; (*nelle vie*) gutter.

rigare *v.tr.* to rule **2** (*solcare*) to furrow ♦ *v.intr.: — diritto*, to behave well.

rigato *agg.* **1** ruled **2** (*a strisce*) striped **3** (*solcato*) furrowed **4** (*di arma da fuoco*) rifled.

rigattiere *s.m.* second-hand dealer.

rigatura *s.f.* 1 ruling 2 (*di arma da fuoco*) rifling.

rigenerare *v.tr.* 1 to regenerate (*anche fig.*) 2 (*tecn.*) to reclaim ♦ **-arsi** *v.intr.pron.* to regenerate.

rigenerato *agg.* regenerate(d) 2 (*tecn.*) reclaimed ♦ *s.m.* (*tecn.*) reclaimed product.

rigeneratore *agg.* regenerating // (*prodotto*) — *per capelli*, hair-restorer ♦ *s.m.* regenerator.

rigenerazione *s.f.* 1 regeneration (*anche fig.*) 2 (*tecn.*) reclaiming.

rigettare *v.tr.* 1 to throw* again; (*gettare indietro*) to throw* back 2 (*respingere*) to reject 3 (*vomitare*) to throw* up.

rigetto *s.m.* rejection (*anche med.*).

righello *s.m.* ruler.

righino *s.m.* 1 ruler 2 (*tip.*) break line.

rigidezza *s.f.* 1 rigidity; (*di clima*) rigours (*pl.*) 2 (*severità*) rigour, severity.

rigidità *s.f.* stiffness, rigidity // — *cadaverica*, rigor mortis.

rigido *agg.* 1 rigid, stiff: *colletto* —, stiff collar 2 (*freddissimo*) rigorous, very cold: *clima* —, rigorous climate 3 (*fig.*) (*severo*) rigid, rigorous; (*di persona*) strict, severe.

rigirare *v.tr.* 1 to turn over: — *qlco. tra le mani*, to turn sthg. over in one's hands // *lo rigira come vuole*, she twists him round her little finger // — *i fatti*, to twist the facts 2 (*circondare*) to surround; (*andare intorno a; percorrere in tutti i sensi*) to go* round ♦ *v.intr.* to turn over and over // **-arsi** *v.rifl.* to turn round // — *nel letto*, to turn over in one's bed.

rigiro *s.m.* turning round; (*di strada, fiume ecc.*) winding: *dopo tanti giri e rigiri si arrivò*, after much wandering about we got there // *parlare senza rigiri*, to speak frankly.

rigo *s.m.* 1 line // *scrivere un* —, to drop a line 2 (*mus.*) staff.

rigoglio *s.m.* bloom (*anche fig.*).

rigogliosità *s.f.* luxuriance.

rigoglioso *agg.* luxuriant; (*di piante*) blooming (*anche fig.*).

rigogolo *s.m.* (*zool.*) golden oriole.

rigonfiamento *s.m.* blowing up; (*parte rigonfia*) swelling.

rigonfiare *v.tr.* to blow* up, to inflate: — *un pallone*, to blow up a balloon again; — *un pneumatico*, to pump up a tyre ♦ *v.intr.*, **-arsi** *v.intr.pron.* to swell* (up) (again).

rigonfio *agg.* swollen (with) (*anche fig.*) ♦ *s.m.* swelling.

rigore *s.m.* 1 rigour: *il — dell'inverno*, the rigours of winter 2 (*severità*) rigour, strictness // *arresto di* —, (*mil.*) close arrest 3 (*calcio di*) —, penalty (kick) 4 (*esattezza*) exactitude, exactness // *di* —, compulsory // *a — di logica*, to be exact // *a — di termini*, in the strict sense.

rigorismo *s.m.* rigorism.

rigorista *s.m. e f.* rigorist.

rigoristico *agg.* rigoristic, rigorist.

rigorosità *s.f.* rigorousness; (*esattezza*) strictness.

rigoroso *agg.* rigorous: *disciplina rigorosa*, rigorous (*o* rigid) discipline.

rigovernare *v.tr.* 1 to wash up 2 (*animali*) to tend; (*cavalli*) to groom.

rigovernatura *s.f.* washing-up.

riguadagnare *v.tr.* to earn again; (*ricuperare*) to regain, to recover: — *terreno*, to regain ground; (*fig.*) to make up ground.

riguardare *v.tr.* 1 to look (at s.o., sthg.) (again): — *un libro*, to look over a book // — *una lezione*, to go over a lesson // — *un conto*, to examine (*o* to check) an account 2 (*concernere*) to regard, to concern: *per quel che mi riguarda*, as far as I am concerned (*o* as for me); *per quanto riguarda...*, as regards... (*o* as to...) 3 (*considerare*) to regard // **-arsi** *v.rifl.* to take* care of oneself, to look after oneself; (*proteggersi*) to protect oneself.

riguardata *s.f.*: *dare una — a qlco.*, to take (*o* to have) another look at sthg.

riguardo *s.m.* 1 regard; (*cura*) care: *aver — di*, to take care of; *senza — a spese*, regardless of expense // *parlare senza riguardi*, to speak freely // *con i dovuti, tutti i riguardi*, with (the greatest) care // *non farti — a prendere ciò che ti occorre*, don't hesitate to take what you need 2 (*rispetto*) respect; (*considerazione*) consideration: *mancanza di* —, lack of respect; *per — a*, out of respect for; *essere pieno di riguardi verso qlcu.*, to be full of attentions to s.o. // *persona di* —, person of consequence 3 (*rapporto*) relation: — *a*, as regards (*o* as to); — *a me*, as far as I am concerned (*o* as for me) // *al — questo* —, in this connection // *nei riguardi di*, towards.

riguardoso *agg.* regardful (of); (*rispettoso*) respectful.

rigurgitare *v.intr.* 1 to gush back (*traboccare*) to overflow; (*fig.*) to be* overflowing (with sthg.) ♦ *v.tr.* to regurgitate.

rigurgito *s.m.* 1 overflow 2 (*di stomaco*) regurgitation.

rilanciare *v.tr.* 1 to throw* again; to throw* back; (*fig.*) to relaunch: — *una moda*, to relaunch a fashion 2 (*a un'asta, a poker*) to raise: — *l'offerta*, to raise the bid.

rilancio *s.m.* 1 throwing back; (*fig.*) relaunching 2 (*a un'asta, a poker*) raising.

rilasciare *v.tr.* 1 to leave* again 2 (*mettere in libertà*) to release // — *un paziente*, to discharge a patient 3 (*concedere*) to grant: — *un permesso, un passaporto*, to grant a licence, a passport; — *una ricevuta*, to give a receipt // — *un certificato*, to issue a certificate 4 (*allentare*) to relax // **-arsi** *v.rifl.* to relax (*anche fig.*); to slacken (*anche fig.*).

rilascio *s.m.* 1 release 2 (*concessione*) granting; (*di un certificato*) issuing.

rilassamento *s.m.* relaxation (*anche fig.*).

rilassare *v.tr.* to relax, to slacken: — *la disciplina*, to relax discipline; — *i muscoli*, to relax the muscles // **-arsi** *v.rifl.* to relax (*anche fig.*); to slacken (*anche fig.*): — *sul divano*, to relax on the sofa; *la disciplina si è rilassata*, discipline has relaxed (*o* slackened).

rilassatezza *s.f.* laxity, looseness.

rilassato *agg.* relaxed; (*fig.*) lax, loose.

rilegare *v.tr.* 1 to tie again, to bind* again 2 (*libri*) to bind* 3 (*incastonare*) to set*, to mount.

rilegatore *s.m.* bookbinder.

rilegatura *s.f.* (book)binding: — *in pelle*, leather binding.

rileggere *v.tr.* to read* again.

rilento, a *locuz.avv.* slowly.

rilettura *s.f.* second reading.

rilevamento *s.m.* 1 recording: — *dei dati*, recording of data 2 (*topografico*) survey // — *geofisico*, geophysical prospecting 3 (*mar.*) bearing 4 (*mil.*) (*cambio*) relieving.

rilevante *agg.* considerable, remarkable.

rilevanza *s.f.* importance.

rilevare *v.tr.* 1 to take* off again 2 (*rialzare*) to raise (*anche fig.*) **3** (*notare*) to notice: *far — alcuni errori*, to point out a few mistakes **4** (*prendere*) to take*; (*ricavare*) to draw*: — *un'impronta digitale*, to take a fingerprint; — *un beneficio*, to draw a benefit **5** (*topografia*) to survey; (*mar.*) to take* the bearings of **6** (*sostituire*) to relieve: — *una sentinella*, to relieve a sentry **7** (*andare a prendere*) to call for (s.o.) **8** (*comm.*) to take* over: — *una ditta*, to take over a firm **9** (*informatica*) to sense ♦ *v.intr.* **1** (*prendere rilievo*) to stand* out **2** (*fig.*) (*importare*) to matter.

rilevatario *s.m.* (*dir.*) purchaser.

rilevato *agg.* in relief; (*sporgente*) prominent, projecting.

rilevatore *s.m.* detector (*anche informatica*). .

rilevazione *s.f.* finding; (*rilevamento*) recording.

rilievo *s.m.* **1** relief **2** (*fig.*) (*importanza*) importance, stress: *un avvenimento degno di —*, an important (*o* remarkable) event; *mettere in —, dare — a qlco.*, to stress (*o* to emphasize) sthg. *// posizione di —*, prominent position *// una personalità di —*, a leading personality **3** (*geogr.*) elevation **4** (*topografia*) survey **5** (*osservazione*) remark.

rilocabile *agg.* (*informatica*) relocatable.

rilocazione *s.f.* (*informatica*) relocation.

rilucente *agg.* shining; (*scintillante*) glittering.

rilucere *v.intr.* to shine*; (*scintillare*) to glitter.

riluttante *agg.* reluctant.

riluttanza *s.f.* reluctance.

rima *s.f.* rhyme: — *alternata*, alternating rhyme; — *piana, tronca*, feminine, masculine rhyme; *ottava —*, ottava rima; *terza —*, three-line connected stanzas (*o* terza rima); — *baciata*, rhymed couplets; *essere a — baciata*, to rhyme in pairs; *far —*, to rhyme; *mettere in —*, to put into rhyme (*o* verse) *// rispondere per le rime*, to give a sharp answer.

rimandare *v.tr.* **1** (*mandare di nuovo*) to send* again **2** (*restituire, far tornare*) to return, to send* back: — *al mittente*, return to sender: *fu rimandato al paese d'origine*, he was sent back to his native village **3** (*posporre*) to postpone, to defer, to put* off: — *di una settimana*, to defer (*o* to postpone) for a week **4** (*mandare ad altra prova d'esame*) to make* (s.o.) repeat (an exam): *fu rimandato in due materie*, he had to take two subjects again **5** (*fare riferimento*) to refer.

rimandato *agg.* failed ♦ *s.m.* failure.

rimando *s.m.* **1** sending back, returning *// di —*, in return **2** (*sport*) (*di palla*) throw-in **3** (*tip.*) (*richiamo*) reference (mark).

rimaneggiamento *s.m.* **1** (*riordinamento*) rearrangement, readjustment: — *di una commedia*, readaptation (*o* rearrangement) of a play **2** (*modifica*) adjustment, change.

rimaneggiare *v.tr.* **1** (*riordinare*) to rearrange, to reorganize **2** (*modificare*) to adjust, to change.

rimanente *agg.* remaining ♦ *s.m.* remainder.

rimanenza *s.f.* remnant, remainder.

rimanere *v.intr.* **1** to remain, to stay: *il treno partì e io rimasi a terra*, the train started and I was left behind; — *a cena*, to stay to supper; — *a letto*, to stay in (*o* to keep one's) bed; — *fuori di casa*, to be locked out; *rimanere assente*, to stay (*o* to be) away *// preferirei rimanerne fuori*, I should like to stay out of it *// dove sono rimasto?*, where did I leave off? *// — male*, to be put out; (*essere offeso*) to be hurt; (*essere deluso*) to be disappointed *// rimanga fra noi*, let it remain between us *// — all'asciutto, al verde*, to be left penniless *// rimanemmo d'accordo che io li avrei raggiunti dopo*, we

agreed that I should join them later *// — in asso*, to leave in the lurch *// — indietro*, to remain behind (*o* to fall behind *o* to get behind): — *indietro col lavoro*, to fall behind with (*o* in) one's work *// — in dubbio*, to be left in doubt *// rimasi meravigliato*, I was astonished *// — morto sul colpo*, to be struck dead on the spot; — *ucciso, ferito*, to be killed, wounded *// — orfano*, to be left an orphan *// — soddisfatto*, to be satisfied *// un'espressione rimasta celebre*, an expression which has become famous **2** (*avanzare*) to remain, to be* left: *rimane ben poco da fare, da dire*, very little remains to be done, to be said **3** (*permanere*) to remain, to persist **4** (*essere situato*) to be* (situated): *la sua casa rimane dalle parti della stazione*, his house is situated near the station **5** (*mantenersi*) to remain, to keep*: — *calmo, tranquillo*, to keep calm; — *fedele*, to remain faithful **6** (*essere sorpreso*) to be* greatly surprised, to be* astonished: *puoi immaginare come ci sono rimasta*, you can imagine how surprised I was **7** (*spettare*): *rimane a te la decisione*, it is up to you to decide.

rimangiare *v.tr.* to eat* again *// dovette rimangiarsi le sue parole*, he had to eat his words *// rimangiarsi la parola*, to take back one's word.

rimarcare *v.tr.* to notice, to observe.

rimarchevole *agg.* remarkable.

rimare *v.tr. e intr.* to rhyme.

rimarginare *v.tr.* to heal (*anche fig.*) ♦ *v.intr.*, **-arsi** *v. intr.pron.* to heal (up).

rimasticare *v.tr.* **1** to chew again **2** (*fig.*) to chew (over sthg.), to ruminate (sthg.; on, about sthg.).

rimasuglio *s.m.* remainder, residue; *pl.* (*di cibo*) leftovers (*pl.*).

rimbaldanzire *v.tr.* to make* (s.o.) jaunty ♦ *v.intr.* to recover one's self-assurance.

rimbalzare *v.intr.* **1** to bounce; (*indietro*) to rebound: *la notizia rimbalzò di bocca in bocca*, the news passed round **2** (*di proiettile*) to ricochet.

rimbalzello *s.m.* ducks and drakes.

rimbalzo *s.m.* rebound *// di —*, on the rebound; (*fig.*) in retort.

rimbambimento *s.m.* dotage.

rimbambire *v.intr.*, **rimbambirsi** *v.intr.pron.* to go* gaga.

rimbambito *agg.* in one's dotage (*pred.*); (*stupido*) stupid ♦ *s.m.* dotard.

rimbarcare e deriv. → **reimbarcare** e deriv.

rimbeccare *v.tr.* to retort (to s.o., sthg.) *// -arsi* *v. rifl.rec.* to argue.

rimbecco *s.m.* retort, sharp answer; repartee *// di —*, in retort.

rimbecillire *v.tr.* to drive* dotty ♦ *v.intr.*, **-irsi** *v. intr.pron.* to grow* stupid: *fare — qlcu.*, to drive s.o. dotty; *quel vecchio si è rimbecillito*, that old man is in his dotage.

rimbecillito *agg.* dotty.

rimboccare *v.tr.* to turn up; (*lenzuola*) to turn down: — *le coltri a qlcu.*, to tuck s.o. up in bed *// rimboccarsi le maniche*, (*anche fig.*) to roll up one's sleeves.

rimboccatura *s.f.* **1** (*il rimboccare*) turning up; (*di lenzuolo*) turning down **2** (*parte rimboccata*) turn-up.

rimbombante *agg.* **1** thundering, booming **2** (*fig.*) high-sounding, bombastic.

rimbombare *v.intr.* to thunder; (*risonare*) to resound: — *sotto i passi*, to resound with s.o.'s steps.

rimbombo *s.m.* boom, roar.

rimborsabile *agg.* repayable, refundable.

rimborsare *v.tr.* to repay*, to refund.

rimborso *s.m.* refund, repayment: *avviso di* —, notice of reimbursement; — *spese di trasporto*, travelling allowance; *ottenere il* — *fiscale*, to get a tax refund.

rimboscamento *s.m.* reafforestation.

rimboscare *v.tr.* to reafforest.

rimboschimento *s.m.* reafforestation.

rimboschire *v.tr.* to reafforest.

rimbrottare *v.tr.* to scold.

rimbrotto *s.m.* scolding.

rimediabile *agg.* remediable.

rimediare *v.tr.* (*racimolare*) to scrape up, to put* together: — *un invito*, to manage to get oneself invited: — *una giacca da un vecchio cappotto*, to make a jacket out of an old coat ♦ *v.intr.* **1** to remedy (sthg.), to find* remedy (for sthg.), to cure (sthg.); to make* up (for sthg.): — *al danno*, to make good the damage **2** (*provvedere*) to do* (sthg.) about (sthg.): *come si rimedia?*, what shall we do about it?

rimedio *s.m.* remedy; (*spec. med.*) cure.

rimembranza *s.f.* remembrance, memory // *parco delle rimembranze*, memorial park.

rimescolamento *s.m.* **1** mixing; (*rimestamento*) stir; (*di carte*) shuffling **2** (*confusione, turbamento*) feeling of confusion.

rimescolare *v.tr.* **1** (*mescolare ripetutamente*) to mix (up); (*rimestare*) to stir; (*carte*) to shuffle **2** (*fig.*) (*rivangare*) to raise again **3** (*turbare, agitare*) to upset* // *mi ha fatto* — *il sangue*, it made my blood boil.

rimescolata *s.f.* mixing; (*di carte*) shuffle; shuffling: *dare una* —, to stir.

rimescolio *s.m.* **1** constant mixing **2** (*turbamento*) shock, upset.

rimessa *s.f.* **1** replacement // — *della palla*, (*tennis ecc.*) return; — *in gioco*, (*calcio ecc.*) throw-in **2** (*per automobili*) garage; (*di tram, autobus*) depot **3** (*riserva*) store **4** (*comm.*) (*di denaro*) remittance; (*di merci*) consignment: *fare una* — *di tre milioni*, to remit the sum of three million lire **5** (*comm.*) (*perdita*) loss **6** (*germoglio*) sprout, shoot.

rimessaggio *s.m.* garaging; (*di barche, roulottes*) laying-up.

rimessiticcio *s.m.* (*germoglio*) shoot.

rimesso *agg.* **1** *dente* —, false tooth; *orlo* —, false hem **2** (*perdonato*) forgiven, remitted ♦ *s.m.* (*orlo*) hem.

rimestare *v.tr.* **1** to stir **2** (*fig.*) to stir up.

rimettere *v.tr.* **1** to put* again; (*al posto di prima*) to put* back: *rimettilo a posto*, put it back in its place; — *in discussione*, to bring up for discussion again; — *in gioco*, (*sport*) to throw in; — *in marcia*, (*aut.*) to restart; — *in uso*, to bring into use again // — *a nuovo una casa*, to do up a house // — *a posto lo stomaco*, to put one's stomach right // — *in piede*, to set foot again **2** (*rimetterci*), to lose*; (*rovinare*) to ruin: *rimetterci la salute*, to ruin one's health; *rimetterci di decoro, reputazione*, to lose face, one's reputation // *rimetterci le penne*, to be done **3** (*affidare*) to refer, to submit: — *la decisione a qlcu.*, to leave the decision to s.o. **4** (*rimandare*) to put* off, to postpone **5** (*perdonare*) to remit, to forgive* **6** (*consegnare*) to remit, to deliver; (*restituire*) to give* back: *la citazione fu rimessa proprio a lui*, the summons was delivered into his hands **7** (*vomitare*) to bring* up, to vomit; (*fam.*) to throw* up // *mi viene da* —, I feel sick // **-ersi** *v.intr.pron.* **1** (*mettersi di nuovo*): *si rimise a leggere*, he started reading again; — *in viaggio*, to set out (*o* off *o* forth) again **2** (*rasserenarsi, di tempo*) to clear up **3** (*ristabilirsi*) to recover: — *in*

forze, to recover one's strength **4** (*affidarsi*) to rely (on s.o., sthg.): *mi rimetto a te per la decisione*, I leave it to you to decide.

rimirare *v.tr.* (*osservare*) to gaze (at s.o., sthg.); (*con fissità*) to stare (at s.o., sthg.) ♦ *v.intr.* (*riprendere la mira*) to aim again (at s.o., sthg.) // **-arsi** *v.rifl.* to admire oneself: — *allo specchio*, to admire oneself in the mirror.

rimmel® *s.m.* mascara.

rimodellare *v.tr.* to remodel.

rimodernamento *s.m.* modernization.

rimodernare *v.tr.* to modernize; (*confezionare di nuovo*) to remodel.

rimonta *s.f.* **1** (*mil.*) remount **2** (*sport*) comeback, catching up: *fare una* —, to catch up **3** (*di scarpa*) vamp.

rimontare *v.tr.* **1** (*risalire*) to go* up: — *la corrente*, to sail upstream **2** (*ricomporre*) to reassemble **3** (*mil.*) to remount **4** (*sport*) to catch* up, to draw* level; (*a tennis*) to make* a come back **5** (*orologio*) to wind* up again **6** (*di scarpe*) to vamp ♦ *v.intr.* **1** (*salire di nuovo*) to remount: — *a cavallo, in sella*, to remount; — *in automobile*, to get into a car again **2** (*fig.*) (*risalire*) to go* back.

rimontatura *s.f.* reassembling.

rimorchiare *v.tr.* to tow // — *qlcu.*, (*fam.*) to have s.o. in tow.

rimorchiatore *s.m.* (*mar.*) towboat, tug.

rimorchio *s.m.* **1** towing: *cavo da* —, towrope; *gancio di* —, towhook; *andare a* —, to be towed; *avere, prendere a* —, to have, to take in tow **2** (*veicolo*) trailer.

rimordere *v.tr.* **1** to bite* again **2** (*fig.*) to prick: *gli rimorde la coscienza*, his conscience pricks him.

rimorso *s.m.* remorse: — *di coscienza*, qualms of conscience; *ho* — *di quel che ho fatto*, I feel remorse for what I have done.

rimostranza *s.f.* remonstrance; expostulation: *fare le proprie rimostranze a qlcu.*, to remonstrate with s.o.

rimostrare *v.intr.* to remonstrate ♦ *v.tr.* (*mostrare di nuovo*) to show* again.

rimovibile *agg.* removable.

rimozione *s.f.* **1** removal // — *forzata dei veicoli in sosta*, offending vehicles will be towed away **2** (*destituzione*) dismissal **3** (*psic.*) repression.

rimpaginare *v.tr.* (*tip.*) to repage.

rimpaginatura *s.f.* (*tip.*) repaging.

rimpagliare *v.tr.* to recover with straw; (*imbottire di nuovo*) to re-stuff with straw.

rimpallo *s.m.* (*al biliardo*) cannon; (*al calcio*) rebound.

rimpannucciare *v.tr.* to improve (s.o.'s) financial position // **-arsi** *v.intr.pron.* to improve one's financial position.

rimpastare *v.tr.* **1** to knead again **2** (*fig.*) to re-form.

rimpasto *s.m.* **1** kneading again **2** (*pol.*) reshuffle: — *ministeriale*, cabinet reshuffle.

rimpatriare *v.tr.* to repatriate ♦ *v.intr.* to return home.

rimpatrio *s.m.* repatriation.

rimpiangere *v.tr.* **1** to regret: — *i tempi passati*, to think with nostalgia of past times; *rimpiango di non esserci andato*, I regret not having gone **2** (*rar.*) to mourn, to lament.

rimpianto *s.m.* regret.

rimpiattarsi *v.rifl.* to hide* (oneself).

rimpiattino *s.m.* hide-and-seek: *giocare a* —, to play hide-and-seek.

rimpiazzare *v.tr.* to replace (s.o., sthg. by, with s.o., sthg.).

rimpiazzo *s.m.* replacement.

rimpicc(i)olimento *s.m.* lessening, decrease.

rimpicc(i)olire *v.tr.* to make* smaller.

rimpinguare *v.tr.* (*fig.*) to enrich // **-arsi** *v.rifl.* (*fig.*) to grow* rich.

rimpinzare *v.tr.* to stuff // **-arsi** *v.rifl.* to stuff oneself: — *di pane*, to stuff oneself with bread.

rimpolpare *v.tr.* 1 (*ingrassare*) to fatten (up) 2 (*fig.*) to enrich // **-arsi** *v.intr.pron.* to get* fat.

rimproverare *v.tr.* 1 to reproach, to reprove, to rebuke; (*aspramente*) to scold; (*fam.*) to tell* off; (*ufficialmente*) to reprimand; (*biasimare*) to blame: *non ho nulla da rimproverarmi*, I have nothing to reproach myself with 2 (*rinfacciare*) to grudge.

rimprovero *s.m.* reproach, reproof, rebuke; (*aspro*) scolding; (*ufficiale*) reprimand: *ricevere un* —, to be scolded (*o* to get a telling-off); *muovere un* — *a qlcu.*, to reproach (*o* to scold) s.o.

rimuginare *v.tr.* 1 (*frugare*) to rummage 2 (*fig.*) to brood (over sthg.).

rimunerare *v.tr.* to remunerate; (*ricompensare*) to reward.

rimunerativo *agg.* remunerative, profitable.

rimunerazione *s.f.* remuneration.

rimuovere *v.tr.* 1 to move again 2 (*allontanare*) to remove (*anche fig.*): — *un dubbio*, to remove a doubt 3 (*dissuadere*) to dissuade 4 (*scavare*) to dig*.

rinascere *v.intr.* to revive (*anche fig.*; *rigermogliare*) to spring* up again: *rinacquero le arti*, there was a revival of the arts // *mi sento* —, I feel a new man.

rinascimentale *agg.* Renaissance (*attr.*).

rinascimento *s.m.* (*st. arte lett.*) Renaissance.

rinascita *s.f.* 1 rebirth 2 (*fig.*) revival.

rincagnato *agg.* pug (*attr.*): *naso* —, pug nose.

rincalzare *v.tr.* 1 to earth up 2 (*rimboccare*) to tuck in 3 (*rinforzare*) to prop up: — *un palo con sassi*, to prop up a stake with stones 4 (*assicurare l'equilibrio*) to make* steady: — *un tavolo*, to make a table steady.

rincalzata *s.f.* 1 (*agr.*) earthing up 2 (*rimboccata*) tucking in.

rincalzatura *s.f.* (*agr.*) earthing up.

rincalzo *s.m.* 1 (*agr.*) earthing up 2 (*zeppa*) wedge 3 (*fig.*) (*rinforzo*) support // *a, per* — *di*, in support of // *truppe di* —, supporting troops 4 (*sport*) reserve.

rincamminarsi *v.intr.pron.* to set* out again.

rincantucciarsi *v.rifl.* to hide* (oneself) in a corner.

rincantucciato *agg.* crouched up.

rincarare *v.tr.* to raise, to raise the price of: — *i prezzi*, to raise prices // — *la dose*, to overdo sthg. ♦ *v.intr.* to become* more expensive, to go* up, to rise*.

rincaro *s.m.* (*comm.*) rise in prices.

rincasare *v.intr.* to return home.

rinchiudere *v.tr.* to shut* in // **-ersi** *v.rifl.* to shut* oneself up; to lock oneself in; (*fig.*) to withdraw*.

rinchiuso *agg.* shut in ♦ *s.m.* enclosure, enclosed place // *saper di* —, to smell musty.

rincitrullire *v.tr.* to make* stupid ♦ *v.intr.* to grow* silly.

rincitrullito *agg.* silly.

rincivilire *v.tr.* to civilize ♦ *v.intr.*, **-irsi** *v.intr.pron.* to become* more civilized.

rincontro, a, di *locuz.avv.* in front.

rincorare *v.tr.* to encourage; (*confortare*) to comfort // **-arsi** *v.rifl.* to cheer up.

rincorrere *v.tr.* to run* after (s.o., sthg.); (*inseguire*) to chase, to pursue // *giocare a rincorrersi*, to run after one another.

rincorsa *s.f.* run: *prendere la* —, to take a run; *saltare senza* —, to jump from a standing position.

rincrescere *v.intr.* 1 to be* sorry (for, about s.o., sthg.), to regret 2 (*arrecar noia*) to mind (*costr. pers.*): *ti rincrescerebbe aprire la finestra?*, would you mind opening the window?

rincrescimento *s.m.* regret: *con mio* —, to my regret; *con molto* —, with much regret.

rincrudelire *v.intr.* to become* crueller.

rincrudimento *s.m.* aggravation, worsening.

rincrudire *v.tr.* to aggravate; (*esacerbare*) to embitter // **-irsi** *v.intr.pron.* to get* worse.

rinculare *v.intr.* to recoil.

rinculo *s.m.* (*di arma da fuoco*) recoil.

rincuorare *v.tr.* → **rincorare**.

rinfacciare *v.tr.* to fling* (sthg.) in s.o.'s face.

rinfocolare *v.tr.* 1 to poke 2 (*fig.*) to stir up (again).

rinfoderare *v.tr.* to sheathe.

rinforzare *v.tr.* 1 to strengthen, to make* stronger 2 (*accrescere la stabilità*) to reinforce 3 (*fig.*) (*ribadire, avvalorare*) to support, to back // **-arsi** *v.intr.pron.* to become* stronger; (*di vento*) to grow* stronger.

rinforzato *agg.* strengthened (*anche fig.*).

rinforzo *s.m.* 1 strengthening, reinforcement: *rinforzi, truppe di* —, (*mil.*) reinforcements 2 (*fig.*) help, support.

rinfrancare *v.tr.* to reassure // **-arsi** *v.intr.pron.* (*riprendere coraggio*) to pluck up courage.

rinfrancato *agg.* reassured.

rinfrescante *agg.* cooling: *bibita* —, refreshing drink.

rinfrescare *v.tr.* 1 to cool; to refresh (*anche fig.*): *il temporale ha rinfrescato l'aria*, the storm has cooled the air; — *la memoria*, to refresh one's memory 2 (*mettere a nuovo*) to do* up, to renovate; (*restaurare*) to restore: — *un abito*, to freshen up a dress ♦ *v.intr.* to cool: *è rinfrescato*, it's got cooler // **-arsi** *v.rifl.* to refresh oneself.

rinfrescata *s.f.* 1 (*diminuzione di temperatura*) cooling 2 *darsi una* —, to freshen oneself up; *darsi una* — *alle mani*, to wash one's hands.

rinfresco *s.m.* 1 refreshments (*pl.*) 2 (*ricevimento*) cocktail party.

rinfusa, alla *locuz.avv.* higgledy-piggledy.

ringagliardire *v.tr.* to strengthen ♦ *v.intr.*, **-irsi** *v.intr.pron.* to become* more vigorous.

ringalluzzire *v.tr.* to make* cocky // *v.intr.*, **-irsi** *v. intr.pron.* to become* cocky.

ringalluzzito *agg.* cocky.

ringentilire *v.tr.* to refine.

ringhiare *v.intr.* to growl, to snarl (*anche fig.*).

ringhiera *s.f.* railings (*pl.*); (*di scala*) banisters (*pl.*).

ringhio *s.m.* growl, snarl (*anche fig.*).

ringhioso *agg.* snarling; (*fig.*) snappish.

ringiovanimento *s.m.* rejuvenation.

ringiovanire *v.tr.* 1 to make* young (again) 2 (*far sembrare più giovane*) to make* (s.o.) look younger: *questa pettinatura ti ringiovanisce*, that hair style makes you look younger ♦ *v.intr.* 1 to grow* young again 2 (*sembrare più giovane*) to look younger.

ringiovanito *agg.* young again.

ringoiare *v.tr.* 1 to swallow again 2 (*ritrattare*) to take* back.

ringranare *v.intr.* to reengage.

ringraziamento *s.m.* 1 thanks (*pl.*): *lettera di* —, letter of thanks; *porgere i propri ringraziamenti a qlcu.*, to thank s.o. 2 (*eccl.*) thanksgiving.

ringraziare *v.tr.* to thank: — *di cuore, sentitamente*, to thank heartily, sincerely // *sia ringraziato il cielo!*, thank heavens!

ringuainare *v.tr.* to sheathe (again).

rinite *s.f.* (*med.*) rhinitis.

rinnegamento *s.m.* disowning; (*di fede*) denial.

rinnegare *v.tr.* to deny.

rinnegato *agg.* e *s.m.* renegade.

rinnegatore *s.m.* denier.

rinnestare *v.tr.* **1** (*agr.*) to regraft **2** (*mecc.*) to reengage.

rinnesto *s.m.* **1** (*agr.*) regrafting **2** (*mecc.*) re-engagement.

rinnovabile *agg.* renewable.

rinnovamento *s.m.* renewal.

rinnovare *v.tr.* to renew (*anche fig.*): — *il personale*, to renew the staff; — *l'aria di una stanza*, to change the air in a room // — *la casa*, to redecorate one's house // — *il guardaroba*, to restock one's wardrobe // — *i ringraziamenti a qlcu.*, to thank s.o. again; — *le scuse*, to apologize again // **-arsi** *v.intr.pron.* to happen again, to be* repeated: *il miracolo si rinnova ogni anno*, the miracle is repeated (*o* recurs) every year.

rinnovatore *agg.* e *s.m.* renovator, renewer.

rinnovazione *s.f.* renovation, renewal.

rinnovo *s.m.* renewal.

rinoceronte *s.m.* rhinoceros.

rinomanza *s.f.* renown, fame, celebrity.

rinomato *agg.* renowned, celebrated, famous.

rinoplastica *s.f.* (*chir.*) rhinoplastic.

rinquarto *s.m.* (*nel biliardo*) rebound.

rinsaldamento *s.m.* strengthening.

rinsaldare *v.tr.* to strengthen // **-arsi** *v.intr.pron.* to strengthen oneself.

rinsanguare *v.tr.* to supply with new blood; (*fig.*) to give* new life (to s.o., sthg.) // **-arsi** *v.intr.pron.* to become* stronger; (*fig.*) to be* in funds again.

rinsanire *v.intr.* to become* sane again, to recover.

rinsavire *v.intr.* (*fig.*) to settle down.

rinsecchire *v.intr.* **1** to dry up **2** (*dimagrire*) to get* thin.

rinserrare *v.tr.* to shut* up again.

rintanarsi *v.intr.pron.* **1** to return to one's lair **2** (*fig.*) to shut* oneself up; (*nascondersi*) to hide* oneself.

rintavolare *v.tr.* to start again.

rintegrare *v.tr.* → **reintegrare**.

rintelatura *s.f.* backing (of a painting with new canvas).

rinterrare *v.tr.* to fill up (with earth) // **-arsi** *v. intr.pron.* to get* filled up (with earth).

rinterro *s.m.* filling up (with earth).

rinterzo *s.m.* (*nel biliardo*) cannon.

rintoccare *v.intr.* (*di orologio*) to strike*; (*di campana*) to toll.

rintocco *s.m.* (*di orologio*) stroke; (*di campana*) toll, tolling: — *funebre*, knell.

rintontire *v.tr.* → **intontire**.

rintracciabile *agg.* traceable; (*trovabile*) contactable.

rintracciare *v.tr.* to trace; (*trovare*) to find* (out).

rintristire *v.intr.* **1** (*di piante*) to droop again **2** (*di persone*) to pine away.

rintronare *v.tr.* (*assordare*) to deafen; (*stordire*) to stun ♦ *v.intr.* to thunder.

rintronato *agg.* deafened; stunned.

rintuzzare *v.tr.* **1** (*spuntare*) to blunt **2** (*sentimenti*) to repress **3** (*di battere*) to retort // — *un attacco del nemico*, to repel an enemy attack.

rinuncia *s.f.* renunciation, renouncement; (*dir.*) re-

lease, waiver: — *al titolo*, (*sport*) renunciation of the title; — *formale*, disclaimer // *vita piena di rinunce*, life full of sacrifices.

rinunciare *v.intr.* to renounce, to give* up, to for(e)go*: — *a qlco.*, to give up sthg.; — *alla speranza*, to relinquish hope // — *a un diritto*, to waive a right.

rinunciatario *agg.* yielding, submissive ♦ *s.m.* renouncer.

rinvenimento[1] *s.m.* (*scoperta*) discovery, finding.

rinvenimento[2] *s.m.* to come* to (one's senses).

rinvenire[1] *v.tr.* **1** (*trovare*) to find* **2** (*scoprire*) to discover, to find* out.

rinvenire[2] *v.intr.* **1** (*ricuperare i sensi*) to recover one's senses, to come* to (one's senses) **2** (*riprendere morbidezza*) to soften; (*riprendere freschezza*) to revive // *far — il pane raffermo*, to warm up stale bread.

rinverdire *v.tr.* **1** to make* green again **2** (*fig.*) to reawaken*, to rekindle ♦ *v.intr.* **1** (*tornare verde*) to grow* green again, to turn green again **2** (*fig.*) to revive, to take* on new life.

rinvestire *v.tr.* (*comm.*) to reinvest.

rinviare *v.tr.* **1** to put* off, to postpone, to defer; (*riunione, processo ecc.*) to adjourn: *l'incontro fu rinviato di una settimana*, the meeting was adjourned for a week **2** (*mandare indietro*) to return, to send* back // — *al programma principale*, (*informatica*) to link back.

rinvigorimento *s.m.* reinvigoration, strengthening.

rinvigorire *v.tr.* to reinvigorate ♦ *v.intr.*, **-irsi** *v.intr.pron.* to become* reinvigorated.

rinvio *s.m.* **1** postponement, deferment; (*di riunione, processo ecc.*) adjournment **2** (*il rimandare indietro*) returning, sending back: *tiro di —*, trow **3** (*informatica*) (*a una sequenza*) jump.

rio *s.m.* (*poet.*) rivulet, brook.

rioccupare *v.tr.* to reoccupy.

rioccupazione *s.f.* reoccupation.

rionale *agg.* ward (*attr.*): *mercato —*, local market.

rione *s.m.* ward, district, quarter: *ufficio postale del —*, local post office.

riordinamento *s.m.* rearrangement; (*riorganizzazione*) reorganization.

riordinare *v.tr.* **1** (*sistemare*) to arrange; (*mettere in ordine*) to put* in order, to tidy up: — *le idee*, to straighten out one's ideas **2** (*rimettere in ordine*) to rearrange; (*riorganizzare*) to reorganize **3** (*comandare di nuovo*) to order again.

riordinazione *s.f.* (*comm.*) new order.

riorganizzare *v.tr.* to reorganize.

riorganizzazione *s.f.* reorganization.

riottoso *agg.* quarrelsome, turbulent; (*indocile*) intractable.

ripa *s.f.* bank // *uccelli di —*, riparian birds.

ripagare *v.tr.* **1** (*pagare di nuovo*) to pay* again **2** (*ricompensare*) to repay*, to reward, to requite: *sarà ripagato con la sua stessa moneta*, (*fig.*) he shall be paid in his own coin **3** (*risarcire*) to pay* (for sthg.).

riparabile *agg.* repairable; (*fig.*) reparable.

riparare[1] *v.tr.* **1** to shelter, to protect; (*fare da scudo, da schermo*) to shield, to screen **2** (*aggiustare*) to repair, to mend; (*fam.*) to fix **3** (*porre rimedio*) to remedy, to redress: — *un danno, un torto*, to redress an injury, a wrong; — *un'ingiustizia*, to remedy an injustice // — *un esame*, to repeat an examination // **-arsi** *v.rifl.* to protect oneself.

riparare[2] *v.intr.* (*rifugiarsi*) to repair (to a place) // **-arsi** *v.intr.pron.* to take* cover.

riparato *agg.* sheltered.

riparatore *agg.* repairing ♦ *s.m.* mender.

riparazione *s.f.* **1** repair; (*fam.*) fixing; (*di vestiti*) alteration; (*di case*) restoration: *in* —, under repair; *fare delle riparazioni a qlco.*, to restore sthg. **2** (*fig.*) reparation; amends (*pl.*): *in* — *di un torto*, as amends for a wrong; *esigere una* —, to demand reparation // *ha due esami di* —, he has to repeat two exams.

riparlare *v.intr.* to speak* again; (*discutere*) to talk (sthg.) over again // *ne riparleremo*, we'll see about it later.

riparo *s.m.* **1** shelter, cover: *essere, mettere, mettersi al* — *da qlco.*, to be sheltered, to shelter, to take shelter from sthg. **2** (*schermo*) protection, defence **3** (*rimedio*) remedy, cure: *bisognerà correre ai ripari*, we shall have to do something about it // *senza* —, irreparable (*agg.*); irreparably (*avv.*) **4** (*mecc.*) guard.

ripartibile *agg.* divisible, distributable.

ripartimento *s.m.* division; (*scomparto*) partition.

ripartire *v.tr.* (*suddividere*) to divide, to parcel out, to share.

ripartizione *s.f.* division, distribution; (*distribuzione*) sharing out: — *dei rischi*, risk spread.

ripassare *v.tr.* **1** (*attraversare di nuovo*) to cross again, to recross **2** (*rivedere*) to revise, to have* a look (at sthg.) again, to go* through (sthg.) again: — *la lezione*, to go over the lesson again **3** (*mecc.*) to overhaul **4** (*ritoccare*) to give* a finishing touch (to sthg.) ♦ *v.intr.* to pass again (through a place); to call again (on s.o.): *ripasserò da voi domani*, I'll call on you again tomorrow; *ripasserò di qui fra poco*, I shall come this way again before long.

ripassata *s.f.* **1** (*scorsa*) another look: *dare una* — *una lezione*, to go through a lesson again **2** (*mecc.*) overhaul(ing): *dare una* — *a un motore*, to give an engine an overhaul(ing) **3** (*mano di vernice*) new coat of paint **4** (*stirata*) press **5** (*rabbuffo*) scolding.

ripasso *s.m.* **1** revision **2** (*di uccelli migratori*) return.

ripensamento *s.m.* afterthought; (*cambiamento di opinione*) change of mind.

ripensare *v.intr.* **1** (*pensare di nuovo*) to think* (of sthg.) again; (*riflettere*) to think* (sthg.) over: *ora che ci ripenso...*, now that I think over it...; *ci ho ripensato e ho deciso che...*, I thought it over and I decided that... // *ci ha ripensato*, he changed his mind **2** (*tornare col pensiero*) to call to mind (sthg.).

ripentimento *s.m.* **1** repentance **2** (*cambiamento di idea*) change of mind.

ripercorrere *v.tr.* **1** to go* along (sthg.) again, to travel over (sthg.) again **2** (*riattraversare*) to go* through (sthg.) again **3** (*fig.*)(*riandare*) to go* back over.

ripercuotere *v.tr.* **1** to strike* again, to beat* again **2** (*riflettere*) to reflect // **-ersi** *v.intr.pron.* **1** (*di suono ecc.*) to reverberate, to reecho **2** (*fig.*) to influence (s.o., sthg.).

ripercussione *s.f.* repercussion (*anche fig.*).

ripescare *v.tr.* **1** to fish up, to fish out **2** (*ritrovare*) to find* (again).

ripetente *agg.* repeating ♦ *s.m.* e *f.*: *in questa classe ci sono tre ripetenti*, in this class there are three students repeating last year's course; *è* —, he is repeating a year at school.

ripetere *v.tr.* **1** (*rifare*) to repeat, to do* again: — *l'anno, una classe*, to repeat a year **2** (*ridire*) to repeat, to say* again: — *parola per parola*, to repeat word for word; *glielo ho ripetuto tante volte*, I have told him over and over again; — *una domanda*, to put a question again; — *la lezione*, to repeat the lesson // *far* — *la lezione a qlcu.*, to hear s.o.'s lesson **3** (*teatr.*) to rehearse // **-ersi** *v.rifl.* to repeat oneself ♦ *v.intr.pron.* (*di fatti, eventi*) to recur.

ripetibile *agg.* repeatable.

ripetitivo *agg.* repetitive: *stile* —, repetitive style; *lavoro* —, repetitive (*o* boring) work.

ripetitore *s.m.* **1** repeater **2** (*insegnante*) (private) tutor **3** (*rad.*) relay.

ripetizione *s.f.* **1** repetition // *fucile a* —, repeating rifle (*o* repeater) **2** (*lezione privata*) private lesson: *andare a* —, *prendere* — *da qlcu.*, to take private lessons from s.o.; *dare ripetizioni a qlcu.*, to coach s.o. **3** (*dir.*) claiming back.

ripetutamente *avv.* repeatedly, again and again, over and over again.

ripetuto *agg.* repeated // *fare ripetute domande*, to keep on putting questions.

ripiano *s.m.* **1** (*scaffale*) shelf **2** (*pianerottolo*) landing **3** (*terreno pianeggiante*) terrace.

ripicca *s.f.*, **ripicco** *s.m.* spite, pique: *per* —, out of spite.

ripidezza *s.f.* steepness.

ripido *agg.* steep.

ripiegamento *s.m.* **1** folding **2** (*mil.*) retreat, withdrawal.

ripiegare *v.tr.* **1** (*piegare di nuovo*) to bend* again **2** (*piegare*) to fold (up): — *un giornale*, to fold up a newspaper ♦ *v.intr.* (*ritirarsi*) to withdraw*, to retire (*anche fig.*); (*rimediare*) to fall* back (on): *su un'altra soluzione*, to fall back on another solution // **-arsi** *v.rifl.*: — *in sé stesso*, to retire into oneself.

ripiegatura *s.f.* **1** (*il ripiegare*) folding **2** (*piega*) fold.

ripiego *s.m.* shift, makeshift; (*espediente*) expedient, device; (*rimedio*) remedy: *soluzione di* —, makeshift (*o* last resource) // *vivere di ripieghi*, to live by one's wits.

ripieno *agg.* **1** full (*anche fig.*) replete (with) (*anche fig.*) **2** (*infarcito*) stuffed (with): *pollo* —, stuffed chicken ♦ *s.m.* **1** (*cuc.*) stuffing **2** (*imbottitura*) padding.

ripigliare *v.tr.* e *intr.* → **riprendere**.

ripiombare[1] *v.intr.* (*ricadere*) to fall* (down) again (*anche fig.*).

ripiombare[2] *v.tr.* to plumb again.

ripopolamento *s.m.* repeopling, repopulating; (*con animali*) restocking.

ripopolare *v.tr.* to repeople, to repopulate; (*con animali*) to restock // **-arsi** *v.intr.pron.* to become* populated again.

riporre *v.tr.* **1** (*rimettere al proprio posto*) to put* back; (*mettere via*) to put* away // — *il raccolto*, to get the harvest in **2** (*fig.*) to place, to put*: — *le proprie speranze in qlcu.*, to place one's hopes in s.o.

riportare *v.tr.* **1** (*verso chi parla, ascolta*) to bring* again; (*indietro*) to bring* back; (*lontano da chi parla, ascolta; accompagnare*) to take* again; (*indietro*) to take* back; to carry back: *ti riporterò il libro domani*, I'll bring you back the book tomorrow; *chi di voi può* — *l'auto a John?*, which of you can take the car back to John? **2** (*riferire*) to report; (*citare*) to quote: — *la verità*, to report the truth; *tutti i giornali riportarono la notizia*, all the (news)papers carried the news **3** (*ricevere*) to get*; (*conseguire*) to carry off; (*subire*) to suffer: — *una buona impressione*, to get a good impression; — *danni*, to suffer damages; — *una leggera ferita*, to be slightly wounded; — *la vittoria*, to carry off the victo-

ry 4 (*mat.*) to carry: *scrivo 2 e riporto 1*, I write 2 and carry 1 **5** (*disegno*) to transfer // **-arsi** *v.rifl.* **1** (*tornare*) to go* back (*anche fig.*) **2** (*riferirsi*) to refer.

riporto *s.m.* **1** (*mat.*) amount to be carried **2** (*Borsa*) contango, carry over **3** (*ornamento*) appliqué work.

riposante *agg.* restful.

riposare *v.intr.* **1** to rest; (*dormire*) to sleep*: *hai riposato bene?*, have you had a nice rest?; *qui riposa...*, here rests... **2** (*reggersi*) to rest (*anche fig.*), to be* based (upon) (*anche fig.*) **3** (*di liquido*) to settle ♦ *v.tr.* to rest: *questa luce riposa gli occhi*, this light rests the eyes // **-arsi** *v.intr.pron.* to rest; to have* a rest, to take* a rest; (*sdraiarsi*) to lie* down: *ha solo bisogno di — un po'*, he only needs to rest (himself) a little.

riposato *agg.* **1** rested; (*fresco*) fresh: *mente riposata*, fresh mind **2** (*di liquido*) settled.

riposo *s.m.* **1** rest, repose: *in —*, at rest; *prendersi un po' di —*, to take a little rest // *buon —!*, have a nice rest! (*o sleep well!*) // *—!*, (*mil.*) (stand) at ease! // *stasera —*, (*teatr.*) no performance tonight // *giorno di —*, day off // *casa di — per musicisti*, retirement home for musicians // *andare a —*, to retire; *mettere qlcu. a —*, (*per malattia*) to put s.o. on the sick list; (*per raggiunti limiti di età*) to superannuate s.o. **2** (*tranquillità, calma*) tranquillity, peace, quiet **3** (*di terreno*) fallowing.

ripostiglio *s.m.* lumber-room.

riposto *agg.* hidden; (*segreto*) secret.

riprendere *v.tr.* **1** (*prendere di nuovo*) to retake*, to take* again; (*riacchiappare*) to catch* (up) again: *— possesso di qlco.*, to take possession of sthg. again; *— il raffreddore*, to catch a cold again; *— il prigioniero fuggito*, to recapture the escaped prisoner // *— il proprio posto*, to sit down again // *— il cammino*, to set out again // *— le armi*, to take up arms again // *— fiato*, to take breath // *— sonno*, to fall asleep again // *— moglie, marito*, to marry again // *— quota*, (*aer.*) to regain height **2** (*prendere indietro*) to take* back, to get* back; (*recuperare*) to recover: *— forza, i sensi*, to recover strength, consciousness **3** (*riassumere*) to resume; (*personale*) to reengage: *— il comando*, to resume the command **4** (*ricominciare*) to begin* again, to resume: *— gli studi*, to begin studying again; *— il lavoro*, to resume work **5** (*rimproverare*) to reprove **6** (*sartoria*) to take* in **7** (*cinem.*) to shoot*, to film, to take* ♦ *v.intr.* **1** (*ricominciare*) to begin* again: *— a scrivere*, to begin writing again // *«Dimmi», riprese*, "Tell me," he went on // *la vita riprende*, things are looking up again **2** (*riacquistare vita*) to revive; (*rimettersi in salute*) to recover // **-ersi** *v.intr.pron.* (*da malattia*) to recover; (*da turbamento*) to collect oneself // *— dal colpo*, to get over the shock ♦ *v.rifl.* to correct oneself.

ripresa *s.f.* **1** renewal, resumption: *— delle ostilità*, renewal of hostilities; *la — di un processo*, the resumption of a trial // *a diverse riprese*, at different times // *a più riprese*, in successive stages; (*più volte*) several times // *in due riprese*, in two goes // *l'economia è in —*, the economy is on the mend **2** (*da malattia, emozioni*) recovery **3** (*teatr.*) revival **4** (*cinem.*) shot, take: *— col rallentatore*, slow-motion shot **5** (*aut.*) acceleration: *la mia automobile ha una buona —*, my car has a good acceleration **6** (*pugilato, lotta*) round; (*scherma*) bout; (*calcio ecc.*) second half (of game) **7** (*mus.*) repeat **811** (*sartoria*) **dart.**

ripresentare *v.tr.* to present again // **-arsi** *v.rifl.* **1** to go* back; to come* back **2** (*di occasione*) to arise*.

ripristinamento *s.m.* restoration.

ripristinare *v.tr.* **1** to restore; (*rimettere in vigore*) to reestablish: *— una legge*, to bring a law into force again **2** (*informatica*) to reset*; to restore.

ripristino *s.m.* **1** restoration; (*il rimettere in vigore*) re-establishment **2** (*informatica*) resetting; recovery.

riproducibile *agg.* reproducible.

riprodurre *v.tr.*, **riprodursi** *v.intr.pron.* to reproduce.

riproduttivo *agg.* reproductive.

riproduttore *agg.* reproducing ♦ *s.m.* **1** (*tecn.*) reproducer **2** (*di animali*) sire.

riproduzione *s.f.* reproduction: *— fotografica*, photographic copy.

ripromettere *v.tr.* to promise again // **-ersi** *v.intr.pron.* to propose, to intend **2** (*sperare*) to hope.

riproporre *v.tr.* to repropose.

riprova *s.f.* **1** (*fresh*) proof; (*conferma*) confirmation: *a — di ciò*, as a proof of this **2** (*mat.*) proof.

riprovare[1] *v.tr.* **1** (*tentare, sperimentare di nuovo*) to try again **2** (*sentire di nuovo*) to feel* again **3** (*abiti ecc.*) to try on again; (*dal sarto*) to have* another fitting **4** (*teatr.*) to rehearse (again): *dobbiamo — l'ultima scena*, we must rehearse the last scene ♦ *v.intr.*, **-arsi** *v.intr.pron.* to try again.

riprovare[2] *v.tr.* **1** (*disapprovare*) to criticize, to reprove **2** (*agli esami*) to fail // *essere riprovato*, to fail.

riprovato *agg.* (*agli esami*) failed, unsuccessful.

riprovazione *s.f.* criticism, reprobation.

riprovevole *agg.* blameworthy.

ripubblicare *v.tr.* to republish.

ripudiare *v.tr.* to repudiate, to disown.

ripudio *s.m.* repudiation.

ripugnante *agg.* repugnant.

ripugnanza *s.f.* repugnance.

ripugnare *v.intr.* **1** (*disgustare*) to revolt, to disgust **2** (*essere contrario*) to be* contrary: *ciò ripugna ai miei principi*, that is contrary to (o against) my principles.

ripulire *v.tr.* **1** (*pulire di nuovo*) to clean again **2** (*pulire*) to clean (up); (*mettere in ordine*) to tidy (up) **3** (*fig.*) (*dirozzare*) to polish (up) // **-irsi** *v.rifl.* **1** to clean oneself // (*dirozzarsi*) to become* refined.

ripulita *s.f.* clean, cleaning: *dare una — a qlco.*, to clean up sthg.; *darsi una —*, to tidy oneself up.

ripulitura *s.f.* cleaning.

ripulsa e *deriv.* → **repulsa** e *deriv.*

riputare e *deriv.* → **reputare** e *deriv.*

riquadrare *v.tr.* to square.

riquadratura *s.f.* squaring.

riquadro *s.m.* square; (*su parete, soffitto*) panel.

riqualificare *v.tr.* **1** (*migliorare*) to revise: *— la spesa pubblica*, to revise public spending **2** (*manodopera*) to retrain.

riqualificazione *s.f.* **1** revision **2** (*di manodopera*) retraining: *— professionale*, professional retraining.

risacca *s.f.* backwash.

risaia *s.f.* rice field, paddy field.

risaldare *v.tr.* to resolder.

risaldatura *s.f.* resoldering.

risalire *v.tr.* **1** to go* up, to climb up: *— la collina*, to climb up the hill; *— la corrente*, to go upstream; (*di pesci*) to ascend the river **2** (*salire di nuovo*) to go* up again, to climb up again: *— le scale*, to go upstairs again ♦ *v.intr.* **1** to go* up again **2** (*nel tempo*) to go* back **3** (*accadere*) to take* place.

risalita *s.f.* climb // *impianti di —*, mechanical ascent.

risaltare *v.intr.* **1** (*spiccare*) to show* up; (*di persona*) to stand* out // *far —*, to show up **2** (*arch.*) to project **3** (*saltare di nuovo*) to jump again ♦ *v.intr.* to jump again.

risalto *s.m.* **1** prominence; (*enfasi*) emphasis: *dar — a qlco.*, to give prominence to sthg.; (*enfasi*) to lay emphasis on sthg.: *quel colore dà — alla sua carnagione chiara*, that colour shows up her fair complexion // *far —*, to stand out **2** (*arch.*) projection, relief.

risanabile *agg.* **1** curable **2** (*di terreno*) reclaimable.

risanamento *s.m.* **1** curing, healing **2** (*fig.*) (*riforma*) reformation // *— del bilancio*, balancing of the budget // *— dei quartieri popolari*, slum clearance **3** (*bonifica*) reclamation.

risanare *v.tr.* **1** to cure, to heal **2** (*fig.*) to reform // *— il bilancio*, to balance the budget // *— un quartiere popolare*, to clear a slum **3** (*bonificare*) to reclaim ♦ *v.intr.* to recover.

risanatore *agg.* healing.

risapere *v.tr.* to come* to know, to get* to know, to hear* (of sthg.).

risaputo *agg.* notorious: *è — che...*, it is well known that...

risarcibile *agg.* (*comm.*) reparable.

risarcimento *s.m.* compensation, indemnity: *— dei danni*, compensation for damages; *avere diritto al — dei danni*, to be entitled to an indemnity (*o* to damages); *domandare il — dei danni*, to claim damages.

risarcire *v.tr.* to indemnify, to compensate: *— qlcu. dei danni*, to pay compensation for damages.

risata *s.f.* laughter (*solo sing.*), laugh; laugh: *una — grassa*, a rollicking laugh; *fare una bella —*, to have a good laugh; *scoppiare in una —*, to burst out laughing.

riscaldamento *s.m.* **1** heating: *— a gas*, gas heating; *— a pannelli radianti*, panel heating; *impianto di —*, heating system; *impianto di — centrale*, central heating plant; *impianto di — autonomo*, self-contained heating system **2** (*infiammazione*) inflammation, heat **3** (*eruzione cutanea*) rash.

riscaldare *v.tr.* **1** to warm (up), to heat **2** (*scaldare di nuovo*) to warm up ♦ *v.intr.* (*dare infiammazione*) to cause intestinal inflammation // **-arsi** *v.intr.pron.* **1** to warm up: *— per attrito*, (*fis.*) to run hot **2** (*fig.*) (*irritarsi*) to get* heated.

riscaldata *s.f.* warming up.

riscaldato *agg.* **1** heated, warm: *casa riscaldata*, heated house **2** (*eccitato*) excited; (*arrabbiato*) angry **3** (*di cibo*) warmed up.

riscaldo *s.m.* **1** (*infiammazione*) inflammation **2** (*eruzione cutanea*) rash.

riscattabile *agg.* redeemable.

riscattare *v.tr.* **1** to ransom **2** (*fig.*) (*redimere*) to redeem // **-arsi** *v.rifl.* to redeem oneself.

riscatto *s.m.* **1** redemption **2** (*di prigioniero*) ransom.

rischiaramento *s.m.* lighting up, brightening.

rischiarare *v.tr.* **1** to light (up) **2** (*fig.*) to light up, to brighten (up); (*la mente*) to enlighten; (*render chiaro*) to clear (up) // *— la voce*, to clear one's voice ♦ *v.intr.* (*albeggiare*) to dawn // **-arsi** *v.intr.pron.* **1** (*illuminarsi*) to brighten (up); (*di cielo*) to clear up: *si sta rischiarando*, it is clearing up **2** (*acquistare chiarezza, limpidezza*) to get* clearer (*anche fig.*).

rischiare *v.tr.* e *intr.* to risk (sthg., doing).

rischio *s.m.* risk: *a — di perdere la vita*, at the risk of losing one's life; *correre il — di*, to run the risk of; *agirò a mio — e pericolo*, I'll take the risk; *a — del destinatario*, (*comm.*) at the customer's risk // *valutazione del —*, risk assessment.

rischioso *agg.* risky, dangerous.

risciacquare *v.tr.* to rinse.

risciacquata *s.f.* rinse, rinsing.

risciacquatura *s.f.* **1** (*il risciacquare*) rinsing **2** (*l'acqua*) dishwater.

risciacquo *s.m.* **1** rinse **2** (*liquido*) mouthwash.

risciò *s.m.* rickshaw.

riscontare *v.tr.* (*comm.*) to rediscount.

risconto *s.m.* (*comm.*) rediscount.

riscontrabile *agg.* **1** (*che può essere controllato*) that may be checked **2** (*che può essere trovato*) that may be found.

riscontrare *v.tr.* **1** (*rilevare*) to notice; (*trovare*) to find* **2** (*confrontare*) to compare; (*testi*) to collate **3** (*controllare*) to check, to verify: *— dei conti*, to check (*o* to audit) accounts ♦ *v.tr.* (*corrispondere*) to correspond, to tally.

riscontro *s.m.* **1** (*confronto*) comparison; (*collazione*) collation // *la sua intelligenza non ha —*, nobody can match his intelligence // *queste cose non hanno — nella storia*, these things are not to be found in history **2** (*controllo, verifica*) checking, verification: *il — dei conti*, the checking (*o* audit) of accounts; *fare il — di qlco.*, to check sthg. **3** (*corrente d'aria*) draught **4** (*comm.*) (*risposta*) reply: *in — a*, in reply to.

riscossa *s.f.* **1** (*insurrezione*) revolt, insurrection **2** (*riconquista*) recovery: *andare, muovere alla —*, to counterattack.

riscossione *s.f.* collection; (*di un debito*) recovery.

riscotibile *agg.* collectable.

riscuotere *v.tr.* **1** to shake*, to rouse (*anche fig.*): *— qlcu. dal sonno*, to rouse s.o. from (*o* to shake s.o. out of) one's sleep **2** (*ritirare una somma*) to draw*; (*imposte, tasse*) to collect: *— lo stipendio*, to draw one's salary; *— le tasse*, to collect taxes // *— un assegno*, to cash a cheque **3** (*fig.*) (*ottenere*): *— lodi, applausi*, to win (*o* to earn) praise, applause // **-ersi** *v.intr.pron.* **1** (*ridestarsi*) to wake* up; (*trasalire*) to start: *— dal torpore*, to shake off one's torpore **2**(*fig.*)(*riscattarsi*) to free oneself.

risentimento *s.m.* **1** resentment: *con —*, resentfully; *non ho del — verso di lui*, I bear no resentment against him **2** (*med.*) aftereffects.

risentire *v.tr.* **1** (*provare*) to feel*; (*subire*) to suffer: *— giovamento da una cura*, to feel the good effects of a treatment **2** (*udire di nuovo*) to hear* again; (*ascoltare di nuovo*) to listen again; (*sentire di nuovo*) to feel* again // *a risentirci!*, I'll call you again! ♦ *v.intr.* to show* traces, signs; to feel* the effect: *tutte le opere di questo scrittore risentono delle sue umili origini*, the works of this writer show traces of his humble origins // **-irsi** *v.intr.pron.* to resent (sthg.), to take* offence (at sthg.): *potrebbe risentirsene*, he might take offence at it ♦ *v. rifl.rec.* to hear* from (each other, one another) again // *a risentirci!*, I'll call you again!.

risentito *agg.* **1** resentful **2** (*intenso, rapido*) quick: *trotto —*, quick trot.

riserbare *v.tr.* → **riservare** *nel senso* 2.

riserbo *s.m.* reserve; (*discrezione*) discretion; (*ritegno*) self-restraint.

riserva *s.f.* **1** reserve; (*di merci ecc.*) stock: *— aurea*, gold reserve; *— liquida*, cash reserve; *fondo di —*, (*comm.*) reserve fund; *merci in —*, goods in stock; *avere una buona — di energia*, to have a good reserve of energy; *essere in —*, (*aut.*) to be on the reserve // *senza riserve*, without reserve // *con le dovute riserve*, with due reserve // *fare delle riserve*, to make due reservations

// — *mentale*, mental reservation // *le riserve*, (*mil.* *sport*) the reserves // *truppe di —*, (*mil.*) Reserve // *di —*, (*informatica*) backup **2** (*di caccia, di pesca*) reserve: *cacciare in una —*, to shoot on a reserve.

riservare *v.tr.* **1** to reserve, to keep*; (*prenotare*) to book: — *un posto a teatro*, to book a place at the theatre; — *un tavolo*, (*al ristorante*) to have a table reserved; — *le proprie energie*, to reserve (*o* to keep) one's energies **2** (*tenere in serbo*) to keep* (*anche fig.*), to save (*anche fig.*).

riservatezza *s.f.* reserve; (*discrezione*) discretion.

riservato *agg.* reserved (*anche fig.*) // *lettera riservata*, private (*o* confidential) letter.

riservista *s.m.* (*mil.*) reservist.

risguardo *s.m.* (*tip.*) flyleaf.

risibile *agg.* ridiculous, laughable.

risicolo *agg.* rice (*attr.*).

risicoltura *s.f.* (*agr.*) rice growing.

risiedere *v.intr.* to reside (*anche fig.*).

risiero *agg.* rice (*attr.*).

risma *s.f.* **1** ream **2** (*fig.*) (*spreg.*) kind, sort.

riso[1] *s.m.* (*bot.*) rice: *budino di —*, rice pudding; *farina di —*, rice flour.

riso[2] *s.m.* laugh, laughter: *un — aperto*, a hearty laugh; *uno scroscio di risa*, a burst of laughter; — *beffardo*, sneer; *strappare il risa al pubblico*, to draw a laugh from the audience // *esser preso da un accesso di —*, to be overcome with laughter // *essere oggetto di —*, to be a laughingstock // *il — fa buon sangue*, (*prov.*) laugh and grow fat.

risolare *v.tr.* to resole.

risolatura *s.f.* resoling.

risolino *s.m.* giggle.

risollevare *v.tr.* **1** to lift up again, to raise again (*anche fig.*): — *una questione*, to raise (*o* to bring up) an argument // — *le sorti di un paese*, to improve the conditions of a country **2** (*rallegrare*) to cheer: — *lo spirito*, to cheer (s.o.) up // **-arsi** *v.rifl.* **1** to raise oneself again **2** (*ribellarsi*) to rise*.

risolutezza *s.f.* resolution, resoluteness: *con —*, resolutely.

risolutivo *agg.* resolutive.

risoluto *agg.* resolute, determined.

risolutore *agg.* solving ♦ *s.m.* solver.

risoluzione *s.f.* **1** resolution: *prendere la — di*, to resolve to; *prendere una —*, to take a decision (*o* to make up one's mind) **2** (*mat.*) solution **3** (*dir.*) cancellation.

risolvente *agg.* **1** solving **2** (*med.*) resolvent.

risolvere *v.tr.* **1** to resolve; (*mat.*) to solve, to work out: — *un dubbio*, to resolve a doubt; — *un indovinello*, to solve (*o* to make out) a riddle; — *un problema*, (*fig.*) to solve a problem // — *una questione*, to settle a question **2** (*scomporre*) to break* down, to reduce: — *un composto nei suoi elementi*, to break a compound down into (*o* to reduce a compound to) its elements **3** (*decidere*) to decide: *risolse di partire*, he decided to leave **4** (*dir.*) (*sciogliere*) to cancel, to annul: — *un contratto*, to cancel (*o* to annul) a contract // **-ersi** *v.intr.pron.* **1** (*tramutarsi*) to turn (into sthg.), to change (into sthg.): *le nubi si risolsero in pioggia*, the clouds turned into rain // *tutto si risolse in nulla*, it all came to nothing **2** (*decidersi*) to decide, to make* up one's mind **3** (*di malattia*) to clear up.

risolvibile *agg.* **1** solvable, resolvable **2** (*dir.*) rescindable.

risolvibilità *s.f.* solubility, solvability.

risonante *agg.* resonant, resounding.

risonanza *s.f.* **1** (*fis.*) resonance **2** (*eco*) echo: *quell'avvenimento ebbe vasta —*, that event caused great interest.

risonare *v.intr.* to ring* out; (*riecheggiare*) to resound, to echo: *le campane risonarono a lungo*, the bells rang out for a long time; *la sua fama risuona per tutto il mondo*, his fame resounds all over the world // *le sue parole mi risuonano ancora negli orecchi*, his words are still ringing in my ears // *— (il campanello)* to ring* again.

risorgere *v.intr.* **1** to rise* again; (*rinascere, rifiorire*) to revive: *le arti risorsero*, the arts revived **2** (*risuscitare*) to resurrect, to rise* again // *far —*, to revive.

risorgimentale *agg.* renaissance (*attr.*).

risorgimento *s.m.* revival, renaissance.

risorsa *s.f.* **1** resource **2** (*informatica*) facility.

risotto *s.m.* (*cuc.*) "risotto": — *alla milanese*, "risotto" with saffron.

risovvenire *v.tr.*, **risovvenirsi** *v.intr.pron.* (*letter.*) to remember, to recollect.

risparmiare *v.tr.* **1** to save (*anche fig.*): *se vai in automobile risparmierai tempo*, you'll save time if you go by car; *comprando la scatola grande ho risparmiato 1000 lire*, buying the large-size box saved me 1000 liras; — *fiato, energie*, to save one's breath, one's energies // — *un cavallo*, to spare a horse **2** (*fare risparmi; mettere da parte denaro*) to save (up): *ha risparmiato tutta la vita*, he has been saving up all his life; *quanto riesci a — al mese?*, how much do you manage to save (*o* to put away) every month? **3** (*fare a meno di, evitare*) to spare; to save: *usa il telefono e risparmiati di venire*, use the telephone and spare (*o* save) yourself a visit; *se vieni tu mi risparmi una fatica*, if you come, you'll save me the trouble; *risparmiami i particolari*, spare me the details **4** (*salvare*) to spare: — *la vita a qlcu.*, to spare s.o.'s life; *la crisi non ha risparmiato nessuno*, the crisis affected everybody (*o* nobody was spared by the crisis) // **-arsi** *v.rifl.* to spare oneself: *si è dedicato al lavoro senza mai —*, he never spared himself in his dedication to his work.

risparmiatore *s.m.* saver; (*persona economa*) thrifty person.

risparmio *s.m.* **1** saving: *senza —*, lavishly (*o* profusely); — *forzoso*, forced saving **2** (*denaro risparmiato*) savings (*pl.*): *cassa di —*, savings bank (*o* penny -bank) // *fare dei risparmi*, to save (*o* to economize).

rispecchiare *v.tr.* to reflect, to mirror (*anche fig.*).

rispedire *v.tr.* **1** (*spedire di nuovo*) to send* again; (*comm.*) (*spec. per mare*) to reship; (*per terra*) to reforward **2** (*spedire indietro*) to send* back; (*comm.*) to ship back.

rispettabile *agg.* **1** respectable // *il — pubblico è pregato di...*, the public are kindly requested to... **2** (*considerevole*) considerable.

rispettabilità *s.f.* respectability.

rispettare *v.tr.* to respect: *farsi —*, to make oneself respected (*o* to command respect); *far — la legge*, to enforce the law; — *la tradizione*, to be respectful of tradition.

rispettivo *agg.* respective.

rispetto *s.m.* **1** respect: *il — della legge*, the observance of the law; *il — di sé stesso*, self-respect; *incutere —*, to command (*o* to inspire) respect; *la salutò col dovuto —*, he greeted her with all due respect (*o* reverence); *è una grave mancanza di —*, it is a serious lack of respect; *portare — a qlcu.*, to respect s.o.; *mancare di —*

a qlcu., to be lacking in respect towards (o to be disrespectful to) s.ó.; *parlare con* —, to speak respectfully // — *umano*, human respect: *non ha alcun* — *umano*, he doesn't care what people think // *con* — *parlando*, if you'll excuse my saying 2 (*aspetto, relazione*) respect: *sotto molti, tutti i rispetti*, in many, in all respects // — *a*, (*in relazione a*) as regards (o as to); (*in confronto*) in comparison with (o compared with).

rispettoso *agg.* respectful.

risplendente *agg.* bright (*anche fig.*), shining (*anche fig.*); (*scintillante*) sparkling (*anche fig.*).

risplendere *v.intr.* to shine* (*anche fig.*); (*scintillare*) to sparkle (*anche fig.*): *il suo viso risplendeva di gioia*, his face was shining with joy // *il suo nome risplenderà nei secoli*, his name will be famous through the centuries.

rispolverare *v.tr.* 1 to dust (again) 2 (*fig.*) (*rinfrescare*) to brush up.

rispondente *agg.* in keeping (with).

rispondenza *s.f.* correspondence; (*accordo*) agreement; (*armonia*) harmony.

rispondere *v.intr.* 1 to answer (s.o., sthg.), to reply: — *a una domanda*, to answer (o to reply to) a question; — *al saluto di qlcu.*, to return (o to acknowledge) s.o.'s greeting; — *a voce*, to give a verbal answer; — *con un cenno del capo*, to nod (o to reply with a nod); — *per iscritto*, to answer (o to reply) in writing // — *male*, to answer rudely // — *al nome di*, to answer to the name of // — *a mezza bocca*, to answer reluctantly 2 (*rimbeccare*) to answer back 3 (*essere responsabile*) to answer (for s.o., sthg.), to be* responsible (for s.o., sthg.): *dovrai — del tuo ritardo*, you will have to answer for your delay 4 (*corrispondere*) to answer (sthg., o sthg.): — *all'attesa di qlcu.*, to come up to (o to be equal to) s.o.'s expectations 5 (*obbedire*) to respond: *questo motore non risponde*, this engine does not respond; *il paziente non risponde alle cure*, the patient is not responding to treatment ♦ *v.tr.* 1 to answer: — *dì sì, di no*, to answer yes, no; — *poche parole*, to say a few words in reply; — *poche righe*, to write a few words in reply 2 (*a carte*) to reply // — *picche*, (*fig.*) to refuse flatly.

risposta *s.f.* 1 answer, reply: — *secca*, sharp answer; *in* — *a*, in reply to; *lasciare una lettera senza* —, to leave a letter unanswered; *avere la* — *pronta*, to have a pat answer; *trovare una* — *a tutto*, to find an answer for everything; *per tutta* — *incominciò a insultarmi*, his only answer was to insult me 2 (*scherma*) riposte.

rispuntare *v.intr.* 1 (*riapparire*) to reappear; (*di astri*) to rise* again 2 (*di rami, germogli*) to sprout again.

rissa *s.f.* brawl, riot.

rissosità *s.f.* quarrelsomeness.

rissoso *agg.* quarrelsome.

ristabilimento *s.m.* 1 reestablishment, restoration 2 (*recupero della salute*) recovery.

ristabilire *v.tr.* to reestablish, to restore // **-irsi** *v. intr.pron.* 1 (*stabilirsi di nuovo*) to resettle, to settle again 2 (*rimettersi*) to recover, to get* well again.

ristagnare *v.intr.* 1 (*impaludarsi*) to stagnate, to be* stagnant 2 (*fig.*) to stagnate, to be* at a standstill; (*comm.*) to be* slack.

ristagno *s.m.* 1 stagnation 2 (*inerzia*) dullness; (*comm.*) slackness.

ristampa *s.f.* 1 reprint, (new) impression: *sesta* —, sixth impression (o sixth printing) 2 (*il ristampare*) reprinting: *questo libro è in* —, this book is being reprinted.

ristampare *v.tr.* to reprint.

ristorante *s.m.* restaurant; (*di stazione*) refreshment room, buffet.

ristorare *v.tr.* to refresh, to restore (*anche fig.*) // **-arsi** *v.rifl.* to refresh oneself.

ristoratore *agg.* restorative, refreshing ♦ *s.m.* refreshment room.

ristoro *s.m.* relief, solace // *posto di* —, refreshment room.

ristrettezza *s.f.* 1 narrowness (*anche fig.*): — *di idee*, narrow-mindedness 2 (*insufficienza*) lack // *in ristrettezze finanziarie*, in straitened circumstances.

ristretto *agg.* 1 narrow; (*limitato*) limited, restricted: *idee ristrette*, narrow ideas; *passaggio* —, narrow passage; *nel senso più* —, in the narrowest sense 2 (*scarso*) scanty, poor 3 (*condensato*) condensed (*anche fig.*).

ristrutturare *v.tr.* to restructure; (*un edificio*) to refurbish.

ristrutturazione *s.f.* (*di edificio*) refurbishment (o refurbishing); (*di società, ditta*) restructuring.

risucchiare *v.tr.* 1 to suck again 2 (*attirare nel risucchio*) to suck in.

risucchio *s.m.* eddy, whirlpool.

risultante *agg.* resulting, resultant ♦ *s.f.* resultant.

risultanza *s.f.* (*spec. pl.*) result, issue.

risultare *v.intr.* 1 to result, to ensue; (*apparire*) to come* out, to appear: *dall'inchiesta risultò che...*, in the enquiry it came out that...; *ciò risultò dai fatti*, this resulted from the facts; *dalle sue parole risulta che...*, from his words it appears that...; *da ciò risultò molta confusione*, great confusion ensued; *ne risulta che...*, consequently... (o the result is that...); *la sua responsabilità risultò dai fatti*, his responsibility was shown by the facts; *risulta chiaro che...*, it is clear (o evident) that... 2 (*essere noto*): *mi risulta che sia un buon traduttore*, I am told he is a good translator; *questo non mi risulta*, I do not know anything about that; *ti risulta?*, have you heard of it? 3 (*dimostrarsi, rivelarsi*) to turn out: *risultò che la collana era falsa*, the necklace turned out to be false; *alla fine il costo risultò trascurabile*, the cost turned out to be negligible.

risultato *s.m.* result: — *di parità*, (*sport*) draw (o tie) // *eccone il* —!, that is what it led to!

risuolare *v.tr.* → **risolare**.

risuonare *v.intr.* → **risonare**.

risurrezione *s.f.* resurrection.

risuscitare *v.tr.* to resuscitate; (*fig.*) to revive: — *dall'oblio*, to rescue from oblivion // — *i morti*, to raise the dead ♦ *v.intr.* to rise* again, to return to life.

risvegliare *v.tr.*, **risvegliarsi** *v.intr.pron.* 1 to awake (n)*, to wake* (up): *la natura si risveglia in primavera*, nature wakes (o comes to life) in spring 2 (*fig.*) to awake(n)*, to revive: — *l'interesse di qlcu.*, to awake s.o.'s interest; — *ricordi*, to stir up (o to rouse) memories.

risveglio *s.m.* 1 awakening: *al suo* — *trovò che...*, when he woke up he found that... 2 (*fig.*) revival.

risvolto *s.m.* 1 (*della giacca*) lapel; (*delle maniche*) cuff; (*della tasca*) flap; (*dei pantaloni*) turn-up; (*amer.*) cuff 2 (*tip.*) (jacket) flap.

ritagliare *v.tr.* 1 to cut* out 2 (*tagliare di nuovo*) to cut* again.

ritaglio *s.m.* 1 cutting: — *di giornale*, clipping (o cutting) // — *ritagli di tempo*, spare time 2 (*spec. pl.*) (*pezzetti*) scraps (*pl.*).

ritardare *v.tr.* 1 to delay, to retard 2 (*differire*) to delay, to put* off ♦ *v.intr.* to be* late; (*di orologio*) to be* slow: — *a fare qlco.*, to be late in doing sthg.

ritardatario *s.m.* latecomer; (*nel pagare*) defaulter.

ritardato *agg.* **1** delayed: *scoppio* —, delayed explosion **2** (*psic.*) retarded: — *mentale*, mentally retarded.

ritardo *s.m.* **1** delay: *un mese di* —, *un* — *di un mese*, a month's delay; *avere un* — *di mezz'ora*, to be half -an-hour late // *in* —, late; *essere in* — (*di un'ora*), to be (an hour) late; *arrivare in* —, to arrive late // *scusate il* —, excuse my being late **2** (*mus.*) ritardando.

ritegno *s.m.* reserve; (*freno*) restraint: *con, senza* —, with, without reserve; *parlare senza* —, to speak out.

ritemprare *v.tr.* **1** to strengthen, to fortify: — *le forze*, to restore one's strength; — *lo spirito*, to strengthen one's spirit **2** (*metalli*) to harden again // **-arsi** *v.rifl.* to get* stronger.

ritenere *v.tr.* **1** to think*, to believe; (*considerare*) to consider: *lo ritengo impossibile*, I think it is impossible; *non lo ritengo capace di rubare*, I do not think he is capable of stealing; — *qlcu. intelligente*, to consider s.o. (to be) clever; — *qlcu. responsabile di qlco.*, to hold s.o. responsible for sthg. **2** (*trattenere*) to hold* // — *una somma dallo stipendio di qlcu.*, to deduct a sum from s.o.'s salary **3** (*ricordare*) to remember // **-ersi** *v.rifl.* to consider oneself, to think*: *si ritiene intelligente*, he thinks he is clever.

ritentiva *s.f.* retention; (*memoria*) memory.

ritenuta *s.f.* (*comm.*) deduction: *ritenute salariali*, payroll deductions; *wage deductions* // — *fiscale*, tax before receipt.

ritenuto *agg.* reserved; (*cauto*) cautious.

ritenzione *s.f.* retention.

ritirare *v.tr.* **1** to withdraw*, to draw* back **2** (*fig.*) (*ritrattare*) to retract, to withdraw*: — *un'accusa, una promessa*, to retract (*o* to withdraw) an accusation, a promise // — *la parola data*, to take back one's word // *ritiro ciò che ho detto*, I take back what I said **3** (*riscuotere*) to draw*, to withdraw*; (*farsi consegnare*) to collect: — *lo stipendio*, to draw one's salary; — *un pacco*, to collect a parcel // *l'insegnante gli ritirò il foglio*, the teacher confiscated his paper // — *la patente, il passaporto a qlcu.*, to withdraw s.o.'s licence, passport **4** (*lanciare di nuovo*) to throw* again; (*lanciare indietro*) to throw* back // **-arsi** *v.rifl.* **1** to withdraw*: — *da un esame*, to withdraw from an examination; *le truppe si ritirarono*, the troops withdrew (*o* retreated) // *la Corte si ritira*, the Court is adjourned **2** (*cessare un'attività; appartarsi*) to retire: — *dagli affari, dalla politica*, to retire from (*o* to give up) business, politics; — *a vita privata, in campagna*, to retire into private life, into the country ♦ *v.intr.pron.* **1** (*restringersi*) to shrink*: *lavandolo il golf si è ritirato*, the pullover shrank in the wash **2** (*arretrare*) to recede, to draw* back.

ritirata *s.f.* **1** retreat: *battere in* —, (*anche fig.*) to beat a retreat; — *strategica*, strategic retreat **2** (*in caserma*) tattoo: *suonare la* —, to beat (*o* to sound) the tattoo **3** (*latrina*) lavatory, toilet.

ritirato *agg.* retired; (*di luogo*) secluded: *vita ritirata*, retired life.

ritiro *s.m.* **1** withdrawal; (*il ritirarsi*) retirement: — *della patente*, withdrawal of one's licence; — *dalla vita politica*, retirement from political life **2** (*il farsi consegnare*) collection **3** (*luogo appartato*) retreat // — *spirituale*, spiritual retreat.

ritmare *v.tr.* to rhythmize, to put* rhythm (into sthg.) // — *il tempo*, to beat time.

ritmato *agg.* rhythmical: *prosa ritmata*, rhythmical prose // *passo* —, measured tread.

ritmica *s.f.* rhythmic(s).

ritmico *agg.* rhythmic(al).

ritmo *s.m.* **1** rhythm (*anche fig.*): — *delle vendite*, sales rate **2** (*informatica*) clock time.

rito *s.m.* **1** (*eccl.*) rite: — *ambrosiano*, Ambrosian rite // *con* — *civile*, by civil ceremony **2** (*usanza*) custom, use: *è di* — *andare...*, it is the custom to go...

ritoccare *v.tr.* **1** to retouch, to touch up: — *una fotografia*, to retouch a photograph // *ritoccarsi le labbra*, to touch up one's lipstick **2** (*toccare di nuovo*) to touch again // *ritocca a te*, it's your turn again.

ritoccata *s.f.* retouching, touching up.

ritoccatore *s.m.* retoucher.

ritoccatura *s.f.*, **ritocco** *s.m.* retouch; (*aggiunta*) additional touch: *fare, apportare qualche* — *a qlco.*, to touch up sthg.

ritogliere *v.tr.* **1** to take* off again **2** (*riprendersi*) to take* back: — *qlco. a qlcu.*, to take sthg. back from s.o.

ritorcere *v.tr.* **1** to twist again **2** (*ind. tessile*) to twist (*fig.*) to retort: — *un'accusa contro qlcu.*, to retort an accusation upon s.o. // **-ersi** *v.intr.pron.* to recoil on, to rebound on.

ritorcitura *s.f.* (*ind. tessile*) twisting.

ritornare *v.tr.* **1** to return; (*andare indietro*) to go* back; (*venire indietro*) to come* back: *l'ho incontrato ritornando dalla chiesa*, I met him on my way back from church; *mi fece segno di* —, he waved me back // — *su un argomento*, to come back to a subject; — *sopra una decisione*, to go back on a decision // — *in sé*, to come round; (*rinsavire*) to come to one's senses **2** (*ricorrere*) to recur **3** (*ridiventare*) to become* again: *il tempo ritorna sereno*, it is clearing up again ♦ *v.tr.* to return, to give* back.

ritornello *s.m.* refrain // *non ripetere sempre lo stesso* —!, (*fig.*) don't always harp on the same string!

ritorno *s.m.* **1** return: *al mio* —, on my return; *mi fermerò al* —, *sulla via del* —, I'll stop here on my way back (*o* when coming back); *far* —, to return; *essere di* —, to be back // *partita di* —, (*sport*) return match // *conto di* —, return account; *merci di* —, returns // *vuoti di* —, empties **2** (*informatica*) backtracking.

ritorsione *s.f.* retorsion (*anche fig.*).

ritorto *agg.* twisted ♦ *s.m.* twisted yarn.

ritrarre *v.tr.* **1** to withdraw*, to draw* back // — *lo sguardo da qlco.*, to look away from sthg. **2** (*ricavare*) to draw*, to derive **3** (*riprodurre*) to portray, to depict: *farsi* —, to have one's portrait painted // **-arsi** *v.rifl.* **1** to withdraw*; (*sottrarsi*) to shrink* **2** (*farsi il ritratto*) to portray oneself.

ritrattabile *agg.* retractable.

ritrattare *v.tr.* **1** to treat again; (*rioccuparsi di*) to deal* (with sthg.) again **2** (*ritirare*) to retract, to withdraw* // **-arsi** *v.rifl.* to recant, to retract.

ritrattazione *s.f.* retraction, recantation.

ritrattista *s.m. e f.* portraitist; (*pittore*) portrait painter.

ritrattistico *agg.* portrait (*attr.*).

ritratto *agg.* **1** (*tratto indietro*) drawn back, withdrawn **2** (*rappresentato*) portrayed, depicted, drawn ♦ *s.m.* **1** portrait: — *a olio*, portrait in oils; — *intero*, a full-length portrait; — *a mezzo busto*, a half-length portrait; *fare il* —, (*dipingere*) to paint a portrait; (*descrivere*) to draw a portrait **2** (*fig.*) picture, image.

ritrazione *s.f.* retraction.

ritrito *agg.*: *trito e* —, trite (*o* hackneyed).

ritrosia *s.f.* **1** (*riluttanza*) reluctance **2** (*timidezza*) shyness; (*spec. di fanciulla*) coyness.

ritroso *agg.* **1** backward; (*che torna indietro*) retreating // *a* —, backwards; (*contro*) against **2** (*riluttante*) reluctant, unwilling **3** (*scontroso*) sullen; (*timido*) shy, bashful; (*spec. di fanciulla*) coy.

ritrovamento *s.m.* finding again; (*scoperta*) discovery.

ritrovare *v.tr.* **1** to find* again: *la chiave è stata ritrovata*, the key has been found **2** (*recuperare*) to recover // *il tempo perduto non si ritrova più*, lost time can never be made up **3** (*scoprire*) to discover, to find* **4** (*incontrare di nuovo*) to meet* again // **-arsi** *v.rifl.* **1** to find* oneself: *alla fine mi sono ritrovato al punto di partenza*, at the end I found myself back where I had started (*o* back to square one) **2** (*incontrarsi di nuovo*) to meet* again **3** (*raccapezzarsi*) to see* one's way: *non mi ci ritrovo*, I do not know the way.

ritrovato *s.m.* **1** (*invenzione*) invention; (*scoperta*) discovery **2** (*espediente*) expedient.

ritrovo *s.m.* **1** meeting place; (*circolo*) club; (*notturno*) nightclub **2** (*riunione*) reunion, gathering.

ritto *agg.* upright, erect; (*diritto*) straight: *a coda ritta*, with tail erect; *stare* —, to stand upright // *capelli ritti per lo spavento*, hair standing on end with fright // — *come un fuso*, as straight as a post ♦ *s.m.* (*atletica leggera*) high jump upright.

rituale *agg.* **1** ritual **2** (*conforme all'abitudine*) customary ♦ *s.m.* **1** (*eccl.*) ritual **2** (*cerimoniale*) ceremonial.

ritualismo *s.m.* (*st. relig.*) ritualism.

ritualista *agg.* e *f.* (*st. relig.*) ritualist.

riunione *s.f.* meeting, reunion, gathering: — *sportiva*, sports-meeting; (*amer.*) meet; *prendere parte a una* —, to attend a meeting.

riunire *v.tr.* **1** (*radunare*) to gather, to put* together: *riunì tutti i concorrenti nella sala delle assemblee*, he assembled all the competitors in the assembly hall **2** (*unire*) to join together; (*combinare*) to combine **3** (*riconciliare*) to reconcile, to bring* together again // **-irsi** *v.rifl.* **1** to reunite, to come* together again **2** (*unirsi, allearsi*) to unite; (*adunarsi*) to meet*, to get* together: *domani si riunisce il Parlamento*, Parliament will meet tomorrow.

riunito *agg.* united.

riuscire *v.intr.* **1** to succeed (in sthg., in doing); (*cavarsela*) to manage; (*avere determinato esito*) to come* out, to turn out: *non riuscivo a capire perché*, I couldn't understand why; *non riuscii ad andarci*, I was not able to go there; *non* — *a superare un esame*, to fail to pass an examination; *provati se ti riesce!*, try if you can!; *questo dolce è riuscito molto bene*, this cake has turned out very well; *questo ragazzo riuscirà*, this boy will go a long way; — *negli affari*, to be successful in business; *la festa è riuscita bene*, the party was a success; (*non*) — *bene in fotografia*, (not) to come out very well **2** (*avere attitudine, capacità*) to be* good (at sthg., at doing), to be* clever (at sthg., at doing): *riesce bene nelle materie scientifiche*, he's good at scientific subjects **3** (*apparire, risultare*) to be*; (*dimostrarsi*) to prove: *riesce antipatico a tutti*, everybody dislikes him; *il suo nome non mi riesce nuovo*, his name sounds familiar **4** (*giungere*) to come* (to a place), to arrive (at, in a place); (*sboccare*) to lead* (to a place) **5** (*uscire di nuovo*) to go* out again.

riuscita *s.f.* (*risultato*) issue, result; (*successo*) success: *brindiamo alla* — *del tuo progetto*, let's drink to the success of your project; *questa stoffa ha fatto una buona, cattiva* —, this cloth has worn, has not worn well; *cattiva* —, lack of success (*o* failure); *qualunque sia la* — *dell'impresa*, whatever the outcome of the undertaking may be.

riuscito *agg.* successful; *mal* — unsuccessful.

riutilizzare *v.tr.* to utilize again.

riva *s.f.* **1** (*di mare, lago*) shore: *toccare la* —, to set foot on shore; *sulla* — *del mare*, on the seashore **2** (*di fiume, canale*) bank.

rivaccinazione *s.f.* new vaccination.

rivale *agg.* rival (*attr.*) ♦ *s.m.* e *f.* rival, competitor: *rivali in affari*, business competitors; *non aver rivali*, to be unrivalled.

rivaleggiare *v.intr.* to rival (s.o.), to vie.

rivalersi *v.intr.pron.* to make* good one's losses, to make* up for one's losses; (*su qlcu.*) to make* (s.o.) pay: — *di un danno su qlcu.*, to make good (*o* up for) a loss at s.o.'s expense.

rivalità *s.f.* rivalry.

rivalsa *s.f.* **1** (*rivincita*) revenge **2** (*risarcimento*) compensation.

rivalutare *v.tr.* to revalue.

rivalutazione *s.f.* revaluation.

rivangare *v.tr.* e *intr.* to dig* up again (*anche fig.*): *non* — *il passato*, let bygones be bygones.

rivedere *v.tr.* **1** (*vedere di nuovo*) to see* again; (*incontrare*) to meet* again **2** (*un luogo*) to return (to a place) **3** (*correggere*) to revise; (*verificare*) to check: — *i conti*, to check the accounts; (*ufficialmente*) to audit the accounts **4** (*ripassare*) to look over again **5** (*mecc.*) to overhaul // **-ersi** *v.rifl.rec.* to see* (each other, one another) again, to meet* again.

rivedibile *agg.* **1** revisable **2** (*mil.*) temporarily unfit.

rivelabile *agg.* revealable.

rivelare *v.tr.* to reveal // **-arsi** *v.rifl.* to reveal oneself, to show* oneself; (*dimostrarsi*) to come* out, to turn out, to prove.

rivelatore *agg.* revealing ♦ *s.m.* **1** revealer **2** (*tecn.*) detector: — *di incendio*, fire detector **3** (*chim. fot.*) developer.

rivelazione *s.f.* revelation.

rivendere *v.tr.* **1** to resell*, to sell* again **2** (*al dettaglio*) to retail, to sell* retail.

rivendibile *agg.* resaleable.

rivendicare *v.tr.* to claim.

rivendicatore *agg.* claiming ♦ *s.m.* claimant, claimer.

rivendicazione *s.f.* claim.

rivendita *s.f.* **1** (*il rivendere*) resale **2** (*negozio*) shop; (*di tabacchi*) tobacconist's.

rivenditore *s.m.* retailer.

riverberare *v.tr.* to reverberate // **-arsi** *v.intr.pron.* to be* reflected (*anche fig.*); (*di suono*) to be* reechoed.

riverberazione *s.f.* reverberation.

riverbero *s.m.* reverberation; (*bagliore*) glare // *di* —, indirectly // *lampada a* —, reverberator.

riverente *agg.* reverent.

riverenza *s.f.* **1** reverence; (*rispetto*) respect **2** (*inchino*) bow; (*di donna*) curtsey: *fare una* —, to drop a curtsey.

riverire *v.tr.* **1** to revere; (*rispettare*) to respect; (*onorare*) to honour **2** (*ossequiare*) to pay* one's respects (to s.o.) // *riverisco!*, my respects!

riverito *agg.* revered; (*rispettato*) respected.

riverniciare *v.tr.* to repaint.

riversare *v.tr.* **1** to pour (again) **2** (*versare*) to pour // *questo fiume riversa le sue acque nel mare*, this river flows into the sea // — *l'affetto sui figli*, to shower one's affection on one's children // — *la colpa su qlcu.*, to throw (*o* to lay) the blame on s.o. // **-arsi** *v.intr.pron.* to flow; (*fig.*) to pour.

riverso *agg.* on one's back (*pred.*).

rivestimento *s.m.* covering: — *di legno*, wooden covering // — *interno*, lining.

rivestire *v.tr.* **1** to dress again **2** (*fornire di nuovi vestiti*) to provide with new clothes **3** (*ricoprire*) to cover (with sthg.); (*foderare*) to line (with sthg.) **4** (*fig.*) to hold*: — *una carica, un grado*, to hold a position, a rank // *un problema che riveste una grande importanza*, a problem that is of primary importance // **-irsi** *v.rifl.* to dress (oneself) again, to clothe oneself (in sthg.) (*anche fig.*).

rivestito *agg.* **1** dressed (in) **2** (*ricoperto*) covered (with); (*foderato*) lined (with).

rivestitura *s.f.* covering.

riviera *s.f.* coast // *in* —, on the Riviera.

rivierasco *agg.* coast (*attr.*); coastal.

rivincita *s.f.* **1** (*sport*) return match; (*al gioco*) return game **2** revenge: *prendersi la* —, to take one's revenge.

rivista *s.f.* **1** (*mil.*) review; (*parata*) parade: *passare in* — *le truppe*, to review the troops **2** (*periodico*) review; (*rotocalco*) magazine: — *aziendale*, house magazine **3** (*teatr.*) variety show.

rivisto *agg.* (*revisionato*) overhauled.

rivivere *v.intr.* to live again // *sentirsi* —, to feel (like) a new man // *fare* — *un'usanza*, to revive a custom ♦ *v.tr.* to live again.

riviviscenza *s.f.* reviviscence.

rivo *s.m.* brook, rivulet.

rivolere *v.tr.* **1** to want again **2** (*volere indietro*) to want back.

rivolgere *v.tr.* **1** to turn: *rivolse gli occhi al cielo*, he turned his eyes to heaven **2** (*indirizzare*) to address: *mi rivolse la parola in francese*, he addressed me in French; *non gli rivolge più la parola*, she doesn't talk to him any more **3** (*rigirare*) to turn // — *qlco. nella mente*, to brood over sthg. **4** (*rovesciare*) to turn inside out **5** (*distogliere*) to turn away; (*dissuadere*) to dissuade // **-ersi** *v.rifl.* **1** to turn; (*indirizzarsi*) to address (s.o.) **2** (*ricorrere*) to apply // *per ulteriori informazioni* — *a...*, for further information apply to... **3** (*dirigersi*) to make* for (a place).

rivolgimento *s.m.* upheaval (*anche fig.*).

rivolo *s.m.* rivulet.

rivolta *s.f.* revolt; (*mar. mil.*) mutiny.

rivoltante *agg.* revolting, disgusting.

rivoltare *v.tr.* **1** to turn (over): *voltò e rivoltò quelle pagine*, he turned those pages over and over again // — *un vestito*, to turn a dress // — *l'insalata*, to mix a salad **2** (*fig.*) to upset*: — *lo stomaco*, to upset one's stomach // **-arsi** *v.rifl.* **1** to turn (over) // *a quella vista mi si rivoltò lo stomaco*, at that sight my stomach turned // — *nella tomba*, to turn in one's grave **2** (*ribellarsi*) to revolt.

rivoltata *s.f.* turning over.

rivoltatura *s.f.* turning.

rivoltella *s.f.* **1** revolver // — *a sei colpi*, six-shooter **2** (*utensile*) gun.

rivoltellata *s.f.* revolver shot.

rivolto *agg.* turned (back).

rivoltolare *v.tr.* to turn (over) // **-arsi** *v.rifl.* to roll about.

rivoltoso *agg.* rebellious ♦ *s.m.* rebel.

rivoluzionare *v.tr.* to revolutionize // — *una stanza*, to mess up a room.

rivoluzionario *agg. e s.m.* revolutionary // *tribunale* —, revolution tribunal.

rivoluzione *s.f.* revolution // *la* — *francese*, the French revolution // — *industriale*, industrial revolution // *la* — *d'ottobre*, the October revolution.

rivulsione *s.f.* (*med.*) revulsion.

rivulsivo *agg.* (*med.*) revulsive.

rizoma *s.m.* (*bot.*) rhizome.

rizzare *v.tr.* **1** to raise // — *le orecchie*, (*anche fig.*) to prick up one's ears // *far* — *i capelli*, to make one's hair stand on end **2** (*erigere*) to erect // **-arsi** *v.rifl.* to stand* up; (*di capelli*) to stand* on end.

roano *agg. e s.m.* roan.

roba *s.f.* stuff: — *da due soldi*, cheap stuff // *questa* — *è mia*, this belongs to me // — *da mangiare*, something to eat // — *da matti!*, crazy things! // — *da niente*, nothing // *bella* —!, (*iron.*) a fine thing (indeed)! // *che* —!, what a mess! // *non desiderare la* — *d'altri*, (*Bibbia*) thou shalt not covet thy neighbour's goods.

robaccia *s.f.* rubbish, dirt.

Roberto *no.pr.m.* Robert.

robinia *s.f.* (*bot.*) robinia.

robivecchi *s.m.* second-hand dealer.

roboante *agg.* → **reboante**.

robot *s.m.* robot.

robotica *s.f.* robotics.

robustezza *s.f.* **1** strength; (*vigoria*) sturdiness **2** (*fig.*) vigour.

robusto *agg.* **1** strong; (*vigoroso*) sturdy // *scarpe robuste*, stout shoes // *è un po' robusta*, she is rather stout **2** (*fig.*) vigorous.

rocambolesco *agg.* daring, bold.

rocca[1] *s.f.* **1** fortress **2** *cristallo di* —, rock crystal.

rocca[2] *s.f.* (*conocchia*) distaff.

roccaforte *s.f.* stronghold (*anche fig.*).

rocchetto[1] *s.m.* **1** reel: — *di filo*, reel of thread **2** (*elettr.*) coil; (*mecc.*) sprocket.

rocchetto[2] *s.m.* (*eccl.*) rochet.

rocchio *s.m.* (*arch.*) drum.

roccia *s.f.* rock // *fare della* —, to do rock-climbing.

rocciatore *s.m.* rock-climber.

roccioso *agg.* rocky // *le Montagne Rocciose*, the Rocky Mountains (*o* the Rockies).

rocco *s.m.* (*eccl.*) crosier.

roccolo *s.m.* net for catching birds.

roco *agg.* hoarse.

rococò *agg. e s.m.* rococo.

rodaggio *s.m.* running-in // *un'automobile in* —, a car being run-in // *in* —, (*fig.*) on trial.

Rodano *no.pr.m.* Rhone.

rodare *v.tr.* (*aut.*) to run* in.

rodere *v.tr.* **1** to gnaw // *un osso duro da* —, a hard nut to crack **2** (*corrodere*) to corrode, to eat* (into sthg.) **3** (*fig.*) to gnaw (at sthg.) // *il rimorso lo rode*, remorse is wearing him out // *roso dalla gelosia*, eaten up with jealousy // **-ersi** *v.rifl.* to worry, to be* worried; (*consumarsi*) to be* consumed: — *di rabbia*, to seethe with rage.

Rodi *no.pr.f.* Rhodes.

rodimento *s.m.* **1** gnawing **2** (*fig.*) worry.

roditore *s.m.* (*zool.*) rodent // *i roditori*, rodents, rodentia.

rododendro *s.m.* (*bot.*) rhododendron.

Rodolfo *no.pr.m.* Rudolph.

rodomontata *s.f.* rodomontade.

rodomonte *s.m.* rodomont.

Roentgen e *deriv.* → **Röntgen** e *deriv.*

rogante *s.m.* (*dir.*) petitioner.

rogare *v.tr.* (*dir.*) to draw* up.

rogatario *s.m.* (*dir.*) draughtsman (*pl.* -men).

rogatoria *s.f.* (*dir.*) request.

rogatorio *agg.* (*dir.*) rogatory.

rogito *s.m.* (*dir.*) deed.

rogna *s.f.* **1** scabies; (*di cani, pecore*) mange **2** (*di piante*) scab **3** (*fig.*) nuisance // *cercar rogne*, to be looking for trouble.

rognone *s.m.* (*cuc.*) kidney.

rognoso *agg.* **1** scabby; (*di cani, pecore*) mangy **2** (*fig.*) troublesome: *è un lavoro* —, it's a troublesome job.

rogo *s.m.* **1** (*supplizio*) stake **2** (*pira*) (funeral) pyre **3** (*incendio*) fire // *tutta la casa divenne un* —, the whole house went up in flames.

rollare *v.intr.* (*mar.*) to roll.

rollata *s.f.* (*mar.*) roll.

rollino *s.m.* (*fot.*) film.

rollio *s.m.* (*mar.*) rolling.

Roma *no.pr.f.* Rome // *capire* — *per Toma*, to have the wrong end of the stick.

romancio *agg.* e *s.m.* Romans(c)h.

romanesco *agg.* Roman.

Romania *no.pr.f.* R(o)umania.

romanico *agg.* e *s.m.* (*arch.*) Romanesque.

romanità *s.f.* **1** Roman spirit **2** (*il mondo romano*) Roman world.

romano *agg.* Roman: *numeri romani*, Roman numerals // *fare alla romana*, to go Dutch ♦ *s.m.* Roman.

romanticheria *s.f.* romantic fancies (*pl.*).

romanticismo *s.m.* **1** (*st. lett.*) Romanticism **2** (*fig.*) (*sentimentalismo*) sentimentalism.

romantico *agg.* romantic.

romanza *s.f.* (*poesia mus.*) romance; (*di melodramma*) aria.

romanzare *v.tr.* to romanticize: — *la realtà*, to make a romance out of reality.

romanzato *agg.* romanticized.

romanzesco *agg.* **1** romantic **2** (*da romanzo*) novel -like // *la sua vita è una realtà romanzesca*, his life seems pure fiction // *un personaggio* —, a character straight out of a book.

romanziere *s.m.*, novelist.

romanzo *agg.* Romance.

romanzo *s.m.* **1** novel: — *epistolare*, epistolary novel; — *a fumetti*, comics; — *a puntate, d'appendice*, serial (story); — *a tesi*, novel with a message; — *d'avventure*, adventure story; — *di cappa e spada*, cloak and dagger novel; — *fiume*, saga novel; — *di spionaggio*, spy story; — *giallo*, thriller, detective story; — *rosa*, love story; — *sceneggiato*, novel adapted for television **2** (*storia incredibile*) romance **3** (*novellistica*) fiction.

rombare *v.intr.* to roar; (*tuonare*) to thunder (*anche fig.*).

rombico *agg.* rhombic.

rombo[1] *s.m.* roar; (*tuono*) thunder (*anche fig.*).

rombo[2] *s.m.* (*geom.*) rhomb, rhombus.

rombo[3] *s.m.* (*zool.*) brill, turbot.

romboidale *agg.* rhomboid(al).

romboide *s.m.* rhomboid.

romitaggio *s.m.* hermitage (*anche fig.*).

romito *agg.* (*letter.*) lonely, solitary.

Romolo *no.pr.m.* (*st.*) Romulus.

rompere *v.tr.* to break* (*anche fig.*); (*interrompere*) to break* off: — *la terra con l'aratro*, to break (up) the soil with the plough; — *un ramo, un bastone*, to snap a bough, a stick in two; — *un fidanzamento*, to break off an engagement // — *il trotto*, to break into a gallop // — *il ghiaccio*, (*fig.*) to break the ice // — *la calca*, to elbow one's way through the crowd // — *gli indugi*, to make up one's mind // — *i timpani*, to burst s.o.'s eardrums // — *l'anima, le scatole*, (*volg.*) to pester; *fammi il piacere di non —!*, don't get my monkey up! // *ti rompo la faccia!*, (*fam.*) I'll bash your face in! // — *i ponti con qlcu., romperla con qlcu.*, to break with s.o. // *chi rompe paga*, (*prov.*) breaker pays ♦ *v.intr.* **1** to break* // — *con qlcu.*, to break with s.o. **2** (*prorompere*) to burst* ▢ **-ersi** *v.intr.pron.* **1** to break* // — *il capo su qlco.*, (*fig.*) to rack one's brains over sthg. **2** (*di vena, vescica*) to burst*.

rompicapo *s.m.* **1** puzzle **2** (*preoccupazione*) worry, trouble.

rompicollo *s.m.* madcap, daredevil // *a* —, at breakneck speed.

rompighiaccio *s.m.* **1** (*mar.*) icebreaker **2** (*per alpinisti*) ice axe.

rompiscatole *s.m.* e *f.* (*volg.*) pest.

Roncisvalle *no.pr.f.* Roncesvalles.

roncola *s.f.* pruning knife (*o* hook); billhook.

ronda *s.f.* (*mil.*) rounds (*pl.*); (*pattuglia*) patrol: *passa la* —, the patrol is going the rounds; *essere di* —, to be on patrol; *fare la* —, to go the rounds; (*di poliziotto*) to be on the beat.

rondella *s.f.* (*mecc.*) washer.

rondine *s.f.* swallow // — *di mare*, tern // *a coda di* —, swallowtailed; (*tecn.*) dovetail // *una* — *non fa primavera*, (*prov.*) one swallow does not make a summer.

rondinotto *s.m.* baby swallow.

rondò[1] *s.m.* (*mus.*) rondo.

rondò[2] *s.m.* roundabout.

rondone *s.m.* (*zool.*) swift.

ronfare *v.intr.* (*fam.*) **1** to snore **2** (*del gatto*) to purr.

röntgenterapia *s.f.* roentgen(o)therapy.

ronzare *v.intr.* **1** to buzz (*anche fig.*) **2** (*fig.*) to hang* round: — *intorno a una ragazza*, (*fam.*) to hang round a girl **3** (*mulinare*) to go* around.

ronzino *s.m.* hack, jade.

ronzio *s.m.* **1** buzzing; (*continuato*) drone: — *alle orecchie*, buzzing in the ears **2** (*med.*) tinnitus.

rorido *agg.* (*poet.*) dewy.

rosa *agg.* pink // *film, romanzo giallo* —, romantic thriller // *veder tutto* —, to see the world through rose -tinted glasses // *è la maglia* —, (*ciclismo*) he is the race -leader; *ha conquistato la maglia* —, he won the race -leader's jersey ♦ *s.m.* pink, rose: — *antico*, old rose ♦ *s.f.* **1** (*bot.*) rose: — *canina*, — *di macchia*, dog rose; *acqua di rose*, rosewater; *un socialista all'acqua di rose*, a nominal socialist // *fresco come una* —, as fresh as a daisy // *se son rose fioriranno*, the proof of the pudding is in the eating // *non c'è* — *senza spine*, (*prov.*) there is no rose without a thorn **2** (*lista*) list; (*gruppo*) group **3** (*figura, formazione a forma di rosa*): *una* — *di cristalli*, roselike crystals; *una* — *di pallini*, a spray of pellets; — *dei venti*, compass card.

Rosa *no.pr.f.* Rose.

rosaio *s.m.* rosebush.

rosario *s.m.* **1** rosary: *dire il* —, to say the rosary (*o* to tell one's beads) **2** (*fig.*) string.

rosato *agg.* **1** rosy *(anche fig.)* // *vino* —, vin rosé **2** *(con essenza di rose)* rose *(attr.)*.

roseo *agg.* rosy *(anche fig.)*.

roseto *s.m.* rose garden.

rosetta *s.f.* **1** *(coccarda)* rosette **2** *(diamante a rosetta)* rose (diamond), rose-cut diamond: *taglio a* —, rose -cut **3** *(mecc.)* washer.

rosicanti *s.m.pl.* *(zool.)* Rodentia.

rosicare *v.tr.* to nibble *(anche fig.)*; *(rodere)* to gnaw // *chi non risica non rosica*, *(prov.)* nothing ventured, nothing gained.

rosicchiare *v.tr.* to nibble; *(rodere)* to gnaw.

rosicoltore, rosicultore *s.m.* rose grower.

rosmarino *s.m.* rosemary.

rosolaccio *s.m.* *(bot.)* corn poppy.

rosolare *v.tr.* *(cuc.)* to brown // **-arsi** *v.rifl.* *(fig.)* *(al sole)* to bask (in the sun) ♦ *v.intr.pron.* *(di carne)* to get* brown.

rosolata *s.f.* browning // *dare una* —, to brown.

rosolatura *s.f.* browning.

rosolia *s.f.* *(med.)* German measles *(pl.)*.

rosolio *s.m.* rosolio.

rosone *s.m.* *(arch.)* rose window.

rospo *s.m.* **1** toad // *coda di* —, *(zool.)* Angler fish // *ingoiare il* —, to swallow an insult **2** *(fig. spreg.)* surly person.

Rossana *no.pr.f.* Roxana.

rossastro *agg.* reddish, ruddy.

rosseggiare *v.intr.* **1** to be* red (with sthg.) **2** *(diventare rosso)* to turn red.

rossetto *s.m.* lipstick; *(per le guance)* rouge: *mettersi il* —, to put one's lipstick on // *non si dà mai il* —, she never wears lipstick.

rossiccio *agg.* reddish, ruddy.

rosso *agg.* red (with): *capelli rossi*, red-hair; *dai capelli rossi*, red-haired *(attr.)*; *bianco e* —, *(di colorito)* peaches and cream // *diventar* —, to blush *(o* to turn red) // *come un gambero, un peperone, un pomodoro*, as red as a beetroot // *la bandiera rossa*, the Red Flag // *idee rosse*, *(fam.)* red *(o* bolshy) ideas ♦ *s.m.* **1** red: — *ciliegia*, cerise; — *corallo*, coral-red; — *mattone*, brick-red; *vestire di* —, to dress in red // *vedere* —, to see red // *in* —, *(comm.)* in the red // — *di sera, buon tempo si spera*, *(prov.)* red sky at night, shepherds' delight **2** *(tuorlo)* (egg)yolk **3** *(uomo con i capelli rossi)* red -haired man **4** *(comunista)* communist, red.

rossola *s.f.* *(bot.)* russula.

rossore *s.m.* blush, flush.

rosticceria *s.f.* rotisserie, cooked-food shop.

rosticciere *s.m.* owner of a rotisserie.

rostrato *agg.* rostrate(d).

rostro *s.m.* **1** rostrum **2** *pl.* *(archeol.)* rostra.

rotabile *agg.* carriage *(attr.)*.

rotaia *s.f.* **1** rail: — *del tram*, tramline; *uscir dalle rotaie*, *(anche fig.)* to leave *(o* to go off) the rails **2** *(solco)* wheel track, rut.

rotante *agg.* rotating, rotary.

rotare *v.intr.* to rotate; *(astr.)* to revolve // *far* —, to wheel ♦ *v.tr.* to rotate, to revolve.

rotativa *s.f.* *(tip.)* rotary (printing) press: — *rotocalco*, rotogravure printing press.

rotativo *agg.* rotative, rotary.

rotatorio *agg.* rotating, rotatory, rotative: *moto* —, *(fis.)* rotatory motion.

rotazione *s.f.* rotation // — *consonantica*, *(filologia)* sound shift.

roteare *v.tr.* to whirl; *(agli occhi)* to roll ♦ *v.intr.* *(spec. di uccelli)* to wheel.

rotella *s.f.* **1** small wheel; *(di un mobile)* castor // *avere una* — *fuori posto*, *(fig. fam.)* to have a screw loose **2** *(anat.)* *(rotula)* kneecap, kneepan.

rotismo *s.m.* *(mecc.)* wheelwork.

rotocalco *s.m.* rotogravure process; *(rivista a)* —, illustrated *(o* pictorial) magazine.

rotolamento *s.m.* rolling.

rotolare *v.intr.* e *intr.*, **rotolarsi** *v.rifl.* to roll: *rotolarsi nel fango*, to wallow in the mud; — *(per) le scale*, to fall down the stairs.

rotolo *s.m.* roll: — *di corda*, coil of rope // *andare a rotoli*, to go to rack and ruin; *mandare a rotoli*, to ruin.

rotolone *s.m.* tumble, fall // *cadere, venir giù (a) rotoloni*, to tumble down.

rotonda *s.f.* **1** *(edificio rotondo)* rotunda **2** *(di stabilimento balneare)* terrace **3** *(rondò)* roundabout.

rotondeggiante *agg.* roundish.

rotondità *s.f.* **1** roundness *(anche fig.)* **2** *pl.* *(parti tondeggianti)* curves.

rotondo *agg.* **1** round **2** *(grassoccio)* plump.

rotore *s.m.* rotor.

rotta[1] *s.f.* **1** breach // *a* — *di collo*, at breakneck speed // *essere in* — *con qlcu*, to be on bad terms with s.o. **2** *(grave sconfitta)* rout, retreat: *mettere in* —, to put to rout.

rotta[2] *s.f.* *(mar. aer.)* route, course: *linea di* —, *(mar.)* rhumb line; *essere fuori* —, to be off course // *fare* — *verso*, *(mar.)* to be bound for; *far* — *verso nord*, to steer north(wards); *la nave fa* — *verso sud*, the ship's course is due south.

rottame *s.m.* **1** wreck *(anche fig.)* **2** *pl.* scraps: *rottami di ferro*, scrap-iron.

rotto *agg.* **1** broken *(anche fig.)*: *voce rotta dai singhiozzi*, voice broken by *(o* with) sobs // *ho le ossa rotte dalla fatica*, my bones are aching with tiredness; *sentirsi tutto* —, to be aching all over // — *al vizio*, hardened to vice // — *alla fatica*, inured to fatigue **2** *(stracciato)* torn ♦ *s.m.* **1** break, fracture // *per il* — *della cuffia*, by the skin of one's teeth **2** *pl.* *(spiccioli)* (small) change *(sing.)*: *duemila lire e rotti*, two thousand lire odd.

rottura *s.f.* breakage; *(in un vetro, una rete ecc.)* hole; *(fig.)* break; *(rottura definitiva)* breaking off.

rotula *s.f.* *(anat.)* kneecap, rotula.

roulotte *(franc.)* *s.f.* caravan, trailer.

routine *(franc.)* *s.f.* **1** routine **2** *(informatica)* routine: — *di abbandono*, aborting routine.

rovente *agg.* red-hot; *(fig.)* fiery.

rovere *s.f.* o *m.* *(bot.)* oak.

rovesciamento *s.m.* **1** upsetting, overturning **2** *(di governo ecc.)* overthrowing.

rovesciare *v.tr.* **1** to upset*, to overturn; *(capovolgere)* to turn upside down: — *una carta*, to turn up a card // — *una situazione*, to reverse a situation **2** *(gettare)* to throw*: *rovesciò il capo indietro e rise*, he threw back his head and laughed **3** *(rivoltare)* to turn inside out: — *una manica*, to turn a sleeve inside out **4** *(versare)* *(intenzionalmente)* to pour; *(accidentalmente)* to spill **5** *(fig.)* *(abbattere)* to overthrow // **-arsi** *v.intr.pron.* **1** to overturn, to be* overturned; *(capovolgersi)* to capsize **2** *(riversarsi)*: *la folla si rovesciò nello stadio*, the crowd poured into the stadium.

rovesciata *s.f.* *(calcio)* overhead kick.

rovesciato *agg.* overturned; *(di vestiti)* turned inside out.

rovescio *agg.* thrown back // *alla rovescia*, (*capovolto*) upside down; (*con l'interno all'esterno*) inside out; (*col davanti dietro*) back to front; (*fig.*) wrong(ly): *capire qlco. alla rovescia*, to misunderstand sthg.; *conto alla rovescia*, countdown ♦ *s.m.* **1** reverse (side), other side, back // *ogni cosa ha il suo* —, there are two sides to everything **2** (*di pioggia ecc.*) heavy shower; (*fig.*) rain, hail **3** (*tennis*) backhand: *tirare di* —, to play a backhand (stroke) **4** — (*di fortuna*), setback, reverse.
roveto *s.m.* bramble bush.
rovina *s.f.* ruin (*anche fig.*): *andare, cadere in* —, to go to rack and ruin; *mandare in* —, to ruin.
rovinare *v.tr.* (*danneggiare*) to ruin; (*guastare, sciupare*) to spoil: *rovinarsi la salute*, to ruin one's health ♦ *v.intr.* to crash // **-arsi** *v.rifl.* to ruin oneself.
rovinato *agg.* **1** ruined **2** (*caduto al suolo*) collapsed.
rovinìo *s.m.* downfall.
rovinoso *agg.* ruinous.
rovistare *v.tr.* to ransack (sthg.) (*anche fig.*).
rovo *s.m.* bramble.
rozzezza *s.f.* roughness, coarseness (*anche fig.*).
rozzo *agg.* rough, coarse; (*rude*) rude: *modi rozzi*, rough (*o* coarse) manners; *uomo* —, uncouth man.
ruba, a *locuz.avv.*: *andare a* —, to sell like hot cakes.
rubacchiare *v.tr.* to pilfer.
rubacuori *agg.* fetching, bewitching ♦ *s.m.* lady-killer.
rubare *v.tr.* to steal* // — *a man salva*, to plunder // — *un'idea*, to steal an idea // — *sul peso*, to give short weight // — *il tempo a qlcu.*, to take up s.o.'s time.
rubería *s.f.* stealing.
rubicondo *agg.* ruddy, rubicund.
Rubicone *no.pr.m.* Rubicon: *passare il* —, (*anche fig.*) to cross the Rubicon.
rubidio *s.m.* (*chim.*) rubidium.
rubinetterìa *s.f.* bathroom finishings (*pl.*).
rubinetto *s.m.* tap, faucet.
rubino *s.m.* ruby.
rubizzo *agg.* hale.
rublo *s.m.* rouble.
rubrica *s.f.* **1** (*in un periodico*) survey; (*in un giornale*) column **2** (*libretto con indice alfabetico*) index book; (*per indirizzi*) address book; — *telefonica*, directory; (*per annotare numeri telefonici*) book of telephone numbers **3** (*eccl.*) (*norma cerimoniale nei messali*) rubric.
rubricare *v.tr.* to index.
rude *agg.* **1** (*rozzo*) rough; (*severo*) severe, harsh **2** (*duro*) hard: *un* — *lavoro*, hard work.
rudemente *avv.* **1** (*rozzamente*) roughly; (*severamente*) severely **2** (*duramente*) hard.
rudere *s.m.* ruin; (*fig.*) wreck.
rudezza *s.f.* roughness.
rudimentale *agg.* rudimentary; (*appena abbozzato*) rough.
rudimento *s.m.* rudiment.
ruffiano *s.m.* **1** pimp, go-between **2** (*adulatore*) toady.
ruga *s.f.* wrinkle.
ruggente *agg.* roaring.
Ruggero *no.pr.m.* Roger.
ruggine *s.f.* **1** rust: *color* —, rust colour; *prendere la* —, to get rusty **2** (*agr.*) blight, rust **3** (*rancore*) ill feeling, bad blood: *c'è della* — *tra di loro*, there is bad blood between them.
rugginoso *agg.* rusty (*anche fig.*).
ruggire *v.intr.* to roar (*anche fig.*).
ruggito *s.m.* roar, roaring (*anche fig.*).

rugiada *s.f.* dew (*anche fig.*): *coperto, umido di* —, dewy; *goccia di* —, dewdrop.
rugiadoso *agg.* dewy (*anche fig.*).
rugosità *s.f.* wrinkledness; (*scabrosità*) roughness.
rugoso *agg.* wrinkled; (*scabro*) rough.
rullaggio *s.m.* (*aer.*) taxiing.
rullare *v.intr.* **1** to roll **2** (*mar.*) to roll **3** (*di aeroplano*) to taxi ♦ *v.tr.* to roll.
rullata *s.f.* (*aer.*) taxiing.
rullìo *s.m.* → **rollìo**.
rullìo *s.m.* roll, rolling.
rullo *s.m.* **1** (*di tamburo*) roll **2** (*tecn.*) roller; (*di macchina per scrivere*) platen: — *compressore*, steamroller // — *essiccatore*, (*tip.*) dryer roller; — *guidacarta*, paper guide roll; — *inchiostratore*, inker; ink roller; — *tendicarta*, tensioning roll; — *umidificatore*, damping roller // — *di nastro magnetico*, (*prima della divisione*) (*informatica*) web.
rum *s.m.* rum.
rumba *s.f.* (*musica, danza*) rumba.
rumeno *agg.* R(o)umanian.
ruminante *s.m.* ruminant // *i ruminanti*, ruminants.
ruminare *v.tr.* **1** to ruminate **2** (*fig.*) to ponder.
ruminazione *s.f.* rumination.
rumore *s.m.* **1** noise; (*metallico*) clang: *i rumori della strada*, the noise of traffic; *qui dentro c'è troppo* — *per lavorare*, it's too noisy to work in here // *fare molto* —, (*fig.*) to arouse great interest // *molto* — *per nulla*, much ado about nothing **2** (*notizia vaga*) rumour, talk.
rumoreggiare *v.intr.* to make* a noise; (*di tuono*) to rumble; (*tumultuare*) to be* in an uproar.
rumorista *s.m.* (*cinem. rad. tv*) sound-effects man.
rumorosità *s.f.* noisiness.
rumoroso *agg.* noisy; (*sonoro*) loud.
runico *agg.* runic: *caratteri runici*, runic letters.
ruolino *s.m.* little list.
ruolo *s.m.* **1** roll, list: *essere cancellato dai ruoli, essere iscritto nei ruoli*, to be struck off the list, to be put on the list (*o* roll) // *di* —, on the staff: *insegnante di* —, *non di* —, regular, supply teacher; *personale di* —, permanent staff; *personale non di* —, supernumeraries // *la causa fu rinviata a nuovo* —, (*dir.*) the case was held over; *mettere a* — *una causa*, (*dir.*) to enter a case for trial **2** (*teatr.*) (*parte*) part, role (*anche fig.*).
ruota *s.f.* wheel: — *a pale*, (*mar.*) paddle wheel; — *a raggi*, (*aut.*) wire wheel; — *del mulino*, millwheel; — *del timone*, (*mar.*) helm (*o* steering wheel); — *motrice*, (*aut.*) driving wheel // — *di stampa*, (*informatica*) character wheel // *arrivare a* — *di qlcu.*, to arrive hot on the heels of s.o.; *seguire a* — *qlcu.*, to follow hot on the heels of s.o. // *fare la* —, (*di pavone ecc.*) to spread one's tail; (*fig.*) to strut like a peacock // *parlare a* — *libera*, to talk at random // *essere l'ultima* — *del carro*, (*fam.*) to count for nothing.
ruotare *v.tr. e intr.* → **rotare**.
rupe *s.f.* cliff.
rupestre *agg.* rocky, rock (*attr.*).
rupìa *s.f.* rupee.
rurale *agg.* rural, country (*attr.*).
ruscello *s.m.* stream.
ruspa *s.f.* (*mecc.*) bulldozer.
ruspante *agg.*: *pollo* —, free-range chicken.
ruspare *v.intr.* to scratch about.
russare *v.intr.* to snore.
Russia *no.pr.f.* Russia // **russia** *s.f.* (*confusione*) mess: *che* —!, what a mess!

russo *agg.* e *s.m.* Russian.
rusticano *agg.* rustic.
rustichezza *s.f.* rusticity, roughness.
rustico *agg.* **1** country (*attr.*), rustic, rural // *alla rustica*, simply **2** (*rozzo*) rustic, unrefined; (*scontroso*) unsociable ♦ *s.m.* **1** (*letter.*) rustic **2** (*casa di contadini*) labourer's cottage.
ruta *s.f.* (*bot.*) rue: — *di muro*, wall rue.
rutilante *agg.* glowing red.
ruttare *v.intr.* to belch.
rutto *s.m.* belch.

ruttore *s.m.* (*elettr.*) contact breaker.
ruvidezza, **ruvidità** *s.f.* roughness, coarseness (*anche fig.*).
ruvido *agg.* rough, coarse (*anche fig.*).
ruzzare *v.intr.* to play.
ruzzolare *v.intr.* **1** (*cadere rotolando*) to tumble down **2** (*rotolare*) to roll ♦ *v.tr.* to roll.
ruzzolata *s.f.* tumble, heavy fall.
ruzzolone *s.m.* tumble, heavy fall: *fare un brutto* —, to have a nasty tumble // *cadere a ruzzoloni*, to tumble down.

S

s *s.f.* o *m.* s (*pl.* ss, s's) // — *come Savona*, (*tel.*) s for sugar // (*fatto*) *a S*, S (*attr.*); S-shaped.
sabato *s.m.* Saturday: — (*a*) *otto*, a week on Saturday (*o Saturday week o* the Saturday after next); *il* —, on Saturdays // *Sabato Santo*, Holy Saturday // *Dio non paga il* —, (*prov.*) the mills of God grind slowly.
sabba *s.m.* (*mit. nordica*) witches' Sabbath.
sabbia *s.f.* **1** sand: *sabbie mobili*, quicksands; *cava di* —, sandpit // *costruire sulla* —, (*fig.*) to build on sand **2** (*med.*) urinary sand.
sabbiare *v.tr.* (*mecc.*) to sandblast.
sabbiatrice *s.f.* (*mecc.*) sandblasting machine.
sabbiatura *s.f.* **1** sand bath **2** (*mecc.*) sandblasting.
sabbioso *agg.* sandy.
sabotaggio *s.m.* sabotage.
sabotare *v.tr.* to sabotage.
sabotatore *s.m.* saboteur.
sacca *s.f.* **1** bag; (*a tracolla*) satchel: — *da viaggio*, travelling bag; (*di soldato*) kit bag **2** — *d'aria*, (*aer.*) airpocket (*o* airhole) **3** (*insenatura*) inlet **4** (*mil.*) pocket.
saccarifero *agg.* (*chim.*) sacchariferous.
saccarificazione *s.f.* (*chim.*) saccharification.
saccarina *s.f.* (*chim.*) saccharin(e).
saccarosio *s.m.* (*chim.*) saccharose.
saccente *agg.* pedantic; (*presuntuoso*) conceited: *donna* —, bluestocking; *fare il* —, to air one's knowledge.
saccenteria *s.f.* pedantry; (*presunzione*) conceit.
saccheggiare *v.tr.* to sack, to pillage // — *un autore*, (*fig.*) to plagiarize.
saccheggiatore *s.m.* pillager, plunderer.
saccheggio *s.m.* sack, pillage.
sacchetto *s.m.* small bag; (*di carta*) paper bag.
sacco *s.m.* **1** sack: *un* — *di carbone*, a sack of coal // — *da montagna*, rucksack // — *a pelo*, sleeping bag // — *postale*, mailbag // *abito a* —, sack dress // *colazione al* —, packed lunch, picnic lunch // *fare il* — *nel letto*, to make an apple-pie bed // *essere colto con le mani nel* —, to be caught red-handed // *mettere qlcu. nel* —, to take s.o. in; *fare qlco. con la testa nel* —, to act inconsiderately // *tenere il* — *a qlcu.*, to aid and abet s.o. // *vuotare il* —, to spill the beans **2** (*grande quantità*) lots, a lot: *ha un* — *di soldi*, he has pots of money **3** (*anat. bot.*) sac: — *lacrimale*, lachrymal sac **4** (*tela ruvida*) sackcloth **5** (*saccheggio*) sack, pillage.

saccoccia *s.f.* (*region.*) pocket.
saccone *s.m.* palliasse, straw mattress.
sacello *s.m.* sacellum (*pl.* sacella).
sacerdotale *agg.* sacerdotal, priestly.
sacerdote *s.m.* priest // **-essa** *s.f.* priestess.
sacerdozio *s.m.* priesthood; (*ministero*) ministry.
sacrale¹ *agg.* sacred.
sacrale² *agg.* (*anat.*) sacral.
sacramentale *agg.* sacramental; (*scherz.*) usual ♦ *s.m.* (*eccl.*) sacramental.
sacramentare *v.tr.* (*eccl.*) to administer the sacraments (to s.o.).
sacramento *s.m.* **1** (*teol.*) sacrament: *il Santissimo Sacramento*, the Holy (*o* Blessed) Sacrament; *accostarsi ai sacramenti*, to receive the sacraments; *dare, prendere i sacramenti*, to administer, to receive the sacraments **2** (*letter.*) (*giuramento*) oath.
sacrario *s.m.* shrine; (*archeol.*) sacrarium (*pl.* -ria).
sacrificare *v.tr.* to sacrifice // *quel quadro è veramente sacrificato in quell'angolo*, that picture is really wasted in that corner // **-arsi** *v.rifl.* to sacrifice oneself.
sacrificato *agg.* sacrificed.
sacrificio, **sacrifizio** *s.m.* sacrifice (*anche fig.*): *offrire qlco. in* — *a qlcu.*, to offer sthg. as a sacrifice to s.o. // *una vita di sacrifici*, a life of sacrifice // — *di sé*, self -sacrifice.
sacrilegio *s.m.* sacrilege.
sacrilego *agg.* sacrilegious.
sacro¹ *agg.* sacred (*anche fig.*), holy: *un* — *diritto*, a sacred right ♦ *s.m.* the sacred.
sacro² *agg.* e *s.m.* (*anat.*): (*osso*) —, sacrum.
sacrosanto *agg.* **1** sacrosanct, sacred **2** (*indiscutibile*) indisputable: *la verità sacrosanta*, the absolute (*o* indisputable) truth **3** (*meritato*) well-deserved.
sadico *agg.* sadistic ♦ *s.m.* sadist.
sadismo *s.m.* sadism.
saetta *s.f.* **1** arrow; (*dardo*) dart: *correre come una* —, to run as quick as lightning **2** (*fulmine*) thunderbolt.
saettare *v.tr.* **1** to shoot* arrows (at s.o., sthg.) **2** (*fig.*) to shoot*, to dart: *mi saettò uno sguardo di rimprovero*, he darted a look of reproof at me // — *un tiro in porta*, (*calcio*) to kick (*o* to shoot) a ball right into the goal.
safari *s.m.* safari.

saga *s.f.* (*lett.*) saga.

sagace *agg.* sagacious, shrewd.

sagacia, sagacità *s.f.* sagacity.

saggezza *s.f.* wisdom.

saggiare *v.tr.* 1 (*metalli*) to assay 2 (*mettere alla prova*) to test.

saggiatore *s.m.* 1 assayer 2 (*bilancia*) assay balance.

saggiatura *s.f.* assaying // *marchio di* —, assaying -mark.

saggina *s.f.* sorghum.

saggio[1] *agg.* 1 wise; (*sapiente*) sage; (*di buon senso*) sensible: *una saggia decisione*, a wise decision ♦ *s.m.* wise man, sage.

saggio[2] *s.m.* 1 (*lett.*) essay 2 (*di metalli*) assay 3 (*prova*) example: *un — delle sue abilità*, an example of his abilities // *— ginnico*, gymnastic display; — *musicale*, school concert 4 (*campione*) sample 5 (*comm.*) rate.

saggista *s.m. e f.* essayist.

saggistica *s.f.* essay writing.

sagittario *s.m.* archer // *Sagittario*, (*astr.*) Sagittarius.

sagola *s.f.* (*mar.*) log line.

sagoma *s.f.* 1 shape; (*profilo*) outline 2 (*modello*) mould 3 (*bersaglio*) dummy 4 (*fam.*): *è una bella —!*, he is quite a character!

sagomare *v.tr.* to mould, to shape.

sagomatura *s.f.* moulding.

sagra *s.f.* feast: — *del villaggio*, village feast.

sagrato *s.m.* parvis.

sagrestano *s.m.* sacristan.

sagrestia *s.f.* sacristy, vestry.

sahariano *agg.* sahar(i)an // (*giacca*) *sahariana*, bush jacket.

sala[1] *s.f.* (*tessuto*) serge.

saio *s.m.* frock // *vestire il —*, to become a monk.

sala[1] *s.f.* hall, room: — *cinematografica*, cinema; (*amer.*) movie theater; — *per concerti*, concert hall; — *da ballo*, ballroom; — *da gioco*, gambling room; — *da pranzo*, dining room; — *di lettura*, reading room; — *d'aspetto*, waiting room; — *parto*, delivery room; — *operatoria*, operating theatre.

sala[2] *s.f.* (*mecc.*) axletree.

salacca *s.f.* (*zool. pop.*) sardine.

salace *agg.* salacious.

salacità *s.f.* salacity.

salamandra *s.f.* (*zool.*) salamander.

salame *s.m.* 1 (*cuc.*) salame (*pl.* -i) 2 (*fig.*) silly goose.

salamelecco *s.m.* (*scherz.*) salaam: *fare salamelecchi*, to bow and scrape.

salamoia *s.f.* brine.

salare *v.tr.* to salt; (*per conservare*) to salt down.

salariale *agg.* wage (*attr.*).

salariato *agg.* wage-earning ♦ *s.m.* wage earner; (*operaio*) workman (*pl.* -men).

salario *s.m.* wages (*gener. pl.*), pay: *tetto dei salari*, wage ceiling.

salassare *v.tr.* to bleed* (*anche fig.*).

salasso *s.m.* bleeding; (*fig.*) extortion.

salatino *s.m.* savoury biscuit: — *al formaggio*, cheese biscuit.

salato *agg.* 1 salty // *il Gran Lago Salato*, the Great Salt Lake 2 (*conservato*) salted, salt 3 (*caro*) dear: *pagar —*, to pay through one's nose 4 (*salace*) biting ♦ *s.m.* salt pork.

salatura *s.f.* salting.

salda *s.f.* starch.

saldare *v.tr.* 1 to weld, to solder 2 (*comm.*) to settle: — *conti*, (*anche fig.*) to settle accounts 3 (*ossa, fratture ecc.*) to join.

saldatore *s.m.* 1 solderer, welder 2 (*saldatoio*) soldering iron.

saldatrice *s.f.* (*mecc.*) welding machine.

saldatura *s.f.* soldering, welding.

saldezza *s.f.* firmness, steadiness (*anche fig.*): — *di mente*, strength of mind.

saldo[1] *agg.* 1 firm, steady, solid: *tenersi —*, to stand firm 2 (*fig.*) firm, staunch.

saldo[2] *s.m.* 1 (*gener.pl.*) sale (*sing.*): *prezzo di —*, sale price 2 (*comm.*) settlement; (*di conto bancario*) balance: *a — del nostro debito*, in settlement of our debt.

sale *s.m.* 1 salt: *sali* (*aromatici*), smelling salts; *sali da bagno*, bath salts; — *fino, grosso*, table, kitchen salt; — *inglese, amaro*, Epsom salt(s) // *restare di —*, to be dumbfounded 2 (*buon senso*) common sense: *non ha — in zucca*, he has no common sense 3 (*letter.*) (*arguzia*) wit.

salgemma *s.m.* rock salt.

salice *s.m.* willow(tree).

salicilato *s.m.* (*chim.*) salicylate.

salicilico *agg.* (*chim.*) salicylic.

salico *agg.* Salic // *legge salica*, Salic law.

saliente *agg. e s.m.* salient.

saliera *s.f.* saltcellar.

salifero *agg.* saliferous.

salificare *v.tr.* to salify.

salina *s.f.* saltpan.

salinatura *s.f.* salt making.

salinità *s.f.* salinity, saltiness.

salino *agg.* saline.

salire *v.intr.* 1 to get* on (sthg.); (*andare su*) to go* up (sthg.); (*venire su*) to come* up (sthg.): — *su un tram*, to get on a tram; — *in automobile*, to get into a car; — *a bordo di una nave*, to go on board a ship; *sali!*, come up!; — *in tutta fretta*, to rush up // *far — qlcu. nella propria automobile*, to give s.o. a lift 2 (*alzarsi*; *crescere*) to rise*: *le acque del fiume stavano salendo*, the waters of the river were rising; *le lacrime le salirono agli occhi*, tears rose to her eyes // — *socialmente*, to rise socially ♦ *v.tr.* (*andare su*) to go* up; (*venire su*) to come* up.

saliscendi *s.m.* latch // *questa strada è un continuo —*, this road is full of ups and downs.

salita *s.f.* 1 slope: *fare una —*, to climb 2 (*il salire*) ascent // — *in candela*, (*aer.*) zooming.

saliva *s.f.* saliva.

salivale *agg.* salivary.

salivare *v.intr.* to salivate.

salivazione *s.f.* salivation.

Sallustio *no.pr.* (*st. lett.*) Sallust.

salma *s.f.* corpse.

salmastro *agg.* saltish ♦ *s.m.* salty taste.

salmeria *s.f.* (*mil.*) provisioning convoy.

salmì *s.m.* (*cuc.*) salmi.

salmista *s.m.* psalmist.

salmistrare *v.tr.* (*cuc.*) to pickle.

salmo *s.m.* psalm.

salmodia *s.f.* psalmody.

salmodiare *v.intr.* to sing* psalms.

salmone *s.m.* salmon (*pl. invar.*).

salnitro *s.m.* saltpetre.

salomonico *agg.* Solomonic.

salone *s.m.* 1 parlour; (*salotto*) drawing room; (*di pa-*

lazzo) hall; (*di castello*) great hall // *vettura —*, (*ferr.*) Pullman car 2 (*di barbiere*) barber's (saloon) 3 (*di bellezza*) beauty parlour 4 (*esposizione*) show, exhibition: *— dell'automobile*, motor show.

salopette (*franc.*) *s.f.* overall trousers.

salottiero *agg.* drawing-room (*attr.*).

salotto *s.m.* drawing room: *conversazione da —*, drawing-room conversation; *comprare un —*, to buy a drawing-room suite // *— letterario*, (literary) salon.

salpa *s.f.* (*zool.*) salpa.

salpare *v.tr.* to sail // *— l'ancora*, to weigh anchor.

salpinge *s.f.* (*anat.*) salpinx (*pl.* salpinges).

salsa *s.f.* sauce: *— di pomodoro*, tomato sauce; *— verde*, parsley sauce // *in tutte le salse*, in every possible way.

salsedine *s.f.* 1 salt(i)ness 2 (*del mare*) salt.

salsiccia *s.f.* sausage.

salsiera *s.f.* sauce boat.

salso *agg.* salt (*attr.*), salty ♦ *s.m.* saltiness.

salsoiodico *agg.* iodine (*attr.*).

saltabeccare *v.intr.* to hop.

saltaleone *s.m.* (*molla*) spring.

saltamartino *s.m.* (*zool. pop.*) cricket.

saltare *v.intr.* 1 to jump; (*in alto*) to spring*; (*in avanti*) to leap: *— addosso a qlcu.*, to jump at s.o.; *— in piedi*, to jump to one's feet; *— su un piede solo*, to hop // *— al collo di qlcu.*, to fling one's arms round s.o.'s neck // *— di gioia*, to jump for joy // *far — un bambino sulle ginocchia*, to dandle a child on one's knee // *far — una serratura*, to force a lock // *far — il tappo di una bottiglia*, to draw the cork of a bottle with a pop // *il bottone è saltato*, the button has come off // *che cosa mai ti salta in mente?*, what on earth are you thinking of?; (*cosa stai facendo?*) what on earth do you think you're doing?; *questo non mi è mai saltato in mente*, that has never crossed my mind // *— su a dire che...*, to jump up saying that... 2 (*esplodere*) to explode; to blow* up 3 (*cuc.*): *far —*, to fry quickly ♦ *v.tr.* to jump, to skip (*anche fig.*): *— un muro*, to jump (over) a wall; *— la corda*, to skip; *— un pasto*, to skip a meal.

saltatore *s.m.* 1 jumper 2 (*ostacolista*) hurdler 3 (*acrobata*) acrobat.

saltellare *v.intr.* to skip (about), to leap.

saltello *s.m.* skip, leap // *a saltelli*, skipping.

saltelloni *avv.* leaping, skipping.

salterellare *v.intr.* to skip (about), to leap.

salterello *s.m.* (*fuoco artificiale*) cracker.

salterio *s.m.* 1 (*mus.*) zither 2 (*libro dei salmi*) psalter.

saltimbanco *s.m.* acrobat, tumbler.

salto *s.m.* 1 jump; (*in avanti*) leap; (*in alto*) spring: *fare, spiccare un —*, to jump; *— in alto, in lungo*, (*sport*) high, long jump; *— con l'asta*, pole vault; *fare salti di gioia*, to jump for a joy // *fare un — da qlcu.*, to drop in to see s.o. // *faccio un — fuori a prendere il pane*, I'll nip out to get the bread // *fare quattro salti*, to dance // *c'è un — di dieci pagine*, ten pages have been left out // *— di qualità*, improvement 2 (*dislivello*) fall 3 (*informatica*) jump; (*diramazione*) branch.

saltuariamente *avv.* now and then.

saltuarietà *s.f.* irregularity.

saltuario *agg.* desultory, irregular: *lavoro —*, casual work; *spese saltuarie*, odd expenses.

salubre *agg.* healthy.

salubrità *s.f.* healthiness.

salumaio *s.m.* delicatessen seller.

salume *s.m.*: *i salumi*, cold cuts.

salumeria *s.f.* delicatessen (shop).

salumiere *s.m.* delicatessen seller.

salumificio *s.m.* sausage factory.

salutare[1] *v.tr.* 1 to greet; (*incontrando qlcu.*) to say* hallo (to s.o.); (*congedandosi*) to say* goodbye (to s.o.); *il suo arrivo fu salutato da un battimani*, his arrival was greeted with clapping; *— qlcu. con un cenno*, to give s.o. a nod; *mi salutò con la mano*, he waved to me; *ha la cattiva abitudine di non —*, he never says hallo, it's a bad habit of his // *distintamente vi salutiamo*, (*comm.*) we remain, Yours faithfully // *salutami tuo padre*, give my regards to your father // *ti saluto affettuosamente*, (*in fine di lettera*) love from... 2 (*mil.*) to salute 3 (*con inchino*) to bow (to s.o.) 4 (*dare il benvenuto*) to welcome.

salutare[2] *agg.* healthy, salutary (*anche fig.*).

salutazione *s.f.* salutation.

salute *s.f.* 1 health: *— di ferro*, excellent health; *è delicato di —*, his health is delicate; *questo ti fa bene alla —*, this is good for you // *—!*, bless you! // *alla tua —!*, good health! // *casa di —*, nursing home 2 (*salvezza, sicurezza*) safety // *la — pubblica*, public welfare 3 (*spirituale*) salvation.

salutifero *agg.* salutary.

salutista *s.m. e f.* valetudinarian.

saluto *s.m.* 1 greeting, salutation: *cenno di —*, nod; *levare, togliere il — a qlcu.*, to cut s.o. // *cordiali saluti*, (*in fine di lettera*) Yours sincerely; *distinti saluti*, (*comm.*) Yours faithfully (*o* Yours truly); *saluti affettuosi*, Love from... 2 (*mil.*) salute 3 (*con inchino*) bow.

salva *s.f.* volley (*anche fig.*), salvo: *colpo a —*, blank (shot); (*per saluto*) salvo (*o* salute); *sparare a —*, to fire blanks; (*per saluto*) to fire salvoes.

salvabile *agg.* sav(e)able ♦ *s.m.* what can be saved.

salvacondotto *s.m.* pass, safe-conduct.

salvadanaio *s.m.* moneybox.

salvagente *s.m.* 1 life buoy, life belt; (*a cintura*) life jacket 2 (*stradale*) traffic island.

salvagocce *s.m.* drip-catcher, drip-mat.

salvaguardare *v.tr.* to safeguard, to protect.

salvaguardia *s.f.* safeguard, protection.

salvamento *s.m.* 1 (*il salvare*) saving, rescuing 2 (*salvezza*) safety; (*salvataggio*) rescue.

salvapunte *s.m.* cap.

salvare *v.tr.* to save (*anche fig.*); (*trarre in salvo*) to rescue: *andare a — qlcu.*, to go to s.o.'s rescue // *— la faccia*, to save one's face // **-arsi** *v.rifl.* to save oneself.

salvatacco *s.m.* heeltap.

salvataggio *s.m.* 1 rescue 2 (*mar.*) salvage: *cintura di —*, life belt; *giubbotto di —*, life vest (*o* jacket).

salvatore *agg.* saving, rescuing ♦ *s.m.* saver, rescuer // *il Salvatore*, the Saviour.

salvazione *s.f.* salvation.

salve[1] *inter.* hail; (*fam.*) hello; (*amer.*) hi!

salve[2] *s.f.* → **salva**.

salveregina *s.f.* (*preghiera*) Salve Regina.

salvezza *s.f.* 1 salvation 2 (*sicurezza*) safety 3 (*scampo*) escape.

salvia *s.f.* (*bot.*) sage.

salvietta *s.f.* 1 (*tovagliolo*) (table)napkin, serviette 2 (*asciugamano*) towel.

salvo[1] *agg.* safe, unhurt; (*al sicuro*) secure ♦ *s.m.*: *essere in —*, to be safe; *mettere qlco. in —*, to put sthg. in a safe place; (*da parte*) to put sthg. by; *mettere qlcu. in —*, to bring s.o. to safety; *mettersi in —*, to get away.

salvo[2] *prep.* except (for), excepting, but, save, bar (ring): *furono tutti promossi — due*, they all passed but (o except for o save) two // — casi di forza maggiore, acts of God excepted // — errori od omissioni, errors and omissions excepted // — imprevisti, all being well (o barring accidents) // — a pentirsene poi, although he might repent later // **salvo che** locuz.cong. except that; (a meno che) unless: ci vedremo senz'altro — che io sia trattenuto, we'll see each other without doubt, unless I am detained.

samaritano agg. e s.m. Samaritan.

samba s.m. e f. (mus. danza) samba.

sambuco s.m. (bot.) elder.

sampietro s.m. (pesce) St. Peter's fish.

Samuele no.pr.m. Samuel.

samurai s.m. Samurai (pl. invar.).

sanabile agg. curable, remediable.

sanare v.tr. **1** to heal (anche fig.) // — terreni paludosi, to reclaim marshy land **2** (correggere) to mend, to put* right.

sanatoria s.f. (dir.) ratification.

sanatoriale agg. sanatorium (attr.).

sanatorio agg. (dir.) ratifying ♦ s.m. sanatorium.

San Bernardo no.pr.m. Saint Bernard // **sanbernardo** s.m. (cane) Saint Bernard.

sancire v.tr. to sanction; (ratificare) to ratify.

sancta sanctorum (lat.) s.m. **1** (nel tempio di Salomone) Holy of Holies **2** (scherz.) sanctum.

sanculotto s.m. (st. francese) sansculotte.

sandalo[1] s.m. (bot.) sandalwood.

sandalo[2] s.m. (calzatura) sandal.

sandolino s.m. (mar.) small canoe.

sangallo s.m. (ind. tessile) broderie anglaise.

sangue s.m. blood: analisi, esame del —, blood test; temperatura del —, blood heat; cavar — a qlcu., (anche fig.) to bleed s.o.; animali a — caldo, freddo, warm-, cold-blooded animals; vittoria senza spargimenti di —, bloodless victory; picchiare qlcu. a —, to beat (s.o.) till blood flows // assetato di —, bloodthirsty // il — gli montò al viso, the blood rushed to his face (o he flushed up) // — freddo, (fig.) sangfroid (o coolness o composure): a — freddo, in cold blood // al —, (di carne) underdone // lotta all'ultimo —, fight to the bitter end // mi fa agghiacciare il —, it makes my blood run cold // sentirsi ribollire il — nelle vene, to feel one's blood boil // non aver — nelle vene, to be rather spineless // avere la musica nel —, to have music in one's blood // farsi buon —, to laugh heartily (o to have a good laugh); farsi cattivo —, guastarsi il — per qlco., qlcu., to worry (o to fuss and fume) over (o about) sthg., s.o. // fra loro non corre buon —, there's no love lost between them // buon — non mente, (prov.) blood will tell // il — non è acqua, blood is thicker than water // la voce del —, the call of blood; è del mio —, he is my own flesh and blood.

sanguemisto s.m. half-breed.

sanguigna s.f. (pitt.) sanguine.

sanguigno agg. **1** sanguineous, blood (attr.): vaso —, blood vessel **2** (di temperamento) full-blooded **3** (di colore) blood red.

sanguinaccio s.m. blood sausage; (se già cotto) black pudding, blood pudding.

sanguinare v.intr. to bleed* (anche fig.): è una ferita che sanguina ancora, (fig.) the wound still rankles.

sanguinario agg. sanguinary, bloody; (crudele) bloodthirsty ♦ s.m. bloodthirsty man.

sanguinolento agg. **1** (sanguinante) bleeding, dripping with blood; (di carne) very underdone **2** (insanguinato) bloody, bloodstained.

sanguinoso agg. bloody, sanguinary // insulto —, mortal (o deadly) insult.

sanguisuga s.f. leech (anche fig.).

sanità s.f. **1** (integrità) soundness // — mentale, sanity **2** (salute) health // ministero della Sanità, Ministry of Health // ufficio —, health office.

sanitario agg. sanitary // corpo —, (mil.) Medical Corps; servizi sanitari, health services; riforma sanitaria, health service reform; ufficiale —, health officer ♦ s.m. physician.

sano agg. **1** healthy (anche fig.); (integro) sound: essere — di corpo, to be sound in wind and limb // — di mente, sane // i sani, the healthy // — come un pesce, as sound as a bell // — e salvo, safe and sound **2** (che dà salute) healthy, healthful, wholesome: aria, clima —, healthy air, climate **3** (fig.) sound: sani principi, sound principles **4** (intero, intatto) intact.

sansa s.f. husk: olio di —, husk oil.

sanscrito s.m. Sanskrit.

sansevieria s.f. (bot.) sansevieria.

Sansone no.pr.m. (Bibbia) Samson.

santabarbara s.f. (powder) magazine.

santerellina s.f. goody-goody.

santificare v.tr. **1** to sanctify **2** (canonizzare) to canonize **3** (venerare) to hallow // — le feste, to keep (o to observe) holy days // -**arsi** v.rifl. to sanctify oneself; (purificarsi) to purify oneself.

santificazione s.f. sanctification // — delle feste, observance (o keeping) of holy days.

santimonia s.f. sanctimony, sanctimoniousness.

santissimo agg. most holy, most sacred // il Santissimo, the Blessed Sacrament.

santità s.f. holiness; (di legge, voto ecc.) sanctity // Sua Santità, His Holiness.

santo agg. **1** holy: la guerra santa, the holy war // tutti i santi giorni, every blessed day; tutto il — giorno, the whole blessed day // santo cielo!, heavens above! **2** (seguito da nome proprio) Saint **3** (pio) pious, godly; (da santo) saintly: santi pensieri, pious thoughts ♦ s.m. saint: — patrono, patron saint; giorno di tutti i Santi, All Saints' Day; farebbe perdere la pazienza a un —, he's enough to try the patience of a saint; proclamare —, to canonize // il Santo dei Santi, the Holy of Holies // a dispetto dei santi, at any cost // qualche — ci aiuterà, let's hope for the best // non so più a che — votarmi, I'm at my wits' end.

santone s.m. santon, marabout.

santonina s.f. (chim. farm.) santonin.

santuario s.m. sanctuary (anche fig.).

sanzionare v.tr. to sanction.

sanzione s.f. sanction (anche fig.).

sapere v.tr. **1** to know*: non lo so, I don't know; non so come fare, I don't know how to manage; non so che dirti, I don't know what to say to you; far — qlco. a qlcu., to let s.o. know sthg.; lo so esperto in materia, I know him to be an expert in the subject // — di, to know of; (essere al corrente di) to know about; so di un negozio dove si spende meno, I know of a shop where things are cheaper; — di musica, to have some knowledge of music // per quanto io sappia, as far as I know // se tu sapessi!, if only you knew! // averlo saputo..., if only I could have known... // buono a sapersi, that's good to know // chi sa, who knows; chi sa se..., I wonder whether... // ...e che so io, ...and what not // ...si sa, ...as everybody knows // sappi, sappiate che..., don't forget that... // non si sa mai, you can never tell

// *non sa quello che dice*, he is talking through his hat // *non sa fare altro che piangere*, all he can do is cry // *non voler più saperne di qlcu, qlco.*, not to want to have anything to do with s.o., sthg. // *non vuole saperne di andarsene*, he won't hear of going away // *saperci fare con qlcu*, to know how to handle s.o. // *un certo non so che*, a certain I don't know what // *l'ho letto in non so che libro*, I read it in some book or other // *saperne una più del diavolo*, to be as shrewd as the devil **2** (*essere capace di*) can*, to be* able, to know* how: *sa fare tutto*, he can do anything; *non so farlo*, I don't know how to do it; *sai nuotare?*, can you swim? // *sapersi divertire*, to know how to enjoy oneself **3** (*venire a conoscenza di*) to hear*, to learn* (about sthg.): *non ho più saputo niente di lui*, I haven't heard about him any more; *venire a —*, to get to know (*o* to hear *o* to learn) ♦ *v.intr.* **1** (*aver sapore*) to taste; (*aver odore*) to smell*: *sa di bruciato*, it tastes burnt; *sa di aglio*, it tastes of garlic; *non sa di niente*, it is tasteless; *il loro silenzio sa di complotto*, (*fig.*) their silence smacks of conspiracy **2** (*avere l'impressione*): *mi sa che...*, I think (*o* I have the feeling *o* I have a hunch) that...

sapere *s.m.* knowledge; (*cultura*) learning.

sapido *agg.* sapid (*anche fig.*).

sapiente *agg.* **1** learned **2** (*saggio, accorto*) wise // *mani sapienti*, skilful hands ♦ *s.m.* **1** sage **2** (*uomo colto*) scholar.

sapientone *s.m.* (*iron.*) know-all.

sapienza *s.f.* learning; (*saggezza*) wisdom.

saponaria *s.f.* (*bot.*) soapwort.

saponata *s.f.* soapsuds (*pl.*).

sapone *s.m.* soap: — *per la barba*, shaving soap; — *da bucato, da bagno*, washing soap, bath soap; — *in polvere*, soap powder.

saponetta *s.f.* cake, bar, tablet of soap.

saponiero *agg.* soap (*attr.*).

saponificare *v.tr.* to saponify.

saponificazione *s.f.* saponification.

saponificio *s.m.* soap factory, soapery.

saponina *s.f.* (*chim.*) saponin.

saponoso *agg.* soapy.

sapore *s.m.* taste; (*aroma*) flavour (*anche fig.*): *non avere* —, to have no taste; *senza* —, tasteless; *dare* — *a*, (*anche fig.*) to flavour.

saporire *v.tr.* to flavour.

saporitamente *avv.*: *dormire* —, to sleep soundly.

saporito *agg.* **1** savoury, tasty **2** (*salato*) salty **3** (*fig.*) (*arguto*) witty; (*piccante*) racy: *aneddoto* —, racy anecdote.

saporoso *agg.* savoury; (*fig.*) racy.

saputo *agg. e s.m.* (*spreg.*) know-all.

Sara *no.pr.f.* Sarah, Sara.

sarabanda *s.f.* **1** saraband **2** (*fig.*) riot.

saracco *s.m.* handsaw.

saraceno *agg.* Saracenic // *grano* —, saracen corn ♦ *s.m.* Saracen.

saracinesca *s.f.* **1** rolling shutter **2** (*chiusa*) sluice gate.

sarago *s.m.* (*zool.*) sargo.

sarcasmo *s.m.* sarcasm: *fare del* —, to be sarcastic.

sarcastico *agg.* sarcastic.

sarchiare *v.tr.* to hoe.

sarchiatrice *s.f.* weeding machine.

sarchiatura *s.f.* hoeing, weeding.

sarchiello, sarchio *s.m.* hoe.

sarcofago *s.m.* sarcophagus (*pl.* sarcophagi).

sarcoma *s.m.* (*med.*) sarcoma.

Sardegna *no.pr.f.* Sardinia.

sardina *s.f.* sardine.

sardo *agg. e s.m.* Sardinian.

sardonico *agg.* sardonic.

sargasso *s.m.* (*bot.*) sargasso // *Mar dei Sargassi*, Sargasso Sea.

sarmento *s.m.* (*bot.*) runner; (*di vite*) vine runner.

sarta *s.f.* dressmaker.

sartia *s.f.* (*mar.*) stay, shrouds (*pl.*).

sartiame *s.m.* (*mar.*) shrouds (*pl.*).

sartina *s.f.* (*fam.*) seamstress; (*apprendista*) (apprentice) dressmaker.

sarto *s.m.* tailor.

sartoria *s.f.* **1** (*da uomo*) tailor's; (*da donna*) dressmaker's // *abito di* —, (haute couture) model // *si veste in* —, she buys her clothes at a couturier's **2** (*arte di sarto*) couture.

sartotecnica *s.f.* dressmaking.

sassaia *s.f.* **1** stony place **2** (*argine di sassi*) barrier of stones.

sassaiola *s.f.* volley of stones.

sassata *s.f.* blow with a stone: *prendere a sassate qlcu*, to stone s.o.

sassifraga *s.f.* (*bot.*) saxifrage.

sasso *s.m.* stone; (*ciottolo*) pebble // *rimanere di* —, to be dumbfounded.

sassofonista *s.m.* saxophonist.

sassofono *s.m.* saxophone.

sassone *agg. e s.m.* Saxon.

sassoso *agg.* stony.

Satana *s.m.* Satan.

satanico *agg.* satanic, diabolic.

satanismo *s.m.* satanism.

satellite *s.m.* satellite: — *artificiale*, artificial satellite; — *per telecomunicazioni*, comsat; *collegamento via* —, comsat link // *stato* —, satellite State // *centro* —, satellite center // *città* —, satellite town.

satinato *agg.* satin (*attr.*).

satira *s.f.* satire: *mettere in* —, to satirize.

satireggiare *v.tr.* to satirize.

satirico *agg.* satiric; (*spec. fig.*) satirical.

satiro *s.m.* satyr (*anche fig.*).

satollo *agg.* satiated, full (up) (*pred.*).

saturare *v.tr.* to saturate (*anche fig.*); (*riempire*) to fill: — *qlco. di*, to saturate (*o* to fill) sthg. with // — *il mercato*, to glut the market // **-arsi** *v.rifl.* to become* saturated (with sthg.).

saturazione *s.f.* saturation.

saturnismo *s.m.* (*med.*) lead poisoning.

Saturno *s.m.* (*astr. mit.*) Saturn.

saturo *agg.* saturated (with) (*anche fig.*); (*ripieno*) full: — *d'odio*, full of hatred.

saudita *agg.* Saudi.

sauna *s.f.* sauna.

sauri *s.m.pl.* (*zool.*) Sauria.

sauro *agg. e s.m.* sorrel.

savana *s.f.* savanna(h).

saviezza *s.f.* wisdom.

savio e *deriv.* → **saggio** e *deriv.*

Savoia *no.pr.f.* Savoy.

savoiardo *agg. e s.m.* Savoyard ♦ *s.m.* (*biscotto*) ladyfinger.

saziabile *agg.* satiable.

saziare *v.tr.* **1** to satisfy (*anche fig.*), to satiate (*anche fig.*): — *qlcu*, to satisfy s.o.'s hunger; — *la sete di qlcu*, to quench s.o.'s thirst 2 (*stancare*) to fill: *è un cibo che sazia molto*, this food is very filling // **-arsi** *v.rifl.* 1 to satisfy one's appetite, to become* satiated (*anche fig.*) 2 (*stancarsi*) to get* tired.

sazietà *s.f.* satiety, surfeit: *bere, mangiare a —*, to drink, to eat one's fill.

sazio *agg.* 1 replete, sated (with); (*fam.*) full (up) 2 (*stanco*) tired, sick.

sbaciucchiamento *s.m.* kissing; (*fam. amer.*) smooching.

sbaciucchiare *v.tr.* to smother with kisses // **-arsi** *v.rifl.rec.* to smother each other with kisses; (*fam. amer.*) to smooch.

sbadataggine *s.f.* carelessness, heedlessness.

sbadato *agg.* careless, heedless.

sbadigliare *v.intr.* to yawn: *— per la fame*, to yawn with hunger.

sbadiglio *s.m.* yawn; (*lo sbadigliare*) yawning.

sbafare *v.tr.* 1 (*scroccare*) to scrounge, to sponge (for sthg.) 2 (*mangiare avidamente*) to gobble up, to guzzle.

sbafatore *s.m.* scrounger, sponger.

sbafo *s.m.* scrounging // *vivere a —*, to scrounge (*o* to sponge) a living.

sbagliare *v.tr.* to mistake*, to make* a mistake (in sthg.): *— un calcolo*, to miscalculate (*o* to be out in one's reckoning); *— il colpo*, to miss the target; *— strada, treno*, to take the wrong way, train // *— il passo*, to be (*o* to fall) out of step ♦ *v.intr.*, **-arsi** *v.intr.pron.* to make* a mistake, to go* wrong, to err; (*aver torto*) to be* wrong, to be* mistaken: *la casa è lì, non puoi sbagliarti*, the house is there, you can't miss it; *posso sbagliarmi*, I may be wrong; *mi sono sbagliato sul suo conto*, I was wrong about him // *— di grosso*, to (make a) blunder.

sbagliato *agg.* wrong, mistaken, erroneous: *calcolo —*, wrong calculation (*o* miscalculation); (*interpretazione sbagliata*, wrong interpretation (*o* misinterpretation); *osservazione sbagliata*, erroneous observation.

sbaglio *s.m.* mistake, error: *per —*, by mistake; *lo — fu tuo*, it was your fault: *fare uno —*, to make a mistake (*o* a blunder).

sbalestramento *s.m.* 1 (*l'inviare lontano*) shunt 2 (*disagio*) uneasiness.

sbalestrare *v.intr.* (*sragionare*) to talk nonsense ♦ *v.tr.* to send*: *— qlcu. da un luogo a un altro*, to send s.o. abruptly from one place to another.

sbalestrato *agg.* 1 (*squilibrato*) unbalanced, off one's balance 2 (*a disagio*) uneasy: *si sente —*, he hasn't settled down yet.

sballare *v.tr.* to unpack // *sballarle grosse*, (*fig. fam.*) to shoot a line (*o* to talk big) ♦ *v.intr.* (*al gioco*) to go* bust.

sballato *agg.* (*fig. fam.*) crazy: *impresa sballata*, madcap enterprise.

sballo *s.m.*: *da —*, (*fam.*) snazzy.

sballottamento *s.m.* jolting, tossing.

sballottare *v.tr.* to toss (about) // *sballottato dalla folla*, pushed about in the crowd // *essere sballottati da un luogo all'altro*, to be shunted from one place to another.

sbalordimento *s.m.* amazement, astonishment; (*confusione*) bewilderment.

sbalordire *v.tr.* 1 to amaze, to astonish, to dumbfound; (*confondere*) to bewilder 2 (*tramortire*) to stun ♦ *v.intr.* to be* amazed.

sbalorditivo *agg.* amazing, astonishing, dumbfounding; (*che confonde*) bewildering.

sbalordito *agg.* 1 amazed; (*confuso*) bewildered 2 (*stordito*) stunned.

sbalzare[1] *v.tr.* to throw*, to toss, to fling*: *essere sbalzato dall'automobile*, to be thrown (*o* flung) out of the car.

sbalzare[2] *v.tr.* (*metalli*) to emboss.

sbalzo *s.m.* 1 bound, jump, leap // *a sbalzi*, by fits and starts (*o* in spurts) 2 (*cambiamento*) change: *sbalzi di temperatura*, changes of temperature 3 *lavoro a —*, embossed work 4 (*arch.*) corbel.

sbancamento *s.m.* (*lavori stradali*) earth levelling.

sbancare[1] *v.tr.* to break* the bank; (*fam.*) to leave* (s.o.) broke: *mi ha sbancato*, he cleaned me out; *— il casinò*, to break the bank at the casino // **-arsi** *v.rifl.* to spend* all one's money, to go* broke.

sbancare[2] *v.tr.* (*lavori stradali*) to level.

sbandamento[1] *s.m.* 1 (*lo sbandare*) (*aut.*) skidding; (*mar.*) listing; (*aer.*) sideslipping 2 (*sbandata*) (*aut.*) skid; (*mar.*) list; (*aer.*) sideslip.

sbandamento[2] *s.m.* (*mil.*) disbanding; (*disgregazione*) breakup, breaking up.

sbandare *v.intr.* 1 (*aut.*) to skid; (*aer.*) to sideslip; (*mar.*) to list 2 (*fig.*) to split* up.

sbandarsi *v.intr.pron.* to disperse; (*mil.*) to disband; (*disgregarsi*) to break* up.

sbandata *s.f.* 1 (*fam.*) crush: *prendere una — per qlcu.*, to get a crush on s.o. 2 → **sbandamento**[1] nel senso 2.

sbandato *agg.* 1 (*mil.*) disbanded 2 (*disorientato*) *persona sbandata*, drifter ♦ *s.m.* straggler.

sbandieramento *s.m.* 1 flag-waving 2 (*ostentazione*) display; (*spreg.*) show, parade.

sbandierare *v.intr.* to wave a flag ♦ *v.tr.* (*ostentare*) to display, to show* off.

sbaraccare *v.tr.* to dislodge, to drive* out ♦ *v.intr.* to clear out.

sbaragliamento *s.m.* rout, routing.

sbaragliare *v.tr.* to rout, to put* to rout.

sbaraglio *s.m.* rout; (*rischio*) risk; (*pericolo*) danger, jeopardy: *mandare le truppe allo —*, to send the troops to slaughter; *mettere allo — la propria vita*, to endanger one's life; *buttarsi allo —*, to chance one's arm; *mandare allo — qlcu.*, (*fig.*) to send s.o. out on a limb.

sbarazzare *v.tr.* to rid* // **-arsi** *v.rifl.* to rid* oneself, to get* rid.

sbarazzino *agg.* free and easy, roguish ♦ *s.m.* (little) scamp, (little) monkey, little rogue.

sbarbare *v.tr.* 1 to shave: *farsi —*, to have a shave 2 (*svellere*) to uproot // **-arsi** *v.rifl.* to shave (oneself), to have* a shave.

sbarbatello *s.m.* (*iron.*) greenhorn.

sbarbicare *v.tr.* to uproot, to root out.

sbarcare *v.tr.* to land, to put* (s.o., sthg.) ashore; (*solo merci*) to unload ♦ *v.intr.* to land; (*temporaneamente*) to go* ashore.

sbarco *s.m.* landing; (*solo di merci*) unloading, discharge.

sbarra *s.f.* 1 bar: *— a bilico*, (*di passaggio a livello*) (*bascule*) barrier; *esercizi alla —*, (*sport*) exercises at the bar // *andare, presentarsi alla —*, (*dir.*) to appear at the bar 2 (*del timone*) tiller 3 (*ortografia*) bar.

sbarramento *s.m.* 1 obstruction 2 (*di acque*) barrage; (*diga*) dam 3 (*mil.*) barrage, defence; (*di porto*) boom; *— antiaereo*, antiaircraft barrage; *tiro di —*, (*artillery*) barrage 4 (*lo sbarrare*) barring; (*l'ostruire*) blocking; (*di una valle*) damming.

sbarrare *v.tr.* 1 to bar; (*ostruire*) to block, to obstruct; (*acque*) to dam: — *il passo, la strada a qlcu.*, (*anche fig.*) to bar s.o.'s way 2 (*spalancare*) to open wide 3 — *un assegno*, (*comm.*) to cross a cheque.

sbarrato *agg.* 1 (*di strada*) blocked 2 (*di porta, finestra*) barred 3 (*di occhi*) wide open 4 (*di assegni*) crossed.

sbastire *v.tr.* to remove the basting from.

sbatacchiamento *s.m.* banging, slamming.

sbatacchiare *v.tr. e intr.* to bang, to slam.

sbattere *v.tr.* 1 to knock, to bang: — *la testa contro il muro*, (*anche fig.*) to beat one's head against a wall // *non sapere dove — la testa*, not to know which way to turn // *quel colore ti sbatte*, that colour makes you look like a ghost 2 (*chiudere violentemente*) to slam, to bang: — *la porta in faccia a qlcu.*, (*anche fig.*) to slam the door in s.o.'s face 3 (*gettare*) to throw*: — *via un paio di guanti*, to throw away a pair of gloves // — *fuori*, (*licenziare*) to sack // — *fuori qlcu. dalla stanza*, to throw s.o. out of the room // — *in prigione*, to fling into prison // — *via denaro, tempo*, to waste money, time 4 (*agitare, scuotere*) to shake*, to toss: — *un tappeto, una coperta*, to shake a carpet, a blanket // — *le ali*, to flap one's wings // — *la panna*, to whip cream // — *le uova*, to beat eggs ♦ *v.intr.* 1 (*di porte, finestre*) to bang, to slam 2 (*di ali, vele ecc.*) to flap.

sbattimento *s.m.* 1 (*di porte, finestre*) banging, slamming 2 (*scuotimento*) shaking, tossing; (*di panna*) whipping; (*di uova*) beating 3 (*di ali, vele ecc.*) flapping.

sbattuto *agg.* 1 tired 2 *uovo —*, beaten.

sbavare *v.intr.* 1 to dribble 2 (*tip.*) to smudge 3 (*di colore ecc.*) to run*; (*di rossetto*) to smear ♦ *v.tr.* (*metall.*) to polish.

sbavatura *s.f.* 1 dribbling; (*di lumaca*) trail 2 (*tip.*) smudge 3 (*di colore ecc.*) running; (*di rossetto*) smear 4 (*metall.*) polishing.

sbeccare *v.tr.* to chip.

sbellicarsi *v.intr.pron.*: — *dalle risa*, to split* one's sides (with laughter).

sbendare *v.tr.* to remove the bandages (from s.o., sthg.) // **-arsi** *v.rifl.* to remove one's bandages.

sberla *s.f.* slap.

sberleffo *s.m.* face, grimace.

sbertucciare *v.tr.* 1 to mock 2 (*sgualcire*) to wrinkle.

sbevazzare *v.intr.* to tipple; (*fam.*) to booze.

sbiadire *v.tr. e intr.* to fade // *colori che non sbiadiscono*, fast colours.

sbiadito *agg.* 1 faded 2 (*fig.*) dull.

sbiancare *v.tr.* to bleach ♦ *v.intr.*, **-arsi** *v.intr.pron.* 1 to turn white 2 (*impallidire*) to grow* pale.

sbiecare *v.tr.* to cut* a cloth on the bias.

sbieco *agg.* aslant (*pred.*); (*obliquo*) oblique // *di —*, askew // *guardare qlcu. di —*, (*fig.*) to look askance at s.o. // *tagliare qlco. di —*, to cut sthg. on the bias ♦ *s.m.* 1 flare 2 (*guarnizione*) bias binding.

sbigottimento *s.m.* (*perplessità*) bewilderment; (*smarrimento*) dismay; (*stupore*) astonishment.

sbigottire *v.tr.* (*rendere perplesso*) to bewilder; (*turbare*) to dismay; (*stupire*) to astonish // **-irsi** *v.intr.pron.* (*rimanere perplesso*) to be* bewildered; (*turbarsi*) to be* dismayed; (*meravigliarsi*) to be* astonished.

sbigottito *agg.* (*perplesso*) bewildered; (*turbato*) dismayed; (*stupito*) astonished.

sbilanciamento *s.m.* loss of balance.

sbilanciare *v.tr.* to unbalance; to put* out of balance // *quella spesa mi ha sbilanciato*, this purchase has put

my budget out ♦ *v.intr.* to lean* // **-arsi** *v.rifl.* to lose* one's balance // *non si sbilancia mai troppo*, (*nello spendere*) he is never lavish with his money; (*nel parlare*) he always keeps control of himself.

sbilancio *s.m.* 1 (*squilibrio*) lack of balance 2 (*deficit*) deficit.

sbilenco *agg.* crooked; (*fig.*) twisted.

sbirciare *v.tr.* (*guardare di traverso*) to cast* (sidelong glances at s.o., sthg.).

sbirciata *s.f.* sidelong glance.

sbirraglia *s.f.* (*spreg.*) police; (*fam.*) cops (*pl.*).

sbirro *s.m.* (*spreg.*) policeman (*pl.* -men); (*fam.*) cop.

sbizzarrirsi *v.intr.pron.* to satisfy one's fancy.

sbloccare *v.tr.* 1 to clear (*anche fig.*) 2 (*mil.*) to raise the blockade (of sthg.) 3 (*mecc.*) to release the brake (of sthg.) 4 (*informatica*) (*IBM*) to reset*; (*tastiera*) to unlock 5 (*i prezzi*) to unfreeze*; (*gli affitti*) to decontrol.

sblocco *s.m.* 1 clearing (*anche fig.*) 2 (*mil.*) raising the blockade 3 (*mecc.*) releasing the brakes 4 (*degli affitti*) decontrol; (*dei prezzi*) unfreezing.

sboccare *v.intr.* 1 to flow* (into sthg.) 2 (*di strada*) to come* out (at a place); (*condurre*) to lead* (to a place) // *sboccai in una piazza*, I came to a square 3 (*fig.*) to end up ♦ *v.tr.* 1 (*togliere un po' di liquido*) to filter off; to pour off 2 (*rompere l'imboccatura*) to break* off the neck (of the bottle).

sboccato *agg.* coarse // *persona sboccata*, foul -mouthed person.

sbocciare *v.intr.* 1 to blossom 2 (*fig.*) (*nascere*) to be* born; (*incominciare*) to start.

sboccio *s.m.* blossoming // *in pieno —*, in full bloom // *sul primo —*, (*fig.*) in the bloom of youth.

sbocco *s.m.* 1 outlet (*anche fig.*) // *avere uno — di sangue*, to cough blood 2 (*di fiume*) mouth; (*di strada*) end 3 (*comm.*) market.

sbocconcellare *v.tr.* 1 to nibble (at sthg.) 2 (*piatti, tazze ecc.*) to chip.

sbollentare *v.tr.* (*cuc.*) to scald.

sbolognare *v.tr.* 1 (*fam.*) to palm off (sthg. on s.o.) 2 (*fig.*) to get* rid (of s.o.) // *sbolognarsela*, (*svignarsela*) to sneak away.

sbornia *s.f.* drunkenness // *avere, prendere una bella —*, to get as drunk as a lord // *sentire i postumi della —*, to have a hangover.

sborniarsi *v.rifl.* to get* drunk.

sborsare *v.tr.* to pay* out; to spend*: *senza — niente*, without spending a penny.

sborso *s.m.* 1 (*lo sborsare*) payment 2 (*somma sborsata*) outlay.

sbottare *v.intr.* to burst* out; (*assoluto*) to explode: — *in pianto*, to burst out crying.

sbotto *s.m.* outburst.

sbottonare *v.tr.* to unbutton // **-arsi** *v.rifl.* 1 to undo* one's buttons: — *il soprabito*, to unbutton one's overcoat 2 (*fam.*) (*confidarsi*) to confide (in s.o.).

sbozzare *v.tr.* 1 to rough-hew; (*disegni, dipinti*) to sketch out 2 (*fig.*) to outline.

sbozzo *s.m.* rough sketch, draft.

sbracarsi *v.rifl.* to take* off one's trousers; (*fig.*) to mess oneself up.

sbracato *agg.* slipshod.

sbracciarsi *v.intr.pron.* 1 (*rimboccarsi le maniche*) to turn up one's sleeves; (*indossare abiti senza maniche*) to wear* sleeveless dresses 2 (*gesticolare*) to gesticulate 3 (*fig.*) (*darsi da fare*) to busy oneself.

sbracciato *agg.* with bare arms; (*di vestito*) sleeveless.

sbraitare *v.intr.* to shout.

sbranare *v.tr.* to tear* to pieces (*anche fig.*).

sbrancare *v.tr.* **1** (*togliere dal branco*) to take* from the flock **2** (*disperdere*) to scatter // **-arsi** *v.intr.pron.* to stray from the flock.

sbrattare *v.tr.* to clear (*anche fig.*).

sbratto *s.m.* clearing // *stanza di —*, lumber-room.

sbrendolo *s.m.* (*fam.*) scrap (of cloth).

sbriciolamento *s.m.* crumbling.

sbriciolare *v.tr.* to crumble; (*fig.*) to crush // **-arsi** *v.intr.pron.* to crumble.

sbrigare *v.tr.* to finish off, to dispatch; (*risolvere*) to settle // *in pochi minuti sbrigò la faccenda*, he dealt with the matter in a few minutes // *— una gran quantità di lavoro*, to get through a great deal of work // **-arsi** *v. rifl.* (*affrettarsi*) to hurry up // *sbrigarsela*, to manage.

sbrigativo *agg.* **1** quick: *una risposta sbrigativa*, a hurried answer **2** (*di persona*) quick-mannered.

sbrigliamento *s.m.* unbridling.

sbrigliare *v.tr.* to unbridle // *— la fantasia*, to give free rein to one's imagination // **-arsi** *v.rifl.* to let* oneself go.

sbrigliatezza *s.f.* unruliness.

sbrigliato *agg.* **1** unbridled **2** (*fig.*) (*sfrenato*) unrestrained **3** (*indisciplinato*) unruly.

sbrinamento *s.m.* defrosting.

sbrinare *v.tr.* to defrost.

sbrinatore *s.m.* defroster.

sbrindellare *v.tr.* to tear* to shreds.

sbrindellato *agg.* in shreds (*pred.*).

sbrodolare *v.tr.* **1** to slobber // *sbrodolarsi la cravatta di caffè*, to spill coffee on one's tie **2** (*fig.*) (*tirare in lungo*) to drag on // **-arsi** *v.rifl.* to slobber (oneself): *ti sei tutto sbrodolato!*, you have slobbered all over yourself!

sbrodolato *agg.* **1** soiled **2** (*fig.*) (*prolisso*) dragged on.

sbrodolone *s.m.* slovenly eater.

sbrogliare *v.tr.* **1** to disentangle: *— una matassa*, to unravel a skein // *— le vele*, to sail off **2** (*sgombrare*) to clear // **-arsi** *v.rifl.* (*fig.*) to manage to get out (of sthg.).

sbronza *s.f.* booze-up.

sbronzarsi *v.rifl.* (*fam.*) to get* boozed-up.

sbronzo *agg.* (*fam.*) tight, boozed // *esser — marcio*, to be stinking (*o* as high as a kite).

sbruffare *v.tr.* **1** to besprinkle **2** (*dire spacconate*) to brag.

sbruffo *s.m.* **1** sprinkle **2** (*fig.*) bribe.

sbruffone *s.m.* braggart.

sbucare *v.intr.* to come* out (of a place); (*fig.*) to spring*.

sbucciare *v.tr.* to peel **2** (*piselli, fagioli*) to shell **3** (*escoriarsi*) to graze: *sbucciarsi un ginocchio*, to graze one's knee.

sbucciatura *s.f.* **1** peeling; (*di piselli, fagioli*) shelling **2** (*escoriazione*) scratch.

sbudellare *v.tr.* **1** (*letter.*) to disembowel **2** (*fam.*) (*colpire al ventre*) to run* (s.o.) through the guts // **-arsi** *v.rifl.*: *— dal ridere*, (*pop.*) to split one's sides (with laughter).

sbuffare *v.intr.* **1** (*ansimare*) to pant **2** (*per ira, noia*) to snort **3** (*gettare buffi di fumo*) to puff away.

sbuffata *s.f.* puff; (*per ira, noia*) snort.

sbuffo *s.m.* puff; (*per ira, noia*) snort // *uno — di vento*, a gust // *maniche a —*, puff(ed) sleeves.

sbugiardare *v.tr.* to give* the lie (to s.o.).

sbullettare *v.tr.* to unnail ♦ *v.intr.* to flake off.

sbullonare *v.tr.* to unscrew.

scabbia *s.f.* **1** (*med.*) scabies **2** (*vet.*) scab.

scabbioso *agg.* scabby, scabbed.

scabro *agg.* rough, uneven, rugged (*anche fig.*).

scabrosità *s.f.* **1** roughness, unevenness **2** (*fig.*) scabrousness; (*difficoltà*) difficulty.

scabroso *agg.* **1** (*ruvido*) rough, rugged **2** (*fig.*) (*osceno*) scabrous; (*imbarazzante*) awkward; (*difficile*) difficult.

scacchiera *s.f.* (*per gli scacchi*) chessboard; (*per la dama*) draughtboard.

scacchiere *s.m.* **1** (*mil.*) (*zona*) zone **2** (*st.*) Scacchiere, Exchequer: *Cancelliere dello Scacchiere*, Chancellor of the Exchequer.

scacciacani *s.m. e f.* toy pistol.

scacciapensieri *s.m.* **1** (*strumento musicale*) Jew's harp **2** (*fig.*) pastime.

scacciare *v.tr.* to drive* away, to dispel (*anche fig.*): *— dubbi, timori*, to dispel doubts, fears; *— di casa*, to drive out of the house.

scaccino *s.m.* church cleaner.

scacco *s.m.* **1** (*quadratino di scacchiera*) square **2** *pl.* (*disegno su tessuti ecc.*) check (*sing.*): *disegno a scacchi*, check pattern // *vedere il sole a scacchi*, (*fig.*) to be behind bars **3** *pl.* (*gioco*) chess (*sing.*): *pezzi degli scacchi*, chessmen; *fare una partita a scacchi*, to play a game of chess // *— matto*, checkmate: *dare — matto*, (*anche fig.*) to checkmate; *dare lo — matto in tre mosse*, to checkmate the king in three moves // *tenere qlcu. in —*, to keep s.o. in check // *subire uno —*, to suffer a setback.

scadente *agg.* poor; (*di merci*) shoddy // *voto —*, bad mark // *essere — in greco*, to be poor at Greek.

scadenza *s.f.* (*comm.*) **1** maturity; (*di contratto*) expiry: *— fissa*, maturity on a fixed day; *— indeterminata*, maturity at will; *ultima —*, final expiry date; *alla — della cambiale*, on maturity of the bill; *a —*, on term; *a breve, lunga —*, at short, long term; *effetti a lunga —*, long-dated maturities; *programma a lunga —*, long-term programme **2** (*data di scadenza*) due date; maturity date; deadline.

scadenzario *s.m.* (*comm.*) bill-book.

scadere *v.intr.* **1** (*perdere pregio, valore*) to fall* off: *— di valore*, to decrease in value; *dopo quello che ha fatto è molto scaduto ai miei occhi*, after what he has done he has fallen low in my estimation // *— nella stima di qlcu.*, to sink in s.o.'s estimation **2** (*di contratto*) to expire **3** (*di cambiali ecc.*) to be* due: *questa cambiale scade a giorni*, this bill will fall due (*o* is due) in a few days.

scadimento *s.m.* falling off, decline.

scafandro *s.m.* **1** diving suit **2** (*degli astronauti*) spacesuit.

scaffalatura *s.f.* shelving.

scaffale *s.m.* shelf; (*per libri*) bookshelf; (*di magazzino*) stand: *— a rastrelliera*, rack.

scafo *s.m.* hull: *longitudinalmente allo —*, fore and aft; *trasversalmente allo —*, athwartship.

scagionare *v.tr.* to exculpate (s.o. from sthg.); (*di tribunale*) to acquit (s.o. of sthg.) // **-arsi** *v.rifl.* to exculpate oneself.

scaglia *s.f.* **1** (*di pesci, rettili*) scale **2** (*di sapone*) flake; (*di armatura*) scale; (*scheggia*) chip // *sapone in scaglie*, soap flakes.

scagliare *v.tr.* to fling*, to throw*, to hurl (*anche fig.*): — *pietre contro qlcu.*, to fling stones at s.o.; — *insulti contro qlcu.*, to hurl abuse at s.o. // **-arsi** *v.rifl.* to hurl oneself, to rush.

scagliarsi *v.intr.pron.* (*venir via a scaglie*) to scale (off), to flake off.

scaglionamento *s.m.* (*mil.*) arrangement in echelons.

scaglionare *v.tr.* **1** to echelon **2** (*comm.*) to scale: — *i pagamenti*, to scale down payments.

scaglione *s.m.* **1** (*mil.*) echelon **2** (*gruppo*) group: *a scaglioni*, in groups **3** (*di monte*) mountain-terrace.

scaglioso *agg.* **1** scaly (*scistoso*) schistose.

scagnozzo *s.m.* (*spreg.*) **1** (*tirapiedi*) hanger-on **2** (*prete povero*) impoverished priest.

scala *s.f.* **1** staircase; stairs (*pl.*); (*di una certa imponenza*) stairway: *una rampa di scale*, a flight of stairs; — *a due rampe*, staircase with two flights; — *a chiocciola*, winding staircase; — *a pioli*, ladder; — *da pompieri*, fireman's ladder; — *di corda*, rope ladder; — *di sicurezza*, fire escape; — *mobile*, escalator; — *porta, aerea*, extension ladder; — *portatile*, stepladder; *montare su una* — (*trasportabile*), to climb a ladder; *salire, scendere le scale*, to go upstairs, downstairs // — *svedese*, wall bars **2** (*gamma*) scale **3** (*nel gioco delle carte*) sequence // — *reale*, royal flush **4** (*econ.*) scale: — *mobile (dei salari)*, (wage) sliding scale **5** (*graduata*) scale: — *topografica*, scale of the map; — *1 : 1, 1 : 2, 1 : 4*, full-, half-, quarter-scale; *disegno in* — , scale drawing; *ridurre in* —, to scale down // *su vasta* —, on a large scale // *produzione su* — *nazionale*, production on a national scale **6** (*mus.*) scale: *fare le scale (al pianoforte)*, to practice scales (on the piano).

scalandrone *s.m.* (*mar.*) gangplank.

scalare[1] *agg.* scaled, proportional: *interesse* —, (*econ.*) diminishing interest.

scalare[2] *v.tr.* **1** to climb (up); (*spec. con scala*) to scale: — *una montagna*, to climb a mountain; — *un muro*, to scale a wall **2** (*disporre in scala*) to scale **3** (*diminuire*) to scale down.

scalata *s.f.* climb, climbing, scaling: *dare la* — *a un monte*, to climb a mountain; *dare la* — *al potere*, to climb to power.

scalatore *s.m.* climber; (*rocciatore*) rock-climber.

scalcagnare *v.tr.* to wear* down the heels of one's shoes.

scalcagnato *agg.* down-at-heel.

scalciare *v.intr.* to kick (out).

scalcinato *agg.* (*malridotto*) shabby.

scalco *s.m.* **1** (*chi trincia vivande*) carver **2** (*lo scalcare*) carving: *coltello da* —, carving knife.

scaldabagno *s.m.* water-heater; — *a gas*, geyser; — *elettrico*, electric water-heater.

scaldaletto *s.m.* bed-warmer; (*con carbonella*) warming pan.

scaldamani *s.m.* handwarmer.

scaldapiedi *s.m.* footwarmer.

scaldare *v.tr. e intr.* to heat; (*moderatamente*) to warm (*anche fig.*): — *le mani vicino al fuoco*, to warm one's hands at the fire // — *il motore*, to warm up the engine // — *il banco, la sedia*, (*amer.*) to be a chair-warmer // **-arsi** *v.rifl.* **1** to warm oneself; (*diventare caldo*) to get* hot, to heat (up); to get* warm, to warm (up): *l'acqua si sta scaldando*, the water is heating (*o* getting hot); — *al fuoco, al sole*, to warm oneself at the fire, in the sun **2** (*fig.*) (*eccitarsi*) to get* excited; (*arrabbiarsi*) to get* angry.

scaldavivande *s.m.* chafing dish.

scaldino *s.m.* handwarmer.

scalea *s.f.* stairway.

scaleno *agg.* scalene.

scaletta *s.f.* **1** (*di aereo, nave*) gangway **2** (*di testo, discorso*) preliminary notes.

scalfare *v.tr.* to widen an armhole.

scalferotto *s.m.* sock; (*pantofola*) warm slipper.

scalfire *v.tr.* to scrape; (*graffiare*) to scratch.

scalfittura *s.f.* scrape; (*leggera ferita*) scratch.

scalfo *s.m.* armhole.

scalinata *s.f.* stairway; (flight of) steps.

scalino *s.m.* step; (*di scala a pioli*) rung: *fai attenzione allo* —, mind the step.

scalmana *s.f.* **1** (*med.*) chill; (*vampa di calore al viso*) hot flush **2** (*fig.*) (*passing*) fad.

scalmanarsi *v.rifl.* **1** (*agitarsi eccessivamente*) to get* worked up (about sthg.), to get* excited (about sthg.) **2** (*darsi un gran da fare*) to bustle (about).

scalmanato *agg.* (*sudato e trafelato*) hot and bothered; (*esaltato, turbolento*) hotheaded ♦ *s.m.* hothead.

scalmo *s.m.* **1** (*appoggio per il remo*) rowlock **2** (*costruzioni navali*) futtock.

scalo *s.m.* **1** (*aer. mar.*) port of call: — *intermedio*, (*aer.*) intermediate stop; (*mar.*) intermediate port of call; — *passeggeri*, passenger quay; *volo senza* —, non -stop flight; *fare* — *a*, (*di nave*) to call at; (*di aereo*) to stop off at **2** — *merci*, (*ferr.*) goods station **3** (*impalcatura di sostegno per navi*) slipway.

scalogna *s.f.* (*fam.*) (*sfortuna*) bad luck, ill luck; (*iettatura*) evil eye.

scalone *s.m.* (great) stairway, great staircase.

scaloppina *s.f.* (*cuc.*) scallop.

scalpellare *v.tr.* **1** to chisel **2** (*cancellare con lo scalpello*) to chisel off.

scalpellino *s.m.* stonecutter, stonedresser.

scalpello *s.m.* **1** chisel: — *da falegname*, wood chisel; — *da muratore*, stone chisel // *lavorare di* —, to sculpture **2** (*chir.*) chisel **3** (*tecn. mineraria*) rock drill.

scalpicciare *v.intr.* to shuffle (along).

scalpiccio *s.m.* shuffling.

scalpitare *v.intr.* **1** to paw the ground **2** (*fig.*) to champ.

scalpitio *s.m.* pawing.

scalpo *s.m.* scalp.

scalpore *s.m.* fuss; (*rumore*) noise: *far* —, to cause a sensation.

scaltrezza *s.f.* shrewdness.

scaltrire *v.tr.* to sharpen (s.o.'s) wits // **-irsi** *v.intr. pron.* **1** to become* cunning **2** (*diventare esperto*) to become* an expert.

scaltrito *agg.* **1** (*spreg.*) cunning, crafty **2** (*esperto*) experienced.

scaltro *agg.* shrewd; (*spreg.*) cunning, crafty.

scalzacani *s.m.* **1** (*persona malridotta*) ragamuffin **2** (*incompetente*) botcher, bungler.

scalzamento *s.m.* **1** (*agr.*) laying bare of the roots (of a tree) **2** (*lo smuovere alla base*) undermining (*anche fig.*).

scalzare *v.tr.* **1** to take* (s.o.'s) shoes and socks off **2** (*agr.*) to lay* bare the roots (of a tree) **3** (*smuovere alla base*) to undermine (*anche fig.*) // — *qlcu. dal suo ufficio*, to oust s.o. from (his) office **4** (*un dente*) to expose.

scalzo *agg.* barefoot, barefooted.

scambiare *v.tr.* **1** to exchange **2** (*per errore*) to mistake* **3** (*barattare*) to barter // **-arsi** *v.rifl.rec.* to exchange; (*fam.*) to swap.

scambievole *agg.* reciprocal, mutual.

scambio *s.m.* **1** exchange: *fare uno —*, to make an exchange // *libero —*, (*econ.*) free trade **2** (*ferr.*) points (*pl.*); (*amer.*) switch **3** *— aereo*, (*di filobus*) aerial frog **4** (*informatica*) exchange; (*IBM*) shift.

scambista *s.m.* (*ferr.*) pointsman (*pl.* -men); (*amer.*) switchman (*pl.* -men).

scamiciato *agg.* in one's shirtsleeves (*pred.*) ♦ *s.m.* **1** (*sovversivo*) revolutionary **2** (*abito*) pinafore dress; (*amer.*) jumper.

scamosciare *v.tr.* to chamois, to shamoy.

scamosciato *agg.* shammy (*attr.*), chamois (*attr.*) // *guanti scamosciati, scarpe scamosciate*, suède gloves, shoes.

scamosciatura *s.f.* chamoising, shamoying.

scamozzare *v.tr.* to lop (off).

scampagnata *s.f.* trip into the country.

scampanare *v.intr.* to peal.

scampanata *s.f.* peal.

scampanato *agg.* (*di gonna*) flared.

scampanellare *v.intr.* to ring* (a doorbell) repeatedly.

scampanellata *s.f.* repeated ring.

scampanellio *s.m.* repeated ring(ing).

scampanio *s.m.* pealing (of bells).

scampare *v.tr.* **1** (*salvare*) to save: *Dio ci scampi!*, God forbid! **2** (*evitare*) to avoid; (*sfuggire*) to escape // *l'hai scampata bella!*, you've had a narrow escape! // *l'hai scampata per un pelo!*, you've had a close shave (*o* a near squeak) ♦ *v.intr.* to escape (sthg.): *— alla morte*, to escape death; *— per miracolo*, to have a narrow escape.

scampato *agg.* **1** saved **2** (*evitato*) avoided // *— pericolo*, a near thing ♦ *s.m.pl.* survivors.

scampo[1] *s.m.* escape, safety: *non c'è* (*via di*) *—*, there is no way out; *cercare, trovare — nella fuga*, to seek, to find safety in flight.

scampo[2] *s.m.* (*zool.*) shrimp.

scampolo *s.m.* remnant: *vendita di scampoli*, remnant sale // *— di tempo*, spare moment.

scanalare *v.tr.* to groove; (*colonne*) to flute.

scanalato *agg.* grooved; (*di colonna*) fluted.

scanalatura *s.f.* groove; (*di colonna ecc.*) flute.

scandagliare *v.tr.* to sound (*anche fig.*).

scandaglio *s.m.* (*mar.*) **1** sounding lead, sounding line: *— acustico*, echo sounder; *— di profondità*, bathometer; *gettare lo —*, to heave the lead **2** (*lo scandagliare*) sounding (*anche fig.*): *fare scandagli*, to take soundings.

scandalistico *agg.* scandalmongering.

scandalizzare *v.tr.* to scandalize, to shock // **-arsi** *v.intr.pron.* to be* scandalized, to be* shocked (at sthg.).

scandalizzato *agg.* scandalized, shocked.

scandalo *s.m.* scandal: *lo — delle tangenti*, the bribery scandal; *fare uno —*, to stir up a scandal; *dar —*, to scandalize // *pietra dello —*, source of all scandals; *è la pietra dello —*, he is a scandal // *gridare allo —*, to cry shame.

scandaloso *agg.* scandalous, shocking.

Scandinavia *no.pr.f.* Scandinavia.

scandinavo *agg.* e *s.m.* Scandinavian.

scandire *v.tr.* (*parole, sillabe*) to syllabize, to stress; (*versi*) to scan // *— il tempo*, to beat time.

scannare *v.tr.* **1** to cut* (s.o.'s) throat, to slit* (s.o.'s) throat **2** (*massacrare*) to butcher, to slaughter.

scannatoio *s.m.* slaughterhouse.

scanno *s.m.* bench; (*di coro*) stall.

scansafatiche *s.m.* e *f.* lazybones, shirker.

scansare *v.tr.* to avoid, to dodge // **-arsi** *v.rifl.* to sidestep.

scansia *s.f.* shelves (*pl.*).

scansione *s.f.* **1** (*di versi*) scansion **2** (*elettr.*) scanning.

scanso *s.m.*: *a — di* (*qlco.*), to avoid (sthg.).

scantinato *s.m.* basement.

scantonare *v.intr.* **1** (*voltare l'angolo*) to turn the corner **2** (*svignarsela*) to sneak off **3** (*deviare da un argomento*) to avoid a subject.

scanzonato *agg.* free and easy, unconventional: *un modo di fare —*, an easygoing manner.

scapaccione *s.m.* slap, smack.

scapestrataggine *s.f.* **1** wildness **2** (*azione*) wild action.

scapestrato *agg.* wild, disorderly, dissolute ♦ *s.m.* wild youth, madcap, scapegrace.

scapezzare *v.tr.* to pollard.

scapicollarsi *v.rifl.* to go* at breakneck speed.

scapigliare *v.tr.* to ruffle (s.o.'s) hair // **-arsi** *v.rifl.* to become* dishevelled.

scapigliato *agg.* **1** dishevelled, ruffled **2** (*fig.*) wild, disorderly, loose.

scapitare *v.intr.* to lose* (by sthg.); (*perdere nella reputazione*) to lose* one's credit.

scapito *s.m.* **1** damage, loss: *vendere a —*, to sell at a loss **2** (*fig.*) prejudice, detriment: *andare a — di*, to the detriment of.

scapitozzare *v.tr.* to pollard.

scapola *s.f.* shoulder blade, scapula (*pl.* -ae).

scapolare[1] *agg.* (*della scapola*) scapular.

scapolare[2] *s.m.* (*eccl.*) scapular.

scapolare[3] *v.tr.* **1** (*fam.*) (*scampare*) to escape **2** (*mar.*) to clear ♦ *v.intr.* (*fam.*) to escape (sthg.).

scapolo *agg.* single, unmarried ♦ *s.m.* bachelor.

scapolone *s.m.* confirmed bachelor.

scappamento *s.m.* **1** (*di gas, vapore*) escape **2** (*di motori*) exhaust **3** (*ferr.*) blast pipe.

scappare *v.intr.* to escape, to run* away, to flee*: *— di prigione*, to escape from prison // *— a gambe levate*, to take to one's heels // *di qui non si scappa*, there is no escape (*o* getting away) from here // *ho fretta, devo —*, I am in a hurry, I must run off // *lasciarsi — una bella occasione*, to miss a good opportunity (*o* to let a good opportunity slip) // *ti fa — la pazienza*, he makes you lose (your) patience // *gli scappò da ridere*, he could not help laughing // *mi scappò detto che...*, without meaning to, I happened to say that... // *scappar di misura*, (*di abiti*) to grow out of one's clothes // *— di mano*, to slip from one's hand, one's wrist.

scappata *s.f.* **1** (*breve visita*) call, short visit: *fare una — da qlcu.*, to pay s.o. a short visit (*o* to call on s.o.); *fare una — in un luogo*, to make a flying visit to a place **2** (*atto di leggerezza*) escapade.

scappatella *s.f.* escapade.

scappatina *s.f.* short visit, flying visit.

scappatoia *s.f.* loophole, way out.

scappellarsi *v.rifl.* to raise one's hat.

scappellata *s.f.* raising of one's hat.

scappellotto *s.m.* slap, smack: *prendere a scappellotti qlcu.*, to box s.o.'s ears.

scappottare *v.tr.* to fold (the hood) back.

scapricciarsi *v.rifl.* to satisfy one's whims.

scarabattola *s.f.* → **carabattola**.

scarabeo *s.m.* scarab.

scarabocchiare *v.tr.* to scribble, to scrawl.

scarabocchio *s.m.* **1** scribble, scrawl **2** (*disegno, quadro*) scribbling **3** (*persona*) runt.

scaracchiare *v.intr.* to cough and splutter.

scarafaggio *s.m.* cockroach, black beetle.

scaramanzia *s.f.* superstitious practice.

scaramuccia *s.f.* skirmish.

scaraventare *v.tr.* to hurl, to fling // **-arsi** *v.rifl.* to hurl oneself.

scarcassato *agg.* ramshackle, tumbledown.

scarcerare *v.tr.* to discharge (from prison), to release (from prison), to set* (s.o.) free.

scarcerazione *s.f.* discharge (from prison), release (from prison).

scardare *v.tr.* to husk.

scardassare *v.tr.* to card.

scardassatore *s.m.* carder.

scardassatura *s.f.* carding.

scardasso *s.m.* (*ind. tessile*) card, carding machine.

scardinare *v.tr.* **1** to unhinge **2** (*fig.*) to disrupt.

scarica *s.f.* **1** volley, shower (*anche fig.*) **2** (*elettr.*) discharge, flashover; (*tra elettrodi*) jump spark **3** (*fisiol.*) discharge **4** (*rad.*) atmospheric disturbance.

scaricabarili *s.m.*: *fare a* —, (*fam.*) to pass the buck (*o* the can).

scaricamento *s.m.* unloading, discharging.

scaricare *v.tr.* **1** to discharge; (*levare un carico*) to unload: — *il fucile*, to fire (*o* to discharge) a gun; (*togliere la carica*) to unload a gun; — *il vapore*, to let out the steam // *scaricarsi la coscienza di qlco.*, to get something off one's conscience // — *ingiurie su qlcu.*, to heap insults on s.o. // — *qlcu. di una responsabilità*, to free s.o. from a responsibility // — *la responsabilità, la colpa, su qlcu.*, to lay the responsibility, the blame on s.o. **2** (*informatica*) (*dischi*) to unload // **-arsi** *v.rifl.* to relieve oneself ♦ *v.intr.pron.* **1** (*sfociare*) to flow* **2** (*di fulmini*) to strike* **3** (*perdere la carica*) to run* down.

scaricatore *s.m.* unloader // — *di porto*, stevedore.

scarico *agg.* **1** unloaded // *batteria scarica*, discharged battery // *l'orologio è* —, the clock is run down **2** (*fig.*) (*libero*) free ♦ *s.m.* **1** discharge, unloading: *bolletta di* —, unloading bill // *a — di coscienza*, to ease one's conscience // *registro di carico e* —, stock-book **2** (*rifiuto*) waste; (*deposito di rifiuti*) dump: *acque di* —, waste water // *tubo di* —, drainpipe (*o* waste pipe); (*aut.*) exhaust pipe.

scarlattina *s.f.* (*med.*) scarlatina, scarlet fever.

scarlatto *agg. e s.m.* scarlet.

scarmigliare *v.tr.* to ruffle (s.o.'s hair).

scarmigliato *agg.* ruffled, dishevelled.

scarnificare *v.tr.* to take* flesh (off s.o., sthg.).

scarnire *v.tr.* **1** to take* flesh (off s.o., sthg.) **2** (*fig.*) to make* (sthg.) bare.

scarnito *agg.* thin, lean.

scarno *agg.* thin, lean; (*fig.*) bare, scanty.

scarola *s.f.* (*bot.*) escarole.

scarpa *s.f.* **1** shoe: *scarpe con tacco alto, basso*, high-heeled, low-heeled shoes; *scarpe basse, senza tacco*, flat shoes; *scarpe a punta*, pointed shoes; *scarpe a punta quadra, rotonda*, square-toed, round-toed shoes; *scarpe scollate*, light shoes; *scarpe da ballo*, dancing shoes; *scarpe da tennis*, tennis shoes; *scarpe di tela*, canvas shoes; *scarpe ortopediche*, (*med.*) orthopaedic shoes; (*ti-*

po di scarpe da donna) wedge-heeled shoes // *scarpe alte*, (*stivaletti*) boots // *fare le scarpe a qlcu.*, (*fam.*) to tell on s.o. // *non esser degno di lustrare le scarpe a qlcu*, not to be fit to tie s.o.'s shoelaces // *montanaro e contadino scarpe grosse cervello fino*, (*prov.*) he looks thick but there are no flies on him **2** (*scarpata*) scarp: *muro a* —, (*edil.*) scarp wall **3** (*cuneo*) wedge.

scarpata *s.f.* scarp; (*di ferrovia*) embankment.

scarpiera *s.f.* shoe rack.

scarpinare *v.intr.* (*fam.*) to tra(i)pse.

scarpinata *s.f.* (*fam.*) tra(i)pse.

scarpone *s.m.* (hobnailed) boot; (*per alpinismo*) climbing boot; (*da sci*) ski(ing) boot.

scarroccio *s.m.* (*mar.*) drift.

scarrozzare *v.tr. e intr.* to drive* about.

scarrozzata *s.f.* drive.

scarrucolare *v.intr.* to run* on the pulley ♦ *v.tr.* to disentangle (the rope) from the pulley.

scarsamente *avv.* scarcely, hardly.

scarseggiare *v.intr.* **1** (*essere scarso*) to be* scarce **2** (*essere a corto*) to be* short; (*mancare*) to be* lacking (in sthg.).

scarsezza, scarsità *s.f.* scarcity, shortage; (*mancanza*) lack.

scarso *agg.* **1** scarce; (*insufficiente*) short; (*povero*) poor: *cibo* —, scarce (*o* scanty) food; *misura scarsa*, short measure; *raccolto* —, poor crop; *luce scarsa*, poor light // *tre chili scarsi*, three kilos short // *annata scarsa*, lean year **2** (*manchevole*) lacking (in).

scartabellare *v.tr.* to look (through sthg); (*velocemente*) to skim (through sthg.).

scartafaccio *s.m.* notebook.

scartamento *s.m.* (*ferr.*) gauge: — *ridotto*, narrow gauge.

scartare[1] *v.tr.* **1** to unwrap **2** (*respingere*) to reject; (*spec. nei giochi a carte*) to discard; (*una proposta*, to reject a proposal; — *un abito vecchio*, to discard an old dress // — *qlcu.*, (*alla leva*) to reject s.o.

scartare[2] *v.intr.* (*deviare bruscamente*) to swerve.

scartata *s.f.* (*brusca deviazione*) swerve.

scartina *s.f.* no-value card.

scarto[1] *s.m.* **1** (*lo scartare*) discarding **2** (*la cosa scartata*) scrap // *articoli di* —, (*comm.*) seconds // *roba di* —, inferior quality stuff **3** (*persona buona a nulla*) good-for-nothing **4** (*alle carte*) discard **5** (*informatica*) reject.

scarto[2] *s.m.* **1** (*brusca deviazione*) swerve **2** (*differenza*) difference // *vincere con uno — di pochi punti*, to win with a few points in hand.

scartocciare *v.tr.* to unwrap // — *il granturco*, to strip maize.

scartoffie *s.f.pl.* (*spreg.*) **1** heap (*sing.*) of papers **2** (*pratiche*) paper work (*sing.*).

scassare[1] *v.tr.* (*sballare*) to unpack.

scassare[2] *v.tr.* **1** (*agr.*) to break* up **2** (*fam.*) (*guastare*) to break* // **-arsi** *v.intr.pron.* to break*.

scassato *agg.* **1** (*agr.*) broken up **2** (*fam.*) (*guasto*) broken.

scassinamento *s.m.* forcing.

scassinare *v.tr.* to force (sthg.) open: — *una cassaforte*, to crack a safe..

scassinatore *s.m.* (*di notte*) burglar; (*di giorno*) housebreaker; (*di banca*) bank-robber.

scasso *s.m.* **1** (*di serratura*) lock-picking; (*di casa*) housebreaking **2** (*agr.*) trenching.

scatenamento *s.m.* **1** unchaining **2** (*fig.*) outburst.

scatenare *v.tr.* **1** to unchain **2** (*fig.*) to stir up, to rouse **3** (*causare*) to cause: — *una guerra*, to cause a war // **-arsi** *v.rifl.* to break* out.

scatenato *agg.* unrestrained: *furia scatenata*, unrestrained fury.

scatola *s.f.* box; (*di latta*) tin; (*amer.*) can // *in* —, tinned; (*amer.*) canned // *la* — *cranica*, (*anat.*) the skull // — *nera*, (*aer.*) black box // *titolo a lettere di* —, glaring headline // *comprare, vendere a* — *chiusa*, to buy, to sell a pig in a poke.

scatolame *s.m.* **1** tins (*pl.*); (*amer.*) cans (*pl.*) **2** (*cibi, bevande in scatola*) tinned goods (*pl.*); (*fam.*) tins (*pl.*); (*amer.*) canned food.

scatolificio *s.m.* box factory.

scatologico *agg.* scatological.

scattante *agg.* agile: *una macchinetta* —, a nippy little car.

scattare *v.intr.* **1** (*di congegni ecc.*) to go* off // — *a vuoto*, (*di arma da fuoco*) to misfire // *far* —, to release **2** (*balzare*) to spring* (up): — *in piedi*, to spring to one's feet; — *sull'attenti*, (*mil.*) to spring to attention **3** (*fig.*) (*adirarsi*) to fly* into a rage ♦ *v.tr.* (*fot.*) to shoot*: — *una fotografia*, to take a snapshot.

scattista *s.m. e f.* (*sport*) fast starter.

scatto *s.m.* **1** click **2** (*pezzo meccanico*) release **3** (*balzo*) spring, dart // *a scatti*, in jerks (*o* jerkily) // *di* —, suddenly: *si alzò di* —, he sprang up **4** (*fig.*) (*moto d'ira*) fit of temper **5** (*di stipendio*) increment.

scaturire *v.intr.* to spring* (*anche fig.*); (*in gran quantità*) to gush (out, forth).

scavalcare *v.tr.* **1** (*passare sopra a*) to step (over sthg.); (*arrampicandosi*) to climb (over sthg.); (*saltando*) to jump (over sthg.) **2** (*fig.*) (*soppiantare*) to supplant (*disarcionare*) to dismount.

scavare *v.tr.* **1** to dig*; (*in una miniera*) to mine: — *un tunnel*, to bore a tunnel **2** (*riportare alla luce*) to excavate: — *una città sepolta*, to excavate a buried city **3** (*fig.*) to dig* up.

scavatore *agg. e s.m.* digger.

scavatrice *s.f.* (*mecc.*) digger, excavator.

scavatura *s.f.* excavation.

scavezzacollo *s.m.* (*fig.*) (*rompicollo*) daredevil, reckless fellow.

scavezzare *v.tr.* (*tagliare i rami a*) to pollard.

scavo *s.m.* **1** excavation; (*lo scavare*) digging out, excavating; (*in una miniera*) mining **2** (*archeol.*) excavation **3** (*incavatura*) hole; *lo* — *della manica*, the armhole.

scegliere *v.tr.* **1** to choose*; (*selezionare*) to select; (*fare una scelta*) to make* a choice (of sthg.): *quale sceglieresti?*, which of these would you choose?; *non hai che da* —, you can take your choice // *non c'è da* —, there is no choice // — *una carriera*, to choose a career // — *il campo*, (*sport.*) to toss for ends **2** (*tirar fuori*) to pick out: — *le mele più belle*, to pick out the best apples.

sceicco *s.m.* sheikh.

scelleraggine, scelleratezza *s.f.* **1** wickedness **2** (*atto scellerato*) misdeed, crime.

scellerato *agg.* wicked ♦ *s.m.* wicked person.

scellino *s.m.* shilling.

scelta *s.f.* **1** choice: *non avere possibilità di* —, to have no choice; *fare una* —, to make a choice; *c'è solo l'imbarazzo della* —, one only has to take one's pick; *non c'è* —, there are no two ways about it // *a* —, as you like: *frutta o dolce a* —, choice of fruit or sweet // *merce di prima* —, choice (*o* first-quality) goods **2** (*selezione*) selection.

scelto *agg.* choice; (*selezionato*) select(ed): *frutta scelta* choice fruit; *poesie scelte*, selected poems; *un pubblico* —, a chosen few.

scemare *v.intr.* to diminish, to abate, to go* down, to fall*, to wane.

scemenza *s.f.* **1** stupidity, idiocy; (*fam.*) dopiness **2** (*atto, detto*) folly: *non dire scemenze*, don't talk nonsense.

scemo *agg.* stupid, idiotic; (*fam.*) dop(e)y ♦ *s.m.* idiot; (*fam.*) dope.

scempiaggine *s.f.* stupidity, idiocy.

scempio¹ *agg.* (*semplice*) single.

scempio² *s.m.* **1** havoc; (*massacro*) slaughter **2** (*fig.*) ruin.

scena *s.f.* **1** scene: — *prima, atto secondo*, scene one, act two; — *muta*, silent scene; — *madre*, main scene; *la* — *è a Roma*, the scene is laid in Rome // *colpo di* —, coup de théâtre; (*fig.*) unexpected event // *chi è di* —?, whose turn is it? // *applausi a* — *aperta*, open curtain applause // *fece* — *muta*, he did not utter a single word // *far* —, to make an impression **2** (*palcoscenico*) stage: *mettere in* —, to stage (*o* to put on *o* to produce); *messa in* —, mise-en-scène (*o* staging); (*fig.*) showing off; *portare sulla* —, to bring on to the scene; *entrare in* —, to enter (the stage) (*o* to come on); (*fig.*) to turn up; *andare in* —, to be performed (*o* to be staged); *darsi alle scene*, to go on the stage // *calcare le scene*, to tread the boards // *uscire dalla* — *politica*, to withdraw from politics **3** (*scenata*) row, scene; (*ostentazione*) fuss, show: *ci fu una* — *terribile*, there was a terrible row; *lo fa per* —, he is just making a fuss.

scenario *s.m.* scenery (*anche fig.*).

scenata *s.f.* scene, row: *fare una* —, to make a scene (*o fam.* to kick up a shindy).

scendere *v.tr.* (*andare giù*) to go* down; (*venire giù*) to come* down; to descend ♦ *v.intr.* **1** (*andare giù*) to go* down; (*venire giù*) to come* down; to descend: *non è ancora sceso*, he is not down yet; *scendi da quella scala*, get down off that ladder; — *in cantina*, to go down to the cellar; — *a valle*, to go, to come downhill; — *da un albero*, to climb down a tree; — *in fretta*, to hurry (*o* to hasten) down // *fallo* —!, (*mandalo giù*) send him down!; (*chiamalo giù*) call him down! // — *ai minimi particolari*, to enter into the smallest (*o* minutest) details // — *in basso*, (*fig.*) to go to the bad // — *in campo, in lizza*, to enter the field, the lists **2** (*da un veicolo*) to get* off (sthg.): — *a terra*, (*da una nave*) to go ashore // — *da una automobile*, to get out of a car // *a che albergo è sceso?*, what hotel is he staying at? **3** (*di strada*) to run* down; (*di pendio*) to slope down(wards): *la scogliera scendeva a picco sul mare*, the cliff fell sheer to the sea **4** (*di astri*) to sink*, to go* down **5** (*calare, diminuire*) to fall*, to drop: *la temperatura è scesa*, the temperature has fallen (*o* has dropped) // — *col prezzo*, to bring the price down **6** (*pendere*) to fall* down, to come* down: *il vestito le scendeva fino ai piedi*, her dress came down to her feet **7** (*di fiume, avere origine*) to rise* (in a place).

scendiletto *s.m.* bedside rug.

sceneggiare *v.tr.* (*cinem. rad. tv*) **1** to script, to write* the script (for sthg.) **2** (*adattare, ridurre in scene*) to dramatize.

sceneggiatore *s.m.* (*cinem. tv. rad.*) scriptwriter; (*solo di film*) screenwriter.

sceneggiatura *s.f.* **1** (*copione*) script; (*solo di film*)

screenplay 2 (*riduzione, adattamento in scene*) dramatization.

scenico *agg.* scenic: *effetti scenici*, stage effects.

scenografia *s.f.* stage design; (*allestimento scenico*) sets (*pl.*), décor.

scenografico *agg.* **1** stage (*attr.*), set (*attr.*) **2** (*fig. spreg.*) spectacular.

scenografo *s.m.* scene-designer; set-designer.

scenotecnica *s.f.* stagecraft.

sceriffo *s.m.* sheriff.

scervellarsi *v.intr.pron.* to rack one's brains.

scervellato *agg.* harebrained, scatterbrained ♦ *s.m.* harebrained person, scatterbrain.

scetticismo *s.m.* scepticism; (*amer.*) skepticism.

scettico *agg.* sceptic(al) (*anche fil.*); (*amer.*) skeptical ♦ *s.m.* sceptic; (*amer.*) skeptic.

scettro *s.m.* sceptre: *deporre lo* —, to lay down the crown.

sceverare *v.tr.* (*letter.*) to discern, to distinguish.

scevro *agg.* (*letter.*) exempt, free.

scheda *s.f.* **1** card; (*di schedario*) file-card **2** (*elettorale*) ballot-card **3** (*informatica*) card: — *documento*, dual purpose card; — *matrice*, — *principale*, master card; — *perforata*, punched card; — *selezione*, selection card.

schedare *v.tr.* to file.

schedario *s.m.* file; (*mobile*) filing cabinet // — *di lavoro*, (*informatica*) batch file.

schedarista *s.m. e f.* filing clerk.

schedato *agg. e s.m.* (person) with a record: *essere* —, to have a (police) record.

schedatura *s.f.* filing.

schedina *s.f.* football pool coupon.

schedulare *v.tr.* (*informatica*) (*IBM*) to schedule.

scheggia *s.f.* chip.

scheggiare *v.tr.*, **scheggiarsi** *v.intr.pron.* to chip, to splinter.

scheletrico *agg.* **1** skeletal **2** (*magro*) all skin and bones **3** (*fig.*) (*conciso*) concise.

scheletrire *v.tr.* to reduce to a skeleton ♦ *v.intr.*, **-irsi** *v.intr.pron.* to be* reduced to a skeleton.

scheletrito *agg.* reduced to a skeleton // *alberi scheletriti*, bare trees.

scheletro *s.m.* skeleton (*anche fig.*): *lo* — *di un edificio*, the framework (*o* skeleton) of a building // *pare uno* —, he is only skin and bones.

schema *s.m.* **1** scheme, plan; (*piano*) scheme, outline: *lo* — *generale di un libro*, the general outline of a book; *lo* — *di un discorso*, the plan of a speech // — *di legge*, bill **2** (*modulo*) rule; (*modello*) pattern **3** (*informatica*) diagram: — *a blocchi*, — *funzionale*, flowchart.

schematicità *s.f.* schematism.

schematico *agg.* schematic.

schematismo *s.m.* schematism.

schematizzare *v.tr.* to schematize.

scherma *s.f.* fencing: *gara di* —, fencing match; *tirare di* —, to fence; *tirava bene di* —, he was an excellent fencer.

schermaggio *s.m.* **1** (*tecn.*) screen **2** (*lo schermare*) screening.

schermaglia *s.f.* brush, skirmish.

schermare *v.tr.* **1** to screen; (*una luce*) to shade **2** (*elettr. rad. fis.*) to shield.

schermatura *s.f.* → **schermaggio**.

schermire *v.tr.* to protect, to shield // **-irsi** *v.rifl.* **1** to protect oneself, to defend oneself // *quando la lodavano, si schermiva*, when they praised her, she acted

coy 2 (*fig.*) (*eludere*) to evade: — *da un invito*, to evade an invitation.

schermitore *s.m.* fencer.

schermo *s.m.* **1** protection, defence: *si fece* — *agli occhi con la mano*, he screened his eyes with his hand // *farsi* — *di qlcu.*, (*fig.*) to hide oneself behind s.o. **2** (*cinem. tv*) screen: — *panoramico*, cinemascope screen; — *televisivo*, television screen; *proiettare sullo* —, to screen // *il piccolo* —, T.V. // *artisti dello* —, film stars **3** (*fis. elettr.*) shield.

schermografia *s.f.* X-ray.

schermografico *agg.* X-ray (*attr.*).

schernire *v.tr.* to jeer at (s.o., sthg.), to mock (s.o., sthg.); (*con disprezzo*) to sneer (at s.o., sthg.).

schernitore *agg.* sneering, mocking ♦ *s.m.* sneerer, mocker.

scherno *s.m.* **1** sneer, mockery, derision: *sorriso, espressione di* —, sneer **2** (*oggetto di scherno*) laughing-stock.

scherzare *v.intr.* **1** to joke (at, about s.o., sthg.), to make* fun (of s.o., sthg.): *scherza sempre*, he is always joking; *gli piace* — *su tutto*, he likes to make fun of everything; *tu scherzi!*, are you joking! (*o amer.* are you kidding!) **2** (*prendere alla leggera*) to trifle (with s.o., sthg.), to joke (about s.o., sthg.): *non si scherza coi sentimenti altrui*, one must not trifle with the feelings of others // *c'è poco da* —, it is no joke // *con lui non si scherza*, he is not a man to be trifled with // *non* — *col fuoco*, do not play with fire // — *con l'amore*, to trifle with love // — *con la morte*, to gamble with death **3** (*giocare*) to play.

scherzo *s.m.* **1** joke (*anche fig.*); (*tiro*) trick: — *di cattivo genere*, bad joke; — *di cattivo gusto*, a joke in bad taste; *stare allo* —, to take a joke; *fare uno* — *a qlcu.*, to play a joke on s.o.; *volgere qlco. in* —, to laugh a thing off; *non è uno* —, it's no joke // *per* —, for fun (*o* as a joke) // *scherzi a parte*, joking aside // — *di natura*, freak of nature **2** *pl.* (*effetti*) effects, works: *scherzi d'acqua*, water effects; *scherzi di luce*, lighting effects **3** (*mus.*) scherzo.

scherzoso *agg.* playful; (*faceto*) jocose, jocular.

schettinare *v.intr.* to (roller-)skate.

schettino *s.m.* (*spec. pl.*) roller skate.

schiacciamento *s.m.* crushing; (*appiattimento*) squashing // — *polare*, polar flattening.

schiaccianoci *s.m.* nutcrackers (*pl.*).

schiacciante *agg.* **1** crushing (*fig.*) crushing, overwhelming // *prova* —, irrefutable evidence.

schiacciapatate *s.m.* potato masher.

schiacciare *v.tr.* **1** to crush; (*spiaccicare*) to squash: — *un cappello*, to squash a hat; *schiacciarsi un dito*, to crush one's finger // — *patate, verdure*, to mash potatoes, vegetables // — *un piede a qlcu.*, to step on s.o.'s toe // — *una noce*, to crack a nut // — *un sonnellino*, to take a nap **2** (*fig.*) (*appiattire*) to flatten **3** (*fig.*) (*sopraffare*) to crush, to overwhelm **4** (*sport*) to smash // **-arsi** *v.intr.pron.* to crush; (*spiaccicarsi*) to squash.

schiacciasassi *s.m.* steamroller.

schiacciata *s.f.* **1** squeeze **2** (*sport*) smash.

schiacciato *agg.* crushed; (*spiaccicato*) squashed // *colpo, tiro* —, (*sport*) smash // *naso* —, flat (*o* pug) nose.

schiacciatura *s.f.* **1** crushing **2** (*parte schiacciata*) crush; (*ammaccatura*) dent.

schiaffare *v.tr.* (*fam.*) to dump // — *qlcu. dentro, in prigione*, to fling s.o. into prison.

schiaffeggiare *v.tr.* to slap, to smack.

schiaffo *s.m.* slap, smack // *avere una faccia da schiaffi*, to have a cocky look on one's face // *— morale*, insult (*o* slap in the face).

schiamazzare *v.intr.* **1** to riot, to make* a racket **2** (*di galline, oche*) to cackle.

schiamazzatore *s.m.* rowdy (person).

schiamazzo *s.m.* row, racket; *schiamazzi notturni*, rowdiness at night.

schiantare *v.tr.* to crush; (*abbattere*) to knock down; (*far scoppiare*) to burst* // *— il cuore a qlcu.*, to break s.o.'s heart ♦ *v.intr.* to burst*: *— dalle risate*, to burst with laughing // **-arsi** *v.intr.pron.* to break* (*anche fig.*); (*abbattersi*) to crash: *l'albero si schiantò al suolo*, the tree crashed to the ground.

schianto *s.m.* **1** crash // *di —*, suddenly (*o* abruptly) **2** (*fig.*) (*dolore*) pang: *uno — al cuore*, a pang in one's heart.

schiappa *s.f.* (*fam.*) (*persona inetta*) duffer: *— al tennis*, a duffer at tennis.

schiarimento *s.m.* **1** clearing up **2** (*spiegazione*) explanation; (*informazione*) information.

schiarire *v.tr.* to clear (*anche fig.*); (*sbiadire*) to fade // *schiarirsi i capelli*, to bleach one's hair // *schiarirsi la voce, la gola*, to clear one's throat ♦ *v.intr.*, **-irsi** *v.intr.pron.* to clear (up), to brighten (up); (*sbiadire*) to fade: *ti si schiariranno i capelli*, your hair will grow lighter ♦ *v.intr.impers.* (*farsi giorno*) to break*.

schiarita *s.f.* clearing (up): *ci fu una — nei rapporti internazionali*, international relations cleared up.

schiatta *s.f.* stock; (*discendenza*) descent, lineage.

schiattare *v.intr.* to burst* (with sthg.).

schiavismo *s.m.* slavery (*anche fig.*).

schiavista *s.m. e f.* anti-abolitionist.

schiavistico *agg.* slaveholding, slave (*attr.*): *economia schiavistica*, slave economy; *stato —*, slaveholding state.

schiavitù *s.f.* slavery (*anche fig.*).

schiavo *agg.* slave (*attr.*): *— del bere*, a slave to drink // *braccialetto alla schiava*, slave bracelet ♦ *s.m.* slave.

schidionata *s.f.* meat on a spit; *una — di polli*, a row of chickens on a spit.

schidione *s.m.* (*spiedo*) spit.

schiena *s.f.* back: *male di —*, backache; *colpire qlcu. alla —*, (*anche fig.*) to stab s.o. in the back; *vedere qlcu. di —*, to see s.o.'s back (*o* to have a back-view of s.o.)

schienale *s.m.* **1** back **2** *pl.* (*cuc.*) spinal marrow (*sing.*).

schiera *s.f.* **1** formation: *mettere in —*, to align // *case a —*, rows of houses **2** (*moltitudine*) mass, host.

schieramento *s.m.* **1** marshalling **2** (*disposizione a schiere*) formation; (*di squadra sportiva*) lineup **3** (*fig.*) coalition, combine.

schierare *v.tr.* to marshal, to align: *schierato in ordine di battaglia*, in battle array // **-arsi** *v.rifl.* **1** to draw* up **2** (*fig.*) (*parteggiare*) to side: *— dalla parte di qlcu.*, to side with s.o.; *— contro qlcu.*, to take sides against s.o.

schiettezza *s.f.* **1** purity **2** (*lealtà*) frankness.

schietto *agg.* **1** pure; (*genuino*) genuine: *vino —*, pure wine **2** (*franco, aperto*) frank // *a dirla schietta*, to speak frankly.

schifare *v.tr.* **1** to loathe **2** (*disgustare*) to disgust // **-arsi** *v.intr.pron.* to feel* disgust (at sthg., at doing sthg.).

schifato *agg.* disgusted (at, with).

schifezza *s.f.* **1** filthiness, lousiness **2** (*cosa sporca*)

filth **3** (*fig.*) rubbish, trash // *che —!*, how revolting (*o* disgusting)!

schifiltoso *agg.* fussy, hard to please (*pred.*).

schifo¹ *s.m.* disgust: *fare — a qlcu.*, to disgust s.o. // *avere a — qlcu., qlco.*, to loathe s.o., sthg. // *la nostra squadra ha fatto —*, our team was a washout // *essere uno —*, to be lousy.

schifo² *s.m.* (*mar.*) skiff.

schifoso *agg.* disgusting, revolting; (*fig. fam.*) lousy: *tempo —*, lousy weather.

schioccare *v.intr.* to crack, to smack ♦ *v.tr.* to crack; (*le dita*) to snap: *— la lingua*, to cluck one's tongue // *— un bacio a qlcu.*, to give s.o. a smacking kiss.

schiocco *s.m.* crack; (*con le dita*) snap; (*con le labbra*) smack; (*con la lingua*) cluck.

schiodare *v.tr.* to unnail.

schiodatura *s.f.* unnailing.

schioppettata *s.f.* shot: *tirare una —*, to fire a shot.

schioppo *s.m.* gun; (*da caccia*) shotgun.

schisto e *deriv.* → **scisto** e *deriv.*

schiudere *v.tr.* to open (*anche fig.*) // *— le labbra*, to part one's lips // **-ersi** *v.intr.pron.* **1** to open (*anche fig.*): *la porta si schiuse*, the door opened slightly **2** (*di uovo*) to hatch.

schiuma *s.f.* **1** foam, froth; (*di sapone*) lather: *— della birra*, (beer) froth; *— del mare*, (sea) foam // *bagno di —*, bubble bath // *avere la — alla bocca*, (*anche fig.*) to foam at the mouth // *pipa di —*, meerschaum pipe **2** (*di liquido in ebollizione*) scum **3** (*fig.*) scum.

schiumaiola *s.f.* skimmer.

schiumare *v.tr.* to skim.

schiumogeno *agg.* foaming ♦ *s.m.* foam fire extinguisher.

schiumoso *agg.* **1** frothy, foamy **2** (*che produce schiuma*) foaming.

schiuso *agg.* (*di porta*) ajar; (*di labbra*) parted.

schivare *v.tr.* to avoid; (*fam.*) to dodge // *tutti lo schivano*, everybody shuns him.

schivo *agg.* averse (to); (*ritroso*) bashful; coy.

schizofrenia *s.f.* (*med.*) schizophrenia.

schizofrenico *agg. e s.m.* schizophrenic.

schizzare *v.tr.* **1** to splash; (*spruzzare fuori*) to squirt (out): *— qlcu. di fango*, to splash s.o. with mud **2** (*abbozzare*) to sketch ♦ *v.intr.* to spurt, to squirt // *con gli occhi che gli schizzavano dalle orbite*, with his eyes starting out of his head // *— fuori, via*, to dash out, off.

schizzata *s.f.* **1** splashing; (*attraverso una apertura*) squirting **2** (*schizzo*) splash.

schizzetto *s.m.* squirt, spray.

schizzinoso *agg.* fussy; hard to please.

schizzo *s.m.* **1** splash; (*attraverso un'apertura*) spurt, squirt **2** (*abbozzo*) sketch.

sci *s.m.* **1** (*attrezzi sportivi*) ski: *— laminati*, steel-edged skis **2** (*lo sport*) skiing: *— nautico*, water skiing.

scia *s.f.* **1** (*mar.*) wake **2** (*traccia*) trail: *una — luminosa*, a trail of light // *seguire la — di qlcu.*, (*fig.*) to follow in s.o.'s footsteps.

scià *s.m.* shah.

sciabile *agg.* skiable.

sciabola *s.f.* sabre.

sciabolare *v.tr.* to strike* with a sabre.

sciabolata *s.f.* sabre cut.

sciabordare *v.tr.* to shake*; (*mescolare*) to stir ♦ *v.intr.* to wash, to lap.

sciabordio *s.m.* washing, lapping.

sciacallo *s.m.* **1** jackal **2** (*fig.*) profiteer.

sciacquare *v.tr.* to rinse (out).

sciacquata *s.f.* rinse.

sciacquatura *s.f.* **1** (*lo sciacquare*) rinsing **2** (*l'acqua in cui si è sciacquato qlco.*) rinsings (*pl.*).

sciacquio *s.m.* **1** rinsing **2** (*sciabordio*) washing, lapping.

sciacquo *s.m.* **1** rinsing **2** (*lavanda medicamentosa per la bocca*) mouthwash.

sciacquone *s.m.* flush.

sciagura *s.f.* misfortune; (*disastro*) disaster.

sciagurato *agg.* **1** (*sfortunato*) unlucky, unfortunate **2** (*malvagio*) wicked.

scialacquare *v.tr.* to squander (*anche fig.*).

scialacquatore *s.m.* squanderer, spendthrift.

scialacquio *s.m.* continuous squandering.

scialacquo *s.m.* squandering.

scialare *v.tr.* e *intr.* to squander: — *in divertimenti, vestiti ecc.*, to squander on amusements, clothes etc. // *non c'è molto da* —, we haven't got money to waste.

scialbo *agg.* **1** pale; (*fioco, sbiadito*) faint: *luce scialba*, faint light **2** (*fig.*) (*insignificante*) wishy-washy: *viso* —, wishy-washy face.

scialbore *s.m.* **1** insignificance **2** (*monotonia*) dullness.

scialle *s.m.* shawl // *collo a* —, shawl collar.

scialo *s.m.* **1** waste **2** (*lusso*) luxury.

scialuppa *s.f.* (*mar.*) dinghy // — *di salvataggio*, lifeboat.

sciamannato *agg.* slovenly.

sciamare *v.intr.* to swarm (*anche fig.*).

sciame *s.m.* swarm (*anche fig.*).

sciancare *v.tr.* to cripple, to maim // **-arsi** *v.intr.pron.* to become* lame.

sciancato *agg.* lame; (*con l'anca lussata*) hipshot // *sedia sciancata*, shaky chair.

sciancrato *agg.* (*di abito*) nipped in at the waist.

sciangai *s.m.* (*gioco*) spillikins, jackstraws.

sciarada *s.f.* charade.

sciare[1] *v.intr.* (*mar.*) to backwater.

sciare[2] *v.intr.* (*sport*) to ski.

sciarpa *s.f.* **1** scarf, muffler **2** (*distintivo di grado e dignità*) sash.

sciatica *s.f.* (*med.*) sciatica.

sciatico *agg.* sciatic: *nervo* —, sciatic nerve.

sciatore *s.m.* skier.

sciatorio *agg.* skiing (*attr.*).

sciatteria *s.f.* slovenliness.

sciatto *agg.* **1** slovenly, untidy **2** (*di artista, stile ecc.*) careless **3** (*goffo*) clumsy.

scibile *s.m.* knowledge.

sciccheria *s.f.* (*pop.*) chic, smartness, swank: *quell'abito è una* —, that dress is swanky.

scientemente *avv.* consciously; (*apposta*) on purpose.

scientificità *s.f.* scientificalness.

scientifico *agg.* scientific.

scienza *s.f.* **1** science: — *delle costruzioni*, construction theory; *il progresso della* —, scientific progress // *uomo di* —, man of science **2** (*conoscenza*) knowledge // *un'arca di* —, a well of knowledge.

scienziato *s.m.* scientist.

sciistico *agg.* skiing, ski (*attr.*).

scilinguagnolo *s.m.* (*fig.*) (*parlantina*) tongue: *gli si è sciolto lo* —, he has found his tongue again; *avere lo* — *sciolto*, to have a glib tongue (*o fam.* the gift of the gab).

Scilla *no.pr.f.* (*geogr. mit.*) Scylla // *tra* — *e Cariddi*, (*fig.*) between Scylla and Charybdis.

scimitarra *s.f.* scimitar.

scimmia *s.f.* monkey, ape (*anche fig.*).

scimmiesco *agg.* monkeyish, apish.

scimmiottare *v.tr.* to ape, to mimic.

scimmiottatura *s.f.* imitation.

scimpanzé *s.m.* chimpanzee.

scindere *v.tr.* to divide, to separate: — *i problemi*, to deal with each problem separately.

scintigrafia *s.f.* (*med.*) scintigraphy, scintillography.

scintilla *s.f.* spark (*anche fig.*): *mandar scintille*, (*anche fig.*) to sparkle.

scintillare *v.intr.* to glitter, to sparkle, to twinkle.

scintillazione *s.f.* scintillation.

scintillio *s.m.* glitter, sparkle, twinkle.

scintoismo *s.m.* (*st. relig.*) Shintoism.

scintoista *s.m.* e *f.* (*st. relig.*) Shintoist.

scioccante *agg.* shocking, frightful.

sciocchezza *s.f.* **1** foolishness, silliness **2** (*azione sciocca*) foolish thing; (*frase sciocca*) nonsense (*solo sing.*): *dire sciocchezze*, to talk nonsense (*o* to speak through one's hat) **3** (*cosa da poco*) trifle, bagatelle.

sciocco *agg.* foolish, silly ♦ *s.m.* fool; (*fam.*) nitwit: *non è uno* —, he is no fool; *dare dello* — *a qlcu*, to call s.o. a fool.

sciogliere *v.tr.* **1** (*disfare, slegare*) to untie, to loosen, to loose, to undo*: — *i lacci, un nodo*, to undo the laces, a knot // — *i cordoni della borsa*, to loosen one's purse strings // — *le vele*, to unfurl the sails **2** (*fondere*) to melt: — *la neve, il burro ecc.*, to melt the snow, the butter etc. **3** (*liberare*) to release (*anche fig.*): — *un cane dalla catena*, to unleash a dog; — *qlcu. da un voto, da un obbligo*, to release s.o. from a vow, an obligation **4** (*risolvere*) to solve, to resolve: — *un dubbio, una difficoltà*, to resolve a doubt, a difficulty **5** (*por fine a*) to dissolve; (*un'adunanza*) to wind* up: — *un matrimonio*, to dissolve (*o* to annul) a marriage; — *il Parlamento*, to dissolve Parliament **6** (*adempiere*) to fulfil: — *un voto*, to fulfil a vow **7** (*rendere agile con esercizi*) to loosen up: — *le gambe*, to loosen up one's legs // **-ersi** *v.rifl.* to free oneself, to release oneself ♦ *v.intr.pron.* **1** to melt; (*di ghiaccio, neve*) to thaw (out) // — *in lacrime*, to melt (*o* to dissolve) into tears **2** (*slegarsi*) to come* untied; (*allentarsi*) to loosen **3** (*aver termine*) to be* dissolved; (*di adunanza*) to break* up.

scioglilingua *s.m.* tongue twister.

scioglimento *s.m.* **1** (*il porre fine*) dissolution; (*di adunanza*) breaking up: — *di una società, un matrimonio*, dissolution of a partnership, a marriage **2** (*di dramma, racconto ecc.*) dénouement, unravelling **3** (*fusione*) melting.

sciolina *s.f.* ski wax.

scioltezza *s.f.* **1** nimbleness, agility // — *di movimenti*, litheness of movement **2** (*nel parlare*) fluency: *parlare con* —, to speak fluently.

sciolto *agg.* **1** melted: *burro, gelato* —, melted butter, ice cream **2** (*slegato*) loose, untied, unfastened: *fogli sciolti*, loose sheets; *aveva i capelli sciolti sulle spalle*, her hair was loose around her shoulders **3** (*agile*) loose-limbed // *andatura sciolta*, lithe gait **4** (*di generi alimentari*): *lo zucchero si vende* —, sugar is sold loose; *comperare olio* —, to buy oil by the pint; *vino* —, wine from the barrel **5** *verso* —, (*metrica*) blank verse.

scioperante *s.m.* striker.

scioperare *v.intr.* to strike*, to go* on strike.

scioperatezza *s.f.* idleness.

scioperato *agg.* lazy, idle, work-shy (*pred.*) ♦ *s.m.* slacker, loafer: *menare una vita da —*, to loaf one's time away.

sciopero *s.m.* strike, walkout: — *a singhiozzo*, go-slow; (*amer.*) slow-down; — *bianco*, sit-down (strike); — *selvaggio*, wildcat strike; — *di solidarietà*, sympathy strike; *essere in —*, to be on strike; *fare —*, to strike (*o* to go on strike) // — *della fame*, hunger strike.

sciorinare *v.tr.* 1 to hang* out: — *il bucato*, to hang out the washing 2 (*fig.*) (*esporre, ostentare*) to display, to show* off // — *consigli*, to pour out advice // — *bugie*, to tell a whole string of lies.

sciovia *s.f.* ski lift: — *ad ancora*, T-bar lift, T-bar tow.

sciovinismo *s.m.* chauvinism.

sciovinista *s.m. e f.* chauvinist.

sciovinistico *agg.* chauvinist(ic).

scipitaggine *s.f.* insipidity (*anche fig.*).

scipitezza *s.f.* insipidity.

scipito *agg.* insipid (*anche fig.*): *minestra scipita*, tasteless soup; *storiella scipita*, wishy-washy story.

scippare *v.tr.* to snatch s.o.'s handbag.

scippatore *s.m.* (*fam.*) bag-snatcher.

scippo *s.m.* (*fam.*) bag-snatching.

sciroccata *s.f.* southeast gale.

scirocco *s.m.* s(c)irocco.

sciroppare *v.tr.* to syrup // *sciropparsi qlcu., qlco.*, (*fig.*) to stomach s.o., sthg.

sciroppato *agg.* in syrup (*pred.*).

sciroppo *s.m.* syrup, sirup: — *contro la tosse*, cough syrup.

sciropposo *agg.* syrupy (*anche fig.*).

scisma *s.m.* schism.

scismatico *agg. e s.m.* schismatic.

scissione *s.f.* 1 scission, division; (*pol.*) secession, separation 2 (*fis. biol.*) fission: *suscettibile di —*, (*fis.*) fissionable.

scissionismo *s.m.* (*pol.*) secessionism, separatism.

scissionista *s.m. e f.* (*pol.*) secessionist, separatist.

scissionistico *agg.* secessional.

scisso *agg.* divided, split.

scissura *s.f.* 1 cleft, fissure 2 (*fig.*) (*dissenso*) dissension, disagreement 3 (*anat.*) scissure.

scisto *s.m.* (*geol.*) schist.

scistosità *s.f.* (*geol.*) schistosity.

scistoso *agg.* (*geol.*) schistose, schistous.

sciupare *v.tr.* 1 to spoil, to ruin 2 (*sprecare*) to waste, to squander: — *tempo, denaro*, to waste (*o* to squander) time, money; — *una buona occasione*, to miss a good opportunity // **-arsi** *v.rifl.* (*rovinarsi la salute*) to get* run down // *non ti sei sciupato!*, (*iron.*) you have not overworked yourself! ♦ *v.intr.pron.* (*rovinarsi*) to spoil*, to get* spoilt; (*sgualcirsi*) to crease, to get* creased.

sciupato *agg.* 1 spoilt, ruined 2 (*sprecato*) wasted 3 (*di viso*) haggard.

sciupio *s.m.* waste.

sciupone *s.m.* waster, spendthrift.

scivolare *v.intr.* to slide*; (*lentamente*) to glide; (*involontariamente*) to slip: *la tazza gli scivolò di mano*, the cup slipped out of his hand; *scivolò giù dal pendio*, he slid down the slope; *è scivolato e si è rotto un braccio*, he slipped and broke his arm // *fece — la mano in tasca*, he slipped his hand into his pocket // — *fuori da una*

stanza, to slip out of a room // — *d'ala*, (*aer.*) to (side)-slip; — *di coda*, (*aer.*) to (tail)slide.

scivolata *s.f.* 1 slide, sliding; (*involontaria*) slip 2 (*aer.*): — *d'ala*, (side)slip; — *di coda*, tailslide.

scivolo *s.m.* 1 chute 2 (*mar.*) slipway 3 (*per bambini*) slide.

scivolone *s.m.* slip.

scivoloso *agg.* slippery.

sclera *s.f.* (*anat.*) sclera.

sclerosi *s.f.* (*med.*) sclerosis.

sclerotica *s.f.* (*anat.*) sclera.

sclerotico *agg.* sclerotic.

scoccare *v.tr.* 1 to shoot*, to dart, to fling*: — *una freccia*, to shoot an arrow // — *un'occhiata*, to flash a glance // — *un bacio a qlcu.*, to give s.o. a smacking kiss 2 (*di orologio*) to strike* ♦ *v.intr.* 1 (*allentarsi di scatto*) to shoot* 2 (*guizzare*) to flash 3 (*di ore*) to strike*: *sono appena scoccate le tre*, it has just struck three.

scocciare *v.tr.* (*fam.*) (*dare noia a*) to bother, to annoy // **-arsi** *v.intr.pron.* to bother.

scocciatore *s.m.* bore, pain in the neck.

scocciatura *s.f.* (*fam.*) bother, pain in the neck.

scocco *s.m.* shooting.

scodella *s.f.* 1 (*ciotola*) bowl 2 (*per minestra*) soup plate 3 (*contenuto*) bowl(ful); plate(ful).

scodellare *v.tr.* 1 to dish up, to serve: — *la minestra*, to serve the soup 2 (*fig.*) to pour forth: — *bugie*, to pour forth lies.

scodellata *s.f.* 1 (*di ciotola*) bowl(ful) 2 (*di scodella per minestra*) plate(ful).

scodinzolare *v.intr.* 1 to wag the tail 2 (*dimenarsi camminando*) to waddle.

scodinzolio *s.m.* tail wagging.

scoglièra *s.f.* cliff; (*a fior d'acqua*) reef.

scoglio *s.m.* 1 rock; (*a fior d'acqua*) reef 2 (*fig.*) (*ostacolo*) obstacle: *il latino è uno — per lui*, Latin is a stumbling block for him.

scoglioso *agg.* rocky; (*a fior d'acqua*) reefy.

scoiare *v.tr.* to skin, to flay.

scoiattolo *s.m.* squirrel: *agile come uno —*, as nimble as a mountain goat.

scolapiatti *s.m.* draining board; (*a rastrelliera*) plate rack.

scolara *s.f.* pupil, schoolgirl.

scolare *v.tr.* to drain (sthg.) (dry); (*con un colabrodo*) to strain: — *la verdura*, to strain vegetables // *si è scolato una bottiglia di vino*, he drained a bottle of wine ♦ *v.intr.* to drain; (*sgocciolare*) to drip.

scolaresca *s.f.* student body: pupils (*pl.*); (*di scuole elementari*) schoolchildren (*pl.*).

scolaro *s.m.* 1 pupil, schoolboy 2 (*discepolo*) disciple.

scolastica *s.f.* (*st. fil.*) scholasticism.

scolastico *agg.* 1 school (*attr.*): *anno —*, school year; *ispettore —*, school inspector; *libri scolastici*, school books 2 (*spreg.*) (*libresco*) bookish, scholastic: *cultura scolastica*, bookish learning 3 (*st. fil.*) scholastic ♦ *s.m.* (*st. fil.*) scholastic.

scolatoio *s.m.* 1 (*canale, tubo per scolo*) drain 2 (*dove si mettono le cose a scolare*) drainer.

scolatura *s.f.* draining, dripping.

scoliosi *s.f.* (*med.*) scoliosis.

scollacciato *agg.* 1 (*di abito*) low-necked 2 (*di persona*) wearing a low-necked dress 3 (*fig.*) (*sboccato*) coarse, bawdy.

scollare[1] *v.tr.* (*abito*) to cut* away the neck of (a dress): — *a punta, in tondo*, to cut a pointed, a round neck opening.

scollare[2] *v.tr.* (*staccare*) to unstick*, to unglue // **-arsi** *v.intr.pron.* to get* unstuck, to come* off.

scollato *agg.* (*scollo*) low-necked: — *sulla schiena, dietro*, cut low in the back **2** (*di persona*) wearing a low-necked dress.

scollatura[1] *s.f.* (*scollo*) neckline, neck opening: — *a barchetta*, boat neckline; — *a punta, a V*, V neck; — *profonda*, plunging neckline.

scollatura[2] *s.f.* (*lo staccarsi*) unsticking, ungluing.

scollo *s.m.* neckline, neck opening.

scolo *s.m.* **1** (*lo scolare*) draining, drainage **2** (*liquido scolato*) drainage **3** (*condotto*) drain(pipe).

scolopendra *s.f.* scolopendra, centipede.

scoloramento *s.m.* discolo(u)ration, fading.

scolorare *v.tr.* → **scolorire**.

scolorimento *s.m.* discolo(u)ration, fading.

scolorina *s.f.* (*chim.*) ink remover.

scolorire *v.tr.* to discolo(u)r; (*totalmente*) to bleach ♦ *v.intr.*, **-irsi** *v.intr.pron.* to lose* colour, to fade; (*impallidire*) to grow* pale: — *in volto*, to grow pale; *questa stoffa si scolorisce al sole*, this material fades in the sun.

scolorito *agg.* (*sbiadito*) faded; (*sbiancato*) bleached; (*senza colore*) colourless; (*pallido*) pale.

scolpare *v.tr.* to exculpate; (*giustificare*) to justify // **-arsi** *v.rifl.* to justify oneself.

scolpire *v.tr.* **1** to sculpture; (*intagliare*) to carve, to cut*; (*incidere*) to engrave: — *una statua nella pietra*, to sculpture a statue out of (*o* in) stone **2** (*fig.*) (*imprimere*) to engrave, to impress.

scolpito *agg.* **1** sculptured; (*intagliato*) carved, cut; (*inciso*) engraved **2** (*fig.*) (*impresso*) engraved, impressed.

scombinare *v.tr.* to upset*.

scombinato *agg.* (*fam.*) mixed-up ♦ *s.m.* inconsequent person.

scombro *s.m.* mackerel.

scombussolamento *s.m.* upsetting.

scombussolare *v.tr.* to upset*.

scombussolio *s.m.* upset.

scommessa *s.f.* **1** bet, wager **2** (*il denaro, la cosa scommessa*) bet, stake.

scommesso *agg.* (*disunito*) disjointed, disconnected.

scommettere[1] *v.tr.* (*staccare*) to disjoin.

scommettere[2] *v.tr.* to bet*, to wager, to stake: — *su un cavallo*, to bet on a horse // *scommetto che non lo sai!*, I bet you don't know!

scommettitore *s.m.* punter.

scomodare *v.tr.*, **scomodarsi** *v.rifl.* to trouble, to bother: *non scomodarti*, don't trouble; *perché ti sei scomodato a venire?*, why did you bother to come? (*o* you shouldn't have put yourself out to come) // **scomodare** *v.intr.* to be* inconvenient (for s.o.).

scomodità *s.f.* lack of comfort; (*disagio*) inconvenience.

scomodo[1] *agg.* uncomfortable; (*disagevole*) inconvenient: *sedia scomoda*, uncomfortable chair; *è — abitare così lontano*, it is inconvenient to live so far away.

scomodo[2] *s.m.* (*disturbo*) trouble, bother.

scompaginamento *s.m.* **1** upsetting, disarranging **2** (*tip.*) breaking up.

scompaginare *v.tr.* **1** to upset* (*anche fig.*), to disarrange **2** (*tip.*) to break* up **3** (*un libro*) to destroy the binding (of a book) // **-arsi** *v.rifl.* (*turbarsi*) to be* upset // *non si scompagina mai*, he never turns a hair.

scompaginato *agg.* upset, disarranged, confused.

scompagnare *v.tr.* (*spaiare*) to break* up (a pair), to split* (a pair).

scompagnato *agg.* (*spaiato*) odd; (*di una serie*) unmatched.

scomparire *v.intr.* **1** to disappear **2** (*non risaltare*) to be* lost; (*di persone*) to be* outshone (by s.o.): *scompariva di fronte a lui*, he was outshone by him.

scomparsa *s.f.* disappearance; (*morte*) death.

scomparso *agg.* disappeared; (*estinto*) extinct ♦ *s.m.* the deceased.

scompartimento *s.m.* **1** partition **2** (*ferr.*) compartment.

scomparto *s.m.* partition.

scompensare *v.tr.* (*med.*) to cause a decompensation.

scompenso *s.m.* (*med.*) decompensation.

scompiacente *agg.* disobliging, churlish.

scompigliare *v.tr.* to upset*; (*confondere*) to confuse: — *i piani di qlcu.*, to upset s.o.'s plans // — *i capelli*, to ruffle s.o.'s hair.

scompigliato *agg.* upset; (*confuso*) confused; (*di capelli*) ruffled.

scompiglio *s.m.* (*confusione*) confusion, disorder, mess; (*trambusto*) bustle: *che —!*, what a mess!; *mettere, gettare lo — in qlco., nell'animo di qlcu.*, to throw sthg., s.o. into confusion.

scomponibile *agg.* decomposable // *mobili scomponibili*, unit furniture.

scomponibilità *s.f.* resolvability, decomposability.

scomporre *v.tr.* **1** to take* to pieces; (*dividere*) to decompose, to resolve (*anche mat. e chim.*): — *in fattori*, to factorize; — *una parola*, to split up (*o* to syllabize) a word **2** (*scompigliare*) to disarrange; (*alterare*) to distort **3** (*tip.*) to distribute // **-orsi** *v.intr.pron.* **1** to decompose **2** (*agitarsi*) to get* upset, to get* agitated.

scomposizione *s.f.* **1** decomposition, resolution (*anche mat. e chim.*): — *dell'immagine*, (*tv*) image scanning **2** (*tip.*) distribution.

scompostezza *s.f.* unseemliness.

scomposto *agg.* **1** (*sguaiato*) unseemly **2** (*smontato*) dismantled **3** (*decomposto*) decomposed, resolved **4** (*disordinato*) disordered; (*arruffato*) ruffled.

scomputare *v.tr.* to deduct.

scomputo *s.m.* deduction.

scomunica *s.f.* excommunication.

scomunicare *v.tr.* to excommunicate.

scomunicato *agg. e s.m.* excommunicate.

sconcertante *agg.* baffling.

sconcertare *v.tr.* **1** (*rendere perplesso*) to baffle: *il suo comportamento mi ha sconcertato*, his behaviour baffled me **2** (*scompigliare*) to upset* // **-arsi** *v.intr.pron.* to become* baffled.

sconcertato *agg.* disconcerted, baffled.

sconcerto *s.m.* disconcertion, perturbation.

sconcezza *s.f.* indecency, obscenity: *dire sconcezze*, to use foul language: *non dire sconcezze!*, mind your language!

sconciare *v.tr.* to spoil, to mar.

sconcio *agg.* indecent, obscene; (*sboccato*) bawdy, smutty ♦ *s.m.* disgrace.

sconclusionato *agg.* inconclusive, inconsequent.

scondito *agg.* unseasoned: *insalata scondita*, salad without dressing.

sconfessare *v.tr.* to disavow, to repudiate.

sconfessione *s.f.* disavowal, repudiation.

sconfiggere *v.tr.* to defeat (*anche fig.*).

sconfinamento *s.m.* **1** crossing (of) the frontier; (*in proprietà privata*) trespassing **2** (*informatica*) overflow.

sconfinare *v.intr.* **1** (*in paese straniero*) to cross the frontier; (*in proprietà privata*) to trespass: — *nelle terre di qlcu.*, to trespass on s.o.'s land **2** (*fig.*) to digress.

sconfinato *agg.* boundless, unlimited.

sconfitta *s.f.* defeat (*anche fig.*).

sconfitto *agg.* defeated (*anche fig.*): *dichiararsi* —, to acknowledge (*o* to admit) defeat.

sconfortante *agg.* discouraging, depressing.

sconfortare *v.tr.* to discourage, to depress // **-arsi** *v.intr.pron.* to get* discouraged, to get* depressed.

sconfortato *agg.* discouraged, depressed.

sconforto *s.m.* discouragement, depression: *in un momento di* —, in a fit of depression.

scongelare *v.tr.* e *intr.* to defrost.

scongiurare *v.tr.* **1** to beseech*, to implore, to entreat **2** (*evitare*) to avert, to avoid.

scongiuro *s.m.* **1** (*esorcismo*) exorcism // *fare gli scongiuri*, (*scherz.*) to touch wood **2** (*formula di esorcismo*) conjuration.

sconnessione *s.f.* disconnectedness.

sconnesso *agg.* **1** uneven; disconnected: *tra le pietre sconnesse del muro*, in the gaps of the wall **2** (*fig.*) disjointed, incoherent.

sconnessura *s.f.* gap.

sconnettere *v.tr.* to disconnect, to disjoin; (*non connettere*) to wander.

sconoscente *agg.* ungrateful, thankless.

sconoscenza *s.f.* ingratitude, ungratefulness.

sconosciuto *agg.* unknown ♦ *s.m.* stranger.

sconquassamento *s.m.* smashing, shattering.

sconquassare *v.tr.* **1** (*fracassare*) to shatter, to smash **2** (*rovinare*) to ruin.

sconquassato *agg.* **1** ramshackle, rickety **2** (*rovinato*) ruined.

sconquasso *s.m.* **1** (*fracassamento*) smash; crash **2** (*rovina*) ruin **3** (*confusione*) mess.

sconsacrare *v.tr.* to deconsecrate.

sconsacrato *agg.* deconsecrated.

sconsacrazione *s.f.* deconsecration.

sconsideratezza *s.f.* thoughtlessness, rashness.

sconsiderato *agg.* thoughtless, rash.

sconsigliare *v.tr.* to advise (s.o.) against (doing sthg.); (*dissuadere*) to discourage.

sconsigliato *agg.* thoughtless, rash.

sconsolante *agg.* depressing, disheartening.

sconsolato *agg.* disconsolate.

scontabile *agg.* (*comm.*) discountable.

scontare *v.tr.* **1** (*comm.*) to discount **2** (*detrarre*) to deduct; (*saldare*) to pay* off **3** (*espiare*) to expiate, to pay* for (sthg.): — *tre anni di carcere*, to serve three years in prison.

scontato *agg.* **1** (*comm.*) discounted **2** (*previsto*) expected // *dare per* — *che...*, to take it for granted that...; *è dato per* — *che...*, it's a foregone conclusion that...

scontentare *v.tr.* to displease, to dissatisfy.

scontentezza *s.f.* discontent, dissatisfaction.

scontento *agg.* displeased, dissatisfied ♦ *s.m.* discontent, dissatisfaction.

scontista *s.m.* e *f.* (*comm.*) discounter.

sconto *s.m.* discount: — *ai rivenditori*, trade discount; *fare, accordare uno* — *del cinque per cento*, to make (*o* to

allow) a five per cent discount; *presentare allo* —, to present for discount // *banca di* —, discount bank.

scontrare *v.tr.* to run* across // **-arsi** *v.intr.pron.* e *rifl.rec.* **1** to clash **2** (*urtare violentemente*) to collide, to come* into collision; (*di persone*) to run* (into s.o., sthg., each other, one another).

scontrino *s.m.* ticket, check.

scontro *s.m.* **1** clash (*anche fig.*): *lo* — *fra i due eserciti avvenne vicino al fiume*, the two armies clashed near the river **2** (*di veicoli*) collision, crash: — *ferroviario*, rail crash.

scontrosità *s.f.* sullenness, surliness.

scontroso *agg.* sullen, surly.

sconveniente *agg.* unbecoming, unseemly.

sconvenienza *s.f.* **1** unbecomingness, unseemliness **2** (*atto scorretto*) discourtesy, breach of good manners.

sconvolgente *agg.* upsetting.

sconvolgere *v.tr.* to upset*, to disturb.

sconvolgimento *s.m.* **1** (*lo sconvolgere*) upsetting **2** (*confusione*) confusion, turmoil.

sconvolto *agg.* upset, disturbed; (*gravemente turbato*) deranged: *appariva* —, he looked distraught (*o* very upset).

scopa *s.f.* broom; (*per strade ecc.*) besom // — *nuova*, *scopa bene*, (*prov.*) new brooms sweep clean.

scopare *v.tr.* to sweep*.

scopata *s.f.* sweep.

scoperchiare *v.tr.* to take* off the lid (of sthg.), to uncover: — *una casa*, to take the roof off a house.

scoperta *s.f.* **1** discovery; (*di delitti ecc.*) detection: *lanciarsi alla* — *di qlco.*, to set out to discover sthg. // *fare la* — *dell'America*, (*fig. iron.*) to make some discovery // *che* —!, what a discovery! **2** (*mil.*) reconnaissance, reconnoitring.

scoperto *agg.* **1** uncovered; (*senza ripari*) unsheltered, exposed; (*senza tetto*) open **2** (*senza indumenti*) bare: *a capo* —, bareheaded // *a fronte scoperta*, (*fig.*) openly **3** (*comm.*): *assegno* —, uncovered (*o* dud) cheque; *conto* —, overdrawn account; *partita ancora scoperta*, amount still due (*o* outstanding debt) ♦ *s.m.* **1** *dormire, essere allo* —, to sleep, to be outdoors **2** (*comm.*): *allo* —, uncovered; *emissione allo* —, uncovered issue; *operazioni di Borsa allo* —, (*per il compratore*) overbought account; (*per il venditore*) oversold account // — *di conto corrente*, overdraft.

scopiazzare *v.tr.* to copy, to rehash; (*a scuola*) to crib.

scopiazzatura *s.f.* copy(ing), rehash; cribbing.

scopino *s.m.* **1** little brush **2** (*spazzino*) road sweeper.

scopo *s.m.* aim, object, purpose, end: *andar diritto allo* —, to go straight to the point; *fallire lo* —, to fail in one's object // *a* — *di*, for the sake of // *a che* —?, for what purpose?: *a che* — *lo fai?*, what do you do it for? // *allo* — *di*, in order to // *senza* —, aimless (*agg.*); aimlessly (*avv.*).

scoppiare *v.intr.* **1** to burst* (*anche fig.*), to explode: — *dal caldo*, to burst with heat; — *dalla rabbia*, to burst with anger; — *dal ridere*, to split one's sides with laughter; — *in lacrime, a piangere*, to burst into tears // *sentirsi* — *il cuore*, to feel one's heart break **2** (*manifestarsi con violenza*) to break* out **3** (*sport*) to collapse.

scoppiettante *agg.* crackling // *risata* —, rippling laughter.

scoppiettare *v.intr.* **1** to crackle **2** (*di risa*) to ripple.

scoppiettio *s.m.* crackling.

scoppio *s.m.* 1 burst, outburst (*anche fig.*); (*esplosione*) explosion: *uno — di risa, di pianto*, a burst (*o* outburst) of laughter, of weeping // *a — ritardato*, (*anche fig.*) delayed action: *bomba a — ritardato*, delayed -action bomb 2 (*di guerra, rivoluzione*) outbreak.

scoppola *s.f.* (*region.*) 1 rabbit punch: *lo prese a scoppole*, he boxed his ears 2 (*fig.*) hard blow.

scoprimento *s.m.* (*di monumento*) unveiling.

scoprire *v.tr.* 1 to discover; (*trovare*) to find* out, to detect: *— terre ignote*, to discover unknown lands; — *la verità*, to find out the truth // *hai scoperto l'America!*, (*iron.*) aren't you clever! 2 (*togliere la copertura a*) to uncover; (*monumento ecc.*) to unveil // *— il fianco*, (*mil.*) to expose one's flank 3 (*palesare, mostrare*) to reveal, to disclose, to show*: — *le proprie carte*, (*anche fig.*) to lay one's cards on the table 4 (*avvistare, scorgere*) to sight.

scopritore *s.m.* discoverer.

scoraggiamento *s.m.* discouragement.

scoraggiante *agg.* discouraging, disheartening.

scoraggiare *v.tr.* to discourage, to dishearten // **-arsi** *v.intr.pron.* to get* discouraged, to get* disheartened.

scoraggiato *agg.* discouraged, disheartened.

scoramento *s.m.* discouragement.

scorbutico *agg.* 1 (*affetto da scorbuto*) scorbutic 2 (*scontroso*) ill-tempered, peevish.

scorbuto *s.m.* scurvy.

scorciare *v.tr.* to shorten // **-arsi** *v.intr.pron.* to shorten, to grow* shorter.

scorciatoia *s.f.* short cut (*anche fig.*).

scorcio *s.m.* 1 (*pitt.*) foreshortening // *di —*, foreshortened; *rappresentare qlco. di —*, to foreshorten sthg. 2 (*di tempo*) short period; (*fine*) end: *in questo — di tempo*, in this short period of time; *sullo — dell'estate*, towards the end of the summer.

scordare[1] *v.tr.*, **scordarsi** *v.intr.pron.* to forget*.

scordare[2] *v.tr.* (*far perdere l'accordatura a*) to untune, to put* out of tune // **-arsi** *v.intr.pron.* to get* out of tune.

scordato *agg.* (*senza accordatura*) out of tune.

scordatura *s.f.* faulty tuning.

scorfano *s.m.* 1 scorpion fish 2 (*fig.*) horror: *che —!*, what a fright!

scorgere *v.tr.* to perceive, to see*; (*notare*) to notice // *andarsene senza farsi —*, to steal away unnoticed.

scoria *s.f.* 1 (*metall.*) slag 2 *pl.* (*fig.*) scum (*sing.*) 3 *pl.* (*geol.*) scoriae.

scornare *v.tr.* 1 to horn 2 (*fig.*) (*umiliare*) to humiliate; (*beffare*) to mock.

scornato *agg.* (*umiliato*) humiliated; (*beffato*) ridiculed: *se ne tornò a casa —*, he went back home empty -handed.

scorniciare *v.tr.* to remove the frame (from sthg.).

scorno *s.m.* disgrace, ignominy.

scorpacciata *s.f.* blow out: *fare una — di...*, to stuff oneself with...

scorpione *s.m.* 1 scorpion 2 *Scorpione*, (*astr.*) Scorpio.

scorporare *v.tr.* to divide; to extract.

scorrazzare *v.intr.* 1 to run* about 2 (*predando*) to make* raids (into sthg.).

scorrazzata *s.f.* outing.

scorrere *v.intr.* 1 to run*; (*scivolare*) to slide* 2 (*fluire*) to flow*, to run*; (*con forza*) to stream: *il fiume scorre verso il lago*, the river flows (*o* runs) towards the

lake // *questa frase non scorre*, this sentence does not flow 3 (*di tempo*) to pass (by), to roll by 4 (*di penna*) to write* smoothly ♦ *v.tr.* 1 (*far scorrere*) to raid, to overrun* 2 (*fig.*) (*leggere frettolosamente*) to glance (over sthg.), to look through (sthg.).

scorreria *s.f.* raid, incursion: *fare scorrerie*, to raid (*o* to overrun).

scorrettezza *s.f.* 1 (*l'essere scorretto*) incorrectness; (*errore*) mistake 2 (*mancanza di educazione*) bad manners (*pl.*).

scorretto *agg.* 1 incorrect 2 (*maleducato*) rude.

scorrevole *agg.* 1 flowing, fluent; (*mecc.*) smooth: *prosa —*, fluent prose 2 (*mobile su scanalatura*) sliding: *porta —*, sliding door ♦ *s.m.* sliding runner.

scorrevolezza *s.f.* flow, fluency; (*mecc.*) smoothness.

scorribanda *s.f.* raid, incursion.

scorrimento *s.m.* 1 (*mecc.*) sliding, slide 2 (*slittamento*) slipping 3 (*informatica*) shift.

scorsa *s.f.* glance: *dare una — a un libro*, to glance (*o* to look) through a book.

scorso *agg.* 1 last; past: *l'anno —*, last year; *durante l'anno —*, during the past year 2 (*comm.*) ult. (*abbr. di ultimo*): *il 6 —*, the 6th ult. ♦ *s.m.* (*sbaglio*) slip.

scorsolo *agg.* running: *nodo —*, slipknot.

scorta *s.f.* 1 escort: *sotto la — di due poliziotti*, with an escort of two policemen // *— d'onore*, guard of honour 2 (*provvista*) supply, provision // *di —*, spare (*agg.*): *ruota di —*, spare wheel 3 (*comm.*) stock in hand.

scortare *v.tr.* to escort.

scortecciare *v.tr.* 1 to peel, to strip 2 (*un albero*) to bark // **-arsi** *v.intr.pron.* 1 to peel (off) 2 (*di albero*) to shed* (its) bark.

scortecciatura *s.f.* 1 peeling, stripping 2 (*di albero*) barking.

scortese *agg.* rude, impolite.

scortesia *s.f.* 1 rudeness, impoliteness 2 (*azione scortese*) impolite act: *fare una — a qlcu.*, to behave rudely towards s.o.

scorticamento *s.m.* skinning, flaying; (*di albero*) barking.

scorticare *v.tr.* 1 to skin, to flay; (*un albero*) to bark: *scorticarsi un ginocchio*, to skin one's knee 2 (*cavar denari a*) to fleece.

scorticatura *s.f.* (*escoriazione*) scratch.

scorza *s.f.* 1 (*corteccia*) bark; (*buccia*) skin, peel; (*crosta*) crust: *— del pane*, bread crust 2 (*scherz.*) (*pelle*) skin: *avere la — dura*, to have a thick skin.

scorzonera *s.f.* (*bot.*) scorzonera.

scoscendere *v.tr.* (*letter.*) to cleave ♦ *v.intr.*, **-ersi** *v. intr.pron.* to slide* down.

scoscendimento *s.m.* steep slope.

scosceso *agg.* steep.

scossa *s.f.* 1 shake // *— (elettrica)*, (electric) shock; *prendere la —*, to get a shock 2 (*strattone*) jerk, jolt: *a scosse*, jerkily 3 (*fig.*) shock: *fu una grave —*, it was a great shock.

scosso *agg.* shaken; (*sconvolto*) upset.

scossone *s.m.* 1 shake 2 (*strattone*) jerk, jolt: *procedere a scossoni*, to jerk along.

scostamento *s.m.* shifting, removal.

scostante *agg.* standoffish.

scostare *v.tr.* to shift, to remove: *scosta quella seggiola dalla porta*, remove that chair from the door // **-arsi** *v.rifl.* 1 to stand* aside, to shift (aside): *scostati, per piacere*, stand aside, please; *scostati dalla finestra!*, move away from the window! 2 (*fig.*) (*allontanarsi*) to leave* (sthg.); (differenziarsi) to be* different (from sthg.): — dall'argomento, to stray (o to wander) from the subject; — dalla retta via, to leave the straight and narrow path.

scostumatezza s.f. dissoluteness, licentiousness.

scostumato agg. **1** dissolute, licentious **2** (maleducato) ill-mannered.

scotennare v.tr. to flay, to skin; (il capo) to scalp.

scotennatore s.m. skinner.

scotennatura s.f. scalping.

scotimento s.m. shaking.

scotta s.f. (mar.) sheet.

scottante agg. **1** burning; (di liquido) scalding **2** (fig.) hurtful // un argomento —, a dangerous subject.

scottare v.tr. **1** to burn*; (con un liquido) to scald // sono già stato scottato due volte, (fig.) I have already burnt my fingers twice **2** (dare una cottura superficiale) to half-cook; (nell'acqua bollente) to scald; (bollire parzialmente) to parboil **3** (fig.) to hurt*: parole che scottano, stinging words ♦ v.intr. to be* burning // la terra gli scotta sotto i piedi, (fig.) he is itching to be off.

scottata s.f. **1** (cuc.) half-cooking; (in acqua bollente) scalding **2** (scottatura) burn; (da liquido) scald; (con vesciche) blister // questa volta mi sono preso una bella —, (fig.) this time I've really burnt my fingers.

scottato agg. burnt; (da liquido) scalded: — dal sole, sunburnt // rimanere —, (fig.) to burn one's fingers.

scottatura s.f. burn; (da liquido) scald.

scotto[1] agg. (troppo cotto) overdone.

scotto[2] s.m. reckoning // pagare lo —, (fig.) to pay the piper.

scout s.m. scout.

scoutismo s.m. scouting.

scoutistico agg. scout (attr.).

scovare v.tr. **1** (stanare) to force out **2** (rintracciare) to find*; (scoprire) to discover.

scovolino s.m. pipe cleaner.

scovolo s.m. cleaning rod.

scozia s.f. (arch.) scotia.

Scozia no.pr.f. Scotland.

scozzare v.tr. to shuffle.

scozzese agg. Scottish, Scotch: whisky —, Scotch whisky // stoffa —, tartan ♦ s.m. **1** (abitante) Scotsman (pl. Scotsmen), Scot **2** (lingua) Scottish.

scozzonare v.tr. **1** (domare) to break* in **2** (fig.) to teach* (s.o.) the first elements (of sthg.).

scranno s.m. bench.

screanzato agg. rude ♦ s.m. rude person.

screditare v.tr. to discredit.

screditato agg. discredited.

scremare v.tr. to skim.

scrematrice s.f. skimmer.

scrematura s.f. skimming.

screpolare v.tr., **screpolarsi** v.intr.pron. (di intonaco) to crack; (di pelle) to get* chapped.

screpolatura s.f. (di intonaco) crack; (di pelle) chap.

screziare v.tr. to variegate.

screziato agg. variegated.

screziatura s.f. variegation.

screzio s.m. disagreement.

scriba s.m. (st.) scribe.

scribacchiare v.tr. to scribble, to scrawl.

scribacchino s.m. scribbler.

scricchiolamento s.m. creaking.

scricchiolare v.intr. to creak.

scricchiolio s.m. creaking.

scricciolo s.m. (zool.) wren.

scrigno s.m. casket; (amer.) coffin.

scriminatura s.f. parting.

scriteriato agg. (fam.) irresponsible ♦ s.m. irresponsible person.

scritta s.f. **1** inscription: — luminosa, illuminated sign **2** (dir.) deed.

scritto agg. written: legge scritta, written law // purtroppo non c'è niente di —, unfortunately there's nothing in writing // (esami) scritti, written exams // aveva il terrore — in viso, his face was full of terror // — in cobol, (informatica) coded cobol ♦ s.m. **1** writing; (lettera) letter: uno — illeggibile, illegible handwriting; ho ricevuto un suo —, I have had a letter from him; firmare uno —, to sign a document **2** (scrittura) writing // in, per iscritto, in writing **3** (opera letteraria) work, writing.

scrittoio s.m. writing desk.

scrittore s.m. writer.

scrittrice s.f. woman writer.

scrittura s.f. **1** writing; (a mano) handwriting, script; (tip.) type: — a macchina, typing, typewriting; — chiara, neat handwriting; — in corsivo, running hand **2** (dir.) deed; (comm.) (contratto) contract; (registrazione) entry: — privata, deed under private seal **3** (cinem. teatr.) contract: fare una — a qlcu., to sign s.o. on (o up); ha una — per 5 anni, his contract runs for 5 years.

scritturale s.m. scribe.

scritturare v.tr. to give* a contract (to s.o.).

scrivania s.f. writing desk.

scrivano s.m. clerk, copyist; (scriba) scribe.

scrivente agg. writing ♦ s.m. writer.

scrivere v.tr. **1** to write*: — a mano, to write by hand; — a matita, a penna, to write in pencil, in ink; — a macchina, to type; — piccolo, grosso, largo, to write small, large; questa penna non scrive, this pen won't write; come si scrive questa parola?, how do you spell this word?; dammi l'occorrente per —, give me some writing materials; — un numero in lettere, to spell a number; scrive molto bene, he writes a good hand; (è un buon scrittore) he is a good writer // era scritto, (fig.) it was bound to happen **2** (registrare) to enter: scrivi la somma a debito, enter the sum to the debit side // -ersi v.rifl.rec. to write* (to each other, one another).

scroccare v.tr. to scrounge, to cadge (sthg. off s.o.) // non fa che —, he is always sponging on s.o.

scroccatore s.m. sponger, cadger.

scrocco[1] s.m. sponging: vivere a —, to sponge a living.

scrocco[2] s.m.: coltello a —, clasp knife; (serratura a —, spring latch.

scroccone s.m. sponger, cadger.

scrofa s.f. sow.

scrofolosi s.f. (med.) scrofula.

scrofoloso agg. scrofulous.

scrollare v.tr. to shake*; (le spalle) to shrug: scrollarsi di dosso le preoccupazioni, to shake one's worries off // -arsi v.rifl. to shake* oneself.

scrollata s.f. shake; (di spalle) shrug // dare una —, to shake.

scrollo s.m. shake, shaking.

scrosciante agg. roaring; (di pioggia) pelting // applausi scroscianti, thunderous applause.

scrosciare v.intr. **1** to roar; (di pioggia) to pelt (down) **2** (fig.) to roar: le risate scrosciavano, they roared with laughter; gli applausi scrosciarono, there was a thunder of applause.

scroscio *s.m.* **1** roar (*anche fig.*): — *di applausi*, thunder of applause **2** (*di pioggia*) shower // *piovere a* —, to rain hard (*o* to pour).

scrostamento *s.m.* **1** (*di una ferita*) taking the crust off **2** (*del muro*) flaking off.

scrostare *v.tr.* to take* the crust off (sthg.) // — *una parete*, to remove the plaster from a wall // — *la tappezzeria*, to strip off the wallpaper // **-arsi** *v.intr.pron.* to peel off.

scrostatura *s.f.* peeling; (*prima della riverniciatura*) stripping.

scroto *s.m.* (*anat.*) scrotum.

scrupolo *s.m.* scruple: *con* —, scrupulously; *senza scrupoli*, of no scruples (*o* unscrupulous); *negli affari è un uomo senza scrupoli*, when it comes to business he will stick at nothing; *avere, farsi* — *a fare qlco.*, to have scruples about doing sthg. // *è onesto fino allo* —, he is honest to the backbone.

scrupolosità *s.f.* scrupulosity, scrupulousness; (*meticolosità*) meticolousness.

scrupoloso *agg.* scrupulous; (*meticoloso*) meticulous.

scrutare *v.tr.* to scan: — *il viso di qlcu.*, to scan s.o.'s face // — *nel proprio cuore*, to search into one's heart.

scrutatore *agg.* searching ♦ *s.m.* scrutineer.

scrutinare *v.tr.* to scrutinize.

scrutinio *s.m.* **1** (*di elezioni*) poll: — *di lista*, list-voting; — *segreto*, secret voting (*o* ballot) **2** (*scolastico*) assignment of a term's marks.

scucire *v.tr.* to rip, to unstitch // **-irsi** *v.intr.pron.* to rip.

scucito *agg.* **1** ripped, unstitched **2** (*fig.*) incoherent.

scucitura *s.f.* rip; (*lo scucire*) ripping.

scuderia *s.f.* **1** stable: *ragazzo di* —, stable boy **2** (*di allevamento*) stud **3** (*sport*) racing team: *correre per la stessa* —, to race under the same colours.

scudetto *s.m.* **1** shield **2** (*calcio*) (championship) shield.

scudiero *s.m.* **1** squire; (*chi aveva cura dei cavalli*) equerry **2** (*titolo*) equerry.

scudisciare *v.tr.* to lash, to whip.

scudisciata *s.f.* lash, whipping.

scudiscio *s.m.* riding whip.

scudo[1] *s.m.* **1** shield (*anche mil.*); (*rotondo*) buckler // *alzata, levata di scudi*, outcry // *fare — a qlcu.*, to shield s.o.; *farsi — di*, to shield oneself with **2** (*arald.*) escutcheon.

scudo[2] *s.m.* (*antica moneta*) scudo (*pl.* scudi).

scufflare *v.intr.* (*mar.*) to capsize.

scugnizzo *s.m.* (*region.*) urchin.

sculacciare *v.tr.* to spank.

sculacciata *s.f.*, **sculaccione** *s.m.* spanking: *prendere a sculacciate qlcu.*, to give s.o. a spanking.

scultore *s.m.* sculptor: — *in legno*, woodcarver.

scultoreo *agg.* **1** sculptural; sculpturesque: *attività scultorea*, sculptural activity; *bellezza scultorea*, sculpturesque beauty **2** (*fig.*) (*incisivo*) clear-cut.

scultura *s.f.* **1** (*lo scolpire*) sculpture, carving: — *in legno*, woodcarving // (*opera scolpita*) sculpture.

scuocere *v.intr.* (*cuc.*) to overdo*.

scuoiare e *deriv.* → **scoiare** e *deriv.*

scuola *s.f.* school: — *elementare*, primary school; — *media inferiore*, secondary school; (*amer.*) (junior) high school; — *media superiore*, secondary school; (*amer.*) (senior) high school; — *pubblica*, State school; — *privata*, private school; — *di ballo*, dancing school; — *di recitazione*, drama school; — *di taglio*, school of dress-making; — *militare*, military training centre; — *di aviazione*, flying school; *lasciare la* —, to leave school; (*amer.*) to drop out of school // *dopo* —, afternoon study period // *fare* —, to be leader of a school // *seguire la — di qlcu.*, to follow s.o.'s example.

scuotere *v.tr.* to shake* (*anche fig.*); (*agitare*) to stir (*anche fig.*): — *dalle fondamenta*, (*anche fig.*) to shake to the roots; — *l'indifferenza di qlcu.*, to rouse (*o* to stir up) s.o.'s interest // **-ersi** *v.intr.pron.* **1** to shake* // — *di dosso la malinconia*, to shake off one's depression **2** (*turbarsi*) to shake*; (*eccitarsi, smuoversi*) to stir oneself, to rouse oneself.

scure *s.f.* axe; (*accetta*) hatchet.

scuretto *s.m.* shutter.

scurire *v.tr.* to darken ♦ *v.intr.*, **-irsi** *v.intr.pron.* to grow dark(er), to get* dark(er), to darken.

scuro *agg.* **1** dark **2** (*fosco*) dark; (*torvo*) grim ♦ *s.m.* **1** dark: *vestire di* —, to wear dark colours // *essere, tenere qlcu. allo — di qlco.*, to be, to keep s.o. in the dark about sthg. **2** (*imposta*) shutter.

scurrile *agg.* scurrilous.

scurrilità *s.f.* scurrility.

scusa *s.f.* **1** excuse, apology: *chiedere — a qlcu.*, to apologize to s.o.; *profondersi in scuse*, to be profuse in one's apologies; *fagli le mie scuse*, give him my apologies // *chiedo* —!, excuse me! **2** (*pretesto*) excuse, pretext: *non cercar scuse*, don't try to find an excuse; *per lui tutte le scuse sono buone per...*, he jumps at every excuse to...; *con la — di...*, under the pretext of... // — *meschina!*, poor excuse! // *prendere una — per buona*, to swallow an excuse.

scusabile *agg.* **1** excusable, pardonable **2** (*giustificabile*) justifiable.

scusante *s.f.* excuse, justification.

scusare *v.tr.* **1** to excuse; (*perdonare*) to forgive*: *scusa se ti disturbo*, excuse me for disturbing you; *scusate il mio ritardo*, excuse my coming so late; *vogliate scusarlo*, please, forgive him // *scusa!, scusi!, scusate!*, sorry! // *scusi, vuol ripetere?*, I beg your pardon? **2** (*giustificare*) to justify, to excuse: *questo non ti scusa*, this is no excuse; — *qlcu. con, presso qlcu.*, to apologize to s.o. for s.o. // **-arsi** *v.rifl.* **1** to apologize (to s.o.), to make* one's excuses (to s.o.) **2** (*giustificarsi*) to justify oneself; (*trovare delle scuse*) to find* excuses.

scusato *agg.* justified.

scuterista *s.m. e f.* scooterist.

sdazare *v.tr.* to clear.

sdebitarsi *v.rifl.* **1** to pay* off one's debt(s), to get* out of debt **2** (*disobbligarsi*) to return a kindness, to repay* a kindness.

sdegnare *v.tr.* to disdain; (*disprezzare*) to scorn // **-arsi** *v.intr.pron.* (*adirarsi*) to get* angry; (*offendersi*) to be* offended.

sdegnato *agg.* (*indignato*) indignant (with s.o., at sthg.); (*arrabbiato*) angry (with s.o., about sthg.).

sdegno *s.m.* **1** disdain **2** (*indignazione*) indignation; (*ira*) anger, rage.

sdegnosità *s.f.* scornfulness; (*alterigia*) haughtiness.

sdegnoso *agg.* disdainful; (*sprezzante*) scornful; (*di persona*) haughty.

sdentato *agg.* toothless.

sdilinquimento *s.m.* mawkishness; (*fam.*) soppiness, sloppiness.

sdilinquirsi *v.intr.pron.* to melt away; (*fam.*) to get* soppy, to get* sloppy.

sdoganamento *s.m.* clearance.

sdoganare *v.tr.* to clear (through the customs).

sdogare *v.tr.* to remove the staves (from sthg.).

sdolcinatezza *s.f.* mawkishness; (*fam.*) soppiness, sloppiness.

sdolcinato *agg.* mawkish, maudlin; (*fam.*) soppy, sloppy.

sdolcinatura *s.f.* mawkishness; (*fam.*) soppiness, sloppiness.

sdoppiamento *s.m.* halving; (*divisione*) division // — *della personalità*, split personality.

sdoppiare *v.tr.* to split*; (*dividere*) to divide: — *un filo*, to split a thread // **-arsi** *v.intr.pron.* to be* split, to get* split.

sdottoreggiare *v.intr.* to show* off one's learning.

sdraia *s.f.* deckchair.

sdraiare *v.tr.* to lay* (down) // **-arsi** *v.rifl.* to lie* down, to lay* oneself down.

sdraiato *agg.* lying down.

sdraio, a *locuz.avv.*: *sedia a* —, deckchair.

sdrammatizzare *v.tr.* to paint (sthg.) in less dramatic colours.

sdrucciolare *v.intr.* to slide* (*anche fig.*); (*involontariamente*) to slip.

sdrucciolevole *agg.* slippery.

sdrucciolo[1] *agg.* **1** (*fonetica*) proparoxytone: *parola sdrucciola*, proparoxytone **2** (*poesia*) dactylic.

sdrucciolo[2] *s.m.* (*forte pendenza*) steep slope.

sdrucciolone *s.m.* slip, slipping.

sdruccioloni *agg.*: *scendere a* —, to slide* down.

sdrucire *v.tr.* **1** (*strappare*) to tear*, to lacerate **2** (*scucire*) to rip.

sdrucito *agg.* (*strappato*) torn; (*logoro*) worn out; (*scucito*) ripped.

sdrucitura *s.f.* **1** (*strappo*) rip **2** (*scucitura*) ripping.

se[1] *cong.* **1** if: — *avrò tempo, verrò*, if I have time, I shall come; — *fossi ricco*, if I were rich // *devi ubbidire* — *no sarai punito*, you must obey, if not you will be punished // — *proprio lo vuoi sapere...*, if you really want to know... // — *non sbaglio*, if I'm not wrong; — *ben ricordo*, if I remember rightly (o well) // — *è lecito, potrei sapere...*, may I ask... // — *è possibile*, if possible // *anche lui*, — *vogliamo, non ha torto*, he, too, it may be said, is not wrong // — *stesse in me*, — *dipendesse da me*, if it were up to me // — *per caso*, — *mai telefonasse...*, if, by any chance, he should ring up... // — *mai ci andrò io*, I can go, eventually // *sei tu*, — *mai, che hai torto*, if anyone is wrong, it's you! **2** (*in prop. dubitative e interr. indirette*) whether: *mi domando* — *sia vero*, I wonder whether (o if) it is true; *non so* — *dirglielo o no*, I don't know whether I should tell him or not // *non so* — *mi spiego*, I don't know whether you get me // — *è vero? ma è verissimo!*, it is as true as I am here // *lo so io* — *ce ne vuole di pazienza!*, I know how much patience is needed // *immagina* — *ero contento!*, can you imagine how happy I was **3** (*con valore causale, concessivo*) if: — *ti dico che è vero, credimi*, if I tell you it's true, believe me; *anche* —, — *pure tu cambiassi idea*, even if you changed your mind **4** (*con valore desiderativo*) if only: — *l'avessi saputo!*, if only I had known! // — *Dio vuole!*, thank God! **5** (*con valore enfatico o fam. con l'apodosi sottintesa*) if: — *tu sapessi!*, if you only knew!; — *lo prendo!*, if I lay my hands on him!; *ma* — *lo sapevo già!*, but if I already know!; *ma* — *ti avevo detto che...*, but when I had told you that... // *e* — *provassimo?*, suppose we try?; *e* — *facessimo un bridge?*, what about a game of bridge? **6** *come* —, as if: *come* — *fos-*

se colpa mia, as if it were my fault; *come* — *non lo si conoscesse*, as if we didn't know him **7** — *non*, but: *non puoi far altro* — *non aspettare*, you can but (o only) wait; *non può essere stato* — *non lui*, it can only have been he (o him) // — *non altro*, if nothing else (o more); (*per lo meno*) at least ♦ *s.m.* if: *i* — *e i ma*, the ifs and buts.

se[2] *particella pron.m.* e *f.* 3[a] *pers.sing.* e *pl.*: — *ne andò*, she, he went (away); — *ne discusse a lungo*, they talked it over for a long time; — *lo portarono via*, they carried him away; *non* — *l'è fatto dire due volte*, he didn't need to be told twice.

sé *pron.pers.m.* e *f.* 3[a] *pers.sing.* e *pl.* oneself; (*lui*) (self); (*lei*) her(self); (*esso, essa*) it(self); (*loro*) them (selves): *attirare a* —, to draw to oneself; *ognuno per* —, every man for himself; *ha molte persone sotto di* —, he has many people under him // *in* — (*stesso*), *in* — *e per* —, *di per* — (*stesso*), in itself // *essere in* —, to be in one's right senses; *non essere in* —, *non essere padrone di* —, to be out of one's mind; *essere fuori di* —, to be beside oneself; *tornare in* —, to come to // *è chiuso in* — (*stesso*), he keeps himself to himself // *fra* — (*e* —), to oneself; *dentro di* —, within oneself // *un caso a* —, a case by itself // *va da* — *che...*, it goes without saying that... // *si è tradito da* —, he gave himself away // *fa tutto da* —, he does everything by himself // *si è fatto da* —, he is a self-made man // *è pieno di* —, he is (self-)conceited // *stima di* —, self-esteem // *verità che si dimostra da* —, self-evident truth.

sebaceo *agg.* sebaceous.

Sebastiano *no.pr.m.* Sebastian.

sebbene *cong.* though, although: — *tardasse, lo aspettai*, (al)though he was late, I waited for him.

sebo *s.m.* sebum.

seborrea *s.f.* seborrh(o)ea.

secante *agg.* e *s.f.* (*geom.*) secant.

secca *s.f.* **1** shoal, shallow // *abbandonar qlcu. nelle secche*, (*fig.*) to leave s.o. in the lurch **2** (*region.*) (*siccità*) drought.

seccamente *avv.* **1** dryly **2** (*fig.*) bluntly.

seccante *agg.* annoying; (*noioso*) tiresome, boring: *cosa, persona* —, nuisance (o bore).

seccare *v.tr.* **1** to dry (up); (*frutta ecc., per conservarla*) to desiccate **2** (*irritare*) to annoy; (*disturbare*) to bother; (*annoiare*) to bore ♦ *v.intr.* to dry (up) // **-arsi** *v.intr.pron.* **1** (*diventar secco*) to dry (up) **2** (*irritarsi*) to get* annoyed (with s.o., at sthg., at doing); (*sentir noia*) to be* tired (of s.o., of sthg., of doing).

seccato *agg.* (*irritato*) annoyed (with s.o., at sthg.); (*annoiato*) bored (with).

seccatoio *s.m.* drying room.

seccatore *s.m.* nuisance.

seccatura *s.f.* bother; (*noia*) bore // *dare seccature*, to give trouble (o to trouble).

secchezza *s.f.* **1** dryness (*anche fig.*) **2** (*magrezza*) thinness **3** (*di modi*) coldness, brusqueness; (*di stile*) baldness.

secchia *s.f.* **1** pail, bucket: *a secchie*, in buckets **2** (*contenuto di una secchia*) pail(ful), bucket(ful) **3** (*gergo studentesco*) swot.

secchiata *s.f.* **1** pailful, bucketful **2** (*gergo studentesco*) swotting.

secchiello *s.m.* bucket: — *portaghiaccio*, ice bucket; (*borsa a*) —, bucket bag.

secchio *s.m.* pail, bucket: — *del latte*, milk pail // — *per il carbone*, coalscuttle.

secchione *s.m. (gergo studentesco)* swot.

secco *agg.* **1** dry *(anche fig.)*: *a* —, dry *(attr.)* // *legno* —, seasoned wood // *ambo, terno* —, *(Lotto)* stake placed on two, three numbers only **2** *(disseccato)* dried; *(appassito)* withered // *uva secca*, raisins **3** *(magro)* thin, skinny **4** *(brusco)* sharp; *(di stile)* bald; *(freddo)* cold, stiff: *una risposta secca*, a sharp answer // *con un colpo* —, at a single blow // *rifiutò con un no* —, he refused point-blank ♦ *s.m.* **1** *(siccità)* drought **2** *(mar.)*: *nave in* —, ship aground; *tirare una barca in* —, to beach a boat // *rimanere in* —, *(fig.)* to be left penniless.

secentesco *agg. (arte lett.)* seventeenth-century *(attr.)*.

secernere *v.tr.* to secrete.

secessione *s.f.* secession// *guerra di* —, *(st. americana)* Civil War.

secessionismo *s.m.* secessionism.

secessionista *s.m.* e *f.* secessionist.

seco *pron.pers.m.* e *f.* *3ª pers.sing.* e *pl. (con sé)* with one; *(su di sé)* on one's person; *(con lui)* with him; *(con lei)* with her; *(con esso, essa)* with it; *(con loro)* with them.

secolare *agg.* **1** age-old, secular **2** *(che si ripete ogni secolo)* secular **3** *(laico)* secular **4** *(mondano)* worldly ♦ *s.m. (spec.pl.)* layman *(pl. -men)*.

secolarizzare *v.tr.* to secularize.

secolarizzazione *s.f.* secularization.

secolo *s.m.* **1** century // *alla fine dei secoli*, at the end of time // *per tutti i secoli*, for ever and ever // *dal principio dei secoli*, from time immemorial // *nella notte dei secoli*, in remote antiquity // *sembra un* — *che...*, *(fam.)* it seems ages since... // *sono secoli, è un* — *che non lo vedo*, I have not seen him for ages // *(epoca)* age **3** *(mondo)* world: *ritirarsi dal* —, to withdraw from the world // *al* —, in the world: *Suor Teresa, al* — *Mary Brown*, Sister Theresa, in the world Mary Brown.

seconda *s.f.* **1** *(aut.)* second (gear) **2** *(scherma)* seconde **3** *(nell'ordinamento scolastico)* second class; *(amer.)* second grade **4** *(mus.)* second **5** *(ferr.)* second class **6** *in* —, *(mil.)* second-in-command // **a seconda di** *locuz.prep.* according to.

secondare *v.tr.* **1** *(favorire)* to favour **2** *(compiacere)* to comply (with sthg.).

secondario *agg.* secondary // *intreccio* —, *(teatr.)* subplot // *avere una parte secondaria*, to play a minor part // *proposizione secondaria*, subordinate clause.

secondino *s.m.* warder.

secondo[1] *agg.num.ord.* second: *egli è* — *in graduatoria*, he is the second best; *arrivare* —, to come (in) second; *è un* — *Galileo*, he is a second *(o a new)* Galileo // *alla seconda potenza*, *(mat.)* to the power of two // *Carlo II*, Charles the Second // *secondi fini*, ulterior motives // *non è* — *a nessuno*, he is second to none // *seconda area (utilizzata alternativamente)*, *(informatica)* alternate area ♦ *pron.* e *s.m.* second // — *nato*, second child // *il primo..., il* —..., the former..., the latter... ♦ *s.m.* **1** *(minuto secondo)* second **2** *(mar.)* *(ufficiale in seconda)* first lieutenant **3** *(padrino in duello; assistente di pugile)* second **4** *(secondo piatto)* main course ♦ *avv.* secondly, in second place.

secondo[1] *agg. (letter.) (favorevole)* favourable.

secondo[2] *prep.* **1** according to: — *me, lui ecc.*, according to me, to him etc.; — *il mio modo di vedere*, to my way of thinking // — *natura*, in accordance with nature // — *vangelo* — *Matteo*, gospel according to St. Matthew **2** *(dipende da)* it depends (on): «*Lo farai?*»

«*Secondo*», "Will you do it?" "It depends" **3** *(proporzionatamente)* according to // **secondo che** *locuz.cong.* according to whether: — *che mi piaccia o no*, according to whether I like it or not.

secondogenito *agg.* second-born ♦ *s.m.* second (-born) son.

secrétaire *(franc.) s.m.* secretaire, secretary.

secretivo *agg.* secretory.

secreto *s.m.* secretion.

secrezione *s.f.* secretion.

sedano *s.m.* celery.

sedare *v.tr.* to calm; *(dolore, timore ecc.)* to soothe // — *la fame*, to appease one's hunger // — *la sete*, to quench one's thirst // — *un tumulto*, to put down a riot.

sedativo *agg.* e *s.m.* sedative.

sede *s.f.* **1** centre; seat: *è* — *di esami*, it is an examination centre; *la* — *del governo*, the seat of government **2** *(residenza)* residence **3** *(ufficio)* office; *(uffici centrali)* head offices; *(uffici secondari)* branch offices // *la* — *dell'O.N.U.*, the United Nations headquarters // *non è in* —, he is not in the office // *in* — *di esami*, during the examinations // *in separata* —, *(dir.)* in a special session; *(in privato)* in private **4** *(eccl.)* see // *la Santa Sede*, the Holy See.

sedentario *agg.* e *s.m.* sedentary (man).

sedere[1] *v.intr.* **1** *(essere seduto)* to be* sitting, to sit* // *alzarsi da* —, to rise *(o* to get up) *(from one's seat)* // *mettere qlcu. a* —, to seat s.o. *(from one's seat)* // *state seduti*, don't stand up // — *in Parlamento*, to sit in Parliament; — *sul trono*, to sit on the throne **2** *(mettersi a)* —, *sedersi*, to sit* down; *(assoluto)* to take a seat: *sediamo, sediamoci a tavola*, let's sit down at table; *prego, sedete, sedetevi*, please, take a seat // *alzarsi a* — *sul letto*, to sit up in bed.

sedere[2] *s.m.* bottom, behind.

sedia *s.f.* chair: — *a dondolo*, rocking chair; *(solo amer.)* rocker.

sediario *s.m.* gestatorial chair carrier.

sedicenne *agg.* sixteen (years old) *(pred.)*; sixteen -year-old *(attr.)* ♦ *s.m.* sixteen-year-old boy ♦ *s.f.* sixteen-year-old girl.

sedicente *agg.* self-styled.

sedicesimo *agg.num.ord.* sixteenth ♦ *s.m.* **1** sixteenth **2** *(tip.)* sextodecimo.

sedici *agg.num.card.* e *s.m.* sixteen.

sedile *s.m.* seat: — *catapultabile*, *(aer.)* ejection *(o* ejector) seat; — *a ribalta*, flap seat; — *girevole*, swivel chair.

sedimentare *v.intr.* to sediment.

sedimentazione *s.f. (geol.)* sedimentation.

sedimento *s.m. (chim.geol.)* sediment.

sedizione *s.f.* sedition.

sedizioso *agg.* seditious ♦ *s.m.* agitator.

seducente *agg.* **1** seductive; *(allettante)* enticing, alluring **2** *(affascinante)* charming.

sedurre *v.tr.* **1** to seduce; *(allettare)* to entice **2** *(affascinare)* to charm.

seduta *s.f.* sitting; session; *(meno formale)* meeting: *essere in* —, to be in session; *aprire, chiudere, rinviare una* —, to open, to close, to adjourn a session *(o* meeting); *una* — *dallo psichiatra*, a session at the psychiatrist's // — *stante*, during the sitting; *(immediatamente)* immediately.

seduttore *agg.* seducing ♦ *s.m.* seducer.

seduzione *s.f.* **1** seduction **2** *(allettamento)* enticement **3** *(fascino)* charm.

sega *s.f.* saw: — *a mano*, handsaw; — *chirurgica*, amputation saw // *pesce* —, sawfish.

segala, **segale** *s.f.* rye: — *cornuta*, ergot; *pane di* —, rye bread.

segaligno *agg.* **1** rye (*attr.*) **2** (*di persona*) wiry.

segare *v.tr.* to saw*; (*fig.*) to cut* (into sthg.).

segatore *s.m.* sawyer.

segatrice *s.f.* (mechanical) saw: — *a disco*, circular saw; — *a nastro*, band saw.

segatura *s.f.* **1** (*il segare*) sawing **2** (*detriti di legno segato*) sawdust.

seggetta *s.f.* commode, close-stool.

seggio *s.m.* **1** chair; (*carica pubblica*) seat: *un — in Parlamento*, a parliamentary seat; *il — presidenziale*, the president's chair // *il — di S. Pietro*, the seat of St. Peter // — *elettorale*, polling station **2** (*stallo*) stall.

seggiola *s.f.* chair.

seggiolata *s.f.* hit with a chair.

seggiolino *s.m.* (small) seat: — *per bambini*, baby seat; — *pieghevole*, folding chair; — *ribaltabile*, drop (*o* tip-up) seat.

seggiolone *s.m.* (*per bambini*) high chair.

seggiovia *s.f.* chair lift.

segheria *s.f.* sawmill.

seghetta *s.f.* file.

seghettare *v.tr.* to serrate.

seghettato *agg.* serrated.

seghetto *s.m.* hacksaw.

segmentare *v.tr.* **1** to segmentalize **2** (*fig.*) to divide (up).

segmentazione *s.f.* segmentation.

segmento *s.m.* segment.

segnalare *v.tr.* **1** to signal **2** (*indicare*) to point out // — *qlcu., qlco., alla polizia*, to report s.o., sthg. to the police // **-arsi** *v.rifl.* to attract s.o.'s attention; (*fig.*) to distinguish oneself.

segnalato *agg.* remarkable; (*famoso*) well-known.

segnalatore *agg.* signalling ♦ *s.m.* **1** signaller **2** (*informatica*) flag.

segnalazione *s.f.* **1** signalling; (*segnale*) signal: *fare segnalazioni*, to signalize // *segnalazioni stradali*, traffic signs **2** (*raccomandazione*) mention.

segnale *s.m.* **1** signal: — *acustico*, sound signal; — *d'aiuto*, (*rad.*) distress signal; — *d'allarme*, warning signal; (*ferr.*) emergency brake; — *di pericolo*, danger signal; — *di linea libera, occupata*, (*tel.*) ringing, engaged tone; — *orario*, time signal; — *stradale*, traffic sign **2** (*informatica*) signal; (*tel.*) gate: — *di chiamata*, call signal; — *di inibizione*, inhibit signal; — *di temporizzazione*, clock signal; — *negato*, inverted signal.

segnaletica *s.f.* signals (*pl.*): — *stradale*, traffic signs.

segnaletico *agg.* descriptive // *dati segnaletici*, description.

segnalibro *s.m.* bookmark.

segnalinee *s.m.* (*sport*) linesman (*pl.* -men).

segnaprezzo *s.m.* price tag.

segnapunti *s.m.* scorekeeper; (*tabellone*) scoreboard; (*libretto*) scorepad.

segnare *v.tr.* **1** to mark (*anche fig.*); (*prendere nota*) to note (down) // — *il bestiame*, to brand the cattle // — *i punti*, (*al gioco*) to keep the score **2** (*lasciare il segno*) to score (with sthg.) (*anche fig.*) **3** (*indicare*) to indicate, to show*; (*di strumenti*) to read* // *l'orologio segna le ore*, the clock tells the time; *l'orologio segna le tre*, the clock says three o'clock // — *qlcu. a dito*, (*fig.*) to

point the finger of scorn at s.o. **4** (*sport*) to score // **-arsi** *v.rifl.* to cross oneself.

segnatasse *s.m.* postage-due stamp.

segnatempo *s.m.* timekeeper.

segnato *agg.* marked (with): — *dal vaiolo*, pockmarked // — *da Dio*, deformed.

segnatore *s.m.* **1** marker **2** (*sport*) scorer.

segnatura *s.f.* **1** marking **2** (*tip.*) signature **3** (*numero di collocazione di libri*) pressmark; (*amer.*) call number **4** (*sport*) scoring.

segno *s.m.* **1** sign; (*traccia*) mark: *i segni dello Zodiaco*, the signs of the Zodiac; *c'erano segni di lotta*, there were signs of a struggle; *i segni di una ferita*, the marks of a wound; *lasciare il* —, (*anche fig.*) to leave a mark // *tenere, perdere il* — (*in un libro*), to mark the place, to lose one's place (in a book) // — *di riferimento*, (*informatica*) benchmark **2** (*fig.*) (*indizio, sintomo*) sign: *dare segni di...*, to show signs of... // *è — che...*, it means that... // *come, in — di*, as a sign of // *buon, cattivo —!*, it's a good, a bad sign! **3** (*gesto, cenno*) gesture: *parlare a segni*, to talk by gestures (*o* in signs) // *fare — di sì*, to nod (assent); *fare — di no*, to shake one's finger; (*con la testa*) to shake one's head **4** (*bersaglio*) target: *tiro a* —, target practice; (*il luogo*) shooting gallery // *essere fatto — a*, to be the object of **5** (*limite*) limit, mark: *passare il* —, to overstep the mark // *a tal — che*, to such a point that.

sego *s.m.* tallow.

segoso *agg.* tallowy.

segregare *v.tr.* to segregate, to isolate // **-arsi** *v.rifl.* to segregate, to isolate oneself.

segregato *agg.* isolated; (*separato*) cut off.

segregazione *s.f.* segregation: — *cellulare*, solitary confinement.

segregazionismo *s.m.* segregation.

segregazionista *s.m. e f.* segregationist.

segreta *s.f.* dungeon.

segretaria *s.f.* secretary: — *d'azienda, di direzione*, business, executive secretary; — *di edizione*, (*cinem.*) continuity girl.

segretariato *s.m.* secretariat(e); (*carica di segretario*) secretaryship // *corso di* —, secretarial course.

segretario *s.m.* secretary: — *particolare*, private secretary // — *comunale*, town clerk // — *d'università*, Registrar // *Segretario Generale*, Secretary-General.

segreteria *s.f.* **1** secretariat(e); (*di istituto ecc.*) registrar's office // — *telefonica*, answering service // *Segreteria di stato*, Secretariat of State **2** (*il personale*) secretariat(e).

segretezza *s.f.* secrecy.

segreto[1] *agg.* secret // *servizio* —, (*di polizia*) secret police; (*militare*) secret service.

segreto[2] *s.m.* secret: *rivelare un* —, to disclose a secret; *dire qlco. a qlcu. in (gran)* —, to tell s.o. sthg. as a (great) secret; *strappare un — di bocca a qlcu.*, to make s.o. reveal a secret // *il — della confessione*, the secrecy of the confessional // — *epistolare*, secrecy of correspondence; — *professionale*, professional secrecy; — *bancario*, banking secrecy.

seguace *s.m. e f.* follower; (*discepolo*) disciple.

seguente *agg.* following; (*futuro*) next.

segugio *s.m.* **1** (*zool.*) (blood)hound **2** (*poliziotto*) sleuth.

seguire *v.tr.* **1** to follow (*anche fig.*): *lasciare che le cose seguano il loro corso*, to let things run their course; *segui la tua via*, go your own way; — *la corrente*, to go downstream; (*fig.*) to go with the stream; — *una pista*, (*fig.*) to follow up a clue // *mi ha seguito per l'esame*, he has coached me for my examination // *mi segui?*, (*in un discorso, ragionamento ecc.*) (*fam.*) are you with me? **2** (*frequentare*) to attend: — *un corso di tedesco*, to attend a German course ♦ *v.intr.* **1** to follow (sthg., s.o.) // *segue lettera*, letter will follow // *con quel che segue*, and so on **2** (*continuare*) to follow, to continue: *segue al prossimo numero*, to be continued in our next issue // *segue a tergo*, please turn over.

seguitare *v.intr.* to go* on (doing), to continue (doing, to do) ♦ *v.tr.* to continue, to go* on (with sthg.).

seguito *s.m.* **1** retinue, suite: *essere al — di qlcu.*, to be among s.o.'s retinue **2** (*sequela*) series, succession // *di —*, uninterruptedly; *per tre ore di —*, for three hours on end; *uno di — all'altro*, one after the other // *e così di —*, and so on // *in —*, later on // *in — a*, owing to **3** (*continuazione*) continuation // *il — al prossimo numero*, to be continued (in our next issue) // *dar — a qlco.*, to carry out sthg. // *far — a qlco.*, to follow (up) sthg. **4** (*fig.*) (*favore*) following: *avere molto —*, to have a large following.

sei *agg.num.card.* e *s.m.* six.

seicentesimo *agg.num.ord.* e *s.m.* six hundredth.

seicento *agg.num.card.* e *s.m.* six hundred // *il Seicento*, the seventeenth century.

selce *s.f.* (*min.*) flint(-stone).

selciare *v.tr.* to pave.

selciato *agg.* paved ♦ *s.m.* pavement.

selciatore *s.m.* paver.

selciatura *s.f.* paving.

selenio *s.m.* (*min.*) selenium.

selettività *s.f.* selectivity.

selettivo *agg.* selective.

selettore *s.m.* selector.

selezionare *v.tr.* to select.

selezionato *agg.* select.

selezionatore *agg.* selective ♦ *s.m.* selector.

selezionatrice *s.f.* **1** (*macchina*) sorter **2** (*informatica*) card sorter.

selezione *s.f.* selection // — *automatica*, (*tel.*) direct dialling.

sella *s.f.* **1** saddle: *montare in —*, to mount; *togliere la — ad un cavallo*, to unsaddle a horse; *sbalzare qlcu. di —*, to unhorse s.o. **2** (*valico*) saddle.

sellaio *s.m.* saddler.

sellare *v.tr.* to saddle.

sellatura *s.f.* saddling.

selleria *s.f.* saddlery.

sellino *s.m.* saddle.

seltz *s.m.* soda (water).

selva *s.f.* **1** forest; (*bosco*) wood **2** (*fig.*) mass.

selvaggina *s.f.* game.

selvaggio *agg.* **1** wild: *fiore, animale —*, wild flower, animal // *speculazione selvaggia*, wild speculation // *sciopero —*, wildcat strike **2** (*incivile, primitivo*) savage (*anche fig.*): *delitto —*, savage crime ♦ *s.m.* savage (*anche fig.*).

selvatichezza *s.f.* unsociability; (*rustichezza*) roughness.

selvatico *agg.* **1** wild **2** (*non socievole*) unsociable; (*rude*) rough.

selvicoltura *s.f.* forestry.

selvoso *agg.* wooded, woody.

selz *s.m.* soda (water).

semaforico *agg.* semaphoric, semaphore (*attr.*).

semaforista *s.m.* (*ferr.*) signalman (*pl.* -men).

semaforo *s.m.* **1** traffic lights (*pl.*) **2** (*ferr.*) (railway) signal **3** (*mar.*) (shore) signal station.

semantica *s.f.* semantics.

semantico *agg.* semantic.

sembiante *s.m.* (*letter.*) **1** (*volto*) countenance; (*fattezze*) features (*pl.*) **2** (*apparenza*) appearance // *far —*, to pretend.

sembianza *s.f.* (*letter.*) **1** (*apparenza*) appearance **2** *pl.* (*fattezze*) features : *un giovane di belle sembianze*, a good-looking young man.

sembrare *v.intr.* → **parere**.

seme *s.m.* **1** seed; (*di mela, pera*) pip: *senza semi*, seedless; *olio di semi*, seed-oil // *gettare il — della discordia*, to sow the seed of discord **2** (*delle carte da gioco*) suit.

sementa *s.f.* **1** (*il seminare*) sowing **2** (*semente*) seeds (*pl.*).

semente *s.f.* seeds (*pl.*): *gettare la —*, to sow.

semenza *s.f.* **1** seeds (*pl.*) (*anche fig.*) **2** (*letter.*) (*progenie*) progeny, offspring **3** (*chiodo a testa piatta*) tack.

semenzaio *s.m.* seedbed.

semestrale *agg.* **1** (*che ricorre ogni sei mesi*) half-yearly, six-monthly **2** (*che dura sei mesi*) six months' (*attr.*).

semestre *s.m.* **1** six-month period, (period of) six months **2** (*rata*) six-monthly instalment; (*compenso*) six months' pay.

semi- *pref.* semi-, half-.

semiaperto *agg.* half-open.

semiasse *s.m.* (*aut.*) axle-shaft.

semiautomatico *agg.* semiautomatic.

semicerchio *s.m.* (*geom.*) semicircle.

semichiuso *agg.* half-closed.

semicingolato *agg.* e *s.m.* (*mil.*) half-track.

semicircolo *s.m.* semicircle.

semiconsonante *s.f.* semiconsonant.

semicroma *s.f.* (*mus.*) semiquaver.

semicupio *s.m.* hipbath.

semideponente *agg.* e *s.m.* semideponent.

semidio *s.m.* demigod.

semidistrutto *agg.* half-destroyed.

semifinale *s.f.* (*sport*) semifinal.

semigrasso *agg.* semi-fat.

semi-impulso *s.m.* (*informatica*) half pulse.

semilavorato *agg.* e *s.m.* semifinished, semimanufactured ♦ *s.m.* semimanufactured goods (*pl.*).

semiminima *s.f.* (*mus.*) crotchet.

semina *s.f.* **1** sowing **2** (*tempo*) seedtime.

seminabile *agg.* sowable.

seminagione *s.f.* → **semina**.

seminale *agg.* seminal.

seminare *v.tr.* **1** to sow (with sthg.) (*anche fig.*) // *chi semina vento raccoglie tempesta*, (*prov.*) sow the wind and reap the whirlwind **2** (*fig.*) to scatter, to strew* **3** (*fam.*) (*lasciare indietro*) to give* (s.o.) the slip.

seminario *s.m.* **1** (*eccl.*) seminary **2** (*di università*) seminar.

seminarista *s.m.* seminarist.

seminativo *agg.* fit to be sown (*pred.*).

seminato *agg.* **1** sown (with) **2** (*fig.*) strewn (with) ♦ *s.m.* sown land, sown field // *uscire dal —*, (*fig.*) to wander from the subject.

seminatore *s.m.* sower.

seminatrice *s.f.* (*mecc.*) drill.

seminfermità *s.f.* partial infirmity: — *mentale*, partial insanity.

seminfermo *agg.* e *s.m.* semi-invalid // — *di mente*, (person) of unsound mind.

seminterrato *s.m.* (*edil.*) basement.

seminudo *agg.* half-naked.

semiologia *s.f.* semiology, semeiology.

semiologo *s.m.* semeiologist.

semioscurità *s.f.* semidarkness.

semiotica *s.f.* semiotics (*sing. o pl.*), semeiotics (*sing. o pl.*).

semipiano *s.m.* (*geom.*) half-plane.

semiretta *s.f.* (*geom.*) half-line.

semirigido *agg.* semirigid.

semiserio *agg.* semiserious // *opera semiseria*, (*teatr.*) seriocomic opera.

semisfera *s.f.* semisphere.

semisferico *agg.* semispheric(al).

semispazio *s.m.* (*geom.*) half-space.

semita *agg.* Semitic ♦ *s.m.* e *f.* Semite.

semitico *agg.* Semitic.

semitono *s.m.* (*mus.*) semitone.

semitrasparente *agg.* semitransparent.

semivivo *agg.* half-alive.

semivocale *s.f.* semivowel.

semmai *cong.* → **se**[1].

semola *s.f.* **1** (*crusca*) bran **2** (*fior di farina*) (fine) flour: *pane di* —, superfine bread.

semolato *agg.*: *zucchero* —, castor sugar.

semolino *s.m.* semolina.

semovente *agg.* self-propelled, self-propelling.

semovenza *s.f.* self-propulsion.

Sempione *no.pr.m.* Simplon.

sempiterno *agg.* (*letter.*) everlasting.

semplice *agg.* **1** simple; (*non ricercato*) plain; (*facile*) easy: *gente* —, simple (*o* homely) people; *tempo* —, (*gramm.*) simple tense; *è un* — *sospetto*, it's a mere suspicion // *bancarotta* —, bankruptcy // *nodo* —, simple knot // *puro e* —, pure and simple; *è follia pura e* —, it is sheer madness; *la verità pura e* —, the plain truth (*o* the truth pure and simple) **2** (*mil.*): *soldato* —, private (soldier); *marinaio* —, ordinary seaman.

semplicemente *avv.* simply; (*senza ricercatezza*) plainly.

semplicione *s.m.* simpleton, naïve person.

sempliciotto *agg.* credulous ♦ *s.m.* simpleton.

semplicismo *s.m.* simplism.

semplicista *s.m.* e *f.* simplicist.

semplicistico *agg.* simplistic, simplicistic.

semplicità *s.f.* simplicity.

semplificare *v.tr.* to simplify // **-arsi** *v.intr.pron.* to get* simpler.

semplificazione *s.f.* simplification.

sempre *avv.* **1** always: *non sarà* — *così!*, it won't always be like this!; *si sente* — *stanco*, he always feels tired // — *avanti!*, ever onward! // — *meglio*, better and better; — *meno*, less and less // — *vostro*, (*in chiusa di lettera*) yours ever // *di* —, usual // *per* —, for ever (*o fam.* for good); *una volta per* —, once (and) for all // *lo conosco da* —, I have always known him // *i ragazzi sono* — *ragazzi*, boys will be boys // *ma se glielo dico* —*!*, but I am always telling him! **2** (*con agg. nell'uso attr.*) ever: *esercita un'influenza* — *crescente su di lui*, she exercises an evergrowing influence on him **3** (*ancora*) still: *sei* — *in collera con me?*, are you still angry with me? **4** (*in ogni caso, tuttavia, a patto di*) al-

ways, nevertheless: *è* (*pur*) — *vero che...*, it is nevertheless true that...; *resta* — *il fatto che...*, the fact remains that...; *parlagli pure*, — *però con cautela*, you can talk to him, but with care // **sempre che** *locuz.cong.* provided (that): *lo farò*, — *che tu lo voglia*, I'll do it provided (that) you want me to; *il suo solo merito*, — *che si possa parlare di merito...*, his only merit, if (*o* provided that) one can speak of merit...

sempreverde *agg.* e *s.m.* (*bot.*) evergreen.

semprevivo *s.m.* (*bot.*) houseleek.

sena *s.f.* (*bot.*) senna.

senapa *s.f.* (*bot. cuc.*) mustard.

senapato *agg.* mustard (*attr.*).

senape *s.f.* (*bot. cuc.*) mustard.

senapismo *s.m.* **1** (*med.*) mustard plaster, mustard poultice **2** (*fig.*) nuisance.

senario *agg.* (*di sei sillabe*) of six syllables; (*di sei piedi*) of six feet ♦ *s.m.* (*verso di sei sillabe*) line of six syllables; (*verso di sei piedi*) senarius (*pl.* senarii).

senato *s.m.* senate // *Palazzo del Senato*, Senate House.

senatore *s.m.* senator.

senatoriale *agg.* senatorial.

senegalese *agg.* e *s.m.* e *f.* Senegalese (*pl. invar.*).

senescenza *s.f.* senescence.

senese *agg.* e *s.m.* e *f.* Sienese (*pl. invar.*).

senile *agg.* senile: *decadenza* —, senile decay.

senilità *s.f.* senility.

seniore *agg.* e *s.m.* senior.

senna *s.f.* (*bot.*) senna.

senno *s.m.* wisdom // *fuori di* —, out of one's wits // *del* — *di poi son piene le fosse*, (*prov.*) it's easy to be wise after the event.

sennò *cong.* if not; (*altrimenti*) otherwise, or else.

sennonché *cong.* but.

seno *s.m.* **1** breast, bosom (*anche fig.*): *stringere al* —, to press to one's breast (*o* bosom); *allattare un bimbo al* —, to breast-feed a baby // *in* — *a*, in the bosom of; *in* — *al partito*, within the party **2** (*grembo, viscere*) womb **3** (*anat. med.*) sinus **4** (*geogr.*) inlet **5** (*mat.*) sine.

sensale *s.m.* broker, middleman (*pl.* -men).

sensatezza *s.f.* good sense.

sensato *agg.* sensible, judicious.

sensazionale *agg.* sensational: *la stampa* —, (*spreg.*) the gutter press: *la commedia ebbe un successo* —, the play was a great hit.

sensazione *s.f.* **1** sensation **2** (*scalpore*) sensation // *a* —, sensational **3** (*idea*) feeling: *avere la* — *che...*, to have a feeling that...

senseria *s.f.* broking.

sensibile *agg.* **1** notable, sensible; (*tangibile*) tangible: *una differenza* —, a notable difference; *mondo* —, tangible world **2** (*che ha capacità di sentire*) sensitive (*anche fig.*): *temperamento* —, sensitive nature.

sensibilità *s.f.* **1** sensitiveness; (*delicatezza*) delicacy: *offendere la* — *di qlcu.*, to hurt s.o.'s feelings **2** (*tecn.*) sensitivity.

sensibilizzare *v.tr.* to sensitize.

sensismo *s.m.* (*st. fil.*) sensism.

sensista *s.m.* e *f.* (*st. fil.*) sensist.

sensistico *agg.* sensism (*attr.*).

sensitiva *s.f.* (*bot.*) sensitive plant.

sensitività *s.f.* sensitivity.

sensitivo *agg.* **1** sensory, sensorial **2** (*sensibile*) sensitive.

senso *s.m.* **1** sense: *gli organi dei sensi*, the sense organs // *sesto —*, sixth sense // *perdere, riprendere i sensi*, to lose, to recover consciousness **2** (*concetto*) sense; (*sensazione, sentimento*) feeling: *— del dovere*, sense of duty; *un — di freddo, di dolore*, a feeling of cold, of pain // *gradisca i sensi della mia gratitudine*, please accept this expression of my gratitude // *fare —*, to make s.o. squirm **3** (*significato*) sense, meaning: *non ha — che si comporti così*, there's no point in his behaving like this // *doppio —*, double meaning // *ai sensi di legge*, according to the law // *in un certo —*, in one sense // *ripetere a —*, to repeat in one's own words **4** (*direzione, verso*) direction, way: *— rotatorio*, roundabout; *— unico*, one-way (only); *— vietato*, no entry; *in — opposto*, the opposite way (*o* in the opposite direction); *nel — della lunghezza*, lengthwise; *va' in quel —*, go that way **5** (*modo*) way, manner: *risposta in — affermativo*, answer in the affirmative.

sensoriale *agg.* sensorial.

sensorio *agg.* sensory, sensorial, sense (*attr.*) ♦ *s.m.* sense; sense organ.

sensuale *agg.* **1** sensual **2** (*dei sensi, che fa appello ai sensi*) sensuous: *bellezza —*, sensuous beauty.

sensualità *s.f.* sensuality.

sentenza *s.f.* **1** (*dir.*) sentence, judg(e)ment: *emettere, pronunziare una —*, to pass sentence **2** (*opinione*) opinion // *sputar sentenze*, to play the wiseacre **3** (*massima*) saying.

sentenziare *v.tr. e intr.* **1** (*dir.*) to judge, to deliver a judgement **2** (*sputar sentenze*) to talk sententiously.

sentenzioso *agg.* sententious.

sentiero *s.m.* path (*anche fig.*): *uscire dal — battuto*, to go off the beaten track; *sul — di guerra*, on the warpath.

sentimentale *agg.* sentimental.

sentimentalismo *s.m.* sentimentalism.

sentimentalità *s.f.* sentimentality.

sentimento *s.m.* **1** feeling: *il — del bello*, the feeling for beauty; *un — di pietà*, a feeling of pity // *il — della natura nella poesia romantica*, the idea of nature in romantic poetry // *il — religioso*, the religious sentiment **2** *pl.* (*sensi*) senses.

sentina *s.f.* (*mar.*) bilge.

sentinella *s.f.* sentry: *dare il cambio alla —*, to relieve the sentry; *essere di —*, to be on sentry duty; *montare la —*, to mount guard.

sentire *v.tr.* **1** to feel* (*anche fig.*): *— un dolore*, to feel a pain; *— l'obbligo*, to feel obliged **2** (*tastare*) to feel*: *— il polso*, to feel s.o.'s pulse **3** (*provare, gustare*) to taste **4** (*odorare*) to smell*: *sento odore di gas*, I can smell gas **5** (*udire*) to hear*: *ho sentito suonare il campanello*, I heard the bell ringing // *— dire*, to hear; *— parlare di qlcu., qlco.*, to hear of s.o., sthg. // *a quel che sento*, from what I hear // *se ne sentono di tutti i colori!*, the things you hear! // *fatti —!*, speak up for yourself!; (*telefonami*) let me hear from you! **6** (*ascoltare*) to listen (to s.o., sthg.): *— una commedia*, to listen to a play // *senti!*, look! // *sentiamo!*, let's hear it // *stammi a —*, listen to me ♦ *v.intr.* **1** (*udire*) to hear*: *non sente, non può sentire*, he cannot hear **2** (*avere gusto*) to taste: *— di buono*, to taste good; *— di pesce*, to taste of fish **3** (*avere odore*) to smell*: *— di muffa*, to smell musty // **-irsi** *v.rifl.* **1** to feel*; (*aver voglia*) to feel* (like sthg., like doing): *— svenire*, to feel faint; *si sentiva morire*, he felt he was dying; *— di fare qlco.*, to feel like doing sthg.; *non me la sento*, I don't feel like it // *me la sentivo che sarebbe venuto*, I had a hunch that he would

come **2** (*stare*) to feel*, to be*: *come ti senti oggi?*, how are you (feeling) today?

sentire *s.m.* feeling.

sentitamente *avv.* heartily, sincerely.

sentito *agg.* **1** heartfelt, sincere **2** (*udito*) heard // *per — dire*, by hearsay.

sentore *s.m.* inkling // *ho — di un complotto*, I suspect a plot.

senza *prep.* **1** without: *— parlare*, without speaking; *— di me*, without me; *— scarpe*, barefoot(ed); *— un soldo*, penniless; *sono rimasto — pane*, I haven't any bread left; *sono rimasto —*, (*ne sono sfornito*) I have run out // *senz'ombra di...*, without a trace of... // *— contare che...*, without considering that... // *«Verrai stasera?» «Senz'altro»*, "Will you come tonight?" "Sure (*o* Of course)" // *— testa*, thoughtlessly (*avv.*); thoughtless (*agg.*) // *fare — qlco.*, to do (*o* to go) without sthg. **2** (*eccettuato, oltre a*) without counting, excluding ♦ *s.m.* (*al bridge*) no trumps // *senza che* *locuz.cong.* without (doing): *uscì — che gli dicessimo nulla*, he went out without our saying anything to him.

senzatetto *s.m.* homeless person.

sepalo *s.m.* (*bot.*) sepal.

separabile *agg.* separable.

separare *v.tr.* **1** to separate, to divide, to part: *— due litiganti*, to part two people quarrelling **2** (*fig.*) to distinguish **3** (*informatica*) (*articoli*) to unblock; to split* // **-arsi** *v.rifl. e rifl.rec.* to separate; (*lasciarsi*) to part: *— amichevolmente*, to part friends.

separatamente *avv.* separately.

separatismo *s.m.* (*pol. relig.*) separatism.

separatista *agg. e s.m.* (*pol. relig.*) separatist: *movimento —*, separatist movement.

separatistico *agg.* separatistic.

separato *agg.* separated; (*diviso, indipendente*) separate // *letti separati*, single beds.

separatore *agg.* separating ♦ *s.m.* separator.

separazione *s.f.* **1** separation, division: *— legale*, (*dir.*) judicial separation; *— consensuale*, (*dir.*) separation by mutual consent **2** (*lo stare lontano*) separation; (*il separarsi*) parting.

sepolcrale *agg.* sepulchral.

sepolcreto *s.m.* burial ground, cemetery.

sepolcro *s.m.* sepulchre, tomb // *— imbiancato*, (*fig.*) whited sepulchre // *il Santo Sepolcro*, the Holy Sepulchre.

sepolto *agg.* buried (*anche fig.*): *— nell'oblio*, lost in oblivion; *— vivo*, buried alive.

sepoltura *s.f.* **1** (*il seppellire*) burial **2** (*sepolcro*) sepulchre, tomb: *dare —*, to bury.

seppellimento *s.m.* burial.

seppellire *v.tr.* to bury (*anche fig.*): *— la pratica*, to file the case away // **-irsi** *v.rifl.* to bury oneself.

seppellitore *s.m.* grave-digger.

seppia *s.f.* cuttlefish // (*color*) —, sepia.

seppure *cong.* **1** (*quand'anche*) even if, even though: *— fossi arrivato prima...*, even if you had come earlier... **2** (*ammesso che*) if, supposing that: *il suo merito, — di merito si può parlare...*, his merit, if one can call it that...

sepsi *s.f.* (*med.*) sepsis.

sequela *s.f.* series (*pl. invar.*), sequence.

sequenza *s.f.* **1** sequence **2** (*informatica*) sequence; string: *— di bit*, bit string; *— di ingresso*, input stream; *— di istruzione*, loop.

sequenziale *agg.* sequential.

sequestrabile *agg.* sequestrable.

sequestrare *v.tr. (dir.)* **1** to sequestrate; *(gener. per debiti)* to distrain (upon sthg.), to distress **2** *(confiscare)* to sequestrate, to seize, to confiscate // *— una persona*, to imprison a person unlawfully; *(con rapimento)* to kidnap a person // *oggi ti sequestro io*, *(fam.)* today I want you to myself.

sequestratario *s.m.* sequestrator.

sequestrato *agg.* sequestered.

sequestro *s.m. (dir.)* **1** sequestration; *(gener. per debiti)* sequestration; *ordine di —*, writ of sequestration; *nave sotto —*, ship under an embargo; *mettere qlco. sotto —*, to distrain upon sthg. **2** *(confisca)* sequestration, seizure, confiscation // *— di persona*, unlawful imprisonment; *(con rapimento)* kidnapping.

sequoia *s.f.* sequoia.

sera *s.f.* evening: *di —*, in the evening; *verso —*, towards the evening; *si fa —*, it is growing dark; *dare la buona —*, to say good evening; *abito da —*, evening dress.

seracco *s.m.* serac.

serafico *agg.* seraphic.

serafino *s.m.* seraph.

serale *agg.* evening *(attr.)*, night *(attr.)*.

serata *s.f.* **1** evening: *avere una — libera*, to have a night off **2** *(ricevimento)* party **3** *(teatr.)* (evening) performance: *— d'addio, di gala*, farewell, gala performance.

serbare *v.tr.* **1** *(mettere in serbo)* to put* aside, to lay* aside, to lay* by **2** *(mantenere)* to keep*: *— un ricordo*, to cherish a memory.

serbatoio *s.m.* **1** reservoir, tank; *(di penna stilografica)* barrel: *— d'acqua*, water reservoir; *— del carburante*, fuel tank // *— di ricezione carta*, *(informatica)* paper stacker **2** *(di arma da fuoco)* magazine.

serbo[1], **in** *locuz.avv.*: *mettere in —*, to put (*o* to lay) aside; *tenere in —*, to keep aside.

serbo[2] *agg.* Serbian ♦ *s.m.* Serb, Serbian.

serenata *s.f.* serenade.

serenella *s.f.* → **lillà**.

serenissimo *agg.*: *Sua Altezza Serenissima*, His, Her Serene Highness // *la Serenissima*, the Republic of Venice.

serenità *s.f.* serenity.

sereno *agg.* **1** serene, clear **2** *(fig.)* serene; *(tranquillo)* quiet, tranquil // *giudizio —*, objective (*o* unbiased) judgement ♦ *s.m.* clear sky: *torna il —*, it is clearing up again.

sergente *s.m.* sergeant.

seriale *agg.* serial.

serico *agg.* **1** *(della seta)* silk *(attr.)* **2** *(di seta)* silky.

sericoltore, sericoltore *s.m.* sericulturist, silkgrower.

sericoltura, sericultura *s.f.* sericulture.

serie *s.f.* **1** series *(pl. invar.)*: *fuori —*, special // *in —*, mass produced // *modello di —*, production model **2** *(complesso, assieme)* set: *una — di francobolli*, a set of stamps **3** *(fila)* row, range **4** *(chim. mat. elettr.)* series *(pl. invar.)* **5** *(informatica)* set: *— completa di caratteri*, (character) font; *— completa di caratteri a barre*, bar font; *— di dati*, data set; *— di istruzioni*, instruction set **6** *(sport)* division: *campionato di — A*, first division championship.

serietà *s.f.* seriousness.

serio *agg.* serious // *ditta seria*, reliable firm ♦ *s.m.* seriousness: *parlare tra il — e il faceto*, to talk half

-seriously (*o* half-jokingly) // *sul —*, seriously (*o* in earnest); *(davvero)* really.

serioso *agg.* grave, serious.

sermone *s.m.* **1** sermon: *fare un —*, to deliver a sermon **2** *(rimprovero)* lecture, talking-to: *fare un — a qlcu.*, to give s.o. a lecture.

sermoneggiare *v.intr.* to sermonize, to preach.

serotino *agg. (letter.)* **1** evening *(attr.)* **2** *(tardivo)* late.

serpa *s.f.* **1** *(sedile del vetturino sulle diligenze)* coachbox **2** *(mar.)* cutwater.

serpaio *s.m.* nest of snakes.

serpe *s.m.* e *f.* snake, serpent: *scaldare una — in seno*, to nurse a viper in one's bosom.

serpeggiamento *s.m.* winding.

serpeggiante *agg.* winding; *(di acque)* meandering.

serpeggiare **1** *v.intr.* to wind*; *(di acque)* to meander **2** *(fig.)* to spread*.

serpente *s.m.* snake, serpent *(anche fig.)*.

serpentina *s.f.* **1** *(tubo a spirale)* coil **2** *(strada)* winding road.

serpentino[1] *agg.* serpentine; *(fig.)* viperous.

serpentino[2] *s.m.* **1** *(min.)* serpentine **2** *(tubo a spirale)* coil.

serqua *s.f.* dozen; *(gran quantità)* a lot (of), lots (of).

serra[1] *s.f.* **1** greenhouse, glasshouse; *(unita a un edificio)* conservatory; *(riscaldata)* hothouse: *effetto —*, greenhouse effect; *fiore di —*, *(anche fig.)* hothouse flower **2** *(sbarramento fluviale)* dike.

serra[2] *s.f.* *(catena montuosa)* sierra.

serrafila *s.m.* e *f.* **1** *(mil.)* rear man *(pl. -men)* **2** *(mar.)* rear ship.

serraglio[1] *s.m.* menagerie.

serraglio[2] *s.m.* *(palazzo del sultano)* seraglio.

serramanico, a *locuz.avv.*: *coltello a —*, flick knife; *(amer.)* switchblade.

serrame *s.m.* *(serratura)* lock; *(catenaccio)* bolt.

serramento *s.m.* *(edil.)* fixture.

serranda *s.f.* **1** *(saracinesca)* rolling shutter **2** *(del forno)* oven door.

serrare *v.tr.* **1** *(chiudere)* to shut*, to close; *(a chiave)* to lock // *— le vele*, *(mar.)* to furl the sail **2** *(stringere)* to tighten; *(con le mani, tra le braccia)* to clasp; *(pugni, denti)* to clench; *(labbra)* to set* // *— le file*, *(mil.)* to close the ranks **3** *(circondare)* to surround **4** *(incalzare)* to press hard (upon s.o.) **5** *(sbarrare)* to block.

serra serra *s.m.* crush.

serrata *s.f.* *(econ.)* lockout.

serrate *s.m.* *(sport)*: *il — finale*, final sprint.

serrato *agg.* **1** *(chiuso)* closed, shut **2** *(stretto)* close // *in file serrate*, in serried ranks **3** *(conciso)* close, concise, compact **4** *(rapido)* quick.

serratura *s.f.* lock: *— a cilindri*, yale (cylinder) lock; *— a scatto*, spring lock; *— con scatto a molla*, latch; *— di sicurezza*, safety lock; *buco della —*, keyhole.

serto *s.m.* *(poet.)* garland, wreath.

serva *s.f.* *(maid)* servant; *(spreg.)* skivvy.

servente *agg.*: *cavalier —*, lady's man.

servibile *agg.* usable.

servigio *s.m.* service.

servile *agg.* servile, slavish // *verbo —*, *(gramm.)* modal auxiliary verb.

servilismo *s.m.* servilism.

servilità *s.f.* servility.

servire *v.tr.* **1** to serve // *«Per servirla»*, "At your service" // *in che posso servirla?*, can I help you? (*o* what can I do for you?); *la stanno servendo?*, are you being served? // *ora ti servirò a dovere*, I'll give you what's coming to you **2** (*di persone di servizio*) to wait (up)on (s.o.) **3** (*cibi ecc.*) to help (s.o. to sthg.): — *da bere a qlcu.*, to give s.o. sthg. to drink // *il pranzo è servito*, dinner is served **4** (*le carte*) to deal* // *sono servito*, (*a poker*) I pass ♦ *v.intr.* to serve: — *a tavola*, to wait (*o* to serve) at table; *chi serve?*, *a chi tocca* —?, (*tennis*, *ping-pong*) whose serve (*o* service) is it?; *mi servì da interprete*, he acted as my interpreter; — *di scusa*, to serve as an excuse; — *nell'esercito*, to serve (*o* to be) in the army // *a che cosa serve?*, what's it for? // *a che serve andare?*, what's the use (*o* the good) of going?; *a che serve questa macchina?*, what do you use this machine for?; *ciò non servì che a preoccuparlo di più*, it only worried him more; *non serve a niente ripeterglielo*, it's no use telling him again; — *allo scopo*, to serve the purpose // *le serve nulla?*, do you need anything? // **-irsi** *v.intr.pron.* **1** (*usare*) to use (sthg.), to make* use (of sthg.) **2** (*fornirsi*): *non so dove servirmi per il vino*, I don't know where to buy (*o* to get) my wine; *si serve da un bravissimo calzolaio*, she has a very good shoemaker ♦ *v.rifl.* (*di cibo*) to help oneself (to sthg.).

servitore *s.m.* **1** servant: — *in livrea*, liveried servant **2** (*carrello*) (serving) trolley.

servitù *s.f.* **1** servitude, bondage // — *della gleba*, (*st.*) serfdom **2** (*personale di servizio*) servants (*pl.*).

servizievole *agg.* obliging.

servizio *s.m.* service: *questo treno non fa* — *la domenica*, this train does not run on Sundays // — *funebre*, burial (*o* funeral) service **2** (*lavoro*) work: *lasciare il* —, (*per sempre*) to resign from one's post; (*provvisoriamente*) to stop work; *ha trent'anni di* —, he has been (with s.o., sthg.) for thirty years; *andare a* —, to go into service; *essere a* —, to be in service; *mettere a* —, to put (*o* to send) (s.o.) into service; *prendere* — *presso qlcu.*, to take service with s.o.; *prendere* —, to begin work (*o* working); *riprendere il* —, to take up one's work again; *prendere qlcu. al proprio* —, to take s.o. on // *donna di* —, maid // — *militare*, military service; — *di guardia*, (*mil.*) guard duty; *ufficiale di* —, orderly officer // *in*, *fuori* —, on, off duty // *fuori* —, (*guasto*) out of order // *porta*, *scala di* —, back door, stairs // *fare un viaggio e due servizi*, to kill two birds with one stone // — *di trasmissione dati*, (*tel.*) digital data service (DDS) // *mettere in* —, (*informatica*) to turn; *mettere fuori* —, to disable // (*favore*) favour // *mi hai fatto un bel* —!, (*iron.*) that was a fine turn you did me! **4** (*serie completa*) service, set: — *di bicchieri*, set of glasses; — *da tè*, tea service (*o* set) **5** (*giornalistico*) article; series of articles **6** (*sport*) serve, service **7** *pl.* bathroom and kitchen: *doppi servizi*, two bathrooms.

servo *s.m.* servant.

servofreno *s.m.* (*mecc. aut.*) servo brake.

servomotore *s.m.* (*mecc. aer.*) servomotor.

servosterzo *s.m.* (*aut.*) power steering.

sesamo *s.m.* (*bot.*) sesame // *apriti* —!, open sesame!

sessa *s.f.* (*geogr.*) seiche.

sessagesima *s.f.* (*eccl.*) Sexagesima.

sessanta *agg.num.card.* e *s.m.* sixty.

sessantenne *agg.* sixty (years old) (*pred.*); sixty-year-old (*attr.*) ♦ *s.m.* sixty-year-old man ♦ *s.f.* sixty-year-old woman.

sessantennio *s.m.* (period of) sixty years.

sessantesimo *agg.num.ord.* e *s.m.* sixtieth.

sessantina *s.f.* about sixty // *un uomo che ha passato la* —, a man of over sixty.

sessantottesco *agg.* of 1968 (*pred.*).

sessione *s.f.* session: — *invernale, primaverile della Corte d'Assise*, winter, spring Assizes.

sesso *s.m.* sex: *bambino di* — *maschile, femminile*, male child, female child // *il* — *debole*, the weaker sex; *il* — *forte*, the stronger sex, *il bel, gentil* —, the fair, gentle sex.

sessuale *agg.* sexual, sex (*attr.*).

sessualità *s.f.* sexuality.

sessuato *agg.* (*biol.*) sexual.

sessuologia *s.f.* sexology.

sesta *s.f.* **1** (*eccl.*) sext **2** (*mus.*) sixth.

sestante *s.m.* sextant.

sesterzio *s.m.* sesterce.

sestetto *s.m.* (*mus.*) sextet.

sestina *s.f.* **1** (*componimento*) sestina; (*strofa*) six-line stanza **2** (*mus.*) six-note group.

sesto[1] *agg.num.ord.* e *s.m.* sixth.

sesto[2] *s.m.* **1** (*ordine*) order **2** (*arch.*) curve (of an arch): *arco a* — *acuto*, pointed (*o* ogival) arch; *arco a tutto* —, round arch.

seta *s.f.* silk // *capelli di* —, silky hair.

setacciare *v.tr.* to sieve, to sift.

setaccio *s.m.* sieve // *passare al* —, to sift.

setaiolo *s.m.* **1** (*chi lavora la seta*) silk worker, silk weaver **2** (*fabbricante*) silk manufacturer **3** (*commerciante*) silk dealer, silk merchant.

sete *s.f.* thirst (*anche fig.*): — *di vendetta, di sapere*, thirst for revenge, knowledge; *metter* —, to make s.o. thirsty; *avere* —, to be thirsty; *morire di* —, to be parched with thirst // *avere* — *di sangue*, to be bloodthirsty.

seteria *s.f.* **1** silk factory **2** *pl.* (*articoli di seta*) silk goods, silks.

setificio *s.m.* silk factory.

setola[1] *s.f.* bristle; (*crine*) hair.

setola[2] *s.f.* (*vet.*) sand crack.

setoloso *agg.* bristly.

setta *s.f.* sect.

settanta *agg.num.card.* e *s.m.* seventy.

settantenne *agg.* seventy (years old) (*pred.*); seventy-year-old (*attr.*) ♦ *s.m.* seventy-year-old man ♦ *s.f.* seventy-year-old woman.

settantennio *s.m.* (period of) seventy years.

settantesimo *agg.num.ord.* e *s.m.* seventieth.

settantina *s.f.* about seventy // *un uomo sulla* —, a man of about seventy; *raggiungere la* —, to reach the age of seventy.

settario *agg.* e *s.m.* sectarian.

settarismo *s.m.* sectarianism.

sette *agg.num.card.* e *s.m.* seven // *farsi un* — *nei calzoni*, to rip one's trousers // *portare qlcu. ai* — *cieli*, to praise s.o. to the skies // — *e mezzo*, (*a carte*) card game like blackjack.

settecento *agg.num.card.* e *s.m.* seven hundred // *il Settecento*, the eighteenth century.

settembre *s.m.* September.

settembrino *agg.* September (*attr.*).

settenario *agg.* e *s.m.* (*metrica*) septenary.

settennale *agg.* septennial.

settentrionale *agg.* northern; (*posto rivolto a nord*) north (*attr.*): *dialetto* —, northern dialect; *paese* —, a northern country; *America Settentrionale*, North America ♦ *s.m.* e *f.* northerner.

settentrione *s.m.* north.

sette-ottavi *s.m.* seven-eighth(s) length coat.

setter *s.m.* (*cane*) setter.

setticemia *s.f.* (*med.*) septic(a)emia.

setticemico *agg.* (*med.*) septic(a)emic.

settico *agg.* (*med.*) septic.

settima *s.f.* (*mus.*) seventh.

settimana *s.f.* **1** week: *voglio finirlo in* —, I want to finish it before the week is over // *Settimana Santa, di Passione*, (*eccl.*) Holy, Passion Week **2** (*paga settimanale*) week's pay; week's wages (*pl.*).

settimanale *agg. e s.m.* weekly: (*giornale*) —, weekly (paper).

settimanalmente *avv.* weekly.

settimino *s.m.* seven-month-old child.

settimo *agg.num.ord.* seventh.

setto *s.m.* (*anat.*) septum (*pl.* septa).

settore[1] *s.m.* (*med.*) dissector.

settore[2] *s.m.* **1** (*geom.*) sector **2** (*di aula semicircolare*) block of seats // *i settori del Parlamento*, the parts of Parliament **3** (*mil.*) sector, area **4** (*campo*) field.

settoriale *agg.* sectoral.

settorista *s.m.* department agent.

settuagenario *agg. e s.m.* septuagenarian.

settuagesima *s.f.* (*eccl.*) Septuagesima.

severità *s.f.* severity; (*austerità*) sternness.

severo *agg.* severe, strict; (*austero*) stern // *subire una severa perdita*, to suffer a heavy loss.

sevizia *s.f.* torture: *sottoporre qlcu. a sevizie*, to torture s.o.

seviziare *v.tr.* to torture, to torment; to violate.

seviziatore *s.m.* torturer.

sezionamento *s.m.* dissection.

sezionare *v.tr.* **1** (*med.*) to dissect **2** (*dividere in sezioni*) to sectionalize.

sezione *s.f.* **1** section **2** (*reparto*) department; (*di stabilimento*) department, division **3** (*di scuola*) side: — *classica*, classical side **4** (*dissezione*) dissection: — *cadaverica*, autopsy (*o* post-mortem examination).

sfaccendare *v.intr.* to bustle about.

sfaccendato *agg.* idle ♦ *s.m.* loafer, idler.

sfaccettare *v.tr.* to cut* facets (on sthg.): — *un diamante*, to cut a diamond.

sfaccettato *agg.* faceted.

sfaccettatura *s.f.* **1** (*lo sfaccettare*) faceting **2** (*le faccette*) facets (*pl.*).

sfacchinare *v.intr.* to drudge, to toil.

sfacchinata *s.f.* drudgery: *che* —!, what a fag!

sfacciataggine *s.f.* cheek.

sfacciato *agg.* **1** cheeky **2** (*vistoso*) showy; (*di colore*) gaudy.

sfacelo *s.m.* **1** breakup, ruin (*anche fig.*): *in* —, breaking up: *andare in* —, to go to rack and ruin **2** (*di organi*) sphacelation.

sfaldamento *s.m.* flaking.

sfaldare *v.tr.* to flake, to scale // **-arsi** *v.intr.pron.* **1** to flake (off, away), to scale (off): *le mie unghie si sfaldano facilmente*, my nails split easily **2** (*geol.*) to exfoliate.

sfaldatura *s.f.* **1** flaking (off), scaling (off) **2** (*geol.*) exfoliation.

sfamare *v.tr.* to satisfy s.o.'s hunger.

sfare *v.tr.* to undo*.

sfarfallamento *s.m.* **1** emergence from the cocoon **2** (*fig.*) flutter.

sfarfallare *v.intr.* **1** to emerge from the cocoon **2** (*svolazzare*) to flutter about (*anche fig.*).

sfarfallio *s.m.* flutter.

sfarinare *v.tr.* to pulverize // **-arsi** *v.intr.pron.* to crumble.

sfarzo *s.m.* pomp.

sfarzosità *s.f.* sumptuousness.

sfarzoso *agg.* sumptuous, gorgeous.

sfasamento *s.m.* **1** (*elettr.*) phase displacement, phase difference **2** (*fig.fam.*) being under the weather.

sfasare *v.tr.* (*elettr.*) to dephase, to displace the phase (of sthg.).

sfasato *agg.* **1** (*elettr.*) out of phase **2** (*fig.fam.*) under the weather.

sfasciare[1] *v.tr.* to unbandage.

sfasciare[2] *v.tr.* (*rompere*) to shatter, to smash // **-arsi** *v.intr.pron.* to get* smashed; (*rompersi*) to fall* to pieces; (*crollare*) to collapse: *l'automobile si è sfasciata contro un albero*, the car smashed against a tree.

sfasciatura *s.f.* unbandaging.

sfascio *s.m.* (*fig.*) ruin, collapse.

sfatare *v.tr.* to disprove; (*screditare*) to discredit.

sfaticato *agg.* lazy, idle ♦ *s.m.* lazybones.

sfatto *agg.* **1** undone **2** (*troppo cotto*) overcooked **3** (*fig.*) haggard; ravaged (by): *un viso* — *dal dolore*, a face ravaged by sorrow.

sfavillante *agg.* shining.

sfavillare *v.intr.* to shine*; (*per luce riflessa*) to sparkle.

sfavillio *s.m.* shining; (*per luce riflessa*) sparkling.

sfavore *s.m.* disapproval, disfavour; (*discredito*) discredit.

sfavorevole *agg.* unfavourable; (*contrario*) contrary.

sfebbrare *v.intr.*: è *sfebbrato*, his temperature has fallen.

sfebbrato *agg.* without a temperature (*pred.*).

sfegatarsi *v.rifl.* to wear* oneself out (doing).

sfegatato *agg.* (*fam.*) fanatical.

sfenoide *s.m.* (*anat.*) sphenoid.

sfera *s.f.* **1** sphere (*anche fig.*): *nelle alte sfere*, in the upper spheres **2** (*mecc.*) ball // *penna a* —, ballpoint (pen).

sfericità *s.f.* sphericity.

sferico *agg.* spherical.

sferisterio *s.m.* spheristerion.

sferragliamento *s.m.* rattling.

sferragliare *v.intr.* to rattle.

sferrare *v.tr.* **1** (*un cavallo*) to unshoe **2** (*scagliare*) — *un colpo*, to land a blow; — *un attacco*, to launch an attack.

sferruzzare *v.intr.* to knit (away).

sferza *s.f.* whip, lash (*anche fig.*).

sferzare *v.tr.* **1** to whip, to lash **2** (*fig.*) to reprimand.

sferzata *s.f.* **1** lash **2** (*fig.*) (*critica*) biting criticism (*solo sing.*).

sfiancare *v.tr.* **1** (*sfinire*) to wear* out, to exhaust; (*fam.*) to knock out **2** (*aprire una falla*) to break* through.

sfiancato *agg.* worn out; (*fam.*) knocked out.

sfiatare *v.intr.* (*di gas, aria*) to leak; to escape // **-arsi** *v.intr.pron.* to get* hoarse.

sfiatato *agg.* breathless: *un cantante* —, a singer who hasn't got much of a voice.

sfiatoio *s.m.* vent.

sfibrante *agg.* exhausting.

sfibrare *v.tr.* **1** (*indebolire*) to weaken **2** (*spossare*) to wear* out **3** (*ind. cartaria*) to defibre.

sfibrato *agg.* **1** (*indebolito*) weakened **2** (*spossato*) worn-out **3** (*di legno*) defibred.

sfida *s.f.* challenge (*anche fig.*); defiance (*anche fig.*):

raccogliere la —, to accept the challenge // *in tono di* —, defiantly.

sfidante *agg.* challenging ♦ *s.m.* challenger.

sfidare *v.tr.* **1** to challenge (*anche fig.*): — *qlcu. a fare, dire qlco.*, to defy s.o. to do, to say sthg. // *sfido!, sfido io!*, I can quite believe it! // — *il tempo, i secoli*, to defy time, the centuries **2** (*affrontare*) to brave, to face.

sfiducia *s.f.* distrust, lack of confidence // *voto di* —, (*pol.*) vote of nonconfidence.

sfiduciare *v.tr.* to dishearten // **-arsi** *v.intr.pron.* to get* disheartened.

sfiduciato *agg.* disheartened.

sfigmomanometro *s.m.* (*med.*) sphygmomanometer.

sfigurare *v.tr.* to disfigure ♦ *v.intr.* to cut* a poor figure; (*di cosa*) to look shabby.

sfilacciare *v.tr. e intr.*, **sfilacciarsi** *v.intr.pron.* to fray.

sfilacciato *agg.* frayed.

sfilacciatura *s.f.* fraying.

sfilare[1] *v.tr.* **1** to unthread; (*perle ecc.*) to unstring* **2** (*togliere*) to slip (sthg.) off: — *qlco. da qlco.*, to slip sthg. out of sthg.; *la mamma sfilò il golfino al bambino*, the mother slipped the child's jumper off **3** (*togliere i fili a*) to pull threads out of (sthg.) // **-arsi** *v.intr.pron.* to (be)come* unthreaded; (*di perle ecc.*) to (be)come* unstrung: *l'ago si è sfilato*, the thread has come out of the needle.

sfilare[2] *v.intr.* **1** to file; (*in parata*) to parade **2** (*fig.*) (*susseguirsi*) to pass.

sfilata *s.f.* **1** (*passaggio*) passing; (*di soldati*) march -past; (*parata*) parade // — *di moda*, fashion show **2** (*serie*) line, row.

sfilatino *s.m.* French bread.

sfilato *s.m.* hemstitch.

sfilatura *s.f.* unthreading; (*di perle ecc.*) unstringing.

sfilza *s.f.* string, list.

sfinge *s.f.* sphinx (*anche fig.*): *volto di* —, sphinx-like mask.

sfinimento *s.m.* exhaustion.

sfinire *v.tr.* to exhaust, to wear* out ♦ *v.intr.*, **-irsi** *v. intr.pron.* to get* exhausted.

sfinitezza *s.f.* exhaustion, extreme weakness.

sfinito *agg.* worn out, exhausted.

sfintere *s.m.* (*anat.*) sphincter.

sfioccare *v.tr.*, **sfioccarsi** *v.intr.pron.* to fray (out).

sfioramento *s.m.* **1** grazing, skimming, touching (*anche fig.*) **2** (*lo scremare*) skimming.

sfiorare *v.tr.* **1** to go* close (to sthg.), to barely touch, to shave; (*con movimento veloce*) to skim; (*gener. sfiorando l'oggetto*) to graze: *non posso averlo rotto, l'ho solo sfiorato*, I can't have broken it, I barely touched it; *la pallottola gli sfiorò l'orecchio*, the bullet grazed his ear; *la rondine sfiorò l'acqua*, the swallow skimmed (over) the water; — *la rete*, (*sport*) to graze the goalpost // — *un argomento*, to touch on a subject; *un sorriso gli sfiorò le labbra*, a smile crossed his lips **2** (*scremare*) to skim.

sfiorire *v.intr.* to wither (*anche fig.*), to fade (*anche fig.*).

sfiorito *agg.* faded (*anche fig.*), withered (*anche fig.*).

sfioritura *s.f.* fading (*anche fig.*), withering (*anche fig.*).

sfittare *v.tr.*, **sfittarsi** *v.intr.pron.* to vacate.

sfitto *agg.* vacant.

sfocato *agg.* out of focus // *i personaggi sono un po' sfocati*, (*fig.*) the characters are not clearly defined.

sfocatura *s.f.* (*fot.*) fuzziness.

sfociare *v.intr.* **1** to flow (into sthg.) **2** (*essere causa di*) to lead* (to sthg.).

sfoderare[1] *v.tr.* **1** (*sguainare*) to unsheathe, to draw* **2** (*ostentare*) to display, to show* off.

sfoderare[2] *v.tr.* to take* the lining out (of sthg.).

sfoderato *agg.* unlined.

sfogare *v.tr.* to vent (*anche fig.*), to give* vent (to sthg.): — *il proprio dolore*, to give vent to one's grief // *far* —: *far* — *il fumo*, to let the smoke out; *far* — *una malattia*, to let a disease take its course; *far* — *qlcu.*, to let s.o. have his say ♦ *v.intr.* (*venir fuori*) to come* out; (*andare fuori*) to go* out // **-arsi** *v.intr.pron.* **1** to relieve one's feelings; (*con collera*) to give* vent to one's anger: *il temporale si è sfogato*, the storm died down; — *con qlcu.*, to unburden oneself to s.o.; *avevo proprio bisogno di sfogarmi*, (*fam.*) I really needed to let off steam **2** (*levarsi la voglia*) to take* one's fill: — *a fare qlco.*, to do sthg. to one's heart's content.

sfoggiare *v.tr. e intr.* to show* off.

sfoggio *s.m.* show, display: *fare* — *di erudizione*, to show off one's learning.

sfoglia *s.f.* **1** (*lamina*) foil **2** (*cuc.*) sheet of pastry // *tirare la* —, to roll out the pastry // *pasta* —, puff pastry.

sfogliare[1] *v.tr.* to strip the leaves off (sthg.); (*un fiore*) to pluck the petals off (sthg.) // **-arsi** *v.intr.pron.* to shed* leaves; (*di fiore*) to shed* petals.

sfogliare[2] *v.tr.* to turn over the pages (of sthg.); to thumb through; (*dare un'occhiata a*) to glance through (sthg.), to skim through (sthg.) // — *all'indietro*, (*informatica*) to page backward; — *in avanti*, to page forward // **-arsi** *v.intr.pron.* to flake off.

sfogliata[1] glance: *fare una* — *a un libro*, to glance (*o* to skim) through a book.

sfogliata[2] *s.f.* (*cuc.*) puff-pastry pie.

sfogo *s.m.* **1** vent (*anche fig.*), outlet (*anche fig.*): *apertura di* —, vent; *dare* — *alla propria collera*, to give vent to one's anger; *dare* — *alla propria immaginazione*, to give play to one's imagination **2** (*med.*) eruption, rash.

sfolgorante *agg.* blazing (with); dazzling; (*lampeggiante*) flashing (with): *un'idea* —, a brilliant idea.

sfolgorare *v.intr.* to blaze (with sthg.); (*lampeggiare*) to flash (with sthg.).

sfolgorio *s.m.* blazing; (*il lampeggiare*) flashing: *uno* — *di luci*, a blaze of lights.

sfollagente *s.m.* truncheon, billy; (*amer.*) nightstick.

sfollamento *s.m.* **1** evacuation **2** (*riduzione di personale*) reduction, cutting down.

sfollare *v.tr.* **1** to disperse; (*locali ecc.*) to clear: *i poliziotti sfollarono la gente dalla sala*, the police cleared (the people out of) the hall **2** (*ridurre personale*) to cut* down ♦ *v.intr.* **1** to disperse **2** (*in caso di guerra*) to evacuate.

sfollato *agg.* evacuated ♦ *s.m.* evacuee.

sfoltimento *s.m.* thinning.

sfoltire *v.tr.* to thin.

sfoltita *s.f.* thinning.

sfondamento *s.m.* breaking; (*mil.*) break through.

sfondare *v.tr.* **1** (*rompere il fondo*) to knock the bottom (out of sthg.) **2** (*trapassare da parte a parte*) to smash (in sthg.) **3** (*rompere aprendo un varco*) to break* through; to break* down: *sfondò la porta*, he broke the door down; — *le linee nemiche*, to break through the enemy lines // *è come* — *una porta aperta*, it's a cinch **4** (*aver successo*) to make* one's name, to make* it // **-arsi** *v.intr.pron.* to break* at the bottom.

sfondato *agg.* **1** (*senza fondo*) bottomless, without a bottom (*pred.*) // *scarpe sfondate*, worn-out shoes // *è ricco —*, (*fam.*) he is rolling in money **2** (*insaziabile*) insatiable.

sfondo *s.m.* background; (*ambiente storico*) setting: *la vicenda ha per — la guerra*, the adventure takes place against the background of the war // *sullo —*, in the background // *— piega*, inverted pleat.

sforbiciare *v.tr.* to scissor.

sforbiciata *s.f.* **1** cut **2** (*sport*) scissors kick.

sformare *v.tr.* **1** to pull out of shape **2** (*togliere dalla forma*) to remove from the mould // **-arsi** *v.intr.pron.* to lose* one's shape, to get* out of shape: *queste scarpe si sono sformate presto*, these shoes lost their shape almost at once.

sformato *agg.* shapeless ♦ *s.m.* (*cuc.*) timbale.

sfornare *v.tr.* **1** to take* out of the oven **2** (*produrre*) to turn out.

sfornire *v.tr.* to deprive.

sfornito *agg.* destitute, lacking (in).

sfortuna *s.f.* ill luck, bad luck: *la mia solita —!*, just my luck!; *questa fu una vera —!*, that was a real piece of bad luck!

sfortunato *agg.* unlucky, unfortunate.

sforzando *s.m.* (*mus.*) sforzando.

sforzare *v.tr.* **1** to strain **2** (*far forza su qlcu.*) to force **3** (*scassinare*) to force // **-arsi** *v.intr.pron.* to strive*, to try hard // *non sforzarti!*, (*iron.*) don't kill yourself!

sforzato *agg.* forced.

sforzatura *s.f.* **1** (*lo scassinare*) forcing **2** (*cosa sforzata, esagerazione*) exaggeration.

sforzo *s.m.* **1** effort, strain, exertion: *— di volontà*, effort of will; *dopo molti sforzi*, after much effort; *senza —*, without (any) effort; *ci vuole un notevole — di attenzione per...*, it takes a great deal of attention to...; *non fare sforzi*, don't strain yourself; *non mi costa nessuno —*, it is no effort for me; *fare uno —*, to make an effort // *bello —!*, don't overdo it! // *facendo uno — potremmo farcela*, at a stretch we could do it **2** (*mecc.*) stress, strain.

sfottere *v.tr.* (*pop.*) to kid, to take* the mickey (out of s.o.).

sfracellare *v.tr.* to smash // **-arsi** *v.intr.pron.* to crash, to smash.

sfrangiare *v.tr.* to make* into a fringe.

sfrangiato *agg.* fringed.

sfrangiatura *s.f.* fringing.

sfratarsi *v.rifl.* to leave* one's monastic order.

sfrattare *v.tr.* to turn out, to evict ♦ *v.intr.* to be* evicted.

sfrattato *agg.* evicted ♦ *s.m.* evicted person.

sfratto *s.m.* turning out, eviction: *dare lo —*, to give an eviction order.

sfrecciare *v.intr.* to dash.

sfregamento *s.m.* rubbing.

sfregare *v.tr.* to rub; (*danneggiare*) to graze.

sfregiare *v.tr.* to disfigure, to deface; (*con oggetto tagliente*) to slash.

sfregiato *agg.* disfigured.

sfregio *s.m.* **1** slash; (*cicatrice*) scar **2** (*fig.*) dishonour.

sfrenare *v.tr.* to unbridle, to let* loose // **-arsi** *v.intr.pron.* to get* loose.

sfrenatamente *avv.* **1** unrestrainedly **2** (*dissolutamente*) licentiously.

sfrenatezza *s.f.* **1** unrestraint **2** (*dissolutezza*) licentiousness.

sfrenato *agg.* **1** unbridled, unrestrained: *una corsa sfrenata*, a headlong rush; *un ragazzo —*, a wild boy **2** (*dissoluto*) licentious.

sfrigolare *v.intr.* to sizzle.

sfrigolio *s.m.* sizzling.

sfrondamento *s.m.* **1** stripping of leaves **2** (*fig.*) curtailment.

sfrondare *v.tr.* **1** to strip of leaves **2** (*fig.*) to curtail.

sfrontatezza *s.f.* impudence; (*fam.*) cheek.

sfrontato *agg.* impudent; (*fam.*) cheeky; (*sfacciato*) brazen.

sfruttamento *s.m.* exploitation.

sfruttare *v.tr.* **1** to overwork **2** (*approfittare di*) to exploit // *— una situazione*, to take advantage of a situation.

sfruttatore *s.m.* exploiter.

sfuggente *agg.* **1** receding **2** (*fig.*) elusive.

sfuggevole *agg.* fleeting (*anche fig.*).

sfuggire *v.intr.* **1** to escape (s.o., sthg.), to slip (sthg.): *mi sfugge il suo nome*, his name slips my memory; *mi sfuggì di mano, di mente*, it slipped out of my hands, my mind; *— all'attenzione di qlcu.*, to escape s.o.'s notice **2** (*di parola, scappar di bocca*) to escape (s.o.) // *gli sfuggì un segreto*, he let out a secret // *lasciarsi — un'occasione*, to miss a chance ♦ *v.tr.* to avoid.

sfuggita, di *locuz.avv.* in a hurry // *vedere qlcu. di —*, to catch a glimpse of s.o.

sfumare *v.intr.* **1** (*andare in fumo*) to vanish (*anche fig.*); (*fig.*) to come* to nothing **2** (*di colori*) to shade (into sthg.) ♦ *v.tr.* **1** (*pitt.*) to shade: *— un colore*, to tone down a colour // *— i toni di un racconto*, to tone down a story **2** (*un suono*) to tone down **3** (*capelli*) to trim.

sfumato *agg.* **1** (*svanito*) vanished **2** (*di colori, luci*) shaded **3** (*di capelli*) trimmed **4** (*di tessuto*) steamed **5** (*fig.*) vague ♦ *s.m.* shading.

sfumatura *s.f.* **1** (*tono, gradazione*) shade, nuance (*anche fig.*) **2** (*lo sfumare colori, note*) shading **3** (*di capelli*) trimming.

sfumino *s.m.* (*pitt.*) stump.

sfumo *s.m.* shading off.

sfuriata *s.f.* outburst (of anger) // *fare una — a qlcu.*, to blow s.o. up // *— di vento, di pioggia*, gust of wind, of rain.

sfuso *agg.* loose.

sgabello *s.m.* stool; (*per i piedi*) footstool.

sgabuzzino *s.m.* closet.

sgambettare *v.intr.* **1** to kick (one's legs) up; (*di bambini*) to kick **2** (*camminare a passettini*) to trot ♦ *v.tr.* to trip s.o. up.

sgambetto *s.m.* trip: *fare lo — a qlcu.*, to trip s.o. over; (*fig.*) to supplant s.o.

sganasciarsi *v.intr.pron.*: *— dalle risa*, to split one's sides with laughter.

sganciamento *s.m.* **1** unhooking; (*di vetture ferroviarie*) uncoupling; (*di bombe*) dropping **2** (*mil.*) losing touch (with) **3** (*fig. fam.*) (*il liberarsi, lo staccarsi*) getting rid (of).

sganciare *v.tr.* **1** to unhook; (*vetture ferroviarie*) to uncouple; (*bombe*) to drop (bombs) **2** (*fig. fam.*) (*dare denaro*) to cough up, to fork out: *mi ha sganciato un centone*, he coughed up (*o* forked out) a hundred thousand liras // **-arsi** *v.rifl.* **1** to get* unhooked; (*di vetture ferroviarie*) to come* uncoupled **2** (*mil.*) to lose* touch (with s.o.) **3** (*fig. fam.*) (*staccarsi*) to get* away; (*liberarsi*) to get* rid (of).

sgangherato *agg.* unhinged; (*sconquassato*) ramshackle // *riso* —, boisterous laughter.

sgarbatezza *s.f.* **1** rudeness **2** (*atto, discorso*) discourtesy.

sgarbato *agg.* rude (to).

sgarberia *s.f.* discourtesy.

sgarbo *s.m.* discourtesy // *fare uno — a qlcu.*, to be rude to s.o.

sgarbugliare *v.tr.* to disentangle.

sgargiante *agg.* showy; (*spec. di colori*) gaudy: *era tutta* —, she was showily dressed.

sgarrare *v.intr.* **1** to be* wrong; (*di orologio*) (*se è avanti*) to gain (sthg.); (*se è indietro*) to lose* (sthg.): *questo orologio, treno non sgarra mai*, this watch, train always keeps perfect time // *egli non sgarra mai un minuto*, he is always dead on time **2** (*fig.*) to fail (in sthg.).

sgattaiolare *v.intr.* to slip away.

sgelare *v.tr. e intr.* to thaw (*anche fig.*), to melt (*anche fig.*).

sghembo *agg.* oblique, slant(ing): *un muro* —, a slanting wall // *a* —, obliquely.

sgherro *s.m.* henchman (*pl.* -men).

sghignazzare *v.intr.* to laugh scornfully.

sghignazzata *s.f.* guffaw.

sghimbescio, di *locuz.avv.* awry: *aveva il cappello di* —, his hat was awry.

sgobbare *v.intr.* (*fam.*) (*lavorar molto*) to slog; (*studiare sodo*) to swot.

sgobbata *s.f.* (*fam.*) grind.

sgobbone *s.m.* (*fam.*) slogger; (*in gergo studentesco*) swot.

sgocciolare *v.intr.* to drip ♦ *v.tr.* to drain.

sgocciolatura *s.f.* **1** dripping **2** (*segni rimasti sulla vernice ecc.*) runs (*pl.*).

sgocciolio *s.m.* dripping.

sgocciolo *s.m.*: *essere agli sgoccioli*, (*alla fine*) to be at the end of sthg.; (*di energie, finanze ecc.*) to be at the end of one's tether; (*stare per morire*) to be at one's last gasp.

sgolarsi *v.intr.pron.* to shout oneself hoarse // *mi sono sgolato a dirvelo*, I told you till I was blue in the face.

sgomberare e *deriv.* → **sgombrare** e *deriv.*

sgombrare *v.tr.* **1** (*portar via*) to clear away; (*liberare*) to clear (*anche fig.*); (*allontanare*) to remove: *— la mente dal sospetto*, to clear one's mind of suspicion // *— il passo a qlcu.*, (*anche fig.*) to make way for s.o. **2** (*lasciar libero un appartamento, una casa*) to move out (of sthg.); (*evacuare*) to evacuate // *— una posizione*, (*mil.*) to abandon a position.

sgombro *agg.* **1** clear (of) (*anche fig.*), free (from) (*anche fig.*) **2** (*vuoto*) empty ♦ *s.m.* **1** (*il portar via*) clearing away; (*il liberare*) clearing (*anche fig.*); (*l'allontanamento*) removal: *lo — dei prigionieri*, the removal of the prisoners **2** (*trasloco*) moving out; (*evacuazione*) evacuation.

sgomentare *v.tr.* to dismay; (*spaventare*) to frighten // **-arsi** *v.intr.pron.* to be* dismayed.

sgomento *agg.* dismayed ♦ *s.m.* dismay: *l'importante è non farsi prendere dallo —*, the important thing is not to panic.

sgominare *v.tr.* to rout.

sgomitolare *v.tr.* to unwind*.

sgommare *v.tr.* to ungum; (*francobolli ecc.*) to unglue // **-arsi** *v.intr.pron.* to get* ungummed; (*di francobolli ecc.*) to get* unglued.

sgommato *agg.* ungummed; (*di francobolli, buste ecc.*) unglued.

sgonfiamento *s.m.* deflation.

sgonfiare *v.tr.* to deflate // **-arsi** *v.intr.pron.* **1** to deflate **2** (*med.*) to go* down.

sgonfio *agg.* **1** deflated // *pneumatico* —, flat tyre **2** (*med.*) gone down (*pred.*).

sgonnellare *v.intr.* to peacock (about).

sgorbia *s.f.* (*strum.*) gouge.

sgorbio *s.m.* **1** ink blot; (*scarabocchio*) scrawl **2** (*di quadro*) daub **3** (*persona brutta*) freak.

sgorgare *v.intr.* **1** to gush (out); (*con violenza*) to spurt; (*scorrere*) to flow **2** (*fig.*) to spring* ♦ *v.tr.* to unblock.

sgorgo *s.m.* gush, spout.

sgottare *v.tr.* (*mar.*) to bail out.

sgozzare *v.tr.* to cut* s.o.'s throat; (*macellare*) to butcher; (*massacrare*) to slaughter, to butcher **2** (*fig.*) to fleece.

sgradevole *agg.* unpleasant, disagreeable.

sgradito *agg.* unpleasant, disagreeable; (*male accetto*) unwelcome: *visita sgradita*, unwelcome visit.

sgraffignare *v.tr.* (*pop.*) (*rubare*) to pinch.

sgrammaticato *agg.* **1** grammatically wrong, ungrammatical: *in modo* —, ungrammatically **2** (*di persone*): *è molto* —, his grammar is very poor.

sgrammaticatura *s.f.* grammar mistake.

sgranare *v.tr.* **1** (*piselli, fagioli ecc.*) to shell; (*granoturco*) to husk // *— gli occhi*, to open one's eyes wide // *— il rosario*, to tell one's beads **2** (*mecc.*) to ungear, to disconnect // **-arsi** *v.intr.pron.* **1** to lose* compactness, to lose* consistency; (*sbriciolarsi*) to crumble **2** (*mecc.*) to get* disconnected.

sgranato *agg.* (*di piselli, fagioli*) shelled; (*di granoturco*) husked // *con gli occhi sgranati*, with one's eyes wide open.

sgranchire *v.tr.* to stretch.

sgranocchiare *v.tr.* to crunch.

sgrassare *v.tr.* to take* the grease off (sthg.); to skim: *— il brodo*, to skim the broth.

sgrassatura *s.f.* taking the grease off (sthg.); (*di latte, brodo*) skimming.

sgravare *v.tr.* to relieve (s.o. of sthg.) (*anche fig.*), to unburden (*anche fig.*); (*fig.*) to ease, to free: *sgravarsi la coscienza*, to ease one's conscience // **-arsi** *v.intr.pron.* **1** (*di persone*) to be* delivered; (*di animali*) to bring* forth **2** (*liberarsi*) to relieve oneself.

sgravio *s.m.* **1** (*alleggerimento*) lightening; unburdening **2** (*fig.*) relief, alleviation.

sgraziato *agg.* awkward, clumsy, ungraceful.

sgretolamento *s.m.* crumbling.

sgretolare *v.tr.* to crumble // **-arsi** *v.intr.pron.* to crumble, to fall* to pieces.

sgretolato *agg.* crumbled.

sgridare *v.tr.* to scold, to chide, to rebuke.

sgridata *s.f.* scolding; (*fam.*) telling-off.

sgrommare *v.tr.* to scrape off the tartar (from sthg.).

sgrondare *v.intr.* to drip ♦ *v.tr.* to shake* (sthg.) out; (*far sgocciolare*) to let* (sthg.) drip.

sgrondo *s.m.* dripping: *tetto a* —, slanting roof.

sgroppare *v.intr.* (*di cavallo*) to buck.

sgroppata *s.f.* buck.

sgrossare *v.tr.* **1** (*sbozzare*) to rough(-shape): *— alla fresa*, to rough-mill **2** (*fig.*) to refine.

sgrossatura *s.f.* rough-shaping.

sgrovigliare *v.tr.* to unravel.

sguaiataggine *s.f.* unseemliness; (*volgarità*) coarseness, vulgarity.

sguaiato *agg.* unseemly, improper; (*volgare*) coarse, vulgar: *gesto —*, vulgar gesture.

sguainare *v.tr.* to unsheathe.

sgualcire *v.tr.* to wrinkle, to crumple // **-irsi** *v. intr.pron.* to crease, to crumple.

sgualcito *agg.* crumpled, creased, wrinkled.

sgualdrina *s.f.* tart.

sguardo *s.m.* look, glance; (*prolungato*) gaze; (*fisso*) stare: *distogliere lo — da qlcu.*, to look away from s.o.; *lanciare uno — irato a qlcu.*, to glare at s.o.; *soffermarsi con lo — su...*, to let one's eye dwell upon...; *cercare qlcu. con lo —*, to look round for s.o.; *dare uno — a qlco.*, to have (*o* to take) a look at sthg.; *volgere lo —*, to turn one's eyes // *al primo —*, at first sight.

sguarnire *v.tr.* **1** to untrim, to strip the trimmings off (sthg.) **2** (*mil.*) to dismantle.

sguattero *s.m.* scullery-boy, dishwasher.

sguazzare *v.intr.* **1** to wallow (*anche fig.*) **2** (*in indumenti*) to be* lost.

sguinzagliare *v.tr.* to unleash // *gli sguinzagliarono dietro la polizia*, they set the police on him.

sgusciare[1] *v.intr.* to slip; (*di persona*) to slip away.

sgusciare[2] *v.tr.* (*levare dal guscio*) to shell.

shampoo *s.m.* shampoo: *fare uno —*, to shampoo.

shantung *s.m.* (*tessuto*) shantung.

si[1] *pron.rifl.m.* e *f. 3ª pers.sing.* e *pl.* oneself; himself; herself; itself; themselves (*talvolta omessi*): *— è tagliato?*, did he cut himself?; *essi — lavarono*, they washed (themselves); *— lavò le mani*, he washed his hands // *— fermò*, he stopped; *quando — alzò*, when he got up; *— dimenticò di chiudere la porta*, he forgot to close the door; *— ricordarono di me*, they remembered me // *non sa quel che — dice*, he doesn't know what he is talking about // *quando — vide davanti suo padre*, when he saw his father in front of him ♦ *pron.rec.* (*fra due*) each other; (*fra più di due*) one another: *non — parlano più*, they don't speak to each other any more ♦ *particella pronominale* **1** (*con valore enfatico*) you, they; we; one: *— dice*, they (*o* people) say; *— direbbe che...*, one might (*o* would) say that...; *mi — dice che...*, I am told that...; *non — deve dimenticare che...*, we must not forget that...; *non — può*, you can't; *non — sa mai*, you never know **2** (*passivante*): *— fanno belle scarpe a Firenze*, fine shoes are made in Florence; *qui — parla inglese*, English (is) spoken (here).

si[2] *s.m.* (*mus.*) si, B.

sì[1] *avv.* yes: *è vero — o no?*, is it true, yes or no?; «*Lo vuoi?*» «*Sì*», "Do you want it?" "Yes (I do)"; *non rispondeva né — né no*, she wouldn't say yes, and she wouldn't say no; *dire di —*, to say yes; *fare cenno di —*, to nod; *pare di —*, *credo di —*, it seems so, I think so; *spero di —*, I hope so; *se —*, (*in caso affermativo*) if so; *se piove non vengo, altrimenti —*, if it rains I will not come, otherwise I will // *— certo, davvero, ma —, certo (che) —*, (yes) certainly (*o* of course) // *forse (che) —, forse (che) no*, maybe yes, maybe no // *e — che era un ottimo guidatore!*, (and) yet he used to be an excellent driver!; *e — che te l'avevo detto!*, but I did tell you! // *—, domani!*, (*fam. iron.*) yes, and pigs can fly! // *questa — che è bella!*, that's a good one! // *lui — che mi capisce!*, he really understands me ♦ *s.m.* **1** yes: *un — deciso*, a definite (*o* an emphatic) yes // *essere tra il — e il no*, to be uncertain // *pronunciare il — (degli sposi)*, to say "I will" **2** (*voto positivo*) ay (*pl.* ayes).

sì[2] *avv.* (*ant.* o *letter.*) → *così* // *fece — che lo persuase, da persuaderlo*, he managed to persuade him.

siamese *agg.* e *s.m.* Siamese // *fratelli, sorelle siamesi*, Siamese twins.

sia... sia *cong.* **1** (*l'uno o l'altro*) whether... or, either... or: *— per timidezza, — per orgoglio non rispose*, whether (*o* either) out of shyness or pride, he did not reply // *sia che... sia che*, whether... or: *— che tu voglia — che tu non voglia...*, whether you want to or not... **2** (*entrambi*) both... and: *— tu — io abbiamo torto*, both you and I are wrong.

sibaritico *agg.* sybaritic(al).

Siberia *no.pr.f.* Siberia.

siberiano *agg.* e *s.m.* Siberian.

sibilare *v.intr.* e *tr.* to hiss.

sibilla *s.f.* sibyl.

sibillino *agg.* sibylline.

sibilo *s.m.* hiss, hissing sound.

sicario *s.m.* (hired) killer.

sicché *cong.* **1** (*perciò*) so, therefore **2** (*insomma, allora*) then, well: *—, parti o non parti?*, well, are you leaving or not? **3** (*così... che*) so... that.

siccità *s.f.* drought.

siccome *cong.* as, since, because: *— era tardi...*, as (*o* since) it was late... ♦ *avv.* (*letter.*) as: *chiaro — il sole*, as clear as daylight.

Sicilia *no.pr.f.* Sicily.

siciliano *agg.* e *s.m.* Sicilian.

sicomoro *s.m.* (*bot.*) sycamore.

sicumera *s.f.* presumption, haughtiness.

sicura *s.f.* safety catch.

sicuramente *avv.* certainly.

sicurezza *s.f.* **1** certainty: *avere la — di fare qlco.*, to be sure of doing sthg. // *rispondere con —*, to answer without hesitation **2** (*immunità da pericoli*) safety, security: *dispositivo di —*, safety device; *misura di —*, safety (*o* precautionary) measure; *norme di —*, safety code; *per maggior —*, for safety's sake // *la Pubblica Sicurezza*, the Police **3** (*fiducia*) trust, confidence.

sicuro *agg.* **1** sure, certain: *sta' —*, you may be sure // *— di sé*, self-confident **2** (*immune da pericoli*) safe, secure: *un luogo —*, a safe place **3** (*che non sbaglia*) unerring, unfailing; (*saldo*) steady, firm; (*esperto*) skilful, clever // *a colpo —*, without hesitating **4** (*fidato*) reliable, trustworthy, trusty ♦ *s.m.* safety; (*luogo sicuro*) safe place: *essere al —*, to be in safety (*o* safe) // *andare sul —*, not to take any chances // *di —*, certainly.

siderale *agg.* sidereal.

sidereo *agg.* (*letter.*) sidereal.

siderite *s.f.* (*min.*) siderite.

siderurgia *s.f.* iron metallurgy.

siderurgico *agg.* iron (*attr.*): *industria siderurgica*, iron and steel industry; *stabilimento —*, ironworks // *i siderurgici*, steelworkers.

sidro *s.m.* cider, cyder.

siepe *s.f.* hedge (*anche fig.*).

siero *s.m.* **1** serum: *— della verità*, truth serum (*o* drug) **2** (*del latte*) whey.

sierodiagnosi *s.f.* (*med.*) serodiagnosis (*pl.* serodiagnoses).

sierologia *s.f.* (*med.*) serology.

sieroprofilassi *s.f.* (*med.*) preventive serotherapy.

sieroso *agg.* serous.

sieroterapia *s.f.* serotherapy.

sieroterapico *agg.* serotherapeutic.

siesta *s.f.* siesta, nap: *fare la —*, to take a nap.

siffatto *agg.* (*letter.*) such (a): *siffatta gente*, such people; *una bugia siffatta*, such a lie.

sifilide *s.f.* (*med.*) syphilis.

sifilitico *agg. e s.m.* syphilitic.

sifone *s.m.* siphon, syphon: — *per il seltz*, soda-water siphon.

sigaraia *s.f.* cigarette girl.

sigaretta *s.f.* cigarette.

sigaro *s.m.* cigar.

sigillare *v.tr.* **1** to seal **2** (*chiudere ermeticamente*) to seal up, to close hermetically.

sigillatura *s.f.* sealing.

sigillo *s.m.* seal: *anello con —*, signet ring // *apporre i sigilli* (*su una porta*), (*dir.*) to affix an official seal (to a door).

sigla *s.f.* initials (*pl.*); (*monogramma*) monogram // *— automobilistica*, initials of place of registration; *— musicale*, signature tune.

siglare *v.tr.* to initial.

siglatura *s.f.* initialling.

significare *v.tr.* **1** to mean* (*anche fig.*), to signify: *che cosa significa questa parola?*, what does this word mean?; *ciò significa che...*, this means that... **2** (*letter.*) (*comunicare*) to signify **3** (*equivalere*) to mean*: *questo significa per lui una promozione*, this means promotion for him.

significativo *agg.* significant, meaningful: *un incremento — delle vendite*, a significant increase in sales.

significato *s.m.* **1** meaning, sense **2** (*importanza*) import, significance.

signora *s.f.* **1** lady; (*donna*) woman (*pl.* women): *una vera —*, a real lady // *fare la —*, to live like a duchess **2** (*seguito da cognome*) Mrs.; (*seguito da titoli non si traduce*): *la — maestra*, the teacher; *la — Bianchi*, Mrs. Bianchi **3** (*vocativo*) Madam; (*seguito da cognome*) Mrs.; (*accompagnato da titoli non si traduce*): *buon giorno, —!*, good morning, Madam!; *signora contessa*, Your Ladyship **4** (*padrona*) mistress (*anche fig.*) // *Nostra Signora*, Our Lady **5** (*moglie*) wife: *il signor Carlo Rossi e —*, Mr. and Mrs. Carlo Rossi.

signore *s.m.* **1** gentleman (*pl.* gentlemen); (*uomo*) man (*pl.* men); (*uomo ricco*) man of means: *è un vero —*, he is a real gentleman // *darsi arie da gran —*, to act the lord // *vivere da —*, to live like a lord **2** (*seguito da cognome*) Mr.; (*seguito da titoli nobiliari e professionali non si traduce*): *il signor Rossi*, Mr. Rossi; *i signori Smith*, (*i coniugi Smith*) Mr. and Mrs. Smith; *il signor dottore non è in casa*, the doctor is not in **3** (*vocativo*) Sir; (*accompagnato dal cognome e da titoli ufficiali*) Mr.; (*con titoli nobiliari e accademici non si traduce*): *caro —*, Dear Sir; *signor presidente*, Mr. President; *signor dottore*, Doctor; *signor conte, sia il benvenuto!*, welcome to your Lordship! // *signore e signori!*, Ladies and Gentlemen! **4** (*padrone*) master **5** *Signore*, (*Dio*) Lord.

signoreggiare *v.tr.* to dominate (*anche fig.*); (*fig.*) to master ♦ *v.intr.* to domineer (over s.o.).

signoria *s.f.* **1** (*podestà, dominio*) domination, dominion **2** (*st.*) seigniory, signory **3** *Signoria*, (*titolo*) (*rivolto a uomo*) Lordship; (*rivolto a donna*) Ladyship.

signorile *agg.* **1** (*riferito a uomo*) gentlemanly, gentlemanlike; (*riferito a donna*) ladylike **2** (*elegante*) elegant; (*di lusso*) luxury (*attr.*): *una strada —*, an elegant street; *trattamento —*, first-class treatment.

signorilità *s.f.* **1** distinction, refinement **2** (*eleganza*) elegance; (*lusso*) luxury.

signorilmente *avv.* **1** (*riferito a uomo*) like a gentleman, in a gentlemanly way; (*riferito a donna*) like a lady, in a ladylike way **2** (*elegantemente*) elegantly; (*con lusso*) luxuriously.

signorina *s.f.* **1** young lady; (*ragazza*) girl **2** (*seguito da nome o cognome*) Miss; (*seguito da titoli non si traduce*): *la — Maria*, Miss Maria; *la — Maria Rossi*, (*se primogenita*) Miss Rossi; (*non primogenita*) Miss Maria Rossi; *le signorine Brown*, the Misses Brown (*o* the Miss Browns) **3** (*vocativo*) Madam; (*accompagnato da nome o cognome*) Miss; (*accompagnato da titoli non si traduce*) **4** (*padroncina*) young mistress **5** (*donna non sposata*) unmarried woman: *restare —*, to remain unmarried // *nome da —*, maiden name.

signorino *s.m.* **1** Master: *il — Giovanni*, Master John **2** (*giovinetto*) young (gentle)man.

signornò *avv.* no, sir.

signorone *s.m.* (*fam.*) very rich man.

signorotto *s.m.* (*spreg.*) wicked squire.

signorsì *avv.* yes, sir.

silente *agg.* (*letter.*) silent, quiet.

silenziatore *s.m.* silencer, muffler.

silenzio *s.m.* **1** silence: *— assoluto, di tomba*, dead silence; *fare —*, to keep quiet (*o* to be silent) // *— stampa*, black out on news // *passare qlco. sotto —*, to pass sthg. over in silence // *il — è d'oro*, (*prov.*) silence is golden **2** (*mil.*) lights-out.

silenziosamente *avv.* silently, quietly; (*senza rumore*) noiselessly.

silenzioso *agg.* silent; (*tranquillo*) quiet; (*senza rumori*) noiseless.

silfide *s.f.* sylph (*anche fig.*).

silicato *s.m.* (*min. chim.*) silicate.

silice *s.f.* (*min.*) silica.

siliceo *agg.* siliceous.

silicio *s.m.* (*min.*) silicon.

silicone *s.m.* (*chim.*) silicone.

silicosi *s.f.* (*med.*) silicosis.

sillaba *s.f.* syllable: *divisione in sillabe*, division into syllables.

sillabare *v.tr.* **1** to syllabify **2** (*imparare a leggere*) to spell* out.

sillabario *s.m.* spelling-book, primer.

sillabico *agg.* syllabic.

silloge *s.f.* (*letter.*) collection, sylloge.

sillogismo *s.m.* (*fil.*) syllogism.

sillogistico *agg.* (*fil.*) syllogistic.

sillogizzare *v.tr. e intr.* to syllogize.

silo *s.m.* silo.

silofono *s.m.* (*mus.*) xylophone.

silografia *s.f.* xylography.

siluramento *s.m.* **1** (*mil.*) torpedoing **2** (*destituzione*) dismissal.

silurante *agg.* torpedo (*attr.*).

silurare *v.tr.* **1** (*mil.*) to torpedo **2** (*destituire*) to dismiss; (*ufficiali*) to cashier **3** (*sabotare*) to sabotage; (*respingere*) to reject: *— una proposta di legge*, to sabotage a bill.

silurista *s.m.* (*mil.*) torpedoman (*pl.* -men), torpedoist.

siluro *s.m.* (*mil.*) torpedo.

silvestre *agg.* (*letter.*) **1** sylvan, silvan **2** (*selvaggio*) wild.

Silvestro *no.pr.m.* Silvester, Sylvester // *la notte di S. —*, New Year's Eve.

simbiosi *s.f.* (*biol.*) symbiosis.

simbiotico *agg.* symbiotic, symbiotical.

simboleggiare *v.tr.* to symbolize.

simbolicità *s.f.* symbolicalness.

simbolico *agg.* symbolic(al).

simbolismo *s.m.* (*lett. arte*) symbolism.

simbolista *s.m.* e *f.* (*lett. arte*) symbolist.

simbolo *s.m.* symbol // *il — degli Apostoli*, the Apostles' Creed // *— (di rimando) in uno schema a blocchi*, (*informatica*) connection.

simbologia *s.f.* **1** symbology **2** (*insieme di simboli*) symbolism.

similare *agg.* similar.

simile *agg.* **1** like (s.o., sthg.), similar; alike (*pred.*): *quantità simili*, like quantities; *quelle due ragazze sono molto simili tra loro*, those two girls are very much alike; *sono simili nel colore*, they are similar in colour // *e (cose) simili*, and the like // *simili come due gocce d'acqua*, as like as two peas (in a pod) **2** — *a*, like: *egli è — a suo padre*, he is like his father **3** (*tale*) such: *non avevo mai sentito una cosa —, niente di —*, I had never heard such a thing (*o* the like of that); *non ho detto niente di —*, I said nothing of the sort (*o* no such thing) **4** (*geom.*) similar ♦ *s.m.* (*prossimo*) fellow creature, fellow man (*pl.* -men): *amare i propri simili*, to love one's fellow men // *ogni — ama il suo —*, (*prov.*) birds of a feather flock together.

similitudine *s.f.* simile.

similmente *avv.* (*allo stesso modo*) the same, likewise; (*in modo simile*) in a similar way, similarly; *mi sarei comportato —*, I should have done the same (*o* likewise).

similoro *s.m.* pinchbeck, tombac.

simmetria *s.f.* symmetry.

simmetrico *agg.* symmetric(al).

simonia *s.f.* simony: *peccato di —*, simony.

simoniaco *agg.* simoniac(al) ♦ *s.m.* simoniac.

simpatia *s.f.* **1** liking; (*attrazione*) attraction: *ha la — di tutti*, he is well-liked by everybody; *avere — per qlcu., qlco.*, to like s.o., sthg.; *cattivarsi la — di qlcu.*, to earn s.o.'s sympathy; *cattivarsi la — di tutti*, to make oneself popular with everybody; *non ho alcuna — per cose del genere*, I am not keen on this sort of thing at all; *non ho — per i bugiardi*, I have no liking for liars; *avere una — per qlcu.*, to have a soft spot for s.o.; *provare una — per qlcu.*, to take to s.o. **2** (*med.*) sympathy.

simpaticamente *avv.* nicely; (*piacevolmente*) pleasantly, agreeably; (*affabilmente*) affably.

simpatico *agg.* nice; (*amabile*) likeable; (*piacevole*) pleasant, agreeable; (*di modi, maniere, cattivante*) taking, winning, attractive: *un viso —*, a pleasant face; *è molto —*, he is very nice; *avere dei modi simpatici*, to have winning ways; *mi è molto —*, I like him very much; *trovare — qlcu.*, to take to s.o.; *riuscì — a tutti*, he was liked by everybody // *inchiostro —*, sympathetic ink ♦ *s.m.*: *il gran —*, (*anat.*) the sympathetic nerve.

simpatizzante *agg.* sympathizing ♦ *s.m.* e *f.* sympathizer.

simpatizzare *v.intr.* to take* a liking to (s.o., sthg.).

simposio *s.m.* symposium (*anche fig.*).

simulacro *s.m.* simulacrum (*pl.* -a) (*anche fig.*).

simulare *v.tr.* to feign, to sham; (*imitare*) to simulate: *— una malattia*, to feign illness.

simulato *agg.* feigned, simulated; (*non valido*) fake: *titolo —*, fake title.

simulatore *s.m.* **1** simulator, pretender **2** (*tecn.*) simulator.

simulazione *s.f.* simulation, pretence: *— di reato*, (*dir.*) simulation of a crime.

simultaneamente *avv.* simultaneously.

simultaneità *s.f.* simultaneousness // *— di esecuzione di diverse operazioni*, (*informatica*) overlapping.

simultaneo *agg.* simultaneous.

sinagoga *s.f.* synagogue.

sinceramente *avv.* sincerely.

sincerarsi *v.rifl.* to make* sure.

sincerità *s.f.* **1** sincerity: *in tutta —*, in all sincerity **2** (*autenticità*) authenticity.

sincero *agg.* sincere // *vino —*, pure wine // *sinceri saluti*, (*nelle lettere*) yours sincerely.

sinché *cong.* → **finché**.

sincopare *v.tr.* (*gramm. mus.*) to syncopate.

sincopato *agg.* (*gramm. mus.*) syncopated.

sincope *s.f.* **1** (*med. gramm.*) syncope **2** (*mus.*) syncopation.

sincretismo *s.m.* (*fil.*) syncretism.

sincronia *s.f.* synchrony, synchronism.

sincronismo *s.m.* synchronism.

sincronizzare *v.tr.* to synchronize (*anche fig.*).

sincronizzatore *s.m.* synchronizer.

sincronizzazione *s.f.* **1** synchronization **2** (*informatica*) timing.

sincrono *agg.* synchronous.

sincrotrone *s.m.* (*fis.*) synchrotron.

sindacabile *agg.* **1** checkable, controllable **2** (*fig.*) criticizable.

sindacale *agg.* trade union (*attr.*); (*amer.*) labor union (*attr.*).

sindacalismo *s.m.* **1** trade unionism **2** (*movimento politico*) syndicalism.

sindacalista *s.m.* e *f.* **1** trade unionist **2** (*fautore del sindacalismo*) syndicalist.

sindacalizzare *v.tr.* to make* aware of worker's rights and union problems; (*organizzare in sindacato*) to unionize.

sindacare *v.tr.* **1** to control, to check; (*ispezionare*) to inspect **2** (*fig.*) to criticize.

sindacato *s.m.* **1** trade union; (*amer.*) labor union **2** (*industriale*) syndicate, cartel.

sindaco *s.m.* **1** mayor; (*di alcune città inglesi*) Lord Mayor **2** (*di un'azienda*) auditor.

sinderesi *s.f.* (*fig.*) discernment.

sindone *s.f.* shroud // *Sacra Sindone*, Holy Shroud.

sindrome *s.f.* syndrome.

sinecura *s.f.* sinecure.

sinedrio *s.m.* **1** (*st. ebraica*) Sanhedrin **2** (*fig.*) (*consesso*) assembly.

sinfisi *s.f.* (*anat.*) symphysis.

sinfonia *s.f.* symphony (*anche fig.*).

sinfonico *agg.* symphonic; (*di sinfonia*) symphony (*attr.*): *concerto —*, symphony concert.

sinforosa *s.f.* **1** showy old maid **2** (*ragazza leziosa*) coquette, flirt.

singalese *agg.* e *s.m.* e *f.* Singhalese (*pl. invar.*), Cingalese (*pl. invar.*).

singhiozzare *v.intr.* **1** to sob **2** (*avere il singhiozzo*) to hiccup.

singhiozzo *s.m.* **1** hiccup, hiccough: *avere il —*, to have the hiccups **2** (*di pianto*) sob: *scoppiare in singhiozzi*, to burst out sobbing.

singolare *agg.* **1** singular **2** (*fig.*) (*strano*) singular, peculiar ♦ *s.m.* **1** (*gramm.*) singular: *al —*, in the singular **2** (*tennis*) single.

singolarità *s.f.* singularity (*anche fig.*).

singolarmente *avv.* **1** singly, separately **2** (*particolarmente*) particularly.

singolo *agg.* single // *i singoli paesi membri*, individual member countries ♦ *s.m.* **1** individual **2** (*tel.*) single line **3** (*tennis*) single **4** (*canottaggio*) skiff.

singulto *s.m.* **1** hiccup, hiccough **2** (*di pianto*) sob.

siniscalco *s.m.* (*st.*) seneschal.

sinistra *s.f.* **1** (*mano sinistra*) left, left hand **2** (*parte sinistra*) left // *a —*, on the left // *voltare, girare a —*, to turn (to the) left // *tenere la —, stare a —*, to keep to the left // *in alto a —*, (*informatica*) leading **3** (*pol.*) Left: *uomo di —*, leftist.

sinistrare *v.tr.* to damage; (*spec. persone*) to injure.

sinistrato *agg.* damaged; (*spec. di persone*) injured: *zona sinistrata*, disaster area; *persone sinistrate*, victims ♦ *s.m.* (*da alluvione*) flood victim; (*da terremoto*) earthquake victim; (*di guerra*) war victim.

sinistrese *agg.* leftist ♦ *s.m.* leftist jargon.

sinistro *agg.* **1** left // *il lato — della strada*, the left -hand side of the road **2** (*fig.*) sinister ♦ *s.m.* **1** disaster **2** (*pugilato*) left (blow).

sinistrorso *agg.* **1** left-handed **2** (*pol.*) leftist.

sino *prep.* → **fino**[1].

sinodale *agg.* (*eccl.*) synodal.

sinodo *s.m.* (*eccl.*) synod.

sinonimia *s.f.* synonymy, synonymity.

sinonimico *agg.* synonymic.

sinonimo *agg.* synonymous ♦ *s.m.* synonym.

sinopia *s.f.* sinopite.

sinora *avv.* → **finora**.

sinossi *s.f.* synopsis (*pl.* synopses).

sinottico *agg.* synoptic(al).

sinovia *s.f.* (*anat.*) synovia.

sinovite *s.f.* (*med.*) synovitis.

sintassi *s.f.* syntax.

sintattico *agg.* syntactic(al).

sintesi *s.f.* synthesis (*pl.* syntheses) (*anche fig.*) // *in —*, in short.

sintetico *agg.* **1** synthetic(al) **2** (*fig.*) concise.

sintetizzare *v.tr.* to synthesize.

sintomatico *agg.* symptomatic (*anche fig.*).

sintomatologia *s.f.* symptomatology.

sintomo *s.m.* symptom (*anche fig.*).

sintonia *s.f.* syntony (*anche fig.*): *mettere in — una radio*, to tune in a wireless.

sintonizzare *v.tr.* to syntonize, to tune in.

sintonizzatore *s.m.* tuner.

sintonizzazione *s.f.* syntonization, tuning.

sinuosità *s.f.* sinuosity; (*parte sinuosa*) winding.

sinuoso *agg.* sinuous, winding.

sinusite *s.f.* (*med.*) sinusitis.

sinusoide *s.f.* (*geom.*) sinusoid.

sionismo *s.m.* (*pol.*) Zionism.

sionista *s.m. e f.* (*pol.*) Zionist.

siparietto *s.m.* (*teatr.*) **1** drop curtain **2** (*numero di varietà*) entr'acte.

sipario *s.m.* curtain: *cala, si alza il —*, the curtain falls, rises // *il — di ferro*, (*pol.*) the Iron Curtain.

Siracusa *no.pr.f.* Syracuse.

siracusano *agg. e s.m.* Syracusan.

sire *s.m.* (*ant. o letter.*) Sire.

sirena[1] *s.f.* (*mit.*) mermaid; (*spec. fig.*) siren.

sirena[2] *s.f.* siren: *fischio della —*, hooter.

Siria *no.pr.f.* Syria.

siriano *agg. e s.m.* Syrian.

siringa *s.f.* **1** syringe **2** (*mus.*) panpipes (*pl.*), syrinx (*pl.* syringes) **3** (*cuc.*) squirt.

siringare *v.tr.* (*med.*) to catheterize.

Sirio *no.pr.m.* (*astr.*) Sirius, Dog star.

sirventese *s.m.* (*lett.*) sirvente.

Sisifo *no.pr.m.* (*mit.*) Sisyphus.

sismico *agg.* seismic.

sismografo *s.m.* seismograph.

sismogramma *s.m.* seismogram.

sismologia *s.f.* seismology.

sissignore *avv.* yes, sir.

sistema *s.m.* **1** system **2** (*metodo*) system, method; (*modo*) way: *— di lavoro*, work method; *— di vita*, way of life **3** (*calcio*) MW formation **4** (*informatica*) system: *— con più unità centrali*, multiprocessor; *— di dati*, data system; *— di gestione della base di dati*, data base management system (DBMS); *— di numerazione binaria*, binary number system; *— di trattamento automatico delle informazioni*, automatic data processing system; *— integrato*, total system.

sistemare *v.tr.* **1** (*mettere in ordine*) to arrange // *lo sistemerò io!*, (*fam.*) I'll fix him! **2** (*definire, regolare*) to settle: *— un conto*, to settle an account **3** (*procurare un lavoro, collocare*) to fix (s.o.) up // *— una figlia*, (*darle marito*) to marry off a daughter // **-arsi** *v.rifl.* **1** to settle (down) **2** (*trovar lavoro*) to find* a job: *si è sistemato bene*, he has got a good job for himself **3** (*sposarsi*) to get* oneself hitched.

sistematica *s.f.* systematics.

sistematicamente *avv.* systematically; (*metodicamente*) methodically, with method.

sistematico *agg.* systematic; (*metodico*) methodical.

sistemazione *s.f.* **1** (*ordine, collocazione*) arrangement; (*di macchinari, impianti*) installation: *non riesco a trovare una buona — per questo mobile*, I can't find a good place for this piece of furniture **2** (*il sistemare, il sistemarsi*) settlement; (*fam.*) fixing up: *la mia — qui a Roma è definitiva*, I have now settled down in Rome for good **3** (*posto, lavoro*) job: *lavora presso suo zio, ma non è una — permanente*, he is working for his uncle but it's not a permanent job.

Sisto *no.pr.m.* (*st. eccl.*) Sixtus.

sistole *s.f.* (*med.*) systole.

sitibondo *agg.* (*letter.*) very thirsty; (*fig.*) (*avido*) thirsting (for, after).

sito *agg.* (*letter.*) sited, situated ♦ *s.m.* place.

sitologia *s.f.* sitology.

situare *v.tr.* to place, to site.

situazione *s.f.* situation, position: *una — disperata*, a sorry plight // *essere all'altezza della —*, to be equal to the situation.

skai® *s.m.* imitation leather.

ski-lift *s.m.* → **sciovia**.

slabbrare *v.tr.* **1** to chip the edge (of sthg.), to chip the rim (of sthg.) **2** (*ferita*) to open out // **-arsi** *v. intr.pron.* **1** to chip **2** (*di ferita*) to open **3** (*di indumenti*) to overstretch; to get* out of shape.

slabbrato *agg.* **1** chipped: *una tazza slabbrata*, a cup with a chipped rim **2** (*di ferita*) gaping, open **3** (*di indumenti*) (over)stretched, shapeless, out of shape.

slabbratura *s.f.* chip; (*lo slabbrare*) chipping.

slacciare *v.tr.* to unlace, to undo*, to untie; (*sbottonare*) to unbutton: *slacciarsi la cintura*, to undo one's belt; *slacciati la giacca*, unbutton your jacket // **-arsi** *v. intr.pron.* to come* unlaced, to come* undone, to come* untied; (*sbottonarsi*) to come* unbuttoned: *mi* *si sono slacciate le scarpe*, my shoelaces have come undone.

sladinare *v.tr.* (*mecc.*) to run* in.

slalom *s.m.* (*sci*) slalom.

slanciare *v.tr.* to hurl, to fling*, to throw* // **-arsi** *v. rifl.* to hurl oneself, to rush, to dash: *si slanciò contro di me*, he hurled himself upon (*o* at) me.

slanciato *agg.* slim, slender.

slancio *s.m.* **1** rush: *di —*, with a rush: *entrò nella stanza di —*, he rushed into the room **2** (*fig.*) (*entusiasmo*) enthusiasm; (*impulso*) impulse; (*impeto*) burst, fit: *in uno — di entusiasmo, di generosità*, in a fit (*o* burst) of enthusiasm, of generosity; *agire di —*, to act on impulse; *fare qlco. con —*, to put one's heart into sthg.; *una persona piena di slanci*, an impulsively generous person.

slargare, slargarsi e *deriv.* → **allargare, allargarsi** e *deriv.*

slargo *s.m.* widening: *fermati dove c'è uno —*, stop where the road widens.

slattare *v.tr.* to wean.

slavato *agg.* **1** (*di colore*) washed out; (*di colorito*) pale, colourless **2** (*fig.*) dull: *un tipo —*, a wishy-washy character.

slavina *s.f.* → **lavina**.

slavo *agg.* **1** Slav **2** (*di lingua*) Slavonic, Slav(ic) ♦ *s.m.* **1** Slav **2** (*lingua*) Slavonic.

sleale *agg.* (*che non ha lealtà*) disloyal, unfaithful; (*fatto senza lealtà*) unfair: *concorrenza —*, unfair competition; *persona —*, disloyal person; *gioco —*, (*anche fig.*) foul play.

slealtà *s.f.* disloyalty; unfairness.

slegare *v.tr.* to untie, to undo*, to unfasten: *— un nodo*, to untie a knot // **-arsi** *v.rifl.* to untie oneself; to come* untied, to come* loose.

slegato *agg.* **1** untied, undone, loose **2** (*non rilegato*) unbound **3** (*fig.*) (*sconnesso*) disconnected; (*incoerente*) incoherent.

slegatura *s.f.* **1** untying, undoing, unfastening **2** (*fig.*) disconnected part.

slip *s.m.* **1** (*costume da bagno*) bathing suit **2** (*mutande da uomo*) briefs (*pl.*).

slitta *s.f.* **1** sleigh, sledge: *andare in —*, to sleigh (*o* to sledge) **2** (*mecc.*) slide.

slittamento *s.m.* **1** skid, skidding **2** (*mecc.*) slipping **3** (*pol.*) movement **4** (*di moneta*) fall.

slittare *v.intr.* **1** (*di veicoli*) to skid **2** (*mecc.*) to slip: *la frizione slitta*, (*aut.*) the clutch is slipping **3** (*pol.*) to move **4** (*di moneta*) to fall*.

slogan *s.m.* slogan.

slogare *v.tr.*, **slogarsi** *v.intr.pron.* to dislocate.

slogato *agg.* dislocated.

slogatura *s.f.* dislocation.

sloggiare *v.tr.* to dislodge, to drive* out ♦ *v.intr.* to clear out.

smaccato *agg.* sickening.

smacchiare *v.tr.* to clean.

smacchiatore *s.m.* stain-remover: *— a secco*, dry cleaner.

smacchiatura *s.f.* cleaning : *— a secco*, dry cleaning.

smacco *s.m.* mortification; (*fam.*) letdown: *subire uno —*, to suffer a letdown.

smagliante *agg.* dazzling.

smagliarsi *v.intr.pron.* (*di calze*) to ladder; (*amer.*) to run*: *mi si è smagliata una calza*, I have got a ladder in my stocking.

smagliatura *s.f.* **1** (*di calza*) ladder; (*amer.*) run **2** (*lesione della cute*) stretch mark.

smagnetizzare *v.tr.* (*fis.*) to demagnetize.

smagnetizzazione *s.f.* (*fis.*) demagnetization.

smagrire *v.intr.*, **smagrirsi** *v.intr.pron.* to lose* weight, to slim; (*per malattia*) to get* thin // **smagrire** *v.tr.* to slim; to make* thin // *il nero smagrisce*, black is slimming.

smaliziare *v.tr.*, **smaliziarsi** *v.intr.pron.* to smarten up.

smaliziato *agg.* knowing: *è un tipo abbastanza —*, he knows a thing or two already.

smaltare *v.tr.* to enamel; (*ceramica*) to glaze.

smaltato *agg.* enamelled; (*di ceramica*) glazed // *unghie smaltate*, painted nails.

smaltatore *s.m.* enameller, enamellist.

smaltatura *s.f.* enamelling; (*di ceramica*) glazing.

smalteria *s.f.* enamel factory.

smaltimento *s.m.* **1** (*digestione*) digestion **2** (*di merce*) selling off **3** (*informatica*) throughput.

smaltire *v.tr.* **1** (*digerire*) to digest; (*fig.*) to get* over (sthg.): *— la sbornia*, to get over a binge **2** (*vendere fino ad esaurimento*) to sell* off **3** (*far defluire*) to drain.

smaltitoio *s.m.* sump.

smalto *s.m.* **1** enamel: *pentole di —*, enamel ware // *— per unghie*, nail polish (*o* nail varnish) **2** (*ceramica*) glaze **3** (*oggetto smaltato*) enamelware: *un pregevole — antico*, a valuable old piece of enamel.

smanceria *s.f.* (*spec.pl.*) mawkishness: *fare smancerie*, to be mawkish.

smanceroso *agg.* mawkish.

smangiare *v.tr.* to corrode, to eat* into (sthg.); (*consumare*) to eat* away, to wear* away: *l'acqua ha smangiato l'argine*, the water has eroded the bank away // *v.intr.pron.* to corrode; (*fig.*) to consume (with sthg.).

smangiato *agg.* corroded; worn away.

smania *s.f.* **1** longing (for sthg., to do), craving (for sthg., to do): *ha una grande — di imparare l'inglese*, he has a great desire to learn English; *ho una grande — di vederlo*, I am longing to see him; *— di successo*, a craving for success **2** (*frenesia*) frenzy: *dare in smanie*, to get into a frenzy.

smaniare *v.intr.* **1** to yearn (for sthg., to do), to long (for sthg., to do), to crave (for sthg.): *smania (dalla voglia) di partire*, he is longing to leave **2** (*essere in agitazione*) to be* on edge; to chafe, to fret.

smanioso *agg.* eager (for), longing (for), craving (for), thirsting (for, after): *sono — di vederlo*, I am eager (*o* longing) to see him.

smantellamento *s.m.* dismantling, dismantlement.

smantellare *v.tr.* to dismantle // *— una tesi*, to tear an argument to pieces.

smarcare *v.tr.* (*sport*) to free // **-arsi** *v.rifl.* (*sport*) to shake* off the player marking one.

smargiassata *s.f.* piece of boasting.

smargiasso *s.m.* boaster, braggart: *non fare lo —*, stop bragging.

smarginare *v.tr.* to trim the edge (of sthg.) ♦ *v.intr.* to go* into the margin.

smarrimento *s.m.* **1** loss: *in caso di —...*, in case of loss... **2** (*turbamento*) bewilderment: *avere un attimo di —*, to be at a loss for a moment **3** (*svenimento*) fainting fit.

smarrire *v.tr.* to lose*; (*temporaneamente*) to mislay* // **-irsi** *v.intr.pron.* **1** to get* lost; (*perdere la strada*) to lose* one's way **2** (*turbarsi*) to be* bewildered; (*confondersi*) to get* confused.

smarrito *agg.* **1** lost; (*temporaneamente*) mislaid **2** (*turbato*) bewildered; (*confuso*) confused: *avere l'aria smarrita*, (*spaesata*) to look lost; (*interdetta*) to look at a loss.

smascellarsi *v.rifl.*: — *dalle risa*, to split one's sides with laughter.

smascheramento *s.m.* unmasking.

smascherare *v.tr.*, **smascherarsi** *v.rifl.* to unmask (*anche fig.*).

smaterializzare *v.tr.* to immaterialize // **-arsi** *v.rifl.* to immaterialize oneself, to become* immaterial.

smembramento *s.m.* dismemberment (*anche fig.*).

smembrare *v.tr.* to dismember (*anche fig.*), to split* up (*anche fig.*).

smemorataggine *s.f.* **1** forgetfulness **2** (*dimenticanza*) lapse of memory.

smemorato *agg.* forgetful.

smentire *v.tr.* to belie, to give* the lie (to s.o.); (*ritrattare*) to deny // **-irsi** *v.rifl.* **1** to contradict oneself, to give* oneself the lie **2** (*venir meno*) to be* untrue to oneself.

smentita *s.f.* denial, refutation: *dare una — a qlcu.*, to give s.o. the lie.

smeraldino *agg.* emeraldine.

smeraldo *s.m.* emerald.

smerciare *v.tr.* to sell*.

smercio *s.m.* sale: *avere —*, to sell.

smergo *s.m.* (*zool.*) merganser.

smerigliare *v.tr.* to polish with emery; (*mecc.*) to grind*, to lap: — *il vetro*, to frost glass.

smerigliato *agg.* emery (*attr.*); (*mecc.*) ground, lapped: *vetro —*, frosted glass.

smerigliatura *s.f.* polishing with emery; (*mecc.*) lapping, grinding; (*di vetro*) frosting.

smeriglio[1] *s.m.* (*min.*) emery.

smeriglio[2] *s.m.* (*zool.*) merlin.

smerlare *v.tr.* to scallop.

smerlo *s.m.* scallop: *punto a —*, buttonhole stitch.

smettere *v.tr.* e *intr.* to stop (sthg., doing); (*rinunciare*) to give* up (sthg., doing): *smettila!*, stop it! // — *un vestito*, to cast off a dress.

smezzare *v.tr.* to halve, to cut* in half.

smidollato *agg.* spineless.

smilitarizzare *v.tr.* to demilitarize; (*una persona*) to demobilize; (*fam.*) to demob.

smilitarizzazione *s.f.* demilitarization; (*di persona*) demobilization; (*fam.*) demob.

smilzo *agg.* thin, lean: *lungo e —*, lanky.

sminuire *v.tr.* to diminish, to belittle // **-irsi** *v.rifl.* to belittle oneself.

sminuzzare *v.tr.*, **sminuzzarsi** *v.intr.pron.* to crumble.

smistamento *s.m.* **1** clearing: *posto di —*, (*mil.*) transit camp **2** (*ferr.*) shunting; (*amer.*) switching // — *dei messaggi*, (*tel.*) message switching **3** (*di corrispondenza*) sorting.

smistare *v.tr.* **1** to sort (out): — *le lettere*, to sort letters **2** (*ferr.*) to shunt; (*amer.*) to switch **3** (*mil.*) to post **4** (*sport*) to pass.

smisurato *agg.* unbounded, immeasurable; (*grandissimo*) immense, huge; (*smodato*) inordinate: *ambizione smisurata*, unbounded ambition; *orgoglio —*, inordinate pride.

smitizzare *v.tr.* to destroy s.o.'s myth; to see sthg., s.o. in its, his true light.

smobiliare *v.tr.* to remove the furniture (from a place).

smobilitare *v.tr.* to demobilize; (*fam.*) to demob.

smobilitazione *s.f.* demobilization; (*fam.*) demob.

smoccolare *v.tr.* to snuff.

smoccolatoio *s.m.* snuffer.

smoccolatura *s.f.* **1** snuff **2** (*lo smoccolare*) snuffing.

smodato *agg.* immoderate, inordinate.

smoderatezza *s.f.* immoderateness: *beve con —*, he drinks to excess.

smoderato *agg.* immoderate, excessive.

smoking *s.m.* dinner jacket; (*amer.*) tuxedo.

smonacarsi *v.rifl.* to leave* a monastic order.

smontabile *agg.* that can be dismantled, that can be taken apart: *libreria —*, unit bookshelves.

smontaggio *s.m.* dismantling: — *della ruota*, tyre removal; — *totale*, stripping.

smontare *v.tr.* **1** (*scomporre in parti*) to disassemble, to dismantle, to take* apart, to take* to pieces; (*una porta*) to unhinge; (*una gemma*) to unset*; (*una ruota*) to remove: — *un orologio*, to take* a watch to pieces **2** (*fig.*) (*scoraggiare*) to dishearten: *si lascia — facilmente*, he is easily discouraged; — (*l'orgoglio di*) *qlcu.*, to take s.o. down a peg or two ♦ *v.intr.* **1** (*da un treno, autobus, tram ecc.*) to get* off, to alight (from sthg.); (*da un'automobile*) to get* out (of sthg.); (*da cavallo*) to dismount // — *dal servizio*, to go off duty **2** (*sbiadire*) to fade **3** (*di panna montata, uovo sbattuto ecc.*) to drop // **-arsi** *v.intr.pron.* (*scoraggiarsi*) to lose* heart.

smorfia *s.f.* grimace, wry face: *fare smorfie a qlcu.*, to pull faces at s.o.; *fare una — di dolore*, to wince with pain // *le sue smorfie mi irritano*, her mincing ways annoy me.

smorfioso *agg.* affected, mincing.

smorto *agg.* pale, wan; colourless (*anche fig.*).

smorzare *v.tr.* **1** to quench; (*luce*) to dim; (*colori*) to tone down; (*suoni*) to lower: — *l'entusiasmo di qlcu.*, to damp(en) s.o.'s enthusiasm; — *l'ira di qlcu.*, to appease s.o.'s anger **2** (*region.*) (*spegnere*) to put* out, to extinguish.

smorzato *agg.* (*di colori, luce*) soft, subdued; (*di suono*) muffled.

smorzatura *s.f.* (*di colori*) toning down; (*di suoni*) lowering.

smottamento *s.m.* landslide, landslip.

smottare *v.intr.* to slip, to slide* down.

smozzicare *v.tr.* to hack to pieces.

smozzicato *agg.* hacked to pieces.

smunto *agg.* emaciated.

smuovere *v.tr.* **1** to shift, to move // — *il terreno*, to turn the ground **2** (*dissuadere*) to deter **3** (*commuovere*) to move.

smussare *v.tr.* to round (off), to blunt; (*fig.*) to soften, to smooth: — *gli angoli*, to round off the corners; (*fig.*) to smooth out difficulties // **-arsi** *v.intr.pron.* to get* blunt.

smussato *agg.* **1** blunted; (*arrotondato*) round **2** (*fig.*) softened, smoothed.

snaturare *v.tr.* **1** to pervert the nature (of s.o., sthg.) **2** (*fig.*) (*alterare*) to change, to pervert: — *un fatto*, to misrepresent a fact.

snaturato *agg.* **1** unnatural, inhuman **2** (*alieno dalla propria natura*) perverted.

snazionalizzare *v.tr.* to denationalize.

snebbiare *v.tr.* to clear (*anche fig.*).

snellezza *s.f.* slenderness, slimness.

snellire *v.tr.* **1** to make* slender; (*amer.*) to slenderize 2 (*semplificare*) to simplify // **-irsi** *v.intr.pron.* to grow* slender, to grow* slim.

snello *agg.* 1 (*slanciato*) slender, slim 2 (*agile*) nimble, agile 3 (*di stile*) easy(-flowing).

snervante *agg.* enervating; (*faticoso*) exhausting.

snervare *v.tr.* to enervate; (*esaurire*) to exhaust // **-arsi** *v.intr.pron.* to get* exhausted.

snervatezza *s.f.* enervation, weakness; (*spossatezza*) weariness, exhaustion.

snervato *agg.* enervated, weak; (*spossato*) weary; (*esaurito*) exhausted.

snidare *v.tr.* to drive* out, to dislodge (*anche fig.*); (*animali*) to put* up.

snob *agg.* e *s.m.* e *f.* snob.

snobbare *v.tr.* to snub, to give* s.o. the cold shoulder; to cold shoulder.

snobismo *s.m.* snobbery, snobbishness.

snobistico *agg.* snobbish.

snocciolare *v.tr.* 1 to stone, to remove the stone(s) (from sthg.) 2 (*fig.*) to tell* 3 (*fam.*) (*sborsare*) to pay* out.

snodabile *agg.* adjustable: *a collo* —, goosenecked.

snodare *v.tr.* 1 (*sciogliere*) to untie, to unbind* 2 (*rendere agile*) to make* supple; to loosen // **-arsi** *v. intr.pron.* 1 to get* untied, to get* loose; (*di membra*) to get* supple 2 (*di strada, fiume*) to wind*, to meander; (*di serpente*) to uncoil 3 (*di elemento rigido*) to be* adjustable.

snodato *agg.* 1 supple 2 (*articolato*) jointed.

snodatura *s.f.* (*delle giunture*) joint.

snodo *s.m.* joint.

snudare *v.tr.* to unsheathe, to draw*.

soave *agg.* soft, gentle, suave.

soavità *s.f.* softness, gentleness.

sobbalzare *v.intr.* 1 to jerk, to jolt, to bump 2 (*trasalire*) to start, to jump.

sobbalzo *s.m.* 1 jerk, jolt: *procedere a sobbalzi*, to jerk along 2 (*sussulto*) start, jump.

sobbarcarsi *v.rifl.* to undertake*.

sobbollire *v.intr.* to simmer.

sobborgo *s.m.* suburb; *pl.* outskirts.

sobillare *v.tr.* to stir up, to incite.

sobillatore *agg.* instigating, troublemaking ♦ *s.m.* instigator (of trouble), troublemaker.

sobillazione *s.f.* stirring up, instigation.

sobrietà *s.f.* sobriety, soberness.

sobrio *agg.* sober.

socchiudere *v.tr.* 1 (*accostare*) to half-close 2 (*aprire un po'*) to half-open.

socchiuso *agg.* half-open; half-closed; (*di porta ecc.*) ajar.

soccombente *agg.* e *s.m.*: *parte* —, (*dir.*) unsuccessful (*o* losing) party.

soccombere *v.intr.* 1 to succumb, to give* way; (*essere sopraffatto*) to be* overcome (by sthg.) // — *in giudizio*,(*dir.*) to lose a suit 2 (*morire*) to die, to succumb.

soccorrere *v.tr.* to succour, to aid, to assist: — *i poveri*, to assist the poor.

soccorritore *agg.* relief (*attr.*) ♦ *s.m.* helper.

soccorso *s.m.* 1 help, aid, succour, assistance // — *invernale*, winter unemployment fund // *società di mutuo* —, friendly society // — *stradale*, emergency breakdown service 2 (*med.*) aid: *pronto* —, first aid: *posto di pronto* —, first aid station; (*di ospedale*) casualty ward 3 (*rinforzo*) reinforcement 4 *pl.* (*rifornimenti*) supplies.

soccoscio *s.m.* rump.

socialcomunista *agg.* e *s.m.* (*pol.*) Socialist Communist.

socialdemocratico *agg.* (*pol.*) Social Democratic ♦ *s.m.* (*pol.*) Social Democrat.

socialdemocrazia *s.f.* (*pol.*) social democracy.

sociale *agg.* 1 social: *assistenza* —, social work 2 (*comm.*): *anno* —, company's (trading) year; *tessera* —, membership card; *gita* —, company outing; *capitale* —, registered capital; *proprietà* —, corporate property; *ragione* —, style of the firm; *sede* —, head office; *statuto* —, articles of association.

socialismo *s.m.* (*pol.*) Socialism.

socialista *s.m.* e *f.* (*pol.*) Socialist.

socialità *s.f.* sociality.

socializzare *v.tr.* to socialize.

socializzazione *s.f.* socialization.

società *s.f.* 1 society: *frequentare la* —, to move in good society; *vivere ai margini della* —, to live on the fringe of society // *Società delle Nazioni*, League of Nations // — *sportiva*, sports society // *la* — *elegante*, the fashionable world // *abito da, di* —, evening dress; (*smoking*) dinner jacket; (*amer.*) tuxedo; (*frac*) tails // *alta* —, high society // *vita di* —, social life 2 (*comm.*) company; partnership; (*amer.*) corporation: — *a partecipazione statale*, state-controlled company; — *di fatto*, de facto company; — *a responsabilità limitata*, limited company; — *in accomandita*, limited partnership; — *per azioni*, joint-stock company; *mettersi in* — *con qlcu.*, to form a partnership with s.o.

socievole *agg.* social; (*che ama la compagnia*) sociable, companionable: *una persona molto* —, a good mixer.

socievolezza *s.f.* sociability, sociableness.

socio *s.m.* 1 member: — *a vita*, life member; — *onorario*, honorary member; *farsi* — *di un circolo*, to become a member of a club 2 (*di una società scientifica, accademica*) fellow 3 (*comm.*) partner, associate: — *anziano*, senior partner; — *di industria*, working partner; — *entrante*, incoming partner; — *nominale*, nominal partner; — *occulto*, sleeping partner, (*amer.*) silent partner; *prendere qlcu. come* —, to take s.o. into partnership.

sociologia *s.f.* sociology.

sociologico *agg.* sociological.

sociologo *s.m.* sociologist.

Socrate *no.pr.m.* Socrates.

socratico *agg.* (*fil.*) Socratic.

soda *s.f.* 1 (*chim.*) soda 2 (*bevanda*) soda water.

sodaglia *s.f.* rough ground.

sodalizio *s.m.* brotherhood, confraternity: *pio* —, sodality.

soddisfacente *agg.* satisfactory.

soddisfacimento *s.m.* 1 satisfaction 2 (*adempimento*) fulfilment, discharge.

soddisfare *v.tr.* 1 to satisfy, to content, to gratify, to please: — *la propria fame*, to satisfy one's hunger; *il suo lavoro non mi ha soddisfatto*, his work didn't satisfy me 2 (*adempiere, far fronte a*) to fulfil, to meet*, to discharge: *non poter* — *i desideri di qlcu.*, not to be able to meet s.o.'s wishes; — *un creditore*, to satisfy (*o* to pay off) a creditor; — *un debito*, to discharge a debt; — *una domanda*, to comply with a request 3 (*riparare*) to make* amends (for sthg.) ♦ *v.intr.* to fulfil (sthg.), to discharge (sthg.) // **-arsi** *v.rifl.* to be* satisfied; to satisfy oneself.

soddisfatto *agg.* 1 satisfied (with), pleased (with),

contented (with), content (with) (*pred.*) **2** (*pagato*) paid up.

soddisfazione *s.f.* satisfaction; (*contentezza*) contentment: *con mia grande —*, to my great satisfaction; *togliersi la — di fare qlco.*, to give oneself the satisfaction of doing sthg.

sodezza *s.f.* (*solidità*) solidity, firmness; (*consistenza*) consistency; (*durezza*) hardness; (*compattezza*) compactness.

sodio *s.m.* (*chim.*) sodium.

sodo *agg.* **1** (*solido*) solid, firm; (*duro*) hard; (*compatto*) compact: *carni sode*, firm flesh; *uova sode*, hard-boiled eggs // *darle sode a qlcu.*, to strike s.o. hard **2** (*fig.*) (*serio*) sound, well-grounded ♦ *s.m.*: *posare sul —*, to stand on firm ground (*anche fig.*) // *venire al —*, to come to the point ♦ *avv.* hard: *lavorare —*, to work hard; *dormir —*, to sleep soundly.

sodomia *s.f.* sodomy.

sodomita *s.m.* sodomite.

sofà *s.m.* sofa.

sofferente *agg.* suffering: *è — di cuore*, he suffers from heart disease.

sofferenza *s.f.* **1** suffering, pain: *è una vera — vedere...*, it's really painful to see... **2** (*comm.*): *cambiale in —*, unpaid bill.

soffermare *v.tr.* to stop // **-arsi** *v.intr.pron.* to stop (a little), to pause, to linger (*anche fig.*).

sofferto *agg.* suffered, endured // *romanzo —*, novel that cost the author great pains.

soffiare *v.intr.* **1** to blow* (sthg.): *— su una candela*, (*spegnendola*) to blow out a candle; *— sul caffè*, to blow one's coffee; *— sul fuoco*, to kindle the fire; (*fig.*) to stir up trouble **2** (*ansare, sbuffare*) to blow*, to puff ♦ *v.tr.* **1** to blow*, to puff: *— il vetro*, to blow glass; *soffiarsi il naso*, to blow one's nose // *— qlco. nell'orecchio a qlcu.*, to whisper sthg. to s.o. **2** (*a dama, a scacchi*) to huff **3** (*fam.*) (*portar via*) to take* away; (*rubare*) to pinch: *— il posto, la ragazza a qlcu.*, to pinch s.o.'s job, girlfriend **4** (*gergo*) (*spifferare*) to spill the beans.

soffiata *s.f.* **1** puff **2** (*gergo*) tip-off.

soffiato *agg.*: *vetro —*, blown glass; *grano —*, popcorn; *riso —*, puffed rice.

soffiatore *s.m.* (*chi soffia il vetro*) glassblower.

soffiatura *s.f.* blowing.

soffice *agg.* soft.

soffietto *s.m.* **1** bellows (*pl.*) // *a —*, folding: *porta a —*, folding door **2** (*di carrozza*) hood.

soffio *s.m.* **1** puff, whiff; (*alito*) breath: *con un —*, with a puff // *in un —*, (*in un attimo*) in an instant; (*sottovoce*) in a whisper **2** (*ispirazione*) inspiration **3** (*med.*) murmur, puff: *— al cuore*, cardiac murmur.

soffione *s.m.* **1** (*geol.*) fumarole **2** (*bot.*) dandelion.

soffitta *s.f.* attic, garret.

soffitto *s.m.* ceiling: *— a travi di legno*, ceiling with wooden beams; *— a volta*, arched ceiling.

soffocamento *s.m.* suffocation.

soffocante *agg.* stifling, suffocating: *caldo —*, stifling heat.

soffocare *v.tr.* to suffocate (*anche fig.*); (*fig.*) to stifle: *fu soffocato da una lisca di pesce*, he was choked by a fishbone; *fu soffocato da un cuscino*, he was smothered by a pillow; *fu soffocato dal fumo*, he was suffocated by the smoke; *morì soffocato*, he died of suffocation; *— la collera*, to choke down one's anger; *— una rivolta nel sangue*, to put down a rebellion with bloodshed; *—*

uno sbadiglio, to stifle a yawn; *— uno scandalo*, to hush up a scandal ♦ *v.intr.* to suffocate, to choke: *qui si soffoca*, it is stifling here; *mi sento —*, I feel suffocated (*o* stifled).

soffocato *agg.* (*fig.*) choked, stifled, smothered: *voce soffocata dai singhiozzi*, voice choked with sobs; *rumore —*, deadened noise.

soffocazione *s.f.* suffocation.

soffondere *v.tr.* (*letter.*) to suffuse.

soffregare *v.tr.* to rub (gently).

soffriggere *v.tr.* e *intr.* to fry slightly, to brown.

soffrire *v.tr.* **1** to suffer: *— la fame*, to suffer (the pangs of) hunger; (*per un lungo periodo*) to go hungry // *— le pene dell'inferno*, to suffer the torments of hell **2** (*sopportare*) to bear*, to stand*, to endure: *non lo posso —*, I cannot bear him **3** (*permettere*) to allow: *non posso — che egli...*, I cannot allow him to... ♦ *v.intr.* to suffer: *ha molto sofferto per la morte del figlio*, his son's death was a sad blow for him; *la sua salute ne ha sofferto*, his health has suffered; *— di mal di cuore*, to suffer from heart disease.

soffritto *s.m.* (*cuc.*) sauté: *fare un — di cipolle ecc.*, to fry some onions to a golden brown.

Sofia *no.pr.f.* Sophia.

sofisma *s.m.* (*fil.*) sophism.

sofista *s.m.* sophist.

sofisticare *v.intr.* to quibble, to split* hairs ♦ *v.tr.* (*adulterare*) to sophisticate.

sofisticato *agg.* sophisticated: *apparecchiature sofisticate*, sophisticated instruments.

sofisticazione *s.f.* sophistication.

sofisticheria *s.f.* sophistry; (*pedanteria*) hair-splitting, quibbling.

sofistico *agg.* (*fil.*) sophistic; (*fig.*) sophistical.

Sofocle *no.pr.m.* (*st. lett.*) Sophocles.

software (*ingl.*) *s.m.* (*informatica*) software: *— di base*, system software.

soggettista *s.m.* e *f.* scriptwriter.

soggettivismo *s.m.* **1** (*fil.*) subjectivism **2** (*arte*) subjectivity, subjectiveness.

soggettività *s.f.* subjectivity, subjectiveness.

soggettivo *agg.* subjective.

soggetto¹ *agg.* subject // *— ai raffreddori*, subject (*o* liable) to colds.

soggetto² *s.m.* subject // *è un cattivo —*, he is a bad lot // *recitare a —*, to improvise.

soggezione *s.f.* **1** (*sottomissione*) subjection **2** (*timore, rispetto*) awe, respect; (*imbarazzo*) uneasiness, embarrassment: *incutere, mettere — a qlcu.*, to make s.o. feel uneasy; *avere — di qlcu.*, to feel uneasy with s.o.

sogghignare *v.intr.* to sneer.

sogghigno *s.m.* sneer.

soggiacere *v.intr.* (*essere sottoposto*) to be* subjected; (*essere esposto*) to be* subject.

soggiogare *v.tr.* to subdue (*anche fig.*).

soggiornare *v.intr.* to stay.

soggiorno *s.m.* **1** stay: *azienda di —*, local tourist office; *imposta, tassa di —*, visitors' tax **2** (*stanza di*) *—*, living room.

soggiungere *v.tr.* to add.

soggolo *s.m.* **1** (*di monaca*) wimple **2** (*di cavallo*) throat-latch **3** (*di berretto militare*) chinstrap.

sogguardare *v.tr.* to look stealthily (at s.o., sthg.).

soglia *s.f.* threshold (*anche fig.*) // *— di pensionamento*, pensionable age.

soglio *s.m.* throne: — *pontificio*, papal throne.

sogliola *s.f.* sole.

sognante *agg.*: *occhi sognanti*, dreamy eyes.

sognare *v.tr.* e *intr.* to dream*: *passare il tempo sognando*, to dream one's time away; — *a occhi aperti*, to daydream; *deve esserselo sognato*, he must have dreamt of it; *non mi sognavo neppure che sarei riuscito*, I never dreamt (o imagined) I would be successful // *non sognarti che ti aiutino*, don't imagine that they'll help you.

sognatore *agg.* dreamy ♦ *s.m.* dreamer.

sogno *s.m.* dream (*anche fig.*): *un — ad occhi aperti*, a daydream; *il mondo dei sogni*, dreamland; *vedere qlcu. in —*, to see s.o. in a dream; *fare un —*, to have a dream // *sogni d'oro!*, sweet dreams! // *neanche per —!*, by no means!

soia *s.f.* (*bot.*) soya: *germogli di —*, soya shoots.

sol *s.m.* (*mus.*) sol, G.

solaio *s.m.* **1** attic, garret **2** (*edil.*) floor.

solamente *avv.* → **solo**.

solare[1] *agg.* **1** solar, sun (*attr.*): *ora —*, solar time; *luce —*, sunlight; *pannello —*, solar panel; *impianto a energia —*, solar power system **2** (*fig.*) evident, obvious.

solare[2] *v.tr.* to sole; (*risolare*) to resole.

solarium *s.m.* solarium.

solatio *agg.* sunny.

solatura *s.f.* soling; (*risolatura*) resoling.

solcare *v.tr.* to plough, to furrow (*anche fig.*); (*attraversare*) to cross: — *le onde*, to plough the waves.

solcato *agg.* furrowed: *una fronte solcata da rughe*, a furrowed brow.

solco *s.m.* **1** (*agr.*) furrow; (*sottile*) drill **2** (*di ruota sul terreno*) rut, track; (*scia luminosa*) streak, trail.

solcometro *s.m.* (*mar.*) log.

soldatesca *s.f.* soldiery.

soldatesco *agg.* soldierly, soldierlike.

soldatino *s.m.* toy soldier: — *di piombo*, tin soldier.

soldato *s.m.* soldier: — *di artiglieria*, artilleryman; — *di cavalleria*, cavalryman; — *di fanteria*, infantryman; *andare —*, to enlist; *fare il —*, to be in the army; *tornare da —*, to be demobbed.

soldo **1** penny, halfpenny, farthing, copper: *una cosa da pochi soldi*, a worthless thing; *non avrei dato due soldi per la sua riuscita*, I wouldn't have given a farthing for his chances of success // *non vale un —*, he is not worth a farthing // *quattro soldi di risparmi*, nest egg **2** *pl.* (*denaro*) money (*sing.*): *soldi per i minuti piaceri*, pocket money; *l'ho comperato per pochi soldi*, I got it for next to nothing; *fare soldi*, to make money; *essere senza soldi*, to be penniless **3** (*salario*) pay, wages (*pl.*) // *essere al — di qlcu.*, to be in s.o.'s pay.

sole *s.m.* sun; (*splendore, calore del sole*) sunshine: *al —*, in the sun; *fare un bagno di —*, to do some sunbathing; *una giornata piena di —*, a sunny day; *in pieno —*, in bright sunshine; *luce del —*, sunlight; *un posto al —*, (*anche fig.*) a place in the sun; *scottatura da —*, sunburn; *colpo di —*, sunstroke; *prendere il —*, to bask in the sun // *il — di mezzanotte*, the midnight sun // *è chiaro come il —*, it is as clear as daylight // *niente di nuovo sotto il —*, nothing new under the sun // *avere qlco. al —*, to own a property.

solecchio *s.m.*: *fare —*, to shade one's eyes (with one's hand).

solecismo *s.m.* solecism.

soleggiato *agg.* sunny.

solenne *agg.* **1** solemn **2** (*fam.*) terrific: *una — sgridata*, a terrific scolding.

solennità *s.f.* **1** solemnity **2** (*festa*) feast.

solennizzare *v.tr.* to solemnize.

solenoide *s.m.* (*elettr.*) solenoid.

solere *v.intr.* **1** (*nei tempi del passato*) used: *solevo camminare molto*, I used to walk a great deal **2** (*nei tempi del presente è sostituito dal verbo dipendente, spesso accompagnato da* usually): *come si suol dire*, as they say; *suole uscire di buon'ora*, he (usually) goes out early.

solerte *agg.* diligent, industrious.

solerzia *s.f.* diligence, industry.

soletta *s.f.* **1** (*di calza*) sole, stocking sole **2** (*di scarpa*) insole **3** (*edil.*) slab.

soletto *agg.* alone (*pred.*): *solo —*, all alone.

solfa *s.f.* **1** (*mus.*) sol-fa **2** (*fig.*) old story: *la solita —*, the same old story.

solfatara *s.f.* (*geol.*) solfatara.

solfato *s.m.* (*chim.*) sulphate.

solfeggiare *v.tr.* (*mus.*) to sol-fa.

solfeggio *s.m.* (*mus.*) solfeggio.

solfidrico *agg.* (*chim.*) sulphydric.

solfito *s.m.* (*chim.*) sulphite.

solforare *v.tr.* (*chim.*) to sulphurate.

solforato *agg.* (*chim.*) sulphurated.

solforatrice *s.f.* (*chim.*) sulphorator.

solforazione *s.f.* (*chim.*) sulphuration.

solforico *agg.* (*chim.*) sulphuric.

solforoso *agg.* (*chim.*) sulphurous.

solfuro *s.m.* (*chim.*) sulphide.

solidale *agg.* in sympathy with (*pred.*).

solidamente *avv.* solidly.

solidarietà *s.f.* solidarity.

solidarizzare *v.intr.* to solidarize.

solidificare *v.tr.*, **solidificarsi** *v.intr.pron.* to solidify.

solidificazione *s.f.* solidification.

solidità *s.f.* **1** solidy (*anche fig.*) **2** (*di colori*) fastness.

solido *agg.* **1** solid **2** (*di colori*) fast **3** (*fig.*) (*saldo*) sound: *reputazione solida*, sound reputation ♦ *s.m.* **1** solid **2** *in —*, (*dir.*) jointly and severally.

soliloquio *s.m.* soliloquy.

solipsismo *s.m.* (*fil.*) solipsism.

solista *agg.* e *s.m.* e *f.* (*mus.*) soloist.

solitamente *avv.* usually, generally.

solitario *agg.* solitary, lonely ♦ *s.m.* **1** (*gioco di carte*) patience **2** (*brillante*) solitaire.

solito *agg.* usual, customary // *ne ha combinata una delle solite*, he's done it again // *sei sempre il —*, you haven't changed a bit // *siamo alle solite!*, here we go again! (o it's the same old story!) // *essere —*, to be used to (doing) ♦ *s.m.* **1** (*la solita cosa*) the usual **2** (*abitudine, costume*): *come al —*, as usual; *di —*, usually.

solitudine *s.f.* **1** solitude, loneliness: *in —*, in solitude **2** (*luogo solitario*) solitude.

sollazzare *v.tr.* to amuse // **-arsi** *v.intr.pron.* to enjoy oneself.

sollazzo *s.m.* amusement.

sollecitare *v.tr.* **1** to urge, to press: — *una telefonata*, to try to get a quicker connection **2** (*chiedere con insistenza*) to solicit **3** (*mecc.*) to stress.

sollecitatorio *agg.* soliciting.

sollecitazione *s.f.* **1** solicitation; (*preghiera*) entreaty; (*richiesta*) request: — *di pagamento*, a request for a payment **2** (*mecc.*) stress.

sollecito *agg.* **1** (*rapido*) prompt **2** (*che si preoccupa*) solicitous (about) ♦ *s.m.* reminder: *non ha ancora pagato il conto, sarebbe meglio mandargli un —*, he hasn't paid the bill yet, we had better send him a reminder.

sollecitudine *s.f.* **1** (*rapidità*) promptness // *con cortese* —, (*comm.*) at your earliest convenience **2** (*interessamento*) concern **3** (*gentilezza*) kindness, attention.

solleone *s.m.* very hot sun.

solleticare *v.tr.* **1** to tickle **2** (*stimolare*) to excite; (*allettare*) to allure.

solletico *s.m.* tickle: *fare il — a qlcu.*, to tickle s.o.; *soffrire il —*, to be ticklish.

sollevamento *s.m.* **1** raising; (*tirar su*) lifting; (*issare*) hoisting **2** (*rivolta*) rising.

sollevare *v.tr.* **1** to raise; (*tirar su*) to lift; (*issare*) to hoist: — *un peso*, to lift a weight; — *le braccia, il capo*, to raise one's arms, one's head **2** (*fig.*) (*elevare*) to raise: — *una preghiera*, to raise a prayer **3** (*far insorgere*) to raise, to stir up **4** (*dar sollievo a, alleviare*) to relieve; (*confortare*) to comfort: *quella notizia mi ha sollevato*, that news relieved me // **-arsi** *v.rifl.* **1** to rise* (*anche fig.*): — *dalla miseria*, to rise from poverty **2** (*riaversi, riprendersi*) to recover, to get* over (sthg.): — *da un duro colpo*, to recover from a hard blow; *dopo quel disastro finanziario non si sollevò più*, he never got over that financial disaster.

sollevato *agg.* (*rasserenato*) relieved; (*rallegrato*) cheered up.

sollevatore *s.m.* lifter.

sollevazione *s.f.* rising, revolt, rebellion.

sollievo *s.m.* relief; (*conforto*) comfort: *con mio gran* —, to my great relief; *ciò mi è di gran* —, that is a great comfort to me.

solluchero *s.m.*: *andare, mandare in* —, to go, to send into raptures.

solo *agg.* **1** alone (*pred.*): *c'eravamo noi soli e due stranieri*, there were just us and two foreigners; *vive (da)* —, he lives on his own (*o* alone) // *da* —, by oneself (*o* on one's own) // *da — a* —, in private // *sentirsi* —, to feel lonely // — *come un cane*, pitifully alone // *meglio soli che male accompagnati*, better alone than in bad company **2** (*soltanto*) only: *egli — avrebbe potuto farlo*, he alone (*o* only he) could have done it // *Dio — lo sa!*, God only knows! // *al — pensarci*, just to think of it **3** (*unico*) only: *un figlio* —, an only son; *un uomo con un occhio* —, a one-eyed man; *una sola volta*, just once // *non c'è una sola parola di vero*, there isn't a (single) word of truth // *la sua schiena è una piaga sola*, his back is just a mass of sores ♦ *s.m.* **1** (*unico*) only one: *sono il — a saperlo*, I am the only one who knows **2** (*mus.*) solo: *un (a)* —, a solo; *concerto per soli, coro e orchestra*, concert for soloists, chorus and orchestra.

solo *avv.* **1** only: *mancava — lui*, he was the only one missing // *non —..., ma..., not only..., but...* // *se — potessi parlargli!*, if only I could talk to him! **2** (*ma*) only, but // **solo che** *locuz.cong.* **1** (*ma*) only, but: *lo farei, — che ho fretta*, I'd do it, only I am in a hurry **2** (*purché, basta che*) if only: *lo potrebbe fare, — che lo volesse*, he could do it, if only he wanted to.

Solone *no.pr.m.* (*st.*) Solon.

solstiziale *agg.* (*astr.*) solstitial.

solstizio *s.m.* (*astr.*) solstice.

soltanto *avv.* → **solo**.

solubile *agg.* soluble.

solubilità *s.f.* solubility.

soluto *s.m.* solute.

soluzione *s.f.* **1** (*chim.*) solution **2** (*spiegazione, scioglimento*) (re)solution **3** — *di continuità*, interruption, break: *senza — di continuità*, uninterruptedly.

solvente *agg.* e *s.m.* (*chim. comm.*) solvent // — *per unghie*, nail polish remover.

solvenza *s.f.* (*comm.*) solvency.

solvibile *agg.* (*comm.*) solvent.

solvibilità *s.f.* (*comm.*) solvency.

soma *s.f.* load, burden (*anche fig.*): *bestia da* —, pack animal.

Somalia *no.pr.f.* Somaliland.

somalo *agg.* Somaliland (*attr.*) ♦ *s.m.* Somali.

somaro *s.m.* donkey, ass (*anche fig.*).

somatico *agg.* somatic.

somigliante *agg.* alike (*pred.*), like (s.o., sthg.): *questo ritratto non è* —, this portrait is not like him, her; *sono molto somiglianti*, they are very much alike ♦ *s.m.* the same.

somiglianza *s.f.* likeness, resemblance.

somigliare *v.intr.* to be* like (s.o., sthg.), to resemble (s.o., sthg.).

somma *s.f.* **1** (*mat.*) addition; (*risultato di un'addizione*) sum, total: *fare, tirare una* —, to do an addition // *tirare le somme*, (*fig.*) to sum up (sthg.); *tirando le somme*, (*fig.*) everything considered **2** (*di denaro*) sum, amount of money.

sommamente *avv.* extremely.

sommare *v.tr.* **1** to add; (*totalizzare*) to sum up: *somma due a tre e avrai cinque*, add two to three and you get five **2** (*considerare*) to consider // *tutto sommato*, everything considered ♦ *v.intr.* to amount to (sthg.).

sommariamente *avv.* summarily.

sommarietà *s.f.* briefness, brevity.

sommario[1] *agg.* **1** summary, brief: *esporrò in modo* —, I shall be brief in my account **2** (*dir.*) summary.

sommario[2] *s.m.* summary, outline.

sommergere *v.tr.* **1** to submerge; (*inondare*) to flood **2** (*fig.*) to overwhelm (s.o. with sthg.).

sommergibile *s.m.* (*mar. mil.*) submarine: — *atomico*, nuclear-powered submarine.

sommergibilista *s.m.* (*mar. mil.*) submariner.

sommesso *agg.* **1** meek **2** (*di voce*) soft.

somministrare *v.tr.* to administer, to give*.

somministrazione *s.f.* administration.

sommità *s.f.* top (*anche fig.*), summit (*anche fig.*).

sommo *agg.superl.* highest; (*fig.*) supreme; (*grande*) great: *il — bene*, the supreme good; *le somme vette dei monti*, the highest peaks of the mountains; *somma felicità*, supreme happiness; *un — poeta*, a great poet // *in — grado*, to the highest degree ♦ *s.m.* summit, top // *raggiungere il — della gloria*, to reach the heights of glory // *al — del successo*, at the peak of success.

sommossa *s.f.* rising, riot.

sommozzatore *s.m.* **1** skin diver **2** (*mar. mil.*) frogman (*pl.* -men).

sommuovere *v.tr.* **1** to stir up **2** (*fig.*) to stir up, to rouse.

sonagliera *s.f.* collar with bells.

sonaglio *s.m.* bell: *serpente a sonagli*, rattlesnake.

sonante *agg.* sounding // *denaro* —, cash.

sonare *v.tr.* **1** to sound; (*campane, campanello*) to ring*; (*fischietto*) to blow*: — *l'allarme*, to sound the alarm // — *il clacson*, to hoot (*o* to honk) // *sonarle a qlcu.*, (*fam.*) to give s.o. a good thrashing **2** (*mus.*) to play: — *qlco. al piano*, to play sthg. on the piano **3** (*di orologio*) to strike* **4** (*volg.*) (*imbrogliare*) to swindle ♦ *v.intr.* **1** to sound; (*di campane, campanelli*) to ring*; (*di fischietto*) to whistle: *le campane suonano a festa, a morto*, the bells are ringing out, are tolling; *le trombe*

sonavano, the trumpets blew // *le due sono sonate qualche minuto fa*, two o'clock struck some minutes ago **2** (*eseguire musica*) to play **3** (*risonare*) to ring*, to resound **4** (*di parole, versi*) to sound: *questa parola non suona bene*, this word does not sound right.

sonata *s.f.* **1** (*di campanello*) ring **2** (*mus.*) sonata **3** (*volg.*) (*imbroglio*) swindle: *dare una — a qlcu.*, to take s.o. in; *prendere una —*, to be done.

sonato *agg.* **1** (*scoccato*): *sono le due sonate*, it is past two (o'clock) **2** (*volg.*) (*imbrogliato*): *rimanere sonati*, to be done **3** (*fam.*) (*matto*) off one's chump.

sonatore *s.m.* player // *— ambulante*, street musician // *buonanotte, sonatori!*, that's that!

sonda *s.f.* **1** (*med.*) probe **2** (*trivella*) drill **3** *— spaziale*, space probe; *missile —*, sounding rocket // *pallone —*, sounding balloon **4** (*mar.*) sounding line.

sondaggio *s.m.* **1** sounding (*anche fig.*): *— dell'opinione pubblica*, public opinion poll **2** (*med.*) probing **3** (*trivellamento*) drilling.

sondare *v.tr.* **1** to sound (*anche fig.*) **2** (*med.*) to probe **3** (*informatica*) to test; to sense.

soneria *s.f.* bell; (*di orologio*) striking mechanism: *— d'allarme*, alarm bell.

sonetto *s.m.* sonnet.

sonnacchioso *agg.* drowsy, sleepy.

sonnambulismo *s.m.* sleepwalking.

sonnambulo *agg. e s.m.* sleepwalker.

sonnecchiare *v.intr.* to doze.

sonnellino *s.m.* nap, doze: *fare un —*, to have (*o* to take) a nap (*o* forty winks).

sonnifero *agg.* soporific ♦ *s.m.* sleeping draught; (*pillola*) sleeping pill.

sonno *s.m.* sleep: *— profondo, leggero*, sound, light sleep; *avere —*, to be sleepy; *prendere —*, to fall asleep; *fare un lungo —*, to have a long sleep; *fare tutto un —*, to sleep soundly // *mi fa venire —*, it makes me sleepy // *morire, cascare dal —*, to be ready to drop with sleep // *morto di —*, (*fam.*) dog-tired (*agg.*); lazybones (*s.*) // *cura del —*, narcotherapy // *malattia del —*, sleeping sickness.

sonnolento *agg.* **1** (*che ha sonno; che dà sonno*) drowsy, sleepy **2** (*lento*) sluggish.

sonnolenza *s.f.* drowsiness, sleepiness.

sonoramente *avv.* **1** sonorously **2** (*rumorosamente*) loudly.

sonorità *s.f.* sonority, sonorousness, resonance: *questa stanza ha molta —*, this room has good acoustics.

sonoro *agg.* **1** resonant, sonorous: *voce sonora*, resonant (*o* sonorous) voice // *consonanti sonore*, voiced consonants **2** (*rumoroso*) loud: *risa sonore*, loud laughters **3** (*cinem.*) sound (*attr.*): *effetto —*, sound effects (*pl.*); *colonna sonora*, soundtrack // *il* (*cinema*) *—*, the talkies.

sontuosità *s.f.* sumptuousness.

sontuoso *agg.* sumptuous.

sopire *v.tr.* **1** to make* drowsy **2** (*fig.*) to soothe, to calm.

sopore *s.m.* drowsiness; (*med.*) sopor.

soporifero *agg.* soporific; (*fig.*) boring.

soppalco *s.m.* loft.

sopperire *v.intr.* **1** to provide (for sthg.) **2** (*supplire*) to make* up (for sthg.).

soppesare *v.tr.* to weigh in one's hand; (*fig.*) to weigh (up).

soppiantare *v.tr.* to supplant, to oust.

soppiatto, di *locuz.avv.* stealthily: *uscire, entrare di —*, to steal out, to steal in.

sopportabile *agg.* bearable, tolerable.

sopportare *v.tr.* **1** (*sostenere*) to support **2** (*fig.*) to bear*; (*tollerare*) to stand*, to tolerate: *— un dolore*, to bear (*o* to endure) a pain; *non posso — quell'uomo*, I cannot stand that man; *non sopporto che lo si tratti così*, I cannot stand their treating him like that.

sopportazione *s.f.* endurance; (*pazienza*) patience; (*tolleranza*) tolerance: *la mia — ha un limite*, I can't bear it any longer; *è al di là di ogni —*, it is beyond endurance.

soppressione *s.f.* **1** suppression **2** (*abolizione*) abolition.

sopprimere *v.tr.* **1** to suppress **2** (*abolire*) to abolish **3** (*uccidere*) to kill.

soppunto *s.m.* (*cucito*) loose stitch.

sopra *prep.* **1** (*con contatto*) on, upon: *mettici — qlco.*, put sthg. on it // *→ su* nel senso 1 **2** (*senza contatto e quando sia implicito il concetto di dominio, superiorità, protezione, rivestimento*) over: *abita — il negozio*, he lives over his shop // *→ su* **3** (*al di sopra di*) above; (*più in alto di*) north (of): *l'aereo volava alto — la città*, the plane was flying high above the city; *Firenze è — Roma*, Florence is north of Rome // *bambini — i cinque anni*, children over five // *passar — a qlco.*, to ignore sthg.; *— amare — ogni cosa*, to love above all things **4** (*argomento*) on *→ su* nel senso 7 **5** (*con valore di pima*) *→ su* nel senso 8 **2** // **al di sopra di** *locuz.prep.* over; (*oltre*) above: *al di — del muro*, over the wall; *al di — della media, del normale*, above average; *al di — dei propri mezzi*, beyond one's means ♦ *avv.* **1** on: *la penna è lì —*, the pen is on there; *una torta con — la panna*, a cake with cream on it; *appendilo più —*, hang it higher (up); *posa i libri qui —*, put the books here // *al di —*, above // *gli esempi — citati*, the above-mentioned examples // *vedi —*, see above; *come —*, as above // *quanto —*, the above **2** (*al piano di sopra*) upstairs: *le camere sono* (*di*) *—*, the rooms are upstairs ♦ *con valore di agg.* above: *la riga —*, the line above ♦ *s.m.* top.

soprabito *s.m.* overcoat.

sopracciglio *s.m.* eyebrow.

sopracciliare *agg.* superciliary.

sopraccitato *agg.* above-mentioned: *i fatti sopraccitati*, the above-mentioned facts.

sopraccoperta *s.f.* **1** bedspread, coverlet **2** (*di libro*) dust jacket.

sopraddetto *agg.* above-mentioned.

sopraddominante *s.f.* (*mus.*) superdominant, submediant.

sopraffare *v.tr.* to overwhelm, to overcome*: *fui sopraffatto dal dolore*, I was overcome by grief.

sopraffazione *s.f.* overwhelming; (*sopruso*) abuse.

sopraffilo *s.m.* overcast(ing).

sopraffino *agg.* **1** first-rate, first-class: *pranzo —*, first-class (*o* first-rate) dinner **2** (*fig.*) (*raffinatissimo*) highly refined; (*straordinario*) masterly: *gusto —*, exquisite taste; *cuoco —*, expert (*o* masterly) cook; *astuzia sopraffina*, extreme cunning.

sopraggitto *s.m.* overcast(ing): *fare il —*, to overcast.

sopraggiungere *v.intr.* **1** to arrive unexpectedly, to turn up **2** (*accadere*) to happen, to occur, to turn up.

sopraggiunta *s.f.* addition.

sopraintendere *e deriv.* → **soprintendere** *e deriv.*

sopral(l)uogo *s.m.* (*dir.*) on-the-spot investigation.

sopralzo *s.m.* (*edil.*) raised section // *permesso di —*, permission for an addition.

soprammanica *s.f.* oversleeve, half sleeve.

soprammercato, per *locuz.avv.* into the bargain; (*inoltre*) moreover, besides.

soprammobile *s.m.* knick-knack, nicknack.

soprannaturale *agg.* e *s.m.* supernatural.

soprannome *s.m.* nickname.

soprannominare *v.tr.* to nickname.

soprannumero *s.m.* excess, surplus // *in —*, in excess (*o extra o* supernumerary).

soprano *s.m.* soprano: *voce di —*, soprano voice; *mezzo —*, mezzo-soprano.

soprappensiero *locuz.avv.* **1** lost in thought **2** (*distrattamente*) absent-mindedly.

soprappiù *s.m.* surplus; (*aggiunta*) addition, extra // *in, per —*, in addition (*o* moreover).

soprascarpa *s.f.* overshoe.

soprascritta *s.f.* (*indirizzo*) address.

soprasensibile *agg.* (*fil.*) supersensible.

soprassalto *s.m.* start // *di —*, with a start; (*all'improvviso*) suddenly.

soprassedere *v.intr.* to put* (sthg.) off, to postpone (sthg.).

soprassoldo *s.m.* extra pay.

soprassuola *s.f.* outersole.

sopratonica *s.f.* (*mus.*) supertonic.

soprattacco *s.m.* heeltap.

soprattassa *s.f.* **1** additional tax, surcharge **2** (*per lettere*) extra charge.

soprattutto *avv.* above all; (*per la maggior parte*) mostly: *—, non voglio addolorarla*, above all, I don't want to grieve her; *vi erano — donne*, there were mostly women.

sopravalutare e *deriv.* → **sopravvalutare** e *deriv.*

sopravanzare *v.tr.* (*superare*) to surpass, to excel ♦ *v.intr.* to be* left (over).

sopravanzo *s.m.* surplus; (*rimanenza*) remainder: *ce n'è di —*, there is more than enough.

sopravvalutare *v.tr.* to overrate, to overestimate.

sopravvalutazione *s.f.* overestimate, overvalue.

sopravvenienza *s.f.* (sudden) occurrence; (*di persone*) (sudden) arrival.

sopravvenire *v.intr.* to arise*, to turn up; (*di persone*) to turn up: *per impegni sopravvenuti, fu costretto a rimandare l'appuntamento*, owing to unexpected engagements he was obliged to postpone the appointment.

sopravvento *agg.* (*mar.*) windward ♦ *avv.* (to) windward ♦ *s.m.* **1** (*mar.*) windward **2** (*fig.*) (*predominio*): *avere, prendere il — su qlcu.*, to have, to get the upper hand of s.o.

sopravveste *s.f.* (*st. abbigl.*) surcoat.

sopravvissuto *agg.* surviving ♦ *s.m.* survivor.

sopravvivenza *s.f.* survival.

sopravvivere *v.intr.* to survive (s.o., sthg.).

soprelevamento *s.m.* raising.

soprelevare *v.tr.* to raise: *— una casa di due piani*, to raise a house by two floors // *— un edificio*, to add a raised section to a building.

soprelevato *agg.* raised // *ferrovia soprelevata*, elevated railway.

soprelevazione *s.f.* **1** raising **2** (*edil.*) raised section.

soprintendente *s.m.* superintendent (to).

soprintendenza *s.f.* superintendence.

soprintendere *v.intr.* to superintend (s.o., sthg.), to supervise (s.o., sthg.).

soprosso *s.m.* (*med.*) exostosis (*pl.* exostoses).

sopruso *s.m.* abuse of power; (*ingiustizia*) injustice; (*oltraggio*) outrage.

soqquadro *s.m.* great confusion, muddle: *mettere a — qlco.*, to turn sthg. topsy-turvy.

sorba *s.f.* **1** (*bot.*) sorb **2** (*fig.*) (*percossa*) thrashing (*solo sing.*).

sorbettiera *s.f.* ice-cream machine.

sorbetto *s.m.* sorbet; (*amer.*) sherbet.

sorbire *v.tr.* to sip // *sorbirsi qlcu, qlco.*, (*fig.*) to put up with s.o., sthg.

sorbo *s.m.* (*bot.*) sorb, service tree.

sorcio *s.m.* mouse (*pl.* mice) // *far vedere i sorci verdi*, to sweat blood.

sordidezza *s.f.* **1** sordidness (*anche fig.*) **2** (*avarizia*) stinginess.

sordido *agg.* **1** sordid (*anche fig.*) **2** (*avaro*) stingy.

sordina *s.f.* (*mus.*) mute, sordine // *in —*, softly; (*fig.*) on the quiet.

sordità *s.f.* deafness.

sordo *agg.* **1** deaf (*anche fig.*): *— da un orecchio*, deaf in one ear // *— come una campana*, as deaf as a door -post // *fare il —*, to turn a deaf ear // *non c'è peggior — di chi non vuol udire*, (*prov.*) none so deaf as those that won't hear **2** (*di suono*) dull, hollow // *sala sorda*, non-echoing (*o* echoproof) room // *consonante sorda*, voiceless consonant **3** (*fig.*) (*nascosto*) underhand // *— rancore*, smouldering hatred ♦ *s.m.* deaf person.

sordomuto *agg.* deaf-and-dumb ♦ *s.m.* deaf-mute.

sorella *s.f.* **1** sister: *— di latte*, foster-sister **2** (*appellativo di suore, infermiere*) sister.

sorellastra *s.f.* half-sister; (*sorella acquisita*) stepsister.

sorgente *agg.* rising ♦ *s.f.* spring; (*punto di origine di un fiume ecc.*) source (*anche fig.*) // *acqua di —*, spring-water.

sorgere *v.intr.* **1** to rise*: *la chiesa sorge sulla piazza*, the church rises (*o* stands) in the square **2** (*fig.*) to arise* // *mi sorge un dubbio*, I have just thought that...

sorgivo *agg.* spring (*attr.*).

sorgo *s.m.* (*bot.*) sorghum.

soriano *agg.* e *s.m.* tabby.

sormontare *v.tr.* to surmount (*anche fig.*); (*di acque*) to overflow ♦ *v.intr.* to overlap.

sornione *agg.* mischievous; (*astuto*) cunning, sneaking ♦ *s.m.* slyboots.

sorpassare *v.tr.* **1** to go* beyond; (*spec. fig.*) to exceed: *— il limite di velocità*, to exceed the speed limit **2** (*un veicolo*) to overtake*, to pass.

sorpassato *agg.* old-fashioned, out-of-date.

sorpasso *s.m.* (*aut.*) passing, overtaking: *divieto di —*, no passing.

sorprendente *agg.* surprising, astonishing: *con una facilità —*, with breathtaking (*o* surprising) ease.

sorprendere *v.tr.* **1** to catch*: *fummo sorpresi dalla pioggia*, we were caught in the rain; *lo sorpresi mentre rubava*, I caught him stealing // *sorprese la mia buona fede*, he took advantage of my confidence in him **2** (*meravigliare*) to surprise: *non mi sorprenderebbe che rifiutasse*, I should not be surprised at his refusing it // *-ersi* *v.intr.pron.* to be* surprised.

sorpresa *s.f.* surprise: *con mia grande —*, to my great surprise; *fare una (bella) — a qlcu.*, to give s.o. a (nice) surprise // *cogliere di —*, to take by surprise // *uovo di Pasqua con —*, Easter egg with a surprise (gift) in it.

sorpreso *agg.* surprised, amazed: *quando gliel'ho detto, non mi è sembrato —*, when I told him he didn't seem surprised.

sorreggere v.tr. to support (anche fig.) // — un bambino, to hold up a child.

sorridente agg. smiling.

sorridere v.intr. 1 to smile (anche fig.): — a qlcu., to smile at s.o.; (fig.) to smile on s.o. 2 (piacere, attrarre) to appeal: l'idea mi sorride, the idea appeals to me.

sorriso s.m. smile (anche fig.): un leggero —, a faint smile; mi accolse con il — sulle labbra, he received me with a smile on his lips.

sorsata s.f. draught.

sorseggiare v.intr. to sip.

sorso s.m. sip; (sorsata) draught: bere a piccoli sorsi, to take small sips // bere in un —, to drink at one gulp (o draught) // vorrei un — d'acqua, (fam.) I'd like a drop of water.

sorta s.f. kind, sort: ogni — di gente, all kinds (o every sort) of people // non c'è difficoltà di —, there is no difficulty whatsoever.

sorte s.f. lot; (fortuna) fortune; (destino) destiny, fate: buona, cattiva —, good, bad fortune; essere favorito dalla —, to be favoured by fortune; tentare la —, to try one's fortune; sperare nella buona —, to trust to luck; meritare una — migliore, to deserve a better fate; accettare, lamentarsi della propria —, to accept, to complain of one's lot; toccare in —, to fall to one's lot // tirare, estrarre a —, to draw (o to cast) lots // per buona, cattiva —, luckily, unluckily.

sorteggiare v.tr. to draw* lots (for sthg.), to draw* (sthg.) by lot: — i premi della lotteria, to extract the lottery prizes (by lot).

sorteggio s.m. draw: fare il —, to draw (o to cast lots).

sortilegio s.m. witchcraft: fare sortilegi, to practice witchcraft.

sortire[1] v.tr. (letter.) 1 to get* 2 (dare in sorte) to give*.

sortire[2] v.intr. 1 (essere sorteggiato) to come* out, to be* drawn 2 (pop.) (uscire) to go* out.

sortita s.f. sally.

sorvegliante s.m. e f. overseer; (guardiano) keeper, caretaker, watchman (pl. -men).

sorveglianza s.f. 1 overseeing, surveillance 2 (vigilanza) watch: tenere qlcu. sotto —, to keep a close watch on s.o.

sorvegliare v.tr. 1 to oversee* 2 (tener d'occhio) to watch, to look after (s.o., sthg.).

sorvolare v.tr. e intr. 1 to fly* (over sthg.) 2 (fig.) to skip, to omit, to pass over (sthg.) // sorvoliamo!, let's drop it.

sorvolo s.m. flyover.

sosia s.m. double.

sospendere v.tr. 1 (appendere) to suspend, to hang* (up): — una lampada al soffitto, to hang a lamp from the ceiling 2 (interrompere, rimandare) to suspend, to defer, to adjourn, to interrupt: i lavori furono sospesi, the works were stopped; — un processo, una seduta, to adjourn a trial, a sitting; — una sentenza, to suspend a judgement // — a divinis, (eccl.) to suspend from the exercise of sacred functions 3 (informatica) to abort.

sospensione s.f. suspension; (di seduta ecc.) adjournment: — anteriore, (aut.) front-wheel suspension; — cardanica, (mecc.) gimbals; — pneumatica, (mecc.) air spring suspension; — del lavoro, stoppage of work; istanza di —, (dir.) motion to adjourn; particelle in —, suspended particles.

sospensivo agg. suspensive.

sospeso agg. 1 hanging (from), suspended (from) 2 (interrotto) suspended interrupted 3 (punito) sus-

pended: alunno —, pupil sent home as a punishment 4 (trepidante) in suspense (pred.); (preoccupato) anxious; (indeciso) undecided: sistemare una questione in —, to settle a matter pending.

sospettabile agg. liable to suspicion.

sospettare v.tr. to suspect ♦ v.intr. to suspect (s.o., sthg.); (diffidare) to distrust (s.o., sthg.): — dell'onestà di qlcu., to question s.o.'s honesty.

sospetto[1] agg. suspicious, suspect (pred.).

sospetto[2] s.m. 1 suspicion: al di sopra di ogni —, above suspicion; mettere in — qlcu., to make s.o. suspicious; cadere in —, to fail under suspicion 2 (persona sospetta) suspect.

sospettoso agg. suspicious; (diffidente) distrustful.

sospingere v.tr. to push, to drive* (anche fig.): a ogni piè sospinto, at every step.

sospirare v.intr. 1 to sigh (with sthg.) 2 (fig.) (struggersi) to pine, to sigh: far — qlcu., to make s.o. suffer ♦ v.tr. to long (for sthg.), to pine (for s.o., sthg.), to yearn (for sthg.): — le vacanze, to long for the holidays; far — la risposta, to keep s.o. waiting a long time for an answer // farsi —, to keep s.o. waiting (a long time).

sospiro s.m. sigh (anche fig.): emettere un —, to give (o to breathe) a sigh; trarre un lungo —, to draw (o to heave) a long sigh // a sospiri, at (long) intervals.

sospiroso agg. sighing; (lacrimoso) plaintive.

sosta s.f. 1 (fermata) stop, halt // divieto di —, (aut.) waiting prohibited 2 (pausa) pause; (intervallo) break, interval; (tregua militare) truce // senza —, incessantly 3 (requie) rest, quiet, peace.

sostantivato agg. substantivized.

sostantivo agg. (gramm.) substantive ♦ s.m. noun.

sostanza s.f. 1 substance (anche fig.): — alimentare, foodstuff; — tossica, toxicant; pasto di —, di poca —, substantial, unsubstantial meal; questo cibo ha poca —, this food is not very nourishing; dare —, to nourish; badare alla — e non alla forma, to mind the substance and not the form of things // in —, (essenzialmente) in substance; (in breve) in short 2 (parte essenziale di discorso ecc.) gist, substance 3 (patrimonio) property, patrimony.

sostanziale avv. substantial, essential.

sostanzialità s.f. substantiality.

sostanzioso agg. substantial, nourishing.

sostare v.intr. to stop, to pause.

sostegno s.m. 1 support, prop (anche fig.): a — di..., in support of... 2 (tecn. edil.) support; (puntone) strut; (mecc.) support, brace.

sostenere v.tr. 1 to support, to hold* up to sustain: se non lo sostieni cade, if you don't hold him up, he will fall // la speranza ci sostiene, hope gives us strength // — una conversazione, to carry a conversation; — la conversazione, to keep the conversation going 2 (fig.) (appoggiare) to support, to uphold*; to back (up): — una causa, to uphold (o support) a cause; — un partito, to support a party; — con prove le proprie dichiarazioni, to back up one's statements with proofs; — il proprio punto di vista, to uphold one's point of view 3 (affermare) to maintain: — la propria innocenza, to maintain to be innocent 4 (conservare) to keep* up: non potrà — quel tenore di vita, he will not be able to keep up that standard of living 5 (resistere a) to resist, to withstand* 6 (sopportare) to stand*, to bear*: non sostiene l'alcool, he can't hold his drink 7 — una parte, (teatr.) to act a part (o role) 8 — una nota, (mus.) to sustain a note // **-ersi** v.rifl. 1 (stare in piedi) to stand* (up) (an-

che fig.); (*appoggiandosi a qlcu., qlco.*) to lean* (on s.o., sthg.): *è un'ipotesi che non si sostiene*, it's a hypothesis that won't stand   **2** (*sostentarsi*) to sustain oneself.

sostenibile *agg.* **1** sustainable, supportable   **2** (*di idee, opinioni*) tenable, maintainable: *opinione poco —*, untenable opinion.

sostenitore *agg.* supporting ♦ *s.m.* supporter.

sostentamento *s.m.* maintenance, sustenance: *provvedere al — di qlcu.*, to support s.o.

sostentare *v.tr.* to support, to maintain.

sostenutezza *s.f.* standoffishness, stiffness.

sostenuto *agg.* **1** standoffish, stiff: *non fare il —*, don't be standoffish   **2** (*comm.*) (*che si mantiene alto*) continuing high (*pred.*): *prezzi sostenuti*, prices continuing high   **3** (*mus.*) sostenuto.

sostituibile *agg.* replaceable.

sostituire *v.tr.* (*rimpiazzare*) to replace, to substitute; (*prendere il posto di*) to take* the place (of s.o.), to substitute.

sostitutivo *agg.* substitutive.

sostituto *s.m.* substitute, deputy.

sostituzione *s.f.* substitution, replacement: *in — di*, in place of (*o* as a substitute for) *// (in) —*, (*informatica*) back up; (*IBM*) backup; *— di un programma con un altro*, swapping.

sostrato *s.m.* substratum (*pl.* -ta) (*anche fig.*).

sottaceti *s.m.pl.* (*cuc.*) pickles.

sottaceto *locuz.avv.*: *mettere —*, to pickle.

sottana *s.f.* **1** (*gonna*) skirt *// sempre cucito alla — della mamma*, always tied to his mother's apronstrings   **2** (*sottoveste*) petticoat   **3** (*veste talare*) cassock, soutane   **4** (*scherz.*) (*donna*) skirt.

sottecchi, di *locuz.avv.*: *guardare (di) —*, to look stealthily.

sottendere *v.tr.* (*geom.*) to subtend.

sottentrare *v.intr.* to take* the place (of s.o., sthg.).

sotterfugio *s.m.* subterfuge, trick *// di —*, stealthily.

sotterra *avv.* underground *// avrei voluto nascondermi —*, I wished the earth would open and swallow me up.

sotterranea *s.f.* underground (railway).

sotterraneo *agg.* underground (*attr.*), subterranean: *prigioni sotterranee*, dungeons ♦ *s.m.* (*scantinato*) cellar; (*di basilica*) cript, vault; (*di castello*) dungeon.

sotterrare *v.tr.* to bury.

sottigliezza *s.f.* **1** thinness; fineness   **2** (*acutezza*) subtlety   **3** (*cavillo*) quibble.

sottile *agg.* **1** thin; fine; (*magro*) slender, slim: *filo —*, fine thread; *punta —*, fine (*o* sharp) point; *strato —*, thin layer; *voce —*, thin voice *// aria —*, thin air *// udito, orecchio —*, keen hearing *// mal —*, consumption   **2** (*penetrante, acuto*) subtle ♦ *s.m.*: *andare, guardare (troppo) per il —*, to split hairs.

sottilizzare *v.intr.* to split* hairs, to subtilize.

sottilmente *avv.* **1** (*accuratamente*) carefully   **2** (*con acutezza*) subtly.

sottinsù, di *locuz.avv.* from below.

sottintendere *v.tr.* to understand*, to imply.

sottinteso *agg.* understood, implied ♦ *s.m.* implicit meaning, allusion: *parlare senza sottintesi*, to speak plainly.

sotto *prep.* **1** under; (*al di sotto, più in basso di*) below: *— il letto, il tavolo*, under the bed, the table; *abita — a, di noi*, he lives below (*o* under) us; *portare un libro — il braccio*, to carry a book under one's arm; *la processione passò — le mie finestre*, the procession passed below my windows; *ti aspetto — casa mia*, I'll wait for you

outside my house; *volare — le nubi*, to fly below (*o* under) the clouds; *infilarsi — le coperte*, to slip in between the sheets; *passeggiare — i portici*, to walk through the arcades; *sott'acqua*, underwater   **2** (*fig.*) under: *— il nome di*, under the name of; *— falso nome*, under a false name; *— l'obbligo di fare qlco.*, under an obligation to do sthg.; *— giuramento*, on oath; *— minaccia di morte*, on pain of death; *essere — l'incubo di*, to be haunted by; *studia — un buon maestro*, she studies with a good teacher; *— il proprio dominio*, under one's dominion; (*fig.*) in one's power; *— Cesare*, under Caesar; *essere — l'effetto, l'impressione di*, to be under the effect of; *nato — il segno del Leone*, born under the sign of Leo   **3** —, *al di — di*, (*inferiore a*) under, below: *— la media*, below average; *— le mille lire*, under a thousand lire; *— i venti anni*, under twenty   **4** (*in espressioni di tempo*): *— Natale, Pasqua*, at Christmas, Easter time; *siamo ormai — gli esami*, we are now getting close to the exams   **5** (*fraseologia*): *un lupo — la veste di agnello*, a wolf in sheep's clothing; *un paese tre miglia — Firenze*, a village three miles south of Florence; *— questo aspetto*, from that point of view; *andare — un'automobile*, to get run over by a car; *mettere — qlcu.*, to run over s.o.; *mettere qlco. — i piedi*, to treat s.o. like a doormat ♦ *avv.* under; below; (*al piano di sotto*) downstairs: *qui, lì —*, under here, there; *ti aspetto —*, I'll wait for you downstairs; *vedevamo — la pianura*, we could see the plain below (*o* beneath) *// — —*, deep down; (*di nascosto*) on the quiet *// —, ragazzi, al lavoro!*, come on, lads, get on with it! *// — a chi tocca!*, next one forward! *// vai — che prendi freddo*, get under or you'll get cold *// ci dev'essere qlco. —*, there must be sthg. behind it *// al di —, below, under ♦ agg.* below: *il piano (di) —*, the floor below; *la riga —*, the line below (*o* the next line) ♦ *s.m.* bottom.

sottobanco *locuz.avv.* under-the-counter: *vendita —*, under-the-counter sale.

sottobicchiere *s.m.* (*piattino*) saucer; (*tondino, centrino*) (drip) mat.

sottobosco *s.m.* undergrowth, underbrush.

sottobraccio *locuz.avv.* arm in arm: *prendere qlcu. —*, to take s.o.'s arm.

sottocchio *locuz.avv.*: *ho — la tua lettera*, I have your letter in front of me (*o* before me); *tenere qlco. —*, to keep an eye on sthg.

sottoccupato *agg.* underemployed.

sottoccupazione *s.f.* underemployment.

sottochiave *locuz.avv.* under lock and key.

sottocipria *s.m.* foundation.

sottoclasse *s.f.* subclass.

sottocoda *s.m.* **1** crupper   **2** (*di uccelli*) under tail coverts (*pl.*).

sottocommissione *s.f.* subcommission; subcommittee.

sottocoppa *s.m.* (*piattino*) saucer; (*tondino, centrino*) (drip) mat.

sottocosto *locuz.avv.* below cost.

sottocutaneo *agg.* subcutaneous.

sottoesporre *v.tr.* (*fot.*) to underexpose.

sottoesposizione *s.f.* (*fot.*) underexposure.

sottofascia *locuz.avv.* in wrappers.

sottofondo *s.m.* **1** (*edil.*) foundation   **2** (*cinem.*) background noise.

sottogamba *locuz.avv.*: *prendere qlco. —*, to take sthg. lightly; *prendere qlcu. —*, to attach no importance to s.o.

sottogola *s.m.* o *f.* → **soggolo**.

sottogonna *s.f.* petticoat.

sottogruppo *s.m.* subgroup.

sottoinsieme *s.m.* (*informatica*) subset: — *dei lavori*, job entry; — *di caratteri*, character subset; — *di un linguaggio*, language subset.

sottolineare *v.tr.* to underline (*anche fig.*).

sottolineatura *s.f.* underlining.

sottomano *locuz.avv.* **1** (*di nascosto*) underhand, on the sly **2** (*a portata di mano*) at hand, within easy reach ♦ *s.m.* desk pad.

sottomarino *agg.* e *s.m.* submarine: — *antisommergibile*, hunter killer.

sottomesso *agg.* **1** subdued, subject **2** (*obbediente*) submissive, obedient.

sottomettere *v.tr.* **1** to subject, to subdue (*anche fig.*) **2** (*subordinare*) to subordinate // **-ersi** *v.rifl.* to submit (oneself).

sottomissione *s.f.* **1** subjection, submission **2** (*obbedienza*) submissiveness, obedience.

sottomultiplo *agg.* e *s.m.* (*mat.*) submultiple.

sottopancia *s.m.* bellyband, girth.

sottopassaggio *s.m.* subway; (*amer.*) underpass.

sottopiede *s.m.* foot-strap.

sottoporre *v.tr.* **1** to subject: *fu sottoposto a molte prove*, he underwent many trials; — *qlcu. a una disciplina rigorosa*, to subject s.o. to strict discipline **2** (*presentare*) to submit // **-orsi** *v.rifl.* to submit (oneself) // — *a un'operazione*, to undergo an operation.

sottoposto *s.m.* subordinate.

sottoprodotto *s.m.* by-product.

sottoproduzione *s.f.* underproduction.

sottoprogramma *s.m.* (*informatica*) subroutine: — *di aggiornamento*, updating routine; — *di trasferimento*, swapping routine.

sottoproletariato *s.m.* the down-and-outs (*pl.*).

sottordine, in *locuz.avv.*: *essere in* — *a qlcu.*, to be subordinate to s.o.; *non è un problema da passare in* —, it's not a minor problem.

sottoscala *s.m.* **1** space under a staircase **2** (*ripostiglio*) cupboard (under the stairs).

sottoscritto *agg.* e *s.m.* undersigned // *...e il* — *aveva una paura terribile...*, and yours truly got an awful fright.

sottoscrivere *v.tr.* **1** to sign; (*comm.*) to underwrite* **2** (*aderire, prender parte a*) to subscribe: — *un prestito*, to subscribe to a loan; — *una proposta*, to assent to a proposal.

sottoscrizione *s.f.* **1** signature **2** (*raccolta di firme di aderenti*) subscription: *fare una* — *per...*, to raise a subscription for...

sottosegretariato *s.m.* undersecretaryship.

sottosegretario *s.m.* undersecretary.

sottosopra *locuz.avv.* **1** upside down **2** (*in disordine*) topsy-turvy, upside down: *la casa fu messa* —, the house was turned upside down **3** (*sconvolto, di persona*) upset: *quel fatto ci mise tutti* —, that event upset us.

sottospecie *s.f.* subspecies (*pl. invar.*).

sottostante *agg.* below (*pred.*).

sottostare *v.intr.* **1** (*essere sotto*) to be* below, to be* under **2** (*assoggettarsi*) to submit.

sottostazione *s.f.* (*elettr.*) substation.

sottosterzante *agg.* (*aut.*) understeering.

sottosuolo *s.m.* **1** subsoil **2** (*edil.*) basement.

sottosviluppato *agg.* underdeveloped.

sottotenente *s.m.* second lieutenant; — *di vascello*, (*mar.*) sublieutenant.

sottoterra *avv.* underground.

sottotetto *s.m.* attic, garret.

sottotitolo *s.m.* subtitle.

sottovalutare *v.tr.* to undervalue, to underestimate.

sottovaso *s.m.* saucer (for flowerpot).

sottovento *locuz.avv.* leeward // *Isole Sottovento*, Leeward Islands.

sottoveste *s.f.* slip; (*dalla vita*) half-slip.

sottovoce *locuz.avv.* in a low voice, in an undertone.

sottraendo *s.m.* (*mat.*) subtrahend.

sottrarre *v.tr.* **1** (*mat.*) to subtract **2** (*rubare*) to steal* **3** (*salvare*) to deliver, to rescue: — *qlcu. alla morte*, to deliver (*o* rescue) s.o. from death // **-arsi** *v. rifl.* to evade (sthg.), to escape (from sthg.); (*esimersi*) to shirk: — *al castigo*, to escape punishment; — *al proprio dovere*, to shirk one's duty.

sottrazione *s.f.* **1** (*mat.*) subtraction: *fare una* —, to do a subtraction **2** (*il portar via*) taking away; (*furto*) theft.

sottufficiale *s.m.* noncommissioned officer; (*mar.*) petty officer.

souvenir (*franc.*) *s.m.* souvenir.

sovente *avv.* often, frequently: *di* —, often.

soverchiante *agg.* overwhelming.

soverchiare *v.tr.* **1** (*superare*) to surpass, to excel: *la sua voce soverchiò il rumore*, his voice rose above the noise **2** (*sopraffare*) to overwhelm, to overcome*, to crush.

soverchieria *s.f.* browbeating, bullying: *fare delle soverchierie*, to browbeat (*o* to bully).

soverchio *agg.* excessive ♦ *s.m.* excess.

sovescio *s.m.* (*agr.*) green manure.

soviet *s.m.* Soviet.

sovietico *agg.* e *s.m.* Soviet.

sovrabbondante *agg.* superabundant.

sovrabbondanza *s.f.* superabundance.

sovrabbondare *v.intr.* to superabound.

sovraccaricare *v.tr.* to overload (with sthg.).

sovraccarico *agg.* overloaded (with): *siamo sovraccarichi di lavoro*, we are overworked ♦ *s.m.* overload.

sovraesporre *v.tr.* (*fot.*) to overexpose.

sovraesposizione *s.f.* (*fot.*) overexposure.

sovraffollato *agg.* overcrowded // *la stanza era sovraffollata*, the room was packed.

sovrainnesto *s.m.* (*agr.*) supergrafting.

sovralimentazione *s.f.* **1** overfeeding **2** (*mecc.*) supercharging.

sovrana *s.f.* sovereign.

sovranità *s.f.* **1** sovereignty: *diritto di* —, sovereign rights **2** (*supremazia*) supremacy.

sovrano *agg.* **1** sovereign: *stato* —, sovereign state **2** (*supremo*) supreme ♦ *s.m.* sovereign; (*re*) king // *il disordine regna* —, disorder reigns.

sovrappasso *s.m.* viaduct.

sovrappiù *s.m.* → **soprappiù**.

sovrappopolare *v.tr.* to overpopulate.

sovrappopolato *agg.* overpopulated.

sovrappopolazione *s.f.* overpopulation.

sovrapporre *v.tr.* to lay* (sthg.) on (sthg.); (*geom.*) to superimpose.

sovrapposizione *s.f.* **1** superimposition **2** (*informatica*) (*di programmi*) overlay; (*di tempi*) overlapping.

sovrapposto *agg.* laid upon; (*geom.*) superimposed: *sovrapposti l'uno all'altro*, laid one upon the other.

sovrapprezzo *s.m.* overprice, surcharge.

sovrapproduzione *s.f.* overproduction.

spalluccia

sovrastampa *s.f.* overprint.

sovrastampare *v.tr.* to overprint.

sovrastante *agg.* overhanging, (*fig.*) impending: *pericolo* —, impending danger.

sovrastare *v.intr.* **1** to dominate (sthg.) **2** (*fig.*) to hang* (over s.o., sthg.), to impend (over s.o., sthg.) ♦ *v.tr.* to dominate.

sovrasterzante *agg.* (*aut.*) oversteering.

sovrastruttura *s.f.* superstructure.

sovreccitare *v.tr.* to overexcite.

sovreccitazione *s.f.* overexcitement.

sovresporre *v.tr.* (*fot.*) to overexpose.

sovresposizione *s.f.* (*fot.*) overexposure.

sovrimposta *s.f.* additional tax.

sovrimpressione *s.f.* (*fot.*) superimposure.

sovrintendere e *deriv.* → **soprintendere** e *deriv.*

sovrumano *agg.* superhuman (*anche fig.*).

sovvenire *v.intr.* **1** (*venire in aiuto*) to help (s.o.) **2** (*venire alla mente*) to occur: *mi sovviene che...*, it occurs to me that...

sovventore *s.m.* helper.

sovvenzionare *v.tr.* to subsidize; (*finanziare*) to finance.

sovvenzione *s.f.* subsidy, subvention; (*finanziamento*) financial aid.

sovversione *s.f.* subversion.

sovversivo *agg.* subversive ♦ *s.m.* subverter.

sovvertimento *s.m.* subversion.

sovvertire *v.tr.* to subvert.

sovvertitore *agg.* e *s.m.* subverter.

sozzo *agg.* filthy (*anche fig.*); foul (*anche fig.*).

sozzura *s.f.* filth, foulness.

spaccalegna *s.m.* woodcutter.

spaccamontagne, **spaccamonti** *s.m.* braggart, boaster.

spaccapietre *s.m.* stonebreaker.

spaccare *v.tr.*, **spaccarsi** *v.intr.pron.* to split*, to cleave; (*rompere*) to break*: *un legno che si spacca facilmente*, wood that cleaves easily; — *legna*, to chop wood // *c'era un sole che spaccava le pietre*, the sun was blazing down // — *il minuto*, (*di orologio*) to be dead right // *spaccare un capello in quattro*, to split hairs.

spaccata *s.f.* (*ginnastica*) splits (*pl.*); (*scherma*) lunge: *fare la* —, to do the splits.

spaccato *agg.* split, cleft; (*rotto*) broken; (*di abiti*) slit: *legna spaccata*, chopped wood // *un milanese* —, a Milanese through and through // *è suo padre* —, he is the dead spit of his father ♦ *s.m.* (*arch.*) vertical section.

spaccatura *s.f.* split, cleft; (*apertura*) crack.

spacciare *v.tr.* **1** (*vendere*) to sell* (off) **2** (*mettere in circolazione*) to spread*; to give* out // — *fandonie*, to tell fibs; — *moneta falsa*, to circulate counterfeit money **3** (*dichiarare inguaribile*) to give* (s.o.) up // **-arsi** *v.rifl.* to pass oneself off as.

spacciato *agg.* done for: *sono* —, I'm done for; *dare qlcu. per* —, to give s.o. up.

spacciatore *s.m.* **1** (*venditore*) seller **2** (*chi mette in circolazione*) spreader: — *di monete false*, forger; — *di notizie false*, rumourmonger **3** (*di droga*) pusher.

spaccio *s.m.* **1** (*vendita*) sale **2** (*negozio*) shop.

spacco *s.m.* **1** split, cleft **2** (*di vestiti*) slit; (*di giacca*) vent.

spacconata *s.f.* boasting: *è stata solo una* —, he was only boasting.

spaccone *s.m.* boaster, braggart.

spada *s.f.* sword: — *alla mano*, sword in hand; — *da scherma*, épée; *tirare di* —, to fence // *la* — *di Damo-*

cle, the Sword of Damocles // *difendere a* — *tratta*, to defend with all one's might // *pesce* —, swordfish.

spadaccino *s.m.* swordsman (*pl.* -men).

spadaio *s.m.* swordmaker, swordsmith.

spadino *s.m.* dirk.

spadista *s.m.* épéeist.

spadona *s.f.* (*bot.*) William's pear.

spadroneggiare *v.intr.* to domineer; (*fam.*) to boss around.

spaesato *agg.* lost.

spaghetti *s.m.pl.* (*cuc.*) spaghetti (*solo sing.*).

spaghetto *s.m.* (*dial.*) (*paura*) wind up: *prendere uno* —, to get the wind up.

spagliare *v.tr.* to remove the straw (from sthg.) // **-arsi** *v.intr.pron.* to lose* its straw.

Spagna *no.pr.f.* Spain // *erba spagna*, (*bot.*) alfalfa (*o* lucerne).

spagnola *s.f.* (*med.*) Spanish influenza.

spagnolesco *agg.* Spanishlike; (*borioso*) boastful.

spagnolismo *s.m.* Spanish fashion.

spagnolo *agg.* Spanish ♦ *s.m.* **1** (*abitante*) Spaniard **2** (*lingua*) (the) Spanish (language).

spago[1] *s.m.* string // *dare* — *a uno*, (*fig.*) to encourage s.o.

spago[2] *s.m.* (*fam.*) (*paura*) wind up.

spaiare *v.tr.* to unmatch.

spaiato *agg.* odd.

spalancare *v.tr.* to open wide // — *una finestra*, to fling (*o* to throw) open a window // **-arsi** *v.intr.pron.* to burst* open.

spalancato *agg.* wide open.

spalare *v.tr.* **1** to shovel (sthg.) away **2** — *i remi*, (*mar.*) to feather the oars.

spalata *s.f.* shovelling.

spalatore *s.m.* shoveller.

spalatura *s.f.* shovelling.

spalla *s.f.* **1** shoulder; *pl.* (*dorso, schiena*) back (*sing.*): *battere la mano sulla* — *a qlcu.*, to pat s.o. on the shoulder; *alzare, scrollare le spalle*, to shrug one's shoulders; *alza di spalle*, shrug; *avere le spalle larghe*, (*anche fig.*) to have broad shoulders; *portare qlco. a* —, *sulle spalle* to carry sthg. on one's shoulders, on one's back; *voltare le spalle a qlcu.*, to turn one's back to s.o.; (*fuggire*) to flee // — *a* —, shoulder to shoulder // *attaccare il nemico alle spalle*, to attack the enemy in the rear // *dire qlco. alle spalle di qlcu.*, to say sthg. behind s.o.'s back; *ridere alle spalle di qlcu.*, to laugh at s.o. behind his back // *avere la testa sulle spalle*, to have one's head screwed on right // *prendersi una responsabilità sulle spalle*, to take a responsibility upon oneself // *avere una famiglia numerosa sulle spalle*, to have a large family on one's hands // *mettere qlcu. con le spalle al muro*, to get s.o. with his back to the wall **2** (*teatr.*) feed.

spallata *s.f.* **1** push with one's shoulder: *abbattere la porta con una* —, to break the door down with one's shoulder **2** (*alzata di spalle*) shrug.

spalleggiamento *s.m.* backing, supporting.

spalleggiare *v.tr.* to back, to support.

spalletta *s.f.* parapet.

spalliera *s.f.* **1** (*di seggiola, divano ecc.*) back **2** (*testata del letto*) headboard; (*ai piedi del letto*) foot of the bed **3** (*di piante*) espalier **4** (*sport*) rib-stall.

spallina *s.f.* **1** (*mil.*) epaulet(te) **2** (*di vestito, sottoveste femminile*) (shoulder) strap.

spalluccia *s.f.* narrow shoulder // *far spallucce*, to shrug one's shoulders.

spalmare *v.tr.* to spread*.

spalmatura *s.f.* spreading.

spalto *s.m.* (*edil. mil.*) glacis.

spampanarsi *v.intr.pron.* (*di fiore*) to open out its petals.

spampanato *agg.* (*di vite*) leafless; (*di fiore*) overblown.

spanare *v.tr.*, **spanarsi** *v.intr.pron.* to strip.

spanato *agg.* stripped.

spanciare *v.intr.* to bulge // **-arsi** *v.intr.pron.*: — *dalle risa*, to split one's sides with laughter.

spanciata *s.f.* **1** (*scorpacciata*) bellyful: *fare una — di*, to stuff oneself with **2** (*urto con la pancia*) belly flop.

spandere *v.tr.* **1** to spread* (*anche fig.*) **2** (*versare*) to shed* // *spendere e —*, to squander one's money // **-ersi** *v.intr.pron.* to spread*.

spanna *s.f.* span // *alto una —*, tiny.

spannare *v.tr.* to skim.

spannocchiare *v.tr.* to husk, to strip.

spappolamento *s.m.* **1** smashing **2** (*med.*) mangling.

spappolare *v.tr.* **1** to smash **2** (*med.*) to mangle // **-arsi** *v.intr.pron.* to become* mushy.

sparare *v.tr.* to shoot* (at s.o., sthg.), to fire (at s.o., sthg.): — *un colpo*, to fire a shot; (*far*) — *un fucile*, to fire a rifle // — *un tiro in porta*, (*sport*) to let fly a shot // *spararle grosse*, to talk big.

sparata *s.f.* **1** volley **2** (*spacconata*) bragging.

sparato *s.m.* (*della camicia*) shirtfront.

sparatore *s.m.* shooter, firer.

sparatoria *s.f.* shooting.

sparecchiare *v.tr.* to clear.

spareggio *s.m.* **1** (*deficit*) deficit **2** (*sport*) (*tennis ecc.*) deciding game; (*calcio ecc.*) deciding match.

spargere *v.tr.* **1** to scatter, to strew*: — *fiori su una tomba*, to strew a grave with flowers; — *zucchero, sale*, to sprinkle sugar, salt **2** (*versare, spandere*) to shed*: — *lacrime*, to shed tears **3** (*fig.*) (*diffondere*) to spread*: — *una voce*, to spread a rumour // **-ersi** *v. intr.pron.* **1** to scatter, to disperse, to spread* **2** (*diffondersi*) to spread*: *si sparse la voce che...*, the rumour spread that...

spargimento *s.m.* **1** spreading **2** (*versamento*) shedding: — *di sangue*, bloodshed.

sparigliare *v.tr.* to break* up (a pair).

sparire *v.intr.* to disappear.

sparizione *s.f.* disappearance.

sparlare *v.intr.*: — *di qlcu.*, to talk behind s.o.'s back.

sparo *s.m.* shot, report, detonation.

sparpagliamento *s.m.* scattering, spreading.

sparpagliare *v.tr.*, **sparpagliarsi** *v.intr.pron.* to scatter, to spread*.

sparsamente *avv.* here and there, scatteredly.

sparso *agg.* **1** (*versato*) shed **2** (*sciolto*) loose // *in ordine —*, (*mil.*) in open order.

Sparta *no.pr.f.* (*st.*) Sparta.

spartanamente *avv.* spartanly: *vivere —*, to lead a Spartan life.

spartano *agg. e s.m.* Spartan (*anche fig.*).

sparteina *s.f.* (*farm.*) sparteine.

spartiacque *s.m.* watershed; (*amer.*) divide.

spartineve *s.m.* snowplough; (*amer.*) snowplow.

spartire *v.tr.* to divide, to share (out): *non ho nulla da — con lui*, I have nothing to do with him.

spartito *s.m.* score.

spartitraffico *s.m.* traffic divider; (*salvagente*) traffic island.

spartizione *s.f.* division, partition.

sparto *s.m.* (*bot.*) esparto (grass).

sparuto *agg.* lean, spare, haggard: *dal viso —*, haggard-faced.

sparviero *s.m.* **1** sparrow hawk **2** (*edil.*) mortarboard.

spasimante *s.m.* (*scherz.*) admirer, beau.

spasimare *v.intr.* **1** to suffer agonies, to suffer terribly **2** (*fig.*) to yearn, to long // — *d'amore per qlcu.*, to be madly in love with s.o.

spasimo *s.m.* spasm, pang (*anche fig.*).

spasmo *s.m.* (*med.*) spasm, spasmus.

spasmodico *agg.* spasmodic.

spassarsi, spassarsela *v.rifl.* to amuse oneself, to have* a very good time.

spassionato *agg.* dispassionate, impartial.

spasso *s.m.* **1** (*divertimento*) amusement, fun (*solo sing.*); (*passatempo*) pastime // *che —!*, what fun! // *per —*, as a joke **2** (*passeggio*): *andare a —*, to go out // *essere a —*, (*disoccupato*) to be out of work // *mandare qlcu. a —*, (*liberarsene*) to get rid of s.o.; (*licenziarlo*) to sack s.o.

spassoso *agg.* funny, amusing.

spastico *agg.* (*med.*) spastic.

spato *s.m.* (*min.*) spar.

spatola *s.f.* spatula, spatule.

spauracchio *s.m.* **1** scarecrow **2** (*fig.*) bogey.

spaurire *v.tr.* to frighten // **-irsi** *v.intr.pron.* to get* frightened.

spavalderia *s.f.* **1** boldness, arrogance **2** (*bravata*) boast.

spavaldo *agg.* bold, arrogant.

spaventapasseri *s.m.* scarecrow (*anche fig.*).

spaventare *v.tr.* to frighten, to scare // **-arsi** *v.intr.pron.* to be* frightened, to get* frightened, to be* scared, to get* scared.

spaventevole *agg.* dreadful, fearful.

spavento *s.m.* fright, fear, terror: *tremava di —*, he was trembling with fear.

spaventoso *agg.* dreadful, terrible, frightful.

spaziale *agg.* spatial; (*spec. di spazio cosmico*) space (*attr.*).

spaziare *v.tr.* to space ♦ *v.intr.* to range.

spaziatura *s.f.* spacing // — *indietro, spazio di ritorno*, (*informatica*) backspace.

spazientire *v.tr.* to make* (s.o.) lose his patience // **-irsi** *v.intr.pron.* to lose* one's patience.

spazio *s.m.* space; (*posto*) room; (*distanza*) distance: — *di frenatura*, (*di veicoli*) braking distance; — *vitale*, living space // *spazi bianchi*, (*tip.*) pigeonholes; — *da tre* (*quattro, sei*), three (four, six) em space // — *senza informazione*, (*informatica*) blank.

spazioso *agg.* spacious, roomy; (*largo*) wide.

spazzacamino *s.m.* chimneysweep(er).

spazzaneve *s.m.* snowplough; (*amer.*) snowplow: — *a turbina*, rotary snowplough; *fare lo —*, (*sci*) to snowplough; (*amer.*) to snowplow.

spazzare *v.tr.* to sweep*; (*spazzar via*) to sweep* away (*anche fig.*): — *la neve*, (*con mezzi meccanici*) to plough the snow.

spazzata *s.f.* sweep, sweeping.

spazzatura *s.f.* **1** (*rifiuti*) sweepings (*pl.*), garbage, rubbish: *bidone della —*, dustbin; *carro della —*, dustcart; *mucchio di —*, rubbishheap **2** (*lo spazzare*) sweeping.

spazzino *s.m.* **1** (*stradale*) road sweeper **2** (*spazzaturaio*) dustman (*pl.* -men).

spazzola *s.f.* brush: — *per capelli*, hairbrush // *capelli* *a —*, crew cut // *spazzole (del tergicristallo)* wipers // *spazzole di lettura,* (*informatica*) reading brushes.

spazzolare *v.tr.* to brush.

spazzolata *s.f.* brush.

spazzolino *s.m.* (small) brush: — *da denti,* toothbrush; — *da unghie,* nailbrush.

spazzolone *s.m.* polishing brush.

speaker (*ingl.*) *s.m.* (*radiofonico, televisivo*) newscaster, newsreader.

specchiarsi *v.rifl.* **1** to look at oneself (in a mirror) **2** (*riflettersi*) to be* reflected, to be* mirrored // — *in qlcu.,* to model oneself on s.o.

specchiato *agg.* honest, upright.

specchiera *s.f.* large mirror; (*toilette*) dressing table.

specchietto *s.m.* **1** hand mirror, (small) looking glass; — *retrovisore,* (*aut.*) rear-view mirror // — *per le allodole,* decoy (*anche fig.*) **2** (*prospetto*) table.

specchio *s.m.* **1** mirror (*anche fig.*): *guardarsi allo —,* to look at oneself in the mirror // — *d'acqua,* stretch of water // *lo — della porta,* (*calcio*) the face of the door // *esser pulito come uno —,* to be as clean as a new pin // *è uno — di virtù,* he is a model of virtue **2** (*prospetto*) register; schedule.

speciale *agg.* **1** special; (*particolare*) particular // *in special modo,* especially (*o* particularly) **2** (*strano*) peculiar **3** (*di prima qualità*) first-class; choice (*attr.*), first-quality (*attr.*).

specialista *s.m. e f.* specialist.

specialistico *agg.* specialistic.

specialità *s.f.* speciality; (*amer.*) specialty.

specializzare *v.tr.,* **specializzarsi** *v.rifl.* to specialize: *specializzarsi in neurologia,* to specialize in nervous diseases.

specializzato *agg.* **1** specialized: *tecnico —,* specialized technician; *lavoro —,* skilled job **2** (*informatica*) dedicated.

specializzazione *s.f.* specialization.

specialmente *avv.* (e)specially, particularly.

specie *s.f.* **1** kind, sort: *c'erano animali di ogni —,* there were animals of all kinds (*o* all sorts of animals); *che — di uomo è costui?,* what kind of man is he? **2** (*scient. teol.*) species (*pl. invar.*) — , especially (*o* in particular) // *far —,* (*far meraviglia*) to surprise: *non mi farebbe — se...,* I shouldn't be surprised if...

specifica *s.f.* (*comm.*) detailed list // — *di controllo,* (*informatica*) control statement.

specificamente *avv.* specifically; (*particolarmente*) particularly.

specificare *v.tr.* to specify.

specificato *agg.* specified, detailed.

specificazione *s.f.* specification.

specifico *agg. e s.m.* specific.

specillo *s.m.* (*chir.*) probe.

specimen *s.m.* specimen.

speciosità *s.f.* speciousness, speciosity.

specioso *agg.* specious.

specola *s.f.* observatory.

speculare[1] *v.intr.* **1** to speculate **2** (*comm.*) to speculate: — *al rialzo, al ribasso,* (*Borsa*) to speculate for (*o* on) the advance, for (*o* on) the fall; — *in Borsa,* to speculate on the Stock Exchange (*o* to play the market); — *su un articolo,* to speculate in an article // — *sulla disgrazia di qlcu.,* to speculate on s.o.'s misfortune ♦ *v.tr.* to speculate (upon sthg.), to speculate (about sthg.).

speculare[2] *agg.* specular.

speculativo *agg.* speculative.

speculatore *s.m.* speculator // — *al rialzo, al ribasso,* bull, bear // — *di Borsa,* stockjobber.

speculazione *s.f.* speculation.

spedalità *s.f.* **1** hospitalization **2** (*costo della degenza*) hospital expenses (*pl.*).

spedire *v.tr.* **1** to send*, to dispatch; (*inoltrare*) to forward; (*via mare*) to ship; (*via aerea*) to send* by air; (*posta*) to airmail; — *a piccola, grande velocità,* to send by slow, fast train // — *qlcu. all'altro mondo,* to send s.o. to kingdom come **2** (*fam.*) (*mandare con premura*) to hurry.

speditamente *avv.* **1** promptly, quickly // *camminare —,* to walk briskly **2** (*correntemente*) fluently.

speditezza *s.f.* **1** quickness, promptness **2** (*nel parlare, nello scrivere*) fluency.

spedito *agg.* **1** quick, prompt // *passo —,* brisk step **2** (*di pronuncia ecc.*) fluent.

speditore *s.m.* forwarder, sender, shipper.

spedizione *s.f.* **1** (*comm.*) consignment; (*lo spedire*) forwarding; (*gener. via mare*) shipping; (*via aerea*) airfreight; (*di lettere, pacchi*) dispatch: *casa di spedizioni,* forwarding agency; *spese di —,* forwarding charges; *ricevuta di —,* consignment receipt; *fare una —,* to send a consignment **2** (*scientifica, militare*) expedition.

spedizioniere *s.m.* forwarding agent.

spegnare *v.tr.* to redeem.

spegnere *v.tr.* **1** to extinguish; (*fuoco*) to put* out: — *una candela,* to put out a candle; (*con un soffio*) to blow out a candle // — *una sigaretta,* to stub out a cigarette **2** (*gas, luce, radio*) to turn off; (*con interruttore*) to switch off: — *il motore,* to switch off the (car) engine **3** (*fig.*) to stifle // — *la sete,* to quench one's thirst // — *un debito,* to pay off a debt // **-ersi** *v.intr.pron.* **1** (*di luce, fuoco*) to go* out **2** (*di motori*) to cut* out, to stall **3** (*fig.*) to die away, to fade away // *la sua collera va spegnendosi,* his anger is cooling down **4** (*morire*) to pass away; (*estinguersi*) to die out.

spegnimento *s.m.* extinction, extinguishment; (*con interruttore*) switching off.

spegnitoio *s.m.* snuffer.

spelacchiare *v.tr.* to remove the fur from (sthg.) // **-arsi** *v.intr.pron.* to lose* (its) fur.

spelacchiato *agg.* scanty-haired; (*di stoffe*) worn (-out), threadbare; (*di pellicce*) worn-out; *cane —,* mangy dog.

spelare *v.tr.* (*togliere il pelo*) to remove the fur from (sthg.); (*far cadere il pelo*) to make* (an animal's) fur fall out // **-arsi** *v.intr.pron.* to lose* its fur.

speleologia *s.f.* spelaeology.

speleologo *s.m.* spelaeologist.

spellare *v.tr.* **1** to skin, to flay **2** (*produrre un'escoriazione*) to graze **3** (*fig.*) (*far pagare un prezzo eccessivo*) to skin // **-arsi** *v.intr.pron.* to peel.

spellatura *s.f.* **1** (*lo spellare*) skinning, flaying **2** (*abrasione*) graze, abrasion **3** (*di pelle del viso ecc.*) peeling.

spelonca *s.f.* cave, cavern; (*fig.*) den.

spelta *s.f.* (*bot.*) spelt.

spendaccione *s.m.* spendthrift.

spendere *v.tr.* to spend* (*anche fig.*): *quanto hai speso?,* how much did you spend?; — *50.000 lire per,* to spend 50,000 lire on; *spese anni in questo lavoro,* he spent years on this work; — *un patrimonio,* to spend a fortune // *far —,* to charge // *chi più spende meno spende,* (*prov.*) cheapest is dearest.

spendereccio *agg.* lavish, prodigal.

spendibile *agg.* spendable.

spenditore *s.m.* spender.

spennacchiare *v.tr.* **1** to pluck **2** (*fig.*) to fleece, to skin // **-arsi** *v.intr.pron.* to lose* its feathers.

spennacchiato *agg.* plucked.

spennare *v.tr.* **1** to pluck **2** (*fig.*) to fleece, to skin // **-arsi** *v.intr.pron.* to lose* its feathers.

spennellare *v.tr.* to brush.

spensierataggine *s.f.* carefreeness; (*leggerezza*) thoughtlessness.

spensieratamente *avv.* in a carefree way; (*con leggerezza*) thoughtlessly.

spensieratezza *s.f.* carefreeness.

spensierato *agg.* carefree; (*irriflessivo*) thoughtless.

spento *agg.* **1** out (*pred.*); extinguished; (*di apparecchi elettrici, motori*) off (*pred.*): *a luci spente*, with the lights out; *il fuoco è —*, the fire is out; *il televisore è —*, the television is off **2** (*scialbo, smorto*) dull // *calce spenta*, slaked lime **3** (*riferito a persona*) lifeless: *non ha più il brio di una volta, è —*, he no longer has the spirit he once had, he is lifeless.

spenzolare *v.intr.* to dangle // **-arsi** *v.rifl.* to lean* out.

spenzoloni *avv.* dangling.

sperabile *agg.* to be hoped: *è — che...*, it is to be hoped that...

speranza *s.f.* hope: *oltre ogni —*, past (*o* beyond) all hope; *senza —*, hopeless (*agg.*); hopelessly (*avv.*); *pieno di —*, very hopeful; *abbandonare la —*, to give up hope; *nutrire — di fare qlco.*, to set one's hopes on doing sthg.; *riporre le proprie speranze in qlcu, qlco.*, to set one's hopes on s.o., sthg.; *deludere le speranze di qlcu.*, to disappoint s.o.'s expectations; *vivere di —*, to live in hope(s) // *un ragazzo di belle speranze*, a promising boy.

speranzoso *agg.* hopeful.

sperare *v.tr.* **1** to hope (for sthg., to do): *spero che tu vinca*, I hope you will win; *spero di no*, I hope not; *spero di sì, lo spero*, I hope so; *questo non è il risultato che speravo*, this is not the result I had hoped for **2** (*aspettarsi*) to expect: *non speravo che sarebbe riuscito*, I did not expect him to succeed ♦ *v.intr.* to hope (for sthg., in s.o.): *— in bene*, to hope for the best; *continuare a —*, to hope on.

sperdersi *v.intr.pron.* to get* lost.

sperduto *agg.* **1** (*isolato*) secluded; (*fuori mano*) out-of-the-way **2** (*smarrito*) lost (*anche fig.*).

sperequato *agg.* disproportionate.

sperequazione *s.f.* disproportion: *— delle pensioni*, disproportion in pensions.

spergiurare *v.tr. e intr.* to perjure oneself, to swear* falsely: *giurò e spergiurò che...*, he swore again and again that...

spergiuro *agg.* perjured ♦ *s.m.* **1** (*chi giura il falso*) perjurer **2** (*giuramento falso*) perjury.

spericolato *agg.* daring; (*di persona*) reckless.

sperimentale *agg.* experimental.

sperimentare *v.tr.* to experiment (with sthg.); (*provare*) to try out (*anche fig.*), to test (*anche fig.*).

sperimentato *agg.* **1** experienced **2** (*provato*) tried.

sperimentazione *s.f.* experimentation.

sperma *s.m.* sperm.

spermatozoo *s.m.* spermatozoon (*pl. -zoa*).

speronamento *s.m.* ramming.

speronare *v.tr.* (*mar.*) to ram.

sperone *s.m.* **1** spur **2** (*mar.*) ram.

sperperare *v.tr.* to waste.

sperpero *s.m.* waste.

spersonalizzare *v.tr.* to make* (s.o.) lose his personality // **-arsi** *v.rifl.* to lose* one's personality.

sperticarsi *v.intr.pron.* to exaggerate.

sperticato *agg.* excessive, exaggerated.

spesa *s.f.* **1** expense; (*costo*) cost: *spese varie*, sundry expenses; *spese di rappresentanza*, entertainment expenses; *spese di riparazione*, cost of repairs (*o* charge for repairs); *conto spese*, expense account; *rimborso spese*, refund of expenses; *comprese, escluse le spese*, charges included, excluded; *a proprie spese*, (*anche fig.*) at one's own expense; *a spese di qlcu.*, (*anche fig.*) at s.o.'s expense // *non bada a spese*, he spares no expense // *ne ho fatto le spese!*, (*fig.*) I had to pay for it! **2** (*compera*) shopping: *andare a far spese*, to go shopping; *fare la —*, to do the shopping // *questo cappotto è stato una bella —*, this coat was a good buy.

spesare *v.tr.* to keep*; to pay* (s.o.'s) expenses.

spesato *agg.* *essere —*, to have (all) expenses paid.

spesseggiare *v.intr.* to be* frequent.

spesso *agg.* **1** thick **2** *spesse volte*, often (*o* frequently)

spesso *avv.* often, frequently: *accade — che...*, it often happens that... // *— e volentieri*, very often.

spessore *s.m.* thickness: *avere uno — di...*, to be...thick.

spettabile *agg.* respectable, honourable: *Spettabile Ditta Rossi*, Messrs. Rossi.

spettacolare *agg.* spectacular.

spettacolo *s.m.* **1** (*teatr.*) performance // *dare — di sé*, to make an exhibition (*o* a show) of oneself **2** (*vista*) sight.

spettacoloso *agg.* spectacular.

spettanza *s.f.* **1** concern **2** *pl.* (*denaro dovuto*) dues.

spettare *v.intr.* **1** to be* up (to s.o.) **2** (*appartenere di diritto*) to be* due: *avrai ciò che ti spetta*, you'll have what is due to you (*o* your due); *non ti spetta nient'altro*, nothing more is due to you.

spettatore *s.m.* **1** spectator, onlooker; *pl.* (*di cinema, teatro ecc.*) audience (*sing.*): *— di un incontro di calcio*, spectator at a football match **2** (*testimone*) witness.

spettegolare *v.intr.* to gossip.

spettinare *v.tr.* to ruffle s.o.'s hair // **-arsi** *v.rifl.* to ruffle one's hair.

spettinato *agg.* uncombed.

spettrale *agg.* **1** ghostly; (*fig.*) ghastly **2** (*fis.*) spectral.

spettro *s.m.* **1** ghost, spectre // *sembrare uno —*, to look like a ghost **2** (*fis.*) spectrum (*pl.* spectra): *— solare*, solar spectrum.

spettrografia *s.f.* (*fis.*) spectrography.

spettrometria *s.f.* (*fis.*) spectrometry.

spettroscopia *s.f.* (*fig.*) spectroscopy.

spettroscopico *agg.* (*fis.*) spectroscopic.

speziale *s.m.* **1** (*chi vende spezie*) druggist **2** (*farmacista*) apothecary.

spezie *s.f.pl.* spices.

spezzare *v.tr.*, **spezzarsi** *v.intr.pron.* to break* (*anche fig.*): *mi si spezza il cuore a pensarci*, it breaks my heart to think of it.

spezzatino *s.m.* (*cuc.*) stew.

spezzato *agg.* broken.

spezzettare *v.tr.* to break* (sthg.) to bits; (*tagliare*) to chop: *— legna*, to chop wood.

spezzone *s.m.* **1** (*mil.*) small (incendiary) bomb **2** (*di pellicola*) length of film.

spia *s.f.* **1** spy; (*riferito a bambini*) telltale: *una — della polizia*, a police informer; *fare la —*, to play the spy **2** (*indizio*) evidence **3** (*di porta ecc.*) peephole **4**

(*elettr. aut.*): — *luminosa*, warning light; *lampada* —, pilot light.

spiaccicare *v.tr.* to squash // **-arsi** *v.intr.pron.* to get* squashed.

spiacente *agg.* sorry.

spiacere *v.intr.* **1** (*non piacere*) to dislike (*costr. pers.*): *mi è spiaciuto il modo in cui ti sei comportato*, I dislike the way you've behaved // *se non ti*, *vi*, *Le spiace*, if you please **2** (*essere spiacente*) to be* sorry, to regret (*costr. pers.*): *mi spiace molto*, I am very sorry.

spiacevole *agg.* unpleasant, disagreeable.

spiaggia *s.f.* beach; (*riva*) (sea)shore.

spianamento *s.m.* levelling; (*il rendere liscio*) smoothing.

spianare *v.tr.* **1** to level, to flatten; (*rendere liscio*) to smooth (*anche fig.*): — *le difficoltà*, to smooth difficulties away // — *la pasta*, to roll out the dough // — *il fucile contro qlcu.*, to point one's gun at s.o. **2** (*radere al suolo*) to raze (to the ground).

spianata *s.f.* open space; (*in un bosco*) clearing; (*mil.*) esplanade.

spianatoia *s.f.* pastry board.

spianatoio *s.m.* (*matterello*) rolling pin.

spiano *s.m.*: *a tutto* —, uninterruptedly.

spiantare *v.tr.* **1** to pull out; (*una pianta*) to uproot **2** (*rovinare*) to ruin.

spiantato *agg. e s.m.* penniless (person).

spiare *v.tr.* **1** to spy (upon s.o., sthg.) // — *l'occasione...*, to watch for the occasion... **2** (*cercare*) to try to discern.

spiata *s.f.* delation.

spiattellare *v.tr.* to blab (out).

spiazzare *v.tr.* **1** (*sport*) to dummy **2** (*fig.*) to forestall **3** (*informatica*) to relocate.

spiazzo *s.m.* open space; (*in un bosco*) clearing.

spiccare *v.tr.* **1** (*staccare*) to pick, to pluck; (*tagliare*) to cut* off // — *un salto*, to take a leap // — *le sillabe*, to pronounce each syllable distinctly // — *il volo*, to fly up; (*fig.*) to take (to) flight **2** (*dir.*) to issue; (*comm.*) to draw* ♦ *v.intr.* to stand* out: *spicca fra gli altri per...*, he stands out from the others for...

spiccato *agg.* **1** strong, striking **2** (*nitido*, *distinto*) distinct, clear.

spicchio *s.m.* **1** (*di agrumi*) segment; (*di frutta in genere*) slice; (*di aglio*) clove (of garlic); (*di luna*) crescent // *a spicchi*, sliced **2** (*geom.*) sector.

spicciare *v.tr.* to dispatch // **-arsi** *v.intr.pron.* to hurry up: *spicciati!*, hurry up!; — *a rientrare*, to hurry home.

spicciativo *agg.* hasty.

spiccicare *v.tr.* to detach, to unstick // — *le parole*, to pronounce clearly // *non saper* — *parola*, not to be able to utter a single word // **-arsi** *v.intr.pron.* to detach oneself.

spiccio *agg.* **1** prompt, swift: *modi spicci*, downright manners // *andare per le spicce*, not to mince matters **2** (*di moneta*) small: *moneta spiccia*, small change.

spicciolame *s.m.* small change.

spicciolata, **alla** *locuz.avv.* a few at a time, in dribs and drabs.

spicciolo *agg.* **1** (*di denaro*) small: *mille lire spicciole*, the change of a thousand lire **2** (*comune*) common; (*superficiale*) superficial ♦ *s.m.* (*spec. pl.*) change (*pl. invar.*): *non ho spiccioli*, I have no change.

spicco *s.m.* conspicuousness, prominence: *fare* —, (*risaltare*) to stand out; (*attirare l'attenzione*) to catch the eye.

spider *s.m. o f.* (*aut.*) sports car.

spidocchiare *v.tr.* to delouse.

spiedino *s.m.* skewer.

spiedo *s.m.* spit: *sullo*, *allo* —, on the spit; *infilare sullo* —, to spit.

spiegabile *agg.* explainable, explicable.

spiegamento *s.m.* (*mil.*) deployment.

spiegare *v.tr.* **1** (*allargare*) to unfold, to spread* out: — *le ali*, to spread one's wings // — *le vele*, to unfurl the sails // — *le truppe*, to deploy the troops **2** (*fig.*) (*far comprendere*) to explain, to expound; (*interpretare*) to interpret // *ora mi spiego perché...*, now I realize why... // **-arsi** *v.rifl.* to explain oneself; (*farsi capire*) to make* oneself understood: *spiegati meglio*, make yourself clearer // *spieghiamoci*, let's get it straight // *mi sono spiegato?*, do you understand? // *non so se mi spiego!*, I do not know if you see what I mean.

spiegato *agg.* **1** spread out; *vele spiegate*, unfurled sails // *a voce spiegata*, at the top of one's voice **2** (*chiarito*) explained.

spiegazione *s.f.* explanation // *avere una* — *con qlcu.*, to have it out with s.o. // *chiedere una* — *a qlcu.*, to call s.o. to account.

spiegazzare *v.tr.* to crease, to rumple, to wrinkle; (*carta ecc.*) to crumple (up).

spietato *agg.* pitiless, merciless, ruthless // *fare una corte spietata a qlcu.*, to court s.o. relentlessly.

spifferare *v.tr.* (*fam.*) to blurt out ♦ *v.intr.* to whistle: *l'aria spiffera dalla finestra*, there is a draught coming in from the window.

spiffero *s.m.* (*fam.*) (*corrente d'aria*) draught.

spiga *s.f.* spike; (*dei cereali*) ear: — *di frumento*, ear of wheat // *disegno a* —, herringbone pattern.

spigato *agg.* herringbone (*attr.*).

spigatura *s.f.* **1** earing **2** (*periodo*) earing time.

spighetta *s.f.* (*nastro, cordoncino*) braid.

spigliatezza *s.f.* ease.

spigliato *agg.* easy, free and easy.

spignattare *v.intr.* (*fam.*) to slave away in the kitchen.

spignorare *v.tr.* to redeem; (*fam.*) to take* out of hock.

spigo *s.m.* (*bot.*) lavender.

spigola *s.f.* (*zool.*) bass.

spigolare *v.tr.* to glean (*anche fig.*).

spigolatore *s.m.* gleaner.

spigolatura *s.f.* **1** gleaning **2** *pl.* (*notizie*) gleanings.

spigolo *s.m.* edge; (*angolo*) corner: — *vivo*, sharp corner // *smussare gli spigoli*, (*fig.*) to patch things up.

spigoloso *agg.* angular; (*fig.*) prickly: *carattere* —, prickly character.

spigrirsi *v.intr.pron.* to shake* off one's laziness.

spilla *s.f.* **1** pin: — *di sicurezza*, *da balia*, safety pin **2** (*gioiello*) brooch // — *da cravatta*, tiepin.

spillare *v.tr.* **1** (*forare botti ecc.*) to broach, to tap; (*attingere spillando*) to draw* (sthg. out of sthg.) **2** (*fig.*) to worm (sthg. out of s.o.) ♦ *v.intr.* to drip.

spillo *s.m.* **1** pin: — *di sicurezza*, *da balia*, safety pin; *capocchia di* —, pinhead; *fermare qlco. con spilli*, to pin sthg. down **2** (*stilo per forare botti*) broach.

spillone *s.m.* (*spillo per cappello*) hatpin; (*per sciarpa*) scarfpin.

spilluzzicare *v.tr.* to nibble.

spilorceria *s.f.* stinginess, niggardliness, meanness.

spilorcio *agg.* stingy, niggardly, closefisted.

spilungone *s.m.* lanky fellow, lanky man; (*fam.*) spindleshanks, beanpole.

spina *s.f.* **1** thorn // *avere una* — *nel cuore*, to have a thorn in one's side // **stare sulle spine**, to be on tenter-hooks   **2** *pl.* (*arbusti, rami spinosi*) thorns   **3** (*lisca*) fishbone; (*aculeo*) prickle // *a — di pesce*, herring-bone; *tessuto a — di pesce*, twill (*o* herringbone) cloth   **4** (*elettr.*) plug   **5** (*mecc.*) pin, peg   **6** (*informatica*) pin   **7** (*di botte*) bunghole   **8** *— dorsale*, backbone (*o* spine).

spinacio *s.m.* (*bot.*) spinach (*solo sing.*).

spinale *agg.* (*anat.*) spinal.

spinare *v.tr.* (*un pesce*) to bone.

spinarolo *s.m.* (*zool.*) piked dogfish.

spinato *agg.* **1** (*a spina di pesce*) herringbone (*attr.*)   **2** *filo —*, barbed wire.

spinello *s.m.* joint.

spinetta *s.f.* (*mus.*) spinet.

spingarda *s.f.* (*st. mil.*) musket.

spingere *v.tr.* **1** to push, to shove; (*ficcare*) to drive*, to thrust*: *non —, non spingete!*, don't push!; *il vento spinse l'imbarcazione al largo*, the wind drove the boat offshore; — *qlcu., qlco. fuori, avanti, dentro, indietro*, to push s.o., sthg. out, on (*o* forward), in, back // — (*scritto sulle porte*) push // — *uno scherzo oltre i limiti*, to carry a joke too far // — *lontano lo sguardo*, to strain one's eyes into the distance   **2** (*condurre*) to drive*; (*indurre*) to induce; (*istigare*) to egg on; (*incitare*) to incite; (*stimolare*) to urge: *la povertà lo spinse alla disperazione*, poverty drove him to despair; *spinse gli indigeni a ribellarsi*, he incited the natives to rebel; *suo padre lo spingeva a studiare di più*, his father urged him to study harder // **-ersi** *v.intr.pron.* **1** to push; (*estendersi*) to extend: — *avanti*, to push forward; *si spinse fino a fare...*, he went so far as to do...; — *troppo lontano*, (*anche fig.*) to go too far   **2** (*gettarsi*) to throw* oneself.

spino *s.m.* **1** (*pruno*) bramble   **2** (*spina*) thorn.

spinone *s.m.* (*cane*) (wire-haired pointing) griffon.

spinoso *agg.* **1** thorny, prickly, spiny   **2** (*scabroso, difficile*) thorny, ticklish.

spinotto *s.m.* (*mecc.*) gudgeon, piston pin.

spinta *s.f.* **1** push; (*violenta*) shove, thrust   **2** (*fig.*) (*aiuto*) push, helping-hand   **3** (*fig.*) (*stimolo*) spur, boost: *dopo una — iniziale...*, after an initial boost....   **4** (*mecc. edil.*) thrust: — *aerostatica*, (*aer.*) aerostatic lift; — *orizzontale*, (*di arco*) drift.

spintarella *s.f.* (*fig.*) push.

spinterogeno *s.m.* (*aut.*) distributor.

spinto *agg.* **1** pushed; driven (*anche fig.*): — *dalla collera*, driven by anger; — *dalla necessità*, under the pressure of necessity; *si sentì — a prendere la parola*, he felt an impulse to speak   **2** (*audace*) risky, risqué.

spintone *s.m.* **1** violent push, shove: *farsi avanti a spintoni*, to elbow one's way forward   **2** (*fig.*) push: *farsi strada a forza di spintoni*, to push one's way up.

spiombare *v.tr.* to unseal, to break* the seals (of sthg.).

spionaggio *s.m.* espionage, spying.

spioncino *s.m.* peephole; (*a finestrella*) judas.

spione *s.m.* (*spreg.*) informer // *sei uno —*, you are a telltale.

spionistico *agg.* spy (*attr.*).

spiovente *agg.* drooping, falling; (*inclinato verso terra*) sloping: *baffi spioventi*, a drooping moustache; *spalle spioventi*, stooping shoulders; *un tetto —*, a sloping roof; *un tiro —*, (*calcio*) a high kick; (*tennis*) a lob ♦ *s.m.* **1** (*arch.*) slope: *a —*, weathered   **2** (*geogr.*) watershed   **3** (*calcio*) high kick.

spiovere *v.intr.impers.* to stop raining ♦ *v.intr.* **1** (*scor-*

rere in giù) to flow* down   **2** (*ricadere*) to flow*, to droop: *i capelli le spiovevano sulle spalle*, her hair flowed down her shoulders.

spira *s.f.* **1** spire; (*spirale*) spiral; (*elettr.*) winding; (*fis.*) turn: *le spire di una molla*, (*mecc.*) the coils of a spring; *una — di fumo*, a curl of smoke   **2** (*di serpente*) coil.

spiraglio *s.m.* **1** small opening   **2** (*filo d'aria*) breath (of air); (*di luce*) gleam (of light) // *uno — di speranza*, a gleam of hope.

spirale *agg.* spiral ♦ *s.f.* **1** spiral   **2** (*molla*) spring; (*di orologio*) hairspring   **3** (*med.*) coil.

spirare[1] *v.intr.* **1** (*soffiare*) to blow*: *non spirava un alito di vento*, there wasn't a breath of air // *spira aria di burrasca*, (*fig.*) there is a storm brewing   **2** (*emanare*) to emanate, to proceed ♦ *v.tr.* (*emanare*) to breathe out, to exhale: — *fumo, fragranza*, to exhale smoke, fragrance.

spirare[2] *v.intr.* **1** (*morire*) to breathe one's last, to pass away   **2** (*scadere*) to expire.

spiritato *agg.* (*eccitato*) excited: *occhi spiritati*, staring eyes.

spiritico *agg.* spiritualist(ic), spiritistic: *seduta spiritica*, spiritualist séance.

spiritismo *s.m.* spiritualism, spiritism.

spiritista *s.m.* e *f.* spiritualist, spiritist.

spirito *s.m.* **1** spirit: *i valori dello —*, spiritual values; *nutrire lo —*, to nourish the mind; — *di sacrificio*, spirit of sacrifice // — *pratico*, practical temperament // — *d'iniziativa*, gumption // *condizione di —*, mood // *presenza di —*, presence of mind; *lo spirito della legge*, the spirit of the law // — *di squadra*, team spirit // — *di corpo*, esprit de corps // *calma i bollenti spiriti!*, (*fam.*) don't be so hot-tempered!   **2** (*fantasma*) ghost: *in questa casa ci sono gli spiriti*, this house is haunted   **3** (*arguzia*) wit; (*umorismo*) humour: *battuta, motto di —*, witty remark // *uomo di —*, witty man; (*che sta allo scherzo*) a good sport: *essere una persona di —*, to be a sport // *fa dello —*, he is trying to be funny   **4** (*alcool*) alcohol, spirit: *lampada a —*, spirit lamp // *ciliegie sotto —*, cherries in alcohol.

spiritosaggine *s.f.* witticism, wisecrack; (*spreg.*) would-be witticism, attempt at wit.

spiritoso *agg.* witty: *vuol fare lo —*, he is trying to be funny (*o* witty).

spirituale *agg.* spiritual // *esercizi spirituali*, spiritual exercises // *canti spirituali negri*, (*negro*) spirituals.

spiritualismo *s.m.* (*fil.*) spiritualism.

spiritualista *agg.* e *s.m.* (*fil.*) spiritualist.

spiritualità *s.f.* spirituality.

spiritualizzare *v.tr.* to spiritualize.

spiumare *v.tr.* to pluck.

spizzicare *v.tr.* to nibble.

spizzico, a *locuz.avv.* little by little, bit by bit.

splendente *agg.* shining, bright, brilliant.

splendere *v.intr.* to shine* (*anche fig.*); (*scintillare*) to glitter, to sparkle: *i suoi occhi splendevano di gioia*, his eyes were shining with joy.

splendidezza *s.f.* **1** magnificence, splendour   **2** (*bellezza*) beauty   **3** (*munificenza*) munificence.

splendido *agg.* **1** wonderful, splendid   **2** (*sfarzoso*) magnificent, gorgeous, splendid   **3** (*generoso, munifico*) munificent.

splendore *s.m.* **1** splendour (*anche fig.*), brightness   **2** (*sfarzo*) magnificence, splendour   **3** (*bellezza*) beauty: *che — di ragazza!*, what a beautiful girl!

splene *s.m.* (*anat.*) spleen.

splenetico *agg.* e *s.m.* splenetic (*anche fig.*).

splenico *agg.* (*med.*) splenic.

spocchia *s.f.* haughtiness.

spocchioso *agg.* haughty.

spodestare *v.tr.* (*da proprietà*) to dispossess; (*da posizione di autorità*) to depose.

spoetizzare *v.tr.* to disenchant, to disillusion.

spoglia *s.f.* 1 (*di animale*) skin, hide; (*di rettile*) slough 2 (*veste*) clothes (*pl.*) // *spoglie mortali*, mortal remains // *sotto mentite spoglie*, under false pretences 3 *pl.* (*bottino*) spoils, booty (*sing.*).

spogliare *v.tr.* 1 to strip 2 (*svestire*) to undress 3 (*privare*) to strip (*anche fig.*), to deprive; (*saccheggiare*) to plunder: — *i nemici vinti*, to despoil conquered enemies 4 (*fare lo spoglio di*) to go* through (sthg.) // **-arsi** *v.rifl.* 1 (*svestirsi*) to undress, to strip 2 (*di alberi ecc.*) to shed* (sthg.), to lose* (sthg.) 3 (*privarsi, rinunciare*) to strip oneself, to give* up (sthg.), to divest oneself: — *di ogni avere*, to strip (o to divest) oneself of all one's possessions.

spogliarellista *s.f.* stripteaser.

spogliarello *s.m.* striptease: *fare lo* —, to strip (o to do a striptease number).

spogliatoio *s.m.* dressing room.

spoglio[1] *agg.* 1 (*svestito*) undressed; (*nudo*) bare: *albero* —, bare tree 2 (*fig.*) (*libero*) free (from).

spoglio[2] *s.m.* 1 (*esame*) scrutiny, perusal, examination: — *di voti*, scrutiny of ballot papers; *fare lo — della corrispondenza*, to go through the mail 2 (*vestito smesso*) castoff.

spola *s.f.* (*ind. tessile*) shuttle; (*filato avvolto sulla spola*) cop; (*supporto del filato*) spool; (*di macchina da cucire*) bobbin // *fare la — fra un luogo e un altro*, to ply between one place and another.

spoletta *s.f.* 1 (*per avvolgere filo*) spool 2 (*artiglieria*) fuse: — *a tempo*, time fuse.

spoliazione *s.f.* 1 plundering, sacking 2 (*fig.*) (*privazione*) deprivation.

spoliticizzare *v.tr.* to depoliticise; to take* politics out of (sthg.).

spolmonarsi *v.intr.pron.* to talk oneself hoarse.

spolpare *v.tr.* 1 to take* the flesh off (sthg.), to strip the flesh off (sthg.) 2 (*fig.*) to bleed* white, to fleece.

spoltrire, spoltronire *v.tr.* to cure (s.o.) of laziness // **-irsi** *v.intr.pron.* to shake* off one's laziness.

spolverare *v.tr.* 1 to dust // — *le spalle a qlcu.*, to dust s.o.'s jacket for him 2 (*fam.*) (*mangiare ingordamente*) to polish off 3 (*pitt.*) to pounce 4 (*aspergere con sostanza in polvere*) to dust, to sprinkle: — *di zucchero un dolce*, to dust a cake with sugar.

spolverata *s.f.* dusting: *dare una — a qlco.*, to dust sthg.

spolveratura *s.f.* 1 dusting 2 (*fig.*) (*infarinatura*) smattering.

spolverino *s.m.* 1 (*soprabito*) dustcoat; (*amer.*) duster 2 (*per zucchero ecc.*) duster.

spolverio *s.m.* cloud of dust.

spolverizzare *v.tr.* 1 to dust, to sprinkle 2 (*pitt.*) to pounce.

spolvero *s.m.* 1 dusting 2 (*pitt.*) pounce 3 (*fig.*) (*infarinatura*) smattering.

sponda *s.f.* 1 (*di fiume*) bank; (*di mare, lago*) shore 2 (*parapetto*) parapet 3 (*orlo*) edge: — *di un letto*, edge of a bed // *tirare di* —, (*biliardo*) to shoot from the cushion.

sponsali *s.m.pl.* nuptials, wedding (*sing.*).

sponsor *s.m.* sponsor.

sponsorizzare *v.tr.* to sponsor.

spontaneità *s.f.* spontaneity, spontaneousness.

spontaneo *agg.* spontaneous.

spopolamento *s.m.* depopulation.

spopolare *v.tr.* to depopulate ♦ *v.intr.* (*fam. fig.*) (*di persona*) to create a sensation, to be* a sensation; (*di spettacolo*) to be* a smash hit // **-arsi** *v.intr.pron.* to become* depopulated, to depopulate.

spopolato *agg.* depopulated; (*deserto*) deserted.

spora *s.f.* (*bot. biol.*) spore.

sporadicità *s.f.* sporadicity.

sporadico *agg.* sporadic, occasional.

sporcaccione *agg.* dirty, filthy ♦ *s.m.* dirty man, filthy man.

sporcare *v.tr.* to dirty, to soil (*anche fig.*) // **-arsi** *v.rifl.* to get* dirty, to soil (*anche fig.*).

sporcizia *s.f.* dirt, filth (*anche fig.*).

sporco *agg.* 1 dirty (with) 2 (*fig.*) dirty; (*disonesto*) dishonest; (*volgare*) coarse: *barzelletta sporca*, dirty (o smutty) joke; *è uno — figuro*, he is an unsavoury type // *politica sporca*, dirty politics // *me l'ha fatta sporca*, he has played me a dirty trick ♦ *s.m.* dirt, filth (*anche fig.*).

sporgente *agg.* jutting (out); protruding, projecting (*di corpo rotondo*) bulging: *denti sporgenti*, protruding teeth; *occhi sporgenti*, bulging eyes; *zigomi, scapole sporgenti*, prominent cheekbones, shoulder blades.

sporgenza *s.f.* projection, protrusion.

sporgere *v.intr.* to jut out, to stick* out, to project, to protrude ♦ *v.tr.* to put* out, to stick* out; (*allungare in fuori*) to stretch out: — *il capo dalla finestra*, to put (o to stick) one's head out of the window // — *denunzia*, to sue (o to prosecute) s.o. for sthg. // **-ersi** *v.rifl.* to lean* out: *è pericoloso — dal finestrino*, it is dangerous to lean out of the window.

sport *s.m.* sport: *dovresti fare dello* —, you should take up some sport; *fa, pratica molti* —, he goes in för many types of sport // *fare qlco. per* —, to do sthg. for fun.

sporta *s.f.* (shopping) basket // *un sacco e una* —, (*fam.*) an awful lot: *gliene diedi un sacco e una* —, I gave him a good thrashing; *gliene dissi un sacco e una* —, I gave him a piece of my mind.

sportello *s.m.* 1 door 2 (*di portone*) wicket 3 (*di poste, banche*) (teller's) window, counter (window); (*di biglietteria*) ticket window.

sportivamente *avv.* sportingly.

sportivo *agg.* sporting, sports (*attr.*); (*di persona*) keen on sport (*pred.*): *giornale* —, sports newspaper; *qualità sportive*, sportsmanlike qualities; *i risultati sportivi*, the sports results; *vestiti sportivi*, sports clothes ♦ *s.m.* sportsman (*pl.* -men).

sposa *s.f.* bride: *dare la figlia in — a qlcu.*, to wed one's daughter to s.o.; *andare in — a qlcu.*, to marry s.o.; *chiedere una ragazza in* —, to ask a girl's hand in marriage // *vestito da* —, wedding dress.

sposalizio *s.m.* wedding.

sposare *v.tr.* 1 to marry; (*fig.*) to espouse 2 (*unire in matrimonio*) to marry, to join in marriage // — *la propria figlia a qlcu.*, to marry one's daughter to s.o. 3 (*fig.*) (*unire*) to wed, to join: — *la virtù alla bellezza*, to wed virtue to beauty // **-arsi** *v.rifl.* to get* married (to s.o.); to marry (s.o.) ♦ *v.rifl.rec.* to get* married.

sposato *agg.* married.

sposina *s.f.* young bride.

sposo *s.m.* 1 bridegroom; (*marito*) husband: *promes-*

so —, future husband **2** *pl.* bride and bridegroom // *sposi novelli*, newly married couple.

spossante *agg.* exhausting; (*stancante*) wearing.

spossare *v.tr.* to exhaust; (*stancare*) to wear* out // **-arsi** *v.intr.pron.* to exhaust oneself.

spossatezza *s.f.* exhaustion; (*stanchezza*) weariness.

spossato *agg.* worn-out; (*sfinito*) exhausted (with).

spossessare *v.tr.* to dispossess; (*privare*) to deprive.

spostamento *s.m.* **1** shift, shifting // — *d'aria*, displacement of air **2** (*cambiamento*) change **3** (*informatica*) shift: — *verso il basso*, scrolling down; — *verso l'alto*, scrolling up.

spostare *v.tr.* **1** to move; (*trasferire*) to shift: — *l'accento*, to shift the accent **2** (*cambiare*) to change **3** (*fig.*) (*dissestare*) to ruin // **-arsi** *v.rifl.* to move; (*trasferirsi*) to shift.

spostato *agg.* (*disadattato*) ill-adjusted ♦ *s.m.* misfit.

spranga *s.f.* bar; (*chiavistello*) bolt.

sprangare *v.tr.* to bolt.

sprangatura *s.f.* bolting.

sprazzo *s.m.* (*di liquidi*) splash; (*di luce*) flash: — *di sole*, sunburst; — *di speranza*, flash of hope // — *d'ingegno*, brainwave.

sprecare *v.tr.* to waste: *ha sprecato il suo tempo*, he wasted his time // **-arsi** *v.rifl.* to waste oneself // *ti sei proprio sprecato!*, (*iron.*) you have killed yourself! (*o* put yourself out!).

sprecato *agg.* wasted: *è tempo, fiato* —, it is a waste of time, of breath.

spreco *s.m.* waste (*solo sing.*).

sprecone *agg.* wasteful ♦ *s.m.* waster.

spregevole *agg.* despicable; (*ignobile*) mean.

spregiare *v.tr.* to scorn.

spregiativo *agg.* disparaging, derogatory ♦ *s.m.* (*gramm.*) pejorative.

spregio *s.m.* **1** scorn; (*disprezzo*) contempt: *avere in* — *qlcu., qlco.*, to feel scorn for s.o., sthg. **2** (*offesa*) affront.

spregiudicatezza *s.f.* **1** broadmindedness **2** nonconformism.

spregiudicato *agg.* broadminded, unprejudiced; (*libero, senza scrupoli*) free and easy.

spremere *v.tr.* to squeeze (*anche fig.*): — *il sugo da un limone*, to squeeze juice out of a lemon // — *denari a qlcu.*, to squeeze money from s.o. // *spremersi il cervello, le meningi*, to rack one's brains.

spremilimoni *s.m.* lemon squeezer.

spremitura *s.f.* squeezing; (*delle olive*) crushing.

spremuta *s.f.* squash.

spremuto *agg.* squeezed (*anche fig.*).

spretarsi *v.rifl.* to renounce one's priesthood.

spretato *agg.* unfrocked ♦ *s.m.* unfrocked priest.

sprezzante *agg.* scornful, contemptuous.

sprezzare *v.tr.* to scorn; (*disprezzare*) to despise.

sprezzo *s.m.* scorn; (*disprezzo*) contempt.

sprigionare *v.tr.* **1** (*scarcerare*) to release (from prison) **2** (*fig.*) (*emettere*) to emit, to give* off // **-arsi** *v. intr.pron.* to burst* out, to burst* forth; (*di liquidi*) to gush out.

sprimacciare *v.tr.* to shake* up.

sprint *s.m.* **1** (*sport*) sprint: *quel corridore ha molto* —, that runner is a good sprinter **2** (*di automobile*) acceleration ♦ *agg. e s.f.* (*vettura*) —, fast car.

sprizzare *v.intr. e tr.* to squirt, to spurt: — *sangue*, spurt blood // — *scintille*, to sparkle // — *gioia*, to burst with joy.

sprizzo *s.m.* **1** (*di liquidi*) squirt, spurt; (*di luce*) flash **2** (*fig.*) burst.

sprofondamento *s.m.* sinking; (*crollo*) collapse.

sprofondare *v.tr.* to plunge ♦ *v.intr.* to collapse; (*affondare*) to sink * (*anche fig.*): *gli* (*si*) *è sprofondato il terreno sotto i piedi*, the ground sank under his feet // *avrei voluto* — *per la vergogna*, I wish the ground could have opened under my feet // **-arsi** *v.rifl.* **1** to sink*: — *in una poltrona*, to sink into an armchair **2** (*fig.*) to immerse oneself.

sproloquio *s.m.* long rigmarole.

spronare *v.tr.* to spur (*anche fig.*).

spronata *s.f.* spur (*anche fig.*).

sprone *s.m.* **1** spur (*anche fig.*): *dar di* — *a un cavallo*, to spur a horse // *a spron battuto*, at full speed; (*senza indugi*) on the spot **2** (*moda*) yoke.

sproporzionato *agg.* **1** disproportionate; out of proportion (*pred.*) **2** (*eccessivo*) excessive.

sproporzione *s.f.* disproportion.

spropositare *v.intr.* to make* blunders.

spropositato *agg.* **1** full of blunders (*pred.*) **2** (*enorme*) enormous, huge.

sproposito *s.m.* **1** blunder: *commettere uno* —, to commit a blunder; (*fig.*) to do sthg. silly; *stai dicendo degli spropositi*, you're talking through your hat // *a* —, inopportunely **2** (*fam.*) (*eccesso*) huge quantity // *costa uno* —, it costs the earth.

sprovveduto *agg.* artless.

sprovvisto *agg.* devoid, lacking (sthg.): *essere* — *di qlco.*, to lack sthg. // *alla sprovvista*, unawares.

spruzzare *v.tr.* to sprinkle; (*vaporizzando*) to spray; (*schizzare*) to splash.

spruzzata *s.f.* sprinkle (*anche fig.*); spray: *una* — *di profumo*, a spray of perfume.

spruzzatore *s.m.* **1** sprinkler; (*vaporizzatore*) spray **2** (*aut.*) jet.

spruzzo *s.m.* sprinkle; (*vaporizzato*) spray (*solo sing.*): *gli spruzzi delle onde*, the spray of the waves; *verniciatura a* —, spray painting // *uno* — *di fango*, a splash of mud.

spudoratezza *s.f.* shamelessness, impudence; (*fam.*) cheekiness, cheek.

spudorato *agg.* shameless, impudent; (*fam.*) cheeky.

spugna *s.f.* **1** sponge // *dare un colpo di* — *sul passato*, (*fig.*) to let bygones be bygones // *bere come una* —, to drink like a fish // *gettare la* —, (*anche fig.*) to throw in the sponge **2** (*tessuto spugnoso*) terrycloth; (*per asciugamani*) towelling: *un accappatoio di* —, a terrycloth bathrobe.

spugnatura *s.f.* sponge (down).

spugnola *s.f.* (*bot.*) morel.

spugnoso *agg.* spongy.

spulare *v.tr.* (*agr.*) to winnow, to fan.

spulciare *v.tr.*, **1** to look for fleas (on s.o.) **2** (*fig.*) to scrutinize, to examine very carefully.

spulciatura *s.f.* (*fig.*) scrutiny, close examination.

spuma *s.f.* froth, foam.

spumante *agg. e s.m.*: (*vino*) —, sparkling wine.

spumare *v.intr.* to foam, to froth.

spumeggiante *agg.* **1** foaming (with); (*di vino*) sparkling **2** (*fig.*) frothy.

spumeggiare *v.intr.* to foam, to froth.

spumoso *agg.* foamy, frothy; (*di vino*) sparkling.

spuntare[1] *v.tr.* **1** (*rompere la punta*) to blunt **2** (*tagliare la punta*) to trim: — *una siepe*, to trim a hedge // *farsi* — *i capelli*, to have one's hair trimmed **3** (*stacca-*

re cosa appuntata) to unpin: — *un nastro*, to unpin a ribbon **4** (*fig.*) (*superare*) to overcome* // *finalmente l'ho spuntata*, at last I've made it ♦ *v.intr.* **1** to rise*; (*di alberi, fiori ecc.*) to sprout // *gli è spuntato il primo dente*, he has cut his first tooth // *allo — del giorno*, at daybreak // *allo — del sole*, at sunrise **2** (*apparire*) to appear: *spuntò all'improvviso dietro l'angolo*, he appeared suddenly round the corner; *veder — qlcu.*, to see s.o. appearing **3** (*sporgere*) to stick* out: *spuntava solo la cima*, only the top was sticking out.

spuntare[2] *v.tr.* (*elenco ecc.*) to check off.

spuntato *agg.* (*senza punta*) blunt.

spuntatura *s.f.* cutting off the tip; trimming.

spuntino *s.m.* snack: *fare uno —*, to have a snack.

spunto *s.m.* **1** (*teatr.*) cue **2** (*fig.*) starting point: *prendere lo — da...*, to take sthg. as a starting point; *dare — a qlco.*, to give rise to sthg. **3** (*di vino*) sourness.

spuntone *s.m.* **1** spike **2** (*di roccia*) spur.

spurgare *v.tr.* **1** (*pulire*) to clean **2** (*med.*) to discharge // **-arsi** *v.intr.pron.* (*espettorare*) to expectorate.

spurgo *s.m.* **1** (*lo spurgare*) discharging; (*l'espettorare*) expectorating **2** (*ciò che viene espulso*) discharge.

spurio *agg.* **1** (*illegittimo*) illegitimate **2** (*falso*) spurious // *costole spurie*, (*med.*) false ribs.

sputacchiare *v.intr.* to spit* ♦ *v.tr.* to cover with spit.

sputacchiera *s.f.* spittoon.

sputare *v.tr.* e *intr.* to spit*: *vietato —*, no spitting // *— addosso a, su*, to spit at (*o* on) // *— su*, (*fig.*) to despise // *— veleno, bile*, to speak spitefully, to spit bile // *sputa fuori!*, (*anche fig.*) spit it out! // *— sentenze*, to talk sententiously.

sputasentenze *s.m.* e *f.* wiseacre.

sputo *s.m.* spit, spittle.

squadernare *v.tr.* **1** (*sfogliare velocemente*) to skim (through sthg.) **2** (*mettere sotto gli occhi*) to put (sthg.) under s.o.'s nose.

squadra[1] *s.f.* (*da disegno*) (set)square: — *a T, doppia*, T-square; *essere a —*, to be at right angles; *essere fuori —*, to be out of square; (*fig.*) to be out of sorts.

squadra[2] *s.f.* **1** (*di soldati*) squad; (*di navi, aerei*) squadron: *a squadre* in (*o* by) squads // — *del buon costume*, anti-vice squad // — *mobile*, flying squad **2** (*di operai*) gang; (*di impiegati ecc.*) team: *lavoro a squadre*, teamwork **3** (*sport*) team.

squadrare *v.tr.* **1** to square **2** (*fig.*) to look (s.o.) up and down.

squadratura *s.f.* squaring.

squadriglia *s.f.* **1** (*mar. aer.*) squadron **2** (*piccola squadra*) squad.

squadro[1] *s.m.* (*zool.*) angel fish.

squadro[2] *s.m.* (*lo squadrare*) squaring.

squadrone *s.m.* (*mil.*) squadron.

squagliare *v.tr.* to melt, to liquefy // **-arsi** *v.intr.pron.* **1** to melt, to liquefy; (*di ghiaccio*) to thaw **2** (*fam.*) (*svignarsela*) to take* oneself off: *appena mi ha visto se l'è squagliata velocemente*, as soon as he saw me he took himself off.

squalifica *s.f.* disqualification: *ha avuto tre giornate di —*, he has been disqualified for three days.

squalificare *v.tr.* to disqualify // **-arsi** *v.rifl.* to prove oneself incapable (of).

squalificato *agg.* disqualified; (*compromesso*) compromised.

squallido *agg.* dreary, bleak.

squallore *s.m.* dreariness, bleakness.

squalo *s.m.* shark, squalus (*pl.* squali).

squama *s.f.* scale.

squamare *v.tr.* to scale // **-arsi** *v.intr.pron.* **1** to scale **2** (*di pelle*) to flake off, to peel off, to scale.

squamoso *agg.* scaly.

squarciagola, a *locuz.avv.* at the top of one's voice.

squarciare *v.tr.* to tear*, to rend* (*anche fig.*): *il sole squarciò le nubi*, the sun broke through the clouds; — *il velo del mistero*, to tear aside the veil of mystery // **-arsi** *v.intr.pron.* to be* torn, to be* rent.

squarcio *s.m.* **1** (*profonda ferita*) gash **2** (*di stoffa*) rent, tear **3** (*brano*) passage.

squartamento *s.m.* quartering.

squartare *v.tr.* to quarter.

squartatoio *s.m.* cleaver.

squassare *v.tr.* to shake* violently, to toss: *i singhiozzi le squassavano il petto*, her breast heaved with her sobs.

squattrinato *agg.* penniless ♦ *s.m.* penniless person: *è uno —*, he hasn't got a penny to his name.

squilibrare *v.tr.* to unbalance (*anche fig.*) // **-arsi** *v.intr.pron.* to lose* one's balance.

squilibrato *agg.* mentally deranged, mad, insane ♦ *s.m.* madman (*pl.* -men), lunatic.

squilibrio *s.m.* lack of balance // — *mentale*, mental derangement.

squilla *s.f.* (*poet.*) (small) bell.

squillante *agg.* shrill; (*di colore*) brilliant.

squillare *v.intr.* to ring*; (*di trombe*) to blare; (*di campane*) to peal.

squillo *s.m.* ring; (*di trombe*) blare; (*di campane*) peal // *ragazza —*, call girl.

squinternare *v.tr.* **1** (*libri*) to pull to pieces **2** (*fig.*) to upset*.

squinternato *agg.* **1** (*di libro*) with all its pages loose **2** (*fig.*) (*poco equilibrato*) nutty.

squisitezza *s.f.* **1** exquisiteness; (*di cibo*) deliciousness **2** (*cosa squisita*) delicacy.

squisito *agg.* **1** exquisite **2** (*di cibo*) delicious.

squittire *v.intr.* **1** (*di topi*) to squeak; (*di uccelli*) to cheep **2** (*fig. scherz.*) to cackle.

sradicare *v.tr.* to uproot (*anche fig.*), to eradicate, to extirpate (*anche fig.*): — *un male*, to extirpate an evil.

sradicato *agg.* uprooted.

sragionare *v.intr.* to reason wrongly; (*vaneggiare*) to rave.

sregolatezza *s.f.* **1** disorderliness; (*intemperanza*) intemperance **2** (*dissolutezza*) dissoluteness.

sregolato *agg.* **1** (*senza regola*) disorderly; (*senza misura*) intemperate **2** (*dissoluto*) dissolute.

srotolare *v.tr.* to unroll.

st *inter.* (*per intimare silenzio*) sh.

stabbio *s.m.* fold; (*per maiali*) (pig)sty.

stabile *agg.* **1** stable, steady: *governo —*, stable government; *tempo —*, settled weather // *beni stabili*, real estate **2** (*permanente*) permanent, lasting: *impiego —*, permanent job; *pace —*, enduring (*o* lasting) peace **3** (*teatr.*) resident: *compagnia —*, resident company ♦ *s.m.* house, building.

stabilimento *s.m.* **1** factory, plant; works (*pl.*): — *chimico*, chemical plant; — *metallurgico*, metallurgical works **2** (*edificio*) establishment // — *penale*, prison.

stabilire *v.tr.* **1** to establish, to fix, to settle; (*accertare*) to ascertain: — *una data*, to fix a date; — *la propria dimora*, to establish one's abode **2** (*decidere*) to decide // **-irsi** *v.rifl.* to settle, to establish oneself: *si stabilirono a Milano*, they settled in Milan; *in data da —*, at a date to be fixed (*o* to be agreed upon).

stabilità *s.f.* stability, steadiness (*anche fig.*).

stabilito *agg.* established, fixed: *all'ora stabilita*, at the fixed hour.

stabilizzare *v.tr.* to stabilize // **-arsi** *v. intr. pron.* to settle, to become* stable.

stabilizzatore *s.m.* stabilizer.

stabilizzazione *s.f.* stabilization.

stabilmente *avv.* 1 firmly 2 (*in permanenza*) permanently.

stacanovismo *s.m.* Stakhanovism.

stacanovista *s.m.* e *f.* Stakhanovite.

staccabile *agg.* detachable: *foglio —*, loose leaf.

staccare *v.tr.* 1 to take* off; (*con le mani*) to detach; (*con forbici, coltello ecc.*) to cut* off: — *un biglietto da*, to detach a ticket from...; — *un fiore da una pianta*, to pick (*o* to pluck) a flower from a plant // *non posso — gli occhi da...*, I cannot take my eyes off... // — *un assegno*, to issue a cheque // — *le note*, (*mus.*) to play notes staccato // — *le parole*, to pronounce each word clearly 2 (*sciogliere, slegare*) to loosen, to unfasten; (*sganciare*) to unhook: — *i cavalli*, to unharness the horses; — *un rimorchio*, to unhook a trailer; — *una vettura*, (*ferr.*) to uncouple a coach 3 (*scostare*) to move away: — *un letto dal muro*, to move a bed away from the wall 4 (*separare*) to separate 5 (*sport*) to leave* (s.o.) behind ♦ *v.intr.* 1 (*spiccare, risaltare*) to stand* out: *quel colore stacca sullo sfondo*, that colour stands out against the background 2 (*fam.*) (*cessare il lavoro*) to knock off // **-arsi** *v.rifl.* 1 to come* off, to break* off; (*venir fuori*) to come* out: *un ramo si staccò dall'albero*, a branch broke off the tree; *s'è staccato un bottone*, a button has come off 2 (*sciogliersi, slegarsi*) to break* loose, to break* away; (*sganciarsi*) to get* unhooked, to come* unhooked 3 (*scostarsi*) to move away: *si staccò dagli amici*, he moved away from his friends 4 (*separarsi*) to leave* (s.o., sthg.); to tear* oneself away (*anche fig.*); (*fig.*) to give up (sthg.): — *da un'abitudine*, to give up a habit 5 (*distaccare*) to pull ahead (of s.o., sthg.): *due corridori si staccarono dal gruppo*, two cyclists pulled ahead of the group 6 (*essere differente*) to differ, to be* different.

staccio e *deriv.* → **setaccio** e *deriv.*

stacciónata *s.f.* (wooden) fence.

stacco *s.m.* 1 detachment 2 (*intervallo*) interval 3 (*contrasto*) contrast // *fare —*, to stand out.

stadèra *s.f.* steelyard // — *a ponte*, (*mecc.*) weighbridge.

stadia *s.f.* (*agr.*) distance staff.

stadio *s.m.* 1 stadium (*pl.* stadia) 2 (*fase*) stage 3 (*di razzo*) (rocket) stage.

staffa *s.f.* 1 stirrup // *perdere le staffe*, to fly off the handle (*o* to lose one's temper) 2 (*oggetto*): — *della vanga*, step of a spade; — *della calza*, heel; — *della ghetta, dei calzoni*, spat-strap, trouser-loop 3 (*anat.*) stirrup bone 4 (*mecc. edil.*) bracket 5 (*alpinismo*) rung.

staffetta *s.f.* courier; (*mil.*) dispatch rider // *corsa a —*, relay race.

staffiere *s.m.* footman (*pl.* -men).

staffilare *v.tr.* to whip, to lash (*anche fig.*).

staffilata *s.f.* 1 lash 2 (*fig.*) cruel taunt.

staffile *s.m.* 1 (*sferza*) whip, lash 2 (*di staffa*) stirrup strap.

stafilococco *s.m.* Staphylococcus (*pl.* -ci).

stagionale *agg.* seasonal // *s.m.* e *f.* seasonal employee; (*spec. in agr.*) seasonal worker.

stagionare *v.tr.* to season.

stagionato *agg.* 1 seasoned 2 (*anziano*) elderly.

stagionatura *s.f.* seasoning.

stagione *s.f.* 1 season: *la — del raccolto*, harvest (time); *la bella —*, the summer months; *frutta di —*, fruit in season; *alta, bassa —*, high season, off season; *si è aperta, chiusa la — della caccia*, it is the open, close season for game // *in alta —*, in season // *mezza —*, between-season: *vestiti di mezza —*, in-between-season clothes 2 (*condizione atmosferica*) weather.

stagliarsi *v.intr.pron.* to stand* out.

stagnaio *s.m.* tinsmith.

stagnante *agg.* stagnant.

stagnare[1] *v.intr.* to stagnate (*anche fig.*) ♦ *v.tr.* to stanch // **-arsi** *v.intr.pron.* to stop flowing.

stagnare[2] *v.tr.* 1 (*metall.*) to tin 2 (*saldare*) to solder 3 (*rendere impermeabile*) to waterproof.

stagnatura *s.f.* tinning.

stagno[1] *s.m.* (*min.*) tin: *saldare a —*, to solder.

stagno[2] *s.m.* (*bacino d'acqua ferma*) pool.

stagno[3] *agg.* watertight.

stagnòla *s.f.*: (*carta*) — tinfoil; (*per cioccolatini*) silver paper.

staio *s.m.* [*pl.m.* stai *nel senso* 1; *pl.f.* staia *nel senso* 2] 1 (*misura, recipiente*) bushel 2 (*contenuto*) bushelful.

stalagmite *s.f.* stalagmite.

stalattite *s.f.* stalactite.

stalla *s.f.* (*di cavalli*) stable; (*di bestiame*) cowshed, cowhouse: *garzone, mozzo di —*, stable boy // *questa stanza pare una —*, this room is like a pigsty // *chiudere la — quando i buoi sono fuggiti*, to shut the stable-door after the horse has bolted.

stallaggio *s.m.* 1 stabling 2 (*costo*) stabling fee.

stallàtico *s.m.* (*concime*) dung, manure.

stallìa *s.f.* (*comm. mar.*) lay days (*pl.*).

stalliere *s.m.* stable boy, groom.

stallo *s.m.* 1 seat 2 (*aer.*) stall 3 (*nel gioco degli scacchi*) stalemate 4 (*fig.*) deadlock, stalemate.

stallóne *s.m.* stallion.

stamani, stamattina *avv.* this morning.

stambecco *s.m.* ibex.

stambèrga *s.f.* hovel.

stambugio *s.m.* small dark room.

stame *s.m.* 1 (*bot.*) stamen 2 (*filo di lana*) fine carded wool.

stamigna *s.f.* (*tessuto*) coarse muslin.

stampa *s.f.* 1 (*arte, atto dello stampare*) printing: — *serigrafica*, silk screen printing; — *tipografica*, letterpress printing; — *xilografica*, wood cut // *dare alle stampe*, to send to press // *errore di —*, misprint // *stampe*, (*nelle spedizioni postali*) printed matter 2 (*l'insieme dei giornali e dei giornalisti*) press // *agenzia di —*, news agency // *comunicato —*, press release // *conferenza —*, press conference // *ufficio —*, press office 3 (*riproduzione*) print 4 (*informatica*) print; (*di un programma*) hard copy: — *del contenuto della memoria*, memory print out; dump.

stampaggio *s.m.* (*mecc.*) pressing; (*di tessuti*) printing: — *a caldo*, hot pressing.

stampante *s.f.* (*informatica*) printer: — *a inchiostro*, ink printer; — *a margherita*, (daisy) wheel printer; — *a matrice*, matrix printer; — *a punti*, dot printer; — *parallela*, line printer.

stampare *v.tr.* 1 to print: — *a quattro colori*, to print in four colours; — *in rotocalco*, to print by rotogravure 2 (*pubblicare*) to publish 3 (*coniare*) to coin 4 (*tecn.*) (*con pressa*) to press // **-arsi** *v.intr.pron.*: *quella* *scena mi si è stampata nella mente*, that scene remained impressed upon my mind.

stampatello *agg.* e *s.m.* (*carattere*) —, block letters (*pl.*).

stampato *agg.* printed ♦ *s.m.* **1** printed matter (*solo sing.*) **2** (*modulo*) form **3** (*tessuto*) print.

stampatore *s.m.* (*tip.*) printer.

stampella *s.f.* crutch: *camminare con le stampelle*, to go on crutches.

stamperia *s.f.* printing works (*pl.*), printing shop.

stampiglia *s.f.* (*timbro*) rubber stamp.

stampigliare *v.tr.* to stamp.

stampigliatura *s.f.* **1** stamping **2** (*filatelia*) overprinting.

stampino *s.m.* **1** (*cuc.*) mould **2** (*tecn.*) stencil **3** (*punteruolo*) punch.

stampo *s.m.* **1** mould: — *per budino*, pudding-mould **2** (*mecc.*) (*matrice*) die **3** (*fig.*) kind // *di vecchio* —, old-fashioned.

stampone *s.m.* (*tip.*) proof.

stanare *v.tr.* to drive* out; (*animali selvatici*) to rouse; (*fig.*) to get* (s.o.) to come out.

stanca *s.f.* slack water.

stancamente *avv.* wearily.

stancare *v.tr.* **1** to tire **2** (*infastidire*) to vex, to annoy; (*annoiare*) to bore // **-arsi** *v.intr.pron.* to tire, to get* tired (*anche fig.*).

stanchezza *s.f.* tiredness, weariness (*anche fig.*): *avere, sentire* —, to feel (*o* to be) tired.

stanco *agg.* tired, weary (*anche fig.*): — *morto*, dead tired; *sono, mi sento* —, I am, I feel tired // *un terreno* —, an exhausted soil.

standard *s.m.* standard.

standardizzare *v.tr.* to standardize.

standardizzato *agg.* standardized; (*prodotto in serie*) mass produced.

standardizzazione *s.f.* standardization; (*fabbricazione in serie*) mass production.

standista *s.m.* e *f.* **1** (*espositore*) stand-holder, exhibitor **2** (*addetto*) stand attendant, hostess (*solo f.*) **3** (*chi progetta uno stand*) stand designer.

stanga *s.f.* bar.

stangare *v.tr.* **1** (*far pagare un prezzo elevato*) to swindle **2** (*bocciare*) to fail.

stangata *s.f.*: *che* —!, what a blow!; (*di prezzo*) what a swindle!

stanghetta *s.f.* **1** (*di serratura*) bolt **2** (*di occhiali*) bar: *occhiali a* —, spectacles **3** (*mus.*) bar.

stanotte *avv.* **1** tonight **2** (*la notte scorsa*) last night.

stante *agg.*: *a sé* —, apart: *questa è una faccenda a sé* —, this is quite a different matter ♦ *prep.* on account of.

stantio *agg.* **1** stale (*anche fig.*) **2** (*vecchio*) old; (*fuori moda*) old-fashioned ♦ *s.m.*: *sapere di* —, to taste stale.

stantuffo *s.m.* (*mecc.*) **1** (*di motore*) piston **2** (*di pompa, pressa idraulica ecc.*) plunger.

stanza *s.f.* **1** room: — *da letto*, bedroom; *un appartamento di tre stanze*, a three-roomed flat // — *di compensazione*, (*fin.*) clearing office, clearing house // — *mortuaria*, mortuary // *Stanze Vaticane*, Vatican Stanze **2** (*dimora*): *essere di* — *in un luogo*, (*mil.*) to be stationed in a place **3** (*metrica*) stanza.

stanziale *agg.* permanent.

stanziamento *s.m.* appropriation.

stanziare *v.tr.* to appropriate // **-arsi** *v.rifl.* to settle (in a place).

stanzino *s.m.* small spare room.

stappare *v.tr.* to uncork.

star *s.f.* (*mar.*) star.

stare *v.intr.* **1** to stay, to remain; (*in piedi*) to stand*: — *in casa*, to stay at home; *starò in campagna alcuni giorni*, I'm staying in the country for a few days; — *al sole, all'ombra*, to stay in the sun, in the shade; — *a letto*, to stay in bed; — *alzato*, to stay up; — *sdraiato*, to be lying down // *non sa* — *a tavola*, he has no table manners // *non può* — *senza bere*, he can't do without drink // *non sta più in sé dalla curiosità*, he's burning with curiosity // *stava sulle sue*, he kept himself to himself // *non sta allo scherzo*, he has no sense of humour // — *alla prova*, to stand the test // — *in guardia*, to be on one's guard **2** (*abitare*) to live **3** (*essere*) to be*: *qui sta la difficoltà*, this is the difficulty; *stando così le cose...*, things being as they are...; *le cose stanno così*, it's like this; *sta' sicuro che...*, you may be sure that // *stavo studiando*, I was studying // — *per fare qlco.*, to be going (*o* about) to do sthg. **4** (*di salute*) to be*: *come stai?*, how are you?; *come sta tuo padre?*, how is your father (getting on)?; — *bene, male*, to be well, not well; *stai un po' meglio?*, are you feeling better? // *stammi bene!*, take care of yourself! **5** (*di abito ecc.*) to suit: *come mi sta questo abito?*, how does this dress suit me?; *sta meglio a che a me*, it suits you better than (it does) me; — *bene, male*, to suit, not to suit (s.o.) **6** (*dipendere*) to depend (on sthg.): *tutto sta se si può arrivare in tempo*, everything depends on whether we can get there in time **7** (*spettare, toccare*) to be* up (to s.o.), to be* (for s.o.): *sta in, a me, te ecc.*, it's up to me, you etc.: *se stesse a lui decidere...*, if it were up to him to decide... **8** (*parteggiare*) to side **9** (*attenersi*): *devi* — *a quel che ti dicono di fare*, you must do as they tell you **10** (*mat.*) (*essere in un determinato rapporto*) to be*; (*essere contenuto*) to go* (into sthg.): *20 sta a 40 come 50 sta a 100*, 20 is to 40 as 50 is to 100; *il 3 sta due volte nel 6*, three goes twice into six **11** (*al gioco*) to stick*: *sto!*, stick! **12** (*fraseologia*): *star bene, male*, (*economicamente*) to be well off, badly off; *come stiamo a soldi, a benzina?*, how are we off for money, petrol? // *staremo a vedere come si metteranno le cose*, we shall see how things turn out; *sta' a vedere*, wait and see // *stammi a sentire!*, listen! // *stando a quel che si dice...*, according to what they say... // *non sta bene che una signora fumi per strada*, it is not done for a lady to smoke in the street // *come si sta bene qui!*, how nice it is here! // *il viola sta bene, male con il rosso*, violet goes well, doesn't go with red // *ti sta bene, ben ti sta!*, it serves you right! // *sta bene!*, all right! // — *dietro a qlcu.*, (*pedinarlo*) to dog s.o.'s footsteps; (*seguirlo da vicino*) to follow s.o. closely; (*sorvegliarlo*) to keep an eye on s.o.; (*corteggiarlo*) to court s.o. // *starci*, (*esserci spazio*): *qui ci sta molta gente*, there is room for a great many people here; *non riesco a farcene* — *di più*, I can't get any more in // *starci* (*accettare*): *ci stai?*, is it all right with you?; *è una ragazza che ci sta*, she's game // *lasciar* —, (*non infastidire, non toccare*) to leave (s.o., sthg.) alone; (*non occuparsi di*) not to interfere (in).

starna *s.f.* (*zool.*) grey partridge.

starnazzare *v.intr.* to flutter; (*fig.*) to cackle.

starnutire *v.intr.* to sneeze.

starnuto *s.m.* sneeze, sneezing: *fare uno* —, to sneeze.

starter *s.m.* starter.

stasare *v.tr.* to unclog, to unstop, to open.

stasera *avv.* this evening; tonight.

stasi *s.f.* **1** (*med.*) stasis (*pl.* stases) **2** (*arresto*) stoppage, standstill: *essere in periodo di* —, to be at a standstill.

statale *agg.* State (*attr.*) ♦ *s.m.* e *f.* (*spec. in uffici*) civil servant.

statalismo *s.m.* statism.

statalista *s.m.* e *f.* advocate of statism.

statalizzare *v.tr.* to nationalize.

statalizzazione *s.f.* nationalization.

statica *s.f.* statics.

staticità *s.f.* motionlessness, stillness.

statico *agg.* static.

statista *s.m.* statesman (*pl.* -men).

statistica *s.f.* statistics.

statistico *agg.* statistical.

Stati Uniti, gli *no.pr.m.pl.* the United States.

statizzare e *deriv.* → **statalizzare** e *deriv.*

stato *s.m.* **1** state, condition: — *d'assedio, di guerra,* state of siege, of war; — *di salute,* state of health // *guarda in che — è!,* look what a state he is in! **2** (*posizione sociale*) position, (social) condition **3** (*dir.*) status: *ufficiale di — civile,* Registrar; *ufficio di — civile,* registry (office) **4** (*pol.*) state: *prigione di stato,* state prison; *impiegato di stato,* civil servant // *colpo di stato,* coup d'État // *uomo di stato,* statesman **5** *Stato* (*mil.*): *Stato Maggiore,* General Staff; *ufficiale di Stato Maggiore,* Staff Officer; *capo di Stato Maggiore,* Chief of Staff **6** (*informatica*) status; mode: — *di controllo,* control mode; — *padrone* (*in multiprogrammazione e trasmissione dati*) master mode; — *testo,* test mode.

statore *s.m.* (*mecc.*) stator.

statoreattore *s.m.* (*aer.*) ramjet.

statua *s.f.* statue.

statuario *agg.* **1** statuesque **2** (*delle statue, adatto per statue*) statuary.

statuetta *s.f.* statuette.

statunitense *agg.* United States (*attr.*) ♦ *s.m.* e *f.* American, United States citizen.

statura *s.f.* height, stature: *di alta —,* (very) tall; *di bassa —,* short; *di media —,* of average height // — *morale,* moral stature.

statutario *agg.* statute (*attr.*), statutory.

statuto *s.m.* statute.

stavolta *avv.* this time.

stazionamento *s.m.* parking: — *taxi,* taxi stand.

stazionare *v.intr.* to be* parked; (*di mezzi di trasporto pubblici*) to stand*.

stazionario *agg.* stationary: *temperatura stazionaria,* constant temperature; *la situazione è stazionaria,* there is no change (in the situation).

stazione *s.f.* **1** station: — *di servizio,* (*aut.*) service (*o* filling) station; — *degli autobus,* bus station; — *di polizia,* police station, (*amer.*) precinct; — *ferroviaria,* railway station, (*amer.*) railroad station; — *di testa,* (*ferr.*) terminus; — *locale,* (*rad.*) spot station; — *meteorologica,* weather station // — *trasmittente,* (*informatica*) sending station **2** (*fermata*) stop **3** (*luogo di villeggiatura*) resort.

stazza *s.f.* (*mar.*) tonnage: — *di regata,* class.

stazzare *v.tr.* (*mar.*) **1** to have* a tonnage (of sthg.): *quanto stazza questa nave?,* what is the tonnage of this ship? **2** (*misurare con la stazza*) to gauge, to measure.

stazzo *s.m.* fold.

stearico *agg.* stearic.

stearina *s.f.* (*chim.*) stearin.

steatite *s.f.* (*min.*) steatite, soapstone.

stecca *s.f.* **1** (small) stick **2** (*di ombrello, ventaglio*) rib **3** (*da biliardo*) cue **4** (*di persiana*) slat **5** (*per arti rotti*) splint **6** (*di busto o altri indumenti*) whale (bone) **7** (*mus.*) false note: *fare una —,* to sing, to play a false note **8** (*di sigarette*) carton.

steccare *v.tr.* **1** to fence **2** (*med.*) to put* in splints, to splint ♦ *v.intr.* (*mus.*) to sing* a false note; to play a false note.

steccato *s.m.* **1** fence **2** (*edil.*) hoarding **3** (*ippica*) rails (*pl.*).

stecchetto, a *locuz.avv.*: *stare a —,* (*di cibo*) to live on short rations (*o* commons); (*stare a dieta*) to cut down on one's food; *tenere qlcu. a —,* (*di cibo*) to keep s.o. on short rations; (*di denaro*) to keep s.o. short of money.

stecchino *s.m.* **1** small stick **2** (*stuzzicadenti*) toothpick.

stecchire *v.tr.* to dispatch ♦ *v.intr.,* **-irsi** *v.intr.pron.* to dry up.

stecchito *agg.* **1** dried up **2** (*magrissimo*) skinny: *secco —,* as thin as a rake **3** (*morto*) stone dead, as dead as a doornail.

stecco *s.m.* **1** stick; (*ramoscello secco*) dry twig **2** (*persona magra*) bag of bones.

stecconata *s.f.,* **stecconato** *s.m.* → **steccato.**

steccone *s.m.* stake, post.

Stefano *no.pr.m.* Stephen.

stele *s.f.* stele (*pl.* stelae).

stella *s.f.* **1** star: *alla luce delle stelle,* by starlight; *un cielo senza stelle,* a starless sky // — *alpina,* edelweiss // — *di mare, marina,* starfish // *povera—!,* (*fam.*) poor thing! // *è nato sotto una buona, una cattiva —,* he was born under a lucky, an unlucky (*o* evil) star // *la sua — è tramontata,* his sun has set // *i prezzi erano alle stelle,* prices were sky-high // *dormire sotto le stelle,* to sleep under the open sky // *portare qlcu. alle stelle,* to praise s.o. to the skies // *vedere le stelle,* to see stars **2** (*diva*) star **3** (*di cavallo*) blaze, star.

stellare *agg.* **1** stellar, star (*attr.*) **2** (*a forma di stella*) star-shaped.

stellato *agg.* starry, starred; (*illuminato dalle stelle*) starlit: *cielo —,* starry sky // *la bandiera stellata,* the Stars and Stripes.

stelletta *s.f.* **1** asterisk, star **2** (*mil.*) star: *perdere le stellette,* to be demoted.

stellina *s.f.* (*divetta*) starlet.

stelloncino *s.m.* short item (in a newspaper).

stelo *s.m.* **1** stalk, stem **2** (*mecc.*) stem; (*di utensile*) shank; (*di rotaia*) web // *lampada a —,* floor lamp.

stemma *s.m.* coat of arms, bearings (*pl.*).

stemperare *v.tr.,* **stemperarsi** *v.intr.pron.* to melt, to dissolve.

stempiarsi *v.intr.pron.* to thin at the temples.

stempiato *agg.* thinning at the temples.

stendardo *s.m.* standard, banner.

stendere *v.tr.* **1** (*distendere*) to spread* (out); (*allungare*) to stretch (out): *il medico lo fece — sul lettino,* the doctor made him lie (on the couch); *lo stese con un pugno,* he stretched him (on the floor) (*o* he laid him out) with a blow **2** (*appendere*) to hang* out **3** (*mettere per iscritto*) to draw* up **4** (*rilassare*) to relax **5** (*spianare metalli*) to hammer out **6** (*ind. tessile*) to tenter // **-ersi** *v.rifl.* **1** to spread* out; (*estendersi*) to stretch // *fin dove si stende l'occhio,* as far as the eye can see **2** (*sdraiarsi*) to lie* down: — *per terra,* to lie down on the ground.

stenocardia *s.f.* (*med.*) stenocardia.

stenodattilografa *s.f.* shorthand typist.

stenodattilografia *s.f.* shorthand typing.

stenodattilografo *s.m.* shorthand typist.

stenografa *s.f.* stenographer.

stenografare *v.tr.* to stenograph.

stenografia *s.f.* shorthand, stenography.

stenografico *agg.* shorthand, stenographic.

stenografo *s.m.* stenographer.

stenosi *s.f.* (*med.*) stenosis (*pl.* stenoses).

stentare *v.intr.* **1** to find* it hard, to have* difficulty (in doing): *stento a crederlo*, I can hardly believe it **2** (*mancare del necessario*) to be* in need, to be* in want ♦ *v.tr.*: — *la vita*, to be* hard up.

stentatamente *avv.* **1** with difficulty **2** (*in povertà*) in poverty.

stentatezza *s.f.* **1** difficulty **2** (*povertà*) poverty.

stentato *agg.* **1** hard, difficult; (*scarso*) skimpy; (*che denota sforzo*) laboured: *una vita stentata*, a hard (*o* difficult) life **2** (*cresciuto a stento*) stunted.

stento *s.m.* **1** privation: *vivere fra gli stenti*, to live in poverty **2** (*sforzo, fatica*) effort, difficulty // *a* —, hardly (*o* with difficulty).

stentoreo *agg.* stentorian.

steppa *s.f.* steppe.

stepposo *agg.* steppe (*attr.*).

sterco *s.m.* dung, excrement, droppings (*pl.*).

stercorario *agg.* stercoral, stercoraceous.

stereo- *pref.* stereo-.

stereofonia *s.f.* stereo(phony).

stereofonico *agg.* stereo(phonic).

stereoscopia *s.f.* (*ott.*) stereoscopy.

stereoscopico *agg.* (*ott.*) stereoscopic(al).

stereotipare *v.tr.* to stereotype.

stereotipato *agg.* stereotyped.

stereotipia *s.f.* **1** (*arte, metodo*) stereotypy **2** (*lastra per stereotipare*) stereotype.

stereotipo *agg.* stereotyped.

sterile *agg.* sterile (*anche fig.*), barren (*anche fig.*).

sterilità *s.f.* sterility, barrenness (*anche fig.*).

sterilizzare *v.tr.* to sterilize.

sterilizzatore *s.m.* sterilizer.

sterilizzazione *s.f.* sterilization.

sterlina *s.f.* pound (sterling).

sterminare *v.tr.* to exterminate.

sterminatezza *s.f.* boundlessness.

sterminato *agg.* immense; (*sconfinato*) boundless.

sterminatore *agg.* exterminating ♦ *s.m.* exterminator.

sterminio *s.m.* **1** extermination; (*strage*) slaughter // *campo di* —, extermination camp **2** (*fam.*) (*enorme quantità*) awful lot.

sterno *s.m.* (*anat.*) breastbone, sternum (*pl.* -a).

sterpaglia *s.f.* scrub, brushwood.

sterpo *s.m.* (*ramo secco*) dry twig; (*pruno*) thorn bush.

sterrare *v.tr.* to dig* up, to excavate.

sterratore *s.m.* digger.

sterro *s.m.* **1** (*lo sterrare*) digging up, excavation **2** (*terra scavata*) excavated earth.

sterzare *v.tr.* (*aut.*) to steer.

sterzata *s.f.* (*aut.*) turn of the wheel: *fare una* —, to give the wheel a sharp turn.

sterzo *s.m.* (*aut.*) steering wheel.

stesso *agg.* **1** (*identico*) same: *da allora non è più lo* — *uomo*, since then he hasn't been himself; *nello* — *tempo, al tempo* —, at the same time; *è la stessa identica cosa*, it is just the same thing **2** (*rafforzativo*): *io* —, I myself, I... myself; *tu* —, you yourself, you... yourself; *egli, lui* —, he himself, he... himself; *ella, lei stessa*, she herself, she... herself; *esso* —, it itself, it... itself; *noi stessi*, we ourselves we... ourselves; *voi stessi*, you your-

selves, you... yourselves; *essi stessi*, they themselves, they... themselves; *ci andai io* —, I went there myself // *è la bontà stessa*, she is kindness itself **3** (*in costruzioni riflessive*) -self (*pl.* -selves) (*suffisso a formare in inglese i pron. rifl.*): *me* —, myself; *te* —, yourself; *sé* —, himself, itself; (*indef.*) oneself; *sé stessa*, herself; *noi stessi*, ourselves; *voi stessi*, yourselves; *loro stessi*, themselves; *egli ama sé* — *più di ogni altro*, he loves himself more than anybody else // *di per sé* —, in itself **4** (*con valore di* proprio, esattamente) very: *in quel momento* —, at that very moment; *oggi* —, this very day ♦ *s.m.* the same: *anche lui dirà lo* —, he will say the same too (*o* as well); «*È lo* —», "It's the same (*o* It's all the same to me)" ♦ *avv.* the same; (*in ogni modo*) all the same, anyway: *sta press'a poco lo* — *di ieri*, he is much the same as yesterday.

stesura *s.f.* **1** (*il redigere*) drawing up, drafting **2** (*redazione*) draft.

stetoscopio *s.m.* (*med.*) stethoscope.

stia *s.f.* hen coop.

stif(f)elius *s.m.* frock coat.

stigliare *v.tr.* to hackle.

stigma *s.m.* **1** (*marchio*) stigma, brand (*anche fig.*) **2** (*zool. bot.*) stigma.

stigmate *s.f.pl.* stigmata.

stigmatizzare *v.tr.* to stigmatize.

stilare *v.tr.* to draw* up, to draft.

stile *s.m.* style: *mobili* — *impero*, empire furniture; *nello, secondo lo* — *di Giotto*, in the style (*o* after the manner) of Giotto // *con* —, stylishly (*o* in style) // *in grande* —, on a grand scale (*o* in grand style) // *una persona di* —, a stylish person // *avere* —, to be stylish // *abito* (*di*) — *inglese*, English-styled dress.

stilettata *s.f.* stab (*anche fig.*).

stiletto *s.m.* stiletto, stylet.

stilismo *s.m.* stylism.

stilista *s.m.* e *f.* stylist.

stilistica *s.f.* stylistics.

stilistico *agg.* stylistic(al).

stilizzare *v.tr.* to stylize.

stilizzato *agg.* stylized.

stilizzazione *s.f.* stylization.

stilla *s.f.* drop: *stille di sudore*, beads of perspiration // *a* — *a* —, drop by drop.

stillare *v.tr.* e *intr.* to exude, to ooze, to drip.

stillicidio *s.m.* drip, dripping.

stilo *s.m.* **1** (*per scrivere*) style, stylus **2** (*di meridiana*) style, gnomon; (*braccio della stadera*) beam.

stilografico *agg.* stylographic(al): *inchiostro* —, fountain-pen ink; (*penna*) stilografica, fountain pen.

stima *s.f.* **1** (*valutazione*) estimate, valuation, assessment: *fare la* — *di qlco.*, to make an estimate of (*o* to estimate) sthg. **2** (*buona opinione*) esteem, estimation: *avere molta* — *di qlcu.*, to hold s.o. in high esteem.

stimabile *agg.* estimable.

stimare *v.tr.* **1** (*valutare*) to estimate, to value, to assess: *ha stimato questa proprietà quattro milioni*, he valued this property at four million; — *qlco. al di sopra, al di sotto del suo valore*, to overestimate, to underestimate sthg.; *far* — *un gioiello*, to have a jewel valued **2** (*tenere in alta considerazione*) to esteem, to think* very highly (of s.o.): *tutti lo stimano molto*, everyone thinks very highly of him **3** (*ritenere*) to consider, to think* // **-arsi** *v.rifl.* to consider oneself.

stimato *agg.* esteemed.

stimatore *s.m.* estimator; (*specializzato*) valuer.

stimolante *agg.* stimulating.

stimolare *v.tr.* to stimulate; (*indurre*) to drive*, to incite.

stimolo *s.m.* stimulus (*pl.* stimuli); (*incentivo*) spur, incentive.

stinco *s.m.* (*anat.*) shin, shinbone // *non è uno — di santo*, he is far from being a saint.

stingere *v.tr.* e *intr.*, **stingersi** *v.intr.pron.* to fade.

stinto *agg.* faded.

stipa *s.f.* brushwood.

stipare *v.tr.*, **stiparsi** *v.rifl.* to crowd, to pack.

stipato *agg.* crowded (with), packed (with).

stipendiare *v.tr.* to pay* a salary (to s.o.); (*avere a servizio*) to take* (s.o.) on.

stipendiato *agg.* salaried.

stipendio *s.m.* salary.

stipite *s.m.* **1** jamb: *— di porta*, doorpost **2** (*bot.*) trunk; (*di fungo*) stipe.

stipo *s.m.* cabinet.

stipulare *v.tr.* to stipulate; (*redigere*) to draw* up.

stipulazione *s.f.* stipulation; (*il redigere*) drawing up.

stiracchiamento *s.m.* **1** stretching **2** (*fig.*) (*il mercanteggiare*) bargaining, haggling.

stiracchiare *v.tr.* **1** to stretch **2** (*cavillare su*) to twist **3** (*mercanteggiare*) to bargain (over sthg.), to haggle (about sthg.) // *— la vita*, to scrape a living // **-arsi** *v.rifl.* to stretch.

stiracchiato *agg.* (*fig.*) forced.

stiramento *s.m.* (*med.*) strain.

stirare *v.tr.* to iron; (*gener. per ridare la forma*) to press: *— una camicia*, to iron a shirt; *— un vestito*, to press a suit // *oggi devo —*, today I have some ironing to do // **-arsi** *v.rifl.* to stretch (oneself).

stiratrice *s.f.* ironer.

stiratura *s.f.* ironing.

stireria *s.f.* ironing and pressing shop.

stiro *s.m.*: *ferro da —*, iron; *asse, tavolo da —*, ironing board, table.

stirpe *s.f.* **1** stock; (*origine*) origin **2** (*progenie*) issue.

stitichezza *s.f.* constipation.

stitico *agg.* **1** constipated **2** (*avaro*) niggardly; (*fam.*) stingy.

stiva *s.f.* hold.

stivaggio *s.m.* stowage.

stivale *s.m.* boot // *avvocato dei miei stivali!*, (*iron.*) lawyer, my foot! // *lustrare gli stivali a qlcu.*, to lick s.o.'s boots.

stivaletto *s.m.* bootee.

stivare *v.tr.* to stow (*anche fig.*).

stizza *s.f.* anger: *avere, provare — per qlco.*, to be angry about sthg.

stizzire *v.tr.* to irritate, to vex ♦ *v.intr.*, **-irsi** *v.intr.pron.* to get* angry, to get* cross.

stizzito *agg.* cross, angry.

stizzoso *agg.* irritable, peevish.

stoccafisso *s.m.* stockfish // *sembra uno —*, he is as thin as a lath.

stoccata *s.f.* **1** thrust, stab **2** (*battuta pungente*) gibe: *dare una — a*, to gibe at **3** (*richiesta di denaro*) sudden request for money.

stocco *s.m.* rapier.

Stoccolma *no.pr.f.* Stockholm.

stoffa *s.f.* **1** material; (*tessuto*) fabric; (*spec. di lana*) cloth, stuff **2** (*fig.*) makings (*pl.*): *ha la — dell'artista*, he has the makings of an artist // *ha della —*, he has talent.

stoicamente *avv.* stoically.

stoicismo *s.m.* **1** (*st. fil.*) Stoicism **2** (*fig.*) stoicism.

stoico *agg.* e *s.m.* **1** (*st. fil.*) Stoic **2** (*fig.*) stoic.

stoino *s.m.* (door) mat.

stola *s.f.* stole.

stolido *agg.* stupid, foolish.

stoltezza *s.f.* foolishness, stupidity; (*cosa stolta*) silliness.

stolto *agg.* foolish, stupid, silly ♦ *s.m.* fool.

stomacare *v.tr.* to sicken (*anche fig.*), to nauseate (*anche fig.*).

stomachevole *agg.* sickening (*anche fig.*), nauseating (*anche fig.*).

stomaco *s.m.* **1** stomach: *a — pieno, vuoto*, on a full, an empty stomach; *mi fa male lo —*, I have a pain in my stomach // *ho ancora la colazione sullo —*, my lunch hasn't gone down yet // *la sua villania mi sta sullo —*, I cannot stand his bad manners // *ha uno — di ferro, struzzo*, he has a cast-iron stomach // *dare di —*, to throw up **2** (*fig.*) (*coraggio*) courage; (*fam.*) guts (*pl.*).

stomatite *s.f.* (*med.*) stomatitis.

stomatologia *s.f.* (*med.*) stomatology.

stomatologico *agg.* (*med.*) stomatologic.

stonare *v.intr.* **1** to be* out of tune; (*uscire dal tono*) to go* out of tune **2** (*fig.*) (*non armonizzare*) to clash: *il verde stona coll'azzurro*, green clashes with blue ♦ *v.tr.*: *— una nota*, to play the wrong note.

stonato *agg.* **1** out of tune (*pred.*); (*di persona*) tone-deaf // *nota stonata*, false note **2** (*fig.*) (*che non armonizza col resto*) clashing; (*inopportuno*) out of place **3** (*fig.*) (*turbato*) upset.

stonatura *s.f.* false note (*anche fig.*): *quel tappeto in questo salotto è una —*, that carpet strikes a false note (*o* is out of place) in this drawing room.

stop *s.m.* **1** (*nei telegrammi*) stop **2** (*segnale stradale*) halt.

stoppa *s.f.* tow // *capelli biondo —*, straw-coloured hair // *ha i capelli come —*, her hair is like straw.

stoppaccio *s.m.* wad.

stoppia *s.f.* (*spec. pl.*) stubble.

stoppino *s.m.* **1** wick **2** (*miccia*) tinder.

stopposo *agg.* (*di carne*) tough; (*di frutto*) dried up; (*di capelli*) coarse.

storcere *v.tr.* to twist (*anche fig.*), to wrench (*anche fig.*); (*piegare*) to bend* // *— la bocca*, to twist one's mouth // *il significato di una frase*, to twist (*o* to wrench) the meaning of a sentence // **-ersi** *v.rifl.* to twist, to writhe: *— dal dolore*, to writhe in pain ♦ *v. intr.pron.* to bend* // *mi si è storta una caviglia*, I have twisted an ankle.

stordimento *s.m.* **1** dizziness, giddiness: *avere uno —*, to feel giddy **2** (*stupore*) bewilderment.

stordire *v.tr.* to stun (*anche fig.*); to daze (*anche fig.*): *ero stordito dal rumore*, I was deafened by the noise; *quella notizia lo aveva stordito*, that piece of news had stunned (*o* dazed) him // **-irsi** *v.rifl.* to drug oneself.

storditaggine *s.f.* **1** heedlessness; (*stupidità*) stupidity **2** (*errore sciocco*) foolish mistake; (*detto sciocco*) foolish remark.

stordito *agg.* **1** stunned, dazed: *era — per il colpo*, he was left stunned by the blow **2** (*sventato*) scatter-brained.

storia *s.f.* **1** history: *— dell'arte*, history of art; *lezione, esame di —*, history lesson, examination; *libro di —*, history book // *la — sacra*, sacred history **2** (*racconto*) story, tale // *è sempre la stessa —!*, it is always the same (old) story! // *basta con questa —!*, please stop this business! **3** (*bugia*) story, fib: *non raccontare sto-*

rie!, don't tell stories (*o* fibs)! // *storie!*, nonsense! **4** (*obiezione*) objection: *fare delle storie*, to raise objections // *non far tante storie!*, don't make so much fuss!

storicismo *s.m.* (*fil.*) historicism.

storicista *s.m. e f.* historicist.

storicistico *agg.* historicist.

storicità *s.f.* historicity.

storico *agg.* **1** historical // *presente —*, (*gramm.*) historical present **2** (*famoso nella storia*) historic: *palazzi storici*, historical palaces; *un'occasione storica*, an historic occasion ♦ *s.m.* historian.

storiella *s.f.* **1** (funny) story; (*barzelletta*) joke **2** (*frottola*) fib, story.

storiografia *s.f.* historiography.

storiografico *agg.* historiographic(al).

storiografo *s.m.* historiographer.

storione *s.m.* (*zool.*) sturgeon.

stormire *v.intr.* to rustle.

stormo *s.m.* **1** flight, flock: *uno — di aeroplani*, a flight of aeroplanes **2** (*fig.*) (*moltitudine*) crowd, swarm // *suonare a —*, to ring the tocsin.

stornare *v.tr.* **1** to avert, to ward off // *— una somma*, to transfer a sum of money **2** (*fig.*) (*dissuadere*) to dissuade; (*distogliere*) to divert: *— qlcu. da un proposito*, to dissuade s.o. from a project; *— l'attenzione di qlcu. da qlco.*, to divert (*o* to turn) s.o.'s attention from sthg. **3** (*comm.*) (*annullare*) to cancel.

stornello[1] *s.m.* (*zool.*) → **storno**[2].

stornello[2] *s.m.* stornello (*pl.* stornelli).

storno[1] *agg.* (*di cavallo*) dapple-grey.

storno[2] *s.m.* (*zool.*) starling.

storno[3] *s.m.* (*comm.*) (*trasferimento*) transfer; (*annullo*) cancellation.

storpiare *v.tr.* **1** to cripple, to maim **2** (*fig.*) to mangle: *— le parole*, to mangle one's words; *— un nome*, (*scrivendolo*) to misspell a name; (*pronunciandolo*) to garble a name.

storpiatura *s.f.* **1** crippling, maiming **2** (*fig.*) mangling.

storpio *agg.* crippled ♦ *s.m.* cripple.

storta[1] *s.f.* twist; (*distorsione*) sprain: *prendere una — (una caviglia)*, to sprain one's ankle.

storta[2] *s.f.* (*strum. chim.*) retort.

storto *agg.* **1** crooked: *camminava tutto —*, he walked all crooked; *un naso —*, a crooked nose // *bocca storta*, twisted mouth **2** (*falso*) false; (*sbagliato*) wrong: *idee storte*, wrong ideas.

stortura *s.f.* (*idea sbagliata*) wrong idea, mistaken idea; (*errore*) mistake, error // *— mentale, morale*, mental, moral distortion.

stoviglie *s.f.pl.* crockery (*sing.*); dishes (*pl.*): *lavare le —*, to wash the dishes.

strabenedire *v.tr.* to bless with all one's heart.

strabico *agg.* squint-eyed, cross-eyed: *è —*, he squints (*o* he has a squint) ♦ *s.m.* cross-eyed person.

strabiliante *agg.* amazing, astonishing.

strabiliare *v.intr.* to be* amazed, to be* astonished ♦ *v.tr.* to amaze, to astonish.

strabiliato *agg.* amazed, astonished.

strabismo *s.m.* (*med.*) squint, strabismus: *essere affetto da —*, to squint.

strabocchevole *agg.* excessive, superabundant // *una folla —*, an enormous crowd.

strabuzzare *v.tr.*: *— gli occhi*, to roll one's eyes.

stracarico *agg.* overloaded (with), overburdened (with).

straccale *s.m.* bellyband, girth.

straccare *v.tr.* (*pop.*) to tire out // **-arsi** *v.intr.pron.* (*pop.*) to get* tired (out).

stracciare *v.tr.* to tear*: *— una lettera*, to tear up a letter // *questa carta si straccia facilmente*, this paper tears easily.

stracciato *agg.* **1** torn; (*solo di tessuti*) ragged // *prezzi stracciati*, slashed prices **2** (*di persona*) in rags, in tatters.

straccio[1] *agg.* torn // *carta straccia*, waste paper.

straccio[2] *s.m.* **1** rag, tatter (*spec. pl.*): *era vestito di stracci*, he was dressed in rags (*o* tatters) // *era ridotta uno —*, she was worn out // *uno — di marito*, an apology for a husband // *non ho uno — di vestito da mettere*, I haven't a stitch (*o* anything) to wear **2** (*strofinaccio*) cloth: *— per i pavimenti*, floorcloth; *— per le scarpe*, shoecloth // *— per la polvere*, duster.

straccione *s.m.* ragamuffin.

straccivendolo *s.m.* ragman (*pl.* -men).

stracco *agg.* (*pop.*) **1** tired out, exhausted // *— morto*, dead tired **2** (*fig.*) (*fiacco*) weak **3** (*di terreno*) exhausted, worn-out.

stracotto *agg.* overdone ♦ *s.m.* (*cuc.*) stew.

stracuocere *v.tr.* to overdo*.

strada *s.f.* **1** road; (*di città*) street: *— asfaltata*, asphalt road; *— carrozzabile*, carriage way; *— principale*, main road (*o* highroad *o* highway); *— secondaria*, byway; *— statale*, state road; *— di campagna*, country road; *— a senso unico*, one-way street; *— cieca, senza uscita*, cul-de-sac (*o* blind alley); *— a due corsie*, two-lane road; *all'angolo della —*, at the street corner; *dall'altra parte della —*, across (*o* on the other side of) the road; *a quest'ora è già in —*, by now he is on the road; *l'ho incontrato per la —*, I have met him in the street; *andare fuori — ,* (*aut.*) to go off (*o* to leave) the road; *tiene bene la — ,* (*aut.*) it holds the road well; *tutta la — è sua*, he thinks he owns the road // *mettere qlcu. in mezzo alla —,* (*fig.*) to put s.o. out in the street // *si vide chiusa ogni —,* (*fig.*) he saw that every possibility was closed to him // *l'uomo della —,* the man of the street // *ragazzo di —,* street urchin **2** (*percorso, cammino*) way (*anche fig.*): *mostrare la — a qlcu.*, to show s.o. the way; *che — fai?*, which way are you going?; *facciamo la — insieme*, let's go together; *è a un'ora di — da qui*, it is an hour's walk from here; *c'è molta — fino là?*, is it long to get there?; *sbagliare —*, to take the wrong way; *essere sulla — sbagliata, giusta*, to be in the wrong, right direction; (*fig.*) to be on, off the straight and narrow path; *essere, fermarsi a metà —*, to be, to stop halfway; *fermarsi per —*, to stop on the way // *essere, mettere su una buona, cattiva —*, to be, to put on the right, wrong track // *andare ciascuno per la propria —*, to go one's own way // *ha trovato la — fatta*, he had everything done for him // *farsi, aprirsi una — tra la folla*, to push one's way through the crowd // *vieni, ti faccio —*, come, I'll show you the way // *si è fatto — da solo*, he has made his way by himself // *ne ha fatta di —!*, he has gone a long way since then! // *farsi — nella mente*, (*di idea*) to take shape in s.o.'s mind.

stradale *agg.* road (*attr.*); of the road (*pred.*): *lavori stradali*, road works; *manutenzione —*, upkeep of the roads; *fondo —*, roadbed; *piano —*, roadway; *regolamento —*, rule of the road.

stradino *s.m.* roadmender.

stradista *s.m.* road-racing cyclist.

stradivario *s.m.* Stradivarius (*abbr.* Strad).

stradone *s.m.* main road.

strafalcione *s.m.* blunder.

strafare *v.intr.* to overdo*.

straforo, di *locuz.avv.* (*di nascosto*) secretly; (*illecitamente*) on the sly (*o* on the quiet).

strafottente *agg.* arrogant, insolent.

strafottenza *s.f.* arrogance, insolence.

strage *s.f.* **1** slaughter, massacre: *fare una* —, to slaughter (*o* to massacre) // *il colera ha fatto* — *tra la popolazione*, cholera decimated the population // *fa* — *di cuori*, she leaves a trail of broken hearts behind her // *quell'esame fu una* —, that exam was murder (*o* slaughter) **2** (*fam.*) (*grande quantità*) a lot: *una* — *di quattrini*, pots of money.

stragrande *agg.* enormous, huge.

stralciare *v.tr.* **1** to take* out // — *una partita da un conto*, (*comm.*) to remove an item from an account **2** (*comm.*) (*liquidare*) to liquidate, to wind* up.

stralcio *s.m.* **1** removal **2** (*estratto*) extract **3** (*ritaglio di giornale*) newspaper cutting **4** (*comm.*) (*liquidazione*) liquidation, winding up: *vendere qlco. a* —, to sell sthg. off **5** (*dir.*): *legge* —, provisional order.

strallo *s.m.* (*mar.*) stay // *vela di* —, staysail.

stralunare *v.tr.*: — *gli occhi*, to open one's eyes wide.

stralunato *agg.* **1** (*di occhi*) staring **2** (*di viso*) stricken; (*di persona*) distraught.

stramaledire *v.tr.* to curse heartily.

stramazzare *v.intr.* to drop.

stramberia *s.f.* oddity, eccentricity, queerness: *una delle sue solite stramberie*, the sort of thing he would do, he would say.

strambo *agg.* odd, eccentric, funny: *un tipo* —, an odd bird.

strame *s.m.* **1** (*per foraggio*) fodder **2** (*per lettiera*) litter.

strampalato *agg.* odd, queer, strange: *un discorso* —, an odd (*o* a queer) speech.

stranezza *s.f.* **1** strangeness, oddity, queerness **2** (*azione*) strange thing, odd thing; (*detto*) strange remark, odd remark.

strangolamento *s.m.* strangling.

strangolare *v.tr.* to strangle, to throttle.

strangolatore *s.m.* strangler.

straniare *v.tr.* (*letter.*) to estrange // **-arsi** *v.rifl.* to get* estranged.

straniero *agg.* foreign: *francobolli stranieri*, foreign stamps ♦ *s.m.* foreigner.

stranito *agg.* (*intontito*) dazed; (*smarrito*) bewildered.

strano *agg.* strange, odd, queer, funny: *che* —!, how odd!

straordinario *agg.* extraordinary: *edizione straordinaria*, (*di giornale*) special issue; *treno* —, extra train; *vendita straordinaria*, special sale // *lavoro* —, overtime (work) ♦ *s.m.* overtime (work): *tre ore di* —, three hours' overtime; *fare gli straordinari*, to work overtime.

strapagare *v.tr.* to overpay*.

straparlare *v.intr.* **1** to talk nonsense, to talk rubbish **2** (*vaneggiare*) to rave.

strapazzare *v.tr.* to ill-treat, to ill-use; (*sgridare*) to scold, to tell* (s.o.) off // — *uno scrittore*, to misinterpret a writer // — *i vestiti*, to take no care of one's clothes // **-arsi** *v. rifl.* to tire oneself out: *non strapazzarti*, don't overdo it.

strapazzata *s.f.* **1** (*sgridata*) scolding, telling-off **2** (*fatica eccessiva*) overwork // *quel viaggio è stato una* —, that journey has tired me out.

strapazzato *agg.* **1** (*malconcio*) crushed; (*maltrattato*) ill-treated, ill-used **2** (*affaticato*) tired out **3** (*cuc.*): *uova strapazzate*, scrambled eggs.

strapazzo *s.m.* overwork: *non dovrebbe fare questi strapazzi*, he shouldn't overdo it like that // *scrittore da* —, hack writer.

strapieno *agg.* full up, chock-full.

strapiombare *v.intr.* to lean*: *un picco che strapiomba sul mare*, a cliff with a sheer drop to the sea.

strapiombo *s.m.* projection: *una roccia a* —, projecting rock // *a* —, sheer (*o* vertically) **2** (*precipizio*) precipice.

strapotente *agg.* very powerful.

strapotere *s.m.* excessive power.

strappalacrime *agg.* tear-jerking.

strappare *v.tr.* **1** (*stracciare*) to tear*; (*a pezzi*) to tear* up: — *una lettera*, to tear up a letter // — *il cuore*, to wring (*o* to break) s.o.'s heart **2** (*tirar via*) to pull away; (*tirar fuori*) to pull out; (*con forza*) to rip; (*di colpo*) to snatch (*anche fig.*): — *le pagine da un libro*, to tear (*o* to rip) the pages of a book; — *una pianta*, to pull out a plant; *farsi* — *un dente*, to have a tooth (pulled) out; — *un libro di mano a qlcu.*, to snatch a book from (*o* out of) s.o.'s hands; — *qlcu. alla morte*, to snatch s.o. from death // — *le penne a un uccello*, to pluck a bird **3** (*estorcere*) to wring*, to extort: — *una confessione a qlcu.*, to wring a confession from s.o.; *alla fine riuscì a strappargli il nome del complice*, in the end he managed to extort his accomplice's name from him // — *le lacrime a qlcu.*, to wring tears from s.o. (*o* to move s.o. to tears) ♦ *v.intr.*: *la frizione strappa*, (*aut.*) the clutch jumps // **-arsi** *v.intr.pron.* to get* torn // — *i capelli*, to tear (*o* to rend) one's hair.

strappo *s.m.* **1** tear: *farsi uno* — *nella giacca*, to tear* one's jacket; *pieno di strappi*, in shreds **2** (*strappata*) pull, tug; (*strattone*) jerk // *a strappi*, (*fig.*) by fits and starts **3** (*infrazione*) breach, infraction // *fare uno* — *alla regola*, to stretch a point **4** (*di muscoli*) sprain **5** (*ciclismo*) sprint; (*sollevamento pesi*) clean and jerk.

strapuntino *s.m.* (*sedile*) drop seat.

straricco *agg.* fabulously rich.

straripamento *s.m.* overflow.

straripare *v.intr.* to overflow.

Strasburgo *no.pr.f.* Strasbourg.

strascicare *v.tr.* to drag; (*i piedi*) to shuffle; (*parole*) to drawl // — *un lavoro*, to drag out a job.

strascichio *s.m.* (*di piedi*) shuffling.

strascico *s.m.* **1** trailing, dragging; (*di parlata*) drawling // *rete a* —, trawl net **2** (*di un vestito*) trail **3** (*fig.*) (*conseguenza*) aftereffect.

strascinare *v.tr.* to drag along // **-arsi** *v.rifl.* to drag oneself along.

strass *s.m.* rhinestone.

stratagemma *s.m.* stratagem, trick.

strategia *s.f.* strategy.

strategico *agg.* strategic.

stratego *s.m.* strategist.

stratificare *v.tr.* to stratify ♦ **-arsi** *v.intr.pron.* to become* stratified.

stratificato *agg.* stratified.

stratificazione *s.f.* stratification.

stratigrafia *s.f.* (*geol.*) stratigraphy.

strato *s.m.* **1** layer; (*roccioso*) stratum (*pl.* strata); (*di rivestimento*) coat: — *di polvere*, layer of dust; — *di vernice*, coat of paint; *a strati*, in layers; *una torta a strati*, a layer-cake // *gli strati della società*, the strata of society 2 (*meteorologia*) stratus (*pl.* strati).

stratocumulo *s.m.* stratocumulus (*pl.* -cumuli).

stratosfera *s.f.* stratosphere.

stratosferico *agg.* stratospheric.

strattone *s.m.* pull, jerk // *a strattoni*, jerkily; (*fig.*) by fits and starts.

stravagante *agg.* odd, queer, strange; (*eccentrico*) eccentric.

stravaganza *s.f.* oddity, eccentricity.

stravecchio *agg.* very old.

stravedere *v.intr.*: — *per qlcu.*, to worship s.o.

stravincere *v.intr.* to win* all along the line ♦ *v.tr.* to crush.

straviziare *v.intr.* to be* intemperate.

stravizio *s.m.* intemperance.

stravolgere *v.tr.* 1 (*rar.*) to twist (*anche fig.*); (*distorcere*) to distort 2 (*turbare*) to upset*.

stravolgimento *s.m.* twisting.

stravolto *agg.* 1 twisted // *con gli occhi stravolti*, with rolling eyes 2 (*turbato*) distraught, frantic, upset: *con un'aria stravolta*, with a distraught (*o* frantic) air.

straziante *agg.* (*fisicamente*) tormenting, torturing, agonizing; (*moralmente*) heartbreaking: *un dolore* —, (*in senso fisico*) an excruciating (*o* agonizing) pain; *una scena* —, a heartbreaking scene.

straziare *v.tr.* to torture, to torment, to agonize; (*dilaniare*) to tear* (apart).

straziato *agg.* tormented; (*dilaniato*) torn.

strazio *s.m.* torment, torture, agony: *è uno* — *vedere...*, it's heartbreaking to see...

strega *s.f.* witch.

stregare *v.tr.* to bewitch.

stregato *agg.* bewitched.

stregone *s.m.* wizard, sorcerer.

stregoneria *s.f.* witchcraft; (*maleficio*) piece of witchcraft, piece of sorcery.

stregua *s.f.*: *alla* — *di*, like; *alla stessa* —, similarly; *a questa* —, at this rate.

strelitzia *s.f.* (*bot.*) strelitzia.

stremare *v.tr.* to exhaust, to tire out.

stremato *agg.* exhausted, tired out.

stremo *s.m.* limit: *sono giunta allo* — *delle mie forze*, I've got to the limit of my strength.

strenna *s.f.* gift, present.

strenuamente *avv.* bravely, valiantly.

strenuo *agg.* brave, valiant.

strepitare *v.intr.* to make* a din, to make* an uproar; (*urlare*) to shout.

strepito *s.m.* din, uproar.

strepitosamente *avv.* (*fig.*) astonishingly.

strepitoso *agg.* 1 noisy, uproarious: *applausi strepitosi*, a roar of applause 2 (*fig.*) sensational.

streptococco *s.m.* streptococcus (*pl.* -i).

streptomicina *s.f.* (*farm.*) streptomycin.

stretta *s.f.* 1 grasp, hold, grip: *allentare la* —, to release one's hold (*o* grasp) // — *di mano*, handshake: *dare una* — *di mano a qlcu.*, to shake hands with s.o. // *provare una* — *al cuore*, to feel a pang in one's heart 2 (*geogr.*) gorge, pass // *essere alle strette*, to be in great straits.

strettamente *avv.* 1 tight(ly) 2 (*rigorosamente*) strictly: — *parlando*, strictly speaking.

strettezza *s.f.* 1 narrowness; tightness 2 (*povertà, ristrettezza*) straitened circumstances (*pl.*); financial difficulties (*pl.*).

stretto¹ *agg.* 1 narrow; (*di capi di vestiario*) tight: *scarpe strette*, tight shoes; *quest'abito è* — *di spalle*, this dress is narrow at the shoulders // *entro stretti limiti*, within narrow limits // *prendere una curva stretta*, to hug a bend (of a road) 2 (*serrato*) tight, fast: *un nodo* —, a tight knot // *a denti stretti*, with clenched teeth // *a, coi pugni stretti*, with clenched fists // *tenere qlcu.* — *in pugno*, to hold (*o* to have) s.o. in the palm of one's hand 3 (*pigiato*) packed 4 (*rigoroso*) strict: *la stretta verità*, the strict truth // *in senso* —, in the strict sense 5 (*intimo*) close: *amici stretti*, close friends 6 (*preciso*) exact, precise 7 (*chiuso*) close: *pronuncia stretta*, close pronunciation.

stretto² *s.m.* (*geogr.*) strait.

strettoia *s.f.* 1 bottleneck 2 (*fig.*) difficulty.

striato *agg.* striped, streaked.

striatura *s.f.* striping, streaking.

stricnina *s.f.* (*farm.*) strychnin(e).

stridente *agg.* 1 sharp, strident 2 (*fig.*) clashing // *un contrasto* —, a harsh contrast.

stridere *v.tr.* 1 to screech; (*cigolare*) to creak; (*di animali*) to squeak; (*di insetti*) to chirp: *questo freno stride*, this brake screeches 2 (*fig.*) to clash.

strido *s.m.* shriek; (*di animali*) squeak; (*di insetti*) chirp.

stridore *s.m.* screech(ing); (*cigolio*) creak(ing); (*di insetti*) chirp(ing): *lo* — *dei freni*, the screeching of the brakes.

stridulo *agg.* shrill, piercing.

striglia *s.f.* currycomb.

strigliare *v.tr.* 1 to curry 2 (*fig.*) to tell* (s.o.) off // -**arsi** *v.rifl.* to tidy oneself up.

strigliata *s.f.* (*rimprovero*) telling-off.

strillare *v.intr.* to scream.

strillo *s.m.* scream, cry: *mandare uno* —, to give a scream.

strillone *s.m.* newspaper seller, newspaper man.

striminzito *agg.* 1 (*stretto, misero*) skimpy (*anche fig.*): *un abito* —, a skimpy dress // *un tema* —, a skimpy composition 2 (*gracile, magro*) stunted // *un ragazzo* —, a painfully thin boy.

strimpellare *v.tr.* to strum (sthg., on sthg.).

strimpellatore *s.m.* strummer.

strinare *v.tr.* 1 (*animali*) to singe 2 (*stirando*) to scorch.

strinato *agg.* (*di animale*) singed; (*di stoffa*) scorched.

stringa *s.f.* 1 lace: *stringhe da scarpe*, (shoe)laces 2 (*informatica*) string: — *di caratteri*, character string; — *unitaria*, unit string.

stringare *v.tr.* 1 to fasten (sthg.) tightly; (*con lacci*) to lace (sthg.) tightly 2 (*fig.*) to condense.

stringatezza *s.f.* conciseness, concision.

stringato *agg.* 1 fastened; (*con lacci*) laced 2 (*fig.*) concise, terse.

stringente *agg.* 1 (*urgente*) urgent, pressing 2 (*convincente*) cogent.

stringere *v.tr.* 1 to press: — *le labbra*, to press one's lips 2 (*serrare*) to squeeze; (*fig.*) to wring*; (*afferrare*) to grasp; (*abbracciare*) to clasp: — *la spada*, to grasp a sword; — *qlcu. fra le braccia*, to clasp s.o. in one's arms; *quel pensiero mi stringe il cuore*, that thought wrings my heart // — *la mano a qlcu.*, to shake hands with s.o. // *queste scarpe mi stringono in punta*, these shoes pinch at the toe // *stringi stringi*, (*alla fine*) after all // *il tempo stringe*, time presses // *l'auto mi strinse in curva*, the car cut in on me 3 (*restringere*) to tighten: — *la cinghia*, (*anche fig.*) to tighten one's belt // *devo far* — *questo vestito*, I must have this dress taken in 4 (*concludere*) to make*: — *un'alleanza, un trattato*, to make an alliance, a treaty // — *amicizia con qlcu.*, to make friends with s.o. **5** (*avvitare*) to tighten: — *una vite*, to tighten a screw **6** (*mus.*) (*accelerare*) to quicken: — *i tempi*, to quicken the tempo; (*fig.*) to press on // **-ersi** *v.rifl.* **1** (*per far spazio*) to squeeze: *non possiamo stringerci di più*, we can't squeeze in any more **2** (*unirsi strettamente*) to hold* on tight (to s.o.) // — *nelle spalle*, to shrug one's shoulders.

stringimento *s.m.*: *sentire uno — al cuore*, to feel a pang.

striscia *s.f.* **1** strip **2** (*riga*) streak; (*con contorni ben definiti*) stripe: *una — di luce*, a streak of light; *le strisce della bandiera*, the stripes of the flag // *a strisce*, striped // *strisce pedonali*, zebra crossing.

strisciante *agg.* **1** creeping, crawling // *pianta a fusto —*, creeper **2** (*fig.*) (*servile*) fawning.

strisciare *v.tr.* **1** to scrape; (*sfiorare*) to brush: *la pallottola gli strisciò il braccio*, the bullet brushed his arm **2** (*trascinare*) to drag; to shuffle: — *i piedi*, to shuffle one's feet ♦ *v.intr.* **1** to creep*, to crawl; (*di serpenti*), to slither: — *ventre a terra*, to creep along the ground **2** (*fig.*) to grovel; (*fam.*) to crawl // **-arsi** *v.rifl.* **1** (*strofinarsi*) to rub oneself **2** (*adulare*) to butter up.

strisciata, strisciatura *s.f.* **1** scraping **2** (*segno*) scrape; (*sulla pelle*) graze.

striscio *s.m.*: **1** *la pallottola lo colpì di —*, the bullet just grazed him **2** (*med.*) swab.

striscione *s.m.* banner: — *d'arrivo*, (*traguardo*) (finishing) tape.

stritolamento *s.m.* crushing (*anche fig.*).

stritolare *v.tr.* to crush (*anche fig.*).

strizzare *v.tr.* **1** to squeeze // — *l'occhio a qlcu.*, to wink at s.o. **2** (*panni bagnati*) to wring* (out).

strizzata *s.f.* **1** squeeze // — *d'occhio*, wink: *dare una strizzatina d'occhio a qlcu.*, to wink at s.o. **2** (*di panni bagnati*) wring.

strizzatura *s.f.* wringing; (*a macchina*) mangling.

strofa, strofe *s.f.* (*prosodia*) stanza.

strofico *agg.* (*metrica*) stanzaic.

strofinaccio *s.m.* cloth; (*per piatti*) dishcloth; (*per pavimenti*) floorcloth; (*per spolverare*) duster.

strofinamento *s.m.* rubbing.

strofinare *v.tr.* to rub // **-arsi** *v.rifl.* to rub oneself.

strofinio *s.m.* **1** (continuous) rubbing **2** (*fis.*) rubbing.

strombatura *s.f.* (*arch.*) splay.

strombazzare *v.tr.* to crow* (about sthg.) // — *una notizia*, to shout a piece of news from the rooftops // — *i propri meriti*, to blow one's own trumpet.

strombazzatura *s.f.* crowing.

strombettare *v.intr.* to blare away on the trumpet; (*di clacson*) to honk.

strombettata *s.f.* blare of trumpets; (*molto acuta*) shrill of trumpets; (*di auto*) honk.

strombettio *s.m.* blaring of trumpets; (*molto acuto*) shrilling of trumpets; (*di auto*) honking.

stroncare *v.tr.* **1** to break* off; (*tagliando*) to cut* off: — *un ramo*, to break off a branch // *il fulmine stroncò la pianta*, the lightning blasted the tree **2** (*fig.*) to cut* (sthg.) short; to put* an end (to sthg.); (*malattie*) to get* rid (of sthg.): *questa medicina mi ha stroncato l'influenza*, this medicine got rid of my influenza; *la sua vita fu stroncata da un incidente automobilistico*, his life was cut short by a motoring accident; *fu stroncato da un infarto*, he was killed by a heart attack // — *una*

rivolta, to stamp out (*o* to suppress) a revolt **3** (*sfinire*) to tire (s.o.) out **4** (*di critica*) to slate, to rip to pieces.

stroncatura *s.f.* (*aspra critica*) slating.

stronzio *s.m.* (*chim.*) strontium.

stronzo *s.m.* (*volg.*) shit.

stropicciare *v.tr.* to rub // — *i piedi*, to shuffle one's feet // *me ne stropiccio!*, (*pop.*) I couldn't care less!

stropiccio *s.m.* rubbing; (*di piedi*) shuffling.

stroppiare *v.tr.* to cripple // *il troppo stroppia*, too much is too much.

strozza *s.f.* windpipe.

strozzare *v.tr.* **1** (*strangolare*) to strangle; (*soffocare*) to choke **2** (*occludere*) to obstruct; (*restringere*) to narrow **3** (*prestare denaro a usura*) to fleece // **-arsi** *v. intr.pron.* **1** (*restare soffocato*) to be* choked **2** (*restringersi*) to narrow.

strozzato *agg.* **1** (*di vie di comunicazione*) narrowing; (*di tubi*) narrowed; (*di recipiente*) narrow-necked; (*di strada*) bottle-necked // *ernia strozzata*, (*med.*) strangulated hernia **2** (*fig.*) (*soffocato*) choked: *parole strozzate dal pianto*, words choked by tears.

strozzatura *s.f.* **1** narrowing; (*di recipiente*) narrow neck; (*di strada*) bottleneck **2** (*strangolamento*) strangling.

strozzinaggio *s.m.* usury.

strozzino *s.m.* (*spreg.*) usurer, shark.

struccare *v.tr.* to take* s.o.'s make-up off // **-arsi** *v. rifl.* to take* one's make-up off.

struggente *agg.* (*fig.*) all consuming.

struggere *v.tr.* **1** to melt **2** (*fig.*) to waste, to consume: *la malattia lo strugge*, he is wasting away with an illness; *ha una pena segreta che lo strugge*, he is pining away with a secret sorrow // **-ersi** *v.intr.pron.* **1** to melt // — *in lacrime*, to melt into tears **2** (*fig.*) to be* consumed (with sthg.); to pine (away) (with sthg.; for s.o.): *si strugge di nostalgia*, he is pining away with homesickness; — *di gelosia*, to be consumed with jealousy.

struggimento *s.m.* **1** (*tormento*) torment, torture **2** (*desiderio intenso*) yearning.

strumentale *agg.* **1** instrumental; instrument (*attr.*) // *voto —*, blind (*o* instrument) flight **2** (*che serve da strumento, funzionale*) practical: *arte —*, practical art // *beni strumentali*, capital goods // *lingua —*, official language.

strumentalizzare *v.tr.* to exploit.

strumentalizzazione *s.f.* exploitation.

strumentare *v.tr.* (*mus.*) to instrument.

strumentatore *s.m.* instrumentator.

strumentazione *s.f.* (*mus.*) **1** instrumentation **2** (*strumenti*) equipment.

strumento *s.m.* **1** tool, implement: *strumenti da falegname*, carpenter's tools // *strumenti sussidiari*, (*informatica*) aids **2** (*tecn. mus.*) instrument // — *a fiato*, wind instrument; — *ad arco*, stringed instrument **3** (*fig.*) tool **4** (*dir.*) instrument; (*atto*) deed.

strusciare *v.tr.* **1** to drag; (*strofinare*) to rub **2** (*logorare*) to wear* out // **-arsi** *v.rifl.* **1** to rub (oneself) **2** (*fig.*) to butter up (s.o.).

strusciata *s.f.* rub.

struttura *s.f.* structure // — *in ferro*, (*edil.*) steel construction // — *lamellare*, (*geol.*) sheeting // — *dell'elaboratore*, (*informatica*) computer design.

strutturale *agg.* structural.

strutturalismo *s.m.* structuralism.

strutturare *v.tr.* to structuralize.

strutturazione *s.f.* structuralization.

struzzo *s.m.* ostrich.

stuccare[1] *v.tr.* **1** to stucco; (*con mastice*) to putty; (*carrozzeria di automobile*) to stopper: — *il vetro di una finestra*, to fix a windowpane with putty **2** (*turare con stucco*) to fill.

stuccare[2] *v.tr.* (*nauseare*) to make* (s.o.) sick; (*annoiare*) to bore.

stuccatore *s.m.* plasterer, stucco-worker.

stuccatura *s.f.* **1** plastering; (*strato di stucco*) plaster **2** (*di denti ecc.*) filling.

stucchevole *agg.* **1** (*nauseante*) sickening, sickly **2** (*noioso*) boring, tedious.

stucchevolezza *s.f.* **1** (*nausea*) sickliness **2** (*noia*) tediousness.

stucco *s.m.* **1** plaster, stucco; (*per vetri e mobili*) putty // *rimanere di* —, to be dumbfounded **2** (*decorazione*) stucco(work).

studente *s.m.* student; (*di scuola*) schoolboy; (*di università*) undergraduate, (university) student: — *di medicina*, medical student.

studentesco *agg.* (*di scuola*) school (*attr.*); (*di università*) student (*attr.*), undergraduate (*attr.*): *gergo* —, schoolboy slang.

studentessa *s.f.* (woman) student; (*di università*) (woman) undergraduate.

studiacchiare *v.tr. e intr.* to study fitfully, to study without enthusiasm.

studiare *v.tr.* **1** to study: *studia storia all'università*, he's studying (*o* reading) history at the university; *ha studiato con il professor X*, he studied under professor X **2** (*esaminare*) to examine, to study // — *le parole*, to weigh one's words // *le studia tutte*, he is always up to sthg. // **-arsi** *v.intr.pron.* to try, to endeavour ♦ *v.rifl.* to study oneself.

studiato *agg.* **1** studied, deliberate **2** (*ricercato*) affected, artificial.

studio *s.m.* **1** study: *programma di studi*, course of study (*o* curriculum); *piano di studi*, syllabus; *fece i suoi studi a Pavia*, he studied at Pavia // *uomo di studi*, a scholar (*o* a learned man) // *essere allo* —, (*di progetto*, *legge ecc.*) to be under consideration (*composizione musicale*, *critica*,❜ *bozzetto*) study: — *di nudo*, study from the nude; — *per violino*, violin study **3** (*progetto*) plan **4** (*stanza da studio*) study; (*ufficio di professionista*) office; (*di pittore*, *fotografo ecc.*) studio **5** (*cinem. tv*) studio **6** (*cura*) care.

studioso *agg.* studious ♦ *s.m.* scholar, student.

stuello *s.m.* (*med.*) dossil.

stufa *s.f.* stove: — *economica*, range.

stufare *v.tr.* **1** (*cuc.*) to stew **2** (*fam.*) (*stancare*) to bore // **-arsi** *v.intr.pron.* to get* tired, to get* weary.

stufato *s.m.* (*cuc.*) stew, stewed meat.

stufo *agg.* (*fam.*) fed up (with s.o., sthg., doing), browned off (with s.o., sthg., doing), sick (of s.o., sthg., doing): *sono* —!, I'm fed up!; *sono* — *da morire*, I am bored stiff.

stuoia *s.f.* mat.

stuolo *s.m.* crowd; (*torma*) swarm: *uno* — *di gente*, a crowd of people; *uno* — *di bambini*, a swarm of children.

stupefacente *agg.* amazing, astonishing ♦ *s.m.* drug, narcotic; (*fam.*) dope: *spacciatore di stupefacenti*, dealer in drugs; (*fam.*) dope pedlar.

stupefare *v.tr.* to amaze, to astonish.

stupefatto *agg.* amazed, astonished.

stupefazione *s.f.* amazement, astonishment.

stupendo *agg.* wonderful, marvellous.

stupidaggine *s.f.* **1** (*stupidità*) stupidity, foolishness **2** (*azione stupida*) stupid thing to do; (*errore stupido*) stupid mistake; (*cosa*, *parola stupida*) piece of nonsense: *non dire stupidaggini*, don't talk nonsense **3** (*cosa da poco*) nothing.

stupidamente *avv.* stupidly, foolishly.

stupidità *s.f.* stupidity, foolishness.

stupido *agg.* stupid, idiotic; (*fam.*) dumb; (*sciocco*) foolish, silly ♦ *s.m.* idiot, fool: *non fare lo* —, don't act like a fool.

stupire *v.tr.* to amaze, to astonish, to flabbergast ♦ *v. intr.*, **-irsi** *v.intr.pron.* to be* amazed (at sthg.), to be* astonished (at sthg.).

stupito *agg.* amazed, astonished.

stupore *s.m.* **1** amazement, astonishment **2** (*med.*) stupor.

stupro *s.m.* rape, violation.

stura *s.f.* uncorking: *dare la* — *a una bottiglia*, to uncork a bottle.

sturabottiglie *s.m.* corkscrew.

sturalavandini *s.m.* plunger.

sturare *v.tr.* (*bottiglie*) to uncork; (*lavandini ecc.*) to clear, to unclog.

stuzzicadenti *s.m.* toothpick.

stuzzicante *agg.* appetizing.

stuzzicare *v.tr.* **1** (*punzecchiare*) to prod, to poke // — *i denti*, to pick one's teeth **2** (*molestare*) to tease **3** (*stimolare*) to excite, to whet: — *l'appetito*, to whet one's appetite.

stuzzichino *s.m.* appetizer, starter.

su *prep.* **1** (*con contatto*) on, upon: *il libro è sul tavolo*, the book is on (*o* upon) the table; *salire* — *una sedia*, to get up on a chair; *salire* — *una scala*, to go up a ladder; *salire sul treno*, to get on the train // *uno sull'altro*, one on top of the other // *costruire mattone* — *mattone*, to build brick by brick // *fare errori* — *errori*, to make mistake after mistake; *fare debiti* — *debiti*, to run up a string of debts // *dipinto* — *tela*, painted on canvas; *ricamo* — *seta*, embroidery on silk // — *per*, up: — *per le scale*, up the stairs **2** (*senza contatto e quando sia implicito il concetto di dominio*, *superiorità*, *protezione*, *rivestimento*) over: *il ponte sul fiume*, the bridge over the river; *volare* — *una città*, to fly over a town; *regnare* — *un popolo*, to reign over a people; *una vittoria* — *qlcu.*, a victory over s.o.; *vegliare* — *qlcu.*, to watch over s.o.; *mettersi un golf sulle spalle*, to put a sweater over one's shoulders // *pendere sul capo di qlcu.*, (*di minaccia*) to hang over s.o.'s head; (*di taglia*) to be on s.o.'s head **3** (*al di sopra di*) above: *sul livello del mare*, above sea level; *volare alto sulla città*, to fly high above the town **4** (*lungo*) on: *sulle rive di un lago*, on the shores of a lake // *una casa sul mare*, a house by the sea // *una finestra sul mare*, a window overlooking the sea **5** (*in espressioni di tempo*) at; (*circa*) about: *sul far del giorno*, at daybreak; *sul mezzogiorno*, about midday; *sul momento*, there and then // *sull'istante*, immediately **6** (*pressappoco*) about; (*verso*) towards: *costa sulle duemila lire*, it costs about two thousand lire; *un uomo sulla cinquantina*, a man of about fifty; *sulla fine del secolo*, towards the end of the century **7** (*moto a luogo*) on to; (*verso*) towards: *uscì sul balcone*, he stepped out on to the balcony; *dirigersi* — *una città*, to go towards (*o* to head for) a town **8** (*contro*) on: *marcia* — *Roma*, march on Rome; *sparare sulla folla*, to shoot into (*o* at) the crowd // *scagliarsi* — *qlcu.*, (*anche fig.*) to go for s.o. **9** (*argo-*

mento) on, about: *trattato sulla morale*, treatise on morality **10** (*fraseologia*): *nove volte — dieci*, nine times out of ten; *prestito — pegno*, loan on pledge; *— richiesta*, on request; *— richiesta di*, by request of; *credere sulla parola*, to take s.o.'s word for it ♦ *avv.* **1** up: *guardò — e lo vide*, he looked up and saw him; *abita due piani più —*, he lives two floors above (us) // *salirono — — fino alla vetta*, they climbed right up to the top // *— le mani!*, hands up! // *né — né giù*, neither up nor down // *— per giù*, roughly (*o* about) // *in —: guardare in —*, to look up; *guardare di sotto in —*, to look from below; *camminare col naso in —*, to walk with one's nose in the air; *a faccia in —*, face upwards; *dalla vita in —*, from the waist up(wards); *dal cento in —*, from a hundred on; *c'erano dalle venti persone in —*, there were upwards of twenty people; *da Roma in —*, from Rome onwards // *metter — famiglia*, to start a family; *metter — qlcu contro qlcu*, to set s.o. against s.o. // *avercela — con qlcu*, to be wild with s.o. **2** (*al piano di sopra*) upstairs: *è andato — (di sopra)*, he went upstairs; *vieni — subito!*, come up (*o* upstairs) immediately! **3** (*indosso*) on: *metti — le scarpe*, put your shoes on // *metter — arie*, to put on airs ♦ (*esortativo*): *— ragazzi!*, come on, boys; *— sbrigati!*, get a move on!; *—, coraggio!*, *— con la vita!*, cheer up!; *—, non piangere!*, come on, don't cry! **5** (*pleonastico*): *di' —!*, out with it (*o* spit it out)! ♦ *con valore di s.m.*: *un — e giù continuo*, a continuous coming and going.

suadente *agg.* (*letter.*) persuasive, winning.

sub- *pref.* under-, sub-.

sub *s.m.* (*sport*) skin diver.

subacqueo *agg.* underwater (*attr.*), subaqueous.

subaffittare *v.tr.* to sublet*, to sublease.

subaffitto *s.m.* sublease, sublet.

subalterno *agg.* **1** subordinate, subaltern: *ufficiale —*, (*mil.*) subaltern **2** (*estens.*) downtrodden, subjugated: *classi, culture subalterne*, downtrodden classes, cultures ♦ *s.m.* subordinate; (*mil.*) subaltern.

subappaltare *v.tr.* to subcontract.

subappaltatore *s.m.* subcontractor.

subappalto *s.m.* subcontract.

subbia *s.f.* drove.

subbio *s.m.* (weaver's) beam.

subbuglio *s.m.* confusion, turmoil: *tutta la casa era in —*, the whole house was in a turmoil; *mettere in — qlco.*, to throw sthg. into confusion (*o* to turn sthg. upside down).

subconscio *agg. e s.m.* subconscious.

subcontinente *s.m.* subcontinent.

subcosciente *s.m.* subconscious.

subdolo *agg.* underhand, sly; (*sfuggente*) shifty.

subentrare *v.intr.* **1** to succeed (s.o. in sthg., to sthg.), to take* over (sthg. from s.o.); (*fig.*) to give* way (to sthg.): *l'attuale presidente ha dato le dimissioni, gli subentrerà suo fratello*, the present president has resigned, his brother will succeed him; *chi gli subentrerà?*, who will succeed (*o* take over from) him?

subentro *s.m.* succession.

subire *v.tr.* **1** to undergo*: *— una condanna*, to be condemned **2** (*patire*) to suffer **3** (*sopportare*) to put up with: *sono stanco di — i suoi sgarbi*, I'm tired of putting up with his rudeness.

subissare *v.tr.* **1** to overwhelm (s.o. with sthg.) **2** (*distruggere*) to raze to the ground.

subisso *s.m.* **1** (*gran quantità*) shower: *un — di applausi*, a roar of applause **2** (*rovina*) ruin.

subitaneamente *avv.* all of a sudden.

subitaneità *s.f.* suddenness.

subitaneo *agg.* sudden.

subito *avv.* **1** at once, immediately, straight away: *ritorno —*, I'll be back at once (*o* I'll be right back) // *a letto!*, off to bed! // *— dopo*, immediately afterwards (*avv.*); immediately after (*prep.*) // *— prima*, just before **2** (*in brevissimo tempo*) soon: *è — fatto*, it is soon done; *è una vernice che asciuga —*, it is a quick-drying paint.

sublimare *v.tr.* to sublimate, to sublime (*anche fig.*) ♦ *v.intr.* (*chim.*) to sublime // **-arsi** *v.rifl.* (*fig.*) to sublimate oneself: *— nella rinuncia*, to sublimate oneself by sacrifice.

sublimato *s.m.* (*chim.*) sublimate.

sublimazione *s.f.* sublimation.

sublime *agg. e s.m.* sublime // *che idea —!*, (*iron.*) what a bright idea!

subliminale *agg.* subliminal.

sublimità *s.f.* sublimity, sublimeness.

sublocazione *s.f.* subletting.

sublunare *agg.* sublunar, sublunary.

subodorare *v.tr.* to suspect: *— qlco.*, to have some suspicions (*o fam.* to smell a rat).

subordinare *v.tr.* to subordinate.

subordinativo *agg. e s.m.* subordinative.

subordinato *agg. e s.m.* subordinate.

subordinazione *s.f.* subordination.

subordine *s.m.* subordination: *essere in — a qlcu*, to be subordinate to s.o.

subornare *v.tr.* to suborn.

subornazione *s.f.* subornation.

suburbano *agg.* suburban.

suburbio *s.m.* suburb.

suburra *s.f.* (*quartiere malfamato*) slums (*pl.*).

succedaneo *agg.* succedaneous ♦ *s.m.* succedaneum (*pl.* -a): *— del caffè*, coffee substitute.

succedere *v.intr.* **1** to succeed (s.o., to sthg.); (*seguire*) to follow (sthg.): *— al trono*, to succeed to the throne **2** (*accadere*) to happen, to befall* (s.o.): *qualsiasi cosa succeda*, whatever may happen; *sono cose che succedono*, these things happen; *che cosa ti succede?*, what's the matter with you?; *proprio a me doveva —!*, and it had to happen to me! // **-ersi** *v.intr.pron.* to follow one another; to follow one upon the other.

successione *s.f.* succession // *le guerre di —*, (*st.*) Wars of Succession // *tassa, imposta di —*, death duty.

successivamente *avv.* subsequently.

successivo *agg.* following, subsequent.

successo *s.m.* success: *avere —*, to meet with success // *— discografico*, record hit // *aver — con le donne*, to be popular with women // *di —*, successful: *un uomo di —*, a successful man; *un libro di —*, a successful book.

successore *s.m.* successor.

succhiare *v.tr.* to suck (up): *succhiarsi il pollice*, to suck one's thumb // *— il sangue a qlcu.*, (*fig.*) to bleed s.o.

succhiello *s.m.* gimlet, auger.

succhiotto *s.m.* dummy; (*amer.*) pacifier.

succinto *agg.* **1** (*di abiti*) scanty **2** (*conciso*) succinct, concise, brief // *in —*, succinctly.

succo *s.m.* **1** juice: *— d'arancia*, orange juice // *succhi gastrici*, (*med.*) gastric juices **2** (*fig.*) gist, pith, essence.

succoso *agg.* **1** juicy **2** (*fig.*) pithy.

succube *s.m. e f.* person entirely dominated (by s.o.): *quell'uomo è un —*, that man has no will of his own.

succulento *agg.* **1** (*succoso*) succulent, juicy **2** (*gustoso*) delicious: *pasto* —, delicious meal.

succursale *s.f.* branch.

sud *s.m.* south: *vivere al* —, to live in the south; *a* — *di*, (to the) south of // *del* —, southern; south (*attr.*): *abitante del* —, southerner; *vento del* —, south wind; *verso, a* —, southward (*agg.*); southwards (*avv.*).

sudare *v.intr.* **1** to perspire, to sweat: — *per il caldo*, to perspire with heat // — *freddo*, to be in a cold sweat **2** (*fig.*) to toil; (*fam.*) to sweat: — *sui libri*, to pore over one's books ♦ *v.tr.* **1** (*trasudare*) to sweat; (*gocciolare*) to ooze // — *sangue*, to sweat blood // — *sette camicie*, to work like a slave **2** (*guadagnare faticosamente*) to earn (sthg.) the hard way.

sudario *s.m.* (*lenzuolo funebre*) shroud; (*sindone*) sudarium (*pl.* sudaria).

sudata *s.f.* sweat (*anche fig.*).

sudaticcio *agg.* moist.

sudato *agg.* **1** wet with perspiration (*pred.*); sweaty: *mani sudate*, sweaty hands; *ha la fronte sudata*, his brow is wet with perspiration; *essere tutto* —, to be in a sweat **2** (*fig.*) hard-earned.

suddetto *agg.* above-mentioned, aforesaid.

suddiacono *s.m.* (*eccl.*) subdeacon.

suddistinguere *v.tr.* to subdivide.

sudditanza *s.f.* subjection.

suddito *s.m.* subject.

suddividere *v.tr.* to subdivide.

suddivisione *s.f.* subdivision // — *dei campi*, (*informatica*) field breakdown.

sud-est *s.m.* southeast.

sudiceria *s.f.* **1** dirtiness, filthiness **2** (*cosa sudicia*) dirty thing; foul thing (*anche fig.*); (*fig.*) (*oscenità*) obscenity.

sudicio *agg.* dirty (*anche fig.*), filthy (*anche fig.*), foul (*anche fig.*) ♦ *s.m.* dirt, filth (*anche fig.*).

sudicione *s.m.* dirty fellow (*anche fig.*).

sudiciume *s.m.* dirt, filth (*anche fig.*).

sudista *agg.* e *s.m.* (*st. americana*) Confederate.

sudorazione *s.f.* perspiration.

sudore *s.m.* **1** perspiration, sweat: *gocce di* —, beads of perspiration; *grondare* —, *essere tutto un* —, to be bathed in perspiration (*o* in sweat) // *al solo pensarci mi vengono i sudori freddi*, (*fig.*) at the mere thought of it I break out into a cold sweat // *col* — *della fronte*, by the sweat of one's brow **2** (*fig.*) toil, labours (*pl.*).

sudorifero *agg.* sudorific; (*che secerne sudore*) sudoriferous ♦ *s.m.* (*med. farm.*) sudorific.

sud-ovest *s.m.* southwest.

sufficiente *agg.* **1** enough, sufficient: *abbiamo cibo* — *per tre giorni*, we have enough food for three days; *ho denaro più che* —, I have more than enough money **2** (*altezzoso*) self-important, conceited: *parlava in tono* —, he spoke with a conceited air ♦ *s.m.* **1** sufficient: *ha il* — *per vivere*, he has enough to live (on) **2** (*termine scolastico*) pass mark.

sufficientemente *avv.* sufficiently, enough.

sufficienza *s.f.* **1** sufficiency // *a* —, sufficiently (*o* enough): *ho denaro a* —, I have enough money; *ho studiato più che a* —, I have studied more than enough **2** (*termine scolastico*) pass mark: *avere una* — *scarsa*, to get a bare pass mark **3** (*alterigia*) self-importance, conceit: *aria di* —, superior air.

suffisso *s.m.* (*gramm.*) suffix.

suffragare *v.tr.* **1** (*sostenere*) to support, to back **2** (*eccl.*) to pray (for s.o.).

suffragetta *s.f.* suffragette.

suffragio *s.m.* **1** (*pol.*) suffrage, vote: — *universale*, universal suffrage **2** (*eccl.*) suffrage: *una messa di* — *per i morti*, a mass for the souls of the dead.

suffumicare *v.tr.* to suffumigate.

suffumicazione *s.f.*, **suffumigio** *s.m.* suffumigation.

suggellare *v.tr.* to seal (*anche fig.*).

suggello *s.m.* seal (*anche fig.*).

suggerimento *s.m.* **1** suggestion, hint: *dietro* — *di qlcu.*, as suggested by s.o.; *gli diedi il* — *di partire*, I suggested he should leave **2** (*imbeccata*) prompt.

suggerire *v.tr.* **1** to suggest; (*consigliare*) to advise: *gli suggerii di fermarsi*, I advised him to stay; *chi te l'ha suggerito?*, who suggested it to you? **2** (*rammentare*) to prompt (s.o. with sthg.): *non suggerite!*, no prompting!

suggeritore *s.m.* prompter.

suggestionabile *agg.* **1** easily influenced, impressionable **2** (*med.*) suggestible.

suggestionare *v.tr.* to suggestionize; (*influenzare*) to influence: *lo suggestionò tanto che finì per crederci*, he succeeded in inducing him to believe it // **-arsi** *v.rifl.* to be influenced: *si suggestiona facilmente*, he is very easily influenced (*o* he is very impressionable).

suggestionato *agg.* suggestionized; (*influenzato*) influenced.

suggestione *s.f.* suggestion; (*influenza*) influence; (*fascino*) charm.

suggestività *s.f.* atmosphere; picturesqueness; impressiveness; evocativeness; effectiveness: *la* — *di un locale*, the atmosphere of a place.

suggestivo *agg.* **1** evocative; impressive; picturesque; effective: *angolo, luogo molto* —, a very picturesque spot, place; *canzone suggestiva*, evocative song; *una scena molto suggestiva*, a very effective scene; *vista suggestiva*, impressive view; *l'atmosfera di quel ristorante è molto suggestiva*, that restaurant has plenty of atmosphere **2** (*dir.*) leading.

sughero *s.m.* cork; (*albero*) cork tree, cork oak: *scarpe con suola di* —, cork-soled shoes.

sugli *prep.art.m.pl.* (up)on the; over the; above the → **su**.

sugna *s.f.* **1** (*cuc.*) pork fat **2** (*per scarponi ecc.*) grease.

sugo *s.m.* **1** (*succo*) juice: — *di pomodoro*, tomato juice **2** (*salsa*) (*di carne*) gravy; (*di pomodoro*) tomato sauce **3** (*fig.*) gist, essence: *discorso senza* —, empty speech // *non c'è* —, there is no point in it.

sugosità *s.f.* **1** juiciness **2** (*fig.*) pithiness.

sugoso *agg.* **1** juicy **2** (*fig.*) pithy.

sui *prep.art.m.pl.* (up)on the; over the; above the → **su**.

suicida *agg.* suicidal ♦ *s.m.* e *f.* suicide.

suicidarsi *v.rifl.* to commit suicide.

suicidio *s.m.* suicide.

suino *agg.*: *carne suina*, pork; (*amer.*) pigmeat ♦ *s.m.* pig, swine (*pl. invar.*).

suite (*franc.*) *s.f.* (*mus.*) suite.

sul *prep.art.m.sing.* (up)on the; over the; above the → **su**.

sulfamidico *agg.* (*farm.*) sulpha ♦ *s.m.* sulpha drug, sulphonamide.

sulfureo *agg.* sulphurous.

sulla *prep.art.f.sing.* (up)on the; over the; above the → **su**.

sulle *prep.art.f.pl.* (up)on the; over the; above the → **su**.

sullo *prep.art.m.sing.* (up)on the; over the; above the → **su**.

sullodato *agg.* already praised.

sultanato *s.m.* sultanate.

sultanina *agg.e s.f.*: (*uva*) —, sultana.

sultano *s.m.* sultan.

sunteggiare *v.tr.* to sum up, to summarize.

sunto *s.m.* summary, résumé: *fare il — di un racconto*, to sum up a story.

suo *agg.poss.* **1** (*riferito a persone*) his (*di lui*); her (*di lei*); (*riferito a cose o ad animali*) its; (*suo proprio*) his own; her own; its own: *quel — sorriso*, that smile of his, of hers; *egli era con un — amico*, he was with one of his friends (*o* with a friend of his): *ha un'automobile sua?*, has he, she got a car of his own, her own?; *qualco-sa, niente di —*, something, nothing of his own, her own // *ogni cosa a — tempo*, everything in due course // *ormai ha i suoi sessant'anni suonati*, he is now past (*o* over) sixty **2** (*formula di cortesia*) your: *La ringrazia-mo della Sua lettera del 21 c.m.*, thank you for your let-ter of the 21st inst. // *Suo Giuseppe Rossi*, Yours sin-cerely, Giuseppe Rossi // *Sua Santità*, His Holiness; (*vocativo*) Your Holiness **3** (*pred. nominale*) his; hers; (*rar.*) its: *il libro che ti ho prestato è —*, the book I have lent you is his, hers **4** (*in forme ellittiche*): *la Sua pre-giata* (*lettera*) *del 6 febbraio*, yours (*o* your letter) of February 6th; *ne ha fatta, detta una delle sue*, he has done it again!; *deve sempre dir la sua*, she must always have her say; *sta molto sulle sue*, he keeps himself to himself ♦ *pron.poss.* (*riferito a persone*) his (*di lui*); hers (*di lei*); (*riferito a cose o ad animali*) its: *dice che questo libro non è il —*, he, she says this book is not his, hers ♦ *s.m.* **1** *egli campa del —*, he lives on his income; *ci ha rimesso del —*, he lost his own money // *a ciascuno il —*, (*prov.*) to each his own **2** *pl.: i suoi*, his, her family; (*seguaci*) his, her supporters.

suocera *s.f.* mother-in-law // *non fare la —!*, (*fam.*) don't behave like a mother-in-law!

suocero *s.m.* father-in-law.

suola *s.f.* sole: *— di gomma*, rubber sole; *scarpe a — doppia*, double-soled shoes; *rifare le suole a un paio di scarpe*, to sole a pair of shoes.

suolo *s.m.* **1** ground **2** (*terreno*) soil // *il patrio —*, one's native soil.

suonare e *deriv.* → **sonare** e *deriv.*

suonato *agg.* (*pop.*) **1** (*di pugile*) punch-drunk (box-er), punchy **2** (*estens.*) stupid, thick, dumb.

suono *s.m.* sound // *barriera del —*, sound barrier // *tecnico del —*, sound engineer // *al — di*, to the accom-paniment of // *lo accolsero a suon di fischi*, they greeted him with boos; *lo fecero ubbidire a suon di bastonate*, they beat him into doing it.

suora *s.f.* nun, sister: *Suor Maria*, Sister Mary; *si fece —*, she became a nun.

super- *pref.* super-.

superabile *agg.* surmountable.

superaffollato *agg.* overcrowded.

superalimentazione *s.f.* supernutrition.

superallenamento *s.m.* overtraining.

superamento *s.m.* overcoming, getting over; (*di esa-me*) getting through // *— di capacità*, (*informatica*) overflow; *— negativo*, underflow.

superare *v.tr.* **1** (*sorpassare*) to exceed; (*riferito a per-sona*) to surpass, to excel: *— in altezza, lunghezza*, to be higher, longer; *— in numero, in peso*, to exceed in num-ber, weight; *un'automobile che non supera i 100 km*, a car that doesn't do more than 100 km p.h.; *un libro che non superi le diecimila lire*, a book that doesn't cost

more than ten thousand lire; *la mia automobile supera in velocità qualunque altra*, my car is faster than any other; *— qlcu. di x punti*, to score x points more than s.o. // *— ogni primato*, to break all records // *— sé stesso*, to surpass oneself **2** (*passare al di là di*) to get* over (sthg.); (*con veicolo*) to pass; (*attraversare*) to cross: *mi superò in curva*, he passed me on a bend **3** (*affrontare vittoriosamente*) to overcome*, to surmount; (*malattie, contrarietà ecc.*) to get* over (sthg.); (*passare*) to pass: *— un esame*, to get through (*o* to pass) an ex-amination; *— una malattia, un periodo critico*, to get over an illness, a critical period; *— il nemico*, to over-come the enemy.

superato *agg.* out-of-date, old-fashioned.

superbamente *avv.* **1** haughtily **2** (*magnificamente*) superbly.

superbia *s.f.* haughtiness: *montare in —*, to put on airs.

superbo *agg.* **1** haughty **2** (*fiero*) proud **3** (*magni-fico*) superb.

supercolosso *s.m.* (*cinem.*) supercolossal production, megaproduction.

superdotato *agg.* exceptionally gifted.

superficiale *agg.* superficial (*anche fig.*).

superficialità *s.f.* superficiality.

superficialmente *avv.* superficially.

superficie *s.f.* **1** surface // *fermarsi alla —*, (*fig.*) to stop at the surface **2** (*geom.*) area: *misura di —*, square measure.

superfluità *s.f.* superfluity.

superfluo *agg.* superfluous; (*inutile*) unnecessary ♦ *s.m.* surplus.

superiora *s.f.* (*eccl.*) Mother Superior, Reverend Mother.

superiore *agg.* **1** superior // *una mente —*, a superi-or mind // *una persona —*, a highly-gifted person // *si crede un essere —*, he thinks he is superior **2** (*più ele-vato*) higher: *prezzo, velocità —*, higher price, speed **3** (*sovrastante*) upper: *labbro —*, upper lip; *abita al piano —*, he lives on the floor above; (*di casa a due piani*) he lives on the upper floor // *le classi superiori*, the upper classes // *il corso — di un fiume*, the upper course of a river **4** (*al di sopra di*) above: *— alla media*, above av-erage **5** (*di grado superiore*) senior; (*più avanzato*) adv-anced: *le classi superiori di questa scuola*, the senior classes in this school; *studi superiori*, advanced studies ♦ *s.m.* superior // *il Superiore*, (*eccl.*) Father Superior.

superiorità *s.f.* superiority: *— di grado, di numero*, su-periority of rank, in number(s) // *aria di —*, air of su-periority // *complesso di —*, superiority complex.

superiormente *avv.* **1** superiorly **2** (*nella parte supe-riore*) on the upper part.

superlativo *agg.* e *s.m.* superlative.

superlavoro *s.m.* overwork.

supermercato *s.m.* supermarket.

superminimo *s.m.* (*di stipendio*) premium rate.

supernazionale *agg.* supernational.

superno *agg.* (*letter.*) supernal; (*celestiale*) heavenly.

supernutrizione *s.f.* supernutrition.

supero *s.m.* (*comm.*) surplus.

supersonico *agg.* supersonic.

superstite *agg.* surviving ♦ *s.m.* e *f.* survivor.

superstizione *s.f.* superstition.

superstizioso *agg.* superstitious.

superstrada *s.f.* through road.

supertassa *s.f.* additional tax.

superuomo *s.m.* superman (*pl.* -men).

supervisione *s.f.* supervision.

supervisore *s.m.* supervisor.

supino *agg.* supine (*anche fig.*): *giacere, cadere —,* to lie, to fall on one's back.

suppellettile *s.f.* (*spec. pl.*) furnishings (*pl.*); (*tecn. mil.*) equipment: *tombe con ricca —,* richly-furnished tombs.

suppergiù *avv.* about, approximately, roughly: *sono — uguali,* they are about the same.

supplementare *agg.* supplementary, supplemental, additional: *ora, tempo —,* overtime; *due ore supplementari,* two hours of overtime; *tassa —,* extra tax (*o* extra); *treno —,* extra train.

supplemento *s.m.* supplement; (*spesa supplementare*) extra (charge), additional charge; (*di biglietto ferroviario*) excess fare: *— di prezzo,* extra charge; *il — di una rivista,* the supplement to a magazine.

supplente *agg.* e *s.m.* e *f.* (temporary) substitute; (*di scuola*) supply (teacher).

supplenza *s.f.* temporary post: *fare una —,* to act as substitute.

suppletivo *agg.* supplementary.

supplì *s.m.* (*cuc.*) croquette.

supplica *s.f.* petition.

supplicante *agg.* e *s.m.* e *f.* suppliant.

supplicare *v.tr.* to beg, to implore, to entreat: *— qlcu. per ottenere qlco.,* to beg sthg. of s.o.

supplice *s.m.* e *f.* suppliant.

supplichevole *agg.* imploring, entreating.

supplire *v.intr.* to make* up (for sthg.): *supplisce con la volontà alla scarsa preparazione,* his willingness makes up for his poor preparation ♦ *v.tr.* to take* the place (of s.o., sthg.), to substitute for (s.o.).

suppliziare *v.tr.* to torture, to torment.

supplizio *s.m.* torture, torment (*anche fig.*) // *andare al —,* to go to the gallows (*o* scaffold).

supponente *agg.* (*fam.*) haughty.

supponenza *s.f.* (*fam.*) haughtiness.

supponibile *agg.* supposable, assumable.

supporre *v.tr.* to suppose, to assume; (*immaginare*) to imagine: *suppongo di sì,* I suppose so; (*amer.*) I guess so.

supporto *s.m.* **1** support; (*di un utensile, pezzo*) rest; (*mecc.*) (*boccola*) journal box; (*mecc. edil.*) (*staffa*) bracket; (*di motore aereo*) mounting; (*mecc.*) (*di albero*) bearings (*pl.*): *— magnetico,* (*mecc.*) magnetic stand; *— per tubi,* pipe-stand **2** (*informatica*) (*di informazioni*) carrier; medium; (*di nastro*) base film: *— vuoto,* blank medium.

supposizione *s.f.* supposition, assumption.

supposta *s.f.* (*farm.*) suppository.

supposto *agg.* supposed, assumed // *supposto che,* suppose, supposing: *— che non venga,* supposing he doesn't come (*o* if he should not come).

suppurare *v.intr.* to suppurate, to fester.

suppurativo *agg.* e *s.m.* suppurative.

suppurazione *s.f.* suppuration: *venire a —,* to suppurate.

supremazia *s.f.* supremacy.

supremo *agg.* **1** supreme: *il Capo — dello Stato,* the Head of State; *il Comandante Supremo,* (*mil.*) the commander in chief; *comando —,* (*mil.*) headquarters; *Corte Suprema,* Supreme Court of Judicature **2** (*massimo*) great(est), highest: *con — disprezzo del pericolo,* with the greatest (*o* utmost) contempt for danger **3** (*poet.*) (*ultimo, estremo*) last: *l'ora suprema,* one's last hour.

sura *s.f.* (*capitolo del Corano*) sura, surah.

surah *s.m.* (*tessuto*) surah.

surclassare *v.tr.* to outclass.

surgelare *v.tr.* to deep-freeze*.

surgelato *agg.* deep-frozen ♦ *s.m.* (deep-)frozen food.

surreale *agg.* unreal.

surrealismo *s.m.* (*st. arte*) surrealism.

surrealista *agg.* e *s.m.* e *f.* (*st. arte*) surrealist.

surrenale *agg.* (*anat.*) suprarenal.

surrene *s.m.* (*anat.*) suprarenal gland.

surrettizio *agg.* (*dir.*) surreptitious.

surriscaldamento *s.m.* overheat(ing).

surriscaldare *v.tr.* **1** to overheat (*anche fig.*) **2** (*fis.*) to superheat // *-arsi* *v.intr.pron.* to become* overheated, to overheat.

surrogare *v.tr.* **1** to substitute; (*solo persone*) to surrogate **2** (*prendere il posto di*) to substitute (for s.o.), to take* the place (of s.o.).

surrogato *s.m.* substitute, surrogate.

surrogazione *s.f.* substitution, surrogation.

Susanna *no.pr.f.* Susan, Susanna(h).

suscettibile *agg.* **1** susceptible (to): *— di miglioramento,* capable of improvement; *un testo — di molte interpretazioni,* a text open to many interpretations **2** (*permaloso*) susceptible, touchy.

suscettibilità *s.f.* **1** susceptibility **2** (*permalosità*) touchiness// *non intendevo urtare la sua —,* I did not mean to hurt his feelings.

suscitare *v.tr.* (*provocare*) to provoke, to cause, to give* rise (to sthg.); (*eccitare*) to excite, to stir up: *— molte lamentele,* to give rise to (*o* to provoke) many complaints; *— il riso,* to provoke laughter; *— emozioni, passioni,* to stir up emotions, passions; *— ammirazione,* to excite admiration; *— meraviglia,* to cause wonder; *— scalpore,* to create a sensation (*o* to cause a stir).

susina *s.f.* plum.

susino *s.m.* plum tree.

suspicione *s.f.* (*dir.*) suspicion.

susseguente *agg.* subsequent, following.

susseguire *v.intr.* to follow (s.o., sthg.) // *-irsi* *v.intr.pron.* to follow each other, one another.

sussidiare *v.tr.* to support, to back; (*di governo*) to subsidize.

sussidiario *agg.* subsidiary: *truppe sussidiarie,* reserve (troops) ♦ *s.m.* primer.

sussidio *s.m.* **1** subsidy **2** (*aiuto*) aid, help.

sussiego *s.m.* priggishness: *trattare qlcu. con —,* to treat s.o. priggishly.

sussiegoso *agg.* priggish.

sussistente *agg.* existing, existent; (*che ha validità*) subsisting.

sussistenza *s.f.* **1** existence **2** (*sostentamento*) subsistence, livelihood **3** (*mil.*) (*il corpo*) Catering Corps.

sussistere *v.intr.* **1** to subsist, to exist; (*sopravvivere*) to survive **2** (*essere valido*) to hold* good, to hold* water.

sussultare *v.intr.* **1** to start, to give* a start: *— di paura,* to start with fright; *far — qlcu.,* to startle s.o. **2** (*di cose*) to shake*.

sussulto *s.m.* **1** start, jump **2** (*del suolo*) tremor.

sussultorio *agg.* (*geol.*) vertical.

sussurrare *v.tr.* e *intr.* **1** to whisper; (*mormorare*) to murmur; (*di foglie*) to rustle **2** (*criticare*) to murmur.

sussurrio *s.m.* whispering; (*mormorio*) murmuring; (*di foglie*) rustling.

sussurro *s.m.* whisper; (*mormorio*) murmur; (*di foglie*) rustling.

sutura *s.f.* (*anat. chir.*) suture.

suturare *v.tr.* (*chir.*) to suture.

suvvia *inter.* come on.

suzione *s.f.* suction.

svagare *v.tr.* **1** to distract (s.o.'s) attention, to divert **2** (*divertire*) to amuse, to divert, to entertain // **-arsi** *v.intr.pron.* **1** to distract one's mind, to divert one's mind **2** (*divertirsi*) to amuse oneself, to enjoy oneself.

svagato *agg.* absent-minded.

svago *s.m.* relaxation, diversion; (*divertimento*) amusement; (*passatempo*) hobby: *concedersi un po' di* —, to enjoy oneself a little.

svaligiare *v.tr.* to rob; (*una casa*) to housebreak; (*di notte*) to burgle.

svaligiatore *s.m.* robber; (*di case*) housebreaker; (*solo notturno*) burglar.

svalutare *v.tr.* **1** to devalue, to depreciate **2** (*sminuire*) to underestimate, to underrate // **-arsi** *v.intr.pron.* to be* devalued.

svalutazione *s.f.* devaluation, depreciation.

svampare *v.intr.* to calm down, to quieten down.

svampito *agg.* scatterbrained.

svanire *v.intr.* **1** to disappear, to vanish; (*gradatamente*) to fade (away) **2** (*perder forza*) to lose* strength, to grow* weaker.

svanito *agg.* **1** (*di persona*) feebleminded: *egli è sempre* —, he is always in the clouds **2** (*di cosa*): *un profumo* —, a perfume which has lost its strength; *un vino* —, a wine which has lost its bouquet **3** (*dileguato*) vanished.

svantaggiato *agg.* handicapped.

svantaggio *s.m.* **1** disadvantage, drawback: *la squadra australiana aveva due punti di* —, the Australian team was two points behind // *rimontare lo* —, (*sport*) to catch up **2** (*danno*) detriment: *a* — *di*, to the detriment of.

svantaggioso *agg.* disadvantageous, unfavourable.

svaporare *v.intr.* **1** to evaporate **2** (*perdere forza*) to lose* strength.

svaporato *agg.* **1** (*di liquidi*) evaporated **2** (*fig.*) with one's head in the clouds, dreamy.

svariare *v.tr.* to diversify.

svariato *agg.* various.

svarione *s.m.* blunder.

svasato *agg.* flared.

svasatura *s.f.* flare.

svasso *s.m.* (*zool.*) grebe.

svastica *s.f.* swastika.

svecchiamento *s.m.* renewal; (*rimodernamento*) modernization.

svecchiare *v.tr.* to renew; (*rimodernare*) to modernize, to bring* (sthg.) up to date.

svedese *agg.* Swedish // *fiammiferi svedesi*, safety matches ♦ *s.m.* **1** Swede **2** (*lingua*) (the) Swedish (language).

sveglia *s.f.* **1** call: *domani* — *alle quattro!*, (everybody) up at four tomorrow! **2** (*orologio*) alarm clock: *caricare la* —, to set the alarm **3** (*mil.*) reveille.

svegliare *v.tr.* **1** to wake* (up), to awake*, to rouse: *a che ora ti devo* —?, at what time shall I wake you (up)?; *non lo sveglierebbero neppure le cannonate*, it would take a bomb to wake him up **2** (*fig.*) (*stimolare*) to arouse, to rouse: — *l'appetito di qlcu.*, to arouse s.o.'s appetite;

— *l'intelligenza di un bambino*, to arouse a child's intelligence // **-arsi** *v.intr.pron.* to wake* (up), to awake* (*anche fig.*): — *di soprassalto*, to wake with a start; *svegliati!*, wake up! // *la natura si sveglia in primavera*, nature reawakens in spring.

sveglio *agg.* **1** awake (*pred.*): *completamente* —, wide-awake **2** (*fig.*) (*pronto d'ingegno*) wide-awake (*pred.*); quick, quick-witted, smart: *un ragazzo* —, a quick-witted boy.

svelare *v.tr.* to reveal, to disclose // **-arsi** *v.rifl.* to reveal oneself, to show* oneself.

svellere *v.tr.* to extirpate (*anche fig.*), to root out (*anche fig.*).

sveltezza *s.f.* **1** (*rapidità*) quickness, speed: *con* —, quickly **2** (*fig.*) readiness, quickness **3** (*l'essere snello*) slimness, slenderness.

sveltire *v.tr.* to quicken: — *il traffico*, to speed up the traffic **2** — *una procedura*, to simplify a procedure **2** (*rendere disinvolto*) to bring* (s.o.) out of one's shell **3** (*snellire*) to make* slender // **-irsi** *v.intr.pron.* **1** to become* quicker **2** (*diventare più disinvolto*) to come* out of one's shell.

svelto *agg.* **1** (*rapido, pronto*) quick: *è molto* — *nel capire*, he is very quick on the uptake // *è* — *di lingua*, he's always got an answer // — *di mano*, (*che ruba*) light-fingered; (*manesco*) free with one's fists // *alla svelta*, quickly **2** (*intelligente*) quick-witted, sharp-witted, smart **3** (*slanciato*) slender, slim.

svenare *v.tr.* **1** to open s.o.'s veins **2** (*fig.*) to bleed* // **-arsi** *v.rifl.* to cut* one's veins.

svendere *v.tr.* to undersell*; (*sotto costo*) to sell* below cost, to sell* at a loss.

svendita *s.f.* sale.

svenevole *agg.* mawkish; (*fam.*) soppy: *modi svenevoli*, mawkish manners; *una signora molto* —, a very precious lady.

svenevolezza *s.f.* mawkishness; (*fam.*) soppiness.

svenimento *s.m.* faint, fainting fit, swoon: *essere colto da* —, to faint away.

svenire *v.intr.* to faint, to swoon: *svenne per la paura*, he fainted with fear.

sventagliare *v.tr.* to fan // *mi sventagliò la lettera sotto il naso*, he waved the letter under my nose // **-arsi** *v.rifl.* to fan oneself.

sventagliata *s.f.* **1** fanning **2** (*raffica di arma da fuoco*) burst.

sventare *v.tr.* to foil, to frustrate, to thwart: — *un colpo di stato*, to foil a coup d'état; *sventarono il suo tentativo di fuga*, they foiled his attempt to escape.

sventatezza *s.f.* **1** thoughtlessness, heedlessness **2** (*atto sventato*) thoughtless action.

sventato *agg.* (*sbadato*) thoughtless, heedless; (*fam.*) scatter-brained ♦ *s.m.* heedless person; (*fam.*) scatterbrain, harum-scarum.

sventola *s.f.* **1** (*fam.*) fire-fan // *orecchie a* —, flappy ears: *ha le orecchie a* —, his ears stick out **2** (*pop.*) (*schiaffo*) slap: *prendere a sventole qlcu.*, to slap s.o. in the face **3** (*pugilato*) backhander.

sventolare *v.tr.* e *intr.* to wave, to flutter: — *al vento*, to wave in the wind.

sventolio *s.m.* waving, fluttering.

sventramento *s.m.* **1** (*di edifici*) demolition: *lavori di* —, demolition work **2** (*med.*) eventration.

sventrare *v.tr.* **1** to disembowel; (*animali*) to clean **2** (*edifici*) to demolish.

sventura *s.f.* **1** (*sorte avversa*) bad luck, misfortune:

provato dalla —, tried by misfortune **2** (*disgrazia*) misfortune, mishap; (*sciagura*) calamity // *per mia* —, unluckily for me // *per colmo di* —, to crown it all.

sventurato *agg.* unlucky, unfortunate ♦ *s.m.* unlucky person, unfortunate wretch.

svenuto *agg.* in a faint, in a swoon (*pred.*); (*privo di conoscenza*) unconscious.

sverginare *v.tr.* to deflower.

svergognare *v.tr.* to shame, to put* (s.o.) to shame.

svergognato *agg.* shameless ♦ *s.m.* shameless person.

svergolare *v.tr.* to twist.

svernare *v.intr.* to winter.

sverza *s.f.* splinter.

sverzino *s.m.* whipcord.

svestire *v.tr.*, **svestirsi** *v.rifl.* to undress.

svestito *agg.* undressed.

svettare *v.tr.* to pollard ♦ *v.intr.* **1** (*di alberi, agitare la cima*) to sway **2** (*ergersi*) to soar.

Svevia *no.pr.f.* Swabia.

Svezia *no.pr.f.* Sweden.

svezzamento *s.m.* weaning.

svezzare *v.tr.* to wean (*anche fig.*).

sviamento *s.m.* **1** diversion; (*di un colpo*) warding off **2** (*distrazione*) distraction, diversion **3** (*il traviare*) leading astray; (*il traviarsi*) going astray.

sviare *v.tr.* **1** to divert (*anche fig.*); (*un colpo*) to ward off: — *il discorso*, to change the subject; — *i sospetti*, to divert suspicion **2** (*distrarre*) to distract, to divert **3** (*traviare*) to lead* astray // **-arsi** *v.intr.pron.* (*fig.*) to go* astray.

svicolare *v.intr.* (*fam.*) to turn the corner; (*svignarsela*) to sneak away.

svignarsela *v.intr.pron.* to slip away; (*furtivamente*) to sneak away.

svigorire *v.tr.* to weaken; (*con riferimento a età, dolori*) to enfeeble // **-irsi** *v.intr.pron.* to lose* one's vigour; (*indebolirsi*) to grow* weak, to become* weak.

svilimento *s.m.* depreciation.

svilire *v.tr.* to depreciate.

svillaneggiare *v.tr.* to insult, to abuse (s.o.) roundly, to revile.

sviluppare *v.tr.* **1** to develop: — *la propria mente*, to develop one's mind **2** (*svolgere, elaborare*) to develop, to work out: — *un argomento*, to develop an argument; — *un progetto*, to work out a plan **3** (*produrre*) to generate, to develop: — *elettricità*, to generate electricity **4** (*fot. mat. geom.*) to develop // **-arsi** *v.intr.pron.* to develop; (*estendersi*) to expand; (*crescere*) to grow*: *questa città si è molto sviluppata negli ultimi anni*, this city has expanded a lot in the last few years **2** (*prodursi, manifestarsi*) to break* out.

sviluppatore *s.m.* (*foto*) developer.

sviluppo *s.m.* **1** development; (*espansione*) expansion, growth: — *fisico, morale*, physical, moral development; *piano di* —, development plan; *paesi in via di* —, developing countries; *lo* — *di una città, del commercio*, the growth (*o* expansion) of a city, of trade; *gli sviluppi di una situazione*, the developments of a situation // *è nell'età dello* —, he is at (the age of) puberty **2** (*elaborazione*) development, working out: *lo* — *di un progetto*, the working out of a plan **3** (*fis.*) (*emissione*) generation **4** (*fot. geom.*) developing, development.

svinatura *s.f.* drawing (of the wine) from the vats.

svincolare *v.tr.* **1** to release, to free **2** (*riscattare*) to redeem: — *una proprietà ipotecata*, to redeem a mort-

gaged property **3** (*sdoganare*) to clear: — *merce alla dogana*, to clear goods through the customs // **-arsi** *v.rifl.* to free oneself.

svincolo *s.m.* **1** release, freeing **2** (*sdoganamento*) clearance **3** — *autostradale*, slip road.

sviolinata *s.f.* (*fam.*) soft soap.

svisamento *s.m.* distortion, twisting.

svisare *v.tr.* to distort, to twist.

sviscerare *v.tr.* **1** to disembowel; (*animali*) to clean **2** (*studiare a fondo*) to dissect, to examine thoroughly, to go* deeply (into sthg.) // **-arsi** *v.intr.pron.*: — *per qlcu.*, (*amarlo appassionatamente*) to dote upon s.o.

svisceratezza *s.f.* **1** excessiveness **2** (*ossequiosità*) obsequiousness.

sviscerato *agg.* **1** passionate, ardent; (*eccessivo*) excessive **2** (*ossequioso, di complimento ecc.*) obsequious, servile.

svista *s.f.* oversight: *per (una)* —, by mistake.

svitare *v.tr.* to unscrew.

svitato *agg.* **1** unscrewed **2** (*fam.*) (*matto*) screwy, nuts ♦ *s.m.* (*fam.*) nutcase; (*amer.*) screwball: *è uno* —, he has a screw loose.

Svizzera *no.pr.f.* Switzerland.

svizzera *s.f.* hamburger.

svizzero *agg. e s.m.* Swiss.

svogliarsi *v.intr.pron.* to lose* one's interest (in sthg.), to lose* ones taste (for sthg.).

svogliatamente *avv.* (*senza voglia*) unwillingly; (*fiaccamente*) listlessly; (*pigramente*) lazily: *mangiare* —, to pick at one's food.

svogliatezza *s.f.* (*mancanza di voglia*) unwillingness; (*fiacchezza*) listlessness; (*pigrizia*) laziness.

svogliato *agg.* (*senza voglia*) unwilling; (*fiacco*) listless; (*pigro*) lazy: *sentirsi* —, to feel listless.

svolazzare *v.intr.* **1** to fly* about; (*di farfalle*) to flutter; (*di api, pipistrelli*) to flit **2** (*essere agitato dal vento*) to flap, to flutter.

svolazzo *s.m.* flourish.

svolgere *v.tr.* **1** to unwind; (*srotolare*) to unroll: — *un pacco*, to unwrap a parcel **2** (*trattare*) to develop, to treat; (*portare a termine*) to carry out; — *un'attività*, to carry on an activity // **-ersi** *v.intr.pron.* **1** to unwind*; (*srotolarsi*) to unroll **2** (*svilupparsi*) to develop **3** (*accadere*) to happen, to occur, to take* place; (*procedere*) to go* (on), to go* off: *la scena si svolge in Inghilterra*, the scene takes place (*o* is set) in England; *tutto si svolse secondo i piani*, everything went (off) according to plan.

svolgimento *s.m.* **1** (*trattazione*) treatment, development: *lo* — *di un tema*, (*a scuola*) the development of a composition **2** (*sviluppo*) development; (*andamento*) course: *lo* — *degli eventi*, the course of events.

svolta *s.f.* **1** (*lo svoltare*) turning: *fare una* — *a destra*, to turn to the right // *divieto di* — *a sinistra, a destra*, no left, no right turn **2** (*di strada*) turn, bend **3** (*di fiume*) winding **4** (*fig.*) turning point.

svoltare *v.intr.* to turn: — *a sinistra, a destra*, to turn (to the) left, (to the) right.

svoltata *s.f.* **1** (*lo svoltare*) turning **2** (*svolta*) turn, bend.

svolto *agg.* developed.

svoltolare *v.tr.* to unroll.

svuotamento *s.m.* emptying.

svuotare *v.tr.* **1** to empty; (*fig.*) to deprive **2** (*informatica*) to unload.

T

t *s.f.* o *m.* t(*pl.* ts, t's) // — *come Torino*, (*tel.*) t for Tommy.
tabaccaio *s.m.* tobacconist.
tabaccare *v.intr.* to take* snuff.
tabaccheria *s.f.* tobacconist's (shop).
tabacchiera *s.f.* snuffbox.
tabacco *s.m.* tobacco: — *da fiuto*, snuff; — *da masticare*, chewing tobacco; — *da pipa*, pipe tobacco // *presa di* —, pinch of snuff; *fiutar* —, to take snuff // *color* —, tobacco-coloured // *Manifattura Tabacchi*, (State) Tobacco Factory.
tabaccone *s.m.* snuff-taker.
tabaccoso *agg.* snuffy.
tabagismo *s.m.* (*med.*) tabagism, tabacism.
tabarin (*franc.*) *s.m.* nightclub.
tabarro *s.m.* cloak.
tabella *s.f.* table; (*lista*) list; (*prospetto*) schedule; (*quadro*) board: — *dei prezzi*, price list; — *dell'orario ferroviario*, railway timetable; — *della febbre*, temperature chart; — *di marcia*, (*sport*) schedule.
tabellone *s.m.* notice board; (*per affissioni stradali*) billboard, hoarding; (*sport*) scoreboard.
tabernacolo *s.m.* **1** tabernacle **2** (*cappelletta*) wayside tabernacle.
tabù *agg.* e *s.m.* taboo.
tabula rasa *locuz.lat.* tabula rasa: *la mia memoria è una* —, my memory is a complete blank; *fare* — *di qlco.*, to make a clean sweep of sthg.
tabulato *s.m.* (*informatica*) print-out; fanfold.
tabulatore *s.m.*, **tabulatrice** *s.f.* tabulator.
tacca *s.f.* notch, nick, cut: — *di contrassegno*, notch // *di mezza* —, of middling quality; *una persona di mezza* —, a nonentity.
taccagneria *s.f.* stinginess, meanness.
taccagno *agg.* stingy, mean, tightfisted ♦ *s.m.* skinflint, tightfist.
taccheggiare *v.tr.* e *intr.* to shoplift.
taccheggiatore *s.m.* shoplifter.
taccheggio *s.m.* shoplifting.
tacchete *onom.* clickety-click, clicking.
tacchettio *s.m.* tapping of heels.
tacchino *s.m.* turkey (cock) // *sembra un* — *quando fa la ruota*, he looks as proud as a peacock.
taccia *s.f.* (*cattiva fama*) (bad) reputation.
tacciare *v.tr.* to tax, to charge: — *qlcu. di...* to tax (*o* to charge) s.o. with...
tacco *s.m.* **1** heel: *tacchi a spillo*, stiletto heels; *battere i tacchi*, to click one's heels; *mettere i tacchi a*, to heel (sthg.) // *alzare i tacchi*, (*fig.*) to take to one's heels // *girare i tacchi*, to turn on one's heel **2** (*rialzo*) wedge; (*puntello*) prop.
taccuino *s.m.* notebook.
tacere *v.intr.* **1** to be* silent, to keep* silent, to hold* one's tongue: *tacete!*, be (*o* keep) quiet!; (*fam.*) shut up! // *far* — *qlcu, qlco.*, to silence s.o., sthg. (*o* to reduce s.o., sthg. to silence) // *mettere a* — *uno scandalo*, to hush up a scandal // *chi tace acconsente*, (*prov.*) silence means consent **2** (*essere immerso nel silenzio*) to be* still: *tutto tace*, all is still ♦ *v.tr.* to say* nothing (about sthg.), to keep* silent (about sthg.); (*omettere*) to leave* out, to omit: *ha taciuto a tutti di voler partire*, he didn't say a word about his intention to leave.

tacheometro *s.m.* tacheometer, tachymeter.
tachi- *pref.* tachy-.
tachicardia *s.f.* (*med.*) tachycardia.
tachicardico *agg.* (*med.*) tachycardiac ♦ *s.m.* tachycardiac case.
tachimetro *s.m.* speedometer, tachometer.
tacitamente *avv.* **1** (*silenziosamente*) silently; (*senza rumore*) noiselessly **2** (*segretamente*) tacitly.
tacitare *v.tr.* (*comm.*) to pay* off (in part).
tacito *agg.* **1** (*silenzioso*) silent // *una tacita notte*, a still (*o* silent) night **2** (*fig.*) (*non espresso*) tacit: — *accordo*, tacit agreement.
Tacito *no.pr.m.* (*st. lett.*) Tacitus.
taciturno *agg.* taciturn; (*silenzioso*) silent.
tafano *s.m.* gadfly, horsefly.
tafferuglio *s.m.* scuffle.
taffettà *s.m.* taffeta.
taglia *s.f.* **1** (*prezzo del riscatto*) ransom **2** (*ricompensa*) reward: *mettere una* — *su qlcu.*, to set a price on s.o.'s head **3** (*misura*) size: *sono disponibili tutte le taglie*, all sizes are available // *taglie forti*, outsizes.
tagliaborse *s.m.* pickpocket.
tagliacarte *s.m.* paper knife.
taglialegna *s.m.* woodcutter.
tagliamare *s.m.* (*mar.*) cutwater.
tagliando *s.m.* coupon.
tagliapietre *s.m.* stonecutter.
tagliare *v.tr.* **1** to cut*: — *qlco. a pezzi*, to cut sthg. (into) pieces; — *qlco. in due ecc.*, to cut sthg. in two etc.; — *un albero*, to cut down a tree; *tagliarsi un dito*, to cut one's finger; *tagliarsi i capelli*, to have (*o* to get) one's hair cut; — *i capelli a zero a qlcu.*, to crop s.o.'s hair; — *a fette*, to slice; — *a dadini*, to dice; — *la carne prima di servirla*, to carve meat before serving it; — *la testa a qlcu.*, to cut s.o.'s head off; — *un vestito*, to cut out a dress // *si farebbe* — *la testa piuttosto che...*, he would rather lose his right hand than... // — *le carte*, to cut the cards // — *un vino*, to blend a wine // *un vento che taglia la faccia*, a biting wind // — *le gambe*, (*di vino*) to go to s.o.'s legs // — *i panni addosso a qlcu.*, to tear s.o.'s character to pieces (*o* shreds) // — *la testa al toro*, to settle the question once and for all **2** (*attraversare*) to cut* across, to cross, to intersect // — *una curva*, to cut across a bend // *l'automobile gli ha tagliato la strada*, the car cut in in front of him **3** (*interrompere*) to cut* off; (*togliere*) to cut* out: — *la ritirata al nemico*, to cut off the enemy's retreat; — *alcuni paragrafi*, to cut out a few paragraphs // — *corto*, to cut short ♦ *v.intr.* (*abbreviare la strada*) to cut*: — *per il bosco*, to cut across the wood // **-arsi** *v.intr.pron.* (*di tessuto, rompersi*) to split*.
tagliatelle *s.f.pl.* noodles.
tagliato *agg.* **1** cut: *cristallo* — cut glass // *essere* — *fuori*, to be cut off **2** (*adatto*) cut out (for), fit (for) // *un lavoro* — *apposta per lui*, a job perfectly suitable for him.
tagliatore *s.m.* cutter.
taglieggiare *v.tr.* **1** (*imporre taglie*) to ransom **2** (*gravare con tributi*) to levy taxes (on s.o., sthg.).
tagliente *agg.* cutting, sharp (*anche fig.*) ♦ *s.m.* edge.
tagliere *s.m.* trencher.

taglierina *s.f.* (*ind. cartaria*) cutter.

taglio *s.m.* **1** (*il tagliare*) cutting // — *dei vini*, blending // *vini da* —, blending wines // *bosco da* —, coppice // *armi da* —, sharp instruments; *ferita d'arma da* —, knife wound // *scuola di* —, school of dressmaking // *fare un* — *in un articolo, in un film*, to make a cut in an article, a film // *dare un* — *netto a qlco.*, to put a stop to sthg. // *colpire la palla di* —, (*sport*) to cut the ball **2** (*effetto del tagliare; lesione*) cut: *un* — *a un dito*, a cut in a finger; *farsi un* — *a un dito*, to cut one's finger **3** (*pezzo*) cut; (*di stoffa*) length: *un* — *di carne*, a cut of meat; — *d'abito*, (*da uomo*) suit-length; (*da donna*) dress-length **4** (*parte tagliente*) edge: *colpire di* —, to strike with the edge of one's blade // *arma a doppio* —, (*fig.*) double-edged weapon // *il* — *di un libro*, the edge of a book **5** (*importo*) denomination: *un biglietto di grosso, piccolo* —, a large, small banknote.

tagliola *s.f.* trap, snare (*anche fig.*).

taglione *s.m.* talion, retaliation: *è la legge del* —, any eye for eye an eye, a tooth for a tooth.

tagliuzzare *v.tr.* to cut* into small pieces, to chop (up); (*a strisce*) to shred.

tailleur (*franc.*) *s.m.* costume.

talaltro *pron.indef.* **1** (*corr. di taluno*) others (*pl.*), someone else **2** (*corr. di talvolta*) other times (*pl.*).

talamo *s.m.* **1** (*letter.*) (nuptial) bed **2** (*bot. anat.*) thalamus (*pl.* thalami).

talare *agg.*: *abito* —, cassock.

talco *s.m.* talc // — *borato*, talcum powder.

tale *agg.* **1** such (a): *tali cose non possono essere vere*, such things cannot be true; *la situazione non era* — *da destare preoccupazioni*, the situation was not such as to cause worry; *non lo credo capace di una* — *azione*, I do not believe him capable of such an action // *è ridotto in un* — *stato!*, he is in such a way! // *è di una* — *villania!*, he is so rude! // *non fidarti di gente di tal fatta*, don't trust the likes of them // *la sua vista, un tempo ottima, non è più* —, his sight, once excellent, is no longer so **2** (*preceduto da art. det.*) such-and-such: *il tal giorno alla tal ora*, on such-and-such a day at such -and-such a time **3** (*rafforzativo di quello*) that; *pl.* those: *quel tal signore*, that gentleman **4** (*se indica identità*) like: — (*la*) *madre* — (*la*) *figlia*, like mother like daughter // — *quale*, → **quale** ♦ *agg.dimostr.* such (a); (*questo*) this; *pl.* these: *in* — *circostanza*, in (*o* under) such circumstances; *dette tali parole se ne andò*, with these words he left // *entro* — *data*, within such (*o* the aforesaid) date ♦ *pron.indef.* someone: *un* — *di Londra*, someone from London // *se ritelefona quel* — *di ieri*, if the person who phoned yesterday rings again **2** *il Tal dei Tali*, Mr. So-and-so; *la Tal dei Tali*, Mrs. So-and-so ♦ *pron.dimostr.*: *va' da lui e digli*: «*Io sono il Tale*», go to him and tell him: "I am So-and -so".

talea *s.f.* (*bot.*) scion.

talento *s.m.* **1** talent **2** (*moneta*) talent.

talismano *s.m.* talisman, amulet, charm.

tallero *s.m.* thaler.

tallire *v.intr.* (*bot.*) to sprout.

tallo *s.m.* (*bot.*) thallus; (*germoglio*) sprout.

tallonamento *s.m.* dogging, shadowing; (*sport*) marking.

tallonare *v.tr.* to dog, to shadow; (*sport*) to mark.

talloncino *s.m.* coupon.

tallone *s.m.* **1** heel // — *d'Achille*, Achilles' heel **2** (*di aratro*) landside **3** (*tagliando*) coupon.

talmente *avv.* → **tanto** *nel senso* 1.

talora *avv.* → **talvolta**.

talpa *s.f.* mole: *cieco come una* —, as blind as a bat; *grigio* —, mole grey.

taluno *agg.indef.* some; (*certo*) certain: *taluni filosofi dicono che...*, some philosophers say that...; *per taluni aspetti*, under certain aspects ♦ *pron.indef.* **1** someone, somebody; *pl.* some people; (*con partitivo*) some: — *potrebbe dire*, someone might say; *taluni credono che...*, some people think that...; *taluni di noi*, some of us **2** (*correlativo di* talaltro) some (*pl.*): — *dice... talaltro dice...*, some say... others say...

talvolta *avv.* sometimes, now and then.

tamarindo *s.m.* tamarind.

tambureggiamento *s.m.* drumming // *un* — *di domande*, a barrage of questions.

tambureggiare *v.intr.* **1** to drum **2** (*di armi da fuoco*) to crepitate.

tamburellare *v.intr.* to drum: — *con le dita sul tavolo*, to drum one's fingers on the table.

tamburello *s.m.* **1** (*mus. sport*) tambourine **2** (*da ricamo*) tambour.

tamburino *s.m.* drummer.

tamburo *s.m.* **1** (*mus.*) drum: — *maggiore*, drum major; *suonatore di* —, drummer; *suonare il* —, to drum // *a* — *battente*, immediately (*o* at once) **2** (*mecc.*) drum; (*di rivoltella*) cylinder; (*di organo, orologio*) barrel: — *dei freni anteriori, posteriori*, (*aut.*) front-brake, rear-brake drum **3** (*arch.*) drum.

tamerice *s.f.*, **tamerisco** *s.m.* (*bot.*) tamarisk.

Tamigi *no.pr.m.* Thames.

tampinare *v.tr.* (*fam.*) to pester.

tamponamento *s.m.* **1** (*med.*) tamponade **2** (*aut.*) collision: — *a catena*, pileup.

tamponare *v.tr.* **1** (*med.*) to tampon: — *una falla*, (*anche fig.*) to stop a leak **2** (*aut.*) to come* into collision (with sthg.), to bump (into sthg.).

tampone *s.m.* **1** (*med.*) tampon **2** (*per timbri*) ink-pad **3** (*carta assorbente*) blotter **4** (*ferr.*) buffer **5** (*informatica*) buffer.

tam-tam *s.m.* tomtom.

tana *s.f.* **1** (*di animali feroci*) lair, den; (*di conigli, volpi*) burrow **2** (*fig.*) (*covo*) den; (*stamberga*) den, hole.

tanca *s.f.* (*mar.*) tank.

tandem *s.m.* tandem.

tanfo *s.m.* stench, stink.

Tanganica *no.pr.m.* Tanganyika.

tangente *agg.* (*geom.*) tangent ♦ *s.f.* **1** (*geom.*) tangent // *filare per la* —, to go off (*o* to fly off) at a tangent **2** bribe; (*percentuale illecita*) rake-off; protection money: *racket delle tangenti*, protection racket.

tangenza *s.f.* **1** (*geom.*) tangency: *punto di* —, tangential point **2** (*aer.*) ceiling.

tangenziale *agg.* (*geom.*) tangential ♦ *s.f.* ringroad; (*amer.*) belt highway, beltway.

tanghero *s.m.* boor, lout.

tangibile *agg.* tangible.

tango *s.m.* (*mus. danza*) tango.

tanica *s.f.* tank.

tannico *agg.* (*chim.*) tannic.

tannino *s.m.* (*chim.*) tannin.

Tantalo *no.pr.m.* (*mit.*) Tantalus // *far soffrire il supplizio di* — *a qlcu.*, to tantalize s.o.

tantino *pron.indef.* (little) bit; (*di liquidi*) drop // *un tantino* *locuz.avv.* **1** a little (bit): *un* — *difficile*, a little (bit) difficult **2** (*di tempo*) a moment.

tanto *avv.* **1** (*talmente, così*) (*con agg. e avv.*) so; (*con v.*) so much: *è — gentile!*, he is so kind!; *andava — forte!*, he was driving so fast!; *perché ti preoccupi —?*, why do you worry so much?; *non è — sciocco da non capirlo*, he is not so silly as not to understand it // *alto —, lungo —*, (*accompagnando col gesto*) as high as this, as long as this **2** (*in prop. compar.*) (*con agg. e avv.*) as; (*in prop. negative*) so; (*con v.*) as much; (*in prop. negative*) so much: *è — gentile quanto suo fratello*, he is as kind as his brother (is); *la sua automobile va — forte quanto la mia*, his car runs as fast as mine; *la sua automobile non va — forte quanto la mia*, his car doesn't run so (*o* as) fast as mine; *lavora — quanto può*, he works as much as he can; *non lavora — quanto dovrebbe*, he doesn't work so (*o* as) much as he should **3** *—...quanto*, (*sia... sia*) both... and; — *io quanto mio fratello*, both my brother and I **4** (*molto*) (*con agg. e avv.*) so; (*con v.*) so much: *gli era — affezionata*, she was so fond of him; *mi ha risposto — gentilmente*, he answered me so kindly; *l'ho cercato —*, I searched so much for it // *sono — stanco*, I'm so very tired // *vorrei — venire anch'io*, I would so (*o* very) much like to come // *— meglio, — peggio*, so much the better, the worse **5** (*fraseologia*): *tre volte —*, three times as much // (*per*) *una volta —*, just once in a while // *se fa — di negare...*, if he so much as dares to deny it...; *se faccio — di voltare gli occhi...*, if I so much as look the other way... // *l'ho fatto — per accontentarlo*, I did it just to please him; — *per far qlco.*, just to do sthg. // *non prendertela, — non serve*, don't get so upset, it's no use in any case; — *fa quello che vuole*, he does what he likes in any case // *di — in —, ogni —*, every now and then (*o* from time to time) // *fino a — che, → finché* // *tant'è, — vale, — varrebbe che io andassi*, I might just as well go; — *valeva che io andassi*, I might just as well have gone // *né — né quanto*, (*affatto*) at all.

tanto *agg.indef.* **1** so much; *pl.* so many: *a che serve tanta carta?*, what's the use of so much paper?; *te l'ho detto tante volte!*, I told you so many times!; *ha — lavoro da non avere un momento di riposo*, he has so much work that he hasn't a minute's peace // *dopo — tempo...*, after such a long time... // *— ospite va trattato coi guanti*, such a guest must be treated with kid gloves **2** (*molto*) a lot (of): *con lui ci vuole tanta pazienza*, one must be very patient with him; *trenta sigarette al giorno sono tante*, thirty cigarettes a day are a lot // *c'è ancora tanta strada?*, is it still a long way? // *tante grazie!*, many thanks! // *tanti saluti!*, my best regards! **3** (*in espressioni ellittiche di tempo, distanza, denaro ecc.*): *è — che non lo vedo*, I haven't seen him for a long time; *c'è — di qui alla stazione?*, is it far from here to the station?; *ho speso —*, I spent a lot; *tanti ne guadagna tanti ne spende*, he spends as much as he earns; *non ci vuol — a capirlo*, it doesn't take much to understand it; *giungere a —*, to go so far; *non lo credevo da —*, I didn't think he was so clever // *nel 1400 e tanti*, in 1400 or thereabouts // *gliene ha dette tante!*, he gave him such a dressing-down // *se — mi dà —*, if this is the result **4** (*in prop. compar.*) as much; *pl.* as many; (*in prop. negative*) so much; *pl.* so many: *ho — denaro quanto lui*, I have as much money as he (has); *non ho — denaro quanto lui*, I haven't so much money as he (has); *ho tanti libri quanti lui*, I have as many books as he (has); *non ho tanti libri quanti lui*, I haven't so many books as he (has) **5** (*con valore di altrettanto*): *si comportano come tanti scolaretti*, they carry on like so many school-

children; *tante parole tanti errori*, (there are) as many mistakes as (there are) words; *cambiare 1000 lire in tante monete da 50*, to change 1000 lire in 50 lire coins // *— di guadagnato*, so much the better **6** (*accompagnato da* ogni): *ogni tanti chilometri*, every so many kilometres.

tanto *pron.indef.* **1** *pl.* many: *tanti lo approvano*, many approve him **2** (*con valore di* tante cose) a lot: *ha fatto — per te*, he did a lot for you // *è già — se...*, it's already something if... // *a dir —*, to say the most; (*al massimo*) at the most **3** (*in prop. compar.*) as much; *pl.* as many; (*in prop. negative*) so much; *pl.* so many: *ne ho tanti quanti ne hai tu*, I have as many as you (have) **4** — *per..., — per...*, so much for...: *ecco 10.000 lire, tante per.... tante per...*, here are 10.000 lire, so much for... so much for... ♦ *con valore di pron. dimostr.* that: *questo è ciò che avevo da dirti, e — basta*, this is what I had to tell you, and that's that ♦ *con valore di s.* **1** so much: *ne vorrei — così*, (*accompagnando col gesto*) I would like so much; *è più alto di — così*, he's taller by so much // *con — di pelliccia di visone*, complete with mink coat; *con — di naso*, completely flabbergasted **2** *un —*, so much: *un — al mese*, so much a month; *un — per cento*, so much per cent // *guadagna quel — che basta per vivere*, he earns just enough to make ends meet.

taoismo *s.m.* (*st. relig.*) Taoism.

tapino *agg.* (*letter.*) wretched, miserable ♦ *s.m.* (*letter. o scherz.*) wretch.

tapioca *s.f.* (*cuc.*) tapioca.

tapiro *s.m.* (*zool.*) tapir.

tappa *s.f.* **1** (*luogo di fermata*) halting place; (*fermata, sosta*) halt, stop, stopover **2** (*parte di viaggio, percorso*) stage, leg // *bruciare le tappe*, to rocket to the top (*o* to success) **3** (*sport*) stage: *corsa a tappe*, stage-race.

tappabuchi *s.m.* (*scherz. o spreg.*) stopgap.

tappare *v.tr.* to plug; (*con un tappo di sughero*) to cork; (*con un grosso tappo*) to bung: — *un buco*, to plug a hole // *tapparsi il naso*, to hold one's nose; *tapparsi le orecchie*, to plug one's ears; *tapparsi la bocca*, to shut one's mouth; (*con la mano*) to cover one's mouth // — *la bocca a qlcu.*, to shut s.o. up // **-arsi** *v.rifl.* to shut* oneself up.

tapparella *s.f.* blind.

tappeto *s.m.* carpet; (*di piccole dimensioni*) rug: — *alto, rasato*, long-pile, short-pile carpet; — *persiano*, Persian rug; — *da bagno*, bath mat; — *da tavolo*, table cover // — *un di fiori*, a carpet of flowers; — *erboso*, lawn // — *verde*, (*di tavolo da gioco*) green baize // *bombardamento a —*, carpet (*o* pattern) bombing // *mettere qlcu. al —*, (*anche fig.*) to knock s.o. out // *mettere un problema sul —*, to bring up (*o* forward) a problem.

tappezzare *v.tr.* **1** (*con carta*) to paper; (*con stoffa*) to hang* (sthg.) with tapestry **2** (*coprire*) to cover (with sthg.) **3** (*foderare*) to upholster (sthg. with sthg.), to cover.

tappezzeria *s.f.* **1** (*di carta*) wallpaper; (*di stoffa*) tapestry // *fare —*, to be a wallflower **2** (*arte del tappezziere*) upholstery.

tappezziere *s.m.* **1** (*chi riveste pareti*) decorator **2** (*chi fodera poltrone ecc.*) upholsterer.

tappo *s.m.* **1** plug; (*di botte, barile*) bung; (*capsula per bottiglie*) cap; (*di sughero*) cork: *il — di una bottiglia del latte*, the cap of a milk bottle; *mettere il — a una bottiglia di vino*, to cork a bottle of wine **2** (*tecn.*): — *di* *radiatore*, cap; — *a vite*, screw plug   3 (*fig. fam.*) short and thickset person.

tara *s.f.*   1 tare // *devi fare la — a quello che dice*, you must take what he says with a grain of salt   2 (*difetto*) blemish, fault // — *ereditaria*, hereditary vice (*o* taint).

tarantella *s.f.* tarantella.

tarantola *s.f.* tarantula.

tarare *v.tr.*   1 (*comm.*) to tare, to ascertain the tare (of sthg.)   2 (*calibrare*) to calibrate   3 (*mecc.*) to set*, to adjust.

tarato *agg.*   1 (*comm.*) tared   2 (*calibrato*) calibrated   3 (*mecc.*) set, adjusted   4 (*con tara ereditaria*) with a hereditary vice   5 (*moralmente*) corrupted.

taratura *s.f.*   1 calibration   2 (*mecc.*) setting.

tarchiato *agg.* stocky, thickset, sturdy.

tardare *v.intr.* to be* late; (*indugiare*) to delay: — *per il pranzo*, to be late for dinner; *tardò a venire*, he was late in coming; *l'aereo tardò due ore*, the airplane was two hours late; *non —!*, don't be long (*o* don't delay).

tardezza *s.f.* slowness, tardiness.

tardi *avv.* late: *si fa —, si è fatto —*, it's getting late; *te lo dirò più —*, I'll tell you later (on) // *fare —*, to be late; (*stare alzato fino a tarda ora*) to stay (*o* to sit) up late // (*arrivederci*) *a più —*, (I'll) see you later // *al più —*, at the latest // *la sera sul —*, late in the evening // *meglio — che mai*, (*prov.*) better late than never; *chi — arriva male alloggia*, (*prov.*) first come, first served.

tardivo *agg.*   1 (*lento a svilupparsi*) backward, late: *bambino —*, backward child; *frutta tardive*, late fruits   2 (*che viene tardi*) tardy, belated: *riconoscimento —*, tardy (*o* belated) recognition.

tardo *agg.*   1 (*lento*) slow: — *nei movimenti*, slow in one's movements   2 (*d'ingegno, di mente*) dull, slow -witted   3 (*tardivo*) tardy: *pentimento —*, tardy repentance   4 (*di tempo*) late: *a ora tarda*, at a late hour; *a tarda sera*, late in the evening // *morì a tarda età*, he died at a late age; *a causa della sua tarda età*, on account of his old age.

targa *s.f.* plate: — *automobilistica*, numberplate; (*amer.*) license plate; — *di porta*, nameplate; — *di riconoscimento*, identification tag.

targare *v.tr.* (*aut.*) to register, to give* a numberplate (to a car).

targato *agg.*: *un'automobile targata MI 858616*, a car with the numberplate MI 858616.

tariffa *s.f.* tariff, rate: — *doganale*, customs tariff; *tariffe ferroviarie*, railway fares; (*solo per passeggeri*) railway fares; — *piena, mezza, ridotta*, full, half, reduced fare: *biglietto a — ridotta*, cheap ticket; *tariffe postali*, postal rates // *tariffe professionali*, professional fees.

tariffario *agg.* tariff (*attr.*) ♦ *s.m.* price list, tariff.

tarlare *v.intr.*, **tarlarsi** *v.intr.pron.* to get* worm-eaten.

tarlato *agg.* worm-eaten.

tarlatura *s.f.*   1 wormhole   2 (*polvere prodotta dal tarlo*) dust of worm-eaten wood.

tarlo *s.m.* (*zool.*) woodworm // *il — del dubbio*, (*fig.*) a gnawing doubt.

tarma *s.f.* moth.

tarmare *v.intr.*, **tarmarsi** *v.intr.pron.* to get* moth-eaten.

tarmato *agg.* moth-eaten.

tarmicida *agg.* e *s.m.* moth-killer.

tarocco *s.m.* (*carta da gioco*) tarot.

tarpare *v.tr.* to clip // — *le ali a qlcu.*, to clip s.o.'s wings.

tarsia *s.f.* marquetry, inlaying.

tarso *s.m.* (*anat.*) tarsus (*pl.* tarsi).

tartagliare *v.intr.* e *tr.* to stutter, to stammer.

tartaglione *s.m.* stutterer, stammerer.

tartana *s.f.* (*mar.*) tartan.

tartarico *agg.* (*chim.*) tartaric.

tartaro[1] *s.m.* (*chim.*) tartar.

tartaro[2] *agg.* e *s.m.* (*della Tartaria*) Ta(r)tar.

Tartaro *no.pr.m.* (*mit.*) Tartarus.

tartaruga *s.f.*   1 tortoise; (*di mare*) turtle: *brodo di —*, turtle soup // *pettine di —*, tortoiseshell comb // *camminare come una —*, to go at a snail's pace   2 (*persona lenta*) slowcoach.

tartassare *v.tr.* to harass (s.o. with sthg.), to put (s.o.) through the mill.

tartina *s.f.* (*cuc.*) open sandwich, savoury.

tartufato *agg.* truffled.

tartufo *s.m.*   1 (*bot.*) truffle   2 (*zool.*) venus-shell.

tasca *s.f.* pocket: — *applicata*, patch pocket // *da —*, pocket (*attr.*) // *aver le tasche vuote*, to be penniless // *pagare di — propria*, (*anche fig.*) to pay out of one's own pocket // *a me non viene niente in —*, I don't get anything out of it // *ne ho piene le tasche*, (*pop.*) I am sick of it // *conoscere qlco. come le proprie tasche*, to know sthg. like the back of one's hand.

tascabile *agg.* pocket (*attr.*): *edizione —*, pocket edition ♦ *s.m.* pocket book.

tascapane *s.m.* haversack.

taschino *s.m.* small pocket; (*della giacca*) breast pocket; (*per l'orologio*) fob.

tassa *s.f.*   1 tax: — *di circolazione*, road tax; — *di esercizio*, trade-licence tax; — *di successione*, estate duty, death duty; — *sul reddito*, income tax; — *sugli spettacoli*, entertainment tax; — *di pedaggio*, toll; — *sui cani*, dog licence   2 (*a scuola ecc.*) fee.

tassabile *agg.* taxable, dutiable.

tassametro *s.m.* (*aut.*) taximeter.

tassare *v.tr.* to tax, to levy a tax (on s.o., sthg.) // **-arsi** *v.rifl.* to subscribe (sthg.): *ognuno si è tassato per dieci sterline*, everybody subscribed ten pounds.

tassativamente *avv.* expressly, absolutely: *è — vietato*, it is expressly (*o* absolutely) forbidden.

tassativo *agg.* express, precise, definite, peremptory.

tassazione *s.f.* taxation.

tassellare *v.tr.* to dowel, to wedge: — *una forma di cacio*, to take a wedge of cheese.

tassello *s.m.*   1 dowel, plug   2 (*per decorazione*) inlay   3 (*prelievo*) wedge   4 (*di stoffa*) gusset.

tassì *s.m.* taxi; (*amer.*) cab.

tassista *s.m.* taxi driver, taximan.

tasso[1] *s.m.* (*zool.*) badger.

tasso[2] *s.m.* (*bot.*) yew (tree).

tasso[3] *s.m.* (*econ. comm.*) rate: — *di interesse*, interest rate; — *di sconto*, discount rate; — *ufficiale di sconto*, official discount rate; — *interbancario*, interbank rate.

tasso[4] *s.m.* (*incudine*) anvil, stake.

tastare *v.tr.* to feel*; (*con la mano*) to finger // — *il terreno*, (*fig.*) to feel one's way.

tastiera *s.f.* keyboard // — *di perforazione*, (*informatica*) keypunch.

tasto *s.m.*   1 key   2 (*fig.*) subject // *toccare un — falso*, to strike a false note   3 (*tatto*) touch, feel   4 (*informatica*) key: — (*con*) *dicitura*, digit key; — *di correzione*, edit key; — *di ritorno di uno spazio*, backspace key; — *funzione (IBM)*, — *funzionale*, function key; — *senza dicitura*, blank tape.

tastoni, a *locuz.avv.* gropingly: *procedere a — nel buio*, to grope one's way in the dark; *cercare qlco. a —*, to feel (*o* to grope) for sthg.

tata *s.f.* (*fam.*) nanny.

tattica *s.f.* tactics.

tattico *agg.* tactical.

tattile *agg.* tactile.

tatto *s.m.* **1** touch **2** (*fig.*) tact: *con* —, tactfully; *una persona di* —, *senza* —, a tactful, tactless person; *avere* —, to be tactful; *mancare di* —, to be tactless.

tatuaggio *s.m.* **1** tattoo **2** (*la pratica di tatuarsi*) tattooing.

tatuare *v.tr.* to tattoo.

tatuato *agg.* tattooed.

taumaturgico *agg.* thaumaturgic(al).

taumaturgo *s.m.* thaumaturge, thaumaturgist.

taurino *agg.* taurine: *dal collo* —, bullnecked.

tauromachia *s.f.* tauromachy, bullfight.

tautologia *s.f.* tautology.

tautologico *agg.* tautologic(al).

tavella *s.f.* (*edil.*) hollow flat tile.

taverna *s.f.* tavern, inn.

taverniere *s.m.* tavern-keeper, innkeeper.

tavola *s.f.* **1** table: *a* —!, dinner's ready!; *sedersi a* —, to sit down to dinner // — *rotonda*, round table (conference), panel disussion // *centro* —, centrepiece // — *calda*, snack bar // *amare la buona* —, to be fond of one's food **2** (*asse*) board, plank; (*di pietra*) slab: — *da stiro*, ironing board **3** (*tabella, prospetto*) table // — *di decisione*, (*informatica*) decision table **4** (*illustrazione di libro*) figure: — *fuori testo*, plate **5** (*dipinto su legno*) oil painting on wood **6** — *reale*, (*gioco*) backgammon.

tavolaccio *s.m.* plank bed.

tavolata *s.f.* group.

tavolato *s.m.* **1** (*di pavimento*) wooden floor; (*di muri*) boarding **2** (*geogr.*) tableland, plateau.

tavoletta *s.f.* bar // — (*incerata*), (*st.*) (*writing*) tablet // *andare a* —, (*fam.*) to step on the gas.

tavoliere *s.m.* **1** (*scacchiera*) chessboard, draughtboard **2** (*di biliardo*) billiard table.

tavolino *s.m.* small table; (*da salotto*) coffee table, cocktail table; (*scrivania*) writing table, writing desk // *stare a* — *tutto il giorno*, to spend the whole day at one's desk.

tavolo *s.m.* table.

tavolozza *s.f.* palette.

taxi *s.m.* taxi; (*amer.*) cab.

tazza *s.f.* **1** cup **2** (*contenuto*) cup(ful): *una* — *di tè*, a cup of tea **3** (*di fontana*) basin; (*di W.C.*) bowl.

tazzina *s.f.* small cup.

te *pron.pers.m. e f. 2ª pers.sing.* **1** *ogg. e compl.ind.* you; (*termine*) (to) you; (*te stesso*) yourself: *compratelo*, buy it yourself; *venne da* —, he came to you (*o* to your place); *devi decidere da* —, you must decide for yourself; *devi farlo da* —, you must do it by yourself; *per* —, *in quanto a* —, as for you (*o* as far as you are concerned) // *secondo* —, in your opinion **2** *sogg.* you: *beato, povero* —!, lucky, poor you!; *è molto più furbo di* —, he is a lot smarter than you (are); *se io fossi* (*in*) —, if I were you.

tè *s.m.* tea: — *cinese*, China tea; — *leggero, forte*, weak, strong tea; *l'ora del* —, teatime; *invitare qlcu. per il* —, to ask s.o. to tea.

tea *agg.*: *rosa* —, tea-rose.

teatrale *agg.* theatrical.

teatralità *s.f.* theatricality, theatricalism.

teatralmente *avv.* theatrically.

teatrante *s.m. e f.* (*spreg.*) ham.

teatrino *s.m.* **1** toy theatre **2** (*spettacolo di burattini*) puppet show.

teatro *s.m.* **1** theatre (*anche fig.*); (*amer.*) theater; (*palcoscenico*) stage: — *di posa*, (*cinem.*) studio; *il cinema e il* —, the screen and the stage; *frequentatore di* —, theatregoer; *ho visto l'«Amleto» a* —, I saw "Hamlet" on the stage; *questo luogo fu* — *di una guerra*, this place was a theatre of war; *andare a* —, to go to the theatre; *scrivere per il* —, to write for the stage // — *esaurito*, full (house) **2** (*pubblico*) audience; house **3** (*opere teatrali*) theatre; plays (*pl.*): *il* — *di Shakespeare*, Shakespeare's plays.

teca *s.f.* (*reliquiario*) shrine.

tecnica *s.f.* **1** tecnique **2** (*tecnologia*) technics (*pl.*): — *mineraria*, mining engineering.

tecnicismo *s.m.* technicality.

tecnico *agg.* technical: *per motivi d'ordine* —, for technical reasons ♦ *s.m.* technician, technicist; engineer: — *aeronautico*, qualified aircraft engineer.

tecnigrafo *s.m.* drafting machine.

tecnocrate *s.m.* technocrat.

tecnocrazia *s.f.* technocracy.

tecnologia *s.f.* technology.

tecnologico *agg.* technological.

teco *pron.pers.m. e f. 2ª pers.sing.* (*con te*) with you.

tedesco *agg. e s.m.* German.

tediare *v.tr.* to bore, to weary; (*infastidire*) to bother, to pester.

tedio *s.m.* tediousness, boredom.

tedioso *agg.* tedious, boring.

tedoforo *s.m.* (*letter.*) torchbearer.

tegame *s.m.* **1** frying pan // *uova al* —, fried eggs **2** (*contenuto*) panful.

teglia *s.f.* baking tin.

tegola *s.f.* **1** (*roofing*) tile: *tetto di tegole*, tiled roof; *coprire di tegole*, to tile **2** (*fig.*) blow.

tegumento *s.m.* tegument.

Teheràn *no.pr.f.* Tehran, Teheran.

teiera *s.f.* teapot: *copri* —, tea cosy.

teismo *s.m.* (*fil.*) theism.

teista *s.m. e f.* (*fil.*) theist.

tela *s.f.* **1** cloth: — *cerata*, oilcloth; — *da asciugamani*, towelling; — *da camicie*, shirting; — *da lenzuola*, sheeting; — *da sacco*, sackcloth; — *di lino*, linen; — *grezza, di canapa*, canvas; *rilegatura in* —, cloth binding // — *di Penelope*, (*fig.*) web of Penelope (*o* never-ending task) **2** (*teatr.*) curtain **3** (*pitt.*) painting, picture // *imbrattar tele*, to daub.

telaio *s.m.* **1** loom: — *a mano*, hand loom; — *meccanico*, power loom **2** (*armatura, cornice*) frame; (*di automobile*) chassis (*pl. invar.*); (*da ricamo*) tambour **3** (*tip.*) chase.

telamone *s.m.* (*arch.*) telamon (*pl.* telamones).

telato *agg.* linen (*attr.*): *carta telata*, linen paper.

tele- *pref.* tele-.

teleabbonato *s.m.* (television) licence holder.

telearma *s.f.* guided weapon.

telecamera *s.f.* television camera, TV camera: *carrello della* —, dolly.

telecomandare *v.tr.* to radio-control.

telecomando *s.m.* radio control; (*tv*) remote control.

telecomunicazione *s.f.* telecommunication.

telecronaca *s.f.* telecast, television (*o* TV) report.

telecronista *s.m. e f.* TV commentator.

teleferica *s.f.* cableway, teleferique.

telefilm *s.m.* telefilm, television film.

telefonare *v.tr.* e *intr.* to (tele)phone, to ring* (up); to call: *ti telefonerò*, I'll give you a ring.

telefonata *s.f.* (telephone) call, ring: — *internazionale*, international trunk call; — *urbana*, local call; — *interurbana*, trunk call; (*amer.*) long-distance call, toll call.

telefonia *s.f.* telephony.

telefonico *agg.* telephone (*attr.*); telephonic: *apparecchio* —, telephone; *rete telefonica*, telephone system (*o* network).

telefonista *s.m.* e *f.* (telephone) operator, telephonist.

telefono *s.m.* (tele)phone: — *a gettone*, public telephone; — *interno*, extension (telephone); — *senza fili*, wireless telephone; *abbonato al* —, (telephone) subscriber; *essere abbonato al* —, to be in the telephone directory (*o* phone book); *colpo di* —, (*fam.*) ring, call, buzz: *dammi un colpo di* —, ring me up (*o* give me a ring); *avere il* —, to be on the phone; *chiamare qlcu. al* —, to ring (*o* to call) s.o. up; *essere al* —, to be on the phone; *essere desiderato al* —, to be wanted on the phone; *parlare al* —, to speak on the phone; *parlare per* —, to speak by telephone.

telefoto *s.m.* telephoto.

telefotografia *s.f.* **1** telephotography **2** (*immagine*) telephoto(graph).

telegenico *agg.* telegenic.

telegiornale *s.m.* (television) news.

telegrafare *v.tr.* e *intr.* to telegraph; (*fam.*) to wire; (*per l'estero*) to cable: — *a New York, a qlcu.*, to cable New York, s.o.

telegrafia *s.f.* telegraphy.

telegraficamente *avv.* by telegraph, telegraphically; (*per l'estero*) by cable.

telegrafico *agg.* telegraph (*attr.*); telegraphic: *palo* —, telegraph pole.

telegrafista *s.m.* e *f.* telegraph operator, telegraphist.

telegrafo *s.m.* telegraph.

telegramma *s.m.* telegram; (*fam.*) wire; (*per l'estero*) cable(gram): — *cifrato*, code-telegram; — *con risposta pagata*, prepaid (*o* reply-paid) telegram; *fare un* —, to wire; (*per l'estero*) to cable.

teleguidare *v.tr.* to radio-control.

telematica *s.f.* telecommunications, telecoms.

telemetria *s.f.* telemetry.

telemetro *s.m.* telemeter.

teleob(b)iettivo *s.m.* (*fot.*) telephoto (lens).

teleologico *agg.* (*fil.*) teleological.

telepatia *s.f.* telepathy.

telepatico *agg.* telepathic.

teleria *s.f.* linen and cotton goods (*pl.*): *negozio di* —, draper's (shop).

telericevente *agg.* television receiving.

teleromanzo *s.m.* (*tv*) serialized novel.

teleschermo *s.m.* (*tv*) telescreen, TV screen.

telescopico *agg.* telescopic.

telescopio *s.m.* telescope.

telescrivente *s.f.* teleprinter, teletypewriter.

telescriventista *s.m.* e *f.* teletypist.

teleselezione *s.f.* (*tel.*) subscriber trunk dialling.

telespettatore *s.m.* televiewer, viewer.

telestesia *s.f.* tel(a)esthesia.

teletrasmettere *v.tr.* to televise, to telecast, to broadcast.

teletrasmissione *s.f.* telecast.

teletrasmittente *agg.* of television, broadcasting.

teletta *s.f.* (*sartoria*) buckram.

televisione *s.f.* **1** television; (*fam.*) TV, telly: — *a colori*, colour television; — *a circuito chiuso*, closed-circuit

television; — *a gettone*, pay television; *alla* —, on television; *per* —, by television; *trasmettere per* —, to televise **2** (*televisore*) television(set), television(receiver).

televisivo *agg.* television (*attr.*).

televisore *s.m.* television set; (*fam.*) telly, box.

tellina *s.f.* (*zool.*) cockle.

tellurico *agg.* telluric: *scossa tellurica*, earth tremor.

telo *s.m.* **1** (*pezzo di stoffa*) cloth, sheet // — *di salvataggio*, jumping sheet **2** (*di gonna*) gore.

telone *s.m.* **1** canvas **2** (*teatr.*) curtain.

tema[1] *s.f.* (*letter.*) (*paura*) fear.

tema[2] *s.m.* **1** (*argomento*) theme, subject, topic: — *d'attualità*, topical subject // *fuori* —, off the point **2** (*scolastico*) composition, essay **3** (*glottologia*) stem, theme **4** (*mus.*) theme.

tematica *s.f.* thematic material; themes (*pl.*).

temerarietà *s.f.* rashness, temerity, foolhardiness.

temerario *agg.* rash, temerarious, foolhardy.

temere *v.tr.* **1** (*avere timore di*) to fear, to be* afraid (of s.o., sthg.), to dread: *accadde proprio quel che temevo*, just what I had feared happened; *non* — *la concorrenza*, not to be afraid of competition; *temo che non venga*, I am afraid he won't come **2** (*rifuggire da*) to shrink* (from sthg.) **3** (*patire*) not to stand*: *teme l'umidità, il caldo*, to be kept dry, cool ♦ *v.intr.* to fear: *temo di no, temo di sì*, I am afraid not, I am afraid so; *non* —, don't worry.

temerità *s.f.* temerity.

temibile *agg.* fearful, to be feared (*pred.*).

temolo *s.m.* (*zool.*) thymalidae.

tempera *s.f.* tempera: *dipingere a* —, to distemper.

temperamatite *s.m.* pencil sharpener.

temperamento *s.m.* temperament, disposition: *pigro per* —, constitutionally lazy (*o* naturally lazy).

temperante *agg.* temperate, moderate.

temperanza *s.f.* temperance, moderation.

temperare *v.tr.* **1** (*mitigare*) to temper, to mitigate, to moderate **2** (*metall.*) to temper **3** — *una matita*, to sharpen a pencil.

temperato *agg.* temperate (*anche fig.*), moderate (*anche fig.*): *zona temperata*, temperate zone.

temperatura *s.f.* temperature; (*grado*) point: — *di condensazione*, dew point; — *di congelamento*, (*fis.*) freezing point; *abbassamento, rialzo di* —, fall, rise in temperature; *misuratore di* —, temperature gauge; *prendere la* — *a qlcu.*, to take s.o.'s temperature.

temperie *s.f.* climate.

temperino *s.m.* penknife, pocketknife.

tempesta *s.f.* storm (*anche fig.*), tempest (*anche fig.*): — *di grandine*, hailstorm; — *di vento*, gale; *battuto dalle tempeste*, storm-beaten; *segnale di* —, storm signal; *c'era aria di* —, (*anche fig.*) there was a stormy atmosphere (*o* a storm was brewing); *sollevare una* —, (*fig.*) to stir up a storm // — *magnetica*, magnetic storm.

tempestare *v.intr.impers.* to storm, to be* stormy; (*grandinare*) to hail ♦ *v.tr.* to bombard: — *qlcu. di domande*, to bombard (*o* to harass) s.o. with questions; — *qlcu. di insulti*, to heap insults on s.o. // — *una porta di pugni*, to bang upon a door furiously.

tempestato *agg.* (*ornato*) studded (with).

tempestivamente *avv.* at the right moment, opportunely.

tempestività *s.f.* timeliness.

tempestivo *agg.* timely, well-timed, opportune.

tempestoso *agg.* stormy, tempestuous (*anche fig.*): *mare* —, stormy sea.

tempia *s.f.* temple.

tempio *s.m.* temple.

tempismo *s.m.* sense of timing.

tempista *s.m.* e *f.* person with a sense of timing.

tempo *s.m.* **1** time: — *del raccolto, di guerra*, harvest time, wartime; *un* —, *(una volta)* once; — *fa, a suo* —, some time ago; *col passare del* —, with time; *due giorni di* —, two days' time; *fra qualche* —, before long; *fuori* —, at the wrong time; *(inopportuno)* ill-timed *(agg.)*; *(antiquato)* behind the times; *in un primo* —, at first; *molto* — *prima, dopo*, long before, after; *col* — *tutto si sistemerà*, time will put things right; *è* — *che tu vada*, it is time you were going *(o you went)*; *avere del* — *libero*, to have some spare time // *a* — *perso, nei ritagli di* —, in one's spare time // — *passivo*, *(comm.)* downtime // *a* — *pieno*, full-time // *in* — *utile*, within the prescribed time *(o in time)* // *per* —, early // *quel cantante ha fatto il suo* —, that singer has had his day // *dare* — *al* —, to take one's time // *darsi al bel* —, to have a good time // *prendi* —, *non c'è fretta*, take your time, there's no hurry // *il* — *è denaro*, *(prov.)* time is money; *chi ha* — *non aspetti* —, *(prov.)* a stitch in time saves nine **2** *(epoca, età)* times *(pl.)*, days *(pl.)*, age: *ai miei tempi*, in my time; *a, in quel* —, at that time; *in questi ultimi tempi*, of late *(o lately)* // *che tempi!*, what's the world coming to! // *coi tempi che corrono*, nowadays *(o in these days)* // *marciare coi tempi*, to keep up with the times // *precorrere i tempi*, to be ahead of the times **3** *(atmosferico)* weather: — *da cani*, nasty *(o foul)* weather; *col brutto o col bel* —, rain or shine; *che* — *fa oggi?*, what is the weather like today? *(o how is the weather today?)* // *fare il bello e cattivo* —, to lay down the law **4** *(mus.)* time: *battere in quattro tempi*, to beat four to the bar; *essere, andare a, fuori* —, to be in, out of time; *perdere il* —, to go out of time **5** *(gramm.)* tense **6** *(di partita)* half **7** *(di motore)* stroke **8** *(informatica)* time: — *di esecuzione dell'istruzione*, instruction time; — *passivo*, idle time; — *per attivare una comunicazione*, call set-up time.

temporale[1] *agg.* *(eccl.)* temporal.

temporale[2] *agg.* *(anat.)* temporal.

temporale[3] *s.m.* thunderstorm, storm.

temporalesco *agg.* stormy *(anche fig.)*.

temporaneità *s.f.* temporariness.

temporaneo *agg.* temporary.

temporeggiamento *s.m.* temporization.

temporeggiare *v.intr.* to temporize.

temporeggiatore *s.m.* temporizer.

temporizzatore *s.m.* *(elettr.)* timer; *(informatica)* clock; timer.

temporizzazione *s.f.* *(informatica)* timing.

tempra *s.f.* **1** *(metall.)* tempering **2** *(fig.)* fibre **3** *(di suono)* timbre.

temprare *v.tr.* **1** *(metall.)* to temper **2** *(fig.)* to strengthen // **-arsi** *v.rifl.* to strengthen oneself.

tenace *agg.* **1** adhesive: *colla* —, tough glue **2** *(fig.)* tenacious.

tenacia *s.f.* tenaciousness; *(perseveranza)* perseverance.

tenaglia *s.f.* *(spec. pl.)* pincers *(pl.)*, tongs *(pl.)*; *(pinze)* pliers *(pl.)*.

tenda *s.f.* **1** curtain **2** *(da sole o per riparare la coperta delle navi)* awning **3** *(da campo)* tent; *(grande padiglione)* marquee: *piantare le tende*, to set camp; *(fig.)* to settle down; *levare le tende*, to strike camp; *(fig.)* to go away.

tendaggio *s.m.* hangings *(pl.)*.

tendenza *s.f.* **1** *(attitudine)* bent **2** *(orientamento)* tendency, trend.

tendenziale *agg.* inclined // *è un delinquente* —, he is a potential delinquent.

tendenzialmente *avv.* fundamentally.

tendenziosità *s.f.* tendentiousness.

tendenzioso *agg.* tendentious.

tendere *v.tr.* **1** *(allargare)* to stretch (out): — *le braccia*, to stretch one's arms // — *le reti*, to cast the nets **2** *(mettere in tensione)* to tighten (up) // — *l'arco*, to bend the bow // — *la corda del bucato*, to put up a clothes line **3** *(porgere)* to hold* (out) **4** *(preparare)* to lay*: — *un trabello*, to lay a snare ♦ *v.intr.* **1** *(mirare)* to aim (at sthg., doing) **2** *(essere inclinato)* to tend, to be* inclined: *tende a ingrassare*, he is inclined to grow fat // — *a sinistra*, *(pol.)* to lean to the left // *un colore che tende al rosso*, a reddish colour // *il tempo tende al bello*, the weather is brightening up.

tendicollo *s.m.* stiffener.

tendifilo *s.m.* yarn-tensioner.

tendine *s.m.* *(anat.)* tendon, sinew.

tenditore *s.m.* *(mecc.)* turnbuckle.

tendone *s.m.* awning.

tendopoli *s.f.* camp.

tenebra *s.f.* *(spec. pl.)* dark, darkness *(anche fig.)*: *col favore delle tenebre*, under the cover of darkness // *il Principe delle tenebre*, the Prince of Darkness.

tenebrosamente *avv.* **1** darkly, gloomily **2** *(misteriosamente)* mysteriously.

tenebroso *agg.* **1** dark, gloomy **2** *(misterioso)* mysterious, sinister.

tenente *s.m.* *(mil. mar.)* lieutenant.

tenenza *s.f.* lieutenancy.

teneramente *avv.* tenderly.

tenere *v.tr.* **1** to keep* *(anche fig.)*; *(sostenere)* to hold* *(anche fig.)*: *non tenerli in piedi!*, don't keep them standing!; *ho tenuto in casa il bambino*, I have kept the child in; *posso* — *il cappello?*, may I keep my hat on?; *due colonne tengono su il soffitto*, two pillars hold up the ceiling; — *in braccio*, to hold in one's arms; — *qlcu. per il braccio*, to hold s.o. by the arm // *tientela per te*, keep it under your hat // — *un'adunanza*, to hold a meeting // — *i conti*, *(comm.)* to keep the accounts // — *in debita considerazione qlco.*, to hold sthg. in due consideration // — *un discorso*, to deliver a speech // — *fede a qlcu.*, to keep faith with s.o. // — *una scuola*, to keep *(o to run)* a school // — *una lezione*, to give a lecture // — *le parti di qlcu.*, to side with s.o. // — *presente qlco.*, to bear sthg. in mind // — *qlcu. all'oscuro di qlco.*, to keep s.o. in the dark about sthg. // — *su la testa*, to hold one's head up // — *testa a qlcu.*, to hold one's own with s.o. // — *dietro a qlcu.*, to keep up with s.o. **2** *(prendere)* to take*: *tieni questo libro*, take this book **3** *(occupare)* to take* up: *quell'armadio tiene mezza parete*, that wardrobe takes up half the wall **4** *(contenere)* to hold*: *questa brocca tiene due litri*, this jug holds two litres **5** *(seguire)* to follow, to keep* to *(sthg.)*: — *la destra*, to keep to the right; *non so che strada* —, *(fig.)* I do not know which course to follow **6** *(di veicolo ecc.)* to hold*: — *bene la strada*, to hold the road well // — *il mare*, to be seaworthy **7** *(considerare)* to consider **8** *(di liquido, gas, non lasciarlo passare)* to hold*: *barile che tiene l'acqua*, barrel that holds water **9** *(informatica)* to hold*: — *premuto un tasto*, to hold down ♦ *v.intr.* **1** *(somigliare)* to take* after *(s.o.)* **2** *(resistere)* to hold*: *tieni duro, non cedere*, hold out, don't give in // *non c'è scusa che tenga*, (*fam.*) there is no excuse for it **3** (*ambire*) to like // *non ci tengo*, I don't care (for it) // **-ersi** *v.rifl.* **1** to keep* oneself; (*reggersi*) to hold* oneself: *tieniti fuori dalle loro discussioni*, keep out of their discussions; *tieniti dalla parte del lago*, keep by (*o* towards) the lake; *tieniti alla ringhiera*, hold on to the banister // *egli si tenne sulle sue*, he kept himself to himself // — *indietro*, to stand back; — *in piedi*, to keep on one's feet **2** (*trattenersi*) to help (doing): *non posso tenermi dal pensarci*, I cannot help thinking of it **3** (*seguire*) to stick*: *tieniti al testo*, stick to the text.

tenerezza *s.f.* tenderness: *con* —, tenderly.

tenero *agg.* tender (*anche fig.*) // *un padre* —, a loving father // *tenera età*, tender age // *fin dalla sua più tenera età*, from his earliest youth ♦ *s.m.* **1** (*parte tenera*) tender part **2** (*affetto*) affection.

tenia *s.f.* taenia (*pl.* taeniae); (*fam.*) tapeworm.

tenifugo *agg.* e *s.m.* taenifuge.

tennis *s.m.* tennis: — *su prato*, lawn tennis; *gara di* —, tennis match.

tennista *s.m.* e *f.* tennis player.

tennistico *agg.* tennis (*attr.*).

tenore *s.m.* **1** (*tono*) tenor: *il* — *di una lettera*, the tenor of a letter // *il* — *di vita*, the standard of living **2** (*mus.*) tenor.

tenorile *agg.* (*mus.*) tenor (*attr.*).

tensione *s.f.* tension (*anche fig.*), (*elettr.*) voltage: *a bassa* —, *ad alta* —, (*elettr.*) low, high tension (*o* voltage); *abbassamento di* —, voltage drop.

tentabile *agg.* attemptable; feasible.

tentacolare *agg.* tentacular.

tentacolo *s.m.* tentacle.

tentare *v.tr.* **1** to attempt, to make* an attempt; (*mettere alla prova, sperimentare*) to try // — *la fortuna*, to try one's luck **2** (*fig.*) (*indurre in tentazione, allettare*) to tempt: *la tua proposta mi tenta*, your proposal tempts me.

tentativo *s.m.* attempt: — *di violenza, di resistenza*, attempt at violence, at resistance.

tentatore *agg.* tempting ♦ *s.m.* tempter.

tentazione *s.f.* temptation: *ho la* — *di partire*, I am tempted to leave; *cedere, resistere alla* —, to yield to, to resist temptation.

tentennamento *s.m.* **1** swaying **2** (*esitazione*) hesitation.

tentennante *agg.* **1** swaying **2** (*esitante*) hesitating.

tentennare *v.intr.* **1** to be* unsteady; (*oscillare*) to sway **2** (*esitare*) to hesitate, to waver ♦ *v.tr.*: — *il capo*, to shake one's head.

tentoni, a *locuz.avv.* gropingly: *procedere a* — *nella nebbia*, to grope one's way in the fog.

tenue *agg.* **1** (*sottile*) thin, slender **2** (*debole*) weak (*anche fig.*); (*lieve*) slight (*anche fig.*); (*di colori*) soft: *una* — *luce*, a faint light **3** *intestino* —, (*anat.*) small intestine.

tenuità *s.f.* **1** (*sottigliezza*) thinness, slenderness **2** (*debolezza*) weakness (*anche fig.*); (*levità*) slightness (*anche fig.*); (*di colori*) softness.

tenuta *s.f.* **1** (*azienda agricola*) estate, farm; (*amer.*) ranch **2** (*uniforme*) uniform: — *di servizio*, (*mil.*) fatigues; *alta* —, (*mil.*) full dress (*o* uniform); *in* — *di lavoro*, in working clothes **3** (*capacità*) capacity **4** (*tecn.*) seal: — *idraulica*, seal; *a perfetta* —, (*d'acqua*) watertight; (*d'aria*) airtight **5** (*di veicolo ecc.*): — *di strada*, road-holding (quality); (*amer.*) roadability.

tenutario *s.m.* holder.

tenuto *agg.* (*obbligato*) obliged, bound.

tenzone *s.f.* **1** (*letter.*) combat, contest: *singolar* —, single combat **2** (*lett.*) tenson, poetic contest.

teo- *pref.* theo-.

teocratico *agg.* theocratic(al).

teocrazia *s.f.* theocracy.

teodolite *s.m.* (*geodesia*) theodolite.

teofania *s.f.* (*teol.*) theophany.

teogonia *s.f.* theogony.

teologale *agg.* theological.

teologia *s.f.* theology.

teologico *agg.* theological.

teologizzare *v.intr.* to theologize.

teologo *s.m.* theologian.

teorema *s.m.* theorem.

teoretica *s.f.* speculative philosophy.

teoretico *agg.* theoretic(al).

teoria *s.f.* **1** theory: *esame di* —, theory exam; *la mia* — *è che...*, I hold the theory that... // *in* —, theoretically **2** (*processione*) procession; (*fila*) row.

teorico *agg.* theoretical ♦ *s.m.* theorist, theor(et)ician.

teorizzare *v.tr.* to theorize.

teosofia *s.f.* theosophy.

teosofo *s.m.* theosopher, theosophist.

tepido e *deriv.* → **tiepido** e *deriv.*

tepore *s.m.* warmth (*anche fig.*).

teppismo *s.m.* hooliganism; (*amer.*) hoodlumism.

teppista *s.m.* hooligan; (*amer.*) hoodlum; (*fam.*) tough: *un giovane* —, a teddy boy.

terapeutica *s.f.* therapeutics.

terapeutico *agg.* therapeutic(al).

terapia *s.f.* **1** (*cura*) therapy: — *d'urto*, intensive therapy **2** (*terapeutica*) therapeutics.

terebinto *s.m.* (*bot.*) terebinth.

Teresa *no.pr.f.* T(h)eresa.

tergere *v.tr.* (*letter.*) to wipe, to clean.

tergicristallo *s.m.* windscreen wiper; (*amer.*) windshield wiper.

tergiversare *v.intr.* to prevaricate; (*fam.*) to beat* about the bush.

tergiversazione *s.f.* prevarication; (*il tergiversare*) prevaricating; (*fam.*) beating about the bush.

tergo *s.m.* (*letter.*) back (*anche fig.*): *a* — *di*, on the back of; *segue a* —, please turn over; *da* —, from behind.

terital ® *s.m.* terylene ®.

termale *agg.* thermal.

terme *s.f.pl.* **1** thermal baths, spa **2** (*archeol.*) thermae.

termico *agg.* thermic.

terminabile *agg.* terminable.

terminale *agg.* terminal ♦ *s.m.* **1** terminal, end **2** (*per aeroporto*) (air) terminal **3** (*di calcolatore*) terminal: — *ad alta velocità*, high rate terminal; — *di raccolta dati*, data acquisition terminal; — *di rete*, communication terminal; — *di sportello* (*bancario*), counter top terminal; — *di trasmissione*, data communication terminal; — *video*, display unit (*o* station *o* terminal).

terminare *v.tr.* to end, to finish: — *di fare qlco., un lavoro*, to finish doing sthg., a job ♦ *v.intr.* to end: *il racconto termina in modo triste*, the novel has a sad ending; *la lezione è terminata*, the lesson is over.

terminazione *s.f.* **1** termination, ending **2** (*gramm.*) ending.

termine *s.m.* **1** (*limite, confine*) limit (*anche fig.*); boundary: *il* — *di una tenuta*, the boundary of an estate **2** (*limite di tempo, data*) date, time: — *di una cambiale*, expiry date of a bill; *contratto a* —, (*comm.*)

time-contract; *fissare un* —, to fix a date; *prolungare il* —, to extend the time // — *ultimo*, deadline **3** (*compimento, fine*) end: *la lezione ha* — *alle 10*, the lesson ends at ten; *portare a* — *qlco.*, to bring sthg. to an end; *volgere al* —, to come to an end; *mettere, porre* — *a qlco.*, to put an end to sthg. **4** (*condizione, norma*) term (*anche fig.*): *ai termini dell'articolo 49*, by the terms of Article 49 // *le cose stanno in questi termini tra noi*, that's where we stand // *essere in buoni termini con qlcu.*, to be on good terms with s.o. **5** (*parola, espressione*) term, word: *in altri termini*, in other words; *si espresse in questi termini*, these were his words // *senza mezzi termini*, without compromises; without mincing one's words // *a rigor di termini*, strictly speaking // *moderare i termini*, to moderate one's language **6** (*mat. logica*) term: *ridurre una frazione ai minimi termini*, to reduce a fraction to its lowest terms // *ridotto ai minimi termini*, (*fig.*) worn away to nothing.

terminologia *s.f.* terminology.

termitaio *s.m.* termitary.

termite *s.f.* (*zool.*) termite.

termo- *pref.* thermo-.

termochimica *s.f.* thermochemistry.

termodinamica *s.f.* (*fis.*) thermodynamics.

termoelettricità *s.f.* (*fis.*) thermoelectricity.

termoelettrico *agg.* thermoelectric(al).

termoforo *s.m.* heat pad, electric blanket.

termogeno *agg.* thermogenic.

termoisolante *agg.* thermic insulating ♦ *s.m.* thermic insulator.

termometrico *agg.* thermometric(al).

termometro *s.m.* thermometer: *il* — *sale, scende*, the temperature is rising, is dropping; *il* — *segna 70°*, the thermometer stands at 70°.

termonucleare *agg.* thermonuclear.

termoplastico *agg.* thermoplastic.

termos *s.m.* → **thermos**.

termosifone *s.m.* **1** (*radiatore*) radiator: *riscaldamento a* —, central heating **2** (*fis.*) thermosiphon.

termostatico *agg.* thermostatic.

termostato *s.m.* thermostat.

termoterapia *s.f.* (*med.*) thermotherapy.

terna *s.f.* tern.

ternario *agg.* ternary ♦ *s.m.* **1** ternary **2** (*verso*) three-syllable verse.

terno *s.m.* tern // *vincere un* — *al lotto*, (*fig.*) to win the jackpot.

terra *s.f.* **1** (*il globo; l'opposto di cielo; materia non rocciosa della crosta terrestre*) earth: *il cielo e la* —, Heaven and Earth // *i beni della* —, earthly goods // *son cose che non stanno né in cielo né in* —, these things are out of this world **2** (*l'opposto di acqua; terra arabile; proprietà terriera; paese*) land: — *ferma*, mainland (*o continent*); *possedere della* —, to own land; *non andai per* — *ma per mare*, I didn't go by land but by sea; *lavorare la* —, to till land; *scendere a, prendere* —, to land // — *di nessuno*, (*mil.*) no man's-land // — *in vista!*, (*mar.*) land ho! // *la Terra Promessa*, the Promised Land **3** (*terreno*) ground; (*suolo*) soil: *un buco nella* —, a hole in the ground; *sotto* —, underground; *per* —, on the ground; *cadere per* —, to fall down // *mettere a* —, (*elettr.*) to earth // *avere una gomma a* —, to have a puncture (*o a flat tyre*) // *essere a* —, (*senza soldi*) to be broke; (*giù di morale*) to be in low spirits // *sentirsi mancare la* — *sotto i piedi*, (*fig.*) to feel lost // *avere i piedi per* —, (*fig.*) to have both feet firmly on the

ground **4** (*mondo*) world: *su questa* —, in this world **5** (*ind. artig. ecc.*) loam; clay: — *d'ombra*, amber; — *da pipe*, pipe clay; — *di Siena*, raw sienna.

terracotta *s.f.* terracotta: *vasellame di* —, earthenware

terracqueo *agg.* terraqueous.

terraferma *s.f.* dry land, terra firma.

terraglia *s.f.* pottery, earthenware (*pl. invar.*).

Terranova *no.pr.f.* Newfoundland.

terrapieno *s.m.* **1** earthwork, embankment: *costruire un* —, to embank **2** (*mil.*) rampart.

terrazza *s.f.* terrace // — *costiera*, (*geogr.*) coastal plain // *giardino a terrazze*, terraced garden.

terrazzino *s.m.* small terrace.

terrazzo *s.m.* **1** terrace **2** (*alpinismo*) ledge.

terremotato *agg.* hit by an earthquake ♦ *s.m.* earthquake victim.

terremoto *s.m.* earthquake: *una scossa di* —, an earthquake shock (*o an earth tremor*) // *entrò nella stanza come un* —, he came into the room like a whirlwind // *quel bambino è un* —, that child is a terror.

terreno[1] *agg.* earthly, worldly.

terreno[2] *s.m.* **1** ground; (*suolo*) soil: — *fabbricabile*, building site // *portare la questione sul* — *legale*, to go to law about the matter // *preparare, spianare il* — *a qlcu.*, to pave the way for s.o. // *affrontare un* — *infido*, to step on dangerous ground (*o to skate on thin ice*) // *ho trovato in lui* — *adatto a*, I found him fertile ground for **2** (*proprietà terriera; terra arabile*) land **3** (*campo*) field.

terreo *agg.* wan, sallow, ashen.

terrestre *agg.* terrestrial, earthly ♦ *s.m.* earthling.

terribile *agg.* terrible (*anche fig.*), awful (*anche fig.*), dreadful (*anche fig.*): *ho una fame* —, I am terribly hungry.

terriccio *s.m.* mould.

terrier (*franc.*) *s.m.* (*cane*) terrier.

terriero *agg.* land (*attr.*).

terrificante *agg.* terrifying, appalling.

terrificare *v.tr.* to terrify, to appal, to frighten.

terrigno *agg.* earthy.

terrina *s.f.* tureen.

territoriale *agg.* territorial.

territorialità *s.f.* territoriality.

territorio *s.m.* territory.

terrore *s.m.* terror, dread: *avere* — *di qlcu., qlco.*, to be frightened to death of s.o., sthg.; (*fam.*) to be scared stiff of s.o., sthg.; *essere preso da* —, to be struck with terror (*o to be terror-stricken*); *incutere* — *a qlcu.*, to strike s.o. with terror.

terrorismo *s.m.* terrorism.

terrorista *s.m. e f.* terrorist.

terroristico *agg.* terrorist(ic).

terrorizzare *v.tr.* to terrorize.

terroso *agg.* earthy.

terso *agg.* clear; (*di stile*) terse.

terza *s.f.* **1** (*aut.*) third (gear) **2** (*nell'ordinamento scolastico*) third class; (*amer.*) third grade **3** (*ferr.*) third class **4** (*mus.*) third **5** (*scherma*) tierce.

terzana *agg. e s.f.*: (*febbre*) —, (*med.*) tertian (fever).

terzetto *s.m.* **1** (*mus.*) terzetto, trio **2** (*gruppo di tre cose, persone*) trio.

terziario *agg.* tertiary ♦ *s.m.* tertiary sector; service industries.

terzina *s.f.* (*mus., metrica*) tercet.

terzino *s.m.* (*calcio*) fullback: — *destro, sinistro*, right, left back.

terzo *agg.num.ord.* third // *il — moǹdo*, third world ♦ *s.m.* **1** (*terza parte*) third **2** (*terza persona*) third (person); *pl.* (*dir. comm.*) third party (*gener. sing.*): *per conto di terzi*, on behalf of a third party; *vendere a terzi*, to sell to outside parties.

terzogenito *agg.* e *s.m.* third-born.

terzultimo *agg.* e *s.m.* last but two, third last.

tesa *s.f.* **1** (*di cappello*) brim: *cappello a larghe tese*, broad-brimmed hat **2** (*il tendere le reti*) spreading (of the nets).

tesaurizzare *v.intr.* to hoard.

tesaurizzazione *s.f.* hoarding.

teschio *s.m.* skull.

tesi *s.f.* thesis (*pl.* theses): *— di laurea*, graduation thesis; *discutere la — di laurea*, to defend one's thesis.

tesina *s.f.* paper.

teso *agg.* **1** tight, taut, strained (*anche fig.*): *faccia tesa*, tense (*o* strained) face // *avere i nervi tesi*, to be highly-strung (*o* to be on edge) **2** (*proteso*) stretched out, outstretched: *a mani tese*, with outstretched hands // *stare con le orecchie tese*, to be all ears.

tesoreggiare *v.intr.* e *tr.* to treasure (*anche fig.*).

tesoreria *s.f.* treasury, exchequer.

tesoriere *s.m.* treasurer.

tesoro *s.m.* **1** treasure: *tesori d'arte*, art treasures // *caccia al —*, (*gioco*) treasure-hunt // *fare — di qlco.*, to value sthg.: *farò — della tua esperienza*, I'll learn from your experience // *— mio!*, my darling! (*o* my sweetheart *o* my honey!) // *è un — di marito*, (*fam.*) he is a honey of a husband **2** (*tesoreria*) treasury: *il Tesoro*, (*dello Stato*) the Treasury.

tessera *s.f.* **1** card, ticket; (*lasciapassare*) pass: *— di iscrizione*, (*a un partito, associazione ecc.*) membership card; *— di riconoscimento*, identity card; *— ferroviaria*, railway pass // *fotografia formato —*, passport (size) photo **2** (*di mosaico*) tessera (*pl.* tesserae).

tesseramento *s.m.* **1** rationing: *— del burro*, butter rationing **2** (*iscrizione*) enrolment.

tesserare *v.tr.* **1** to ration **2** (*iscrivere a un partito, associazione ecc.*) to give* a membership card (to s.o.) // **-arsi** *v.intr.pron.* to enrol.

tesserato *agg.* **1** rationed **2** (*di un partito ecc.*) holding a membership card ♦ *s.m.* (*socio*) enrolled member.

tessere *v.tr.* to weave* (*anche fig.*).

tessile *agg.* textile ♦ *s.m.pl.* **1** (*prodotti*) textiles **2** (*tessitori*) weavers: *sciopero dei tessili*, strike in the textile trades.

tessitore *s.m.* weaver.

tessitura *s.f.* **1** weaving; (*disposizione dei fili*) texture **2** (*opificio*) cloth mill **3** (*fig.*) plot.

tessuto *s.m.* **1** cloth, fabric, material, stuff: *— di cotone, lana*, cotton, woollen fabric; *— felpato*, plush fabric; *— misto*, (*lana e cotone*) union; *— per fodere*, lining fabric; *fabbrica di tessuti*, cloth mill; *negozio di tessuti*, draper's shop; *negoziante di tessuti*, draper **2** (*disposizione dei fili*) texture **3** (*biol.*) tissue **4** (*fig.*) tissue, web // *— sociale*, social structure, social fabric.

test *s.m.* test: *— attitudinale*, aptitude test.

testa *s.f.* head: *la — di un chiodo*, the head of a nail; *sono più alto di lui di tutta la —*, I stand a head higher than him, he only comes up to my shoulder; *avere il cappello in —*, to have one's hat on (*o* to be wearing a hat); *cadere con la — in giù*, to fall headlong (*o* headfirst) // *— di ponte*, bridgehead; *— di sbarco*, (*mil.*) beachhead // *— di legno*, (*fig.*) blockhead; (*prestanome*) man of straw // *— di rapa*, fool (*o* idiot) // *avere la — dura*, (*fig.*) to be pigheaded // *avere una bella —*, (*essere molto intelligente*) to have a fine mind // *un tanto a —*, so much per head // *colpo di —*, a rash act // *togliti quest'idea dalla —*, get this idea out of your head // *nascondere la — nella sabbia*, to bury one's head in the sand // *agire con la — nel sacco*, to act like a fool // *avere debiti, lavoro fin sopra la —*, to be up to the eyes in debt, in work // *essere alla — di qlco.*, to be at the head of sthg. // *essere in —*, to lead the way; *essere in — a tutti*, to be ahead of everybody // *passare in —*, to take the lead // *fare la — come un pallone a qlcu.*, to talk s.o.'s head off // *vuol fare sempre di sua*, he always wants his own way // *mettere un'idea in — a qlcu.*, to put an idea into s.o.'s head // *non avere la — a posto*, to be off one's head (*o* one's rocker) // *dove hai la —?*, don't you ever use your head? // *tenere la — a posto*, to keep a cool head (*o* to keep one's head) // *vincere per una —*, (*equitazione*) to win by a head // *l'automobile ha fatto un — coda*, (*aut.*) the car spun round completely (*o* did an about-face).

testamentario *agg.* testamentary: *disposizioni testamentarie*, testamentary dispositions.

testamento *s.m.* will: *fare —*, to make one's will; *lasciare qlco. per — a qlcu.*, to bequeath (*o* to will) sthg. to s.o. // *— spirituale*, spiritual testament.

testardaggine *s.f.* stubbornness, obstinacy.

testardo *agg.* stubborn, obstinate, headstrong.

testare[1] *v.intr.* (*dir.*) to make* one's will.

testare[2] *v.tr.* to test.

testata *s.f.* **1** head; (*del letto*) headboard; (*di missile*) warhead **2** (*intestazione*) heading **3** (*di giornale*) heading **4** (*colpo con la testa*) butt; (*colpo in testa*) knock on the head **5** (*aut.*) cylinder head.

testatore *s.m.* (*dir.*) testator.

teste *s.m.* e *f.* (*dir.*) witness: *— d'accusa*, witness for the prosecution; *— a difesa*, witness for the defence.

testé *avv.* (*letter.*) just now.

testicolo *s.m.* (*anat.*) testicle.

testiera *s.f.* **1** (*parte di finimenti di cavallo*) headstall **2** (*forma usata da parrucchieri e modiste*) dummy head, model.

testificare *v.tr.* (*dir.*) to testify, to give* evidence.

testimone *s.m.* e *f.* witness; (*compare d'anello*) best man: *banco dei testimoni*, witness box; *far da —*, to act as a witness.

testimoniale *agg.* (*dir.*) witness (*attr.*) ♦ *s.m.* **1** (*dir.*) witnesses (*pl.*): *il — d'accusa*, the witnesses for the prosecution **2** (*dir.*) (*deposizioni*) evidence.

testimonianza *s.f.* **1** testimony, witness **2** (*prova*) evidence, proof.

testimoniare *v.tr.* to testify, to witness, to give* evidence: *— il falso*, to bear false witness; *— in favore di, contro qlcu.*, to witness for, against s.o.

testimonio *s.m.* → **testimone**.

testina *s.f.* (*del giradischi*) head // *— di scrittura*, (*informatica*) write, writing head.

testo *s.m.* text // *egli fa — in questo campo*, he is an authority in this field.

testone *s.m.* **1** (*stupido*) nitwit **2** (*testardo*) stubborn fellow, obstinate fellow.

testuale *agg.* **1** exact, precise: *le sue testuali parole*, his exact words **2** (*del testo*) textual.

testuggine *s.f.* **1** (*zool.*) tortoise; (*di mare*) turtle **2** (*st. mil.*) testudo.

tetanico *agg.* tetanic.

tetano *s.m.* tetanus.

tetraedro *s.m.* (*geom.*) tetrahedron.

tetraggine *s.f.* gloom.

tetragonale *agg.* (*geom.*) tetragonal.

tetragono *agg.* **1** (*geom.*) tetragonal **2** (*saldo*) firm, steadfast, unflinching ♦ *s.m.* (*geom.*) tetragon.

tetralogia *s.f.* (*teatr.*) tetralogy.

tetrarchia *s.f.* (*st. romana*) tetrarchy.

tetro *agg.* gloomy (*anche fig.*): *essere di umore* —, to be gloomy.

tettarella *s.f.* dummy; (*amer.*) pacifier.

tetto *s.m.* roof: — *a una falda*, pent roof; — *a due falde*, saddle roof; — *a quattro falde*, hip roof; — *a mansarda*, mansard roof; — *a guglia*, spire roof; — *a terrazza*, flat roof; — *d'ardesia*, slated roof; — *apribile*, (*di automobile ecc.*) sliding roof // *è senza* —, he has no home.

tettoia *s.f.* shed; (*di stazione*) platform roofing.

tettonico *agg.* tectonic.

tettuccio *s.m.* roof: — *rigido*, hardtop.

teutonico *agg.* Teutonic.

Tevere *no.pr.m.* Tiber.

thailandese *agg.* e *s.m.* Thai (*pl. invar.*).

Thailandia *no.pr.f.* Thailand.

the *s.m.* → **tè**.

thermos *s.m.* thermos.

ti *pron.pers.* *2ª pers.sing.ogg.* you; (*termine*) (to) you: *non* — *lasciò partire*, he didn't let you go; — *diedi un libro*, I gave you a book // *eccoti!*, here you are! ♦ *pron.rel.* yourself (*gener. omesso*): *non* — *stancare*, do not tire yourself out; *va' a lavarti*, go and wash (yourself); — *sei messo i guanti?*, have you put your gloves on?

tiara *s.f.* tiara.

Tibet *no.pr.m.* Tibet, Thibet.

tibetano *agg.* e *s.m.* Tibetan.

tibia *s.f.* (*anat.*) shinbone, tibia.

tiburio *s.m.* cupola (on a poligonal base).

tic *s.m.* (*contrazione nervosa dei muscoli*) tic.

ticchettare *v.intr.* to tick.

ticchettio *s.m.* ticking.

ticchio *s.m.* **1** (*ghiribizzo*) whim, fancy: *saltare il* — *di...*, to take it into one's head to... **2** → **tic**.

tic-tac *onom.* e *s.m.* (*dell'orologio*) ticktock.

tiepidezza *s.f.* lukewarmness, tepidness, tepidity (*anche fig.*).

tiepido *agg.* lukewarm, tepid (*anche fig.*).

tifare *v.intr.* to be* a fan (of s.o., sthg.); (*incitare*) to cheer (for s.o., sthg.).

tifico *agg.* typhous.

tifo *s.m.* **1** (*med.*) typhus **2** (*sport*) fanaticism, enthusiasm: *fare il* — *per il Milan*, to be a "Milan" fan.

tifoide *agg.* typhoid.

tifoidea *s.f.* typhoid (fever).

tifone *s.m.* typhoon.

tifoso *s.m.* (*sport*) fan, follower, devotee.

tight *s.m.* morning coat, cutaway.

tiglio *s.m.* **1** lime, lime tree: *infuso di* —, lime tea **2** (*fibra*) bast, fibre.

tiglioso *agg.* fibrous; (*di carne*) tough.

tigna *s.f.* (*med.*) ringworm, tinea.

tignola *s.f.* (*zool.*) moth; (*del grano*) weevil.

tignoso *agg.* (*med.*) affected with ringworm.

tigrato *agg.* striped: *gatto* —, tabby (cat).

tigre *s.f.* **1** (*maschio*) tiger; (*femmina*) tigress **2** (*fig.*) tiger, tigress.

tigresco *agg.* tigerish (*anche fig.*).

tigrotto *s.m.* young tiger, tiger cub.

tilde *s.m.* o *f.* (*segno ortografico*) tilde.

timballo *s.m.* (*stampo*) pie dish; (*pietanza*) pie.

timbrare *v.tr.* to stamp; (*con timbro postale*) to postmark.

timbro *s.m.* **1** stamp: — *postale*, postmark **2** (*di voce, di strumento*) timbre.

timidezza *s.f.* shyness, bashfulness; (*timore*) timidity.

timido *agg.* shy, bashful; (*timoroso*) timid: *un ragazzo dall'aspetto* —, a shy-looking boy.

timo[1] *s.m.* (*anat.*) thymus.

timo[2] *s.m.* (*bot.*) thyme.

timone *s.m.* **1** (*mar. aer.*) rudder: *al* —, at the helm; *dare un colpo di* —, to put the tiller hard over; (*fig.*) to change course; *prendere il* —, (*anche fig.*) to take the helm // — *di profondità*, diving rudder **2** (*di un carro*) shaft, pole.

timoniere *s.m.* helmsman (*pl.* -men), steersman (*pl.* -men); (*di imbarcazione da competizione*) cox.

timonieri *s.m.pl.*: *penne timoniere*, (*zool.*) rectrices.

timorato *agg.* scrupulous: — *di Dio*, God-fearing.

timore *s.m.* fear, dread, awe: *avere* —, to fear // *per* — *di*, for fear of; *per* — *di incontrarlo*, lest I should meet him (*o* for fear of meeting him) // *per* — *che*, for fear that: *per* — *che mi sentisse*, lest he should hear me (*o* for fear that he might hear me).

timoroso *agg.* timorous, fearful, timid.

timpanista *s.m.* e *f.* (*mus.*) kettledrummer.

timpano *s.m.* **1** (*anat.*) eardrum, tympanum // *un fischio che rompe i timpani*, an earsplitting whistle **2** (*mus.*) kettledrum, timbal **3** (*arch.*) tympanum.

tinca *s.f.* (*zool.*) tench.

tinello *s.m.* dining room.

tingere *v.tr.* **1** to dye: — *un vestito di nero*, to dye a dress black // *farsi* —, *tingersi i capelli*, to have one's hair dyed **2** (*colorare lievemente*) to tinge **3** (*macchiare*) to stain // **-ersi** *v.rifl.* e *intr.pron.* **1** to dye **2** (*colorarsi lievemente*) to be* tinged (with sthg.) **3** (*dipingersi, truccarsi*) to use make-up.

tino *s.m.* vat, tub.

tinozza *s.f.* tub; (*per il bucato*) washtub.

tinta *s.f.* **1** (*materia colorante*) dye, dyeing stuff **2** (*colore*) dye, colour, hue; (*delicata*) tint, tinge; (*sfumata*) shade // *romanzo a tinte forti*, sensational novel // *descrivere qlco. a tinte fosche*, to paint sthg. in dark colours.

tintarella *s.f.* (*fam.*) suntan: *prendere la* —, to get suntanned.

tinteggiare *v.tr.* to paint.

tinteggiatura *s.f.* painting.

tintinnare *v.intr.* to tinkle, to jingle.

tintinnio *s.m.* tinkling, jingling.

tintinno *s.m.* tinkle, jingle, clink.

tinto *agg.* **1** dyed: *un vestito* — *di verde*, a dress dyed green // *una nube tinta di rosa*, a rosy cloud **2** (*macchiato*) stained (with).

tintore *s.m.* **1** dyer **2** (*chi lava a secco*) cleaner.

tintoria *s.f.* **1** dyeworks **2** (*negozio dove si eseguono lavature a secco*) dry cleaner's.

tintura *s.f.* **1** (*il tingere*) dyeing **2** (*materia colorante*) dye **3** — *di iodio*, (*farm.*) iodine.

tipicità *s.f.* typicalness, typicality.

tipico *agg.* typical // *è* — *di John!*, that's John all over! that's just like John!

tipizzare *v.tr.* **1** to typify **2** (*standardizzare*) to standardize.

tipo *s.m.* **1** type // *oro* —, standard gold **2** (*fam.*) (*individuo*) chap, fellow bloke; (*amer.*) guy: *che (bel*

—!, what a funny chap! // *quella ragazza è un* —, that girl has got personality **3** (*genere*) kind, sort: *diversi tipi di gente*, several kinds of people.

tipografia *s.f.* **1** typography **2** (*stamperia*) printing office, printing house.

tipografico *agg.* typographic(al).

tipografo *s.m.* printer, typographer.

tipometro *s.m.* (*tip.*) type gauge.

tirabaci *s.m.* kiss curl.

tirabozze *s.m.* (*tip.*) proof press.

tiraggio *s.m.* draught, draft.

tiralinee *s.m.* drawing pen.

tiramolla *s.m.* → **tiremmolla**.

tiranneggiare *v.tr.* e *intr.* to tyrannize (over s.o.).

tirannesco *agg.* tyrannical, tyrannous.

tirannia *s.f.* tyranny.

tirannicida *s.m.* e *f.* tyrannicide.

tirannicidio *s.m.* tyrannicide.

tirannico *agg.* tyrannical, tyrannous.

tirannide *s.f.* tyranny.

tiranno *s.m.* tyrant: *fare il* —, to play the tyrant.

tirante *s.m.* **1** rod, stay; (*mecc.*) connecting rod, tie rod, stay rod **2** (*di scarponi, stivali ecc.*) pull-on strap **3** (*arch.*) tie beam.

tirapiedi *s.m.* e *f.* hanger-on.

tirare *v.tr.* **1** to pull; to draw* (*anche fig.*); (*trascinare*) to drag: — *una corda*, to pull a rope; — *qlco. verso di sé*, to draw sthg. towards oneself; — *una linea*, to draw a line; — *una tenda*, to draw a curtain; *mi ha tirato i capelli*, he pulled my hair; *tira in là la seggiola*, move the chair away; — *gli orecchi a qlcu.*, to pull s.o.'s ears; (*fig.*) to tick s.o. off; — *le reti*, to haul in the nets; — *il fiato*, (*fig.*) to draw breath // — *dentro*, to draw in // — *fuori*, to draw out; (*estrarre*) to take (sthg.) out: *non si riesce a tirargli fuori una parola*, you can't get a word out of him // *tira sempre fuori quella vecchia storia*, he always comes out with (o harks back to) that old story // — *indietro*, to draw back // — *su*, (*prender su*) to pick up; (*allevare*) to bring up (o to rear); (*pantaloni*) to hitch up: — *su* (*col naso*), to sniff; — *su le maniche*, to tuck up one's sleeves; — *su la testa*, to raise one's head // — *su di morale qlcu.*, to cheer s.o. up // — *via*, to pull off (o to pull away) // *tirarsi addosso*, to pull down on oneself; (*fig.*) to draw on oneself; (*fam.*) to make oneself ...-ed: *si è tirato addosso l'antipatia di tutti*, he has made himself unpopular with everyone // *tirarsi dietro*, to draw (sthg.) after (one), to pull (sthg.) after (one); (*portarsi dietro*) to drag (s.o., sthg.) along with (one); — *a lustro*, to polish; — *un pavimento a cera*, to polish a floor // — *le cuoia*, to kick the bucket // *tirarsi in disparte*, to draw aside // — *in lungo una storia*, to drag out a story **2** (*scagliare, lanciare*) to throw*: — *qlco. a qlcu.*, to throw sthg. at s.o.; — *una freccia*, to shoot an arrow // — *i dadi*, to cast dice // — *moccoli*, to swear (o to curse) **3** (*attirare*) to draw*: to attract **4** (*stampare*) to print ♦ *v.intr.* **1** to draw*, to pull: *la mia automobile non tira in salita*, my car is sluggish on hills // — *avanti*, to go on; *«Come va?» «Si tira avanti»*, "How are you?" "Not so bad"; *riusciamo appena a* — *avanti* (*sbarcare il lunario*), we just manage to make both ends meet **2** (*di vestiti*) to be* tight **3** (*sparare*) to shoot*: *sa* — *bene*, he is a good shot **4** (*mirare*) to aim: *tira ai quattrini*, he is after money; — *a indovinare*, to have a guess, to make a shot (in the dark) **5** (*soffiare*) to blow*: *tira vento oggi*, it is windy (o there is wind) today **6** (*di colore, tendere*) to border

(on sthg.) **7** (*scherma*) to fence // **-arsi** *v.rifl.* to draw* // — *indietro*, (*anche fig.*) to draw back // — *su*, (*alzarsi*) to draw oneself up; (*in salute*) to recover; (*finanziariamente*) to get on one's feet again; (*di morale*) to buck oneself up // — *via*, (*scostarsi*) to draw away.

tirata *s.f.* **1** pull; (*di sigaretta ecc.*) puff // *dare un* — *d'orecchi a qlcu.*, (*fig.*) to tell s.o. off, to give s.o. a ticking off // *lo fece in una* — *sola*, he did it in one go **2** (*discorso lungo*) tirade.

tirato *agg.* **1** drawn // *un sorriso* —, a forced smile **2** (*avaro*) mean, tight(fisted).

tiratore *s.m.* shooter: — *di scherma*, fencer; — *scelto*, sharpshooter; *franco* —, sniper.

tiratura *s.f.* **1** (*il tirare*) pulling // — *delle bozze*, (*tip.*) proof-pulling **2** (*di giornali*) circulation; (*di libri*) run: *è stata fatta una* — *di 1000 copie*, 1000 copies have been printed.

tirchieria *s.f.* stinginess.

tirchio *agg.* stingy.

tirella *s.f.* (*finimento per cavalli*) trace.

tiremmolla *s.m.* (*fam.*) **1** dithering **2** (*persona indecisa*) ditherer.

tiretto *s.m.* drawer.

tiritera *s.f.* rigmarole: *è sempre la solita* —, (*fam.*) it is always the same old story.

tiro *s.m.* **1** (*trazione*) draught: *bestie da* —, draught animals // — *a due*, two-in-hand; — *a quattro*, four-in-hand **2** (*lancio*) throw; (*di arma da fuoco*) shot, fire; (*lo sparare*) shooting: *a un* — *di sasso, di schioppo da*, within a stone's throw of; — *con l'arco*, archery; — *al piccione*, pigeon shooting // *se mi viene a* —..., if I get hold of him... // — *essere a* —, *fuori* —, to be within, out of range; (*fig.*) to be within, out of reach **3** (*scherzo*) trick: *gli ha giocato un brutto* —, he played a nasty trick on him.

tirocinante *s.m.* e *f.* apprentice, beginner.

tirocinio *s.m.* apprenticeship.

tiroide *s.f.* (*anat.*) thyroid.

tiroideo *agg.* thyroid (*attr.*).

tirolese *agg.* e *s.m.* Tyrolese.

tirrenico *agg.* Tyrrhenian.

tirreno *agg.* Tyrrhenian, Tyrrhene // **Tirreno, il** *no.pr.m.* the Tyrrhenian Sea.

tisana *s.f.* tisane.

tisi *s.f.* (*med.*) consumption.

tisico *agg.* **1** consumptive **2** (*fig.*) (*stentato*) stunted ♦ *s.m.* consumptive.

tisiologia *s.f.* phthisiology.

tisiologo *s.m.* phthisiologist.

titanico *agg.* titanic.

titanismo *s.m.* Titanism.

titano *s.m.* titan.

titillamento *s.m.* titillation, tickling.

titillare *v.tr.* to titillate, to tickle.

Tito *no.pr.m.* (*st.*) Titus // — *Livio*, (*st. lett.*) Livy.

titolare *agg.* regular ♦ *s.m.* e *f.* **1** (*detentore*) regular holder; (*proprietario*) owner, proprietor; (*insegnante*) regular teacher: — *di cattedra*, professor **2** (*eccl.*) titular.

titolato *agg.* titled.

titolo *s.m.* **1** title; (*di articolo di giornale*) headline: *titoli di testa*, (*cinem.*) credit titles; *a titoli cubitali*, in block type // *a* — *di favore, premio*, as a favour, prize // *a* — *gratuito*, free of charge **2** (*onorifico, nobiliare, accademico*) title: *gli fu conferito il* — *di cavaliere*, he was knighted // *gli appioppò dei brutti titoli*, he called him names **3** (*diritto*) claim; (*qualifica*) qualification **4** (*comm.*) (*termine generico*) security; (*azione*) stock, share; (*obbligazione*) bond: — *nominativo*, registered security; — *di stato*, state bond; *titoli non quotati*, unlisted securities // *titoli di credito*, instruments of credit **5** (*chim.*) titre, strength **6** (*ind. tessile*) count.

titubante *agg.* hesitant.

titubanza *s.f.* hesitancy.

titubare *v.intr.* to hesitate.

Tiziano *no.pr.m.* (*st. pitt.*) Titian.

tizio *s.m.* fellow, chap, bloke; (*amer.*) guy // *Tizio, Caio e Sempronio*, Tom, Dick and Harry.

tizzo, **tizzone** *s.m.* brand.

to' *inter.* (*prendi!*) here you are!; (*con stupore*) gosh!

toast *s.m.* toasted sandwich.

toboga *s.m.* (*sport*) toboggan.

toccante *agg.* touching.

toccare *v.tr.* to touch (*anche fig.*): *toccò molti argomenti*, he touched on many subjects; *chi tocca i fili muore!*, danger (of death)!; *la nave tocca Genova e Napoli*, the ship calls at Genoa and Naples // — *sempre lo stesso tasto*, to harp on the same subject // — *il tasto giusto*, to strike the right note // *quell'uomo tocca la sessantina*, that man is sixtyish // *ti farò* — *con mano il tuo errore*, I'll show you exactly where you're wrong // — *il segno*, (*anche fig.*) to hit the mark // — *il cielo con un dito*, to be in the seventh heaven ♦ *v.intr.* (*spettare*) to fall*; (*capitare, accadere*) to happen; (*ottenere*) to get*; (*riguardare*) to concern: *tutto il lavoro pesante tocca a lui*, all the heavy work falls to him; *gli è toccata solo una piccola parte di eredità*, he only got a small legacy; *questo non tocca a me*, this does not concern me // *a chi tocca?*, whose turn is it?; *tocca a te*, it is your turn; (*a dama, a scacchi*) it is your move // *a chi tocca, tocca!*, (*fam.*) it's just (your) bad luck! // — *in eredità*, to inherit // — *in sorte a qlcu.*, to fall to s.o.'s lot.

toccasana *s.m.* panacea.

toccata *s.f.* **1** touch **2** (*mus.*) toccata.

toccato *agg.* **1** (*sport*) touché **2** (*pazzoide*) touched.

tocco¹ *agg.* **1** (*di frutta*) bruised **2** (*pazzoide*) touched.

tocco² *s.m.* **1** touch: *dare l'ultimo* — *a qlco.*, to give the finishing touch to sthg. **2** (*colpo alla porta*) knock **3** (*di campana*) stroke; (*a morto*) knell // *al* —, at one o'clock.

tocco³ *s.m.* chunk // *un bel* — *di ragazza*, (*region.*) a fine strapping girl.

tocco⁴ *s.m.* (*berretta*) cap; (*di professori universitari, magistrati ecc.*) mortar board.

toeletta *s.f.* → **toletta**.

toga *s.f.* **1** toga **2** (*di magistrato, professore*) gown.

togato *agg.* **1** togaed **2** (*di magistrato, professore universitario*) gowned **3** (*magniloquente*) bombastic.

togliere *v.tr.* **1** to take* away, to take* off; (*prendere*) to take*: *non riusciva a* — *gli occhi da lei*, he couldn't take his eyes off her; — *un libro dallo scaffale*, to take a book from (*o* off) the shelf; *togli le mani di tasca*, take your hands out of your pockets; *togli quattro da dieci*, take four from ten // *toglimi una curiosità*, will you satisfy my curiosity? // — *qlcu. di mezzo*, to get rid of s.o. // *è tardi ma ciò non toglie che si possa uscire*, it's late but this does not prevent us from going out // *tolto il tuo amico...*, except for your friend... **2** (*liberare*) to free, to relieve; (*salvare*) to rescue: *questa notizia mi toglie una grossa preoccupazione*, this news relieves my mind // **-ersi** *v.rifl.* to get* off, to get* away, to get* out: *togliti!*, scram! get out!; *togliti dai piedi!*, (*fam.*) get out of the way!

toilette (*franc.*) *s.f.* → **toletta**.

Tokio *no.pr.f.* Tokyo.

tolda *s.f.* (*mar.*) deck.

tolemaico *agg.* Ptolemaic.

toletta *s.f.* **1** (*mobile*) dressing table, toilet table **2** (*gabinetto*) lavatory, toilet **3** (*il vestirsi e truccarsi*) toilet: *farsi* —, to get dressed **4** (*abito elegante*) toilette.

tollerabile *agg.* tolerable, endurable.

tollerante *agg.* tolerant.

tolleranza *s.f.* **1** tolerance; (*capacità di sopportare*) endurance **2** (*comm.*) allowance.

tollerare *v.tr.* **1** (*sopportare*) to bear*, to stand*, to tolerate, to endure; to put* up with (sthg.): *non posso* — *quell'uomo*, I can't bear that man; (*al suo posto*) *non avrei tollerato quell'insulto*, (in his place) I would not have stood for that insult; *non* — *un cibo, una medicina*, to be allergic to a food, a medicine **2** (*accettare idee, errori altrui*) to tolerate **3** (*comm.*) (*concedere*) to allow.

tomaia *s.f.*, **tomaio** *s.m.* upper.

tomba *s.f.* tomb; (*fossa*) grave: — *di famiglia*, family vault.

tombale *agg.* tomb (*attr.*), grave (*attr.*).

tombino *s.m.* (*region.*) manhole cover.

tombola¹ *s.f.* (*gioco*) tombola, bingo.

tombola² *s.f.* (*caduta*) tumble, fall: *fare una* —, to fall.

tombolare *v.intr.* (*fam.*) to tumble down.

tombolo¹ *s.m.* (*geol.*) tombolo.

tombolo² *s.m.* (*per merletti*) lace pillow.

Tommaso *no.pr.m.* Thomas // *fare come san* —, to be a doubting Thomas.

tomo¹ *s.m.* volume, tome.

tomo² *s.m.* (*fam.*) funny chap.

tonaca *s.f.* (*di frate*) habit; (*di prete*) soutane // *gettare la* — (*alle ortiche*), to abandon the priesthood.

tonale *agg.* tonal.

tonalità *s.f.* (*di suoni, colori*) tonality.

tonante *agg.* thundering: *dare ordini con voce* —, to thunder (out) orders // *Giove Tonante*, the Thunderer.

tonare *v.intr.* to thunder (*anche fig.*).

tondeggiante *agg.* roundish.

tondeggiare *v.intr.* to be* roundish.

tondello *s.m.* **1** (*di cartone, legno*) round **2** (*disco metallico per la zecca*) flan.

tondino *s.m.* (*edil.*) (iron) rod, (iron) bar.

tondo *agg.* **1** round // *cifra tonda*, round figure // *un mese* —, a whole month // *parlare chiaro e* —, to speak bluntly **2** (*tip.*) Roman ♦ *s.m.* **1** (*cerchio*) circle, ring **2** (*pitt. scult.*) tondo (*pl.* tondi) // *a tutto* —, in the round **3** (*oggetto rotondo*) disk **4** (*piatto*) plate **5** (*tip.*) Roman type.

tonfo *s.m.* thud; (*nell'acqua*) plop.

tonica *s.f.* (*mus.*) tonic, keynote.

tonico *agg. e s.m.* tonic: *acqua tonica*, tonic water.

tonificare *v.tr.* to brace, to invigorate.

tonnato *agg.* (*cuc.*) with, in tunny sauce.

tonneggiare *v.tr.*, **tonneggiarsi** *v.intr.pron.* (*mar.*) to warp.

tonneggio *s.m.* (*mar.*) warping.

tonnellaggio *s.m.* (*mar.*) tonnage.

tonnellata *s.f.* ton.

tonno *s.m.* tunny; (*amer.*) tuna, tuna fish.

tono *s.m.* tone: *alzare il* — *della voce*, to raise the tone of one's voice; *non mi va che mi si parli con questo* —, I'd rather you changed your tone; *toni caldi di colore*, warm tones; *tra re e mi c'è un* —, there is a tone between D and E // *essere fuori* —, (*stonato*) to be out of tune // *la prendi su questo* —?, is that the way you take it? // *rispondere a* —, to answer to the point.

tonsilla *s.f.* tonsil.

tonsillare *agg.* tonsillar.

tonsillite *s.f.* tonsillitis.

tonsura *s.f.* (*eccl.*) tonsure.

tonsurare *v.tr.* (*eccl.*) to tonsure.

tonto *agg.* dull, stupid; (*fam.*) thick ♦ *s.m.* dullard: *fare il finto* —, to act dumb.

topaia *s.f.* 1 rats' nest 2 (*fig.*) hovel.

topazio *s.m.* topaz.

topica *s.f.* (*fam.*) blunder: *fare una* —, (*gaffe*) to put one's foot in it.

topicida *agg.* e *s.m.* ratsbane.

topico *agg.* topical.

topinambùr *s.m.* (*bot.*) Jerusalem artichoke.

topo *s.m.* mouse (*pl.* mice); (*ratto*) rat: — *campagnolo*, field mouse; *grigio* —, mousy // — *d'albergo*, hotel thief // — *di biblioteca*, bookworm.

topografia *s.f.* topography.

topografico *agg.* topographic(al).

topografo *s.m.* topographer.

toponimo *s.m.* place name.

toponomastica *s.f.* toponomy.

toporagno *s.m.* shrewmouse (*pl.* -mice).

toppa *s.f.* 1 (*rappezzo*) patch: *mettere una* — *a qlco.*, (*anche fig.*) to patch up sthg. 2 (*buco della serratura*) keyhole.

toppo *s.m.* stump, block.

torace *s.m.* thorax.

toracico *agg.* thoracic.

torba *s.f.* peat.

torbidezza *s.f.* turbidity; (*fig.*) shiftiness.

torbido *agg.* 1 turbid (*anche fig.*), muddy: *pensieri torbidi*, turbid thoughts 2 (*malfido*) shifty: *sguardo* —, shifty glance ♦ *s.m.* *pescare nel* —, to fish in troubled waters 2 *pl.* (*tumulti*) disorders, disturbances, troubles.

torbiera *s.f.* peat bog.

torcere *v.tr.* 1 to wring*: — *panni bagnati*, to wring (out) wet clothes; — *il collo a qlcu.*, to wring s.o.'s neck 2 (*attorcigliare*) to twist // *questo problema mi dà del filo da* —, this problem is a hard nut to crack 3 (*curvare*) to bend* // — *il naso*, to turn up one's nose // — *la bocca*, to make a wry mouth // **-ersi** *v.rifl.* to twist, to writhe: — *dal dolore*, to writhe in pain; — *dal ridere*, to split one's sides with laughter.

torchiare *v.tr.* 1 to press 2 (*fig.*) to grill.

torchiatura *s.f.* pressing.

torchio *s.m.* press: — *da uva*, winepress; — *da stampa*, (printing) press; *essere sotto il* —, (*tip.*) to be in the press; (*fig.*) (*sotto interrogatorio*) to be under cross-examination; (*sottoposto a un lavoro pressante*) to work under severe pressure.

torcia *s.f.* 1 torch 2 (*cero*) candle.

torcicollo *s.m.* 1 stiff neck 2 (*zool.*) wryneck.

torciera *s.f.* candelabrum (*pl.* candelabra).

torcimento *s.m.* twisting, wringing.

torcitura *s.f.* twisting.

tordela *s.f.* (*zool.*) missel thrush.

tordo *s.m.* thrush.

torero *s.m.* torero.

Torino *no.pr.f.* Turin.

torio *s.m.* (*min.*) thorium.

torma *s.f.* 1 (*di persone*) swarm, throng: *a torme*, in swarms 2 (*di animali*) herd.

tormalina *s.f.* (*min.*) tourmaline.

tormenta *s.f.* snowstorm, blizzard.

tormentare *v.tr.* to torment; (*torturare*) to torture; (*molestare*) to annoy, to worry, to vex: *è tormentato dalla tosse*, he is racked with a cough // **-arsi** *v.rifl.* to torment oneself; (*preoccuparsi*) to worry: *non è il caso di* —, there's no need to worry.

tormentato *agg.* 1 tormented, tortured 2 (*inquieto*) restless 3 (*accidentato*) rough, uneven.

tormento *s.m.* torment, torture; (*cruccio*) bane: *che* — (*sei*)!, what a torment (*o* pain in the neck) you are!; *è il mio* —, he is the bane of my life.

tormentoso *agg.* tormenting; (*molesto*) worrying.

tornaconto *s.m.* profit, advantage, benefit: *fare qlco. per* —, to do sthg. for profit; *non me ne venne nessun* —, I got nothing out of it; *non c'è* —, it doesn't pay.

tornado *s.m.* tornado.

tornante *s.m.* hairpin bend: *strada a tornanti*, winding road.

tornare *v.intr.* 1 to return; (*andare di nuovo*) to go* back; (*venire di nuovo*) to come* back: — *in patria*, to return home; — *sui propri passi*, to retrace one's steps; — *al punto di partenza*, (*anche fig.*) to come back to the starting point; — *a galla*, (*anche fig.*) to come up again; *far segno a qlcu. di* —, to wave s.o. back // — *su un argomento*, to bring up the subject again // — *su una decisione*, to go back on a decision // *ci torna sempre sopra*, he always comes back to it // — *col pensiero a qlco.*, to think back to sthg. // — *in sé*, to come to one's senses; (*rinsavire*) to settle down; — *in vita*, to resuscitate // *mi tornano le forze*, I am recovering my strength // *torniamo a noi, a bomba*, let's get back to the subject // — *a dire, a fare qlco.*, to repeat sthg. 2 (*ridiventare*) to become* again: — *bianco*, to become white again; — *nuovo*, to become like new; — *di attualità, di moda*, to come back into fashion 3 (*essere, risultare*) to be*: *questo mi torna nuovo*, this is new to me; *quando vi torna comodo*, when it is convenient for you // *il conto torna*, (*fig.*) now it's clear // *c'è qlco. che non torna in tutto ciò*, there is something wrong in all this.

tornasole *s.m.* (*chim.*) litmus.

tornata *s.f.* (*seduta*) session.

torneare *v.intr.* to tourney, to joust.

torneo *s.m.* tournament, tourney: — *di tennis*, tennis tournament.

tornio *s.m.* lathe.

tornire *v.tr.* to turn (*anche fig.*).

tornito *agg.* turned (*anche fig.*): *braccia ben tornite*, well-shaped arms.

tornitore *s.m.* turner.

tornitura *s.f.* turning.

torno *s.m.* 1 *in quel* — *di tempo*, at about that time 2 *levarsi di* —, to get out of the way; *levarsi qlcu. di* —, to get rid of s.o.

toro[1] *s.m.* bull // *prendere il* — *per le corna*, to take the bull by the horns // *Toro*, (*astr.*) Taurus.

toro[2] *s.m.* (*arch. geom.*) torus (*pl.* tori).

torpedine[1] *s.f.* (*zool.*) torpedo fish.

torpedine[2] *s.f.* (*mar. mil.*) torpedo.

torpediniera *s.f.* (*mar. mil.*) torpedo boat.

torpedone *s.m.* (motor)coach; (*amer.*) bus.

torpidezza, torpidità *s.f.* → **torpore**.

torpido *agg.* sluggish (*anche fig.*), torpid (*anche fig.*).

torpore *s.m.* sluggishness (*anche fig.*), torpor (*anche fig.*).

torre *s.f.* 1 tower: — *di Pisa*, the Tower of Pisa; *la* — *Eiffel*, the Eiffel Tower // *è una Torre di Babele*, (*fig.*) it is a babel! // *chiudersi in una — d'avorio*, to shut one-self up in an ivory tower **2** (*mecc.*) tower: — *di trivel-lazione*, (*di pozzi petroliferi*) derrick **3** (*mil.*) turret **4** (*aer. mar.*) tower **5** (*scacchi*) castle, rook.

torrefare *v.tr.* to toast, to roast.

torrefazione *s.f.* **1** toasting, roasting **2** (*negozio*) cof-fee house.

torreggiare *v.intr.* to tower.

torrente *s.m.* torrent; (*fig.*) flood.

torrentizio *agg.* torrential.

torrenziale *agg.* torrential.

torretta *s.f.* turret.

torrido *agg.* torrid.

torrione *s.m.* **1** keep, donjon **2** (*mil. mar.*) turret.

torrone *s.m.* "torrone" (kind of nougat).

torsione *s.f.* **1** (*mecc.*) torsion **2** (*ind. tessile*) twist-ing **3** (*ginnastica*) twist: *esercizi di —*, flexing exer-cises.

torso *s.m.* **1** (*tronco*) trunk, torso **2** (*di statua*) torso.

torsolo *s.m.* (*di verdura*) stump; (*di frutta*) core.

torta *s.f.* cake, pie; (*crostata*) tart.

tortiera *s.f.* baking tin.

tortiglione *s.m.* spiral // *a —*, spiral-shaped.

tortile *agg.* tortile, spiral.

tortino *s.m.* (*di verdura*) vegetable pie.

torto[1] *agg.* twisted; (*storto*) crooked ♦ *s.m.* twist.

torto[2] *s.m.* **1** wrong: *fare un — a qlcu.*, to wrong s.o.; *avere —*, to be wrong; *avere — marcio*, (*fam.*) to be dead wrong; *le ha dato —*, he told her she was wrong; *essere, mettersi dalla parte del —*, to be, to put oneself in the wrong // *a —*, wrongfully **2** (*colpa*) fault.

tortora *s.f.* turtledove.

tortrice *s.f.* (*zool.*) tortrix (*pl.* tortrices).

tortuosità *s.f.* **1** tortuousness (*anche fig.*) **2** (*slealtà*) underhand ways (*pl.*).

tortuoso *agg.* **1** winding, tortuous (*anche fig.*) **2** (*sleale*) underhand.

tortura *s.f.* torture (*anche fig.*): *mettere qlcu. alla —*, to torture s.o.

torturare *v.tr.* to torture; (*fig.*) to bother // **-arsi** *v.rifl.* to worry, to fret.

torvo *agg.* grim, surly.

tosare *v.tr.* **1** to shear, to clip // *farsi —*, (*scherz.*) to have one's hair cut **2** (*potare*) to prune.

tosatore *s.m.* shearer.

tosatrice *s.f.* clipper.

tosatura *s.f.* shearing.

Toscana *no.pr.f.* Tuscany.

toscano *agg.* Tuscan ♦ *s.m.* **1** Tuscan **2** (*sigaro*) "toscano".

tosse *s.f.* cough: *avere la —*, to have a cough; *accesso di —*, fit of coughing; *colpo di —*, a cough.

tossicità *s.f.* toxicity.

tossico *agg.* toxic, poisonous ♦ *s.m.* poison // *amaro come il —*, as bitter as aloes.

tossicodipendente *s.m. e f.* drug addict.

tossicodipendenza *s.f.* drug addiction.

tossicologia *s.f.* toxicology.

tossicologo *s.m.* toxicologist.

tossicomane *s.m. e f.* drug addict.

tossicomania *s.f.* toxicomania, addiction to drugs.

tossicosi *s.f.* (*med.*) toxicosis (*pl.* toxicoses).

tossina *s.f.* (*chim. biol.*) toxin.

tossire *v.intr.* to cough.

tostapane *s.m.* toaster.

tostare *v.tr.* to roast; (*spec. pane*) to toast.

tosto[1] *agg.* **1** (*rar.*) (*sodo*) firm // *aver la faccia tosta*, to have the cheek of the devil **2** (*fam.*) (*in gamba*) smart.

tosto[2] *s.m.* toasted sandwich.

tosto[3] *avv.*: (*ben*) —, (*letter.*) at once, immediately, promptly // **tosto che** *locuz.cong.* as soon as.

tot *agg.indef.pl.* so many: *un conto di — lire*, a bill of so many liras.

totale *agg.* total, complete ♦ *s.m.* total // *in —*, in all.

totalità *s.f.* whole: *nella — dei casi*, in all (the) cases; *preso nella sua —*, taken as a whole.

totalitario *agg.* **1** (*della totalità*) complete **2** (*pol.*) to-talitarian.

totalitarismo *s.m.* (*pol.*) totalitarianism.

totalizzare *v.tr.* **1** to totalize; (*sport*) to score **2** (*in-formatica*) to accumulate.

totalizzatore *s.m.* **1** adding machine **2** (*ippica*) to-talizator.

totano *s.m.* (*zool.*) cuttlefish.

toupet (*franc.*) *s.m.* toupee, toupet.

tournée (*franc.*) *s.f.* tour.

tovaglia *s.f.* **1** (table)cloth **2** (*d'altare*) altarcloth.

tovagliolo *s.m.* (table) napkin, serviette.

tozzo[1] *agg.* squat, stocky, dumpy.

tozzo[2] *s.m.* piece: *un — di pane raffermo*, a crust of stale bread.

tra *prep.* → **fra**[1].

trabaccolo *s.m.* (*mar.*) two-mast fishing boat.

traballante *agg.* staggering, tottering; (*di veicoli*) shaky, bumpy.

traballare *v.intr.* **1** (*di cosa*) to wobble; (*di persona*) to stagger, to totter; (*di bambini*) to toddle: *entrò, uscì tra-ballando*, he staggered in, out **2** (*di veicoli*) to jolt, to bump **3** (*fig.*) to waver.

traballio *s.m.* staggering, tottering; (*di veicoli*) jolting, bumping.

trabalzare *v.intr.* (*di veicoli*) to jolt, to bump.

trabalzone *s.m.* (*di veicoli*) jolt, bump.

trabeazione *s.f.* (*arch.*) pediment.

trabiccolo *s.m.* **1** (*scaldaletto*) bedwarmer **2** (*veicolo sgangherato*) ramshackle vehicle; (*sl.*) banger.

traboccare *v.intr.* **1** to brim over: *il latte è traboccato*, the milk has boiled over **2** (*fig.*) to overflow (with sthg).

trabocchetto *s.m.* trap, snare, pitfall.

tracagnotto *agg.* squat, stocky, dumpy ♦ *s.m.* squat person, dumpy person.

tracannare *v.tr.* to gulp down.

traccia *s.f.* **1** trace (*anche fig.*), trail, track; (*di persona*) footsteps (*pl.*); (*di animale*) spoor; (*se-gno*) mark: *le tracce di un delitto*, the traces of a crime; *tracce lasciate da un'automobile*, tracks left by a car; *una — di sangue*, a trail of blood; *essere sulle tracce di qlcu.*, to be on s.o.'s track; *la polizia sta seguendo una —*, the police is following a lead // *seguire le tracce di qlcu.*, (*fig.*) to follow in s.o.'s tracks **2** (*schema*) outline // *sulla — seguita da...*, along the lines followed by... **3** (*informatica*): *— degli indizi*, address track; *— di sin-cronizzazione*, clock track; *— sostitutiva*, alternate track.

tracciante *agg.* tracing ♦ *s.m.* (*mil.*) tracer.

tracciare *v.tr.* to trace (out) (*anche fig.*), to draw* (out) (*anche fig.*); (*uno schema*) to sketch out: *— a grandi li-nee*, to outline; *— una linea*, to draw a line; *— una stra-da*, to mark out a road; *— un piano d'azione*, to trace out a plan of action.

tracciato *s.m.* tracing; (*piano, schema*) layout: *il — del-la nuova autostrada*, the layout of the new motorway.

trachea *s.f.* windpipe, trachea (*pl.* -ae).

tracheale *agg.* tracheal.

tracheite *s.f.* (*med.*) tracheitis.

tracimare *v.intr.* to overflow.

tracolla *s.f.* shoulder belt: *portare qlco. a* —, to carry sthg. across one's back // *borsetta a* —, shoulder bag.

tracollo *s.m.* collapse, breakdown; (*di prezzi, titoli ecc.*) crash, slump; — *finanziario*, bankruptcy.

tracoma *s.m.* (*med.*) trachoma.

tracotante *agg.* arrogant, haughty.

tracotanza *s.f.* arrogance, haughtiness.

tradimento *s.m.* betrayal; (*il tradire*) treachery: *il* — *è un delitto*, treachery is a crime // *alto* —, high treason // *a* —, by treachery: *un attacco a* —, a treacherous attack; *una domanda a* —, an unexpected question // *colpire qlcu. a* —, to stab s.o. in the back.

tradire *v.tr.* to betray (*anche fig.*): — *la moglie*, to be unfaithful to one's wife; — *la patria*, to betray one's country // *se la memoria non mi tradisce*, if my memory serves me right // **-irsi** *v.intr.pron.* to betray oneself.

traditore *agg.* treacherous ♦ *s.m.* traitor: — *della patria*, traitor to one's country.

traditrice *s.f.* traitress.

tradizionale *agg.* traditional.

tradizionalismo *s.m.* traditionalism.

tradizionalista *s.m.* e *f.* traditionalist.

tradizione *s.f.* tradition (*anche dir.*): — *popolare*, folk tradition; *per* —, by tradition (*o* traditionally); *è* — *di famiglia studiare all'estero*, it is a family tradition to study abroad.

tradotta *s.f.* (*mil.*) troop train.

traducibile *agg.* translatable.

tradurre *v.tr.* **1** to translate: — *da una lingua in un'altra*, to translate from one language into another; — *a senso*, to translate freely // — *il pensiero in parole*, to put one's thought into words // — *in atto, in pratica qlco.*, to bring sthg. into effect **2** (*condurre*) to take*.

traduttore *s.m.* translator.

traduzione *s.f.* translation: *fare una* — *in inglese*, to do a translation into English.

traente *s.m.* (*comm.*) drawer.

trafelato *agg.* out of breath (*pred.*), breathless, panting.

trafficante *s.m.* e *f.* dealer (in); (*spreg.*) trafficker (in).

trafficare *v.intr.* **1** to deal*, to trade **2** (*affaccendarsi*) to mess about ♦ *v.tr.* (*spreg.*) to traffic.

traffichino *s.m.* intriguer.

traffico *s.m.* **1** traffic: — *aereo, marittimo, stradale*, air, sea, road traffic; — *intenso*, heavy traffic; *dirigere il* —, to direct the traffic; *il vigile dirigeva il* —, the policeman was on point duty **2** (*il trafficare*) traffic, trade: *il* — *della droga*, traffic in drugs (*o* drug traffic) **3** (*informatica*) traffic message.

trafiggere *v.tr.* to transfix, to pierce through (*anche fig.*).

trafila *s.f.* **1** procedure // *ha fatto tutta la* — *per diventare professore*, he has worked his way up to be a professor **2** (*tecn.*) die, drawplate.

trafilare *v.tr.* (*tecn.*) to wiredraw*.

trafilato *s.m.* wiredrawn metal.

trafiletto *s.m.* paragraph.

trafittura *s.f.* **1** wound **2** (*fig.*) pang.

traforare *v.tr.* **1** to bore, to drill; (*perforare*) to perforate **2** (*per ornamento*) to pierce.

traforato *agg.* **1** pierced **2** (*di ricamo*) open-work (*attr.*).

traforo *s.m.* **1** boring, drilling; (*galleria*) tunnel **2** (*decorativo*) fretwork; (*su stoffa*) openwork.

trafugare *v.tr.* to steal*; (*sottrarre*) to abstract.

tragedia *s.f.* tragedy (*anche fig.*) // *non fare tragedie!*, don't make a fuss!

tragediografo *s.m.* dramatist, tragedian.

traghettare *v.tr.* to ferry: — *un fiume*, to ferry across a river; — *qlcu.*, to ferry s.o.

traghettatore *s.m.* ferryman (*pl.* -men).

traghetto *s.m.* **1** ferry; (*il traghettare*) ferrying **2** (*nave*) ferry(boat).

tragicamente *avv.* tragically.

tragicità *s.f.* tragicalness.

tragico *agg.* tragic(al) (*anche fig.*) ♦ *s.m.* **1** tragedian **2** (*tragicità*) tragicality.

tragicomico *agg.* tragicomic (*anche fig.*).

tragicommedia *s.f.* tragicomedy.

tragitto *s.m.* **1** way: *lungo il* —, on the way **2** (*viaggio*) journey; (*per mare*) passage, crossing: *un* — *di due ore*, a two hours' journey; *feci una parte del* — *in aereo*, I flew part of the way.

trago *s.m.* (*anat.*) tragus (*pl.* tragi).

traguardo *s.m.* **1** finishing line, wire: *tagliare il* (*filo del*) —, to breast the tape **2** (*fig.*) goal **3** (*di arma*) backsight.

Traiano *no.pr.m.* (*st.*) Trajan.

traiettoria *s.f.* trajectory // — *di volo*, flight path.

trainare *v.tr.* to draw*; (*rimorchiare*) to tow.

traino *s.m.* **1** draft; (*il rimorchiare*) towing **2** (*veicolo*) trailer; (*con pattini*) sledge.

tralasciare *v.tr.* **1** to omit; (*lasciare da parte*) to leave* out, to skip; to leave* aside: — *di fare qlco.*, to omit doing (*o* to do) sthg. **2** (*interrompere*) to interrupt.

tralcio *s.m.* shoot; (*di vite*) vine shoot.

traliccio *s.m.* **1** (*tessuto*) ticking **2** (*struttura metallica*) trelliswork, truss, pylon.

tralice, in *locuz.avv.* askance: *guardare qlcu. in* —, to look askance at s.o.

tralignamento *s.m.* degeneration.

tralignare *v.intr.* to degenerate.

tralucere *v.intr.* to shine* (through sthg.) // *la gioia le traluceva dagli occhi*, her eyes were shining with joy.

tram *s.m.* tram; (*amer.*) streetcar, trolley (car).

trama *s.f.* **1** weft, woof **2** (*congiura*) plot **3** (*di romanzo, film ecc.*) plot.

tramandare *v.tr.* to hand down, to hand on.

tramare *v.tr.* (*fig.*) to plot; (*complottare*) to conspire: — *un delitto*, to plot a crime.

trambusto *s.m.* bustle; (*tumulto*) turmoil: *la città è in gran* —, the town is in a turmoil.

tramestare *v.intr.* to bustle (about); (*mettendo disordine*) to mess about.

tramestio *s.m.* hustle, hustle and bustle.

tramezzare *v.tr.* **1** to partition (off) **2** (*interporre*) to interpose, to intercalate.

tramezzino *s.m.* sandwich.

tramezzo[1] *s.m.* **1** partition **2** (*per guarnizione*) insertion.

tramezzo[2] *prep.* e *avv.* → **frammezzo**.

tramite *s.m.* intermediary: *fare da* —, to act as intermediary // (*per il*) — (*di*) *qlcu., qlco.*, through s.o., sthg.

tramoggia *s.f.* hopper.

tramontana *s.f.* **1** north wind **2** (*settentrione*) north // *perdere la* —, to lose one's bearings.

tramontare *v.intr.* **1** to set* **2** (*fig.*) (*svanire*) to wane; (*estinguersi*) to die out: *una moda che tramonterà presto*, a fashion that will soon die out.

tramonto *s.m.* **1** setting; (*del sole*) sunset: *al* —, at sunset **2** (*fig.*) (*declino*) decline // *essere al —*, to be on the wane.

tramortire *v.tr.* to stun ♦ *v.intr.* to faint.

tramortito *agg.* **1** stunned (by) **2** (*privo di sensi*) senseless.

trampoliere *s.m.* (*zool.*) stilt bird.

trampolino *s.m.* divingboard; (*elastico*) springboard; (*per il salto con gli sci*) (ski) jump.

trampolo *s.m.* (*spec. pl.*) stilt: *camminare sui trampoli*, to walk on stilts.

tramutare *v.tr.* **1** to change, to transform: *— il calore in energia*, to transform heat into energy **2** (*trasferire*) to transfer; (*trapiantare*) to transplant // **-arsi** *v.rifl.* to change (into sthg.).

trance *s.f.* trance: *cadere in —*, to fall into a trance.

trancia *s.f.* (*mecc.*) shearing machine.

tranciare *v.tr.* (*mecc.*) to shear.

tranciatura *s.f.* shearing.

tranello *s.m.* snare: *cadere in un —*, to be caught in a snare.

trangugiare *v.tr.* **1** to gulp down, to bolt: *— il pranzo*, to bolt one's dinner **2** (*fig.*) to swallow.

tranne *prep.* but, save, except: *tutti — me*, all but (*o* except *o* save) me; *il tuo lavoro va bene — (che) per alcuni dettagli*, your work is good except for a few details // **tranne che** *locuz.cong.* unless: *non ci andrò — che tu non venga*, I shall not go there unless you come.

tranquillante *agg.* tranquillizing; (*rassicurante*) reassuring ♦ *s.m.* (*farm.*) tranquillizer.

tranquillare *v.tr.* to tranquillize; (*rassicurare*) to reassure.

tranquillità *s.f.* quiet, calm; (*immobilità*) stillness; (*di spirito*) tranquillity.

tranquillizzare *v.tr.* to tranquillize; (*calmare*) to calm (down); (*rassicurare*) to reassure // **-arsi** *v.intr.pron.* to calm down.

tranquillo *agg.* quiet, calm; (*libero da affanni*) comfortable: *coscienza tranquilla*, easy conscience; *luogo —*, peaceful place; *mare —*, calm sea; *una vecchiaia tranquilla*, a comfortable old age; *sta' —*, do not worry; *bambini, state tranquilli!*, keep quiet, children! // *lasciami —!*, leave me alone!

transalpino *agg.* transalpine.

transatlantico *agg.* transatlantic ♦ *s.m.* (ocean) liner.

transazione *s.f.* **1** arrangement **2** (*dir.*) transaction; (*comm.*) composition.

transcontinentale *agg.* transcontinental.

transenna *s.f.* **1** (*arch.*) chancel screen **2** (*divisione*) partition.

transetto *s.m.* (*arch.*) transept.

transeunte *agg.* (*letter.*) transient, fleeting.

transfert *s.m.* transference.

transfuga *s.m.* deserter.

transigere *v.tr.* e *intr.* **1** to settle **2** (*dir.*) to come* to a transaction, to reach a transaction **3** (*comm.*) to compound: *— con i propri creditori*, to compound with one's creditors.

transistor, transistore *s.m.* transistor.

transistorizzare *v.tr.* to transistorize, to transistorise.

transitabile *agg.* practicable.

transitabilità *s.f.* practicability: *stato di —*, condition of a road.

transitare *v.intr.* to pass (through a place).

transitivo *agg.* (*gramm.*) transitive.

transito *s.m.* transit // *— interrotto*, road closed; (*per lavori stradali*) road up.

transitorietà *s.f.* transitoriness.

transitorio *agg.* transitory.

transizione *s.f.* transition: *governo di —*, stopgap government.

transoceanico *agg.* transoceanic.

transumanza *s.f.* transhumance.

transumare *v.intr.* to move from a hill; to move to a hill.

transustanziazione *s.f.* (*teol.*) transubstantiation.

tran tran, trantran *s.m.* (*fam.*) routine.

tranvia *s.f.* tramway, tramline.

tranviario *agg.* tram (*attr.*).

tranviere *s.m.* (*manovratore*) tramdriver; (*bigliettaio*) tramconductor.

trapanare *v.tr.* to drill; (*chir.*) to trepan.

trapanatore *s.m.* driller.

trapanatura *s.f.* drilling.

trapanazione *s.f.* drilling; (*chir.*) trepanning.

trapano *s.m.* drill; (*chir.*) trepan.

trapassare *v.tr.* to run* through ♦ *v.intr.* **1** (*passare*) to pass **2** (*morire*) to pass away, to die.

trapassato *s.m.* **1** (*pl.*) the dead **2** (*gramm.*) past perfect.

trapasso *s.m.* **1** passing **2** (*morte*) death, decease **3** (*transizione*) transition **4** (*dir. comm.*) transfer: *fare un — di proprietà*, to transfer property.

trapelare *v.intr.* (*di liquidi*) to leak out (*anche fig.*); (*di luce*) to filter out (*anche fig.*).

trapezio *s.m.* **1** (*geom.*) trapezium **2** (*ginnastica*) trapeze **3** (*anat.*) trapezius.

trapezista *s.m.* e *f.* trapezist.

trapiantare *v.tr.* to transplant (*anche fig.*) // **-arsi** *v.intr.pron.* to settle.

trapianto *s.m.* **1** transplantation **2** (*di tessuti*) grafting; (*di organi*) transplantation.

trappa *s.f.* (*eccl.*) trap.

trappista *s.m.* (*eccl.*) Trappist.

trappola *s.f.* trap, snare (*anche fig.*): *— per topi*, mousetrap; *essere preso, cadere in —*, (*anche fig.*) to be caught in a trap (*o* in a snare); *prendere in —*, to trap (*o* to snare).

trapunta *s.f.* quilt.

trapuntare *v.tr.* to quilt; (*ricamare*) to embroider.

trapunto *agg.* **1** quilted // *cielo — di stelle*, starry sky **2** (*ricamato*) embroidered (with) ♦ *s.m.* quilting.

trarre *v.tr.* **1** to draw* (*anche fig.*): *— una conclusione*, to draw a conclusion; *— a riva*, to pull to the shore; *non ne traggo alcun vantaggio*, I don't get any benefit from it // *— origine da*, to come from // *— qlco. dal nulla*, to make sthg. out of nothing // *— qlcu. d'impaccio*, to get s.o. out of trouble // *— qlcu. in inganno*, to fool s.o. (*o* to deceive s.o.) **2** (*condurre*) to lead* **3** (*comm.*) to draw*: *— una cambiale*, to issue a bill of exchange // **-arsi** *v.rifl.* to draw*: *— in disparte, indietro*, to draw aside, back.

trasalire *v.intr.* to start (at sthg.) // *far —*, to startle.

trasandato *agg.* slovenly.

trasbordare *v.tr.* (*mar.*) to tranship; (*ferr.*) to transfer ♦ *v.intr.* to change.

trasbordo *s.m.* (*mar.*) transhipment; (*ferr.*) transfer.

trascendentale *agg.* transcendental.

trascendente *agg.* **1** (*fil.*) transcendent **2** (*mat.*) transcendental.

trascendenza *s.f.* transcendence.

trascendere *v.tr.* to transcend ♦ *v.intr.* to lose* control of oneself.

trascinare *v.tr.* **1** to drag (*anche fig.*) **2** (*informatica*) to drive* // **-arsi** *v.rifl.* to drag oneself along: *la faccenda si trascinò per diversi anni*, the matter dragged on for several years.

trascolorare *v.intr.*, **trascolorarsi** *v.intr.pron.* to change one's colour; (*impallidire*) to grow* pale.

trascorrere *v.tr.* **1** to spend*, to pass: *sono trascorsi molti anni*, many years have passed **2** (*leggere rapidamente*) to go* through (sthg.) ♦ *v.intr.* to pass, to elapse.

trascorso *s.m.* **1** (*fallo*) lapse: *un — di gioventù*, a youthful error **2** *pl.* (*precedenti*) past (*sing.*), record (*sing.*).

trascrittore *s.m.* copyist, transcriber.

trascrivere *v.tr.* **1** to transcribe: *— in bella copia*, to write out in fair copy **2** (*dir.*) to register.

trascrizione *s.f.* **1** transcription **2** (*dir.*) registration **3** (*mus.*) arrangement.

trascurabile *agg.* negligible: *una differenza —*, a negligible difference.

trascurare *v.tr.* **1** to neglect: *— di fare qlco.*, to neglect to do sthg. **2** (*non tener conto di*) to disregard // **-arsi** *v.rifl.* to let* oneself go.

trascurataggine *s.f.* **1** carelessness **2** (*sciatteria*) slovenliness.

trascuratamente *avv.* **1** carelessly, negligently **2** (*sciattamente*) slovenly.

trascuratezza *s.f.* **1** carelessness, negligence **2** (*sciatteria*) slovenliness.

trascurato *agg.* **1** (*non curato*) neglected **2** careless, negligent **3** (*sciatto*) slovenly.

trasecolare *v.intr.* to be* amazed, to be* astonished.

trasecolato *agg.* amazed, astonished.

trasferibile *agg.* transferable.

trasferimento *s.m.* transfer: *chiedere il —*, to ask for a transfer // *— dei dati*, (*informatica*) data transfer; migration.

trasferire *v.tr.* to transfer // **-irsi** *v.rifl.* to move: *— in campagna*, to move into the country; *— in un'altra città*, to move to another city.

trasferta *s.f.* **1** (*trasferimento*) transfer: *è in — per la sua ditta*, he's travelling on business for his firm // *partita in —*, (*sport*) away match **2** (*indennità di trasferta*) travelling expenses (*pl.*).

trasfigurare *v.tr.* to transfigure // **-arsi** *v.intr.pron.* to become* transfigured.

trasfigurazione *s.f.* transfiguration.

trasfondere *v.tr.* to transfuse.

trasformabile *agg.* **1** transformable **2** (*aut.*) convertible.

trasformare *v.tr.* to transform // **-arsi** *v.intr.pron.* to transform oneself, to change (into sthg.).

trasformativo *agg.* transformative.

trasformato *agg.* transformed.

trasformatore *s.m.* (*elettr.*) transformer.

trasformazione *s.f.* transformation.

trasformismo *s.m.* transformism.

trasformista *s.m. e f.* **1** (*teatr.*) quick-change artist **2** (*pol.*) transformist.

trasfusione *s.f.* transfusion: *— di sangue*, blood transfusion.

trasgredire *v.tr. e intr.* to infringe (sthg.), to transgress (sthg.), to disobey (sthg.).

trasgressione *s.f.* transgression, infringement.

trasgressore *s.m.* transgressor.

traslato *agg.* **1** (*letter.*) (*trasferito*) transferred **2** (*metaforico*) figurative, metaphoric ♦ *s.m.* (*ret.*) metaphor, figure.

traslatorio *agg.* translatory.

traslazione *s.f.* **1** translation **2** (*dir.*) transfer, conveyance.

traslitterare *v.tr.* to transliterate.

traslitterazione *s.f.* transliteration.

traslocare *v.tr. e intr.*, **traslocarsi** *v.rifl.* to move.

trasloco *s.m.* removal: *fare —*, to move.

traslucido *agg.* translucent, translucid.

trasmettere *v.tr.* to transmit, to pass on, to convey; (*per radio*) to broadcast*.

trasmettitore *s.m.* (*rad. tel.*) transmitter.

trasmigrare *v.intr.* to transmigrate (*anche fig.*).

trasmigrazione *s.f.* transmigration (*anche fig.*).

trasmissibile *agg.* transmissible.

trasmissione *s.f.* **1** transmission: *— radiofonica*, broadcast; *— televisiva*, telecast // *— a premi*, giveaway **2** (*mecc.*) drive; (*con ruote dentate*) gearing: *— ad alberi*, shafting; *— anteriore*, (*aut.*) front-wheel drive **3** (*dir.*) transfer(ence), conveyance, descent **4** (*informatica*) transmission; communication; (*IBM*) call: *— a blocchi*, block transmission; *— asincrona*, asynchronous transmission; *— dati*, data communication; *— sequenziale*, bit serial.

trasmittente *agg.* (*rad. tel.*) transmitting ♦ *s.f.* (*rad. tel.*) transmitter.

trasmodato *agg.* immoderate, excessive.

trasmutare *v.tr.*, **trasmutarsi** *v.intr.pron.* to transmute.

trasmutazione *s.f.* transmutation.

trasognato *agg.* dreamy, lost in reverie.

traspadano *agg.* transpadane.

trasparente *agg.* transparent ♦ *s.m.* transparency.

trasparenza *s.f.* transparence, transparency.

trasparire *v.intr.* to shine* (through sthg.), to gleam (through sthg.); (*palesarsi*) to appear (through sthg.): *dai suoi occhi traspariva la gioia*, his eyes were shining with joy // *lasciar, far —*, (*fig.*) to betray.

traspirare *v.intr.* **1** to transpire **2** (*sudare*) to perspire **3** (*fig.*) to leak out.

traspirazione *s.f.* transpiration; (*sudorazione*) perspiration.

trasporre *v.tr.* to transpose.

trasportabile *agg.* transportable.

trasportare *v.tr.* **1** to transport, to carry, to convey; (*trasferire*) to transfer **2** (*fig.*) to transport, to carry away: *lasciarsi — dall'ira*, to fly into a rage // **-arsi** *v. rifl.* (*fig.*): *si trasportò col pensiero ai tempi passati*, his thoughts turned to past times.

trasportato *agg.* transported ♦ *s.m.* (*merce*) transported goods (*pl.*); (*persona*) passenger.

trasportatore *agg.* conveyer (*attr.*), conveyor (*attr.*) ♦ *s.m.* conveyer, conveyor, carrier: *— a nastro*, conveyor belt; *lo sciopero dei trasportatori*, transport workers' strike.

trasporto *s.m.* **1** conveyance, carriage, transport: *— aereo*, air transport(ation); *— pagato*, carriage free (*o* paid); *mezzi di —*, means of transport (*o* conveyance); *spese di —*, carriage; *— con carri*, cartage; *ufficio trasporti*, forwarding office // *— funebre*, funeral **2** (*fig.*) transport.

trasposizione *s.f.* transposition.

trassato *agg. e s.m.* (*t. bancario*) drawee (*s.*).

trastullare *v.tr.* to amuse // **-arsi** *v.rifl.* (*divertirsi*) to amuse oneself; (*giocare, scherzare*) to play.

trastullo *s.m.* plaything.

trasudare *v.intr.* to transude; (*sudare*) to perspire, to sweat; (*umidità*) to sweat out, to ooze, to seep ♦ *v.tr.* to ooze (with sthg.) — *ricchezza*, to ooze wealth.

trasudato *s.m.* transudate.

trasudazione *s.f.* transudation.

trasversale *agg.* transverse, transversal; cross (*attr.*): *via* —, crossroad; *è una* (*via*) — *di via Roma*, it cuts across Via Roma // *in senso* —, transversely (*o* crosswise).

trasverso *agg.* → **trasversale**.

trasvolare *v.tr.* to fly* (across sthg.) ♦ *v.intr.* to pass (over sthg.)

trasvolata *s.f.* flight across: — *atlantica*, flight across the Atlantic (*o* Atlantic flight).

trasvolatore *s.m.* flyer.

tratta *s.f.* **1** (*tirata, strattone*) pull, tug **2** (*ferr.*) (*tratto*) section, stretch **3** (*traffico*) trade: — *dei negri*, slave trade; — *delle bianche*, white-slave trade **4** (*comm.*) bill of exchange: — *bancaria*, banker's bill; *onorare, disonorare una* —, to honour, to dishonour a bill; *spiccare, emettere una* — *su qlcu. per 20 sterline*, to draw upon s.o. for 20 pounds.

trattabile *agg.* **1** (*di argomento*) that can be dealt with **2** (*di persone*) reasonable.

trattamento *s.m.* **1** treatment: *il* — *in questo albergo è eccellente*, service is very good in this hotel; *ricevere un buon* —, to be treated well **2** (*cura*) treatment, cure **3** (*paga, stipendio*) pay; wage (*gener. pl.*), salary // *il* — *degli operai è migliorato*, working conditions have been improved **4** (*chim. cinem.*) treatment **5** (*informatica*): — *delle informazioni*, data processing; — *delle informazioni grafiche*, graphic data processing.

trattare *v.tr.* **1** to treat, to use, to deal* (with s.o.), to behave* to(wards) (s.o.): *lo ha trattato molto male*, he treated him very badly; — *qlcu. da, come...*, to treat s.o. as... // *si tratta di...*, it is a question of...; *non si tratta di questo*, this is not the question; *si tratta di un caso speciale*, it is a particular case; *si tratta solo di aspettare un po'*, it is only a matter of time **2** (*malattie*) to treat **3** (*chim.*) to treat **4** (*commerciare*) to deal* (in sthg.) // *azioni non trattate nelle Borse americane*, stocks not traded on United States exchanges **5** (*discutere*) to discuss; (*negoziare*) to negotiate: — *un affare*, to transact (*o* to discuss) a business; — *la pace*, to negotiate peace ♦ *v.intr.* to deal*, to treat: *con lui non tratto*, I won't treat with him **2** (*di argomento*) to deal* (with sthg.), to be* about (sthg.) // *-arsi* *v.rifl.* to treat oneself.

trattativa *s.f.* negotiation: *trattative in corso*, pending negotiations; *essere in trattative con qlcu. per qlco.*, to be negotiating with s.o. for sthg.

trattato *s.m.* **1** treaty: *un* — *di pace*, a peace treaty **2** (*opera scritta*) treatise.

trattazione *s.f.* treatment.

tratteggiare *v.tr.* to hatch; (*abbozzare*) to sketch, to outline (*anche fig.*).

tratteggiato *agg.* hatched; (*abbozzato*) sketched, outlined (*anche fig.*) // *linea tratteggiata*, dotted line.

tratteggio *s.m.* hatch; (*cartografia*) hachure.

trattenere *v.tr.* **1** (*far restare*) to keep*, to detain: — *qlcu. a pranzo*, to keep s.o. for dinner; *essere trattenuto in ufficio*, to be held up in the office **2** (*frenare*) to hold* back, to keep* (back); (*reprimere*) to restrain, to refrain // — *il fiato, il respiro*, to hold one's breath **3** (*dedurre*) to deduct; (*dal salario*) to deduct **4** (*intrattenere*) to entertain // *-arsi* *v.rifl.* **1** (*restare*) to stop, to stay, to remain **2** (*frenarsi*) to restrain oneself, to stop

oneself, to hold* oneself back **3** (*fare a meno*) to help (doing).

trattenimento *s.m.* **1** (*festa*) party **2** (*indugio*) delay.

trattenuta *s.f.* deduction (from sthg.).

trattino *s.m.* **1** (*nelle parole composte*) hyphen: *unire con* —, to hyphenate **2** (*per separare frasi subordinate*) dash (—).

tratto *agg.* drawn: *a spada tratta*, with a drawn sword // *difendere qlco. a spada tratta*, (*fig.*) to fight tooth and nail for s.o.

tratto *s.m.* **1** (*tirata*) pull, tug **2** (*linea*) line, outline: *disegnare qlco. a grandi tratti*, to draw sthg. in outline (*o* to outline sthg.) // *un* — *di penna*, a stroke of the pen **3** (*frazione di spazio, di tempo*) stretch, tract: *l'ultimo* — *del viaggio*, the last leg of the journey; *un lungo* — *di strada*, a long stretch // *a un* —, *tutto d'un* —, *d'un* —, all of a sudden (*o* suddenly); *a tratti*, at intervals; *di* — *in* —, now and then (*o* from time to time) **4** (*passo di libro*) passage **5** (*caratteristica*) trait, feature **6** (*lineamento*) feature: *un viso dai tratti molto marcati*, a face with very pronounced features **7** (*modo di comportarsi*) address, bearing: *ha un* — *signorile*, he has a very refined address.

trattore[1] *s.m.* (*mecc.*) tractor: — *a cingoli*, caterpillar tractor; — *agricolo*, farm tractor.

trattore[2] *s.m.* (*di locanda*) restaurateur.

trattoria *s.f.* restaurant.

trattrice *s.f.* → **trattore**[1].

trattura *s.f.* (*ind. tessile*) reeling.

tratturo *s.m.* sheep-track.

trauma *s.m.* (*med.*) trauma.

traumatico *agg.* traumatic.

traumatizzare *v.tr.* to traumatize.

traumatologia *s.f.* traumatology.

travagliare *v.tr.* to torment, to trouble ♦ *v.intr.* to suffer // *-arsi* *v.rifl.* to worry (oneself).

travagliato *agg.* **1** troubled, tormented **2** (*difficile*) hard, toilsome.

travaglio *s.m.* **1** (*fatica*) toil, labour **2** (*del parto*) labour **3** (*affanno*) worry, trouble.

travalicare *v.tr.* (*letter.*) to cross (over sthg.) ♦ *v.intr.* to pass (*anche fig.*).

travasamento *s.m.* → **travaso**.

travasare *v.tr.* to pour off, to decant: — *vino*, to decant wine // *-arsi* *v.intr.pron.* to overflow.

travaso *s.m.* **1** pouring off, decanting **2** (*med.*) effusion: — *di bile*, bilious attack; (*fig.*) fit of bad temper.

travata, **travatura** *s.f.* (*edil.*) truss, girder.

trave *s.f.* beam, girder; (*di tetto*) rafter: — *maestra*, main girder // *fare una* — *d'ogni fuscello*, to make mountains out of molehills // *si vede la pagliuzza nell'occhio altrui e non la* — *nel proprio*, you see the mote in your brother's eye but not the beam in your own.

travedere *v.intr.* to be* mistaken (*anche fig.*), to be* wrong (*anche fig.*) // — *per qlcu.*, to think the world of s.o.

traveggole *s.f.pl.*: *avere le* —, to mistake one thing for another.

traversa *s.f.* **1** crossbar **2** (*ferr.*) sleeper; (*amer.*) tie **3** (*del letto*) drawsheet **4** (*diga*) dam **5** (*via*) crossroad **6** (*calcio*) crossbar.

traversare *v.tr.* → **attraversare**.

traversata *s.f.* crossing.

traversia *s.f.* misfortune, mishap, hardship.

traversina *s.f.* (*ferr.*) sleeper; (*amer.*) tie.

traverso *agg.* transverse, cross, crosswise: *strada tra-*

versa, crossroad; *flauto* —, flute ♦ *s.m.* **1** (*estensione di un corpo nella sua larghezza*) width // *di, per* —, askew (*o* awry): *andare di, per* —, (*di cibo*) to go the wrong way; (*fig.*) to go awry: *gli va sempre tutto di, per* —, (*fig.*) nothing ever goes right for him; *guardare qlcu. di* —, to look askance at s.o.; *prendere una parola di* —, to take a word the wrong way **2** (*mar.*) beam.

travertino *s.m.* (*geol.*) travertine.

travestimento *s.m.* disguise.

travestire *v.tr.* to disguise (*anche fig.*); (*mascherare*) to dress up // **-irsi** *v.rifl.* to disguise oneself (as s.o., sthg.); (*mascherarsi*) to dress oneself up (as s.o., sthg.).

travestito *agg.* disguised, in disguise; (*mascherato*) dressed up (as) ♦ *s.m.* transvestite.

travet *s.m.* (*impiegatuccio*) pen pusher.

traviamento *s.m.* going astray; (*corruzione*) corruption.

traviare *v.tr.* to mislead*, to lead* astray; (*corrompere*) to corrupt // **-arsi** *v.intr.pron.* to go* astray, to stray.

traviato *agg.* misled, led astray; (*corrotto*) corrupted.

travicello *s.m.* joist, small beam, batten // *Re Travicello*, King Log.

travisamento *s.m.* distortion, misrepresentation.

travisare *v.tr.* to distort, to misrepresent.

travolgente *agg.* sweeping, overwhelming, overpowering: *vittoria* —, sweeping victory.

travolgere *v.tr.* **1** to sweep* away, to carry away **2** (*sopraffare*) to overwhelm, to rout, to crush **3** (*investire*) to run* over (s.o., sthg.): *fu travolto da un autobus*, he was (*o* got) run over by a bus.

travolgimento *s.m.* **1** sweeping away **2** (*sovvertimento*) overturning.

trazione *s.f.* traction: *auto a* — *anteriore*, front-wheel drive; *doppia* —, — *su quattro ruote*, four-wheel drive.

tre *agg.num.card.* e *s.m.* three.

trealberi *s.m.* (*mar.*) three-master.

trebbia *s.f.* (*trebbiatrice*) threshing machine.

trebbiare *v.tr.* to thrash, to thresh.

trebbiatore *s.m.* thrasher, thresher.

trebbiatrice *s.f.* thrashing machine, threshing machine.

trebbiatura *s.f.* thrashing, threshing.

treccia *s.f.* **1** plait, braid; (*grossa*) tress; (*treccina*) pigtail: *punto, maglia a* —, cable stitch; *porta le trecce*, she has plaits (*o* pigtails); *farsi le trecce*, to plait one's hair **2** (*pane*) plaited bun.

trecentesco *agg.* fourteenth-century (*attr.*); (*in Italia*) Trecento (*attr.*).

trecentista *s.m.* fourteenth-century writer, artist; (*italiano*) trecentist.

trecento *agg.num.card.* e *s.m.* three hundred // *il Trecento*, the fourteenth century.

tredicenne *agg.* thirteen (years old) (*pred.*); thirteen -year-old (*attr.*) ♦ *s.m.* thirteen-year-old boy ♦ *s.f.* thirteen-year-old girl.

tredicesimo *agg.num.ord.* e *s.m.* thirteenth.

tredici *agg.num.card.* e *s.m.* thirteen.

tregenda *s.f.* pandemonium.

tregua *s.f.* **1** truce **2** (*riposo*) rest, respite // *senza* —, unremitting (*agg.*); unremittingly (*avv.*).

tremante *agg.* trembling (with), shaking (with); (*di freddo*) shivering (with); (*di orrore, ripugnanza*) shuddering (with).

tremare *v.intr.* to tremble (with sthg.), to shake* (with sthg.); (*di freddo*) to shiver (with sthg.); (*di orrore, ripugnanza*) to shudder (with sthg.): *tremo a pensarci*, I tremble (*o* I shudder) to think of it; — *come una foglia, a verga a verga*, to shake like a leaf; — *tutto*, to tremble

all over; (*fam.*) to be all of a tremble // *la terra tremava*, the earth was quaking.

tremarella *s.f.* (*fam.*) shivers (*pl.*), creeps (*pl.*): *mi viene la — solo a pensarci*, I get the shivers at the mere thought of it; *far venire la — a qlcu.*, to give s.o. the shivers (*o* the creeps).

tremebondo *agg.* (*letter.*) trembling.

tremendo *agg.* awful, terrible, tremendous, ghastly.

trementina *s.f.* (*chim.*) turpentine.

tremito *s.m.* shake, tremble, trembling; (*di freddo*) shiver, shivering; (*di orrore, ripugnanza*) shudder, shuddering.

tremolante *agg.* shaking, trembling; (*di luce*) flickering; (*di stelle*) twinkling; (*di voce*) faltering.

tremolare *v.intr.* to tremble; (*di luce*) to flicker; (*di stelle*) to twinkle; (*di voce*) to falter.

tremolio *s.m.* trembling; (*di luce*) flickering; (*di stelle*) twinkling; (*di voce*) faltering.

tremore *s.m.* **1** (*med.*) tremor **2** → **tremito.**

tremulo *agg.* trembling, tremulous.

treno *s.m.* **1** train: — *rapido*, express train; — *bestiame*, cattle train; — *blindato*, armoured train; — *del mattino*, morning train; *il — delle 9,45*, the 9,45 (train); — *merci*, goods train; (*amer.*) freight train; — *militare*, troop train; — *passeggeri*, passenger train; *attenti al* —!, Danger! Trains; *formazione di un* —, making up of a train; *in* —, on (*o* in) the train; *movimento dei treni*, train traffic; *viaggio in* —, train journey; *andare in* —, to go by train **2** (*tenore*) tenor (of life), way (of living) **3** — *di gomme*, (*aut.*) set of tyres.

trenta *agg.num.card.* e *s.m.* thirty // *ha fatto* —, *può far trentuno*, (*fam.*) he might as well go the whole hog.

trentaduesimo *agg.num.ord.* thirty-second ♦ *s.m.* (*tip.*) thirty-twomo, 32mo.

trentenne *agg.* thirty (years old) (*pred.*); thirty -year-old (*attr.*) ♦ *s.m.* thirty-year-old man ♦ *s.f.* thirty -year-old woman.

trentennio *s.m.* (period of) thirty years.

trentesimo *agg.num.ord.* e *s.m.* thirtieth.

trentina *s.f.* about thirty // *una donna sulla* —, a woman of about thirty.

trentino *agg.* of Trent(o), from Trent(o) ♦ *s.m.* inhabitant of Trent(o).

Trento *no.pr.f.* Trent(o).

trepidante *agg.* trembling, anxious.

trepidare *v.intr.* to tremble, to be* anxious, to be* in a flutter: — *per qlcu., qlco.*, to tremble for (*o* to be anxious about *o* to be worried about) s.o., sthg.

trepidazione *s.f.* trepidation, anxiety, flutter.

trepido *agg.* trembling, anxious, fluttering.

treppiede *s.m.* (*per pentole*) trivet; (*per macchina fotografica*) tripod.

trequarti *s.m.* three-quarter length coat.

tresca *s.f.* **1** intrigue **2** (*amorosa*) affair.

trescare *v.intr.* **1** to intrigue **2** (*avere una relazione amorosa*) to have* an affair.

trespolo *s.m.* **1** trestle **2** (*veicolo malandato*) rickety old vehicle.

tressette *s.m.* "tressette" (Italian card game).

tri- *pref.* tri-.

triade *s.f.* triad.

triangolare¹ *agg.* triangular.

triangolare² *v.tr.* to triangulate; (*sport*) to build* up a three-man movement.

triangolazione *s.f.* triangulation; (*sport*) three-man movement.

triangolo s.m. triangle.

tribale agg. tribal.

tribolare v.tr. to vex, to torment ♦ v.intr. to suffer.

tribolato agg. tormented: una vita tribolata, a hard life.

tribolazione s.f. tribulation.

tribolo s.m. 1 tribulation 2 (bot.) Tribulus; (poet.) bramble.

tribordo s.m. (mar.) starboard.

tribù s.f. tribe: membro di —, tribesman // venne qui con tutta la sua —, (scherz.) he came here with all his clan.

tribuna s.f. 1 (per oratori) tribune, platform 2 (per uditori) gallery: la — della stampa, the press gallery 3 (sport) stand: — centrale, grandstand 4 (arch.) apse.

tribunale s.m. court (of justice), lawcourt, court of law: — ecclesiastico, militare, ecclesiastical Court, court-martial; palazzo del Tribunale, Law Courts; comparire in —, to come before the court.

tribuno s.m. (st. romana) tribune.

tributare v.tr. to bestow (sthg. on s.o.).

tributario agg. 1 tributary 2 (fiscale) fiscal: sistema —, system of taxation.

tributo s.m. 1 tribute; (fig.) offering: imporre un — a un paese, to lay a country under tribute 2 (tassa) tax.

tricheco s.m. walrus.

triciclo s.m. tricycle.

tricipite agg. e s.m.: (muscolo) —, triceps.

triclinio s.m. triclinium (pl. triclinia).

tricolore agg. tricolour(ed) ♦ s.m.: il Tricolore, the Italian flag.

tricorno s.m. tricorn (hat).

tricromia s.f. 1 (procedimento) three-colour process 2 (riproduzione) three-colour printing.

tric trac s.m. (gioco) backgammon.

tridente s.m. 1 (agr.) hayfork 2 (mit.) trident.

tridimensionale agg. tridimensional; (fis.) three -dimensional; (cinem.) three-D.

triduo s.m. (eccl.) triduum.

triedro s.m. trihedron.

trielina s.f. (chim.) trichloroethylene.

triennale agg. e s.f. triennial.

triennio s.m. (period of) three years.

trifase agg. (elettr.) three-phase (attr.).

trifoglio s.m. (bot.) clover; (emblema dell'Irlanda) shamrock.

trifolato agg. (cuc.) cooked with garlic and parsley.

trifora s.f. (arch.) three-mullioned window.

trigemino agg. 1 trigeminous: parto —. birth of triplets 2 (anat.) trigeminal.

trigesimo agg.num.ord. (rar.) thirtieth ♦ s.m.: nel — della sua morte, on the thirtieth day after his death.

triglia s.f. red mullet // fare l'occhio di — a qlcu., to give s.o. the glad eye.

trigonometria s.f. trigonometry.

trigonometrico agg. trigonometric.

trilingue agg. trilingual.

trilione s.m. 1 (italiano, americano e francese = 1000⁴) billion; (amer.) trillion 2 (tedesco e inglese = 1000⁶) trillion; (amer.) quintillion.

trillare v.intr. to trill; (squillare) to ring*.

trillo s.m. trill; (squillo) ring.

trilogia s.f. trilogy.

trimestrale agg. quarterly.

trimestre s.m. 1 quarter; (scolastico) term 2 (rata) three-monthly instalment.

trimotore s.m. three-engined aeroplane.

trina s.f. lace.

trinca s.f. (mar.) gammon.

trincare v.tr. (fam.) to booze.

trincea s.f. 1 (mil.) trench: guerra di —, trench warfare 2 (ferr.) railway cutting.

trinceramento s.m. entrenchment.

trincerare v.tr. to entrench // **-arsi** v.rifl. to entrench oneself // si trincerò nel più assoluto silenzio, he took refuge in utter silence.

trincetto s.m. shoemaker's knife.

trinchetto s.m. (mar.): (albero di) —, foremast.

trinciante s.m. carving knife.

trinciapollo s.m. poultry-shears.

trinciare v.tr. to cut* (up) // — giudizi su qlco., to judge sthg. rashly.

trinciato agg. cut up ♦ s.m. cut tobacco.

trinciatrice s.f. (mecc. agr.) haycutter.

trinciatura s.f. cutting up.

trinità s.f. trinity.

trinitario agg. (teol.) Trinitarian.

trino agg. trine.

trinomio s.m. (mat.) trinomial.

trio s.m. (mus.) trio.

triodo s.m. (elettr.) triode.

trionfale agg. triumphal.

trionfante agg. triumphant.

trionfare v.intr. to triumph (over s.o., sthg.); (essere trionfante) to be* triumphant.

trionfatore s.m. triumphant victor.

trionfo s.m. 1 triumph: arco di —, triumphal arch; ottenere un —, to achieve success; portare qlcu. in —, to carry s.o. shoulder-high 2 (a carte) trump 3 (centrotavola) centrepiece.

tripanosoma s.m. (zool.) trypanosome.

tripartitico agg. tripartite.

tripartito[1] agg. tripartite.

tripartito[2] agg. e s.m. tripartite (government).

tripartizione s.f. tripartition.

triplicare v.tr. to treble, to triplicate.

triplicato agg. trebled, triplicated.

triplicazione s.f. triplication.

triplice agg. threefold, treble, triple.

triplo agg. triple, treble, threefold ♦ s.m. three times as much (as); (con s.pl.) three times as many (as): 9 è il — di 3, 9 is three times three; guadagna il — di me, he earns three times as much as I do.

tripode s.m. tripod.

tripoli s.m. (min.) tripoli, rottenstone.

trippa s.f. 1 (cuc.) tripe 2 (pop.) (pancia) paunch // metter su —, to put on a paunch.

tripperia s.f. tripery, tripe-shop.

trippone s.m. (pop.) potbelly.

tripudiare v.tr. to jubilate.

tripudio s.m. jubilation // — di colori, triumph of colours (o explosion of colour).

triregno s.m. (eccl.) (Pope's) tiara.

trireme s.f. (st. mar.) trireme.

tris s.m. (nei giochi) three of a kind.

trisavola s.f. great-great-grandmother.

trisavolo s.m. great-great-grandfather.

trisillabo agg. trisyllabic ♦ s.m. trisyllable.

trisma s.m. (med.) trismus.

Tristano no.pr.m. (lett.) Tristram.

tristanzuolo agg. (letter. o scherz.) mischievous.

triste agg. 1 sad (about); (addolorato) grieved (at, over); (cupo) gloomy 2 (penoso) distressing; (depri-

trovare

mente) depressing, dreary: *un luogo* —, a depressing place.

tristemente *avv.* sadly.

tristezza *s.f.* sadness; (*cupezza*) gloominess.

tristizia *s.f.* (*letter.*) (*malvagità*) wickedness.

tristo *agg.* **1** (*malvagio*) wicked **2** (*meschino*) mean, poor **3** (*letter.*) (*che ispira tristi pensieri*) evil, bad.

tritacarne *s.m.* mincer, mincing machine.

tritare *v.tr.* to mince.

tritatutto *s.m.* mincer, mincing machine.

tritio *s.m.* (*chim. fis.*) tritium.

trito *agg.* **1** (*tritato*) minced, hashed **2** (*logoro*) worn out **3** (*notissimo*) trite, commonplace, hackneyed: — *e ritrito*, stale.

tritolo *s.m.* trinitrotoluene.

trittico *s.m.* **1** (*arte*) triptych **2** (*aut.*) customs paper, customs document.

tritume *s.m.* scraps (*pl.*), bits (*pl.*).

triturare *v.tr.* to triturate.

triunvirale *agg.* (*st. romana*) triumviral.

triunvirato *s.m.* (*st.*) triumvirate (*anche fig.*).

triunviro *s.m.* (*st. romana*) triumvir.

trivalente *agg.* (*chim.*) trivalent.

trivella *s.f.* **1** (*falegnameria*) auger, gimlet **2** (*tecn. mineraria*) drill.

trivellare *v.tr.* to drill, to bore.

trivellazione *s.f.* drilling, boring: *impianto di* —, rig.

trivello *s.m.* gimlet, auger.

triviale *agg.* vulgar, low, coarse.

trivialità *s.f.* vulgarity, coarseness.

trivio *s.m.* **1** (*di strade*) crossroads // *gente da* —, vulgar people **2** (*letter.*) trivium (*pl. -a*).

trofeo *s.m.* trophy.

troglodita *s.m.* troglodyte (*anche fig.*).

trogloditico *agg.* troglodytic (*anche fig.*).

trogolo *s.m.* trough.

troia *s.f.* **1** (*scrofa*) sow **2** (*volg.*) trollop.

Troia *no.pr.f.* (*geogr.*) Troy.

troiano *agg.* e *s.m.* Trojan.

troica *s.f.* troika.

tromba *s.f.* **1** trumpet; (*mil.*) bugle: *squillo di* —, trumpet blast // *la* — *del giudizio*, the last trumpet // *suonare la* —, to sound the trumpet; (*fig.*) to trumpet // *partire in* —, to jump at sthg. **2** (*oggetto a forma di tromba*) trumpet; (*di auto*) horn // *fonografo a* —, (horn-type) phonograph // — *d'aria*, tornado // — *marina*, waterspout // — *delle scale*, stair well **3** (*anat.*) tube.

trombare *v.tr.* (*volg.*) to fail; (*amer.*) to flunk.

trombetta[1] *s.f.* trumpet.

trombetta[2] *s.m.* trumpeter; (*mil.*) bugler.

trombettiere *s.m.* (*mil.*) bugler.

trombettista *s.m.* trumpeter.

trombo *s.m.* (*med.*) thrombus (*pl. thrombi*).

trombone *s.m.* **1** (*mus.*) trombone: *suonatore di* —, trombonist **2** (*schioppo con canna corta*) blunderbuss **3** (*fig.*) windbag.

trombonista *s.m.* trombonist.

trombosi *s.f.* (*med.*) thrombosis.

troncamento *s.m.* **1** cutting off; (*fig.*) breaking off **2** (*gramm.*) apocope.

troncare *v.tr.* **1** to cut* off, to truncate: — *un ramo*, to cut off a branch // — *le gambe, le ali a qlcu.*, (*fig.*) to put a spoke in s.o.'s wheel // — *una parola*, (*gramm.*) to apocopate a word **2** (*fig.*) to break* off, to cut* short, to interrupt: — *i rapporti con qlcu.*, to break off

relations with s.o. // — *qlco. sul nascere*, to nip sthg. in the bud.

tronchese *s.m.* o *f.* (cutting) nippers (*pl.*).

tronchesina *s.f.* cuticle scissors (*pl.*).

tronco[1] *agg.* cut off; broken (off); truncate(d): *verso* —, truncated line // *licenziare qlcu. in* —, to sack s.o. on the spot.

tronco[2] *s.m.* **1** (*di albero, di corpo umano*) trunk **2** (*geom.*) frustum // *il* — *di una colonna*, (*arch.*) the shaft of a pillar **3** (*tratto*) section: — *ferroviario*, railway section; (*diramazione*) branch line; — *stradale*, road section.

troncone *s.m.* stump.

troneggiare *v.intr.* to tower (above s.o., sthg.).

tronfio *agg.* **1** conceited: *se ne andava* —, he was strutting along **2** (*di stile*) pompous.

trono *s.m.* **1** throne: *deporre un re dal* —, to dethrone a king; *salire al* —, to come to the throne; *ascendere al* —, to ascend the throne; *rimettere sul* —, to restore to the throne **2** *i Troni*, (*teol.*) the Thrones.

tropicale *agg.* tropical.

tropico *s.m.* tropic.

tropo *s.m.* (*ret.*) trope.

tropopausa *s.f.* (*geogr.*) tropopause.

troposfera *s.f.* (*geogr.*) troposphere.

troppo *agg.indef.* too much; *pl.* too many: *troppa gente*, too many people // — (*tempo*), too long: *abbiamo aspettato* (*fin, anche*) — (*tempo*), we have waited (far) too long // *questo è* —!, this is too much! (*o* this has gone too far!) ♦ *avv.* **1** (*con agg. e avv.*) too: — *buono, presto*, too good, early // *proprio, fin, anche* —, far too...: *anche* — *facile*, far too easy **2** (*con verbi*) too much: *lavora* —, he works too much // *tu lavori troppo* —, you work much too much **3** *di* —: *uno, venti di* —, one, twenty too many; *sei sempre di* —!, you are always unwelcome!; *non vorrei essere di* —, I wouldn't like to be in the way; *ha detto qualcosa di* —, he said something uncalled for ♦ *pron.indef.* too much; *pl.* too many; (*troppe persone*) too many people: (*fin*) *troppi lo pensano*, (all) too many people think so; *me ne hai dato* —, *troppi*, you have given me too much, too many ♦ *s.m.* too much // *il* — *stroppia*, (*prov.*) enough is as good as a feast.

trota *s.f.* trout (*pl. invar.*).

trottare *v.intr.* **1** to trot // *far* — *un cavallo*, to trot a horse **2** (*fam.*) to run*: *ho trottato tutta la mattina*, I ran around town all morning.

trottata *s.f.* **1** trot **2** (*fam.*) run.

trottatoio *s.m.* riding ground, riding field.

trottatore *s.m.* (*cavallo*) trotter.

trotterellare *v.intr.* **1** to trot slowly **2** (*scherz.*) (*di persona*) to trot (along); (*di bambini*) to toddle.

trotto *s.m.* trot: *corsa al* —, trotting race; *al gran* —, at a fast trot; *mettere un cavallo al* —, to trot a horse; *procedere al piccolo* —, to proceed at a jog trot; *rompere il* —, to break into a gallop.

trottola *s.f.* top.

trottolino *s.m.* **1** (*bambino che cammina appena*) toddler **2** (*bambino vivace*) little devil.

troupe (*franc.*) *s.f.* (*teatr. cinem.*) troupe.

trovadorico *agg.* troubadour (*attr.*).

trovare *v.tr.* **1** to find*: *non trovo la strada per andare a casa*, I cannot find my way home; — *marito*, to find a husband; — *una scusa per qlco.*, to find an excuse for sthg.; — *l'espressione giusta*, to hit (*o* to chance) upon the right phrase; — *buona accoglienza*, to be welcomed

// *come trovi quel libro?*, how do you like that book? // — *da ridire su qlco.*, to find fault with sthg. // *chi cerca trova*, (prov.) seek and you shall find **2** (*scoprire*) to find* (out): — *il colpevole*, to find out the culprit; — *un errore*, to find a mistake **3** (*incontrare*) to meet*; to meet* with (sthg.): *l'ho trovato proprio sotto casa*, I met him just outside the house; — *delle difficoltà*, to meet with difficulties **4** (*far visita a*) to see*: *verrò a trovarti domani*, I shall come and see you tomorrow **5** (*pensare*) to think*: *trovo che tu esageri*, I think you are exaggerating; *trovo che sia troppo caro*, I think it's too dear // **-arsi** *v.intr.pron.* **1** (*essere*) to be*, (*essere situato*) to be* situated, to lie*: — *in buone, cattive condizioni finanziarie*, to be well off, badly off; — *in cattive acque*, to be in trouble **2** (*sentirsi*) to feel*: — *a proprio agio*, to feel at ease ♦ *v.rifl.rec.* (*incontrarsi*) to meet*.

trovarobe *s.m.* (*teatr.*) property man, propman (*pl.* propmen).

trovata *s.f.* (*espediente*) expedient, shift: — *pubblicitaria*, publicity stunt.

trovatello *s.m.* foundling.

trovatore *s.m.* (*st. lett.*) troubadour.

troviero *s.m.* (*st. lett.*) trouvère.

truccare *v.tr.* **1** to make* up: — *qlco. da vecchio*, to make up s.o. as an old man; *truccarsi gli occhi*, to make up one's eyes **2** (*sport*) to fix: — *una partita*, to fix a match // — *un motore*, to warm up an engine // **-arsi** *v.rifl.* to make* (oneself) up.

truccatore *s.m.* (*teatr. cinem.*) make-up artist.

truccatura *s.f.* make-up.

trucco *s.m.* **1** (*truccatura*) make-up: *darsi il —*, to make up one's face **2** (*inganno*) trick: *i trucchi dei prestigiatori*, conjuring tricks.

truce *agg.* grim; (*minaccioso*) threatening.

trucidare *v.tr.* to slaughter.

truciolo *s.m.* shaving.

truculento *agg.* (*lett.*) truculent: *racconto —*, blood thirsty story.

truffa *s.f.* cheat, swindle; (*inganno*) trick.

truffaldino *agg.* nasty: *impresa truffaldina*, swindle ♦ *s.m.* cheat, swindler.

truffare *v.tr.* to cheat, to swindle: *mi ha truffato (di) cento sterline*, he did me out for hundred pounds (*o* he swindled a hundred pounds out of me).

truffatore *s.m.* cheat, swindler.

truppa *s.f.* **1** (*spec. pl.*) (*mil.*) troops (*pl.*): *truppe da sbarco*, landing forces; *truppe d'assalto*, assault troops; *graduato di —*, corporal **2** (*fig.*) troop, band: *in —*, in a troop.

truschino *s.m.* (*tecn.*) surface gauge.

trust *s.m.* trust // — *dei cervelli*, brains trust.

tse-tse *agg.* e *s.f.*: (*mosca*) —, tsetse fly.

tu *pron.pers.m.* e *f.* *2ª pers.sing.* you: *sei stato — a dirmi che...*, it was you (*o* you were the one) who told me that... // — *al mio posto*, if you were me // *Maria, sei —?*, is it (*o* that) you, Maria? // — *stesso, proprio —*, you yourself, you... yourself // *a — per —*, face to face; (*in privato*) in private // *contento — contenti tutti*, if you are satisfied, we all are // *da allora non sei stato più —*, since then you have never been yourself.

tuba *s.f.* **1** (*mus.*) tuba: — *di basso*, bass tuba **2** (*anat.*) tube **3** (*cappello a cilindro*) top hat.

tubare *v.intr.* to coo (*anche fig.*).

tubatura, tubazione *s.f.* piping, pipes (*pl.*).

tubercolare *agg.* T.B. (*attr.*), tubercular.

tubercolo *s.m.* (*med.*) tubercle.

tubercolosario *s.m.* sanatorium.

tubercolosi *s.f.* tuberculosis, T.B.: — *ossea*, tuberculosis of the bones.

tubercoloso, tubercolotico *agg.* tuberculous ♦ *s.m.* T.B. (patient).

tubero *s.m.* tuber.

tuberosa *s.f.* (*bot.*) tuberose.

tuberoso *agg.* tuberous.

tubetto *s.m.* tube.

tubino *s.m.* **1** (*cappello*) bowler (hat) **2** (*abito da donna*) sheath (dress).

tubista *s.m.* plumber.

tubo *s.m.* **1** pipe, tube: — *di scarico*, drain pipe; — *dell'acqua*, water pipe; — *del gas*, gas pipe; — *della stufa*, stovepipe; — *di scappamento*, (*aut.*) exhaust pipe **2** (*anat.*) canal, duct: — *digerente*, alimentary canal.

tubolare *agg.* tubular ♦ *s.m.* tubular tire.

tucul *s.m.* "tucul" (Abyssinian circular hut).

tufaceo *agg.* (*geol.*) tufaceous.

tuffare *v.tr.* to plunge, to dip // **-arsi** *v.rifl.* to dive (*anche fig.*), to plunge (*anche fig.*): — *in un argomento*, to plunge into a subject.

tuffata *s.f.* dive, plunge.

tuffatore *s.m.* diver.

tuffo *s.m.* diver, plunge: — *ad angelo*, swallow dive; — *di partenza*, racing dive // *ebbi un — al cuore*, my heart missed a beat.

tufo *s.m.* (*geol.*) tufa.

tuga *s.f.* (*mar.*) wheelhouse, deckhouse.

tugurio *s.m.* hovel.

tuia *s.f.* (*bot.*) thuja.

tulipano *s.m.* tulip.

tulle *s.m.* tulle.

tumefare *v.tr.* to make* (sthg.) swell // **-arsi** *v.intr.pron.* to swell* up.

tumefatto *agg.* swollen.

tumefazione *s.f.* swelling, tumefaction.

tumido *agg.* swollen, tumid.

tumore *s.m.* tumo(u)r; (*maligno*) cancer.

tumulare *v.tr.* to bury, to inter, to entomb.

tumulazione *s.f.* burial, interment.

tumulo *s.m.* grave, tomb.

tumulto *s.m.* **1** (*confusione*) tumult, uproar, turmoil (*anche fig.*) **2** (*sommossa*) riot.

tumultuante *agg.* riotous ♦ *s.m.* e *f.* rioter.

tumultuare *v.intr.* to riot.

tumultuoso *agg.* tumultuous, riotous.

tundra *s.f.* tundra.

tungsteno *s.m.* (*chim.*) tungsten.

tunica *s.f.* tunic.

Tunisi *no.pr.f.* Tunis.

tunisino *agg.* e *s.m.* Tunisian.

tunnel *s.m.* tunnel.

tuo *agg.poss.* **1** your; (*tuo proprio*) your own: *i tuoi amici*, your friends; *un — libro*, one of your books (*o* a book of yours); *questi, alcuni tuoi quadri*, these, some paintings of yours; *hai una casa tua?*, have you got a house of your own? **2** *pred.nominale* yours: *questa penna è tua*, this pen is yours **3** (*in espressioni ellittiche*): *la tua del 5 corr.*, (*lettera*) yours (*o* your letter) of the 5th inst.; *anche tu hai avuto le tue* (*disgrazie*), you've had a rough (*o* bad) time of it, too; *sono dalla tua* (*parte*), I am on your side // *ne hai fatta, detta una delle tue*, you've done it again!; *ne hai fatta ancora una delle tue*, you have been up to your old tricks again (*o* up to one of your tricks) ♦ *pron.poss.* yours: *è il —*, it's yours

♦ *s.m.* **1** *il* —, *(ciò che è tuo)* what's yours; *ti accontenti del* —, you are satisfied with what you have got; *ci hai rimesso del* —, you lost your own money; *vivi del* —, you live on your income **2** *pl.*: *i tuoi*, your family; *(seguaci)* your supporters.

tuonare *v.intr.* to thunder *(anche fig.).*

tuono *s.m.* thunder *(anche fig.).*

tuorlo *s.m.* (egg) yolk.

turabottiglie *s.m.* corking machine.

turacciolo *s.m.* stopper; *(di sughero)* cork.

turare *v.tr.* to stop, to plug, to fill (up): — *una bottiglia*, to cork a bottle; — *una fessura*, to fill up a crack // — *la bocca a qlcu.*, to silence s.o. // *turarsi gli orecchi*, to stop one's ears; *turarsi il naso*, to hold one's nose.

turba[1] *s.f.* *(folla)* rabble, crowd, throng.

turba[2] *s.f.* *(med.)* disorder.

turbamento *s.m.* disturbance, agitation.

turbante *s.m.* turban.

turbare *v.tr.* **1** to upset*, to trouble, to disturb // *l'ordine pubblico*, to disturb the peace **2** *(agitare)* to agitate // **-arsi** *v.intr.pron.* to get* upset, to become* agitated.

turbato *agg.* upset*, troubled, disturbed; *(agitato)* agitated: *mente turbata*, upset mind.

turbina *s.f.* *(mecc.)* turbine: — *a reazione*, reaction turbine; — *a vapore*, steam turbine.

turbinare *v.intr.* to whirl *(anche fig.).*

turbine *s.m.* whirl *(anche fig.)*: — *di vento*, whirlwind.

turbinio *s.m.* whirling *(anche fig.).*

turbinoso *agg.* whirling *(anche fig.).*

turbo *agg.* e *s.f.* turbo.

turbocisterna *s.f.* *(mar.)* turbine tanker.

turboelettrico *agg.* turbo-electric.

turboelica *s.f.* *(mecc. aer.)* turboprop (engine).

turbogetto *s.m.* *(mecc. aer.)* turbojet (engine).

turbolento *agg.* turbulent; *(sfrenato)* boisterous, unruly: *un bimbo* —, a boisterous child.

turbolenza *s.f.* turbulence; *(sfrenatezza)* unruliness.

turbonave *s.f.* *(mar.)* turbine ship.

turboreattore *s.m.* *(aer.)* turbojet (engine).

turchese *agg.* e *s.m.* turquoise.

Turchia *no.pr.f.* Turkey.

turchinetto *s.m.* washerwoman's blue.

turchino *agg.* e *s.m.* deep blue, cobalt blue.

turco *agg.* Turkish: *bagno* —, Turkish bath ♦ *s.m.* **1** Turk **2** *(lingua)* (the) Turkish (language) // *questo è* — *per me*, this is Greek to me // *parlar* —, to speak double-Dutch.

turgidezza, **turgidità** *s.f.* **1** turgidity **2** *(fig.)* pompousness, bombast.

turgido *agg.* **1** turgid **2** *(fig.)* pompous, bombastic.

turgore *s.m.* *(letter.)* turgidity.

turibolo *s.m.* *(eccl.)* thurible, censer.

turismo *s.m.* tourism: *ufficio del* —, tourist office *(o* travel bureau).

turista *s.m.* e *f.* **1** tourist **2** *(chi visita una città)* sightseer.

turistico *agg.* tourist *(attr.)*; touristic: *classe turistica*, tourist class; *giro* —, sightseeing tour; *gita turistica*, excursion.

turlupinare *v.tr.* to cheat, to swindle, to take* in.

turlupinatura *s.f.* cheat, swindle.

turnista *s.m.* e *f.* shift worker; *(di notte)* night-shift worker.

turno *s.m.* **1** turn: *a* —, in turn(s); *fare dei turni*, to take turns **2** *(di lavoro)* duty; *(di operai)* shift; *(di notte)*

night shift; *il medico di* —, *(di notte)* the doctor on (night) duty; *chi è di* —?, who is on duty?

turpe *agg.* base, vile; *(osceno)* filthy.

turpiloquio *s.m.* obscene language.

turpitudine *s.f.* baseness, vileness, turpitude.

turrito *agg.* turreted.

tuta *s.f.* overalls *(pl.)*: — *da ginnastica*, tracksuit // *le tute blu*, *(gli operai)* blue-collar workers.

tutela *s.f.* **1** *(dir.)* guardianship, tutelage: *sotto* —, under guardianship **2** *(protezione)* protection; *(difesa)* defence: — *dell'ambiente*, protection of the environment.

tutelare *v.tr.* to guard, to protect, to defend // **-arsi** *v.rifl.* to take* precautions; to protect oneself.

tutelare *agg.* tutelar, tutelary; guardian *(attr.)*: *nume* —, protective deity; *(fig.)* guardian angel.

tutore *s.m.* guardian // — *dell'ordine*, policeman.

tutorio *agg.* *(dir.)* tutelary.

tutt'al più *locuz.avv.* at (the) most.

tuttavia *cong.* but, yet, nevertheless: — *è meglio non andarci*, but *(o* yet) we had better not go there.

tutto *agg.* **1** all; *(intero)* whole: — *il suo denaro*, all his money; *tutta la sua vita*, all his life *(o* his whole life); *l'ha mangiato* — *(quanto)*, he ate it all *(o* the whole of it); *tutta la verità*, the whole truth; — *il giorno*, all (the) day *(o* the whole day); — *il mese, l'anno*, the whole month, year; *per* — *il giorno*, all day long; *per tutta la notte, l'inverno*, all through *(o* throughout) the night, the winter; *per tutta la casa*, all over the house // *tutta Parigi ne parla*, all Paris is speaking about it; *tutta Parigi era in pericolo*, the whole of Paris was in danger // *ha letto* — *Dante*, he has read all of Dante's works // *ha fatto* — *ciò, quello che poteva*, he did everything he could // *a tutt'oggi*, until today *(o* up to the present) // *a* — *il 20 agosto*, up to and including August 20th // *una volta per tutte*, once (and) for all // — *a dritta!*, *(mar.)* hard over!; *avanti tutta!*, *(mar.)* full steam ahead! **2** *pl.* all; *(ogni)* every; *(ciascuno)* each *(con costruzione al sing.)*: *tutti gli uomini sono uguali*, all men are equal; *tutti gli altri*, all the others; *viene tutti i giorni*, he comes every day; *tutte le parti del mondo*, every part *(o* all parts) of the world; *diede a tutti gli scolari un libro*, he gave each pupil a book; *a tutte le ore*, at all hours // *tutti e due i fratelli*, both brothers; *tutti e tre, tutti e quattro i fratelli*, all three, all four brothers // *noi tutti*, *(sogg.)* we all *(o* all of us); *voi tutti*, you all *(o* all of you) // *tutti loro*, *(sogg.)* they all *(o* all of them); *(compl.)* them all *(o* all of them) **3** *(totalmente, interamente)* all; quite; completely: — *solo*, all alone; — *sudato*, sweating all over; — *commosso*, quite moved; — *bagnato*, wet through // *è* — *suo padre*, he is just like his father // *essere tutt'occhi*, *(anche fig.)* to be all eyes // *è* — *casa e lavoro*, he dedicates all to his home and his work // *la sua vita è tutta un romanzo*, his life is just one whole story ♦ *avv.* → *agg.* **3** // *è del* — *incredibile*, it's utterly unbelievable // *tutt'al più*, at the most // *tutt'intorno*, all around // *sono di tutt'altro parere*, I am of quite a different opinion // *«Sei stanco?» «Tutt'altro!»*, "Are you tired?" "Not at all!" // *tutt'altro che sincero*, anything but sincere; *pensa a tutt'altro che a lavorare*, he thinks of anything but work // *per me è tutt'uno*, (la *stessa cosa)* for me it is one and the same thing ♦ *pron.indef.* **1** all; everything: *va* — *bene?*, is everything all right?; — *è perduto*, all is lost; *suo padre era* — *per lui*, his father was everything to him; *un po' di* —, *di* — *un po'*, a little of everything // *prima di* —, *(per prima cosa)* first of all; *(in primo luogo)* in the first place; *(so-*

prattutto) above all // *dopo* —, after all // *ecco* —, *questo è* —, that's all // *e non è* —!, and that's not all! // *o* — *o niente*, all or nothing // *— sommato*, all in all // *— sta che io arrivi in tempo*, it all depends on my arriving in time // *sa fare di* —, he knows how to do everything // *fare di* — *per...*, to do everything one can to... // *essere capace di* —, to be capable of anything // *mangiare di* —, to eat anything and everything // *in* —, in all: *venti in* —, twenty in all // *quanto fa in* —?, what is the total? // *in* — *e per* —, quite (*o* completely) // *con* — *che*, (*benché*) although **2** *pl.* all; everybody, everyone; (*ciascuno*) each (one) (*con costruzione al sing.*): *ci andammo tutti*, we all went there; *va d'accordo con tutti*, he gets on well with everybody; *l'opinione di tutti*, everybody's opinion; *conosco tutti e tre*, I know all three of them; *tutti lo hanno abbandonato*, everybody has abandoned him; *tutti dicono che...*, everybody says that... // *costano tutti venti lire (l'uno)*, they each (*o* each of them) cost twenty lire // *tutti e due*, we, you, they both (*o* both of us, you, them) // *tutti e tre, tutti e quattro*, all three, all four: *andammo tutti e quattro*, all four of us went // *zitti tutti!*, keep quiet everybody! // *fermi tutti!*, hold it! ♦ *s.m.* whole; (*ogni cosa*) everything: *considerandolo come un* —, taken as a whole; *riceverete il — a giorni*, you will get everything in a few days' time // *rischiare il — per il* —, to risk everything.

tuttofare *agg. e s.f.*: (*domestica*) —, (general) maid.

tuttora *avv.* still.

tutù *s.m.* tutu.

tzigano *s.m.* → **zigano**.

U

u *s.f. o m.* u (*pl.* us, u's) // *— come Udine*, (*tel.*) u for uncle.

ubbia *s.f.* imaginary fear.

ubbidiente *agg.* obedient.

ubbidienza *s.f.* obedience: *dovere — a qlcu.*, to owe s.o. obedience.

ubbidire *v.intr. e tr.* to obey (s.o., sthg.): — (*a*)*i superiori*, to obey one's superiors; — *agli ordini*, to comply with (*o* to obey) orders // *le gambe non mi ubbidiscono più*, my legs won't do what I want any more.

ubbriaco e *deriv.* → **ubriaco** e *deriv.*

ubertoso *agg.* fertile, fruitful; (*rigoglioso*) mellow, rich.

ubicato *agg.* located, situated.

ubicazione *s.f.* location, situation; (*di edifici*) site.

ubiquità *s.f.* ubiquity.

ubriacare *v.tr.* to intoxicate (*anche fig.*), to inebriate (*anche fig.*) // **-arsi** *v.rifl.* to get* drunk (with), to get* inebriated (with) (*anche fig.*).

ubriacatura *s.f.* intoxication (*anche fig.*): *prendere una* —, to get drunk // *prendere un'* — *per qlcu.*, to have a crush on s.o.

ubriachezza *s.f.* drunkenness, inebriety: *in stato di* —, in a drunken state.

ubriaco *agg.* drunk (with) (*anche fig.*) // *— fradicio*, dead (*o* blind) drunk, (*fam.*) sloshed // *— di fatica*, dead tired ♦ *s.m.* drunkard, drunk.

ubriacone *s.m.* drunkard.

uccellagione *s.f.* **1** (*l'uccellare*) fowling **2** (*selvaggina di penna*) wildfowl (*pl.*), game bird.

uccellanda *s.f.* fowling place.

uccellare *v.intr.* to fowl, to go* fowling.

uccelliera *s.f.* aviary.

uccello *s.m.* bird: *— mosca*, hummingbird // *— del malauguio*, bird of ill-omen // *farsi uccel di bosco*, to disappear into thin air (*o* to drop out of circulation) // *vista a volo di* —, bird's-eye view // *a ogni — il suo nido è bello*, (*prov.*) there is no place like home.

uccidere *v.tr.* to kill (*anche fig.*); (*con arma da fuoco*) to shoot*: *— qlcu. a pugnalate*, to stab s.o. to death; *— qlcu. con un colpo di fucile*, to shoot s.o. (with a gun); *la*

tirannia uccide la libertà, tyranny kills freedom // **-ersi** *v.rifl.* to kill oneself.

uccisione *s.f.* killing; (*assassinio*) murder.

ucciso *agg.* killed; (*con arma da fuoco*) shot ♦ *s.m.* dead man: *gli uccisi*, the dead.

uccisore *s.m.* killer; (*assassino*) murderer.

Ucraina *no.pr.f.* Ukraina.

udibile *agg.* audible.

udienza *s.f.* **1** hearing; (*formale*) audience **2** (*dir.*) hearing, sitting: *— a porte aperte*, hearing in open court.

udire *v.tr.* to hear* **2** (*ascoltare*) to listen (to).

uditivo *agg.* auditory.

udito *s.m.* hearing.

uditore *s.m.* **1** listener, hearer **2** (*a scuola*) auditor **3** (*dir.*) auditor.

uditorio *s.m.* audience, listeners (*pl.*), hearers (*pl.*): *avere un vasto* —, to have a large audience.

uff(a) *inter.* ugh: —, *che noia!*, what a bore!

ufficiale[1] *agg.* official.

ufficiale[2] *s.m.* officer (*anche mil.*), official: *— effettivo*, regular officer; *— di marina*, naval officer; *— di rotta*, (*mar.*) navigator; *primo* —, (*mar.*) first mate; *— sanitario*, health officer; *— giudiziario*, bailiff; *pubblico* —, public official.

ufficialità[1] *s.f.* officialism, officiality.

ufficialità[2] *s.f.* (*ufficiali*) officers (*pl.*).

ufficiare e *deriv.* → **officiare** e *deriv.*

ufficio *s.m.* **1** office, bureau; (*amer.*) agency; (*reparto*) department: *— personale*, personnel department; *— vendite, commerciale*, sales office (*o* department); *— postale*, post office; *— collocamento*, Labour Exchange; *— oggetti smarriti*, lost property office // *mobili per* —, office furniture **2** (*carica*) office: *coprire un* —, to hold an office **3** (*dovere*) duty; (*funzione*) function // *interporre i propri buoni uffici*, to use one's good offices **4** —, officially: *una lettera d'*—, an official letter; *— nominato d'*—, (*dir.*) appointed by the Court **5** (*eccl.*) → **uffizio**.

ufficiosità *s.f.* unofficial nature.

ufficioso *agg.* unofficial.

uffizio *s.m.* (*eccl.*) office: *l'— dei defunti*, the Office for the Dead; — *sacro*, divine office // *il Santo Uffizio*, the Holy Office.

ufo[1], **a** *locuz.avv.* free, for nothing: *mangiare a* —, (*fam.*) to cadge a meal.

ufo[2], **UFO** *s.m.invar.* UFO.

ugello *s.m.* (*mecc.*) nozzle; (*di altoforno*) tuyere.

uggia *s.f.* boredom, annoyance: *questo tempo piovoso mi mette l'— addosso*, this rainy weather gives me the blues // *avere qlcu. in* —, to have a dislike for s.o. // *prendere qlcu. in* —, to take a dislike to s.o.

uggiolare *v.intr.* to whine, to yelp.

uggiolio *s.m.* whining, yelping.

uggiosità *s.f.* tiresomeness, tediousness, irksomeness; (*di tempo*) gloominess.

uggioso *agg.* boring, tiresome, tedious, irksome, dull; (*di tempo*) gloomy.

Ugo *no.pr.m.* Hugh.

ugola *s.f.* (*anat.*) uvula // *ha un'— d'oro*, he has a golden voice.

uguagliamento *s.m.* equalization, equalizing.

uguaglianza *s.f.* equality: *su una base di — con qlcu.*, on an equal footing (with s.o.).

uguagliare *v.tr.* 1 (*essere uguale a*) to equal, to be* equal (to s.o., sthg.) 2 (*rendere uguale*) to equalize, to make* equal; (*livellare una strada ecc.*) to level // — *un primato*, to equal a record // -**arsi** *v.intr.pron.* to be* equal.

uguale *agg.* 1 (*pari; identico*) equal; (*lo stesso*) the same: *due più due è — a quattro*, two times two is equal to four // *per me è* —, it is all the same to me // *andatura* —, steady pace 2 (*simile*) like, alike (*pred.*): *è — a suo fratello*, he is like his brother; *questi due vestiti sono quasi uguali*, these two dresses are alike ♦ *s.m.* equal.

ugualmente *avv.* 1 equally 2 (*lo stesso*) all the same.

uh *inter.* ah!, oh!

uhm *inter.* hum, h'm.

ulano *s.m.* (*mil.*) uhlan.

ulcera *s.f.* (*med.*) ulcer; ulcus (*pl.* ulcera).

ulcerare *v.tr.*, **ulcerarsi** *v.intr.pron.* to ulcerate.

ulcerativo *agg.* ulcerative.

ulcerazione *s.f.* ulceration.

Ulisse *no.pr.m.* Ulysses.

ulite *s.f.* (*med.*) gingivitis.

uliva *s.f.* → **oliva**.

ulna *s.f.* (*anat.*) ulna.

ulteriore *agg.* further: *fino a — avviso*, till further notice.

ulteriormente *avv.* further on.

ultimamente *avv.* recently, not long ago; (*in prep. negative o interr.*) lately.

ultimare *v.tr.* to finish, to complete.

ultimatum *s.m.* ultimatum.

ultimazione *s.f.* finishing, completion.

ultimo *agg.* 1 (*in ordine di successione*) last: *l'ultima volta che lo vidi*, the last time I saw him (*o* when I saw him last); —, *ma non meno importante*, last, but not least 2 (*il più recente*) latest: *l'ultima moda*, the latest fashion; *notizie dell'ultima, dell'ultimissima ora*, the latest news // *sai l'ultima di mio fratello?*, have you heard my brother's latest? 3 (*estremo*) utmost 4 (*il meno importante*) the lowest 5 (*fondamentale*) ultimate: *l'ultima causa*, the ultimate cause ♦ *s.m.* 1 the last: *è sempre l'— ad arrivare*, he's always the last to arrive // *da* —, in the end, eventually // *fino all'—*, to the last // *in* —, at the end 2 *pl.* (*le ultimissime*) the latest news.

ultimogenito *agg.* e *s.m.* last-born.

ultra- *pref.* ultra-.

ultra (*lat.*) *avv.*: *non plus* —, acme, height.

ultrà *agg.invar.* extremist ♦ *s.m.* e *f.invar.* extremist, ultra.

ultracentenario *agg.* more than a hundred years old (*pred.*).

ultradestra *s.f.* the extreme right.

ultramoderno *agg.* ultramodern.

ultrasensibile *agg.* ultrasensitive.

ultrasinistra *s.f.* the extreme left.

ultrasonico, ultrasonoro *agg.* ultrasonic, supersonic.

ultrasuono *s.m.* ultrasound, supersound.

ultraterreno *agg.* celestial, heavenly: *felicità ultraterrena*, heavenly happiness.

ultravioletto *agg.* (*fis.*) ultraviolet.

ululare *v.intr.* to howl (*anche fig.*), to ululate (*anche fig.*).

ululato, ululo *s.m.* howl, howling (*anche fig.*).

ulva *s.f.* (*bot.*) ulva.

umanamente *avv.* 1 humanly 2 (*benignamente*) humanely.

umanesimo *s.m.* (*st. lett.*) humanism.

umanista *s.m.* e *f.* humanist.

umanistico *agg.* humanistic.

umanità *s.f.* 1 humanity 2 *pl.* (*studi letterari*) humanities (liberal) Arts.

umanitario *agg.* humanitarian.

umanitarismo *s.m.* humanitarianism.

umanizzare *v.tr.*, **umanizzarsi** *v.rifl.* to humanize.

umanizzazione *s.f.* humanization.

umano *agg.* 1 human // *sbagliare è* —, to err is human 2 (*comprensivo*) humane: *una persona umana*, an understanding person.

umanoide *agg.* e *s.m.* 1 humanoid 2 (*automa*) android.

Umberto *no.pr.m.* Humbert.

umbro *agg.* e *s.m.* Umbrian.

umerale *agg.* (*letter.*) humeral.

umettare *v.tr.* to moisten, to damp.

umidiccio *agg.* dampish.

umidificare *v.tr.* to humidify.

umidificatore *s.m.* humidifier.

umidità *s.f.* dampness, moisture; (*fis.*) humidity: *l'— del suolo*, the moisture of the soil; *l'— di una casa*, the dampness of a house; *macchie di* —, damp patches.

umido *agg.* damp; (*di clima*) humid // *mani umide*, moist hands // *occhi umidi di pianto*, eyes moist with tears // *tempo caldo* —, muggy weather ♦ *s.m.* 1 dampness, moisture; (*di clima*) humidity 2 (*cuc.*) stew, stewed meat: *patate in* —, stewed potatoes.

umidore *s.m.* (*letter.*) dampness, moisture.

umile *agg.* humble.

umiliante *agg.* humiliating.

umiliare *v.tr.* to humiliate, to humble // -**arsi** *v.rifl.* to humiliate oneself, to humble oneself: — *di fronte a qlcu.*, to humble oneself before s.o.

umiliazione *s.f.* humiliation: *subire una* —, to suffer a humiliation.

umiltà *s.f.* 1 humbleness: *l'— della sua origine*, the humbleness of his birth 2 (*virtù*) humility // *in tutta* —, with all humility.

umore[1] *s.m.* 1 humour: — *acqueo*, aqueous humour 2 (*stato d'animo*) humour, mood; spirits (*pl.*): *avere un — molto instabile*, to be very moody; *essere di buon* —, to be in a good humour (*o* mood); *essere di cattivo* —, to be in a bad humour (*o* mood); *essere di ottimo, di pessimo* —, to be in high, in low spirits; *tornare di buon* —, to recover one's good humour; *cambiare*

—, to change one's mood; *mettere qlcu. di buon* —, to put s.o. in a good humour.

umore[2] *s.m.* (*letter.*) (*umorismo*) humour.

umorismo *s.m.* humour.

umorista *s.m.* e *f.* humorist.

umoristico *agg.* humorous; (*divertente*) funny: *pagina umoristica*, (*di giornale*) humorous page; *storiella umoristica*, funny story.

un, una *art.indet.* e *agg.num.card.* → **uno.**

unanime *agg.* unanimous.

unanimità *s.f.* unanimity: *eletto a* — *di voti*, elected with a unanimous vote // *all'*—, unanimously.

una tantum *s.f.* **1** (*premio, gratifica*) bonus **2** (*imposta straordinaria*) extraordinary tax.

uncinare *v.tr.* to hook.

uncinato *agg.* hooked // *croce uncinata*, swastika.

uncinetto *s.m.* crochet hook: *lavoro all'*—, crochet work; *lavorare all'*—, to crochet.

uncino *s.m.* hook: *appendere all'*—, to hook // *a* —, hooked.

undecimo *agg.num.ord.* (*letter.*) eleventh.

undicenne *agg.* eleven (years old) (*pred.*); eleven-year-old (*attr.*) ♦ *s.m.* eleven-year-old boy ♦ *s.f.* eleven-year-old girl.

undicesimo *agg.num.ord.* e *s.m.* eleventh.

undici *agg.num.card.* e *s.m.* eleven.

ungere *v.tr.* **1** to grease, to oil: *mi sono unto il vestito*, I got some fat (*o* grease) on my dress // — *le ruote*, (*fig.*) to grease the wheels **2** (*eccl.*) to anoint **3** (*fig.*) (*adulare*) to flatter // **-ersi** *v.rifl.* to grease oneself.

ungherese *agg.* e *s.m.* e *f.* Hungarian.

Ungheria *no.pr.f.* Hungary.

unghia *s.f.* **1** nail: — *della mano, del piede*, fingernail, toenail; *mordersi le unghie*, to bite one's nails // *un'*— *di spessore*, a hair('s) breadth // *mettere fuori le unghie*, (*fig.*) to show one's claws **2** (*artiglio*) claw; (*di rapace*) talon; (*zoccolo*) hoof **3** (*mar.*) peak, bill **4** (*arch.*) groin.

unghiata *s.f.* **1** scratch: *dare un'*— *a qlcu.*, to scratch s.o. **2** (*del temperino*) (thumb) notch.

unghiato *agg.* clawed.

unghiello *s.m.* (*anat. veterinaria*) claw.

unghione *s.m.* claw; (*di rapace*) talon.

unguento *s.m.* ointment, unguent.

uni- *pref.* uni-.

unicamente *avv.* only.

unicellulare *agg.* (*biol.*) unicellular.

unicità *s.f.* **1** singleness, oneness: *con* — *di intenti*, with singleness of purpose **2** (*l'essere senza uguali*) uniqueness.

unico *agg.* **1** only, one; (*solo, esclusivo*) sole; (*singolo*) single: *figlio* —, only child; *erede* —, sole heir; *esemplare* —, only copy extant; *il mio solo e* — *desiderio*, my one and only wish // *atto* —, one-act play // *binario* —, single track // *fare un fronte* —, to present a united front // *è l'unica!*, that's the only thing to do! **2** (*senza uguale*) unique: *questo libro è* — *nel suo genere*, this book is unique of its kind // *è più* — *che raro*, it's more singular than rare.

unicorno *agg.* unicorn (*attr.*), single-horned ♦ *s.m.* unicorn.

unidirezionale *agg.* unidirectional, one-way: *indagine* —, single line of enquiry.

unificabile *agg.* unifiable.

unificare *v.tr.* **1** to unify **2** (*standardizzare*) to standardize.

unificato *agg.* **1** unified **2** (*standardizzato*) standardized.

unificatore *agg.* unifying ♦ *s.m.* unifier.

unificazione *s.f.* **1** unification **2** (*standardizzazione*) standardization.

uniformare *v.tr.* **1** to conform **2** (*rendere uniforme*) to make* uniform, to standardize // **-arsi** *v.rifl.* to conform, to comply (with sthg.): — *alla volontà di qlcu.*, to conform to (*o* to comply with) s.o.'s will // — *all'ambiente*, to fit in with one's surroundings.

uniformazione *s.f.* standardization.

uniforme *agg.* uniform; (*di superficie*) even; (*di colore*) plain.

uniforme *s.f.* uniform: *in alta* —, (*mil.*) in full uniform; *indossare l'*—, (*mil.*) to become a soldier (*o* to enlist).

uniformità *s.f.* uniformity; (*di superficie*) evenness.

unigenito *agg.* only-begotten: *figlio* —, only child.

unilaterale *agg.* one-sided; (*dir.*) unilateral: *disarmo* —, unilateral disarmament.

unilateralità *s.f.* one-sidedness; (*dir.*) unilaterality.

uninominale *agg.* (*pol.*) uninominal: *collegio* —, single-member constituency.

unione *s.f.* **1** union // *Unione Doganale*, Customs Union // — *coniugale*, union // *l'* — *fa la forza*, (*prov.*) unity is strength **2** (*di suoni, colori*) blending **3** (*concordia*) agreement, concord; (*armonia*) harmony.

unionista *s.m.* e *f.* (*pol.*) unionist.

unire *v.tr.* **1** to join (together); to unite (*spec. fig.*); (*collegare, congiungere*) to link, to connect: — *due tavole*, to join two boards together; *interessi comuni li univano*, common interests united them // — *le forze*, to join forces **2** — *in matrimonio*, to join in marriage **2** (*aggiungere*) to add: — *l'interesse al capitale*, to add the interest to the capital **3** (*suoni, colori*) to blend* **4** (*comm.*) (*accludere*) to enclose // **-irsi** *v.rifl.* to join (s.o., sthg.): *posso unirmi alla vostra compagnia?*, may I join your party? ♦ *v.rifl.rec.* to unite; (*congiungersi, collegarsi*) to join: *si unirono per lottare contro il tiranno*, they united to fight against the tyrant // — *in matrimonio*, to get married.

unisono *agg.* unisonous, unisonal ♦ *s.m.* unison: *cantare all'*—, to sing in unison // *all'*—, (*fig.*) unanimously.

unità *s.f.* **1** unity: — *d'intenti*, unity of purpose **2** (*mat.*) unit: — *di misura*, unit of measurement; *le* —, (*di un numero*) the units; *la colonna delle* —, the units column; — *monetaria*, monetary unit **3** (*mil. mar.*) unit **4** (*informatica, tel.*) unit: — *centrale*, CPU (Central Process Unit); — *da ufficio*, — *da tavolo*, desk-top, desk-topper; — *di chiamata automatica*, (*tel.*) automatic calling unit; — *di governo*, control unit; — *di memoria a accesso diretto*, direct access storage device; — *disco*, disk storage unit; disk pack drive; — *pilota*, — *principale*, master unit; — *video*, CRT (Cathode Ray Tube), display unit.

unitamente *avv.* unitedly // — *a*, together with.

unitario *agg.* unitary: *sistema* —, unitary system // *prezzo* —, (*comm.*) average price ♦ *s.m.* (*st. relig.*) Unitarian.

unito *agg.* **1** joined together **2** (*compatto*) compact // *a schiere unite*, in serried ranks // *tinta unita*, plain colour **3** (*fig.*) united: *famiglia unita*, united family **4** (*comm.*) (*accluso*) enclosed.

universale *agg.* **1** universal // *Giudizio* —, Final Judgement // *erede* —, (*dir.*) sole heir **2** (*informatica*) multipurpose ♦ *s.m.* (*fil.*) universal.

universalismo *s.m.* universalism.

universalità *s.f.* universality // *l'— degli uomini*, all men (*o* the entire human race).

universalizzare *v.tr.* to make* universal // **-arsi** *v.intr.pron.* to become* universal.

universiade *s.f.* (*spec. pl.*) (*sport*) international university games (*pl.*).

università *s.f.* university: *ha fatto l'—*, he has had a university education.

universitario *agg.* university (*attr.*); *attività universitarie*, university activities; (*amer.*) campus activities ♦ *s.m.* university student, college student.

universo[1] *agg.* (*letter.*) whole.

universo[2] *s.m.* universe.

univoco *agg.* univocal.

unno *s.m.* Hun.

uno, un, una *art.indet.* **1** a, an: *un artista*, an artist; *una donna*, a woman; *un europeo*, a European; *un onore*, an honour; *un'ora lieta*, a happy hour // *non ha un amico*, he hasn't a single friend // *ho una fame che non ti dico!*, I am hungrier than I can say! // *ha una casa!*, she has a house that is the last word! **2** (*seguito da agg. poss.*) one (of): *un suo amico*, one of his friends (*o* a friend of his) **3** (*circa*) some, about: *una cinquantina di persone*, some (*o* about) fifty people; *un tre o quattro giorni*, some (*o* about) three or four days.

uno *agg.num.card.* e *s.m.* one: *— su dieci*, one out of ten; *— su cento, mille*, one in a hundred, thousand // *numero —*, (*anche fig.*) number one // *un giorno sì e — no*, every other (*o* second) day // *l'— di dicembre*, the first of December // *sono le ore una*, è *la una*, it's one o'clock // *a — a —*, one by one // *in fila per —*, in single file // *è tutt'—*, it's all the same // *ne ha fatta una grossa!*, he has done sthg. very foolish! // *vuoi sentirne una?*, would you believe it? // *non me ne va bene una*, everything is going wrong (for me).

uno, una *pron.indef.* **1** one *— di noi*, one of us; *uno di questi giorni*, one of these days; *— non può dire se sia vero o no*, one cannot tell whether it is true or not; *non voglio questo vestito, dammene uno più scuro*, I don't want this dress, give me a darker one // *è uno dei tanti*, he is one of the many // *una di quelle*, a tart **2** (*qualcuno*) someone; (*un tale*) a fellow, a man; (*una tale*) a woman: *c'era uno che voleva parlarti*, there was someone (*o* a fellow *o* a man) who wanted to speak to you **3** (*ciascuno*): *facciamo un po' per uno*, let's share it; *paghiamo metà per uno*, let's go fifty-fifty; *li ho pagati dieci lire l'uno*, I paid them ten lire each; *ce ne daranno due per uno*, we'll be given two each **4** (*corr.*): *l'un l'altro, l'uno... l'altro... → altro.*

unto *agg.* **1** greasy, oily; (*macchiato*) dirty **2** (*eccl.*) anointed.

unto *s.m.* grease; (*condimento*) fat: *macchia d'—*, grease spot; *macchiarsi d'— i vestiti*, to soil one's clothes with grease.

untume *s.m.* grease; (*di grasso alimentare*) fat.

untuosità *s.f.* **1** greasiness **2** (*fig.*) unctuousness, soapiness.

untuoso *agg.* **1** greasy, oily **2** (*fig.*) unctuous, soapy, oily.

unzione *s.f.* unction // *estrema —*, extreme unction.

uomo *s.m.* **1** man (*pl.* men): *un — da nulla*, a nobody; *l'— della strada*, the man in the street; *— delle caverne*, caveman; *— di cuore*, kind-hearted man; *un — d'ingegno*, a clever man; *un — grande e grosso*, a big man; *un pezzo d'—*, a V.I.P.; *sii —!*, be a man! // *è un — tutto d'un pezzo*, he's dead

straight // *farsi —*, to grow up // *l'— nero*, the bogey (man); (*gioco di carte*) Old Maid // *caro il mio —!*, my dear fellow! // *da — a —*, as man to man // *come un sol —*, unanimously **2** (*marito*) husband.

uopo *s.m.*: *essere d'—*, to be necessary: *è d'— che tu venga presto*, it's necessary that you should come soon; *all'—*, for this purpose; (*al momento opportuno*) at the right moment.

uosa *s.f.* legging; (*ghetta*) gaiter.

uovo *s.m.* egg: *uova affogate, in camicia*, poached eggs; *uova al burro, al tegamino*, fried eggs; *uova alla coque*, boiled eggs; *uova all'ostrica*, prairie oysters; *uova al prosciutto*, ham and eggs; *uova bazzotte, sode*, soft-boiled, hard-boiled eggs; *uova strapazzate*, scrambled eggs; *uova da bere*, new-laid eggs; *— di Pasqua*, Easter egg; *la gallina ha fatto l'—*, the hen has laid an egg // *testa d'—*, egghead // *è l'— di Colombo!*, it's as plain as the nose on your face! // *rompere le uova nel paniere a qlcu.*, (*fig.*) to upset s.o.'s plans // *meglio un — oggi che una gallina domani*, (*prov.*) a bird in the hand is worth two in the bush.

upupa *s.f.* (*zool.*) hoopoe.

uragano *s.m.* hurricane (*anche fig.*).

Urali, (gli) *no.pr.m.pl.* (the) Ural mountains.

uranio *s.m.* uranium.

uranite *s.f.* (*min.*) uraninite.

Urano *s.m.* (*mit. astr.*) Uranus.

urbanesimo *s.m.* urbanization.

urbanista *s.m.* e *f.* urbanist, town planner.

urbanistica *s.f.* town planning.

urbanistico *agg.* urbanistic.

urbanità *s.f.* urbanity, courtesy, civility.

urbanizzare *v.tr.* to urbanize.

urbanizzazione *s.f.* urbanization.

urbano *agg.* **1** urban; city (*attr.*); town (*attr.*) **2** (*cortese*) urbane, courteous, civil, polite.

urea *s.f.* (*biol.*) urea.

ureico *agg.* ureic.

uremia *s.f.* (*med.*) uraemia.

uretere *s.m.* (*anat.*) ureter.

uretra *s.f.* (*anat.*) urethra.

uretrale *agg.* (*anat.*) urethral.

urgente *agg.* urgent, pressing.

urgenza *s.f.* urgency: *con molta —*, with great urgency; *ho — di vederlo*, I must see him at once // *d'—*, urgently.

urgere *v.intr.* (*letter.*) to be* necessary: *urgevano viveri e medicine*, food and medicines were needed desperately ♦ *v.tr.* to press.

uricemia *s.f.* uricaemia.

uricemico *agg.* e *s.m.* uricaemic.

urico *agg.* uric: *acido —*, uric acid.

urina *s.f.* urine.

urinare *v.intr.* to urinate.

urinario *agg.* urinary.

urlare *v.intr.* to shout (with sthg.), to yell (with sthg.); (*strillare*) to shriek (with sthg.), to scream (with sthg.); (*di animali, vento*) to howl: *— di orrore*, to shriek with horror ♦ *v.tr.* to shout, to yell: *— insulti*, to shout insults.

urlata *s.f.* yell; (*di animali, di vento*) howl.

urlatore *agg.* shouting, yelling; (*di animali, di vento*) howling ♦ *s.m.* **1** shouter **2** (*cantante*) pop singer.

urlio *s.m.* shouting, yelling; (*di animali, vento*) howling.

urlo *s.m.* cry, shout, yell; (*strillo*) shriek, scream; (*di animali, vento*) howl.

urna *s.f.* **1** urn **2** (*per voti*) ballot box // *apertura del-*

le urne, opening of the polls; *andare alle urne*, to go to the polls.

urogallo *s.m.* (*zool.*) capercaillie.

urologia *s.f.* urology.

urologico *agg.* urologic(al).

urologo *s.m.* urologist.

urrà *inter.* hurrah!, hurray!

urtante *agg.* irritating, annoying.

urtare *v.tr.* **1** to knock (against s.o., sthg.); (*scontrarsi*) to bump (into, against s.o., sthg.): *lo urtai ed egli cadde*, I bumped into (*o* against) him and he fell down **2** (*fig.*) to irritate, to annoy; (*offendere*) to offend, to hurt: *non urtarlo*, don't irritate him // *mi urta i nervi*, it gets on my nerves ♦ *v.intr.* to knock, to hit* // **-arsi** *v.intr.pron.* to get* cross (at sthg.) ♦ *v.rifl.rec.* (*entrare in collisione*) to collide.

urtata *s.f.* knock; (*spinta*) push, shove.

urtato *agg.* knocked over.

urticante *agg.* urticating, stinging.

urto *s.m.* **1** (*spinta*) push, shove // — *di vomito*, retch **2** (*scontro*) collision, crash **3** (*attacco*) attack **4** (*contrasto*) clash, collision, conflict: *essere in — con qlcu.*, to be at loggerheads (with s.o.); *mettersi in — con qlcu.*, to fall out with s.o.

uruguaiano *agg.* e *s.m.* Uruguayan.

usabile *agg.* usable.

usanza *s.f.* custom; (*abitudine*) habit: *secondo l'—*, according to custom; *avere l' — di fare qlco.*, to be in the habit of doing sthg.

usare *v.tr.* to use, to make* use (of sthg.); (*impiegare*) to employ: — *la forza*, to use force; *dovresti — meglio il tuo talento*, you should make better use of your talent; — *il tempo*, to employ one's time // — *delle cortesie a qlcu.*, to do s.o. favours // — *maniere gentili, sgarbate con qlcu.*, to treat s.o. kindly, rudely // — *prudenza*, to act with prudence ♦ *v.intr.* **1** (*essere solito*) to be* accustomed, to be* used (to doing): *non si usa fare...*, it is not customary to do... **2** (*essere in moda*) to be* fashionable, to be* in fashion: *non* (*sì*) *usa più*, it is out of fashion **3** (*fare uso*) to make* use: — *della propria autorità*, to exercise one's authority.

usato *agg.* **1** (*non nuovo*) second-hand; (*logoro*) worn -out **2** (*abituato*) used (to sthg., to doing), accustomed **3** (*abituale*) customary, usual **4** (*in uso*) in use (*pred.*) ♦ *s.m.* (*rar.*) **1** (*cose usate*) second-hand goods (*pl.*): *mercato dell'—*, (*di auto, vestiti*) used car, used clothing market **2** (*il solito*): *lo fece meglio dell'—*, he did it better than usual.

usbergo *s.m.* (*letter.*) (*fig.*) protection, defence, shield.

uscente *agg.* **1** (*che lascia una carica*) outgoing **2** (*nelle determinazioni di tempo*) closing.

usciere *s.m.* **1** (*ufficiale giudiziario*) bailiff **2** (*di tribunale*) usher **3** (*rar.*) (*portiere*) doorkeeper.

uscio *s.m.* door: *abitare — a — con qlcu.*, to live next door to s.o.; *mettere qlcu. fuori dell'—*, to turn s.o. out // *prendere l'—*, (*fig.*) (*svignarsela*) to make off.

uscire *v.intr.* **1** (*andare fuori*) to go* out; (*venire fuori*) to come* out; to get* out; (*lasciare un luogo*) to leave* (a place): *esce ogni sera*, he goes out every evening; *uscendo da casa, la vidi*, on leaving home, I saw her; — *correndo*, to run out; — *precipitosamente*, to rush out; — *furtivamente, di soppiatto*, to steal out; — *in automobile*, to drive out; — *in mare*, to go out to sea; *far — qlcu.*, to let s.o. out; (*mandarlo via*) to send s.o. away; *mi impedì di —*, he kept me in // *che cosa uscirà* (*fuori*) *da tutto ciò?*, what will be the outcome (*o* result) of it

all? // *esce, escono*, (*teatr.*) exit, exeunt // *i musicisti usciti da quell'accademia*, the musicians who have studied at that academy // *mi esce dagli occhi*, I'm fed up to the teeth with it // — *dalla retta via*, to go astray // — *dall'infanzia*, to emerge from childhood // — *di senno*, to go mad (*o* to go off one's head) // — *vittorioso*, to come off victorious **2** (*di pubblicazioni*) to come* out, to be* issued, to be* published **3** (*essere estratto*) to be* drawn: *che numero è uscito?*, what number has been drawn? **4** (*sfuggire*) to slip: «*Hai scritto la lettera?*» «*No, mi è completamente uscito di testa*», "Did you write the letter?" "No, it completely slipped my mind" **5** (*sboccare*) to lead* (to sthg.) **6** (*di strada*) to go* off: *l'automobile uscì di strada*, the car went off the road **7** (*cavarsela*) to get* out: — *dai pasticci, da un imbroglio*, to get out of trouble, of a scrape // *uscirne bene, male*, to come off well, badly **8** (*ritirarsi*) to leave* (sthg.) **9** (*a carte*) to lead* (a card) **10** (*terminare, di parola*) to end (in sthg.).

uscita *s.f.* **1** (*l'andar fuori*) going out; (*il venir fuori*) coming out; (*il lasciare*) leaving (a place): *all'— dalla scuola*, on coming out of school // *buona —*, (*per una casa*) key money; (*per una ditta*) good will; (*di impiegato*) gratuity // *oggi è il mio giorno di libera —*, today is my day off; *essere in libera —*, to be off duty **2** (*passaggio per il quale si esce*) exit, way out (*anche fig.*): — *di sicurezza*, emergency exit // *mostrare il biglietto all'—* (*della stazione*), to show one's ticket at the barrier **3** (*sbocco*) outlet **4** (*motto di spirito*) crack, joke **5** (*spesa*) outlay, expense **6** (*a carte*) lead **7** (*gramm.*) ending.

usignolo *s.m.* nightingale.

usitato *agg.* used; (*in uso*) in use (*pred.*); (*abituale*) usual.

uso¹ *agg.* (*letter.*) used (to sthg., to doing), accustomed.

uso² *s.m.* **1** use: *logoro dall'—*, worn with use (*o* worn out); *uno strumento a più usi*, a tool with several uses; *in —, fuori —*, in use, out of use: *parola fuori —*, obsolete word // — *pelle, seta*, imitation leather, silk **2** (*usanza*) usage, custom; (*moda*) fashion: *usi e costumi*, usages and customs; *nell'— moderno*, in modern usage // *secondo l'—*, as is customary; *secondo l'—, all'— dei greci*, after the Greek fashion // *d'—*, usual (*o* habitual): *frasi d'—*, conversational commonplaces.

ussaro *s.m.* (*mil.*) hussar.

ustionare *v.tr.* to burn*; (*con liquido, vapore*) to scald.

ustionato *agg.* burnt; scalded.

ustione *s.f.* burn; scald: *morire per le ustioni*, to die from the burns.

ustolare *v.intr.* (*di cane*) to yelp; to whimper.

ustorio *agg.*: *specchio —*, (*fis.*) burning glass.

usuale *agg.* usual, habitual, ordinary.

usualità *s.f.* usualness.

usualmente *avv.* usually, habitually, ordinarily.

usucapione *s.f.* (*dir.*) usucap(t)ion.

usufruire *v.intr.* to take* advantage (of sthg.), to profit (by sthg.), to benefit (by, from sthg.).

usufrutto *s.m.* (*dir.*) usufruct: *avere in —*, to hold in usufruct.

usufruttuario *agg.* e *s.m.* (*dir.*) usufructuary.

usura¹ *s.f.* usury: *imprestare a —*, to lend at a high interest // *restituire a —*, (*fig.*) to return with interest.

usura² *s.f.* (*logorio*) wear (and tear): *resistente all'—*, hardwearing; *resistere all'—*, to stand (up to) wear and tear.

usuraio *s.m.* usurer.

usurpare *v.tr.* to usurp.

usurpatore *s.m.* usurper.

usurpazione *s.f.* usurpation.

utensile *agg.*: *macchina —*, machine tool.

utensile *s.m.* tool, implement, utensil: *utensili da cucina*, kitchen utensils (*o* implements); *utensili da falegname*, carpenter's tools; *cassetta portautensili*, tool box.

utente *s.m.* e *f.* (*di radio, calcolatore, telefono, strade ecc.*) user; (*di acqua, gas, luce ecc.*) consumer: *gli utenti del telefono*, telephone users.

utenza *s.f.* 1 right of use 2 (*l'insieme degli utenti*) (*di radio, telefono, strade ecc.*) users (*pl.*); (*di acqua, gas, luce ecc.*) consumers (*pl.*).

uterino *agg.* uterine.

utero *s.m.* uterus (*pl.* uteri), womb.

utile *agg.* useful, helpful; (*fam.*) handy: *credo — farlo al più presto*, I think it advisable to do it as soon as possible; *rendersi —*, to make oneself useful; *tornar —*, to come in handy // *in tempo —*, in time; *il tempo — per la presentazione delle domande è scaduto*, the term for sending in applications has expired ♦ *s.m.* profit, benefit; (*interesse*) interest: *dare, produrre un — del 5%*, (*comm.*) to yield a profit of 5%; *dividere gli utili*, (*comm.*) to allot (*o* allocate) the profits // *unire l'— al dilettevole*, to combine business with pleasure.

utilità *s.f.* 1 utility, usefulness, use: *non è di nessuna — (farlo)*, it is no use (doing it) 2 (*vantaggio*) profit, benefit.

utilitaria *s.f.* (*aut.*) small car; (*fam.*) run-about.

utilitario *agg.* e *s.m.* utilitarian.

utilitarismo *s.m.* utilitarianism.

utilitarista *s.m.* e *f.* utilitarian.

utilitaristico *agg.* utilitarian.

utilizzabile *agg.* utilizable.

utilizzare *v.tr.* to make* use (of sthg.), to utilize.

utilizzazione *s.f.* utilization.

utilizzo *s.m.* utilization.

utilmente *avv.* usefully, to good use: *impiegare —*, to put to good use.

utopia *s.f.* utopia.

utopista *s.m.* e *f.* utopian.

utopistico *agg.* utopian.

uva *s.f.* grapes (*pl.*); (*nei composti*) grape: *— passa*, raisins; *— spina*, gooseberry; *acino d'—*, grape; *succo d'—*, grape juice; *raccogliere —*, to pick grapes.

uvea *s.f.* (*anat.*) uvea.

uvetta *s.f.* (*uva passa*) raisins (*pl.*); (*acino*) raisin.

uxoricida *s.m.* e *f.* uxoricide.

uxoricidio *s.m.* uxoricide.

uxorio *agg.* uxorial.

uzzolo *s.m.* (*pop.*) fancy.

V

v *s.f.* o m. **v** (*pl.* vs, v's) // *— come Venezia*, (*tel.*) v for Victor.

vacante *agg.* vacant: *posto, carica —*, vacancy.

vacanza *s.f.* 1 holiday, vacation: *domani è —*, tomorrow is a holiday; *dare un giorno di — a qlcu*, to give s.o. a day off; *essere in —*, to be on holiday; *fare un giorno di —*, to take a day off // *vacanze scaglionate*, staggered holidays 2 (*di un Parlamento*) recess 3 (*posto vacante*) vacancy.

vacazione *s.f.* (*di una legge*) interim (period).

vacca *s.f.* cow: *— da latte*, milker.

vaccaio, vaccaro *s.m.* cowherd, cowhand.

vacchetta *s.f.* (*cuoio*) cowhide.

vaccinare *v.tr.* (*med.*) to vaccinate.

vaccinazione *s.f.* (*med.*) vaccination.

vaccino *agg.* e *s.m.* vaccine.

vaccinoterapia *s.f.* (*med.*) vaccine therapy.

vacillante *agg.* 1 tottering, staggering; (*malfermo*) unsteady 2 (*di luce, fiamma*) flickering 3 (*incerto*) vacillating, wavering.

vacillare *v.intr.* 1 to totter, to stagger, to reel; (*spec. di cose*) to wobble; *vacilla sulle gambe*, he is shaky (*o* groggy) on his legs 2 (*di luce, fiamma*) to flicker 3 (*essere incerto*) to vacillate, to waver: *la sua fede comincia a —*, his faith is beginning to waver.

vacuità *s.f.* vacuity, emptiness.

vacuo *agg.* vacuous, empty.

vademecum *s.m.* vade mecum.

vagabondaggio *s.m.* 1 wandering, roaming; (*per diporto*) travel(ling): *darsi al —*, to take to the roads 2 (*piaga sociale*) vagrancy.

vagabondare *v.intr.* to wander, to rove, to roam.

vagabondo *agg.* vagabond, vagrant; (*randagio*) stray (*attr.*) // *spirito —*, wanderlust ♦ *s.m.* 1 vagabond, vagrant, tramp; (*amer.*) hobo 2 (*fannullone*) idler, loafer; (*amer.*) bum.

vagamente *avv.* vaguely.

vagare *v.intr.* to wander (*anche fig.*), to roam, to rove (*anche fig.*): *— per la campagna*, to roam about the country.

vagheggiamento *s.m.* 1 fondly gazing (at, upon) 2 (*aspirazione*) longing (for), to yearn for sthg.

vagheggiare *v.tr.* 1 to gaze fondly (at s.o., sthg.), to look lovingly (at s.o., sthg.) 2 (*pensare con desiderio*) to long (for sthg.).

vagheggino *s.m.* beau (*pl.* beaux), fop.

vaghezza *s.f.* (*letter.*) 1 (*indeterminatezza*) vagueness 2 (*desiderio*) longing, desire // *mi punge — di fare una passeggiata*, (*scherz.*) I feel like taking a walk.

vagina *s.f.* (*anat.*) vagina.

vagire *v.intr.* to cry.

vagito *s.m.* 1 cry(ing) 2 *pl.* (*fig.*) beginnings.

vaglia[1] *s.f.* (*letter.*) merit.

vaglia[2] *s.m.* (*titolo di credito*) money order: *— cambiario*, bank note; *— postale*, postal order; *— telegrafico*, telegraphic money order.

vagliare *v.tr.* 1 to sieve, to sift, to riddle 2 (*fig.*) to weigh, to examine thoroughly, to sift: *— le parole*, to weigh one's words; *— i pro e i contro*, to weigh the pros and cons.

vagliatura *s.f.* 1 riddling 2 (*pula*) siftings (*pl.*) 3 (*fig.*) examination.

vaglio *s.m.* **1** sieve, sifter; (*ind.*) riddle   **2** (*fig.*) scrutiny // *passare al —*, to sift.

vago *agg.* **1** (*indefinito*) vague, faint, indefinite, dim, hazy: *un ricordo —*, a vague recollection; *non ne ho la più vaga idea*, I haven't the faintest idea   **2** (*leggiadro*) graceful ♦ *s.m.* **1** *cadere, rimanere nel —*, to be too vague   **2** (*anat.*) vagus (*pl.* vagi).

vagolare *v.intr.* to wander, to roam, to rove.

vagoncino *s.m.* **1** small truck   **2** (*di miniera*) tub   **3** (*di funivia*) cable car.

vagone *s.m.* **1** (*per passeggeri*) carriage, coach; (*per merci*) wag(g)on, truck; *— letto*, sleeping car; *— ristorante*, dining car   **2** (*fig.*) heap, lot.

vaio *s.m.* (*pelliccia*) vair.

vaiolo *s.m.* (*med.*) smallpox, variola; (*dei bovini*) cowpox; (*della patata*) potato scab.

vaioloso *agg.* **1** smallpox (*attr.*)   **2** (*malato di vaiolo*) affected with smallpox ♦ *s.m.* smallpox patient.

valanga *s.f.* **1** avalanche   **2** (*fig.*) shower.

valchiria *s.f.* (*mit. nordica*) Valkyrie.

valdese *agg.* e *s.m.* e *f.* (*st. relig.*) Waldensian // *i Valdesi*, the Waldenses.

valente *agg.* skilful, capable, clever.

valentia *s.f.* skill, ability, cleverness.

valentuomo *s.m.* man of merit.

valenza *s.f.* (*chim.*) valency, valence.

valere *v.intr.* **1** to be* worth: *questo anello vale mezzo milione di lire*, this ring is worth half a million liras; *come insegnante non vale molto*, as a teacher he is not up to much; *un uomo che vale* (*molto*), a man worth something // *tanto vale*, it is all the same (*o* it makes no odds); *se lo fai così, tanto vale che tu non lo faccia*, if you do it like that, you might as well not do it at all // *vale tanto oro quanto pesa, vale un Perù*, it is worth its weight in gold // *— la pena*, to be worth (while): *non vale la pena di vedere quel film*, that film is not worth seeing   **2** (*contare*) to count, to be* of account; (*aver peso*) to weigh: *le tue proteste non valgono nulla*, your protests count for nothing // *non vale!*, that's not fair! // *far — le proprie ragioni*, to make oneself heard // *farsi —*, to make oneself felt   **3** (*servire, giovare*) to be* of use, to be* of avail, to count: *a che cosa ti è valso tutto il tuo denaro?*, where did all your money get you?; *a che vale lavorare tanto?*, what is the use (*o* the good) of working so much?   **4** (*essere valido*) to be* valid   **5** (*equivalere*) to be* equal to (sthg.), to be* worth: *il suo comportamento vale un insulto*, his behaviour amounts to an insult // *vale a dire*, that is to say // *l'uno vale l'altro*, it's much of a muchness ♦ *v.tr.* (*procurare*): *l'ultimo libro gli ha valso il primo premio*, his latest book won him first prize // **-ersi** *v.intr.pron.* to avail oneself, to make* use, to take* advantage, to use (s.o., sthg.): *— della propria autorità*, to take advantage of one's authority.

valeriana *s.f.* (*bot. farm.*) valerian.

valetudinario *agg.* e *s.m.* (*letter.*) valetudinarian.

valevole *agg.* valid.

valgo *agg.* (*med.*) valgus.

valicare *v.tr.* to cross.

valico *s.m.* **1** (mountain) pass // *il — del Bernina*, the Bernina Pass   **2** (*il valicare*) crossing.

validità *s.f.* validity.

valido *agg.* **1** valid: *argomenti validi*, valid (*o* sound) arguments // *— a*, fit for   **2** (*efficace*) efficient, efficacious, effective: *— contributo*, substantial contribution; *mi fu di — aiuto*, he proved of great help to me   **3** (*forte*) strong.

valigeria *s.f.* **1** (*negozio*) leather goods shop   **2** (*fabbrica*) leather goods factory.

valigia *s.f.* (suit) case, luggage (*solo sing.*): *le mie valigie sono alla stazione*, my luggage is (*o* my cases are) at the station; *fare le valigie*, to pack (up) // *— diplomatica*, diplomatic bag.

vallata *s.f.* valley.

valle *s.f.* valley; (*poet.*) vale, dale: *la — del Po*, the Po valley; *il fiume scende a —*, the river flows down (the valley); *a — di*, below // *i pastori scendono a —*, the shepherds come down to the plain // *per monti e per valli*, up hill and down dale.

valletta *s.f.* young female assistant to television compère.

valletto *s.m.* **1** town usher   **2** (*st.*) page.

valligiano *s.m.* valley-dweller, (*poet.*) dalesman (*pl.* -men).

vallivo *agg.* valley (*attr.*).

vallo *s.m.* **1** (*st. romana*) vallum   **2** (*opera difensiva*) rampart.

vallone[1] *s.m.* glen.

vallone[2] *agg.* e *s.m.* Walloon.

valore *s.m.* **1** value (*anche fig.*): *avere, non avere —*, (*anche fig.*) to be of value, of no value; *dare poco, molto — a qlco.*, to set a low, a high value on sthg.; (*fig.*) to attach, not to attach great importance to sthg.; *senza —*, worthless (*o* valueless); *un pittore di grande —*, an excellent painter; *gioielli di —*, valuable jewels; *un uomo di —*, a man of worth; *le sue parole hanno il — di una promessa*, his words are as good as (*o* amount to) a promise // *aggettivo con — di avverbio*, adjective used as an adverb // *il dollaro ha un — di circa 1600 lire*, the dollar is worth about 1600 lire // *ha comperato abiti per il — di mille sterline*, she has bought a thousand pounds' worth of clothes // *valori attivi*, (*comm.*) assets; *valori passivi*, (*comm.*) liabilities // *valori mobiliari*, (*comm.*) stocks and shares; *— d'inventario*, inventory value; *— nominale*, par value; *— reale*, real value   **2** (*coraggio*) bravery, courage, gallantry // *— civile, militare*, civic, military valour   **3** *pl.* (*preziosi*) valuables   **4** (*pitt. mat. mus.*) value.

valorizzare *v.tr.* (*persone*) to bring* out the value (of s.o.); (*cose*) to make* the most (of sthg.); (*sfruttare*) to exploit; (*accentuare*) to emphasize; to enhance // *— la bellezza*, to enhance the beauty // *nell'ambiente adatto la sua intelligenza sarà maggiormente valorizzata*, in proper surroundings his intelligence will show to greater advantage // *bisognerebbe — le risorse turistiche di quella città*, the touristic possibilities of that town should be exploited // *— un terreno*, to increase the value of a piece of land // **-arsi** *v.rifl.* (*di persone*) to make* the most of oneself ♦ *v.intr.pron.* (*di beni*) to increase in value.

valorizzazione *s.f.* **1** (*di persone*) bringing out the value (of); (*di cose*) making the most (of); (*sfruttamento*) exploitation, utilization   **2** (*comm.*) valorization.

valoroso *agg.* **1** brave, valiant, valorous, gallant   **2** (*valente*) capable.

valuta *s.f.* **1** (*moneta*) currency; money (*solo sing.*): *— argentea, aurea, cartacea*, silver, gold, paper currency; *— metallica*, coinage; *— corrente*, current money; *— debole, forte*, weak, hard (*o* strong) currency; *— (a corso) legale*, legal tender   **2** (*termine bancario*) (*decorrenza degli interessi*): *— 1° ottobre*, interest running from October 1st; *— retrodatata*, back(dated) interest.

valutabile *agg.* valuable.

valutare *v.tr.* **1** to value, to estimate, to appraise; (*fig.*) to esteem: — *un quadro 200.000 lire*, to value (*o* to estimate) a painting at 200,000 lire; — *troppo, troppo poco*, to overvalue, to undervalue; (*fig.*) to overrate, to underrate **2** (*considerare*) to consider, to take into account, to bargain for: *non avevo valutato la sua prontezza di spirito*, I hadn't bargained for his ready wit.

valutario *agg.* (*comm.*) monetary, money (*attr.*), currency (*attr.*): *norme valutarie*, currency regulations.

valutazione *s.f.* **1** estimate (*anche fig.*), (e)valuation (*anche fig.*), appraisal; (*di efficienza del personale di azienda*) merit-rating **2** (*considerazione*) consideration.

valva *s.f.* (*bot. zool.*) valve.

valvola *s.f.* **1** (*mecc.*) valve: — *di sicurezza*, safety valve **2** (*rad. tv*) valve; (*amer.*) tube: *apparecchio a sei valvole*, six-valve set **3** (*elettr.*) fuse: *è saltata una* —, a fuse has blown **4** (*anat.*) valve.

valzer *s.m.* waltz: *ballare il* —, to waltz; *fare un giro di* —, to have a waltz.

vamp *s.f.* vamp, femme fatale.

vampa *s.f.* **1** blaze, flame // — *di calore*, heat wave **2** (*di arma da fuoco*) flash **3** (*fig.*) (*di sentimenti*) burst **4** (*al viso*) flush; (*per vergogna*) blush: *avere le vampe al viso*, to flush.

vampata *s.f.* **1** blaze **2** (*folata*) blast: *una* — *d'aria calda*, a blast of hot air **3** (*fig.*) (*di sentimenti, passioni*) burst **4** (*al viso*) (hot) flush; (*di vergogna*) blush.

vampiro *s.m.* vampire.

vanadio *s.m.* (*chim.*) vanadium.

vanagloria *s.f.* vainglory.

vanaglorioso *agg.* vainglorious.

vanamente *avv.* in vain, uselessly, vainly.

vandalico *agg.* vandal (*anche fig.*).

vandalismo *s.m.* vandalism.

vandalo *s.m.* Vandal; (*fig.*) vandal.

vaneggiamento *s.m.* raving.

vaneggiare *v.intr.* (*delirare*) to rave.

vanesio *agg.* conceited, vain ♦ *s.m.* conceited person.

vanessa *s.f.* (*zool.*) vanessa.

vanga *s.f.* spade.

vangare *v.tr.* to dig*, to spade.

vangelo *s.m.* Gospel // *quello che dice è* — *per me*, I take what he says as Gospel truth.

vanificare *v.tr.* to thwart.

vaniglia *s.f.* vanilla.

vanigliato *agg.* vanilla (*attr.*), vanilla-flavoured.

vaniloquio *s.m.* twaddle; (*delirando*) raving(s).

vanità *s.f.* vanity; (*presunzione*) conceit: *lo fa per pura* —, he does it out of sheer vanity.

vanitoso *agg.* vain, conceited.

vano *agg.* **1** (*inutile*) vain, useless **2** (*leggero, sciocco*) frivolous, silly **3** (*letter.*) (*incorporeo*) immaterial ♦ *s.m.* **1** (*spazio vuoto*) space: — *della porta*, door space; — *delle scale*, stair well **2** (*stanza*) room: *un appartamento di otto vani*, an eight-roomed flat.

vantaggio *s.m.* **1** advantage: *avere un* — *su qlcu.*, to have an advantage over s.o.; *essere di* — *a, andare a* — *di qlcu.*, to be to s.o.'s advantage **2** (*interesse*) interest, profit **3** (*sport*) advantage; (*alla partenza*) start: *ha venti metri di* — *sugli altri*, he's leading by twenty metres // *accordare un* —, to impose a handicap.

vantaggioso *agg.* advantageous, profitable; (*favorevole*) favourable: *condizioni vantaggiose*, favourable conditions.

vantare *v.tr.* **1** to boast **2** — *un diritto a, su qlcu.*, to make a claim to sthg. // **-arsi** *v.rifl.* to boast (about, of

sthg.), to brag (about, of sthg.): *non faccio per vantarmi*, without wanting to boast.

vanteria *s.f.* **1** boast **2** (*il vantarsi*) boasting, boastfulness, bragging.

vanto *s.m.* boast // *è il* — *della sua famiglia*, he is the pride of his family // *si dà, mena* — *di essere molto bravo in matematica*, he boasts of being very good at mathematics.

vanvera, a *locuz.avv.*: *fare qlco. a* —, to do sthg. at random; *parlare a* —, (*fam.*) to talk through one's hat.

vaporare *v.intr.* → **evaporare**.

vapore *s.m.* **1** vapour; (*acqueo*) steam: *bagno di* —, steam bath; *battello a* —, steamboat; *riscaldato a* —, steam-heated // *andare a tutto* —, to go at full speed // *avanti a tutto* —!, full steam ahead! **2** (*piroscafo*) steamer, steamship.

vaporetto *s.m.* (*mar.*) steamer, steamship, steamboat.

vaporiera *s.f.* steam engine.

vaporizzare *v.tr. e intr.* to vaporize // **-arsi** *v.intr.pron.* to evaporate.

vaporizzatore *s.m.* vaporizer.

vaporizzazione *s.f.* vaporization.

vaporosità *s.f.* **1** steaminess **2** (*di tessuti, indumenti*) flimsiness; (*di capelli*) fluffiness.

vaporoso *agg.* **1** steamy **2** (*di tessuti, indumenti*) flimsy; (*di capelli*) fluffy.

varare *v.tr.* to launch (*anche fig.*) // — *una legge*, to pass a law.

varcare *v.tr.* to cross (*anche fig.*) // — *i limiti*, to go too far.

varco *s.m.* passage, opening, way: *aprirsi un* — *fra la folla*, to force one's way through the crowd // *aspettare qlcu. al* —, to lie in wait for s.o.

variabile *agg.* variable, changeable, unsettled; (*instabile*) unsteady, unstable: *clima* —, variable (*o* changeable) climate; *prezzi variabili*, unsteady prices; *quantità* —, (*mat.*) variable quantity ♦ *s.f.* (*mat.*) variable.

variabilità *s.f.* variability, changeability; (*instabilità*) unsteadiness.

variamente *avv.* variously, differently.

variante *s.f.* variant.

variare *v.tr. e intr.* to vary; (*cambiare*) to change: — *di umore*, to change one's mood.

variato *agg.* varied.

variatore *s.m.* (*mecc.*) variator: — *di velocità*, speed variator.

variazione *s.f.* variation: — *di frequenza*, (*elettr.*) frequency deviation; *variazioni di temperatura*, fluctuations in temperature; *variazioni su un tema*, (*mus.*) variations on a theme.

varice *s.f.* (*spec. pl.*) (*med.*) varix (*pl.* varices).

varicella *s.f.* (*med.*) chicken pox.

varicoso *agg.* varicose.

variegato *agg.* variegated.

varietà *s.f.* **1** variety: — *di pietanze*, variety of dishes **2** (*differenza*) diversity **3** (*qualità, specie*) variety, kind, sort ♦ *s.m.* variety: *artista, spettacolo di* —, variety artist, show; *teatro di* —, music hall; (*amer.*) variety, vaudeville.

vario *agg.* **1** (*variato*) varied **2** (*differente*) various, different: *in varie occasioni*, on various occasions // *articoli vari*, (*comm.*) sundry articles **3** *pl.* (*parecchi*) various, several: *ho fatto varie cose*, I have done various (*o* several) things ♦ *s.m.*: *il bello e il* —, beauty and variety ♦ *pron.indef.pl.* various people: *vari sostengono il contrario*, various people claim the contrary.

variometro *s.m.* variometer.

variopinto *agg.* multicoloured, variocoloured.

varo[1] *s.m.* (*mar.*) launching.

varo[2] *agg.* (*med.*) varus.

Varsavia *no.pr.f.* Warsaw.

vasaio *s.m.* potter.

vasca *s.f.* **1** tub: — *da bagno*, bath; — *da pesci*, fish pond // *ha fatto due vasche*, (*nuoto*) he has swum two lengths (of the swimming pool) **2** (*cisterna*) tank.

vascello *s.m.* (*mar.*) war vessel // *capitano di* —, captain; *tenente di* —, commander // *il Vascello Fantasma*, the Flying Dutchman.

vascolare *agg.* (*anat. bot.*) vascular.

vaselina *s.f.* (*chim.*) vaseline ®.

vasellame *s.m.* (*di terracotta*) earthenware, crockery; (*di porcellana*) china; (*di maiolica*) majolica: — *d'argento, d'oro*, silver, gold plate.

vaso *s.m.* **1** vase; (*di terracotta*) pot; (*per conservare cibi*) jar: — *da notte*, chamber pot; — *da fiori*, flowerpot; *un — di fiori*, a vase of flowers **2** (*anat.*) vessel.

vasocostrittore *s.m.* (*farm.*) vasoconstrictor.

vasodilatatore *s.m.* (*farm.*) vasodilator.

vassallaggio *s.m.* vassalage (*anche fig.*).

vassallo *s.m.* **1** (*st.*) vassal **2** (*fig.*) subject, subordinate, dependent.

vassoio *s.m.* tray: — *da caffè*, coffee tray.

vastità *s.f.* (*l'essere vasto*) vastness (*anche fig.*); (*estensione*) expanse.

vasto *agg.* wide, vast; (*spazioso*) spacious.

vate *s.m.* **1** (*profeta*) prophet **2** (*poeta*) poet.

vaticano *agg.* Vatican.

Vaticano *no.pr.m.* Vatican: *la Città del* —, the Vatican City.

vaticinare *v.tr.* to prophesy.

vaticinio *s.m.* prophecy, prediction.

vattelappesca *locuz.inter.* (*fam.*) God knows // *il signor* —, Mr ...thingumajig.

ve *pron.pers.* *2ª pers.pl.* (*termine*) (to) you: — *lo diedi*, I gave it to you ♦ *avv.* there: — *lo misi io*, I put it there; — *ne sono due*, there are two.

vecchia *s.f.* old woman.

vecchiaia *s.f.* old age: *il bastone della mia* —, the support of my old age.

vecchietto *s.m.* little old man.

vecchiezza *s.f.* old age.

vecchio *agg.* **1** old; (*antico*) ancient; (*antiquato*) old-fashioned: *scarpe vecchie*, old shoes // — *come Matusalemme*, as old as Methuselah; — *decrepito*, as old as the hills **2** (*stantio*) stale: *pane* —, stale bread **3** (*di vino*) mellow ♦ *s.m.* **1** old man: *i vecchi*, the old // *ciao,* — *mio!*, hallo, old man! // *il mio* —, my old man; *i nostri vecchi*, (*i genitori*) our parents; (*gli antenati*) our ancestors **2** *il* — *e il nuovo*, the old and the new.

vecchiotto *agg.* rather old.

vecchiume *s.m.* (*spreg.*) junk, rubbish.

veccia *s.f.* (*bot.*) vetch.

vece *s.f.*: *in mia, tua* —, in my, your place; *fare le veci di qlcu.*, to take s.o.'s place.

Veda *s.m.* (*relig. indù*) Veda.

vedere *v.tr.* **1** to see*: *ci vedo bene, male*, I can, cannot see well; *lo vidi cadere*, I saw him fall; *lo vidi entrare in casa*, I saw him going into the house // *vedi pag. 50*, see p. 50 // *vediamo un po'*, now then, let's see // *questo è da* —, that remains to be seen // *vedi, non voglio interferire ma...*, you see, I don't want to interfere but... // *«Non ho avuto il tempo di pulirlo»* *«Vedo, vedo»*, "I didn't have time to clean it" "So I see" // *stiamo a — che cosa succede*, let's wait and see what happens // *per credere*, seeing is believing // *ci vedo poco chiaro*, I think there is something fishy here // *la, lo vedremo!*, I'll show you! // *me la son vista brutta!*, I thought I'd had it! // *non vederci più dalla rabbia*, to be beside oneself with rage; *non ci vedo più dalla fame*, I am starving // *non vedo l'ora di sentire tue notizie*, I can't wait to hear from you (*o* I'm looking forward to hearing from you) // *non posso — queste cose*, I cannot stand these things // *vuoi — che sarà promosso?*, what do you bet that he will pass? // *stai a — che...*, I bet you that... // — *di buon occhio*, to approve (of); — *di mal occhio*, to disapprove (of) // — *doppio*, to see double // *dare a* —, to show signs // *farsi* —, to show oneself; (*presenziare*) to show up: *fatti — di tanto in tanto*, come and see us from time to time; *non si è ancora fatto* —, he hasn't shown up yet; *non farti mai più —!*, don't ever show your face again! // *far* —, to show // *vedersela: veditela con lui*, you'd better sort it out with him **2** (*esaminare*) to examine, to have* a look (at s.o., sthg.); (*scorrere*) to look over (sthg.): *fatti — dal dottore*, go and see the doctor **3** (*pensare, considerare*) to think*; (*decidere*) to decide: *vedremo in seguito*, we'll decide later on; *io non so, veda lei*, I don't know, you decide **4** (*procurare*) to see*; (*fare in modo*) to try: *vedi che stiano tranquilli*, see that they stay quiet; *vedrò di aiutarlo*, I shall try to (*o* I'll see if I can) help him **5** (*risultare evidente*) to show*: *si vede (che)...*, it shows (that)...; *ha lavorato poco e si vede*, he has worked very little and it shows; *si vede che sono arrabbiato?*, can you see that I'm angry?; *si vede questa macchia?*, does this spot show? ♦ **-ersi** *v.rifl.* to see* oneself: *non mi ci vedo proprio in quel ruolo*, I can't see myself in that role // *si vedeva già perduto*, he had already given himself up for lost ♦ *v.rifl.rec.* to meet*: *ci vediamo spesso*, we often meet.

vedere *s.m.* **1** (*il vedere*) seeing **2** (*opinione*): *a mio* —, according to me, to my mind.

vedetta *s.f.* **1** (*posto*) lookout: *stare di* —, to be on the lookout **2** (*sentinella*) lookout **3** (*nave*) vedette **4** (*teatr.*) star.

vedova *s.f.* widow: *rimanere vedova*, to be left a widow; — *di guerra*, war widow // — *nera*, (*zool.*) black widow.

vedovanza *s.f.* widowhood.

vedovile *agg.* (*di vedova*) of a widow; (*di vedovo*) of a widower: *abiti vedovili*, mourning (clothes); *stato* —, widowhood ♦ *s.m.* (*widow's*) dower.

vedovo *agg.*: *donna vedova*, widow; *uomo* —, widower ♦ *s.m.* widower: *rimanere* —, to be left a widower.

vedretta *s.f.* (*geol.*) small glacier.

veduta *s.f.* **1** view **2** (*idea, opinione*) view, idea, opinion // *una persona di larghe vedute*, a broadminded person.

veemente *agg.* vehement.

veemenza *s.f.* vehemence.

vegetale *agg. e s.m.* vegetable.

vegetare *v.intr.* to vegetate (*anche fig.*).

vegetariano *agg. e s.m.* vegetarian.

vegetativo *agg.* vegetative.

vegetazione *s.f.* vegetation.

vegeto *agg.* **1** (*di pianta*) thriving **2** (*di persona*) vigorous, strong: *vivo e* —, hale and hearty.

vegeto-minerale, **vegetominerale** *agg.* vegetomineral.

veggente *s.m. e f.* seer.

veggenza *s.f.* second sight.

veglia *s.f.* 1 (*il vegliare*) watch: — (*funebre*), wake; *essere fra il sonno e la* —, to be half-asleep; *fare la* — *a un malato*, to sit up with a sick person 2 (*trattenimento*) (evening) party: — *danzante*, dance.

vegliardo *s.m.* (*letter.*) venerable old gentleman (*pl.* -men).

vegliare *v.intr.* 1 (*stare sveglio*) to stay up // — *al capezzale di qlcu.*, to watch at s.o.'s bedside 2 (*vigilare*) to watch: *veglia su lui!*, watch over him! ♦ *v.tr.* to watch (at, by s.o.): — *un malato*, to watch at a sick person's bedside; — *un morto*, to wake a dead person.

veglione *s.m.* all-night ball.

veicolo *s.m.* vehicle // — *di infezione*, carrier of infection.

vela *s.f.* sail: *vele maggiori*, lower sails; *a vele spiegate*, under sail; *far* —, *alzare le vele*, to set sail; *ammainare le vele*, to strike the sails; *issare una* —, to hoist a sail // *volo a* —, sail-flying // *tutto gli va a gonfie vele*, everything is going swimmingly for him.

velaccino *s.m.* royal (sail).

velaccio *s.m.* (*spec. pl.*) topgallant (sail).

velame[1] *s.m.* (*letter.*) veil (*anche fig.*).

velame[2] *s.m.* (*mar.*) sails (*pl.*).

velare[1] *v.tr.* 1 to veil 2 (*offuscare*) to cloud (*anche fig.*) 3 (*fig.*) (*nascondere*) to veil, to conceal // **-arsi** *v.rifl.* to cover one's head; (*portare il velo*) to wear* a veil // *la sua voce si velava di emozione*, his voice grew husky with emotion // *gli occhi le si velarono di lacrime*, her eyes became misty with tears.

velare[2] *v.tr.* to rig with sails.

velario *s.m.* (*teatr.*) 1 (*st.*) velarium (*pl.* velaria) 2 (*sipario*) curtain.

velatamente *avv.* covertly // *mi ha fatto* — *capire che...*, he gave me to understand that...

velato *agg.* veiled (with) (*anche fig.*); (*fig.*) covert: *una minaccia velata*, a veiled threat // *voce velata*, soft voice // *voce velata dall'emozione*, voice husky with emotion.

velatura *s.f.* (*mar.*) sail.

veleggiare *v.intr.* 1 (*mar.*) to sail 2 (*aer.*) to glide.

veleggiatore *s.m.* 1 (*imbarcazione*) sailing yacht 2 (*aliante*) sailplane, soaring glider.

veleggio *s.m.* 1 (*mar.*) sailing 2 (*aer.*) gliding, sailplaning, soaring.

velenifero *agg.* poisonous, venomous.

veleno *s.m.* poison (*anche fig.*); (*di animali*) venom (*anche fig.*) // *avere del* — *contro qlcu.*, to have a grudge against s.o. // *sputar* —, to vent one's spleen.

velenosità *s.f.* poisonousness; (*di animali*) venomousness.

velenoso *agg.* poisonous (*anche fig.*); (*di animali*) venomous (*anche fig.*): *una puntura velenosa*, a venomous sting; *funghi velenosi*, poisonous mushrooms.

veletta[1] *s.f.* (*mar.*) topsail.

veletta[2] *s.f.* (*di cappello*) (hat-)veil.

velico *agg.* sail (*attr.*), sailing (*attr.*).

veliero *s.m.* sailing ship.

velina *s.f.* 1 carbon copy 2 (*carta velina*) tissue paper 3 (*comunicato stampa*) communiqué.

velino *agg.*: *carta velina*, tissue paper.

velismo *s.m.* sailing.

velivolo *s.m.* (*aeroplano*) aircraft (*pl. invar.*), aeroplane; (*amer.*) airplane; (*aliante*) sailplane, glider.

velleità *s.f.* foolish ambition.

velleitario *agg.* foolishly ambitious.

vellicare *v.tr.* to tickle; (*eccitare*) to titillate.

vello *s.m.* fleece.

velloso *agg.* fleecy.

vellutato *agg.* velvety: *pelle vellutata*, velvet-smooth skin.

vellutino *s.m.* 1 light velvet 2 (*nastro*) velvet ribbon.

velluto *s.m.* velvet: — *a coste*, corduroy // *pugno di ferro in guanto di* —, an iron hand in a velvet glove.

velo *s.m.* 1 veil (*anche fig.*): *un* — *di zucchero*, a coating of sugar; *un* — *di polvere*, a film of dust // *ha un* — *davanti agli occhi*, his sight is misty // *stendere un* — *su qlco.*, to draw a veil over sthg. // *prendere il* —, to take the veil 2 (*anat. bot.*) velum (*pl.* vela).

veloce *agg.* quick, rapid, fast, swift: *passi veloci*, quick steps; *progresso* —, rapid progress; *sii* —!, be quick!

velocipede *s.m.* velocipede.

velocista *s.m. e f.* (*sport*) sprinter.

velocità *s.f.* 1 speed, velocity; (*rapidità*) rapidity, quickness, swiftness: — *limite*, speed limit; *a una* — *di 40 miglia all'ora*, at a speed of 40 miles per hour; *a tutta* —, at full speed; *cambio di* —, (*aut.*) gearbox (*o* transmission); *a grande* —, at high speed; *spedizione a grande, piccola* —, (*comm.*) shipping by fast, slow (*o* goods) train (*o amer.* freight train); *gara di* —, speed race 2 (*informatica*) rate: — *di trasmissione dati*, data rate; — *di trasmissione in baud*, baud rate; — *di trasmissione in bit*, bit rate.

velodromo *s.m.* (*pista*) cycle-racing track; (*stadio*) cycle-racing stadium.

veltro *s.m.* (*zool.*) greyhound.

vena *s.f.* 1 vein: *vene del marmo*, veins in marble; *una* — *argentifera*, a vein of silver; *tagliarsi le vene*, to cut one's wrists // *si sentì bollire il sangue nelle vene*, his blood boiled 2 (*ispirazione*) inspiration 3 (*disposizione, umore*) vein, mood: *essere in* — *di fare qlco.*, to feel like doing sthg.; *oggi non sono in* —, I am not in the right mood (*o* vein) today.

venale *agg.* venal, mercenary // *prezzo* —, (*econ.*) sale price.

venalità *s.f.* venality.

venato *agg.* veined; (*di legno*) grained // *parole venate di malinconia*, words with a vein of melancholy.

venatorio *agg.* hunting (*attr.*): *arte venatoria*, hunting.

venatura *s.f.* vein (*anche fig.*); (*di legno*) grain; (*di foglie, ali d'insetti*) venation.

vendemmia *s.f.* grape harvest, vintage.

vendemmiare *v.intr.* to harvest grapes.

vendemmiatore *s.m.* grape picker, vintager.

vendere *v.tr.* to sell*; (*dir.*) to vend: *abbiamo venduto tutto*, we are sold out; *questo articolo si vende molto bene*, this article sells very well; — *a meno dei propri concorrenti*, to undersell one's competitors; — *a peso d'oro*, to sell at a fantastically high price // — *porta a porta*, to sell (from) door to door // *ha ragione da* —, he could not be more right; *ho pazienza da* —, I have plenty of patience // *sa* — *la sua merce*, he knows how to put it over // — *fumo*, to talk big // **-ersi** *v.rifl.* to sell* oneself.

vendetta *s.f.* revenge, vengeance; (*tra famiglie, tribù ecc.*) blood feud, vendetta: *per* —, in revenge; *un delitto che grida* —, a crime that cries out for vengeance.

vendibile *agg.* sal(e)able, marketable.

vendicare *v.tr.* to revenge, to avenge // **-arsi** *v.intr.pron.* to revenge oneself (on s.o., for sthg.), to avenge oneself (on s.o., for sthg.).

vendicativo *agg.* revengeful, vindictive.

vendicatore *s.m.* revenger, avenger.

vendita *s.f.* sale: — *all'ingrosso, al minuto*, wholesale, retail (sale); — *diretta*, direct selling; — *per corrispon-*

denza, mail order; *condizioni di —*, terms of sale; *libro vendite*, sales book; *punto (di) —*, selling point; *volume delle vendite*, sales volume // *in —*, for sale: *casa in —*, house for sale; *questo nuovo prodotto è in — da un mese*, this new product has been on sale for a month.

venditore *s.m.* seller, vendor // *— di fumo*, humbug.

venduto *agg.* **1** sold **2** (*fig.spreg.*) corrupt; bought ♦ *s.m.* (*comm.*) goods sold (*pl.*).

veneficio *s.m.* poisoning.

venefico *agg.* poisonous (*anche fig.*).

venerabile *agg.* venerable.

venerabilità *s.f.* venerability, venerableness.

venerando *agg.* venerable.

venerare *v.tr.* to venerate, to revere.

venerazione *s.f.* veneration, reverence.

venerdì *s.m.* Friday: *il —*, on Fridays // *Venerdì Santo*, Good Friday // *gli manca un —*, he has a screw loose.

Venere *no.pr.f.* Venus.

venereo *agg.* venereal.

veneto *agg.* of Venetia ♦ *s.m.* **1** (*abitante*) inhabitant of Venetia **2** (*dialetto*) dialect from Venetia.

Veneto *no.pr.m.* Venetia.

Venezia *no.pr.f.* **1** (*città*) Venice **2** (*regione*) Venetia: *— Giulia*, Venetia Julia.

veneziana *s.f.* Venetian blind.

veneziano *agg.* e *s.m.* Venetian.

venezolano, venezuelano *agg.* e *s.m.* Venezualan.

veniale *agg.* venial.

venialità *s.f.* veniality.

venire *v.intr.* **1** to come*: *vengo!*, I'm coming!; *su, venite!*, come on!; *vieni a trovarmi*, come and see me; *ti vengo a prendere alle 9*, I shall call for you at nine o'clock // *viene da un'ottima famiglia*, he comes of a very good family // *— dietro*, to follow // *— dopo*, to come afterwards; *— dopo di tutto*, to come last of all // *— fuori*, to come out; *venne fuori con una strana battuta*, he came out with a strange crack // *— giù*, to come down; (*al piano inferiore*) to come downstairs; (*crollare*) to fall down: *veniva giù un'acqua!...*, it was pelting (down)!... // *— prima*, to come before; *— prima di tutto*, to come first of all // *— su*, to come up; (*al piano superiore*) to come upstairs; (*progredire*) to come along // *— via*, to come away; (*staccarsi*) to come off (*o* out); (*lasciare*) to leave // *negli anni a —*, in the years to come // *gli è venuta la febbre*, he has got a temperature // *mi è venuta fame*, I'm feeling hungry // *mi viene un dubbio*, I have a doubt // *mi viene da piangere*, I feel like crying // *hai fatto — il dottore?*, have you sent for the doctor?; *fa — i suoi abiti da Parigi*, she has her dresses sent from Paris; *mi fa — sete, sonno, rabbia*, it makes me thirsty, sleepy, angry // *— a conoscenza*, to come to one's knowledge // *— a sapere*, to come to know // *— alla luce*, to be born; (*fig.*) to come to light // *— alle mani*, to come to fisticuffs // *mi vengono mille lire, (da te)* you owe me a thousand lire // *— a costare*, to cost: *l'intero lavoro viene a costare 100.000 lire*, the whole job comes to 100.000 liras // *mi venne fatto di incontrarlo*, I came across him (*o* I happened to meet him) // *che numero ti è venuto?*, (*in un'operazione matematica*) what answer did you get? // *prendila come viene*, take things as they come **2** (*riuscire*) to come* out: *non vengo bene in fotografia*, I don't come out well in photographs **3** (*ausiliare nella forma passiva*) to be*.

venoso *agg.* venous: *sangue —*, venous blood.

ventaglio *s.m.* fan // *a —*, fan-shaped.

ventata *s.f.* gust of wind, blast of wind // *una — di popolarità*, a wave of popularity.

ventennale *agg.* **1** (*che ricorre ogni venti anni*) (recurring) every twenty years **2** (*che dura venti anni*) twenty-year (*attr.*) ♦ *s.m.* twentieth anniversary.

ventenne *agg.* twenty (years old) (*pred.*); twenty-year -old (*attr.*) ♦ *s.m.* twenty-year-old man ♦ *s.f.* twenty -year-old woman.

ventennio *s.m.* (period of) twenty years // *il — (fascista)*, the Fascist regime.

ventesimo *agg.num.ord.* e *s.m.* twentieth.

venti *agg.num.card.* e *s.m.* twenty.

ventilare *v.tr.* **1** to ventilate (*anche fig.*), to air: *— una stanza*, to air a room **2** (*agr.*) to winnow.

ventilato *agg.* breezy; (*arioso*) airy: *un posto —*, a breezy spot.

ventilatore *s.m.* fan, ventilator.

ventilazione *s.f.* ventilation.

ventina *s.f.* about twenty // *deve avere una — d'anni*, he must be about twenty years old; *una — di persone*, some twenty people.

ventiquattro *agg.num.card.* e *s.m.* twenty-four // *le (ore) —*, midnight.

ventitré *agg.num.card.* e *s.m.* twenty-three // *portare il cappello sulle —*, to wear one's hat on the side of one's head.

vento *s.m.* wind: *colpo di —*, gust (of wind); *raffica di —*, blast (of wind); *tirava un — di tramontana*, a north wind was blowing // *essere sotto —*, navigare contro —, to sail against the wind // *correre come il —*, to run like the wind // *parole gettate al —*, words thrown to the wind // *qual buon — ti porta?*, what lucky chance brings you here? // *avere il — in poppa*, (*anche fig.*) to sail before the wind // *cercare di sapere da che parte spira il —*, to find out how the wind blows // *gridare qlco. ai quattro venti*, to shout sthg. from the rooftops // *far(si) —*, to fan (oneself).

ventola *s.f.* **1** (*per il fuoco*) fire-fan **2** (*paralume*) lampshade **3** (*mecc.*) (*di ventilatore*) fan wheel; (*di turbina*) disk wheel.

ventosa *s.f.* **1** (*di gomma*) sucker **2** (*med.*) cupping glass **3** (*zool.*) sucker.

ventosità *s.f.* windiness.

ventoso *agg.* windy.

ventrale *agg.* ventral.

ventre *s.m.* **1** abdomen, stomach, belly (*anche fig.*): *mal di —*, stomachache; *basso —*, lower part of the abdomen // *danza del —*, belly dance **2** (*grembo materno*) womb.

ventresca *s.f.* undercut.

ventricolare *agg.* ventricular.

ventricolo *s.m.* **1** stomach **2** (*anat.*) ventricle.

ventriera *s.f.* body-belt.

ventriglio *s.m.* gizzard.

ventriloquio *s.m.* ventriloquism.

ventriloquo *agg.* ventriloquous ♦ *s.m.* ventriloquist.

ventunenne *agg.* twenty-one (years old) (*pred.*); twenty-one-year old (*attr.*) ♦ *s.m.* twenty-one-year old man ♦ *s.f.* twenty-one-year old woman.

ventunesimo *agg.num.ord.* e *s.m.* twenty-first.

ventuno *agg.num.card.* e *s.m.* twenty-one.

ventura *s.f.* (*letter.*) (*sorte*) fortune, luck; (*caso*) chance: *per buona, mala —*, luckily, unluckily; *tentare la —*, to try one's fortune; *andare alla —*, to take one's chance // *capitano, soldato di —*, captain, soldier of fortune; *compagnie di —*, mercenary troops.

venturo *agg.* next, coming; (*futuro*) future: *l'anno —*, next year; *gli anni venturi*, the coming years; *nelle età venture*, in future ages.

venuta *s.f.* arrival, coming: *prima della — di Cristo*, before the coming of Christ; *aspettare la — di qlcu.*, to wait for s.o.'s arrival.

venuto *agg.* coming ♦ *s.m.* comer: *un nuovo —*, a newcomer; *il primo —*, the firstcomer: *non è il primo —*, he is not just anybody.

vera *s.f.* 1 (*anello matrimoniale*) wedding ring (*o* band) 2 (*di pozzo*) well curb.

verace *agg.* 1 (*veritiero*) truthful 2 (*vero*) true.

veracità *s.f.* veracity, truthfulness.

veramente *avv.* 1 really, truly, indeed 2 (*a dire il vero*) to tell the truth, as a matter of fact.

veranda *s.f.* veranda(h).

verbale[1] *agg.* verbal.

verbale[2] *s.m.* (*rapporto*) report; (*di una riunione*) minutes (*pl.*); (*dichiarazione*) statement: *il — delle testimonianze*, (*dir.*) the report of evidence; *— di polizia*, police report; *mettere a —*, to put on record.

verbalizzare *v.tr.* to record; to put* on record.

verbasco *s.m.* (*bot.*) Verbascum.

verbena *s.f.* (*bot.*) verbena.

verbigrazia *locuz.avv.* for instance.

verbo *s.m.* 1 (*gramm.*) verb 2 (*parola*) word // *il Verbo*, (*teol.*) the Word.

verbosità *s.f.* verbosity, wordiness.

verboso *agg.* verbose, wordy, longwinded.

verdastro *agg.* greenish.

verde *agg.* green // *frutta, legna —*, green fruit, wood // *fagiolini verdi*, French beans // *essere — di invidia*, to be green with envy // *ridere —*, to give a hollow laugh // *nei miei verdi anni*, in my youth ♦ *s.m.* green // *essere al —*, (*fam.*) to be broke; *i Verdi*, (*pol.*) the Greens.

verdeggiante *agg.* verdant.

verdeggiare *v.intr.* 1 (*essere verde, rigoglioso*) to be* verdant 2 (*diventare verde*) to become* green; (*tendere al verde*) to be* greenish.

verdemare, verde mare *agg.* aquamarine, blue-green; seagreen.

verderame *s.m.* verdigris.

verdesca *s.f.* (*zool.*) blue shark.

verdetto *s.m.* verdict: *— di condanna, di assoluzione*, verdict of guilty, of not guilty; *pronunciare un — contro, a favore di qlcu.*, to bring in a verdict against, for s.o.

verdiccio *agg.* greenish.

verdognolo *agg.* greenish.

verdone *agg.* deep green ♦ *s.m.* 1 (*colore*) deep green 2 (*zool.*) greenfinch.

verdura *s.f.* vegetables (*pl.*): *minestra di —*, vegetable soup; *negozio di frutta e —*, greengrocer's.

verecondia *s.f.* modesty, bashfulness.

verecondo *agg.* modest, bashful.

verga *s.f.* rod; (*di metallo*) bar.

vergare *v.tr.* 1 (*scrivere*) to write* 2 (*rigare la carta*) to draw* lines (on sthg.).

vergata *s.f.* blow (*o* stroke) with a rod.

vergatino *agg.* (*di carta*) laid ♦ *s.m.* (*tessuto*) stripe.

vergato *agg.* striped: *carta vergata*, laid paper.

vergatura *s.f.* laid lines (*pl.*).

verginale *agg.* virginal; maidenly.

vergine *agg.* virgin ♦ *s.f.* virgin // *Vergine*, (*astr.*) Virgo.

verginità *s.f.* virginity.

vergogna *s.f.* 1 shame: *avere —*, to be ashamed; *arrossire di —*, to blush with shame; *essere pieno di —*, to be deeply ashamed // *—!*, shame (on you)! // *coprire qlcu. di —*, to bring shame on s.o. // *essere la — di qlcu.*, to be a disgrace to s.o. 2 (*timidezza*) shyness, bashfulness: *non aver —!*, don't be shy!

vergognarsi *v.intr.pron.* 1 to be* ashamed, to feel* ashamed: *— di sé stesso*, to be ashamed of oneself; *mi vergogno per lui*, I feel ashamed for him // *vergognatevi!*, shame on you! 2 (*per timidezza*) to be* shy, to be* bashful.

vergognoso *agg.* 1 (*pieno di vergogna*) ashamed (*pred.*) 2 (*che reca vergogna*) shameful 3 (*timido*) shy, bashful: *fare il —*, to be shy.

vergola *s.f.* twisted silk thread.

veridicità *s.f.* veracity, truthfulness.

veridico *agg.* veracious, truthful.

verifica *s.f.* 1 verification, check, control; (*comm.*) audit: *— dei fatti*, verification of the facts; *— dei conti*, (*comm.*) audit of accounts; *— dei crediti*, proof of debts; *— di cassa*, (*comm.*) cash inspection; *— di somme*, checking of sums; *fare la — di un'addizione*, to check an addition 2 (*informatica*) check, checkout: *— di programmazione*, code check.

verificabile *agg.* verifiable.

verificabilità *s.f.* verifiableness.

verificare *v.tr.* to verify, to check, to control; (*comm.*) to audit: *le affermazioni di qlcu.*, to verify s.o.'s statements; *— i conti*, (*comm.*) to audit the accounts // **-arsi** *v.intr.pron.* (*avverarsi*) to come* true; (*accadere*) to happen, to take* place.

verificatore *s.m.* controller: *— dei conti*, (*comm.*) auditor.

verificazione *s.f.* verification.

verisimigliante e *deriv.* → **verosimigliante** e *deriv.*

verismo *s.m.* (*st. lett.*) "verismo"; (*realismo*) realism.

verista *agg.* (*st. lett.*) belonging to the "verismo" movement; (*realistico*) realistic ♦ *s.m.* e *f.* (*st. lett.*) member of the "verismo" movement; (*realista*) realist.

veristico *agg.* realistic.

verità *s.f.* truth, verity: *dire la —*, to tell (*o* to speak) the truth // *in —*, really (*o* in truth) // *è la bocca della —*, he is the soul of truth // *a dire la —*, to tell the truth.

veritiero *agg.* truthful, veracious.

verme *s.m.* worm (*anche fig.*): *— della terra*, earthworm; *— solitario*, tapeworm.

vermeil (*franc.*) *s.m.* vermeil.

vermiforme *agg.* vermiform.

vermifugo *agg.* e *s.m.* (*farm.*) vermifuge.

vermiglio *agg.* e *s.m.* vermilion.

vermut *s.m.* vermouth: *un — liscio*, a vermouth neat.

vernacolare *agg.* vernacular.

vernacolo *agg.* e *s.m.* vernacular.

vernice *s.f.* 1 paint; (*trasparente*) varnish: *— a olio*, oil paint; *— a fuoco*, stove enamel; *— a smalto*, enamel paint; *— fosforescente*, luminous paint; *— opaca*, flat varnish; *— per ritocco*, (*fot.*) dope; *mano di —*, coat of paint // *— fresca*, wet paint 2 (*fig.*) gloss, varnish 3 (*inaugurazione*) opening, inauguration 4 (*tipo di pelle*) patent leather: *scarpe di —*, patent leather shoes.

verniciare *v.tr.* to paint; (*con vernice trasparente*) to varnish: *— a smalto*, to enamel; *— a spruzzo*, to spray.

verniciata *s.f.* quick coat of paint.

verniciatore *s.m.* painter; varnisher.

verniciatura *s.f.* 1 painting; (*con vernice trasparente*) varnishing: *— a mano*, brush painting; *— a smalto*, enamelling; — *a spruzzo*, spray painting; — *di fondo*, undercoat **2** (*fig.*) varnish, gloss.

vero *agg.* **1** true; (*reale, autentico*) real: *un — amico*, a true (*o* real *o* sincere) friend; *una storia vera*, a true story; *il — colpevole*, the real culprit; *è vera seta*, it is real silk; *qual è il suo — lavoro?*, what is his real work? // *è —?, non è —?*, (*chiedendo conferma o attenzione*): *legge molto, non è —?*, he reads a lot, doesn't he?; *non l'hai visto, è —?*, you haven't seen him, have you?; *sei contento, non è —?*, you are happy, aren't you? // *non mi par —!*, I can hardly believe it! // *di — cuore*, sincerely // *com'è — Dio me la dovrai pagare!*, (*fam.*) I swear you'll pay for it! **2** (*perfetto, completo*) perfect, regular: *è una vera seccatura!*, it's a regular nuisance! ♦ *s.m.* (*verità*) truth: *a dire il —*, to tell the truth; *far passare qlco. per —*, to pass sthg. off as true // *essere nel —*, to be right // *dipingere dal —*, to paint from life.

verone *s.m.* (*letter.*) balcony.

veronica *s.f.* (*bot.*) Veronica.

verosimigliante *agg.* → **verosimile**.

verosimiglianza *s.f.* likelihood, probability.

verosimile *agg.* likely, probable: *non è una storia —*, it's not a likely story ♦ *s.m.*: *la tua storia ha del —*, your story sounds true.

verricello *s.m.* winch.

verro *s.m.* (*zool.*) boar.

verruca *s.f.* verruca (*pl.* -cas *o* -cae).

versamento *s.m.* **1** (*il versare*) pouring; (*il rovesciare*) spilling; (*lo spargere*) shedding // — *pleurico*, (*med.*) pleural effusion **2** (*comm.*) (*pagamento*) payment; (*deposito*) deposit: *fare un — in banca*, to lodge (*o* to deposit) money in a bank.

versante[1] *s.m.* e *f.* (*comm.*) depositor.

versante[2] *s.m.* (*di monte*) side.

versare *v.tr.* **1** to pour (out); (*rovesciare*) to spill*; (*spargere*) to shed*: — *da bere a qlcu.*, to pour out a drink for s.o. // — *lacrime*, to shed tears // — *il proprio sangue*, to shed one's blood // *questo fiume versa le sue acque nel lago*, this river flows into the lake **2** (*comm.*) to lodge, to deposit; (*pagare*) to pay*: — *un milione in banca*, to deposit a million in the bank // — *in deposito*, to deposit ♦ *v.intr.* **1** (*perdere*) to leak **2** (*trovarsi*) to be*, to live: — *in cattive condizioni*, to be in a bad state; — *in pericolo di vita*, to be in danger of death // **-arsi** *v.intr.pron.* **1** (*rovesciarsi*) to spill*: *si è versato del caffè sul tavolo*, some coffee has spilt on the table **2** (*di fiume ecc.*) to flow.

versatile *agg.* versatile.

versatilità *s.f.* versatility.

versato *agg.* **1** (*esperto*) versed; (*gener. riferito a lavori manuali*) skilled // *quel ragazzo è — per la musica*, that boy has a bent for music **2** (*comm.*) paid: *capitale —*, paid-up capital.

verseggiare *v.tr.* e *intr.* to versify.

verseggiatore *s.m.* versifier.

verseggiatura *s.f.* versification.

versetto *s.m.* (*della Bibbia*) verse; (*dei canti liturgici*) versicle.

versificare *v.tr.* e *intr.* to versify.

versificazione *s.f.* versification.

versione *s.f.* version; (*traduzione*) translation: *una — dall'italiano in inglese*, a translation from Italian into English; *la sua — della faccenda è diversa*, his version of the matter is different; *un film in — originale*, a film in original version; *la — sportiva di un'automobile*, the sports model of a car.

verso[1] *prep.* **1** (*direzione*) toward(s): — *est*, — *ovest*, towards the east (*o avv.* eastward(s), *agg.* eastward), towards the west (*o avv.* westward(s), *agg.* westward); *andare — casa*, to go towards home (*o* homewards) **2** (*prossimità*) near: *abita — Torino*, he lives near Turin **3** (*riferito a tempo*) (*circa*) about; (*non oltre*) toward(s): — *la fine della settimana*, toward(s) the end of the week; — *sera*, toward(s) evening; *venne — le cinque*, he came at about five o'clock; *morì — i trent'anni*, he died when he was about thirty **4** (*relazione*) to, towards: *il suo atteggiamento — di me è incomprensibile*, his attitude to (*o* towards) me is incomprehensible; *è molto gentile — di me*, he is very kind to me // *odio — il nemico*, hatred against the enemy.

verso[2] *s.m.* **1** (*di un foglio*) verso **2** (*di una moneta*) reverse.

verso[3] *s.m.* **1** (*riga di poesia*) verse, line; *pl.* (*poesia*) poetry (*solo sing.*): *comporre versi*, to write poetry (*o* verses); *mettere qlco. in versi*, to put sthg. into poetry **2** (*di animale*) sound, noise, cry; (*di uccelli*) song // *rifare il — a qlcu.*, to mimic s.o. (*o* to take s.o. off) **3** (*suono sgradevole*) noise; (*smorfia, moina*) affectation: *fa molti versi quando parla*, she is terribly affected when she speaks **4** (*direzione*) direction, way // *lasciare andare le cose per il loro —*, to let things take their course // *prendere qlco. per il suo —*, to approach s.o. from the right angle // *non c'è — di saperlo*, there is no way of knowing // *per un — o per un altro egli riesce sempre*, one way or another he is always successful // *per un — lo approvo, per l'altro no*, I approve of him in some ways but not in others.

vertebra *s.f.* (*anat.*) vertebra (*pl.* vertebrae).

vertebrale *agg.* vertebral.

vertebrato *agg.* e *s.m.* vertebrate.

vertenza *s.f.* dispute, controversy: — *giudiziaria*, judicial controversy; *comporre una —*, to settle a dispute.

vertere *v.intr.dif.* (*si usa solo nella 3ª pers. sing.* e *pl. dei tempi semplici*) to be* about (s.o., sthg.), to concern (s.o., sthg.), to regard (s.o., sthg.): *la discussione verte su...*, the discussion is about...

verticale *agg.* e *s.f.* vertical.

vertice *s.m.* **1** top, summit; (*fig.*) height // *conferenza al —*, summit conference **2** (*geom.*) vertex (*pl.* vertices).

vertigine *s.f.* dizziness (*solo sing.*), giddiness (*solo sing.*); (*med.*) vertigo: *un attacco di vertigini*, a fit of dizziness; *mi dà le vertigini*, it makes me (feel) dizzy; *avere le vertigini*, to feel dizzy.

vertiginosamente *avv.* dizzily, giddily.

vertiginoso *agg.* dizzy (*anche fig.*), giddy (*anche fig.*), vertiginous: *caduta vertiginosa*, fall from a dizzy height.

verve (*franc.*) *s.f.* verve, dash.

verza *s.f.* savoy (cabbage).

verzellino *s.m.* (*zool.*) serin.

verziere *s.m.* (*letter.*) orchard.

vescia *s.f.* (*bot.*) puffball.

vescica *s.f.* **1** (*anat.*) bladder // — *natatoria*, (*di pesce*) swim(ming) bladder **2** (*della pelle*) blister.

vescicante *agg.* e *s.m.* (*farm.*) vesicant.

vescicatorio *agg.* e *s.m.* vesicatory.

vescicola *s.f.* (*anat.*) vesicle.

vescicolare *agg.* (*anat.*) vesicular.

vescovado *s.m.* **1** (*territorio*) diocese; (*residenza*) bishop's residence, bishop's palace **2** (*dignità e durata della carica*) episcopate.

vescovile *agg.* episcopal, bishop's (*attr.*).

vescovo *s.m.* bishop.

vespa *s.f.* wasp.

vespaio *s.m.* wasps' nest // *suscitare un* —, (*fig.*) to stir up a hornets' nest.

vespasiano *s.m.* public urinal.

vespero *s.m.* → **vespro**.

vespertino *agg.* evening (*attr.*).

vespro *s.m.* **1** (*sera*) evening **2** (*eccl.*) vespers (*pl.*): *cantare il* —, to sing vespers.

vessare *v.tr.* (*letter.*) to oppress.

vessatorio *agg.* oppressive.

vessazione *s.f.* oppression.

vessillifero *s.m.* **1** (*st. romana*) vexillum-bearer **2** (*mil.*) standard-bearer.

vessillo *s.m.* **1** (*st. romana*) vexillum (*pl.* vexilla) **2** (*mil.*) standard; (*bandiera*) flag // *tenere alto il* —, to keep the flag flying // *sotto il* — *della libertà*, under the flag of liberty.

vestaglia *s.f.* dressing gown.

vestaglietta *s.f.* simple cotton dress.

vestale *s.f.* (*st. romana*) vestal.

veste *s.f.* **1** dress; *pl.* clothes, garments: — *da camera*, dressing gown // *questo libro ha una splendida* — *tipografica*, this book is beautifully printed // *dare* — *poetica ai propri pensieri*, to cloth one's thoughts in poetical language **2** (*eccl.*) vestment: *portare la* —, to wear the cassock **3** (*fig.*) capacity: *in* — *di amico*, as a friend; *in* — *di avvocato*, in the capacity of a lawyer // *venne da me sotto la falsa* — *di consigliere*, he came to me in the guise of an adviser.

vestiario *s.m.* **1** clothing; (*indumenti*) clothes (*pl.*): *capo di* —, article of clothing **2** (*teatr.*) costumes (*pl.*).

vestiarista *s.m. e f.* (*teatr.*) costumier.

vestibolo *s.m.* **1** hall, lobby, vestibule **2** (*anat.*) vestibule.

vestigio *s.m.* trace, vestige.

vestire *v.tr.* **1** to dress, to clothe (with sthg.) (*spec. fig.*): *ha tre figli da* —, he has three children to dress; *la primavera veste i prati d'erba*, spring clothes the meadows with grass // — *gli ignudi*, to clothe the naked // *un sarto che veste attrici famose*, a tailor who makes dresses for famous actresses **2** (*indossare*) to wear*: — *un abito nuovo*, to wear a new dress // — *la divisa*, to join up **3** (*di abiti*) (*adattarsi alla figura*) to fit: *una giacca che veste bene le spalle*, a jacket that fits well at the shoulders ♦ *v.intr.* to dress (oneself), to be* dressed: *il suo modo di* — *è ridicolo*, the way she dresses is ridiculous; *veste sempre di nero*, she is always dressed in black; — *bene, male*, to dress well, badly // *saper(si)* —, to dress with taste // **-irsi** *v.rifl.* **1** to dress (oneself); (*fam.*) to get* dressed; (*fig.*) to clothe oneself: *va' a vestirti*, go and dress (*o* go and get dressed) // — *a lutto*, to wear mourning // *come ti vesti stasera?*, what are you going to wear this evening? **2** (*mascherarsi*) to dress up: — *da arlecchino*, to dress up as harlequin **3** (*fornirsi di abiti*) to be dressed (by s.o.), to have* one's clothes made (by s.o.).

vestito *agg.* dressed (in); (*fig.*) clad (in), clothed (in): — *di bianco*, dressed in white; — *a festa*, all dressed up (*o* in one's Sunday best); — *da sera*, wearing an evening dress.

vestito *s.m.* (*da uomo*) suit; (*da donna*) dress; *pl.* (*indumenti*) clothes: — *da cerimonia*, formal dress; (*da uomo*) top hat and tails; (*sui biglietti d'invito*) white tie; — *da sera*, evening dress (*o amer.* formal).

vestizione *s.f.* (*eccl.*) (ceremony of) taking the habit.

veterano *s.m.* veteran (*anche fig.*).

veterinaria *s.f.* veterinary science.

veterinario *agg.* veterinary ♦ *s.m.* veterinary surgeon; (*fam.*) vet.

veto *s.m.* veto: *porre il* — *a una proposta*, to put a veto on (*o* to veto) a proposal.

vetraio *s.m.* **1** glazier **2** (*operaio che lavora il vetro*) glassworker.

vetrame *s.m.* glass articles (*pl.*).

vetrario *agg.* glass (*attr.*).

vetrata *s.f.* **1** (*porta*) glass door **2** (*finestra*) glass window: *vetrate a colori di una cattedrale*, stained glass windows of a cathedral.

vetrato *agg.* glazed // *carta vetrata*, glass-paper; (*per levigare*) sandpaper ♦ *s.m.* glaze.

vetreria *s.f.* **1** glassworks (*pl.*) **2** *pl.* (*articoli in vetro*) glassware (*sing.*).

vetrificabile *agg.* vitrifiable.

vetrificare *v.tr. e intr.*, **vetrificarsi** *v.intr.pron.* to vitrify.

vetrificazione *s.f.* vitrification.

vetrina¹ *s.f.* (*vernice*) glaze.

vetrina² *s.f.* **1** (*di negozio*) shop window // *mettersi in* —, to show off **2** (*bacheca*) (glass) show case **3** (*credenza a vetri*) cabinet; (*di negozio, museo*) show case.

vetrinista *s.m. e f.* window dresser.

vetrino *s.m.* slide.

vetrioleggiare *v.tr.* to vitriolize.

vetriolo *s.m.* vitriol.

vetro *s.m.* glass; (*di finestra, porta*) pane: *una lastra di* —, a sheet of glass; *oggetti di* —, glassware (*o* glass articles); *un bicchiere di* —, a glass // *pulire i vetri*, to clean the windows.

vetrocemento *s.m.* (*edil.*) glass concrete.

vetroso *agg.* vitreous; (*simile a vetro*) glassy.

vetta *s.f.* summit, top (*anche fig.*).

vettore *agg.*: *razzo* —, (*aer.*) launching rocket; *raggio* —, (*mat.*) radius vector ♦ *s.m.* **1** (*mat. fis.*) vector **2** (*corriere*) carrier.

vettoriale *agg.* (*mat. fis.*) vectorial // *calcolo* —, vector calculus.

vettovaglia *s.f.* (*spec. pl.*) provisions (*pl.*), victuals (*pl.*), food supplies (*pl.*).

vettovagliamento *s.m.* provisioning, victualling.

vettovagliare *v.tr.* to provision, to victual.

vettura *s.f.* **1** (*carrozza*) coach; (*automobile*) car: — *di piazza*, taxi (cab) (*o amer.* cab) **2** (*ferr.*) coach; (*amer.*) car; (*tranviaria*) tram // *in* —!, all aboard!

vetturale *s.m.* carrier.

vetturino *s.m.* coachman (*pl.* -men).

vetusto *agg.* ancient; (*molto vecchio*) very old.

vezzeggiare *v.tr.* to fondle, to pet.

vezzeggiativo *agg.* fondling, petting; (*di nome*) affectionate: *espressione vezzeggiativa*, term of endearment ♦ *s.m.* **1** pet name **2** (*gramm.*) diminutive.

vezzo *s.m.* **1** habit **2** (*carezza*) caress **3** *pl.* (*moine*) mincing ways; (*modi graziosi*) charm (*sing.*) **4** (*collana*) string.

vezzoso *agg.* pretty; (*lezioso*) mincing, affected.

vi *pron.pers.* *2ª pers.pl.ogg.* you; *termine* (to) you ♦ *pron.rifl.* yourselves, (*formula di cortesia*) yourself (*spesso omessi*): *lavatevi*, wash yourselves; *non* — *sentite bene?*, don't you feel well?; — *siete divertito?*, did you enjoy yourself? ♦ *pron.rec.* (*tra due*) each other, (*tra più di due*) one another: *dovreste aiutarvi di più*, you should help each other, one another more ♦ *pron.dimostr.* it; this; that: *non* — *capisco nulla*, I can't understand anything about it ♦ *avv.* (*là*) there: *v'è, — sono*, there is, there are; *— trovò molta gente*, he found many people there.

via[1] *s.f.* **1** street: *lo incontrai per la —*, I met him in the street; *abito in — Rivoli*, I live in via Rivoli // *la — Appia*, the Appian way **2** (*cammino*) way; path (*anche fig.*): *la — più breve per la stazione*, the shortest way to the station; *ne parleremo per —*, we shall speak about it on the way; *aprire la —*, to lead the way; *dare — libera a*, (*anche fig.*) to give way to; *le vie del Signore*, the paths of the Lord; *la — della gloria*, the path of glory; *la retta —*, the straight path // *— d'acqua*, waterway; (*falla*) leak // *— mare, — terra*, by sea, by land; *per — aerea*, by air; (*di posta*) by airmail // *treno Milano-Roma, — Firenze*, the Milan-Rome, via Florence // *in — di costruzione*, under construction // *è in — di guarigione, di miglioramento*, he is recovering, improving // *per vie traverse*, by underhand means **3** (*modo, mezzo*) way: *in — amichevole*, in a friendly way; *non c'è — di scampo*, there is no way out // *una situazione senza — d'uscita*, a dead end (*o* a blind alley) // *per — di*, owing to **4** (*med.*) tract: *vie respiratorie*, respiratory tract // *vie biliari*, bile ducts **5** (*informatica*) way // *— di trasmissione*, (*tel.*) facility.

via[2] *avv.* **1** (*in unione a voci verbali*) away, off: *andar —*, (*andarsene*) (*anche fig.*) to go away; (*di macchie*) to come out; *dar —*, to give away; (*smerciare*) to sell off; *essere —*, to be away **2** (*assoluto, sottintendendo per lo più il verbo andare*): *—!*, (*per scacciare*) away with you!, (*fam.*) scram! // *uno, due, tre —!*, ready, steady, go! // *— come una saetta*, off like a shot // *— di lì*, get away from there **3** (*esclamativo*): *—, coraggio!*, come on, cheer up!; *—, dimmi quello che sai*, come on, tell me what you know; *— non dire queste cose*, come now, do not say such things; *non spaventarti, —!*, now then, do not be afraid! **4** — *che arrivano mandali da me*, as they arrive send them to me; *va — — diminuendo*, it is decreasing little by little **5** (*eccetera*): *e così —, e — di questo passo, e — dicendo, e — discorrendo*, and so on (*o* and so forth) ♦ *s.m.* start: *pronti al —*, ready to go; *dare il —*, (*sport*) to give the starting signal; *dare il — a una discussione*, to open a debate; *dare il — ai lavori*, to start work.

viabilità *s.f.* **1** road conditions // *ripristinare la — di un valico*, to reopen a mountain pass to traffic **2** (*rete stradale*) roads (*pl.*).

Via Crucis *s.f.* Way of the Cross // *la sua vita è stata una via crucis*, (*fig.*) his life was a calvary.

viadotto *s.m.* viaduct.

viaggiante *agg.* travelling.

viaggiare *v.intr.* to travel: *— in treno, automobile, aeroplano, nave*, to travel by train, car, air, sea; *— in prima, seconda* (*classe*), to travel first, second class; *è un uomo che ha viaggiato molto*, he is a well-travelled man // *il treno viaggia con venti minuti di ritardo*, the train is twenty minutes late.

viaggiatore *s.m.* **1** traveller; (*commesso*) —, commercial traveller (*o* salesman) **2** (*passeggero*) passenger.

viaggio *s.m.* journey; (*gita*) trip; (*per nave*) voyage; (*per aereo*) flight, (*fam.*) hop: *— di affari*, business trip; *— di andata, di ritorno*, outward, return journey; *— turistico*, tour; *compagno di —*, travelling companion; *borsa da —*, travelling bag; *essere in —*, to be on a journey (*o* voyage *o* trip); *fare, intraprendere un —*, to go on (*o* to take) a journey; *fare buon —*, to have a nice trip (*o* journey); *buon —!*, have a nice journey! // *ci vogliono*

due viaggi per trasportare tutta questa roba, we'll have to make two trips to carry all this stuff // *libro di viaggi*, travel book // *raccontami dei tuoi viaggi all'estero*, tell me about your travels abroad.

viale *s.m.* avenue.

viandante *s.m. e f.* wayfarer.

viatico *s.m.* viaticum (*pl.* viatica).

viavai *s.m.* coming and going; (*confusione*) bustle: *— di gente*, people coming and going.

vibrante *agg.* vibrant, vibrating: *voce —*, vibrant voice; *note vibranti*, vibrating notes.

vibrare *v.tr.* **1** to hurl (*anche fig.*) **2** (*un colpo*) to strike*, to deal* // *— a qlcu. un colpo di pugnale*, to stab s.o. ♦ *v.intr.* to vibrate (with sthg.) // *— di passione*, to quiver with passion.

vibrato *agg.* vigorous; (*di linguaggio*) forcible.

vibratore *s.m.* vibrator.

vibratorio *agg.* vibratory, vibrative.

vibrazione *s.f.* **1** vibration: *— acustica*, sound vibration **2** (*fig.*) note.

vicariato *s.m.* vicariate.

vicario *s.m.* vicar // *— apostolico*, vicar apostolic.

vice- *pref.* vice-.

vice *s.m.* substitute; deputy.

viceconsole *s.m.* vice-consul.

vicedirettore *s.m.* assistant manager; (*di scuola*) assistant headmaster; (*di giornale*) assistant editor.

vicegovernatore *s.m.* vice-governor.

vicemadre *s.f.* foster-mother.

vicenda *s.f.* **1** (*evento*) event **2** (*successione*) succession, train // *a —*, (*fra due*) each other; (*fra molti*) one another; (*alternatamente*) in turn (*o* by turns) **3** (*agr.*) rotation.

vicendevole *agg.* mutual, reciprocal.

viceprefetto *s.m.* subprefect.

vicepreside *s.m. e f.* assistant headmaster.

vicepresidente *s.m. e f.* vice-president, vice-chairman (*pl.* -men).

viceré *s.m.* viceroy.

viceversa *avv.* **1** vice versa **2** (*invece*) whereas, on the contrary.

vichingo *agg.* Viking (*attr.*) ♦ *s.m.* (*st.*) Viking.

vicinanza *s.f.* **1** closeness, nearness, vicinity; (*adiacenza*) adjacency // *in — di*, close to (*o* near) **2** *pl.* (*adiacenze, dintorni*) neighbourhood (*sing.*), vicinity (*sing.*).

vicinato *s.m.* **1** (*dintorni*) neighbourhood **2** (*vicini*) neighbours (*pl.*): *essere in rapporti di buon —*, to be on good terms with one's neighbours.

vicino *agg.* **1** near; close; at hand (*pred.*): *l'albergo più —*, the nearest hotel; *l'inverno è —*, winter is at hand // *vicinissimo*, close by **2** (*confinante*) neighbouring (*attr.*); (*adiacente*) next: *il villaggio —*, the neighbouring village; *nella stanza vicina*, in the next room; *abita nella casa vicina*, he lives next door; *siamo vicini a casa*, we are near home; *stammi —*, keep close to me; *state vicini o vi perderete*, keep together or you will lose each other // *— alla fine*, near the end; *ci sentiamo molto vicini a voi*, we feel very close to you // *un colore più — al rosso che al viola*, a colour nearer to red than to violet // *è — ai quaranta*, he is close to forty // *essere — a morire*, to be at death's door ♦ *s.m.* neighbour: *il mio — di destra*, the person on my right (*o* my right-hand neighbour); *il mio — di tavola*, the person sitting next to me at table; *siamo vicini* (*di casa*), we are next-door neighbours.

vicino *avv.* near, close, near by, close by; (*a portata di* *mano*) at hand: *lontano e —*, far and near; *è —*, it is near (*o* close by *o* near by); *abitiamo —*, we live near by; *lavoro qui —*, I work near here; *vieni più —*, come closer // *così da —*, as close as this // *troppo da —*, too close(ly) // *guardare, esaminare qlco. da —, più da —*, to look at, to examine sthg. from close up, from closer (*o* to give a close, a closer look to sthg.); *vedere qlcu. da —*, to see s.o. from close up; *seguire un argomento da —*, to follow a matter closely; *conoscere qlcu. da —*, to be a close friend of s.o. (*o* essere *anche come agg.*) near (to), close to; (*a lato*) beside: *la chiesa è — al ponte*, the church is near (to) the bridge; *abita — a Roma*, he lives near Rome; *abita — a me*, he lives near to me; (*nella casa o nell'appartamento accanto*) next door to me; *seduti — al fuoco*, sitting by the fire. *Si noti che l'unione con la preposizione* a *si verifica spesso anche con* vicino *in funzione di →* agg. 1.

vicissitudine *s.f.* vicissitude, up and down.

vicolo *s.m.* alley, lane: *— cieco*, (*anche fig.*) blind alley.

video *s.m.* 1 (*tv*) video; (*schermo*) screen 2 (*informatica*) display (unit).

videocassetta *s.f.* videocassette.

videogioco *s.m.* videogame.

videonastro *s.m.* videotape.

videoregistratore *s.m.* video recorder.

videotelefono *s.m.* video telephone, videophone.

videoterminale *s.m.* video terminal.

vidimare *v.tr.* to stamp; (*autenticare*) to authenticate.

vidimazione *s.f.* stamping; (*autenticazione*) authentication.

viennese *agg.* e *s.m.* Viennese.

viep(p)iù *avv.* more and more.

vietare *v.tr.* to forbid* (s.o. to do), to prohibit (s.o. from doing); (*impedire*) to prevent (s.o. from doing).

vietato *agg.* forbidden, prohibited // *— ai minori di sedici anni*, no admittance to under-sixteens // *— l'ingresso*, no admittance.

vietnamita *agg.* e *s.m.* Vietnamese (*pl. invar.*).

vieto *agg.* old; (*antiquato*) antiquated; (*superato*) obsolete: *parole viete*, obsolete words.

vigente *agg.* in force (*pred.*): *legge —*, law in force.

vigere *v.intr.* to be* in force, to be* in use.

vigilante *agg.* vigilant, watchful, alert.

vigilanza *s.f.* vigilance, watch; (*sorveglianza*) surveillance // *— urbana*, city police force // *— speciale*, special surveillance.

vigilare *v.tr.* to watch (over s.o., sthg.), to keep* a watch (on s.o., sthg.) ♦ *v.intr.* to be* on the alert, to keep* watch.

vigilato *agg.* watched ♦ *s.m.*: *— speciale*, person under special surveillance.

vigilatrice *s.f.* matron.

vigile *agg.* watchful, alert, vigilant ♦ *s.m.* 1 (*di polizia urbana*) policeman (*pl.* -men); (*sl.*) bobby, cop 2 (*del fuoco*) fireman (*pl.* -men): *i vigili del fuoco*, the fire brigade.

vigilia *s.f.* 1 eve (*anche fig.*): *— di Natale*, Christmas Eve 2 (*eccl.*) fasting; (*digiuno*) fast: *giorno di —*, fast day; *osservare la —*, to fast 3 (*veglia notturna*) watch.

vigliaccheria *s.f.* 1 cowardice, cowardliness 2 (*azione da vigliacco*) cowardly action.

vigliacco *agg.* cowardly, craven ♦ *s.m.* coward, craven: *sei un —!*, you're a coward! (*o* you're yellow! *o* you're chicken!).

vigna *s.f.* vineyard.

vignaiolo *s.m.* vine dresser.

vigneto *s.m.* vineyard.

vignetta *s.f.* vignette; (*umoristica*) cartoon.

vigogna *s.f.* vicuña.

vigore *s.m.* 1 strength, vigour (*anche fig.*), force (*anche fig.*) 2 (*dir.*): *in —*, in force: *entrare in —*, to come into force.

vigoria *s.f.* vigour, energy.

vigoroso *agg.* vigorous, strong, powerful.

vile *agg.* 1 mean, vile, base: *— adulazione*, base flattery // *il — metallo*, (*scherz.*) filthy lucre 2 (*vigliacco*) cowardly ♦ *s.m.* e *f.* coward.

vilipendere *v.tr.* to vilify, to vilipend.

vilipendio *s.m.* contempt, disparagement.

villa *s.f.* 1 (*country*) house, villa: *una — al mare*, a house by the sea; *una — in campagna*, a country house; *è una — del Settecento*, it is a XVIIIth century villa 2 (*campagna*) countryside.

villaggio *s.m.* village; (*piccolo*) hamlet: *— olimpico*, olympic village; *— turistico*, tourist centre; holiday camp.

villanella *s.f.* 1 country girl 2 (*poesia*) villanelle 3 (*mus. danza*) villanella (*pl.* -le).

villania *s.f.* rudeness: *fare delle villanie a qlcu.*, to be rude to s.o.

villano *agg.* rude (to), impolite (to), ill-mannered, discourteous: *fu molto — con me*, he was very rude (*o* impolite) to me; *modi villani*, bad manners ♦ *s.m.* 1 (*contadino*) countryman (*pl.* -men), peasant 2 (*persona maleducata*) rude fellow, ill-bred fellow, boor // *un — rifatto*, an upstart (*o* a parvenu).

villanzone *s.m.* ill-bred person, rude person.

villeggiante *s.m.* e *f.* holidaymaker; (*amer.*) vacationer.

villeggiare *v.intr.* to spend* one's holidays, to holiday; (*amer.*) to vacation.

villeggiatura *s.f.* holiday, vacation: *in —*, on holiday (*o* on one's holidays); *luogo di — estiva, invernale*, summer, winter resort.

villereccio *agg.* rustic, rural, country (*attr.*).

villico *s.m.* peasant, countryman (*pl.* -men); (*abitante di villaggio*) villager.

villino *s.m.* cottage.

villo *s.m.* (*anat. bot.*) villus (*pl.* villi).

villoso *agg.* 1 hairy 2 (*bot.*) villous.

vilmente *avv.* 1 (*da vigliacco*) faint-heartedly, cowardly 2 (*meschinamente*) meanly, vilely, basely.

viltà *s.f.* 1 (*vigliaccheria*) faint-heartedness, cowardice; (*azione da vigliacco*) cowardly action 2 (*meschinità*) meanness, baseness; (*azione meschina*) mean action, low action.

vilucchio *s.m.* (*bot.*) bearbine.

viluppo *s.m.* tangle, ravel (*anche fig.*).

Viminale *no.pr.m.* Viminal.

vimine *s.m.* (*spec. pl.*) wicker, withe: *lavoro in vimini*, wickerwork; *paniere di vimini*, wicker basket; *sedia di vimini*, wicker chair.

vinaccia *s.f.* dregs of pressed grapes (*pl.*).

vinacciolo *s.m.* grape pip, grape seed.

vinaio *s.m.* vintner, wine seller, wine merchant.

vincastro *s.m.* (shepherd's) crook.

vincente *agg.* winning ♦ *s.m.* e *f.* winner.

Vincenzo *no.pr.m.* Vincent.

vincere *v.tr.* 1 to win* (*anche fig.*): *gli ho vinto 2000 lire al poker*, I won 2000 lire from (*o* off) him at poker; *la sua gentilezza mi vinse*, I was won over (*o* conquered) by his kindness; *— un premio*, to win (*o* to carry off) a prize; *— una scommessa*, to win a bet // *nessuno la vin-*

ce con lui, nobody will get the better of him // *— per abbandono dell'avversario*, (*sport*) to win because of the withdrawal (*o* retirement) of one's opponent // *— di stretta misura*, (*sport*) to win by a narrow lead; (*di cavalli*) to win by a short head // *— facilmente*, (*sport*) to have a walkover; (*di larga misura*) to win hands down 2 (*battere, sconfiggere*) to beat*, to defeat // *— qlcu. in gentilezza*, to outdo s.o. in kindness 3 (*sopraffare*) to overcome* // *lasciarsi — dalla tentazione*, to yield to temptation 4 (*dominare*) to master: *bisogna vincersi*, one must control oneself (*o* must not lose one's self-control).

vincita *s.f.* win; (*denaro vinto*) winnings (*pl.*): *fare una grossa —*, to win a large sum.

vincitore *agg.* winning, victorious ♦ *s.m.* winner: *il — del premio*, the prizewinner.

vinco *s.m.* (*bot.*) withe.

vincolante *agg.* binding.

vincolare *v.tr.* 1 to bind* 2 (*comm.*) to lock up, to tie up.

vincolato *agg.* tied up: *in conto —*, on deposit // *deposito bancario —*, tied up deposit account.

vincolo *s.m.* tie, bond.

vinicolo *agg.* wine (*attr.*).

vinificazione *s.f.* wine making.

vinile *s.m.* (*chim.*) vinyl.

vinilico *agg.* (*chim.*) vinyl (*attr.*).

vino *s.m.* wine: *— brulé*, mulled wine; *— pregiato*, choice wine; *— da tavola, da pasto*, table wine; *— di una buona annata*, vintage wine; *— di mele*, cider; *commerciante di —*, wine merchant (*o* vintner); *commercio di vini*, wine-trade; *fare il —*, to make wine // *buon — fa buon sangue*, good wine breeds good humour.

vinoso *agg.* vinous.

vinto *agg.* 1 won: *una battaglia vinta*, a victorious battle; *questo è il denaro —*, these are the winnings // *non gliela darò vinta*, I won't let him have his own way 2 (*sconfitto*) beaten, defeated // *darsi per —*, to throw in the sponge 3 (*soprafatto*) overcome ♦ *s.m.* (*al gioco o in una contesa*) loser; (*in battaglia*) vanquished man // *i vinti*, the vanquished.

viola[1] *s.f.* (*bot.*) violet ♦ *agg. e s.m.* violet.

viola[2] *s.f.* (*mus.*) viola.

violacciocca *s.f.* (*bot.*) wallflower.

violaceo *agg.* violet.

violare *v.tr.* to violate // *— il domicilio di qlcu.*, to break into s.o.'s house.

violatore *s.m.* violator.

violazione *s.f.* violation // *— di domicilio*, housebreaking.

violentare *v.tr.* to rape, to violate, to ravish.

violento *agg.* violent; (*di luce*) strong // *non —*, nonviolent: *i non violenti*, the nonviolent.

violenza *s.f.* violence: *costringere qlcu. con la —*, to force s.o.

violetta *s.f.* violet.

violetto *agg. e s.m.* violet.

violinista *s.m. e f.* violinist.

violino *s.m.* violin; (*fam.*) fiddle.

violoncellista *s.m. e f.* violoncellist, 'cellist.

violoncello *s.m.* violoncello, 'cello.

viottola *s.f.*, **viottolo** *s.m.* path.

vipera *s.f.* viper (*anche fig.*): *avere una lingua di —*, to have a poisonous tongue.

viperino *agg.* viperine; (*fig.*) viperish.

viraggio *s.m.* (*fot.*) toning.

virago *s.f.* (*letter.*) virago.

virale *agg.* viral.

virare *v.intr.* 1 (*mar.*) to tack: *— di bordo*, (*anche fig.*) to tack about; (*scherz.*) (*fare dietrofront*) to back out; (*scherz.*) (*evitare un argomento*) to veer off the subject 2 (*aer.*) to turn 3 (*fot.*) to tone ♦ *v.tr.* (*mar.*) to haul.

virata *s.f.* 1 (*mar.*) tack 2 (*aer.*) turn.

virgiliano *agg.* Virgilian.

Virgilio *no.pr.m.* (*st. lett.*) Vergil, Virgil.

virginale, virgineo *agg.* virginal.

virgola *s.f.* 1 comma: *non cambiare neanche una —*, not to change a single word 2 (*mat.*) point: *quattro — cinque*, four point five 3 (*informatica*) point: *— mobile*, floating point.

virgolette *s.f.pl.* inverted commas, quotation marks: *tra —*, in inverted commas (*o* in quotes); (*aperte le) —*, open inverted commas (*o* quote); *chiuse le —*, close inverted commas (*o* end of quote).

virgulto *s.m.* (*lett.*) shoot.

virile *agg.* manly, virile; (*fig.*) strong: *uno stile —*, a vigorous style // *età —*, manhood.

virilità *s.f.* 1 virility, manliness 2 (*età virile*) manhood.

virilmente *avv.* manfully, in a manly fashion.

virologia *s.f.* virology.

virosi *s.f.* (*med.*) virosis (*pl.* viroses).

virtù *s.f.* 1 virtue // *la — è premio a sé stessa*, virtue is its own reward // *ha la virtù di interrompermi sempre*, (*iron.*) she has the knack of always interrupting me 2 (*facoltà, proprietà*) virtue, efficacy, power: *in — di*, by (*o* in) virtue of.

virtuale *agg.* virtual.

virtualità *s.f.* virtuality.

virtuosismo *s.m.* virtuosity.

virtuosistico *agg.* virtuosic.

virtuoso *agg.* virtuous ♦ *s.m.* (*mus.*) virtuoso.

virulento *agg.* virulent (*anche fig.*).

virulenza *s.f.* virulence (*anche fig.*).

virus *s.m.* (*biol.*) virus.

viscerale *agg.* 1 visceral 2 (*fig.*) instinctive, unreasoning, irrational; (*profondamente radicato*) deeply rooted.

viscere *s.m.* [*pl.m.* visceri *nei sensi* 1, 2; *pl.f.* viscere *nei sensi* 3, 4] 1 vital organ, internal organ 2 *pl.* viscera 3 *pl.* (*intestini*) bowels, intestines; (*di animale*) entrails // *le viscere della terra*, the bowels of the earth 4 *pl.* (*grembo materno*) womb (*sing.*).

vischio *s.m.* 1 (*bot.*) mistletoe 2 (*pania*) birdlime.

vischioso *agg.* viscous, sticky, slimy.

viscido *agg.* viscid, sticky; (*fig.*) slimy.

visciola *s.f.* (*bot.*) wild cherry.

visciolo *s.m.* wild-cherry tree.

visconte *s.m.* viscount.

viscontessa *s.f.* viscountess.

viscosa *s.f.* (*chim.*) viscose.

viscosità *s.f.* viscosity, stickiness.

viscoso *agg.* viscous, sticky, slimy.

visibile *agg.* visible.

visibilio *s.m.* 1 *andare, mandare in —*, to go, to throw into raptures 2 (*fam.*) profusion.

visibilità *s.f.* visibility.

visiera *s.f.* 1 (*di elmo*) visor, vizor, vizard 2 (*di berretto*) peak 3 (*da scherma*) fencing mask.

visionare *v.tr.* (*cinem.*) to screen, to show*.

visionario *agg. e s.m.* visionary.

visione *s.f.* vision: *avere una — pessimistica della vita*, to have a pessimistic outlook on life; *prendere — di qlco.*, to look over (*o* into) sthg. // *prima —*, (*cinem.*) first showing; (*amer.*) first run.

visìr *s.m.* vizì(e)r: *gran —*, Grand Vizier.

visita *s.f.* **1** visit; (*breve*) call: *essere in — da qlcu.*, to be on a visit to s.o.; *fare una — a qlcu.*, to pay s.o. a visit (*o* to call on s.o.) // *ore di —*, visiting hours // *ci fa una breve — tutte le sere*, he looks in (*o fam.* drops in) every evening **2** (*visitatore*) visitor, caller **3** (*med.*) examination; (*periodica e generale*) checkup; (*mil.*) medical inspection: *quanto prende per una —?*, what is his fee for a visit?; *il dottore è in giro per visite*, the doctor is doing his round(s) // *marcar —*, (*gergo mil.*) to attend sick parade **4** (*eccl.*) visitation.

visitare *v.tr.* **1** to visit: *fecero — la casa agli amici*, the friends were shown over the house **2** (*andare a trovare*) to visit, to pay* a visit (to s.o.), to see* **3** (*med.*) to visit, to examine.

visitatore *s.m.* visitor.

visìvo *agg.* visual: *campo —*, field of vision.

Visnù *no.pr.* (*relig. indù*) Vishnu.

viso *s.m.* face: *accendersi in —*, to flush; *guardare qlcu. in —*, to look s.o. in the face // *a — a —*, face to face // *— pallido*, («*uomo bianco*» per i pellerossa) pale-face // *fare buon viso a qlco.*, to put a good face on sthg.; *fare buon — a cattiva sorte*, to make the best of a bad bargain.

visone *s.m.* mink: *pelliccia di —*, mink coat.

visore *s.m.* **1** (*ott.*) viewer **2** (*informatica*) (*di calcolatrice*) check window.

vispo *agg.* lively, sprightly, brisk.

vissuto *agg.* experienced // *un uomo —*, a man who has been around // *avere un'aria vissuta*, to look as if one has been around.

vista *s.f.* **1** sight: *avere una — buona, cattiva*, to have good, bad sight; *avere un difetto di —*, to have a defect in one's sight // *avere la — corta*, to be shortsighted; *avere la — lunga*, to have (great) foresight; *alla — del ladro...*, on seeing the thief...; // *a prima —*, at (first) sight: *suonare a prima —*, to sight-read // *in — di*, considering (*o* in view of) // *è una persona molto in —*, he is a very well-known person // *conoscere qlcu. di —*, to know s.o. by sight // *far — di*, to pretend to // *cresce a — d'occhio*, he grows as you look at him; (*di cose*) it grows by leaps and bounds // *avere in — qlco. di interessante*, to have sthg. interesting in view // *perdere di —*, to lose sight of // *nave in —!*, ship ahoy!; *terra in —!*, land ho! // *pagabile a —*, payable at sight **2** (*panorama*) view.

vistare *v.tr.* to visa.

visto *s.m.* visa; (*vidimazione*) stamp: *mettere il — a un passaporto*, to visa a passport.

vistoso *agg.* striking, showy // *una somma vistosa*, a considerable sum.

visuale *agg.* visual ♦ *s.f.* view.

visualizzare *v.tr.* to visualize.

visualizzazione *s.f.* (*informatica*) display: *— grafica*, graphic display.

vita¹ *s.f.* **1** life: *richiamare qlcu. in —*, to bring s.o. back to life; *togliersi la —*, to take one's life; *essere ancora in —*, to be still alive (*o* living) // *essere attaccati alla —*, to cling to life // *che —!*, what a life! // *per la —*, for life // *come va la —?*, how is life? // *i figli sono la sua —*, her children mean everything to her // *fare una — da cani*, to lead a dog's life // *fare la — del gran signore*, to live like a lord // *passare a miglior —*, to

pass away // *vendere cara la propria —*, to sell one's life dearly // *finché c'è — c'è speranza*, (*prov.*) while there's life there's hope // *sa —, morte e miracoli di quell'uomo*, he knows everything about that man **2** (*durata di una intera esistenza*) lifetime: *tutta una — di felicità*, a lifetime of happiness; *un'amicizia che dura tutta una —*, a lifelong friendship // *in —*, during one's lifetime: *non sono mai stato in ospedale in — mia*, I've never been in hospital in all my life // *a —*, for life: *pensione a —*, life pension; *essere condannato a —*, to be given a life sentence **3** (*vitalità*) vitality, life; (*animazione*) animation: *mancare di —*, to lack vitality; *dar — a una festa*, to liven up a party **4** (*essere, persona*) life: *non si lamenta alcuna perdita di vite umane*, no lives were lost **5** (*biografia*) life (story), biography.

vita² *s.f.* (*parte del corpo*) waist: *—, vitino di vespa*, wasp-waist; *punto di —*, waistline; *avere la — corta, lunga*, to be short-, long-waisted.

vitàlba *s.f.* (*bot.*) clematis.

vitàle *agg.* **1** vital (*anche fig.*): *di — importanza*, of vital importance **2** (*di neonato*) viable.

vitalità *s.f.* **1** vitality **2** (*di neonato*) viability.

vitalìzio *agg.* lifelong, life (*attr.*): *socio —*, life member ♦ *s.m.* (life) annuity: *fare un —*, to take out a life annuity.

vitamìna *s.f.* vitamin.

vitamìnico *agg.* vitaminic, vitamin (*attr.*).

vìte¹ *s.f.* (*bot.*) vine.

vìte² *s.f.* (*mecc.*) screw: *giro di —*, (*anche fig.*) turn of the screw; *stringere, allentare una —*, to tighten, to loosen a screw // *cadere a —*, (*di aereo*) to go into a corkscrew dive.

vitèlla *s.f.* heifer.

vitèllo *s.m.* **1** calf: *pelle di —*, calfskin // *— marino*, sea calf **2** (*cuc.*) veal.

vitellóne *s.m.* (*cuc.*) veal.

vitìccio *s.m.* (*bot.*) vine tendril.

vitìcolo *agg.* viticultural.

viticoltóre *s.m.* grape-grower, viticulturist.

viticoltùra *s.f.* grape-growing, viticulture.

vitìgno *s.m.* vine.

vitreo *agg.* glassy: *uno sguardo —*, a glassy look // *umor —*, (*anat.*) vitreous humour.

vittima *s.f.* victim // *smettila di fare la —!*, stop feeling sorry for yourself!

vittimismo *s.m.* (*med.*) persecution complex; (*l'atteggiarsi a vittima*) self-pity.

vitto *s.m.* **1** (*cibo*) food **2** (*in albergo ecc.*) board: *— e alloggio*, board and lodging.

vittòria *s.f.* **1** victory: *conseguire una — sul nemico*, to gain (*o* to win) a victory over the enemy // *cantar —*, to crow (over a victory); *non cantar — prima del tempo*, don't count your chickens before they are hatched **2** (*sport*) win.

Vittòria *no.pr.f.* Victoria.

vittoriàno *agg.* Victorian.

Vittòrio *no.pr.m.* Victor.

vittorióso *agg.* victorious.

vituperàre *v.tr.* to vituperate.

vituperévole *agg.* shameful.

vitupèrio *s.m.* **1** (*disonore*) shame, disgrace **2** (*ingiuria*) insult.

vituperóso *agg.* shameful, disgraceful.

viùzza *s.f.* lane.

viva *inter.* hurrah, hurray: *— il Re, la Regina!*, long live the King, the Queen!

vivacchiare *v.intr.* to get* along, to get* by.

vivace *agg.* vivacious, lively; (*di colore*) bright.

vivacità *s.f.* vivacity, liveliness; (*di colore*) brightness.

vivaddio *inter.* by God!, upon my word!

vivagno *s.m.* selvedge.

vivaio *s.m.* **1** (*di pesci*) fishpond; fish-preserve, fish-farm **2** (*di piante*) nursery: — *forestale*, seedling nursery **3** (*fig.*) breeding ground.

vivanda *s.f.* (*cibo*) food; (*pietanza*) dish.

vivandiera *s.f.* (*mil.*) sutler.

vivente *agg.* living ♦ *s.m.* e *f.* living being.

vivere *v.intr.* to live (*anche fig.*); (*campare*) to live (on sthg., by sthg.): *egli vive ancora*, he is still living; — *fino a tarda età*, to live to be very old (*o* to live to a ripe old age); *vivo qui da anni*, I have been living here for years; *guadagnarsi da* —, to make a living; — *del proprio lavoro*, to live by one's work; — *di rendita*, to live on a private income; *avere di che* —, to have enough to live on; *lavorare per* —, to work for one's living // *insegnare a qlcu. a* —, to teach s.o. good manners // *saper* —, to know how to live, (*sapersi comportare*) to know how to behave // *vive*, (*abolizione di correzione*) stet // *chi vivrà vedrà*, (*prov.*) time will tell; *vivi e lascia* —, (*prov.*) live and let live ♦ *v.tr.* to live.

vivere *s.m.* life, living; (*modo di vivere*) way of living // *il quieto* —, quiet life.

viveri *s.m.pl.* victuals, provisions: *tagliare i* — *a qlcu.*, to cut off s.o.'s supplies; *provvedere un esercito di* —, to victual an army.

viveur (*franc.*) *s.m.* bon viveur.

vivezza *s.f.* liveliness, sprightliness: — *d'ingegno*, quick-wittedness **2** (*di colori*) brightness.

vivido *agg.* vivid.

vivificare *v.tr.* to enliven (*anche fig.*).

vivificatore *agg.* vivifying ♦ *s.m.* vivifier.

vivificazione *s.f.* enlivening, vivification.

viviparo *agg.* viviparous.

vivisezionare *v.tr.* to vivisection.

vivisezione *s.f.* vivisection.

vivo *agg.* **1** alive (*pred.*); (*vivente*) living; (*fig.*) live (*attr.*): *fu sepolto* —, he was buried alive; *è ancora* —, he is still alive (*o* living) // *l'ho sentito dalla sua viva voce*, I heard it from him in person // *la lingua viva*, spoken language // *le lingue vive*, modern languages // *farsi* —, to turn up: *fatti* — *ogni tanto*, come and see us now and then **2** (*vivace*) lively; (*animato*) animated **3** (*profondo*) deep; (*acuto*) keen, sharp **4** (*vivido*) vivid, clear: *un* — *ricordo*, a vivid memory **5** (*di colore*) bright ♦ *s.m.* **1** living person: *i vivi e i morti*, the living and the dead **2** (*fig.*) (*essenza*) heart: *entrare nel* — *di una questione*, to get to the heart of a matter // *pungere nel* —, to touch on the raw **3** *ritrarre qlcu. dal* —, to portray s.o. from life.

viziare *v.tr.* **1** to spoil* **2** (*corrompere, guastare*) to vitiate **3** (*dir.*) to vitiate, to invalidate.

viziato *agg.* **1** spoilt: *un bambino* —, a spoilt child **2** (*corrotto, guasto*) vitiated // *aria viziata*, stuffy air **3** (*dir.*) vitiated, invalidated.

vizio *s.m.* **1** vice **2** (*cattiva abitudine*) bad habit **3** (*difetto*) defect: *un* — *al cuore*, a heart defect // *un* — *di forma*, (*dir.*) a vice of form.

viziosità *s.f.* (*depravazione*) debauchery, dissipation; (*inesattezza*) defectiveness.

vizioso *agg.* **1** debauched, dissolute **2** (*difettoso, inesatto*) defective, faulty: *circolo* —, vicious circle ♦ *s.m.* profligate, debauchee.

vizzo *agg.* withered, faded.

vocabolario *s.m.* **1** (*insieme di vocaboli propri a una disciplina, a una persona*) vocabulary **2** (*dizionario*) dictionary.

vocabolarista *s.m.* e *f.* lexicographer, dictionary maker.

vocabolo *s.m.* word, vocable.

vocale[1] *agg.* vocal.

vocale[2] *s.f.* (*gramm.*) vowel.

vocalico *agg.* vocalic.

vocalismo *s.m.* vocalism.

vocalizzare *v.tr.* e *intr.* to vocalize.

vocalizzazione *s.f.* vocalization.

vocalizzo *s.m.* vocalism, vocal exercise.

vocativo *agg.* (*gramm.*) vocative: *al* —, in the vocative.

vocazione *s.f.* vocation, calling; (*inclinazione*) inclination, bent: *sentire la* — *al sacerdozio*, to feel the calling for the priesthood; *avere la* —, (*eccl.*) to have a vocation.

voce *s.f.* **1** voice (*anche fig.*): — *di gola, petto*, throaty, chest voice; — *nasale*, nasal voice; — *stridula*, shrill voice; — *bianca*, treble voice; *alzare la* —, to raise one's voice; *non aver* —, to be out of voice; *mi sta andando giù la* —, I'm losing my voice; *parlare a* — *alta, bassa*, to speak in a loud, in a low voice // — *!*, speak up!; louder! // *a piena* —, at the top of one's voice // *fare la* — *grossa*, to speak in an angry tone // *dar* — *alle proprie emozioni*, to express one's emotions // *dare una* — *a qlcu.*, (*chiamarlo*) to call s.o. // *dar sulla* — *a qlcu.*, (*contraddirlo*) to contradict s.o. // *avere* — *in capitolo*, to have a say in the matter // *a una* —, unanimously: *gridavano a una sola* —, they shouted with one voice // *la* — *del dovere*, the call of duty // — *di popolo*, public opinion **2** (*diceria*) rumour: *corre* — *che*, it is rumoured that **3** (*parola*) word **4** (*gramm.*) (*genere del verbo*) voice; (*parte del verbo*) part **5** (*articolo di elenco, documento ecc.*) item; (*di bilancio, dizionario*) entry.

vociare *v.intr.* to shout, to bawl, to yell.

vociferare *v.intr.* **1** (*gridare*) to shout, to bawl, to yell **2** (*spargere una voce*) to rumour: *si vocifera che...*, it is rumoured that...

vociferazione *s.f.* **1** (*vocio*) shouting, bawling, yelling **2** (*diceria*) rumour.

vocio *s.m.* shouting, bawling, yelling.

voga *s.f.* **1** (*il vogare*) rowing **2** (*spinta coi remi*) stroke **3** (*lena, entusiasmo*) alacrity **4** (*moda*) fashion, vogue.

vogare *v.intr.* to row.

vogata *s.f.* **1** row, rowing: *fare una* —, to have a row **2** (*colpo di remi*) stroke, pull.

vogatore *s.m.* **1** rower, oarsman (*pl.* -men) **2** (*attrezzo*) rowing machine.

voglia *s.f.* **1** (*desiderio*) wish, desire, longing, yen; (*capriccio*) fancy, whim; (*volontà*) will: *ho* — *di un po' di vino*, I feel like (having) some wine; *ho una* — *matta di* (*bere*) *un caffè*, I'm dying for a coffee; *muoio dalla* — *di finire*, I'm dying to be finished; *ho una gran* — *di rivederlo*, I am longing (*o* I have a yen) to see him again; *mi fa venire* — *di ridere*, he makes me want to laugh; *mi è scappata la* — *di farlo*, I have lost the will to do it; *avere* — *di fare qlco.*, to feel like doing sthg. // *a voglia di mala* —, *contro* —, to do sthg. reluctantly (*o* unwillingly); *lavorare di buona* —, to work with a will **2** (*della pelle*) birthmark.

voglioso *agg.* (*desideroso*) desirous (*pred.*), eager; (*capriccioso*) fanciful.

voi *pron.pers.m.* e *f.* *2ª pers.pl.* **1** *sogg.* you: *siete stati*

— *a...*, it was you who... // — *stessi, proprio* —, you yourselves, you...yourselves // *siete* —?, is it you? // *beati* —!, lucky you! // — *francesi*, you French people // — *due*, — *tutti*, you both (*o* both of you), you all // *non siete, non sembrate più* —, you are no longer, you no longer seem the same **2** *compl.* // *a* —!, (*tocca a voi*) your turn! // *eccomi a* —, now I'm with you // *da* —, (*stato in luogo*) (*nel vostro paese*) in your country; (*nella vostra famiglia*) in your family; (*a casa vostra*) at your house // *l'ha dato proprio a* —, he gave it to you **3** *sogg. e compl.* (*formula di cortesia, riferito a persona sing.*) you).

voialtri *pron.m.pl.* you (others); (*spreg.*) you lot.

volano *s.m.* **1** (*gioco*) badminton **2** (*palla con cui si gioca*) shuttlecock **3** (*mecc.*) flywheel.

volant (*franc.*) *s.m.* (*moda*) flounce.

volante[1] *agg.* flying // **Volante, la** *s.f.* (*polizia*) the Flying Squad.

volante[2] *s.m.* (*aut.*) (steering) wheel: *stare al* —, to be at the wheel (*o* to drive).

volante[3] *s.m.* (*moda*) flounce.

volantinaggio *s.m.* leafleting.

volantino *s.m.* leaflet.

volare *v.intr.* to fly* (*anche fig.*): *il tempo vola*, time flies; *la notizia volò per tutta la città*, the news flew round all over the town // *cominciarono a* — *schiaffi*, blows began to fly // *volavano bottiglie*, they were throwing bottles about // *far* — *qlco.*, to send sthg. flying.

volata *s.f.* **1** flight **2** (*corsa*) rush **3** (*sport*) final sprint: *il corridore vinse in* —, the runner won the final sprint.

volatile *agg.* volatile ♦ *s.m.* bird.

volatilità *s.f.* volatility.

volatilizzare *v.tr. e intr.*, **volatilizzarsi** *v.intr.pron.* to volatilize; (*fig.*) to vanish into thin air.

volatilizzazione *s.f.* volatilization.

volente *agg.* willing: — *o nolente*, willy-nilly.

volenteroso *agg.* → **volonteroso**.

volentieri *avv.* willingly, with pleasure.

volere *v.tr.* **1** to want; to wish; (*nel senso di piacere, gradire*) to like (*costr. pers.*); (*al cond.*) *pres.* would like; *pass.* would have liked: *voglio andare*, I want to go; *volendo, potrebbe andare*, he could go if he wanted to; *vorrei, avrei voluto che partisse con me*, I would like, I would have liked him to leave with me; *vorrei del vino*, I would like some wine; *vuoi andare al cinema stasera?*, do you want (*o* would you like *o* do you wish) to go to the pictures tonight?; *vuoi che venga con te?*, do you want (*o* would you like me) to come with you?; *c'è un signore che ti vuole*, there is a man asking for (*o* who wants) you; *che cosa vuoi?*, what do you want?; *fa' come vuoi*, do as you like; *puoi andare se, quando vuoi*, you may go if, when you like; *quanto vuole per l'automobile?*, how much does he want for his car?; *non volendo, senza* —, (*involontariamente*) without wanting (*o* wishing) to; — *qlcu. per, come*, to want s.o. for (*o* as); *che tu, egli ecc. voglia o no...*, whether you like it or not, he likes it or not etc. // — *o volare*, willy-nilly // *vorrei vedere che egli fosse d'accordo!*, I can't see (*o* imagine) him agreeing to that! // *(tu vuoi, che volete? Non c'è altro da fare*, what can we (*o* I) do? There is no other way // *non volevo convincermi che...*, I couldn't believe (that)... // *qui ti voglio!*, there's the rub! // *pare che voglia piovere*, it looks like rain // *chi troppo vuole nulla stringe*, (*prov.*) grasp all, lose all **2** (*quando esprime desiderio intenso, gener. irrealizzabile*) to wish

(*con cong. se riferito al pres. o pass.; con cond. se riferito al futuro e talvolta al pres.*): *vorrei averti ascoltato!*, I wish I had listened to you!; *vorrei che venisse ogni giorno*, I wish he came every day; *vorrei che smettesse subito*, I wish he would stop at once; *vorrei, avrei voluto esserci anch'io!*, I wish I were there too!; I wished I had been there too! **3** (*quando esprime volontà intensa*) will (*pres. indic. e cong.*); would (*pass. indic. e cong., cond.*): *voglio riuscire!*, I will succeed! (*o* I am determined to succeed!); *avrebbe potuto farlo, ma non volle*, he could have done it, but he would not; *non voglio che parli così*, I won't have him speaking like that; *volete tacere?*, will you shut up?; *potresti se volessi*, you could if you would // *voglio che sappiate che...*, I'll have you know that... // *il mio mal di testa non vuol passare*, (*fam.*) my headache won't go away **4** (*in formule di cortesia*) (*nelle richieste*) will, can; would; would mind; (*nelle offerte*) will have, would like: *vuoi passarmi l'acqua, per favore?*, will (*o* can) you pass me the water, please? (*o* would you pass me the water?); *vuoi qlco. da mangiare?*, will you have (*o* would you like) sthg. to eat?; *non vuoi entrare?*, won't you come in? **5** (*aver bisogno di, richiedere*) to need, to want, to require, to take*: *verbo che vuole il congiuntivo*, verb that takes (*o* requires) the subjunctive **6** (*assoluto e nel significato di* disporre, stabilire) to will: *come Dio vuole*, as God wills **7** (*pretendere*) to expect, to ask: *vuoi troppo da lui*, you expect too much of him **8** (*permettere*) to let*, to allow **9** (*dire, comandare*) to state, to say*: *la legge vuole che...*, the law states (*o* says) that...; *si vuole che fosse...*, they say he was... **10** *voler dire*, to mean*: *che cosa vuoi dire (con questo)?*, what do you mean (by this)?; *questo non vuol dir niente*, this does not mean anything // *voglio dire*, I mean; (*cioè*) that is to say // *volevo ben dire!*, I thought as much! // *non vuol dire!*, not necessarily! **11** *volerci*, to take*: *vuole molto denaro per fare...*, it takes a lot of money to do...; *ci vogliono sette ore*, it takes seven hours; *quanto ti ci vorrà per...*, how long will it take you to...; *ce n'è voluto*, it took some doing!; *ci volle del bello e del buono per farlo venire*, it was quite a job to make him come // *ci vuol altro!*, it takes more than that!; *ci vuol altro che...*, it takes more than... // *non ci vorrebbe altro!*, that would be the last straw!; *non ci vorrebbe altro che prendessi l'influenza*, it would be the last straw if I caught the flu.

volere *s.m.* **1** will: *buon* —, good will **2** *pl.* (*desideri*) wishes.

volgare *agg.* **1** vulgar; (*triviale*) coarse // *è una* — *imitazione*, it is just a cheap imitation **2** (*popolare*) vulgar, vernacular: *lingua* —, vulgar (*o* vulgar tongue) ♦ *s.m.* **1** vulgarity: *cadere nel* —, to lapse into vulgarity **2** (*lingua volgare*) vulgar tongue.

volgarità *s.f.* vulgarity.

volgarizzamento *s.m.* translation into the vernacular.

volgarizzare *v.tr.* **1** to popularize **2** (*tradurre in volgare*) to translate into the vernacular.

volgarizzatore *s.m.* popularizer.

volgarizzazione *s.f.* **1** popularization **2** (*traduzione in volgare*) translation into the vernacular.

volgarmente *avv.* **1** vulgarly **2** (*comunemente*) commonly, vulgarly.

volgere *v.tr.* to turn (*anche fig.*): — *i propri passi verso casa*, to turn one's steps homewards; — *i propri pensieri verso qlco.*, to turn one's thoughts to sthg.; — *qlco. a proprio vantaggio*, to turn sthg. to one's own advantage ♦ *v.intr.* to turn: *la strada volge a sinistra*, the road turns to the left; *il tempo volge al bello*, the weather is changing for the better *— in fuga*, to flee // **-ersi** *v.rifl.* to turn (*anche fig.*).

volgo *s.m.* common people; (*spreg.*) populace.

voliera *s.f.* aviary.

volitivo *agg.* **1** volitive, volitional **2** (*di persona*) strong-willed.

volizione *s.f.* (*fil.*) volition.

volo *s.m.* **1** flight (*anche fig.*): *in —*, on the wing; *spiccare il, alzarsi in —*, to fly away (*o* off) // *cogliere un'occasione al —*, to seize an opportunity on the spot // *prendere il —*, to take wing; (*fig.*) to take (to) flight // *tiro a —*, wing shooting // *ha fatto un — di 200 metri*, he fell 200 metres **2** (*aer.*) flight: *un — di due ore*, a two hours' flight; *alzarsi in —*, to take off; *— orizzontale*, level flight; *controllore di —*, air-traffic controller; *tecnico di —*, systems pilot // *— a vela, planato*, gliding; *— cieco, strumentale*, instrument flying.

volontà *s.f.* will: *avere molta buona —*, to be full of good will; *contro la mia —*, against my will; *di sua spontanea —*, of his own free will; *è un uomo privo di —*, he is weak-kneed (*o* spineless) // *a —*, at will (*o* at pleasure) // *le ultime — di*, the last wishes of (*o* the last will and testament of).

volontariato *s.m.* voluntary service.

volontario *agg.* voluntary ♦ *s.m.* volunteer // *— del sangue*, blood donor.

volonteroso *agg.* willing, full of good will.

volontieri *avv.* → **volentieri**.

volovelista *s.m.* glider.

volpe *s.f.* fox: *pelliccia di —*, fox fur; *è una vecchia —*, he is an old fox // *disprezza il denaro, ma fa come la — con l'uva*, he scorns money, but it is all sour grapes.

volpino *agg.* **1** foxy, foxlike **2** (*cane*) *—*, Pomeranian (dog).

volpone *s.m.* old fox (*anche fig.*).

volt *s.m.* (*elettr.*) volt.

volta¹ *s.f.* **1** time: *una —*, once; *due volte*, twice; *una o due volte*, once or twice; *due o tre volte*, two or three times; *ancora una —*, once more (*o* once again); *questa —*, this time; *per questa —*, for this once; *due, tre volte tanto*, twice, three times as much; *molte volte*, many times (*o* many a time); *poche, rare volte*, seldom; *delle, a volte*, sometimes; *quante volte?*, how many times? (*o* how often?); *nove volte su dieci*, nine times out of ten; *neppure una —*, not even once; *più di una —*, more than once; *una — o l'altra*, sooner or later; *tutto in una —*, all at once (*o* all together); *una — per tutte, per sempre*, once (and) for all; *una — (ogni) tanto*, once in a while; *la prima, l'ultima — che venne*, the first, the last time he came; *questa è la prima e l'ultima —*, this is the first and last time; *ogni —, tutte le volte che*, every time (*o* whenever); *uno alla, per —*, one, two at a time; *un po' per —*, little by little // *c'era una —...*, once upon a time there was... // *pagare — per —*, to pay each time; *risolveremo le difficoltà — per —*, we shall solve the difficulties as they turn up // *questa è la — buona!*, this is it! **2** (*turno*) turn: *a mia —*, in my turn **3** (*svolta*) turn, bend // *gli ha dato di — il cervello*, he has gone off his head **4** *alla — di*, towards; *partire alla — di un luogo*, to set out for a place **5** (*tip.*) even page, left-hand page, verse.

volta² *s.f.* (*arch. anat.*) vault.

voltafaccia *s.m.* volte-face, about-face: *fare un —*, to about-face.

voltafieno *s.m.* hayturner.

voltaggio *s.m.* (*elettr.*) voltage.

voltaico *agg.* (*elettr.*) voltaic.

voltametro *s.m.* (*elettr.*) voltameter.

voltare *v.tr.* e *intr.* to turn: *— le pagine di un libro*, to turn (over) the pages of a book; *— pagina*, to turn over a new page (*anche fig.*); *— le spalle a qlcu., qlco.*, to turn one's back to s.o., sthg.; (*fig.*) to turn one's back on s.o., sthg.; *— l'angolo*, to turn (*o* to go round) the corner // **-arsi** *v.rifl.* to turn: *— indietro*, to turn back; *— e rivoltarsi nel letto*, to toss and turn in one's bed // *non so dove voltarmi*, I don't know which way to turn.

voltastomaco *s.m.* nausea: *mi fa venire il —*, it makes my stomach turn.

voltata *s.f.* **1** turning **2** (*curva*) turn, bend.

volteggiare *v.intr.* **1** to fly* about **2** (*ginnastica*) to vault.

volteggiatore *s.m.* vaulter.

volteggio *s.m.* vaulting.

voltelettrone *s.m.* electron-volt.

volteriano *agg.* Voltairian.

voltimetro, voltmetro *s.m.* voltmeter.

volto *s.m.* face (*anche fig.*), visage; (*espressione*) countenance: *— espressivo*, expressive countenance; *il — della miseria*, the face of misery.

voltolare *v.tr.* to roll // **-arsi** *v.rifl.* to roll over; (*nel fango*) to wallow.

voltura *s.f.* **1** (*dir.*) record of transfer of real property **2** (*comm.*) transfer // *fare la — del telefono*, to change the name of a telephone subscriber.

volubile *agg.* fickle.

volubilità *s.f.* fickleness.

volume *s.m.* volume // *regolatore di —*, (*rad.*) volume control // *abbassare il — della radio*, to turn down the radio.

volumetrico *agg.* volumetric(al).

voluminosità *s.f.* voluminosity, voluminousness.

voluminoso *agg.* voluminous; (*massiccio*) bulky: *un pacco —*, a bulky parcel.

voluta *s.f.* **1** spiral, curl **2** (*arch.*) volute.

volutamente *avv.* intentionally, purposely.

voluto *agg.* wanted, wished for, desired: *effetto —*, desired effect.

voluttà *s.f.* voluptuousness.

voluttuario *agg.* **1** voluptuary **2** (*non indispensabile*) unnecessary.

voluttuoso *agg.* voluptuous.

vomere *s.m.* ploughshare.

vomico *agg.* emetic, vomitive.

vomitare *v.tr.* to vomit (*anche fig.*), (*fam.*) to throw* up // *aver voglia di —*, to feel sick.

vomitativo *agg.* e *s.m.* emetic, vomitory.

vomito *s.m.* vomiting, vomit: *conato di —*, retch // *mi fa venire il —*, (*anche fig.*) it makes me sick.

vongola *s.f.* (sea) clam.

vorace *agg.* voracious (*anche fig.*).

voracità *s.f.* voracity (*anche fig.*), voraciousness.

voragine *s.f.* chasm; (*nel mare*) gulf.

vorticare *v.intr.* to whirl, to swirl.

vortice *s.m.* whirl (*anche fig.*); vortex: *— d'acqua*, eddy (*o* whirlpool); *— di vento*, whirlwind.

vorticosamente *avv.* vortically.

vorticoso *agg.* whirling, vortical; (*fig.*) vertiginous // *danza vorticosa*, giddy dance.

vossignoria *s.f.* Your Lordship.

vostro *agg.poss.* **1** your; (*vostro proprio*) your own: *un — cugino*, one of your cousins (*o* a cousin of yours);

qualcosa, niente di —, something, nothing of your own   **2** (*come pred. nominale*) yours: *questo dizionario è* —, this dictionary is yours (*o* belongs to you)   **3** (*in espressioni ellittiche*): *la vostra* (*lettera*) *del 5 aprile*, yours (*o* your letter) of April 5th; *alla vostra* (*salute*)*!*, your health! (*o* here's to you! *o* cheers!); *è sempre dalla vostra* (*parte*), he is always on your side; *anche voi avete avuto le vostre!*, you have had a bad (*o* rough) time of it too ♦ *pron.poss.* yours ♦ *s.m.*   **1** *vivete del* —, you live on your own income; *ci rimetteste del* —, you lost your own money   **2** *pl.*: *i vostri*, your family; (*partigiani, seguaci*) your supporters: *domani sera sarò dei vostri*, I will join you, tomorrow evening.

votante *agg.* voting ♦ *s.m. e f.* voter.

votare *v.intr.* to vote, to give* one's vote: *andare a* —, to go to vote (*o* to poll); — *per alzata di mano*, to vote by show of hands ♦ *v.tr.*   **1** (*approvare*) to pass, to vote through: — *una proposta di legge*, to pass a bill   **2** (*offrire*) to offer; (*dedicare, consacrare*) to devote, to consecrate   ♦ **-arsi** *v.rifl.* (*dedicarsi*) to devote oneself.

votato *agg.*   **1** (*approvato*) passed, approved   **2** (*dedicato, consacrato*) devoted, consecrated.

votazione *s.f.*   **1** voting, poll: *una legge in corso di* —, a bill before the House   **2** (*scolastica*) marks (*pl.*).

votivo *agg.* votive.

voto *s.m.*   **1** vow: *fare, rompere un* —, to make, to break a vow; *pronunciare i voti*, to take vows   **2** (*offerta votiva*) votive offering   **3** (*augurio*) wish   **4** (*elettorale*) vote: — *di fiducia*, vote of confidence; *diritto di* —, right to vote; *fare lo scrutinio dei voti*, to count the votes; *mettere ai voti*, to put to the vote   **5** (*scolastico*) marks (*pl.*): *a pieni voti*, with full marks; — *di laurea*, graduating marks.

vulcanico *agg.* volcanic (*anche fig.*).

vulcanismo *s.m.* vulcanism.

vulcanizzare *v.tr.* (*ind.*) to vulcanize.

vulcanizzatore *s.m.* vulcanizer.

vulcanizzazione *s.f.* (*ind.*) vulcanization.

vulcano *s.m.* volcano: — *spento*, extinct volcano // *dormire sopra un* —, to sleep on the edge of a volcano // *avere la testa come un* —, to be bursting with initiative.

vulcanologia *s.f.* volcanology.

vulcanologo *s.m.* volcanologist.

vulnerabile *agg.* vulnerable.

vulnerabilità *s.f.* vulnerability.

vulnerare *v.tr.* (*letter.*)   **1** to wound   **2** (*offendere*) to offend (against sthg.).

vulva *s.f.* (*anat.*) vulva.

vuotaggine *s.f.* emptiness, vacuity.

vuotare *v.tr.* to empty; (*sgomberare, ripulire*) to clear out: — *un bicchiere*, to empty a glass; — *un cassetto*, to clear out a drawer // — *il sacco*, (*fam. fig.*) to spill the beans   // **-arsi** *v.intr.pron.* to empty.

vuotezza *s.f.* emptiness.

vuoto *agg.*   **1** empty (*anche fig.*): *avere la testa vuota*, to have an empty head (*o* to be empty-headed); *avere, sentirsi lo stomaco* —, to feel empty // *a stomaco* —, on an empty stomach // *a mani vuote*, empty-handed   **2** (*sprovvisto, privo*) devoid (of), lacking (in)   **3** (*vacante*) empty, unoccupied: *posti vuoti*, empty seats ♦ *s.m.*   **1** empty space // *ho avuto un* — *di memoria*, my mind went blank // *ha lasciato un gran* — *fra noi*, we miss him very much; *la sua morte lascia un* — *nella famiglia*, his death leaves a gap in the family circle // *fare il intorno a qlcu*, to leave s.o. out in the cold // *fare il intorno a sé*, to make oneself unpopular // *le sue parole caddero nel* —, his words fell on deaf ears // *andare a* —, (*fallire*) to fail (*o* to fall through) // *girare a* —, (*mecc.*) to idle   **2** (*recipiente vuoto*) empty   **3** (*fis.*) vacuum // *sotto* —, vacuum-packed // — *d'aria*, (*aer.*) airpocket.

W

w *s.f. o m.* w (*pl.* ws, w's) // — *come Washington*, (*tel.*) w for William.

water-closet *s.m.* toilet, lavatory, wc.

watt *s.m.* (*elettr.*) watt.

wattmetro *s.m.* (*elettr.*) wattmeter.

welter *s.m.* (*sport*) welterweight.

wolframio *s.m.* (*chim.*) wolfram, tungsten.

würstel *s.m.* frankfurter.

X

x *s.f. o m.*   **1** x (*pl.* xs, x's) // — *come xeres*, (*tel.*) x for Xmas // (*fatto a* X, X (*attr.*); X-shaped   **2** (*mat.*) x, unknown quantity   **3** *raggi* —, (*fis.*) X-rays.

xeno *s.m.* (*chim.*) xenon.

xenofobia *s.f.* xenophobia.

xenofobo *agg.* xenophobic ♦ *s.m.* xenophobe.

xerofite *s.f.pl.* (*bot.*) xerophytes.

xerografia *s.f.* xerography.

xilofono *s.m.* xylophone.

xilografia *s.f.* xylography.

Y

y *s.f.* o *m.* y (*pl.* ys, y's) // — *come York*, (*tel.*) y for yellow.

yemenita *agg.* e *s.m.* e *f.* Yemenite (*pl. invar.*).

yeti *s.m.* yeti.

yoga *s.m.* yoga ♦ *agg.* yoga (*attr.*).

yogurt *s.m.* yoghurt.

Z

z *s.f.* o *m.* z (*pl.* zs, z's) // — *come Zara*, (*tel.*) z for zebra // *dall'a alla* —, from beginning to end.

zabaione *s.m.* "zaba(gl)ione" (whipped egg yolk with sugar and Marsala wine).

zac *onom.* zac(k).

zacchera *s.f.* splash (of mud).

zaffata *s.f.* **1** stench; (*fam.*) pong **2** (*di liquido*) spurt.

zafferano *s.m.* saffron.

zaffiro *s.m.* sapphire.

zaffo *s.m.* bung: *chiudere con lo* —, to bung.

zagaglia *s.f.* assegai, assagai.

zagara *s.f.* orange blossom.

zaino *s.m.* rucksack, pack.

zampa *s.f.* **1** leg; (*di cane, lupo, felino, parte dell'arto che tocca terra*) paw // *zampe di gallina*, (*rughe intorno agli occhi*) crow's feet // — *di gallina*, (*scrittura indecifrabile*) scrawl // *camminare a quattro zampe*, to walk on all fours **2** (*fam. scherz.*) (*mano*) paw, hand: *giù le zampe!*, hands off!

zampare *v.intr.* to paw.

zampata *s.f.* blow with a paw: *dare una* —, to claw.

zampettare *v.intr.* to toddle.

zampillare *v.intr.* to spurt, to squirt, to spring*.

zampillio *s.m.* spurting, squirting, springing.

zampillo *s.m.* spurt, squirt, jet: *uno* — *d'acqua*, a jet of water.

zampino *s.m.* little paw // *mettere lo* — *in una faccenda*, (*fig.*) to have a hand in the matter.

zampirone *s.m.* (mosquito) fumigator.

zampogna *s.f.* bagpipe.

zampognaro *s.m.* piper.

zana *s.f.* (*culla*) cradle.

zangola *s.f.* churn.

zanna *s.f.* (*di elefanti, trichechi, cinghiali*) tusk; (*di cani, lupi, felini*) fang.

zannata *s.f.* (*di elefanti, trichechi, cinghiali*) blow with the tusk; (*di cani, lupi, felini*) bite with the fangs.

zanzara *s.f.* mosquito.

zanzariera *s.f.* mosquito net.

zappa *s.f.* hoe // *darsi, tirarsi la* — *sui piedi*, (*fig.*) to cut one's own throat.

zappare *v.tr.* to hoe.

zappaterra *s.m.* **1** hoer; (*contadino*) peasant **2** (*spreg.*) boor.

zappatore *s.m.* **1** hoer; (*contadino*) peasant **2** (*mil.*) sapper.

zar *s.m.* czar, tsar, tzar.

Zaratustra *no.pr.m.* (*st. relig.*) Zoroaster, Zarathustra.

zarina *s.f.* czarina, tsarina, tzarina.

zarista *agg.* e *s.m.* e *f.* czarist, tsarist, tzarist.

zattera *s.f.* raft.

zavorra *s.f.* **1** ballast: *scaricare* —, to jettison **2** (*fig.*) (*di persona*) dead weight; (*di cosa*) rubbish.

zavorrare *v.tr.* to ballast.

zazzera *s.f.* mane, mop of hair: *avere, portare la* —, to wear one's hair long.

zazzeruto *agg.* (*spreg. o scherz.*) longhaired (*attr.*), wearing one's hair long (*pred.*).

zebra *s.f.* **1** zebra **2** *pl.* (*passaggio pedonale*) zebra crossing.

zebrato *agg.* striped // *passaggio* —, zebra crossing.

zebratura *s.f.* **1** zebra marking **2** (*qualsiasi disegno a strisce chiare e scure*) zebra design.

zebù *s.m.* (*zool.*) zebu.

zecca[1] *s.f.* mint // *nuovo di* —, brand-new.

zecca[2] *s.f.* (*zool.*) tick.

zecchino *s.m.* sequin // *oro* —, first-quality gold.

zefir *s.m.* (*tessuto di lana*) zephyr.

zefiro *s.m.* zephyr.

Zelanda *no.pr.f.* Zealand // *Nuova* —, New Zealand.

zelante *agg.* zealous: *fare lo* —, to make a show of zeal; *esser troppo* —, to be an eager beaver.

zelanteria *s.f.* excessive zeal.

zelatore *s.m.* zealot.

zelo *s.m.* zeal.

zenit *s.m.* (*astr.*) zenith.

zenzero *s.m.* (*bot.*) ginger.

zeppa *s.f.* wedge.

zeppare *v.tr.* to wedge.

zeppo *agg.* crammed (with), crowded (with).

zerbino[1] *s.m.* (*piccola stuoia*) doormat.

zerbino[2], **zerbinotto** *s.m.* dandy, fop.

zero *s.m.* nought; (*sport*) nil, (*amer.*) zero; (*tennis*) love; (*spec. in scale, gradazioni*) zero (*pl.* zero, zeroes); (*tel.*) o: *sotto, sopra* —, below, above zero; *vincere per due a* —, to win by two points to nil // *ora* —, zero hour // *gravità* —, zero gravity // *non vale uno* —, it's not worth a brass farthing // *radere a* —, to shave s.o.'s hair (to the skin) // *ridurre a* —, (*fig.*) to reduce to nothing.

zeta *s.f.* e *m.* zed; (*amer.*) zee.

zia *s.f.* aunt: *la* — *Barbara*, Aunt Barbara.

zibaldone *s.m.* **1** (*miscellanea letteraria*) miscellany **2** (*annotazioni*) jottings.

zibellino *s.m.* sable.

zibetto *s.m.* (*zool.*) civet.

zigano *agg.* e *s.m.* tzigane.

zigare *v.intr.* to squeak.

zigolo *s.m.* (*zool.*) bunting.

zigomo *s.m.* cheekbone; (*anat. scient.*) zygoma (*pl.* zygomata).

zigrinare *v.tr.* 1 (*pelli ecc.*) to grain 2 (*metalli*) to knurl.

zigrinato *agg.* 1 (*di pelle ecc.*) shagreened, grained 2 (*di metallo*) knurled.

zigrinatura *s.f.* 1 (*di pelle ecc.*) grain 2 (*di metallo*) knurl, knurling.

zigrino *s.m.* 1 (*pelle*) shagreen 2 (*arnese per metalli*) knurl.

zigzag, zig zag *s.m.* zigzag: *andare a* —, to zigzag.

zigzagare *v.intr.* to zigzag.

zimbello *s.m.* 1 decoy (*anche fig.*) 2 (*oggetto di scherno*) laughingstock.

zincare *v.tr.* (*metall.*) to zinc, to galvanize.

zincato *agg.* zinc-plated.

zincatura *s.f.* (*metall.*) zinc-plating.

zinco *s.m.* zinc.

zincografia *s.f.* (*tip.*) zincography.

zincografo *s.m.* zincographer.

zingaresco *agg.* gypsy (*attr.*).

zingaro *s.m.* gipsy, gypsy.

zinnia *s.f.* (*bot.*) zinnia.

zio *s.m.* uncle: *lo* — *Giovanni*, Uncle John // — *d'America*, (*fig.*) rich uncle.

zipolo *s.m.* spigot.

zircone *s.m.* (*min.*) zircon.

zirlare *v.intr.* to chirp, to whistle.

zirlo *s.m.* thrush's chirping.

zitella *s.f.* spinster, old maid.

zittio *s.m.* hiss, boo.

zittire *v.tr.* e *intr.* to hiss, to boo.

zitto *agg.* silent: *sta'* —!, keep quiet!; (*fam.*) shut up!

zizzania *s.f.* zizania, darnel; (*fig.*) discord.

zoccolaio *s.m.* clog maker, sabot maker.

zoccolare *v.intr.* to clump about.

zoccolo *s.m.* 1 clog 2 (*degli equini ecc.*) hoof 3 (*zolla di terra*) clod, sod; (*di neve*) lump 4 (*arch.*) base 5 (*di parete*) wainscot 6 (*geol.*) shelf 7 (*di lampadina*) bulb cap.

zodiacale *agg.* zodiacal.

zodiaco *s.m.* zodiac.

zolfanello *s.m.* (sulphur) match.

zolfo *s.m.* sulphur.

zolla *s.f.* 1 clod: — *di terra*, clod (of earth); (*con erba*) turf (*o* sod) 2 (*di zucchero*) lump.

zolletta *s.f.* lump.

zompare *v.intr.* (*fam.*) to jump, to leap*.

zompo *s.m.* (*region.*) jump(ing), leap(ing).

zona *s.f.* 1 zone; (*di città*) district; (*regione*) belt; (*area*) area: — *temperata*, temperate zone; *la* — *del cotone*, the cotton belt; — *di alta pressione*, (*meteorologia*) area of high pressure; — *di guerra*, war zone; — *di libero scambio*, free trade area; — *industriale*, industrial area; — *di parcheggio*, parking area; — *disco*, time limit parking area; — *del silenzio*, silent zone 2 (*del telegrafo*) paper-strip 3 (*informatica*) zone.

zonatura *s.f.* zoning // — *di un minerale*, zonal structure of a mineral.

zonzo, a *locuz. avv.*: *andare a* —, to stroll around (*o* about); (*oziando*) to loaf around (*o* about).

zoo *s.m.* zoo.

zoofilo *agg.* zoophilous ♦ *s.m.* zoophile, zoophilist.

zoologia *s.f.* zoology.

zoologico *agg.* zoological: *giardino* —, zoological gardens (*pl.*).

zoologo *s.m.* zoologist.

zootecnia *s.f.* zootechny, zootechnics.

zootecnico *agg.* zootechnic(al) // *patrimonio* —, livestock ♦ *s.m.* expert in zootechnics; zootechnician.

zoppicamento *s.m.* lameness.

zoppicante *agg.* lame (*anche fig.*); (*fig.*) halting.

zoppicare *v.intr.* 1 to limp (*anche fig.*), to hobble (*anche fig.*) 2 (*di seggiola, tavolo*) to be* shaky, to be* unsteady.

zoppiconi *avv.* with a limp: *procedere* —, to limp (*o* to hobble) along.

zoppo *agg.* 1 lame: *essere* —, to be lame (*o* to limp): *è* — *dalla gamba destra*, he is lame in his right leg 2 (*di seggiola, tavolo*) shaky, rickety, wobbly, unsteady 3 (*fig.*) lame, halting ♦ *s.m.* lame person.

zotichezza *s.f.* boorishness, uncouthness.

zotico *agg.* boorish, uncouth ♦ *s.m.* boor, lout.

zuavo *s.m.* zouave // *calzoni alla zuava*, plus fours (*o* knickerbockers).

zucca *s.f.* 1 pumpkin; (*amer.*) squash: *semi di* —, pumpkin seeds 2 (*scherz.*) (*testa*) pate.

zuccata *s.f.* butt with the head: *dare una* — *contro il muro*, to knock one's head against the wall.

zuccherare *v.tr.* to sugar, to sweeten.

zuccherato *agg.* sugared, sweetened; (*fig.*) sugarcoated: *troppo* —, too sweet.

zuccheriera *s.f.* sugarbasin, sugar bowl.

zuccheriero *agg.* sugar (*attr.*).

zuccherificio *s.m.* sugar factory.

zuccherino *agg.* sugary; (*dolce*) sweet ♦ *s.m.* 1 sweet, sweetmeat 2 (*fig.*) (*consolazione, premio*) treat.

zucchero *s.m.* sugar: — *in polvere*, castor sugar; — *in zollette*, lump sugar; — *velo*, powdered sugar; *pinze da* —, sugar tongs.

zuccheroso *agg.* sugary (*anche fig.*); (*fig.*) honeyed.

zucchetta *s.f.* marrow.

zucchetto *s.m.* skullcap; (*di ecclesiastici*) zucchetto.

zucchina *s.f.*, **zucchino** *s.m.* dwarf (vegetable) marrow; (*amer.*) zucchini.

zuccone *s.m.* (*fam.*) 1 (*persona ottusa*) dunce 2 (*persona testarda*) donkey.

zuffa *s.f.* scuffle.

zufolare *v.tr.* e *intr.* to whistle.

zufolata *s.f.* whistle, whistling.

zufolio *s.m.* whistling, whistle.

zufolo *s.m.* flageolet.

zulù *agg.* e *s.m.* Zulu ♦ *s.m.* (*fig.*) boor, lout.

zumare *v.intr.* e *tr.* (*cinem. tv*) to zoom.

zumata *s.f.* (*cinem. tv*) zoom, zooming.

zuppa *s.f.* 1 soup: — *di pesce*, fish soup; — *di verdura*, vegetable soup // — *inglese*, (*dolce*) trifle // *se non è* — *è pan bagnato*, it is always the same old story 2 (*fig.*) (*mescolanza confusa*) medley; (*noia*) bore.

zuppiera *s.f.* (soup) tureen.

zuppo *agg.* soaked (with), drenched (with).

Zurigo *no.pr.f.* Zurich.

zuzzerellone, zuzzurellone *s.m.* rollicking fellow.

Appendice 1

Pesi e misure (*)

Il Regno Unito sta adottando il sistema decimale anche per i pesi e le misure. Tuttavia il vecchio sistema è ancora molto diffuso.

MEASURES OF LENGTH - MISURE DI LUNGHEZZA
Nel Regno Unito e negli Stati Uniti
line (*abbr.* l.), 1 l. = 2,12 mm
inch (*abbr.* in.), 1 in. = 12 l. = 2,54 cm
foot (*abbr.* ft.), 1 ft. = 12 in. = 30,48 cm
yard (*abbr.* yd.), 1 yd. = 3 ft. = 91,44 cm
fathom (*abbr.* fm.), 1 fm. = 2 yd. = 1,83 m
rod (*abbr.* rd.), **pole** (*abbr.* po.), **perch**, 1 rd. = 1 po. = 1 perch = 5,5 yd. = 5,03 m
chain (*abbr.* chn.), 1 chn. = 4 rd. = 20,11 m
furlong (*abbr.* fur.), 1 fur. = 10 chn. = 201,17 m
(statute) mile (*abbr.* (sta.) mi.), 1 sta. mi. = 8 fur. = 1,61 km
(nautical) mile (*abbr.* (naut.) mi.), **knot** (*abbr.* k.), 1 naut. mi. = 1 k. = 1,15 sta. mi. = 1,853 km
league (*abbr.* lea.), 1 lea. = 3 naut. mi. = 5.559,78 m

SQUARE MEASURES - MISURE DI SUPERFICIE
Nel Regno Unito e negli Stati Uniti
square inch (*abbr.* sq. in.), 1 sq. in. = 6,45 cm^2
square foot (*abbr.* sq. ft.), 1 sq. ft. = 144 sq. in. = 9,29 dm^2
square yard (*abbr.* sq. yd.), 1 sq. yd. = 9 sq. ft. = 0,83 m^2
square rod (*abbr.* sq. rd.), **square pole** (*abbr.* sq. po.), **square perch**, 1 sq. rd. = 1 sq. po. = 1 sq. perch = 30,25 sq. yd. = 25,29 m^2
rood (*abbr.* ro.), 1 ro. = 40 sq. rd. = 10,11 a = 10,11 dam^2
acre (*abbr.* a.), 1 a. = 4 ro. = 40,46 a = 0,40 ha
square chain (*abbr.* sq. chn.), 1 sq. chn. = 16 sq. rd. = 4,04 a = 4,04 dam^2
square mile (*abbr.* sq. mi.), 1 sq. mi. = 6,400 sq. chn. = 640 a. = 2,59 km^2

CUBIC MEASURES - MISURE DI VOLUME
Nel Regno Unito e negli Stati Uniti
cubic inch (*abbr.* cu. in.), 1 cu. in. = 16,38 cm^3
cubic foot (*abbr.* cu. ft.), 1 cu. ft. = 1.728 cu. in. = 28,31 dm^3
cubic yard (*abbr.* cu. yd.), 1 cu. yd. = 27 cu. ft. = 0,76 m^3

MEASURES OF CAPACITY - MISURE DI CAPACITÀ
for liquid commodities - per liquidi
Nel Regno Unito
gill (*abbr.* gi.), 1 gi. = 0,14 l
pint (*abbr.* pt.), 1 pt. = 4 gi. = 0,57 l
quart (*abbr.* qt.), 1 qt. = 2 pt. = 1,13 l
(imperial) gallon (*abbr.* (imp.) gal.), 1 imp. gal. = 4 qts. = 4,54 l

barrel (*abbr.* bbl.), 1 bbl. = 36 imp. gal. = 163,65 l
hogshead (*abbr.* hhd.), 1 hhd. = 52,5 imp. gal. = 238,66 l
pipe, 1 pipe = 2 hhd. = 105 imp. gal. = 477 l
butt, 1 butt = 108 imp. gal. = 491 l
(wine) gallon (*abbr.* gal.) (*arc.*), 1 gal. = 3,78 l
tierce (*abbr.* tc.) (*arc.*), 1 tc. = 42 wine gal. = 159 l
puncheon (*abbr.* pun.) (*arc.*), 1 pun. = 2 tc. = 318 l
tun (*arc.*), 1 tun = 252 wine gal. = 953,9 l
Negli Stati Uniti
U.S. gill (*abbr.* gi.), 1 U.S. gi. = 0,12 l
U.S. pint (*abbr.* pot.), 1 U.S. pt. = 4 U.S. gi. = 0,47 l
U.S. quart (*abbr.* qt.), 1 U.S. qt. = 2 U.S. pt. = 0,94 l
U.S. gallon (*abbr.* gal.), 1 U.S. gal. = 4 U.S. qts. = 3,78 l
U.S. barrel (*abbr.* bbl.), 1 U.S. bbl. = 31,5 U.S. gal. = 119,24 l
U.S. hogshead (*abbr.* hhd.), 1 U.S. hhd. = 63 U.S. gal. = 238,47 l
pipe, 1 pipe = 2 U.S. hhd. = 126 U.S. gal. = 477 l
butt, 1 butt = 129, 7 U.S. gal. = 491 l

MEASURES OF CAPACITY - MISURE DI CAPACITÀ
for dry commodities - per aridi
Nel Regno Unito
(dry) pint (*abbr.* pt.), 1 pt. = 0,56 l
(dry) quart (*abbr.* qt.), 1 qt. = 2 pt. = 1,13 l
(dry) gallon (*abbr.* gal.), 1 gal. = 4 qts. = 4,54 l
peck (*abbr.* pk.), 1 pk. = 8 qts. = 9,09 l
(imperial) bushel (*abbr.* (imp.) bu.), 1 imp. bu. = 4 pk. = 36,36 l
quarter (*abbr.* qr.), 1 qr. = 8 imp. bu. = 2,91 hl
chaldron (*abbr.* chal.), 1 chal. = 36 imp. bu. = 13,09 hl
Negli Stati Uniti
U.S. (dry) pint (*abbr.* pt.), 1 U.S. pt. = 0,55 l
U.S. (dry) quart (*abbr.* qt.), 1 U.S. qt. = 2 U.S. pt. = 1,10 l
U.S. peck (*abbr.* pk.), 1 U.S. pk. = 8 U.S. qts. = 8,81 l
U.S. (standard) bushel (*abbr.* (std.) bu.), 1 U.S. bu. = 4 U.S. pk. = 35,24 l

AVOIRDUPOIS WEIGHTS - PESI AVOIRDUPOIS
Nel Regno Unito
grain (avoirdupois) (*abbr.* gr. av.), 1 gr. av. = 0,064 g
dram (*abbr.* dr.), 1 dr. = 27,34 gr. av. = 1,77 g
ounce (avoirdupois) (*abbr.* oz. av.), 1 oz. av. = 16 dr. = 28,35 g
pound (avoirdupois) (*abbr.* lb. av.), 1 lb. av. = 16 oz. av. = 453,60 g

stone (*abbr.* st.), 1 st. = 14 lb. av. = 6,35 kg
quarter (*abbr.* qr.), 1 qr. = 28 lb. av. = 12,70 kg
cental (*abbr.* ctl), 1 ctl. = 100 lb. av. = 45,36 kg
hundredweight (*abbr.* cwt.), 1 cwt. = 112 lb. av. = 50.80 kg
ton (*abbr.* t.), 1 t. = 2.240 lb. av. = 1,016 t
Negli Stati Uniti
grain (avoirdupois) (*abbr.* gr. av.), 1 gr. av. = 0,065 g
dram (*abbr.* dr.), 1 dr. = 27,34 gr. av. = 1,77 g
ounce (avoirdupois) (*abbr.* oz. av.), 1 oz. av. = 16 dr. = 28,35 g
pound (avoirdupois) (*abbr.* lb. av.), 1 lb. av. = 16 oz. av. = 453,60 g
U.S. quarter (*abbr.* qr.), 1 U.S. qr. = ¹/₄ short cwt. = 25 lb. av. = 11,34 kg
U.S. quarter (*abbr.* qr.), 1 U.S. qr. = ¹/₄ long cwt. = 28 lb. av. = 12,70 kg
U.S. quarter (*abbr.* qr.), 1 U.S. qr. = ¹/₄ s.t. = 500 lb. av. = 226,79 kg

U.S. quarter (*abbr.* qr.), 1 U.S. qr. = ¹/₄ l.t. = 560 lb. av. = 254 kg
short hundredweight (*abbr.* cwt.), 1 short cwt. = 100 lb. av. = 45,36 kg
long hundredweight (*abbr.* cwt.), 1 long cwt. = 112 lb. av. = 50,80 kg
short ton (*abbr.* s.t.), 1 s.t. = 2.000 lb. av. = 907,18 kg
long ton (*abbr.* l.t.), 1 l.t. = 2.240 lb. av. = 1,016 t

TROY WEIGHTS - PESI TROY
for precious stones - per preziosi
Nel Regno Unito e negli Stati Uniti
grain (troy) (*abbr.* gr. t.), 1 gr. t. = 0,064 g
(carat) grain, (pearl) grain (*abbr.* gr.), 1 gr. = ¹/₄ M.C. = 0,77 gr. t. = 50 mg
metric carat (*abbr.* M.C.), 1 M.C. = 3,08 gr. t. = 200 mg
pennyweight (*abbr.* dwt.), 1 dwt. = 24 gr. t. = 1,55 g
ounce (troy) (*abbr.* oz. t.), 1 oz. t. = 20 dwt. = 31,10 g

Tavola generale di conversione (*)

	to convert per trasformare	into in	multiply by below moltiplicare per i valori sotto indicati ↓
0,3937	*inches*, pollici	*centimetres*, centimetri	2,54
3,2808	*feet*, piedi	*metres*, metri	0,3048
1,0933	*yards*, iarde	*metres*, metri	0,9144
0,6214	*statute miles*, miglia	*kilometres*, chilometri	1,6093
0,5396	*nautical miles*, miglia marine	*kilometres*, chilometri	1,85315
0,1550	*square inches*, pollici quadrati	*square centimetres*, cm quadrati	6,4516
10,7639	*square feet*, piedi quadrati	*square metres*, metri quadrati	0,09290
1,1960	*square yards*, iarde quadrate	*square metres*, metri quadrati	0,8361
0,3861	*square miles*, miglia quadrate	*square kilometres*, km quadrati	2,590
0,06102	*cubic inches*, pollici cubici	*cubic centimetres*, cm cubici	16,3870
35,3148	*cubic feet*, piedi cubici	*cubic metres*, metri cubici	0,02831
1,3080	*cubic yards*, iarde cubiche	*cubic metres*, metri cubici	0,7646
2,20462	*pounds avoirdupois*, libbre av.	*kilogrammes*, chilogrammi	0,4536
0,03527	*ounces avoirdupois*, once av.	*grammes*, grammi	28,3495
15,3846	*grains*, grani	*grammes*, grammi	0,064
0,01968	*hundredweights*	*kilogrammes*, chilogrammi	50,80
0,984	(*long*) *tons*, tonnellate (inglesi)	*tons*, tonnellate (metriche)	1,016
0,220	(*imperial*) *gallons*, galloni	*litres*, litri	4,546
0,9863	*horsepowers*	*chevaux-vapeurs*, cavalli-vapore	1,0139

↑

multiply by above
moltiplicare
per i valori
sopra indicati

to obtain
per ottenere

from
da

(*) La punteggiatura adottata per tutti i numeri è quella metrica: il punto divide il numero in periodi (migliaia ecc.), la virgola divide la parte decimale.

Temperatura - Temperature

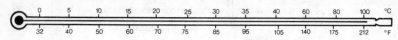

°C	0	5	10	15	20	25	30	35	40	60	80	100
°F	32	40	50	60	70	75	85	95	105	140	175	212

Velocità - Speed

km/h	32	48	64	80	96	112	128	144	160
mph	20	30	40	50	60	70	80	90	100

Pressione pneumatici - Tyre Pressures

kg/cm²	1·41	1·55	1·69	1·83	1·97	2·11	2·25	2·39
lb/sq in	20	22	24	26	28	30	32	34

Abbigliamento - Clothing Sizes

Abiti e giacche da uomo - Men's Suits and coats

British	36	38	40	42	44	46	48
American	36	38	40	42	44	46	48
Continental	46	48	50	52	54	56	58

Calze da uomo - Men's Socks

British	9½	10	10½	11	11½	12
American	9½	10	10½	11	11½	12
Continental	39	40	41	42	43	44

Camicie da uomo - Men's Shirts

British	14	14½	15	15½	16	16½	17
American	14	14½	15	15½	16	16½	17
Continental	36	37	38	39/40	41	42	43

Abiti da donna - Women's Dresses and Suits

British	8	10	12	14	16	18
American	—	8	10	12	14	16
Continental	—	38	40	42	44	46

Scarpe da uomo - Men's Shoes

British	7	8	9	10	11	12	13
American	7½	8½	9½	10½	11½	12½	13½
Continental	40½	42	43	44½	45½	47	48

Scarpe da donna - Women's Shoes

British	4	4½	5	5½	6	6½	7
American	5½	6	6½	7	7½	8	8½
Continental	37	37½	38	39	39½	40	40½

Sistemi monetari dei paesi anglosassoni

REGNO UNITO

(unità base = pound, sterlina; il tradizionale sistema duodecimale è stato sostituito il 15 febbraio 1971 dal sistema decimale)

Sistema duodecimale (fino al 1971): 1 pound = 20 shillings; 1 shilling = 12 pence

coins, monete
  farthing (*1/4d*), un quarto di penny (soppresso già dal gennaio 1961).
  halfpenny (*1/2d*), mezzo penny.
  penny (*1d*), penny, dodicesima parte dello scellino.
  threepence, threepenny (bit) (*3d*), tre pence.
  sixpence (*6d*), sei pence, mezzo scellino.
  shilling (*1s, 1/—*), scellino, ventesima parte della sterlina.
  florin, two-shilling piece (*2s, 2/—*), due scellini.
  half-crown (*2s, 6d, 2/6*), mezza corona, due scellini e sei pence.

  crown (*5s, 5/—*), corona, cinque scellini (*).
gold coin, moneta d'oro
  sovereign, pound sterling (*£1*), sovrana, sterlina oro (**).
banknotes, banconote
  ten-shilling note (*10s*), mezza sterlina, dieci scellini.
  pound note (*£1*), sterlina.
  five-pound note (*£5*), cinque sterline.
  ten-pound note (*£10*), dieci sterline.
  twenty-pound note (*£20*), venti sterline.
nominal coin, moneta nominale (***)
  guinea (*£1.1s, 21s*), ghinea, ventuno scellini.

(*) Moneta non circolante, coniata in occasione di avvenimenti di grande importanza.
(**) Moneta non circolante.
(***) Già usata nelle parcelle di professionisti, quote di associazioni, prezzi di libri e di oggetti di lusso ecc.

Sistema decimale (dal 1971): 1 pound = 100 new pence

coins, monete
  halfpenny (*1/2p*), mezzo penny.
  penny (*1p*), un penny.
  two pence (*2p*), due pence.
  five pence (*5p*), cinque pence.
  ten pence (*10p*), dieci pence.

  fifty pence (*50p*), cinquanta pence.
banknotes, banconote
  one pound (*£1*), una sterlina.
  five pounds (*£5*), cinque sterline.
  ten pounds (*£10*), dieci sterline.
  twenty pounds (*£20*), venti sterline.

PAESI DEL COMMONWEALTH BRITANNICO

Australia (*Commonwealth of Australia*): *Australian dollar* (*$ A.*), dollaro australiano.

Canada (*Dominion of Canada*): *Canadian dollar* (*$ Can.*), dollaro canadese.

Ghana (*Republic of Ghana*): *Ghanaian pound*, lira del Ghana.

India (*Indian Union, Bharat*): *rupee (R.)*, rupia.

Nigeria (*Federation of Nigeria*): *Nigerian pound*, lira della Nigeria.

Nuova Zelanda (*New Zealand*): *New Zealand dollar ($ NZ.)*, dollaro neozelandese.

Singapore (*State of Singapore*): *Singapore dollar*, dollaro di Singapore.

Srī Lanka (*Srī Lanka Jamarajaya*): *rupee (R.)*, rupia.

STATI UNITI D'AMERICA
(unità base = *dollar*, dollaro)

coins, monete

cent (1c), un centesimo di dollaro.
nickel, five cents (5c), cinque centesimi di dollaro.
dime (10c), dieci centesimi di dollaro.
quarter (25c), venticinque centesimi di dollaro.
half-dollar (50c), mezzo dollaro, cinquanta centesimi di dollaro.
dollar ($1), dollaro.

(*) Le monete auree non sono in circolazione.

gold coins, monete d'oro (*)

dollar ($1), dollaro.
quarter-eagle ($2.5), due dollari e mezzo.
half-eagle ($5), cinque dollari.
eagle ($10), dieci dollari.
double-eagle ($20), venti dollari.

bills, banconote

Si hanno tagli da $ *1, 2, 5, 10, 20, 50, 100, 500*.

Simboli matematici

+	più, positivo	plus, add, positive
−	meno, negativo	minus, subtract, negative
±, ∓	più o meno, positivo o negativo	plus or minus, positive or negative
×	per	multiplied by, times
:	diviso	divided by
=	uguale a, è uguale a	equals, is equal to
≠	non è uguale a, è diverso da	is not equal to
≡	è identico a, è equivalente a	is identically equal to
~	è simile a	is similar to
≈, ≐, ≃	è approssimativamente uguale a	is approximately equal to
>	è maggiore di	is greater than
<	è minore di	is less than
≥	è maggiore o uguale a, non è minore di	is equal to or greater than, is not less than
≤	è minore o uguale a, non è maggiore di	is equal to or less than, is not greater than
%	percento, per cento	per cent, percentage
‰	per mille	per thousand
∞	infinito	infinity
°	grado	degree
′	minuto (d'arco)	minute (of arc)
″	secondo (d'arco)	second (of arc)
‖	è parallelo a	is parallel to
⊥	è perpendicolare a	is perpendicular to
<	angolo	angle
∟	angolo retto	right angle
△	triangolo	triangle
∩	arco	arc

Alfabeti telefonici

	Italian / Italiano	English / Inglese	American / Americano		Italian / Italiano	English / Inglese	American / Americano
A	Ancona	Andrew	Abel	N	Napoli	Nellie	Nan
B	Bologna	Benjamin	Baker	O	Otranto	Oliver	Oboe
C	Como	Charlie	Charlie	P	Padova	Peter	Peter
D	Domodossola	David	Dog	Q	Quarto	Queenie	Queen
E	Empoli	Edward	Easy	R	Roma	Robert	Roger
F	Firenze	Frederick	Fox	S	Savona	Sugar	Sugar
G	Genova	George	George	T	Torino	Tommy	Tare
H	Hotel	Harry	How	U	Udine	Uncle	Uncle
I	Imola	Isaac	Item	V	Venezia	Victor	Victor
J	I lunga, jersey	Jack	Jig	W	Washington	William	William
K	Kursaal	King	King	X	Ics, xeres	Xmas	X
L	Livorno	Lucy	Love	Y	York, yacht	Yellow	Yoke
M	Milano	Mary	Mike	Z	Zara	Zebra	Zebra

England

Metropolitan Counties:
1 Greater London
2 Greater Manchester
3 Merseyside
4 South Yorkshire
5 Tyne and Wear
6 West Midlands
7 West Yorkshire

Counties:
8 Avon
9 Bedfordshire
10 Berkshire
11 Buckinghamshire
12 Cambridgeshire
13 Cheshire
14 Cleveland
15 Cornwall
16 Cumbria
17 Derbyshire
18 Devon
19 Dorset
20 Durham
21 East Sussex
22 Essex
23 Gloucestershire
24 Hampshire
25 Hereford and Worcester
26 Hertfordshire
27 Humberside
28 Isle of Wight
29 Kent
30 Lancashire
31 Leicestershire
32 Lincolnshire
33 Norfolk
34 Northamptonshire
35 Northumberland
36 North Yorkshire
37 Nottinghamshire
38 Oxfordshire
39 Salop
40 Somerset
41 Staffordshire
42 Suffolk
43 Surrey
44 Warwickshire
45 West Sussex
46 Wiltshire

Wales

Counties:
47 Clwyd
48 Dyfed
49 Gwent
50 Gwynned
51 Mid Glamorgan
52 Powys
53 South Glamorgan
54 West Glamorgan

Scotland

Regions:
55 Borders
56 Central
57 Dumfries and Galloway
58 Fife
59 Grampian
60 Highland
61 Lothian
62 Strathclyde
63 Tayside
64 Orkney
65 Shetland
66 Western Isles

ATLANTIC

OCEAN

Yell   Unst

Shetland
Islands   65

Mainland

Lerwick

Mainland   Orkney
Islands   64

Kirkwall

Cape
Wrath

Duncansby Head

Thurso

Stornoway

Lewis

Kinnairds Head

Moray Firth

Inverness   59

Loch
Ness

60

Aberdeen

Skye

Scotland

NORTH

Mull

63

Dundee

56   58

Firth of Forth

SEA

Islay

62   61   Edinburgh

Glasgow

55

NORTH

Malin Head

Londonderry

Donegal

Dumfries

57

35

Newcastle-
upon-Tyne

5

Sunderland

14

Middlesbrough

Carlisle

16

20

Northern
Ireland

Belfast

Donegal Bay

Lough Neagh

Sligo

Isle
of Man

36

York

Bradford   Leeds   27   Kingston-
upon-Hull

Preston   30

Dundalk

Drogheda

IRISH SEA

Anglesey   Liverpool

3

2   Manchester   7   4

Humber

Birkenhead   Chester   13   Sheffield

DUBLIN

Dun Laoghaire

EIRE

Galway

Galway Bay

50

47

Stoke-on-T

32   Lincoln

England

Nottingham

41

39   Derby   31   Leicester   33   Norwich

Wolverhampton   6

Limerick

Wexford

Waterford

St. George's Channel

Wales

52   25

48

54   Newport

51   8

53   Cardiff

Swansea

Mizen
Head

Cork

Birmingham   34   Coventry

44

Worcester   9   Cambridge   42

Gloucester   23   Oxford   11   26   Ipswich

49   38   22

10   LONDON   1

Bristol   46   43

Winchester   24   Folkestone   Canterbury

40   Southampton   19   45   Brighton   29   Dover

18   Exeter   28   Isle   Portsmouth   21

of Wight

15   Plymouth

Land's End   Truro

Isles of Scilly

The Channel

ATLANTIC

OCEAN

0   100   200 miles

0   100   200 km

Channel
Islands

Guernsey

Jersey

FRANCE

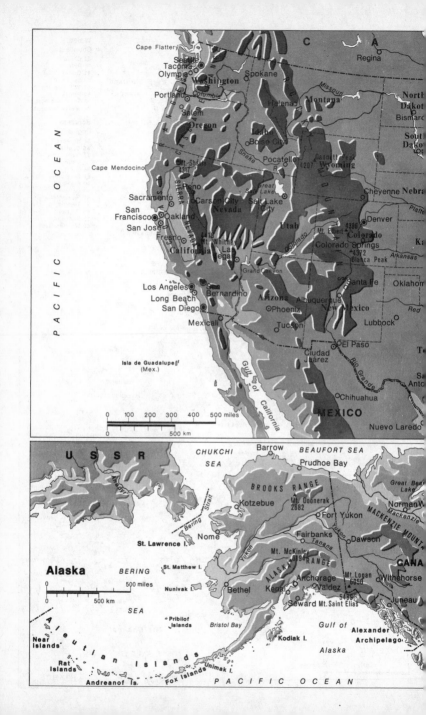

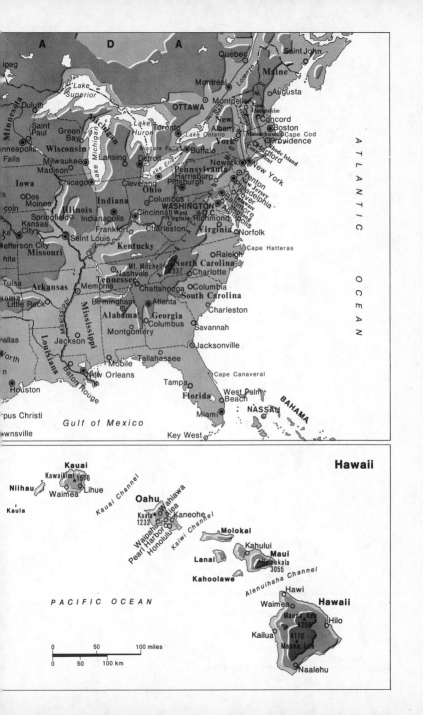

Le cartine geografiche
sono state realizzate da Paola D'Aponte e Luciano Simonetti.

INGLESE - ITALIANO

A

a¹ [ei], *pl.* **as**, **a's** [eiz] *s.* **1** a // *— for Andrew*, (*tel.*) a come Ancona **2** *A*, (*mus.*) la **3** *A1*, eccellente, perfetto.

a², **an** [ei, æn (*forme forti*), ə, ən (*forme deboli*)] *art.indet.* un, uno, una, un': *a boy*, un ragazzo; *a year*, un anno; *a war*, una guerra; *a uniform*, un'uniforme; *a European country*, un paese europeo; *a hero*, un eroe; *an honest man*, un uomo onesto; *an egg*, un uovo; *a whispering*, un sussurrare // *to take a bath*, fare il bagno // *he is a lawyer*, è avvocato // *a Mr. Brown*, un certo Sig. Brown.

a³, **an** [ə, ən] *prep.* ogni, a, al: *so much a head*, un tanto a testa; *once a week*, una volta alla settimana; *fifty kilometres an hour*, cinquanta chilometri all'ora.

a⁴ *suff.* (*pop.* per *to*): *he oughta know*, dovrebbe saper (lo).

Aachen ['ɑ:kən] *no.pr.* Aquisgrana.

aback [ə'bæk] *avv.*: *to be taken —*, (*fig.*) essere sorpreso, essere preso alla sprovvista.

abacus ['æbəkəs], *pl.* **abaci** ['æbəsai] *s.* abaco.

abandon [ə'bændən] *s.* abbandono.

to abandon *v.tr.* abbandonare, lasciare // *to — oneself to*, abbandonarsi a.

abandoned [ə'bændənd] *agg.* **1** abbandonato **2** depravato, dissoluto.

abandonment [ə'bændənmənt] *s.* abbandono.

to abase [ə'beis] *v.tr.* degradare.

abasement [ə'beismənt] *s.* degradazione.

to abash [ə'bæʃ] *v.tr.* confondere, sconcertare.

to abate [ə'beit] *v.tr.* **1** diminuire, ridurre **2** por fine a, sopprimere; annullare ♦ *v.intr.* **1** diminuire; calmarsi **2** diventar nullo.

abatement [ə'beitmənt] *s.* **1** diminuzione, riduzione **2** abolizione, soppressione // *noise — measures*, provvedimenti contro i rumori.

abbacy ['æbəsi] *s.* abbazia.

abbess ['æbis] *s.* badessa.

abbey ['æbi] *s.* abbazia, badia.

abbot ['æbət] *s.* abate.

to abbreviate [ə'bri:vieit] *v.tr.* abbreviare.

abbreviation [ə,bri:vi'eiʃən] *s.* abbreviazione.

abc ['eibi:'si:] *s.* abbicci.

to abdicate ['æbdikeit] *v.tr.* e *intr.* abdicare (a).

abdication [,æbdi'keiʃən] *s.* abdicazione.

abdomen ['æbdəmen] *s.* addome.

abdominal [æb'dɔminl] *agg.* addominale.

to abduct [æb'dʌkt] *v.tr.* rapire.

abduction [æb'dʌkʃən] *s.* ratto.

abductor [æb'dʌktə*] *s.* **1** rapitore **2** (*anat.*) abduttore.

Abel ['eibəl] *no.pr.m.* Abele.

aberrance [æ'berəns], **aberrancy** [æ'berənsi] *s.* aberrazione.

aberrant [æ'berənt] *agg.* **1** sviato, traviato **2** (*bot. zool.*) aberrante.

aberration [,æbə'reiʃən] *s.* aberrazione.

to abet [ə'bet] *v.tr.* favoreggiare; rendersi complice di // *to aid and —*, favoreggiare.

abetment [ə'betmənt] *s.* favoreggiamento; complicità.

abetter, **abettor** [ə'betə*] *s.* favoreggiatore, complice.

abeyance [ə'beiəns] *s.* **1** sospensione (di legge ecc.):

to fall into —, cadere in disuso **2** vacanza (di carica ecc.).

to abhor [əb'hɔ:*] *v.tr.* aborrire.

abhorrence [əb'hɔrəns] *s.* aborrimento.

abhorrent [əb'hɔrənt] *agg.* odioso, ripugnante.

abidance [ə'baidəns] *s.* **1** permanenza **2** *— by* (*sthg.*), conformità a (qlco.).

to abide [ə'baid], *pass.* e *p.pass.* **abode** [ə'boud], **abided** [ə'baidid] *v.intr.* **1** restare; abitare **2** *to — by* (*sthg.*), conformarsi a (qlco.) // *to — by a promise*, mantenere una promessa ♦ *v.tr.* **1** aspettare **2** sopportare: *I can't — him*, non lo posso soffrire.

abiding [ə'baidiŋ] *agg.* costante, durevole.

ability [ə'biliti] *s.* abilità, capacità // *to the best of one's —*, con il massimo impegno.

abject ['æbdʒekt] *agg.* **1** abbattuto, depresso **2** servile **3** abietto.

abjection [æb'dʒekʃən] *s.* abiezione, degradazione.

abjuration [,æbdʒuə'reiʃən] *s.* abiura.

to abjure [əb'dʒuə*] *v.tr.* abiurare, ripudiare.

ablation [æb'leiʃən] *s.* ablazione.

ablative ['æblətiv] *agg.* e *s.* (*gramm.*) ablativo.

ablaze [ə'bleiz] *agg.pred.* in fiamme: *the house was —*, la casa era in fiamme // *to be — with enthusiasm*, ardere di entusiasmo.

able ['eibl] *agg.* capace; abile, competente: *to be — to*, potere, esser in grado di.

able-bodied [,eibl'bɔdid] *agg.* forte, robusto // *— seaman*, marinaio scelto.

ablution [ə'blu:ʃən] *s.* abluzione.

to abnegate ['æbnigeit] *v.tr.* rinunciare (a).

abnegation [,æbni'geiʃən] *s.* abnegazione.

abnormal [æb'nɔ:məl] *agg.* anormale.

abnormality [,æbnɔ:'mæliti] *s.* anormalità.

abnormity [æb'nɔ:miti] *s.* anormalità.

aboard [ə'bɔ:d] *avv.* e *prep.* a bordo.

abode [ə'boud] *pass.* e *p.pass.* di to **abide** ♦ *s.* dimora, residenza: *with no fixed —*, senza fissa dimora; *to take up one's —*, stabilire la propria residenza.

to abolish [ə'bɔliʃ] *v.tr.* abolire, sopprimere.

abolishment [ə'bɔliʃmənt], **abolition** [,æb'liʃən] *s.* abolizione.

abolitionism [,æbə'liʃənizəm] *s.* abolizionismo.

abolitionist [,æbə'liʃənist] *s.* abolizionista.

A-bomb ['eibɔm] *s.* bomba atomica.

abominable [ə'bɔminəbl] *agg.* abominevole, detestabile, odioso; disgustoso // *the — snowman*, l'abominevole uomo delle nevi, lo yeti.

to abominate [ə'bɔmineit] *v.tr.* abominare, aborrire, detestare.

abomination [ə,bɔmi'neiʃən] *s.* abominazione, disgusto.

aboriginal [,æbə'ridʒənl] *agg.* e *s.* aborigeno.

aborigines [,æbə'ridʒini:z] *s.pl.* aborigeni.

to abort [ə'bɔ:t] *v.intr.* abortire (*anche fig.*) ♦ *v.tr.* **1** fare abortire **2** (*informatica*) sospendere, interrompere (un programma): *aborting procedure*, procedura di abbandono.

abort *s.* (*informatica*) arresto, interruzione di esecuzione (di programma): *— routine*, routine di abbandono.

abortifacient [ə,bɔ:ti'feiʃənt] *agg.* e *s.* (*med.*) abortivo.

abortion [ə'bɔ:ʃən] s. **1** aborto (anche fig.) **2** (informatica) interruzione anzi tempo.

abortive [ə'bɔ:tiv] agg. e s. abortivo.

aboulia [ə'bu:liə] s. abulia.

aboulic [ə'bu:lik] agg. abulico.

to **abound** [ə'baund] v.intr. abbondare: to — in, with, abbondare, essere ricco di.

about [ə'baut] avv. **1** circa, pressappoco: she's — twenty, ha circa vent'anni // much —, più o meno, pressappoco // that's — right, va quasi bene **2** intorno, attorno; qua e là // to be — to do sthg., stare per, essere sul punto di fare qlco. // to be up and —, essere alzato, in piedi // to be out and —, essere completamente guarito, ristabilito // — turn!, (amer.) — face!, (mil.) dietro front ♦ prep. **1** intorno a, attorno a // what is he —?, che cosa sta facendo? **2** di; riguardo a: to speak — s.o., parlare di qlcu.; — this, riguardo a, quanto a ciò // what — going for a walk?, che ne diresti di una passeggiata?; what — him?, e lui? (cosa ha detto, dirà ecc.) **3** con; in: he had no money — him, non aveva denaro con sè; there's something funny — her, c'è qualcosa di strano in lei.

about-face [ə'baut'feis] s. **1** testa-coda (di veicolo) **2** (fig.) voltafaccia.

above [ə'bʌv] avv. (di) sopra; lassù; in alto: his room is —, la sua camera è di sopra; the sky —, il cielo lassù; a voice from —, una voce dall'alto // as —, come sopra // —-cited, succitato; — -mentioned, suddetto, summenzionato ♦ prep. sopra, al disopra di; oltre: — all, soprattutto // he is — himself, è pieno di sé.

aboveboard [ə'bʌv'bɔ:d] agg.pred. aperto, leale ♦ avv. apertamente, lealmente.

to **abrade** [ə'breid] v.tr. abradere.

Abraham ['eibrəhæm] no.pr.m. Abramo.

abrasion [ə'breiʒən] s. abrasione.

abrasive [ə'breisiv] agg. e s. abrasivo.

abreast [ə'brest] avv. **1** di fianco **2** (fig.) al passo (con): to keep — of, with sthg., stare al passo, andare di pari passo con qlco.

to **abridge** [ə'bridʒ] v.tr. accorciare, abbreviare // abridged edition, edizione ridotta.

abridg(e)ment [ə'bridʒmənt] s. **1** abbreviazione **2** sunto, sommario, compendio.

abroad [ə'brɔ:d] avv. **1** all'estero **2** fuori // there is a rumour — that..., corre voce che...

to **abrogate** ['æbrougeit] v.tr. abrogare.

abrogation [,æbrou'geiʃən] s. abrogazione.

abrupt [ə'brʌpt] agg. **1** inaspettato, repentino **2** brusco (di modi) **3** secco (di stile) **4** scosceso.

abruptness [ə'brʌptnis] s. **1** subitaneità e rudezza (di modi) **3** sconnessione (di stile) **4** ripidezza.

abscess ['æbsis] s. ascesso.

abscissa [æb'sisə], pl. **abscissae** [æb'sisi:] s. (mat.) ascissa.

to **abscond** [əb'skɔnd] v.intr. nascondersi; (dir.) rendersi latitante.

absence ['æbsəns] s. assenza; mancanza // — of mind, distrazione.

absent ['æbsənt] agg. assente; mancante.

to **absent** [æb'sent] v.tr.: to — oneself from, assentarsi da.

absentee [,æbsən'ti:] s. **1** assente **2** — (landlord), proprietario che non vive nelle sue terre.

absenteeism [,æbsən'ti:izəm] s. assenteismo.

absently ['æbsəntli] avv. distrattamente.

absent-minded ['æbsənt'maindid] agg. distratto.

absinth(e) ['æbsinθ] s. assenzio.

absolute ['æbsəlu:t] agg. **1** assoluto **2** totale, completo: it's an — shame, è proprio una vergogna; it's an — waste of time, of money, è solo una perdita di tempo, di denaro **3** (informatica) assoluto: — address, indirizzo assoluto; — code, codice assoluto; — coding, programmazione in linguaggio macchina; (IBM) codifica in assoluto; — programming, programmazione in linguaggio macchina.

absoluteness ['æbsəlu:tnis] s. assolutezza.

absolution [,æbsə'lu:ʃən] s. assoluzione.

absolutism ['æbsəlu:tizəm] s. (pol.) assolutismo.

absolutist ['æbsəlu:tist] s. assolutista ♦ agg. assolutistico.

to **absolve** [əb'zɔlv] v.tr. assolvere.

to **absorb** [əb'sɔ:b] v.tr. assorbire.

absorbed [əb'sɔ:bd] agg. assorbito; assorto: — in work, immerso nel lavoro.

absorbent [əb'sɔ:bənt] agg. e s. assorbente.

absorbing [əb'sɔ:biŋ] agg. **1** assorbente **2** (fig.) interessantissimo, avvincente.

absorption [əb'sɔ:pʃən] s. assorbimento.

to **abstain** [əb'stein] v.intr. astenersi.

abstainer [əb'steinə*] s. **1** astemio **2** (pol.) astenuto: the abstainers, gli astenuti.

abstemious [æb'sti:mjəs] agg. sobrio, frugale.

abstemiousness [æb'sti:mjəsnis] s. sobrietà, frugalità.

abstention [æb'stenʃən] s. **1** astinenza **2** (dir.) astensione.

abstinence ['æbstinəns] s. astinenza.

abstinent ['æbstinənt] agg. astinente.

abstract ['æbstrækt] agg. astratto ♦ s. **1** astratto: in the —, in astratto **2** riassunto, sommario, estratto (anche informatica).

to **abstract** [æb'strækt] v.tr. **1** astrarre **2** sottrarre **3** riassumere.

abstracted [æb'stræktid] agg. distratto.

abstraction [æb'strækʃən] s. **1** sottrazione, furto **2** astrazione // — levels, (informatica) livelli di affinamento di un programma **3** distrazione.

abstractionism [æb'strækʃənizəm] s. astrattismo.

abstractionist [æb'strækʃənist] s. astrattista.

abstruse [æb'stru:s] agg. astruso.

absurd [əb'sɔ:d] agg. e s. assurdo.

absurdity [əb'sɔ:diti] s. assurdità.

abulia s. → **aboulia**.

abundance [ə'bʌndəns] s. abbondanza.

abundant [ə'bʌndənt] agg. abbondante (di).

abuse [ə'bju:s] s. **1** abuso **2** ingiuria, insulto; maltrattamento: a stream of abuse, una sfilza di insulti.

to **abuse** [ə'bju:z] v.tr. **1** far cattivo uso (di), approfittare (di): to — of s.o.'s hospitality, approfittare dell'ospitalità di qlcu. **2** insultare; maltrattare.

abusive [ə'bju:siv] agg. ingiurioso.

to **abut** [ə'bʌt] v.intr. **1** confinare; far capo, sboccare: his land abuts (up) on the road, la sua terra confina con la strada **2** (arch.): to — on, appoggiarsi a.

abutment [ə'bʌtmənt] s. (arch.) spalla; appoggio.

abysm [ə'bizəm] s. (poet.) abisso.

abysmal [ə'bizməl] agg. abissale.

abyss [ə'bis] s. abisso.

abyssal [ə'bisəl] agg. abissale.

Abyssinia [,æbi'sinjə] no.pr. Abissinia.

Abyssinian [,æbi'sinjən] agg. e s. abissino.

acacia [ə'keiʃə] s. acacia.

academic [,ækə'demik] agg. e s. accademico.

academical [ˌækəˈdemikəl] *agg.* accademico ♦ *s.pl.* toga universitaria (*sing.*).

academician [əˌkædəˈmiʃən] *s.* accademico.

academy [əˈkædəmi] *s.* accademia: — *of music*, conservatorio // *Academy Award*, (*cinem.*) (premio) Oscar.

acajou [ˈækəʒuː] *s.* (*bot.*) acagiù.

acanthus [əˈkænθəs] *s.* acanto.

to accede [ækˈsiːd] *v.intr.* 1 accedere, prendere possesso (di) 2 aderire.

to accelerate [ækˈseləreit] *v.tr.* accelerare.

acceleration [ækˌseləˈreiʃən] *s.* accelerazione.

accelerator [əkˈseləreitə*] *s.* acceleratore.

accent [ˈæksənt] *s.* accento.

to accent [ækˈsent] *v.tr.* accentare; accentuare.

to accentuate [ækˈsentjueit] *v.tr.* accentuare, dar risalto (a).

accentuation [ækˌsentjuˈeiʃən] *s.* accentuazione.

to accept [əkˈsept] *v.tr.* accettare ♦ *v.intr.* acconsentire.

acceptable [əkˈseptəbl] *agg.* accettabile; tollerabile.

acceptance [əkˈseptəns] *s.* 1 accoglienza favorevole; consenso, approvazione 2 (*dir.*) adesione 3 (*comm.*) accettazione: — *for honour*, accettazione per intervento; *documents against* —, documenti contro accettazione (*abbr.* d/a).

accepter [əkˈseptə*] *s.* accettante.

acceptor [əkˈseptə*] *s.* (*comm.*) accettante.

access [ˈækses] *s.* 1 accesso, adito; ammissione 2 attacco, accesso 3 (*informatica*) accesso: — *arm*, braccio di scrittura-lettura, braccio di posizionamento; (*IBM*) braccio di accesso dischi; — *level*, metodo di accesso: — *panel*, pannello di interconnessione // *direct* —, accesso diretto; *direct* — *storage device*, unità di memoria ad accesso diretto.

accessary [ækˈsesəri] *s.* (*dir.*) favoreggiatore.

accessible [ækˈsesəbl] *agg.* 1 accessibile 2 — *to*, sensibile a.

accession [ækˈseʃən] *s.* 1 accessione, raggiungimento; adesione 2 aggiunta (di proprietà) // *new accessions*, nuovi acquisti (spec. in una biblioteca).

accessorial [ˌæksəˈsɔːriəl] *agg.* accessorio.

accessory [ækˈsesəri] *agg.* accessorio ♦ *s.* 1 (*amer.*) (*dir.*) favoreggiatore 2 (*gener. pl.*) accessorio.

accessroad [ˈæksesroud] *s.* (*amer.*) strada secondaria; svincolo autostradale.

accidence [ˈæksidəns] *s.* (*gramm.*) accidenti (*pl.*).

accident [ˈæksidənt] *s.* 1 accidente (*anche fil.*); caso: *by* —, per caso 2 incidente, infortunio.

accidental [ˌæksiˈdentl] *agg.* accidentale ♦ *s.* (*mus.*) accidente.

accidentally [ˌæksiˈdentəli] *avv.* accidentalmente.

acclaim [əˈkleim] *s.* acclamazione.

to acclaim *v.tr.* acclamare.

acclamation [ˌækləˈmeiʃən] *s.* acclamazione.

acclamatory [əˈklæmətəri] *agg.* laudativo.

acclimatization [əˌklaimətaiˈzeiʃən] *s.* acclimazione; ambientamento.

to acclimatize [əˈklaimətaiz] *v.tr.* acclimare, acclimatare // *to* — *oneself*, *to get acclimatized*, abituarsi (*anche fig.*).

acclivity [əˈkliviti] *s.* erta, salita.

to accommodate [əˈkɔmədeit] *v.tr.* 1 adattare 2 metter d'accordo; conciliare 3 fornire: *to* — *s.o. with sthg.*, fornire qlco. di qlco. 4 ospitare.

accommodating [əˈkɔmədeitiŋ] *agg.* accomodante.

accommodation [əˌkɔməˈdeiʃən] *s.* 1 accomodamento; adattamento 2 accordo; compromesso 3 comodità, attrezzatura 4 alloggio, sistemazione 5 *pl.* (*amer.*) vitto e alloggio (presso privati) 6 (*med.*) accomodazione 7 (*comm.*) prestito.

accompaniment [əˈkʌmpənimənt] *s.* accompagnamento.

accompanist [əˈkʌmpənist] *s.* (*mus.*) accompagnatore.

to accompany [əˈkʌmpəni] *v.tr.* accompagnare.

accomplice [əˈkɔmplis] *s.* complice.

to accomplish [əˈkɔmpliʃ] *v.tr.* compiere; ultimare; realizzare; effettuare.

accomplished [əˈkɔmpliʃt] *agg.* 1 compiuto; finito: *an* — *fact*, un fatto compiuto // *an* — *musician*, un esecutore ineccepibile 2 compito.

accomplishment [əˈkɔmpliʃmənt] *s.* 1 realizzazione; adempimento 2 dote, talento.

accord [əˈkɔːd] *s.* accordo; consenso; armonia: *of one's own* —, spontaneamente; *with one* —, di comune accordo.

to accord *v.tr.* accordare, concedere ♦ *v.intr.* concordare.

accordance [əˈkɔːdəns] *s.* accordo, conformità.

accordant [əˈkɔːdənt] *agg.* concorde, conforme.

according [əˈkɔːdiŋ] *avv.*: — *as*, a seconda che, secondo che; — *to*, conformemente a; secondo.

accordingly [əˈkɔːdiŋli] *avv.* 1 di conseguenza, quindi 2 conformemente.

accordion [əˈkɔːdjən] *s.* fisarmonica.

accordionist [əˈkɔːdjənist] *s.* fisarmonicista.

account [əˈkaunt] *s.* 1 conto, computo; lista; enumerazione 2 (*comm.*) conto, conteggio; contabilità; partita: *statement of* —, *statement*, estratto conto; *current* —, conto corrente 3 (*comm.*) acconto: *on* —, in (ac)conto 4 valore, importanza: *of no* —, senza importanza; *of some* —, di una certa importanza 5 profitto, vantaggio 6 conto, considerazione: *to take sthg. into* —, tenere qlco. in considerazione 7 resoconto, spiegazione, rapporto; ragione: *by all accounts*, a quanto si dice; *by your* —, a quanto voi dite; *to call s.o. to* —, chieder conto, spiegazione a qlcu. // *to bring s.o. to* —, (*fig.*) fare i conti con qlcu. // *on* — *of*, a causa di // *on no* —, per nulla al mondo // *on that* —, perciò // *on all accounts*, sotto tutti i riguardi // *on one's own* —, per proprio conto, di propria iniziativa.

to account *v.tr.* considerare, stimare ♦ *v.intr.*: *to* — *for* (*sthg.*), render conto, rispondere di (qlco.); essere responsabile di.

accountable [əˈkauntəbl] *agg.* responsabile (di).

accountancy [əˈkauntənsi] *s.* 1 ragioneria; contabilità 2 professione di contabile.

accountant [əˈkauntənt] *s.* contabile: *chief* —, capo contabile // *chartered* —, (*amer.*) *certified public* —, ragioniere.

accounting [əˈkauntiŋ] *s.* contabilità.

to accredit [əˈkredit] *v.tr.* accreditare.

to accrete [æˈkriːt] *v.tr.* e *intr.* (far) aderire.

accretion [æˈkriːʃən] *s.* 1 accrescimento 2 (*dir.*) accessione.

to accrue [əˈkruː] *v.intr.* accumularsi; maturarsi (di interessi).

to accumulate [əˈkjuːmjuleit] *v.tr.* 1 accumulare, ammucchiare 2 (*informatica*) totalizzare, cumulare (in registri) ♦ *v.intr.* accumularsi, ammucchiarsi.

accumulating [əˈkjuːmjuleitiŋ] *agg.* (*informatica*): — *card*, carta di cumulo; — *counter*, contatore-totalizzatore; — *error*, errore di cumulo; — *register*, registro accumulatore.

accumulative [əˈkjuːmjulətiv] *agg.* accumulativo.
accumulator [əˈkjuːmjuleitə*] *s.* **1** accumulatore **2** scommessa multipla.
accuracy [ˈækjurəsi] *s.* accuratezza, precisione.
accurate [ˈækjurit] *agg.* accurato, preciso.
accursed [əˈkəːsid], **accurst** [əˈkəːst] *agg.* maledetto.
accusable [əˈkjuːzəbl] *agg.* accusabile.
accusant [əˈkjuːzənt] *s.* accusatore.
accusation [ˌækju(ː)ˈzeiʃən] *s.* accusa.
accusative [əˈkjuːzətiv] *agg.* e *s.* (*gramm.*) accusativo.
to accuse [əˈkjuːz] *v.tr.* accusare.
accused [əˈkjuːzd] *s.* accusato.
accuser [əˈkjuːzə*] *s.* accusatore.
to accustom [əˈkʌstəm] *v.tr.* abituare, avvezzare.
accustomed [əˈkʌstəmd] *agg.* **1** abituale **2** abituato, avvezzo: *to be — to (doing)*, essere abituato a (fare).
ace [eis] *s.* asso (*anche fig.*) // *to have an — up one's sleeve*, (*sl. amer.*) to have an — *in the hole*, avere un asso nella manica // *to be within an — of*, essere a un pelo da ♦ *agg.* fuoriclasse.
acephalous [əˈsefələs] *agg.* acefalo.
acerbate [əˈsəːbeit] *agg.* esacerbato, esasperato.
to acerbate [ˈæsəbeit] *v.tr.* esacerbare, esasperare.
acerbity [əˈsəːbiti] *s.* acerbità; acredine.
acetate [ˈæsiteit] *s.* acetato.
to acetify [əˈsetifai] *v.tr.* acetificare ♦ *v.intr.* inacidire.
acetone [ˈæsitoun] *s.* (*chim.*) acetone.
acetylene [əˈsetiliːn] *s.* (*chim.*) acetilene.
acetylsalicylic [əˌsetilˌsæliˈsilik] *agg.* acetilsalicilico.
ache [eik] *s.* dolore, male; sofferenza.
to ache *v.intr.* dolere, far male: *my head aches*, mi duole la testa // *to — for*, desiderare ardentemente.
achievable [əˈtʃiːvəbl] *agg.* **1** raggiungibile **2** realizzabile, effettuabile.
to achieve [əˈtʃiːv] *v.tr.* **1** raggiungere, ottenere **2** realizzare, condurre a compimento.
achievement [əˈtʃiːvmənt] *s.* **1** conseguimento, raggiungimento **2** impresa: *no mean —*, un'impresa non da poco.
Achilles [əˈkiliːz] *no.pr.m.* (*lett.*) Achille // *— tendon*, garretto.
aching [ˈeikiŋ] *agg.* doloroso, dolorante; indolenzito.
achromatic [ˌækrouˈmætik] *agg.* acromatico.
acid [ˈæsid] *agg.* e *s.* **1** acido // *— test*, saggio dell'oro; (*fig.*) prova del nove; *— drops*, caramelle (di agrumi) **2** (*sl.*) «acido», LSD.
acid-head [ˈæsidhed] *s.* (*sl. amer.*) chi prende l'LSD.
to acidify [əˈsidifai] *v.tr.* acidificare.
acidity [əˈsiditi] *s.* acidità; acidità di stomaco.
acidly [ˈæsidli] *avv.* acidamente.
to acknowledge [əkˈnɔlidʒ] *v.tr.* **1** riconoscere, ammettere: *to — oneself beaten*, ammettere di essere stato vinto **2** riconoscere (autorità, diritti, autenticità) **3** apprezzare **4** accusare ricevuta (di lettera).
acknowledg(e)ment [əkˈnɔlidʒmənt] *s.* **1** riconoscimento **2** apprezzamento **3** cenno di ricevuta (d'una lettera).
acme [ˈækmi] *s.* acme, apogeo.
acne [ˈækni] *s.* (*med.*) acne.
acolyte [ˈækəlait] *s.* accolito.
aconite [ˈækənait] *s.* (*bot.*) aconito.
acorn [ˈeikɔːn] *s.* ghianda.
acoustic [əˈkuːstik] *agg.* acustico.
acoustics [əˈkuːstiks] *s.* acustica.
to acquaint [əˈkweint] *v.tr.* informare: *to — s.o. with sthg.*, informare qlcu. di qlco. // *to be acquainted with*

s.o., sthg., conoscere qlcu., essere al corrente di qlco. // *to become acquainted with s.o.*, fare la conoscenza di qlcu.
acquaintance [əˈkweintəns] *s.* **1** conoscenza: *to make s.o.'s —* (o *to make — with s.o.*), fare la conoscenza di qlcu.; *to have a nodding — with s.o.*, conoscere qlcu. di vista **2** (*gener. pl.*) conoscente.
to acquiesce [ˌækwiˈes] *v.intr.* acconsentire, aderire: *to — in a request*, aderire a una richiesta.
acquiescence [ˌækwiˈesns] *s.* acquiescenza.
acquiescent [ˌækwiˈesnt] *agg.* acquiescente, consenziente.
to acquire [əˈkwaiə*] *v.tr.* acquistare, acquisire.
acquisition [ˌækwiˈziʃən] *s.* acquisizione, acquisto.
acquisitive [əˈkwizitiv] *agg.* avido.
to acquit [əˈkwit] *v.tr.* **1** (*dir.*) assolvere: *to — s.o. of a charge*, assolvere qlcu. da un'accusa **2** saldare, pagare (debiti) **3** *to — oneself well*, comportarsi bene.
acquittal [əˈkwitl] *s.* (*dir.*) assoluzione.
acquittance [əˈkwitəns] *s.* **1** saldo, pagamento **2** quietanza, ricevuta.
acre [ˈeikə*] *s.* acro.
acreage [ˈeikəridʒ] *s.* quantità di acri.
acrid [ˈækrid] *agg.* acre, aspro.
acridness [ˈækridnis] *s.* acredine, asprezza.
acrimonious [ˌækriˈmounjəs] *agg.* acrimonioso.
acrimony [ˈækriməni] *s.* acrimonia.
acrobat [ˈækrəbæt] *s.* acrobata; saltimbanco.
acrobatic [ˌækrəˈbætik] *agg.* acrobatico.
acrobatics [ˌækrəˈbætiks] *s.pl.* acrobazia (*sing.*) (*anche fig.*); acrobatismo (*sing.*).
acronym [ˈækrounim] *s.* acronimo, sigla.
acropolis [əˈkrɔpəlis] *s.* acropoli.
across [əˈkrɔs] *avv.* attraverso: *the river measures five miles —*, il fiume è largo cinque miglia; *to go —*, attraversare, andare dall'altra parte // *— from*, (*amer.*) di fronte a: *the church is just — from the school*, la chiesa è proprio di fronte alla scuola ♦ *prep.* attraverso; dall'altra parte di: *he lives — the street*, abita dall'altra parte della strada; *he was running — the fields*, correva attraverso i campi.
acrostic [əˈkrɔstik] *s.* e *agg.* acrostico.
acrylic [əˈkrilik] *agg.* acrilico: *— yarn*, filato acrilico.
act [ækt] *s.* **1** azione, atto: *— of kindness*, atto di gentilezza // *in the — of*, nel momento di, nell'atto di: *to catch s.o. in the (very) —*, cogliere qlcu. sul fatto, in flagrante // *Acts of the Apostles*, gli Atti degli Apostoli // *by — of God*, (*dir.*) per causa di forza maggiore // *put on an —*, (*fam.*) posare **2** atto, decreto; documento: *— of grace*, atto di clemenza; *the Parliament passed the —*, il Parlamento approvò il decreto **3** (*teatr.*) atto.
to act *v.tr.* (*teatr.*) rappresentare; recitare // *to — the part of benefactor*, far la parte del benefattore // *to — a part*, fingere ♦ *v.intr.* **1** agire; fare; comportarsi: *to — on*, agire su; *to — on one another*, interagire; *to — upon s.o.'s advice*, agire seguendo i consigli di qlcu. // *to — as*, fungere da // *to — for*, agire per conto di, rappresentare // *to — up to*, agire in conformità di **2** funzionare.
acting [ˈæktiŋ] *agg.* facente funzione di, supplente // *the — president*, presidente ad interim ♦ *s.* **1** azione **2** (*teatr.*) recitazione; rappresentazione.
actinia [ækˈtiniə], *pl.* **actiniae** [ækˈtiniːi], **actinias** [ækˈtiniəz] *s.* (*zool.*) attinia.
actinism [ˈæktinizəm] *s.* (*fis.*) attinicità.
actinium [ækˈtiniəm] *s.* (*chim.*) attinio.
action [ˈækʃən] *s.* **1** azione: *line of —*, linea di con-

dotta; *man of* —, uomo d'azione; *the* — *of a drug*, l'effetto di una droga; *to put into* —, mettere in azione // *out of* —, fuori uso **2** (*dir.*) azione legale, processo: *to bring an* — *against s.o.*, intentare un processo contro qlcu. **3** combattimento, battaglia: *killed in* —, ucciso in combattimento // — *stations*, (*mil.*) posizioni avanzate.

actionable ['ækʃnəbl] *agg.* (*dir.*) perseguibile.

to activate ['æktiveit] *v.tr.* **1** attivare **2** (*fis.*) rendere radioattivo.

active ['æktiv] *agg.* **1** attivo // *to be on* — *list*, (*mil.*) essere in servizio permanente effettivo // *to be on* — *service*, essere al fronte; (*amer.*) essere in servizio permanente effettivo // — *deposit*, materiale radioattivo **2** agile.

actively ['æktivli] *avv.* attivamente.

activism ['æktivizəm] *s.* attivismo.

activist ['æktivist] *s.* (*fil. pol.*) attivista.

activity [æk'tiviti] *s.* attività.

actor ['æktə*] *s.* attore // *leading* —, primo attore.

actress ['æktris] *s.* attrice.

actual ['æktjuəl] *agg.* **1** reale: *in* — *fact*, in effetti, a dire il vero **2** attuale.

actuality [,æktju'æliti] *s.* **1** realtà **2** avvenimento attuale, attualità.

to actualize ['æktjuəlaiz] *v.tr.* attuare.

actually ['æktjuəli] *avv.* effettivamente, realmente.

to actuate ['æktjueit] *v.tr.* **1** mettere in azione **2** (*fig.*) muovere, spronare.

acuity [ə'kiu(:)iti] *s.* acutezza.

aculeus [ə'kju(:)liəs], *pl.* **aculei** [ə'kju(:)liai] *s.* aculeo.

acumen [ə'kju:men] *s.* acume.

acuminate [ə'kju:minit] *agg.* acuminato.

acupuncture ['ækju,pʌŋktʃə*] *s.* agopuntura.

acute [ə'kju:t] *agg.* **1** acuto **2** (*fig.*) profondo // *an* — *lack of water*, un estremo bisogno d'acqua.

acyclic [ə'si:klik] *agg.* aciclico.

ad [æd] *s.* (*abbr.* di *advertisement*) avviso; inserzione (nei giornali); cartellone pubblicitario: *small ads*, piccola pubblicità (sui giornali); annunci economici.

adage ['ædidʒ] *s.* adagio, massima.

Adam ['ædəm] *no.pr.m.* Adamo // —'s *apple*, pomo d'Adamo.

adamant ['ædəmənt] *s.* diamante // *heart of* —, cuore di pietra ♦ *agg.* ostinato, inflessibile.

adamantine [,ædə'mæntain] *agg.* adamantino.

to adapt [ə'dæpt] *v.tr.* adattare.

adaptability [ə,dæptə'biliti] *s.* adattabilità.

adaptable [ə'dæptəbl] *agg.* adattabile.

adaptation [,ædæp'teiʃən] *s.* adattamento.

adapter [ə'dæptə*] *s.* **1** riduttore di opere (per teatro, film) **2** (*elettr.*) portalampada con presa; spina differenziale, adattatore **3** (*mecc.*) adattatore.

to add [æd] *v.tr.* **1** aggiungere; unire **2** (*mat.*) sommare, addizionare: *to* — *up three numbers*, sommare tre numeri // *it all adds up to total incompetence*, il tutto rivela una completa incompetenza // *to* — *in*, includere // *to* — *over*, (*informatica*) aggiungere una cifra troppo elevata; *to* — *short*, addizionare una cifra troppo bassa **3** soggiungere ♦ *v.intr.* aggiungersi, aumentare: *this adds to my grief*, questo aumenta il mio dolore.

addendum [ə'dendəm], *pl.* **addenda** [ə'dendə] *s.* aggiunta; appendice.

adder[1] ['ædə*] *s.* addizionatrice.

adder[2] *s.* vipera.

addict ['ædikt] *s.* tossicomane.

addicted *agg.* dedito // *he is* — *to drugs*, è un tossicodipendente.

addiction [ə'dikʃən] *s.* dedizione; (*spreg.*) l'essere schiavo (di un vizio).

addition [ə'diʃən] *s.* **1** (*mat.*) addizione, somma **2** aggiunta: *in* — *to*, in aggiunta a.

additional [ə'diʃənl] *agg.* supplementare: — (*tax*), addizionale.

additive ['æditiv] *agg.* aggiuntivo ♦ *s.* (*chim.*) additivo.

to addle ['ædl] *v.tr.* confondere; istupidire ♦ *v.intr.* marcire (di uova).

addle-brained [,ædl'breind] *agg.* sventato.

addled ['ædld] *agg.* **1** marcio (di uova) **2** confuso (di mente).

address [ə'dres], (*amer.*) 'ædres] *s.* **1** indirizzo // *accommodation* —, indirizzo di comodo // *of no fixed* —, senza fissa dimora **2** discorso; allocuzione **3** (*antiq.*) modi (*pl.*), maniere (*pl.*) **4** (*antiq.*) *pl.* omaggi: *to pay one's addresses to*, far la corte a.

to address *v.tr.* **1** parlare, rivolgersi a **2** indirizzare: *to* — *a letter*, indirizzare una lettera // *to* — *oneself to sthg.*, dedicarsi a qlco.

addressee [,ædre'si:] *s.* destinatario.

to adduce [ə'dju:s] *v.tr.* addurre; citare.

adduction [ə'dʌkʃən] *s.* (*med.*) adduzione.

adenoids ['ædinɔidz] *s.pl.* adenoidi.

adenoma [ædə'noumə] *s.* (*med.*) adenoma.

adept ['ædept] *agg.* e *s.* esperto.

adequacy ['ædikwəsi] *s.* adeguatezza.

adequate ['ædikwit] *agg.* adeguato, sufficiente; appena sufficiente.

to adhere [əd'hiə*] *v.intr.* aderire (*anche fig.*).

adherence [əd'hiərəns] *s.* aderenza.

adherent [əd'hiərənt] *agg.* e *s.* aderente.

adhesion [əd'hi:ʒən] *s.* adesione.

adhesive [əd'hi:siv] *agg.* e *s.* adesivo: (*self-*)*adhesive*, autoadesivo.

adieu [ə'dju:] *inter.* e *s.* addio.

adipose ['ædipous] *agg.* adiposo.

adiposity [,ædi'pɔsiti] *s.* adiposità.

adit ['ædit] *s.* accesso, entrata.

adjacent [ə'dʒeisənt] *agg.* adiacente.

adjectival [,ædʒek'taivəl] *agg.* aggettivale.

adjective ['ædʒiktiv] *agg.* e *s.* aggettivo.

to adjoin [ə'dʒɔin] *v.tr.* **1** confinare con, essere contiguo a **2** aggiungere; unire.

adjoining [ə'dʒɔiniŋ] *agg.* adiacente, contiguo.

to adjourn [ə'dʒə:n] *v.tr.* aggiornare, rinviare ♦ *v.intr.* (*fam.*) trasferirsi.

adjournment [ə'dʒə:nmənt] *s.* aggiornamento.

to adjudge [ə'dʒʌdʒ] *v.tr.* **1** giudicare; sentenziare **2** aggiudicare **3** condannare.

to adjudicate [ə'dʒu:dikeit] *v.intr.* giudicare; decidere ♦ *v.tr.* (*comm.*) aggiudicare.

adjudication [ə,dʒu:di'keiʃən] *s.* **1** giudizio; sentenza **2** (*comm.*) aggiudicazione.

adjunct ['ædʒʌŋkt] *agg.* aggiunto, subordinato ♦ *s.* **1** aggiunta **2** aggiunto (in uffici).

adjunctive [ə'dʒʌŋktiv] *agg.* aggiuntivo.

to adjure [ə'dʒuə*] *v.tr.* implorare; scongiurare.

to adjust [ə'dʒʌst] *v.tr.* **1** aggiustare // *to* — *accounts*, pareggiare i conti **2** adattare // *to* — *oneself*, adattarsi **3** regolare.

adjustable [ə'dʒʌstəbl] *agg.* regolabile.

adjustment [ə'dʒʌstmənt] *s.* **1** adattamento; compromesso **2** (*comm.*) regolamento.

adjutant ['ædʒutənt] *s.* **1** (*mil.*) aiutante (ufficiale) **2** — *bird*, marabù.

ad lib [æd'lib] *avv.* senza limiti, quanto si vuole: *to eat* —, mangiare a volontà.

ad-lib *agg.* improvvisato, spontaneo.

to ad-lib *v.tr.* e *intr.* (*fam.*) improvvisare.

adman, *pl.* **admen** ['ædmən] *s.* (*fam.*) pubblicitario.

admass ['ædmæs] *s.* massa di consumatori.

admin ['ædmin] *agg.* (*abbr. di administration*) amministrativo.

to administer [əd'ministə*] *v.tr.* **1** amministrare; governare **2** dare, fornire: *to* — *a medicine*, somministrare una medicina // *to* — *an oath*, far prestare giuramento.

to administrate [əd'ministreit] *v.tr.* (*amer.*) amministrare.

administration [əd,minis'treiʃən] *s.* **1** amministrazione **2** somministrazione (di sacramenti) **3** (*pol.*) governo; (*pol. amer.*) amministrazione.

administrative [əd'ministrətiv] *agg.* amministrativo.

administrator [əd'ministreitə*] *s.* amministratore.

admirable ['ædmərəbl] *agg.* ammirabile.

admiral ['ædmərəl] *s.* ammiraglio // *Lord High Admiral*, grand'ammiraglio.

admiralty ['ædmərəlti] *s.* ammiragliato.

admiration [,ædmə'reiʃən] *s.* ammirazione: *to be filled with* (o *full of*) — *for s.o.*, essere pieni di ammirazione per qlcu.

to admire [əd'maiə*] *v.tr.* ammirare.

admirer [əd'maiərə*] *s.* ammiratore.

admiring [əd'maiəriŋ] *agg.* ammirativo; ammirato.

admissible [əd'misəbl] *agg.* ammissibile.

admission [əd'miʃən] *s.* **1** ammissione; accesso // — *fee*, prezzo di ingresso **2** confessione.

to admit [əd'mit] *v.tr.* **1** ammettere; lasciar entrare: *my ticket admits two*, il mio biglietto è valido per due **2** contenere **3** ammettere; riconoscere.

admittance [əd'mitəns] *s.* ammissione; entrata // *no* —, vietato l'ingresso; *no* — *except on business*, vietato l'ingresso ai non addetti ai lavori.

admittedly [əd'mitidli] *avv.* indubbiamente.

to admix [əd'miks] *v.tr.* mescolare.

admixture [əd'mikstʃə*] *s.* mescolanza.

to admonish [əd'moniʃ] *v.tr.* richiamare, ammonire: *he was admonished for his punctuality*, fu richiamato per la puntualità.

admonition [,ædmə'niʃən] *s.* ammonimento.

admonitory [əd'monitəri] *agg.* ammonitorio.

ado [ə'du:] *s.* **1** confusione; baccano: *much* — *about nothing*, molto rumore per nulla // *without more* (o *further*) —, immediatamente **2** fatica, difficoltà.

adobe [ə'doubi] *s.* **1** mattone d'argilla **2** casa d'argilla.

adolescence [,ædə'lesns] *s.* adolescenza.

adolescent [,ædə'lesnt] *agg.* e *s.* adolescente.

Adonis [ə'dounis] *no.pr.m.* (*mit.*) Adone.

to adopt [ə'dopt] *v.tr.* adottare; scegliere.

adoptability [ədoptə'biliti] *s.* (*dir.*) adottabilità.

adoptee [,ædop'ti:] *s.* (*dir.*) adottato.

adopter [ə'doptə*] *s.* (*dir.*) adottante.

adoption [ə'dopʃən] *s.* adozione.

adoptive [ə'doptiv] *agg.* adottivo.

adorable [ə'dorəbl] *agg.* adorabile.

adoration [,ædo:'reiʃən] *s.* adorazione.

to adore [ə'do:*] *v.tr.* adorare.

to adorn [ə'do:n] *v.tr.* adornare.

adrenalin [ə'drenəlin] *s.* adrenalina.

Adriatic [,eidri'ætik] *agg.* adriatico // *the* — (*sea*), l'Adriatico.

adrift [ə'drift] *avv.* alla deriva (*anche fig.*).

adroit [ə'droit] *agg.* destro, abile.

adsorption [æd'so:pʃən] *s.* assorbimento.

to adulate ['ædjuleit] *v.tr.* adulare.

adulation [,ædju'leiʃən] *s.* adulazione.

adulator ['ædjuleitə*] *s.* adulatore.

adult ['ædʌlt] *agg.* e *s.* adulto.

adulterate [ə'dʌltərit] *agg.* adulterato.

to adulterate [ə'dʌltəreit] *v.tr.* adulterare.

adulteration [ə,dʌltə'reiʃən] *s.* adulterazione.

adulterer [ə'dʌltərə*] *s.* adultero.

adulteress [ə'dʌltərəs] *s.* adultera.

adulterine [ə'dʌltərain] *agg.* **1** adulterino **2** falsificato, contraffatto.

adulterous [ə'dʌltərəs] *agg.* adultero, di adulterio.

adultery [ə'dʌltəri] *s.* adulterio.

to adumbrate ['ædʌmbreit] *v.tr.* adombrare.

adumbration [,ædʌm'breiʃən] *s.* adombramento.

advance [əd'va:ns] *s.* **1** avanzamento // *to make advances*, fare degli approcci **2** (*comm.*) aumento, rialzo **3** anticipo; prestito; caparra: *in* —, anticipatamente.

to advance *v.tr.* **1** avanzare, portare innanzi **2** (*comm.*) aumentare, alzare **3** anticipare; prestare ♦ *v.intr.* **1** avanzare, portarsi innanzi // *he advanced to the position of manager*, diventò direttore **2** (*comm.*) aumentare.

advanced [əd'va:nst] *agg.* **1** progredito, superiore **2** avanzato, d'avanguardia // — *guard*, avanguardia **3** avanzato: — *in years*, anziano; *of an* — *age*, d'età avanzata.

advancement [əd'va:nsmənt] *s.* **1** avanzamento; progresso **2** anticipo.

advantage [əd'va:ntidʒ] *s.* vantaggio, profitto; convenienza: *you have the* — *of me*, ne sai più di me; *to take* — *of s.o.*, abusare della bontà di qlcu.; *to take* — *of sthg.*, approfittare di qlco., trarre profitto da qlco.; *to turn out to s.o.'s* —, tornare a vantaggio di qlcu.; *to turn sthg. to* —, volgere qlco. a proprio vantaggio, trarre vantaggio da qlco. // *to sell sthg. to* —, vendere qlco. con profitto.

to advantage *v.tr.* avvantaggiare.

advantageous [,ædvən'teidʒəs] *agg.* vantaggioso.

advent ['ædvənt] *s.* avvento.

adventitious [,ædven'tiʃəs] *agg.* casuale.

adventure [əd'ventʃə*] *s.* **1** avventura **2** (*comm.*) speculazione.

to adventure *v.tr.* avventurare ♦ *v.intr.* avventurarsi.

adventurer [əd'ventʃərə*] *s.* avventuriero.

adventuresome [əd'ventʃəsəm] *agg.* avventuroso.

adventuress [əd'ventʃəris] *s.* avventuriera.

adventurous [əd'ventʃərəs] *agg.* avventuroso.

adverb ['ædvə:b] *s.* avverbio.

adverbial [əd'və:bjəl] *agg.* avverbiale.

adversary ['ædvəsəri] *s.* avversario.

adversative [əd'və:sətiv] *agg.* avversativo.

adverse ['ædvə:s] *agg.* avverso, contrario.

adversity [əd'və:siti] *s.* avversità.

to advert [əd'və:t] *v.intr.* **1** volger l'attenzione **2** alludere.

advertence [əd'və:təns], **advertency** [əd'və:tənsi] *s.* sollecitudine.

to advertise ['ædvətaiz] *v.tr.* fare pubblicità a ♦ *v.intr.* **1** fare della pubblicità **2** mettere un annuncio, un'inserzione: *to — for a secretary*, mettere un annuncio per (trovare) una segretaria.

advertisement [əd′vəːtismənt, *(amer.)* ˌædvərˈtaiz mənt] *s.* avviso; annunzio, inserzione; cartellone pubblicitario.

advertiser [′ædvətaizə*] *s.* chi ricorre alla pubblicità; inserzionista; cliente (di agenzia pubblicitaria ecc.).

advertising [′ædvətaiziŋ] *agg.* pubblicitario ♦ *s.* pubblicità // *— agency*, agenzia di pubblicità // *subliminal —*, persuasione occulta.

advice [əd′vais] *s.* 1 consigli, consiglio; *(dir.)* consulenza // *to take medical —*, consultare un medico 2 *(spec. comm.)* avviso.

advisability [əd,vaizə′biliti] *s.* opportunità.

advisable [əd′vaizəbl] *agg.* consigliabile; opportuno.

to advise [əd′vaiz] *v.tr.* informare ♦ *v.intr.* consigliarsi, consultarsi: *I had advised against his coming*, ero contrario alla sua venuta.

advised [əd′vaizd] *agg.* giudizioso, cauto.

advisedly [əd′vaizidli] *avv.* deliberatamente.

adviser [əd′vaizə*] *s.* consigliere; consulente: *legal —*, consulente legale.

advisory [əd′vaizəri] *agg.* che consiglia.

advocacy [′ædvəkəsi] *s.* 1 avvocatura 2 difesa.

advocate [′ædvəkit] *s.* difensore, patrocinatore; avvocato // *devil's —*, avvocato del diavolo.

to advocate [′ædvəkeit] *v.tr.* difendere, patrocinare.

adze [ædz] *s.* ascia.

to adze *v.tr.* tagliare con l'ascia.

aedile [′iːdail] *s.* *(st. romana)* edile.

Aegean [i(ː)′dʒiːən] *agg.* egeo.

aegis [′iːdʒis] *s.* egida.

Aeneas [iː(ː)′niːæs] *no.pr.m.* *(lett.)* Enea.

Aeneid [′iːniid] *s.* *(lett.)* Eneide.

Aeolian [iː(ː)′ouljən] *agg.* eolico, eolio.

aeon [′iːən] *s.* periodo cosmico non misurabile; eternità.

to aerate [′eiəreit] *v.tr.* 1 aerare 2 *(chim.)* gassare.

aeration [ˌeiə′reiʃən] *s.* 1 aerazione 2 *(chim.)* il gassare.

aerial [′eəriəl] *agg.* aereo; etereo ♦ *s.* antenna.

aerialist [′eəriəlist] *s.* acrobata, trapezista.

aerie [′eəri] *s.* 1 nido (di uccelli rapaci) 2 covata (di uccelli rapaci) 3 erma dimora.

aeriform [′eərifɔːm] *agg.* 1 aeriforme 2 intangibile.

aerobatics [ˌeərə′bætiks] *s.* acrobazie aeree *(pl.)*; volo acrobatico.

aerobic [eə′roubik] *agg.* aerobico.

aerobics [eə′roubiks] *s.* aerobica, ginnastica aerobica.

aerodrome [′eərədroum] *s.* aerodromo.

aerodynamic [′eəroudai′næmik] *agg.* aerodinamico.

aerodynamics [′eəroudai′næmiks] *s.* aerodinamica.

aerofoil [′eərəfɔil] *s.* *(aer.)* alettone.

aeronaut [′eərənɔːt] *s.* aeronauta.

aeronautic [ˌeərə′nɔːtik] *agg.* aeronautico.

aeronautics [ˌeərə′nɔːtiks] *s.* aeronautica.

aeroplane [′eərəplein] *s.* aeroplano // *cfr.* plane.

aerosol [′eərəsɔl] *s.* aerosol.

aerospace [′eərou,speis] *agg.* aerospaziale, spaziale.

aerostat [′eəroustæt] *s.* aerostato.

aerostatic [ˌeərə′stætik] *agg.* aerostatico.

aerostatics [ˌeərə′stætiks] *s.* aerostatica.

aery *s.* → **aerie**.

Aeschylus [′iːskiləs] *no.pr.m.* *(st. lett.)* Eschilo.

Aesculapius [ˌiːskjuː′leipjəs] *no.pr.m.* *(st. med.)* Esculapio ♦ *s.* medico.

Aesop [′iːsɔp] *no.pr.m.* *(st. lett.)* Esopo.

---

aesthete [′iːsθiːt] *s.* esteta.

aesthetic [iːs′θetik] *agg.* estetico.

aestheticism [iːs′θetisizəm] *s.* estetismo.

aesthetics [iːs′θetiks] *s.* estetica.

to aestivate [′iːstiveit] *v.intr.* essere in estivazione.

aether *s.* → **ether**.

afar [ə′faː*] *avv.* lontano, in lontananza.

affability [ˌæfə′biliti] *s.* affabilità, cortesia.

affable [′æfəbl] *agg.* affabile, cortese.

affair [ə′fɛə*] *s.* 1 affare 2 faccenda, cosa 3 relazione amorosa.

to affect[1] [ə′fekt] *v.tr.* 1 affettare, ostentare 2 preferire; usare; adottare 3 atteggiarsi a; darsi arie di: *he affected the freethinker*, si atteggiava a libero pensatore.

to affect[2] *v.tr.* 1 agire su, avere influenza su; concernere, riguardare // *it doesn't — me one way or another*, non mi fa né caldo né freddo 2 commuovere, far soffrire 3 *(med.)* infettare; *(di malattia)* colpire.

affectation [ˌæfek′teiʃən] *s.* affettazione.

affected [ə′fektid] *agg.* 1 simulato; affettato 2 incline a: *well, ill —*, ben, mal disposto 3 afflitto, addolorato 4 affetto: *to be — with (a disease)*, essere affetto da (una malattia).

affecting [ə′fektiŋ] *agg.* commovente, toccante.

affection [ə′fekʃən] *s.* 1 affezione *(anche med.)*; affetto, amore 2 impressione, emozione.

affectionate [ə′fekʃnit] *agg.* affettuoso; affezionato.

affectionately [ə′fekʃnitli] *avv.* affettuosamente, affezionatamente // *— yours*, affettuosamente vostro (nelle lettere).

affective [ə′fektiv] *agg.* affettivo, emotivo.

to affiance [ə′faiəns] *v.tr.* promettere in matrimonio.

to affiliate [ə′filieit] *v.tr.* *(comm. dir.)* affiliare, associare // *affiliated firm*, ditta consociata ♦ *v.intr.* affiliarsi, associarsi.

affiliation [ə,fili′eiʃən] *s.* affiliazione // *— order*, ordine del tribunale a contribuire alle spese di mantenimento di un figlio per riconosciuta paternità.

affinity [ə′finiti] *s.* affinità.

to affirm [ə′fəːm] *v.tr.* e *intr.* 1 affermare; confermare 2 *(dir.)* ratificare 3 dichiarare solennemente (in sostituzione del giuramento sulla Bibbia per i non credenti).

affirmation [ˌæfəː′meiʃən] *s.* 1 affermazione; conferma; dichiarazione *(anche dir.)* 2 *(dir.)* omologazione 3 dichiarazione solenne (in sostituzione del giuramento sulla Bibbia per i non credenti).

affirmative [ə′fəːmətiv] *agg.* affermativo ♦ *s.* affermativa: *in the —*, affermativamente.

affix [ə′fiks] *s.* aggiunta; *(gramm.)* affisso.

to affix [ə′fiks] *v.tr.* attaccare; aggiungere; apporre.

to afflict [ə′flikt] *v.tr.* affliggere.

affliction [ə′flikʃən] *s.* 1 afflizione 2 calamità 3 malattia: *the afflictions of old age*, gli acciacchi della vecchiaia.

affluence [′æfluəns] *s.* ricchezza; abbondanza.

affluent [′æfluənt] *agg.* 1 ricco // *— society*, società del benessere 2 abbondante ♦ *s.* *(geogr.)* affluente.

afflux [′æflʌks] *s.* afflusso *(anche fig.)*.

to afford [ə′fɔːd] *v.tr.* 1 offrire; produrre, fornire: *this will — me the possibility of going*, questo mi darà la possibilità di andare 2 (preceduto da *can, could, to be able to*) permettersi: *I cannot — to buy that land*, non posso permettermi di comprare quel terreno.

to afforest [æ′fɔrist] *v.tr.* imboschire.

afforestation [æ,fɔris′teiʃən] *s.* imboschimento.

to **affranchise** [ə'fræntʃaiz] *v.tr.* affrancare.

affray [ə'frei] *s.* rissa, tafferuglio, mischia.

affront [ə'frʌnt] *s.* insulto, offesa; affronto: *to take —* *at sthg.*, offendersi per qlco.

to **affront** *v.tr.* 1 insultare, offendere; fare un affronto (a) 2 affrontare.

Afghan ['æfgæn] *agg.* e *s.* afgano // *— (dog)*, levriere afgano.

aflame [ə'fleim] *agg.pred.* (*poet.*) → **ablaze**.

afloat [ə'flout] *avv.* 1 a galla 2 in mare; in acqua 3 (sospeso) nell'aria ♦ *agg.pred.* 1 a galla // *to stay —*, farcela senza debiti 2 in mare; in acqua 3 allagato 4 fluttuante.

afoot [ə'fut] *avv.* e *agg.pred.* in atto.

afore- [ə'fɔ:*] *pref.* pre-.

aforegoing [ə'fɔ:,gouiŋ] *agg.* precedente.

aforesaid [ə'fɔ:sed] *agg.* predetto, suddetto.

aforethought [ə'fɔ:θɔ:t] *agg.* premeditato.

afraid [ə'freid] *agg.pred.* spaventato, impaurito; timoroso: *to be —*, aver paura, temere; *I'm — so*, *I'm — not*, temo di sì, temo di no // *I am — I cannot tell you*, sono spiacente di non potervelo dire.

afresh [ə'freʃ] *avv.* da capo, di nuovo.

Africa ['æfrikə] *no.pr.* Africa.

African ['æfrikən] *agg.* e *s.* africano.

Afrikaans [,æfri'kɑ:ns] *s.* (*lingua*) afrikaans.

Afrikaner [,æfri'kɑ:nə*] *s.* afrikaner.

Afro- ['æfrou] *pref.* afro-.

aft [ɑ:ft] *avv.* (*mar.*) a poppa, verso poppa.

after ['ɑ:ftə*] *prep.* 1 dopo // *— you*, (prego) dopo di lei // *— all*, dopotutto, malgrado tutto // *what are you —?*, che cosa vuoi? // *— dinner*, dopo pranzo; *an-dinner meeting*, una riunione dopo cena; *—-war*, postbellico // *— hours*, dopo l'ora di chiusura // *alla maniera di: — the English manner*, all'inglese ♦ *avv.* dopo; poi: *the year —*, l'anno dopo; *— we went home*, poi andammo a casa ♦ *cong.* dopo che ♦ *agg.* 1 seguente, successivo: *in — years*, negli anni seguenti 2 (*mar.*) di poppa // *—-deck*, (*mar.*) ponte di poppa.

afterbirth ['ɑ:ftəbə:θ] *s.* (*anat.*) placenta.

aftercare ['ɑ:ftəkeə*] *s.* assistenza (sanitaria postospedaliera, ad ex-carcerati ecc.).

aftereffect ['ɑ:ftə(r)i,fekt] *s.* effetto tardivo, postumi (*pl.*).

afterglow ['ɑ:ftəglou] *s.* 1 ultimo bagliore (del sole) 2 (*fig.*) bagliore.

afterlife ['ɑ:ftəlaif] *s.* vita ultraterrena.

aftermath ['ɑ:ftəmæθ] *s.* conseguenze spiacevoli (*pl.*).

afternoon ['ɑ:ftə'nu:n] *s.* pomeriggio.

aftershave ['ɑ:ftəʃeiv] *agg.* e *s.* dopobarba.

aftertaste ['ɑ:ftəteist] *s.* retrosapore.

afterthought ['ɑ:ftəθɔ:t] *s.* ripensamento.

afterwards ['ɑ:ftəwədz] *avv.* dopo, poi; in seguito.

again [ə'gen] *avv.* 1 ancora; di nuovo // *— and —* (o *time and —*), ripetutamente, cento volte; *now and —*, ogni tanto // *never —*, mai più // *as much —*, altrettanto; *as many —*, altrettanti 2 d'altra parte, d'altronde.

against [ə'genst] *prep.* 1 contro: *— the light*, contro luce; *— my will*, contro il mio volere // *over —*, di fronte (a) 2 per, in previsione di.

Agamemnon [,ægə'memnən] *no.pr.m.* (*lett.*) Agamennone.

agape [ə'geip] *avv.* e *agg. pred.* a bocca aperta (*anche fig.*).

agate ['ægət] *s.* (*min.*) agata.

agave [ə'geivi] *s.* agave.

age [eidʒ] *s.* 1 età: *— of discretion*, età della ragione; *full —*, maggiore età; *middle —*, mezza età; *minor —*, età minore; *(old) —*, vecchiaia; *he is thirty years of —*, egli ha trent'anni; *to be under —*, essere minorenne; *to be*, *to come of —*, diventare maggiorenne; *to look one's —*, dimostrare la propria età 2 periodo; generazione; secolo; epoca: *ages and ages*, secoli e secoli; *modern —*, evo moderno // *it is ages since I saw you!*, (*fam.*) sono secoli che non ti vedo!; *I haven't seen you for ages*, non ti vedo da secoli // *of the same ——*, coetaneo.

to **age** *v.tr.* e *intr.* invecchiare.

aged ['eidʒid, eidʒd *nel significato 2*] *agg.* 1 vecchio, attempato // *the —*, i vecchi 2 dell'età di: *— twenty-five*, dell'età di venticinque anni.

ageless ['eidʒlis] *agg.* 1 eterno 2 sempre giovane; di età indefinibile.

age-long ['eidʒlɔŋ] *agg.* eterno.

agency ['eidʒənsi] *s.* 1 causa; azione; effetto; agente 2 interposizione: *by the — of*, per intervento di 3 (*comm.*) rappresentanza; agenzia, succursale: *news —*, agenzia d'informazioni; *sole —*, rappresentanza esclusiva.

agenda [ə'dʒendə] *s.pl.* ordine del giorno (*sing.*): *the first item on the —*, la prima voce all'ordine del giorno.

agent ['eidʒənt] *s.* 1 agente (*anche chim.*): *to be a free —*, agire secondo la propria volontà 2 (*comm.*) agente, rappresentante: *sole —*, rappresentante esclusivo 3 (*dir.*) mandatario // *— provocateur*, agente provocatore.

agglomerate [ə'glɔmərit] *s.* agglomerato.

to **agglomerate** [ə'glɔməreit] *v.tr.* agglomerare ♦ *v.intr.* agglomerarsi.

agglomeration [ə,glɔmə'reiʃən] *s.* agglomerazione.

to **agglutinate** [ə'glu:tineit] *v.tr.* agglutinare ♦ *v.intr.* agglutinarsi.

to **aggrandize** [ə'grændaiz] *v.tr.* ingrandire.

to **aggravate** ['ægrəveit] *v.tr.* 1 aggravare, accrescere 2 (*fam.*) irritare, esasperare.

aggravating ['ægrəveitiŋ] *agg.* 1 aggravante 2 (*fam.*) esasperante, irritante.

aggravation [,ægrə'veiʃən] *s.* 1 aggravamento 2 aggravante 3 (*fam.*) esasperazione, irritazione.

aggregate ['ægrigit] *agg.* e *s.* aggregato // *— output*, produzione globale // *in the —*, nell'insieme.

to **aggregate** ['ægrigeit] *v.tr.* 1 aggregare 2 ammontare a ♦ *v.intr.* aggregarsi, unirsi.

aggression [ə'greʃən] *s.* aggressione.

aggressive [ə'gresiv] *agg.* aggressivo, offensivo ♦ *s.* offensiva.

aggressor [ə'gresə*] *s.* aggressore.

aggrieved [ə'gri:vd] *agg.* addolorato.

aggro ['ægrou] *s.* (*fam.*) scontri violenti (fra bande di giovani); disordini (*pl.*).

aghast [ə'gɑ:st] *agg. pred.* atterrito; stupefatto.

agile ['ædʒail] *agg.* agile; svelto.

agility [ə'dʒiliti] *s.* agilità; sveltezza.

agio ['ædʒiou] *s.* (*comm.*) aggio.

agiotage ['ædʒətidʒ] *s.* (*Borsa*) aggiotaggio.

to **agitate** ['ædʒiteit] *v.tr.* agitare, scuotere; turbare // *to — for*, *against sthg.*, promuovere una campagna in favore di, contro qlco.

agitation [,ædʒi'teiʃən] *s.* agitazione.

agitator ['ædʒiteitə*] *s.* agitatore.

aglet ['æglit] *s.* aghetto, puntale (di stringa).

agnate ['ægneit] *agg.* e *s.* (*dir.*) agnato.

agnostic [æg'nɔstik] *agg.* e *s.* (*fil.*) agnostico.

agnosticism [æg'nɔstisizəm] *s.* (*fil.*) agnosticismo.

ago [ə'gou] *avv.* fa: *he came three days* —, venne tre giorni fa.

agog [ə'gɔg] *avv.* e *agg.* smanioso; in eccitazione: *he was all* — (*with excitement*), era tutto eccitato.

agonistic [,ægə'nistik] *agg.* agonistico.

to agonize ['ægənaiz] *v.intr.* **1** tormentarsi; torturarsi **2** lottare; fare sforzi disperati.

agonizing ['ægənaizin] *agg.* doloroso; angoscioso.

agony ['ægəni] *s.* agonia; angoscia: *to go through the* — *of waiting*, subire l'angoscia dell'attesa // — *column*, su un giornale, rubrica di annunci per la ricerca di persone scomparse.

agoraphobia [,ægərə'foubiə] *s.* agorafobia.

agraffe [ə'græf] *s.* graffa.

agrarian [ə'grɛəriən] *agg.* e *s.* agrario.

to agree [ə'gri:] *v.intr.* **1** accordarsi; essere d'accordo; convenire: *to* — *with what s.o. says*, convenire su ciò che qlcu. dice // *unless otherwise agreed*, salvo accordi contrari // *to* — *to differ*, rimanere, di comune accordo, ciascuno della propria opinione **2** acconsentire **3** *to* — *with* (*s.o.*, *sthg.*), confarsi a, essere adatto a (qlcu., qlco.): *this food does not* — *with me*, questo cibo mi fa male **4** (*gramm.*) concordare ♦ *v.tr.* **1** approvare; accettare; ammettere **2** (*comm.*) pareggiare.

agreeable [ə'griəbl] *agg.* **1** gradevole, piacevole **2** favorevole; consenziente: *I'm* —, (*fam.*) per me va bene // — *to*, in conformità a; (*fam.*) d'accordo con.

agreement [ə'gri:mənt] *s.* **1** accordo; (*dir.*) contratto: *as per* —, come convenuto; *by mutual* —, di comune accordo // *letter of* —, lettera di adesione // *gentleman's* —, accordo verbale **2** (*gramm.*) concordanza.

agricultural [,ægri'kʌltʃərəl] *agg.* agricolo.

agriculture ['ægrikʌltʃə*] *s.* **1** agricoltura **2** agraria.

agronomics [,ægrə'nɔmiks] *s.* agronomia.

agronomist [ə'grɔnəmist] *s.* agronomo.

aground [ə'graund] *avv.* (*mar.*): *to run* —, arenarsi, incagliarsi.

ague ['eigiu:] *s.* (*med.*) febbre malarica.

ah [ɑ:] *inter.* ah!, deh!, ahimè!

aha [ɑ(:)'hɑ:] *inter.* ah!, bene!

ahead [ə'hed] *avv.* avanti, in avanti; in testa: *to be* — *of s.o.*, essere più avanti di qlcu.; *to get* —, riuscire; farsi strada; *to get* — *of s.o.*, oltrepassare, superare qlcu. // *straight* —, avanti diritto; (*mar.*) diritto di prua // *go* —!, (*fam.*) fa' pure! // *full steam ahead!*, (*mar.*) avanti tutta!

ahem [hm] *inter.* hum!, ehm!; ehi!

aid [eid] *s.* **1** aiuto, soccorso: *in* — *of*, a favore di; *to call in s.o.'s* —, chiedere aiuto a qlcu. // *first* —, pronto soccorso **2** *pl.* sussidi **3** aiutante, aiuto.

to aid *v.tr.* aiutare, soccorrere, assistere.

aide-de-camp ['eiddə'kɔm, (*amer.*) 'eiddə'kæmp], *pl.* **aides-de-camp** ['eidzdə'kɔm, (*amer.*) 'eidzdə'kæmp] *s.* (*mil.*) aiutante di campo.

aigrette ['eigret] *s.* **1** (*zool.*) egretta **2** aspri.

to ail [eil] *v.tr.* (*poet.*) affliggere, addolorare.

aileron ['eilərɔn] *s.* (*aer.*) alettone.

ailing ['eilin] *agg.* sofferente, malaticcio.

ailment ['eilmənt] *s.* indisposizione, disturbo.

aim [eim] *s.* mira, punto di mira; (*fig.*) scopo.

to aim *v.tr.* **1** puntare: *to* — *a gun at s.o.*, puntare il fucile contro qlcu. **2** (*fig.*) indirizzare, dirigere (sforzi ecc.) ♦ *v.intr.* **1** mirare a; prendere di mira (*anche fig.*) **2** (*fam.*) tendere; aspirare a: *to* — *high*, (*fig.*) avere alte aspirazioni; mirare in alto.

aimless ['eimlis] *agg.* senza scopo.

ain't [eint] (*sl.*) *contr.* di *am not, is not, are not, have not, has not*.

air- [ɛə*] *pref.* aero-.

air *s.* **1** aria, atmosfera; cielo; brezza, venticello: *in the open* —, all'aria aperta // *by* —, per via aerea // *there are rumours in the* — *that...*, corre voce che... // *hot* —, (*fam.*) insulsaggini // *to live on* —, vivere d'aria // *to walk on* —, essere pazzo di gioia // *to vanish into thin* —, volatilizzarsi // *to give s.o. the* —, (*volg.*) liquidare qlcu. // *to be on the* —, parlare per radio; *to put sthg. on the* —, trasmettere qlco. per radio **2** aria, aspetto; contegno: *to give oneself airs* (o *to put on airs*), darsi delle arie **3** (*mus.*) aria; melodia.

to air *v.tr.* **1** aerare, arieggiare; ventilare **2** sciorinare; mettere all'aria; asciugare completamente **3** (*fig.*) ventilare; fare sfoggio.

airbase ['ɛəbeis] *s.* base aerea.

airbed ['ɛəbed] *s.* materassino pneumatico.

airbladder ['ɛəblædə*] *s.* vescica natatoria.

airborne ['ɛəbɔ:n] *agg.* aviotrasportato.

airbrake ['ɛəbreik] *s.* freno ad aria compressa.

airbrick ['ɛəbrik] *s.* mattone forato.

air-chamber ['ɛə,tʃeimbə*] *s.* camera d'aria.

to air-condition ['ɛəkən,diʃən] *v.tr.* climatizzare.

air-conditioned ['ɛəkən,diʃənd] *agg.* climatizzato.

air-conditioner [ɛəkən,diʃənə*] *s.* condizionatore d'aria.

air-conditioning ['ɛəkən,diʃənin] *s.* condizionamento d'aria.

air-conditioning unit ['ɛəkən,diʃənin'ju:nit] *s.* condizionatore d'aria.

aircraft ['ɛəkrɑ:ft] *s.* (*pl. invar.*) velivolo, aereo // — *carrier*, portaerei.

aircrew ['ɛəkru:] *s.* equipaggio di aereo.

aircushion ['ɛə,kuʃən] *s.* cuscino pneumatico.

airdrome ['ɛədroum] *s.* (*amer.* per *aerodrome*) aerodromo.

airdrop ['ɛədrɔp] *s.* lancio (con paracadute).

airfield ['ɛəfi:ld] *s.* campo d'aviazione.

Air Force ['ɛəfɔ:s] *s.* aviazione militare.

airgun ['ɛəgʌn] *s.* fucile ad aria compressa.

airhole ['ɛəhoul] *s.* sfiatatoio.

airily ['ɛərili] *avv.* leggermente; (*fig.*) con disinvoltura.

airiness ['ɛərinis] *s.* **1** aerazione, ventilazione **2** leggerezza (*anche fig.*); (*fig.*) disinvoltura.

airing ['ɛərin] *s.* **1** essiccamento (di biancheria); ventilazione, aerazione // — *cupboard*, essiccatoio (per biancheria) **2** passeggiata // *to take an* —, prendere una boccata d'aria.

air-jacket ['ɛə,dʒækit] *s.* cintura di salvataggio.

airlane ['ɛəlein] *s.* aerovia.

airlift ['ɛəlift] *s.* ponte aereo.

airline ['ɛəlain] *s.* aerolinea.

airliner ['ɛə,lainə*] *s.* aereo di linea.

airmail ['ɛəmeil] *s.* posta aerea.

airman, *pl.* **airmen** ['ɛəmən] *s.* aviatore.

air-passage ['ɛə,pæsidʒ] *s.* viaggio in aereo.

airplane ['ɛəplein] *s.* (*amer.*) aeroplano.

airpocket ['ɛə,pokit] *s.* vuoto d'aria.

airport ['ɛəpɔ:t] *s.* aeroporto.

air-pump ['ɛəpʌmp] *s.* pompa pneumatica.

airraid ['ɛəreid] *s.* incursione aerea // — *shelter*, rifugio antiaereo.

airscrew ['ɛəskru:] *s.* elica.

airshaft ['ɛəʃɑ:ft] *s.* condotto d'aria.

airship [ˈɛəʃip] *s.* aeronave, dirigibile.

airsickness [ˈɛəˌsiknis] *s.* mal d'aria.

airspace [ˈɛəspeis] *s.* **1** spazio aereo **2** intercapedine.

air station [ˈɛə steiʃən] *s.* aeroscalo.

airstrip [ˈɛəstrip] *s.* pista di atterraggio.

airtight [ˈɛətait] *agg.* a tenuta d'aria.

airtime [ˈɛətaim] *s.* tempo di trasmissione.

air-to-air [ˈɛətuˈɛə*] *agg.* (*aer.*) aria-aria.

airway [ˈɛəwei] *s.* **1** galleria d'aerazione (di miniera) **2** via aerea.

airworthiness [ˈɛəˌwəːðinis] *s.* navigabilità aerea.

airworthy [ˈɛəˌwəːði] *agg.* atto alla navigazione aerea.

airy [ˈɛəri] *agg.* **1** aerato, arioso, arieggiato **2** leggero **3** gaio, spensierato **4** (*poet.*) aereo, elevato.

aisle [ail] *s.* **1** navata **2** (*amer.*) passaggio, corridoio.

aitch [eitʃ] *s.* acca (la lettera *h*).

ajar [əˈdʒaː*] *avv.* e *agg.* socchiuso.

akimbo [əˈkimbou] *avv.* con le mani ai fianchi e i gomiti in fuori.

akin [əˈkin] *agg.* **1** consanguineo **2** simile.

alabaster [ˈæləbaːstə*] *s.* alabastro.

alack [əˈlæk] *inter.* (*poet.*) ohimè!

alacrity [əˈlækriti] *s.* alacrità.

à la mode [ɑːlaːˈmoud] (*franc.*) *locuz.avv.* **1** alla moda **2** (*amer.*) servito con gelato.

alar [ˈeilə*] *agg.* **1** alare **2** (*bot.*) ascellare.

alarm [əˈlaːm] *s.* **1** allarme; sveglia: *to raise* (o *to sound*) *the* —, dare l'allarme // *to set the* — *for five o' clock*, mettere la sveglia alle cinque // *burglar* —, antifurto (in casa) **2** (*fig.*) agitazione: *in* —, allarmato.

to alarm *v.tr.* allarmare, spaventare: *to be alarmed at sthg.*, spaventarsi per qlco.

alarm clock [əˈlaːmklɔk] *s.* sveglia.

alarmism [əˈlaːmizəm] *s.* allarmismo.

alarmist [əˈlaːmist] *s.* allarmista ♦ *agg.* allarmistico.

alas [əˈlɑːs] *inter.* ahimè!

Albania [ælˈbeinjə] *no.pr.* Albania.

Albanian [ælˈbeinjən] *agg.* e *s.* albanese.

albatross [ˈælbatrɔs] *s.* albatro.

albeit [ɔːlˈbiːit] *cong.* anche se, quantunque.

Albert [ˈælbət] *no.pr.m.* Alberto.

albinism [ˈælbinizəm] *s.* albinismo.

albino [ælˈbiːnou, (*amer.*) ælˈbainou], *pl.* **albinos** [ælˈbiːnouz, (*amer.*) ælˈbainouz] *s.* albino.

Albion [ˈælbjən] *no.pr.* (*poet.*) Albione.

album [ˈælbəm] *s.* album.

albumen [ˈælbjumin] *s.* albume.

albumin [ˈælbjumin] *s.* albumina.

alchemist [ˈælkimist] *s.* alchimista.

alchemy, alchymy [ˈælkimi] *s.* alchimia.

alcohol [ˈælkəhɔl] *s.* alcool: *denatured* —, alcool denaturato.

alcoholic [ˌælkəˈhɔlik] *agg.* alcolico ♦ *s.* alcolizzato; alcolista.

alcoholism [ˈælkəhɔlizəm] *s.* alcolismo.

alcove [ˈælkouv] *s.* alcova; nicchia.

aldehyde [ˈældihaid] *s.* (*chim.*) aldeide.

alder [ˈɔːldə*] *s.* ontano.

alderman, *pl.* **aldermen** [ˈɔːldəmən] *s.* assessore anziano.

Aldous [ˈɔːldəs] *no.pr.m.* Aldo.

ale [eil] *s.* birra: *brown, pale* —, birra scura, chiara // *Adam's* —, acqua.

aleatory [ˈeiliətəri] *agg.* aleatorio.

alehouse [ˈeilhaus] *s.* birreria.

alembic [əˈlembik] *s.* alambicco.

alert [əˈləːt] *agg.* **1** vigilante, all'erta **2** svelto, pronto ♦ *s.* segnale d'allarme // *to be on the* —, stare all'erta.

to alert *v.tr.* avvertire.

Alexander [ˌæligˈzaːndə*] *no.pr.m.* Alessandro.

Alexandra [ˌæligˈzaːndrə] *no.pr.f.* Alessandra.

Alexandria [ˌæligˈzaːndriə] *no.pr.* Alessandria (d'Egitto).

Alexandrian [ˌæligˈzaːndriən] *agg.* alessandrino.

alexandrine [ˌæligˈzændrain] *agg.* e *s.* (verso) alessandrino.

alfalfa [ælˈfælfə] *s.* (*amer.* per *lucerne*) erba medica.

Alfred [ˈælfrid] *no.pr.m.* Alfredo.

algebra [ˈældʒibrə] *s.* algebra.

algebraic(al) [ˌældʒiˈbreik(əl)] *agg.* algebrico.

algorithm [ˈælgəriðm] *s.* algoritmo.

alias [ˈeiliæs] *avv.* alias, altrimenti detto ♦ *s.* pseudonimo, falso nome.

alibi [ˈælibai] *s.* alibi: *a cast iron* —, un alibi a prova di bomba.

Alice [ˈælis] *no.pr.f.* Alice.

alidade [ˈælideid] *s.* (*geom.*) alidada.

alien [ˈeiljən] *agg.* **1** estraneo; straniero **2** — *to* (*sthg.*), contrario a qlco. ♦ *s.* forestiero, straniero.

alienable [ˈeiljənəbl] *agg.* alienabile.

to alienate [ˈeiljəneit] *v.tr.* alienare.

alienation [ˌeiljəˈneiʃən] *s.* alienazione.

alienist [ˈeiljənist] *s.* **1** alienista, psichiatra **2** (*amer.*) perito psichiatrico (del tribunale).

alight[1] [əˈlait] *agg. pred.* acceso, in fiamme; illuminato (*anche fig.*).

to alight[2] *v.intr.* **1** discendere (da un mezzo di trasporto) **2** posarsi; atterrare: *to* — *on water*, ammarare.

to align [əˈlain] *v.tr.* allineare // *to* — *oneself with*, parteggiare per ♦ *v.intr.* allinearsi.

alike [əˈlaik] *agg. pred.* simile ♦ *avv.* similmente.

aliment [ˈælimənt] *s.* alimento, cibo (*anche fig.*).

to aliment *v.tr.* alimentare.

alimentary [ˌæliˈmentəri] *agg.* alimentare.

alimentation [ˌælimenˈteiʃən] *s.* alimentazione.

alimony [ˈæliməni] *s.* (*dir.*) alimenti (*pl.*).

to aline *v.tr.* e *intr.* → **to align**.

aliquot [ˈælikwɔt] *agg.* e *s.* (*mat.*) aliquota.

alive [əˈlaiv] *agg. pred.* **1** vivo, vivente, in vita // *any man* —, chiunque **2** animato, vivace; attivo // *look* —!, muoviti! **2** — *with*, brulicante di **3** — *to* (*sthg.*), (*fig.*) sensibile a qlco., conscio di qlco.

alkali [ˈælkəlai] *s.* (*chim.*) alcali; prodotto alcalino.

alkaline [ˈælkəlain] *agg.* (*chim.*) alcalino.

alkaloid [ˈælkəlɔid] *s.* (*chim.*) alcaloide.

all [ɔːl] *agg.* tutto: — *the world*, tutto il mondo; — *the others*, tutti gli altri // *for* — *her faults*, malgrado i suoi difetti ♦ *pron.* tutto, tutti: — *of us* (o *we* —), noi tutti; — *three*, tutti e tre // — *and sundry*, tutti, nessuno escluso // *for* — *I know*, per quanto io sappia // *for* —, (*amer.*) nonostante tutto // *it's* — *one to me*, per me fa lo stesso // *it's* — *in a day's work*, fa parte della routine // *when* — *is said and done*, in fin dei conti ♦ *avv.* completamente, interamente: — *alone*, tutto solo // — *of a sudden*, all'improvviso // — *but certain*, quasi certo // — *over the world*, in tutto il mondo // — *right*; (*amer.*) **alright**, va bene // — *told*, in tutto, complessivamente; tutto sommato // *at* —, affatto, punto; *not at* —, non c'è di che; affatto // *he's not* — *there*, (*fam.*) non è tutto giusto, gli manca un venerdì // — *out*, col massimo sforzo; *to go* — *out*, (*fam.*) mettercela tutta ♦ *s.* tutto, totalità // *my* —, tutto il mio (avere).

to **allay** [ə'lei] *v.tr.* calmare; lenire; dissipare: *to — one's conscience*, far tacere la coscienza.

allclear [ɔ:l'kliə*] *s.* cessato allarme.

all-day [ˌɔ:l-dei] *agg.* che dura tutto il giorno.

allegation [ˌæle'geiʃən] *s.* asserzione; (*dir.*) imputazione.

to **allege** [ə'ledʒ] *v.tr.* **1** allegare; addurre come pretesto **2** asserire, sostenere // *the alleged culprit*, il presunto colpevole.

Alleghenies, the [ˌæli'geniz] *no.pr.pl.* gli Allegani.

allegiance [ə'li:dʒəns] *s.* fedeltà, obbedienza (al sovrano, al governo).

allegoric(al) [ˌæle'gɔrik(əl)] *agg.* allegorico.

to **allegorize** ['æligəraiz] *v.tr.* e *intr.* allegorizzare.

allegory ['æligəri] *s.* allegoria.

alleluia [ˌæli'lu:jə] *inter.* alleluia.

allergen ['ælədʒn] *s.* (*med.*) allergene.

allergic [ə'lə:dʒik] *agg.* allergico.

allergist ['ælədʒist] *s.* allergologo.

allergy ['ælədʒi] *s.* allergia.

to **alleviate** [ə'li:vieit] *v.tr.* alleviare, lenire.

alley ['æli] *s.* **1** vialetto (di giardino) **2** vicolo **3** pista (del «bowling» e del gioco dei birilli).

All Fools' Day ['ɔ:l'fu:lzdei] *s.* il 1° aprile.

alliance [ə'laiəns] *s.* **1** alleanza **2** unione, matrimonio; parentela.

allied [ə'laid] *agg.* **1** alleato // *the Allied Powers*, gli Alleati **2** della stessa famiglia.

alligator ['æligeitə*] *s.* alligatore.

all-in [ɔ:l-in] *agg.* **1** (*fam.*) esausto: *I was —, I couldn't walk another metre*, ero esausto, non avrei potuto fare un altro metro **2** tutto compreso: *the — cost is £ 750*, il costo è di 750 sterline tutto compreso.

alliteration [əˌlitə'reiʃən] *s.* allitterazione.

all-night ['ɔ:l'nait] *agg.* notturno.

to **allocate** ['æləkeit] *v.tr.* assegnare; distribuire.

allocation [ˌælə'keiʃən] *s.* **1** assegnazione; distribuzione (di funzioni); stanziamento **2** parte, somma assegnata.

allocution [ˌælou'kju:ʃən] *s.* allocuzione.

to **allot** [ə'lɔt] *v.tr.* distribuire; assegnare.

allotment [ə'lɔtmənt] *s.* **1** distribuzione **2** porzione, parte assegnata, lotto **3** pezzo di terreno da coltivare.

allotrope [ˌælə'trɔp] *s.* (*chim.*) allotropo.

all-out ['ɔ:l'aut] *agg.* generoso.

to **allow** [ə'lau] *v.tr.* e *intr.* **1** permettere, lasciare, concedere: *he is not allowed wine*, non può bere vino; *to — oneself to do sthg.*, permettersi di fare qlco. // *to — for sthg.*, tener conto di qlco. // *to — for sthg.*, tener conto di qlco. **2** riconoscere, ammettere: *I — it to be true*, ammetto che sia vero **3** assegnare; accordare (*anche comm.*): *they — 10% discount*, concedono uno sconto del 10%.

allowable [ə'lauəbl] *agg.* **1** permesso, lecito **2** ammissibile **3** assegnabile, accordabile.

allowance [ə'lauəns] *s.* **1** assegno; pensione; indennità: *entertainment —*, indennità per spese di rappresentanza; *family —*, assegni familiari; *travelling —*, rimborso spese di viaggio; *daily travelling—*, diaria **2** razione **3** (*comm.*) abbuono, sconto; bonifico **4** *to make — for*, tenere in debito conto.

alloy [ə'lɔi] *s.* (*metall.*) lega.

to **alloy** *v.tr.* **1** (*metall.*) legare, amalgamare **2** (*fig.*) corrompere, alterare.

all-rounder ['ɔ:l'raundə*] *s.* (*fam.*) atleta completo; persona versatile.

All Saints' Day ['ɔ:l'seintsdei] *s.* Ognissanti.

All Souls' Day ['ɔ:l'soulzdei] *s.* il giorno dei morti.

allspice ['ɔ:lspais] *s.* pepe di Giamaica.

all-time [ɔ:l-taim] *agg.* il più grande, il massimo: *sales reached an — high, an — low, last August*, le vendite hanno raggiunto la punta massima, il minimo, l'agosto scorso.

to **allude** [ə'lu:d] *v.intr.* alludere.

allure [ə'ljuə*] *s.* attrattiva, allettamento.

to **allure** *v.tr.* attrarre, allettare; sedurre.

allusion [ə'lu:ʒən] *s.* allusione.

allusive [ə'lu:siv] *s.* allusivo.

alluvial [ə'lu:vjəl] *agg.* alluvionale.

alluvion [ə'lu:vjən] *s.* alluvione.

ally ['ælai] *s.* alleato; associato; collegato.

to **ally** [ə'lai] *v.tr.* alleare; collegare; imparentare (per matrimonio) ♦ *v.intr.* allearsi; collegarsi; imparentarsi.

Alma Mater [ˌælmə'meitə*] *s.* **1** alma mater (nome dato alla propria scuola dagli studenti) **2** (*amer.*) inno scolastico.

almanac ['ɔlmənæk] *s.* almanacco.

almighty [ɔ:l'maiti] *agg.* onnipotente; (*fam.*) grande // *the Almighty*, l'Onnipotente (Dio).

almond ['a:mənd] *s.* **1** mandorla: *— sweetmeat*, croccante **2** *(-tree)*, mandorlo.

almoner ['a:mənə*] *s.* elemosiniere.

almost ['ɔ:lmoust] *avv.* quasi, pressoché.

alms [a:mz] *s.* (*pl. invar.*) elemosina // *— -bag, — -dish*, borsa, piattello per l'elemosina; *— -box*, cassetta delle elemosine.

almsgiving ['a:mzˌgiviŋ] *s.* il fare l'elemosina.

almshouse ['a:mzhaus] *s.* ospizio di carità.

almsman, *pl.* **almsmen** ['a:mzmən] *s.* ricoverato in ospizio di carità.

aloe ['ælou] *s.* **1** (*bot.*) aloe **2** *pl.* aloe (*sing.*) (purgante).

alone [ə'loun] *agg.pred.* **1** solo: *all* (o *quite*) *—*, solo soletto; *to let* (o *to leave*) *—*, lasciare stare // *let well —*, il meglio è nemico del bene // *let alone that...*, a parte il fatto che... **2** unico, senza eguali ♦ *avv.* solo, solamente; da solo.

along [ə'lɔŋ] *prep.* lungo: *— the beach*, lungo la spiaggia ♦ *avv.*: *— with*, con; assieme a // *all —*, tutto il tempo: *I knew that all —*, l'avevo sempre saputo.

alongshore [ə'lɔŋ'ʃɔ:*] *avv.* lungo la costa.

alongside [ə'lɔŋ'said] *avv.* al fianco (della nave), accosto ♦ *prep.* a fianco di.

aloof [ə'lu:f] *avv.* e *agg.* in disparte: *to stand* (o *to hold oneself*) *—*, starsene in disparte.

aloofness [ə'lu:fnis] *s.* freddezza, distacco; alterigia.

aloud [ə'laud] *avv.* ad alta voce, forte.

alp [ælp] *s.* monte, alpe.

alpaca [æl'pækə] *s.* alpaca.

alpha ['ælfə] *s.* alfa.

alphabet ['ælfəbit] *s.* alfabeto.

alphabetical [ˌælfə'betikəl] *agg.* alfabetico.

alphanumeric [ˌælfənju:'merik] *agg.* (*informatica*) alfanumerico ♦ *s.pl.* // *the alphanumerics*, caratteri alfanumerici.

alpine ['ælpain] *agg.* alpino; alpestre.

alpinist ['ælpinist] *s.* alpinista.

Alps, the [ælps] *no.pr.pl.* le Alpi.

already [ɔ:l'redi] *avv.* (di) già.

alright [ɔ:l'rait] *avv.* (*amer.*) va bene.

Alsatian [æl'seiʃən] *agg.* e *s.* alsaziano // *— (dog)*, (*amer.*) cane da pastore tedesco.

also 558

also ['ɔːlsou] *avv.* pure, anche ♦ *cong.* inoltre.

altar ['ɔːltə*] *s.* altare: *high* —, altar maggiore; — *boy*, chierichetto.

altarpiece ['ɔːltəpiːs] *s.* pala d'altare.

altar-rails ['ɔːltəreilz] *s.pl.* balaustrata (*sing.*).

altarstone ['ɔːltə'stoun] *s.* (*eccl.*) pietra sacra; piano dell'altare.

to **alter** ['ɔːltə*] *v.tr.* e *intr.* cambiare, mutare; modificare.

alteration [,ɔːltə'reiʃən] *s.* modifica.

to **altercate** ['ɔːltəːkeit] *v.intr.* altercare.

alternate [ɔːl'təːnit] *agg.* alterno, alternato // — *area*, (*informatica*) seconda area (utilizzata alternativamente); — *switch*, interruttore a doppio effetto; — *track*, traccia sostitutiva.

to **alternate** ['ɔːltəːneit] *v.tr.* alternare ♦ *v.intr.* alternarsi // *alternating current*, (*elettr.*) corrente alternata.

alternative [ɔːl'təːnətiv] *agg.* alternativo, che offre un'alternativa: — *procedure*, procedimento alternativo; *if you have no* — *plans come with us*, se non hai altri progetti vieni con noi ♦ *s.* alternativa.

alternator ['ɔːltə'neitə*] *s.* (*elettr.*) alternatore.

altho [ɔːl'ðou] *cong.* (*amer.*) → **although**.

although [ɔːl'ðou] *cong.* benché, sebbene.

altimeter ['æltimiːtə*], (*amer.*) ,æl'timitə'] *s.* altimetro.

altitude ['æltitjuːd] *s.* **1** altitudine; quota **2** (*geom.astr.*) altezza **3** *pl.* altezze, luoghi elevati.

alto ['æltou] *s.* (*mus.*) contralto.

altogether [,ɔːltə'geðə*] *avv.* **1** completamente, del tutto; assolutamente **2** in tutto; complessivamente // *in the* —, (*fam.*) nudo.

altruism ['æltruizəm] *s.* altruismo.

altruist ['æltruist] *s.* altruista.

altruistic [,æltruˈistik] *agg.* altruistico.

alum ['æləm] *s.* (*chim.*) allume.

aluminium [,æljuˈminjəm], (*amer.*) **aluminum** [əˈluːminəm] *s.* alluminio.

alumna [əˈlʌmnə], *pl.* **alumnae** [əˈlʌmniː] *s.* (*amer.*) ex allieva.

alumnus [əˈlʌmnəs], *pl.* **alumni** [əˈlʌmnai] *s.* (*amer.*) ex allievo.

alveolus [ælˈviːələs], *pl.* **alveoli** [ælˈviəlai] *s.* alveolo.

always ['ɔːlwəz] *avv.* sempre.

am [æm (*forma forte*), əm, m (*forme deboli*)] *1ª pers.sing.pres.* di *to* **be**.

amalgam [əˈmælgəm] *s.* amalgama.

to **amalgamate** [əˈmælgəmeit] *v.tr.* **1** amalgamare **2** incorporare; fondere ♦ *v.intr.* amalgamarsi.

amalgamation [ə,mælgəˈmeiʃən] *s.* **1** amalgamazione **2** fusione.

amanuensis [ə,mænjuˈensis], *pl.* **amanuenses** [ə,mænjuˈensiːz] *s.* amanuense.

amaranth ['æmərænθ] *s.* amaranto.

amaryllis [,æmə'rilis] *s.* (*bot.*) amarilli.

to **amass** [əˈmæs] *v.tr.* ammassare, accumulare: *to* — *wealth*, accumulare ricchezze.

amateur ['æmətəː*] *agg.* dilettante; dilettantistico ♦ *s.* dilettante, amatore.

amateurish [,æməˈtəːriʃ] *agg.* dilettantesco.

amatory ['æmətəri] *agg.* amatorio, amoroso.

to **amaze** [əˈmeiz] *v.tr.* stupire; sbalordire.

amazement [əˈmeizmənt] *s.* sbalordimento; stupore.

amazing [əˈmeiziŋ] *agg.* sorprendente; sbalorditivo.

Amazon ['æməzən] *no.pr.* (*mit.*) Amazzone // *the* — (*River*), il Rio delle Amazzoni // **amazon** *s.* (*fig.*) amazzone, virago.

ambassador [æmˈbæsədə*] *s.* ambasciatore.

ambassadorial [æm,bæsəˈdɔːriəl] *agg.* di, da ambasciatore.

ambassadress [æmˈbæsədris] *s.* ambasciatrice.

amber ['æmbə*] *s.* ambra.

ambidexter ['æmbiˈdekstə*] *s.* ambidestro.

ambidextrous ['æmbiˈdekstrəs] *agg.* ambidestro.

ambience ['æmbiəns] *s.* ambiente, atmosfera.

ambient ['æmbiənt] *agg.* dell'ambiente: — *temperature*, temperatura ambiente.

ambiguity [,æmbiˈgju(ː)iti] *s.* ambiguità.

ambiguous [æmˈbigjuəs] *agg.* ambiguo.

ambit ['æmbit] *s.* ambito (*anche fig.*).

ambition [æmˈbiʃən] *s.* ambizione.

ambitious [æmˈbiʃəs] *agg.* ambizioso.

ambivalence ['æmbiˈveiləns] *s.* ambivalenza.

ambivalent ['æmbiˈveilənt] *agg.* ambivalente.

amble ['æmbl] *s.* **1** ambio **2** andatura lenta.

to **amble** *v.intr.* **1** ambiare **2** camminare pian piano.

ambo ['æmbou] *s.* (*arch.*) ambone.

Ambrose ['æmbrouz] *no.pr.m.* Ambrogio.

ambrosia [æmˈbrouzjə] *s.* ambrosia.

Ambrosian [æmˈbrouzjən] *agg.* ambrosiano.

ambulance ['æmbjuləns] *s.* ambulanza.

ambulatory ['æmbjulətəri] *agg.* ambulatorio, ambulante ♦ *s.* ambulacro.

ambuscade [,æmbəsˈkeid], **ambush** ['æmbuʃ] *s.* imboscata, agguato; appostamento.

to **ambuscade**, to **ambush** *v.tr.* tendere un agguato, un'imboscata (a) ♦ *v.intr.* appostarsi.

to **ameliorate** [əˈmiːljəreit] *v.tr.* e *intr.* migliorare.

amen ['ɑːˈmen, (*amer.*) eiˈmen] *inter.* amen, così sia.

amenable [əˈmiːnəbl] *agg.* **1** soggetto, sottoposto **2** docile, sottomesso **3** sensibile.

to **amend** [əˈmend] *v.tr.* emendare ♦ *v.intr.* emendarsi.

amendment [əˈmendmənt] *s.* emendamento.

amends [əˈmendz] *s.pl.* ammenda (*sing.*) // *to make* — *for sthg.*, farsi perdonare qlco.

amenity [əˈmiːniti] *s.* **1** amenità **2** *pl.* bellezze, attrattive.

America [əˈmerikə] *no.pr.* America.

American [əˈmerikən] *agg.* e *s.* americano // — *plan*, (*amer.*) negli alberghi, sistemazione che comprende camera, tutti i pasti e il servizio.

Americanism [əˈmerikənizəm] *s.* americanismo.

to **Americanize** [əˈmerikənaiz] *v.tr.* americanizzare.

Amerind ['æmərind] *no.pr.* Amerindio.

amethyst ['æmiθist] *s.* (*min.*) ametista.

amiable ['eimjəbl] *agg.* amabile, affabile.

amicable ['æmikəbl] *agg.* amichevole.

amid [əˈmid], **amidst** [əˈmidst] *prep.* in mezzo a, fra.

amiss [əˈmis] *avv.* male; erroneamente: *to go, to come* —, riuscire male, fallire // *something has gone* —, qualcosa non ha funzionato // *to take sthg.* —, aversene a male ♦ *agg.* inopportuno; fuori posto.

amity ['æmiti] *s.* amicizia.

ammeter ['æmitə*] *s.* (*elettr.*) amperometro.

ammonia [əˈmounjə] *s.* ammoniaca.

ammunition [,æmjuˈniʃən] *s.* munizione.

amnesia [æmˈniːzjə] *s.* amnesia.

amnesty ['æmnesti] *s.* amnistia.

to **amnesty** *v.tr.* amnistiare.

amniocentesis [,æmniˌosenˈtiːsis] *s.* (*med.*) amniocentesi.

amniotic [,æmniˈɔtik] *agg.* amniotico: — *fluid*, liquido amniotico.

amoeba [əˈmiːbə] *s.* ameba.

amok [ə'mɔk] *avv.*: *to run* —, scatenarsi con furia selvaggia: impazzire.

among [ə'mʌŋ], **amongst** [ə'mʌŋst] *prep.* tra, fra; in mezzo a.

amoral [æ'mɔrəl] *agg.* amorale.

amorist ['æmərist] *s.* **1** seduttore **2** autore di poesie amorose.

amorous ['æmərəs] *agg.* passionale; appassionato.

amorphous [ə'mɔ:fəs] *agg.* amorfo.

to amortize [ə'mɔ:taiz, (*amer.*) 'æmərtaiz] *v.tr.* ammortare.

amount [ə'maunt] *s.* **1** ammontare, importo, totale **2** quantità: *he has any — of money*, ha un sacco di soldi **3** valore, importanza.

to amount *v.intr.* **1** ammontare **2** equivalere.

amperage ['æmpeəridʒ] *s.* (*elettr.*) amperaggio.

ampere ['æmpeə*, (*amer.*) 'æmpiər] *s.* (*elettr.*) ampère // — *turn*, (*elettr.*) amperspira.

ampere-hour ['æmpeə'auə*] *s.* (*elettr.*) amperora.

amphetamine [æm'fetə,mi:n] *s.* anfetamina.

amphibian [æm'fibiən] *agg.* e *s.* anfibio.

amphibious [æm'fibiəs] *agg.* anfibio.

amphitheatre ['æmfi,θiətə*] *s.* anfiteatro.

amphitryon [æm'fitriən] *s.* anfitrione.

amphora ['æmfərə], *pl.* **amphorae** ['æmfəri:] *s.* anfora.

ample ['æmpl] *agg.* ampio.

amplification [,æmplifi'keiʃən] *s.* amplificazione.

amplifier ['æmplifaiə*] *s.* amplificatore.

to amplify ['æmplifai] *v.tr.* amplificare; ampliare.

amplitude ['æmplitju:d] *s.* **1** ampiezza; estensione **2** (*astr.*) amplitudine.

amply ['æmpli] *avv.* ampiamente.

ampoule, (*amer.*) **ampule** ['æmpu:l] *s.* fiala (di medicinale).

to amputate ['æmpjuteit] *v.tr.* amputare.

amputation [,æmpju'teiʃən] *s.* amputazione.

amuck ['əmʌk] *avv.* → **amok**.

amulet ['æmjulit] *s.* amuleto.

to amuse [ə'mju:z] *v.tr.* divertire, dilettare // *to — oneself*, divertirsi; distrarsi.

amusement [ə'mju:zmənt] *s.* divertimento; passatempo; distrazione: *to my great* —, con mio grande divertimento; — *park*, luna park.

amusing [ə'mju:ziŋ] *agg.* divertente, piacevole.

an[1] *art.det.* → **a**[2].

an[2] *prep.* → **a**[3].

anachronism [ə'nækrənizəm] *s.* anacronismo.

anachronistic [ə,nækrə'nistik] *agg.* anacronistico.

anacoluthon [,ænəkə'lu:θɔn], *pl.* **anacolutha** [,ænəkə'lu:θə] *s.* (*gramm.*) anacoluto.

anaemia [ə'ni:mjə] *s.* anemia.

anaemic [ə'ni:mik] *agg.* anemico.

anaesthesia [,ænis'θi:zjə] *s.* anestesia.

anaesthetic [,ænis'θetik] *agg.* e *s.* anestetico.

anaesthetist [æ'ni:sθitist] *s.* anestesista.

to anaesthetize [æ'ni:sθitaiz] *v.tr.* anestetizzare.

anagogical [,ænə'gɔdʒikəl] *s.* anagogico.

anagram ['ænəgræm] *s.* anagramma.

to anagram(matize) [,ænə'græm(ətaiz)] *v.tr.* anagrammare.

anal ['einəl] *agg.* anale.

analcoholic [,ænælkə,hɔlik] *agg.* analcolico.

analgesic [,ænæl'dʒesik] *agg.* e *s.* analgesico.

analogical [,ænə'lɔdʒikəl] *agg.* analogico.

analogous [ə'næləgəs] *agg.* analogo.

analogue ['ænəlɔg], **analog** ['ænəlɔ:g] *agg.* (*informatica*) analogico: — *computer*, computer analogico; — *device*, apparecchiatura analogica; — *network*, rete analogica; — *representation*, rappresentazione analogica ♦ *s.* parola, cosa analoga.

analogy [ə'nælədʒi] *s.* analogia; analogismo.

to analyse ['ænəlaiz] *v.tr.* analizzare.

analysis [ə'næləsis], *pl.* **analyses** [ə'næləsi:z] *s.* analisi.

analyst ['ænəlist] *s.* analista.

analytic(al) [,ænə'litik(əl)] *agg.* analitico.

anarchic(al) [æ'nɑ:kik(əl)] *agg.* anarchico.

anarchist ['ænəkist] *s.* anarchico.

anarchy ['ænəki] *s.* anarchia (*anche fig.*).

anathema [ə'næθimə] *s.* anatema.

to anathematize [ə'næθimətaiz] *v.tr.* anatemizzare.

anatomic(al) [,ænə'tɔmik(əl)] *agg.* anatomico.

anatomist [ə'nætəmist] *s.* anatomista.

to anatomize [ə'nætəmaiz] *v.tr.* anatomizzare.

anatomy [ə'nætəmi] *s.* anatomia.

ancestor ['ænsistə*] *s.* antenato, avo.

ancestral [æn'sestrəl] *agg.* avito, ancestrale.

ancestress ['ænsistris] *s.* antenata, ava.

ancestry ['ænsistri] *s.* schiatta, stirpe.

anchor ['æŋkə*] *s.* **1** (*mar.*) ancora: *to be at* —, essere all'ancora; *to cast* —, *to come to* —, ancorarsi; *to weigh* —, levare l'ancora **2** (*fig.*) ancora di salvezza.

to anchor *v.tr.* ancorare ♦ *v.intr.* ancorarsi; gettar l'ancora.

anchorage ['æŋkəridʒ] *s.* ancoraggio.

anchoret ['æŋkəret], **anchorite** ['æŋkərait] *s.* anacoreta, eremita.

anchovy ['æntʃevi] *s.* acciuga // — *-paste*, pasta di acciughe.

anchylosis [,æŋkai'lousis] *s.* (*med.*) anchilosi.

ancient ['einʃənt] *agg.* antico, vecchio ♦ *s.pl.*: *the ancients*, gli antichi.

and [ænd (*forma forte*), ənd, ən (*forme deboli*)] *cong.* e, ed // *better* — *better*, sempre meglio // *to go* — *see s.o.*, andare a trovare qlcu.; *try* — *help me*, cerca di aiutarmi.

andiron ['ændaiən] *s.* alare.

androgynous [æn'drɔdʒinəs] *agg.* androgino.

anecdotal [ænek'doutl] *agg.* aneddotico.

anecdote ['ænikdout] *s.* aneddoto.

anemia, anemic (*amer.*) → **anaemia, anaemic**.

anemometer [,æni'mɔmitə*] *s.* anemometro.

anemone [ə'neməni] *s.* anemone.

anesthesia [,ænəs'θi:ʒə] ecc. (*amer.*) → **anaesthesia** ecc.

aneurism ['ænjuərizəm] *s.* (*med.*) aneurisma.

anew [ə'nju:] *avv.* di nuovo, da capo.

anfractuous [æn'fræktjuəs] *agg.* anfrattuoso.

angel ['eindʒəl] *s.* **1** angelo // *guardian* —, angelo custode **2** (*sl.*) impresario teatrale **3** (*sl.*) finanziatore, sponsor.

angel-fish ['eindʒəl'fiʃ] *s.* pesce angelo.

angelic(al) [æn'dʒelik(əl)] *agg.* angelico.

anger ['æŋgə*] *s.* collera, ira, stizza.

to anger *v.tr.* irritare, far andare in collera.

Angevin ['ændʒivin] *agg.* e *s.* (*st.*) angioino.

angina [æn'dʒainə] *s.* (*med.*) angina.

angiography [,ændʒi'ɔgrəfi] *s.* (*med.*) angiografia.

angiologist [ændʒi'ɔlə,dʒist] *s.* (*med.*) angiologo.

angiology [ændʒi'ɔlə,dʒi] *s.* angiologia.

angioma [,ændʒi'oumə] *s.* (*med.*) angioma.

angle[1] ['æŋgl] *s.* **1** angolo // *at right angles*, perpendicolarmente **2** (*fig.*) punto di vista.

to **angle**[1] *v.tr.* presentare (secondo un certo punto di vista).

to **angle**[2] *v.intr.* **1** pescare (con l'amo) **2** (*fig.*) darsi da fare; andare in cerca (di): *to — for compliments*, andare in cerca di complimenti.

angler ['æŋglə*] *s.* pescatore (con l'amo).

Angles ['æŋglz] *s.pl.* Angli.

Anglia ['æŋglɪə] *no.pr.* Anglia.

Anglian ['æŋglɪən] *agg.* anglico ♦ *s.* anglo.

Anglican ['æŋglɪkən] *agg.* e *s.* anglicano.

Anglicanism ['æŋglɪkənɪzəm] *s.* anglicanesimo.

Anglicism ['æŋglɪsɪzəm] *s.* angli(ci)smo.

anglicist ['æŋglɪsɪst] *s.* anglista.

to **anglicize** ['æŋglɪsaɪz] *v.tr.* anglicizzare.

angling ['æŋglɪŋ] *s.* pesca con l'amo.

Anglo- ['æŋglou] *pref.* anglo-.

anglophile ['æŋgloufaɪl] *agg.* e *s.* anglofilo.

anglophone ['æŋglou,foun] *s.* anglofono.

Anglo-Saxon ['æŋglou'sæksən] *agg.* e *s.* anglosassone.

angola [æŋ'goulə], **angora** [æŋ'gɔːrə] *s.* angora.

angostura [,æŋgɔs'tjuərə] *s.* angostura.

angry ['æŋgri] *agg.* irato, arrabbiato, in collera: *to be — about sthg.*, essere in collera per qlco. // *— young man*, «giovane arrabbiato».

angst [æŋst] *s.* ansietà; pessimismo.

anguish ['æŋgwɪʃ] *s.* angoscia, tormento.

angular ['æŋgjulə*] *agg.* angolare.

anhydride [æn'haidraid] *s.* anidride.

aniline ['ænɪliːn] *s.* (*chim.*) anilina.

animadversion [,ænɪmæd'vəːʃən] *s.* critica, biasimo.

to **animadvert** [,ænɪmæd'vəːt] *v.intr.* criticare (qlco.).

animal ['ænɪməl] *agg.* e *s.* animale.

to **animalize** ['ænɪməlaɪz] *v.tr.* abbrutire.

to **animate** ['ænɪmit] *agg.* animato.

to **animate** ['ænɪmeit] *v.tr.* animare; stimolare.

animated ['ænɪmeitid] *agg.* animato // *— cartoon*, cartoni, disegni animati.

animation [,ænɪ'meiʃən] *s.* animazione.

animatism ['ænɪmətizəm] *s.* animismo.

animism ['ænɪmizəm] *s.* (*fil.*) animismo.

animosity [,ænɪ'mɔsɪti] *s.* animosità.

animus ['ænɪməs] *s.* animosità.

anise ['ænɪs] *s.* anice.

aniseed ['ænɪsiːd] *s.* anice, seme di anice.

ankle ['æŋkl] *s.* caviglia // *— bone*, malleolo.

ankle-deep ['æŋkl'diːp] *agg.* alto fino alle caviglie.

anklet ['æŋklɪt] *s.* **1** catenella ornamentale per caviglia **2** catena.

ankylosis [,æŋki'lousis] *s.* (*med.*) anchilosi.

ankylostoma ['æŋkilou,stoumə] *s.* (*zool.*) anchilostoma.

ankylotic [,æŋki'lɔtik] *agg.* (*med.*) anchilosato.

Ann [æn], **Anna** ['ænə] *no.pr.f.* Anna.

annalist ['ænəlist] *s.* annalista.

annals ['ænlz] *s.pl.* annali.

Anne [æn] *no.pr.f.* Anna.

to **anneal** [ə'niːl] *v.tr.* temperare (*anche fig.*).

Annelida [ə'nelidə] *s.pl.* (*zool.*) anellidi.

annex(e) ['æneks] *s.* **1** allegato **2** edificio, locale annesso.

to **annex** [ə'neks] *v.tr.* annettere.

annexation [,ænek'seiʃən] *s.* annessione.

to **annihilate** [ə'naiəleit] *v.tr.* annichilire.

anniversary [,æni'vɔːsəri] *s.* anniversario.

to **annotate** ['ænouteit] *v.tr.* e *intr.* annotare.

annotation [,ænou'teiʃən] *s.* annotazione; chiosa.

to **announce** [ə'nauns] *v.tr.* rivelare, annunciare.

announcement [ə'naunsmənt] *s.* annuncio; dichiarazione; proclama; avviso.

announcer [ə'naunsə*] *s.* annunciatore.

to **annoy** [ə'nɔi] *v.tr.* dar noia (a), seccare.

annoyance [ə'nɔiəns] *s.* seccatura, noia.

annoyed [ə'nɔid] *agg.* contrariato, seccato, irritato.

annual ['ænjuəl] *agg.* annuale ♦ *s.* annale.

annuity [ə'njuː)iti] *s.* rendita annuale // *life —*, vitalizio.

to **annul** [ə'nʌl] *v.tr.* annullare, abolire.

annular ['ænjulə*] *agg.* anulare.

annulate ['ænjuleit], **annulated** ['ænjuleitid] *agg.* inanellato; ad anelli.

annullable [ə'nʌləbl] *agg.* annullabile.

annulment [ə'nʌlmənt] *s.* annullamento.

annunciation [ə,nʌnsi'eiʃən] *s.* annuncio // *the Annunciation*, l'Annunciazione.

annunciator [ə'nʌnsieitə*] *s.* **1** annunciatore **2** (*elettr.*) quadro di segnalazione.

anode ['ænoud] *s.* (*elettr.*) anodo.

anodyne ['ænoudain] *agg.* e *s.* anodino.

to **anoint** [ə'nɔint] *v.tr.* ungere; dare l'estrema unzione.

anomalous [ə'nɔmələs] *agg.* anomalo.

anomaly [ə'nɔməli] *s.* anomalia.

anon [ə'nɔn] *avv.* fra poco.

anonym ['ænənim] *s.* anonimo.

anonymity [,ænə'nimiti] *s.* anonimità.

anonymous [ə'nɔniməs] *agg.* anonimo.

anopheles [ə'nɔfiliːz] *s.* anofele.

anorak ['ænəræk] *s.* giacca a vento.

anorexia [ænə'reksiə] *s.* (*med.*) anoressia.

another [ə'nʌðə*] *agg.* e *pron.* un altro // *— twenty years*, altri vent'anni, vent'anni ancora // **one another** *pron.rec.* l'un l'altro (fra molti).

answer ['ɑːnsə*] *s.* **1** risposta; replica: *a ready* (o *pat*) *—*, una risposta pronta // *an — will oblige*, (*comm.*) sarà gradita una risposta **2** soluzione.

to **answer** *v.tr.* rispondere (a): *to — a charge*, rispondere a un'accusa // *to — (a person) back*, ribattere, rimbeccare // *to — a prayer*, esaudire una preghiera ♦ *v.intr.* **1** *to — for* (*s.o., sthg.*), rispondere di, rendersi garante per (qlcu., qlco.) **2** *to — to*, corrispondere a.

answerable ['ɑːnsərəbl] *agg.* **1** a cui si può rispondere **2** responsabile, garante.

answering ['ɑːnsəriŋ] *agg.* **1** in risposta: *an — cry*, un grido di risposta // *— service*, servizio di segreteria telefonica (per uffici ecc.) **2** corrispondente.

ant [ænt] *s.* formica: *flying —*, formica alata; *white —*, termite // *— -like*, (*fig.*) laborioso.

an't [ɑːnt] → **ain't**.

antacid ['ænt'æsid] *agg.* e *s.* (*farm.*) antiacido.

antagonism [æn'tægənizəm] *s.* antagonismo.

antagonist [æn'tægənist] *s.* antagonista.

to **antagonize** [æn'tægənaiz] *v.tr.* **1** provocare l'ostilità (di) **2** opporsi (a), resistere (a).

Antarctic [ænt'ɑːktik] *agg.* antartico ♦ *s.* Antartide.

ant-bear ['ænt'beə*] *s.* formichiere.

ante- ['ænti] *pref.* ante-.

ante *s.* (*poker*) buio.

antecedence [,ænti'siːdəns] *s.* antecedenza.

antecedent [,ænti'siːdənt] *agg.* antecedente ♦ *s.* **1** (*gramm. fil. mat.*) antecedente **2** *pl.* i precedenti.

to **antedate** ['ænti'deit] *v.tr.* **1** antidatare **2** precedere; anticipare.

antediluvian ['æntidi'luːvjən] *agg.* antidiluviano.

antelope ['æntiloup] *s.* antilope.

antemeridian [ˌæntimǝˈridiǝn] *agg.* antimeridiano.

antenatal [ˌænti'neitl] *agg.* prenatale ♦ *s.* esame prenatale.

antenna [æn'tenǝ], *pl.* **antennae** [æn'teni:] *s.* (*amer.*) (*pl. anche* antennas) antenna.

antepenult [ˈæntipi'nʌlt], **antepenultimate** [ˈæntipi 'nʌltimit] *agg.* terzultimo.

anterior [æn'tiǝriǝ*] *agg.* anteriore.

anteroom [ˈæntirum] *s.* sala d'aspetto.

anthem [ˈænθǝm] *s.* antifona; inno, canto: *national —*, inno nazionale.

anther [ˈænθǝ*] *s.* (*bot.*) antera.

anthill [ˈænthil] *s.* formicaio.

anthologist [æn'θɔlǝdʒist] *s.* antologista.

to **anthologize** [æn'θɔlǝdʒaiz] *v.tr.* includere in una antologia.

anthology [æn'θɔlǝdʒi] *s.* antologia.

Anthony [ˈæntǝni] *no.pr.m.* Antonio.

anthracite [ˈænθrǝsait] *s.* antracite.

anthrax [ˈænθræks] *s.* (*med.*) antrace.

anthropic [æn'θrɔpik] *agg.* (*scient.*) antropico.

anthropo- [ˈænθrǝpǝ] *pref.* antropo-.

anthropocentric [ˌænθrǝpǝˈsentrik] *agg.* antropocentrico.

anthropocentrism [ˌænθrǝpǝˈsentrizǝm] *s.* antropocentrismo.

anthropoid [ˈænθrǝpǝid] *agg.* (*zool.*) antropoide ♦ *s.* scimmia antropoide.

anthropologist [ˌænθrǝˈpɔlǝdʒist] *s.* antropologo.

anthropology [ˌænθrǝˈpɔlǝdʒi] *s.* antropologia.

anthropomorphic [ˌænθrǝpǝˈmɔ:fik] *agg.* antropomorfo.

anthropomorphism [ˌænθrǝpǝˈmɔ:fizǝm] *s.* antropomorfismo.

anthropophagi [ˌænθrǝˈpɔfǝgai] *s.pl.* antropofagi.

anthropophagous [ˌænθrǝˈpɔfǝgǝs] *agg.* antropofago.

anthropophagy [ˌænθrǝˈpɔfǝdʒi] *s.* antropofagia.

anti- [ˌænti, (*amer.*) ˌæntai] *pref.* anti-.

antiaircraft [ˈænti'ɛǝkrɑ:ft] *agg.* antiaereo.

anti-allergic [ˈæntiǝ'lɔ:dʒik] *agg.* e *s.* antiallergico.

anti-atomic [ˈæntiǝ'tɔmik] *agg.* antiatomico.

antibiotic [ˈæntibai'ɔtik] *agg.* e *s.* antibiotico.

antibody [ˈæntibɔdi] *s.* (*med.*) anticorpo.

antichrist [ˈæntikraist] *s.* anticristo.

to **anticipate** [æn'tisipeit] *v.tr.* **1** pregustare **2** anticipare **3** prevedere; aspettarsi.

anticipation [æn,tisi'peiʃǝn] *s.* **1** pregustazione **2** anticipazione **3** previsione; aspettazione.

anticlerical [ˈænti'klerikl] *agg.* anticlericale.

anticlockwise [ˈænti'klɔkwaiz] *agg.* antiorario.

anticlotting [ˌanti'klɔtiŋ] *agg.* (*med.*) anticoagulante.

anticommunism [ˌænti'kɔmjunizǝm] *s.* anticomunismo.

anticommunist [ˌænti'kɔmjunist] *agg.* e *s.* anticomunista.

anticonstitutional [ˈænti,kɔnsti'tju:ʃǝnl] *agg.* anticostituzionale.

antics [ˈæntiks] *s.pl.* giochi, scherzi da pagliaccio, clown.

anti-dazzle [ˌænti'dæzl] *agg.* antiabbagliante.

antidemocratic [ˈæntidemǝ'krætik] *agg.* e *s.* antidemocratico.

antidote [ˈæntidout] *s.* antidoto.

antifascism [ˌænti'fæʃizǝm] *s.* antifascismo.

antifascist [ˌænti'fæʃist] *agg.* e *s.* antifascista.

antifreeze [ˌænti'fri:z] *s.* (*aut.*) antigelo.

antigen [ˈæntidʒn] *s.* (*med.*) antigene.

antihistamine [ˈænti'histǝmi(:)n] *s.* antistaminico.

Antilles, the [æn'tili:z] *no.pr.pl.* le Antille.

antimacassar [ˈæntimǝ'kæsǝ*] *s.* coprischienale.

antimilitarism [ˈænti'militǝrizǝm] *s.* antimilitarismo.

antimilitarist [ˈænti'militǝrist] *agg.* e *s.* antimilitarista.

anti-mist [ˌænti'mist] *agg.* antiappannante.

antimonarchist [ˌænti'mɔnǝkist] *s.* antimonarchico.

antimony [ˈæntimǝni] *s.* (*chim.*) antimonio.

antineuralgic [ˌæntinjuǝ'rældʒik] *agg.* antinevralgico.

antinomy [æn'tinǝmi] *s.* antinomia.

antinuclear [ˈænti'nju:kliǝ*] *agg.* antinucleare.

antioxidant [ˈænti'ɔksidǝnt] *agg.* antiossidante.

antipathetic(al) [æn,tipǝ'θetik(ǝl)] *agg.* **1** che ispira avversione **2** contrario.

antipathic [ˌænti'pæθik] *agg.* **1** contrario **2** (*med.*) che ha, produce sintomi contrari.

antipathy [æn'tipǝθi] *s.* **1** antipatia, avversione **2** incompatibilità.

antiphlogistic [ˌæntiflǝ'dʒistik] *agg.* (*med.*) antiflogistico.

antiphon [ˈæntifǝn] *s.* (*mus.*) antifona.

antiphony [æn'tifǝni] *s.* (*mus.*) antifonia; antifona.

antipodal [æn'tipǝdl] *agg.* degli antipodi; agli antipodi (*anche fig.*).

antipodes [æn'tipǝdi:z] *s.pl.* antipodi (*anche fig.*).

antipole [ˈænti'poul] *s.* polo opposto; opposto.

antipope [ˈæntipoup] *s.* antipapa.

antiquarian [ˌænti'kweǝriǝn] *s.* e *agg.* antiquario.

antiquary [ˈæntikwǝri] *s.* studioso dell'antichità; antiquario.

antiquated [ˈæntikweitid] *agg.* antiquato; fuori moda; in disuso.

antique [æn'ti:k] *agg.* **1** antico **2** antiquato, all'antica ♦ *s.* oggetto (d'arte) antico // — *dealer*, antiquario; — *trade*, antiquariato.

antiquity [æn'tikwiti] *s.* **1** antichità **2** *pl.* ruderi, rovine; resti dell'antichità.

antirust [ˌænti'rʌst] *agg.* e *s.* antiruggine.

anti-Semite [ˌænti'si:mait] *s.* antisemita.

anti-Semitism [ˌænti'semitizǝm] *s.* antisemitismo.

antiseptic [ˌænti'septik] *agg.* e *s.* antisettico.

anti-skid [ˌænti'skid] *agg.* antisdrucciolevole.

antisocial [ˌænti'souʃǝl] *agg.* antisociale.

anti-static [ˈænti'stætik] *agg.* antielettrostatico.

anti-tank [ˈænti'tæŋk] *agg.* (*mil.*) anticarro.

antitheft [ˌænti'θeft] *agg.* antifurto.

antithesis [æn'tiθisis], *pl.* **antitheses** [æn'tiθisi:z] *s.* antitesi (*anche fig.*).

antithetic(al) [ˌænti'θetik(ǝl)] *agg.* antitetico.

anti-trade wind [ˈænti'treidwind] *s.* controaliseo.

antler [ˈæntlǝ*] *s.* corno ramificato.

antlered [ˈæntlǝd] *agg.* con corna ramificate.

ant-lion [ˈæntlaiǝn] *s.* (*zool.*) formicaleone.

antonomasia [ˌæntǝnou'meizǝ] *s.* antonomasia.

antonym [ˈæntǝnim] *s.* (*ret.*) antonimo, opposto, contrario.

Antwerp [ˈæntwǝ:p] *no.pr.* Anversa.

anus [ˈeinǝs] *s.* (*anat.*) ano.

anvil [ˈænvil] *s.* incudine.

anxiety [æŋ'zaiǝti] *s.* **1** ansietà, inquietudine, preoccupazione **2** desiderio.

anxious [ˈæŋkʃǝs] *agg.* **1** ansioso, inquieto, preoccupato: *don't be — about me*, non preoccuparti per me **2** angoscioso **3** desideroso.

any [ˈeni] *agg.* **1** alcuno; qualche, del: *without — reason*, senza alcuna ragione; *has she — friends?*, ha qualche amico, degli amici?; *she hasn't — friends*, non ha amici; *have you — wine?*, hai del vino? **2** qualsiasi, qualunque: *— man would know it*, qualsiasi uomo lo saprebbe; *come at — time*, vieni a qualunque ora ♦ *pron.* **1** alcuno, nessuno; qualcuno: *I don't know — of them*, non conosco nessuno di loro; *do you know — of these books?*, conosci qualcuno di questi libri? **2** chiunque; uno qualunque: *— of you could say as much*, chiunque di voi potrebbe dire altrettanto; *— of these books will do*, uno qualunque di questi libri andrà bene **3** ne: *"Have you — money?" "I haven't —"*, «Hai del denaro?» «Non ne ho» ♦ *avv.* (*pleonastico*): *are you — better?*, stai meglio?; *it isn't — good*, non serve a nulla.

anybody ['eni,bɔdi] *pron.indef.* **1** alcuno, nessuno; qualcuno: *there wasn't —*, non c'era nessuno; *is — coming to dinner?*, viene qualcuno a pranzo? **2** chiunque: *— could do that*, chiunque saprebbe farlo // *—'s guess*, congettura ♦ *s.* qualcuno, una persona importante.

anyhow ['enihau] *avv.* **1** comunque, in ogni caso **2** in qualche modo, alla meno peggio.

anyone ['eniwʌn] *pron.indef.* → **anybody**.

anyplace ['enipleis] *avv.* (*amer.*) → **anywhere**.

anything ['eniθiŋ] *pron.indef.* **1** alcuna cosa, niente; qualche cosa: *he doesn't want —*, non vuole niente; *have you — to say?*, hai qualche cosa da dire?; (*is there*) *— wrong?*, (c'è) qualcosa (che) non va? **2** qualsiasi cosa, qualunque cosa: *— will do*, qualsiasi cosa andrà bene.

anyway ['eniwei] *avv.* comunque, in ogni caso.

anywhere ['eniweə*] *avv.* **1** in alcun luogo, da nessuna parte; in qualche luogo, da qualche parte **2** dovunque, in qualsiasi luogo.

Anzac ['ænzæk] *s.* **1** soldato dell'«Australian and New Zealand Army Corps» (1914-18) **2** *pl.* soldati australiani.

aorta [i'ɔ:tə] *s.* (*anat.*) aorta.

apace [ə'peis] *avv.* presto, velocemente.

apanage ['æpənidʒ] *s.* appannaggio (*anche fig.*).

apart [ə'pa:t] *avv.* **1** a parte; da parte; in disparte: *a class —*, un genere a parte; *he sat — from us*, si sedette in disparte da noi; *to set* (*o to put*) *—*, mettere da parte **2** separatamente: *I cannot tell them —*, non li riconosco uno dall'altro // *to take two things —*, separare, disgiungere due cose; *to take a machine —*, smontare una macchina **3** lontano: *these lines are ten centimetres —*, queste linee sono lontane dieci centimetri l'una dall'altra // *— from that...*, a prescindere da ciò, a parte ciò...

apartheid [ə'pa:thaid] *s.* discriminazione razziale (nel Sud Africa).

apartment [ə'pa:tmənt] *s.* **1** stanza, camera **2** (*spec.amer.*) appartamento: *— house*, casa di appartamenti in affitto; *— hotel*, residence.

apathetic [,æpə'θetik] *agg.* apatico, indifferente.

apathy ['æpəθi] *s.* apatia, indifferenza.

ape [eip] *s.* **1** scimmia antropomorfa **2** (*fig.*) imitatore: *to play the —*, fare la scimmia, scimmiottare.

to ape *v.tr.* scimmiottare, imitare.

apeak [ə'pi:k] *avv.* e *agg.pred.* (*mar.*) a picco.

Apennines, the ['æpinainz] *no.pr.pl.* gli Appennini.

aperient [ə'piəriənt] *agg.* e *s.* (*farm.*) lassativo.

aperitif [ə'peritif, (*amer.*) ə,perə'ti:f] *s.* aperitivo.

aperture ['æpətjuə*] *s.* apertura; foro.

apex ['eipeks] *pl.* **apexes** ['eipeksiz], **apices** ['eipisi:z] *s.* apice, sommità; vertice (di triangolo o cono).

aphasia [æ'feizjə] *s.* (*med.*) afasia.

aphelion [æ'fi:ljən] *s.* (*astr.*) afelio.

aphides ['æfidi:z] *s.pl.* (*zool.*) afidi.

aphonia [æ'founjə] *s.* (*med.*) afonia.

aphonic [ə'fɔnik] *agg.* afono.

aphony ['æfəni] *s.* afonia.

aphorism ['æfərizəm] *s.* aforisma.

aphrodisiac [,æfrou'diziæk] *agg.* e *s.* afrodisiaco.

aphtha ['æfθə], *pl.* **aphthae** ['æfθi:] *s.* (*med.*) **1** mughetto (dei bambini) **2** *pl.* afte.

apiarist ['eipjərist] *s.* apicoltore.

apiary ['eipjəri] *s.* arnia, alveare.

apiculture ['eipikʌltʃə*] *s.* apicoltura.

apiece [ə'pi:s] *avv.* a testa, per uno, ciascuno; al pezzo, l'uno.

apish ['eipiʃ] *agg.* **1** scimmiesco **2** fatuo, sciocco.

aplomb [ə'plɔm] *s.* padronanza di sé; fiducia.

apn(o)ea ['æpni:ə] *s.* apnea.

Apocalypse [ə'pɔkəlips] *s.* Apocalisse.

apocalyptic [ə,pɔkə'liptik] *agg.* apocalittico.

apocryphal [ə'pɔkrifəl] *agg.* apocrifo.

apod(e)ictic [,æpə'diktik] *agg.* apodittico.

apogee ['æpoudʒi:] *s.* apogeo (*anche fig.*).

apologetic(al) [ə,pɔlə'dʒetik(əl)] *agg.* che si scusa; di scusa: *he was very — about his late arrival*, si è scusato moltissimo per essere arrivato in ritardo.

apologia [,æpə'loudʒiə] *s.* apologia.

apologist [ə'pɔlədʒist] *s.* apologista.

to apologize [ə'pɔlədʒaiz] *v.intr.* scusarsi, chiedere scusa: *to — to s.o. for sthg.*, chiedere scusa a qlcu. per qlco.

apologue ['æpəlɔg] *s.* apologo.

apology [ə'pɔlədʒi] *s.* **1** scusa, giustificazione **2** cattivo esemplare, brutta copia; surrogato **3** apologia.

apoplectic [,æpə'plektik] *agg.* apoplettico.

apoplexy ['æpəpleksi] *s.* apoplessia.

apostasy [ə'pɔstəsi] *s.* apostasia.

apostate [ə'pɔstit] *agg.* e *s.* apostata.

apostle [ə'pɔsl] *s.* apostolo.

apostolate [ə'pɔstəlit] *s.* apostolato.

apostolic [,æpəs'tɔlik] *agg.* apostolico.

apostrophe [ə'pɔstrəfi] *s.* **1** apostrofe **2** apostrofo.

to apostrophize [ə'pɔstrəfaiz] *v.tr.* (*gramm.*) apostrofare.

apothecary [ə'pɔθikəri] *s.* farmacista.

apothem ['æpəθim] *s.* apotema.

apotheosis [ə,pɔθi'ousis], *pl.* **apotheoses** [ə,pɔθi'ousi:z] *s.* apoteosi (*anche fig.*).

to appal [ə'pɔ:l] *v.tr.* spaventare; sgomentare: *I was appalled at his words*, le sue parole mi sgomentarono.

Appalachians, the [,æpə'leitʃənz] *no.pr.pl.* gli Appalachi.

to appall [ə'pɔ:l] *v.tr.* (*amer.*) → **to appal**.

appalling [ə'pɔ:liŋ] *agg.* spaventoso, terribile.

appanage *s.* → **apanage**.

apparatus, *pl.* **apparatus(es)** [,æpə'reitəs(iz)] *s.* apparato.

apparel [ə'pærəl] *s.* **1** abbigliamento; abiti (*pl.*) **2** (*eccl.*) paramenti (*pl.*).

to apparel *v.tr.* (*amer.*) vestire.

apparent [ə'pærənt] *agg.* **1** apparente **2** evidente, visibile, chiaro // *heir —*, (*dir.*) erede legittimo.

apparently [ə'pærəntli] *avv.* **1** apparentemente **2** manifestamente, evidentemente.

apparition [,æpə'riʃən] *s.* apparizione.

appeal [ə'pi:l] *s.* **1** (*dir.*) appello, ricorso // *Court of Appeal*, Corte d'Appello **2** richiamo, attrazione **3** preghiera, appello.

to appeal *v.intr.* **1** appellarsi, fare appello, ricorrere // **to** — **to the country**, sciogliere il Parlamento (dopo un voto contrario) **2** interessare, piacere.

appealing [ə'pi:liŋ] *agg.* **1** commovente **2** attraente.

to appear [ə'piə*] *v.intr.* **1** apparire, presentarsi; (*di pubblicazioni*) uscire **2** (*dir.*) comparire, presentarsi in giudizio **3** sembrare, parere: *it would* —, parrebbe, a quanto pare; *so it appears*, così sembra.

appearance [ə'piərəns] *s.* **1** apparenza, aspetto; aria // *to all appearances*, a quanto sembra, all'apparenza // *to keep up appearances*, salvare le apparenze **2** apparizione, comparsa: *to put in an* —, fare atto di presenza **3** (*dir.*) comparizione.

to appease [ə'pi:z] *v.tr.* **1** placare, calmare (spec. facendo concessioni) **2** appagare, soddisfare.

appeasement [ə'pi:zmənt] *s.* **1** il calmare, placare (facendo delle concessioni) **2** appagamento, soddisfazione.

appellative [ə'pelətiv] *s.* sostantivo, nome.

to append [ə'pend] *v.tr.* apporre.

appendage [ə'pendidʒ] *s.* aggiunta.

appendicitis [ə,pendi'saitis] *s.* appendicite.

appendix [ə'pendiks], *pl.* **appendixes** [ə'pendiksiz], **appendices** [ə'pendisi:z] *s.* appendice.

to appertain [,æpə'tein] *v.intr.* appartenere.

appetence ['æpitəns] *s.* desiderio, brama.

appetite ['æpitait] *s.* appetito.

appetizer ['æpitaizə*] *s.* stuzzichino.

appetizing ['æpitaiziŋ] *agg.* appetitoso.

to applaud [ə'plɔ:d] *v.tr.* e *intr.* applaudire.

applause [ə'plɔ:z] *s.* applauso.

apple ['æpl] *s.* mela, pomo // — *of discord*, il pomo della discordia // — *of the eye*, (*fig.*) pupilla degli occhi // *to upset s.o.'s* — *-cart*, (*fig.*) sconvolgere i piani di qlcu. // — *-pie*, torta di mele; *to make s.o. an* — *-pie bed*, fare il «sacco» (nel letto) a qlcu.; *to be in* — *-pie order*, essere in perfetto ordine // — *sauce*, salsa di mele; (*fam. amer.*) sciocchezze, complimenti insinceri.

appliance [ə'plaiəns] *s.* **1** applicazione **2** strumento, congegno, apparecchio, dispositivo // *electrical appliances*, elettrodomestici.

applicable ['æplikəbl] *agg.* **1** applicabile **2** adatto.

applicant ['æplikənt] *s.* postulante, richiedente.

application [,æpli'keiʃən] *s.* **1** applicazione // *this has no* — *to the present situation*, questo non riguarda la situazione attuale **2** domanda, richiesta; istanza: — *for a job*, domanda di assunzione; *to make an* — *for a job*, presentare una domanda di assunzione **3** (*informatica*) applicazione: — *audit*, guida per l'analisi (di un'applicazione); *business* —, (*IBM*) applicazione commerciale; — *library*, biblioteca di programmi applicativi; — *package*, pacchetto applicativo; — *routine*, programma applicativo; — *software*, programmi applicativi.

to apply [ə'plai] *v.tr.* **1** applicare **2** dedicare, consacrare: *to* — *oneself to*, dedicarsi a ♦ *v.intr.* **1** applicarsi: *this law applies to all cases*, questa legge si applica a tutti i casi **2** riferirsi: *this does not apply to you*, questo non si riferisce a te **3** ricorrere, rivolgersi; inoltrare (una domanda): *to* — *for work*, fare domanda di lavoro.

to appoint [ə'point] *v.tr.* **1** fissare, stabilire: *on the day appointed*, nel giorno stabilito **2** nominare **3** assegnare: *each of us had his appointed task*, a ciascuno di noi fu assegnato un compito.

appointment [ə'pointmənt] *s.* **1** appuntamento, convegno: *to make an* —, fissare un appuntamento **2** no-

mina **3** carica, impiego // *by* — *to the Court*, fornitore della Real Casa **4** (*dir.*) assegnazione **5** *pl.* arredamento, arredo; equipaggiamento.

to apportion [ə'pɔ:ʃən] *v.tr.* distribuire, spartire.

to appose [æ'pouz] *v.tr.* apporre.

apposite ['æpəzit] *agg.* adatto, opportuno, appropriato.

apposition [,æpə'ziʃən] *s.* apposizione.

appraisal [ə'preizəl] *s.* valutazione, stima // *she gave him a long look of* —, lei lo squadrò dall'alto in basso.

to appraise [ə'preiz] *v.tr.* valutare, stimare.

appraiser [ə'preizə*] *s.* stimatore // —*'s report*, perizia.

appreciable [ə'pri:ʃəbl] *agg.* **1** valutabile, apprezzabile **2** sensibile, notevole.

to appreciate [ə'pri:ʃieit] *v.tr.* **1** apprezzare; stimare **2** rivalutare ♦ *v.intr.* aumentar di valore.

appreciation [ə,pri:ʃi'eiʃən] *s.* **1** apprezzamento, valutazione **2** rivalutazione.

appreciative [ə'pri:ʃətiv] *agg.* che apprezza; elogiativo.

to apprehend [,æpri'hend] *v.tr.* **1** afferrare (*anche fig.*) **2** prendere, arrestare **3** temere.

apprehension [,æpri'henʃən] *s.* **1** apprensione **2** percezione.

apprehensive [,æpri'hensiv] *agg.* **1** apprensivo, timoroso **2** perspicace.

apprentice [ə'prentis] *s.* apprendista: *to bind as an* —, mettere a far pratica.

to apprentice *v.tr.* mettere a far pratica: *he was apprenticed to a tailor*, fu messo a far pratica presso un sarto.

apprenticeship [ə'prentiʃip] *s.* tirocinio, apprendistato: *to serve one's* —, fare il tirocinio.

to apprise [ə'praiz] *v.tr.* informare, avvertire.

approach [ə'proutʃ] *s.* **1** avvicinamento, accostamento **2** via d'accesso **3** *pl.* trattative; approcci.

to approach *v.tr.* **1** avvicinare, avvicinarsi (a) **2** iniziare trattative (con) ♦ *v.intr.* avvicinarsi.

approachable [ə'proutʃəbl] *agg.* accessibile, abbordabile.

approaching [ə'proutʃiŋ] *agg.* prossimo, vicino.

approbation [,æprə'beiʃən] *s.* approvazione // *on* —, in prova.

appropriate [ə'proupriit] *agg.* appropriato, adatto.

to appropriate [ə'prouprieit] *v.tr.* **1** appropriarsi **2** stanziare (denaro); destinare (a un determinato uso).

appropriation [ə,proupri'eiʃən] *s.* **1** appropriazione **2** stanziamento, assegnazione (di denaro).

approval [ə'pru:vəl] *s.* approvazione, benestare; ratifica // *on* —, (*comm.*) in prova.

to approve [ə'pru:v] *v.tr.* e *intr.* approvare; ratificare: *read and approved*, letto e approvato // *an approved company*, (*comm.*) una società (di assicurazione) riconosciuta dallo Stato.

approved school [ə'pru:vd'sku:l] *s.* riformatorio.

approver [ə'pru:və*] *s.* (*dir.*) informatore; complice reo confesso che si fa testimone d'accusa.

approximate [ə'prɔksimit] *agg.* approssimativo.

to approximate [ə'prɔksimeit] *v.tr.* avvicinare, accostarsi (a) ♦ *v.intr.* avvicinarsi.

appurtenance [ə'pə:tinəns] *s.* **1** (*dir.*) appartenenza **2** appendice, aggiunta, accessorio.

appurtenant [ə'pə:tinənt] *agg.* appartenente; pertinente ♦ *s.* (*dir.*) appartenenza.

apricot ['eiprikɔt] *s.* albicocca; albicocco.

April ['eiprəl] *s.* aprile // — *Fools' Day*, il primo d'aprile // — *fool*, vittima di un pesce d'aprile: *to make an* — *fool of s.o.*, fare a qlcu. un pesce d'aprile.

apriorism [ˌeiprai'ɔːrizəm] *s.* apriorismo.

aprioristic [ˌeipraiə'ristik] *agg.* aprioristico.

apron ['eiprən] *s.* **1** grembiule // *to be tied to one's mother's — -strings*, (*fig.*) essere attaccato alle gonnelle della madre **2** (*teatr.*) proscenio // — *-stage*, palcoscenico elisabettiano **3** (*aer.*) area di stazionamento.

apropos [æprə'pou] *agg.* e *avv.* a proposito.

apse [æps] *s.* abside.

apt [æpt] *agg.* **1** atto, adatto, appropriato **2** portato; incline; soggetto: *to be — to catch colds*, andar soggetto a raffreddori **3** sveglio, intelligente.

aptitude ['æptitjuːd] *s.* **1** opportunità, idoneità **2** attitudine // — *test*, test attitudinale **3** intelligenza, perspicacia.

aptly ['æptli] *avv.* a proposito, in modo adatto.

aptness ['æptnis] *s.* proprietà.

aqua ['ækwə] *s.* **1** (*chim.*) acqua **2** (*colore*) verde acqua.

aqualung ['ækwəlʌŋ] *s.* autorespiratore.

aquamarine [ˌækwəmə'riːn] *s.* acquamarina.

aquaplane ['ækwəplein] *s.* acquaplano.

aquarium [ə'kwɛəriəm] *s.* acquario.

Aquarius [ə'kwɛəriəs] *s.* (*astr.*) Acquario.

aquatic [ə'kwætik] *agg.* acquatico.

aqueduct ['ækwidʌkt] *s.* acquedotto.

aqueous ['eikwiəs] *agg.* acqueo; acquoso.

aquiculture ['ækwikʌltʃə*] *s.* acquicoltura.

aquiline ['ækwilain] *agg.* aquilino.

arabesque [ˌærə'besk] *s.* arabesco ♦ *agg.* (a)rabescato.

Arabian [ə'reibjən] *agg.* dell'Arabia.

Arabic ['ærəbik] *agg.* arabo: — *numeral*, numero arabo ♦ *s.* arabo (lingua).

arable ['ærəbl] *agg.* arabile.

araucaria [ˌærɔː'kɛəriə] *s.* (*bot.*) araucaria.

arbalest ['ɑːbəlest] *s.* balestra.

arbiter ['ɑːbitə*] *s.* arbitro.

arbitrage ['ɑːbitridʒ] *s.* (*comm.*) arbitraggio.

arbitral ['ɑːbitrəl] *agg.* arbitrale.

arbitrament [ɑː'bitrəmənt] *s.* arbitrato.

arbitrary ['ɑːbitrəri] *agg.* arbitrario.

to arbitrate ['ɑːbitreit] *v.tr.* e *intr.* arbitrare.

arbitration [ˌɑːbi'treiʃən] *s.* arbitrato: *to go to —*, chiedere un arbitrato // *Arbitration Court*, collegio arbitrale.

arboreal [ɑː'bɔːriəl], **arboreous** [ɑː'bɔːriəs] *agg.* arboreo.

arboriculture ['ɑːbərikʌltʃə*] *s.* arboricoltura.

arbour ['ɑːbə*] *s.* pergolato, pergola.

arc [ɑːk] *s.* (*geom. elettr.*) arco // — *lamp*, lampada ad arco.

arcade [ɑː'keid] *s.* **1** arcata; portico, porticato **2** galleria (con negozi).

arcadian [ɑː'keidjən] *agg.* arcadico.

arcane [ː'kein] *agg.* arcano.

arch[1] [ɑːtʃ] *s.* arco; arcata: *foot —*, arco del piede.

to arch[1] *v.tr.* **1** congiungere con un arco; costruire ad arco **2** inarcare ♦ *v.intr.* inarcarsi.

arch[2] *agg.* birichino, malizioso, furbetto.

archaeological [ˌɑːkiə'lɔdʒikəl] *agg.* archeologico.

archaeologist [ˌɑːki'ɔlədʒist] *s.* archeologo.

archaeology [ˌɑːki'ɔlədʒi] *s.* archeologia.

archaeozoic [ˌɑːkiə'zouik] *agg.* (*geol.*) archeozoico.

archaic [ɑː'keiik] *agg.* arcaico.

archaism ['ɑːkeiizəm] *s.* arcaismo.

archangel ['ɑːkˌeindʒəl] *s.* arcangelo.

archbishop [ɑːtʃ'biʃəp] *s.* arcivescovo.

archbishopric [ɑːtʃ'biʃəprik] *s.* arcivescovado.

archdeacon ['ɑːtʃ'diːkən] *s.* arcidiacono.

archduchess [ɑːtʃ'dʌtʃis] *s.* arciduchessa.

archduke ['ɑːtʃ'djuːk] *s.* arciduca.

arched [ɑːtʃt] *agg.* ad arco; arcuato.

archer ['ɑːtʃə*] *s.* arciere.

archery ['ɑːtʃəri] *s.* tiro all'arco.

archetype ['ɑːkitaip] *s.* archetipo.

archiepiscopal [ˌɑːkii'piskəpəl] *agg.* arcivescovile.

archil ['ɑːtʃil] *s.* (*bot.*) oricello.

archipelago [ˌɑːki'peligou], *pl.* **archipelago(e)s** [ˌɑːki'peligouz] *s.* arcipelago.

architect ['ɑːkitekt] *s.* architetto.

architectonic [ˌɑːkitek'tɔnik], **architectural** [ˌɑːki'tektʃərəl] *agg.* architettonico.

architecture ['ɑːkitektʃə*] *s.* architettura.

architrave ['ɑːkitreiv] *s.* architrave.

archives ['ɑːkaivz] *s.pl.* **1** archivio **2** documenti di archivio.

archivist ['ɑːkivist] *s.* archivista.

archivolt ['ɑːkivoult] *s.* (*arch.*) archivolto.

archpriest ['ɑːtʃpriːst] *s.* arciprete.

archway ['ɑːtʃwei] *s.* passaggio ad arco.

Arctic ['ɑːktik] *agg.* artico ♦ *s.* Artide.

arcuate ['ɑːkjuit] *agg.* arcuato.

Ardennes [ɑː'den] *no.pr.pl.* Ardenne.

ardent ['ɑːdənt] *agg.* ardente.

ardour ['ɑːdə*] *s.* ardore.

arduous ['ɑːdjuəs] *agg.* arduo.

are[1] [ɑː*] *s.* ara (unità di misura).

are[2] [ɑː* (*forma forte*), ɑ*, ə* (*forme deboli*)] *2ª pers.sing., 1ª, 2ª, 3ª pers.pl.pres.* di *to* **be**.

area ['ɛəriə] *s.* **1** area, superficie **2** cortiletto d'accesso ai seminterrati **3** (*amministrazione*) circoscrizione **4** (*fig.*) campo, sfera **5** (*informatica*) zona, area di memoria: — *code*, codice indicatore di zona; *hold —*, area di comodo.

arena [ə'riːnə] *s.* arena.

aren't [ɑːnt] *contr.* di *are not; in prop. interr., contr.* di *am not.*

arete [æ'reit] *s.* cresta (di monte).

argentiferous [ˌɑːdʒən'tifərəs] *agg.* argentifero.

argentine ['ɑːdʒəntain] *agg.* argentino; argenteo.

argil ['ɑːdʒil] *s.* argilla.

argillaceous [ˌɑːdʒi'leiʃəs] *agg.* argilloso.

argle-bargle ['ɑːgl'bɑːgl] *s.* (*fam.*) baruffa.

argon ['ɑːgɔn] *s.* (*chim.*) argo.

argonaut ['ɑːgənɔːt] *s.* (*zool.*) nautilo.

argot ['ɑːgou] *s.* gergo.

to argue ['ɑːgjuː] *v.intr.* argomentare, discutere ♦ *v.tr.* **1** provare, dimostrare **2** convincere (con ragionamenti): *to — s.o. out of, into doing sthg.*, dissuadere qlcu. dal, persuadere qlcu. a fare qlco.

argument ['ɑːgjumənt] *s.* **1** argomento **2** discussione, disputa, controversia **3** litigio **4** sommario.

argumentative [ˌɑːgju'mentətiv] *agg.* polemico.

arhythmia e *deriv.* → **arrhythmia** e *deriv.*

Ariadne [ˌæri'ædni] *no.pr.f.* (*mit.*) Arianna.

Arian ['ɛəriən] *agg.* e *s.* ariano.

arid ['ærid] *agg.* arido.

aridity [æ'riditi] *s.* aridità.

Aries ['ɛəriːz] *s.* (*astr.*) Ariete.

to arise [ə'raiz], *pass.* **arose** [ə'rouz], *p.pass.* **arisen** [ə'rizn] *v.intr.* **1** alzarsi, levarsi; sorgere **2** (*fig.*) nascere; presentarsi **3** provenire, derivare.

aristocracy [ˌæris'tɔkrəsi] *s.* aristocrazia.

aristocrat ['ærɪstəkræt, (*amer.*) ə'rɪstəkræt] *s.* aristocratico.

aristocratic [ˌærɪstə'krætɪk, (*amer.*) əˌrɪstə'krætɪk] *agg.* aristocratico.

Aristophanes [ˌærɪs'tɔfəni:z] *no.pr.m.* (*st. lett.*) Aristofane.

Aristotelian [ˌærɪstə'ti:ljən] *agg.* e *s.* (*fil.*) aristotelico.

Aristotelianism [ˌærɪstə'ti:liənɪzəm] *s.* (*fil.*) aristotelismo.

Aristotle ['ærɪstɔtl] *no.pr.m.* (*st. fil.*) Aristotele.

arithmetic [ə'rɪθmətɪk] *s.* aritmetica.

arithmetical [ˌærɪθ'metɪkəl] *agg.* aritmetico.

arithmetician [əˌrɪθmə'tɪʃən] *s.* aritmetico.

ark [ɑ:k] *s.* arca // *Noah's —*, l'arca di Noè // *Ark of the Covenant*, Arca dell'Alleanza.

arm[1] [ɑ:m] *s.* braccio (*anche fig.*) // *— in —*, a braccetto // *with open arms*, a braccia aperte // *to keep s.o. at —'s length*, tenere qlcu. a distanza // *child in arms*, bambino in fasce.

arm[2] *s.* **1** *pl.* armi; *in arms*, armato; *under arms*, in assetto di guerra; *to bear arms*, essere sotto le armi; *to take up arms*, prendere le armi, cominciare le ostilità; *to lay down one's arms*, arrendersi // *arms-control*, controllo degli armamenti // *arms race*, corsa agli armamenti // *to be up in arms about* (o *over*) *sthg.*, essere agguerrito, pronto a lottare per qlco. **2** arma (dell'esercito) **3** (*arald.*) arma.

to arm[2] *v.tr.* armare ♦ *v.intr.* armarsi.

armada [ɑ:'mɑ:də] *s.* armata (navale).

armadillo [ˌɑ:mə'dɪlou] *s.* (*zool.*) armadillo.

armature ['ɑ:mətjuə*] *s.* **1** armatura **2** (*elettr.*) indotto.

armchair ['ɑ:m'tʃeə*] *s.* poltrona.

armful ['ɑ:mful] *s.* bracciata.

arm-hole ['ɑ:mhoul] *s.* giro (della) manica.

armistice ['ɑ:mɪstɪs] *s.* armistizio // *Armistice Day*, 11 novembre (giorno dell'Armistizio).

armlet ['ɑ:mlɪt] *s.* **1** bracciale **2** armilla **3** (*geogr.*) braccio.

armorial [ɑ:'mɔ:rɪəl] *agg.* araldico ♦ *s.* libro di araldica.

armour ['ɑ:mə*] *s.* **1** armatura, corazza **2** (*mil. fam.*) unità blindate, corazzate (*pl.*) **3** (*zool. bot.*) corazza.

to armour *v.tr.* rivestire d'armatura, corazzare, blindare // *armoured car*, autoblindo.

armour-bearer ['ɑ:mə,beərə*] *s.* scudiero.

armourer ['ɑ:mərə*] *s.* **1** armaiolo **2** (*mil.*) armiere.

armour-plated ['ɑ:mə'pleɪtɪd] *agg.* blindato, corazzato.

armoury ['ɑ:mərɪ] *s.* **1** arsenale; (*amer.*) fabbrica d'armi **2** armeria **3** sala d'armi.

armpit ['ɑ:mpɪt] *s.* ascella.

army ['ɑ:mɪ] *s.* **1** esercito // *Salvation Army*, Esercito della Salvezza **2** moltitudine.

army corps ['ɑ:mikɔ:*] *s.* corpo d'armata.

arnica ['ɑ:nikə] *s.* (*bot.*) arnica.

Arnold ['ɑ:nld] *no.pr.m.* Arnoldo, Arnaldo.

aroma [ə'roumə] *s.* aroma.

aromatic(al) [ˌæroʊ'mætɪk(əl)] *agg.* aromatico ♦ *s.* sostanza aromatica.

to aromatize [ə'roumətaiz] *v.tr.* aromatizzare.

arose [ə'rouz] *pass.* di to **arise**.

around [ə'raund] *avv.* **1** intorno, attorno; qua e là, in giro // *all —*, tutt'intorno **2** circa ♦ *prep.* intorno a, attorno a // *to walk — the streets*, vagabondare per le strade.

to arouse [ə'rauz] *v.tr.* **1** destare, svegliare; ridestare, risvegliare **2** incitare, stimolare.

arquebus ['ɑ:kwibəs] *s.* archibugio.

to arraign [ə'rein] *v.tr.* **1** accusare; chiamare in giudizio **2** biasimare, criticare.

arraignment [ə'reinmənt] *s.* **1** accusa **2** biasimo.

to arrange [ə'reindʒ] *v.tr.* e *intr.* **1** accomodare, ordinare **2** combinare; preparare, predisporre **3** prendere accordi; accordarsi, venire a un accordo **4** (*mus.*) ridurre, arrangiare **5** comporre (una lite).

arrangement [ə'reindʒmənt] *s.* **1** accomodamento, ordinamento **2** combinazione; preparazione **3** accomodamento, intesa: *to make an — with s.o.*, intendersi con qlcu. **4** (*comm. dir.*) concordato **5** (*mus.*) riduzione, arrangiamento.

arrant ['ærənt] *agg.* famigerato: *— knave*, briccone matricolato.

arras ['ærəs] *s.* arazzo.

array [ə'rei] *s.* **1** (*mil.*) ordine; schiera **2** apparato, mostra **3** (*poet.*) abbigliamento; ornamento **4** (*dir.*) lista dei giurati.

to array *v.tr.* **1** (*mil.*) schierare, spiegare **2** ornare; abbigliare **3** (*dir.*) formare una lista (di giuria).

arrear [ə'riə*] *s.* arretrato // *in arrears*, in arretrato.

arrest [ə'rest] *s.* **1** fermata, arresto **2** arresto, cattura: *under —*, in arresto; (*mil.*) agli arresti **3** (*dir.*) sospensione (di giudizio).

to arrest *v.tr.* **1** arrestare **2** fermare, fissare (l'attenzione).

arrhythmia [ə'riθmiə] *s.* aritmia.

arrhythmic [ə'riðmik] *agg.* aritmico.

arris ['ærɪs] *s.* spigolo.

arriswise ['æriswaiz] *avv.* a spigolo, diagonalmente.

arrival [ə'raivəl] *s.* arrivo, venuta.

to arrive [ə'raiv] *v.intr.* arrivare, giungere: *to — in Milan, at Como*, arrivare a Milano, a Como.

arrogance ['ærəgəns] *s.* arroganza.

arrogant ['ærəgənt] *agg.* arrogante.

to arrogate ['ærougeit] *v.tr.* arrogare, attribuire indebitamente: *to — to oneself*, arrogarsi.

arrogation [ˌærou'geiʃən] *s.* pretesa (arrogante); usurpazione.

arrow ['ærou] *s.* freccia, strale, dardo.

arrowhead ['ærouhed] *s.* punta di freccia.

arsenal ['ɑ:sənl] *s.* arsenale.

arsenic ['ɑ:snik] *s.* arsenico.

arson ['ɑ:sn] *s.* incendio doloso.

arsonist ['ɑ:sənist] *s.* piromane.

art[1] [ɑ:t] *s.* **1** arte // *the fine arts*, le belle arti // *black —*, magia **2** *pl.* (belle) lettere // *Bachelor, Master of Arts*, laureato in lettere; *Faculty of Arts*, facoltà di lettere // *arts and crafts*, (*pl.*) arti e mestieri.

art[2] [ɑ:t (*forma forte*), ət (*forma debole*)] *2a pers.sing.pres.* (*arc.*) di to **be**.

art director [ˌɑ:t di'rektə*] *s.* direttore artistico; (*teatr.*) direttore di scena.

artefact ['ɑ:tifækt] *s.* manufatto.

arterial [ɑ:'tiəriəl] *agg.* arterioso // *— road*, via di grande comunicazione.

arteriography [ɑ:tiəri'ɔgrəfi] *s.f.* (*med.*) arteriografia.

arteriosclerosis [ɑ:'tiəriou-skliə'rousis] *s.* arteriosclerosi.

artery ['ɑ:təri] *s.* arteria.

artesian [ɑ:'ti:zjən] *agg.* artesiano.

artful ['ɑ:tful] *agg.* astuto, furbo; ingegnoso, abile.

arthritic [ɑ:'θritik] *agg.* artritico.

arthritis [ɑ:'θraitis] *s.* artrite.

arthrosis [ɑ:'θrousis] *s.* artrosi.

Arthur [ˈɑːθə*] *no.pr.m.* Arturo; (*lett.*) Artù.

arthurian [ɑːˈθjuəriən] *agg.* arturiano.

artichoke [ˈɑːtiʃouk] *s.* carciofo // *Jerusalem* —, (*bot.*) topinambur.

article [ˈɑːtikl] *s.* **1** articolo: *an — of clothing*, un capo di vestiario // *leading* —, articolo di fondo **2** clausola, condizione **3** capoverso **4** (*gener. pl.*) (*dir. comm.*) convenzioni, regolamenti; statuto (*sing.*): *articles of association*, statuto di società.

to article *v.tr.* **1** collocare come apprendista **2** accusare.

articular [ɑːˈtikjulə*] *agg.* articolare.

articulate [ɑːˈtikjulit] *agg.* articolato.

to articulate [ɑːˈtikjuleit] *v.tr.* articolare.

articulation [ɑːˌtikjuˈleiʃən] *s.* articolazione.

artifact [ˈɑːtifækt] *s.* manufatto.

artifice [ˈɑːtifis] *s.* **1** abilità, destrezza **2** artificio.

artificer [ɑːˈtifisə*] *s.* **1** fabbricante, artefice (*anche fig.*) **2** (*mil.*) artificiere.

artificial [ˌɑːtiˈfiʃəl] *agg.* artificiale.

artillery [ɑːˈtiləri] *s.* artiglieria // *horse* —, artiglieria a cavallo.

artilleryman, *pl.* **artillerymen** [ɑːˈtilərimən] *s.* artigliere.

artisan [ˌɑːtiˈzæn, (*amer.*) ˈɑːtizn] *s.* artigiano.

artist [ˈɑːtist] *s.* artista.

artistic [ɑːˈtistik] *agg.* artistico.

artistically [ɑːˈtistikəli] *avv.* artisticamente.

artless [ˈɑːtlis] *agg.* ingenuo; semplice; rozzo.

arty [ˈɑːti] *agg.* (*fam.*) affettatamente artistico.

arty-crafty [ˈɑːtiˈkrɑːfti] *agg.* pseudo artistico.

Aryan [ˈɛəriən] *agg.* e *s.* ariano.

as [æz (*forma forte*), əz (*forma debole*)] *avv.* e *cong.* **1** *— ... —*, (*così...*) come; (*tanto...*) quanto: *she is — kind — you (are)*, è gentile come, quanto te // *— recently —*, non più tardi di **2** (*con inf.*) da: *he was so kind — to open the door for me*, fu così gentile da aprirmi la porta **3** come; da: *— above, before*, come sopra, prima; — *a gentleman*, da gentiluomo; *he did — I did*, fece come me; *take it — it is*, prendila come viene; *rich — he is, he is unhappy*, ricco com'è, è infelice; *it's not expensive — prices go*, non è caro visti i prezzi // *— it were*, per così dire **4** poiché, siccome: *— I was thirsty...*, poiché avevo sete... **5** mentre: *we met him — we were going to the cinema*, lo incontrammo mentre andavamo al cinema **6** — *for, — regards, — to*, quanto a, per quanto riguarda ♦ *pron.rel.* che: *I have the same books — you have*, ho gli stessi libri che hai tu.

asbestos [æzˈbestɔs] *s.* amianto.

to ascend [əˈsend] *v.tr.* salire: *to — the throne*, ascendere al trono ♦ *v.intr.* salire, innalzarsi (*anche fig.*): *the path ascends here*, qui, il sentiero sale; *he ascended to a higher rank*, salì ad un rango più elevato.

ascendancy, ascendency [əˈsendənsi] *s.* ascendente.

ascendant, ascendent [əˈsendənt] *agg.* **1** ascendente **2** (*fig.*) superiore, dominante ♦ *s.* **1** (*astr.*) ascendente **2** (*fig.*) ascendente, influenza, autorità.

ascension [əˈsenʃən] *s.* ascensione // *Ascension Day*, il giorno dell'Ascensione.

ascensional [əˈsenʃənl] *agg.* ascensionale.

ascent [əˈsent] *s.* **1** ascensione, ascesa **2** (*fig.*) salita, pendio; rampa di scale.

to ascertain [ˌæsəˈtein] *v.tr.* assicurarsi (di), accertarsi (di); constatare.

ascesis [əˈsiːsis], *pl.* **asceses** [əˈsiːsiːz] *s.* ascesi.

ascetic [əˈsetik] *agg.* ascetico ♦ *s.* asceta.

ascorbic [əˈskɔːbik] *agg.* ascorbico.

to ascribe [əˈskraib] *v.tr.* ascrivere; attribuire.

asdic [ˈæzdik] *s.* (*mar.*) ecogoniometro.

aseptic [æˈseptik] *agg.* asettico.

asexual [eiˈseksjuəl] *agg.* asessuale.

ash[1] [æʃ] *s.*: — (*tree*), (*bot.*) frassino.

ash[2] *s.* (*gener. pl.*) cenere: *to reduce to ashes*, ridurre in cenere // *— blond*, biondo cenere // *Ash Wednesday*, Mercoledì delle Ceneri.

ashamed [əˈʃeimd] *agg.pred.* vergognoso: *to be — of*, vergognarsi di.

ashbin [ˈæʃbin], **ashcan** [ˈæʃkæn] *s.* (*amer.* per *dustbin*) pattumiera.

ashen[1] [ˈæʃn] *agg.* di (legno di) frassino.

ashen[2] *agg.* **1** cenerino **2** pallidissimo.

ashlar [ˈæʃlə*] *s.* (*arch.*) bugna.

ashore [əˈʃɔː*] *avv.* sulla riva; a terra.

ashpan [æʃˈpæn] *s.* ceneraio.

ashtray [ˈæʃtrei] *s.* posacenere.

ashy [ˈæʃi] *agg.* **1** fatto di cenere; coperto di cenere **2** cinereo.

Asia [ˈeiʃə] *no.pr.* Asia.

Asian [ˈeiʃən], **Asiatic** [ˌeiʃiˈætik] *agg.* e *s.* asiatico.

aside [əˈsaid] *avv.* a parte, da parte: *to draw —*, tirar(si) da parte; *to set —*, mettere da parte; *to stand —*, tenersi in disparte.

aside *s.* a parte (spec. di attore).

asinine [ˈæsinain] *agg.* asinino, asinesco.

to ask [ɑːsk] *v.tr.* **1** domandare, chiedere: *I asked him the way*, gli chiesi la strada; *he asked me a question*, mi fece una domanda **2** invitare: *I asked him to dinner*, lo invitai a cena **3** chiedere, far pagare: *they asked me 500 pounds for that horse*, mi fecero pagare quel cavallo 500 sterline ♦ *v.intr.* **1** richiedere, chiedere: *he asked for help*, chiese aiuto // *to — for trouble*, cerca guai; *I am not surprised he got into trouble, he was asking for it*, non mi sorprende che si sia messo nei guai, li stava cercando **2** informarsi: *he asked after* (o *about*) *my health*, si informò sulla mia salute.

askance [əsˈkæns] *avv.* di traverso // *to look —*, guardare con sospetto.

askew [əsˈkjuː] *avv.* di traverso ♦ *agg.pred.* obliquo.

aslant [əˈslɑːnt] *avv.* obliquamente, di sghembo ♦ *prep.* a, di, per traverso (di), attraverso.

asleep [əˈsliːp] *avv.* e *agg. pred.* addormentato: *to fall —*, addormentarsi.

asp [æsp] *s.* aspide.

asparagus [əsˈpærəgəs] *s.* asparago.

aspect [ˈæspekt] *s.* **1** aspetto, apparenza **2** esposizione (di una casa).

aspen [ˈæspən] *s.* (*bot.*) pioppo tremulo.

aspergillum [ˌæspəˈdʒiləm] *s.* aspersorio.

asperity [æsˈperiti] *s.* asperità (*anche fig.*).

to asperse [əsˈpəːs] *v.tr.* **1** aspergere **2** calunniare.

aspersion [əsˈpəːʃən] *s.* **1** calunnia; insinuazione: *cast aspersions* (*up*) *on s.o.* (o *s.o.'s honour*), calunniare qlcu. **2** (*eccl.*) aspersione.

asphalt [ˈæsfælt] *s.* asfalto.

to asphalt *v.tr.* asfaltare.

asphodel [ˈæsfədel] *s.* asfodelo.

asphyxia [æsˈfiksiə] *s.* asfissia.

to asphyxiate [æsˈfiksieit] *v.tr.* asfissiare.

asphyxiation [æsˌfiksiˈeiʃən] *s.* soffocamento.

aspirant [əsˈpaiərənt] *agg.* e *s.* aspirante.

aspirate [ˈæspərit] *agg.* aspirato ♦ *s.* consonante aspirata.

to aspirate [ˈæspəreit] *v.tr.* aspirare.

aspiration [ˌæspəˈreiʃən] s. aspirazione (*anche fig.*).
to **aspire** [əsˈpaiə*] *v.intr.* aspirare, agognare.
aspirin® [ˈæspərin, (*amer.*) ˈæspərin] s. aspirina®.
ass¹ [æs] s. asino, somaro; (*fig.*) sciocco // *to make an — of oneself, of s.o.*, rendersi ridicolo, rendere ridicolo qlcu.
ass² s. (*volg. amer.*) natiche (*pl.*), deretano.
assagai [ˈæsəgai] s. zagaglia.
to **assail** [əˈseil] *v.tr.* assalire.
assailant [əˈseilənt] s. assalitore, aggressore.
assassin [əˈsæsin, (*amer.*) əˈsæsn] s. assassino.
to **assassinate** [əˈsæsineit] *v.tr.* assassinare.
assassination [əˌsæsiˈneiʃən] s. assassinio.
assault [əˈsɔ:lt] s. 1 assalto, attacco: *to take by —*, prendere d'assalto // *— and battery*, minacce e percosse; *armed —*, aggressione a mano armata 2 (*dir.*) aggressione.
to **assault** *v.tr.* 1 assalire, attaccare 2 (*dir.*) aggredire.
assay [əˈsei] s. 1 (*metall.*) analisi 2 prova.
to **assay** *v.tr.* 1 (*metall.*) saggiare 2 provare.
assegai s. → **assagai**.
assemblage [əˈsemblidʒ] s. 1 assemblea, riunione; raccolta 2 (*mecc.*) montaggio.
to **assemble** [əˈsembl] *v.tr.* 1 riunire 2 (*mecc.*) montare ♦ *v.intr.* riunirsi.
assembler [əˈsemblə*] s. (*informatica*) assemblatore; programma di assemblaggio.
assembly [əˈsembli] s. 1 assemblea, riunione // *freedom of —*, (*dir.*) libertà di riunione 2 (*mil.*) (segnale di) adunata 3 (*mecc.*) montaggio // *— line*, catena di montaggio 4 (*informatica*) insieme (di pezzi, di parti di programma).
assent [əˈsent] s. consenso // *with one —*, all'unanimità.
to **assent** *v.intr.* assentire, dare l'approvazione.
assentient [əˈsenʃənt] agg. e s. assenziente.
assenting [əˈsentiŋ] agg. consenziente.
to **assert** [əˈsə:t] *v.tr.* 1 asserire, affermare 2 sostenere, difendere // *to — oneself*, farsi valere.
assertion [əˈsə:ʃən] s. asserzione.
assertive [əˈsə:tiv] agg. assertivo.
to **assess** [əˈses] *v.tr.* 1 accertare; stimare (una proprietà) per tassare 2 fissare (una tassa, una multa ecc.); tassare; multare.
assessable [əˈsesəbl] agg. tassabile, imponibile.
assessment [əˈsesmənt] s. 1 accertamento; stima (di proprietà per tassarla) 2 imposizione di tassa, di multa; tassa; multa 3 giudizio, parere.
assessor [əˈsesə*] s. 1 (*dir.*) perito 2 agente delle tasse.
asset [ˈæset] s. 1 bene; vantaggio; risorsa 2 *pl.* (*comm.*) disponibilità finanziaria (*sing.*), attività (di una ditta) (*sing.*) 3 *pl.* patrimonio (di un debitore) (*sing.*).
to **asseverate** [əˈsevəreit] *v.tr.* asseverare.
assiduity [ˌæsiˈdju(:)iti] s. assiduità.
assiduous [əˈsidjuəs] agg. assiduo.
assign [əˈsain] s. (*dir.*) cessionario.
to **assign** *v.tr.* 1 assegnare 2 (*dir.*) cedere, trasferire 3 fissare.
assignation [ˌæsigˈneiʃən] s. 1 assegnazione 2 il fissare un appuntamento 3 (*dir.*) cessione, trasferimento.
assignee [ˌæsiˈni:] s. 1 (*dir.*) procuratore 2 (*dir.*) cessionario 3 (*comm.*) assegnatario.
assignment [əˈsainmənt] s. 1 assegnazione; stanziamento 2 incarico 3 (*dir.*) cessione, trasferimento: *deed of —*, atto di cessione.

assignor [əˈsainə*] s. (*dir.*) cedente.
to **assimilate** [əˈsimileit] *v.tr.* assimilare (*anche fig.*) ♦ *v.intr.* assimilarsi (*anche fig.*).
to **assist** [əˈsist] *v.tr.* assistere, aiutare ♦ *v.intr.* assistere, presenziare.
assistance [əˈsistəns] s. assistenza, aiuto.
assistant [əˈsistənt] agg. e s. assistente; coadiutore // *— director*, (*comm.*) vice-direttore; (*cinem.*) aiuto regista // *— professor*, (di università) professore incaricato.
assize [əˈsaiz] s. 1 processo (che si svolge davanti a una Corte d'Assise) 2 *pl.* Assise, Corte d'Assise (*sing.*).
associate [əˈsouʃiit] agg. associato, aggiunto // *— judge*, giudice assessore // *— professor*, professore incaricato (di università) ♦ s. socio; collega.
to **associate** [əˈsouʃieit] *v.tr.* associare // *to — oneself with*, essere d'accordo con ♦ *v.intr.* associarsi // *to — with s.o.*, frequentare qlcu.
association [əˌsousiˈeiʃən] s. associazione (*anche fig.*) // *association football*, gioco del calcio.
associative [əˈsouʃjətiv] agg. associativo.
assonance [ˈæsənəns] s. assonanza.
assonant [ˈæsənənt] agg. assonante.
to **assort** [əˈsɔ:t] *v.tr.* assortire ♦ *v.intr.* addirsi, intonarsi.
to **assuage** [əˈsweidʒ] *v.tr.* calmare.
to **assume** [əˈsju:m] *v.tr.* 1 assumere 2 attribuirsi, arrogarsi (diritto, titolo ecc.) 3 affettare, fingere // *an assumed name*, un nome falso, uno pseudonimo 4 presumere ♦ *v.intr.* essere presuntuoso.
assumption [əˈsʌmpʃən] s. 1 assunzione // *the Assumption*, l'Assunzione 2 finzione 3 supposizione, ipotesi.
assumptive [əˈsʌmptiv] agg. 1 presunto, supposto 2 arrogante.
assurance [əˈʃuərəns] s. 1 assicurazione, affermazione, promessa formale 2 confidenza, fiducia; certezza, sicurezza: *to answer with —*, rispondere con sicurezza 3 (*dir.*) assicurazione.
to **assure** [əˈʃuə*] *v.tr.* 1 assicurare 2 rassicurare.
assured [əˈʃuəd] agg. certo, sicuro: *you may rest — that...*, puoi star certo che.... ♦ s. assicurato (sulla vita).
aster [ˈæstə*] s. (*bot.*) aster.
asterisk [ˈæstərisk] s. asterisco.
to **asterisk** *v.tr.* segnare con asterisco.
astern [əsˈtə:n] avv. verso poppa: *to fall — of* (*a ship*), trovarsi dietro (una nave).
asteroid [ˈæstərɔid] agg. a forma di stella ♦ s. (*astr.*) asteroide.
asthenia [æsˈθi:njə] s. astenia.
asthma [ˈæsmə] s. asma.
asthmatic [æsˈmætik] agg. e s. asmatico.
astigmatic [ˌæstigˈmætik] agg. astigmatico.
astigmatism [æsˈtigmətizəm] s. astigmatismo.
astir [əsˈtə:*] agg. 1 sveglio, alzato 2 eccitato.
to **astonish** [əsˈtɔniʃ] *v.tr.* stupire, meravigliare; sorprendere.
astonishing [əsˈtɔniʃiŋ] agg. sorprendente.
astonishment [əsˈtɔniʃmənt] s. sorpresa, stupore, meraviglia.
to **astound** [əsˈtaund] *v.tr.* sbalordire, stordire.
astrakhan [ˌæstrəˈkæn, (*amer.*) ˈæstrəkən] s. astrakan.
astral [ˈæstrəl] agg. astrale.
astray [əsˈtrei] avv. e agg. pred. fuori strada (*anche fig.*): *to go —*, smarrirsi.
astride [əsˈtraid] avv. e prep. a cavalcioni (di).
astringent [əsˈtrindʒənt] agg. e s. astringente.

astrodome ['æstrə‚doum] *s.* (*neol.*) astrodomo.
astrolabe ['æstrouleib] *s.* astrolabio.
astrologer [əs'trɔlədʒə*] *s.* astrologo.
astrological [‚æstrə'lɔdʒikəl] *agg.* astrologico.
astrology [əs'trɔlədʒi] *s.* astrologia.
astronaut [æs'trənɔ:t] *s.* astronauta.
astronautical [‚æstrə'nɔ:tikəl] *s.* astronautico.
astronautics [‚æstrə'nɔ:tiks] *s.* astronautica.
astronomer [əs'trɔnəmə*] *s.* astronomo.
astronomic(al) [‚æstrə'nɔmik(əl)] *agg.* astronomico (*anche fig.*).
astronomy [əs'trɔnəmi] *s.* astronomia.
astrophysics ['æstrou'fiziks] *s.* astrofisica.
astute [əs'tju:t] *agg.* astuto, scaltro, sagace.
asunder [ə'sʌndə*] *avv.* **1** in pezzi: *to tear —*, fare in pezzi **2** (*riferito a due cose o persone*) separato, lontano (uno dall'altro).
asylum [ə'sailəm] *s.* **1** asilo, rifugio **2** casa di cura (spec. per malati mentali); istituto: *— for the blind*, istituto dei ciechi.
asymmetrical [‚æsi'metrikəl] *agg.* asimmetrico.
asymmetry [æ'simitri] *s.* asimmetria.
asynchronous [æ'siŋkrənəs] *agg.* asincrono // *— computer*, (*informatica*) elaboratore asincrono; *— transmission*, trasmissione asincrona.
at [æt (*forma forte*), ət (*forma debole*)] *prep.* **1** (*stato in luogo*) a; in; da: *— Monza*, a Monza; *— the station*, in, alla stazione; *— Mr. Brown's*, dal Sig. Brown **2** (*moto a luogo*) a; contro, addosso a: *to throw sthg. — s.o.*, gettare qlco. addosso a qlcu. **3** (*tempo*) a; in: *— seven o'clock*, alle sette; *— that moment*, in quel momento.
atavic [ə'tævik] *agg.* atavico.
atavism ['ætəvizəm] *s.* atavismo.
ate *pass.* di to **eat**.
atelier ['ætəliei] *s.* atelier.
atheism ['eiθiizəm] *s.* ateismo.
atheist ['eiθiist] *s.* ateo.
atheistic(al) [‚eiθi'istik(əl)] *agg.* ateistico.
atheling ['æθiliŋ] *s.* (*st.*) principe anglosassone.
athenaeum [‚æθi'ni(:)əm] *s.* **1** ateneo **2** accademia (letteraria o scientifica).
Athenian [ə'θi:njən] *agg.* e *s.* ateniese.
Athens ['æθinz] *no.pr.* Atene.
athlete ['æθli:t] *s.* atleta // *athlete's foot*, (*med.*) piede d'atleta.
athletic [æθ'letik] *agg.* atletico.
athletics [æθ'letiks] *s.* atletica.
athwart [ə'θwɔ:t] *avv.* trasversalmente ♦ *prep.* attraverso.
atilt [ə'tilt] *avv.* **1** inclinato // *with his hat —*, col cappello sulle ventitré **2** con la lancia in resta (*spec. fig.*).
Atlantic [ət'læntik] *agg.* atlantico // *— Charter*, (*pol.*) Carta atlantica ♦ *no.pr.* Atlantico // *North — Treaty*, (*pol.*) Patto atlantico.
Atlantis [ət'læntis] *no.pr.* (*mit.*) Atlantide.
Atlas ['ætləs] *no.pr.* (*geogr. mit.*) Atlante // **atlas** *s.* atlante.
atmosphere ['ætməsfiə*] *s.* atmosfera.
atmospheric [‚ætməs'ferikə] *agg.* atmosferico.
atmospherics [‚ætməs'feriks] *s.pl.* (*rad.*) scariche.
atoll ['ætɔl] *s.* atollo.
atom ['ætəm] *s.* atomo (*anche fig.*).
atom bomb ['ætəm-bɔm] *s.* bomba atomica.
atomic [ə'tɔmik] *agg.* atomico: *— bomb*, bomba atomica; *— energy*, energia atomica; *— weight*, peso atomico.
atomicity [‚ætə'misiti] *s.* (*chim.*) valenza.

atomization [‚ætəmai'zeiʃən] *s.* atomizzazione, nebulizzazione.
to atomize ['ætəmaiz] *v.tr.* atomizzare, nebulizzare.
atomizer ['ætəmaizə*] *s.* atomizzatore, nebulizzatore.
atomy ['ætəmi] *s.* corpuscolo, granello.
atonal [æ'tounl] *agg.* (*mus.*) atonale.
atonality [ætoun'æliti] *s.* (*mus.*) atonalità.
to atone [ə'toun] *v.intr.* espiare: *to — for a fault*, espiare un fallo.
atonement [ə'tounmənt] *s.* espiazione.
atonic [æ'tɔnik] *agg.* **1** (*gramm.*) atono **2** (*med.*) atonico ♦ *s.* parola atona.
atony ['ætəni] *s.* (*med.*) atonia.
atop [ə'tɔp] *avv.* (*amer.*): *— (of)*, in cima (a)...
atrium ['a:triəm], *pl.* **atria** ['a:triə] *s.* (*anat. arch.*) atrio.
atrocious [ə'trouʃəs] *agg.* atroce.
atrocity [ə'trɔsiti] *s.* atrocità.
atrophy ['ætrəfi] *s.* atrofia.
to atrophy *v.tr.* atrofizzare ♦ *v.intr.* atrofizzarsi.
attaboy ['ætəbɔi] *inter.* (*amer.*) dai!, bravo!
to attach [ə'tætʃ] *v.tr.* **1** attaccare; unire; fissare; affiggere // *to — oneself*, attaccarsi; unirsi **2** affezionare; attrarre, avvincere **3** attribuire, annettere: *to — importance to sthg.*, attribuire importanza a qlco. ♦ *v.intr.* essere inerente.
attaché [ə'tæʃei, (*amer.*) ‚ætə'ʃei] *s.* addetto (diplomatico o militare).
attaché case [ə'tæʃikeis] *s.* valigetta diplomatica; borsa per documenti.
attachment [ə'tætʃmənt] *s.* **1** attaccamento, unione **2** affezione; affetto **3** (*dir.*) sequestro **4** (*mecc.*) accessorio.
attack [ə'tæk] *s.* **1** attacco, assalto, offensiva **2** attacco, accesso (di malattia): *heart —*, attacco di cuore.
to attack *v.tr.* **1** attaccare, assalire // *to — a task*, mettersi di lena a fare un lavoro **2** (*chim.*) intaccare.
to attain [ə'tein] *v.tr.* ottenere, conseguire, raggiungere.
attainable [ə'teinəbl] *agg.* ottenibile, raggiungibile.
attainder [ə'teində*] *s.* (*dir.*) confisca dei beni; estinzione dei diritti civili.
attainment [ə'teinmənt] *s.* **1** raggiungimento; realizzazione **2** (*spec. pl.*) cognizioni (*pl.*); cultura, sapere.
to attaint [ə'teint] *v.tr.* **1** corrompere; infettare **2** ledere; macchiare **3** (*dir.*) confiscare i beni; privare dei diritti civili.
attar ['ætə*] *s.* essenza.
attempt [ə'tempt] *s.* tentativo; sforzo: *to make an — to do sthg.*, sforzarsi di fare qlco.
to attempt *v.tr.* **1** tentare **2** attentare (a).
to attend [ə'tend] *v.tr.* **1** presenziare a, intervenire a (riunioni ecc.), frequentare (scuola, lezioni, circoli) **2** assistere, curare (un malato) **3** accompagnare, seguire ♦ *v.intr.* badare, prestare attenzione; occuparsi (di), accudire: *to — (up) on*, essere al servizio di.
attendance [ə'tendəns] *s.* **1** servizio: *to be in — on*, essere al servizio di **2** assistenza, prestazioni // *lady in —*, dama di compagnia // *to dance — on s.o.*, circondare qlcu. di mille attenzioni **3** frequenza, presenza // *— -register*, registro delle presenze **4** pubblico.
attendant [ə'tendənt] *agg.* **1** che accompagna, che segue **2** presente ♦ *s.* servitore; inserviente; accompagnatore; guardiano.
attention [ə'tenʃən] *s.* **1** attenzione: *to attract* (o *to call* o *to draw*) *—*, richiamare l'attenzione; *to pay —*, fare attenzione // *—!*, attenzione!; (*mil.*) attenti! // *to stand at* (o *to*) *—*, (*mil.*) stare sull'attenti **2** cura; (*ge-*

ner. pl.) attenzioni (*pl.*), riguardi (*pl.*) // *to pay one's attentions to*, fare la corte a.

attentive [ə'tentiv] *agg.* 1 attento 2 sollecito; riguardoso; cortese.

attentiveness [ə'tentivnis] *s.* 1 attenzione; cura 2 sollecitudine; cortesia.

to **attenuate** [ə'tenjueit] *v.tr.* 1 assottigliare; far dimagrire; diluire; rarefare 2 attenuare ♦ *v.intr.* 1 assottigliarsi, dimagrire 2 attenuarsi.

attenuation [ə,tenju'eiʃən] *s.* 1 assottigliamento; dimagramento 2 attenuazione.

to **attest** [ə'test] *v.tr.* 1 attestare, testimoniare, certificare; autenticare 2 giurare, far giurare ♦ *v.intr.*: *to — to*, testimoniare.

attestant [ə'testənt] *agg.* attestante ♦ *s.* (*dir.*) teste.

attestation [,ætes'teiʃən] *s.* 1 testimonianza; prova 2 autenticazione.

attested [ə'testid] *agg.* scientificamente controllato: — *milk*, latte garantito genuino e sano.

attic ['ætik] *s.* solaio, soffitta; attico.

attire [ə'taiə*] *s.* abbigliamento; abiti (*pl.*).

to **attire** *v.tr.* abbigliare; ornare; acconciare.

attitude ['ætitjuːd] *s.* posa; atteggiamento: — *of mind*, modo di pensare; *to strike an —*, assumere una posa, un atteggiamento.

attitudinal [æti'tjuːdinl] *agg.* attitudinale.

attitudinarian [,ætitjuːdi'nɛəriən] *s.* posatore.

to **attitudinize** [,æti'tjuːdinaiz] *v.intr.* posare; assumere un atteggiamento affettato.

attorney [ə'təːni] *s.* (*dir.*) 1 procuratore // *power of —*, procura 2 (*-at-law*), Procuratore legale, avvocato // *Attorney General*, Procuratore Generale; (*negli Stati Uniti*) pubblico ministero.

to **attract** [ə'trækt] *v.tr.* attrarre (*anche fig.*): *to — attention*, attirare l'attenzione.

attraction [ə'trækʃən] *s.* 1 (*fis.*) attrazione 2 attrattiva; seduzione.

attractive [ə'træktiv] *agg.* 1 (*fis.*) attrattivo 2 (*fig.*) attraente; seducente; allettante.

attribute ['ætribjuːt] *s.* attributo.

to **attribute** [ə'tribju(ː)t] *v.tr.* attribuire.

attribution [,ætri'bjuːʃən] *s.* attribuzione.

attributive [ə'tribjutiv] *agg.* attributivo ♦ *s.* attributo.

attrition [ə'triʃən] *s.* 1 attrito; logorio // *war of —*, guerra di logoramento 2 (*teol.*) attrizione.

to **attune** [ə'tjuːn] *v.tr.* accordare (*anche fig.*); adeguare: *to be attuned to*, essere in sintonia con.

aubergine ['oubəʒiːn] *s.* melanzana.

auburn ['ɔːbən] *agg.* castano ramato.

auction ['ɔːkʃən] *s.* asta, incanto: *by —*, all'incanto; *to put up to, for* (o *amer. at*) —, vendere all'incanto // *— sale*, vendita all'asta // *Dutch —*, vendita all'asta al ribasso.

to **auction** *v.tr.* vendere all'asta, all'incanto.

auctioneer [,ɔːkʃə'niə*] *s.* banditore, venditore all'incanto.

audacious [ɔː'deiʃəs] *agg.* 1 audace 2 sfrontato.

audaciousness [ɔː'deiʃəsnis], **audacity** [ɔː'dæsiti] *s.* 1 audacia 2 sfrontatezza.

audible ['ɔːdəbl] *agg.* udibile.

audience ['ɔːdjəns] *s.* 1 uditorio; pubblico; spettatori (*pl.*) 2 udienza.

audio [,ɔːdi'ou] *s.* audio.

audio-visual [,ɔːdiou'viʒuəl] *agg.* audiovisivo.

audit ['ɔːdit] *s.* verifica, revisione (di conti).

to **audit** *v.tr.* verificare, rivedere (conti).

audition [ɔː'diʃən] *s.* 1 audizione, provino 2 udito.

auditive ['ɔːditiv] *agg.* auditivo.

auditor ['ɔːditə*] *s.* 1 uditore 2 revisore (di conti).

auditorium [,ɔːdi'tɔːriəm] *s.* auditorio.

auditory ['ɔːditəri] *agg.* uditivo ♦ *s.* 1 auditorio 2 pubblico, spettatori (*pl.*).

auger ['ɔːgə*] *s.* trivella; succhiello.

aught [ɔːt] *s.* ogni cosa: *for — I know*, per quanto mi risulta.

to **augment** [ɔːg'ment] *v.tr. e intr.* aumentare.

augmentation [,ɔːgmen'teiʃən] *s.* aumento.

augmentative [ɔːg'mentətiv] *agg. e s.* (*gramm.*) accrescitivo.

to **augur** ['ɔːgə*] *v.tr. e intr.* predire: *it augurs well, ill, no good*, promette bene, male, nulla di buono.

augury ['ɔːgjuri] *s.* pronostico; presagio.

august [ɔː'gʌst] *agg.* augusto, maestoso.

August ['ɔːgəst] *s.* agosto.

Augustan [ɔː'gʌstən] *agg.* augusteo; (*lett. inglese*) dell'età di Dryden e Pope (1660-1744).

Augustin(e) [ɔː'gʌstin] *no.pr.m.* Agostino.

Augustinian [,ɔːgəs'tiniən] *agg. e s.* agostiniano.

Augustus [ɔː'gʌstəs] *no.pr.m.* Augusto.

auld [ɔːld] *agg.* (*scoz.*) vecchio.

aulic ['ɔːlik] *agg.* aulico.

aunt [ɑːnt] *s.* zia.

auntie ['ɑːnti] *s.* (*fam.*) zia.

au pair [ou'pεə*] *agg. e avv.* alla pari.

aura ['ɔːrə] *s.* aura.

aural ['ɔːrəl] *agg.* auricolare.

Aurelius [ɔː'riːljəs] *no.pr.m.* Aurelio.

aureole ['ɔːrioul] *s.* aureola.

auric ['ɔːrik] *agg.* aureo.

auricle ['ɔːrikl] *s.* 1 padiglione auricolare 2 orecchietta (del cuore).

auricular [ɔː'rikjulə*] *agg.* auricolare.

auriferous [ɔː'rifərəs] *agg.* aurifero.

aurora [ɔː'rɔːrə] *s.* aurora: — *borealis*, aurora boreale.

to **auscultate** ['ɔːskəlteit] *v.tr.* (*med.*) auscultare.

auscultation [,ɔːskəl'teiʃən] *s.* (*med.*) auscultazione.

auspice ['ɔːspis] *s.* auspicio // *under the auspices of*, sotto gli auspici di.

auspicious [ɔːs'piʃəs] *agg.* di buon auspicio.

Aussie [ɔːsi] *s.* (*fam.*) australiano.

austere [ɔs'tiə*] *agg.* austero.

austerity [ɔs'teriti] *s.* austerità.

austral ['ɔːstrəl] *agg.* australe.

Australia [ɔs'treiljə] *no.pr.* Australia.

Australian [ɔs'treiljən] *agg. e s.* australiano.

Austria ['ɔːstriə] *no.pr.* Austria.

Austrian ['ɔːstriən] *agg. e s.* austriaco.

austro- ['ɔstrou] *pref.* austro-.

autarchy [ɔː'tɔːki] *s.* dispotismo.

autarky, autarchy ['ɔːtɔːki] *s.* autarchia.

authentic [ɔː'θentik] *agg.* autentico.

to **authenticate** [ɔː'θentikeit] *v.tr.* autenticare.

authentication [ɔː'θenti'keiʃən] *s.* autenticazione.

authenticity [,ɔːθen'tisiti] *s.* autenticità.

author ['ɔːθə*] *s.* autore.

authoress ['ɔːθəris] *s.* autrice.

authoritarian [ɔː,θɔri'tεəriən] *agg.* autoritario; assolutista ♦ *s.* assolutista.

authoritarianism [ɔː,θɔri'tεəriənizəm] *s.* autoritarismo.

authoritative [ɔː'θɔritətiv] *agg.* 1 autoritario 2 autorevole; perentorio.

authority [ɔː'θɔriti] *s.* 1 autorità // *legal —*, autorità costituita **2** influenza, ascendente **3** competente, erudito, specialista **4** fonte (di informazioni) **5** autorizzazione **6** *pl.* le autorità *// local authorities*, enti locali.

authorization [ˌɔ:θərai'zeiʃən] *s.* autorizzazione.

to authorize [ˈɔ:θəraiz] *v.tr.* autorizzare.

authorship [ˈɔ:θəʃip] *s.* **1** professione di scrittore **2** paternità (di un libro).

auto [ˈɔ:tou] *s.* (*amer. fam.*) automobile.

auto- [ˈɔ:tou] *pref.* auto-.

autobiographer [ˌɔ:toubaiˈɔgrəfə*] *s.* autobiografo.

autobiographic [ˈɔ:tou,baiouˈgræfik] *agg.* autobiografico.

autobiography [ˌɔtoubaiˈɔgrəfi] *s.* autobiografia.

autocade [ˈɔ:toukeid] *s.* (*amer.*) corteo di automobili.

autochthon [ɔ:ˈtɔkθən], *pl.* **autochthones** [ɔ:ˈtɔkθəni:z] *s.* autoctono.

autochthonous [ɔ:ˈtɔkθənəs] *agg.* autoctono.

autoclave [ˈɔ:toukleiv] *s.* autoclave.

autocracy [ɔ:ˈtɔkrəsi] *s.* autocrazia.

autocrat [ˈɔ:təkræt] *s.* autocrate.

autodrome [ˈɔ:toudroum] *s.* autodromo.

autograph [ˈɔ:təgrɑ:f] *s.* **1** autografo **2** firma.

to autograph *v.tr.* firmare; apporre la propria firma.

autogravure [ɔ:tougrəˈvjuə*] *s.* autofotoincisione.

auto-ignition [ˈɔ:touigˈniʃən] *s.* autoaccensione.

automaker [ˈɔ:touˈmeikə*] *s.* (*amer.*) fabbrica di automobili.

automat [ˈɔ:təmæt] *s.* (*amer.*) ristorante con distribuzione automatica delle vivande.

automatic [ˌɔ:təˈmætik] *agg.* automatico *// — abstracting*, (*informatica*) analisi automatica dei documenti; *— carriage*, meccanismo di trascinamento carta; *— routine*, programma automatico; *— typesetting*, composizione automatica dei testi; *— calling unit*, (*tel.*) unità di chiamata automatica ♦ *s.* pistola automatica.

automation [ˌɔ:təˈmeiʃən] *s.* automazione.

automatism [ɔ:ˈtɔmətizəm] *s.* automatismo.

automaton [ɔ:ˈtɔmətən], *pl.* **automatons** [ɔ:ˈtɔmətənz], **automata** [ɔ:ˈtɔmətə] *s.* automa.

automobile [ˈɔ:təməbi:l, (*amer.*) ɔ:təməˈbi:l] *s.* automobile.

autonomous [ɔ:ˈtɔnəməs] *agg.* autonomo.

autonomy [ɔ:ˈtɔnəmi] *s.* autonomia.

autopsy [ˈɔ:təpsi] *s.* autopsia.

autumn [ˈɔ:təm] *s.* autunno.

autumnal [ɔ:ˈtʌmnəl] *agg.* autunnale.

auxiliary [ɔ:gˈziljəri] *agg.* ausiliare, ausiliario ♦ *s.* **1** (*gramm.*) ausiliare **2** *pl.* truppe alleate.

avail [əˈveil] *s.* utilità; vantaggio *// to no —*, senza successo.

to avail *v.tr.* e *intr.* servire (a), essere utile (a) *// to — oneself of*, approfittare di, servirsi di.

availability [əˌveiləˈbiliti] *s.* **1** disponibilità **2** (*di biglietto*) validità.

available [əˈveiləbl] *agg.* **1** disponibile **2** (*di biglietto*) valevole.

avalanche [ˈævəlɑ:nʃ] *s.* valanga.

avant-garde [əvɑ:nˈgɑ:d] *s.* avanguardia ♦ *agg.* d'avanguardia.

avarice [ˈævəris] *s.* avarizia; cupidigia.

avaricious [ˌævəˈriʃəs] *agg.* avaro; cupido.

ave [ˈɑ:vi] *s.* e *inter.* ave.

to avenge [əˈvendʒ] *v.tr.* vendicare *// to — oneself for sthg.*, vendicarsi di qlco.

avenue [ˈævinju:] *s.* **1** viale alberato **2** via, strada (*anche fig.*) *// to explore every —*, esaminare ogni possibilità.

to aver [əˈvə:*] *v.tr.* **1** dichiarare **2** (*dir.*) provare.

average [ˈævəridʒ] *agg.* medio ♦ *s.* media: *on the —*, in media.

to average *v.tr.* mediare; avere, fare in media *// to — out*, livellare, portare a valore medi ♦ *v.intr.* essere, ammontare in media.

averse [əˈvə:s] *agg.* contrario, ostile.

aversion [əˈvə:ʃən] *s.* avversione, antipatia, idiosincrasia: *sour milk is one of my pet aversions*, (*fam.*) il latte acido è una delle cose che odio di più.

to avert [əˈvə:t] *v.tr.* **1** distogliere; allontanare **2** evitare, scongiurare.

aviary [ˈeivjəri] *s.* uccelliera.

aviation [ˌeiviˈeiʃən] *s.* aviazione.

aviator [ˈeivieitə*] *s.* aviatore.

aviculture [ˈeivikʌltʃə*] *s.* avicoltura.

avid [ˈævid] *agg.* avido.

avidity [əˈviditi] *s.* avidità.

avocado (pear) [ˌævəˈkɑ:dou(ˈpeə*)] *s.* (*bot.*) avocado.

avocation [ˌævouˈkeiʃən] *s.* occupazione.

to avoid [əˈvɔid] *v.tr.* **1** evitare; schivare: *to — doing sthg.*, evitare di fare qlco. **2** (*dir.*) invalidare.

avoidance [əˈvɔidəns] *s.* **1** l'evitare **2** (*dir.*) vacanza (di titolo, beneficio ecc.).

avoirdupois [ˌævədəˈpɔiz] *s.* (*fig. fam.*) mole, ciccia.

to avow [əˈvau] *v.tr.* **1** ammettere; confessare *// to — oneself*, riconoscersi, dichiararsi **2** (*dir.*) giustificare.

avowal [əˈvauəl] *s.* ammissione; confessione.

avulsion [əˈvʌlʃən] *s.* avulsione.

avuncular [əˈvʌŋkjulə*] *agg.* di zio.

to await [əˈweit] *v.tr.* attendere, aspettare.

awake [əˈweik] *agg.* **1** sveglio, desto *// wide —*, ben sveglio **2** accorto *// — to*, conscio di.

to awake, *pass.* **awoke** [əˈwouk], *p.pass.* **awoke**, **awaked** [əˈweikt], **awoken** [əˈwoukən] *v.tr.* svegliare, destare ♦ *v.intr.* svegliarsi *// to — to* (*sthg.*), rendersi conto di (qlco.).

to awaken [əˈweikən], *pass.* e *p.pass.* **awoken** [əˈwoukən] *v.tr.* risvegliare ♦ *v.intr.* risvegliarsi.

awakening [əˈweikniŋ] *s.* risveglio (*anche fig.*): *a rude —*, un brusco risveglio.

award [əˈwɔ:d] *s.* **1** ricompensa; premio **2** (*dir.*) indennizzo.

to award *v.tr.* **1** assegnare, conferire; concedere **2** decretare.

aware [əˈwɛə*] *agg.* conscio; consapevole: *to be — of sthg.*, rendersi conto di qlco.; essere al corrente di qlco.

awareness [əˈwɛənis] *s.* consapevolezza.

awash [əˈwɔʃ] *agg.pred.* a fior d'acqua; a galla.

away [əˈwei] *avv.* via; lontano: *— from*, via da, assente da; *far —*, lontano; *to be —*, essere assente *// — with him!*, portatelo via! *// to work —*, continuare a lavorare *// — match*, (*sport*) partita fuori casa.

awe [ɔ:] *s.* timore (misto a ammirazione), soggezione: *to stand in — of* (*s.o.*, *sthg.*), avere soggezione di (qlcu., qlco.).

to awe *v.tr.* incutere timore, soggezione a.

aweigh [əˈwei] *agg.* (*mar.*) (*di ancora*) sollevato, sospeso.

awe-inspiring [ˈɔ:inspaiəriŋ] *agg.* che incute un timore riverente.

awesome [ˈɔ:səm] *agg.* che incute timore.

awful [ˈɔ:ful; *nel senso* 3 ˈɔ:fl] *agg.* **1** terribile; spaventoso **2** (*antiq.*) imponente, maestoso **3** (*fam.*) orribile

// she does an — lot of talking, è una gran chiacchierona.

awfully [ˈɔːfuli; *nel senso* 2 ˈɔːfli] *avv.* **1** terribilmente **2** *(fam.)* molto, moltissimo.

awhile [əˈwail] *avv.* un momento.

awkward [ˈɔːkwəd] *agg.* **1** goffo; imbarazzato; maldestro; imbranato *// the — age*, l'età ingrata **2** difficile; *(di cose)* scomodo, poco maneggevole *// an — customer*, un tipo difficile (*o* pericoloso) **3** imbarazzante; inopportuno.

awl [ɔːl] *s.* punteruolo, lesina.

awn [ɔːn] *s. (di spiga)* resta.

awning [ˈɔːnin] *s.* tendone, telone (spec. su nave) *// — deck*, (ponte di) coperta.

awoke *pass.* e *p.pass.* di to **awake**.

awoken *pass.* e *p.pass.* di to **awaken**; *p.pass.* di to **awake**.

awry [əˈrai] *avv.* e *agg.* di traverso: *to go —*, *(fig.)* andare di traverso.

ax(e) [æks] *s.* scure, accetta *// executioner's —*, mannaia *// to get the —*, essere eliminato, buttato fuori *// to have an — to grind*, avere un secondo fine.

axial [ˈæksiəl] *agg.* assiale.

axillary [ˈæksiləri] *agg.* ascellare.

axiom [ˈæksiəm] *s.* assioma.

axiomatic [ˌæksiəˈmætik] *agg.* assiomatico.

axis [ˈæksis], *pl.* **axes** [ˈæksiːz] *s.* asse *// the Axis*, (*st.*) l'Asse.

axle [ˈæksl] *s. (mecc.)* asse; perno (dell'asse).

axlebox [ˈækslbɔks] *s. (mecc.)* boccola.

axletree [ˈæksltriː] *s. (mecc.)* asse.

ay, aye [i] *inter.* sì.

azalea [əˈzeiljə] *s.* azalea.

azimuth [ˈæziməθ] *s. (astr.)* azimut.

Azores, the [əˈzɔːz] *no.pr.pl.* le Azzorre.

azote [əˈzout] *s.* azoto.

azotemia [ˌæzəˈtiːmiə] *s. (med.)* azotemia.

Aztec [ˈæztek] *agg.* e *s.* azteco.

azure [ˈæʒjə*] *agg.* e *s.* azzurro, celeste.

to azure *v.tr.* azzurrare.

azurine [ˈæʒurin] *agg.* azzurrino.

azyme [ˈæzim] *s.* pane azzimo.

azymous [ˈæziməs] *agg.* azzimo.

B

b [biː], *pl.* **bs, b's** [biːz] *s.* **1** b *// — for Benjamin*, (*tel.*) b come Bologna **2** B, (*mus.*) si.

baa [baː] *s.* belato.

to baa *v.intr.* belare.

babble [ˈbæbl] *s.* **1** balbettamento **2** chiacchiera **3** mormorio (di ruscello ecc.); cinguettio.

to babble *v.intr.* **1** balbettare **2** chiacchierare **3** mormorare (di ruscello ecc.); cinguettare (di uccelli).

babe [beib] *s.* **1** bambino **2** *(fig.)* persona inesperta **3** *(sl. amer.)* ragazza, giovane donna.

baboon [bəˈbuːn] *s. (zool.)* babbuino.

baby [ˈbeibi] *s.* **1** neonato; bimbo *// to be left holding* (o *to hold) the —*, (*sl.*) essere lasciato nei pasticci *// -boy, — girl*, bambino, bambina **2** piccolo di animale (spec. di scimmie) **3** *(fig.)* bamboccio **4** *(sl.)* innamorata ♦ *agg.* **1** di, per bambino; infantile *// — talk*, linguaggio infantile **2** *(fam.)* piccolo, di formato ridotto *// — car*, utilitaria *// — grand*, pianoforte a mezza coda.

baby carriage [ˈbeibiˌkæridʒ] *s.* (*amer.* per *pram*) carrozzina (per bambini).

babyhood [ˈbeibihud] *s.* infanzia.

babyish [ˈbeibiiʃ] *agg.* bambinesco, infantile.

to baby-sit [ˈbeibiˌsit] *v.intr.* fare da «baby-sitter».

baby-sitter [ˈbeibiˌsitə*] *s.* «baby-sitter».

baccalaureate [ˌbækəˈlɔːriit] *s.* laurea.

baccarat [ˈbækərɑː] *s. (gioco)* baccarà.

Baccarat®-glass [ˈbækərɑːˈglɑːs] *s.* (cristallo) baccarà.

bacchanal [ˈbækənl] *agg.* **1** bacchico **2** ubriaco litigioso ♦ *s.* **1** sacerdote di Bacco **2** gozzovigliatore **3** baccanale *(anche fig.)*.

bacchanalia [ˌbækəˈneiljə] *s.pl.* baccanali.

bacchanalian [ˌbækəˈneiljən] *agg.* di, da baccanale.

bacchant [ˈbækənt] *s.* **1** seguace di Bacco **2** ubriaco.

bacchante [bəˈkænti] *s.* baccante.

Bacchic [ˈbækik] *agg.* bacchico.

Bacchus [ˈbækəs] *no.pr.m. (mit.)* Bacco.

bachelor [ˈbætʃələ*] *s.m.* **1** scapolo, celibe *// —'s buttons*, (*fam.*) automatici **2** (*st.*) baccelliere **3** *Bachelor of Arts, of Science*, laureato in lettere, in scienze.

bachelor-girl [ˈbætʃələˈgəːl] *s.* ragazza indipendente.

bachelorhood [ˈbætʃələhud] *s.* celibato.

bacillus [bəˈsiləs], *pl.* **bacilli** [bəˈsilai] *s.* bacillo.

back [bæk] *agg.* **1** posteriore *// — garden*, giardino che si trova sul di dietro di una casa *// — streets*, (*spec. pl.*) strade di periferia (spesso in un quartiere popolare) **2** arretrato ♦ *s.* **1** schiena, dorso: *behind your —*, alle tue spalle; *excuse my —*, scusa se ti volto le spalle; *we'll be glad to see the — of him*, saremo contenti quando se ne andrà *// to break the —*, compiere la parte più ardua di un lavoro *// to be on one's —*, giacere ammalato *// this got his — up*, questo lo irritò *// at the — of one's mind*, in fondo in fondo, sotto sotto; *there is sthg. at the — of my mind that I should do, but...*, avevo in mente di dover fare qlco., ma... **2** retro **3** schienale **4** dorso (di mano); piatto posteriore di un libro; costa (di lama) *// to know a place like the — of one's hand*, conoscere un posto come le proprie tasche **5** (*sport*) terzino.

back *avv.* **1** indietro; di ritorno: *to come —*, tornare indietro; *to be —*, essere di ritorno, ritornare *// — and forth*, innanzi e indietro *// (in) — of*, (*amer.*) dietro (a); prima di **2** fa, addietro: *some years —*, qualche anno fa.

to back *v.tr.* **1** fare da sfondo a; essere alle spalle di: *hills back the town*, le colline fanno da sfondo alla città **2** rinforzare; rivestire, foderare: *to — a wall with bricks*, rivestire una parete con mattoni; *to — a skirt*, foderare una gonna **3** sostenere, spalleggiare: *to — (up) s.o.*, sostenere qlcu. **4** scommettere su: *to —*

horses, scommettere sui cavalli // *he has backed a winner*, ha scommesso sul cavallo vincente; (*fig.*) ha avuto un colpo di fortuna **5** avallare, controfirmare **6** far indietreggiare: *to — a car*, far marcia indietro ♦ *v.intr.* **1** indietreggiare **2** (*di vento*) soffiare in senso antiorario **3** *to — down*, abbandonare ogni pretesa **4** *to — out*, ritirarsi (da un'impresa); rifiutarsi di mantenere la parola data.

backbencher [ˈbækˌbenʧə*] *s.* (*in Inghilterra*) parlamentare non facente parte del governo.

to backbite [ˈbækbait], *pass.* **backbit** [ˈbæk bit], *p.pass.* **backbit, backbitten** [ˈbækˌbitn] *v.tr.* sparlare di, parlare alle spalle di.

backbiter [ˈbækˌbaitə*] *s.* calunniatore, maldicente.

backboard [ˈbækbɔːd] *s.* **1** parte posteriore, retro (spec. di quadro) **2** ribalta (di carro).

backbone [ˈbækbuon] *s.* **1** spina dorsale // *to the —*, interamente, completamente **2** (*fig.*) sostegno **3** (*fig.*) fermezza, tenacia.

backchat [ˈbækʧæt] *s.* **1** (*fam.*) risposta impertinente, rimbecco **2** (*teatr.*) tirata.

backcombing [ˈbækˌkoumiŋ] *s.* cotonatura.

to backdate [ˈbækdeit] *v.tr.* retrodatare.

backdoor [ˈbækˈdɔː*] *agg.* segreto, clandestino.

backdrop [ˈbækdrɔp] *s.* (*teatr.*) fondale.

back-end [ˈbækend] *s.* **1** fondo **2** (*fam.*) tardo autunno.

backer [ˈbækə*] *s.* **1** sostenitore // *theatrical —*, finanziatore teatrale **2** scommettitore.

backfire [ˈbækˈfaiə*] *s.* (*mecc.*) ritorno di fiamma.

to backfire *v.intr.* (*fam.*) fallire.

back-formation [ˈbækfɔːˈmeiʃən] *s.* (*linguistica*) retroformazione; formazione a posteriori.

backgammon [ˈbækˈgæmən, (*amer.*) ˈbækgæmən] *s.* (*gioco*) tavola reale.

background [ˈbækgraund] *s.* **1** sfondo (di quadro, scena) // *— music*, sottofondo musicale **2** posizione di secondo piano; oscurità, ombra: *to stay in the —*, stare in ombra, in disparte **3** ambiente **4** conoscenza generale; base culturale; esperienza **5** (*usato attr.*) (*informatica*) di fondo, non prioritario: *— area*, area di fondo, non prioritaria; *— processing*, elaborazione secondaria, elaborazione a bassa priorità; *— program*, programma non prioritario.

backhand [ˈbækhænd] *s.* **1** (*tennis*) rovescio **2** grafia sinistrorsa ♦ *agg.* rovescio.

backhanded [ˈbækhændid] *agg.* **1** con il dorso della mano: *a — slap*, un manrovescio **2** (*di scrittura*) sinistrorso **3** (*fig.*) sleale // *— compliment*, un complimento ambiguo.

backhander [ˈbækhændə*] *s.* **1** manrovescio **2** (*fig.*) rimprovero.

backing [ˈbækiŋ] *s.* **1** rinforzo, sostegno; rivestimento, fodera; (*edil.*) camicia **2** (*fig.*) sostegno, appoggio **3** gruppo di sostenitori **4** marcia indietro.

backlog [ˈbæklɔg] *s.* (*comm.*) arretrato.

back number [ˈbækˈnʌmbə*] *s.* **1** numero arretrato (di periodico) **2** (*fig.*) persona, cosa antiquata.

backrest [ˈbækrest] *s.* schienale.

backroom-boy [ˈbækruːmˈbɔi] *s.* chi lavora dietro le quinte.

back seat [ˈbækˈsiːt] *s.* **1** sedile posteriore // *back seat driver*, (*fig.*) impiccione **2** (*fig.*) posizione d'inferiorità, di secondo piano.

backside [ˈbækˈsaid] *s.* **1** parte posteriore **2** (*volg.*) deretano.

to backslide [ˈbækˈslaid], *pass.* e *p.pass.* **backslid** [ˈbækˈslid] *v.intr.* ricadere nell'errore; traviarsi.

backslider [ˈbækˈslaidə*] *s.* persona traviata.

backspace [ˈbækspeis] *s.* **1** tasto di ritorno **2** (*informatica*) arretramento di uno spazio, posizionamento indietro; (*IBM*) spazio di ritorno; spaziatura indietro: *— key*, tasto di ritorno.

to backstab [ˈbækˈstæb] *v.intr.* pugnalare alle spalle.

backstage [ˈbækˈsteidʒ] *agg.* e *avv.* (*teatr.*) dietro le scene, le quinte ♦ *s.* retroscena.

backstairs [ˈbækˈstɛəz] *s.pl.* scala di servizio ♦ *agg.* (*fig.*) segreto, nascosto: *— deals*, accordi segreti // *— influence*, spintarella.

backstitch [ˈbækstitʃ] *s.* punto indietro.

back-stroke [ˈbækstrouk] *s.* bracciata (nel nuoto sul dorso).

to backtrack [ˈbæktræk] *v.intr.* tornare sui propri passi.

backtracking [ˈbæktrækiŋ] *s.* (*informatica*) ritorno (all'indietro).

backup [ˈbækʌp] *s.* **1** sostegno, appoggio; copertura **2** (*informatica*) (*usato attr.*) di riserva, in sostituzione: *— computer*, elaboratore di riserva; *— copy*, copia di riserva; *— facilities*, attrezzature di riserva; installazioni di soccorso; *— procedure*, procedura di riserva; *— programmer*, aiuto programmatore; *— tape*, duplicato (di nastro).

to back up *v.tr.* sostenere, appoggiare.

backward [ˈbækwəd] *agg.* **1** all'indietro, a ritroso: *to make a — movement*, indietreggiare **2** riluttante; timido: *he wasn't — in asking a favour*, non esitò a chiedere un favore **3** lento, tardivo; retrogrado // *a — child*, un bambino ritardato // *to be — in one's studies*, essere indietro negli studi **4** arretrato, sottosviluppato: *the — areas of the world*, le zone sottosviluppate **5** tardivo (di pianta).

backwardness [ˈbækwədnis] *s.* **1** l'essere indietro, in ritardo, arretrato **2** riluttanza **3** lentezza (mentale).

backward(s) [ˈbækwəd(z)] *avv.* indietro, all'indietro; in senso inverso, a ritroso // *to know sth. —*, sapere, conoscere perfettamente qlco.

backwash [ˈbækwɔʃ] *s.* **1** risacca; riflusso **2** scia **3** (*fig.*) ripercussione.

backwater [ˈbækˌwɔːtə*] *s.* **1** acqua stagnante; lanca **2** riflusso **3** (*fig.*) situazione stagnante, ristagno.

backwoods [ˈbækwudz] *s.pl.* foreste vergini.

backwoodsman, *pl.* **backwoodsmen** [ˈbækwudz mən] *s.* **1** abitante della foresta (*pol.*) assenteista.

backyard [ˌbækˈjɑːd] *s.* cortile dietro la casa.

bacon [ˈbeikən] *s.* pancetta affumicata // *to bring home the —*, (*sl. amer.*) portare a casa la paga // *to save one's —*, salvare la pelle.

bacterial [bækˈtiəriəl] *agg.* batterico.

bactericide [bækˈtiərisaid] *s.* battericida.

bacteriological [bæk,tiəriəˈlɔdʒikəl] *agg.* batteriologico.

bacteriologist [bæk,tiəriˈɔlədʒist] *s.* batteriologo.

bacteriology [bæk,tiəriˈɔlədʒɪ] *s.* batteriologia.

bacterium [bækˈtiəriəm], *pl.* **bacteria** [ækˈtiəriə] *s.* batterio.

bad [bæd], *comp.* **worse** [wəːs], *superl.* **worst** [wəːst] *agg.* cattivo; brutto: *— news*, brutte notizie; *— weather*, brutto tempo // *a — apple*, una mela marcia // *a — cold*, un forte raffreddore; *a — mistake*, un grave errore // *— blood*, (*fig.*) cattivo sangue // *— debts*, debiti irredimibili // *— form*, (*sl.*) maleducazione // *— egg*, *— hat*, *— lot*, (*sl.*) un buono a nulla // *—*

-lands, (*pl. amer.*) regioni aride // *to go* —, andare a male, guastarsi // — *for* (*s.o.*, *sthg.*), nocivo, dannoso a (qlcu., qlco.) // *too* —!, che peccato! // *that's not* (*so*) —, non c'è male // *to be* — *at sthg.*, non aver attitudine per qlco. // *to be in* — (*with*), (*amer.*) essere in disgrazia (presso) // *to feel* —, sentirsi male // *to feel* — *about sthg.*, sentirsi colpevole, spiacente per qlco. // *to have a* — *finger, foot*, aver male a un dito, piede.

bad *s.* male; rovina; perdita: £ *300 to the* —, (*comm.*) 300 sterline in conto perdita // *to go to the* —, depravarsi.

bade *pass.* di to **bid**.

badge [bædʒ] *s.* **1** distintivo; (*mil.*) gallone **2** (*fig.*) simbolo.

badger[ˈbædʒə*]*s.* **1**(*zool.*)tasso **2**pennello di tasso. to **badger** *v.tr.* molestare; importunare con richieste continue.

badinage [ˈbædinɑːʒ, (*amer.*) ˌbædənˈɑːʒ] *s.* scherzo, burla.

badly [ˈbædli] *avv.* **1** male, malamente // — *off*, povero, spiantato **2** (*fam.*) duramente: *to be* — *beaten at tennis*, essere duramente sconfitto a tennis **3** moltissimo, grandemente.

badminton [ˈbædmintən] *s.* (*gioco*) volano.

badness [ˈbædnis] *s.* **1** cattiveria, malvagità **2** cattiva qualità; cattivo stato **3** rigore (di clima).

baffle [ˈbæfl] *s.* deflettore.
to **baffle** *v.tr.* sconcertare, sconvolgere.

bag [bæg] *s.* **1** sacco // — *and baggage*, armi e bagagli // — *of bones*, sacco d'ossa // *the whole* — *of tricks*, tutti i trucchi possibili // *to have bags of money*, avere un sacco di soldi // *to let the cat out of the* —, lasciarsi sfuggire un segreto // *in the* —, certo, sicuro; *his nomination was in the* —, la sua nomina era sicura **2** borsa // *to have bags below the eyes*, avere le borse agli occhi **3** valigia diplomatica **4** preda **5** ghiandola: *the poison* — *of a snake*, la ghiandola velenifera di un serpente **6** *pl.* (*fam.*) pantaloni.

to **bag** *v.tr.* **1** insaccare **2** catturare (selvaggina) **3** appropriarsi // *bags I the armchair!*, la poltrona è mia! ♦ *v.intr.* **1** gonfiarsi **2** essere largo (di vestito): *his trousers* — *at the knees*, i suoi calzoni hanno le borse alle ginocchia.

bagatelle [ˌbægəˈtel] *s.* bagattella.

baggage [ˈbægidʒ] *s.* **1** (*solo sing.*) bagaglio, bagagli (*pl.*): — *check*, scontrino per il bagaglio **2** — (*train*), (*mil.*) salmeria **3** (*fam.*) ragazza sfrontata, impertinente **4** (*fam.*) vecchia carampana.

baggage room [ˈbægidʒruːm] *s.* (*amer.* per *left luggage office*) deposito bagagli.

baggy [ˈbægi] *agg.* **1** rigonfio **2** sformato, cascante.

bagpipe(s) [ˈbægpaip(s)] *s.* cornamusa.

bail[1] [beil] *s.* (*dir.*) **1** cauzione; garanzia: *to grant* —, concedere la libertà provvisoria su cauzione // *to forfeit* —, non presentarsi in giudizio **2** garante: *to go* (*o to stand*) — *for s.o.*, rendersi garante per qlcu.

to **bail**[1] *v.tr.* **1** garantire (per): *to* — *s.o.* (*out*), ottenere per qlcu. la libertà provvisoria dietro cauzione **2** dare in garanzia.

bail[2] *s.* (*mar.*) sassola, gottazza.
to **bail**[2] *v.tr. e intr.* (*mar.*) sgottare, aggottare.

bailee [beiˈliː] *s.* (*dir. comm.*) depositario.

bailey [ˈbeili] *s.* muro esterno, corte di castello // *the Old Bailey*, l'«Old Bailey» (tribunale penale centrale di Londra).

bailiff [ˈbeilif] *s.* **1** ufficiale giudiziario **2** fattore, amministratore di una tenuta.

bailment [ˈbeilmənt] *s.* (*comm.*) consegna di merci (da custodire).

bailor [ˈbeilə*] *s.* (*dir. comm.*) depositante; garante.

bailsman, *pl.* **bailsmen** [ˈbeilzmən] *s.* (*dir.*) garante, mallevadore.

bain-marie [ˌbænmɑːˈriː] *s.* (*cuc.*) bagnomaria.

bait [beit] *s.* **1** esca **2** (*fig.*) lusinga.
to **bait** *v.tr.* **1** fornire d'esca **2** (*fig.*) lusingare **3** tormentare (*anche fig.*); esasperare.

baize [beiz] *s.* panno di lana grezza.

to **bake** [beik] *v.tr.* cuocere al forno; indurire ♦ *v.intr.* cuocersi; indurirsi.

bakehouse [ˈbeikhaus] *s.* forno, panificio.

bakelite® [ˈbeikəlait] *s.* bachelite.

baker [ˈbeikə*] *s.* fornaio, panettiere: —'s (*shop*), panetteria // —'s *dozen*, 13

bakery [ˈbeikəri] *s.* forno, panificio.

baking [ˈbeikiŋ] *s.* cottura al forno; infornata; cotta (di terracotte, mattoni) // — *-tin*, teglia ♦ *agg.* caldissimo: — *-hot*, torrido.

baking-powder [ˈbeikiŋˌpaudə*] *s.* lievito in polvere.

baksheesh, bakshish [ˈbækʃiːʃ] *s.* mancia.

balaclava [ˌbæləˈklɑːvə] *s.* passamontagna.

balance [ˈbæləns] *s.* **1** bilancia // *on* —, tutto sommato // *the Balance*, (*astr.*) Bilancia **2** — (*-wheel*), bilanciere (d'orologio); — *spring*, molla per bilanciare **3** equilibrio (*anche fig.*); contrappeso (*anche fig.*) // — *of power*, (*pol.*) equilibrio delle forze // *to strike a* —, arrivare a un compromesso **4** (*comm.*) bilancio; pareggio; conguaglio; saldo: — *in hand*, saldo a credito; — *of payments*, bilancia dei pagamenti // *credit, debit* —, saldo a credito, a debito; *final* —, consuntivo // — *sheet*, bilancio di esercizio.

to **balance** *v.tr.* **1** pesare (*anche fig.*); (*fig.*) soppesare **2** bilanciare; contrappesare **3** oscillare **4** (*comm.*) saldare; pareggiare ♦ *v.intr.* **1** bilanciarsi, mantenere l'equilibrio **2** fare il bilancio.

balanced [ˈbælənst] *agg.* equilibrato: *a* — *diet*, una dieta equilibrata.

balcony [ˈbælkəni] *s.* **1** balcone **2** (*teatr.*) balconata.

bald [bɔːld] *agg.* **1** calvo, pelato; nudo, senza vegetazione **2** macchiato di bianco (di animali) **3** disadorno (di stile): *a* — *statement*, una dichiarazione senza mezzi termini.

baldachin, baldaquin [ˈbɔːldəkin] *s.* baldacchino.

balderdash [ˈbɔːldədæʃ] *s.* guazzabuglio (di parole).

bald-headed [ˈbɔːldˈhedid] *agg. e avv.* calvo, senza capelli // *to go* — *at*, (*fam.*) lanciarsi a capofitto (in).

baldly [ˈbɔːldli] *avv.* chiaramente, senza mezzi termini.

baldness [ˈbɔːldnis] *s.* **1** calvizie **2** (*fig.*) nudità.

baldric [ˈbɔːldrik] *s.* tracolla: — *-wise*, a tracolla.

bale[1] [beil] *s.* disastro.

bale[2] *s.* balla (di merce); *pl.* merci, merce (*sing.*).
to **bale**[2] *v.tr.* imballare.

to **bale**[3] *v.intr.: to* — *out*, **1** (*mar.*) sgottare, aggottare **2** paracadutarsi.

Balearic Islands, the [ˌbæliˈærik ˈailəndz] *no.pr.pl.* le Baleari.

baleen [bəˈliːn] *s.* fanone.

baleful [ˈbeilful] *agg.* dannoso; pericoloso; funesto.

balk, baulk [bɔːk] *s.* **1** (*agr.*) porca **2** (*fig.*) ostacolo **3** (*arch.*) trave di legno.

to **balk** *v.tr.* ostacolare ♦ *v.intr.* **1** rifiutare l'ostacolo (di cavallo) **2** (*fig.*) esitare.

Balkan [ˈbɔːlkən] *agg.* balcanico.

Balkans, the [ˈbɔːlkənz] *no.pr.pl.* i Balcani.

ball[1] [bɔ:l] *s.* palla; pallone; gomitolo; pallottola // — *of the foot*, avampiede // *on the —*, in gamba // *to keep the — rolling*, *(fam.)* mantenere vivo (spec. conversazione) // *— -boy*, raccattapalle.

ball[2] *s.* (festa da) ballo // *to have a —*, *(fam.)* divertirsi un mondo // *fancy-dress —*, ballo in costume.

ballad ['bæləd] *s.* ballata.

ballade [bæ'la:d] *s.* ballata (in tre stanze e un commiato).

ballad-monger ['bæləd'mʌŋgə*] *s.* autore e cantore di ballate.

ballast ['bæləst] *s.* **1** zavorra **2** equilibrio.

to **ballast** *v.tr.* **1** *(mar.)* zavorrare **2** *(fig.)* consolidare.

ballbearing ['bɔ:l'bɛəriŋ] *s.* cuscinetto a sfere.

ballcock ['bɔ:lkɔk], **balltap** ['bɔ:ltæp] *s.* galleggiante.

ballerina [,bælə'ri:nə], *pl.* **ballerine** [,bælə'ri:nə], **ballerinas** [,bælə'ri:nəz] *s.* ballerina.

ballet ['bælei] *s.* balletto // *— dancer*, ballerino (*o* ballerina) di danza classica // *— -girl*, ballerina classica // *-skirt*, tutù.

ball-game ['bɔ:lgeim] *s.* *(fam.)* situazione; «paio di maniche»: *it would be a whole new — if...*, sarebbe un altro paio di maniche se...

ballistic [bə'listik] *agg.* balistico.

ballistics [bə'listiks] *s.* *(mil.)* balistica.

ballistite ['bælistait] *s.* *(chim.)* balistite.

ballocks ['bæləks] *s.pl.* *(volg.)* fandonia *(sing.)*, balla *(sing.)*.

balloon [bə'lu:n] *s.* **1** pallone; aerostato: *barrage —*, pallone di sbarramento **2** fumetto.

to **balloon** *v.tr.* *(aer.)* andare in pallone **2** (anche con *out o up*) gonfiarsi come un pallone.

ballot ['bælət] *s.* **1** scheda (di votazione) **2** votazione segreta **3** scrutinio; voto: *by —*, allo scrutinio // *second —*, ballottaggio.

to **ballot** *v.intr.* votare a scrutinio segreto.

ballot-box ['bælətbɔks] *s.* urna (elettorale).

ballpoint ['bɔ:lpɔint] *s.* penna a sfera.

ballroom ['bɔ:lrum] *s.* sala da ballo.

ballyhoo [,bæli'hu:, *(amer.)* 'bælihu] *s.* **1** strombazzata pubblicitaria **2** ciance *(pl.)*.

balm [ba:m] *s.* balsamo.

balmy ['ba:mi] *agg.* **1** balsamico; fragrante **2** calmante *(anche fig.)* **3** *(sl.)* tocco, matto.

balsam ['bɔ:lsəm] *s.* **1** balsamo **2** *(bot.)* balsamina.

balsamic [bɔ:l'sæmik] *agg.* balsamico.

Balthazar [,bælθə'za:*] *no.pr.m.* Baldassarre.

Baltic ['bɔ:ltik] *agg.* baltico // *the Baltic (Sea)*, il (Mar) Baltico.

baluster ['bæləstə*] *s.* **1** balaustro **2** *pl.* ringhiera *(sing.)*.

balustrade [,bæləs'treid] *s.* balaustrata.

balustraded [,bæləs'treidid] *agg.* balaustrato.

bamboo [bæm'bu:] *s.* bambù.

to **bamboozle** [bæm'bu:zl] *v.tr.* turlupinare.

ban [bæn] *s.* **1** bando; editto **2** proibizione, divieto **3** denuncia; scomunica.

to **ban** *v.tr.* proibire; mettere all'indice.

banal [bə'na:l, *(amer.)* 'beinl] *agg.* banale.

banality [bə'na:ləti] *s.* banalità.

banana [bə'na:nə] *s.* banano; banana: *— (tree)*, banano // *— boat*, bananiera // *to go bananas* *(fam.)*, diventare pazzo // *— republic*, piccola repubblica sudamericana.

band[1] [bænd] *s.* **1** nastro; benda; striscia, fascia; cerchio (di botte) **2** *(eccl.)* fasciola **3** *pl.* baverina di collare *(sing.)* (di prete, magistrato ecc.) **4** *(mecc.)* nastro

trasportatore **5** *(fisica, informatica)* banda // *frequency —*, banda di frequenza.

to **band**[1] *v.tr.* **1** avvolgere con nastro, fascia ecc. **2** legare **3** associare ♦ *v.intr.* associarsi.

band[2] *s.* **1** *(mus.)* banda **2** banda; comitiva.

bandage ['bændidʒ] *s.* benda, fascia.

to **bandage** *v.tr.* bendare, fasciare.

bandbox ['bændbɔks] *s.* cappelliera.

banderol(e) ['bændəroul] *s.* banderuola.

bandit ['bændit], *pl.* **bandits** ['bændits], **banditti** ['bæn'diti(:)] *s.* bandito, brigante // *one-armed —*, «slot-machine».

banditry ['bænditri] *s.* rapina a mano armata.

bandmaster ['bænd,ma:stə*] *s.* capobanda, chi dirige una banda musicale.

bandog [,bændɔg] *s.* cane da guardia; mastino.

bandoleer, bandolier [,bændə'liə*] *s.* bandoliera.

bandsaw ['bændsɔ:] *s.* sega a nastro.

bandstand ['bændstænd] *s.* palco (d'orchestra).

bandwagon ['bænd,wægən] *s.* carro della banda (al seguito di un corteo) // *to climb on the —*, fare una scelta vincente, imbarcarsi in un'impresa destinata al successo.

bandy[1] ['bændi] *agg.* storto (di gambe).

to **bandy**[2] *v.tr.* **1** palleggiare **2** scambiare (parole, accuse ecc.): *to — words*, litigare; *to have one's name bandied about*, essere oggetto di chiacchiere.

bane [bein] *s.* sventura; rovina, flagello.

baneful ['beinful] *agg.* **1** velenoso **2** pernicioso.

bang[1] [bæŋ] *s.* **1** detonazione; botta; colpo violento **2** slancio // *to go (off) with a —*, *(fam.)* to go *(over)* with a —, *(amer.)* essere, avere un grande successo.

to **bang**[1] *v.tr. e intr.* **1** battere, sbattere rumorosamente, violentemente: *to — at* (o *on*) *the door*, battere forte alla porta; *the door banged shut*, la porta si chiuse violentemente **2** esplodere.

bang[2] *avv.* proprio, esattamente: *— on*, diritto ♦ *inter.* pum!

bang[3] *s.* frangia (di capelli).

banger ['bæŋɡə*] *s.* **1** salsiccia **2** *(riferito a auto)* vecchio macinino.

bangle ['bæŋgl] *s.* braccialetto.

banian ['bæniən], **banyan** ['bænjən] *s.* **1** commerciante indù **2** giacchetta, camiciotto sciolto di lana **3** *(bot.)* fico d'India.

to **banish** ['bæniʃ] *v.tr.* bandire; esiliare.

banishment ['bæniʃmənt] *s.* bando; esilio.

banister ['bænistə*] *s.* *(gener. pl.)* ringhiera.

banjo ['bændʒou], *pl.* **banjo(e)s** ['bændʒouz] *s.* *(mus.)* bangio.

bank[1] [bæŋk] *s.* **1** tumulo; cumulo; banco (di nubi, neve, sabbia) **2** riva; pendio; orlo.

to **bank**[1] *v.tr.* **1** arginare **2** *to — (up)*, accumulare ♦ *v.intr.* **1** *to — (up)*, accumularsi **2** *(aer.)* inclinarsi in virata.

bank[2] *s.* **1** banca: *— account*, conto in banca; *people's —*, banca popolare // *Bank Holiday*, festività civile inglese (p.e. 15 agosto); *(amer.)* ogni giorno feriale in cui le banche sono chiuse **2** banco (di gioco): *to break the —*, far saltare il banco.

to **bank**[2] *v.tr.* **1** depositare in una banca **2** tenere il banco (nei giochi) ♦ *v.intr.* **1** gestire una banca **2** depositare in una banca: *to — with*, depositare denaro presso, aver per banchiere **3** *to — (up) on* (*s.o.*, *sthg.*), contare su.

bank[3] *s.* fila di remi (in una galera); (banco dei) rematori.

bankable ['bæŋkəbl] *agg.* bancabile.

bankbook [bæŋkbuk] *s.* libretto di banca.

banker ['bæŋkə*] *s.* 1 banchiere // *banker's card*, carta di credito 2 chi tiene il banco (in alcuni giochi) 3 gioco d'azzardo.

banking[1] ['bæŋkiŋ] *s.* 1 arginatura 2 curva sopraelevata.

banking[2] *agg.* di banca, bancario ♦ *s.* attività bancaria; tecnica bancaria.

banking-house ['bæŋkiŋhaus]*s.* istituto bancario.

banknote ['bæŋknout]*s.* banconota.

bank rate ['bæŋkreit] *s.* tasso ufficiale di sconto.

bankrupt ['bæŋkrəpt] *agg.* fallito; insolvente ♦ *s.* fallito: *to go, to become —*, fallire.

to bankrupt *v.tr.* far fallire.

bankruptcy [,bæŋkrəprsi] *s.* bancarotta; fallimento.

banner['bænə*] *s.* vessillo; stendardo; bandiera // *— headline*, titolo a caratteri cubitali.

bannister ['bænistə*] *s.* ringhiera di scala.

bannock ['bænək] *s.* pagnotta casalinga (fatta con la farina d'avena).

banns [bænz] *s.pl.* pubblicazioni matrimoniali.

banquet ['bæŋkwit] *s.* banchetto.

to banquet *v.tr.* offrire un banchetto (a) ♦ *v.intr.* banchettare.

banquette [bæŋ'ket] *s.* (*mil.*) 1 banchina di tiro 2 passerella.

Banquo ['bæŋkwou] *no.pr.m.* (*lett.*) Banco.

banshee [bæn'ʃiː, (*amer.*) 'bænʃiː] *s.* spirito (di donna) preannunciante la morte.

bantam ['bæntəm] *s.* gallo piccolissimo ma forte e battagliero // *— weight*, (*pugilato*) peso gallo.

banter ['bæntə*] *s.* canzonatura.

to banter *v.tr.* canzonare ♦ *v.intr.* scherzare.

bantering ['bæntəriŋ] *agg.* scherzoso.

Bantu [bæn'tuː, (*amer.*) 'bæntuː] *agg.* e *s.* bantù.

banyan *s.* → **banian**.

baobab ['beiəbæb, (*amer.*) 'baubæb] *s.* (*bot.*) baobab.

baptism ['bæptizəm] *s.* battesimo.

baptismal [bæp'tizməl] *agg.* battesimale.

Baptist ['bæptist] *s.* (*st. relig.*) anabattista.

baptistery ['bæptistəri] *s.* battistero.

to baptize [bæp'taiz] *v.tr.* battezzare.

bar[1] [baː*] *prep.* eccetto, tranne, a parte: *— none*, senza eccezioni.

bar[2] *s.* 1 sbarra, spranga (di metallo, legno); tavoletta (di cioccolata); lingotto: *parallel bars*, (*ginnastica*) parallele 2 striscia 3 (*arald.*) sbarra, banda 4 diga; chiusa 5 impedimento; ostacolo; barriera; sbarramento 6 (*dir.*) sbarra; (*fig.*) tribunale: *to be called, to go to the —*, diventare avvocato // *the Bar Council*, l'Ordine degli avvocati 7 bar // *—keeper*, *—tender*, barista 8 (*mus.*) sbarretta; battuta 9 (*informatica*) barra: *— chart*, diagramma di Gantt; *— code*, codice a barre; *— font*, serie completa di caratteri a barre.

to bar[2] *v.tr.* 1 sprangare; sbarrare 2 ostruire; (*fig.*) ostacolare 3 rigare 4 escludere; proibire.

barb[1] [baːb] *s.* 1 punta (d'amo, di freccia ecc.) 2 cirro (di alcuni pesci); barba (di piuma) 3 pungiglione 4 soggolo.

to barb[1] *v.tr.* munire di punta // *barbed wire*, filo spinato.

barb[2] *s.* cavallo o piccione di Barberia.

Barbadian [baː'beidiən] *agg.* e *s.* (abitante) delle Barbados.

barbarian [baː'bɛəriən] *agg.* e *s.* barbaro; straniero.

barbaric [baː'bærik] *agg.* barbarico; primitivo.

barbarism ['baːbərizəm].*s.* 1 barbarie 2 barbarismo.

barbarity [baː'bæriti] *s.* barbarie.

barbarous ['baːbərəs] *agg.* barbaro.

barbecue ['baːbikjuː] *s.* 1 animale arrostito intero 2 graticola 3 festa all'aperto, picnic.

to barbecue *v.tr.* 1 far cuocere sulla graticola 2 far arrostire (un animale) tutto intero.

barbel ['baːbəl] *s.* 1 (*zool.*) barbo 2 *pl.* cirri (pendenti dalla bocca di pesci).

barber ['baːbə*] *s.* barbiere // *barber's shop*, (*amer.*) *— shop*, negozio di barbiere.

barbican ['baːbikən] *s.* barbacane.

barbiturate [,baː'bi'tjuərit] *s.* barbiturico.

barbituric [,baː'bi'tjuərik] *agg.* barbiturico.

barcarol(l)e ['baː'kəroul] *s.* (*mus.*) barcarola.

bard[1] [baːd] *s.* (*st.*) bardo.

bard[2] *s.* (*cuc.*) fetta di pancetta.

bardic [baːdik] *agg.* dei bardi.

bardolatry [baː'dɔlətri] *s.* idolatria per Shakespeare.

bare [bɛə*] *agg.* 1 nudo, spoglio; scoperto: *to lay —*, mettere a nudo, rivelare 2 logoro, usato 3 vuoto 4 semplice.

to bare *v.tr.* denudare, mettere a nudo; smascherare, scoprire.

bareback ['bɛəbæk] *agg.* e *avv.* senza sella (di cavallo).

barefaced ['bɛəfeist] *agg.* 1 a viso scoperto; senza maschera 2 chiaro 3 sfrontato.

barefoot ['bɛəfut] *agg.* scalzo ♦ *avv.* a piedi scalzi.

bare-handed ['bɛə'hændid] *agg.* e *avv.* a mani nude; senza armi.

bareheaded ['bɛə'hedid] *agg.* e *avv.* a capo scoperto.

barely ['bɛəli] *avv.* 1 apertamente; esplicitamente 2 appena: *I — know him*, lo conosco appena.

bargain ['baːgin] *s.* 1 contratto; patto; mercato; affare: *the — is closed*, l'affare è concluso // *into the —*, per giunta, in più; per di più // *..."That's a —"*, *..."D'accordo" // to make the best of a bad —*, fare del proprio meglio in una situazione difficile // *to drive a hard —*, (*fig.*) tirare acqua al proprio mulino 2 occasione, buon affare // *— sale*, occasioni.

to bargain *v.intr.* 1 contrattare, negoziare 2 aspettarsi: *I didn't — for his arrival*, non mi aspettavo il suo arrivo.

bargain-basement ['baːgin'beismənt] *s.* reparto occasioni (in un grande magazzino).

barge [baːdʒ] *s.* 1 chiatta; maona; betta 2 scialuppa; lancia di parata.

to barge *v.tr.* trasportare su chiatta ♦ *v.intr.* 1 *to — against, into, about* (*s.o., sthg.*), (*fam.*) urtare pesantemente contro (qlcu., qlco.) 2 *to — in*, (*fam.*) intervenire a sproposito.

bargee [baː'dʒiː] *s.* barcaiolo; battelliere // *to swear like a —*, bestemmiare come un carrettiere.

baritone ['bæritoun] *s.* (*mus.*) baritono; (*strumento*) basso.

barium ['bɛəriəm] *s.* (*chim.*) bario.

bark[1] [baːk] *s.* scorza, corteccia.

to bark[1] *v.tr.* 1 conciare; tingere 2 scortecciare // *to — one's skin*, sbucciarsi, ferirsi superficialmente.

bark[2] *s.* 1 latrato // *his — is worse than his bite*, can che abbaia non morde 2 (*fam.*) tosse.

to bark[2] *v.intr.* 1 latrare, abbaiare // *to — up the wrong tree*, sprecare invano le proprie energie 2 parlare rabbiosamente 3 (*fam.*) tossire.

bark[3] *s.* (*mar.*) brigantino a palo; (*poet.*) naviglio.

barker ['bɑ:kə*] s. **1** imbonitore **2** (*fam.*) pistola.

barley ['bɑ:li] s. orzo.

barley-corn ['bɑ:likɔ:n] s. (grano d')orzo // *John Barleycorn*, (*fam.*) personificazione dello whisky, della birra.

barm [bɑ:m] s. lievito di birra.

barmaid ['bɑ:meid] s. cameriera al banco.

barman, *pl.* **barmen** ['bɑ:mən] s. barista.

barmecide ['bɑ:misaid] *agg.* (*fig.*) irreale, illusorio; deludente.

barmy ['bɑ:mi] *agg.* **1** che contiene lievito; schiumoso; in fermentazione **2** (*sl.*) balordo.

barn [bɑ:n] s. **1** granaio; fienile // — *dance*, danza campestre // — *stormer*, guitto **2** baracca **3** (*amer.*) stalla; deposito (di tram, autobus).

barnacle[1] ['bɑ:nəkl] s. **1** (*zool.*) cirripede **2** (*fig.*) persona attaccaticcia **3** (*fam.*) lupo di mare.

barnacle[2] s. **1** torcinaso **2** (*fam.*) occhiali (*pl.*).

barney ['bɑ:ni] s. (*fam.*) baruffa, litigio.

barn-owl ['bɑ:naul] s. civetta.

barnstorm ['bɑ:mstɔ:rm] *v.intr.* (*amer.*) spostarsi rapidamente da un luogo all'altro (per tenere comizi, spettacoli ecc.).

barometer [bə'rɔmitə*] s. barometro.

barometric(al) [,bærə'metrik(əl)] *agg.* barometrico.

baron ['bærən] s. **1** barone **2** magnate (d'industria).

baronage ['bærənidʒ] s. i baroni (*pl.*).

baroness ['bærənis] s. baronessa.

baronet ['bærənit] s. baronetto.

baronetcy ['bærənitsi] s. baronia.

baronial [bə'rounjəl] *agg.* baronale.

barony ['bærəni] s. baronia.

baroque [bə'rouk] *agg.* e s. barocco (*anche fig.*).

barouche [bə'ru:ʃ] s. barroccio.

barque s. → **bark**[3].

barquentine ['bɑ:kənti:n] s. nave goletta.

barrack[1] ['bærək] s. (*gener. pl.*) caserma.

to **barrack**[1] *v.tr.* accasermare.

to **barrack**[2] *v.tr.* (*sl.*) interrompere (con grida); zittire.

barracoon [,bærə'ku:n] s. recinto per schiavi.

barracuda [,bærə'ku:də] s. (*zool.*) barracuda.

barrage ['bærɑ:ʒ, (*amer.*) bə'rɑiʒ] s. **1** sbarramento (*anche mil.*); chiusa **2** (*fig.*) fuoco di fila (di domande ecc.).

barrator ['bærətə*] s. attaccabrighe.

barratry ['bærətri] s. **1** baratteria **2** incitamento alle liti.

barrel ['bærəl] s. **1** barile, botte, fusto **2** tamburo (d'orologio) **3** cilindro; cannuccia (di pipa ecc.); canna (d'arma da fuoco).

barrelled ['bærəld] *agg.* messo in barili; a forma di barile.

barrel organ ['bærəl,ɔ:gən] s. organetto, organo di Barberia.

barren [,bærən] *agg.* sterile; arido ♦ s. landa.

barret ['bærit] s. berretta.

barricade [,bæri'keid] s. barricata; barriera.

to **barricade** *v.tr.* barricare.

barrier ['bæriə*] s. barriera; palizzata.

barring ['bɑ:riŋ] *prep.* eccetto.

barrister ['bæristə*] s. avvocato (che discute cause presso le corti di grado superiore).

barrow[1] ['bærou] s. carretto; carriola // — *boy*, venditore ambulante.

barrow[2] s. (*archeol.*) tumulo.

barter ['bɑ:tə*] s. baratto.

to **barter** *v.tr.* barattare ♦ *v.intr.* praticare il baratto // *to — away*, svendere.

barton ['bɑ:tn] s. cortile di fattoria.

barycentre ['bæri,sentə*] s. baricentro.

barytone s. → **baritone**.

basal ['beisl] *agg.* basale; (*fig.*) fondamentale.

basalt ['bæsɔ:lt, (*amer.*) bə'sɔ:lt] (*min.*) basalto.

bascule ['bæskju:l] s. basculla, pesa // — *bridge*, ponte a bilico.

base[1] [beis] *agg.* basso; vile, indegno.

base[2] s. **1** base // — *-line*, (*sport*) linea di base // *to get to first* —, (*fig.*) conquistarsi la base di partenza **2** (*informatica*) base (di numero); (*spec. amer.*) parco installazioni (presso clienti) // — *address*, indirizzo di base // — *film*, supporto.

to **base**[2] *v.tr.* basare, fondare // *to — oneself* (*upon*), basarsi (su).

baseball ['beisbɔ:l] s. baseball.

baseboard ['beisbɔ:d] s. (*amer.* per *skirtingboard*) zoccolo (di parete); battiscopa.

base-born ['beisbɔ:n] *agg.* **1** di umili origini **2** illegittimo.

Basel ['bɑ:zəl] *no.pr.* Basilea.

baseless ['beislis] *agg.* senza base; infondato.

basement ['beismənt] s. seminterrato.

baseness ['beisnis] s. bassezza; viltà.

bash [bæʃ] s. colpo violento // *to have a — at sthg.*, (*sl.*) tentare qlco.

to **bash** *v.tr.* colpire violentemente.

bashful ['bæʃful] *agg.* vergognoso, timido; modesto.

basic ['beisik] *agg.* **1** fondamentale; di base **2** (*chim.*) di base, basico ♦ s. (*informatica*) basic.

basil ['bæzl] s. basilico.

basilar ['bæsilə*], **basilary** ['bæsiləri] *agg.* basilare.

basilica [bə'zilikə] s. basilica.

basilican [bə'silikən], **basilical** [bə'zilikəl] *agg.* basilicale.

basilisk ['bæzilisk] s. basilisco.

basin ['beisn] s. **1** bacino; catino // *sugar* —, zuccheriera **2** (*mar. geogr. geol.*) bacino.

basis ['beisis], *pl.* **bases** ['beisi:z] s. base.

to **bask** [bɑ:sk] *v.intr.* **1** crogiolarsi (al sole, al fuoco ecc.) **2** provar piacere.

basket ['bɑ:skit] s. canestro, cesto; sporta; gerla // — *-maker*, canestraio.

basketball ['bɑ:skitbɔ:l] s. pallacanestro // — *player*, cestista.

Basque [bɑ:sk] *agg.* e s. basco.

bass[1] [beis] *agg.* e s. (*mus.*) basso // — *clef*, chiave di basso // — *viol*, viola da gamba.

bass[2] [bæs] s. (stuoia di) fibra di tiglio o di palma.

bass[3] s. pesce persico; spigola.

basset ['bæsit] s. cane bassotto.

basset-horn ['bæsithɔ:n] s. (*mus.*) corno di bassetto.

bassinet [,bæsi'net] s. culla, carrozzina di vimini.

bassoon [bə'su:n] s. (*mus.*) fagotto.

bas(s)-relief ['bæsri,li:f] s. bassorilievo.

basswood [bæswud] s. (legno di) tiglio.

bast [bæst] s. rafia.

bastard ['bæstəd] *agg.* e s. bastardo.

to **bastardize** ['bæstədaiz] *v.tr.* (*dir.*) dichiarare illegittimo.

bastardy ['bæstədi] s. bastardaggine.

to **baste**[1] [beist] *v.tr.* imbastire.

to **baste**[2] *v.tr.* ungere (l'arrosto) con grasso.

to **baste**[3] *v.tr.* battere, sferzare.

bastille [bæs'ti:l] s. fortezza, prigione // *the Bastille,* (st.) la Bastiglia.

bastion ['bæstiən] s. bastione.

bat¹ [bæt] s. pipistrello // *as blind as a —,* cieco come una talpa // *to have* (o *to be*) *bats in the belfry,* essere un po' strambo, tocco.

bat² s. mazza (da cricket, da baseball); racchetta (da ping pong) // *off one's own —,* di propria iniziativa, da solo.

to bat² v.intr. (cricket ecc.) battere ♦ v.tr. : *to — an eyelid,* batter ciglio.

batch [bætʃ] s. **1** infornata (*anche fig.*); gruppo; insieme **2** (*ind.*) mescola **3** (*informatica*) lotto (di schede); gruppo (di lavori) // *— file,* schedario di lavoro // *— number,* identificazione gruppo movimenti // *— process,* processo discontinuo // *— processing,* elaborazione a blocchi.

batching ['bætʃiŋ] s. (*informatica*) raggruppamento delle informazioni.

to bate [beit] v.tr. ridurre // *with bated breath,* col cuore in gola.

bath [bɑ:θ] s. bagno: *to have a —,* fare un bagno.

to bath v.tr. e intr. fare il bagno (a)

bath chair ['bɑ:θ'tʃɛə*] s. sedia a rotelle.

bathe [beið] s. bagno (in fiume, mare ecc.).

to bathe v.tr. bagnare ♦ v.intr. bagnarsi, fare il bagno.

bather ['beiðə*] s. bagnante.

bathetic [bə'θetik] agg. (*ret.*) a gradazione discendente.

bathing ['beiðiŋ] s. balneazione; il bagnarsi; i bagni // *no —,* divieto di balneazione // *— cap,* cuffia da bagno; *— suit,* costume da bagno.

bathos ['beiθɒs] s. (*ret.*) anticlimax.

bathrobe ['bɑ:θroub] s. accappatoio; (*amer.*) vestaglia (spec. da uomo).

bathroom ['bɑ:θrum] s. stanza da bagno.

bathtowel ['bɑ:θtauəl] s. lenzuolo da bagno.

bathwater ['bɑ:θ,wɔ:tə*] s. acqua (di una vasca da bagno) // *to throw the baby out with the —,* perdere qlco. di utile, gettando via qlco. di inutile.

bathyscaphe ['bæθiskeif] s. batiscafo.

bathysphere ['bæθisfiə*] s. batisfera.

batiste [bæ'ti:st] s. (tela) batista.

batman, *pl.* **batmen** ['bætmən] s. (*mil.*) attendente.

baton ['bætən, (*amer.*) bə'tɑ:n] s. **1** bastone (di poliziotto ecc.) **2** bacchetta (di direttore d'orchestra).

bats [bæts] agg. (*fam.*) matto; eccentrico.

batsman, *pl.* **batsmen** ['bætsmən] s. battitore.

battalion [bə'tæljən] s. battaglione.

batten¹ ['bætn] s. assicella (per pavimenti); traversa; tavoletta.

to batten¹ v.tr. **1** rafforzare con assicelle **2** *to — down,* (*mar.*) chiudere (i boccaporti).

to batten² v.intr. **1** ingozzarsi: *to — on sthg.,* ingozzarsi di qlco. **2** ingrassare (*anche fig.*).

batter¹ ['bætə*] s. **1** (*cuc.*) pastella **2** (*tip.*) carattere rovinato.

to batter¹ v.tr. e intr. colpire ripetutamente.

batter² s. pendenza.

to batter² v.intr. essere in pendenza (di muro).

batter³ s. (al cricket, al baseball) battitore.

battering ram ['bætəriŋræm] s. (*mil.*) ariete.

battery ['bætəri] s. **1** (*dir.*) assalto, aggressione **2** (*mil. elettr.*) batteria: *— charger,* caricabatterie; *dry —,* (*elettr.*) batteria a secco **3** batteria (di cucina) **4** (*agr.*) batteria: *— chickens,* polli (allevati) in batteria.

battle ['bætl] s. battaglia, combattimento: *air —,* com-

battimento aereo // *pitched —,* battaglia campale // *— array,* ordine di combattimento // *to join — with s.o.,* entrare in lotta con qlcu.

to battle v.intr. combattere, battersi, battagliare.

battleaxe ['bætlæks] s. **1** azza **2** (*fig.*) donna bisbetica.

battledore ['bætldɔ:*] s. racchetta (del volano) // *— and shuttlecock,* (gioco del) volano.

battledress ['bætl,dres] s. tenuta da combattimento.

battlefield ['bætlfi:ld] s. campo di battaglia.

battlement ['bætlmənt] s. (*arch.*) merlo.

battleship ['bætlʃip] s. corazzata.

batty ['bæti] agg. (*fam.*) pazzo; strambo.

bauble ['bɔ:bl] s. bagatella.

baud [bɔ:d] s. (*informatica*) baud: *— rate,* velocità di trasmissione (in baud).

to baulk v.tr. e s. → (to) **balk**.

bauxite ['bɔ:ksait] s. (*min.*) bauxite.

Bavaria [bə'vɛəriə] no.pr. Baviera.

Bavarian [bə'vɛəriən] agg. e s. bavarese.

bawd [bɔ:d] s. **1** mezzana **2** prostituta.

bawdiness ['bɔ:dinis] s. oscenità.

bawdry ['bɔ:dri] s. oscenità.

bawdy ['bɔ:di] agg. osceno ♦ s. linguaggio osceno.

bawdy-house ['bɔ:dihaus] s. postribolo.

to bawl [bɔ:l] v.tr. e intr. urlare // *to — s.o. out,* (*sl. amer.*) sgridare qlcu. duramente.

bay¹ [bei] s. **1** baia **2** incavatura.

bay² s. **1** — (*tree*), lauro **2** *pl.* corona (*sing.*) d'alloro (*anche fig.*).

bay³ s. (*arch.*) spazio fra pilastri o contrafforti // *— (window),* bovindo.

bay⁴ s. abbaiamento, latrato // *at —,* senza scampo; *to keep* (o *to hold*) *at —,* tenere a bada.

to bay⁴ v.intr. abbaiare; latrare.

bay⁵ agg. e s.m. baio // *dapple —,* baio pomellato.

bayadère [,bɑ:jə'diə*] s. baiadera.

bayon ['baiu:] s. (*nel Nordamerica*) ramo paludoso di un fiume.

bayonet ['beiənit] s. baionetta.

bay-rum [bei'rʌm] s. lozione per capelli.

baza(a)r [bə'zɑ:*] s. **1** bazar **2** vendita di beneficenza.

to be [bi: (*forma forte*), bi (*forma debole*)], pass. **was** [wɒz (*forma forte*), wəz, wz (*forme deboli*)], p.pass. **been** [bi:n (*forma forte*), bin (*forma debole*)] v.intr. **1** essere; esistere: *he has been,* è stato **2** stare, andare; venire: *have you been to Rome?,* sei stato, andato a Roma?; *where are you from?,* da dove vieni, di dove sei? **3** stare (di salute): *how are you?,* come stai? **4** aver luogo; effettuarsi: *where will the performance?,* quando avrà luogo la rappresentazione? **5** costare: *how much is it?,* quanto costa? **6** (*ausiliare delle forme progressiva e passiva*) stare; essere: *where are you going?,* dove stai andando?; *she was seen,* fu vista **7** dovere: *he is to arrive tomorrow,* deve arrivare domani; *he was to pay,* doveva, avrebbe dovuto pagare **8** (*con uso impers.*) essere: *what time is it?,* che ora è; *che ore sono?* **9** (*in certe espressioni*) avere: *to — right, wrong, hungry, thirsty etc.,* avere ragione, torto, fame, sete ecc. **10** *to — about,* stare per **11** *to — down,* essere giù; essere abbattuto, a terra; essere a letto (ammalato) **12** *to — in,* essere in, a casa // *you are in for it!,* ora stai fresco! **13** *to — off,* (*fam.*) andarsene; essere sospeso, cancellato **14** *to — out,* essere fuori **15** (*fraseologia*): *to — like s.o.,* assomigliare a qlcu. // *here, there she is,* eccola (qui, là) //

there is no persuading him, non c'è verso di persuaderlo // *two and two are four*, due e due fa, fanno quattro // *what is that to you?*, che cosa te ne importa? // *what's yours?*, che cosa prendi? // *to — a long time doing sthg.*, metterci molto tempo a fare qlco. // *the be-all and end -all*, la cosa più importante // *the bride-to-be*, la futura sposa.

beach [bi:tʃ] *s.* spiaggia; lido.

to **beach** *v.tr.* tirare a riva (una barca).

beachcomber ['bi:tʃ,koumə*] *s.* uomo che vive di ciò che il mare rigetta sulla spiaggia.

beachhead ['bi:tʃhed] *s.* (*mil.*) testa di sbarco.

beaching ['bi:tʃiŋ] *s.* il tirare a riva.

beachwear ['bi:tʃweə*] *s.* abbigliamento da spiaggia.

beacon ['bi:kən] *s.* 1 segnale 2 faro (*anche fig.*) // air- —, aerofaro 3 (*amer.*) raggio di luce (*anche fig.*) 4 (*nei toponimi*) monte.

to **beacon** *v.tr.* 1 illuminare 2 guidare ♦ *v.intr.* risplendere (come un faro).

bead [bi:d] *s.* 1 grano, perla di collana; *pl.* collana (*sing.*) // *to tell one's beads*, dire il rosario 2 goccia (di rugiada, di sudore); bolla 3 mirino (di fucile) // *to draw a* — *on s.o.*, *sthg.*, mirare a qlcu., qlco. 4 (*arch.*) modanatura.

to **bead** *v.tr.* ornare, coprire di perline ♦ *v.intr.* 1 raggrupparsi in goccioline 2 infilare perline.

beadle ['bi:dl] *s.* 1 scaccino; sagrestano 2 mazziere 3 portiere (di università, college).

beadsman, *pl.* **beadsmen** ['bi:dzmən] *s.* 1 uomo pagato per pregare per altri 2 mendicante.

beady ['bi:di] *agg.* piccolo e lucente.

beagle ['bi:gl] *s.* cane per la caccia alla lepre.

beak [bi:k] *s.* 1 becco 2 (*fam.*) naso aquilino 3 (*mar.*) rostro 4 beccuccio (di teiera ecc.).

beaker ['bi:kə*] *s.* 1 coppa 2 alambicco.

beam [bi:m] *s.* 1 trave 2 (*elettr.*) raggio; (*aer. rad.*) segnale unidirezionale // *on, off the —*, (*di aereo*) sulla rotta giusta, sbagliata // *high, low —*, luce abbagliante, antiabbagliante 3 (*mar.*) larghezza massima di una nave // *on the —*, essere perpendicolare alla chiglia // *to be broad in the —*, (*sl.*) essere largo (di fianchi), avere una bella stazza // *to be on one's — ends*, essere mal ridotto (economicamente) 4 giogo di bilancia 5 (*fig.*) sorriso.

to **beam** *v.intr.* 1 irradiare luce; brillare, sfavillare 2 sorridere radiosamente ♦ *v.tr.* (*rad.*) orientare; individuare a mezzo radar.

bean [bi:n] *s.* 1 fava; fagiolo: — *shell*, baccello // *she has not a —*, non ha un soldo // *old —*, vecchio mio // *to be full of beans*, essere su di giri // *to give s.o. beans*, dare a qlcu. una lavata di capo.

beanfeast ['bi:nfi:st] *s.* (*fam.*) allegro banchetto.

bear[1] [beə*] *s.* 1 orso // *she- —*, orsa // *the Great, the Little Bear*, (*astr.*) l'Orsa Maggiore, Minore // — *hug*, (*fam.*) forte abbraccio // *to be like a — with a sore head*, essere di pessimo umore 2 (*Borsa*) ribassista, speculatore al ribasso.

to **bear**[1] *v.intr.* (*Borsa*) speculare al ribasso ♦ *v.tr.* provocare una caduta dei prezzi (in).

to **bear**[2], *pass.* **bore** [bɔ:*], *p.pass.* **borne** [bɔ:n], *nel senso* 3 **born** [bɔ:n] *v.tr.* 1 portare (*anche fig.*); sorreggere // *to — in mind*, tenere a mente // *to — hatred (against s.o.)*, portare rancore a qlcu. // *to — s.o. company*, far compagnia a qlcu. // *to — witness*, far testimonianza // *to — comparison with*, reggere il paragone con 2 sopportare, tollerare: *I cannot — him*, non lo

posso soffrire; *I cannot — him speaking to me like that*, non sopporto che egli mi parli così 3 generare, produrre; partorire // *to — fruit*, nascere 4 *to — out*, confermare 5 *to — oneself*, comportarsi ♦ *v.intr.* 1 *to — (off)*, girare, voltare: *to — (off) to the right*, girare a destra 2 *to — upon*, avere rapporto con 3 *to bring (sthg.) to — upon s.o.*, valersi, servirsi di qlco. presso qlcu., su qlcu. 4 *to — with (s.o., sthg.)*, avere pazienza con 5 *to — down on*, piombare su 6 *to — up*, sopportare coraggiosamente le avversità.

bearable ['bɛərəbl] *agg.* sopportabile.

beard [biəd] *s.* 1 barba 2 (*bot.*) arista 3 (*zool.*) branchie a pettine (*pl.*) (di molluschi).

to **beard** *v.tr.* sfidare coraggiosamente // *to — the lion in his den*, sfidare, affrontare coraggiosamente qlcu. (sul suo territorio); affrontare il lupo nella sua tana.

bearded ['biədid] *agg.* barbuto.

bearer ['bɛərə*] *s.* 1 portatore, latore // — *cheque*, — *bond*, assegno, titolo al portatore 2 becchino 3 albero fruttifero.

beargarden ['bɛə,gɑ:dn] *s.* recinto degli orsi; (*fig.*) confusione.

bearing ['bɛəriŋ] *s.* 1 sopportazione: *beyond (o past)* —, insopportabile 2 rapporto, relazione: *what is the — of this on our problem?*, che rapporto c'è tra questo e il nostro problema? 3 condotta, contegno 4 aspetto: *to consider sthg. in all its bearings*, considerare qlco. sotto tutti i suoi aspetti 5 (*agr.*) raccolto; frutto 6 (*arald.*) arme 7 (*geogr.*) rilevamento // *to lose one's bearings*, perdere l'orientamento; *to take one's bearings*, orientarsi 8 (*mecc.*) cuscinetto 9 (*edil.*) supporto.

bearish ['bɛəriʃ] *agg.* 1 di, da orso 2 poco socievole; rozzo 3 (*Borsa*) al ribasso.

bearskin ['bɛə:skin] *s.* 1 pelle d'orso 2 colbacco.

beast [bi:st] *s.* 1 bestia, animale (*anche fig.*): — *of burden*, bestia da soma // *to make a — of oneself*, abbrutirsi 2 *pl.* bestiame (*sing.*).

beastly ['bi:stli] *agg.* 1 bestiale, brutale 2 sporco, lurido; disgustoso // *what — weather!*, (*fam.*) che tempo orribile! ♦ *avv.* (*fam.*) terribilmente.

beat[1] [bi:t] *s.* 1 battito; colpo 2 (*mus.*) battuta; ritmo 3 zona di sorveglianza; ronda 4 (*fis.*) battimento ♦ *agg.* esausto: *dead —*, stanco morto.

to **beat**[1], *pass.* **beat**, *p. pass.* **beaten** ['bi:tn], **beat** *v.tr.* e *intr.* 1 battere; picchiare, percuotere: *to — time*, (*mus.*) battere il tempo; *to — to death*, picchiare a morte // *to — it!*, (*sl.*) dattela a gambe! // *to — the air*, fare un buco nell'acqua // *to — black and blue*, conciare per le feste // *to — a retreat*, battere in ritirata // *to — about the bush*, menare il can per l'aia 2 vincere, battere // *can you — that!*, (*sl.*) ti rendi conto!, ti sembra possibile! // *that beats everything!*, questo supera tutto! // *that beats me!*, mi lascia perplesso! 3 battere, pulsare 4 *to — down*, abbattere; (*fam.*) far ribassare (i prezzi) 5 *to — off*, respingere 6 *to — out*, (*mar.*) risalire il vento 7 *to — up*, malmenare.

beat[2] *s.* (*fam.*) → **beatnik**.

beaten *p.pass.* di to **beat** ♦ *agg.* 1 battuto; percosso: *off the — track*, fuori mano 2 sconfitto 3 (*fig.*) abbattuto, prostrato.

beater ['bi:tə*] *s.* 1 frullino 2 battitore.

beat generation ['bit,dʒenə'reiʃən] *s.* «beat generation» (corrente intellettuale americana anticonformista).

to **beatify** [bi:'ætifai] *v.tr.* beatificare.

beatitude [bi:(:)'ætitju:d] *s.* beatitudine.

beatnik ['bi:tnik] *s.* esponente della «beat generation».

beau [bou], *pl.* **beaux** [bouz] *s.* **1** damerino **2** *(fam.)* ragazzo del cuore, innamorato, «bello».

beauteous ['bju:tjəs] *agg. (poet.)* bello, vago.

beautician [bju'tiʃən] *s.* estetista.

beautiful ['bju:təful] *agg.* stupendo, magnifico; bello // *the —*, il bello.

to **beautify** ['bju:tifai] *v.tr.* abbellire, ornare.

beauty ['bju:ti] *s.* **1** bellezza, vaghezza **2** donna bella // *the Sleeping Beauty*, la Bella Addormentata.

beauty parlour ['bju:ti,pɑ:lə*] *s.* istituto di bellezza.

beauty queen ['bju:ti,kwi:n] *s.* reginetta di bellezza.

beauty sleep ['bju:ti,sli:p] *s.* ore di sonno prima della mezzanotte.

beauty spot ['bju:ti,spɔt] *s.* neo.

beaver[1] ['bi:və*] *s.* **1** castoro // *eager —*, *(scherz.)* stacanovista **2** pelliccia, cappello di castoro.

to **beaver**[1] *v.intr.: to — away*, *(fam.)* lavorare molto, fare lo stacanovista.

beaver[2] *s.* barbuta (di elmo).

to **becalm** [bi'kɑ:m] *v.tr.* calmare *(anche fig.)*.

became *pass.* di to **become**.

because [bi'kɔz] *cong.* perché; poiché // *just —* (o — *I want to)*, perché sì // *— of*, a causa di.

bechamel ['beiʃəmel] *s. (cuc.)* besciamella.

beck[1] [bek] *s.* cenno, segno (col capo, col dito) // *to be at s.o.'s — and call*, essere sempre agli ordini di qlcu.

beck[2] *s.* ruscello.

to **beckon** ['bekən] *v.tr. e intr.* chiamare con un cenno; far un cenno (a).

to **becloud** [bi'klaud] *v.tr.* annuvolare; oscurare.

to **become** [bi'kʌm], *pass.* **became** [bi'keim], *p.pass.* **become** *v.intr.* **1** diventare, divenire **2** accadere; avvenire: *what has — of him?*, che ne è di lui? ♦ *v.tr.* addirsi (a), essere adatto (a); star bene: *it ill becomes you to complain*, non è da te lamentarti.

becoming [bi'kʌmiŋ] *agg.* adatto, conveniente, appropriato; che si addice, che dona.

bed [bed] *s.* **1** letto: *single, double —*, letto a una piazza, matrimoniale // *— linen*, biancheria da letto // *— and board*, pensione // *— and breakfast*, alloggio con la prima colazione // *to lie in —*, essere, stare a letto // *to take to one's —*, mettersi a letto // *to keep one's —*, essere costretto a letto // *to die in one's —*, morire nel proprio letto, morire di cause naturali // *you have made your —, now you must lie on it*, ti sei messo nei guai, ora arrangiati // *to be brought to —*, partorire **2** lettiera (per animali) **3** *(flower-) —*, aiuola: *a — of roses*, un'aiuola di rose; *(fig.)* tutto rose e fiori **4** fondo (stradale, marino); alveo **5** *(geol.)* strato.

to **bed** *v.tr. e intr.* **1** piantare (piante) **2** *(mecc.)* allogare, mettere, sistemare **3** *to — down*, sistemare per la notte; accomodarsi per la notte.

to **bedaub** [bi'dɔ:b] *v.tr.* imbrattare.

to **bedazzle** [bi'dæzl] *v.tr.* abbagliare.

bedbug ['bedbʌg] *s.* cimice.

bedclothes ['bedklouðz] *s.pl.* lenzuola e coperte.

bedding ['bediŋ] *s.* **1** quanto serve per un letto (coperte, materasso ecc.) **2** lettiera **3** *(geol.)* stratificazione.

to **bedeck** [bi'dek] *v.tr.* ornare, abbellire.

to **bedevil** [bi'devl] *v.tr.* intricare; turbare.

to **bedew** [bi'dju:] *v.tr.* irrorare, bagnare.

bedfellow ['bed,felou] *s.* compagno di letto. // *they make strange bed-fellows*, sono due tipi assortiti in modo strano.

to **bedim** [bi'dim] *v.tr.* oscurare, offuscare.

to **bedizen** [bi'daizn] *v.tr.* vestire in modo sgargiante.

bedlam ['bedləm] *s.* **1** *(antiq.)* manicomio **2** *(fig.)* tumulto.

bedlamite ['bedləmait] *s. e agg.* matto, pazzo.

Bedouin ['beduin] *agg. e s.* beduino.

bedpan ['bedpæn] *s.* padella (per malati).

bedpost ['bedpoust] *s.* colonnina del letto // *between you and me and the —*, in confidenza.

to **bedraggle** [bi'drægl] *v.tr.* inzaccherare.

bedridden ['bed,ridn] *agg.* costretto a letto.

bedroom ['bedrum] *s.* camera da letto.

bedside ['bedsaid] *s.* capezzale // *— manner*, modi rassicuranti *(p.e.* di medico).

bed-sitter [bed,sitə*], **bed-sitting-room** [bed,sitiŋ rum] *s.* camera-soggiorno, monolocale.

bedsore ['bedsɔ:*] *s.* piaga da decubito.

bedspread ['bedspred] *s.* copriletto.

bedstead ['bedsted] *s.* telaio del letto.

bedtime ['bedtaim] *s.* l'ora di andare a letto.

bee [bi:] *s.* **1** ape; *(fig.)* lavoratore indefesso // *queen bee*, ape regina // *to have a — in one's bonnet*, avere un'idea fissa, una mania // *as busy as a —*, molto indaffarato **2** *(amer.)* riunione, incontro // *a spelling —*, una gara di ortografia.

beech [bi:tʃ] *s.* faggio // *—-mast*, faggina.

beech-marten ['bi:tʃmɑ:tin] *s.* faina.

beef [bi:f] *s.* manzo; carne di manzo.

to **beef** *v.intr. (sl.)* protestare // *to — up the engine*, *(fam.)* truccare il motore.

beefeater ['bi:f,i:tə*] *s.* guardia della Torre di Londra.

beefsteak ['bi:f'steik] *s.* bistecca.

beeftea ['bi:f'ti:] *s.* brodo di manzo ristretto.

beefy ['bi:fi] *agg.* muscoloso, vigoroso.

beehive ['bi:haiv] *s.* alveare, arnia.

bee-line ['bi:lain] *s.* linea d'aria, linea diretta: *to make a — for* (o *to*) *s.o., sthg.*, precipitarsi verso qlcu., qlco.

been *p.pass.* di to **be**.

beer [biə*] *s.* birra: *draught —*, birra alla spina // *small —*, *(fam.)* cosa, persona poco importante.

beery ['biəri] *agg.* che sa sgradevolmente di birra.

beeswax ['bi:zwæks] *s.* cera vergine.

beet [bi:t] *s.* barbabietola.

beetle[1] ['bi:tl] *s.* coleottero; scarabeo.

beetle[2] *s. (strum.)* mazzuolo.

to **beetle**[1] *v.intr. (fam.)* andare in fretta, precipitarsi.

to **beetle**[2] *v.intr.* sporgersi // *beetling cliffs*, scogliere a strapiombo // *beetling eyebrows*, sopracciglia folte.

beetroot ['bi:tru:t] *s.* barbabietola.

to **befall** [bi'fɔ:l], *pass.* **befell** [bi'fel], *p.pass.* **befallen** [bi'fɔ:lən] *v.tr. e intr.* accadere (a).

to **befit** [bi'fit] *v.tr.* convenire (a), addirsi (a).

to **befog** [bi'fɔg] *v.tr.* annebbiare; confondere.

before [bi'fɔ:*] *avv.* **1** prima; già: *I have seen it —*, l'ho già visto **2** davanti ♦ *prep.* **1** prima di: *— going*, prima di andare // *— long*, fra poco **2** davanti a // *— God and man*, davanti a Dio ed agli uomini ♦ *cong.* **1** prima di, prima che: *I'll come and see you — I leave*, verrò a trovarti prima di partire **2** piuttosto che: *he would have died — speaking*, sarebbe morto piuttosto che parlare.

beforehand [bi'fɔ:hænd] *avv.* in anticipo.

to **befoul** [bi'faul] *v.tr.* insudiciare.

to **befriend** [bi'frend] *v.tr.* aiutare, favorire.

to **beg** [beg] *v.tr. e intr.* **1** domandare, chiedere; implorare, supplicare: *to — a favour of s.o.*, chiedere un favore a qlcu.; *to — (for) sthg.*, chiedere qlco.: *I — your pardon*, chiedo scusa; scusi, vuol ripetere per favore? //

that's begging the question, è una petizione di principio // *to go begging*, rimanere invenduto; avanzare **2** chiedere l'elemosina **3** (*comm.*) pregiarsi: *I — to state*, mi pregio comunicarvi.

began *pass.* di to **begin**.

to **beget** [bi'get], *pass.* **begot** [bi'gɔt], *p.pass.* **begot**, **begotten** [bi'gɔtn] *v.tr.* **1** generare, procreare **2** causare, cagionare; suscitare.

beggar ['begə*] *s.* accattone; povero; mendicante // *beggars can't — choosers*, (*prov.*) o mangiare questa minestra o saltare da quella finestra.

to **beggar** *v.tr.* ridurre in miseria, impoverire // *the magic of that moment beggars description*, non ho parole per descrivere la magia di quel momento.

beggarly ['begəli] *agg.* mendico, povero; sordido; meschino.

beggar-my-neighbour ['begəmi'neibə*] *s.* (*gioco di carte*) rubamazzetto.

to **begin** [bi'gin], *pass.* **began** [bi'gæn], *p.pass.* **begun** [bi'gʌn] *v.tr.* e *intr.* (in)cominciare: *he began reading* (o *to read*), cominciò a leggere // *to — with*, in primo luogo // *well begun is half done*, (*prov.*) chi ben comincia è a metà dell'opera.

beginner [bi'ginə*] *s.* principiante, esordiente.

beginning [bi'giniŋ] *s.* principio, inizio.

begone [bi'gɔn] *inter.* va', andate via!

begot *pass.* e *p.pass.* di to **beget**.

to **begrudge** [bi'grʌdʒ] *v.tr.* **1** invidiare **2** lesinare; dare malvolentieri.

to **beguile** [bi'gail] *v.tr.* **1** illudere; ingannare **2** incantare, sedurre.

begun *p.pass.* di to **begin**.

behalf [bi'hɑ:f] *s.* vantaggio: *on — of*, (*amer.*) *in — of*, a favore di; per; per conto di.

to **behave** [bi'heiv] *v.intr.* **1** comportarsi (bene); agire: *— yourself!*, comportati bene! // *ill -behaved*, maleducato **2** (*di macchina*) funzionare.

behaviour, (*amer.*) **behavior** [bi'heivjə*] *s.* **1** comportamento, condotta // *to be on one's best —*, comportarsi bene; fare il bravo **2** (*mecc.*) funzionamento.

behavioural [bi'heivjərəl] *agg.* comportamentale, del comportamento.

behaviourism [bi'heivjərizəm] *s.* psicologia del comportamento.

to **behead** [bi'hed] *v.tr.* decapitare.

beheld *pass.* e *p.pass.* di to **behold.**

behind [bi'haind] *avv.* **1** dietro; indietro: *to leave —*, lasciare indietro, dimenticare // *to come —*, seguire **2** in arretrato, in ritardo: *we are — in* (o *with*) *our work*, siamo in arretrato, in ritardo col lavoro ♦ *prep.* dietro (a) // *there is sthg. — that*, (*fig.*) qui c'è sotto qlco. // *— the times*, fuori moda, antiquato // *— s.o.'s back*, alle spalle di qlcu.

behind *s.* (*fam.*) didietro.

behindhand [bi'haindhænd] *avv.* e *agg.* in ritardo, in arretrato; indietro.

to **behold** [bi'hould], *pass.* e *p.pass.* **beheld** [bi'held] *v.tr.* guardare, vedere; osservare.

beholden [bi'houldən] *agg.* obbligato.

to **behove** [bi'houv], (*amer.*) to **behoove** [bi'hu:v] *v.tr.impers.* essere doveroso: *it behoves him to do so*, è suo dovere farlo.

being ['bi:iŋ] *s.* **1** essere vivente, creatura: *a human —*, un essere umano **2** essere, esistenza.

to **belabour** [bi'leibə*] *v.tr.* **1** bastonare, picchiare **2** (*fig.*) inveire (contro), attaccare.

belated [bi'leitid] *agg.* tardivo.

to **belay** [bi'lei] *v.tr.* (*mar.*) fissare (un cavo) // *— there!*, ferma!

belaying pin [bi'leiiŋpin] *s.* (*mar.*) caviglia.

belch [beltʃ] *s.* rutto; eruzione.

to **belch** *v.intr.* ruttare ♦ *v.tr.* vomitare (*anche fig.*); eruttare, gettare fuori.

belcher ['beltʃə*] *s.* fazzoletto da collo colorato.

beldam(e) ['beldəm] *s.* megera, strega.

to **beleaguer** [bi'li:gə*] *v.tr.* assediare.

belfry ['belfri] *s.* cella campanaria; campanile.

Belgian ['beldʒən] *agg.* e *s.* belga.

Belgium ['beldʒəm] *no.pr.* Belgio.

Belgrade [bel'greid] *no.pr.* Belgrado.

to **belie** [bi'lai] *v.tr.* **1** smentire, contraddire **2** deludere (una speranza).

belief [bi'li:f] *s.* **1** credenza; fede **2** convinzione.

to **believe** [bi'li:v] *v.tr.* e *intr.* **1** credere, aver fiducia: *I don't — you*, non ti credo; *we — in God*, crediamo in Dio **2** credere, ritenere.

believing [bi'li:viŋ] *agg.* credente.

belike [bi'laik] *avv.* forse; probabilmente.

Belisha beacon [bə'li:ʃə'bi:kən] *s.* segnalazione luminosa di passaggio pedonale.

to **belittle** [bi'litl] *v.tr.* minimizzare, deprezzare.

bell [bel] *s.* **1** campana; campanello: *handbell*, campanella // *— -shaped*, a campana; *— tower*, campanile // *as sound as a —*, sano come un pesce // *this rings a —*, (*fam.*) questo mi ricorda qlco. **2** *pl.* (*mar.*) turni di guardia di mezz'ora.

bell-bottomed [bel'bɔtəmd] *agg.* (*di pantaloni*) a zampa d'elefante.

bellboy ['belbɔi] *s.* fattorino d'albergo.

bellbuoy ['belbɔi] *s.* boa di segnalazione.

belle [bel] *s.* bella donna // *the — of the ball*, la reginetta della festa.

bellflower ['bel,flauə*] *s.* (*bot.*) campanella.

bellhop ['belhɔp] *s.* (*amer.* per *bellboy*) fattorino d'albergo.

bellicose ['belikous] *agg.* bellicoso.

bellied ['belid] *agg.* panciuto; rigonfio.

belligerence [bi'lidʒərəns], **belligerency** [bi'lidʒərənsi] *s.* belligeranza.

belligerent [bi'lidʒərənt] *agg.* e *s.* belligerante.

bellow ['belou] *s.* muggito, mugghio; boato.

to **bellow** *v.intr.* muggire, mugghiare; rimbombare.

bellows ['belouz] *s.pl.* soffietto (*sing.*); mantice (*sing.*).

bell-ringer ['bel,riŋə*] *s.* campanaro.

belly ['beli] *s.* ventre, pancia.

to **belly** *v.intr.* gonfiarsi (di vela).

bellyache ['belieik] *s.* **1** mal di pancia **2** (*fam.*) mugugno, brontolio.

to **bellyache** *v.intr.* (*fam.*) mugugnare, brontolare.

belly flop ['beliflɔp] *s.* panciata, spanciata.

bellyful ['beliful] *s.* scorpacciata.

bellyland ['belilænd] *v.intr.* (*sl.aer.*) atterrare senza far uso del carrello.

to **belong** [bi'lɔn] *v.intr.* **1** appartenere // *they — to London*, sono di Londra // *where do these books —?*, dove vanno messi questi libri? **2** spettare, essere doveroso **3** andare bene // *he belongs in business*, è tagliato per gli affari.

belongings [bi'lɔniŋz] *s.pl.* **1** proprietà, roba (*sing.*): *personal —*, effetti personali **2** (*scherz.*) parenti.

beloved [bi'lʌvd] *agg.* e *s.* amato.

below [bi'lou] *avv.* e *prep.* sotto: *there —*, là sotto, laggiù.

Belshazzar [bel'ʃæzə*] *no.pr.m.* (*Bibbia*) Baldassarre.

belt [belt] *s.* **1** cintura; cinghia; fascia: *half —*, martingala // *driving —*, cinghia di trasmissione // *to hit s.o. below the —*, (*anche fig.*) dare a qlcu. un colpo basso **2** zona, fascia: *Green Belt*, fascia verde (intorno a una città).

to belt *v.tr.* **1** cingere con una cintura // *— up!*, piantatela! **2** battere con una cinghia ♦ *v.intr.* (*fam.*) precipitarsi, correre a precipizio.

beltway ['beltwei] *s.* (*amer.*) tangenziale.

to bemoan [bi'moun] *v.tr.* lamentare ♦ *v.intr.* lamentarsi.

to bemuse [bi'mju:z] *v.tr.* confondere, stupire.

bench [benʧ] *s.* **1** panca; banco **2** seggio, scanno **3** magistratura; collegio giudicante: *who was on the —?*, chi era il presidente della Corte? // *to be raised to the —*, essere nominato giudice, vescovo.

bencher ['benʧə*] *s.* giudice.

benchmark, **bench mark** ['benʧmɑːk] *s.* segno di riferimento // *— program*, (*informatica*) programma di valutazione prestazioni.

bend¹ [bend] *s.* **1** curvatura; flessione **2** (*di strada, fiume ecc.*) curva.

to bend¹, *pass.* e *p.pass.* **bent** [bent] *v.tr.* **1** curvare; piegare (*anche fig.*); chinare **2** tendere (un arco) **3** volgere (gli occhi); dirigere: *to — one's mind to sthg.*, applicarsi a qlco. ♦ *v.intr.* curvare, curvarsi; piegarsi; chinarsi: *he bent to the queen*, si inchinò davanti alla regina; *the road bends west*, la strada curva verso ovest // *to — over backwards*, fare di tutto.

bend² *s.* **1** (*mar.*) nodo **2** (*arald.*) fascia // *— sinister*, barra.

to bend² *v.tr.* (*mar.*) fissare, annodare.

beneath [bi'ni:θ] *avv.* e *prep.* sotto // *this — him*, ciò non è degno di lui.

benedick ['benidik], **benedict** ['benidikt] *s.* (*amer.*) uomo sposato di recente (in particolare dopo essere rimasto scapolo per molti anni).

Benedict *no.pr.m.* Benedetto.

benediction [ˌbeni'dikʃən] *s.* benedizione.

benedictory [ˌbeni'diktəri] *agg.* benedicente.

benefaction [ˌbeni'fækʃən] *s.* beneficenza; opera buona.

benefactor ['benifæktə*] *s.* benefattore.

benefactress ['benifæktris] *s.* benefattrice.

benefice ['benifis] *s.* (*eccl.*) beneficio; prebenda.

beneficence [bi'nefisəns] *s.* beneficenza; opera buona.

beneficent [bi'nefisənt] *agg.* benefico, generoso.

beneficial [ˌbeni'fiʃəl] *agg.* benefico, utile.

beneficiary [ˌbeni'fiʃəri] *s.* beneficiario.

benefit ['benifit] *s.* **1** beneficio, vantaggio; profitto: *for the — of*, a vantaggio di **2** (*teatr.*) beneficiata **3** indennità **4** (*dir.*) beneficio (di legge).

to benefit *v.tr.* giovare a, beneficare ♦ *v.intr.* beneficiare, trarre vantaggio: *to — by* (*o from*) *sthg.*, trarre vantaggio da qlco.

benevolence [bi'nevələns] *s.* benevolenza.

benevolent [bi'nevələnt] *agg.* benevolo.

Bengal [benˈɡɔːl] *no.pr.* Bengala.

benighted [bi'naitid] *agg.* **1** sorpreso dalla notte **2** (*fig.*) immerso nelle tenebre (dell'ignoranza), ignorante.

benign [bi'nain] *agg.* benigno.

benignant [bi'nignənt] *agg.* benevolo, benigno.

benignity [bi'nigniti] *s.* benignità, benevolenza.

Benjamin ['bendʒəmin] *no.pr.m.* Beniamino.

Benny ['beni] *s.* (*sl.*) pillola di benzedrina.

bent *pass.* e *p.pass.* di to **bend** ♦ *agg.* **1** curvato, curvo; piegato **2** (*sl.*) disonesto **3** risoluto: *— on doing sthg.*, risoluto a fare qlco.

bent *s.* tendenza, disposizione, inclinazione.

to benumb [bi'nʌm] *v.tr.* intorpidire, intirizzire; (*fig.*) paralizzare.

benzene ['benziːn], **benzol** ['benzɔl] *s.* (*chim.*) benzene, benzolo.

benzine ['benziːn] *s.* (*chim.*) benzina.

benzoline ['benzəliːn] *s.* (*chim.*) benzina.

to bequeath [bi'kwiːð] *v.tr.* lasciare in eredità; (*fig.*) tramandare.

bequest [bi'kwest] *s.* lascito; legato.

to berate [bi'reit] *v.tr.* rimbrottare.

Berber ['bɑːbə*] *agg.* e *s.* berbero.

to bereave [bi'riːv], *pass.* e *p.pass.* **bereaved** [bi'riːvd], **bereft** [bi'reft] *v.tr.* privare // *the bereaved*, i parenti del defunto.

bereavement [bi'riːvmənt] *s.* lutto.

bereft *pass.* e *p.pass.* di to **bereave**.

beret ['berei, (*amer.*) bə'rei] *s.* basco.

bergamot ['bɑːgəmɔt] *s.* **1** (*bot.*) bergamotto **2** essenza di bergamotto.

berk [bɑːk] *s.* (*sl. volg.*) stupido.

Berlin [bɑː'lin] *no.pr.* Berlino.

Berliner [bɑː'linə*] *s.* berlinese.

Bermudas, the [bə(ː)'mjuːdəz] *no.pr.* le Bermude.

bermudas *s.pl.* (*abbigl.*) bermuda.

Bernard ['bɑːnəd] *no.pr.m.* Bernardo.

Berne [bɑːn] *no.pr.* Berna.

berry ['beri] *s.* **1** bacca **2** chicco (di caffè) **3** uovo di pesce.

berserk [bə'sɑːk] *agg.* furioso: *to go —*, arrabbiarsi molto.

berth [bɑːθ] *s.* **1** (*mar.*) ancoraggio; ormeggio; attracco // *to give* (*s.o., sthg.*) *a wide —*, (*anche fig.*) stare alla larga da (qlcu., qlco.) **2** (*mar. ferr.*) cuccetta **3** (*fig.*) posto; impiego.

to berth *v.tr.* **1** (*mar.*) ancorare; ormeggiare; attraccare **2** alloggiare.

beryl ['beril] *s.* (*min.*) berillo.

beryllium [be'riljəm] *s.* (*chim.*) berillio.

to beseech [bi'siːʧ], *pass.* e *p.pass.* **besought** [bi'sɔːt] *v.tr.* supplicare; scongiurare.

to beset [bi'set], *pass.* e *p.pass.* **beset** *v.tr.* **1** cingere, circondare **2** assalire; assediare **3** (*fig.*) assillare, ossessionare // *besetting sin*, difetto principale.

beside [bi'said] *prep.* **1** accanto a: *to sit — s.o.*, sedere accanto a qlcu. **2** a paragone di **3** fuori di // *to be — oneself*, essere fuori di sé // *to be — the point*, esulare dalla questione.

besides [bi'saidz] *avv.* inoltre; per di più // *some others —*, degli altri ancora ♦ *prep.* **1** oltre a **2** fuorché, tranne.

to besiege [bi'siːʤ] *v.tr.* assediare; (*fig.*) assillare.

to besmear [bi'smiə*] *v.tr.* imbrattare (*anche fig.*).

to besmirch [bi'smɑːʧ] *v.tr.* sporcare (*anche fig.*), insozzare (*anche fig.*).

besotted [bi'sɔtəd] *agg.* **1** istupidito, rincitrullito **2** stordito, abbrutito (dall'alcool).

besought *pass.* e *p.pass.* di to **beseech**.

to bespatter [bi'spætə*] *v.tr.* inzaccherare.

to bespeak [bi'spiːk], *pass.* **bespoke** [bi'spouk], *p.pass.* **bespoken** [bi'spoukən] *v.tr.* **1** prenotare, preordinare **2** rivelare, suggerire.

bespoke *agg.* (fatto) su ordinazione.

to **besprinkle** [bi'sprinkl] *v.tr.* spruzzare.

best [best] *agg.* (*superl. di* good) il migliore ♦ *s.* il meglio; il migliore: *the — of us have left*, i migliori se ne sono andati // *dressed in his —*, vestito dei suoi abiti migliori // *to the — of my knowledge*, per quanto io ne sappia // *the — of it is that...*, la cosa più bella, comica (della faccenda) è che... // *to be at one's —*, essere nella forma migliore // *to do one's —*, fare del proprio meglio // *to look one's —*, essere in gran forma // *to have the — of it*, (*fam.*) avere la meglio // *to make the — of sthg.*, trarre il miglior partito da qlco.

best *avv.* (*superl. di* well) **1** meglio, nel modo migliore: *as — as you can*, come meglio puoi; *the — -dressed girl in the group*, la ragazza meglio vestita del gruppo **2** maggiormente, di più: *to love s.o. —*, prediligere qlco.

to **best** *v.tr.* vincere, superare.

bestial ['bestjəl] *agg.* bestiale, brutale.

bestiality [,besti'æliti] *s.* bestialità, brutalità.

to **bestialize** ['bestjəlaiz] *v.tr.* abbrutire.

to **bestir** [bi'stə:*] *v.tr.* agitare, muovere: *to — oneself*, muoversi; brigare.

best man [,best'mæn] *s.* compare d'anello.

to **bestow** [bi'stou] *v.tr.* **1** accordare, concedere, dare: *to — a favour on s.o.*, concedere un favore a qlcu. **2** mettere, depositare.

bestowal [bi'stouəl] *s.* conferimento; concessione.

to **bestrew** [bi'stru:], *pass.* **bestrewed** [bi'stru:d], *p.pass.* **bestrewed**, **bestrewn** [bi'stru:n] *v.tr.* cospargere.

to **bestride** [bi'straid], *pass.* **bestrode** [bi'stroud], *p.pass.* **bestridden** [bi'stridn] *v.tr.* **1** cavalcare; montare, stare a cavallo di **2** scavalcare.

best-seller [,best'selə*] *s.* libro o altro prodotto che si vende bene, «bestseller».

bet [bet] *s.* scommessa // *to cover* (o *to hedge*) *one's bets*, (*fig.*) scommettere su più cavalli.

to **bet**, *pass.* e *p.pass.* **bet** *v.tr.* e *intr.* scommettere // *you —*, puoi star certo.

to **betake** [bi'teik], *pass.* **betook** [bi'tuk], *p.pass.* **betaken** [bi'teikən] *v.tr.*: *to — oneself to a place*, dirigersi verso un luogo.

bethel ['beθəl] *s.* cappella.

to **bethink** [bi'θiŋk], *pass.* e *p.pass.* **bethought** [bi'θɔ:t] *v.tr.*: *to — oneself*, riflettere; ricordarsi.

Bethlehem ['beθlihem] *no.pr.* Betlemme.

to **betide** [bi'taid] *v.intr.* accadere, avvenire ♦ *v.tr.* incogliere (a): *woe — him!*, mal gliene venga!

to **betoken** [bi'toukən] *v.tr.* presagire; suggerire.

betook *pass.* e *p.pass.* di to **betake**.

to **betray** [bi'trei] *v.tr.* tradire (*anche fig.*).

betrayal [bi'treiəl] *s.* tradimento.

to **betroth** [bi'trouð] *v.tr.* fidanzare.

betrothal [bi'trouðəl] *s.* fidanzamento.

betrothed [bi'trouðd] *agg.* e *s.* fidanzato // *"The Betrothed"*, «I promessi sposi».

better ['betə*] *agg.* (*comp. di* good) migliore; meglio: *to be —*, essere migliore; star meglio // *my — half*, la mia dolce metà // *the — part of*, più di metà // *to be — than one's word*, fare più di quanto si è promesso // *for — or* (*for*) *worse*, nella buona e nell'avversa fortuna // *to be no — than...*, non essere altro che... // *to be — off than...*, essere più ricco di...; stare meglio di... ♦ *s.* **1** (*gener. pl.*) superiore **2** *to get the — of*, superare.

better *avv.* (*comp. di* well) meglio: *— and —*, sempre

meglio // *you had — go*, faresti meglio ad andare // *you'll like it — when...*, ti piacerà di più quando...

to **better** *v.tr.* e *intr.* migliorare: *to — oneself*, migliorare la propria situazione.

betterment ['betəmənt] *s.* miglioramento; miglioria.

betters ['betəz] *s.pl.* i superiori.

between [bi'twi:n] *prep.* tra, fra (*gener.* fra due): *they bought it — them*, l'hanno comperato in società ♦ *avv.* **1** in mezzo (*gener.* fra due) // *few and far —*, raro e infrequente **2** nel frattempo.

between-whiles [bi'twi:nwailz] *avv.* nel frattempo, intanto.

betwixt [bi'twikst] *avv.* e *prep.* tra, fra.

bevel ['bevəl] *s.* **1** angolo obliquo **2** (*carpenteria*) squadra falsa.

to **bevel** *v.tr.* smussare.

beverage ['bevəridʒ] *s.* bevanda.

bevy ['bevi] *s.* stormo; frotta.

to **bewail** [bi'weil] *v.tr.* lamentare, lamentarsi: *to — one's lot*, lamentarsi della propria sorte.

to **beware** [bi'wɛə*] *v.intr.* guardarsi, stare attento: *— of the dog!*, attenti al cane!

to **bewilder** [bi'wildə*] *v.tr.* rendere perplesso; disorientare.

bewilderment [bi'wildəmənt] *s.* perplessità, confusione.

to **bewitch** [bi'witʃ] *v.tr.* incantare, stregare.

bewitching [bi'witʃiŋ] *agg.* seducente.

beyond [bi'jond] *avv.* oltre; al di là ♦ *prep.* al di là di; oltre: *— the seas*, al di là dei mari // *— expression*, oltre ogni dire // *— one's wildest dreams*, al di là di ogni aspettativa // *a task — his strength*, un compito superiore alle sue forze // *a sick man — medical help*, un caso disperato ♦ *s.* aldilà.

bezel ['bezl] *s.* **1** sfaccettatura **2** castone.

to **bezel** *v.tr.* sfaccettare.

bezique [bi'zi:k] *s.* (*gioco di carte*) bazzica.

bi- [bai] *pref.* bi-.

bias ['baiəs] *s.* **1** (*di bocce*) (inclinazione causata da) peso eccedente **2** predisposizione; inclinazione **3** pregiudizio **4** (*sartoria*) cucitura diagonale; sbieco: *to cut on the —*, tagliare in sbieco.

to **bias** *v.tr.* **1** fare inclinare **2** influenzare (spec. in modo negativo).

bias-belted ['baiəs'beltid] *agg.* (*di pneumatico*) cinturato.

bib [bib] *s.* **1** bavaglino **2** pettorina.

Bible ['baibl] *s.* Bibbia // *— -oath*, giuramento sulla Bibbia.

biblical ['biblikəl] *agg.* biblico.

bibliographical [,bibliə'græfikəl] *agg.* bibliografico.

bibliography [bibli'ogrəfi] *s.* bibliografia.

bibliophile ['biblioufail] *s.* bibliofilo.

bibulous ['bibjuləs] *agg.* beone; (*scherz.*) bibulo: *a — type*, un beone.

bicarbonate [bai'kɑ:bənit] *s.* bicarbonato.

bice [bais] *s.* azzurro; verde pallido.

biceps ['baiseps] *s.* (*anat.*) bicipite.

bicker ['bikə*] *s.* lite.

to **bicker** *v.intr.* discutere; litigare.

bicycle ['baisikl] *s.* bicicletta.

to **bicycle** *v.intr.* andare in bicicletta.

bid [bid] *s.* **1** offerta; (*amer.*) offerta (per un appalto) **2** (*bridge*) licitazione. — *v.intr.* **1** ..., passo **3** sforzo, tentativo.

to **bid**, *pass.* **bid**, *p.pass.* **bid** (*forme antiq. pass.* **bade** [beid], **bad** [bæd], *p.pass.* **bidden** ['bidn] *usate solo* *nei sensi* 1, 2) *v.tr.* **1** comandare, ordinare **2** dire: *to — good-bye*, accomiatarsi; salutare **3** offrire **4** (*carte*) dichiarare ♦ *v.intr.* **1** fare un'offerta, licitare **2** *to — fair*, sembrare: *his efforts bid fair to succeed*, i suoi sforzi sembrano aver successo **3** *to — on*, (*amer.*) stabilire un prezzo; fare un'offerta (per avere un appalto) **4** *to — up*, far salire l'offerta.

bidden *p.pass. antiq.* di to **bid**.

bidding ['bidiŋ] *s.* **1** ordine **2** invito **3** offerta ad un'asta **4** (*a bridge*) dichiarazione.

to **bide** [baid] *v.tr.* **1** tollerare, sopportare **2** aspettare: *to — one's time*, aspettare un'occasione migliore ♦ *v.intr.* **1** stare **2** aspettare.

biennial [bai'enjəl] *agg.* biennale.

bier [biə*] *s.* cataletto; (*fig.*) tomba.

biff [bif] *s.* (*fam.*) scapaccione.

to **biff** *v.tr.* (*fam.*) dare uno scapaccione a.

bifold ['baifould] *agg.* doppio.

to **bifurcate** ['baifə:keit] *v.tr.* biforcare ♦ *v.intr.* biforcarsi.

big [big] *agg.* **1** grosso, grande; (*fig.*) importante: *— bug*, persona importante; *to grow —* (o *bigger*), ingrassare; crescere // *to be too — for one's shoes* (o *boots*), darsi delle arie; *to look —*, pavoneggiarsi // *— business*, commercio su larga scala **2** pieno; gonfio; gravido // *— with news*, ricco di notizie // *— with child*, incinta ♦ *avv.*: *to talk —*, dire smargiassate.

bigamist ['bigəmist] *s.* bigamo.

bigamous ['bigəməs] *agg.* bigamo.

bigamy ['bigəmi] *s.* bigamia.

bigheaded [big'hedid] *agg.* (*fam.*) presuntuoso.

bight [bait] *s.* **1** curva, inclinazione **2** ansa (di fiume); golfo, baia **3** (*mar.*) doppino.

bigness ['bignis] *s.* grossezza, grandezza.

bigot ['bigət] *s.* **1** fanatico **2** bigotto.

bigoted ['bigətid] *agg.* **1** fanatico **2** bigotto.

bigotry ['bigətri] *s.* **1** fanatismo **2** bigottismo.

bigwig ['bigwig] *s.* (*fam.*) pezzo grosso.

bijouterie [bi'ʒu:təri] *s.* bigiotteria.

bike [baik] *s.* (*fam.*) bicicletta, bici.

to **bike** *v.intr.* (*fam.*) andare in bici.

bilateral [bai'lætərəl] *agg.* bilaterale.

bilberry ['bilbəri] *s.* (*bot.*) mirtillo.

bile [bail] *s.* **1** bile **2** (*fig.*) collera, sdegno.

bilge [bildʒ] *s.* **1** (*mar.*) sentina **2** (*sl.*) sciocchezze (*pl.*).

bilingual [bai'liŋgwəl] *agg.* bilingue.

bilious ['biljəs] *agg.* **1** biliare // *— attack*, travaso di bile **2** (*fig.*) collerico, irritabile.

biliousness ['biljəsnis] *s.* **1** stato bilioso; crisi epatica **2** irascibilità.

to **bilk** [bilk] *v.tr.* frodare; ingannare, eludere.

bill¹ [bil] *s.* **1** progetto di legge: *private —*, progetto di legge non governativo **2** certificato; patente; polizza; bolletta: *— of lading*, polizza di carico // *— of sale*, atto di vendita // *to fill the —*, avere i requisiti richiesti // *a clean — of health*, (*fig.*) un rapporto favorevole **3** effetto, lettera di cambio; cambiale: *— (of exchange)*, cambiale; *accomodation —*, cambiale di comodo; *bills payable, receivable*, effetti da pagare, da esigere; *negotiable —*, effetto negoziabile **4** (*amer.*) biglietto di banca **5** conto, fattura // *to foot the —*, pagare tutte le spese **6** lista: *— of fare*, menù // *to top* (o *to head*) *the —*, (*fig.*) essere il primo della lista **7** affisso; programma di spettacolo // *stick no bills*, divieto di affissione **8** (*dir.*) atto.

to **bill**¹ *v.tr.* **1** fatturare **2** affiggere; annunciare (con cartelli pubblicitari) **3** (*teatr.*) mettere in programma.

bill² *s.* **1** alabarda **2** falcetto.

bill³ *s.* becco; rostro.

to **bill**³ *v.intr.* **1** beccuzzarsi (di uccelli) **2** (*fig.*) accarezzare // *to — and coo*, (*fam.*) tubare.

billboard ['bilbɔ:d] *s.* (*amer. per hoarding*) tabellone per la pubblicità.

billet¹ ['bilit] *s.* (*mil.*) (buono d')alloggio.

to **billet**¹ *v.tr.* (*mil.*) alloggiare.

billet² *s.* **1** ceppo (da ardere) **2** (*metall.*) billetta **3** (*arch.*) modanatura.

billet-doux ['bilei'du:] *s.* lettera amorosa.

billfold ['bilfould] *s.* (*amer.*) portafogli.

billiards ['biljədz] *s.pl.* biliardo (*sing.*).

Billingsgate ['biliŋzgit] *s.* (*fam.*) linguaggio (volgare) da pescivendola.

billion ['biljən] *s.* trilione; (*amer.*) miliardo.

billow ['bilou] *s.* **1** maroso **2** (*poet.*) onda; *pl.* mare (*sing.*).

to **billow** *v.intr.* ondeggiare; fluttuare; gonfiarsi.

billposter ['bil,poustə*] *s.* attacchino.

billposting ['bil,poustiŋ] *s.* affissione.

billsticker ['bil,stikə*] *s.* attacchino.

billsticking ['bil,stikiŋ] *s.* affissione.

billy ['bili] *s.* (*amer.*) manganello.

billycock ['bilikɔk] *s.* (*fam.*) bombetta.

billygoat ['biligout] *s.* capro, becco.

billy-(h)o ['bili(h)ou] *s.* (*sl.*): *like —*, moltissimo; velocemente; fortemente ecc.

bimonthly ['bai'mʌnθli] *agg.* **1** bimensile **2** bimestrale.

bin [bin] *s.* **1** recipiente (per grano, carbone, pane ecc.) **2** scaffale (per bottiglie di vino).

binary ['bainəri] *agg.* binario // *— item*, (*informatica*) dato binario; *— number system*, sistema di numerazione binaria.

bind [baind] *s.* **1** legame; fascia **2** (*mus.*) legatura **3** (*fam.*) scocciatura // *to be in a —*, esser nei guai.

to **bind**, *pass.* e *p.pass.* **bound** [baund] *v.tr.* **1** legare; fasciare; bordare: *to — (up) a wound*, fasciare una ferita; *to — a carpet with a yellow edging*, bordare un tappeto di giallo **2** rilegare **3** obbligare, legare, vincolare // *I'll be bound*, scommetto // *it was bound to happen*, doveva accadere **4** *to — over*, (*dir.*) obbligare (sotto pena di multa).

binder ['baində*] *s.* **1** rilegatore **2** legatura mobile (per giornali ecc.) **3** macchina per legare i covoni **4** cemento.

binding ['baindiŋ] *agg.* obbligatorio; impegnativo ♦ *s.* **1** legatura; fasciatura; bordura **2** rilegatura.

bindweed ['baindwi:d] *s.* convolvolo.

binge [bindʒ] *s.* (*sl.*) baldoria, bisboccia.

bingo ['biŋgou] *s.* specie di tombola.

binnacle ['binəkl] *s.* (*mar.*) chiesuola, abitacolo.

binoculars [bi'nɔkjuləz] *s.pl.* binocolo (*sing.*).

binomial [bai'noumjəl] *s.* (*mat.*) binomio.

bio- ['baiou] *pref.* bio-.

biochemistry ['baiou'kemistri] *s.* biochimica.

biodegradable [,baioudi'greidəbəl] *agg.* biodegradabile.

biogenesis ['baiou'dʒenisis] *s.* biogenesi.

biographer [bai'ɔgrəfə*] *s.* biografo.

biographical [,baiou'græfikəl] *agg.* biografico.

biography [bai'ɔgrəfi] *s.* biografia.

biological [,baiə'lɔdʒikəl] *agg.* biologico.

biologist [bai'ɔlədʒist] *s.* biologo.

biology [bai'ɔlədʒi] *s.* biologia.

biophysics ['baiou'fiziks] *s.* biofisica.
biorhythm ['baiou,riðəm] *s.* bioritmo.
bipartisan [,baipɑ:ti'zæn, *(amer.)* ,bai'pɑ:rtizn] *agg.* bipartitico.
biped ['baiped] *agg.* e *s.* bipede.
biplane ['baiplein] *s.* biplano.
birch [bə:tʃ] *s.* **1** betulla **2** — (-*rod*), sferza.
to **birch** *v.tr.* sferzare.
birchen ['bə:tʃən] *agg.* di betulla.
bird [bə:d] *s.* **1** uccello: — *of passage*, uccello migratore // — -*catcher*, uccellatore // — -*fancier*, avicoltore // *birds of a feather*, persone dello stesso tipo // — *in the hand*, cosa sicura; *a — in the hand is worth two in the bush*, *(prov.)* meglio un uovo oggi che una gallina domani // *strictly for the birds*, solo per gli sciocchi // *to do —*, *(fam.)* stare al fresco (in prigione) // *to give s.o. the —*, fare pernacchie a qlcu. // *to kill two birds with one stone*, prendere due piccioni con una fava // *early —*, chi si alza presto; *the early — catches the worm*, *(prov.)* chi dorme non piglia pesci **2** *(fam.)* tipo, individuo **3** *(fam.)* ragazza, pupa.
bird-brained ['bə:dbreind] *agg.* *(fam.)* sciocco.
bird-cage ['bə:dkeidʒ] *s.* uccelliera.
birdcall ['bə:dkɔ:l] *s.* richiamo, fischio per uccelli.
bird-lime ['bə:dlaim] *s.* vischio, pania.
bird's-eye view ['bə:dzai'vju:] *s.* veduta a volo d'uccello.
biretta [bi'retə] *s.* berretta da prete.
biro® ['baiərou], *pl.* **biros** ['baiərouz] *s.* biro®, penna a sfera.
birth [bə:θ] *s.* **1** nascita: *Italian by —*, italiano di nascita; — *control*, controllo delle nascite // *to give — to*, partorire, dare alla luce **2** discendenza, stirpe: *of high —*, di alto lignaggio **3** *(fig.)* origine, principio.
birthday ['bə:θdei] *s.* compleanno, genetliaco.
birthmark ['bə:θmɑ:k] *s.* voglia.
birthplace ['bə:θpleis] *s.* luogo di nascita.
birthrate ['bə:θreit] *s.* (indice di) natalità.
birthright ['bə:θrait] *s.* diritto di primogenitura.
Biscay ['biskei] *no.pr.* Biscaglia.
biscuit ['biskit] *s.* **1** biscotto: *water —*, galletta **2** *(amer.)* focaccina **3** biscuit.
to **bisect** [bai'sekt] *v.tr.* bisecare.
bisector [bai'sectə*] *s. (geom.)* bisettrice.
bishop ['biʃəp] *s.* **1** vescovo **2** alfiere (agli scacchi) **3** bevanda di vino dolce.
bishopric ['biʃəprik] *s.* vescovato.
bismuth ['bizməθ] *s.* bismuto.
bison ['baisn] *s.* bisonte.
bisque[1] [bisk] *s. (sport)* concessione di un vantaggio; *(ippica)* abbuono.
bisque[2] *s.* biscuit.
bisque[3] *s.* passato (di verdura), minestra.
bistoury ['bisturi] *s.* bisturi.
bistre ['bistə*] *agg.* e *s.* (color) bistro.
bit[1] [bit] *s.* **1** *(mecc.)* parte tagliente di un utensile; punta (di trapano); scalpello **2** morso (del cavallo).
to **bit**[1] *v.tr.* imbrigliare *(anche fig.)*.
bit[2] *s.* **1** pezzettino; boccaccino: *a dainty —*, un boccaccino prelibato // *to a —*, un po': *wait a —*, aspetta un poco // — *by —*, a poco a poco // *a — of a coward*, piuttosto vile // *to do one's —*, *(fam.)* adempiere ai propri doveri // *he's every — as good as you are*, è bravo tanto quanto te **3** *(fam. amer.)* 12,5 centesimi.
bit[3] *s.m. (informatica)* bit: — *pattern*, combinazione di bit; — *rate*, velocità di trasmissione (in bit); — *serial*,

trasmissione sequenziale; — *string*, sequenza di bit; *check —*, bit di controllo; *intelligence —*, bit di informazione; *padding —*, bit di riempimento; *parity —*, bit di parità; *punctuation —*, bit di punteggiatura; *tag —*, bit di contrassegno.
bit[4] *pass.* e *p.pass.* di to **bite**.
bitch [bitʃ] *s.* **1** cagna; lupa; volpe femmina **2** *(sl. spreg.)* cagna.
bitchy ['bitʃi] *agg.* pestifero.
bite [bait] *s.* **1** morso, morsicatura **2** boccone **3** l'abboccare (di pesci) **4** mordente.
to **bite**, *pass.* **bit** [bit], *p.pass.* **bit, bitten** ['bitn] *v.tr.* **1** mordere *(anche fig.)* // *to — off*, portare via con un morso // *to — off more than one can chew*, *(fig.)* accettare un compito superiore alle proprie forze // *to — s.o.'s head off*, *(fam.)* parlare o rispondere a qlcu. con rabbia; *saltar su*, saltare in testa // *to — the dust*, *(fam.)* mordere la polvere **2** abboccare *(anche fig.)* ♦ *v.intr.* **1** corrodere (qlco.) **2** fare presa: *these brakes don't —*, questi freni non fanno presa **3** *to — at, into*, addentare.
biting ['baitiŋ] *agg.* **1** mordente, pungente **2** acre; piccante **3** mordace, sarcastico.
bitt [bit] *s. (mar.)* bitta.
bitten *p.pass.* di to **bite**.
bitter ['bitə*] *agg.* **1** amaro *(anche fig.)*: — *experience*, esperienza amara // — *beer*, birra chiara // *to the — end*, a oltranza **2** rigido (di clima) **3** aspro (di tono) **4** accanito: — *enemies*, nemici mortali.
bitterish ['bitəriʃ] *agg.* amarognolo.
bitterness ['bitənis] *s.* **1** amarezza *(anche fig.)* **2** rancore **3** rigidità (di clima).
bitters ['bitəz] *s.pl.* amaro (liquore) *(sing.)*.
bittersweet ['bitəswi:t] *agg.* agrodolce *(anche fig.)*.
bitty ['biti] *agg.* sconnesso, sconclusionato.
bitumen ['bitjumin] *s.* bitume.
bivalent [bai'veilənt] *agg.* bivalente.
bivalved ['baivælvd], **bivalvular** [bai'vælvjulə*] *agg.* bivalve.
bivouac ['bivuæk] *s.* bivacco.
to **bivouac**, *pass.* e *p.pass.* **bivouacked** ['bivuækt] *v.intr.* bivaccare.
bi-weekly ['bai'wi:kli] *agg.* bisettimanale ♦ *avv.* bisettimanalmente.
bizarre [bi'zɑ:*] *agg.* bizzarro; grottesco.
bla(a) [blɑ:] *agg.* insignificante ♦ *s.* stupidaggini *(pl.)*.
to **blab** [blæb] *v.intr.* spifferare, spiattellare.
black [blæk] *agg.* **1** nero; oscuro; annerito; sporco // — *and blue*, pieno di lividi // — *art*, negromanzia // — *cap*, berretto nero (da giudice) // — *economy*, economia sommersa // — *market*, borsa nera // — *friar*, monaco domenicano // — *as — as a raven's wing*, corvino // *in — and white*, per iscritto, nero su bianco // *Black Maria*, *(fam.)* furgone cellulare **2** *(fig.)* malvagio; funesto; lugubre **3** *(fig.)* minaccioso, irato // *to look as — as thunder*, avere l'aria furiosa ♦ *s.* **1** colore nero: *to wear —*, vestirsi di nero **2** abito nero, lutto **3** negro.
to **black** *v.tr.* **1** annerire; lucidare, verniciare di nero; insudiciare; *(fig.)* diffamare **2** mettere sulla lista nera; boicottare **3** *to — out*, cancellare (con un tratto nero); oscurare (le luci) (contro incursioni aeree); disturbare una trasmittente; svenire.
to **blackball** ['blækbɔ:l] *v.tr.* **1** votare contro **2** bandire.
black-beetle ['blæk'bi:tl] *s.* scarafaggio.

blackberry ['blækbəri] *s.* mora selvatica.

blackbird ['blækbɔ:d] *s.* merlo.

blackboard ['blækbɔ:d] *s.* lavagna.

blackcap ['blækkæp] *s.* capinera.

blackcurrant ['blæk'kʌrənt] *s.* ribes.

to **blacken** ['blækən] *v.tr.* 1 annerire; oscurare 2 (*fig.*) diffamare ♦ *v.intr.* annerirsi; oscurarsi.

blackguard ['blægɑ:d] *s.* mascalzone.

blackhead ['blækhed] *s.* punto nero, comedone.

blacking ['blækiŋ] *s.* lucido nero per scarpe.

blackish ['blækiʃ] *agg.* nerastro.

black-jack ['blækdʒæk] *s.* 1 bandiera nera (di nave pirata) 2 grande boccale 3 (*min.*) blenda 4 (*amer.*) sfollagente.

blacklead ['blæk'led] *s.* grafite.

blackleg ['blækleg] *s.* 1 crumiro 2 truffatore.

blackletter ['blæk'letə*] *s.* carattere gotico.

blacklist ['blæklist] *s.* lista nera (di individui sospetti).

to **blacklist** *v.tr.* mettere sulla lista nera.

blackmail ['blækmeil] *s.* ricatto.

to **blackmail** *v.tr.* ricattare.

blackout ['blækaut] *s.* 1 blackout: — *on news*, silenzio stampa 2 perdita ‘ temporanea di coscienza 3 oscuramento (antiaereo).

Black Panther ['blæk'pænθə*] *s.* (*amer.*) Pantera Nera (membro militante del Black Power).

Black Power ['blæk'pauə*] *s.* (*amer.*) Potere Nero (movimento integralista dei neri americani).

Blackshirt ['blækʃə:t] *s.* fascista, camicia nera.

blacksmith ['blæksmiθ] *s.* fabbro ferraio.

black spot ['blækspɔt] *s.* tratto di strada molto pericoloso.

bladder ['blædə*] *s.* 1 vescica 2 camera d'aria (per cornamusa o pallone) 3 (*fig.*) pallone gonfiato.

blade [bleid] *s.* 1 filo (d'erba); lamina (di foglia) 2 lama; (*poet.*) spada: *razor* —, lama di rasoio 3 pala 4 (*fig. fam.*) buontempone.

bladed ['bleidid] *agg.* 1 munito di foglia 2 munito di lama.

blah *s.* → **bla(a)**.

Blaise [bleiz] *no.pr.m.* Biagio.

blame [bleim] *s.* biasimo; colpa; responsabilità: *to lay* (o *to put*) *the — upon s.o.*, biasimare, incolpare qlcu.

to **blame** *v.tr.* biasimare; incolpare.

blameful ['bleimful] *agg.* biasimevole.

blameless ['bleimlis] *agg.* irreprensibile.

to **blanch** [blɑ:nʃ] *v.tr.* 1 far impallidire 2 sbiancare 3 mondare (mandorle) 4 *to — over*, (*fig.*) attenuare ♦ *v.intr.* impallidire.

bland [blænd] *agg.* blando; dolce, mite.

to **blandish** ['blændiʃ] *v.tr.* blandire, lusingare.

blandishment ['blændiʃmənt] *s.* (*gener. pl.*) blandizia, lusinga.

blank [blæŋk] *agg.* 1 in bianco: — *cheque*, assegno in bianco 2 vuoto; (*fig.*) vacuo 3 (*poesia*) sciolto: — *verse*, versi sciolti ♦ *s.* 1 spazio vuoto, in bianco 2 vuoto, lacuna: *my mind is a —*, ho la testa completamente vuota 3 biglietto di lotteria non vincente 4 (*mecc.*) pezzo greggio 5 (*tip.*) lineetta 6 (*informatica*) spazio senza informazione: — *key*, tasto senza dicitura; — *tape*, nastro vuoto.

to **blank** *v.intr.* (*informatica*): *to —* (*after printing*), azzerare (dopo la stampa).

blanket[1] ['blæŋkit] *s.* coperta di lana; coltre.

to **blanket**[1] *v.tr.* coprire con una coperta.

blanket[2] *agg.* globale; indiscriminato.

blankly ['blæŋkli] *avv.* 1 senza espressione 2 di punto in bianco.

blare [blɛə*] *s.* squillo (di tromba).

to **blare** *v.tr.* annunciare a gran voce ♦ *v.intr.* squillare (di tromba).

blarney ['blɑ:ni] *s.* lusinga, adulazione.

to **blarney** *v.tr.* lusingare, adulare ♦ *v.intr.* servirsi dell'adulazione.

to **blaspheme** [blæs'fi:m] *v.intr. e tr.* bestemmiare.

blasphemous ['blæsfiməs] *agg.* blasfemo.

blasphemy ['blæsfimi] *s.* bestemmia.

blast [blɑ:st] *s.* 1 raffica, colpo di vento // *at full* —, a tutto spiano 2 suono di strumento a fiato; squillo 3 esplosione; carica di esplosivo.

to **blast** *v.tr.* 1 fare esplodere 2 distruggere; far inaridire 3 (*fam.*) maledire, bestemmiare // *blast* (*it*)!, maledizione!

blasted ['blɑ:stid] *agg.* 1 disseccato 2 (*fam.*) maledetto.

blast furnace ['blɑ:st'fə:nis] *s.* altoforno.

to **blastoff** ['blɑ:stɔf] *v.intr.* (*missilistica*) partire.

blat [blæt] *s.* (*amer.*) belato.

to **blat** *v.intr.* (*amer.*) 1 belare 2 chiacchierare ♦ *v.tr.* rivelare.

blatancy ['bleitənsi] *s.* appariscenza.

blatant ['bleitənt] *agg.* 1 appariscente 2 chiassoso.

blather ['blæðə*] *s.* chiacchiere sciocche (*pl.*).

blaze[1] [bleiz] *s.* fiamma, vampa // *in a —*, in fiamme // *go to blazes!*, va' all'inferno! // *like blazes*, vigorosamente.

to **blaze**[1] *v.intr.* 1 ardere; avvampare // *to — up*, infiammarsi; (*fig.*) arrabbiarsi // *to — away, off at s.o., sthg.*, sparare ripetutamente contro qlcu., qlco. // *to — away at sthg.*, fare qlco. con accanimento 2 sfavillare, risplendere.

blaze[2] *s.* 1 macchia bianca (sulla fronte di animali) 2 segnavia (inciso su un albero).

to **blaze**[2] *v.tr.* indicare (un sentiero) con incisioni su alberi: *to — a trail*, (*anche fig.*) tracciare una via.

blazer ['bleizə*] *s.* giacca sportiva.

blazon ['bleizn] *s.* blasone.

to **blazon** *v.tr.* 1 (*arald.*) blasonare 2 proclamare, divulgare.

bleach [bli:tʃ] *s.* decolorante; candeggina®.

to **bleach** *v.tr.* imbiancare; decolorare // *bleached hair*, capelli ossigenati ♦ *v.intr.* scolorirsi, schiarirsi.

bleachers ['bli:tʃəz] *s.pl.* (*amer.*) gradinata (in uno stadio e simili).

bleak [bli:k] *agg.* 1 esposto al vento, al freddo 2 brullo 3 pallido: *a — smile*, un pallido sorriso 4 deprimente, lugubre.

blear [bliə*] *agg.* indistinto, confuso.

to **blear** *v.tr.* 1 offuscare, annebbiare (la vista) 2 rendere indistinto (contorno ecc.).

bleat [bli:t] *s.* 1 belato 2 (*fig.*) piagnucolio.

to **bleat** *v.intr.* 1 belare 2 (*fig.*) piagnucolare 3 dire stupidaggini.

bleb [bleb] *s.* vescichetta, bolla; bolla d'aria.

bled [bled] *agg.* (*tip.*) refilato.

to **bleed** [bli:d], *pass. e p.pass.* **bled** [bled] *v.intr.* 1 sanguinare (*anche fig.*): *to — to death*, morire dissanguato 2 (*bot.*) emettere linfa ♦ *v.tr.* 1 (*med.*) salassare 2 estorcere denaro (*p.*).

to **bleep** [bli:p] *v.tr.* chiamare col cicalino.

bleeper ['bli:pə*] *s.* cicalino.

blemish ['blemiʃ] *s.* difetto; imperfezione.

to **blemish** *v.tr.* sfigurare; macchiare.

blend [blend] *s.* miscela, mistura (di tè ecc.).

to **blend** *v.tr.* mescolare; mischiare; fondere ♦ *v.intr.* mescolarsi; mischiarsi; fondersi; armonizzare.

blende [blend] *s.* (*min.*) blenda.

blender ['blendə*] *s.* (*amer.* per *liquidizer*) frullatore.

to **bless** [bles], *pass.* e *p.pass.* **blessed** [blest], (*poet.*) **blest** [blest] *v.tr.* benedire; consacrare; santificare // — *my soul!*, *God* — *me!*, Santo Cielo! // *God* — *you!*, salute! // *to be blessed with sthg.*, godere di qlco.

blessed ['blesid] *agg.* benedetto; beato; santo.

blessing ['blesiŋ] *s.* benedizione; fortuna; felicità // *a* — *in disguise*, un male che porta un bene.

blest *p.pass.* (*poet.*) di to **bless** ♦ *agg.* (*poet.*) per **blessed**.

blether ['bleðə*] *s.* chiacchiere sciocche (*pl.*).

to **blether** *v.intr.* parlare a vanvera.

blew *pass.* di to **blow**[1], to **blow**[2].

blight [blait] *s.* 1 (*agr.*) ruggine; gettaione; mazzettone 2 (*fig.*) influenza nefasta.

to **blight** *v.tr.* 1 (*agr.*) far avvizzire 2 far crollare (le speranze).

blighter ['blaitə*] *s.* (*sl.*) 1 tizio 2 mascalzone.

blimey ['blaimi] *inter.* (*pop.*) accidenti!

blind [blaind] *agg.* cieco: — *in one eye*, orbo // — *alley*, vicolo cieco (*anche fig.*) // *to fly* —, (*aer.*) volare alla cieca // — -*drunk*, ubriaco fradicio // — *track*, binario morto // — *man's buff*, mosca cieca // — *spot*, (*fig.*) punto debole, lacuna // *to turn a* — *eye to sthg.*, (*fig.*) chiudere gli occhi davanti a qlco. ♦ *s.* 1 tendina, cortina // *Venetian* —, persiana alla veneziana 2 pretesto 3 (*amer.*) nascondiglio.

to **blind** *v.tr.* 1 accecare; abbagliare 2 ingannare ♦ *v.intr.* (*sl.*) procedere alla cieca.

blinders ['blaindəz] *s.pl.* (*amer.* per *blinkers*) paraocchi.

blindfold ['blaindfould] *agg.* e *avv.* con gli occhi bendati; alla cieca.

to **blindfold** *v.tr.* bendare gli occhi a.

blindness ['blaindnis] *s.* cecità.

blind-side ['blaindsaid] *s.* punto debole.

blink [bliŋk] *s.* 1 guizzo, lampo 2 visione fugace // *to be on the* —, funzionare male, funzionare a tratti.

to **blink** *v.intr.* 1 batter le palpebre, ammiccare 2 lampeggiare (di luce) ♦ *v.tr.* (*fig.*) ignorare, chiudere gli occhi davanti a (qlco.).

blinker ['bliŋkə*] *s.* 1 (*amer.*) (*aut.*) lampeggiatore 2 *pl.* paraocchi (*anche fig.*).

bliss [blis] *s.* beatitudine; felicità.

blissful ['blisful] *agg.* beato; felice.

blister ['blistə*] *s.* 1 vescichetta; bolla 2 (*farm.*) vescicante.

to **blister** *v.intr.* produrre vesciche, coprirsi di vesciche ♦ *v.tr.* (*fig.*) rimproverare aspramente schernendo.

blithe [blaið] *agg.* (*poet.*) gaio, spensierato.

blitz [blits] *s.* (*mil.*) attacco aereo improvviso // *an advertising* —, una campagna pubblicitaria intensiva.

blizzard ['blizəd] *s.* bufera di neve, tormenta.

to **bloat**[1] [blout] *v.tr.* affumicare (aringhe).

to **bloat**[2] *v.tr.* gonfiare ♦ *v.intr.* gonfiarsi.

bloater ['bloutə*] *s.* aringa affumicata.

blob [blɔb] *s.* goccia.

blobber-lipped ['blɔbə*lipt] *agg.* dalle labbra tumide.

bloc [blɔk] *s.* blocco.

block [blɔk] *s.* 1 ceppo; forma di legno 2 (*mecc.*) carrucola 3 (*tip.*) clichè // — *letters*, stampatello 4 masso, blocco 5 (*spec. amer.*) isolato (di case) 6 ostacolo 7 (*fig.*) persona ottusa 8 *pl.* (*gioco*) cubetti 9

(*informatica*) blocco (di registrazioni); blocco (di schema): — *sort*, ordinamento a blocchi; — *transmission*, trasmissione a blocchi.

to **block** *v.tr.* 1 chiudere, bloccare; ostacolare 2 *to* — *out*, abbozzare.

blockade [blɔ'keid] *s.* blocco, assedio: *to raise the* —, togliere il blocco; *to run the* —, forzare il blocco.

to **blockade** *v.tr.* bloccare, assediare; ostruire.

blockbuster ['blɔkbʌstə*] *s.* (*fam.*) bomba dirompente (*anche fig.*).

blockhead ['blɔkhed] *s.* stupido; sciocco.

blockhouse ['blɔkhaus] *s.* fortino, casamatta.

bloke [blouk] *s.* (*fam.*) tipo; individuo.

blond [blɔnd] *agg.* e *s.* biondo.

blonde [blɔnd] *s.* bionda; (*fam.*) biondina.

blood [blʌd] *s.* 1 sangue: *to draw* —, far sanguinare // *in cold* —, a sangue freddo // *his* — *is up*, è in collera // — *is thicker than water*, il sangue non è acqua // — *and thunder*, violento, drammatico 2 stirpe; discendenza; parentela // — *feud*, faida 3 zerbinotto.

to **blood** *v.tr.* (*med.*) salassare.

blood brother [blʌd'brʌðə*] *s.* fratello carnale.

blood count ['blʌd kaunt] *s.* (*med.*) analisi del sangue.

bloodcurdling ['blʌd,kə:dliŋ] *agg.* raccapricciante.

blood donor ['blʌd'dounə*] *s.* donatore di sangue.

blood group ['blʌdgru:p] *s.* gruppo sanguigno.

blood heat ['blʌdhi:t] *s.* temperatura corporea.

bloodhound ['blʌdhaund] *s.* segugio; (*fig.*) detective.

bloodless ['blʌdlis] *agg.* 1 esangue 2 incruento 3 senza spirito.

bloodletting ['blʌd,letiŋ] *s.* (*med.*) salasso.

blood money ['blʌd,mʌni] *s.* compenso (dato a un sicario).

blood poisoning ['blʌd,pɔizniŋ] *s.* setticemia.

blood relation ['blʌdri'leiʃən] *s.* consanguineo.

bloodshed ['blʌdʃed] *s.* spargimento di sangue.

bloodshot ['blʌdʃɔt] *agg.* iniettato di sangue.

bloodstain ['blʌdstein] *s.* macchia di sangue.

bloodstock ['blʌdstɔk] *s.* purosangue.

bloodstone ['blʌdstoun] *s.* (*min. bot.*) eliotropio.

bloodsucker ['blʌd,sʌkə*] *s.* sanguisuga, mignatta; (*fig.*) usuraio.

bloodthirsty ['blʌd,θə:sti] *agg.* assetato di sangue.

bloody ['blʌdi] *agg.* 1 sanguinante 2 cruento, sanguinoso 3 sanguinario 4 (*volg.*) maledetto.

bloody-minded ['blʌdi,maindid] *agg.* 1 crudele, sanguinario 2 (*fam.*) ostinato, piantagrane: *don't be so* —, (*sl.*) non fare il piantagrane.

bloom [blu:m] *s.* 1 fiore; fioritura; (*fig.*) freschezza 2 lanugine (di frutta, gemme); pruina.

to **bloom** *v.intr.* fiorire, essere in fiore; sbocciare (di bellezza).

bloomer ['blu:mə*] *s.* (*fam.*) sbaglio, errore.

bloomers ['blu:məz] *s.pl.* mutandoni (a sbuffo).

blooming ['blu:miŋ] *agg.* fiorente, in fiore // *a* — *fool*, (*fam.*) un perfetto imbecille.

blossom ['blɔsəm] *s.* fiore.

to **blossom** *v.intr.* 1 fiorire; sbocciare 2 *to* — *out* (*into*), svilupparsi; fiorire.

blot [blɔt] *s.* 1 macchia // *that skyscraper is just a* — *on the landscape*, quel grattacielo è un vero pugno nell'occhio 2 difetto (morale).

to **blot** *v.tr.* 1 macchiare, macchiarsi; (*fig.*) infamare 2 asciugare (con carta assorbente) 3 *to* — *out*, oscurare.

blotch [blɔtʃ] *s.* 1 pustola 2 macchia.

to **blotch** v.tr. 1 coprire di pustole 2 coprire di macchie.

blotter ['blɔtə*] s. tampone di carta assorbente // police —, (amer.) libro dove la polizia registra le persone scomparse, gli oggetti ritrovati ecc.

blotting paper ['blɔtiŋ,peipə*] s. carta assorbente.

blotto ['blɔtou] agg. (fam.) ubriaco.

blouse [blauz, (amer.) blaus] s. blusa, camicetta.

blow[1] [blou] s. 1 soffio; raffica di vento 2 soffiata.

to **blow**[1], pass. **blew** [blu:], p.pass. **blown** [bloun] v.intr. 1 soffiare 2 gettar acqua fuori dallo sfiatatoio (di balena) 3 (elettr.) saltare (di valvole) 4 to — over, passare 5 to — up, scoppiare (anche fig.) ♦ v.tr. 1 suonare (strumenti a fiato) // to — the whistle on sthg., bloccare (un'iniziativa) mobilitando l'opinione pubblica // to — one's own trumpet, lodarsi 2 soffiare, soffiarsi (il naso) 3 far volar via: to — about, far volare di qua e di là // to — a kiss, mandare un bacio // to — one's top, perdere le staffe, arrabbiarsi // to — out one's brain, spararsi al cervello // — it!, accidenti! 4 (elettr.) far saltare (le valvole) 5 to — out, spegnere 6 to — up, far scoppiare; gonfiare, pompare: to — up a tyre, pompare una gomma.

to **blow**[2], pass. **blew**, p.pass. **blown** v.intr. aprirsi, sbocciare, fiorire, germogliare.

blow[3] s. colpo (anche fig.) // at one —, in un colpo solo // to come to blows, venire alle mani.

blower ['blouə*] s. 1 soffiatore 2 (mecc.) sfiatatoio 3 (fam.) telefono; citofono.

blowgun ['blougʌn] s. cerbottana.

blowhole ['blouhoul] s. sfiatatoio.

blown p.pass. di to **blow**[1], to **blow**[2].

blowout ['blou'aut] s. 1 scoppio (di pneumatico) 2 (fam.) bisboccia.

blowpipe ['bloupaip] s. 1 cannello per soffiare, cannello ferruminatorio 2 cerbottana.

blow-up ['blouʌp] s. 1 scoppio 2 (fam.) crisi di rabbia 3 (foto) ingrandimento.

blowzy ['blauzi] agg. trasandato.

blubber[1] ['blʌbə*] agg. tumido.

to **blub(ber)**[1] v.intr. piangere, singhiozzare.

blubber[2] s. grasso di balena.

bludgeon ['blʌdʒən] s. randello.

to **bludgeon** v.tr. colpire con un randello.

blue [blu:] agg. 1 azzurro, celeste, blu // — book, rapporto ufficiale (del governo inglese) // — cheese, formaggio tipo gorgonzola // — chip, costoso ma di buona qualità // — funk, (fam.) paura tremenda // Blue Peter, (mar.) bandiera del segnale di partenza // — ribbon, nastro dell'ordine della Giarrettiera // once in a — moon, a ogni morte di papa 2 depresso: he is feeling —, è depresso 3 (fam.) spinto, volgare // — movie, film a luce rossa ♦ s. 1 azzurro, celeste, blu // out of the —, inaspettatamente 2 cielo; mare 3 pl. tristezza (sing.), depressione (sing.) 4 pl. (mus.) blues.

to **blue** v.tr. 1 azzurrare 2 (fam.) scialacquare.

bluebell ['blu:bel] s. campanula; giacinto di bosco.

blueberry ['blu:,beri] s. (amer.) mirtillo.

bluebottle ['blu:,bɔtl] s. tafano.

blue-eyed ['blu:'aid] agg. 1 dagli occhi azzurri 2 (fam.) prediletto, preferito.

blue gum ['blu:gʌm] s. (bot.) eucalipto.

bluejacket ['blu:,dʒækit] s. marinaio.

to **blue-pencil** ['blu:'pensl] v.tr. correggere; fare tagli (in un testo); censurare.

blueprint ['blu:'print] s. 1 cianografia 2 progetto.

blue-stocking [blu:,stɔkiŋ] s. donna pedantescamente intellettuale.

bluff[1] [blʌf] agg. 1 ripido 2 franco; burbero, rude, brusco ♦ s. ripida scogliera.

bluff[2] s. bluff; inganno // to call s.o.'s —, scoprire il bluff di qlcu.

to **bluff**[2] v.tr. e intr. bluffare; ingannare.

blunder ['blʌndə*] s. errore grossolano: to make a —, prendere un granchio.

to **blunder** v.intr. 1 muoversi goffamente; inciampare // to — upon (s.o., sthg.), trovare per caso (qlcu., qlco.) 2 prendere un granchio ♦ v.tr. rovinare, sciupare.

blunderbuss ['blʌndəbʌs] s. (st.) trombone, schioppo.

blunderer ['blʌndərə*] s. 1 confusionario 2 persona senza tatto.

blunt [blʌnt] agg. 1 smussato, spuntato: — pencil, matita senza punta // — instrument, corpo contundente 2 ottuso 3 schietto, brusco ♦ s. ago passanastro.

to **blunt** v.tr. smussare; attutire; ottundere.

bluntly ['blʌntli] avv. schiettamente.

blur [blə:*] s. 1 macchia 2 apparenza confusa: my memory is a —, è tutto confuso nella mia memoria.

to **blur** v.tr. 1 macchiare 2 rendere indistinto; offuscare.

blurb [blə:b] s. soffietto editoriale.

to **blurt** [blə:t] v.tr.: to — (out), rivelare (segreti).

blush [blʌʃ] s. 1 rossore 2 color roseo.

to **blush** v.intr. arrossire.

bluster ['blʌstə*] s. 1 fragore; furia 2 millanteria; vuota minaccia.

to **bluster** v.intr. infuriare, rumoreggiare // to — at s.o., inveire contro qlcu.

bo [bou] inter. bu (per spaventare i bambini) // he can't say — to a goose, ha paura anche di una mosca.

boa ['bouə] s. boa.

boar [bɔ:*] s. (zool.) verro // wild- —, cinghiale.

board [bɔ:d] s. 1 asse; tavola; tabellone // chopping —, tagliere // above —, apertamente 2 pl. (teatr.) palcoscenico (sing.): to tread the boards, calcare le scene 3 vitto; pensione: — and lodging, vitto e alloggio; full —, pensione completa; half —, mezza pensione 4 consiglio: — of examiners, commissione d'esami // across the —, applicabile a tutti i componenti (di un organico) // Board of Trade, Ministero del Commercio 5 (mar.) bordo, ponte: on —, a bordo; (solo amer.), in vettura // to go by the —, (fig.) finire in niente.

to **board** v.tr. 1 coprire con, fornire di assi // to — up, chiudere con assi 2 prendere a pensione 3 (mar.) abbordare; imbarcarsi su 4 to — out, mettere a pensione ♦ v.intr.: to — with, essere a pensione presso.

boarder ['bɔ:də*] s. 1 pensionante; convittore // day- —, esterno (di collegio) 2 chi va all'abbordaggio.

boardinghouse ['bɔ:diŋhaus] s. pensione; pensionato.

boarding-school ['bɔ:diŋsku:l] s. collegio.

boardroom ['bɔ:dru:m] s. sala del consiglio di amministrazione.

boast [boust] s. vanteria.

to **boast** v.tr. e intr. gloriarsi; vantare, vantarsi.

boaster ['boustə*] s. spaccone; fanfarone.

boat [bout] s. barca; battello; lancia; nave // to burn one's boats, (fam.) tagliarsi i ponti alle spalle // to push the — out, fare un grosso sforzo economico.

to **boat** v.intr. andare in barca.

boater ['boutə*] s. (fam.) paglietta.

boatful ['boutful] s. barcata.

boathook ['bouthuk] s. (mar.) gaffa, alighiero.

boathouse [ˈbouthaus] *s.* riparo coperto per barche.

boating [ˈboutiŋ] *s.* canottaggio.

boatman, *pl.* **boatmen** [ˈboutmən] *s.* barcaiolo.

boat race [ˈboutreis] *s.* gara di canottaggio.

boatswain [ˈbousn] *s.* (*mar.*) nostromo.

boat train [ˈbouttrein] *s.* treno in coincidenza con navi.

bob[1] [bɔb] *s.* **1** coda di cavallo monca **2** ciocca; ricciolo **3** pendolo.

to bob[1] *v.tr.* **1** mozzare (coda di cavallo) **2** tagliare (capelli) alla maschietta.

bob[2] *s.* **1** sballottamento **2** inchino goffo.

to bob[2] *v.intr.* **1** ballonzolare **2** inchinarsi goffamente **3** *to — up*, (*di cosa*) venire improvvisamente a galla; (*di persona*) saltar fuori.

bob[3] *s.* (*pl. invar.*) (*sl.*) scellino.

bob[4] *s.* (*sport*) bob, guidoslitta.

bobbin [ˈbɔbin] *s.* bobina; conocchia, rocca.

bobby [ˈbɔbi] *s.* (*fam.*) poliziotto.

bobby-dazzler [ˈbɔbiˈdæzlə*] *s.* (*fam.*) cosa pacchiana.

bobby pin [ˈbɔbipin] *s.* (*amer.* per *hairpin*) forcina, molletta.

bobby-socks, **bobby-sox** [ˈbɔbisɔks] *s.pl.* (*fam.*) (*amer.*) calzini.

bobby-soxer [ˈbɔbiˌsɔksə*] *s.* (*fam. amer.*) ragazzina.

bobsled [ˈbɔbsled], **bobsleigh** [ˈbɔbslei] *s.* → **bob**[4].

bobtail [ˈbɔbteil] *s.* cane, cavallo con la coda mozza // *rag-tag and* —, gentaglia.

bobtailed [ˈbɔbteild] *agg.* con la coda mozza.

boche [bɔʃ] *agg. e s.* (*sl.spreg.*) tedesco.

bock [bɔk] *s.* **1** birra tedesca **2** bicchiere di birra.

to bode[1] [boud] *v.tr. e intr.* promettere, presagire: *to — well, ill*, essere di buono, di cattivo augurio.

bode[2] *pass.* di *to* **bide**.

bodice [ˈbɔdis] *s.* bustino, corpetto.

bodiless [ˈbɔdilis] *agg.* incorporeo.

bodily [ˈbɔdili] *agg.* corporeo; fisico ♦ *avv.* **1** di persona **2** in massa; di peso; interamente.

bodkin [ˈbɔdkin] *s.* punteruolo; passanastro.

body [ˈbɔdi] *s.* **1** corpo **2** tronco, busto // *— -belt*, panciera **3** corpo, parte essenziale; (*di automobile*) carrozzeria **4** gruppo di persone; sodalizio; società: *in a* —, in massa; *a public* —, un ente // *— -politic*, insieme dei cittadini; corpo elettorale **5** massa, quantità **6** sostanza; consistenza: *a wine of good* —, un vino generoso **7** (*fam.*) persona.

to body *v.tr.* dar corpo (a), dar forma (a).

body-count [ˈbɔdikaunt] *s.* calcolo delle perdite umane.

bodyguard [ˈbɔdigɑ:d] *s.* guardia del corpo.

body-maker [ˈbɔdiˈmeikə*] *s.* carrozziere.

bodywork [ˈbɔdiwɔ:k] *s.* carrozzeria.

Boer [ˈbouə*] *agg. e s.* boero.

boffin [ˈbɔfin] *s.* (*fam.*) ricercatore; scienziato.

bog[1] [bɔg] *s.* palude, pantano, acquitrino // *— grass*, (*bot.*) falasco.

to bog[1] *v.tr.* impantanare ♦ *v.intr.* impantanarsi.

bog[2] *s.* (*volg.*) cesso, latrina.

bogey *s.* → **bogy**.

to boggle [ˈbɔgl] *v.intr.* rifuggire: *to — at* (o *about*) *doing sthg.*, rifuggire dal fare qlco.

bogie [ˈbougi] *s.* (*ferr.*) carrello.

bogus [ˈbougəs] *agg.* falso, finto, simulato.

bogy [ˈbougi] *s.* spettro; spauracchio // *— -man*, (*fam.*) babau.

boil[1] [bɔil] *s.* punto d'ebollizione.

to boil[1] *v.intr.* **1** bollire; ribollire (*anche fig.*) // *to keep the pot boiling*, far andare avanti la baracca // *to —*

away, consumarsi, evaporare // *to — over*, traboccare bollendo **2** *to — down*, condensare; ridursi ♦ *v.tr.* far bollire; lessare.

boil[2] *s.* foruncolo.

boiler [ˈbɔilə*] *s.* caldaia; bollitore.

boilersuit [ˈbɔiləsu:t] *s.* tuta.

boiling [ˈbɔiliŋ] *agg.* **1** bollente // *— plate*, fornello elettrico a piastra **2** agitato ♦ *s.* ebollizione; bollitura // *— point*, (*fis.*) punto di ebollizione.

boisterous [ˈbɔistərəs] *agg.* **1** chiassoso, rumoroso **2** violento; tempestoso.

bold [bould] *agg.* **1** audace, coraggioso **2** sfacciato, sfrontato // *to make* —, prendersi la libertà (di) **3** netto, ben delineato.

boldface [ˈbouldfeis] *s.* (*tip.*) neretto.

bole [boul] *s.* tronco d'albero.

bolero [bəˈlɛərou, *nel senso* 2 ˈbɔlərou] *s.* **1** bolero (danza) **2** (*abbigl.*) bolero.

boll [boul] *s.* capsula globosa (di lino, cotone).

bollard [ˈbɔləd] *s.* **1** (*mar.*) bitta **2** colonnina spartitraffico.

boloney [bəˈlouni] *s.* (*sl. amer.*) sciocchezze (*pl.*).

Bolshevik [ˈbɔlʃivik] *agg. e s.* bolscevico.

Bolshevism [ˈbɔlʃivzəm] *s.* bolscevismo.

Bolshevist [ˈbɔlʃivist] *agg. e s.* bolscevico.

bolshy, **bolshie** [ˈbɔlʃi] *agg. e s.* (*fam.*) **1** bolscevico **2** (*spreg.*) fannullone.

bolster [ˈboulstə*] *s.* (*mecc.*) supporto.

to bolster *v.tr.* sostenere.

bolt [boult] *s.* **1** catenaccio; spranga **2** bullone: *nuts and bolts*, bulloneria **3** otturatore (di armi da fuoco) **4** freccia **5** fulmine // *a — from the blue*, un fulmine a ciel sereno **6** balzo.

to bolt *v.tr.* **1** chiudere con catenaccio, sprangare **2** imbullonare **3** tranguggiare ♦ *v.intr.* fuggire; darsela a gambe.

bolt *avv.*: *— upright*, diritto come un fuso.

bolt-head [ˈboulthed] *s.* **1** testa di bullone **2** (*chim.*) matraccio.

bomb [bɔm] *s.* bomba: *A-, H- —*, bomba atomica; bomba all'idrogeno; *chemical —*, bomba a gas // *— -thrower*, lanciabombe // *to spend, to cost a —*, (*fam.*) spendere, costare una fortuna.

to bomb *v.tr.* **1** bombardare // *to — out*, costringere ad abbandonare luogo, casa ecc. con bombardamento aereo **2** *to — up*, (*aer.*) fare il carico di bombe.

bombard [ˈbɔmbɑ:d] *s.* (*st.*) bombarda.

to bombard [bɔmˈbɑ:d] *v.tr.* bombardare.

bombast [ˈbɔmbæst] *s.* ampollosità.

bombastic [bɔmˈbæstik] *agg.* ampolloso.

bomb bay [ˈbɔmˈbei] *s.* (*aer.*) vano bombe.

bombed-out [ˈbɔmdˈaut] *agg.* sfollato (a causa di bombardamenti).

bomber [ˈbɔmə*] *s.* **1** bombardiere **2** (*fam.*) bomba, sostanza eccitante.

bombproof [ˈbɔmpru:f] *agg.* a prova di bomba.

bombshell [ˈbɔmʃel] *s.* bomba (*anche fig.*).

bona fide [ˈbounəˈfaidi] *agg.* genuino, autentico; in buona fede.

bonanza [bouˈnænzə] *s.* **1** (*min.*) ricco filone **2** (*fig.*) (*amer.*) miniera d'oro, cuccagna.

bonce [bɔns] *s.* (*fam.*) testa, zucca.

bond [bɔnd] *s.* **1** vincolo, legame **2** *pl.* catene; prigionia (*sing.*) **3** patto, accordo **4** (*comm.*) obbligazione; titolo (di credito) // *convertible —*, obbligazione convertibile // *index-linked —*, obbligazione indicizzata // *mortgage* —, obbligazione fondiaria // *state* —, titolo di stato // *Treasury* —, buono del Tesoro **5** (*chim.*) legame **6** (*fis.*) adesione, coesione **7** (*edil.*) apparecchiatura **8** (*comm.*) deposito doganale.

to **bond** *v.tr.* **1** (*comm.*) tenere (merce) in deposito **2** (*edil.*) saldare insieme, legare (mattoni, pietre).

bondage [ˈbɔndidʒ] *s.* schiavitù (*anche fig.*).

bonded [ˈbɔndid] *agg.* vincolato // *— warehouse*, magazzino doganale.

bondholder [ˈbɔnd,houldə*] *s.* (*comm.*) obbligazionista.

bone [boun] *s.* **1** osso: *skin and bones*, pelle e ossa; *to be chilled to the —*, sentire il freddo fin dentro le ossa // *I feel it in my bones*, me lo sento // *to cut expenses to the —*, fare economia fino all'osso // *— of contention*, il pomo della discordia // *to have a — to pick with s.o.*, avere motivo di lagnanza, di reclamo con qlcu. // *to make no bones about doing sthg.*, non farsi scrupolo di, non esitare a fare qlco. **2** stecca (di busto) **3** *pl.* pedine, dadi (di osso); nacchere (d'osso) **4** *pl.* resti (mortali).

to **bone** *v.tr.* **1** disossare **2** (*sl.*) rubare **3** *to — up on*, (*sl.*) studiare sodo.

bone-dry [ˈbounˈdrai] *agg.* secco; asciutto.

bonehead [ˈbounhed] *s.* (*sl.*) scimunito.

bone-idle [ˈbounˈaidl] *agg.* pigrone, poltrone.

boner [ˈbounə*] *s.* (*sl. amer.*) granchio, errore grossolano.

bonesetter [ˈboun,setə*] *s.* (*spreg.*) aggiustaossa.

boneshaker [ˈboun,ʃeikə*] *s.* veicolo scassato.

bonfire [ˈbɔnfaiə*] *s.* falò.

Boniface [ˈbɔnifeis] *no.pr.m.* Bonifacio.

bonkers [ˈbɔŋkəs] *agg.* (*fam.*) matto.

bonnet [ˈbɔnit] *s.* **1** berretto scozzese **2** cuffia **3** (*mar.*) vela di riserva **4** (*aut.*) cofano.

bonny [ˈbɔni] *agg.* grazioso, avvenente.

bonus [ˈbounəs] *s.* compenso, premio; gratifica; extra-dividendo // *cost-of-living* —, indennità di contingenza.

bony [ˈbouni] *agg.* **1** osseo **2** ossuto.

bonze [bɔnz] *s.* bonzo.

boo [bu:] *inter.* buh!

to **boo** *v.intr.* urlare, fischiare in segno di disapprovazione ♦ *v.tr.* disapprovare, fischiare.

boob [bu:b] *s.* **1** (*fam.*) gaffe **2** (*volg.*) seno.

to **boob** *v.intr.* (*fam.*) fare una gaffe.

boob(y) [ˈbu:b(i)] *s.* sciocco, babbeo.

booby prize [ˈbu:bipraiz] *s.* premio di consolazione (all'ultimo classificato).

booby-trap [ˈbu:bitræp] *s.* **1** scherzo che consiste nel far inciampare qlcu. o nel far cadere qlco. in testa a chi entra da una porta **2** oggetto apparentemente innocuo collegato a un ordigno esplosivo.

boodle [ˈbu:dl] *s.* (*sl. amer.*) **1** quattrini (*pl.*); gruzzolo **2** bustarella.

book [buk] *s.* **1** libro: *— trade*, commercio librario // *it suits my* —, mi sta bene, sono d'accordo // *to be in s.o.'s good, bad books*, (*fam.*) essere, non essere nelle grazie di qlcu. // *to speak by the* —, parlare con cognizione di causa // *to talk like a* —, (*fam.*) parlare come un libro stampato // *to take a leaf out of s.o.'s* —, seguire l'esempio di qlcu. **2** (*comm.*) registro, libro // *to keep the books of a firm*, tenere la contabilità di una ditta **3** *Book*, Bibbia **4** libretto d'opera **5** (registro delle) scommesse.

to **book** *v.tr.* **1** registrare; allibrare **2** prenotare, fissare; impegnare (qlcu.): *we are all booked up*, i posti so-

no già tutti prenotati; *he is booked to sail next week*, ha fissato un posto sulla nave per la settimana prossima **3** (*sport*) ammonire.

bookbinder [ˈbuk,baində*] *s.* rilegatore.

bookbinding [ˈbuk,baindiŋ] *s.* rilegatura.

bookcase [ˈbukkeis] *s.* libreria, scaffale (per libri).

bookends [ˈbukendz] *s.pl.* reggilibri (*sing.*).

bookie [ˈbuki] *s.* (*fam.*) allibratore.

booking [ˈbukiŋ] *s.* **1** registrazione; allibramento **2** prenotazione **3** ammonizione.

booking clerk [ˈbukiŋ,kla:k] *s.* bigliettaio; addetto alle prenotazioni.

booking office [ˈbukiŋ,ɔfis] *s.* ufficio prenotazioni; biglietteria.

bookish [ˈbukiʃ] *agg.* **1** studioso **2** libresco; (*spreg.*) pedante.

bookkeeper [ˈbuk,ki:pə*] *s.* contabile; ragioniere.

bookkeeping [ˈbuk,ki:piŋ] *s.* contabilità.

book learning [ˈbuk,lə:niŋ] *s.* erudizione.

booklet [ˈbuklit] *s.* libretto; opuscolo.

bookmaker [ˈbuk,meikə*] *s.* allibratore.

bookmark [ˈbukma:k] *s.* segnalibro.

bookmobile [ˈbukmou,bi:l] *s.* (*amer.*) veicolo adibito a biblioteca circolante.

bookshelf [ˈbukʃelf], *pl.* **bookshelves** [ˈbukʃelvz] *s.* scaffale (per libri).

bookshop [ˈbukʃɔp] *s.* libreria (negozio).

bookstall [ˈbukstɔ:l] *s.* edicola; bancarella.

bookstand [ˈbukstænd] *s.* **1** leggio **2** bancarella (di libri).

book token [ˈbuk,toukən] *s.* buono omaggio per l'acquisto di libri.

bookworm [ˈbukwə:m] *s.* **1** tignola **2** (*fig.*) topo di biblioteca.

boolean [ˈbu:liən] *agg.* boleano, di Boole: *— algebra*, algebra booleana.

boom[1] [bu:m] *s.* **1** (*mar.*) boma **2** barriera galleggiante di tronchi **3** braccio (di gru) **4** (*cinem. tv*) giraffa.

boom[2] *s.* **1** rombo, rimbombo **2** «boom» (rapida espansione economica); (*fig.*) improvvisa popolarità.

to **boom**[2] *v.intr.* **1** rimbombare **2** prosperare rapidamente; sfondare, essere in auge ♦ *v.tr.* far prosperare; aumentare la popolarità (di qlcu.).

boomerang [ˈbu:məræŋ] *s.* boomerang.

boon [bu:n] *agg.* allegro: *a — companion*, un simpaticone ♦ *s.* **1** dono **2** (*arc.*) favore; richiesta.

boondocks [ˈbu:nda:ks] *s.pl.* (*amer.*) luogo sperduto, abbandonato da Dio.

boor [bua*] *s.* zotico, cafone.

boost [bu:st] *s.* (*fam.*) spinta; lancio pubblicitario.

to **boost** *v.tr.* (*fam.*) dare una spinta; propagandare, lanciare.

booster [ˈbu:stə*] *s.* **1** propugnatore **2** (*med.*) dose supplementare **3** (*missilistica*) razzo ausiliario; primo stadio.

boot[1] [bu:t] *s.* **1** stivale; scarpone // *to get the —*, (*fam.*) essere buttato fuori // *the — is on the other foot*, (*fam.*) la situazione si è rovesciata // *to have one's heart in one's boots*, (*fam.*) avere paura // *to be too big for one's boots*, (*fam.*) darsi delle arie **2** (*aut.*) baule.

to **boot**[1] *v.tr.* prendere a pedate // *to — s.o. out*, (*fam.*) sbattere fuori qlcu.

boot[2] *s.*: *to —*, per soprammercato.

bootblack [ˈbu:tblæk] *s.* lustrascarpe.

bootee [ˈbu:ti] *s.* **1** stivaletto **2** scarpetta di lana per neonato.

booth [bu:ð] *s.* **1** baracca; (*nelle fiere*) baraccone **2** cabina.

bootlace ['bu:tleis] *s.* stringa (da scarpe).

to **bootleg** ['bu:tleg] *v.intr.* (*amer.*) fare traffico illecito (di alcolici).

bootless ['bu:tlis] *agg.* vano.

boots [bu:ts] *s.* lustrascarpe (d'albergo).

booty ['bu:ti] *s.* bottino.

booze [bu:z] *s.* (*fam.*) **1** bevanda alcolica **2** bevuta.

to **booze** *v.intr.* (*fam.*) sbronzarsi.

booze-up ['bu:zʌp] *s.* (*sl.*) bisboccia, baldoria.

bo-peep [bou'pi:p] *s.* (*fam.*) (*gioco infantile*) cucù.

borax ['bɔ:ræks] *s.* (*chim.*) borace.

border ['bɔ:də*] *s.* **1** bordo, orlo **2** bordura di fiori, piante **3** frontiera, confine ♦ *the Border,* confine tra Scozia e Inghilterra.

to **border** *v.intr.* orlare; delimitare ♦ *v.intr.:* *to — up* (*on*), (*anche fig.*) confinare.

borderland ['bɔ:dələænd] *s.* (zona di) confine.

borderline ['bɔ:dəlain] *s.* (linea di) confine; limite // *— case,* caso limite.

bore[1] [bɔ:*] *s.* **1** foro **2** (*di arma da fuoco*) calibro **3** trivello.

to **bore**[1] *v.tr.* forare; perforare; trivellare ♦ *v.intr.* praticare un foro // *to — through the crowd,* aprirsi un varco tra la folla.

bore[2] *s.* **1** seccatore **2** seccatura.

to **bore**[2] *v.tr.* annoiare; infastidire, seccare.

bore[3] *pass.* di to **bear**[2].

boreal ['bɔ:riəl] *agg.* boreale.

boredom ['bʌ:dəm] *s.* noia.

boric ['bɔ:rik] *agg.* (*chim.*) borico.

boring ['bɔ:riŋ] *s.* noioso.

boring machine ['bɔ:riŋmə'ʃi:n] *s.* (*mecc.*) alesatrice.

born *p.pass.* di to **bear**[2] ♦ *agg.* **1** nato, generato: *— of,* nato da; *he is a — poet,* è un poeta nato; *— blind,* cieco dalla nascita // *London- —,* nativo di Londra; *American- —,* americano di nascita // *in all my — days,* in tutta la mia vita // *— with a silver spoon in one's mouth,* nato con la camicia **2** innato.

borne *p.pass.* di to **bear**[2] // *it was — in on him,* si è reso conto.

boron ['bɔ:rən] *s.* (*chim.*) boro.

borough ['bʌrə, (*amer.*) 'bʌrou] *s.* **1** circoscrizione amministrativa; elettorale **2** borgo **3** (*amer.*) una delle cinque unità amministrative di New York City.

to **borrow** ['bɔrou] *v.tr.* prendere a prestito; farsi prestare: *to — (money) from s.o.,* farsi prestare del denaro da qlcu. // *he feels that he is living on borrowed time,* sente che ogni giorno gli è regalato.

bosh [bɔʃ] *s.* sciocchezza ♦ *inter.* sciocchezze!

bosom ['buzəm] *s.* petto, seno // *in the — of one's family,* in seno alla famiglia // *— friend,* amico del cuore.

Bosphorus ['bɔsfərəs] *no.pr.* Bosforo.

boss[1] [bɔs] *s.* (*fam.*) capo, padrone.

to **boss**[1] *v.tr.* (*fam.*) comandare; spadroneggiare (su).

boss[2] *s.* borchia.

boss-eyed ['bɔsaid] *agg.* (*fam.*) **1** strabico **2** sbilenco.

boss shot ['bɔsʃɔt] *s.* (*sl.*) tentativo maldestro, pasticcio.

bossy ['bɔsi] *agg.* prepotente; dispotico.

botanic(al) [bə'tænik(əl)] *agg.* botanico.

botanist ['bɔtənist] *s.* botanico.

botany ['bɔtəni] *s.* botanica.

botch [bɔtʃ] *s.* **1** pecca **2** pasticcio; lavoro malfatto.

to **botch** *v.tr.* **1** abborracciare; rattoppare alla bell'e meglio **2** pasticciare.

both [bouθ] *agg.* e *pron.* tutti e due, entrambi: *— brothers,* tutti e due, entrambi i fratelli; *— of them said it,* l'hanno detto tutti e due // *on — sides,* d'ambo le parti ♦ *avv.* nello stesso tempo, contemporaneamente // *— ... and,* sia ... sia ... che; tanto ... quanto.

bother ['bɔðə*] *s.* seccatura, noia.

to **bother** *v.tr.* infastidire, seccare // *— (it)!,* all'inferno! ♦ *v.intr.* preoccuparsi: *don't — about it,* non preoccuparti; non disturbarti.

botheration [,bɔðə'reiʃən] *inter.* accidenti!

bothersome ['bɔðəsəm] *agg.* seccante, noioso.

bottle ['bɔtl] *s.* **1** bottiglia // *— green,* verde bottiglia // *he has hit the — again,* ha ricominciato a bere // *feeding* (*o nursing*) *—,* poppatoio: *child brought up on the —,* bambino allattato artificialmente **2** (*sl.*) coraggio, fegato // *to lose one's —,* dimostrarsi vigliacco.

to **bottle** *v.tr.* imbottigliare // *to — up,* (*fig.*) reprimere, tenere a freno.

to **bottle-feed** ['bɔtlfi:d] *v.tr.* allattare artificialmente (con il poppatoio).

bottle-holder ['bɔtlhouldə*] *s.* secondo (di un pugile).

bottleneck ['bɔtlnek] *s.* **1** strettoia **2** sistema di blocco.

bottle opener ['bɔtloupnə*] *s.* apribottiglia.

bottle-party ['bɔtlpɑ:ti] *s.* festa in cui ciascuno dei partecipanti porta una bottiglia di liquore o di vino.

bottom ['bɔtəm] *s.* **1** fondo, estremità; letto di fiume: *to go* (o *to sink*) *to the —,* colare a picco; *to get to the — of,* andare a fondo di // *from the — of one's heart,* sinceramente // *— up,* capovolto // *bottoms up!,* (*fam.*) cin-cin! **2** (*mar.*) carena; chiglia **3** piede, piedistallo; fondamenta (*pl.*) **4** (*fig.*) fondamento; causa, origine: *to be at the — of sthg.,* essere la causa di qlco. **5** (*fam.*) sedere ♦ *agg.* infimo, ultimo // *to bet one's — dollar,* (*fig.*) giocare l'ultima carta.

to **bottom** *v.tr.* **1** mettere il fondo (a) **2** basare **3** (*fig.*) capire ♦ *v.intr.* (*di nave*) toccare il fondo del mare.

bottom drawer [,bɔtəm'drɔ:*] *s.* corredo (di sposa).

bottommost ['bɔtəmmoust] *agg.superl.* il più basso.

bough [bau] *s.* ramo.

bought *pass.* e *p.pass.* di to **buy**.

bougie ['bu:ʒi:] *s.* **1** candela **2** (*chir.*) catetere.

bouillon ['bu:jɔ:n] *s.* brodo leggero.

boulder ['bouldə*] *s.* masso.

boulevard ['bu:lvɑ:*] *s.* viale; (*amer.*) corso.

bounce [bauns] *s.* **1** rimbalzo // *to get the —,* (*sl. amer.*) essere licenziato **2** elasticità **3** (*fig.*) boria.

to **bounce** *v.intr.* **1** rimbalzare // *to — into,* irrompere in // *to — out of,* balzar fuori da **2** vantarsi **3** (*sl.*) essere respinto (di assegno a vuoto) ♦ *v.tr.* **1** far rimbalzare **2** espellere; licenziare **3** millantare.

bouncer ['baunsə*] *s.* **1** fanfarone **2** sfacciata menzogna **3** (*fam.*) buttafuori.

bouncing ['baunsiŋ] *agg.* **1** elastico **2** (*fig.*) esuberante; vigoroso, gagliardo.

bound[1] [baund] *s.* **1** limite (*anche fig.*) **2** *pl.* confine (*sing.*)

to **bound**[1] *v.tr.* confinare; (*fig.*) porre limiti (a): *to be bounded by,* confinare con.

bound[2] *s.* balzo: *at a —,* con un balzo // *on the —,* al balzo // *to advance by leaps and bounds,* far passi da gigante.

to **bound**[2] *v.intr.* balzare; rimbalzare.

bound[3] *agg.* diretto; (*mar.*) in partenza per, con destinazione: *to be — for,* essere diretto a.

bound[4] *pass.* e *p.pass.* di to **bind** ♦ *agg.* **1** rilegato //

half- —, rilegato in mezza pelle **2** obbligato, costretto **3** certo: *he is* — *to come*, è certo che verrà // *I'll be* —!, ne sono certo!

boundary ['baundəri] *s.* limite; frontiera.

bounden ['baundən] *agg.*: — *duty*, sacro dovere.

bounder ['baundə*] *s.* (*fam.*) mascalzone.

boundless ['baundlis] *agg.* illimitato, sconfinato.

bounteous ['bauntiəs] *agg.* generoso.

bounty ['baunti] *s.* **1** generosità **2** dono; premio.

bourgeois ['buəʒwɑ:, (*amer.*) ˌbuərˈʒwɑ:] *agg. e s.* borghese.

bourgeoisie [ˌbuəʒwɑ:ˈzi:] *s.* borghesia.

bourn(e) [bɔ:n] *s.* (*arc.*) limite, confine.

bout [baut] *s.* **1** periodo (di attività ecc.); turno di lavoro **2** lotta, scontro **3** (*sport*) ripresa.

bovine ['bouvain] *agg.* bovino.

bovver ['bɔvə*] *s.* (*sl.*) **1** rissa; violenza: — *boots*, scarpe pesanti **2** difficoltà, rogna.

bow¹ [bou] *s.* **1** arco // *to have more than òne string to one's* —, (*fig.*) avere molte frecce al proprio arco **2** archetto (di violino ecc.) **3** nodo; fiocco.

bow² [bau] *s.* inchino // *to make one's* —, apparire per la prima volta.

to bow² *v.intr.* **1** curvarsi, chinarsi; inchinarsi // *to* — *and scrape*, (*fig.*) strisciare, umiliarsi **2** sottomettersi ♦ *v.tr.* **1** *to* — *one's thanks*, profondersi in ringraziamenti **2** piegare, schiacciare **3** *to* — *in*, introdurre **4** *to* — *out*, accompagnare fuori.

bow³ *s.* prua, prora.

to bowdlerize ['baudləraiz] *v.tr.* espurgare.

bowel ['bauəl] *s.* (*gener.pl.*) **1** intestino **2** (*fig.*) viscere **3** (*fig.*) sentimenti.

bower¹ ['bauə*] *s.* **1** pergolato **2** villino rustico **3** (*poet.*) camera (di donna).

bower² *s.* ancora: — *anchor*, ancora di posta.

bowie knife ['bouˌinaif] *s.* coltello da caccia.

bowl¹ [boul] *s.* **1** scodella, ciotola; coppa **2** cavità; incavo (del cucchiaio ecc.); fornello (della pipa) // *lavatory* —, tazza (del W.C.) **3** (*amer.*) anfiteatro.

bowl² *s.* boccia.

to bowl² *v.intr.* **1** rotolare // *to* — *along*, muoversi velocemente (su un veicolo a ruote) **2** (*cricket*) servire **3** giocare a bocce ♦ *v.tr.* far rotolare.

bow-legged ['boulegd] *agg.* con le gambe arcuate.

bowler¹ ['boulə*] *s.* bombetta.

bowler² *s.* **1** (*cricket*) giocatore che serve la palla **2** giocatore di bocce.

bowline ['boulin] *s.* (*mar.*) bolina; orza.

bowline knot ['boulin nɔt] *s.* (*mar.*) gassa d'amante.

bowling ['bouliŋ] *s.* **1** gioco delle bocce **2** bowling, gioco dei birilli automatici.

bowling alley ['bouliŋˌæli] *s.* corsia per il gioco dei birilli automatici.

bowling green ['bouliŋgri:n] *s.* cámpo di bocce.

bowman, *pl.* **bowmen** ['boumən] *s.* arciere.

bowshot ['bouʃɔt] *s.* tiro d'arco.

bowsprit ['bousprit] *s.* (*mar.*) bompresso.

bowstring ['boustriŋ] *s.* corda d'arco.

bow window ['bouˈwindou] *s.* (*arch.*) bovindo.

box¹ [bɔks] *s.* bosso; legno di bosso.

box² *s.* **1** scatola; cassa; cassetta // *Christmas* —, strenna natalizia **2** cassetta, serpa **3** (*teatr.*) palco **4** banco (dei giurati, dei testimoni) **5** capanno; cabina **6** (*sl.*) televisore.

to box² *v.tr.* inscatolare; imballare // *to feel boxed in*, (*fam.*) sentirsi in gabbia.

box³ *s.* schiaffo (sulle orecchie).

to box³ *v.tr.* schiaffeggiare (sulle orecchie) ♦ *v.intr.* fare del pugilato.

to Box and Cox ['bɔksnˈkɔks] *v.intr.* (*fam.*) fare a turni.

boxboard ['bɔksbɔ:d] *s.* cartone.

boxer ['bɔksə*] *s.* **1** pugile **2** (*cane*) boxer.

boxing ['bɔksiŋ] *s.* pugilato.

Boxing-day ['bɔksiŋdei] *s.* (giorno di) S. Stefano.

box number ['bɔksnʌmbə*] *s.* casella postale.

box office ['bɔksɔfis] *s.* **1** botteghino **2** successo di pubblico, di cassetta.

box-pleat ['bɔkspli:t] *s.* (*sartoria*) cannone.

boxwood ['bɔkswud] *s.* bosso; legno di bosso.

boy [bɔi] *s.* **1** ragazzo: *little* —, bambino // *old* —!, vecchio mio! **2** fattorino **3** servo indigeno ♦ *inter.* (*amer.*) esprime entusiasmo, sollievo, sorpresa.

boycott ['bɔikət] *s.* boicottaggio.

to boycott *v.tr.* boicottare.

boyfriend ['bɔifrend] *s.* ragazzo, innamorato.

boyhood ['bɔihud] *s.* fanciullezza.

boyish ['bɔiiʃ] *agg.* fanciullesco; puerile.

bra [brɑ:] *s.* (*fam.*) reggipetto.

brace [breis] *s.* **1** sostegno **2** (*edil.*) putrella **3** tirante di tamburo **4** apparecchio per i denti **5** *pl.* bretelle **6** (*pl. invar.*) paio, coppia **7** (*tip.*) graffa.

to brace *v.tr.* **1** rinforzare, fortificare **2** *to* — *oneself*, prepararsi a ricevere (colpo ecc.) **2** stringere, legare **3** rinvigorire (di clima) ♦ *v.intr.*: *to* — *up*, farsi coraggio.

bracelet ['breislit] *s.* braccialetto.

brachycephalic [ˌbrækiˈfælik] *agg.* brachicefalo.

brachylogy [brəˈkilədʒi] *s.* brachilogia.

bracken ['brækən] *s.* felce.

bracket ['brækit] *s.* **1** mensola **2** braccio portalampada **3** forcella di cannone; (*mil.*) forcella (tiro di aggiustamento) **4** parentesi: *in* (o *between*) *brackets*, fra parentesi: *open*, *close brackets!*, aprite, chiudete le parentesi **5** fascia, gruppo sociale: *income* —, fascia di reddito.

to bracket *v.tr.* **1** mettere fra parentesi **2** raggruppare.

brackish ['brækiʃ] *agg.* salmastro.

bract [brækt] *s.* (*bot.*) brattea.

brad [bræd] *s.* bulletta.

bradawl ['brædɔ:l] *s.* punteruolo.

bradyseism ['brædisaizəm] *s.* bradisismo.

brag [bræg] *s.* vanto, vanteria.

to brag *v.intr.* vantarsi.

braggadocio [ˌbrægəˈdoutʃiou] *s.* millanteria.

braggart ['brægət] *agg. e s.* millantatore.

Brahma ['brɑ:mə] *no.pr.m.* (*st.relig.*) Brahma.

Brahman ['brɑ:mən], **Brahmin** ['brɑ:min] *s.* bramino.

Brahminic [brɑ:ˈminik] *agg.* bramanico.

braid [breid] *s.* **1** treccia (spec. di capelli) **2** gallone, passamano.

to braid *v.tr.* **1** intrecciare **2** legare (i capelli) con un nastro **3** guarnire (con galloni ecc.).

brain [brein] *s.* cervello; *pl.* (*fig.*) cervello (*sing.*), testa; senno; ingegno: *he has no brains at all*, è senza cervello // *the brains of the family*, il genio della famiglia // *to pick s.o.'s brains*, utilizzare le idee di qualcun altro // *Brains Trust*, trust dei cervelli // — *drain*, fuga dei cervelli // *to have sthg. on the* —, avere un'idea fissa.

to brain *v.tr.* fracassare la testa (a).

brainchild ['breintʃaild], *pl.* **brainchildren** ['breinˈtʃildrən] *s.* idea; invenzione.

brained [breind] *agg.* dotato di cervello // *hare-* — (o *scatter-* —), scervellato.

brain-fag [ˈbreinfæg] *s.* (*fam.*) affaticamento cerebrale.

brainfever [ˈbrein,fiːvə*] *s.* meningite.

brainless [ˈbreinlis] *agg.* scervellato.

brainpan [ˈbreinpæn] *s.* cranio.

brainstorm [ˈbreinstɔːm] *s.* attacco di pazzia.

to **brainwash** [ˈbreinwɔʃ] *v.tr.* fare il lavaggio del cervello.

brainwave [ˈbreinweiv] *s.* idea luminosa.

brainy [ˈbreini] *agg.* (*fam.*) intelligente, abile.

to **braise** [breiz] *v.tr.* cuocere in stufato, stufare.

brake[1] [breik] *s.* freno: *disk* —, freno a disco; *hand* —, freno a mano; *foot* —, freno a pedale; — *booster*, servofreno; *to clap on the* —, dare un colpo di freno; *to put on the* —, mettere il freno a mano.

to **brake**[1] *v.tr.* e *intr.* frenare.

(to) **brake**[2] → (to) **break**.

brake[3] *s.* 1 felce 2 cespuglio.

brake[4] *s.* 1 gramola 2 (*agr.*) erpice.

to **brake**[4] *v.tr.* gramolare.

brakeman, *pl.* **brakemen** [breikmən] *s.* (*amer.* per *guard*) capotreno.

brakesman, *pl.* **brakesmen** [ˈbreiksmən] *s.* frenatore.

bramble [ˈbræmbl] *s.* rovo // — *-berry*, mora; — *-bush*, roveto // — *-rose*, rosa canina.

bran [bræn] *s.* crusca // — *-mash*, pastone.

branch [brɑːntʃ] *s.* 1 ramo (*anche fig.*); diramazione (di strada); branca del sapere // — *-line*, ferrovia di diramazione // *root and* —, completamente 2 succursale, filiale // — *house*, succursale // — *office*, filiale 3 (*informatica*) salto, diramazione: *to take a* —, eseguire una diramazione.

to **branch** *v.intr.* 1 metter rami; ramificarsi 2 *to* — *off*, biforcarsi, diramarsi 3 *to* — *out*, avviare una nuova attività; espandersi 4 (*informatica*) *to* — *to*, diramarsi (su una sequenza).

branchia [ˈbræŋkiə], *pl.* **branchiae** [ˈbræŋkiiː] *s.* branchia.

brand [brænd] *s.* 1 tizzone 2 marchio a fuoco 3 marchio; marchio registrato 4 marca 5 (*fig.*) marchio (d'infamia).

to **brand** *v.tr.* 1 marchiare a fuoco 2 marcare; contrassegnare con marchio di qualità 3 (*fig.*) marcare (d'infamia); imprimere nella memoria.

to **brandish** [ˈbrændiʃ] *v.tr.* brandire.

brand-new [ˈbrænd*ˈnjuː] *agg.* nuovo di zecca.

brandy [ˈbrændi] *s.* acquavite.

brandyball [ˈbrændibɔːl] *s.* caramella al liquore.

brandy snap [ˈbrændisnæp] *s.* panpepato.

brash[1] [bræʃ] *agg.* 1 avventato 2 sfacciato.

brash[2] *s.* 1 detriti (*pl.*), frammenti (*pl.*) 2 sbavatura.

brass [brɑːs] *s.* 1 ottone 2 *pl.* (*mus.*) ottoni 3 (*fig.*) sfacciataggine 4 (*fam.*) denaro 5 (*fam.*) ufficiali superiori (*pl.*); capi (*pl.*): — *hat*, (*fam.*) ufficiale di alto rango ♦ *agg.* di ottone // *I don't care a* — *farthing*, (*fam.*) non me ne importa un bel niente // *let's get down to* — *tacks*, (*fam.*) veniamo al sodo.

brass band [ˈbrɑːsˈbænd] *s.* banda; fanfara.

brasserie [ˈbræsəri] *s.* birreria.

brassie *agg.* → **brassy**.

brassière [ˈbræsieə*, (*amer.*) brəˈziər] *s.* reggiseno.

brass-monkey [ˌbrɑːsˈmʌŋki] *agg.* (*sl.*) molto freddo.

brassware [ˈbrɑːsweə*] *s.* oggetti di ottone (*pl.*).

brassy[1] [ˈbrɑːsi] *agg.* 1 di ottone; simile all'ottone 2 (*fig.*) sfacciato 3 stridulo, metallico.

brassy[2] *s.* 1 mazza da golf con paletta d'ottone 2 (*zool.*) labro.

brat [bræt] *s.* (*spreg.*) monello.

bravado [brəˈvɑːdou] *s.* bravata; smargiassata.

brave [breiv] *agg.* 1 prode, coraggioso 2 (*letter.*) bello ♦ *s.* (*amer.*) guerriero pellerossa.

to **brave** *v.tr.* sfidare, affrontare.

bravery [ˈbreivəri] *s.* coraggio, audacia.

bravo [ˈbrɑːˈvou] *inter.* bravo!; bene!

brawl [brɔːl] *s.* 1 rissa 2 schiamazzo.

to **brawl** *v.intr.* 1 rissare, azzuffarsi 2 schiamazzare.

brawn [brɔːn] *s.* (*fig.*) muscoli (*pl.*).

brawny [ˈbrɔːni] *agg.* muscoloso; robusto.

bray [brei] *s.* 1 raglio 2 (*fig.*) protesta.

to **bray** *v.intr.* ragliare.

to **braze** [breiz] *v.tr.* saldare.

brazen [ˈbreizn] *agg.* 1 di ottone; simile a ottone 2 (*fig.*) arrogante, sfacciato.

to **brazen** *v.tr.*: *to* — *it out*, affrontare, sostenere (una situazione, un'accusa) sfrontatamente.

brazen-face [ˈbreiznfeis] *s.* faccia di bronzo.

brazier[1] [ˈbreizə*] *s.* ottonaio; calderaio.

brazier[2] *s.* braciere.

breach [briːtʃ] *s.* 1 frattura; (*mil.*) breccia // *to stand in the* —, sostenere l'assalto; (*fig.*) stare sulla breccia 2 (*fig.*) infrazione; rottura; violazione: — *of duty*, infrazione al dovere; — *of the peace*, violazione dell'ordine pubblico.

to **breach** *v.tr.* aprire una breccia, una falla (in).

bread [bred] *s.* 1 pane 2 (*fam.*) grano, soldi (*pl.*) // — *-soup*, pancotto // *his* — *is buttered on both sides*, ha la vita facile // *to know on which side one's* — *is buttered*, sapere quale sia il proprio vantaggio // *to live on* — *and cheese*, vivere frugalmente // — *-and-butter*, (*fig.*) mezzi di sostentamento.

breadboard [ˈbredbɔːd] *s.* tagliere.

breadcrumb [ˈbredkrʌm] *s.* 1 mollica 2 *pl.* briciole; pane grattugiato (*sing.*).

breadfruit [ˈbredfruːt] *s.* frutto dell'albero del pane.

bread-line [ˈbredlain] *s.* fila (di poveri o disoccupati che aspettano cibo o assistenza).

breadstuffs [ˈbredstʌfs] *s.pl.* cereali (usati per fare il pane).

breadth [bredθ] *s.* 1 larghezza, ampiezza; (*di stoffa*) altezza // *to a hair's* —, esattamente 2 (*fig.*) liberalità; tolleranza.

breadthways [ˈbredθweiz], **breadthwise** [ˈbredθwaiz] *avv.* in larghezza.

breadwinner [ˈbred,winə*] *s.* sostegno della famiglia.

break [breik] *s.* 1 rottura, frattura 2 interruzione; intervallo: *without a* —, ininterrottamente 3 infrazione, violazione; evasione // *to make a* — *for it*, (*fam.*) tentare la fuga 4 (*sl.*) opportunità, occasione 5 (*tip.*) ultima riga.

to **break**, *pass.* **broke** [brouk], (*arc.*) **brake** [breik], *p.pass.* **broken** [ˈbroukən], (*arc.*) **broke** *v.tr.* e *intr.* 1 rompere, rompersi; spezzare, spezzarsi: *she broke a leg*, si ruppe una gamba; *to* — *into pieces*, andare in pezzi, in frantumi // *to* — *file*, rompere le file 2 interrompere: *to* — *a journey*, interrompere un viaggio; *to* — *short*, interrompere anzitempo // *to* — *a fall*, attutire la caduta 3 venir meno (a), violare: *to* — *one promise*, venir meno a una promessa; *to* — *faith with s.o.*, venir meno con qlcu. alla parola data 4 risolvere: *the police broke the case and caught the criminal*, la polizia risolse il caso e prese il criminale; *to* — *a code*, trovare la chiave di un codice segreto **5** soggiogare, domare **6** far fallire: *to — a strike*, far fallire uno sciopero // *to — the bank*, far saltare il banco **7** avere un collasso, crollare **8** sorgere, spuntare; (*di temporale*) scoppiare: *day breaks*, spunta il giorno; *the storm broke*, scoppiò il temporale **9** (*fraseologia*): *to — even*, chiudere in pareggio (un affare ecc.); *to — loose*, spezzare i legami, evadere; *to — open*, aprire con violenza; *to — camp*, togliere il campo; *to — cover*, uscire allo scoperto; *to — the news*, comunicare una notizia; *to — new ground*, fare nuove scoperte ♦ *seguito da prep. o avv.* **1** *to — away (from)*, scappare, liberarsi (da); (*fig.*) staccarsi, rompere i legami con **2** *to — down*, fare a pezzi; abbattere; vincere; (*di auto*) guastarsi, rimanere in panne; (*fig.*) (*di persona*) crollare **3** *to — in(to)*, entrare con la forza, irrompere; interrompere, intromettersi (in un discorso ecc.); domare (*anche fig.*) // *he broke into a run*, improvvisamente si mise a correre **4** *to — off*, rompere; spezzare; smettere: *to — (off) an engagement*, rompere un fidanzamento **5** *to — out*, scoppiare; fuggire **6** *to — through*, aprirsi un varco (attraverso); superare; (*fig.*) sfondare **7** *to — up*, fare a pezzi, andare in pezzi; (far) finire; disperdersi; (*di coniugi*) separarsi; (*di scuola*) incominciare un periodo di vacanza; (*fig.*) crollare.

breakage [ˈbreikidʒ] *s.* **1** rottura, spaccatura **2** perdite o danni (causati da rottura).

breakaway [ˈbreikəwei] *s.* **1** separazione **2** defezione; fuga.

breakdown [ˈbreikdaun] *s.* **1** collasso: *nervous —*, esaurimento nervoso **2** insuccesso; dissesto; crollo **3** (*aut. mecc.*) guasto, danno; (*mar.*) avaria // *— service*, servizio riparazioni // *— van*, carro attrezzi, autogru.

breaker[1] [ˈbreikə*] *s.* **1** chi rompe; trasgressore **2** (*mar.*) frangente **3** (*elettr.*) interruttore.

breaker[2] (*mar.*) barilotto.

breakfast [ˈbrekfəst] *s.* prima colazione.

to **breakfast** *v.intr.* fare la prima colazione.

break-in [ˈbreikin] *s.* furto con scasso.

breakneck [ˈbreiknek] *agg.*: *at — speed*, a rotta di collo.

breakout [ˈbreikaut] *s.* evasione.

breakthrough [ˈbreikˈθruː] *s.* **1** (*geol.*) affioramento **2** (*mil.*) penetrazione (nelle linee nemiche) **3** passaggio di comunicazione (in miniera) **4** (*fig.*) rialzo (dei prezzi) **5** scoperta, ritrovato (in campo scientifico).

breakup [ˈbreikʌp] *s.* crollo; fallimento; collasso.

breakwater [ˈbreikˌwɔːtə*] *s.* frangiflutti.

breast [brest] *s.* **1** seno, petto; mammella, poppa **2** (*fig.*) seno, cuore // *to make a clean — of sthg.*, fare una completa confessione di qlco.

to **breast** *v.tr.* affrontare; resistere (a).

breastbone [ˈbrestboun] *s.* (*anat.*) sterno.

breast-fed [ˈbrestfed] *agg.* allattato al seno.

to **breast-feed** [ˈbrestfiːd] *v.tr.* allattare al seno.

breastplate [ˈbrestpleit] *s.* corazza.

breaststroke [ˈbrest-strouk] *s.* nuoto a rana.

breastwork [ˈbrestwəːk] *s.* (*mil.*) parapetto.

breath [breθ] *s.* **1** respiro, alito; soffio (*anche fig.*): *to get one's — back*, riprender fiato; *to take —*, prendere fiato // *below* (o *under*) *one's —*, sottovoce // *to take s.o.'s — away*, mozzare il fiato a qlcu. **2** brezza.

to **breathalyse** *v.tr.* sottoporre a test alcolico.

breathalyser [ˈbreθəl-aizə*] *s.* strumento per determinare il tasso alcolico (in una persona).

to **breathe** [briːθ] *v.intr.* respirare; prendere fiato; alitare; emanare // *to — down s.o.'s neck*, (*fig. fam.*)

stare addosso a qlcu., opprimerlo **2** (*di vento*) soffiare dolcemente **3** sussurrare ♦ *v.tr.* **1** *to — (sthg.)* in, into, inspirare; infondere: *to — new life into a conversation*, rianimare una conversazione **2** *to — out*, espirare; esalare **3** *to — forth*, emettere // *to — forth one's last*, esalare l'ultimo respiro.

breather [ˈbriːðə*] *s.* pausa (per riprendere fiato); boccata d'aria.

breathing [ˈbriːðiŋ] *agg.* **1** respirante **2** (*fonetica*) aspirante ♦ *s.* **1** respiro; respirazione **2** soffio di vento, brezza **3** (*fonetica*) aspirazione.

breathing space [ˈbriːðiŋspeis] *s.* pausa.

breathless [ˈbreθlis] *agg.* **1** ansante; senza respiro (*anche fig.*) **2** esanime, senza vita **3** afoso, senza un alito di vento.

breathtaking [ˈbreθˌteikiŋ] *agg.* che leva il respiro; sorprendente.

bred [bred] *pass.* e *p.pass.* di to **breed** ♦ *agg.* (*spec. nei composti*) allevato, educato: *a farm- — youth*, un giovane allevato in campagna.

breech [briːtʃ] *s.* **1** natica; coscia **2** culatta (di fucile ecc.).

breechblock [ˈbriːtʃblɔk] *s.* blocco dell'otturatore.

breeches [ˈbritʃiz] *s.pl.* calzoni; brache.

breeching [ˈbritʃiŋ] *s.* imbraca.

breech-loader [ˈbriːtʃˌloudə*] *s.* arma a retrocarica.

to **breed** [briːd] *s.* razza; famiglia, stirpe.

to **breed** *pass.* e *p.pass.* **bred** [bred] *v.tr.* **1** generare, procreare **2** causare, produrre **3** allevare; educare ♦ *v.intr.* **1** riprodursi **2** aver origine, nascere.

breeding [ˈbriːdiŋ] *s.* **1** generazione, procreazione, riproduzione **2** allevamento **3** educazione, buone maniere; finezza: *— will tell*, buon sangue non mente.

breeze[1] [briːz] *s.* brezza, venticello.

breeze[2] *s.* scorie di fornace; rifiuti di coke.

to **breeze**[1] *v.intr.* muoversi con disinvoltura.

breeziness [ˈbriːzinis] *s.* **1** disinvoltura **2** cordialità, giovialità; brio, vivacità.

breezy [ˈbriːzi] *agg.* **1** ventoso, ventilato; arieggiato **2** gioviale; allegro, brioso.

brent [brent] *s.*: *— (-goose)*, oca, colombaccio.

brethren *pl.arc.* di **brother** nei sensi 2 e 3.

breve [briːv] *s.* (*mus.*) breve.

brevet [ˈbrevit, (*amer.*) briˈvet] *s.* (*mil.*) brevetto; grado onorario.

to **brevet** *v.tr.* (*mil.*) consegnare il brevetto (a); conferire la promozione onoraria (a un ufficiale).

breviary [ˈbriːvjəri] *s.* breviario.

brevity [ˈbreviti] *s.* brevità, concisione.

brew [bruː] *s.* **1** mescolanza, mistura; infuso; tisana **2** fermentazione (della birra) // *a good — of beer*, una buona qualità di birra.

to **brew** *v.tr.* **1** mescolare (liquidi); fare (un infuso) **2** (*fig.*) macchinare; preparare ♦ *v.intr.* **1** fare la birra **2** essere in infusione, in fermentazione // *there is sthg. brewing*, (*fig.*) c'è qlco. in aria.

brewery [ˈbruəri] *s.* fabbrica di birra.

briar *s.* → **brier**[1], **brier**[2].

bribe [braib] *s.* bustarella; esca; allettamento.

to **bribe** *v.tr.* corrompere: *to — s.o. to silence*, comprare il silenzio di qlcu.

brick [brik] *s.* **1** mattone // *to drop a —*, fare una gaffe // *a — of ice cream*, una mattonella di gelato // *to beat one's head against a — wall*, (*fam.*) battere la testa contro il muro // *to come down on s.o. like a ton of* *bricks*, *(sl.)* replicare con forza o rabbia, saltare in testa a qlcu. **2** *pl.* costruzioni (gioco infantile).

to **brick** *v.tr.*: *to — up, in*, murare.

brickbat [ˈbrikbæt] *s.* pezzo di mattone (gener. usato come proiettile).

brickfield [ˈbrikfiːld] *s.* mattonaia.

brick kiln [ˈbrikkiln] *s.* fornace per mattoni.

bricklayer [ˈbrik͵leiə*] *s.* muratore.

brickwork [ˈbrikwəːk] *s.* muratura in mattoni.

brickyard [ˈbrikjɑːd] *s.* mattonaia.

bridal [ˈbraidl] *agg.* nuziale ♦ *s.* *(poet.)* sposalizio.

bride [braid] *s.* sposa.

bridegroom [ˈbraidgrum] *s.* sposo.

bridesmaid [ˈbraidzmeid] *s.* damigella d'onore (di una sposa).

bride-to-be [ˈbraid tə ˈbiː] *s.* futura sposa.

bridge[1] [bridʒ] *s.* **1** ponte; *(mar.)* ponte di comando // *pontoon- —*, ponte di barche // *swing-* (o *revolving-*) *—*, ponte girevole; *that is a — we'll cross when we get to it*, ogni cosa a suo tempo // *to burn one's bridges*, rompere tutti i ponti **2** *(odontoiatria)* ponte **3** dorso (del naso).

to **bridge**[1] *v.tr.* **1** costruire un ponte (su) **2** colmare **3** *(fig.)* superare.

bridge[2] *s.* *(gioco di carte)* bridge; ponte.

bridgehead [ˈbridʒhed] *s.* *(mil.)* testa di ponte.

bridle [ˈbraidl] *s.* **1** briglia: *to give the horse the —*, allentare le briglie **2** *(fig.)* freno.

to **bridle** *v.tr.* imbrigliare *(anche fig.)*; tenere a freno *(anche fig.)* ♦ *v.intr.* **1** insuperbirsi **2** risentirsi; stizzirsi.

bridle path [ˈbraidlpɑː] *s.* pista (per cavalli ecc.).

bridlerein [ˈbraidlrein] *s.* redine.

brief[1] [briːf] *agg.* **1** breve; conciso **2** *(di modi)* brusco.

brief[2] *s.* **1** *(dir.)* fascicolo // *to take a —*, accettare un caso // *to hold no — for*, *(fig.)* non difendere, non giustificare **2** breve, lettera papale.

to **brief**[2] *v.tr.* **1** *(dir.)* riassumere per sommi capi **2** *(dir.)* affidare una causa (a) **3** *(aer.)* impartire istruzioni all'equipaggio.

brief case [ˈbriːfkeis] *s.* (borsa) diplomatica.

briefs [briːfs] *s.pl.* mutandine.

brier[1] [ˈbraiə*] *s.* rovo; rosa selvatica.

brier[2] *s.* **1** *(bot.)* erica bianca **2** pipa di radica.

brig [brig] *s.* *(mar.)* brigantino.

brigade [briˈgeid] *s.* **1** *(mil.)* brigata **2** associazione; corpo // *the Fire Brigade*, i Vigili del fuoco.

brigadier [ˈbrigədiə*], *(arc.)* **brigadier-general** [ˈbrigə-diəˈdʒenərəl] *s.* generale di brigata.

brigand [ˈbrigənd] *s.* brigante.

brigantine [ˈbrigəntain] *s.* *(mar.)* brigantino.

bright [brait] *agg.* **1** luminoso; chiaro; brillante: *— weather*, tempo bello, limpido // *to look on the — side of things*, vedere il lato buono delle cose **2** *(fam.)* vivace; intelligente **3** chiaro, glorioso ♦ *avv.* luminosamente.

to **brighten** [ˈbraitn] *v.tr.* **1** far brillare; ravvivare *(anche fig.)* **2** *(fig.)* animare; rallegrare; rischiarare ♦ *v.intr.* **1** brillare *(anche fig.)* **2** animarsi; rallegrarsi; rischiararsi // *things are brightening up*, le prospettive migliorano.

Brigid [ˈbridʒid] *no.pr.f.* Brigida.

brill [bril] *s.* *(zool.)* rombo.

brilliance [ˈbriljəns], **brilliancy** [ˈbriljənsi] *s.* **1** lucentezza; splendore **2** vivezza d'ingegno **3** *(ott.)* luminosità.

brilliant [ˈbriljənt] *agg.* brillante *(anche fig.)*; lucente, smagliante ♦ *s.* brillante.

brilliantine [͵briljənˈtiːn] *s.* brillantina.

brim [brim] *s.* **1** orlo; bordo: *full to the —*, colmo **2** tesa (di cappello) **3** sponda.

to **brim** *v.intr.* **1** essere pieno fino all'orlo **2** *to — over*, traboccare.

brimful [ˈbrimˈful] *agg.* colmo *(anche fig.)*.

brimmer [ˈbrimə*] *s.* bicchiere pieno, raso.

brimstone [ˈbrimstən] *s.* zolfo.

brindle(d) [ˈbrindl(d)] *agg.* macchiato; pezzato.

brine [brain] *s.* **1** acqua salmastra // *— -pit*, salina **2** salamoia.

to **bring** [briŋ], *pass.* e *p.pass.* **brought** [brɔːt] *v.tr.* **1** portare; condurre; recare: *to — word to s.o.*, portare notizie a qlcu. // *I cannot — myself to believe it*, non riesco a crederlo // *you have brought it on yourself*, te lo sei voluto tu // *to — into focus*, focalizzare // *to — into question*, far entrare in discussione // *to — tears (in)to s.o.'s eyes*, far venire le lacrime agli occhi a qlcu. // *to — to book*, costringere a dare una spiegazione; punire // *to — to pass*, causare, far succedere // *to — sthg. home to s.o.*, aprire gli occhi a qlcu. su qlco. // *to — (influence, pressure) to bear on s.o.*, esercitare (influenza, pressione) su qlcu. // *to — a patient through*, salvare un ammalato **2** indurre, persuadere // *to — s.o. over to a cause*, convertire qlcu. a una causa **3** *(dir.)* presentare: *to — an action against s.o.*, intentare causa contro qlcu. // *to — forward*, produrre (testimonio, prova); *(comm.)* riportare // *to — s.o. up before a court*, citare qlcu. in tribunale **4** *to — about*, causare, far accadere; effettuare **5** *to — back*, restituire; richiamare alla memoria **6** *to — down*, abbattere; uccidere; abbassare (prezzi) // *to — down the government*, far cadere il governo // *to — down the house*, far crollare il teatro dagli applausi **7** *to — forth*, *(antiq.)* dare alla luce; causare, produrre (testimonio, prova); *(comm.)* riportare **8** *to — in*, fruttare; presentare (progetto di legge); emettere (verdetto); far entrare **9** *to — off*, salvare; *(fam.)* portare felicemente a compimento **10** *to — on*, produrre; cagionare: *to — on a subject for discussion*, introdurre un argomento di discussione **11** *to — out*, lanciare (attrice); mettere sul mercato (un prodotto); *(fig.)* tirar fuori; far cooperare; rosa selvatica (libro, commedia) **12** *to — round*, persuadere, rianimare **13** *to — to*, far fermare (un'imbarcazione); fermarsi (di imbarcazione) // *to — s.o. to*, far rinvenire qlcu. **14** *to — under*, sottomettere; includere in **15** *to — up*, allevare; vomitare; introdurre (un argomento nella conversazione); *(fam.)* sgridare.

brink [briŋk] *s.* orlo, bordo, margine // *on the — of doing sthg.*, sul punto di fare qlco.

brinkmanship [ˈbriŋkmənʃip] *s.* *(fig.)* politica del «rischio calcolato».

briny [ˈbraini] *agg.* salmastro; salato; marino ♦ *s.* *(fam.)* mare.

briquet [ˈbrikit], **briquette** [briˈket] *s.* mattonella, formella di carbone.

brisk [brisk] *agg.* **1** vivace, vispo; svelto // *— manners*, modi spicci // *— market*, *(comm.)* mercato sostenuto **2** frizzante.

to **brisk** *v.tr.* animare; rianimare ♦ *v.intr.* animarsi; rianimarsi: *I brisked (up)*, mi rianimai.

brisket [ˈbriskit] *s.* *(cuc.)* punta (di petto).

bristle [ˈbrisl] *s.* setola; pelo ispido.

to **bristle** *v.intr.* **1** rizzarsi (di peli, capelli) **2** *(fig.)* andare in collera **3** essere irto *(anche fig.)*: *style bristling with learned words*, stile pieno di parole dotte.

bristly ['brisli] *agg.* **1** setoloso; spinoso **2** non rasato.

Britain ['britn] *no.pr.* Britannia // (*Great*) —, Gran Bretagna.

Britannic [bri'tænik] *agg.* britanno.

British ['britiʃ] *agg.* britannico // *the* —, gli inglesi.

Britisher ['britiʃə*] *s.* (*amer.*) suddito inglese.

Briton ['britn] *s.* **1** inglese **2** (*st.*) britanno.

Brittany ['britəni] *no.pr.* Bretagna.

brittle ['britl] *agg.* fragile; friabile.

broach [broutʃ] *s.* **1** trapano **2** lesina **3** scalpello **4** spiedo **5** ago della toppa.

to **broach** *v.tr.* **1** spillare (vino ecc.) **2** intavolare (discorso).

broad [brɔ:d] *agg.* **1** largo, ampio (*anche fig.*): *a — outlook*, ampie vedute; *in — daylight*, in pieno giorno // *it is as — as it is long*, è la stessa cosa **2** ovvio, lampante **3** marcato; rustico; volgare: — *accent*, accento marcato **4** generale; principale; essenziale: *in — outline*, a grandi linee; *in a — sense*, in senso lato **5** tollerante, liberale ♦ *s.* **1** larghezza, ampiezza **2** (*sl.*) prostituta.

broadcast ['brɔ:dka:st] *agg.* **1** radiodiffuso **2** (*agr.*) seminato; sparso (*anche fig.*) ♦ *s.* programma radiofonico.

to **broadcast**, *pass.* e *p.pass.* **broadcast** *v.tr.* radiodiffondere ♦ *v.intr.* partecipare a un programma radiofonico.

broadcasting ['brɔ:d,ka:stiŋ] *s.* radiodiffusione: — *station*, stazione radiotrasmittente.

broadcloth ['brɔ:dklθ] *s.* **1** fine panno nero **2** stoffa a doppia altezza.

to **broaden** ['brɔ:dn] *v.tr.* allargare ♦ *v.intr.* allargarsi.

broadly ['brɔ:dli] *avv.* largamente; ampiamente: — *speaking*, parlando in generale.

broadminded ['brɔ:d'maindid] *agg.* di larghe vedute.

broadsheet ['brɔ:dʃi:t] *s.* manifesto.

broadside ['brɔ:dsaid] *s.* **1** manifesto **2** (*mar.*) murata **3** (*mar.*) bordata.

broadsword ['brɔ:dsɔ:d] *s.* spadone.

broadtail ['brɔ:dteil] *s.* Breitschwanz.

broadways ['brɔ:dweiz], **broadwise** ['brɔ:dwaiz] *avv.* in larghezza, secondo la larghezza.

brocade [brə'keid] *s.* broccato.

to **brocade** *v.tr.* broccare.

brocaded [brə'keidid] *agg.* di broccato.

brocatelle [,brɔkə'tel] *s.* (*ind. tessile*) broccatello.

bro(c)coli ['brɔkəli] *s.* broccoletti (*pl.*), cime di rapa (*pl.*).

brochure ['brouʃjuə*, (*amer.*) brou'ʃuər] *s.* opuscolo; dépliant.

brock [brɔk] *s.* (*zool.*) tasso.

brogue[1] [broug] *s.* scarpa all'inglese.

brogue[2] *s.* cadenza dialettale irlandese.

broil[1] [brɔil] *s.* rissa; tumulto.

to **broil**[1] *v.tr.* arrostire ♦ *v.intr.* arrostirsi (*anche fig.*).

broiler ['brɔilə*] *s.* **1** graticola **2** pollo da arrostire.

broke [brouk] *agg.* (*fam.*) squattrinato; rovinato // *to go* —, fallire.

broke *pass.* di to **break**.

broken *p.pass.* di to **break** ♦ *agg.* **1** rotto, spezzato (*anche fig.*): *a — promise*, una promessa mancata **2** scorretto: — *English*, inglese scorretto **3** increspato (di acque) **4** variabile (di tempo) **5** ineguale, accidentato (di terreno) **6** (*fig.*) indebolito, deperito **7** avvilito, scoraggiato // *a — man*, un uomo finito.

broken-down ['broukən'daun] *agg.* avvilito; finito, rovinato.

broken-hearted ['broukən'ha:tid] *agg.* dal cuore spezzato.

brokenly ['broukənli] *avv.* a scatti; irregolarmente.

broken-winded ['broukən'windid] *agg.* bolso.

broker ['broukə*] *s.* **1** (*comm.*) sensale, mediatore **2** agente di cambio.

brokerage ['broukəridʒ] *s.* mediazione.

brolly ['brɔli] *s.* (*sl.*) ombrello.

bromide ['broumaid] *s.* **1** (*chim.*) bromuro **2** (*fig.*) luogo comune.

bromine ['broumi:n] *s.* (*chim.*) bromo.

bronchial ['brɔŋkjəl] *agg.* bronchiale.

bronchitis [brɔŋ'kaitis] *s.* bronchite.

broncho-pneumonia ['brɔŋkoʊnju(:)'mounjə] *s.* broncopolmonite.

bronchus ['brɔŋkəs], *pl.* **bronchi** ['brɔŋkai] *s.* (*anat.*) bronco.

bronco ['brɔŋkou] *s.* (*amer.*) cavallo selvaggio.

bronze [brɔnz] *s.* **1** bronzo **2** color bronzo ♦ *agg.* bronzeo.

to **bronze** *v.tr.* bronzare; abbronzare ♦ *v.intr.* diventare color bronzo, abbronzarsi.

brooch [broutʃ] *s.* fermaglio, spilla.

brood [bru:d] *s.* **1** covata, nidiata **2** (*spreg.*) prole, figliolanza.

to **brood** *v.tr.* e *intr.* **1** covare // *there is something brooding*, gatta ci cova **2** *to — over* (o *on*), incombere, sovrastare **3** *to — over*, (*fig.*) rimuginare, elucubrare.

brood-mare ['bru:dmeə*] *s.* fattrice.

broody ['bru:di] *agg.* **1** da cova **2** (*fig.*) meditabondo, che rimugina.

brook[1] [bruk] *s.* ruscello.

to **brook**[2] *v.tr.* tollerare, sopportare.

brooklet ['bruklit] *s.* ruscelletto.

broom [bru:m] *s.* **1** ginestra **2** scopa // *a new — sweeps clean*, (*prov.*) scopa nuova scopa bene.

broomstick ['brumstik] *s.* manico di scopa.

broth [brɔθ] *s.* brodo: *thin* —, brodo leggero.

brothel ['brɔθl] *s.* bordello.

brother ['brʌðə*], *pl. arc.* nei sensi 2 e 3 **brethren** ['breðrin] *s.* **1** fratello // *big* —, (*fig.*) fratello maggiore; protettore; dittatore **2** collega // — *in arms*, commilitone **3** confratello.

brotherhood ['brʌðəhud] *s.* **1** fratellanza; cameratismo **2** confraternita.

brother-in-law ['brʌðərinlɔ:] *s.* cognato.

brotherly ['brʌðəli] *agg.* fraterno.

brougham ['bru(:)əm] *s.* (*carrozza*) brum.

brought *pass.* e *p.pass.* di to **bring**.

brouhaha ['bru:ha:ha:] *s.* (*fam.*) chiasso.

brow [brau] *s.* **1** sopracciglio **2** fronte **3** orlo (di precipizio ecc.) **4** (*min.*) imboccatura di un pozzo.

to **browbeat** ['braubi:t], *pass.* **browbeat**, *p.pass.* **browbeaten** ['braubi:tn] *v.tr.* intimidire (con parole, sguardi).

brown [braun] *agg.* **1** bruno; castano // — *bread*, pane integrale // — *paper*, carta d'imballaggio // — *sugar*, zucchero grezzo // *to be in a — study*, essere assorto nei propri pensieri // *to go* —, imbrogliare **2** scuro; abbronzato.

to **brown** *v.tr.* **1** render bruno; brunire **2** rosolare // *browned off*, (*fam.*) scoraggiato ♦ *v.intr.* diventare bruno.

brown-coal ['braun'koul] *s.* lignite.

brownie ['brauni] *s.* **1** folletto **2** coccinella (giovane scout).

Brownshirt ['braunʃə:t] *s.* nazista.

brownstone ['braun,stoun] *s.* **1** arenaria rossastra **2** (*amer.*) casa di tipo vittoriano.

to **browse** [brauz] *v.tr.* e *intr.* **1** brucare // *to — on*, pascersi di **2** scorrere (libri): *to — (through) a book*, leggiucchiare un libro.

bruise [bru:z] *s.* ammaccatura; contusione; livido.

to **bruise** *v.tr.* **1** provocare contusioni (a) **2** ammaccare; schiacciare; frantumare ♦ *v.intr.* ammaccarsi // *his flesh bruises easily*, gli vengono facilmente dei lividi.

bruiser ['bru:zə*] *s.* **1** persona prepotente; duro **2** (*sl.*) pugile.

to **bruit** [bru:t] *v.tr.* spargere (voce, diceria).

brunch [brʌntʃ] *s.* (*contr.* di *breakfast* e *lunch*) pasto che sostituisce la prima e la seconda colazione.

brunette [bru:'net] *agg.* e *s.* bruna, brunetta.

brunt [brʌnt] *s.* urto, tensione: *to bear the — of sthg.*, subire le conseguenze di qlco.

brush [brʌʃ] *s.* **1** spazzola; spazzolino **2** spazzolata, colpo di spazzola **3** pennello **4** (*fig.*) scontro **5** coda di volpe **6** boscaglia.

to **brush** *v.tr.* **1** spazzolare **2** *to — up*, (*fig.*) rinfrescare (la memoria); ripassare ♦ *v.intr.* **1** *to — against* (o *by* o *past*) (*s.o., sthg.*), sfiorare **2** *to — aside*, scostare; (*fig.*) ignorare **3** *to — away*, spazzar via **4** *to — (s.o.) off*, respingere bruscamente, liberarsi di qlcu.

brush-off ['brʌʃɔf] *s.* secco rifiuto; brusco allontanamento.

brushwood ['brʌʃwud] *s.* macchia; sottobosco.

brushy ['brʌʃi] *agg.* **1** setoloso **2** folto (di bosco).

brusque [brusk] *agg.* brusco; rude.

Brussels ['brʌslz] *no.pr.* Bruxelles.

brutal ['bru:tl] *agg.* brutale.

brutality [bru:'tæliti] *s.* brutalità.

to **brutalize** ['bru:təlaiz] *v.tr.* **1** abbrutire **2** trattare brutalmente.

brute [bru:t] *agg.* e *s.* bruto.

bubble ['bʌbl] *s.* **1** bolla // *— and squeak*, fritto di patate, verza e carne (avanzi di pasti precedenti) // *— memory*, (*informatica*) memoria a bolle **2** gorgoglio **3** (*fig.*) progetto campato in aria.

to **bubble** *v.intr.* gorgogliare; ribollire // *to — up*, gorgogliare; scaturire // *bubbling over (with joy)*, sprizzante gioia.

bubbling ['bʌbliŋ] *s.* gorgogliamento; ribollimento.

bubbly ['bʌbli] *s.* (*sl.*) spumante.

bubo ['bju:bou] *s.* bubbone.

bubonic [bju:(:)'bɔnik] *agg.* bubbonico.

buccal ['bʌkəl] *agg.* orale, della bocca.

buccaneer [,bʌkə'niə*] *s.* bucaniere.

buccaneering [,bʌkə'niəriŋ] *s.* pirateria.

buck[1] [bʌk] *s.* **1** daino; cervo; caprone; maschio di antilope, renna, coniglio, lepre **2** (*fig.*) zerbinotto **3** (*sl. amer.*) dollaro.

to **buck**[1] *v.intr.* (*di cavallo*) impennarsi ♦ *v.tr.* **1** disarcionare **2** *to — up*, rimettere in forze; far animo a // *— up!*, fatti animo!

buck[2] *s.* (*sl.*) responsabilità // *to pass the — to s.o.*, scaricare la responsabilità su qlcu.

buckboard ['bʌkbɔ:d] *s.* carro a quattro ruote.

bucket ['bʌkit] *s.* secchio // *to kick the —*, (*sl.*) tirare le cuoia // *— seat*, strapuntino (di veicolo).

to **bucket** *v.intr.* **1** cavalcare sfrenatamente **2** remare con ritmo affrettato.

bucket-shop ['bʌkitʃɔp] *s.* **1** ufficio di agente di cambio non autorizzato **2** agenzia di viaggi che fornisce biglietti aerei a prezzi ridotti.

buckhorn ['bʌkhɔ:n] *s.* corno.

buckle ['bʌkl] *s.* fibbia; fermaglio.

to **buckle** *v.tr.* affibbiare ♦ *v.intr.* curvarsi, deformarsi.

buckler ['bʌklə*] *s.* **1** scudo (*anche fig.*) **2** (*zool.*) corazza.

buckram ['bʌkrəm] *s.* garza rigida.

bucksaw ['bʌksɔ:] *s.* sega da falegname.

buckshee ['bʌkʃi:] *agg.* (*sl.*) gratuito ♦ *s.* (*sl. mil.*) razione, paga supplementare.

buckshot ['bʌkʃɔt] *s.* grossa cartuccia.

buckskin ['bʌkskin] *s.* **1** pelle di daino, antilope, renna **2** *pl.* pantaloni di pelle.

bucktooth ['bʌk'tu:θ] *s.* dente sporgente.

buckwheat ['bʌkwi:t] *s.* grano saraceno.

bucolic [bju:(:)'kɔlik] *agg.* bucolico ♦ *s.* bucolica.

bud [bʌd] *s.* gemma; bocciolo: *in the —*, in boccio // *to nip something in the —*, troncare qualcosa sul nascere.

to **bud** *v.intr.* **1** germogliare; sbocciare **2** (*fig.*) nascere; svilupparsi.

Budapest ['bju:də'pest] *no.pr.* Budapest.

Buddha ['budə] *no.pr.m.* (*st. relig.*) Budda.

Buddhism ['budizəm] *s.* buddismo.

Buddhist ['budist] *agg.* e *s.* buddista.

buddy ['bʌdi] *s.* (*fam. amer.*) amicone.

to **budge** [bʌdʒ] *v.tr.* scostare ♦ *v.intr.* scostarsi.

budgerigar ['bʌdʒəriga*:] *s.* (*zool.*) cocorita.

budget ['bʌdʒit] *s.* bilancio.

to **budget** *v.intr.* fare un bilancio.

budgie ['bʌdʒi] *s.* (*fam.*) pappagallino.

buff [bʌf] *s.* **1** pelle scamosciata di bufalo, di bovino **2** color camoscio **3** (*sl.*) la pelle umana // *in the —*, nudo **4** disco per pulitrici **5** (*fam. amer.*) fanatico (di), patito (di).

to **buff** *v.tr.* lucidare.

buffalo ['bʌfəlou] *s.* bufalo.

buffer[1] ['bʌfə*] *s.* **1** respingente; cuscinetto // *— State*, stato cuscinetto **2** (*informatica*) tampone; memoria intermediaria; (*IBM*) memoria di transito: *— storage*, memoria tampone.

buffer[2] *s.* (*fam.*) individuo; vecchietto.

buffet[1] ['bʌfit] *s.* schiaffo; (*fig.*) colpo avverso.

to **buffet**[1] *v.tr.* schiaffeggiare ♦ *v.intr.*: *to — with*, lottare contro.

buffet[2] ['bufei, (*amer.*) bə'fei] *s.* buffet // *cold —*, cibi freddi // *— supper*, cena in piedi.

buffoon [bʌ'fu:n] *s.* buffone.

buffoonery [bʌ'fu:nəri] *s.* buffoneria, buffonata.

bug [bʌg] *s.* **1** germe, microbio **2** cimice **3** (*amer.*) piccolo insetto **4** microspia **5** (*fam.*) difetto; ostacolo **6** (*informatica*) errore di programma.

to **bug** *v.tr.* **1** mettere sotto controllo (il telefono); piazzare microfoni (in) // *bugging device*, microspia **2** (*sl. amer.*) dar fastidio, irritare **3** (*fam. amer.*) far fare degli errori (a).

bugaboo ['bʌgəbu:], **bugbear** ['bʌgbɛə*] *s.* spauracchio, babau.

bugger ['bʌgə*] *s.* sodomita.

buggery ['bʌgəri] *s.* sodomia.

buggy ['bʌgi] *s.* **1** carrozzino (scoperto) **2** (*baby*) —, (*amer.*) carrozzina per bambini.

bugle ['bju:gl] *s.* tromba.

to **bugle** *v.tr.* e *intr.* suonare (la tromba).

build [bild] *s.* **1** forma, stile **2** corporatura.

to **build**, *pass.* e *p.pass.* **built** [bilt] *v.tr.* e *intr.* costruire (*anche fig.*); fabbricare // *to — in*, incorporare; murare // *to — up*, murare; costruire (*anche fig.*).

building ['bildiŋ] *s.* **1** edificio, costruzione // — -*lot*, area fabbricabile **2** il costruire.

buildup ['bildʌp] *s.* **1** aumento graduale e progressivo **2** (*fam.*) battage pubblicitario.

built *pass.* e *p.pass.* di to **build ♦** *agg.*: *well—*, ben piantato.

built-in ['biltin] *agg.* a muro: — *wardrobe*, armadio a muro.

built-up ['biltʌp] *agg.* costruito // — *area*, agglomerato urbano.

bulb [bʌlb] *s.* **1** bulbo **2** lampadina.

bulge [bʌldʒ] *s.* gonfiore, protuberanza.

to **bulge** *v.tr.* gonfiare ♦ *v.intr.* gonfiarsi.

bulk [bʌlk] *s.* **1** grande massa, volume // *in* —, all'ingrosso; sciolto, non impacchettato **2** la maggior parte **3** (*mar.*) carico.

to **bulk** *v.intr.* **1** verificare un carico **2** sembrare importante.

bulkhead ['bʌlkhed] *s.* (*mar.*) paratia.

bulky ['bʌlki] *agg.* massiccio, voluminoso.

bull[1] [bul] *s.* **1** toro; maschio // *to take the* — *by the horns*, prendere il toro per le corna // *he's like a* — *in a china shop*, ha la grazia di un elefante // *the Bull*, (*astr.*) Toro **2** (*in Borsa*) rialzista.

to **bull**[1] *v.tr.* far alzare i prezzi (in Borsa) ♦ *v.intr.* aumentare di prezzo.

bull[2] *s.* bolla pontificia.

bull[3] *s.* sciocchezza, stupidaggine.

bullace ['bulis] *s.* (*bot.*) susina selvatica.

bulldog ['buldɔg] *s.* bulldog, mastino.

bulldozer ['bul,douzə*] *s.* bulldozer.

bullet ['bulit] *s.* pallottola.

bulletin ['bulitin] *s.* bollettino, comunicato.

bullet-proof ['bulitpru:f] *agg.* blindato.

bullfight ['bulfait] *s.* corrida.

bullfighter ['bulfaitə*] *s.* torero.

bullfrog ['bulfrɔg] *s.* rana gigante.

bullheaded ['bul'hedid] *agg.* **1** con una grande testa **2** (*fig.*) impetuoso.

bullion ['buljən] *s.* oro, argento in verghe.

bullock ['bulɔk] *s.* manzo.

bullpup ['bulpʌp] *s.* cucciolo di mastino.

bullring ['bulriŋ] *s.* arena (per tori).

bull's-eye ['bulzai] *s.* **1** centro (di bersaglio) **2** finestra ad occhio di bue **3** caramella di menta (a disegni concentrici).

bullshit ['bul,ʃit] *s.* (*volg.*) sciocchezza, stupidaggine.

to **bullshit** *v.tr.* (*volg.*) prendere in giro, menar per il naso.

bully ['buli] *s.* spaccone, bullo; persona prepotente e crudele.

to **bully** *v.intr.* fare il bullo ♦ *v.tr.* tiranneggiare.

bulrush ['bulrʌʃ] *s.* giunco.

bulwark ['bulwək] *s.* **1** bastione, spalto; baluardo (*anche fig.*) **2** (*mar.*) parapetto.

bum[1] [bʌm] *s.* (*volg.*) deretano.

bum[2] *s.* fannullone; vagabondo.

to **bum**[2] *v.tr.* (*sl. amer.*) scroccare ♦ *v.intr.*: *to* — *around*, vagabondare; oziare.

bumblebee ['bʌmblbi:] *s.* calabrone.

bumboat ['bʌmbout] *s.* barca dei viveri.

bumf [bʌmf] *s.* **1** (*volg.*) carta igienica **2** (*sl. spreg.*) documento.

bump [bʌmp] *s.* **1** urto, colpo **2** protuberanza; bernoccolo (*anche fig.*) **3** gibbosità (del terreno).

to **bump** *v.tr.* e *intr.* **1** urtare: *to* — *down*, far cadere

urtando // *to* — *against* (o *on*), urtare contro // *to* — *off*, far cadere; (*fig.*) assassinare // *to* — *into s.o.*, incontrare qlcu. per caso; *to* — *into sthg.*, andare a sbattere contro qlco. **2** *to* — *along*, avanzare sobbalzando.

bumper ['bʌmpə*] *s.* **1** bicchiere colmo **2** (*aut.*) paraurti ♦ *agg.* grande, pieno.

bumpety-bump ['bʌmpti'bʌmp] *avv.* (*amer.*) a sbalzi // *to make s.o.'s heart go* —, (*fam.*) far venire il batticuore.

bumph *s.* → **bumf**.

bumpiness ['bʌmpinis] *s.* irregolarità (di strada, terreno).

bumpkin[1] ['bʌmpkin] *s.* zoticone.

bumpkin[2] *s.* (*mar.*) buttafuori.

bumptious ['bʌmpʃəs] *agg.* presuntuoso.

bumpy ['bʌmpi] *agg.* **1** ineguale, dissestato **2** con protuberanze.

bun [bʌn] *s.* **1** focaccia, ciambella dolce **2** «chignon», crocchia.

bunch [bʌntʃ] *s.* **1** fascio; mazzo; grappolo **2** (*fam.*) gruppo (di persone).

to **bunch** *v.tr.* riunire in fascio ♦ *v.intr.*: *to* — (*together*), serrarsi, ammucchiarsi, raggrupparsi.

buncombe *s.* → **bunkum**.

bundle ['bʌndl] *s.* fagotto; involto; mazzo; fascio // *he is a* — *of nerves*, (*fam.*) è tutto nervi.

to **bundle** *v.tr.* **1** ammucchiare // *to* — *up*, legare **2** *to* — *away* (o *off*), sbarazzarsi senza tanti complimenti di ♦ *v.intr.*: *to* — *out*, uscire in fretta.

bung [bʌŋ] *s.* tappo, turacciolo; zipolo.

to **bung** *v.tr.* **1** tappare **2** (*fam.*) ficcare.

bunged up ['bʌŋd'ʌp] *agg.* **1** tappato **2** (*di occhi*) gonfio.

bunghole ['bʌŋhoul] *s.* cocchiume.

bungle ['bʌŋgl] *s.* lavoro malfatto; pasticcio.

to **bungle** *v.tr.* abborracciare ♦ *v.intr.* fare dei pasticci.

bunion ['bʌnjən] *s.* (*med.*) borsite (dell'alluce).

bunk[1] [bʌŋk] *s.* cuccetta // — *bed*, letto a castello.

bunk[2] *s.* (*sl.*) fuga // *to do a* —, darsela a gambe.

to **bunk**[2] *v.intr.* (*sl.*) darsela a gambe, fuggire.

bunk[3] *s.* abbr. di **bunkum**.

bunker ['bʌŋkə*] *s.* **1** deposito; carbonile (su nave) **2** bunker, fortino **3** (*golf*) ostacolo.

to **bunker** *v.tr.* **1** (*mar.*) fornire, riempire di carbone **2** (*golf*) mettere in difficoltà: *to be bunkered*, (*anche fig.*) trovarsi di fronte a un ostacolo.

bunkum ['bʌŋkəm] *s.* (*fam.*) paroloni (*pl.*).

bunny ['bʌni] *s.* (*fam.*) coniglietto.

to **bunt** [bʌnt] *v.tr.* e *intr.* **1** (*baseball*) bloccare (la palla) con la mazza **2** (*aer.*) fare una virata imperiale.

bunting ['bʌntiŋ] *s.* **1** stamigna (tessuto per bandiere) **2** bandiera, bandiere (*pl.*).

buoy [bɔi] *s.* (*mar.*) gavitello, boa.

to **buoy** *v.tr.* **1** tenere a galla **2** segnare con boe **3** sostenere.

buoyage ['bɔiidʒ] *s.* (*mar.*) sistema di boe.

buoyancy ['bɔiənsi] *s.* **1** galleggiabilità; spinta idrostatica **2** (*fig.*) ottimismo, vitalità **3** (*Borsa*) tendenza al rialzo.

buoyant ['bɔiənt] *agg.* **1** galleggiante; galleggiabile // *the market is* —, (*comm.*) il mercato è alto **2** (*fig.*) ottimista, allegro.

bur [bə:*] *s.* **1** (*bot.*) lappola, bardana **2** riccio (di castagna) **3** venatura (del legno) **4** (*metall.*) sbavatura **5** (*fig.*) seccatore **6** pronuncia arrotata della erre.

to **bur** *v.intr.* arrotare la erre.

to **burble** ['bə:bl] *v.intr.* gorgogliare; (*fig.*) parlottare.

burden[1] ['bə:dn] *s.* **1** peso (*anche fig.*), fardello, carico; onere: *beast of* —, bestia da soma; *tax* —, onere fiscale *//* — *of proof*, (*dir.*) onere della prova **2** (*mar.*) tonnellaggio.

to burden[1] *v.tr.* caricare, gravare.

burden[2] *s.* ritornello; tema.

burdensome ['bə:dnsəm] *agg.* gravoso.

burdock ['bə:dɔk] *s.* (*bot.*) lappa, bardana.

bureau [bjuə'rou], *pl.* **bureaux** [bjuə'rouz] *s.* **1** scrittoio, scrivania con ribalta; (*amer.*) cassettone **2** ufficio.

bureaucracy [bjuə'rɔkrəsi] *s.* burocrazia.

bureaucrat ['bjuəroukræt] *s.* burocrate.

bureaucratic [,bjuərou'krætik] *agg.* burocratico.

burg ['bə:g] *s.* (*fam. amer.*) città.

to burgeon ['bə:dʒən] *v.intr.* germogliare.

burgess ['bə:dʒis] *s.* cittadino.

burgher ['bə:gə*] *s.* (*st.*) cittadino.

burglar ['bə:glə*] *s.* scassinatore, ladro.

burglary ['bə:gləri] *s.* furto (notturno) con scasso.

to burgle ['bə:gl] *v.tr.* svaligiare ♦ *v.intr.* commettere un furto con scasso.

burgomaster ['bə:gə,ma:stə*] *s.* borgomastro.

burgrave ['bə:greiv] *s.* (*st.*) burgravio.

Burgundian [bə:'gʌndiən] *agg.* e *s.* borgognone.

Burgundy ['bə:gəndi] *no.pr.* Borgogna.

burial ['beriəl] *s.* sepoltura; esequie (*pl.*) *//* — *service*, ufficio funebre.

burial-ground ['beriəlgraund] *s.* cimitero.

burin ['bjuərin] *s.* bulino; arte del bulino.

to burke [bə:k] *v.tr.* soffocare (*anche fig.*).

burl [bə:l] *s.* nodo (nel tessuto, nel legno).

burlap ['bə:læp] *s.* tela da sacco.

burlesque [bə:'lesk] *agg.* burlesco ♦ *s.* parodia; (*amer.*) «burlesque» (spettacolo di varietà).

to burlesque *v.tr.* mettere in ridicolo.

burliness ['bə:linis] *s.* corpulenza.

burly ['bə:li] *agg.* robusto, corpulento.

Burma ['bə:mə] *no.pr.* Birmania.

Burman ['bə:mən] *agg.* e *s.* birmano.

Burmese [bə:'mi:z] *agg.* e *s.* birmano.

burn[1] [bə:n] *s.* **1** ustione, scottatura **2** accensione dei razzi (durante il volo nello spazio).

to burn[1], *pass.* e *p.pass.* **burnt** [bə:nt], (*rar.*) **burned** [bə:nd] *v.intr.* bruciare, ardere (*anche fig.*); scottare, scottarsi: *to* — *low*, bruciare a fiamma bassa; *to* — *with curiosity*, morire dalla curiosità; *to* — *to do sthg.*, (*fam.*) morire dalla voglia di fare qlco. *//* — *to* — *up*, (*sl.*) andare su tutte le furie ♦ *v.tr.* bruciare; scottare: *to* — *to ashes*, incenerire; *to* — *a hole in a dress*, produre una bruciatura in un vestito; *to be burnt alive*, essere arso vivo *//* *this stove burns coal or wood*, questa stufa va a carbone o a legna *//* *to* — *the midnight oil*, lavorare fino a tarda notte *//* *to* — *down*, bruciare; distruggere col fuoco, incenerire *//* *to* — *up*, bruciare completamente: *this car burns up the road*, (*fam.*) quest'auto brucia le distanze, i chilometri.

burn[2] *s.* (*rar.*) ruscello.

burner ['bə:nə*] *s.* **1** becco (a gas) **2** bruciatore.

burning ['bə:niŋ] *agg.* **1** bruciante; scottante **2** (*fig.*) urgente: — *need*, bisogno urgente **3** (*fig.*) scottante ♦ *s.* incendio; combustione *//* *smell of* —, odore di bruciato *//* — *glass*, specchio ustorio.

burnish ['bə:niʃ] *s.* brunitura.

to burnish *v.tr.* brunire; lucidare ♦ *v.intr.* prendere il lucido.

burnous [bə:'nu:s] *s.* burnus (mantello arabo).

burnt *pass.* e *p.pass.* di **to burn** ♦ *agg.* bruciato; scottato *//* — *offering*, *sacrifice*, olocausto.

burp [bə:p] *s.* (*sl.*) rutto.

to burp *v.intr.* (*sl.*) ruttare.

(to) burr → **(to) bur.**

burrow ['bʌrou] *s.* tana (di coniglio, volpe ecc.).

to burrow *v.tr.* e *intr.* **1** scavare (una tana, un passaggio) **2** rintanarsi **3** (*fig.*) frugare.

bursar ['bə:sə*] *s.* **1** (studente) borsista **2** economo (di università ecc.).

bursarship ['bə:səʃip] *s.* borsa di studio.

bursary ['bə:səri] *s.* **1** borsa di studio **2** economato.

burst [bə:st] *s.* **1** scoppio, esplosione **2** (*fig.*) scatto **3** raffica (di arma automatica).

to burst, *pass.* e *p.pass.* **burst** *v.intr.* **1** scoppiare, esplodere; prorompere: *to* — *into flames*, infiammarsi; *to* — *into a furious rage*, avere un'esplosione di rabbia; *to* — *with health*, scoppiare di salute; *to* — *with envy*, crepare d'invidia **2** *to* — *out*, sbottare: *to* — *out laughing*, sbottare a ridere **3** irrompere: *to* — *into a room*, fare irruzione in una stanza **4** (*di germogli*) sbocciare **5** *to* — *forth*, apparire improvvisamente; esclamare ♦ *v.tr.* far scoppiare, far esplodere; sfondare: *to* — *open a door*, sfondare una porta *//* *to* — *one's way through sthg.*, aprirsi un varco attraverso qlco.

(to) burthen ['bə:ðən] → **(to) burden**[1], **burden**[2].

burton ['bə:tn] *s.* (tipo di) birra scura *//* *he's gone for a* —!, (*fam.*) è finito!

to bury ['beri] *v.tr.* seppellire; sotterrare; (*fig.*) sopprimere, eliminare *//* *to* — *one's face in one's hands*, nascondere il viso tra le mani *//* *to* — *oneself*, seppellirsi.

bus [bʌs], *pl.* **buses** ['bʌsiz] *s.* **1** autobus *//* *to miss the* —, (*fam.*) perdere l'autobus, lasciarsi sfuggire una buona occasione **2** (*fam.*) mezzo di trasporto; automobile **3** (*tel.*) canale; collettore *// address* —, (*informatica*) bus di indirizzamento.

to bus *v.intr.* **1** andare in autobus **2** (*amer.*) trasportare (in autobus) gli scolari in una scuola frequentata da bambini di razza diversa.

busby ['bʌsbi] *s.* (*mil.*) colbacco.

bush[1] [buʃ] *s.* **1** cespuglio **2** boscaglia, macchia *//* *to take to the* —, darsi alla macchia *//* *to beat about the* —, menare il can per l'aia.

bush[2] *s.* (*mecc.*) bussola.

bushel ['buʃl] *s.* staio *//* *to hide one's light under a* —, mettere la fiaccola sotto il moggio.

Bushman, *pl.* **Bushmen** ['buʃmən] *s.* boscimano.

bushy ['buʃi] *agg.* cespuglioso (*anche fig.*).

busily ['bizili] *avv.* attivamente, alacremente.

business ['biznis] *s.* (*gener. sing.*) **1** commercio, affari (*pl.*); azienda: *to be in* —, commerciare, essere nel commercio: *to go into* —, mettersi nel commercio; *to do* —, fare affari; *to give up* —, ritirarsi dagli affari; *on* —, per affari *//* *to talk* —, parlare d'affari *//* — *hours*, orario d'ufficio *//* *to get*, *to come to* —, (*fig.*) venire al sodo *//* *he means* —, fa sul serio **2** mestiere, lavoro; (*fig.*) compito, mansione: *he knows his* —, sa fare il suo mestiere *//* *what is your* — *here?*, che cosa sei venuto a fare qui? *//* *you had no* — *scolding her*, nessuno ti ha autorizzato a sgridarla **3** (*fig.*) affare, faccenda: *mind your own* —, occupati degli affari tuoi; *it is none of my* —, non è affar mio **4** (*teatr.*) mimica, gesti (*pl.*).

businesslike ['biznislaik] *agg.* metodico, efficiente *//* *with a* — *air*, con aria professionale.

businessman, *pl.* **businessmen** ['biznismən] *s.* uomo d'affari.

byroad

busk [bʌsk] *s.* stecca (di busto).

to busk *v.intr.* cantare, suonare per la strada.

busker [ˈbʌskə*] *s.* cantante, suonatore o attore di strada.

buskin [ˈbʌskin] *s.* **1** coturno **2** stivaletto (da donna).

buskined [ˈbʌskind] *agg.* coturnato.

busman, *pl.* **busmen** [ˈbʌsmən] *s.* conducente, bigliettaio (di autobus) // — 's holiday, vacanza passata facendo un lavoro simile a quello abituale.

bust[1] [bʌst] *s.* **1** (*scult.*) busto **2** busto, petto.

to bust[2] *v.tr.* **1** rompere, far scoppiare **2** (*fig.*) mandare in rovina **3** (*sl.*) arrestare, pizzicare (da parte della polizia): *he was bound to get busted sooner or later*, era destino che prima o poi venisse arrestato ♦ *v.intr.* **1** rompersi; scoppiare **2** (*fig.*) andare in rovina.

buster [ˈbʌstə*] *s.* (*sl. amer.*) amico.

bustle [ˈbʌsl] *s.* trambusto, scompiglio.

to bustle *v.intr.* muoversi, agitarsi // *to* — *in and out*, entrare e uscire con aria affaccendata // *to* — *about*, darsi da fare, affaccendarsi ♦ *v.tr.* affrettare, far premura (a); incitare.

busty [ˈbʌsti] *agg.* (*fam.*) pettoruta.

busy [ˈbizi] *agg.* occupato, indaffarato; attivo: *to be* — *at* (o with o doing) *sthg.*, esser occupato a fare qlco.

to busy *v.tr.* occupare, tenere occupato // *to* — *oneself*, darsi da fare.

busybody [ˈbizi,bɔdi] *s.* ficcanaso, intrigante.

but [bʌt (*forma forte*), bət (*forma debole*)] *cong.* **1** ma **2** che non, se non, senza (che): *one never sees him* — *he is speaking*, non lo si vede mai che non stia parlando ♦ *avv.* soltanto: *I have* — *100 lire*, ho soltanto, non ho che 100 lire ♦ *prep.* tranne, eccetto: *they all went* — *him*, andarono tutti tranne lui // *the last* — *one*, il penultimo ♦ *s.* ma ♦ (*fraseologia*): — *for me*, se non fosse per me // *to be anything* —, essere tutt'altro che // *to do anything* —, far qualsiasi cosa tranne; *to do nothing* —, non fare altro che.

butane [ˈbjuːtein] *s.* butano.

butch [butʃ] *agg.* (*fam.*) virile, mascolino.

butcher [ˈbutʃə*] *s.* macellaio.

to butcher *v.tr.* macellare; (*fig.*) massacrare.

butchery [ˈbutʃəri] *s.* macello (*anche fig.*).

butler [ˈbʌtlə*] *s.* maggiordomo.

butt[1] [bʌt] *s.* botte, barile (di circa 600 litri).

butt[2] *s.* **1** impugnatura; calcio (di arma da fuoco) **2** ceppo (di albero); base (di fusto, ramo) **3** mozzicone (di sigaretta ecc.).

butt[3] *s.* **1** bersaglio (*anche fig.*) **2** fermapalle (di tiro al bersaglio) **3** *pl.* poligono di tiro (*sing.*).

butt[4] *s.* cozzo, cornata.

to butt[4] *v.tr.* urtare violentemente con la testa, con le corna ♦ *v.intr.* **1** *to* — *in*, intromettersi **2** *to* — *into*, *against*, imbattersi.

butter [ˈbʌtə*] *s.* **1** burro **2** (*fig.*) lusinga, adulazione.

to butter *v.tr.* **1** imburrare **2** *to* — *up*, (*fig.*) adulare, ungere.

buttercup [ˈbʌtəkʌp] *s.* ranuncolo.

butterfingers [ˈbʌt,əfiŋgəz] *s.* (*fig.*) mani di burro.

butterfly [ˈbʌtəflai] *s.* farfalla; (*fig.*) farfallino, persona frivola // *to have butterflies in one's stomach*, avere un vuoto allo stomaco // — *breaststroke*, nuoto a farfalla; — *swimmer*, farfallista.

buttermilk [ˈbʌtəmilk] *s.* **1** latticello **2** latte fermentato.

buttery [ˈbʌtəri] *s.* dispensa (nei collegi inglesi).

buttock [ˈbʌtək] *s.* natica.

button [ˈbʌtn] *s.* **1** bottone; pulsante: *press* —, automatico **2** spranghetta (di legno).

to button *v.tr.* abbottonare: *to* — (*up*) *one's coat*, abbottonarsi il cappotto // *to* — *one's lip*, tapparsi la bocca ♦ *v.intr.* abbottonarsi.

buttonhole [ˈbʌtnhoul] *s.* **1** occhiello **2** fiore da mettere all'occhiello.

to buttonhole *v.tr.* **1** fare occhielli (a) **2** (*fig.*) attaccare un bottone (a).

buttonhook [ˈbʌtnhuk] *s.* allacciascarpe.

buttons [ˈbʌtnz] *s.* fattorino (d'albergo).

buttress [ˈbʌtris] *s.* **1** (*edil.*) contrafforte, sperone **2** (*fig.*) puntello, sostegno.

to buttress *v.tr.* **1** (*edil.*) rinforzare **2** (*fig.*) sostenere.

buxom [ˈbʌksəm] *agg.* paffuto, grassoccio; (*di donna*) formosa.

buy [bai] *s.* (*fam.*) acquisto // *it is a good* —, è un affarone.

to buy, *pass.* e *p.pass.* **bought** [bɔːt] *v.tr.* **1** comprare, acquistare // *to* — *in*, (*spec. all'asta*) ricomprare, riprendersi // *to* — (*s.o.*) *off* (o out), pagare (qlcu.) perché rinunci a un diritto, a un posto // *to* — *over*, corrompere, comprare // *to* — *up*, comprare; accaparrare, fare incetta (di) **2** (*fig.*) conquistare, ottenere.

buzz [bʌz] *s.* **1** ronzio **2** (*fig.*) mormorio **3** (*sl.*) telefonata: *to give s.o a* —, dare un colpo di telefono a qlcu.

to buzz *v.intr.* **1** ronzare; bisbigliare **2** *to* — *about*, affannarsi, agitarsi **3** *to* — *off*, (*sl.*) tagliare la corda ♦ *v.tr.* **1** chiamare (qlcu.) con una cicala **2** mormorare **3** (*sl.*) telefonare.

buzzard [ˈbʌzəd] *s.* (*zool.*) poiana.

buzzer [ˈbʌzə*] *s.* cicala; sirena.

by-, bye- [bai] *pref.* secondario, sotto-.

by [bai] *avv.* **1** vicino: *close* —, molto vicino // — *and large*, in complesso // — *the by(e)*, a proposito **2** da parte: *to put* —, mettere da parte.

by *prep.* **1** (*agente, causa efficiente, mezzo*) da; di; con; in: *a poem* (*written*) — *Keats*, una poesia di, scritta da Keats; *he came* — *tram*, è venuto in, col tram **2** (*tempo*) durante, di; per, entro: — *day*, — *night*, di giorno, di notte; — *next week*, per, entro la prossima settimana **3** (*luogo*) vicino a, presso (di, a); per, via: *to pass* — *a house*, passare vicino a, presso una casa; — *land*, — *sea*, per, via terra, mare // — *the side of*, a lato di **4** (*misura, peso, quantità*) per; a; di: *a room four metres* — *five* (*metres*), una stanza di quattro metri per cinque; *to sell* — *the kilo*, vendere a chilo; — *thousands*, a migliaia; *younger* — *two years*, di due anni più giovane **5** (*distributivo*) a; per: *three* — *three*, tre a tre; *to divide* — *five*, dividere per cinque.

bye-bye [ˈbaiˈbai] *inter.* (*fam.*) addio, arrivederci ♦ *s.* (*fam.*) nanna // *to go to bye-byes*, (*pl.*) andare a nanna.

by-effect [ˈbaii,fekt] *s.* effetto secondario.

by-election [ˈbaii,lekʃən] *s.* elezione suppletiva.

bygone [ˈbaigɔn] *agg.* passato del passato ♦ *s.* cosa passata // *let bygones be bygones*, acqua passata non macina più.

bylaw [ˈbailɔː] *s.* regolamento.

bypass [ˈbaipɑːs] *s.* **1** tangenziale **2** (*tecn.*) diramazione, condotto secondario.

to bypass *v.tr.* girare intorno (a), evitare; eludere.

bypath [ˈbaipɑːθ] *s.* sentiero laterale.

byplay [ˈbaiplei] *s.* (*teatr.*) scena secondaria, controscena.

by-product [ˈbai,prɔdəkt] *s.* sottoprodotto.

byre [ˈbaiə*] *s.* vaccheria.

byroad [ˈbairoud] *s.* strada secondaria.

byssus ['bisəs] *s.* bisso.

bystander ['bai,stændə*] *s.* astante, passante.

byte [bait] *s.* (*informatica*) byte.

byway ['baiwei] *s.* **1** stradina laterale, viuzza **2** (*fig.*) aspetto marginale.

byword ['baiwə:d] *s.* **1** (*spreg.*) zimbello **2** (*arc.*) proverbio, detto.

Byzantine [bi'zæntain] *agg.* **1** bizantino **2** (*fig.*) bizantino, contorto ♦ *s.* bizantino.

Byzantium [bi'zæntiəm] *no.pr.* Bisanzio.

C

c [si:], *pl.* **cs, c's** [si:z] *s.* **1** c // — *for Charlie*, (*tel.*) c come Como **2** C, (*mus.*) do; chiave di do.

cab [kæb] *s.* vettura di piazza; tassi.

cabal [kə'bæl] *s.* congiura; intrigo.

cabbage ['kæbidʒ] *s.* cavolo // — *butterfly*, cavolaia // — *rose*, rosa centifoglie.

cab(b)ala [kə'ba:lə] *s.* cabala.

cabby ['kæbi] *s.* (*fam.*) vetturino; tassista.

cabin ['kæbin] *s.* **1** capanna; baracca **2** cabina.

cabin boy ['kæbinbɔi] *s.* mozzo (per i servizi di cabina).

cabin cruiser ['kæbin,kru:zə*] *s.* (*mar.*) cabinato.

cabinet ['kæbinit] *s.* **1** gabinetto; stanzino **2** armadietto **3** *Cabinet*, (*pol.*) gabinetto; consiglio dei ministri // — *minister*, membro del gabinetto.

cabinet-maker ['kæbinit,meikə*] *s.* ebanista.

cable ['keibl] *s.* **1** cavo **2** (*mar.*) gomena **3** cablogramma.

to cable *v.tr.* e *intr.* trasmettere per cablogramma.

cable-address ['keiblə,dres] *s.* indirizzo telegrafico.

cable car ['keiblka:*] *s.* funivia; funicolare.

cablegram ['keiblgræm] *s.* cablogramma.

cable-ship ['keiblʃip] *s.* nave per l'installazione di cavi sottomarini.

cableway ['keiblwei] *s.* teleferica.

cabman, *pl.* **cabmen** ['kæbmən] *s.* vetturino; tassista.

caboodle [kə'bu:dl] *s.: the whole* —, (*sl.*) tutto quanto; tutti quanti.

caboose [kə'bu:s] *s.* **1** (*mar.*) cucina, cambusa **2** (*amer.*) (*ferr.*) rimorchio.

cabotage ['kæbəta:ʒ] *s.* (*mar.*) cabotaggio.

cab rank ['kæbræŋk] *s.* posteggio per tassi.

cabriolet [,ka:briou'lei] *s.* calessino.

cabstand ['kæbstænd] *s.* → **cab rank**.

cacao [kə'ka:ou] *s.* cacao.

cachalot ['kæʃəlɔt] *s.* (*zool.*) capodoglio.

cache [kæʃ] *s.* **1** nascondiglio **2** provviste nascoste (*pl.*).

to cache *v.tr.* nascondere.

cachet ['kæʃei, (*amer.*) kæ'ʃei] *s.* **1** (*fig.*) impronta di distinzione **2** (*farm.*) cachet.

cack-handed ['kæk'hændid] *agg.* (*fam.*) **1** mancino **2** maldestro, goffo.

cackle ['kækl] *s.* **1** schiamazzo (di oca, gallina) **2** (*fig.*) chiacchierio; risata gracchiante.

to cackle *v.intr.* **1** schiamazzare (di oca, gallina) **2** (*fig.*) chiacchierare; ridacchiare.

cacod(a)emon [,kækə'di:mən] *s.* spirito maligno.

cacophonous [kæ'kɔfənəs] *agg.* cacofonico.

cacophony [kæ'kɔfəni] *s.* cacofonia.

cactus ['kæktəs], *pl.* **cactuses** ['kæktəsiz], **cacti** ['kæktai] *s.* cactus.

cad [kæd] *s.* mascalzone; zoticone.

cadastral [kə'dɑ:strəl] *agg.* catastale.

cadaver [kə'deivə*, (*amer.*) kə'dævər] *s.* cadavere.

cadaveric [kə'dævərik], **cadaverous** [kə'dævərəs] *agg.* cadaverico.

caddie ['kædi] *s.* (*golf*) portamazze.

caddish ['kædiʃ] *agg.* ignobile; volgare.

caddy[1] ['kædi] *s.* scatoletta da tè.

caddy[2] *s.* → **caddie**.

cadence ['keidəns] *s.* **1** cadenza, ritmo **2** (*mus.*) cadenza.

cadency ['keidənsi] *s.* discendenza da ramo cadetto.

cadet [kə'det] *s.* cadetto.

to cadge [kædʒ] *v.tr.* e *intr.* **1** mendicare **2** scroccare.

cadger ['kædʒə*] *s.* scroccone.

cadmium ['kædmiəm] *s.* (*chim.*) cadmio.

cadre ['ka:də*, (*amer.*) 'kædri] *s.* **1** schema **2** (*mil.*) quadro.

caduceous [kə'dju:sjəs] *s.* caduceo.

caducity [kə'dju:siti] *s.* caducità.

caecum ['si:kəm], *pl.* **caeca** ['si:kə] *s.* (*anat.*) cieco.

caesium ['si:zjəm] *s.* (*chim.*) cesio.

caesura [si(:)'zjuərə] *s.* (*metrica*) cesura.

café ['kæfei, (*amer.*) kæ'fei] *s.* caffè; ristorante.

cafeteria [,kæfi'tiəriə] *s.* (*ristorante*) self-service.

caffeine ['kæfii:n] *s.* caffeina.

cage [keidʒ] *s.* **1** gabbia **2** prigione **3** (*edil.*) armatura **4** montacarichi.

to cage *v.tr.* mettere, tenere in gabbia.

cagey ['keidʒi:] *agg.* prudente, cauto.

cahoots [kə'hu:ts] *s.pl.: to be in* — (*with*), (*sl. amer.*) essere in combutta (con).

caiman ['keimən] *s.* caimano.

cairn [kɛən] *s.* tumulo.

caisson [kə'su:n] *s.* (*mil.*) cassone; (*mar.*) cassone pneumatico.

to cajole [kə'dʒoul] *v.tr.* blandire.

cajolery [kə'dʒouləri] *s.* lusinga.

cake [keik] *s.* torta; focaccia // *cakes and ale*, (*fig.*) divertimenti e spensieratezza // *a piece of* —, (*sl.*) qlco. di molto facile // *to take the* —, (*fig.*) riportare la palma // *a* — *of soap*, una saponetta // — *-shop*, pasticceria.

to cake *v.tr.* incrostare ♦ *v.intr.* incrostarsi.

calabash ['kæləbæʃ] *s.* zucca lunga // — *-pipe*, pipa a forma di zucca.

calaboose [,kælə'bu:z] *s.* prigione.

Calabrian [kə'læbriən] *agg.* e *s.* calabrese.

calamitous [kə'læmitəs] *agg.* disastroso.

calamity [kə'læmiti] *s.* calamità, disastro.

calamus ['kæləməs] *s.* (*bot.*) calamo.

calanque [kə'la:ŋk] *s.* (*geol.*) calanco.

calcareous [kælˈkɛəriəs] *agg.* calcareo.

to **calcify** [ˈkælsifai] *v.tr.* calcificare ♦ *v.intr.* calcificarsi.

calcination [ˌkælsiˈneiʃən] *s.* calcinazione.

to **calcine** [ˈkælsain] *v.tr.* calcinare ♦ *v.intr.* calcinarsi.

calcium [ˈkælsiəm] *s.* (*chim.*) calcio.

to **calculate** [ˈkælkjuleit] *v.tr.* e *intr.* **1** calcolare **2** (*amer.*) supporre, credere // *to — on*, contare, fare assegnamento (su).

calculating [ˈkælkjuleitiŋ] *agg.* calcolatore // *— machine*, calcolatrice.

calculation [ˌkælkjuˈleiʃən] *s.* calcolo.

calculator [ˈkælkjuleitə*] *s.* calcolatore; calcolatrice.

calculus [ˈkælkjuləs], *pl.* **calculi** [ˈkælkjulai] *s.* (*med. mat.*) calcolo.

caldron *s.* → **cauldron**.

calendar [ˈkælində*] *s.* **1** calendario **2** elenco.

to **calendar** *v.tr.* registrare; schedare.

calender [ˈkælində*] *s.* (*mecc.*) calandra.

calends [ˈkælindz] *s.pl.* calende.

calf[1] [kɑːf], *pl.* **calves** [kɑːvz] *s.* **1** vitello **2** piccolo (di alcuni grossi mammiferi) **3** giovane ingenuo // *—-love*, amore da adolescente.

calf[2], *pl.* **calves** *s.* polpaccio.

calfskin [ˈkɑːfskin] *s.* pelle di vitello.

to **calibrate** [ˈkælibreit] *v.tr.* calibrare; tarare.

calibre [ˈkælibə*] *s.* calibro.

calif [ˈkælif] *s.* califfo.

calipers [ˈkælipə*z] *s.pl.* (*amer.*) → **callipers**.

caliph [ˈkælif] *s.* califfo.

calisthenics [ˌkælisˈθeniks] *s.pl.* (*amer.*) → **callisthenics**.

calk[1] [kɔːk] *s.* rampone.

to **calk**[2] *v.tr.* decalcare (un disegno ecc.).

to **calk**[3] *v.tr.* → to **caulk**.

calkin [ˈkælkin] *s.* rampone (da cavallo).

call [kɔːl] *s.* **1** chiamata, appello (*anche fig.*): *to come at* (o *to answer*) *s.o.'s —*, rispondere all'appello di qlcu. // *to be within —*, essere a portata di mano // *breve visita: to pay s.o. a —*, fare una visita a qlcu. **3** vocazione; ispirazione **4** dichiarazione (alle carte) **5** (*informatica*) chiamata; (*tel.*) trasmissione: *— report*, rapporto di intervento; *— set-up time*, tempo per attivare una comunicazione; *— signal*, segnale di chiamata; *— word*, parola di identificazione.

to **call** *v.tr.* chiamare; richiamare; svegliare; convocare; invitare // *my daughter is called after me*, mia figlia porta il mio nome // *to — back*, richiamare // *to — the roll*, fare l'appello // *to — the banns*, fare le pubblicazioni matrimoniali // *to — a meeting*, convocare una riunione // *to — to account*, riprendere, rimproverare // *to — s.o.'s attention to sthg.*, richiamare l'attenzione di qlcu. su qlco. // *to — to mind*, richiamare alla mente // *to — into play*, mettere in moto, in azione // *to — in question*, mettere in dubbio // *to — s.o. names*, insultare, ingiuriare qlcu. **2** esortare; ordinare: *to — a halt*, ordinare, intimare di fermarsi **3** (*amer.*) *to — s.o. down*, redarguire qlcu. severamente **4** *to — for* (*s.o., sthg.*), richiedere, esigere: *letter to be kept till called for*, lettera che si prega di tenere fino al ritiro **5** *to — forth*, richiedere **6** *to — in*, richiedere il pagamento (di debiti); ritirare dalla circolazione (banconote) **7** *to — off*, rinunciare (a un impegno); disdire; annullare **8** *to — out*, sfidare a duello; chiamare (truppe ecc.) in aiuto **9** *to — over*, fare l'appello **10** *to — up*, telefonare; (*mil.*) richiamare **11** *to — upon*, invitare; invocare // *I feel called upon to inform you that*, mi sento in dovere di in-

formarvi che **12** (*informatica*) chiamare, lanciare; richiamare (un sottoprogramma) ♦ *v.intr.* **1** chiamare; gridare **2** fare una breve visita: *to — at*, passare da (un luogo); *to — on*, visitare, andare a trovare una persona // *to — at a port*, fare scalo a un porto.

callable [ˈkɔːləbl] *agg.* (*informatica*) richiamabile; che si può richiamare.

call box [ˈkɔːlbɒks] *s.* cabina telefonica.

callboy [ˈkɔːlbɔi] *s.* (*teatr.*) buttafuori.

caller [ˈkɔːlə*] *s.* visitatore; chi telefona.

call girl [ˈkɔːlgɜːl] *s.* ragazza squillo.

call-in [ˈkɔːlin] *s.* (*amer.*) → **phone-in**.

calling [ˈkɔːliŋ] *s.* **1** appello, chiamata **2** mestiere, occupazione, professione **3** vocazione.

callipers [ˈkælipəz] *s.pl.* calibro (*sing.*).

callisthenics [ˌkælisˈθeniks] *s.* ginnastica ritmica.

callnote [ˈkɔːlnout] *s.* richiamo.

callosity [kæˈlɒsiti] *s.* callosità.

callous [ˈkæləs] *agg.* **1** calloso **2** (*fig.*) insensibile, incallito, senza cuore.

callow [ˈkælou] *agg.* implume; (*fig.*) imberbe.

call-up [ˈkɔːlʌp] *s.* chiamata alle armi; precettazione.

callus [ˈkæləs] *s.* callo, callosità.

calm [kɑːm] *agg.* calmo, tranquillo: *to grow —*, calmarsi ♦ *s.* calma; tranquillità // *dead —*, bonaccia.

to **calm** *v.tr.* calmare, tranquillizzare ♦ *v.intr.* calmarsi, tranquillizzarsi: *to — down*, calmarsi.

calmative [ˈkælmətiv] *agg.* e *s.* calmante.

calorie [ˈkæləri] *s.* caloria.

calorific [ˌkæləˈrifik] *agg.* calorifico: *— value*, potere calorifico.

calotte [kəˈlɒt] *s.* **1** zucchetto **2** (*arch.*) calotta.

to **calumniate** [kəˈlʌmnieit] *v.tr.* calunniare.

calumny [ˈkæləmni] *s.* calunnia.

Calvary [ˈkælvəri] *no.pr.* Calvario, Golgota // **calvary** *s.* (*fig.*) calvario.

to **calve** [kɑːv] *v.tr.* lasciar cadere blocchi di ghiaccio (di iceberg) ♦ *v.intr.* figliare, partorire (di vacca).

calves *pl.* di **calf**[1], **calf**[2].

Calvinism [ˈkælvinizəm] *s.* calvinismo.

Calvinist [ˈkælvinist] *s.* calvinista.

Calvinistic [ˌkælviˈnistik] *agg.* calvinista.

calycanthus [ˌkæliˈkænθəs] *s.* (*bot.*) calicanto.

calyx [ˈkeiliks], *pl.* **calyces** [ˈkeilisiːz] *s.* (*bot.*) calice.

cam [kæm] *s.* (*mecc.*) camma.

camaraderie [kæməˈrɑːdəri] *s.* cameratismo.

camber [ˈkæmbə*] *s.* curvatura, convessità.

to **camber** *v.tr.* dare una curvatura (a) ♦ *v.intr.* avere una curvatura.

cambist [ˈkæmbist] *s.* cambiavalute.

Cambodia [kæmˈboudjə] *no.pr.* Cambogia.

Cambrian [ˈkæmbriən] *agg.* **1** gallese **2** (*geol.*) cambriano ♦ *s.* **1** gallese **2** (*geol.*) periodo cambriano.

came *pass.* di to **come**.

camel [ˈkæməl] *s.* cammello // *— corps*, (*mil.*) corpo di meharisti.

camelhair [ˈkæməlˈhɛə*] *s.* pelo di cammello.

camellia [kəˈmiːliə] *s.* camelia.

cameo [ˈkæmiou] *s.* cammeo.

camera [ˈkæmərə] *s.* macchina fotografica; telecamera // *— obscura*, camera oscura // *in —*, a porte chiuse // *— -man*, fotoreporter; (*tv*) cameraman.

camerlingo [kæməˈliŋgou] *s.* (*eccl.*) camerlengo.

Cameroons [ˈkæməˌruːnz] *no.pr.* Camerun (inglese).

Cameroun [ˈkæmˌruːn] *no.pr.* Camerun (francese).

cami-knickers [ˈkæmiˌnikəz] *s.pl.* pagliaccetto da donna (*sing.*).

camisole [ˈkæmisoul] *s.* camiciola.

camomile [ˈkæməmail] *s.* camomilla // — *tea*, infuso di camomilla.

camouflage [ˈkæmuflɑːʒ] *s.* camuffamento; (*mil.*) mimetizzazione.

to camouflage *v.tr.* camuffare; (*mil.*) mimetizzare.

camp[1] [kæmp] *s.* 1 campeggio 2 (*mil.*) campo; accampamento: *to be in* —, essere accampato.

to camp[1] *v.intr.* campeggiare, accamparsi // *to* — *out*, dormire in tenda.

camp[2] *agg.* affettato, lezioso.

campaign [kæmˈpein] *s.* campagna (militare, pubblicitaria ecc.).

to campaign *v.intr.* fare una campagna (militare, pubblicitaria ecc.).

campaigner [kæmˈpeinə*] *s.* 1 (*mil.*) veterano // *old* —, (*fig.*) vecchia volpe 2 chi fa propaganda elettorale.

campanula [kəmˈpænjulə] *s.* (*bot.*) campanula.

camp bed [ˈkæmpˈbed] *s.* letto da campo, brandina.

camper [ˈkæmpə*] *s.* 1 campeggiatore 2 (*amer.*) camper.

camp-fever [ˈkæmpˈfiːvə*] *s.* febbre tifoidea.

campground [ˈkæmpgraund] *s.* campeggio; «camping».

camphor [ˈkæmfə*] *s.* canfora.

camphorated [ˈkæmfəreitid] *agg.* canforato.

camphoric [kæmˈfɔrik] *agg.* canforato.

camping [ˈkæmpiŋ] *s.* il campeggiare, campeggio.

campsite [ˈkæmpsait] *s.* campeggio, «camping».

campstool [ˈkæmpstuːl] *s.* seggiolino pieghevole.

campus [ˈkæmpəs] *s.* (*amer.*) 1 l'insieme dei terreni, campi di gioco, edifici che costituiscono una università 2 (*fig.*) mondo universitario.

camshaft [ˈkæmʃɑːft] *s.* (*mecc.*) albero a camme.

can[1] [kæn] *s.* 1 recipiente di metallo per liquidi; bidone; scatola di latta per cibi conservati // *to carry the* —, (*sl.*) accollarsi il biasimo, la responsabilità 2 (*amer.*) lattina 3 (*sl. amer.*) prigione.

to can[1] *v.tr.* 1 mettere in scatola: *canned food*, cibo in scatola 2 (*sl.*) registrare (musica) // — *it!*, piantala!

can[2] [kæn (*forma forte*), kən, kn (*forme deboli*)] **could** [kud (*forma forte*), kəd (*forma debole*)] *v.dif.* 1 potere: *I — help you*, posso aiutarti; *he cannot* (o *can't*) *come*, non può venire: — *I go?*, posso andare?; *he could have 'phoned*, avrebbe potuto telefonare // — *you hear me?*, mi senti? // *you never — tell*, non si sa mai // *you — but hope*, non vi resta che sperare; *you cannot but admit I am right*, devi ammettere che ho ragione 2 sapere: *she — do anything*, sa fare di tutto; *he — speak three languages*, sa parlare, parla tre lingue.

Canada [ˈkænədə] *no.pr.* Canada.

Canadian [kəˈneidjən] *agg.* e *s.* canadese.

canal [kəˈnæl] *s.* 1 canale // — *rays*, (*fis.*) raggi positivi 2 (*anat. zool.*) canale, tubo.

to canalize [ˈkænəlaiz] *v.tr.* canalizzare.

Canary [kəˈnɛəri] *no.pr.* Gran Canaria // *the — Islands* (o *the Canaries*), le (Isole) Canarie // **canary** *agg.* giallo canarino ♦ *s.* canarino.

canary-seed [kəˈnɛəriˌsiːd] *s.* (*bot.*) scagliola.

canaster [kəˈnæstə*] *s.* trinciato grosso.

to cancel [ˈkænsəl] *v.tr.* 1 cancellare; annullare; eliminare 2 (*informatica*) azzerare la memoria ♦ *v.intr.*: *to* — *out*, annullarsi, eliminarsi.

cancel *s.* (*informatica*) annullamento: — *character*, ca-

rattere di annullamento; — *key*, tasto di annullamento.

cancellation [ˌkænseˈleiʃən] *s.* cancellatura; annullamento; storno; (*filatelia*) annullo.

Cancer [ˈkænsə*] *no.pr.* (*astr.*) Cancro.

cancerous [ˈkænsərəs] *agg.* canceroso.

cancroid [ˈkæŋkrɔid] *agg.* 1 (*med.*) cancroide 2 a forma di granchio.

candelabrum [ˌkændiˈlɑːbrəm], *pl.* **candelabra** [ˌkændiˈlɑːbrə] *s.* 1 candelabro 2 lampadario a bracci.

candid [ˈkændid] *agg.* franco, sincero // — *camera*, microcamera.

candidacy [ˈkændidəsi] *s.* candidatura.

candidate [ˈkændidit, (*amer.*) ˈkændideit] *s.* candidato.

candidature [ˈkændiditʃə*] *s.* candidatura.

candle [ˈkændl] *s.* candela // *to burn the — at both ends*, (*fam.*) lavorare eccessivamente, esaurirsi // *not fit to hold a — to*, non essere degno di // *the game is not worth the* —, il gioco non vale la candela // — *-end*, moccolo // — *-holder*, candeliere // — *-snuffer*, smoccolatoio.

candlelight [ˈkændllait] *s.* lume di candela: *a — dinner*, una cena a lume di candela.

candlepower [ˈkændlˌpauə*] *s.* (*fis.*) intensità luminosa (in candele).

candlestick [ˈkændlstik] *s.* candeliere.

candlewick [ˈkændlwik] *s.* stoppino.

candour [ˈkændə*] *s.* franchezza; sincerità.

candy [ˈkændi] *s.* 1 zucchero caramellato 2 (*amer.*) caramella.

to candy *v.tr.* candire ♦ *v.intr.* cristallizzarsi (di zucchero).

candyfloss [ˈkændiflɔs] *s.* zucchero filato.

cane [kein] *s.* 1 canna; giunco // — *sugar*, zucchero di canna 2 bastone da passeggio; bacchetta (per punire gli scolari) 3 vimine: — *chair*, sedia di vimini.

to cane *v.tr.* 1 bastonare (con una canna) 2 riparare, rivestire con cannucce.

canine [ˈkeinain] *agg.* canino, di cane ♦ *s.*: — (*tooth*), (dente) canino.

caning [ˈkeiniŋ] *s.* bastonatura.

canister [ˈkænistə*] *s.* contenitore.

canker [ˈkæŋkə*] *s.* 1 (*med.*) piaga ulcerosa; cancrena 2 (*fig.*) influenza corruttrice 3 (*bot.*) malattia degli alberi da frutta.

to canker *v.tr.* rodere (albero, fiore ecc.); (*fig.*) corrompere ♦ *v.intr.* ulcerarsi; andare in cancrena.

cannabis [ˈkænəbis] *s.* canapa indiana.

canned [kænd] *agg.* (*sl. amer.*) ubriaco.

cannery [ˈkænəri] *s.* fabbrica di conserve.

cannibal [ˈkænibəl] *s.* cannibale.

cannibalism [ˈkænibəlizəm] *s.* cannibalismo.

cannon [ˈkænən] *s.* 1 (*gener. pl. invar.*) cannone 2 (*biliardo*) carambola.

to cannon *v.intr.* 1 far carambola (al biliardo) 2 scontrarsi: *to — into s.o., sthg.*, urtare violentemente qlcu., qlco.

cannonade [ˌkænəˈneid] *s.* cannoneggiamento.

to cannonade *v.tr.* e *intr.* cannoneggiare.

cannonshot [ˈkænənʃɔt] *s.* tiro di cannone.

cannot [ˈkænɔt] *forma negativa di* **can**.

canny [ˈkæni] *agg.* prudente, circospetto; astuto.

canoe [kəˈnuː] *s.* canoa.

to canoe *v.intr.* andare in canoa.

canon[1] [ˈkænən] *s.* canone // — *law*, diritto canonico.

canon[2] *s.* (*eccl.*) canonico.

canonical [kə'nɔnikəl] *agg.* e *s.* canonico.

canonicals [kə'nɔnikəlz] *s.pl.* abiti sacerdotali.

canonist ['kænənist] *s.* canonista.

to **canonize** ['kænənaiz] *v.tr* canonizzare.

can opener ['kæn,oupənə*] *s.* apriscatole.

canopy ['kænəpi] *s.* **1** baldacchino **2** volta (del cielo) **3** (*arch.*) tettoia **4** (*aer.*) calotta; tettuccio.

to **canopy** *v.tr.* coprire con baldacchino.

canst [kænst (*forma forte*), kənst (*forma debole*)] 2ª *pers. sing. pres.* (*poet.*) di **can**.

cant[1] [kænt] *s.* **1** inclinazione **2** spinta, urto **3** (*arch.*) angolo esterno.

to **cant**[1] *v.tr.* **1** inclinare; capovolgere **2** smussare ♦ *v.intr.* inclinarsi; capovolgersi.

cant[2] *s.* **1** gergo **2** discorso ipocrita.

to **cant**[2] *v.intr.* **1** parlare in gergo **2** parlare con ipocrisia.

can't [kɑ:nt] *contr.* di **cannot**.

cantaloup(e) ['kæntəlu:p] *s.* melone.

cantankerous [kən'tæŋkərəs] *agg.* litigioso.

canteen [kæn'ti:n] *s.* **1** mensa **2** (*mil.*) borraccia **3** astuccio con servizio di posate.

canter ['kæntə*] *s.* piccolo galoppo.

to **canter** *v.intr.* andare di piccolo galoppo ♦ *v.tr.* fare andare di piccolo galoppo.

cantharis ['kænθəris], *pl.* **cantharides** [kæn'θæridi:z] *s.* **1** (*zool.*) cantaride **2** *pl.* (*farm.*) cantaridina (*sing.*).

canticle ['kæntikl] *s.* cantico.

cantilever ['kæntili:və*] *s.* (*arch.*) trave a sbalzo // — bridge, ponte a sbalzo.

canton ['kænton] *s.* (*geogr.*) cantone.

to **canton** [kæn'ton; *nel senso* 2 kən'tu:n] *v.tr.* **1** dividere in cantoni **2** (*mil.*) acquartierare.

cantonment [kən'tu:nmənt, (*amer.*) kæn'tou:nmənt] *s.* (*mil.*) accantonamento, acquartieramento.

cantor ['kæntɔ:*] *s.* cantore; maestro del coro.

Canuck [kə'nuk] *s.* (*sl. amer.*) canadese (di origine francese).

canvas ['kænvəs] *s.* canovaccio; tela // under —, (*mil.*) sotto la tenda; (*mar.*) a vele spiegate.

to **canvass** ['kænvəs] *v.tr.* e *intr.* **1** discutere a fondo **2** sollecitare (voti); (*comm.*) sollecitare (ordini).

canyon ['kæniən] *s.* (*geol.*) «canyon».

caoutchouc ['kautʃuk] *s.* caucciù.

cap [kæp] *s.* **1** berretto, copricapo; cuffia: housemaid's —, crestina di cameriera // in — and gown, in abito accademico // the — fits, (*fig.*) l'osservazione è giusta // to set one's — at, cercare di cattivarsi le simpatie di **2** cappuccio; coperchio; tappo; calotta; capsula.

to **cap** *v.tr.* **1** coprire (con berretto, coperchio ecc.); tappare **2** conferire una laurea (a) **3** (*sport*) scegliere (membro di squadra sportiva) **4** superare, essere superiore (a) // to — an anecdote, fare seguito a un aneddoto con un altro non meno interessante.

capability [,keipə'biliti] *s.* **1** capacità **2** possibilità.

capable ['keipəbl] *agg.* **1** capace; competente **2** suscettibile (di miglioramento ecc.).

capacious [kə'peiʃəs] *agg.* vasto, capace.

to **capacitate** [kə'pæsiteit] *v.tr.* qualificare.

capacitor [kə'pæsitə*] *s.* condensatore.

capacity [kə'pæsiti] *s.* capacità // to act in one's official —, (*dir.*) agire nell'esercizio delle proprie funzioni.

caparison [kə'pærisn] *s.* gualdrappa.

to **caparison** *v.tr.* bardare (un cavallo).

cape[1] [keip] *s.* capo, promontorio // the Cape (of Good Hope), il Capo di Buona Speranza.

cape[2] *s.* mantellina.

caper[1] ['keipə*] *s.* cappero.

caper[2] *s.* **1** capriola, salto: to cut capers, far capriole **2** *pl.* (*fig.*) stramberie **3** (*sl.*) grande rapina, grosso colpo.

to **caper** *v.intr.* far capriole, salti.

capercaillye, capercailzie [,kæpə'keilji] *s.* (*zool.*) gallo cedrone.

capillary [kə'piləri, (*amer.*) 'kæpələri] *agg.* capillare ♦ *s.* (*anat.*) vaso capillare.

capital[1] ['kæpitl] *agg.* **1** capitale **2** maiuscolo **3** (*fam.*) magnifico; eccellente ♦ *s.* **1** capitale (di uno stato) **2** lettera maiuscola **3** (*comm.*) capitale: — export, esportazione di capitali; paid-up —, capitale interamente versato; return on —, reddito da capitale // to make — out of sthg., sfruttare qlco. a proprio vantaggio.

capital[2] *s.* (*arch.*) capitello.

capitalism ['kæpitəlizəm] *s.* capitalismo.

capitalist ['kæpitəlist] *s.* capitalista.

capitalistic [,kæpitə'listik] *agg.* capitalistico.

to **capitalize** [kə'pitəlaiz] *v.tr.* **1** capitalizzare **2** finanziare **3** scrivere con la maiuscola ♦ *v.intr.*: to — on, trarre profitto da.

capitation [,kæpi'teiʃən] *s.* (*dir.*) testatico.

to **capitulate** [kə'pitjuleit] *v.intr.* capitolare.

capon ['keipən] *s.* cappone.

to **caponize** ['keipənaiz] *v.tr.* capponare.

capot [kə'pɔt] *s.* cappotto (al gioco).

caprice [kə'pri:s] *s.* **1** capriccio, fantasia **2** (*mus.*) capriccio.

capricious [kə'priʃəs] *agg.* capriccioso.

Capricorn ['kæprikɔ:n] *s.* (*astr.*) Capricorno.

to **capsize** [kæp'saiz] *v.tr.* rovesciare ♦ *v.intr.* rovesciarsi.

capstan ['kæpstən] *s.* (*mar.*) argano.

capsular ['kæpsjulə*] *agg.* di capsula.

capsule ['kæpsju:l, (*amer.*) 'kæpsl] *s.* **1** capsula; (*aer.*) capsula spaziale **2** (*bot.*) pericarpo.

to **capsule** *v.tr.* incapsulare.

captain ['kæptin] *s.* capitano; comandante; capitano di vascello.

to **captain** *v.tr.* capitanare; comandare.

captaincy ['kæptinsi] *s.* grado di capitano.

caption ['kæpʃən] *s.* **1** intestazione, titolo **2** didascalia.

captious ['kæpʃəs] *agg.* **1** capzioso, insidioso **2** sofistico.

to **captivate** ['kæptiveit] *v.tr.* **1** cattivare, cattivarsi **2** affascinare, incantare.

captivation [,kæpti'veiʃən] *s.* seduzione, fascino.

captive ['kæptiv] *agg.* e *s.* prigioniero // — balloon, pallone frenato.

captivity [kæp'tiviti] *s.* cattività, prigionia.

captor ['kæptə*] *s.* chi cattura.

capture ['kæptʃə*] *s.* **1** cattura **2** preda, bottino.

to **capture** *v.tr.* **1** catturare, far prigioniero // to — the market, (*comm.*) accaparrare il mercato // to — an atmosphere, (*fig.*) rendere, cogliere l'atmosfera **2** (*scacchi, dama*) mangiare.

Capuchin ['kæpjuʃin] *s.* (*eccl.*) cappuccino.

car [kɑ:*] *s.* **1** automobile, autovettura: by —, in automobile **2** (*amer.*) (*ferr.*) vagone, carrozza **3** (*aer.*) navicella (di dirigibile).

caracole ['kærəkoul] *s.* **1** caracollo **2** (*arch.*) scala a spirale.

to **caracole** *v.intr.* caracollare.
carafe [kə'rɑːf] *s.* caraffa.
caramel ['kærəmel] *s.* **1** caramello **2** caramella.
carapace ['kærəpeis] *s.* carapace.
carat ['kærət] *s.* carato.
caravan [,kærə'væn] *s.* **1** carovana **2** carro **3** (*aut.*) «roulotte».
caravanserai [,kærə'vænsərai] *s.* caravanserraglio.
caravel ['kærəvel] *s.* caravella.
caraway ['kærəwei] *s.* (*bot.*) comino.
carbide ['kɑːbaid] *s.* (*chim.*) **1** carburo **2** carburo di calcio.
carbine ['kɑːbain] *s.* carabina.
carbohydrate ['kɑːbou'haidreit] *s.* carboidrato.
carbolic [kɑː'bɔlik] *agg.* (*chim.*) fenico.
carbon ['kɑːbən] *s.* **1** (*chim.*) carbonio **2** carta carbone; copia carbone // — *black*, nerofumo **3** (*elettr.*) carbone.
carbonate ['kɑːbənit] *s.* (*chim.*) carbonato.
to **carbonate** *v.tr.* (*chim.*) trasformare in carbonato.
carbon copy ['kɑːbən,kɔpi] *s.* copia carbone; duplicato // *he's the — of his father*, è il ritratto di suo padre.
carbon dioxide ['kɑːbəndai'ɔksaid] *s.* (*chim.*) anidride carbonica.
carbonic [kɑː'bɔnik] *agg.* carbonico // — *acid gas*, anidride carbonica.
carbonization [,kɑːbənai'zeiʃən] *s.* carbonizzazione.
to **carbonize** ['kɑːbənaiz] *v.tr.* carbonizzare.
carbon paper ['kɑːbən,peipə*] *s.* carta carbone.
carboy ['kɑːbɔi] *s.* damigiana.
carbuncle ['kɑːbʌŋkl] *s.* carbonchio.
carburant ['kɑːbjurənt] *s.* carburante.
to **carburate** ['kɑːbjureit] *v.tr.* carburare.
to **carburet** ['kɑːbjuret] *v.tr.* carburare.
carburetor ['kɑːrbəreitər] *s.* (*amer.*) → **carburetter**, **carburettor**.
carburetter, **carburettor** ['kɑːbjuretə*] *s.* (*mecc.*) carburatore.
to **carburize** ['kɑːbjuraiz] *v.tr.* carburare.
carcase, **carcass** ['kɑːkəs] *s.* carcassa.
carcinogen [kɑː'sinədʒən] *s.* cancerogeno.
carcinoma [,kɑːsi'noumə], *pl.* **carcinomata** [,kɑːsi'noumətə] *s.* (*med.*) carcinoma.
card[1] [kɑːd] *s.* **1** cartoncino; cartolina // *to speak by the —*, parlare con precisione // (*visiting*) —; (*amer.*) *calling* —, biglietto da visita **2** carta da gioco: *game of cards*, partita a carte // *he is a queer —*, (*fam.*) è uno strano tipo // *it is on the cards*, è una cosa possibile **3** tessera **4** (*sport*) cartellino // *red —*, espulsione // *yellow —*, ammonizione **5** (*informatica*) scheda: — *bed*, pista di scorrimento schede; — *cycle*, ciclo di trattamento schede; — *feed*, alimentazione schede; — *jam*, inceppamento schede; *master —*, scheda matrice, scheda principale; — *path*, percorso della scheda; — *-stacker*, casella ricezione schede; — *track*, pista di trascinamento schede, pista di alimentazione.
to **card**[1] *v.tr.* schedare.
to **card**[2] *v.tr.* (*tessitura*) cardare.
cardan ['kɑːdən] *s.* (*mecc.*) cardano // — *joint*, giunto cardanico // — *shaft*, albero cardanico.
cardboard ['kɑːdbɔːd] *s.* cartone.
carder ['kɑːdə*] *s.* cardatore.
cardiac ['kɑːdiæk] *agg.* cardiaco.
cardigan ['kɑːdigən] *s.* cardigan.
cardinal ['kɑːdinl] *agg.* e *s.m.* cardinale.
card index ['kɑːd,indeks] *s.* schedario.

carding machine ['kɑːdiŋmə'ʃiːn] *s.* carda.
cardi(o)- ['kɑːdi(ou)] *pref.* cardio-.
cardio-circulatory ['kɑːdiousə:kju:'leitəri] *agg.* cardiocircolatorio.
cardiogram ['kɑːdiougræm] *s.* cardiogramma.
cardiologist [,kɑːdi'ɔlədʒist] *s.* cardiologo.
cardiology [,kɑːdi'ɔlədʒi] *s.* cardiologia.
cardio-pulmonary ['kɑːdiou'pʌlmənəri] *agg.* cardiopolmonare.
cardiotonic ['kɑːdiou'tɔnik] *agg.* e *s.* cardiotonico.
cardiovascular ['kɑːdiou'væskjulə*] *agg.* cardiovascolare.
cardoon [kɑː'duːn] *s.* (*bot.*) cardo.
cardsharper ['kɑːd,ʃɑːpə*] *s.* baro.
card-table ['kɑːd,teibl] *s.* tavolo da gioco.
care [kεə*] *s.* **1** cura, diligenza, attenzione; vigilanza: *want of —*, negligenza; *take —!*, attenzione!; *take — (that) you don't break it*, bada di non romperlo; *to take — of*, aver cura di // *intensive —*, terapia intensiva **2** preoccupazione; responsàbilità // — *-worn*, pieno di preoccupazioni // — *killed the cat*, (*prov.*) le preoccupazioni conducono alla tomba.
to **care** *v.intr.* curarsi, importare: *for all I —*, per quel che m'importa; *who cares?*, che me ne importa? // *I don't — a damn* (o *a fig*), (*sl.*) non me ne importa un fico secco // *to — for* (*sthg., s.o.*), provar piacere in; voler bene a; curare, provvedere a: *he does not — for the theatre*, non si interessa di teatro; *would you — for some coffee?*, ti andrebbe un caffè? // *children well -cared for*, bambini ben curati.
to **careen** [kə'riːn] *v.tr.* (*mar.*) carenare.
careenage [kə'riːnidʒ] *s.* (*mar.*) carenaggio.
career [kə'riə*] *s.* **1** carriera // — *woman*, donna che si dedica esclusivamente al lavoro **2** corsa, andatura veloce: *in full —*, di gran carriera.
to **career** *v.tr.* andare a gran velocità: *to — about* (o *over*) *a place*, attraversare un posto a gran velocità.
careerist [kə'riərist] *s.* arrivista; carrierista.
carefree [kεəfriː] *agg.* senza pensieri.
careful ['kεəful] *agg.* **1** accurato **2** attento, prudente: *be —!*, stai attento! **3** (*fam.*) avaro.
careless ['kεəlis] *agg.* **1** noncurante; negligente **2** spensierato.
caress [kə'res] *s.* carezza.
to **caress** *v.tr.* accarezzare; vezzeggiare.
caressingly [kə'resiŋli] *avv.* carezzevolmente.
caret ['kærət] *s.* segno di omissione.
caretaker ['kεə,teikə*] *s.* custode, guardiano // — *government*, governo provvisorio.
cargo ['kɑːgou], *pl.* **cargo(e)s** ['kɑːgouz] *s.* carico (di nave); merce imbarcata // — *boat*, nave da carico.
caribou ['kæribuː] *s.* caribù.
caricature [,kærikə'tjuə*] *s.* caricatura.
to **caricature** *v.tr.* mettere in caricatura; fare la caricatura (di).
caricaturist [,kærikə'tjuərist] *s.* caricaturista.
caries ['kεəriːz] *s.* (*med.*) carie.
carious ['kεəriəs] *agg.* cariato.
carking ['kɑːkiŋ] *agg.* gravoso.
Carlovingian [,kɑːlou'vindʒiən] *agg.* carolingio.
carman, *pl.* **carmen** ['kɑːmən] *s.* camionista.
Carmelite ['kɑːmilait] *agg.* carmelitano ♦ *s.* carmelitana.
carmine ['kɑːmain] *agg.* e *s.* carminio.
carnage ['kɑːnidʒ] *s.* carneficina, strage.
carnal ['kɑːnl] *agg.* carnale, sensuale.
carnality [kɑː'næliti] *s.* carnalità, sensualità.

carnation[1] [kɑːˈneiʃən] *agg.* carnicino.

carnation[2] *s.* garofano.

carnet [ˈkɑːnei] *s.* (*aut.*) **1** carta-carburante **2** carnet doganale.

carnival [ˈkɑːnivəl] *s.* **1** carnevale **2** veglione.

Carnivora [kɑːˈnivərə] *s.pl.* carnivori.

carnivore [ˈkɑːnivɔ:*] *s.* carnivoro.

carnivorous [kɑːˈnivərəs] *agg.* carnivoro.

carob[ˈkærəb] *s.*: — (*-bean*), carruba; — (*tree*), carrubo.

carol[ˈkærəl] *s.* carola // *Christmas* —, canto di Natale.

Caroline[1] [ˈkærəlain] *agg.* del tempo di Carlomagno, Carlo I, Carlo II d'Inghilterra.

Caroline[2] *no.pr.f.* Carolina.

Carolingian [ˌkærəˈlindʒiːən] *agg.* carolingio.

carotid [kəˈrɔtid] *agg.* carotideo ♦ *s.* (*anat.*) carotide.

carousal [kəˈrauzəl], **carouse** [kəˈrauz] *s.* gozzoviglia.

to **carouse** [kəˈrauz] *v.intr.* gozzovigliare.

carousel [ˌkɑːruːˈzel] *s.* carosello; (*amer.*) giostra.

carp[1] [kɑːp] *s.* (*zool.*) carpa.

to **carp**[2] *v.intr.* **1** ciarlare **2** cavillare: *to — at sthg.*, trovar da ridire su qlco.

carpal [ˈkɑːpəl] *agg.* (*anat.*) carpale, carpico.

car park [ˈkɑːpɑːk] *s.* parcheggio.

Carpathians, the [kɑːˈpeiθjənz] *no.pr.pl.* Carpazi.

carpenter [ˈkɑːpintə*] *s.* carpentiere, falegname.

to **carpenter** *v.intr.* fare il carpentiere, il falegname.

carpentry [ˈkɑːpintri] *s.* carpenteria.

carper [ˈkɑːpə*] *s.* critico malevolo.

carpet [ˈkɑːpit] *s.* tappeto // *on the* —, in discussione // *to have s.o. on the* —, sgridare qlcu.

to **carpet** *v.tr.* **1** coprire con tappeto **2** (*fam.*) sgridare.

carpetbag [ˈkɑːpitbæg] *s.* sacco da viaggio.

carpet slippers [ˈkɑːpitˌslipə*] *s.pl.* pantofole di stoffa.

carpus [ˈkɑːpəs] *s.* (*anat.*) carpo.

carriage [ˈkæridʒ] *s.* **1** (*comm.*) trasporto; porto // *— forward*, (*comm.*) porto assegnato; *— free*, (*comm.*) franco di porto; *— paid*, porto affrancato **2** carrozza; (*mil.*) carriaggio; (*mecc.*) carrello // *— and pair*, *— and four*, tiro a due, a quattro // *— -entrance* (o *-gate*), porta carraia **3** (*amer.*) vagone ferroviario **4** portamento.

carriageway [ˈkæridʒwei] *s.* carreggiata.

carrier [ˈkæriə*] *s.* **1** portatore; corriere, spedizioniere; (*amer.*) postino // *— wave*, (*rad.*) onda portante // *germ-* —, veicolo, portatore di microbi **2** (*mecc.*) portabagagli; trasportatore; piastra portante **3** portapacchi (per bicicletta) **4** supporto.

carrier bag [ˈkæriəbæg] *s.* sacchetto di carta o di plastica per gli acquisti.

carrier pigeon [ˈkæriəˌpidʒin] *s.* colombo viaggiatore.

carrion [ˈkæriən] *agg.* **1** che si nutre di carogne **2** putrido ♦ *s.* carogna // *— crow*, corvo nero.

carrot [ˈkærət] *s.* **1** carota **2** *pl.* (*fam.*) pel di carota, persona dai capelli rossi.

carry [ˈkæri] *s.* gittata.

to **carry** *v.tr.* **1** portare (un peso, un pacco ecc.); trasportare: *to — a child in one's arms*, portare un bimbo in braccio // *to — a child*, essere incinta // *to be carried shoulder high*, essere portato in trionfo // *to — off*, portar via a forza; vincere; far morire // *to — it off well*, (*fam.*) cavarsela bene in una situazione difficile **2** (*arch.*) portare, sostenere **3** trasmettere (suoni) **4** recare, condurre **5** vincere, conquistare (*anche fig.*) // *to — all before one*, superare facilmente ogni ostacolo; *to — one's point*, imporre il proprio modo di vedere, aver la vinta // *to — the day*, riportar vittoria **6** (far) approvare **7** (*mat.*) riportare **8** avere: *to — authority*,

weight, avere autorità, peso **9** portare, tenere: *he carried himself proudly*, aveva un aspetto orgoglioso; *you can — your head high*, puoi andare a testa alta **10** implicare **11** portare, includere (di giornale) **12** *to — away*, portar via; trasportare: *to be carried away*, essere trasportato (da un discorso, dalla musica ecc.); soccombere (a una malattia ecc.) **13** *to — forward*, (*contabilità*) riportare **14** *to — on*, continuare, persistere (in lavoro, compito): *to — on a business*, gestire un'azienda **15** *to — out*, eseguire (progetti, ordini, istruzioni); realizzare, compiere; mantenere (una promessa) **16** *to — over*, trasportare (dall'altra parte); riportare (una somma) **17** *to — through*, (*fig.*) portare (un'impresa) a buon fine ♦ *v.intr.* **1** (*di suoni*) diffondersi **2** (*di armi*) tirare, avere una gittata: *our guns would not — as far as the ship*, i nostri cannoni non tirano fino alla nave **3** *to — on*, continuare, andare avanti; flirtare.

carryall [ˈkæriɔːl] *s.* grossa borsa floscia.

carrycot [ˈkærikɔt] *s.* baby pullman.

carrying [ˈkæriiŋ] *s.* **1** trasporto **2** approvazione di progetto.

carrying-trade [ˈkæriiŋˌtreid] *s.* trasporto merce (spec. per mare).

carry over [ˈkæriouvə*] *s.* (*Borsa*) riporto.

car-showroom [kɑːˈʃouruːm] *s.* autosalone.

cart [kɑːt] *s.* **1** carro // *in the* —, (*fam.*) in difficoltà, nei guai // *to put the — before the horse*, (*fig.*) mettere il carro davanti ai buoi **2** carrello.

to **cart** *v.tr.* trasportare (con carro).

cartage [kɑːtidʒ] *s.* (costo del) trasporto con carri.

carte blanche [ˈkɑːtˈblɑːnʃ] *s.* carta bianca.

cartel[1] [kɑːˈtel] *s.* **1** cartello di sfida **2** accordo (per lo scambio di prigionieri).

cartel[2] *s.* (*econ.*) cartello.

Cartesian [kɑːˈtiːzjən] *agg.* e *s.* (*fil.*) cartesiano.

Carthage [ˈkɑːθidʒ] *no.pr.* Cartagine.

carthorse [ˈkɑːthɔːs] *s.* cavallo da tiro.

Carthusian [kɑːˈθjuːzjən] *agg.* e *s.* certosino.

cartilage [ˈkɑːtilidʒ] *s.* cartilagine.

cartographer [kɑːˈtɔgrəfə*] *s.* cartografo.

cartography [kɑːˈtɔgrəfi] *s.* cartografia.

cartomancy [ˈkɑːtoumænsi] *s.* cartomanzia.

carton [ˈkɑːtən] *s.* **1** scatola di cartone **2** centro (di bersaglio).

cartoon [kɑːˈtuːn] *s.* **1** cartone (disegno per affresco ecc.) **2** vignetta **3** (*cinem.*) cartone animato **4** *pl.* (*amer.*) fumetti.

to **cartoon** *v.tr.* e *intr.* fare una caricatura, una vignetta.

cartoonist [kɑːˈtuːnist] *s.* **1** caricaturista; vignettista **2** disegnatore (di cartoni animati).

cartouche [kɑːˈtuːʃ] *s.* cartiglio.

cartridge [ˈkɑːtridʒ] *s.* **1** cartuccia: *blank* —, cartuccia a salve; *— pen*, stilografica a cartuccia **2** (*fot.*) rotolo **3** cassetta, caricatore di nastro magnetico.

cartridge belt [ˈkɑːtridʒbelt] *s.* cartucciera.

cartridge paper [ˈkɑːtridʒˌpeipə*] *s.* **1** carta da disegno **2** cartoncino per fabbricare bossoli di cartucce.

cart track [ˈkɑːttræk] *s.* carrareccia.

cartwheel [ˈkɑːtwiːl] *s.* **1** ruota di carro **2** (*fam.*) (*ginnastica*) ruota **3** (*fam. amer.*) dollaro d'argento.

to **carve** [kɑːv] *v.tr.* e *intr.* **1** scolpire; incidere; cesellare; intagliare // *to — one's way through*, (*fig.*) farsi strada a fatica **2** trinciare, tagliare (carne ecc.).

carving [ˈkɑːviŋ] *s.* scultura, intaglio.

carving knife [ˈkɑːviŋnaif] *s.* trinciante.

caryatid [ˌkæriˈætid] s. cariatide.

cascade [kæsˈkeid] s. cascata.

to **cascade** v.intr. scendere a cascata.

case[1] [keis] s. **1** caso, avvenimento; incidente // to state the —, esporre i fatti // in — that, qualora; in any —, a ogni modo; such being the —, stando così le cose **2** (dir.) processo, causa **3** (med.) caso: — history, cartella clinica **4** (gramm.) caso.

case[2] s. **1** cassa, cassetta; scatola // lower —, upper —, (tip.) lettere minuscole, maiuscole **2** custodia, fodero **3** (cartridge-) —, bossolo.

to **case**[2] v.tr. **1** mettere in casse, imballare **2** rivestire; foderare.

casebook [ˈkeisbuk] s. registro dei clienti (di medico, detective ecc.).

casein [ˈkeisiin] s. (chim.) caseina.

case law [ˈkeislɔ:] s. legge sancita da casi precedenti.

casemate [ˈkeismeit] s. (mil.) casamatta.

casement [ˈkeismənt] s.: — (window), finestra a battente.

caseous [ˈkeisiəs] agg. caseoso.

case-shot [ˈkeisʃɔt] s. mitraglia.

cash [kæʃ] s. (solo sing.) cassa; denaro; contanti (pl.): — against documents, pagamento contro documenti; — and carry, pagamento in contanti; — on delivery, pagamento alla consegna; — price, prezzo per contanti; — on hand, fondo di cassa; hard —, ready —, denaro contante; by (ready) —, for —, per, in contanti; to pay (in) —, pagare in contanti; — down, pronta cassa // — dispenser, cassa di prelevamento automatico // to be in —, avere fondi; to be out of —, essere senza fondi.

to **cash** v.tr. **1** incassare, riscuotere; convertire in denaro: to — a cheque, cambiare un assegno // to — in, incassare **2** to — in on, (comm.) realizzare da.

cashew [kæˈʃu:] s. (bot.) **1** acagiù **2** — (nut), anacardio.

cashier[1] [kæˈʃiə*] s. cassiere: —'s desk, cassa.

to **cashier**[2] [kəˈʃiə*] v.tr. licenziare; (mil.) radiare.

cashmere [kæʃˈmiə*] s. cachemire.

cash register [ˈkæʃˌredʒistə*] s. registratore di cassa.

casing [ˈkeisiŋ] s. **1** rivestitura; astuccio **2** intelaiatura (di porte ecc.) **3** (aut.) copertone.

casino [kəˈsi:nou] s. casinò, cassa da gioco.

cask [kɑ:sk] s. barile, botte.

casket [ˈkɑ:skit] s. **1** scrigno **2** (amer.) bara.

Caspian [ˈkæspiən] agg. caspico: the — Sea, il Mar Caspio.

cassation [kæˈseiʃən] s. (dir.) cassazione.

casserole [ˈkæsəroul] s. **1** casseruola **2** pasticcio al forno.

cassette [kəˈset] s. **1** cassetta, caricatore di nastro magnetico **2** (fot.) caricatore.

cassette-player [kəˈsetpleiə*] s. mangiacassette, mangianastri.

cassock [ˈkæsək] s. tonaca.

cassowary [ˈkæsəwɛəri] s. (zool.) casuario.

cast [kɑ:st] s. **1** getto; colpo; tiro, lancio: to stake all on a single —, impegnare tutto su un solo colpo di dadi // at a single —, di getto **2** (teatr.) «cast»; distribuzione delle diverse parti **3** (metall.) getto, gettata; stampo **4** tinta, sfumatura **5** tendenza; caratteristica: — of mind, carattere; a man of his —, un uomo della sua tempra // he has a — in his eye, egli è leggermente strabico ♦ agg. fuso.

to **cast**, pass. e p.pass. **cast** v.tr. **1** gettare, lanciare;

proiettare (anche fig.): to — anchor, gettare l'ancora // the die is —, il dado è tratto // to — in one's lot with s.o., condividere la propria sorte con qlcu. // to — sthg. in s.o.'s teeth, rinfacciare qlco. a qlcu. // to be — down, essere depresso // to — off, to — on (the stitches), chiudere, mettere su i punti (di lavoro a maglia) **2** mutare, perdere (pelo ecc.) **3** sommare // to — a horoscope, trarre un oroscopo **4** partorire innanzi tempo (di animali) **5** (teatr.) distribuire le parti (agli attori): he has been — for Romeo, gli è stata assegnata la parte di Romeo **6** (metall.) fondere ♦ v.intr.: to — about, cambiare rotta // to — about for means, escogitare mezzi.

castanets [ˌkæstəˈnets] s.pl. nacchere.

castaway [ˈkɑ:stəwei] s. **1** naufrago **2** (fig.) reprobo.

caste [kɑ:st] s. casta // to lose —, scendere di grado, di rango.

castellan [ˈkɑ:stələn] s. castellano.

castellated [ˈkæsteleitid] agg. **1** simile a un castello **2** turrito.

caster [ˈkɑ:stə*] s. **1** (metall.) fonditore, modellatore **2** calcolatore, computista **3** pepaiola; saliera; spargizucchero **4** rotella di mobili.

to **castigate** [ˈkæstigeit] v.tr. castigare.

castigation [ˌkæstiˈgeiʃən] s. castigo.

casting [ˈkɑ:stiŋ] s. **1** il gettare **2** (metall.) getto, colata **3** distribuzione delle parti (agli attori).

casting vote [ˈkɑ:stiŋˈvout] s. voto decisivo.

cast iron s. ghisa.

cast-iron [ˈkɑ:stˈaiən] agg. **1** di ghisa **2** (fig.) incrollabile; inflessibile.

castle [ˈkɑ:sl] s. **1** castello // to build castles in Spain, (fig.) fare castelli in aria **2** (scacchi) torre.

to **castle** v.intr. (scacchi) arroccare.

castoffs [ˈkɑ:stˈɔ:fs] s.pl. abiti smessi.

castor s. → **caster** nei sensi 3 e 4.

castor oil [ˈkɑ:stərˈɔil, (amer.) ˈkæstərɔil] s. olio di ricino.

to **castrate** [kæsˈtreit, (amer.) ˈkæstreit] v.tr. castrare.

casual [ˈkæʒuəl] agg. **1** casuale, fortuito, occasionale // — labourer, lavoratore saltuario // — ward, ospizio dei poveri **2** distratto **3** indifferente **4** (di abiti) pratico ♦ s. **1** abito pratico **2** lavoratore saltuario.

casually [ˈkæʒuəli] avv. per caso; con disinvoltura.

casualty [ˈkæʒuəlti] s. **1** infortunato // — ward, pronto soccorso **2** pl. morti, feriti.

casuistry [ˈkæzjuistri] s. **1** (teol.) casistica **2** sofisma.

cat [kæt] s. **1** gatto; felino // he was dancing about like a — on hot bricks, si agitava come una trottola // to make a — laugh, fare ridere i polli // a — may look at a king, anche il più umile ha dei diritti // to bell the —, (fam.) fare qlco. di pericoloso per aiutare gli altri // to have a —'s-lick, (fam.) lavarsi come i gatti // to let the — out of the bag, svelare un segreto // to rain cats and dogs, piovere a catinelle // to see which way the — jumps, vedere da che parte tira il vento // when the —'s away the mice will play, (prov.) via la gatta i topi ballano **2** (spreg.) donna dispettosa: a regular old —, una vera strega **3** musicista jazz **4** lippa **5** (mar.) capone.

cataclysm [ˈkætəklizəm] s. cataclisma.

catacomb [ˈkætəkoum] s. catacomba.

catafalque [ˈkætəfælk] s. catafalco.

catalepsy [ˈkætəlepsi] s. catalessi.

catalogue, (amer.) **catalog** [ˈkætələg] s. catalogo.

to **catalogue** v.tr. catalogare.

catalysis [kəˈtælisis] s. (chim.) catalisi.

catalyst ['kætəlist] *s.* (*chim.*) catalizzatore.
catamaran [,kætəmə'ræn] *s.* **1** (*mar.*) catamarano **2** (*fam.*) donna litigiosa.
catamountain [,kætə'mauntin] *s.* gatto selvatico; puma; lince.
cataplasm ['kætəplæzəm] *s.* cataplasma.
catapult ['kætəpʌlt] *s.* **1** (*mil. aer.*) catapulta **2** fionda (a forcella).
to catapult *v.tr.* catapultare ♦ *v.intr.* essere catapultato.
cataract ['kætərækt] *s.* cateratta.
catarrh [kə'tɑ:*] *s.* catarro.
catastrophe [kə'tæstrəfi] *s.* catastrofe.
catastrophic [,kætə'strɔfik] *agg.* catastrofico.
cat burglar ['kæt,bə:glə*] *s.* ladro acrobata.
catcall ['kætkɔ:l] *s.* fischio (a teatro ecc.).
catch [kætʃ] *s.* **1** presa // *no —*, (*fam.*) cattivo affare **2** pesca **3** saliscendi (di finestra ecc.) **4** trappola; inganno **5** (*fam.*) buon partito.
to catch, *pass.* e *p.pass.* **caught** [kɔ:t] *v.tr.* **1** afferrare, acchiappare; prendere; cogliere (*anche fig.*): *to — a cold*, prendere un raffreddore; *to — fire*, prendere fuoco; *to — sight of*, intravedere // *to — one's breath*, trattenere il fiato // *he caught it*, si prese una bella sgridata **2** *to — out*, cogliere in fallo **3** sorprendere: *I caught him at it*, lo sorpresi nell'atto di farlo // *— me doing that*, (*fam.*) puoi scommetterci che non lo faccio **4** attrarre (attenzione ecc.): *to — s.o.'s eye*, attrarre l'attenzione di qlcu. ♦ *v.intr.* **1** impigliarsi **2** *to — at* (*sthg.*), cercare di afferrare // *to — at a straw*, (*fig.*) attaccarsi a un filo **3** *to — on*, diventare popolare; comprendere **4** *to — up*, riguadagnare il tempo perduto // *to — up with s.o.*, raggiungere qlcu.
catch-as-catch-can ['kætʃəz'kætʃ'kæn] *s.* lotta libera.
catching ['kætʃiŋ] *agg.* **1** contagioso (*anche fig.*) **2** attraente.
catchment ['kætʃmənt] *s.* drenaggio (di terreno) // *— area* (o *basin*), bacino di raccolta (di acque); circoscrizione; bacino d'utenza.
catchpenny ['kætʃ,peni] *agg.* e *s.* (cosa) di nessun valore presentata in modo attraente.
catchphrase ['kætʃfreiz] *s.* slogan.
catchword ['kætʃwə:d] *s.* slogan.
catchy ['kætʃi] *agg.* **1** attraente **2** insidioso **3** orecchiabile.
catechism ['kætikizəm] *s.* catechismo.
to catechize ['kætikaiz] *v.tr.* **1** catechizzare **2** interrogare.
catechizer ['kætikaizə*] *s.* **1** catechista **2** chi interroga.
catechumen [,kæti'kju:men] *s.* catecumeno.
categoric(al) [,kæti'gɔrik(əl)] *agg.* categorico.
category ['kætigəri] *s.* categoria.
to cater ['keitə*] *v.intr.* procacciare cibo, divertimento // *to — for*, fornire; considerare; venire incontro a: *to — for s.o.'s needs*, venire incontro alle esigenze di qlcu.
caterpillar ['kætəpilə*] *s.* **1** (*zool.*) bruco **2** (*mecc.*) *Caterpillar®*, cingolo: *— wheel*, ruota cingolata.
to caterwaul ['kætəwɔ:l] *v.intr.* **1** miagolare **2** schiamazzare.
catfish ['kætfiʃ] *s.* pesce gatto.
catgut ['kætgʌt] *s.* minugia; (*chir.*) catgut.
Catharine, Catherine ['kæθərin] *no.pr.f.* Caterina.
catharsis [kə'θɑ:sis] *s.* catarsi.
cathedral [kə'θi:drəl] *agg.* e *s.* cattedrale.
cathode ['kæθoud] *s.* (*elettr.*) catodo.

catholic ['kæθəlik] *agg.* e *s.* cattolico.
Catholicism [kə'θɔlisizəm] *s.* cattolicesimo.
catholicity [,kæθə'lisiti] *s.* **1** universalità **2** cattolicità **3** tolleranza.
cation ['kætaiən] *s.* (*fis.*) catione.
catkin ['kætkin] *s.* (*bot.*) amento.
catmint ['kætmint] *s.* (*bot.*) gattaria.
catnap ['kætnæp] *s.* pisolino.
Cato ['keitou] *no.pr.m.* (*st.*) Catone.
cat-o'-nine tails ['kætə'nainteilz] *s.* gatto a nove code.
cat's eye ['kætsai] *s.* catarifrangente.
catsup ['kætsəp] *s.* → **ketchup**.
cattish ['kætiʃ] *agg.* **1** felino **2** (*fig.*) dispettoso.
cattle ['kætl] *s.pl.* bestiame (*sing.*), armenti.
catty ['kæti] *agg.* → **cattish**.
catwalk ['kætwɔ:k] *s.* ballatoio.
caucus ['kɔ:kəs] *s.* piccolo gruppo politico.
caught *pass.* e *p.pass.* di **catch**.
caul [kɔ:l] *s.* (*anat.*) amnio.
cauldron ['kɔ:ldrən] *s.* caldaia, calderone.
cauliflower ['kɔliflauə*] *s.* cavolfiore.
to caulk [kɔ:k] *v.tr.* (*mar.*) calafatare.
causal ['kɔ:zəl] *agg.* causale.
causality [kɔ:'zæliti] *s.* causalità.
cause [kɔ:z] *s.* causa, motivo.
to cause *v.tr.* causare, provocare; indurre (a).
causeway ['kɔ:zwei] *s.* strada sopraelevata, rialzata.
caustic ['kɔ:stik] *agg.* e *s.* caustico.
to cauterize ['kɔ:təraiz] *v.tr.* cauterizzare.
cautery ['kɔ:təri] *s.* cauterio.
caution ['kɔ:ʃən] *s.* **1** cautela; accortezza **2** cauzione **3** avvertimento **4** (*fam.*) persona, cosa originale.
to caution *v.tr.* mettere in guardia.
cautionary ['kɔ:ʃnəri] *agg.* ammonitore.
cautious ['kɔ:ʃəs] *agg.* cauto, prudente.
cavalcade [,kævəl'keid] *s.* cavalcata.
cavalier [,kævə'liə*] *s.* uomo a cavallo, cavaliere ♦ *agg.* **1** disinvolto **2** altezzoso.
cavalry ['kævəlri] *s.* (*mil.*) cavalleria.
cave¹ [keiv] *s.* cava; caverna; sotterraneo.
to cave¹ *v.intr.* **1** incavarsi **2** *to — in*, cadere; cedere; franare.
cave² ['keivi] *inter.* attenzione!
caveat ['keiviæt] *s.* **1** ammonimento **2** (*dir.*) sospensione.
caveman, *pl.* **cavemen** ['keivmæn] *s.* troglodita, uomo delle caverne.
cavern ['kævən] *s.* caverna, grotta.
cavernous ['kævənəs] *agg.* cavernoso.
caviar(e) ['kæviɑ:*] *s.* caviale // *it's — to the general*, sono perle ai porci.
cavil ['kævil] *s.* cavillo.
to cavil *v.intr.* cavillare.
cavity ['kæviti] *s.* **1** cavità **2** (*mecc.*) intercapedine // *— wall*, muro a cassa vuota.
to cavort [kə'vɔ:t] *v.intr.* (*fam.*) salterellare.
cavy ['keivi] *s.* cavia.
caw [kɔ:] *s.* gracchiamento.
to caw *v.intr.* gracchiare.
cay [kei] *s.* banco di corallo, di sabbia.
cayman ['keimən] *s.* caimano.
cease [si:s] *s.* posa: *without —*, incessantemente.
to cease *v.intr.* desistere; fermarsi ♦ *v.tr.* cessare // *to — index-linking*, deindicizzare.
ceaseless ['si:sləs] *s.* (*agg.*) senza posa, incessante.
cedar ['si:də*] *s.* cedro.

to **cede** [si:d] *v.tr.* cedere: *to — a point*, cedere su un punto.

cedilla [si'dilə] *s.* cediglia.

ceiling ['si:liŋ] *s.* 1 soffitto 2 (*aer.*) quota di tangenza 3 limite massimo (di prezzi, salari, pensioni ecc.).

celadon ['selədon] *s.* verde pallido.

celebrant ['selibrənt] *s.* (*eccl.*) celebrante.

to **celebrate** ['selibreit] *v.tr.* 1 celebrare; festeggiare 2 (*relig.*) consacrare (l'Eucaristia) ♦ *v.intr.* fare festa.

celebrated ['selibreitid] *agg.* famoso, illustre.

celebration [,seli'breiʃən] *s.* celebrazione.

celebrity [si'lebriti] *s.* celebrità.

celeriac [si'leriæk] *s.* sedano-rapa, sedano di Verona.

celerity [si'leriti] *s.* celerità, velocità.

celery ['seləri] *s.* sedano: *a stick of —*, un gambo di sedano.

celestial [si'lestjəl, (*amer.*) si'lestʃl] *agg.* celestiale.

celibacy ['selibəsi] *s.* celibato.

celibate ['selibit] *agg.* e *s.* celibe; nubile.

cell [sel] *s.* 1 cella 2 cellula.

cellar ['selə*] *s.* cantina; scantinato.

cellarage ['seləridʒ] *s.* cantine (*pl.*), scantinati (*pl.*).

cello ['tʃelou] *abbr.* di **violoncello**.

cellophane® ['seləfein] *s.* cellophane®.

cellular ['seljulə*] *agg.* cellulare.

cellule ['selju:l] *s.* (*anat. biol.*) cellula.

cellulitis [,selju'laitis] *s.* (*med.*) cellulite.

celluloid ['seljuloid] *agg.* di celluloide ♦ *s.* celluloide.

cellulose ['seljulous] *agg.* di cellulosa ♦ *s.* cellulosa.

Celt [kelt, (*amer.*) selt] *s.* (*st.*) celta.

Celtic ['keltik, (*amer.*) 'seltik] *agg.* e *s.* celtico.

cement [si'ment] *s.* 1 cemento 2 mastice, stucco.

to **cement** *v.tr.* cementare (*anche fig.*).

cement mixer [si'ment,miksə*] *s.* (*edil.*) betoniera.

cemetery ['semitri] *s.* cimitero, camposanto.

cenobite ['si:noubait] *s.* cenobita.

cenotaph ['senətɑ:f] *s.* cenotafio.

to **cense** [sens] *v.tr.* incensare.

censer ['sensə*] *s.* incensiere, turibolo.

censor ['sensə*] *s.* censore // *the Board of Censors*, la censura.

to **censor** *v.tr.* censurare.

censorial [sen'sɔ:riəl] *agg.* censorio.

censorious [sen'sɔ:riəs] *agg.* ipercritico.

censorship ['sensəʃip] *s.* censura; censorato.

censure ['senʃə*] *s.* biasimo, critica avversa.

to **censure** *v.tr.* censurare; criticare.

census ['sensəs] *s.* censo; censimento.

cent [sent] *s.* centesimo; (*fam.*) soldo, monetina // *per —*, (*comm.*) per cento.

centaur ['sentɔ:*] *s.* (*mit.*) centauro.

centenarian [,senti'neəriən] *agg.* e *s.* centenario (persona).

centenary [sen'ti:nəri, (*amer.*) 'sentəneri] *agg.* e *s.* centenario (data).

centennial [sen'tenjəl] *agg.* centenario.

center *s.* *amer.* per **centre**.

centesimal [sen'tesiməl] *agg.* centesimale.

centigrade ['sentigreid] *agg.* centigrado.

centigramme ['sentigræm] *s.* centigrammo.

centilitre ['senti,li:tə*] *s.* centilitro.

centimetre ['senti,mi:tə*] *s.* centimetro.

centipede ['sentipi:d] *s.* millepiedi.

central ['sentrəl] *agg.* centrale; principale ♦ *s.* (*amer.* per *exchange*) centrale telefonica.

centralism ['sentrəlizəm] *s.* accentramento.

centrality [sen'træliti] *s.* centralità.

to **centralize** ['sentrəlaiz] *v.tr.* accentrare ♦ *v.intr.* accentrarsi.

centre ['sentə*] *s.* 1 centro; parte centrale: *— of learning*, centro culturale 2 perno, asse.

to **centre** *v.tr.* concentrare, accentrare ♦ *v.intr.* concentrarsi.

centre back ['sentəbæk] *s.* (*sport*) centro mediano.

centre forward ['sentə,fɔ:wəd] *s.* (*sport*) centravanti.

centre half ['sentə'hɑ:f] *s.* → **centre back**.

centre left [sentə'left] *s.* (*pol.*) centrosinistra.

centrepiece ['sentəpi:s] *s.* centro tavola.

centric ['sentrik] *agg.* centrale.

centrifugal [sen'trifjugəl] *agg.* centrifugo.

centripetal [sen'tripitl] *agg.* centripeto.

centurion [sen'tjuəriən] *s.* (*st.*) centurione.

century ['sentʃuri] *s.* 1 secolo 2 (*st.*) centuria.

cephalic [se'fælik] *agg.* cefalico.

Cephalonia [,sefə'lounjə] *no.pr.* Cefalonia.

ceramic [si'ræmik] *agg.* ceramico, della ceramica.

ceramics [si'ræmiks] *s.* (arte della) ceramica.

Cerberus ['sə:bərəs] *no.pr.* (*mit.*) Cerbero.

cereal ['siəriəl] *agg.* cereale ♦ *s.* 1 cereale 2 *pl.* fiocchi (d'avena, di frumento ecc.).

cerebellum [,seri'beləm] *s.* (*anat.*) cervelletto.

cerebral ['seribrəl, (*amer.*) sə'ri:brəl] *agg.* cerebrale.

cerebration [,seri'breiʃən] *s.* attività mentale; cerebrazione.

cerebro-spinal [,seribrou'spainl] *agg.* cerebrospinale.

cerebrum ['seribrəm] *s.* (*anat.*) encefalo.

cerements ['siəmənts] *s.pl.* sudario (*sing.*).

ceremonial [,seri'mounjəl] *agg.* 1 cerimoniale, di, da cerimonia 2 solenne ♦ *s.* cerimoniale.

ceremonialist [,seri'mounjəlist] *s.* ritualista.

ceremonious [,seri'mounjəs] *agg.* cerimonioso.

ceremony ['seriməni, (*amer.*) 'seri,mouni] *s.* cerimonia // *to stand* (*up*) *on —*, far complimenti.

cerise [sə'ri:z] *agg.* e *s.* (colore) rosso ciliegia.

certain ['sə:tn] *agg.* 1 certo, sicuro: *for —*, di sicuro, di certo; *he is — to come*, è certo che verrà // *to make — of sthg.*, assicurarsi di qlco. 2 certo: *a — Mr. A.*, un certo signor A.; *of a — age*, di una certa età.

certainty ['sə:tnti] *s.* certezza.

certifiable ['sə:tifaiəbl] *agg.* 1 attestabile 2 catalogabile come pazzo.

certificate [sə'tifikit] *s.* certificato, attestato; diploma: *birth —*, certificato di nascita.

certified ['sə:tifaid] *agg.* 1 (*dir.*) legalizzato, autenticato; attestato 2 interdetto.

to **certify** ['sə:tifai] *v.tr.* e *intr.* 1 certificare, attestare 2 classificare come pazzo 3 (*dir.*) autenticare, legalizzare.

certitude ['sə:titju:d] *s.* certezza, sicurezza.

cerulean [si'ru:ljən] *agg.* ceruleo.

cerumen [si'ru:men] *s.* cerume.

cervical [sə:'vaikl, (*amer.*) 'sə:vikl] *agg.* cervicale.

cervix ['sə:viks] *s.* (*anat.*) cervice.

cess[1] [ses] *s.* tassa (locale).

cess[2] *s.* pozzo nero.

cessation [se'seiʃən] *s.* cessazione, sospensione // *— of index-linking*, deindicizzazione.

cession ['seʃən] *s.* cessione.

cesspit ['sespit], **cesspool** ['sespu:l] *s.* pozzo nero.

cetacean [si'teiʃən] *s.* cetaceo ♦ *agg.* di cetaceo.

cetaceous [si'teiʃəs] *agg.* di cetaceo.

Ceylonese [ˌsiːlə'niːz] *agg.* e *s.* cingalese.
chaconne [ʃə'kɔn] *s.* (*mus.*) ciaccona.
chafe [tʃeif] *s.* **1** frizione, sfregamento; escoriazione **2** (*fig.*) irritazione.
to chafe *v.tr.* **1** sfregare, strofinare; scalfire **2** (*fig.*) irritare ♦ *v.intr.* **1** sfregarsi (*fig.*) irritarsi: *to — at sthg.*, fremere per qlco.
chaff¹ [tʃɑːf] *s.* **1** pula; paglia trinciata, fieno trinciato **2** (*fig.*) scarto, roba senza valore.
to chaff¹ *v.tr.* trinciare (paglia ecc.).
chaff² *s.* (*fam.*) canzonatura, beffa.
to chaff² *v.tr.* (*fam.*) canzonare.
chaffinch ['tʃæfintʃ] *s.* fringuello.
chafing dish ['tʃeifiŋdiʃ] *s.* scaldavivande.
chagrin ['ʃægrin, (*amer.*) ʃə'griːn] *s.* dispiacere, contrarietà.
to chagrin *v.tr.* addolorare, contrariare.
chain [tʃein] *s.* catena (*anche fig.*): *a — of strikes*, sciopori a catena // *— cable*, (*mar.*) catena dell'ancora // *— code*, (*informatica*) codice concatenato.
to chain *v.tr.* incatenare (*anche fig.*).
chainbelt ['tʃeinbelt] *s.* catena (di trasmissione).
chaindrive ['tʃeindraiv] *s.* (*mecc.*) trasmissione a catena.
chainmail ['tʃein'meil] *s.* maglia (di guerriero medievale).
chain reaction ['tʃeinri(ː)'ækʃən] *s.* reazione a catena.
chain-smoker ['tʃein'sməukə*] *s.* fumatore accanito.
to chain-smoke *v.tr.* e *intr.* fumare una sigaretta dietro l'altra.
chain stitch ['tʃeinstitʃ] *s.* punto catenella.
chain store ['tʃeinstɔ:*] *s.* negozio (facente parte di una catena di negozi).
chair [tʃɛə*] *s.* **1** sedia: *to take a —*, sedersi **2** seggio (presidenziale); cattedra (universitaria): *to address the —*, rivolgersi al presidente (di un'assemblea); *to take the —*, assumere la presidenza **3** (*amer.*) sedia elettrica.
to chair *v.tr.* **1** insediare **2** portare in trionfo **3** presiedere.
chair lift ['tʃɛəlift] *s.* seggiovia.
chairman, *pl.* **chairmen** ['tʃɛəmən] *s.* presidente.
chaise [ʃeiz] *s.* calesse.
chalcedony [kæl'sedəni] *s.* (*min.*) calcedonio.
chalcography [kæl'kɔgrəfi] *s.* calcografia.
chalice ['tʃælis] *s.* calice.
chalk [tʃɔːk] *s.* gesso; gessetto (colorato) // *better by a long —*, di gran lunga migliore // *he doesn't know — from cheese*, (*fam.*) prende lucciole per lanterne.
to chalk *v.tr.* **1** fare un segno col gesso (su); disegnare col gesso **2** (*off*) — *up*, (*sport*) segnare.
chalkpit ['tʃɔ:kpit] *s.* cava di gesso.
challenge ['tʃælindʒ] *s.* **1** sfida **2** intimazione di chi va là **3** (*dir.*) ricusazione (di giurato).
to challenge *v.tr.* **1** sfidare; provocare **2** contestare, impugnare **3** (*dir.*) ricusare (un giurato).
challenger ['tʃælindʒə*] *s.* **1** (*sport*) sfidante **2** concorrente.
challenging ['tʃælindʒiŋ] *agg.* **1** provocatorio, di sfida **2** stimolante; impegnativo, che mette alla prova **3** preminente, di primo piano.
chalybeate [kə'libiit] *agg.* ferruginoso (di acque).
chamber ['tʃeimbə*] *s.* **1** sala, aula; camera (da letto) // *Chamber of Commerce*, Camera di Commercio // *Upper Chamber, Lower Chamber*, Camera alta (dei Lords), Camera bassa (dei Comuni) **2** camera di scoppio (di arma da fuoco) **3** *pl.* ufficio d'avvocato (*sing.*); gabinetto di giudice (*sing.*).

chamberlain ['tʃeimbəlin] *s.* ciambellano.
chambermaid ['tʃeimbəmeid] *s.* cameriera di camera (d'albergo).
chamber music ['tʃeimbə,mjuːzik] *s.* musica da camera.
chamber pot ['tʃeimbə,pɔt] *s.* vaso da notte.
chameleon [kə'miːljən] *s.* camaleonte.
chamfer ['tʃæmfə*] *s.* smussatura, smusso.
to chamfer *v.tr.* smussare.
chammy leather ['ʃæmileðə*] *s.* cuoio scamosciato; pelle di daino.
chamois ['ʃæmwaː, (*amer.*) 'ʃæmi] *s.* **1** camoscio **2** (panno di) pelle di daino.
chamois leather ['ʃæmwaleðə*] *s.* → **chammy leather**.
chamomile [ʃæməmail] *s.* → **camomile**.
to champ¹ [tʃæmp] *v.tr.* **1** masticare **2** mordere: *to — the bit*, (*anche fig.*) mordere il freno ♦ *v.intr.* **1** masticare rumorosamente **2** digrignare (i denti) **3** scalpitare, essere impaziente.
champ² *s.* (*fam.*) (*abbr.* di *champion*) campione.
champion ['tʃæmpjən] *s.* campione (*anche fig.*): *world —*, campione del mondo ♦ *agg.* (*fam.*) magnifico; fuoriclasse ♦ *avv.* (*fam.*) da fuoriclasse, da campione; in modo eccellente.
to champion *v.tr.* difendere, sostenere (una causa).
championship ['tʃæmpjənʃip] *s.* **1** titolo di campione **2** campionato **3** (*fig.*) difesa.
chance [tʃɑːns] *agg.* casuale, fortuito ♦ *s.* **1** caso, sorte; (*by*) (*mere*) —, per (puro) caso // *to take a —*, schiare; *to take one's —*, tentare la sorte // *game of —*, gioco d'azzardo **2** probabilità; possibilità; occasione: *on the (off) —*, nell'eventualità // *to stand a —*, avere una probabilità; *he doesn't stand a cat's — in hell of succeeding*, non ha la minima probabilità di riuscire // *to take one's —*, afferrare l'occasione.
to chance *v.intr.* **1** (*gener. costr. pers.*) accadere, capitare: *it chanced that...*, capitò che...; *I chanced to meet him*, lo incontrai per caso **2** *to — upon* (*s.o., sthg.*), imbattersi in (qlcu., qlco.) ♦ *v.tr.* rischiare.
chancel ['tʃɑːnsəl] *s.* (*arch.*) presbiterio.
chancellery ['tʃɑːnsələri] *s.* **1** cancellierato **2** cancelleria.
chancellor ['tʃɑːnsələ*] *s.* cancelliere; (*di università*) Rettore Magnifico // *the Chancellor of the Exchequer*, Cancelliere dello Scacchiere // *the Lord (High) Chancellor*, il Gran Cancelliere.
chancellory *s.* → **chancellery**.
chancel-screen ['tʃɑːns'əlskriːn] *s.* (*arch.*) transenna.
chance-medley [,tʃɑːns'medli] *s.* (*dir.*) omicidio colposo.
chancery ['tʃɑːnsəri] *s.* cancelleria (sezione dell'Alta Corte di Giustizia) // *in —*, (*dir.*) in contestazione.
chancy ['tʃɑːnsi] *agg.* (*fam.*) incerto, rischioso.
chandelier [,ʃændi'liə*] *s.* lampadario a bracci.
chandler ['tʃɑːndlə*] *s.* **1** commerciante di candele **2** fornitore.
change [tʃeindʒ] *s.* **1** cambiamento, mutamento: — *for the better, for the worse*, cambiamento in meglio, in peggio // *for a —*, per variare un po' // *to ring the changes*, fare tutte le varianti possibili **2** moneta spicciola, spiccioli (*pl.*); resto: *have you — for a pound?*, può cambiare una sterlina? // *to get no — out of s.o.*, non tirare fuori niente da qlcu. **3** *Change*, Borsa.
to change *v.tr.* cambiare, mutare; trasformare: *to — one's clothes*, cambiarsi d'abito; *to — one's mind*, cam-

biare idea; *to — places with s.o.*, cambiare di posto con qlcu. // *to — one's tune*, (*fam.*) cambiare tono ♦ *v.intr.* **1** cambiare: *we must — at Florence*, a Firenze dobbiamo cambiare (treno) **2** cambiarsi (d'abito) **3** *to — down, up*, (*aut.*) passare a una marcia inferiore, superiore **4** *to — over*, cambiare completamente // *to — over to the decimal system*, adottare il sistema decimale.

changeable ['tʃeindʒəbl] *agg.* variabile; mutevole.

changeover ['tʃeindʒouvə*] *s.* cambiamento totale, trasformazione; conversione.

channel ['tʃænl] *s.* **1** canale // *the* (*English*) *Channel*, la Manica **2** letto (di fiume) **3** scanalatura **4** *pl.* vie, mezzi di comunicazione **5** (*informatica*) canale; pista (di nastro magnetico); (*tel.*) via (di trasmissione): *— pulse*, (*tel.*) impulso di canale; impulso di telemisura: *high-speed —*, (*tel.*) canale rapido.

to channel *v.tr.* **1** scavare canali (in) **2** scanalare **3** incanalare **4** (*informatica*) inviare su canale.

chantey, chanty ['ʃɑ:nti] *s.* (*amer.*) canzone marinaresca.

chaos ['keiɔs] *s.* caos.

chaotic [kei'ɔtik] *agg.* caotico.

chaotically [kei'ɔtikəli] *avv.* caoticamente.

chap[1] [tʃæp] *s.* screpolatura.

to chap[1] *v.tr.* screpolare ♦ *v.intr.* screpolarsi.

chap[2] *s.* (*gener. pl.*) mascella.

chap[3] *s.* (*fam.*) tipo, individuo.

chapel ['tʃæpəl] *s.* **1** cappella: *— of ease*, cappella sussidiaria **2** funzione religiosa **3** tempio (di dissidenti) **4** associazione di tipografi.

to chaperon ['ʃæpəroun] *v.tr.* fare da «chaperon» (a).

chapfallen ['tʃæp,fɔ:lən] *agg.* depresso.

chapiter ['tʃæpitə*] *s.* (*arch.*) capitello.

chaplain ['tʃæplin] *s.* cappellano.

chaplet ['tʃæplit] *s.* **1** corona, ghirlanda **2** rosario.

chapter ['tʃæptə*] *s.* **1** capitolo // *a — of accidents*, (*fam.*) una sfilza di guai // *to give — and verse*, provare le proprie affermazioni.

chapter house ['tʃæptəhaus] *s.* (*eccl.*) capitolo.

to char[1] [tʃɑ:*] *v.tr.* carbonizzare ♦ *v.intr.* carbonizzarsi.

char[2] *s.* (*abbr.* di *charwoman*) domestica a ore.

to char[2] *v.intr.* lavorare a giornata, a ore.

charabanc ['ʃærəbæŋ] *s.* torpedone.

character ['kæriktə*] *s.* **1** carattere, indole, temperamento // *— actor*, caratterista **2** caratteristica **3** reputazione ♦ scrittura; (*tip.*) carattere **5** benservito: *to give s.o. a good —*, (*fam.*) dare a qlcu. il benservito **6** (*teatr.*) personaggio, ruolo **7** individuo, soggetto; (*fam.*) tipo bizzarro **8** (*informatica*) carattere: *— adjustment*, rettifica di caratteri; *— array*, insieme di caratteri; *— boundary*, delimitatore di caratteri; *— font*, serie completa di caratteri; *— subset*, sottoinsieme di caratteri; *— wheel*, ruota di stampa // *escape —*, carattere di scambio, codice.

characteristic [,kæriktə'ristik] *agg.* caratteristico ♦ *s.* caratteristica.

to characterize ['kæriktəraiz] *v.tr.* **1** caratterizzare **2** definire, descrivere.

charade [ʃə'rɑ:d, (*amer.*) ʃə'reid] *s.* sciarada.

charcoal ['tʃɑ:koul] *s.* **1** carbonella ∥ *-burner*, carbonaio // *— grey*, grigio antracite **2** carboncino.

charge [tʃɑ:dʒ] *s.* **1** spesa, prezzo, costo: *free of —*, gratuito; *— for admittance*, prezzo d'ingresso; *charges forward*, spese a carico del destinatario // *— account*, (*amer.*) conto aperto (presso un negozio) **2** incarico: *to be in — of*, avere l'incarico, la direzione di // *official*

in —, funzionario incaricato **3** sorveglianza, cura: *to be in (the) — of*, essere sotto la sorveglianza di, affidato alle cure di // *to give s.o. in —*, fare arrestare qlcu. **4** accusa: *to bring a — against s.o.*, accusare qlcu. **5** (*mil.*) carica.

to charge *v.tr.* **1** fare pagare, addebitare **2** incaricare: *to — s.o. with*, incaricare qlcu. di; *to — oneself with*, assumersi l'incarico di **3** accusare: *to — s.o. with a crime*, accusare qlcu. di un delitto **4** (*mil.*) caricare ♦ *v.intr.* (*mil.*) caricare.

chargeable ['tʃɑ:dʒbl] *agg.* **1** a carico (di): *repairs — on* (o *to*) *the owner*, riparazioni a carico del proprietario **2** imputabile.

charged [tʃɑ:dʒd] *agg.* carico (di), saturo (di).

chargé d'affaires ['ʃɑ:ʒeidæ'feə*] *s.* incaricato d'affari.

charily ['tʃɛərili] *avv.* **1** cautamente **2** frugalmente.

chariot ['tʃæriət] *s.* cocchio; carro trionfale.

charioteer [,tʃæriə'tiə*] *s.* auriga.

charisma [kə'rizmə] *s.* (*teol.*) carisma.

charitable ['tʃæritəbl] *agg.* **1** caritatevole **2** (*di istituto*) di carità.

charity ['tʃæriti] *s.* **1** carità // *for —'s sake* (o *out of —*), per carità // *— ball*, ballo di beneficenza // *— begins at home*, (*prov.*) prima i denti, poi i parenti **2** istituto di beneficenza.

charlady ['tʃɑ:,leidi] *s.* (*scherz.*) domestica a ore.

charlatan ['ʃɑ:lətən] *s.* ciarlatano, imbroglione.

charlatanism ['ʃɑ:lətənizəm], **charlatanry** ['ʃɑ:lətənri] *s.* ciarlataneria.

charm [tʃɑ:m] *s.* **1** fascino, incanto, attrattiva **2** incantesimo // *to act* (o *to work*) *like a —*, avere un effetto magico **3** amuleto; ciondolo.

to charm *v.tr.* affascinare; incantare; deliziare.

charming ['tʃɑ:miŋ] *agg.* incantevole, affascinante // *Prince Charming*, il Principe Azzurro.

charnel(house) ['tʃɑ:nl(haus)] *s.* ossario.

chart [tʃɑ:t] *s.* **1** carta nautica **2** grafico; diagramma: *management —*, diagramma di gestione; *organization —*, organigramma **3** *pl.* classifica dei dischi pop più venduti.

to chart *v.tr.* **1** fare la carta (di) **2** fare il grafico (di).

charter ['tʃɑ:tə*] *s.* **1** carta; statuto; atto costitutivo; contratto // *— member*, (*amer.*) socio fondatore **2** patente, licenza.

to charter *v.tr.* **1** autorizzare; accordare una licenza, un privilegio (a) **2** costituire (una società).

Charterhouse ['tʃɑ:təhaus] *s.* certosa.

charter-party ['tʃɑ:tə,pɑ:ti] *s.* (*comm.*) contratto di noleggio.

charthouse ['tʃɑ:thaus] *s.* (*mar.*) sala nautica.

Chartism ['tʃɑ:tizəm] *s.* (*st. inglese*) cartismo.

chartreuse [ʃɑ:'trɔ:z, (*amer.*) ʃɑ:'tru:z] *s.* **1** (*liquore*) certosino, «chartreuse» **2** color verde pallido.

chartroom ['tʃɑ:tru:m] *s.* (*mar.*) sala nautica.

charwoman ['tʃɑ:,wumən], *pl.* **charwomen** ['tʃɑ:, wimin] *s.f.* domestica a ore, a giornata.

chary ['tʃɛəri] *agg.* **1** cauto, prudente, circospetto: *to be — of doing sthg.*, essere esitante a fare qlco. **2** parco; parsimonioso.

chase[1] [tʃeis] *s.* **1** inseguimento; caccia // *a wild goose —*, (*fam.*) un'impresa inutile **2** preda **3** riserva di caccia.

to chase[1] *v.tr.* inseguire, rincorrere // *to — away*, scacciare.

to chase[2] *v.tr.* cesellare; sbalzare.

chase[3] *s.* **1** (*mil.*) volata **2** (*edil.*) traccia, incassatura.

to **chase**[3] *v.tr.* (*mecc.*) scanalare.

chaser ['tʃeɪsə*] *s.* **1** inseguitore **2** (*mar.*) cannone **3** *submarine* —, cacciasommergibili **4** (*fam.*) bibita (alcolica) presa subito dopo i liquori.

chasm ['kæzəm] *s.* abisso, baratro.

chassis ['ʃæsi], *pl.* **chassis** ['ʃæsiz] *s.* telaio.

chaste [tʃeɪst] *agg.* **1** casto **2** decente, conveniente **3** — *tree*, (*bot.*) agnocasto.

to **chasten** ['tʃeɪsn] *v.tr.* **1** castigare **2** purificare.

chastening ['tʃeɪsnɪŋ] *s.* punizione.

to **chastise** [tʃæs'taɪz] *v.tr.* punire con la forza.

chastity ['tʃæstɪtɪ] *s.* **1** castità; verginità **2** purezza, semplicità.

chasuble ['tʃæzjubl] *s.* (*eccl.*) pianeta.

chat [tʃæt] *s.* chiacchierata.

to **chat** *v.intr.* chiacchierare, ciarlare.

chatelaine ['ʃætəleɪn] *s.* castellana.

chat-show [tʃætʃoʊ] *s.* (*rad. tv*) tavola rotonda, programma con «ospiti».

chattel ['tʃætl] *s.* (*gener. pl.*) (*dir.*) beni mobili (*pl.*) // *goods and chattels*, beni mobili e immobili.

chatter ['tʃætə*] *s.* **1** chiacchiera; chiacchierio; cinguettio **2** il battere (dei denti).

to **chatter** *v.intr.* **1** chiacchierare, ciarlare; cinguettare **2** battere (dei denti).

chatterbox ['tʃætəbɒks] *s.* chiacchierone.

chatty ['tʃætɪ] *agg.* chiacchierone.

Chaucerian [tʃɔː'sɪərɪən] *agg.* (*letter.*) di Chaucer ♦ *s.* studioso, ammiratore di Chaucer.

chauffeur ['ʃoʊfə*, (*amer.*) ʃoʊ'fɜ:r] *s.* autista.

chauvinism ['ʃoʊvɪnɪzəm] *s.* sciovinismo.

cheap [tʃi:p] *agg.* a buon mercato, economico; di poco valore // *dirt* —, a bassissimo prezzo // *on the* —, in economia // — *ticket*, biglietto a tariffa ridotta // *a* — *victory*, una vittoria facile, senza merito ♦ *avv.* **1** a buon mercato: *to get off* —, (*fam.*) cavarsela a buon mercato **2** facilmente, con poco sforzo.

to **cheapen** ['tʃi:pən] *v.tr.* **1** ridurre il prezzo (di) **2** screditare ♦ *v.intr.* diminuire di prezzo, di valore.

cheap-jack ['tʃi:pdʒæk] *agg.* di poco valore.

cheaply ['tʃi:plɪ] *avv.* **1** a buon mercato **2** facilmente, con poco sforzo.

cheat [tʃi:t] *s.* imbroglione, truffatore; baro.

to **cheat** *v.tr.* e *intr.* imbrogliare, ingannare; truffare; barare: *to* — *s.o. into doing sthg.*, usare degli inganni per far fare qlco. a qlcu.; *to* — *s.o. out of sthg.*, defraudare qlcu. di qlco. // *to* — (*on s.o.*), (*fam.*) tradire (qlcu.) // *to* — *the gallows*, sfuggire alla forca.

cheating ['tʃi:tɪŋ] *s.* imbroglio, truffa.

check[1] [tʃek] *s.* **1** freno; ostacolo; pausa; lieve sconfitta: *to keep the enemy in* —, tenere il nemico in scacco **2** controllo, verifica **3** (*scacchi*) scacco **4** tagliando; scontrino; contromarca // -*room*, (*amer.*) deposito bagagli **5** (*amer.*) conto (al ristorante ecc.) **6** (*amer.*) assegno **7** (*informatica*) controllo: — *character*, carattere di controllo; — *digit*, cifra chiave; — *list*, lista di verifica; — *window*, visore (di calcolatrice).

to **check**[1] *v.tr.* **1** far fermare; frenare, ostacolare; arrestare (il nemico) **2** controllare, verificare // *to* — *off*, spuntare, verificare // *to* — *up*, verificare, controllare; fare una verifica // *to* — *sthg. out*, (*amer.*) controllare qlco. **3** (*scacchi*) dare scacco (a) **4** (*amer.*) ricevere lo scontrino, la contromarca (per) ♦ *v.intr.* **1** fermarsi **2** *to* — *in*, scendere a un albergo **3** *to* — *out*, lasciare, andar via da un albergo.

check[2] *s.* tessuto, disegno a scacchi.

checkbook ['tʃekbʊk] *s.* (*amer.* per *chequebook*) libretto d'assegni.

checked [tʃekt] *agg.* a quadretti, a scacchi.

checker[1] ['tʃekə*] *s.* ispettore; verificatore; controllore.

to **checker**[2] (*amer.*) → to **chequer**.

checkers ['tʃekərz] *s.pl.* (*amer.* per *draughts*) gioco della dama (*sing.*).

checklist ['tʃeklɪst] *s.* lista, elenco (per controllo).

checkmate ['tʃek'meɪt] *s.* scacco matto.

to **checkmate** *v.tr.* dar scacco matto (a) (*anche fig.*).

checkout ['tʃekaʊt] *s.* **1** cassa (al supermercato) **2** ora in cui una camera (d'albergo, d'ospedale) deve essere lasciata libera **3** (*informatica*) messa a punto; verifica.

checkpoint ['tʃekpɔɪnt] *s.* **1** posto di blocco **2** (*informatica*) punto di ripresa; (*IBM*) punto di controllo: — *procedure*, procedura di rilevazione di controllo.

checkup ['tʃekʌp] *s.* controllo, verifica; visita medica generale.

cheek [tʃi:k] *s.* **1** guancia, gota // — *by jowl with s.o.*, (*fig.*) intimo di qlcu. **2** (*fam.*) sfacciataggine.

to **cheek** *v.tr.* (*fam.*) parlare in modo insolente (a).

cheekbone ['tʃi:kbəʊn] *s.* zigomo.

cheeky ['tʃi:kɪ] *agg.* (*fam.*) sfacciato, sfrontato.

cheep [tʃi:p] *s.* pigolio, cip; squittio.

to **cheep** *v.intr.* pigolare, fare cip cip.

cheer [tʃɪə*] *s.* **1** disposizione di spirito; buon umore: *of good* —, allegro; coraggioso **2** applauso, incoraggiamento: *three cheers for...*, tre urrà per... **3** ricche vivande (*pl.*) **4** *pl.* salute! (nei brindisi).

to **cheer** *v.tr.* **1** rallegrare; confortare: *this cheered him up*, questo lo rallegrò, confortò **2** applaudire **3** *to* — *on*, incitare ♦ *v.intr.*: *to* — *up*, rallegrarsi: — *up!*, su, allegro!

cheerful ['tʃɪəfʊl] *agg.* allegro; ridente; vivace: *to look* —, aver l'aria allegra.

cheerily ['tʃɪərɪlɪ] *avv.* allegramente, gaiamente.

cheering ['tʃɪərɪŋ] *agg.* incoraggiante ♦ *s.* applausi (*pl.*).

cheerio ['tʃɪərɪ'oʊ] *inter.* (*fam.*) ciao; arrivederci!

cheerleader ['tʃɪəli:də*] *s.* (*amer.*) capo della «claque».

cheerless ['tʃɪəlɪs] *agg.* triste, tetro.

cheese [tʃi:z] *s.* formaggio // — -*biscuit*, salatino al formaggio // *green* —, formaggio fresco.

cheesecake ['tʃi:zkeɪk] *s.* torta al formaggio.

to **cheese off** [tʃi:zɔ:f] *v.intr.* (*sl.*) stancarsi; stufarsi: *she's cheesed off with cooking*, è stufa di cucinare.

cheeseparer ['tʃi:z,peərə*] *s.* (*fam.*) spilorcio.

cheeseparing ['tʃi:z,peərɪŋ] *s.* (*fam.*) spilorceria, avarizia ♦ *agg.* spilorcio, avaro.

cheetah ['tʃi:tə] *s.* (*zool.*) ghepardo.

chemical ['kemɪkəl] *agg.* chimico ♦ *s.pl.* prodotti chimici.

chemise [ʃɪ'mi:z] *s.* camicia da giorno (da donna).

chemist ['kemɪst] *s.* **1** chimico **2** farmacista: —'*s* (*shop*), farmacia.

chemistry ['kemɪstrɪ] *s.* chimica.

chenille [ʃə'ni:l] *s.* ciniglia.

cheque ['tʃek] *s.* assegno bancario: — *to bearer*, assegno al portatore // *blank* —, assegno in bianco; *a rubber* —, assegno a vuoto; *crossed* —, assegno sbarrato.

chequebook ['tʃekbʊk] *s.* libretto d'assegni.

chequer ['tʃekə*] *s.* disegno a quadretti.

to **chequer** *v.tr.* **1** quadrettare **2** variegare **3** variare // *chequered career*, carriera movimentata, con alti e bassi.

to **cherish** ['tʃeriʃ] *v.tr.* **1** amare, curare teneramente **2** nutrire, serbare (in cuore).

cheroot [ʃə'ru:t] *s.* sigaro spuntato.

cherry ['tʃeri] *s.* ciliegia // — *-bob*, grappolo di ciliegie // — (*tree*), ciliegio // *a second bite at the* —, una seconda opportunità.

chert [tʃə:t] *s.* (*min.*) selce nera; calcedonia.

cherub ['tʃerəb], *pl.* **cherubim** ['tʃerəbim], *nel senso* 2

cherubs ['tʃerəbz] *s.* **1** cherubino **2** angioletto.

cherubic [tʃe'ru:bik] *agg.* di, da cherubino; simile a cherubino.

chervil ['tʃə:vil] *s.* (*bot.*) cerfoglio.

chess [tʃes] *s.* (gioco degli) scacchi.

chessboard ['tʃesbɔ:d] *s.* scacchiera.

chessmen ['tʃesmen] *s.pl.* pezzi degli scacchi.

chest [tʃest] *s.* **1** cassa; cassetta; scrigno; (*fig.*) tesoro // — *of drawers*, cassettone // *community* —, (*amer.*) fondi destinati a opere assistenziali **2** (*anat.*) petto, torace // — *expander*, estensore // *to get it off one's* —, (*fam.*) sfogarsi.

chesterfield ['tʃestəfi:ld] *s.* **1** lungo soprabito a un petto **2** divano imbottito.

chestnut ['tʃesnʌt] *agg.* **1** castano **2** (*di cavallo*) sauro ♦ *s.* **1** castagno; castagna // — *cake*, (*cuc.*) castagnaccio // — *grove*, castagneto **2** barzelletta trita e ritrita.

cheval-de-frise [ʃə,væeldə'fri:z] *s.* cavallo di Frisia.

cheval glass [ʃə'væelglɑ:s] *s.* (*specchio*) psiche.

chevalier [,ʃevə'liə*] *s.* cavaliere; membro di ordini cavallereschi.

chevron ['ʃevrən] *s.* **1** (*mil.*) gallone indicante il grado **2** (*arch.*) puntone (del tetto).

chew [tʃu:] *s.* masticazione.

to **chew** *v.tr.* masticare ♦ *v.intr.* meditare.

chewing gum ['tʃu(:)iŋgʌm] *s.* gomma da masticare.

chicane [ʃi'kein] *s.* sotterfugio; cavillo.

to **chicane** *v.intr.* usare sotterfugi, inganni, cavilli ♦ *v.tr.* ingannare, imbrogliare.

chicanery [ʃi'keinəri] *s.* cavillo legale; sofisma.

chicano ['tʃi'kɑ:nou] *s.* (*sl. amer.*) messicano.

chick [tʃik] *s.* **1** pulcino; uccellino; (*fig.*) bambino **2** (*sl.*) pollastrella.

chicken ['tʃikin] *s.* **1** pulcino; pollo // *spring* —, pollo novello // *she's no* —, non è più tanto giovane // *don't count your chickens before they are hatched*, (*prov.*) non dire quattro finché non l'hai nel sacco **2** (*fig. fam.*) fifone.

chickenfeed ['tʃikinfi:d] *s.* **1** mangime per i polli **2** (*sl. fig.*) cosa da poco.

chickenhearted ['tʃikin,hɑ:tid] *agg.* pauroso.

to **chicken out** ['tʃikinaut] *v.intr.* (*fam.*) lasciare il campo, mollare.

chicken pox ['tʃikinpɔks] *s.* varicella.

chickenrun ['tʃikinrʌn] *s.* recinto per i polli.

chicory ['tʃikəri] *s.* cicoria.

to **chide** [tʃaid], *pass.* **chid** [tʃid], **chided** ['tʃaidid], *p.pass.* **chidden** ['tʃidn], **chid**, **chided** *v.tr.* rimproverare, sgridare ♦ *v.intr.* lagnarsi, borbottare.

chief [tʃi:f] *agg.* principale, primo, il più importante // — *town*, capoluogo ♦ *s.* **1** capo, comandante **2** (*arald.*) la sommità dello scudo.

chiefly ['tʃi:fli] *avv.* soprattutto, principalmente.

chieftain ['tʃi:ftən] *s.* capo (di tribù ecc.).

chiffchaff ['tʃiftʃæf] *s.* (*zool.*) luì.

chiffonier [,ʃifə'niə*] *s.* (*amer. per tallboy*) cassettiera.

chilblain ['tʃilblein] *s.* (*med.*) gelone.

child [tʃaild], *pl.* **children** ['tʃildrən] *s.* bambino; ragazzo; figlio; discendente: *only* —, figlio unico // *to be with* —, essere incinta // — *'s-play*, (*fig.*) gioco da ragazzi.

childbearing ['tʃaild'beəriŋ] *s.* gravidanza.

childbed ['tʃaildbed], **childbirth** ['tʃaildbə:θ] *s.* parto.

childhood ['tʃaildhud] *s.* infanzia, età puerile.

childish ['tʃaildiʃ] *agg.* puerile, infantile.

children *pl. di* **child.**

chile, **chili** ['tʃili] *s.* (*amer.*) → **chilli**.

chill [tʃil] *agg.* freddo (*anche fig.*) ♦ *s.* **1** colpo di freddo; freddo (*anche fig.*); (*fig.*) freddezza: *a* — *came over me*, mi sono sentito rabbrividire **2** (*metall.*) raffreddamento rapido.

to **chill** *v.tr.* **1** raffreddare; gelare, agghiacciare (*anche fig.*) **2** (*fig.*) deprimere **3** (*metall.*) raffreddare; temprare ♦ *v.intr.* **1** raffreddarsi **2** (*metall.*) temprarsi.

chilli, **chilly** ['tʃili] *s.* **1** pepe di Caienna **2** spezzatino con fagioli molto piccante.

chilly ['tʃili] *agg.* **1** freddoloso **2** freddino **3** (*fig.*) freddo, senza cordialità.

chime [tʃaim] *s.* **1** rintocco **2** concerto di campane, scampanio: *to ring the chimes*, suonare a festa **3** melodia; (*fig.*) accordo.

to **chime** *v.intr.* **1** scampanare, suonare a festa; rintoccare **2** *to* — *in*, (*fam.*) intervenire nella conversazione; associarsi; accordarsi ♦ *v.tr.* **1** suonare (di orologio) **2** chiamare (col suono delle campane) **3** ripetere meccanicamente.

chimera [kai'miərə] *s.* chimera (*anche fig.*).

chimerical [kai'merikəl] *agg.* chimerico.

chiming ['tʃaimiŋ] *s.* scampanio // — *clock*, pendola a carillon.

chimney ['tʃimni] *s.* **1** camino, focolare; comignolo; ciminiera **2** (*tecn. mineraria*) tramoggia **3** tubo di vetro per lampada.

chimneypot ['tʃimnipɔt] *s.* comignolo.

chimneystack ['tʃimnistæk] *s.* gruppo di camini.

chimneysweep ['tʃimniswi:p] *s.* spazzacamino.

chimpanzee [,tʃimpən'zi:] *s.* scimpanzè.

chin [tʃin] *s.* mento // *keep your* — *up!*, (*fam.*) forza!, coraggio!

china ['tʃainə] *s.* porcellana.

chinaclay ['tʃainə'klei] *s.* caolino.

china closet ['tʃaina,klɔzit0] *s.* (*amer.*) (mobile a) vetrina.

Chinaman, *pl.* **Chinamen** ['tʃainəmən] *s.* (*fam.*) cinese.

Chinatown ['tʃainətaun] *s.* quartiere cinese.

chinaware ['tʃinəweə*] *s.* porcellane (*pl.*).

chinchilla [tʃin'tʃilə] *s.* cincillà.

chine[1] [tʃain] *s.* (*geol.*) calanco.

chine[2] *s.* **1** (*anat.*) spina dorsale **2** (*cuc.*) costata **3** cresta (di montagna).

Chinese ['tʃai'ni:z] *agg. e s.* cinese.

chink[1] [tʃiŋk] *s.* interstizio; fessura; crepa.

chink[2] *s.* tintinnio.

to **chink**[2] *v.intr.* tintinnare ♦ *v.tr.* far tintinnare.

Chink *s.* (*sl.*) cinese.

chinstrap ['tʃinstræp] *s.* sottogola, soggolo.

chinwag ['tʃinwæg] *s.* (*fam.*) chiacchierata.

chip [tʃip] *s.* **1** scheggia; truciolo; frammento // *a* — *off the old block*, chi ha le qualità tipiche (di famiglia ecc.) // *to pass in one's chips*, morire // *to have a* — *on one's shoulder*, essere aggressivo e di malumore **2** *pl.* patate fritte a bastoncino; (*amer. per crisps*) patate «chips», patate sfogliate **3** gettone (da gioco) **4** slabbratura **5** (*elettr.*) chip; microcircuito integrato.

to **chip** *v.tr.* **1** scheggiare **2** tagliare a fettine ♦ *v.intr.* **1** *to —* (*off*), scheggiarsi **2** *to — in*, intervenire.

chip-basket ['tʃip'ba:skit] *s.* cesto di legno.

chipboard ['tʃipbɔ:d] *s.* legno ricostituito.

chippings ['tʃipiŋz] *s.* (*pavimentazione*) grana fine.

chirograph ['kaiərəgræ:f] *s.* chirografo.

chiromancy ['kaiərəmænsi] *s.* chiromanzia.

chiropodist [ki'rɔpədist] *s.* callista.

chirp [tʃə:p] *s.* pigolio, cinguettio.

to **chirp** *v.intr.* pigolare, cinguettare.

chirpy ['tʃə:pi] *agg.* d'umore gaio, allegro.

(to) **chirrup** ['tʃirəp]→ (to) **chirp**.

chisel ['tʃizl] *s.* cesello; scalpello.

to **chisel** *v.tr.* **1** cesellare **2** (*sl.*) ingannare.

chit[1] [tʃit] *s.* **1** (*fam.*) marmocchio **2** (*spreg.*) sfacciatella.

chit[2] *s.* lettera, nota, memorandum.

chitchat ['tʃittʃæt] *s.* (*fam.*) chiacchiere (*pl.*).

chitterlings ['tʃitəliŋz] *s.pl.* (*cuc.*) frattaglie di maiale.

chivalric ['ʃivəlrik] *agg.* cavalleresco.

chivalrous ['ʃivələs] *agg.* cavalleresco.

chivalry ['ʃivəlri] *s.* cavalleria (*anche fig.*).

chive [tʃaiv] *s.* (*bot.*) aglio selvatico.

to **chiv(v)y** ['tʃivi] *v.tr.* seccare.

chloride ['klɔ:raid] *s.* (*chim.*) cloruro.

chlorine ['klɔ:ri:n] *s.* (*chim.*) cloro.

chloroform ['klɔrəfɔ:m] *s.* (*chim.*) cloroformio.

to **chloroform** *v.tr.* cloroformizzare.

chlorophyll ['klɔrəfil] *s.* clorofilla.

chock [tʃɔk] *s.* cuneo; tassello di legno.

chock-a-block ['tʃɔkə'blɔk], **chock-full** [tʃɔk'ful] *agg.* stipato, pieno zeppo.

chocolate ['tʃɔkəlit] *s.* **1** cioccolato; cioccolata **2** il color cioccolato **3** *pl.* cioccolatini.

choice [tʃɔis] *s.* **1** scelta; alternativa; preferenza // *at —*, a scelta // *Hobson's —*, nessuna alternativa **2** la cosa scelta **3** assortimento **4** fior fiore ♦ *agg.* scelto; di qualità.

choicely ['tʃɔisli] *avv.* con cura.

choir ['kwaiə*] *s.* coro.

choirboy ['kwaiə*bɔi] *s.* ragazzo cantore.

choirmaster ['kwaiə,ma:sta*] *s.* direttore di coro.

choke [tʃouk] *s.* **1** soffocamento: *with a — in one's voice*, con voce soffocata **2** ingorgo (di tubo) **3** (*aut.*) diffusore; valvola dell'aria.

to **choke** *v.tr.* **1** strozzare, soffocare **2** ostruire // *— up*, ostruire completamente **3** *to — off*, scoraggiare; sbarazzarsi di **4** *to — down*, ingoiare; soffocare (singhiozzi) ♦ *v.intr.* **1** soffocare (*anche fig.*): *choked with rage*, soffocato dalla rabbia **2** ingorgarsi.

choker ['tʃoukə*] *s.* **1** sciarpa **2** (*eccl.*) collare.

chokey, choky ['tʃouki] *s.* (*sl.*) prigione.

cholecystography [,kɔlisis'tɔgrəfi] *s.* (*med.*) colecistografia.

choler ['kɔlə*] *s.* collera, irascibilità.

cholera ['kɔlərə] *s.* colera.

cholesterol [kɔ'lestərɔl] *s.* colesterolo.

to **choose** [tʃu:z], *pass.* **chose** [tʃouz], *p.pass.* **chosen** ['tʃouzn] *v.tr.* **1** scegliere: *— for yourself*, lascio a te la scelta; *there isn't much to — from*, c'è poca scelta // *there is little to — between them*, si assomigliano molto // *to pick and —*, (*fam.*) scegliere con cura **2** volere; preferire: *I didn't — to go*, ho preferito non andare ♦ *v.intr.* scegliere, fare una scelta.

choosy ['tʃu:zi] *agg.* di difficile contentatura.

chop[1] [tʃɔp] *s.* **1** colpo (d'ascia ecc.) **2** (*cuc.*) costata **3** (*tennis*) colpo tagliato.

to **chop**[1] *v.tr.* **1** tagliare, spaccare: *chopped wood*, legna spaccata // *to — away*, tagliar via, troncare // *to — down*, abbattere (alberi ecc.) // *to — off*, tagliar via, recidere // *to — up*, sminuzzare **2** tritare (carne, verdura ecc.).

chop[2] *s.* (*gener. pl.*) mascella // *to lick one's chops*, leccarsi i baffi.

to **chop**[3] *v.intr.* mutare direzione (del vento) // *to — and change*, (*fam.*) essere incostante ♦ *v.tr.*: *to — logic*, (*fam.*) cavillare.

chop[4] *s.* timbro; marchio // *first —*, di prima qualità.

chophouse ['tʃɔphaus] *s.* ristorante specializzato in costate e bistecche alla griglia.

chopper ['tʃɔpə*] *s.* **1** ascia **2** (*sl.*) elicottero.

choppy ['tʃɔpi] *agg.* increspato (del mare); mutevole (del vento).

chopsticks ['tʃɔpstiks] *s.pl.* bastoncini.

chop suey [tʃɔp'su:i] *s.* (*cuc.*) piatto cinese a base di riso e carne.

choral ['kɔ:rəl] *agg.* (*mus.*) corale // *full — service*, servizio religioso cantato.

choral(e) [kə'ra:l] *s.* (*mus.*) corale.

chord [kɔ:d] *s.* **1** corda // *to strike a —*, far ricordare **2** (*mus.*) accordo.

chore [tʃɔ:*] *s.* **1** lavoro saltuario; lavoro noioso **2** *pl.* lavori domestici.

choreographer [,kɔri'ɔgrəfə*] *s.* coreografo.

choreography [,kɔri'ɔgrəfi] *s.* coreografia.

chortle ['tʃɔ:tl] *s.* risolino soddisfatto.

to **chortle** *v.intr.* ridacchiare.

chorus ['kɔ:rəs] *s.* **1** coro // *— singer*, corista **2** ritornello **3** (*teatr.*) ballerine (di fila).

to **chorus** *v.intr.* fare coro ♦ *v.tr.* dire in coro.

chose *pass.* di to **choose**.

chosen *p.pass.* di to **choose** ♦ *agg.* scelto // *the —*, gli eletti.

chow [tʃau] *s.* (*sl.*) cibo.

chowder ['tʃaudə*] *s.* (*amer.*) zuppa di pesce e verdura.

chrism ['krizəm] *s.* (*eccl.*) crisma.

to **christen** ['krisn] *v.tr.* battezzare.

Christendom ['krisndəm] *s.* cristianità.

christening ['krisniŋ] *s.* battesimo.

Christianity [,kristi'æniti] *s.* cristianesimo.

to **christianize** ['kristjənaiz] *v.tr.* convertire al cristianesimo ♦ *v.intr.* convertirsi al cristianesimo.

Christlike ['kraistlaik] *agg.* rassomigliante a Cristo // *— patience*, pazienza evangelica.

Christmas ['krisməs] *s.* Natale: *Merry —!*, buon Natale! // *— bonus*, gratifica natalizia, tredicesima // *— box*, mancia natalizia // *— card*, cartoncino natalizio; *— present*, strenna, regalo di Natale // *— eve*, vigilia di Natale // *Father —*, Babbo Natale.

Christmas(s)y ['krisməsi:] *agg.* (*fam.*) natalizio.

Christmastide ['krisməstaid] *s.*, **Christmas-time** ['krisməstaim] *s.* (periodo di) Natale.

chromatic [krə'mætik] *agg.* cromatico // *— printing*, stampa a colori // *— scale*, (*mus.*) scala cromatica.

chromatics [krə'mætiks] *s.* **1** arti cromatiche (*pl.*) **2** *pl.* note cromatiche.

chromatography [,kroumə'tɔgrəfi] *s.* cromatografia.

chrome [kroum] *s.* (*chim.*) cromo.

chromium ['kroumjəm] *s.* (*chim.*) cromo // *— plating*, cromatura.

chromosome ['krouməsoum] *s.* (*biol.*) cromosoma.

chronic ['krɔnik] *agg.* **1** cronico **2** (*fam.*) insopportabile, terribile.

chronicle ['krɔnikl] *s.* cronaca.

to **chronicle** *v.tr.* fare la cronaca (di); mettere negli annali.

chronicler ['krɔniklə*] *s.* cronista.

chronograph ['krɔnəgrɑ:f] *s.* cronografo.

chronological [,krɔnə'lɔdʒikəl] *agg.* cronologico.

chronology [krə'nɔlədʒi] *s.* cronologia.

chronometer [krə'nɔmitə*] *s.* cronometro // box — (o *marine* —), cronometro marino.

chrysalid ['krisəlid], *pl.* **chrysalides** [kri'sælidi:z], **chrysalis** ['krisəlis], *pl.* **chrysalises** *s.* crisalide.

chrysanthemum [kri'sænθəməm] *s.* crisantemo.

Chubb® [tʃʌb] *s.* serratura di sicurezza.

chubby ['tʃʌbi] *agg.* paffuto.

chuck¹ [tʃʌk] *s.f.* **1** buffetto (sotto il mento) **2** lancio: *to give s.o. the —,* (*sl.*) liberarsi di qlcu.; licenziare qlcu.

to **chuck¹** *v.tr.* **1** dare un buffetto (a) **2** (*fam.*) cessare; abbandonare // — *it!*, piantala! // *to — up the sponge,* (*anche fig.*) gettare la spugna **3** (*fam.*) gettare // *to — away,* sprecare (tempo, denaro) // *to — out,* sbattere fuori; respingere (una proposta ecc.).

chuck² *s.* **1** (*mecc.*) mandrino **2** carne di manzo; (*fam.*) cibo.

to **chuck³** *v.intr.* schioccare (di lingua).

chucker ['tʃʌkə*] *s.* → **bouncer** 3.

chuckle ['tʃʌkl] *s.* riso represso, soffocato.

to **chuckle** *v.intr.* ridacchiare.

chug [tʃʌg] *s.* (*aut.*) scoppiettio; (*ferr.*) sbuffo.

to **chug** *v.intr.* scoppiettare (di automobile); sbuffare (di locomotiva).

chum [tʃʌm] *s.* (*fam.*) amico intimo.

to **chum** *v.intr.* occupare la stessa camera // *to — up with s.o.,* fare amicizia con qlcu.

chummy ['tʃʌmi] *agg.* (*fam.*) amichevole.

chump [tʃʌmp] *s.* **1** ceppo, ciocco // — *chop,* braciola di montone **2** parte terminale **3** (*fam.*) sciocco **4** *to be off one's —,* (*sl.*) essere pazzo.

chunk [tʃʌŋk] *s.* grosso pezzo.

chunky ['tʃʌŋki] *agg.* tozzo.

church [tʃə:tʃ] *s.* chiesa // *the Church of England,* la Chiesa Anglicana // *Established Church,* Chiesa di Stato // *to be received into the Church,* diventare cristiano col battesimo // *to enter the Church,* prendere gli ordini sacri.

churchgoer ['tʃə:tʃ,gouə*] *s.* praticante.

churchman, *pl.* **churchmen** ['tʃə:tʃmən] *s.* membro della Chiesa Anglicana.

church-register ['tʃə:tʃredʒistə*] *s.* registro parrocchiale.

churchwarden ['tʃə:tʃwɔ:dn] *s.* **1** fabbriciere **2** (*fam.*) lunga pipa di argilla.

churchy ['tʃə:tʃi] *agg.* **1** bigotto **2** fedele alla Chiesa Anglicana.

churchyard ['tʃə:tʃjɑ:d] *s.* cimitero.

churl [tʃə:l] *s.* **1** zotico, villano **2** spilorcio.

churlish ['tʃə:liʃ] *agg.* **1** rozzo, volgare **2** avaro.

churn [tʃə:n] *s.* zangola.

to **churn** *v.tr.* **1** agitare (la panna) nella zangola **2** agitare violentemente (un liquido) ♦ *v.intr.* **1** fare il burro nella zangola **2** ribollire (di acqua, mare ecc.).

chute [ʃu:t] *s.* **1** cascata d'acqua **2** tubo, canale di scarico; (*geol.*) canale di scolo **3** (tela a) scivolo (dei pompieri).

chutney ['tʃʌtni] *s.* salsa piccante a base di frutta.

chyle [kail] *s.* (*fisiologia*) chilo.

chyme [kaim] *s.* (*fisiologia*) chimo.

ciborium [si'bɔ:riəm] *s.* (*eccl.*) **1** pisside **2** ciborio.

cicada [si'kɑ:də], *pl.* **cicadae** [si'kɑ:di] *s.* cicala.

cicatrice ['sikətris], **cicatrix** ['sikətriks], *pl.* **cicatrices** [,sikə'traisi:z] *s.* cicatrice.

Cicero ['sisərou] *no.pr.m.* Cicerone.

cicerone, *pl.* **ciceroni** [,tʃitʃə'rouni] *s.* cicerone.

cider ['saidə*] *s.* sidro.

cigar [si'gɑ:*] *s.* sigaro.

cigarette [,sigə'ret, (*amer.*)'sigəret] *s.* sigaretta // — *end* (o *stub*), mozzicone di sigaretta // *tipped —,* sigaretta col filtro.

cigarette case [,sigə'retkeis] *s.* portasigarette.

cigarette holder [,sigə'ret,houldə*] *s.* bocchino.

cigar-shaped [si'gɑ:ʃeipt] *agg.* fusiforme.

cilia ['siliə] *s.pl.* ciglia.

cinch [sintʃ] *s.* **1** cosa certa, cosa facile e sicura **2** (*amer.*) straccale (di sella).

cincture ['siŋktʃə*] *s.* **1** cerchio **2** cintura **3** (*eccl.*) cingolo **4** (*arch.*) toro, astragalo.

to **cincture** *v.tr.* cingere; circondare.

cinder ['sində*] *s.* brace; *pl.* cenere (*sing.*).

cindertrack ['sindətræk] *s.* pista (per corse).

cine-camera ['sini'kæmərə] *s.* cinepresa.

cine-film ['sinifilm] *s.* pellicola a passo ridotto.

cinema ['sinimə] *s.* cinematografo, cinema.

cinematograph [,sini'mætəgrɑ:f] *s.* (*cinem.*) **1** macchina da presa **2** proiettore.

cinematography [,sinimə'tɔgrəfi] *s.* cinematografia.

cine-projector ['siniprə'dʒektə*] *s.* (*cinem.*) apparecchio di proiezione.

cinnabar ['sinəbə:*] *s.* cinabro.

cinnamon ['sinəmən] *s.* cinnamomo; cannella ♦ *agg.* color cannella.

cinque [siŋk] *s.* cinque (a carte, dadi).

cipher ['saifə*] *s.* **1** zero; cifra **2** (*fig.*) nullità **3** cifra; messaggio cifrato **4** monogramma.

to **cipher** *v.tr.* **1** calcolare **2** cifrare (un messaggio ecc.); trasmettere in cifra ♦ *v.intr.* fare calcoli.

cipher-key ['saifəki:] *s.* chiave (per comprendere uno scritto cifrato).

Circe ['sə:si] *no.pr.f.* (*mit.*) Circe.

circle ['sə:kl] *s.* **1** cerchio; circolo (*anche fig.*); anello; alone: *in political circles,* negli ambienti politici // *great —,* (*geogr.*) cerchio massimo, meridiano // *to come full —,* ritornare al punto di partenza **2** (*fig.*) cerchia, ambiente **3** (*teatr.*) galleria: *dress —,* prima galleria, balconata; *upper —,* seconda galleria, balconata **4** (*fig.*) sfera d'influenza; area.

to **circle** *v.tr.* **1** circondare **2** girare intorno (a) ♦ *v.intr.* muoversi in cerchio; volteggiare.

circlet ['sə:klit] *s.* cerchietto; anello.

circuit ['sə:kit] *s.* **1** circonferenza; circonvallazione **2** (*di astro*) rotazione, rivoluzione **3** viaggio (intorno a regione ecc.); giro **4** circoscrizione giudiziaria **5** albo, ruolo (degli avvocati che esercitano in una circoscrizione) **6** catena di cinema, teatri ecc. sotto un'unica amministrazione **7** (*sport*) circuito **8** (*elettr., informatica*) circuito; schema: — *breaker,* interruttore; — *switching,* commutazione di circuiti.

to **circuit** *v.tr.* fare un giro attorno a (qlco.) ♦ *v.intr.: to — about,* girar attorno a.

circuitous [sə:(:)'kju(:)itəs] *agg.* tortuoso.

circuitry ['sə:kitri] *s.* insieme di circuiti.

circular ['sə:kjulə*] *agg.* circolare: — *note*, (*comm.*) lettera di credito ♦ *s.* circolare.

to circularize ['sə:kjuləraiz] *v.tr.* (*comm.*) inviare circolari (a).

to circulate ['sə:kjuleit] *v.intr.* 1 circolare 2 (*mat.*) ricorrere ♦ *v.tr.* diffondere.

circulation [,sə:kju'leifən] *s.* 1 circolazione 2 diffusione (di libri ecc.) 3 tiratura (di giornale).

to circumcise ['sə:kəmsaiz] *v.tr.* circoncidere.

circumcision [,sə:'kəm'siʒən] *s.* circoncisione.

circumference [sə'kʌmfərəns] *s.* circonferenza.

circumflex ['sə:kəmfleks] *agg.* e *s.*: — (*accent*), (accento) circonflesso.

circumlocution [,sə:kəmlə'kju:fən] *s.* circonlocuzione.

circumlocutory [,sə:kəm'lɔkjutəri] *agg.* perifrastico; involuto.

to circumnavigate [,sə:kəm'næveigeit] *v.tr.* circumnavigare.

to circumscribe ['sə:kəmskraib] *v.tr.* 1 circoscrivere 2 limitare (*anche fig.*).

circumscription [,sə:kəm'skripfən] *s.* 1 circoscrizione 2 limitazione.

circumspect ['sə:kəmspekt] *agg.* circospetto.

circumstance ['sə:kəmstəns] *s.* 1 avvenimento, fatto; particolare, dettaglio: *with much* —, con molti particolari 2 *pl.* circostanza, circostanze: *aggravating, extenuating circumstances*, (*dir.*) circostanza aggravante, attenuante 3 *pl.* condizioni finanziarie 4 cerimonia, formalità.

circumstantial [,səkəm'stænfəl] *agg.* 1 circostanziato 2 casuale, accidentale // — *evidence*, prova indiziaria.

circumstantiality ['sə:kəm,stænfi'æliti] *s.* 1 l'essere circostanziato; abbondanza di particolari 2 circostanze (*pl.*), dettagli (*pl.*).

to circumvent [,sə:kəm'vent] *v.tr.* aggirare, circuire, ingannare.

circumvention [,sə:kəm'venfən] *s.* insidia, raggiro.

circus ['sə:kəs] *s.* 1 circo; arena 2 piazza circolare.

cirque [sə:k] *s.* 1 anfiteatro 2 (*geol.*) circo.

cirrhosis [si'rousis] *s.* (*med.*) cirrosi.

cirrus ['sirəs], *pl.* **cirri** ['sirai] *s.* 1 (*bot.*) viticcio 2 (*meteorologia*) cirro 3 (*zool.*) filamento.

cisalpine [sis'ælpain] *agg.* cisalpino.

cissy ['sisi] *s.* (*sl.*) persona effeminata.

Cistercian [sis'tə:ʃjən] *agg.* e *s.* cistercense.

cistern ['sistən] *s.* cisterna, serbatoio.

citadel ['sitədl] *s.* cittadella, fortezza, rocca.

citation [sai'teifən] *s.* 1 citazione 2 (*amer.*) menzione (per atto di coraggio).

to cite [sait] *v.tr.* 1 citare 2 (*amer.*) ricevere una menzione (per atto di coraggio).

citizen ['sitizn] *s.* cittadino // — *of the world*, cosmopolita // *fellow* —, concittadino; compatriota // — '*s band radio*, (*fis.*) banda cittadina.

citizenship ['sitiznfip] *s.* cittadinanza.

citrate ['sitrit] *s.* citrato.

citron ['sitrən] *s.* 1 cedro 2 color limone.

citrus ['sitrəs] *s.* agrume.

cittern ['sitə:n] *s.* (*mus.*) cetra.

city ['siti] *s.* (grande) città // *the City*, il centro degli affari di Londra.

city editor ['siti'editə*] *s.* redattore della cronaca finanziaria; (*amer.*) capocronista, redattore capo della cronaca cittadina.

civet ['sivit] *s.* (*zool.*) zibetto.

civic ['sivik] *agg.* civico; municipale // — *centre*, sede delle attività amministrative e ricreative del comune.

civics ['siviks] *s.* educazione civica.

civies *s.pl.* → **civvies**.

civil ['sivil] *agg.* 1 civile: — *law*, diritto civile // — *servant*, funzionario statale // *Civil Service*, amministrazione statale 2 cortese, gentile.

civilian [si'viljən] *agg.* e *s.* civile, borghese.

civility [si'viliti] *s.* cortesia, educazione.

civilization [,sivilai'zeifən] *s.* civiltà, civilizzazione.

to civilize ['sivilaiz] *v.tr.* incivilire, civilizzare.

civilly ['sivili] *avv.* 1 secondo il diritto civile 2 cortesemente; educatamente.

civvies ['sivi:z] *s.pl.* (*sl.*) abito civile (*sing.*): *in* —, in borghese.

civ(v)y ['sivi:] *s.* (*fam.*) civile // — *street*, vita civile.

clack [klæk] *s.* 1 suono secco 2 (*fam.*) chiacchierio.

to clack *v.intr.* 1 fare un suono improvviso e secco 2 (*fam.*) ciarlare, chiacchierare.

clad [klæd] *agg.* vestito.

claim [kleim] *s.* 1 richiesta; rivendicazione; diritto: *to have a — on s.o.*, avere dei diritti su qlcu.; *to set up a* —, cercare di far valere un diritto 2 concessione mineraria.

to claim *v.tr.* 1 pretendere, esigere, rivendicare, reclamare: *to — one's due*, rivendicare i propri diritti; *to — sthg. back from s.o.*, chiedere a qlcu. la restituzione di qlco. 2 protestare.

claimant ['kleimənt] *s.* rivendicatore; reclamante // *rightful* —, l'avente diritto.

clairvoyance [klɛə'vɔiəns] *s.* chiaroveggenza.

clairvoyant [klɛə'vɔiənt] *agg.* e *s.* chiaroveggente.

clam [klæm] *s.* mollusco bivalve commestibile: *he shut up like a* —, si chiuse come un'ostrica.

to clamber *v.intr.* ['klæmbə*] arrampicarsi (con mani e piedi): *to — over a wall*, scavalcare un muro.

clammy ['klæmi] *agg.* 1 viscoso, viscido 2 freddo umido.

clamorous ['klæmərəs] *agg.* clamoroso.

clamour ['klæmə*] *s.* clamore; vocio.

to clamour *v.intr.* vociferare: *to — for sthg.*, chiedere qlco. a gran voce.

clamp[1] [klæmp] *s.* morsa, morsetto, ganascia.

to clamp[1] *v.tr.* stringere, incastrare; fissare.

to clamp[2] *v.tr.* camminare pesantemente.

clampdown ['klæmpdaun] *s.* (*fam.*) limitazione, restrizione.

clan [klæn] *s.* clan; tribù.

clandestine [klæn'destin] *agg.* clandestino.

clang [klæŋ] *s.* suono metallico; fragore.

to clang *v.intr.* produrre un suono metallico ♦ *v.tr.* far risuonare con fragore.

clanger ['klæŋgə*] *s.* (*fam.*) gaffe.

clank [klæŋk] *s.* rumore secco, metallico.

to clank *v.intr.* produrre un rumore secco, metallico ♦ *v.tr.* far risonare.

clannish ['klænif] *agg.* 1 di clan 2 imbevuto di spirito di razza.

clap [klæp] *s.* 1 battimano, applauso 2 colpetto 3 scoppio, fragore.

to clap *v.tr.* 1 applaudire 2 battere: *to — s.o. on the back*, dare una manata sulle spalle a qlcu. // — *eyes on s.o.*, (*fam.*) vedere qlcu. // *to — hold of (s.o., sthg.)*, afferrare con violenza (qlcu., qlco.) // *to — on one's hat*, ficcarsi in testa il cappello ♦ *v.intr.* applaudire.

clapboard ['klæpbɔ:d] *s.* (*amer.*) assicella per rivestimento esterno (di edifici).

clapometer [klæp'ɔmitə*] s. applausometro.

clapped-out [ˌklæpt'aut] agg. (fam.) **1** stanco morto **2** decrepito.

clapper ['klæpə*] s. **1** battaglio **2** raganella // to go like the clappers, (sl.) andare a tutta velocità, a tutta birra.

claptrap ['klæptræp] s. **1** imbonimento **2** sciocchezze (pl.).

claret ['klærə] agg. rosso-violetto ♦ s. **1** colore rosso-violetto **2** chiaretto (vino).

clarification [ˌklærifi'keiʃən] s. chiarificazione.

to clarify ['klærifai] v.tr. **1** chiarificare **2** purificare, raffinare ♦ v.intr. chiarificarsi.

clarinet [ˌklæri'net] s. clarinetto.

clarion ['klæriən] agg. squillante, argentino.

clarity ['klæriti] s. chiarezza.

clash [klæʃ] s. **1** cozzo, scontro, urto **2** fragore, strepito **3** (fig.) contrasto, conflitto.

to clash v.intr. **1** cozzare con rumore metallico; scontrarsi: our interests —, i nostri interessi sono contrastanti; to — with (s.o.), essere in conflitto con (qlcu.) **2** (fig.) stridere, stonare ♦ v.tr. far cozzare; far risuonare.

clasp [klɑːsp] s. **1** fermaglio; fibbia; gancio **2** abbraccio; stretta.

to clasp v.tr. **1** agganciare **2** afferrare; stringere // with clasped hands, a mani giunte.

claspknife ['klɑːsp'naif] s. coltello a serramanico.

class [klɑːs] s. **1** classe: the lower middle —, la piccola borghesia **2** corso, lezione; lista di graduatoria **3** (amer.) classe (allievi che hanno preso la licenza nello stesso anno).

to class v.tr. classificare.

class-conscious [klɑːs'kɔnʃəs] agg. classista.

class-consciousness [klɑːs'kɔnʃəsnis] s. classismo.

classic ['klæsik] agg. classico ♦ s. **1** classico **2** pl. lingue classiche.

classical ['klæsikəl] agg. classico.

classicality [ˌklæsi'kæliti] s. classicismo.

classicism ['klæsisizəm] s. classicismo.

classicist ['klæsisist] s. **1** classicista **2** sostenitore del latino e greco quali materie d'insegnamento.

classification [ˌklæsifi'keiʃən] s. classificazione.

to classify ['klæsifai] v. tr. classificare.

classmate [klɑːs'meit] s. compagno di classe.

class-room [klɑːs'rum] s. aula.

class-struggle ['klɑːs'strʌgl] s. lotta di classe.

classy [klɑːsi] agg. (fam.) di classe.

clatter ['klætə*] s. **1** acciottolio **2** (fam.) vocio.

to clatter v.intr. **1** far fracasso **2** cicalare; vociare ♦ v.tr. acciottolare.

Claude [klɔːd] no.pr.m. Claudio.

clause [klɔːz] s. **1** clausola, articolo **2** (gramm.) proposizione.

claustrophobia [ˌklɔːstrə'foubjə] s. (med.) claustrofobia.

clavichord ['klævikɔːd] s. (mus.) clavicordio.

clavicle ['klævikl] s. clavicola.

claw [klɔː] s. **1** artiglio, unghia // to clip s.o.'s claws, ridurre qlcu. a miti consigli **2** chela **3** tenaglia.

to claw v.tr. dilaniare con gli artigli; graffiare ♦ v.intr.: to — at (sthg.), agguantare, aggrapparsi a (qlco.).

clay [klei] s. **1** argilla; creta // baked —, terracotta **2** (fig.) ceneri (pl.), resti mortali (pl.).

clayey ['klei:] agg. **1** argilloso **2** (fig.) mortale.

clay pigeon [ˌklei'pidʒən] s. piattello: — shooting, tiro al piattello.

clean [kliːn] agg. pulito (anche fig.); netto // as — as a new pin, (fam.) pulito come uno specchio // to make a — sweep of sthg., far piazza pulita di qlco. // to make a — breast of sthg., to come —, rendere piena confessione ♦ s. pulitura ♦ avv. assolutamente, completamente: to cut — through, tagliare di netto.

to clean v.tr. pulire; mondare // to — out, pulire a fondo; to — s.o. out, (fam.) vuotare le tasche a qlcu. // to — up, fare pulizia; rifinire.

clean-cut ['kliːn'kʌt] agg. ben definito.

cleaner ['kliːnə*] s. **1** donna, uomo delle pulizie **2** smacchiatore **3** (dry) cleaner's; (amer.) cleaner, tintoria: to take sthg. to the (dry) — 's, portare qlco. in tintoria // to take s.o. to the — 's, (fam.) danneggiare, rovinare qlcu.

cleaning ['kliːniŋ] s. pulitura, pulizia.

clean-limbed ['kliːn'limd] agg. ben proporzionato.

cleanly ['klenli] agg. **1** amante della pulizia **2** casto.

cleanly ['kliːnli] avv. in modo pulito, castamente.

clean-out ['kliːn'aut] s. pulizia a fondo (di locali); sgombero.

to cleanse [klenz] v.tr. **1** pulire **2** (fig.) purificare **3** (med.) purgare **4** epurare.

cleanser ['klenzə*] s. **1** pulitore **2** detergente.

cleansing ['klenziŋ] agg. **1** detergente **2** purificante ♦ s. **1** purificazione **2** depurazione **3** detersione.

cleansing-cream ['klenziŋkriːm] s. crema detergente.

clean-up ['kliːn'ʌp] s. ripulita (anche fig.).

clear [kliə*] agg. **1** chiaro, limpido, trasparente; luminoso **2** manifesto, evidente // as — as daylight, (fam.) chiaro come il sole **3** assoluto, netto: — profit, guadagno netto **4** libero; senza ostacoli // all —, cessato allarme.

clear avv. **1** chiaramente, chiaro **2** completamente **3** discosto; al di sopra: to get — of, allontanarsi da, liberarsi di.

to clear v.tr. **1** chiarire, schiarire; liberare; sgombrare: to — the court, (dir.) sgombrare l'aula // to — one's throat, schiarirsi la gola // to — the air, (fig.) scaricare la tensione // to — customs, espletare le formalità doganali, passare la dogana **2** (dir.) prosciogliere **3** fare un guadagno netto di: to — fifty pounds, fare un guadagno netto di cinquanta sterline **4** to — away, (anche fig.) rimuovere, liberare; to — off, finire; eliminare **6** to — out, rimuovere (la sporcizia); (fam.) mandare in rovina **7** to — up, ordinare, mettere ordine (in); (fig.) risolvere (un mistero) **8** (informatica) azzerare la memoria; correggere gli errori; cancellare uno schermo ♦ v.intr. **1** schiarirsi **2** (di liquidi) diventar puro, limpido **3** (di navi) compiere operazioni di sdoganamento **4** to — off (o out o away), andarsene.

clearance ['kliərəns] s. **1** chiarificazione **2** sgombro // — sale, liquidazione di merce **3** luce; spazio di manovra // — space, (informatica) area di servizio **4** autorizzazione // customs —, sdoganamento.

clear-cut ['kliə'kʌt] agg. ben definito.

clear-eyed ['kliəaid] agg. **1** dalla vista buona **2** con gli occhi luminosi.

clear-headed ['kliə'hedid] agg. intelligente; lucido.

clearing ['kliəriŋ] s. **1** schiarimento **2** radura **3** rimozione **4** (comm.) compensazione: (bank) —, giroconto.

clearinghouse ['kliəriŋhaus] s. (comm.) stanza di compensazione.

clearing-station ['kliəriŋˌsteiʃən] s. (mil.) ospedale di smistamento.

clear-sighted ['kliə'saitid] *agg.* dalla vista acuta (*anche fig.*).

clearway ['kliəwei] *s.* tratto di strada con divieto di sosta.

cleat [kli:t] *s.* **1** cuneo **2** (*mar.*) galloccia.

cleavage ['kli:vidʒ] *s.* fenditura; (*fig.*) scissura.

to cleave[1] [kli:v], *pass.* **cleaved** [kli:vd], **cleft** [kleft], **clove** [klouv], *p.pass.* **cleaved**, **cleft**, **cloven** ['klouvn], **clove** *v.tr.* fendere; spaccare ♦ *v.intr.* fendersi, spaccarsi.

to cleave[2], *pass.* **cleaved**, (*letter.*) **clave**, *p.pass.* **cleaved** *v.intr.* attaccarsi.

cleaver ['kli:və*] *s.* mannaia (di macellaio).

clef [klef] *s.* (*mus.*) chiave.

cleft [kleft] *s.* fenditura; spaccatura; fessura.

cleft *pass.* e *p.pass.* di to **cleave**.

cleft palate [kleft'pælit] *s.* (*med.*) gola di lupo.

clematis ['klemətis] *s.* (*bot.*) clematide.

clemency ['klemənsi] *s.* **1** clemenza **2** mitezza.

clement ['klemənt] *agg.* **1** clemente **2** mite.

Clement *no.pr.m.* Clemente.

to clench [klentʃ] *v.tr.* stringere, tenere stretto.

clerestory ['kliəstəri] *s.* (*arch.*) lanternino.

clergy ['klə:dʒi] *s.* clero; gli ecclesiastici (*pl.*) // *benefit of —*, (*st.*) privilegio ecclesiastico.

clergyman, *pl.* **clergymen** ['klə:dʒimən] *s.* prete; pastore (protestante).

cleric ['klerik] *s.* ecclesiastico.

clerical ['klerikəl] *agg.* **1** clericale **2** di impiegato, di scrivano.

clericalism ['klerikəlizəm] *s.* clericalismo.

clerihew ['klerihju:] *s.* (*poesia*) quartina umoristica (su un personaggio noto).

clerk [klɑ:k, (*amer.*) klə:rk] *s.* **1** chierico **2** impiegato; (*dir.*) cancelliere: *bank —*, impiegato di banca // *chief —*, capufficio **3** (*amer.*) commesso.

to clerk *v.intr.* **1** fare l'impiegato **2** (*amer.*) fare il commesso.

clever ['klevə*] *agg.* **1** intelligente; capace; ingegnoso; abile **2** eseguito, eseguito con abilità, intelligenza: *a — trick*, un trucco ingegnoso // *too — by half*, (*fam.*) troppo furbo.

clew [klu:] *s.* **1** gomitolo di filo **2** (*mar.*) anello, radancia; corde di amaca.

to clew *v.tr.* (*mar.*) **1** *to — down*, imbrogliare (una vela) **2** *to — up*, alare.

cliché ['kli:ʃei, (*amer.*) kli:'ʃei] *s.* cliché.

click [klik] *s.* **1** suono secco, metallico **2** schiocco (di lingua).

to click *v.tr.* produrre un suono secco: *to — one's tongue*, far schioccare la lingua ♦ *v.intr.* **1** (*sl.*) far innamorare di sé **2** (*sl.*) avere successo.

client ['klaiənt] *s.* cliente.

cliff [klif] *s.* scogliera; dirupo.

cliffhanging ['klifhæŋiŋ] *agg.* che fa trattenere il fiato.

climacteric [klai'mæktərik] *s.* climaterino.

climactic [klai'mæktik] *agg.* **1** arrivato al suo apogeo **2** (*ret.*) a gradazione ascendente.

climate ['klaimit] *s.* clima.

climatic [klai'mætik] *agg.* climatico.

climax ['klaimæks] *s.* **1** apice, culmine, acme **2** (*ret.*) climax.

climb [klaim] *s.* **1** rampa, salita **2** ascesa, ascensione.

to climb *v.tr.* arrampicarsi (su), salire (*anche fig.*); scalare: *to — a tree*, arrampicarsi su un albero ♦ *v.intr.* **1** arrampicarsi, arrampicarsi; salire // *to — out of*, uscire arrampicandosi da // *to — over*, scavalcare **2** (*aer.*)

prendere quota **3** *to — down*, (*fig.*) abbandonare le proprie posizioni, pretese.

climber ['klaimə*] *s.* **1** scalatore // *mountain —*, alpinista **2** pianta rampicante.

climbing ['klaimiŋ] *agg.* rampicante ♦ *s.* salita; scalata // *mountain —*, alpinismo.

to clinch [klintʃ] *v.tr.* **1** stringere; concludere **2** legare **3** ribadire ♦ *v.intr.* **1** (*sport*) venire al corpo a corpo **2** (*sl.*) avvinghiarsi (in un abbraccio).

to cling [kliŋ], *pass.* e *p.pass.* **clung** [klʌŋ] *v.intr.* aderire strettamente; stringersi; aggrapparsi: *to — to an opinion*, rimanere radicato in un'opinione.

clinic ['klinik] *s.* **1** clinica; ambulatorio **2** istruzione clinica; clinica universitaria.

clinical ['klinikəl] *agg.* clinico.

clink[1] [kliŋk] *s.* tintinnio.

to clink[1] *v.tr.* far tintinnare ♦ *v.intr.* tintinnare.

clink[2] *s.* (*fam.*) prigione, gattabuia.

clinker ['kliŋkə*] *s.* scoria.

clip[1] [klip] *s.* **1** molletta; fermaglio; graffa **2** clip, spilla **3** caricatore; nastro (per mitragliatrice ecc.).

to clip[1] *v.tr.* allacciare, unire, tenere insieme con fermaglio ♦ *v.intr.* allacciarsi.

clip[2] *s.* **1** tosatura, taglio **2** (*fam.*) sberla **3** (*amer.*) grande velocità.

to clip[2] *v.tr.* **1** tagliare, tosare // *to — the wings*, tarpare le ali **2** ritagliare, tosare (monete) **3** tagliare, abbreviare (parole, discorsi) **4** dare uno scappellotto (a).

clip joint ['klipdʒɔint] *s.* (*amer.*) locale, bar ecc. che pratica prezzi esorbitanti.

clipper ['klipə*] *s.* **1** tosatore **2** (*fam.*) cavallo veloce **3** veliero **4** *pl.* macchinetta per tosare (*sing.*) **5** (*fam.*) persona di valore; cosa di prima qualità.

clipping ['klipiŋ] *s.* **1** tosatura **2** ritaglio (di giornale).

clique [kli:k] *s.* cricca; combriccola.

cliqu(e)y ['kli:ki], **cliquish** ['kli:kiʃ] *agg.* di cricca.

clitoris ['klaitəris] *s.* (*anat.*) clitoride.

cloaca [klou'eikə], *pl.* **cloacae** [klou'eiki] *s.* cloaca.

cloak [klouk] *s.* **1** mantello (*anche fig.*) **2** pretesto // *— and dagger novel*, romanzo di cappa e spada.

to cloak *v.tr.* **1** coprire con un mantello **2** (*fig.*) dissimulare, nascondere.

cloakroom ['kloukru:m] *s.* guardaroba (di locale pubblico).

clock[1] [klɔk] *s.* **1** orologio (da muro); pendola // *"What time is it?" "It's three o' —"*, «Che ore sono?» «Sono le tre» // *to sleep the — round*, dormire per dodici ore filate **2** (*elettr.*) temporizzatore // *— cycle*, (*informatica*) ritmo; *— track*, traccia, pista di sincronizzazione.

to clock[1] *v.tr.* e *intr.* **1** cronometrare **2** *to — in, on, out* (*o off*), timbrare (il cartellino) all'entrata, all'uscita (da uffici ecc.).

clock[2] *s.* baghetta (di calza).

clockmaker ['klɔk,meikə*] *s.* orologiaio.

clock-watcher ['klɔk,wɔtʃə*] *s.* (*fam.spreg.*) lavoratore svogliato.

clockwise ['klɔkwaiz] *agg.* in senso orario.

clockwork ['klɔkwə:k] *s.* orologeria // *like —*, perfettamente.

clod [klɔd] *s.* **1** zolla; terra **2** argilla **3** (*fig.*) stupido.

clodhopper ['klɔd,hɔpə*] *s.* zoticone.

clog [klɔg] *s.* **1** zoccolo **2** ceppo, pastoia; (*fig.*) impedimento.

to clog *v.tr.* **1** legare (un animale) al ceppo **2** inceppare; impedire (*anche fig.*) **3** ostruire; intasare: *the* *pipe was clogged with dirt*, il tubo era intasato ♦ *v.intr.* ostruirsi; intasarsi.

clogging ['klɔgiŋ] *s.* inceppamento; ingombro; impedimento.

cloister ['klɔistə*] *s.* chiostro; convento.

to **cloister** *v.tr.* rinchiudere in convento.

cloistral ['klɔistrəl] *agg.* claustrale.

clone [kloun] *s.* (*biol.*) clone.

to **clone** *v.tr.* (*biol.*) clonare.

close[1] [klous] *agg.* **1** vicino, prossimo **2** serrato; compatto: *— order*, schiere serrate; *— argument*, ragionamento serrato **3** stretto, intimo // *— call, — shave*, (*fig.*) scampato pericolo **4** impenetrabile; nascosto: *to keep oneself —*, rimanere appartato **5** riservato, discreto **6** avaro, parsimonioso **7** chiuso // *— season* (*time*), periodo in cui è vietata la caccia o la pesca **8** afoso; viziato (di aria) **9** attento, accurato // *— translation*, traduzione letterale.

close[1] *s.* **1** spazio cintato; cortile; area di una cattedrale **2** androne.

close[1] *avv.* vicino, da vicino // *to be — behind s.o.*, seguire qlcu. da presso // *at — quarters*, molto vicino, corpo a corpo.

close[2] [klouz] *s.* **1** fine, termine **2** (*mus.*) cadenza.

to **close**[2] *v.tr.* **1** chiudere // *to — up*, chiudere completamente // *to — the ranks*, serrare le file (*anche fig.*) **2** terminare, porre fine (a) // *to — one's days*, morire ♦ *v.intr.* **1** chiudere, chiudersi // *to — down*, chiudere (di fabbrica) **2** terminare, concludersi **3** *to — about*, avvolgere, accerchiare **4** *to — in* (*upon s.o.*), circondare, aggirare (qlcu.) **5** *to — with*, assalire, venire alle mani con; (*fig.*) accordarsi con; concludere un affare // *to — with an offer*, accettare un'offerta.

closed [klouzd] *agg.* chiuso: *— circuit*, impianto televisivo a circuito chiuso; *— course*, (*sport*) circuito chiuso; *— road*, strada chiusa (al traffico).

closedown ['klouzdaun] *s.* **1** chiusura di fabbrica; cessazione di un'attività commerciale ecc. **2** fine delle trasmissioni.

closed shop ['klouzd'ʃɔp] *s.* ditta che assume solo iscritti alle Trade Unions.

closefisted ['klous'fistid] *agg.* spilorcio.

close-fitting ['klous'fitiŋ] *agg.* aderente.

closet ['klɔzit] *s.* **1** salotto privato, studio **2** armadio a muro **3** gabinetto.

closeted ['klɔzitid] *agg.*: *to be — with s.o.*, avere un colloquio privato con qlcu.

close-up ['klousʌp] *s.* (*cinem.*) primo piano.

closing ['klouziŋ] *agg.* di chiusura, ultimo: *— price*, (*Borsa*) prezzo di chiusura; *— time*, orario di chiusura.

closure ['klouʒə*] *s.* chiusura; termine (di seduta, di dibattito parlamentare ecc.): *to move the —*, votare la mozione di chiusura.

clot [klɔt] *s.* **1** grumo **2** (*sl.*) idiota.

to **clot** *v.tr.* raggrumare; coagulare // *clotted hair*, capelli appiccicati ♦ *v.intr.* raggrumarsi; coagularsi.

cloth [klɔθ], *pl.* **cloths** [klɔðs] *s.* **1** tessuto, stoffa, tela // *— -binding*, rilegatura in tela // *cut your coat according to the —*, (*prov.*) non fare il passo più lungo della gamba **2** tessuto di lana **3** cencio, strofinaccio **4** (*table-*) *—*, tovaglia **5** abito talare // *the —*, il clero.

to **clothe** [klouð], *pass.* e *p.pass.* **clothed** [klouðd], (*arc. letter.*) **clad** [klæd] *v.tr.* **1** vestire; rivestire (*anche fig.*): *clothed in white*, vestito di bianco; *clothed in glory*, rivestito di gloria **2** (*fig.*) investire: *to — with power*, investire di un potere.

clothes [klouðz, (*amer.*) klouz] *s.pl.* **1** abiti, vestiti, indumenti: *cast-off —*, abiti smessi; *in plain —*, in abiti civili; *to sleep in one's —*, dormire vestito // *— -hook*, attaccapanni **2** biancheria da letto (*sing.*).

clothesbasket ['klouðz,bɑ:skit] *s.* cesto per la biancheria.

clotheshorse ['klouðzhɔ:s] *s.* stendibiancheria.

clothesline ['klouðzlain] *s.* corda per stendere il bucato.

clothes peg ['klouðzpeg] *s.* molletta per la biancheria.

clothes tree ['klouðz,tri:] *s.* attaccapanni, appendiabiti a piantana.

clothier ['kloudiə*] *s.* proprietario, gestore di un negozio di abbigliamento maschile.

clothing ['klouðiŋ] *s.* vestiario, abiti (*pl.*): *articles of —*, capi di vestiario // *the — trade*, l'industria dell'abbigliamento.

cloture ['kloutʃə*] *s.* (*amer.* per *closure*) termine (di seduta, di dibattito parlamentare ecc.).

cloud [klaud] *s.* **1** nube; nuvola // *in the clouds*, nelle nuvole // *on — nine*, (*fam.*) al settimo cielo // *under a —*, in discredito // *to wait till the clouds roll by*, aspettare circostanze più favorevoli // *to drop from the clouds*, cadere dalle nuvole // *every — has a silver lining*, (*prov.*) il diavolo non è brutto come lo si dipinge **2** intorbidamento **3** macchia, chiazza (su marmo, pietre preziose).

to **cloud** *v.tr.* **1** annuvolare; offuscare (*anche fig.*) **2** macchiare; screziare ♦ *v.intr.* annuvolarsi // *to — up* (o *over*), rannuvolarsi.

cloudburst ['klaudbə:st] *s.* acquazzone, rovescio di pioggia.

cloud-capped, cloud-capt ['klaudkæpt] *agg.* coperto, incappucciato di nubi.

cloud-cuckoo-land [,klaud'kuku:lænd]· *s.* regno di Utopia, paradiso terrestre.

clouded ['klaudid] *agg.* **1** annuvolato, coperto; offuscato (*anche fig.*) **2** screziato, venato **3** (*fig.*) triste.

cloudless ['klaudlis] *agg.* senza nubi, sereno.

cloudlet ['klaudlit] *s.* nuvoletta.

cloudy ['klaudi] *agg.* **1** nuvoloso, coperto **2** opaco, torbido **3** venato, screziato **4** (*fig.*) offuscato.

clough [klʌf] *s.* vallone.

clout [klaut] *s.* **1** straccio; strofinaccio // *never cast a — till May is out*, (*prov.*) aprile non ti scoprire, maggio va' adagio **2** (*fam.*) ceffone.

to **clout** *v.tr.* **1** (*fam.*) dare un ceffone (a) **2** rattoppare.

clove[1] [klouv] *s.* spicchio (d'aglio ecc.).

clove[2] *s.* (*cuc.*) chiodo di garofano.

clove[3] *abbr.* di **cloven**.

clove[4] *pass.* e *p.pass.* di **cleave**[1].

cloven *p.pass.* di to **cleave**[1] // *— hoof*, piede fesso.

clover ['klouvə*] *s.* trifoglio // *to be in —*, (*fig.*) vivere nell'agiatezza.

cloverleaf ['klouvəli:f] *s.* (raccordo a) quadrifoglio.

clown [klaun] *s.* clown, pagliaccio.

to **clown** *v.intr.* fare il pagliaccio.

clowning ['klauniŋ] *s.* pagliacciata.

cloy [klɔi] *v.tr.* saziare; nauseare.

cloyingly ['klɔi:ŋli] *avv.* disgustosamente: *— sentimental film*, film sciropposo, sdolcinato.

club [klʌb] *s* **1** randello, mazza, clava; bastone // *Indian clubs*, (*ginnastica*) clave **2** (*carte*) fiori (*pl.*) **3** club, circolo: *social —*, circolo familiare // *— -man*, frequentatore di circoli; *— -room*, sala delle adunanze (in circoli).

to **club** *v.tr.* colpire con una mazza; bastonare ♦

v.intr. **1** riunirsi in società, formare un circolo **2** partecipare (una sottoscrizione, a una spesa).

clubfoot ['klʌb'fut] *s.* piede deforme.

clubhouse ['klʌb'haus] *s.* circolo, luogo di ritrovo (riservato ai soci).

cluck [klʌk] *s.* il chiocciare (della gallina).

to **cluck** *v.intr.* chiocciare (della gallina).

clue [klu:] *s.* **1** chiave; indizio; traccia **2** idea: *I haven't a* —, (*fam.*) non ho la minima idea.

clued up ['klu:dʌp] bene informato.

clueless ['klu:ləs] *agg.* (*fam.*) incapace; cretino.

clump [klʌmp] *s.* **1** blocco; massa **2** gruppo (di alberi, arbusti) **3** grossa suola di rinforzo **4** passo pesante.

to **clump** *v.tr.* ammucchiare; raggruppare ♦ *v.intr.* **1** raggrupparsi in massa compatta **2** camminare pesantemente.

clumsy ['klʌmzi] *agg.* goffo, sgraziato; imbranato.

clung *pass.* e *p.pass.* di to **cling**.

cluster ['klʌstə*] *s.* **1** ammasso, mucchio **2** folla **3** grappolo; mazzo; gruppo (d'alberi) // — -pine, (*bot.*) pinastro.

to **cluster** *v.tr.* raggruppare, riunire ♦ *v.intr.* **1** crescere a grappoli **2** raggrupparsi, riunirsi.

clutch[1] [klʌtʃ] *s.* **1** stretta, presa; artiglio: *to fall into s.o.'s clutches*, cadere nelle grinfie di qlcu.; *to make a — at sthg.*, cercare di afferrare qlco. **2** (*aut.*) frizione.

to **clutch**[1] *v.tr.* afferrare; agguantare; stringere convulsamente ♦ *v.intr.* aggrapparsi.

clutch[2] *s.* covata.

to **clutch**[2] *v.tr.* covare.

clutter ['klʌtə*] *s.* confusione, disordine // *in a* —, (*fam.*) in disordine.

to **clutter** *v.tr.*: *to* — *up*, ingombrare.

clyster ['klistə*] *s.* clistere.

Clytemnestra [,klaitim'nestrə] *no.pr.f.* (*lett.*) Clitennestra.

co- [kou] *pref.* co-.

coach [koutʃ] *s.* **1** carrozza, cocchio; pullman // — *and four*, tiro a quattro // — *-horse*, cavallo da traino // — *-house*, rimessa **2** (*ferr.*) carrozza **3** insegnante privato **4** allenatore.

to **coach** *v.intr.* andare in carrozza ♦ *v.tr.* **1** preparare agli esami **2** allenare (atleti).

coach-box ['koutʃbɔks] *s.* cassetta.

coachbuilder ['koutʃbildə*] *s.* carrozziere.

coachbuilt ['koutʃbilt] *agg.* carrozzato.

coaching ['koutʃiŋ] *s.* **1** ripetizioni (*pl.*); lezioni (*pl.*) **2** allenamento **3** l'andare in carrozza.

coachman, *pl.* **coachmen** ['koutʃmən] *s.* cocchiere.

coachwork ['koutʃwɔ:k] *s.* carrozzeria; lavoro di carrozzeria.

coadjutant [kou'ædʒutənt] *agg.* e *s.* assistente, collaboratore.

coadjutor [kou'ædʒutə*] *s.* **1** collaboratore **2** (*eccl.*) coadiutore.

coagulant [kou'ægjulənt] *s.* coagulante.

to **coagulate** [kou'ægjuleit] *v.intr.* coagularsi ♦ *v.tr.* coagulare.

coagulation [kou'ægju'leiʃən] *s.* coagulazione.

coagulative [kou'ægjulətiv] *agg.* coagulativo.

coagulum [kou'ægjuləm] *s.* (*med.*) coagulo.

coal [koul] *s.* carbone // *to blow* (o *to fan*) *the coals*, (*fig.*) soffiare sul fuoco // *to carry coals to Newcastle*, portar acqua al mare // *to haul* (o *to call*) *s.o. over the coals*, (*fam.*) dare una lavata di capo a qlcu. // *to heap*

coals of fire on s.o.'s head, restituire bene per male // — *-bearing*, carbonifero.

to **coal** *v.intr.* fare rifornimento di carbone ♦ *v.tr.* rifornire di carbone.

coalbed ['koulbed] *s.* giacimento carbonifero.

coal-black ['koul'blæk] *agg.* nero come il carbone.

coalbunker ['koul,bʌŋkə*] *s.* **1** carbonile **2** carboniera.

coalcellar ['koulselə*] *s.* deposito sotterraneo di carbone.

coaler ['koulə*] *s.* **1** fochista **2** (*mar.*) carboniera.

to **coalesce** [,kouə'les] *v.intr.* unirsi, fondersi; coalizzarsi.

coalescence [,kouə'lesns] *s.* **1** unione, fusione; coalizione **2** (*chim.*) coalescenza.

coalfield ['koulfi:ld] *s.* bacino carbonifero.

coal gas ['koul'gæs] *s.* gas illuminante.

coalite® ['koulait] *s.* semi-coke.

coalition [,kouə'liʃən] *s.* coalizione.

coalmine ['koulmain] *s.* miniera di carbone.

coalminer ['koul,mainə*] *s.* minatore (in minera di carbone).

coal pit ['koulpit] *s.* miniera di carbone.

coalscuttle ['koul,skʌtl] *s.* secchio del carbone.

coal tar ['koul'tɑ:*] *s.* catrame minerale.

coarse [kɔ:s] *agg.* **1** grossolano, rozzo; volgare **2** grosso, ruvido // — *-grained*, di grana grossa; (*fig.*) volgare, rozzo.

to **coarsen** ['kɔ:sn] *v.tr.* rendere grossolano, ruvido ♦ *v.intr.* diventare grossolano.

coast [koust] *s.* costa, riviera, litorale // *the — is clear*, non c'è pericolo.

to **coast** *v.intr.* **1** navigare lungo le coste **2** discendere (da una collina) in toboga; (*ciclismo*) scendere senza pedalare **3** (*aut.*) andare col motore in folle.

coastal ['koustəl] *agg.* costiero.

coaster ['koustə*] *s.* **1** nave cabotiera **2** sottobottiglia.

coastguard ['kousgɑ:d] *s.* guardia costiera.

coastline ['koustlain] *s.* linea costiera, litorale.

coastwise ['koustwaiz] *agg.* e *avv.* lungo la costa.

coat [kout] *s.* **1** giacca; soprabito; cappotto // *to turn one's* —, (*fam.*) voltar bandiera **2** manto, pelo, pelliccia (di animale) **3** manto (di neve ecc.) **4** rivestimento; intonaco; strato: *a — of paint*, una mano di vernice **5** (*anat.*) parete (di organi).

to **coat** *v.tr.* spalmare; rivestire, ricoprire.

coated ['koutid] *agg.* ricoperto, rivestito.

coat hanger ['kout,hæŋə*] *s.* attaccapanni, gruccia.

coat of arms ['koutəv'ɑ:mz] *s.* stemma.

coat rack ['koutræk] *s.* attaccapanni a muro.

to **coax** [kouks] *v.tr.* persuadere con moine: *I will — it out of him*, riuscirò a farmelo dare.

co-axial [kou'æksiəl] *agg.* (*mat. mecc.*) coassiale.

cob [kɔb] *s.* **1** cigno maschio **2** cavallo piccolo e robusto **3** pannocchia **4** — (*nut*), nocciola **5** ovulo di carbon fossile.

cobalt therapy ['koubɔ:lt'θerəpi] *s.* cobaltoterapia.

cobble[1] ['kɔbl] *s.* **1** ciottolo **2** *pl.* carbone in pezzatura media (*sing.*).

to **cobble**[1] *v.tr.* pavimentare con ciottoli.

cobble[2] *s.* rattoppo.

to **cobble**[2] *v.tr.* rappezzare (scarpe ecc.).

cobbler ['kɔblə*] *s.* **1** ciabattino **2** bevanda ghiacciata // — *'s punch*, birra calda aromatizzata.

cobblestone ['kɔblstoun] *s.* ciottolo (per lastricare).

cobol (common business oriented language) [ˈkou-bɔl] s. (informatica) cobol.

cobweb [ˈkɔbweb] s. ragnatela; (fig.) trappola, rete // to blow the cobwebs away, (fam.) schiarirsi le idee.

cocaine [kəˈkein] s. cocaina.

coccus [ˈkɔkəs], pl. **cocci** [ˈkɔksai] s. 1 (biol.) cocco 2 (bot.) coccola.

coccyx [ˈkɔksiks] s. (anat.) coccige.

Cochin-China [ˈkɔtʃinˈtʃainə] no.pr. Cocincina.

cock¹ [kɔk] s. 1 gallo; maschio di uccelli // a — and bull story, (fig.) una panzana // — of the north, fringuello // he thinks he's the — of the walk, si crede chissà chi 2 (pugilato) gallo 3 (mecc.) valvola 4 cane di fucile: to go off at half —, avere un inizio prematuro e mal riuscito 5 ago (di bilancia ecc.) 6 piega (all'insù); falda.

to cock¹ v.intr. 1 drizzarsi 2 fare il galletto ♦ v.tr. 1 drizzare // to — one's eyes at s.o., lanciare un'occhiata a qlcu. // to — one's hat, mettersi il cappello sulle ventitré // to — one's nose at s.o., guardare qlcu. dall'alto in basso // to — one's snoot (o snook) at (o to) s.o., fare marameo a qlcu. 2 caricare (fucile ecc.).

to cock² v.tr. ammucchiare (fieno ecc.).

cockade [kɔˈkeid] s. coccarda.

cock-a-doodle-doo [ˌkɔkədu:dlˈdu:] s. chicchirichì.

cock-a-hoop [ˌkɔkəˈhu:p] agg. (fam.) contento, felice.

Cockaigne, Cockayne [kɔˈkein] s. (il paese della) cuccagna.

cockalorum [ˌkɔkəˈlɔ:rəm] s. (fam.) piccolo sciocco presuntuoso.

cockatoo [ˌkɔkəˈtu:] s. (zool.) cacatoa.

cock-boat [ˈkɔkbout] s. piccola imbarcazione.

cockcrow [ˈkɔkkrou] s. canto del gallo, alba.

cocked [kɔkt] agg. eretto, drizzato // — hat, tricorno: to knock into a — hat, (fam.) battere, sconfiggere completamente (qlcu.); far fallire, mandare all'aria (progetti ecc.).

to cocker [ˈkɔkə*] v.tr.: to — (up), coccolare.

cockerel [ˈkɔkərəl] s. galletto.

cockeyed [ˈkɔkaid] agg. 1 strabico 2 (sl.) deforme; storto 3 (sl.) pazzo; scemo 4 (sl.) ubriaco.

cockfight [ˈkɔkfait] s. combattimento di galli.

cockiness [ˈkɔkinəs] s. (fam.) sfrontatezza.

cockle¹ [ˈkɔkl] s. (bot.) gittaione.

cockle² s. (zool.) 1 vongola 2 barchetta // to warm the cockles of one's heart, tirar su, rallegrare.

to cockle³ v.tr. increspare; raggrinzare ♦ v.intr. incresparsi; raggrinzarsi; accartocciarsi.

cockloft [ˈkɔklɔft] s. soffitta, solaio.

cockney [ˈkɔkni] s. 1 «cockney» (dialetto londinese) 2 nato nell'East End di Londra, più precisamente entro il raggio delle campane della chiesa di St. Mary-Le-Bow.

cockpit [ˈkɔkpit] s. 1 arena per combattimento di galli; (fig.) teatro di battaglia 2 (aer.aut.) cabina; abitacolo.

cockroach [ˈkɔkroutʃ] s. scarafaggio, blatta.

cockscomb [ˈkɔkskoum] s. 1 cresta di gallo 2 (bot.) cresta di gallo 3 berretto da giullare.

cockshot [ˈkɔkʃɔt] s. (fam.) bersaglio.

cock sparrow [ˈkɔkˈspærou] s. 1 maschio del passero 2 (fig.) ometto presuntuoso.

cocksure [ˈkɔkˈʃuə*] agg. arrogante.

cock-up [ˈkɔkʌp] s. (sl.) fallimento, fiasco.

cocky [ˈkɔki] agg. (fam.) vanitoso, arrogante.

cocoa [ˈkoukou] s. cacao.

coconut [ˈkoukənʌt] s. 1 noce di cocco // — butter, crema di cocco; — matting, stuoia di fibra di noce di cocco 2 (fam.) testa.

cocoon [kəˈku:n] s. bozzolo.

cod¹ [kɔd] s. (pl. invar.) merluzzo // dried —, stoccafisso; salted —, baccalà.

to cod² v.tr. (sl.) ingannare; gabbare.

to coddle¹ [ˈkɔdl] v.tr. far bollire lentamente.

to coddle² v.tr. coccolare.

code [koud] s. 1 codice; statuto 2 cifrario // — book, cifrario; — word, parola cifrata 3 (informatica) codice: — check, verifica di programmazione; — conversion, decodificazione; — position, posizione di perforazione; — translation, conversione dei codici; edit —, codice di stampa.

to code v.tr. 1 cifrare (un dispaccio) 2 (informatica) codificare; programmare: coded cobol, scritto in cobol.

codex [ˈkoudeks], pl. **codices** [ˈkoudisi:z] s. codice, manoscritto antico.

codfish [ˈkɔdfiʃ] s. (pl. invar.) merluzzo.

codger [ˈkɔdʒə*] s. (sl.) vecchio strambo.

codicil [ˈkɔdisil] s. (dir.) codicillo.

codification [ˌkɔdifiˈkeiʃən] s. codificazione.

to codify [ˈkɔdifai] v.tr. codificare.

coding [ˈkoudiŋ] s. (informatica) codifica; programmazione: — check, controllo di programmazione; — form, foglio di programmazione.

co-director [ˌkoudiˈrektə*] s. condirettore.

codling¹ [ˈkɔdliŋ] s. piccolo merluzzo.

codling² s. mela da cuocere.

cod-liver oil [ˈkɔdlivər'ɔil] s. olio di fegato di merluzzo.

codswallop [ˈkɔdzwɔləp] s. (sl.) scemenze (pl.).

coed [ˈkou'ed] s. (amer. fam.) studentessa di scuola mista ♦ agg. di scuola mista.

coeducation [ˈkou,edju(:)'keiʃən] s. istruzione in scuola mista.

coeducational [ˈkou,edju(:)'keiʃənəl] agg.: — school, scuola mista.

coefficient [ˌkoui'fiʃənt] agg. e s. coefficiente.

coenobite [ˈsi:nəbait] s. cenobita.

to coerce [kou'ə:s] v.tr. costringere; reprimere: to — s.o. into doing sthg., costringere qlcu. a fare qlco.

coercion [kou'ə:ʃən] s. coercizione.

coercive [kou'ə:siv] agg. coercitivo.

coeval [kou'i:vəl] agg. coevo, contemporaneo.

to coexist [ˈkouig'zist] v.intr. coesistere.

coexistence [ˈkouig'zistəns] s. coesistenza.

coffee [ˈkɔfi] s. caffè // black —, caffè; white —, caffelatte.

coffee bar [ˈkɔfiba:*] s. caffè (locale).

coffee break [ˈkɔfibreik] s. pausa per il caffè.

coffee house [ˈkɔfihaus] s. caffè (locale).

coffee mill [ˈkɔfimil] s. macinino del caffè.

coffeepot [ˈkɔfipɔt] s. caffettiera.

coffee-table [ˈkɔfi,teibl] agg. (libro) in edizione di lusso da tenere in mostra.

coffer [ˈkɔfə*] s. 1 cassa; cofano; forziere 2 pl. tesoro (sing.), fondi 3 (edil.) cassone (per fondamenta idrauliche ecc.) 4 (arch.) cassettone (di soffitto).

coffin [ˈkɔfin] s. bara.

to coffin v.tr. deporre nella bara.

cog¹ [kɔg] s. 1 dente (di ruota) // — (rail) way, (ferrovia a) cremagliera 2 (edil.) tenone.

to cog² v.intr. barare coi dadi ♦ v.tr. truffare.

cogency [ˈkoudʒənsi] s. 1 forza di persuasione 2 urgenza.

cogent ['koudʒənt] *agg.* persuasivo, convincente (di argomento, ragione).

to **cogitate** ['kɔdʒiteit] *v.tr.* escogitare; meditare ♦ *v.intr.* riflettere, meditare.

cogitation [,kɔdʒi'teiʃən] *s.* 1 riflessione, meditazione 2 *pl.* progetti.

cognate ['kɔgneit] *agg.* 1 consanguineo 2 (*filologia*) avente la stessa origine (di parola o lingua) ♦ *s.* 1 congiunto 2 parola, cosa che ha la stessa origine o natura.

cognition [kɔg'niʃən] *s.* cognizione.

cognitive ['kɔgnitiv] *agg.* conoscitivo.

cognizance ['kɔgnizəns], *nel senso* 2 ['kɔnizəns] *s.* 1 (*fil.*) conoscenza, percezione: *to take — of*, prendere atto di 2 (*dir.*) competenza; seduta: *within* (o *under*) *the — of a court*, di competenza di un tribunale.

cognizant ['kɔgnizənt]; *nel senso* 2 ['kɔnizənt] *agg.* 1 avente conoscenza; informato 2 (*dir.*) competente: *court — of an offence*, tribunale competente per giudicare un delitto.

to **cohabit** [kou'hæbit] *v.intr.* coabitare; convivere.

to **cohere** [kou'hiə*] *v.intr.* 1 aderire 2 (*fig.*) essere coerente.

coherence [kou'hiərəns], **coherency** [kou'hiərənsi] *s.* 1 coesione; aderenza 2 coerenza.

coherent [kou'hiərənt] *agg.* 1 aderente 2 coerente.

cohesion [kou'hi:ʒən] *s.* coesione.

cohort ['kouhɔ:t] *s.* coorte; gruppo; schiera.

coil [kɔil] *s.* 1 rotolo; spira; spirale 2 (*mecc.*) serpentina: *— of piping*, tubazione a serpentina 3 (*elettr. mecc.*) bobina; rocchetto // *— -spring*, molla a spirale piana // *— ignition*, (*mecc.*) accensione a bobina.

to **coil** *v.tr.*: *to — (up)*, avvolgere (a spirale) ♦ *v.intr.* 1 *to — (up)*, avvolgersi, attorcigliarsi (a spirale) // *to — up in an armchair*, rannicchiarsi in una poltrona 2 serpeggiare.

coin [kɔin] *s.* 1 moneta 2 denaro, contanti (*pl.*): *small —*, moneta spicciola 3 conio.

to **coin** *v.tr.* coniare (*anche fig.*) // *he is coining money*, (*fam.*) fa denari a palate.

coinage ['kɔinidʒ] *s.* 1 coniatura, conio 2 valuta 3 invenzione; parola coniata.

to **coincide** [,kouin'said] *v.intr.* coincidere.

coincidence [kou'insidəns] *s.* coincidenza.

coincidental [kou,insi'dentl] *agg.* coincidente; casuale.

coiner ['kɔinə*] *s.* 1 coniatore 2 falsario.

coition [kou'iʃən], **coitus** ['kouitəs] *s.* coito.

coke[1] [kouk] *s.* coke.

to **coke**[1] *v.tr.* convertire in coke.

coke[2] *s.* (*sl.*) cocaina.

Coke *s.* (*fam.*) Coca-Cola®.

col [kɔl] *s.* sella, valico.

colander ['kɔləndə*] *s.* colapasta.

cold [kould] *agg.* 1 freddo: *to be —*, aver freddo; far freddo; *to get —*, raffreddarsi // *ice —*, gelido // *in — blood*, a sangue freddo // *to have — feet*, (*fam.*) avere paura // *to throw — water on*, spegnere l'entusiasmo di 2 freddo, indifferente: *that leaves me —*, non mi fa né caldo né freddo ♦ *s.* 1 freddo: *in the —*, al freddo // *you will catch your death of —*, morirai di freddo // *to leave s.o. out in the —*, lasciare qlcu. in disparte 2 raffreddore, infreddatura: *to catch a —*, prendere un raffreddore // *a — sore*, febbre, herpes.

cold-blooded ['kould'blʌdid] *agg.* 1 a sangue freddo 2 (*fig.*) freddo 3 crudele, efferato.

cold-hearted ['kould'ha:tid] *agg.* insensibile.

coldness ['kouldnis] *s.* freddezza (*anche fig.*).

to **cold-shoulder** ['kould'ʃouldə*] *v.tr.* trattare, accogliere con indifferenza.

cold-storage ['kould'stɔ:ridʒ] *s.* conservazione in cella frigorifera; cella frigorifera.

cole [koul] *s.* (*bot.*) colza.

coleslaw ['koulslɔ] *s.* insalata di verza cruda.

coley ['kouli] *s.* pesce (di mare).

colic ['kɔlik] *agg.* colico ♦ *s.* colica.

colitis [kɔ'laitis] *s.* (*med.*) colite.

to **collaborate** [kə'læbəreit] *v.intr.* collaborare.

collaboration [kə,læbə'reiʃən] *s.* collaborazione.

collaborator [kə'læbəreitə*] *s.* 1 collaboratore 2 collaborazionista.

collapse [kə'læps] *s.* 1 crollo (*anche fig.*); rovina, sfascio; caduta 2 afflosciamento 3 collasso.

to **collapse** *v.intr.* 1 crollare (*anche fig.*); sprofondare 2 afflosciarsi (*anche fig.*) 3 accasciarsi; avere un collasso.

collapsible [kə'læpsəbl] *agg.* pieghevole, smontabile: *— boat*, battello pneumatico.

collar ['kɔlə*] *s.* 1 colletto, bavero // *— stud*, bottone del colletto 2 collare 3 (*mecc.*) collare 4 rotolo (di carne ecc.).

to **collar** *v.tr.* 1 mettere un collare (a) 2 afferrare per il colletto 3 (*fam.*) afferrare, trattenere 4 (*fam.*) appropriarsi (di).

collar bone ['kɔləboun] *s.* (*anat.*) clavicola.

collaret(te) [,kɔlə'ret] *s.* collettino (di pelo, pizzo).

to **collate** [kɔ'leit] *v.tr.* 1 collazionare 2 (*informatica*) disporre in ordine; confrontare; (*IBM*) intercalare.

collateral [kɔ'lætərəl] *agg.* 1 collaterale 2 secondario; accessorio: *— (security)*, (*comm. dir.*) garanzia accessoria ♦ *s.* collaterale.

collation [kɔ'leiʃən] *s.* collazione; confronto.

colleague ['kɔli:g] *s.* collega.

collect[1] ['kɔlekt] *s.* (*eccl.*) colletta.

to **collect**[1] [kə'lekt] *v.tr.* 1 riunire; raccogliere // *to — one's thought*, concentrarsi // *to — oneself*, riprendersi 2 collezionare 3 riscuotere, incassare 4 (*fam.*) passare a prendere (qlcu.). ♦ *v.intr.* riunirsi; raccogliersi.

collect[2] *agg. e avv.* (*amer.*) pagato alla consegna; a carico del ricevente // *— call*, telefonata con pagamento a destinazione; *you can call me —*, chiamami pure facendomi addebitare la telefonata.

collected [kə'lektid] *agg.* 1 raccolto 2 calmo, padrone di sé.

collection [kə'lekʃən] *s.* 1 raccolta; collezione 2 colletta: *to take up a —*, fare una colletta // *— box*, cassetta delle elemosine, per raccolta di fondi ecc. 3 (*comm.*) riscossione, esazione; incasso (di cambiale) 4 levata (delle lettere) 5 (*informatica*) acquisizione; raccolta.

collective [kə'lektiv] *agg.* collettivo // *— bargaining*, trattative (fra sindacati e datori di lavoro).

collectivism [kə'lektivizəm] *s.* (*pol.*) collettivismo.

collector [kə'lektə*] *s.* 1 raccoglitore; collezionista 2 biglettaio 3 esattore: *— 's office*, esattoria.

college ['kɔlidʒ] *s.* 1 collegio universitario; scuola superiore 2 (*eccl.*) collegio.

collegial [kə'li:dʒəl] *agg.* collegiale, di collegio.

collegian [kə'li:dʒən] *s.* membro di un collegio universitario o scuola superiore.

collegiate [kə'li:dʒiit] *agg.* di collegio // *— church*, collegiata.

collet ['kɔlit] *s.* 1 (*mecc.*) anello, colletto; mandrino 2 castone (di gemme).

to **collide** [kə'laid] *v.intr.* cozzare, collidere.

collier ['kɔljə*] *s.* **1** minatore (di carbone) **2** (nave) carboniera **3** commerciante in carbone.

colliery ['kɔljəri] *s.* miniera di carbon fossile.

collision [kə'liʒən] *s.* collisione; scontro (*anche fig.*): *to come into — with*, scontrarsi con.

to **collocate** ['kɔləkeit] *v.tr.* collocare.

collocation [,kɔlə'keiʃən] *s.* collocazione.

to **collogue** [kə'loug] *v.intr.* confabulare.

colloid ['kɔlɔid] *agg. e s.* (*chim.*) colloide.

colloquial [kə'loukwiəl] *agg.* familiare, d'uso corrente.

colloquialism [kə'loukwiəlizəm] *s.* espressione familiare.

colloquy ['kɔləkwi] *s.* **1** colloquio; conferenza **2** (*letter.*) dialogo.

collusion [kə'lu:ʒən] *s.* (*dir.*) collusione.

collywobbles ['kɔli,wɔblz] *s.pl.* (*fam.*) crampi allo stomaco (da paura, eccitazione ecc.).

Cologne [kə'loun] *s.* colonia.

colon[1] ['koulən] *s.* (*anat.*) colon.

colon[2] *s.* (*gramm.*) due punti.

colonel ['kə:nl] *s.* (*mil.*) colonnello.

colonelcy ['kə:nlsi] *s.* grado di colonnello.

colonial [kə'lounjəl] *agg. e s.* coloniale.

colonialism [kə'lounjəlizəm] *s.* **1** caratteristica della vita coloniale **2** colonialismo.

colonist ['kɔlənist] *s.* **1** colonizzatore **2** coloniale.

colonization [kɔlənai'zeiʃən] *s.* colonizzazione.

to **colonize** ['kɔlənaiz] *v.tr.* colonizzare ♦ *v.intr.* stabilirsi in una colonia, fondare una colonia.

colonnade [,kɔlə'neid] *s.* **1** colonnato **2** filare (di alberi).

colony ['kɔləni] *s.* colonia.

color e *deriv.* (*amer.*) → **colour** e *deriv.*

coloration [,kʌlə'reiʃən] *s.* colorazione.

colorific [,kɔlə'rifik] *agg.* **1** colorante **2** fortemente colorito.

colossal [kə'lɔsl] *agg.* colossale.

Colosseum [,kɔlə'si:əm] *s.* Colosseo.

colossus [kə'lɔsəs] *s.* colosso.

colour ['kʌlə*] *s.* **1** colore **2** colorito, carnagione: *to lose, to gain —*, diventare pallido, arrossire // *to be off —*, non stare bene **3** aspetto, apparenza: *to show one's true colours*, rivelare il proprio vero carattere; *to sail under false colours*, essere ipocrita // *under — of*, col pretesto di **4** (*mus.*) timbro, colore **5** (*letter.*) atmosfera, pittoricità // *to lend — to a story*, rendere colorito un racconto **6** *pl.* colori (di scuola, scuderia ecc.); bandiera (*sing.*) // *to join the colours*, arruolarsi; *to call s.o. to the colours*, chiamare qlcu. sotto le armi // *with flying colours*, trionfalmente // *to get one's colours*, (*sport*) essere scelto come membro di una squadra **7** *pl.* (*fig.*) opinioni, principi // *to desert one's colours*, abbandonare i propri principi // *to nail one's colours to the mast*, prendere apertamente una decisione e persistere in essa ♦ *agg.* **1** colorato; a colori **2** di colore (di razze).

to **colour** *v.tr.* **1** colorare; tingere **2** (*fig.*) colorire, esagerare **3** (*fig.*) influenzare ♦ *v.intr.* **1** colorarsi, tingersi **2** arrossire.

colourable ['kʌlərəbl] *agg.* plausibile; specioso.

colourbar ['kʌləbɑ:*] *s.* segregazione razziale.

colour-blind ['kʌləblaind] *agg.* daltonico.

colourcast ['kʌləkɑ:st] *s.* (*tv*) trasmissione a colori.

coloured ['kʌləd] *agg.* colorato, colorito (*anche fig.*): *highly —*, a tinte vivaci // *— person*, persona di colore.

colourful ['kʌləful] *agg.* colorito; pittoresco.

colouring ['kʌləriŋ] *s.* **1** colorante **2** (*pitt.*) colorito **3** colorito; (*fig.*) apparenza.

colourist ['kʌlərist] *s.* colorista.

colt [koult] *s.* **1** puledro **2** (*fig.*) principiante, novellino.

colter ['koultə*] *s.* (*amer.* per *coulter*) coltro (di aratro).

columbarium [,kɔləm'bɛəriəm], *pl.* **columbaria** [,kɔləm'bɛəriə] *s.* **1** colombaia **2** (*arch.*) colombario.

Columbia [kə'lʌmbiə] *no.pr.* Colombia.

columbine ['kɔləmbain] *agg.* di colombo.

Columbine *no.pr.f.* (*teatr.*) Colombina.

Columbus [kə'lʌmbəs] *no.pr.* Colombo.

column ['kɔləm] *s.* **1** colonna; pilastro: *spinal —*, colonna vertebrale; *advertisement columns*, colonne degli annunci economici // *— of smoke*, pennacchio di fumo **2** (*giornalismo*) rubrica: *sports —*, rubrica sportiva.

columnar [kə'lʌmnə*] *agg.* a forma di colonna, di pilastro.

columnist ['kɔləmnist] *s.* rubricista.

coma ['koumə] *s.* (*med.*) coma.

Comacine ['kouməsin] *agg.*: *— masters*, (*st. arte*) maestri comacini.

comatose ['koumətous] *agg.* comatoso.

comb [koum] *s.* **1** pettine **2** (*ind. tessile*) cardo **3** (di gallo ecc.) cresta **4** favo.

to **comb** *v.tr.* **1** pettinare **2** (*ind. tessile*) cardare **3** (*fig.*) perlustrare, rastrellare **4** *to — out*, selezionare.

combat ['kɔmbət] *s.* combattimento.

to **combat** *v.tr. e intr.* combattere.

combatant ['kɔmbətənt] *agg. e s.* combattente.

comber ['koumə*] *s.* **1** cardatore; (macchina) cardatrice **2** frangente.

combination [,kɔmbi'neiʃən] *s.* **1** combinazione; composto **2** associazione **3** *pl.* (*abbigl.*) combinazione (*sing.*).

combinative ['kɔmbinətiv] *agg.* **1** combinato **2** accidentale.

combine ['kɔmbain] *s.* **1** associazione; società (commerciale) **2** (*agr.*) mietitrebbiatrice.

to **combine** [kəm'bain] *v.tr.* combinare, unire ♦ *v.intr.* unirsi.

combing ['koumiŋ] *s.* **1** pettinata **2** *pl.* capelli strappati dal pettine.

combustible [kəm'bʌstəbl] *agg.* infiammabile, combustibile; (*fig.*) irascibile ♦ *s.* combustibile.

combustion [kəm'bʌstʃən] *s.* combustione.

to **come** [kʌm], *pass.* **came** [keim], *p.pass.* **come** *v.intr.* **1** venire, arrivare, giungere: *to — to an understanding*, giungere a un accordo // *to — into use, into action*, entrare in uso, in azione // *to — into play*, entrare in gioco; rivelarsi // *to — to life*, rianimarsi // *to — to nothing* (o *to nought*), andare a vuoto // *to — to oneself*, tornare in sé // *he will be fifty — Christmas*, a Natale avrà cinquanta anni // *— (now)*, su!, avanti! // *when it comes to...*, quando si tratta di... **2** avvenire, accadere: *— what may...*, qualsiasi cosa avvenga...; *how — you are not working?*, come mai non lavori? // *to — true*, realizzarsi, avverarsi // *to — untied*, sciogliersi, slegarsi **3** derivare; provenire **4** ammontare: *how much does it —to?*, a quanto ammonta? **5** (*fam.*) fare la parte di: *to — the great man*, fare il grand'uomo ♦ *seguito da prep.* **1** *to — across*, passare attraverso; imbattersi in, trovare per caso **2** *to — after*, seguire; succedere a **3** *to — at*, raggiungere; arrivare a; gettarsi contro **4** *to — between*, intromettersi (fra) **5** *to — by*, ottenere; *old stamps are difficult to — by*, i francobolli vecchi sono difficili da trovare **6** *to — down*, scendere **7** *to — into*, entrare in possesso di **8** *to — off*, scendere da // *— off it!*, smettila! **9** *to — round* (*s.o.*), circuire (qlcu.) **10** *to — through*, passare attraverso, da **11** *to — under*, essere soggetto a; far parte di // *to — under the knife*, (*fam.*) finire sotto i ferri (del chirurgo) **12** *to — upon*, imbattersi in, trovare per caso ♦ *seguito da avv.* **1** *to — about*, avvenire; (*mar.*) virare di bordo **2** *to — along*, venire; procedere // *the corn will — along better if it rains*, il grano verrà su meglio se piove **3** *to — away*, venir via **4** *to — back*, ritornare; (*sl.*) ribattere **5** *to — down*, scendere, venire giù; decadere; tramandarsi // *to — down from University*, lasciare l'Università // *to — down on s.o.*, redarguire qlcu. **6** *to — forward*, presentarsi, offrirsi **7** *to — in*, entrare; (*di treni*) arrivare; entrare nell'uso; salire al potere **8** *to — off*, distaccarsi, venire via; aver luogo; riuscire: *everything came off well*, tutto andò bene **9** *to — on*, venire avanti; sopraggiungere; procedere: *— on!*, su!; avanti! **10** *to — out*, uscire; essere rivelato; debuttare; riuscire; risultare // *to — out with an oath*, tirare una bestemmia **11** *to — over*, diventare; (*fam.*) succedere: *what's — over you?*, (*fam.*) che cosa ti è successo? **12** *to — round*, riaversi; mutare (opinione): *he finally came round to our point of view*, alla fine si uniformò al nostro punto di vista **13** *to — to*, riaversi **14** *to — up*, salire; spuntare; saltare fuori: *that has — up in conversation*, è una cosa che è saltata fuori parlando // *to — up to*, essere all'altezza di // *to — up with*, raggiungere.

comeback [ˈkʌmbæk] *s.* **1** ritorno (a una professione ecc.) **2** (*fam.*) rimbeccata.

comedian [kəˈmiːdjən] *s.* (*teatr.*) comico.

comedienne [kə,mediˈen] *s.* attrice comica.

comedown [ˈkʌmdaun] *s.* **1** (*fig.*) passo indietro **2** delusione.

comedy [ˈkɔmidi] *s.* commedia: *— of manners*, commedia di costume.

come-hither [ˈkʌmˈhiðə*] *agg.* (*fam.*) invitante, allettante.

comely [ˈkʌmli] *agg.* carino, grazioso.

come-on [ˈkʌmɔn] *s.* (*fig.*) esca, offerta allettante.

comer [ˈkʌmə*] *s.* **1** chi viene, chi si presenta: *a competition open to all comers*, una gara aperta a tutti **2** (*sl. amer.*) (*fig.*) promessa.

comet [ˈkɔmit] *s.* cometa.

come-uppance [,kʌmˈʌpəns] *s.* (*fam.*) meritato castigo.

comfort [ˈkʌmfət] *s.* **1** conforto **2** benessere, agiatezza **3** *pl.* comodità, agi.

to **comfort** *v.tr.* confortare, consolare.

comfortable [ˈkʌmfətəbl] *agg.* **1** confortante; confortevole, comodo: *to feel —*, stare comodo, sentirsi a proprio agio; *to make oneself —*, mettersi a proprio agio **2** agiato, benestante.

comforter [ˈkʌmfətə*] *s.* **1** consolatore **2** lunga sciarpa di lana **3** (*amer.*) trapunta **4** succhiotto.

comfort station [ˈkʌmfət,steiʃən] *s.* (*amer.*) gabinetto pubblico.

comfy [ˈkʌmfi] *agg.* (*fam.*) *abbr.* di **comfortable**.

comic [ˈkɔmik] *agg.* comico ♦ *s.* (*fam.*) **1** (attore) comico **2** giornale a fumetti (per bambini).

comical [ˈkɔmikəl] *agg.* comico, ridicolo.

comic book [ˈkɔmikbuk] *s.* (*amer.*) libro o giornale a fumetti (per bambini).

comic strip [ˈkɔmikstrip] *s.* banda di fumetti.

coming [ˈkʌmiŋ] *agg.* **1** prossimo, imminente **2**

promettente ♦ *s.* venuta, arrivo: *the — to the throne*, l'ascesa al trono // *— of age*, raggiungimento della maggiore età; (*fig.*) maturazione.

comity [ˈkɔmiti] *s.* cortesia; rispetto reciproco // *— of nations*, (*dir.*) cortesia internazionale.

comma [ˈkɔmə] *s.* **1** virgola // *inverted commas*, virgolette **2** (*mus.*) comma.

command [kəˈmɑːnd] *s.* **1** ordine, comando // *at s.o.'s —*, agli ordini, a disposizione // *— statement*, (*informatica*) chiamata di procedura **2** (*mil.*) comando; truppe (di un comando): *to be in — of sthg.*, avere il, essere al comando di qlco. // *High Command*, Comando Supremo **3** (*fig.*) controllo; padronanza: *to have a good — of a language*, avere una buona conoscenza di una lingua.

to **command** *v.tr.* **1** comandare, ordinare **2** (*fig.*) dominare: *castle that commands a view over the valley*, castello che domina la vallata **3** ispirare: *to — admiration*, ispirare ammirazione ♦ *v.intr.* **1** assumere il comando **2** dare ordini, comandare.

commandant [,kɔmənˈdænt] *s.* comandante.

to **commandeer** [,kɔmənˈdiə*] *v.tr.* requisire.

commander [kəˈmɑːndə*] *s.* comandante; tenente di vascello // *Commander in Chief*, comandante supremo.

commanding [kəˈmɑːndiŋ] *agg.* **1** che comanda **2** imponente; dominante.

commandment [kəˈmɑːndmənt] *s.* comandamento.

commando [kəˈmɑːndou] *s.* **1** «commando», reparto di truppe d'assalto **2** soldato appartenente ad un «commando».

to **commemorate** [kəˈmeməreit] *v.tr.* commemorare; onorare; ricordare.

commemoration [kə,meməˈreiʃən] *s.* commemorazione.

to **commence** [kəˈmens] *v.tr. e intr.* cominciare, iniziare.

commencement [kəˈmensmənt] *s.* **1** principio, inizio **2** (*amer.*) cerimonia, giorno del conferimento delle lauree.

to **commend** [kəˈmend] *v.tr.* **1** lodare; encomiare **2** affidare, raccomandare // *to — oneself to the public*, riscuotere l'approvazione del pubblico.

commendable [kəˈmendəbl] *agg.* lodevole.

commendation [,kɔmenˈdeiʃən] *s.* **1** lode, elogio **2** raccomandazione.

commensurable [kəˈmenʃərəbl] *agg.* **1** commensurabile **2** proporzionale.

commensurate [kəˈmenʃərit] *agg.* proporzionato, commisurato.

comment [ˈkɔment] *s.* commento // *no —*, niente da dire.

to **comment** *v.intr.* commentare; criticare: *to — (up)on a test*, commentare un testo.

commentary [ˈkɔməntəri] *s.* **1** (*lett.*) commentario **2** commento: *running —*, commento; radiocronaca in diretta.

to **commentate** [ˈkɔmənteit] *v.tr.* commentare; fare la radiocronaca (di).

commentator [ˈkɔmənteitə*] *s.* **1** commentatore **2** radiocronista.

commerce [ˈkɔmə(ː)s] *s.* **1** commercio; affari (*pl.*) **2** scambio; relazione.

commercial [kəˈmɑːʃəl] *agg.* commerciale // *— traveller*, viaggiatore di commercio // *— artist*, cartellonista // *— data processing*, (*informatica*) applicazione commerciale ♦ *s.* (*fam.*) (*rad. tv*) pubblicità commerciale.

to **commercialize** [kəˈməːʃəlaiz] *v.tr.* commercializzare.

commie [ˈkɔmi] *s.* e *agg.* (*sl.*) comunista.

to **commingle** [kɔˈmiŋgl] *v.tr.* mescolare ♦ *v.intr.* mescolarsi.

to **commiserate** [kəˈmizəreit] *v.tr.* commiserare ♦ *v.intr.* dolersi, condolersi.

commissar [ˌkɔmiˈsɑːˈ] *s.* commissario del popolo (in Russia).

commissariat [ˌkɔmiˈsɛəriət] *s.* commissariato, intendenza.

commissary [ˈkɔmisəri] *s.* **1** commissario; delegato **2** (*eccl.*) vicario (delegato dal vescovo).

commission [kəˈmiʃən] *s.* **1** commissione; comitato; delegazione **2** (*mil.*) brevetto da ufficiale: *to resign* (o *throw up*) *one's —*, dare le dimissioni da ufficiale **3** commissione; incarico; mandato; missione *// in —*, (*mar.*) pronto per salpare; (*comm.*) delegato a **4** (*comm.*) commissione; provvigione; senseria: *to buy*, *to sell on —*, comprare, vendere a provvigione *// — agent* (o *merchant*), commissionario **5** perpetrazione (di delitto).

to **commission** *v.tr.* **1** incaricare **2** ordinare, commissionare **3** delegare a una funzione, investire di una autorità, nominare ufficiale.

commission-day [kəˈmiʃəndei] *s.* giorno di apertura delle assise.

commissioned [kəˈmiʃənd] *agg.* autorizzato, delegato.

commissioner [kəˈmiʃnəˈ] *s.* commissario, membro di commissione.

to **commit** [kəˈmit] *v.tr.* **1** commettere **2** affidare; rimettere; mandare: *to — s.o. for trial*, (*dir.*) rinviare qlcu. a giudizio; *to — s.o. to prison*, mandare qlcu. in prigione; *to — sthg. to memory*, imparare qlco. a memoria *// to — to print* (o *to paper*), scrivere **3** *to — oneself*, impegnarsi.

commitment [kəˈmitmənt] *s.* **1** impegno **2** (*comm.*) commessa **3** (*dir.*) (mandato di) incarcerazione **4** incarico, responsabilità.

committal [kəˈmitl] *s.* **1** mandato, incarico **2** incarcerazione **3** perpetrazione (di delitto ecc.) **4** impegno (su parola).

committee [kəˈmiti] *s.* comitato; commissione; consiglio: *to be on a —*, far parte di un comitato *// joint —*, commissione mista.

committeeman, *pl.* **committeemen** [kəˈmitimən] *s.* membro di un comitato; chi ama far parte di comitati ecc.

commixture [kɔˈmikstʃəˈ] *s.* mescolanza, miscuglio.

commode [kəˈmoud] *s.* **1** cassettone, canterano **2** seggetta.

commodious [kəˈmoudjəs] *agg.* spazioso.

commodity [kəˈmɔditi] *s.* **1** merce; derrata; prodotto **2** oggetto di prima necessità **3** *pl.* (*econ.*) prodotti agricoli e minerari.

commodore [ˈkɔmədɔːˈ] *s.* **1** (*mar.*) commodoro *// air —*, (*aer. mil.*) generale di brigata **2** presidente di uno «yacht-club».

common [ˈkɔmən] *agg.* **1** comune *// — sense*, buonsenso *// Common Market*, mercato comune *// — room*, sala professori **2** comune, solito: *— in use*, d'uso corrente *// — law*, diritto consuetudinario *// they are as — as dirt*, (*fam.*) si trovano dappertutto **3** comune, ordinario, di poco valore: *— accent*, accento volgare; *— manners*, modi grossolani ♦ *s.* terreno, pascolo demaniale *// — of pasture*, (*dir.*) diritto di pascolo.

commonage [ˈkɔmənidʒ] *s.* diritto di pascolo.

commoner [ˈkɔmənəˈ] *s.* **1** cittadino (non nobile) **2** membro della Camera dei Comuni **3** studente che paga per il suo mantenimento (a Oxford).

commonplace [ˈkɔmənpleis] *agg.* trito, privo di originalità ♦ *s.* banalità, luogo comune.

commons [ˈkɔmənz] *s.pl.* **1** popolo (*sing.*); Terzo Stato (*sing.*) *// the House of Commons*, la Camera dei Comuni **2** razioni fisse.

commonwealth [ˈkɔmənwelθ] *s.* **1** confederazione, comunità indipendente *// the British Commonwealth of Nations*, il «Commonwealth» Britannico *// Commonwealth Day*, festa nazionale britannica (24 maggio) **2** repubblica.

commotion [kəˈmouʃən] *s.* **1** confusione; agitazione; scompiglio **2** tumulto; insurrezione.

communal [ˈkɔmjunl] *agg.* della comunità; comunale.

commune [ˈkɔmjuːn] *s.* **1** comune; municipio **2** (la) comune.

to **commune** *v.intr.* **1** essere in comunione spirituale con **2** (*amer.*) comunicarsi.

communicable [kəˈmjuːnikəbl] *agg.* **1** comunicabile **2** (*med.*) contagioso.

communicant [kəˈmjuːnikənt] *s.* **1** (*eccl.*) comunicando **2** informatore.

to **communicate** [kəˈmjuːnikeit] *v.tr.* **1** comunicare, trasmettere; far conoscere **2** (*eccl.*) comunicare ♦ *v.intr.* **1** essere, mettersi in comunicazione **2** (*eccl.*) comunicarsi.

communication [kəˌmjuːniˈkeiʃən] *s.* **1** comunicazione; informazione; comunicato **2** relazione, contatto **3** *pl.* mezzi di comunicazione **4** (*informatica*) comunicazione; trasmissione: *— line*, linea di trasmissione; *— link*, (*tel.*) collegamento (in trasmissione); *— network*, (*tel.*) rete di trasmissione; *— terminal*, terminale di rete.

communication cord [kəˌmjuːniˈkeiʃən kɔːd] *s.* segnale d'allarme (sui treni).

communicative [kəˈmjuːnikətiv] *agg.* comunicativo, espansivo.

communion [kəˈmjuːnjən] *s.* **1** comunione, comunanza; intima relazione spirituale **2** (*eccl.*) comunità *// Holy Communion*, Eucaristia.

communiqué [kəˈmjuːnikei] *s.* comunicato ufficiale.

communism [ˈkɔmjunizəm] *s.* comunismo.

communist [ˈkɔmjunist] *agg.* e *s.* comunista.

community [kəˈmjuːniti] *s.* **1** comunanza (di beni, interessi ecc.) **2** (*eccl.*) comunità, ordine **3** comunità, società; collettività *// — centre*, centro ricreativo e d'istruzione *// — chest*, (*amer.*) fondo di assistenza.

to **communize** [ˈkɔmjunaiz] *v.tr.* **1** convertire al comunismo **2** nazionalizzare.

commutability [kəˌmjuːtəˈbiliti] *s.* permutabilità; (*dir.*) commutabilità (di pena).

to **commutate** [ˈkɔmjuteit] *v.tr.* commutare.

commutation [ˌkɔmjuˈteiʃən] *s.* commutazione.

commutation ticket [ˌkɔmjuːˈteiʃən,tikit] *s.* (*amer.* per *season ticket*) tessera d'abbonamento.

commutator [ˈkɔmjuːteitəˈ] *s.* commutatore.

to **commute** [kəˈmjuːt] *v.tr.* e *intr.* **1** commutare **2** (*fam.*) fare il pendolare.

commuter [kəˈmjuːtəˈ] *s.* (*fam.*) pendolare.

compact[1] [ˈkɔmpækt] *s.* patto; contratto *// by general —*, di comune accordo.

compact[2] [kəmˈpækt] *agg.* **1** compatto; spesso **2** (*fig.*) conciso ♦ [ˈkɔmpækt] *s.* portacipria.

to **compact**[2] *v.tr.* rendere compatto, consolidare.

companion[1] [kəm'pænjən] *s.* **1** compagno; camerata; socio // — *in-arms*, commilitone // *travelling* —, compagno di viaggio **2** vademecum.

companion[2] *s.* (*mar.*) cappa di boccaporto: — *hatch*, boccaporto; — *way*, scaletta di boccaporto.

companionable [kəm'pænjənəbl] *agg.* socievole.

company ['kʌmpəni] *s.* **1** compagnia: *to be good, bad* —, essere di buona, cattiva compagnia; *to keep one's own* —, starsene da solo; *to part* — *with s.o.*, separarsi da qlcu. // *to keep* — *with s.o.*, (*fam.*) frequentare qlcu.; *to keep low* —, frequentare cattive compagnie // *present* — *-excepted*, esclusi i presenti **2** (*comm.*) società // *affiliated, associated, sister* —, società affiliata // *de facto* —, società di fatto // *finance* —, finanziaria // *joint-stock* —, società per azioni // *limited* (*liability*) —, società a responsabilità limitata // *subsidiary* —, filiale // *Brown and Company*, Società Brown **3** (*mar.*) equipaggio, ciurma.

comparable ['kɔmpərəbl] *agg.* paragonabile.

comparative [kəm'pærətiv] *agg.* **1** comparativo **2** comparato **3** relativo: — *advantages*, vantaggi relativi ♦ *s.* (*gramm.*) comparativo.

compare [kəm'peə*] *s.* (*rar.*) paragone: *beyond* (o *without* o *past*) —, senza paragone.

to **compare** *v.tr.* paragonare, confrontare: *to* — *sthg. with*, paragonare qlco. a; (*as*) *compared with* (o *to*), in confronto a // *to* — *notes* (*with s.o.*), scambiare impressioni (con qlcu.) ♦ *v.intr.*: *to* — *with*, sostenere il confronto (con); essere paragonabile a.

comparison [kəm'pærisn] *s.* **1** paragone, confronto: *in*, *by* — *with*, in, a confronto di **2** (*gramm.*) comparazione.

compartment [kəm'pɑ:tmənt] *s.* compartimento.

compass ['kʌmpəs] *s.* **1** bussola: *mariner's* —, bussola nautica **2** (*spec. pl.*) compasso **3** spazio; circonferenza **4** (*fig.*) portata; ambito: *beyond the* — *of the human mind*, oltre i limiti della mente umana **5** (*mus.*) estensione.

to **compass** *v.tr.* **1** complottare, tramare **2** raggiungere (uno scopo) **3** accerchiare.

compass-card ['kʌmpəska:d] *s.* rosa dei venti.

compassion [kəm'pæʃən] *s.* compassione: *to have* — *on*, aver compassione di.

compassionate [kəm'pæʃənit] *agg.* compassionevole, pietoso.

compassionate leave [kəm,pæʃənit'li:v] *s.* permesso (di assenza) per motivi familiari.

compatibility [kəm,pæti'biliti] *s.* compatibilità.

compatible [kəm'pætəbl] *agg.* compatibile // *plug -to-plug* —, (*informatica*) (*di unità*) compatibile.

compatriot [kəm'pætriət] *s.* compatriota.

to **compel** [kəm'pel] *v.tr.* costringere, obbligare: *I was compelled to go*, dovetti andare // *to* — *respect* (*from s.o.*), esigere rispetto (da qlcu.).

compelling [kəm'peliŋ] *agg.* irresistibile.

compendious [kəm'pendiəs] *agg.* compendioso.

compendium [kəm'pendiəm] *s.* compendio.

to **compensate** ['kɔmpenseit] *v.tr. e intr.* compensare.

compensation [,kɔmpen'seiʃən] *s.* **1** compenso: *by way of* —, per compenso **2** (*mecc.*) compensazione.

compère ['kɔmpeə*] *s.* (*teatr.*) presentatore.

to **compete** [kəm'pi:t] *v.intr.* competere, gareggiare, concorrere.

competence ['kɔmpitəns], **competency** ['kɔmpitənsi] *s.* **1** competenza; abilità, capacità: — *for*

sthg., *to do sthg.*, competenza in qlco., nel fare qlco. **2** mezzi (*pl.*) di sussistenza.

competent ['kɔmpitənt] *agg.* **1** competente; capace: *a* — *knowledge of English*, una buona conoscenza dell'inglese **2** adeguato.

competition [,kɔmpi'tiʃən] *s.* **1** competizione, gara **2** rivalità; concorrenza.

competitive [kəm'petitiv] *agg.* competitivo: *a very* — *person*, un individuo molto competitivo; — *examination*, esame di concorso; — *spirit*, spirito agonistico.

competitiveness [kəm'petitiv,nis] *s.* competitività.

competitor [kəm'petitə*] *s.* competitore; concorrente; rivale.

compilation [,kɔmpi'leiʃən] *s.* compilazione.

to **compile** [kəm'pail] *v.tr.* compilare.

compiler [kəm'pailə*] *s.* (*informatica*) programma di traduzione; compilatore.

complacency [kəm'pleisnsi] *s.* compiacenza di sé.

complacent [kəm'pleisnt] *agg.* soddisfatto, contento di sé: — *air*, aria compiaciuta.

to **complain** [kəm'plein] *v.intr.* dolersi, lagnarsi, lamentarsi: *to* — *to s.o. about* (o *of*) *sthg.*, lamentarsi con qlcu. di qlco.

complainant [kəm'pleinənt] *s.* (*dir.*) querelante.

complaint [kəm'pleint] *s.* **1** lamento, lagnanza: *that was the general* —, se ne lagnavano tutti **2** reclamo; (*dir.*) querela **3** disturbo, malattia.

complaisance [kəm'pleizəns] *s.* compiacenza.

complaisant [kəm'pleizənt] *agg.* compiacente.

complement ['kɔmplimənt] *s.* complemento.

to **complement** ['kɔmpliment] *v.tr.* completare; essere di complemento a.

complementary [,kɔmpli'mentəri] *agg.* complementare.

complete [kəm'pli:t] *agg.* **1** completo, intero: *the staff is* —, il personale è al completo // **2** compiuto, finito: *a* — *scoundrel*, (*fam.*) un perfetto furfante.

to **complete** *v.tr.* finire; portare a compimento; completare: *to* — *a task*, assolvere un compito; *to* — *a form*, riempire un modulo.

completion [kəm'pli:ʃən] *s.* **1** compimento, adempimento **2** completezza.

complex ['kɔmpleks, (*amer.*) kɔm'pleks] *agg. e s.* complesso.

complexion [kəm'plekʃən] *s.* **1** carnagione, colorito **2** (*fig.*) aspetto, carattere // *to put a different* — *on a fact*, presentare un fatto sotto un aspetto diverso.

complexity [kəm'pleksiti] *s.* complessità.

compliance [kəm'plaiəns] *s.* condiscendenza; acquiescenza: *in* — *with the law*, in conformità alla legge.

compliant [kəm'plaiənt] *agg.* compiacente.

to **complicate** ['kɔmplikeit] *v.tr.* complicare.

complicated ['kɔmplikeitid] *agg.* complicato.

complicity [kəm'plisiti] *s.* complicità.

compliment ['kɔmplimənt] *s.* **1** complimento: *to pay* (o *to make*) *s.o. a* —, fare un complimento a qlcu. // *to fish for compliments*, andare a caccia di complimenti **2** onore, cortesia **3** *pl.* omaggi // *to pay one's compliments to s.o.*, fare una visita di cortesia a qlcu.

to **compliment** ['kɔmpliment] *v.tr.* complimentare, congratularsi con: *to* — *s.o. on...*, congratularsi con qlcu. per...

complimentary [,kɔmpli'mentəri] *agg.* **1** complimentoso **2** in omaggio: — *tickets*, biglietti in omaggio.

compline ['kɔmplin] *s.* (*eccl.*) compieta.

to **comply** [kəm'plai] *v.intr.* **1** accondiscendere **2** conformarsi, prestare osservanza: *to — with*, conformarsi a.

component [kəm'pounənt] *agg.* e *s.* componente.

to **comport** [kəm'pɔːt] *v.tr.*: *to — oneself*, comportarsi ♦ *v.intr.* addirsi (a), accordarsi (con).

to **compose** [kəm'pouz] *v.tr.* comporre // *to — oneself*, ricomporsi, calmarsi // *to — oneself to write*, raccogliersi per scrivere.

composer [kəm'pouzə*] *s.* compositore.

composite ['kɔmpəzit] *agg.* composito ♦ *s.* **1** composto **2** (*bot.*) pianta delle composite.

composition [,kɔmpə'ziʃən] *s.* **1** composizione: *an English —*, un tema in inglese **2** carattere, natura **3** composto **4** concordato; transazione.

compositor [kəm'pɔzitə*] *s.* (*tip.*) compositore.

compost ['kɔmpɔst] *s.* concime.

to **compost** *v.tr.* concimare.

composure [kəm'pouʒə*] *s.* calma, posatezza.

compote ['kɔmpout] *s.* composta.

compound[1] ['kɔmpaund] *agg.* composto, composito: *— word*, parola composta // *— fracture*, (*med.*) frattura esposta ♦ *s.* composto.

to **compound**[1] [kəm'paund] *v.tr.* **1** comporre, combinare: *to — a medicine*, preparare una medicina **2** regolare (un debito) ♦ *v.intr.* accordarsi, venire a una transazione.

compound[2] ['kɔmpaund] *s.* cinta attorno a case, stabilimenti.

to **comprehend** [,kɔmpri'hend] *v.tr.* comprendere.

comprehensible [,kɔmpri'hensəbl] *agg.* comprensibile.

comprehension [,kɔmpri'henʃən] *s.* **1** comprensione **2** inclusione.

comprehensive [,kɔmpri'hensiv] *agg.* **1** vasto, esteso **2** comprensivo; forfettario.

compress ['kɔmpres] *s.* (*med.*) compressa (di garza); impacco.

to **compress** [kəm'pres] *v.tr.* comprimere.

compression [kəm'preʃən] *s.* **1** compressione **2** (*fig.*) concentrazione; concisione.

compressor [kəm'presə*] *s.* compressore.

to **comprise** [kəm'praiz] *v.tr.* contenere, includere.

compromise ['kɔmprəmaiz] *s.* compromesso.

to **compromise** *v.intr.* venire a un compromesso; transigere ♦ *v.tr.* compromettere.

comptometer [kɔmp'tɔmitə*] *s.* macchina calcolatrice.

comptroller *s.* → **controller**.

compulsion [kəm'pʌlʃən] *s.* costrizione, obbligo.

compulsive [kəm'pʌlsiv] *agg.* coercitivo.

compulsory [kəm'pʌlsəri] *agg.* obbligatorio, forzato; (*dir.*) coatto.

compunction [kəm'pʌŋkʃən] *s.* pentimento, rimorso; scrupolo.

computable [kəm'pjuːtəbl] *agg.* computabile.

computation [,kɔmpju(ː)'teiʃən] *s.* computo.

to **compute** [kəm'pjuːt] *v.tr.* computare; stimare.

computer [kəm'pjuːtə*] *s.* elaboratore, calcolatore; computer: *— -aided design* (*CAD*), progettazione automatizzata; *— analyst*, analista di informatica; *— -assisted*, gestito dall'elaboratore; *— centre*, centro di calcolo; *— design*, struttura dell'elaboratore; *— equipment*, apparato di elaborazione; *— language*, linguaggio macchina; *— run*, esecuzione su elaboratore; *— store*, memoria interna; *host —*, (*tel.*) elaboratore principale, elaboratore centrale.

comrade ['kɔmrid; 'kɔmreid] *s.* camerata, compagno.

comradeship ['kɔmridʃip] *s.* cameratismo.

to **con**[1] [kɔn] *v.tr.* studiare a memoria.

to **con**[2] *v.tr.* imbrogliare.

con[3] *s.* (*abbr.* di *contra*) argomento contrario: *pros and cons*, i pro e i contro ♦ *avv.* e *prep.* contro.

conation [kou'neiʃən] *s.* (*fil.*) volizione.

to **concatenate** [kɔn'kætineit] *v.tr.* concatenare.

concatenation [kɔn,kæti'neiʃən] *s.* concatenazione.

concave ['kɔn'keiv] *agg.* concavo, incavato ♦ *s.* superficie concava.

to **conceal** [kən'siːl] *v.tr.* nascondere: *to — sthg. from s.o.*, nascondere qlco. a qlcu.

concealment [kən'siːlmənt] *s.* **1** occultamento: *in —*, nascosto **2** nascondiglio.

to **concede** [kən'siːd] *v.tr.* **1** ammettere **2** concedere (privilegi ecc.).

conceit [kən'siːt] *s.* **1** vanità, presunzione **2** (*letter.*) ricercatezza (di stile).

conceited [kən'siːtid] *agg.* vanitoso; presuntuoso.

conceivable [kən'siːvəbl] *agg.* concepibile.

to **conceive** [kən'siːv] *v.tr.* concepire; ideare, immaginare ♦ *v.intr.* generare.

concentrate ['kɔnsentreit] *s.* concentrato.

to **concentrate** *v.tr.* **1** concentrare (*anche fig.*): *to — one's attention*, fissare la propria attenzione **2** (*chim.*) aumentare la concentrazione (di una soluzione) ♦ *v.intr.* concentrarsi.

concentration [,kɔnsen'treiʃən] *s.* concentrazione; concentramento // *— camp*, campo di concentramento.

concentric [kɔn'sentrik] *agg.* concentrico.

concept ['kɔnsept] *s.* concetto.

conception [kən'sepʃən] *s.* **1** concezione, concepimento **2** (*fig.*) idea.

conceptual [kən'septjuəl] *agg.* concettuale.

concern [kən'səːn] *s.* **1** affare, faccenda: *it is no — of mine*, non è affar mio **2** ansietà, sollecitudine **3** (*comm.*) ditta, azienda: *going —*, azienda attiva.

to **concern** *v.tr.* concernere, riguardare // *as far as I am concerned*, per quanto mi riguarda **2** interessare: *to be concerned with* (o *in*) *sthg.*, interessarsi di qlco., occuparsi di qlco. // *to be concerned about*, essere preoccupato per.

concerning [kən'səːniŋ] *prep.* riguardo a.

concert ['kɔnsət] *s.* **1** (*mus.*) concerto // *— performer*, concertista // *— -hall*, sala per concerti **2** accordo: *in —*, di comune accordo.

to **concert** [kən'səːt] *v.tr.* concertare.

concerted [kən'səːtid] *agg.* concertato; combinato // *a — effort*, uno sforzo notevole.

concert grand ['kɔnsət'grænd] *s.* pianoforte a coda.

concession [kən'seʃən] *s.* concessione.

concessionaire [kən,seʃə'nɛə*], *s.* **concessionary** [kən'seʃnəri] *agg.* e *s.* concessionario.

concessive [kən'sesiv] *agg.* concessivo.

conch [kɔŋtʃ] *s.* **1** conchiglia **2** (*arch.*) catino; abside **3** (*anat.*) padiglione auricolare.

concha ['kɔŋkə] *s.* padiglione auricolare.

conchy ['kɔnʃi] *s.* (*fam.*) obiettore di coscienza.

conciliar [kən'siliə*], **conciliary** [kən'siliəri] *agg.* conciliare.

to **conciliate** [kən'silieit] *v.tr.* **1** conciliare **2** guadagnarsi, accattivarsi (simpatia ecc.).

conciliation [kən,sili'eiʃən] *s.* conciliazione.

conciliatory [kən'siliətəri] *agg.* conciliante.

concise [kən'sais] *agg.* conciso, breve.

concision [kən'siʒən] *s.* concisione, brevità.

conclave ['kɔnkleiv] *s.* (*eccl.*) conclave; (*fam.*) riunione segreta.

to **conclude** [kən'klu:d] *v.tr.* **1** terminare, concludere: *to be concluded in our next number*, la fine al prossimo numero **2** dedurre ♦ *v.intr.* giungere ad una conclusione, concludere.

concluding [kən'klu:diŋ] *agg.* finale, ultimo.

conclusion [kən'klu:ʒən] *s.* conclusione; fine // *to try conclusions with s.o.*, fare a gara con qlcu. // *a foregone* —, una conclusione scontata.

conclusive [kən'klu:siv] *agg.* conclusivo; decisivo.

to **concoct** [kən'kɔkt] *v.tr.* **1** mescolare (ingredienti) **2** (*fig.*) architettare; tramare.

concoction [kən'kɔkʃən] *s.* **1** mistura; intruglio **2** macchinazione.

concomitant [kən'kɔmitənt] *agg.* concomitante ♦ *s.* causa, fatto concomitante.

concord ['kɔŋkɔ:d] *s.* **1** concordia, armonia **2** (*mus.*) accordo **3** (*gramm.*) concordanza.

concordance [kən'kɔ:dəns] *s.* **1** accordo; armonia **2** indice analitico.

concordant [kən'kɔ:dənt] *agg.* **1** concorde, concordante **2** (*mus.*) armonioso.

concordat [kɔn'kɔ:dæt] *s.* (*st.*) concordato.

concourse ['kɔŋkɔ:s] *s.* **1** concorso; affluenza **2** (*spec. amer.*) atrio di una stazione ferroviaria.

concrete ['kɔŋkri:t] *agg.* concreto // *in the* —, nella realtà, all'atto pratico ♦ *s.* (*edil.*) calcestruzzo // *reinforced* —, cemento armato.

to **concrete** [kən'kri:t; *nel senso* 2 'kɔnkri:t] *v.tr.* **1** concretare (un sogno, un'idea) **2** (*edil.*) costruire in calcestruzzo ♦ *v.intr.* solidificarsi.

concrete mixer ['kɔŋkri:t,miksə*] *s.* betoniera.

concubinage [kɔn'kju:binidʒ] *s.* concubinato.

concubine ['kɔŋkjubain] *s.* concubina.

concupiscence [kən'kju:pisəns] *s.* concupiscenza.

to **concur** [kən'kə*] *v.intr.* **1** concorrere; coincidere **2** accordarsi.

concurrent [kən'kʌrənt] *agg.* **1** concorrente; simultaneo **2** (*geom.*) convergente **3** concorde; unanime ♦ *s.* causa, circostanza concomitante.

to **concuss** [kən'kʌs] *v.tr.* scuotere, colpire violentemente (*anche fig.*).

concussion [kən'kʌʃən] *s.* **1** commozione cerebrale **2** scossa, urto (*anche fig.*).

to **condemn** [kən'dem] *v.tr.* **1** condannare // *condemned cell*, cella dei condannati a morte **2** (*case*) dichiarare inabitabile.

condemnation [,kɔndem'neiʃən] *s.* **1** condanna **2** censura; biasimo.

condensation [,kɔnden'seiʃən] *s.* **1** condensazione **2** liquido condensato.

to **condense** [kən'dens] *v.tr.* condensare (*anche fig.*); concentrare // *condensed milk*, latte condensato ♦ *v.intr.* condensarsi.

condenser [kən'densə*] *s.* condensatore.

to **condescend** [,kɔndi'send] *v.intr.* accondiscendere; mostrarsi condiscendente.

condescending [,kɔndi'sendiŋ] *agg.* condiscendente.

condescension [,kɔndi'senʃən] *s.* condiscendenza, degnazione.

condign ['kɔndain] *agg.* meritato, adeguato.

condiment ['kɔndimənt] *s.* condimento, sostanza piccante; salsa.

condition [kən'diʃən] *s.* **1** condizione; clausola; (*pl.*) normativa: *to agree to a* —, accettare una condizione;

to make a —, porre una condizione // *on* — *that*, a condizione che **2** condizione, stato: *goods out of* —, merci in cattive condizioni // *people of every* —, persone di ogni rango, di ogni classe sociale // *to keep oneself in* —, (*sport*) mantenersi in forma // *under existing conditions*, nelle presenti condizioni.

to **condition** *v.tr.* **1** stipulare, negoziare **2** condizionare.

conditional [kən'diʃənl] *agg.* **1** condizionato; dipendente da; provvisorio **2** (*dir. gramm.*) condizionale ♦ *s.* (*gramm.*) modo, proposizione condizionale.

conditioning [kən'diʃniŋ] *s.* (*psic.*) condizionamento.

to **condole** [kən'doul] *v.intr.* condolersi.

condolence [kən'douləns] *s.* condoglianza.

condominium ['kɔndə'miniəm] *s.* **1** (*pol.*) condominio **2** (*amer.*) condominio.

condonation [,kɔndou'neiʃən] *s.* condono.

to **condone** [kən'doun] *v.tr.* condonare; perdonare; passar sopra.

to **conduce** [kən'dju:s] *v.intr.* contribuire, condurre (a un risultato).

conduct ['kɔndəkt] *s.* **1** condotta, comportamento **2** direzione.

to **conduct** [kən'dʌkt] *v.tr.* dirigere, condurre: *to* — *on orchestra*, dirigere un'orchestra // *conducted tours*, visite turistiche con guida ♦ *v.rifl.* **1** comportarsi **2** (*fis.*) condurre, trasmettere.

conductibility [kən,dʌkti'biliti] *s.* (*fis.*) conduttività.

conduction [kən'dʌkʃən] *s.* **1** (*fis.*) conduzione **2** convogliamento (di liquidi in un condotto).

conductor [kən'dʌktə*] *s.* **1** capo **2** guida, accompagnatore **3** direttore **4** bigliettaio (di tram ecc.) **5** canale **6** (*fis.*) conduttore **7** (*amer.*) capotreno.

conductress [kən'dʌktris] *s.* bigliettaia.

conduit ['kɔndit] *s.* condotto, conduttura.

cone [koun] *s.* **1** cono (*anche geom.*) **2** (*bot.*) pigna.

coney *s.* → **cony**.

to **confabulate** [kən'fæbjuleit] *v.intr.* confabulare.

confab(ulation) ['kɔnfæb] [kən,fæbju'leiʃən] *s.* confabulazione; chiacchierata; discussione.

confection [kən'fekʃən] *s.* **1** confezione **2** pasticcino.

to **confection** *v.tr.* **1** confezionare **2** preparare (dolci, confetture).

confectionary [kən'fekʃnəri] *s.* **1** pasticcino, caramella, pralina **2** pasticceria, confetteria.

confectioner [kən'fekʃnə*] *s.* pasticciere, confettiere.

confectionery [kən'fekʃnəri] *s.* → **confectionary**.

confederacy [kən'fedərəsi] *s.* **1** confederazione, lega **2** cospirazione; complotto.

confederate [kən'fedərit] *agg.* confederato, alleato ♦ *s.* **1** confederato **2** complice.

to **confederate** [kən'fedəreit] *v.tr.* confederare, alleare ♦ *v.intr.* confederarsi, allearsi.

confederation [kən,fedə'reiʃən] *s.* confederazione.

to **confer** [kən'fə:*] *v.tr.* conferire, accordare: *to* — *a title on s.o.*, conferire un titolo a qlcu. ♦ *v.intr.* conferire; consultarsi.

conference ['kɔnfərəns] *s.* consultazione; abboccamento; conferenza: *summit* —, conferenza al vertice // *to be in* — *with s.o.*, avere un colloquio con qlcu.

conferment [kən'fə:mənt] *s.* conferimento.

to **confess** [kən'fes] *v.tr.* **1** confessare, ammettere: *to* — *oneself (to be) guilty*, confessarsi colpevole; *I* — *to disliking it*, devo ammettere che non mi piace **2** (*eccl.*) confessare **3** professare ♦ *v.tr.* **1** confessarsi **2** fare professione di fede.

confession [kən'feʃən] s. **1** confessione **2** professione, dichiarazione.

confessional [kən'feʃənl] agg. e s. confessionale.

confessor [kən'fesə*] s. **1** confessore **2** chi professa (una fede).

confetti [kən'feti(:)] s.pl. coriandoli.

confidant [,kɒnfi'dænt] s. confidente.

to **confide** [kən'faid] v.tr. confidare, affidare ♦ v.intr. confidare; confidarsi: I — in God, confido in Dio; to — in s.o., confidarsi con qlcu.

confidence ['kɒnfidəns] s. **1** fiducia: motion of no —, mozione di sfiducia // — man, truffatore // — trick, truffa all'americana **2** confidenza: to take s.o. into one's —, confidarsi con qlcu. // in strict —, in confidenza **3** sicurezza, fiducia in se stesso.

confident ['kɒnfidənt] agg. sicuro; fiducioso: to be — of the future, avere fiducia nell'avvenire.

confidential [,kɒnfi'denʃəl] agg. confidenziale; riservato, segreto.

confiding [kən'faidiŋ] agg. confidente; senza sospetti: to be of a — nature, non essere diffidente per carattere.

configuration [kən,figju'reiʃən] s. configurazione; conformazione; profilo.

to **configure** [kən'figə*] v.tr. (fig.) configurare.

to **confine** [kən'fain] v.tr. **1** relegare; tenere entro certi limiti; imprigionare: to be confined to bed, essere costretto a letto **2** limitare, limitarsi: to — oneself to doing sthg., limitarsi a fare qlco. **3** to be confined, stare per partorire.

confinement [kən'fainmənt] s. **1** imprigionamento // solitary (o close) —, segregazione cellulare **2** limitazione, restrizione (della libertà) **3** parto, puerperio.

confines ['kɒnfainz] s.pl. confini; limiti (anche fig.); frontiera (sing.).

to **confirm** [kən'fə:m] v.tr. **1** confermare; rafforzare; ratificare **2** (dir.) omologare; convalidare **3** (eccl.) cresimare.

confirmation [,kɒnfə'meiʃən] s. **1** conferma; ratificazione; rafforzamento **2** (dir.) omologazione **3** (eccl.) cresima.

confirmed [kən'fə:md] agg. inveterato; abituale; cronico.

to **confiscate** ['kɒnfiskeit] v.tr. confiscare: to — sthg. from s.o., confiscare qlco. a qlcu.

confiscation [,kɒnfis'keiʃən] s. confisca.

conflagration [,kɒnflə'greiʃən] s. conflagrazione.

to **conflate** [kən'fleit] v.tr. preparare un testo critico.

conflict ['kɒnflikt] s. conflitto (anche fig.).

to **conflict** [kən'flikt] v.intr. essere in conflitto, in disaccordo (anche fig.).

confluence ['kɒnfluəns] s. **1** confluenza **2** (fig.) affluenza.

confluent ['kɒnfluənt] agg. e s. confluente.

conflux ['kɒnflʌks] s. confluenza.

to **conform** [kən'fɔ:m] v.tr. conformare; uniformare ♦ v.intr. **1** conformarsi; uniformarsi **2** (relig. ingl.) conformarsi, fare atto di sottomissione.

conformable [kən'fɔ:məbl] agg. **1** conforme **2** compiacente.

conformation [,kɒnfɔ:'meiʃən] s. conformazione; struttura.

conformist [kən'fɔ:mist] agg. conformistico ♦ s. conformista.

conformity [kən'fɔ:miti] s. **1** conformità **2** compiacenza **3** conformismo.

to **confound** [kən'faund] v.tr. **1** confondere; mettere in disordine **2** sconvolgere; sconcertare // — it!, (fam.) al diavolo!

confounded [kən'faundid] agg. **1** confuso; sconcertato **2** (fam.) maledetto.

confraternity [,kɒnfrə'tə:niti] s. confraternita.

to **confront** [kən'frʌnt] v.tr. **1** affrontare **2** mettere a confronto.

confrontation [,kɒnfrʌn'teiʃən] s. confronto.

Confucius [kən'fju:ʃjəs] no.pr.m. (st. relig.) Confucio.

to **confuse** [kən'fju:z] v.tr. confondere: to get confused, confondersi.

confusion [kən'nfju:ʒən] s. **1** confusione // the enemy was thrown into —, il nemico fu sbaragliato **2** turbamento.

confutation [,kɒnfju:'teiʃən] s. confutazione.

to **confute** [kən'fju:t] v.tr. confutare.

to **congeal** [kən'dʒi:l] v.tr. congelare; coagulare ♦ v.intr. congelarsi; coagularsi.

congenial [kən'dʒi:njəl] agg. **1** affine; congeniale: — with sthg., affine a qlco. **2** gradevole.

congeniality [kən,dʒi:ni'æliti] s. affinità; congenialità; gradevolezza.

congenital [kən'dʒenitl] agg. congenito.

conger ['kɒŋgə*] s. (zool.) grongo.

to **congest** [kən'dʒest] v.tr. congestionare; affollare ♦ v.intr. affollarsi; stiparsi.

congestion [kən'dʒestʃən] s. congestione; affollamento.

to **conglomerate** [kən'glɒməreit] v.tr. conglomerare ♦ v.intr. conglomerarsi.

Congolese ['kɒŋgəli:s] agg. e s. congolese.

to **congratulate** [kən'grætjuleit] v.tr. congratularsi (con): to — s.o. on sthg., on doing sthg., congratularsi con qlcu. per qlco.

congratulation [kən'grætju'leiʃən] s. (spec. pl.) congratulazione, felicitazione.

to **congregate** ['kɒŋgrigeit] v.tr. raccogliere, adunare ♦ v.intr. raccogliersi, adunarsi.

congregation [,kɒŋgri'geiʃən] s. **1** assemblea, riunione **2** (eccl.) congregazione.

congregational [,kɒŋgri'geiʃənl] agg. (eccl.) della congregazione // the Congregational Church, la Chiesa congregazionalista.

congress ['kɒŋgres] s. congresso // Congress, (negli Stati Uniti) Congresso.

congressional [kɒŋ'greʃənl] agg. congressuale.

Congressman, pl. **Congressmen** ['kɒŋgresmən] s. (negli Stati Uniti) membro del Congresso.

congruence ['kɒŋgruəns], **congruency** ['kɒŋgruənsi] s. congruenza; conformità.

congruent ['kɒŋgruənt] agg. congruente; conforme: — with, conforme a.

congruity [kɒŋ'gru(:)iti] s. congruenza; conformità.

congruous ['kɒŋgruəs] agg. conforme; coerente: — with, conforme a.

conical ['kɒnik(ə)l] agg. conico.

conifer ['kounifə*] s. conifera.

conjecture [kən'dʒektʃə*] s. congettura.

to **conjecture** v.tr. e intr. congetturare, fare congetture.

to **conjoin** [kən'dʒɔin] v.tr. congiungere ♦ v.intr. congiungersi.

conjoint ['kɒndʒɔint] agg. congiunto, unito.

conjugal ['kɒndʒugəl] agg. coniugale.

conjugate ['kɒndʒugeit] agg. **1** coniugato, unito; congiunto **2** (gramm.) derivato (dalla stessa radice) ♦ s. (gramm.) parola derivata.

to **conjugate** ['kɔndʒugeit] *v.tr.* coniugare ♦ *v.intr.* co-niugarsi.

conjugation [ˌkɔndʒu'geiʃən] *s.* coniugazione.

conjunct [kən'dʒʌŋkt] *agg.* congiunto, unito.

conjunction [kən'dʒʌŋkʃən] *s.* congiunzione, unione.

conjunctive [kən'dʒʌŋktiv] *agg.* **1** che serve a unire **2** (*gramm.*) congiuntivo.

conjunctivitis [kənˌdʒʌŋkti'vaitis] *s.* congiuntivite.

conjuncture [kən'dʒʌŋktʃə*] *s.* congiuntura, occasione.

conjuration [ˌkɔndʒuə'reiʃən] *s.* **1** scongiuro; invocazione solenne **2** incantesimo.

to **conjure** ['kʌndʒə*] *v.intr.* fare giochi di prestigio // *a name to — with*, un nome di gran prestigio ♦ *v.tr.*: *to — up*, far apparire; (*fig.*) evocare; inventare.

conjurer ['kʌndʒərə*] *s.* prestigiatore.

conjuring ['kʌndʒəriŋ] *s.* prestidigitazione.

conjuror ['kʌndʒərə*] *s.* prestigiatore.

conk [kɔŋk] *s.* (*sl.*) naso; colpo (sul naso).

to **conk** *v.intr.* **1** (*fam.*) colpire **2** *to — out*, (*sl.*) bloccarsi, arrestarsi; (*fig.*) svenire.

conker ['kɔŋkə*] *s.* castagna d'India.

con-man ['kɔnmən] *s.* (*sl.*) truffatore.

connate ['kɔneit] *agg.* congenito, innato.

to **connect** [kə'nekt] *v.tr.* collegare, unire; connettere ♦ *v.intr.* **1** comunicare, unirsi; (*fig.*) ricollegarsi **2** (*ferr.*) essere in coincidenza.

connectable [kə'nektəbl] *agg.* collegabile.

connected [kə'nektid] *agg.* **1** connesso, collegato **2** imparentato: *to be well- —*, essere di buona famiglia.

connecter *s.* → **connector**.

connecting rod [kə'nektiŋrɔd] *s.* biella.

connection, connexion [kə'nekʃən] *s.* **1** connessione, collegamento; relazione // *in — with*, a proposito di; *in this —*, a questo proposito **2** parente; conoscente; clientela: *he has powerful connections*, ha relazioni potenti **3** coincidenza (di treni ecc.): *to miss a —*, perdere una coincidenza **4** (*informatica*) collegamento; (*IBM*) legame; simbolo di rimando in uno schema a blocchi.

connector [kə'nektə*] *s.* **1** raccordo **2** (*elettr.*) morsetto serrafili.

conning tower ['kɔniŋˌtauə*] *s.* (*mar. mil.*) torretta.

connivance [kə'naivəns] *s.* connivenza.

to **connive** [kə'naiv] *v.intr.* essere connivente.

connoisseur [ˌkɔni'sə:*] *s.* intenditore.

connotation [ˌkɔnou'teiʃən] *s.* connotazione; sfumatura di significato.

to **connote** [kɔ'nout] *v.tr.* implicare; significare.

conoid ['kounɔid] *s.* (*geom.*) conoide.

to **conquer** ['kɔŋkə*] *v.tr.* conquistare ♦ *v.intr.* vincere.

conqueror ['kɔŋkərə*] *s.* conquistatore.

conquest ['kɔŋkwest] *s.* conquista (*anche fig.*).

Conrad ['kɔnræd] *no.pr.m.* Corrado.

consanguinity [ˌkɔnsæŋ'gwiniti] *s.* consanguineità.

conscience ['kɔnʃəns] *s.* coscienza: *to have a guilty —*, avere la coscienza sporca; *to make it a matter of —*, farne un caso di coscienza // *in (all) —*, (*fam.*) per essere sincero // *— clause*, (*dir.*) clausola di riserva morale // *— money*, restituzione (anonima) di una somma sottratta o trattenuta.

conscience-smitten ['kɔnʃənsˌsmitn] *agg.* preso dal rimorso.

conscientious [ˌkɔnʃi'enʃəs] *agg.* coscienzioso, scrupoloso // *— objector*, obiettore di coscienza.

conscious ['kɔnʃəs] *agg.* **1** consapevole, conscio //

sports —, sportivo // *money —*, che bada molto al denaro **2** cosciente: *to become —*, riprendere conoscenza.

consciousness ['kɔnʃəsnis] *s.* coscienza, consapevolezza // *stream of —*, flusso di coscienza // *to lose —*, perdere la coscienza, i sensi.

conscript ['kɔnskript] *agg. e s.* (*mil.*) coscritto.

to **conscript** [kən'skript] *v.tr.* (*mil.*) coscrivere, chiamare alle armi.

conscription [kən'skripʃən] *s.* (*mil.*) leva.

consecrate ['kɔnsikrit] *agg.* consacrato.

to **consecrate** ['kɔnsikreit] *v.tr.* consacrare (*anche fig.*).

consecration [ˌkɔnsi'kreiʃən] *s.* consacrazione.

consecution [ˌkɔnsi'kju:ʃən] *s.* successione.

consecutive [kən'sekjutiv] *agg.* consecutivo.

consensual [kən'senʃuəl] *agg.* consensuale.

consensus [kən'sensəs] *s.* consenso.

consent [kən'sent] *s.* consenso, accordo: *by mutual —*, *with one —*, di comune accordo // *age of —*, (*dir.*) età minima per contrarre matrimonio ecc.

to **consent** *v.intr.* acconsentire: *to — to sthg.*, accettare qlco.

consentient [kən'senʃənt] *agg.* consenziente.

consequence ['kɔnsikwəns] *s.* **1** conseguenza: *in —*, di conseguenza; *in — of*, a causa, in conseguenza di; *to take the consequences*, sopportare le conseguenze **2** importanza: *a person of —*, una persona importante.

consequent ['kɔnsikwənt] *agg.* conseguente ♦ *s.* **1** conseguenza **2** (*mat.*) conseguente.

consequential [ˌkɔnsi'kwenʃəl] *agg.* **1** conseguente **2** (*fig.*) gonfiato, montato.

conservancy [kən'sə:vənsi] *s.* **1** (*in Gran Bretagna*) ispettori forestali (*pl.*) **2** (ufficio di) tutela del patrimonio idrico e forestale.

conservation [ˌkɔnsə(:)'veiʃən] *s.* conservazione; tutela, salvaguardia.

conservatism [kən'sə:vətizəm] *s.* **1** (*pol.*) conservatorismo **2** spirito conservatore.

conservative [kən'sə:vətiv] *agg.* **1** conservativo **2** (*Conservative Party*, (*pol.*) partito conservatore ♦ *s.* conservatore // *the Conservatives*, (*pol.*) i conservatori.

conservator ['kɔnsə(:)veitə*] *s.* **1** conservatore (di museo ecc.) // *fine arts —*, sovrintendente alle belle arti // *— of the peace*, tutore dell'ordine pubblico **2** (*dir.*) curatore, tutore.

conservatory [kən'sə:vətri] *s.* **1** serra **2** accademia di musica, danza e arte drammatica.

conserve ['kɔnsə:v] *s.* **1** frutta candita **2** conserva di frutta.

to **conserve** [kən'sə:v] *v.tr.* conservare, salvaguardare.

conshie, conshy ['kɔnʃi] *s.* (*fam.*) obiettore di coscienza.

to **consider** [kən'sidə*] *v.tr.* **1** considerare: *to — what to do*, pensare al da farsi // *considered opinion*, opinione ben ponderata **2** considerare, stimare ♦ *v.intr.* riflettere.

considerable [kən'sidərəbl] *agg.* considerevole, notevole; importante.

considerate [kən'sidərit] *agg.* pieno di riguardi.

consideration [kənˌsidə'reiʃən] *s.* **1** considerazione, riflessione: *to take sthg. into —*, prendere qlco. in considerazione; *under —*, in esame // *on no —*, in nessun caso **2** compenso, controprestazione **3** riguardo, rispetto: *out of — for s.o.*, per riguardo verso qlcu.

considering [kən'sidəriŋ] *prep.* tenuto conto di, considerato.

to **consign** [kən'sain] *v.tr.* **1** consegnare; spedire (merci); depositare (denaro) **2** affidare.

consignation [ˌkɔnsai'neiʃən] *s.* (*comm.*) consegna (di merce).

consignee [ˌkɔnsai'ni:] *s.* consegnatario.

consigner [kən'sainə*] *s.* mittente.

consignment [kən'sainmənt] *s.* (*comm.*) **1** consegna: *goods on —,* merce in consegna **2** partita di merce.

consignor *s.* → **consigner.**

to **consist** [kən'sist] *v.intr.* **1** consistere **2** *to — with,* essere in accordo, coerente con.

consistence [kən'sistəns], **consistency** [kən'sistənsi] *s.* **1** consistenza, densità **2** (*fig.*) costanza; coerenza.

consistent [kən'sistənt] *agg.* coerente; concorde.

consistory [kən'sistəri] *s.* (*eccl.*) concistoro.

to **consociate** [kən'souʃieit] *v.tr.* associare ♦ *v.intr.* associarsi.

consolation [ˌkɔnsə'leiʃən] *s.* consolazione.

console¹ ['kɔnsoul] (*franc.*) *s.* **1** console, mensola **2** (*informatica*) quadro di comando; consolle; (*IBM*) console: *— printer,* consolle di stampa; (*IBM*) consolle scrivente a tastiera.

to **console²** [kən'soul] *v.tr.* consolare.

to **consolidate** [kən'solideit] *v.tr.* e *intr.* **1** consolidare, rafforzare **2** unire, unificare // *consolidated fund,* (*econ.*) fondo consolidato ♦ *v.intr.* solidificarsi.

consolidation [kənˌsoli'deiʃən] *s.* consolidamento.

consoling [kən'souliŋ] *agg.* consolante.

consols [kən'solz] *s.pl.* (*econ.*) titoli del debito pubblico consolidato.

consommé [kən'somei] *s.* (*cuc.*) consommé.

consonance [ˈkɔnsənəns] *s.* consonanza; armonia.

consonant [ˈkɔnsənənt] *agg.* consono, conforme ♦ *s.* (*gramm.*) consonante.

consort¹ [ˈkɔnsɔ:t] *s.* **1** consorte **2** (*mar.*) nave che viaggia di conserva.

to **consort²** [kən'sɔ:t] *v.intr.* **1** unirsi, associarsi: *to — with s.o.,* frequentare qlcu. **2** accordarsi.

consortium [kən'sɔ:tiəm], (*amer.*) kən'sɔ:rʃiəm] *s.* consorzio, associazione.

conspicuous [kən'spikjuəs] *agg.* **1** cospicuo, notevole **2** visibile, evidente // *to make oneself —,* farsi notare.

conspiracy [kən'spirəsi] *s.* cospirazione: *— of silence,* omertà.

to **conspire** [kən'spaiə*] *v.intr.* **1** cospirare, congiurare **2** contribuire, concorrere (a).

constable ['kʌnstəbl] *s.* **1** (*st.*) conestabile // *Lord High Constable,* Gran Conestabile d'Inghilterra **2** poliziotto, agente // *Chief Constable,* capo di polizia // *special —,* cittadino giurato facente funzione di poliziotto.

constabulary [kən'stæbjuləri] *s.* polizia ♦ *agg.* di polizia.

constancy ['kɔnstənsi] *s.* **1** costanza **2** fedeltà.

constant ['kɔnstənt] *agg.* **1** costante **2** fedele ♦ *s.* (*mat. fis.*) costante.

constellation [ˌkɔnstə'leiʃən] *s.* costellazione.

consternation [ˌkɔnstə(:)'neiʃən] *s.* costernazione; sgomento: *to look at each other in —,* guardarsi sgomenti.

to **constipate** ['kɔnstipeit] *v.tr.* (*med.*) costipare.

constipation [ˌkɔnsti'peiʃən] *s.* stitichezza.

constituency [kən'stitjuənsi] *s.* **1** elettori (*pl.*) **2** circoscrizione elettorale.

constituent [kən'stitjuənt] *agg* **1** costituente **2** (*pol.*) con diritto di voto ♦ *s.* **1** costituente **2** (*pol.*) elettore.

to **constitute** ['kɔnstitju:t] *v.tr.* costituire.

constitution [ˌkɔnsti'tju:ʃən] *s.* costituzione // *an iron —,* una fibra di ferro.

constitutional [ˌkɔnsti'tju:ʃənl] *agg.* costituzionale ♦ *s.* passeggiata igienica.

constitutionalism [ˌkɔnsti'tju:ʃnəlizəm] *s.* costituzionalismo.

to **constrain** [kən'strein] *v.tr.* **1** costringere, forzare **2** limitare.

constraint [kən'streint] *s.* **1** costrizione, coazione: *to put s.o. under —,* costringere qlcu.; internare qlcu. **2** soggezione, imbarazzo.

to **constrict** [kən'strikt] *v.tr.* **1** comprimere **2** (*fig.*) limitare.

constriction [kən'strikʃən] *s.* **1** compressione, restringimento **2** oppressione.

constrictive [kən'striktiv] *agg.* costrittivo.

to **construct** [kən'strʌkt] *v.tr.* costruire.

construction [kən'strʌkʃən] *s.* **1** costruzione: *in course of* (o *under*) *—,* in via di costruzione **2** interpretazione: *to put a bad — on s.o.'s words,* interpretare male le parole di qlcu.

constructive [kən'strʌktiv] *agg.* **1** costruttivo **2** dedotto.

to **construe** [kən'stru:] *v.tr.* **1** fare l'analisi grammaticale (di) **2** costruire grammaticalmente **3** interpretare.

consubstantiality ['kɔnsəbˌstænʃi'æliti] *s.* (*teol.*) consustanzialità.

consul ['kɔnsəl] *s.* console.

consular ['kɔnsjulə*] *agg.* consolare.

consulate ['kɔnsjulit], **consulship** ['kɔnsəlʃip] *s.* consolato.

to **consult** [kən'sʌlt] *v.tr.* consultare ♦ *v.intr.* consultarsi.

consultant [kən'sʌltənt] *s.* **1** consulente; esperto; specialista **2** chi consulta.

consultation [ˌkɔnsəl'teiʃən] *s.* **1** consultazione **2** consulto.

consulting [kən'sʌltiŋ] *agg.* consulente // *— hours,* orario di visita // *— room,* studio.

consumable [kən'sju:məbl] *agg.* **1** commestibile **2** infiammabile.

to **consume** [kən'sju:m] *v.tr.* **1** consumare // *to be consumed with envy,* rodersi di invidia **2** distruggere **3** sprecare ♦ *v.intr.* struggersi, consumarsi.

consumer [kən'sju:mə*] *s.* utente; consumatore // *— goods,* generi di consumo // *— mentality, — society,* consumismo.

consumerism [kən'sju:məˌrizm] *s.* movimento che difende gli interessi del consumatore.

consummate [kən'sʌmit] *agg.* consumato; perfetto; completo.

to **consummate** ['kɔnsəmeit] *v.tr.* consumare.

consummation [ˌkɔnsʌ'meiʃən] *s.* **1** consumazione **2** compimento, realizzazione.

consumption [kən'sʌmpʃən] *s.* **1** consumo // *home —,* (*econ.*) consumo interno **2** (*med.*) consunzione.

consumptive [kən'sʌmptiv] *agg.* e *s.* tisico.

contact ['kɔntækt] *s.* contatto: *to come into — with s.o.,* mettersi in contatto con qlcu.; *to make, to break —,* (*elettr.*) stabilire, interrompere il contatto.

to **contact** [kən'tækt] *v.tr.* contattare, mettersi in contatto (con).

contact-breaker ['kɔntæktˌbreikə*] *s.* interruttore di corrente.

contagion [kən'teidʒən] *s.* **1** contagio **2** malattia contagiosa **3** (*fig.*) influenza dannosa.

contagious [kən'teidʒəs] *agg.* contagioso.

to **contain** [kən'tein] *v.tr.* **1** contenere: *to — the enemy*, contenere l'impeto del nemico; *to — oneself*, controllarsi **2** (*mat.*) essere divisibile per.

container [kən'teinə*] *s.* **1** contenitore **2** container.

to **contaminate** [kən'tæmineit] *v.tr.* contaminare.

contamination [kən,tæmi'neiʃən] *s.* contaminazione.

contango [kən'tæŋgou], *pl.* **contangoes** [kən'tæŋgouz] *s.* (*Borsa*) (interesse di) riporto.

to **contemn** [kən'tem] *v.tr.* disprezzare.

to **contemplate** ['kɔntempleit] *v.tr.* e *intr.* **1** osservare, contemplare **2** esaminare, considerare **3** avere intenzione di **4** aspettarsi ♦ *v.intr.* meditare.

contemplation [,kɔntem'pleiʃən] *s.* **1** contemplazione **2** meditazione.

contemplative ['kɔntempleitiv] *agg.* contemplativo; meditativo ♦ *s.* contemplativo.

contemporaneous [kən,tempə'reinjəs] *agg.* contemporaneo.

contemporary [kən'tempərəri] *agg.* e *s.* **1** contemporaneo **2** coetaneo.

contempt [kən'tempt] *s.* disprezzo: *to hold s.o. in —*, provar disprezzo per qlcu. // *— of Court*, (*dir.*) vilipendio alla Corte.

contemptibility [kən,temptə'biliti] *s.* natura spregevole.

contemptible [kən'temptəbl] *agg.* spregevole.

contemptuous [kən'temptjuəs] *agg.* sprezzante.

to **contend** [kən'tend] *v.intr.* **1** combattere, lottare; contendere **2** sostenere, affermare.

content[1] ['kɔntent] *s.* **1** *pl.* contenuto (*sing.*) // (*table of*) *contents*, indice **2** (*solo sing.*) concetto **3** capacità.

content[2] [kən'tent] *agg.* contento, soddisfatto: *— with sthg.*, contento di qlco. ♦ *s.* contentezza, soddisfazione: *to one's heart's —*, fino a completa soddisfazione.

to **content**[2] *v.tr.* contentare, soddisfare: *to — oneself with* (*doing*) *sthg.*, accontentarsi di (fare) qlco.

contention [kən'tenʃən] *s.* **1** contesa; disputa **2** opinione.

contentious [kən'tenʃəs] *agg.* **1** litigioso **2** controverso.

contentiousness [kən'tenʃəsnis] *s.* conflittualità.

contentment [kən'tentmənt] *s.* **1** contentezza **2** soddisfazione.

contest ['kɔntest] *s.* competizione, gara.

to **contest** [kən'test] *v.tr.* **1** lottare (per), contendere, contendersi **2** contestare.

contestant [kən'testənt] *s.* concorrente.

context ['kɔntekst] *s.* contesto.

contextual [kən'tekstjuəl] *agg.* contestuale.

contiguity [,kɔnti'gju(:)iti] *s.* contiguità.

contiguous [kən'tigjuəs] *agg.* contiguo.

continence ['kɔntinəns] *s.* continenza.

continent ['kɔntinənt] *s.* (*geogr.*) continente.

continental [,kɔnti'nentl] *agg.* e *s.* continentale.

contingency [kən'tindʒənsi] *s.* contingenza // *— fund*, (*comm.*) fondo di previdenza // *— plan*, piano di emergenza.

contingent [kən'tindʒənt] *agg.* contingente; imprevisto // *to be — on sthg.*, dipendere da qlco. ♦ *s.* **1** contingenza **2** (*mil.*) contingente.

continual [kən'tinjuəl] *agg.* continuo, ripetuto.

continuance [kən'tinjuəns] *s.* continuità; durata.

continuation [kən,tinju'eiʃən] *s.* continuazione; prolungamento // *— classes*, classi di perfezionamento.

to **continue** [kən'tinju(:)] *v.tr.* **1** continuare; proseguire **2** restare: *to — in* (*o at*) *a place*, rimanere in un luogo ♦ *v.tr.* continuare, mantenere.

continuity [,kɔnti'nju(:)iti] *s.* **1** continuità **2** (*rad.*) copione // *— girl*, (*cinem.*) segretaria di produzione.

continuous [kən'tinjuəs] *agg.* continuo, ininterrotto.

to **contort** [kən'tɔ:t] *v.tr.* contorcere.

contortion [kən'tɔ:ʃən] *s.* contorsione.

contour ['kɔntuə*] *s.* contorno, profilo // *— lines*, (*geogr.*) linee ipsometriche.

to **contour** *v.tr.* rilevare; segnare con isoipse.

contra ['kɔntrə] *prep.* e *avv.* contro: *pro and —*, pro e contro ♦ *s.* contro: *per —*, (*comm.*) in contropartita.

contraband ['kɔntrəbænd] *s.* contrabbando.

contrabass ['kɔntrə'beis] *s.* (*mus.*) contrabbasso.

contrabassoon [,kɔntrəbə'su:n] *s.* (*mus.*) controfagotto.

contraception [,kɔntrəsepʃən] *s.* contraccezione.

contraceptive [,kɔntrə'septiv] *agg.* e *s.* anticoncezionale, contraccettivo.

contract ['kɔntrækt] *s.* contratto, patto; appalto: *by private —*, in via amichevole; *to enter into a — with*, fare un contratto con // *to put out a — (on s.o.)*, commissionare un omicidio (a un killer).

to **contract** [kən'trækt] *v.tr.* **1** contrarre; restringere; limitare: *to — one's forehead, eyebrows*, aggrottare la fronte, le sopracciglia **2** contrarre (malattie, debiti) ♦ *v.intr.* **1** contrarsi; restringersi; limitarsi **2** contrattare // *to — in, out of*, impegnarsi in, disimpegnarsi da.

contraction [kən'trækʃən] *s.* contrazione.

contractor [kən'træktə*] *s.* **1** contraente; appaltatore; imprenditore **2** (*anat.*) muscolo contrattile.

contractual [kən'træktjuəl] *agg.* contrattuale.

to **contradict** [,kɔntrə'dikt] *v.tr.* contraddire; negare; (*fam.*) discutere.

contradiction [,kɔntrə'dikʃən] *s.* contraddizione.

contradictory [,kɔntrə'diktəri] *agg.* contraddittorio.

contrail ['kɔntreil] *s.* (*aer.*) scia di condensazione.

contraposition [,kɔntrəpə'ziʃən] *s.* contrapposizione; (*logica*) antitesi.

contraption [kən'træpʃən] *s.* (*fam.*) aggeggio.

contrapuntal [,kɔntrə'pʌntl] *agg.* (*mus.*) contrappuntistico.

contrariety [,kɔntrə'raiəti] *s.* opposizione, antagonismo.

contrarily ['kɔntrərili] *avv.* **1** contrariamente **2** (*fam.*) perversamente.

contrariness ['kɔntrərinis] *s.* (*fam.*) spirito di contraddizione; perversità.

contrariwise ['kɔntrəriwaiz] *avv.* al contrario; in senso contrario.

contrary ['kɔntrəri] *agg.* **1** contrario, opposto **2** (*fam.*) ostinato, perverso ♦ *s.* (il) contrario: *on the —*, al contrario; *to the —*, in contrario.

contrast ['kɔntræst] *s.* contrasto.

to **contrast** [kən'træst] *v.tr.* mettere in contrasto ♦ *v.intr.* far contrasto, contrastare.

to **contravene** [,kɔntrə'vi:n] *v.tr.* **1** contravvenire (a) **2** contraddire, opporsi (a).

contravention [,kɔntrə'venʃən] *s.* contravvenzione, infrazione, trasgressione.

to **contribute** [kən'tribju(:)t] *v.tr.* **1** contribuire (con); fornire **2** scrivere (un articolo): *she contributed some articles to our newspaper*, scrisse alcuni articoli per il nostro giornale ♦ *v.intr.* **1** contribuire **2** collaborare.

contribution [,kɔntri'bju:ʃən] *s.* **1** contribuzione **2** collaborazione (ad un giornale) **3** contributo; (*comm.*) apporto.

contributor [kən'tribjutə*] *s.* **1** contributore; (*comm.*) apportatore **2** collaboratore (di giornale).

contrite ['kɔntrait] *agg.* contrito.

contrition [kən'triʃən] *s.* contrizione.

contrivance [kən'traivəns] *s.* **1** invenzione; progetto **2** espediente; ritrovato.

to **contrive** [kən'traiv] *v.tr.* **1** fare in modo di; riuscire (a) **2** progettare; inventare, escogitare **3** macchinare, ordire.

control [kən'troul] *s.* **1** controllo **2** *pl.* (*mecc.*) comandi // — *board*, quadro di comando; — *column* (*o* — *stick*), (*aer.*) «cloche», barra di comando; *wireless* —, radiocomando; *remote* —, (*mecc.*) telecomando **3** (*informatica*) controllo; comando: — *break*, caduta di controllo; — *character*, carattere di comando; (*tel.*) carattere per il controllo di linea; — *mode*, stato di controllo; — *statement*, comando di controllo; specifica di controllo; — *storage increment*, estensione della memoria di controllo; — *unit*, unità di comando; unità di controllo (periferiche).

to **control** *v.tr.* **1** controllare (*anche fig.*): regolare; dirigere // *to* — *one's rage*, frenare l'ira **2** (*aer. mar.*) pilotare, governare.

controller [kən'troulə*] *s.* **1** controllore; sovrintendente // *air-traffic* —, controllore di volo **2** (*elettr.*) combinatore.

controversial [,kɔntrə'vəːʃəl] *agg.* controverso; polemico.

controversy ['kɔntrəvəːsi, kɔnt'rɔvəsi] *s.* controversia; polemica.

to **controvert** ['kɔntrəvəːt] *v.tr.* **1** discutere (con) **2** smentire.

contumacious [,kɔntju(ː)'meiʃəs] *agg.* **1** ribelle, insubordinato **2** (*dir.*) contumace.

contumelious [,kɔntju(ː)'miːljəs] *agg.* insolente.

contumely ['kɔntju(ː)mli, (*amer.*) kən'tuːməli] *s.* **1** contumelia; insolenza **2** onta.

to **contuse** [kən'tjuːz] *v.tr.* ammaccare; contundere.

contusion [kən'tjuːʒən] *s.* contusione.

conundrum [kə'nʌndrəm] *s.* enigma; indovinello.

to **convalesce** [,kɔnvə'les] *v.intr.* essere in convalescenza.

convalescence [,kɔnvə'lesns] *s.* convalescenza.

convection [kən'vekʃən] *s.* (*fis.*) convezione.

convector [kən'vektə*] *s.* (*fis.*) convettore.

to **convene** [kən'viːn] *v.tr.* **1** convocare, adunare, riunire (assemblea, conferenza) **2** (*dir.*) citare ♦ *v.intr.* radunarsi; convenire.

convenience [kən'viːnjəns] *s.* **1** comodo; convenienza, vantaggio: *at your* —, con vostro comodo // *to make a* — *of s.o.*, abusare della bontà di qlcu. // (*public*) —, gabinetto pubblico **2** *pl.* comodità.

convenient [kən'viːnjənt] *agg.* comodo; adatto; conveniente.

convent ['kɔnvənt] *s.* convento.

conventicle [kən'ventikəl] *s.* conventicola.

convention [kən'venʃən] *s.* **1** assemblea **2** patto, accordo, convenzione.

conventional [kən'venʃənl] *agg.* **1** convenzionale; tradizionale **2** corrente.

to **conventionalize** [kən'venʃnəlaiz] *v.tr.* **1** rendere convenzionale **2** (*arte*) stilizzare.

to **converge** [kən'vəːdʒ] *v.intr.* convergere ♦ *v.tr.* far convergere (raggi luminosi ecc.).

convergence [kən'vəːdʒəns], **convergency** [kən'vəːdʒənsi] *s.* convergenza.

convergent [kən'vəːdʒənt] *agg.* convergente.

conversant [kən'vəːsənt] *agg.* **1** versato; pratico;

esperto: — *with sthg.*, pratico di qlco. **2** familiare: — *with s.o.*, intimo di qlcu.

conversation [,kɔnvə'seiʃən] *s.* conversazione, discorso: — *piece*, (*teatr.*) dramma psicologico.

conversational [,kɔnvə'seiʃənl] *agg.* **1** di conversazione; colloquiale **2** loquace; affabile.

conversationalist [,kɔnvə'seiʃnəlist] *s.* abile parlatore.

to **converse**[1] [kən'vəːs] *v.intr.* (*letter.*) conversare.

converse[2] ['kɔnvəːs] *agg.* inverso; contrario ♦ *s.* inverso; (*fil.*) proposizione inversa; (*mat.*) teorema inverso.

conversion [kən'vəːʃən] *s.* conversione; trasformazione.

convert ['kɔnvəːt] *s.* convertito: *to become a* — *to sthg.*, convertirsi a qlco.

to **convert** [kən'vəːt] *v.tr.* convertire.

converter [kən'vəːtə*] *s.* convertitore // *analog-digital* —, (*informatica*) convertitore analogico-digitale; *series -to-parallel* —, parallelizzatore.

convertible [kən'vəːtəbl] *agg.* e *s.* convertibile // — *terms*, termini sinonimi.

convex ['kɔnveks] *agg.* convesso.

convexity [kɔn'veksiti] *s.* convessità.

to **convey** [kən'vei] *v.tr.* **1** trasportare, portare, convogliare **2** trasmettere (suono, odore, malattia) **3** (*fig.*) rendere noto, comunicare; dare l'idea (di), suggerire **4** (*dir.*) trasferire, fare il trapasso (di proprietà).

conveyable [kən'veiəbl] *agg.* trasportabile; portabile; trasmissibile.

conveyance [kən'veiəns] *s.* **1** trasporto, mezzo di trasporto **2** trasmissione, comunicazione **3** (*dir.*) trasferimento, cessione (di proprietà); atto di cessione.

conveyer, conveyor [kən'veiə*] *s.* **1** portatore; trasportatore **2** trasmettitore; convogliatore // — *belt*, trasportatore a nastro.

convict ['kɔnvikt] *s.* forzato, condannato.

to **convict** [kən'vikt] *v.tr.* dichiarare colpevole; condannare.

conviction [kən'vikʃən] *s.* **1** (*dir.*) verdetto di colpevolezza; condanna **2** persuasione; convinzione: *to carry* —, essere convincente.

to **convince** [kən'vins] *v.tr.* convincere.

convincing [kən'vinsin] *agg.* convincente.

convivial [kən'viviəl] *agg.* **1** conviviale **2** gioviale; socievole; festoso.

conviviality [kən,vivi'æliti] *s.* giovialità.

convocation [,kɔnvə'keiʃən] *s.* **1** convocazione **2** (*eccl.*) sinodo **3** assemblea (di alcune università).

to **convoke** [kən'vouk] *v.tr.* convocare.

convolution [,kɔnvə'luːʃən] *s.* circonvoluzione; sinuosità; spira.

convoy ['kɔnvɔi] *s.* **1** (*mar. mil.*) scorta **2** convoglio.

to **convoy** *v.tr.* (*mar. mil.*) scortare.

to **convulse** [kən'vʌls] *v.tr.* **1** sconvolgere **2** dare le convulsioni (a): *to be convulsed with laughter*, contorcersi dalle risa.

convulsion [kən'vʌlʃən] *s.* convulsione, spasimo.

convulsive [kən'vʌlsiv] *agg.* convulso.

cony ['kouni] *s.* **1** (*amer.*)coniglio **2** pelle di coniglio.

coo [kuː] *s.* il tubare.

to **coo** *v.intr.* tubare (*anche fig.*) // *to bill and* —, (*fam.*) tubare.

cook [kuk] *s.* cuoco, cuoca // *head* —, capocuoco // *too many cooks spoil the broth*, (*prov.*) troppi cuochi guastano la cucina.

to **cook** *v.tr.* **1** cuocere; cucinare // *what is cooking?*, che cosa bolle in pentola? **2** (*fam.*) falsificare: *to* —

the books, alterare i libri contabili **3** *to — up*, (*fam.*) inventare (scuse, storie, frottole ecc.).

cooker ['kukə*] *s.* **1** fornello; cucina **2** frutta da cuocere: *these apples are good cookers*, queste mele sono buone da cuocere.

cookery ['kukəri] *s.* arte culinaria; cucina: — *book*, libro di cucina, libro di ricette.

cookhouse ['kukhaus] *s.* cucina da campo.

cookie, cooky ['kuki] *s.* pasticcino; (*amer.*) biscotto.

cooking ['kukiŋ] *s.* **1** cottura **2** arte culinaria **3** cucina: *to do the —*, fare da mangiare **4** falsificazione (di conti ecc.).

cook-shop ['kukʃɔp] *s.* rosticceria.

cool [ku:l] *agg.* **1** fresco: *to get —*, rinfrescarsi **2** fresco, leggero (di vestito) **3** calmo **4** freddo, senza entusiasmo **5** disinvolto; sfacciato // *a — hand*, una persona disinvolta // *to cost a — thousand*, costare la bellezza di mille sterline **6** (*amer.*) bello ♦ *s.* **1** fresco, frescura **2** calma // *to blow one's —*, perdere la calma.

to cool *v.tr.* rinfrescare; raffreddare (*anche fig.*) // *to — one's heels*, essere obbligato ad aspettare ♦ *v.intr.*: *to — (down* o *off)*, rinfrescarsi; raffreddarsi (*anche fig.*); (*fig.*) calmarsi: *his anger has cooled down*, la sua ira è sbollita.

cooler ['ku:lə*] *s.* **1** refrigeratore **2** (*sl.*) gattabuia.

cool-headed ['ku:l'hedid] *agg.* calmo.

coolie ['ku:li] *s.* «coolie», facchino, portatore, servo (in India ed Estremo Oriente).

coolness ['ku:lnis] *s.* **1** fresco, frescura **2** sangue freddo, calma; freddezza **3** disinvoltura.

cooly *s.* → **coolie**.

coomb [ku:m] *s.* gola.

coon [ku:n] *s.* **1** procione **2** (*sl.*) negro.

coop [ku:p] *s.* **1** gabbia, stia **2** nassa **3** (*sl. amer.*) prigione.

to coop *v.tr.* **1** mettere, tenere in gabbia (*anche fig.*) **2** *to — up* (o *in*), rinchiudere; imprigionare.

co-op [kou'ɔp] *s.* (*fam.*) cooperativa.

cooper ['ku:pə*] *s.* bottaio.

to co-operate [kou'ɔpəreit] *v.intr.* cooperare.

co-operation [kou,ɔpə'reiʃən] *s.* cooperazione.

co-operative [kou'ɔpərətiv] *agg.* cooperativo ♦ *s.* cooperativa.

to co-opt [kou'ɔpt] *v.tr.* cooptare.

co-ordinate [kou'ɔ:dnit] *agg.* **1** uguale, dello stesso rango **2** coordinato ♦ *s.* (*mat. gramm.*) coordinata.

to co-ordinate [kou'ɔ:dineit] *v.tr.* coordinare.

co-ordination [kou,ɔ:di'neiʃən] *s.* coordinazione.

coot [ku:t] *s.* **1** (*zool.*) folaga // *to be as bald as a —*, (*fam.*) essere stempiato **2** (*fam.*) sciocco.

co-owner [kou'ounə*] *s.* comproprietario.

cop [kɔp] *s.* (*sl.*) poliziotto.

to cop *v.tr.* (*sl.*) acchiappare // *to — it*, (*sl.*) prenderle.

cope¹ [koup] *s.* (*eccl.*) cappa; piviale.

to cope¹ *v.tr.* **1** imporre la cappa (a un vescovo) **2** (*arch.*) fornire di cimasa.

to cope² *v.intr.* far fronte; lottare con successo: *to — with everything*, arrivare a (far) tutto.

copeck ['koupek] *s.* copeco (moneta russa).

coper ['koupə*] *s.* mercante di cavalli.

copier ['kɔpiə*] *s.* **1** copista, trascrittore **2** imitatore **3** copiatrice.

co-pilot ['koupailət] *s.* (*aer.*) secondo pilota.

coping ['koupiŋ] *s.* (*arch.*) cimasa.

copingstone ['koupiŋstoun] *s.* **1** pietra per cimasa **2** (*fig.*) coronamento, tocco finale.

copious ['koupjəs] *agg.* copioso, prolisso.

copper¹ ['kɔpə*] *agg.* di rame; color rame ♦ *s.* **1** rame **2** moneta di rame **3** caldaia.

to copper¹ *v.tr.* ricoprire, rivestire di rame.

copper² *s.* (*sl.*) poliziotto.

copperas ['kɔpərəs] *s.* (*chim.*) solfato ferroso.

copperplate ['kɔpəpleit] *s.* **1** lastra di rame **2** incisione in rame **3** scrittura regolare.

coppersmith ['kɔpəsmiθ] *s.* calderaio.

coppery ['kɔpəri] *agg.* **1** color rame **2** simile al rame.

coppice ['kɔpis] *s.* bosco ceduo.

coprology [kɔ'prɔlədʒi] *s.* pornografia.

copse [kɔps] *s.* boschetto, bosco ceduo.

Copt [kɔpt] *s.* (*relig.*) copto.

Coptic ['kɔptik] *agg.* (*relig.*) copto.

copula ['kɔpjulə], *pl.* **copulae** ['kɔpjuli:] *s.* (*gramm.*) copula.

to copulate ['kɔpjuleit] *v.intr.* accoppiarsi.

copulation [,kɔpju'leiʃən] *s.* copulazione.

copy ['kɔpi] *s.* **1** copia: *a — from Raphael*, una riproduzione di Raffaello; *rough —*, minuta **2** (*tip. giornalismo*) materiale per articoli ecc.

to copy *v.tr.* **1** copiare **2** imitare; seguire l'esempio (di).

copybook ['kɔpibuk] *s.* quaderno.

copycat ['kɔpikæt] *s.* (*fam.*) copione, persona che copia.

copyhold ['kɔpihould] *s.* **1** proprietà di terre soggette a speciali diritti **2** terre soggette a speciali diritti (*pl.*).

copying-ink ['kɔpiiŋiŋk] *s.* inchiostro copiativo.

copyist ['kɔpiist] *s.* copista.

copyright ['kɔpirait] *agg.* protetto dai diritti d'autore ♦ *s.* «copyright», diritti d'autore.

to copyright *v.tr.* proteggere con diritti d'autore.

copywriter ['kɔpi,raitə*] *s.* redattore pubblicitario.

coquetry ['koukitri] *s.* civetteria.

coquette [kou'ket] *s.* civetta.

coral ['kɔrəl] *agg. e s.* (di) corallo // *the Coral Sea*, il mar dei Coralli.

coral reef ['kɔrəlri:f] *s.* barriera corallina.

corbel ['kɔ:bəl] *s.* (*arch.*) mensola, beccatello.

cord [kɔ:d] *s.* **1** corda, cordone; spago // *spinal —*, spina dorsale **2** (*elettr.*) filo della spina **3** velluto a coste.

to cord *v.tr.* legare con una corda, uno spago.

cordage ['kɔ:didʒ] *s.* cordame; sartiame.

corded ['kɔ:did] *agg.* **1** munito di corde; legato con corde **2** (*di tessuto*) a coste.

cordial ['kɔ:djəl] *agg. e s.* cordiale.

cordiality [,kɔ:di'æliti] *s.* cordialità.

cordon ['kɔ:dn] *s.* cordone.

Cordovan ['kɔ:dəvən] *s.* (*cuoio*) cordovano.

core [kɔ:*] *s.* **1** centro, parte centrale; (*fig.*) nocciolo // *he is English to the —*, è inglese al cento per cento **2** torsolo (di frutto) **3** (*tecn. mineraria*) carota // *— -boring*, carotaggio **4** (*informatica*) nucleo: *— storage*, memoria a nuclei.

to core *v.tr.* estrarre il torsolo (da un frutto).

corelation ['kouri'leiʃən] *e deriv.* → **correlation** *e deriv.*

coreligionist ['kouri'lidʒənist] *s.* correligionario.

corespondent ['kouris,pɔndənt] *s.* (*dir.*) correo (in adulterio).

corf [kɔ:f], *pl.* **corves** [kɔ:vz] *s.* **1** carrello (da miniera) **2** cesto per conservare il pesce vivo nell'acqua.

coriaceous [,kɔri'eiʃəs] *agg.* coriaceo.

Corinth ['kɔrinθ] *no.pr.* Corinto.

Corinthian [kə'rinθiən] *agg.* corinzio.

cork [kɔːk] *s.* **1** sughero **2** tappo, turacciolo ♦ *agg.* di sughero.

to cork *v.tr.* **1** turare, tappare **2** annerire (con turacciolo bruciato).

corkage [ˈkɔːkidʒ] *s.* **1** il turare; lo sturare **2** somma dovuta a un ristorante per il consumo di bevande acquistate altrove.

corked [kɔːkt] *agg.* **1** tappato **2** (*di vino*) che sa di turacciolo **3** (*sl.*) sbronzo.

corker [ˈkɔːkə*] *s.* (*fam.*) **1** argomento decisivo **2** audace menzogna **3** cosa, persona formidabile.

corking [ˈkɔːkiŋ] *agg.* (*fam.*) fantastico, formidabile.

cork oak [ˈkɔːkouk] *s.* quercia da sughero.

corkscrew [ˈkɔːkskruː] *s.* cavatappi.

to corkscrew *v.intr.* serpeggiare; (*di aereo*) avvitarsi ♦ *v.tr.* torcere (qlco.) a spirale.

corm [kɔːm] *s.* (*bot.*) bulbo.

cormorant [ˈkɔːmərənt] *s.* (*zool.*) cormorano.

corn[1] [kɔːn] *s.* **1** granello; chicco **2** grano; (*pianta*) cereale; (*amer.*) granturco: — *bread*, (*amer.*) focaccia di granturco; — *flakes*, fiocchi di granturco; — *pone*, (*amer.*) pane di granturco fritto o cotto al forno; — *starch*, (*amer.*) farina di granturco, riso o altri cereali **3** (*fam.*) banalità; stucchevolezza.

to corn[1] *v.tr.* **1** coltivare a grano **2** foraggiare **3** conservare sotto sale.

corn[2] *s.* callo; durone.

corn-chandler [ˈkɔːn,tʃɑːndlə*] *s.* mercante di grano.

corncob [ˈkɔːnkɔb] *s.* pannocchia.

cornea [ˈkɔːniə], *pl.* **corneae** [ˈkɔːniː] *s.* cornea.

corned beef [ˈkɔːndbiːf] *s.* manzo salmistrato.

cornel [ˈkɔːnl] *s.* (*bot.*) corniolo.

cornelian [kɔːˈniːljən] *s.* (*min.*) corniola.

corner [ˈkɔːnə*] *s.* **1** angolo: *to turn the* —, voltare l'angolo; (*fig.*) superare una crisi; *in some odd* —, in qualche angolo sperduto // *a tight* —, una brutta situazione // *to be round the* —, essere a portata di mano **2** (*calcio*) calcio d'angolo **3** (*comm.*) accaparramento.

to corner *v.tr.* **1** mettere in un angolo; (*fig.*) mettere alle strette **2** (*comm.*) accaparrare ♦ *v.intr.* (*di veicoli*) fare una curva // *to — well*, tenere bene la strada (in curva).

corner-kick [ˈkɔːnəkik] *s.* (*calcio*) calcio d'angolo.

cornerstone [ˈkɔːnəstoun] *s.* pietra angolare (*anche fig.*).

corner-wise [ˈkɔːnəwaiz] *avv.* in diagonale.

cornet [ˈkɔːnit] *s.* **1** (*mus.*) cornetta; cornettista **2** cartoccio; cono (per gelati).

cornflour [ˈkɔːnflauə*] *s.* farina.

cornflower [ˈkɔːnflauə*] *s.* fiordaliso.

cornice [ˈkɔːnis] *s.* cornicione, cornice.

Cornish [ˈkɔːniʃ] *agg.* della Cornovaglia ♦ *s.* lingua della Cornovaglia.

Cornwall [ˈkɔːnwəl] *no.pr.* Cornovaglia.

corny[1] [ˈkɔːni] *agg.* **1** del grano; ricco di grano **2** (*sl.*) trito, banale; stucchevole.

corny[2] *agg.* calloso.

corollary [kəˈrɔləri, (*amer.*) ˈkorəleri] *s.* corollario.

corona [kəˈrounə], *pl.* **coronae** [kəˈrouniː] *s.* **1** corona **2** (*tipo di*) sigaro.

coronal[1] [kəˈrounl] *agg.* (*astr. anat.*) coronale.

coronal[2] [ˈkorənl] *s.* corona; ghirlanda.

coronary [ˈkorənəri] *agg.* (*anat.*) coronario.

coronation [,korəˈneiʃən] *s.* incoronazione.

coroner [ˈkorənə*] *s.* «coroner» (pubblico ufficiale incaricato dell'inchiesta in casi di morte violenta).

coronet [ˈkorənit] *s.* corona (gentilizia); ghirlanda.

corporal[1] [ˈkɔːpərəl] *agg.* corporale, corporeo ♦ *s.* (*eccl.*) corporale.

corporal[2] *s.* (*mil.*) caporale.

corporality [,kɔːpəˈræliti] *s.* corporeità.

corporate [ˈkɔːpərit] *agg.* **1** corporativo // — *body*, ente **2** comunitario, collettivo.

corporation [,kɔːpəˈreiʃən] *s.* **1** associazione, corporazione; persona giuridica **2** (*amer.*) società // *state controlled* —, società a partecipazione statale **3** giunta (comunale) **4** (*fam.*) pancione.

corporati(vi)sm [ˈkɔːpərəti(ˌvi)zm] *s.* corporativismo.

corporeal [kɔːˈpɔːriəl] *agg.* **1** corporeo **2** (*dir.*) reale.

corporeity [,kɔːpəˈreiti] *s.* corporalità.

corps [kɔː*], *pl.* **corps** [kɔːz] *s.* **1** (*mil.*) corpo; reparto **2** gruppo (di persone).

corpse [kɔːps] *s.* salma, cadavere.

corpulence [ˈkɔːpjuləns], **corpulency** [ˈkɔːpjulənsi] *s.* corpulenza.

corpulent [ˈkɔːpjulənt] *agg.* corpulento.

corpus [ˈkɔːpəs], *pl.* **corpora** [ˈkɔːpərə] *s.* **1** corpo // *Corpus Christi*, (*eccl.*) Corpus Domini **2** corpus, raccolta di leggi o scritti.

corpuscle [ˈkɔːpʌsl] *s.* corpuscolo; particella // *blood* —, globulo (del sangue).

corpuscular [kɔːˈpʌskjulə*] *agg.* corpuscolare.

corral [kɔːˈrɑːl] *s.* **1** recinto (per bestiame) **2** cerchio di carri (per proteggere un accampamento).

correct [kəˈrekt] *agg.* corretto, giusto; esatto.

to correct *v.tr.* correggere, rettificare; regolare.

correction [kəˈrekʃən] *s.* correzione; rettifica // *house of* —, correzionale.

corrective [kəˈrektiv] *agg.* e *s.* correttivo.

correlate [ˈkɔːrileit] *s.* termine di correlazione.

to correlate *v.tr.* mettere in correlazione ♦ *v.intr.* essere in correlazione.

correlation [,kɔːriˈleiʃən] *s.* correlazione.

correlative [kɔːˈrelətiv] *agg.* correlativo ♦ *s.* termine correlativo.

to correspond [,kɔːrisˈpɔnd] *v.intr.* corrispondere: *to* — *with*, corrispondere, essere corrispondente a; *we have corresponded many years*, siamo in corrispondenza da molti anni.

correspondence [,kɔːrisˈpɔndəns] *s.* **1** corrispondenza, correlazione **2** corrispondenza: — *course*, corso per corrispondenza.

correspondent [,kɔːrisˈpɔndənt] *agg.* e *s.* corrispondente: *foreign* —, corrispondente dall'estero.

corridor [ˈkɔridɔː*] *s.* corridoio.

to corroborate [kəˈrɔbəreit] *v.tr.* (*fig.*) corroborare, avvalorare.

corroborative [kəˈrɔbərətiv] *agg.* avvalorante.

to corrode [kəˈroud] *v.tr.* corrodere ♦ *v.intr.* corrodersi.

corrodible [kəˈroudəbl], **corrosible** [kəˈrousibl] *agg.* che si può corrodere.

corrosion [kəˈrouʒən] *s.* corrosione.

corrosive [kəˈrousiv] *agg.* e *s.* corrosivo.

to corrugate [ˈkorugeit] *v.tr.* corrugare // *corrugated iron*, lamiera ondulata ♦ *v.intr.* corrugarsi.

corrugation [,koruˈgeiʃən] *s.* corrugamento.

corrupt [kəˈrʌpt] *agg.* **1** corrotto (*anche fig.*) **2** alterato (di testo, lingua ecc.).

to corrupt *v.tr.* **1** corrompere **2** alterare (testi ecc.) ♦ *v.intr.* corrompersi.

corruptible [kəˈrʌptəbl] *agg.* corruttibile.

corruption [kəˈrʌpʃən] *s.* corruzione.

corsage [kɔː'sɑːʒ] s. **1** corpino **2** (*amer.*) mazzolino di fiori (da portare sull'abito).

corsair ['kɔːsɛə*] s. **1** corsaro **2** nave corsara.

corselet ['kɔːslit] s. **1** corsaletto **2** guaina.

corset ['kɔːsit] s. busto.

Corsican ['kɔːsikən] agg. e s. corso.

cortège [kɔː'teiʒ] s. corteggio; corteo.

cortex ['kɔːteks], *pl.* **cortices** ['kɔːtisi:z] s. (*anat. bot.*) corteccia.

cortical ['kɔːtikəl] agg. (*anat. bot.*) corticale.

cortisone ['kɔːtisoun] s. (*med.*) cortisone.

corundum [kə'rʌndəm] s. (*min.*) corindone.

to **coruscate** ['kɔrəskeit] v.intr. brillare.

corvette [kɔː'vet] s. (*mar.*) corvetta.

cos[1] [kɔs] s. (*bot.*) lattuga romana.

cos[2] s. abbr. di **cosine**.

cosecant [kou'si:kənt] s. (*geom.*) cosecante.

to **cosh** [kɔʃ] v.tr. colpire (con un randello).

cosily ['kouzili] avv. comodamente, al calduccio.

cosine ['kousain] s. (*mat.*) coseno.

cosiness ['kouzinis] s. (*di ambiente*) intimità, tepore confortevole.

cosmetic [kɔz'metik] agg. e s. cosmetico.

cosmetician [,kɔzmi'tiʃən] s. cosmetista.

cosmic(al) ['kɔzmik(əl)] agg. cosmico.

cosmogony [kɔz'mɔgəni] s. cosmogonia.

cosmological [,kɔzmə'lɔdʒikəl] agg. (*fil.*) cosmologico.

cosmology [kɔz'mɔlədʒi] s. (*fil.*) cosmologia.

cosmonaut ['kɔzmənɔːt] s. cosmonauta.

cosmopolitan [,kɔzmə'pɔlitən] agg. e s. cosmopolita.

cosmopolitanism [kɔzmə'pɔlitənizəm] s. cosmopolitismo.

cosmopolite [kɔz'mɔpəlait] s. cosmopolita.

cosmos ['kɔzmɔs] s. **1** cosmo **2** (*bot.*) cosmos.

Cossack ['kɔsæk] agg. e s. cosacco.

cost [kɔst] s. **1** costo, prezzo; spesa // —, *insurance, freight,* costo, assicurazione e nolo // — *of-living-bonus,* indennità di contingenza // — *of-living-index,* indice del costo della vita // — *price,* prezzo di costo // — *reductions,* riduzione dei costi // *at all costs,* a tutti i costi // *to one's —,* (*fig.*) a proprie spese **2** *pl.* (*dir.*) spese processuali.

to **cost**, *pass.* e *p.pass.* **cost** v.tr. **1** costare **2** stabilire il prezzo (di).

cost-effective ['kɔsti,fektiv] agg. (*econ.*) efficiente, redditizio: *a — method of production,* un metodo di produzione economicamente efficiente.

costermonger ['kɔstə,mʌŋgə*] s. fruttivendolo ambulante.

costing ['kɔstiŋ] s. (*comm.*) determinazione dei costi.

costive ['kɔstiv] agg. **1** stitico **2** (*fig.*) pigro.

costly ['kɔstli] agg. **1** costoso **2** sontuoso.

costume ['kɔstju:m] s. **1** costume, foggia (di abiti) **2** abito, vestito (in due pezzi) da donna // *bathing —,* costume da bagno // — *jewellery,* gioielli fantasia.

to **costume** v.tr. provvedere di costumi.

costumier [kɔs'tju:miə*] s. costumista.

cosy ['kouzi] agg. intimo, confortevole; accogliente (di casa) ♦ s. copriteiera.

cot [kɔt] s. **1** lettino a sbarre (per bambini) **2** (*amer.*) lettino; branda.

cotangent ['kou'tænʤənt] s. (*mat.*) cotangente.

cote [kout] s. riparo (per animali).

co-tenant ['kou'tenənt] s. coaffituario.

coterie ['koutəri] s. cricca, compagnia // *literary —,* cenacolo letterario.

cothurnus [kou'θəːnəs], *pl.* **cothurni** [kou'θəːnai] s. coturno.

cotillion [kə'tiljən] s. cotillon.

cottage ['kɔtidʒ] s. villino // — *loaf,* pagnotta casalinga.

cottage cheese [,kɔtidʒ'tʃiːz] s. formaggio molle fresco.

cottage industry [,kɔtidʒ'indəstri] s. industria che ricorre al lavoro a domicilio.

cotter ['kɔtə*] s. (*mecc.*) chiavetta.

cotton ['kɔtn] s. cotone // — *mill,* cotonificio // *Cotton Belt,* zona di coltivazione del cotone (nel sud degli Stati Uniti).

to **cotton** v.intr.: *to — (on) to,* capire; prendere in simpatia.

cotton batting ['kɑːtn'bædiŋ] s. (*amer.* per *cotton wool*) cotone idrofilo.

cotton candy [,kʌn'kændi] s. amer. per *candyfloss*.

cottongrass ['kɔtngrɑːs] s. (*bot.*) erioforo.

cotton-print ['kɔtnprint] s. cotone stampato.

cottontail ['kɔtnteil] s. (*amer.*) coniglio con la coda bianca.

cotton waste ['kɔtnweist] s. scarti di cotone.

cotton wool ['kɔtn'wul] s. cotone idrofilo.

cottony ['kɔtni] agg. somigliante al cotone.

couch [kautʃ] s. **1** divano **2** (*poet.*) giaciglio **3** (*pitt.*) fondo.

to **couch** v.tr. **1** esprimere: *he couched his meaning under a metaphor,* espresse il suo pensiero con una metafora **2** (*med.*) togliere una cataratta ♦ v.intr. **1** sdraiarsi; giacere **2** nascondersi; appostarsi.

cougar ['kuːgə*] s. puma, coguaro.

cough [kɔf] s. tosse: *to give a (slight) —,* dare un colpo di tosse // — *drop,* pastiglia per la tosse.

to **cough** v.tr. e intr. **1** tossire **2** *to — up,* espettorare tossendo; (*fam.*) sputare (denari, confessione).

could *pass.* di **can**.

couldn't ['kudnt] *contr.* di **could not**.

coulisse [kuː'liːs] s. guida, incastro.

coulter ['koultə*] s. coltro.

council ['kaunsl] s. **1** consiglio: *Council of State,* Consiglio di Stato; *town* (o *municipal*) —, consiglio comunale; *Privy Council,* Consiglio privato della Corona **2** (*eccl.*) concilio.

council chamber ['kaunsl,tʃeimbə*] s. sala del consiglio.

councillor ['kaunsilə*] s. consigliere.

counsel ['kaunsəl] s. **1** consiglio, avvertimento; opinione: *to keep one's own —,* non rivelare le proprie opinioni // — *of perfection,* consiglio difficile da seguire **2** deliberazione **3** avvocato; collegio di avvocati.

to **counsel** v.tr. raccomandare, consigliare (a).

counsellor ['kaunslə*] s. **1** consigliere **2** avvocato.

count[1] [kaunt] s. **1** conto (*anche fig.*), calcolo, conteggio: *I take no — of what he says,* non tengo in nessuna considerazione quanto dice // *to take the —,* essere sconfitto per k.o. **2** (*dir.*) capo d'accusa **3** (*ind. tessile*) titolo.

to **count**[1] v.tr. **1** contare, calcolare // *to — up,* addizionare, sommare // *to — in,* includere **2** considerare; annoverare **3** *to — out,* (*pol.*) aggiornare una seduta; (*sport*) dichiarare sconfitto (un pugile) ♦ v.intr. contare (*anche fig.*): *this doesn't —,* questo non conta // *to — down,* contare alla rovescia // *to — on, upon,* contare su // *to — for,* essere considerato come; avere valore di.

count[2] s. conte.

countdown ['kauntdaun] s. conteggio alla rovescia.

countenance ['kauntinəns] *s.* **1** espressione del volto; aria // *to keep* (*one's*) —, mantenersi calmo; *to lose* —, perdere il controllo; *to put out of* —, sconcertare **2** appoggio.

to countenance *v.tr.* **1** approvare, incoraggiare **2** tollerare.

counter- ['kauntə*] *pref.* contro-.

counter¹ *s.* **1** contatore **2** (*di giochi*) gettone.

counter² *s.* banco (di negozio ecc.); sportello (bancario ecc.) // *under the* —, sottobanco // *over the* —, (*fin.*) fuori Borsa // *— top terminal*, (*informatica*) terminale di sportello.

counter³ *s.* sperone (di scarpa).

counter⁴ *s.* (*sport*) parata.

counter⁴ *agg.* contrario; opposto; avverso.

counter⁴ *avv.* in senso inverso; in modo contrario.

to counter⁴ *v.tr.* parare (un colpo).

to counteract [,kauntə'rækt] *v.tr.* **1** agire contro; contrapporsi (a) **2** neutralizzare.

counteraction [,kauntə'rækʃən] *s.* **1** azione contraria, opposizione **2** neutralizzazione.

counterattack ['kauntərə,tæk] *s.* contrattacco.

to counterattack [,kauntərə'tæk] *v.tr.* contrattaccare.

counterbalance ['kauntə,bæləns] *s.* contrappeso.

to counterbalance [,kauntə'bæləns] *v.tr.* controbilanciare.

countercharge ['kauntətʃɑ:dʒ] *s.* (*dir.*) controaccusa.

countercheck ['kauntə,tʃek] *s.* **1** forza d'arresto **2** controllo ulteriore.

counterclaim ['kauntəkleim] *s.* controquerela.

counterclockwise ['kauntə'klɒkwaiz] *agg. e avv.* (in senso) antiorario.

counterespionage [,kauntə'espiənɑ:ʒ] *s.* controspionaggio.

counterfeit ['kauntəfit] *agg.* **1** contraffatto; falsificato **2** simulato ♦ *s.* **1** falsificazione **2** simulazione.

to counterfeit *v.tr.* **1** contraffare; falsificare **2** simulare.

counterfoil ['kauntəfɔil] *s.* (*comm.*) matrice.

countermand [,kauntə'mɑ:nd] *s.* revoca.

to countermand *v.tr.* revocare, annullare.

countermarch ['kauntə,mɑ:tʃ] *s.* contromarcia.

to countermarch *v.intr.* fare contromarcia.

countermark ['kauntəmɑ:k] *s.* (*comm.*) contromarca.

countermeasure ['kauntə,meʒə*] *s.* contromisura.

countermove ['kauntə,mu:v] *s.* contromossa.

counteroffensive ['kauntərə'fensiv] *s.* (*mil.*) controffensiva.

counterpane ['kauntəpein] *s.* copriletto.

counterpart ['kauntəpɑ:t] *s.* **1** equivalente **2** complemento **3** duplicato, copia.

counterplot ['kauntə-plɒt] *s.* complotto per sventarne un altro.

counterpoint ['kauntəpoint] *s.* (*mus.*) contrappunto.

to counterpoise *v.tr.* controbilanciare.

counter-reformation ['kauntə,refə'meiʃən] *s.* controriforma.

counter-revolution [,kauntərevə'lu:ʃən] *s.* controrivoluzione.

countersign ['kauntəsain] *s.* parola d'ordine.

to countersign *v.tr.* controfirmare; ratificare.

to countersink ['kauntəsiŋk] *v.tr.* (*mecc.*) accecare; svasare.

to countervail ['kauntəveil] *v.tr. e intr.* controbilanciare.

counterweight ['kauntəweit] *s.* contrappeso.

countess ['kauntis] *s.* contessa.

countinghouse ['kauntiŋhaus] *s.* ufficio (commerciale).

countless ['kauntlis] *agg.* innumerevole.

count-out ['kaunt'aut] *s.* sospensione (di una assemblea) per insufficienza numerica.

countrified ['kʌntrifaid] *agg.* campagnolo; rurale.

country ['kʌntri] *s.* **1** paese, regione; nazione // *to go to the* —, (*pol.*) indire le elezioni **2** campagna: — *cousin*, zoticone ♦ *agg.* campagnolo, rustico.

countryman, *pl.* **countrymen** ['kʌntrimən] *s.* **1** compaesano; compatriota **2** contadino.

country seat ['kʌntri'si:t] *s.* residenza (di proprietario terriero).

countryside ['kʌntri'said] *s.* campagna.

countrywide ['kʌntriwaid] *agg.* esteso per tutta la campagna, nazione; nazionale.

countrywoman ['kʌntri,wumən], *pl.* **countrywomen** ['kʌntri,wimin] *s.* **1** compaesana **2** contadina.

county ['kaunti] *s.* **1** contea; provincia **2** nobiltà di campagna ♦ *agg.* **1** provinciale **2** nobile (di campagna).

county tocon [,kaunti'taun], (*amer.*) **county seat** [,kaunti'siit] *s.* capoluogo di contea.

coup [ku:] *s.* colpo // *— d'état*, colpo di Stato // *— de théâtre*, colpo di scena.

coupé ['ku:'pei] *s.* (*amer.*) automobile a due posti, coupé

couple ['kʌpl] *s.* coppia; paio: *a married* —, una coppia di sposi; *in couples*, in coppia, a coppie.

to couple *v.tr.* **1** accoppiare; appaiare **2** unire, agganciare **3** associare ♦ *v.intr.* accoppiarsi; appaiarsi.

couplet ['kʌplit] *s.* distico a rima baciata.

coupling ['kʌpliŋ] *s.* (*mecc.*) accoppiamento; innesto.

coupon ['ku:pɔn] *s.* cedola, tagliando; scontrino, tessera, buono, schedina.

coupon-free ['ku:pɔnfri:] *agg.* non razionato.

courage ['kʌridʒ] *s.* coraggio: *to pluck up* —, farsi coraggio.

courageous [kə'reidʒəs] *agg.* coraggioso.

courgette [kuə'ʒet] *s.* zucchina.

courier ['kuriə*] *s.* **1** corriere, messaggero **2** guida, accompagnatore (per turisti).

course [kɔ:s] *s.* **1** corso: — *of exchange*, (*comm.*) corso dei cambi // *of* —!, naturalmente! // *in due* —, a tempo debito **2** corso (di lezioni, conferenze) **3** direzione, via: *to hold* (*on*) *one's* —, mantenere la direzione scelta **4** (*di pasti*) portata **5** (*sport*) campo, pista **6** rotta.

to course *v.tr.* inseguire, rincorrere, cacciare ♦ *v.intr.* **1** correre **2** scorrere (di liquidi).

coursing ['kɔ:siŋ] *s.* corse di cani.

court [kɔ:t] *s.* **1** corte, cortile **2** (*dir.*) corte, tribunale: *out of* —, in via amichevole // *law* —, tribunale; *the Law Courts*, il Palazzo di Giustizia **3** corte reale.

to court *v.tr.* **1** corteggiare **2** sollecitare.

court card ['kɔ:tkɑ:d] *s.* (*a carte*) figura.

courteous ['kə:tjəs] *agg.* cortese.

courtesan [,kɔ:ti'zæn], (*amer.*) 'kɔ:tizn] *s.* cortigiana.

courtesy ['kə:tisi] *s.* cortesia, gentilezza.

courthouse ['kɔ:t'haus] *s.* (palazzo del) tribunale.

courtier ['kɔ:tjə*] *s.* cortigiano.

courting ['kɔ:tiŋ] *s.* corteggiamento.

courtly ['kɔ:tli] *agg.* dignitoso.

court-martial ['kɔ:t'mɑ:ʃəl], *pl.* **courts-martial** ['kɔ:ts'mɑ:ʃəl] *s.* (*mil.*) corte marziale // *drum-head* —, corte marziale (con istruzione sommaria).

to court-martial *v.tr.* portare davanti alla corte marziale.

courtroom ['kɔ:tru:m] s. aula di tribunale.

courtship ['kɔ:tʃip] s. corte, corteggiamento.

courtyard ['kɔ:t'ja:d] s. corte, cortile.

cousin ['kʌzn] s. cugino, cugina: first — (o — german), cugino di primo grado; second —, cugino di secondo grado; first — once removed, cugino di secondo grado (il figlio di un primo cugino rispetto a un altro primo cugino).

cove[1] [kouv] s. 1 piccola baia, insenatura 2 grotta 3 (arch.) modanatura concava.

to cove[1] v.tr. (arch.) piegare ad arco.

cove[2] s. (fam.) individuo.

covenant ['kʌvinənt] s. (dir. pol.) accordo solenne; convenzione; (antico testamento) patto.

to covenant v.tr. stipulare ♦ v.intr. convenire; impegnarsi.

cover ['kʌvə*] s. 1 coperta, copertura // loose — (of a chair etc.), fodera (di sedia ecc.) // under (the) — of darkness, col favore delle tenebre 2 copertina (di libro) 3 riparo, rifugio: to break —, uscire dal riparo (di selvaggina) 4 (fig.) pretesto, apparenza 5 (comm.) copertura; margine: full —, garanzia piena.

to cover v.tr. 1 coprire; ricoprire; rivestire (anche fig.) // to — over, ricoprire // to — up, coprire interamente; nascondere // to — in, riempire 2 proteggere 3 coprire, percorrere 4 comprendere, includere: in order to — all eventualities, per prepararsi a ogni eventualità 5 (comm.) coprire: to — a deficit, colmare un deficit 6 (giornalismo) descrivere, fare la cronaca di 7 (di animali) montare 8 to — s.o. with a pistol, tenere a bada qlcu. con la pistola.

coverage ['kʌvəridʒ] s. 1 (giornalismo) servizio 2 (comm.) copertura (di rischi) 3 (rad.) area di ricezione 4 (di animali) monta.

cover charge ['kʌvə'tʃɑ:dʒ] s. (tariffa di) coperto.

covering ['kʌvəriŋ] s. copertura; rivestimento ♦ agg. coprente, proteggente // — letter, lettera di accompagnamento.

coverlet, coverlid ['kʌvəlit] s. copriletto.

covert ['kʌvət] agg. velato; dissimulato ♦ s. rifugio, nascondiglio: to draw a —, stanare la selvaggina dal sottobosco.

coverture ['kʌvətjuə*] s. 1 copertura; mascheramento 2 stato civile di coniugata.

to covet ['kʌvit] v.tr. desiderare ardentemente.

covetous ['kʌvitəs] agg. 1 desideroso; avido 2 avaro.

covey ['kʌvi] s. 1 covata di pernici 2 (scherz.) comitiva; gruppo.

cow[1] [kau] s. 1 vacca, mucca // till the cows come home, per sempre // — bell, campanaccio 2 femmina (di grossi mammiferi) 3 (spreg. volg.) vacca.

to cow[2] v.tr. sottomettere, soggiogare.

coward ['kauəd] agg. e s. codardo, vile.

cowardice ['kauədis] s. codardia, viltà.

cowardly ['kauədli] agg. codardo, vile ♦ avv. vilmente.

cowbane ['kaubein] s. (bot.) cicuta acquatica.

cowboy ['kaubɔi] s. 1 cowboy 2 persona incompetente e disonesta.

to cower ['kauə*] v.intr. farsi piccolo (per timore).

cowhand ['kauhænd], **cowherd** ['kauhə:d] s. vaccaro, cowboy.

cowhide ['kauhaid] s. 1 pelle bovina; cuoio 2 frusta di vacchetta.

cowhouse ['kauhaus] s. stalla.

cowish ['kauiʃ] agg. simile a mucca.

cowl [kaul] s. 1 cappuccio 2 cappa (di camino).

cowlick ['kaulik] s. rosa (nei capelli); virgola, tirabaci.

cowling ['kauliŋ] s. (mecc.) cappottatura.

cowman, pl. **cowmen** ['kaumən] s. vaccaro; proprietario di fattoria.

co-worker ['kou'wə:kə*] s. compagno di lavoro; collega.

cow-puncher ['kau,pʌntʃə*] s. (amer. fam.) bovaro, vaccaro.

cowshed ['kauʃəd] s. stalla.

cowslip ['kauslip] s. (bot.) primula gialla.

cox [kɔks] s. timoniere.

to cox v.tr. governare.

coxcomb ['kɔkskoum] s. 1 bellimbusto; zerbinotto 2 (berretto da) buffone.

coxswain ['kɔkswein] s. (mar.) 1 nostromo 2 timoniere.

to coxswain v.tr. governare (imbarcazione).

coy [kɔi] agg. (di donna) ritrosa.

coyote [kɔi'out, (amer.) 'kaiout] s. coyote.

to cozen ['kʌzn] v.tr. ingannare; frodare.

cozenage ['kʌznidʒ] s. inganno.

cozy ['kouzi] agg. (amer. per cosy) intimo, confortevole.

crab[1] [kræb] s. granchio.

to crab[1] v.intr. 1 andare a pesca di granchi 2 muoversi di lato.

crab[2] s. mela selvatica.

crab[3] s. guastafeste; persona brontolona.

to crab[3] v.intr. lamentarsi ♦ v.tr. criticare.

crabbed ['kræbd] agg. 1 sgarbato, bisbetico 2 illeggibile.

crabby ['kræbi] agg. → **crabbed** 1.

crack [kræk] agg. (fam.) scelto; di prim'ordine ♦ s. 1 schianto; scoppio; schiocco // the — of doom, (le trombe del) Giudizio Universale // the — of dawn, le prime luci dell'alba 2 rottura; incrinatura 3 battuta spiritosa 4 (fam.) tentativo.

to crack v.intr. 1 schiantarsi; esplodere // to — up, (fig.) crollare, andare a pezzi 2 scricchiolare; schioccare 3 (fam.) raccontare (barzellette) 4 (fam.) sbrigarsi 5 mutare (di voce) 6 to — down (on sthg.), imporre misure restrittive, divieti (su qlco.). ♦ v.tr. 1 rompere; incrinare // to — a crib, (fam.) fare un furto con scasso 2 (far) schioccare 3 (chim.) sottoporre a piroscissione.

crackbrained ['krækbreind] agg. matto.

crackdown ['krækdaun] s. misure restrittive (pl.); divieti (pl.).

cracked [krækt] agg. 1 incrinato; crepato 2 (fam.) matto.

cracker ['krækə*] s. 1 petardo 2 cracker 3 (pacchetto a) sorpresa.

crackerjack ['krækədʒæk] agg. (fam.) meraviglioso ♦ s. (una) vera meraviglia.

crackers ['krækəz] agg. (sl.) pazzo.

cracking ['krækiŋ] s. (chim.) piroscissione.

crackjaw ['krækdʒɔ:] agg. (fam.) impronunziabile.

crackle ['krækl] s. 1 scricchiolio; crepitio 2 (di porcellana, ceramica) screpolatura.

to crackle v.intr. scricchiolare; crepitare.

crackling ['kræklin] s. 1 scoppiettio, crepitio 2 pl. (cuc.) ciccioli.

cracknel ['kræknl] s. biscotto croccante.

crackpot ['krækpɔt] agg. e s. (fam.) pazzo, picchiatello.

cracksman, pl. **cracksmen** ['kræksmən] s. (fam.) scassinatore.

crackup ['krækʌp] s. (fam.) collasso nervoso.

cradle [ˈkreidl] s. **1** culla (*anche fig.*) // — *song*, ninna nanna **2** (*edil.*) centina **3** vaglio (per miniera).

to **cradle** *v.tr.* **1** cullare **2** allevare, educare **3** (*min.*) vagliare.

craft [krɑ:ft] s. **1** abilità, arte; mestiere: *arts and crafts*, arti e mestieri **2** corporazione di artigiani **3** astuzia, scaltrezza **4** (*pl. invar.*) imbarcazione // *assault* —, (*mil.*) mezzi d'assalto.

craftsman, *pl.* **craftsmen** [ˈkrɑ:ftsmən] s. artigiano.

craftsmanship [ˈkrɑ:ftsmənʃip] s. **1** abilità d'esecuzione; artigianato **2** padronanza del mestiere (di scrittore ecc.).

crafty [ˈkrɑ:fti] agg. furbo, scaltro.

crag [kræg] s. rupe; spuntone (di roccia).

craggy [ˈkrægi] agg. roccioso; dirupato.

crake [kreik] s. cornacchia.

cram [kræm] s. **1** sgobbata **2** (*sl.*) bugia.

to **cram** *v.tr.* **1** stipare // *a book crammed with quotations*, un libro pieno zeppo di citazioni **2** rimpinzare, rimpinzarsi (di) **3** (*fig.*) riempire la testa di nozioni **4** studiare affrettatamente ♦ *v.intr.* **1** rimpinzarsi **2** prepararsi affrettatamente (per un esame).

crammer [ˈkræmə*] s. **1** ripetitore (per la preparazione di un esame) **2** compendio, bigino.

cramp[1] [kræmp] s. crampo: *to get a* —, essere preso da un crampo.

cramp[2] (*iron*) [ˈkræmpaiən] s. morsetto.

to **cramp**[2] [kræmp] *v.tr.* **1** fissare con un morsetto **2** (*fig.*) paralizzare.

crampon [ˈkræmpən] s. rampone.

cranage [ˈkreinidʒ] s. l'uso di una gru; spese per l'affitto di una gru.

cranberry [ˈkrænbəri] s. mirtillo rosso.

crane [krein] s. (*zool.*) gru.

to **crane** *v.tr.* e *intr.* allungare (il collo).

cranial [ˈkreinjəl] agg. cranico.

cranium [ˈkreinjəm], *pl.* **crania** [kreinjə] s. cranio.

crank [kræŋk] s. **1** (*tecn.*) manovella; gomito **2** (*fig.*) mania; strana abitudine **3** (*fam.*) eccentrico ♦ agg. traballante, instabile.

to **crank** *v.tr.* **1** (*mecc.*) piegare a gomito **2** dare un giro di manovella (a) // *to* — (*up*) *an engine*, mettere in moto un'automobile (con manovella d'avviamento).

crank pin [ˈkræŋkpin] s. (*mecc.*) perno, bottone (di manovella).

crankshaft [ˈkræŋkʃɑːft] s. (*mecc.*) albero a gomiti.

cranky [ˈkræŋki] agg. **1** sganhgerato, traballante **2** irritabile **3** (*fam.*) eccentrico.

cranny [ˈkræni] s. fessura; piccolo buco.

crap [kræp] s. (*sl.volg.*) porcheria, schifezza.

crape [kreip] s. crespo da lutto // — *paper*, carta crespata.

craps [kræps] s. (*amer.*) gioco d'azzardo con i dadi: *to shoot* —, giocare ai dadi.

crash[1] [kræʃ] s. **1** fragore, scoppio; schianto **2** grave incidente: *air* —, disastro aereo **3** (*fig.*) crac, crollo.

to **crash**[1] *v.intr.* **1** cadere facendo fracasso; crollare (*anche fig.*); schiantarsi **2** *to* — *through*, aprirsi un varco a forza // *the ball crashed through the window*, la palla sfondò la finestra **3** (*sl.*) scroccare una sistemazione per la notte ♦ *v.tr.* schiantare.

crash[2] s. tela (grezza) per asciugamani.

crash-dive [ˈkræʃdaiv] s. immersione rapida.

crash helmet [ˈkræʃˌhelmit] s. (*sport*) casco.

to **crash-land** [ˈkræʃlænd] *v. intr.* fare un atterraggio di fortuna.

crash landing [ˈkræʃlændiŋ] s. atterraggio di fortuna.

crass [kræs] agg. grossolano; crasso.

crate [kreit] s. **1** cassa (da imballaggio) **2** (*fam.*) vecchia carretta.

crater [ˈkreitə*] s. cratere.

to **crave** [kreiv] *v.tr.* chiedere con insistenza: *to* — *sthg. from* (o *of*) *s.o.*, implorare qlco. da qlcu. ♦ *v.intr.*: *to* — *for* (o *after*) *sthg.*, desiderare qlco. ardentemente.

craven [ˈkreivən] agg. e s. vigliacco, codardo // *to cry* —, arrendersi.

craving [ˈkreiviŋ] s. brama; desiderio struggente; voglia.

craw [krɔ:] s. gozzo.

crawfish [ˈkrɔ:fiʃ] s. → **crayfish**.

crawl[1] [krɔ:l] s. **1** movimento strisciante // *to go at a* —, avanzare molto lentamente **2** (*nuoto*) crawl **3** (*sl.*) giro delle osterie.

to **crawl**[1] *v.intr.* **1** strisciare (*anche fig.*) // *to* — *in, out*, entrare, uscire strisciando **2** andare carponi **3** avanzare lentamente **4** brulicare.

crawl[2] s. vivaio (per pesci).

crawler [ˈkrɔ:lə*] s. **1** chi striscia (*anche fig.*) **2** *pl.* tuta per bambini (*sing.*).

crawly [ˈkrɔ:li] agg. che ha, fa venire la pelle d'oca.

crayfish [ˈkreifiʃ] s. gambero (di fiume).

crayon [ˈkreiən] s. **1** pastello **2** (*elettr.*) carbone (di lampada ad arco).

craze [kreiz] s. **1** mania **2** moda, voga: *this is the latest* —, è l'ultima moda.

to **craze** *v.tr.* **1** fare impazzire **2** screpolare.

crazy [ˈkreizi] agg. **1** folle, pazzo; (*fam.*) entusiasta: — *with fear*, pazzo di terrore; *to drive s.o.* —, fare impazzire qlcu.; *to go* —, (*fig.*) impazzire; *to be* — *about sthg.*, andare pazzo per qlco. // — *pavement*, pavimentazione a lastre irregolari **2** traballante.

creak [kri:k] s. cigolio; scricchiolio.

to **creak** *v.intr.* **1** (far) cigolare; (far) scricchiolare.

cream [kri:m] s. **1** panna; crema (del latte): *whipped* —, panna montata **2** crema (di bellezza) **3** color crema **4** (*fig.*) fior fiore.

to **cream** *v.tr.* **1** scremare **2** (*cuc.*) sbattere fino a rendere cremoso; cucinare con panna **3** (*fig.*) scegliere il meglio (da) **4** (*sl.*) sconfiggere completamente.

crease [kri:s] s. piega, piegatura; grinza // — *resistant*, ingualcibile.

to **crease** *v.tr.* **1** dare la piega (a) **2** sgualcire ♦ *v.intr.* sgualcirsi, spiegazzarsi.

to **create** [kri(:)ˈeit] *v.tr.* **1** creare // *he was created a knight*, fu fatto cavaliere **2** produrre; provocare ♦ *v.intr.* (*sl.*) fare storie.

creation [kri(:)ˈeiʃən] s. **1** creazione; creato **2** formazione, produzione.

creative [kri(:)ˈeitiv] agg. **1** creativo **2** originale.

creator [kri(:)ˈeitə*] s. creatore.

creature [ˈkri:tʃə*] s. **1** creatura, essere vivente // *dumb creatures*, gli animali // — *comforts*, comodità, agi **2** (*fig.*) strumento.

crèche [kreiʃ] (*franc.*) s. **1** nido, asilo infantile **2** brefotrofio **3** (*amer.*) presepio.

credence [ˈkri:dəns] s. credito // *letter of* —, credenziali.

credentials [kriˈdenʃəlz] s.pl. credenziali.

credibility [ˌkrediˈbiliti] s. credibilità.

credibility gap [ˌkrediˈbilitigap] s. gap di credibilità, divario fra ciò che si afferma e la realtà.

credible [ˈkredəbl] agg. credibile.

credit [ˈkredit] s. **1** credito: *to give* —, prestar fede a **2** merito, onore: *to be a* — *to* s.o., fare onore a qlcu.　**3** (comm.) credito; fido: on —, a credito; commodity credits, crediti commerciali // — balance, bilancio, saldo attivo　**4** — titles, titoli di testa (di un film)　**5** (nelle università americane) valore in punti di un corso (agli effetti della laurea) // — course, corso universitario che dà un punteggio valido per la votazione finale.

to **credit** v.tr.　**1** credere, prestare fede (a)　**2** attribuire: to — s.o. with sthg., attribuire qlco. a qlcu.　**3** (comm.) accreditare.

creditable ['kreditəbl] agg. stimabile, lodevole.

credit account ['kreditə'kaunt] s. conto aperto (presso un negozio).

credit institution ['kredit,insti'tju:ʃən] s. istituto di credito.

credit line ['kredit,lain] s. (t. bancario) castelletto, (ammontare del) fido.

creditor ['kreditə*] s.　**1** creditore　**2** attivo (di un conto).

credit squeeze ['kredit'skwi:z] s. stretta creditizia.

credulity [kri'dju:liti] s. credulità.

credulous ['kredjuləs] agg. credulo.

creed [kri:d] s. credo.

creek [kri:k] s.　**1** insenatura　**2** (amer.) fiumicello // to be up the —, (sl.) essere nei pasticci.

creel [kri:l] s. nassa, cesta per la pesca.

creep [kri:p] s.　**1** (geol.) slittamento　**2** pl. brividi, pelle d'oca (sing.): to give s.o. the creeps, far accapponare la pelle a qlcu.　**3** (fam.) cialtrone.

to **creep**, pass. e p.pass. **crept** [krept] v.intr.　**1** strisciare (anche fig.)　**2** muoversi lentamente, furtivamente; insinuarsi (anche fig.)　**3** (della pelle) accapponarsi　**4** (mar.) dragare (con un grappino).

creeper ['kri:pə*] s.　**1** animale strisciante, rettile　**2** (fig.) persona servile　**3** (bot.) rampicante　**4** (mar.) grappino　**5** rampone　**6** pl. (sl.) scarpe di gomma.

creepy ['kri:pi] agg.　**1** che fa rabbrividire, raccapricciante　**2** che ha i brividi: to feel —, sentirsi accapponare la pelle.

creepy-crawly ['kri:pi'krɔ:li] s. (fam.) animale strisciante, verme ♦ agg. raccapricciante: a — film, un film del terrore.

to **cremate** [kri'meit] v.tr.　**1** cremare・**2** bruciare (rifiuti).

cremation [kri'meiʃən] s. cremazione.

crenellation [,kreni'leiʃən] s. (arch.) merlatura.

Creole ['kri:oul] agg. e s. creolo.

creosote ['kriəsout] s. (chim.) creosoto.

crepe [kreip] s. crespo // — paper, carta crespata.

to **crepitate** ['krepiteit] v.intr. crepitare.

crept pass. e p.pass. di to **creep**.

crepuscular [kri'pʌskjulə*] agg. crepuscolare.

crescent ['kresnt] agg.　**1** crescente a mezzaluna; a semicerchio ♦ s.　**1** quarto di luna (crescente, calante)　**2** mezzaluna (emblema turco)　**3** cornetto (tipo di pane)　**4** strada a semicerchio.

cress [kres] s. (bot.) crescione.

crest [krest] s.　**1** cresta (di gallo), ciuffo, ciuffetto (di uccello); criniera　**2** pennacchio　**3** cresta (anche fig.); cima (anche fig.)　**4** (arald.) cimiero　**5** (fig.) orgoglio, coraggio.

to **crest** v.tr. ornare di pennacchio ♦ v.intr. giungere alla sommità (di colle ecc.).

crestfallen ['krest,fɔ:lən] agg. mortificato; abbattuto.

cretin ['kretin, (amer.) 'kri:tn] s. cretino.

crevasse [kri'væs] s. crepaccio.

crevice ['krevis] s. fessura, crepa.

crew[1] [kru:] s.　**1** (mar. aer.) equipaggio; ciurma　**2** squadra; (fam.) banda, combriccola.

crew[2] pass. di to **crow**.

crew cut ['kru:kʌt] s. taglio (di capelli) a spazzola.

crew-neck ['kru:nek] agg. attr. a girocollo.

crib [krib] s.　**1** (amer. per cot) lettino a sbarre (per bambini)　**2** presepio　**3** mangiatoia　**4** (sl. scolastico) bigino.

to **crib** v.tr.　**1** (sl. scolastico) copiare　**2** rinchiudere; confinare ♦ v.intr. lamentarsi: to — about sthg., lamentarsi di qlco.

crick [krik] s. crampo: a — in the neck, torcicollo.

to **crick** v.tr. far venire un crampo (a).

cricket[1] ['krikit] s. grillo.

cricket[2] s. (sport) cricket // that's not —, (fam.) non è leale, non è sportivo.

cricketer ['krikitə*] s. giocatore di cricket.

crier ['kraiə*] s. banditore.

crikey ['kraiki] inter. (fam.) caspita!

crime [kraim] s. delitto (anche fig.), reato, crimine // — news, cronaca nera // — sheet, (mil.) foglio delle punizioni.

criminal ['kriminl] agg.　**1** criminale　**2** penale: — case, causa penale; — law, diritto penale.

to **criminalise** ['kriminəlaiz] v.tr. criminalizzare.

criminology [,krimi'nɔlədʒi] s. criminologia.

to **crimp**[1] [krimp] v.tr. far arruolare marinai (con inganno).

crimp[2] agg. friabile ♦ s. increspatura.

to **crimp**[2] v.tr.　**1** pieghettare　**2** arricciare (capelli).

crimson ['krimzn] agg. e s. cremisi.

to **cringe** [krindʒ] v.intr.　**1** farsi piccolo (per timore)　**2** (fig.) piegare la schiena servilmente.

crinkle ['kriŋkl] s. ruga, grinza.

to **crinkle** v.tr. increspare, corrugare; spiegazzare ♦ v.intr.　**1** incresparsi; corrugarsi　**2** restringersi.

crinoline ['krinəli:n] s. crinolina.

cripes [kraips] inter. (fam.) caspita!

cripple ['kripl] s. storpio; sciancato.

to **cripple** v.tr.　**1** storpiare; privare dell'uso di un arto: crippled foot, piede zoppo　**2** (fig.) menomare; danneggiare.

crisis ['kraisis], pl. **crises** ['kraisi:z] s. crisi.

crisp [krisp] agg.　**1** croccante, friabile　**2** crespo, ricciuto　**3** frizzante; tonificante (di aria)　**4** vivo, incisivo (di stile) ♦ s. patate «chips», patate sfogliate (pl.).

to **crisp** v.tr.　**1** rendere croccante　**2** increspare ♦ v.intr.　**1** incresparsi (di capelli)　**2** disseccarsi (di foglie).

crisscross ['kriskrɔs] agg. incrociato ♦ s. incrocio (di linee ecc.). ♦ avv. di traverso.

to **crisscross** v.tr. incrociare, intersecare ♦ v.intr. incrociarsi, intersecarsi.

criterion [krai'tiəriən], pl. **criteria** [krai'tiəriə] s. criterio, principio.

critic ['kritik] s. critico.

critical ['kritikəl] agg. critico.

criticism ['kritisizəm] s.　**1** critica　**2** esegesi　**3** (fil.) criticismo.

to **criticize** ['kritisaiz] v.tr.　**1** criticare　**2** censurare.

critique [kri'ti:k] s.　**1** critica　**2** saggio critico.

croak [krouk] s. gracidamento; gracchiamento.

to **croak** v.intr.　**1** gracidare, gracchiare (anche fig.)　**2** (sl.) morire ♦ v.tr.　**1** brontolare, borbottare　**2** (sl.) uccidere.

croaky ['krouki] agg.　**1** rauco　**2** gracidante.

crochet ['krouʃei, (*amer.*) krou'ʃei] *s.* **1** lavoro all'uncinetto **2** — *hook*, uncinetto.

to **crochet** *v.tr.* lavorare all'uncinetto.

crock[1] [krɔk] *s.* **1** vaso (di terracotta) **2** coccio.

crock[2] *s.* (*fam.*) persona malandata; rottame.

to **crock**[2] *v.tr.* rendere inabile ♦ *v.intr.*: *to — up*, (*fam.*) ammalarsi; rovinarsi.

crockery ['krɔkəri] *s.* terraglia, terrecotte (*pl.*).

crocodile ['krɔkədail] *s.* coccodrillo.

crocus ['kroukəs] *s.* (*bot.*) croco.

Croesus ['kri:səs] *no.pr.m.* (*st.*) Creso // **croesus** *s.* creso.

croft [krɔft] *s.* campicello, piccolo podere.

crofter [krɔftə*] *s.* affittuario di un piccolo podere.

crone [kroun] *s.* (*spreg.*) megera.

crony ['krouni] *s.* amico intimo.

crook [kruk] *s.* **1** bastone da pastore; (*eccl.*) pastorale **2** curva, flessione **3** gancio **4** (*fam.*) truffatore, ladro.

to **crook** *v.tr.* curvare; piegare ♦ *v.intr.* curvarsi; piegarsi.

crooked ['krukid] *agg.* **1** storto; curvo; contorto; deforme // *to wear one's hat* —, portare il cappello di traverso **2** (*fig.*) tortuoso **3** (*fig.*) sleale, disonesto.

to **croon** [kru:n] *v.tr.* e *intr.* cantare in tono basso, sommesso e sentimentale.

crop [krɔp] *s.* **1** raccolto, messe: *land out of* —, terra a maggese; *land under* (o *in*) —, terra coltivata **2** (*fig.*) raccolta, gruppo: *a — of lies*, (*fam.*) un sacco di bugie **3** gozzo (di uccello) // *neck and* —, completamente, del tutto **4** manico di frustino: *hunting* —, frustino da caccia **5** rapata (di capelli) **6** taglio delle orecchie (di animali) **7** intera pelle conciata.

to **crop** *v.tr.* **1** tagliar via; spuntare; mozzare; tosare; cimare (tessuti): *hair cropped close*, capelli tagliati a zero **2** brucare **3** coltivare, seminare ♦ *v.intr.* produrre; dare un raccolto: *to — up*, (*geol.*) affiorare; (*fig.*) capitare, presentarsi: *his name cropped up in the course of the conversation*, il suo nome è emerso nel corso della conversazione.

cropper[1] ['krɔpə*] *s.* potatore; tosatore.

cropper[2] *s.* (*fam.*) caduta, tombola: *to come a — in an examination*, far fiasco a un esame.

croquet['kroukei,(*amer.*) krou'kei]*s.*(*gioco*) «croquet».

croquette [krou'ket] *s.* (*cuc.*) crocchetta.

crosier ['krouʒə*] *s.* (*eccl.*) pastorale.

cross [krɔs] *agg.* **1** trasversale, obliquo; intersecante // — *stroke*, tratto (di penna); colpo trasversale (tennis ecc.) **2** (*fam.*) di cattivo umore **3** avverso, contrario ♦ *s.* **1** croce // *the stations* (o *the Way*) *of the Cross*, la Via Crucis // *Southern Cross*, (*astr.*) Croce del Sud // — -*shaped*, cruciforme **2** incrocio (di animali, piante) **3** crocicchio, quadrivio **4** taglio sulla lettera t **5** *on the* —, diagonalmente; (*sl.*) disonestamente.

to **cross** *v.tr.* **1** incrociare // *to — s.o.'s palm with silver*, dare soldi a qlcu. **2** attraversare **3** contrastare, ostacolare **4** sbarrare: *a crossed cheque*, un assegno sbarrato // *to — one's t's and dot one's i's*, mettere i punti sulle i **5** *to — oneself*, farsi il segno della croce **6** *to — out* (o *off*), cancellare con un tratto di penna ♦ *v.intr.* incrociarsi.

crossbar ['krɔsbɑ:*] *s.* traversa.

crossbeam ['krɔsbi:m] *s.* trave trasversale.

crossbencher ['krɔs'bentʃə*] *s.* deputato indipendente (al Parlamento inglese).

crossbenches ['krɔs'bentʃiz] *s.pl.* seggi dei deputati indipendenti (al Parlamento inglese).

crossbones ['krɔsbounz] *s.pl.* ossa incrociate (simbolo della morte).

crossbow ['krɔsbou] *s.* balestra.

crossbred ['krɔsbred] *agg.* e *s.* bastardo; ibrido.

to **crossbreed** ['krɔsbri:d] *v.tr.* incrociare (razze) ♦ *v.intr.* incrociarsi (di razze).

cross-country ['krɔs'kʌntri] *agg.* e *avv.* (che avanza) attraverso i campi: — *cycle race*, corsa ciclocampestre.

crosscut ['krɔskʌt] *s.* taglio trasversale.

cross-examination ['krɔsig,zæmi'neiʃən] *s.* (*dir.*) controinterrogatorio.

to **cross-examine** ['krɔsig'zæmin] *v.tr.* (*dir.*) sottoporre a controinterrogatorio.

cross-eyed ['krɔsaid] *agg.* strabico.

cross-grained ['krɔsgreind] *agg.* **1** (*di legno*) a fibra torta, irregolare **2** (*fig.*) intrattabile.

crossing ['krɔsiŋ] *s.* **1** passaggio; traversata **2** incrocio **3** segno della croce.

cross-legged ['krɔslegd] *agg.* a gambe incrociate, accavallate.

crossly ['krɔsli] *avv.* di malumore, bruscamente.

crossover ['krɔsouvə*] *s.* incrocio con strada sopraelevata.

crosspatch ['krɔspætʃ] *s.* individuo irritabile.

crosspiece ['krɔspi:s] *s.* traversa.

cross-purpose ['krɔs'pə:pəs] *s.* equivoco: *we were talking at cross-purposes*, parlavamo di cose diverse; *to work at cross-purposes*, intralciarsi (a vicenda) per disorganizzazione o per equivoco.

to **cross-question** ['krɔs'kwestʃən] *v.tr.* (*dir.*) sottoporre a controinterrogatorio.

cross-reference['krɔsrefrəns]*s.* riferimento, rimando.

crossroad ['krɔsroud] *s.* **1** strada trasversale **2** *pl.* (*con costr. sing.*) incrocio; bivio (*anche fig.*).

cross-stitch ['krɔsstitʃ] *s.* punto a croce.

cross talk ['krɔstɔ:k] *s.* rapido scambio di battute.

crosstrees ['krɔstri:z] *s.pl.* (*mar.*) crocette.

crosswalk ['krɔswɔ:k] *s.* (*amer.* per *pedestrian crossing*) passaggio pedonale.

crossways ['krɔsweiz], **crosswise** ['krɔswaiz] *avv.* **1** in forma di croce **2** attraverso; di traverso.

crossword ['krɔswɔ:d] *s.* — (*puzzle*), cruciverba.

crotch [krɔtʃ] *s.* **1** biforcazione (di rami) **2** (*anat.*) inforcatura **3** forcella, forca **4** cavallo (dei pantaloni).

crotchet ['krɔtʃit] *s.* **1** (*mus.*) semiminima **2** (*tip.*) parentesi quadra **3** (*fam.*) mania, capriccio.

crotchety ['krɔtʃiti] *agg.* ostinato, eccentrico.

crouch [krautʃ] *s.* l'accovacciarsi, il rannicchiarsi.

to **crouch** *v.intr.* **1** accovacciarsi, rannicchiarsi, accoccolarsi **2** (*fig.*) piegarsi.

croup[1] [kru:p] *s.* groppa (di cavallo).

croup[2] *s.* (*med.*) crup.

crow[1] [krou] *s.* corvo; cornacchia // *as the — flies*, in linea retta, in linea d'aria.

crow[2] *s.* canto del gallo.

to **crow**[2], *pass.* **crowed** [kroud], **crew** [kru:], *p.pass.* **crowed** *v.intr.* cantare (del gallo) // *to — over s.o.*, cantar vittoria su qlcu.

crowbar ['kroubɑ:*] *s.* grimaldello.

crowd [kraud] *s.* **1** folla, moltitudine // — *scene*, (*cine.*) scena di massa **2** massa, gran numero **3** (*fam.*) compagnia, combriccola.

to **crowd** *v.tr.* **1** affollare; ammassare; stipare // *to — sail*, (*mar.*) spiegare tutte le vele **2** *to — out*, lasciare fuori per mancanza di spazio o tempo ♦ *v.intr.* affollarsi; accalcarsi; ammassarsi.

crowded ['kraudid] *agg.* affollato; popoloso.
crowfoot ['kroufut] *s.* **1** ranuncolo **2** (*mil.*) tribolo.
crown [kraun] *s.* **1** corona; ghirlanda // *to succeed* (o *to come*) *to the —*, salire al trono; *to wear the —*, regnare // *the Crown*, la Corona, il potere sovrano **2** (*fig.*) coronamento; culmine **3** (*moneta*) corona **4** cima, sommità, cocuzzolo **5** testa **6** corona (di dente) **7** (*arch.*) chiave di volta **8** (*mar.*) diamante (di ancora) **9** corona (di paracadute) **10** (*mecc.*) testa **11** volta di fornace.
to crown *v.tr.* **1** incoronare **2** (*fig.*) coronare: *his work was crowned with success*, la sua opera fu coronata da successo // *to — all*, (*fam.*) come se non bastasse, per compir l'opera **3** mettere una corona (a un dente).
crown cap [,kraun'kæp] *s.* tappo a corona.
crown court ['kraun'kɔ:t] *s.* in Inghilterra, tribunale penale.
crowned [kraund] *agg.* (in)coronato.
crowning ['krauniŋ] *agg.* ultimo; supremo ♦ *s.* incoronazione; coronamento.
crown-wheel ['kraunwi:l] *s.* (*mecc.*) corona dentata.
crown witness ['kraun'witnis] *s.* (*dir.*) testimone d'accusa.
crow's feet ['krouzfi:t] *s. pl.* (*fam.*) zampe di gallina, rughe.
crow's nest ['krouznest] *s.* (*mar.*) coffa.
crozier ['krouʒə*] *s.* (*eccl.*) pastorale.
crucial ['kru:ʃəl] *agg.* cruciale; critico; decisivo.
crucible ['kru:sibl] *s.* **1** crogiuolo **2** (*fig.*) dura prova.
crucifix ['kru:sifiks] *s.* crocifisso.
crucifixion [,kru:si'fikʃən] *s.* crocifissione.
to crucify ['kru:sifai] *v.tr.* **1** crocifiggere **2** (*fig.*) mortificare; tormentare, torturare.
crude [kru:d] *agg.* **1** grezzo **2** (*fig.*) sommario **3** rozzo, rude, duro, crudo **4** violento, vistoso.
crudity ['kru:diti] *s.* rudezza; asprezza; crudezza.
cruel [kruəl] *agg.* crudele.
cruelty ['kruəlti] *s.* crudeltà.
cruet ['kru(:)it] *s.* ampolla // *— stand*, oliera.
cruise [kru:z] *s.* crociera: *to go on a —*, fare una crociera.
to cruise *v.intr.* **1** navigare; andare in crociera **2** (*mar.*) incrociare **3** (*di taxi*) girare in cerca di clienti.
cruiser ['kru:zə*] *s.* **1** (*mar.*) incrociatore **2** nave da crociera.
crumb [krʌm] *s.* **1** briciola (*anche fig.*) **2** mollica.
to crumb *v.tr.* **1** sbriciolare **2** (*cuc.*) impanare.
to crumble ['krʌmbl] *v.t.* sbriciolare; sgretolare ♦ *v.intr.* sbriciolarsi; sgretolarsi; crollare.
crumbling ['krʌmbliŋ] *agg.* fatiscente.
crump [krʌmp] *s.* **1** detonazione **2** (*sl. mil.*) proiettile altamente esplosivo.
crumpet ['krʌmpit] *s.* **1** focaccia **2** (*sl.*) testa **3** (*sl.*) pupa, bambola.
to crumple ['krʌmpl] *v.tr.* **1** spiegazzare; raggrinzire **2** *to — up*, appallottolare; (*fig.*) abbattere, sopraffare ♦ *v.intr.* **1** spiegazzarsi; raggrinzirsi **2** *to — up*, crollare; (*fig.*) abbattersi, accasciarsi.
crunch [krʌntʃ] *s.* **1** rumore di passi sulla neve o sulla ghiaia; scalpiccio **2** momento decisivo: *when it comes to the —*, quando si viene al dunque.
to crunch *v.tr.* **1** sgranocchiare rumorosamente **2** far scricchiolare ♦ *v.intr.* scricchiolare.
crunchy ['krʌntʃi] *agg.* croccante.
crusade [kru:'seid] *s.* crociata (*anche fig.*): *to go on a —*, fare una crociata.
to crusade *v.intr.* fare una crociata (*anche fig.*).

crusader [kru:'seidə*] *s.* crociato.
cruse [kru:z] *s.* ampolla.
crush [krʌʃ] *s.* **1** frantumazione **2** calca; (*fam.*) riunione affollata **3** spremuta **4** (*fam.*) cotta: *to have a — on s.o.*, avere una cotta per qlcu.
to crush *v.tr.* **1** schiacciare; premere; frantumare // *to — to pieces*, stritolare **2** sgualcire **3** (*fig.*) annientare; schiantare **4** *to — up*, polverizzare ♦ *v.intr.* **1** schiacciarsi; accalcarsi **2** sgualcirsi.
crush barrier ['krʌʃ'bæriə] *s.* transenna metallica.
crushing ['krʌʃiŋ] *agg.* schiacciante.
crust [krʌst] *s.* **1** crosta **2** gromma.
to crust *v.tr.* coprire di croste ♦ *v.intr.* **1** incrostarsi **2** grommare.
crustacean [krʌs'teiʃən] *agg. e s.* crostaceo.
crusty ['krʌsti] *agg.* **1** crostoso (di pane) **2** grommoso **3** (*fig.*) burbero, irritabile.
crutch [krʌtʃ] *s.* **1** gruccia; (*fig.*) sostegno **2** inforcatura (del corpo).
crux [krʌks] *s.* punto cruciale.
cry [krai] *s.* **1** grido: *to give* (o *to utter*) *a —*, emettere un grido // *to be in full —*, (*di cani da caccia*) inseguire la preda abbaiando; (*fig.*) essere all'inseguimento // *a far — from*, ben diverso da **2** lamento; pianto // *to have a good —*, sfogarsi col pianto.
to cry *v.tr.* **1** gridare **2** piangere; implorare: *to — mercy*, implorare pietà // *to — one's eyes out*, piangere tutte le proprie lacrime // *to — for sthg.*, chiedere piangendo // *to — for the moon*, chiedere l'impossibile // *to — oneself to sleep*, piangere fino ad addormentarsi // *to — quits*, dichiararsi reciprocamente soddisfatti **3** *to — down*, deprezzare **4** *to — up*, lodare **5** *to — off*, disdire da ♦ *v.intr.* gridare // *to — out* (*for sthg.*), esigere (qlco.).
crybaby ['krai,beibi] *s.* piagnucolone.
crying ['kraiiŋ] *agg.* **1** infame; che grida vendetta **2** impellente.
cryosurgery [kriou'sə:dʒəri] *s.* (*med.*) criochirurgia.
cryotherapy [kriou'θerəpi] *s.* (*med.*) crioterapia.
crypt [kript] *s.* cripta.
cryptic ['kriptik] *agg.* **1** misterioso **2** (*zool.*) mimetico.
crypto- ['kriptou] *pref.* cripto-, critto-.
cryptogam ['kriptougæm] *s.* (*bot.*) crittogama.
cryptography [krip'tɔgrəfi] *s.* crittografia.
crystal ['kristl] *s.* cristallino ♦ *s.* **1** cristallo // *— clear*, cristallino // *— set*, radio a galena **2** (*amer.*) vetro dell'orologio.
crystal gazing ['kristl,geiziŋ] *s.* divinazione per mezzo di una sfera di cristallo.
crystalline ['kristəlain] *agg.* cristallino (*anche fig.*) // *— lens*, (*anat.*) cristallino.
crystallization [,kristəlai'zeiʃən] *s.* cristallizzazione.
to crystallize ['kristəlaiz] *v.tr.* **1** cristallizzare (*anche fig.*) **2** (*cuc.*) candire ♦ *v.intr.* cristallizzarsi (*anche fig.*).
cub [kʌb] *s.* **1** cucciolo (di animali selvatici e feroci) **2** (*fig.*) monello **3** (*scoutismo*) lupetto **4** (*fam.*) ragazzo; principiante.
to cub *v.intr.* figliare (di animali selvatici e feroci).
Cuban ['kju:bən] *agg. e s.* cubano.
cubbish ['kʌbiʃ] *agg.* (*fig.*) goffo, rozzo.
cubbyhole ['kʌbihoul] *s.* stanzetta.
cube [kju:b] *s.* cubo // *— root*, (*mat.*) radice cubica.
to cube *v.tr.* (*mat.*) elevare al cubo.
cubic ['kju:bik] *agg.* cubico.
cubicle ['kju:bikl] *s.* stanzino.
cubism ['kju:bizəm] *s.* (*arte*) cubismo.

cubit ['kju:bit] *s.* (*anat. mat.*) cubito.
cuckold ['kʌkəld] *s.* becco, cornuto.
to **cuckold** *v.tr.* tradire (il marito).
cuckoo ['kuku:] *s.* **1** (*zool.*) cuculo // — *in the nest*, serpe in seno **2** (*fam.*) semplicione.
cuckoo clock ['kuku:klɔk] *s.* (orologio a) cucù.
cuckoo flower ['kuku:flauə*] *s.* orchidea selvaggia.
cucumber ['kju:kəmbə*] *s.* cetriolo // *cool as a* —, imperturbabile.
cud [kʌd] *s.* bolo alimentare (di ruminante) // *to chew the* —, (*fig.*) meditare, riflettere.
cuddle ['kʌdl] *s.* abbraccio affettuoso.
to **cuddle** *v.tr.* coccolare ♦ *v.intr.*: *to* — *up*, rannicchiarsi.
cuddly ['kʌdli] *agg.* (*fam.*) che invita agli abbracci.
cudgel ['kʌdʒəl] *s.* randello; bastone // *to take up the cudgels* (*for*), difendere strenuamente.
to **cudgel** *v.tr.* randellare, battere // *to* — *one's brains*, (*fig.*) lambiccarsi il cervello.
cue[1] [kju:] *s.* **1** (*teatr. mus.*) battuta d'entrata **2** (*fig.*) suggerimento, spunto.
cue[2] *s.* stecca (da biliardo).
cuff[1] [kʌf] *s.* polso, polsino; (*amer.*) risvolto (di pantaloni) // *off the* —, improvviso.
cuff[2] *s.* pugno; schiaffo.
to **cuff**[2] *v.tr.* schiaffeggiare; percuotere.
cuff link ['kʌf'liŋk] *s.* gemello (di camicia).
cuirass [kwi'ræs] *s.* corazza.
cul-de-sac ['kuldə'sæk] *s.* vicolo cieco.
culinary ['kʌlinəri] *agg.* culinario.
cull [kʌl] *s.* **1** selezione **2** oggetto da scartare.
to **cull** *v.tr.* scegliere, selezionare.
cullender ['kʌlində*] *s.* colapasta.
to **culminate** ['kʌlmineit] *v.intr.* (*astr.*) culminare; giungere al culmine (*anche fig.*).
culmination [kʌlmi'neiʃən] *s.* **1** culmine, apogeo **2** (*astr.*) culminazione.
culpability [kʌlpə'biliti] *s.* colpevolezza.
culprit ['kʌlprit] *s.* **1** colpevole **2** imputato.
cult [kʌlt] *s.* **1** culto; venerazione **2** moda.
to **cultivate** ['kʌltiveit] *v.tr.* coltivare.
cultivated ['kʌltiveitid] *agg.* **1** coltivato **2** colto; educato **3** raffinato.
cultural ['kʌltʃərəl] *agg.* culturale.
culture ['kʌltʃə*] *s.* **1** coltura, allevamento; coltivazione **2** cultura **3** raffinatezza.
cultured ['kʌltʃəd] *agg.* colto, istruito.
culvert ['kʌlvət] *s.* canale, condotto sotterraneo.
to **cumber** *v.tr.* caricare.
cumbersome ['kʌmbəsəm] *agg.* ingombrante.
cumbrous ['kʌmbrəs] *agg.* ingombrante.
cummerbund ['kʌməbʌnd] *s.* fascia, cintura.
to **cumulate** ['kju:mjuleit] *v.tr.* accumulare, ammassare ♦ *v.intr.* accumularsi, ammassarsi.
cumulative ['kju:mjulətiv] *agg.* cumulativo.
cumulus ['kju:mjuləs], *pl.* **cumuli** ['kju:mjulai] *s.* cumulo.
cuneiform ['kju:nifɔ:m, (*amer.*) kju:'niəfɔ:rm] cuneiforme ♦ *s.* scrittura cuneiforme.
cunning ['kʌniŋ] *agg.* **1** astuto, furbo, ingegnoso **2** (*amer.*) grazioso ♦ *s.* astuzia, furberia; abilità.
cup [kʌp] *s.* **1** tazza; coppa // *that is my* — *of tea*, (*fam.*) questo è un invito a nozze **2** *to be in one's cups*, essere ubriaco **2** (*eccl.*) calice **3** (*sport*) coppa, trofeo **4** (*bot.*) calice **5** (*chir.*) coppetta.
to **cup** *v.tr.* **1** far conca (con le mani) // *with his chin*

cupped in his hands, col mento appoggiato al cavo delle mani **2** (*chir.*) applicare coppette, ventose (a).
cupbearer ['kʌp,beərə*] *s.* coppiere.
cupboard ['kʌbəd] *s.* credenza // — *love*, amore interessato.
cupidity [kju:'piditi:] *s.* cupidità, cupidigia.
cupola ['kju:pələ] *s.* **1** cupola **2** (*mar.*) torretta girevole **3** (*metall.*) cubilotto.
cur [kə:*] *s.* **1** botolo **2** vigliacco.
curacy ['kjuərəsi] *s.* (*eccl.*) cura.
curare [kju'rɑ:ri] *s.* (*chim. farm.*) curaro.
curate ['kjuərit] *s.* (*eccl.*) curato, coadiutore.
curative ['kjuərətiv] *agg.* curativo.
curator [kjuə'reitə*] *s.* direttore (di museo, biblioteca ecc.).
curb [kə:b] *s.* **1** barbazzale **2** (*fig.*) freno **3** bordo di marciapiede.
to **curb** *v.tr.* frenare; dominare; reprimere.
curd [kə:d] *s.* cagliata.
to **curdle** ['kə:dl] *v.tr.* **1** cagliare; coagulare **2** (*fig.*) agghiacciare ♦ *v.intr.* coagularsi; (*fig.*) agghiacciarsi.
cure [kjuə*] *s.* **1** cura: *to undergo a* —, fare una cura **2** rimedio **3** (*eccl.*) cura.
to **cure** *v.tr.* **1** curare **2** salare (carne, pesce) **3** vulcanizzare (la gomma) **4** conciare (il tabacco).
cure-all ['kjuərɔ:l] *s.* panacea.
curette [kjuə'ret] *s.* (*chir.*) raschiatoio.
curfew ['kə:fju:] *s.* coprifuoco.
curio ['kjuəri:ou] *s.* curiosità; rarità.
curiosity [,kjuəri'ɔsiti] *s.* **1** curiosità: *from* (o *out of*) —, per curiosità **2** curiosità; oggetto raro, antico.
curious ['kjuəriəs] *agg.* **1** curioso **2** bizzarro.
curl [kə:l] *s.* **1** riccio **2** curva; spirale.
to **curl** *v.tr.* **1** arricciare: *to have one's hair curled*, farsi arricciare i capelli **2** torcere **3** *to* — *up*, arrotolare ♦ *v.intr.* **1** arricciarsi // *to* — *up*, raggomitolarsi; (*fig.*) crollare **2** torcersi **3** levarsi in spire.
curler ['kə:lə*] *s.* bigodino.
curlew ['kə:lju:] *s.* (*zool.*) chiurlo.
curlicue ['kə:likju:] *s.* **1** fregio; svolazzo **2** (*pattinaggio*) figura.
curling ['kə:liŋ] *agg.* che (si) arriccia // — *irons* (o — -*tongs*), ferro per arricciare i capelli ♦ *s.* (*gioco*) «curling».
curly ['kə:li] *agg.* **1** riccio, ondulato; ricciuto **2** a spirale; curvato.
curmudgeon [kə:'mʌdʒən] *s.* brontolone.
currant ['kʌrənt] *s.* **1** sultanina **2** ribes.
currency ['kʌrənsi] *s.* **1** moneta corrente; circolazione monetaria; valuta: *hard, weak* —, valuta forte, debole // *unit of* —, unità monetaria **2** uso corrente.
current ['kʌrənt] *agg.* corrente (*anche comm.*); attuale // — *account*, conto corrente ♦ *s.* **1** corrente (*anche fig.*): *to drift with the* —, lasciarsi portare dalla corrente // *direct* —, (*elettr.*) corrente continua **2** corso: *the* — *of events*, il corso degli avvenimenti.
currently ['kʌrəntli] *avv.* **1** comunemente, generalmente **2** attualmente, al presente.
curricle ['kʌrikəl] *s.* calessino.
curriculum [kə'rikjuləm], *pl.* **curricula** [kə'rikjulə] *s.* curriculum; programma (di studi).
currish ['kə:riʃ] *agg.* **1** ringhioso **2** vile **3** litigioso.
to **curry**[1] ['kʌri] *v.tr.* cucinare, insaporire con il curry.
to **curry**[2] *v.tr.* **1** strigliare **2** conciare (cuoio) **3** *to* — *favour* (*with*), accattivarsi il favore (di).
currycomb ['kʌrikoum] *s.* striglia.
curse [kə:s] *s.* **1** maledizione; imprecazione, bestem-

mia: *to call down curses upon s.o.*, lanciare maledizioni su qlcu. **2** disgrazia **3** (*eccl.*) scomunica.

to **curse** *v.tr.* **1** maledire // — (*it)!*, maledizione! **2** affliggere ♦ *v.intr.* bestemmiare; imprecare.

cursed ['kə:sid] *agg.* maledetto.

cursive ['kə:siv] *agg.* e *s.* corsivo.

cursor ['kə:sə*] *s.* cursore.

cursory ['kə:səri] *agg.* affrettato; superficiale.

curt [kə:t] *agg.* brusco; secco.

to **curtail** [kə:'teil] *v.tr.* accorciare; ridurre; diminuire.

curtailment [kə:'teilmənt] *s.* abbreviazione; riduzione.

curtain ['kə:tn] *s.* **1** tenda, tendina // *to draw a — over sthg.*, stendere un velo su qlco. // *to lift the —*, svelare **2** (*teatr.*) sipario **3** cortina // *iron —*, (*pol.*) cortina di ferro // *— of fire*, (*mil.*) barriera di fuoco.

to **curtain** *v.tr.* coprire, ornare con tende // *to — off*, separare con tende.

curtain call ['kə:tn,kɔ:l] *s.* chiamata in palcoscenico.

curtain raiser ['ka:tn,reizə*] *s.* avanspettacolo, numero di apertura.

curtness ['kə:tnis] *s.* asprezza (di parole); tono brusco; modi scortesi.

curts(e)y ['kə:tsi] *s.* riverenza (di donna).

to **curts(e)y** *v.intr.* fare una riverenza.

curvaceous [kə:'veifəs] *agg.* (*fam.*) formoso.

curvature ['kə:vətfə*] *s.* curvatura; incurvamento.

curve [kə:v] *s.* curva, svolta.

to **curve** *v.tr.* curvare ♦ *v.intr.* curvarsi; descrivere una curva; svoltare (di strada).

curvilinear [,kə:vi'liniə*] *agg.* curvilineo.

cushion ['kuʃən] *s.* **1** cuscino **2** imbottitura (di sponda di biliardo).

to **cushion** *v.tr.* **1** munire di cuscini, imbottire **2** (*fig.*) proteggere.

cushy ['kuʃi] *agg.* (*fam.*) facile; comodo.

cusp [kʌsp] *s.* **1** cuspide **2** (*astr.*) corno di luna crescente.

cuspidor ['kʌspidɔ:*] *s.* (*amer.* per *spittoon*) sputacchiera.

cuss [kʌs] *s.* (*fam.*) **1** maledizione **2** tipo, tizio.

to **cuss** *v.tr.* (*fam.*) maledire ♦ *v.intr.* bestemmiare; imprecare.

cussed ['kʌsid] *agg.* (*fam.*) ostinato.

custard ['kʌstəd] *s.* (*cuc.*) crema pasticciera.

custodian [kʌs'toudjən] *s.* custode, guardiano.

custody ['kʌstədi] *s.* custodia, vigilanza // *to take s.o. into —*, arrestare qlcu.

custom ['kʌstəm] *s.* **1** costume, usanza; consuetudine: *according to —*, secondo le usanze **2** (*dir.*) consuetudine **3** *pl.* dogana (*sing.*): *customs certificate*, bolla doganale; *customs duties*, dazio doganale **4** (*comm.*) clientela.

customary ['kʌstəməri] *agg.* **1** abituale, consueto **2** (*dir.*) consuetudinario.

custom-built ['kʌstəmbilt] *agg.* fatto su ordinazione; (*di automobile*) fuoriserie.

customer ['kʌstəmə*] *s.* **1** cliente **2** (*fam.*) tipo.

custom-made ['kʌstəm'meid] *agg.* (*comm.*) fatto su ordinazione, su misura.

customs house ['kʌstəmzhaus] *s.* dogana, uffici doganali (*pl.*).

cut [kʌt] *agg.* **1** tagliato; ritagliato // *— and dried*, (*fam.*) predisposto; convenzionale **2** (*fig.*) ridotto, tagliato **3** (*di tabacco*) trinciato ♦ *s.* **1** taglio, ferita; incisione **2** taglio (di carne, stoffa) **3** taglio (di abiti, capelli, pietre preziose) **4** (*sport*) colpo di taglio **5**

to **cut**, *pass* e *p.pass* **cut** *v.tr.* e *intr.* **1** tagliare: *to — in half, to pieces*, tagliare a metà, a pezzi; *two lines that — one another*, due linee che si intersecano // *to — prices*, ribassare i prezzi // *— the nonsense!*, smettila con queste sciocchezze! // *to — a lecture, a meeting*, mancare a una conferenza, a una riunione // *to — s.o. (dead) (in the street)*, far finta di non vedere qlcu. (per la strada) // *to — both ways*, (*fam.*) avere un duplice effetto: *a fact that cuts both ways*, un'arma a doppio taglio // *to — deep*, fare un taglio profondo: *an analysis that cuts deep*, (*fig.*) un'analisi acuta, penetrante // *to — sthg. short*, troncare, interrompere qlco. // *to — and run*, (*fam.*) tagliare la corda // *to — it fine*, concedersi un margine di tempo molto limitato // *to — sthg. loose*, sciogliere, staccare qlco. // *to — loose*, (*fam.*) scatenarsi // *to — one's coat according to one's cloth*, (*prov.*) fare il passo secondo la gamba **2** intagliare; incidere **3** sferzare: *a wind that cuts to the bone*, un vento che penetra nelle ossa **4** *to — (the cards)*, tagliare (il mazzo) **5** (*sport*) colpire di taglio, tagliare **6** *to — across*, attraversare: *to — across the fields*, tagliare per i campi **7** *to — back*, troncare (una parola); (*fam.*) tornare sui propri passi; (*cinem.*) proiettare una scena retrospettiva **8** *to — down*, tagliare, abbattere (con un colpo di taglio); *to — down*, ridurre (spese, abiti ecc.) **9** *to — in*, intromettersi, inserire, inserirsi // *there was a long line of cars, but we managed to — in*, c'era una lunga fila di auto ma siamo riusciti a infilarci **10** *to — off*, tagliare via; tagliare fuori, escludere; interrompere: *to — oneself off from one's family*, staccarsi dalla famiglia // *to — s.o. off (with a shilling)*, diseredare qlcu. **11** *to — out*, ritagliare; intagliare; (*fam.*) soppiantare // *— it out!*, piantala! // *to be — out for sthg.*, essere tagliato per qlco. **12** *to — through*, attraversare **13** *to — up*, trinciare, tagliare a pezzettini; (*fig.*) criticare aspramente, demolire // *to — up rough*, andare su tutte le furie.

cutaneous [kju(:)'teinjəs] *agg.* cutaneo: *— reaction*, (*med.*) cutireazione.

cutaway ['kʌtəwei] *s.* frac, marsina.

cutback ['kʌtbæk] *s.* **1** riduzione, taglio (di spese) **2** (*cinem.*) scena retrospettiva.

cute [kju:t] *agg.* **1** (*fam.*) abile, svelto **2** (*amer.*) carino, grazioso.

cuticle ['kju:tikəl] *s.* cuticola.

cutie ['kju:ti] *s.* (*fam.*) ragazza carina.

cutis ['kju:tis] *s.* (*anat.*) cute.

cutlery ['kʌtləri] *s.* coltelleria; posateria.

cutlet ['kʌtlit] *s.* costoletta, cotoletta.

cutoff ['kʌtɔ:f] *s.* otturatore; interruttore.

cutout ['kʌtaut] *s.* **1** (*elettr.*) fusibile; interruttore **2** (*aut.*) valvola di scappamento libero **3** ritaglio; figura da ritagliare.

cut-price ['kʌtprais] *agg.* a prezzo ribassato.

cut-throat ['kʌtθrout] *agg.* spietato; accanito ♦ *s.* assassino; brigante; delinquente.

cutting ['kʌtiŋ] *agg.* tagliente (*anche fig.*) ♦ *s.* **1** taglio **2** ritaglio **3** trincea, scavo **4** (*comm.*) riduzione **5** (*agr.*) talea.

cuttlebone ['kʌtlboun] *s.* osso di seppia.

cuttlefish ['kʌtlfiʃ] *s.* (*zool.*) seppia.

cyanide ['saiənaid] *s.* cianuro.

cyanotic [,saiə'nɔtik] *agg.* (*med.*) cianotico.

cybernetics [ˌsaibəːˈnetiks] *s.* cibernetica.
Cyclades, the [ˈsiklədiːz] *no.pr.pl.* le Cicladi.
cyclamate [ˈsaikləmait] *s.* (*nelle diete*) dolcificante.
cyclamen [ˈsikləmən, (*amer.*) ˈsaikləmən] *s.* ciclamino.
cycle [ˈsaikl] *s.* **1** ciclo // *canned —,* (*informatica*) ciclo programmato **2** (*fam.*) bicicletta.
to cycle *v.intr.* **1** avere andamento ciclico **2** (*fam.*) andare in bicicletta.
cycle-car [ˈsaiklkaː*] *s.* motocarrozzetta.
cyclic(al) [ˈsaiklik(əl)] *agg.* ciclico // *cyclic feed,* (*informatica*) alimentazione ciclica.
cycling [ˈsaikliŋ] *agg.* ciclistico ♦ *s.* ciclismo.
cyclist [ˈsaiklist] *s.* ciclista.
cyclometer [saiˈklɔmitə*] *s.* **1** contachilometri **2** strumento per misurare archi di cerchio.
cyclone [ˈsaikloun] *s.* area ciclonica; ciclone.
cyclonic(al) [saiˈklɔnik(əl)] *agg.* ciclonico.
Cyclopean [saiˈkloupjən] *agg.* ciclopico.
Cyclops [ˈsaiklɔps], *pl.* **Cyclopes** [saiˈkloupiːz] *s.* (*mit.*) Ciclope.
cyclostyle [ˈsaikləstail] *s.* ciclostile.
to cyclostyle *v.tr.* ciclostilare.
cyclotron [ˈsaiklətrɔn] *s.* (*fis.*) ciclotrone.
cygnet [ˈsignit] *s.* giovane cigno.
cylinder [ˈsilində*] *s.* **1** cilindro // *— press,* (*tip.*) rotativa // *six- — car,* auto a sei cilindri **2** bombola.

cylindrical [siˈlindrikəl] *agg.* cilindrico.
cymbal [ˈsimbəl] *s.* (*mus.*) piatto, cembalo.
cyme [saim] *s.* (*bot.*) racemo, cima.
Cymric [ˈkimrik] *agg.* gallese.
cynic [ˈsinik] *agg.* e *s.* cinico.
cynical [ˈsinikəl] *agg.* cinico.
cynicism [ˈsinisizizm] *s.* cinismo.
cynosure [ˈsinəzjuə*, (*amer.*) ˈsainəʃuər] *s.* centro di attrazione; *the — of our hopes,* il punto su cui convergono le nostre speranze.
(to) cypher → **(to) cipher**.
cypress [ˈsaipris] *s.* cipresso.
Cypriot [ˈsipriɔt] *agg.* e *s.* cipriota.
Cyprus [ˈsaiprəs] *no.pr.* Cipro.
Cyrenaica [ˌsaiərəˈneikə] *no.pr.* Cirenaica.
Cyrillic [siˈrilik] *agg.* cirillico.
cyst [sist] *s.* (*med.*) ciste, cisti.
cystitis [sisˈtaitis] *s.* (*med.*) cistite.
czar [zaː*] *s.* zar.
czardas [ˈtʃaːdæʃ] *s.* (*mus.*) ciarda.
czarina [zaːˈriːnə] *s.* zarina.
Czech [tʃek] *agg.* e *s.* ceco.
Czechoslovak [ˈtʃekouˈslouvæk] *agg.* e *s.* cecoslovacco.
Czechoslovakia [ˈtʃekouslouˈvækiə] *no.pr.* Cecoslovacchia.

D

d [diː], *pl.* **ds, d's** [diːz] *s.* **1** d // *— for David,* (*tel.*) d come Domodossola **2** D, (*mus.*) re.
d' *contr.* di **do.**
'd (*in unione a pron. pers.*) *contr.* di **had, should, would.**
dab[1] [dæb] *s.* **1** tocco, colpo; beccata **2** macchia, schizzo; leggero strato (di vernice, burro ecc.) **3** *pl.* (*fam.*) impronte digitali.
to dab[1] *v.tr.* **1** toccare leggermente **2** applicare; spalmare.
dab[2] *s.* (*fam.*) esperto: *he's a — at maths,* è un cannone in matematica.
to dabble [ˈdæbl] *v.tr.* schizzare, spruzzare ♦ *v.intr.* **1** sguazzare **2** *to — in,* dilettarsi di.
dabbler [ˈdæblə*] *s.* dilettante.
dachshund [ˈdækshund] *s.* cane bassotto.
dad [dæd], **daddy** [ˈdædi] *s.* (*fam.*) babbo, papà.
dadaism [dædəizəsm] *s.* (*arte*) dadaismo.
daddy longlegs [ˈdædiˈlɔŋlegz] *s.* (*zool.*) tipula.
dado [ˈdeidou] *s.* (*arch.*) dado; zoccolo (di parete).
Daedalus [ˈdiːdələs] *no.pr.m.* (*mit.*) Dedalo.
daemon e *deriv.* → **demon** e *deriv.*
daffodil [ˈdæfədil] *s.* **1** (*bot.*) giunchiglia; (*arc.*) asfodelo **2** color giallo chiaro.
daft [daːft] *agg.* sciocco; matto; scervellato.
dagger [ˈdægə*] *s.* **1** stiletto, pugnale // *to be at daggers drawn,* essere ai ferri corti // *to look daggers at s.o.,* lanciare uno sguardo furibondo, una frecciata a qlcu. **2** (*tip.*) croce latina, pastorale.
dago [ˈdeigou] *s.* (*spreg.*) individuo di razza latina (spagnolo, portoghese, italiano).

daguerreotype [dəˈgerəutaip] *s.* dagherrotipo.
dahlia [ˈdeiljə, (*amer.*) ˈdæliə] *s.* dalia.
Dail Eireann [dailˈeərən] *s.* Camera dei Deputati d'Irlanda.
daily [ˈdeili] *agg.* giornaliero, quotidiano ♦ *s.* **1** (giornale) quotidiano **2** donna a giornata ♦ *avv.* giornalmente.
dainty [ˈdeinti] *agg.* **1** squisito; delicato **2** di gusto **3** schizzinoso ♦ *s.* leccornia.
dairy [ˈdɛəri] *s.* **1** caseificio **2** latteria (negozio).
dairy cattle [ˈdɛəri,kætl] *s.* mucche da latte.
dairy farm [ˈdɛərifaːm] *s.* caseificio.
dairyman, *pl.* **dairymen** [ˈdɛərimən] *s.* **1** lattaio **2** uomo che lavora in un caseificio.
dais [ˈdeiis] *s.* predella.
daisy [ˈdeizi] *s.* **1** (*bot.*) margherita, pratolina **2** (*sl.*) persona, cosa stupenda.
daks® [dæks] *s.* calzoni sportivi di flanella.
dale [deil] *s.* (*poet.*) valletta.
dalliance [ˈdæliəns] *s.* **1** frivolezza **2** amoreggiamento.
to dally [ˈdæli] *v.intr.* **1** sprecare tempo, oziare: *to — over one's work,* perder tempo lavorando **2** scherzare, gingillarsi, trastullarsi: *to — with an idea,* trastullarsi con un'idea.
Dalmatia [dælˈmeiʃə] *no.pr.* Dalmazia.
Dalmatian [dælˈmeiʃən] *agg.* e *s.* dalmata.
dam[1] [dæm] *s.* diga; argine; sbarramento.
to dam[1] *v.tr.* sbarrare; arginare; chiudere (con dighe).
dam[2] *s.* madre (gener. di animali).

dash

damage ['dæmidʒ] *s.* **1** danno, guasto **2** (*fam.*) costo: *I'll stand the —*, pagherò io il conto **3** *pl.* (*dir.*) indennizzo (*sing.*), risarcimento (*sing.*): *to sue s.o. for damages*, intentare causa a qlcu. per risarcimento (di danni).

to damage *v.tr.* danneggiare ♦ *v.intr.* rovinarsi, guastarsi.

Damascus [dəˈmɑːskəs] *no.pr.* Damasco.

damask ['dæməsk] *agg.* damascato ♦ *s.* **1** damasco (tessuto) **2** — (*colour*), color rosa carico **3** metallo damaschinato.

to damask *v.tr.* **1** damascare (tessuto) **2** (*metall.*) damaschinare.

dame [deim] *s.f.* **1** Donna (titolo nobiliare, cavalleresco) **2** (*arc.*) dama, signora, gentildonna **3** (*sl.amer.*) donna.

damfool [dæmˈfuːl] *agg.* cretino, sciocco.

damn [dæm] *s.* maledizione // *I don't care a —*, non me ne importa un fico secco ♦ *inter.* accidenti! ♦ *agg.* (*sl.*) maledetto.

to damn *v.tr.* **1** dannare; condannare; disapprovare **2** (*sl.*) maledire, mandare all'inferno: *I'll be damned if I go!*, non ci andrò nemmeno per sogno!

damnation [dæmˈneiʃən] *s.* dannazione.

Damocles ['dæməkliːz] *no.pr.* (*st.*) Damocle.

damp [dæmp] *agg.* umido ♦ *s.* **1** umidità **2** (*fig.*) depressione; scoraggiamento **3** gas pericolosi (di miniera) (*pl.*).

to damp *v.tr.* **1** inumidire; bagnare **2** estinguere; smorzare (fuoco, suono) **3** deprimere; scoraggiare ♦ *v.intr.*: *to — off*, marcire (di fiori).

damp course ['dæmpkɔːs] *s.* (*edil.*) strato di materiale impermeabile.

to dampen ['dæmpən] *v.tr.* **1** inumidire **2** (*fig.*) deprimere; scoraggiare.

damper ['dæmpə*] *s.* **1** (*fig.*) guastafeste; doccia fredda **2** spugnetta per francobolli **3** valvola di tiraggio.

damping ['dæmpiŋ] *s.* (*elettr. fis.*) smorzamento.

dampness ['dæmpnis] *s.* umidità.

damp-proof ['dæmppruːf] *agg.* impermeabile.

damsel ['dæmzəl] *s.* (*poet.*) damigella.

dance [dɑːns] *s.* danza, ballo; festa da ballo // *the Dance of Death*, danza macabra // *St. Vitus's Dance*, (*med.*) ballo di san Vito.

to dance *v.intr.* danzare, ballare // *to — attendance on s.o.*, essere molto ossequiente verso qlcu. **2** far saltare: *to — a baby up and down*, far saltare un bambino tra le braccia ♦ *v.intr.* **1** danzare, ballare: *to — in a circle*, ballare in tondo // *to — to (s.o.'s) piping*, legare l'asino dove vuole il padrone **2** *to — about*, saltellare, sgambettare.

danceband ['dɑːns,ænd] *s.* orchestra da ballo.

dancer ['dɑːnsə*] *s.* danzatore; ballerino.

dancing ['dɑːnsiŋ] *s.* il ballo; la danza; l'arte della danza.

dandelion ['dændilaiən] *s.* (*bot.*) tarassaco; (*pop.*) soffione, dente di leone.

dander ['dændə*] *s.* rabbia; spirito bellicoso: *to get s.o.'s — up*, fare arrabbiare qlcu.

to dandify ['dændifai] *v.tr.* vestire con eleganza; rendere ricercato (stile, maniere ecc.).

to dandle ['dændl] *v.tr.* far saltare (un bimbo) sulle ginocchia o tra le braccia.

dandruff ['dændrəf] *s.* forfora.

dandy ['dændi] *agg.* **1** elegante, affettato **2** (*fam.*) ottimo, bellissimo ♦ *s.* dandy, gagà.

Dane [dein] *s.* danese // *great —*, cane danese.

danger ['deindʒə*] *s.* pericolo: *there is no — of his dying*, non c'è pericolo che muoia; *to be in — of*, correre il pericolo di.

danger money ['deindʒə,mʌni] *s.* indennità di rischio, denaro dato come premio per un lavoro pericoloso.

dangerous ['deindʒrəs] *agg.* pericoloso.

to dangle ['dæŋgl] *v.tr.* far ciondolare, far penzolare // *to — sthg. before s.o.*, allettare qlcu. con qlco. ♦ *v.intr.* ciondolare, penzolare.

Daniel ['dænjəl] *no.pr.m.* Daniele.

Danish ['deiniʃ] *agg.* danese ♦ *s.* lingua danese.

dank [dæŋk] *agg.* umido; malsano.

Dantean ['dæntiən], **Dantesque** [dænˈtesk] *agg.* dantesco.

Danzig ['dæntsik] *no.pr.* Danzica.

Daphne ['dæfni] *no.pr.f.* (*mit.*) Dafne.

dapper ['dæpə*] *agg.* **1** azzimato **2** attivo.

dapple-grey ['dæpl'grei] *s.* e *agg.* leardo, pomellato.

to dare [deə*], *pass.* **dared** [deəd], *p.pass.* **dared** *v.intr.* osare: *he — not* (o *he does not —*) *go*, non osa andare; *— you* (o *do you — to*) *ask me again?*, osi chiedermelo ancora?; *if he dares to come here again*, se osa ancora venire qui; *he dared to answer*, osò rispondere; *he did not — to answer*, non osò rispondere; *he won't — to come*, non oserà venire // *I — say* (o *I daresay*), molto probabilmente, (*iron.*) lo credo bene ♦ *v.tr.* sfidare: *I — you to do it*, ti sfido a farlo.

daredevil ['deə,devl] *s.* scavezzacollo ♦ *agg.* spericolato.

daren't [deənt] *contr.* di **dare not**.

daresay ['deə'sei] → *to* **dare**.

daring ['deəriŋ] *agg.* audace ♦ *s.* audacia.

Darius [dəˈraiəs] *no.pr.m.* Dario.

dark [dɑːk] *agg.* **1** scuro, buio: *— blue*, blu scuro; *— hair*, capelli bruni; *— eyed*, dagli occhi scuri // *— room*, (*fot.*) camera oscura // *to get —*, farsi notte // *the Dark Ages*, l'Alto Medioevo // *the Dark Continent*, il Continente Nero // *to see the — side of things*, vedere tutto nero; vedere il lato negativo delle cose **2** triste; difficile **3** misterioso: *to keep sthg. —*, tenere celato qlco. **4** tristo, malvagio ♦ *s.* **1** buio, oscurità, tenebre (*pl.*): *at —*, al calar della notte // *a leap in the —*, (*fig.*) un salto nel buio **2** (*fig.*) ignoranza: *to keep s.o. in the —*, tenere qlcu. all'oscuro.

to darken ['dɑːkən] *v.tr.* oscurare, incupire ♦ *v.intr.* oscurarsi; diventare scuro.

darkey ['dɑːki] *s.* (*fam.*) negro.

darkness ['dɑːknis] *s.* oscurità, tenebre (*pl.*) // *— of complexion*, colorito scuro.

darky ['dɑːki] *s.* (*fam.*) negro.

darling ['dɑːliŋ] *agg.* diletto, caro ♦ *s.* **1** prediletto **2** tesoro: *she is a —*, è un vero tesoro.

darn[1] [dɑːn] *s.* rammendo.

to darn[1] *v.tr.* rammendare.

darn[2] e *deriv.* → **damn** e *deriv.*

darning ['dɑːniŋ] *s.* **1** rammendo **2** indumenti da rammendare (*pl.*) // *— ball*, uovo per rammendare.

dart [dɑːt] *s.* **1** dardo **2** pungiglione **3** slancio: *to make a* (*sudden*) *— at sthg.*, precipitarsi su qlco. **4** (*abbigl.*) pince **5** *pl.* (*gioco*) (specie di) tirassegno (*sing.*).

to dart *v.tr.* scagliare, lanciare ♦ *v.intr.* lanciarsi // *to — across, through*, passare veloce; volare // *to — away*, fuggire come il vento // *to — in, out*, entrare, uscire come un bolide.

Darwinian [dɑːˈwiniən] *agg.* e *s.* darviniano.

Darwinism ['dɑːwinizəm] *s.* darvinismo.

dash [dæʃ] *s.* **1** slancio, impeto: *to make a — at the* *enemy*, scagliarsi sul nemico; *to make a — for*, precipitarsi verso // *to play with —*, suonare con brio **2** spruzzo; goccio: *coffee with a — of milk*, caffè macchiato **3** tratto (di penna); *(tip.)* lineetta **4** *to cut a —*, *(fam.)* fare una bella figura.

to **dash** *v.tr.* **1** scagliare, gettare, scaraventare // *to — aside*, spingere da parte // *to — out one's brains*, fracassarsi la testa **2** spruzzare; macchiare: *dashed with pink*, screziato di rosa **3** infrangere **4** *(fam.)* maledire **5** *to — off*, buttar giù (una lettera ecc.) ♦ *v.intr.* precipitarsi, scagliarsi // *to — at*, precipitarsi su // *to — in*, entrare precipitosamente // *to — off, away*, scappar via, darsela a gambe.

dashboard ['dæʃbɔːd] *s.* cruscotto.

dashing ['dæʃiŋ] *agg.* **1** travolgente, pieno di vita **2** (ostentatamente) elegante.

dastard ['dæstəd] *s.* codardo; persona ignobile.

data *s.p.* → **datum**.

date¹ [deit] *s. (bot.)* dattero.

date² *s.* **1** data: *what's the — today?*, quanti ne abbiamo oggi?; *of early —*, di antica data; *under — of*, in data // *due —*, scadenza, data di scadenza // *expiry —*, data di scadenza // *interest to —*, interessi fino ad oggi // *value —*, giorno di valuta // *out of —*, antiquato, fuori moda // *to bring up to —*, modernizzare; aggiornare **2** epoca **3** *(fam.)* appuntamento; persona con cui si ha un appuntamento.

to **date²** *v.tr.* **1** datare: *dated*, in data **2** *(fam.)* avere un appuntamento (con), fissare un appuntamento (a, con) ♦ *v.intr.* **1** datare: *to — back to* (o *from*), datare da, risalire a **2** passare di moda; essere fuori moda; essere datato.

dateless ['deitlis] *agg.* **1** senza data **2** *(poet.)* eterno.

dateline ['deitlain] *s.* linea di cambiamento di data.

dative ['deitiv] *agg.* e *s.* dativo.

datum ['deitəm], *pl.* **data** ['deitə] *s.* **1** dato **2** *pl. (informatica)* dati: *— acquisition*, *— collection*, raccolta dati, acquisizione dati; *— bank*, banca dati; *— base*, base di dati; *— center*, centro di calcolo; *— communication*, trasmissione (di) dati; *— entry*, *(IBM)*, *— input*, immissione (dei) dati; introduzione (dei) dati; *— field*, campo dei dati; *— file*, "file" di dati; archivio (di) dati; *— flow*, circolazione di dati; *— item*, dato *(sing.)*; *— management*, gestione (dei) dati; *— rate*, velocità di trasmissione dei dati; *— security*, protezione dei dati; *— set*, set di dati; *(tel.)* data set; *— transfer*, trasferimento dei dati; *— translation*, conversione dei dati; *master —*, dati permanenti; *office — processing*, burotica.

daub [dɔːb] *s.* **1** intonaco **2** *(di quadro)* imbratto, crosta.

to **daub** *v.tr.* e *intr.* **1** intonacare **2** imbrattare.

daughter ['dɔːtə*] *s.* figlia // *only —*, figlia unica.

daughter-in-law ['dɔːtərinlɔː] *s.* nuora.

daughterly ['dɔːtəli] *agg.* di figlia, filiale.

to **daunt** [dɔːnt] *v.tr.* **1** intimidire **2** scoraggiare.

dauntless ['dɔːntlis] *agg.* intrepido.

Dauphin ['dɔːfin] *s. (st. francese)* delfino.

dav-en-port ['dævnpɔːt] *s.* **1** piccola scrivania **2** *(amer.)* canapè.

David ['deivid] *no.pr.m.* Davide.

davit ['dævit] *s. (mar.)* gru di imbarcazione.

Davy Jones ['deivi'dʒounz] *s.* spirito maligno del mare // *—'s locker*, il fondo del mare.

Davy lamp ['deivilæmp] *s.* lampada Davy.

daw [dɔː] *s.* → **jackdaw**.

to **dawdle** ['dɔːdl] *v.intr.* oziare; bighellonare ♦ *v.tr.* sprecare (il proprio tempo).

dawdler ['dɔːdlə*] *s.* perdigiorno.

dawn [dɔːn] *s.* alba *(anche fig.)*.

to **dawn** *v.intr.* **1** albeggiare: *the day is dawning*, si fa giorno **2** apparire: *the truth dawned (up) on him*, cominciò ad intravedere la verità.

day [dei] *s.* **1** giorno: *in the course of the —*, nel corso della giornata; *what — of the month is it?*, che giorno è oggi?; *the — after tomorrow*, dopodomani; *the — before yesterday*, avantieri; *next —*, il giorno dopo // *before —*, prima dell'alba; *in broad —*, in pieno giorno // *this — week*, oggi a otto // *— off*, giorno libero, di riposo; *— out*, giorno di libera uscita (di domestici) // *— after —*, un giorno dopo l'altro; *— by —*, di giorno in giorno, giorno per giorno // *— in — out*, ogni giorno, senza tregua // *all — long* (o *all the —*), tutto il giorno // *— by —*, di giorno // *every other* (o *second*) *—*, a giorni alterni // *from — to —*, di giorno in giorno // *at the end of the —*, prima o poi // *in three days* (o *in three days' time*), fra tre giorni // *some —*, un giorno o l'altro, un bel giorno // *twice a —*, due volte al giorno // *let's make a — of it!*, spassiamocela! // *to have one's —*, *(fam.)* avere un periodo di potere, di successo // *to work by the —*, lavorare a giornata // *the good old days*, i bei tempi (antichi, andati) // *red-letter —*, giornata memorabile **2** *(mil.)* battaglia: *to win the —*, vincere una battaglia.

dayboarder ['dei,bɔːdə*] *s.* semiconvittore.

daybook ['deibuk] *s. (comm.)* brogliaccio.

dayboy ['deibɔi] *s.* allievo esterno.

daybreak ['deibreik] *s.* alba: *at —*, allo spuntar del giorno.

daydream ['deidriːm] *s.* sogno ad occhi aperti.

to **daydream** *v.intr.* sognare ad occhi aperti.

day-labour ['dei,leibə*] *s.* lavoro a giornata.

daylight ['deilait] *s.* luce del giorno; giorno: *by —*, di giorno; *in broad —*, in pieno giorno // *to see —*, vederci chiaro.

daylight saving time ['deilait,seiviŋ'taim] *s.* ora legale.

day long ['deilɒŋ] *agg.* che dura tutta la giornata.

dayschool ['deiskuːl] *s.* scuola diurna.

dayshift ['deiʃift] *s.* turno diurno.

daytime ['deitaim] *s.* giorno, giornata.

daze [deiz] *s.* stordimento; sbalordimento: *to be in a —*, essere stordito.

to **daze** *v.tr.* stordire; sbalordire.

dazedly ['deizidli] *avv.* con aria intontita, sbalordita.

dazzle ['dæzl] *s.* abbagliamento.

to **dazzle** *v.tr.* e *intr.* abbagliare: *dazzled with* (o *by*) *the light*, abbagliato dalla luce.

dazzling ['dæzliŋ] *agg.* abbagliante // *— sky*, cielo radioso.

deacon ['diːkən] *s.* diacono.

deaconess ['diːkənis] *s.* diaconessa.

deaconry ['diːkənri] *s.* diaconato.

dead [ded] *agg.* **1** morto: *— language*, lingua morta; *— to the world*, morto per il mondo // *— and gone*, morto e sepolto // *— march*, marcia funebre // *— tired*, stanco morto // *to strike s.o. —*, colpire a morte qlcu. // *— shot*, tiratore infallibile // *— letter*, lettera giacente; lettera morta (di legge) // *— load*, *(edil.)* carico fisso // *the Dead Sea*, il Mar Morto **2** *(fam.)* completo, assoluto: *— sleep*, sonno profondo; *— stop*, fermata brusca: *to come to a — stop*, fermarsi di colpo // *to be — on time*, essere in perfetto orario // *to be in*

— earnest, fare proprio sul serio // *to make a — set at sthg.,* mettercela tutta per ottenere qlco. ♦ *s.* **1** *the —,* i morti: *to rise from the —,* risuscitare **2** *(fig.)* cuore, profondità: *in the — of night,* nel cuore della notte ♦ *avv.* assolutamente; completamente: *— asleep,* profondamente addormentato // *to go — slow,* procedere il più lentamente possibile // *to be — set on sthg.,* tenere moltissimo a qlco.

dead-and-alive ['dedəndə'laiv] *agg.* monotono; deprimente.

dead beat ['ded'bi:t] *agg.* **1** esausto **2** *(mecc.)* a colpo senza ritorno.

dead centre [ded'sentə*] *s. (mecc.)* punto morto.

to deaden ['dedn] *v.tr.* attutire; affievolire; smorzare; calmare; rendere insensibile.

dead-end ['ded'end] *agg.* **1** senza uscita **2** *(fig.)* senza via d'uscita, senza prospettive.

deadener ['dednə*] *s.* ammorzatore // *sound —,* isolante acustico.

deadening ['dednin] *s.* isolante acustico.

deadhead ['dedhed] *s.* portoghese; chi va a teatro, in treno ecc. con biglietti omaggio.

dead-house ['dedhaus] *s.* obitorio.

deadlight ['dedlait] *s.* **1** *(mar.)* controsportello dell'oblò; oblò **2** *(edil.)* lucernario fisso.

deadline ['dedlain] *s.* termine (di scadenza).

deadlock ['dedlɔk] *s.* situazione insolubile, punto morto.

deadly ['dedli] *agg.* **1** mortale **2** implacabile **3** *(fam.)* insopportabile, noioso ♦ *avv.* mortalmente; terribilmente.

deadness ['dednis] *s.* torpore; insensibilità; apatia.

deadpan ['dedpæn] *agg.* e *s.* (faccia) senza espressione, impassibile.

deadweight ['dedweit] *s.* peso morto; *(mar.)* portata lorda.

deaf [def] *agg.* sordo *(anche fig.)*: *— -and-dumb,* sordomuto; *— in one ear,* sordo da un orecchio // *as — as a (door-)post,* sordo come una campana // *to turn a — ear,* fare orecchi da mercante.

deaf-aid ['defeid] *s.* apparecchio acustico.

to deafen ['defn] *v.tr.* assordare, rendere sordo.

deaf-mute ['def'mju:t] *s.* sordomuto.

deafness ['defnis] *s.* sordità.

deal[1] [di:l] *s.* quantità: *he is a good — better,* sta molto meglio; *to have a good — to do,* avere molto da fare // *that's saying a good — !,* non è dire poco!

deal[2] *s.* **1** *(comm.)* affare, accordo: *to make a —,* mettersi d'accordo; fare un patto // *to give s.o. a fair* (o *square*) *—,* agire lealmente verso qlcu. **2** *(pol.)* accordo **3** *(carte)* il dare le carte; mano: *whose — is it?,* chi è di mano? **4** *(Borsa)* compravendita di azioni.

to deal[2], *pass.* e *p.pass.* **dealt** [delt] *v.intr.* trattare; negoziare; occuparsi: *to — generously with* (o *by*) *s.o.,* trattare qlcu. generosamente; *to — in wool,* commerciare in lana; *to — with a situation,* affrontare una situazione ♦ *v.tr.* distribuire, ripartire: *he was dealt four aces,* (carte) gli son toccati quattro assi // *to — s.o. a blow,* assestare un colpo a qlcu.

deal[3] *s.* (asse di) legno d'abete o di pino // *he can see through a — board,* (fam.) ha occhi di lince.

dealer ['di:lə*] *s.* **1** commerciante, negoziante // *wholesale —,* grossista // *foreign exchange —,* cambiavalute **2** *(a carte)* chi è di mazzo.

dealing [di:lin] *s.* **1** modo di agire **2** *(spec. pl.)* commercio; relazione; rapporti *(pl.)*.

dealt, *pass.* e *p.pass.* di to **deal**.

dean [di:n] *s.* **1** *(eccl.)* decano; arciprete **2** preside di facoltà.

deanship ['di:nʃip] *s.* funzione di decano, di preside.

dear [diə*] *agg.* **1** caro, amato, diletto: *Dear Sir, Madam,* Egregio Signore, Gentile Signora **2** caro, costoso ♦ *s.* caro: *he's a —,* è una carissima persona ♦ *avv.* a caro prezzo; caro ♦ *inter.*: *— — !,* mio Dio!; *— me!,* ohimè.

dearie ['diəri] *s. (fam.)* carino, tesoruccio.

dearly ['diəli] *avv.* **1** caramente, teneramente **2** caro, a caro prezzo.

dearth [də:θ] *s.* scarsità, penuria; carestia.

deary ['diəri] *s. (fam.)* caro.

death [deθ] *s.* **1** morte; fine; rovina: *proof of —,* constatazione di morte; *you'll be the — of me!,* (fam.) sarai la mia rovina! // *to be at — 's door,* essere in punto di morte // *as sure as —,* sicuro come l'oro // *to the —,* all'ultimo sangue // *to be in at the —,* (caccia) assistere all'uccisione della preda; *(fam.)* assistere al coronamento di un'impresa // *to catch one's — of cold,* prendersi un malanno **2** *pl.* necrologie, annunci mortuari.

deathbed ['deθbed] *s.* letto di morte // *— confession,* confessione dell'ultima ora.

deathblow ['deθblou] *s.* colpo mortale *(anche fig.)*.

death duty ['də:θ,dju:ti] *s.* tassa di successione.

death-knell ['deθnel] *s.* campana a morto.

deathless ['deθlis] *agg.* immortale; eterno.

deathlike ['deθlaik] *agg.* simile alla morte, cadaverico.

deathly ['deθli] *agg.* *(letter.)* mortale ♦ *avv.* mortalmente.

death mask ['deθmɑ:sk] *s.* maschera mortuaria.

death rate ['deθreit] *s.* indice di mortalità.

death rattle ['deθ,rætl] *s.* rantolo.

death roll ['deθroul] *s.* lista dei morti.

death's-head ['deθshed] *s.* teschio.

death toll ['deθtoul] *s.* perdite umane, vittime *(pl.)*.

death trap ['deθtræp] *s.* trappola mortale.

death warrant ['deθ,wɔrənt] *s.* ordine di esecuzione.

deathwatch ['deθwɔtʃ] *s. (zool.)* orioló della morte.

deb [deb] *s. abbr. fam.* di **débutante**.

débâcle [dei'bɑ:kl] *s.* sfacelo, crollo.

to debar [di'bɑ:*] *v.tr.* **1** escludere, privare **2** impedire, vietare.

to debark [di'bɑ:k] *v.tr.* e *intr.* sbarcare.

to debase [di'beis] *v.tr.* **1** svilire, degradare **2** svalutare (monete, usando leghe di basso valore).

debate [di'beit] *s.* dibattito (politico); discussione.

to debate *v.intr.* **1** discutere; sostenere una discussione **2** riflettere ♦ *v.tr.* **1** discutere **2** considerare.

debauch [di'bɔ:tʃ] *s.* orgia; dissolutezza.

to debauch *v.tr.* depravare, corrompere; traviare; sedurre.

debauched [di'bɔ:tʃt] *agg.* dissoluto.

debauchee [,debɔ:'tʃi:] *s.* debosciato.

debauchery [di'bɔ:tʃəri] *s.* dissolutezza; scostumatezza; depravazione.

debenture [di'bentʃə*] *s. (comm.)* obbligazione.

to debilitate [di'biliteit] *v.tr.* debilitare.

debility [di'biliti] *s.* debolezza; astenia.

debit ['debit] *s.* debito, il dare // *— note,* nota di addebito // *— side,* (comm.) colonna del dare.

to debit *v.tr.* addebitare: *to — s.o. with sthg.,* addebitare qlco. a qlcu.

debonair [,debə'nεə*] *agg.* gioviale; gaio; disinvolto.

to debouch [di'bautʃ] *v.intr.* sboccare, sfociare.

debouchment [di:'bautʃmənt] *s.* sbocco; foce.

to debrief [,di:'bri:f] *v.tr.* ottenere informazione (da qlcu.).

debris ['debri:, (*amer.*) də'bri:] *s.* detriti (*pl.*); macerie (*pl.*); calcinacci (*pl.*).

debt [det] *s.* debito: *in — to*, indebitato con; *to get into —*, far debiti // *floating —*, debito fluttuante // *funded —*, debito a lungo termine // *national —*, debito pubblico // *bad debts*, crediti inesigibili.

debtor ['detə*] *s.* debitore // *— account*, conto debitori.

to debug [,di:'bʌg] *v.tr.* approntare, mettere a punto.

debugging [,di:'bʌgiŋ] *s.* (*informatica*) messa a punto (di programma): *— package*, programmi di messa a punto.

to debunk ['di:'bʌŋk] *v.tr.* (*fam.*) **1** ridimensionare **2** (*fig.*) demolire; sgonfiare.

début ['deibu:; (*amer.*) di'bju:] *s.* debutto; ingresso in società.

débutante ['debju(:)tɑ:nt] *s.* debuttante.

dec-, deca- [dek,'dekə] *pref.* deca-, deci-.

decade ['dekeid] *s.* decennio; decina; decade.

decadence ['dekədəns] *s.* decadenza.

decadent ['dekədənt] *agg. e s.* decadente.

to decaffeinate [di:'kæfineit] *v.tr.* decaffeinizzare.

decagram(me) ['dekəgræm] *s.* decagrammo.

decahedron [,dekə'hi:drən] *s.* decaedro.

decalcification ['di:,kælsifi'keiʃən] *s.* decalcificazione.

to decalcify [di:'kælsifai] *v.tr.* decalcificare.

decalitre ['dekə,li:tə*] *s.* decalitro.

Decalogue ['dekələg] *s.* decalogo.

decametre ['dekə,mi:tə*] *s.* decametro.

to decamp [di'kæmp] *v.intr.* **1** (*mil.*) decampare **2** svignarsela.

to decant [di'kænt] *v.tr.* decantare (liquidi), travasare.

decanter [di'kæntə*] *s.* caraffa.

to decapitate [di'kæpiteit] *v.tr.* decapitare.

decasyllabic ['dekəsi'læbik] *agg. e s.* decasillabo.

decasyllable [dekə'siləbəl] *s.* decasillabo.

decay [di'kei] *s.* **1** decadimento, decadenza **2** deperimento: *senile —*, deperimento senile **3** perdita, rovina **4** putrefazione; carie (di denti) **5** (*fis.*) disintegrazione (di sostanza radioattiva).

to decay *v.intr.* **1** decadere; declinare **2** deperire **3** rovinare, crollare (di edifici, sostanze) **4** putrefarsi; cariarsi (di denti).

decease [di'si:s] *s.* decesso, morte.

to decease *v.intr.* decedere, morire.

deceased [di'si:st] *agg. e s.* (*dir.*) defunto.

deceit [di'si:t] *s.* **1** inganno; illusione **2** (*dir.*) frode, truffa, dolo **3** falsità.

deceitful [di'si:tful] *agg.* ingannevole; falso.

to deceive [di'si:v] *v.tr. e intr.* **1** ingannare; imbrogliare; illudere **2** deludere.

to decelerate [di:'seləreit] *v.tr. e intr.* decelerare.

December [di'sembə*] *s.* dicembre.

decemvir [di'semvə*] *s.* (*st.*) decemviro.

decency ['di:snsi] *s.* decenza; pudore; modestia // *common decencies*, convenienze sociali; (*fam.*) buone maniere; bontà.

decennial [di'senjəl] *agg.* decennale.

decent ['di:snt] *agg.* **1** decente; modesto; conveniente **2** (*fam.*) discreto; passabile; buono, soddisfacente.

decentralization [di:,sentrəlai'zeiʃən] *s.* decentramento.

to decentralize [di:'sentrəlaiz] *v.tr.* decentrare.

deception [di'sepʃən] *s.* **1** inganno; frode **2** delusione.

deceptive [di'septiv] *agg.* ingannevole; illusorio; menzognero.

to decide [di'said] *v.tr.* decidere; risolvere (questione, querela ecc.) ♦ *v.intr.* risolversi; decidersi; pronunciarsi.

decided [di'saidid] *agg.* **1** deciso; risoluto **2** incontestabile.

decider [di'saidə*] *s.* spareggio.

decimal ['desiməl] *agg. e s.* decimale // *— point*, (*mat.*) punto che divide (in inglese) le unità dai decimali // *recurring* (o *circulating*) *—*, (*mat.*) (numero) decimale periodico.

to decimate ['desimeit] *v.tr.* decimare (*anche fig.*).

decimation [,desi'meiʃən] *s.* decimazione (*anche fig.*).

to decipher [di'saifə*] *v.tr.* decifrare.

decision [di'siʒən] *s.* **1** decisione; deliberazione // *final —*, giudizio inappellabile **2** risolutezza, decisione.

decisive [di'saisiv] *agg.* **1** decisivo **2** deciso.

deck [dek] *s.* **1** (*mar.*) ponte, coperta: *to come on —*, salire sul ponte **2** imperiale (di carrozza ecc.) **3** (*spec. amer.*) mazzo di carte (da gioco).

to deck *v.tr.* **1** ornare, adornare **2** mettere il ponte (a una nave).

deckchair ['dek'tʃeə*] *s.* sedia a sdraio.

decked [dekt] *agg.* a ponti: *a three-— ship*, una nave a tre ponti.

decker ['dekə*] *s.* nave a più ponti // *a double-— bus*, autobus a due piani.

deckhand ['dekhænd] *s.* (*mar.*) mozzo.

to declaim [di'kleim] *v.tr.* declamare ♦ *v.intr.* **1** fare un'arringa **2** *to — against*, protestare contro.

declamation [,deklə'meiʃən] *s.* declamazione; esercizio retorico.

declaration [,deklə'reiʃən] *s.* dichiarazione.

to declare [di'kleə*] *v.tr.* **1** dichiarare, proclamare // *well, I — !*, (*fam.*) oh, questa poi! **2** *to — (a contract) off*, (*fam.*) rescindere, disdire (un contratto) ♦ *v.intr.* dichiararsi: *to — for, against sthg.*, dichiararsi favorevole, contrario a qlco.

declension [di'klenʃən] *s.* (*gramm.*) declinazione.

declination [,dekli'neiʃən] *s.* **1** inclinazione, pendenza **2** (*astr.*) declinazione.

decline [di'klain] *s.* **1** declino; decadenza; deperimento; ribasso **2** (*med.*) deperimento, tisi.

to decline *v.intr.* **1** essere in pendenza **2** deteriorarsi; decadere; deperire: *his health declined*, la sua salute deperì **3** abbassarsi; diminuire: *the birth rate has been declining*, il tasso di natalità è diminuito **4** rifiutarsi ♦ *v.tr.* **1** rifiutare **2** (*gramm.*) declinare.

declivity [di'kliviti] *s.* pendio, declivio.

to declutch ['di:'klʌtʃ] *v.intr.* (*aut.*) disinnestare la frizione.

decoction [di'kɔkʃən] *s.* (*farm.*) decozione.

to decode ['di:'koud] *v.tr.* decifrare; decodificare.

to decollate [di'kɔleit] *v.tr.* decapitare.

to decolo(u)r [di:'kʌlə*] *v.tr.* decolorare.

to decolo(u)rize [di:'kʌləraiz] *v.tr.* decolorare ♦ *v.intr.* scolorire, scolorirsi.

to decompose [,di:kəm'pouz] *v.tr.* **1** scomporre **2** decomporre ♦ *v.intr.* **1** scomporsi **2** decomporsi; putrefarsi.

decompression [,di:kəm'preʃən] *s.* (*aer. med.*) decompressione.

decongestant [,di:kən'dʒestənt] *agg.* decongestionante.

to **deconsecrate** [di:'kɔnsikreit] *v.tr.* sconsacrare.

décor ['deikɔ:*; (*amer.*) dei'kɔ:*] *s.* (*teatr.*) scena.

to **decorate** ['dekəreit] *v.tr.* decorare.

decoration [,dekə'reiʃən] *s.* decorazione.

decorator ['dekəreitə*] *s.* decoratore // *interior* —, arredatore.

decorous ['dekərəs] *agg.* decoroso.

decorum [di'kɔ:rəm] *s.* buona creanza; decoro.

decoy [di'kɔi] *s.* 1 esca; richiamo 2 adescatore.

to **decoy** *v.tr.* adescare; abbindolare; attirare.

decrease ['di:kri:s] *s.* diminuzione.

to **decrease** [di:'kri:s] *v.tr.* far diminuire; calare ♦ *v.intr.* diminuire; decrescere.

decree [di'kri:] *s.* decreto; ordinanza.

to **decree** *v.tr.* decretare; ordinare.

decrement ['dekrimənt] *s.* diminuzione.

decrepit [di'krepit] *agg.* decrepito.

decretal [di'kri:təl] *agg.* e *s.* (*eccl.*) decretale.

to **decriminalize** [di:'kriminəlaiz] *v.tr.* depenalizzare.

to **decry** [di'krai] *v.tr.* denigrare; screditare.

to **decuple** ['dekjupl] *v.tr.* decuplicare.

to **dedicate** ['dedikeit] *v.tr.* 1 dedicare, consacrare 2 fare una dedica (su libro ecc.).

dedicated ['dedikeitid] *agg.* (*informatica*) specializzato: — *computer*, elaboratore specializzato; — *line*, linea dedicata.

dedication [,dedi'keiʃən] *s.* 1 consacrazione 2 dedica (su libro ecc.).

to **deduce** [di'dju:s] *v.tr.* dedurre, desumere.

to **deduct** [di'dʌkt] *v.tr.* dedurre, detrarre.

deduction [di'dʌkʃən] *s.* 1 detrazione, defalco: *payroll deductions*, *wage deductions*, ritenute salariali 2 deduzione.

deductive [di'dʌktiv] *agg.* deduttivo.

deed [di:d] *s.* 1 azione, atto, fatto: *deeds, not words*, fatti, non parole 2 (*dir.*) strumento, atto (notarile): *to draw up a* —, redigere un atto.

deed poll ['di:d'poul] *s.* (*dir.*) atto unilaterale.

to **deem** [di:m] *v.tr.* supporre, credere; considerare.

deep [di:p] *agg.* 1 profondo (*anche fig.*): *in* — *waters*, in cattive acque // *to go off the* — *end*, arrabbiarsi // — *mourning*, lutto stretto 2 sprofondato, immerso: — *in a book*, immerso in un libro 3 cupo (di colore) ♦ *s.*: *the* —, (*poet.*) il mare, l'oceano ♦ *avv.* profondamente: *with his hands* — *in his pockets*, con le mani affondate nelle tasche // — *lying*, profondo.

to **deepen** ['di:pən] *v.tr.* 1 approfondire; aumentare 2 incupire ♦ *v.intr.* 1 diventare più profondo; aumentare 2 incupirsi.

deep freeze ['di:p'fri:z] *s.* congelatore.

to **deep-freeze** *v.tr.* congelare.

deep-laid ['di:p'leid] *agg.* preparato astutamente.

deep-rooted ['di:p'ru:tid] *agg.* radicato.

deep-sea ['di:p'si:] *agg.* d'alto mare.

deer [diə*] *s.* (*pl.invar.*) cervo; daino // *red* —, alce.

deerskin ['diəskin] *s.* pelle di cervo, daino.

deerstalker ['diə,stɔ:kə*] *s.* 1 cacciatore di cervi 2 berretto da cacciatore.

to **deface** [di'feis] *v.tr.* 1 sfregiare; mutilare; deturpare 2 rendere illeggibile.

to **defalcate** ['di:fælkeit] *v.intr.* appropriarsi indebitamente.

defamation [,defə'meiʃən] *s.* diffamazione.

to **defame** [di'feim] *v.tr.* diffamare.

default [di'fɔ:lt] *s.* 1 (*dir.*) contumacia: *judgement by* —, giudizio in contumacia 2 (*comm.*) inadempienza.

to **default** *v.tr.* 1 condannare in contumacia 2 (*informatica*) prendere per difetto (un valore, un'opzione ecc.) ♦ *v.intr.* 1 essere contumace 2 essere inadempiente.

defaulter [di'fɔ:ltə*] *s.* 1 (*dir.*) imputato contumace 2 debitore moroso 3 (*mil.*) soldato consegnato.

defeat [di'fi:t] *s.* sconfitta, disfatta.

to **defeat** *v.tr.* 1 sconfiggere, sbaragliare 2 (*dir.*) annullare.

defeatism [di'fi:tizəm] *s.* disfattismo.

defeatist [di'fi:tist] *s.* disfattista.

to **defecate** ['defikeit] *v.intr.* defecare.

defect ['di:fekt] *s.* difetto.

to **defect** [di'fekt] *v.intr.* disertare.

defection [di'fekʃən] *s.* defezione.

defective [di'fektiv] *agg.* 1 difettoso 2 anormale 3 (*gramm.*) difettivo ♦ *s.* 1 deficiente 2 (*gramm.*) difettivo.

defence [di'fens] *s.* 1 difesa // *counsel for the* —, avvocato difensore 2 *pl.* (*mil.*) fortificazioni, opere di difesa.

to **defend** [di'fend] *v.tr.* difendere.

defendant [di'fendənt] *agg.* e *s.* (*dir.*) convenuto; imputato.

defense [di'fens] *s.* (*amer.*) → **defence**.

defensive [di'fensiv] *agg.* difensivo ♦ *s.* difensiva.

to **defer**[1] [di'fə:*] *v.tr.* e *intr.* differire, rimandare // *deferred payment*, pagamento dilazionato; *deferred shares, stocks*, azioni a dividendo differito.

to **defer**[2] *v.intr.* essere deferente; rimettersi (all'opinione, al giudizio altrui).

deference ['defərəns] *s.* deferenza, rispetto: *in* (*o out of*) — *to*, per deferenza verso.

deferential [,defə'renʃəl] *agg.* deferente, rispettoso.

deferment [di'fə:mənt] *s.* differimento; dilazione.

defiance [di'faiəns] *s.* sfida: *to set sthg. at* —, disprezzare qlco.

defiant [di'faiənt] *agg.* provocante, insolente.

deficiency [di'fiʃənsi] *s.* 1 deficienza, difetto, insufficienza 2 (*comm.*) disavanzo: *to make up a* —, colmare un disavanzo 3 (*med.*) carenza, deficienza.

deficient [di'fiʃənt] *agg.* deficiente, insufficiente.

deficit ['defisit] *s.* (*comm.*) disavanzo, deficit.

to **defilade** [,defi'leid] *v.tr.* (*mil.*) defilare.

defile[1] ['di:fail] *s.* gola, passo stretto.

to **defile**[1] [di'fail] *v.intr.* sfilare.

to **defile**[2] *v.tr.* contaminare; insozzare.

to **define** [di'fain] *v.tr.* definire.

definite ['definit] *agg.* definito: — *answer*, risposta precisa // *past* —, (*gramm.*) passato remoto.

definition [,defi'niʃən] *s.* 1 definizione 2 (*fot.tv*) nitidezza.

definitive [di'finitiv] *agg.* definitivo.

deflagration [,deflə'greiʃən] *s.* deflagrazione.

to **deflate** [di'fleit] *v.tr.* 1 sgonfiare 2 (*econ.*) deflazionare ♦ *vi.intr.* sgonfiarsi.

deflation [di'fleiʃən] *s.* 1 sgonfiamento 2 (*econ.*) deflazione.

deflationary [,di:'fleiʃənri] *agg.* deflazionistico.

to **deflect** [di'flekt] *v.tr.* e *intr.* deviare.

deflection [di'flekʃən] *s.* deviazione.

defloration [,di:flɔ:'reiʃən] *s.* deflorazione.

to **deflower** [di:'flauə*] *v.tr.* deflorare.

defluent ['deflu(:)ənt] *agg.* e *s.* defluente.

defoliant [di:'fouliənt] *agg.* defoliante.

to **defoliate** [di'foulieit] *v.tr.* sfrondare.

to **deforest** [di'fɔrist] *v.tr.* (*spec.amer.*) di(s)boscare.

to **deform** [di'fɔ:m] *v.tr.* deformare; sfigurare.

deformation [ˌdi:fɔ:'meiʃən] *s.* deformazione.

deformity [di'fɔ:miti] *s.* deformità.

to **defraud** [di'frɔ:d] *v.tr.* defraudare, frodare.

to **defray** [di'frei] *v.tr.* pagare.

to **defrock** ['di:'frɔk] *v.tr.* spretare.

to **defrost** ['di:'frɔst] *v.tr.* (di)sgelare; sbrinare.

defroster ['di:'frɔstə*] *s.* (*aut.*) visiera termica; disappannatore.

deft [deft] *agg.* abile, destro. ♦

defunct [di'fʌŋkt] *agg.* e *s.* defunto, morto.

to **defuse** [ˌdi:'fju:z] *v.tr.* 1 disinnescare (una bomba) 2 allentare la tensione.

to **defy** [di'fai] *v.tr.* 1 sfidare 2 resistere a: *the problem defied solution*, il problema non offriva alcuna soluzione.

to **degauss** ['di:'gaus] *v.tr.* (*fis.*) smagnetizzare.

degeneracy [di'dʒenərəsi] *s.* degenerazione.

degenerate [di'dʒenərit] *agg.* e *s.* degenerato.

to **degenerate** [di'dʒenəreit] *v.intr.* degenerare.

degeneration [di,dʒenə'reiʃən] *s.* degenerazione.

degradable [di'greidəbl] *agg.* degradabile. ●

degradation [ˌdegrə'deiʃən] *s.* 1 degradazione 2 (*informatica*) perdita di funzionalità.

to **degrade** [di'greid] *v.tr.* degradare; avvilire ♦ *v.intr.* degradarsi; degenerare.

degree [di'gri:] *s.* 1 grado: *— of relationship*, grado di parentela; *30 degrees North*, a 30 gradi latitudine Nord // *by degrees*, gradatamente // *to such a — (that)*, a tal punto (che) // *third —*, (interrogatorio di) terzo grado 2 rango, condizione: *of high —*, di alto rango 3 laurea: *to take one's —*, laurearsi; *honorary —*, laurea ad honorem.

degression [di'greʃən] *s.* decrescenza.

to **dehumanize** [di:'hju:mənaiz] *v.tr.* disumanare.

to **dehydrate** [di:'haidreit] *v.tr.* disidratare.

dehydration [ˌdi:hai'dreiʃən] *s.* disidratazione.

deicer ['di:'aisə*] *s.* (*aer.*) (dispositivo) antighiaccio.

deicide ['di:isaid] *s.* 1 deicida 2 deicidio.

deification [ˌdi:ifi'keiʃən] *s.* deificazione.

to **deify** ['di:ifai] *v.tr.* deificare, divinizzare.

to **deign** [dein] *v.tr.* degnare ♦ *v.intr.* degnarsi.

deism ['di:izəm] *s.* deismo.

deity ['di:iti] *s.* divinità.

to **deject** [di'dʒekt] *v.tr.* deprimere, scoraggiare.

dejection [di'dʒekʃən] *s.* abbattimento, prostrazione.

dekko ['dekou] *s.* (*sl.*): *to have a — at sthg.*, dare un'occhiata a qlco.

to **delate** [di'leit] *v.tr.* denunciare.

delation [di'leiʃən] *s.* delazione.

delator [di'leitə*] *s.* delatore.

delay [di'lei] *s.* 1 ritardo; indugio: *without (further) —*, senza (ulteriore) indugio 2 proroga, dilazione.

to **delay** *v.tr.* ritardare; differire: *the train was delayed by the snow*, il treno ritardò per la neve ♦ *v.intr.* indugiare: *to — (in) doing sthg.*, indugiare a fare qlco.

delectable [di'lektəbl] *agg.* piacevole.

delegacy ['deligəsi] *s.* delegazione.

delegate ['deligeit] *s.* delegato.

to **delegate** ['deligeit] *v.tr.* delegare.

delegation [ˌdeli'geiʃən] *s.* delegazione.

to **delete** [di'li:t] *v.tr.* cancellare (*anche fig.*).

deletion [di'li:ʃən] *s.* cancellatura.

deliberate [di'libərit] *agg.* 1 intenzionale, premeditato: *— lie*, bugia intenzionale 2 ponderato; cauto.

to **deliberate** [di'libəreit] *v.tr.* ponderare ♦ *v.intr.* riflettere.

deliberation [di,libə'reiʃən] *s.* 1 ponderatezza, riflessione 2 cautela; attenzione.

deliberative [di'libərətiv] *agg.* deliberante.

delicacy ['delikəsi] *s.* 1 delicatezza; finezza 2 ghiottoneria.

delicate ['delikit] *agg.* delicato.

delicatessen [ˌdelikə'tesn] *s.pl.* ghiottonerie // *— shop*, salumeria.

delicious [di'liʃəs] *agg.* delizioso.

delight [di'lait] *s.* delizia, piacere, gioia: *to the great — of*, con grande gioia di; *he takes — in teasing me*, prova piacere a stuzzicarmi.

to **delight** *v.tr.* deliziare, dilettare ♦ *v.intr.* deliziarsi; provar piacere: *to — in doing sthg.*, provare gioia, piacere nel fare qlco.

delighted [di'laitid] *agg.* contentissimo, felicissimo: *to be — with sthg.*, essere contentissimo di qlco.; *to be — at sthg.*, rallegrarsi per qlco.

delightful [di'laitful] *agg.* delizioso, incantevole.

to **delimit** [di:'limit], to **delimitate** [di:'limiteit] *v.tr.* delimitare.

to **delineate** [di'linieit] *v.tr.* delineare, tracciare.

delinquency [di'liŋkwənsi] *s.* 1 delinquenza: *juvenile —*, delinquenza minorile 2 colpa.

delinquent [di'liŋkwənt] *agg.* e *s.* 1 delinquente 2 colpevole.

delirious [di'liriəs] *agg.* delirante // *— with joy*, pazzo di gioia.

delirium [di'liriəm] *s.* delirio.

to **deliver** [di'livə*] *v.tr.* 1 liberare, salvare // *to — oneself of an opinion*, (*fig.*) esprimere un'opinione 2 far partorire: *to — a woman (of a child)*, assistere una donna nel parto; *to be delivered of a child*, partorire 3 consegnare // *to — oneself up to*, arrendersi a 4 consegnare, rilasciare (documenti ecc.); vibrare (un colpo); sferrare (un attacco) 5 tenere, pronunciare (un discorso ecc.) 6 erogare.

deliverance [di'livərəns] *s.* liberazione.

delivery [di'livəri] *s.* 1 consegna; distribuzione: *to pay on —*, pagare alla consegna // *— charges*, spese di consegna // *— home*, consegna a domicilio // *recorded —*, raccomandata con ricevuta di ritorno // *general —*, (*amer.*) fermo posta 2 (*med.*) parto 3 dizione 4 erogazione 5 lancio (di una palla ecc.).

deliveryman [di'livəri'mæn] *s.* fattorino.

delivery note [di'livəri'nout] *s.* bolla di consegna.

delivery truck [di'livəritrʌk] *s.* (*amer.*) furgone delle consegne.

dell [del] *s.* valletta.

to **delude** [di'lu:d] *v.tr.* ingannare: *to — oneself*, illudersi.

deluge ['delju:dʒ] *s.* diluvio (*anche fig.*) // *the Deluge*, il diluvio universale.

to **deluge** *v.tr.* inondare (*anche fig.*): *deluged with letters*, sommerso di lettere.

delusion [di'lu:ʒən] *s.* inganno; illusione: *to be under a —*, essere in errore; farsi illusioni.

de luxe [də'lʌks] *agg.* di lusso.

to **delve** [delv] *v.intr.* 1 scavare 2 *to — into*, (*fig.*) dedicarsi allo studio di.

to **demagnetize** ['di:'mægnitaiz] *v.tr.* demagnetizzare; smagnetizzare.

demagogic(al) [ˌdemə'gɔgik(əl)] *agg.* demagogico.

demagogue ['deməgɔg] *s.* demagogo.

demand [di'mɑ:nd] *s.* 1 domanda, richiesta: *to be in*

great, little —, essere molto, poco richiesto // *payable on* —, pagabile a vista // *— deposit*, deposito libero // *— bill*, tratta a vista **2** *pl.* esigenze: *to make great demands on s.o.'s patience*, esigere da qlcu. molta pazienza.

to demand *v.tr.* **1** domandare, richiedere **2** esigere, pretendere.

to demarcate [′di:mɑ:keit] *v.tr.* demarcare; delimitare.

demarche [′deimɑ:ʃ] *s.* **1** istanza diplomatica **2** manovra diplomatica.

to demean[1] [di′mi:n] *v.tr.*: *to — oneself*, comportarsi.

to demean[2] *v.tr.*: *to — oneself*, degradarsi.

demeanour [di′mi:nə*] *s.* contegno, comportamento.

demented [di′mentid] *agg.* pazzo, impazzito.

demerit [di:′merit] *s.* demerito.

demesne [di′mein] *s.* proprietà terriera (che circonda una casa).

demi- [′demi] *pref.* semi-.

demigod [′demigɔd] *s.* semidio.

demijohn [′demidʒɔn] *s.* damigiana.

to demilitarize [′di:′militəraiz] *v.tr.* smilitarizzare.

demise [di′maiz] *s.* (*dir.*) **1** trasferimento; trasmissione **2** decesso, morte.

to demise *v.tr.* (*dir.*) trasferire; trasmettere.

demister [,di:′mistə*] *s.* dispositivo antiappannante.

demitasse [′demi′tæs] *s.* tazzina da caffè.

demiurge [′de:miə:dʒ] *s.* demiurgo.

demo [′demou] *s.* (*fam.*) dimostrazione.

to demob [′di:′mɔb] *v.tr.* (*fam.*) smobilitare.

to demobilize [di:′moubilaiz] *v.tr.* smobilitare.

democracy [di′mɔkrəsi] *s.* democrazia.

democrat [′deməkræt] *s.* democratico.

democratic [,demə′krætik] *agg.* democratico.

demographic [,di:mə′græfik] *agg.* demografico.

demography [di:′mɔgrəfi] *s.* demografia.

to demolish [di′mɔliʃ] *v.tr.* demolire.

demolition [,demə′liʃən] *s.* demolizione.

demon [′di:mən] *s.* demone; demonio.

demoniac [di′mouniæk] *agg.* **1** demoniaco **2** indemoniato ♦ *s.* indemoniato.

demonic [di:′mɔnik] *agg.* demonico; demoniaco.

to demonstrate [′demənstreit] *v.tr.* dimostrare; descrivere, spiegare ♦ *v.intr.* (*pol.*) fare una dimostrazione.

demonstration [,deməns′treiʃən] *s.* dimostrazione, manifestazione (*anche pol.*).

demonstrative [di′mɔnstrətiv] *agg.* **1** dimostrativo; rivelatore **2** espansivo **3** (*gramm.*) dimostrativo ♦ *s.* (*gramm.*) (aggettivo, pronome) dimostrativo.

demonstrativeness [di′mɔnstrətivnis] *s.* **1** dimostrazione (d'affetto, gioia ecc.) **2** carattere espansivo.

demonstrator [′demənstreitə*] *s.* **1** dimostratore **2** assistente **3** (*pol.*) dimostrante.

demoralization [di,mɔrəlai′zeiʃən] *s.* **1** depravazione **2** demoralizzazione; scoramento.

to demoralize [di′mɔrəlaiz] *v.tr.* **1** depravare, corrompere **2** demoralizzare, scoraggiare.

Demosthenes [′di′mɔsθəni:z] *no.pr.* (*st.lett.*) Demostene.

to demote [di′mout] *v.tr.* retrocedere; (*mil.*) degradare.

demotic [di(:)′mɔtik] *agg.* popolare.

demotion [di′mouʃən] *s.* retrocessione; (*mil.*) degradazione.

to demount [di′maunt] *v.tr.* (*mecc.*) smontare.

demur [di′mə:*] *s.* esitazione; obiezione.

to demur *v.intr.* **1** esitare; fare delle difficoltà; sollevare obiezioni **2** (*dir.*) sollevare eccezioni.

demure [di′mjuə*] *agg.* modesto, riservato; ritroso: *— look*, aria da santarellina.

demurrage [di′mʌridʒ] *s.* (*mar. comm.*) controstallie (*pl.*); sosta, giacenza.

den [den] *s.* **1** tana; gabbia; covo (*anche fig.*) **2** (*fig.*) stanzetta; bugigattolo.

to denationalize [di:′næʃnəlaiz] *v.tr.* snazionalizzare.

to denaturalize [di:′nætʃrəlaiz] *v.tr.* **1** snaturare **2** privare della cittadinanza.

to denature [di:′neitʃə*], **to denaturize** [di:′nei tʃəraiz] *v.tr.* (*chim.*) denaturare.

denial [di′naiəl] *s.* **1** diniego, rifiuto **2** rinnegamento.

to denigrate [′denigreit] *v.tr.* denigrare.

denim [′denim] *s.* tessuto di cotone ritorto.

denizen [′denizn] *s.* **1** abitante **2** straniero naturalizzato; parola naturalizzata **3** animale acclimatato; pianta acclimatata.

to denominate [di′nɔmineit] *v.tr.* denominare.

denomination [di,nɔmi′neiʃən] *s.* **1** denominazione **2** setta; confessione **3** unità di misura **4** (*comm.*) taglio (di titoli), valore (di monete).

denominational [di,nɔmi′neiʃnl] *agg.* confessionale.

denominator [di′nɔmineitə*] *s.* (*mat.*) denominatore.

denotation [,di:nou′teiʃən] *s.* **1** denotazione; indicazione; segno **2** significato (di una parola) **3** estensione (di un termine).

to denote [di′nout] *v.tr.* denotare; significare.

denouement [dei′nu:mɔn]; (*amer.*) ,deinu:′mɔn] *s.* scioglimento, epilogo; finale.

to denounce [di′nauns] *v.tr.* denunziare; smascherare.

dense [dens] *agg.* **1** denso; compatto **2** (*fig.*) ottuso, stupido **3** (*fot.*) scuro, opaco.

density [′densiti] *s.* **1** densità **2** (*fig.*) stupidità, ottusità **3** (*fot.*) oscurità.

dent [dent] *s.* ammaccatura.

to dent *v.tr.* intaccare; ammaccare ♦ *v.intr.* ammaccarsi.

dental [′dentl] *agg.* dentale, dentario ♦ *s.* (consonante) dentale.

denticular [den′tikjulə*], **denticulate** [den′tikjulit] *agg.* dentellato.

dentifrice [′dentifris] *s.* dentifricio.

dentist [′dentist] *s.* dentista.

dentistry [′dentistri] *s.* odontoiatria.

denture [′dentʃə*] *s.* dentiera.

to denude [di′nju:d] *v.tr.* denudare.

denunciation [di,nʌnsi′eiʃən] *s.* **1** denunzia, delazione **2** (*fig.*) condanna.

to deny [di′nai] *v.tr.* **1** negare; smentire: *there is no denying the accusation that...*, non si può smentire l'accusa che... **2** rinnegare, non riconoscere **3** rifiutare: *I was denied the favour*, mi fu rifiutato il favore // *to — oneself*, sacrificarsi; *to — oneself sthg.*, privarsi di qlco.

deodorant [di:′oudərənt] *agg. e s.* deodorante.

to deodorize [di:′oudəraiz] *v.tr.* deodorare.

to depart [di′pɑ:t] *v.intr.* **1** partire; andarsene **2** morire **3** deviare; (*fig.*) derogare.

departed [di′pɑ:tid] *s.* defunto.

department [di′pɑ:tmənt] *s.* **1** reparto // *— store*, grande magazzino **2** ufficio; sezione **3** (*spec. amer.*) ministero **4** (*geogr.*) dipartimento.

departmental [di:pɑ:t′mentl] *agg.* dipartimentale.

departmentalism [,di:pɑ:t′mentəlizəm] *s.* settorialismo.

departure [di′pɑ:tʃə*] *s.* **1** partenza: *to take one's —*, andarsene, congedarsi **2** (*fig.*) direzione; orientamento; tendenza **3** (*fig.*) allontanamento.

to **depend** [di'pend] *v.intr.* **1** dipendere; essere subordinato: *it all depends on circumstances*, tutto dipende dalle circostanze **2** *to — on*, contare, fare assegnamento su // *— (up)on it*, puoi contarci, non c'è dubbio.

dependable [di'pendəbəl] *agg.* responsabile; degno di fiducia.

dependant [di'pendənt] *agg.* → **dependent♦** *s.* dipendente; persona a carico; domestico.

dependent [di'pendənt] *agg.* dipendente; a carico.

depending [di'pendiŋ] *agg.* **1** pendente **2** contingente; dipendente **3** (*dir.*) pendente.

to **depict** [di'pikt] *v.tr.* dipingere; rappresentare.

depiction [di'pikʃən] *s.* pittura; rappresentazione.

to **depilate** [di'depileit] *v.tr.* depilare.

depilatory [di'pilətəri] *agg.* e *s.* depilatorio.

to **deplenish** [di'pleniʃ] *v.tr.* vuotare.

to **deplete** [di'pli:t] *v.tr.* vuotare; esaurire (riserve, forze).

depletion [di'pli:ʃən] *s.* esaurimento.

to **deplore** [di'plɔ:*] *v.tr.* deplorare; lamentarsi (di)

to **deploy** [di'plɔi] *v.tr.* (*mil.*) spiegare ♦ *v.intr.* spiegarsi.

deployment [di'plɔimənt] *s.* (*mil.*) spiegamento.

to **depone** [di'poun] *v.tr.* (*dir.*) deporre.

deponent[1] [di'pounənt] *agg.* e *s.* (*gramm.*) deponente.

deponent[2] *s.* (*dir.*) testimone.

to **depopulate** [di:'pɔpjuleit] *v.tr.* spopolare ♦ *v.intr.* spopolarsi.

depopulation [di:,pɔpju'leiʃən] *s.* spopolamento.

to **deport[1]** [di'pɔ:t] *v.tr.* deportare; esiliare; espellere.

to **deport[2]** *v.tr.*: *to — oneself*, comportarsi.

deportation [,di:pɔ:'teiʃən] *s.* deportazione; espulsione.

deportee [,di:pɔ:'ti:] *s.* deportato.

deportment [di'pɔ:tmənt] *s.* comportamento; contegno, condotta.

to **depose** [di'pouz] *v.tr.* e *intr.* **1** deporre, detronizzare, destituire **2** (*dir.*) deporre.

deposit [di'pɔzit] *s.* **1** (*comm.*) deposito; caparra: *money on —*, denaro in deposito; *to leave a — on sthg.*, versare una somma in acconto per qlco.; *demand —*, deposito in conto corrente; *guarantee —*, deposito a titolo cauzionale; *savings deposits*, depositi a risparmio; *time deposits*, depositi a termine **2** (*geol.*) giacimento; sedimento; deposito.

to **deposit** *v.tr.* **1** depositare: *to — money with s.o.*, depositare denaro presso qlcu. **2** deporre, posare.

depositary [di'pɔzitəri] *s.* depositario.

deposition [,depə'ziʃən] *s.* **1** deposizione **2** (*geol.*) il depositarsi.

depository [di'pɔzitəri] *s.* deposito // *a — of learning*, un pozzo di scienza.

depot ['depou; (*amer.*) 'di:pou] *s.* (*mil.*) deposito; spaccio; (*mil.*) quartier generale.

depravation [,deprə'veiʃən] *s.* depravazione.

to **deprave** [di'preiv] *v.tr.* depravare.

depravity [di'præviti] *s.* depravazione.

to **deprecate** ['deprikeit] *v.tr.* deprecare.

deprecatory ['deprikətəri] *agg.* **1** di disapprovazione **2** di scusa.

to **depreciate** [di'pri:ʃieit] *v.tr.* svalutare; deprezzare ♦ *v.intr.* deprezzarsi.

depreciation [di,pri:ʃi'eiʃən] *s.* **1** svalutazione; deprezzamento, ammortamento: *— allowance* (o *fund*), quota di ammortamento **2** (*fig.*) disprezzo.

to **depredate** ['deprideit] *v.tr.* depredare.

depredation [,depri'deiʃən] *s.* saccheggio, rapina.

to **depress** [di'pres] *v.tr.* **1** abbassare **2** deprimere, rattristare **3** (*comm.*) abbassare.

depressant [di'presənt] *agg.* e *s.* sedativo.

depressed [di'prest] *agg.* **1** appiattito **2** depresso, triste **3** non privilegiato, sottosviluppato, depresso.

depression [di'preʃən] *s.* **1** depressione **2** scoraggiamento, abbattimento **3** (*comm.*) crisi, ristagno (negli affari).

depressor [di'presə*] *s.* **1** (*anat.*) depressore (muscolo, nervo) **2** spatola; divaricatore **3** (*chim.*) catalizzatore negativo.

deprivation [,depri'veiʃən] *s.* **1** privazione; perdita **2** (*eccl.*) deposizione.

to **deprive** [di'praiv] *v.tr.* **1** privare **2** (*eccl.*) deporre.

depth [depθ] *s.* **1** profondità (*anche fig.*); intensità // *— psychology*, psicologia dell'inconscio // *— finder*, (*mar.*) scandaglio // *to be out of one's —*, non toccare più il fondo (in acqua); (*fig.*) non essere all'altezza **2** altezza (di acqua, neve ecc.) **3** (*spec.pl.*) (*fig.*) cuore (*sing.*): *in the depths of winter*, in pieno inverno.

depth charge ['depθtʃa:dʒ] *s.* (*mar.*) bomba di profondità.

depth gauge ['depθgeidʒ] *s.* calibro di profondità.

depthless ['depθlis] *agg.* insondabile.

to **depurate** ['depjureit] *v.tr.* depurare ♦ *v.intr.* depurarsi.

deputation [,depju:)'teiʃən] *s.* delega; deputazione.

to **depute** [di'pju:t] *v.tr.* delegare, deputare.

to **deputize** ['depjutaiz] *v.tr.* delegare ♦ *v.intr.* fare le veci, fungere da delegato.

deputy ['depjuti] *s.* delegato; deputato // *— -mayor*, vice-sindaco.

to **deracinate** [di'ræsineit] *v.tr.* sradicare, estirpare (*anche fig.*).

to **derail** [di'reil] *v.tr.* (*ferr.*) far deragliare ♦ *v.intr.* deragliare.

derailment [di'reilmənt] *s.* deragliamento.

to **derange** [di'reindʒ] *v.tr.* sconcertare; sconvolgere // (*mentally*) *deranged*, pazzo.

derangement [di'reindʒmənt] *s.* disordine mentale.

to **deration** [di:'ræʃən] *v.tr.* togliere il tesseramento (di).

derby ['da:bi; (*amer.*) 'də:rbi] *s.* **1** (*sport*) «derby» // *The Derby*, il "derby" di Epsom in Inghilterra **2** (*amer.*) bombetta.

derelict ['derilikt] *agg.* **1** abbandonato; diroccato **2** spregevole **3** negligente ♦ *s.* **1** cosa abbandonata; relitto (*anche fig.*) **2** terra lasciata in secco dal mare.

dereliction [,deri'likʃən] *s.* **1** abbandono **2** il ritirarsi del mare **3** negligenza.

derestriction-sign [di:ri'strikʃn,sain] *s.* cartello stradale che indica la fine del limite di velocità.

to **deride** [di'raid] *v.tr.* deridere; tenere in poco conto.

derision [di'riʒən] *s.* derisione; disprezzo.

derisive [di'raisiv], **derisory** [di'raisəri] *agg.* derisorio.

derivate ['deriveit] *agg.* e *s.* derivato.

derivation [,deri'veiʃən] *s.* derivazione.

derivative [di'rivativ] *agg.* derivato ♦ *s.* **1** (*gramm. chim.*) derivato **2** (*mat.*) derivata.

to **derive** [di'raiv] *v.tr.* e *intr.* derivare.

derm [də:m], **derma** ['də:mə] *s.* (*anat.*) derma.

dermatologist [,də:mə'tɔlədʒist] *s.* dermatologo.

dermatology [,də:mə'tɔlədʒi] *s.* (*med.*) dermatologia.

to **derogate** ['derəgeit] *v.intr.* sminuire (qlco.); screditare (qlco.): *to — from s.o.'s reputation*, sminuire la fama di qlcu.

derogation [,derə'geiʃən] *s.* diminuzione; scredito.

derogatory [di'rɔgətəri] *agg.* sprezzante; diffamante: *to be — about sthg., s.o., to s.o.*, disprezzare, screditare qlco., qlcu. con qlcu.

derrick ['derik] *s.* **1** argano, gru **2** torre di trivellazione.

derringer ['derind***ʒ***ə*] *s.* pistola di grosso calibro a canna corta.

derv [dəːv] *s.* gasolio, nafta (per auto).

dervish ['dəːviʃ] *s.* derviscio.

desalination [ˌdiːsæli'neiʃn] *s.f.* dissalazione.

to descend [di'send] *v.tr. e intr.* **1** scendere, discendere: *to — upon s.o.*, *sthg.*, abbattersi su qlcu., qlco. *//* *to — to doing sthg.*, (*fig.*) abbassarsi a fare qlco. **2** discendere, derivare **3** (*dir.*) passare (di proprietà ecc.).

descendant [di'sendənt] *s.* discendente.

descent [di'sent] *s.* **1** discesa, declino; (*fig.*) caduta; rovina **2** china, pendio **3** incursione **4** origine **5** trasmissione (di beni ecc.).

to describe [dis'kraib] *v.tr.* **1** descrivere **2** tracciare.

description [dis'kripʃn] *s.* **1** descrizione: *beyond —*, indescrivibile **2** specie, tipo: *of any —*, di qualsiasi genere.

to descry [dis'krai] *v.tr.* scorgere; distinguere.

to desecrate ['desikreit] *v.tr.* sconsacrare; profanare.

desecration [ˌdesi'kreiʃn] *s.* sconsacrazione; profanazione.

to desegregate [ˌdiː'segrigeit] *v.tr.* abolire la segregazione razziale.

deserializer [diː'siəriəˌlaizə*] *s.m.* (*informatica*) parallelizzatore.

desert[1] ['dezət] *agg.* deserto; desolato ♦ *s.* deserto.

to desert[1] [di'zəːt] *v.tr.* disertare; abbandonare ♦ *v.intr.* (*mil.*) disertare.

desert[2] *s.* merito.

deserter [di'zəːtə*] *s.* disertore.

desertion [di'zəːʃn] *s.* **1** (*mil.*) diserzione **2** abbandono.

to deserve [di'zəːv] *v.tr.* meritare, essere degno di ♦ *v.intr.* meritarsi.

deservedly [di'zəːvidli] *agg.* meritatamente.

deserving [di'zəːviŋ] *agg.* meritevole, degno.

to desiccate ['desikeit] *v.tr.* essiccare ♦ *v.intr.* essiccarsi.

desiccation [ˌdesi'keiʃn] *s.* essiccazione.

desiderative [di'zidərətiv] *agg. e s.* (*gramm.*) ottativo.

desideratum [di'zidə'reitəm], *pl.* **desiderata** [diˌzidə'reitə] *s.* desiderata (*pl.*).

design [di'zain] *s.* **1** piano, progetto; schema; trama *//* *top-down —*, (*informatica*) progetto dall'alto verso il basso **2** intenzione; scopo; proposito; mira: *by —*, di proposito **3** progetto (di costruzione); disegno; modello: *our latest designs*, i nostri ultimi modelli.

to design *v.tr.* **1** progettare **2** destinare: *to — s.o. for something*, destinare qlcu. a qlco. **3** disegnare, schizzare ♦ *v.intr.* progettare.

designate ['dezignit] *agg.* designato.

to designate ['dezigneit] *v.tr.* **1** designare, nominare **2** indicare.

designation [ˌdezig'neiʃn] *s.* designazione.

designedly [di'zainidli] *avv.* deliberatamente.

designer [di'zainə*] *s.* **1** costumista; disegnatore; modellista **2** intrigante.

designing [di'zainiŋ] *agg.* intrigante ♦ *s.* disegno, creazione.

desirable [di'zaiərəbl] *agg.* desiderabile.

desire [di'zaiə*] *s.* desiderio; brama: *at s.o.'s —*, secondo il desiderio di qlcu.

to desire *v.tr.* **1** desiderare; bramare **2** domandare, chiedere: *to — sthg. of s.o.*, chiedere qlco. a qlcu.

desirous [di'zaiərəs] *agg.* bramoso, desideroso.

to desist [di'zist] *v.intr.* desistere, cessare.

desk [desk] *s.* **1** scrivania, scrittoio **2** cassa.

desk clerk ['deskklɑːrk] *s.* (*amer.* per *receptionist*) addetto, addetta alla ricezione.

desk lamp ['desklæmp] *s.* lampada da tavolo.

desk-top computer ['desktɔpkəm'pjuːtə*] *s.* (*informatica*) elaboratore da ufficio.

desk-topper ['desktɔpə*] *s.* (*informatica*) unità da ufficio, da tavolo.

deskwork ['deskwəːk] *s.* lavoro di ufficio.

desolate ['desəlit] *agg.* **1** desolato **2** solitario.

to desolate ['desəleit] *v.tr.* **1** devastare; spopolare **2** affliggere; desolare.

despair [dis'pɛə*] *s.* disperazione.

to despair *v.intr.* disperare.

(to) despatch → (to) **dispatch**.

desperado [ˌdespə'rɑːdou], *pl.* **desperadoes** [ˌdespə'rɑːdouz] *s.* fuorilegge; bandito.

desperate ['despərit] *agg.* **1** disperato: *— cases require — remedies*, a mali estremi, estremi rimedi **2** (*fam.*) terribile.

desperateness ['despəritnis] *s.* l'essere disperato, senza via d'uscita.

desperation [ˌdespə'reiʃn] *s.* disperazione.

despicable ['despikəbl] *agg.* disprezzabile; meschino.

to despise [dis'paiz] *v.tr.* disprezzare.

despisingly [dis'paiziŋli] *avv.* con disprezzo.

despite [dis'pait] *prep.* malgrado, nonostante.

despite *s.* **1** dispetto; ripicca **2** avversione; rancore.

to despoil [dis'pɔil] *v.tr.* spogliare; saccheggiare.

despoilment [dis'pɔilmənt], **despoliation** [disˌpou li'eiʃn] *s.* spoliazione; depredazione.

to despond [dis'pɔnd] *v.intr.* scoraggiarsi, avvilirsi, abbattersi.

despondency [dis'pɔndənsi] *s.* scoraggiamento, sconforto, abbattimento.

despondent [dis'pɔndənt] *agg.* scoraggiato, abbattuto, depresso.

despot ['despɔt] *s.* despota.

despotic [des'pɔtik] *agg.* dispotico.

despotism ['despətizəm] *s.* dispotismo.

dessert [di'zəːt] *s.* dessert.

dessertspoon [di'zəːtspuːn] *s.* cucchiaio da dessert.

to destabilise [diː'steibəlaiz] *v.tr.* destabilizzare.

destabilising [diː'steibəˌlaizin] *agg.* destabilizzante.

destination [ˌdesti'neiʃn] *s.* destinazione.

to destine ['destin] *v.tr.* destinare.

destiny ['destini] *s.* destino, fato.

destitute ['destitjuːt] *agg.* **1** destituito, privo: *— of means*, senza mezzi **2** indigente, povero.

destitution [ˌdesti'tjuːʃn] *s.* povertà estrema.

to destroy [dis'trɔi] *v.tr.* **1** distruggere; demolire **2** uccidere **3** rendere inutile.

destroyer [dis'trɔiə*] *s.* **1** distruttore **2** (*mar.*) cacciatorpediniere.

destruction [dis'trʌkʃn] *s.* distruzione; rovina (*anche fig.*).

destructive [dis'trʌktiv] *agg.* distruttivo; rovinoso.

desultory ['desəltəri] *agg.* saltuario; sconnesso; non metodico.

to detach [di'tætʃ] *v.tr.* **1** staccare, separare (*anche fig.*) **2** (*mil.*) distaccare.

detached [di'tætʃt] *agg.* **1** distaccato; obiettivo; senza pregiudizi **2** isolato.

detachment [di'tætʃmənt] *s.* **1** distacco **2** (*mil.*) distaccamento.

detail [ˈdiːteil; (*amer.*) diˈteil] *s.* **1** particolare; dettaglio **2** (*mil.*) distaccamento.

to **detail** *v.tr.* **1** dettagliare **2** (*mil.*) distaccare.

detailed [ˈdiːteild] *agg.* dettagliato.

to **detain** [diˈtein] *v.tr.* **1** trattenere; detenere; custodire **2** (*dir.*) trattenere (in prigione).

detainee [ˌdiːteiˈniː] *s.* detenuto politico.

detainer [diˈteinə*] *s.* (*dir.*) detenzione.

to **detect** [diˈtekt] *v.tr.* **1** scoprire; scovare **2** percepire, discernere **3** (*rad.*) rivelare.

detection [diˈtekʃən] *s.* **1** scoperta **2** (*rad. fis.*) rivelazione.

detective [diˈtektiv] *agg.* rivelatore ♦ *s.* investigatore, detective // — *story*, romanzo poliziesco.

detector [diˈtektə*] *s.* rivelatore.

detente [deiˈtɒnt] *s.* (*pol.*) distensione.

detention [diˈtenʃən] *s.* **1** detenzione, prigionia **2** il trattenere a scuola fuori orario per punizione **3** ritardo inevitabile.

to **deter** [diˈtəː*] *v.tr.* dissuadere; scoraggiare.

to **deterge** [diˈtəːdʒ] *v.tr.* detergere.

detergent [diˈtəːdʒənt] *agg. e s.* detergente; detersivo.

to **deteriorate** [diˈtiəriəreit] *v.tr.* deteriorare; deprezzare ♦ *v.intr.* deprezzarsi; deteriorarsi.

deterioration [diˌtiəˈriəˈreiʃən] *s.* deterioramento; degrado (dell'ambiente); deperimento (di merci ecc.).

determent [diˈtəːmənt] *s.* impedimento; freno.

determinable [diˈtəːminəbl] *agg.* **1** determinabile **2** (*dir.*) risolvibile.

determinant [diˈtəːminənt] *agg.* determinante ♦ *s.* causa determinante.

determinate [diˈtəːminit] *agg.* **1** determinato, definito; definitivo **2** risoluto, deciso.

determination [diˌtəːmiˈneiʃən] *s.* **1** determinazione; risolutezza; grinta **2** risoluzione.

to **determine** [diˈtəːmin] *v.tr.* **1** determinare, definire **2** risolvere, decidere ♦ *v.intr.* **1** risolversi **2** (*dir.*) scadere, terminare **3** *to — on*, decidere; fissarsi.

determined [diˈtəːmind] *agg.* deciso, risoluto.

determinism [diˈtəːminizəm] *s.* (*fil.*) determinismo.

deterrent [diˈterənt] *agg. e s.* deterrente.

to **detest** [diˈtest] *v.tr.* detestare, odiare.

detestation [ˌdiːtesˈteiʃən] *s.* **1** odio **2** cosa odiosa.

to **dethrone** [diˈθroun] *v.tr.* detronizzare (*anche fig.*).

to **detonate** [ˈdetouneit] *v.tr. e intr.* (fare) detonare.

detonation [ˌdetouˈneiʃən] *s.* detonazione.

detonator [ˈdetouneitə*] *s.* **1** detonatore **2** (*ferr.*) petardo.

detour [ˈdeituə*; (*amer.*) diˈtuə*] *s.* deviazione; giro.

to **detour** *v.intr.* deviare.

to **detoxicate** [diːˈtɒksikeit] *v.tr.* disintossicare.

to **detract** [diˈtrækt] *v.tr. e intr.* diminuire; detrarre: *to — from s.o.'s merits*, diminuire i meriti di qlcu.

detraction [diˈtrækʃən] *s.* detrazione; denigrazione; diffamazione.

detriment [ˈdetrimənt] *s.* detrimento; danno: *without — to*, senza pregiudizio, danno per.

detrimental [ˌdetriˈment l] *agg.* dannoso, nocivo.

detritus [diˈtraitəs] *s.* (*pl.invar.*) (*geol.*) detrito.

deuce [djuːs] *s.* **1** due (di dadi, carte, domino) **2** (*tennis*) 40 pari **3** (*fam.*): *to play the — with s.o.*, far diventar matto qlcu.; *where the — is he?*, dove diavolo si è cacciato?

deuced [djuːst] *agg.* maledetto; diabolico; tremendo ♦ *avv.* diabolicamente; tremendamente.

deuterium [djuːˈtiəriəm] *s.* (*fis.*) deuterio.

to **devaluate** [diːˈvæljueit] *v.tr.* (*econ.*) svalutare.

devaluation [ˌdiːvæljuˈeiʃən] *s.* (*econ.*) svalutazione.

to **devalue** [ˌdiːˈvæljuː] *v.tr.* → to **devaluate**.

to **devastate** [ˈdevəsteit] *v.tr.* devastare.

devastating [ˈdevəsteitiŋ] *agg.* **1** rovinoso; devastante **2** (*fam.*) fatale, affascinante; **3** straordinario, di grande effetto.

to **develop** [diˈveləp] *v.tr.* **1** sviluppare; ampliare: *to — a district*, valorizzare una regione **2** manifestare, rivelare ♦ *v.intr.* **1** svilupparsi; ampliarsi **2** manifestarsi, rivelarsi.

development [diˈveləpmənt] *s.* **1** sviluppo, evoluzione; accrescimento // — *area*, zona di sviluppo **2** quartiere residenziale.

deviant [ˈdiːviənt] *agg. e s.* deviante.

to **deviate** [ˈdiːvieit] *v.tr. e intr.* deviare.

deviationism [ˌdiːviˈeiʃənizəm] *s.* (*pol.*) deviazionismo.

device [diˈvais] *s.* **1** espediente; stratagemma // *to leave s.o. to his own devices*, lasciare a qlcu. a se stesso **2** (*tecn.*) dispositivo, congegno // — *control unit*, (*informatica*) controllore di periferiche **3** (*arald.*) emblema, stemma.

devil [ˈdevl] *s.* diavolo, demonio (*anche fig.*): *a poor —*, (*fam.*) un povero diavolo // *to work like the —*, lavorare come un negro // *to be between the — and the deep (blue) sea*, essere fra l'incudine e il martello // *there will be the — to pay*, (*fam.*) sarà un bel guaio // *to raise the —*, fare il diavolo a quattro // *to give the — his due*, per essere giusti, a voler essere giusti // *printer's —*, apprendista di tipografia // — *'s advocate*, avvocato del diavolo // — *'s tattoo*, il tamburellare.

to **devil** *v.tr.* cuocere ai ferri con salsa piccante ♦ *v.intr.* fare da aiuto (ad avvocato, scrittore).

devil-fish [ˈdevlfiʃ] *s.* (*zool.*) razza.

devilish [ˈdevliʃ] *agg.* diabolico.

devil-may-care [ˈdevlmeiˈkeə*] *agg.* strafottente.

devilry [ˈdevlri] *s.* diavoleria; malvagità.

devious [ˈdiːvjəs] *agg.* **1** remoto, fuori mano **2** tortuoso (*anche fig.*).

to **devise** [diˈvaiz] *s.* (*dir.*) **1** disposizione testamentaria (circa bene immobili) **2** eredità (di immobili).

to **devise** *v.tr.* **1** escogitare; inventare **2** (*dir.*) lasciare per testamento (beni immobili).

to **devitalize** [diːˈvaitəlaiz] *v.tr.* **1** (*med.*) devitalizzare **2** infiacchire, svigorire.

devoid [diˈvɔid] *agg.* privo, sprovvisto.

devolution [ˌdiːvəˈluːʃən] *s.* **1** devoluzione, passaggio di proprietà; delega **2** (*biol.*) degenerazione.

to **devolve** [diˈvɒlv] *v.tr.* cedere; delegare; trasmettere ♦ *v.intr.* trasferirsi, trasmettersi; passare.

to **devote** [diˈvout] *v.tr.* dedicare, consacrare // *to — oneself to*, dedicarsi a.

devotee [ˌdevouˈtiː] *s.* **1** devoto **2** (*fig.*) appassionato.

devotion [diˈvouʃən] *s.* **1** devozione; dedizione **2** *pl.* devozioni, preghiere.

to **devour** [diˈvauə*] *v.tr.* **1** divorare (*anche fig.*) // *devoured by remorse*, in preda al rimorso **2** distruggere, consumare.

devout [diˈvaut] *agg.* **1** devoto, pio **2** fervente, sincero: — *wishes*, sinceri auguri.

dew [djuː] *s.* **1** rugiada // *mountain —*, whisky **2** (*fig.*) freschezza.

to **dew** *v.tr.* **1** bagnare di rugiada **2** imperlare; cospargere.

dewberry [ˈdjuːbəri] *s.* mora selvatica.

dew-claw [ˈdjuːklɔː] *s.* (*zool.*) sperone.

dewdrop ['dju:drɔp] *s.* goccia di rugiada.

dew-point ['dju:pɔint] *s.* (*fis.*) punto di condensazione.

dewy ['dju:i] *agg.* rugiadoso; fresco, umido.

dexterity [deks'teriti] *s.* **1** destrezza **2** destrismo.

dexterous ['dekstərəs] *agg.* destro.

dextrorse [deks'trɔ:s] *agg.* destrorso.

dextrose ['dekstrouz; (*amer.*) 'dekstrous] *s.* (*chim.*) destrosio.

dextrous *agg.* → **dexterous**.

di- [dai] *pref.* bi-, di-.

dia-, di ['daiə, dai] *pref.* dia-.

diabetes [ˌdaiə'bi:ti:z] *s.* (*med.*) diabete.

diabetic [ˌdaiə'betik] *agg.* e *s.* diabetico.

diabolic(al) [ˌdaiə'bɔlik(əl)] *agg.* diabolico.

diabolism [dai'æbəlizəm] *s.* **1** stregoneria; culto del diavolo **2** malvagità.

diaconate [dai'ækənit] *s.* (*eccl.*) diaconato.

diadem ['daiədem] *s.* diadema, corona.

diaeresis [dai'iərisis], *pl.* **diaereses** [dai'iərisi:z] *s.*, dieresi.

to diagnose ['daiəgnouz; (*amer.*) 'daiəgnous] *v.tr.* diagnosticare.

diagnosis [ˌdaiəg'nousis], *pl.* **diagnoses** [ˌdaiəg'nousi:z] *s.* diagnosi.

diagnostic [ˌdaiəg'nɔstik] *agg.* **1** diagnostico **2** sintomatico.

to diagnosticate [ˌdaiəg'nɔstikeit] *v.tr.* e *intr.* diagnosticare.

diagnostics [ˌdaiəg'nɔstiks] *s.* diagnostica.

diagonal [dai'ægənl] *agg.* e *s.* diagonale.

diagram ['daiəgræm] *s.* diagramma.

diagraph ['daiəgræf] *s.* pantografo.

dial ['daiəl] *s.* **1** quadrante **2** meridiana **3** (*rad.*) scala parlante **4** (*tel.*) disco combinatore **5** (*sl.*) faccia.

to dial *v.tr.* (*tel.*) fare, comporre (un numero) // *dialling tone*, (*tel.*) segnale di linea libera; *dialling code*, prefisso.

dialect ['daiəlekt] *s.* dialetto.

dialectal [ˌdaiə'lektl] *agg.* dialettale.

dialectic [ˌdaiə'lektik] *s.* → **dialectics**.

dialectical [ˌdaiə'lektikəl] *agg.* dialettico.

dialectician [ˌdaiəlek'tiʃən] *s.* dialettico.

dialectics [ˌdaiə'lektiks] *s.* dialettica.

dialogic [ˌdaiə'lɔdʒik] *agg.* dialogico.

dialogue ['daiəlɔg] *s.* dialogo.

to dialogue *v.tr.* e *intr.* dialogare.

dialysis [dai'ælisis] *s.* (*med.*) dialisi.

diameter [dai'æmitə*] *s.* diametro.

diametric(al) [ˌdaiə'metrik(əl)] *agg.* diametrale.

diamond ['daiəmənd] *agg.* **1** di diamante; di diamanti **2** a losanga ♦ *s.* **1** diamante: *rough —*, diamante grezzo; (*fig.*) burbero benefico; *cut —*, brillante // *— wedding*, nozze di diamante **2** losanga, rombo **3** *pl.* (*nelle carte da gioco*) quadri **4** (*baseball*) diamante **5** (*tip.*) (carattere) diamante.

diamond-point ['daiəmənd,pɔint] *s.* (strumento a punta di) diamante.

Diana [dai'ænə] *no.pr.f.* Diana.

diapason [ˌdaiə'peisn] *s.* (*mus.*) diapason.

diaper ['daiəpə*] *s.* **1** tela operata (a rombi) **2** (*amer.*) pannolino (per neonato).

to diaper *v.tr.* decorare con rombi.

diaphragm ['daiəfræm] *s.* diaframma.

diarchy ['daiɑ:ki] *s.* diarchia.

diarrh(o)ea [ˌdaiə'riə] *s.* diarrea.

diary ['daiəri] *s.* **1** diario **2** agenda.

Diaspora [dai'æspərə] *s.* (*st.ebraica*) diaspora.

diathermal [ˌdaiə'θə:məl] *agg.* (*fis.*) diatermano.

diatomic [ˌdaiə'tɔmik] *agg.* (*fis.chim.*) biatomico.

diatonic [ˌdaiə'tɔnik] *agg.* (*mus.*) diatonico.

diatribe ['daiətraib] *s.* diatriba.

dibble ['dibl] *s.* (*agr.*) piantatoio.

to dibble *v.intr.* fare buche nel terreno con un piantatoio ♦ *v.tr.* piantare.

dibs [dibz] *s.pl.* **1** gettoni, fiches **2** (*sl.*) denaro, spiccioli.

dice, *pl.* di **die**[1]nel senso 1

to dice [dais] *v.intr.* giocare a dadi ♦ *v.tr.* **1** giocarsi (qlco.) ai dadi: *to — away a fortune*, perdere una fortuna ai dadi **2** (*cuc.*) tagliare a dadini.

dice-box ['daisbɔks] *s.* bossolo; bussolotto per dadi.

dicey ['daisi] *agg.* (*fam.*) rischioso, pericoloso.

dichotomy [dai'kɔtəmi] *s.* dicotomia.

dick[1] ['dik] *s.* **1** (*fam.*) tipo, individuo **2** (*sl.*) poliziotto privato.

dick[2] *s.* (*sl.*): *to take one's —*, prestare giuramento.

dickens ['dikinz] *inter.* (*sl.*) diamine!

dickey, dicky ['diki] *agg.* (*fam.*) malandato (in salute); debole.

dicky ['diki] *s.* **1** strapuntino; (*di carrozza*) cassetta **2** (*fam.*) pettorina.

dicky(bird) ['diki(bə:d)] *s.* uccellino.

dictaphone ['diktəfoun] *s.* dittafono.

dictate ['dikteit; (*amer.*) dik'teit] *s.* dettame.

to dictate [dik'teit; (*amer.*) 'dikteit] *v.tr.* dettare; (*fig.*) imporre ♦ *v.intr.* (*fam.*) dettar legge.

dictation [dik'teiʃən] *s.* dettatura; dettato.

dictator [dik'teitə*; (*amer.*) 'dikteitə*] *s.* dittatore.

dictatorial [ˌdiktə'tɔ:riəl] *agg.* dittatoriale.

dictatorship [dik'teitəʃip] *s.* dittatura.

diction ['dikʃən] *s.* dizione; scelta dei vocaboli // *poetic —*, linguaggio poetico.

dictionary ['dikʃənri] *s.* dizionario, vocabolario.

dictum ['diktəm], *pl.* **dicta** ['diktə] *s.* **1** detto, massima **2** decisione, giudizio.

did *pass.* di (to) **do**.

didactic [di'dæktik; (*amer.*) dai'dæktik] *agg.* didattico, didascalico.

didactics [di'dæktiks] *s.* didattica.

to diddle ['didl] *v.tr.* (*sl.*) truffare, imbrogliare.

didn't [didnt] *contr.* di did not.

die[1] [dai], *pl.* **dies** [daiz]; nel senso **1** **dice** [dais] *s.* **1** dado: *to play dice*, giocare a dadi **2** *pl.* (*cuc.*) dadini **3** (*arch.*) plinto **4** *pl.* (*tecn.*) matrice (*sing.*); trafila (*sing.*); (*per francobolli*) stampo (*sing.*) // *— -casting*, pressofusione.

to die[2] *v.intr.* morire (*anche fig.*): *to — from* (o *of*) *a wound*, morire in seguito a una ferita; *to — a natural death*, morire di morte naturale; *to be dying for sthg.*, *to know sthg.*, (*fam.*) morire dalla voglia di qlco., di sapere qlco. // *to — hard*, (*fig.*) essere duro a morire // *to — in harness*, morire sulla breccia // *to — with one's boots on*, morire di morte violenta // *never say —*, non darti per vinto // *to — away*, affievolirsi, svanire // *to — down*, diminuire (di intensità) // *to — off*, morire uno dopo l'altro; estinguersi // *to — out*, estinguersi, scomparire.

to die-cast ['daikɑ:st], *pass.* e *p.pass.* **die-cast** *v.tr.* (*tecn.*) sottoporre a pressofusione.

diehard ['daihɑ:d] *agg.* ostinato, duro a morire: *— optimism*, ottimismo incrollabile ♦ *s.* conservatore intransigente, tradizionalista.

dielectric [,daii'lektrik] *agg.* e *s.* (*fis.*) dielettrico.
diesel ['di:zəl] *s.* (motore) Diesel.
diet[1] ['daiət] *s.* regime (alimentare); dieta: *to be on a* —, essere a dieta.
to diet[1] *v.tr.* mettere a dieta ♦ *v.intr.* seguire una dieta.
diet[2] *s.* (*st.*) Dieta.
dietarian [,daiə'teəriən] *s.* chi sta a dieta.
dietary ['daiətəri] *agg.* dietetico ♦ *s.* dieta.
dietetic [,daii'tetik] *agg.* dietetico.
dietetics [,daii'tetiks] *s.* dietetica.
dietician [,daii'tiʃən] *s.* dietologo.
to differ ['difə*] *v.intr.* **1** differire, essere diverso: *I — from him in tastes*, ho gusti diversi dai suoi **2** non essere d'accordo: *to — with s.o. about sthg.*, non essere d'accordo con qlcu. su qlco.
difference ['difrəns] *s.* **1** differenza: *it makes a great* —, c'è una bella differenza **2** divergenza; controversia.
different ['difrənt] *agg.* differente, diverso: *— from, to*; (*amer.*) *— than*, diverso da; *that is quite a — matter*, è tutt'altra cosa // *at — times*, in momenti diversi; *a varie riprese*.
differential [,difə'renʃəl] *agg.* e *s.* differenziale // *— gear*, (*aut.*) differenziale.
to differentiate [,difə'renʃieit] *v.tr.* differenziare ♦ *v.intr.* differenziarsi.
differentiation [,difərenʃi'eiʃən] *s.* differenziazione.
difficult ['difikəlt] *agg.* difficile: *he is a — person to get on with*, è una persona con cui è difficile andare d'accordo.
difficulty ['difikəlti] *s.* difficoltà: *to have some — in doing sthg.*, aver qualche difficoltà a fare qlco.; *to make no — about doing sthg.*, non fare nessuna difficoltà a fare qlco. // *that's the —*, qui sta il busillis.
diffidence ['difidəns] *s.* **1** timidezza **2** insicurezza **3** riservatezza; ritrosia.
diffident ['difidənt] *agg.* **1** timido **2** insicuro **3** riservato; ritroso.
diffraction [di'frækʃən] *s.* (*fis.*) diffrazione.
diffuse [di'fju:s] *agg.* **1** diffuso **2** prolisso.
to diffuse [di'fju:z] *v.tr.* diffondere ♦ *v.intr.* diffondersi.
diffuser [di'fju:zə*] *s.* (*tecn.*) diffusore.
diffusion [di'fju:ʒən] *s.* **1** diffusione **2** prolissità.
diffusive [di'fju:siv] *agg.* **1** diffusivo **2** prolisso.
dig [dig] *s.* **1** scavo; spedizione archeologica **2** (*fam.*) urto, spinta: *a — in the ribs*, una gomitata nelle costole **3** (*fam.*) frecciata **4** *pl.* (*fam.*) camera in affitto (*sing.*).
to dig, *pass* e *p.pass.* **dug** [dʌg] *v.tr.* **1** vangare; scavare // *to — oneself in*, (*mil.*) trincerarsi // *to — one's heels in*, impuntarsi (*anche fig.*) // *to — s.o. in the ribs*, dare una gomitata a qlcu. (per attirare la sua attenzione) **2** (*fam.*) capire **3** (*fam.*) apprezzare: *I — that*, questo mi piace **4** *to — out, up*, estrarre, tirar fuori; scoprire ♦ *v.intr.* **1** *to — (for)*, scavare (in cerca di) **2** (*sl.*) sgobbare **3** (*sl.*) alloggiare in camera ammobiliata.
digest[1] ['daidʒest] *s.* **1** sommario, riassunto **2** rivista che pubblica estratti di libri **3** (*dir.*) digesto.
to digest[2] [di'dʒest] *v.tr.* digerire; (*fig.*) assimilare: *to — what one reads*, assimilare ciò che si legge ♦ *v.intr.* essere digerito: *these foods — easily*, questi cibi si digeriscono facilmente.
digestedly [di'dʒestidli] *avv.* metodicamente, regolarmente.
digestible [di'dʒestəbl] *agg.* digeribile.
digestion [di'dʒestʃən] *s.* digestione.
digestive [di'dʒestiv] *agg.* **1** digestivo **2** digerente: *— system*, apparato digerente ♦ *s.* digestivo.

digger ['digə*] *s.* **1** zappatore; sterratore **2** (*sl.*) australiano; neozelandese **3** (*mecc.*) scavatrice.
diggings ['diginz] *s.pl.* **1** miniera d'oro (*sing.*) **2** (*rar.*) scavi archeologici.
digit ['didʒit] *s.* **1** (*mat.*) ciascuno dei numeri base del sistema decimale (dallo 0 al 9) **2** (*misura di lunghezza*) dito **3** (*astr.*) digito **4** (*informatica*) cifra: *— key*, tasto di cifra.
digital ['didʒitl] *agg.* (*informatica*) numerico, digitale: *— computer*, elaboratore digitale; *— converter*, convertitore numerico; *— data service* (*DDS*), (*tel.*) servizio (di) trasmissione dati.
digitizer ['didʒitaizə*] *s.* (*informatica*) convertitore analogico/digitale.
dignified ['dignifaid] *agg.* dignitoso; nobile.
to dignify ['dignifai] *v.tr.* conferire dignità (a); nobilitare.
dignitary ['dignitəri] *s.* **1** dignitario **2** (*eccl.*) prelato.
dignity ['digniti] *s.* dignità: *air of —*, portamento dignitoso; *it is beneath your — to accept*, non abbassarti ad accettare.
to digress [dai'gres] *v.intr.* deviare.
digression [dai'greʃən] *s.* digressione.
digressive [dai'gresiv] *agg.* digressivo.
dihedral [dai'hi:drəl] *agg.* (*geom.*) diedro.
dike [daik] *s.* **1** diga; argine **2** fosso, canale **3** (*geol.*) dicco; filone eruttivo.
to dike *v.tr.* arginare; proteggere con dighe.
to dilapidate [di'læpideit] *v.tr.* **1** mandare in rovina **2** dilapidare ♦ *v.intr.* cadere in rovina.
dilapidated [di'læpideitid] *agg.* in rovina; malandato.
dilatation [,dailei'teiʃən] *s.* dilatazione.
to dilate [dai'leit] *v.tr.* dilatare ♦ *v.intr.* **1** dilatarsi **2** dilungarsi.
dilation [dai'leiʃən] *s.* dilatazione.
dilatory ['dilətəri] *agg.* dilatorio.
dilemma [di'lemə] *s.* dilemma.
dilettante [,dili'tænti], *pl.* **dilettanti** [,dili'tænti:] *s.* dilettante.
diligence[1] ['dilidʒəns] *s.* diligenza, cura.
diligence[2] ['dilidʒəns] *s.* diligenza (carrozza).
diligent ['dilidʒənt] *agg.* diligente.
to dillydally ['dilidæli] *v.intr.* **1** tentennare **2** gingillarsi.
dilute [dai'lju:t] *agg.* **1** diluito **2** (*fig.*) attenuato.
to dilute *v.tr.* **1** diluire **2** (*fig.*) attenuare.
diluvium [dai'lu:vjəm] *s.* (*geol.*) deposito alluvionale.
dim [dim] *agg.* pallido (di luce, colore); debole (di vista, suono); oscuro (di ambiente); ottuso (di intelligenza): *eyes — with tears*, occhi velati di lacrime; *to grow —*, oscurarsi, appannarsi // *to take a — view of*, disapprovare; avere una visione pessimistica di.
to dim *v.tr.* offuscare; affievolire ♦ *v.intr.* offuscarsi; affievolirsi, abbassarsi.
dime [daim] *s.* (*amer.*) moneta del valore di 10 centesimi di dollaro // *— novel*, romanzo da quattro soldi.
dimension [di'menʃən] *s.* dimensione.
dimensional [di'menʃənl] *agg.* dimensionale.
dimensionless [di'menʃənles] *agg.* adimensionale.
to diminish [di'miniʃ] *v.tr.* e intr. diminuire.
diminution [,dimi'nju:ʃən] *s.* diminuzione.
diminutive [di'minjutiv] *agg.* **1** minuscolo, piccolissimo **2** (*gramm.*) diminutivo ♦ *s.* (*gramm.*) diminutivo.
dimmer ['dimə*] *s.* **1** (*cinem.teatr.*) oscuratore (di luce) **2** *— switch*, (*aut.*) commutatore delle luci.
dimple ['dimpl] *s.* **1** fossetta (nelle guance o nel mento) **2** increspatura; piccola ondulazione.

to **dimple** *v.tr.* increspare ♦ *v.intr.* **1** incresparsi **2** sorridere (formando fossette).

din [din] *s.* baccano, strepito.

to **din** *v.tr.* **1** assordare **2** ripetere con insistenza ♦ *v.intr.* risuonare; rintronare.

to **dine** [dain] *v.intr.* pranzare: *to — on meat*, fare un pranzo a base di carne // *to — out*, pranzare fuori ♦ *v.tr.* servire un pranzo (a qlcu.).

diner ['dainə*] *s.* **1** commensale **2** (*ferr.*) vagone ristorante.

to **ding** [din] *v.intr.* risuonare ♦ *v.tr.* ripetere con insistenza.

dingdong ['din'dɔn] *agg.* di esito incerto ♦ *s.* din don; scampanio.

dinghy ['dingi] *s.* (*mar.*) barchetta; (*sport*) dinghy; canotto pneumatico // *motorized inflatable —*, gommone.

dinginess ['dindʒinis] *s.* squallore.

dingle-dangle ['dingl'dængl] *agg.* e *avv.* (a) penzoloni.

dingy ['dindʒi] *agg.* squallido; sporco; offuscato: *— curtains*, tende sporche.

dining car ['dainin,kɑː*] *s.* (*ferr.*) vagone ristorante.

dining room ['daininru:m] *s.* sala da pranzo.

dinky ['dinki] *agg.* (*fam.*) piccolo e carino, grazioso.

dinner ['dinə*] *s.* pranzo: *it is time for —*, è ora di andare a tavola; *to be at —*, essere a tavola; *to have —*, pranzare // *— dance*, pranzo seguito da ballo // *— service*, servizio di piatti.

dinosaur ['dainəsɔː*] *s.* dinosauro.

dint [dint] *s.* **1** ammaccatura **2** *by — of*, a forza di.

to **dint** *v.tr.* fare una tacca (su); ammaccare.

diocesan [dai'ɔsisən] *agg.* diocesano ♦ *s.* vescovo.

diocese ['daiəsis] *s.* diocesi.

Diocletian [daiə'kliːʃən] *no.pr.* (*st.*) Diocleziano.

diode ['daioud] *s.* (*fis.*) diodo.

Diogenes [dai'ɔdʒiniːz] *no.pr.m.* Diogene.

Dionysiac [,daiə'niziæk], **Dionysian** [,daiə'niziən] *agg.* dionisiaco.

Dionysus [daiə'naisəs] *no.pr.m.* (*mit.*) Dioniso.

diopter, dioptre [dai'ɔptə*] *s.* diottria.

dioptric [dai'ɔptrik] *agg.* diottrico ♦ *s.* diottria.

dioptrics [dai'ɔptriks] *s.* diottria.

dioxide [dai'ɔksaid] *s.* (*chim.*) biossido.

dip [dip] *s.* **1** immersione; bagno; tuffo: *to have* (o *to take*) *a —*, (*fam.*) fare una nuotata **2** (*min. geol.*) pendenza **3** inclinazione (di ago magnetico).

to **dip** *v.tr.* **1** immergere; tuffare; intingere: *to — one's pen in the ink*, intingere la penna nell'inchiostro **2** abbassare // *to — one's headlights*, (*aut.*) abbassare i fari **3** *to — into* (a *book, a subject*), sfogliare (un libro), studiare superficialmente (un argomento) // *to — into one's purse*, spendere (liberamente) ♦ *v.intr.* **1** immergersi **2** abbassarsi, calare.

diphtheria [dif'θiəriə] *s.* difterite.

diphthong ['difθɔn] *s.* dittongo.

diploma [di'ploumə] *s.* diploma.

diplomacy [di'plouməsi] *s.* diplomazia.

diplomat ['dipləmæt] *s.* diplomatico.

diplomatic [,diplə'mætik] *agg.* diplomatico.

dipper ['dipə*] *s.* **1** chi immerge, chi si immerge **2** cucchiaia; mestola; macchina scavatrice **3** (*zool.*) martin pescatore **4** (*relig.*) anabattista **5** (*aut.*) interruttore dei lampeggiatori **6** (*amer.*) (*astr.*): *Big Dipper*, *Little Dipper*, Orsa Maggiore, Orsa Minore.

diptych ['diptik] *s.* dittico.

dire ['daiə*] *agg.* terribile; disastroso: *to be in — straits*, essere in grande difficoltà.

direct [di'rekt] *agg.* **1** diretto; immediato // *— dialling*, (*tel.*) teleselezione // *— drive*, (*mecc.*) presa diretta // *— evidence*, (*dir.*) prove dirette // *— expenses*, oneri diretti // *— hit*, tiro (di bomba, cannone) sull'esatto obiettivo // *— tax*, imposta diretta **2** franco, sincero ♦ *avv.* diretto, direttamente.

to **direct** *v.tr.* **1** dirigere **2** rivolgere, indirizzare (lettere, parole ecc.) **3** indicare la via, la direzione (a) **4** attirare **5** ordinare // *as directed*, secondo le istruzioni ricevute.

direction [di'rekʃən] *s.* **1** direzione **2** (*cinem. teatr.*) regia **3** indirizzo **4** senso, direzione // *— finder*, (*rad.*) radiogoniometro **5** (*gener.pl.*) istruzione, indicazione: *directions for use*, istruzioni per l'uso.

directive [di'rektiv] *agg.* direttivo ♦ *s.* direttiva; ordine.

directly [di'rektli] *avv.* **1** direttamente **2** esattamente, completamente **3** subito, immediatamente ♦ *cong.* (*fam.*) appena.

directness [di'rektnis] *s.* dirittura; franchezza, sincerità.

director [di'rektə*] *s.* **1** direttore; dirigente; amministratore // *joint —*, condirettore; *sales —*, direttore commerciale **2** (*eccl.*) direttore spirituale **3** (*cinem. teatr.*) regista **4** (*mar.*) centrale di tiro.

directorate [di'rektərit] *s.* **1** ufficio di direttore **2** consiglio d'amministrazione.

directorial [direk'tɔːriəl] *agg.* direttivo.

directory [di'rektəri] *agg.* direttivo ♦ *s.* **1** guida, annuario // (*telephone*) *—*, elenco telefonico **2** direttorio.

directress [di'rektris] *s.* direttrice.

directrix [di'rektriks], *pl.* **directrices** [,direk'traisiːz] *s.* direttrice.

direful ['daiəful] *agg.* orrendo, funesto.

dirge [dəːdʒ] *s.* inno, canto funebre.

dirigible ['diridʒəbl] *agg.* e *s.* dirigibile.

dirk [dəːk] *s.* pugnale (degli Scozzesi).

dirt [dəːt] *s.* **1** sporcizia, sudiciume; immondizia // *— cheap*, a prezzo bassissimo // *to eat —*, incassare (insulti ecc.) // *to treat s.o. like —*, trattare qlcu. con disprezzo // *— road*, (*amer.*) strada battuta (non asfaltata) // *— farmer*, (*amer.*) chi svolge tutto il suo lavoro senza aiuti **2** (*fig.*) sozzura; pettegolezzo.

dirt track ['dəːtræk] *s.* (*sport*) pista di cenere.

dirty ['dəːti] *agg.* **1** sporco, sudicio; infangato **2** (*di tempo*) brutto; piovoso **3** grossolano; sboccato; osceno **4** brutto; disonesto; sleale: *— work*, azione disonesta, losca.

to **dirty** *v.tr.* sporcare, insudiciare ♦ *v.intr.* sporcarsi, insudiciarsi.

disability [,disə'biliti] *s.* **1** incapacità; impotenza **2** menomazione; invalidità **3** (*dir.*) incapacità.

to **disable** [dis'eibl] *v.tr.* **1** rendere inabile; mutilare **2** (*dir.*) dichiarare incapace **3** (*informatica*) mettere fuori servizio.

to **disabuse** [,disə'bjuːz] *v.tr.* disingannare.

disaccord [,disə'kɔːd] *s.* disaccordo.

disadvantage [,disəd'vɑːntidʒ] *s.* svantaggio; perdita: *to take s.o. at a —*, cogliere qlcu. alla sprovvista.

to **disaffect** [,disə'fekt] *v.tr.* alienare; disamorare.

to **disagree** [,disə'griː] *v.intr.* **1** essere in disaccordo **2** non essere confacente, adatto; fare male (a); essere indigesto (a).

disagreeable [,disə'griəbl] *agg.* sgradevole; antipatico; spiacevole.

to **disallow** [,disə'lau] *v.tr.* **1** non permettere; rifiutare **2** non ammettere; non riconoscere.

disallowance [,disə'lauəns] *s.* rifiuto.

to **disappear** [ˌdisə'piə*] *v.intr.* scomparire.

disappearance [ˌdisə'piərəns] *s.* scomparsa.

to **disappoint** [ˌdisə'pɔint] *v.tr.* deludere; frustrare; non mantenere (promesse ecc.).

disappointment [ˌdisə'pɔintmənt] *s.* delusione; disappunto: *to my —*, con mio disappunto.

disapprobation [ˌdisæprou'beiʃən], **disapproval** [ˌdisə'pru:vəl] *s.* disapprovazione.

to **disapprove** ['disə'pru:v] *v.tr.* disapprovare ♦ *v.intr.* trovare a ridire: *to — of sthg.*, *s.o.*, trovare a ridire su qlco., qlcu.

to **disarm** [dis'ɑ:m] *v.tr.* e *intr.* disarmare.

disarmament [dis'ɑ:məmənt], **disarming** [dis'ɑ:miŋ] *s.* disarmo.

to **disarrange** ['disə'reindʒ] *v.tr.* scompigliare.

disarray ['disə'rei] *s.* disordine, scompiglio.

to **disarray** *v.tr.* **1** disorganizzare; scompigliare **2** spogliare, svestire.

to **disarticulate** ['disɑ:'tikjuleit] *v.tr.* disarticolare; smembrare ♦ *v.intr.* disarticolarsi; smembrarsi.

to **disassemble** [ˌdisə'sembəl] *v.tr.* smembrare, fare a pezzi; smontare in pezzi.

to **disassociate** [ˌdisə'souʃieit] *v.tr.* → to **dissociate**.

disaster [di'zɑ:stə*] *s.* disastro; calamità // *— area*, zona sinistrata.

disastrous [di'zɑ:strəs] *agg.* disastroso.

to **disavow** ['disə'vau] *v.tr.* rinnegare; ripudiare.

disavowal [ˌdisə'vauəl] *s.* rinnegamento; ripudio.

to **disband** [dis'bænd] *v.tr.* disperdere; sciogliere; congedare ♦ *v.intr.* disperdersi; sciogliersi.

disbelief ['disbi'li:f] *s.* **1** incredulità **2** (*relig.*) miscredenza.

to **disbelieve** ['disbi'li:v] *v.tr.* e *intr.* non credere, rifiutare di credere.

to **disburden** [dis'bə:dn] *v.tr.* sgravare; alleggerire ♦ *v.intr.* sgravarsi; alleggerirsi; scaricarsi.

to **disburse** [dis'bə:s] *v.tr.* sborsare.

disc *s.* → **disk**.

discard ['diskɑ:d] *s.* (*a carte*) scarto.

to **discard** [dis'kɑ:d] *v.tr.* **1** (*a carte*) scartare **2** scartare, smettere (indumenti).

to **discern** [di'sə:n] *v.tr.* discernere, distinguere.

discerning [di'sə:niŋ] *agg.* perspicace; penetrante.

discernment [di'sə:nmənt] *s.* discernimento; acume.

discharge [dis'tʃɑ:dʒ] *s.* **1** scarico **2** scarica, sparo **3** (*fis.*) liberazione (di vapore, gas ecc.) **4** (*med.*) fuoriuscita (di pus); perdita **5** congedo; licenziamento **6** (*dir.*) assoluzione (di un accusato); (*comm.*) riabilitazione (di un fallito): *— from prison*, scarcerazione **7** adempimento (di un dovere) **8** pagamento (di un debito); quietanza: *in full —*, a saldo di ogni avere.

to **discharge** *v.tr.* **1** scaricare (nave, serbatoio, fucile, pila ecc.) // *to — pus*, fare pus **2** licenziare; (*mil.*) congedare **3** rilasciare; liberare (prigionieri); dimettere (un ammalato dall'ospedale); riabilitare (un fallito); assolvere (un accusato) **4** compiere (un dovere) **5** (*comm.*) saldare (debiti).

disciple [di'saipl] *s.* discepolo.

disciplinary ['disiplinəri] *agg.* disciplinare.

discipline ['disiplin] *s.* **1** disciplina **2** disciplina, insegnamento, materia di studio **3** castigo; (*eccl.*) mortificazione.

to **discipline** *v.tr.* **1** disciplinare; formare (carattere) **2** punire, castigare; (*eccl.*) mortificare.

to **disclaim** [dis'kleim] *v.tr.* **1** ripudiare; non riconoscere; respingere **2** (*dir.*) rinunciare (a un diritto).

disclaimer [dis'kleimə*] *s.* **1** rifiuto **2** (*dir.*) rinuncia.

to **disclose** [dis'klouz] *v.tr.* scoprire; svelare.

disclosure [dis'klouʒə*] *s.* rivelazione; scoperta.

disco ['diskou] *s.* (*fam.*) discoteca.

to **discolour** [dis'kʌlə*] *v.tr.* decolorare; scolorire ♦ *v.intr.* scolorirsi.

discolo(u)ration [dis,kʌlə'reiʃən] *s.* scolorimento.

to **discomfit** [dis'kʌmfit] *v.tr.* **1** sconfiggere **2** sconcertare; turbare.

discomfiture [dis'kʌmfitʃə*] *s.* **1** sconfitta **2** sconcerto; turbamento.

discomfort [dis'kʌmfət] *s.* disagio; incomodo.

to **discomfort** *v.tr.* mettere a disagio; incomodare.

to **discompose** [ˌdiskəm'pouz] *v.tr.* turbare; agitare.

discomposure [ˌdiskəm'pouʒə*] *s.* turbamento; agitazione.

to **disconcert** [ˌdiskən'sə:t] *v.tr.* **1** sconcertare; imbarazzare; turbare **2** sconvolgere (piani, idee ecc.).

to **disconnect** ['diskə'nekt] *v.tr.* **1** disunire; distaccare; separare **2** (*elettr.*) disinserire; (*elettr.*) disalimentare; (*mecc.*) disinnestare; (*tel.*) staccare.

disconnected ['diskə'nektid] *agg.* **1** sconnesso; incoerente **2** (*elettr.*) disinserito; (*mecc.*) disinnestato; (*tel.*) staccato.

disconsolate [dis'kɔnsəlit] *agg.* sconsolato.

discontent ['diskən'tent] *agg.* scontento, insoddisfatto ♦ *s.* scontento, insoddisfazione.

to **discontent** *v.tr.* scontentare.

discontinuance [ˌdiskən'tinjuəns] *s.* interruzione; cessazione.

to **discontinue** ['diskən'tinju(:)] *v.tr.* cessare; interrompere ♦ *v.intr.* cessare; interrompersi.

discontinuity ['dis,kɔnti'nju(:)iti] *s.* discontinuità; interruzione.

discontinuous ['diskən'tinjuəs] *agg.* discontinuo, interrotto; intermittente.

discord ['diskɔ:d] *s.* **1** discordia; dissenso; conflitto **2** suono discordante; (*mus.*) dissonanza.

discordance [dis'kɔ:dəns], **discordancy** [dis'kɔ:dənsi] *s.* **1** discordia; dissenso **2** discordanza (di suoni, colori ecc.).

discordant [dis'kɔ:dənt] *agg.* **1** discorde, dissenziente **2** discordante (di suoni); (*mus.*) dissonante.

discotheque ['diskətek] *s.* discoteca.

discount ['diskaunt, dis'kaunt, (*amer.*) 'diskaunt] *s.* (*comm.*) sconto, ribasso, riduzione // *at a —*, sottoprezzo // *— bank*, banco di sconto // *— rate*, tasso di sconto // *bank —*, sconto di banca // *cash —*, sconto cassa // *sample —*, sconto sui campioni // *trade —*, sconto per i rivenditori.

to **discount** [dis'kaunt; (*amer.*) 'diskaunt] *v.tr.* **1** (*comm.*) scontare **2** (*fig.*) non dar credito (a notizia ecc.); tenere in scarsa considerazione; sminuire.

to **discountenance** [dis'kauntinəns] *v.tr.* **1** sconcertare; mettere in imbarazzo **2** disapprovare; scoraggiare; cercare di impedire.

to **discourage** [dis'kʌridʒ] *v.tr.* **1** scoraggiare: *to be discouraged*, scoraggiarsi **2** dissuadere.

discouragement [dis'kʌridʒmənt] *s.* **1** scoraggiamento: *to meet with —*, non trovare incoraggiamento **2** disapprovazione.

discourse [dis'kɔ:s] *s.* **1** discorso, dissertazione; sermone **2** conversazione.

to **discourse** *v.intr.* **1** dissertare **2** conversare.

discourteous [dis'kə:tjəs] *agg.* scortese.

discourtesy [dis'kə:tisi] *s.* scortesia.

to **discover** [dis'kʌvə*] *v.tr.* **1** scoprire **2** (*arc.*) rivelare; far conoscere.

discovery [dis'kʌvəri] *s.* scoperta.

discredit [dis'kredit] *s.* discredito; disistima.

to **discredit** *v.tr.* screditare.

discreditable [dis'kreditəbl] *agg.* indegno; disonorevole.

discreet [dis'kri:t] *agg.* prudente; circospetto; discreto.

discrepance [dis'krepəns], **discrepancy** [dis'krepənsi] *s.* disaccordo, discrepanza.

discrepant [dis'krepənt] *agg.* discorde.

discretion [dis'kreʃən] *s.* discrezione, discernimento; arbitrio.

discretionary [di'kreʃnəri] *agg.* discrezionale.

discriminate [dis'kriminit] *agg.* **1** discriminato, distinto **2** discriminante.

to **discriminate** [dis'krimineit] *v.tr.* discriminare, distinguere ♦ *v.intr.* **1** fare delle distinzioni **2** avere delle preferenze **3** avere dei pregiudizi.

discrimination [dis,krimi'neiʃən] *s.* **1** discernimento, giudizio **2** discriminazione; emarginazione.

discursive [dis'kə:siv] *agg.* digressivo.

discus ['diskəs], *pl.* **discuses** ['diskəsiz], **disci** ['diskai] *s.* (*sport*) disco // *— thrower*, discobolo.

to **discuss** [dis'kʌs] *v.tr.* **1** discutere, dibattere; trattare **2** (*fam.*) assaporare.

discussion [dis'kʌʃən] *s.* discussione, dibattito: *beyond —*, fuori discussione.

disdain [dis'dein] *s.* sdegno, disprezzo.

to **disdain** *v.tr.* disdegnare, disprezzare.

disease [di'zi:z] *s.* **1** malattia, morbo: *industrial —*, *occupational —*, malattia professionale **2** (*fig.*) disordine.

diseased [di'zi:zd] *agg.* malato.

to **disembark** [disim'ba:k] *v.tr.* e *intr.* sbarcare.

disembarkation [,disembɑ:'keiʃən] *s.* sbarco.

to **disembody** [disim'bɔdi] *v.tr.* **1** disincarnare **2** (*mil.*) congedare (truppe).

to **disembogue** [,disim'boug] *v.tr.* scaricare ♦ *v.intr.* sboccare, sfociare.

to **disembowel** [,disim'bauəl] *v.tr.* sventrare.

to **disenchant** ['disin'tʃɑ:nt] *v.tr.* disincantare; disilludere.

to **disendow** ['disin'dau] *v.tr.* togliere (a una chiesa) beni o benefici.

to **disengage** ['disin'geidz] *v.tr.* **1** disimpegnare; svincolare; liberare **2** (*mecc.*) disinnestare; sbloccare ♦ *v.intr.* **1** disimpegnarsi **2** (*mil.*) ritirarsi.

to **disentail** ['disin'teil] *v.tr.* (*dir.*) svincolare.

to **disentangle** ['disin'tæŋgl] *v.tr.* districare (*anche fig.*); (*fig.*) appianare ♦ *v.intr.* districarsi; (*fig.*) appianarsi.

to **disentomb** ['disin'tu:m] *v.tr.* dissotterrare.

disequilibrium [dis,i:kwi'libriəm] *s.* instabilità.

to **disestablish** ['disis'tæbliʃ] *v.tr.* privare di privilegi (una Chiesa scissa dallo Stato).

diseur [,di:'zə:*] *s.* (*teatr.*) dicitore.

diseuse [,di:'zə:z] *s.* (*teatr.*) dicitrice.

disfavour ['dis'feivə*] *s.* **1** sfavore; disgrazia **2** disapprovazione.

to **disfigure** [dis'figə*; (*amer.*) dis'figjər] *v.tr.* sfigurare; deturpare.

disfigurement [dis'figəmənt] *s.* deturpamento.

to **disfranchise** ['dis'fræntʃaiz] *v.tr.* privare dei diritti civili; privare del diritto elettorale.

to **disgorge** [dis'gɔ:dʒ] *v.tr.* **1** vomitare **2** restituire (il mal tolto) ♦ *v.intr.* riversarsi.

disgrace [dis'greis] *s.* **1** disgrazia, sfavore **2** vergogna; disonore.

to **disgrace** *v.tr.* **1** disonorare; screditare **2** umiliare.

disgraceful [dis'greisful] *agg.* vergognoso, disonorevole, ignobile.

disgruntled [dis'grʌntld] *agg.* scontento; di cattivo umore.

disguise [dis'gaiz] *s.* **1** travestimento: *in —*, travestito **2** finzione; maschera.

to **disguise** *v.tr.* **1** travestire; camuffare **2** contraffare **3** dissimulare.

disgust [dis'gʌst] *s.* disgusto; ripugnanza: *to hold sthg. in —*, avere ripugnanza per qlco.

to **disgust** *v.tr.* disgustare; ripugnare; nauseare.

disgusting [dis'gʌstiŋ] *agg.* disgustoso; ripugnante; nauseante.

dish [diʃ] *s.* **1** piatto (di portata): *to wash (up) the dishes*, rigovernare **2** pietanza, piatto **3** recipiente; (*fot.*) bacinella; (*chim.*) capsula **4** (*fam.*) bocconcino **5** cunetta **6** riflettore parabolico.

to **dish** *v.tr.* **1** scodellare // *to — out*, servire a tavola; (*fam.*) distribuire // *to — up*, servire (un pasto); (*fam.*) presentare in modo attraente **2** (*fam.*) sconfiggere; sconvolgere.

dishcloth ['diʃklɔθ] *s.* canovaccio (per piatti).

dishcover ['diʃ,kʌvə*] *s.* copripiatto.

to **dishearten** [dis'hɑ:tn] *v.tr.* scoraggiare.

dished [diʃt] *agg.* **1** concavo **2** (*fam.*) rovinato.

dishevelled [di'ʃevəld] *agg.* arruffato; trasandato.

dishonest [dis'ɔnist] *agg.* disonesto; sleale.

dishonesty [dis'ɔnisti] *s.* disonestà; slealtà.

dishonor *s.* amer. per **dishonour**.

dishonour [dis'ɔnə*] *s.* **1** disonore; infamia **2** grave offesa, sfregio.

to **dishonour** *v.tr.* **1** disonorare **2** mancare a (pagamento, promessa) **3** (*comm.*) disonorare (un assegno, una tratta).

dishwasher ['diʃ,wɔʃə*] *s.* lavapiatti; lavastoviglie.

dishwater ['diʃ,wɔ:tə*] *s.* lavatura di piatti.

dishy [diʃi] *agg.* (*fam.*) (*di donna*) appetitosa.

disillusion [,disi'lu:ʒən] *s.* disinganno, disillusione.

to **disillusion** *v.tr.* disingannare, disilludere.

disillusionment [,disi'lu:ʒənmənt] *s.* disinganno, disillusione.

disincentive [,disin'sentiv] *s.* freno; fattore che scoraggia.

disinclination [,disinkli'neiʃən] *s.* antipatia; riluttanza.

to **disincline** ['disin'klain] *v.tr.* distogliere: *to — s.o. to sthg.*, distogliere qlcu. da qlco.

disinclined ['disin'klaind] *agg.* poco incline, contrario.

to **disinfect** [,disin'fekt] *v.tr.* disinfettare.

disinfectant [,disin'fektənt] *agg.* e *s.* disinfettante.

to **disinfest** [,disin'fest] *v.tr.* disinfestare.

disingenuous [,disin'dʒenjuəs] *agg.* insincero; disonesto.

to **disinherit** ['disin'herit] *v.tr.* diseredare.

to **disintegrate** [dis'intigreit] *v.tr.* disintegrare, disgregare ♦ *v.intr.* disintegrarsi, disgregarsi.

disintegration [dis,inti'greiʃən] *s.* disintegrazione; disgregazione.

to **disinter** ['disin'tə:*] *v.tr.* dissotterrare, esumare.

disinterested [dis'intristid] *agg.* **1** disinteressato; imparziale **2** indifferente.

to **disjoin** [dis'dʒɔin] *v.tr.* disgiungere.

disjointed [dis'dʒɔintid] *agg.* **1** sconnesso **2** slogato.

disjunction [dis'dʒʌŋkʃən] s. disgiunzione, separazione.

disjunctive [dis'dʒʌŋktiv] agg. disgiuntivo ♦ s. congiunzione, proposizione disgiuntiva.

disk [disk] s. 1 disco: — wheel, ruota a disco; clutch —, disco della frizione // suction — ventosa // slipped —, (med.) ernia del disco // — jockey, annunciatore di programma radiofonico in dischi 2 (informatica) disco: — master, archivio originale su disco; — storage unit, — pack drive, unità disco; floppy —, minidisco, floppy disc, dischetto.

diskette [dis'ket] s. (informatica) floppy disc; (IBM) minidisco; dischetto.

dislike [dis'laik] s. avversione, antipatia.

to dislike v.tr. provare avversione, antipatia (per): I — jazz, non mi piace il jazz.

to dislocate ['dislɔkeit] v.tr. 1 slogare, lussare 2 (fig.) scombinare, scombussolare.

dislocation [,dislɔ'keiʃən] s. 1 slogatura, lussazione 2 scompiglio, scombussolamento.

to dislodge [dis'lɔdʒ] v.tr. rimuovere, spostare; sloggiare; scacciare.

disloyal ['dis'lɔiəl] agg. sleale; infedele.

disloyalty ['dis'lɔiəlti] s. slealtà; infedeltà.

dismal ['dizməl] agg. tetro, triste, lugubre.

to dismantle [dis'mæntl] v.tr. 1 (mil.mar.) disarmare 2 smantellare; smontare.

to dismast [dis'ma:st] v.tr. disalberare.

dismay [dis'mei] s. sgomento; sbigottimento.

to dismay v.tr. sgomentare; sbigottire.

to dismember [dis'membə*] v.tr. smembrare.

to dismiss [dis'mis] v.tr. 1 congedare; licenziare; espellere: to — an employee, licenziare un impiegato; to — s.o. from the service, (mil.) radiare qlcu. dai ranghi // —!, (mil.) rompete le righe! 2 scacciare, allontanare; scartare (una teoria, un'idea) 3 (dir.) respingere (una domanda ecc.).

dismissal [dis'misəl] s. 1 congedo; licenziamento; espulsione: — compensation, indennità di licenziamento; unfair —, licenziamento senza giusta causa 2 rifiuto.

to dismount ['dis'maunt] v.intr. smontare, scendere ♦ v.tr. far scendere, appiedare.

disobedience [,disə'bi:djəns] s. disubbidienza.

disobedient [,disə'bi:djənt] agg. disubbidiente.

to disobey [,disə'bei] v.tr. e intr. disubbidire (a); trasgredire.

to disoblige ['disə'blaidʒ] v.tr. non essere gentile (con): I am sorry to — you, mi dispiace di non potervi accontentare.

disorder [dis'ɔ:də*] s. 1 disordine 2 indisposizione, disturbo: nervous —, disturbo nervoso.

to disorder v.tr. mettere in disordine; scombussolare.

disorderliness [dis'ɔ:dəlinis] s. 1 disordine, confusione 2 indisciplina 3 turbolenza.

disorderly [dis'ɔ:dəli] agg. 1 disordinato 2 indisciplinato // — conduct, (dir.) condotta molesta // — house, casa di tolleranza.

to disorganize [dis'ɔ:gənaiz] v.tr. disorganizzare.

to disorientate [dis'ɔ:rienteit], (spec.amer.) **to disorient** [dis'ɔ:riənt] v.tr. disorientare (anche fig.).

to disown [dis'əun] v.tr. rinnegare.

to disparage [dis'pæridʒ] v.tr. screditare, denigrare.

disparagement [dis'pæridʒmənt] s. denigrazione.

disparaging [dis'pæridʒiŋ] agg. spregiativo, denigratorio.

disparate ['dispərit] agg. disparato.

disparity [dis'pæriti] s. disparità.

dispassionate [dis'pæʃnit] agg. spassionato.

dispatch [dis'pætʃ] s. 1 invio, spedizione // — note, (comm.) bolletta di spedizione 2 dispaccio // — box (o case), cartella (per documenti) // — rider, (mil.) staffetta motociclistica // to be mentioned in dispatches, (mil.) avere una menzione d'onore 3 prontezza, celerità 4 uccisione.

to dispatch v.tr. 1 spedire, inviare 2 sbrigare (affari ecc.) 3 (fam.) trangugiare 4 uccidere.

to dispel [dis'pel] v.tr. dissipare, disperdere.

dispensable [dis'pensəbl] agg. 1 non indispensabile 2 (eccl.) soggetto a dispensa.

dispensary [dis'pensəri] s. (med.) dispensario.

dispensation [,dispen'seiʃən] s. 1 distribuzione; dispensa 2 decreto divino, legge: the Mosaic —, la legge mosaica 3 (dir. eccl.) dispensa.

dispensatory [dis'pensətəri] agg. dispensativo ♦ s. farmacopea.

to dispense [dis'pens] v.tr. 1 dispensare, distribuire 2 amministrare (giustizia) 3 (farm.) preparare (medicinali) 4 (dir. eccl.) esimere, dispensare ♦ v.intr. 1 concedere dispense 2 to — with, fare a meno di.

dispenser [dis'pensə*] s. 1 farmacista 2 distributore automatico.

to dispeople ['dis'pi:pl] v.tr. spopolare.

dispersal [dis'pə:səl] s. dispersione.

to disperse [dis'pə:s] v.tr. 1 disperdere; dissipare; sparpagliare 2 (ott.) decomporre (luce) ♦ v.intr. disperdersi; dissiparsi.

dispersion [dis'pə:ʃən] s. dispersione.

dispersive [dis'pə:siv] agg. dispersivo.

to dispirit [di'spirit] v.tr. scoraggiare.

to displace [dis'pleis] v.tr 1 spostare, rimuovere // the war has displaced thousands of people, la guerra ha costretto migliaia di persone a sfollare // displaced person, profugo, sfollato 2 rimpiazzare; soppiantare.

displacement [dis'pleismənt] s. 1 spostamento; rimozione 2 (mar.) dislocamento 3 (psic.) sostituzione.

display [dis'plei] s. 1 mostra, esposizione: goods on —, merce esposta 2 esibizione, ostentazione // air —, rivista aeronautica 3 (tip.) composizione a caratteri vistosi 4 (informatica) video; presentazione visiva; visualizzazione: — station, terminale video; — unit, unità video.

to display v.tr. 1 mostrare, manifestare; esporre 2 ostentare, far mostra di.

to displease [dis'pli:z] v.tr. scontentare; non piacere a: the verdict displeased the judge, il giudice non fu soddisfatto del verdetto.

displeasing [dis'pli:ziŋ] agg. spiacevole; sgradevole.

displeasure [dis'pleʒə*] s. scontento, disappunto; dispiacere.

to disport [dis'pɔ:t] v.intr.: to — (oneself), spassarsela.

disposable [di'spouzəbəl] agg. usa e getta.

disposal [dis'pouzəl] s. 1 disposizione; sistemazione: at the — of, a disposizione di; to have sthg. at one's —, avere qlco. a propria disposizione 2 cessione, trasferimento 3 rimozione: — of rubbish, rimozione delle immondizie.

to dispose [dis'pouz] v.tr. 1 disporre; sistemare 2 rendere incline; predisporre ♦ v.intr.: to — of, disfarsi di; to — of a piece of business, sbrigare un affare; to — quickly of one's dinner, (fam.) consumare in fretta il pranzo.

disposed [dis'pouzd] *agg.* disposto; incline; soggetto (a malattie ecc.) // *well* —, *ill* —, bene, male intenzionato.

disposition [ˌdispə'ziʃən] *s.* **1** disposizione, ordine; (*dir.*) disposizione testamentaria **2** inclinazione, tendenza; indole: *he's of a jealous* —, è di temperamento geloso.

to **dispossess** ['dispə'zes] *v.tr.* spogliare; spodestare; (*dir.*) espropriare.

disproof ['dis'pru:f] *s.* confutazione.

disproportion ['disprə'pɔ:ʃən] *s.* sproporzione; sperequazione.

disproportional [ˌdisprə'pɔ:ʃənl], **disproportionate** [ˌdisprə'pɔ:ʃnit] *agg.* sproporzionato.

to **disprove** ['dis'pru:v] *v.tr.* confutare.

disputable [dis'pju:təbl] *agg.* discutibile.

disputant [dis'pju:tənt] *agg.* disputante ♦ *s.* disputatore.

disputation [ˌdispju(:)'teiʃən] *s.* disputa.

dispute [dis'pju:t] *s.* disputa, controversia; (*dir.*) lite: *in* —, in discussione; *beyond* —, indiscutibilmente // *industrial* —, vertenza industriale.

to **dispute** *v.tr.* **1** discutere **2** contestare **3** contendersi **4** opporsi (a): *to* — *the enemy's advance*, opporsi all'avanzata del nemico ♦ *v.intr.* **1** discutere **2** litigare.

disqualification [disˌkwɔlifi'keiʃən] *s.* **1** inabilità **2** esclusione **3** (*sport*) squalifica.

to **disqualify** [dis'kwɔlifai] *v.tr.* **1** rendere incapace **2** escludere **3** (*sport*) squalificare.

disquiet [dis'kwaiət] *s.* inquietudine.

to **disquiet** *v.tr.* inquietare, turbare.

disquisition [ˌdiskwi'ziʃən] *s.* disquisizione.

disregard [ˌdisri'gɑ:d] *s.* noncuranza; inosservanza.

to **disregard** *v.tr.* ignorare; trascurare.

disrepair ['disri'peə*] *s.* cattivo stato, sfacelo.

disreputable [dis'repjutəbl] *agg.* **1** di cattiva reputazione **2** disonorevole, sconveniente.

disrepute ['disri'pju:t] *s.* discredito; cattiva reputazione: *to fall into* —, acquistare una cattiva fama; *to bring into* —, screditare.

disrespect ['disris'pekt] *s.* mancanza di rispetto, irriverenza.

disrespectful [ˌdisris'pektful] *agg.* sfacciato, irriverente.

to **disrobe** ['dis'roub] *v.tr.* svestire ♦ *v.intr.* svestirsi.

to **disrupt** [dis'rʌpt] *v.tr.* **1** smembrare **2** (*fig.*) scardinare, privare di basi, di stabilità.

disruption [dis'rʌpʃən] *s.* smembramento; scisma.

dissatisfaction ['disˌsætis'fækʃən] *s.* insoddisfazione.

to **dissatisfy** ['dis'sætisfai] *v.tr.* non soddisfare; scontentare.

to **dissect** [di'sekt] *v.tr.* **1** sezionare **2** (*fig.*) analizzare, trattare a fondo.

dissection [di'sekʃən] *s.* **1** sezionamento, dissezione **2** (*fig.*) analisi.

to **dissemble** [di'sembl] *v.tr.* simulare; nascondere ♦ *v.intr.* fingere.

to **disseminate** [di'semineit] *v.tr.* disseminare.

dissemination [diˌsemi'neiʃən] *s.* disseminazione; (*fig.*) divulgazione.

dissension [di'senʃən] *s.* dissensione.

dissent [di'sent] *s.* **1** dissenso **2** (*relig.*) dissidenza.

to **dissent** *v.intr.* dissentire.

dissenter [di'sentə*] *s.*

dissertation [ˌdisə(:)'teiʃən] *s.* dissertazione.

disservice ['dis'sə:vis] *s.* cattivo servizio.

to **dissever** [dis'sevə*] *v.tr.* separare; dividere ♦ *v.intr.* separarsi; dividersi.

disseverance [dis'sevərəns] *s.* separazione; divisione.

dissidence ['disidəns] *s.* disaccordo.

dissident ['disidənt] *agg. e s.* dissidente.

dissimilar ['di'similə*] *agg.* dissimile, diverso.

dissimilarity [ˌdisimi'læriti] *s.* dissomiglianza.

to **dissimulate** [di'simjuleit] *v.tr.* dissimulare ♦ *v.intr.* fingere.

to **dissipate** ['disipeit] *v.tr.* **1** dissipare; disperdere **2** sprecare ♦ *v.intr.* **1** dissolversi **2** condurre vita sregolata.

dissipation [ˌdisi'peiʃən] *s.* dissipazione; dissolutezza.

to **dissociate** [di'souʃieit] *v.tr.* dissociare ♦ *v.intr.* **1** dissociarsi **2** (*psic.*) sdoppiarsi.

dissociation [diˌsousi'eiʃən] *s.* **1** dissociazione // — *coefficient*, (*chim. fis.*) grado di dissociazione **2** (*psic.*) sdoppiamento.

dissoluble [di'sɔljubl] *agg.* dissolubile.

dissolute ['disəlu:t] *agg.* dissoluto.

dissolution [ˌdisə'lu:ʃən] *s.* **1** dissoluzione **2** scioglimento (di matrimonio, Parlamento, società).

dissolvable [di'zɔlvəbl] *agg.* dissolubile.

dissolve [di'zɔlv] *s.* (*cinem.*) dissolvenza.

to **dissolve** *v.tr.* **1** dissolvere; sciogliere **2** (*fig.*) disperdere ♦ *v.intr.* **1** dissolversi; sciogliersi // *to* — *into thin air*, andare in fumo **2** (*fig.*) disperdersi.

dissolvent [di'zɔlvənt] *agg. e s.* dissolvente.

dissonance ['disənəns] *s.* dissonanza.

dissonant ['disənənt] *agg.* dissonante.

to **dissuade** [di'sweid] *v.tr.* dissuadere.

dissyllable e *deriv.* → **disyllable** e *deriv.*

distaff ['dista:f] *s.* rocca // *the* — *side*, il ramo femminile (di una famiglia).

distance ['distəns] *s.* **1** distanza; lontananza // — *of manners*, riserbo // *from* (o *at*) *a* —, da lontano; *in the* —, in lontananza // *to keep one's* —, mantenere le distanze; *to keep s.o. at a* —, tenere qlcu a debita distanza **2** distanza, intervallo di tempo.

to **distance** *v.tr.* distanziare.

distant ['distənt] *agg.* **1** distante, lontano; (*fig.*) freddo, distaccato // — *signal*, (*ferr.*) segnale a distanza **2** remoto, vago: *a* — *resemblance*, una vaga rassomiglianza.

distantly ['distəntli] *avv.* **1** in distanza; da lontano **2** (*fig.*) freddamente.

distaste ['dis'teist] *s.* ripugnanza, avversione.

distasteful [dis'teistful] *agg.* repellente.

distemper[1] [dis'tempə*] *s.* **1** (*vet.*) cimurro **2** (*med.*) turbamento fisico, mentale **3** (*fig.*) disordine.

distemper[2] *s.* (*pitt.*) tempera.

to **distemper**[2] *v.tr.* (*pitt.*) dipingere a tempera.

to **distend** [dis'tend] *v.tr.* gonfiare; dilatare ♦ *v.intr.* gonfiarsi; dilatarsi.

distensible [dis'tensibl] *agg.* dilatabile.

distension (*amer.*), **distention** [dis'tenʃən] *s.* gonfiamento.

distich ['distik] *s.* (*metrica*) distico.

to **distil** (*amer.*), **distill** [dis'til] *v.tr.* **1** stillare **2** distillare ♦ *v.intr.* stillare.

distillate ['distilit] *s.* distillato.

distillery [dis'tiləri] *s.* distilleria.

distinct [dis'tiŋkt] *agg.* distinto, chiaro; ben definito, spiccato.

distinction [dis'tiŋkʃən] *s.* **1** distinzione **2** benemerenza; onorificenza.

distinctive [dis'tiŋktiv] *agg.* **1** caratteristico **2** distinto.

to **distinguish** [dis'tiŋgwiʃ] *v.tr.* e *intr.* distinguere: *to — oneself by one's courage,* distinguersi per il proprio coraggio.

distinguishing [dis'tiŋgwiʃiŋ] *agg.* caratteristico.

to **distort** [dis'tɔ:t] *v.tr.* **1** distorcere, storcere **2** *(fig.)* svisare, alterare.

distortion [dis'tɔ:ʃən] *s.* **1** contorcimento; torsione; distorsione **2** *(fig.)* alterazione.

to **distract** [dis'trækt] *v.tr.* **1** distrarre, distogliere **2** turbare **3** far impazzire.

distracted [dis'træktid] *agg.* **1** turbato **2** impazzito.

distraction [dis'trækʃən] *s.* **1** distrazione **2** confusione, turbamento **3** follia.

to **distrain** [dis'trein] *v.intr.* fare un sequestro.

distrait [dis'trei] *agg.* distratto.

distraught [dis'trɔ:t] *agg.* turbato; pazzo.

distress [dis'tres] *s.* **1** angoscia; preoccupazione, pena **2** miseria **3** pericolo; difficoltà // — *call* (o — *signal*), S.O.S., segnale di soccorso **4** *(dir.)* sequestro **5** *(med.)* esaurimento.

to **distress** *v.tr.* **1** affliggere, angustiare; preoccupare // *distressed area,* zona depressa **2** *(dir.)* sequestrare.

distressing [dis'tresiŋ] *agg.* penoso, doloroso.

to **distribute** [dis'tribju(:)t] *v.tr.* **1** distribuire; assegnare; dividere **2** *(tip.)* scomporre.

distribution [ˌdistri'bju:ʃən] *s.* **1** distribuzione; ripartizione **2** *(tip.)* scomposizione.

distributive [dis'tribjutiv] *agg.* e *s.* distributivo.

district ['distrikt] *s.* **1** distretto; quartiere, circondario; circoscrizione; mandamento **2** regione; zona // *the Lake District,* la regione dei laghi Cumberland.

district-attorney ['distriktə'tɔ:ni] *s.* *(amer.)* procuratore distrettuale.

distrust [dis'trʌst] *s.* diffidenza, sospetto.

to **distrust** *v.tr.* diffidare di, non aver fiducia in.

to **disturb** [dis'tə:b] *v.tr.* **1** disturbare, incomodare **2** turbare, agitare; sconvolgere.

disturbance [dis'tə:bəns] *s.* disturbo; agitazione, perturbazione; disordine, tumulto: *to make* (o *to raise*) *a —,* provocare disordini.

disunion ['dis'ju:njən] *s.* disunione.

to **disunite** ['disju:'nait] *v.tr.* disunire, separare ♦ *v.intr.* disunirsi, separarsi.

disuse ['dis'ju:s] *s.* disuso.

disyllabic ['disi'læbik] *agg.* bisillabico.

disyllable [di'siləbl] *s.* bisillabo.

ditch [ditʃ] *s.* fosso, fossato; trincea // *to die in the last —,* difendersi fino all'ultimo sangue // *the Ditch,* (*sl. aer.*) la Manica; il Mare del Nord.

to **ditch** *v.tr.* **1** circondare con un fosso, con un canale **2** *(fam.)* sbarazzarsi (di); piantare in asso; abbandonare ♦ *v.intr.* ammarare forzatamente.

ditchwater ['ditʃˌwɔ:tə*] *s.* acqua stagnante: *as dull as —,* (*fam.*) noioso da morire // *as clear as —,* oscuro.

dither ['diðə*] *s.* (*fam.*) (stato di) sovreccitazione, nervosismo; agitazione: *all of a —,* nervoso, eccitato, in agitazione.

to **dither** *v.intr.* (*fam.*) **1** tremare **2** essere sovreccitato, nervoso **3** *(fig.)* vacillare.

dithyramb ['diθiræmb] *s.* ditirambo.

ditto ['ditou] *s.* idem, lo stesso // *to say —,* (*fam.*) approvare, essere d'accordo // — *marks,* virgolette.

ditty ['diti] *s.* canzoncina; poesiola.

diurnal [dai'ə:nl] *agg.* diurno; quotidiano.

to **divagate** ['daivəgeit] *v.intr.* **1** vagare **2** divagare.

divalent [dai,veilənt] *agg.* (*chim.*) bivalente.

divan [di'væn, (*amer.*) 'daivæn] *s.* divano.

dive [daiv] *s.* **1** tuffo **2** *(mar.)* immersione; (*aer.*) tuffo // — *brakes,* (*aer.*) deflettori di picchiata // *nose —,* (*aer.*) picchiata **3** *(fam.)* taverna; bettola.

to **dive,** *pass.* **dived** [daivd], (*amer.*) **dove** [douv], *p.pass.* **dived** *v.intr.* **1** tuffarsi **2** *(mar.)* immergersi; (*aer.*) lanciarsi in picchiata **3** buttarsi: *he dived into the crowd,* si buttò in mezzo alla folla.

dive-bomber [daivbomə*] *s.* (*aer.*) aereo d'attacco in picchiata.

diver ['daivə*] *s.* tuffatore; palombaro.

to **diverge** [dai'və:dʒ] *v.intr.* divergere.

divergence [dai'və:dʒəns], **divergency** [dai'və:dʒənsi] *s.* divergenza.

divers ['daivə(:)z] *agg.* vario, molteplice.

diverse [dai'və:s] *agg.* diverso; vario, mutevole.

to **diversify** [dai'və:sifai] *v.tr.* rendere diverso, differenziare.

diversion [dai'və:ʃən] *s.* **1** diversione; deviazione **2** *(fig.)* digressione **3** *(mil.)* diversione, finta **4** divertimento, passatempo.

diversity [dai'və:siti] *s.* diversità.

to **divert** [dai'və:t] *v.tr.* **1** deviare; stornare **2** sviare; distrarre; divertire.

to **divest** [dai'vest] *v.tr.* svestire; spogliare (*anche fig.*).

divide [di'vaid] *s.* spartiacque.

to **divide** *v.tr.* dividere; separare; ripartire // *to — off,* separare // *to — out,* distribuire, ripartire // *to — up,* distribuire, smembrare ♦ *v.intr.* **1** dividersi; separarsi **2** *(mat.)* essere divisibile: *twelve divides by three,* il dodici è divisibile per tre **3** votare (dividendosi in gruppi).

divided highway [di'vaidid'haiwei] *s.* (*amer.* per *dual carriageway*) strada a doppia carreggiata a due corsie (per ogni senso di marcia).

dividend ['dividend] *s.* dividendo: *half-yearly —,* dividendo semestrale // — *-warrant,* disposizione (a una banca) di effettuare il pagamento del dividendo.

dividers [di'vaidəz] *s.pl.* compasso a punte fisse (*sing.*).

divination [ˌdivi'neiʃən] *s.* **1** divinazione, profezia, predizione **2** intuizione.

divine [di'vain] *agg.* divino (*anche fig.*) ♦ *s.* teologo; ecclesiastico.

to **divine** *v.tr.* **1** profetare, predire **2** intuire ♦ *v.intr.* fare il rabdomante.

diviner [di'vainə*] *s.* **1** rabdomante **2** indovino.

diving ['daiviŋ] *s.* **1** il tuffarsi; tuffo **2** *(mar.)* immersione; (*aer.*) picchiata.

diving bell ['daiviŋbel] *s.* campana pneumatica.

divingboard ['daiviŋbɔ:d] *s.* trampolino.

divining rod [di'vainiŋrod] *s.* verghetta del rabdomante.

divinity [di'viniti] *s.* **1** divinità **2** teologia.

divisible [di'vizəbl] *agg.* divisibile.

division [di'viʒən] *s.* **1** divisione, confine **2** *(mat.)* divisione **3** suddivisione, ripartizione, distribuzione: — *of labour,* ripartizione del lavoro **4** discordia **5** *(mil.)* divisione; squadriglia **6** reparto, sezione **7** votazione per divisione.

divisional [di'viʒənl] *agg.* divisionale.

divisor [di'vaizə*] *s.* (*mat.*) divisore.

divorce [di'vɔ:s] *s.* **1** divorzio **2** *(fig.)* separazione.

to **divorce** *v.tr.* **1** divorziare (da); sentenziare il divorzio (di, fra): *the judge divorced Mr. and Mrs. Brown,* il giudice sentenziò il divorzio tra il Sig. e la Sig.ra Brown **2** *(fig.)* separare.

divorcée, divorcee [di,vɔ:'si:] *s.* divorziato; divorziata.

to **divulge** [dai'vʌldʒ] *v.tr.* divulgare.

dixie ['diksi] *s.* (*mil.*) gavetta.

Dixie *no.pr.* (*amer.*) gli Stati del Sud.

D-I-Y ['diai'wai] *s.* fai-da-te.

dizziness ['dizinis] *s.* vertigine; capogiro; stordimento.

dizzy ['dizi] *agg.* **1** vertiginoso **2** preso da vertigine; stordito.

to **dizzy** *v.tr.* dare le vertigini (a); far venire il capogiro (a); stordire.

Djakarta [dʒəˈkɑːtə] *no.pr.* Giacarta.

do[1] [dou] *s.* (*mus.*) do.

do[2] *s.* **1** (*fam.*) festa **2** (*sl.*) imbroglio // to give s.o. a fair —, trattare qlcu. equamente, in modo giusto.

do[2] [du: (*forma forte*), də, d (*forme deboli*)], *pass.* **did** [did] *v.* ausiliare **1** (*nelle frasi interr. e negative*): what — you want?, che cosa vuoi?; he does not like it, non gli piace; didn't he say that...?, non ha detto che...? **2** (*enfatico*): — sit down!, accomodatevi! **3** (*sostitutivo*): he answered better than I did, ha risposto meglio di me.

to **do**, *pass.* **did** [did], *p.pass.* **done** [dʌn] *v.tr.* **1** fare: to — one's work, fare il proprio lavoro; what does she — ?, che cosa fa?; qual è la sua professione?; don't — it!, non farlo! // this car does sixty miles an hour, questa automobile fa sessanta miglia all'ora // to — ten years' prison, fare dieci anni di prigione // to be done, essere finito // to have done, aver finito **2** rassettare, mettere in ordine; rifare: to — one's room, rassettare la propria stanza: **3** visitare: to — a town, visitare una città // to — the night-clubs, fare il giro dei locali notturni **4** ingannare; truffare ♦ *v.intr.* **1** agire; comportarsi // how do you — ?, (*nelle presentazioni*) piacere // — or die, o la va o la spacca // to have to — with, avere a che fare con // when in Rome — as the Romans —, (*prov.*) paese che vai, usanza che trovi **2** bastare: that will —, basta così **3** andare (bene): this won't —, non va (bene) ♦ seguito da prep. **1** to — by, trattare: he was well done by, fu trattato molto bene **2** to — for, sostituire, servire da; (*sl.*) far fuori // to be done for, essere finito, rovinato **3** to — with, sopportare // she has done with him, non vuole più saperne di lui **4** to — without, fare a meno di ♦ seguito da avv. **1** to — away (with s.o., sthg.), togliere di mezzo **2** to — in, (*sl.*) uccidere; (*fam.*) sfinire **3** to — out, pulire; mettere in ordine // to — out of, privare (con l'inganno) **4** to — up, far su (un pacco); mettere in ordine; rimettere a nuovo // to — up a dress, allacciare un vestito.

docile ['dousail, (*amer.*) 'dɔsil] *agg.* docile.

dock[1] [dɔk] *s.* **1** «dock», bacino; banchina; darsena // — dues, diritti di banchina // — gate, chiusa // --master, direttore dei «docks» // — floating —, bacino galleggiante **2** (*ferr.*) piano caricatore.

to **dock**[1] *v.intr.* (*mar.*) entrare in bacino, attraccare ♦ *v.intr.* **1** fare attraccare **2** fornire di bacini.

dock[2] *s.* banco degli imputati: in the —, al banco, sotto accusa.

dock[3] *s.* sottocoda (di cavallo).

to **dock**[4] *v.tr.* **1** mozzare (la coda di un animale) **2** ridurre, diminuire.

docker ['dɔkə*] *s.* scaricatore; stivatore.

docket ['dɔkit] *s.* **1** sommario (di lettera, documento) **2** etichetta **3** (*dir.*) elenco delle cause a ruolo.

to **docket** *v.tr.* **1** attergare **2** annotare il sommario **3** munire di etichetta.

dockyard ['dɔkjɑːd] *s.* cantiere, arsenale.

doctor ['dɔktə*] *s.* **1** medico: to see a —, consultare un medico // — company —, medico aziendale // woman —, dottoressa in medicina **2** (in Inghilterra e America) laureato che è arrivato ai più alti gradi accademici.

to **doctor** *v.tr.* **1** curare **2** aggiustare **3** adulterare (cibo) **4** falsificare (documenti ecc.).

doctorate ['dɔktərit] *s.* dottorato.

doctrinaire [,dɔktri'nɛə*] *agg.* e *s.* dottrinario.

doctrinal [dɔk'trainl; (*amer.*) 'dɔktrinl] *agg.* dottrinale.

doctrinarian [,dɔktri'nɛəriən] *s.* dottrinario.

doctrine ['dɔktrin] *s.* dottrina.

document ['dɔkjumənt] *s.* documento.

to **document** ['dɔkjument] *v.tr.* documentare.

documentary [,dɔkju'mentəri] *agg. e s.* documentario.

documentation [,dɔkjumen'teiʃən] *s.* documentazione.

to **dodder** ['dɔdə*] *v.intr.* **1** tremare; vacillare **2** to — along, avanzare a tentoni.

dodge [dɔdʒ] *s.* **1** (*fam.*) stratagemma **2** balzo, scarto.

to **dodge** *v.tr.* **1** scansare **2** (*fig.*) schivare ♦ *v.intr.* **1** scansarsi **2** scartare; deviare bruscamente // to — about, saltare di qua e di là.

dodger ['dɔdʒə*] *s.* **1** (*fam.*) furbacchione; sornione **2** (*mar.*) schermo protettivo.

dodgy ['dɔdʒi] *agg.* **1** ingegnoso **2** (*sl.*) ingannevole; rischioso.

dodo ['doudou] *s.* **1** (*zool.*) dodo **2** (*fig. fam.*) persona antiquata, vecchio fossile.

doe [dou] *s.* **1** daina **2** femmina della lepre, del coniglio.

doer ['du(:)ə*] *s.* chi agisce, chi fa.

does [dʌz (*forma forte*), dəz, dz (*forme deboli*)], *3ª pers.sing.pres.* di to **do**.

doeskin ['douskin] *s.* pelle di daino.

doesn't ['dʌznt] *contr. di* does not.

to **doff** [dɔf] *v.tr.* togliere.

dog [dɔg] *s.* **1** cane: sausage —, (*fam.*) bassotto; gun —, cane da caccia // to die like a —, morire come un cane // to lead a —'s life, fare una vita da cani // to go to the dogs, decadere // hot —, (*amer.*) panino imbottito con Würstel e senape // lame —, persona sfortunata // a — in a manger, guastafeste // let sleeping dogs lie, (*prov.*) lascia stare il can che dorme **2** (*fam.*) individuo; uomo indegno **3** (*mecc.*) dispositivo meccanico elementare (per tenere, fissare ecc.); graffa **4** *pl.* alari **5** Dog, (*astr.*) Cane Maggiore; Cane Minore.

to **dog** *v.tr.* pedinare.

dog collar ['dɔg,kɔlə*] *s.* collare.

dog days ['dɔgdeiz] *s.* giorni di canicola.

dog-eared ['dɔg,iəd] *agg.* con le orecchiette (di pagina).

dog fancier ['dɔg,fænsiə*] *s.* cinofilo.

dogfight ['dɔgfait] *s.* (*fam.*) combattimento aereo.

dogfish ['dɔgfiʃ] *s.* piccolo squalo.

dogged ['dɔgid] *agg.* ostinato; risoluto; tenace.

doggerel ['dɔgərəl] *agg.* scadente (diversi) ♦ *s.* **1** verso comico di metro irregolare **2** verso scadente.

doggie ['dɔgi] *s.* cagnolino.

doggo ['dɔgou] *avv.* (*sl.*): to lie —, rimanere nascosto.

doggy ['dɔgi] *agg.* **1** canino, di cane **2** — person, (*fam.*) cinofilo ♦ *s.* cagnolino.

doghouse ['dɔghaus] *s.* (*amer. per* kennel[1]) canile // in the —, (*sl.*) in disgrazia.

dog-latin ['dɔg'lætin] *s.* latino maccheronico.

dogma ['dɔgmə] *s.* dogma.

dogmatic ['dɔg'mætik] *agg.* dogmatico.

dogmatism ['dɔgmətizəm] *s.* dogmatismo.

do-gooder ['du:'gudə*] *s.* (*iron.*) benefattore.

dogrose ['dɔgrouz] *s.* rosa canina.

Dog-star ['dɔgstɑː*] *s.* (*astr.*) Sirio.

dog-tired ['dɔg'taiəd] *agg.* stanco morto.

dogtooth ['dɔgtu:θ] *s.* **1** dente canino **2** (*arch.*) ornamento a forma di piramide.

dogwood ['dɔgwud] *s.* (*bot.*) corniolo.

doily ['dɔili] *s.* tovagliolino; sottopiatto.

doings ['du(:)iŋz] *s.pl.* **1** azioni; fatti, attività **2** (*fam.*) sgridata (*sing.*) **3** (*fam.*) roba.

doldrums ['dɔldrəmz] *s.pl.* (*mar.*) zona delle calme equatoriali; (*fig.*) depressione (*sing.*).

dole [doul] *s.* sussidio, elemosina // to be on the —, ricevere il sussidio di disoccupazione.

to **dole** *v.tr.*: to — out, distribuire con parsimonia.

doleful ['doulful] *agg.* triste; malinconico.

doll [dɔl] *s.* bambola (*anche fig.*) // stuffed —, bambola di pezza.

to **doll** *v.tr.*: to — (oneself) up, (*fam.*) agghindarsi.

dollar ['dɔlə*] *s.* **1** dollaro // — gap, (*econ.*) deficit in dollari **2** (*fam.*) cinque scellini.

dollop ['dɔləp] *s.* (*fam.*) cucchiaiata; un po' di: add a — of whipped cream, aggiungere una cucchiaiata di panna montata.

dolly ['dɔli] *s.* **1** bambola **2** (*mecc.*) controstampo; (*ind.*) rullo; (*ferr.*) locomotiva a scartamento ridotto; (*cinem. tv.*) carrello **3** pala da bucato.

dolomite ['dɔləmait] *s.* (*min.*) dolomite.

dolorous ['dɔlərəs] *agg.* (*letter.*) triste; doloroso.

dolphin ['dɔlfin] *s.* (*zool.*) **1** delfino **2** corifena.

dolt [doult] *s.* stupido.

doltish ['doultiʃ] *agg.* stupido.

domain [də'mein] *s.* dominio (*anche fig.*); proprietà terriera.

dome [doum] *s.* **1** cupola; volta // — light, plafoniera **2** (*fam.*) testa.

Domesday Book ['du:mzdei'buk] *s.* (*st.*) il grande Libro del Catasto d'Inghilterra.

domestic [də'mestik] *agg.* **1** domestico **2** interno, nazionale ♦ *s.* cameriere.

to **domesticate** [də'mestikeit] *v.tr.* **1** addomesticare **2** abituare alla vita di casa.

domicile ['dɔmisail] *s.* domicilio.

to **domicile** *v.tr.* domiciliare.

dominance ['dɔminəns], **dominancy** ['dɔminənsi] *s.* ascendente; predominio.

dominant ['dɔminənt] *agg.* e *s.* dominante.

to **dominate** ['dɔmineit] *v.tr.* e *intr.* dominare: to — over, sovrastare.

domination [,dɔmi'neiʃən] *s.* **1** dominazione; dominio **2** *pl.* (*relig.*) Dominazioni.

to **domineer** [,dɔmi'niə*] *v.intr.* signoreggiare; fare il tiranno.

domineering [,dɔmi'niəriŋ] *agg.* prepotente.

dominical [də'minikəl] *agg.* domenicale.

Dominican [də'minikən] *agg.* e *s.* domenicano.

dominion [də'minjən] *s.* dominio.

domino ['dɔminou], *pl.* **dominoes** ['dɔminouz] *s.* domino.

don[1] [dɔn] *s.* docente universitario.

to **don**[2] *v.tr.* indossare.

Donald Duck ['dɔnldʤʌk] *n.pr.* Paperino.

to **donate** [dou'neit; (*amer.*)'douneit] *v.tr.* donare.

donation [dou'neiʃən] *s.* donazione, dono.

donator [dou'neitə*] *s.* donatore.

done *p.pass* di to **do** ♦ *agg.* **1** fatto // this is not —, non si fa // the — thing, ciò che si fa, che è di moda **2** finito; completo **3** cotto **4** (*fam.*) stanco // — in (o up), stanco morto.

donkey ['dɔŋki] *s.* asino, somaro (*anche fig.*) // it's —'s years..., (*fam.*) è un secolo...

donkey engine ['dɔŋki,enʤin] *s.* motore ausiliario a vapore.

donnish ['dɔniʃ] *agg.* pedantesco.

donor ['dounə*] *s.* donatore.

don't [dount] *contr. di* do not.

to **doodle** ['du:dl] *v.intr.* fare scarabocchi.

doom [du:m] *s.* **1** destino, fato **2** Giudizio.

to **doom** *v.tr.* condannare.

doomsday ['du:mzdei] *s.* il giorno del Giudizio Universale.

door [dɔ:*] *s.* **1** porta, uscio: front —, porta principale; back —, porta posteriore; side —, porta laterale // out of doors, all'aperto // next —, la casa accanto // next — to, molto vicino a // two doors off, a due porte di distanza // — to —, di porta in porta // to show s.o. to the —, accompagnare qlcu. alla porta // to show s.o. the — (o to turn s.o. out of doors), mettere qlcu. alla porta // to lay sth. at s.o.'s —, incolpare qlcu. di qlco. **2** sportello, portiera (di vettura ecc.).

doorbell ['dɔ:bel] *s.* campanello (della porta).

doorkeeper ['dɔ:,ki:pə*] *s.* portiere.

doorman, *pl.* **doormen** ['dɔ:mən] *s.* portiere.

doormat ['dɔ:mæt] *s.* **1** zerbino **2** (*fig.*) succube.

door-money ['dɔ:mʌni] *s.* tariffa d'entrata.

doornail ['dɔ:neil] borchia (di porta) // (as) dead as a —, morto stecchito.

doorplate ['dɔ:pleit] *s.* targhetta.

doorway ['dɔ:wei] *s.* vano della porta.

dope [doup] *s.* **1** (*fam.*) droga; narcotico; stupefacente // — fiend, morfinomane **2** (*fam.*) informazione segreta // he gave me all the — about it, me ne ha informato accuratamente **3** (*sl.*) stupido **4** (*aer.*) vernice tenditela **5** (*fot.*) bagno di sviluppo.

to **dope** *v.tr.* **1** narcotizzare; drogare **2** verniciare **3** (*fig.*) blandire.

dopey, dopy ['doupi] *agg.* (*fam.*) **1** drogato **2** stupido.

dormant ['dɔ:mənt] *agg.* **1** in letargo; (*fig.*) latente: to lie —, stare immobile; essere latente **2** (*dir.*) vacante.

dormer ['dɔ:mə*] *s.*: — (window), abbaino.

dormitory ['dɔ:mitri] *s.* **1** dormitorio **2** (*amer.*) pensionato universitario.

dorsal ['dɔ:səl] *agg.* dorsale.

dory[1] [dɔ:ri] *s.* barca da pesca a remi.

dory[2] *s.* pesce San Pietro.

dosage ['dousiʤ] *s.* dosaggio; dosatura; dose.

dose [dous] *s.* dose // to strengthen the —, rincarare la dose.

to **dose** *v.tr.* dosare (una medicina); somministrare, prendere (una medicina) a dosi.

dosshouse ['dɔshaus] *s.* dormitorio pubblico.

dossier ['dɔsiei] *s.* dossier, incartamento, pratica.

dot[1] [dɔt] *s.* **1** punto; puntino // on the —, (*fam.*) puntualmente // off one's —, (*sl.*) un po' tocco **2** (*mus.*) punto **3** (*mat.*) virgola.

to **dot**[1] *v.tr.* **1** mettere un punto (sopra); puntare (una lettera) // to — one's *i*'s, mettere i puntini sugli i **2** punteggiare: dotted with, punteggiato di // dotted line, linea tratteggiata // to sign on the dotted line, (*fig.*) acconsentire.

dot[2] *s.* dote.

dotage ['doutiʤ] *s.* **1** rimbambimento: he is in his —, è un vecchio rimbambito **2** infatuazione.

dotard ['doutəd] *s.* vecchio rimbambito.

to **dote** [dout] *v.intr.* **1** essere rimbambito **2** *to —,* (*up*) *on s.o.,* amare ciecamente qlcu.

dotty ['dɔti] *agg.* **1** punteggiato **2** (*fam.*) tocco, picchiatello.

double ['dʌbl] *agg.* doppio: *I am — your age,* ho il doppio della tua età // *to play a — game,* fare il doppio gioco ♦ *s.* **1** doppio // *on the —,* (*mil.*) a passo di carica; (*fam.*) in quattro e quattr'otto **2** (*ippica*) accoppiata **3** sosia; (*cinem.*) controfigura ♦ *avv.* **1** doppio, doppiamente: *to see —,* vedere doppio **2** in due.

to **double** *v.tr.* **1** raddoppiare **2** (*di attore*) sostenere due ruoli; sostituire, fare da controfigura (a) **3** piegare in due, ripiegare **4** (*mar.*) doppiare **5** *to — back,* ripiegare **6** *to — up,* (far) piegare // *to — up one's fists,* serrare i pugni ♦ *v.intr.* **1** raddoppiare **2** cambiare direzione bruscamente; fare dietrofront **3** (*mil.*) raddoppiare l'andatura **4** *to — back,* fare un rapido dietrofront **5** *to — up,* piegarsi (in due); dividere una stanza da letto (con qlcu.); (*fig.*) crollare.

double-barrelled ['dʌbl,bærəld] *agg.* **1** a due canne **2** (*fig.*) ambiguo, poco sincero **3** (*rifer. a cognome*) doppio.

double bass ['dʌbl'beis] *s.* (*mus.*) contrabbasso.

double bassoon ['dʌblbə'su:n] *s.* (*mus.*) controfagotto.

double chin ['dʌbl'tʃin] *s.* doppio mento.

double cross ['dʌbl'krɔs] *s.* doppio gioco.

to **double-cross** *v.tr.* fare il doppio gioco; tradire, ingannare.

double-dealing ['dʌbl'di:liŋ] *s.* comportamento ambiguo; doppio gioco.

double-decker ['dʌbl'dekə*] *s.* **1** autobus a due piani **2** biplano.

to **double-declutch** ['dʌbldi:'klʌtʃ] *v.intr.* (*aut.*) fare la doppietta.

double-dutch ['dʌbl'dʌtʃ] *s.* (*fam.*) arabo, greco ecc. (lingua incomprensibile): *it's all — to me,* per me è arabo.

double-dyed ['dʌbl'daid] *agg.* **1** tinto due volte **2** (*fig.*) incallito.

double-edged ['dʌbl'edʒd] *agg.* a doppio taglio (*anche fig.*).

double entendre ['du:blɔn'tɔndr] *s.* doppio senso.

double entry ['dʌbl'entri] (*comm.*) partita doppia.

double feature ['dʌbl'fi:tʃə*] *s.* (*cinem.*) spettacolo costituito da due films consecutivi.

to **double-glaze** [,dʌbl'gleiz] *v.tr.* mettere i doppi vetri.

double-jointed ['dʌbl,dʒɔintid] *agg.* snodato.

to **double-lock** ['dʌbl'lɔk] *v.tr.* chiudere a doppia mandata.

double-quick ['dʌbl'kwik] *agg. e avv.* a doppia andatura.

doublet ['dʌblit] *s.* **1** farsetto **2** doppione.

double-talk ['dʌbl,tɔ:k] *s.* paroloni che servono a gettare fumo negli occhi.

doublethink ['dʌblθiŋk] *s.* incongruenza ideologica.

doubly ['dʌbli] *avv.* doppiamente.

doubt [daut] *s.* dubbio, incertezza // *it is beyond* (o *out of*) *—,* è fuor di dubbio; *no —,* senza dubbio, senz'altro.

to **doubt** *v.tr. e intr.* dubitare, mettere in dubbio: *I — it,* ne dubito; *to — a person's honesty,* dubitare dell'onestà di una persona; *to — whether, that,* dubitare se, che.

doubtful ['dautful] *agg.* **1** incerto, dubbio; sospetto **2** dubbioso, incerto: *I am — (as to) what to do,* sono in dubbio sul da farsi.

doubtless ['dautlis] *agg.* (*poet.*) fiducioso, sicuro ♦ *avv.* senza dubbio; molto probabilmente.

douche [du:ʃ] *s.* **1** irrigazione **2** doccia.

dough [dou] *s.* **1** pasta (di pane) **2** (*sl.*) grana.

doughnut ['dounʌt] *s.* krapfen, bombolone.

doughy ['doui] *agg.* pastoso; (*fam.*) bianchiccio; flaccido.

dour ['duə*] *agg.* austero, severo.

to **douse** [daus] *v.tr.* **1** immergere (nell'acqua); bagnare **2** (*fam.*) spegnere (la luce).

dove[1] [dʌv] colomba; (*fam.*) piccione // *— -colour,* color tortora.

dove[2] (*amer.*) *pass.* di *to* **dive**.

dovecot ['dʌvkɔt] *s.* colombaia.

dovetail ['dʌvteil] *s.* incastro a coda di rondine.

to **dovetail** *v.tr. e intr.* **1** incastrare, incastrarsi (a coda di rondine) **2** (*fig.*) inserire, inserirsi.

dowager ['dauədʒə*] *s.* vedova (che gode di eredità); (*fam.*) ricca vedova.

dowdy ['daudi] *agg.* sciatto, vestito male ♦ *s.* sciattona.

dowel ['dauəl] *s.* cavicchio; caviglia.

to **dowel** *v.tr.* incastrare (con cavicchi, caviglie).

dower ['dauə*] *s.* **1** (*dir.*) legittima (che spetta alla vedova) **2** dote (*anche fig.*).

to **dower** *v.tr.* assegnare una dote (a), dotare.

down[1] [daun] *s.* (*spec.pl.*) colline (*pl.*).

down[2] *s.* **1** piumino, piuma **2** lanugine, peluria.

down[3] *agg.* **1** diretto verso il basso **2** abbattuto, depresso ♦ *s.* rovescio (di fortuna) // *the ups and downs of life,* gli alti e bassi della vita.

down[3] *avv.* giù, in giù; in basso; per terra // *the sun is —,* il sole è tramontato // *—!,* cuccia! giù! // *— with...!,* abbasso...! // *— here,* quaggiù, in queste vicinanze; *— there,* laggiù; *— under,* agli antipodi // *— at heel,* al verde; *— and-out,* in miseria, rovinato // *— in the mouth,* triste, abbattuto.

down[3] *prep.* giù per: *he was going — the hill,* andava giù per la collina; *to go — a river,* scendere un fiume.

to **down**[3] *v.tr.* (*fam.*) abbattere; buttare giù // *to — a drink,* tracannare un bicchiere // *to — tools,* (*fig.*) incrociare le braccia.

downbeat ['daunbi:t] *s.* (*mus.*) tempo in battere.

downcast ['daunka:st] *agg.* **1** scoraggiato, abbattuto **2** (*di sguardo*) abbassato: *with — eyes,* con gli occhi bassi ♦ *s.* condotto di aerazione.

downer ['daunə*] *s.* (*fam.*) tranquillante.

downfall ['daunfɔ:l] *s.* **1** precipitazione (atmosferica) **2** (*fig.*) crollo, tracollo.

downgrade ['daungreid] *s.* declivio; (*fig.*) declino.

to **downgrade** *v.tr.* retrocedere, degradare.

downhearted ['daun'ha:tid] *agg.* depresso.

downhill ['daun'hil] *agg.* discendente, declinante ♦ *s.* declivio, pendio ♦ *avv.* in discesa // *to go —,* (*fig.*) declinare.

downline ['daunlain] *s.* (*ferr.*) linea che collega il capoluogo con la provincia.

down-market ['daunma:kit] *agg.* destinato a una clientela medio-bassa.

downpour ['daunpɔ:*] *s.* acquazzone.

downright ['daunrait] *agg.* **1** franco **2** completo, assoluto ♦ *avv.* completamente; veramente.

downstairs ['daun'stɛəz] *agg.* al, del pianterreno. ♦ *avv.* dabbasso, giù: *to go —,* scendere le scale, andare dabbasso ♦ *s.* pianterreno.

downstream ['daun'stri:m] *avv.* seguendo la corrente: *to go —,* scendere la corrente.

downtown ['daun'taun] (*spec. amer.*) *avv.* in centro ♦ *agg.* del centro: *a — shop,* un negozio del centro ♦ *s.* centro (di una città).

down-train [′dauntrein] *s.* treno in partenza (da una grande città).

downtrend [′dauntrend] *s.* (*econ.*) tendenza al ribasso.

downtrodden [′daun,trɔdn] *agg.* calpestato; (*fig.*) oppresso.

downward [′daunwəd(s)] *agg.* discendente; verso il basso; (*fig.*) in declino // *the — path*, la strada della perdizione // **downward(s)** [′daunwəd(z)] *avv.* verso il basso; in giù; in basso; in discesa.

downy [′dauni] *agg.* 1 lanuginoso, coperto di peluria; vellutato 2 (*sl.*) astuto.

dowry [′dauəri] *s.* dote (*anche fig.*).

to **dowse**[1] [dauz] *v.intr.* cercare acqua, minerali con la bacchetta da rabdomante.

to **dowse**[2] *v.tr.* → to **douse**.

doyen [′dɔiən] *s.* decano.

doze [douz] *s.* sonnellino: *to fall into a —*, assopirsi.

to **doze** *v.intr.* sonnecchiare; essere assonnato.

dozen [′dʌzn] *s.* dozzina: *three — eggs*, tre dozzine di uova, *dozens of people*, decine e decine di persone // *baker's —*, tredici // *to talk nineteen to the —*, (*fam.*) parlare velocemente e a non finire.

drab[1] [dræb] *s.* 1 sciattona 2 prostituta.

drab[2] *agg.* 1 grigiastro 2 (*fig.*) grigio, incolore ♦ *s.* tela grezza color sabbia.

to **drabble** [′dræbl] *v.tr.* inzaccherare ♦ *v.intr.* inzaccherarsi.

drachma [′drækmə], *pl.* **drachmas** [′drækməz], **drachmae** [′drækmi:] *s.* 1 (*st.*) dramma 2 dracma (moneta greca).

draft [drɑ:f, (*amer.*) dræft] *s.* 1 tiro, trazione 2 abbozzo; schizzo; prima stesura 3 (*comm.*) tratta 4 (*mil.*) (*amer.*) leva: *— card*, cartolina precetto 5 (*amer.*) corrente d'aria, spiffero.

to **draft** *v.tr.* 1 abbozzare; stendere la prima copia (di); redigere (progetto di legge ecc.) 2 (*mil.*) distaccare (truppe ecc.); (*amer.*) chiamare sotto le armi, coscrivere.

draftee [,drɑ:f′ti:] *s.* (*amer.*) coscritto.

draftsman, *pl.* **draftsmen** *s.* → **draughtsman**.

drafty [′drɑ:fti] *agg.* (*amer.*) → **draughty**.

drag [dræg] *s.* 1 draga 2 (*agr.*) erpice pesante 3 diligenza 4 (*mecc.*) freno 5 (*fig.*) ostacolo 6 (*aer.*) resistenza aerodinamica 7 (*sl.*) travestimento da donna: *a man in —*, un travestito 8 (*sl.*) noia, barba.

to **drag** *v.tr.* 1 trascinare: *he could scarcely — himself along*, si trascinava a mala pena; *to — one's feet*, strascicare i piedi 2 (*mar.*) dragare, rastrellare 3 (*agr.*) erpicare 4 *to — in*, trascinare a forza; *to — a subject in*, portare la conversazione su un dato argomento 5 *to — up*, (*fam.*) allevare (un bimbo) senza cura ♦ *v.intr.* trascinarsi; andare per le lunghe // *time dragged* (*on*), il tempo scorreva lentamente.

to **draggle** [′drægl] *v.tr.* 1 trascinare 2 inzaccherare ♦ *v.intr.* inzaccherarsi.

drag-net [′drægnet] *s.* 1 rete a strascico 2 (*fig.*) retata.

dragoman [′drægoumən], *pl.* **dragomans** [′dræ goumənz] *s.* guida interprete (in Medio Oriente).

dragon [′drægən] *s.* 1 drago, dragone 2 (*fam.*) virago.

dragonfly [′drægənflai] *s.* libellula.

dragon-tree [′drægəntri:] *s.* (*bot.*) dracena.

dragoon [drə′gu:n] *s.* (*st.mil.*) dragone.

to **dragoon** *v.tr.* 1 costringere con la forza: *to — s.o. into doing sthg.*, costringere qlcu. a fare qlco. 2 perseguitare.

drain [drein] *s.* 1 canale di scolo // *to go down the —*,

(*fam.*) andare perso senza lasciare traccia 2 (*med.*) tubo per drenaggio 3 (*amer.*) (buco di) scarico 4 (*fig.*): *— on*, perdita continua di.

to **drain** *v.tr.* 1 prosciugare; drenare 2 (*fig.*) esaurire; dissanguare 3 (*fam.*) scolare: *to — to the dregs*, bere fino all'ultima goccia ♦ *v.intr.* defluire gradatamente; sgocciolare; scolare.

drainage [′dreinidʒ] *s.* 1 drenaggio // *— basin*, area, bacino di drenaggio 2 fognatura; scarico.

drainer [′dreinə*] *s.* 1 scolatoio 2 scolapiatti.

draining board [′dreiniŋ,bɔ:d] *s.* scolapiatti.

drainpipe [′dreinpaip] *s.* canale di scolo // *— trousers*, pantaloni a sigaretta.

drake [dreik] *s.* (*zool.*) maschio dell'anitra.

dram [dræm] *s.* 1 dram (unità di peso) 2 (*fig.*) goccio (di liquore).

drama [′drɑ:mə] *s.* (*teatr.*) 1 dramma 2 arte drammatica.

dramatic(al) [drə′mætik(əl)] *agg.* drammatico.

dramatics [drə′mætiks] *s.pl.* drammatica (*sing.*).

dramatist [′dræmətist] *s.* drammaturgo.

to **dramatize** [′dræmətaiz] *v.tr.* drammatizzare.

drank *pass.* di to **drink**.

drape [dreip] *s.* drappeggio.

to **drape** *v.tr.* drappeggiare; ornare con drappo: *draped in mourning*, parato a lutto.

draper [′dreipə*] *s.* negoziante di tessuti e confezioni.

drapery [′dreipəri] *s.* 1 drappeggio 2 tessuti (*pl.*) 3 commercio di tessuti.

drastic [′dræstik] *agg.* drastico.

draught [drɑ:ft] *s.* 1 tiro, trazione: *beasts of —*, animali da tiro 2 sorso; boccata (di fumo): *to drink at one —*, bere tutto d'un fiato 3 dose (di bevanda medicinale) 4 corrente d'aria; spiffero 5 abbozzo; schizzo; prima stesura 6 dama 7 spillatura // *on —*, alla spina.

draughtboard [′drɑ:ftbɔ:d] *s.* scacchiera.

draught-horse [′drɑ:ft′hɔ:s] *s.* cavallo da tiro.

draughts [drɑ:fts] *s.pl.* gioco della dama (*sing.*).

draughtsman, *pl.* **draughtsmen** [′drɑ:ftsmən] *s.* 1 disegnatore 2 chi redige (progetti di legge, contratti ecc.) 3 (*dama*) pedina.

draughtsmanship [′drɑ:ftsmənʃip] *s.* arte del disegno (industriale).

draughty [′drɑ:fti] *agg.* pieno di correnti d'aria.

draw [drɔ:] *s.* 1 tirata, strattone; estrazione (di lotteria): *to be quick on the —*, essere veloce nell'estrarre (un'arma) 2 (*fig.*) attrazione 3 (*sport*) pareggio.

to **draw**, *pass.* **drew** [dru:], *p.pass.* **drawn** [drɔ:n] *v.tr.* 1 tirare; attirare; trarre; estrarre: *to — a bow*, tendere un arco; *to — near*, avvicinare // *to — breath*, tirare il fiato // *to — a tooth*, estrarre un dente // *to — a chicken*, pulire un pollo // *to — s.o. into doing sthg.*, indurre qlcu. a fare qlco. // *to — a blank*, (*fam.*) essere con un pugno di mosche // *— it mild*, non esagerare // *to — the long bow*, esagerare; dirle grosse // *to — s.o.'s teeth*, rendere innocuo qlcu. 2 disegnare; tracciare (*anche fig.*); fare // *to — the line*, porre un limite 3 sventrare 4 allungare, stendere; (*ind. tessile*) stirare 5 (*comm.*) prelevare (denaro); percepire (interesse); spiccare, emettere (tratta ecc.) 6 (*metall.*) trafilare; rinvenire 7 (*ind. chim.*) estrarre 8 *to — back*, ritirare 9 *to — down*, abbassare; fare scendere (*anche fig.*): *to — down wrath from heaven*, attirarsi la collera divina 10 *to — in*, ritirare; ridurre; fare economie // *to — in one's horns*, abbassare la cresta 11 *to — off*, spillare;

far defluire 12 *to — on*, calzare, infilarsi 13 *to — out*, estrarre; indurre a parlare 14 *to — up*, rizzare; redigere; compilare; allineare ♦ *v.intr.* 1 tirare: *the chimney draws well*, il camino tira bene // *to leave to —*, lasciare in infusione 2 disegnare 3 *to — back*, tirarsi indietro 4 *to — in*, ritirarsi; accorciarsi 5 *to — near*, avvicinarsi 6 *to — off*, ritirarsi 7 *to — on*, avvicinarsi, attingere 8 *to — out*, prolungarsi 9 *to — round*, avvicinarsi 10 *to — up*, fermarsi.

drawback ['drɔ:bæk] *s.* inconveniente; svantaggio.

drawbridge ['drɔ:bridʒ] *s.* ponte levatoio.

drawee [drɔ:'i:] *s.* (*comm.*) trassato.

drawer ['drɔ:ə*; *nel senso 2* drɔ:*] *s.* 1 (*comm.*) traente 2 cassetto: *chest of drawers*, cassettone // *out of the top —*, dei quartieri alti, della miglior società 3 *pl.* mutande (da uomo).

drawing ['drɔ:iŋ] *s.* 1 disegno // *— block*, blocco da disegno 2 (*ind.tessile*) stiratura 3 (*mecc.metall.*) trafilatura 4 (*comm.*) prelevamento di fondi.

drawing board ['drɔ:iŋbɔ:d] *s.* tavolo da disegno.

drawing paper ['drɔ:iŋ,peipə*] *s.* carta da disegno.

drawing pin ['drɔ:iŋpin] *s.* puntina (da disegno).

drawing room ['drɔiŋrum] *s.* 1 salotto 2 ricevimento (a Corte).

drawl [drɔ:l] *s.* pronuncia strascicata.

to **drawl** *v.intr.* strascicare la voce, le parole ♦ *v.tr.*: *to — (out) sthg.*, dire qlco. con voce strascicata.

drawn *p.pass.* di to **draw**.

drayhorse ['dreihɔ:s] *s.* cavallo da tiro.

drayman, *pl.* **draymen** ['dreimən] *s.* carrettiere.

dread [dred] *agg.* temibile, paventato ♦ *s.* timore, terrore.

to **dread** *v.tr.* temere, aver paura (di).

dreadful ['dredful] *agg.* terribile, spaventoso.

dreadnought ['drednɔ:t] *s.* 1 (*mar.*) corazzata 2 giaccone di lana.

dream [dri:m] *s.* sogno: *to have a —*, fare un sogno // *sweet dreams*, sogni d'oro ♦ *agg.* (*fam.*) fantastico, di sogno.

to **dream**, *pass.* e *p.pass.* **dreamed** [dri:md], **dreamt** [dremt] *v.tr.* e *intr.* sognare, sognarsi: *to — of (doing) sthg.*, sognar (di fare) qlco. // *to — away one's time*, passare il proprio tempo sognando // *to — up*, escogitare.

dreamer ['dri:mə*] *s.* sognatore.

dreamland ['dri:mlænd] *s.* 1 mondo dei sogni 2 terra di sogno.

dreamless ['dri:mlis] *agg.* senza sogni.

dreamt *pass.* e *p.pass.* di to **dream**.

dreamy ['dri:mi] *agg.* 1 sognante 2 vago.

dreary ['driəri] *agg.* triste; tetro; monotono.

dredge[1] [dredʒ] *s.* draga.

to **dredge**[1] *v.tr.* e *intr.* dragare.

to **dredge**[2] *v.tr.* (*cuc.*) cospargere, spolverizzare.

dredger ['dredʒə*] *s.* spargizucchero; spargifarina.

dregs [dregz] *s.pl.* feccia (*sing.*) (*anche fig.*).

drench [drentʃ] *s.* 1 pozione (per animali) 2 inzuppamento.

to **drench** *v.tr.* 1 bagnare, inzuppare 2 somministrare una pozione (a un animale).

drenching [drentʃin] *s.* bagnata, inzuppata: *I got a good — waiting for the bus in the rain*, mi sono bagnato ben bene aspettando l'autobus sotto l'acqua.

dress [dres] *s.* 1 abbigliamento 2 vestito, abito // *in full —*, in alta uniforme // *— circle*, (*teatr.*) prima galleria; *— rehearsal*, (*teatr.*) prova generale // *— coat*, marsina; *— length*, taglio d'abito; *— suit*, smoking.

to **dress** *v.tr.* 1 vestire: *to be dressed in white*, essere vestito di bianco 2 decorare: *to — one's hair*, acconciarsi i capelli 3 allestire, preparare 4 (*mil.*) allineare 5 (*cuc.*) condire 6 (*tecn.*) rifinire 7 (*med.*) medicare 8 *to — down*, (*fam.*) dare una lavata di capo a 9 *to — up*, decorare ♦ *v.intr.* vestirsi // *to — up*, vestirsi elegantemente; mettersi in ghingheri; mascherarsi.

dresser[1] ['dresə*] *s.* 1 assistente (di chirurgo) 2 (*teatr.*) vestiarista 3 (*tecn.*) apparecchiatore, allestitore.

dresser[2] *s.* 1 credenza 2 (*amer.per dressing table*) (*mobile*) toletta, toilette.

dressing ['dresiŋ] *s.* 1 il vestire; abbigliamento 2 allestimento 3 (*med.*) medicazione; l'occorrente per una medicazione 4 (*cuc.*) salsa 5 (*ind.*) bozzima, preparazione, appretto.

dressing case ['dresiŋkeis] *s.* borsa da toletta.

dressing-down ['dresiŋ'daun] *s.* sgridata.

dressing gown ['dresiŋgaun] *s.* vestaglia.

dressing room ['dresiŋrum] *s.* spogliatoio; (*teatr.*) camerino.

dressing table ['dresiŋ,teibl] *s.* toletta.

dressmaker ['dres,meikə*] *s.* sarta (da donna).

dressy ['dresi] *agg.* 1 ricercato nel vestire 2 elegante (di abito).

drew *pass.* di to **draw**.

dribble ['dribl] *s.* 1 gocciolio; sbavatura 2 (*sport*) dribbling.

to **dribble** *v.tr.* e *intr.* 1 stillare; (far) gocciolare; sbavare 2 (*sport*) dribblare.

driblet ['driblit] *s.* piccola quantità.

dribs and drabs ['dribzən'dræbz] *s.pl.*: *in —*, alla spicciolata.

drier ['draiə*] *s.* 1 essiccatore: *hair —*, asciugacapelli 2 (*chim.*) essiccativo.

drift [drift] *s.* 1 spinta, impulso (*anche fig.*) 2 direzione, senso e velocità (di corrente); corso (di affari, eventi) 3 (*mar. aer.*) deriva 4 (*geol.*) terreno alluvionale 5 mucchietto (di neve, foglie ecc. accumulati dal vento) 6 (*fig.*) significato (di conversazione, scritto): *I understood the — of what he said*, compresi dove voleva arrivare.

to **drift** *v.intr.* 1 esser trasportato (dalla corrente ecc.); andare alla deriva (*anche fig.*): *to — out to sea*, lasciarsi trasportare al largo; *to — with the current*, essere trascinato dalla corrente // *to — along*, (*fig.*) tirare avanti 2 (*aer.*) derivare 3 *to — apart*, perdersi di vista; allontanarsi ♦ *v.tr.* 1 sospingere 2 ammucchiare.

driftage ['driftidʒ] *s.* 1 l'andare alla deriva 2 (*mar. aer.*) deriva, deviazione (dalla rotta).

drifter ['driftə*] *s.* 1 (*mar.*) peschereccio con menaide 2 sbandato; perditempo.

drift ice ['driftais] *s.* ghiaccio alla deriva.

driftwood ['driftwud] *s.* pezzi di legno trasportati dalla corrente.

drill[1] [dril] *s.* 1 trapano; punta di trapano; perforatrice; sonda; trivella // *hand —*, trapano a mano 2 esercizio; esercitazione.

to **drill**[1] *v.tr.* 1 trapanare; perforare; sondare 2 esercitare, addestrare ♦ *v.intr.* fare esercitazioni, esercizi.

drill[2] *s.* 1 (*agr. mecc.*) seminatrice 2 solco della seminatrice 3 fila di semi deposti con la seminatrice.

to **drill**[2] *v.tr.* seminare (con la seminatrice).

drill[3] *s.* traliccio di lino, di cotone.

drill-sergeant ['dril,sɑ:dʒənt] *s.* sergente istruttore.

drily *avv.* → **dryly**.

drink [driŋk] *s.* bevanda (gener. alcolica): *soft —*, bevanda analcolica; *hard* —, bevanda alcolica // *to take to* —, darsi al bere // *the* —, (*sl.*) il mare.

to drink, *pass.* **drank** [drænk], *p.pass.* **drunk** [drʌŋk] *v.tr.* e *intr.* **1** bere // *to* — *the waters*, fare una cura di acque // *to* — *s.o.'s health* (o *to* — *to s.o.*), bere alla salute di qlcu. // *to* — *like a fish*, bere come una spugna // *to* — *oneself to death*, rovinarsi la salute a forza di bere // *to* — *off*, tracannare **2** *to* — *in*, impregnarsi, inzupparsi di; (*fig.*) ascoltare con rapimento.

drinking ['driŋkiŋ] *s.* il bere.

drinking-bout ['driŋkiŋbaut] *s.* bevuta.

drinking fountain ['driŋkiŋˌfauntin] *s.* fontanella pubblica.

drinking-song ['driŋkiŋsɔŋ] *s.* canzone di osteria.

drip [drip] *s.* **1** gocciolamento, stillicidio **2** (*arch.*) gocciolatoio **3** (*med.*) fleboclisi **4** (*sl.*) persona insipida; mattone.

to drip *v.intr.* gocciolare, stillare ♦ *v.tr.* far gocciolare.

drip-dry ['dripdrai] *agg.* che si stira da sé (di tessuto).

to dripfeed ['dripfi:d] *v.tr.* (*med.*) nutrire per fleboclisi.

dripping ['dripiŋ] *s.* grasso di cottura (di arrosto ecc.).

drive [draiv] *s.* **1** forte colpo **2** impulso; iniziativa, energia // — *pulse*, (*informatica*) impulso di comando; *magnetic tape* —, unità a nastro magnetico **3** campagna, movimento organizzato **4** passeggiata, gita (in carrozza, automobile **5** (*mecc.*) trasmissione; presa di moto; (*aut.*) guida // *left-hand, right-hand* —, guida a sinistra, a destra **6** viale; vialetto (di accesso a ville) **7** (*caccia*) battuta.

to drive, *pass.* **drove** [drouv], *p.pass.* **driven** ['drivn] *v.tr.* **1** portare (in veicolo) **2** guidare (automobili ecc.) **3** spingere, conficcare: *to* — *a nail home*, conficcare un chiodo fino alla testa // *to* — *the enemy out*, scacciare il nemico // *to* — (*sthg.*) *in*, introdurre, conficcare // *to* — *home sthg.*, provare qlco. irrefutabilmente // *to* — *s.o. mad*, far impazzire qlcu. **4** (*informatica*) trascinare; comandare **5** fare, esercitare con successo (un commercio): *to* — *a bargain*, concludere un affare ♦ *v.intr.* **1** andare (in veicolo): *to* — *home*, andare a casa in automobile **2** guidare: *to* — *like mad*, (*fam.*) guidare come un pazzo **3** (*sport*) battere con energia la palla **4** avanzare, spingersi **5** *to* — *at*, (*fig.*) tendere a, mirare a **6** *to* — *in*, entrare (con un veicolo).

drive-in ['draivin] *agg.* e *s.* (cinema, banca, negozio ecc.) in cui si entra in automobile.

drivel ['drivl] *s.* discorso sciocco.

to drivel *v.intr.* **1** sbavare **2** ciarlare; dire sciocchezze.

driven *p.pass.* di **to drive**.

driver ['draivə*] *s.* **1** conducente, guidatore, autista **2** (*mecc.*) elemento motore, elemento conduttore **3** mazza da golf.

driver's licence ['draivəz'laisəns] *s.* (*amer.* per *driving licence*) patente di guida.

driveway ['draivˌwei] *s.* (*amer.* per *drive*) strada privata (accesso a villa ecc.); passo carraio.

driving ['draiviŋ] *s.* **1** (*aut.*) guida // — *school*, scuola guida **2** (*mecc.*) comando, trasmissione; attacco.

driving licence ['draiviŋˌlaisəns] *s.* patente di guida.

drizzle ['drizl] *s.* pioggerella, pioggia fine e fitta.

to drizzle *v.intr.* piovigginare.

drizzly ['drizli] *agg.* piovigginoso.

droll [droul] *agg.* e *s.* (individuo) buffo, comico.

drollery ['drouləri] *s.* buffoneria; scherzo; facezia.

dromedary ['drʌmədəri] *s.* dromedario.

drone [droun] *s.* **1** (*zool.*) fuco **2** (*fig.*) parassita **3**

(*aer.*) aeroplano teleguidato **4** ronzio; (*fig.*) tono monotono **5** (*mus.*) bordone.

to drone *v.tr.* **1** biascicare **2** *to* — *away*, passare (il tempo, la vita) oziando ♦ *v.intr.* **1** ronzare **2** oziare.

to drool [dru:l] *v.intr.* → **1** sbavare **2** dire sciocchezze.

droop [dru:p] *s.* **1** posizione spiovente; abbassamento **2** languore.

to droop *v.intr.* **1** abbassarsi; pendere **2** languire, abbattersi ♦ *v.tr.* abbassare.

drop [drɔp] *s.* **1** goccia (*anche fig.*): — *by* —, a goccia a goccia // *a* — *in the ocean*, (*fig.*) una goccia nel mare, piccolissima quantità **2** pastiglia, caramellina **3** caduta, discesa; abbassamento, diminuzione: — *in prices*, diminuzione dei prezzi; — *in temperature*, abbassamento di temperatura; caduta della febbre // — *voltage* —, (*elettr.*) caduta di tensione // *at the* — *of a hat*, in men che non si dica **4** botola (di forca).

to drop *v.tr.* **1** far cadere (a gocce) **2** lasciare cadere (*anche fig.*); far scendere: — *me at my door*, fammi scendere davanti a casa; *to* — *anchor*, gettare l'àncora; *to* — *a bomb*, sganciare una bomba // *to* — *a brick*, fare una gaffe // *let's* — *the subject*, non parliamone più, cambiamo argomento // *to* — *one's friends*, piantare tutti gli amici // *to* — *a line*, mandare due righe, far sapere **3** (*sl.*) perdere (denaro al gioco) ♦ *v.intr.* **1** cadere (a gocce) **2** lasciarsi cadere; cadere // *I am ready to* —, casco dalla stanchezza **3** *to* — *in*, fare una visita inaspettata, una capatina **4** *to* — *behind*, rimanere indietro **5** *to* — *off*, cadere addormentato; diminuire gradatamente **6** *to* — *out of*, scomparire da; ritirarsi da.

drop-curtain ['drɔpˌkə:tn] *s.* sipario.

drop-in ['drɔpin] *s.* (*informatica*) introduzione di bit parassiti.

dropleaf ['drɔpli:f] *agg.* a ribalta ♦ *s.* aletta ribaltabile (di tavolo).

droplet ['drɔplit] *s.* gocciolina.

drop-out ['drɔpaut] *s.* **1** chi rinuncia o si ritira (da una competizione, corso ecc.) **2** chi si emargina o viene emarginato dalla società; emarginato **3** (*informatica*) perdita di bit.

dropper ['drɔpə*] *s.* contagocce.

dropping ['drɔpiŋ] *s.* **1** gocciolamento **2** *pl.* escrementi.

dropsical ['drɔpsikəl] *agg.* (*med.*) idropico.

dropsy ['drɔpsi] *s.* (*med.*) idropisia.

dross [drɔs] *s.* **1** scoria di metalli **2** scarto.

drou(gh)t [draut] *s.* **1** siccità **2** sete.

drove[1] [drouv] *s.* **1** gregge, mandria (in movimento) **2** — (*chisel*), scalpello per finitura.

to drove[1] *v.tr.* condurre (greggi, mandrie) ♦ *v.intr.* portare il bestiame al mercato.

drove[2] *pass.* di **to drove**.

drover ['drouvə*] *s.* mandriano.

to drown [draun] *v.tr.* **1** annegare: *he drowned himself*, si annegò // *to* — *one's sorrows*, affogare i propri dispiaceri nell'alcool **2** sommergere; allagare **3** coprire, soffocare (suoni) ♦ *v.intr.* annegare.

drowse [drauz] *s.* assopimento, sonnolenza.

to drowse *v.intr.* assopirsi; passare il tempo a sonnecchiare ♦ *v.tr.* rendere sonnolento.

drowsy ['drauzi] *agg.* **1** sonnolento; assopito **2** che induce al sonno.

to drub [drʌb] *v.tr.* picchiare, bastonare.

drubbing ['drʌbiŋ] *s.* bastonatura.

drudge [drʌdʒ] *s.* chi è costretto a sfacchinare.

to **drudge** *v.intr.* sfacchinare, lavorare come un negro.

drudgery ['drʌdʒəri] *s.* lavoro faticoso, monotono.

drug [drʌg] *s.* **1** sostanza medicinale, prodotto farmaceutico: *antianxiety drugs*, tranquillanti **2** stupefacente // — *addict*, tossicomane, drogato; — *addiction*, tossicomania **3** — *on the market*, merce invendibile.

to **drug** *v.tr.* drogare ♦ *v.intr.* prendere narcotici.

druggist ['drʌgist] *s.* **1** farmacista **2** (*amer.*) gestore farmacista; proprietario di un «drugstore».

drugstore ['drʌgstɔ:*] *s.* (*amer.*) negozio dove si vendono bevande analcoliche, cosmetici, giornali ecc.

Druid ['dru(:)id] *s.* (*st. relig.*) druido.

drum [drʌm] *s.* **1** (*mus. arch.*) tamburo **2** rullo, cilindro **3** (*anat.*) timpano.

to **drum** *v.tr.* e *intr.* sonare (qlco.) (col tamburo); sonare (di tamburo); tamburellare // *to* — *sthg. into s.o.'s head*, inculcare qlco. nella mente di qlcu. // *to* — *out*, (*mil.*) espellere (dall'esercito) // *to* — *up*, chiamare a raccolta col tamburo.

drumhead ['drʌmhed] *s.* pelle di tamburo.

drum major ['drʌm'meidʒə*] *s.* (*mil.*) tamburo maggiore.

drummer ['drʌmə*] *s.* **1** (*mil.*) tamburino **2** (*amer.*) viaggiatore di commercio.

drumstick ['drʌmstik] *s.* **1** bacchetta (di tamburo) **2** (*fam.*) coscia (di pollo).

drunk *p.pass.* di to **drink** ♦ *agg.* e *s.* ubriaco // *as* — *as a lord*, ubriaco fradicio.

drunkard ['drʌŋkəd] *s.* ubriacone, beone.

drunken ['drʌŋkən] *agg.* ubriaco; da ubriaco.

dry [drai] *agg.* **1** secco; asciutto; arido // — *eyed*, senza lacrime // — *facts*, i fatti puri e semplici // *to feel* —, aver sete // — *land*, terra ferma // — *city*, (*amer.*) città dove vige il proibizionismo // — *goods*, tessuti // — *measure*, misura di capacità (per aridi) // — (*-stone*) *wall*, muro a secco // — *battery* (o *cell*), pila a secco **2** monotono; arido, privo di interesse **3** caustico, ironico.

to **dry** *v.intr.* **1** seccarsi **2** asciugarsi **3** *to* — *up*, asciugarsi completamente; (*fam.*) tacere ♦ *v.tr.* seccare; essiccare.

dryasdust ['draiəzdʌst] *s.* pedante ♦ *agg.* noioso.

to **dry-clean** ['drai'kli:n] *v.tr.* lavare a secco.

dry cleaner ['drai'kli:nə*] *s.* smacchiatore a secco // — *'s*, tintoria (negozio).

dry cleaning ['drai'kli:niŋ] *s.* **1** lavaggio a secco **2** indumenti.

dry dock ['drai'dɔk] *s.* bacino di carenaggio.

dryer *s.* → **drier**.

dry farming ['drai'fɑ:miŋ] *s.* aridocoltura.

dry ice ['drai'ais] *s.* ghiaccio secco.

dryly ['draili] *avv.* seccamente; ironicamente.

dryness ['drainis] *s.* siccità; aridità (*anche fig.*); ironia.

drynurse ['drainə:s] *s.* balia asciutta.

drypoint ['draipɔint] *s.* (*tecn.*) puntasecca.

dry run ['drai'rʌn] *s.* (*informatica*) ciclo di verifica del programma.

to **drysalt** ['drai'sɔ:lt] *v.tr.* mettere sotto sale.

dry-shod ['drai'ʃɔd] *agg.* e *avv.* a piedi asciutti.

dual ['dju(:)əl] *agg.* doppio; duplice // — *programming*, (*informatica*) (*IBM*) programmazione tandem; — *purpose card*, (*informatica*) scheda documento ♦ *s.* (*gramm. greca*) duale.

dual carriageway ['dju(:)əl'kæridʒwei] *s.* strada a doppia carreggiata a due corsie (per ogni senso di marcia).

dualism ['dju(:)əlizəm] *s.* **1** (*fil.*) dualismo **2** dualità.

to **dub**[1] [dʌb] *v.tr.* **1** creare cavaliere **2** dare un soprannome (a).

to **dub**[2] *v.tr.* (*cinem.*) doppiare.

dubbing ['dʌbiŋ] *s.* (*cinem.*) doppiaggio.

dubious ['dju:bjəs] *agg.* **1** dubbioso, incerto: *to be* — *of s.o.'s honesty*, aver dei dubbi sulla onestà di qlcu.; *to feel* — *as to*, sentirsi incerto riguardo a **2** dubbio; equivoco.

Dublin ['dʌblin] *no.pr.* Dublino.

ducal ['dju:kəl] *agg.* ducale.

ducat ['dʌkət] *s.* ducato (moneta).

duchess ['dʌtʃis] *s.* duchessa.

duchy ['dʌtʃi] *s.* ducato (territorio).

duck[1] [dʌk] *s.* **1** anitra // *sitting* —, (*fig.*) bersaglio facile // *ducks and drakes*, rimbalzello // *a lame* —, un povero diavolo // *a fine day for the ducks*, giorno piovoso // *to be like water off a* — *'s back*, non colpire nel segno // *to take to sthg. like a* — *to water*, fare qlco. con facilità e naturalezza **2** (*fam.*) caro; cocco **3** punteggio zero.

duck[2] *s.* **1** tuffo **2** rapido inchino.

to **duck**[2] *v.tr.* **1** immergere rapidamente **2** piegare, abbassare velocemente ♦ *v.intr.* **1** immergersi rapidamente **2** piegarsi, abbassarsi **3** scansare, schivare (qlco.) **4** (*fam.*) inchinarsi.

duck[3] *s.* **1** tela grezza **2** *pl.* (*fam.*) calzoni di tela grezza.

duckbill ['dʌkbil] *s.* (*zool.*) ornitorinco.

duckboard ['dʌkbɔ:d] *s.* pedana, passerella di legno (a graticcio).

ducking ['dʌkiŋ] *s.* tuffetto; rapida immersione.

duckling ['dʌkliŋ] *s.* anatroccolo.

duct [dʌkt] *s.* **1** condotto, conduttura **2** (*anat.*) canale, vaso.

ductile ['dʌktail; (*amer.*) 'dʌktl] *agg.* duttile (*anche fig.*).

ductility [dʌk'tiliti] *s.* duttilità (*anche fig.*).

dud [dʌd] *agg.* inutile; difettoso ♦ *s.* (*sl.*) **1** *pl.* stracci; vestiti (logori) **2** (*mil.*) proiettile inesploso **3** cosa che non funziona; persona incapace.

dude [du:d] *s.* (*amer.*) dandy, elegantone // — *ranch*, ranch per turisti.

dudgeon ['dʌdʒən] *s.* collera, sdegno: *in high* —, indignatissimo.

due [dju:] *agg.* **1** dovuto, da pagarsi: *to fall* (o *to be*) —, (*comm.*) scadere **2** dovuto, adatto, conveniente: *in* — *course* (o *time*), a tempo debito **3** *to be* — *to*, essere dovuto a, causato da **4** *to be* —, essere atteso; dovere: *the ship is* — *tomorrow*, la nave è attesa per domani // *I am* — *for a shave*, (*fam.*) è ora che mi faccia la barba ♦ *s.* **1** il dovuto, il giusto // *to give the devil his* —, riconoscere i meriti dei propri nemici **2** *pl.* quota (*sing.*); tasse, tributi: *harbour dues*, diritti portuali ♦ *avv.* direttamente verso: — *east*, in direzione est.

duel ['dju:əl] *s.* **1** duello: *to fight a* —, battersi in duello **2** (*fig.*) lotta, contesa.

to **duel** *v.intr.* fare un duello, duellare.

duellist ['dju(:)əlist] *s.* duellante.

duet [dju(:)'et] *s.* (*mus.*) duetto.

duffel ['dʌfəl] *s.* **1** (*fam.*) stoffa pesante; mollettone // — *coat*, «montgomery» // — *bag*, sacco **2** (*amer.*) equipaggiamento (per campeggio).

duffer ['dʌfə*] *s.* inetto; stupido.

duffle *s.* → **duffel**.

dug[1] [dʌg] *s.* capezzolo (di animale).

dug[2] *pass.* e *p.pass.* di to **dig**.

dugong ['du:gɔŋ] *s.* (*zool.*) dugongo.

dugout [ˈdʌgaut] *s.* **1** piroga **2** rifugio; (*mil.*) ricovero sotterraneo.

duke [dju:k] *s.* duca.

dukedom [ˈdju:kdəm] *s.* ducato.

dulcet [ˈdʌlsit] *agg.* dolce, melodioso, soave.

to dulcify [ˈdʌlsifai] *v.tr.* dolcificare.

dulcimer [ˈdʌlsimə*] *s.* (*mus.*) salterio.

dull [dʌl] *agg.* **1** tardo; lento // — -brained, ottuso **2** sordo; soffocato **3** (*comm.*) fiacco **4** depresso **5** monotono, noioso **6** non tagliente (*anche fig.*) **7** opaco, offuscato (di colore ecc.).

to dull *v.tr.* **1** istupidire; intorpidire **2** rendere meno intenso; smorzare **3** spuntare (una lama) ♦ *v.intr.* **1** istupidirsi; intorpidirsi **2** smorzarsi.

dullard [ˈdʌləd] *s.* persona stupida, ottusa.

dully [ˈdʌli] *avv.* ottusamente; lentamente.

duly [ˈdju:li] *avv.* **1** debitamente **2** a tempo debito, in tempo utile.

dumb [dʌm] *agg.* **1** muto // to strike s.o. —, far ammutolire qlcu. // — show, (*teatr.*) scena muta **2** (*amer.fam.*) stupido // — blonde, oca giuliva.

dumbbell [ˈdʌmbel] *s.* **1** *pl.* pesi; manubrio (per ginnastica) (*sing.*) **2** (*sl.*) sciocco, stupido.

to dumbfound, (*amer.*) **dumfound** [dʌmˈfaund] *v.tr.* confondere, stordire; stupire; stupefare.

dumbly [ˈdʌmli] *avv.* senza parlare; in silenzio.

dumbness [ˈdʌmnis] *s.* **1** mutismo **2** ottusità.

dumbwaiter [ˈdʌmˈweitə*] *s.* servitore muto; (*amer.*) calapranzi, montavivande.

dummy [ˈdʌmi] *s.* **1** fantoccio, manichino (da sarto, vetrina) // — run, tiro, azione di prova; prova **2** uomo di paglia; prestanome **3** (*a carte*) morto **4** (*tip.*) menabò **5** (*fam.*) persona ottusa **6** tettarella ♦ *agg.* fittizio // — activity, (*informatica*) (*PERT*) attività di collegamento logico.

dump [dʌmp] *s.* **1** mucchio; ammasso // ammunition —, deposito di munizioni **2** immondezzaio (*anche fig.*); discarica **3** (*informatica*) stampa del contenuto della memoria: to take a —, eseguire una copiatura.

to dump *v.tr.* **1** scaricare; buttare via **2** (*comm.*) vendere sottocosto (a paese straniero).

dumper [ˈdʌmpə*] *s.* **1** scaricatore **2** autoribaltabile; (*ferr.*) rovesciatore **3** (*comm.*) esportatore di merce sottocosto.

dumpling [ˈdʌmpliŋ] *s.* **1** gnocchetto di pasta bollita // apple —, mela avvolta in uno strato di pasta e cotta al forno **2** (*sl.*) persona, animale piccolo e rotondetto.

dumps [dʌmps] *s.pl.* umor nero (*sing.*); depressione (*sing.*).

dumpty [ˈdʌmpti] *s.* pouf (sedile).

dumpy [ˈdʌmpi] *agg.* tarchiato; tozzo ♦ *s.* **1** persona tarchiata **2** animale dalle zampe corte.

dun[1] [dʌn] *agg.* bruno grigiastro ♦ *s.* **1** colore bruno grigiastro **2** cavallo di colore bruno grigiastro **3** (*pesca*) mosca artificiale.

dun[2] *s.* **1** creditore importuno; esattore (di un debito) **2** sollecitazione di pagamento.

to dun[2] *v.tr.* sollecitare con insistenza (un pagamento).

dunce [dʌns] *s.* (*sl. scolastico*) somaro, asino.

dunderhead [ˈdʌndəhed] *s.* testone.

dune [dju:n] *s.* duna.

dung [dʌŋ] *s.* sterco, letame.

dungaree [ˌdʌŋgəˈri:] *s.* **1** tela grossolana **2** *pl.* calzoni da fatica.

dungeon [ˈdʌndʒən] *s.* **1** dongione **2** cella, prigione sotterranea.

dunghill [ˈdʌnhil] *s.* letamaio // — cock, gallo da cortile.

to dunk [dʌŋk] *v.tr.* inzuppare.

dunnage [ˈdʌnidʒ] *s.* (*mar.*) pagliolo; (*fam.*) bagaglio.

dunno [dəˈnou] *contr.* di do not know.

duodecimal [ˌdju(:)ouˈdesiməl] *agg.* **1** duodecimo **2** duodecimale ♦ *s.pl.* (*mat.*) sistema duodecimale (*sing.*).

duodenal [ˌdju(:)ouˈdi:nl] *agg.* duodenale.

duodenum [ˌdju(:)ouˈdi:nəm] *s.* duodeno.

duologue [ˈdjuəlɔg] *s.* dialogo (tra due).

dupe [dju:p] *s.* gonzo; semplicotto.

to dupe *v.tr.* ingannare; gabbare; abbindolare.

duple [ˈdju:pl] *agg.* (*mus.*) doppio: — time, misura a due tempi.

duplex [ˈdju:pleks] *agg.* doppio; duplice ♦ *s.* (*amer.*): — (apartment), appartamento su due piani.

duplicate [ˈdju:plikit] *agg.* duplice ♦ *s.* duplicato.

to duplicate [ˈdju:plikeit] *v.tr.* duplicare.

duplicator [ˈdju:plikeitə*] *s.* duplicatore.

duplicity [dju(:)ˈplisiti] *s.* doppiezza.

durability [ˌdjuərəˈbiliti] *s.* durabilità; durata.

duralumin® [djuəˈræljumin] *s.* duralluminio.

duration [djuəˈreiʃən] *s.* durata.

duress [djuəˈres] *s.* **1** prigionia; arresto **2** costrizione; violenza: to act under —, agire sotto una minaccia.

during [ˈdjuərŋ] *prep.* durante, nel corso di: — his life, durante la sua vita; — the winter, durante l'inverno, d'inverno; only one train left — the morning, solo un treno è partito in mattinata.

durra [ˈdu:rə] *s.* dur(r)a.

durst *pass.* di to dare.

dusk [dʌsk] *s.* crepuscolo: at —, all'imbrunire.

dusky [ˈdʌski] *agg.* **1** oscuro, fosco; (*fig.*) tetro, cupo **2** bruno (di colorito).

dust [dʌst] *s.* **1** polvere // to bite the —, mordere la polvere // to humble oneself in the —, umiliarsi profondamente // to shake the — off one's feet, andarsene indignato // to kick up a —, (*fam.*) far scalpore // to turn to — and ashes, (*fig.*) finire nel nulla // — coat, spolverino **2** (*bot.*) polline **3** ceneri (*pl.*).

to dust *v.tr.* **1** spolverare // to — s.o.'s coat for him, (*fig.*) spolverare la schiena a qlcu. (picchiarlo) **2** impolverare **3** cospargere (di) ♦ *v.intr.* tirar via la polvere.

dustbin [ˈdʌstbin] *s.* pattumiera.

dustcart [ˈdʌstkɑ:t] *s.* carro delle immondizie.

dustcoat [ˈdʌstkout] *s.* spolverino.

dust cover [ˈdʌstˌkʌvə*] *s.* sopraccoperta (di libro); fodera (di poltrona ecc.).

duster [ˈdʌstə*] *s.* **1** strofinaccio, spolverino **2** (*amer.*) spolverino.

dusting [ˈdʌstŋ] *s.* **1** lo spolverare **2** (*fig.*) bastonatura **3** (*med.*) polvere antisettica.

dust jacket [ˈdʌstˌdʒækit] *s.* sopraccoperta (di libro).

dustman, *pl.* **dustmen** [ˈdʌstmən] *s.* **1** spazzino **2** (*fam.*) il sonno.

dustpan [ˈdʌstpæn] *s.* paletta per la spazzatura.

dustup [ˈdʌstʌp] *s.* (*sl.*) rissa; scontro.

dust wrapper [ˈdʌstˌræpə*] *s.* sopraccoperta (di libro).

dusty [ˈdʌsti] *agg.* **1** polveroso, coperto di polvere: to get —, impolverarsi **2** arido, privo d'interesse; sterile // it's not so —, (*sl.*) non c'è male, è discreto // — answer, risposta insoddisfacente.

Dutch [dʌtʃ] *agg.* olandese // the —, gli olandesi // to go —, fare alla romana // — treat, trattenimento in cui ciascuno dei partecipanti paga la propria parte // to speak double —, parlar greco (turco, ostrogoto ecc.) //

to talk to s.o. like a — *uncle*, rimproverare qlcu. paternamente // — *courage*, falso coraggio (dovuto al bere) ♦ *s.* lingua olandese.

Dutchman, *pl.* **Dutchmen** ['dʌtʃmən] *s.* olandese.

duteous ['dju:tjəs] *agg.* rispettoso, sottomesso.

dutiable ['dju:tiəbl] *agg.* gravato di dazio; soggetto a dogana.

dutifulness ['dju:tifʊlnis] *s.* sottomissione.

duty ['dju:ti] *s.* **1** dovere; obbligo; compito, incarico: *to do one's* — *by* (o *to*) *s.o.*, fare il proprio dovere verso qlcu. // *to do* — *for*, sostituire, servire da // *off* —, fuori servizio; *to be on, off* —, essere, non essere di servizio **2** omaggio, ossequio **3** (*comm.*) dazio, dogana; tassa // — *-paid*, franco dogana // *estate* —, *death* —, tassa di successione **4** (*mecc.*) rendimento di lavoro; (*elettr.*) uso.

duty-free ['dju:ti'fri:] *agg.* esente da dogana.

duvet ['dju:vei, (*amer.*) du:'vei] *s.* piumone®.

dwarf [dwɔ:f] *agg.* e *s.* nano.

to **dwarf** *v.tr.* **1** rimpicciolire; arrestare lo sviluppo (di) **2** (*fig.*) rendere insignificante.

dwarfish ['dwɔ:fiʃ] *agg.* nano.

dwell [dwel] *s.* (*mecc.*) sosta, pausa.

to **dwell** *pass.* e *p.pass.* **dwelt** [dwelt], (*amer.*) anche **dwelled** [dweld] *v.intr.* **1** dimorare, abitare **2** fermarsi; insistere; indugiare.

dweller ['dwelə*] *s.* abitante.

dwelling house ['dweliŋhaus] *s.* abitazione, residenza, dimora.

to **dwindle** ['dwindl] *v.intr.* diminuire; deperire; sminuirsi.

dyad ['daiæd] *s.* (*mat.*) coppia; (*chim.*) elemento bivalente.

dye [dai] *s.* tinta, tintura.

to **dye,** *pass.* e *p.pass.* **dyed** [daid], *p.pres.* **dyeing** ['daiiŋ] *v.intr.* tingere // *fast-dyed*, tinto con colori solidi ♦ *v.intr.* tingersi.

dyed-in-the-wool [,daidinðə'wul] *agg.* irriducibile, irrecuperabile.

dyeing ['daiiŋ] *s.* il tingere; tintura.

dyer ['daiə*] *s.* tintore.

dyestuffs ['daistʌfs] *s.pl.* coloranti.

dying ['daiiŋ] *agg.* morente, moribondo // *never-* —, eterno; inestinguibile.

dyke *s.* → **dike.**

dynamic [dai'næmik] *agg.* dinamico ♦ *s.* forza dinamica.

dynamical [dai'næmikəl] *agg.* dinamico.

dynamics [dai'næmiks] *s.* dinamica.

dynamism ['dainəmizəm] *s.* dinamismo.

dynamite ['dainəmait] *s.* dinamite.

to **dynamite** *v.tr.* far saltare con la dinamite.

dynamo ['dainəmou] *s.* (*elettr.*) dinamo // *human* —, persona piena di energia.

dynamometer [,dainə'mɔmitə*] *s.* dinamometro.

dynast ['dinəst, (*amer.*) 'dainæst] *s.* dinasta.

dynastic [di'næstik, (*amer.*) dai'næstik] *agg.* dinastico.

dynasty ['dinəsti, (*amer.*) 'dainəsti] *s.* dinastia.

dyne [dain] *s.* (*fis.*) dina.

dysentery ['disntri] *s.* (*med.*) dissenteria.

dyspepsia [dis'pepsiə] *s.* (*med.*) dispepsia.

dyspn(o)ea [dis'pni(:)ə] *s.* (*med.*) dispnea.

E

e [i:], *pl.* **es, e's** [i:z], *s.* **1** e // — *for Edward*, (*tel.*) e come Empoli **2** *E*, (*mus.*) mi.

each [i:tʃ] *agg.* ogni ♦ *pron.* ognuno, ciascuno: — *of them*, ognuno di loro; — *and all of them*, tutti loro; *they have two apples* —, hanno due mele per ciascuno // **each other** *pron.rec.* l'un l'altro (fra due): *for* — *other*, l'uno per l'altro; *we love* — *other*, ci amiamo.

eager ['i:gə*] *agg.* desideroso; impaziente; zelante // — *beaver*, (*fam.*) zelantone.

eagle ['i:gl] *s.* **1** aquila **2** (*eccl.*) leggio a forma di aquila.

eagle-owl ['i:gl'aul] *s.* gufo reale.

eaglet ['i:glit] *s.* aquilotto.

ear[1] [iə*] *s.* orecchio, orecchia // *to have sharp ears*, avere l'udito fine // *to play by* —, suonare a orecchio // *up to one's ears*, (*fig.*) fin sopra i capelli // *to give* — *to s.o.* (o *to lend* — *to s.o.*), prestare orecchio a qlcu.

ear[2] *s.* spiga (di grano ecc.).

earache ['iəreik] *s.* mal d'orecchi.

eardrum ['iədrʌm] *s.* timpano.

earl [ə:l] *s.* conte.

earldom ['ə:ldəm] *s.* **1** dignità, titolo di conte **2** contea.

early ['ə:li] *agg.* primo: *in the* — *morning*, di buon mattino; *an* — *train*, un treno delle prime ore del mat-

tino; — *bird*, persona mattiniera; — *death*, morte prematura; *at an earlier date*, precedentemente; *in the earliest times*, nei tempi più antichi; *the* — *15th century*, i primi anni del XV secolo; — *closing* (*day*), giornata di chiusura pomeridiana (dei negozi) // *at your earliest convenience*, (*comm.*) al più presto possibile // *it is the* — *bird that catches the worm*, (*prov.*) chi dorme non piglia pesci ♦ *avv.* presto, di buon'ora, per tempo: *to arrive five minutes* —, arrivare con cinque minuti d'anticipo; *as* — *as the twelfth century*, fin dal dodicesimo secolo; — *in the list*, al principio della lista.

earmark ['iəma:k] *s.* **1** marchio di proprietà (sull'orecchio di animali) **2** segno caratteristico.

to **earmark** *v.tr.* **1** apporre il marchio di proprietà (sull'orecchio di animali) **2** contrassegnare **3** (*fig.*) assegnare.

earmuff ['iəmʌf] *s.* paraorecchie.

to **earn** [ə:n] *v.tr.* guadagnare, guadagnarsi; meritare, meritarsi.

earnest[1] ['ə:nist] *agg.* serio, zelante; ardente, fervido ♦ *s.* serietà, sincerità: *in* —, sul serio.

earnest[2] *s.* **1** (*comm. dir.*) caparra; garanzia **2** (*fig.*) pregustamento; assaggio.

earnings ['ə:niŋz] *s.pl.* **1** guadagni; stipendio (*sing.*), salario (*sing.*) **2** ricompensa (*sing.*).

earnings performance [ˈəːniŋzpəˈfɔːməns] *s.* redditività.

earphone [ˈiəfoun] *s.* (*tecn.*) cuffia (da ascolto).

earpiece [ˈiəpiːs] *s.* **1** stanghetta (degli occhiali) **2** cuffia (da ascolto).

earpiercing [ˈiəpiəsiŋ] *agg.* acuto.

earplug [ˈiəplʌg] *s.* tappo per le orecchie.

earring [ˈiəriŋ] *s.* orecchino.

earshot [ˈiəʃɔt] *s.*: *within* —, a portata d'orecchio, a portata di voce.

earsplitting [ˈiəsplitiŋ] *agg.* assordante.

earth [əːθ] *s.* **1** terra: *on* —, sulla terra // *down to* —, terra terra // *come back to* —, (*fam.*) scendi dalle nuvole // *how, why, where, what, who on* — ...?, come, perché, dove, che cosa, chi mai...? // *to put to* —, (*elettr.*) mettere a terra **2** tana (di volpe, ecc.): *to run sthg., s.o. to* —, (*fig.*) scovare qlco., qlcu.

to earth *v.tr.* **1** (*agr.*) interrare, coprire di terra **2** (*elettr.*) mettere a terra.

earthborn [ˈəːθbɔːn] *agg.* nato dalla terra; umano.

earthbound [ˈəːθbaund] *agg.* legato alle cose terrene.

earthen [ˈəːθən] *agg.* di terra; di terracotta.

earthenware [ˈəːθənwɛə*] *s.* terraglie (*pl.*).

earthing [ˈəːθiŋ] *s.* (*elettr. rad.*) messa a terra.

earthliness [ˈəːθlinis] *s.* **1** terrenità **2** mondanità, attaccamento ai beni terreni.

earthling [ˈəːθliŋ] *s.* abitante della terra; mortale.

earthly [ˈəːθli] *agg.* **1** terrestre, della terra **2** (*fam.*) concepibile: *no* — *use*, nessuna utilità // *not an* —, (*sl.*) nessuna probabilità.

earthly-minded [ˈəːθliˈmaindid] *agg.* materialista.

earthquake [ˈəːθkweik] *s.* terremoto.

earthward(s) [ˈəːθwəd(z)] *agg.* verso terra.

earthwork [ˈəːθwəːk] *s.* **1** terrapieno; fortificazione **2** sterramento.

earthworm [ˈəːθwəːm] *s.* lombrico.

earthy [ˈəːθi] *agg.* **1** terroso, di terra **2** rozzo, grossolano.

earwax [ˈiəwæks] *s.* cerume.

earwig [ˈiəwig] *s.* (*zool.*) forbicina.

ease [iːz] *s.* **1** sollievo, alleviamento **2** tranquillità (di spirito); riposo, benessere; agio: *to be at* —, sentirsi a proprio agio // *stand at* — !, (*mil.*) riposo! **3** naturalezza; disinvoltura.

to ease *v.tr.* **1** sollevare, alleviare; calmare; attenuare **2** alleggerire: *to* — *oneself of a burden*, liberarsi di un peso **3** *to* — *off*, (*mar.*) allentare (la fune) ♦ *v.intr.* **1** calmarsi; attenuarsi **2** diminuire.

easel [ˈiːzl] *s.* cavalletto.

easement [ˈiːzmənt] *s.* **1** sollievo **2** (*dir.*) diritto d'uso.

easily [ˈiːzili] *avv.* facilmente, comodamente, senza difficoltà, senz'altro // *he is* — *forty*, ha almeno quarant'anni.

east [iːst] *agg.* dell'est, orientale ♦ *s.* est, oriente, levante // *the East*, l'Oriente; (*amer.*) gli Stati dell'Est // *the Far East*, l'Estremo Oriente ♦ *avv.* ad est, verso est, a oriente.

Easter [ˈiːstə*] *s.* Pasqua // — *egg*, uovo di Pasqua // — *week*, la Settimana Santa.

easterly [ˈiːstəli] *agg.* dell'est, orientale ♦ *avv.* verso est; dall'est.

eastern [ˈiːstən] *agg.* dell'est, orientale // *the Eastern Church*, la Chiesa orientale ortodossa.

Eastertide [ˈiːstətaid] *s.* settimana di Pasqua.

eastward(s) [ˈiːstwəd(z)] *avv.* verso est.

easy [ˈiːzi] *agg.* **1** facile: — *money*, guadagno facile; *a person* — *to get on with*, una persona con cui è facile andare d'accordo; *I'm* —, (*fam.*) per me non ci sono problemi, mi va bene tutto **2** tranquillo **3** ampio, morbido (di abito ecc.) **4** scorrevole (di stile) **5** (*comm.*) non molto richiesto (di articolo).

easy *avv.* **1** facilmente **2** comodamente // *take it* — !, — *does it!*, non prendertela!, vacci piano!

easy chair [ˈiːziˈtʃeə*] *s.* poltrona.

easygoing [ˈiːziˈgouiŋ] *agg.* calmo; tollerante.

to eat [iːt], *pass.* **ate** [et], *p.pass.* **eaten** [ˈiːtn] *v.tr.* e *intr.* mangiare // *to* — *up*, divorare (*anche fig.*) // *to* — *away*, divorare, corrodere // *to* — *into* (o *in*), corrodere // *to* — *well*, avere un buon appetito // *to* — *one's heart out*, rimuginare (qlco.) // *to* — *one's words*, rimangiarsi la parola.

eatable [ˈiːtəbl] *agg.* commestibile, mangereccio.

eatables [ˈiːtəblz] *s.pl.* vivande, commestibili.

eaten *p.pass.* di to **eat**.

eating-house [ˈiːtiŋhaus] *s.* trattoria.

eau-de-Cologne [ˈoudəkəˈloun] *s.* acqua di Colonia.

eau-de-vie [ˈoudəˈviː] *s.* acquavite.

eaves [iːvz] *s.pl.* (*arch.*) cornicione (*sing.*).

to eavesdrop [ˈiːvzdrɔp] *v.intr.* origliare.

ebb [eb] *s.* **1** riflusso della marea **2** (*fig.*) declino, decadenza.

to ebb *v.intr.* **1** rifluire (del mare) **2** (*fig.*) declinare.

ebb tide [ˈebˈtaid] *s.* riflusso; bassa marea.

ebonite [ˈebənait] *s.* ebanite.

ebony [ˈebəni] *agg.* nero ♦ *s.* **1** ebano **2** color ebano.

ebullience [iˈbʌljəns], **ebulliency** [iˈbʌljənsi] *s.* **1** ebollizione **2** effervescenza (*anche fig.*).

ebullition [ˌebəˈliʃən] *s.* **1** ebollizione **2** scoppio improvviso (*anche fig.*).

eccentric [ikˈsentrik] *agg.* e *s.* eccentrico.

eccentricity [ˌeksenˈtrisiti] *s.* eccentricità.

ecchymosis [ˌekiˈmousis] *s.* ecchimosi.

ecclesiastic [iˌkliːziˈæstik] *agg.* e *s.* ecclesiastico.

echelon [ˈeʃələn] *s.* **1** (*mil.*) scaglione **2** grado, livello.

echo [ˈekou], *pl.* **echoes** [ˈekouz] *s.* eco // — *sounder*, (*rad. mar.*) ecometro.

to echo *v.tr.* e *intr.* echeggiare.

éclair [eiˈklɛə*] *s.* bignè.

eclectic [ekˈlektik] *agg.* e *s.* eclettico.

eclecticism [ekˈlektisizəm] *s.* eclettismo.

eclipse [iˈklips] *s.* **1** (*astr.*) eclissi **2** (*fig.*) periodo di oscurità.

to eclipse *v.tr.* eclissare (*anche fig.*) ♦ *v.intr.* eclissarsi (*anche fig.*).

ecliptic [iˈkliptik] *agg.* eclittico ♦ *s.* (*astr.*) eclittica.

eclogue [ˈeklɔg] *s.* egloga.

ecography [iːˈkɔgrəfi] *s.* (*med.*) ecografia.

ecological [ˌiːkəˈlɔdʒikl] *agg.* ecologico; ecologista.

ecologist [iˈkɔlədʒist] *s.* ecologo.

ecology [iˈkɔlədʒi] *s.* ecologia.

economic [ˌiːkəˈnɔmik, (*amer.*) ˌekəˈnɔmik] *agg.* economico.

economical [ˌiːkəˈnɔmikəl, (*amer.*) ˌekəˈnɔmikəl] *agg.* economico; economo, parsimonioso.

economics [ˌiːkəˈnɔmiks, (*amer.*) ˌekəˈnɔmiks] *s.* scienze economiche (*pl.*).

economist [i(ː)ˈkɔnəmist] *s.* economista.

to economize [i(ː)ˈkɔnəmaiz] *v.intr.* economizzare.

economy [i(ː)ˈkɔnəmi] *s.* economia // *planned* —, economia pianificata.

ecosphere [ˈiːkousfiə*] *s.* (*scient.*) biosfera.

ecstasy ['ekstəsi] *s.* estasi, rapimento.

ecstatic [eks'tætik] *agg.* estatico.

ecumenical [ˌiːkjuː'menikəl] *agg.* ecumenico.

eczema ['eksimə] *s.* (*med.*) eczema.

edacious [i'deiʃəs] *agg.* vorace.

eddy ['edi] *s.* vortice, mulinello.

to eddy *v.intr.* turbinare.

eddying ['ediiŋ] *agg.* turbinoso; vorticoso.

Eden ['iːdn] *s.* Eden.

edge [edʒ] *s.* **1** taglio, filo (di lama); spigolo; cresta (di montagne): *to put an — to a tool, on a blade,* affilare un arnese, una lama // *to give an —,* (*fig.*) rendere tagliente **2** orlo, margine; ciglio; sponda; labbro (di ferita): *at the water's —,* al limite dell'acqua // *on the — of...,* sul punto di... // *to be* (o *to have one's nerves*) *on —,* avere i nervi a fior di pelle // *to set on —,* irritare; *to set one's teeth on —,* (*di rumore stridulo*) far accapponare la pelle.

to edge *v.tr.* **1** affilare **2** bordare, fiancheggiare **3** *to — oneself into,* insinuarsi ♦ *v.intr.* **1** *to — into,* avanzare gradatamente **2** *to — away* (o *off*), andare via alla chetichella; spostarsi a poco a poco **3** *to — out of sthg.,* uscire di soppiatto.

edged [edʒd] *agg.* affilato, tagliente // *keen-* (o *sharp-*) *—,* affilato; (*fig.*) mordace.

edgeways ['edʒweiz], **edgewise** ['edʒwaiz] *avv.* di taglio; di fianco // *to succeed in getting a word in —,* riuscire a infilare una parola.

edging ['edʒiŋ] *s.* orlatura, bordo; fettuccia (per orlatura); frangia.

edgy ['edʒi] *agg.* **1** affilato **2** (*fig.*) nervoso; irritabile **3** (*pitt.*) dai contorni sfumati.

edible ['edibl] *agg.* commestibile, mangereccio.

edict ['iːdikt] *s.* editto.

edification [ˌedifi'keiʃən] *s.* edificazione (*fig.*).

edifice ['edifis] *s.* edificio.

to edify ['edifai] *v.tr.* edificare.

edifying ['edifaiiŋ] *agg.* edificante.

Edinburgh ['edinbərə] *no.pr..* Edimburgo.

to edit ['edit] *v.tr.* **1** curare la pubblicazione, l'edizione critica (di un testo); redigere; editare: *edited by,* a cura di **2** dirigere (giornali, riviste) **3** (*cinem.*) montare.

editing ['editiŋ] *s.* preparazione, sistemazione (di testo, libro ecc.).

edition [i'diʃən] *s.* edizione (*anche fig.*): *final —,* ultima edizione.

editor ['editə*] *s.* **1** curatore **2** (*di giornale, rivista*) direttore; redattore: *— in chief,* redattore capo; *City —,* redattore della cronaca finanziaria; (*amer.*) redattore della cronaca cittadina; *managing —,* direttore responsabile.

editorial [ˌedi'tɔːriəl] *agg.* editoriale; redazionale: *— staff,* redazione ♦ *s.* articolo di fondo, editoriale.

editress ['editris] *s.f.* **1** curatrice (di un testo) **2** (*di giornale, rivista*) direttrice; redattrice.

Edmund ['edmənd] *no.pr.m.* Edmondo.

to educate ['edju(:)keit] *v.tr.* **1** educare, coltivare **2** istruire; mantenere agli studi.

education [ˌedju(:)'keiʃən] *s.* **1** educazione; cultura **2** istruzione.

educational [ˌedju(:)'keiʃənl] *agg.* educativo; istruttivo.

educationalist [ˌedju(:)'keiʃnəlist], **educationist** [ˌedju(:)'keiʃnist] *s.* pedagogo; pedagogista.

educator ['edju(:)keitə*] *s.* educatore.

to educe [i(:)'djuːs)] *v.tr.* **1** dedurre **2** trarre fuori.

eduction [i(:)'dʌkʃən] *s.* deduzione.

Edward ['edwəd] *no.pr.m.* Edoardo.

Edwardian [ed'wɔːdjən] *agg.* edoardiano.

eel [iːl] *s.* anguilla.

eerie, eery ['iəri] *agg.* misterioso, strano; che dà i brividi.

to efface [i'feis] *v.tr.* cancellare // *to — oneself,* tenersi nell'ombra, non farsi notare.

effacement [i'feismənt] *s.* cancellatura.

effect [i'fekt] *s.* **1** effetto: *to take —,* avere effetto; entrare in azione; *to put into —,* effettuare, mettere in atto; *in —,* in effetti, in realtà // *of no —,* inefficace // *to this —,* a questo effetto; in questo senso // *to do sthg. for —,* fare qlco. per fare colpo // *sound effects,* effetti acustici // *water effects,* giochi d'acqua **2** *pl.* effetti (personali) // *no effects,* (*comm.*) insolvibile.

to effect *v.tr.* effettuare; realizzare; provocare.

effective [i'fektiv] *agg.* **1** efficace **2** di, ad effetto **3** effettivo, reale **4** (*dir.*) in vigore: *to become —,* entrare in vigore ♦ *s.* (*mil.*) effettivo.

effectiveness [i'fektivnis] *s.* efficacia.

effectual [i'fektjuəl] *agg.* **1** efficace **2** (*dir.*) valido.

to effectuate [i'fektjueit] *v.tr.* effettuare.

effeminacy [i'feminəsi] *s.* effeminatezza.

effeminate [i'feminit] *agg.* e *s.* effeminato.

effeminateness [i'feminitnis] *s.* effeminatezza.

to effervesce [ˌefə'ves] *v.intr.* essere effervescente (*anche fig.*).

effervescence [ˌefə'vesns] *s.* effervescenza.

effervescent [ˌefə'vesnt] *agg.* effervescente.

effete [e'fiːt] *agg.* sfibrato; fiacco; sterile.

efficacious [ˌefi'keiʃəs] *agg.* efficace.

efficaciousness [ˌefi'keiʃəsnis], **efficacy** ['efikəsi] *s.* efficacia.

efficiency [i'fiʃənsi] *s.* **1** efficienza; rendimento; produttività: *— expert,* consulente alla produttività **2** efficacia.

efficient [i'fiʃənt] *agg.* **1** efficiente; efficace **2** abile, capace.

effigy ['efidʒi] *s.* effigie.

to effloresce [ˌeflɔː'res] *v.intr.* **1** sbocciare, fiorire **2** (*chim.*) formare un'efflorescenza.

efflorescence [ˌeflɔː'resns] *s.* **1** fioritura **2** (*chim. med.*) efflorescenza.

efflorescent [ˌeflɔː'resnt] *agg.* **1** fiorente **2** (*chim.*) efflorescente.

effluence ['efluəns] *s.* efflusso, effusione.

effluent ['efluənt] *s.* **1** emissario **2** acque di scarico.

effluvium [e'fluːvjəm], *pl.* **effluvia** [e'fluːvjə] *s.* effluvio; esalazione.

efflux ['eflʌks] *s.* efflusso.

effort ['efət] *s.* **1** sforzo **2** (*fam.*) lavoro, opera.

effrontery [e'frʌntəri] *s.* sfrontatezza.

effulgence [e'fʌldʒəns] *s.* fulgore.

effulgent [e'fʌldʒənt] *agg.* fulgido.

effuse [e'fjuːs] *agg.* (*bot.*) espanso.

to effuse [e'fjuːz] *v.tr.* effondere ♦ *v.intr.* effondersi.

effusion [i'fjuːʒən] *s.* **1** spargimento **2** (*fig.*) effusione, profusione.

effusive [i'fjuːsiv] *agg.* espansivo; profuso: *to pay — compliments,* profondersi in complimenti.

egalitarian [iˌgæli'tɛəriən] *agg.* e *s.* (*pol.*) egualitario.

egalitarianism [iˌgæli'tɛəriənizəm] *s.* (*pol.*) egualitarismo.

egg¹ [eg] *s.* uovo: *boiled —,* uovo alla coque; *hard-boiled —,* uovo sodo; *new-laid —,* uovo fresco; *to suck an —,* bere un uovo // *in the —,* (*fig.*) in embrione // *bad —,* (*fam.*) cattivo soggetto // *— -shaped,* ovale, ovoidale // *to put all one's eggs in one basket*, giocare tutto su una carta.

to **egg**[2] *v.tr.*: *to — on*, istigare, incitare.

eggcup ['egkʌp] *s.* portauovo.

eggflip [eg'flip] *s.* bevanda a base di liquore e uova sbattute.

egghead ['eghed] *s.* (*sl.*) intellettuale, «testa d'uovo».

eggnog [egnɔg] *s.* → **eggflip**.

eggplant ['egplɑ:nt] *s.* melanzana.

eggshell ['egʃel] *s.* guscio d'uovo // *— china*, porcellana finissima.

egg whisk ['egwisk] *s.* frusta (per sbattere uova).

eglantine ['eglantain] *s.* rosa canina.

egocentric [,egou'sentrik, (*amer.*) ,i:gou'sentrik] *agg.* egocentrico.

egoism ['egouizəm, (*amer.*) 'i:gouizəm] *s.* egoismo; egotismo.

egoist ['egouist] *s.* egoista.

egotism ['egoutizəm, (*amer.*) 'i:goutizəm] *s.* egocentrismo, egotismo.

egotist ['egoutist] *s.* egocentrico, egotista.

egregious [i'gri:dʒəs] *agg.* **1** emerito **2** crasso, grossolano: *— blunder*, errore marchiano.

egress ['i:gres] *s.* uscita, egresso; via d'uscita.

egret ['i:gret] *s.* **1** (*zool.*) egretta **2** «aigrette» (ciuffo di piume) **3** (*bot.*) lanugine.

Egypt ['i:dʒipt] *no.pr.* Egitto.

Egyptian [i'dʒipʃən] *agg. e s.* egiziano.

egyptologist [,i:dʒip'tɔlədʒist] *s.* egittologo.

eiderdown ['aidədaun] *s.* piumino.

eight [eit] *agg.num.card. e s.* otto: *a boy of —*, un bambino di otto anni; *figure of —*, otto (nel pattinaggio artistico) // *to be one over the —*, (*fam.*) essere ubriaco.

eighteen ['ei'ti:n] *agg.num.card. e s.* diciotto.

eighteenth ['ei'ti:nθ] *agg.num.ord. e s.* diciottesimo.

eighth [eitθ] *agg.num.ord. e s.* ottavo.

eightieth ['eitiiθ] *agg.num.ord. e s.* ottantesimo.

eighty ['eiti] *agg.num.card. e s.* ottanta.

Eire ['eərə] *no.pr.* Repubblica d'Irlanda.

either ['aiðə*, 'i:ðə*, (*amer.*) 'i:ðər] *agg.* l'uno o l'altro (fra due); l'uno e l'altro, entrambi ♦ *pron.* l'uno o l'altro (dei due); l'uno e l'altro, entrambi: *— of them*, scegline uno, scegli l'uno o l'altro; *he knows both brothers, but he doesn't like — very much*, conosce entrambi i fratelli, ma non ha molta simpatia né per l'uno né per l'altro ♦ *avv.*: *not... —*, neanche, neppure, nemmeno: *you shall not go —*, non ci andrai neanche tu ♦ *cong.*: *— ... or*, (o)... o: *he is — in his room or in the garden*, è in camera sua o in giardino.

to **ejaculate** [i'dʒækjuleit] *v.tr.* **1** esclamare **2** (*med.*) eiaculare.

ejaculation [i,dʒækju'leiʃən] *s.* **1** esclamazione **2** (*med.*) eiaculazione.

to **eject** [i(:)'dʒekt] *v.tr.* emettere; espellere // *which may be ejected*, eiettabile **2** sfrattare, buttare fuori.

ejection [i(:)'dʒekʃən] *s.* **1** eiezione; espulsione **2** sfratto.

ejector [i(:)'dʒektə*] *s.* espulsore // *— seat*, sedile eiettabile.

to **eke** [i:k] *v.tr.*: *to — out*, integrare; far durare, economizzare (su): *to — out one's salary*, arrotondare lo stipendio.

elaborate [i'læbərit] *agg.* elaborato.

to **elaborate** [i'læbəreit] *v.tr.* elaborare.

elaboration [i,læbə'reiʃən] *s.* elaborazione.

to **elapse** [i'læps] *v.intr.* trascorrere, passare.

elastic [i'læstik] *agg. e s.* elastico.

elasticity [,elæsti'siti] *s.* elasticità.

elated [i'leitid] *agg.* eccitato, infervorato.

elation [i'leiʃən] *s.* eccitazione; esaltazione.

elbow ['elbou] *s.* gomito: *at one's —*, vicino; al proprio fianco // *out at (the) elbows*, scalcagnato, male in arnese.

to **elbow** *v.tr.* e *intr.* spingere con il gomito; andare avanti a gomitate: *to — one's way through a crowd*, farsi largo a gomitate tra una folla.

elbow grease ['elbougri:s] *s.* (*fig. scherz.*) olio di gomito.

elbowroom ['elbourum] *s.* (*scherz.*) spazio: *there is no — here!*, qui non c'è spazio per muoversi!

elder[1] ['eldə*] *agg.* (*compar. di* old) maggiore (di età): *my — son*, il maggiore dei miei due figli ♦ *s.* **1** maggiore (tra due); anziano // *Pliny the Elder*, Plinio il Vecchio **2** *pl.* antenati **3** dignitario (spec. presbiteriano).

elder[2] *s.* (*bot.*) sambuco.

elderly ['eldəli] *agg.* anziano; attempato.

eldest ['eldist] *agg.* (*superl. di* old) primogenito, maggiore: *my — son*, mio figlio maggiore.

elect [i'lekt] *agg.* eletto.

to **elect** *v.tr.* **1** eleggere **2** scegliere.

election [i'lekʃən] *s.* **1** elezione: *early elections*, elezioni anticipate // *by —*, elezione suppletiva **2** scelta.

to **electioneer** [i,lekʃə'niə*] *v.intr.* fare propaganda elettorale.

elective [i'lektiv] *agg.* **1** elettivo **2** elettorale **3** (*amer.*) opzionale.

electivity [i,lek'tiviti] *s.* eleggibilità.

elector [i'lektə*] *s.* elettore.

electoral [i'lektərəl] *agg.* elettorale: *— roll*, registro elettorale.

electorate [i'lektərit] *s.* elettorato.

electric [i'lektrik] *agg.* elettrico // *— eel*, (*zool.*) gimnoto // *— eye*, (*fam.*) cellula fotoelettrica.

electrical [i'lektrikəl] *agg.* elettrico.

electrician [ilek'triʃən] *s.* elettricista; elettrotecnico.

electricity [ilek'trisiti] *s.* elettricità.

electrification [i,lektrifi'keiʃən] *s.* elettrificazione; elettrizzazione (*anche fig.*).

to **electrify** [i'lektrifai] *v.tr.* elettrificare; elettrizzare (*anche fig.*).

electro- [i'lektrou] *pref.* elettro-.

electrocardiogram [i,lektrou'ka:diəgræm] *s.* elettrocardiogramma.

to **electrocute** [i'lektrəkju:t] *v.tr.* folgorare; far morire sulla sedia elettrica.

electrode [i'lektroud] *s.* elettrodo.

electroencephalogram [i'lektrou,enki'fælə,græm] *s.* elettroencefalogramma.

electrolysis [ilek'trɔlisis] *s.* elettrolisi.

electrolyte [i'lektroulait] *s.* (*fis. chim.*) elettrolito.

electromagnet [i'lektrou'mægnit] *s.* elettromagnete.

electrometer [ilek'trɔmitə*] *s.* elettrometro.

electromotive [i'lektroumoutiv] *agg.* elettromotore.

electromotor [i'lektrou'moutə*] *s.* (*ind.*) motore elettrico.

electron [i'lektrɔn] *s.* elettrone // *— tube*, (*amer.*) tubo elettronico.

electronic [ilek'trɔnik] *agg.* elettronico: *— installation*, centro elettronico.

electronics [ilek'trɔniks] *s.* elettronica.

to **electroplate** [i'lektroupleit] *v.tr.* (*chim.*) placcare.

electroscope [i'lektrəskoup] *s.* elettroscopio.

electrotyping [i'lektrou,taipiŋ] *s.* galvanoplastica.

eleemosynary [ˌelii:'mɔsinəri] *agg.* di beneficenza, di carità.

elegance ['eligəns], **elegancy** ['eligənsi] *s.* eleganza.

elegant ['eligənt] *agg.* elegante, raffinato.

elegiac [ˌeli'dʒaiək] *agg.* elegiaco.

elegiacs [ˌeli'dʒaiəks] *s.pl.* versi elegiaci.

elegy ['elidʒi] *s.* elegia.

element ['elimənt] *s.* elemento // *in one's* —, nel proprio elemento // *the Elements*, pane e vino dell'Eucaristia.

elemental [ˌeli'mentl] *agg.* **1** dei quattro elementi; delle forze naturali **2** semplice.

elementary [ˌeli'mentəri] *agg.* elementare.

elephant ['elifənt] *s.* elefante // *a white* —, (*fam.*) oggetto, cosa costosa ma inutile.

elephantiasis [ˌelifən'taiəsis] *s.* (*med.*) elefantiasi.

elephantine [ˌeli'fæntain] *agg.* elefantesco.

to elevate ['eliveit] *v.tr.* **1** alzare, elevare (*anche fig.*) **2** esaltare.

elevation [ˌeli'veiʃən] *s.* **1** elevazione (*anche fig.*) **2** (*mil.*) angolo di elevazione **3** collina, luogo elevato **4** (*fig.*) nobiltà.

elevator ['eliveitə*] *s.* **1** montacarichi; (*amer.*) ascensore **2** silo **3** (*anat.*) muscolo elevatore.

elevatory [eli'veitəri] *agg.* elevatore.

eleven [i'levn] *agg.num.card.* e *s.* undici // — *-plus*, esame discriminatorio e attitudinale sostenuto a 11 anni per l'ammissione alle scuole superiori.

elevenses [i'levnziz] *s.pl.* tè o caffè di metà mattina.

eleventh [i'levnθ] *agg.num.ord.* e *s.* undicesimo // *at the* — *hour*, all'ultimo momento, appena in tempo.

elf [elf], *pl.* **elves** [elvz] *s.* **1** (*mit.*) elfo, folletto **2** bimbo vivacissimo.

elfin ['elfin] *agg.* **1** di, da, simile ad elfo // — *charm*, fascino birichino **2** minuta e graziosa.

elfish ['elfiʃ] *agg.* **1** da elfo **2** magico; malevolo.

to elicit [i'lisit] *v.tr.* **1** provocare (*anche fig.*): *to* — *applause*, provocare un applauso **2** dedurre.

elicitation [i,lisi'teiʃən] *s.* deduzione.

to elide [i'laid] *v.tr.* elidere.

eligible ['elidʒəbl] *agg.* **1** eleggibile **2** adatto.

to eliminate [i'limineit] *v.tr.* eliminare, scartare.

elimination [i,limi'neiʃən] *s.* eliminazione.

elision [i'liʒən] *s.* elisione.

elixir [i'liksə*] *s.* elisir.

Elizabethan [i,lizə'bi:θən] *agg.* e *s.* elisabettiano.

elk [elk] *s.* (*zool.*) alce.

ell [el] *s.* antica misura di lunghezza inglese corrispondente a 45 pollici // *give him an inch and he'll take an* —, gli dai un dito e si prende il braccio.

ellipse [i'lips] *s.* (*geom.*) ellisse.

ellipsis [i'lipsis], *pl.* **ellipses** [i'lipsi:z] *s.* (*gramm.*) ellissi.

elliptic(al) [i'liptik(əl)] *agg.* (*geom. gramm.*) ellittico.

elm [elm] *s.* (*bot.*) olmo.

elocution [ˌelə'kju:ʃən] *s.* elocuzione.

to elongate ['i:lɔŋgeit, (*amer.*) i'lɔ:ŋgeit] *v.tr.* allungare ♦ *v.intr.* allungarsi.

elongation [ˌi:lɔŋ'geiʃən] *s.* allungamento; prolungamento.

to elope [i'loup] *v.intr.* fuggire.

elopement [i'loupmənt] *s.* fuga (romantica).

eloquence ['eləkwəns] *s.* eloquenza.

eloquent ['eləkwənt] *agg.* eloquente.

else [els] *avv.* **1** (*in unione a pron. indef. e interr. e ad alcuni avv.*) altro: *something* —, qualcos'altro; *nobody* —, nessun altro; *what* — *did he say?*, che altro ha det-

to?; *where* — *have you been?*, dove altro, in quali altri posti sei stato?; *when* — *can I come?*, in che altro momento posso venire? **2** *or* —, altrimenti: *hurry up, or* — *you will be late*, spicciati, altrimenti farai tardi.

elsewhere ['els'wɛə*] *avv.* altrove.

to elucidate [i'lu:sideit] *v.tr.* delucidare, spiegare.

elucidation [i,lu:si'deiʃən] *s.* delucidazione.

to elude [i'lu:d] *v.tr.* eludere, schivare; sottrarsi a.

elusion [i'lu:ʒən] *s.* elusione.

elusive [i'lu:siv] *agg.* **1** evasivo, ambiguo; sfuggente: — *memory*, memoria labile **2** (*di persona*) inafferrabile.

elusory [i'lu:səri] *agg.* evasivo.

elvish ['elviʃ] *agg.* → **elfish**.

'em [əm] *abbr.* (*fam.*) di **them**.

emaciated [i'meiʃieitid] *agg.* emaciato.

to emanate ['eməneit] *v.intr.* emanare.

emanation [ˌemə'neiʃən] *s.* emanazione.

to emancipate [i'mænsipeit] *v.tr.* emancipare.

emancipation [i,mænsi'peiʃən] *s.* emancipazione.

emasculate [i'mæskjulit] *agg.* **1** evirato **2** effeminato **3** (*fig.*) senza mordente (di stile).

to emasculate [i'mæskjuleit] *v.tr.* **1** evirare **2** rendere effeminato **3** (*fig.*) indebolire; togliere mordente (a).

emasculation [i,mæskju'leiʃən] *s.* **1** evirazione **2** (*fig.*) indebolimento; impoverimento.

to embalm [im'ba:m] *v.tr.* **1** imbalsamare **2** profumare **3** (*fig.*) tener vivo il ricordo (di qlcu.).

to embank [im'bæŋk] *v.tr.* arginare.

embankment [im'bæŋkmənt] *s.* argine; terrapieno.

embarcation [ˌemba:'keiʃən] *s.* imbarco.

embargo [em'ba:gou], *pl.* **embargoes** [em'ba:gouz] *s.* **1** (*mar.*) embargo **2** (*fig.*) divieto, impedimento.

to embark [im'ba:k] *v.tr.* imbarcare ♦ *v.intr.* imbarcarsi (*anche fig.*): *to* — *on a business*, intraprendere un commercio.

embarkation [ˌemba:'keiʃən] *s.* **1** imbarco **2** carico.

to embarrass [im'bærəs] *v.tr.* **1** mettere in imbarazzo; sconcertare **2** ostacolare **3** (*fig.*) creare difficoltà economiche (a).

embarrassment [im'bærəsmənt] *s.* imbarazzo; impaccio; difficoltà.

embassy ['embəsi] *s.* **1** ambasciata **2** missione diplomatica.

to embed [im'bed] *v.tr.* incassare; incastrare; fissare (*anche fig.*).

to embellish [im'beliʃ] *v.tr.* ornare, abbellire.

embellishment [im'beliʃmənt] *s.* ornamento, abbellimento.

ember ['embə*] *s.* **1** tizzone **2** *pl.* brace (*sing.*).

to embezzle [im'bezl] *v.tr.* (*dir.*) malversare.

embezzlement [im'bezlmənt] *s.* malversazione, appropriazione indebita.

to embitter [im'bitə*] *v.tr.* **1** rendere amaro **2** (*fig.*) amareggiare **3** (*fig.*) esacerbare.

to emblazon [im'bleizən] *v.tr.* **1** (*arald.*) ornare con blasoni **2** (*fig.*) esaltare, celebrare.

emblazonry [im'bleizənri] *s.* araldica.

emblem ['embləm] *s.* emblema, simbolo.

embodiment [im'bodimənt] *s.* incarnazione.

to embody [im'bodi] *v.tr.* **1** incarnare **2** incorporare, includere.

to embolden [im'bouldən] *v.tr.* incoraggiare.

embolism ['embəlizəm] *s.* (*med.*) embolia.

to emboss [im'bos] *v.tr.* sbalzare; goffrare.

embossed [im'bost] *agg.* sbalzato; goffrato.

embouchure [ɔmbu'ʃuə*] *s.* **1** foce **2** (*mus.*) imboccatura.

embrace [im'breis] *s.* abbraccio.

to **embrace** *v.tr.* e *intr.* **1** abbracciare (*anche fig.*); abbracciarsi **2** cogliere (occasione ecc.).

embrasure [im'breiʒə*] *s.* strombatura.

embrocation [,embrou'keiʃən] *s.* (*med.*) linimento.

to **embroider** [im'brɔidə*] *v.tr.* ricamare (*anche fig.*): *embroidered language*, linguaggio fiorito.

embroidery [im'brɔidəri] *s.* **1** ricamo: — *frame*, telaio da ricamo **2** (*fig.*) ornamento.

to **embroil** [im'brɔil] *v.tr.* **1** coinvolgere // *to* — *s.o. with s.o.*, causare discordia tra due persone **2** confondere, ingarbugliare.

embroilment [im'brɔilmənt] *s.* **1** il coinvolgere, l'essere coinvolto **2** tumulto; confusione.

embryo ['embriou] *s.* embrione (*anche fig.*).

embryonic [,embri'ɔnik] *agg.* embrionale.

to **emend** [i(:)'mend] *v.tr.* emendare.

emendation [,i:men'deiʃən] *s.* emendamento.

emerald ['emərəld] *agg.* e *s.* smeraldo.

to **emerge** [i'mə:dʒ] *v.intr.* emergere (*anche fig.*).

emergence [i'mə:dʒəns] *s.* emersione, (*fig.*) comparsa.

emergency [i'mə:dʒənsi] *s.* emergenza // — *means*, mezzi di fortuna // — *landing field*, (*aer.*) campo di fortuna // — *brake*, freno di sicurezza // — *door*, —, *exit*, uscita di sicurezza.

emersion [i(:)'mə:ʃən] *s.* emersione.

emery ['eməri] *s.* smeriglio // — *board*, limetta di carta smerigliata (per unghie); — *cloth*, *paper*, tela, carta smeriglio; — *wheel*, mola a smeriglio.

emetic [i'metik] *agg.* e *s.* (*farm.*) emetico.

emiction [e'mikʃən] *s.* minzione.

emigrant ['emigrənt] *agg.* e *s.* emigrante.

to **emigrate** ['emigreit] *v.intr.* emigrare.

emigration [,emi'greiʃən] *s.* emigrazione.

Emily ['emili] *no.pr.f.* Emilia.

eminence ['eminəns], **eminency** ['eminənsi] *s.* **1** luogo, parte eminente; altura **2** (*fig.*) posizione di rilievo; superiorità **3** *Eminence*, (*eccl.*) Eminenza.

eminent ['eminənt] *agg.* eminente (*anche fig.*).

emir [e'miə*] *s.* emiro.

emirate [e'miərit] *s.* emirato.

emissary ['emisəri] *agg.* e *s.* emissario.

emission [i'miʃən] *s.* emissione.

to **emit** [i'mit] *v.tr.* emettere (*anche fig.*).

Emmanuel ['imænjuəl] *no.pr.m.* Emanuele.

emollient [i'mɔliənt] *agg.* e *s.* emolliente.

emolument [i'mɔljumənt] *s.* emolumento.

emotion [i'mouʃən] *s.* **1** emozione; commozione; turbamento **2** sentimento.

emotional [i'mouʃənl] *agg.* **1** emotivo; impressionabile **2** commovente.

emotive [i'moutiv] *agg.* emotivo.

to **empanel** [im'pænl] *v.tr.* compilare un elenco di giurati; includere in una giuria.

empathy ['empəθi] *s.* **1** intesa affettiva; l'identificarsi con un'altra persona **2** (*fil. psic.*) empatia.

emperor ['empərə*] *s.* imperatore.

emphasis ['emfəsis] *s.* enfasi; accentuazione; rilievo: *to lay — on*, mettere in evidenza.

to **emphasize** ['emfəsaiz] *v.tr.* mettere in evidenza; dare rilievo (a); accentuare.

emphatic [im'fætik] *agg.* accentuato; enfatico; chiaro, deciso.

empire ['empaiə*] *s.* impero ♦ *agg.* (*arte*) impero.

empiric [em'pirik] *agg.* e *s.* empirico.

empirical [em'pirikəl] *agg.* empirico.

empiricism [em'pirisizəm] *s.* empirismo.

emplacement [im'pleismənt] *s.* **1** posizione, piazzamento **2** (*mil.*) postazione.

to **employ** [im'plɔi] *s.* impiego: *to be in the — of*, essere impiegato presso.

to **employ** *v.tr.* impiegare, adoperare.

employee [,emplɔ'i:] *s.* impiegato.

employer [im'plɔiə*] *s.* datore di lavoro.

employment [im'plɔimənt] *s.* impiego, occupazione, lavoro: *to be out of* —, essere disoccupato // — *agency* (o *bureau*) agenzia di collocamento // — *exchange*, ufficio di collocamento.

emporium [em'pɔ:riəm] *s.* **1** emporio **2** centro commerciale.

to **empower** [im'pauə*] *v.tr.* **1** autorizzare, dare pieni poteri (a) **2** (*dir.*) dare la procura (a).

empress ['empris] *s.* imperatrice.

empty ['empti] *agg.* vuoto (*anche fig.*): — *of meaning*, privo di senso; — *promises*, vane promesse; *on an — stomach*, a stomaco vuoto, a digiuno // *an — chair*, cattedra vacante ♦ *s.pl.* (*fam.*) i vuoti.

to **empty** *v.tr.* **1** vuotare; svuotare; evacuare; sgombrare **2** versare // *to — itself into the sea*, (*di fiume*) sfociare ♦ *v.intr.* vuotarsi.

empty-headed ['empti'hedid] *agg.* scervellato.

to **empurple** [em'pə:pl] *v.tr.* imporporare.

empyreal [,empai'ri(:)əl] *agg.* empireo.

empyrean [,empai'ri(:)ən] *agg.* e *s.* empireo.

to **emulate** ['emjuleit] *v.tr.* emulare; rivaleggiare.

to **emulsify** [i'mʌlsifai] *v.tr.* emulsionare.

emulsion [i'mʌlʃən] *s.* emulsione.

to **enable** [i'neibl] *v.tr.* mettere in grado di; rendere capace di.

to **enact** [i'nækt] *v.tr.* **1** (*dir.*) decretare; promulgare (una legge): *as by law enacted*, a termine di legge **2** recitare (una parte).

enactment [i'næktmənt] *s.* **1** promulgazione **2** legge, decreto.

enamel [i'næməl] *s.* smalto ♦ *agg.* di smalto, smaltato.

to **enamel** *v.tr.* smaltare.

enamelware [i'næməlwɛə*] *s.* vasellame smaltato.

to **enamour** [i'næmə*] *v.tr.* (far) innamorare.

to **encamp** [in'kæmp] *v.tr.* accampare ♦ *v.intr.* accamparsi.

encampment [in'kæmpmənt] *s.* accampamento; campeggio.

to **encase** [in'keis] *v.tr.* rinchiudere (in un astuccio ecc.).

encephalitis [,ensefə'laitis] *s.* (*med.*) encefalite.

to **enchain** [in'tʃein] *v.tr.* incatenare; (*fig.*) affascinare.

to **enchant** [in'tʃɑ:nt] *v.tr.* incantare; affascinare.

enchantment [in'tʃɑ:ntmənt] *s.* incantesimo; incanto; fascino.

enchantress [in'tʃɑ:ntris] *s.f.* ammaliatrice, incantatrice.

to **encase** [in'tʃeis] *v.tr.* incastonare; incidere (metalli).

to **encircle** [in'sə:kl] *v.tr.* circondare, cingere.

enclitic [in'klitik] *agg.* (*gramm.*) enclitico ♦ *s.* (*gramm.*) enclitica.

to **enclose** [in'klouz] *agg.* **1** rinchiudere; cingere; circondare **2** accludere.

enclosed [in'klouzd] *agg.* **1** racchiuso; cinto, circondato // *an* — (*religious*) *order*, ordine di clausura **2** accluso, allegato: *please find* —, (*comm.*) qui allegato troverete.

enclosure [in'klouʒə*] *s.* **1** recinto, luogo cintato **2** recinto; staccionata // — *wall*, muro di cinta **3** (*comm.*) allegato.

to **encode** [in'koud] *v.tr.* mettere in codice.

to **encompass** [in'kʌmpəs] *v.tr.* circondare.

encore [ɔŋ'kɔ:*] *s.* e *inter.* (*teatr.*) bis!

to **encore** *v.tr.* e *intr.* (teatr.) chiedere (un bis).

encounter [in'kauntə*] *s.* incontro.

to **encounter** *v.tr.* **1** incontrare, imbattersi (in) **2** affrontare (ostacoli, nemici ecc.).

to **encourage** [in'kʌridʒ] *v.tr.* incoraggiare.

encouragement [in'kʌridʒmənt] *s.* incoraggiamento.

to **encroach** [in'kroutʃ] *v.intr.* abusare (dei propri diritti o privilegi): *to — (up)on sthg.*, usurpare qlco., violare qlco.

encroachment [in'kroutʃmənt] *s.* abuso; intrusione.

to **encrust** [in'krʌst] *v.tr.* **1** incrostare **2** tempestare (di pietre preziose) ♦ *v.intr.* incrostarsi.

to **encumber** [in'kʌmbə*] *v.tr.* **1** gravare: *encumbered estate*, proprietà gravata di ipoteche **2** ingombrare, impacciare.

encumbrance [in'kʌmbrəns] *s.* **1** ingombro, impaccio; peso // *without encumbrances*, senza persone a carico **2** ipoteca.

encyclical [en'siklikəl] *agg.* (*eccl.*) enciclico ♦ *s.* (*eccl.*) enciclica.

encyclop(a)edia [en,saiklou'pi:djə] *s.* enciclopedia.

end [end] *s.* **1** fine; estremità; limite: — *to —*, con le estremità che si toccano // *on —*, in piedi, diritto; (*di tempo*) di fila: *his hair stood on —*, gli si rizzarono i capelli // *to be at the — of one's tether*, essere allo stremo delle forze // *to be at one's wit's —*, non sapere come cavarsela // *to get hold of the wrong — of the stick*, capire Roma per toma // *to make both ends meet*, sbarcare il lunario // *to go off the deep —*, perdere la pazienza // *to keep one's — up*, (*fam.*) resistere, tener duro // *to be at a loose —*, essere sfaccendato, disoccupato; non avere niente da fare // *no — (of)*, (*fam.*) moltissimo: *I think no — of him*, ho un'altissima opinione di lui **2** fine, termine, conclusione: *at the —*, alla fine; *in the —*, infine, insomma; *to come to an —*, concludersi; *to bring sthg. to an —*, porre fine a qlco.; *he is nearing the end*, è vicino alla fine // *and that is the — of it*, ecco tutto **3** scopo; proposito: *to the — that*, affinché; *to gain one's —*, raggiungere il proprio scopo.

to **end** *v.tr.* finire; concludere; condurre a termine: *to — off* (o *up*) *a speech*, concludere un discorso ♦ *v.intr.* finire (in); giungere a termine; cessare; (*fig.*) morire: *to — by doing sthg.*, finire per fare qlco.; *to — up in prison*, finire in prigione; *to — in smoke*, (*fig.*) finire in fumo.

to **endanger** [in'deindʒə*] *v.tr.* mettere in pericolo.

to **endear** [in'diə*] *v.tr.* render caro.

endearing [in'diəriŋ] *agg.* tenero, affettuoso; amabile.

endearment [in'diəmənt] *s.* **1** tenerezza; affetto: *term of —*, vezzeggiativo **2** vezzo, carezza.

endeavour [in'devə*] *s.* sforzo, tentativo.

to **endeavour** *v.intr.* cercare; tentare ♦ *v.intr.* sforzarsi.

endemic [en'demik] *agg.* (*med.*) endemico.

ending ['endiŋ] *agg.* finale, ultimo ♦ *s.* **1** fine, conclusione; morte **2** (*gramm.*) desinenza.

endive ['endiv, (*amer.*) 'endaiv] *s.* (*bot.*) indivia.

endless ['endlis] *agg.* infinito, interminabile.

endlong ['endlɔŋ] *avv.* longitudinalmente; verticalmente.

endmost ['endmoust] *agg.* il più remoto.

endo- ['endou] *pref.* endo-.

endocrine ['endoukrain] *agg.* endocrino.

endogenous [en'dodʒinəs] *agg.* endogeno.

to **endorse** [in'dɔ:s] *v.tr.* **1** (*comm.*) girare; firmare; attergare // *to — a (driving) licence*, annotare un'infrazione sulla patente **2** (*fig.*) confermare; appoggiare.

endorsee [,endɔ:'si] *s.* (*comm.*) giratario.

endorsement [in'dɔ:smənt] *s.* **1** (*comm.*) girata; firma // *blank —*, girata in bianco; *qualified —*, girata condizionata **2** annotazione di un'infrazione sulla patente **3** (*fig.*) conferma; appoggio.

endorser [in'dɔ:sə*] *s.* (*comm.*) girante.

to **endow** [in'dau] *v.tr.* dare in dote; dotare.

endowment [in'daumənt] *s.* donazione; dotazione; dote (*anche fig.*).

end product ['endprɔdəkt] *s.* prodotto terminale.

to **endue** [in'dju] *v.tr.* dotare; concedere: *to — s.o. with powers*, conferire poteri a qlcu.

endurable [in'djuərəbl] *agg.* sopportabile.

endurance [in'djuərəns] *s.* resistenza; sopportazione.

to **endure** [in'djuə*] *v.tr.* e *intr.* resistere; sopportare; durare.

enduring [in'djuəriŋ] *agg.* durevole.

endways ['endweiz], **endwise** ['endwaiz] *avv.* **1** per il lungo **2** in posizione eretta.

enema ['enimə] *s.* clistere.

enemy ['enimi] *agg.* e *s.* nemico.

energetic [,enə'dʒetik] *agg.* energico; energetico.

to **energize** ['enədʒaiz] *v.tr.* riempire di energia ♦ *v.intr.* agire con vigore.

energy ['enədʒi] *s.* energia.

to **enervate** ['enə:veit] *v.tr.* snervare.

enervation [,enə'veiʃən] *s.* indebolimento.

to **enfeeble** [in'fi:bl] *v.tr.* indebolire.

to **enfilade** [,enfi'leid] *v.tr.* (*mil.*) colpire d'infilata.

to **enfold** [in'fould] *v.tr.* **1** avvolgere **2** abbracciare.

to **enforce** [in'fɔ:s] *v.tr.* imporre, far osservare.

enforcement [in'fɔ:smənt] *s.* imposizione; costrizione.

enforcer [in'fɔ:sə*] *s.* scagnozzo, tirapiedi (di un gangster).

to **enfranchise** [in'fræntʃaiz] *v.tr.* **1** (*pol.*) accordare il diritto di voto (a) **2** liberare.

enfranchisement [in'fræntʃizmənt] *s.* **1** diritto di voto **2** liberazione.

to **engage** [in'geidʒ] *v.tr.* **1** impegnarsi; promettere, garantire // *to — oneself*, impegnarsi **2** riservare; usare, occupare // *to — s.o.'s affection*, accattivarsi l'affetto di qlcu. **3** assumere **4** (*mil.*) attaccare, dare battaglia (a) **5** (*mecc.*) ingranare, innestare ♦ *v.intr.* essere occupato; fare: *to — in letter-writing*, essere occupato a scrivere lettere.

engaged [in'geidʒd] *agg.* **1** fidanzato; promesso **2** impiegato **3** occupato.

engagement [in'geidʒmənt] *s.* **1** impegno; promessa **2** fidanzamento **3** (*mil.*) scontro.

engaging [in'geidʒiŋ] *agg.* attraente, seducente.

to **engender** [in'dʒendə*] *v.tr.* produrre, causare.

engine ['endʒin] *s.* **1** macchina; motore: — *room*, sala macchine; — *bearer*, (*aer.*) castello motore; *air -cooled —*, motore con raffreddamento ad aria; *four -stroke —*, motore a quattro tempi; *internal-combustion —*, motore a scoppio **2** locomotiva a vapore **3** (*arc.*) strumento, mezzo.

engine driver ['endʒin,draivə*] *s.* macchinista.

engineer [,endʒi'niə*] *s.* **1** ingegnere; tecnico: *civil, electrical, mining —*, ingegnere civile, elettrotecnico, minerario; *assistant —*, assistente tecnico; *sound —*, (*cinem.*) tecnico del suono **2** (*mar.*) macchinista (*amer.*) macchinista, conducente di un treno **3** (*mil.*) geniere.

to engineer *v.tr.* **1** progettare, costruire **2** macchinare ♦ *v.intr.* esercitare la professione di ingegnere.

engineering [,endʒi'niəriŋ] *s.* ingegneria: *industrial* —, ingegneria industriale // *military* —, genio.

England ['ingländ] *no.pr.* Inghilterra.

English ['ingliʃ] *agg.* inglese ♦ *s.* **1** *the* —, gli inglesi **2** la lingua inglese // *American* —, inglese parlato negli Stati Uniti d'America // *Middle* —, l'inglese letterario usato dal sec. 12° al sec. 15° // *Old* —, inglese antico // *Queen's* — (o *King's* —), l'inglese corretto // *to speak in plain* —, parlare chiaramente.

Englishism ['ingliʃizəm] *s.* **1** anglismo **2** modo di vita tipico degli inglesi.

Englishman, *pl.* **Englishmen** ['ingliʃmən] *s.* inglese.

Englishwoman ['ingliʃ,wumən], *pl.* **Englishwomen** ['ingliʃ,wimin] *s.* inglese (donna).

to engraft [in'gra:ft] *v.tr.* **1** (*bot.*) innestare **2** (*fig.*) inculcare.

to engrain [in'grein] *v.tr.* impregnare; imbevere (*anche fig.*) // *engrained prejudices*, pregiudizi inveterati.

to engrave [in'greiv] *v.tr.* intagliare; incidere; scolpire (*anche fig.*).

engraver [in'greivə*] *s.* incisore.

engraving [in'greiviŋ] *s.* **1** arte dell'incisione; silografia **2** incisione; stampa.

to engross [in'grous] *v.tr.* **1** monopolizzare (l'attenzione); assorbire, tenere occupato **2** (*dir.*) copiare (un atto) a grandi caratteri; redigere (un documento) **3** incettare, fare incetta (di).

to engulf [in'gʌlf] *v.tr.* sommergere, inabissare.

to enhance [in'ha:ns] *v.tr.* **1** valorizzare **2** aumentare; intensificare.

enhancement [in'ha:nsmənt] *s.* aumento.

to enjoin [in'dʒɔin] *v.tr.* comandare; intimare, ingiungere: *to* — *prudence on s.o.*, raccomandare la prudenza a qlcu.

to enjoy [in'dʒɔi] *v.tr.* **1** provar gioia, piacere (in): *I* — *reading*, mi piace leggere; *to* — *oneself*, divertirsi **2** godere (di); possedere: *to* — *good health*, godere buona salute.

enjoyable [in'dʒɔiəbl] *agg.* piacevole, divertente.

enjoyment [in'dʒɔimənt] *s.* divertimento, piacere, gioia.

to enlarge [in'la:dʒ] *v.tr.* allargare, ampliare, ingrandire: *to* — *a photo*, fare un ingrandimento di una fotografia ♦ *v.intr.* **1** allargarsi, ampliarsi **2** *to* — *upon*, dilungarsi su (un argomento).

enlargement [in'la:dʒmənt] *s.* ampliamento; ingrandimento (spec. fotografico).

enlarger [in'la:dʒə*] *s.* (*fot.*) ingranditore.

to enlighten [in'laitn] *v.tr.* **1** istruire, informare **2** (*fig.*) illuminare.

enlightening [in'laitniŋ] *agg.* istruttivo.

enlightenment [in'laitnmənt] *s.* istruzione; schiarimento // *the Enlightenment*, (*fil.*) l'Illuminismo.

to enlist [in'list] *v.tr.* **1** arruolare; ingaggiare **2** assicurarsi (l'aiuto, la simpatia) ♦ *v.intr.* **1** arruolarsi volontario **2** (*fig.*) cooperare, partecipare.

enlistment [in'listmənt] *s.* arruolamento, ingaggio.

to enliven [in'laivn] *v.tr.* animare, ravvivare; rallegrare.

to enmesh [in'meʃ] *v.tr.* **1** inviluppare **2** (*fig.*) irretire.

enmity ['enmiti] *s.* ostilità, inimicizia; odio.

to ennoble [i'noubl] *v.tr.* nobilitare (*anche fig.*).

enormity [i'nɔ:miti] *s.* enormità; malvagità, mostruosità.

enormous ['inɔ:məs] *agg.* enorme, immenso.

enough [i'nʌf] *agg.* abbastanza, sufficiente: *have you* — *money* (o *money* —)?, hai abbastanza denaro? ♦ *avv.* abbastanza; discretamente: *well* —, abbastanza, discretamente bene; (*iron.*) fin troppo bene; *sure* —, certamente ♦ *s.* il necessario; quanto basta: *I have* — *of this*, ne ho abbastanza // *to have* — *and to spare of it*, averne più che a sufficienza; *more than* —, più che a sufficienza; più che sufficiente // — *of this!*, basta!, smettetela! // — *is as good as a feast*, (*prov.*) chi si contenta gode.

to enounce [i(:)'nauns] *v.tr.* enunciare, pronunciare.

to enquire e *deriv.* → **to inquire** e *deriv.*

to enrage [in'reidʒ] *v.tr.* far arrabbiare.

to enrapture [in'ræptʃə*] *v.tr.* estasiare.

to enrich [in'ritʃ] *v.tr.* arricchire (*anche fig.*).

to enrol [in'roul] *v.tr.* arruolare (soldati); ingaggiare (operai); immatricolare; iscrivere.

enrolment [in'roulmənt] *s.* arruolamento; iscrizione: — *card*, tesserino (d'iscrizione).

to ensconce [in'skɔns] *v.tr.* mettere al sicuro; sistemare comodamente.

ensemble [ɔn'sɔmbl] *s.* **1** insieme **2** (*mus.*) «ensemble», complesso vocale o strumentale.

to enshrine [in'ʃrain] *v.tr.* **1** rinchiudere (in un reliquiario) **2** (*fig.*) venerare.

to enshroud [in'ʃraud] *v.tr.* ammantare, avvolgere; coprire completamente; nascondere; velare.

ensign ['ensain] *s.* **1** insegna; bandiera, stendardo **2** (*mar. amer.*) guardiamarina **3** (*mil.*) alfiere.

to enslave [in'sleiv] *v.tr.* ridurre in schiavitù; (*fig.*) rendere schiavo.

to ensnare [in'snɛə*] *v.tr.* **1** prendere in trappola **2** (*fig.*) irretire **3** (*fig.*) adescare.

to ensue [in'sju:] *v.tr.* derivare, risultare.

to ensure [in'ʃuə*] *v.tr.* **1** assicurare: *to* — *a post for s.o.*, garantire un posto a qlcu. **2** premunire: *to* — *oneself against sthg.*, premunirsi contro qlco.

entablature [in'tæblətʃə*] *s.* trabeazione.

to entail [in'teil] *v.tr.* eredità limitata ai figli.

to entail *v.tr.* comportare, implicare.

to entangle [in'tæŋgl] *v.tr.* **1** ingarbugliare **2** impigliare **3** (*fig.*) mettere nei guai: *to* — *oneself in debts*, impelagarsi nei debiti **4** (*fig.*) mettere in trappola; irretire.

entanglement [in'tæŋglmənt] *s.* **1** groviglio, garbuglio **2** (*mil.*) reticolato.

to enter ['entə*] *v.tr.* **1** entrare (in) (*anche fig.*); penetrare (in) // *to* — *the Church*, prendere gli ordini religiosi // *to* — *a college, the Army*, entrare in un collegio, nell'esercito **2** annotare; (*comm.*) registrare; iscrivere; allibrare: *to* — *a name on a list*, iscrivere un nome in un elenco; *to* — *a yacht for a race*, iscrivere uno yacht a una gara ♦ *v.intr.* **1** entrare; (*teatr.*) entrare in scena **2** *to* — *for*, iscriversi come concorrente a **3** *to* — *into* (*sthg.*), entrare in; prendere parte a; impegnarsi in: *to* — *into business*, entrare negli affari; *to* — *into conversation with s.o.*, iniziare una conversazione con qlcu. **4** *to* — (*up*) *on* (*sthg.*), iniziare, intraprendere; (*dir.*) entrare in possesso di (eredità ecc.): *to* — *upon an office*, entrare in carica.

enteritis [,entə'raitis] *s.* (*med.*) enterite.

enterprise ['entəpraiz] *s.* **1** impresa **2** iniziativa: *to show* —, mostrarsi intraprendente.

enterprising [ˈentəpraiziŋ] *agg.* intraprendente.

to **entertain** [ˌentəˈtein] *v.tr.* **1** divertire, intrattenere **2** ricevere, ospitare **3** prendere in considerazione **4** avere in mente // *to* — *a hope, an idea*, nutrire una speranza, accarezzare un'idea ♦ *v.intr.* ricevere, avere ospiti.

entertainer [ˌentəˈteinə*] *s.* attore.

entertaining [ˌentəˈteiniŋ] *agg.* divertente.

entertainment [ˌentəˈteinmənt] *s.* **1** trattenimento, ricevimento **2** ospitalità **3** spettacolo: — *tax*, tassa sugli spettacoli **4** divertimento.

to **enthral**, (*amer.*) **enthrall** [inˈθrɔːl] *v.tr.* affascinare.

to **enthrone** [inˈθroun] *v.tr.* mettere sul trono.

to **enthuse** [inˈθjuːz] *v.intr.* (*fam.*) entusiasmarsi.

enthusiasm [inˈθjuːziæzəm] *s.* entusiasmo: *to be moved to* —, entusiasmarsi.

enthusiast [inˈθjuːziæst] *s.* entusiasta.

enthusiastic [in,θjuːziˈæstik] *agg.* entusiastico: *to become* — *over sthg.*, entusiasmarsi per qlco.

to **entice** [inˈtais] *v.tr.* sedurre; allettare, adescare.

enticement [inˈtaismənt] *s.* seduzione; allettamento, adescamento; lusinga.

entire [inˈtaiə*] *agg.* **1** integro, completo; indiviso **2** perfetto ♦ *s.* **1** ciò che è puro **2** animale non castrato **3** qualità di birra.

entirely [inˈtaiəli] *avv.* interamente.

entirety [inˈtaiəti] *s.* interezza, totalità.

to **entitle** [inˈtaitl] *v.tr.* **1** intitolare **2** conferire un titolo (a) **3** concedere un diritto (a), qualificare: *to be entitled to*, aver diritto a.

entity [ˈentiti] *s.* entità // *legal* —, (*dir.*) persona giuridica.

to **entomb** [inˈtuːm] *v.tr.* seppellire (*anche fig.*).

entomologist [ˌentəˈmɔlədʒist] *s.* entomologo.

entomology [ˌentuˈmɔlədʒi] *s.* entomologia.

entourage [ˌɔntuˈraːʒ] *s.* **1** ambiente, seguito, circolo.

entr'acte [ˈɔntrækt] *s.* intervallo, intermezzo.

entrails [ˈentreilz] *s.pl.* visceri; intestino (*sing.*); (*fig.*) viscere.

to **entrain** [inˈtrein] *v.tr.* mettere su un treno ♦ *v.intr.* salire in treno.

entrance[1] [ˈentrəns] **1** entrata: *back, front, main* —, ingresso posteriore, anteriore, principale **2** accesso; ammissione: — *examination*, esame d'ammissione.

to **entrance**[2] [inˈtraːns] *v.tr.* **1** mandare in «trance» **2** (*fig.*) mandare in estasi.

entrancing [inˈtraːnsiŋ] *agg.* incantevole.

entrant [ˈentrənt] *s.* **1** chi entra **2** candidato **3** (*sport*) concorrente.

to **entrap** [inˈtræp] *v.tr.* prendere in trappola, ingannare: *to* — *s.o. into doing sthg.*, raggirare qlcu. per fargli fare qlco.

to **entreat** [inˈtriːt] *v.tr.* implorare, chiedere insistentemente: *to* — *a favour of s.o.*, chiedere un favore a qlcu.

entreaty [inˈtriːti] *s.* supplica; petizione.

entrée [ˈɔntrei] *s.* **1** diritto di ammissione **2** (*cuc.*) piatto di mezzo; prima portata; (*amer.*) piatto principale.

entremets [ˈɔntrəmei] *s.* **1** piatto di mezzo **2** contorno.

to **entrench** [inˈtrentʃ] *v.tr.* **1** trincerare // *to* — *oneself*, (*fig.*) trincerarsi **2** *to* — *upon*, usurpare.

entrenchment [inˈtrentʃmənt] *s.* trinceramento, trincea.

entrepot [ˈɔntrəpou] *s.* **1** magazzino; deposito **2** centro commerciale.

entrepreneur [ˌɔntrəprəˈnə:*] *s.* imprenditore; (*teatr.*) impresario.

entresol [ˈɔntrəsɔl] *s.* mezzanino.

to **entrust** [inˈtrʌst] *v.tr.* affidare: *to* — *s.o. with a task*, affidare un compito a qlcu.

entrustment [inˈtrʌstmənt] *s.* l'affidare; il compito affidato.

entry [ˈentri] *s.* **1** entrata; introduzione; immissione **2** ingresso, passaggio // — *-way*, entrata **3** (*comm.*) registrazione: *by single, double* —, in partita semplice, doppia; *to make an* —, allibrare **4** (*comm.*) articolo, merce registrata; dichiarazione doganale // *warehousing* —, bolletta di deposito **5** (*dir.*) presa di possesso, insediamento **6** (*informatica*) frase, voce.

entry phone [ˈentriˈfoun] *s.* citofono.

to **entwine** [inˈtwain] *v.tr.* intrecciare ♦ *v.intr.* intrecciarsi.

to **enucleate** [iˈnjuːklieit] *v.tr.* enucleare.

to **enumerate** [iˈnjuːməreit] *v.tr.* enumerare.

enumeration [i,njuːməˈreiʃən] *s.* enumerazione.

to **enunciate** [iˈnʌnsieit] *v.tr.* **1** enunciare, proclamare **2** pronunciare, articolare (parole, suoni).

enunciation [i,nʌnsiˈeiʃən] *s.* **1** enunciazione **2** pronuncia, articolazione.

to **enure** [iˈnjuə*] *v.tr. e intr.* → to **inure**.

to **envelop** [inˈveləp] *v.tr.* avvolgere (*anche fig.*).

envelope [ˈenviloup] *s.* **1** busta **2** copertura **3** (*aer.*) involucro (di aerostato) **4** (*bot.*) involucro **5** (*biol.*) membrana.

envelopment [inˈveləpmənt] *s.* **1** avvolgimento **2** copertura, involucro.

to **envenom** [inˈvenəm] *v.tr.* **1** avvelenare (*anche fig.*) **2** esasperare.

enviable [ˈenviəbl] *agg.* invidiabile.

envious [ˈenviəs] *agg.* invidioso: *to feel* — *of sthg.*, provare invidia per qlco.

to **environ** [inˈvaiərən] *v.tr.* circondare.

environment [inˈvaiərənmənt] *s.* ambiente; condizioni ambientali (*pl.*).

environmentalist [ˌinvaiərənˈmentəlist] *s.* ecologista.

environs [ˈenvirənz] *s.pl.* **1** dintorni **2** vicinato (*sing.*).

to **envisage** [inˈvizidʒ] *v.tr.* immaginare.

envoy[1] [ˈenvɔi] *s.* congedo, commiato.

envoy[2] *s.* **1** rappresentante diplomatico; ministro plenipotenziario **2** inviato.

envy [ˈenvi] *s.* invidia, gelosia: *out of* —, per invidia; *green with* —, verde d'invidia.

to **envy** *v.tr.* invidiare: *to* — *s.o. sthg.*, invidiare qlco. a qlcu. // *it is better to be envied than pitied*, (*prov.*) meglio fare invidia che compassione.

to **enwrap** [inˈræp] *v.tr.* avvolgere, avviluppare (*anche fig.*).

enzyme [ˈenzaim] *s.* enzima.

Eolian *agg.* → **Aeolian**.

eon *s.* → **aeon**.

epaulette [ˈepoulet] *s.* (*mil.*) spallina: *to win one's epaulettes*, essere promosso ufficiale.

epergne [iˈpəːn] *s.* centro-tavola.

ephemera [iˈfemərə], *pl.* **ephemerae** [iˈfeməriː] *s.* **1** (*zool.*) efemera **2** (*fig.*) cosa effimera.

ephemeral [iˈfemərəl] *agg.* effimero, caduco.

ephemeris [iˈfeməris], *pl.* **ephemerides** [ˌefiˈmeridiːz] *s.* (*astr.*) effemeride.

epic [ˈepik] *s.* poema epico, epopea ♦ *agg.* epico.

epicene [ˈepisiːn] *agg.* e *s.* ermafrodito.

epicentre [ˈepisentə*] *s.* (*geol.*) epicentro.

epicure [ˈepikjuə*] *s.* (*fig.*) epicureo.

epicurean [ˌepikjuəˈri(:)ən] *agg.* e *s.* epicureo (*anche fig.*).

epicureanism [ˌepikjuəˈri(:)ənizəm], **epicurism** [ˈepikjuərizəm] *s.* (*st. fil.*) epicureismo.

epidemic [ˌepiˈdemik] *agg.* epidemico, contagioso; prevalente ♦ *s.* epidemia (*anche fig.*).

epidermal [ˌepiˈdə:məl], **epidermic** [ˌepiˈdə:mik] *agg.* epidermico.

epidermis [ˌepiˈdə:mis] *s.* epidermide.

epigastrium [ˌepiˈgæstriəm], *pl.* **epigastria** [ˌepiˈgæstriə] *s.* (*anat.*) epigastrio, regione epigastrica.

epiglottis [ˌepiˈglɔtis] *s.* (*anat.*) epiglottide.

epigone [ˈepigoun] *s.* epigono.

epigram [ˈepigræm] *s.* epigramma.

epigrammatic [ˌepigrəˈmætik] *agg.* epigrammatico; preciso, mordace.

epigraph [ˈepigrɑ:f] *s.* epigrafe.

epigraphic [ˌepiˈgræfik] *agg.* epigrafico.

epigraphy [eˈpigrəfi] *s.* epigrafia.

epilepsy [ˈepilepsi] *s.* epilessia.

epileptic [ˌepiˈleptik] *agg.* e *s.* epilettico.

epilogue [ˈepilɔg], (*amer.*) **epilog** ˈepilɔ:g] *s.* epilogo, conclusione.

Epiphany [iˈpifəni] *s.* Epifania.

episcopacy [iˈpiskəpəsi] *s.* episcopato.

episcopal [iˈpiskəpəl] *agg.* episcopale, vescovile.

episcopalian [iˌpiskəˈpeiljən] *agg.* e *s.* episcopaliano.

episcopate [iˈpiskəpit] *s.* episcopato.

episode [ˈepisoud] *s.* episodio.

episodic(al) [ˌepiˈsɔdik(əl)] *agg.* episodico.

epistle [iˈpisl] *s.* epistola.

epistolary [iˈpistələri] *agg.* epistolare.

epitaph [ˈepitɑ:f] *s.* epitaffio.

epithelium [ˌepiˈθi:ljəm], *pl.* **epithelia** [ˌepiˈθi:lja] *s.* (*med.*) epitelio.

epithet [ˈepiθet] *s.* epiteto.

epitome [iˈpitəmi] *s.* **1** epitome, compendio **2** (*fig.*) quintessenza.

to epitomize [iˈpitəmaiz] *v.tr.* **1** riassumere, compendiare **2** (*fig.*) rappresentare la quintessenza (di).

epoch [ˈi:pɔk, (*amer.*) ˈepɔk] *s.* epoca, età: *to mark an* —, fare epoca.

epochal [ˈepɔkəl] *agg.* **1** di un'epoca **2** che fa epoca.

epoch-making [ˈi:pɔkˌmeikiŋ] *agg.* che fa epoca; straordinario.

epos [ˈepɔs] *s.* epos.

Epsom salts [ˈepsəmsɔ:lts] *s.pl.* sale inglese (*sing.*).

equability [ˌekwəˈbiliti] *s.* uniformità, uguaglianza; equilibrio, serenità.

equable [ˈekwəbl] *agg.* uniforme, costante; equilibrato, sereno.

equal [ˈi:kwəl] *agg.* **1** uguale; simile; pari: *on* — *terms*, a pari condizioni; *to be* — *in points*, (*sport*) avere lo stesso punteggio // *to be* — *to doing sthg.*, avere la capacità di far qlco.; *to be* — *to the occasion*, essere all'altezza della situazione; *to feel* — *to doing sthg.*, sentirsi (capace) di fare qlco.; **2** calmo; fermo: *to keep an* — *mind*, mantenere la calma ♦ *s.* pari, simile: *your equals*, i tuoi pari; *he treated me as an* —, mi trattò da pari a pari.

to equal *v.tr.* uguagliare (*anche fig.*).

equalitarian [i(:)ˌkwoliˈtɛəriən] *s.* e *agg.* egualitario.

equality [i(:)ˈkwoliti] *s.* uguaglianza, parità.

equalization [ˌi:kwəlaiˈzeiʃən] *s.* atto, effetto dell'uguagliare; equiparazione; livellamento.

to equalize [ˈi:kwəlaiz] *v.tr.* uguagliare; equiparare: *to*

— *accounts*, (*comm.*) far tornare i conti ♦ *v.intr.* (*sport*) pareggiare.

equanimity [ˌi:kwəˈnimiti] *s.* equanimità.

to equate [iˈkweit] *v.tr.* uguagliare.

equation [iˈkweiʃən] *s.* **1** (*mat.*) equazione // *simple, quadratic* —, equazione di primo, secondo grado **2** pareggio.

equator [iˈkweitə*] *s.* equatore.

equatorial [ˌekwəˌtɔ:riəl] *agg.* equatoriale.

equestrian [iˈkwestriən] *agg.* equestre ♦ *s.* cavallerizzo.

equiangular [ˌi:kwiˈæŋgjulə*] *agg.* equiangolo.

equidistant [ˈi:kwiˈdistənt] *agg.* equidistante.

equilateral [ˈi:kwiˈlætərəl] *agg.* (*geom.*) equilatero.

to equilibrate [ˌi:kwiˈlibreit] *v.tr.* equilibrare ♦ *v.intr.* equilibrarsi.

equilibrist [i(:)ˈkwilibrist] *s.* equilibrista.

equilibrium [ˌi:kwiˈlibriəm] *s.* equilibrio.

equine [ˈi:kwain] *agg.* equino.

equinoctial [ˌi:kwiˈnɔkʃəl] *agg.* equinoziale.

equinox [ˈi:kwinɔks] *s.* (*astr.*) equinozio.

to equip [iˈkwip] *v.tr.* **1** equipaggiare; attrezzare; fornire; (*mar. mil.*) armare **2** (*fig.*) preparare.

equipage [ˈekwipidʒ] *s.* **1** servitù **2** equipaggio (di carrozza) **3** attrezzatura.

equipment [iˈkwipmənt] *s.* equipaggiamento; attrezzatura; (*mar. mil.*) armamento; (*elettr.*) apparecchiatura.

equipoise [ˈekwipɔiz] *s.* equilibrio.

equipollent [ˌi:kwiˈpɔlənt] *agg.* equipollente.

equitable [ˈekwitəbl] *agg.* equo, giusto.

equitation [ˌekwiˈteiʃən] *s.* equitazione.

equity [ˈekwiti] *s.* **1** equità **2** *pl.* (*comm.*) azioni ordinarie.

equivalence [iˈkwivələns] *s.* equivalenza.

equivalent [iˈkwivələnt] *agg.* e *s.* equivalente.

equivocal [iˈkwivəkəl] *agg.* **1** ambiguo, equivoco, dubbio **2** sospetto, losco.

to equivocate [iˈkwivəkeit] *v.intr.* giocare sull'equivoco.

equivocation [iˌkwivəˈkeiʃən] *s.* il giocare sull'equivoco.

era [ˈiərə] *s.* era; epoca.

to eradiate [iˈreidieit] *v.tr.* irradiare ♦ *v.intr.* irradiarsi.

to eradicate [iˈrædikeit] *v.tr.* sradicare, estirpare.

eradication [iˌrædiˈkeiʃən] *s.* sradicamento, estirpazione.

eradicator [iˈrædikeitə*] *s.* **1** sradicatore **2** scolorina.

to erase [iˈreiz, (*amer.*) iˈreis] *v.tr.* **1** raschiare; cancellare (*anche fig.*) **2** (*fam.*) uccidere.

eraser [iˈreizə*, (*amer.*) iˈreisər] *s.* **1** chi cancella **2** raschietto; gomma (per cancellare).

erasion [iˈreiʒən], **erasure** [iˈreiʒə*] *s.* raschiatura; cancellatura (*anche fig.*).

ere [ɛə*] *avv.* (*arc.*) prima ♦ *prep.* prima di.

erect [iˈrekt] *agg.* eretto; diritto ♦ *avv.* in posizione eretta.

to erect *v.tr.* **1** raddrizzare, rizzare **2** erigere, costruire (*anche fig.*).

erectile [iˈrektail, (*amer.*) iˈrektl] *agg.* erettile.

erection [iˈrekʃən] *s.* **1** raddrizzamento; erezione **2** erezione, costruzione (*anche fig.*).

eremite [ˈerimait] *s.* eremita.

ergonomics [ˌə:gəˈnɔmiks] *s.* ergonomia.

erk [ə:k] *s.* (*sl. mil.*) recluta.

ermine [ˈə:min] *s.* **1** ermellino **2** (*fig.*) carica di giudice.

to erode [iˈroud] *v.tr.* erodere.

erosion [i'rouʒən] *s.* erosione.

erotic [i'rɔtik] *agg.* erotico.

erotica [i'rɔtikə] *s.pl.* pubblicazioni, illustrazioni erotiche.

eroticism [e'rɔtisizəm] *s.* erotismo.

to err [ə:*, (*amer.*) eər] *v.intr.* errare.

errand ['erənd] *s.* commissione: *to go on errands*, andare a far commissioni // *fool's* —, incarico fittizio (dato per allontanare qlcu.); impresa inutile.

errand-boy ['erəndbɔi] *s.* fattorino.

errant ['erənt] *agg.* **1** errante **2** (*fig.*) peccaminoso.

erratic [i'rætik] *agg.* **1** erratico **2** irresponsabile **3** imprevedibile ♦ *s.* **1** masso erratico **2** persona imprevedibile.

erratically [i'rætikəli] *avv.* **1** senza nesso logico **2** imprevedibilmente.

erratum [e'rɑ:təm], *pl.* **errata** [e'rɑ:tə] *s.* errore di stampa, errore di scrittura.

erroneous [i'rounjəs] *agg.* erroneo.

error ['erə*] *s.* errore: — *recovery*, (*informatica*) correzione di errore.

erstwhile ['ə:stwail] *avv.* tempo fa; una volta ♦ *agg.* precedente.

to eruct [i'rʌkt], **to eructate** [i'rʌkteit] *v.intr.* ruttare.

erudite ['eru(:)dait] *agg.* erudito.

erudition [,eru(:)'diʃən] *s.* erudizione.

to erupt [i'rʌpt] *v.intr.* **1** eruttare (di vulcano) **2** irrompere.

eruption [i'rʌpʃən] *s.* **1** eruzione **2** scoppio (di passioni ecc.) **3** (*med.*) eruzione cutanea.

eruptive [i'rʌptiv] *agg.* eruttivo.

to escalade [,eskə'leid] *v.tr.* scalare.

escalator ['eskəleitə*] *s.* scala mobile.

escallop [is'kɔləp] *s.* → **scallop**.

escapade [,eskə'peid] *s.* scappatella.

escape [is'keip] *s.* **1** fuga, evasione // *gas* —, fuga di gas **2** scampo, salvezza // *to have a narrow* —, cavarsela per miracolo **3** (*ind.*) (valvola, tubo di) scappamento.

to escape *v.tr.* **1** evitare: *to* — *danger*, evitare il pericolo **2** sfuggire: *nothing escapes him!*, non gli sfugge nulla ♦ *v.intr.* fuggire; evadere // *to* — *by the skin of one's teeth*, farcela per un pelo.

escapee [,eskei'pi:] *s.* evaso.

escapement [is'keipmənt] *s.* (*mecc.*) scappamento.

escapism [is'keipizəm] *s.* tendenza a evadere dalla realtà.

escapist [is'keipist] *agg.* che cerca di sfuggire alla realtà ♦ *s.* chi cerca di sfuggire alla realtà.

escarpment [is'kɑ:pmənt] *s.* scarpata.

eschatological [,eskətə'lɔdʒikəl] *agg.* escatologico.

escheat [is'tʃi:t] *s.* (*dir.*) proprietà passata allo stato per mancanza di eredi legittimi.

to escheat *v.intr.* (*dir.*) passare allo stato (di proprietà) ♦ *v.tr.* confiscare (una proprietà).

to eschew [is'tʃu:] *v.tr.* evitare; rifuggire (da).

escort ['eskɔ:t] *s.* **1** (*mil. mar.*) scorta **2** accompagnatore: — *to a lady*, accompagnatore di una signora.

to escort [is'kɔ:t] *v.tr.* scortare, accompagnare.

escutcheon [is'kʌtʃən] *s.* **1** (*arald.*) scudo // *a blot on one's* —, (*fig.*) una macchia sul blasone **2** (*mar.*) scudo di poppa **3** (*mecc.*) bocchetta.

Eskimo ['eskimou] *agg.* e *s.* eschimese.

eso- ['esou] *pref.* eso-.

esophagus [i:(:)'sɔfəgəs], *pl.* **esophagi** [i:(:)'sɔfəgai] *s.* esofago.

esoteric [,esou'terik] *agg.* esoterico.

esparto [es'pɑ:tou] *s.* (*bot.*) sparto.

especial [is'peʃəl] *agg.* speciale.

Esperanto [,espə'ræntou] *s.* esperanto.

espionage [,espiə'nɑ:ʒ] *s.* spionaggio.

espousal [is'pauzəl] *s.* **1** sponsali (*pl.*) **2** (*fig.*) adozione (di causa, idea).

to espouse [is'pauz] *v.tr.* sposare (*anche fig.*).

esprit ['espri:] *s.* spirito.

to espy [is'pai] *v.tr.* intravedere; scoprire.

Esquire [is'kwaiə*] *s.* (*negli indirizzi*) Egregio Signor: *John W. Brown, Esq.*, Egregio Signor John W. Brown.

esquire (*arc.*) scudiero.

essay ['esei] *s.* **1** saggio; componimento **2** tentativo, sforzo.

to essay [e'sei] *v.tr.* provare; mettere alla prova.

essayist ['ese:ist] *s.* saggista.

essence ['esns] *s.* essenza.

essential [i'senʃəl] *agg.* e *s.* essenziale.

to establish [is'tæbliʃ] *v.tr.* **1** affermare (diritto, potere ecc.) **2** instaurare, istituire: *to* — *law and order*, instaurare la legge e l'ordine **3** (*comm.*) fondare, costituire **4** dimostrare; provare: *his honesty is well established*, la sua onestà è provata **5** *to* — *oneself*, stabilirsi, installarsi.

established [is'tæbliʃt] *agg.* **1** stabilito; dimostrato **2** fondato, costituito // *the Established Church*, la religione di stato.

establishment [is'tæbliʃmənt] *s.* **1** affermazione **2** instaurazione; fondazione **3** stabilimento; azienda **4** *the Establishment*, religione di stato; alta gerarchia di persone che difende la struttura tradizionale della società.

estate [is'teit] *s.* **1** proprietà, tenuta; (*dir.*) beni (*pl.*), patrimonio: — *and property*, situazione patrimoniale; *personal* —, beni mobili; *real* —, beni immobili **2** stato, ordine **3** stato, condizione: *man's* —, l'età virile **4** rango, condizione, classe sociale.

estate agent [is'teit,eidʒənt] *s.* agente immobiliare.

estate car [is'teitka:*] *s.* auto modello familiare.

esteem [is'ti:m] *s.* stima, considerazione.

to esteem *v.tr.* **1** stimare: *your esteemed letter*, (*comm.*) la vostra pregiata lettera **2** considerare, ritenere.

ester ['estə*] *s.* (*chim.*) estere.

esterification [es,terifi'keiʃən] *s.* (*chim.*) esterificazione.

Esther ['estə*] *no.pr.f.* Ester.

esthete ['i:sθi:t] *s.* esteta.

esthetic e *deriv.* → **aesthetic** e *deriv.*

estimate ['estimit] *s.* stima: *rough* —, valutazione approssimativa.

to estimate ['estimeit] *v.tr.* stimare; preventivare.

estimation [,esti'meiʃən] *s.* stima: *in my* —, secondo me.

Estonian [es'tounjən] *agg.* e *s.* estone.

to estrange [is'treindʒ] *v.tr.* alienare, alienarsi; allontanare.

estrangement [is'treindʒmənt] *s.* alienazione, allontanamento; distacco.

estuary ['estjuəri] *s.* estuario.

etcetera [it'setrə] *s.* eccetera.

to etch [etʃ] *v.tr.* incidere all'acquaforte.

etcher ['etʃə*] *s.* acquafortista.

etching ['etʃiŋ] *s.* **1** arte dell'incisione all'acquaforte **2** acquaforte // — *needle*, bulino.

eternal [i(:)′tə:nl] *agg.* eterno *// the Eternal*, l'Eterno, Dio.

to eternalize [i(:)′tə:nəlaiz] *v.tr.* eternare.

eternity [i(:)′tə:niti] *s.* eternità.

ether [′i:θə*] *s.* etere.

ethereal [i(:)′θiəriəl] *agg.* etereo.

ethic [′eθik] *s.* etica.

ethical [′eθikəl] *agg.* etico, morale.

ethics [′eθiks] *s.* etica, morale.

Ethiopia [,i:θi′oupjə] *n.pr.* Etiopia.

Ethiopian [,i:θi′oupjən] *agg.* etiopico ♦ *s.* etiope.

ethnic(al) [′eθnik(əl)] *agg.* etnico.

ethnographic [,eθnou′græfik] *agg.* etnografico.

ethnography [eθ′nɔgrəfi] *s.* etnografia.

ethnologist [eθ′nɔlədʒist] *s.* etnologo.

ethnology [eθ′nɔlədʒi] *s.* etnologia.

ethos [′i:θɔs] *s.* carattere particolare (di popolo, sistema ecc.).

ethyl [′eθil] *s.* (*chim.*) etile.

ethylene [′eθili:n] *s.* (*chim.*) etilene.

to etiolate [′i:tiouleit] *v.tr.* **1** far crescere le piante tenendole al buio **2** (*fig.*) fare intristire.

etiquette [,eti′ket] *s.* etichetta.

etna® [′etnə] *s.* fornellino a spirito.

Etonian [i(:)′tounjən] *s.* (ex.) allievo del collegio di Eton.

Etrurian [i′truəriən], **Etruscan** [i′trʌskən] *agg.* e *s.* etrusco.

etymological [,etimə′lɔdʒikəl] *agg.* etimologico.

etymologist [,eti′mɔlədʒist] *s.* etimologista.

etymology [,eti′mɔlədʒi] *s.* etimologia.

etymon [′etimɔn], *pl.* **etyma** [′etimə] *s.* etimo, radice (di una parola).

Eucharist [′ju:kərist] *s.* Eucaristia.

Euclid [′ju:klid] *no.pr.m.* (*st.*) Euclide.

Euclidean [ju:′klidiən] *agg.* euclideo.

Eugene [ju:′ʒein] *no.pr.m.* Eugenio.

eugenic [ju:′dʒenik] *agg.* eugenetico.

eugenics [ju:′dʒeniks] *s.* eugenetica.

eulogist [′ju:lədʒist] *s.* elogiatore.

to eulogize [′ju:lədʒaiz] *v.tr.* elogiare, lodare.

eulogy [′ju:lədʒi] *s.* elogio, panegirico.

eunuch [′ju:nək] *s.* eunuco.

euphemism [′ju:fimizəm] *s.* eufemismo.

euphemistic [,ju:fi′mistik] *agg.* eufemistico.

euphonic [ju:′fɔnik], **euphonious** [ju:′founjəs] *agg.* eufonico, armonioso.

euphony [′ju:fəni] *s.* eufonia.

euphoria [ju:′fɔ:riə] *s.* euforia.

euphuism [′ju:fju:izəm] *s.* **1** (*lett.*) eufuismo **2** preziosità, affettazione (dello stile).

euphuistic [,ju:fju(:)′istik] *agg.* **1** eufuistico **2** prezioso, affettato.

Eurasian [juə′reiʒən] *agg.* e *s.* eurasiano.

eurhythmics [ju:′riðmiks] *s.* euritmia.

Euripides [juə′ripidi:z] *no.pr.* (*st. lett.*) Euripide.

Eurobonds [′juərou,bɔndz] *s.pl.* eurobbligazioni.

Eurocommunism [′juərou′kɔmju:nizm] *s.* eurocomunismo.

Eurocrat [′juəroukræt] *s.* burocrate del Consiglio d'Europa.

Eurocurrency [′juərou,kʌrənsi] *s.* eurodivisa.

Eurodollar [′juərou,dɔlə*] *s.* eurodollaro.

Europe [′juərəp] *no.pr.* Europa.

European [,juərə′pi(:)ən] *agg.* europeo.

Europeanism [,juərə′pi(:)ənizəm] *s.* europeismo.

to Europeanize [,juərə′pi(:)ənaiz] *v.tr.* europeizzare.

Eurovision [′juərou,viʒən] *s.* (*tv*) eurovisione.

euthanasia [,ju:θə′neizjə] *s.* eutanasia.

evacuant [i′vækjuənt] *agg.* e *s.* (*farm.*) purgante; emetico.

to evacuate [i′vækjueit] *v.tr.* evacuare, sfollare.

evacuation [i,vækju′eiʃən] *s.* evacuazione, sfollamento.

to evade [i′veid] *v.tr.* evadere; evitare, eludere.

to evaluate [i′væljueit] *v.tr.* valutare.

evaluation [i,vælju′eiʃən] *s.* valutazione.

to evanesce [,i:və′nes] *v.intr.* svanire, sparire.

evanescence [,i:və′nesns] *s.* evanescenza.

evanescent [,i:və′nesnt] *agg.* evanescente.

evangelic [,i:væn′dʒelik] *agg.* evangelico.

evangelical [,i:væn′dʒelikəl] *agg.* e *s.* evangelico.

Evangelicalism [,i:væn′dʒelikəlizəm] *s.* evangelismo.

evangelist [i′vændʒilist] *s.* evangelista.

to evangelize [i′vændʒilaiz] *v.tr.* evangelizzare.

to evaporate [i′væpəreit] *v.intr.* **1** evaporare **2** (*fig.*) svanire, finire in niente ♦ *v.tr.* fare evaporare.

evaporation [i,væpə′reiʃən] *s.* evaporazione.

evaporator [i′væpəreitə*] *s.* evaporatore.

evasion [i′veiʒən] *s.* **1** evasione **2** reticenza.

evasive [i′veisiv] *agg.* evasivo.

eve [i:v] *s.* vigilia.

Eve *no.pr.f.* Eva.

Eveline, Evelyn [′i:vlin] *no.pr.f.* Evelina.

even [′i:vən] *agg.* **1** piano, piatto, liscio; uniforme, uguale (*anche fig.*) **2** costante, regolare **3** pari: *it's — chances that it will rain*, le probabilità di pioggia sono al 50% *// to get — with s.o.*, prendersi la rivincita su qlcu. ♦ *avv.* **1** anche, perfino: *— a child would know*, anche, perfino un bambino lo saprebbe *// — better*, perfino, ancora migliore *// — if*, anche se; *— though*, anche se; *— so*, anche se è così *// not —*, neanche, neppure **2** proprio.

to even *v.tr.* **1** appianare, livellare **2** uguagliare *// to — up*, compensare, bilanciare.

even-handed [′i:vən′hændid] *agg.* imparziale.

evening [′i:vniŋ] *s.* **1** sera: *in the —*, di sera *// — dress*, abito da sera *// — paper*, giornale della sera **2** serata, trattenimento *// let's make an — of it*, (*fam.*) divertiamoci stasera **3** (*fig.*) fine, declino.

evenly [′i:vənli] *avv.* **1** in modo uguale, regolare, uniforme **2** imparzialmente, equamente.

evensong [′i:vənsɔŋ] *s.* (*eccl.*) vespro.

event [i′vent] *s.* **1** caso, eventualità: *at all events*, in ogni caso **2** avvenimento; (*sport*) gara **3** risultato, esito.

even-tempered [′i:vən′tempəd] *agg.* equilibrato.

eventful [i′ventful] *agg.* ricco di eventi.

eventual [i′ventjuəl] *agg.* finale, definitivo.

eventuality [i,ventju′æliti] *s.* eventualità.

eventually [i′ventjuəli] *avv.* alla fine.

ever [′evə*] *avv.* **1** mai: *have you — heard this song?*, hai mai sentito questa canzone?; *hardly —*, quasi mai; *if —*, se mai; *more than —*, più che mai; *why — ?*, perché mai? **2** sempre: *for —*, per sempre *// — after*, da allora in poi *// — since*, da quando; da; da allora *// — so much*, moltissimo *// Yours — (Ever yours)*, (*nella chiusa delle lettere*) Sempre tuo, Vostro *// it is as cold as —*, fa sempre così freddo *// to grow — wider*, diventare sempre più largo.

everglade [′evəgleid] *s.* (*amer.*) palude.

evergreen [′evəgri:n] *agg.* e *s.* sempreverde.

everlasting [,evə′lɑ:stiŋ] *agg.* **1** eterno **2** continuo **3** (*bot.*) semprevivo ♦ *s.* eternità.

evermore ['evə'mɔ:*] *avv.* sempre.

to evert [i'və:t] *v.tr.* rivoltare, rovesciare.

every ['evri] *agg.indef.* ogni; ciascuno; tutti (*pl.*): — *day*, ogni giorno, tutti i giorni // — *other day*, un giorno sì e un giorno no; — *three hours*, ogni tre ore // — *bit*, tutto.

everybody ['evribɔdi] *pron. indef.* ognuno, ciascuno; tutti (*pl.*): — *thinks so*, tutti la pensano così.

everyday ['evridei] *agg.* quotidiano; di tutti i giorni // — *Italian*, l'italiano parlato.

everyone ['evriwʌn] *pron. indef.* → **everybody**.

everyplace ['evripleis] *avv.* (*amer.*) dovunque.

everything ['evriθiŋ] *pron.indef.* ogni cosa; tutto.

everyway ['evriwei] *avv.* in tutti i modi.

everywhere ['evriwɛə*] *avv.* dovunque.

to evict [i(:)'vikt] *v.tr.* **1** (*dir.*) evincere **2** sfrattare.

eviction [i(:)'vikʃən] *s.* **1** (*dir.*) evizione **2** sfratto.

evidence ['evidəns] *s.* **1** (*dir.*) testimonianza, deposizione: *to turn Queen's (o King's) (o amer. State's)* —, costituirsi testimone d'accusa **2** (*dir.*) prova: *circumstantial* —, prova indiziaria **3** segno, attestazione.

evident ['evidənt] *agg.* evidente.

evil ['i:vl] *agg.* cattivo, infausto: *an* — *tongue*, una mala lingua; *the* — *eye*, il malocchio; — *speaking*, maldicenza; maldicente; — *days*, giorni brutti, infausti ♦ *s.* male: *to do* —, fare il male; *to wish one* —, augurare del male a qlcu.

evildoer ['i:vl'du(:)ə*] *s.* malfattore.

evilly ['i:vili] *avv.* male; con cattiveria.

evil-minded ['i:vl'maindid] *agg.* perverso, malvagio.

evilness ['ivlnis] *s.* cattiveria, malvagità.

to evince [i'vins] *v.tr.* mostrare, manifestare.

to eviscerate [i'visəreit] *v.tr.* **1** sviscerare; squarciare **2** (*fig.*) svigorire, sfibrare.

evocation [,evou'keiʃən] *s.* evocazione.

evocative [i'vɔkətiv] *agg.* evocativo.

to evoke [i'vouk] *v.tr.* evocare.

evolution [,i:və'lu:ʃən], (*amer.*) ,evə'lu:ʃən] *s.* evoluzione.

evolutional [,i:və'lu:ʃənl], **evolutionary** [,i:və'lu:ʃnəri] *agg.* evolutivo.

to evolve [i'vɔlv] *v.tr.* **1** sviluppare **2** elaborare ♦ *v.intr.* evolversi; trasformarsi.

ewe [ju:] *s.* pecora (femmina).

ewer ['ju(:)ə*] *s.* brocca.

ex- [eks] *pref.* ex-.

to exacerbate [eks'æsə(:)beit] *v.tr.* esacerbare.

exact [ig'zækt] *agg.* esatto; preciso.

to exact *v.tr.* esigere.

exacting [ig'zæktiŋ] *agg.* esigente: *an* — *job*, un lavoro impegnativo, gravoso.

exaction [ig'zækʃən] *s.* **1** esazione **2** esigenza.

exactly [ig'zæktli] *avv.* esattamente, precisamente.

exactor [ig'zæktə*] *s.* esattore; chi esige.

to exaggerate [ig'zædʒəreit] *v.tr.* e *intr.* esagerare.

exaggeration [ig,zædʒə'reiʃən] *s.* esagerazione.

to exalt [ig'zɔ:lt] *v.tr.* **1** esaltare, magnificare **2** elevare (a dignità, carica).

exaltation [,egzɔ:l'teiʃən] *s.* **1** esaltazione **2** innalzamento (a dignità, carica).

exalted [ig'zɔ:ltid] *agg.* **1** elevato, nobile; altolocato **2** esaltato.

exam [ig'zæm] (*fam.*) *abbr.* di **examination**.

examination [ig,zæmi'neiʃən] *s.* **1** esame: *to sit for an* — (o *to take an* —), dare, sostenere un esame; *entrance* —, esame di ammissione; *to undergo a medical*

—, sottoporsi a un esame medico **2** (*dir.*) interrogatorio, esame (di testimoni).

to examine [ig'zæmin] *v.tr.* esaminare.

examinee [ig,zæmi'ni:] *s.* esaminando.

examiner [ig'zæminə*] *s.* esaminatore: *board of examiners*, commissione d'esame.

example [ig'zɑ:mpl] *s.* esempio: *for* —, per esempio; *without* —, senza precedenti // *to make an* — *of s.o.*, dare una punizione esemplare a qlcu. // *to set* (o *to give*) *a good* — *to*, dare il buon esempio a.

to exanimate [ig'zænimit] *agg.* esanime.

to exasperate [ig'zɑ:spəreit] *v.tr.* esasperare.

exasperating [ig'zɑ:spəreitiŋ] *agg.* esasperante.

exasperation [ig,zɑ:spə'reiʃən] *s.* esasperazione.

to excavate ['ekskəveit] *v.tr.* e *intr.* scavare, fare scavi.

excavation [,ekskə'veiʃən] *s.* scavo, lavoro di scavo.

excavator ['ekskəveitə*] *s.* **1** scavatore **2** escavatore, scavatrice.

to exceed [ik'si:d] *v.tr.* superare, oltrepassare: *to* — *all anticipations*, essere superiore ad ogni aspettativa ♦ *v.intr.* eccedere.

exceeding [ik'si:diŋ] *agg.* estremo, straordinario.

to excel [ik'sel] *v.tr.* superare ♦ *v.intr.* eccellere.

excellence ['eksələns] *s.* eccellenza; superiorità.

excellency ['eksələnsi] *s.* (*titolo*) Eccellenza.

excellent ['eksələnt] *agg.* eccellente.

excelsior [ek'selsiɔ:(r)] *s.* trucioli (*pl.*) di legno (per imballaggio).

except [ik'sept] *prep.* eccetto, tranne, fuorché // — *for*, tranne per, a parte, fatta eccezione per ♦ *cong.* a meno che.

to except *v.tr.* eccettuare, escludere // *errors and omissions excepted*, salvo errori e omissioni.

excepting [ik'septiŋ] *prep.* eccetto, tranne.

exception [ik'sepʃən] *s.* eccezione: *with the* — *of*, a eccezione di; *to take* — *to sthg.*, trovare a ridire su qlco., sollevare obiezioni su qlco.

exceptionable [ik'sepʃnəbl] *agg.* criticabile.

exceptional [ik'sepʃənl] *agg.* eccezionale.

excerpt ['eksə:pt] *s.* brano, passo scelto.

excess [ik'ses] *agg.* in eccedenza, in più: — *fare*, (*ferr.*) supplemento; — *luggage*, eccedenza di bagaglio ♦ *s.* **1** eccesso: *to* —, all'eccesso, eccessivamente **2** eccedenza.

excessive [ik'sesiv] *agg.* eccessivo.

exchange [iks'tʃeindʒ] *s.* **1** scambio, cambio: *to give in* — *for*, dare in cambio di **2** (*comm.*) cambio: *rate of* —, tasso di cambio; *bill of* —, lettera di cambio, cambiale; *foreign* —, valuta straniera, divisa **2** (*tel.*) centrale, centralino **4** *Exchange*, Borsa: *Stock Exchange*, Borsa Valori.

to exchange *v.tr.* scambiare, scambiarsi; cambiare ♦ *v.intr.* fare a cambio, fare uno scambio.

Exchequer [iks'tʃekə*] *s.* Tesoro // *Chancellor of the Exchequer*, Cancelliere dello Scacchiere.

to excise [ek'saiz] *s.*: — *duty*, *tax*, imposta di consumo.

exciseman, *pl.* **excisemen** [ek'saizmən] *s.* funzionario dell'ufficio imposte indirette.

excitant ['eksitənt] *s.* eccitante.

excitation [,eksi'teiʃən] *s.* eccitazione.

to excite [ik'sait] *v.tr.* stimolare; eccitare.

excited [ik'saitid] *agg.* eccitato: *to get* —, eccitarsi, emozionarsi.

excitement [ik'saitmənt] *s.* eccitazione, eccitamento; agitazione.

to exclaim [iks'kleim] *v.tr.* e *intr.* esclamare // *to* — *against*, inveire contro.

exclamation [,eksklə'meiʃən] s. esclamazione; grido // — mark, punto esclamativo.

exclamatory [eks'klæmətəri] agg. 1 pieno di esclamazioni 2 (gramm.) esclamativo.

to **exclude** [iks'klu:d] v.tr. escludere; emarginare.

excluded [iks'klu:did] agg. emarginato.

exclusion [iks'klu:ʒən] s. esclusione; emarginazione.

exclusive [iks'klu:siv] agg. esclusivo, speciale: — interview, intervista in esclusiva; to have the — rights of sthg., avere l'esclusiva di qlco. // — of, escluso, eccettuato.

to **excogitate** [eks'kɔdʒiteit] v.tr. escogitare.

excogitation [eks,kɔdʒi'teiʃən] s. riflessione.

to **excommunicate** [,ekskə'mju:nikeit] v.tr. scomunicare.

excommunication ['ekskə,mju:ni'keiʃən] s. scomunica.

to **excoriate** [eks'kɔ:rieit] v.tr. 1 escoriare 2 (fig.) criticare severamente.

excrement ['ekskrimənt] s. escremento.

excrescence [iks'kresns] s. protuberanza; escrescenza.

to **excrete** [eks'kri:t] v.tr. eliminare.

excretion [eks'kri:ʃən] s. escrezione.

excruciating [iks'kru:ʃieitiŋ] agg. atroce, lancinante.

to **exculpate** ['ekskʌlpeit] v.tr. discolpare.

excursion [iks'kə:ʃən] s. escursione, gita // — train, treno speciale a tariffa ridotta.

excursionist [iks'kə:ʃnist] s. gitante, turista.

excursive [eks'kə:siv] agg. digressivo; errabondo.

excusable [iks'kju:zəbl] agg. scusabile, perdonabile.

excusatory [iks'kju:zətəri] agg. scusante, giustificativo.

excuse [iks'kju:s] s. scusa: in — of, a giustificazione di.

to **excuse** [iks'kju:z] v.tr. 1 scusare; giustificare: — my saying so, scusa, scusi se dico questo // — me, scusi; permesso 2 esentare, dispensare.

to **execrate** ['eksikreit] v.tr. 1 esecrare, detestare 2 maledire ♦ v.intr. lanciare imprecazioni.

execration [,eksi'kreiʃən] s. 1 esecrazione 2 maledizione.

executant [ig'zekjutənt] s. esecutore.

to **execute** ['eksikju:t] v.tr. 1 eseguire 2 giustiziare.

execution [,eksi'kju:ʃən] s. 1 esecuzione; attuazione 2 esecuzione capitale 3 (letter.) strage (anche fig.).

executioner [,eksi'kju:ʃnə*] s. boia, carnefice.

executive [ig'zekjutiv] agg. esecutivo // — order, decreto legge // — president, presidente effettivo ♦ s. 1 esecutivo 2 dirigente // — chief —, direttore generale // sales —, direttore delle vendite.

executor [ig'zekjutə*] s. esecutore; (dir.) esecutore testamentario.

executrix [eg'zekjutriks], pl. **executrices** [eg'zekju trisi:z] s. esecutrice.

exegesis [,eksi'dʒi:sis] s. esegesi.

exegetical [,eksi'dʒetikəl] agg. esegetico.

exemplar [ig'zemplə*] s. esemplare, modello.

exemplary [ig'zempləri] agg. esemplare.

to **exemplify** [ig'zemplifai] v.tr. esemplificare; servire d'esempio (a).

exempt [ig'zempt] agg. esente, esonerato.

to **exempt** v.tr. esentare, esonerare.

exemption [ig'zempʃən] s. esenzione, esonero.

exercise ['eksəsaiz] s. 1 esercizio 2 esercizio fisico, moto: to take —, fare del moto 3 (mil.) esercitazio-

ne 4 pl. (amer.) cerimonie: graduation exercises, cerimonie di laurea.

to **exercise** v.tr. 1 esercitare, usare 2 esercitare, allenare 3 preoccupare, tormentare ♦ v.intr. esercitarsi, allenarsi.

to **exert** [ig'zə:t] v.tr. 1 esercitare, fare uso (di) 2 to — oneself, sforzarsi.

exertion [ig'zə:ʃən] s. 1 esercizio, uso 2 sforzo.

to **exfoliate** [eks'foulieit] v.intr. 1 (geogr.) sfaldarsi 2 (med.) squamarsi.

exhalation [,ekshə'leiʃən] s. esalazione.

to **exhale** [eks'heil] v.tr. esalare ♦ v.intr. 1 evaporare 2 (med.) trasudare.

exhaust [ig'zɔ:st] s. 1 (mecc.) scarico, scappamento // — gas, gas di scarico 2 — (fan), aspiratore.

to **exhaust** v.tr. 1 esaurire 2 stancare 3 vuotare ♦ v.intr. scaricarsi.

exhaustion [ig'zɔ:stʃən] s. esaurimento; spossatezza, stanchezza.

exhaustive [ig'zɔ:stiv] agg. 1 esauriente; completo 2 spossante.

exhaust pipe [ig'zɔ:st'paip] s. tubo dello scappamento.

exhibit [ig'zibit] s. 1 oggetto, raccolta di oggetti esposti in una mostra 2 (dir.) reperto; documento.

to **exhibit** v.tr. esibire; rivelare; esporre.

exhibition [,eksi'biʃən] s. 1 esposizione // — room, sala d'esposizione // to make an — of oneself, (fam.) dare spettacolo (di sé) 2 borsa di studio.

exhibitioner [,eksi'biʃnə*] s. borsista.

exhibitionist [,eksi'biʃnist] agg. esibizionistico ♦ s. esibizionista.

exhibitor [ig'zibitə*] s. espositore.

to **exhilarate** [ig'ziləreit] v.tr. rallegrare, esilarare.

to **exhort** [ig'zɔ:t] v.tr. esortare, incoraggiare; ammonire.

exhortation [,egzɔ:'teiʃən] s. esortazione.

exhumation [,ekshju:'meiʃən] s. esumazione.

to **exhume** [eks'hju:m] v.tr. esumare.

exigence ['eksidʒəns], **exigency** ['eksidʒənsi] s. 1 esigenza, bisogno 2 situazione critica, emergenza.

exigent ['eksidʒənt] agg. 1 pressante, urgente 2 esigente.

exigible ['eksidʒibl] agg. esigibile.

exiguity [,eksi'gju(:)iti] s. esiguità; scarsità.

exile ['eksail] s. 1 esilio 2 esule; esiliato.

to **exile** v.tr. esiliare.

to **exist** [ig'zist] v.intr. esistere.

existence [ig'zistəns] s. esistenza: in —, esistente; to call into —, far nascere.

existential [,egzis'tenʃəl] agg. esistenziale.

existentialism [,egzis'tenʃəlizəm] s. esistenzialismo.

exit ['eksit] s. uscita: to make one's —, uscire; morire.

exodus ['eksədəs] s. esodo.

to **exonerate** [ig'zɔnəreit] v.tr. esonerare; liberare.

exoneration [ig,zɔnə'reiʃən] s. esonero.

exorbitance [ig'zɔ:bitəns] s. 1 esorbitanza 2 eccesso.

exorbitant [ig'zɔ:bitənt] agg. esorbitante.

exorcism ['eksɔ:sizəm] s. esorcismo.

to **exorcize** ['eksɔ:saiz] v.tr. esorcizzare.

exordium [ek'sɔ:djəm] s. esordio, prologo.

exosphere ['eksousfiə*] s. (fis.) esosfera.

exothermic [,eksou'θə:mik] agg. esotermico.

exotic [eg'zɔtik] agg. esotico ♦ s. pianta esotica.

exoticism [eg'zɔtisizəm] s. esotismo.

to **expand** [iks'pænd] v.tr. espandere, dilatare ♦ v.intr. espandersi, dilatarsi.

expander [iks'pændə*] s. estensore.

expanse [iks'pæns] s. spazio; distesa, estensione.

expansion [iks'pænʃən] s. **1** espansione; dilatazione **2** (mat.) sviluppo (di equazione).

expansionism [iks'pænʃənizəm] s. espansionismo.

expansionist [iks'pænʃənist] agg. espansionistico ♦ s. espansionista.

to **expatiate** [eks'peiʃieit] v.intr. dilungarsi.

expatriate [eks'pætrieit, (amer.) eks'peitrieit] agg. e s. espatriato.

to **expatriate** v.tr. espatriare.

expatriation [eks,pætri'eiʃən] s. espatrio.

to **expect** [iks'pekt] v.tr. aspettare, aspettarsi: he is expected to arrive tomorrow, è atteso domani; I — he has paid, suppongo abbia pagato // to be expecting, (fam.) aspettare un bambino // I — so, immagino, penso di sì.

expectancy [iks'pektənsi] s. aspettativa; attesa.

expectant [iks'pektənt] agg. in attesa // — mother, donna incinta.

expectation [,ekspek'teiʃən] s. aspettativa; prospettiva: to answer (o to come up to o to meet) one's expectations, rispondere all'aspettativa; to fall short of one's expectations, non corrispondere all'aspettativa // — of life, probabilità di vita.

expectorant [eks'pektərənt] agg. e s. (med.) espettorante.

to **expectorate** [eks'pektəreit] v.tr. espettorare.

expedience [iks'pi:djəns], **expediency** [iks'pi:djənsi] s. **1** convenienza; opportunità **2** opportunismo.

expedient [iks'pi:djənt] agg. vantaggioso, opportuno ♦ s. espediente; accorgimento.

to **expedite** ['ekspidait] v.tr. **1** accelerare; facilitare **2** (comm.) spedire.

expedition [,ekspi'diʃən] s. **1** spedizione **2** prontezza, sollecitudine.

expeditious [,ekspi'diʃəs] agg. pronto, sollecito.

to **expel** [iks'pel] v.tr. espellere, cacciare.

to **expend** [iks'pend] v.tr. spendere, impiegare, usare: to — money on (doing) sthg., spendere denaro per (fare) qlco.

expendable [iks'pendəbl] agg. **1** spendibile; consumabile **2** (mil.) di secondaria importanza.

expenditure [iks'penditʃə*] s. consumo, spesa.

expense [iks'pens] s. spesa, costo (anche fig.): at one's own —, a proprie spese; free of —, gratis // entertainment expenses, spese di rappresentanza // travelling expenses, indennità di viaggio // out-of-pocket expenses, piccole spese // — account, conto spese // to laugh at s.o.'s —, ridere alle spalle di qlcu.

expensive [iks'pensiv] agg. costoso, caro.

experience [iks'piəriəns] s. esperienza: from —, per esperienza.

to **experience** v.tr. esperimentare, provare.

experienced [iks'piəriənst] agg. esperto.

experientialism [eks,piəri'enʃəlizəm] s. (fil.) empirismo.

experiment [iks'perimənt] s. esperimento, prova.

to **experiment** [iks'perimənt] v.intr. fare esperimenti.

experimental [eks,peri'mentl] agg. sperimentale.

expert ['ekspə:t] agg. e s. esperto.

expertise [,ekspə:'ti:z] s. abilità; competenza.

expiable ['ekspiəbl] agg. espiabile.

to **expiate** ['ekspieit] v.tr. espiare.

expiation [,ekspi'eiʃən] s. espiazione.

expiration [,ekspi'reiʃən] s. **1** (med.) espirazione **2** scadenza, termine.

to **expire** [iks'paiə*] v.intr. **1** morire, spirare **2** finire, scadere **3** (med.) esalare ♦ v.tr. espirare.

to **explain** [iks'plein] v.tr. spiegare // he never explains, non dà mai spiegazioni // to — away, dar ragione di.

explanation [,eksplə'neiʃən] s. spiegazione.

explanatory [iks'plænətəri] agg. esplicativo.

to **explicate** ['eksplikeit] v.tr. esplicare, spiegare

explication [,ekspli'keiʃən] s. esplicazione, spiegazione.

explicit [iks'plisit] agg. esplicito, chiaro.

explicitness [iks'plisitnis] s. chiarezza; precisione.

to **explode** [iks'ploud] v.intr. esplodere (anche fig.) ♦ v.tr. **1** fare esplodere **2** (fig.) distruggere.

exploded [iks'ploudid] agg. (di disegno, di modello) esploso.

exploit¹ ['eksploit] s. impresa; azione eroica.

to **exploit²** [iks'ploit] v.tr. utilizzare, sfruttare.

exploitation [,eksploi'teiʃən] s. sfruttamento.

exploration [,eksplo:'reiʃən] s. esplorazione.

to **explore** [iks'plo:*] v.tr. esplorare.

explorer [iks'plo:rə*] s. esploratore.

explosion [iks'plouʒən] s. esplosione.

explosive [iks'plousiv] agg. esplosivo ♦ s. **1** esplosivo // — oil, nitroglicerina **2** (consonante) esplosiva.

explosiveness [iks'plousivnis] s. esplosività.

exponent [eks'pounənt] s. **1** divulgatore; esponente **2** (mat.) esponente, indice.

export ['ekspo:t] s. **1** esportazione **2** merce di esportazione ♦ agg. di, per esportazione.

to **export** ['ekspo:t] v.tr. esportare.

exportation [,ekspo:'teiʃən] s. esportazione.

exporter [eks'po:tə*] s. esportatore.

to **expose** [iks'pouz] v.tr. **1** esporre: to — a newborn child, abbandonare un neonato **2** svelare, smascherare.

exposé [eks'pouzei, (amer.) ,ekspo'zei] s. **1** spiegazione dettagliata **2** denuncia, smascheramento.

exposition [,ekspə'ziʃən] s. **1** spiegazione, interpretazione, commento (di opera letteraria ecc.) **2** esposizione.

expositor [eks'pozitə*] s. commentatore.

to **expostulate** [iks'postjuleit] v.intr. fare rimostranze: to — with s.o. on (o about) sthg., fare le proprie rimostranze a qlcu. per qlco.

expostulation [iks,postju'leiʃən] s. rimostranza.

exposure [iks'pouʒə*] s. **1** esposizione // to die of —, morire per assideramento // indecent —, oltraggio al pudore **2** smascheramento, denuncia **3** (fot.) (tempo di) esposizione // — meter, esposimetro // time —, posa.

to **expound** [iks'paund] v.tr. spiegare; interpretare.

express [iks'pres] agg. **1** chiaro, preciso, esplicito **2** espresso, diretto ♦ s. espresso; corriere // — letter, espresso ♦ avv. **1** per espresso **2** espressamente.

to **express** v.tr. **1** esprimere, manifestare **2** (amer.) spedire (merci) con trasporto celere.

expression [iks'preʃən] s. espressione: beyond (o past) —, inesprimibile.

expressionism [iks'preʃnizəm] s. espressionismo.

expressionist [iks'preʃnist] s. espressionista.

expressive [iks'presiv] agg. espressivo, significativo.

expressway [ik'spreswei] s. (amer. per motorway) autostrada.

to **expropriate** [eks'prouprieit] v.tr. espropriare: to — sthg. from s.o., privare qlcu. di qlco.

expropriation [eks,proupri'eiʃən] s. espropriazione.

expulsion [iks'pʌlʃən] s. espulsione.

to **expunge** [eks′pʌndʒ] *v.tr.* cancellare.

to **expurgate** [′ekspə:geit] *v.tr.* espurgare.

expurgation [‚ekspə:′geiʃən] *s.* espurgazione.

exquisite [′ekskwizit, (*amer.*) ek′skwizit] *agg.* 1 squisito, fine, sensibile 2 acuto, vivo ♦ *s.* elegantone, bellimbusto.

exquisiteness [′ekskwizitnis] *s.* 1 squisitezza, finezza, ricercatezza 2 intensità.

to **exsiccate** [′eksikeit] *v.tr.* essiccare; prosciugare.

extant [eks′tænt, (*amer.*) ′ekstənt] *agg.* ancora esistente.

extemporaneous [eks,tempə′reinjəs], **extemporary** [iks′tempərəri] *agg.* estemporaneo.

extempore [eks′tempəri] *agg.* improvvisato ♦ *avv.* senza preparazione.

extemporization [eks,tempərai′zeiʃən] *s.* improvvisazione.

to **extemporize** [iks′tempəraiz] *v.tr. e intr.* improvvisare.

to **extend** [iks′tend] *v.tr.* 1 tendere, stendere 2 estendere; prolungare; protrarre // *to — one′s business*, ampliare il proprio giro d'affari 3 manifestare; offrire; accordare ♦ *v.intr.* estendersi; protrarsi.

extension [iks′tenʃən] *s.* 1 estensione, ampliamento 2 (*comm.*) proroga, dilazione; estensione (di credito) 3 (*tel.*) derivazione; interno.

extensive [iks′tensiv] *agg.* 1 esteso, ampio, vasto 2 (*agr.*) estensivo.

extensor [iks′tensə*] *s.* muscolo estensore.

extent [iks′tent] *s.* estensione; limite; lunghezza; misura; grado: *to a great —*, in larga misura; *to what —?*, sino a che limite?, fin dove?

to **extenuate** [eks′tenjueit] *v.tr.* 1 attenuare 2 estenuare, indebolire.

extenuation [eks,tenju′eiʃən] *s.* 1 attenuazione 2 estenuazione, indebolimento.

exterior [eks′tiəriə*] *agg.* esterno, esteriore ♦ *s.* 1 esterno 2 esteriorità, aspetto.

exteriority [eks,tiəri′ɔriti] *s.* esteriorità.

to **exteriorize** [eks′tiəriəraiz] *v.tr.* esternare.

exterminable [eks′tə:minəbl] *agg.* sterminabile.

to **exterminate** [eks′tə:mineit] *v.tr.* sterminare.

extermination [eks,tə:mi′neiʃən] *s.* sterminio.

external [eks′tə:nl] *agg.* esteriore, esterno // *— policy*, politica estera // *— memory*, *— storage*, (*informatica*) memoria esterna, memoria ausiliaria ♦ *s.pl.* l'apparenza (*sing.*); le circostanze esterne.

to **externalize** [eks′tə:nəlaiz] *v.tr.* esternare.

exterritorial [′eks,teri′tɔ:riəl] *agg.* estraterritoriale.

extinct [iks′tiŋkt] *agg.* estinto.

extinction [iks′tiŋkʃən] *s.* estinzione.

to **extinguish** [iks′tiŋgwiʃ] *v.tr.* estinguere.

extinguisher [iks′tiŋgwiʃə*] *s.* estintore.

to **extirpate** [′ekstə:peit] *v.tr.* estirpare.

extirpation [‚ekstə:′peiʃən] *s.* estirpazione.

to **extol** [iks′tɔl] *v.tr.* lodare, esaltare.

to **extort** [iks′tɔ:t] *v.tr.* estorcere (*anche fig.*).

extortion [iks′tɔ:ʃən] *s.* estorsione.

extra- [′ekstrə] *pref.* extra-.

extra *agg.* extra, straordinario, supplementare ♦ *s.* 1 extra; edizione straordinaria (di giornale) 2 (*teatr. cinem.*) comparsa ♦ *avv.* extra, in più: *packing —*, imballaggio a parte.

extract [′ekstrækt] *s.* 1 estratto 2 citazione, passo.

to **extract** [iks′trækt] *v.tr.* 1 estrarre, togliere 2 estorcere 3 scegliere.

extractable [iks′træktəbl] *agg.* estraibile.

extraction [iks′trækʃən] *s.* 1 estrazione 2 origine: *of low —*, di umile origine.

extractor [iks′træktə*] *s.* estrattore.

to **extradite** [′ekstrədait] *v.tr.* (*dir.*) estradare.

extradition [‚ekstrə′diʃən] *s.* estradizione.

extramarital [‚ekstrə′mæritl] *agg.* extraconiugale.

extramural [′ekstrə′mjuərəl] *agg.* 1 fuori le mura 2 extrauniversitario.

extraneous [eks′treinjəs] *agg.* estraneo.

extraordinary [iks′trɔ:dnri] *agg.* straordinario.

extraparliamentary [‚ekstrəpə:lə′mentəri] *agg.* extraparlamentare.

to **extrapolate** [eks′træpəleit] *v.tr.* estrapolare.

extrasensory [′ekstrə′sensəri] *agg.* estrasensorio, extrasensoriale.

extra-special [′ekstrə′speʃəl] *agg.* (*fam.*) formidabile; fantastico.

extrasystole [‚ekstrə′sistoul] *s.* (*med.*) extrasistole.

extraterrestrial [‚ekstrətə′restriəl] *agg.* e *s.* extraterrestre.

extraterritorial [′ekstrə,teri′tɔ:riəl] *agg.* extraterritoriale.

extravagance [iks′trævigəns] *s.* 1 prodigalità; sperpero 2 stravaganza.

extravagant [iks′trævigənt] *agg.* 1 prodigo 2 stravagante 3 eccessivo; smodato.

extravaganza [eks,trævə′gænzə] *s.* 1 (*teatr.*) farsa 2 (*lett. mus.*) composizione fantasiosa 3 linguaggio, comportamento stravagante.

to **extravasate** [eks′trævəseit] *v.tr.* (*med.*) travasare.

extravasation [eks,trævə′seiʃən] *s.* travaso.

extreme [iks′tri:m] *agg.* 1 estremo 2 severo ♦ *s.* estremo: *in the —*, all'estremo; *to go to extremes*, giungere agli estremi.

extremism [iks′tri:mizəm] *s.* estremismo.

extremist [iks′tri:mist] *agg.* e *s.* estremista.

extremity [iks′tremiti] *s.* 1 estremità; colmo 2 pericolo.

to **extricate** [′ekstrikeit] *v.tr.* districare (*anche fig.*); liberare.

extrication [‚ekstri′keiʃən] *s.* il trarre d'impaccio.

extrinsic [eks′trinsik] *agg.* estrinseco.

extroversion [‚ekstrou′vəʃən] *s.* estroversione.

extrovert [′ekstrouvə:t] *s.* estroverso.

to **extrude** [eks′tru:d] *v.tr.* espellere.

extrusion [eks′tru:ʒən] *s.* espulsione.

exuberance [ig′zju:bərəns], **exuberancy** [ig′zju:bərənsi] *s.* esuberanza.

exuberant [ig′zju:bərənt] *agg.* 1 esuberante 2 copioso; lussureggiante.

exudate [′eksju:deit] *s.* (*med.*) essudato.

exudation [‚eksju:′deiʃən] *s.* trasudamento.

to **exude** [ig′zju:d] *v.tr. e intr.* (far) trasudare.

to **exult** [ig′zʌlt] *v.intr.* esultare; trionfare.

exultant [ig′zʌltənt] *agg.* esultante; trionfante.

exultation [‚egzʌl′teiʃən] *s.* esultanza.

to **exuviate** [ig′zju:vieit] *v.tr. e intr.* cambiar (pelle).

ex-works [eks′wɔ:ks] *agg.* e *avv.* 1 nuovo di zecca 2 (*comm.*) franco officina.

eye [ai] *s.* 1 occhio, vista; sguardo: *blind in one —*, cieco da un occhio // *my — !*, (*fam.*) ma figurati! // *fishy —*, occhio di triglia // *to make eyes at*, fare gli occhi dolci a // *to have an — for*, aver buon fiuto per // *with an — to (doing) sthg.*, con l'idea di (fare) qlco. // *to keep an — on*, badare a // *to turn a blind — to*, ignorare // *to see — to — with*, essere d'accordo con

// *to be up to the eyes in*, essere immerso fino al collo in **2** (*bot.*) gemma **3** occhiello; cruna (di ago) **4** (*mar.*) gassa.

to **eye** *v.tr.* guardare, osservare; sbirciare.

eyeball [ˈaibɔːl] *s.* bulbo oculare.

eyebrow [ˈaibrau] *s.* sopracciglio.

eye-catching [ˈai‚kætʃiŋ] *agg.* vistoso, appariscente, che attira lo sguardo.

eyeful [ˈaiful] *s.* **1** sguardo **2** (*fam.*) cosa, persona appariscente.

eyeglass [ˈaiglɑːs] *s.* lente; monocolo; *pl.* occhialino (*sing.*).

eyehole [ˈaihoul] *s.* **1** spiraglio **2** occhiello; foro (per stringhe ecc.).

eyelash [ˈailæʃ] *s.* ciglio.

eyeless [ˈailis] *agg.* cieco.

eyelet [ˈailit] *s.* occhiello, foro (per stringhe ecc.).

eyelid [ˈailid] *s.* palpebra.

eye-opener [ˈai‚oupnə*] *s.* (*fam.*) rivelazione sorprendente.

eyepiece [ˈaipiːs] *s.* (*ott.*) oculare.

eyeshade [ˈaiʃeid] *s.* visiera.

eye shadow [ˈai‚ʃædou] *s.* ombretto.

eyeshot [ˈaiʃɔt] *s.* campo visivo.

eyesight [ˈaisait] *s.* vista, capacità visiva.

eyesore [ˈaisɔː*] *s.* (*fig.*) pugno nell'occhio.

eyetooth [ˈaituːθ] *s.* dente canino // *to cut one's eyeteeth, towne* (*fig.*) crescere.

eyewash [ˈaiwɔʃ] *s.* **1** collirio **2** (*sl.*) fandonia: *it's all — !*, sono tutte storie!

eyewitness [ˈai‚witnis] *s.* testimone oculare.

eyot [eit] *s.* isolotto.

eyre [εə*] *s.* (*st. inglese*) corte ambulante.

eyrie [ˈaiəri] *s.* nido di uccelli da preda.

F

f [ef], *pl.* **fs, f's** [efs] *s.* **1** f // — *for Frederick*, (*tel.*) f come Firenze **2** F (*mus.*) fa.

fa [fɑː] *s.* (*mus.*) fa.

fab [fæb] *agg.* (*fam.*) *abbr.* di **fabulous**.

Fabian [ˈfeibjən] *agg.* temporeggiatore ♦ *s.* membro della «Fabian Society».

fable [ˈfeibl] *s.* **1** favola; fiaba; leggenda **2** fola; frottola.

fabled [ˈfeibld] *agg.* **1** favoloso, leggendario **2** inventato.

fabric [ˈfæbrik] *s.* **1** struttura (*anche fig.*) **2** tessuto: — *softener*, ammorbidente **3** edificio.

to **fabricate** [ˈfæbrikeit] *v.tr.* **1** fabbricare **2** inventare **3** falsificare.

fabrication [‚fæbriˈkeiʃən] *s.* **1** invenzione **2** contraffazione.

fabulist [ˈfæbjulist] *s.* favolista.

fabulous [ˈfæbjuləs] *agg.* favoloso (*anche fig.*); leggendario.

façade [fəˈsɑːd] *s.* facciata.

face [feis] *s.* **1** faccia (*anche fig.*); viso: — *down*, a faccia in giù; *in* (*the*) — *of*, di fronte a; *to s.o.'s* —, in faccia a qlcu., apertamente; *to show one's* —, farsi vedere // *to save one's* —, salvare la faccia // *to look the facts in the* —, affrontare la realtà // *to pull* (o *to wear*) *a long* —, fare il broncio // *to put a good* (o *brave*) — *on a bad business*, far buon viso a cattivo gioco // *to fly in the* — *of*, andar contro, sfidare // *to pull faces*, fare le boccacce // *she has a* —!, ha una bella faccia tosta! // *about, left, right* —!, (*amer.*) (*mil.*) dietro front! fianco sinist!, fianco dest! **2** apparenza: *on the* — *of it*, giudicando dalle apparenze **3** quadrante **4** facciata; superficie; crosta **5** (*tip.*) occhio.

to **face** *v.tr.* **1** fronteggiare, essere di fronte (a); essere orientato (a); guardare (a, su): *the window faces the street*, la finestra guarda sulla strada // *to be faced by*, trovarsi di fronte a **2** affrontare, opporsi (a): *to* — *up to*, affrontare, accettare // *to* — *the music*, (*fig.*) affrontare la situazione, rispondere delle proprie azioni // *to*

— *out*, affrontare, superare con coraggio **3** ricoprire, rivestire (una superficie) ♦ *v.intr.* **1** essere orientato, esposto: *the house faces* (*to the*) *north*, la casa è esposta a nord **2** (*mil.*) girare (nella direzione comandata): *left, right* —!, fronte sinist!, dest!; *about* —!, dietro front!

facecloth [ˈfeisklɔθ] *s.* guanto di spugna per lavarsi.

face-lift [ˈfeisˈlift] *s.* **1** plastica facciale **2** lavori esterni di miglioramento.

face pack [ˈfeispæk] *s.* maschera di bellezza.

face powder [ˈfeispaudə*] *s.* cipria.

facer [ˈfeisə*] *s.* **1** (*fam.*) ceffone **2** difficoltà.

facet [ˈfæsit] *s.* **1** faccetta **2** aspetto.

facetiae [fəˈsiːʃiiː] *s.pl.* facezie.

facetious [fəˈsiːʃəs] *agg.* faceto; ridicolo.

facial [ˈfeiʃəl] *agg.* facciale ♦ *s.* trattamento di bellezza al viso.

facile [ˈfæsail, (*amer.*) ˈfæsl] *agg.* **1** facile **2** influenzabile **3** pronto, scorrevole **4** affrettato, superficiale.

to **facilitate** [fəˈsiliteit] *v.tr.* facilitare.

facility [fəˈsiliti] *s.* **1** facilità: — *in speaking*, facilità di parola **2** *pl.* facilitazioni **3** (*informatica*) installazioni (*pl.*): *facilities*, mezzi, risorse (di produzione).

facing [ˈfeisiŋ] *agg.* che sta di fronte ♦ *s.* **1** rivestimento **2** *pl.* risvolti **3** (*mil.*) cambiamento di direzione (nelle esercitazioni).

fact [fækt] *s.* fatto // *in* —, *in point of* —, in realtà; *as a matter of* —, in effetti // *the* — *of the matter*, la verità.

fact-finding [ˈfækt‚faindiŋ] *agg.* di inchiesta.

faction [ˈfækʃən] *s.* **1** fazione **2** faziosità.

factious [ˈfækʃəs] *agg.* fazioso.

factitious [fækˈtiʃəs] *agg.* fittizio; artificiale; banale.

factor [ˈfæktə*] *s.* **1** fattore; coefficiente: *cost* —, fattore costo **2** agente, commissionario.

factory [ˈfæktəri] *s.* fabbrica; manifattura; stabilimento // *Factory Acts*, leggi sindacali // — *farm*, allevamenti in batteria.

factual [ˈfæktjuəl] *agg.* effettivo, reale.

factum [ˈfæktəm], *pl.* **facta** [ˈfæktə] *s.* memoriale.

facultative [ˈfækəltətiv] *agg.* facoltativo.

faculty ['fækəlti] s. 1 facoltà 2 (amer.) (nelle università) corpo insegnante.

fad [fæd] s. capriccio; mania; moda; entusiasmo passeggero.

faddist ['fædist] s. capriccioso; fissato.

to fade [feid] v.tr. 1 sbiadire, scolorire 2 (cinem. rad. tv) variare gradualmente: to — in, out, (cinem.) aprire, chiudere in dissolvenza; (rad. tv) aumentare, diminuire gradualmente di intensità ♦ v.intr. 1 scolorirsi, sbiadire 2 venir meno, languire 3 appassire 4 svanire, scemare.

fading ['feidiŋ] s. 1 appassimento; (fig.) deperimento 2 scolorimento 3 (rad.) dissolvenza.

faeces ['fi:si:z] s.pl. feci, escrementi.

faerie, faery ['feiəri] agg. (poet.) 1 fatato 2 immaginario ♦ s. (arc.) 1 paese delle fate 2 fata.

fag¹ [fæg] s. 1 (nelle scuole private inglesi) studente giovane che deve fare servizi umili per uno studente anziano 2 seccatura.

to fag¹ v.tr. 1 far sfacchinare; esaurire, stancare 2 (nelle scuole inglesi) far fare a uno studente giovane servizi umili ♦ v.intr. 1 sfacchinare; stancarsi, esaurirsi: to — (away) at sthg., sfacchinare per far qlco. 2 (nelle scuole inglesi) fare servizi umili per uno studente anziano (da parte di uno studente giovane).

fag² s. (sl. fam.) sigaretta.

fag³ s. (sl. amer.) omosessuale.

fagend ['fæg'end] s. 1 ciò che rimane (del giorno, della vacanza) 2 mozzicone (di sigaretta).

faggot ['fægət] s. 1 fascina 2 (metall.) fascio di verghe di metallo 3 (sl. amer.) omosessuale, finocchio.

fagot s. (amer.) → **faggot**.

faience [fai'ɔːns] s. porcellana.

fail [feil] s. insuccesso.

to fail v.intr. 1 essere insufficiente; mancare, venire a mancare; venir meno // to — in, mancare di; non superare (esami) // to — in one's duty, mancare al proprio dovere // to — to do sthg., non riuscire a fare qlco.; mancare di fare qlco. 2 indebolirsi; venir meno 3 (comm.) fallire ♦ v.tr. 1 abbandonare, trascurare; mancare (a), venire a mancare (a), venir meno (a): words — me, mi mancano le parole // to — s.o., mancare ai propri impegni verso qlcu. 2 non superare (un esame) 3 bocciare.

failing ['feiliŋ] s. difetto, debolezza; mancanza ♦ prep. in mancanza di, salvo.

fail-safe [ˌfeil'seif] agg.attr. di sicurezza: — mechanism, dispositivo di sicurezza.

failure ['feiljə*] s. 1 insuccesso, fallimento; fiasco 2 incapacità 3 guasto 4 insufficienza; mancanza; omissione 5 indebolimento 6 (informatica) avaria; incidente 7 (fig.) un fallito, un incapace.

fain [fein] agg.pred. 1 contento; pronto 2 — to, costretto a ♦ avv. (antiq.) volentieri.

faint [feint] agg. debole: — with hunger, debole per la fame; to feel quite —, sentirsi venir meno // ruled —, con leggera rigatura (di carta) 2 leggero; vago, incerto: a — noise, un leggero rumore; I have not the faintest idea how (to do sthg.), non ho la più pallida idea di come (fare qlco.) ♦ s. svenimento.

to faint v.intr. svenire.

faint-hearted ['feint'ha:tid] agg. codardo.

fair¹ [feə*] agg. 1 bello; luminoso, sereno; the — copy, la bella (copia) // — -boding, di buon auspicio // the — sex, il gentil sesso 2 biondo; chiaro 3 giusto, imparziale; franco; schietto, leale: by — means, con mezzi

onesti; — game, gioco leale; — struggle, lotta ad armi pari // to be — game, prestare il fianco (a critiche, attacchi) 4 (fig.) onorato 5 favorevole, promettente // to be in a — way to..., avere delle buone probabilità di... 6 plausibile; discreto ♦ s. il bello ♦ avv. 1 onestamente, lealmente: to play —, agire con lealtà 2 gentilmente 3 direttamente.

fair² s. fiera, mercato // a day after the —, troppo tardi // Milan Trade Fair, Fiera Campionaria di Milano // world —, esposizione universale.

fairground ['feəɡraund] s. recinto fieristico.

fairing ['feəriŋ] s. (mar. aer.) carenatura.

fairly ['feəli] avv. 1 lealmente, onestamente; imparzialmente 2 abbastanza: — well, abbastanza bene 3 completamente.

fair-minded ['feə'maindid] agg. imparziale.

fairness ['feənis] s. 1 bellezza; luminosità 2 color biondo; bianchezza 3 imparzialità; lealtà.

fair play ['feə'plei] s. lealtà; comportamento leale.

fairway ['feəwei] s. canale navigabile.

fair-weather ['feə'weðə*] agg.: — friend, gli amici del tempo felice.

fairy ['feəri] agg. 1 di fate; fatato, magico 2 bello; grazioso ♦ s. fata; (sl.) giovane omosessuale.

fairy-lamp ['feərilæmp] s. lampioncino veneziano.

fairyland ['feərilænd] s. paese delle fate.

fairylike ['feərilaik] agg. simile a fata, da fata.

fairy-tale ['feəriteil] s. fiaba; favola (anche fig.).

faith [feiθ] s. 1 fede, fiducia: in bad, good —, in malafede, in buona fede; to put one's — in, fidarsi di 2 onestà; promessa; parola (d'onore).

faithful ['feiθful] agg. 1 fedele: a — copy, copia conforme all'originale // the —, i credenti 2 degno di fiducia.

faithfully ['feiθfuli] avv. fedelmente // Yours —, distinti saluti.

faithfulness ['feiθfulnis] s. fedeltà.

faith healer ['feiθ,hi:lə*] s. guaritore (per mezzo della fede).

fake¹ [feik] s. (mar.) duglia, giro di cavo.

fake² s. 1 falso, imitazione 2 inganno.

to fake² v.tr. contraffare, falsificare; ritoccare.

fakir ['fa:kiə*, (amer.) fə'kiə*] s. fachiro.

falcon ['fɔ:lkən] s. falcone.

falconer ['fɔ:lkənə*] s. falconiere.

falconry ['fɔ:lkənri] s. falconeria.

faldstool ['fɔ:ldstu:l] s. (eccl.) faldistor(i)o.

fall¹ [fɔ:l] s. 1 caduta (anche fig.): a — of snow, una nevicata; — in prices, una caduta, un ribasso dei prezzi // to ride for a —, (fam.) cercare guai 2 (amer.) autunno 3 (gener.pl.) cascata.

to fall¹, pass. **fell** [fel], p.pass. **fallen** ['fɔ:lən] v.intr. 1 cadere (anche fig.): to — to the ground, cadere a terra; to — on one's knees, cadere in ginocchio; to — to pieces, cadere in pezzi // Easter falls early this year, quest'anno la Pasqua è bassa // not a word fell from her lips, non pronunciò nemmeno una parola // his eyes fell, abbassò gli occhi // to — asleep, addormentarsi // to — ill, ammalarsi // to — in love, innamorarsi // to — in s.o.'s estimation, perdere la stima di qlcu. // to — below s.o.'s estimate, rivelarsi inferiore alla valutazione // to — (up)on, gettarsi, piombare su: a great fear fell upon me, mi prese un gran terrore // to — under, essere classificato come; rientrare in (una categoria ecc.) 2 diminuire, abbassarsi // my spirits fell at the news of the disaster, mi demoralizzai alla notizia del disastro 3 dividersi: *to — into groups*, dividersi in gruppi **4** *to — away*, abbandonare; allontanarsi; deperire **5** *to — back*, ritirarsi // *to — back upon*, ricorrere a; ripiegare su **6** *to — behind*, rimanere indietro; essere in arretrato **7** *to — flat*, non avere successo **8** *to — for*, innamorarsi di; farsi abbindolare da **9** *to — foul of*, (*mar.*) entrare in collisione con; (*fig.*) inimicarsi **10** *to — in*, cadere, crollare (di edificio); (*mil.*) allinearsi **11** *to — in with*, incontrare, imbattersi // *to — in with s.o.'s plans*, accettare i piani di qlcu. **12** *to — off*, diminuire; (*mar.*) non rispondere al timone **13** *to — out*, litigare; accadere; (*mil.*) rompere le file **14** *to — short*, mancare, essere insufficiente: *the arrow fell short*, la freccia non raggiunse il bersaglio; *the result fell short of her expectations*, il risultato fu inferiore alle sue aspettative **15** *to — to*, incominciare; cominciare a mangiare **16** *to — through*, fallire (di un progetto).

fall² *s.* botola; trappola.

fallacious [fə'leiʃəs] *agg.* fallace.

fallacy ['fæləsi] *s.* **1** errore; fallacia **2** sofisma.

fal-lal ['fæ'læl] *s.* raffinatezza; fronzoli (*pl.*).

fallen *p.pass.* di to **fall**.

fallibility [ˌfæli'biliti] *s.* fallibilità.

falling ['fɔːliŋ] *agg.* cadente // *— star*, stella cadente ♦ *s.* caduta (*anche fig.*) // *— in*, sprofondamento; crollo // *— off*, defezione; diminuzione // *— out*, dissidio // *— short*, insufficienza.

fall-out ['fɔːl'aut] *s.* **1** pioggia radioattiva **2** chi abbandona (un'attività).

fallow¹ ['fæləu] *agg.* fulvo.

fallow² *agg.* **1** (*agr.*) a riposo (di terreno) **2** (*fig.*) inesperto; incolto ♦ *s.* (*agr.*) maggese.

false [fɔːls] *agg.* falso: *— hair*, parrucca; *— teeth*, dentiera; *— bottom*, doppio fondo; *to take a — step*, (*anche fig.*) fare un passo falso // *to strike a — note*, fare una stecca; (*fig.*) toccare un tasto falso // *—faced*, ipocrita ♦ *avv.* falsamente // *to play s.o. —*, ingannare qlcu.

false-hearted ['fɔːls,hɑː'tid] *agg.* sleale, infido.

falsehood ['fɔːlshud] *s.* falsità, menzogna.

falsies ['fɔːlsi:z] *s.pl.* (*sl.*) reggiseno imbottito (*sing.*).

falsification [ˌfɔːlsifi'keiʃən] *s.* falsificazione.

to falsify ['fɔːlsifai] *v.tr.* **1** falsificare, alterare **2** provare la falsità (di); deludere, frustrare.

falsity ['fɔːlsiti] *s.* **1** menzogna, falsità **2** disonestà, slealtà, scorrettezza.

to falter ['fɔːltə*] *v.intr.* **1** barcollare **2** esitare **3** pronunciare (qlco.) con voce rotta, incerta.

faltering ['fɔːltəriŋ] *agg.* **1** barcollante **2** tremante, incerto (di voce) **3** titubante ♦ *s.* debolezza.

fame [feim] *s.* fama, rinomanza, celebrità.

famed [feimd] *agg.* rinomato, celebre.

familiar [fə'miljə*] *agg.* **1** intimo, familiare: *to be —* (o *on — terms*) *with s.o.*, essere in rapporti amichevoli con qlcu. // *— spirit*, spirito folletto **2** che ha familiarità con: *to be — with French*, conoscere bene il francese **3** conosciuto, usuale **4** sfacciato, impudente ♦ *s.* **1** spirito folletto **2** amico intimo.

familiarity [fəˌmili'æriti] *s.* **1** familiarità, intimità **2** sfacciataggine, impudenza **3** conoscenza **4** *pl.* eccessiva confidenza (*sing.*).

to familiarize [fə'miljəraiz] *v.tr.* far acquistare familiarità; far conoscere.

family ['fæmili] *s.* **1** famiglia: *— likeness*, somiglianza di famiglia // *— hotel*, albergo familiare // *— name*, cognome // *— tree*, albero genealogico // *it runs in the —*, è di famiglia (di qualità, dote ecc.) **2** figli (*pl.*), prole.

famine ['fæmin] *s.* carestia.

to famish ['fæmiʃ] *v.tr.* far morire di fame ♦ *v.intr.* essere affamato // *to be famished*, (*fam.*) avere una fame da lupo.

famous ['feiməs] *agg.* **1** celebre, famoso **2** (*fam.*) eccellente, straordinario, ottimo.

fan¹ [fæn] *s.* **1** ventaglio **2** ventilabro (per il grano) **3** (*mecc.*) ventilatore **4** pala di mulino a vento.

to fan¹ *v.tr.* **1** far vento (a): *to — oneself*, farsi vento; *to — the flame*, (*fig.*) soffiare sul fuoco **2** (*agr.*) ventilare ♦ *v.intr.*: *to — out*, aprirsi a ventaglio.

fan² *s.* (*fam.*) tifoso; ammiratore.

fanatic [fə'nætik] *agg.* e *s.* fanatico.

fanatical [fə'nætikəl] *agg.* fanatico.

fanaticism [fə'nætisizəm] *s.* fanatismo.

fancier ['fænsiə*] *s.* intenditore: *dog- —*, cinofilo.

fancifulness ['fænsifulnis] *s.* **1** fantasia, immaginazione **2** fantasticheria, capriccio.

fancy ['fænsi] *agg.* **1** decorato, elaborato // *— dog*, cane di lusso **2** fantastico, stravagante // *— dress*, costume **3** esorbitante: *— price*, prezzo d'amatore **4** immaginario **5** (*amer.*) di qualità superiore ♦ *s.* **1** illusione **2** vaga idea: *to have a — that*, avere la vaga idea che **3** capriccio, ghiribizzo **4** inclinazione; simpatia; *to take a — to s.o., sthg*, incapricciarsi di qlcu., qlco. **5** immaginazione, fantasia.

to fancy *v.tr.* **1** immaginare; pensare: *— meeting him!*, chi avrebbe pensato di incontrarlo!; *just —!* (o *— that!*), figurati! **2** illudersi, credere senza fondamento // *to — oneself*, credersi importante **3** piacere, desiderare; trovare attraente (qlcu.): *what do you — for dinner?*, che cosa ti piacerebbe per cena?

fancy-free ['fænsi'fri:] *agg.* libero da legami (spec. amorosi).

fane [fein] *s.* (*poet.*) tempio.

fanfare ['fænfeə*] *s.* squillo di tromba.

fanfaronade [ˌfænfærə'naːd] *s.* fanfaronata.

fang [fæŋ] *s.* **1** zanna **2** dente velenoso (di serpente) **3** radice dentaria **4** codolo.

fanlight ['fænlait] *s.* (*arch.*) lunetta.

fanon ['fænən] *s.* (*zool.*) fanone.

fantasma = **phantasm**.

fantastic(al) [fæn'tæstik(əl)] *agg.* **1** bizzarro, eccentrico **2** fantastico, immaginario.

fantasy ['fæntəsi] *s.* fantasia, immaginazione.

faquir ['fɑːkiə*] *s.* fachiro.

far [fɑː*], *compar.* **farther** ['fɑːðə*], **further** ['fɔːðə*], *superl.rel.* **farthest** ['fɑːðist], **furthest** ['fɔːðist] *agg.* lontano, distante, remoto: *— side of the street*, il lato opposto della strada // *a — cry*, una bella differenza // *few and — between*, rarissimo, più unico che raro // *— right, left*, (*pol.*) estrema destra, sinistra ♦ *avv.* **1** lontano: *it is very — from here*, è molto lontano da qui; *how — (away) is the station?*, quanto c'è da qui alla stazione?; *how — did you go?*, fin dove sei andato? // *— away* (o *— off*), lontano // *— from*, lungi da: *— be it from me*, lungi da me; *— from finished*, lungi dall'essere, tutt'altro che finito // *as — as*, fin dove; per quanto: *as — as the eye can see*, a perdita d'occhio; *as — as I know*, per quanto io sappia // *so* (o *thus*) *—*, finora; fin qui // *in so — as*, in quanto; per quanto // *to go —*, andar lontano, farsi un nome; *to go too —*, andare troppo in là, eccedere: *this is going too —*, questo è troppo **2** di gran lunga, molto, assai: *— better, worse, etc.*, di gran lunga, molto migliore, peggiore ecc. // *by —* (o *— and away*), moltissimo; di gran lunga.

faraway ['fɑːrəwei] *agg.* **1** lontano **2** (*fig.*) assente, distratto.

farce[1] [fɑːs] *s.* farsa.

to **farce**[2] *v.tr.* (*cuc.*) farcire.

farcical ['fɑːsikəl] *agg.* farsesco, comico.

fare [feə*] *s.* **1** tariffa, prezzo di una corsa (in treno ecc.): *adult* — (o *full-* —), tariffa intera; *excess* —, supplemento (di tariffa); *return* —, prezzo del biglietto di andata e ritorno; *single* —, prezzo del biglietto semplice **2** passeggero **3** vitto.

to **fare** *v.intr.* **1** andare; viaggiare **2** andare (bene, male): *to* — *well in one's business*, avere successo negli affari; *how fares it?*, (*fam.*) come vanno le cose?

farewell ['feə'wel] *s.* e *inter.* addio.

farfetched ['fɑː'fetʃt] *agg.* ricercato, lambiccato.

farina [fə'rai:nə] *s.* **1** farina **2** (*bot.*) polline **3** (*chim.*) amido.

farinaceous [,færi'neiʃəs] *agg.* **1** farinaceo **2** amidaceo.

farm [fɑːm] *s.* **1** fattoria // — *equipment*, materiale agricolo **2** allevamento: *chicken* —, allevamento di polli.

to **farm** *v.tr.* **1** coltivare **2** prendere in appalto // *to* — *out*, dare in appalto // *to* — *out a baby with s.o.*, affidare un bambino a qlcu. perché lo allevi ♦ *v.intr.* fare l'agricoltore.

farmer ['fɑːmə*] *s.* **1** agricoltore; fattore, colono **2** allevatore.

farmhand ['fɑːmhænd] *s.* (*amer.*) bracciante (agricolo).

farmhouse ['fɑːmhaus] *s.* casa colonica.

farming ['fɑːmiŋ] *s.* **1** il lavoro di una fattoria **2** agricoltura; coltivazione.

farmost ['fɑːmoust] *agg.* → **farthest**.

farmstead ['fɑːmsted] *s.* cascina, cascinale.

farmyard ['fɑːmjɑːd] *s.* aia.

faro ['feərou] *s.* faraone (gioco di carte).

farraginous [fe'reidʒinəs] *agg.* farraginoso.

farrago [fə'rɑːgou] *s.* farragine.

far-reaching ['fɑː'riːtʃiŋ] *agg.* di grande portata.

farrier ['færiə*] *s.* **1** maniscalco **2** (*mil.*) sottufficiale addetto alla mascalcia.

farriery ['færiəri] *s.* lavoro del maniscalco.

farrow ['færou] *s.* figliata (di una scrofa).

to **farrow** *v.tr.* partorire (di scrofa) ♦ *v.intr.* figliare (di scrofa).

far-seeing ['fɑː,siːiŋ] *agg.* preveggente; perspicace; prudente.

far-sighted ['fɑː'saitid] *agg.* **1** ipermetrope **2** (*fig.*) prudente; previdente.

fart [fɑːt] *s.* (*volg.*) scoreggia.

farther ['fɑːðə*] *agg.* e *avv.compar.* di **far** // — *on*, più avanti.

farthermost ['fɑːðəmoust] *agg.* il più lontano.

farthest ['fɑːðist] *agg.* e *avv.superl.rel.* di **far** // *at* (*the*) —, al massimo; al più tardi.

farthing ['fɑːðiŋ] *s.* quarto di «penny» // *it is not worth a* —, non vale un centesimo.

farthingale ['fɑːðiŋgeil] *s.* crinolina.

fasces ['fæsiːz] *s.pl.* (*st.*) fasci.

fascicle ['fæsikl], **fascicule** ['fæsikjuːl] *s.* **1** (*bot.*) mazzetto, cespo **2** fascicolo, dispensa.

to **fascinate** ['fæsineit] *v.tr.* affascinare.

fascinating [,fæsineitiŋ] *agg.* affascinante.

fascination [,fæsi'neiʃən] *s.* fascino, malia.

fascine [fæ'siːn] *s.* fascina // — *dwelling*, palafitta.

Fascism ['fæʃizəm] *s.* (*pol.*) fascismo.

Fascist ['fæʃist] *agg.* e *s.* (*pol.*) fascista.

fashion ['fæʃən] *s.* **1** modo, maniera: *after* (o *in*) *the* — *of*, alla maniera di, ad imitazione di // *after a* —, non molto bene, in qualche modo **2** abitudine, uso **3** moda, foggia, stile: *in*, *out of* —, alla moda, fuori moda; *to bring sthg. into* —, lanciare la moda di qlco.; *to set the* —, creare la moda // *a man of* —, un uomo di mondo.

to **fashion** *v.tr.* foggiare, formare, modellare.

fashionable ['fæʃnəbl] *agg.* elegante, alla moda // *the* — *world*, il bel mondo.

fashion designer ['fæʃəndi,zainə*] *s.* figurinista.

fashion plate ['fæʃənpleit] *s.* figurino (*anche fig.*).

fast[1] [fɑːst] *agg.* **1** fermo; saldo; solido, inalterabile: *make the boat* —, legate bene la barca **2** rapido, veloce, celere; in anticipo: *my watch is ten minutes* —, il mio orologio è avanti di dieci minuti **3** dissoluto, libertino ♦ *avv.* **1** fermamente; saldamente; fortemente; strettamente: *to stand* —, stare fermo // *to play* — *and loose*, fare il tiremmolla **2** presto, velocemente, rapidamente **3** in modo dissoluto.

fast[2] *s.* digiuno: — *day*, giorno di digiuno.

to **fast**[2] *v.intr.* digiunare; osservare il digiuno.

to **fasten** ['fɑːsn] *v.tr.* **1** legare, stringere (un nodo); allacciare **2** chiudere **3** fissare; concentrare // *to* — *a crime upon s.o.*, incolpare qlcu. // *to* — *a nickname upon s.o.*, affibbiare una soprannome a qlcu. **4** *to* — *off*, assicurare con un nodo **5** *to* — *up*, legare saldamente ♦ *v.intr.* **1** allacciarsi **2** chiudersi **3** fissarsi; concentrarsi: *to* — (*up*)*on a pretext*, attaccarsi, appigliarsi a un pretesto.

fastener ['fɑːsnə*] *s.* laccio; chiusura, fermaglio.

fastidious [fæs'tidiəs] *agg.* meticoloso; esigente; difficile da accontentare; pignolo.

fastness ['fɑːstnis] *s.* **1** velocità, celerità **2** fortezza, luogo fortificato **3** fermezza (*anche fig.*); solidità, inalterabilità (di colori).

fat [fæt] *agg.* **1** grasso **2** ricco; proficuo **3** (*fam.*) stupido.

fat *s.* **1** grasso // *the* — *is in the fire*, guai in vista! // *wool* —, (*chim.*) lanolina **2** (*fig.*) lusso, vita comoda: *to live off the* — *of the land*, vivere nel lusso **3** (*teatr.*) parte di rilievo.

fatal ['feitl] *agg.* fatale.

fatalism ['feitəlizəm] *s.* fatalismo.

fatalist ['feitəlist] *s.* fatalista.

fatality [fə'tæliti] *s.* fatalità.

fate [feit] *s.* **1** fato, destino // *the Fates*, (*mit.*) le Parche **2** morte; distruzione.

fated ['feitid] *agg.* destinato.

fateful ['feitful] *agg.* **1** decisivo; fatale **2** mortale.

fatefulness ['feitfulnis] *s.* fatalità.

fathead ['fæthed] *s.* (*fam.*) zuccone.

fat-headed ['fæt,hedid] *agg.* dalla testa dura.

father ['fɑːðə*] *s.* **1** padre // *God the Father*, Dio Padre **2** *pl.* gli anziani: *our fathers*, i nostri antenati.

to **father** *v.tr.* **1** esser padre di; generare; (*fig.*) essere l'autore di **2** riconoscere la paternità di; (*fig.*) assumersi la responsabilità di.

father figure ['fɑːðə'figə*] *s.* (*psic.*) immagine del padre.

fatherhood ['fɑːðəhud] *s.* paternità.

father-in-law ['fɑːðərinlɔː] *s.* suocero.

fatherland ['fɑːðəlænd] *s.* (madre)patria.

fatherless ['fɑːðəlis] *agg.* **1** orfano di padre **2** figlio di padre ignoto **3** illegittimo.

fatherly ['fɑːðəli] *agg.* paterno.

fathom ['fæðəm] *s.* (*mar.*) braccio (misura di profondità).

to **fathom** *v.tr.* **1** scandagliare, misurare la profondità di **2** (*fig.*) capire a fondo.

fathomless ['fæðəmlis] *agg.* **1** incommensurabile **2** (*fig.*) incomprensibile, impenetrabile.

fatigue [fə'ti:g] *s.* **1** stanchezza, esaurimento **2** fatica; lavoro faticoso **3** (*mil.*) corvée **4** (*mecc.*) fatica.

to **fatigue** *v.tr.* affaticare, stancare.

fatling ['fætliŋ] *s.* animale da ingrasso.

fatness ['fætnis] *s.* grassezza; pinguedine.

to **fatten** ['fætn] *v.tr.* ingrassare ♦ *v.intr.* ingrassare, ingrassarsi.

fatty ['fæti] *agg.* grasso, untuoso, oleoso ♦ *s.* (*fam.*) persona grassoccia.

fatuous ['fætjuəs] *agg.* fatuo.

fauces ['fɔ:si:z] *s.pl.* fauci.

faucet ['fɔ:sit] *s.* (*amer.* per *tap*[1]) rubinetto.

fault [fɔ:lt] *s.* **1** difetto, imperfezione: *to find — with s.o., sthg.,* trovare a ridire sul conto di qlcu. **2** (*tecn.*) guasto: *— time,* (*informatica*) durata di guasto **3** errore; colpa // *to a —,* all'eccesso **4** (*geol.*) faglia.

to **fault** *v.tr.* (*geol.*) spostare ♦ *v.intr.* (*geol.*) spostarsi.

fault-finder ['fɔ:lt,faində*] *s.* persona cavillosa.

faultiness ['fɔ:ltinis] *s.* imperfezione; difetto.

faultless ['fɔ:ltlis] *agg.* irreprensibile; perfetto.

faulty ['fɔ:lti] *agg.* difettoso, imperfetto.

faun [fɔ:n] *s.* (*mit.*) fauno.

fauna ['fɔ:nə] *s., pl.* **faunae** ['fɔ:ni:], **faunas** ['fɔ:nəz] *s.* fauna.

faux pas ['fou'pɑ:], *pl.* **faux pas** ['fou'pɑ:z] *s.* passo falso; imprudenza, errore.

favour ['feivə*] *s.* **1** favore; beneficio; dono: *to ask a — of s.o.,* chiedere un favore a qlcu. **2** grazia; approvazione: *by* (o *with*) *your —,* con il vostro permesso; *to find — in s.o.'s eyes,* venir apprezzato da qlcu.; *to stand high in s.o.'s —,* essere nelle buone grazie di qlcu.; *out of —,* in disgrazia **3** distintivo; coccarda **4** (*comm.*) pregiata, stimata (lettera).

to **favour** *v.tr.* **1** favorire: *please — me with a prompt reply,* (*comm.*) abbiate la cortesia di rispondere al più presto **2** accordare preferenza a; sostenere; approvare.

favourable ['feivərəbl] *agg.* favorevole, propizio.

favoured ['feivəd] *agg.* favorito, privilegiato.

favourite ['feivərit] *agg.* preferito ♦ *s.* favorito.

favouritism ['feivəritizəm] *s.* favoritismo.

fawn[1] [fɔ:n] *s.* **1** cerbiatto **2** colore fulvo.

to **fawn**[1] *v.tr.* partorire (di cervi) ♦ *v.intr.* figliare.

to **fawn**[2] *v.intr.* **1** far festa a: *her dog always fawns upon her,* il suo cane le fa sempre festa **2** *to — on, upon,* (*fig.*) adulare.

fealty ['fi:əlti] *s.* (*st.*) fedeltà al proprio signore.

fear [fiə*] *s.* paura, timore; apprensione: *wild with —, pazzo di terrore; there is no — of his escaping,* non c'è pericolo che fugga; *to stand* (o *to be*) *in — of s.o., sthg.,* temere qlcu., qlco.

to **fear** *v.tr.* e *intr.* temere // *never —!,* non dubitare!

fearful ['fiəful] *agg.* **1** pavido, timoroso **2** terribile, spaventoso.

fearfulness ['fiəfulnis] *s.* **1** aspetto terribile, terrificante **2** timore; apprensione.

fearless ['fiəlis] *agg.* intrepido, coraggioso.

fearsome ['fiəsəm] *agg.* spaventoso.

feasibility [,fi:zə'biliti] *s.* fattibilità.

feasible ['fi:zəbl] *agg.* fattibile, realizzabile.

feast [fi:st] *s.* **1** banchetto **2** (*eccl.*) festa, solennità.

to **feast** *v.intr.* banchettare ♦ *v.tr.* festeggiare; far festa a; rallegrare // *to — one's eyes up(on) sthg.,* rallegrarsi alla vista di qlco.

feast-day ['fi:stdei] *s.* giorno di festa.

feat [fi:t] *s.* fatto insigne, impresa.

feather ['feðə*] *s.* **1** penna, piuma // *a — in one's cap,* un motivo di orgoglio // *to be birds of a —,* (*fam.*) essere gente della stessa risma // *to be in high —,* essere molto in forma // *to show the white —,* mostrarsi codardo **2** (*mar.*) scia (di periscopio) **3** (*mecc.*) flangia, aletta in aggetto; nervatura **4** (*pugilato*) (peso) piuma.

to **feather** *v.tr.* **1** coprire, adornare di penne, piume // *to — one's nest,* (*fig.*) arricchirsi **2** (*mar.*) spalare (i remi) **3** (*caccia*) colpire (le piume di) un uccello senza ucciderlo ♦ *v.intr.: to — out,* mettere le piume.

feather bed ['feðəbed] *s.* letto di piume (*anche fig.*).

to **featherbed** *v.tr.* viziare; proteggere eccessivamente.

feather brained ['feðəbreind] *agg.* leggero; sventato.

feathering ['feðəriŋ] *s.* **1** piumaggio **2** (*arch.*) ornamento a fogliami.

feather-stitch ['feðəstitʃ] *s.* (*ricamo*) punto spiga semplice.

featherweight ['feðəweit] *s.* (*pugilato*) peso piuma.

feathery ['feðəri] *agg.* piumato; soffice; leggero.

feature ['fi:tʃə*] *s.* **1** lineamento, fattezza **2** *pl.* fisionomia (*sing.*), tratti **3** caratteristica **4** (*teatr. cinem. tv*) numero principale // *star —,* attrazione principale // *— film,* lungometraggio **5** (*giornalismo*) servizio speciale **6** (*informatica*) *optional —,* dispositivo a richiesta.

to **feature** *v.tr.* **1** caratterizzare, distinguere; rappresentare **2** (*cinem. teatr.*) presentare con particolare rilievo; dare una parte principale (a): *a film featuring a young actor,* un film che ha un giovane attore come protagonista.

featureless ['fi:tʃəlis] *agg.* privo di caratteristiche; piatto; monotono.

febrile ['fi:brail] *agg.* febbrile.

February ['februəri] *s.* febbraio.

fecal ['fi:kəl] *agg.* (*amer.*) fecale.

feces ['fi:si:z] *s.pl.* (*amer.*) feci, escrementi.

feckless ['feklis] *agg.* **1** irresponsabile **2** debole, indifeso; inefficiente.

feculence ['fekjuləns] *s.* sporcizia; sudiciume; feccia.

feculent ['fekjulənt] *agg.* sporco; sudicio; fetido.

fecund ['fi:kənd, (*amer.*) 'fekənd] *agg.* fecondo; fertile.

to **fecundate** ['fi:kəndeit] *v.tr.* fecondare.

fecundation [,fi:kən'deiʃən] *s.* fecondazione.

fecundity [fi'kʌnditi] *s.* fecondità; fertilità.

fed, *pass* e *p.pass.* di *to* **feed** ♦ *agg.: — up with,* (*fam.*) stufo di.

federal ['fedərəl] *agg.* federale.

federalism ['fedərəlizəm] *s.* federalismo.

federalist ['fedərəlist] *agg.* e *s.* federalista.

federate ['fedərit] *agg.* confederato.

to **federate** ['fedəreit] *v.tr.* federare ♦ *v.intr.* federarsi.

federation [,fedə'reiʃən] *s.* federazione.

fedora [fe'dourə] *s.* (*amer.*) cappello floscio di feltro.

fee [fi:] *s.* **1** onorario **2** canone; tassa; retta // *entrance —,* (*prezzo d'*)ingresso; *registration —,* tassa d'iscrizione; *tuition fees,* tasse di frequenza **3** (*dir.*) proprietà ereditaria **4** (*st.*) feudo.

to **fee** *v.tr.* pagare la parcella, l'onorario (a).

feeble ['fi:bl] *agg.* debole, fiacco; vago, confuso, fioco (di luce, colore, suono).

feebleminded ['fi:bl'maindid] *agg.* debole di mente.

feeble-mindedness [ˈfiːblˈmaindidnis] *s.* deficienza mentale.

feed [fiːd] *s.* **1** alimentazione; nutrimento; cibo; pastura // *to be out* at —, pascolare // *to be off one's* —, non aver appetito **2** (*mecc.*) rifornimento; avanzamento (di perforatrice) **3** (*teatr.*) spalla.

to feed, *pass* e *p.pass.* **fed** [fed] *v.tr.* **1** nutrire, dare da mangiare (a); alimentare (*anche fig.*): *to — s.o. on sthg.*, nutrire qlcu. di qlco. // *to — up*, supernutrire: *to — s.o. up*, sottoporre qlcu. a superalimentazione // *to — a cold*, (*fam.*) mangiare molto per farsi passare il raffreddore **2** (*tecn.*) rifornire, alimentare: *to — in*, introdurre **3** (*teatr.*) dare la battuta (a) ♦ *v.intr.* nutrirsi, mangiare; pascolare: *the cows are feeding in the pasture*, le mucche stanno pascolando // *to — on*, nutrirsi di.

feedback [ˈfiːdbæk] *s.* **1** feedback, effetto retroattivo **2** (*informatica*) retroazione; (*IBM*) riciclo: — *loop*, anello di retroazione.

feeder [ˈfiːdə*] *s.* **1** chi (si) nutre; ciò che nutre **2** (*mecc.*) alimentatore **3** affluente **4** poppatoio **5** bavaglino **6** (*elettr.*) cavo di alimentazione.

feedpipe [ˈfiːdpaip] *s.* tubo di rifornimento.

feel [fiːl] *s.* (*solo sing.*) tatto; sensazione.

to feel, *pass.* e *p.pass.* **felt** [felt] *v.tr.* **1** tastare // *to — one's way*, procedere a tastoni **2** sentire; provare (sensazioni, sentimenti): *to — pain*, provare dolore **3** pensare, ritenere ♦ *v.intr.* **1** sentire, provare: *to — cold, hot*, aver freddo, caldo; *to — hungry, thirsty*, aver fame, sete // *to — angry*, essere arrabbiato // *to — for s.o.*, provare compassione, simpatia per qlcu. **2** tastare **3** sentirsi: *to — certain, well*, sentirsi sicuro, bene; *to — giddy*, sentirsi girare la testa; *to — like*, sentirsi disposto a (far qlco.): *I don't — like doing this work*, non mi sento di fare questo lavoro // *not to — (quite) oneself*, non sentirsi bene // *I don't — up to it*, non mi sento di fare ciò **4** sembrare (al tatto).

feeler [ˈfiːlə*] *s.* **1** antenna (di insetti); tentacolo **2** sondaggio: *peace feelers*, sondaggi di pace // *to throw* (o *to put*) *out a* —, (*fam.*) tastare il terreno **3** (*mil.*) esploratore.

feeling [ˈfiːliŋ] *agg.* sensibile, sensitivo ♦ *s.* **1** sentimento; senso; sensazione: *to have a — that*, avere la sensazione che // *a deep — for beauty*, una sensibilità particolare per la bellezza // *to have no hard feelings*, non portare rancore // *to hurt s.o.'s feelings*, urtare la suscettibilità di qlcu. **2** opinione: *the general —*, l'opinione pubblica.

fee-paying [ˈfiːˌpeiŋ] *agg.* **1** pagante, che paga (una retta) **2** che richiede una retta, a pagamento: — *school*, scuola a pagamento.

feet *pl.* di **foot.**

to feign [fein] *v.tr.* e *intr.* **1** fingere, fingersi; simulare **2** inventare (scuse ecc.).

feint [feint] *s.* simulazione; (*sport*) finta; (*mil.*) attacco simulato.

to feint *v.intr.* (*sport*) fare una finta; (*mil.*) fare un finto attacco.

feldspar [ˈfeldspɑː*] *s.* (*min.*) feldspato.

to felicitate [fiˈlisiteit] *v.tr.* felicitarsi (con): *to — s.o. on sthg.*, felicitarsi con qlcu. di qlco.

felicitation [fiˌlisiˈteiʃən] *s.* felicitazione.

felicitous [fiˈlisitəs] *agg.* felice, appropriato.

felicity [fiˈlisiti] *s.* **1** felicità (*anche fig.*) **2** espressione appropriata.

feline [ˈfiːlain] *agg.* e *s.* felino.

fell¹ [fel] *s.* pelle; vello.

fell² *s.* pendio roccioso.

to fell³ *v.tr.* **1** abbattere **2** ribattere (una cucitura).

fell⁴ *pass.* di to **fall.**

felling [ˈfeliŋ] *s.* **1** l'abbattere **2** ribattitura (di cucitura).

fellow [ˈfelou] *agg.* simile, uguale ♦ *s.* **1** compagno; collega; socio; complice // *-being, —-creature*, simile // *-boarder*, commensale // *— -citizen*, concittadino // *-countryman*, compatriota // *-helper*, collaboratore // *— -student*, compagno di studi **2** (*fam.*) persona, individuo; uomo; ragazzo: *a decent —*, una persona a modo // *a good —*, un buon diavolo // *poor —!*, povero diavolo! **3** compagno (di un paio) **4** membro (di un «college», di associazioni culturali) **5** laureato che gode di una borsa di studio per compiere ricerche.

fellow feeling [ˌfelouˈfiːliŋ] *s.* intesa, simpatia.

fellowship [ˈfelouʃip] *s.* **1** comunità; compagnia; amicizia **2** associazione, corporazione **3** l'essere membro (di un «college», di associazioni culturali) **4** borsa di studio post-universitaria.

fellow traveller [ˈfelouˌtrævələ*] *s.* **1** compagno di viaggio **2** filocomunista.

felon¹ [ˈfelən] *agg.* (*poet.*) crudele, malvagio, vile ♦ *s.* (*dir.*) criminale.

felon² *s.* (*med.*) patereccio.

felonious [fiˈlounjəs] *agg.* (*dir.*) **1** criminale **2** criminoso.

felony [ˈfeləni] *s.* (*dir.*) crimine.

felspar [ˈfelspɑː*] *s.* (*min.*) feldspato.

felt¹ [felt] *s.* **1** feltro // *— hat*, cappello di feltro **2** (*edil.*) materiale antiacustico.

to felt¹ *v.tr.* feltrare; infeltrire ♦ *v.intr.* infeltrirsi.

felt² , *pass.* e *p.pass.* di to **feel.**

felt-tip(ped) pen [ˌfelttip(t)ˈpen] *s.* pennarello.

female [ˈfiːmeil] *agg.* **1** femminile: — *companion*, compagna **2** (*mecc.*) femmina // *— screw*, madrevite ♦ *s.* femmina.

femineity [ˌfemiˈniːiti] *s.* femminilità.

feminine [ˈfeminin] *agg.* e *s.* femminile.

femininity [ˌfemiˈniniti] *s.* femminilità.

feminism [ˈfeminizəm] *s.* femminismo.

feminist [ˈfeminist] *s.* femminista.

to feminize [ˈfeminaiz] *v.tr.* rendere effeminato ♦ *v.intr.* diventare effeminato.

femoral [ˈfemərəl] *agg.* femorale.

femur [ˈfiːmə*], *pl.* **femurs** [ˈfiːməz], **femora** [ˈfemərə] *s.* femore.

fen [fen] *s.* palude, maremma.

fence [fens] *s.* **1** recinto; steccato; staccionata // *to come down on the right side of the* —, (*fig.*) mettersi dalla parte del vincitore; *to sit on the* —, (*fig.*) essere neutrale, fare da spettatore // *schema*; (*fig.*) schermaglia // *master of* —, abile schermidore; (*fig.*) chi è abile nelle schermaglie verbali **3** (*sl.*) ricettatore **4** (*mecc.*) arresto.

to fence *v.tr.* cintare; circondare con steccato: *to — (in) a piece of ground*, cintare un terreno ♦ *v.intr.* **1** tirar di schermа; (*fig.*) schermirsi **2** *to — with*, eludere **3** (*sl.*) fare il ricettatore **4** (*equitazione*) saltare ostacoli.

fencer [ˈfensə*] *s.* **1** schermidore **2** ostacolista.

fencing [ˈfensiŋ] *s.* **1** materiale per cintare; cinta; recinto **2** schema; (*fig.*) schermaglia **3** (*sl.*) ricettazione.

to fend [fend] *v.tr.* parare, stornare ♦ *v.intr.* provvedere: *to — for oneself*, provvedere a sé stesso.

fender ['fendə*] *s.* **1** parafuoco **2** (*mar.*) parabordo **3** paraurti **4** (*amer.*) parafango.

fenestration [ˌfenis'treiʃən] *s.* (*arch.*) disposizione e dimensionamento delle finestre, delle porte.

fennel ['fenl] *s.* finocchio.

fenny ['feni] *agg.* paludoso.

feoff [fef] *s.* feudo.

feoffee [fe'fi:] *s.* (*dir.*) donatario.

feoffment ['fefmənt] *s.* **1** infeudamento **2** (*dir.*) donazione.

feral[1] ['fiərəl] *agg.* **1** ferale, mortale **2** cupo, funereo.

feral[2] *agg.* ferino; selvaggio.

ferial ['fiəriəl] *agg.* feriale.

ferine ['fiərain] *agg.* selvaggio; selvatico.

ferity ['feriti] *s.* selvatichezza.

ferment ['fə:ment] *s.* lievito; fermento (*anche fig.*).

to ferment [fə(:)'ment] *v.tr.* e *intr.* (far) fermentare (*anche fig.*).

fermentation [ˌfə:men'teiʃən] *s.* **1** ferméntazione **2** (*fig.*) fermento, agitazione.

fern [fə:n] *s.* felce.

ferocious [fə'rouʃəs] *agg.* feroce.

ferocity [fə'rɔsiti] *s.* ferocia.

ferreous ['feriəs] *agg.* ferreo.

ferret[1] ['ferit] *s.* (*zool.*) furetto.

to ferret[2] *v.intr.* frugare // *to — out*, scoprire; scovare.

ferret[3] *s.* nastro, fettuccia.

ferriage ['feridʒ] *s.* (prezzo del) traghetto.

ferris-wheel ['feris,wi:l] *s.* ruota panoramica.

ferroconcrete ['ferou'kɔnkri:t] *s.* cemento armato.

ferrous ['ferəs] *agg.* ferroso.

ferruginous [fe'ru:dʒinəs] *agg.* ferruginoso.

ferrule ['feru:l] *s.* (*mecc.*) ghiera.

ferry ['feri] *s.* **1** traghetto // *— -bridge*, ponte di barche **2** diritto di traghettare.

to ferry *v.tr.* traghettare: *to — across* (o *over*), attraversare, traghettare ♦ *v.intr.* attraversare (di nave ecc.).

ferryboat ['feribout] *s.* traghetto, nave traghetto.

ferryman, *pl.* **ferrymen** [ferimən] *s.* traghettatore.

fertile ['fə:tail, (*amer.*) 'fə:tl] *agg.* fertile (*anche fig.*).

fertility [fə:'tiliti] *s.* fertilità.

fertilizer ['fə:tilaizə*] *s.* fertilizzante.

fervency ['fə:vənsi] *s.* fervore, ardore.

fervent ['fə:vənt] *agg.* fervente, ardente.

fervid ['fə:vid] *agg.* fervido, ardente.

fervor *s.* (*amer.*) → **fervour**.

fervour ['fə:və*] *s.* **1** fervore **2** calore intenso.

festal ['festl] *agg.* **1** festivo **2** gaio.

fester ['festə*] *s.* ulcera; pustola.

to fester *v.intr.* **1** suppurare (di ferita) **2** marcire **3** (*fig.*) rodere (qlco.) ♦ *v.tr.* **1** far suppurare **2** (*fig.*) guastare.

festival ['festəvəl] *s.* **1** festa; festività **2** festival.

festive ['festiv] *agg.* **1** festivo **2** festoso.

festivity [fes'tiviti] *s.* **1** festa; festività **2** *pl.* festeggiamenti.

festoon [fes'tu:n] *s.* festone.

to festoon *v.tr.* ornare con festoni; lavorare a festoni.

fetal ['fi:tl] *agg.* (*amer.* per *foetal*) fetale.

to fetch[1] [fetʃ] *v.tr.* **1** andare a prendere: *— me a chair*, vammi a prendere una sedia // *to — and carry for s.o.*, far commissioni per qlcu. **2** far venir fuori: *to — tears*, provocare il pianto **3** dare, appioppare: *to — s.o. a blow*, prendere a schiaffi qlcu. **4** fruttare, rendere ♦ *v.intr.* **1** *to — up*, (*fam.*) vomitare **2** *to — up at*, (*fam.*) arrivare a; giungere in porto.

fetch[2] *s.* **1** sosia **2** spettro.

fetching ['fetʃiŋ] *agg.* (*fam.*) attraente.

fête [feit] *s.* festa.

to fête *v.tr.* festeggiare.

fetid ['fetid] *agg.* fetido, puzzolente.

fetish ['fe:tiʃ] *s.* feticcio.

fetishism ['fe:tiʃizəm] *s.* feticismo.

fetlock ['fetlɔk] *s.* nocca; barbetta (di cavallo).

fetor ['fi:tə*] *s.* fetore.

fetter ['fetə*] *s.* ceppo, catena (*anche fig.*).

to fetter *v.tr.* **1** incatenare **2** intralciare, ostacolare.

fetterlock ['fetəlɔk] *s.* pastoia.

fettle ['fetl] *s.* condizione, stato.

fetus ['fi:təs] *s.* (*amer.* per *foetus*) feto.

feud[1] [fju:d] *s.* ostilità; guerra.

feud[2] *s.* (*st.*) feudo.

feudal ['fju:dl] *agg.* feudale.

feudalism ['fju:dəlizəm] *s.* feudalesimo.

to feudalize ['fju:dəlaiz] *v.tr.* infeudare.

feudatory ['fju:dətəri] *agg.* e *s.* feudatario.

fever ['fi:və*] *s.* febbre; (*fig.*) sovreccitazione // *— blister*, febbre, herpes // *— heat*, acme febbrile; (*fig.*) acme.

feverish ['fi:vəriʃ] *agg.* febbricitante, febbrile (*anche fig.*).

few [fju:] *agg.* **1** pochi: *— persons*, poche persone // *some —*, alcuni // *every — days*, ogni pochi giorni, a intervalli di pochi giorni **2** *a —*, alcuni: *a — days*, alcuni giorni ♦ *pron.* e *s.* **1** pochi: *— will understand it*, pochi lo capiranno // *the —*, la minoranza **2** *a —*, alcuni: *a — of us*, alcuni di noi // *a good —*, un bel numero; *not a —*, non pochi, parecchi.

fewness ['fju:nis] *s.* scarsità; numero ristretto.

fey [fei] *agg.* **1** moribondo; morente **2** svagato, bizzarro.

fiancé [fi'ɔnsei, (*amer.*) fi:ɔ:n'sei] *s.* fidanzato.

fiancée [fi'ɔ:nsei] *s.* fidanzata.

fib [fib] *s.* frottola.

to fib *v.intr.* raccontare frottole.

fiber ['faibər] *s.* (*amer.*) → **fibre**.

fibre ['faibə*] *s.* fibra (*anche fig.*).

fibre-board ['faibəbo:d] *s.* legno sintetico.

fibre-glass ['faibəgla:s] *s.* lana di vetro.

fibre-tip(ped) pen [ˌfaibə'tip(t)pen] *s.* pennarello.

fibriform ['faibrifo:m] *agg.* fibriforme.

fibroid ['faibroid] *agg.* fibroso ♦ *s.* (*med.*) fibroma.

fibrous ['faibrəs] *agg.* fibroso.

fichu ['fi:ʃu:] *s.* fisciù.

fickle ['fikl] *agg.* incostante, volubile.

fickleness ['fiklnis] *s.* incostanza, volubilità.

fictile ['fiktil] *agg.* **1** plasmabile; plasmato **2** fittile.

fiction ['fikʃən] *s.* **1** finzione, invenzione **2** narrativa.

fictional ['fikʃənl] *agg.* **1** fittizio **2** narrativo.

fictitious [fik'tiʃəs] *agg.* fittizio.

fiddle ['fidl] *s.* **1** (*fam.*) violino // *to be as fit as a —*, essere sano come un pesce // *to play second — (to)*, svolgere una parte secondaria (in confronto a) **2** (*mar.*) tavola di rollio.

to fiddle *v.tr.* **1** (*fam.*) suonare sul violino **2** (*sl. fig.*) manipolare ♦ *v.intr.* **1** suonare il violino **2** (*fig.*) *to — (about)*, gingillarsi, giocherellare.

fiddle-faddle ['fidl,fædl] *s.* sciocchezza.

fiddler ['fidlə*] *s.* violinista.

fiddlestick ['fidlstik] *s.* archetto // *fiddlesticks!*, sciocchezze!

fiddling ['fidliŋ] *agg.* **1** sciocco; futile **2** pignolo.

fidelity [fiˈdeliti] s. fedeltà.

fidget [ˈfidʒit] s. **1** persona nervosa, eccitabile **2** pl. nervosismo (sing.); irrequietezza (sing.); agitazione (sing.): *to have the fidgets*, essere in uno stato di agitazione.

to **fidget** v.intr. **1** agitarsi **2** preoccuparsi ♦ v.tr. dar fastidio a, irritare.

fidgety [ˈfidʒiti] agg. irrequieto; nervoso.

fiducial [fiˈdjuːʃəl] agg. fiduciario.

fiduciary [fiˈdjuːʃiəri] agg. e s. (dir.) fiduciario.

fie [fai] inter. (spesso scherz.) ohibò!, vergogna!

fief [fiːf] s. feudo.

field [fiːld] s. campo: *the — of art*, il campo, il settore dell'arte; *— of fire*, (mil.) campo di tiro; *— of vision*, campo visivo; *depth of —*, (fot.) profondità di campo // *— erasing*, (informatica) cancellazione di campo; *— breakdown*, suddivisione dei campi // *to hold the —*, mantenere il proprio posto.

to **field** v.tr. **1** (sport) eseguire una battuta di rimando **2** mettere, far entrare in campo ♦ v.intr. (sport) fare il ribattitore.

field-allowance [ˈfiːldəˌlauəns] s. indennità di guerra.

field day [ˈfiːlddei] s. (mil.) giorno di grandi manovre; (fig.) giornata campale.

fielder [ˈfiːldə*] s. (sport) ribattitore.

field events [ˈfiːldiˌvents] s.pl. atletica leggera (sing.).

field glasses [ˈfiːldglaːsiz] s. binocolo da campo.

field-gun [ˈfiːldgʌn] s. cannone da campagna.

field hospital [ˈfiːldˈhɔspitl] s. ospedale da campo.

field-magnet [ˈfiːldˈmægnit] s. (elettr.) induttore.

field officer [ˈfiːldˈɔfisə*] s. ufficiale superiore.

field-sports [ˈfiːldˌspɔːts] s.pl. sport all'aperto.

to **field-test** [ˈfiːldtest] v.tr. collaudare, verificare (apparecchiature ecc.) nelle condizioni reali di utilizzo.

fieldwork [ˈfiːldwəːk] s. **1** ricerca, indagine **2** fortificazione provvisoria.

fiend [fiːnd] s. demonio (anche fig.).

fiendish [ˈfiːndiʃ] agg. diabolico, malvagio.

fiendishness [ˈfiːndiʃnis] s. malvagità.

fierce [fiəs] agg. **1** feroce; crudele **2** intenso.

fierceness [ˈfiəsnis] s. ferocia; violenza.

fieriness [ˈfaiərinis] s. (fig.) ardore, foga.

fiery [ˈfaiəri] agg. **1** di fuoco; infiammato; fiammeggiante **2** (fig.) focoso, ardente; irascibile.

fife [faif] s. **1** piffero **2** pifferaio.

to **fife** v.intr. suonare il piffero.

fifteen [ˈfifˈtiːn] agg.num.card. e s. quindici.

fifteenth [ˈfifˈtiːnθ] agg.num.ord. e s. quindicesimo // *the — of this month*, il quindici di questo mese.

fifth [fifθ] agg.num.ord. quinto ♦ s. **1** quinto // *the — of June* (o *5th June*), il cinque giugno **2** (mus.) quinta.

fiftieth [ˈfiftiiθ] agg.num.ord. e s. cinquantesimo.

fifty [ˈfifti] agg.num.card. e s. cinquanta: *the fifties*, gli anni '50 // *to be in one's early, late fifties*, essere sulla cinquantina, sulla sessantina.

fifty-fifty [ˈfiftiˈfifti] agg. e avv. a metà: *to go — with s.o.*, fare a metà con qlcu.

fig[1] [fig] s. fico // *I don't care a — (for)*, non me ne importa un fico (di).

fig[2] s. abito elegante: *in full —*, in pompa magna.

fight [fait] s. **1** lotta, combattimento: *to put up a good —*, combattere con coraggio // *free —*, rissa, mischia **2** spirito combattivo; *to show —*, mostrare spirito combattivo.

to **fight**, pass. e p.pass. **fought** [fɔːt] v.tr. **1** combattere (anche fig.): *to — a good fight*, battersi bene // *to — one's way*, aprirsi un varco con la forza **2** spingere alla

lotta (galli ecc.) **3** manovrare (truppe, navi in battaglia) **4** *to — down*, vincere, sconfiggere (anche fig.) **5** *to — off*, scacciare (nemico, malattia) **6** *to — out*, decidere (una contesa) con le armi: *to — it out*, lottare a oltranza ♦ v.intr. combattere, battersi.

fighter [ˈfaitə*] s. **1** combattente **2** (aer.) caccia.

fighting [ˈfaitiŋ] agg. combattente; da combattimento; combattivo // *— chance*, piccola probabilità di vittoria.

figment [ˈfigmənt] s. finzione, invenzione.

figurant [ˈfigjurənt] s. figurante (di balletto).

figurante [ˌfigjuˈrænti] s. figurante (di balletto).

figuration [ˌfigjuˈreiʃən] s. **1** rappresentazione, figurazione **2** allegoria **3** forma, modello.

figurative [ˈfigjurətiv] agg. **1** metaforico, simbolico; figurato **2** figurativo.

figure [ˈfigə*, (amer.) ˈfigjər] s. **1** figura: *solid —*, (geom.) figura solida // *to cut a poor, fine —*, fare brutta, bella figura // *to keep one's —*, mantenere la linea // *— of fun*, zimbello // *— of speech*, modo di dire, metafora **2** cifra, numero; prezzo: *round —*, cifra tonda **3** (mus.) motivo **4** traslato.

to **figure** v.tr. **1** raffigurare, rappresentare; adornare con figure **2** immaginare **3** calcolare **4** simboleggiare **5** *to — out*, calcolare; capire ♦ v.intr. apparire, figurare.

figurehead [ˈfigəhed] s. **1** (mar.) polena **2** (fig.) figura simbolica.

figurine [ˈfigjuriːn] s. statuetta.

Fiji Islands [fiːˈdʒiˈailəndz] no.pr. Isole Figi.

filament [ˈfiləməənt] s. filamento.

filamentary [ˌfiləˈmentəri], **filamentous** [ˌfiləˈmentəs] agg. filamentoso.

filature [ˈfilətʃə*] s. **1** filatura **2** filatoio **3** filanda.

filbert [ˈfilbə(ː)t] s. **1** nocciola **2** nocciolo.

to **filch** [filtʃ] v.tr. sgraffignare.

file[1] [fail] s. lima // *— dust*, limatura.

to **file**[1] v.tr. limare (anche fig.).

file[2] s. **1** schedario; archivio // *— -card*, scheda; *personal —*, scheda personale // *— -copy*, copia d'archivio; *— holder*, raccoglitore **2** (informatica) file, archivio di dati: *— store*, memoria di archivio; *locked —*, file protetto; *master —*, archivio permanente, principale; *scratch —*, archivio di lavoro.

to **file**[2] v.tr. schedare; archiviare.

file[3] s. fila.

to **file**[3] v.intr. sfilare ♦ v.tr. far sfilare.

filemot [ˈfilimɔt] agg. e s. color foglia morta.

filial [ˈfiljəl] agg. filiale.

filiation [ˌfiliˈeiʃən] s. filiazione.

filibuster [ˈfilibʌstə*] s. **1** filibustiere **2** (pol. amer.) ostruzionismo.

to **filibuster** v.intr. **1** agire da filibustiere **2** (pol. amer.) fare ostruzionismo.

filigree [ˈfiligriː] s. filigrana.

filing [ˈfailiŋ] s. limatura.

Filipino [ˌfiliˈpiːnou] agg. e s. filippino.

fill [fil] s. **1** sazietà, sufficienza: *to drink, to eat one's —*, bere, mangiare a sazietà **2** pieno: *he helped himself to a — of tobacco*, si riempì la pipa di tabacco.

to **fill** v.tr. **1** riempire: *to — a glass with water*, riempire un bicchiere d'acqua // *to — in*, compilare; inserire; *to — in on sthg.*, fornire gli ultimi particolari su qlco. // *to — up*, colmare; compilare; (aer. aut.) fare il pieno // *to — a tooth*, otturare un dente **2** occupare, coprire: *to — a part*, interpretare una parte **3** soddisfare: *to —*

every requirement, rispondere a tutti i requisiti ♦ *v.intr.* **1** riempirsi **2** *to — out*, gonfiarsi; ingrassare.

filler ['filə*] *s.* riempitivo.

fillet ['filit] *s.* **1** nastro, fascia **2** (*cuc.*) filetto **3** (*tip.*) filetto **4** (*arch.*) listello.

to fillet *v.tr.* **1** (*cuc.*) disossare; spinare **2** filettare.

fill-in ['filin] *s.* tappabuchi.

filling ['filiŋ] *s.* **1** riempitura **2** otturazione **3** (*cuc.*) ripieno.

filling-station ['filiŋˌsteiʃən] *s.* distributore, stazione di servizio.

fillip ['filip] *s.* **1** schiocco delle dita; buffetto **2** quisquilia, sciocchezza **3** stimolo.

to fillip *v.tr.* **1** dar buffetti (a) **2** stimolare ♦ *v.intr.* schioccare le dita.

filly ['fili] *s.* **1** puledra **2** ragazza vivace.

film [film] *s.* **1** pellicola **2** (*cinem.*) film: *to shoot a —*, giare un film // *silent —*, film muto; *slow motion —*, film al rallentatore; *sound —*, film sonoro // *— -script*, copione // *— industry*, industria cinematografica.

to film *v.tr.* **1** coprire con una pellicola **2** filmare; girare un film ♦ *v.intr.* coprirsi di una pellicola.

filminess ['filminis] *s.* **1** leggerezza **2** opacità; nebbiosità.

film star ['filmstɑː*] *s.* diva del cinema.

film test ['filmtest] *s.* (*cinem.*) provino.

filmy ['filmi] *agg.* **1** sottile, leggero, vaporoso **2** opaco; annebbiato.

filter ['filtə*] *s.* filtro.

to filter *v.tr.* e *intr.* filtrare (*anche fig.*).

filter-paper ['filtəˌpeipə*] *s.* carta filtrante.

filter tip ['filtətip] *s.* sigaretta col filtro.

filth [filθ] *s.* sporco, sozzura (*anche fig.*).

filthy ['filθi] *agg.* sporco, sozzo (*anche fig.*).

filtrate ['filtrit] *s.* liquido filtrato.

to filtrate ['filtreit] *v.tr.* e *intr.* → to **filter**.

fin [fin] *s.* **1** pinna **2** (*aer.*) deriva **3** (*sl.*) mano.

final ['fainl] *agg.* finale ♦ *s.* **1** ultima edizione **2** *pl.* (*sport*) finale (*sing.*) **3** esame finale.

finalist ['fainəlist] *s.* (*sport*) finalista.

finality [fai'næliti] *s.* carattere definitivo; determinatezza.

finally ['fainəli] *avv.* **1** alla fine **2** definitivamente.

finance [fai'næns, (*amer.*) fi'næns] *s.* finanza: *— company*, finanziaria.

to finance *v.tr.* finanziare.

financial [fai'nænʃəl, (*amer.*) fi'nænʃəl] *agg.* finanziario.

financier [fai'nænsiə*, (*amer.*) finən'siər] *s.* **1** finanziere **2** finanziatore.

to financier *v.intr.* (*amer.*) trafficare.

financing [fai'nænsiŋ] *s.* finanziamento.

finch [finʃ] *s.* fringuello.

find [faind] *s.* scoperta.

to find, *pass.* e *p.pass.* **found** [faund] *v.tr.* **1** trovare, ritrovare // *to — out*, scoprire // *to — s.o. out*, scoprire il vero carattere, le marachelle di qlco. // *to — fault with sthg., s.o.*, lamentarsi di; criticare qlco., qlcu. // *to — oneself*, scoprire la propria vocazione **2** (*fig.*) ottenere: *it didn't — any favour with her*, non incontrò il suo gusto **3** (*dir.*) dichiarare, giudicare **4** *to — in, with*, provvedere, fornire di **5** *all found*, tutto compreso ♦ *v.intr. to — for the accused*, (*dir.*) emettere una sentenza favorevole all'accusato.

finder ['faində*] *s.* **1** (*ott.*) mirino **2** (*astr.*) cannocchiale cercatore.

finding ['faindiŋ] *s.* **1** scoperta **2** (*dir.*) sentenza.

fine[1] [fain] *agg.* **1** bello // *— arts*, belle arti // *you look —!*, stai benissimo! // *that's —!*, (va) benissimo! **2** fine, minuto, sottile // *— pencil*, matita appuntita **3** raffinato.

fine[1] *avv.* (*fam.*) bene, benone // *to cut it —*, lasciare un margine di tempo molto stretto.

to fine[1] *v.tr.* raffinare ♦ *v.tr.: to — (down)*, diventare chiaro; assottigliarsi.

fine[2] *s.* **1** multa, ammenda **2** buonuscita.

to fine[2] *v.tr.* multare.

to fine-draw ['fain'drɔː], *pass.* **fine-drew** ['fain'druː], *p.pass.* **fine-drawn** ['fain'drɔːn] *v.tr.* cucire in modo invisibile; rammendare.

finely ['fainli] *avv.* **1** bene; magnificamente **2** finemente.

fineness ['fainnis] *s.* **1** bellezza **2** finezza.

finery ['fainəri] *s.: to put on, to be dressed in one's —*, mettersi, essere in ghingheri.

fine-spun ['fain'spʌn] *agg.* **1** sottile **2** (*fig.*) ricercato.

finesse [fi'nes] *s.* **1** finezza, sottigliezza **2** astuzia.

to finesse *v.intr.* **1** usare astuzie **2** sottilizzare.

fine-tooth comb [ˌfain'tuːθkoum] *s.* pettinina.

finger ['fingə*] *s.* **1** dito: *to eat sthg. with one's fingers*, mangiare qlco. con le mani // *little —*, dito mignolo // *a — of whisky*, un dito di whisky // *on one's —*, al dito // *to keep one's fingers crossed*, toccare ferro (per scongiuro) // *to put one's — on sthg.*, (*fig.*) trovare il difetto di qlco. // *to let sthg. slip through one's fingers*, lasciarsi sfuggire (un'occasione ecc.) // *to turn* (o *to twist*) *s.o. round one's little —*, (*fig.*) fare ciò che si vuole di qlcu. **2** (*mecc.*) lancetta.

to finger *v.tr.* **1** toccare (con le dita); palpare **2** (*mus.*) diteggiare **3** (*fam.*) rubacchiare **4** accettare, prendere sottobanco.

finger-alphabet ['fingər,ælfəbit] *s.* alfabeto muto.

fingerboard ['fingəbɔːd] *s.* tastiera.

fingerbowl ['fingəboul] *s.* vaschetta lavadita.

fingering ['fingəriŋ] *s.* (*mus.*) diteggiatura.

fingermark ['fingəmɑːk] *s.* ditata.

fingernail ['fingəneil] *s.* unghia.

fingerpost ['fingəpoust] *s.* indicatore stradale.

fingerprint [fingə,print] *s.* impronta digitale.

fingerstall ['fingəstɔːl] *s.* copridito.

fingertip ['fingə,tip] *s.* **1** punta del dito // *to have sthg. at one's fingertips*, avere qlco. sulla punta delle dita **2** copridito.

finical ['finikəl], **finicking** ['finikiŋ], **finikin** ['finikin], **finicky** ['finiki] *agg.* **1** pignolo, meticoloso; schizzinoso **2** affettato, ricercato.

finish ['finiʃ] *s.* **1** fine, conclusione // *to fight to a —*, combattere fino all'ultimo sangue // *to be in at the —*, essere presente alla conclusione **2** compiutezza, perfezione **3** finitura, rifinitura.

to finish *v.tr.* e *intr.* finire; terminare, completare // *to — off*, dare l'ultimo tocco (a); dare il colpo di grazia (a) // *to — up*, mangiare tutto; consumare.

finished ['finiʃt] *agg.* finito, perfetto.

finisher ['finiʃə*] *s.* **1** finitore **2** (*mecc.*) finitrice **3** (*fig. fam.*) colpo di grazia.

finishing ['finiʃiŋ] *agg.* ultimo; di rifinitura // *— school*, collegio femminile di lusso ♦ *s.* finitura, rifinitura.

finite ['fainait] *agg.* **1** circoscritto, limitato **2** (*gramm.*) finito.

Finland ['finlənd] *no.pr.* Finlandia.

Finn [fin] *s.* (*solo sing.*) (un) finlandese.

Finnic [ˈfinik] *agg.* finnico.

Finnish [ˈfiniʃ] *agg.* finlandese ♦ *the* —, i finlandesi.

finny [ˈfini] *agg.* **1** provvisto di pinne **2** ittico.

fiord [fjɔːd] *s.* fiordo.

fir [fəː*] *s.* abete.

fire [ˈfaiə*] *s.* **1** fuoco (*anche fig.*): *to catch* —, prendere fuoco; *to set sthg. on* — (o *to set* — *to sthg.*), appiccare il fuoco a qlco.; *cease, open* —!, (*mil.*) cessate, aprite il fuoco! // *on* —, in fiamme; (*fig.*) eccitato // *to set the Thames on* —, (*fig.*) suscitare entusiasmo, fare qlco. di entusiasmante // *he would go through* — *and water for her*, si butterebbe nel fuoco per lei // *St. Anthony's* —, (*med.*) fuoco di Sant'Antonio **2** incendio: — *drill*, esercitazione antincendio; — *insurance*, assicurazione antincendio.

to fire *v.tr.* **1** dare fuoco (a), incendiare **2** cuocere (mattoni); seccare; scaldare (caldaie) **3** (*vet.*) cauterizzare **4** far esplodere; far fuoco (con); sparare (*anche fig.*) // *to* — *away*, esaurire (sparando) // *to* — *off*, (*anche fig.*) sparare **5** animare, stimolare; eccitare **6** *to* — *out*, cacciare, espellere ♦ *v.intr.* **1** prendere fuoco; incendiarsi **2** sparare **3** *to* — *away*, incominciare **4** *to* — *up*, indignarsi.

fire alarm [ˈfaiərəˌlɑːm] *s.* segnale d'allarme.

firearm [ˈfaiərɑːm] *s.* arma da fuoco.

firebox [ˈfaiəbɔks] *s.* (*tecn.*) focolare.

firebrand [ˈfaiəbrænd] *s.* **1** brace; tizzone **2** (*fig.*) istigatore.

firebrick [ˈfaiəbrik] *s.* mattone refrattario.

fire brigade [ˈfaiəbriˌgeid] *s.* squadra, corpo dei pompieri.

firebug [ˈfaiəbʌg] *s.* incendiario, piromane.

fireclay [ˈfaiəklei] *s.* argilla refrattaria.

firedamp [ˈfaiədæmp] *s.* (*min.*) grisù.

firedog [ˈfaiədɔg] *s.* alare.

fire engine [ˈfaiərˌendʒin] *s.* autopompa, idrante.

fire escape [ˈfaiərisˌkeip] *s.* scala di sicurezza.

fire extinguisher [ˈfaiəriksˌtingwiʃə*] *s.* estintore.

firefly [ˈfaiəflai] *s.* lucciola.

fireguard [ˈfaiəgɑːd] *s.* parafuoco.

fire irons [ˈfaiərˌaiənz] *s.* strumenti per attizzare il fuoco.

firelight [ˈfaiəlait] *s.* luce (del fuoco).

firelock [ˈfaiəlɔk] *s.* moschetto (di tipo antiquato).

fireman, *pl.* **firemen** [ˈfaiəmən] *s.* **1** vigile del fuoco, pompiere **2** fochista.

fireplace [ˈfaiəpleis] *s.* focolare, caminetto.

fire-plug [ˈfaiəplʌg] *s.* idrante, bocca da incendio.

fireproof [ˈfaiəpruːf] *agg.* incombustibile, resistente al fuoco.

fire-screen [ˈfaiəskriːn] *s.* parafuoco.

fireside [ˈfaiəsaid] *s.* **1** angolo del focolare **2** (*fig.*) vita domestica.

firestone [ˈfaiəstoun] *s.* pietra refrattaria.

firewarden [ˈfaiəˌwɔːdn] *s.* guardaboschi.

firewater [ˈfaiəˌwɔːtə] *s.* (*fam.*) «acqua di fuoco», nome dato dagli indiani al «whisky».

firewood [ˈfaiəwud] *s.* legna da ardere.

firework [ˈfaiəwəːk] *s.* **1** fuoco artificiale **2** pl. (*fig.*) sfuriata (*sing.*).

firing [ˈfaiəriŋ] *s.* **1** l'appiccare il fuoco; incendio **2** il fare fuoco; tiro, fucilata; cannonata // — *squad* (o *party*), plotone di esecuzione // — *line*, (*mil.*) linea del fuoco **3** (*vet.*) cauterizzazione **4** cottura (di mattoni, ceramiche) **5** alimentazione, caricamento (di locomotiva, fornace ecc.).

firm¹ [fəːm] *agg.* **1** solido; compatto **2** fisso, stabile **3** deciso, risoluto, forte ♦ *avv.* fermamente.

firm² *s.* ditta; società; azienda.

firmament [ˈfəːməmənt] *s.* firmamento.

firmly [ˈfəːmli] *avv.* **1** fermamente **2** solidamente, saldamente.

firmness [ˈfəːmnis] *s.* **1** fermezza **2** stabilità.

firmware [ˈfəːmweə*] *s.* (*informatica*) firmware; microprogrammazione.

firry [ˈfəːri] *agg.* **1** di abete **2** ricco di abeti.

first [fəːst] *agg.num.ord.* primo: — *thing*, innanzitutto, per prima cosa; *the* — *days*, i primi giorni // *Henry the First*, Enrico I // *the* — *man*, la persona più importante; *the* — *lady*, la donna più importante; (*amer.*) la moglie del presidente ♦ *avv.* **1** prima; per primo; per la prima volta: — *of all*, prima di tutto; *he came in* —, entrò per primo; *when I saw her* —..., la prima volta che la vidi... // — *and last*, innanzitutto // — *come* — *served*, (*prov.*) chi tardi arriva male alloggia **2** piuttosto.

first *s.* **1** primo // — *name*, nome di battesimo // *the* — *of May* (o *1st May*), il primo maggio **2** principio: *at* —, all'inizio, dapprima; *from the* —, dall'inizio; *from* — *to last*, dal principio alla fine.

first aid [ˈfəːstˈeid] *s.* pronto soccorso.

first-born [ˈfəːsˈbɔn] *agg.* e *s.* primogenito.

first-class [ˈfəːsˈklɑːs] *agg.* eccellente.

first floor [ˈfəːstflɔː*] *s.* **1** primo piano **2** (*amer.*) pianterreno.

firstfruits [ˈfəːstfruːts] *s.pl.* primizie.

firsthand [ˈfəːstˈhænd] *agg.* di prima mano.

firstlings [ˈfəːstliŋz] *s.* **1** primo nato (di animale) **2** (*fig.*) primo risultato.

firstly [ˈfəːstli] *avv.* in primo luogo.

first night [ˈfəːstˈnait] *s.* (*cinem. teatr.*) prima.

first offender [ˈfəːstəˈfendə*] *s.* (*dir.*) (imputato) incensurato.

first-rate [ˈfəːstˈreit] *agg.* eccellente.

firth [fəːθ] *s.* fiordo; estuario.

fiscal [ˈfiskəl] *agg.* fiscale.

fish¹ [fiʃ] *s.* (*gener. pl. invar.*) **1** pesce: *he didn't catch much* (o *many*) —, non ha preso molti pesci; *he caught three fish(es)*, ha preso tre pesci // — *soup*, (*cuc.*) zuppa di pesce // — *finger*, bastoncino di pesce // *to feed the fishes*, (*fam.*) avere il mal di mare; annegare // *to have other* — *to fry*, avere altre cose più importanti da fare // *a pretty kettle of* —, un bel pasticcio // *a* — *out of water*, (*fig.*) un pesce fuor d'acqua **2** (*fam.*) tizio.

to fish¹ *v.intr.* **1** pescare // *to* — *in troubled waters*, (*fig.*) pescar nel torbido **2** (*fam.*) cercare, andare a caccia (di): *to* — *for information*, cercare di ottenere un'informazione ♦ *v.tr.* pescare // *to* — *out*, tirar fuori.

fish² *s.* «fiche», gettone **2** giunto a ganascia.

to fish² *v.tr.* unire con giunto a ganascia.

fishball [ˈfiʃbɔːl], **fishcake** [ˈfiʃkeik] *s.* polpettina di pesce.

fisher [ˈfiʃə*] *s.* **1** pescatore **2** (*mar.*) peschereccio.

fisherman, *pl.* **fishermen** [ˈfiʃəmən] *s.* pescatore.

fishery [ˈfiʃəri] *s.* **1** la pesca (l'industria) **2** riserva di pesca **3** licenza di pesca.

fish-glue [ˈfiʃgluː] *s.* colla di pesce.

fish-hook [ˈfiʃhuk] *s.* amo.

fishiness [ˈfiʃinis] *s.* **1** pescosità; il gusto, l'odore di pesce **2** (*fam.*) carattere sospetto (di una cosa).

fishing [ˈfiʃiŋ] *agg.* di pesca, usato per la pesca ♦ *s.* pesca: *deep-sea* —, pesca d'alto mare // — *line*, lenza; — *rod*, canna da pesca.

fish kettle [ˈfiʃketl] *s.* pesciera.

fishmonger [ˈfiʃ͵mʌŋgə*] *s.* pescivendolo.

fishpond [ˈfiʃpɔnd] *s.* vasca dei pesci; vivaio.

fish shop [ˈfiʃ-ʃɔp] *s.* pescheria.

fishtail [ˈfiʃteil] *agg.* a coda di pesce.

fishwife [ˈfiʃwaif] *pl.* **fishwives** [ˈfiʃwaivz] *s.* pescivendola.

fishy [ˈfiʃi] *agg.* 1 che sa, odora di pesce 2 ricco di pesce 3 (*fam.*) dubbio; equivoco.

fission [ˈfiʃən] *s.* 1 scissione 2 (*fis.*) fissione.

fissionable [ˈfiʃənəbəl] *agg.* (*fis.*) fissile.

fissure [ˈfiʃə*] *s.* fessura.

fist [fist] *s.* 1 pugno // *mailed* —, pugno di ferro 2 (*fam.*) mano 3 calligrafia.

fisticuffs [ˈfistikʌfs] *s.pl.* cazzottatura (*sing.*).

fistula [ˈfistjulə] *s.* (*med.*) fistola.

fit¹ [fit] *agg.* 1 adatto, idoneo; capace, in grado; conveniente, opportuno; degno: *I am not — to be seen*, non sono presentabile 2 pronto: *they were — for action*, erano pronti all'azione 3 forte, in buona salute: *to feel —*, sentirsi in forma.

to fit¹ *v.tr.* 1 addirsi (a); adattarsi (a): andar bene (a): *this coat doesn't— me*, questa giacca non mi va bene 2 adattare 3 fornire, provvedere // *to — out*, equipaggiare; preparare // *to — up*, preparare; fornire 4 *to — in*, inserire 5 *to — on*, provare (un abito) ♦ *v.intr.* 1 andare bene; calzare (di scarpe, guanti) // *to — like a glove*, calzare come un guanto 2 combaciare; entrare (in qlco.) 3 *to — in*, inserirsi; adattarsi 4 *to — on*, adattarsi, combaciare.

fit² *s.* 1 aderenza, misura (di indumento): *it was a tight —*, era una misura un po' stretta 2 (*mecc.*) accoppiamento.

fit² *s.* attacco, accesso; convulsione; parossismo: *in a — of rage*, in un accesso di rabbia; *in a — of generosity*, in uno slancio di generosità; *to give s.o. a —*, (*fig.*) far venire un colpo a qlcu. // *to throw a —*, arrabbiarsi // *when the — is on him...*, quando ne ha voglia, quando è dell'umore adatto... // *by fits (and starts)*, a sbalzi, spasmodicamente.

fitful [ˈfitful] *agg.* spasmodico; irregolare.

fitly [ˈfitli] *avv.* appropriatamente; convenientemente.

fitment [ˈfitmənt] *s.* mobile a muro.

fitness [ˈfitnis] *s.* convenienza, proprietà; buona salute.

fit-out [ˈfitaut] *s.* (*fam.*) equipaggiamento.

fitter [ˈfitə*] *s.* (*sartoria*) chi prova.

fitting [ˈfitiŋ] *agg.* adatto; conveniente ♦ *s.* 1 adattamento, allestimento; prova // *— -room*, (*sartoria*) salottino di prova 2 (*gener. pl.*) accessori (*pl.*); equipaggiamento.

fittingly [ˈfitiŋli] *avv.* convenientemente.

five [faiv] *agg.num.card.* e *s.* cinque.

fivefold [ˈfaivfould] *agg.* quintuplo.

fiver [ˈfaivə*] *s.* (*fam.*) banconota da cinque sterline; (*amer.*) banconota da cinque dollari.

fives [faivz] *s.* gioco della palla a muro.

fivescore [ˈfaivskɔ:*] *s.* e *agg.* (*letter.*) cento.

fix [fiks] *s.* 1 (*fam.*) situazione difficile 2 (*mar. aer.*) punto, posizione.

to fix *v.tr.* 1 fissare (*anche fig.*): *to — sthg. in one's mind*, fissarsi qlco. in mente // *that sight fixed my attention*, quella vista attirò la mia attenzione 2 aggiustare 3 *to — up*, provvedere (a); stabilire; organizzare; concludere amichevolmente: *to — up a meeting*, organizzare una riunione // *to — up with the landlord*, regolare il conto (col padrone di casa) ♦ *v.intr.* 1 fissarsi 2 *to — (up)on*, decidere, stabilire: *we fixed on red*, abbiamo deciso per il rosso.

to fixate [ˈfikseit] *v.tr.* rendere fisso; fissare ♦ *v.intr.* concentrarsi; fissarsi.

fixation [fikˈseiʃən] *s.* fissazione.

fixed [fikst] *agg.* fisso; rigido.

fixer [ˈfiksə*] *s.* (*chim. fot.*) fissatore.

fixing [ˈfiksiŋ] *s.* 1 (*chim. fot.*) fissaggio 2 *pl.* (*fam.*) completo (*sing.*); accessori.

fixity [ˈfiksiti] *s.* stabilità, fissità.

fixture [ˈfikstʃə*] *s.* 1 fissaggio 2 installazioni (*pl.*) 3 (*sport*) avvenimento in calendario 4 (*fam.*) istituzione // *he is a — with us by now*, è oramai un'istituzione per noi.

fizgig [ˈfizgig] *s.* 1 petardo 2 (*fig. fam.*) farfallina, ragazza leggera.

fizz [fiz] *s.* 1 sibilo 2 effervescenza 3 (*fam.*) vino effervescente; (*fam.*) spumante.

to fizz *v.intr.* frizzare; spumeggiare.

fizzle [ˈfizl] *s.* 1 leggero sibilo; scoppiettio 2 fiasco, fallimento.

to fizzle *v.intr.* 1 scoppiettare; spumeggiare 2 *to — out*, (*fig.*) far fiasco.

fizzy [ˈfizi] *agg.* (*fam.*) effervescente, frizzante.

fjord [fjɔ:d] *s.* fiordo.

to flabbergast [ˈflæbəgɑ:st] *v.tr.* (*fam.*) sbalordire.

flabbiness [ˈflæbinis] *s.* 1 mollezza; flaccidezza 2 debolezza; fiacchezza.

flabby [ˈflæbi] *agg.* 1 floscio; flaccido 2 (*fig.*) fiacco, debole.

flaccid [ˈflæksid] *agg.* 1 flaccido 2 (*fig.*) debole.

flag¹ [flæg] *s.* (*bot.*) 1 ireos, iris 2 foglia lunga e sottile.

flag² *s.* 1 lastra di pietra 2 lastricato.

to flag² *v.tr.* lastricare.

flag³ *s.* 1 bandiera // *to keep the — flying*, (*fam. fig.*) non lasciarsi abbattere 2 (*mar.*) insegna // *to hoist, to strike one's —*, assumere, abbandonare il comando 3 (*tip.*) pesce 4 (*informatica*) indicatore; segnalatore; bandiera.

to flag³ *v.tr.* 1 imbandierare 2 segnalare con bandiere // *to — down*, (*fam.*) fare segno (a un'auto) di fermarsi.

to flag⁴ *v.intr.* 1 pendere, penzolare 2 illanguidire; affievolirsi.

flag day [ˈflægdei] *s.* 1 giorno dedicato alla colletta di offerte per opere di beneficenza 2 (*amer.*) 14 giugno (anniversario dell'adozione della bandiera nazionale).

to flagellate [ˈflædʒeleit] *v.tr.* flagellare.

flagellation [͵flædʒeˈleiʃən] *s.* flagellazione.

flagellum [fləˈdʒeləm] *pl.* **flagella** [fləˈdʒelə] *s.* (*bot. zool.*) flagello.

flageolet [͵flædʒəˈlet] *s.* piffero.

flagging [ˈflægiŋ] *s.* lastricato, lastrico.

flag-officer [ˈflæg͵ɔfisə*] *s.* (*mar. mil.*) ammiraglio.

flagon [ˈflægən] *s.* caraffa; bottiglione.

flagrancy [ˈfleigrənsi] *s.* flagranza.

flagrant [ˈfleigrənt] *agg.* flagrante.

flagrantly [ˈfleigrəntli] *avv.* in modo flagrante.

flagship [ˈflægʃip] *s.* nave ammiraglia.

flagstaff [ˈflægstɑ:f] *s.* asta, pennone.

flagstone [ˈflægstoun] *s.* → **flag²**.

flagwagging [ˈflæg͵wægiŋ] *s.* 1 segnalazione a braccia 2 (*fig.fam.*) eccesso di patriottismo.

flair [flɛə*] *s.* 1 fiuto, intuito 2 inclinazione.

flak [flæk] *s.* 1 contraerea 2 (*fam.*) aspra critica.

flake[1] [fleik] *s.* **1** fiocco **2** lamella, falda, scaglia **3** (*bot.*) garofano screziato.

to **flake**[1] *v.tr.* **1** sfaldare **2** screziare ♦ *v.intr.* sfaldarsi; scrostarsi.

flake[2] *s.* rastrelliera.

flake-white [ˈfleikˈwait] *s.* biacca.

flak-jacket [ˌflækˈdʒækit] *s.* giubbotto antiproiettile.

flaky [ˈfleiki] *agg.* **1** a, in scaglie **2** che si sfalda, sfaldato.

flam [flæm] *s.* fandonia; imbroglio.

to **flam** *v.tr.* imbrogliare, ingannare.

flambeau [ˈflæmbou], *pl.* **flambeaus**, **flambeaux** [ˈflæmbouz] *s.* fiaccola, torcia.

flamboyant [flæmˈbɔiənt] *agg.* **1** sgargiante, vistoso **2** (*arch.*) fiammeggiante.

flame [fleim] *s.* **1** fiamma: *to burst into* —, divampare // *an old* —, (*fam.*) una vecchia fiamma **2** splendore, bagliore **3** color fiamma, rosso vivo.

to **flame** *v.intr.* **1** *to* — (*out*), fiammeggiare, ardere; prorompere **2** *to* — (*up*), (*anche fig.*) avvampare **3** splendere.

flame-thrower [ˈfleimˌθrouə*] *s.* (*mil.*) lanciafiamme.

flaming [ˈfleimiŋ] *agg.* infiammato, infuocato; ardente, bruciante.

flamingo [fləˈmiŋgou], *pl.* **flamingo(e)s** [fləˈmiŋgouz] *s.* (*zool.*) fenicottero.

flammable [ˈflæməbl] *agg.* (*amer.* per *inflammable*) (*tecn.*) infiammabile.

Flanders [ˈflɑːndəz] *no.pr.pl.* Fiandre.

flange [flændʒ] *s.* **1** flangia **2** utensile per formare flange.

to **flange** *v.tr.* flangiare.

flank [flæŋk] *s.* fianco: *to turn the* — *of the enemy*, aggirare il nemico.

to **flank** *v.tr.* **1** fiancheggiare **2** (*mil.*) attaccare o proteggere il fianco (di).

flannel [ˈflænl] *agg.* di flanella ♦ *s.* **1** flanella **2** *pl.* calzoni di flanella **3** (*fam.*) sviolinata, complimento insincero **4** (*fam.*) parole, chiacchiere che celano incompetenza.

flannellette [ˌflænəlˈet] *s.* flanella di cotone.

flap [flæp] *s.* **1** lembo, falda; patta; ribalta **2** colpetto **3** (*fam.*) agitazione **4** (*aer.*) alettone.

to **flap** *v.tr.* dare un colpetto (a); battere: *the wind flaps the sails*, il vento fa sbattere le vele // *to* — *away*, scacciare (con un gesto della mano) ♦ *v.intr.* **1** sbattere: *a flag was flapping in the wind*, una bandiera sventolava **2** (*fam.*) farsi prendere dal panico.

flapdoodle [ˈflæpˌduːdl] *s.* stupidaggine.

flap-eared [ˈflæpiəd] *agg.* con le orecchie a penzoloni.

flapjack [ˈflæpdʒæk] *s.* **1** focaccia dolce; (*amer.*) frittella **2** portacipria.

flapper [ˈflæpə*] *s.* **1** scacciamosche **2** raganella per spaventare gli uccelli **3** anatroccolo selvatico **4** pinna (di foca) **5** (*fam.*) (negli anni venti) ragazzina emancipata **6** (*sl.*) mano.

flare [fleə*] *s.* **1** luce tremolante; bagliore **2** razzo; bengala **3** scoppio d'ira **4** svasatura.

to **flare** *v.intr.* **1** ardere; bruciare con fiamma irregolare; (*di fiamma*) guizzare // *to* — *up*, infiammarsi (*anche fig.*) **2** svasarsi, allargarsi.

flare path [ˈfleəpɑːθ] *s.* pista d'atterraggio illuminata.

flare up [ˈfleərˈʌp] *s.* **1** fiammata **2** (*fig.*) scatto d'ira.

flash [flæʃ] *s.* **1** vistoso, chiassoso; volgare **2** finto, falso ♦ *s.* **1** bagliore; lampo, baleno; (*fig.*) sprizzo, sprazzo: *a* — *of lightning*, un lampo; *a* — *of joy*, uno

sprizzo di gioia // *in a* —, in un attimo // *a* — *in the pan*, (*fig.*) una bolla di sapone **2** (*cinem.*) breve sequenza.

to **flash** *v.intr.* **1** lampeggiare; brillare; balenare (*anche fig.*): *an idea flashed through his mind*, gli balenò un'idea **2** apparire a tratti; guizzare, passare via: *time flashed by*, il tempo passò in un lampo ♦ *v.tr.* **1** proiettare, dirigere (luce); (*fig.*) scoccare (sguardi, sorrisi) **2** trasmettere **3** (*fig. fam.*) sbandierare, ostentare.

flashback [ˈflæʃbæk] *s.* (*cinem.*) «flashback», scena retrospettiva.

flashiness [ˈflæʃinis] *s.* chiassosità, pacchianeria.

flashlight [ˈflæʃlait] *s.* **1** luce intermittente **2** (*amer.*) torcia elettrica **3** (*fot.*) flash.

flashpoint [ˈflæʃpɔint] *s.* (*fis.*) temperatura di ignizione.

flashy [ˈflæʃi] *agg.* vistoso, pacchiano.

flask [flɑːsk] *s.* fiasca, borraccia.

flat[1] [flæt] *agg.* **1** piatto, appiattito; piano: — *race*, corsa piana; *a* — *nose*, un naso schiacciato // *to have a* — *tyre*, (*aut.*) avere una gomma a terra **2** disteso; in posizione orizzontale (*fig.*) monotono, piatto; uniforme **4** (*fig.*) depresso, abbattuto **5** (*fam.*) assoluto, netto: *a* — *denial*, un reciso rifiuto // *you can't go out, that's* —, non puoi uscire, e basta! **6** (*mus.*) bemolle; stonato (detto di nota calante) **7** (*di bevande gassate*) che ha perso l'effervescenza **8** (*comm.*) inattivo, stagnante ♦ *avv.* **1** in posizione orizzontale: *to lie* — *on one's back*, essere disteso sul dorso; *to knock s.o.* —, stendere a terra qlcu.; *to lay* —, radere al suolo; *to fall* —, cadere disteso; (*fig.*) fare fiasco **2** (*fam.*) decisamente, proprio **3** (*fam.*) schiettamente: *to tell s.o.* — *that...*, dire a qlcu. chiaro e tondo che... **4** (*mus.*) *to sing* —, stonare (cantare calando).

flat[1] *s.* **1** superficie piana; parte piatta di un oggetto **2** pianura; palude **3** (*teatr.*) fondale **4** (*mus.*) bemolle **5** (*amer.*) gomma a terra.

flat[2] *s.* appartamento: *service flats*, residence.

flat-footed [ˈflætˈfutid] *agg.* **1** che ha i piedi piatti **2** (*fam.*) tonto.

flatiron [ˈflætˌaiən] *s.* ferro da stiro.

flatly [ˈflætli] *avv.* **1** decisamente; nettamente **2** (*fig.*) piattamente.

flat rate [ˈflætreit] *s.* prezzo tutto incluso.

to **flatten** [ˈflætn] *v.tr.* **1** appiattire; (*fig.*) schiacciare, abbattere // *that news flattened me*, (*sl.*) quella notizia mi ha steso **2** *to* — *out*, spianare; (*aer.*) riportare (un aereo) in linea orizzontale ♦ *v.intr.* **1** appiattirsi **2** *to* — *out*, (*aer.*) riportarsi in linea normale di volo; (*di prezzi ecc.*) livellarsi.

to **flatter** [ˈflætə*] *v.tr.* **1** adulare, lusingare // *that picture flatters you*, quella fotografia ti imbellisce **2** *to* — *oneself*, vantarsi; piccarsi.

flatterer [ˈflætərə*] *s.* adulatore.

flattering [ˈflætəriŋ] *agg.* adulatore, lusinghiero.

flattery [ˈflætəri] *s.* adulazione; lusinga.

flatting [ˈflætiŋ] *s.* (*metall.*) laminatura **2** — *down*, levigatura.

flattop [ˈflættop] *s.* (*fam. amer.*) portaerei.

flatulence [ˈflætjuləns], **flatulency** [ˈflætjulənsi] *s.* **1** flatulenza **2** (*fig.*) ampollosità.

to **flaunt** [flɔːnt] *v.intr.* garrire (di bandiera) ♦ *v.tr.* sventolare, sbandierare (*anche fig.*).

flautist [ˈflɔːtist] *s.* flautista.

flavour [ˈfleivə*] *s.* gusto, sapore (*anche fig.*).

to **flavour** *v.tr.* insaporire; (*fig.*) dare colore (a), dar tono (a).

flavouring [ˈfleivəriŋ] *s.* aroma; condimento.

flaw [flɔ:] *s.* **1** screpolatura **2** imperfezione; pecca; punto debole **3** (*dir.*) vizio.

flawless [′flɔ:lis] *agg.* perfetto; impeccabile; puro.

flax [flæks] *s.* lino.

flaxen [′flæksən] *agg.* **1** di lino **2** biondo chiaro.

flax-seed [′flæksi:d] *s.* seme di lino.

to flay [flei] *v.tr.* **1** scorticare, scuoiare **2** (*fig.*) stroncare, demolire.

flea [fli:] *s.* pulce // *a — in the ear*, ramanzina.

fleabag [′fli:bæg] *s.* **1** (*fam.*) sacco a pelo **2** persona sporca e antipatica.

fleabite [′fli:bait] *s.* morso di pulce; (*fig.*) inezia, cosa da poco.

fleabitten [′fli:bitn] *agg.* **1** pulcioso; (*fam.*) pidocchioso, logoro **2** (*di cavallo*) storno.

fleam [fli:m] *s.* (*med.*) flebotomo.

fleamarket [′fli:ma:kit] *s.* mercato delle pulci.

fleapit [′fli:,pit] *s.* (*fam.*) cimiciaio (detto di cinema o teatro sporco di infimo ordine).

fleck [flek] *s.* **1** macchia, chiazza **2** granello.

to fleck *v.tr.* **1** macchiare, chiazzare **2** picchiettare.

fled *pass.* e *p.pass.* di to **flee**.

to fledge [fledʒ] *v.tr.* **1** fornire di penne // *fully fledged*, che è in grado di volare; (*fig.*) che si è fatto le ossa **2** allevare (un uccellino implume) ♦ *v.intr.* mettere le penne.

fledgeling [′fledʒliŋ] *s.* **1** uccellino **2** (*fig.*) pivellino.

to flee [fli:], *pass.* e *p.pass.* **fled** [fled] *v.intr.* e *tr.* fuggire.

fleece [fli:s] *s.* **1** vello **2** massa soffice (di neve, capelli ecc.).

to fleece *v.tr.* **1** tosare **2** (*fig.*) spogliare, pelare.

fleecy [′fli:si] *agg.* lanoso; soffice.

fleet[1] [fli:t] *s.* flotta; flottiglia // *a — of tanks, of cars*, una colonna di carri armati, di automobili.

fleet[2] *agg.* agile, lesto.

to fleet[2] *v.intr.* passare, volare, fuggire (via).

fleeting [′fli:tiŋ] *agg.* fugace, passeggero.

Fleming [′flemiŋ] *s.* fiammingo.

Flemish [′flemiʃ] *agg.* e *s.* fiammingo.

to flench [flentʃ], **to flense** [flens] *v.tr.* **1** estrarre il grasso (da una balena) **2** scuoiare.

flesh [fleʃ] *s.* **1** carne (*anche fig.*) // *my own — and blood*, carne della mia carne e sangue del mio sangue // *in the —*, in carne ed ossa, in persona // *— wound*, ferita superficiale // *to go the way of all —*, morire **2** polpa (di frutta ecc.).

to flesh *v.tr.* **1** aizzare (cani da caccia) con carne di cacciagione **2** (*fig.*) incitare alla rivolta **3** ingrassare.

flesh-coloured [′fleʃ,kʌləd] *agg.* color carne.

fleshliness [′fleʃlinis] *s.* carnalità.

fleshly [′fleʃli] *agg.* fisico; (*fig.*) carnale.

fleshpot [′fleʃpɔt] *s.* **1** pentola per cuocere la carne **2** (*fig.*) cuccagna.

fleshy [′fleʃi] *agg.* **1** carnoso; polposo **2** paffuto, grassoccio.

flew *pass.* di to **fly**[1].

flews [flu:z] *s.pl.* guance cascanti (di cane).

flex [fleks] *s.* (*elettr.*) filo, cordone, piattina.

to flex *v.tr.* piegare, flettere (giunture, arti ecc.) ♦ *v.intr.* piegarsi, flettersi.

flexible [′fleksəbl], **flexile** [′fleksil] *agg.* **1** flessibile, pieghevole **2** modulata (di voce) **3** (*fig.*) trattabile; arrendevole **4** versatile.

flexion [′flekʃən] *s.* flessione.

flextime [′flekstaim] *s.* orario flessibile.

flexuous [′fleksjuəs] *agg.* flessuoso, sinuoso.

flexure [′flekʃə*] *s.* flessione; curvatura.

flick[1] [flik] *s.* colpetto; schiocco; buffetto.

to flick[1] *v.tr.* dare un colpetto (a); dare un buffetto (a): *to — away sthg.*, far volare via qlco. con un colpetto.

flick[2] *s.* (*spec. pl.*) (*sl.*) cinema.

flicker [′flikə*] *s.* guizzo, lampo.

to flicker *v.intr.* ondeggiare; tremolare, guizzare (di luce ecc.); brillare debolmente.

flick knife [′flik,naif] *s.* coltello a serramanico.

flier *s.* → **flyer**.

flies [flaiz] *s.pl.* patta (*sing.*) (dei pantaloni).

flight[1] [flait] *s.* **1** passaggio rapido; volo (*anche fig.*): *a — across the Atlantic*, trasvolata dell'Atlantico; *nonstop —*, volo senza scalo; *test —*, volo di collaudo **2** stormo; squadriglia **3** rampa (di scale): *— of steps*, scalinata.

flight[2] *s.* fuga: *to put to —*, mettere in fuga; *to take —*, darsi alla fuga.

flight deck [′flaitdek] *s.* ponte di decollo.

flighty [′flaiti] *agg.* frivolo, scervellato; incostante.

flimsy [′flimzi] *agg.* **1** sottile e leggero **2** fragile, debole **3** superficiale, frivolo ♦ *s.* (*fam.*) carta velina.

to flinch [flintʃ] *v.intr.* indietreggiare, tirarsi indietro.

fling [fliŋ] *s.* **1** getto, lancio; (*fig.*) tentativo // *the party was in full —*, la festa era in piena animazione **2** sarcasmo **3** *Highland —*, danza scozzese **4** periodo di svago e rilassamento: *to have one's —*, (*fam.*) godersela.

to fling, *pass.* e *p.pass.* **flung** [flʌŋ] *v.tr.* gettare, lanciare: *to — the door open*, spalancare la porta violentemente // *to — dirt at s.o.*, (*fig.*) gettar fango su qlcu. // *to — sthg. in s.o.'s teeth*, rinfacciare qlco. a qlcu. ♦ *v.intr.* gettarsi; lanciarsi: *he flung out of the door*, si precipitò fuori dalla porta // *to — away, off*, andarsene precipitosamente.

flint [flint] *s.* **1** selce, silice **2** pietra focaia; pietrina per accendisigari **3** (*fig.*) avaro; duro.

flintlock [′flintlɔk] *s.* fucile a pietra focaia.

flinty [′flinti] *agg.* **1** siliceo, pietroso **2** (*fig.*) duro, spietato.

flip [flip] *s.* **1** buffetto, colpetto **2** girata **3** (*sl.*) giretto in aereo.

to flip *v.tr.* **1** colpire, dare un colpetto (a) **2** girare; buttare in aria ♦ *v.intr.* **1** dare un colpetto **2** *to — through* (*sthg.*), (*fam.*) sfogliare (libro, ecc.) **3** (*fam.*) perdere il controllo; saltare i nervi.

flip-flop [′flipflɔp] *s.* **1** sandali (di gomma) infradito **2** (*informatica*) contrassegno; bandiera.

flippancy [′flipənsi] *s.* **1** irriverenza **2** frivolezza **3** disinvoltura.

flippant [′flipənt] *agg.* **1** disinvolto **2** irriverente.

flipper [′flipə*] *s.* **1** pinna **2** (*sl.*) mano.

flip-side [′flipsaid] *s.* retro (di disco).

flirt [flə:t] *s.* **1** (*fig.*) civetta **2** movimento rapido (di ventaglio, ali ecc.).

to flirt *v.tr.* muovere rapidamente ♦ *v.intr.* **1** civettare, flirtare **2** giocherellare.

flirtation [flə:′teiʃən] *s.* amoreggiamento, flirt.

flirtatious [flə: ′teiʃəs], **flirty** [′flə:ti] *agg.* incline al flirt; poco serio.

flit [flit] *s.* l'andarsene alla chetichella (spec. per sfuggire ai creditori).

to flit *v.intr.* **1** volare, svolazzare **2** andarsene alla chetichella; sloggiare **3** (*fig.*) scorrere, passare.

flitch [flitʃ] *s.* lardello; lardone.

to flitter [′flitə*] *v.intr.* → to **flutter**.

flittermouse [′flitəmaus] *s.* pipistrello.

float [flout] *s.* **1** massa galleggiante (di alghe, ghiaccio ecc.) **2** galleggiante; sughero; gavitello **3** (*teatr.*) piccolo proiettore **4** carro allegorico **5** contante di cassa.

to float *v.intr.* **1** galleggiare; ondeggiare; fluttuare nell'aria: *the body floated away*, il corpo fu trascinato via dalla corrente // *to — down*, arrivare, discendere lentamente (*p.e.* sulla corrente di un fiume) **2** (*fig.*) venire in mente, fluttuare (nella memoria, dinanzi agli occhi) ♦ *v.tr.* **1** far galleggiare; trasportare sull'acqua **2** inondare **3** (*comm.*) costituire (una società); lanciare (un'impresa); mettere in circolazione.

floatage ['floutidʒ] *s.* **1** galleggiamento **2** (*mar.*) opera morta **3** relitto.

floater ['floutə*] *s.* **1** galleggiante **2** (*comm.*) promotore di società anonima **3** (*sl.*) «gaffe».

floating ['floutiŋ] *agg.* **1** fluttuante, galleggiante // *— light*, (*mar.*) faro galleggiante // *— kidney*, rene mobile // *— vote*, voto fluttuante **2** (*comm.*) fluttuante.

flock¹ [flɔk] *s.* **1** fiocco di lana, bioccolo **2** *pl.* cascame (*sing.*) **3** *pl.* (*chim.*) precipitati.

flock² *s.* stormo; folla; gregge (*anche fig.*).

to flock² *v.intr.* affollarsi, accalcarsi; radunarsi.

flocked paper ['flɔkt,peipə*] *s.* carta da parati tipo stoffa.

floe [flou] *s.* banchisa, banco di ghiaccio.

to flog [flɔg] *v.tr.* fustigare, flagellare // *to — sthg. out of s.o.*, *into s.o.*, togliere qlco. dalla testa, far entrare qlco. in testa a qlcu. a suon di botte // *to — a dead horse*, (*fig.*) pestar l'acqua nel mortaio.

flogging ['flɔgiŋ] *s.* flagellazione; bastonatura.

flood [flʌd] *s.* **1** inondazione, diluvio, piena (*anche fig.*) // *the Flood*, il diluvio universale // *at the —*, (*fig.*) al momento più opportuno **2** flusso **3** torrente (*anche fig.*).

to flood *v.tr.* inondare; irrigare; riempire (fiume ecc.) fino a fare straripare; sommergere (*anche fig.*) ♦ *v.intr.* **1** straripare **2** affluire **3** salire (di marea).

floodgate ['flʌdgeit] *s.* cateratta, chiusa.

floodlight ['flʌdlait] *s.* riflettore.

to floodlight, *pass.* e *p.pass.* **floodlit** ['flʌdlit] *v.tr.* illuminare con riflettori; illuminare a giorno.

floodtide ['flʌdtaid] *s.* flusso della marea.

floor [flɔ:*] *s.* **1** pavimento **2** piano (di un edificio) // *first —*, primo piano; (*amer.*) pianterreno; *ground —*, pianterreno; *second —*, secondo piano; (*amer.*) primo piano // *to wipe the — with s.o.*, schiacciare, sconfiggere qlcu. **3** fondo (di mare ecc.) **4** (*Borsa*) sala delle negoziazioni **5** emiciclo // *to take the —*, prender la parola in un dibattito **6** (*econ.*) livello minimo (di prezzi).

to floor *v.tr.* **1** pavimentare **2** abbattere; gettare a terra (*anche fig.*) **3** (*fam.*) sconcertare; mettere a tacere.

floor cloth ['flɔ:klɔθ] *s.* **1** straccio per lavare il pavimento **2** linoleum o simili.

floor show ['flɔ:ʃou] *s.* spettacolo di varietà (nei nightclub).

floorwalker ['flɔ:rwɔ:kər] *s.* (*amer.* per *shopwalker*) direttore di reparto (nei grandi magazzini).

floosie, floozy ['flu:zi] *s.* (*sl.*) prostituta.

flop [flɔp] *s.* **1** tonfo **2** (*fam.*) fiasco.

to flop *v.intr.* **1** muoversi in modo sgraziato: *to — (along)*, muoversi pesantemente; *to — (down)*, lasciarsi cadere **2** (*fam.*) fallire, far fiasco ♦ *v.tr.* lasciar cadere pesantemente.

floppy ['flɔpi] *agg.* **1** floscio, molle // *— hat*, cappello da donna a tesa larga **2** trascurato.

floppy disk ['flɔpi'disk] *s.* (*informatica*) dischetto; (*IBM*) minidisco.

flora ['flɔ:rə], **floras** ['flɔ:rəz], **florae** ['flɔ:ri:] *s.* flora.

floral ['flɔ:rəl] *agg.* floreale.

Florence ['flɔrəns] *no.pr.* Firenze.

Florentine ['flɔrəntain] *agg.* e *s.* fiorentino.

florescence [flɔ:'resns] *s.* fioritura; infiorescenza.

floriculturalist [,flɔ:ri'kʌltʃərəlist] *s.* floricultore.

floriculture ['flɔ:rikʌltʃə*] *s.* floricultura.

florid ['flɔrid] *agg.* **1** florido; ben colorito **2** appariscente, vistoso.

floridity [flɔ'riditi] *s.* floridezza.

florin ['flɔrin] *s.* fiorino; (*in Inghilterra fino al '71*) moneta da due scellini.

florist ['flɔrist] *s.* fiorista; floricultore.

floss [flɔs] *s.* bavella.

flotilla [flou'tilə] *s.* (*mar.*) flottiglia.

flotsam ['flɔtsəm] *s.* relitti galleggianti (*pl.*).

to flounce¹ [flauns] *v.intr.* agitarsi, dimenarsi.

flounce² *s.* falpalà, volante.

to flounce² *v.tr.* ornare di falpalà: *to — out of*, uscire con stizza da.

flounder¹ ['flaundə*] *s.* passera di mare.

to flounder² *v.intr.* **1** muoversi faticosamente; dibattersi **2** (*fig.*) impappinarsi.

flour ['flauə*] *s.* farina; fior di farina // *— mill*, mulino.

to flour *v.tr.* infarinare.

flourish ['flʌriʃ] *s.* **1** svolazzo **2** espressione fiorita **3** il roteare (di spada) **4** (*mus.*) fanfara // *— of trumpets*, squilli di tromba.

to flourish *v.intr.* **1** prosperare; fiorire; essere in pieno rigoglio **2** usare uno stile fiorito **3** fare svolazzi **4** (*mus.*) suonare la fanfara, le trombe ♦ *v.tr.* **1** decorare con motivi floreali **2** agitare (braccio ecc.); brandire.

floury ['flauəri] *agg.* **1** farinoso **2** infarinato.

to flout [flaut] *v.tr.* schernire; sprezzare ♦ *v.intr.* burlarsi: *to — at s.o.*, burlarsi di qlcu.

flow [flou] *s.* (*solo sing.*) corrente, corso (d'acqua); flusso, fiotto; deflusso.

to flow *v.intr.* **1** scorrere, fluire (*anche fig.*); spargersi **2** sgorgare **3** ricadere (di capelli, abiti ecc.) **4** *to — with* (*sthg.*), abbondare di.

flow-chart ['floutʃa:t] *s.* **1** organigramma **2** (*informatica*) diagramma (di flusso).

flowcharting ['flou,tʃa:tiŋ] *s.* (*informatica*) diagrammazione.

flow diagram ['flou,daiəgræm] *s.* (*informatica*) diagramma a blocchi.

flow dynamics ['flou dai'næmiks] *s.* fluodinamica.

flower ['flauə*] *s.* **1** fiore // *to burst into —*, sbocciare, schiudersi **2** (*fig.*) la parte migliore, il fior fiore **3** *pl.* (*fig.*) ricercatezza (*sing.*) **4** (*chim.*) fiori.

to flower *v.intr.* fiorire, essere in fiore; produrre fiori ♦ *v.tr.* **1** far fiorire **2** ornare di fiori, di motivi floreali.

flowerbed ['flauəbed] *s.* aiuola.

flowered ['flauəd] *agg.* fiorito; fiorato.

floweret ['flauərit] *s.* fiorellino.

flower girl ['flauəgə:l] *s.* fioraia.

flowerpiece ['flauəpi:s] *s.* quadro raffigurante fiori.

flowerpot ['flauəpɔt] *s.* vaso da fiori.

flower stall ['flauəstɔ:l] *s.* chiosco per la vendita di fiori.

flowery ['flauəri] *agg.* fiorito (*anche fig.*).

flowing ['flouiŋ] *agg.* fluente (*anche fig.*).

flown *p.pass.* di *to* **fly.**

flu [flu:] *s.* (*fam.*) influenza.

to fluctuate ['flʌktjueit] *v.intr.* oscillare (*anche fig.*).

fluctuation [,flʌktju'eifən] *s.* oscillazione; variazione.

flue[1] [flu:] *s.* cappa del camino; canna fumaria; condotto d'aria calda.

to flue[2] *v.tr.* (*edil.*) strombare ♦ *v.intr.* (*edil.*) aprirsi a strombo.

flue[3] *s.* lanugine.

fluency ['flu(:)ənsi] *s.* padronanza, facilità, scioltezza: *to speak with* —, parlare correntemente.

fluent ['flu(:)ənt] *agg.* **1** facondo **2** sciolto, fluente.

fluently ['flu(:)əntli] *avv.* correntemente; scioltamente: *to speak English* —, parlare l'inglese correntemente.

flue-pipe ['flu:paip] *s.* canna d'organo.

fluff [flʌf] *s.* **1** lanugine, peluria **2** laniccio // *a bit of* —, (*sl.fig.*) bambola (detto di ragazza).

to fluff *v.tr.* **1** scuotere, agitare (per gonfiare) **2** (*fam.*) sbagliare ♦ *v.intr.* (*fam.*) impaperarsi.

fluffiness ['flʌfinis] *s.* leggerezza, morbidezza.

fluffy ['flʌfi] *agg.* **1** coperto di peluria, di lanugine **2** soffice, vaporoso.

fluid ['flu(:)id] *agg.* e *s.* fluido.

fluidity [flu(:)'iditi] *s.* fluidità (*anche fig.*).

fluidized ['flu:idaizd], **fluidified** [flu:'idifaid] *agg.* fluidificato.

fluke[1] [flu:k] *s.* **1** passera di mare **2** marra (di ancora).

fluke[2] *s.* **1** colpo fortunato **2** colpo di fortuna.

to fluke[2] *v.tr.* **1** colpire (una palla) per caso (al biliardo ecc.) **2** ottenere per puro caso ♦ *v.intr.* avere un colpo fortunato (al biliardo).

flume [flu:m] *s.* **1** canale; condotto **2** (*amer.*) forra.

flummery ['flʌməri] *s.* **1** sciocchezza; adulazione.

to flummox ['flʌməks] *v.tr.* (*fam.*) confondere; sconcertare.

to flump [flʌmp] *v.intr.* (*fam.*) fare un tonfo ♦ *v.tr.* cadere con un tonfo.

flung *pass.* e *p.pass.* di to **fling**.

to flunk [flʌŋk] *v.tr.* (*fam.*) **1** schivare, evitare **2** (*amer.*) bocciare ♦ *v.intr.* (*amer.*) essere bocciato.

flunkey ['flʌŋki] *s.* lacchè (*anche fig.*).

fluorescence [fluə'resns] *s.* fluorescenza.

fluorescent [fluə'resnt] *agg.* fluorescente.

to fluoridize ['fluəridaiz] *v.tr.* (*chim.*) purificare (acque) con fluorina.

fluorine ['fluəri:n] *s.* (*chim.*) fluoro.

flurry ['flʌri] *s.* **1** raffica di vento **2** nervosismo, agitazione: *to be in a* —, essere agitato.

to flurry *v.tr.* confondere, agitare: *to get flurried*, confondersi, perdere la testa.

flush[1] [flʌʃ] *agg.* **1** traboccante, rigurgitante **2** a livello; rasente: *to be* — *with*, essere rasente a **3** ben fornito (spec. di denaro); abbondante; prodigo: *to be* — (*with money*), (*fam.*) aver molto denaro ♦ *s.* **1** improvviso flusso d'acqua, di sangue; vampa (al viso) **2** sciacquone (del w.c.); (*fig.*) ebbrezza **3** (*fig.*) rigoglio.

to flush[1] *v.intr.* **1** affluire (di sangue); arrossire; (*fig.*) accalorarsi; avvampare **2** far andare lo sciacquone ♦ *v.tr.* **1** lavare con un forte getto d'acqua // *to* — *out* (*from*), scacciare (da) **2** (*fig.*) inebriare.

flush[2] *s.* (*a poker*) colore.

flush[3] *s.* improvviso levarsi in volo (di uccelli).

to flush[3] *v.intr.* levarsi in volo improvvisamente ♦ *v.tr.* far volare via.

fluster ['flʌstə*] *s.* eccitazione, agitazione.

to fluster *v.tr.* agitare, innervosire ♦ *v.intr.* **1** essere nervoso; agitarsi **2** essere ebbro, brillo.

flute [flu:t] *s.* **1** flauto **2** (*arch.*) scanalatura.

to flute *v.intr.* **1** suonare il flauto **2** parlare, cantare dolcemente ♦ *v.tr.* **1** suonare sul flauto **2** (*arch.*) scanalare.

flutist ['flu:tist] *s.* (*amer. per flautist*) flautista.

flutter ['flʌtə*] *s.* **1** movimento rapido, battito **2** (*fig.*) eccitazione, nervosismo // *to make a* —, avere una certa risonanza **3** (*fam.*) piccola speculazione.

to flutter *v.intr.* **1** battere le ali **2** svolazzare **3** sventolare; ondeggiare **4** battere irregolarmente (di cuore, polso) **5** essere agitato ♦ *v.tr.* **1** battere (le ali) **2** sventolare **3** (*fig.*) eccitare.

fluty ['flu:ti] *agg.* dal tono flautato.

fluvial ['flu:vjəl] *agg.* fluviale.

flux [flʌks] *s.* flusso (*anche fig.*).

to flux *v.tr.* fondere (metalli) ♦ *v.intr.* **1** fluire **2** fondere.

fluxion ['flʌkfən] *s.* **1** (*med.*) flussione **2** (*mat.*) calcolo differenziale.

fly[1] [flai] *agg.* (*fam.*) sveglio, svelto; disinvolto ♦ *s.* **1** volo: *on the* —, in volo **2** finta (di calzoni ecc.) **3** (*mecc.*) volano **4** carrozza, calesse **5** *pl.* (*teatr.*) piattaforma (dei macchinisti ecc.) (*sing.*).

to fly[1], *pass.* **flew** [flu:], *p.pass.* **flown** [floun] *v.intr.* **1** volare: *to* — *blind*, (*aer.*) volare alla cieca // *word flew round that...*, correva la voce che... // *to* — *about*, svolazzare // *to* — *away* (*o off*), volar via, fuggire // *to* — *back*, ritornare in aereo // *to* — *down*, scendere volando // *to* — *from*, scappare da // *to* — *over*, saltare sopra // *to* — *up*, salire in volo // *to* — *high*, (*fam.*) essere ambizioso // *to* — *in the face of*, (*fig.*) sfidare // *to* — *into a rage*, andare in collera // *to* — *off the handle*, (*fam.*) uscire dai gangheri // *to send s.o. flying*, far volare qlcu. (colpendolo) // *to send sthg. flying*, far volare qlco. **2** correre velocemente; precipitarsi: *to* — *to meet s.o.*, correre incontro a qlcu. // *to* — *to s.o. for help*, precipitarsi da qlcu. in cerca di aiuto **3** svolazzare, sventolare **4** *to* — *at*, attaccare improvvisamente // *to let* — *at*, scagliare colpi, insulti a ♦ *v.tr.* **1** far volare **2** pilotare (un aereo) **3** innalzare, spiegare (una bandiera): *to* — *a flag*, (*di nave*) battere una bandiera **4** trasportare in volo.

fly[2] *s.* **1** mosca // *a* — *in the ointment*, (*fig.*) un neo // *there are no flies on him*, (*fam.*) è un dritto **2** (*tip.*) ricevitore.

to fly[3], *pass.* e *p.pass.* **flied**, **flyed** [flaid] *v.intr.* viaggiare in calesse, in carrozza.

flyaway ['flaiə,wei] *agg.* **1** sciolto, fluente **2** volubile, capriccioso.

flyblown ['flaibloun] *agg.* **1** pieno di uova di mosche **2** (*fig.*) screditato.

fly half ['flaih'ɑ:f] *s.* (*rugby*) mediano d'apertura.

flying ['flaiiŋ] *agg.* **1** volante // — *school*, scuola di pilotaggio // — *officer*, ufficiale d'aviazione // — *saucer*, disco volante **2** sventolante (di bandiera) // *with* — *colours*, trionfalmente **3** breve; rapido.

flying buttress ['flaiiŋ,bʌtris] *s.* (*arch.*) arco rampante.

flying fox ['flaiiŋ'fɔks] *s.* (*zool.*) rossetta.

flying squad ['flaiiŋskwɔd] *s.* squadra volante.

flyleaf ['flaili:f], *pl.* **flyleaves** [flaili:vz] *s.* risguardo.

flyover ['flai'ouvə*] *s.* **1** strada, ferrovia sopraelevata **2** cavalcavia, sovrappasso.

flypaper ['flai,peipə*] *s.* carta moschicida.

flypast ['flaipɑ:st] *s.* sfilata.

to flypost ['flaipoust] *v.tr.* e *intr.* esporre annunci senza permesso: *no flyposting*, vietato affiggere annunci.

flyswatter ['flai,swɔtə*] *s.* scacciamosche.

flytrap ['flaitræp] *s.* (*bot.*) dionea.

flyweight ['flaiweit] *s.* (*sport.*) peso mosca.

flywheel ['flaiwi:l] *s.* (*mecc.*) volano.

foal [foul] *s.* puledro.

to **foal** *v.tr.* e *intr.* partorire, figliare (di cavalla, asina).

foam [foum] *s.* 1 schiuma, spuma // — *rubber*, gommapiuma® 2 bava.

to **foam** *v.intr.* 1 spumare, spumeggiare 2 far bava // to — *at the mouth*, (*fig.*) essere furioso.

foamy ['foumi] *agg.* schiumoso; spumeggiante.

fob[1] [fɔb] *s.* 1 taschino per l'orologio 2 (*amer.*) catenella, ciondolo (per l'orologio).

to **fob**[2] *v.tr.* gabbare, imbrogliare // to — *sthg. off on s.o.*, appioppare qlco. a qlcu.

focal ['foukəl] *agg.* (*ott.*) focale // — *length*, distanza focale.

to **focalize** ['foukəlaiz] *v.tr.* e *intr.* → to **focus**.

fo'c'sle ['fouksl] *s.* → **forecastle**.

focus ['foukəs], *pl.* **focuses** ['foukəsiz], **foci** ['foukai] *s.* 1 (*geom. fis.*) fuoco: *in* —, a fuoco 2 centro; epicentro 3 (*med.*) focolaio.

to **focus** *v.tr.* 1 (*fis.*) mettere a fuoco 2 convergere 3 (*fig.*) concentrare ♦ *v.intr.* convergere.

fodder ['fɔdə*] *s.* foraggio.

to **fodder** *v.tr.* foraggiare.

foe [fou] *s.* nemico.

foetal ['fi:tl] *agg.* fetale.

foetus ['fi:təs] *s.* feto.

fog [fɔg] *s.* 1 nebbia (*anche fig.*) // to be in a —, (*fig.*) essere sconcertati 2 (*fot.*) velo, velatura.

to **fog** *v.tr.* 1 avvolgere nella nebbia 2 (*fig.*) annebbiare ♦ *v.intr.* 1 diventare nebbioso 2 (*fot.*) velarsi.

fogbank ['fɔgbæŋk] *s.* banco di nebbia (sul mare).

fogbound ['fɔgbaund] *agg.* bloccato dalla nebbia.

fogey ['fougi] *s.* persona antiquata.

foggily ['fɔgili] *avv.* indistintamente.

foggy ['fɔgi] *agg.* 1 nebbioso 2 (*fig.*) confuso.

foghorn ['fɔghɔ:n] *s.* sirena da nebbia.

fog lamp ['fɔglæmp] *s.* (*aut.*) faro antinebbia.

fogy ['fougi] *s.* (*amer. per fogey*) persona antiquata.

foible ['fɔibl] *s.* 1 (punto) debole 2 eccentricità.

foil[1] [fɔil] *s.* 1 foglia degli specchi; lamina di metallo 2 (*fig.*) ciò che serve a mettere in risalto 3 (*arch.*) archetto.

to **foil**[1] *v.tr.* 1 rivestire con lamina di metallo 2 (*arch.*) ornare con archetti.

foil[2] *s.* pista, traccia.

to **foil**[2] *v.tr.* 1 frustrare; sventare (attacco, tentativo ecc.) 2 (*caccia*) far perdere le tracce.

foil[3] *s.* fioretto.

to **foist** [fɔist] *v.tr.* 1 appioppare: *to — sthg. (up)on s.o.*, rifilare qlco. a qlcu. 2 introdurre, inserire di soppiatto o illegalmente.

fold[1] [fould] *s.* 1 ovile 2 gregge 3 (*fig.*) chiesa.

to **fold**[1] *v.tr.* 1 chiudere (il gregge) nell'ovile 2 stabbiare (un terreno).

fold[2] *s.* 1 piega 2 spira (di serpente).

to **fold**[2] *v.tr.* 1 piegare: *to — the top down* (o *back*), decappottare (un'automobile) 2 avvolgere 3 abbracciare: *to — a person to one's breast*, stringere al cuore una persona 4 incrociare (le braccia), congiungere (le mani) 5 *to — up*, ripiegare ♦ *v.intr.* 1 essere pieghevole, avvolgibile 2 (*fig.*) chiudere (di un negozio ecc.).

foldaway ['fouldəwei] *agg.* estraibile, pieghevole: — *bed*, letto estraibile.

folder ['fouldə*] *s.* 1 piegatore 2 (*tip.*) piegatrice 3 pieghevole 4 cartella 5 (*amer.*) cartoncino pieghevole usato come contenitore.

folding ['fouldiŋ] *agg.* 1 pieghevole, avvolgibile // — *door*, porta a libro // — -*machine*, piegatrice meccanica 2 estraibile.

foliage ['fouliidʒ] *s.* fogliame.

to **foliate** ['foulieit] *v.tr.* 1 (*arch.*) ornare di foglie 2 numerare fogli di (un libro) ♦ *v.intr.* sfaldarsi, dividersi in fogli.

foliation [,fouli'eiʃən] *s.* 1 (*bot.*) fogliazione 2 riduzione (di metalli) in fogli, lamine 3 (*geol.*) stratificazione 4 numerazione di fogli (di libro) 5 (*arch.*) decorazione a foglie.

folio ['fouliou] *s.* 1 (*tip.*) fo(g)lio: *in* —, in fo(g)lio 2 (*contabilità*) due pagine opposte di un mastro.

folk [fouk] (*nel senso 1 può essere invar. al pl.*) *s.* 1 gente // *my folks*, i miei (la mia famiglia): *how are the folks at home?*, come stanno i tuoi? 2 razza, popolo, nazione ♦ *agg.* rustico, popolare.

folk-dance ['foukda:ns] *s.* ballo popolare.

folklore ['fouklɔ:*] *s.* folclore.

folksong ['fouksɔŋ] *s.* canzone popolare.

folksy ['fouksi] *agg.* (*fam.*) popolaresco.

folktale ['foukteil] *s.* racconto popolare.

folkways ['foukweiz] *s. pl.* usi e costumi di un particolare gruppo.

follicle ['fɔlikl] *s.* follicolo.

follicular [fə'likjulə*] *agg.* follicolare.

to **follow** ['folou] *s.* (*biliardo*) colpo che lancia la palla dietro a un'altra // — -*through*, (*sport*) accompagnamento di un colpo // — *up*, azione supplementare; (*med.*) controllo.

to **follow** *v.tr.* 1 seguire (*anche fig.*), far seguire (*anche fig.*): *do you — me?*, mi comprendi?; *to — one argument with another*, far seguire un argomento all'altro // *to — one's nose*, andare sempre diritto; (*fig.*) andare a lume di naso; viaggiare senza destinazione fissa; vogare // — *suit*, (*alle carte*) rispondere con una carta dello stesso seme; (*fig.*) imitare 2 esercitare (un mestiere ecc.) 3 *to — up*, perseguire, continuare (sino alla fine) ♦ *v.intr.* 1 seguire, risultare, derivare: *it follows from this that*, ne consegue che // *his reply doesn't — at all*, la sua risposta non è pertinente, non regge 2 *to — on*, continuare (dopo un intervallo) 3 *to — through*, (*sport*) accompagnare un colpo.

follower ['folouə*] *s.* 1 seguace, discepolo 2 (*fam.*) corteggiatore.

following ['folouiŋ] *agg.* seguente, susseguente ♦ *s.* (*pol.*) seguito; partito.

folly ['fɔli] *s.* follia; idea pazza; stravaganza.

to **foment** [fou'ment] *v.tr.* fomentare.

fomentation [,foumen'teiʃən] *s.* fomentazione.

fond [fɔnd] *agg.* 1 amante, appassionato // *to be — of*, essere amante di, amare 2 affettuoso, tenero.

to **fondle** ['fɔndl] *v.tr.* accarezzare.

fondly ['fɔndli] *avv.* teneramente.

fondness ['fɔndnis] *s.* 1 tenerezza; passione 2 inclinazione, predisposizione.

font [fɔnt] *s.* 1 fonte battesimale 2 serbatoio per l'olio (in una lucerna) 3 (*poet.*) fonte, sorgente 4 (*informatica*) serie completa di caratteri.

food [fu:d] *s.* cibo, vitto; nutrimento (*anche fig.*) // *to be off one's* —, soffrire di inappetenza // — *poisoning*, intossicazione da cibo avariato.

foodstuff ['fu:dstʌf] *s.* cibarie (*pl.*).

fool [fu:l] *s.* **1** sciocco; stupido; imbecille // *to play the —*, fare il buffone // *—'s paradise*, sciocca illusione, felicità immaginaria // *a —'s errand*, (*fig.*) uno sforzo inutile // *no — like on old —*, nessuno è più stolto d'un vecchio innamorato // *to make a — of oneself*, rendersi ridicolo // *to make a — of s.o.*, beffarsi di qlcu. **2** buffone (di corte).

to fool *v.tr.* ingannare, truffare; farsi beffe (di): *he fool-ed her out of her money*, le scroccò il denaro; *they fool-ed him into believing...*, gli fecero credere che... ♦ *v.intr.* fare lo sciocco; scherzare.

foolery [ˈfuːləri] *s.* follia, sciocchezza.

foolhardiness [ˈfuːlˌhaːdinis] *s.* temerarietà.

foolhardy [ˈfuːlˌhaːdi] *agg.* temerario.

foolish [ˈfuːliʃ] *agg.* sciocco; stupido; assurdo.

foolishness [ˈfuːliʃnis] *s.* sciocchezza.

foolscap [ˈfuːlzkæp] *s.* carta formato protocollo.

foot [fut], *pl.* **feet** [fiːt] *s.* **1** piede (*anche fig.*): *at —*, in calce; in fondo; *from head to —*, da capo a piedi; *on —*, a piedi; *to have a heavy —*, avere il passo pesante // *my —!*, (*fam.*) sciocchezze! // *— brake*, (*aut.*) freno a pedale // *to sweep a person off his feet*, entusiasmare una persona // *to fall on one's feet*, (*fig.*) cadere in piedi // *to keep one's feet*, mantenersi in equilibrio (*anche fig.*) // *to put one's — down*, impuntarsi // *to put one's best — forward*, fare del proprio meglio // *to put one's — in it*, (*fam.*) fare una gaffe // *to set sthg. on —*, mettere su, mettere in piedi qlco. // *to have one — in the grave*, avere un piede nella fossa **2** piede (misura di lunghezza) **3** (*mil.*) (*solo sing.*) fanteria **4** (*metrica*) piede.

to foot *v.tr.* **1** camminare (per una strada): *to foot it*, andare a piedi **2** rifare un piede (a una calza) **3** (*fam.*) pagare: *to — the bill*, pagare il conto.

footage [ˈfutidʒ] *s.* lunghezza (misurata) in piedi.

football [ˈfutbɔːl] *s.* **1** pallone; (*amer.*) palla ovale **2** gioco del calcio; (*amer.*) rugby.

footballer [ˈfutˌbɔːlə*] *s.* calciatore; (*amer.*) rugbista.

footbath [ˈfutbaːθ] *s.* **1** vaschetta **2** pediluvio.

footboard [ˈfutbɔːd] *s.* pedana; predellino.

footfall [ˈfutfɔːl] *s.* **1** passo **2** rumore di passi.

foothill [ˈfuthil] *s.* collina ai piedi di una catena montuosa.

foothold [ˈfuthould] *s.* punto d'appoggio (*anche fig.*).

footing [ˈfutiŋ] *s.* **1** (*solo sing.*) punto d'appoggio: *to lose one's —*, perdere l'equilibrio **2** (*fig.*) posizione // *to be on a friendly — with s.o.*, avere relazioni amichevoli con qlcu. // *to be on a war* (*time*) —, essere sul piede di guerra // *to get a —*, affermarsi **3** (*arch.*) allargamento (del muro) sul terreno.

footlights [ˈfutlaits] *s.pl.* (*teatr.*) luci della ribalta.

footloose [ˈfutluːs] *agg.* libero, spensierato.

footman, *pl.* **footmen** [ˈfutmən] *s.* valletto.

footnote [ˈfutnout] *s.* nota a piè di pagina.

footpath [ˈfutpaːθ] *s.* sentiero pedonale.

footprint [ˈfutprint] *s.* orma.

footrace [ˈfutreis] *s.* corsa podistica.

to footslog [ˈfutslɔg] *v.intr.* fare una lunga camminata.

footslogging [ˈfutslogin] *s.* (il fare) lunghe camminate.

footsore [ˈfutsɔː*] *agg.* con i piedi doloranti.

footstep [ˈfutstep] *s.* **1** passo **2** orma // *to follow in s.o.'s footsteps*, (*fig.*) seguire le orme di qlcu.

footway [ˈfutwei] *s.* strada pedonale.

footwear [ˈfutwɛə*] *s.* calzatura.

fop [fɔp] *s.* vagheggino, bellimbusto.

foppery [ˈfɔpəri] *s.* affettazione; frivolezza.

foppish [ˈfɔpiʃ] *agg.* vanesio; affettato; frivolo.

for [fɔː* (*forma forte*), fə* (*forma debole*)] *prep.* per: *it is difficult — me to realize it*, mi è difficile rendermene conto; *it's impossible — me to come*, mi è impossibile venire, è impossibile che venga // *to go — a walk*, andare a fare una passeggiata // *it is — you to speak*, tocca a te parlare // *to be — or against an idea*, essere pro o contro un'idea // *to leave s.o. — leader*, scegliere qlcu. come capo // *to leave s.o. — dead*, abbandonare qlcu. credendolo morto // *he has lived here* (—) *three years*, abita qui da tre anni // *to be — it*, vedersela brutta.

for *cong.* poiché; perché.

forage [ˈfɔridʒ] *s.* foraggio.

forage cap [ˈfɔridʒˌkæp] *s.* (*mil.*) bustina.

forasmuch (as) [fərəzˈmʌtʃ(əz)] *cong.* visto che, poiché.

foray [ˈfɔrei] *s.* scorreria; saccheggio.

to foray *v.tr.* saccheggiare ♦ *v.intr.* compiere una scorreria.

forbade *pass.* di *to* **forbid**.

forbear[1] [ˈfɔːˈbɛə*] *s.* antenato.

to forbear[2], *pass.* **forbore** [fɔːˈbɔː*], *p.pass.* **forborne** [fɔːˈbɔːn] *v.tr.* e *intr.* astenersi (da); trattenersi (da): *to — (from) doing sthg.*, astenersi dal fare qlco.

forbearance [fɔːˈbɛərəns] *s.* **1** l'astenersi: *— from doing sthg.* (o *to do sthg.*), l'astenersi dal fare qlco. **2** pazienza, sopportazione; indulgenza.

forbearing [fɔːˈbɛəriŋ] *agg.* paziente, tollerante; indulgente.

to forbid [fəˈbid], *pass.* **forbade** [fəˈbeid, fəbæd], *p.pass.* **forbidden** [fəˈbidn] *v.tr.* vietare, proibire; impedire: *to — s.o. to do sthg.*, proibire a qlcu. di fare qlco. // *fishing forbidden*, divieto di pesca // *God —!*, Dio ce ne guardi!

forbidden *p.pass.* di *to* **forbid** ♦ *agg.* proibito, vietato.

forbidding [fəˈbidiŋ] *agg.* severo (di apparenza ecc.); minaccioso; spaventoso.

forbore *pass.* di *to* **forbear**.

forborne *p.pass.* di *to* **forbear**.

force [fɔːs] *s.* **1** forza (*anche fig.*) // *in —*, in vigore (di leggi ecc.); in forze, vigoroso; in gran numero **2** valore (di parole, espressioni) **3** (*mil.*) corpo militare // *the Armed Forces*, le Forze Armate // *land —*, (*mil.*) effettivi terrestri // *landing —*, truppe da sbarco // *the Force*, la polizia.

to force *v.tr.* **1** forzare; fare violenza (a); sforzare: *to — one's way into*, penetrare a forza in; *to — open*, aprire forzando; *to — plants*, forzare le piante (a produrre prima del tempo); *to — a smile*, sforzarsi di sorridere // *to — the pace*, (*fig.*) accelerare i tempi // *to — sthg. on s.o.*, obbligare qlcu. a prendere, accettare qlco. // *to — back, on*, spingere indietro, avanti // *to — in*, conficcare // *to — out*, spinger fuori: *to — out a few words of congratulation*, felicitarsi a fior di labbra **2** strappare, prendere per forza; estorcere.

forced [fɔːst] *agg.* forzato (*anche fig.*).

forceful [ˈfɔːsful] *agg.* forte; energico.

forcefulness [ˈfɔːsfulnis] *s.* forza; vigoria.

forceps, *pl.* **forceps** [ˈfɔːseps] *s.* (*chir.*) forcipe; pinze (*pl.*).

forcible [ˈfɔːsəbl] *agg.* **1** forzato **2** forte.

ford [fɔːd] *s.* guado.

to ford *v.tr.* guadare.

fore [fɔː*] *agg.* anteriore // *— and aft*, (*avv.*) *— -and -aft*, (*agg.*) (*mar.*) da poppa a prua ♦ *s.* parte anteriore // *to the —*, in vista, in evidenza.

fore- *pref.* pre-.

forearm[1] [ˈfɔːrɑːm] *s.* avambraccio.

to **forearm**[2] [fɔːˈrɑːm] *v.tr.* premunire; fare armamenti preventivi // *forewarned is forearmed*, uomo avvisato mezzo salvato.

forebear *s.* → **forbear**[1].

to **forebode** [fɔːˈboud] *v.tr.* presagire; preannunziare.

foreboding [fɔːˈboudiŋ] *s.* presagio.

to **forecast** [ˈfɔːkɑːst], *pass. e p.pass.* **forecast** *v.tr.* prevedere; predire; pronosticare.

forecast *pass. e p.pass.* di to **forecast** ♦ *s.* pronostico; previsione // *weather —*, previsioni del tempo.

forecastle [ˈfouksl] *s.* (*mar.*) **1** castello di prua **2** quartieri a prua per l'equipaggio (nei mercantili).

to **foreclose** [fɔːˈklouz] *v.tr.* **1** precludere, impedire; (*dir.*) precludere il riscatto (di una ipoteca) **2** concludere in anticipo.

to **foredoom** [fɔːˈduːm] *v.tr.* predestinare.

forefather [ˈfɔːˌfɑːðə*] *s.* antenato, avo.

forefinger [ˈfɔːˌfiŋgə*] *s.* (dito) indice.

forefoot [ˈfɔːfut] *s.* zampa anteriore.

forefront [ˈfɔːfrʌnt] *s.* (*mil.*) prima linea.

to **forego**[1] [fɔːˈgou], *pass.* **forewent** [fɔːˈwent], *p.pass.* **foregone** [fɔːˈgɔn] *v.tr.* precedere.

to **forego**[2] *v.tr.* → to **forgo**.

foregoing [fɔːˈgouiŋ] *agg.* precedente, anteriore

foregone [fɔːˈgɔn] *agg.* sicuro, inevitabile: *— conclusion*, conclusione scontata.

foreground [ˈfɔːgraund] *s.* primo piano.

forehand [ˈfɔːhænd] *s.* **1** parte del cavallo dal garrese alla testa **2** *— (stroke)*, (*tennis*) (colpo) diritto.

forehead [ˈfɔrid] *s.* fronte.

foreign [ˈfɔrin] *agg.* **1** forestiero; straniero; estero: *— money*, divisa estera // *the Foreign Office*, il Ministero degli Esteri britannico **2** estraneo: *— body*, corpo estraneo.

foreigner [ˈfɔrinə*] *s.* straniero; forestiero.

to **forejudge** [fɔːˈdʒʌdʒ] *v.tr.* giudicare a priori.

foreknowledge [fɔːˈnɔlidʒ] *s.* prescienza.

foreland [ˈfɔːlənd] *s.* promontorio, capo.

foreleg [ˈfɔːleg] *s.* zampa anteriore.

forelock [ˈfɔːlɔk] *s.* ciuffo (sulla fronte).

foreman, *pl.* **foremen** [ˈfɔːmən] *s.* **1** capo-officina, caporeparto, caposala; caposquadra; capomastro **2** (*dir.*) capo dei giurati.

foremast [ˈfɔːmɑːst] *s.* (*mar.*) albero di trinchetto.

forementioned [ˌfɔːˈmenʃənd] *agg.* suddetto.

foremost [ˈfɔːmoust] *agg.* primo; principale ♦ *avv.* in avanti; in testa: *to fall head —*, cadere a testa in avanti // *first and —*, anzitutto.

forensic [fɔˈrensik] *agg.* forense // *— medicine*, medicina legale.

forepart [ˈfɔːpɑːt] *s.* parte anteriore; prima parte.

to **fore-run** [fɔːˈrʌn], *pass.* **fore-ran** [fɔːˈræn], *p.pass.* **fore-run** *v.tr.* precedere, precorrere.

forerunner [ˈfɔːˌrʌnə*] *s.* **1** messaggero **2** precursore.

foresail [ˈfɔːseil] *s.* (*mar.*) vela di trinchetto.

to **foresee** [fɔːˈsiː], *pass.* **foresaw** [fɔːˈsɔː], *p.pass.* **foreseen** [fɔːˈsiːn] *v.tr.* prevedere.

to **foreshadow** [fɔːˈʃædou] *v.tr.* adombrare; presagire.

foreshore [ˈfɔːʃɔː*] *s.* battigia.

to **foreshorten** [fɔːˈʃɔːtn] *v.tr.* disegnare (figure) in prospettiva.

foreshortening [fɔːˈʃɔːtniŋ] *s.* rappresentazione prospettica.

foresight [ˈfɔːsait] *s.* **1** preveggenza **2** previdenza **3** mirino.

foresighted [ˈfɔːˌsaitid] *agg.* previdente.

foreskin [ˈfɔːˌskin] *s.* prepuzio.

forest [ˈfɔrist] *s.* **1** foresta, bosco **2** (*fig.*) selva.

to **forest** *v.tr.* coltivare a foresta, imboschire.

forestal [ˈfɔristl] *agg.* forestale.

to **forestall** [fɔːˈstɔːl] *v.tr.* prevenire; anticipare.

forester [ˈfɔristə*] *s.* **1** guardia forestale **2** boscaiolo.

forestry [ˈfɔristri] *s.* silvicoltura.

foretaste [ˈfɔːteist] *s.* pregustazione.

to **foretell** [fɔːˈtel], *pass. e p.pass.* **foretold** [fɔːˈtould] *v.tr.* predire, pronosticare.

forethought [ˈfɔːθɔːt] *s.* **1** premeditazione **2** previdenza.

foretoken [ˈfɔːˌtoukən] *s.* presagio (di sciagure).

forever [fəˈrevə*] *avv.* per sempre.

to **forewarn** [fɔːˈwɔːn] *v.tr.* prevenire, avvertire.

forewent *pass.* di to **forego**.

forewoman [ˈfɔːˌwumən], *pl.* **forewomen** [ˈfɔːˌwimin] *s.* **1** direttrice (di lavoranti) **2** (*dir.*) presidente (di una giuria di donne).

foreword [ˈfɔːwəːd] *s.* prefazione.

forfeit [ˈfɔːfit] *agg.* (*dir.*) confiscato ♦ *s.* **1** perdita, penalità **2** *pl.* (*gioco*) pegni.

to **forfeit** *v.tr.* perdere per confisca i propri diritti (a); essere privato per penalità (di).

to **forgather** [fɔːˈgæðə*] *v.intr.* adunarsi, riunirsi.

forgave *pass.* di to **forgive**.

forge[1] [fɔːdʒ] *s.* **1** fornace **2** fucina.

to **forge**[1] *v.tr.* forgiare, fabbricare (*anche fig.*) **2** contraffare, falsificare ♦ *v.intr.* fare falsi.

to **forge**[2] *v.intr.* avanzare gradatamente, con difficoltà: *to — ahead*, avanzare lentamente ma costantemente.

forger [ˈfɔːdʒə*] *s.* **1** fabbro **2** falsario.

forgery [ˈfɔːdʒəri] *s.* **1** contraffazione; falsificazione **2** falso, documento contraffatto.

to **forget** [fəˈget], *pass.* **forgot** [fəˈgɔt], *p.pass.* **forgotten** [fəˈgɔtn], (*arc.*) **forgot** *v.tr.* dimenticare; non ricordare: *I — your name*, non ricordo il tuo nome // *to — oneself*, (*fam.*) perdere la padronanza di sé ♦ *v.intr.* dimenticarsi; non ricordarsi // *— about it!*, non pensarci più!

forgetful [fəˈgetful] *agg.* **1** immemore **2** negligente.

forgetfulness [fəˈgetfulnis] *s.* **1** dimenticanza, oblio **2** negligenza.

forget-me-not [fəˈgetminɔt] *s.* (*bot. pop.*) non ti scordar di me.

to **forgive** [fəˈgiv], *pass.* **forgave** [fəˈgeiv], *p.pass.* **forgiven** [fəˈgivn] *v.tr. e intr.* perdonare, rimettere; condonare: *to — s.o.'s debts*, condonare a qlcu. i debiti; *please — me for my silence*, La prego di perdonare il mio silenzio.

forgiveness [fəˈgivnis] *s.* **1** perdono, remissione **2** indulgenza, clemenza.

forgiving [fəˈgiviŋ] *agg.* clemente, indulgente.

to **forgo** [fɔːˈgou], *pass.* **forwent** [fɔːˈwent], *p.pass.* **forgone** [fɔːˈgɔn] *v.tr.* rinunziare (a); privarsi (di).

forgot *pass. e p.pass.* (*arc.*) di to **forget**.

forgotten *p.pass.* di to **forget**.

fork [fɔːk] *s.* **1** forchetta **2** forca, forcone **3** biforcazione **4** (*mecc.*) forcella.

to **fork** *v.tr.* **1** infilare con la forchetta **2** (*agr.*) smuovere, trasportare con un forcone **3** *to — out*, (*fam.*) pagare, tirar fuori (dalla tasca) ♦ *v.intr.* biforcarsi (di tronco, strada ecc.).

forlorn [fə'lɔːn] *agg.* abbandonato, trascurato; misero // — *hope*, speranza vana; missione disperata.

form [fɔːm] *s.* **1** forma; tipo; struttura // *in, out of* —, in, giù di forma **2** formalità; modo di fare; etichetta **3** modulo, scheda: *to fill in a* —, riempire un modulo **4** panca, banco **5** classe (di scuole inglesi).
to form *v.tr.* **1** formare (*anche fig.*) **2** organizzare **3** (*mil.*) disporre ♦ *v.intr.* **1** formarsi (*anche fig.*) **2** (*mil.*) disporsi: *to* — *into columns*, incolonnarsi.

formal ['fɔːməl] *agg.* formale: *a* — *denial*, un rifiuto esplicito; — *report*, relazione precisa, ufficiale ♦ *s.* (*amer.*) abito da sera o cerimonia.

formalist ['fɔːməlist] *s.* formalista.

formality [fɔː'mæliti] *s.* formalità.

to formalize ['fɔːməlaiz] *v.tr.* dare forma (a) ♦ *v.intr.* comportarsi in modo formale.

format ['fɔːmæt] *s.* formato.

formation [fɔː'meiʃən] *s.* formazione.

formative ['fɔːmətiv] *agg.* formativo ♦ *s.* (*gramm.*) elemento formativo di parole (prefisso, suffisso).

former ['fɔːmə*] *agg.* **1** primo: *your* — *idea*, la tua prima idea **2** anteriore, precedente // *his* — *pupils*, i suoi vecchi, ex allievi ♦ *pron.* primo; quegli: *the* — *and the latter*, il primo e il secondo, quegli e questi.

formerly ['fɔːməli] *avv.* anteriormente; in altri tempi, nel passato, tempo addietro.

formidable ['fɔːmidəbl] *agg.* **1** formidabile **2** difficile; pesante **3** straordinario.

formless ['fɔːmlis] *agg.* informe.

formula ['fɔːmjulə], *pl.* **formulae** ['fɔːmjuliː], **formulas** ['fɔːmjuləz] *s.* formula.

to formulate ['fɔːmjuleit] *v.tr.* formulare.

formulation [ˌfɔːmju'leiʃən] *s.* formulazione.

to fornicate [fɔː'nikeit] *v.intr.* fornicare.

fornication [ˌfɔːni'keiʃən] *s.* fornicazione.

to forsake [fə'seik] *pass.* **forsook** [fə'suk], *p.pass.* **forsaken** [fə'seikə] *v.tr.* abbandonare (*anche fig.*); rinunciare.

to forswear [fɔː'sweə*] *pass.* **forswore** [fɔː'swɔː*], *p.pass.* **forsworn** [fɔː'swɔːn] *v.tr.* abiurare; fare solenne promessa, giurare di rinunciare (a) ♦ *v.intr.* spergiurare, giurare il falso.

forsythia [fɔː'saiθiə, (*amer.*) fər'siθiə] *s.* (*bot.*) forsizia.

fort [fɔːt] *s.* (*mil.*) forte; fortezza.

forte [fɔːti, (*amer.*) fɔːrt] *s.* abilità particolare, forte.

forth [fɔːθ] *avv.* **1** avanti, innanzi: *to go* —, uscire; avanzare // *to hold* —, parlare a lungo // *and so* —, e così via **2** fuori.

forthcoming [fɔːθ'kʌmiŋ] *agg.* **1** imminente, prossimo **2** pronto **3** socievole.

forthright ['fɔː'rait] *agg.* franco, sincero ♦ *avv.* subito.

forthwith ['fɔːθ'wið] *avv.* immediatamente.

fortieth ['fɔːtiiθ] *agg.num.ord* e *s.* quarantesimo.

fortification [ˌfɔːtifi'keiʃən] *s.* **1** (*mil.*) fortificazione **2** aumento dell'alcolicità.

to fortify ['fɔːtifai] *v.tr.* **1** (*mil.*) fortificare **2** (*fig.*) rinvigorire, rinforzare; incoraggiare **3** aumentare l'alcoolicità (di vini, liquori).

fortitude ['fɔːtitjuːd] *s.* fortezza, forza d'animo; fermezza.

fortnight ['fɔːtnait] *s.* due settimane, quindici giorni // *today* —, oggi a quindici.

fortnightly ['fɔːtˌnaitli] *agg.* quindicinale ♦ *avv.* ogni due settimane.

fortress ['fɔːtris] *s.* fortezza, piazzaforte.

fortuitous [fɔː'tjuː(ː)itəs] *agg.* fortuito.

fortuity [fɔː'tjuː(ː)iti] *s.* casualità; caso fortuito.

fortunate ['fɔːtʃnit] *agg.* **1** fortunato **2** propizio, favorevole.

fortunately ['fɔːtʃnitli] *avv.* **1** fortunatamente, per fortuna **2** favorevolmente, con successo.

fortune ['fɔːtʃən] *s.* fortuna: *bad* —, cattiva sorte // *soldier of* —, soldato di ventura // *man of* —, uomo ricco // *to come into a* —, ereditare una fortuna // *to marry a* —, sposare un'ereditiera // *to try one's* —, sfidare la sorte // *to have one's* — *told*, farsi predire il futuro.

fortune hunter ['fɔːtʃənˌhʌntə*] *s.* cacciatore di dote.

fortune-teller ['fɔːtʃənˌtelə*] *s.* indovino, indovina.

forty ['fɔːti] *agg.num.card.* e *s.* quaranta // *in the forties*, negli anni tra il '40 e il '49; tra i 40 e i 49 anni (d'età); *to be in one's early, late forties*, avere poco più di 40, poco meno di 50 anni // — *winks*, (*fam.*) pisolino.

forum ['fɔːrəm], *pl.* **fora** ['fɔːrə], **forums** ['fɔːrəmz] *s.* **1** (*st. romana*) foro **2** tribunale (*anche fig.*) **3** luogo in cui si svolge un dibattito pubblico **4** dibattito pubblico.

forward [fɔːwəd] *agg.* **1** avanzato, in avanti, in testa // — *movement*, movimento progressista // — *views*, idee progressiste, d'avanguardia **2** precoce; primaticcio **3** sfrontato, impertinente **4** pronto; impaziente **5** (*comm.*) futuro ♦ *avv.* **1** avanti, in avanti: —!, (*mil.*) avanti!; (*to go*) *backward and* —, (andare) avanti e indietro; *to move* —, (far) avanzare // *to date* —, (*comm.*) postdatare **2** (*mar.*) a proravia ♦ *s.* (*sport*) attaccante.

to forward *v.tr.* **1** promuovere, secondare (un progetto ecc.) **2** rispedire; inoltrare: *please* —, pregasi far proseguire (di lettera).

forwarding ['fɔːwədiŋ] *s.* spedizione // — *agent*, spedizioniere.

forwardly ['fɔːwədli] *avv.* **1** prontamente, premurosamente **2** sfacciatamente.

forwardness ['fɔːwədnis] *s.* **1** premura; prontezza **2** impertinenza; presunzione **3** progresso (di un lavoro ecc.).

forwards ['fɔːwədz] *avv.* → **forward**.

forwent *pass* di **to forgo**.

fosse [fɔs] *s.* **1** trincea; fossato **2** (*anat.*) fossa, cavità.

fossil ['fɔsl] *agg.* e *s.* fossile (*anche fig.*).

to fossilize ['fɔsilaiz] *v.tr.* fossilizzare ♦ *v.intr.* fossilizzarsi (*anche fig.*).

to foster ['fɔstə*] *v.tr.* **1** allevare, nutrire **2** favorire, promuovere, incoraggiare.

fosterage ['fɔstəridʒ] *s.* **1** l'allevare figli adottivi **2** promozione, incoraggiamento.

foster-child ['fɔstətʃaild] *s.* figlio adottivo.

foster-father ['fɔstəˌfaːðə*] *s.* padre adottivo.

fosterling ['fɔstəliŋ] *s.* bimbo adottivo.

foster-mother ['fɔstəˌmʌðə*] *s.* madre adottiva.

fought *pass.* e *p.pass.* di **to fight**.

foul [faul] *agg.* **1** sporco; disgustoso // — *air*, aria viziata // — *breath*, alito cattivo **2** orribile; osceno **3** perfido, sleale: — *play*, assassinio; violenza; (*sport*) gioco sleale // *by fair means or* —, con mezzi leciti o illeciti **4** ostruito; incrostato **5** (*mar.*) impigliato (di corde, funi ecc.) **6** (*di tempo*) brutto; pericoloso.

foul *s.* **1** (*sport*) fallo; atto irregolare **2** collisione.

to foul *v.tr.* **1** sporcare; insozzare (*anche fig.*) **2** ostruire **3** (*mar.*) entrare in collisione (con) **4** (*sport*) commettere un fallo su ♦ *v.intr.* **1** sporcarsi; insozzarsi (*anche fig.*) **2** ostruirsi **3** (*mar.*) impigliarsi (di catene, corde ecc.); entrare in collisione.

foul-mouthed ['faulmauðd] *agg.* sboccato.

foulness ['faulnis] *s.* **1** sozzura (*anche fig.*) **2** (*fig.*) perfidia; slealtà.

found[1] *pass.* e *p.pass.* di to **find** ♦ *agg.* fornito, attrezzato.

to **found**[2] *v.tr.* fondare (*anche fig.*): *ill founded*, mal fondato; *founded on facts*, basato sui fatti; *to — one's opinion on*, basare la propria opinione su.

to **found**[2] *v.tr.* fondere.

foundation [faun'deiʃən] *s.* **1** fondazione; istituzione **2** base, fondamento; (*arch.*) fondamenta // — *stone*, prima pietra **3** (*cosmesi*): — *cream*, crema base **4** (*moda*): — *garment*, modellatore.

founder[1] ['faundə*] *s.* fondatore; socio fondatore.

founder[2] *s.* fonditore.

to **founder**[3] *v.intr.* **1** affondare **2** azzoppare (un cavallo) ♦ *v.intr.* **1** affondare; sprofondare; crollare **2** azzopparsi (di cavallo).

foundling ['faundliŋ] *s.* trovatello.

foundress ['faundris] *s.* fondatrice.

foundry ['faundri] *s.* **1** fusione **2** fonderia.

fount[1] [faunt] *s.* (*poet.*) sorgente, fonte.

fount[2] [fɔnt] *s.* (*tip.*) corpo di caratteri.

fountain ['fauntin] *s.* **1** fontana; fonte (*anche fig.*) **2** serbatoio.

fountainhead ['fauntin'hed] *s.* sorgente.

fountain pen ['fauntin'pen] *s.* penna stilografica.

four [fɔ:*] *agg.num.card.* e *s.* quattro // *on all fours*, carponi ♦ **fours** [fɔ:z] *s. pl.* (*canottaggio*) quattro.

fourfold ['fɔ:fould] *agg.* quadruplo.

fourpence ['fɔ:pəns] *s.* quattro pence.

fourpenny ['fɔ:pəni] *agg.* (*attr.*) da quattro pence // *a — one*, ceffone.

four-poster ['fɔ:'poustə*] *s.* letto a quattro colonne.

fourscore ['fɔ:'skɔ:*] *s.* (*letter.*) ottanta.

foursome ['fɔ:səm] *s.* **1** (*golf*) partita a quattro **2** (*fam.*) compagnia di quattro persone.

foursquare ['fɔ:'skwɛə*] *agg.* quadrato; (*fig.*) franco, deciso ♦ *avv.* decisamente.

fourteen ['fɔ:'ti:n] *agg.num.card.* e *s.* quattordici.

fourteenth ['fɔ:'ti:nθ] *agg.num.ord.* e *s.* quattordicesimo // *the — of February*, il quattordici Febbraio.

fourth [fɔ:θ] *agg.num. ord.* quarto ♦ *s.* **1** quarto // *two fourths*, due quarti // *the — of May*, il quattro maggio **2** (*mus.*) quarta.

fourthly ['fɔ:θli] *avv.* in quarto luogo.

fowl [faul] *s.* **1** volatile; uccello // *wild —*, uccelli selvatici **2** pollo; gallina; pollame.

fowler ['faulə*] *s.* uccellatore.

fowling ['fauliŋ] *s.* uccellagione.

fowling piece ['fauliŋpi:s] *s.* doppietta.

fox [fɔks] *s.* volpe (*anche fig.*): *a sly* (o *cunning*) *—*, un furbone // *-cub*, volpacchiotto.

to **fox** *v.tr.* **1** ingannare **2** (*fig.*) condurre fuori strada ♦ *v.intr.* **1** comportarsi, agire con astuzia **2** fingere, far finta di.

foxglove ['fɔksglʌv] *s.* (*bot.*) digitale.

foxhole ['fɔ:kshoul] *s.* (*mil.*) ricovero per appostamento.

foxhound ['fɔkshaund] *s.* cane per la caccia alla volpe.

foxhunt ['fɔkshʌnt] *s.* caccia alla volpe.

fox tail ['fɔksteil] *s.* **1** coda di volpe **2** (*bot.*) alopecuro.

foxy ['fɔksi] *agg.* **1** astuto, volpino **2** rossastro **3** inacidito, aspro (di birra ecc.).

foyer ['fɔiei] *s.* (*teatr.*) ridotto; (di albergo) hall.

fracas ['fræka:, (*amer.*) 'freikəs] *s.* fracasso; rissa.

fraction ['frækʃən] *s.* frazione.

fractional ['frækʃənl] *agg.* frazionario.

to **fractionize** ['frækʃənaiz] *v.tr.* (*mat.*) frazionare.

fractious ['frækʃəs] *agg.* irritabile, stizzoso.

fractiousness ['frækʃəsnis] *s.* irritabilità.

fracture ['fræktʃə*] *s.* frattura.

to **fracture** *v.tr.* spaccare; fratturare ♦ *v.intr.* spaccarsi; fratturarsi.

fragile ['frædʒail, (*amer.*) 'frædʒəl] *agg.* fragile; delicato.

fragility [frə'dʒiliti] *s.* fragilità; delicatezza.

fragment ['frægmənt] *s.* frammento.

to **fragment** *v.tr.* fare a pezzi.

fragmentary ['frægməntəri] *agg.* frammentario.

fragrance ['freigrəns] *s.* fragranza; profumo.

fragrant ['freigrənt] *agg.* fragrante; profumato.

frail[1] [freil] *agg.* fragile; delicato; debole.

frail[2] *s.* cestino di giunco (per frutta secca).

frailty ['freilti] *s.* fragilità; debolezza.

fraise [freiz] *s.* (*mecc.*) fresa.

frame [freim] *s.* **1** struttura; ossatura; intelaiatura, telaio; montatura (di occhiali); cornice (di quadri) **2** (*fig.*) disposizione: — *of mind*, disposizione d'animo **3** (*fot.*) fotogramma.

to **frame** *v.tr.* **1** macchinare; elaborare // *to — s.o.*, (*fam.*) montare una falsa accusa contro qlcu. **2** costruire **3** articolare: *he could hardly — a word*, poteva a malapena articolare una parola **4** disporre, adattare **5** incorniciare; circondare ♦ *v.intr.* **1** svilupparsi; progredire **2** prendere forma.

framer ['freimə*] *s.* **1** artefice; costruttore **2** fabbricante di cornici.

frame-up ['freimʌp] *s.* (*fam.*) macchinazione.

framework ['freimwə:k] *s.* armatura; cornice; intelaiatura; struttura (*anche fig.*).

framing ['freimiŋ] *s.* armatura; cornice; intelaiatura.

franc [fræŋk] *s.* (*moneta*) franco.

France [frɑ:ns] *no.pr.* Francia.

Frances ['frɑ:nsis] *no.pr.f.* Francesca.

franchise ['fræntʃaiz] *s.* **1** diritto di voto, di cittadinanza **2** (*amer.*) franchigia.

Francis ['frɑ:nsis] *no.pr.m.* Francesco.

Franciscan [fræn'siskən] *agg.* e *s.* francescano.

francophile ['fræŋkəfail] *agg.* e *s.* francofilo.

frangipane ['frændʒipein] *s.* **1** profumo di gelsomino rosso **2** dolce con crema di mandorle.

Frank[1] [fræŋk] *s.* (*st.*) franco.

Frank[2] *no.pr.m.* Franco.

frank[1] *agg.* franco, schietto.

frank[2] *s.* **1** timbro, firma di franchigia **2** lettera in franchigia.

to **frank** *v.tr.* spedire in franchigia postale.

Frankfort, Frankfurt ['fræŋkfət] *no.pr.* Francoforte.

frankfurter ['fræŋkfətə*] *s.* würstel.

frankincense ['fræŋkin,sens] *s.* incenso.

franklin ['fræŋklin] *s.* (*st. inglese*) piccolo proprietario terriero.

frankness ['fræŋknis] *s.* franchezza.

frantic ['fræntik] *agg.* **1** frenetico; furibondo // *— with joy*, pazzo di gioia **2** (*fam.*) terribile.

frappé [fræp'ei] *agg.* ghiacciato; freddo.

fraternal [frə'tə:nl] *agg.* fraterno.

fraternity [frə'tə:niti] *s.* **1** fraternità **2** confraternita **3** (*amer.*) associazione studentesca.

fraternization [,frætənai'zeiʃən] *s.* fraternizzazione.

to **fraternize** ['frætənaiz] *v.intr.* fraternizzare.

fratricidal [,freitri'saidl] *agg.* fratricida.

fratricide ['freitrisaid] *s.* **1** fratricida **2** fratricidio.

fraud [frɔ:d] s. **1** frode **2** (fam.) impostore.

fraudulence ['frɔ:djuləns] s. fraudolenza.

fraudulent ['frɔ:djulənt] agg. fraudolento.

fraught [frɔ:t] agg. **1** carico **2** (fig.) pieno.

fray[1] [frei] s. zuffa, mischia, lotta.

to **fray**[2] v.tr. logorare; sfilacciare (stoffa ecc.) ♦ v.intr. logorarsi; sfilacciarsi (di stoffa).

frazzle ['fræzl] s. cencio // to beat to a —, (fam.) ridurre un cencio.

to **frazzle** v.tr. logorare; sfilacciare ♦ v.intr. logorarsi; sfilacciarsi.

freak [fri:k] s. **1** fenomeno; anormalità // he's a real —, (fam.) è un vero mostro **2** ghiribizzo.

to **freak out** ['fri:k'aut] v.intr. andare a pezzi, crollare, perdere il controllo dei propri nervi; (fam.) dar fuori.

freakishly ['fri:kiʃli] avv. capricciosamente, bizzarramente.

freakishness ['fri:kiʃnis] s. capricciosità.

freckle ['frekl] s. lentiggine, efelide.

to **freckle** v.tr. coprire di lentiggini ♦ v.intr. coprirsi di lentiggini.

freckled ['frekld], **freckly** ['frekli] agg. lentigginoso.

Frederic(k) ['fredrik] no.pr.m. Federico.

free [fri:] agg. **1** libero // of my own — will, di mia spontanea volontà // Free Trade, libero scambio // — speech, libertà di parola // to give s.o. a — hand, dare mano libera a qlcu. // to make — with s.o., trattare con familiarità qlcu. **2** (comm.) franco: — at works (o exfactory), franco fabbrica; — of average, franco avaria; — on rail, franco rotaia **3** spigliato; aggraziato: — style, stile sciolto **4** abbondante, generoso **5** (mecc.) libero ♦ avv. **1** liberamente **2** gratuitamente.

to **free** v.tr. liberare.

free and easy ['fri:ənd'i:zi] agg. spontaneo; spigliato.

freebooter ['fri:,bu:tə*] s. pirata; predone.

freedman ['fri:dmæn], pl. **freedmen** ['fri:dmen] s. schiavo liberato; (st.) liberto.

freedom ['fri:dəm] s. **1** libertà **2** franchezza; disinvoltura; familiarità **3** franchigia, privilegio // the — of a city, la cittadinanza onoraria di una città.

free-form ['fri:'fɔ:m] agg. (informatica) a tracciato libero.

freehand ['fri:hænd] agg. a mano libera.

freehanded ['fri:,haændid] agg. generoso.

freehearted ['fri:'hɑ:tid] agg. franco; generoso.

freehold ['fri:hould] s. (dir.) proprietà fondiaria assoluta.

freelance ['fri:'lɑ:ns], **freelancer** ['fri:'lɑ:nsə*] s. giornalista indipendente, «freelance».

freely ['fri:li] avv. **1** liberamente **2** gratuitamente.

freeman ['fri:mæn], pl. **freemen** [fri:men; nel senso 2 'fri:mən] s. **1** uomo libero **2** cittadino onorario.

freemartin ['fri:,mɑ:tin] s. mucca sterile.

Freemason ['fri:,meisn] s. frammassone.

freemasonry ['fri:,meisnri] s. frammassoneria.

freesia ['fri:zjə] s. (bot.) fresia.

free-spoken ['fri:'spoukən] agg. franco; sincero.

freestone ['fri:stoun] s. (min.) pietra da taglio.

freethinker ['fri:'θinkə*] s. libero pensatore.

freethinking ['fri:'θinkiŋ] s. libertà di pensiero.

free thought [fri:'θɔ:t] s. libertà di pensiero.

freeway ['fri:wei] s. (amer. per motorway) autostrada.

freewheel ['fri:'wi:l] s. (mecc.) ruota libera.

free will ['fri:'wil] s. libero arbitrio.

freeze [fri:z] s. **1** congelamento; gelo **2** (econ. comm.) blocco.

to **freeze**, pass. **froze** [frouz], p.pass. **frozen** ['frouzn] v.intr. **1** gelare (anche fig.): the lake froze, il lago gelò; it's freezing today, si gela oggi; I'm freezing to death, sto morendo dal freddo; that sight made my blood freeze, quella vista mi fece gelare il sangue **2** fermarsi di colpo, bloccarsi: Police! Freeze!, Polizia! Fermi tutti! **3** to — on to, (fam.) attaccarsi a **4** to — out, (fam.) liberarsi di ♦ v.tr. congelare; gelare (anche fig.); surgelare: to — s.o. with a glance, agghiacciare qlcu. con uno sguardo.

freeze-dried [,fri:z'draid] agg. liofilizzato: — product, liofilizzato.

freezer ['fri:zə*] s. vano congelatore.

freezing ['fri:ziŋ] agg. glaciale (anche fig.).

freight [freit] s. **1** nolo, costo di trasporto; costo di noleggio **2** carico (di nave) **3** trasporto (di merci) // — car, (amer.) vagone merci // — train, (amer.) treno merci.

to **freight** v.tr. **1** noleggiare **2** caricare (una nave).

freightage ['freitidʒ] s. **1** nolo, noleggio **2** trasporto (di merci).

freighter ['freitə*] s. **1** noleggiatore (di una nave) **2** nave da carico.

French [frentʃ] agg.francese // — beans, fagiolini verdi // — dressing, condimento per insalata a base di olio e aceto // to take — leave, assentarsi senza permesso // — horn, (mus.) corno inglese // — window, porta-finestra // — grey, grigio rosato ♦ s. francese (lingua).

French fries ['frentʃ fraiz] s.pl. (amer. per chips) patate fritte a bastoncino.

to **frenchify** ['frentʃifai] v.tr. francesizzare.

Frenchman, pl. Frenchmen ['frentʃmən] s. (uomo) francese.

Frenchwoman ['frentʃ,wumən], pl. **Frenchwomen** ['frentʃ,wimin] s. (donna) francese.

frenetic [fri'netik] agg. frenetico.

frenzied ['frenzid] agg. frenetico.

frenzy ['frenzi] s. frenesia, parossismo; delirio.

frequency ['fri:kwənsi] s. frequenza.

frequent ['fri:kwənt] agg. frequente.

to **frequent** [fri'kwənt] v.tr. frequentare.

fresco ['freskou], pl. **fresco**, **frescoes** ['freskouz] s. (pitt.) affresco; arte dell'affresco.

to **fresco** v.tr. affrescare.

fresh [freʃ] agg. **1** fresco **2** nuovo, non usato: a — sheet of paper, un foglio bianco **3** fresco, puro, freddo (di aria ecc.) **4** non salato, dolce: — water, acqua dolce **5** (fig.) inesperto **6** (fam.) brillo, alticcio, insolente, presuntuoso ♦ s. **1** sorgente d'acqua fresca **2** il fresco (del mattino, della sera).

to **freshen** ['freʃn] v.tr. **1** rinfrescare; rinnovare **2** far perdere la salinità (a) ♦ v.intr. **1** rinfrescarsi **2** perdere la salinità.

freshet ['freʃit] s. **1** ruscello **2** piena di fiume.

freshly ['freʃli] avv. in modo fresco.

freshman, pl. freshmen ['freʃmən] s. matricola (d'università).

freshness ['freʃnis] s. **1** freschezza **2** novità (di avvenimento) **3** vigoria **4** inesperienza, ingenuità.

freshwater ['freʃ,wɔ:tə*] agg. d'acqua dolce.

fret[1] [fret] s. stato di inquietudine, irritazione.

to **fret**[1] v.tr. **1** rodere; corrodere **2** increspare **3** inquietare; affliggere ♦ v.intr. affliggersi; corrucciarsi; lamentarsi.

fret[2] s. (arch.) fregio ornamentale.

to **fret**[2] *v.tr.* (*arch.*) fregiare.
fretful [´fretful] *agg.* di cattivo umore; irritabile.
fretfulness [´fretfulnis] *s.* cattivo umore; irritabilità.
fretsaw [´fretsɔ:] *s.* sega da traforo.
fretwork [´fretwə:k] *s.* lavoro di traforo.
friability [ˌfraiə´biliti] *s.* friabilità.
friable [´fraiəbl] *agg.* friabile.
friar [´fraiə*] *s.* frate // *Austin* (o *Augustinian*) —, agostiniano; *Black-* —, domenicano; *Grey* —, francescano; *White* —, carmelitano.
friary [´fraiəri] *s.* convento di frati.
to **fribble** [´fribl] *v.intr.* baloccarsi, gingillarsi.
fricassee [ˌfrikə´si:] *s.* (*cuc.*) stufato.
friction [´frikʃən] *s.* **1** frizione **2** (*fig.*) attrito, divergenza.
frictional [´frikʃənl] *agg.* di frizione; d'attrito.
Friday [´fraidi] *s.* venerdì // *Good* —, Venerdì Santo.
fridge [fridʒ] *s.* (*fam.*) frigorifero.
friend [frend] *s.* **1** amico: *bosom* —, amico del cuore; *to be friends with*, essere amici di; *to make friends with*, fare amicizia con / *boy* —, ragazzo del cuore; amico // *girl* —, ragazza del cuore; amica // *a* — *in need is a* — *indeed*, (*prov.*) il vero amico si conosce nel bisogno **2** *Friend*, (*relig.*) quacquero: *the Society of Friends*, i quacqueri.
friendliness [´frendlinis] *s.* cordialità, benevolenza.
friendly [´frendli] *agg.* **1** amichevole, amico: *to be* — *with s.o.*, essere amico di qlcu.; *to be on* — *terms*, essere in relazioni amichevoli // *to be* — *to*, essere cordiale con // *Friendly Society*, società di mutuo soccorso **2** propizio, favorevole.
friendship [´frendʃip] *s.* amicizia: *out of* —, per amicizia.
frieze [fri:z] *s.* (*arch.*) fregio.
frigate [´frigit] *s.* (*mar.*) fregata; (*amer.*) nave da guerra di media stazza.
fright [frait] *s.* **1** paura, spavento: *to get a* —, spaventarsi; *to give s.o. a* —, spaventare qlcu.; *to take* — *at*, spaventarsi a **2** (*fam.*) orrore.
to **frighten** [´fraitn] *v.tr.* spaventare, far paura (a); terrorizzare: *to* — *s.o. into, out of doing sthg.*, spaventare qlcu. per fargli, non fargli fare qlco. // *to* — *to death*, far morire di paura.
frightful [´fraitful] *agg.* spaventoso, terribile, orribile; scioccante.
frightfully [´fraitfuli] *avv.* terribilmente, orribilmente.
frightfulness [´fraitfəlnis] *s.* orrore, atrocità.
frigid [´fridʒid] *agg.* **1** glaciale **2** freddo; apatico; frigido.
frigidity [fri´dʒiditi] *s.* **1** freddezza **2** frigidità; apatia.
frill [fril] *s.* gala, trina; fronzolo // *to put on frills*, (*sl.*) darsi delle arie.
to **frill** *v.tr.* ornare di gale, trine ♦ *v.intr.* arricciarsi, incresparsi.
frilly [´frili] *agg.* increspato; ornato di trine.
to **fringe** [frindʒ] *v.tr.* **1** ornare con frangia **2** orlare, limitare; fiancheggiare.
frippery [´fripəri] *s.* **1** eleganza vistosa **2** fronzoli (*pl.*) (*anche fig.*); fruscaglie (*pl.*).
frisk [frisk] *s.* salto; capriola.
to **frisk**[1] *v.intr.* saltellare; far capriole.
to **frisk**[2] *v.tr.* perquisire (qlcu.) alla ricerca di armi.
friskiness [´friskinis] *s.* allegria; vivacità.
frisky [´friski] *agg.* gaio; vivace.
frit [frit] *s.* vetrina.
frith [friθ] *s.* → **firth**.
fritter[1] [´fritə*] *s.* frittella.

to **fritter**[2] *v.tr.* frantumare // *to* — *away*, sciupare, sprecare.
frivolity [fri´vɔliti] *s.* frivolezza, leggerezza.
frivolous [´frivələs] *agg.* frivolo, leggero.
frizz [friz] *s.* ricciolo, riccioli (*pl.*).
to **frizz** *v.tr.* arricciare ♦ *v.intr.* arricciarsi.
to **frizzle**[1] [´frizl] *v.tr.* arricciare ♦ *v.intr.* arricciarsi.
to **frizzle**[2] *v.tr.* friggere ♦ *v.intr.* sfrigolare.
frizzy [´frizi] *agg.* crespo, riccio.
fro [frou] *avv.*: *to and* —, avanti e indietro.
frock [frɔk] *s.* **1** abito **2** (*eccl.*) tonaca.
to **frock** *v.tr.* (*eccl.*) ordinare.
frock coat [´frɔk´kout] *s.* finanziera.
frog[1] [frɔg] *s.* rana // — *-fish* (o *fishing* —), rana pescatrice // — *in the throat*, raucedine // — *-eater*, (*spreg.*) francese // — *-tongue*, (*med.*) ranula.
frog[2] *s.* **1** dragona (di spada) **2** alamaro.
frogman, *pl.* **frogmen** [´frɔgmən] *s.* sommozzatore.
frolic [´frɔlik] *agg.* allegro, scherzoso ♦ *s.* scherzo.
to **frolic**. *p.pres.* **frolicking** [´frɔlikiŋ], *pass.* e *p.pass.* **frolicked** [´frɔlikt] *v.intr.* scherzare, fare scherzi.
frolicsome [´frɔliksəm] *agg.* allegro, scherzoso.
from [frɔm (*forma forte*), frəm (*forma debole*)] *prep.* da // *to fall* — *s.o.'s hand*, cadere di mano // *tell her* — *me*, dille da parte mia // *cheese is made* — *milk*, il formaggio si fa con il latte // *he died* — *wounds*, morì per le ferite // — *among the clouds*, di tra le nuvole // — *well to better*, di bene in meglio.
frond [frɔnd] *s.* fronda.
front [frʌnt] *agg.* **1** di fronte, davanti, anteriore: — *door*, porta d'entrata; — *carriage*, vettura di testa; — *garden*, giardino davanti a una casa // *Front Bench*, (*alla Camera dei Comuni*) seggio occupato dai Ministri e dai capi dell'opposizione **2** (*fonetica*) palatale ♦ *s.* **1** parte anteriore: (*arch.*) facciata // *in* —, avanti, di fronte // *in* — *of*, davanti a // *to come to the* —, farsi conoscere, mettersi in evidenza **2** fronte: *popular* —, fronte popolare **3** lungomare **4** (*fam.*) sfrontatezza // *to put a bold* — *on a situation*, affrontare con coraggio una situazione.
to **front** *v.tr.* e *intr.* essere di fronte (a); guardare (su).
frontage [´frʌntidʒ] *s.* **1** terreno antistante la facciata (di un edificio) **2** facciata.
frontal [´frʌntl] *agg.* frontale ♦ *s.* **1** (*eccl.*) paliotto **2** (*arch.*) facciata.
frontbencher [ˌfrʌnt´bentʃə*] *s.* (*in Inghilterra*) parlamentare facente parte del governo; uno dei leader dell'opposizione.
frontier [´frʌntiə*, (*amer.*) frʌn´tiər] *s.* confine, frontiera, limite.
frontiersman, *pl.* **frontiersmen** [´frʌntiəzmən] *s.* abitante di frontiera.
frontispiece [´frʌntispi:s] *s.* frontespizio.
front-page [´frʌntpeidʒ] *agg.* di prima pagina.
frontward(s) [´frʌntwəd(z)] *avv.* sul davanti; in avanti.
frost [frɔst] *s.* **1** gelo; brina // *black* —, freddo molto secco e intenso // *hoar* — (o *white* —), brinata **2** (*fig.*) freddezza **3** (*fam.*) fiasco, insuccesso.
to **frost** *v.tr.* **1** gelare; coprire di brina **2** (*cuc.*) glassare **3** smerigliare.
frostbite [´frɔstbait] *s.* congelamento.
to **frostbite**, *pass.* **frostbit** [´frɔstbit], *p.pass.* **frostbit, frostbitten** [´frɔst,bitn] *v.tr.* congelare.
frostbound [´frɔstbaund] *agg.* gelato, ghiacciato.
frosted [´frɔstid] *agg.* **1** gelato; brinato **2** (*fig.*) glaciale **3** (*cuc.*) glassato **4** smerigliato.

frostiness ['frɔstinis] *s.* **1** freddo glaciale **2** (*fig.*) freddezza.

frosty ['frɔsti] *agg.* gelido, glaciale (*anche fig.*).

froth [frɔθ] *s.* **1** spuma **2** (*fig.*) frivolezza.

to **froth** *v.intr.* **1** spumare **2** (*fig.*) cianciare ♦ *v.tr.* (*cuc.*) montare.

frothiness ['frɔθinis] *s.* **1** spumosità **2** (*fam.*) futilità.

frothy ['frɔθi] *agg.* **1** schiumoso, spumeggiante **2** vaporoso (di tessuto) **3** (*fam.*) frivolo, vuoto.

frou-frou ['fru:'fru:] *s.* fruscio.

froward ['frouəd] *agg.* ribelle.

frown [fraun] *s.* cipiglio.

to **frown** *v.intr.* aggrottare le sopracciglia // to — at *s.o.*, guardare qlcu. con cipiglio // to — on sthg., disapprovare qlco. ♦ *v.tr.* esprimere con un'occhiata // to — s.o. into silence, imporre silenzio a qlcu. con un'occhiata severa.

frowning ['frauniŋ] *agg.* **1** accigliato **2** scuro, minaccioso (di cose).

frowst [fraust] *s.* aria viziata.

frowsty ['frausti] *agg.* che puzza di rinchiuso.

frowzy ['frauzi] *agg.* **1** che puzza di rinchiuso **2** mal tenuto, sporco.

froze *pass.* di to **freeze**.

frozen *p.pass.* di to **freeze** ♦ *agg.* gelato, congelato, ghiacciato.

fructiferous [frʌk'tifərəs] *agg.* fruttifero.

to **fructify** ['frʌktifai] *v.intr.* fruttificare, produrre frutti ♦ *v.tr.* fecondare, fertilizzare.

fructuous ['frʌktjuəs] *agg.* fruttuoso (*anche fig.*).

frugal ['fru:gəl] *agg.* **1** economo **2** frugale.

frugality [fru(:)'gæliti] *s.* **1** economia **2** frugalità.

fruit [fru:t] *s.* frutto (*anche fig.*); — (*cuc.*) composta; firstfruits, primizie; — -basket, cestino per frutta // — -bud, (*bot.*) gemma fruttifera // — -grove, frutteto // — -grower, frutticoltore // — salad, macedonia di frutta.

to **fruit** *v.intr.* fruttificare.

fruitcake ['fru:tkeik] *s.* panfrutto •.

fruiter ['fru:tə*] *s.* **1** albero da frutto **2** nave per trasporto di frutta **3** frutticoltore.

fruiterer ['fru:tərə*] *s.* fruttivendolo.

fruitery ['fru:təri] *s.* (magazzino per la) frutta.

fruitful ['fru:tful] *agg.* **1** fruttifero; fertile **2** prolifico **3** redditizio, vantaggioso, proficuo.

fruitfulness ['fru:tfulnis] *s.* **1** fertilità, fecondità (*anche fig.*) **2** vantaggio, utilità.

fruition [fru(:)'iʃən] *s.* **1** godimento, gioia (di possedere) **2** realizzazione (di speranze).

fruitless ['fru:tlis] *agg.* infruttuoso; inutile.

fruitlessness ['fru:tlisnis] *s.* sterilità; inutilità.

fruity ['fru:ti] *agg.* **1** che sa di frutta; fruttato (di vino) **2** (*fam.*) caldo (di voce) **3** (*sl.*) salace.

frump [frʌmp] *s.* sciattona.

frumpish ['frʌmpiʃ], **frumpy** ['frʌmpi] *agg.* trasandato, malvestito.

to **frustrate** [frʌs'treit, (*amer.*) 'frʌstreit] *v.tr.* frustrare.

frustration [frʌs'treiʃən] *s.* frustrazione.

frustum ['frʌstəm], *pl.* **frusta** ['frʌstə], **frustums** ['frʌstəmz] *s.* (*geom.*) tronco (di solido).

fry[1] [frai] *s.* **1** (*cuc.*) fritto, frittura: mixed —, fritto misto **2** frattaglie (*pl.*).

to **fry**[1], *pass.* e *p.pass.* **fried** [fraid] *v.tr.* e intr. friggere.

fry[2] *s.* avannotto // small —, (*fig.*) persone di poca importanza, pesci piccoli.

fry-up ['fraiʌp] *s.* (*fam.*) fritto misto.

F.T. index ['efti:'indeks] *s.* quotazione dei titoli di Borsa del Financial Times.

fuchsia ['fju:ʃə] *s.* (*bot.*) fucsia.

to **fuck** [fʌk] *v.tr.* e intr. (*volg.*) fottere.

fuddle ['fʌdl] *s.* stato di confusione.

to **fuddle** *v.tr.* annebbiare (la mente) (spec. di alcool) ♦ *v.intr.* andare in cimbali.

fuddy-duddy ['fʌdi'dʌdi] *agg.* e *s.* **1** retrogrado **2** pedante.

fudge [fʌdʒ] *s.* **1** caramella fondente al cioccolato o al caffè **2** fandonia **3** ultimissime (*pl.*). ♦ *inter.* sciocchezze!

to **fudge** *v.tr.* **1** contraffare, truccare **2** raffazzonare.

fuel ['fju:əl] *s.* **1** combustibile; carburante; benzina **2** (*fig.*) alimento // to add — to the flame, (*fig.*) soffiare sul fuoco.

to **fuel** *v.tr.* rifornire di combustibile; caricare, alimentare (caldaie ecc.) ♦ *v.intr.* rifornirsi di carburante.

fuelling ['fju:əliŋ] *s.* **1** combustibile **2** rifornimento.

fug [fʌg] *s.* (*fam.*) odore di chiuso.

fuggy ['fʌgi] *agg.* (*fam.*) viziato (di aria); non aerato (di ambiente).

fugitive ['fju:dʒitiv] *agg.* **1** fuggitivo **2** effimero, fugace ♦ *s.* fuggiasco; disertore; profugo.

fugleman, *pl.* **fuglemen** ['fju:glmən] *s.* **1** (*mil.*) capofila **2** (*fig.*) guida; organizzatore; portavoce.

fugue [fju:g] *s.* (*mus.*) fuga.

fulcrum ['fʌlkrəm], *pl.* **fulcra** ['fʌlkrə] *s.* fulcro.

to **fulfil**, (*amer.*) to **fulfill** [ful'fil] *v.tr.* adempiere, eseguire: to — a promise, mantenere una promessa; to — the requirements, corrispondere ai requisiti.

fulfilment [ful'filmənt] *s.* adempimento; appagamento; realizzazione.

fulgurant ['fʌlgjuərənt] *agg.* folgorante.

fulgurating ['fʌlgjuəreitiŋ] *agg.* **1** sfolgorante **2** lancinante.

full [ful] *agg.* **1** pieno (*anche fig.*): half —, mezzo vuoto; — up, pieno zeppo // at — speed, a tutta velocità // my heart is too — for words, sono troppo emozionato per parlare // to be — of, essere tutto preso da; essere ossessionato da // — -page, che occupa tutta la pagina // — size, in grandezza naturale // in — colour, a colori **2** ampio (di abito) **3** intero, completo // — dress, uniforme di gala // — cream, intero (di latte) ♦ *s.* il tutto; l'intero // in —, completamente // to the —, al massimo **2** colmo; culmine ♦ *avv.* **1** completamente **2** esattamente: he hit him — on the nose, lo colpì in pieno viso.

to **full** *v.tr.* raccogliere in pieghe.

fullback ['fulbæk] *s.* (*sport*) terzino.

full-blooded ['ful'blʌdid] *agg.* vigoroso, appassionato, sanguigno.

full-blown ['ful'bloun] *agg.* completamente sbocciato; (*fig.*) in tutto il suo splendore.

full-bodied ['ful'bɔdid] *agg.* **1** corpulento **2** (*di vino*) corposo.

full-fledged ['ful'fledʒd] *agg.* **1** adulto (di uccello) **2** qualificato, abile; matricolato.

full-grown ['ful'groun] *agg.* sviluppato, adulto.

full-house ['ful'haus] *s.* **1** (*teatr.*) tutto esaurito **2** (*poker*) full.

full-length ['ful'leŋθ] *agg.* in tutta la lunghezza.

fullness ['fulnis] *s.* pienezza; abbondanza (*anche fig.*); sazietà; ampiezza: — of the heart, cuore gonfio.

full-time ['fultaim] *agg.* a orario completo.

full time *s.* (*sport*) tempo scaduto.

fully ['fuli] *avv.* **1** completamente **2** ampiamente **3** (*fam.*) non meno di, almeno.

fully-fashioned ['fuli'fæʃənd] *agg.* tagliato in forma (di calze).

fulmar ['fulmə*] *s.* (*zool.*) procellaria glaciale.

fulminant ['fʌlminənt] *agg.* fulminante.

fulminate ['fʌlmineit] *s.* (*chim.*) fulminato.

to fulminate *v.intr.* **1** esplodere, detonare **2** (*fig.*) tuonare (contro) ♦ *v.tr.* denunciare.

fulmination [,fʌlmi'neiʃən] *s.* **1** detonazione **2** violenta denuncia.

fulsome ['fulsəm] *agg.* nauseante; esagerato; insincero.

fulsomeness ['fulsəmnis] *s.* sdolcinatezza.

fumade [fju'meid] *s.* sarda affumicata.

fumarole ['fju:məroul] *s.* (*geol.*) fumarola.

to fumble ['fʌmbl] *v.intr.* **1** annaspare: *to — for sthg.*, annaspare per trovare qlco.; *he fumbled in his pocket*, frugò in tasca **2** andare a tastoni ♦ *v.tr.* maneggiare in modo maldestro; lasciarsi scappare.

fume [fju:m] *s.* **1** (*gener. pl.*) fumo, vapore, esalazione **2** (*fig.*) (stato di) eccitazione: *in a — of anxiety*, in grande ansia.

to fume *v.intr.* **1** esalare fumo; vapore; fumare **2** (*fig.*) essere furioso; bollire, friggere.

to fumigate ['fju:migeit] *v.tr.* suffumicare.

fumigation [,fju:mi'geiʃən] *s.* suffumigio.

fun [fʌn] *s.* **1** divertimento **2** burla, scherzo: *in —*, per scherzo; *to make — of s.o.*, canzonare qlcu.; prendere in giro.

funambulist [fju(:)'næmbjulist] *s.* funambolo.

function ['fʌnkʃən] *s.* funzione // (*informatica*) — *key*, tasto di funzione; (*IBM*) tasto funzionale; *log —*, funzione di registrazione.

to function *v.intr.* funzionare (*anche fig.*).

functional ['fʌnkʃənl] *agg.* funzionale.

functionary ['fʌnkʃnəri] *agg.* **1** funzionale **2** ufficiale ♦ *s.* ufficiale, funzionario.

fund [fʌnd] *s.* **1** fondo, riserva: *provident funds*, fondi di previdenza; *sickness —*, cassa malattia; *mutual —*, (*amer.*) fondi d'investimento; *sinking —*, (*comm.*) fondo d'ammortamento; *trust —*, (*comm.*) fondo di garanzia // *International Monetary Fund*, Fondo Monetario Internazionale **2** *pl.* titoli di Stato: *-holder*, possessore di titoli **3** (*pl.*) denaro (*sing.*) **4** (*fig.*) ricchezza, abbondanza.

to fund *v.tr.* (*comm.*) **1** procurare fondi (per) **2** consolidare (debiti) **3** investire (denaro) in titoli.

fundament ['fʌndəmənt] *s.* natiche (*pl.*).

fundamental [,fʌndə'mentl] *agg.* fondamentale ♦ *s.* fondamento.

funeral ['fju:nərəl] *agg.* funebre ♦ *s.* funerale; corteo funebre: *that's your —*, (*sl.*) è affar tuo // *— home*, *— parlo(u)r*, (*amer.*) (sede dell') impresa di pompe funebri.

funerary ['fju:nərəri] *agg.* funerario.

funereal [fju(:)'niəriəl] *agg.* funereo.

fun fair ['fʌnfeə*] *s.* luna-park.

fungicide ['fʌngis] *s.* anticrittogamico.

fungus ['fʌngəs] *pl.* **fungi** ['fʌngai], **funguses** ['fʌngəsiz] *s.* fungo.

funicle ['fju:nikl] *s.* (*anat.*) funicolo.

funicular [fju(:)'nikjulə*] *agg.* funicolare.

funiculus [fju(:)'nikjuləs] *pl.* **funiculi** [fju(:)'nikjulai] *s.* (*anat. bot. zool.*) funicolo.

funk [fʌnk] *s.* (*sl.*) paura, fifa: *to be in a blue —*, avere una paura del diavolo.

to funk *v.intr.* (*sl.*) aver paura (di) ♦ *v.tr.* (*sl.*) **1** temere **2** evitare.

funky ['fʌnki] *agg.* (*sl.*) pauroso; spaventato.

funnel ['fʌnl] *s.* **1** imbuto **2** ciminiera.

funnily ['fʌnili] *avv.* **1** comicamente **2** stranamente: *— enough...*, strano a dirsi...

funniness ['fʌninis] *s.* **1** comicità; spiritosaggine **2** stranezza, bizzarria.

funny ['fʌni] *agg.* **1** divertente, comico: *you — old thing!*, burlone! **2** (*fam.*) strano, bizzarro, curioso: *— business*, cosa poco chiara, ambigua // *some — business is going on!*, gatta ci cova!

funny *s.* (*gener. pl.*) (*sl. amer.*) pagina, giornale a fumetti.

funnybone ['fʌniboun] *s.* (punta del) gomito.

fur [fə:*] *s.* **1** pelo, pelame // *to make — fly*, (*fam.*) litigare violentemente **2** pelliccia // *— coat*, pelliccia // *— lined*, foderato di pelliccia **3** animali con pelliccia **4** incrostazione.

to fur *v.tr.* **1** guarnire, foderare di pelliccia **2** incrostare ♦ *v.intr.*: *to — up*, incrostarsi.

furbelow ['fə:bilou] *s.* **1** falpalà **2** *pl.* fronzoli.

to furbish ['fə:biʃ] *v.tr.* **1** togliere la ruggine (a) **2** (*fig.*) rinnovare; ravvivare; rinfrescare.

furcate ['fə:keit] *agg.* forcuto, biforcuto.

to furcate *v.intr.* biforcarsi.

furfur ['fə:fə*], *pl.* **furfures** ['fə:fjuri:z] *s.* forfora.

furious ['fjuəriəs] *agg.* furioso, furibondo: *to get* (o *to grow*) *—*, adirarsi // *to go at a — pace*, correre a una velocità pazzesca.

to furl [fə:l] *v.tr.* **1** (*mar.*) serrare (le vele) **2** arrotolare (ombrelli, tende ecc.) ♦ *v.intr.*: *to — away*, dissiparsi (di nuvole) // (*fig.*) passare.

furlong ['fə:lɔŋ] *s.* furlong (misura di superficie).

furlough ['fə:lou] *s.* (*mil.*) licenza.

furnace ['fə:nis] *s.* fornace, forno (*anche fig.*).

to furnish ['fə:niʃ] *v.tr.* procurare, fornire: *to — with sthg.*, fornire di qlco. **2** ammobiliare, arredare.

furnisher ['fə:niʃə*] *s.* **1** mobiliere **2** fornitore.

furnishings ['fə:niʃiŋz] *s.pl.* arredamento (*sing.*), mobilia (*sing.*).

furniture ['fə:nitʃə*] *s.* (*solo sing.*) **1** mobilia, mobili (*pl.*): *— and fittings*, mobili e arredi; *a piece of —*, un mobile **2** attrezzatura.

furor [fjuə:rɔ:r] *s.* (*amer.*) → **furore**.

furore [fjuə'rɔ:ri] *s.* entusiastica ammirazione.

furrier ['fʌriə*] *s.* pellicciaio.

furring ['fə:riŋ] *s.* **1** incrostazione **2** patina.

furrow ['fʌrou] *s.* solco (*anche fig.*); scia.

to furrow *v.tr.* solcare.

furry ['fə:ri] *agg.* **1** peloso **2** simile a pelliccia **3** incrostato **4** patinoso.

further *comp.* di **far** *agg.* **1** più lontano; opposto: *cfr.* **far 2** ulteriore: *for — information*, per ulteriori informazioni // *— details*, più ampi dettagli ♦ *avv.* **1** oltre, più in là, più lontano; → **far** nel senso **1 2** di più; ancora.

to further *v.tr.* promuovere; favorire.

furtherance ['fə:ðərəns] *s.* aiuto, assistenza.

furthermore ['fə:ðə'mɔ:*] *avv.* di più, inoltre.

furthermost ['fə:ðəmoust] *agg.* il più lontano.

furthest ['fə:ðist] *agg.superl.rel.* e *avv.* di **far**.

furtive ['fə:tiv] *agg.* furtivo, clandestino.

furuncle ['fjuərʌŋkl] *s.* foruncolo.

fury ['fjuəri] *s.* furia (*anche fig.*) // *to get* (o *to fly*) *into a —*, andare su tutte le furie // *like —*, (*fam.*) come un pazzo.

fuse¹ [fju:z] *s.* (*elettr.*) valvola, fusibile.

to **fuse**¹ *v.tr.* fondere (*anche fig.*) ♦ *v.intr.* 1 fondersi (*anche fig.*) 2 (*elettr.*) saltare (di valvola).

fuse² *s.* miccia; spoletta; detonatore.

fusee [fju:ˈzi:] *s.* 1 soprosso (di cavallo) 2 fiammifero controvento.

fuselage [ˈfju:zilɑːʒ] *s.* (*aer.*) fusoliera.

fusible [ˈfju:zəbl] *agg.* (*fis. metall.*) fusibile.

fusilier [ˌfju:ziˈliə*] *s.* (*mil.*) fuciliere.

fusillade [ˌfju:ziˈleid] *s.* scarica di fucileria.

fusion [ˈfju:ʒən] *s.* fusione (*anche fig.*): — *bomb*, bomba all'idrogeno.

fuss [fʌs] *s.* trambusto; scompiglio ingiustificato: *to make a — (about sthg.)*, fare una scenata (per qlco.) // *to make a — of* (o *over*), colmare di attenzioni.

to **fuss** *v.intr.* agitarsi ♦ *v.tr.* (*fig.*) agitare.

fussiness [ˈfʌsinis] *s.* pedanteria.

fusspot [ˈfʌspɔt] *s.* (*fam.*) 1 pedante, pignolo 2 ansioso.

fussy [ˈfʌsi] *agg.* 1 pignolo, meticoloso 2 ricercato.

fust [fʌst] *s.* 1 (*arch.*) fusto 2 odore di muffa.

fustian [ˈfʌstiən] *s.* 1 fustagno 2 (*fig.*) ampollosità ♦ *agg.* 1 di fustagno 2 (*fig.*) ampolloso.

fusty [ˈfʌsti] *agg.* 1 ammuffito; che sa di muffa 2 (*fig.*) antiquato.

futile [ˈfju:tail, (*amer.*) ˈfju:tl] *agg.* futile.

futility [fju:(ˈ)ˈtiliti] *s.* futilità.

future [ˈfju:tʃə*] *agg.* futuro ♦ *s.* 1 futuro: *in* (o *for the*) —, in avvenire 2 *pl.* (*comm.*) vendite, contratti a termine.

futurism [ˈfju:tʃərizəm] *s.* (*arte*) futurismo.

futurist [ˈfju:tʃərist] *s.* e *agg.* (*arte*) futurista.

futurity [fju:(ˈ)ˈtjuəriti] *s.* futuro, avvenire.

futurologist [ˌfju:tʃəˈrɔlədʒist] *s.* futurologo.

futurology [ˌfju:tʃəˈrɔlədʒi] *s.* futurologia.

fuze [fju:z] *s.* (*amer.* per *fuse*²) miccia, spoletta; detonatore.

fuzz¹ [fʌz] *s.* 1 lanugine 2 capigliatura crespa.

fuzz² *s.* (*sl. amer.*) la pula, la polizia.

fuzzy [ˈfʌzi] *agg.* 1 coperto di lanugine, peluria 2 peloso 3 crespo, gonfio (di capelli) 4 confuso 5 (*fot.*) sfocato.

G

g [dʒi:], *pl.* **gs**, **g's** [dʒi:z] *s.* 1 g // — *for George*, (*tel.*) g come Genova 2 *G*, (*mus.*) sol // *G-clef*, chiave di violino 3 (*amer.*) mille dollari.

gab [gæb] *s.* (*fam.*) chiacchiera; parlantina: *to have the gift of the* —, avere la parlantina sciolta.

to **gab** *v.intr.* ciarlare; parlare a vanvera.

gabardine [ˌgæbəˈdi:n] *s.* → **gaberdine**.

gabble [ˈgæbl] *s.* barbugliamento.

to **gabble** *v.intr.* barbugliare; farfugliare ♦ *v.tr.* borbottare.

gaberdine [ˈgæbədi:n] *s.* gabardine.

gable [ˈgeibl] *s.* (*arch.*) timpano, frontone // — *roof*, (*edil.*) tetto a due falde su timpano.

Gabriel [ˈgeibriəl] *no.pr.m.* Gabriele.

gad¹ [gæd] *s.* pungolo, punta metallica.

to **gad**² *v.intr.* bighellonare, vagabondare.

gadabout [ˈgædəbaut] *s.* vagabondo, scioperato; gaudente.

gadfly [ˈgædflai] *s.* 1 (*zool.*) tafano 2 (*fig.*) persona irritante.

gadget [ˈgædʒit] *s.* (*fam.*) aggeggio.

Gael [geil] *s.* appartenente al gruppo gaelico.

Gaelic [ˈgeilik] *agg.* gaelico ♦ *s.* lingua gaelica.

gaff¹ [gæf] *s.* 1 (*pesca*) uncino, fiocina 2 (*mar.*) picco.

to **gaff**¹ *v.tr.* (*pesca*) fiocinare, ramponare.

gaff² *s.* (*sl.*) sciocchezza; chiacchiera // *to blow the* —, rivelare un segreto.

gaffer [ˈgæfə*] *s.* compare; vecchio.

gag [gæg] *s.* 1 bavaglio 2 (*chir.*) apribocca 3 (*teatr.*) «gag» (trovata) 4 (*sl.*) trucco; trovata.

to **gag** *v.tr.* 1 imbavagliare 2 far tacere ♦ *v.intr.* (*teatr.*) servirsi di «gag».

gaga [ˈgæɡɑː] *agg.* (*fam.*) rimbambito.

gage¹ [geidʒ] *s.* pegno.

to **gage**¹ *v.tr.* dare in pegno.

gage² *s.* (*amer.*) → **gauge**.

gaggle [ˈgægl] *s.* branco di oche (*anche fig.*).

to **gaggle** *v.intr.* schiamazzare (di oche).

gaiety [ˈgeiəti] *s.* 1 gaiezza 2 *pl.* divertimenti.

gain [gein] *s.* guadagno; aumento (*anche fig.*): *a — in weight*, un aumento di peso.

to **gain** *v.tr.* 1 guadagnare; migliorare; aumentare: *my watch gains one minute a day*, il mio orologio va avanti un minuto al giorno // *to — the upper hand*, prendere il sopravvento 2 giungere (a); raggiungere ♦ *v.intr.* 1 trarre giovamento 2 migliorare 3 *to — on*, distanziare (qlcu.), guadagnar terreno.

gainful [ˈgeinful] *agg.* rimunerativo; vantaggioso.

to **gainsay** [gein'sei] *pass.* e *p.pass.* **gainsaid** [gein'seid] *v.tr.* contraddire; negare.

gait [geit] *s.* passo; andatura.

gaiter [ˈgeitə*] *s.* ghetta.

gal [gæl] *s.* (*fam.*) ragazza.

gala [ˈgɑːlə, (*amer.*) ˈgeilə] *s.* gala // — *day*, (*fam.*) giorno di festa.

galantine [ˈgælənti:n] *s.* (*cuc.*) galantina.

galaxy [ˈgæləksi] *s.* 1 galassia, Via Lattea 2 (*fig.*) pleiade.

gale [geil] *s.* bufera, burrasca.

gall¹ [gɔ:l] *s.* bile, fiele (*anche fig.*).

gall² *s.* scorticatura; pustola; irritazione.

to **gall**² *v.tr.* 1 scorticare, irritare (una ferita) 2 (*fig.*) irritare, infastidire.

gall³ *s.* (*bot.*) galla.

gallant [ˈgælənt] *agg.* 1 prode, valoroso 2 bello; superbo 3 cortese, galante; amoroso ♦ *s.* 1 uomo di mondo; cavaliere 2 amante.

gallantry [ˈgæləntri] *s.* 1 galanteria; gentilezza; garbo 2 spirito cavalleresco; coraggio 3 atto, discorso, intrigo amoroso.

gall bladder ['gɔːl,blædə*] *s.* cistifellea.
galleon ['gæliən] *s.* (*mar.*) galeone.
gallery ['gæləri] *s.* **1** galleria // *to play to the* —, cercare d'incontrare il gusto del grosso pubblico **2** (*amer.*) balconata.
galley ['gæli] *s.* **1** (*mar.*) galera, galea **2** (*mar.*) cambusa **3** (*tip.*) vantaggio; prima bozza.
galley-proof ['gæli,pruːf] (*tip.*) prima bozza.
galley slave ['gæli,sleiv] *s.* forzato.
gallicism ['gælisizəm] *s.* gallicismo, francesismo.
gallimaufry [,gæli'mɔːfri] *s.* pot-pourri.
gallinaceous [,gæli'neiʃəs] *agg.* gallinaceo.
galling ['gɔːliŋ] *agg.* irritante.
to gallivant [,gæli'vænt] *v.intr.* **1** amoreggiare **2** gironzolare.
gallon ['gælən] *s.* gallone (misura di capacità).
galloon [gə'luːn] *s.* gallone, nastro.
gallop ['gæləp] *s.* galoppo: *at a* —, al galoppo; *at full* —, a briglia sciolta // *to break into a* —, passare al galoppo // *to have* (o *to go for*) *a* —, fare una galoppata.
to gallop *v.tr.* far galoppare ♦ *v.intr.* galoppare (*anche fig.*).
gallows ['gælouz] *s.pl.* forca (*sing.*); impiccagione (*sing.*): — *bird*, avanzo di galera // — *tree*, forca.
gallstone ['gɔːlstoun] *s.* calcolo biliare.
galoot [gə'luːt] *s.* (*sl.*) individuo; tipo strambo.
galore [gə'lɔ*] *avv.* a bizzeffe.
galosh [gə'lɔʃ] *s.* caloscia; soprascarpa.
to galumph [gə'lʌmf] *v.intr.* camminare saltando di gioia.
galvanic [gæl'vænik] *agg.* **1** (*elettr.*) galvanico **2** (*fig.*) galvanizzante.
to galvanize ['gælvənaiz] *v.tr.* galvanizzare (*anche fig.*); (*fig.*) spingere all'azione.
gambit ['gæmbit] *s.* (*scacchi*) gambetto; (*fig.*) prima mossa; manovra.
gamble ['gæmbl] *s.* gioco d'azzardo (*anche fig.*).
to gamble *v.tr.* e *intr.* giocare d'azzardo; (*fig.*) arrischiare.
gambler ['gæmblə*] *s.* giocatore d'azzardo; biscazziere.
gambling-den ['gæmbliŋden] *s.* casa da gioco.
gambol ['gæmbəl] *s.* salto, capriola.
to gambol *v.intr.* saltare, fare capriole.
game[1] [geim] *agg.* **1** (*fam.*) ardito **2** (*fam.*) disposto: *I am* —, ci sto.
game[1] *s.* **1** gioco; partita: *he plays a good* — *at cards*, gioca bene a carte // *to make* —, farsi beffe di // *on the* —, nel giro, del giro (della prostituzione) **2** (*fig.*) schema, progetto, piano // *the* — *is up*, il gioco, tutto è finito **3** cacciagione, selvaggina // — -*bag*, carniere.
to game[1] *v.intr.* giocare d'azzardo.
game[2] *agg.* zoppo, storpio.
gamecock ['geimkɔk] *s.* gallo da combattimento.
gamekeeper ['geim,kiːpə*] *s.* guardacaccia.
game laws ['geimlɔːz] *s.pl.* leggi di caccia.
gamely ['geimli] *avv.* coraggiosamente.
gamester ['geimstə*] *s.* giocatore d'azzardo.
gamete [gæ'miːt] *s.* (*biol.*) gamete.
gammon[1] ['gæmən] *s.* **1** la parte più bassa di un prosciutto **2** prosciutto affumicato, salato.
gammon[2] *s.* (*fam.*) sciocchezza; frottola.
to gammon[2] *v.tr.* (*fam.*) ingannare ♦ *v.intr.* imbrogliare.
gamp [gæmp] *s.* (*fam.*) grande ombrello.
gamut ['gæmət] *s.* **1** (*mus.*) estensione; scala **2** (*fig.*) gamma.

gamy ['geimi] *agg.* **1** che sa di selvatico **2** (*fam.*) ardito.
gander ['gændə*] *s.* **1** oca maschio **2** sciocco, semplicione **3** (*sl.*) occhiata.
gang [gæŋ] *s.* **1** squadra, gruppo **2** banda; combriccola, ganga **3** macchinario per un lavoro in comune.
ganger ['gæŋə*] *s.* caposquadra.
Ganges ['gændʒiːz] *no.pr.* Gange.
ganglion ['gæŋgliən], *pl.* **ganglions** ['gæŋgliənz], **ganglia** ['gæŋgliə] *s.* ganglio.
gangplank ['gæŋplæŋk] *s.* (*mar.*) scalandrone.
gangrene ['gæŋgriːn] *s.* cancrena.
to gangrene *v.tr.* mandare in cancrena ♦ *v.intr.* andare in cancrena.
gangrenous ['gæŋgrinəs] *agg.* cancrenoso.
gangster ['gæŋstə*] *s.* bandito.
gangue ['gæŋ] *s.* (*min.*) ganga.
gangway ['gæŋwei] *s.* **1** passaggio; corsia // — !, pista! **2** (*mar.*) passerella.
gantry ['gæntri] *s.* cavalletto; portale (della gru); gru di carico; (*ferr.*) ponte segnali.
gaol [dʒeil] *s.* prigione.
to gaol *v.tr.* imprigionare, mettere in prigione.
gaolbird ['dʒeilbəːd] *s.* avanzo di galera.
gaoler ['dʒeilə*] *s.* carceriere.
gaol-fever ['dʒeil,fiːvə*] *s.* febbre tifoidea.
gap [gæp] *s.* **1** breccia, apertura; squarcio // *to fill* (*in*) (o *to stop*) *a* —, (*fig.*) rimpiazzare provvisoriamente qlcu.; riempire un vuoto // *this created a* — *between them*, ciò creò un vuoto fra loro // — *digit*, (*informatica*) cifra di riempimento **2** intervallo; interruzione.
gape [geip] *s.* sguardo fisso a bocca aperta.
to gape *v.intr.* **1** spalancare la bocca **2** rimanere a bocca aperta (per meraviglia): *to* — *at s.o.*, guardare qlcu. a bocca aperta **3** aprirsi.
gap-toothed ['gæp'tuːθt] *agg.* dai denti radi.
garage ['gærɑːʒ; (*amer.*) gə'rɑːʒ] *s.* autorimessa; stazione di servizio.
to garage *v.tr.* mettere in autorimessa.
garaging ['gærɑːʒiŋ] *s.* rimessaggio.
garb ['gɑːb] *s.* divisa; abito caratteristico.
to garb *v.tr.* abbigliare, vestire.
garbage ['gɑːbidʒ] *s.* immondizie (*pl.*); rifiuto (*anche fig.*); (*informatica*) dati inutili.
garbage can ['gɑːbidʒkæn] *s.* (*amer.* per *dustbin*) pattumiera, bidone della spazzatura.
to garble ['gɑːbl] *v.tr.* alterare volutamente (fatti ecc.) // *a garbled account*, un resoconto ingarbugliato.
garden ['gɑːdn] *s.* giardino // *to lead up the* — (*path*), (*sl.*) fuorviare.
to garden *v.intr.* coltivare un giardino.
gardener ['gɑːdnə*] *s.* giardiniere // *market* —, orticoltore.
gardenia [gɑː'diːnjə] *s.* gardenia.
gardening ['gɑːdniŋ] *s.* giardinaggio.
gargantuan [gɑː'gæntjuən] *agg.* gigantesco, enorme.
gargle ['gɑːgl] *s.* gargarismo.
to gargle *v.tr.* curare con gargarismi ♦ *v.intr.* fare gargarismi.
gargoyle ['gɑːgɔil] *s.* (*arch.*) doccione, grondone.
garish ['gɛəriʃ] *agg.* sgargiante, vistoso.
garland ['gɑːlənd] *s.* ghirlanda, serto // *to win* (o *to carry away*) *the* —, riportare la palma.
to garland *v.tr.* inghirlandare.
garlic ['gɑːlik] *s.* aglio.
garment ['gɑːmənt] *s.* capo di vestiario; *pl.* abiti.
to garner ['gɑːnə*] *v.tr.* ammassare.

garnet ['gɑ:nit] s. granato.

garnish ['gɑ:niʃ] s. (cuc.) guarnizione.

to **garnish** v.tr. (cuc.) guarnire.

garnishing ['gɑ:niʃiŋ] agg. che guarnisce ♦ s. guarnizione.

garret ['gærət] s. abbaino.

garrison ['gærisn] s. (mil.) presidio; guarnigione.

to **garrison** v.tr. (mil.) presidiare; fornire di guarnigione.

garrot ['gærət] s. (zool.) anitra marina.

garrulity [gæ'ːru:liti] s. garrulità, loquacità.

garrulous ['gæruləs] agg. garrulo, loquace.

garter ['gɑ:tə*] s. giarrettiera // the Garter, l'Ordine della Giarrettiera.

garth [gɑ:θ] s. recinto; cortile; giardino.

gas ['gæs] s. 1 gas 2 (amer.) benzina // to step on the —, accelerare 3 (fam.) ciance (pl.), pettegolezzo 4 (sl.) divertimento pazzo; persona molto divertente.

to **gas** v.tr. asfissiare con il gas ♦ v.intr. (fam.) chiacchierare a vanvera.

gasbag ['gæsbæg] s. 1 involucro contenente gas 2 (fam.) chiacchierone.

gas chamber ['gæs,tʃeimbə*] s. camera a gas.

gaseous ['geizjəs] agg. gassoso.

gas fitter ['gæs,fitə*] s. gassista.

gash ['gæʃ] s. taglio lungo e profondo.

to **gash** v.tr. tagliare in profondità.

gasification [,gæsifi'keiʃən] s. gas(s)ificazione.

to **gasify** ['gæsifai] v.tr. gas(s)ificare.

gaslamp ['gæslæmp] s. lampada, lampione a gas.

gas main ['gæsmein] s. conduttura del gas.

gas mask ['gæsmɑ:sk] s. maschera antigas.

gas meter ['gæs,mi:tə*] s. contatore del gas.

gasoline ['gæsəli:n] s. (amer. per petrol) benzina.

gasometer [gæ'səmitə*] s. gas(s)ometro.

gasp [gɑ:sp] s. respiro affannoso, affanno, rantolo: at the last —, all'ultimo respiro.

to **gasp** v.intr. 1 respirare affannosamente: to — for life, boccheggiare 2 rimanere senza fiato; rimanere a bocca aperta ♦ v.tr.: to — out, dire affannosamente.

gasper ['gɑ:spə*] s. (sl.) sigaretta di poco prezzo.

gasping ['gɑ:spiŋ] agg. spasmodico.

gas pipeline ['gæs'paiplain] s. gasdotto.

gas ring ['gæs'riŋ] s. fuoco di fornello a gas.

gas station ['gæs,steiʃən] s. (amer. per petrol station) stazione di servizio.

gassy ['gæsi] agg. 1 gassoso 2 chiacchierone.

gastric ['gæstrik] agg. gastrico.

gastritis [gæs'traitis] s. (med.) gastrite.

gastroenteritis ['gæstrou,entə'raitis] s. (med.) gastroenterite.

gastronome ['gæstrənoum], **gastronomer** [gæs'trɔnəmə*] s. gastronomo.

gastronomic [,gæstrə'nɔmik] agg. gastronomico.

gastronomist [gæs'trɔnəmist] s. gastronomo.

gastronomy [gæs'trɔnəmi] s. gastronomia.

gat [gæt] s. (sl. amer.) pistola.

gate [geit] s. 1 cancello; porta (di città ecc.) 2 chiusa, cateratta 3 (sport) numero di ingressi a pagamento 4 (tel., informatica) segnale; circuito selettivo; (IBM) dispositivo di intercettazione: — voltage, tensione di sblocco.

to **gatecrash** ['geitkræʃ] v.intr. (fam.) intrufolarsi senza esser invitato (a feste ecc.).

gatehouse ['geithaus] s. portineria.

gatekeeper ['geit,ki:pə*] s. portiere, custode.

gatelegged ['geitlegd] agg. allungabile (di tavolo).

gate money ['geit,mʌni] s. incasso (di manifestazione sportiva ecc.).

gatepost ['geit,poust] s. cardine.

gateway ['geitwei] s. cancello; (fig.) porta.

gather ['gæðə*] s. arricciatura.

to **gather** v.tr. 1 riunire, radunare; raggruppare; accumulare 2 cogliere, raccogliere 3 acquistare gradatamente: to — speed, acquistare velocità; to — strength, prendere forza 4 concludere, dedurre 5 arricciare, increspare ♦ v.intr. 1 radunarsi; ammassarsi 2 (fig.) prendere corpo; aumentare 3 (med.) suppurare.

gathering ['gæðəriŋ] s. 1 raccolta 2 riunione; raggruppamento 3 (med.) ascesso.

gauche [gouʃ] agg. maldestro, goffo.

gaucherie ['gouʃəri(:); (amer.) ,gouʃə'ri:] s. goffaggine.

gaucho ['gautʃou] s. gaucho.

gaud [gɔ:d] s. fronzolo.

gaudy ['gɔ:di] agg. vistoso, sgargiante.

gauge [geidʒ] s. 1 misura; diametro (di fili, tubi); calibro (di arma da fuoco) 2 (ferr.) scartamento: narrow —, scartamento ridotto 3 strumento di misura; contatore 4 (mar.) posizione di nave rispetto al vento e ad altra nave 5 (fig.) metro di giudizio.

to **gauge** v.tr. 1 misurare (la capacità, il calibro ecc.) 2 valutare (anche fig.).

gaunt [gɔ:nt] agg. 1 emaciato, scarno 2 spoglio, desolato.

gauntlet[1] ['gɔ:ntlit] s. guanto di armatura; guanto alla moschettiera // to throw down, to take up the —, gettare, raccogliere il guanto.

gauntlet[2] s. (mil.) punizione che consiste nel passare tra due file di commilitoni di cui si devono subire i colpi // to run the — of tricky questions, essere sottoposto a un fuoco di fila di domande insidiose.

gauntness ['gɔ:ntnis] s. 1 magrezza 2 desolazione.

gauze [gɔ:z] s. garza; (fig.) velo.

gauzy ['gɔ:zi] agg. trasparente; leggero.

gave pass. di to **give**.

gavel ['gævl] s. martelletto (da banditore d'asta, presidente di riunione ecc.).

gavotte [gə'vɔt] s. gavotta.

gawk [gɔ:k] s. persona goffa e stupida.

to **gawk** v.intr. (at) guardare con aria stupida.

gawky ['gɔ:ki] agg. goffo, sgraziato.

gay [gei] agg. 1 gaio, allegro 2 sgargiante, vivace 3 «gay», omosessuale.

gaze [geiz] s. sguardo fisso.

to **gaze** v.intr. guardare fissamente: to — at (o on o upon) s.o., sthg., fissare qlcu., qlco.

gazebo [gə'zi:bou] s. chiosco, padiglione (da giardino) con belvedere.

gazelle [gə'zel] s. gazzella.

gazette [gə'zet] s. gazzetta (ufficiale).

to **gazette** v.tr. pubblicare nella gazzetta ufficiale.

gazetteer [,gæzi'tiə*] s. dizionario geografico.

to **gazump** [gə'zʌmp] v.tr. (sl.) battere in extremis, nell'acquisto di una casa, facendo un'offerta più alta.

gear [giə*] s. 1 (mecc.) meccanismo; ingranaggio 2 (aut.) marcia; cambio di velocità: top, high —, marcia più alta; low —, marcia più bassa // out of —, disinnestato; (fig.) sfasato, fuori posto 3 utensili (pl.); attrezzatura 4 finimenti (per animali da tiro) (pl.) 5 (fam.) abiti (pl.).

to **gear** v.tr. 1 ingranare // to — up, down, aumentare, diminuire la velocità 2 to — (up), bardare (animali da tiro) ♦ v.intr. 1 ingranare 2 (fig.) adattarsi.

gearbox [ˈgiəbɔks] s. (aut.) scatola del cambio.
gear lever [ˈgiəˌli:və*], **gearing** [ˈgiəriŋ] s. ingranaggio.
gear wheel [ˈgiəwi:l] s. (mecc.) ruota dentata.
gecko [ˈgekou] s. (zool.) geco.
gee [ˈdʒi:] inter. **1** arri! **2** (amer.) accipicchia!
gee-gee [ˈdʒi:dʒi:] s. (fam.) cavallo.
geese pl. di **goose**.
geist [gaist] s. spirito; principio ispiratore.
to **gelatinate** [dʒeˈlætineit] v.tr. gelatinizzare ♦ v.intr. gelatinizzarsi.
gelatin(e) [ˌdʒeləˈti:n, (amer.) ˈdʒelətin] s. gelatina.
to **gelatinize** [dʒeˈlætineiz] v.tr. gelatinizzare ♦ v.intr. gelatinizzarsi.
gelatinous [dʒiˈlætinəs] agg. gelatinoso.
geld[1] [geld] s. (st.) tributo al sovrano.
to **geld**[2] v.tr. castrare.
gelding [ˈgeldiŋ] s. **1** castrazione **2** animale castrato (spec. cavallo).
gelid [ˈdʒelid] agg. gelido (anche fig.).
gelignite [ˈdʒelignait] s. (chim.) gelatina esplosiva.
gem [dʒem] s. gemma (anche fig.).
to **gem** v.tr. ingemmare, ornare di gemme.
geminate [ˈdʒeminit] agg. geminato.
to **geminate** [ˈdʒemineit] v.tr. raddoppiare, geminare.
gemination [ˌdʒemiˈneiʃən] s. geminazione.
Gemini [ˈdʒemini:] s. (astr.) Gemelli (pl.).
geminous [ˈdʒeminəs] agg. raddoppiato; appaiato.
gemma [ˈdʒemə], pl. **gemmae** [ˈdʒemi:] s. (bot.) gemma.
gemmate [ˈdʒemit] agg. (bot.) gemmato.
to **gemmate** [ˈdʒemeit] v.intr. riprodursi per gemmazione.
gemmation [dʒeˈmeiʃən] s. (biol.) gemmazione.
gender [ˈdʒendə*] s. **1** (gramm.) genere **2** (fam.) sesso.
gene [dʒi:n] s. (biol.) gene.
genealogical [ˌdʒi:njəˈlɔdʒikəl] agg. genealogico.
genealogy [ˌdʒi:niˈæləʒi] s. genealogia.
general [ˈdʒenərəl] agg. generale; generico: to speak in — terms, stare sulle generali; — practitioner, medico condotto // in —, in generale ♦ s. **1** (mil.) generale (d'armata): brigadier —, generale di brigata; major- —, generale di divisione; lieutenant —, generale di corpo d'armata **2** (eccl.) (superiore) generale.
general delivery [ˈdʒenərəldiˈlivəri] s. (amer. per poste restante) fermoposta.
generality [ˌdʒenəˈræliti] s. **1** generalità **2** affermazione di carattere generale.
generalization [ˌdʒenərəlaiˈzeiʃən] s. generalizzazione.
to **generalize** [ˈdʒenərəlaiz] v.tr. e intr. generalizzare.
generally [ˈdʒenərəli] avv. generalmente.
generalship [ˈdʒenərəlʃip] s. **1** abilità militare; strategia **2** (mil.) grado di generale.
to **generate** [ˈdʒenəreit] v.tr. generare; produrre.
generation [ˌdʒenəˈreiʃən] s. generazione // the rising —, la nuova generazione.
generator [ˈdʒenəreitə*] s. generatore.
generic [dʒiˈnerik] agg. generico; generale.
generosity [ˌdʒenəˈrɔsiti] s. generosità; liberalità.
generous [ˈdʒenərəs] agg. **1** generoso; magnanimo **2** ampio, abbondante.
generousness [ˈdʒenərəsnis] s. generosità.
genesis [ˈdʒenisis], pl. **geneses** [ˈdʒenisi:z] s. genesi // Genesis, (Bibbia) Genesi.
genet [ˈdʒenit] s. (zool.) genetta.
genetic [dʒiˈnetik] agg. genetico.
geneticist [dʒiˈnetisist] s. genetista.

genetics [dʒiˈnetiks] s. genetica.
Geneva [dʒiˈni:və] no.pr. Ginevra.
Genevan [dʒiˈni:vən], **Genevese** [ˌdʒeniˈvi:z] agg. e s. ginevrino.
Genevieve [ˌdʒenəˈvi:v] no.pr.f. Genoveffa.
genial [dʒi:njəl] agg. **1** gioviale; socievole **2** mite, temperato (di clima).
geniality [dʒi:niˈæliti] s. giovialità, affabilità.
genially [ˈdʒi:njəli] avv. giovialmente.
genie [ˈdʒi:ni], pl. **genii** [ˈdʒi:niai] s. genio, folletto.
genista [dʒiˈnistə] s. ginestra.
genital [ˈdʒenitl] agg. genitale.
genitals [ˈdʒenitlz] s.pl. (anat.) genitali.
genitive [ˈdʒenitiv] agg. e s. (gramm.) genitivo.
genius [ˈdʒi:njəs], pl. **geniuses** [ˈdʒi:njəsiz] nel senso 3 **genii** [ˈdʒi:niai] s. **1** (solo sing.) genio, ingegno // he has a — for doing the wrong thing, ha la specialità di fare le cose sbagliate **2** genio, persona di genio // he is no —, (fam.) non è un'aquila **3** genio, spirito tutelare.
Genoa [ˈdʒenouə] no.pr. Genova.
genocide [ˈdʒenousaid] s. genocidio.
Genoese [ˌdʒenouˈi:z] agg. e s. genovese.
genre [ʒɔŋr] s. genere (letterario) // — picture, quadro di genere.
gent [dʒent] s. (pop.) per **gentleman**.
genteel [dʒenˈti:l] agg. (iron.) raffinato; leccato, lezioso.
gentian [ˈdʒenʃən] s. genziana.
gentile [ˈdʒentail] agg. pagano // **Gentiles** s.m.pl. Gentili.
gentility [dʒenˈtiliti] s. distinzione, signorilità.
gentle[1] [ˈdʒentl] agg. **1** gentile, garbato; affabile **2** mite; dolce; moderato; leggero, lieve.
gentle[2] s. verme, larva (usati come esca).
gentlefolk [ˈdʒentlfouk] s.pl. persone per bene, di buona famiglia.
gentleman, pl. **gentlemen** [ˈdʒentlmən] s. **1** gentiluomo; signore; galantuomo // to lead a —'s life, vivere da signore // — farmer, gentiluomo di campagna // —'s agreement, accordo verbale fondato sulla buona fede **2** (pop.) uomo.
gentleman-at-arms, pl. **gentlemen-at-arms** [ˈdʒentlmənətˈɑ:mz] s. membro della guardia del corpo reale.
gentlemanlike [ˈdʒentlmənlaik], **gentlemanly** [ˈdʒentlmənli] agg. signorile, da gentiluomo.
gentleness [ˈdʒentlnis] s. gentilezza; dolcezza; grazia.
gentlewoman [ˈdʒentlˌwumən], pl. **gentlewomen** [ˈdʒentlˌwimin] s. gentildonna; signora.
gently [ˈdʒentli] avv. gentilmente // —!, fate piano!
gentry [ˈdʒentri] s. **1** alta borghesia **2** (scherz.) gente.
to **genuflect** [ˈdʒenju(:)flekt] v.intr. genuflettersi.
genuflection, **genuflexion** [ˌdʒenju(:)ˈflekʃən] s. genuflessione.
genuine [ˈdʒenjuin] agg. genuino; sincero.
genuineness [ˈdʒenjuinnis] s. genuinità; sincerità.
to **gen up** [dʒenˈʌp] v.tr. (sl.) mettere al corrente.
genus [ˈdʒi:nəs], pl. **genera** [ˈdʒenərə] s. genere.
geo- [ˈdʒiou] pref. geo-.
geocentric [ˌdʒi(:)ouˈsentrik] agg. (astr.) geocentrico.
geodesy [dʒi(:)ˈɔdisi] s. (geom.) geodesia.
Geoffrey [ˈdʒefri] no.pr.m. Goffredo.
geographer [dʒiˈɔgrəfə*] s. geografo.
geographic(al) [dʒiəˈgræfik(əl)] agg. geografico.
geography [dʒiˈɔgrəfi] s. geografia.
geoid [ˈdʒi:ɔid] s. geoide.
geological [dʒiəˈlɔdʒikəl] agg. geologico.

geologist [dʒiˈɔlədʒist] s. geologo.

geology [dʒiˈɔlədʒi] s. geologia.

geometer [dʒiˈɔmitə*] s. geometra.

geometric(al) [dʒiəˈmetrik(əl)] agg. geometrico.

geometrician [ˌdʒioumeˈtriʃən] s. geometra.

geometry [dʒiˈɔmitri] s. geometria.

geophysics [ˌdʒiːouˈfiziks] s. geofisica.

geopolitics [ˌdʒiːouˈpolitiks] s. geopolitica.

George [dʒɔːdʒ] no.pr.m. Giorgio // by —!, perbacco!

georgette® [dʒɔːˈdʒet] s. georgette®.

Georgia [ˈdʒɔːdʒjə] no.pr.f. Giorgia.

Georgian [ˈdʒɔːdʒjən] agg. georgiano ♦ s. nativo della Georgia.

georgic [ˈdʒɔːdʒik] s. poema georgico.

geotropism [dʒiˈɔtrɔpizəm] s. (biol.) geotropismo.

Gerald [ˈdʒerəld] no.pr.m. Gerardo, Gherardo.

geranium [dʒiˈreinjəm] s. geranio.

Gerard [ˈdʒerɑːd] no.pr.m. Gherardo, Gerardo.

geriatric [ˌdʒeriˈætrik] agg. geriatrico.

geriatricien [ˌdʒeriəˈtriʃən] s. geriatra.

geriatrics [ˌdʒeriˈætriks] s. (med.) geriatria.

germ [dʒəːm] s. (biol.) germe (anche fig.).

to **germ** v.intr. (fig.) svilupparsi.

german [ˈdʒəːmən] agg. germano.

German agg. tedesco // — shepherd, (amer.) cane lupo // — measles, (med.) rosolia ♦ s. 1 tedesco 2 lingua tedesca.

germane [dʒəːˈmein] agg. pertinente.

Germanic [dʒəːˈmænik] agg. e s. germanico.

Germanism [ˈdʒəːmənizəm] s. germanesimo.

Germanist [ˈdʒəːmənist] s. germanista.

to **Germanize** [ˈdʒəːmənaiz] v.tr. germanizzare ♦ v.intr. germanizzarsi.

germicidal [ˌdʒəːmiˈsaidl] agg. germicida.

germicide [ˈdʒəːməsaid] s. germicida.

germinal [ˈdʒəːminl] agg. 1 (biol.) germinale 2 (fig.) in germe.

germinant [ˈdʒəːminənt] agg. germinante.

to **germinate** [ˈdʒəːmineit] v.tr. e intr. 1 (far) germinare 2 (fig.) sviluppare, svilupparsi.

germination [ˌdʒəːmiˈneiʃən] s. germinazione.

gerontology [ˌdʒerɔnˈtɔlədʒi] s. (med.) gerontologia.

gerrymander [ˈdʒerimændə*] s. broglio; (fig.) imbroglio.

to **gerrymander** v.tr. manipolare; truccare.

Gertrude [ˈgəːtruːd] no.pr.f. Geltrude.

gerund [ˈdʒerənd] s. gerundio.

gestation [dʒesˈteiʃən] s. gestazione.

to **gesticulate** [dʒesˈtikjuleit] v.tr. esprimere a gesti ♦ v.intr. gesticolare.

gesticulation [dʒesˌtikjuˈleiʃən] s. il gesticolare; gesto.

gestural [ˈdʒestjərəl] agg. gestuale.

gesture [ˈdʒestʃə*] s. gesto (anche fig.).

to **gesture** v.tr. esprimere a gesti ♦ v.intr. gesticolare.

to **get** [get], pass. e p.pass. **got** [gɔt], p.pass. (arc. e amer.) **gotten** [ˈgɔtn] v.tr. 1 ottenere; ricevere; guadagnare: to — a letter, ricevere una lettera; she gets a lot of money, guadagna un sacco di soldi // if you divide 15 by 3 you — 5, dividendo 15 per 3 si ottiene 5 // to — a reputation, farsi una reputazione 2 (andare a) prendere; afferrare (anche fig.); catturare: to — a train, prendere il treno; go and — my glasses, va' a prendermi gli occhiali; he couldn't — the rope and fell, non riusci ad afferrare la corda e cadde; do you — what I mean?, afferri, capisci quello che voglio dire?; to — the thief, catturare il ladro // to — an illness, prendere una malattia // he

got five years' jail, ha preso, è stato condannato a cinque anni (di carcere) // we — to London at nine, prendiamo (Radio) Londra alle nove // what's got him?, che cosa gli è preso? // you've got it!, l'hai indovinato! 3 indurre, persuadere: we got her to come, la persuademmo a venire // that gets me thinking about it, (fam.) ciò mi dà da pensare 4 fare, farsi: to — sthg. done, far fare qlco.; to — one's hair cut, farsi tagliare i capelli 5 to have got, avere; dovere: have you got that book?, hai quel libro?; I have got to go home at once, devo andare a casa subito // what's this got to do with it?, che c'entra questo? ♦ v.intr. 1 diventare: to — old, diventare vecchio, invecchiare; to — ready, prepararsi; to — angry, adirarsi; to — pissed off, (volg.) incazzarsi 2 arrivare, giungere: to — to a town, arrivare in una città; to — home, arrivare, giungere a casa // to — nowhere, (fig.) non arrivare a niente 3 mettersi: to — talking, mettersi a parlare // to — going, avviarsi 4 (amer.) riuscire a ♦ seguito da prep. 1 to — across, attraversare 2 to — at, riuscire a prendere; riuscire a cogliere // what is he getting at?, (fam.) dove vuole arrivare?; who is he getting at?, (fam.) con chi ce l'ha? 3 to — into, entrare in; penetrare in; salire in (carrozza, treno ecc.); (fam.) indossare // to — sthg. into one's head, mettersi in testa qlco. 4 to — off, scendere da (tram, autobus ecc.); allontanarsi da 5 to — on, salire su (tram, autobus ecc.); montare a (cavallo), in (bicicletta) 6 to — over, scavalcare; superare 7 to — round, persuadere; (fig.) aggirare 8 to — through, portare a termine, sbrigare; (di leggi ecc.) essere approvato in, da; far passare ♦ seguito da avv. 1 to — about, reggersi in piedi (dopo una malattia); muoversi, circolare; diffondersi (di notizie) 2 to — abroad, diffondersi (di notizie) 3 to — across, far capire; portare al successo 4 to — ahead, superare; far progressi 5 to — around, circuire 6 to — along, andare avanti; procedere; aver successo // she's getting along nicely, se la passa abbastanza bene // to — along with s.o., andar d'accordo con qlcu. // — along!, (sl.) ma va' là!; vuoi scherzare? 7 to — away, allontanarsi, fuggire // to — away with sthg., (fam.) farla franca 8 to — back, ritornare; recuperare 9 to — behind, rimanere indietro (nel lavoro ecc.) 10 to — by, passare 11 to — down, far scendere; tirar giù // to — down to facts, venire ai fatti // to — sthg. down on paper, mettere qlco. per iscritto 12 to — in, far entrare; salire; arrivare (di treno); (pol.) essere eletto 13 to — off, andarsene, partire // to — off cheap, cavarsela a buon mercato 14 to — on, andare avanti; avvicinarsi; prosperare; far progressi: he is getting on for fifty, si avvicina alla cinquantina; we — on very well together, andiamo molto d'accordo // how are you getting on?, come te la cavi? 15 to — out, (far) uscire; produrre // to — out of a habit, perdere un'abitudine 16 to — through, (far) giungere a destinazione: superare un esame; essere approvato (di legge) // to — through to s.o., ottenere la comunicazione telefonica con qlcu. 17 to — together, riunire, riunirsi 18 to — up, alzarsi; preparare; allestire // to — (oneself) up (as s.o., as sthg.), travestirsi (da qlcu., da qlco.) // to — up to, arrivare fino a.

get-at-able [getˈætəbl] agg. (fam.) accessibile.

getaway [ˈgetəwei] s. 1 fuga 2 (sport) partenza.

get-together [ˈgetəˌgeðə*] s. riunione, festa.

getup [ˈgetʌp] s. 1 abbigliamento 2 presentazione (di libro, giornale ecc.).

gewgaw [ˈgjuːgɔː] s. cianfrusaglia.

geyser ['gi:zə*, (amer.) 'gaizə*] s. 1 (geol.) geyser 2 scaldabagno a gas.

ghastliness ['gɑ:stlinis] s. 1 aspetto spaventoso; orrore 2 pallore spettrale.

ghastly ['gɑ:stli] agg. 1 orrendo, spaventoso 2 spettrale, mortale: he looks —, sembra uno spettro.

gherkin ['gə:kin] s. cetriolino.

ghetto ['getou] s. ghetto.

Ghibelline ['gibilain] agg. e s. (st.) ghibellino.

ghost [goust] s. 1 spirito // to give up the —, rendere l'anima (a Dio) 2 fantasma, spettro // he hasn't got the — of a chance, non ha la minima possibilità // — writer, «negro», chi scrive (discorsi ecc.) per altri.

ghosting ['goustiŋ] s. (informatica) doppia stampa.

ghostly ['goustli] agg. 1 spettrale 2 spirituale.

ghoul [gu:l] s. 1 (mit. orientale) demone che si ciba di cadaveri 2 (fig.) persona morbosa.

ghoulish ['gu:liʃ] agg. demoniaco; morboso.

ghyll [gil] s. 1 burrone, gola 2 torrente.

GI [dʒi:'ai], pl. **GI's** ['dʒi:'aiz] s. (amer.) soldato (degli USA).

giant ['dʒaiənt] agg. gigantesco, enorme ♦ s. gigante (anche fig.).

giantess ['dʒaiəntis] s. gigantessa.

giantism ['dʒaiəntizəm] s. (med.) gigantismo.

to gibber ['dʒibə*] v.intr. borbottare, farfugliare.

gibberish ['gibəriʃ] s. borbottio, farfuglio.

gibbet ['dʒibit] s. patibolo, forca.

to gibbet v.tr. 1 impiccare 2 (fig.) mettere alla berlina.

gibbose ['gibous], **gibbous** ['gibəs] agg. gibboso.

gibe [dʒaib] s. beffa; scherno; sarcasmo.

to gibe v.tr. schernire; beffare ♦ v.intr. beffarsi.

gibingly ['dʒaibiŋli] avv. in modo beffardo; sarcasticamente.

gibleh ['dʒibli] s. ghibli.

giblets ['dʒiblits] s.pl. rigaglie.

Gibraltar [dʒi'brɔ:ltə*] no.pr. Gibilterra.

giddiness ['gidinis] s. 1 capogiro; vertigini (pl.) 2 (fig.) frivolezza, volubilità.

giddy ['gidi] agg. 1 preso da vertigini, stordito: to feel —, aver le vertigini 2 frivolo.

gift [gift] s. 1 dono (anche fig.) // never look a — horse in the mouth, (prov.) a caval donato non si guarda in bocca 2 (dir.) donazione.

to gift v.tr. dotare: to be gifted with, essere dotato di.

gifted ['giftid] agg. dotato, fornito di talento.

gig [gig] s. 1 calessino 2 (mar.) lancia.

gigantic [dʒai'gæntik] agg. gigantesco.

giggle ['gigl] s. risolino; risatina sciocca, soffocata.

to giggle v.intr. far risatine sciocche, soffocate.

gigot ['dʒigət] s. cosciotto di montone.

Gilbert ['gilbət] no.pr.m. Gilberto.

to gild [gild] v.tr. dorare, indorare // to — the pill, indorare la pillola.

gilded ['gildid] agg. dorato.

gilding ['gildiŋ] s. doratura.

Giles [dʒailz] no.pr.m. Egidio.

gill[1] [gil] s. (gener.pl.) 1 branchia // to be green about the gills, avere la faccia verde (per malessere ecc.) 2 bargiglio

gill[2] s. → **ghyll**.

gill[3] [dʒil] s. 1 quarto di pinta 2 recipiente contenente un quarto di pinta.

gilt [gilt] agg. dorato ♦ s. doratura (anche fig.) // to take the — off the ginger-bread, spogliare qlco. di ogni attrattiva.

gilt-edged ['giltedʒd] agg. dal bordo dorato.

gimbals ['dʒimbəlz] s.pl. (mar. mecc.) sospensione cardanica (sing.).

gimcrack ['dʒimkræk] agg. appariscente ma di poco pregio ♦ s. paccottiglia; oggetto vistoso di poco pregio.

gimlet ['gimlit] s. succhiello // to be — -eyed, avere uno sguardo acuto, penetrante.

gimmick ['gimik] s. (fam.) 1 trucco 2 congegno, aggeggio, arnese.

gimp [gimp] s. cordoncino.

gin[1] [dʒin] s. gin.

gin[2] s. 1 (mecc.) argano, paranco 2 (ind. tessile) sgranatrice (di cotone) 3 trappola (anche fig.).

ginger ['dʒindʒə*] agg. fulvo ♦ s. 1 (bot.) zenzero // — -ale (o beer o fam. pop), bevanda allo zenzero 2 (fam.) vivacità, vitalità, energia 3 color fulvo.

to ginger v.tr. 1 aromatizzare allo zenzero 2 to — up, (fam.) stimolare, incitare.

gingerbread ['dʒindʒəbred] s. pan di zenzero.

gingerly ['dʒindʒəli] agg. guardingo, cauto ♦ avv. con precauzione.

gingery ['dʒindʒəri] agg. 1 che sa di zenzero 2 fulvo 3 (fig.) pepato; irascibile.

gingham ['giŋəm] s. percalle (a righe o a quadri).

gingival [dʒin'dʒaivəl] agg. gengivale.

gingivitis [,dʒindʒi'vaitis] s. (med.) gengivite.

gipsy ['dʒipsi] agg. zingaresco ♦ s. zingaro, gitano.

giraffe [dʒi'rɑ:f] s. giraffa.

girandole ['dʒirəndoul] s. 1 girandola 2 candelabro a braccia.

girasol(e) ['dʒirəsoul] s. (min.) opale di fuoco.

to gird[1] [gə:d], pass. e p.pass. **girded** ['gə:did], **girt** [gə:t] v.tr. cingere; circondare.

to gird[2] v.intr. farsi beffe, schernire: to — at s.o., deridere qlcu.

girder ['gə:də*] s. (edil.) trave maestra.

girdle[1] ['gə:dl] s. 1 cintura, fascia 2 (fam.) guaina, fascetta 3 cerchia.

to girdle[1] v.tr. 1 cingere, fasciare 2 racchiudere, circondare.

girdle[2] s. → **griddle**.

girkin ['gə:kin] s. cetriolino.

girl [gə:l] s. ragazza; bambina: little (o young) —, ragazzina // girl guide; (amer.) girl scout, giovane esploratrice // cover —, ragazza da copertina.

girl Friday [gə:l'fraidi] s. segretaria di fiducia.

girlfriend ['gə:lfrend] s. ragazza, innamorata.

girlhood ['gə:lhud] s. adolescenza.

girlie ['gə:li] s. ragazzina: — magazines, riviste per ragazzine.

girlish ['gə:liʃ] agg. fanciullesco.

girt pass. e p.pass. di to **gird**.

girth [gə:θ] s. 1 sottopancia 2 giro, circonferenza.

gist [dʒist] s. essenza.

give [giv] s. elasticità (anche fig.).

to give, pass. **gave** [geiv], p.pass. **given** ['givn] v.tr. 1 dare: to — s.o. sthg. (o sthg. to s.o.), dare qlco. a qlcu. // shares giving 10%, azioni che rendono il 10% // he will — me this cold, mi attaccherà il raffreddore // — him my love, salutalo affettuosamente da parte mia // — me the good old days!, (fam.) potessi tornare ai bei tempi passati! // I don't — a damn!, (sl.) me ne infischio altamente! // to — a break, (sl.) dare una possibilità // to — an injection, fare un'iniezione // to — one's life to work, dedicare la propria vita al lavoro // to — oneself up to, dedicarsi; abbandonarsi // to —

on to, guardare su, affacciarsi su // *to — birth to*, dare alla luce, dare origine (*anche fig.*) // *to — ground*, cedere terreno // *to — way*, cedere; ritirarsi; abbandonarsi // *to — a concert*, dare un concerto // *to — full play to one's feelings*, dare libero sfogo ai propri sentimenti // *to — s.o. a bit of one's mind*, (*fam.*) dirne quattro a qlcu. // *to — s.o. to believe* (o *to understand*) *that*, fare credere a qlcu. che // *to — best to s.o.*, riconoscere la superiorità di qlcu. // *to — place to*, essere seguito da // *— rise to*, causare, provocare // *to — voice, tongue to*, esprimere // *ladies and gentlemen, I — you the Queen*, signore e signori, propongo un brindisi alla regina // *to — sthg. in*, consegnare qlco. **2** *to — away*, dar via; distribuire, consegnare; rivelare; tradire // *to — away the bride*, accompagnare la sposa all'altare **3** *to — forth*, divulgare, render noto; emettere **4** *to — off*, emettere **5** *to — out*, distribuire; annunciare // *to — out by contract*, appaltare // *to — oneself out as*, farsi passare per **6** *to — over*, consegnare **7** *to — up*, abbandonare; cedere; smettere; rinunciare: *you must — up smoking*, devi smetterla di fumare; *he was so late that they gave him up*, era così in ritardo che ormai non l'aspettavano più // *to — oneself up*, costituirsi; arrendersi ♦ *v.intr.* **1** cedere **2** *to — back*, indietreggiare **3** *to — in*, cedere; arrendersi: *to — in to s.o.'s opinion*, finire col dare ragione a qlcu. **4** *to — out*, venire a mancare, esaurirsi; sgridare: *to — out to s.o.*, sgridare qlcu. **5** *to — over*, finire, cessare **6** *to — upon*, guardare su, affacciarsi su.

given *p.pass.* di to **give** ♦ *agg.* **1** donato, concesso // *— name*, (*amer.*) nome di battesimo **2** dato, stabilito, convenuto: *at a — time*, a una data ora, a un'ora stabilita **3** dedito.

gizzard ['gizəd] *s.* **1** ventriglio **2** (*fam.*) gola.

glabrous ['gleibrəs] *agg.* glabro, liscio.

glacial ['gleisjəl; (*amer.*) 'gleiʃl] *agg.* glaciale.

glaciation [ˌglæsi'eiʃən] *s.* glaciazione.

glacier ['glæsjə*, (*amer.*) 'gleiʃə*] *s.* ghiacciaio.

glacis ['glæsis] *s.* declivio.

glad [glæd] *agg.* lieto, felice // *— rags*, (*fam.*) abiti della festa; abito da sera.

to gladden ['glædn] *v.tr.* rallegrare ♦ *v.intr.* rallegrarsi.

glade [gleid] *s.* radura.

gladiator ['glædieitə*] *s.* gladiatore.

gladiolus [ˌglædi'ouləs], *pl.* **gladioluses** [ˌglædi'ouləsiz], **gladioli** [ˌglædi'oulai] *s.* gladiolo.

gladly ['glædli] *avv.* volentieri, con piacere.

gladness ['glædnis] *s.* contentezza, allegrezza.

Gladstone ['glædstən] *s.*: *— (bag)*, valigia di cuoio a soffietto.

glair [glɛə*] *s.* **1** albume **2** sostanza albuminosa.

to glamorize ['glæməraiz] *v.tr.* rendere attraente, affascinante.

glamorous ['glæmərəs] *agg.* affascinante, attraente.

glamour ['glæmə*] *s.* fascino // *— girl*, vamp.

glance [glɑːns] *s.* **1** sguardo, occhiata: *to give* (o *to take*) *a — at*, dare un'occhiata a // *at* (*the*) *first —*, a prima vista **2** colpo deviato **3** cenno.

to glance *v.intr.* e *tr.* **1** gettare uno sguardo, dare un'occhiata: *to — at*, dare un'occhiata a; (*fig.*) accennare a // *to — up from one's work*, distogliere lo sguardo dal proprio lavoro **2** balenare; scintillare **3** sfiorare; deviare: *the sword glanced off his armour*, la spada gli sfiorò l'armatura.

glancing ['glɑːnsiŋ] *agg.* rapido; di striscio.

gland [glænd] *s.* ghiandola.

glandular ['glændjulə*] *agg.* ghiandolare.

glare [glɛə*] *s.* **1** luce abbagliante; riverbero **2** sguardo truce e penetrante.

to glare *v.intr.* **1** splendere di luce abbagliante **2** *to — at* (*s.o., sthg.*), guardare con occhio torvo.

glaring ['glɛəriŋ] *agg.* **1** abbagliante **2** minaccioso **3** sgargiante **4** evidente.

glass [glɑːs] *s.* **1** vetro; cristallo // *— door*, porta a vetri // *— -eye*, occhio di vetro // *— -painting*, pittura su vetro // *— -works*, vetreria // *— concrete*, vetrocemento // *people who live in — houses shouldn't throw stones*, chi è senza peccato scagli la prima pietra **2** bicchiere **3** specchio **4** lente; telescopio **5** *pl.* occhiali: *to wear glasses*, portare gli occhiali ♦ *agg.* di vetro; vitreo.

to glass *v.tr.* **1** mettere i vetri, il vetro (a) **2** mettere (commestibili) in recipienti di vetro **3** riflettere ♦ *v.intr.* ghiacciarsi.

glassblower ['glɑːsˌblouə*] *s.* soffiatore (di vetro).

glasscutter ['glɑːsˌkʌtə*] *s.* **1** tagliatore di cristallo **2** tagliavetro.

glassful ['glɑːsful] *s.* (contenuto di un) bicchiere.

glasshouse ['glɑːshaus] *s.* **1** serra **2** (*sl.*) prigione militare.

glassiness ['glɑːsinis] *s.* trasparenza; vetrosità.

glass-paper ['glɑːsˌpeipə*] *s.* carta vetrata.

glassware ['glɑːswɛə*] *s.* vasellame di vetro.

glassy ['glɑːsi] *agg.* vitreo; cristallino, limpido.

glaucoma [glɔː'koumə] *s.* (*med.*) glaucoma.

glaucous ['glɔːkəs] *agg.* glauco.

glaze [gleiz] *s.* **1** superficie vetrosa **2** (*ceramica*) vetrina, smalto; (*pitt.*) vernice trasparente **3** (*cuc.*) gelatina.

to glaze *v.tr.* **1** mettere vetri (a) **2** smaltare con vetrina; vetrificare: *to — pottery*, smaltare ceramiche ♦ *v.intr.* **1** vetrificarsi **2** diventare vitreo (dell'occhio).

glazed [gleizd] *agg.* **1** con vetrate **2** vitreo.

glazer ['gleizə*] *s.* verniciatore.

glazier ['gleizjə*] *s.* vetraio.

glazing ['gleiziŋ] *s.* **1** mestiere di vetraio **2** messa in opera di vetri // *double —*, doppi vetri **3** smaltatore con vetrina **4** vetrina; vetrificazione.

gleam [gliːm] *s.* barlume; sprazzo (*anche fig.*).

to gleam *v.intr.* scintillare, baluginare; lampeggiare.

gleaming ['gliːmiŋ] *agg.* scintillante.

to glean [gliːn] *v.tr.* e *intr.* spigolare (*anche fig.*).

gleaner ['gliːnə*] *s.* spigolatore.

gleaning ['gliːniŋ] *s.* spigolatura (*anche fig.*).

glee [gliː] *s.* **1** allegria, gioia **2** (*mus.*) coro // *— club*, gruppo corale.

gleeful ['gliːful] *agg.* allegro, giulivo.

gleeman, *pl.* **gleemen** ['gliːmən] *s.* menestrello.

gleesome ['gliːsəm] *agg.* gioioso, allegro.

glen [glen] *s.* gola, forra.

Glengarry [glen'gæri] *s.* berretto scozzese.

glib [glib] *agg.* loquace (di persona); dalla risposta pronta; scorrevole.

glibly ['glibli] *avv.* fluentemente; prontamente.

glibness ['glibnis] *s.* facilità (di parola).

glide [glaid] *s.* **1** sdrucciolamento, scivolata **2** (*aer.*) planata **3** (*fonetica*) suono transitorio.

to glide *v.intr.* **1** scorrere (*anche fig.*) **2** scivolare **3** (*aer.*) planare.

glider ['glaidə*] *s.* **1** (*aer.*) aliante **2** volovelista.

glimmer ['glimə*] *s.* barlume (*anche fig.*); luccichio: *the first — of dawn*, le prime luci dell'alba.

to glimmer *v.intr.* luccicare, brillare.

glimmering ['glimərin] *agg.* debole, fioco, tremolante (di luce) ♦ *s.* → *glimmer*.

glimpse [glimps] *s.* apparizione fugace: *to catch a — of sthg.*, vedere qlco. di sfuggita.

to **glimpse** *v.tr.* intravvedere ♦ *v.intr.* gettare un'occhiata: *he just glimpsed at it*, gli diede un'occhiata di sfuggita.

glint [glint] *s.* scintillio, luccicchio.

to **glint** *v.intr.* scintillare, luccicare.

glissade [gli'seid, *(amer.)* gli'sɑ:d] *s.* scivolata; *(danza)* passo scivolato.

glisten ['glisn] *s.* scintillio, luccichio.

to **glisten** *v.intr.* scintillare, luccicare.

glitter ['glitə*] *s.* scintillio, luccichio; lucentezza.

to **glitter** *v.intr.* scintillare; rilucere *(anche fig.)*.

glittering ['glitərin] *agg.* scintillante, brillante ♦ *s.* scintillio, luccichio.

gloat [glout] *s.* compiacimento; sguardo compiaciuto.

to **gloat** *v.intr.*: *to — over sthg.*, contemplare qlco. con cupidigia; provare un piacere sadico per qlco.

gloatingly ['gloutinli] *avv.* con compiacimento.

global ['gloubəl] *agg.* globale.

globe [gloub] *s.* **1** globo, sfera; palla **2** terra **3** mappamondo.

globetrotter ['gloub.trɔtə*] *s.* giramondo.

globose ['gloubous], **globous** ['gloubəs], **globular** ['glɔbjulə*] *agg.* globoso, sferico.

globule ['glɔbju:l] *s.* globulo.

glomerate ['glɔmərit] *agg.* agglomerato.

gloom [glu:m] *s.* **1** oscurità; buio **2** *(fig.)* tristezza; malinconia; depressione.

gloominess ['glu:minis] *s.* **1** oscurità **2** tristezza; malinconia.

gloomy ['glu:mi] *agg.* **1** buio, tetro **2** malinconico.

glorification [,glɔ:rifi'keiʃən] *s.* glorificazione.

to **glorify** ['glɔ:rifai] *v.tr.* glorificare.

glorious ['glɔ:riəs] *agg.* **1** glorioso; illustre **2** *(fam.)* delizioso; splendido: *a — day*, una magnifica giornata // *what a — muddle!*, che bel pasticcio!

gloriously ['glɔ:riəsli] *avv.* **1** gloriosamente **2** *(fam.)* splendidamente; deliziosamente.

glory ['glɔ:ri] *s.* **1** gloria; magnificenza // *Old Glory*, la bandiera nazionale degli USA **2** bellezza, splendore **3** aureola.

to **glory** *v.intr.* gloriarsi; vantarsi: *to — in (doing) sthg.*, gloriarsi di (fare) qlco.

gloryhole ['glɔ:rihoul] *s. (fam.)* ripostiglio.

gloss[1] [glɔs] *s.* glossa.

to **gloss**[1] *v.tr.* glossare.

gloss[2] *s.* **1** lucentezza **2** *(fig.)* apparenza; parvenza.

to **gloss**[2] *v.tr.* lucidare // *to — over*, minimizzare; giustificare.

glossary ['glɔsəri] *s.* glossario.

glossiness ['glɔsinis] *s.* lucentezza.

glossology [glɔ'sɔlədʒi] *s.* → **glottology**.

glossy ['glɔsi] *agg.* lucido, lucente.

glottis ['glɔtis] *s. (anat.)* glottide.

glottology [glɔ'tɔlədʒi] *s.* glottologia.

glove [glʌv] *s.* guanto; *(pugilato)* guantone // *hand in —*, in intima amicizia // *to throw down the —*, sfidare // *— compartment*, *(aut.)* cassetto del cruscotto.

gloved [glʌvd] *agg.* inguantato.

glover ['glʌvə*] *s.* guantaio.

glow [glou] *s.* **1** calore; incandescenza: *to be in a —*, essere incandescente **2** splendore **3** colore rossastro; rossore **4** senso di calore, di benessere **5** *(fig.)* fervore.

to **glow** *v.intr.* **1** essere incandescente **2** risplendere **3** *(fig.)* ardere: *to — with zeal*, ardere di zelo.

to **glower** ['glauə*] *v.intr.* fissare con aria minacciosa: *to — at s.o.*, guardare qlcu. con aria minacciosa.

glowing ['glouin] *agg.* **1** incandescente **2** vivace **3** entusiastico.

glow-lamp ['gloulæmp] *s.* lampada ad incandescenza.

glow-worm ['glouwə:m] *s.* lucciola.

to **gloze** [glouz] *v.tr.*: *to — over*, spiegare con argomenti speciosi.

glucose ['glu:kous] *s.* glucosio.

glue [glu:] *s.* colla // *fish- —*, colla di pesce.

to **glue** *v.tr.* incollare; appiccicare.

gluey ['glu(:)i] *agg.* appiccicaticcio; viscoso.

glueyness ['glu(:)inis] *s.* viscosità.

glum [glʌm] *agg.* accigliato; depresso.

glumness ['glʌmnis] *s.* tristezza.

glut [glʌt] *s.* sovrabbondanza, saturazione.

to **glut** *v.tr.* **1** satollare; rimpinzare *(anche fig.)* **2** *(comm.)* saturare (il mercato).

glutamic [glu:'tæmik] *agg.* glutammico.

gluten ['glu:tən] *s.* glutine.

gluteus [glu:'ti:əs], *pl.* **glutei** [glu:'ti:ai] *s. (anat.)* gluteo.

glutton ['glʌtn] *s.* **1** goloso; ghiottone *(anche fig.)* **2** *(zool.)* ghiottone.

gluttonous ['glʌtnəs] *agg.* ghiotto; ingordo.

gluttony ['glʌtni] *s.* ghiottoneria; ingordigia.

glycerine [,glisə'ri:n], *(amer.)* **glycerin** ['glisərin] *s. (chim.)* glicerina.

glycoemia [glai'simiə] *s. (med.)* glicemia.

glyph [glif] *s. (arch.)* glifo.

glyptics ['gliptiks] *s.* glittica.

G-man ['dʒi:mæn], *pl.* **G-men** ['dʒi:men] *s. (amer.)* *(abbr.* di *Government-man)* agente investigativo (del Governo Federale).

gnarl [nɑ:l] *s.* nodo (del legno).

gnarled [nɑ:ld] *agg.* **1** nodoso **2** *(fig.)* rugoso.

to **gnash** [næʃ] *v.tr.* digrignare.

gnat [næt] *s.* moscerino.

to **gnaw** [nɔ:], *pass.* **gnawed** [nɔ:d], *p.pass.* **gnawed**, **gnawn** [nɔ:n] *v.tr.* e *intr.* **1** rodere, rosicchiare **2** mordere; corrodere **3** *(fig.)* tormentare, consumare.

gneiss [nais] *s. (min.)* gneiss.

gnome[1] [noum] *s.* gnomo.

gnome[2] ['noumi] *s.* massima; aforisma.

gnomic ['noumik] *agg.* gnomico.

gnomon ['noumən] *s.* gnomone.

gnoseological, **gnosiological** [,nousiə'lɔdʒikəl] *agg.* gnoseologico.

gnoseology, **gnosiology** [,nousi'ɔlədʒi] *s. (fil.)* gnoseologia.

gnu [nu:] *s. (zool.)* gnu.

go [gou], *pl.* **goes** [gouz] *s.* **1** l'atto di andare // *on the —*, in movimento // *it's all the —*, è in voga // *it was a near —*, l'ha scampata bella; ce l'ha fatta per un pelo // *it is your —*, tocca a te // *it is no —*, è impossibile **2** *(fam.)* energia; attività; animazione: *to be full of — (o to have plenty of —)*, essere pieno di energia **3** colpo; tentativo: *to have a — at sthg.*, tentare di fare qlco.; *have a —!*, prova! **4** *(fam.)* faccenda.

to **go**, *pass.* **went** [went], *p.pass.* **gone** [gɔn] *v.intr.* *(3a pers. sing. pres.* **goes** [gouz]) **1** andare, andarsene; partire; passare: *to — hunting*, andare a caccia // *as things —*, da come vanno le cose // *it goes without saying that...*, è ovvio che... // *this material is going cheap*, questa stoffa si vende a basso prezzo // *two weeks* *more to — and...*, ancora due settimane e... // *to — it alone*, agire per proprio conto, da solo // *to — one better*, voler essere da più // *to — to a better world*, morire // *to — to great lengths*, fare di tutto per // *to keep the conversation, the fire going*, alimentare la conversazione, il fuoco // *to — on the dole* (o *social security*), (*amer.*) to go on welfare, prendere il sussidio di disoccupazione   **2** divenire, farsi: *to — dry*, asciugarsi; *to — white*, impallidire   **3** *to be going to*, stare per; avere l'intenzione di: *I am not going to do it*, non lo farò ♦ *v.tr.*   **1** seguire: *to — one's own way*, (*fig.*) andare per la propria strada   **2** fare: *the bell went ding dong*, la campana fece din don ♦ *seguito da prep.*   **1** *to — about*, occuparsi di; mettersi a lavorare a   **2** *to — at*, attaccare, assalire // *to — at it hard*, mettercela tutta   **3** *to — by*, regolarsi su // *to — by the name of*, andare sotto il nome di   **4** *to — for*, andare a cercere; lanciarsi contro; (*fam.*) andar pazzo per   **5** *to — into*, addentrarsi; esaminare, studiare con cura   **6** *to — off*, uscire da, deviare da // *to — off the beaten track*, (*fig.*) prendere una nuova strada; // *to — off the handle* (o *the deep end*), uscire dai gangheri // *to — off s.o., sthg.*, smettere di apprezzare qlcu., qlco. // *to — off one's head*, impazzire // *to — over*, esaminare; verificare (conti, motori ecc.); ritoccare   **8** *to — through*, attraversare; esaminare minuziosamente; frugare; affrontare, subire (prove, processi ecc.); portare a termine: *that book went through seven editions*, quel libro ebbe sette edizioni ♦ *seguito da avv.*   **1** *to — about*, andare in giro; circolare (di voci ecc.); (*mar.*) virare di bordo   **2** *to — ahead*, avanzare senza esitazioni; fare progressi   **3** *to — along*, procedere // *— along with you!*, fila!, vattene!; macché!, non ci credo!   **4** *to — back*, ritornare, indietreggiare // *to — back on one's word*, rimangiarsi la parola   **5** *to — by*, passare, scorrere: *as the years — by*, col passare degli anni   **6** *to — down*, discendere; soccombere; affondare (di nave); abbassarsi, calare (di temperatura, acqua, sole ecc.) // *the bill didn't — down with the public*, il progetto di legge non incontrò il favore del pubblico // *to — down* (*from the university*), lasciare l'università // *to — down in history*, passare alla storia   **7** *to — forward*, far progressi   **8** *to — in*, entrare // *to — in for*, dedicarsi a   **9** *to — off*, partire; uscir di scena; esplodere; scolorirsi; andare a male; spegnersi; riuscire   **10** *to — on*, procedere, continuare; passare (di tempo); accendersi; (*di film*) essere programmato // *what is going on?*, cosa succede? // *— on!*, ma va' là // *to — on for*, avvicinarsi a   **11** *to — out*, uscire, scomparire; spegnersi; terminare; abbassarsi (di marea) // *out you —!*, fuori! // *to — out* (*on strike*), mettere in sciopero // *to — (all) out for*, fare ogni possibile sforzo per // *to — out like a light*, perdere conoscenza   **12** *to — over*, cambiare partito, religione   **13** *to — round*, girare (di ruota ecc.); diffondersi (di voci); far visita; (*a tavola*) fare il giro   **14** *to — through*, attraversare; passare; scorrere // *to — through with*, portare a termine   **15** *to — up*, montare, salire // *to — up* (*to the university*), entrare all'università   **16** *to — under*, soccombere; fallire; affondare; andare a fondo (*anche fig.*).

goad [goud] *s.* pungolo.

to **goad** *v.tr.* pungolare (*anche fig.*).

go-ahead ['gouəhed] *agg.* intraprendente; all'avanguardia ♦ *s.* permesso di passare all'azione.

goal [goul] *s.*   **1** traguardo; fine; meta   **2** (*calcio*) rete, porta.

goalie ['gouli] *s.* (*fam.*) portiere.

goalkeeper ['goul,ki:pə*] *s.* (*calcio*) portiere.

goal line ['goullain] *s.* (*calcio*) linea di fondo.

goalpost ['goulpoust] *s.* (*calcio*) palo della porta.

goat [gout] *s.* capra // *to get one's —*, esasperare // *to act the* (*giddy*) —, fare lo sciocco // *to separate the sheep from the goats*, separare il bene dal male.

goatee [gou'ti:] *s.* barbetta a punta.

goatherd ['gouthə:d] *s.* capraio.

goatish ['goutiʃ] *agg.* caprino; (*fig.*) libidinoso.

gob [gɔb] *s.* (*amer.* per *sailor*) marinaio.

gobbet ['gɔbit] *s.* (*arc.*)   **1** boccone   **2** (*fam.*) brano per traduzione.

to **gobble**[1] ['gɔbl] *v.tr.* trangugiare in fretta; inghiottire rumorosamente.

to **gobble**[2] *v.intr.* gloglottare (di tacchino).

gobbledygook ['gɔbldi'guk] *s.* (*sl.*) linguaggio pomposo.

gobbler ['gɔblə*] *s.* tacchino maschio.

go-between ['goubi,twi:n] *s.* intermediario; (*spreg.*) mezzano.

goblet ['gɔblit] *s.* calice.

goblin ['gɔblin] *s.* spirito maligno.

goby ['gɔubi] *s.* (*zool.*) ghiozzo.

go-by ['goubai] *s.*: *to give s.o. the —*, ignorare, evitare qlcu.

god [gɔd] *s.*   **1** divinità, dio // *a little tin —*, un gigante d'argilla   **2** *pl.* (*teatr.*) loggione (*sing.*)   **3** *God*, Dio // *God's acre*, cimitero; *God's book*, la Bibbia // *household gods*, i Penati.

godchild ['gɔdtʃaild], *pl.* **godchildren** ['gɔd,tʃildrən] *s.* figlioccio.

goddamn(ed), (*amer.*) **goddam** ['gɔdæm(d)] *agg.* dannato, maledetto: *he is a — fool*, è un maledetto stupido.

goddaughter ['gɔd,dɔ:tə*] *s.* figlioccia.

goddess ['gɔdis] *s.* dea.

godfather ['gɔd,fɑ:ðə*] *s.* padrino.

godfearing ['gɔd,fiəriŋ] *agg.* timorato di Dio.

godforsaken ['gɔdfə,seikn] *agg.* miserabile; (*di luogo*) desolato, dimenticato da Dio.

Godfrey ['gɔdfri] *no.pr.m.* Goffredo.

godhead ['gɔdhed] *s.* divinità.

godless ['gɔdlis] *agg.* senzadio; empio.

godlessness ['gɔdlisnis] *s.* empietà.

godlike ['gɔdlaik] *agg.* divino.

godliness ['gɔdlinis] *s.* devozione; religiosità.

godly ['gɔdli] *agg.* religioso; devoto.

godmother ['gɔd,mʌðə*] *s.* madrina.

godparent ['gɔd,pɛərənt] *s.* padrino o madrina.

godsend ['gɔdsend] *s.* dono del cielo; fortuna inaspettata.

godship ['gɔdʃip] *s.* divinità.

godson ['gɔdsʌn] *s.* figlioccio.

godspeed ['gɔd'spi:d] *s.* buona fortuna.

godwit ['gɔdwit] *s.* (*zool.*) beccaccia d'acqua.

goer ['gouə*] *s.*   **1** camminatore; trottatore   **2** (*fig.*) persona dinamica.

gofer ['goufə*] *s.* (*cuc.*) cialda.

goffer ['gɔfə*] *s.* (*moda*) volante arricciato, pieghettato.

to **goffer** *v.tr.* arricciare; pieghettare.

go-getter ['gou'getə*] *s.* (*fam.*) tipo intraprendente.

goggle ['gɔgl] *agg.* sporgente (di occhi).

to **goggle** *v.intr.*   **1** strabuzzare, roteare gli occhi   **2** avere gli occhi sporgenti.

goggle box ['gɔglbɔks] *s.* (*sl.*) la tivù.

goggle-eyed ['gɔglaid] *agg.* dagli occhi sporgenti.

goggles [ˈgɔglz] *s.pl.* occhiali di protezione; (*fam.*) occhiali.

going [ˈgouiŋ] *s.* **1** partenza // — *down*, discesa, calata, abbassamento **2** l'andare; il camminare // *coming and* —, viavai **3** andatura, passo.

going-over [ˈgouiŋˈouvə*] *s.* (*fam.*) esame; correzione; verifica.

goings-on [ˈgouiŋzˈɔn] *s.pl.* (*fam. spreg.*) **1** comportamento (*sing.*), condotta (*sing.*) **2** attività confuse; confusione (*sing.*).

goitre [ˈgɔitə*] *s.* (*med.*) gozzo.

gold [gould] *agg.* d'oro, aureo; dorato ♦ *s.* **1** oro // — *plate*, vasellame d'oro // — *standard*, (*comm.*) base aurea // *Dutch* —, similoro **2** denaro, ricchezze (*pl.*) **3** colore giallo oro.

goldbeater [ˈgould,bi:tə*] *s.* battiloro.

gold-digger [ˈgould,digə*] *s.* cercatore d'oro.

golden [ˈgouldən] *agg.* **1** d'oro; dorato // — *hair*, capelli biondi // *the* — *age*, l'età dell'oro **2** prezioso, importante; // — *opportunity*, splendida occasione // — *handshake*, liquidazione d'oro.

goldfield [ˈgouldfi:ld] *s.* zona aurifera.

goldfinch [ˈgouldfinʃ] *s.* cardellino.

goldfish [ˈgouldfiʃ] *s.* pesce rosso.

gold foil [ˈgouldfɔil], **gold leaf** [ˈgouldli:f] *s.* oro laminato.

goldrush [ˈgouldrʌʃ] *s.* corsa all'oro.

goldsmith [ˈgouldsmiθ] *s.* orefice.

golf [gɔlf] *s.* (*sport*) golf: *a round of* —, una partita a golf.

to golf *v.intr.* giocare al golf.

golf club [ˈgɔlfklʌb] *s.* **1** mazza da golf **2** circolo del golf.

golf course [ˈgɔlfkɔ:s] *s.* campo di golf.

golfer [ˈgɔlfə*] *s.* giocatore di golf.

Golgotha [ˈgɔlgəθə] *no.pr.* Golgota.

goliard [ˈgouljɑ:d] *s.* (*st.*) goliardo.

golliwog [ˈgɔliwɔg] *s.* **1** bambolotto negro grottesco **2** persona coi capelli crespi.

golly [ˈgɔli] *inter.* (*fam.*): (*by*) —!, perdinci!

golosh [gəˈlɔʃ] *s.* caloscia, soprascarpa in gomma.

gombeen-man [gɔmˈbiːnmən] *s.* (*irl.*) usuraio.

gondolier [,gɔndəˈliə*] *s.* gondoliere.

gone *p.pass.* di *to go* ♦ *agg.* andato, passato; (*fam.*) rovinato; perduto: *these five years* —, gli ultimi cinque anni // — *on s.o.*, (*sl.*) innamorato cotto di qlcu. // *far* —, in uno stadio avanzato // *he is dead and* —, è morto e sepolto.

goner [ˈgɔnə*] *s.* (*sl.*) persona, cosa in stato disperato.

Goneril [ˈgɔnəril] *no.pr.f.* (*lett.*) Gonerilla.

gonfalon [ˈgɔnfələn] *s.* gonfalone.

gong [gɔŋ] *s.* **1** gong **2** (*sl.*) medaglia, patacca.

to gong *v.intr.* suonare il gong ♦ *v.tr.* chiamare a raccolta o intimare l'alt (suonando il gong).

goniometer [,gouniˈɔmitə*] *s.* goniometro.

gonorrhoea [,gɔnəˈriːə] *s.* (*med.*) gonorrea.

goo [gu:] *s.* (*sl.*) **1** sostanza appiccicosa **2** stucchevolezza.

good [gud], *compar.* **better** [ˈbetə*], *superl.* **best** [best] *agg.* **1** buono, bello, piacevole: — *news*, belle notizie; *in a* — *humour*, di buon umore; *it is too* — *to be true*, è troppo bello per essere vero // *to have a* — *time*, divertirsi // — *evening* (o *afternoon*), *morning*, buona sera, buon giorno // — *luck!*, buona fortuna! // *that's a* — *'un!*, (*sl.*) questa sì che è bella! **2** buono; retto; virtuoso; gentile; benevolo; amabile: — *works*, opere pie, di

carità; *be a* — *boy!*, sii buono!, fa' il bravo!; *a* — *turn*, un favore; *as* — *as gold*, buono come un angelo (di bambini); *he is a* — *fellow*, è un buon diavolo; *that's very* — *of you!*, è molto gentile da parte tua! // *the* — *people*, le fate **3** abile; competente; esperto: *to be* — *at English*, essere forte in inglese **4** valido: *is the ticket still* —?, è ancora valido il biglietto?; *are you* — *for a ten mile walk?*, ti senti in grado di fare dieci miglia a piedi? // *he is* — *for some years more*, vivrà ancora degli anni // *he is* — *for a hundred pounds*, pagherà 100 sterline **5** salutare; buono, sano; fresco (di cibi): *beer is not* — *for me*, la birra non mi fa bene **6** (*intensivo*): *a* — *deal* (o *a* — *lot*) *of*, una quantità considerevole di, un buon numero di: *to wait a* — *while* (o *time*), aspettare un bel po'; *it will take a* — *hour*, ci vorrà un'ora buona // *in* — *time*, per tempo // *all in* — *time*, tutto a tempo debito **7** *as* — *as*, (tanto) buono... quanto; praticamente: *he as* — *as told me I am a liar*, mi ha praticamente detto che sono un bugiardo // *his word is as* — *as his bond*, ci si può fidare della sua parola ♦ *s.* **1** bene: *he is up to no* —, sta facendo qlco. che non va; *to do* —, fare del bene // *have you got the goods?*, (*sl.*) hai il necessario? **2** utilità, vantaggio: *is it any* — (*going*)?, vale la pena di (andare?); *it's no* — *talking*, è inutile parlare; *what* — *is it?*, a che serve?; *what's the* — *of doing it?*, a che serve farlo? // *much* — *may it do you!*, (*fam.*) buon pro ti faccia! // *for* — (*and all*), per sempre // *to the* —, all'attivo; *it's all to the* —, è tutto di guadagno.

goodbye [gudˈbai] *inter.* e *s.* addio.

good-for-nothing [ˈgudfəˌnəθiŋ] *agg.* disutile ♦ *s.* buono a nulla.

good-humoured [ˈgudˈhjuːməd] *agg.* allegro.

goodish [ˈgudiʃ] *agg.* discreto.

good-looking [ˈgudˈlukiŋ] *agg.* di bell'aspetto.

goodly [ˈgudli] *agg.* **1** bello, avvenente **2** ampio, considerevole.

good-natured [ˈgudˈneitʃəd] *agg.* di buon carattere.

goodness [ˈgudnis] *s.* **1** bontà; virtù; gentilezza **2** l'essenza, il meglio (di qlco.) ♦ *inter.*: — *gracious!*, santo cielo!; — *me!* (o *my* —!), Dio mio!; *for* —'*sake!*, per l'amor del cielo!; *I wish to* — *he would go!*, vorrei proprio che se ne andasse!

goodnight [gudˈnait] *s.* e *inter.* buonanotte, buona notte.

goods [gudz] *s.pl.* (*comm.*) merci, merce (*sing.*); beni: — *on hand*, giacenza di magazzino // *to deliver the* —, consegnare la merce; (*sl.*) fare quel che si deve fare // *capital* —, beni strumentali // — *and chattels*, (*dir.*) beni personali // *manufactured* —, manufatti // *he thinks he's the* —, si sente un padreterno.

goods train [ˈgudztrein] *s.* treno merci.

goods wagon [ˈgudzwægən] *s.* vagone merci.

goodwill [ˈgudˈwill] *s.* **1** benevolenza, favore: *to be in s.o.'s* —, essere nelle buone grazie di qlcu. **2** zelo, buona volontà **3** (*comm.*) avviamento (di una ditta).

goody[1] [ˈgudi] *s.* leccornia.

goody[2], **goody-goody** [ˈgudiˈgudi] *agg.* virtuoso in maniera ostentata e pedante ♦ *s.* chi affetta troppa bontà, virtù: *she is a* —, è una santarellina.

gooey [ˈguːi] *agg.* (*sl.*) **1** appiccicoso **2** sdolcinato.

goof [gu:f] *s.* (*sl.*) persona sciocca, stupida.

to goof *v.intr.* (*sl.*) prendere un granchio.

goofy [ˈguːfi] *agg.* (*sl.*) scemo, sciocco.

gook [gu:k] *s.* (*sl. amer.*) vietcong.

goon [gu:n] *s.* (*fam.*) **1** persona sciocca e grottesca **2** (*amer.*) gorilla.

goose [gu:s], *pl.* **geese** [gi:s], *nel senso* 3 **gooses** ['gu:siz] *s.* **1** oca // *to cook s.o.'s* —, *(fam.)* rovinare qlcu.; sistemare qlcu. **2** *(fam.)* stupido **3** ferro da stiro.

gooseberry ['guzbəri, *(amer.)* 'gu:sberi] *s.* **1** uva spina **2** *(fam.)* «chaperon»: *to play* —, *(fam.)* reggere il moccolo.

gooseflesh ['gu:sfleʃ] *s.* pelle d'oca.

gooseneck ['gu:snek] *s. (mecc.)* collo d'oca // — *lamp*, lampada snodabile.

goosestep ['gu:sstep] *s.* passo dell'oca.

gopher ['goufə*] *s. (amer.)* **1** roditore **2** *(fam.)* fattorino.

Gordian ['gɔ:djən] *agg.* gordiano // — *knot*, *(fig.)* problema difficile.

gore[1] [gɔ:*] *s.* sangue (rappreso).

gore[2] *s.* «godet», gherone; spicchio.

to gore[3] *v.tr.* incornare.

gorge [gɔ:dʒ] *s.* gola // *to make one's* — *rise*, disgustare qlcu., far venire la nausea a qlcu.

to gorge *v.intr.* rimpinzarsi ♦ *v.tr.* divorare.

gorgeous ['gɔ:dʒəs] *agg.* magnifico; splendido; *(fam.)* fantastico.

gorgeousness ['gɔ:dʒəsnis] *s.* magnificenza; splendore.

gorget ['gɔ:dʒit] *s.* **1** *(st.)* gorgiera **2** collarino.

gorilla [gə'rilə] *s.* gorilla.

gormand *s.* → **gourmand**.

to gormandize ['gɔ:məndaiz] *v.intr.* mangiare golosamente.

gormless ['gɔ:mləs] *agg.* incapace, incompetente.

gorse [gɔ:s] *s.* ginestra spinosa.

gory ['gɔ:ri] *agg.* insanguinato; cruento.

gosh [gɔʃ] *inter. (fam.)*: —!, perdinci!, perbacco!

goshawk ['gɔshɔ:k] *s. (zool.)* astore.

gosling ['gɔzliŋ] *s.* papero, paperino.

go-slow ['gou'slou] *s. e agg.* (sciopero) a singhiozzo.

gospel ['gɔspəl] *s.* Vangelo *(anche fig.)*: *to take sthg. for (o as)* —, prendere qlco. per vangelo // — *oath*, giuramento fatto sulla Bibbia // — *truth*, verità sacrosanta.

gospeller ['gɔspələ*] *s. (fam.)* predicatore evangelico.

gossamer ['gɔsəmə*] *s.* **1** ragnatela **2** garza, tessuto finissimo.

gossip ['gɔsip] *s.* **1** voce, chiacchiera; pettegolezzo **2** chiacchierata **3** pettegolo; ciarlone.

to gossip *v.intr.* far pettegolezzi; chiacchierare.

gossipy ['gɔsipi] *agg.* pettegolo.

gossoon [gɔ'su:n] *s. (irl.)* garzone; ragazzo.

got *pass. e p.pass.* di **to get**.

Gotham ['gɔθəm] *agg. (sl. amer.)* della città di New York.

Gothic ['gɔθik] *agg. e s.* gotico.

gotten *p.pass. (amer. e dial.)* di **to get**.

gouache [gu'ɑ:ʃ] *s.* (pittura a) guazzo.

gouge [gaudʒ] *s.* sgorbia (strum. del falegname).

gourd [guəd] *s.* **1** *(bot.)* pianta e frutto delle cucurbitacee **2** zucca vuota (recipiente).

gourmand ['guəmənd] *s.* **1** ghiottone **2** buongustaio.

gourmet ['guəmei] *s.* buongustaio.

gout [gaut] *s. (med.)* gotta.

gouty ['gauti] *agg. (med.)* gottoso.

gov [gʌv] *s.* abbr. di **governor** nel senso 3.

to govern ['gʌvən] *v.tr.* **1** governare; amministrare **2** regolare, controllare **3** *(gramm.)* reggere ♦ *v.intr.* governare.

governance ['gʌvənəns] *s.* governo; dominio.

governess ['gʌvənis] *s.* governante, istitutrice.

government ['gʌvnmənt] *s.* governo: *to serve in a* —, partecipare a un ministero // — *loan*, prestito pubblico.

governmental [,gʌvən'mentl] *agg.* governativo.

governor ['gʌvənə*] *s.* **1** governatore **2** *(mecc.)* regolatore **3** *(sl.)* capo; padre.

governor-general ['gʌvənə'dʒenərəl] *s.* governatore generale.

governorship ['gʌvənəʃip] *s.* governatorato.

gown [gaun] *s.* **1** veste, abito (da donna) **2** toga // *town and* —, città e università.

to gown *v.tr.* rivestire con la toga.

grab [græb] *s.* **1** presa; tentativo di afferrare **2** *(mecc.)* benna **3** gioco di carte.

to grab *v.tr. (fam.)* **1** acchiappare, afferrare // *to — at (o for)*, cercare di afferrare **2** *(fam.)* far presa (su qlcu.); conquistare **3** usurpare, impadronirsi (di).

to grabble ['græbl] *v.intr.* **1** andare a tastoni **2** buttarsi, strisciare per terra.

grace [greis] *s.* **1** grazia // *with good, bad* —, volentieri, malvolentieri // *to fall out of — with s.o.*, perdere il favore di qlcu. **2** preghiera (prima, dopo i pasti) **3** *Grace*, Grazia (titolo onorifico).

to grace *v.tr.* adornare; dotare.

Grace *no.pr.f.* Grazia.

graceful ['greisful] *agg.* grazioso, leggiadro.

gracefulness ['greisfulnis] *s.* grazia.

graceless ['greislis] *agg.* **1** *(relig.)* che non è in stato di grazia **2** sgraziato.

grace-note ['greisnout] *s. (mus.)* abbellimento.

gracile ['græsil] *agg.* esile, sottile.

gracility [grə'siliti] *s.* esilità.

gracious ['greiʃəs] *agg.* clemente; benigno, cortese; gentile; grazioso (di sovrano) // *(good)* —!, buon Dio!

graciously ['greiʃəsli] *avv.* graziosamente.

graciousness ['greiʃəsnis] *s.* benignità; indulgenza; gentilezza.

gradation [grə'deiʃən, *(amer.)* grei'deiʃən] *s.* gradazione **2** *(pitt.)* sfumatura.

gradational [grə'deiʃənl] *agg.* graduale.

grade [greid] *s.* **1** grado: *every — of society*, ogni grado sociale **2** *(amer.)* classe (di scuola); voto // — *school*, scuola elementare; — *teacher*, insegnante elementare **3** *(biol.)* ibrido; incrocio **4** *(filologia)* vocale apofonica **5** *(amer.)* pendio; pendenza // *to make the* —, *(fig.)* riuscire.

grade crossing [greid'krɔsiŋ] *s. (amer. per level crossing)* passaggio a livello.

to grade *v.tr.* graduare; classificare (a scuola).

gradely ['greidli] *agg. (dial.)* piacevole; eccellente ♦ *avv. (dial.)* completamente; in modo soddisfacente.

gradient ['greidjənt] *s.* **1** pendenza, inclinazione: *good* —, pendenza dolce **2** *(fis.elettr.ecc.)* gradiente.

gradin ['greidin], **gradine** [grə'di:n] *s.* gradino.

gradual ['grædjuəl] *agg. e s.* graduale.

graduate ['grædjuit] *s.* laureato.

to graduate ['grædjueit] *v.intr.* laurearsi; *(amer.)* diplomarsi: *he graduated from high school*, prese il diploma di scuola media superiore ♦ *v.tr.* graduare (termometro, recipiente ecc.).

graduated ['grædjueitid] *agg.* graduato.

graduation [,grædju'eiʃən] *s.* **1** laurea; *(amer.)* diploma, licenza **2** graduazione.

graffito [grɑ:'fi:tou], *pl.* **graffiti** [grɑ:'fi:ti] *s.* graffito.

graft [grɑ:ft] *s.* **1** *(bot.)* innesto **2** *(chir.)* trapianto **3** *(fam.)* corruzione.

to graft *v.tr.* **1** *(bot.)* innestare **2** *(fig.)* congiungere **3**

(*chir.*) trapiantare ♦ *v.intr.* (*fam. amer.*) prender parte a una truffa.

grafter [′grɑːftə*] *s.* **1** innestatore **2** innestatoio **3** (*fam. amer.*) funzionario corrotto; truffatore.

grain [grein] *s.* **1** (*solo sing.*) cereali (*pl.*); frumento **2** chicco, granello (*anche fig.*) **3** grano (unità di peso) **4** venatura (di legno, pietra); grana (di pelle, cuoio ecc.) // *against the —,* (*fig.*) contro le proprie inclinazioni **5** (*arc.*) (colore) grana.

to **grain** *v.tr.* **1** granulare **2** macchiare a (finto) legno ♦ *v.intr.* (*agr.*) granire.

grainy [′greini] *agg.* **1** granoso **2** granuloso.

gram¹ [græm] *s.* cece.

gram² *s.* → **gramme**.

graminaceous [ˌgreimi′neifes], **gramineous** [grei′miniəs] *agg.* (*bot.*) graminaceo.

graminivorous [ˌgræmi′nivərəs] *agg.* erbivoro.

grammar [′græmə*] *s.* grammatica // *— school,* scuola secondaria; (*amer.*) scuola elementare.

grammarian [grə′meəriən] *s.* grammatico.

grammatic(al) [grə′mætik(əl)] *agg.* grammaticale.

gramme [græm] *s.* grammo.

gramophone® [′græməfoun] *s.* grammofono®.

grampus [′græmpəs] *s.* (*zool.*) orca.

granary [′grænəri] *s.* granaio.

grand [grænd] *agg.* **1** grande, splendido, imponente // *— piano,* pianoforte a coda **2** principale: *the — staircase,* la scala principale **3** (*fam.*) magnifico, eccellente: *to have a — time,* divertirsi molto.

grand *s.* **1** (*fam.*) pianoforte **2** (*sl.*) 1000 dollari (talvolta anche sterline).

grand-aunt [′grɑːntɑːnt] *s.* prozia.

grandchild [′græntfaild] *s.* nipotino.

grand(d)ad [′grænd,æd] *s.* (*fam.*) nonno.

granddaughter [′græn,dɔːtə*] *s.* nipote.

grandee [græn′diː] *s.* **1** Grande di Spagna **2** persona eminente.

grandeur [′grændʒə*] *s.* grandiosità, magnificenza, splendore.

grandfather [′grænd,fɑːðə*] *s.* nonno // *— clock,* orologio a pendolo.

grandiloquence [græn′diləkwəns] *s.* magniloquenza.

grandiloquent [græn′diləkwənt] *agg.* magniloquente.

grandiose [′grændious] *agg.* grandioso.

grandiosity [ˌgrændi′ɔsiti] *s.* grandiosità.

grandly [′grændli] *avv.* grandiosamente.

grandma [′grænmɑː] *s.* (*fam.*) nonna.

grandmother [′græn,mʌðə*] *s.* nonna.

grand-nephew [′græn,nevju:] *s.* pronipote.

grandness [′grændnis] *s.* grandiosità.

grand-niece [′grænniːs] *s.* pronipote.

grandpa [′grænpɑː], **grandpapa** [′grænpə,pɑː] *s.* (*fam.*) nonno.

grandparent [′græn,peərənt] *s.* nonno, nonna.

grandson [′grænsʌn] *s.* nipote (di nonni).

grandstand [′grændstænd] *s.* tribuna d'onore // *— finish,* (*sport*) finale entusiasmante.

grange [greindʒ] *s.* masseria, fattoria.

granite [′grænit] *s.* granito ♦ *agg.* granitico.

granivorous [grə′nivərəs] *agg.* granivoro.

granny [′græni] *s.* (*fam.*) nonnina.

granny-flat [′grænifæt] *s.* appartamentino (incorporato o annesso a un'abitazione più grande).

grant [grɑːnt] *s.* **1** concessione; donazione // *building —,* mutuo per la casa **2** borsa di studio **3** (*dir.*) trapasso di proprietà.

to **grant** *v.tr.* **1** concedere, accordare **2** ammettere, acconsentire // *to take* (*sthg.*) *for granted,* dare (qlco.) per scontato **3** (*dir.*) cedere, trasmettere (proprietà, atti ecc.).

grantee [grɑːn′tiː] *s.* **1** borsista **2** (*dir.*) cessionario; concessionario.

granter, grantor [grɑːn′tɔː*] *s.* (*dir.*) donatore; cedente.

granular [′grænjulə*] *agg.* granulare, granuloso.

to **granulate** [′grænjuleit] *v.tr.* granulare ♦ *v.intr.* granularsi.

granule [′grænjuːl] *s.* granulo.

granuloma [ˌgrænju′loumə] *s.* (*med.*) granuloma.

granulous [′grænjuləs] *agg.* granuloso.

grape [greip] *s.* **1** acino, chicco d'uva **2** *pl.* uva (*sing.*) // *dessert grapes,* uva da tavola.

grapefruit [′greipfruːt] *s.* pompelmo.

grapeshot [′greipfɔt] *s.* mitraglia.

grapevine [′greipvain] *s.* **1** vite **2** (*fam.*) pettegolezzo infondato; giro di pettegolezzi.

graph [græf] *s.* grafico, diagramma.

graphic(al) [′græfik(əl)] *agg.* **1** grafico // *— display,* (*informatica*) visualizzazione grafica; *— data processing,* trattamento delle informazioni grafiche **2** (*fig.*) pittoresco.

graphic arts [′græfik,ɑːts] *s.pl.* grafica.

graphite [′græfait] *s.* grafite.

graphology [græ′fɔlədʒi] *s.* grafologia.

graphospasm [′græfəspæzəm] *s.* grafospasmo.

grapple [′græpl] *s.* **1** corpo a corpo **2** (*mar.*) uncino.

to **grapple** *v.tr.* **1** abbrancare, afferrare **2** (*mar.*) uncinare ♦ *v.intr.* lottare, combattere (*anche fig.*).

grasp [grɑːsp] *s.* **1** stretta, presa: *to lose one's —,* lasciare la presa **2** potere; possesso **3** portata, comprensione.

to **grasp** *v.tr.* afferrare (*anche fig.*): *I can't — what you mean,* non riesco a capire che cosa tu voglia dire // *to — the nettle,* (*fam.*) prendere il toro per le corna ♦ *v.intr.: to — at,* aggrapparsi a; cercare di afferrare.

grasping [′grɑːspiŋ] *agg.* avido, cupido.

grass [grɑːs] *s.* **1** erba; prato // *— roots,* (*neol.*) zone rurali di un paese // *— -snake,* biscia // *to be out at —,* essere al pascolo; (*fig.*) essere in vacanza // *— widow, — widower,* donna, uomo il cui coniuge è assente per lavoro // *to let the — grow under one's feet,* (*fig.*) perdere tempo **2** graminacee **3** (*sl.*) erba, marijuana **4** (*sl.*) informatore.

to **grass** *v.tr.* **1** piantare a erba **2** nutrire con erba ♦ *v.intr.* (*sl.*) fare una soffiata; informare la polizia.

grasshopper [′grɑːs,hɔpə*] *s.* cavalletta // *knee-high to a —,* (*fam.*) piccolo, non molto alto.

grassiness [′grɑːsinis] *s.* l'essere erboso.

grassland [′grɑːslænd] *s.* **1** pascolo **2** prateria.

grass-plot [′grɑːs′plɔt] *s.* prato.

grass roots [′grɑːsruːts] *s.* l'uomo della strada, chi è lontano dai centri di potere: *sooner or later, every government seems to lose touch with the —,* prima o poi, ogni governo sembra perdere contatto con l'uomo della strada.

grassy [′grɑːsi] *agg.* erboso.

grate¹ [greit] *s.* grata, griglia.

to **grate²** *v.tr.* grattare; grattugiare // *to — one's teeth,* digrignare i denti ♦ *v.intr.* stridere; cigolare: *that sound grates on my ears,* quel suono mi strazia le orecchie.

grateful [′greitful] *agg.* grato, riconoscente.

gratefulness [′greitfulnis] *s.* gratitudine.

grater [′greitə*] *s.* grattugia.

723

grey

gratification [ˌgrætifiˈkeiʃən] *s.* appagamento; soddisfazione.

to gratify [ˈgrætifai] *v.tr.* appagare, soddisfare.

gratifying [ˈgrætifaiiŋ] *agg.* soddisfacente.

grating[1] [greitiŋ] *agg.* **1** stridente, aspro, dissonante **2** sgradevole; urtante.

grating[2] *s.* **1** grata, inferriata **2** (*ott.*) reticolo.

gratis [ˈgrætis] *avv.* gratis.

gratitude [ˈgrætitjuːd] *s.* gratitudine, riconoscenza.

gratuitous [grəˈtjuː(ˈ)itəs] *agg.* gratuito.

gratuity [grəˈtjuː(ˈ)iti] *s.* gratifica; mancia.

grave[1] [greiv; *nel senso 2* grɑːv] *agg.* **1** grave, serio; solenne **2** (*gramm.*) grave.

grave[2] *s.* **1** fossa, tomba, sepolcro // *to have one foot in the —*, avere un piede nella fossa // *— -digger*, becchino **2** (*fig.*) morte.

to grave[3] *v.tr.* (*mar.*) carenare.

gravel [ˈgrævəl] *s.* **1** ghiaia **2** (*med.*) renella.

to gravel *v.tr.* **1** inghiaiare **2** fermare, bloccare **3** (*fig.*) imbarazzare, confondere.

gravelly [ˈgrævli] *agg.* ghiaioso.

graven [ˈgreivən] *agg.* scolpito.

graveness [ˈgreivnis] *s.* gravità, serietà.

graver [ˈgreivə*] *s.* **1** intagliatore **2** bulino.

graveyard [ˈgreivjɑːd] *s.* cimitero, camposanto // *— poetry*, poesia sepolcrale.

gravid [ˈgrævid] *agg.* gravido.

graving [ˈgreiviŋ] *s.* carenaggio // *— dock*, bacino di carenaggio.

to gravitate [ˈgræviteit] *v.intr.* gravitare: *to — to (wards) an idea*, essere attratto da un'idea.

gravitation [ˌgræviˈteiʃən] *s.* (*fis.*) gravitazione.

gravitational [ˌgræviˈteiʃənl] *agg.* (*fis.*) gravitazionale.

gravity [ˈgræviti] *s.* gravità: *he couldn't keep his —*, non poté mantenersi serio // *centre of —*, (*fis.*) centro di gravità // *specific —*, peso specifico.

gravy [ˈgreivi] *s.* sugo (di carne); salsa.

gravy boat [ˈgreivibout] *s.* salsiera.

gray *agg.* e *s.* → **grey**.

grayling [ˈgreiliŋ] *s.* (*zool.*) temolo.

to graze[1] [greiz] *v.tr.* **1** far pascolare **2** tenere (un terreno) a pascolo ♦ *v.intr.* pascolare; nutrirsi di erba.

graze[2] *s.* **1** tocco, colpo di striscio **2** scalfittura.

to graze[2] *v.tr.* **1** sfiorare, rasentare **2** scalfire.

grazing [ˈgreiziŋ] *s.* pascolo.

grease [griːs] *s.* **1** grasso; sugna **2** brillantina **3** olio lubrificante; (*fig.*) bustarella; adulazione.

to grease [ˈgriːz] *v.tr.* ungere // *like greased lightning*, (*fam.*) rapidissimamente // *to — the wheels*, (*fig.*) ungere le ruote // *to — one's palm*, *to — up to s.o.*, dare una bustarella a qlcu.

greasepaint [ˈgriːspeint] *s.* cerone.

greaseproof [ˈgriːzpruːf] *agg.* pergamenato.

greaser [ˈgriːzə*] *s.* **1** ingrassatore **2** (*amer. spreg.*) messicano.

greasiness [ˈgriːzinis] *s.* untuosità (*anche fig.*).

greasy [ˈgriːzi] *agg.* **1** grasso; unto; oleoso **2** sdrucciolevole **3** (*fig.*) untuoso.

great [greit] *agg.* grande // *— thoughts*, pensieri nobili, elevati // *to be — at doing sthg.*, essere bravo, abile nel fare qlco. // *to reach a — age*, arrivare a tarda età // *a — many people*, moltissima gente // *he is a — deal better*, sta molto meglio // *to a — extent*, considerevolmente // *a — big man*, un omone // *the Great War*, la Grande Guerra // *Alexander the Great*, Alessandro Magno // *— -grandchild*, *— -granddaughter*, *—*

-grandson, pronipote; *— -grandfather*, bisnonno; *— -grandmother*, bisnonna; *— -uncle*, prozio; *— -aunt*, prozia; *— - — -grandfather*, trisavolo; *— - — -grandmother*, trisavola.

Great Britain [ˈgreitˈbritn] *no.pr.* Gran Bretagna.

greatcoat [ˈgreitˈkout] *s.* (*mil.*) cappotto pesante.

great-hearted [ˈgreitˈhɑːtid] *agg.* magnanimo.

greatly [ˈgreitli] *avv.* **1** molto **2** nobilmente.

great-nephew [ˈgreitˈnevjuː] *s.* pronipote (maschio) (di zio).

greatness [ˈgreitnis] *s.* grandezza.

great-niece [ˈgreitˈniːs] *s.* pronipote (femmina) (di zio).

greaves [griːvz] *s.pl.* gambali (di armatura).

Grecian [ˈgriːʃən] *agg.* greco // *— knot*, pettinatura alla greca ♦ *s.* grecista.

Greece [griːs] *no.pr.* Grecia.

greed [griːd] *s.* avidità, cupidigia; ingordigia.

greedily [ˈgriːdili] *avv.* avidamente; ingordamente.

greediness [ˈgriːdinis] *s.* avidità; ingordigia.

greedy [ˈgriːdi] *agg.* **1** avido; cupido; bramoso: *— for gain*, avido di denaro **2** goloso, ingordo.

greedy-guts [ˈgriːdiɡʌts] *s.* golosone.

Greek [griːk] *agg.* greco // *— fret*, greca (fregio) ♦ *s.* greco // *it's all — to me!*, per me è arabo.

green [griːn] *agg.* **1** verde // *— belt*, zona verde // *— light*, (*fig.*) via libera, permesso // *— -eyed*, dagli occhi verdi // *— fingers*, pollice verde // *— with envy*, verde d'invidia **2** inesperto, ingenuo **3** vigoroso, vegeto ♦ *s.* **1** (colore) verde **2** *pl.* verdura (*sing.*) **3** parco; (*golf*) piazza **4** *pl.* (*amer.*) Christmas greens, sempreverdi (per decorazioni natalizie).

greenback [ˈgriːnbæk] *s.* (*fam. amer.*) banconota americana.

greenery [ˈgriːnəri] *s.* vegetazione.

greenfinch [ˈgriːnfintʃ] *s.* (*zool.*) verdone.

greenfly [ˈgriːnflai] *s.* pidocchio delle piante.

greengage [ˈgriːnɡeidʒ] *s.* prugna Regina Claudia.

greengrocer [ˈgriːnˌɡrousə*] *s.* erbivendolo.

greengrocery [ˈgriːnˌɡrousəri] *s.* **1** frutta e verdura **2** negozio di erbivendolo.

greenhorn [ˈgriːnhɔːn] *s.* **1** pivello, inesperto **2** sciocco, credulone.

greenhouse [ˈgriːnhaus] *s.* serra.

greening [ˈgriːniŋ] *s.* varietà di mela verde.

greenish [ˈgriːniʃ] *agg.* verdognolo, verdastro.

Greenland [ˈgriːnlənd] *no.pr.* Groenlandia.

Greenlander [ˈgriːnləndə*] *s.* groenlandese.

greenly [ˈgriːnli] *avv.* in modo inesperto.

greenness [ˈgriːnnis] *s.* **1** (colore) verde **2** inesperienza, immaturità **3** vigore, vitalità.

greenroom [ˈgriːnrum] *s.* (*teatr.*) camerino.

greenwood [ˈgriːnwud] *s.* bosco frondoso.

to greet [ɡriːt] *v.tr.* salutare.

greeting [ˈɡriːtiŋ] *s.* saluto.

gregarious [ɡreˈɡɛəriəs] *agg.* **1** (*di animali*) gregario **2** socievole.

gregariously [ɡreˈɡɛəriəsli] *avv.* in gruppo.

gregariousness [ɡreˈɡɛəriəsnis] *s.* **1** (*di animali*) gregarismo **2** socievolezza.

grenade [ɡriˈneid] *s.* granata.

grenadier [ˌɡrenəˈdiə*] *s.* granatiere.

grenadine[1] [ˌɡrenəˈdiːn] *s.* pollo o vitello in gelatina.

grenadine[2] *s.* **1** organzino (tessuto) **2** granatina (sciroppo).

grew *pass.* di to **grow**.

grey [ɡrei] *agg.* **1** grigio // *— matter*, (*anat.*) materia grigia // — -*coat*, (*amer.*) soldato confederato // *to worry oneself* —, tormentarsi, affliggersi **2** tetro, deprimente ♦ *s.* **1** (*colore*) grigio **2** cavallo grigio.

to **grey** *v.tr.* rendere grigio ♦ *v.intr.* diventare grigio.

greyhound [ˈgreihaund] *s.* levriere.

greyish [ˈgreiiʃ] *agg.* grigiastro.

greylag [ˈgreilæg] *s.* oca selvatica.

greyness [ˈgreinis] *s.* grigiore.

grid [grid] *s.* **1** grata **2** quadrettatura (di carta geografica) **3** (*elettr.*) griglia.

griddle [ˈgridl] *s.* teglia piatta.

to **gride** [graid] *v.intr.* stridere, cigolare.

gridiron [ˈgrid,aiən] *s.* **1** graticola **2** (*ferr.*) scambi (*pl.*) **3** (*amer.*) campo da rugby.

grief [gri:f] *s.* dolore, afflizione // *to come to* —, finir male.

grievance [ˈgri:vəns] *s.* motivo di lagnanza; torto, ingiustizia.

to **grieve** [gri:v] *v.tr.* affliggere; addolorare ♦ *v.intr.* affliggersi, addolorarsi.

grievous [ˈgri:vəs] *agg.* **1** doloroso, penoso **2** deplorevole.

grievousness [ˈgri:vəsnis] *s.* **1** dolore **2** gravità.

griffin [ˈgrifin] *s.* (*mit.*) grifone.

griffon [ˈgrifən] *s.* (*zool.*) grifone.

grig [grig] *s.* **1** piccola anguilla **2** cavalletta.

grill [gril] *s.* **1** griglia, graticola **2** (*cuc.*) cibo cotto ai ferri **3** — (-*room*), tavola calda.

to **grill** *v.tr.* e *intr.* **1** (far) cuocere ai ferri **2** (*fig.*) abbrustolire // — *s.o.*, (*sl.*) mettere qlcu. sotto il torchio ♦ *v.intr.* abbrustolirsi, arrostirsi.

grillage [ˈgrilidʒ] *s.* (*edil.*) intelaiatura di fondazione.

grille [gril] *s.* grata, inferriata.

grim [grim] *agg.* **1** torvo, arcigno, truce **2** cupo, lugubre, tetro **3** (*fam.*) brutto, pessimo.

grimace [griˈmeis; (*amer.*) ˈgrimis] *s.* smorfia.

to **grimace** *v.intr.* fare smorfie.

grimalkin [griˈmælkin] *s.* vecchia gatta.

grime [graim] *s.* sudiciume, sporco.

griminess [ˈgraiminis] *s.* sporcizia, sudiciume.

grimly [ˈgrimli] *avv.* cupamente; trucemente; con accanimento.

grimness [ˈgrimnis] *s.* **1** severità **2** cupezza, aspetto sinistro.

grimy [ˈgraimi] *agg.* sudicio, lurido.

grin [grin] *s.* largo sorriso; ghigno, sogghigno.

to **grin** *v.intr.* fare un largo sorriso; sogghignare // *to* — *and bear it*, far buon viso a cattiva sorte ♦ *v.tr.* esprimere con un sorriso: *to* — *approbation*, sorridere in segno di approvazione.

grind [graind] *s.* **1** lavoro pesante e monotono; faticata, sfacchinata **2** (*fam.*) corso intensivo (in preparazione a un esame).

to **grind**, *pass.* e *p.pass.* **ground** [graund] *v.tr.* **1** macinare **2** (*tecn.*) molare; smerigliare; arrotare (lame) **3** girare (una manovella) **4** digrignare (i denti) **5** (*fam.*) inculcare **6** (*fam.*) preparare a un esame **7** *to* — (*down*), schiacciare (*anche fig.*) ♦ *v.intr.* **1** macinare **2** stridere **3** (*fig.*) sgobbare: *to* — *away at sthg.*, sgobbare su qlco.

grinder [ˈgraində*] *s.* **1** macina; macinino **2** (*tecn.*) mola **3** (*dente*) molare **4** arrotino **5** (*fam.*) sgobbone.

grindstone [ˈgraindstoun] *s.* macina, mola // *to hold* (o *to keep*) *one's nose to the* —, sgobbare senza posa.

grip [grip] *s.* **1** stretta, presa; (*fig.*) controllo: *to be at grips with*, essere alle prese con; *to have a good* — *of*

sthg., avere in pugno qlco.; conoscere qlco. a fondo; *to have a* — *on the audience*, far prese sull'uditorio **2** impugnatura **3** — (*sack*) (*amer.*) borsa da viaggio.

to **grip** *v.tr.* **1** afferrare (*anche fig.*) **2** (*fig.*) avvincere **3** far presa (su).

gripe [graip] *s.* **1** (*med.*) colica **2** (*sl.*) lamentela.

to **gripe** *v.tr.* provocare coliche (a) ♦ *v.intr.* **1** avere delle coliche **2** (*sl.*) brontolare.

grippe [grip] *s.* (*med.*) influenza.

grist [grist] *s.* **1** grano (da macinare) // *it's all — for the mill*, tutto fa brodo **2** malto tritato.

gristle [ˈgrisl] *s.* cartilagine.

gristly [ˈgrisli] *agg.* cartilaginoso.

grit [grit] *s.* **1** ghiaia; graniglia **2** (*fam.*) forza di carattere, fermezza **3** avena grezza; farina d'avena integrale.

to **grit** *v.tr.* digrignare, stringere (i denti) ♦ *v.intr.* grattare, stridere.

gritstone [ˈgritstoun] *s.* (*geol.*) arenaria.

gritty [ˈgriti] *agg.* ghiaioso; granuloso.

to **grizzle** [ˈgrizl] *v.intr.* (*fam.*) piagnucolare, frignare.

grizzled [ˈgrizld], **grizzly** [ˈgrizli] *agg.* grigio; brizzolato.

groan [groun] *s.* **1** gemito **2** mormorio (di disapprovazione).

to **groan** *v.intr.* gemere (*anche fig.*): *to* — *under sthg.*, gemere sotto il peso di qlco.

groaning [ˈgrounin] *agg.* lamentoso, gemente ♦ *s.* gemito.

groat [grout] *s.* (*st.*) moneta da quattro pence // *it is not worth a* —, non vale un soldo.

grocer [ˈgrousə*] *s.* droghiere.

grocery [ˈgrousəri] *s.* **1** drogheria **2** *pl.* generi di drogheria.

groggy [ˈgrɔgi] *agg.* (*fam.*) **1** barcollante, malfermo; brillo **2** (*di cose*) traballante.

grogram [ˈgrɔgrəm] *s.* gros-grain (tessuto).

groin [grɔin] *s.* **1** (*anat.*) inguine **2** (*arch.*) nervatura; costolone **3** (*amer.*) frangiflutti.

to **groin** *v.tr.* (*arch.*) fornire di nervature, costoloni // *groined vault*, volta composta.

groom [gru:m] *s.* **1** staffiere **2** gentiluomo di corte **3** sposo.

to **groom** *v.tr.* **1** governare, strigliare (cavalli) **2** ripulire: *well groomed*, ben curato // *to* — *oneself*, rassettarsi **3** addestrare, allenare.

groomsman, *pl.* **groomsmen** [ˈgru:mzmən] *s.* testimone dello sposo.

groove [gru:v] *s.* solco; scanalatura; rigatura (di bocca da fuoco) // *to get into a* —, fossilizzarsi // *in the* —, (*sl.*) in forma, in vena.

to **groove** *v.tr.* scanalare; scavare, incavare.

groovy [ˈgru:vi] *agg.* (*sl.*) perfettamente in tono con l'ultima moda; attualissimo.

to **grope** [group] *v.intr.* e *tr.* brancolare (*anche fig.*), andare a tastoni: *to* — *for sthg.*, cercare qlco. a tastoni // *to* — *one's way*, andare avanti a tastoni.

gropingly [ˈgroupinli] *avv.* a tastoni, alla cieca.

grosbeak [ˈgrousbi:k] *s.* (*zool.*) frosone.

gross [grous] *agg.* **1** grosso, massiccio **2** grossolano; volgare: — *error*, errore grossolano // — *negligence*, (*dir.*) negligenza colpevole **3** (*comm.*) lordo ♦ *s.* (*solo sing.*) massa; grosso // *by the* —, (*comm.*) all'ingrosso.

grossness [ˈgrousnis] *s.* **1** grossolanità; volgarità **2** enormità.

grotesque [grouˈtesk] *agg.* grottesco; bizzarro ♦ *s.* **1** grottesco **2** cosa, persona grottesca.

grotesqueness [grou'tesknis] *s.* aspetto, elemento grottesco.

grotto ['grɔtou], *pl.* **grottoes** ['grɔtouz] *s.* grotta.

grotty ['grɔti] *agg.* (*fam.*) schifoso; da cani: *I felt —*, stavo da cani.

grouch [grautʃ] *s.* **1** (*fam.*) malumore, broncio **2** (*amer.*) brontolone.

to grouch *v.intr.* (*fam.*) brontolare.

ground[1] [graund] *s.* **1** terra, suolo; terreno: *to till the —*, coltivare la terra; *to break fresh* (o *new*) *—*, cominciare a coltivare un terreno; (*fig.*) aprire la strada // *to gain, to lose —*, guadagnare, perdere terreno // *to keep one's —*, tener duro // *common —*, (*fig.*) punti in comune // *down to the —*, (*fam.*) perfettamente: *that jacket suits you down to the —*, quella giacca ti sta a pennello // *— rent*, affitto di terreni // *— staff*, (*aer.*) personale addetto ai servizi a terra **2** (*sport*) campo, terreno da gioco: *sports grounds*, campi sportivi **3** fondo (di mare, corsi d'acqua) **4** sfondo (di disegno) **5** *pl.* parchi, giardini (di una proprietà) **6** *pl.* fondi (di caffè ecc.) **7** (*spec.pl.*) base; motivo, ragione: *grounds for complaint*, motivi di lagnanza; *on personal grounds*, per motivi personali // *on the — of*, in base a; col pretesto di.

to ground[1] *v.tr.* **1** posare a terra **2** (*fig.*) fondare, basare **3** dare (a qlcu.) le basi, i primi elementi (di una disciplina) **4** (*elettr.*) mettere a terra **5** trattenere a terra (aereo, pilota ecc.) ♦ *v.intr.* arenarsi, incagliarsi.

ground[2] *pass.* e *p.pass.* di to **grind** ♦ *agg.* **1** macinato **2** molato; smerigliato.

grounding ['graundiŋ] *s.* **1** (*elettr.*) messa a terra **2** (*pitt.*) imprimitura **3** (*fig.*) base, fondamenti (*pl.*).

groundless ['graundlis] *agg.* infondato.

groundlessness ['graundlisnis] *s.* infondatezza.

groundling ['graundliŋ] *s.* **1** (*st.teatr.*) pubblico rozzo (che occupava la platea) **2** pesce che vive sul fondo.

ground plan ['graund'plæn] *s.* **1** (*arch.*) platea **2** (*fig.*) linee principali, schema essenziale.

groundsheet ['graund'ʃi:t] *s.* telone impermeabile (da stendere in terra).

groundsman, *pl.* **groundsmen** ['graundzmən] *s.* custode di campi sportivi.

ground swell ['graund'swel] *s.* mareggiata.

groundwork ['graundwə:k] *s.* **1** schema, piano **2** (*pitt.*) sfondo.

group [gru:p] *s.* gruppo // *— item*, (*informatica*) elemento di gruppo; (*IBM*) dato composto // *— captain*, colonnello d'aviazione (in Gran Bretagna).

to group *v.tr.* raggruppare ♦ *v.intr.* raggrupparsi.

groupie ['gru:pi] *s.* (*sl.*) ragazza che segue un gruppo pop nei suoi spostamenti.

grouping ['gru:piŋ] *s.* raggruppamento.

grouse[1] [graus] *s.* (*pl. invar.*) gallo cedrone, urogallo.

grouse[2] *s.* (*fam.*) brontolio, borbottio.

to grouse[2] *v.intr.* (*fam.*) brontolare, borbottare: *to — at s.o.*, brontolare contro qlcu.

grout [graut] *s.* malta liquida.

to grout *v.tr.* (*edil.*) legare, cementare.

grove [grouv] *s.* boschetto.

to grovel ['grɔvl] *v.intr.* strisciare (*anche fig.*): *to — before* (o *to*) *s.o.*, strisciare davanti a qlcu.

groveller ['grɔvlə*] *s.* leccapiedi, adulatore.

grovelling ['grɔvliŋ] *agg.* strisciante; abietto, meschino.

to grow [grou], *pass.* **grew** [gru:], *p.pass.* **grown** [groun] *v.intr.* **1** crescere; aumentare // *to — in wisdom, in experience*, acquistare maggiore saggezza, esperienza //

you have grown out of that coat, quella giacca è diventata troppo piccola per te // *to — out of a bad habit*, perdere un vizio **2** diventare: *to — old*, invecchiare; *to — pale*, impallidire **3** *to — on* (*s.o.*), (*fig.*) impadronirsi di (qlcu.); avvincere (qlcu.); venire a piacere **4** *to — in*, incarnire (di unghia) **5** *to — up*, diventare adulto ♦ *v.tr.* **1** coltivare **2** far(si) crescere: *to — a beard*, farsi crescere la barba.

grower ['grouə*] *s.* coltivatore.

growl [graul] *s.* grugnito; ringhio.

to growl *v.intr.* ringhiare; grugnire, borbottare ♦ *v.tr.* esprimere con un grugnito: *to — one's disapproval*, emettere un grugnito di disapprovazione.

growler ['graulə*] *s.* brontolone.

grown *p.pass.* di to **grow**.

grown-up ['grounʌp] *agg.* e *s.* adulto.

growth [grouθ] *s.* **1** crescita; aumento, sviluppo: *to reach full —*, raggiungere il completo sviluppo **2** (*med.*) escrescenza.

groyne [grɔin] *s.* frangiflutti.

grub [grʌb] *s.* **1** larva, verme **2** (*fig.*) tirapiedi, schiavo **3** (*fam.*) cibarie (*pl.*) **4** (*scherz.*) porcellino, sudicione.

to grub *v.tr.* **1** scavare; sarchiare **2** *to — out, up*, estirpare; (*fig.*) estrarre, tirar fuori **3** (*fam.*) nutrire ♦ *v.intr.* **1** sarchiare **2** sgobbare // *to — along*, (*fig.*) tirare avanti.

to grubble ['grʌbl] *v.tr.* → to **grabble**.

grubby ['grʌbi] *agg.* **1** sporco, sudicio **2** pieno di vermi.

Grub street ['grʌb,stri:t] *s.* scrittorucoli (*pl.*), imbrattacarte (*pl.*) ♦ *agg.* (*spreg.*) da poco.

grudge [grʌdʒ] *s.* malanimo; rancore: *to have* (o *bear*) *a — against s.o.*, nutrire rancore contro qlcu.

to grudge *v.tr.* **1** dare malvolentieri **2** essere invidioso (di), essere maldisposto (verso).

grudging ['grʌdʒiŋ] *agg.* **1** dato malvolentieri **2** maldisposto **3** avaro.

grudgingly ['grʌdʒiŋli] *avv.* malvolentieri.

gruel [gruəl] *s.* **1** farinata semiliquida d'avena **2** (*fam.*) punizione.

gruelling ['gruəliŋ] *agg.* (*fam.*) estenuante ♦ *s.* (*fam.*) severa punizione.

gruesome ['gru:səm] *agg.* raccapricciante; macabro.

gruff [grʌf] *agg.* **1** burbero; arcigno **2** (*di voce*) aspro; rauco.

gruffness ['grʌfnis] *s.* **1** ruvidezza di maniere; sgarbatezza **2** asprezza (di voce).

grumble ['grʌmbl] *s.* lagnanza; brontolio, borbottio.

to grumble *v.intr.* **1** lagnarsi **2** brontolare, borbottare.

grumbler ['grʌmblə*] *s.* brontolone.

grumbling ['grʌmbliŋ] *agg.* **1** lagnoso; brontolone **2** (*di dolore*) fastidioso.

grumpily ['grʌmpili] *avv.* bruscamente; scontrosamente; col broncio.

grumpiness ['grʌmpinis] *s.* irritabilità, scontrosità; sgarbatezza.

grumpy ['grʌmpi] *agg.* irritabile, brusco; scontroso; imbronciato.

grunt [grʌnt] *s.* grugnito (*anche fig.*).

to grunt *v.tr.* e *intr.* grugnire (*anche fig.*).

Gruyère ['gru:jɛə*] *s.* groviera.

gryphon ['grifən] *s.* → **griffin**.

g-string ['dʒi:,striŋ] *s.* «cache-sex» (per spogliarelliste, ballerine).

G-suit [ˈdʒiː,sjuːt] *s.* tuta pressurizzata (per aviatori).

guana [ˈgwɑːnə] *s.* (*zool.*) iguana.

guano [ˈgwɑːnou] *s.* guano.

guarantee [,gærənˈtiː] *s.* garanzia; cauzione; garante.

to guarantee *v.tr.* garantire, farsi garante (per).

guarantor [,gærənˈtɔː*] *s.* garante.

guaranty [ˈgærənti] *s.* malleveria; cauzione.

guard [gɑːd] *s.* 1 guardia; sentinella: *to be on —*, essere di guardia; *to come off —*, smontare di guardia; *to mount —*, montare di guardia; *to keep —*, fare la guardia; *to relieve —*, dare il cambio della guardia; *to be on one's —*, stare in guardia 2 scorta 3 capotreno 4 custodia; protezione; riparo // *— -ring*, ferma anello // *the — of a sword*, guardamano, guardia di una spada.

to guard *v.tr.* difendere, proteggere; custodire, sorvegliare; scortare ♦ *v.intr.* stare in guardia; stare di sentinella: *to — against*, mettersi in guardia contro.

guarded [ˈgɑːdid] *agg.* 1 scortato; protetto 2 prudente; discreto.

guardedly [ˈgɑːdidli] *avv.* prudentemente; discretamente.

guardedness [ˈgɑːdidnis] *s.* prudenza; discrezione.

guardhouse [ˈgɑːdhaus] *s.* (*mil.*) guardina.

guardian [ˈgɑːdjən] *agg.* tutelare // *— angel*, angelo custode ♦ *s.* 1 guardiano 2 (*dir.*) tutore; curatore.

guardianship [ˈgɑːdjənʃip] *s.* (*dir.*) tutela; protezione; cura.

guardrail [ˈgɑːdreil] *s.* 1 (*ferr.*) controrotaia 2 ringhiera.

guardroom [ˈgɑːdrum] → **guardhouse**.

guardsman, *pl.* **guardsmen** [ˈgɑːdzmən] *s.* membro dei reggimenti della Guardia.

Guatemala [,gwætiˈmɑːlə] *no.pr.* Guatemala.

gubernatorial [,guːbənəˈtɔːriəl] *agg.* governatoriale.

gudgeon[1] *s.* (*zool.*) 1 (*zool.*) gobione 2 (*fig.*) credulone.

gudgeon[2] *s.* (*mecc.*) stantuffo; perno di stantuffo.

Guelf, Guelph [gwelf] *s.* (*st.*) guelfo.

Guelfic, Guelphic [ˈgwelfik] *agg.* (*st.*) guelfo.

guerdon [ˈgəːdən] *s.* ricompensa.

guer(r)illa [gəˈrilə] *s.* 1 guerriglia 2 guerrigliero.

guess [ges] *s.* congettura: *at a —*, a lume di naso; *to give* (o *to have* o *to make*) *a —*, azzardare un'ipotesi // *I guessed as much*, me l'aspettavo.

to guess *v.tr.* 1 congetturare, fare supposizioni // *to keep s.o. guessing*, tenere qlcu. nel dubbio 2 indovinare 3 (*amer.*) credere, supporre ♦ *v.intr.* tirare a indovinare.

guesswork [ˈgeswəːk] *s.* 1 congettura 2 conclusione arbitraria.

guest [gest] *s.* ospite; invitato // *paying —*, pensionante; ospite pagante.

guesthouse [ˈgesthaus] *s.* casa privata adibita a pensione.

guestnight [ˈgestnait] *s.* serata in onore di ospiti particolari.

guff [gʌf] *s.* (*fam.*) imbroglio; sciocchezze (*pl.*).

guffaw [gʌˈfɔː] *s.* sghignazzata.

to guffaw *v.intr.* sghignazzare.

Guiana [gaiˈænə] *no.pr.* Guiana.

Guianese [,gaiəˈniːz] *agg.* e *s.* (abitante) della Guiana.

guidance [ˈgaidəns] *s.* 1 guida 2 indicazione, istruzione.

guide [gaid] *s.* guida: *let his behaviour be a — to you*, che la sua condotta ti sia di esempio.

to guide *v.tr.* guidare; dirigere; controllare.

guidebook [ˈgaidbuk] *s.* guida turistica.

guidelines [ˈgaidlainz] *s.pl.* punti essenziali; istruzioni; indicazioni; traccia (*sing.*).

guide-post [ˈgaidpoust] *s.* indicatore stradale.

guild [gild] *s.* (*st.*) gilda; corporazione.

guildhall [ˈgildhɔːl] *s.* 1 sede, palazzo delle corporazioni 2 palazzo municipale.

guile [gail] *s.* astuzia; falsità.

guileful [ˈgailful] *agg.* astuto; falso.

guileless [ˈgaillis] *agg.* innocente; schietto.

guillotine [,giləˈtiːn] *s.* 1 ghigliottina 2 taglierina 3 (*pol. inglese*) «guillotine», chiusura della discussione (in Parlamento).

to guillotine *v.tr.* 1 ghigliottinare 2 tranciare con taglierina 3 (*pol. inglese*) chiudere la discussione in Parlamento, con il sistema «guillotine».

guilt [gilt] *s.* colpa.

guiltily [ˈgiltili] *avv.* con aria colpevole.

guiltiness [ˈgiltinis] *s.* colpevolezza.

guiltless [ˈgiltlis] *agg.* innocente.

guiltlessness [ˈgiltlisnis] *s.* innocenza.

guilty [ˈgilti] *agg.* colpevole // *a — conscience*, una coscienza sporca.

Guinea [ˈgini] *no.pr.* Guinea // **guinea** *s.* ghinea.

guinea fowl [ˈginifaul] *s.* faraona.

guinea pig [ˈginipig] *s.* porcellino d'India; cavia.

guise [gaiz] *s.* 1 foggia, guisa 2 travestimento, maschera 3 apparenza.

guitar [giˈtɑː*] *s.* chitarra.

guitarist [giˈtɑːrist] *s.* chitarrista.

gulch [gʌlʃ] *s.* (*amer.*) gola, burrone.

gules [gjuːlz] *agg.* e *s.* (*arald.*) (color) rosso.

gulf [gʌlf] *s.* 1 golfo // *Gulf Stream*, Corrente del Golfo 2 gorgo 3 abisso (*anche fig.*).

gull[1] *s.* [gʌl] *s.* gabbiano.

gull[2] *s.* credulone; sciocco.

to gull[2] *v.tr.* darla a bere (a), truffare.

gullet [ˈgʌlit] *s.* esofago.

gullibility [,gʌliˈbiliti] *s.* credulità.

gullible [ˈgʌləbl] *agg.* credulone.

gully [ˈgʌli] *s.* 1 gola 2 condotto di scolo.

to gully *v.tr.* scavare gole.

gulp [gʌlp] *s.* 1 l'ingoiare 2 boccone; sorso: *to empty a glass at one —*, vuotare un bicchiere d'un fiato.

to gulp *v.tr.* ingoiare (*anche fig.*); trangugiare: *to — (down) a medicine*, tranguggiare una medicina ♦ *v.intr.* deglutire (a fatica).

gum[1] [gʌm] *s.* gengiva.

gum[2] *s.* 1 gomma 2 cispa.

to gum[2] *v.tr.* ingommare ♦ *v.intr.* secernere gomma.

gumboil [ˈgʌmbɔil] *s.* ascesso alle gengive.

gumboots [ˈgʌmbuːts] *s.* stivale, stivaloni di gomma; calosce.

gumma [ˈgʌmə] *s.* (*med.*) gomma.

gummy [ˈgʌmi] *agg.* gommoso; appiccicoso.

gumption [ˈgʌmpʃən] *s.* (*fam.*) buonsenso; iniziativa; grinta.

gumshoe [ˈgʌmʃuː] *s.* (*amer.*) 1 scarpa, soprascarpa di gomma 2 (*fam.*) detective.

gum tree [ˈgʌmtriː] *s.* albero della gomma // *to be up the —*, (*sl.*) essere in difficoltà.

gun [gʌn] *s.* 1 cannone, pezzo di artiglieria // *a big —*, (*fig. fam.*) un pezzo grosso // *sure as a —*, sicuro come due più due fa quattro // *to blow great guns*, (*fig.*) soffiare forte (del vento) // *to stick to one's guns*, (*fam.*)

tener duro (*anche fig.*) **2** (*fam.*) arma da fuoco; fucile; revolver; pistola: *single-barrelled, double-barrelled* —, fucile a una, due canne **3** colpo (di arma da fuoco) **4** cacciatore.

to gun *v.tr.* sparare ♦ *v.intr.* andare a caccia col fucile.

gun-barrel [ˈgʌn,bærəl] *s.* canna (d'arma da fuoco).

gunboat [ˈgʌnbout] *s.* cannoniera.

guncarriage [ˈgʌn,kærɪdʒ] *s.* affusto di cannone.

guncotton [ˈgʌn,kɔtn] *s.* fulmicotone.

gundog [ˈgʌndɔg] *s.* cane da riporto.

gunfire [ˈgʌn,faɪə*] *s.* sparatoria; cannoneggiamento.

gunman, *pl.* **gunmen** [ˈgʌnmən] *s.* (*sl. amer.*) bandito armato.

gunmetal [ˈgʌn,metl] *s.* bronzo per cannoni.

gunnage [ˈgʌnidʒ] *s.* numero di cannoni in dotazione a una nave da guerra.

gunner [ˈgʌnə*] *s.* artigliere; cannoniere.

gunnery [ˈgʌnəri] *s.* arte di costruire, maneggiare, disporre cannoni.

gunpoint [ˈgʌnpoint] *s.*: *at* —, sotto la minaccia delle armi.

gunpowder [ˈgʌn,paudə*] *s.* polvere da sparo // *the Gunpowder Plot*, (*st.*) la Congiura delle Polveri.

gunroom [ˈgʌnru:m] *s.* armeria; (*mar.*) quadrato dei subalterni.

gunrunner [ˈgʌnrʌnə*] *s.* contrabbandiere d'armi.

gunshot [ˈgʌnʃɔt] *s.* **1** colpo (di arma da fuoco) **2** (*di arma da fuoco*) gittata, tiro // *within* —, a un tiro di schioppo.

gunshy [ˈgʌnʃai] *agg.* timoroso degli spari.

gunsmith [ˈgʌnsmiθ] *s.* armaiolo.

gun-stock [ˈgʌnstɔk] *s.* fusto del fucile.

gup [gʌp] *s.* (*fam.*) pettegolezzo; sciocchezze (*pl.*).

gurgitation [,gə:dʒiˈteiʃən] *s.* rigurgito.

gurgle [ˈgə:gl] *s.* gorgoglio.

to gurgle *v.intr.* gorgogliare.

guru [ˈguru:] *s.* **1** guru **2** *pl.* esperti, cervelloni.

gush [gʌʃ] *s.* getto; fiotto.

to gush *v.intr.* **1** sgorgare **2** (*fig.*) ciarlare; entusiasmarsi, intenerirsi stupidamente ♦ *v.tr.* emettere a fiotti.

gusher [ˈgʌʃə*] *s.* **1** persona espansiva **2** pozzo di petrolio ad eruzione spontanea.

gushing [ˈgʌʃin] *agg.* **1** zampillante **2** eccessivamente espansivo; soffocante.

gusset [ˈgʌsit] *s.* gherone.

gust [gʌst] *s.* **1** colpo di vento, raffica **2** (*fig.*) impeto, scoppio (di passione, di collera).

gustative [ˈgʌstətiv], **gustatory** [ˈgʌstətəri] *agg.* gustativo.

gusto [ˈgʌstou] *s.* piacere; slancio, entusiasmo.

gusty [ˈgʌsti] *agg.* **1** a raffiche **2** a slanci.

gut [gʌt] *s.* **1** *pl.* budella, intestini **2** *pl.* (*fam.*) coraggio (*sing.*) **3** minugia (*pl.*).

to gut *v.tr.* sventrare (*anche fig.*).

gutsy [ˈgʌtsi] *agg.* (*fam.*) coraggioso, che ha del fegato.

gutter [ˈgʌtə*] *s.* **1** rigagnolo; cunetta **2** grondaia **3** (*fig.*) la strada, i bassifondi (*pl.*): — *press*, stampa scandalistica.

to gutter *v.tr.* scanalare; canalizzare, di grondaie ♦ *v.intr.* bruciare male, irregolarmente (di candela ecc.).

guttersnipe [ˈgʌtəsnaip] *s.* monello.

guttural [ˈgʌtərəl] *agg.* e *s.* gutturale.

guy[1] [gai] *s.* tirante.

to guy[1] *v.tr.* assicurare con una fune.

guy[2] *s.* **1** fantoccio di Guy Fawkes **2** spauracchio; persona vestita grottescamente **3** (*fam.*) tipo, individuo.

to guy[2] *v.tr.* mettere in ridicolo.

to guzzle [ˈgʌzl] *v.tr.* e *intr.* rimpinzarsi (di).

guzzler [ˈgʌzlə*] *s.* crapulone.

gym [dʒim] *s.* (*fam.*) *abbr.* di **gymnasium**.

gymkhana [dʒimˈkɑ:nə] *s.* riunione sportiva.

gymnasium [dʒimˈneizjəm] *s.* palestra.

gymnast [ˈdʒimnæst] *s.* ginnasta.

gymnastic [dʒimˈnæstik] *agg.* ginnico.

gymnastics [dʒimˈnæstiks] *s.* ginnastica.

gymnotus [dʒimˈnoutəs] *s.* (*zool.*) gimnoto.

gynaecological [,gainikəˈlɔdʒikəl] *agg.* ginecologico.

gynaecologist [,gainiˈkɔlədʒist] *s.* ginecologo.

gynaecology [,gainiˈkɔlədʒi] *s.* ginecologia.

gypsum [ˈdʒipsəm] *s.* (*min.*) (pietra da) gesso.

gypsy *agg.* e *s.* → **gipsy**.

to gyrate [,dʒaiəˈreit] *v.intr.* ruotare, turbinare.

gyration [,dʒaiəˈreiʃən] *s.* vortice, rotazione.

gyratory [ˈdʒaiərətəri] *agg.* rotatorio.

gyre [ˈdʒaiə*] *s.* rotazione; rotazione a spirale.

gyroscope [ˈgaiərəskoup] *s.* (*mecc.*) giroscopio.

gyrose [ˈdʒaiərous] *agg.* ondulato.

gyve [dʒaiv] *s.* (*gener. pl.*) catene (*pl.*); manette (*pl.*).

to gyve *v.tr.* incatenare; ammanettare.

H

h [eitʃ], *pl.* **hs**, **h's** [ˈeitʃiz] *s.* h: *to drop one's* —*'s*, non aspirare l'h // — *for Harry*, (*tel.*) h come hotel.

ha [hɑ:] *inter.* ah!

haberdasher [ˈhæbədæʃə*] *s.* merciaio.

haberdashery [ˈhæbədæʃəri] *s.* merceria.

habergeon [ˈhæbədʒən] *s.* usbergo.

habit [ˈhæbit] *s.* **1** abitudine: *out of* —, per abitudine; *to break oneself of a* —, vincere un'abitudine; *to fall into bad habits*, prendere cattive abitudini **2** temperamento; costituzione // — *of mind*, abito mentale **3** abito.

habitable [ˈhæbitəbl] *agg.* abitabile.

habitant [ˈhæbitənt] *s.* abitante.

habitat [ˈhæbitæt] *s.* habitat.

habitation [,hæbiˈteiʃən] *s.* abitazione; dimora: *fit for* —, abitabile.

habitual [həˈbitjuəl] *agg.* abituale.

to habituate [həˈbitjueit] *v.tr.* abituare.

habitude [ˈhæbitju:d] *s.* **1** abitudine **2** abito mentale **3** costituzione fisica.

hack[1] [hæk] *s.* **1** tacca; ferita; taglio **2** calcio (negli stinchi) **3** piccone; zappa; mazza.

to **hack**[1] *v.tr.* **1** fare a pezzi; rompere; tagliare **2** *to* — *s.o.* ('s *shins*), prendere qlcu. a calci negli stinchi.

hack[2] *s.* **1** cavallo (da nolo); ronzino **2** persona sfruttata nel lavoro; mestierante (di scrittore), imbrattacarte.

to **hack**[2] *v.tr.* **1** noleggiare (cavalli) **2** impiegare come scribacchino, come «negro» ♦ *v.intr.* cavalcare; andare al piccolo trotto.

hacking ['hækiŋ] *agg.* (*di tosse*) secca.

hackle ['hækl] *s.* **1** penne lunghe del collo (di gallo, uccello ecc.) // *to get s.o.'s hackles up*, (*fig.*) inalberarsi **2** mosca artificiale (per la pesca) **3** pettine (per cardare).

hackney ['hækni] *s.* cavallo da nolo.

hackney carriage ['hækni'kæridʒ] *s.* vettura da nolo.

hackneyed ['hæknid] *agg.* trito, comune.

hackwork ['hækwə:k] *s.* lavoro pesante e noioso.

had *pass.* e *p.pass.* di to **have**.

haddock ['hædək] *s.* (*zool.*) varietà di merluzzo.

hadn't ['hædnt] *contr. di* had not.

haemal ['hi:məl] *agg.* (*anat.*) del sangue.

haematic [hi'mætik] *agg.* ematico.

haematite ['hemətait] *s.* (*min.*) ematite.

haematoma [,hi:mə'toumə] *s.* (*med.*) ematoma.

haemo- ['hi:mou] *pref.* emo-.

haemoglobin [,hi:mou'gloubin] *s.* (*anat.*) emoglobina.

haemophilia [,hi:mou'filiə] *s.* (*med.*) emofilia.

haemoptysis [hi:'mɔptisis] *s.* (*med.*) emottisi.

haemorrhage ['hemərid ʒ] *s.* (*med.*) emorragia.

haemorrhoids ['hemərɔidz] *s.pl.* (*med.*) emorroidi.

haemostatic [,hi:mou'stætik] *agg.* e *s.* (*med.*) emostatico.

hafnium ['hæfniəm] *s.* (*chim.*) afnio.

haft [ha:ft] *s.* impugnatura, elsa.

to **haft** *v.tr.* fornire di impugnatura.

hag [hæg] *s.* strega; megera.

hagfish ['hægfiʃ] *s.* (*zool.*) lampreda.

haggard ['hægəd] *agg.* **1** disfatto, stravolto **2** emaciato ♦ *s.* falco non addomesticato.

haggardness ['hægədnis] *s.* selvatichezza.

haggish ['hægiʃ] *agg.* di, da strega.

to **haggle** ['hægl] *v.intr.* discutere sul prezzo.

hagiographer [,hægi'ɔgrəfə*] *s.* agiografo.

hagiography [,hægi'ɔgrəfi] *s.* agiografia.

hag-ridden ['hæg,ridn] *agg.* tormentato da incubi; ossessionato.

Hague, the [heig] *no.pr.* l'Aia.

hah [ha:] *inter.* ah!

haik [haik] *s.* barracano.

hail[1] [heil] *s.* grandine.

to **hail**[1] *v.intr.* grandinare ♦ *v.tr.* far grandinare.

hail[2] *s.* segno di saluto // *within* —, a portata di voce.

to **hail**[2] *v.tr.* salutare; chiamare: *to* — *a taxi*, chiamare un tassì che passa ♦ *v.intr.*: *to* — *from* (*a place*), venire da.

hail[3] *inter.* (*arc.*) salve!, ave!

Hail Mary ['heilmɛəri] *s.* Ave Maria.

hailstone ['heilstoun] *s.* chicco di grandine.

hailstorm ['heilstɔ:m] *s.* grandinata.

hair [hɛə*] *s.* **1** (*gener. solo sing.*) capelli (*pl.*), capigliatura, chioma: *to put one's* — *up*, raccogliere i capelli; *to do one's* —, pettinarsi, mettersi in ordine i capelli // *to get in s.o.'s* —, (*sl.*) irritare, molestare qlcu. // *to let one's* — *down*, (*sl.*) lasciarsi andare // *to keep one's* — *on*, (*sl.*) mantenersi calmi // *to make s.o.'s* — *curl*, sbalordire, scioccare qlcu.; *to make s.o.'s* — *stand on end*,

far drizzare i capelli a qlcu. **2** capello // *to a* —, esattamente // *not to turn a* —, restare impassibile // *to split hairs*, spaccare un capello in quattro **3** pelo (di piante, uomini); pelame (di animali); crine // — *remover*, depilatore.

haircloth ['hɛəklɔθ] *s.* tessuto di crine.

haircut ['hɛəkʌt] *s.* taglio (di capelli).

hairdo ['hɛədu:] *s.* (*fam.*) acconciatura.

hairdresser ['hɛə,dresə*] *s.* parrucchiere.

hairdressing ['hɛə,dresiŋ] *s.* **1** arte del parrucchiere **2** pettinatura.

hairdryer ['hɛə,draiə*] *s.* asciugacapelli.

hairiness ['hɛərinis] *s.* pelosità; aspetto irsuto.

hairline ['hɛəlain] *s.* **1** linea sottilissima **2** lenza **3** attaccatura dei capelli.

hairnet ['hɛənet] *s.* retina (per capelli).

hairpin ['hɛəpin] *s.* forcina // — *bend*, curva a U.

hair-raising ['hɛə,reiziŋ] *agg.* raccapricciante; da far rizzare i capelli.

hair-setting ['hɛə'setiŋ] *s.* messa in piega.

hair slide ['hɛəslaid] *s.* ferma capelli.

hair-splitting ['hɛə,splitiŋ] *agg.* bizantino, pignolo ♦ *s.* bizantinismo, pignoleria.

hairy ['hɛəri] *agg.* **1** che ha molti capelli; peloso **2** (*fam.*) pericoloso, rischioso.

hake [heik] *s.* (*zool.*) nasello.

halberd ['hælbə(:)d] *s.* alabarda.

halberdier [,hælbə(:)'diə*] *s.* alabardiere.

halcyon ['hælsiən] *agg.* calmo: — *days*, giorni calmi e sereni ♦ *s.* (*zool.*) alcione, martin pescatore.

hale[1] [heil] *agg.* robusto, gagliardo; sano.

to **hale**[2] *v.tr.* trascinare (*anche fig.*).

half [ha:f] *agg.* mezzo.

half, *pl.* **halves** [ha:vz] *s.* metà, mezzo: *two and a* —, due e mezzo; — *past ten*, (*amer.*) — *after ten*, le dieci e mezzo; — *an hour*, mezz'ora // *the first*, *second* —, (*sport*) primo tempo, secondo tempo // *my better* —, (*scherz.*) la mia metà // *to do things by halves*, far le cose a metà // *to go halves*, fare a metà.

half *avv.* mezzo, a mezzo, a metà; quasi // — *as much* (o *as many*) *again*, un 50% in più // *I don't* — *like it*, mi piace moltissimo // *not* — *bad*, molto buono // *not* —*!*, eccome!

half adjust ['ha:fə'dʒʌst] *s.* (*informatica*) arrotondamento.

half-and-half ['ha:fənd'ha:f] *s.* metà e metà ♦ *agg.* e *avv.* mezzo e mezzo.

halfback ['ha:f'bæk] *s.* (*calcio*) mediano.

half-blood ['ha:fblʌd] *s.* consanguineità.

half-bound ['ha:f'baund] *agg.* rilegato in mezza pelle.

half-bred ['ha:fbred] *agg.* **1** meticcio **2** di scarsa cultura **3** maleducato.

half-breed ['ha:fbri:d] *s.* e *agg.* meticcio.

half-brother ['ha:f,brʌðə*] *s.* fratellastro.

half-caste ['ha:fka:st] *s.* e *agg.* meticcio.

half crown ['ha:f'kraun] *s.* mezza corona.

half-hearted ['ha:f'ha:tid] *agg.* indifferente, apatico.

half-length ['ha:f'leŋθ] *agg.* e *s.* (ritratto) a mezzo busto.

half-mast ['ha:f'ma:st] *s.*: *at* —, a mezz'asta (di bandiera).

half-pace ['ha:f'peis] *s.* pianerottolo.

halfpenny ['heipni, (*amer.*) 'ha:fpeni] *s.* (moneta da) mezzo penny.

half pulse ['ha:f'pʌls] *s.* (*informatica*) semi-impulso.

half-seas-over ['ha:f'si:z'ouvə*] *agg.* (*sl.*) brillo.

half-sister ['ha:f,sistə*] *s.* sorellastra.

half time [ˈhɑːfˈtaim] s. **1** orario ridotto **2** (sport) intervallo (tra due tempi).

half tone [ˈhɑːftoun] s. (mus.) semitono.

half-truth [ˈhɑːftruːθ] s. affermazione esatta solo in parte.

halfway [ˈhɑːfˈwei] agg. e avv. a mezza strada.

half-wit [ˈhɑːfˈwit] s. idiota.

half-witted [ˈhɑːfˈwitid] agg. idiota.

halibut [ˈhælibət] s. passera di mare.

hall [hɔːl] s. **1** sala, salone **2** grande edificio, palazzo // City, Town Hall, Municipio **3** atrio, anticamera, corridoio (d'ingresso).

halleluiah, hallelujah [ˌhæliˈluːjə] s. e inter. alleluia.

hallmark [ˈhɔːlˈmɑːk] s. marchio di garanzia su oggetti d'oro e d'argento.

hallo(a) [həˈlou] inter. (fam.) ciao!; (al telefono) pronto!

to **halloo** [həˈluː] v.tr. gridare; incitare; aizzare ♦ v.intr.: to — to s.o., chiamare qlcu. a gran voce.

to **hallow** [ˈhælou] v.tr. **1** santificare **2** consacrare **3** venerare.

Halloween [ˌhælouˈiːn] s. vigilia d'Ognissanti.

to **hallucinate** [həˈluːsineit] v.tr. allucinare.

hallucination [həˌluːsiˈneiʃən] s. allucinazione.

hallucinogen [ˌhəluːˈsinədʒen] s. allucinogeno.

hallucinogenic [həˌluːsinəˈdʒenik] agg. allucinogeno.

hallway [ˈhɔːlwei] s. vestibolo; corridoio.

halo [ˈheilou], pl. **haloes** [ˈheilouz] s. alone; aureola.

to **halo** v.tr. circondare di un'aureola, di un alone.

to **halt**[1] [hɔːlt] v.intr. (arc.) **1** procedere esitando; zoppicare **2** esitare; parlare esitando.

halt[2] s. sosta, fermata: to come to a —, fermarsi.

to **halt**[2] v.tr. **1** fermare; arrestare, interrompere **2** (mil.) far fare tappa (a) ♦ v.intr. fermarsi.

halter [ˈhɔːltə*] s. **1** capestro **2** cavezza **3** — neck (line), profonda scollatura sul dorso (di abito femminile).

to **halve** [hɑːv] v.tr. dividere, ridurre a metà.

ham [hæm] s. **1** prosciutto **2** (anat.) parte posteriore della coscia; (pl.) natiche **3** (fam.) gigione; attore dilettante **4** radioamatore.

to **ham** v.tr. (fam.) (di attore) esagerare (la parte) ♦ v.intr. (fam.) fare il gigione.

Ham no.pr.m. (Bibbia) Cam.

Hamburg [ˈhæmbəːg] no.pr. Amburgo.

hamburger [ˈhæmbəːgə*] s. svizzera, bistecca di carne trita.

ham-fisted [ˌhæmˈfistid] agg. (fam.) maldestro, con le mani di pastafrolla.

Hamitic [hæˈmitik] agg. camitico.

hamlet [ˈhæmlit] s. (piccolo) villaggio.

Hamlet no.pr.m. Amleto.

hammer [ˈhæmə*] s. **1** martello; maglio // throwing the —, (sport) lancio del martello // to come under the —, essere venduto all'asta // to go at it — and tongs, dedicarsi a un lavoro con energia; litigare violentemente **2** cane (di fucile) **3** martelletto (di pianoforte) **4** (anat.) martello **5** battaglio.

to **hammer** v.tr. **1** martellare // to — sthg. in (o into s.o.'s head), ficcar bene in testa qlco. a qlcu. **2** (fam.) sconfiggere duramente **3** to — out, chiarire; escogitare ♦ v.intr. martellare // to — (away) at sthg., lavorare sodo a qlco.

hammerhead (shark) [ˈhæməhed(ʃaːk)] s. pesce martello.

hammock [ˈhæmək] s. amaca.

hamper[1] [ˈhæmpə*] s. cesta (con coperchio).

hamper[2] s. ostacolo.

to **hamper**[2] v.tr. imbarazzare; ostacolare.

hamster [ˈhæmstə*] s. (zool.) criceto.

hamstring [ˈhæmstriŋ] s. (anat.) tendine (delle gambe o delle zampe posteriori dei quadrupedi).

to **hamstring** v.tr. **1** azzoppare (tagliando i tendini) **2** (fig.) paralizzare.

hand [hænd] s. **1** mano // he is a good — at tennis, è un bravo giocatore di tennis // to get sthg. off one's hands, liberarsi di qlco. // to keep one's — in, tenersi in esercizio // to get one's — in, impratichirsi, conoscere meglio // to have a — in, partecipare a // to lay hands on s.o., on sthg., mettere le mani addosso a qlcu., a qlco. // to shake hands with s.o., stringere la mano a qlcu. // to take sthg. in —, intraprendere qlco. // — to —, corpo a corpo // — in —, mano nella mano // hands off!, via le mani!, non toccare! // hands up!, mani in alto! // at —, vicino, a portata di mano; out of —, lontano, fuori mano; senza controllo; to get out of —, (fig.) sfuggire di mano // at first, second —, di prima, seconda mano // by —, a mano // in —, in riserva; in via di completamento // to —, sottomano // to be — in (o and) glove with s.o., essere intimo di qlcu. // to get sthg. off one's hands, liberarsi di qlco. // to make money — over fist, (sl.) arricchirsi rapidamente // to live from — to mouth, vivere alla giornata **2** operaio, lavoratore; membro dell'equipaggio di una nave **3** spanna (misura di lunghezza) **4** lato, direzione // left — drive, guida a sinistra // on the other —, d'altronde **5** calligrafia; firma **6** (fam.) lancetta dell'orologio **7** (carte, biliardo) mano, giro **8** (carte) l'insieme delle carte che servono a un giocatore per una mano; un giocatore **9** (fam.) applauso.

to **hand** v.tr. **1** porgere, dare, passare **2** aiutare con la mano (a scendere) **3** to — down, trasmettere per successione; tramandare; consegnare a mano **4** to — in, consegnare **5** to — on, passare, trasmettere a **6** to — out, distribuire **7** to — over, consegnare, rimettere.

handbag [ˈhændbæg] s. borsetta.

handbarrow [ˈhændˌbærou] s. carriola.

handbill [ˈhændbil] s. volantino.

handbook [ˈhændbuk] s. manuale; guida.

handbrake [ˈhændbreik] s. freno a mano.

handcart [ˈhændkɑːt] s. carretto.

hand coding [ˈhændkoudiŋ] s. (informatica) programmazione realizzata da un programmatore.

handcraft [ˈhændkrɑːft] s. → **handicraft**.

handcuff [ˈhændkʌf] s. (gener. pl.) manette (pl.).

to **handcuff** v.tr. mettere le manette (a).

handful [ˈhændful] s. **1** manciata, manata **2** gruppetto, piccolo numero **3** (fam.) persona, cosa difficile da controllare, da tenere a bada.

hand-grenade [ˈhændgriˌneid] s. (mil.) bomba a mano.

handgrip [ˈhændgrip] s. **1** stretta di mano; morsa della mano **2** manopola.

handhold [ˈhændhould] s. presa, appiglio.

handicap [ˈhændikæp] s. handicap.

to **handicap** v.tr. handicappare.

handicraft [ˈhændikrɑːft] s. lavoro artigianale; artigianato.

handicraftsman, pl. **handicraftsmen** [ˈhændiˌkrɑːftsmən] s. artigiano.

handily [ˈhændili] avv. **1** abilmente **2** comodamente; a portata di mano.

handiness [ˈhændinis] s. l'essere maneggevole, l'essere comodo (di arnesi, utensili); praticità.

handiwork [ˈhændiwəːk] s. lavoro fatto a mano.

handkerchief [ˈhæŋkətʃif] s. fazzoletto.

handle [ˈhændl] s. **1** manico; impugnatura; maniglia; manovella; manubrio **2** (fig.) pretesto, occasione **3** (fam.) titolo: to have a — to one's name, avere un titolo di nobiltà.

to **handle** v.tr. **1** maneggiare, toccare con le mani **2** (mar.) manovrare **3** trattare.

handlebar(s) [ˈhændlbɑː*(z)] s. manubrio di bicicletta.

handler [ˈhændlə*] s. manipolatore.

handling [ˈhændliŋ] s. **1** maneggiamento **2** trattamento, maniera di trattare.

handmade [ˈhændˈmeid] agg. manufatto.

hand-me-down [ˈhændmiˌdaun] agg. (amer. fam.) **1** già confezionato **2** non costoso **3** usato ♦ s.pl. vestiti di poco costo; (amer.) vestiti usati, smessi.

handout [ˈhændaut] s. **1** dichiarazione per la stampa; velina **2** cibo o vestiario dato ai poveri.

hand-picked [ˈhændpikt] agg. selezionato.

handrail [ˈhændreil] s. corrimano; parapetto.

handsaw [ˈhændsɔː] s. sega a mano.

han(d)sel [ˈhænsəl] s. **1** dono augurale; strenna **2** caparra.

handshake [ˈhændʃeik] s. stretta di mano.

handsome [ˈhænsəm] agg. **1** bello, di bell'aspetto (di uomo) **2** generoso **3** considerevole.

handsomely [ˈhænsəmli] avv. **1** elegantemente **2** generosamente.

handwork [ˈhændwɔːk] s. lavoro eseguito a mano.

handwoven [ˈhændˌwouvən] agg. tessuto a mano.

handwriting [ˈhændˌraitiŋ] s. grafia, scrittura.

handy [ˈhændi] agg. **1** a portata di mano **2** utile **3** abile, destro: — at sthg., at (o in) doing sthg., abile in qlco., a fare qlco. ♦ avv. vicino.

handyman, pl. **handymen** [ˈhændiˌmən] s. persona che sa fare un po' di tutto.

hang [hæŋ] s. inclinazione // I don't care a —, (fam.) non me ne importa proprio nulla // to get the — of, (fam.) comprendere.

to **hang**, pass. e p.pass. **hung** [hʌŋ]; nel senso 2 **hanged** hæŋd] v.tr. **1** appendere, sospendere: to — on, appendere a // to — up, appendere; rimandare, sospendere // to — one's head, chinare la testa; (fig.) vergognarsi **2** impiccare // — it!, (fam.) impiccati! // I'll be hanged if I know!, che mi venga un accidente se lo so! **3** appendere (selvaggina, carne) a frollare **4** sospendere, rimandare // to — fire, (fig.) lasciare in sospeso ♦ v.intr. **1** pendere, essere sospeso // to — on, stare attaccato a; (fig.) dipendere da; (fig.) perseverare in // to — upon s.o.'s words, pendere dalle labbra di qlcu. // to — by a thread, (fig.) essere sospeso a un filo **2** essere impiccato // to let sthg. go to —, non curarsi di qlco. **3** to — about, bighellonare **4** to — back, restare indietro; (fig.) esitare **5** to — out, sporgersi; (fam.) frequentare **6** to — over, star sospeso; incombere, sovrastare **7** to — together, collaborare; mantenersi uniti **8** to — up, agganciare il telefono; (informatica) arrestarsi (di macchina) // to — up in a loop, (informatica) ciclare; girare su un ciclo.

hangar [ˈhæŋə*] s. hangar, aviorimessa.

hangdog [ˈhæŋdɔg] agg. **1** dall'aria sospetta **2** depresso.

hanger [ˈhæŋə*] s. **1** gancio, uncino; catena del camino **2** gruccia (per abiti) **3** (mecc.) staffa; supporto pendente **4** spadino; stiletto **5** pendio boscoso.

hanger-on [ˈhæŋərˈɔn] s. parassita.

hang glider [ˈhæŋˌglaidə*] s. deltaplano.

hang gliding [ˈhæŋˌglaidiŋ] s. (sport) deltaplano.

hanging [ˈhæŋiŋ] agg. pendente; sospeso // — garden, giardino pensile ♦ s. **1** impiccagione **2** (gener.pl.) tendaggi (pl.); paramenti (pl.); tappezzeria.

hangman, pl. **hangmen** [ˈhæŋmən] s. boia.

hangnail [ˈhæŋneil] s. pipita.

hangover [ˈhæŋˌouvə*] s. (fam.) postumi di una sbornia.

hangup [ˈhæŋʌp] s. inibizione.

to **hanker** [ˈhæŋkə*] v.intr.: to — after (o over o for) sthg., desiderare ardentemente, ambire, agognare qlco.

hankering [ˈhæŋkəriŋ] s. desiderio, brama.

hanky [ˈhæŋki] s. (fam.) abbr. di **handkerchief**.

hanky-panky [ˈhæŋkiˈpæŋki] s. (fam.) imbroglio.

Hansard [ˈhænsəd] s. resoconto parlamentare.

hansom [ˈhænsəm] s. carrozza a due ruote.

hap [hæp] s. (letter.) caso, sorte, fortuna.

to **hap** v.intr. (letter.) accadere per caso.

ha'penny s. → **halfpenny**.

haphazard [ˈhæpˈhæzəd] agg. casuale ♦ s. caso: at (o by) —, per caso ♦ avv. casualmente.

hapless [ˈhæplis] agg. (letter.) sfortunato.

happen [ˈhæpən] avv. (fam.) può darsi, forse.

to **happen** v.intr. **1** accadere, succedere // as it happens, per caso; infatti **2** (costr. pers.) capitare; avere la fortuna di: I happened to meet him, mi capitò di incontrarlo **3** to — (up)on, trovare, incontrare per caso.

happening [ˈhæpəniŋ] s. avvenimento.

happily [ˈhæpili] avv. fortunatamente; felicemente.

happiness [ˈhæpinis] s. felicità.

happy [ˈhæpi] agg. **1** felice, contento **2** adatto; felice: — thought!, buona idea! **3** (fam.) brillo.

happy-go-lucky [ˈhæpigouˌlʌki] agg. spensierato.

Hapsburg [ˈhæpsbɔːg] no.pr. (st.) Asburgo.

hara-kiri [ˈhærəˈkiri] s. carachiri.

harangue [həˈræŋ] s. arringa.

to **harangue** v.tr. arringare ♦ v.intr. pronunciare un'arringa.

to **harass** [ˈhærəs, (amer.) həˈræs] v.tr. bersagliare; tormentare, molestare.

harassment [ˈhærəsmənt, (amer.) həˈræsmənt] s. **1** vessazione, tormento, molestia **2** l'essere bersagliato.

harbinger [ˈhɑːbindʒə*] s. messaggero; precursore.

to **harbinger** v.tr. annunziare l'arrivo di.

harbour [ˈhɑːbə*] s. **1** porto **2** (fig.) asilo, rifugio.

to **harbour** v.tr. **1** dare asilo a **2** celare; (fig.) nutrire: to — evil thoughts, nutrire cattivi pensieri ♦ v.intr. **1** rifugiarsi **2** entrare in porto.

harbourage [ˈhɑːbəridʒ] s. rifugio, asilo.

harbour-master [ˈhɑːbəˌmɑːstə*] s. capitano di porto.

hard [hɑːd] agg. **1** duro: to become (o to get) —, indurirsi; to strike s.o. a — blow, colpire duramente qlcu. // to be — on s.o., essere severo con qlcu. // — luck, (fig.) sfortuna nera // — winter, inverno rigido // — and fast, rigido (di regole) // a — nut to crack, (fig.) un osso duro // to be as — as flint, as nails, essere duro di cuore // to be — of hearing, essere duro d'orecchio // to learn the — way, imparare per esperienza // — cash, denaro in contanti // — currency, valuta pregiata // — up, al verde **2** difficile, gravoso: — to deal with, intrattabile; — to please, incontentabile **3** strenuo; vigoroso; accanito: — drinker, bevitore accanito; — fight, combattimento strenuo; — gallop, galoppo sostenuto // to try one's hardest, mettercela tutta **4** molto vivace, forte (di colore) **5** metallico, (di suono).

hard *s.* **1** approdo **2** (*fam.*) lavoro forzato.

hard *avv.* **1** molto; fortemente; violentemente: *to look — at s.o.*, guardare fissamente qlcu.; *it is raining —*, piove a dirotto **2** con difficoltà; duramente: *it came — on him*, è stata dura per lui // *to die —*, essere duro a morire // *to be — up for an excuse*, essere a corto di scuse **3** troppo **4** vicino: *— by*, vicino a; *to follow — on* (o *after* o *behind*) *s.o.*, seguire qlcu. da vicino.

hardback [ˈhɑːdbæk] *s.* libro rilegato.

hardbitten [ˈhɑːdˌbitn] *agg.* duro, deciso.

hardboard [ˈhɑːdbɔːd] *s.* pannello di fibra di legno.

hard-boiled [ˈhɑːdˈbɔild] *agg.* **1** sodo (di uovo) **2** (*sl.*) incallito.

hardbound [ˈhɑːdˌbaund] *agg.* rilegato.

hard copy [ˈhɑːdˈkɔpi] *s.* (*informatica*) stampa; documento stampato.

hard-core [ˈhɑːdkɔː*] *agg.* **1** ostinato **2** (*cinem., teatr.*) molto spinto.

hardcover [ˈhɑːdˌkʌvə*] *agg.* rilegato.

to **harden** [ˈhɑːdn] *v.tr.* indurire, temprare (*anche fig.*) ♦ *v.intr.* indurirsi.

hard-favoured [ˈhɑːdˌfeivəd] *agg.* brutto.

hard-featured [ˈhɑːdˌfiːtʃəd] *agg.* dai lineamenti duri.

hard feeling [ˌhɑːdˈfiːliŋ] *s.* rancore.

hard-fisted [ˈhɑːdˌfistid] *agg.* avaro.

hardheaded [ˈhɑːdˌhedid] *agg.* perspicace; pratico, realistico.

hardihood [ˈhɑːdihud] *s.* coraggio; sfrontatezza.

hardily [ˈhɑːdili] *avv.* audacemente.

hardiness [ˈhɑːdinis] *s.* **1** resistenza; robustezza; fermezza **2** coraggio, ardire.

hard line [ˌhɑːdˈlain] *s.* linea dura // *— policy*, integralismo.

hard-liner [ˌhɑːdˈlainə*] *s.* integralista.

hardly [ˈhɑːdli] *avv.* **1** difficilmente, a stento, appena: *he — knows him*, lo conosce appena **2** quasi: *— ever*, quasi mai; *— anyone*, quasi nessuno **3** duramente, severamente.

hardness [ˈhɑːdnis] *s.* durezza (*anche fig.*).

hard-pressed [ˈhɑːdprest] *agg.* messo alle strette; pressato: *— for*, pressato da.

hards [hɑːdz] *s.pl.* lino grezzo (*sing.*), canapa grezza (*sing.*).

hardship [ˈhɑːdʃip] *s.* avversità; privazione.

hard tack [ˈhɑːdtæk] *s.* galletta.

hardware [ˈhɑːdwɛə*] *s.* **1** ferramenta (*pl.*) **2** (*informatica*) hardware; apparecchiatura; (*IBM*) componenti fisici dell'elaboratore: *— configuration*, configurazione della macchina.

hardy [ˈhɑːdi] *agg.* **1** fermo, resistente (spec. di albero); robusto **2** coraggioso, ardito.

hare [hɛə*] *s.* lepre: *young —*, leprotto // *he is as mad as a (March) —*, è matto da legare // *to run with the — and hunt with the hounds*, tenere il piede in due scarpe // *first catch your — (then cook him)*, (*prov.*) non dir quattro se non l'hai nel sacco.

harebrained [ˈhɛəbreind] *agg.* sventato.

harelip [ˈhɛəˈlip] *s.* labbro leporino.

harem [ˈhɛərem] *s.* harem.

hare's-foot [ˈhɛəzfut] *s.* qualità di trifoglio.

haricot (bean) [ˈhærikou(biːn)] *s.* fagiolino.

to **hark** [hɑːk] *v.tr.* fare indietreggiare ♦ *v.intr.* ascoltare.

to **harken** *v.intr.* → to **hearken**.

Harlequin [ˈhɑːlikwin] *no.pr.m.* (*st. teatr.*) Arlecchino // **harlequin** *s.* (*cane*) (alano) arlecchino ♦ *agg.* arlecchino.

harlot [ˈhɑːlət] *s.* prostituta.

harlotry [ˈhɑːlətri] *s.* prostituzione.

harm [hɑːm] *s.* torto; danno morale e fisico // *out of —'s way*, al sicuro.

to **harm** *v.tr.* far male (a); far torto (a); nuocere (a).

harmful [ˈhɑːmful] *agg.* nocivo, dannoso.

harmless [ˈhɑːmlis] *agg.* innocuo, inoffensivo.

harmonic [hɑːˈmɔnik] *agg.* **1** armonioso **2** (*mat.*) in progressione // **harmonic(s)** [hɑːˈmɔnik(s)] *s.* (*mus.*) armonia.

harmonica [hɑːˈmɔnikə] *s.* (*mus.*) **1** armonica a bocca **2** armonica.

harmonically [hɑːˈmɔnikəli] *avv.* armonicamente.

harmonious [hɑːˈmounjəs] *agg.* armonioso; (*fig.*) in armonia.

harmonium [hɑːˈmounjəm] *s.* (*mus.*) armonium.

to **harmonize** [ˈhɑːmənaiz] *v.tr.* armonizzare (*anche fig.*) ♦ *v.intr.* armonizzarsi (*anche fig.*).

harmony [ˈhɑːməni] *s.* armonia; accordo.

harness [ˈhɑːnis] *s.* **1** bardatura, finimenti (*pl.*) // *to put in —*, attaccare (cavalli) // *— -maker*, sellaio // *to die in —*, morire sulla breccia **2** dande (*pl.*) **3** armatura.

to **harness** *v.tr.* **1** bardare; mettere i finimenti (a) **2** (*fig.*) utilizzare.

Harold [ˈhærəld] *no.pr.m.* Aroldo.

harp [hɑːp] *s.* arpa.

to **harp** *v.intr.* suonare l'arpa; arpeggiare // *to — on*, insistere su.

harper [ˈhɑːpə*], **harpist** [ˈhɑːpist] *s.* arpista.

harpoon [hɑːˈpuːn] *s.* arpione; fiocina.

to **harpoon** *v.tr.* arpionare; fiocinare.

harpsichord [ˈhɑːpsikɔːd] *s.* (*mus.*) arpicordo, clavicembalo.

harpy [ˈhɑːpi] *s.* arpia (*anche fig.*).

harquebus [ˈhɑːkwibəs] *s.* archibugio.

harquebusier [ˌhɑːkwibəˈsiə*] *s.* archibugiere.

harridan [ˈhæridən] *s.* strega; vecchiaccia.

harrier [ˈhæriə*] *s.* varietà di cane per la caccia alla lepre // *— eagle*, (*zool.*) biancone.

harrow [ˈhærou] *s.* erpice // *under the —*, (*fig.*) in ansia.

to **harrow** *v.tr.* **1** erpicare **2** (*fig.*) tormentare.

harrowing [ˈhærouiŋ] *agg.* straziante.

to **harry** [ˈhæri] *v.tr.* **1** saccheggiare **2** tormentare.

harsh [hɑːʃ] *agg.* **1** ruvido **2** stridente (di suono) **3** violento (di colore) **4** severo.

harshness [ˈhɑːʃnis] *s.* **1** ruvidezza **2** stridore (di suono) **3** violenza (di colore) **4** severità.

hart [hɑːt] *s.* cervo maschio.

harum-scarum [ˈhɛərəmˈskɛərəm] *agg.* e *s.* (*fam.*) (persona) irresponsabile.

harvest [ˈhɑːvist] *s.* raccolto; messe (*anche fig.*) // *— festival*, cerimonia religiosa di ringraziamento per il raccolto // *— moon*, luna di settembre.

to **harvest** *v.tr.* mietere ♦ *v.intr.* fare il raccolto.

harvester [ˈhɑːvistə*] *s.* **1** mietitore **2** mietitrice meccanica **3** (*zool.*) tignola dei raccolti.

harvest home [ˈhɑːvistˈhoum] *s.* **1** fine della mietitura **2** festa della mietitura.

harvest mite [ˈhɑːvistˈmait] *s.* tignola dei raccolti.

has [hæz (*forma forte*), həz, əz (*forme deboli*)] 3^a *pers.sing.pres.* di to **have**.

has-been [ˈhæzbiːn] *s.* (*fam.*) una persona finita; matusa.

hash [hæʃ] *s.* **1** piatto di carne tritata **2** (*fig. fam.*) miscuglio; pasticcio: *to make a — of sthg.*, fare un pasticcio di qlco. // *to settle s.o.'s* —, rovinare i piani di qlcu. **3** (*fam.*) argomento trito.

to **hash** *v.tr.* **1** tritare **2** (*fig.*) mescolare.

haslets ['heizlits] *s.pl.* frattaglie.

hasn't ['hæznt] *contr. di* has not.

hasp [hɑːsp] *s.* **1** fermaglio; cerniera di chiusura (con lucchetto) **2** matassa; rocchetto.

hassle ['hæsəl] *s.* (*fam.*) discussioni (*pl.*), problemi (*pl.*).

hassock ['hæsək] *s.* **1** zolla erbosa **2** cuscino usato come poggiapiedi o inginocchiatoio.

hast ['hæst (*forma forte*), həst, əst (*forme deboli*)] *2ª pers.sing.pres.* (*arc.*) di to **have**.

hastate ['hæsteit] *agg.* lanceolato.

haste [heist] *s.* fretta // *make* —!, fa' presto!

to **haste**, to **hasten** ['heisn] *v.tr.* affrettare, sollecitare ♦ *v.intr.* affrettarsi // *to* — *back, down*, affrettarsi a ritornare, a scendere.

hastily ['heistili] *avv.* **1** in fretta **2** impetuosamente; avventatamente.

hasty ['heisti] *agg.* **1** frettoloso; affrettato; rapido, veloce, spiccio **2** irascibile; impetuoso; avventato, sconsiderato.

hat [hæt] *s.* cappello: *to put on, to take off one's* —, mettersi, togliersi il cappello // *hats off!*, giù il cappello! // *to keep sthg. under one's* —, (*fam.*) mantenere il segreto su qlco. // *to send the* — *round*, fare una colletta // *to talk through one's* —, (*fam.*) parlare a vanvera // — *in hand*, con servile umiltà; con deferenza // *my* —!, (*fam.*) figurati! // *old* —, (*sl.*) antiquato.

hatband ['hætbænd] *s.* nastro da cappello.

hatbox ['hætbɒks] *s.* cappelliera.

hatch[1] ['hætʃ] *s.* botola; portello; boccaporto // *under hatches*, (*mar.*) sotto coperta.

hatch[2] *s.* covata.

to **hatch**[2] *v.tr.* **1** covare **2** far schiudere (uova) **3** incubare **4** (*fig.*) tramare ♦ *v.intr.* **1** uscire dal guscio ♦ **2** schiudersi (di uova).

to **hatch**[3] *v.tr.* tratteggiare.

hatchback ['hætʃbæk] *s.* auto con portellone posteriore.

hatchet ['hætʃit] *s.* accetta // *to bury the* —, riconciliarsi, fare la pace // — *face*, viso lungo e magro.

hatchway ['hætʃwei] *s.* (*mar.*) boccaporto.

hate [heit] *s.* odio.

to **hate** *v.tr.* odiare; avere in odio; detestare.

hateful ['heitful] *agg.* **1** odioso **2** pieno di odio.

hatefulness ['heitfulnis] *s.* odiosità.

hath [hæθ (*forma forte*), həθ, əθ (*forme deboli*)] *3ª pers.sing.pres.* (*arc.*) di to **have**.

hatpin ['hætpin] *s.* spillone (da cappello).

hatrack ['hætræk] *s.* rastrelliera per cappelli.

hatred ['heitrid] *s.* odio; inimicizia; astio.

hatstand ['hætstænd] *s.* attaccapanni.

hatter ['hætə*] *s.* cappellaio // *as mad as a* —, pazzo da legare; (*amer.*) furibondo.

haughtiness ['hɔːtinis] *s.* alterigia, arroganza.

haughty ['hɔːti] *agg.* altezzoso, altero; arrogante.

haul [hɔːl] *s.* **1** trazione; tiro **2** retata **3** (*fig.*) guadagno.

to **haul** *v.tr.* e *intr.* **1** tirare, trascinare, trasportare **2** (*mar.*) alare.

haulage ['hɔːlidʒ] *s.* **1** trasporto **2** costo del trasporto **3** (*mar.*) alaggio.

haulier ['hɔːljə*] *s.* trasportatore.

haulm [hɔːm] *s.* **1** steli (*pl.*); gambi (*pl.*) **2** paglia; stoppia.

haunch [hɔːntʃ] *s.* **1** anca; fianco **2** (*arch.*) fianco (di arco).

haunt [hɔːnt] *s.* **1** covo, tana **2** ritrovo (abituale): *his usual haunts*, i luoghi che frequenta abitualmente.

to **haunt** *v.tr* **1** frequentare assiduamente **2** (*di spettri*) frequentare, abitare (un luogo); apparire (a una persona) **3** perseguitare **4** (*fig.*) ossessionare.

haunted ['hɔːntid] *agg.* **1** frequentato da spettri **2** ossessionato.

haunting ['hɔːntiŋ] *agg.* **1** ossessionante **2** indimenticabile.

Havana [hə'vænə] *no.pr.* l'Avana ♦ *s.* avana.

have [hæv] *s.* **1** (*sl.*) imbroglio **2** (*gener.pl.*) abbiente.

to **have** [hæv (*forma forte*), həv, əv (*forme deboli*)], *pass.* e *p.pass.* **had** [hæd (*forma forte*), həd, əd (*forme deboli*)] *v. ausiliare* avere; essere: *I* — *seen him*, l'ho visto; *he has gone away*, è andato via; *he had come*, era venuto ♦ *v.tr.* **1** avere, possedere: *I* — *a book*, ho un libro; — *you (got)* (o *amer. do you* —) *some money?*, hai del denaro? // *to* — *a sore throat*, avere mal di gola **2** prendere; ricevere: *will you* — *a drink?*, vuoi qualcosa da bere? // *to* — *breakfast*, fare (la prima) colazione; *to* — *dinner*, pranzare // *he had his wish*, ha ottenuto quello che voleva **3** dovere: *I had to go*, dovetti andare // *he doesn't* — *to speak*, non deve, non è obbligato a parlare **4** (*causativo*) fare: — *her come*, falla venire; *to* — *s.o. do sthg.* (o *to* — *sthg. done by s.o.*), far fare qlco. a qlcu. **5** (*seguito da* it) sostenere, affermare: *he has it that...*, la sua versione è che... **6** (*fraseologia*): *they* — *had it*, sono spacciati // *she is not to be had*, non gliela si fa facilmente, non gliela si dà a bere // *I had you there!*, ti ho colto in fallo! // *we didn't think he had it in him*, non credevamo che ce la facesse // *he would* — *none of it*, non ne voleva sentir parlare **7** *to* — *in*, (*fam.*) invitare; ospitare **8** *to* — *on*, indossare, avere indosso **9** *to* — *out*, farsi togliere **10** *to* — *up*, (*fam.*) far comparire (in giudizio).

haven ['heivn] *s.* porto, rifugio (*anche fig.*).

have-not ['hævnɒt] *s.* non abbiente.

haven't ['hævnt] *contr. di* have not.

haversack ['hævəsæk] *s.* zaino.

havoc ['hævək] *s.* rovina; distruzione; strage: *to play* — *with* (o *among*), (*anche fig.*) scompigliare.

haw[1] [hɔː] *s.* (bacca di) biancospino.

haw[2] *inter.* ehm!

haw-haw ['hɔːhɔː] *inter.* ah ah! (risata).

hawk[1] [hɔːk] *s.* **1** falco (*anche fig.*); sparviero; avvoltoio (*anche fig.*) **2** (*edil.*) sparviero.

to **hawk**[1] *v.tr.* e *intr.* cacciare col falco.

to **hawk**[2] *v.tr.* portare in giro (merci) per vendere.

to **hawk**[3] *v.intr.* raschiarsi la gola.

hawker ['hɔːkə*] *s.* venditore ambulante.

hawk-eyed ['hɔːkaid] *agg.* dagli occhi di falco.

hawk-nose ['hɔːknouz] *s.* naso aquilino.

hawse [hɔːz] *s.* (*mar.*) cubia; occhio di cubia.

hawsehole ['hɔːzhoul] *s.* (*mar.*) occhio di cubia.

hawser ['hɔːzə*] *s.* (*mar.*) gomena.

hawthorn ['hɔːθɔːn] *s.* biancospino.

hay [hei] *s.* fieno // *to make* —, falciare ed esporre il fieno al sole // *to make* — *of*, mettere in disordine // *make* — *while the sun shines*, (*prov.*) batti il ferro quando è caldo // — *loft*, fienile.

haycock ['heikɒk] *s.* mucchio di fieno.

hay fever ['hei'fiːvə*] *s.* febbre da fieno.

hayfork ['heifɔːk] *s.* forca da fieno.

haymaking ['hei,meikiŋ] *s.* falciatura.

hayseed ['heisi:d] *s.* **1** seme di erba **2** (*sl.amer.*) zoticone.

haystack ['heistæk] *s.* mucchio di fieno.

haywire ['hei,waiə*] *agg.* **1** (*amer.*) pazzo: *to go* —, dare i numeri, eccitarsi **2** disorganizzato; confuso.

hazard ['hæzəd] *s.* **1** azzardo, rischio, pericolo **2** gioco di dadi.

to **hazard** *v.tr.* azzardare, arrischiare.

hazardous ['hæzədəs] *agg.* rischioso, pericoloso.

haze[1] [heiz] *s.* **1** foschia; nebbia **2** (*fig.*) oscurità, confusione mentale.

to **haze**[2] *v.tr.* **1** farsi beffe (di); (*sl.amer.*) fare scherzi (a) **2** (*mar.*) gravare (l'equipaggio) con lavori pesanti.

hazel ['heizl] *s.* **1** (*bot.*) nocciolo **2** colore nocciola.

hazel nut ['heizlnʌt] *s.* nocciola.

hazily ['heizili] *avv.* confusamente, indistintamente.

haziness ['heizinis] *s.* **1** nebbiosità; foschia **2** (*fig.*) confusione (di idee ecc.).

hazy ['heizi] *agg.* **1** nebbioso **2** (*fig.*) confuso.

he- [hi:] *pref. indicante animale maschio:* — *-goat*, caprone.

he *pron. pers. 3ª pers.m.sing.* **1** egli; lui // *it was* —, era lui **2** (*antecedente di pron. rel.*) colui: — *who spoke*, colui che parlò ♦ *s.* maschio; uomo.

head [hed] *s.* **1** testa: *from* — *to foot*, da capo a piedi; *to win by a* —, vincere per una testa; *to be taller by a* —, essere più alto di una testa; *to nod one's* —, annuire col capo; *to set a price on s.o.'s* —, mettere una taglia sulla testa di qlcu. // — *down*, a testa in giù // — *over heels*, capovolto, a gambe levate; — *over heels in love*, innamorato cotto // *over s.o.'s*. —, senza consultare qlcu. // *above one's* —, al di là della propria comprensione // *they put their heads together*, si consultarono // *to be off one's* —, essere pazzo // *to give (s.o.) his* —, lasciare agire liberamente (qlcu.) // *to keep one's* —, mantenersi calmo // *to keep one's* — *above water*, mantenersi a galla (finanziariamente) // *to talk s.o.'s* — *off*, stordire qlcu. con chiacchiere // *to do sthg. on one's* —, fare qlco. con facilità // *to have a good* — *for business*, essere tagliato per gli affari // *to take it into one's* — *to do*, mettersi in testa di fare **2** capo, direttore, dirigente // — *-office*, (*comm.*) sede (di una ditta) **3** parte alta di una cosa: *the* — *of a bed*, la testata di un letto **4** testa (di moneta): *heads or tails?*, testa o croce? // *not to make* — *or tail of sthg.*, non raccapezzarsi in qlco. **5** promontorio; sorgente **6** (*pl.invar.*) capo, unità di bestiame **7** schiuma di bibita **8** capocchia **9** punta purulenta (di ascesso, foruncolo): *to come to a* —, suppurare; (*fig.*) giungere a un punto decisivo **10** (*aut.*) testata **11** (*mar.*) prora **12** (*balistica*) ogiva, testata.

to **head** *v.tr.* **1** toccare, colpire con la testa **2** essere in testa (a), capeggiare, dirigere: *to* — *a rebellion*, capeggiare una rivolta **3** *to* — *off*, sviare; prevenire ♦ *v.intr.* dirigersi (verso): *he headed for the door*, si diresse verso la porta.

headache['hedeik]*s.* mal di testa; (*fig.*) preoccupazione.

head-dress ['heddress] *s.* acconciatura.

header ['hedə*] *s.* **1** tuffo, caduta di testa **2** (*sport*) colpo di testa **3** (*edil.*) mattone di punta.

head-first ['hed'fə:st], **head-foremost** ['hed'fɔ:moust] *avv.* a capofitto.

headgear ['hedgiə*] *s.* **1** copricapo **2** finimenti della testa (di cavallo).

head-hunter ['hed,hʌntə*] *s.* **1** cacciatore di teste (*anche fig.*) **2** chi ama farsi vedere in compagnia di persone importanti.

heading ['hediŋ] *s.* intestazione; titolo.

headlamp ['hedlæmp] *s.* (*aut.*) faro anteriore.

headland ['hedlənd] *s.* capo; promontorio.

headless ['hedlis] *agg.* senza testa (*anche fig.*).

headlights ['hedlaits] *s.pl.* (*aut.*) fari anteriori.

headline ['hedlain] *s.* titolo // *the headlines*, (*rad.*) sommario delle notizie più importanti; *to hit the headlines*, diventare famoso.

headlong ['hedlɔŋ] *avv.* a capofitto; precipitosamente.

headman ['hedmæn; *nel senso* **2** 'hed'mæn], *pl.* **headmen** ['hedmen; *nel senso* **2** 'hed'men] *s.* **1** capo tribù **2** caposquadra.

headmaster ['hed'mɑ:stə*] *s.* direttore (di scuola).

headmistress ['hed'mistris] *s.* direttrice (di scuola).

headmost ['hedmoust] *agg.* il primo, il più avanzato.

head-on ['hed'ɔn] *agg.* frontale ♦ *avv.* frontalmente.

head-page ['hedpeidʒ] *s.* prima pagina (di libro ecc.).

headphones ['hedfounz] *s.pl.* (*tel. rad.*) cuffia (*sing.*).

headpiece ['hedpi:s] *s.* **1** copricapo **2** (*fam.*) testa; cervello **3** (*tip.*) testata (incisa) **4** elmo.

headquarters ['hed'kwɔ:təz] *s.pl.* **1** (*mil.*) quartier generale (*sing.*) **2** direzione (*sing.*).

headrest ['hedrest] *s.* supporto per la testa.

headroom ['hedrum] *s.* margine di altezza (di ponte, soffitto ecc.) (in rapporto a quella di chi vi passa sotto).

headship ['hedʃip] *s.* ufficio di capo, preside.

headsman, *pl.* **headsmen** ['hedzmən] *s.* boia.

headstone ['hedstoun] *s.* **1** pietra tombale **2** pietra angolare (*anche fig.*).

headstrong ['hedstrɔŋ] *agg.* ostinato, testardo.

headway ['hedwei] *s.* movimento in avanti; progresso.

headwind ['hedwind] *s.* vento di bolina.

headword ['hedwə:d] *s.* lemma; titoletto, sottotitolo.

heady ['hedi] *agg.* **1** inebriante **2** violento **3** testardo.

to **heal** [hi:l] *v.tr.* **1** guarire; curare; cicatrizzare **2** (*fig.*) sanare: *to* — *a quarrel*, comporre un litigio ♦ *v.intr.* cicatrizzarsi; guarire.

healer ['hi:lə*] *s.* guaritore.

healing ['hi:liŋ] *agg.* salutare; curativo ♦ *s.* guarigione; cicatrizzazione.

health [helθ] *s.* salute // *National Health Service*, Servizio Sanitario Statale // — *certificate*, certificato sanitario.

health-food ['helθ,fu:d] *s.* alimenti naturali (*pl.*).

healthful ['helθful] *agg.* salubre; salutare.

healthily ['helθili] *avv.* salubremente; salutarmente.

healthy ['helθi] *agg.* **1** sano; robusto // — *-minded*, sano di mente **2** salutare, salubre.

heap [hi:p] *s.* mucchio, cumulo; ammasso: *heaps of*, un mucchio di // *struck all of a* —, (*fam.*) stupefatto.

to **heap** *v.tr.* ammucchiare, accumulare, ammassare.

heaps [hi:ps] *avv.* (*fam.*) molto.

to **hear** [hiə*], *pass.* e *p.pass.* **heard** [hə:d] *v.tr.* udire, sentire; ascoltare: *the Court heard the witness*, la Corte ascoltò il testimone // *to* — *sthg. out*, ascoltare qlco. fino in fondo ♦ *v.intr.* udire, sentire // *to* — *from*, avere notizie da // *to* — *about* (*o of*), aver notizie di.

hearing ['hiəriŋ] *s.* **1** udito: *to be hard of* —, essere duro d'orecchio; *it came to my* — *that*, mi giunse all'orecchio che; *out of* —, fuori della portata di voce // *give me a* —!, dammi ascolto! **2** (*dir.*) udienza.

hearing aid ['hiəriŋeid] *s.* apparecchio acustico.

to **hearken** ['hɑ:kən] *v.intr.* ascoltare con attenzione.

hearsay ['hiəsei] *s.* diceria, voce; *by* —, per sentito dire.

hearse [hə:s] *s.* **1** carro funebre **2** catafalco.

heart [hɑ:t] *s.* **1** cuore (*anche fig.*): — *of gold*, cuor d'oro // *in good* —, contento, allegro // *with a light, heavy* —, volentieri, a malincuore // *to break one's* — *over sthg.*, crucciarsi per qlco. // *to cry* (o *to sob*) *one's* — *out*, piangere disperatamente // *to give* (o *to lose*) *one's* — *to s.o.*, innamorarsi di qlcu. // *to have one's* — *in one's boots*, aver paura // *to have one's* — *in one's mouth*, avere il cuore in gola // *to have sthg. at* —, tenere a qlco. // *by* —, a memoria // — *and soul*, anima e corpo // *to set one's* — *at rest*, mettersi il cuore in pace **2** coraggio; interesse: *to lose* —, scoraggiarsi; *to take* —, prender coraggio; *to put one's* — *into sthg.*, interessarsi vivamente a qlco. **3** centro; (*fig.*) nocciolo, cuore, parte principale: *the* — *of the matter*, il nocciolo della faccenda; *at* — *he is not a bad fellow*, in fondo non è cattivo **4** *pl.* (*carte*) cuori.

heartache [ˈhɑːteik] *s.* angoscia.

heart attack [ˈhɑːtəˈtæk] *s.* (*med.*) attacco cardiaco.

heartbeat [ˈhɑːtbiːt] *s.* (*med.*) pulsazione.

heartbreak [ˈhɑːtbreik] *s.* crepacuore.

heartbreaking [ˈhɑːtˌbreikiŋ] *agg.* straziante; (*fam.*) estenuante.

heartbroken [ˈhɑːtˌbroukən] *agg.* col cuore a pezzi; desolato; straziato.

heartburn [ˈhɑːtbəːn] *s.* bruciore di stomaco.

heartburning [ˈhɑːtˌbəːniŋ] *s.* invidia; rancore.

to **hearten** [ˈhɑːtn] *v.tr.* incoraggiare; rincuorare.

heart failure [ˈhɑːtˈfeiljə*] *s.* (*med.*) collasso cardiaco.

heartfelt [ˈhɑːtfelt] *agg.* sincero, sentito, di cuore.

hearth [hɑːθ] *s.* focolare (*anche fig.*).

hearthrug [ˈhɑːθrʌg] *s.* tappeto steso davanti al focolare.

hearthstone [ˈhɑːθstoun] *s.* pietra del focolare.

heartily [ˈhɑːtili] *avv.* **1** cordialmente **2** vigorosamente **3** abbondantemente.

heartiness [ˈhɑːtinis] *s.* **1** cordialità **2** vigoria.

heartless [ˈhɑːtlis] *agg.* senza cuore.

heartrending [ˈhɑːtˌrendiŋ] *agg.* straziante, toccante, commovente.

heart-searching [ˈhɑːtˌsəːtʃiŋ] *s.* esame di coscienza.

heartsease [ˈhɑːtsiːz] *s.* **1** (*bot.*) viola del pensiero **2** serenità di spirito.

heartsore [ˈhɑːtsɔː*] *agg.* triste.

heartstrings [ˈhɑːtstriŋz] *s.pl.* corde del sentimento.

heart surgeon [ˈhɑːtˌsəːdʒən] *s.* cardiochirurgo.

heart surgery [ˈhɑːtˌsəːdʒəri] *s.* cardiochirurgia.

heartthrob [ˈhɑːtθrɔb] *s.* (*fam.*) rubacuori.

heart-whole [ˈhɑːtˈhoul] *agg.* che ha il cuore libero.

hearty [ˈhɑːti] *agg.* **1** sano; robusto // *hale and* —, in piena salute **2** sincero; cordiale **3** abbondante: *a* — *meal*, un pasto copioso.

heat [hiːt] *s.* **1** calore, caldo; calura // *on* —, in calore (*di animali*) **2** collera; animosità; entusiasmo: *in the* — *of the moment*, nella foga del momento **3** (*sport*) batteria, prova // *a dead* —, (*sport*) un arrivo alla pari; *qualifying* —, (*sport*) prova eliminatoria **4** (*med.*) infiammazione.

to **heat** *v.tr.* **1** scaldare; riscaldare: — *this meat* (*up*), riscalda questa carne **2** animare; infiammare (*anche fig.*) ♦ *v.intr.* scaldarsi; riscaldarsi.

heated [ˈhiːtid] *agg.* veemente, animato.

heater [ˈhiːtə*] *s.* stufa; termosifone.

heath [hiːθ] *s.* **1** brughiera; landa **2** (*bot.*) erica.

heath-cock [ˈhiːθˈkɔk] *s.* gallo cedrone.

heathen [ˈhiːðən] *agg.* pagano ♦ *s.* **1** pagano **2** (*fig.*) selvaggio.

heathenism [ˈhiːðənizəm] *s.* paganesimo.

heather [ˈheðə*] *s.* erica // *to set the* — *on fire*, (*fig.*) dar fuoco alle polveri.

heathery [ˈheðəri] *agg.* coperto di erica.

heating [ˈhiːtiŋ] *s.* riscaldamento.

heatstroke [ˈhiːtstrouk] *s.* colpo di calore; colpo di sole.

heat-treatment [ˈhiːtˌtriːtmənt] *s* (*med.*) termoterapia.

heave [hiːv] *s.* **1** sollevamento; sforzo **2** rigonfiamento.

to **heave**, *pass.* **heaved** [hiːvd], **hove** [houv], *p.pass.*

heaved *v.tr.* **1** sollevare, alzare; issare: *to* — *up*, sollevare in alto // *to* — (*up*), sollevare **2** emettere: *to* — *a sigh*, emettere un sospiro **3** (*mar.*) tirare (gomena ecc.) ♦ *v.intr.* **1** sollevarsi **2** alzarsi e abbassarsi ritmicamente, palpitare **3** (*mar.*) levare l'ancora, salpare // *to* — *into sight*, apparire (di nave).

heaven [ˈhevn] *s.* cielo, paradiso: *for Heaven's sake!*, per amor del cielo!; *good Heavens!*, santo cielo! // *in the seventh* —, al settimo cielo.

heavenly [ˈhevnli] *agg.* **1** divino; celeste **2** (*fam.*) delizioso, squisito.

heavenward [ˈhevnwəd] *agg.* rivolto al cielo ♦ *avv.* verso il cielo.

heaver [ˈhiːvə*] *s.* **1** scaricatore **2** (*mar.*) barra.

heavily [ˈhevili] *avv.* **1** pesantemente **2** profondamente **3** con difficoltà.

heaviness [ˈhevinis] *s.* **1** pesantezza **2** abbattimento, avvilimento.

heavy [ˈhevi] *agg.* **1** pesante (*anche fig.*) // *to find sthg.* — *going*, trovare qlco. pesante, faticoso **2** triste, grave, severo **3** violento, forte: — *sea*, mare grosso **4** fangoso, pesante (di terreno) ♦ *s.* il cattivo (nei film).

heavy-handed [ˈheviˈhændid] *agg.* maldestro.

heavy-set [ˌheviˈset] *agg.* tracagnotto.

heavy-weight [ˈheviweit] *s.* (*pugilato*) peso massimo.

hebdomadal [hebˈdɔmədl] *agg.* ebdomadario.

hebetude [ˈhebitjuːd] *s.* ebetismo.

Hebraic [hiˈ(ː)ˈbreiik] *agg.* ebraico.

Hebraism [ˈhiːbreiizəm] *s.* ebraismo.

Hebrew [ˈhiːbruː] *agg.* ebreo, ebraico, israelita ♦ *s.* **1** ebreo, israelita **2** lingua ebraica.

hecatomb [ˈhekətoum] *s.* ecatombe.

heck [hek] *s.* e *inter.*: *what the* — *are you doing?*, cosa diavolo stai facendo?; *it's a* — *of a long road*, è una strada maledettamente lunga.

to **heckle** [ˈhekl] *v.tr.* interrompere con domande imbarazzanti.

hectare [ˈhektɑː*] *s.* ettaro.

hectic [ˈhektik] *agg.* **1** febbrile, agitato, movimentato **2** tisico; febbricitante.

hectically [ˈhektikəli] *avv.* febbrilmente.

hecto- [ˈhektou] *pref.* etto-.

hectogram(me) [ˈhektougræm] *s.* ettogrammo, etto.

hectograph [ˈhektougrɑːf] *s.* poligrafo.

hectolitre [ˈhektouˌliːtə*] *s.* ettolitro.

hectometre [ˈhektouˌmiːtə*] *s.* ettometro.

Hector [ˈhektə*] *no.pr.m.* Ettore // **hector** *s.* fanfarone, spaccone.

to **hector** *v.tr.* malmenare; tiranneggiare ♦ *v.intr.* fare lo spaccone.

he'd [hiːd] *contr. di* he had, he would.

heddle [ˈhedl] *s.* (*gener. pl.*) liccio.

hedge [hedʒ] *s.* **1** siepe **2** barriera (*anche fig.*).

to **hedge** *v.tr.* circondare con siepe, limitare (*anche fig.*): *to* — (*in*) *a garden*, circondare un giardino con una siepe // *to* — *a bet*, (*fam.*) scommettere pro e contro ♦ *v.intr.* evitare di compromettersi; essere elusivo.

hedgehog ['hedʒɥɒg] s. riccio, porcospino.

to **hedgehop** ['hedʒhɒp] v.intr. (aer. fam.) volare a volo radente.

hedgerow ['hedʒrou] s. siepe; filare.

hedonism ['hi:dənizəm] s. edonismo.

hedonistic [,hi:də'nistik] agg. edonistico.

heed [hi:d] s. attenzione: to give (o to pay) — to, prestare attenzione a; to take — of, badare a.

to **heed** v.tr. e intr. fare attenzione (a); dar retta (a).

heedful ['hi:dfʊl] agg. attento; vigile.

heedless ['hi:dlis] agg. sventato; disattento.

heehaw ['hi:'hɔ:] s. **1** raglio **2** sghignazzata.

to **heehaw** v.intr. **1** ragliare **2** sghignazzare.

heel[1] [hi:l] s. **1** calcagno, tallone; tacco (di scarpa) / spiked (o stiletto) —, tacco a spillo; cuban —, mezzotacco / Achilles' —, (fig.) tallone d'Achille / at (o on) s.o.'s heels, alle calcagna di qlcu. / down (o out) at —, (anche fig.) scalcagnato / to cool (o to kick) one's heels, aspettare a lungo / to show a clean pair of heels (o to take to one's heels), alzare i tacchi / to tread upon s.o.'s heels, stare alle calcagna di qlcu. / to turn on one's heels, girare sui tacchi / to lay by the heels, imprigionare / to come to —, (di cane) trotterellare dietro al padrone; (fig.) venire a più miti consigli **2** (di animali) sperone **3** (amer.) mascalzone.

to **heel**[1] v.tr. provvedere di tacco.

heel[2] s. (mar.) inclinazione.

to **heel**[2] v. intr. (mar.) ingavonarsi ♦ v.tr. (mar.) fare inclinare.

heeltap ['hi:ltæp] s. residuo, fondo (di bicchiere).

to **heft** [heft] v.tr. (amer.) soppesare sollevando.

hefty ['hefti] agg. forte, vigoroso.

hegemonic [,hi:(ʂ)i'mɒnik] agg. egemonico.

hegemony [hi(:)'geməni, (amer.) 'hedʒəmouni] s. egemonia.

hegira ['hedʒirə, (amer.) hi'dʒaiərə] s. (st.) egira.

heifer ['hefə*] s. giovenca.

heigh [hei] inter. ehi!, eh!

heigh-ho ['hei'hou] inter. oh, ahimè!

height [hait] s. **1** altezza **2** altitudine **3** altura, collina **4** (fig.) sommità; apice: the — of the season, il culmine della stagione.

to **heighten** ['haitn] v.tr. **1** innalzare **2** accrescere; intensificare ♦ v.intr. aumentare.

heinous ['heinəs] agg. odioso; atroce, nefando.

heir [ɛə*] s. erede / — apparent, erede in linea diretta / — at law, erede legittimo / — presumptive, erede presunto.

heirdom ['ɛədəm] s. condizione di erede.

heiress ['ɛəris] s. erede; ereditiera.

heirloom ['ɛəlu:m] s. (dir.) bene mobile di famiglia spettante all'erede legale / — family —, bene di famiglia.

held [held] pass. e p.pass. di to **hold**.

Helen ['helin] no.pr.f. Elena.

helical ['helikəl] agg. a spirale, elicoidale.

helicopter ['helikɒptə*] s. elicottero.

heliocentric [,hi:liou'sentrik] agg. eliocentrico.

heliocentricism [,hi:liou'sentrisizəm] s. eliocentrismo.

heliochromy ['hi:liou,kroumi] s. fotografia a colori.

heliography [,hi:li'ɒgrəfi] s. eliografia.

heliogravure ['heliougrə'vjuə*] s. fotoincisione.

heliotherapy [,hi:liou'θerəpi] s. elioterapia.

heliotrope ['heljətroup] s. eliotropio.

helipad ['helipæd] s. piattaforma di decollo e di atterraggio per elicotteri.

heliport ['helipɔ:t] s. eliporto.

helium ['hi:ljəm] s. (chim.) elio.

helix ['hi:liks], **helices** ['helisi:z] s. **1** elica; spirale **2** (zool. anat.) elice.

hell [hel] s. inferno (anche fig.) / what the — do I care?, che diavolo me ne importa? / to — with him!, vada al diavolo, all'inferno! / — broke loose, si scatenò un putiferio / a — of a day, una giornata infernale; a — of a crowd, una folla enorme / to be — -bent (on doing sth.), essere disposto a tutto (pur di fare qlco.) / to ride — for leather, andare a spron battuto / like —, (fam.) moltissimo, un sacco / to give —, (fam.) farne passare di cotte e di crude / for the — of it, (fam.) per puro divertimento.

he'll [hi:l] contr. di he will, he shall.

hellcat ['helkæt] s. arpia.

hellebore ['helibɔ:*] s. (bot.) elleboro.

Hellenic [he'li:nik, (amer.) he'lenik] agg. ellenico.

Hellenism ['helinizəm] s. ellenismo.

Hellenistic [,heli'nistik] agg. ellenistico.

hellhound ['helhaund] s. (fig.) demonio.

hellish ['heliʃ] agg. infernale (anche fig.).

hellish(ly) ['heliʃ(li)] avv. diabolicamente; (fam.) terribilmente.

hello ['he'lou] inter. → **hallo(a)**.

helm[1] [helm] s. elmo, casco.

helm[2] s. **1** timone; barra **2** (fig.) guida, controllo.

helmet ['helmit] s. elmetto, casco.

helmsman, pl. **helmsmen** ['helmzmən] s. timoniere.

help [help] s. **1** aiuto, soccorso / past —, perduto, irrecuperabile **2** rimedio: there is no — for it, non c'è rimedio **3** (fam.) persona di servizio a ore.

to **help** v.tr. **1** aiutare; soccorrere, dare una mano (a): to know how to — oneself, sapere come cavarsi d'impiccio / God helps him who helps himself, (prov.) aiutati che Dio ti aiuta / to — down, aiutare a scendere / to — forward, aiutare a procedere / to — in, out, aiutare a entrare, a uscire / to — on, aiutare a procedere / to — over, aiutare a sormontare (un ostacolo) / to — up, aiutare a salire, ad alzarsi **2** servire (cibo): to — oneself to (food), servirsi di (cibo) **3** evitare, fare a meno di (costr. con can, cannot): he couldn't — laughing, non poté fare a meno di ridere; I can't — it, non posso farci nulla / it can't be helped, non c'è niente da fare / don't do any more damage than you can —, non fare più danni del tuo solito ♦ v.intr. essere di aiuto.

helper ['helpə*] s. aiuto, aiutante.

helpful ['helpfʊl] agg. utile; di aiuto.

helpfulness ['helpfʊlnis] s. utilità; premura; premuroso.

helping ['helpiŋ] s. porzione (di cibo).

helpless ['helplis] agg. indifeso; debole; — and hopeless, senza risorse.

helplessness ['helplisnis] s. debolezza; mancanza d'iniziativa, di risorse.

helpmate ['helpmeit], **helpmeet** ['helpmi:t] s. collaboratore, compagno.

helter-skelter ['heltə'skeltə*] agg. confuso, messo alla rinfusa ♦ avv. alla rinfusa.

helve [helv] s. manico, impugnatura.

Helvetic [hel'vetik] agg. (letter.) elvetico.

hem[1] [hem] s. orlo; bordo.

to **hem**[1] v.tr. orlare / to — in, attorniare, circondare.

hem[2] inter. e s. ehm.

to **hem**[2] v.intr. schiarirsi la voce; tossicchiare / to — and haw, esprimere perplessità, esitare.

he-man ['hi:'mæn] s. (fam.) uomo virile.

hematite ['hemətait] *s.* (*min.*) ematite.
hemi- ['hemi] *pref.* emi-.
hemicycle ['hemi‚saikl] *s.* emiciclo.
hemiplegia [‚hemi'pli:dʒiə] *s.* (*med.*) emiplegia.
hemisphere ['hemisfiə*] *s.* emisfero.
hemline ['hemlain] *s.* (altezza da terra di) orlo di gonna.
hemlock ['hemlɔk] *s.* cicuta.
hemorrhage *s.* → **haemorrhage**.
hemorrhoids *s.pl.* → **haemorrhoids**.
hemp [hemp] *s.* **1** canapa **2** hascisc.
hempen ['hempən] *agg.* di canapa, canapino.
hemstitch ['hemstitʃ] *s.* orlo a giorno.
to **hemstitch** *v.tr.* orlare a giorno.
hen [hen] *s.* **1** gallina **2** femmina (di uccelli) **3** (*old*) —, (*sl.*) donna vecchia.
henbane ['henbein] *s.* (*bot.*) giusquiamo.
hence [hens] *avv.* **1** di qui, da ciò; perciò **2** di qui, da questo momento.
henceforth ['hens'fɔ:θ], **henceforward** ['hens'fɔ:wəd] *avv.* d'ora innanzi.
henchman, *pl.* **henchmen** ['henʧmən] *s.* seguace; sostenitore; accolito.
hendecasyllable ['hendekə‚siləbl] *s.* endecasillabo.
hendiadys [hen'daiədis] *s.* (*gramm.*) endiadi.
henna ['henə] *s.* **1** (*bot.*) alcanna **2** henné.
hennery ['henəri] *s.* pollaio.
hen party ['hen'pɑ:ti] *s.* (*fam*) festa di sole donne.
to **henpeck** ['henpek] *v.tr.* tiranneggiare, tormentare (il marito).
Henrietta [‚henri'etə] *no.pr.f.* Enrica, Enrichetta.
Henry ['henri] *no.pr.m.* Enrico.
hepatic [hi'pætik] *agg.* epatico.
hepatitis [‚hepə'taitis] *s.* (*med.*) epatite.
hepster ['hepstə*] *s.* → **hipster**.
heptad ['heptæd] *s.* (gruppo di) sette.
her [hə:*] *agg.poss.* di lei; suo: *Mary and — brother*, Maria e suo fratello ♦ *pron.pers. compl. 3ª pers. f. sing.* la; le; lei; sé: *I met —*, la incontrai; *I told — that...*, le dissi che...; *we spoke of —*, parlammo di lei; *she took the book with —*, prese il libro con sé // *it was —*, era lei.
herald ['herəld] *s.* araldo; messaggero; (*fig.*) precursore.
to **herald** *v.tr.* annunziare.
heraldic [he'rældik] *agg.* araldico.
heraldry ['herəldri] *s.* araldica.
herb [hə:b, (*amer.*) ə:rb] *s.* **1** erba **2** *pl.* (*cuc.*) odori.
herbaceous [hə:'beiʃəs, (*amer.*) ə:'beiʃəs] *agg.* erbaceo // — *border*, aiuola fiorita.
herbage ['hə:bidʒ, (*amer.*) 'ə:bidʒ] *s.* **1** pascolo **2** (*dir.*) diritto di pascolo.
herbal ['hə:bəl, (*amer.*) 'ə:rbəl] *agg.* di erba ♦ *s.* erbario.
herbalism ['hə:bəlism, (*amer.*) 'ə:bəlism] *s.* erboristeria.
herbalist ['hə:bəlist, (*amer.*) 'ə:rbəlist] *s.* erborista.
herbarium [hə:'beəriəm, (*amer.*) ə:'beəriəm], *pl.* **herbaria** [hə:'beəriə, (*amer.*) ə:'beəriə] *s.* erbario.
herbicidal [hə:bə'saidl, (*amer.*) ə:bə'saidl] *agg.* erbicida.
herbicide ['hə:bə‚said, (*amer.*) 'ə:bə‚said] *s.* erbicida.
herbivorous [hə:'bivərəs, (*amer.*) ə:'bivərəs] *agg.* erbivoro.
herborist ['hə:bərist, (*amer.*) 'ə:bərist] *s.* erborista.
Herculean [‚hə:kju'li(:)ən] *agg.* erculeo.
Hercules ['hə:kjuli:z] *no.pr.m.* (*mit.*) Ercole.
herd¹ [hə:d] *s.* gregge; mandria; branco.
to **herd¹** *v.tr.* riunire in gregge; guidare, sorvegliare (un gregge, una mandria) ♦ *v.intr.* **1** vivere in gregge **2** aggregarsi: *to — together*, riunirsi in gregge.

herd² *s.* (*ant.*) mandriano, pastore.
to **herd²** *v.tr.* far pascolare.
herdsman, *pl.* **herdsmen** ['hə:dzmən] *s.* mandriano, pastore.
here [hiə*] *avv.* **1** qui, qua: — *and there*, qua e là // — *he is*, eccolo // — *you are!*, ecco (quello che cerchi)! // —!, presente! // — *goes!*, si comincia! // —*'s to you!*, alla vostra (salute)! // *that's neither — nor there*, questo non c'entra **2** a questo punto: — *he said*, a questo punto disse ♦ *s.* questo luogo: *in —*, qui dentro.
hereabout(s) ['hiərə‚baut(s)] *avv.* qui vicino.
hereafter [hiər'ɑ:ftə*] *avv.* **1** in futuro **2** nell'aldilà ♦ *s.* vita dell'aldilà.
hereat [hiər'æt] *avv.* al che.
hereby ['hiə'bai] *avv.* **1** con questo mezzo **2** (*arc.*) qui vicino.
hereditary [hi'reditəri] *agg.* ereditario.
heredity [hi'rediti] *s.* ereditarietà.
herein [hiər'in] *avv.* qui; (*comm.*) qui accluso.
hereinafter ['hiərin'ɑ:ftə*] *avv.* (*dir.*) più avanti, oltre (in un documento).
hereof [hiər'ɔv] *avv.* (*dir.*) di questo, di ciò.
heresy ['herəsi] *s.* eresia.
heretic ['herətik] *s.* eretico.
heretical [hi'retikəl] *agg.* eretico.
hereto ['hiə'tu:] *avv.* qui, a questo (documento ecc.).
heretofore ['hiətu'fɔ:*] *avv.* fino a ora.
hereunder [hiər'ʌndə*] *avv.* qui sotto.
hereupon ['hiərə'pɔn] *avv.* **1** su questo, su ciò **2** dopo di che, da questo momento in poi.
herewith ['hiə'wið, (*amer.*) 'hiə'wiθ] *avv.* (*comm.*) qui accluso.
heritage ['heritidʒ] *s.* eredità; retaggio.
heritor ['heritə*] *s.* erede.
herm [hə:m] *s.* (*archeol.*) erma.
Herman ['hə:mən] *no.pr.m.* Ermanno.
hermaphrodite [hə:'mæfrədait] *agg.* e *s.* ermafrodito.
hermaphroditism [hə:'mæfrədaitizəm] *s.* ermafroditismo.
hermeneutics [‚hə:mi'nju:tiks] *s.* ermeneutica.
hermetic [hə:'metik] *agg.* ermetico.
hermit ['hə:mit] *s.* **1** eremita **2** — *crab*, (*zool.*) paguro, bernardo l'eremita.
hermitage ['hə:mitidʒ] *s.* eremo.
hernia ['hə:njə] *s.* (*med.*) ernia.
hernial ['hə:njəl] *agg.* erniario.
hero ['hiərou], *pl.* **heroes** ['hiərouz] *s.* eroe // — *worship*, idolatria.
Herod ['herəd] *no.pr.m.* (*st.*) Erode.
Herodotus [he'rɔdətəs] *no.pr.m.* (*st.lett.*) Erodoto.
heroic [hi'rouik] *agg.* eroico // — *couplet*, distico eroico; — *poetry*, poesia epica ♦ *s.* **1** verso eroico **2** *pl.* magniloquenza (*sing.*).
heroical [hi'rouikəl] *agg.* eroico.
heroicomic(al) [hi‚roui'kɔmik(əl)] *agg.* eroicomico.
heroin ['herouin] *s.* (*chim.*) eroina.
heroine ['herouin] *s.* eroina.
heroism ['herouizəm] *s.* eroismo.
heron ['herən] *s.* airone.
herpes ['hə:pi:z] *s.* (*med.*) erpete.
herring ['heriŋ] *s.* aringa // *red —*, falsa traccia.
herringbone ['heriŋboun] *agg.* a spina di pesce ♦ *s.* lisca (di aringa).
hers [hə:z] *pron.poss.* di lei; (il) suo: *this bag is —*, questa borsetta è sua // *that book of —*, quel suo libro.
herself [hə:'self] *pron.* 3ª *pers.f.sing.* **1** *pr.* si; sé, sé

stessa: *she cut —*, si tagliò // *she was thinking to —*, pensava tra sé (e sé) // *by —*, da sola **2** (*enfatico*) ella stessa; (*proprio*) lei: *she did it —*, l'ha fatto (proprio) lei ◆ *s.* ella stessa: *she is not —*, non è in sé.

hertz [hə:ts] *s.* (*fis.*) hertz.

Hertzian [ˈhə:tsiən] *agg.* (*fis.*) hertziano.

he's [hi:z] *contr. di* he is, he has.

hesitance [ˈhezitəns], **hesitancy** [ˈhezitənsi] *s.* esitazione, titubanza.

hesitant [ˈhezitənt] *agg.* esitante.

to hesitate [ˈheziteit] *v.intr.* esitare.

hesitation [ˌheziˈteiʃən] *s.* **1** esitazione **2** balbuzie.

hetaera [hiˈtiərə], *pl.* **hetaerae** [hiˈtiəri:] *s.* etera.

heter-, hetero- [ˈhətə*, ˈhətərou] *pref.* etero-.

heterodox [ˈhetərədɔks] *agg.* eterodosso.

heterodoxy [ˈhetərədɔksi] *s.* eterodossia.

heterogeneity [ˌhetərouˈdʒiˈni:iti] *s.* eterogeneità.

heterogeneous [ˈhetərouˈdʒi:niəs] *agg.* eterogeneo.

het up [hetˈup] *agg.* (*fam.*) eccitato: *don't get — about it*, non prendertela per questo.

to hew [hju:], *pass.* **hewed** [hju:d], *p.pass.* **hewn** [hju:n] *v.tr.* **1** tagliare, spaccare (con l'accetta) // *to — down*, abbattere **2** *to — out*, intagliare, ricavare; (*fig.*) foggiare.

hex [heks] *s.* (*fam.*) malocchio.

hexagon [ˈheksəgən] *s.* (*geom.*) esagono.

hexagonal [hekˈsægənl] *agg.* esagonale.

hexahedron [ˈheksəˈhedrən] *s.* (*geom.*) esaedro.

hexameter [hekˈsæmitə*] *s.* esametro.

hey [hei] *inter.* ehi!

heyday [ˈheidei] *s.* (*solo sing.*) apice, apogeo: *in the — of youth*, nel fiore della giovinezza.

hi [hai] *inter.* **1** ehi! **2** (*amer.*) ciao!

hiatus [haiˈeitəs] *s.* **1** (*gramm.*) iato **2** lacuna.

hibernal [haiˈbə:nl] *agg.* invernale.

to hibernate [ˈhaibə:neit] *v.intr.* ibernare.

hibernation [ˌhaibə:ˈneiʃən] *s.* ibernazione.

Hibernian [haiˈbə:njən] *agg. e s.* irlandese.

hibiscus [hiˈbiskəs, (*amer.*) haiˈbiskəs] *s.* ibisco.

hiccough, hiccup [ˈhikʌp] *s.* singhiozzo.

to hiccough, to hiccup *v.intr.* avere il singhiozzo ◆ *v.tr.* pronunciare fra i singhiozzi.

hid *pass. e p.pass.* di to **hide²**.

hidden *p.pass.* di to **hide²**.

hide¹ [haid] *s.* pelle, cuoio // *to have a thick —*, (*fam.*) avere la pelle dura // *I haven't seen — or hair of him for years*, non ne ho visto traccia per anni.

to hide¹ *v.tr.* **1** scuoiare, scorticare **2** (*fam.*) picchiare.

hide² *s.* nascondiglio.

to hide² *pass.* **hid** [hid], *p.pass.* **hid, hidden** [ˈhidn] *v.tr.* nascondere; celare: *to — sthg. from s.o.*, nascondere qlco. a qlcu. ◆ *v.intr.* nascondersi; celarsi.

hide-and-seek [ˈhaidəndˌsi:k] *s.* nascondino, rimpiattino.

hideaway [ˈhaidəwei] *s.* (*fam. fig.*) rifugio, eremo.

hidebound [ˈhaidbaund] *agg.* di idee ristrette.

hideous [ˈhidiəs] *agg.* orrendo; bruttissimo.

hideout [ˈhaidaut] *s.* nascondiglio.

hiding¹ [ˈhaidin] *s.* (*fam.*) bastonatura.

hiding² *s.* **1** il nascondersi **2** nascondiglio.

hierarch [ˈhaiərɑ:k] *s.* prelato.

hierarchic(al) [ˌhaiəˈrɑ:kik(əl)] *agg.* gerarchico.

hierarchy [ˈhaiərɑ:ki] *s.* gerarchia.

hieratic [ˌhaiəˈrætik] *agg.* ieratico.

hieroglyph [ˈhaiərəglif] *s.* geroglifico.

hieroglyphic(al) [ˌhaiərəˈglifik(əl)] *agg.* geroglifico.

Hieronymus [ˌhaiəˈrɔniməs] *no.pr.m.* Gerolamo; Geronimo.

Hierosolymitan [ˌhaiərəˈsɔlimaitən] *agg.* gerosolimitano.

hi-fi [ˈhaiˈfai] *agg.* (*fam.*) ad alta fedeltà.

to higgle [ˈhigl] *v.intr.* mercanteggiare.

higgledy-piggledy [ˈhigldiˈpigldi] *avv.* alla rinfusa.

high [hai] *agg.* **1** alto, elevato; (*fig.*) sommo, importante: *a house 40 feet —*, una casa alta 40 piedi; *a — percentage*, un'alta percentuale; *a — explosive*, un forte esplosivo; *— living*, tenore di vita elevato; *— office, position*, ufficio, posizione di rilievo; *— aims*, scopi nobili, elevati // *higher*, più alto; superiore: *higher education*, istruzione superiore; *on a higher level*, a un livello superiore // *the — and the low*, i ricchi e i poveri // *— spirits*, buonumore, ilarità // *— seas*, acque extraterritoriali // *High Court*, Corte Suprema // *High Priest*, Sommo Sacerdote // *High School*, scuola media inferiore e superiore // *— and dry*, (*di imbarcazione*) in secca; (*fig.*) abbandonato, piantato in asso **2** forte, intenso (*di luce, colore*): *— colour*, colorito acceso **3** costoso **4** pieno, avanzato (*di tempo, stagione*): *— noon*, mezzogiorno in punto; *in — summer*, in piena estate // *it is — time you went to bed*, è proprio ora che tu vada a letto **5** alto, acuto (*di suono*) **6** (*di carne*) passato, guasto **7** (*fam.*) alticcio, brillo.

high *s.* **1** il Cielo: *on —*, in Cielo **2** (*meteorologia*) anticiclone **3** (*aut.*) la marcia più alta.

high *avv.* **1** alto, in alto (*anche fig.*): *to aim —*, mirare in alto; *to rise — in s.o.'s esteem*, crescere nella stima di qlcu. // *— and low*, ovunque // *to live —*, vivere nell'abbondanza // *to play, to stake —*, giocare, scommettere forte // *to pay —*, pagare molto **2** forte, fortemente: *to blow —*, soffiare violentemente (*di vento*); *to run —*, (*anche fig.*) essere agitato.

highball [ˈhaibɔ:l] *s.* (*amer.*) whisky e soda.

high-beam [ˈhaibi:m] *s.* (*aut.*) abbagliante.

highborn [ˈhaibɔ:n] *agg.* di nobili natali.

highboy [ˈhaibɔi] *s.* (*amer. per tallboy*) cassettone, cassettiera.

highbrow [ˈhaibrau] *s.* (*fam.*) intellettuale.

high chair [ˈhaiˈtʃɛə*] *s.* seggiolone.

High Church [ˈhaitʃə:tʃ] *s.* Chiesa Alta (d'Inghilterra).

high-class [ˌhaiˈklɑ:s] *agg.* d'alta classe.

highfalutin [ˈhaifəˈlu:tin] *agg.* (*fam.*) ampolloso.

high-flier [ˈhaiˈflaiə*] *s.* ambizioso.

high-flown [ˈhaifloun] *agg.* ampolloso; ambizioso.

high-grade [ˈhaigreid] *agg.* di prima qualità.

high-handed [ˈhaiˌhændid] *agg.* autoritario; prepotente; arbitrario.

high-hat [ˈhaiˈhæt] *agg. e s.* (*amer.*) snob.

to high-hat *v.tr.* (*amer.*) snobbare.

high jump [ˈhaidʒʌmp] *s.* salto in alto.

highland [ˈhailənd] *s.* (*geogr.*) regione montuosa // **Highlands, the** [ˈhailəndz] *no.pr.* la regione montuosa della Scozia // *Highland fling*, ballo scozzese.

high-life [ˈhaiˈlaif] *s.* vita di società; alta società.

highlight [ˈhailait] *s.* **1** clou, momento più importante; punto saliente **2** parte più luminosa (*di quadro ecc.*); riflesso.

to highlight *v.tr.* **1** illuminare, mettere in luce **2** (*fig.*) sottolineare, mettere in risalto.

highlighter [ˈhailaitə*] *s.* evidenziatore.

highly [ˈhaili] *avv.* molto, estremamente, assai // *— paid*, pagato profumatamente // *to think — of s.o.*, tenere qlcu. in molta considerazione.

highly-strung [ˈhaili,strʌŋ] *agg.* nervoso; con i nervi a fior di pelle.

high-mettled [ˈhai,metld] *agg.* coraggioso.

high-minded [ˈhai,maindid] *agg.* di nobili principi e ideali.

highness [ˈhainis] *s.* altezza.

highpitched [ˈhaipitʃt] *agg.* **1** acuto (di suono) **2** ripido (di tetto) **3** (*fig.*) nobile.

high-pressure [ˈhaiˈpreʃə*] *agg.* **1** ad alta pressione **2** febbrile; dinamico.

highroad [ˈhaiˈroud] *s.* strada maestra, strada principale; (*fig.*) via diretta.

high-sounding [ˈhai,soundiŋ] *agg.* altisonante; ampolloso.

high-spirited [ˈhaiˈspiritid] *agg.* **1** coraggioso **2** allegro, vivace.

high spot [ˈhaispot] *s.* momento principale, «clou».

high-stepper [ˈhaiˈstepə*] *s.* buontempone.

high tea [,haiˈtiː] *s.* pasto sostitutivo della cena preso nel tardo pomeriggio.

high-up [ˈhaiʌp] *agg.* (*fam.*) altolocato; importante ♦ *s.* persona altolocata, importante.

highway [ˈhaiwei] *s.* **1** strada maestra **2** (*amer.*) autostrada // *belt* —, tangenziale **3** (*fig.*) via diretta.

highwayman, *pl.* **highwaymen** [ˈhaiweimən] *s.* bandito, brigante.

hijack [ˈhaidʒæk] *s.* dirottamento.

to **hijack** [ˈhaidʒæk] *v.tr.* **1** dirottare **2** (*amer.*) rapinare; rubare **3** fare il doppio gioco (con).

hijacker [ˈhai,dʒækə*] *s.* dirottatore.

hike [haik] *s.* (*fam.*) escursione a piedi (in campagna); camminata.

to **hike** *v.intr.* fare un'escursione a piedi (in campagna); fare una camminata.

hilarious [hiˈlɛəriəs] *agg.* ilare; allegro.

hilarity [hiˈlæriti] *s.* ilarità; allegria.

hill [hil] *s.* collina; colle; altura // *up* — *and down dale*, (*fig.*) per monti e per valli // *as old as the hills*, vecchio come il cuculo.

hillbilly [ˈhil,bili] *agg.* e *s.* (*amer.*) montanaro.

hilliness [ˈhilinis] *s.* natura collinosa.

hillock [ˈhilək] *s.* monticello, collinetta.

hilly [ˈhili] *agg.* collinoso.

hilt [hilt] *s.* elsa // *up to the* —, completamente.

him [him] *pron.pers.compl. 3ª pers.m.sing.* lo; gli; lui; sé: *I saw* —, lo vidi; *I told* — *that...*, gli dissi che...; *they were speaking of* —, parlavano di lui; *he took the book with* —, prese il libro con sé // *it was* —, era lui.

Himalaya [,himəˈleiə] *no.pr.* Imalaia.

Himalayan [,himəˈleiən] *agg.* e *s.* imalaiano.

himself [himˈself] *pron. 3ª pers.m.sing.* si; sé; sé stesso: *he looked at* — *in the mirror*, si guardò allo specchio // *he was thinking to* —, pensava tra sé (e sé) // *by* —, da solo **2** (*enfatico*) egli stesso; (proprio) lui: *he did it* —, l'ha fatto (proprio) lui ♦ *s.* egli stesso // *he is not* —, non è in sé.

hind[1] [haind] *s.* cerva; daina.

hind[2], **hinder**[1] [ˈhaində*] *agg.* posteriore.

to **hinder**[2] [ˈhaində*] *v.tr.* impedire; ostacolare: *to* — *s.o. from doing sthg.*, impedire a qlcu. di fare qlco. ♦ *v.intr.* essere d'impaccio.

hindmost [ˈhaindmoust] *agg.* e *s.* ultimo.

hindquarter [ˈhaindˈkwɔːtə*] *s.* quarto posteriore (di animale macellato).

hindrance [ˈhindrəns] *s.* ostacolo; impaccio.

hindsight [ˈhaindsait] *s.* il senno del poi.

hinge [hindʒ] *s.* cardine (*anche fig.*): *a door off its hinges*, una porta scardinata.

to **hinge** *v.tr.* munire di cardini ♦ *v.intr.* **1** girare sui cardini **2** (*fig.*) dipendere: *everything hinges on you*, tutto dipende da te.

hinny [ˈhini] *s.* (*zool.*) bardotto.

hint [hint] *s.* accenno; suggerimento; allusione: *broad* —, allusione evidente.

to **hint** *v.tr.* e *intr.* accennare; insinuare; alludere: *to* — *at sthg.*, alludere a qlco., insinuare qlco.

hinterland [ˈhintələænd] *s.* retroterra.

hip[1] [hip] *s.* **1** (*anat.*) fianco // — *and thigh*, senza pietà // *on the* —, in svantaggio // — *-bone*, (*anat.*) osso iliaco **2** (*arch.*) spigolo del tetto.

hip[2] *s.* frutto della rosa canina.

hip[3] *inter.*: —, —, *hurrah!*, evviva!

hip[4] *agg.* (*fam.*) all'ultima moda.

hipbath [ˈhipbɑ:θ] *s.* semicupio.

hippo [ˈhipou], *pl.* **hippos** [ˈhipouz] *s.* (*fam.*) ippopotamo.

hippocampus [,hipouˈkæmpəs], *pl.* **hippocampi** [,hipouˈkæmpai] *s.* ippocampo.

Hippocrates [hiˈpɔkrəti:z] *no.pr.* (*st.*) Ippocrate.

hippodrome [ˈhipədroum] *s.* **1** ippodromo **2** (arena di) circo.

hippogriff, hippogriph, hippogryph [ˈhipougrif] *s.* (*mit.*) ippogrifo.

hippopotamus [,hipəˈpotəməs], *pl.* **hippopotamuses** [,hipəˈpotəməsiz], **hippopotami** [,hipəˈpotəmai] *s.* ippopotamo.

hipster [ˈhipstə*] *s.* (*amer.*) seguace di movimenti (musicali, letterari ecc.) d'avanguardia; tipo ben informato, in gamba.

hircine [ˈhə:sain] *agg.* caprino, caprigno.

hire [ˈhaiə*] *s.* **1** affitto, noleggio: *on* —, a nolo; *for* —, libero (di taxi); *to let out on* —, noleggiare **2** salario: *to work for* —, lavorare a salario.

to **hire** *v.tr.* **1** prendere a servizio, assumere **2** affittare, dare a nolo.

hireling [ˈhaiəliŋ] *s.* persona prezzolata; mercenario.

hire purchase [ˈhaiəˈpə:tʃəs] *s.* vendita a rate.

hirsute [ˈhə:sju:t] *agg.* irsuto, peloso.

his [hiz] *agg.poss.* di lui; suo: *Paul and* — *mother*, Paolo e sua madre ♦ *pron.poss.* di lui; (il) suo: *that tie is* —, quella cravatta è sua // *those books of* —, quei suoi libri.

Hispanic [hisˈpænik] *agg.* ispanico.

hispid [ˈhispid] *agg.* ispido.

hiss [his] *s.* sibilo; fischio.

to **hiss** *v.tr.* e *intr.* **1** fischiare; sibilare // *to* — *s.o. off*, cacciare qlcu. a furia di fischi **2** dire tra i denti.

hist [s:t] *inter.* sst!, zitto!, silenzio!

histamine [ˈhistəmi:n] *s.* (*fam.*) istamina.

histogram [ˈhistəgræm] *s.* istogramma.

histological [,histəˈlɔdʒikəl] *agg.* istologico.

histology [hisˈtɔlədʒi] *s.* istologia.

historian [hisˈtɔ:riən] *s.* storico.

historiated [hisˈtɔ:rieitid] *agg.* istoriato.

historic(al) [hisˈtɔrik(əl)] *agg.* storico.

historicism [hisˈtɔrisizəm] *s.* (*fil.*) storicismo.

historicity [,histəˈrisiti] *s.* storicità.

historiographer [,histɔ:riˈɔgrəfə*] *s.* storiografo.

historiography [,histɔ:riˈɔgrəfi] *s.* storiografia.

history [ˈhistəri] *s.* storia.

histrion [ˈhistriən] *s.* istrione, commediante.

histrionic [,histriˈɔnik] *agg.* istrionico.

histrionics [ˌhistri'ɔniks] *s.pl.* teatralità (*sing.*), finzione teatrale (*sing.*).

hit [hit] *s.* **1** colpo, botta // *a lucky —*, un caso fortunato **2** assassinio a pagamento **3** osservazione sarcastica **4** successo: *to make a — with s.o.*, fare colpo su qlcu.; avere successo con qlcu.

to hit, *pass. e p.pass.* **hit** *v.tr.* battere, urtare; colpire (*anche fig.*) // *to — below the belt*, (*fig.*) colpire a tradimento // *to — it*, indovinare // *to — the bottle*, attaccarsi alla bottiglia // *to — the hay* (o *the sack*) andare a dormire // *to — home*, centrare // *to — the jackpot*, (*fam.*) fare un colpo fortunatissimo // *to — the mark*, colpire nel segno // *to — it off with*, andare d'accordo con ♦ *v.intr.* **1** urtare, sbattere: *the car — against the rock*, l'automobile urtò contro la roccia **2** *to — up(on)*, trovare per caso; imbattersi in **3** *to — back*, difendersi **4** *to — out*, dare grandi colpi.

hit-and-run ['hitən'rʌn] *agg.*: *a — man*, pirata della strada.

hitch [hitʃ] *s.* **1** colpo; strattone; balzo **2** intoppo, difficoltà **3** (*mar.*) nodo **4** passaggio con autostop.

to hitch *v.tr.* **1** tirar su **2** legare, attaccare ♦ *v.intr.* **1** muoversi a sbalzi **2** rimanere impigliato **3** (*fam.*) fare l'autostop.

to hitchhike ['hitʃhaik] *v.intr.* fare l'autostop.

hitch-hiker ['hitʃˌhaikə*] *s.* autostoppista.

hither ['hiðə*] *avv.* (*rar.*) qua; qui; in qua; per di qua: *— and thither*, qua e là.

hitherto ['hiðə'tu:] *avv.* finora.

hitherward ['hiðəwəd] *avv.* per di qua, in questa direzione.

hit-list ['hitlist] *s.* lista di persone da eliminare.

hit-man ['hitmæn] *s.* killer.

hive [haiv] *s.* alveare (*anche fig.*) // *a — of industry*, (*fig.*) una fucina (di lavoro).

to hive *v.tr.* **1** mettere, far entrare nell'arnia **2** immagazzinare (miele) nell'arnia ♦ *v.intr.* vivere in comunità.

hives [haivz] *s.pl.* (*med.*) orticaria (*sing.*).

ho [hou] *inter.* oh!

hoar [hɔ:*] *agg.* bianco; canuto ♦ *s.* brina.

hoard [hɔ:d] *s.* **1** gruzzolo, tesoro **2** mucchio; scorta.

to hoard *v.tr.* accumulare, ammassare; accaparrare // *to — up*, far tesoro di.

hoarder ['hɔ:də*] *s.* chi accumula; accaparratore.

hoarding ['hɔ:diŋ] *s.* **1** palizzata **2** tabellone d'affissione **3** accaparramento.

hoarfrost ['hɔ:'frɔst] *s.* brina.

hoariness ['hɔ:rinis] *s.* canizie (*anche fig.*).

hoarse [hɔ:s] *agg.* rauco; fioco: *to shout oneself —*, diventare rauco a forza di gridare.

hoarseness ['hɔ:snis] *s.* raucedine.

hoary ['hɔ:ri] *agg.* canuto; vecchio.

hoax [houks] *s.* burla; scherzo; canzonatura; tiro: *to play a — on s.o.*, giocare un tiro a qlcu.

to hoax *v.tr.* burlare; canzonare.

hoaxer ['houksə*] *s.* burlone.

hob [hɔb] *s.* mensola del focolare dove si tengono in caldo le vivande.

hobble ['hɔbl] *s.* **1** zoppicamento **2** pastoia (*anche fig.*).

to hobble *v.tr.* mettere le pastoie a (un cavallo ecc.) ♦ *v.intr.* zoppicare; procedere a fatica (*anche fig.*).

hobbledehoy ['hɔbldi'hɔi] *s.* adolescente goffo, impacciato.

hobby[1] ['hɔbi] *s.* hobby, passatempo preferito.

hobby[2] *s.* falchetto.

hobbyhorse ['hɔbihɔ:s] *s.* **1** cavalluccio di legno; cavallo a dondolo **2** (*fig.*) fissazione.

hobgoblin ['hɔbˌgɔblin] *s.* **1** folletto **2** terrore immaginario.

hobnail ['hɔbneil] *s.* grosso chiodo da scarpe.

hobnailed ['hɔbneild] *agg.* chiodato.

to hobnob ['hɔbnɔb] *v.intr.* intrattenersi, comportarsi amichevolmente.

hobo ['houbou] *s.* (*sl. amer.*) vagabondo.

Hobson's choice ['hɔbsənz'tʃɔis] *s.* (*fam.*) offerta senza alternativa.

hock[1] [hɔk] *s.* vino bianco del Reno.

hock[2] *s.* **1** (*anat.*) garretto **2** (*cuc.*) piedino.

to hock[2] *v.tr.* tagliare i garretti (a).

to hock[3] *v.tr.* (*sl.*) impegnare.

hockey ['hɔki] *s.* (*sport*) hockey.

to hocus ['houkəs] *v.tr.* **1** ingannare **2** drogare.

hocus-pocus ['houkəs'poukəs] *s.* **1** truffa, pastocchia; pasticcio **2** gazzarra **3** divagazioni (*pl.*).

hod [hɔd] *s.* (*edil.*) secchio per mattoni.

hodgepodge ['hɔdʒpɔdʒ] *s.* → **hotchpotch**.

hodman, *pl.* **hodmen** ['hɔdmən] *s.* manovale.

hoe [hou] *s.* zappa.

to hoe *v.tr. e intr.* zappare.

hog [hɔg] *s.* maiale, porco (*anche fig.*) // *to go to whole —*, arrivare fino in fondo // *— road —*, pirata della strada.

to hog *v.tr.* **1** ingozzarsi (di cibo) **2** (*fam.*) prendere per sé; accaparrarsi **3** inarcare (la schiena) ♦ *v.intr.* (*di cavalli*) inarcarsi.

hogg ['hɔg], **hogget** ['hɔgit] *s.* pecora di un anno.

hoggish ['hɔgiʃ] *agg.* **1** di porco **2** ingordo **3** sporco **4** egoista.

hogmanay ['hɔgmənei] *s.* (*scoz.*) ultimo dell'anno.

hogsback ['hɔgzˌbæk] *s.* → **hogback**.

hogshead ['hɔgzhed] *s.* **1** barile **2** «hogshead» (misura di capacità).

hogwash ['hɔgwɔʃ] *s.* intruglio (per maiali); (*fig.*) robaccia, sciocchezze (*pl.*).

to hoick [hɔik] *v.tr.* sollevare, raddrizzare di colpo ♦ *v.intr.* sollevarsi, raddrizzarsi di colpo.

hoist [hɔist] *s.* **1** sollevamento **2** elevatore; montacarichi; sistema di carrucole.

to hoist *v.tr.* sollevare; issare // *— the anchor!*, levate l'ancora!

hoity-toity ['hɔiti'tɔiti] *agg.* arrogante; petulante; irritabile.

hokey-pokey ['houki'pouki] *s.* **1** truffa, pastocchia; pasticcio **2** (*fam.*) cono gelato.

hokum ['houkəm] *s.* (*amer.*) facile sentimentalismo.

hold[1] [hould] *s.* **1** presa // *to get — of*, impossessarsi di; riuscire a trovare // *to keep — of*, tenere in proprio possesso; mantenere la presa su **2** (*fig.*) ascendente, presa **3** sostegno, punto d'appoggio **4** rifugio, fortezza.

to hold[1], *pass.* **held** [held], *p.pass.* **held** (*arc.*), **holden** ['houldən] *v.tr.* **1** tenere // *to — one's head high* (o *up*), andare a testa alta // *to — one's tongue*, tacere // *to — s.o. to his promise*, obbligare qlcu. a mantenere la sua promessa // *to — sthg. over s.o.*, usare qlco. per intimidire qlcu. // *to — water*, essere consistente (di prove, argomentazioni) // *to — in contempt*, disprezzare // *to — dear*, aver caro // *to — back*, trattenere // *to — in*, imbrigliare, trattenere // *to — off*, tenere, trattenere // *to — over*, tenere in sospeso, posporre **2** sostenere: *this beam holds the whole weight*, questa trave sostiene tutto il peso **3** contenere **4** possedere **5** (*mil.*)

tenere, occupare: *to — one's ground*, mantenere le proprie posizioni **6** credere, ritenere: *I — it to be impossible*, non lo ritengo possibile **7** *to — out*, offrire, porgere **8** *to — up*, elevare, alzare; fermare, ostacolare; fermare per derubare // *to — up to derision*, esporre alla derisione // *— them up!*, mani in alto! **9** (*informatica*) tenere; mantenere; conservare // *— down*, tenere premuto un tasto ♦ *v.intr.* **1** tenere, resistere **2** essere valido // *to — good*, restare valido **3** continuare, durare **4** to *— by*, seguire, mantenersi fedele a **5** *to — with*, essere d'accordo con; parteggiare per; approvare **6** *to — aloof*, tenersi in disparte **7** *to — back*, trattenersi; esitare; ritardare **8** *to — forth*, declamare in pubblico **9** *to — in*, trattenersi **10** *to — off*, tenersi in disparte; trattenersi; ritardare **11** *to — on*, non cedere, persistere: *— on!*, (*tel.*) aspetti!, resti in linea! // *to — on to*, aggrapparsi a **12** *to — out*, resistere **13** *to — together*, tenersi uniti.

hold² *s.* (*mar.*) stiva.

holdall [ˈhouldɔːl] *s.* sacca da viaggio.

holder [ˈhouldə*] *s.* **1** possessore; proprietario // (*television*) *licence —*, teleabbonato **2** presina **3** contenitore.

holdfast [ˈhouldfɑːst] *s.* sostegno; uncino; graffa; morsetto.

holding [ˈhouldiŋ] *s.* **1** presa; possesso **2** podere; possedimento.

holding company [ˈhouldiŋˌkʌmpəni] *s.* società finanziaria, «holding».

holdup [ˈhouldʌp] *s.* **1** intoppo **2** rapina a mano armata.

hole [houl] *s.* **1** buco (*anche fig.*); buca // *to make a — in sthg.*, (*sl.*) attingere a; assorbire **2** *to put s.o. in a —*, (*fam.*) mettere qlcu. in una situazione spiacevole // *to pick holes in*, (*sl.*) trovar da ridire su // *what a — of a place!*, che postaccio! **2** (*golf*) buca.

to **hole** *v.tr.* **1** bucare **2** ficcare in un buco ♦ *v.intr.* (*golf*) lanciare in buca.

hole-and-corner [ˈhoulændˈkɔːnə*] *agg.* furtivo.

holiday [ˈhɔlədi] *s.* festa, giorno festivo; vacanza, vacanze (*pl.*) // *— of obligation*, festa di precetto // *paid statutory holidays*, ferie pagate // *staggered holidays*, vacanze scaglionate // *to take a —*, prendersi una vacanza // *to be on one's holidays* (*o on —*), essere in vacanza.

to **holiday** *v.intr.* far vacanza.

holidaymaker [ˈhɔlədiˌmeikə*] *s.* villeggiante; gitante; turista.

holiness [ˈhoulinis] *s.* santità // *His Holiness*, Sua Santità.

Holland [ˈhɔlənd] *no.pr.* Olanda // *holland* s. tela d'Olanda.

Hollander [ˈhɔləndə*] *s.* olandese.

Hollands [ˈhɔləndz] *s.* gin olandese.

to **holler** [ˈhɔlə*] *v.tr.* e *intr.* (*fam.*) urlare.

hollow [ˈhɔlou] *agg.* **1** cavo; vuoto; infossato: *— cheeks*, guance incavate **2** (*di suono*) soffocato; sordo **3** (*fig.*) falso; irreale; inconsistente ♦ *s.* cavo, cavità; depressione.

hollow *avv.* (*fam.*): *to beat s.o. —*, battere, sconfiggere qlcu. completamente.

to **hollow** *v.tr.* svuotare; scavare.

holly [ˈhɔli] *s.* agrifoglio.

hollyhock [ˈhɔlihɔk] *s.* (*bot.*) altea.

holm, [houm] *s.* **1** isoletta (di fiume) **2** golena.

holm, **holm-oak** [ˈhoumˈouk] *s.* (*bot.*) leccio.

holocaust [ˈhɔlɔkɔːst] *s.* olocausto.

holograph [ˈhɔlɔgrɑːf] *agg.* e *s.* (documento) olografo.

holster [ˈhoulstə*] *s.* fondina.

holt [hoult] *s.* (*poet.*) boschetto.

holy [ˈhouli] *agg.* santo, sacro // *the Holy Land*, la Terra Santa // *Holy Office*, Sant'Uffizio // *the Holy Ghost*, lo Spirito Santo // *the Holy Writ*, la Bibbia // *he is a — terror*, è una vera peste ♦ *s.* luogo sacro // *the Holy of Holies*, il Santo dei Santi.

holystone [ˈhoulistoun] *s.* pomice.

homage [ˈhɔmidʒ] *s.* omaggio: *to pay* (o *to do*) *— to*, rendere omaggio a.

homburg [ˈhɔmbəːg] *s.* cappello floscio (da uomo).

home [houm] *s.* **1** casa; dimora; focolare domestico: *at —*, a proprio agio; *he made his — in London*, si è stabilito a Londra // *to be at — on Thursdays*, ricevere il giovedì // *to eat s.o. out of house and —*, vuotare la dispensa a qlcu.; mangiare a qlcu. fin l'ultimo soldo **2** patria: *at —*, in patria // *our policy at — and abroad*, la nostra politica interna ed estera **3** rifugio; ospizio; istituto **4** (*bot. zool.*) habitat, ambiente naturale **5** meta, traguardo, base, porta (in vari giochi) // *— stretch*, (*ippica*) dirittura d'arrivo.

home *agg.* **1** casalingo; domestico; familiare // *— -town*, città natia **2** nazionale; *— -defence*, difesa del territorio nazionale // *— -manufacture*, fabbricazione nazionale // *the Home Guard*, la milizia territoriale // *Home Office*, ministero degli Interni // *the Home Secretary*, il ministro dell'Interno // *Home Rule*, governo autonomo.

home *avv.* **1** a casa; in patria: *I saw her on her way —*, la vidi diretta a casa; *to arrive*, *to come*, *to go —*, arrivare, venire, andare a casa; *to be —*, essere di ritorno (a casa); *to see* (o *take*) *s.o. —*, accompagnare qlcu. a casa // *that's nothing to write — about*, è niente di speciale // *to bring sthg. — to s.o.*, aprire gli occhi a qlcu. // nel segno: *to hit* (o *to strike* o *to shoot*) *—*, colpire nel segno **3** a fondo: *to drive a nail —*, conficcare un chiodo fino in fondo.

to **home** *v.intr.* dirigersi verso casa; trovare la via di casa.

home address [ˈhoumə'dres] *s.* (*informatica*) indirizzo guida; (*IBM*) indirizzo della pista.

homecoming [ˈhoum,kʌmiŋ] *s.* ritorno (a casa, in patria); (*amer.*) ritorno degli ex alunni alla loro università.

home computer [ˈhoumkəm'pjuːtə*] *s.* home computer; elaboratore per usi domestici; elaboratore domestico.

home help [,houm'help] *s.* assistenza domiciliare da parte delle istituzioni sociali.

homeland [ˈhoumlænd] *s.* patria.

homely [ˈhoumli] *agg.* **1** domestico, familiare; semplice **2** (*di persona*) (*amer.*) scialbo, poco attraente.

homemade [,houm'meid] *agg.* fatto in casa.

homeopathic e *deriv.* → **homoeopathic** e *deriv.*

homer [ˈhoumə*] *s.* piccione viaggiatore.

Homer *no.pr.m.* (*lett.*) Omero.

Homeric [hou'merik] *agg.* omerico.

homesick [ˈhoumsik] *agg.* nostalgico.

homesickness [ˈhoumsiknis] *s.* nostalgia.

homespun [ˈhoumspʌn] *agg.* **1** tessuto in casa; di lavorazione artigiana **2** (*fig.*) casalingo; semplice ♦ *s.* stoffa tessuta a mano.

homestead [ˈhoumsted] *s.* fattoria e annessi; (*amer.*) terreno dato (dallo stato) in usufrutto a un agricoltore.

homesters [ˈhoumstəz] *s.* (*fam.*) la squadra ospitante.

homestretch [ˈhoum'stretʃ] *s.* dirittura d'arrivo.

home-thrust [ˈhoum'θrʌst] *s.* stoccata (*anche fig.*).

home truth [ˌhoumˈtruːθ] *s.* verità spiacevole, amara verità.

homeward [ˈhoumwəd] *avv.* verso casa, verso la patria // — *-bound*, diretto in patria.

homework [ˈhoumwəːk] *s.* compiti per casa (*pl.*).

homey [ˈhoumi] *agg.* **1** casalingo **2** (*amer.*) intimo, domestico.

homicidal [ˌhɔmiˈsaidl] *agg.* omicida.

homicide [ˈhɔmisaid] *s.* **1** omicidio // — *squad*, (*amer.*) squadra omicidi **2** omicida.

homily [ˈhɔmili] *s.* (*eccl.*) omelia.

homing [ˈhoumiŋ] *agg.* **1** che va, che torna a casa // — *pigeon*, colombo viaggiatore **2** (*di missile*) con ricerca automatica del bersaglio.

hominoid [ˈhɔminɔid] *s.* (*antropologia*) ominide.

homo [ˈhoumou] *s.* e *agg.* omosessuale.

homoeopathic [ˌhoumjəˈpæθik] *agg.* omeopatico.

homoeopathy [ˌhoumiˈɔpəθi] *s.* (*med.*) omeopatia.

homogeneity [ˌhɔmoudʒeˈniːiti] *s.* omogeneità.

homogeneous [ˌhɔməˈdʒiːnjəs] *agg.* omogeneo.

to homogenize [hɔˈmɔdʒinaiz] *v.tr.* omogeneizzare.

to homologate [houˈmɔləgeit] *v.tr.* omologare.

homologation [houˌmɔləˈgeiʃən] *s.* omologazione.

homologous [hɔˈmɔləgəs] *agg.* omologo.

homonym [ˈhɔmənim] *s.* omonimo.

homonymous [hɔˈmɔniməs] *agg.* omonimo.

homosexual [ˈhoumouˈseksjuəl] *agg.* e *s.* omosessuale.

homosexuality [ˈhoumouseksjuˈæliti] *s.* omosessualità.

hone [houn] *s.* cote.

to hone *v.tr.* affilare.

honest [ˈɔnist] *agg.* **1** onesto **2** leale; sincero **3** puro, genuino.

honestly [ˈɔnistli] *avv.* **1** onestamente **2** lealmente; sinceramente.

honest-to-goodness [ˈɔnisttəˈgudnis] *agg.* (*fam.*) genuino.

honesty [ˈɔnisti] *s.* **1** onestà; probità; buona fede **2** lealtà; franchezza.

honey [ˈhʌni] *s.* **1** miele // *wild*— —, miele grezzo **2** (*fig.*) dolcezza **3** (*fam.*) caro, tesoro.

honey-bee [ˈhʌnibiː] *s.* ape operaia.

honeycomb [ˈhʌnikoum] *s.* **1** favo **2** struttura a nido d'ape.

to honeycomb *v.tr.* crivellare.

honeydew [ˈhʌnidjuː] *s.* **1** melata **2** tipo di tabacco dolce.

honeyed [ˈhʌnid] *agg.* melato; (*fig.*) mellifluo.

honeymoon [ˈhʌnimuːn] *s.* luna di miele.

to honeymoon *v.intr.* essere in luna di miele.

honeysuckle [ˈhʌniˌsʌkl] *s.* (*bot.*) caprifoglio.

honk [hɔŋk] *s.* **1** suono di clacson **2** grido dell'anitra selvatica.

to honk *v.intr.* **1** suonare il clacson **2** gridare (di anitra selvatica).

honkie, honky [ˈhɔŋki] *s.* (*sl. amer.*) bianco (contrapposto a negro).

honor e *deriv* (*amer.*) → **honour** e *deriv.*

honorarium [ˌɔnəˈrɛəriəm] *s.* onorario.

honorary [ˈɔnərəri] *agg.* onorario; onorifico.

honorific [ˌɔnəˈrifik] *agg.* onorifico.

honour [ˈɔnə*] *s.* onore: *upon my* —, sul mio onore; — *bright!*, (*fam.*) parola d'onore!; *to be an* — *to one's family*, fare onore alla propria famiglia; *to be on one's* —, (o *to be* — *bound*), essere moralmente obbligato // *last honours*, onoranze funebri // *with honours*, (*di lau-*

rea) con lode // *the honours of war*, l'onore delle armi // *Your Honour*, Vostro Onore.

to honour *v.tr.* onorare; rispettare.

honourable [ˈɔnərəbl] *agg.* onorevole; onorato.

hooch [huːtʃ] *s.* (*amer.*) bevanda alcolica.

hood [hud] *s.* **1** cappuccio; cappuccio di toga universitaria **2** mantice (di calesse ecc.); (*aut.*) capotta **3** (*amer.*) cofano (dell'automobile) **4** (*fot.*) paraluce.

to hood *v.tr.* incappucciare.

hoodlum [ˈhudləm] *s.* (*sl.*) teppista.

hoodoo [ˈhuːduː] *s.* **1** (*spec. amer.*) iettatore **2** malocchio.

to hoodwink [ˈhudwiŋk] *v.tr.* (*fam.*) ingannare.

hooey [ˈhuːi] *s.* (*fam. amer.*) sciocchezza.

hoof [huːf], *pl.* **hoofs** [huːfs], **hooves** [huːvz] *s.* **1** zoccolo (di animale) **2** (*scherz.*) piede.

to hoof *v.tr.* **1** *to* — *it*, (*sl.*) camminare; ballare **2** *to* — *out*, (*sl.*) prendere a calci; licenziare in tronco.

hook [huk] *s.* **1** uncino, gancio // — *and eye*, allacciatura a gancio // *by* — *or by crook*, per amore o per forza **2** amo **3** tagliola, trappola **4** falce per grano **5** promontorio, capo **6** (*pugilato*) gancio.

to hook *v.tr.* **1** agganciare **2** prendere all'amo **3** (*fam.*) accalappiare ♦ *v.intr.* essere agganciato.

hookah [ˈhukə] *s.* narghilè.

hooker [hukə*] *s.* (*fam., spec. amer.*) prostituta.

hookey, hooky [ˈhuki] *s.* (*fam. amer.*): *to play* —, marinare la scuola.

hookup [ˈhukʌp] *s.* relais.

hookworm [ˈhukwəːm] *s.* anchilostoma.

hooligan [ˈhuːligən] *s.* giovinastro, teppista.

hooliganism [ˈhuːligənizəm] *s.* teppismo.

hoop[1] [huːp] *s.* **1** cerchio: *to go through the* —, (*fam.*) attraversare un periodo difficile; *to trundle* (o *to drive*) *a* —, giocare al cerchio **2** guardinfante, crinolina.

to hoop[1] *v.tr.* cerchiare (una botte ecc.).

hoop[2] *s.* urlo, grido.

to hoop[2] *v.intr.* urlare, gridare.

hooping-cough *s.* → **whooping-cough**.

hoopoe [ˈhuːpuː] *s.* (*zool.*) upupa.

hooray *inter.* → **hurrah**.

hoot [huːt] *s.* **1** strido (di civetta) **2** grido di disapprovazione **3** fischio (di locomotiva) **4** risata **5** niente // *I don't care a* —, non mi importa un fico secco.

to hoot *v.intr.* **1** stridere (di civetta) **2** urlare (per esprimere disapprovazione); fischiare: *to* — *at s.o.*, fischiare qlcu. **3** ridere a crepapelle **4** suonare (di clacson); fischiare (di locomotiva) ♦ *v.tr.* fischiare.

Hoover® [ˈhuːvə*] *s.* aspirapolvere.

to hoover *v.tr.* pulire con l'aspirapolvere.

hop[1] [hɔp] *s.* luppolo.

to hop[1] *v.tr.* **1** aromatizzare con luppolo **2** drogare ♦ *v.intr.* raccogliere luppolo.

hop[2] *s.* **1** salto, saltello // —, *step* (o *skip*) *and jump*, (*sport*) salto triplo // *on the* —, in continuo movimento; impreparato **2** (*fam.*) ballo in famiglia, alla buona **3** (*aer.*) tappa.

to hop[2] *v.intr.* **1** saltare; saltellare **2** (*fam.*) fare quattro salti ♦ *v.tr.* saltare // — *it*, (*sl.*) sloggia!

hope [houp] *s.* speranza, fiducia: *it is past* (o *beyond*) —, non c'è più speranza.

to hope *v.tr.* e *intr.* sperare: *to* — *for sthg.*, sperare in qlco.; *to* — *against hope*, sperare fino all'ultimo; *to* — *for the best*, sperare in bene.

hope chest [ˈhouptʃest] *s.* (*amer.* per *botton drawer*) cassa o cassettone dove è custodito il corredo.

hopeful ['houpful] *agg.* **1** pieno di speranza, fiducioso **2** promettente ♦ *s.*: *a young —*, *(scherz.)* un giovane promettente.

hopefulness ['houpfulnis] *s.* fervida speranza.

hopeless ['houplis] *agg.* senza speranza, disperato.

hopelessness ['houplisnis] *s.* **1** l'essere senza via d'uscita **2** disperazione.

hophead ['hophed] *s. (sl.)* drogato.

hopped-up [hɔpt'ʌp] *agg. (amer.* per *souped up)* truccato, compresso: *a — engine*, un motore truccato.

hopper ['hɔpə*] *s.* **1** tramoggia; benna **2** draga.

hopple ['hɔpl] *s.* pastoie *(pl.)*.

hopscotch ['hɔpskɔtʃ] *s. (gioco)* mondo, campana.

Horace ['hɔrəs] *no.pr.m. (lett.)* Orazio.

Horatio [hɔ'reiʃiu] *no.pr.m.* Orazio.

horde [hɔ:d] *s.* **1** orda **2** banda.

horizon [hə'raizn] *s.* orizzonte *(anche fig.)*: *on the —*, all'orizzonte.

horizontal [,hɔri'zɔntl] *agg.* orizzontale.

hormone ['hɔ:moun] *s.* ormone.

horn [hɔ:n] *s.* **1** corno; antenna // *— of plenty*, cornucopia // *to be on the horns of a dilemma*, non sapere che pesci pigliare // *to draw in one's horns*, ritirarsi **2** *(mus.)* corno; tromba (di fonografo) **3** *(aut.)* clacson.

to horn *v.tr.* ferire con le corna // *to — in on*, *(sl.)* intromettersi in.

hornbeam ['hɔ:nbi:m] *s. (bot.)* carpine.

horned [hɔ:nd] *agg.* **1** cornuto **2** a forma di corno; a mezzaluna.

hornet ['hɔ:nit] *s.* calabrone // *to stir up a nest of hornets*, suscitare un vespaio.

hornrims [hɔ:nrimz] *s.pl. (fam.)* occhiali di corno.

horny ['hɔ:ni] *agg.* **1** corneo **2** calloso.

horologe ['hɔrələdʒ] *s.* orologio.

horologist [hɔ'rɔlədʒist] *s.* orologiaio.

horology [hɔ'rɔlədʒi] *s.* orologeria.

horoscope ['hɔrəskoup] *s.* oroscopo.

horrendous [hɔ'rendəs] *agg.* orrendo, terrificante.

horrible ['hɔrəbl] *agg.* orribile, orrendo.

horrid ['hɔrid] *agg.* **1** orrido; spaventoso **2** *(fam.)* brutto, spiacevole; seccante.

horrific [hɔ'rifik] *agg.* raccapricciante, orripilante.

to horrify ['hɔrifai] *v.tr.* atterrire; *(fam.)* sconvolgere.

horripilation [hɔ,ripi'leiʃən] *s.* orripilazione.

horror ['hɔrə*] *s.* **1** orrore; disgusto: *to his —*, con suo grande orrore // *—-stricken*, atterrito // *— comics*, fumetti dell'orrore **2** *pl.* allucinazioni.

hors d'oeuvre [ɔ:'də:vrə *(amer.)* ɔ:'də:v] *(fr.) s.* antipasto.

horse [hɔ:s] *s.* **1** cavallo // *a — of another colour*, tutt'altra cosa // *dark —*, possibile vincitore // *he could eat a —*, ha una fame da lupo // *to eat like a —*, mangiare come un bue // *to work like a —*, lavorare come un mulo // *to flog a dead —*, discutere inutilmente // *to get on one's high —*, darsi delle arie // *hold your horses!*, calma i bollenti spiriti! // *Horse Guards*, guardie a cavallo // *(—) riding*, equitazione **2** *(mil.)* *(solo sing.)* cavalleria **3** cavalletto; *(ginnastica)* cavallo.

to horse *v.tr.* **1** fornire di cavalli **2** trasportare (qlcu.) sul dorso ♦ *v.intr.* montare a cavallo.

horseback ['hɔ:sbæk] *s.*: *on —*, a (dorso di) cavallo.

horsebox ['hɔ:sbɔks] *s.* veicolo chiuso per il trasporto di cavalli.

horse chestnut ['hɔ:s'tʃesnʌt] *s. (bot.)* ippocastano.

horsecloth ['hɔ:sklɔθ] *s.* coperta da cavallo.

horse-dealer ['hɔ:s,di:lə*] *s.* mercante di cavalli.

horse-doctor ['hɔ:s,dɔktə] *s. (fam.)* veterinario.

horseflesh ['hɔ:sfleʃ] *s.* carne di cavallo.

horsefly ['hɔ:sflai] *s.* tafano.

horsehair ['hɔ:sheə*] *s.* crine di cavallo; tessuto di crine.

horselaugh ['hɔ:slɑ:f] *s.* riso smodato.

horseleech ['hɔ:sli:tʃ] *s.* sanguisuga *(anche fig.)*.

horseman, *pl.* **horsemen** ['hɔ:smən] *s.* cavaliere.

horsemanship ['hɔ:smənʃip] *s.* **1** equitazione **2** abilità nell'equitazione.

horseplay ['hɔ:splei] *s.* **1** l'essere manesco **2** l'essere scatenato.

horsepower ['hɔ:s,pauə*] *s.* cavalli vapore.

horseracing ['hɔ:s'reisiŋ] *s.* ippica.

horseradish ['hɔ:s,rædiʃ] *s. (bot.)* rafano.

horsesense ['hɔ:ssens] *s.* buon senso.

horseshoe ['hɔ:sʃu:] *s.* ferro di cavallo.

horsetail ['hɔ:steil] *s.* **1** coda di cavallo **2** *(bot.)* equiseto.

horsewhip ['hɔ:swip] *s.* frustino.

to horsewhip *v.tr.* frustare.

horsewoman ['hɔ:s,wumən], *pl.* **horsewomen** ['hɔ:s,wimin] *s.* amazzone.

horsy ['hɔ:si] *agg.* amante dei cavalli, delle corse di cavalli.

hortative ['hɔ:tətiv], **hortatory** ['hɔ:tətəri] *agg.* esortativo.

horticultural [,hɔ:ti'kʌltʃərəl] *agg.* attinente all'orticoltura.

horticulture ['hɔ:tikʌltʃə*] *s.* orticoltura.

hosanna [hou'zænə] *s.* e *inter.* osanna.

hose [houz] *s.* **1** tubo flessibile; canna per innaffiare // *air —*, manicotto d'immissione dell'aria; *fire —*, manichetta (antincendio) **2** *pl. (antiq.)* calze; calzamaglia *(sing.)*.

hosier ['houʒə*] *s.* commerciante in calze e maglieria intima.

hosiery ['houʒəri] *s.* calze e maglieria intima.

hospice ['hɔspis] *s.* ospizio; ricovero.

hospitable ['hɔspitəbl] *agg.* ospitale.

hospital ['hɔspitl] *s.* **1** ospedale // *for — use*, confezione ospedaliera **2** istituti di carità.

hospitality [,hɔspi'tæliti] *s.* ospitalità.

hospitalization [,hɔspitəlai'zeiʃən] *s.* ricovero in ospedale.

to hospitalize ['hɔspitəlaiz] *v.tr.* ricoverare in ospedale.

hospitaller ['hɔspitlə*] *s. (st.)* frate ospitaliero.

host¹ [houst] *s.* folla, moltitudine.

host² *s.* **1** ospite, anfitrione **2** oste; albergatore.

to host² *v.tr. (amer.)* ospitare.

host³ *s. (eccl.)* ostia consacrata.

hostage ['hɔstidʒ] *s.* ostaggio.

hostel ['hɔstəl] *s.* pensionato; ostello.

hostelry ['hɔstəlri] *s. (arc.)* locanda, osteria.

hostess ['houstis] *s.* **1** ospite, padrona di casa **2** albergatrice, locandiera **3** direttrice di sala (in un ristorante) **4** hostess, assistente di volo.

hostile ['hɔstail, *(amer.)* 'hɔstl] *agg.* ostile; nemico.

hostility [hɔs'tiliti] *s.* ostilità.

hostler *s.* → **ostler**.

hot [hɔt] *agg.* **1** caldo; ardente: *— fire*, fuoco vivo; *to be —*, esser caldo (di cose); aver caldo (di persone); far caldo (di tempo) // *— air*, ciance, chiacchiere // *piping —*, molto caldo // *not so —*, mediocre; discreto // *things are getting too — round here*, *(fam.)* il terreno scotta, non è più sicuro // *to be in — water*, essere nei guai // — dog, panino imbottito con würstel e senape // — rod, (amer.) automobile truccata // the — seat, sedia elettrica; (fig.) posizione difficile 2 forte, piccante (di cibi, bevande) 3 impetuoso, ardente; eccitato; iroso // — to be — on sthg., essere molto severo, suscettibile in qlco.; essere molto esperto in qlco. // to get — over an argument, riscaldarsi per una questione 4 fresco, recente; nuovo 5 (elettr.) attivo 6 (sl.) rubato, contrabbandato di recente ♦ avv. 1 ad alta temperatura // to go — all over, avere delle vampate di caldo; to go — and cold all over, avere i brividi // to blow — and cold, contraddirsi, cambiare continuamente opinione 2 (fig.) ardentemente; violentemente; rabbiosamente.

to **hot** v.tr.: to — up, ravvivare; movimentare; potenziare ♦ v.intr.: to — up, movimentarsi, ravvivarsi.

hotbed ['hɔtbed] s. (fig.) focolaio.

hot-blooded ['hɔt'blʌdid] agg. dal sangue caldo.

hotchpot ['hɔtʃpɔt] s. (dir.) collazione.

hotchpotch ['hɔtʃpɔtʃ] s. pot-pourri.

hotel [hou'tel, ou'tel] s. albergo // residential —, casa albergo.

hotelier [hou'teliei, (amer.) ,houtel'jei] s. albergatore.

hotfoot ['hɔtfut] avv. a gran velocità.

hothead ['hɔthed] s. testa calda.

hotheaded ['hɔt'hedid] agg. impetuoso.

hothouse ['hɔthaus] s. serra.

hotly ['hɔtli] avv. caldamente; ardentemente; con veemenza.

hotpot ['hɔtpɔt] s. spezzatino di carne con patate.

hot spot ['hɔt'spɔt] s. punto di surriscaldamento.

hot stuff [,hɔt'stʌf] s. (sl.) 1 persona molto in gamba 2 cosa straordinaria.

Hottentot ['hɔtntɔt] s. ottentotto (anche fig.).

hough [hɔk] s. garretto.

to **hough** v.tr. azzoppare (un quadrupede) tagliando i tendini del garretto.

hound [haund] s. 1 bracco; segugio; (caccia) cane da penna 2 (fig.) furfante.

to **hound** v.tr. inseguire; perseguitare.

hour ['auə*] s. 1 ora: a quarter of an —, un quarto d'ora; three hours' journey, tre ore di viaggio // at the eleventh —, all'ultimo minuto // forty-— week, settimana lavorativa di quaranta ore // office hours, orario d'ufficio // peak hours, rush hours, ore di punta 2 pl. orario (sing.) // to keep good (o early), late hours, andare a letto presto, tardi 3 periodo; momento; occasione: in a good, an evil —, in un momento buono, cattivo 4 (eccl.) ora canonica.

hourglass ['auəɡla:s] s. clessidra.

hour hand ['auəhænd] s. lancetta delle ore.

hourly ['auəli] agg. 1 orario; all'ora 2 a ogni ora: an — bus service, un servizio di autobus con partenze ogni ora 3 continuo ♦ avv. 1 a ogni ora, una volta all'ora 2 d'ora in ora 3 continuamente.

house [haus] s. 1 casa, dimora, abitazione: — to —, di casa in casa, di porta in porta // — and home, casa e famiglia // like a — on fire, con sorprendente rapidità // to keep to the —, stare in casa; to keep — for s.o., tenere la casa a qlcu.; to keep open —, essere molto ospitale // on the —, a spese della ditta 2 albergo; pensione; taverna 3 clinica, ospedale; convento; pensionato per studenti 4 (pol.) edificio per assemblee ecc. // the House of Commons (o the Lower House), la Camera dei Comuni; the House of Lords (o the Upper House), la Camera dei Pari, la Camera Alta // the

House of Representatives, (amer.) Camera dei Rappresentanti 5 casato, lignaggio, dinastia 6 teatro // full —, tutto esaurito 7 (comm.) ditta.

to **house** [hauz] v.tr. 1 alloggiare; ospitare; dar ricetto (a) 2 immagazzinare; riporre 3 (mecc.) alloggiare; (falegnameria) incastrare ♦ v.intr. abitare.

house agent ['haus,eidʒənt] s. mediatore di immobili.

houseboat ['hausbout] s. casa galleggiante.

housebound ['hausbaund] agg. costretto a casa.

housebreaker ['haus,breikə*] s. scassinatore.

housebreaking ['haus,breikiŋ] s. scasso; (dir.) effrazione.

housecoat ['hauskout] s. veste da casa.

housedog ['hausdɔg] s. cane da guardia.

houseful ['hausful] s. casa piena (di gente ecc.).

household ['haushould] s. la famiglia // Royal Household, la famiglia reale ♦ agg. casalingo // Household Troops, truppe al servizio del sovrano // — word, parola d'uso comune, familiare.

householder ['haus,houldə*] s. 1 capofamiglia 2 padrone di casa.

housekeeper ['haus,ki:pə*] s. governante.

housekeeping ['haus,ki:piŋ] s. 1 governo della casa, economia domestica 2 (informatica) operazioni ausiliarie (pl.).

houseleek ['hausli:k] s. (bot.) semprevivo.

housemaid ['hausmeid] s. domestica, cameriera.

house physician ['hausfi,ziʃən] s. (medico) interno.

houseroom ['hausrum] s. posto; sistemazione.

house surgeon ['haus,sə:dʒən] s. chirurgo interno (in un ospedale).

house-trained ['haustreind] agg. (di animale domestico) abituato a non sporcare in casa.

housewarming ['haus,wɔ:miŋ] s. festa per l'inaugurazione di una casa.

housewife ['hauswaif; nel senso 2 'hʌzif], pl. **housewives** ['hauswaivz; nel senso 2 'hʌzivz] s. 1 massaia, casalinga, donna di casa 2 astuccio da lavoro.

housewifery ['hauswifəri] s. governo della casa; economia domestica.

housework ['hauswə:k] s. lavoro domestico.

housewrecker ['hausrekər] s. (amer.) demolitore (di case).

housing[1] [hauziŋ] s. rifugio; alloggio; abitazione // — estate, quartiere residenziale // — officer, (mil.) commissario alloggi // — problem, problema degli alloggi.

housing[2] s. gualdrappa.

hove pass. di to **heave**.

hovel ['hɔvəl] s. capanna, tugurio.

to **hover** ['hɔvə*] v.intr. 1 librarsi; (fig.) incombere // to — over, sorvolare // to — around, aggirarsi, ronzare intorno 2 (fig.) esitare; indugiare.

hoverport ['hɔvəpɔ:t] s. porto per hovercraft.

how [hau] avv. 1 come: — did you come?, come sei venuto?; —do you know it?, come fai a saperlo?; to know — to do sthg., saper fare, sapere come si fa qlco. // — are you?, come stai? // — the deuce (o the devil) do you know?, come diavolo fai a saperlo? // — on earth (o — ever)?, come mai? // — so?, come può essere? // — did you like it?, ti è piaciuto? // — and —!, (amer.) eccome! 2 quanto: — long?, quanto tempo?; — often?, ogni quanto (tempo)?; — many times a month?, quante volte al mese?; — much?, — many?, quanto?, quanti? // — nice of you!, come sei gentile! ♦ s. il come; modo.

howdah ['haudə] s. portantina fissata sul dorso di un elefante.

howdy [′haudi] *inter.* (*fam.*) salve!; piacere (di conoscerla).

however [hau′evə*] *avv.* **1** comunque, in qualunque modo **2** per quanto: — *wrong she may be*, per quanto abbia torto ♦ *cong.* tuttavia.

howitzer [′hauitsə*] *s.* (*mil.*) obice.

howl [haul] *s.* urlo, grido; ululato.

to howl *v.intr.* urlare, gridare; ululare.

howler [′haulə*] *s.* **1** (*fam.*) strafalcione **2** bugia grossolana.

howling [′hauliŋ] *agg.* **1** urlante **2** (*fam.*) enorme.

howsoever [,hausou′evə*] *avv.* comunque.

hoy[1] [hɔi] *s.* nave da trasporto di piccolo cabotaggio.

hoy[2] *inter.* olà!, ohè!

hoyden [′hɔidn] *s.* maschiaccio, monella.

hub [hʌb] *s.* **1** mozzo (di ruota) **2** (*fig.*) centro.

hubbub [′hʌbʌb] *s.* **1** tumulto, confusione **2** brusio.

hubby [′hʌbi] *s. abbr. fam.* di **husband**.

hubcap [′hʌbkæp] *s.* (*mecc.*) coprimozzo.

hubris [′hju:bris] *s.* arroganza, insolenza.

huckaback [′hʌkəbæk] *s.* tela ruvida di lino o di cotone.

huckleberry [′hʌklberi] *s.* mirtillo del Nordamerica.

huckster [′hʌkstə*] *s.* venditore (ambulante).

huddle [′hʌdl] *s.* **1** massa, accozzaglia **2** calca, folla // *to go into a —*, (*sl.*) confabulare.

to huddle *v.tr.* mettere assieme alla rinfusa; ammucchiare disordinatamente // *to — oneself up*, raggomitolarsi ♦ *v.intr.* affollarsi, accalcarsi.

hue [hju:] *s.* tinta, colore; gradazione.

hue and cry [′hju:ən′krai] *s.* **1** inseguimento rumoroso **2** (*fig.*) protesta pubblica.

huff [hʌf] *s.* **1** stizza // *in a —*, imbronciato **2** il soffiare una pedina (a dama).

to huff *v.tr.* **1** (*a dama*) soffiare **2** offendere, insolentire ♦ *v.intr.* **1** (*a dama*) soffiare **2** tenere il broncio.

huffish [′hʌfiʃ], **huffy** [′hʌfi] *agg.* suscettibile, permaloso.

hug [hʌg] *s.* abbraccio; stretta.

to hug *v.tr.* **1** abbracciare **2** costeggiare **3** congratularsi: *to — oneself on* (o *for*) *sthg.*, congratularsi con sé stesso per qlco.

huge [hju:dʒ] *agg.* enorme, immenso.

hugeness [′hju:dʒnis] *s.* immensità.

hugger-mugger [′hʌgə,mʌgə*] *agg.* **1** segreto **2** confuso ♦ *s.* **1** segretezza **2** confusione ♦ *avv.* **1** segretamente **2** confusamente.

Hugh [hju:] *no.pr.m.* Ugo.

Huguenot [′hju:gənɔt] *s.* (*st.*) ugonotto ♦ *agg.* di ugonotto.

hulk [hʌlk] *s.* **1** scafo di nave smantellata **2** (*fig.*) mastodonte.

hulking [′hʌlkiŋ] *agg.* pesante, grosso.

hull[1] [hʌl] *s.* scafo.

to hull[1] *v.tr.* colpire (uno scafo) con un siluro ecc.

hull[2] *s.* baccello; guscio.

to hull[2] *v.tr.* sgusciare; sgranare.

hullabaloo [,hʌləbə′lu:] *s.* tumulto, baccano.

hullo [′hʌ′lou] *inter.* e *s.* → **hallo**.

hum[1] [hʌm] *s.* ronzio, mormorio.

to hum[1] *v.intr.* **1** ronzare; mormorare // *to — and haw*, barbugliare; nicchiare // *to make things —*, stimolare l'attività **2** cantare a bocca chiusa; canterellare ♦ *v.tr.* cantare a bocca chiusa.

hum[2] *inter.* ehm!

human [′hju:mən] *agg.* umano ♦ *s.* essere umano.

humane [hju:′mein] *agg.* **1** umano **2** umanistico.

humaneness [hju:′meinnis] *s.* umanità.

humanism [′hju:mənizəm] *s.* umanesimo.

humanist [′hju:mənist] *s.* umanista.

humanistic [,hju:mə′nistik] *agg.* umanistico.

humanitarian [hju:(:),mæni′tɛəriən] *agg.* filantropico, umanitario ♦ *s.* filantropo.

humanitarianism [hju:(:),mæni′tɛəriənizəm] *s.* umanitarismo.

humanity [hju:(:)′mæniti] *s.* **1** umanità **2** *the Humanities*, le materie letterarie.

to humanize [′hju:mənaiz] *v.tr.* umanizzare ♦ *v.intr.* umanizzarsi.

humankind [′hju:mən′kaind] *s.* → **mankind**.

Humbert [′hʌmbə(:)t] *no.pr.m.* Umberto.

humble [′hʌmbl] *agg.* umile; modesto.

to humble *v.tr.* umiliare: *to — oneself*, umiliarsi.

humblebee [′hʌmblbi:] *s.* calabrone.

humble-pie [′hʌmbl′pai] *s.: to eat —*, andare a Canossa.

humbly [′hʌmbli] *avv.* umilmente.

humbug [′hʌmbʌg] *s.* **1** ipocrisia **2** frode, inganno // (*that's all*) *—!*, (son tutte) storie! **3** impostore.

to humbug *v.tr.* ingannare, imbrogliare.

humdinger [,hʌm′diŋər] *s.* (*sl. amer.*) qualcosa di eccezionale, straordinario.

humdrum [′hʌmdrʌm] *agg.* trito, banale; noioso, monotono.

humerus [′hju:mərəs], *pl.* **humeri** [′hju:mərai] *s.* omero.

humid [′hju:mid] *agg.* umido.

to humidify [hju:(:)′midifai] *v.tr.* umidificare.

humidity [hju:(:)′miditi] *s.* umidità.

to humiliate [hju:(:)′milieit] *v.tr.* umiliare.

humiliation [hju:(:),mili′eiʃən] *s.* umiliazione.

humility [hju:(:)′militi] *s.* umiltà.

humming [′hʌmiŋ] *agg.* ronzante ♦ *s.* ronzio; mormorio.

hummingbird [′hʌmiŋbə:d] *s.* colibrì.

hummock [′hʌmək] *s.* **1** poggio, altura **2** cresta di banchisa.

humor *s.* (*amer.*) per **humour**.

humorist [′hju:mərist] *s.* umorista.

humoristic [,hju:mə′ristik] *agg.* umoristico.

humorous [′hju:mərəs] *agg.* **1** divertente; umoristico **2** che ha senso dell'umorismo, spiritoso.

humour [′hju:mə*] *s.* **1** umorismo; comicità **2** umore; indole: *to be in a good —*, essere di buonumore // *to be in the — for*, essere in vena di; *to be in no — for*, non essere in vena di // *to be out of — with s.o.*, essere malcontento di qlcu. // *to put s.o. out of —*, mettere qlcu. di cattivo umore.

to humour *v.tr.* compiacere, assecondare.

hump [hʌmp] *s.* **1** gobba **2** collinetta // *to be over the —*, aver superato il peggio **3** (*fam.*) malumore.

to hump *v.tr.* **1** curvare (le spalle) **2** (*sl.*) portare sulle spalle.

humpback [′hʌmpbæk] *s.* gobbo.

humph [hʌmf] *inter.* mah!, bah! (per indicare dubbio, malcontento).

humpty [′hʌmpti] *s.* pouf.

humpy [′hʌmpi] *agg.* **1** gibboso **2** (*fam.*) di cattivo umore.

humus [′hju:məs] *s.* humus.

Hun [hʌn] *s.* **1** unno **2** (*sl.*) tedesco **3** (*fig.*) barbaro, distruttore.

hunch [hʌntʃ] *s.* **1** (*fam.*) impressione, sospetto **2** gobba, gibbosità.

to **hunch** *v.tr.* incurvare (le spalle).

hunchback ['hʌntʃbæk] *s.* gobbo.

hunchbacked ['hʌntʃbækt] *agg.* gobbo.

hundred ['hʌndrəd] *agg.num.card.* cento: *a* (o *one*) — *and one*, centouno // *a* — *per cent efficient*, efficiente al cento per cento // *to have a* — *and one things to do*, (*fam.*) avere un sacco di cose da fare ♦ *s.* **1** cento: *three* — *of them*, trecento di loro **2** centinaio: *in hundreds*, a centinaia.

hundredth ['hʌndrədθ] *agg.num.ord.* e *s.* centesimo.

hundredweight ['hʌndrədweit] *s.* «hundredweight» (misura di peso = 50,80 kg in Gran Bretagna; = 45, 36 kg negli Stati Uniti).

hung *pass.* e *p.pass.* di *to* **hang**.

Hungarian [hʌŋ'gɛriən] *s.* e *agg.* ungherese.

Hungary ['hʌŋgəəri] *no.pr.* Ungheria.

hunger ['hʌŋgə*] *s.* **1** fame; appetito: *pangs of* —, morsi della fame // — *strike*, sciopero della fame **2** (*fig.*) desiderio intenso, sete: — *for money*, sete di denaro.

to **hunger** *v.intr.* aver fame // *to* — *for* (o *after*), (*fig.*) bramare, desiderare ardentemente.

hungrily ['hʌŋgrili] *avv.* **1** con grande appetito **2** (*fig.*) avidamente.

hungry ['hʌŋgri] *agg.* **1** affamato; famelico: *to be* —, aver fame; *to go* —, soffrire la fame **2** povero, sterile (di terreno) **3** (*fig.*) bramoso, desideroso: — *for glory*, assetato di gloria.

hunk [hʌŋk] *s.* grosso pezzo.

hunkers ['hʌŋkəz] *s.pl.* (*dial.*) natiche // *on one's* —, accosciato.

hunks [hʌŋks] *s.* (*fam.*) avaraccio, pitocco.

hunt [hʌnt] *s.* **1** caccia (*anche fig.*) **2** insieme dei cacciatori **3** zona di caccia.

to **hunt** *v.tr.* cacciare: *to* — *big game*, andare a caccia grossa; *to* — *a thief*, dar la caccia a un ladro // *to* — *high and low*, cercare in lungo e in largo // *to* — *s.o. out, down*, scovare qlcu. ♦ *v.intr.* **1** andare a caccia **2** *to* — *for, after*, cercare, ricercare.

hunter ['hʌntə*] *s.* **1** cacciatore (*anche fig.*) **2** cavallo da caccia **3** orologio con calotta che ne protegge il quadrante.

hunter killer ['hʌntə,kilə*] *s.* sottomarino antisommergibile.

hunting ['hʌntiŋ] *s.* **1** caccia; il cacciare **2** (*fig.*) ricerca.

hunting-box ['hʌntiŋbɔks] *s.* padiglione di caccia.

hunting crop ['hʌntiŋkrɔp] *s.* frustino.

huntress ['hʌntris] *s.* cacciatrice.

huntsman, *pl.* **huntsmen** ['hʌntsmən] *s.* **1** cacciatore **2** capocaccia.

hurdle ['hə:dl] *s.* barriera; ostacolo.

to **hurdle** *v.intr.* saltare un ostacolo ♦ *v.tr.* cintare.

hurdler ['hə:dlə*] *s.* (*atletica*) ostacolista.

hurdle race ['hə:dlreis] *s.* corsa a ostacoli.

hurdy-gurdy ['hə:di,gə:di] *s.* organetto di Barberia.

to **hurl** [hə:l] *v.tr.* lanciare, scagliare: *to* — *sthg. at s.o.*, lanciare qlco. contro qlcu.

hurly-burly ['hə:li,bə:li] *s.* subbuglio, scompiglio.

hurrah [hu'ra:], **hurray** [hu'rei] *s.* e *inter.* urrà!

to **hurrah**, **hurray** *v.tr.* e *intr.* applaudire, acclamare.

hurricane ['hʌrikən], (*amer.*) 'ʌrikein] *s.* uragano; ciclone.

hurricane lamp ['hʌrikənlæmp] *s.* lampada antivento.

hurried ['hʌrid] *agg.* affrettato, precipitoso.

hurry ['hʌri] *s.* fretta, precipitazione; urgenza // *to be in a* —, avere fretta; (*fig.*) essere impaziente // *they will not ask us to dinner again in a* —, (*fam.*) passerà un bel po' di tempo prima che ci invitino ancora a pranzo.

to **hurry** *v.tr.* affrettare; sollecitare // *to* — *s.o. into doing sthg.*, spronare qlcu. a fare qlco. // *to* — *s.o. on*, fare premura a qlcu. ♦ *v.intr.* affrettarsi // — *up!*, sbrigati! // *to* — *along*, camminare in fretta // *to* — *away*, andarsene precipitosamente.

hurry-scurry ['hʌri'skʌri] *s.* precipitazione; confusione; agitazione.

to **hurry-scurry** *v.intr.* precipitarsi.

hurst [hə:st] *s.* **1** banco di sabbia **2** altura **3** bosco ceduo.

hurt [hə:t] *s.* lesione, ferita (*anche fig.*).

to **hurt**, *pass.* e *p.pass.* **hurt** *v.tr.* **1** dolere: *did I* — *you?*, ti ho fatto male? **2** (*fig.*) ferire **3** danneggiare ♦ *v.intr.* dolere, far male: *my knee hurts*, mi fa male il ginocchio.

hurtful ['hə:tful] *agg.* **1** doloroso **2** dannoso.

to **hurtle** ['hə:tl] *v.intr.* sfrecciare.

husband ['hʌzbənd] *s.m.* **1** marito **2** (*letter.*) amministratore.

to **husband** *v.tr.* amministrare con parsimonia.

husbandman, *pl.* **husbandmen** ['hʌzbəndmən] *s.* agricoltore.

husbandry ['hʌzbəndri] *s.* **1** agricoltura **2** economia.

hush [hʌʃ] *s.* e *inter.* silenzio.

to **hush** *v.tr.* e *intr.* (far) tacere (*anche fig.*): *to* — *up a scandal*, soffocare uno scandalo.

hush-hush ['hʌʃhʌʃ] *agg.* (*fam.*) segretissimo.

hush money ['hʌʃ,mʌni] *s.* prezzo del silenzio.

husk [hʌsk] *s.* (*bot.*) buccia; loppa; cartoccio.

to **husk** *v.tr.* sbucciare; mondare; scartocciare.

huskily ['hʌskili] *avv.* con voce rauca.

huskiness ['hʌskinis] *s.* raucedine.

husky[1] ['hʌski] *agg.* **1** rugoso, secco **2** (*di voce*) rauco **3** (*amer.*) robusto.

husky[2] *s.* **1** esquimese **2** cane esquimese.

hussar [hu'za:*] *s.* ussaro.

hussif ['hʌsif] *s.* → **housewife** nel senso 2.

hussy ['hʌsi] *s.* **1** (*spreg.*) ragazza impertinente **2** donna leggera, da poco.

hustings ['hʌstiŋz] *s.* **1** tribuna elettorale **2** operazioni elettorali (*pl.*).

hustle ['hʌsl] *s.* **1** fretta **2** andirivieni; trambusto **3** il darsi da fare.

to **hustle** *v.tr.* **1** affrettare **2** spingere, sballottare ♦ *v.intr.* **1** (*amer.*) darsi da fare **2** (*amer.*) fare la prostituta.

hustler ['hʌslə*] *s.* **1** persona attiva ed efficiente **2** (*amer.*) prostituta.

hut [hʌt] *s.* capanna.

hutch [hʌtʃ] *s.* **1** coniglicra; gabbia **2** vagoncino (di miniera) **3** (*fam.*) casetta.

hyacinth ['haiəsinθ] *s.* giacinto.

hyaena *s.* → **hyena**.

hybrid ['haibrid] *agg.* e *s.* ibrido.

hybridism ['haibridizəm] *s.* ibridismo.

hybridization [,haibridai'zeifən] *s.* ibridazione.

to **hybridize** ['haibridaiz] *v.tr.* ibridare ♦ *v.intr.* produrre ibridi.

hydra ['haidrə] *s.* idra.

hydrangea [hai'dreindʒə] *s.* (*bot.*) ortensia.

hydrant [ˈhaidrənt] s. idrante.
hydrate [ˈhaidreit] s. (chim.) idrato.
to **hydrate** v.tr. (chim.) idratare.
hydration [haiˈdreiʃən] s. (chim.) idratazione.
hydraulic [haiˈdrɔːlik] agg. idraulico.
hydraulics [haiˈdrɔːliks] s. (fis.) idraulica.
hydro- [ˈhaidrou] pref. idro-.
hydrobiology [ˌhaidroubaiˈɔlədʒi] s. idrobiologia.
hydrocarbon [ˌhaidrouˈkɑːbən] s. (chim.) idrocarburo.
hydrocephalus [ˌhaidrouˈsefələs] s. (med.) idrocefalia.
hydrochloric [ˌhaidrəˈklɔrik] agg. (chim.) cloridrico.
hydroelectric [ˌhaidrouiˈlektrik] agg. idroelettrico.
hydrofoil [ˈhaidrəfɔil] s. aliscafo.
hydrogen [ˈhaidridʒən] s. (chim.) idrogeno // — peroxide, acqua ossigenata // sulphuretted —, acido solfidrico.
to **hydrogenate** [haiˈdrɔdʒəneit] v.tr. (chim.) idrogenare.
hydrogenation [ˌhaidroudʒəˈneiʃən] s. (chim.) idrogenazione.
hydrogen bomb [ˈhaidridʒənbɔm] s. bomba all'idrogeno.
to **hydrogenize** [ˈhaidroudʒənaiz] v.tr. → to **hydrogenate**.
hydrographic [ˌhaidrouˈgræfik] agg. idrografico.
hydrography [haiˈdrɔgrəfi] s. idrografia.
hydrology [haiˈdrɔlədʒi] s. idrologia.
hydrolysis [haiˈdrɔlisis] s. (chim.) idrolisi.
hydromel [ˈhaidroumel] s. idromele.
hydrometer [haiˈdrɔmitə*] s. (fis.) idrometro.
hydrophobia [ˌhaidrəˈfoubjə] s. idrofobia.
hydrophobic [ˌhaidrəˈfoubik] agg. idrofobo.
hydropic [haiˈdrɔpik] agg. (med.) idropico.
hydroplane [ˈhaidrouplein] s. **1** aliscafo **2** aletta (di aliscafo) **3** idrovolante.
hydroponics [ˌhaidrəˈpɔniks] s. coltura idroponica.
hydropsy [ˈhaidrɔpsi] s. (med.) idropisia.
hydrosphere [ˈhaidrousfiə*] s. idrosfera.
hydrostat [ˈhaidroustæt] s. regolatore di livello.
hydrostatics [ˌhaidrouˈstætiks] s. idrostatica.
hydrothermal [ˌhaidrouˈθəːml] agg. idrotermale.
hydrous [ˈhaidrəs] agg. idrato.
hydroxide [haiˈdrɔksaid] s. (chim.) idrossido.
hyena [haiˈiːnə] s. iena.
hygiene [ˈhaidʒiːn] s. igiene.
hygienic [haiˈdʒiːnik, (amer.) ˌhaidʒiˈenik] agg. igienico.
hygienist [ˈhaidʒinist] s. igienista.
hygrometer [haiˈgrɔmitə*] s. igrometro.
hygroscope [ˈhaigrəskoup] s. (fis.) igroscopio.
hygroscopic [ˌhaigrouˈskɔpik] agg. (fis.) igroscopico.
hymen [ˈhaimen] s. (anat.) imene.
hymn [him] s. inno.
to **hymn** v.tr. e intr. inneggiare (a).
hymnal [ˈhimnəl], **hymn-book** [ˈhimbuk] s. libro di inni.
hyoid [ˈhaiɔid] s. (anat.) ioide.
hype [haip] s. lancio: to give a product the —, lanciare un prodotto.

to **hype** v.tr. lanciare, promuovere (un prodotto).
hyper- [haipə(ː)] pref. iper-, super-.
hyperbola [haiˈpəːbələ] s. (geom.) iperbole.
hyperbole [haiˈpəːbəli] s. iperbole.
hyperbolic(al) [ˌhaipə(ː)ˈbɔlik(əl)] agg. iperbolico.
hypercritical [ˈhaipə(ː)ˈkritikəl] agg. ipercritico.
hyperglycemia [ˌhaipəglaiˈsiːmiə] s. (med.) iperglicemia.
hypermarket [ˈhaipəˌmaːkit] s. ipermercato.
hypermetrical [ˌhaipə(ː)ˈmetrikəl] agg. ipermetro.
hypermetropia [ˌhaipə(ː)miˈtroupiə] s. (med.) ipermetropia.
hypersensitive [ˈhaipə(ː)ˈsensitiv] agg. ipersensibile.
hypersonic [ˌhaipə(ː)ˈsɔnik] agg. supersonico.
hypertension [ˌhaipə(ː)ˈtenʃən] s. (med.) ipertensione.
hyperthyroid [ˌhaipə(ː)ˈθairɔid] agg. (med.) ipertiroideo.
hypertrophied [haiˈpəːtrəfid] agg. (med.) ipertrofico.
hypertrophy [haiˈpəːtrəfi] s. (med.) ipertrofia.
hyphen [ˈhaifən] s. lineetta, trattino.
to **hyphen(ate)** [ˈhaifən(əit)] v.tr. unire, dividere con una lineetta.
hypnosis [hipˈnousis] s. ipnosi.
hypnotic [hipˈnɔtik] agg. e s. ipnotico.
hypnotism [ˈhipnətizəm] s. ipnotismo.
hypnotist [ˈhipnətist] s. ipnotizzatore.
to **hypnotize** [ˈhipnətaiz] v.tr. ipnotizzare.
hypo- [ˈhaipou] pref. ipo-.
hypo s. (fam.) → **hypodermic**.
hypochondria [ˌhaipouˈkɔndriə] s. ipocondria.
hypochondriac [ˌhaipouˈkɔndriæk] agg. e s. ipocondriaco.
hypocrisy [hiˈpɔkrəsi] s. ipocrisia.
hypocrite [ˈhipəkrit] s. ipocrita.
hypocritical [ˌhipəˈkritikəl] agg. ipocrita.
hypodermic [ˌhaipəˈdəːmik] agg. ipodermico ♦ s. **1** siringa ipodermica **2** iniezione ipodermica.
hypodermoclysis [ˌhaipoudəˈmɔklisis], pl. **hypodermoclyses** [ˌhaipoudəˈmɔklisəz] s. (med.) ipodermoclisi.
hypoglycemia [ˌhaipouglaiˈsimiə] s. (med.) ipoglicemia.
hypostasis [haiˈpostəsis], pl. **hypostases** [haiˈpostəsiːz] s. (teol.) ipostasi.
hypostatic [ˌhaipouˈstætik] agg. (teol.) ipostatico.
hypotension [ˌhaipouˈtenʃən] s. (med.) ipotensione.
hypotensive [ˌhaipouˈtensiv] agg. (med.) ipotensivo.
hypotenuse [haiˈpɔtinjuːz, (amer.) haiˈpɔtnuːs] s. ipotenusa.
hypothesis [haiˈpɔθisis], pl. **hypotheses** [haiˈpɔθisiːz] s. ipotesi.
to **hypothesize** [haiˈpɔθisaiz] v.tr. e intr. fare ipotesi (su); supporre.
hypothetic(al) [ˌhaipouˈθetik(ə)] agg. ipotetico.
hyson [ˈhaisn] s. tè verde cinese.
hyssop [ˈhisəp] s. (bot.) issopo.
hysteria [hisˈtiəriə] s. isterismo.
hysteric(al) [hisˈterik(ə)] agg. isterico.
hysterics [hisˈteriks] s.pl. attacco isterico (sing.).

I

I [ai], *pl.* **is, i's** [aiz] *s.* // — *for Isaac*, (*tel.*) i come Imola // *to dot one's i's and cross one's t's*, mettere i punti sulle i.

I *pron.pers. 1ª pers.sing.* io; me // *it was* — (o *me*), ero io.

Iago [i'ɑːgou] *no.pr.m.* (*lett.*) Iago.

ib. [ib] *avv.* → **ibid., ibidem**.

Iberian [ai'biəriən] *agg.* iberico ♦ *s.* ibero.

ibex ['aibeks] *s.* stambecco.

ibid. ['iːbid], **ibidem** [i'baidem] *avv.* idem.

ibis ['aibis] *s.* (*zool.*) ibis.

Icarus ['aikərəs] *no.pr.* (*mit.*) Icaro.

ice [ais] *s.* ghiaccio // *dry* —, (*chim.*) ghiaccio secco // — *age*, era glaciale // *thin* —, (*fig.*) argomento delicato // *to cut no* — *with s.o.*, non fare impressione su qlcu.

to ice *v.tr.* **1** ghiacciare; gelare; congelare **2** (*cuc.*) glassare ♦ *v.intr.* gelarsi, congelarsi.

ice axe ['aisæks] *s.* piccozza.

iceberg ['aisbəːg] *s.* iceberg.

iceblink ['aisbliŋk] *s.* riverbero (di ghiaccio).

icebound ['aisbaund] *agg.* circondato dai ghiacci.

icebox ['aisbɔks] *s.* ghiacciaia.

icebreaker ['ais,breikə*] *s.* rompighiaccio.

ice cap ['aiskæp] *s.* calotta polare.

ice cream ['ais'kriːm] *s.* gelato.

ice field ['aisfiːld] *s.* banchisa.

ice floe ['aisflou] *s.* banco di ghiaccio.

Iceland ['aislənd] *no.pr.* Islanda.

Icelander ['aisləndə*] *s.* islandese.

Icelandic [ais'lændik] *agg.* islandese ♦ *s.* lingua islandese.

iceman ['aismæn], *pl.* **icemen** ['aismen] *s.* (*amer.*) venditore di ghiaccio.

ice pack ['aispæk] *s.* **1** pack **2** impacco di ghiaccio.

icerink ['aisriŋk] *s.* pista di pattinaggio.

icicle ['aisikl] *s.* ghiacciolo.

icily ['aisili] *avv.* gelidamente (*anche fig.*).

iciness ['aisinis] *s.* gelidezza (*anche fig.*).

icing ['aisiŋ] *s.* (*cuc.*) glassa.

icon ['aikon] *s.* (*eccl.*) icona.

iconoclast [ai'kɔnəklæst] *s.* iconoclasta.

iconographic [ai,kɔnə'græfik] *agg.* iconografico.

iconography [,aikə'nɔgrəfi] *s.* iconografia.

icy ['aisi] *agg.* ghiacciato; gelido (*anche fig.*).

id. [id] *s.* (*psic.*) Es.

I'd [aid] *contr. di* I had, I should, I would.

I.D. (card) [,ai'diː(kɑːd)] *s.* documento di identità.

idea [ai'diə] *s.* idea; intenzione: *what an* —!, che bella idea!; *he hit upon the* — *of doing sthg.*, gli venne l'idea di fare qlco.; *I've no* —, non saprei; *to give a good* — *of sthg.*, dare un'idea di qlco. // *don't get ideas into your head*, (*iron.*) non farti illusioni.

ideal [ai'diəl] *agg.* e *s.* ideale.

idealism [ai'diəlizəm] *s.* idealismo.

idealist [ai'diəlist] *s.* idealista.

idealistic [ai,diə'listik] *agg.* idealistico.

idealization [ai,diəlai'zeiʃən] *s.* idealizzazione.

to idealize [ai'diəlaiz] *v.tr.* idealizzare ♦ *v.intr.* essere un idealista; comportarsi da idealista.

identical [ai'dentikəl] *agg.* identico // — *twins*, gemelli monozigotici.

identifiable [ai'dentifaiəbl] *agg.* identificabile.

identification [ai,dentifi'keiʃən] *s.* identificazione // — *mark*, segno di riconoscimento.

to identify [ai'dentifai] *v.tr.* identificare.

identikit [ai'dentikit] *s.* identikit.

identity [ai'dentiti] *s.* identità // — *card*, carta di identità.

ideogram ['idiougræm], **ideograph** ['idiougrɑːf] *s.* ideogramma.

ideological [,aidiə'lɔdʒikəl] *agg.* ideologico.

ideologist [,aidi'ɔlədʒist] *s.* ideologo.

ideology [,aidi'ɔlədʒi] *s.* ideologia.

idiocy ['idiəsi] *s.* idiozia; ebetismo.

idiom ['idiəm] *s.* **1** idiotismo **2** idioma.

idiomatic [,idiə'mætik] *agg.* idiomatico.

idiomatically [,idiə'mætikəli] *avv.* idiomaticamente.

idiosyncrasy [,idiə'siŋkrəsi] *s.* mania; eccentricità.

idiot ['idiət] *s.* idiota, ebete; (*fam.*) stupido.

idiotic [,idi'ɔtik] *agg.* idiota, ebete.

idle ['aidl] *agg.* **1** ozioso; pigro **2** inutile; vano; futile: — *gossip*, discorso ozioso **3** (*informatica*) inattivo; a vuoto: — *time*, tempo passivo, morto, di riserva, di riposo.

to idle *v.intr.* (*di motore*) girare al minimo.

idleness ['aidlnis] *s.* **1** ozio; pigrizia **2** inutilità, futilità.

idol ['aidl] *s.* idolo (*anche fig.*).

to idolatrize [ai'dɔlətraiz] *v.tr.* idolatrare.

idolatrous [ai'dɔlətrəs] *agg.* idolatrico.

idolatry [ai'dɔlətri] *s.* idolatria (*anche fig.*).

idolization [,aidəlai'zeiʃən] *s.* l'idolatrare.

to idolize ['aidəlaiz] *v.tr.* idolatrare.

idyll ['idil, (*amer.*) 'aidl] *s.* idillio.

idyllic [ai'dilik, (*amer.*) ai'dilik] *agg.* idillico.

if [if] *cong.* se: — *I knew I would tell you*, se lo sapessi te lo direi // *as* —, come se // — *only*, se (soltanto) // — *anything*, se mai.

igloo ['iɡluː] *s.* igloo.

igneous ['iɡniəs] *agg.* igneo.

ignis-fatuus ['iɡnis'fætjuəs], *pl.* **ignes-fatui** ['iɡnis 'fætjuai] *s.* fuoco fatuo.

to ignite [iɡ'nait] *v.tr.* accendere ♦ *v.intr.* accendersi.

ignition [iɡ'niʃən] *s.* accensione; ignizione.

ignoble [iɡ'noubl] *agg.* ignobile.

ignominious [,iɡnə'miniəs] *agg.* ignominioso.

ignominy ['iɡnəmini] *s.* ignominia.

ignoramus [,iɡnə'reiməs] *s.* ignorantone.

ignorance ['iɡnərəns] *s.* ignoranza.

ignorant ['iɡnərənt] *agg.* **1** ignorante **2** ignaro.

ignorantly ['iɡnərəntli] *avv.* con ignoranza.

to ignore [iɡ'nɔː*] *v.tr.* **1** ignorare; trascurare **2** (*dir.*) dichiarare il non luogo a procedere.

ikon *s.* → **icon**.

iliac ['iliæk] *agg.* (*anat.*) iliaco.

Iliad ['iliəd] *s.* Iliade.

ilium ['iliəm], *pl.* **ilia** [iliə] *s.* (*anat.*) ileo.

Ilium ['ailiəm] *no.pr.* Ilio.

ilk [ilk] *agg.* (*fam.*) della stessa specie.

ill [il], *compar.* **worse** [wəːs], *superl.* **worst** [wəːst] *agg.* **1** *pred.* ammalato // *to fall* —, ammalarsi // *to feel* —, sentirsi male **2** *attr.* cattivo: — *blood*, cattivo sangue; — *omen*, malaugurio // — *temper*, brutto carattere // — *turn*, brutto tiro // *it's an — wind that blows nobody any good*, (*prov.*) non c'è male che non porti un po' di bene ♦ *s.* 1 male 2 *pl.* avversità ♦ *avv.* 1 male; malamente // *it — becomes you to, him etc. to*, non sta bene che tu, lui ecc... // — *at ease*, scomodo; a disagio 2 con difficoltà.

I'll [ail] *contr. di* I shall, I will.

ill-advised ['iləd'vaizd] *agg.* sconsiderato.

illation [i'leiʃən] *s.* illazione.

ill-bred ['il'bred] *agg.* maleducato.

ill-disposed ['ildis'pouzd] *agg.* maldisposto, malevolo.

illegal [i'li:gəl] *agg.* illegale.

illegality [ˌili(:)'gæliti] *s.* illegalità.

illegibility [i,ledʒi'biliti] *s.* illeggibilità.

illegible [i'ledʒəbl] *agg.* illeggibile.

illegitimacy [ˌili'dʒitiməsi] *s.* illegittimità.

illegitimate [ˌili'dʒitimit] *agg.* 1 illegittimo 2 illegale.

ill-fated ['il'feitid] *agg.* sfortunato.

ill-gotten ['il'gɔtn] *agg.* male acquisto.

ill-humoured ['il'hju:mə*d] *agg.* di carattere difficile.

illiberal [i'libərəl] *agg.* meschino, gretto.

illicit [i'lisit] *agg.* illecito.

illimitable [i'limitəbl] *agg.* illimitato, sconfinato.

illimited [i'limitid] *agg.* illimitato.

illiteracy [i'litərəsi] *s.* analfabetismo.

illiterate [i'litərit] *agg. e s.* analfabeta; ignorante; (persona) senza cultura.

ill-judged [il'dʒʌdʒd] *agg.* non opportuno; imprudente.

ill-mannered ['il'mænəd] *agg.* maleducato.

ill-natured ['il'neitʃəd] *agg.* maligno.

illness ['ilnis] *s.* malattia, malanno.

illogical [i'lɔdʒikəl] *agg.* illogico.

ill-omened ['il'oumend] *agg.* di cattivo augurio.

ill-starred ['il'stɑ:d] *agg.* sfortunato.

ill-tempered ['il'tempəd] *agg.* di cattivo carattere.

ill-timed ['il'taimd] *agg.* inopportuno.

to **ill-treat** ['il'tri:t] *v.tr.* maltrattare.

to **illuminate** [i'lju:mineit] *v.tr.* 1 illuminare (*anche fig.*) 2 miniare.

illumination [i,lju:mi'neiʃən] *s.* 1 illuminazione (*anche fig.*) 2 miniatura 3 *pl.* luminarie.

to **illumine** [i'lju:min] *v.tr.* rischiarare; illuminare.

to **ill-use** ['il'ju:z] *v.tr.* trattare male.

illusion [i'lu:ʒən] *s.* illusione; inganno.

illusive [i'lu:siv] *agg.* illusorio; ingannevole.

illusory [i'lu:səri] *agg.* illusorio.

to **illustrate** ['iləstreit] *v.tr.* 1 spiegare; esemplificare 2 illustrare.

illustration [ˌiləs'treiʃən] *s.* 1 esempio; spiegazione 2 illustrazione, disegno.

illustrative ['iləstrətiv, (*amer.*) i'lʌstrətiv] *agg.* illustrativo.

illustrator ['iləstreitə*] *s.* illustratore.

illustrious [i'lʌstriəs] *agg.* illustre, celebre.

ill will ['il'wil] *s.* malizia, malignità.

'im [im] *fam.* per him.

I'm [aim] *contr. di* I am.

image ['imidʒ] *s.* 1 immagine; simbolo; incarnazione 2 (*fam.*) ritratto: *she is the — of her mother*, è il ritratto di sua madre.

to **image** *v.tr.* 1 descrivere; rappresentare; raffigurare 2 riflettere 3 immaginare, immaginarsi.

imagery ['imidʒəri] *s.* 1 immagini (*pl.*); linguaggio figurato 2 statuaria; lavoro d'intaglio.

imaginable [i'mædʒinəbl] *agg.* immaginabile.

imaginary [i'mædʒinəri] *agg.* immaginario.

imagination [i,mædʒi'neiʃən] *s.* 1 immaginazione; fantasia 2 inventiva, facoltà creativa.

imaginative [i'mædʒinətiv] *agg.* 1 immaginativo; fantasioso 2 creativo.

imaginativeness [i'mædʒinətivnis] *s.* immaginativa; inventiva.

to **imagine** [i'mædʒin] *v.tr. e intr.* immaginare, immaginarsi; credere; farsi un'idea di: — *meeting you here!*, chi avrebbe mai pensato di incontrarti qui!; *he imagined himself lost*, si credeva perduto // *just —...*, figurati...

imbecile [imbəsi:l, (*amer.*) 'imbəsl] *agg. e s.* imbecille.

imbecility [ˌimbi'siliti] *s.* imbecillità, idiozia.

to **imbibe** [im'baib] *v.tr.* 1 imbeversi (di); assorbire 2 (*fam.*) bere molto.

to **imbue** [im'bju:] *v.tr.* imbevere, impregnare (*anche fig.*): *to — s.o., with hatred*, inculcare l'odio a qlcu.

imitable ['imitəbl] *agg.* imitabile.

to **imitate** ['imiteit] *v.tr.* imitare; contraffare.

imitation [,imi'teiʃən] *s.* imitazione; copia; contraffazione // — *jewellery*, (*di gioielli*) imitazioni.

imitator ['imiteitə*] *s.* imitatore; contraffattore.

immaculate [i'mækjulit] *agg.* immacolato.

immanence ['imənəns], **immanency** ['imənənsi] *s.* (*fil.*) immanenza.

immanent ['imənənt] *agg.* (*fil.*) immanente.

Immanuel [i'mænjuəl] *no.pr.m.* Emanuele.

immaterial [,imə'tiəriəl] *agg.* 1 immateriale, incorporeo 2 senza importanza.

to **immaterialize** [,imə'tiəriəlaiz] *v.tr.* rendere immateriale.

immature [,imə'tjuə*] *agg.* immaturo.

immaturity [,imə'tjuəriti] *s.* immaturità.

immeasurability [i,meʒərə'biliti] *s.* incommensurabilità; immensità.

immeasurable [i'meʒərəbl] *agg.* incommensurabile; immenso.

immediacy [i'mi:djəsi] *s.* immediatezza.

immediate [i'mi:djət] *agg.* immediato; diretto: *to take — action*, prendere provvedimenti immediati.

immediately [i'mi:djətli] *avv.* immediatamente, direttamente.

immemorial [,imi'mɔ:riəl] *agg.* immemorabile; molto vecchio.

immense [i'mens] *agg.* 1 immenso 2 (*sl.*) ottimo.

immensely [i'mensli] *avv.* immensamente.

immensurability [i,mensurə'biliti] *s.* incommensurabilità.

immensurable [i'mensurəbl] *agg.* incommensurabile.

to **immerse** [i'mə:s] *v.tr.* immergere (*anche fig.*).

immersion [i'mə:ʃən] *s.* 1 immersione 2 (*astr.*) eclissi.

immigrant ['imigrənt] *agg. e s.* immigrante.

to **immigrate** ['imigreit] *v.intr.* immigrare ♦ *v.tr.* importare (immigranti).

immigration [,imi'greiʃən] *s.* immigrazione.

imminence ['iminəns] *s.* imminenza.

imminent ['iminənt] *agg.* imminente.

immiscible [i'misibl] *agg.* che non si può mischiare.

immitigable [i'mitigəbl] *agg.* implacabile.

immobile [i'moubail] *agg.* immobile.

immobility [,imou'biliti] *s.* immobilità.

immobilization [i,moubilai'zeiʃən] *s.* immobilizzazione.

to **immobilize** [i′moubilaiz] *v.tr.* **1** immobilizzare **2** ritirare dalla circolazione.

immoderate [i′mɔdərit] *agg.* smodato, eccessivo.

immoderation [′i,mɔdə′reiʃən] *s.* smoderatezza, eccesso, intemperanza.

immodest [i′mɔdist] *agg.* **1** immodesto; impudico **2** impertinente; impudente.

immodesty [i′mɔdisti] *s.* **1** immodestia; impudicizia **2** impertinenza; impudenza.

to **immolate** [′imouleit] *v.tr.* immolare.

immoral [i′mɔrəl] *agg.* **1** immorale **2** licenzioso.

immorality [,imə′ræliti] *s.* **1** immoralità **2** licenziosità.

immortal [i′mɔ:tl] *agg.* e *s.* immortale.

immortality [,imɔ:′tæliti] *s.* immortalità.

to **immortalize** [i′mɔ:təlaiz] *v.tr.* immortalare.

immortelle [,imɔ:′tel] *s.* (*bot.*) semprevivo.

immovability [i,mu:və′biliti] *s.* immobilità; immutabilità.

immovable [i′mu:vəbl] *agg.* **1** immobile; immutabile **2** (*dir.*) immobiliare ♦ *s.* (*gener. pl.*) (*dir.*) beni immobili (*pl.*).

immune [i′mju:n] *agg.* immune; esente // — *body*, anticorpo.

immunity [i′mju:niti] *s.* immunità; esenzione.

immunization [,imju(:)nai′zeiʃən] *s.* immunizzazione.

to **immunize** [′imju(:)naiz] *v.tr.* immunizzare.

to **immure** [i′mjuə*] *v.tr.* imprigionare // *to — oneself*, segregarsi.

immutability [i,mju:tə′biliti] *s.* immutabilità.

immutable [i′mju:təbl] *agg.* immutabile; invariabile.

imp [imp] *s.* diavoletto (*anche fig.*).

impact [′impækt] *s.* **1** urto; collisione // *on —*, sul momento **2** (*mil.*) impatto (di missile) **3** (*fig.*) forte influenza.

to **impact** [im′pækt] *v.tr.* comprimere; conficcare; incastrare.

impaction [im′pækʃən] *s.* compressione; conficcamento.

to **impair** [im′pɛə*] *v.tr.* **1** indebolire **2** danneggiare, menomare.

impaired [im′pɛəd] *agg.* **1** indebolito **2** danneggiato; menomato.

impairment [im′pɛəmənt] *s.* **1** indebolimento **2** danneggiamento; menomazione.

to **impale** [im′peil] *v.tr.* impalare; trafiggere.

impalpable [im′pælpəbl] *agg.* **1** impalpabile **2** (*fig.*) impercettibile.

imparity [im′pæriti] *s.* disparità.

to **impart** [im′pa:t] *v.tr.* **1** comunicare, informare; rivelare **2** impartire.

impartial [im′pa:ʃəl] *agg.* giusto, imparziale.

impartiality [im,pa:ʃi′æliti] *s.* imparzialità.

impassability [′im,pa:sə′biliti] *s.* invalicabilità; impraticabilità.

impassable [im′pa:səbl] *agg.* invalicabile; impraticabile.

impassible [im′pæsibl] *agg.* insensibile; impassibile, imperturbabile.

impassioned [im′pæʃənd] *agg.* appassionato.

impassive [im′pæsiv] *agg.* impassibile; insensibile.

to **impaste** [im′peist] *v.tr.* impastare.

impatience [im′peiʃəns] *s.* **1** impazienza **2** irritabilità **3** intolleranza.

impatient [im′peiʃənt] *agg.* **1** impaziente **2** irritabile **3** intollerante.

impatiently [im′peiʃəntli] *avv.* **1** impazientemente **2** con intolleranza.

to **impeach** [im′pi:tʃ] *v.tr.* **1** (*dir.*) imputare (di), accusare; denunziare: *to — s.o. for high treason*, accusare qlcu. di alto tradimento **2** mettere in dubbio, dubitare (di).

impeachable [im′pi:tʃəbl] *agg.* imputabile.

impeachment [im′pi:tʃmənt] *s.* **1** imputazione, accusa **2** discredito.

impeccability [im,pekə′biliti] *s.* impeccabilità.

impeccable [im′pekəbl] *agg.* impeccabile.

impecunious [,impi′kju:njəs] *agg.* senza denaro; povero in canna.

to **impede** [im′pi:d] *v.tr.* impedire, ostacolare.

impediment [im′pedimənt] *s.* **1** impedimento, ostacolo; difficoltà **2** balbuzie.

to **impel** [im′pel] *v.tr.* **1** spingere avanti con forza **2** incitare, stimolare.

impellent [im′pelənt] *agg.* impellente ♦ *s.* stimolo.

to **impend** [im′pend] *v.intr.* incombere; sovrastare.

impenetrability [im,penitrə′biliti] *s.* impenetrabilità; oscurità; incomprensibilità.

impenetrable [im′penitrəbl] *agg.* impenetrabile; oscuro; incomprensibile.

impenitence [im′penitəns] *s.* impenitenza.

impenitent [im′penitənt] *agg.* e *s.* (persona) impenitente, incorreggibile.

imperative [im′perətiv] *agg.* imperativo; perentorio ♦ *s.* (*fil.gramm.*) imperativo.

imperceptible [,impə′septəbl] *agg.* **1** impercettibile **2** piccolissimo, insignificante.

imperfect [im′pə:fikt] *agg.* imperfetto // — (*tense*), (*gramm.*) (tempo) imperfetto.

imperfection [,impə′fekʃən] *s.* imperfezione.

imperial [im′piəriəl] *agg.* imperiale; maestoso ♦ *s.* **1** pizzo, pizzetto **2** imperiale (moneta russa).

imperialism [im′piəriəlizəm] *s.* imperialismo; politica imperialistica.

imperialist [im′piəriəlist] *s.* imperialista.

imperialistic [im,piəriə′listik] *agg.* imperialistico.

to **imperil** [im′peril] *v.tr.* mettere in pericolo.

imperious [im′piəriəs] *agg.* **1** imperioso; prepotente; arrogante **2** perentorio.

imperishable [im′periʃəbl] *agg.* **1** non deperibile **2** immortale, eterno.

impermanence [im′pə:mənəns] *s.* transitorietà.

impermanent [im′pə:mənənt] *agg.* transitorio.

impermeability [im,pə:mjə′biliti] *s.* impermeabilità.

impermeable [im′pə:mjəbl] *agg.* impermeabile.

impersonal [im′pə:snl] *agg.* **1** impersonale **2** meccanico, automatico.

impersonality [im,pə:sə′næliti] *s.* l'essere impersonale; mancanza di personalità.

to **impersonate** [im′pə:səneit] *v.tr.* impersonare; imitare; travestirsi da.

impersonation [im,pə:sə′neiʃən] *s.* **1** imitazione; spettacolo di varietà eseguito da uomini travestiti da donne e viceversa **2** l'assumere una personalità fittizia.

impersonator [im′pə:səneitə*] *s.* **1** (*teatr.*) imitatore; trasformista **2** chi assume una personalità fittizia.

impertinence [im′pə:tinəns] *s.* **1** impertinenza **2** il non essere pertinente.

impertinent [im′pə:tinənt] *agg.* **1** impertinente **2** non pertinente **3** inadatto.

imperturbable [,impə(:)′tə:bəbl] *agg.* imperturbabile.

impervious [im'pə:vjəs] *agg.* **1** impenetrabile (*anche fig.*): — *to water*, impermeabile all'acqua **2** impervio (di luogo).

imperviously [im'pə:vjəsli] *avv.* imperviamente.

impetuosity [im,petju'ɔsiti] *s.* impetuosità; temerarietà.

impetuous [im'petjuəs] *agg.* impetuoso, impulsivo; temerario.

impetus ['impitəs] *s.* impulso (*anche fig.*).

impiety [im'paiəti] *s.* empietà; irriverenza.

to impinge [im'pindʒ] *v.intr.* venire in contatto (con) // *to — on*, urtare contro; (*fig.*) violare.

impingement [im'pindʒmənt] *s.* **1** urto **2** violazione.

impious ['impiəs] *agg.* empio; malvagio.

impish ['impiʃ] *agg.* birichino; dispettoso.

implacability [im,plækə'biliti] *s.* implacabilità.

implacable [im'plækəbl] *agg.* implacabile.

to implant [im'plɑ:nt] *v.tr.* **1** conficcare **2** (*fig.*) inculcare **3** (*med.*) eseguire un trapianto: *to — s.o. with sthg.*, eseguire un trapianto di qlco. su qlcu.

implantation [impla:n'teiʃən] *s.* **1** il conficcare; l'inculcare **2** ciò che si è inculcato **3** (*med.*) implantologia.

implausible [im'plɔ:zibl] *agg.* non plausibile.

implement ['implimənt] *s.* utensile, apparecchio; *pl.* attrezzi.

to implement ['impliment] *v.tr.* **1** adempiere **2** (*informatica*) realizzare, mettere in opera.

to implicate ['implikeit] *v.tr.* implicare, coinvolgere.

implication [,impli'keiʃən] *s.* implicazione; insinuazione // *by —*, implicitamente.

implicative [im'plikətiv] *agg.* implicante.

implicit [im'plisit] *agg.* **1** implicito **2** assoluto.

implicitly [im'plisitli] *avv.* implicitamente.

implied [im'plaid] *agg.* implicito; tacito.

to implode [im'ploud] *v.intr.* scoppiare; andare in frantumi.

to implore [im'plɔ:*] *v.tr.* implorare, supplicare.

imploring [im'plɔ:riŋ] *agg.* supplichevole.

imploringly [im'plɔ:riŋli] *avv.* in tono supplichevole.

implosion [im'plouʒən] *s.* scoppio.

to imply [im'plai] *v.tr.* insinuare; implicare.

impolite [,impə'lait] *agg.* scortese, maleducato.

impolitely [,impə'laitli] *avv.* scortesemente.

impoliteness [,impə'laitnis] *s.* scortesia, maleducazione.

impolitic [im'politik] *agg.* imprudente, inopportuno.

imponderability [im,pɔndərə'biliti] *s.* **1** imponderabilità **2** ciò che è imponderabile.

imponderable [im'pɔndərəbl] *agg.* imponderabile (*anche fig.*). ♦ *s.* l'imponderabile.

import ['impɔ:t] *s.* **1** importazione // *— duty*, dazio di importazione **2** significato **3** importanza.

to import [im'pɔ:t] *v.tr. e intr.* importare.

importance [im'pɔ:təns] *s.* importanza.

important [im'pɔ:tənt] *agg.* importante; rilevante.

importation [,impɔ:'teiʃən] *s.* importazione.

importer [im'pɔ:tə*] *s.* importatore.

importunate [im'pɔ:tjunit], **importune** [im'pɔ:tju:n] *agg.* importuno; insistente.

to importune *v.tr.* importunare, seccare.

to impose [im'pouz] *v.tr.* **1** imporre **2** (*tip.*) ordinare (pagine composte) ♦ *v.intr.* **1** imporsi **2** *to — up(on)*, abusare di.

imposing [im'pouziŋ] *agg.* imponente, maestoso.

imposition [,impə'ziʃən] *s.* **1** imposizione **2** (*a scuola*) penso **3** imposta, tassa.

impossibility [im,pɔsə'biliti] *s.* impossibilità.

impossible [im'pɔsəbl] *agg.* impossibile.

impost ['impoust] *s.* **1** imposta; dazio **2** (*ippica*) peso (portato da un cavallo nelle corse con handicap).

impostor [im'pɔstə*] *s.* **1** imbroglione **2** chi si spaccia per un'altra persona.

imposture [im'pɔstʃə*] *s.* impostura, frode.

impotence ['impətəns], **impotency** ['impətənsi] *s.* impotenza.

impotent ['impətənt] *agg.* impotente.

to impound [im'paund] *v.tr.* **1** sequestrare; confiscare **2** rinchiudere in un recinto (animali dispersi).

to impoverish [im'pɔvəriʃ] *v.tr.* impoverire.

impoverishment [im'pɔvəriʃmənt] *s.* impoverimento; esaurimento.

impracticability [im,præktikə'biliti] *s.* **1** inattuabilità **2** intrattabilità **3** impraticabilità.

impracticable [im'præktikəbl] *agg.* **1** inattuabile, impossibile **2** intrattabile **3** impraticabile.

impractical [im'præktikəl] *agg.* **1** non pratico, inutile **2** non realistico; mancante di senso pratico **3** inattuabile.

to imprecate ['imprikeit] *v.tr.* imprecare // *to — evil on s.o.*, augurare del male a qlcu.

imprecation [,impri'keiʃən] *s.* imprecazione.

imprecatory ['imprikeitəri] *agg.* imprecativo.

imprecise [,impri'sais] *agg.* impreciso.

imprecision [,impri'siʒən] *s.* imprecisione.

impregnability [im'pregnə'biliti] *s.* inespugnabilità.

impregnable [im'pregnəbl] *agg.* inespugnabile (*anche fig.*).

impregnate [im'pregnit] *agg.* **1** pregno, fecondato **2** impregnato, saturo (*anche fig.*).

to impregnate ['impregneit], (*amer.*) im'pregneit] *v.tr.* **1** fecondare **2** impregnare, saturare (*anche fig.*).

impregnation [,impreg'neiʃən] *s.* **1** fecondazione **2** impregnazione.

impresario [,impre'sa:riou] *s.* impresario.

imprescriptible [,impri'skriptibl] *agg.* (*dir.*) imprescrittibile; inalienabile, inviolabile.

impress[1] ['impres] *s.* marchio; stampo; (*fig.*) impronta.

to impress[1] [im'pres] *v.tr.* **1** colpire, fare colpo su **2** stampare; imprimere (*anche fig.*).

to impress[2] *v.tr.* **1** (*mar. mil.*) arruolare forzatamente **2** requisire (merci ecc.) **3** (*fig.*) imporre; forzare.

impressible [im'presəbl] *agg.* impressionabile; suscettibile.

impression [im'preʃən] *s.* **1** impressione (*anche fig.*); impronta **2** (*tip.*) ristampa **3** (*tip.*) impronta di carattere tipografico.

impressionability [im,preʃnə'biliti] *s.* impressionabilità.

impressionable [im'preʃnəbl] *agg.* impressionabile.

impressionism [im'preʃnizəm] *s.* impressionismo.

impressionist [im'preʃnist] *s.* impressionista.

impressionistic [im,preʃə'nistik] *agg.* impressionistico.

impressive [im'presiv] *agg.* che fa colpo; imponente.

impressment [im'presmənt] *s.* (*mar.*) leva forzata; requisizione.

imprimatur [,impri'meitə*] *s.* imprimatur; approvazione (*anche fig.*).

imprint ['imprint] *s.* **1** impressione; impronta **2**

(*tip.*) stampa: *no* —, senza indicazione dell'editore; *publisher's* —, (*tip.*) colophon.

to **imprint** [imprint] *v.tr.* stampare; imprimere (*anche fig.*).

to **imprison** [im′prizn] *v.tr.* imprigionare; (*fig.*) rinchiudere.

imprisonment [im′priznmənt] *s.* **1** arresto; carcerazione **2** prigionia, reclusione // *life* —, ergastolo.

improbability [im,prɔbə′biliti] *s.* improbabilità.

improbable [im′prɔbəbl] *agg.* improbabile.

improbity [im′proubiti] *s.* malvagità; disonestà.

impromptu [im′prɔmptju:] *agg.* estemporaneo ♦ *s.* **1** (*mus.*) improvviso **2** scena, discorso improvvisato ♦ *avv.* estemporaneamente.

improper [im′prɔpə*] *agg.* **1** improprio, disadatto **2** erroneo, scorretto **3** sconveniente; indecente.

to **impropriate** [im′prouprieit] *v.tr.* secolarizzare (benefici ecclesiastici); concedere (benefici ecclesiastici).

impropriety [,imprə′praiəti] *s.* **1** improprietà **2** scorrettezza; sconvenienza.

improvable [im′pru:vəbl] *agg.* migliorabile; valorizzabile.

to **improve** [im′pru:v] *v.tr.* migliorare; perfezionare; valorizzare; far progredire // *to — upon*, apportare ulteriori miglioramenti a ♦ *v.intr.* migliorare; perfezionarsi; progredire, fare progressi.

improvement [im′pru:vmənt] *s.* miglioramento; miglioria; perfezionamento; valorizzazione; salto di qualità.

improvidence [im′prɔvidəns] *s.* improvvidenza.

improvident [im′prɔvidənt] *agg.* **1** improvvidente **2** spendaccione.

improvisation [,imprəvai′zeiʃən] *s.* improvvisazione.

improvisator [im′prɔvizeitə*] *s.* improvvisatore.

to **improvise** [′imprəvaiz] *v.tr.* e *intr.* improvvisare.

imprudence [im′pru:dəns] *s.* imprudenza.

imprudent [im′pru:dənt] *agg.* imprudente.

impudence [′impjudəns] *s.* impudenza, sfrontatezza.

impudent [′impjudənt] *agg.* impudente, sfrontato.

to **impugn** [im′pju:n] *v.tr.* impugnare.

impugnment [im′pju:nmənt] *s.* impugnazione; attacco; sfida.

impuissance [im′pju:(:)isns] *s.* impotenza; debolezza.

impuissant [im′pju:(:)isnt] *agg.* impotente; debole.

impulse [′impʌls] *s.* **1** impulso; impeto; stimolo: *to act on* —, agire d'impulso **2** spinta, urto.

impulsion [im′pʌlʃən] *s.* impulso; stimolo.

impulsive [im′pʌlsiv] *agg.* **1** impulsivo **2** (*mecc.*) propulsorio.

impunity [im′pju:niti] *s.* impunità: *with* —, impunemente.

impure [im′pjuə*] *agg.* impuro.

impurity [im′pjuəriti] *s.* **1** impurità **2** corpo estraneo, impurità.

imputable [im′pju:təbl] *agg.* imputabile, attribuibile.

imputation [,impju:(′)teiʃən] *s.* imputazione.

to **impute** [im′pju:t] *v.tr.* imputare, attribuire.

in [in] *prep.* **1** in; a: — *the country*, in campagna; — *Paris*, a Parigi; — *bed*, a letto; *to put one's hands* — *one's pocket*, mettersi le mani in tasca // *the best* — *the world*, il migliore del mondo // *to be* — *danger*, essere in pericolo // — *March*, in, a marzo; — *winter*, in, d'inverno; — *the morning*, di, alla mattina; — *the afternoon*, di, al, nel pomeriggio // — *groups*, a gruppi; — *rows*, in fila, a file; — *twos*, a due a due // *one* — *a thousand*, uno su mille // — *doing it*, nel farlo, facen-

dolo **2** (*modo*) di; in; con; a: *dressed* — *red*, vestita di, in rosso; — *a mink coat*, con la, in pelliccia di visone; *to write* — *pencil*, — *ink*, scrivere a matita, in inchiostro **3** fra: — *a month*, fra un mese.

in *avv.* **1** dentro; in, a casa // — *with you!*, su, entra! // *all* —, tutto compreso // *to be* — *for*, aspettarsi: *you are* — *for trouble*, puoi aspettarti dei guai; *we are* — *for a scolding*, aspettiamoci una sgridata // *to be* — *on*, far parte di // *to be* — *with s.o.*, essere amico di qlcu. **2** (*di fuoco*) acceso **3** (*pol.*) in carica; al potere **4** (*fam.*) di moda.

in *agg.* interno ♦ *s.* **1** *the ins*, i membri del partito al potere **2** *the ins and outs*, i dettagli; i retroscena.

inability [,inə′biliti] *s.* inabilità; incapacità.

inaccessibility [′inæk,sesə′biliti] *s.* inaccessibilità.

inaccessible [,inæk′sesəbl] *agg.* inaccessibile.

inaccuracy [in′ækjurəsi] *s.* inesattezza.

inaccurate [in′ækjurit] *agg.* impreciso; sbagliato.

inaction [in′ækʃən] *s.* inattività, inerzia.

to **inactivate** [in′æktiveit] *v.tr.* **1** disattivare **2** dissolvere, distruggere.

inactive [in′æktiv] *agg.* inattivo; inerte.

inactivity [,inæk′tiviti] *s.* inattività; inerzia.

inadaptability [′inə,dæptə′biliti] *s.* inadattabilità.

inadaptable [,inə′dæptəbl] *agg.* inadattabile.

inadequacy [in′ædikwəsi] *s.* inadeguatezza.

inadequate [in′ædikwit] *agg.* **1** inadeguato **2** incompetente.

inadmissibility [′inəd,misə′biliti] *s.* inammissibilità.

inadmissible [,inəd′misəbl] *agg.* inammissibile.

inadvertence [,inəd′vɔ:təns], **inadvertency** [,inəd′vɔ:tənsi] *s.* inavvertenza, disattenzione; svista.

inadvertent [,inəd′vɔ:tənt] *agg.* **1** disattento, sbadato **2** involontario.

inalienability [in,eiljənə′biliti] *s.* inalienabilità.

inalienable [in′eiljənəbl] *agg.* inalienabile.

inalterable [in′ɔ:ltərəbl] *agg.* inalterabile.

inane [i′nein] *agg.* inane; vuoto; inutile ♦ *s.* spazio infinito.

inanely [i′neinli] *avv.* vanamente.

inanimate [in′ænimit] *agg.* **1** inanimato; esanime **2** (*fig.*) privo di vivacità, fiacco.

inanimation [in,æni′meiʃən] *s.* mancanza di vita; immobilità.

inanition [,inə′niʃən] *s.* inanizione.

inanity [i′næniti] *s.* inanità.

inappeasable [,inə′pi:zəbl] *agg.* implacabile; che non si può calmare.

inapplicability [′in,æplikə′biliti] *s.* inapplicabilità.

inapplicable [in′æplikəbl] *agg.* inapplicabile; inadatto.

inapposite [in′æpəzit] *agg.* improprio, fuori luogo.

inappreciable [,inə′pri:ʃəbl] *agg.* impercettibile, trascurabile.

inappreciation [,inə,pri:ʃi′eiʃən] *s.* incapacità di apprezzare.

inappreciative [,inə′pri:ʃiətiv] *agg.* che non apprezza.

inapprehensible [,inæpri′hensəbl] *agg.* incomprensibile.

inapprehension [,inæpri′henʃən] *s.* incomprensibilità.

inapprehensive [,inæpri′hensiv] *agg.* che non comprende.

inapproachable [,inə′proutʃəbl] *agg.* inavvicinabile; inaccessibile.

inappropriate [,inə′prouprit] *agg.* non appropriato, improprio.

inapt [in'æpt] *agg.* inadatto; inabile; maldestro.

inaptitude [in'æptitju:d] *s.* inattitudine, incapacità.

inarticulate [ˌinaː'tikjulit] *agg.* **1** inarticolato **2** afono; che si esprime con difficoltà **3** (*anat.zool.*) disarticolato.

inartistic [ˌina:'tistik] *agg.* **1** non artistico **2** non portato all'arte **3** privo di gusto artistico.

inasmuch [inəz'mʌtʃ] *avv.*: — as, visto che, poiché; in quanto che.

inattention [ˌinə'tenʃən] *s.* **1** disattenzione; sbadataggine **2** negligenza.

inattentive [ˌinə'tentiv] *agg.* **1** disattento; sbadato **2** negligente.

inaudibility [in,ɔːdə'biliti] *s.* impercettibilità.

inaudible [in'ɔːdəbl] *agg.* impercettibile.

inaugural [i'nɔːgjurəl] *agg.* inaugurale.

to inaugurate [i'nɔːgjureit] *v.tr.* inaugurare.

inauguration [i,nɔːgju'reiʃən] *s.* inaugurazione.

inauguratory [in'ɔːgjureitəri] *agg.* inaugurale.

inauspicious [ˌinɔːs'piʃəs] *agg.* infausto; malaugurato.

inboard ['in'bɔːd] *agg.* interno ♦ *avv.* all'interno.

inborn ['in'bɔːn] *agg.* innato, congenito.

inbred ['in'bred] *agg.* **1** innato, congenito **2** nato dall'unione di consanguinei.

inbreeding ['in'briːdiŋ] *s.* incrocio tra consanguinei.

incalculability [in,kælkjulə'biliti] *s.* incalcolabilità; imprevedibilità.

incalculable [in'kælkjuləbl] *agg.* incalcolabile; imprevedibile.

to incandesce [ˌinkæn'des] *v.intr.* essere incandescente ♦ *v.tr.* rendere incandescente.

incandescence [ˌinkæn'desns] *s.* incandescenza.

incandescent [ˌinkæn'desnt] *agg.* incandescente.

incantation [ˌinkæn'teiʃən] *s.* incantesimo; formula magica.

incapability [in,keipə'biliti] *s.* incapacità.

incapable [in,keipə'bl] *agg.* incapace // *to have s.o. declared* —, fare interdire qlcu.

incapably [in'keipəbli] *avv.* inettamente.

to incapacitate [ˌinkə'pæsiteit] *v.tr.* inabilitare.

incapacitation ['inkə,pæsi'teiʃən] *s.* **1** inabilità, incapacità **2** (*dir.*) inabilitazione // *temporary* —, invalidità temporanea.

incapacity [ˌinkə'pæsiti] *s.* **1** incapacità; incompetenza **2** (*dir.*) inabilitazione.

in-car ['in,ka:*] *agg.attr.* (che si riferisce) all'interno dell'abitacolo (di un'auto).

to incarcerate [in'ka:səreit] *v.tr.* imprigionare.

incarceration [in,ka:sə'reiʃən] *s.* incarcerazione.

incarnadine [in'ka:nədain] *agg.* (*poet.*) carnicino.

incarnate [in'ka:nit] *agg.* incarnato, personificato.

to incarnate ['inka:neit] *v.tr.* **1** incarnare; personificare **2** concretare, realizzare.

incarnation [in,ka:'neiʃən] *s.* incarnazione.

incatenation [in,kæti'neiʃən] *s.* incatenamento.

incautious [in'kɔːʃəs] *agg.* incauto; imprudente; sconsiderato.

incendiary [in'sendjəri] *agg. e s.* incendiario.

incense[1] ['insens] *s.* **1** incenso **2** (*fig.*) adulazione.

to incense[1] *v.tr.* incensare (*anche fig.*); profumare di incenso.

to incense[2] [in'sens] *v.tr.* provocare, irritare.

incense-boat ['insensbout] *s.* (*eccl.*) navicella.

incentive [in'sentiv] *agg.* stimolante ♦ *s.* incentivo, stimolo; movente.

inception [in'sepʃən] *s.* principio, inizio.

inceptive [in'septiv] *agg.* iniziale; (*gramm.*) incoativo ♦ *s.* (*gramm.*) verbo incoativo.

incertitude [in'sə:titju:d] *s.* incertezza; indecisione.

incessant [in'sesnt] *agg.* incessante, continuo.

incest ['insest] *s.* incesto.

incestuous [in'sestjuəs] *agg.* incestuoso.

inch [inʃ] *s.* **1** pollice (misura di lunghezza) // — by —, a poco a poco // within an — of, lì lì per, a un pelo da // not to give an —, non cedere per nulla **2** *pl.* statura (*sing.*).

to inch *v.intr.* muoversi gradatamente ♦ *v.tr.* muovere gradatamente // to — one's way forward, spingersi avanti poco alla volta.

inchoate ['inkoueit] *agg.* appena cominciato; incipiente; incompleto.

incidence ['insidəns] *s.* incidenza.

incident ['insidənt] *agg.* **1** inerente **2** (*fis.*) incidente ♦ *s.* **1** caso; avvenimento **2** episodio, frammento (di commedia ecc.) **3** (*dir.*) privilegio (inerente a una proprietà).

incidental [ˌinsi'dentl] *agg.* **1** fortuito; casuale **2** incidentale; accessorio // — music, sottofondo musicale ♦ *s.* fattore di poca importanza.

to incinerate [in'sinəreit] *v.tr.* incenerire.

incineration [in,sinə'reiʃən] *s.* incenerimento.

incinerator [in'sinəreitə*] *s.* inceneritore.

incipient [in'sipiənt] *agg.* incipiente.

to incise [in'saiz] *v.tr.* incidere; intagliare.

incised [in'saizd] *agg.* inciso; intagliato; (*bot.*) frastagliato.

incision [in'siʒən] *s.* incisione; taglio; intaglio.

incisive [in'saisiv] *agg.* **1** incisivo, tagliente **2** (*fig.*) acuto; penetrante.

incisively [in'saisivli] *avv.* in modo incisivo.

incisor [in'saizə*] *s.* (dente) incisivo.

incitation [ˌinsai'teiʃən] *s.* incitamento; incentivo.

to incite [in'sait] *v.tr.* incitare; istigare.

incitement [in'saitmənt] *s.* incitamento; istigazione.

incivility [ˌinsi'viliti] *s.* villania; maleducazione.

inclemency [in'klemənsi] *s.* inclemenza; rigore.

inclement [in'klemənt] *agg.* inclemente; rigido.

inclination [ˌinkli'neiʃən] *s.* **1** inclinazione; disposizione; tendenza **2** pendio; china.

incline [in'klain] *s.* **1** pendenza; pendio **2** (*geom.*) piano inclinato.

to incline *v.tr.* inclinare, piegare // to — one's ear to s.o., ascoltare con benevolenza qlcu. ♦ *v.intr.* **1** tendere (di colori) **2** (*fig.*) tendere, propendere.

inclined [in'klaind] *agg.* **1** inclinato **2** (*fig.*) propenso.

inclining [in'klainiŋ] *s.* inclinazione, tendenza.

inclinometer [ˌinkli'nɔmitə*] *s.* inclinometro.

to inclose e *deriv.* → **to enclose** e *deriv.*

to include [in'klu:d] *v.tr.* includere; comprendere.

inclusion [in'klu:ʒən] *s.* inclusione.

inclusive [in'klu:siv] *agg.* inclusivo; comprendente // — of, comprensivo di ♦ *avv.* inclusivamente.

incoercible [ˌinkou'ə:sibl] *agg.* incoercibile.

incognito [in'kɔgnitou] *agg. e s.* incognito ♦ *avv.* in incognito.

incognizable [in'kɔgnizəbl] *agg.* inconoscibile.

incognizant [in'kɔgnizənt] *agg.* inconscio.

incoherence [ˌinkou'hiərəns], **incoherency** ['inkou'hiərənsi] *s.* incoerenza.

incoherent [ˌinkou'hiərənt] *agg.* incoerente.

incohesive [ˌinkou'hi:siv] *agg.* non coesivo.

incombustibility ['inkəm,bʌstə'biliti] s. incombustibilità.

incombustible [,inkəm'bʌstəbl] agg. incombustibile.

income ['inkəm] s. rendita; reddito; entrata // — tax, imposta sul reddito // earned —, reddito da lavoro.

incomer ['in,kʌmə*] s. 1 chi entra; immigrante 2 successore 3 intruso.

incoming ['in,kʌmiŋ] agg. 1 entrante; che succede ad altri 2 (di marea) che monta ♦ s. 1 entrata, ingresso 2 pl. entrate.

incommensurability ['inkə,menʃərə'biliti] s. incommensurabilità; smisuratezza.

incommensurable [,inkə'menʃərəbl] agg. incommensurabile; smisurato.

incommensurate [,inkə'menʃərit] agg. 1 sproporzionato; inadeguato 2 non paragonabile.

to **incommode** [,inkə'moud] v.tr. incomodare.

incommodious [,inkə'moudjəs] agg. scomodo.

incommodity [,inkə'mɔditi] s. scomodità.

incommunicability ['inkə,mju:nikə'biliti] s. incomunicabilità.

incommunicable [,inkə'mju:nikəbl] agg. 1 incomunicabile 2 indicibile.

incommunicado [,inkəmjuni'ka:dou] agg. che non può comunicare con nessuno ♦ avv. senza comunicare con nessuno.

incommunicative [,inkə'mju:nikətiv] agg. chiuso; riservato.

incommutable [,inkə'mju:təbl] agg. immutabile.

incomparability [in,kɔmpərə'biliti] s. incomparabilità.

incomparable [in'kɔmpərəbl] agg. incomparabile.

incompatibility ['inkəm,pætə'biliti] s. incompatibilità.

incompatible [,inkəm'pætəbl] agg. incompatibile.

incompetence [in'kɔmpitəns], **incompetency** [in'kɔmpitənsi] s. incompetenza; incapacità.

incompetent [in'kɔmpitənt] agg. incompetente; incapace.

incomplete [,inkəm'pli:t] agg. incompleto; imperfetto.

incompletion [,inkəm'pli:ʃən] s. incompletezza; imperfezione.

incomprehensibility [in,kɔmprihensə'biliti] s. incomprensibilità.

incomprehensible [in,kɔmpri'hensəbl] agg. 1 incomprensibile, inintelligibile 2 (teol.) illimitato.

incomprehension [in,kɔmpri'henʃən] s. incomprensione.

incomprehensive [in,kɔmpri'hensiv] agg. 1 poco comprensivo 2 incompleto.

incompressible [,inkəm'presəbl] agg. incompressibile.

incomputable [,inkəm'pju:təbl] agg. incalcolabile.

inconceivability ['inkən,si:və'biliti] s. inconcepibilità.

inconceivable [,inkən'si:vəbl] agg. 1 inconcepibile 2 (fam.) incredibile.

incondensable [,inkən'densəbl] agg. che non si può condensare.

incongruity [,inkəŋ'gru(:)iti] s. incongruità; assurdità; incoerenza.

incongruous [in'kɔŋgruəs] agg. incongruo; assurdo; incoerente.

inconsecutive [,inkən'sekjutiv] agg. inconseguente; illogico.

inconsequent [in'kɔnsikwənt], **inconsequential** [in,kɔnsi'kwenʃəl] agg. 1 inconseguente; incoerente; illogico 2 irrilevante.

inconsiderable [,inkən'sidərəbl] agg. trascurabile; insignificante.

inconsiderate [,inkən'sidərit] agg. 1 sconsiderato, avventato 2 indiscreto, senza riguardi.

inconsiderateness [,inkən'sidəritnis], **inconsideration** ['inkən,sidə'reiʃən] s. 1 sconsideratezza 2 indiscrezione, mancanza di riguardo.

inconsistence [,inkən'sistəns], **inconsistency** [,inkən'sistənsi] s. inconsistenza; incoerenza; incompatibilità.

inconsistent [,inkən'sistənt] agg. inconsistente; incoerente; incompatibile.

inconsolable [,inkən'souləbl] agg. inconsolabile.

inconsonance [in'kɔnsənəns] s. disarmonia; discordanza.

inconsonant [in'kɔnsənənt] agg. non in armonia; discorde: to be — with, non essere d'accordo con.

inconspicuous [,inkən'spikjuəs] agg. poco appariscente; insignificante.

inconstancy [in'kɔnstənsi] s. incostanza; instabilità; variabilità.

inconstant [in'kɔnstənt] agg. incostante; instabile; variabile.

incontestable [,inkən'testəbl] agg. incontestabile.

incontinence [in'kɔntinəns] s. incontinenza; smoderatezza.

incontinent [in'kɔntinənt] agg. incontinente; smoderato.

incontrollable [,inkən'trouləbl] agg. incontrollabile.

incontrovertible ['inkɔntrə'və:təbl] agg. incontrovertibile, incontestabile.

inconvenience [,inkənvi:njəns] s. noia; disturbo; scomodità: to put s.o. to great —, arrecare molto disturbo a qlcu.

to **inconvenience** v.tr. incomodare, disturbare.

inconvenient [,inkən'vi:njənt] agg. incomodo; che reca disturbo: it is —, reca disturbo.

inconvertibility ['inkən,və:tə'biliti] s. inconvertibilità.

inconvertible [,inkən'və:təbl] agg. inconvertibile.

incoordinate [inkou'ɔ:dnit] agg. non coordinato.

incoordination ['inkou,ɔ:di'neiʃən] s. mancanza di coordinazione.

incoronate [in'kɔrənit] agg. incoronato.

incorporate[1] [in'kɔ:pərit] agg. incorporeo, spirituale.

incorporate[2] agg. unito in corporazione; che forma una corporazione.

to **incorporate**[2] [in'kɔ:pəreit] v.tr. 1 incorporare; fondere 2 costituire (una società commerciale): incorporated company, società costituita, autorizzata; (amer.) società per azioni ♦ v.intr. incorporarsi; unirsi, associarsi.

incorporation [in,kɔ:pə'reiʃən] s. 1 incorporazione 2 costituzione di una società.

incorporeal [,inkɔ:'pɔ:riəl] agg. incorporeo.

incorporeality ['inkɔ:,pɔ:ri:'æliti], **incorporeity** [in,kɔ:pə'ri:iti] s. incorporeità.

incorrect [,inkə'rekt] agg. inesatto, scorretto.

incorrigibility [in,kɔridʒə'biliti] s. incorreggibilità.

incorrigible [in'kɔridʒəbl] agg. incorreggibile.

incorrodible [,inkə'roudəbl] agg. che non si può corrodere; inattaccabile (dagli acidi).

incorrupt [,inkə'rʌpt] agg. incorrotto, puro; integro.

incorruptibility ['inkə,rʌptə'biliti] s. incorruttibilità.

incorruptible [,inkə'rʌptəbl] agg. incorruttibile.

increasable [in'kri:səbl] agg. aumentabile.

increase ['inkri:s] s. aumento: — in prices, aumento dei prezzi; to be on the —, essere in aumento.

to **increase** [in'kri:s] v.tr. accrescere; aumentare ♦ v.intr. aumentare; crescere.

increasingly [in'kri:siŋli] avv. sempre più.

incredibility [in,kredi'biliti] *s.* incredibilità.

incredible [in'kredəbl] *agg.* incredibile.

incredibly [in'kredəbli] *avv.* incredibilmente.

incredulity [,inkri'dju:liti] *s.* incredulità.

incredulous [in'kredjuləs] *agg.* incredulo.

increment ['inkrimənt] *s.* incremento; aumento; profitto.

incremental [,inkri'mentl] *agg.* che dà incremento.

to incriminate [in'krimineit] *v.tr.* incriminare.

incrimination [in,krimi'neiʃən] *s.* incriminazione.

incriminatory [in'kriminətəri] *agg.* incriminante.

incrustation [,inkrʌs'teiʃən] *s.* **1** incrostazione **2** rivestimento.

to incubate ['inkjubeit] *v.tr. e intr.* **1** covare; incubare **2** (*fig.*) meditare.

incubation [,inkju'beiʃən] *s.* incubazione.

incubator ['inkjubeitə*] *s.* incubatrice.

incubus ['inkjubəs], *pl.* **incubi** [inkjubai], **incubuses** ['inkjubəsiz] *s.* **1** incubo (*anche fig.*) **2** spirito maligno.

to inculcate ['inkʌlkeit, (*amer.*) in'kʌlkeit] *v.tr.* inculcare: *to — s.o. with sthg.*, inculcare qlco. a qlcu.

inculcation [,inkʌl'keiʃən] *s.* inculcazione.

inculpable [in'kʌlpəbl] *agg.* innocente.

to inculpate ['inkʌlpeit, (*amer.*) in'kʌlpeit] *v.tr.* **1** incolpare **2** incriminare.

inculpation [,inkʌl'peiʃən] *s.* **1** accusa **2** incriminazione.

incumbency [in'kʌmbənsi] *s.* **1** (*eccl.*) beneficio **2** (*eccl.*) possesso di un beneficio.

incumbent [in'kʌmbənt] *agg.* obbligatorio // *it is — upon you,* tocca a voi ♦ *s.* (*eccl.*) beneficiario.

to incur [in'kə:*] *v.tr.* incorrere (in).

incurability [in,kjuərə'biliti] *s.* incurabilità.

incurable [in'kjuərəbl] *agg.* incurabile.

incuriosity [,inkjuəri'ɔsiti] *s.* mancanza di curiosità; indifferenza; disinteresse.

incurious [in'kjuəriəs] *agg.* non curioso; indifferente; privo d'interesse.

incursion [in'kə:ʃən] *s.* scorreria, incursione.

incursive [in'kə:siv] *agg.* d'incursione.

to incurvate ['inkə:veit] *v.tr.* incurvare ♦ *v.intr.* incurvarsi.

to incuse [in'kju:z] *v.tr.* fregiare (una moneta) con una figura, un'iscrizione.

indebted [in'detid] *agg.* **1** indebitato: *— to,* debitore di **2** (*fig.*) obbligato: *to be — to s.o. for sthg.,* essere obbligato con qlcu. per qlco.

indebtedness [in'detidnis] *s.* **1** l'essere indebitato **2** (*fig.*) debito.

indecency [in'di:snsi] *s.* indecenza; sconvenienza: *public act of —,* (*dir.*) oltraggio al pudore.

indecent [in'di:snt] *agg.* indecente; sconveniente.

indecipherable [,indi'saifərəbl] *agg.* indecifrabile.

indecision [,indi'siʒən] *s.* indecisione; esitazione.

indecisive [,indi'saisiv] *agg.* **1** indeciso; esitante **2** non concludente; non decisivo.

indecisiveness [,indi'saisivnis] *s.* indecisione.

indecorous [in'dekərəs] *agg.* indecoroso; sconveniente.

indecorum [,indi'kɔ:rəm] *s.* **1** mancanza di decoro; sconvenienza **2** atto indecoroso.

indeed [in'di:d] *avv.* **1** davvero; infatti // *very much —,* moltissimo // *she's right —,* ha proprio ragione **2** anzi ♦ *inter.* davvero: *no, —!,* no, davvero!; *yes —!,* sì, davvero!; ma certamente!

indefatigability ['indi,fætigə'biliti] *s.* infaticabilità.

indefatigable [,indi'fætigəbl] *agg.* infaticabile.

indefeasibility ['indi,fi:zə'biliti] *s.* irrevocabilità.

indefeasible [,indi'fi:zəbl] *agg.* irrevocabile.

indefectible [,indi'fektibl] *agg.* indefettibile.

indefensibility ['indi,fensə'biliti] *s.* insostenibilità.

indefensible [,indi'fensəbl] *agg.* insostenibile.

indefinable [,indi'fainəbl] *agg.* indefinibile.

indefinite [in'definit] *agg.* **1** indefinito, vago **2** indeterminato, illimitato **3** (*gramm.*) indefinito.

indelible [in'delibl] *agg.* incancellabile; indelebile (*anche fig.*).

indelicacy [in'delikəsi] *s.* indelicatezza; sconvenienza.

indelicate [in'delikit] *agg.* indelicato; sconveniente; grossolano.

indemnification [in,demnifi'keiʃən] *s.* indennizzo, risarcimento.

to indemnify [in'demnifai] *v.tr.* **1** indennizzare, risarcire **2** prosciogliere; esentare.

indemnity [in'demniti] *s.* **1** indennità, risarcimento // *war —,* indennità di guerra **2** assicurazione **3** esenzione.

indent[1] ['indent] *s.* **1** dentellatura **2** (*tip.*) capoverso **3** (*comm.*) ordinazione di merci (dall'estero).

to indent[1] [in'dent] *v.tr.* **1** intaccare; dentellare; frastagliare **2** (*tip.*) iniziare (un paragrafo) a distanza dal margine **3** redigere (un documento) in duplice copia ♦ *v.intr.* (*comm.*) ordinare (merci): *to — upon s.o. for sthg.,* ordinare qlco. a qlcu.

to indent[2] *v.tr.* incavare; intagliare.

indentation [,inden'teiʃən] *s.* intaccatura, dentellatura; intaglio.

indention [in'denʃən] *s.* (*tip.*) capoverso.

indenture [in'dentʃə*] *s.* **1** (*dir.*) contratto **2** intaccatura, dentellatura.

to indenture *v.tr.* (*dir.*) legare con un contratto.

independence [,indi'pendəns] *s.* indipendenza; autonomia // *Independence Day,* anniversario della proclamazione dell'indipendenza americana.

independent [,indi'pendənt] *agg. e s.* indipendente: *to be — of s.o., of sthg.,* non dipendere da alcuno, da alcuna cosa.

in-depth ['in,depθ] *agg.attr.* approfondito.

indescribable [,indis'kraibəbl] *agg.* indescrivibile.

indestructibility ['indis,traktə'biliti] *s.* indistruttibilità.

indestructible [,indis'traktəbl] *agg.* indistruttibile.

indeterminable [,indi'tə:minəbl] *agg.* **1** indeterminabile **2** (*di lite ecc.*) non accomodabile.

indeterminate [,indi'tə:minit] *agg.* indeterminato.

indetermination ['indi,tə:mi'neiʃən] *s.* indeterminazione; irresolutezza.

index [in'deks], *pl.* **indexes** ['indeksiz], **indices** ['indisi:z] *s.* **1** indice: *price —,* indice dei prezzi // *the Index,* (*eccl.*) l'Indice **2** (*mat.*) esponente **3** (*informatica*) indice; schedario: *— point,* punto macchina **4** (*fig.*) segno.

to index *v.tr.* **1** fornire di indice **2** comporre un indice di **3** indicizzare.

indexation [,indek'seiʃn] *s.* indicizzazione.

index finger ['indeks'fingə*] *s.* indice.

to index-link ['indeks'liŋk] *v.tr.* indicizzare: *to — wages,* indicizzare i salari.

India ['indjə] *no.pr.* India.

Indian ['indjən] *agg. e s.* indiano // *— corn,* granoturco // *Red —,* pellerossa.

to indicate ['indikeit] *v.tr.* **1** indicare, mostrare **2** segnalare; essere un segno di // *to be indicated,* essere indicato, opportuno.

indication [ˌindiˈkeiʃən] s. **1** indicazione **2** segno; indizio.

indicative [inˈdikətiv] agg. **1** indicativo; che indica: *smile — 'of joy*, sorriso che denota gioia **2** (*gramm.*) indicativo ♦ s. (*gramm.*) modo indicativo.

indicator [ˈindikeitə*] s. indicatore // *mileage —*, contachilometri.

indicatory [inˈdikətəri] agg. indicativo.

to **indict** [inˈdait] v.tr. accusare; imputare: *to — for an offence*, accusare di un'offesa.

indictment [inˈdaitmənt] s. accusa; imputazione: *bill of —*, atto d'accusa.

indifference [inˈdifrəns] s. indifferenza; apatia.

indifferent [inˈdifrənt] agg. **1** indifferente, apatico **2** mediocre; scadente **3** (*elettr.*) neutro.

indigence [ˈindidʒəns] s. indigenza.

indigenous [inˈdidʒinəs] agg. indigeno.

indigent [ˈindidʒənt] agg. indigente, bisognoso.

indigested [ˌindiˈdʒestid] agg. **1** disordinato, confuso **2** non digerito.

indigestible [ˌindiˈdʒestəbl] agg. indigeribile.

indigestion [ˌindiˈdʒestʃən] s. indigestione.

indigestive [ˌindiˈdʒestiv] agg. indigesto.

indignant [inˈdignənt] agg. indignato, sdegnato.

indignation [ˌindigˈneiʃən] s. indignazione, sdegno.

indignity [inˈdigniti] s. **1** umiliazione **2** offesa.

indigo [ˈindigou] s. indaco.

indirect [ˌindiˈrekt] agg. **1** traverso, tortuoso **2** sleale **3** indiretto; secondario: *— taxation*, imposta indiretta **4** (*gramm.*) indiretto.

indiscernible [ˌindiˈsə:nəbl] agg. indiscernibile, indistinguibile.

indiscipline [inˈdisiplin] s. indisciplina.

indiscreet [ˌindisˈkri:t] agg. indiscreto; sconsiderato; incauto; sbadato.

indiscrete [ˌindisˈkri:t] agg. compatto; omogeneo.

indiscretion [ˌindisˈkreʃən] s. indiscrezione; sconsideratezza; imprudenza.

indiscriminate [ˌindisˈkriminit] agg. **1** indiscriminato; confuso **2** che non fa distinzioni.

indiscrimination [ˈindisˌkrimiˈneiʃən] s. **1** confusione **2** mancanza di discernimento.

indispensability [ˈindisˌpensəˈbiliti] s. indispensabilità.

indispensable [ˌindisˈpensəbl] agg. indispensabile.

to **indispose** [ˌindisˈpouz] v.tr. **1** indisporre: *to — s.o. for sthg., to do sthg.*, rendere qlcu. mal disposto verso qlco., a fare qlco. **2** inabilitare.

indisposed [ˌindisˈpouzd] agg. **1** indisposto **2** maldisposto; contrario.

indisposition [ˌindispəˈziʃən] s. **1** indisposizione, malessere **2** antipatia.

indisputability [ˈindispju:təˈbiliti] s. indiscutibilità.

indisputable [ˌindisˈpju:təbl] agg. indiscutibile.

indisputed [ˌindisˈpju:tid] agg. indiscusso.

indissoluble [ˌindiˈsɔljubl] agg. indissolubile.

indistinct [ˌindisˈtiŋkt] agg. indistinto; oscuro; fioco.

indistinctive [ˌindisˈtiŋktiv] agg. indiscriminato.

indistinguishable [ˌindisˈtiŋgwiʃəbl] agg. indistinguibile; impercettibile.

to **indite** [inˈdait] v.tr. redigere; comporre.

indium [ˈindiəm] s. (*chim.*) indio.

individual [ˌindiˈvidjuəl] agg. **1** singolo, individuale **2** particolare; caratteristico ♦ s. individuo.

individualism [ˌindiˈvidjuəlizəm] s. **1** individualismo **2** egocentrismo.

individualist [ˌindiˈvidjuəlist] s. individualista.

individualistic [ˌindiˌvidjuəˈlistik] agg. individualistico.

individuality [ˌindiˌvidjuˈæliti] s. individualità.

individualization [ˌindiˌvidjuəlaiˈzeiʃən] s. individualizzazione.

to **individualize** [ˌindiˈvidjuəlaiz] v.tr. **1** individualizzare **2** considerare individualmente.

to **individuate** [ˌindiˈvidjueit] v.tr. individuare.

indivisibility [ˈindiˌviziˈbiliti] s. indivisibilità.

indivisible [ˌindiˈvizəbl] agg. indivisibile.

Indochina, Indo-China [ˈindouˈtʃainə] no.pr. Indocina.

Indochinese, Indo-Chinese [ˈindoutʃaiˈni:z] agg. e s. (*pl. invar.*) indocinese.

indocile [inˈdousail] agg. indocile.

indocility [ˌindouˈsiliti] s. indocilità.

to **indoctrinate** [inˈdɔktrineit] v.tr. addottrinare: *to — s.o. with an idea*, addottrinare qlcu. in un'idea.

indoctrination [inˌdɔktriˈneiʃən] s. addottrinamento; istruzione.

Indo-European [ˈindouˌjuərəˈpi(:)ən] agg. e s. indeuropeo.

indolence [ˈindələns] s. indolenza.

indolent [ˈindələnt] agg. indolente.

indomitable [inˈdɔmitəbl] agg. indomabile; indomito; ferreo.

Indonesia [ˌindouˈni:zjə] no.pr. Indonesia.

Indonesian [ˌindouˈni:zjən] agg. e s. indonesiano.

indoor [ˈindɔ:*] agg. situato in casa; eseguito, da eseguirsi in casa.

indoors [ˈinˈdɔ:z] avv. in casa; all'interno.

to **indorse** e *deriv.* → to **endorse** e *deriv.*

indrawn [ˈinˈdrɔ:n] agg. **1** trattenuto: *with — breath*, col fiato sospeso **2** introverso.

indubitable [inˈdju:bitəbl] agg. indubitabile.

to **induce** [inˈdju:s] v.tr. **1** indurre; persuadere **2** produrre, causare **3** (*elettr.*) indurre.

inducement [inˈdju:smənt] s. stimolo; istigazione; incentivo.

to **induct** [inˈdʌkt] v.tr. investire (di carica, beneficio ecc); insediare: *to — s.o. to a benefice*, investire qlcu. di un beneficio.

inductile [inˈdʌktail] agg. non duttile.

inductility [ˌindʌkˈtiliti] s. mancanza di duttilità.

induction [inˈdʌkʃən] s. **1** investitura **2** induzione // *— coil*, rocchetto d'induzione.

inductive [inˈdʌktiv] agg. induttivo.

inductor [inˈdʌktə*] s. **1** chi investe (qlcu.) di una carica, un beneficio ecc. **2** (*elettr.*) induttore.

to **indulge** [inˈdʌldʒ] v.tr. essere indulgente (con); viziare ♦ v.intr. **1** *to — in*, permettersi; concedersi; abbandonarsi a: *he never indulges in a holiday*, non si concede mai una vacanza **2** (*fam.*) indulgere al bere.

indulgence [inˈdʌldʒəns] s. **1** indulgenza; compiacenza; favore **2** l'abbandonarsi a: *— in sin*, l'abbandonarsi al peccato **3** (*teol.*) indulgenza.

indulgent [inˈdʌldʒənt] agg. indulgente; condiscendente; benevolo.

indult [inˈdʌlt] s. (*eccl.*) indulto.

to **indurate** [ˈindjuəreit] v.tr. indurire; rendere duro (*anche fig.*) ♦ v.intr. indurirsi (*anche fig.*).

induration [ˌindjuəˈreiʃən] s. indurimento.

Indus [ˈindəs] no.pr. Indo.

industrial [inˈdʌstriəl] agg. industriale // *— design*, disegno industriale ♦ s. **1** persona che lavora nell'industria **2** pl. (*comm.*) azioni di società commerciali.

industrialist [in'dʌstriəlist] *s.* industriale.
industrialization [in,dʌstriəlai'zeiʃən] *s.* industrializzazione.
to **industrialize** [in'dʌstriəlaiz] *v.tr.* industrializzare.
industrious [in'dʌstriəs] *agg.* industrioso.
industry ['indəstri] *s.* **1** industria **2** diligenza; operosità.
inebriate [i'ni:briit] *agg.* ubriaco ♦ *s.* ubriacone.
to **inebriate** [i'ni:brieit] *v.tr.* ubriacare; inebriare.
inebriation [i,ni:bri'eiʃən], **inebriety** [,ini(:)'braiəti] *s.* ubriachezza.
inedible [in'edibl] *agg.* non commestibile.
inedited [in'editid] *agg.* inedito.
ineffable [in'efəbl] *agg.* ineffabile.
ineffaceable [,ini'feisəbl] *agg.* indelebile.
ineffective [,ini'fektiv] *agg.* **1** inefficace; di scarso effetto artistico **2** incapace; inefficiente.
ineffectual [,ini'fektjuəl] *agg.* inutile, vano.
inefficacious [,inefi'keiʃəs] *agg.* inefficace.
inefficacy [in'efikəsi] *s.* inefficacia.
inefficiency [,ini'fiʃənsi] *s.* inefficienza.
inefficient [,ini'fiʃənt] *agg.* inefficiente.
inelastic [,ini'læstik] *agg.* **1** non elastico **2** (*fig.*) inflessibile.
inelasticity [,inilæs'tisiti] *s.* rigidità.
inelegance [in'eligəns], **inelegancy** [in'eligənsi] *s.* **1** ineleganza **2** rozzezza.
inelegant [in'eligənt] *agg.* **1** inelegante **2** rozzo.
ineligibility [in,elidʒə'biliti] *s.* ineleggibilità.
ineligible [in'elidʒəbl] *agg.* ineleggibile.
ineluctable [,ini'lʌktəbl] *agg.* ineluttabile.
inept [i'nept] *agg.* **1** inetto **2** fatuo, sciocco.
ineptitude [i'neptitju:d] *s.* **1** inettitudine, incapacità **2** fatuità.
inequable [in'i(:)kwəbl] *agg.* non uniforme.
inequality [,ini(:)'kwɔliti] *s.* **1** ineguaglianza, disuguaglianza **2** irregolarità **3** sperequazione.
inequitable [in'ekwitəbl] *agg.* ingiusto.
inequity [in'ekwiti] *s.* ingiustizia.
inert [i'nə:t] *agg.* inerte.
inertia [i'nə:ʃiə] *s.* inerzia.
inertial [i'nə:ʃəl] *agg.* (*fis.*) inerziale.
inescapable [,inis'keipəbl] *agg.* inevitabile.
inessential ['ini'senʃəl] *agg.* non essenziale.
inestimable [in'estiməbl] *agg.* inestimabile.
inevitability [in,evitə'biliti] *s.* inevitabilità.
inevitable [in'evitəbl] *agg.* **1** inevitabile; immancabile **2** (*fam.*) solito.
inexact [,inig'zækt] *agg.* inesatto.
inexactitude [,inig'zæktitju:d] *s.* inesattezza.
inexcusable [,iniks'kju:zəbl] *agg.* imperdonabile, ingiustificabile.
inexecutable [in'eksikju:təbl] *agg.* ineseguibile.
inexhaustibility ['inig,zɔ:stə'biliti] *s.* **1** inesauribilità **2** instancabilità, infaticabilità.
inexhaustible [,inig'zɔ:stəbl] *agg.* **1** inesauribile **2** instancabile, infaticabile.
inexorability [in,eksərə'biliti] *s.* inesorabilità.
inexorable [in'eksərəbl] *agg.* inesorabile.
inexpedience [,iniks'pi:djəns], **inexpediency** [,iniks'pi:djənsi] *s.* inopportunità.
inexpedient [,iniks'pi:djent] *agg.* inopportuno.
inexpensive [,iniks'pensiv] *agg.* poco costoso.
inexperience [,iniks'piəriəns] *s.* inesperienza.
inexperienced [,iniks'piəriənst] *agg.* inesperto.
inexpiable [in'ekspiəbl] *agg.* inespiabile.

inexplicability [in,eksplikəbiliti] *s.* inesplicabilità.
inexplicable [in'eksplikəbl] *agg.* inesplicabile.
inexpressible [,iniks'presəbl] *agg.* inesprimibile.
inexpressive [,iniks'presiv] *agg.* inespressivo.
inextinguishable [,iniks'tingwiʃəbl] *agg.* inestinguibile.
inextricable [in'ekstrikəbl] *agg.* inestricabile.
infallibility [in,fælə'biliti] *s.* infallibilità.
infallible [in'fæləbl] *agg.* infallibile.
infamous ['infəməs] *agg.* **1** infame **2** malfamato.
infamy ['infəmi] *s.* infamia.
infancy ['infənsi] *s.* **1** infanzia **2** (*dir.*) minorità.
infant ['infənt] *agg.* infantile ♦ *s.* **1** neonato, infante **2** (*dir.*) minorenne.
infanticide [in'fæntisaid] *s.* **1** infanticida **2** infanticidio.
infantile ['infəntail] *agg.* infantile, puerile.
infantilism [in'fæntilizəm] *s.* infantilismo.
infantry ['infəntri] *s.* fanteria.
infantryman, *pl.* **infantrymen** ['infəntrimən] *s.* fante.
to **infatuate** [in'fætjueit] *v.tr.* infatuare.
to **infatuation** [in,fætju'eiʃən] *s.* infatuazione.
to **infect** [in'fekt] *v.tr.* infettare; contagiare (*anche fig.*).
infection [in'fekʃən] *s.* infezione; contagio (*anche fig.*).
infectious [in'fekʃəs] *agg.* **1** infetto **2** infettivo; contagioso (*anche fig.*): — *laughter*, ilarità contagiosa.
infective [in'fektiv] *agg.* infettivo; contagioso.
infelicity [,infi'lisiti] *s.* infelicità.
to **infer** [in'fə:*] *v.tr.* **1** dedurre, arguire **2** implicare.
inferable [in'fə:rəbl] *agg.* deducibile.
inference ['infərəns] *s.* deduzione.
inferential [,infə'renʃəl] *agg.* **1** dedotto **2** deduttivo.
inferior [in'fiəriə*] *agg.* **1** inferiore **2** scadente ♦ *s.* subalterno, inferiore.
inferiority [in,fiəri'oriti] *s.* inferiorità.
infernal [in'fə:nl] *agg.* infernale.
infertility [,infə:'tiliti] *s.* sterilità, infecondità.
to **infest** [in'fest] *v.tr.* infestare: *to be infested with*, essere infestato da.
infidel ['infidəl] *agg.* e *s.* infedele.
infidelity [,infi'deliti] *s.* infedeltà.
to **infiltrate** ['infiltreit] *v.tr.* filtrare ♦ *v.intr.* infiltrarsi.
infiltration [,infil'treiʃən] *s.* infiltrazione.
infinite ['infinit] *agg.* e *s.* infinito.
infinitesimal [,infini'tesiməl] *agg.* infinitesimo; (*mat.*) infinitesimale ♦ *s.* infinitesimo.
infinitive [in'finitiv] *agg.* e *s.* (*gramm.*) infinito: *in the* —, all'infinito.
infinity [in'finiti] *s.* **1** infinità; immensità **2** (*fot. mat.*) infinito: *to* —, all'infinito.
infirm [in'fə:m] *agg.* **1** debole; cagionevole **2** irresoluto, incerto.
infirmary [in'fə:məri] *s.* **1** infermeria **2** ospedale.
infirmity [in'fə:miti] *s.* **1** debolezza **2** acciacco.
to **inflame** [in'fleim] *v.tr.* infiammare; accendere (*anche fig.*): *to* — *discord*, attizzare la discordia; *to be inflamed with anger*, ardere d'ira ♦ *v.intr.* infiammarsi, ardere (*anche fig.*).
inflammable [in'flæməbl] *agg.* infiammabile.
inflammation [,inflə'meiʃən] *s.* **1** l'infiammare, l'infiammarsi; il prendere fuoco (*anche fig.*) **2** (*med.*) infiammazione.
inflammatory [in'flæmətəri] *agg.* **1** (*med.*) infiammatorio **2** (*fig.*) che infiamma.
to **inflate** [in'fleit] *v.tr.* **1** gonfiare (*anche fig.*) **2** (*econ.*) provocare l'inflazione.

inflation [in'fleiʃən] s. **1** gonfiatura **2** (med.) gonfiore **3** ampollosità (di stile) **4** (econ.) inflazione.

inflationary [in'fleiʃənəri] agg. inflazionistico.

to **inflect** [in'flekt] v.tr. **1** flettere **2** modulare (la voce).

inflection [in'flekʃən] s. inflessione.

inflexibility [in,fleksə'biliti] s. inflessibilità.

inflexible [in'fleksəbl] agg. inflessibile.

inflexion [in'flekʃən] s. **1** flessione **2** inflessione.

to **inflict** [in'flikt] v.tr. infliggere.

infliction [in'flikʃən] s. **1** inflizione **2** pena.

inflow ['infləu] s. afflusso.

influence ['influəns] s. influenza // to be under the —, (scherz.) essere ubriaco.

to **influence** v.tr. influenzare; avere influenza (su).

influent ['influənt] agg. e s. (geogr.) affluente.

influential [,influ'enʃəl] agg. influente.

influenza [,influ'enzə] s. (med.) influenza.

influx ['inflʌks] s. affluenza.

to **inform** [in'fɔːm] v.tr. **1** informare **2** ispirare ♦ v.intr.: to — against (s.o.), denunziare (qlcu.).

informal [in'fɔːml] agg. non ufficiale; non formale; senza pretese, alla buona.

informality [,infɔː'mæliti] s. assenza di formalità; tono, carattere intimo.

informally [in'fɔːməli] avv. senza formalità.

informant [in'fɔːmənt] s. informatore.

information [,infə'meiʃən] s. (solo sing.) **1** informazione, informazioni: an interesting piece of —, un'informazione interessante // — bureau, ufficio informazioni // — flow, (informatica) flusso dell'informazione; — retrieval, recupero automatico delle informazioni **2** conoscenza; sapere **3** denunzia.

information-desk [,infə'meiʃən,desk] s. (sportello delle) informazioni.

informative [in'fɔːmətiv], **informatory** [in'fɔːmətəri] agg. informativo.

informer [in'fɔːmə*] s. (dir.) informatore.

infraction [in'frækʃən] s. infrazione.

infra dig [,infrə'dig] avv. poco dignitoso.

infrangible [in'frændʒibl] agg. infrangibile; (fig.) inviolabile.

infrared ['infrə'red] agg. (fis.) infrarosso.

infrastructure ['infrə,strʌktʃə*] s. infrastruttura.

infrequency [in'friːkwənsi] s. rarità.

infrequent [in'friːkwənt] agg. raro.

to **infringe** [in'frindʒ] v.tr. trasgredire, violare.

infringement [in'frindʒmənt] s. infrazione.

infructuous [in'frʌktjuəs] agg. infruttuoso.

to **infuriate** [in'fjuərieit] v.tr. rendere furioso.

to **infuse** [in'fjuːz] v.tr. **1** versare; (fig.) infondere: to — courage into s.o., infondere coraggio a qlcu. **2** fare un infuso (di).

infusible [in'fjuːzəbl] agg. infusibile.

infusion [in'fjuːʒən] s. infusione; infuso.

ingathering ['in,gæðəriŋ] s. raccolto.

ingenious [in'dʒiːnjəs] agg. ingegnoso.

ingeniousness [in'dʒiːnjəsnis] s. ingegnosità.

ingenuity [,indʒi'njuː)iti] s. **1** ingenuità **2** ingegnosità.

ingenuous [in'dʒenjuəs] agg. ingenuo.

ingenuousness [in'dʒenjuəsnis] s. ingenuità.

to **ingest** [in'dʒest] v.tr. ingerire.

ingle ['iŋgl] s. fuoco; focolare.

inglorious [in'glɔːriəs] agg. **1** disonorevole, ignominioso **2** sconosciuto; oscuro.

ingoing ['in,gəuiŋ] agg. entrante.

ingot ['iŋgət] s. lingotto.

ingovernable [in'gʌvənəbl] agg. ingovernabile.

ingrain ['in'grein] agg. **1** tinto in filato, prima della lavorazione **2** (fig.) inveterato.

to **ingratiate** [in'greiʃieit] v.tr.: to — oneself with s.o., ingraziarsi qlcu.

ingratitude [in'grætitjuːd] s. ingratitudine.

ingredient [in'griːdjənt] s. ingrediente.

ingress ['ingres] s. ingresso, entrata.

in-group ['ingruːp] s. associazione.

ingrowing ['in,grəuiŋ] agg. che cresce verso l'interno: — (toe) nail, unghia incarnita.

to **ingurgitate** [in'gəːdʒiteit] v.tr. ingurgitare.

ingurgitation [in,gəːdʒi'teiʃən] s. ingurgitamento.

to **inhabit** [in'hæbit] v.tr. **1** abitare **2** pervadere.

inhabitable [in'hæbitəbl] agg. abitabile.

inhabitance [in'hæbitəns], **inhabitancy** [in'hæbitənsi] s. domicilio, residenza.

inhabitant [in'hæbitənt] s. abitante.

inhabitation [in,hæbi'teiʃən] s. abitazione.

inhalant [in'heilənt] agg. inalante.

inhalation [,inhə'leiʃən] s. inalazione; aspirazione.

to **inhale** [in'heil] v.tr. inalare; aspirare.

inhaler [in'heilə*] s. inalatore.

inharmonic [,inhɑː'mɔnik], **inharmonious** [,inhɑː'məunjəs] agg. disarmonico.

to **inhere** [in'hiə*] v.intr. essere inerente.

inherence [in'hiərəns] s. inerenza.

inherent [in'hiərənt] agg. inerente.

to **inherit** [in'herit] v.tr. ereditare ♦ v.intr. succedere come erede.

inheritable [in'heritəbl] agg. **1** ereditabile **2** avente diritti di erede.

inheritance [in'heritəns] s. eredità.

to **inhibit** [in'hibit] v.tr. **1** inibire: to — s.o. from doing sthg., proibire a qlcu. di fare qlco. **2** (dir. eccl.) interdire.

inhibition [,inhi'biʃən] s. **1** inibizione **2** (dir. eccl.) interdizione.

inhibitory [in'hibitəri] agg. inibitorio.

inhospitable [in'hɔspitəbl] agg. inospitale.

inhospitality ['in,hɔspi'tæliti] s. inospitalità.

in-house ['inhaus] agg. interno (alla ditta, allo stabilimento ecc.).

inhuman [in'hjuːmən] agg. inumano.

inhumanity [,inhju(ː)'mæniti] s. inumanità.

to **inhume** [in'hjuːm] v.tr. inumare.

inimical [i'nimikəl] agg. **1** nemico, ostile **2** dannoso.

inimitable [i'nimitəbl] agg. inimitabile.

iniquitous [i'nikwitəs] agg. iniquo.

iniquity [i'nikwiti] s. iniquità.

initial [i'niʃəl] agg. e s. iniziale.

to **initial** v.tr. siglare.

initiate [i'niʃiit] agg. e s. iniziato.

to **initiate** [i'niʃieit] v.tr. **1** cominciare; istituire **2** iniziare: to — s.o. into an art, iniziare qlcu. a un'arte.

initiation [i,niʃi'eiʃən] s. **1** inizio **2** iniziazione.

initiative [i'niʃiətiv] agg. iniziale, introduttivo ♦ s. iniziativa: on one's own —, di propria iniziativa.

to **inject** [in'dʒekt] v.tr. immettere; iniettare.

injection [in'dʒekʃən] s. iniezione.

injector [in'dʒektə*] s. iniettore.

injudicial [,indʒu(ː)'diʃəl] agg. extragiudiziale.

injudicious [,indʒu(ː)'diʃəs] agg. avventato.

injunction [in'dʒʌnkʃən] s. ingiunzione.

to **injure** ['indʒə*] *v.tr.* **1** ferire **2** danneggiare, ledere; offendere.

injured ['indʒəd] *agg.* **1** ferito **2** danneggiato, leso; offeso.

injurious [in'dʒuəriəs] *agg.* **1** ingiurioso, oltraggioso **2** nocivo, dannoso.

injury ['indʒəri] *s.* **1** ferita **2** danno, lesione; offesa.

injustice [in'dʒʌstis] *s.* ingiustizia.

ink [iŋk] *s.* **1** inchiostro // *copying* —, inchiostro copiativo // *Indian* —, inchiostro di china // *marking* —, inchiostro indelebile **2** nero (di seppia ecc.).

to **ink** *v.tr.* **1** imbrattare d'inchiostro **2** (*tip.*) inchiostrare.

ink-bag ['iŋkbæg] *s.* tasca del nero (di seppia ecc.).

inkling ['iŋkliŋ] *s.* sentore, sospetto.

inkpad ['iŋkpæd] *s.* tampone.

inkpot ['iŋkpɔt] *s.* calamaio.

inkstand ['iŋkstænd] *s.* calamaio da scrittoio.

inkwell ['iŋkwel] *s.* calamaio infisso.

inky ['iŋki] *agg.* **1** d'inchiostro, nero come l'inchiostro **2** macchiato d'inchiostro.

inlaid *pass.* e *p.pass.* di to **inlay**.

inland ['inlənd] *agg.* e *s.* interno (di un paese) ♦ *avv.* all'interno; verso l'interno (di un paese).

inland revenue [,inlənd'revinju] *s.* **1** ufficio imposte **2** gettito fiscale; entrate dello stato.

in-law ['inlɔ:] *s.* parente acquisito.

to **inlay** ['in'lei], *pass.* e *p.pass.* **inlaid** ['in'leid] *v.tr.* intarsiare.

inlet ['inlet] *s.* **1** piccola baia; piccola insenatura **2** inserimento **3** entrata, ammissione; apertura // *air* —, presa d'aria.

inmate ['inmeit] *s.* ricoverato (di ospizio, manicomio ecc.).

inmost ['inmoust] *agg.* **1** interiore **2** (*fig.*) intimo.

inn [in] *s.* alberghetto; locanda.

innate [,i'neit] *agg.* innato, istintivo.

inner ['inə*] *agg.* interiore, interno; (*fig.*) intimo, segreto: — *court*, cortile interno // *the* — *man*, l'anima // — *tube*, camera d'aria ♦ *s.* linea di bersaglio vicina al centro; colpo che prende il centro del bersaglio.

innermost ['inəmoust] *agg.* → **inmost**.

to **innervate** ['inə:veit] *v.tr.* innervare.

innervation [,inə:'veiʃən] *s.* innervazione.

inning ['iniŋ] *s.* (*amer.*) → **innings**.

innings ['ininz] *s.* **1** (*baseball*, *cricket*) turno di una squadra per colpire la palla **2** (*fig.*) periodo (*sing.*); turno (*sing.*) // *to have a good* (o *long*) —, essere fortunati; vivere a lungo.

innkeeper ['in,ki:pə*] *s.* locandiere, albergatore.

innocence ['inəsns] *s.* **1** innocenza; purezza **2** ingenuità **3** ingenuità, dabbenaggine.

innocent ['inəsnt] *agg.* **1** innocente; puro // — *of*, (*fig.*) privo di **2** innocuo **3** ingenuo; sciocco ♦ *s.* **1** innocente **2** sciocco.

innocuous [i'nɔkjuəs] *agg.* innocuo.

to **innovate** ['inouveit] *v.intr.* fare innovazioni.

innovation [,inou'veiʃən] *s.* innovazione; novità.

innovator ['inouveitə*] *s.* innovatore.

innoxious [i'nɔkʃəs] *agg.* innocuo.

innuendo [,inju(:)'endou] *s.* insinuazione.

innumerable [i'nju:mərəbl] *agg.* innumerevole.

innumeracy [i'nju:mərə,si] *s.* preparazione matematica.

innumerate [i'nju:mərət] *agg.* che manca delle basi più elementari dell'aritmetica.

inobservance [,inəb'zə:vəns] *s.* inosservanza.

inobservant [,inəb'zə:vənt] *agg.* inosservante.

to **inoculate** [i'nɔkjuleit] *v.tr.* (*med.*) inoculare; immunizzare // *to* — *s.o. with sthg.*, (*fig.*) instillare qlco. in qlcu.

inoculation [i,nɔkju'leiʃən] *s.* inoculazione.

inoculator [i'nɔkjuleitə*] *s.* inoculatore.

inoffensive [,inə'fensiv] *agg.* inoffensivo.

inofficious [,inə'fiʃəs] *agg.* inofficioso.

inoperable [in'ɔpərəbl] *agg.* (*med.*) non operabile.

inoperative [in'ɔpərətiv] *agg.* inattivo.

inopportune [in'ɔpətju:n] *agg.* inopportuno.

inordinate [i'nɔ:dinit] *agg.* smodato; sregolato.

inorganic [,inɔ:'gænik] *agg.* **1** inorganico **2** innaturale, artificioso.

in-patient ['in,peiʃənt] *s.* degente.

input ['input] *s.* **1** (*elettr.*) potenza, energia assorbita; alimentazione // — *energy*, energia immessa **2** (*informatica*) immissione; input; (*IBM*) immissione; ingresso: — *area* (o *block*), area di introduzione; — *data*, dati, dati da trovare; parametri; — *device*, (*IBM*) unità di immissione; periferica di ingresso; — *file*, (*IBM*) file di immissione; file di ingresso; archivio di lettura; — *stream*, sequenza di ingresso; (*IBM*) flusso di immissione; — *tape*, nastro di lettura; nastro di ingresso // *input/output* (*I/O*), ingresso/uscita; (*IBM*) immissione/emissione; *I/O channel* (o *trunk*), canale di entrata/uscita.

inquest ['inkwest] *s.* inchiesta (spec. sulle cause di morte).

inquietude [in'kwaiitju:d] *s.* inquietudine.

to **inquire** [in'kwaiə*] *v.tr.* chiedere; indagare (su) ♦ *v.intr.* informarsi; indagare: *to* — *after s.o.*, chiedere notizie di qlcu.; *to* — *into sthg.*, indagare su una faccenda.

inquiry [in'kwaiəri, (*amer.*) 'inkwəri] *s.* **1** domanda; indagine; inchiesta: *court of* —, commissione d'inchiesta; *on* —, dopo debite indagini; *to hold an* — *into*, procedere a un'inchiesta su **2** (*informatica*) interrogazione; richiesta: — *mode*, condizione di interrogazione.

inquisition [,inkwi'ziʃən] *s.* inchiesta, investigazione // *the Inquisition*, (*st.*) l'Inquisizione.

inquisitive [in'kwizitiv] *agg.* curioso; indiscreto; inquisitorio.

inquisitorial [in,kwizi'tɔ:riəl] *agg.* inquisitorio.

inroad ['inroud] *s.* **1** incursione, scorreria **2** (*fig.*) (*gener. pl.*) attacco // *to make inroads on one's capital*, intaccare il proprio capitale.

inrush ['inrʌʃ] *s.* irruzione.

to **insalivate** [in'sæliveit] *v.tr.* insalivare.

insalubrious [,insə'lu:briəs] *agg.* insalubre.

insalutary [in'sæljutəri] *agg.* insalubre.

insane [in'sein] *agg.* pazzo, folle, squilibrato; insensato.

insanitary [in'sænitəri] *agg.* antigienico, malsano.

insanity [in'sæniti] *s.* pazzia, follia.

insatiable [in'seiʃiəbl] *agg.* insaziabile.

insatiate [in'seiʃiit] *agg.* insaziabile.

to **inscribe** [in'skraib] *v.tr.* **1** incidere, scolpire **2** (*geom.*) inscrivere **3** iscrivere.

inscription [in'skripʃən] *s.* iscrizione; epitaffio.

inscriptional [in'skripʃənl], **inscriptive** [in'skriptiv] *agg.* di iscrizione.

inscrutability [in,skru:tə'biliti] *s.* inscrutabilità.

inscrutable [in'skru:təbl] *agg.* inscrutabile.

insect ['insekt] *s.* insetto // — *collector*, entomologo // — *eater*, insettivoro // — *powder*, polvere insetticida.

insecticide [in'sektisaid] *s.* insetticida.

insectology [,insek'tolədʒi] *s.* entomologia.

insecure [,insi'kjuə*] *agg.* malsicuro, incerto, instabile.

insecurity [,insi'kjuəriti] *s.* insicurezza, instabilità, incertezza.

to **inseminate** [in'semineit] *v.tr.* fecondare *(anche fig.).*

insemination [in,semi'neiʃən] *s.* fecondazione: *artificial —,* fecondazione artificiale, inseminazione.

insensate [in'senseit] *agg.* **1** insensato **2** insensibile; inanimato.

insensibility [in,sensə'biliti] *s.* **1** incoscienza: *to fall into a state of —,* perdere i sensi **2** insensibilità; indifferenza.

insensible [in'sensəbl] *agg.* **1** svenuto, in stato di incoscienza **2** insensibile *(anche fig.):* *to be — of,* non accorgersi di.

insensitive [in'sensitiv] *agg.* insensibile.

inseparability [in,sepərə'biliti] *s.* inseparabilità.

inseparable [in'sepərəbl] *agg.* inseparabile.

insert ['insə:t] *s.* inserto, aggiunta (di libro, rivista ecc.).

to **insert** [in'sə:t] *v.tr.* inserire; introdurre: *to — an advertisement,* fare un'inserzione.

insertion [in'sə:ʃən] *s.* inserzione; aggiunta.

in-service [,in'sə:vis] *agg.* → **in-house.**

inset ['inset] *s.* inserzione; inserto; cartina di un particolare inserita nel margine di una più grande.

to **inset** ['in'set], *pass.* e *p.pass.* **inset, insetted** ['in'setid] *v.tr.* inserire.

inshore [in'ʃɔ:*] *agg.* e *avv.* vicino alla riva.

inside ['in'said] *agg.* **1** interno; interiore **2** segreto, confidenziale ♦ *s.* **1** interno; parte interna; lato interno: *the door opened on the —,* la porta si apriva verso l'interno // *to turn one's pockets — out,* rovesciare le tasche // *to know sthg., s.o. — out,* conoscere a fondo qlco., qlcu. **2** *pl.* *(fam.)* stomaco *(sing.).*

inside *prep.* **1** in, dentro: *— the house,* in casa; *— the room,* dentro la, nella stanza **2** entro: *— a month,* entro un mese ♦ *avv.* dentro; in casa.

insider ['in'saidə*] *s.* chi è addentro; iniziato.

insidious [in'sidiəs] *agg.* insidioso.

insight ['insait] *s.* intuito; penetrazione; discernimento: *to get an — into sthg.,* riuscire a penetrare qlco.

insignia [in'signiə] *s.pl.* insegne.

insignificance [,insig'nifikəns] *s.* futilità; insulsaggine.

insignificant [,insig'nifikənt] *agg.* insignificante; privo di senso.

insincere [,insin'siə*] *agg.* insincero.

insincerity [,insin'seriti] *s.* insincerità.

to **insinuate** [in'sinjueit] *v.tr.* insinuare: *to — oneself into s.o.'s favour,* insinuarsi nelle grazie di qlcu.

insinuation [in,sinju'eiʃən] *s.* insinuazione.

insipid [in'sipid] *agg.* **1** insipido **2** insulso.

insipidity [,insi'piditi] *s.* **1** insipidezza **2** insulsaggine.

insipience [in'sipiəns] *s.* insipienza.

to **insist** [in'sist] *v.intr.* insistere; persistere // *to — on,* insistere su: *I — on his going,* insisto perché egli vada ♦ *v.tr.* insistere: *I insist that he is honest,* insisto a dire che è onesto.

insistence [in'sistəns], **insistency** [in'sistənsi] *s.* insistenza.

insistent [in'sistənt] *agg.* insistente.

insobriety [,insou'braiəti] *s.* ubriachezza.

in so far, *(amer.)* **insofar** [,insou'fa:*] *avv.* → **insomuch.**

to **insolate** [in'souleit] *v.tr.* esporre al sole.

insole [in'soul] *s.* soletta.

insolence ['insələns] *s.* insolenza, arroganza.

insolent ['insələnt] *agg.* insolente, arrogante.

insolidity [,insə'liditi] *s.* mancanza di solidità.

insolubility [in,solju'biliti] *s.* insolubilità.

insoluble [in'soljubl] *agg.* insolubile.

insolvency [in'solvənsi] *s.* insolvenza.

insolvent [in'solvənt] *agg.* e *s.* insolvente.

insomnia [in'somniə] *s.* insonnia.

insomuch [,insou'mʌtʃ] *avv.* finché, fino a tanto che: *— as he is a lawyer...,* considerato come avvocato...

to **inspect** [in'spekt] *v.tr.* ispezionare.

inspection [in'spekʃən] *s.* ispezione.

inspector [in'spektə*] *s.* ispettore; sovraintendente; sorvegliante; controllore.

inspectorate [in'spektərit] *s.* ispettorato.

inspectorial [,inspek'tɔ:riəl] *agg.* di un ispettore; ispettivo.

inspectorship [in'spektəʃip] *s.* ispettorato.

inspiration [,inspə'reiʃən] *s.* inspirazione.

inspirator ['inspəreitə*] *s.* inspiratore.

inspiratory [in'spaiərətəri] *agg.* inspiratore.

to **inspire** [in'spaiə*] *v.tr.* ispirare: *to — s.o. with terror,* infondere terrore in qlcu.; *to — a thought in(to) s.o.,* ispirare un'idea a qlcu.

to **inspirit** [in'spirit] *v.tr.* animare *(anche fig.).*

instability [,instə'biliti] *s.* instabilità.

to **install,** *(amer.)* to **instal(l)** [in'stɔ:l] *v.tr.* **1** installare **2** insediare.

installation [,instə'leiʃən] *s.* **1** installazione; messa in opera **2** insediamento.

instalment [in'stɔ:lmənt] *s.* **1** parte, lotto **2** rata: *by instalments;* *(spec.amer.)* *on the — plan,* a rate **3** fascicolo; puntata (di una pubblicazione o trasmissione).

instance ['instəns] *s.* **1** caso: *in the first —,* in primo luogo **2** esempio: *for —,* per esempio **3** *(dir.)* istanza, richiesta: *at the — of,* su richiesta di.

to **instance** *v.tr.* citare ad esempio.

instancy ['instənsi] *s.* urgenza; insistenza.

instant ['instənt] *agg.* **1** immediato; imminente // *— coffee,* caffè solubile **2** del corrente mese ♦ *s.* momento; istante: *on the —,* subito // *the —,* non appena che.

instantaneous [,instən'teinjəs] *agg.* istantaneo.

instantly [in'instəntli] *avv.* all'istante, immediatamente ♦ *cong.* non appena che.

instead [in'sted] *avv.* invece // **instead of** *locuz.prep.* invece di.

instep ['instep] *s.* **1** *(anat.)* collo del piede **2** collo di scarpa.

to **instigate** ['instigeit] *v.tr.* istigare; incitare.

instigation [,insti'geiʃən] *s.* istigazione.

instigator ['instigeitə*] *s.* istigatore.

to **instill,** *(amer.)* to **instil** [in'stil] *v.tr.* instillare.

instillation [,insti'leiʃən], **instilment** [in'stilmənt] *s.* l'istillare *(anche fig.).*

instinct ['instiŋkt] *s.* istinto: *by —,* per istinto; *to act on —,* agire d'istinto.

instinctive [in'stiŋktiv] *agg.* istintivo.

institute ['institju:t] *s.* **1** istituto **2** *pl.* istituzioni.

to **institute** *v.tr.* **1** istituire **2** iniziare **3** *(dir.)* investire: *to — s.o. to a benefice,* *(eccl.)* investire qlcu. di un beneficio.

institution [,insti'tju:ʃən] *s.* istituzione.

institutional [,insti'tju:ʃənl] *agg.* istituzionale.

to **institutionalize** [,insti'tju:ʃnəlaiz] *v.tr.* **1** trasformare in istituzione **2** trattare come una istituzione.

to **instruct** [in'strʌkt] *v.tr.* **1** istruire; insegnare **2** informare.

instruction [in'strʌkʃən] *s.* **1** istruzione; insegnamento // — *set,* (*informatica*) serie di istruzioni; — *timing,* tempo di esecuzione dell'istruzione **2** *pl.* disposizioni, ordini.

instructional [in'strʌkʃənl] *agg.* educativo.

instructive [in'strʌktiv] *agg.* istruttivo.

instructor [in'strʌktə*] *s.* insegnante; istruttore.

instrument ['instrumənt] *s.* strumento.

to **instrument** *v.tr.* (*mus.*) strumentare.

instrumental [,instru'mentl] *agg.* strumentale.

instrumentality [,instrumen'tæliti] *s.* mezzo; aiuto.

instrumentation [,instrumen'teiʃən] *s.* **1** (*mus.*) strumentazione **2** uso di strumenti scientifici, chirurgici.

insubordinate [,insə'bɔ:dnit] *agg.* e *s.* insubordinato, indisciplinato.

insubordination ['insə,bɔ:di'neiʃən] *s.* insubordinazione.

insubstantial [,insəb'stænʃəl] *agg.* incorporeo; inconsistente (*anche fig.*).

insufferable [in'sʌfərəbl] *agg.* insopportabile.

insufficiency [,insə'fiʃənsi] *s.* insufficienza; inadeguatezza.

insufficient [,insə'fiʃənt] *agg.* insufficiente; inadeguato.

to **insufflate** ['insʌfleit] *v.tr.* insufflare.

insular ['insjulə*, (*amer.*) 'insələr] *agg.* **1** insulare **2** isolano **3** (*fig.*) gretto.

insularism ['insjulərizəm] *s.* grettezza.

insularity [,insju'lærəti, (*amer.*) ,insə'lærəti] *s.* **1** insularità **2** (*fig.*) grettezza.

to **insulate** ['insjuleit, (*amer.*) 'insəleit] *v.tr.* **1** isolare **2** trasformare (una terra) in isola.

insulation [,insju'leiʃən] *s.* **1** isolamento // *heat* —, isolamento termico **2** (materiale) isolante.

insulator ['insjuleitə*] *s.* isolatore.

insulin ['insjulin, (*amer.*) 'insəlin] *s.* insulina.

insult ['insʌlt] *s.* insulto, offesa, ingiuria.

to **insult** [in'sʌlt] *v.tr.* insultare, offendere.

insuperability [in,sju:pərə'biliti] *s.* insuperabilità.

insuperable [in'sju:pərəbl] *agg.* insuperabile.

insupportable [,insə'pɔ:təbl] *agg.* insopportabile.

insurable [in'ʃuərəbl] *agg.* assicurabile.

insurance [in'ʃuərəns] *s.* assicurazione // *third party* —, assicurazione contro danni a terzi // — *agent,* agente di assicurazione // — *company,* compagnia di assicurazione // — *policy,* polizza di assicurazione; *all -risk* — *policy,* polizza multirischio (di assicurazione) // *fire, life* —, assicurazione contro il fuoco, sulla vita // *national* —, mutua // *national* — *system,* sistema mutualistico.

to **insure** [in'ʃuə*] *v.tr.* assicurare.

insured [in'ʃuəd] *agg.* e *s.* assicurato.

insurer [in'ʃuərə*] *s.* assicuratore.

insurgence [in'sə:dʒəns], **insurgency** [in'sə:dʒənsi] *s.* insurrezione.

insurgent [in'sə:dʒənt] *agg.* e *s.* insorto, rivoluzionario.

insurmountability ['insə(:),mauntə'biliti] *s.* insormontabilità.

insurmountable [,insə(:)'mauntəbl] *agg.* insormontabile.

insurrection [,insə'rekʃən] *s.* insurrezione.

insurrectional [,insə'rekʃənl], **insurrectionary** [,in sə'rekʃnəri] *agg.* insurrezionale.

insusceptibility ['insə,septə'biliti] *s.* **1** il non essere suscettibile **2** insensibilità.

insusceptible [,insə'septəbl] *agg.* **1** non suscettibile **2** insensibile.

intact [in'tækt] *agg.* intatto; integro; intero.

intake ['inteik] *s.* **1** immissione, entrata; aspirazione (di pompa) **2** quantità immessa **3** attacco, presa **4** pozzo d'aerazione (nelle miniere) **5** (*aut.*) valvola a farfalla.

intangibility [in,tændʒə'biliti] *s.* intangibilità; (*fig.*) incomprensibilità.

intangible [in'tændʒəbl] *agg.* intangibile; (*fig.*) incomprensibile.

integer ['intidʒə*] *s.* **1** tutto unico **2** (*mat.*) numero intero.

integral ['intigrəl] *agg.* e *s.* integrale.

integrality [,inti'græliti] *s.* integralità.

integrate ['intigrit] *agg.* integrale, intero.

to **integrate** ['intigreit] *v.tr.* integrare.

integrated ['intigreitid] *agg.* integrato: — *ethnic minorities,* minoranze etniche integrate.

integration [,inti'greiʃən] *s.* integrazione.

integrationist [,inti'greiʃənist] *s.* e *agg.* integrazionista.

integrity [in'tegriti] *s.* integrità.

integument [in'tegjumənt] *s.* tegumento.

intellect ['intilekt] *s.* intelletto; intelligenza.

intellectual [,inti'lektjuəl] *agg.* e *s.* intellettuale.

intellectualism [,inti'lektjuəlizəm] *s.* **1** intellettualismo **2** (*fil.*) razionalismo.

intellectualist [,inti'lektjuəlist] *s.* **1** intellettualista **2** (*fil.*) razionalista.

intellectuality ['inti,lektju'æliti] *s.* intellettualità.

to **intellectualize** [,inti'lektjuəlaiz] *v.tr.* intellettualizzare ♦ *v.intr.* riflettere, ragionare.

intelligence [in'telidʒəns] *s.* (*solo sing.*) **1** intelligenza; acutezza; perspicacia // — *quotient,* quoziente d'intelligenza **2** intesa **3** informazioni (*pl.*); notizie (*pl.*): *to give* — *of sthg.,* dare notizie di qlco. // *Intelligence Service,* servizio segreto britannico di informazioni.

intelligent [in'telidʒənt] *agg.* intelligente.

intelligentsia [in,teli'dʒəntsiə] *s.* «intelligencija», gli intellettuali (*pl.*).

intelligibility [in,telidʒə'biliti] *s.* intelligibilità.

intelligible [in'telidʒəbl] *agg.* intelligibile.

intemperance [in'tempərəns]s. **1** intemperanza; eccesso, abuso **2** alcolismo.

intemperate [in'tempərit] *agg.* **1** smoderato, sfrenato, violento **2** dedico al bere; alcolizzato.

to **intend** [in'tend] *v.tr.* **1** intendere; voler dire: *to* — *to do* (o *doing*) *a thing,* proporsi di fare una cosa **2** destinare, designare: *they* — *their son for the army,* vogliono che loro figlio entri nell'esercito.

intended [in'tendid] *s.* (*fam.*) fidanzato, fidanzata.

intense [in'tens] *agg.* **1** intenso; profondo **2** ardente; veemente **3** sensibile, emotivo.

intensification [in,tensifi'keiʃən] *s.* intensificazione.

to **intensify** [in'tensifai] *v.tr.* intensificare; rafforzare ♦ *v.intr.* intensificarsi; rafforzarsi.

intensity [in'tensiti] *s.* intensità (*anche fig.*).

intensive [in'tensiv] *agg.* **1** intenso **2** intensivo: — *care,* terapia intensiva; — *care unit,* reparto terapia intensiva.

intent [in'tent] *agg.* **1** intento, dedito: — *on sthg.,* intento a qlco. **2** ardente; accanito ♦ *s.* intenzione, scopo // *to all intents and purposes,* praticamente.

intention [in'tenʃən] *s.* **1** intenzione, scopo: *with honourable intentions,* (*fam.*) con intenzioni serie; *to grasp s.o.'s* —, afferrare il pensiero di qlcu. **2** (*fil.*) concetto **3** (*med.*) riduzione.

intentional [in'tenʃənl] *agg.* intenzionale.

to **inter** [in'tə:*] *v.tr.* seppellire.

to **interact** [,intər'ækt] *v.intr.* interagire.

interaction [,intər'ækʃən] *s.* azione reciproca.

to **interbreed** ['intə(:)'bri:d], *pass e p.pass.* **interbred** ['intə(:)'bred] *v.tr.* incrociare (animali) ♦ *v.intr.* incrociarsi (di animali).

intercalary [in'tə:kələri] *agg.* 1 inserito; interpolato 2 intercalato.

to **intercalate** [in'tə:kəleit] *v.tr.* 1 inserire; interpolare 2 aggiungere (al calendario) 3 intercalare.

to **intercede** [,intə(:)'si:d] *v.intr.* intercedere: *to — with s.o.,* intercedere presso qlcu.

intercept ['intə(:)sept] *s.* (*geom.*) segmento.

to **intercept** [,intə(:)'sept] *v.tr.* intercettare; fermare.

interception [,intə(:)'sepʃən]*s.* intercettamento.

interceptor [,intə'septə*] *s.* 1 intercettatore 2 (*aer.*) intercettore.

intercession [,intə'seʃən] *s.* intercessione.

interchange ['intə(:)'tʃeindʒ] *s.* 1 scambio 2 avvicendamento.

to **interchange** [,intə(:)'tʃeindʒ] *v.tr.* 1 scambiare 2 alternare ♦ *v.intr.* 1 scambiarsi 2 alternarsi.

interchangeable [,intə(:)'tʃeindʒəbl] *agg.* 1 scambievole 2 intercambiabile.

intercollegiate ['intə(:)kə'li:dʒiit] *agg.* fra collegi.

intercom ['intə(:)kɔm] *s.* interfono.

to **intercommunicate** [,intə(:)kə'mju:nikeit] *v.intr.* 1 comunicare reciprocamente 2 essere intercomunicante.

intercommunity [,intə(:)kə'mju:niti] *s.* comunanza.

to **interconnect** ['intə(:)kə'nekt] *v.tr.* collegare ♦ *v.intr.* essere collegato.

intercontinental [,intə(:),kɔnti'nentl] *agg.* intercontinentale.

intercostal [,intə(:)'kɔstl] *agg.* intercostale.

intercourse ['intə(:)kɔ:s] *s.* 1 relazione, rapporto, rapporti (*pl.*) 2 rapporti sessuali (*pl.*).

interdenominational [,intə(:)di,nɔmi'neiʃənl] *agg.* interconfessionale.

interdependence [,intə(:)di'pendəns] *s.* interdipendenza.

interdependent [,intə(:)di'pendənt] *agg.* interdipendente.

interdict ['intə(:)dikt] *s.* (*dir.*) interdizione; (*eccl.*) interdetto.

to **interdict** [,intə(:)'dikt] *v.tr.* proibire; (*dir.*) interdire; (*eccl.*) colpire con l'interdetto.

interdiction [,intə(:)'dikʃən] *s.* proibizione, divieto.

interdigital [,intə(:)'didʒitl] *agg.* interdigitale.

interdisciplinary [,intə,disi'plinəri] *agg.* interdisciplinare.

interest ['intrist] *s.* interesse: *it is to my —,* è mio interesse; *to take an — in,* interessarsi di, a; *— in foreign companies,* (*comm.*) partecipazione in società estere; *— on delayed payment, default —,* (*comm.*) interesse di mora // *with —,* (*fam.*) ad usura // *- -bearing,* (*econ.*) fruttifero // *— paid,* interessi passivi // *accrued —,* interesse maturato // *fixed —,* reddito fisso.

to **interest** *v.tr.* interessare: *to — oneself in sthg.,* prender parte a qlco.

interface ['intəfeis] *s.* (*informatica*) interfaccia: *— channel, trunk,* canale di interfaccia.

to **interface** *v.intr.* (*informatica*) connettere; interfacciare.

to **interfere** [,intə'fiə*] *v.intr.* interferire: *to — in s.o.'s*

business, intromettersi negli affari di qlcu. // *to — with,* ostacolare; seccare; immischiarsi in.

interference [,intə'fiərəns] *s.* interferenza.

interim ['intərim] *agg.* temporaneo; (*pol.*) interinale ♦ *s.* intervallo di tempo; (*pol.*) interim.

interior [in'tiəriə*] *agg. e s.* interno // *the Department of the Interior,* (*amer.*) Ministero degli Interni.

interior decorator [in'tiəriədekəreitə*] *s.* arredatore.

to **interject** [,intə(:)'dʒekt] *v.tr.* 1 interloquire 2 inserire, interporre.

interjection [,intə(:)'dʒekʃən] *s.* interiezione.

to **interlace** [,intə(:)'leis] *v.tr.* intrecciare (*anche fig.*) ♦ *v.intr.* intrecciarsi (*anche fig.*).

interlacement [,intə(:)'leismənt] *s.* intreccio (*anche fig.*).

to **interlard** [,intə(:)'la:d] *v.tr.* 1 intercalare 2 infiorare (scritto, discorso).

to **interline** [,intə(:)'lain] *v.tr.* (*tip.*) interlineare.

interlinear [,intə(:)'liniə*] *agg.* interlineare.

to **interlock** [,intə(:)'lɔk] *v.tr.* innestare; intrecciare, incrociare ♦ *v.intr.* innestarsi; incrociarsi.

interlocutor [,intə(:)'lɔkjutə*] *s.* interlocutore.

interlocutory [,intə(:)'lɔkjutəri] *agg.* interlocutorio.

interloper ['intə(:)loupə*] *s.* 1 intruso; intrigante 2 commerciante non autorizzato.

interlude ['intə(:)lu:d] *s.* 1 intervallo 2 (*mus. teatr.*) interludio, intermezzo.

intermarriage [,intə(:)'mæridʒ] *s.* 1 matrimonio fra persone appartenenti a razza, popolo o religione diversa 2 matrimonio fra consanguinei.

to **intermarry** [,intə(:)'mæri] *v.tr.* 1 contrarre matrimonio con persona di razza, popolo o religione diversa 2 sposarsi tra consanguinei.

to **intermeddle** [,intə(:)'medl] *v.intr.: to — with* (o *in*), intromettersi, immischiarsi in.

intermediary [,intə(:)'mi:djəri] *agg.* 1 intermedio 2 intermediario ♦ *s.* mediatore, intermediario.

to **intermediate** [,intə(:)'mi:dieit] *v.intr.* interporsi, fare da intermediario.

intermediation [,intə(:),mi:di'eiʃən] *s.* mediazione.

interment [in'tə:mənt] *s.* interramento; sepoltura.

interminable [in'tə:minəbl] *agg.* interminabile. .

to **intermingle** [,intə(:)'mingl] *v.tr.* mescolare ♦ *v.intr.* mescolarsi.

intermission [,intə(:)'miʃən] *s.* intervallo; pausa.

to **intermit** [,intə(:)'mit] *v.tr.* interrompere; sospendere ♦ *v.intr.* interrompersi; essere intermittente.

intermittence [,intə(:)'mitəns], **intermittency** [,intə(:)'mitənsi] *s.* intermittenza.

intermittent [,intə(:)'mitənt] *agg.* intermittente.

intermitting [,intə(:)'mitin] *agg.* intermittente.

to **intermix** [,intə(:)'miks] *v.tr.* mescolare ♦ *v.intr.* mescolarsi.

intern[1], interne [in'tə:n] *s.* (*amer.*) medico interno.

to **intern[2]** *v.tr.* internare; confinare.

internal [in'tə:nl] *agg.* interno; intrinseco; interiore.

international [,intə(:)'næʃənl] *agg.* internazionale ♦ *s.* 1 competitore in gare internazionali 2 *The International,* (*pol.*) l'Internazionale.

Internationale [,intənæʃə'na:l] *s.* Internazionale, inno internazionale dei lavoratori.

internationalism [,intə(:)'næʃnəlizəm] *s.* internazionalismo.

internationalist [,intə(:)'næʃnəlist]*s.* internazionalista.

internationalization ['intə(:),næʃnəlai'zeiʃən] *s.* internazionalizzazione.

to **internationalize** [,intə(:)'næʃnəlaiz] *v.tr.* internazionalizzare.

internecine [,intə(:)'ni:sain] *agg.* **1** micidiale **2** disastroso per entrambe le parti **3** interno, intestino.

internee [,intə:'ni:] *s.* internato; confinato.

internment [in'tə:nmənt] *s.* internamento; confino.

interoceanic ['intə(:)r,ouʃi'ænik] *agg.* interoceanico.

to **interosculate** [,intə(:)r'ɔskjuleit] *v.intr.* **1** mescolarsi, unirsi **2** (*biol.*) avere caratteri comuni.

to **interpellate** [in'tə:pəleit, (*amer.*) ,intər'peleit] *v.tr.* fare una interpellanza (a).

interpellation [in,tə:pe'leiʃən] *s.* interpellanza.

interphone ['intə(:)foun] *s.* (*amer.* per *intercom*) interfono.

interplanetary [,intə(:)'plænitəri] *agg.* interplanetario.

interplay ['intə(:)'plei] *s.* azione reciproca // — *of colours*, gioco di colori.

interpolar [,intə(:)'poulə*] *agg.* interpolare.

to **interpolate** [in'tə:pouleit] *v.tr.* interpolare // *interpolated clause*, (*gramm.*) inciso.

interpolation [in,tə:pou'leiʃən] *s.* interpolazione.

to **interpose** [,intə(:)'pouz] *v.tr.* **1** interporre **2** introdurre, interrompere (con obiezioni ecc.) ♦ *v.intr.* interporsi; intromettersi; intervenire.

interposition [in,tə:pə'ziʃən] *s.* intervento.

to **interpret** [in'tə:prit] *v.tr.* interpretare; decifrare ♦ *v.intr.* fare l'interprete.

interpretation [in,tə:pri'teiʃən] *s.* interpretazione.

interpretative [in'tə:pritətiv] *agg.* interpretativo.

interpreter [in'tə:pritə*] *s.* interprete.

interregnum [,intə'regnəm] *s.* **1** interregno **2** intervallo, pausa.

interrelation ['intə(:)ri'leiʃən] *s.* relazione; rapporto.

to **interrogate** [in'terəgeit] *v.tr.* e *intr.* interrogare.

interrogation [in,terə'geiʃən] *s.* interrogazione.

interrogative [,intə'rɔgətiv] *agg.* e *s.* interrogativo.

interrogatory [,intə'rɔgətəri] *agg.* interrogativo ♦ *s.* **1** interrogazione **2** (*dir.*) deposizione.

to **interrupt** [,intə'rʌpt] *v.tr.* interrompere.

interruption [,intə'rʌpʃən] *s.* interruzione.

to **intersect** [,intə(:)'sekt] *v.tr.* intersecare ♦ *v.intr.* intersecarsi.

intersection [,intə(:)'sekʃən] *s.* intersecazione; (*di strade*) incrocio.

interspace ['intə(:)'speis] *s.* spazio, intervallo.

to **intersperse** [,intə(:)'spə:s] *v.tr.* cospargere; disseminare; spargere (qua e là).

interspersion [,intə(:)'spə:ʃən] *s.* cospargimento.

interstate [,intə'steit] *agg.* (*amer.*) degli Stati; fra Stati.

interstice [in'tə:stis] *s.* interstizio.

to **intertwine** [,intə(:)'twain], to **intertwist** [,intə(:)'twist] *v.tr.* attorcigliare; intrecciare ♦ *v.intr.* attorcigliarsi; intrecciarsi.

interurban [,intər(:)'ə:bən] *agg.* interurbano.

interval ['intəvəl] *s.* intervallo.

to **intervene** [,intə(:)'vi:n] *v.intr.* **1** intervenire; intromettersi **2** intercorrere.

intervenient [,intə(:)'vinjənt] *agg.* interveniente.

intervening [,intə(:)'vi:niŋ] *agg.* **1** che interviene **2** intercorrente: *in the — time*, nel frattempo.

intervention [,intə(:)'venʃən] *s.* intervento; mediazione; interferenza.

interview ['intəvju:] *s.* intervista; abboccamento; incontro; colloquio.

to **interview** *v.tr.* intervistare; avere un colloquio (con qlcu.).

interviewer ['intəvju:ə*] *s.* intervistatore.

to **interweave** [,intə(:)'wi:v], *pass.* **interwove** [,intə(:)'wouv], *p.pass.* **interwoven** [,intə(:)'wouvən] *v.tr.* intessere; intrecciare; (*fig.*) mescolare: *interwoven with gold*, intessuto d'oro ♦ *v.intr.* intrecciarsi.

to **interwind** [intə(:)waind], *pass.* e *p.pass.* **interwound** [,intə(:)'waund] *v.tr.* avvolgere insieme; intrecciare.

intestate [in'testit] *agg.* (*dir.*) **1** intestato **2** (*di proprietà ecc.*) che non è stato assegnato per testamento.

intestinal [in'testinl] *agg.* intestinale.

intestine [in'testin] *agg.* (*fig.*) intestino ♦ *s.* (*anat.*) intestino.

intimacy ['intiməsi] *s.* **1** intimità **2** rapporto sessuale.

intimate ['intimit] *agg.* intimo; profondo ♦ *s.* amico intimo.

to **intimate** ['intimeit] *v.tr.* **1** notificare; annunciare **2** accennare; suggerire.

intimation [,inti'meiʃən] *s.* **1** avviso; annuncio **2** accenno; suggerimento.

to **intimidate** [in'timideit] *v.tr.* intimidire.

intimidation [in,timi'deiʃən] *s.* intimidazione.

intimidatory [in'timideitəri] *agg.* intimidatorio.

intimity [in'timiti] *s.* intimità.

into ['intu] *prep.* in: *to go — a shop*, entrare in un negozio // *he worked far — the night*, lavorò fino a tarda notte // *to grow — a man*, diventare un uomo: *to turn — ice*, diventare ghiaccio // *to translate — another language*, tradurre in un'altra lingua // *to make a room — a bedroom*, trasformare una stanza in camera da letto // *to be — sthg.*, (*sl.*) essere interessato a; lavorare, essere nel campo di: *I hear he is — computers now*, mi dicono che è nei computer adesso.

intolerable [in'tɔlərəbl] *agg.* intollerabile.

intolerance [in'tɔlərəns] *s.* intolleranza.

intolerant [in'tɔlərənt] *agg.* intollerante.

intonation [,intou'neiʃən] *s.* **1** intonazione **2** accento; cadenza, ritmo (di una lingua).

to **intone** [in'toun] *v.tr.* **1** intonare **2** recitare cantando.

intoxicant [in'tɔksikənt] *agg.* inebriante ♦ *s.* bevanda alcolica.

to **intoxicate** [in'tɔksikeit] *v.tr.* inebriare (*anche fig.*).

intoxication [in,tɔksi'keiʃən] *s.* **1** ebbrezza **2** intossicazione.

intractable [in'træktəbl] *agg.* intrattabile.

intransigence [in'trænsidʒəns] *s.* intransigenza.

intransigent [in'trænsidʒənt] *agg.* e *s.* intransigente.

intransitive [in'trænsitiv] *agg.* e *s.* (*gramm.*) intransitivo.

intravenous [,intrə'vi:nəs] *agg.* (*med.*) endovenoso.

to **intrench** *v.tr.* → to **entrench**.

intrepid [in'trepid] *agg.* intrepido.

intrepidity [,intri'piditi] *s.* intrepidezza.

intricacy ['intrikəsi] *s.* intrico; complicazione.

intricate ['intrikit] *agg.* intricato; complicato.

intrigant ['intrigənt] *s.* intrigante.

intrigue [in'tri:g] *s.* **1** tresca **2** intrigo, intrallazzo // *comedy of —*, commedia d'intreccio.

to **intrigue** *v.intr.* **1** intrigare, intrallazzare **2** avere una tresca ♦ *v.tr.* incuriosire; affascinare.

intriguer [in'tri:gə*] *s.* intrallazzatore.

intrinsic [in'trinsik] *agg.* intrinseco.

to **introduce** [,intrə'dju:s] *v.tr.* **1** introdurre **2** presentare; far conoscere: *to — s.o. to s.o. else*, presentare qlcu. a qualcun altro.

introduction [ˌintrə'dʌkʃən] s. **1** introduzione **2** presentazione **3** manuale elementare.

introductive [ˌintrə'dʌktiv] agg. introduttivo.

introductory [ˌintrə'dʌktəri] agg. introduttivo; preliminare: *to — to*, servire d'introduzione a.

introit ['introit] s. (*eccl.*) introito.

intromission [ˌintrou'miʃən] s. intromissione.

to intromit [ˌintrou'mit] v.tr. **1** lasciar entrare **2** introdurre.

to introspect [ˌintrou'spekt] v.intr. autoesaminarsi.

introspection [ˌintrou'spekʃən] s. introspezione.

introspective [ˌintrou'spektiv] agg. introspettivo.

introversion [ˌintrou'vəːʃən] s. introversione.

introvert ['introuvəːt] agg. e s. introverso.

to intrude [in'truːd] v.tr. imporre; forzare: *to — one's views upon s.o.*, imporre le proprie opinioni a qlcu. ♦ v.intr. introdursi arbitrariamente; imporsi // *to — upon a person's privacy*, disturbare l'intimità di una persona.

intruder [in'truːdə*] s. **1** intruso; seccatore **2** (*aer.*) aereo incursore.

intrusion [in'truːʒən] s. intrusione.

intrusive [in'truːsiv] agg. intruso; invadente.

intuition [ˌintju(ː)'iʃən] s. intuizione; intuito.

intuitional [ˌintju(ː)'iʃənl] agg. intuitivo.

intuitive [in'tjuː(ː)itiv] agg. intuitivo.

to inundate ['inʌndeit] v.tr. inondare (*anche fig.*).

inundation [ˌinʌn'deiʃən] s. inondazione.

inurbane [ˌinəː'bein] agg. scortese.

inurbanity [ˌinəː'bæniti] s. scortesia.

to inure [i'njuə*] v.tr. abituare ♦ v.intr. (*dir.*) entrare in vigore.

inurement [i'njuəmənt] s. abitudine; assuefazione.

to inurn [i'nəːn] v.tr. **1** mettere (le ceneri) nell'urna **2** seppellire.

inutility [ˌinju(ː)'tiliti] s. inutilità.

to invade [in'veid] v.tr. **1** invadere, assalire (*anche fig.*) **2** violare.

to invaginate [in'vædʒineit] v.tr. **1** invaginare **2** fare rientrare.

invalid[1] ['invəliːd] agg. e s. invalido, infermo.

to invalid[1] [ˌinvə'liːd] v.tr. rendere invalido; dichiarare inabile: *to — s.o. out of the services*, (*mil.*) riformare.

invalid[2] [in'vælid] agg. **1** non valido, nullo **2** (*informatica*) errato.

to invalidate [in'vælideit] v.tr. invalidare.

invalidation [inˌvæli'deiʃən] s. invalidazione.

invalidity [ˌinvə'liditi] s. invalidità.

invaluable [in'væljuəbl] agg. inestimabile.

invariability [inˌvɛəriə'biliti] s. invariabilità.

invariable [in'vɛəriəbl] agg. **1** invariabile **2** (*mat.*) costante.

invasion [in'veiʒən] s. **1** invasione; intrusione **2** violazione (di diritti).

invective [in'vektiv] s. invettiva.

to inveigh [in'vei] v.intr. inveire.

to inveigle [in'viːgl] v.tr. allettare; adescare: *to — s.o. into doing sthg.*, indurre qlcu. a fare qlco.

to invent [in'vent] v.tr. inventare.

invention [in'venʃən] s. **1** invenzione **2** inventiva.

inventive [in'ventiv] agg. inventivo.

inventiveness [in'ventivnis] s. inventiva.

inventor [in'ventə*] s. inventore.

inventory ['invəntri] s. inventario.

to inventory v.tr. fare l'inventario (di).

inverse ['in'vəːs] agg. e s. inverso.

inversion [in'vəːʃən] s. inversione.

inversive [in'vəːsiv] agg. inversivo.

invert ['invəːt] s. invertito.

to invert [in'vəːt] v.tr. invertire.

invertebrate [in'vəːtibrit] agg. e s. **1** invertebrato **2** (*fig.*) smidollato.

inverter [in'vəːtə*] s. (*elettr.*) invertitore.

to invest [in'vest] v.tr. **1** investire **2** abbigliare **3** conferire (una carica); investire **4** assediare **5** (*fam.*) comperare.

to investigate [in'vestigeit] v.tr. investigare.

investigation [inˌvesti'geiʃən] s. investigazione.

investigative [in'vestigeitiv] agg. investigativo.

investigator [in'vestigeitə*] s. investigatore.

investigatory [in'vestigeitəri] agg. investigativo.

investiture [in'vestitʃə*] s. investitura.

investment [in'vestmənt] s. **1** (*comm.*) investimento (di capitali) **2** (*mil.*) assedio.

investor [in'vestə*] s. investitore.

inveteracy [in'vetərəsi] s. l'essere radicato, inveterato; cronicità.

inveterate [in'vetərit] agg. inveterato; cronico.

invidious [in'vidiəs] agg. odioso; offensivo.

to invigilate [in'vidʒileit] v.intr. sorvegliare i candidati (durante un esame).

invigilation [inˌvidʒi'leiʃən] s. sorveglianza (agli esami).

to invigorate [in'vigəreit] v.tr. rinforzare; rianimare // *invigorating air*, aria salubre.

invincibility [inˌvinsi'biliti] s. invincibilità.

invincible [in'vinsəbl] agg. invincibile.

inviolable [in'vaiələbl] agg. inviolabile.

inviolate [in'vaiəlit] agg. inviolato.

invisibility [inˌvizə'biliti] s. invisibilità.

invisible [in'vizəbl] agg. invisibile.

invitation [ˌinvi'teiʃən] s. invito.

to invite [in'vait] v.tr. **1** invitare: *to — in, out*, invitare ad entrare, ad uscire **2** allettare, attrarre **3** provocare: *to — criticism*, provocare critiche.

inviting [in'vaitiŋ] agg. invitante.

invocation [ˌinvou'keiʃən] s. invocazione.

invocatory [in'vokətəri] agg. invocante.

invoice [in'vois] s. (*comm.*) fattura // *— price*, prezzo di fattura.

to invoice v.tr. (*comm.*) fatturare, fare fattura; emettere fattura.

to invoke [in'vouk] v.tr. **1** invocare **2** evocare (spiriti) con esorcismi.

involucre ['invəlu:kə*] s. (*bot.*) involucro.

involuntary [in'vɔləntəri] agg. involontario.

involute ['invəlu:t] agg. **1** involuto **2** (*zool.*) a spirale **3** (*bot.*) accartocciato.

involution [ˌinvə'lu:ʃən] s. **1** involuzione (*anche biol.*) **2** complicazione, intrico **3** (*mat.*) elevazione a potenza.

to involve [in'vɔlv] v.tr. **1** avviluppare, avvolgere // *an involved style*, uno stile involuto **2** coinvolgere, implicare **3** portare come conseguenza, comportare.

involvement [in'vɔlvmənt] s. **1** complicazione; confusione **2** implicazione.

invulnerability [inˌvʌlnərə'biliti] s. invulnerabilità.

invulnerable [in'vʌlnərəbl] agg. invulnerabile.

inward ['inwəd] agg. interno; (*fig.*) intimo ♦ avv. → **inwards**.

inwardly ['inwədli] avv. **1** internamente **2** intimamente.

inwards ['inwədz] *avv.* **1** verso l'interno **2** internamente; intimamente.

to **inweave** ['in'wi:v], *pass.* **inwove** ['in'wouv], *p.pass.* **inwoven** ['in'wouvən] *v.tr.* tessere; intrecciare (*anche fig.*).

inwrought ['in'rɔ:t] *agg.* **1** intessuto (*anche fig.*); ricamato, lavorato **2** (*fig.*) amalgamato, fuso.

iodide ['aiədaid] *s.* (*chim.*) ioduro.

iodine ['aiədi:n, (*amer.*) 'aiədain] *s.* iodio; tintura di iodio.

ion ['aiən] *s.* (*fis.*) ione.

Ionian [ai'ounjən] *agg.* e *s.* Ionio.

Ionic [ai'ɔnik] *agg.* ionico.

ionization [ˌaiənai'zeifə] *s.* (*fis.*) ionizzazione.

ionosphere [ai'ɔnəsfiə*] *s.* ionosfera.

iota [ai'outə] *s.* iota // *he's not worth an —*, non vale nulla.

IOU ['aiou'ju:] (*contr.* di *I owe you*) IOU (dichiarazione di debito).

Iphigenia [i,fidʒinaiə] *no.pr.f.* (*lett.*) Ifigenia.

Iraki [i'ra:ki] *agg.* e *s.* iracheno.

Iranian [i'reinjə] *agg.* e *s.* iraniano, persiano.

Iraq [i'ra:k] *no.pr.* Irak.

irascibility [i,ræsi'biliti] *s.* irascibilità.

irascible [i'ræsibl] *agg.* irascibile.

irate [ai'reit] *agg.* irato, arrabbiato.

ire ['aiə*] *s.* ira, collera.

Ireland ['aiələnd] *no.pr.* Irlanda.

iridescence [ˌiri'desns] *s.* iridescenza.

iridescent [ˌiri'desnt] *agg.* iridescente.

iridium [ai'ridiəm] *s.* (*chim.*) iridio.

Iris ['aiəris] *no.pr.f.* Iride // **iris** *s.* **1** (*anat.*) iride **2** (*bot.*) iris, giaggiolo.

Irish ['aiərif] *agg.* irlandese // *the —*, gli irlandesi ♦ *s.* (*lingua*) irlandese.

Irishman, *pl.* **Irishmen** ['aiərifmən] *s.* irlandese.

to **irk** [ə:k] *v.tr.* infastidire; annoiare.

irksome [ə:səm] *agg.* noioso; fastidioso.

iron [aiən] *agg.* di ferro; in ferro; ferreo (*anche fig.*): *— will,* volontà di ferro // *Iron Age,* età del ferro ♦ *s.* **1** ferro: *— and steel industry,* industria siderurgica; *— ore,* minerale di ferro; *— sheet,* lamiera di ferro // *to have too many irons in the fire,* avere troppa carne al fuoco // *Iron Curtain,* cortina di ferro // *— lung,* polmone d'acciaio **2** ferro da stiro; oggetto, strumento di ferro **3** *pl.* catene **4** (*sport*) mazza da golf.

to **iron** *v.tr.* **1** stirare **2** rivestire di ferro **3** ferrare **4** *to — out,* (*fig.*) appianare.

ironclad ['aiənklæd] *agg.* corazzato ♦ *s.* (*mar.*) corazzata.

iron foundry ['aiən,faundri] *s.* ferriera, fonderia.

iron-grey ['aiən'grei] *agg.* e *s.* (colore) grigio ferro.

ironic(al) [ai'rɔk(əl)] *agg.* ironico.

ironing ['aiəninŋ] *s.* **1** stiratura **2** indumenti da stirare (*pl.*).

ironing board ['aiəninbɔ:d] *s.* asse da stiro.

ironist ['aiərənist] *s.* ironista.

ironmaster ['aiən,ma:stə*] *s.* padrone di ferriera.

ironmonger ['iən,mʌngə*] *s.* negoziante, commerciante in ferramenta.

ironmould ['aiənmould] *s.* macchia di ruggine.

iron rations [ˌaiən'ræfənz] *s.pl.* (*mil.*) razioni ad alto contenuto energetico.

ironsmith ['aiənsmiθ] *s.* fabbro ferraio.

ironstone ['aiənstoun] *s.* minerale di ferro.

ironware ['aiənwɛə*] *s.* ferramenta.

ironwork ['aiənwə:k] *s.* **1** lavoro in ferro **2** *pl.* ferriera (*sing.*).

irony[1] ['aiəni] *agg.* di ferro, ferreo.

irony[2] ['aiərəni] *s.* ironia.

irradiance [i'reidjəns] *s.* irradiazione.

irradiant [i'reidjənt] *agg.* irradiante.

to **irradiate** [i'reidieit] *v.tr.* irradiare; illuminare; (*fig.*) animare ♦ *v.intr.* raggiare.

irradiation [i,reidi'eifən] *s.* irradiazione; illuminazione.

irrational [i'ræfənl] *agg.* irrazionale; irragionevole; assurdo ♦ *s.* (*mat.*) numero irrazionale.

irrationality [i,ræfə'æliti] *s.* irrazionalità; irragionevolezza.

irrealizable [i'riəlaizəbl] *agg.* irrealizzabile.

irreclaimable ['iri'kleiməbl] *agg.* **1** (*di terra*) non bonificabile **2** (*di persona*) irrecuperabile.

irrecognizable [i'rekəgnaizəbl] *agg.* irriconoscibile.

irreconcilable ['rekənsailəbl] *agg.* irreconciliabile; inconciliabile ♦ *s.* persona intransigente.

irrecoverable [ˌiri'kʌvərəbl] *agg.* irrecuperabile.

irrecusable [ˌiri'kju:səbl] *agg.* irrecusabile.

irredeemable [ˌiri'di:məbl] *agg.* **1** irredimibile **2** inconvertibile.

irredentism [ˌir'dentizəm] *s.* irredentismo.

irredentist [ˌiri'dentist] *s.* irredentista.

irreducible [ˌiri'dju:səbl] *agg.* irriducibile.

irreflective [ˌiri'flektiv] *agg.* irriflessivo.

irrefragable [i'refrəgəbl] *agg.* irrefragabile.

irrefutable [i'refjutəbl] *agg.* irrefutabile.

irregular [i'regjulə*] *agg.* irregolare ♦ *s.* (*mil.*) soldato irregolare.

irregularity [i,regju'læriti] *s.* irregolarità.

irrelative [i'relətiv] *agg.* senza relazione.

irrelevance [i'relivəns], **irrelevancy** [i'relivənsi] *s.* **1** non pertinenza **2** osservazione, domanda ecc. non pertinente.

irrelevant [i'relivənt] *agg.* non pertinente.

irreligious [ˌiri'lidʒəs] *agg.* irreligioso.

irremediable [ˌiri'mi:djəbl] *agg.* irrimediabile.

irremissible [ˌiri'misibl] *agg.* irremissibile.

irremovable [ˌiri'mu:vəbl] *agg.* irremovibile.

irreparable [i'repərəbl] *agg.* irreparabile.

irreplaceable [ˌiri'pleisəbl] *agg.* insostituibile.

irreprehensible [i,repri'hensəbl] *agg.* irreprensibile.

irrepressible [ˌiri'presəbl] *agg.* irreprimibile.

irreproachable [ˌiri'proutʃəbl] *agg.* irreprensibile.

irresistible [ˌiri'zistəbl] *agg.* irresistibile.

irresolute [i'rezəlu:t] *agg.* irresoluto, indeciso.

irresolution ['i,rezə'lu:fən] *s.* irresolutezza.

irresolvable [ˌiri'zɔlvəbl] *agg.* **1** insolubile **2** indivisibile.

irrespective [ˌiri'pektiv] *agg.* senza riguardo a: *— of consequences,* noncurante delle conseguenze.

irresponsibility ['iris,pɔnsə'biliti] *s.* irresponsabilità.

irresponsible [ˌiri'pɔnsəbl] *agg.* **1** irresponsabile **2** su cui non si può fare affidamento.

irresponsive [ˌiris'pɔnsiv] *agg.* che non reagisce; insensibile.

irretrievable [ˌiri'tri:vəbl] *agg.* irrecuperabile; irrimediabile.

irreverence [i'revərəns] *s.* irriverenza.

irreverent [i'revərənt] *agg.* irriverente.

irreversibility ['iri,və:sə'biliti] *s.* **1** irreversibilità **2** irrevocabilità.

irreversible [ˌiri'və:sə] *agg.* **1** irreversibile **2** irrevocabile.

ivy

irrevocability [i'revəkə'biliti] *s.* irrevocabilità.
irrevocable [i'revəkəbl] *agg.* irrevocabile.
irrigable ['irigəbl] *agg.* irrigabile.
to **irrigate** ['irigeit] *v.tr.* irrigare.
irrigation [,iri'geiʃən] *s.* irrigazione.
irrigator ['irigeitə*] *s.* irrigatore.
irritability [,iritə'biliti] *s.* irritabilità; permalosità.
irritable ['iritəbl] *agg.* irritabile; permaloso.
irritant ['iritənt] *agg. e s.* irritante.
to **irritate** ['iriteit] *v.tr.* irritare.
irritating ['iriteitiŋ] *agg.* irritante.
irritation [,iri'teiʃən] *s.* irritazione.
irruption [i'rʌpʃən] *s.* irruzione.
is [iz] *3ᵃ pers.sing.pres.* di to **be**.
Isaac ['aizək] *no.pr.m.* Isacco.
Isabel ['izəbel] *no.pr.f.* Isabella.
isabella [,izə'belə] *agg. e s.* (color) isabella.
Isaiah [ai'zaiə] *no.pr.m.* (*Bibbia*) Isaia.
ischium ['iskiəm], *pl.* **ischia** ['iskiə] *s.* (*anat.*) ischio.
Iseult [i:'zu:lt] *no.pr.f.* Isotta.
Ishmael ['iʃmeiəl] *no.pr.m.* (*Bibbia*) Ismaele ♦ *s.* individuo asociale.
Isis ['aisis] *no.pr.f.* (*mit.*) Iside.
Islam [iz'lɑ:m, (*amer.*) 'islɑ:m] *s.* 1 islamismo 2 Islamiti.
Islamic [iz'læmik, (*amer.*) is'lɑ:mik] *agg.* islamico.
Islamite ['izləmait] *s.* islamita.
island ['ailənd] *s.* isola.
islander ['ailəndə*] *s.* isolano.
isle [ail] *s.* (*poet.*) isola.
islet [aailit] *s.* isolotto.
ism ['isəm] *s.* (*fam.*) dottrina, teoria.
isn't ['iznt] *contr.* di is not.
iso- ['aiso] *pref.* iso-.
isobar ['aisouba:*] *s.* isobara.
isobath ['aisoubæθ] *s.* isobata.
isogonal [ai'sɔgənl] *agg.* (*geom.*) equiangolo.
isogonic [,aisou'gonik] *s.* (*geogr.*) isogonica.
to **isolate** ['aisəleit] *v.tr.* isolare.
isolation [,aisə'leiʃən] *s.* isolamento.
isolationism [,aisə'leiʃnizəm] *s.* (*pol.*) isolazionismo.
isolator ['aisəleitə*] *s.* isolatore.
isomer ['aisoumə*] *s.* (*chim.*) isomero.
isometrics [,aisou'metriks] *s.* isometria.
isosceles [ai'sɔsili:z] *agg.* (*geom.*) isoscele.
isotherm ['aisouθə:m] *s.* (*geogr.*) isoterma.
isothermal [,aisou'θə:məl] *agg.* (*fis.*) isotermico.
isotope ['aisoutoup] *s.* (*chim.*) isotopo.
Israel ['izreiəl] *no.pr.* Israele.
Israeli [iz'reili] *agg. e s.* israeliano.
Israelite ['izriəlait] *agg. e s.* israelita.
issue ['isju:] *s.* 1 emissione; promulgazione (di decreti); pubblicazione (di libri); numero (di giornali) 2 fuoruscita, uscita; sbocco 3 punto in discussione, problema: *at* —, in discussione // *to join* (o *to take*) —, venire a discussione 4 conclusione, risultato, esito 5 (*dir.*) stirpe, prole.
to **issue** *v.tr.* 1 emettere; pubblicare 2 rilasciare 3 distribuire ♦ *v.intr.* 1 uscire; provenire; discendere 2 *to* — *in*, risolversi in, concludersi con.
issueless ['isju:lis] *agg.* senza prole, senza discendenti diretti.
isthmian ['isθmiən] *agg.* istmico.

isthmus [isməs] *s.* istmo.
it¹ *pron.pers.* *3ᵃ pers. neutro sing.* 1 *sogg.* esso; essa: *the novel is short, but* — *is interesting*, il romanzo è breve ma è interessante 2 *compl.* lo; la; ciò; sé: *he doesn't believe* —, non ci crede; *new I remember* —, ora me ne, me lo ricordo // *he is not silly, far from* —, è tutt'altro che sciocco // *to feel the better for* —, sentirsene sollevato // *he asked for* —, cercava guai // *he faced* —, fronteggiò la situazione // *her attitude makes* — *difficult to reach an agreement*, il suo atteggiamento rende difficile il raggiungimento di un accordo 3 *sogg. di v. impers.*: — *is late*, è tardi; — *is snowing*, nevica; — *was the 1st of January*, era il primo (di) gennaio; *who is* —?, chi è?; — *is he* (o *him*), è lui ♦ *s.* (*fam.*) 1 il non plus ultra 2 «sex-appeal», fascino 3 pezzo grosso 4 (*in giochi di bambini*) chi sta sotto.
it² *s.* (*fam.*) vermouth.
Italian [i'tæljən] *agg. e s.* italiano.
Italianate [i'tæljənit] *agg.* italianizzato.
to **Italianize** [i'tæljənaiz] *v.tr.* italianizzare.
Italic [i'tælik] *agg.* italico // *italic type*, (*tip.*) carattere corsivo.
to **italicize** [i'tælisaiz] *v.tr.* (*tip.*) stampare in corsivo.
italics [i'tælks] *s.pl.* (*tip.*) corsivo (*sing.*).
Italy ['itəli] *no.pr.* Italia.
itch [itʃ] *s.* 1 prurito 2 (*med.*) scabbia, rogna 3 desiderio irresistibile.
to **itch** *v.intr.* 1 prudere 2 sentir prurito 3 aver voglia: *I was itching to know what had happened*, morivo dalla voglia di sapere che cosa era accaduto // *to have an itching palm*, esser avido di denaro.
itchy ['itʃi] *agg.* 1 che prude 2 rognoso.
item ['aitem] *s.* 1 articolo; capo // *items on the agenda*, questioni all'ordine del giorno // *collector's* —, pezzo di collezione 2 (*informatica*) articolo: (*data*) —, dato; — *master file*, archivio parti; — *transations*, movimento fattura 3 (*teatr.*) numero.
to **itemize** ['aitəmaiz] *v.tr.* elencare; dettagliare.
to **iterate** ['itəreit] *v.tr.* reiterare, ripetere.
iterative ['itərətiv] *agg.* iterativo.
itinerancy [i'tinərənsi] *s.* l'andare di luogo in luogo.
itinerant [i'tinərənt] *agg.* ambulante; viaggiante ♦ *s. pl.* zingari, vagabondi.
itinerary [ai'tinərəri] *agg.* itinerario ♦ *s.* 1 itinerario 2 guida; diario di viaggio.
to **itinerate** [i'tinəreit] *v.intr.* andare di luogo in luogo.
its [its] *agg.poss.* suo; di esso: *a tree and* — *leaves*, un albero e le sue foglie.
it's *contr.* di it is, it has.
itself [it'self] *pron.* *3ᵃ pers. neutro sing.* 1 *r.* si; sé, sé stesso, sé stessa: *the wolf hid* —, il lupo si nascose // *by* —, da solo // *in* —, in sé, di per sé 2 (*enfatico*) stesso, in persona: *he is generosity* —, è la generosità in persona ♦ *s.* sé stesso: *the dog was not* —, il cane non stava bene.
itty-bitty [,iti'biti] *agg.* (*fam.*) piccolissimo.
ivory ['aivəri] *agg.* 1 d'avorio // — *tower*, torre d'avorio 2 color avorio ♦ *s.* 1 avorio 2 *pl.* tastiera (*sing.*) (di pianoforte): *to tickle the ivories*, (*fam.*) suonare il piano.
ivy ['aivi] *s.* edera // *Ivy League*, (*amer.*) le più antiche università private dell'Ést degli Stati Uniti // — *league clothes*, abiti di stile ricercato, sofisticato.

J

j [dʒei], *pl.* **js**, **j's** [dʒeiz] *s.* j // — *for Jack*, (*tel.*) j come Jersey // J, (*nelle carte da gioco*) Jack, fante.

jab [dʒæb] *s.* colpo; pugno; stoccata.

to **jab** *v.tr.* colpire; trafiggere.

jabber [ˈdʒæbə*] *s.* farfugliamento; ciarla, cicaleccio.

to **jabber** *v.tr.* farfugliare ♦ *v.intr.* ciarlare, cicalare.

jacinth [ˈdʒæsinθ] *s.* (*min.*) giacinto.

jack [dʒæk] *s.* **1** (*mecc.*) cricco **2** (*nelle carte da gioco*) fante **3** (*bocce*) boccino **4** (*fam.*) marinaio **5** girarrosto **6** (*tel.*) jack **7** bandiera (di nave) **8** *pl.* (gioco delle) piastrelle.

to **jack** *v.tr.*: *to — (up)*, sollevare con cricco; aumentare (prezzi); (*fam.*) piantare, abbandonare.

Jack *no.pr.m.* (*fam.*) *dim.* di **John** // — *of all trades*, factotum // *before you can, could say — Robinson*, in un batter d'occhio // *every man —*, ogni uomo, ognuno.

jackal [ˈdʒækɔːl] *s.* sciacallo; (*fig.*) tirapiedi.

jackanapes [ˈdʒækəneips] *s.* **1** briccocello, monello **2** bellimbusto.

jackass [ˈdʒækæs] *s.* somaro (*anche fig.*).

jackboot [ˈdʒækbuːt] *s.* stivalone alla scudiera.

jackdaw [ˈdʒækdɔː] *s.* (*zool.*) taccola.

jacket [ˈdʒækit] *s.* **1** giacca // *dinner —*, smoking **2** giubbotto: *flak —*, giubbotto antiproiettile **3** (*tecn.*) camicia; rivestimento isolante **4** sopraccoperta (di libro) **5** buccia: *potatoes in the —*, patate con la buccia.

to **jacket** *v.tr.* (*tecn.*) incamiciare; rivestire con materiale isolante.

jack-in-office [ˈdʒækinˌɔfis] *s.* (*fam.*) piccolo funzionario presuntuoso.

jack-in-the-box [ˈdʒækinðəbɔks] *s.* scatola a sorpresa.

jackknife [ˈdʒæknaif] *s.* coltello a serramanico.

jack-o'-lantern [ˈdʒækəˌlæntən] *s.* fuoco fatuo.

jackpot [ˈdʒækpɔt] *s.* (*poker*) piatto // *to hit the —*, (*fig. fam.*) trovare l'America.

Jacob [ˈdʒeikəb] *no.pr.m.* Giacobbe.

Jacobean [ˌdʒækəˈbi(ː)ən] *agg.* (*st.*) giacobiano; del regno di Giacomo I.

Jacobin [ˈdʒækəbin] *agg.* giacobino; (*fig.*) estremista ♦ *s.* giacobino.

Jacobinism [ˈdʒækəbinizəm] *s.* giacobinismo.

Jacobite [ˈdʒækəbait] *s.* (*st.*) giacobita.

Jacob's ladder [ˈdʒeikəbzˈlædə*] *s.* (*mar.*) biscaglina.

jactation [dʒækˈteiʃən] *s.* iattanza.

jade¹ [dʒeid] *s.* **1** (*min.*) giada **2** (color) verde giada.

jade² *s.* **1** ronzino **2** donnaccia.

to **jade**² *v.tr.* sfibrare, spossare.

jaded [ˈdʒeidid] *agg.* sfinito, esausto.

jaffa [ˈdʒæfə] *s.* arancia palestinese.

jag [dʒæg] *s.* dentello; tacca.

to **jag** *v.tr.* dentellare; frastagliare.

jagged [ˈdʒægid] *agg.* dentellato; frastagliato.

jaguar [ˈdʒægjuə*] *s.* giaguaro.

Jah [dʒɑː] *no.pr.m.* (*Bibbia*) Geova.

(to) **jail** e *deriv.* → (to) **gaol** e *deriv.*

jalap [ˈdʒæləp] *s.* (*bot.farm.*) gialappa.

jalopy [dʒəˈlɔpi] *s.* (*fam.*) macinino (di automobile ecc.).

jam¹ [dʒæm] *s.* **1** intralcio; ingorgo; affollamento // *traffic —*, ingorgo stradale // *— session*, improvvisazione jazzistica **2** (*mecc.*) inceppamento **3** (*fam.*) guaio, pasticcio.

to **jam**¹ *v.tr.* **1** comprimere; schiacciare; stipare **2** bloccare **3** scaraventare **4** (*rad.*) disturbare, causare interferenze (nelle trasmissioni) ♦ *v.intr.* bloccarsi; incepparsi.

jam² *s.* conserva di frutta, marmellata.

Jamaica [dʒəˈmeikə] *no.pr.* Giamaica.

Jamaican [dʒəˈmeikən] *agg.* e *s.* giamaicano.

jamb [dʒæm] *s.* montante; stipite.

jamboree [ˌdʒæmbəˈɔːri] *s.* **1** raduno di boy scouts **2** (*fam.*) allegra riunione; baldoria.

James [dʒeimz] *no.pr.m.* Giacomo.

Jane [dʒein], **Janet** [ˈdʒænit] *no.pr.f.* Gianna.

jangle [ˈdʒæŋgl] *s.* sferragliamento (di catene ecc.); tintinnio.

to **jangle** *v.tr.* (far) sferragliare (catene ecc.) ♦ *v.intr.* sferragliare.

Janiculum [dʒæˈnikjuləm] *no.pr.* Gianicolo.

janitor [ˈdʒænitə*] *s.* **1** portiere; portinaio; bidello **2** (*amer.*) custode, guardiano.

janizary [ˈdʒænizəri] *s.* (*st.*) giannizzero.

Jansenism [ˈdʒænsnizəm] *s.* (*st. relig.*) giansenismo.

Jansenist [ˈdʒænsnist] *agg.* e *s.* (*st. relig.*) giansenista.

January [ˈdʒænjuəri] *s.* gennaio.

Janus [ˈdʒeinəs] *no.pr.m.* (*mit.*) Giano.

Jap [dʒæp] *agg.* e *s.* (*fam.*) giapponese.

japan [dʒəˈpæn] *s.* lacca giapponese.

to **japan** *v.tr.* laccare.

Japan *no.pr.* Giappone.

Japanese [ˌdʒæpəˈniːz] *agg.* e *s.* giapponese.

jape [dʒeip] *s.* scherzo.

to **jape** *v.intr.* scherzare.

Japheth [ˈdʒeifiθ] *no.pr.m.* (*Bibbia*) Iafet.

jar¹ [dʒɑː*] *s.* **1** suono stridente, discordante; vibrazione **2** shock, colpo **3** discordia, dissenso.

to **jar**¹ *v.intr.* **1** stridere; vibrare **2** disputare, contendere // *to — on s.o.*, irritare, urtare qlcu. ♦ *v.tr.* scuotere.

jar² *s.* giara, orcio; brocca; vaso.

jar³ *s.*: *on the —*, socchiuso.

jargon [ˈdʒɑːgən] *s.* gergo.

to **jargonize** [ˈdʒɑːgənaiz] *v.tr.* esprimere in gergo ♦ *v.intr.* parlare in gergo.

jarring [ˈdʒɑːriŋ] *agg.* **1** discorde; stridente **2** che provoca uno shock.

jasmine [ˈdʒæsmin] *s.* gelsomino.

Jason [ˈdʒeisn] *no.pr.m.* (*mit.*) Giasone.

jasper [ˈdʒæspə*] *s.* (*min.*) diaspro.

jaundice [ˈdʒɔːndis] *s.* **1** (*med.*) itterizia **2** (*fig.*) invidia, gelosia.

jaundiced [ˈdʒɔːndist] *agg.* **1** (*med.*) itterico **2** (*fig.*) geloso, invidioso; pessimistico.

jaunt [dʒɔːnt] *s.* scampagnata, gita.

to **jaunt** *v.intr.* fare una gita.

jauntiness [ˈdʒɔːntinis] *s.* disinvoltura; vivacità, brio.

jaunty [ˈdʒɔːnti] *agg.* spigliato; disinvolto; vivace, brioso.

Java [ˈdʒɑːvə] *no.pr.* Giava.

Javanese [ˌdʒɑːvəˈniːz] *agg.* e *s.* giavanese.

javelin [ˈdʒævlin] *s.* giavellotto; dardo.

jaw [dʒɔː] *s.* **1** mascella; *pl.* bocca (*sing.*) // *hold your —*, (*sl.*) chiudi il becco **2** *pl.* (*mecc.*) morsa (*sing.*); ganascia (*sing.*) **3** *pl.* stretta (*sing.*), gola (*sing.*) **4** (*sl.*)

chiacchiere (*pl.*); ciarle (*pl.*); predicozzo // *pi* —, (*sl.*) discorso da bigotta.

to jaw *v.intr.* (*sl.*) far discorsi noiosi ♦ *v.tr.* far la predica (a).

jawbone [′dʒɔːboun] *s.* osso mandibolare.

jawbreaker [′dʒɔːˌbreikə*] *s.* (*fam.*) parola difficile da pronunciare.

jay [dʒei] *s.* **1** (*zool.*) ghiandaia **2** (*sl.*) sempliciotto; chiacchierone.

jaywalker [′dʒeiˌwɔːkə*] *s.* pedone che attraversa una via senza attenzione.

jazz [dʒæz] *agg.* **1** jazzistico **2** vistoso ♦ *s.* jazz.

to jazz *v.intr.* ballare a ritmo di jazz ♦ *v.tr.* **1** adattare (musica) al ritmo di jazz **2** *to — up*, (*sl.*) rendere vivace.

jazzy [′dʒæzi] *agg.* **1** jazzistico **2** vistoso.

jealous [′dʒeləs] *agg.* geloso; invidioso; guardingo.

jean [dʒiːn] *s.* **1** tela grossa **2** *pl.* calzoni di tela; tuta (*sing.*).

Jean *no.pr.f.* Giovanna.

jeer [dʒiə*] *s.* scherno, canzonatura.

to jeer *v.intr.* parlare in modo derisorio // *to — at s.o.*, prendersi gioco di qlcu. ♦ *v.tr.* schernire.

jeering [′dʒiəriŋ] *agg.* beffardo, canzonatorio.

Jeffrey [′dʒefri] *no.pr.m.* Goffredo.

Jehovah [dʒi′houvə] *no.pr.m.* (*Bibbia*) Jeova.

jejune [dʒi′dʒuːn] *agg.* noioso.

jejuneness [dʒi′dʒuːnnis] *s.* noiosità.

jellied [′dʒelid] *agg.* **1** rappreso in gelatina **2** in gelatina.

jelly [′dʒeli] *s.* gelatina.

to jelly *v.intr.* rapprendersi in gelatina ♦ *v.tr.* mettere in gelatina.

jellyfish [′dʒelifiʃ] *s.* **1** medusa **2** (*fig. fam.*) mollusco.

jemmy [′dʒemi] *s.* grimaldello.

jenny [′dʒeni] *s.* **1** (*ind.*) filatoio **2** (*mecc.*) gru mobile.

to jeopardize [′dʒepədaiz] *v.tr.* mettere a repentaglio; arrischiare.

jeopardy [′dʒepədi] *s.* rischio, pericolo.

jeremiad [ˌdʒeri′maiəd] *s.* geremiade.

Jeremiah [ˌdʒeri′maiə], **Jeremy** [′dʒerimi] *no.pr.m.* Geremia.

Jericho [′dʒerikou] *no.pr.* Gerico.

jerk [dʒəːk] *s.* **1** strattone; scossone; scatto **2** spasmo; tic nervoso; contorsione // *physical jerks*, (*fam.*) ginnastica **3** (*sl.amer.*) idiota, buono a nulla.

to jerk *v.tr.* dare uno strattone (a) ♦ *v.intr.* scattare; sobbalzare.

jerkin [′dʒəːkin] *s.* giustacuore.

jerky [′dʒəːki] *agg.* **1** sussultante **2** spasmodico.

jeroboam [ˌdʒerə′bouəm] *s.* bottiglione.

Jerome [′dʒerəm] *no.pr.m.* Gerolamo.

jerry [′dʒeri] *s.* **1** (*sl.*) vaso da notte **2** (*fam.*) soldato tedesco.

jerry-builder [′dʒeriˌbildə*] *s.* costruttore di case economiche per speculazione.

jerry-built [′dʒeribilt] *agg.* costruito in fretta e con materiale scadente.

jersey [′dʒəːzi] *s.* golfino.

Jersey *s.* razza pregiata di mucche.

Jerusalem [dʒə′ruːsələm] *no.pr.* Gerusalemme.

Jerusalem artichoke [dʒə′ruːsələm′aːtitʃouk] *s.* (*bot.*) topinambur.

jest [dʒest] *s.* **1** scherzo, facezia // *in* —, per scherzo **2** zimbello: *to be a standing* —, essere lo zimbello di tutti.

to jest *v.intr.* scherzare; dir delle facezie.

jester [′dʒestə*] *s.* **1** burlone **2** (*st.*) giullare.

jestful [′dʒestful] *agg.* incline allo scherzo.

Jesuit [′dʒezjuit] *s.* gesuita (*anche fig.*).

jesuitic(al) [ˌdʒezju′itik(əl)] *agg.* gesuitico (*anche fig.*).

Jesuitry [′dʒezjuitri] *s.* gesuitismo.

Jesus [′dʒiːzəs] *no.pr.m.* Gesù.

jet¹ [dʒet] *agg.* nero lucido ♦ *s.* giaietto.

jet² *s.* **1** getto; zampillo **2** (*chim.*) becco **3** aviogetto // *— engine*, (*aer.*) motore a reazione.

to jet² *v.intr.* e *tr.* schizzare.

jet-black [′dʒet′blæk] *agg.* nero lucido.

jet-lag [′dʒetlæg] *s.* disturbi da fuso orario.

jet-propelled [′dʒetprə′peld] *agg.* a reazione.

jetsam [′dʒetsəm] *s.* (*mar.*) relitti (*pl.*) // *flotsam and* —, (*fig.*) relitti umani.

jettison [′dʒetisn] *s.* (*aer. mar.*) il liberarsi del carico in caso di pericolo.

to jettison *v.tr.* **1** (*aer. mar.*) liberarsi (del carico) in caso di pericolo **2** (*fig.*) disfarsi (di).

jet(t)on [′dʒetən] *s.* gettone.

jetty [′dʒeti] *s.* (*mar.*) molo.

Jew [dʒuː] *s.* ebreo.

jewel [′dʒuːəl] *s.* **1** gioiello; (*fig.*) perla **2** (*orologeria*) rubino.

to jewel *v.tr.* ingioiellare.

jeweller [′dʒuːələ*] *s.* gioielliere.

jewellery [′dʒuːəlri] *s.* gioielli (*pl.*).

Jewess [′dʒu(ː)is] *s.* ebrea.

Jewish [′dʒu(ː)iʃ] *agg.* ebreo.

Jewry [′dʒuəri] *s.* **1** gli ebrei (*pl.*); giudaismo **2** (*st.*) ghetto.

Jew's harp [′dʒuːz′haːp] *s.* (*mus.*) scacciapensieri.

jib¹ [dʒib] *s.* (*mar.*) fiocco // *the cut of one's* —, l'aspetto esteriore.

to jib¹ *v.tr.* (*mar.*) orientare (vele) ♦ *v.intr.* girare (di vele).

jib² *s.* (*mecc.*) braccio (di gru ecc.).

to jib³ *v.intr.* recalcitrare; impuntarsi // *to — at sthg.*, mostrare diffidenza per qlco.

jibber [′dʒibə*] *s.* cavallo recalcitrante.

(to) jibe (*amer.*) → (to) **gibe**.

jiff [dʒif], **jiffy** [′dʒifi] *s.* (*fam.*) momento, secondo.

jig [dʒig] *s.* (*mus.*) giga.

to jig *v.intr.* **1** ballar la giga **2** agitarsi: *to — up and down*, saltare su e giù.

jigger [′dʒigə*] *s.* **1** giaccone (da donna) **2** (*fam.*) misurino; bicchierino **3** (*fam.*) aggeggio.

to jiggle [′dʒigl] *v.tr.* muovere a scatti ♦ *v.intr.* muoversi con piccoli scatti.

jigsaw [′dʒigsɔː] *s.* sega da traforo // *— puzzle*, gioco di pazienza.

jilt [dʒilt] *s.* civetta, donna leggera.

to jilt *v.tr.* piantare in asso.

jim crow [′dʒim′krou] *s.* (*amer.*) (*spesso maiuscolo*) **1** discriminazione razziale (contro i negri): *— laws*, leggi di discriminazione razziale **2** negro: *— school*, scuola per soli negri.

jimjams [′dʒimdʒæmz] *s.pl.* (*fam.*) tremarella (*sing.*).

jimmy [′dʒimi] *s.* (*amer. per gemmy*) grimaldello.

jingle [′dʒiŋgl] *s.* **1** tintinnio **2** filastrocca.

to jingle *v.tr.* **1** far tintinnare **2** comporre filastrocche ♦ *v.intr.* tintinnare.

jingo [′dʒiŋgou], *pl.* **jingoes** [′dʒiŋgouz] *s.* sciovinista // *by —!*, (*fam.*) per Bacco!

jingoism [′dʒiŋgouizəm] *s.* sciovinismo.

jingoist [′dʒiŋgouist] *agg.* e *s.* sciovinista.

jink [dʒiŋk] *s.* scarto.

jinx [dʒɪŋks] *s.* fattura, malocchio.

jitney ['dʒɪtni] *s.* (*amer.*) **1** (*antiq.*) moneta da cinque «cents» **2** pullmino.

to jitter ['dʒɪtə*] *v.intr.* agitarsi.

jitterbug ['dʒɪtəbʌg] *s.* (*fam.*) **1** danza movimentata dal ritmo vivace **2** persona esagitata.

jitters ['dʒɪtəz] *s.pl.* (*fam.*) nervosismo (*sing.*), agitazione (*sing.*); fifa (*sing.*): *to have the* —, avere fifa; *to give s.o. the* —, spaventare qlcu.

jittery ['dʒɪtəri] *agg.* nervoso.

jive [dʒaɪv] *s.* **1** musica, danza molto ritmata e frenetica **2** (*sl.amer.*) sciocchezze (*pl.*).

to jive *v.tr.* (*sl. amer.*) prendere in giro.

Joan [dʒoun] *no.pr.f.* Giovanna.

job[1] [dʒɔb] *s.* **1** compito; lavoro; impiego; posto di lavoro; impresa: — *creation*, creazione di posti di lavoro; *to create new jobs*, creare nuovi posti di lavoro; — *requirements*, requisiti professionali; *on the* —, (*fam.*) occupato; *it is not my* —, non è affar mio; *to be out of a* —, essere disoccupato; *to pay by the* —, pagare a cottimo; *to give sth. up as a bad* —, rinunziare a un'impresa impossibile; *to make the best of a bad* —, cavarsela il meglio possibile in un'impresa difficile // *to pull a* —, (*sl.*) fare una rapina // — *lot*, (*comm.*) lotto di merce; occasione // — *entry*, (*informatica*) sottomissione dei lavori **2** (*fam.*) faccenda; situazione: *a pretty* —!, (*iron.*) bell'affare! // *just the* —!, è proprio quel che ci vuole!

to job[1] *v.intr.* **1** fare lavori occasionali **2** lavorare a cottimo **3** fare baratteria **4** trattare affari come mediatore; fare l'agente di Borsa ♦ *v.tr.* **1** speculare **2** noleggiare **3** *to* — *out*, dare in appalto.

to job[2] *v.tr.* colpire.

Job [dʒoub] *no.pr.m.* Giobbe.

jobber ['dʒɔbə*] *s.* **1** cottimista **2** chi specula in Borsa **3** barattiere.

jobbery ['dʒɔbəri] *s.* baratteria; corruzione.

jobbing ['dʒɔbɪŋ] *s.* **1** cottimo **2** baratteria **3** mediazione.

jobbing-contract ['dʒɔbɪŋˌkɔntrækt] *s.* cottimo.

jobless ['dʒɔbləs] *agg.* senza lavoro, disoccupato.

jockey ['dʒɔki] *s.* fantino.

to jockey *v.tr.* **1** montare (di fantino) **2** ingannare; manovrare: *to* — *s.o. into doing sthg.*, manovrare qlcu. per fargli fare qlco. ♦ *v.intr.* manovrare astutamente.

jocose [dʒə'kous] *agg.* giocoso; faceto; gioviale.

jocosity [dʒou'kɔsiti] *s.* l'essere spiritoso.

jocular ['dʒɔkjulə*] *agg.* allegro, spiritoso.

jocularity [ˌdʒɔkju'læriti] *s.* lepidezza; spirito.

jocund ['dʒɔkənd] *agg.* giocondo, gaio.

jocundity [dʒou'kʌnditi] *s.* giocondità, gaiezza.

jodhpurs ['dʒɔdpuəz] *s.pl.* calzoni da cavallerizzo.

jog [dʒɔg] *s.* **1** lieve spinta; scossa; gomitata **2** → **jog-trot**.

to jog *v.tr.* **1** dare un colpetto, una gomitata (a) **2** (*fig.*) stimolare: *to* — *s.o.'s memory*, rinfrescare la memoria a qlcu. ♦ *v.intr.* **1** *to* — *along*, andare al piccolo trotto; avanzare lentamente; (*fig.*) seguire il solito tran tran **2** fare del «footing».

to joggle ['dʒɔgl] *v.tr.* scuotere, far muovere a scatti ♦ *v.intr.* muoversi a scatti.

jog trot ['dʒɔg'trɔt] *s.* **1** piccolo trotto **2** (*fig.*) tran tran.

john [dʒɔn] *s.* (*fam.*) gabinetto.

John *no.pr.m.* Giovanni // — *the Baptist*, Giovanni Battista // — *Bull*, il tipico uomo inglese; l'Inghilterra (personificata) // — *Doe*, (*dir.*) Tizio.

johnny ['dʒɔni] *s.* (*fam.*) tizio, tipo.

join [dʒɔin] *s.* giuntura, congiunzione.

to join *v.tr.* **1** unire, collegare (*anche fig.*) // *to* — *battle*, attaccar battaglia // *to* — *forces*, unire le forze, allearsi **2** raggiungere **3** diventare membro (di) ♦ *v.intr.* **1** unirsi, congiungersi // *to* — *in*, associarsi, prender parte a // *to* — *up*, (*mil.*) arruolarsi **2** essere contiguo.

joinder ['dʒɔində*] *s.* (*dir.*) unione.

joiner ['dʒɔinə*] *s.* falegname.

joinery ['dʒɔinəri] *s.* (lavoro di) falegnameria.

joint [dʒɔint] *agg.* unito; associato // — *-heir*, (*dir.*) coerede // — *owner*, comproprietario // — *ownership*, comproprietà, condominio // — *publication*, coedizione.

joint *s.* **1** congiunzione; giuntura **2** pezzo di carne **3** (*mecc.*) giunto, giunzione **4** (*geol.*) fessura **5** (*fam. spreg.*) locale **6** (*sl.*) spinello, sigaretta di marijuana.

to joint *v.tr.* **1** congiungere, unire **2** (*mecc.*) fare giunzioni; rendere snodato; raccordare.

jointer ['dʒɔintə*] *s.* (*strum.*) pialla.

jointress ['dʒɔintris] *s.* (*dir.*) vedova usufruttuaria.

joint-stock company ['dʒɔintstɔk'kʌmpəni] *s.* società per azioni.

jointure ['dʒɔintʃə*] *s.* (*dir.*) usufrutto uxorio.

joist [dʒɔist] *s.* (*arch.*) trave portante.

joke [dʒouk] *s.* scherzo; barzelletta: *it is no* —, è una cosa seria, non è uno scherzo // *practical* —, beffa.

to joke *v.intr.* scherzare; canzonare.

joker ['dʒoukə*] *s.* **1** burlone, tipo ameno **2** (*a carte*) matta, jolly **3** (*fam.*) tipo, individuo.

jokingly ['dʒoukiŋli] *avv.* per scherzo, ridendo.

jollification [ˌdʒɔlifi'keiʃən] *s.* festa; baldoria.

to jollify ['dʒɔlifai] *v.intr.* (*fam.*) fare festa.

jolliness ['dʒɔlinis], **jollity** ['dʒɔliti] *s.* allegria.

jolly ['dʒɔli] *agg.* allegro; vivace; (*fam.*) divertente, ameno; (*fam.*) brillo ♦ *avv.* (*fam.*) molto.

to jolly *v.tr.* (*fam.*) rallegrare: *to* — *up*, mettere di buon umore; (*fam.*) fare spicciare // *to* — *s.o. into doing sthg.*, convincere qlcu. con modi allegri a fare qlco.

jolly boat ['dʒɔlibout] *s.* piccola lancia.

Jolly Roger ['dʒɔli'rɔdʒə*] *s.* bandiera corsara.

jolt [dʒoult] *s.* sobbalzo; scossa.

to jolt *v.tr.* far sobbalzare; scuotere ♦ *v.intr.* sobbalzare.

Jonah ['dʒounə] *no.pr.* (*Bibbia*) Giona ♦ *s.* iettatore.

Jonathan ['dʒɔnəθən] *no.pr.m.* Gionata // (*Brother*) —, l'americano della Nuova Inghilterra.

jongleur [ʒɔːnˈɡləː*] *s.* (*st.*) giullare.

jonquil ['dʒɔŋkwil] *s.* (*bot.*) giunchiglia.

Jordan ['dʒɔːdn] *no.pr.* **1** Giordano **2** Giordania.

Jordanian [dʒɔː'deinjən] *agg. e s.* giordano.

jorum ['dʒɔːrəm] *s.* boccale.

Joseph ['dʒouzif] *no.pr.m.* Giuseppe.

Josephine ['dʒouzifiːn] *no.pr.f.* Giuseppina.

Joshua ['dʒɔʃwə] *no.pr.m.* Giosuè.

joss [dʒɔs] *s.* idolo cinese // — *stick*, bastoncino d'incenso.

josser ['dʒɔsə*] *s.* (*fam.*) individuo.

jostle ['dʒɔsl] *s.* spintone, urto.

to jostle *v.tr.* spingere ♦ *v.intr.* farsi strada a spintoni.

jot [dʒɔt] *s.* nulla: *not a* —, niente affatto.

to jot *v.tr.*: *to* — *down*, annotare, appuntare.

jotter ['dʒɔtə*] *s.* quaderno d'appunti.

jotting ['dʒɔtiŋ] *s.* appunto, annotazione.

joule [dʒuːl] *s.* (*fis.*) joule.

jumper

journal ['dʒɜ:nl] *s.* **1** diario **2** giornale; periodico; rivista **3** (*mar.*) giornale di bordo.

journalese ['dʒɜ:nə'li:z] *s.* stile, gergo giornalistico.

journalism ['dʒɜ:nəlizəm] *s.* giornalismo.

journalist ['dʒɜ:nəlist] *s.* giornalista.

journalistic [,dʒɜ:nə'listik] *agg.* giornalistico.

to journalize ['dʒɜ:nəlaiz] *v.tr.* mettere a giornale ♦ *v.intr.* **1** tenere un diario **2** fare del giornalismo.

journey ['dʒɜ:ni] *s.* viaggio: *to go on a —*, andare a fare un viaggio.

to journey *v.intr.* fare un viaggio, viaggiare.

journeyman, *pl.* **journeymen** ['dʒɜ:nimən] *s.* **1** operaio qualificato **2** operaio mediocre; (*fig.*) mestierante.

joust [dʒaust] *s.* (*st.*) torneo; giostra.

to joust *v.intr.* giostrare; partecipare a un torneo.

Jove [dʒouv] *no.pr.m.* (*mit.*) Giove.

jovial ['dʒouvjəl] *agg.* gioviale.

joviality [,dʒouvi'æliti] *s.* giovialità.

jowl[1] [dʒaul] *s.* **1** mascella **2** guancia.

jowl[2] *s.* **1** giogaia (dei buoi) **2** (*spec.pl.*) pappagorgia.

joy [dʒɔi] *s.* gioia; felicità; contentezza // *to be beside oneself with —*, non stare in sé della gioia.

to joy *v.tr.* (*poet.*) rallegrare ♦ *v.intr.* rallegrarsi.

joyful ['dʒɔiful] *agg.* gaio, allegro, gioioso.

joyless ['dʒɔilis] *agg.* senza gioia, triste, mesto.

joyous ['dʒɔiəs] *agg.* gioioso, gaio.

joyousness ['dʒɔiəsnis] *s.* gioia, allegria.

joyride ['dʒɔiraid] *s.* (*fam.*) gita in automobile (gener. rubata).

joystick ['dʒɔistik] *s.* (*fam.*) leva di comando di un aereo; cloche.

jubilant ['dʒu:bilənt] *agg.* giubilante; esultante.

to jubilate ['dʒu:bileit] *v.intr.* giubilare; esultare.

jubilation [,dʒu:bi'leiʃən] *s.* giubilo.

jubilee [,dʒu:bili:] *s.* giubileo // *silver —*, venticinquesimo.

Judaea [dʒu:'diə] *no.pr.* Giudea.

Judah ['dʒu:'də] *no.pr.m.* Giuda.

Judaic(al) [dʒu:(:)'deiik(əl)] *agg.* giudaico.

Judaism ['dʒu:deiizəm, (*amer.*) 'dʒu:diizəm] *s.* giudaismo.

Judaist ['dʒu:deiist] *s.* seguace delle dottrine giudaiche.

to Judaize ['dʒu:deiaiz] *v.tr.* rendere conforme a costumi, riti giudaici ♦ *v.intr.* seguire i costumi, i riti giudaici.

Judas ['dʒu:dəs] *no.pr.m.* Giuda; (*fig.*) traditore // **judas** *s.* spioncino.

Judean [dʒu:'diən] *agg.* e *s.* (abitante) della Giudea.

judge [dʒʌdʒ] *s.* **1** giudice // *Appeal Judge*, presidente della Corte di Appello // *Judge-Advocate*, presidente del tribunale militare **2** conoscitore, intenditore.

to judge *v.tr.* giudicare ♦ *v.intr.* fare da giudice.

judgement ['dʒʌdʒmənt] *s.* **1** giudizio; (*dir.*) sentenza: *in my —*, a mio giudizio, secondo me; *to enter a —*, stendere un giudizio; *to pass* (o *to give* o *to deliver*) *— on*, pronunziare una sentenza su // *to sit in —*, (*fig.*) erigersi a giudice // *the* (*Last*) *Judgement*, il Giudizio Universale // *— -hall*, aula di tribunale **2** discernimento, capacità di giudizio **3** punizione divina: *it is a — on him*, è un castigo di Dio per lui.

judgement day ['dʒʌdʒməntdei] *s.* il giorno del Giudizio.

judgement seat ['dʒʌdʒməntsi:t] *s.* banco dei giudici; tribunale.

judgment *s.* → **judgement**.

judicature ['dʒu:dikətʃə*] *s.* **1** l'amministrare la giustizia **2** magistratura **3** sistema giudiziario.

judicial [dʒu(:)'diʃəl] *agg.* **1** giudiziale; giudiziario // *— murder*, errore giudiziario // *— proceedings*, procedimento legale **2** imparziale.

judicious [dʒu(:)'diʃəs] *agg.* giudizioso.

judiciousness [dʒu(:)'diʃəsnis] *s.* assennatezza.

Judith ['dʒu:diθ] *no.pr.f.* Giuditta.

judo ['dʒu:dou] *s.* judo.

Judy ['dʒu:di] *no.pr.f.* (*dim.*) Giuditta.

jug [dʒʌg] *s.* **1** boccale; brocca; bricco **2** (*fam.*) prigione.

to jug *v.tr.* **1** (*cuc.*) cuocere in salmì: *jugged hare*, lepre in salmì **2** (*fam.*) imprigionare.

juggins ['dʒʌginz] *s.* (*fam.*) semplicione.

juggle ['dʒʌgl] *s.* **1** gioco di abilità **2** (*fig.*) raggiro.

to juggle *v.intr.* **1** fare giochi di abilità **2** (*fig.*) *to — with*, svisare (i fatti) ♦ *v.tr.* raggirare.

juggler ['dʒʌglə*] *s.* **1** giocoliere **2** impostore.

jugglery ['dʒʌgləri] *s.* **1** gioco di abilità **2** (*fig.*) truffa, raggiro.

Jugoslav e *deriv.* → **Yugoslav** e *deriv.*

jugular ['dʒʌgjulə*] *agg.* e *s.* (*anat.*) giugulare.

juice [dʒu:s] *s.* **1** succo **2** (*fam.*) benzina; corrente elettrica // *to step on the —*, schiacciare a fondo l'acceleratore.

juiciness ['dʒu:sinis] *s.* succosità.

juicy ['dʒu:si] *agg.* **1** succoso **2** (*fam.*) interessante; vivace; piccante.

ju-ju ['dʒu:dʒu:] *s.* **1** feticcio **2** tabù.

jujube ['dʒu:dʒu(:)b] *s.* **1** pasticca di gomma **2** (*bot.*) giuggiola.

julep ['dʒu:lep] *s.* **1** giulebbe **2** (*amer.*) bevanda alcolica zuccherata alla menta.

Julian ['dʒu:liən] *agg.* giuliano.

Juliet ['dʒu:ljət] *no.pr.f.* Giulietta.

Julius ['dʒu:ljəs] *no.pr.m.* (*st.*) Giulio.

July [dʒu(:)'lai] *s.* luglio.

jumble[1] ['dʒʌmbl] *s.* guazzabuglio, confusione // *— sale*, vendita di beneficenza.

to jumble[1] *v.tr.* mescolare, mettere alla rinfusa ♦ *v.intr.* mescolarsi (confusamente).

jumble[2] *s.* (tipo di) ciambella.

jumbo ['dʒʌmbou] *s.* colosso; persona, animale o cosa più grande del normale ♦ *agg.attr.* molto grande.

jumbo jet ['dʒʌmbou,dʒet] *s.* jumbo.

jump [dʒʌmp] *s.* **1** salto, balzo; sussulto // *high, long —*, (*sport*) salto in alto, in lungo; *running —*, salto con rincorsa; *standing —*, salto **2** aumento improvviso (dei prezzi) **3** (*informatica*) salto; rinvio (a una sequenza, a un sottoprogramma) **4** *pl.* (*med. fam.*) tremito nervoso (*sing.*).

to jump *v.intr.* saltare (*anche fig.*); sussultare // *— about*, saltellare di qua e di là // *to — in, out*, saltare dentro, fuori // *to — to it*, sbrigarsi // *to — up*, saltar su ♦ *v.tr.* **1** saltare (*anche fig.*); far saltare; sorpassare; scavalcare: *to — a ditch*, scavalcare un fosso; *to — a horse over a fence*, far saltare un cavallo oltre uno steccato; *to — a page*, saltare una pagina // *to — down s.o.'s throat*, non lasciar finire di parlare qlcu. // *— in*, imbrogliare **3** *to — at*, precipitarsi a, su; accettare con entusiasmo **4** *to — on, upon*, attaccare; (*fam.*) sgridare **5** *to — with*, coincidere con; corrispondere a.

jumped-up ['dʒʌmpt,ʌp] *agg.* **1** arrivato **2** pieno di sé; insolente.

jumper[1] ['dʒʌmpə*] *s.* saltatore.

jumper[2] *s.* **1** golfino, camicetta (da donna) **2** (*amer.*) scamiciato.

jumpiness [ˈdʒʌmpinis] *s.* nervosismo.

jumpy [ˈdʒʌmpi] *agg.* nervoso.

junction [ˈdʒʌŋkʃən] *s.* **1** congiunzione, punto di riunione **2** nodo ferroviario.

juncture [ˈdʒʌŋkʃə*] *s.* **1** (*anat.*) giuntura **2** (*fig.*) congiuntura; frangente: *at this* —, in questo frangente.

June [dʒu:n] *s.* giugno.

jungle [ˈdʒʌŋgl] *s.* giungla.

junior [ˈdʒu:njə*] *agg.* minore; subordinato ♦ *s.* **1** chi è più giovane, chi ha grado inferiore: *he is my* —, è più giovane di me // — *clerk*, apprendista (di ufficio) **2** (*fam.*) figlio **3** (*amer.*) studente del penultimo anno (di scuola, college).

juniper [ˈdʒu:nipə*] *s.* (*bot.*) ginepro.

junk¹ [dʒʌŋk] *s.* **1** (*fam.*) roba vecchia; cianfrusaglie (*pl.*) // — *shop*, (negozio di) rigattiere **2** (*fig.*) sciocchezze (*pl.*) **3** (*sl.*) eroina; droga pesante.

junk² *s.* (*mar.*) giunca.

junket [ˈdʒʌŋkit] *s.* **1** (*cuc.*) giuncata **2** festa; baldoria.

to junket *v.intr.* far festa; far baldoria.

junkie [ˈdʒʌŋki] *s.* (*sl.*) tossicomane.

Juno [ˈdʒu:nou] *no.pr.f.* (*mit.*) Giunone.

junoesque [ˌdʒu:nouˈesk] *agg.* giunonico.

junta [ˈdʒʌntə, (*amer.*) ˈhuntə] *s.* giunta (in Spagna e Italia).

junto [ˈdʒʌntou] *s.* fazione; cricca.

Jupiter [ˈdʒu:pitə*] *no.pr.m.* (*mit.astr.*) Giove.

juridical [dʒuəˈridikəl] *agg.* giuridico.

jurisconsult [ˈdʒuəriskənˌsʌlt] *s.* giureconsulto.

jurisdiction [ˌdʒuərisˈdikʃən] *s.* giurisdizione.

jurisdictional [ˌdʒuərisˈdikʃənl] *agg.* giurisdizionale: *court of* —, foro competente.

jurisprudence [ˈdʒuərisˌpru:dəns] *s.* giurisprudenza.

jurisprudent [ˈdʒuərisˌpru:dənt] *agg.* esperto di diritto ♦ *s.* giurisperito.

jurisprudential [ˌdʒuərispru(:)ˈdenʃəl] *agg.* legale, relativo alla giurisprudenza.

jurist [ˈdʒuərist] *s.* giurista; (*amer.*) avvocato.

juror [ˈdʒuərə*] *s.* giurato.

jury [ˈdʒuəri] *s.* giuria: *to be* (*up*)*on the* —, essere membro della giuria.

jury box [ˈdʒuəriboks] *s.* banco dei giurati.

juryman, *pl.* **jurymen** [ˈdʒuərimən] *s.* giurato.

just [dʒʌst] *agg.* giusto: *to be* — *to s.o.*, essere giusto verso qlcu. *avv.* **1** proprio; esattamente; appunto: — *now*, proprio ora; *it is* — *splendid*, (*fam.*) è proprio splendido **2** soltanto, solamente: — *a little*, soltanto un pochino **3** appena: *he's* — *arrived*, (*amer.*) *he* — *arrived*, è appena arrivato.

justice [ˈdʒʌstis] *s.* **1** giustizia: *to do him* —... per rendergli giustizia... **2** giudice, magistrato // *Justice of the Peace*, Giudice di Pace // *Chief Justice*, Presidente della Corte Suprema.

justifiability [ˌdʒʌstifaiəˈbiliti] *s.* l'essere giustificabile.

justifiable [ˈdʒʌstifaiəbl] *agg.* giustificabile.

justification [ˌdʒʌstifiˈkeiʃən] *s.* **1** giustificazione **2** (*teol.*) assoluzione.

to justify [ˈdʒʌstifai] *v.tr.* **1** (*informatica*) allineare; giustificare **2** (*dir.*) giustificare **3** (*teol.*) assolvere.

Justinian [dʒʌsˈtiniən] *no.pr.m.* (*st.*) Giustiniano.

justly [ˈdʒʌstli] *avv.* giustamente.

justness [ˈdʒʌstnis] *s.* giustezza; esattezza.

jut [dʒʌt] *s.* sporgenza, aggetto.

to jut *v.intr.* sporgere.

jute [dʒu:t] *s.* iuta (pianta e fibra).

juvenescence [ˌdʒu:viˈnesns] *s.* adolescenza.

juvenescent [ˌdʒu:viˈnesnt] *agg.* adolescente.

juvenile [ˈdʒu:vinail] *agg.* **1** giovane; giovanile // — *lead*, (primo) attor giovane **2** (*dir.*) minorenne // — *delinquency*, delinquenza giovanile ♦ *s.* **1** giovane; minorenne // — *court*, tribunale dei minorenni **2** (*teatr.*) attor giovane **3** pubblicazione per i giovani.

juvenility [ˌdʒu:viˈniliti] *s.* giovinezza; aspetto giovanile.

to juxtapose [ˈdʒʌkstəpouz] *v.tr.* giustapporre.

juxtaposition [ˌdʒʌkstəpeˈziʃən] *s.* giustapposizione.

K

k [kei], *pl.* **ks, k's** [keiz] *s.* k // — *for king*, (*tel.*) k come Kursaal // *K*, (*a carte*) king, re.

kab(b)ala [kəˈbɑ:lə] *s.* cabala.

kadi [ˈkɑ:di] *s.* cadì.

kaf(f)ir [ˈkæfə*] *agg.* e *s.* cafro // — *lily*, (*bot.*) clivia.

kail *s.* → **kale.**

kaki [ˈkɑ:ki] *s.* (*bot.*) kaki.

kale [keil] *s.* cavolo riccio.

kaleidoscope [kəˈlaidəskoup] *s.* caleidoscopio.

kaleidoscopic [kəˌlaidəˈskɔpik] *agg.* caleidoscopico.

kalends *s.pl.* → **calends.**

Kamerun [ˈkæməru:n] *no.pr.* Camerun.

kangaroo [ˌkæŋgəˈru:] *s.* canguro.

Kantian [ˈkæntiən] *agg.* e *s.* kantiano.

kaolin [ˈkeiəlin] *s.* (*min.*) caolino.

kapok [ˈkeipɔk] *s.* capoc.

kaput [kɑ:ˈpu:t] *agg.* (*fam.*) «kaput», finito.

karat [ˈkærət] *s.* (*amer.* per *carat*) carato.

karyokinesis [ˈkærioukaiˈni:sis] *s.* (*biol.*) cariocinesi.

Kashmir [kæʃmiə*] *no.pr.* Cachemire.

katabolism [kəˈtæbəlizəm] *s.* (*biol.*) catabolismo.

Katharine, Katherine [ˈkæθərin], **Kathleen** [ˈkæθli:n] *no.pr.f.* Caterina.

kathode [ˈkæθoud] *s.* (*elettr.*) catodo.

kayak [ˈkaiæk] *s.* (*mar.*) caiaco.

to kayo [ˈkeiou] *v.tr.* (*sl. pugilato*) mettere fuori combattimento.

to keck [kek] *v.intr.* avere conati di vomito.

to keckle [kekl] *v.intr.* **1** chiocciare **2** ridacchiare.

kedge [kedʒ] *s.* (*mar.*) ancorotto.

to kedge *v.tr.* (*mar.*) tonneggiare ♦ *v.intr.* tonneggiarsi.

to keek [ki:k] *v.intr.* (*dial.*) spiare.

keel¹ [ki:l] *s.* (*mar.*) chiglia // *false* —, sottochiglia // *on an even* —, tranquillamente.

to keel¹ *v.tr.* (*mar.*) **1** carenare **2** *to* — (*over*), rovesciare ♦ *v.intr.*: *to* — *over*, rovesciarsi.

keel[2] *s.* chiatta (per trasporto di carbone).

to **keelhaul** [ˈkiːlhɔːl] *v.tr.* (*fig.*) strapazzare.

keelman, *pl.***keelmen** [ˈkiːlmən] *s.* chi trasporta il carbone su chiatte.

keelson *s.* → **kelson**.

keen[1] [kiːn] *agg.* **1** aguzzo; affilato **2** (*fig.*) acuto, pungente, vivo, penetrante; forte, intenso; fine (d'orecchio): *a — intelligence*, un'intelligenza viva; *— satire*, satira mordace; *a — sorrow*, un intenso dolore // *to have a — eye for a bargain*, avere un buon fiuto per gli affari **3** appassionato; accanito: *they are — competitors*, si fanno una concorrenza spietata; *to be — on sthg.*, essere appassionato di qlco.; essere ansioso, desideroso di qlco.

keen[2] *s.* (*irl.*) lamento funebre.

keenness [ˈkiːnnis] *s.* **1** sottigliezza (di lama ecc.) **2** intensità (di freddo ecc.); acutezza (di vista ecc.) **3** acume; finezza (d'udito) **3** ardore, passione; intensità: *— on doing sthg.*, vivo desiderio di fare qlco.

keep [kiːp] *s.* **1** mantenimento: *to earn one's —*, mantenersi **2** maschio (di castello); (*fam.*) prigione **3** (*mecc.*) cappello **4** *for keeps*, (*fam.*) per sempre.

to **keep**, *pass.* e *p.pass.* **kept** [kept] *v.tr.* **1** tenere; mantenere, conservare, custodire: *to — the door open*, tenere la porta aperta; *to — s.o. awake*, tenere qlcu. sveglio; *to — s.o. standing*, tenere qlcu. in piedi; *to — one's balance*, (*anche fig.*) mantenersi in equilibrio; *to — sthg. to oneself*, tenere qlco. per sé // *to — oneself to oneself*, starsene per proprio conto **2** gestire; amministrare **3** tenere, trattenere: *to — s.o. late*, trattenere qlcu. fino a tardi **4** osservare, tener fede a **5** festeggiare, celebrare **6** custodire; proteggere; (*mil.*) difendere **7** *to — at*, costringere a, tener **8** *to — away*, tener lontano **9** *to — back*, tenere indietro; trattenere; svisare; celare **10** *to — down*, tener giù; sopprimere, reprimere; mantenere basso (un prezzo) **11** *to — from*, impedire di; trattenere da **12** *to — in*, tenere rinchiuso; contenere; tenere vivo (un fuoco): *to — a pupil in*, trattenere a scuola un allievo (per punizione) // *to — one's hand in*, mantenersi in esercizio **13** *to — off*, tenere lontano, a distanza; trattenere **14** *to — on*, continuare a tenere, a indossare: *to — one's hat on*, tenere su il cappello **15** *to — out*, non lasciare entrare, passare **16** *to — under*, tenere a freno (passioni); tenere sottomesso (un popolo); domare (un incendio) **17** *to — up*, tener su, sostenere; conservare, mantenere; continuare; tenere alzato: *— up your courage*, non scoraggiarti; *you should — up your French*, dovresti mantenerti in esercizio col francese // *to — one's end up*, non scoraggiarsi ♦ *v.intr.* **1** continuare: *to — doing sthg.*, continuare a fare qlco. // *to — along the river*, seguire la riva del fiume **2** tenersi; stare, restare: *to — cool* (o *quiet*), restare, mantenersi calmo; *to — aloof*, non immischiarsi; *to — awake*, star sveglio; *to — silent*, tacere; *to — fit*, (*fam.*) mantenersi in forma **3** *to — at*, accanirsi in **4** *to — away*, tenersi lontano **5** *to — back*, tenersi indietro **6** *to — down*, stare giù **7** *to — from*, trattenersi da **8** *to — in*, restare in casa // *to — in with*, rimanere in buoni rapporti con **9** *to — off*, stare lontano // *— off the grass*, è vietato calpestare l'erba **10** *to — on*, continuare, andare avanti // *to — on at*, (*fam.*) molestare **11** *to — out*, tenersi lontano, al di fuori **12** *to — to*, attenersi a: *to — to the right*, tenere la destra **13** *to — up*, resistere // *to — up with*, mantenere i rapporti con; stare al passo con.

keeper [ˈkiːpə*] *s.* **1** custode, sorvegliante; inten-

dente; gerente: *— of a prison*, carceriere // *Keeper of the Great Seal*, guardasigilli **2** ferma-anello **3** (*elettr.*) ancora; armatura.

keeping [ˈkiːpiŋ] *s.* **1** guardia, sorveglianza **2** mantenimento, conservazione **3** osservanza (di regole); adempimento (di promesse) **4** armonia, accordo: *to be in, out of — with*, essere, non essere in armonia con.

keepsake [ˈkiːpseik] *s.* ricordo, pegno.

keg [keg] *s.* barilotto.

kelson [ˈkelsn] *s.* (*mar.*) paramezzale.

Kelt e *deriv.* → **Celt** e *deriv.*

kemp [kemp] *s.* pelo ruvido della lana.

ken [ken] *s.* (*letter.*) conoscenza; comprensione.

to **ken** *v.tr.* (*scoz.*) → to **know**.

kennel[1] [ˈkenl] *s.* **1** canile **2** (*pl.*) allevamento di cani (*sing.*).

to **kennel**[1] *v.tr.* portare al canile; tenere in un canile ♦ *v.intr.* vivere in un canile.

kennel[2] *s.* cunetta.

Kentish [ˈkentiʃ] *agg.* della contea del Kent // *— fire*, salva di applausi o di fischi.

Kenya [ˈkiːnjə] *no.pr.* Kenia.

kepi [ˈkeipi] *s.* chepi.

kept *pass.* e *p.pass.* di to **keep** ♦ *agg.* mantenuto.

kerb [kəːb], **kerbstone** [ˈkəːbstoun] *s.* bordo del marciapiede.

kerchief [ˈkəːtʃif] *s.* fazzoletto, sciarpa.

kerf [kəːf] *s.* taglio; intaccatura.

kerfuffle [kəˈfʌfəl] *s.* (*fam.*) confusione.

kermess, kermis [ˈkəːmis] *s.* kermesse.

kernel [ˈkəːnl] *s.* **1** gheriglio; chicco (di frumento ecc.) **2** (*fig.*) nucleo, nocciolo.

kerosene [ˈkerəsiːn] *s.* cherosene.

kersey [ˈkəːzi] *s.* rozzo tessuto di lana.

kestrel [ˈkestrəl] *s.* (*zool.*) gheppio.

ketch [ketʃ] *s.* (*mar.*) bovo.

ketchup [ˈketʃəp] *s.* salsa rubra®.

kettle [ˈketl] *s.* bollitore // *a nice — of fish*, (*fig.*) un bel pasticcio.

kettledrum [ˈketldrʌm] *s.* (*mus.*) timpano.

kettle-holder [ˈketlˌhouldə*] *s.* presina.

kevel [ˈkevl] *s.* (*mar.*) caviglia.

key[1] [kiː] *s.* **1** chiave (*anche fig.*): *master* (o *skeleton*) *—*, passe-partout // *— money*, cauzione **2** (*mus. mecc.*) chiave **3** (*fig.*) tono (di pensiero, discorso) **4** tasto: *edit —*, (*informatica*) tasto di correzione.

to **key**[1] *v.tr.* **1** (*mecc.*) inzeppare **2** (*mus.*) accordare **3** *to — in*, (*informatica*) introdurre; digitare **4** *to — up*, (*fig.*) eccitare.

key[2] *s.* isoletta o scogliera poco elevata sul mare.

keyboard [ˈkiːbɔːd] *s.* tastiera // *— data entry*, (*informatica*) input dei dati a tastiera; *— lockup* (o *lockout*), blocco della tastiera; *— source entry*, (*IBM*) immissione programma origine a tastiera.

keyhole [ˈkiːhoul] *s.* buco della serratura.

keypunch [ˈkiːpʌntʃ] *s.* (*informatica*) perforatrice a tastiera.

key ring [ˈkiːriŋ] *s.* anello portachiavi.

keystone [ˈkiːstoun] *s.* chiave di volta (*anche fig.*).

keyword [ˈkiːwəːd] *s.* parola chiave.

khaki [ˈkɑːki] *agg.* cachi ♦ *s.* stoffa cachi.

khalifa [kɑːˈliːfə] *s.* → **caliph**.

khan [kɑːn] *s.* can.

kibe [kaib] *s.* gelone ulcerato.

kibitzer [kiˈbitsər] *s.* (*fam. amer.*) impiccione.

kick[1] [kik] *s.* **1** calcio; pedata // *to get the —*, (*sl.*) essere licenziato // *to get more kicks than halfpence*, ricevere più calci che carezze // *a good —*, (*calcio*) un buon calciatore // *— back*, (*calcio*) rovesciata **2** (*mil.*) rinculo **3** (*sl.*) eccitazione; piacere, gusto matto; stimolo; (*fam.*) energie (*pl.*): *to get a — out of sthg.*, provarci un gusto matto // *this whisky has no — in it*, questo whisky non sa di niente // *to do sthg. for kicks*, far qlco. per il piacere, il gusto di farlo **4** (*sl.*) mezzo scellino.

to kick[1] *v.tr.* calciare; spingere a calci // *to — one's heels*, oziare // *to — the bucket*, (*sl.*) tirare le cuoia // *to — back*, reagire in modo inatteso e violento // *to — off*, gettar via // *to — up*, sollevare // *to — up a row, a fuss*, (*fam.*) piantare una grana, scatenare un putiferio ♦ *v.intr.* **1** calciare, scalciare **2** rinculare (di armi da fuoco) **3** (*fig.*) resistere, opporsi **4** *to — off*, (*calcio*) dare il calcio d'inizio **5** *to — against*, resistere, ribellarsi.

kick[2] *s.* fondo rientrante (di bottiglia).

kickback [ˈkikbæk] *s.* (*amer.*) tangente, percentuale illecita.

kickoff [ˈkikˈɔ(ː)f] *s.* (*sport*) calcio d'inizio.

kickshaw [ˈkikʃɔː] *s.* **1** nonnulla; fronzolo **2** pietanza ricercata.

kickup [ˈkikˈʌp] *s.* (*fam.*) putiferio.

kid[1] [kid] *s.* **1** capretto **2** (*fam.*) bambino; (*amer.*) ragazzo, ragazza // *to handle s.o. with — gloves*, (*fam.*) trattare qlcu. coi guanti di velluto.

to kid[1] *v.intr.* figliare (di capra).

kid[2] *s.* (*sl.*) imbroglio; scherzo di cattivo gusto.

to kid[2] *v.tr.* (*sl.*) prendere in giro; raccontar storie, scherzare.

kiddy [ˈkidi] *s.* (*fam.*) ragazzino.

to kidnap [ˈkidnæp] *v.tr.* rapire.

kidnapper [ˈkid,næpə*] *s.* rapitore.

kidnapping [ˈkid,næpiŋ] *s.* ratto.

kidney [ˈkidni] *s.* **1** rene; rognone **2** (*fig.*) tempra **3** genere.

kilderkin [ˈkildəkin] *s.* barilotto (misura di capacità).

kill [kil] *s.* uccisione di selvaggina.

to kill *v.tr.* **1** uccidere, ammazzare (*anche fig.*): *to — oneself*, uccidersi; *to — time*, ammazzare il tempo // *to — two birds with one stone*, (*prov.*) prendere due piccioni con una fava // *to — with kindness*, (*fig.*) soffocare di gentilezze **2** smorzare **3** (*fig.*) respingere, bocciare **4** (*fam.*) far colpo **5** *to — off*, disfarsi di.

killer [ˈkilə*] *s.* assassino // *— whale*, (*zool.*) orca.

killick [ˈkilik] *s.* ancorotto.

killing [ˈkiliŋ] *agg.* **1** mortale; distruttivo **2** (*fam.*) molto divertente; affascinante ♦ *s.* colpo grosso: *to make a —*, fare un bel colpo, un grosso guadagno.

killjoy [ˈkildʒɔi] *s.* guastafeste.

killock [ˈkilək] *s.* → **killick**.

kiln [kiln] *s.* fornace.

kilo- [ˈkiːlou] *pref.* chilo-.

kilo *s.* chilo; chilometro.

kilocycle [ˈkilou,saikl] *s.* (*rad.*) chilociclo.

kilogram(me) [ˈkiləgræm] *s.* chilogrammo.

kilometer [kiˈlɒmitər] *s.* (*amer.*) → **kilometre**.

kilometre [ˈkilə,miːtə*] *s.* chilometro.

kilowatt [ˈkiləwɔt] *s.* (*elettr.*) chilowatt.

kilowatt-hour [ˈkiləwɔtˈauə*] *s.* chilowattora.

kilt [kilt] *s.* gonnellino degli scozzesi.

kimono [kiˈmounu, (*amer.*) kiˈmounə] *s.* chimono // *— sleeves*, maniche a chimono.

kin [kin] *agg.* consanguineo ♦ *s.* parenti (*pl.*): *kith and —*, parenti; *next of —*, parente prossimo.

kind[1] [kaind] *agg.* gentile; benevolo; indulgente: *very — of you*, molto gentile da parte vostra // *— regards*, cordiali saluti.

kind[2] *s.* **1** genere; specie: *he is a — of writer*, è una specie di scrittore // *— of*, (*fam.*) più o meno; alquanto; piuttosto **2** natura; carattere // *in —*, nello stesso modo // *to pay s.o.* (*back*) *in —*, ripagare qlcu. in natura; ripagare qlcu. con la stessa moneta.

kindergarten [ˈkində,gaːtn] *s.* asilo.

to kindle [ˈkindl] *v.tr.* accendere (*anche fig.*); (*fig.*) infiammare ♦ *v.intr.* **1** accendersi **2** (*fig.*) illuminarsi; infiammarsi; eccitarsi.

kindliness [ˈkaindlinis] *s.* gentilezza; compiacenza.

kindling [ˈkindliŋ] *s.* combustibile (per accendere un fuoco).

kindly [ˈkaindli] *agg.* gentile; benevolo, compiacente ♦ *avv.* gentilmente, per favore: *— let me know*, favorite farmi sapere // *to take — to sthg.*, fare qlco. con naturalezza.

kindness [ˈkaindnis] *s.* **1** gentilezza; benevolenza **2** favore, piacere.

kindred [ˈkindrid] *agg.* imparentato; (*fig.*) simile; affine ♦ *s.* **1** parenti (*pl.*) **2** parentela.

kinematics [ˌkainiˈmætiks] *s.* (*fis.*) cinematica.

kinematograph [ˌkainiˈmætəgraːf] e *deriv.* → **cinematograph** e *deriv.*

kinetic [kaiˈnetik] *agg.* (*fis.*) cinetico.

kinetics [kaiˈnetiks] *s.* (*fis.*) cinetica.

king [kiŋ] *s.* **1** re, sovrano, monarca **2** (*carte, scacchi*) re; (*dama*) dama // *King's English*, la lingua inglese ufficiale // *—'s evil*, (*med.*) scrofola.

to king *v.tr.* eleggere re ♦ *v.intr.* fare il re.

kingbolt [ˈkiŋboult] *s.* perno di sterzaggio.

kingcup [ˈkiŋkʌp] *s.* (*bot.*) ranuncolo.

kingdom [ˈkiŋdəm] *s.* regno; reame // *the United Kingdom*, il Regno Unito // *— come*, (*fam.*) aldilà.

kingfisher [ˈkiŋ,fiʃə*] *s.* (*zool.*) martin pescatore.

kinglet [ˈkiŋlit] *s.* **1** (*iron.*) reuccio **2** (*zool.*) regolo.

kingliness [ˈkiŋlinis] *s.* regalità.

kingly [ˈkiŋli] *agg.* regale, regio.

kingpin [ˈkiŋpin] *s.* perno (*anche fig.*); (*fig.*) capo.

kingpost [ˈkiŋpoust] *s.* (*edil.*) monaco.

kingship [ˈkiŋʃip] *s.* regalità; potere sovrano.

kink [kiŋk] *s.* **1** attorcigliamento; garbuglio; nodo; ricciolo **2** (*fig.*) bizzarria; ghiribizzo.

to kink *v.tr.* attorcigliare; ingarbugliare; annodare ♦ *v.intr.* attorcigliarsi; ingarbugliarsi; annodarsi.

kinky [ˈkiŋki] *agg.* **1** attorcigliato; ingarbugliato **2** (*fam.*) bizzarro, eccentrico; sofisticato; pazzo.

kinsfolk [ˈkinzfoulk] *s.pl.* parenti, parentado (*sing.*).

kinship [ˈkinʃip] *s.* **1** parentela **2** (*fig.*) affinità.

kinsman, *pl.* **kinsmen** [ˈkinzmən] *s.* parente, congiunto.

kinswoman [ˈkinz,wumən], *pl.* **kinswomen** [ˈkinz,wimin] *s.* parente, congiunta.

kiosk [kiˈɔsk] *s.* padiglione, chiosco; cabina // *newspaper —*, edicola dei giornali.

kip[1] [kip] *s.* pelle di animale giovane non conciata.

kip[2] *s.* (*sl.*) sonnellino.

to kip[2] *v.intr.*: *to — (down)*, (*sl.*) andare a letto; dormire.

kipper [ˈkipə*] *s.* **1** aringa affumicata **2** salmone maschio.

to kipper *v.tr.* affumicare (pesce).

kismet [ˈkismet] *s.* destino.

kiss [kis] *s.* **1** bacio **2** (*biliardo*) rimpallo.

to kiss *v.tr.* **1** baciare: *to — each other*, baciarsi // *to*

— *the dust*, mordere la polvere // *to* — *s.o. goodbye*, salutare con un bacio // *to* — *the rod*, accettare con rassegnazione un castigo **2** (*biliardo*) rimpallare ♦ *v.intr.* baciare, baciarsi.

kiss-curl ['kɪskə:l] *s.* tirabaci.

kit[1] [kɪt] *s.* **1** equipaggiamento; corredo **2** utensili (*pl.*), attrezzi (*pl.*) **3** cassetta; borsa.

kit[2] *abbr.* di **kitten**.

kit bag ['kɪtbæg] *s.* (*mil.*) sacco militare.

kitchen ['kɪtʃɪn] *s.* cucina // — -*unit*, blocco unico (comprendente lavello, fornelli ecc.).

kitchenette [,kɪtʃɪ'net] *s.* cucinino.

kitchen garden ['kɪtʃɪn'gɑ:dn] *s.* orto.

kitchen maid ['kɪtʃɪnmeɪd] *s.* sguattera.

kitchen-sink ['kɪtʃɪnsɪŋk] *agg.* (*teatr.*) neorealistico.

kitchenware ['kɪtʃɪnwɛə*] *s.* batteria da cucina.

kite [kaɪt] *s.* **1** (*zool.*) nibbio; (*fig.*) persona avida **2** aquilone // *to fly a* —, (*fam.*) sondare l'opinione pubblica **3** (*fam. comm.*) cambiale di comodo.

kitten ['kɪtn] *s.* gattino, micino.

to kitten *v.intr.* figliare (di gatta).

kittenish ['kɪtnɪʃ] *agg.* da gattino; giocherellone.

kittiwake ['kɪtɪweɪk] *s.* (*zool.*) gabbiano.

kitty[1] ['kɪtɪ] *s.* (*fam.*) gattino, micio.

kitty[2] *s.* (*nei giochi di carte*) piatto.

klaxon ® ['klæksn] *s.* clacson.

kleenex ® ['kli:neks] *s.* fazzolettino di carta.

kleptomania [,kleptou'meɪnjə] *s.* cleptomania.

kleptomaniac [,kleptou'meɪniæk] *agg. e s.* cleptomane.

knack [næk] *s.* **1** abilità, destrezza; disposizione // *to have the* — *of...*, avere il dono di... **2** trucco ingegnoso; espediente.

knacker ['nækə*] *s.* **1** chi compera cavalli da macello **2** chi compera case, navi ecc. per utilizzare il materiale.

knag [næg] *s.* nodo, nocchio.

to knap [næp] *v.tr.* spaccare con un colpo secco.

knapsack ['næpsæk] *s.* zaino.

knapweed ['næpwi:d] *s.* (*bot.*) centaurea.

knar [nɑ:*] *s.* nodo, nocchio.

knave [neɪv] *s.* **1** furfante **2** (*a carte*) fante.

knavery ['neɪvərɪ] *s.* disonestà; bricc010nata.

knavish ['neɪvɪʃ] *agg.* disonesto, losco.

to knead [ni:d] *v.tr.* **1** impastare **2** (*fig.*) plasmare, formare.

kneading-trough ['ni:dɪŋtrɔf] *s.* madia.

knee [ni:] *s.* **1** ginocchio: *on one's knees*, in ginocchio // *to bend one's* — *to*, piegare le ginocchia, umiliarsi davanti a; *to bring s.o. to his knees*, ridurre qlcu. a completa sottomissione **2** tubo a gomito.

knee breeches ['ni:,brɪtʃɪz] *s.pl.* calzoni alla zuava.

kneecap ['ni:kæp] *s.* **1** (*anat.*) rotula **2** ginocchiera.

knee-deep ['ni:'di:p] *agg.* (che arriva) sino alle ginocchia.

knee joint [ni:dʒɔɪnt] *s.* **1** articolazione del ginocchio **2** (*tec.*) giunto elastico.

to kneel [ni:l], *pass. e p.pass.* **knelt** [nelt] *v.intr.* inginocchiarsi, genuflettersi.

kneeler ['ni:lə*] *s.* inginocchiatoio.

knee-pad ['ni:pæd] *s.* (*sartoria*) ginocchiera.

knell [nel] *s.* rintocco funebre.

to knell *v.intr.* suonare a morto ♦ *v.tr.* annunciare; predire, presagire.

knelt *pass. e p.pass.* di to **kneel**.

knew *pass.* di to **know**.

Knickerbocker ['nɪkəbɔkə*] *s.* (*scherz.*) nuovaiorchese.

knickerbockers *s.pl.* calzoni alla zuava.

knickers ['nɪkəz] *s.pl.* **1** (*amer.* per *knickerbockers*) calzoni alla zuava **2** mutandoni (da donna).

knick-knack ['nɪknæk] *s.* **1** ninnolo **2** cianfrusaglia.

knife [naɪf], *pl.* **knives** [naɪvz] *s.* **1** coltello // *war to the* —, guerra ad oltranza // *to get one's* — *into s.o.*, avercela a morte con qlcu. **2** lama **3** (*chir.*) bisturi // *under the* —, sotto i ferri.

to knife *v.tr.* accoltellare; pugnalare.

knife-edge ['naɪfedʒ] *s.* **1** filo della lama **2** cresta di roccia.

kniferest ['naɪfrest] *s.* appoggiaposate.

knight [naɪt] *s.* **1** cavaliere // — *bachelor*, cavaliere (che ha il solo titolo senza appartenere a nessun ordine) // — *of the road*, bandito // — *of the shire*, (*st.*) parlamentare **2** (*scacchi*) cavallo.

to knight *v.tr.* crear cavaliere.

knightage ['naɪtɪdʒ] *s.* ordine dei cavalieri.

knight-errant ['naɪt'erənt] *s.* cavaliere errante.

knighthood ['naɪthud] *s.* **1** cavalierato **2** ordine dei cavalieri.

knightly ['naɪtlɪ] *agg.* cavalleresco, da cavaliere.

to knit [nɪt], *pass. e p.pass.* **knitted** ['nɪtɪd], **knit** *v.tr.* **1** lavorare a maglia **2** corrugare; aggrottare **3** saldare; unire, congiungere // *well-* —, compatto **4** *to* — *up*, rammendare (a punto maglia); (*fig.*) concludere ♦ *v.intr.* **1** lavorare a maglia **2** saldarsi, congiungersi.

knitter ['nɪtə*] *s.* magliaia.

knitting ['nɪtɪŋ] *s.* lavoro a maglia; lavorazione a maglia // — -*machine*, macchina per maglieria.

knitting needle ['nɪtɪŋ,ni:dl] *s.* ferro (da calza).

knitwear ['nɪtwɛə*] *s.* maglieria.

knives *pl.* di **knife**.

knob [nɔb] *s.* **1** nocchio **2** pomo; manopola.

knobbly ['nɔblɪ], **knobby** ['nɔbɪ] *agg.* nodoso.

knock [nɔk] *s.* **1** colpo; percossa; il bussare (alla porta) // *to take a* —, (*sl.*) subire una batosta **2** (*mecc.*) battito in testa.

to knock *v.tr.* **1** battere, colpire // *to* — *cold*, (*fam.*) stordire // *to* — *about*, malmenare // *to* — *out*, mettere fuori combattimento; (*fig.*) annientare **2** (*sl.*) criticare **3** *to* — *down*, buttare a terra, abbattere; aggiudicare (in un'asta); ribassare (i prezzi) **4** *to* — *off*, detrarre da **5** *to* — *together*, mettere insieme **6** *to* — *up*, svegliare (bussando); sfinire; fare ammalare; mettere insieme **7** *to* — *s.o. up*, (*amer.*) attaccare; malmenare ♦ *v.intr.* **1** bussare **2** cozzare **3** (*mecc.*) battere in testa **4** *to* — *against*, imbattersi in **5** *to* — *about*, fare vita randagia **6** *to* — *off*, smettere di lavorare **7** *to* — *up*, ammalarsi; (*tennis*) palleggiare.

knockabout ['nɔkəbaut] *agg.* **1** violento **2** (*di rappresentazione*) farsesca **3** (*di abiti*) da fatica ♦ *s.* farsa grossolana.

knockdown ['nɔk'daun] *agg.* **1** — (*blow*), (*pugilato*) pugno che manda al tappeto **2** — *price*, (*all'asta*) prezzo base; (*fam.*) prezzo sottocosto.

knocker ['nɔkə*] *s.* picchiotto.

knock-kneed ['nɔk'ni:d] *agg.* con le gambe ad X.

knockout ['nɔkaut] *s.* **1** (*pugilato*) knock-out **2** (*fam.*) individuo eccezionale; cosa straordinaria.

knoll [noul] *s.* poggio, collinetta.

knot [nɔt] *s.* **1** nodo **2** difficoltà, problema // *to tie oneself in knots*, cacciarsi nei guai **3** gruppo.

to knot *v.tr.* annodare, legare ♦ *v.intr.* aggrovigliarsi.

knottiness ['nɔtinɪs] *s.* **1** nodosità **2** (*fig.*) difficoltà.

knotty ['nɔtɪ] *agg.* **1** nodoso **2** (*fig.*) intricato.

know [nou] *s.*: *to be in the* —, *(fam.)* essere al corrente.
to **know**, *pass.* **knew** [nju:], *p.pass.* **known** [noun] *v.tr.* 1 conoscere; venire a conoscenza (di), sapere // *not that I — of*, no, per quanto io sappia // *to — for a fact that*, saper per certo che; *to — one's own mind*, sapere ciò che si vuole; *to make oneself known*, farsi conoscere // *goodness knows!*, chi lo sa! // *you — best*, tu ne sei il miglior giudice // *to — better than...*, avere più buonsenso di...; *to — better than to...*, avere tanto buonsenso da non... // *to — on which side one's bread is buttered*, *(fam.)* conoscere bene il proprio interesse // *to — s.o. inside out*, conoscere qlcu. a fondo // *to — the ropes*, *(fam.)* conoscere i trucchi // *to — what's what*, *(fam.)* sapere il fatto proprio // *to get to — sthg.*, venire a sapere qlco. // *to — about*, essere al corrente di, essere informato su // *to — of*, aver sentito parlare di 2 riconoscere, distinguere // *I don't — him from Adam!*, mai visto prima d'ora!
knowable ['nouəbl] *agg.* conoscibile.
know-all ['nouɔ:l] *s.* sapientone.
know-how ['nouhau] *s.* abilità.
knowing ['nouiŋ] *agg.* astuto; accorto // *a — look*, uno sguardo d'intesa.
knowingly ['nouiŋli] *avv.* 1 intenzionalmente 2 accortamente.
knowingness ['nouiŋnis] *s.* accortezza, abilità.
knowledge ['nɔlidʒ] *s.* 1 conoscenza, cognizione: *not to my —*, non che io sappia; *he has no — of it*, non ne sa niente; *to keep sthg. from s.o.'s —*, nascondere qlco. a qlcu.; *to speak with full —*, parlare con cognizione di causa 2 sapere, scienza.

knowledgeable ['nɔlidʒəbl] *agg.* *(fam.)* 1 intelligente 2 bene informato.
known *p.pass.* di to **know**.
knuckle ['nʌkl] *s.* 1 *(anat.)* nocca 2 *(cuc.)* piedino.
to **knuckle** *v.tr.* e *intr.* colpire, premere con le nocche // *to — down to*, applicarsi a; sottomettersi a // *to — under*, cedere, sottomettersi a.
knucklebone ['nʌklboun] *s.* falange.
knuckleduster ['nʌkl,dʌstə*] *s.* tirapugni.
knurl [nə:l] *s.* *(mecc.)* zigrinatura.
knur(r) [nə:*] *s.* nocchio.
koala [kou'a:lə] *s.* *(zool.)* koala.
koedoe ['ku:du:] *s.* antilope africana.
kohl [koul] *s.* ombretto.
kolinsky [kə'linski] *s.* visone siberiano.
Koran [kɔ'rɑ:n] *s.* Corano.
Korea [kə'riə] *no.pr.* Corea.
Korean [kə'riən] *agg.* e *s.* coreano.
kosher ['kouʃə*] *agg.* *(relig. ebraica)* puro, lecito.
to **kotow** → (to) **kowtow**.
kourbash ['kuəbæʃ] *s.* frusta di pelle.
kowtow ['kau'tau] *s.* inchino cerimonioso.
to **kowtow** *v.intr.* 1 inchinarsi 2 comportarsi ossequiosamente.
kremlinologist [,kremlin'ɔlədʒist] *s.* cremlinologo.
kudos ['kju:dɔs] *s.* *(fam.)* gloria, fama.
kudu *s.* → **koedoe**.
kukri ['kukri] *s.* largo coltello indiano.
kumquat ['kʌmkwɔt] *s.* arancino cinese.
to **kyanize** ['kaiənaiz] *v.tr.* impregnare (il legno) di sublimato corrosivo per preservarlo.

L

l [el], *pl.* **ls**, **l's** [elz] *s.* 1 l // *— for Lucy*, *(tel.)* l come Livorno // L: *L-shaped*, (fatto) a L 2 L *(abbr. di Learner)*: *L-plate*, targa obbligatoria per automobilisti principianti.
la [lɑ] *s.* *(mus.)* la.
laager ['lɑ:gə*] *s.* accampamento.
to **laager** *v.intr.* accamparsi.
lab [læb] *s.* *(fam.)* laboratorio.
label ['leibl] *s.* 1 etichetta, cartellino 2 *(fig.)* soprannome; etichetta 3 *(arch.)* gocciolatoio.
to **label** *v.tr.* mettere un'etichetta (a); classificare.
labial ['leibjəl] *agg.* e *s.* labiale.
labor ['leibə*] *s.* *(amer.)* → **labour**.
laboratory [lə'bɔrətəri, *(amer.)* 'læbrətɔ:ri] *s.* laboratorio.
laborious [lə'bɔ:riəs] *agg.* 1 industrioso; operoso; solerte 2 laborioso; faticoso; arduo.
laboriousness [lə'bɔ:riəsnis] *s.* 1 operosità; solerzia 2 laboriosità; difficoltà; fatica.
labour ['leibə*] *s.* 1 lavoro, fatica // *hard —*, lavori forzati 2 i lavoratori *(pl.)*; la classe operaia; la mano d'opera // *Labour Exchange*, ufficio collocamento // *labour leader*, organizzatore sindacale // *Labour Party*, partito laburista // *labor union*, *(amer.)* sindacato operaio 3 doglie (del parto) *(pl.)*: *to be in —*, avere le doglie.

to **labour** *v.intr.* 1 lavorare, faticare // *to — at*, occuparsi di 2 lottare (per uno scopo) 3 aver le doglie ♦ *v.tr.* elaborare, discutere a lungo.
laboured ['leibəd] *agg.* 1 forzato, artificioso 2 difficoltoso.
labourer ['leibərə*] *s.* manovale; bracciante; operaio non qualificato.
labouring ['leibəriŋ] *agg.* laborioso, operoso // *— man*, manovale.
labourism ['leibərizəm] *s.* *(pol.)* laburismo.
labourite ['leibərait] *s.* *(pol.)* laburista.
laburnum [lə'bə:nəm] *s.* *(bot.)* laburno.
labyrinth ['læbərinθ] *s.* labirinto *(anche fig.)*.
lac [læk] *s.* lacca.
lace [leis] *s.* 1 pizzo, trina // *— trimming*, guarnizione in pizzo // *-work*, merletto 2 laccio, stringa 3 gallone: *gold —*, gallone dorato 4 correzione (per caffè ecc.).
to **lace** *v.tr.* 1 allacciare 2 guarnire di merletti, galloni 3 correggere (caffè ecc.) ♦ *v.intr.* 1 allacciarsi 2 *to — into*, bastonare; *(fig.)* stroncare, criticare.
lacerate ['læsərit] *agg.* lacerato.
to **lacerate** ['læsəreit] *v.tr.* 1 lacerare 2 *(fig.)* ferire.
laceration [,læsə'reiʃən] *s.* lacerazione.
lace-ups ['leis'ʌps] *s.pl.* *(fam.)* scarpe con stringhe.

laches ['leitʃiz] s. (dir.) negligenza; morosità.
lachrymal ['lækriməl] agg. lacrimale.
lachrymation [,lækri'meiʃən] s. lacrimazione.
lachrymatory ['lækrimətəri] agg. lacrimogeno.
lachrymose ['lækrimous] agg. lacrimoso.
lack [læk] s. mancanza; assenza; insufficienza: — of water, mancanza d'acqua.
to lack v.tr. mancare (di): to — money, mancare di denaro ♦ v.intr. mancare.
lackadaisical [,lækə'deizikəl] agg. languido; apatico; sognante.
lackey ['læki] s. lacchè (anche fig.).
to lackey v.tr. servire; essere servile (verso).
lacklustre ['læk ,lʌstə*] agg. opaco.
laconic(al) [lə'kɔnik(əl)] agg. laconico, conciso.
lacquer ['lækə*] s. 1 lacca 2 oggetto laccato.
to lacquer v.tr. laccare.
lactation [læk'teiʃən] s. lattazione; allattamento.
lacteal ['læktiəl] agg. latteo.
lactiferous [læk'tifərəs] agg. lattifero.
lactose ['læktous] s. (chim.) lattosio.
lacuna [lə'kju:nə], pl. **lacunae** [lə'kju:ni:] s. lacuna, vuoto.
lacustrine [lə'kʌstrain] agg. lacustre.
lacy ['leisi] agg. simile a pizzo, come pizzo.
lad [læd] s. 1 giovinetto, ragazzo 2 (fam.) scavezzacollo.
ladder ['lædə*] s. 1 scala a pioli // the social —, la scala sociale 2 smagliatura (di calza, di tessuto).
to ladder v.tr. smagliare ♦ v.intr. smagliarsi.
to lade [leid], pass. **laded** ['leidid], p.pass. **laden** ['leidn] v.tr. caricare.
laden p.pass. di to **lade** ♦ agg. carico; (fig.) oppresso.
la-di-da ['la:di'da:] agg. (fam.) snob, affettato.
Ladin [lə'di:n] s. ladino.
lading ['leidiŋ] s. carico.
ladle ['leidl] s. mestolo; cucchiaione.
to ladle v.tr. versare con un mestolo // to — out, (fig.) distribuire generosamente.
lady ['leidi] s. 1 signora: the — of the house, la padrona di casa // —'s maid, cameriera personale della signora // young —, signorina // first —, (amer.) la consorte del presidente // lady's man, damerino // Ladies and Gentlemen, signore e signori // Our Lady, la Madonna // Lady Chapel, Cappella della Madonna // Lady Day, giorno dell'Annunciazione 2 Lady, «Lady» (titolo nobiliare).
ladybird ['leidibə:d], **ladybug** ['leidibʌg] s. coccinella.
lady-in-waiting ['leidiin'weitiŋ] s. dama di corte.
lady-killer ['leidi,kilə*] s. (fam.) rubacuori.
ladylike ['leidilaik] agg. 1 signorile; raffinato 2 (spreg.) effeminato.
lady-love ['leidilʌv] s. fidanzata.
lady's-companion ['leidizkəm'pænjən] s. dama di compagnia.
ladyship ['leidiʃip] s. rango di nobildonna // her, your —, Sua, Vostra Signoria.
Laetitia [li'tiʃiə] no.pr.f. Letizia.
lag¹ [læg] s. ritardo.
to lag¹ v.intr. andare a rilento; indugiare // to — behind, restare indietro.
lag² s. rivestimento isolante.
to lag² v.tr. rivestire con materiale isolante.
lag³ s. (fam.) galeotto; ergastolano.
to lag³ v.tr. (sl.) arrestare.
lager ['la:gə*] s. birra chiara.

laggard ['lægəd] agg. lento, tardo ♦ s. individuo lento, tardo.
lagging ['lægiŋ] s. rivestimento isolante.
lagoon [lə'gu:n] s. laguna.
laic ['leiik] agg. e s. laico.
laical ['leiikəl] agg. laico.
to laicize ['leisaiz] v.tr. laicizzare.
laid pass. e p.pass. di to **lay** ♦ agg.: — up, costretto a letto.
lain p.pass. di to **lie**.
lair [lɛə*] s. tana, covo.
to lair v.intr. rintanarsi.
laird [lɛəd] s. (scoz.) proprietario terriero.
laity ['leiiti] s. laicato.
lake¹ [leik] s. lago // — dwellings, palafitte.
lake² s. rosso lacca.
laky ['leiki] agg. di lago, lacustre.
to lam [læm] v.tr. (sl.) battere, bastonare.
lama ['la:mə] s. (relig. buddista) lama.
lamasery ['la:məsəri] s. (relig. buddista) lamasseria.
lamb [læm] s. 1 agnello // (spring) —, (cuc.) abbacchio 2 (fam.) tesoro.
to lamb v.intr. figliare.
to lambaste [læm'beist] v.tr. 1 battere, sferzare 2 (fig.) lapidare.
lambent ['læmbənt] agg. 1 lambente 2 scintillante; (fig.) brillante, acuto.
lambkin ['læmkin] s. agnellino.
lamblike ['læmlaik] agg. mite.
lambskin ['læmskin] s. pelle d'agnello.
lambswool ['læmzwul] s. lambswool (lana di agnello giovane).
lame [leim] agg. 1 zoppo; storpio // — duck, (fam.) persona menomata; (amer.) persona o gruppo di persone che ricoprono solo nominalmente una carica in attesa di essere sostituiti dai nuovi eletti 2 (fig.) zoppicante, debole.
to lame v.tr. storpiare; azzoppare.
lamé ['la:mei, (amer.) læ'mei] agg. e s. (tessuto) laminato.
lamely ['leimli] avv. 1 zoppicando 2 imperfettamente 3 debolmente, con esitazione.
lameness ['leimnis] s. 1 claudicazione 2 (fig.) imperfezione, debolezza.
lament [lə'ment] s. lamento.
to lament v.tr. lamentare, piangere // the late lamented, il compianto, il defunto ♦ v.intr. lamentarsi, piangere (per).
lamentable ['læməntəbl] agg. 1 lamentevole, compassionevole 2 (spreg.) pietoso.
lamentation [,læmen'teiʃən] s. lamento.
lamentingly [lə'mentiŋli] avv. lamentosamente.
laminate ['læmineit] s. laminato.
to laminate v.tr. (metal.) laminare ♦ v.intr. (metal.) dividersi in lamine.
lamination [,læmi'neiʃən] s. laminazione.
Lammas ['læməs] s. primo d'agosto.
lamp [læmp] s. lampada, fanale; lume (anche fig.) // to smell of the —, (di scritto) essere elaborato, artificioso.
lampblack ['læmpblæk] s. nerofumo.
lampion ['læmpiən] s. lumino colorato.
lamplighter ['læmp,laitə*] s. lampionaio.
lampoon [læm'pu:n] s. satira, libello.
to lampoon v.tr. satireggiare.
lampoonist [læm'pu:nist] s. satirico.
lamp post ['læmppoust] s. (colonna di) lampione.

lamprey ['læmpri] s. (zool.) lampreda.
lampshade ['læmpʃeid] s. paralume.
Lancastrian [læŋ'kæstriən] agg. e s. 1 (abitante) del Lancashire 2 (st.) (sostenitore) della casa di Lancaster.
lance [lɑːns] s. 1 lancia 2 (mar.) fiocina.
to **lance** v.tr. 1 trafiggere con una lancia 2 (chir.) incidere col bisturi.
lance corporal ['lɑːns'kɔːpərəl] s. (mil.) soldato scelto.
lanceolate ['lɑːnsiəlit] agg. (bot.) lanceolato.
lancer ['lɑːnsə*] s. lanciere.
lance sergeant ['lɑːns'sɑːdʒənt] s. (mil.) caporal maggiore.
lancet ['lɑːnsit] s. (chir.) bisturi; lancetta // — window, arch, finestra, arco a ogiva.
lanceted ['lɑːnsitid] agg. (arch.) con finestre o archi ogivali.
lancinating ['lɑːnsineitiŋ] agg. lancinante.
land [lænd] s. terra; terreno: to travel by —, viaggiare per terra // houses and lands, case e terreni // —holder , proprietario terriero; possidente // — registry office, ufficio del catasto // to see how the — lies, (fig.) tastare il terreno // what a —!, (fam.) che delusione!
to **land** v.tr. 1 sbarcare; far scendere (a terra) // to be nicely landed, (fam.) essere ben sistemato // to be landed with sthg., (fam.) trovarsi qlco. fra le mani 2 (fam.) prendere, conquistare: to — a prize, beccarsi un premio; to — a job, trovare un lavoro; to — a fish, prendere un pesce 3 (fam.) assestare (uno schiaffo) ♦ v.intr. 1 approdare; (di aereo) atterrare 2 sbarcare; arrivare // to — on one's feet, (fam.) cadere in piedi.
land agent ['lænd'eidʒənt] s. 1 intendente, amministratore (di terre) 2 agente immobiliare.
landau ['lændɔː] s. landò.e s. landò.
land breeze ['lændbriːz] s. brezza di terra.
landed ['lændid] agg. fondiario.
landfall ['lændfɔːl] s. (mar. aer.) arrivo in vista della terra.
land girl ['lændgəːl] s. donna che si offriva volontaria per lavorare la terra (in tempo di guerra).
landgrave ['lændgreiv] s. (st.) langravio.
landing ['lændiŋ] s. 1 sbarco, approdo; (aer.) atterraggio // —strip, pista d'atterraggio 2 pianerottolo.
landing craft ['lændiŋkrɑːft] s. mezzo da sbarco.
landing gear ['lændiŋgiə*] s. (aer.) carrello di atterraggio.
landlady ['læn,leidi] s. padrona; affittacamere.
landlocked ['lændlɔkt] agg. senza sbocco sul mare; continentale.
landlord ['lænlɔːd] s. padrone.
landlubber ['lænd,lʌbə*] s. (spreg.) marinaio d'acqua dolce.
landmark ['lændmɑːk] s. 1 pietra di confine 2 punto di riferimento 3 (fig.) pietra miliare.
landowner ['lænd,ounə*] s. proprietario terriero.
landscape ['lænskeip] s. paesaggio.
landscape-painting [,lænskeip'peintiŋ] s. paesaggistica.
landscapist ['lænskeipist] s. paesaggista.
landslide ['lændslaid] s. 1 frana 2 (pol.) vittoria schiacciante.
landslip ['lændslip] s. smottamento.
landsman, pl. **landsmen** ['lændzmən] s. uomo di terra.
land-surveying ['lændsə(ː)'veiiŋ] s. agrimensura.
land-surveyor ['lændsə'veiə*] s. agrimensore; geometra.
land-swell ['lændswel] s. mare lungo; mareggiata.

land tax ['lændtæks] s. tassa fondiaria.
landward ['lændwəd] avv. verso terra ♦ agg. rivolto verso terra.
landwards ['lændwədz] avv. verso terra.
lane [lein] s. 1 viottolo, stradicciola; vicolo 2 rotta 3 corsia: four- — motorway, autostrada a quattro corsie.
lang syne, langsyne ['læŋ'sain] avv. (scoz.) molto tempo fa ♦ s. (scoz.) il tempo che fu.
language ['læŋgwidʒ] s. lingua; linguaggio: a living —, una lingua viva; bad —, turpiloquio; strong —, parole forti; bestemmie // high-level —, (informatica) linguaggio di programmazione evoluto; (IBM) linguaggio avanzato; low-level —, linguaggio a basso livello, di livello inferiore; — statement, istruzione; — subset, sottoinsieme di un linguaggio.
languid ['læŋgwid] agg. languido.
to **languish** ['læŋgwiʃ] v.intr. illanguidire; languire; struggersi.
languishing ['læŋgwiʃiŋ] agg. 1 languente 2 languido.
languor ['læŋgə*] s. languore, languidezza.
languorous ['læŋgərəs] agg. languido.
lank [læŋk] agg. 1 magro, scarno 2 (di capelli) cascante, diritto.
lanky ['læŋki] agg. allampanato; magro.
lanolin ['lænəliːn] s. lanolina.
lansquenet ['lɑːnskənet] s. (st.) lanzichenecco.
lantern ['læntən] s. lanterna.
lanyard ['lænjəd] s. 1 (mar.) funicella, cima 2 cordone (per appendere qlco. al collo).
Laocoön [lei'ɔkouən] no.pr.m. (mit.) Laocoonte.
Laotian ['lauʃiən] agg. e s. laotiano.
lap[1] [læp] s. 1 grembo (anche fig.) // in the — of luxury, nel lusso 2 lembo, falda; bavero (di giacca).
lap[2] s. 1 parte sovrapposta a un'altra: the front — of a coat, il davanti di una giacca 2 (sport) giro 3 tappa 4 giro, avvolgimento (di filo).
to **lap**[2] v.tr. 1 avvolgere; circondare 2 (sport) superare, sorpassare (di un giro) 3 sovrapporre ♦ v.intr. 1 sovrapporsi // to — over, sovrapporsi, accavallarsi 2 (sport) girare; condurre per un giro.
to **lap**[3] v.intr. 1 lappare 2 sciabordare ♦ v.tr. 1 bere rumorosamente 2 to — up, tracannare; (fig.) divorare.
lap[4] s. mola.
laparotomy [,læpə'rɔtəmi] s. (chir.) laparatomia.
lapdog ['læpdɔg] s. cagnolino da salotto.
lapel [lə'pel] s. bavero, risvolto.
lapelled [lə'peld] agg. con risvolti.
lapidary ['læpidəri] agg. e s. lapidario.
lapillus [lə'piləs], pl. **lapilli** [lə'pilai] s. lapillo.
lapis lazuli [,læpis'læzjuli, (amer.) ,læpis'læʒəli] s. (min.) lapislazzuli.
Lapland ['læplænd] no.pr. Lapponia.
Laplander ['læplændə*] s. lappone.
Lapp [læp] agg. e s. lappone.
lappet ['læpit] s. falda; baschina.
Lappish ['læpiʃ] agg. e s. (lingua) lappone.
lapse [læps] s. 1 svista, lapsus; fallo, mancanza: a — from virtue, una sbandata morale; a — of memory, un'amnesia improvvisa 2 intervallo, lasso (di tempo) 3 (dir.) prescrizione.
to **lapse** v.intr. 1 commettere una mancanza; sgarrare 2 scivolare, cadere: to — into unconsciousness, cadere in deliquio 3 (dir.) cadere in prescrizione.
lapwing ['læpwiŋ] s. (zool.) pavoncella.

lar [la:*], *pl.* **lares** ['lɛəri:z] *s. (mit.)* lare.

larboard ['la:bəd] *agg. (mar.)* a babordo ♦ *s.* babordo.

larceny ['la:sni] *s. (dir.)* furto.

larch ['la:tʃ] *s.* larice.

lard [la:d] *s.* strutto.

to **lard** *v.tr.* **1** ungere di strutto; lardellare **2** *(fig.)* infiorare (discorso, scritto).

larder ['la:də*] *s.* dispensa.

large [la:dʒ] *agg.* grande; vasto, ampio: — *family*, famiglia numerosa; — *powers*, ampi poteri; *a — meal*, un pasto copioso // — *views*, idee liberali // *as — as life*, a grandezza naturale; *(scherz.)* chiaro come il sole ♦ *s.*: *at* —, in libertà; in generale; ampiamente; *to remain at* —, restare a piede libero; *society at* —, la società in genere // *to talk at* —, parlare a vanvera ♦ *avv.*: *to write* —, scrivere (in) grande; *he talks — but works little*, parla tanto ma conclude poco.

large-handed [ˌla:dʒˈhændid] *agg.* generoso, munifico.

large-hearted [ˌla:dʒˈha:tid] *agg.* generoso, di buon cuore.

largely ['la:dʒli] *avv.* largamente, ampiamente.

large-minded [ˌla:dʒˈmaindid] *agg.* di larghe vedute.

largeness ['la:dʒnis] *s.* **1** grandezza; ampiezza **2** generosità, liberalità.

largescale ['la:dʒˌskeil] *agg.* a larga scala; *(fig.)* su vasta scala.

largish ['la:dʒiʃ] *agg.* piuttosto grande, abbondante.

lariat ['læriət] *s.* «lazo», laccio.

lark[1] [la:k] *s.* allodola.

lark[2] *s.* scherzo, burla.

to **lark**[2] *v.intr.* fare scherzi: *to — about*, scherzare, divertirsi.

larky ['la:ki] *agg.* mattacchione, burlone.

to **larrup** ['lærʌp] *v.tr.* battere *(anche fig.)*; frustare.

larva ['la:və], *pl.* **larvae** ['la:vi:] *s.* larva.

larval ['la:vəl] *agg.* larvale.

laryngeal [ˌlærinˈdʒi(:)əl] *agg.* laringeo.

laryngitis [ˌlærinˈdʒaitis] *s.* laringite.

larynx ['læriŋks], *pl.* **larynges** [ləˈrindʒiz] *s.* laringe.

lascar ['læskə*] *s.* marinaio delle Indie Orientali.

lascivious [ləˈsiviəs] *agg.* lascivo.

lasciviousness [ləˈsiviəsnis] *s.* lascivia.

lash[1] [læʃ] *s.* **1** correggia, cinghia **2** sferzata **3** — (o *eyelash*), ciglio.

to **lash**[1] *v.tr.* **1** frustare, sferzare *(anche fig.)*; colpire con violenza **2** agitare nervosamente ♦ *v.intr.* **1** battere, cadere con violenza: *the rain was lashing against the window panes*, la pioggia sferzava i vetri della finestra **2** *to — out at*, sferrare calci a; *(fig.)* inveire, scagliarsi contro **3** *to — out (on sthg.)*, spendere molto (per qlco.).

to **lash**[2] *v.tr.* legare.

lashing[1] ['læʃiŋ] *s.* **1** frustata; staffilata **2** *pl. (fam.)* abbondanza *(fam.)*.

lashing[2] *s.* allacciatura; legacci *(pl.)*.

lash-up ['læʃʌp] *s. (fam.)* cosa improvvisata alla meglio; mezzo di ripiego.

lass [læs] *s.* ragazza.

lassie ['læsi] *s. dim.* di **lass**.

lassitude ['læsitju:d] *s.* stanchezza.

lasso ['læsou] *s.* «lazo», laccio.

to **lasso** *v.tr.* prendere al, col «lazo».

last[1] [la:st] *agg.* **1** ultimo: *the — person*, l'ultima persona; *the — novel by Swift*, l'ultimo romanzo di Swift; *it is the — thing I thought of*, è l'ultima cosa che pensavo; *the — word has not been said*, non è detta l'ultima

parola // — *but one*, penultimo // — *but not least*, ultimo ma non meno importante **2** scorso, ultimo: — *month*, il mese scorso // — *night*, ieri sera; la notte scorsa // *the day before* —, l'altro ieri ♦ *s.* **1** fine: *at* —, alla fine, finalmente; *to the* —, fino alla fine, all'ultimo // *to see* (o *to hear*) *the — of s.o.*, liberarsi, sbarazzarsi di qlcu. **2** ultimo: *the — of the Tudors*, l'ultimo dei Tudor // *it is the — of the month*, è l'ultimo (giorno) del mese ♦ *avv.* **1** (per) ultimo: *to come in* —, entrare per ultimo **2** (per) l'ultima volta.

to **last**[2] *v.intr.* durare; conservarsi; resistere.

last[3] *s.* forma (da scarpe).

lasting ['la:stiŋ] *agg.* durevole; permanente.

lastly ['la:stli] *avv.* alla fine; in fine.

latch [lætʃ] *s.* **1** saliscendi, chiavistello **2** serratura con scatto a molla // *on the* —, chiuso con (serratura a) scatto // *off the* —, aperto.

to **latch** *v.tr.* chiudere con saliscendi.

latchkey ['lætʃki:] *s.* chiave per serrature a molla.

late [leit] *agg.* **1** in ritardo; tardi: *to be* —, essere in ritardo; *far tardi* **2** tardo, inoltrato: *in the — evening*, a sera inoltrata; *at a — hour*, a notte tarda, inoltrata // *in the — thirties*, negli anni immediatamente precedenti il 1940, 1840 ecc. **3** ex; fu, defunto: *the — manager*, l'ex direttore; *her — father*, il suo defunto, povero padre **4** recente // *of — months*, in questi ultimi mesi ♦ *avv.* tardi; in ritardo: *to arrive* —, arrivare tardi, in ritardo // — *in the afternoon*, nel tardo pomeriggio, a pomeriggio inoltrato // *of* —, recentemente, da poco.

latecomer ['leitˌkʌmə*] *s.* ritardatario.

lately ['leitli] *avv.* recentemente; ultimamente: *till* —, fino a poco tempo fa.

lateness ['leitnis] *s.* ritardo.

latent ['leitənt] *agg.* latente.

later ['leitə*] *(comp.* di *late), agg.* posteriore, successivo: — *than*, posteriore, successivo a ♦ *avv.* più tardi, dopo: — *on*, poi, più tardi // *see you* —!, *(fam.)* a più tardi!

lateral ['lætərəl] *agg.* laterale ♦ *s.* derivazione.

Lateran ['lætərən] *agg.* lateranense ♦ *no.pr.* Laterano.

latest ['leitist] *(superl.* di *late), agg.* ultimo; il più recente: *the — fashion*, l'ultima moda; *Osborne's — play*, l'ultima commedia di Osborne ♦ *s. (fam.)* ultima novità; ultima moda // *at the* —, al più tardi.

latex ['leiteks] *s. (bot.)* latice.

lath [la:θ] *s. (edil.)* canniccio **2** stecca // *as thin as a* —, magro come un chiodo, come uno stecco.

lathe [leið] *s. (mecc.)* tornio.

lather ['la:ðə*] *s.* **1** schiuma **2** sudore schiumoso (di cavallo) // *in a* —, affannato.

to **lather** *v.intr.* **1** fare schiuma **2** schiumare (di cavalli) ♦ *v.tr.* **1** insaponare **2** *(fam.)* bastonare.

Latin ['lætin, *(amer.)* 'lætn] *agg.* e *s.* latino // — *America*, Sudamerica, America Latina.

Latinism ['lætinizəm] *s.* latinismo.

Latinist ['lætinist] *s.* latinista.

Latinity [ləˈtiniti] *s.* **1** conoscenza profonda del latino **2** latinità.

to **Latinize** ['lætinaiz] *v.tr.* latinizzare ♦ *v.intr.* latinizzarsi.

latitude ['lætitju:d] *s.* **1** larghezza, libertà (di idee) **2** *(geogr.)* latitudine **3** *pl.* regioni.

latitudinal [ˌlætiˈtju:dinl, *(amer.)* 'lætiˈtu:dənl] *agg.* latitudinale.

latrine [ləˈtri:n] *s.* latrina.

latter ['lætə*] *agg.* **1** secondo: *your former idea was better than the* —, la tua prima idea era migliore della seconda // — *end*, morte **2** *(arc.)* ultimo // *Latter*

Day, il giorno del Giudizio // *Latter Day Saints*, i Mormoni ♦ *pron.* secondo; questi: *the former and the —*, il primo e il secondo, quegli e questi.

latterday [ˈlætədei] *agg.* moderno; recente.

latterly [ˈlætəli] *avv.* ultimamente; recentemente.

lattice [ˈlætis] *s.* grata; traliccio // *— window*, vetrata a piombo (con disegno a traliccio), finestra con grata.

Latvia [ˈlætviə] *no.pr.* Lettonia.

Latvian [ˈlætviən] *agg.* e *s.* lettone.

to **laud** [lɔ:d] *v.tr.* lodare.

laudable [ˈlɔ:dəbl] *agg.* lodevole.

laudanum [ˈlɔdnəm] *s.* (*farm.*) laudano.

laugh [lɑ:f] *s.* risata; ilarità: *to give a forced —*, ridere forzatamente; *to raise a —*, destare ilarità // *now he has the — on his side*, può ben ridere ora // *to have the — on s.o.*, (*fam.*) avere la meglio su qlcu.

to **laugh** *v.intr.* 1 ridere // *he made me — on the wrong side of my face*, mi fece passare la voglia di ridere // *he laughs best who laughs last*, (*prov.*) ride bene chi ride ultimo 2 *to — at*, ridere di, deridere ♦ *v.tr.* 1 *to — away*, dissipare, allontanare ridendo ♦ *to — off*, buttarla in ridere.

laughable [ˈlɑ:fəbl] *agg.* ridicolo.

laughing [ˈlɑ:fiŋ] *agg.* che ride, allegro // *— gas*, gas esilarante // *it's no — matter*, è una cosa seria.

laughingstock [ˈlɑ:fiŋstɔk] *s.* zimbello.

laughter [ˈlɑ:ftə*] *s.* (*solo sing.*) riso; ilarità: *a fit of —*, riso irrefrenabile.

launch¹ [lɔ:ntʃ] *s.* 1 varo 2 (*missilistica*) lancio.

to **launch¹** *v.tr.* 1 lanciare (*anche fig.*) 2 (*mar.*) varare ♦ *v.intr.*: *to — out into*, (*fig.*) imbarcarsi in.

launch² *s.* scialuppa; motolancia.

launching pad [ˈlɔ:ntʃiŋpæd], **launching site** [ˈlɔ:ntʃinsait] *s.* (*missilistica*) rampa di lancio.

to **launder** [ˈlɔ:ndə*] *v.tr.* lavare e stirare // *freshly -laundered*, di bucato ♦ *v.intr.* essere lavabile.

launderette [ˌlɔ:ndəˈret] *s.* lavanderia con lavatrici automatiche.

laundress [ˈlɔ:ndris] *s.* lavandaia.

laundry [ˈlɔ:ndri] *s.* 1 lavanderia 2 bucato.

Laura [ˈlɔ:rə] *no.pr.f.* Laura.

laureate [ˈlɔ:riit] *agg.* coronato d'alloro // *Poet Laureate*, poeta laureato (in Inghilterra).

laurel [ˈlɔrəl] *s.* lauro, alloro // *to rest on one's laurels*, dormire sugli allori.

to **laurel** *v.tr.* coronare d'alloro.

Laurence [ˈlɔrəns] *no.pr.m.* Lorenzo.

Lausanne [louˈzæn] *no.pr.* Losanna.

lava [ˈlɑ:və] *s.* lava.

lavaret [ˈlævərət] *s.* (*zool.*) lavarello.

lavatory [ˈlævətəri, (*amer.*) ˈlævətɔ:ri] *s.* gabinetto.

lavender [ˈlævində*] *s.* lavanda.

laver [ˈleivə*] *s.* lattuga marina.

lavish [ˈlæviʃ] *agg.* generoso; prodigo: *— in* (o *of*) *one's praise*, prodigo di lodi // *— expenditure*, spese folli.

to **lavish** *v.tr.* prodigare, profondere: *to — sthg. on s.o.*, dare generosamente qlco. a qlcu; *to — advice on*, essere prodigo di consigli.

lavishness [ˈlæviʃnis] *s.* prodigalità.

law [lɔ:] *s.* 1 legge: *breach of —*, violazione di legge; *to be —*, aver forza di legge; *to lay down the —*, dettar legge // *the —, the long arm of the —*, (*fam.*) polizia; poliziotto // *to be at —*, essere in causa // *to go to —*, adire le vie legali // *to have the — on*, promuovere un'azione penale contro // *to have one — for the rich and another for the poor*, aver due pesi e due misure // *Law Lords*,

pari che trattano le questioni legislative nella Camera dei Lords 2 (*sport*) regola.

law-abiding [ˈlɔ:əbaidiŋ] *agg.* osservante della legge.

lawful [ˈlɔ:ful] *agg.* legale; legittimo; lecito.

lawfulness [ˈlɔ:fulnis] *s.* legalità; legittimità.

lawgiver [ˈlɔ:ˌgivə*] *s.* legislatore.

lawless [ˈlɔ:lis] *agg.* 1 senza legge; illegale; arbitrario 2 sregolato.

lawlessness [ˈlɔ:lisnis] *s.* 1 illegalità; arbitrio 2 sregolatezza.

lawn¹ [lɔ:n] *s.* prato all'inglese.

lawn² *s.* (tela) batista.

lawnmower [ˈlɔ:nˌmouə*] *s.* tagliaerba.

lawn sprinkler [ˈlɔ:nˌspriŋklə*] *s.* irrigatore.

lawn tennis [ˈlɔ:nˈtenis] *s.* tennis su prato.

Lawrence [ˈlɔrəns] *no.pr.m.* Lorenzo.

lawsuit [ˈlɔ:sju:t] *s.* (*dir.*) causa.

lawyer [ˈlɔ:jə*] *s.* avvocato.

lax [læks] *agg.* 1 trascurato; sbadato 2 molle, rilassato.

laxative [ˈlæksətiv] *agg.* e *s.* (*farm.*) lassativo.

laxity [ˈlæksiti], **laxness** [ˈlæksnis] *s.* 1 imprecisione, trascuratezza 2 mollezza, rilassatezza.

lay¹ [lei] *agg.* 1 laico // *— brother, — sister*, converso, conversa 2 profano, non dotto (spec. in legge, in medicina).

lay² *s.* 1 configurazione, disposizione 2 (*fam.*) campo, genere di affari.

to **lay²**, *pass.* e *p.pass.* **laid** [leid] *v.tr.* 1 posare, collocare; stendere // *to — the table*, apparecchiare la tavola // *to — bare* (o *open*), mettere a nudo, rivelare // *to — by the heels*, imprigionare // *to — a charge*, (*dir.*) formulare un'accusa; *to — claim to*, avanzare diritti su // *to — hands on*, impadronirsi di; mettere le mani addosso a; (*eccl.*) consacrare, ordinare // *to — hold of*, afferrare // *to — low*, abbattere // *to — one's bones*, morire // *to — oneself open to sthg.*, esporsi a qlco. // *to — to rest* (o *to sleep*), mettere a dormire; (*fig.*) seppellire // *to — aside* (o *away* o *by*), mettere da parte; abbandonare; costringere all'inattività // *to — in*, mettere in serbo 2 calmare; abbattere; dissipare: *to — a doubt*, dissipare un dubbio 3 deporre (uova) 4 scommettere 5 imporre (regole, tasse) 6 *to — down*, deporre; sacrificare; formulare (regole, leggi); stabilire; progettare 7 *to — off*, mettere in libertà (da parte di datore di lavoro) 8 *to — on*, applicare; infliggere; installare: *to — on plaster*, intonacare; *to — on blows*, picchiare // *to — it on*, (*fam.*) adulare 9 *to — out*, stendere; tracciare (uno schema, un piano); spendere; mettere fuori combattimento // *to — out a corpse*, comporre un cadavere 10 *to — up*, accumulare; mettere fuori uso // *to be laid up*, essere costretto a letto ♦ *v.intr.* 1 deporre le uova 2 scommettere 3 *to — over*, (*amer.*) fare una sosta, fermarsi (durante un viaggio).

lay³ *pass.* di to **lie**.

layabout [ˈleiəbaut] *s.* perdigiorno.

lay-by [ˈleibai] *s.* piazzola (di sosta).

layer [ˈleiə*] *s.* 1 strato 2 (*agr.*) margotta 3 (*gallina*) ovaiola.

to **layer** [ˈleə*] *v.tr.* (*agr.*) margottare.

layette [leiˈet] *s.* corredino da neonato.

layfigure [ˈleiˈfigə*] *s.* manichino (snodabile, usato dagli artisti); (*fig.*) fantoccio.

laying-up [ˈleiŋˈʌp] *s.* rimessaggio (di barche, roulotte).

layman, *pl.* **laymen** [ˈleimən] *s.* 1 laico 2 profano.

lay-off ['leiɔ(ː)f] s. sospensione temporanea dal lavoro // — *benefit*, indennità di cassa integrazione (guadagni).

layout ['leiaut] s. **1** disposizione; tracciato, pianta (di città, giardino ecc.): *general* —, disegno di massima **2** (*tip.*) impaginazione.

layover ['lei,ouvər] s. (*amer.* per *stopover*) sosta, fermata.

lazaretto [,læzə'retou] s. lazzaretto.

Lazarus ['læzərəs] *no.pr.m.* Lazzaro.

laze [leiz] s. ozio; (momento di) riposo.

to laze *v.intr.* oziare.

laziness ['leizinis] s. pigrizia, indolenza.

lazy ['leizi] agg. pigro, indolente.

lazybones ['leizibounz] s. (*fam.*) pigrone.

lead[1] [led] s. **1** piombo // — *-poisoning*, (*med.*) saturnismo // *red* —, minio // *white-* —, biacca **2** (*mar.*) scandaglio (di piombo) **3** mina (per matite) // — *-pencil*, matita (nera) **4** (*tip.*) interlinea **5** *pl.* lamiere di piombo (per tetti).

to lead[2] *v.tr.* **1** impiombare **2** (*tip.*) interlineare.

lead[2] [liːd] s. **1** comando, guida: *to take the* —, prendere il comando; marciare alla testa; (*sport*) prendere il primo posto; *to take the* — *of* (o *over*) *s.o.*, dominare qlcu. **2** guinzaglio; briglia **3** (*teatr.*) parte principale di una commedia; primo attore **4** (*a carte*) diritto di giocare per primo; carta d'apertura **5** corso d'acqua artificiale (per mulini); canale fra i ghiacci **6** (*elettr.*) conduttore isolato.

to lead[2], *pass.* e *p.pass.* **led** [led] *v.tr.* e *intr.* **1** condurre, guidare; (*fig.*) indurre: *to* — *by the hand*, condurre per mano; *to* — *s.o. into temptation*, indurre qlcu. in tentazione // *to* — (*s.o.*) *astray*, sviare (qlcu.) // *to* — *s.o. by the nose*, menare qlcu. per il naso // *to* — *the way*, mostrare il cammino, guidare **2** (*a carte*) giocare per primo **3** *to* — *off*, cominciare **4** *to* — *on*, condurre; trascinare; (*fig.*) allettare **5** *to* — *out* (*sthg.*), (*di stanze ecc.*) dare su; comunicare con **6** *to* — *up to*, condurre gradatamente a; servire da introduzione a.

leaden ['ledn] agg. plumbeo; (*fig.*) pesante; inerte.

leader ['liːdə*] s. **1** capo, guida; capopartito **2** chi conduce una corsa **3** articolo di fondo **4** (*mus.*) primo violino.

leadership ['liːdəʃip] s. **1** direzione; comando **2** capacità di comandare.

leading[1] ['liːdiŋ] agg. **1** dominante; principale; primo // — *actor, actress* (o *lady*), primo attore, prima attrice // — *article*, articolo di fondo // — *question*, domanda tendenziosa // — *reins, strings*, dande; *in* — *strings*, (*fig.*) sotto tutela // *one of the* — *lights in...*, una delle personalità più in vista di... **2** (*informatica*) in alto a sinistra // — *edge*, bordo in avanti (di schede, documenti ecc.); (*IBM*) bordo di entrata // — *position*, posizione iniziale ♦ s. guida; comando.

leading[2] ['lediŋ] s. (*tip.*) interlineatura.

lead-off ['liːd'ɔːf] s. (*fam.*) prima mossa.

leadsman, *pl.* **leadsmen** ['ledzmən] s. (*mar.*) scandagliatore.

leadwork ['ledwəːk] s. **1** impiombatura **2** lavoro in piombo.

leaf [liːf], *pl.* **leaves** [liːvz] s. **1** foglia; fogliame // — *-shaped*, a forma di foglia // — *stalk*, picciolo **2** foglio // *to take a* — *out of s.o.'s book*, seguire l'esempio di qlcu. // *to turn over a new* —, cambiare vita, cominciare da capo **3** ribalta; asse (per allungare un tavolo) **4** lamina (di metallo).

to leaf *v.intr.* mettere le foglie ♦ *v.tr.* sfogliare: *to* — *through*, sfogliare.

leafage ['liːfidʒ] s. fogliame.

leafiness ['liːfinis] s. abbondanza di fogliame.

leafless ['liːflis] agg. senza foglie.

leaflet ['liːflit] s. **1** fogliolina **2** manifestino.

leaf mould ['liːfmould] s. terriccio.

leaf-table [liːf'teibl] s. tavolo allungabile.

leafy ['liːfi] agg. frondoso.

league[1] [liːg] s. **1** lega, unione // *the League of Nations*, (*st.*) la Società delle Nazioni **2** (*sport*) federazione.

to league[1] *v.tr.* (far) alleare ♦ *v.intr.* allearsi.

league[2] s. lega (misura).

leak [liːk] s. **1** fessura, apertura; (*mar.*) falla **2** perdita, fuga (di gas); (*elettr.*) dispersione **3** (*fig.*) rivelazione (di segreti ecc.).

to leak *v.intr.* **1** perdere, colare, far acqua **2** *to* — *out*, (*fig.*) trapelare.

leakage ['liːkidʒ] s. **1** scolo; stillamento (di liquido); perdita (di gas) **2** (*fig.*) il trapelare (di notizie ecc.).

leaky ['liːki] agg. che perde.

lean[1] [liːn] s. inclinazione.

to lean[1], *pass.* e *p.pass.* **leaned** [lent, liːnd], **leant** [lent] *v.intr.* **1** pendere; inclinare, inclinarsi (*anche fig.*) **2** appoggiarsi (*anche fig.*): *he leaned on his friend's advice*, si affidò al consiglio del suo amico // *to* — *out* (*of the window*), sporgersi dalla finestra ♦ *v.tr.* appoggiare.

lean[2] agg. magro // — *years*, anni di carestia ♦ s. parte magra (di carne).

Leander [li(ː)'ændə*] *no.pr.m.* (*lett.*) Leandro.

leaning ['liːniŋ] agg. pendente; inclinato ♦ s. **1** il pendere **2** l'appoggiarsi **3** (*fig.*) inclinazione, propensione.

leanness ['liːnnis] s. magrezza.

leant *pass.* e *p.pass.* di to **lean**.

lean-to ['liːn'tuː] agg. e s. (tetto) a una falda.

leap [liːp] s. salto, balzo: *at a* —, con un salto; *to take a* —, spiccare un salto // — *year*, anno bisestile // *by leaps and bounds*, a passi da gigante.

to leap, *pass.* e *p.pass.* **leaped** [lept, liːpt], **leapt** [lept] *v.intr.* **1** saltare; balzare; lanciarsi: *to* — *to one's feet*, balzare in piedi **2** *to* — *at*, (*fig.*) afferrare **3** *to* — *over* (*sthg.*), scavalcare (qlco.) con un salto ♦ *v.tr.* saltare; far saltare.

leapfrog ['liːpfrɔg] s. (*gioco*) cavallina.

to learn ['ləːn], *pass.* e *p.pass.* **learnt** [ləːnt], **learned** [ləːnd] *v.tr.* e *intr.* **1** imparare; studiare: *to* — *how to do sthg.*, imparare a fare qlco.; *to* — *to write*, imparare a scrivere **2** venire a sapere, sentire.

learned ['ləːnid] agg. dotto, erudito.

learner ['ləːnə*] s. allievo; apprendista.

learning ['ləːniŋ] s. cultura; erudizione.

learnt *pass.* e *p.pass.* di to **learn**.

lease [liːs] s. contratto d'affitto: *on* —, in affitto // *a new* — *of life*, (*fig.*) nuove prospettive di vita.

to lease *v.tr.* affittare; dare in affitto.

leasehold ['liːshould] s. proprietà in affitto.

leaseholder ['liːs,houldə*] s. affittuario.

leash [liːʃ] s. guinzaglio // *to strain at the* —, (*fig.*) mordere il freno.

to leash *v.tr.* tenere, legare al guinzaglio.

least [liːst] (*superl.* di *little*) agg.: (*the*) —, il più piccolo, il minimo: *there wasn't the* — *noise*, non c'era il minimo rumore // *there isn't the* — *wind*, non c'è un alito di vento ♦ s.: (*the*) —, (il) meno // *at* —, almeno; al minimo // *not in the* —, per niente affatto // *to say the* —, a dir poco; per non dire di più ♦ *avv.*: (*the*) —, (il) meno: *the* — *of all*, meno di tutti; tanto meno.

leastways ['li:stweiz], (*dial.*) **leastwise** ['li:stwaiz]
avv. per lo meno, almeno.

leather ['leðə*] *s.* **1** cuoio; pelle // — *bound*, rilegato
in pelle // — *goods*, articoli di pelletteria **2** oggetto (o
parte di esso) in cuoio, pelle; cinghia (di staffa); palla
da cricket; pallone da football ecc. **3** *pl.* calzoni da cavallerizzo.

to **leather** *v.tr.* **1** coprire di pelle, cuoio **2** (*sl.*) picchiare di santa ragione.

leatherette [‚leðə'ret] *s.* pegamoide.

leathern ['leðə(:)n] *agg.* di cuoio, di pelle.

leatherneck ['leðə(:)nek] *s.* (*amer.*) (*mil.*) marine.

leathery ['leðəri] *agg.* coriaceo.

leave[1] [li:v] *s.* **1** permesso, autorizzazione: *by* (o *with*)
your —, col vostro permesso **2** licenza, congedo: *he is
on* —, è in licenza **3** congedo, commiato: *to take* — *of
s.o.*, accomiatarsi da qlcu.; *to take French* —, assentarsi
senza permesso.

to **leave**[1], *pass.* e *p.pass.* **left** [left] *v.tr.* lasciare: (*has*)
anything (*been*) *left for us?*, non c'è nulla per noi?; *to be
left*, rimanere; *he never leaves the house*, non esce mai di
casa; *to* — *s.o. in charge of sthg.*, affidare a qlcu. la responsabilità di qlco.; *to* — *sthg. with s.o.*, affidare qlco.
a qlcu.; *I* — *it to you*, mi rimetto a te; *to* — (*one*) *cold*,
lasciare indifferente // *let us* — *it at that*, non parliamone più // *to* — *hold of*, lasciare andare // *to* — *sthg.
unsaid*, tacere qlco. // *to* — *alone*, lasciare in pace; lasciar stare // *to* — *word with s.o.*, lasciare detto a qlcu.
// *to* — *the track* (o *the rails*), deragliare // *to* — *about*,
lasciare in giro // *to* — *behind*, dimenticare // *to* —
off, smettere (anche abiti): — *off shouting*, smettila di
gridare // *to* — *out*, omettere // *to* — *over*, lasciare in
sospeso, avanzare ♦ *v.intr.* partire (da); lasciare un luogo; uscire (da).

leaved [li:vd] *agg.* allungabile (di tavolo).

leaven ['levn] *s.* lievito (*anche fig.*).

to **leaven** *v.tr.* **1** far lievitare **2** (*fam.*) modificare, influenzare.

leave taking ['li:v‚teikiŋ] *s.* congedo.

leavings ['li:viŋz] *s.pl.* avanzi; rifiuti.

Lebanese [‚lebə'ni:z] *agg.* e *s.* libanese.

Lebanon ['lebənən] *no.pr.* Libano.

lecher ['letʃə*] *s.* libertino.

lecherous ['letʃərəs] *agg.* lascivo; libertino.

lechery ['letʃəri] *s.* libertinaggio.

lectern ['lektə(:)n] *s.* (*eccl.*) leggio.

lecture ['lektʃə*] *s.* **1** conferenza; lezione **2** sgridata, rimprovero: *to read s.o. a* —, fare una paternale a
qlcu.

to **lecture** *v.intr.* fare una conferenza; tenere un corso
di lezioni pubbliche ♦ *v.tr.* **1** fare una conferenza
(a) **2** sgridare.

lecturer ['lektʃərə*] *s.* conferenziere; docente universitario.

led *pass.* e *p.pass.* di to **lead**.

ledge [ledʒ] *s.* **1** sporgenza; mensola; cornice; cengia **2** scogliera.

ledger ['ledʒə*] *s.* **1** (*comm.*) libro mastro **2** (*arch.*)
traversa **3** pietra tombale.

lee[1] [li:] *agg.* (*mar.*) sottovento: — *tide*, marea nella
stessa direzione del vento ♦ *s.* **1** riparo, rifugio **2**
(*mar.*) sottovento.

lee[2] *s.* (*gener. pl.*) sedimento, feccia (*anche fig.*).

leech[1] [li:tʃ] *s.* sanguisuga (*anche fig.*).

leech[2] *s.* (*arc.* e *scherz.*) medico.

leek [li:k] *s.* (*bot.*) porro.

leer [liə*] *s.* sguardo compiaciuto (per scene o atti lubrici).

to **leer** *v.intr.* compiacersi di scene o atti lubrici o erotici.

leeringly ['liəriŋli] *avv.* di sottecchi.

leery ['liəri] *agg.* (*sl.*) guardingo: *to be* — *of s.o.*, non
fidarsi di qlcu.

leeward ['li:wəd] *agg.* e *avv.* e *s.* sottovento.

leewardly ['li:wədli] *agg.* (*mar.*) che tende a muoversi
sottovento.

leeway ['li:wei] *s.* **1** (*mar. aer.*) deriva, scarroccio **2**
(*fig.*) perdita di tempo; ritardo **3** (*fam.*) margine.

left[1] [left] *agg.* sinistro ♦ *s.* sinistra: *to* (o *on*) *the* —, a
sinistra // *the Left*, (*pol.*) la sinistra.

left[2] *pass.* e *p.pass.* di to **leave** // — *luggage* (*office*),
deposito bagagli // — *-off*, scartato // — *-offs*, abiti
smessi.

left-hand ['lefthænd] *agg.* **1** sul lato sinistro **2** fatto
con la mano sinistra.

left-handed ['left'hændid] *agg.* mancino // — *compliment*, complimento ambiguo // — *marriage*, matrimonio morganatico.

leftism ['leftizəm] *s.* politica di sinistra.

leftist ['leftist] *agg.* (*pol.*) appartenente alla sinistra; sinistrese: — *jargon*, (*gergo*) sinistrese ♦ *s.* (*pol.*) membro
della sinistra; progressista.

leftover ['left'ouvə*] *agg.* avanzato ♦ *s.* (*spec.pl.*) avanzi
(*pl.*), rimasugli (*pl.*), residui (*pl.*).

leftward ['leftwəd] *agg.* verso sinistra.

leftward(s) ['leftwəd(z)] *avv.* verso sinistra.

left-winger ['left'wiŋə*] *s.* **1** (*pol.*) chi appartiene alla
sinistra **2** (*sport*) ala sinistra.

leg [leg] *s.* **1** gamba: *to stretch one's legs*, sgranchirsi le
gambe // *on one's legs*, in piedi // *to give s.o. a* — *up*,
aiutare qlcu. (a salire) // *not to have a* — *to stand on*,
non avere nulla a cui appigliarsi // *to pull s.o.'s* —, canzonare, prendere in giro qlcu. // *to shake a* —, (*sl.*) ballare; affrettarsi, precipitarsi **2** coscia (di pollo), cosciotto **3** gambale (di stivale) **4** tappa (di viaggio
ecc.) **5** (*mar.*) bordata.

to **leg** *v.tr.* e *intr.* camminare; correre: *to* — *it home*,
andare a casa a piedi.

legacy ['legəsi] *s.* legato, lascito; eredità.

legal ['li:gəl] *agg.* legale.

legalism ['li:gəlizəm] *s.* legalismo.

legality [li(:)'gæliti] *s.* legalità.

legalization [‚li:gəlai'zeiʃən] *s.* legalizzazione.

to **legalize** ['li:gəlaiz] *v.tr.* legalizzare.

legate ['legit] *s.* **1** nunzio pontificio **2** delegato.

to **legate** [li'geit] *v.tr.* (*dir.*) legare.

legatee [‚legə'ti:] *s.* (*dir.*) legatario.

legation [li'geiʃən] *s.* legazione.

legend ['ledʒənd] *s.* leggenda.

legendary ['ledʒəndəri] *agg.* leggendario.

leggins ['leginz] *s.pl.* gambali.

leggy ['legi] *agg.* dalle gambe lunghe.

Leghorn ['leg'hɔ:n] *no.pr.* Livorno // **leghorn**
[le'gɔ:n, (*amer.*) 'legən] *s.* **1** (cappello di) paglia di Firenze **2** gallina livornese.

legible ['ledʒəbl] *agg.* leggibile.

legion ['li:dʒən] *s.* legione // *the Foreign Legion*, la
Legione Straniera.

legionary ['li:dʒənəri] *agg.* e *s.* legionario.

to **legislate** ['ledʒisleit] *v.intr.* legiferare.

legislation [‚ledʒis'leiʃən] *s.* legislazione.

legislative ['ledʒislətiv, (*amer.*) 'ledʒisleitiv] *agg.* legislativo.

legislator ['ledʒisleitə*] s. legislatore.

legislature ['ledʒisleitʃə*] s. assemblea legislativa.

legit [li'dʒit] agg. (sl.) legittimo.

legitimacy [li'dʒitiməsi] s. legittimità.

legitimate [li'dʒitimit] agg. legittimo.

to **legitimate** [li'dʒitimeit] v.tr. legittimare.

legitimation [li,dʒiti'meiʃən] s. legittimazione.

to **legitimize** [li'dʒitimaiz] v.tr. legittimare.

leg-pull ['legpul] s. presa in giro.

legume ['legju:m] s. legume.

leguminous [le'gju:minəs] agg. leguminoso.

leg-warmers ['legwɔ:məz] s.pl. scaldamuscoli.

leisure ['leʒə*, (amer.) 'li:ʒər] s. tempo libero // at one's —, con comodo.

leisured ['leʒəd, (amer.)'li:ʒərd] agg. che ha tempo a sua disposizione.

leisurely ['leʒəli] agg. che ha tempo; calmo ♦ avv. con comodo; senza fretta.

leitmotiv ['laitmou,ti:f] s. motivo conduttore, tema.

lemming ['lemiŋ] s. (zool.) lemming.

lemon ['lemən] s. 1 limone // — juice, — squash, spremuta, succo di limone // — peel, scorza di limone 2 (colore) giallo limone 3 (fam.) bidone ♦ agg. 1 che contiene limone; che ha il sapore o il profumo del limone 2 giallo limone.

lemonade [,lemə'neid] s. limonata.

to **lend** [lend], pass. e p.pass. **lent** [lent] v.tr. prestare // to — a hand, dare una mano ♦ v.intr. fare prestiti.

lender ['lendə*] s. chi presta.

lending ['lendiŋ] s. prestito.

lending library['lendiŋ,laibrəri]s. biblioteca circolante.

length [leŋθ] s. 1 lunghezza, estensione: he went the — of the street, arrivò fino in fondo alla strada; to win by a —, vincere per una lunghezza // to go to any lengths —, fare qualsiasi cosa // at arm's —, alla distanza di un braccio: to keep at arm's —, (fig.) mantenere le distanze // at full —, lungo disteso 2 durata, spazio di tempo: a stay of some —, un soggiorno abbastanza prolungato // at —, a lungo; finalmente 3 taglio (di stoffa).

to **lengthen** ['leŋθən] v.tr. allungare ♦ v.intr. allungarsi.

lengthiness ['leŋθinis] s. lungaggine, prolissità.

lengthways ['leŋθweiz], **lengthwise** ['leŋθwaiz] avv. longitudinalmente.

lengthy ['leŋθi] agg. eccessivamente lungo, prolisso.

lenience ['li:njəns], **leniency** ['li:njənsi] s. indulgenza; clemenza.

lenient ['li:njənt] agg. indulgente; clemente.

lenity ['leniti] s. indulgenza, clemenza.

lens [lenz] s. 1 (ott.) lente: contact lenses, lenti a contatto 2 (fot.) obiettivo: speed of —, massima apertura di obiettivo 3 (anat.) cristallino.

lent pass. e p.pass. di to **lend**.

Lent [lent] s. (eccl.) quaresima: the third Sunday in —, la terza domenica di quaresima; to keep —, fare quaresima // Mid- —, mezza quaresima // - -lily, narciso selvatico // — term, secondo trimestre dell'anno scolastico.

lenten ['lentən] agg. quaresimale: — service, quaresimale.

lentil ['lentil] s. lente, lenticchia.

Leo ['li(:)ou] no.pr.m. Leone // the —, (astr.) il Leone.

Leonard ['lenəd] no.pr.m. Leonardo.

leonine ['li(:)ənain] agg. leonino.

leopard ['lepəd] s. leopardo; gattopardo // American —, giaguaro // snow —, lonza.

leopardess ['lepədis] s. femmina del leopardo.

leotard ['li(:)ətɑ:d] s. calzamaglia.

leper ['lepə*] s. lebbroso.

leporine ['lepərain] agg. leporino.

leprechaun ['leprəkɔ:n] s. (irl.) gnomo.

leprosarium [,leprou'sa:riəm] s. lebbrosario.

leprosy ['leprəsi] s. lebbra.

leprous ['leprəs] agg. lebbroso.

Lesbian ['lezbiən] agg. lesbico ♦ s. lesbica.

lese-majesty [,leiz'mædʒisti, (amer.) ,li:z'mædʒisti] s. (dir.) delitto di lesa maestà.

lesion ['li:ʒən] s. lesione.

less [les] (comp. di little), agg. minore, più piccolo; meno ♦ s. meno ♦ avv. meno // — more or —, più o meno // no —, non meno; niente meno che // none the —, nondimeno ♦ prep. meno; tranne.

lessee [le'si:] s. (dir.) affittuario, locatario.

to **lessen** ['lesn] v.tr. diminuire; abbassare; minimizzare (anche fig.) ♦ v.intr. abbassarsi.

lesser ['lesə*] agg. minore; più piccolo.

lesson ['lesn] s. lezione.

to **lesson** v.tr. fare, dare una lezione a.

lessor [le'sɔ:*] s. (dir.) locatore.

to **let**[1] [let], pass. e p.pass. **let** v.tr. 1 lasciare, permettere: they — me smoke, mi lasciano fumare // to — loose, lasciar andare; liberare // — me hear from you, fammi avere tue notizie // — me have it on Sunday, fammelo avere domenica 2 affittare 3 to — down, abbassare; allungare; sciogliere (capelli ecc.); (fig.) tradire, abbandonare 4 to — up, (fam.) diminuire; cessare 5 to — in, fare entrare; (fig.) tradire 6 to — out, far uscire; allargare (vestiti ecc.); (fig.) lasciarsi sfuggire (una notizia ecc.) 7 to — off, sparare; lasciar andare 8 to — on, ammettere; riconoscere; far credere, fingere 9 to — through, lasciar passare ♦ ausiliare (per formare la 1ª e 3ª pers. sing. e pl. dell'imper.): — me see, vediamo; — it be, sia pure; let's speak about this, parliamone.

let[2] s. (tennis) colpo nullo.

letdown ['let'daun] s. (fam.) 1 disappunto; delusione 2 anti-climax.

lethal ['li:θəl] agg. letale.

lethargic [le'θɑ:dʒik] agg. letargico.

lethargy ['leθədʒi] s. letargo.

Lett [let] s. lettone.

letter ['letə*] s. 1 lettera dell'alfabeto // to the —, alla lettera, esattamente 2 lettera, epistola: — of credit, lettera di credito; form —, lettera circolare; registered —, (lettera) raccomandata // — of attorney, procura 3 (tip.) carattere: capital, small —, lettera maiuscola, minuscola 4 pl. lettere; letteratura (sing.): a man of letters, un uomo di lettere.

to **letter** v.tr. 1 imprimere lettere (su) 2 contrassegnare con lettere.

letterbox ['letəbɔks] s. cassetta per le lettere.

lettercard ['letəkɑ:d] s. biglietto postale.

letterhead ['letəhed] s. intestazione (di lettera).

lettering ['letəriŋ] s. 1 iscrizione 2 caratteri (iscritti) (pl.).

letterpress ['letəpres] s. 1 stampa 2 testo (di un volume).

Lettic ['letik], **Lettish** ['letiʃ] agg. lettone.

lettuce ['letis] s. lattuga.

let up ['letʌp] s. (fam.) pausa; interruzione.

leucoma [lju:'koumə] s. (med.) leucoma.

leukaemia, (*amer.*) **leukemia** [lju:'ki:miə] *s.* (*med.*) leucemia.

Levant [li'vænt] *no.pr.* Levante.

to **levant** *v.intr.* andarsene all'improvviso (spec. lasciando debiti).

levanter [li'væntə*] *s.* vento di levante.

Levantine ['levəntain] *agg.* e *s.* levantino.

levee[1] ['levi] *s.* (*amer.*) argine.

levee[2] *s.* ricevimento (di re) riservato a soli uomini.

level ['levl] *agg.* **1** livellato, piano; uniforme; orizzontale: *to make —*, spianare, livellare **2** a livello: *— with the water*, a livello dell'acqua **3** equilibrato; regolato // *to do one's — best*, fare tutto il possibile ♦ *s.* **1** spianata; superficie piana // *on the —*, (*fig.*) onestamente; onesto **2** livello (*anche fig.*): *on a — with*, a livello con, sullo stesso piano di **3** livella.

to **level** *v.tr.* **1** livellare (*anche fig.*); spianare; uguagliare: *to — a city to the ground*, radere al suolo una città **2** puntare (fucile ecc.) // *to — a charge against s.o.*, accusare qlcu. **3** *to — away*, uguagliare; abolire (distinzioni sociali ecc.) **4** *to — down*, abbassare allo stesso livello **5** *to — up*, innalzare allo stesso livello.

level crossing [,levl'krɔsiŋ] *s.* passaggio a livello.

level-headed ['levl'hedid] *agg.* equilibrato.

levelling ['levliŋ] *s.* **1** livellamento **2** (*mil.*) puntamento.

lever ['li:və*, (*amer.*) 'levər] *s.* (*mecc.*) leva; (*fig.*) influenza.

to **lever** *v.tr.* far leva su ♦ *v.intr.* funzionare come una leva.

leverage ['li:vəridʒ] *s.* **1** azione di una leva **2** sistema di leve **3** potenza di una leva **4** (*fig.*) influenza.

leveret ['levərit] *s.* leprotto.

leviable ['leviəbl] *agg.* imponibile (di tasse).

leviathan [li'vaiəθən] *s.* (*Bibbia*) leviatano; (*fig.*) cosa enorme.

to **levitate** ['leviteit] *v.tr.* (*spiritismo*) far levitare ♦ *v.intr.* levitare.

levitation [,levi'teiʃən] *s.* (*spiritismo*) levitazione.

Levite ['li:vait] *s.* (*Bibbia*) levita.

levity ['leviti] *s.* leggerezza (*anche fig.*); frivolezza.

levy ['levi] *s.* **1** imposta, tributo **2** (*mil.*) leva; arruolamento.

to **levy** *v.tr.* **1** imporre (una tassa, un tributo) **2** arruolare // *to — war*, far guerra.

lewd [lu:d] *agg.* licenzioso; indecente; osceno.

lexical ['leksikəl] *agg.* lessicale.

lexicographer [,leksi'krəfə*] *s.* lessicografo.

lexicon ['leksikən] *s.* lessico; dizionario.

ley [lei] *s.* (*poet.*) terreno erboso.

Leyden ['laidn] *no.pr.* Leida // *— jar*, (*fis.*) bottiglia di Leida.

liability [,laiə'biliti] *s.* **1** disposizione, tendenza **2** responsabilità; (*fam.*) peso; handicap **3** (*gener.pl.*) (*comm.*) debiti (*pl.*); passivo (*sing.*).

liable ['laiəbl] *agg.* **1** soggetto, esposto **2** (*dir.*) responsabile.

to **liaise** [li'eiz] *v.intr.* **1** stabilire relazioni **2** fare da intermediario.

liaison [li'eizən, (*amer.*) 'liəzən] *s.* **1** relazione; collegamento (*anche mil.*) // *— officer*, ufficiale di collegamento **2** relazione illecita **3** (*fonetica*) legamento.

liana, liane [li'ɑ:nə*] *s.* (*bot.*) liana.

liar ['laiə*] *s.* bugiardo.

lib [lib] *s.* (*fam.*) movimento di liberazione: *women's —*, movimento di liberazione femminile.

libation [lai'beiʃən] *s.* libagione.

libel ['laibəl] *s.* diffamazione o calunnia (scritta).

to **libel** *v.tr.* diffamare o calunniare (con scritti).

liberal ['libərəl] *agg.* e *s.* liberale; progressista.

liberalism ['libərəlizəm] *s.* liberalismo.

liberality [,libə'ræliti] *s.* liberalità.

to **liberalize** ['libərəlaiz] *v.tr.* rendere liberale ♦ *v.intr.* diventare liberale.

to **liberate** ['libəreit] *v.tr.* liberare.

liberation [,libə'reiʃən] *s.* liberazione.

liberator ['libəreitə*] *s.* liberatore.

Liberia [lai'biəriə] *no.pr.* Liberia.

libertarian [,libə(:)'teəriən] *s.* libertario.

libertine ['libə(:)tain] *agg.* e *s.* libertino.

libertinism ['libətinizəm] *s.* libertinaggio.

liberty ['libəti] *s.* **1** libertà: *at —*, in libertà; *you are at — to think what you like*, sei libero di pensare quello che vuoi; *to take liberties with s.o.*, prendersi delle libertà con qlcu. // *to take the — of*, permettersi di **2** *pl.* privilegi.

libidinous [li'bidinəs] *agg.* libidinoso.

libido [li'bi:dou] *s.* libidine; (*psicanalisi*) libido.

Libra ['li:brə] *no.pr.* (*astr.*) Libra.

librarian [lai'breəriən] *s.* bibliotecario.

librarianship [lai'breəriənʃip] *s.* carica di bibliotecario.

library ['laibrəri] *s.* biblioteca // *circulating —*, biblioteca circolante.

librettist [li'bretist] *s.* librettista.

libretto [li'bretou], *pl.* **librettos** [li'bretouz], **libretti** [li'breti(:)] *s.* libretto (d'opera).

Libya ['libiə] *no.pr.* Libia.

Libyan ['libiən] *agg.* libico.

lice *pl.* di **louse**.

licence, (*amer.*) **license** ['laisəns] *s.* permesso, licenza: *under — of*, col permesso di.

to **license** *v.tr.* autorizzare; accordare una licenza, una patente (a).

licensed ['laisənst] *agg.* **1** autorizzato, patentato **2** autorizzato a vendere alcolici: *— premises*, locali dove si vendono alcolici.

licensee [,laisən'si:] *s.* chi possiede una autorizzazione.

licenser ['laisənsə*] *s.* **1** chi concede licenze, permessi **2** censore (di teatro, stampa ecc.).

licentiate [lai'senʃiit] *s.* diplomato.

licentious [lai'senʃəs] *agg.* licenzioso.

licentiousness [lai'senʃəsnis] *s.* licenziosità.

lichen ['laiken] *s.* (*bot. med.*) lichene.

licit ['lisit] *agg.* lecito.

lick [lik] *s.* **1** leccata // *a — and a promise*, pulizia spiccia e sommaria **2** (*sl.*) piccola quantità **3** (*fam.*) colpo forte **4** (*pl.*) passo: *at a great —*, a passo veloce.

to **lick** *v.tr.* **1** leccare: *to — one's fingers*, leccarsi le dita // *to — into shape*, sbozzare; rendere presentabile // *to — s.o.'s boots*, leccare i piedi a qlcu. **2** lambire (di onde, fiamme) **3** (*sl.*) picchiare; battere; superare **4** (*sl.*) correre a tutta velocità.

lickerish ['likəriʃ] *agg.* ghiotto; avido.

licking ['likiŋ] *s.* **1** leccata **2** (*sl.*) bastonatura; sconfitta.

lickspittle ['lik,spitl] *s.* leccapiedi.

licorice *s.* (*amer.*) → **liquorice**.

lictor ['liktə*] *s.* (*st. romana*) littore.

lid [lid] *s.* **1** coperchio // *that puts the — on it!*, (*fam.*) questo è il colmo! **2** (*eye*) —, palpebra.

lidded ['lidid] *agg.* munito di coperchio // *heavy- — eyes*, occhi dalle palpebre pesanti.

lie[1] [lai] *s.* **1** bugia: *white —*, bugia pietosa; *to tell a —*, dire una bugia // *to act a —*, agire slealmente **2** *the —*, smentita: *to give the — to s.o.*, smentire qlcu.

to lie[1], *pass.* e *p.pass.* **lied** [laid], *p.pres.* **lying** ['lai-iŋ] *v.intr.* mentire, dir bugie // *to — away s.o.'s reputation*, rovinare la reputazione di qlcu. con calunnie // *to — oneself*, *s.o. into trouble*, mettersi, mettere qlcu. nei pasticci con menzogne.

lie[2] *s.* posizione, disposizione: *the — of the land*, la configurazione del terreno; *(fig.)* la situazione.

to lie[2], *pass.* **lay** [lei], *p.pass.* **lain** [lein], *p.pres.* **lying** ['laiiŋ] *v.intr.* **1** giacere, stare disteso **2** essere situato; trovarsi *(anche fig.)* // *the decision lies with you*, sta a te decidere // *to find out how the land lies*, scoprire come stanno le cose // *to — idle*, rimanere inoperoso // *to — in the way*, essere di ostacolo // *to — on hand*, rimanere invenduto // *to — open to*, essere esposto a **3** estendersi *(anche fig.)* **4** *(dir.)* essere accettabile: *no action will —*, nessuna causa sarà sostenibile **5** *to — about*, essere sparso qua e là, in disordine **6** *to — by*, essere inattivo; tenersi in disparte **7** *to — down*, coricarsi **8** *to — down under*, sottomettersi senza protestare **9** *to — in*, partorire; poltrire **10** *to — off*, *(mar.)* stare al largo di **11** *to — over*, essere deferito **12** *to — to*, *(mar.)* essere alla cappa **13** *to — up*, rimanere a letto infermo; rimanere nascosto.

lie detector ['laidi'tektə*] *s.* macchina della verità.

liege [li:dʒ] *agg.* ligio, fedele, leale ♦ *s.* signore; feudatario.

liegeman ['li:dʒmæn], *pl.* **liegemen** ['li:dʒmen] *s.* vassallo.

lie-in ['lai'in] *s.* *(fam.)* il poltrire.

lien [lian] *s.* *(dir.)* diritto di ritenzione.

lieu [lju:] *s.* luogo // *in — of*, invece di.

lieutenancy [lef'tenənsi, *(amer.)* lu:'tenənsi] *s.* luogotenenza.

lieutenant [*(mil.)* lef'tenənt, *(mar.)* le'tenənt, *(amer.)* lu:'tenənt] *s.* tenente.

life [laif], *pl.* **lives** [laivz] *s.* vita: *to bring back to —*, far rinvenire, rianimare // *to take s.o.'s —*, uccidere qlcu. // *to run for one's —*, cercare scampo nella fuga // *to have the time of one's —*, divertirsi come non mai // *for the — of me*, per nulla al mondo // *not on your —*, assolutamente no // *upon my —*, sul mio onore // *to the —*, al naturale // *-interest*, reddito vitalizio // *— assurance* (o *insurance*), assicurazione sulla vita.

life belt ['laifbelt] *s.* cintura di salvataggio.

lifeblood ['laifblʌd] *s.* linfa vitale *(anche fig.)*.

lifeboat ['laifbout] *s.* scialuppa di salvataggio.

life buoy ['laifbɔi] *s.* salvagente.

lifeguard ['laifgɑ:d] *s.* **1** guardia del corpo **2** bagnino.

life jacket ['laif,dʒækit] *s.* giubbotto di salvataggio.

lifeless ['laiflis] *agg.* **1** morto **2** inanimato.

lifelike ['laiflaik] *agg.* vivido, realistico.

lifeline ['laiflain] *s.* *(mar.)* sagola di salvataggio.

lifelong ['laiflɔŋ] *agg.* che dura tutta la vita.

life preserver ['laifpri,zə:və*] *s.* **1** *(amer.)* cintura, giubbotto di salvataggio **2** randello.

lifer ['laifə*] *s.* **1** ergastolano **2** ergastolo.

life-size ['laif'saiz] *agg.* in grandezza naturale.

lifetime ['laiftaim] *s.* vita; tutta la vita.

life vest ['laif,vest] *s.* giubbotto di salvataggio.

lift [lift] *s.* **1** il sollevare, l'innalzare // *to give s.o. a —*, dare un passaggio a qlcu. **2** ascensore, montacarichi **3** *(mecc.)* alzata; *(aer.)* portanza **4** portamento (altero): *his characteristic — of the head*, il suo caratteristico portamento altero **5** spinta; aiuto.

to lift *v.tr.* **1** alzare; sollevare; levare; innalzare *(anche fig.)*: *to — one's voice*, alzare la voce; *to — one's hat*, salutare togliendosi il cappello **2** raccogliere (patate ecc.) **3** *(fam.)* rubare; plagiare **4** fare un intervento di chirurgia plastica al viso ♦ *v.intr.* **1** alzarsi; sollevarsi; levarsi; innalzarsi **2** dissiparsi, diradarsi.

liftboy ['liftbɔi], **liftman**, *pl.* **liftmen** ['liftmæn] *s.* ascensorista.

lift-off ['liftɔf] *s.* lancio (di veicolo spaziale).

ligament ['ligəmənt] *s.* *(anat.)* legamento.

light[1] [lait] *agg.* chiaro, rischiarato: *— brown*, castano chiaro ♦ *s.* **1** luce: *by the — of the sun*, alla luce del sole; *the — died out of her face*, l'animazione si spense sul suo volto; *to be —*, far giorno; *to bring to —*, scoprire, svelare; *to come to —*, venire alla luce; *to put in a favourable —*, mettere in buona luce; *to put on* (o *to turn on* o *to switch on*) *the —*, accendere la luce; *to put out* (o *to turn off* o *to switch off*) *the —*, spegnere la luce // *in the — of*, considerando // *to stand in s.o.'s —*, fare ombra a qlcu.; ostacolare qlcu. **2** lume; fanale // *Bengal —*, bengala **3** fuoco; fiammifero: *will you give me a light?*, mi fai accendere (la sigaretta)? **4** *(pitt.)* luce: *— and shade*, chiaroscuro **5** *pl.* *(pitt.)* chiari **6** finestra; lucernario; vetrata; vetro: *this room has three lights*, questa stanza ha tre finestre **7** *(teol.)* illuminazione **8** *pl.* *(sl.)* occhi.

to light[1], *pass.* e *p.pass.* **lighted** ['laitid], **lit** [lit] *v.tr.* **1** accendere // *to — up*, *(fam.)* accendere una sigaretta **2** illuminare *(anche fig.)*: *to — (up) a room*, illuminare una stanza ♦ *v.intr.* **1** accendersi **2** illuminarsi *(anche fig.)*: *his face lit up*, il suo viso si illuminò.

light[2] *agg.* **1** leggero, non pesante; piacevole: *— bread*, pane lievitato; *— fingers*, dita leste, leggere // *to be a — sleeper*, avere il sonno leggero // *— foot(ed)*, agile, lesto **2** non importante, insignificante: *to make — of*, non dare importanza a **3** frivolo, volubile ♦ *avv.* leggermente; con leggerezza // *to travel —*, viaggiare con poco bagaglio // *to sleep —*, avere il sonno leggero.

to light[3] *v.intr.* **1** posarsi, cadere: *to — on one's feet*, *(anche fig.)* cadere in piedi **2** *to — (up)on (s.o., sthg.)*, imbattersi in (qlcu., qlco.).

to lighten[1] *v.tr.* **1** alleggerire; sgravare **2** rallegrare ♦ *v.intr.* **1** alleggerirsi; sgravarsi **2** rallegrarsi.

to lighten[2] *v.tr.* illuminare; accendere ♦ *v.intr.* **1** illuminarsi; accendersi **2** rischiararsi, schiarirsi (di tempo) ♦ *v.intr. impers.* lampeggiare.

lighter[1] ['laitə*] *s.* *(mar.)* maona.

lighter[2] *s.* accenditore; accendisigaro, accendino.

lighterage ['laitəridʒ] *s.* costo per caricare e/o scaricare una nave.

light-fingered ['lait,fiŋgəd] *agg.* lesto di mano.

light-handed ['lait,hændid] *agg.* che ha la mano leggera, dal guanto di velluto.

light-headed ['lait'hedid] *agg.* sventato // *to feel —*, sentirsi la testa vuota.

light-hearted ['lait'hɑ:tid] *agg.* allegro, spensierato.

lighthouse ['laithaus] *s.* faro.

lighting ['laitiŋ] *s.* illuminazione // *— -up time*, l'orario fissato per accendere le luci.

lightly ['laitli] *avv.* **1** leggermente; alla leggera **2** allegramente; agilmente **3** poco; un poco.

lightness ['laitnis] *s.* **1** leggerezza **2** agilità **3** frivolezza.

lightning ['laitniŋ] *s.* fulmine, saetta; lampo: *like —*, veloce come un fulmine, come una saetta // *— con-*

ductor, parafulmine // — *glance*, sguardo fulminante // — *strike*, sciopero improvviso.

lightning bug [ˈlaitniŋbʌg] *s.* (*amer.* per *firefly*) lucciola.

lights [laits] *s.pl.* polmoni (di pecora, maiale ecc.).

lightship [ˈlaitʃip] *s.* (*mar.*) battello-faro.

lightsome[1] [ˈlaitsəm] *agg.* **1** leggero; grazioso **2** ridente; allegro **3** agile.

lightsome[2] *agg.* luminoso, arioso (di edificio).

lightweight [ˈlaitweit] *agg.* **1** leggero **2** di nessuna importanza ♦ *s.* **1** (*pugilato*) peso leggero **2** persona di nessuna importanza.

light year [ˈlait'jə:*] *s.* anno luce.

ligneous [ˈligniəs] *agg.* ligneo; legnoso.

lignite [ˈlignait] *s.* (*min.*) lignite.

Ligurian [liˈgjuriən] *agg.* e *s.* ligure.

like [laik] *agg.* **1** simile; somigliante; uguale, pari, analogo: *in — manner*, parimenti; *they gave me sthg. — ten pounds*, mi diedero qlco. come dieci sterline; *he was — a father to me*, fu come un padre per me; *I know people — that*, conosco gente così; *to be — s.o.*, essere rassomigliare a qlcu.; avere gli stessi gusti; *who is he —?*, a chi assomiglia?; *what is he —?*, che tipo è?; *to be — each other, one another*, rassomigliarsi; *as — as two peas in a pod*, uguali come due gocce d'acqua // *that's more — it!*, questo va meglio!; *è* più probabile! // *there is nothing — ...*, non c'è niente di meglio di... // *— father, — son*, (*prov.*) tale padre, tale figlio **2** proprio di, tipico di: *it is just — him to say so*, è da lui dire questo; *that is just — a woman!*, questo è tipicamente femminile! **3** probabile: *he is — to win*, è probabile che vinca **4** (*usato pred., spec. in unione con* to feel, to look): *I don't feel — going, working*, non mi sento di andare, di lavorare; *it looks — rain*, sembra che voglia piovere.

like *s.* **1** simile; pari; uguale: *did you ever hear the — (of it)?*, hai mai sentito una cosa simile?; *I never saw his —*, non ho mai visto un individuo come lui; *we and the likes of us*, (*fam.*) noi e i nostri pari // *and the —*, e simili, e così via **2** *pl.*: likes and dislikes, simpatie e antipatie.

to like *v.tr.* (*costr. pers.*) **1** piacere, aver simpatia per; amare; gradire; preferire: *do you — skiing?*, ti piace sciare?; *"How do you — your tea?" "I — it weak"*, «Come preferisci il tè?» «Mi piace leggero»; *to — best*, preferire (tra più di due); *to — better*, preferire (tra due) // *I — strawberries, but they don't — me*, (*fam.*) mi piacciono le fragole, ma non mi fanno bene **2** volere, desiderare: *as you —*, come vuoi; *I should — you to know*, vorrei che tu sapessi; *would you — some coffee?*, (*fam.*) vuoi del caffè? // *whether he likes it or not*, volente o nolente.

like *avv.* e *cong.* come // *— that*, così // *— enough* (o *very —*), probabilmente // *she looked angry —*, (*dial.*) sembrava arrabbiata.

likeable [ˈlaikəbl] *agg.* piacevole, attraente.

likelihood [ˈlaiklihud] *s.* probabilità: *in all —*, con tutta probabilità.

likely [ˈlaikli] *agg.* **1** probabile; verosimile **2** promettente: *a — young man*, un giovane promettente **3** adatto; conveniente ♦ *avv.* probabilmente.

to liken [ˈlaikən] *v.tr.* paragonare.

likeness [ˈlaiknis] *s.* **1** somiglianza, rassomiglianza: *the portrait is a poor —*, il ritratto è poco somigliante **2** ritratto.

likewise [ˈlaikwaiz] *avv.* **1** parimenti; similmente;

allo stesso modo: *to do —*, fare altrettanto **2** anche, inoltre.

liking [ˈlaikiŋ] *s.* gusto, preferenza; gradimento: *is this wine to your —?*, questo vino è di tuo gusto?

lilac [ˈlailək] *agg.* e *s.* **1** (*bot.*) lillà **2** (*color*) lilla.

Lilliputian [ˌliliˈpju:ʃjən] *agg.* lillipuziano.

lilt [lilt] *s.* cadenza, melodia.

to lilt *v.tr.* e *intr.* cantare melodiosamente.

lily [ˈlili] *s.* giglio (*anche fig.*) // *— of the valley*, mughetto.

lily-livered [ˈliliˌlivəd] *agg.* codardo.

lily-white [ˈliliˈwait] *agg.* candido, bianchissimo.

limb[1] [lim] *s.* **1** arto, membro // *— of the law*, rappresentante della legge **2** ramo // *to be out on a —*, essere esposto al rischio **3** (*fam.*) diavoletto.

limb[2] *s.* orlo, contorno.

limber[1] [ˈlimbə*] *s.* (*mil.*) avantreno.

limber[2] *agg.* flessibile, pieghevole.

to limber[2] *v.tr.* rendere flessibile, pieghevole // *to — up*, scaldare i muscoli.

Limbo, limbo [ˈlimbou] *s.* limbo (*anche fig.*).

lime[1] [laim] *s.* calce.

to lime[1] *v.tr.* **1** trattare con calce **2** invischiare.

lime[2] *s.* cedro.

lime[3] *s.* tiglio.

limejuce [ˈlaimdʒu:s] *s.* succo di cedro.

limelight [ˈlaimlait] *s.* luce fortissima; (*teatr.*) luci della ribalta (*pl.*) // *in the —*, (*fig.*) assai in vista.

limestone [ˈlaimstoun] *s.* (*min.*) calcare.

limewater [ˈlaimˌwɔ:tə*] *s.* acqua di calce.

limey [ˈlaimi] *s.* (*amer.*) (marinaio) inglese.

limit [ˈlimit] *s.* confine, limite (*anche fig.*) // *within limits*, con moderazione // *that's the —!*, (*sl.*) questo è il colmo! // *off limits*, (*amer.*) vietato l'accesso.

to limit *v.tr.* limitare, porre un limite (a).

limitation [ˌlimiˈteiʃən] *s.* **1** limitazione, restrizione: *to know one's limitations*, conoscere i propri limiti **2** (*dir.*) termine di prescrizione.

limited [ˈlimitid] *agg.* limitato, ristretto // *— liability company*, società a responsabilità limitata // *— monarchy*, monarchia costituzionale.

limousine [ˈlimu(:)zi:n] *s.* (*aut.*) berlina di lusso.

limp[1] [limp] *s.* zoppicamento.

to limp[1] *v.tr.* zoppicare (*anche. fig.*).

limp[2] *agg.* **1** molle, flaccido **2** debole; fiacco.

limpet [ˈlimpit] *s.* (*zool.*) patella // *to stick like a —*, (*fig.*) essere attaccato come una mignatta.

limpid [ˈlimpid] *agg.* limpido; trasparente.

limpidity [limˈpiditi] *s.* limpidezza; trasparenza.

limply [ˈlimpli] *avv.* **1** mollemente **2** debolmente.

limpness [ˈlimpnis] *s.* **1** mollezza, flaccidità **2** debolezza; fiacchezza.

limy [ˈlaimi] *agg.* **1** viscoso **2** calcareo.

linchpin [ˈlinʃpin] *s.* **1** (*mecc.*) acciarino (di ruota) **2** (*fig.*) pilastro.

linden [ˈlindən] *s.* tiglio.

line[1] [lain] *s.* **1** corda, cordicella **2** linea: *a straight —*, una linea retta; *the — is engaged*, (*tel.*) la linea è occupata // *the Line*, l'equatore // *— shipping —*, compagnia di navigazione // *to toe the —*, (*fig.*) sottomettersi alla disciplina **3** ruga **4** (*fishing-*), lenza **5** riga; verso; rigo: *new —*, a capo; *to drop a —*, scrivere due righe // *— space*, (*informatica*) interlinea // *— feed*, (*informatica*) avanzamento di un'interlinea **6** confine; (*fig.*) limite: *to draw a —*, stabilire un limite **7** (*spec. amer.*) coda, fila: *to stand in —*, stare in fila; *to fall out of —*, rompere le righe // *to fall* (o *to come*) *into — with* *s.o.'s ideas*, (*fig.*) conformarsi alle idee di qlcu. **8** stirpe, discendenza **9** linea di condotta; criterio: *to take a strong —*, agire energicamente **10** attività; mestiere; ramo: *his — of business is selling hats*, la sua attività è vendere cappelli // *sport is not in his —*, lo sport non è il suo forte **11** (*teatr.*) battuta **12** *pl.*: (*marriage*) *lines*, certificato di matrimonio **13** (*mil.*): *the —*, fanteria; (*amer.*) ogni corpo combattente.

to **line**[1] *v.tr.* **1** rigare; segnare: *face lined with pain*, viso segnato dal dolore **2** *to — (up)*, allineare **3** fiancheggiare: *lined with trees*, fiancheggiato da alberi ♦ *v.intr.*: *to — up*, allinearsi; *to — up (for sthg.)*, (*spec. amer.*) mettersi in coda, fare la coda (per qlco.).

to **line**[2] *v.tr.* foderare: *to — with fur*, foderare di pelliccia.

lineage ['liniidʒ] *s.* lignaggio, stirpe.

lineal ['liniəl] *agg.* in linea diretta.

lineament ['liniəmənt] *s.* **1** lineamento **2** caratteristica.

linear ['liniə*] *agg.* lineare.

lineman, *pl.* **linemen** ['lainmən] *s.* guardalinea; guardafili.

linen ['linin] *agg.* di lino, di tela ♦ *s.* **1** tela di lino **2** biancheria // *to wash one's dirty — in public*, lavare i panni sporchi in pubblico.

linen-closet ['linin,klɔ:zit] *s.* (*amer.*) armadio per la biancheria di casa.

linen-draper ['linin,dreipə*] *s.* negoziante di telerie.

liner ['lainə*] *s.* **1** (*mar.*) transatlantico **2** aeroplano di linea.

linesman, *pl.* **linesmen** ['lainzmən] *s.* **1** guardalinee **2** (*sport*) segnalinee **3** soldato di prima linea.

lineup ['lainʌp] *s.* **1** allineamento **2** (*mil.*) schieramento.

ling [liŋ] *s.* (*bot.*) erica.

to **linger** ['liŋgə*] *v.intr.* **1** indugiare; bighellonare **2** tirare avanti; protrarsi.

lingerie ['læŋʒəri:, (*amer.*) ,la:ndʒə'rei] *s.* biancheria per signora.

lingering ['liŋgəriŋ] *agg.* lento; protratto ♦ *s.* ritardo; lentezza; il protrarsi.

lingo ['liŋgou], *pl.* **lingoes** ['liŋgouz] *s.* (*spreg.*) linguaggio.

lingual ['liŋgwəl] *agg.* **1** (*anat.*) linguale **2** linguistico.

linguist ['liŋgwist] *s.* **1** poliglotta **2** linguista.

linguistic [liŋ'gwistik] *agg.* linguistico.

linguistics [liŋ'gwistiks] *s.* linguistica.

liniment ['linimənt] *s.* (*med.*) linimento.

lining ['lainiŋ] *s.* fodera; interno.

link [liŋk] *s.* **1** anello, maglia (di catena) // *missing —*, (*fig.*) anello mancante **2** vincolo, legame (*anche fig.*) **3** (*mecc.*) connessione; comando articolato; maglia **4** (*informatica*) collegamento; rientro, rinvio; (*IBM*) indirizzo di aggancio: *multipoint —*, (*tel.*) collegamento multiplo.

to **link** *v.tr.* collegare; unire; concatenare // *to — back*, (*informatica*) rinviare al programma principale ♦ *v.intr.* collegarsi; unirsi // *to — up with (sthg.)*, unirsi a, collegarsi a.

links [liŋks] *s.pl.* campo da golf (*sing.*).

linnet ['linit] *s.* (*zool.*) fanello.

lino ['lainou], **linoleum** [li'nouljəm] *s.* linoleum.

linotype® ['lainoutaip] *s.* (*tip.*) linotype®, linotipo.

linotypist ['lainou,taipist] *s.* linotipista.

linseed ['linsi:d] *s.* seme di lino: *— oil*, olio di lino.

lint [lint] *s.* garza.

lintel ['lintl] *s.* (*arch.*) architrave.

lion ['lajən] *s.* **1** leone (*anche fig.*): *—'s cub* (o *whelp*), leoncino **2** (*fig.*) celebrità **3** (*fig.*) Inghilterra.

lioness ['lajənes] *s.* leonessa.

lion-hearted ['lajən,ha:tid] *agg.* dal cuor di leone.

to **lionize** ['lajənaiz] *v.tr.* trattare (qlcu.) come una celebrità.

lion-tamer ['lajən,teimə*] *s.* domatore di leoni.

lip [lip] *s.* **1** labbro // *to hang on the lips of s.o.*, pendere dalle labbra di qlcu. // *stiff upper —*, imperturbabilità **2** orlo, bordo, margine; labbro (di ferita) **3** (*fam.*) impudenza.

to **lip** *v.tr.* toccare con le labbra.

lip-reading ['lip,ri:diŋ] *s.* (*di sordomuti*) lettura labiale.

lipsalve ['lipsa:lv] *s.* burro di cacao.

lip service ['lip,sə:vis] *s.* espressioni insincere (di devozione ecc.).

lipstick ['lipstik] *s.* rossetto.

liquefaction [,likwi'fækʃən] *s.* liquefazione.

to **liquefy** ['likwifai] *v.tr.* liquefare ♦ *v.intr.* liquefarsi.

liqueur [li'kjuə*, (*amer.*) li'kə:r] *s.* liquore dolce.

liquid ['likwid] *agg.* **1** liquido; fluido **2** chiaro, trasparente **3** (*di suoni*) armonioso **4** (*comm.*) facilmente convertibile in denaro ♦ *s.* **1** liquido **2** (*gramm.*) liquida (consonante).

to **liquidate** ['likwideit] *v.tr.* liquidare ♦ *v.intr.* (*comm.*) fallire.

liquidation [,likwi'deiʃən] *s.* (*comm.*) liquidazione; bancarotta.

liquidator ['likwideitə*] *s.* (*comm.*) liquidatore.

liquidizer ['likwidaizə*] *s.* frullatore.

liquor ['likə*] *s.* **1** bevanda alcolica; (*amer.*) (liquore) distillato // *to be in —*, essere ubriaco // *— laws*, leggi che limitano l'uso di bevande alcoliche // *— malt —*, birra **2** sostanza liquida.

to **liquor** *v.intr.*: *to — up*, (*sl.*) bere alcolici.

liquorice ['likəris] *s.* liquirizia.

Lisbon ['lizbən] *no.pr.* Lisbona.

lisp [lisp] *s.* blesità.

to **lisp** *v.intr.* parlare bleso.

lissom ['lisəm] *agg.* pieghevole, flessibile.

list[1] [list] *s.* lista, elenco, catalogo // *— price*, prezzo di listino.

to **list**[1] *v.tr.* elencare, catalogare.

list[2] *s.* bordo; cimosa.

list[3] *s.* (*mar.*) sbandamento.

to **list**[3] *v.intr.* (*mar.*) sbandare.

to **listen** ['lisn] *v.intr.* **1** ascoltare; dare ascolto: *to — to s.o.*, ascoltare qlcu. // *to — for a sound*, tendere l'orecchio per captare eventuali rumori **2** *to — in*, ascoltare la radio; captare, intercettare (una comunicazione, una trasmissione).

listener ['lisnə*] *s.* ascoltatore.

listless ['listlis] *agg.* svogliato; indifferente; apatico.

lit *pass.* e *p.pass.* di **light**.

litany ['litəni] *s.* litania.

literacy ['litərəsi] *s.* il saper leggere e scrivere.

literal ['litərəl] *agg.* **1** letterale; testuale **2** prosaico **3** di lettera alfabetica.

to **literalize** ['litərəlaiz] *v.tr.* interpretare alla lettera.

literally ['litərəli] *avv.* letteralmente.

literary ['litərəri] *agg.* letterario.

literate ['litərit] *agg.* **1** capace di leggere e scrivere **2** colto ♦ *s.* **1** chi sa leggere e scrivere **2** persona colta.

literature ['litrətʃə*, (*amer.*) 'litrətʃuər] *s.* **1** letteratura; opere letterarie (*pl.*) **2** (*fam.*) scritti, opuscoli (*pl.*).

lithe [laið] *agg.* flessibile; duttile.

litheness ['laiðnis] s. flessibilità; duttilità.
lithograph ['liθəgra:f] s. litografia.
to **lithograph** v.tr. litografare.
lithographer [li'θɒgrəfə*] s. litografo.
lithographic [,liθə'græfik] agg. litografico.
lithography [li'θɒgrəfi] s. litografia.
lithology [li'θɒlədʒi] s. **1** (geol.) litologia **2** (med.) studio della calcolosi.
lithosphere ['liθousfiə*] s. (geol.) litosfera.
Lithuania [,liθju(:)'einjə] no.pr. Lituania.
Lithuanian [,liθju(:)'einjən] agg. e s. lituano.
litigant ['litigənt] agg. e s. (dir.) contendente.
to **litigate** ['litigeit] v.tr. (dir.) contestare (in un processo) ♦ v.intr. essere in causa.
litigation [,liti'geiʃən] s. (dir.) contestazione; causa.
litigious [li'tidʒəs] agg. (dir.) contestabile; litigioso.
litmus ['litməs] s. (chim.) tornasole // — paper, carta al, di tornasole.
litter ['litə*] s. **1** rifiuti (pl.) **2** lettiera; figliata **3** lettiga; barella.
to **litter** v.tr. mettere in disordine ♦ v.intr. figliare (di animali.).
litterbin ['litəbin] s. bidone della spazzatura.
litterbug ['litəbʌg] s. (amer.) chi butta rifiuti per la strada.
litterlout ['litəlaut] s. chi butta rifiuti per la strada.
little ['litl], comp. **less** [les], superl. **least** [li:st] agg. **1** piccolo // the — ones, i bambini, i piccoli // the — folk (o people), le fate, i folletti **2** breve; corto: a — way, un breve tratto di strada // a — while, un istante **3** poco: — money, poco denaro // no —, non poco **4** insignificante; meschino // — matter, poca cosa **5** a —, un po' di: a — bread, un po' di pane; a — more, ancora un po' di ♦ s. **1** poco // — by —, a poco a poco // in —, in piccolo (formato) // I see very — of her, la vedo pochissimo // every — helps, (prov.) tutto fa brodo **2** a —, un po', un poco; a — more, ancora un po' // not a —, non poco // wait a —, aspetta un po', un momento ♦ avv. **1** poco // very —, pochissimo; raramente **2** (non) affatto, (non) certo: she thought that..., non pensava affatto, certo che... **3** a —, un po': a — better, un po' meglio.
littleness ['litlnis] s. piccolezza; (fig.) meschinità.
littoral ['litərəl] agg. e s. litorale.
liturgic(al) [li'tə:dʒik(əl)] agg. liturgico.
liturgy ['litə(:)dʒi] s. liturgia.
live [laiv] agg. **1** vivo; pieno di vita **2** ardente, acceso // — bait, esca viva // — cartridge, cartuccia carica // — wire, (elettr.) filo di tensione; (fig.) persona dinamica ♦ avv. (rad. tv) in collegamento diretto, in diretta.
to **live** [liv] v.intr. **1** vivere; abitare: to — on one's salary, on others, vivere del proprio stipendio, alle spalle altrui; to — through a political crisis, sopravvivere a una crisi politica; to — by one's wits, vivere di espedienti // to — from hand to mouth, vivere alla giornata // to — up to one's principles, essere all'altezza dei propri principi // — and let —, (prov.) vivi e lascia vivere // long — the Queen!, viva la regina! // to — on, continuare a vivere, perdurare **2** abitare **3** (di alunni, medici ecc.) to — in, essere interno; to — out, essere esterno ♦ v.tr. **1** vivere **2** to — down, (far) dimenticare.
liveable ['livəbl] agg. che si può vivere.
livelihood ['laivlihud] s. mezzi di sussistenza.
liveliness ['laivlinis] s. vitalità; vivacità, animazione; brio.
livelong ['livlɔn, (amer.) 'laivlɔ:n] agg. (poet.) duraturo // the — day, l'intero giorno.

lively ['laivli] agg. **1** pieno di vita, vivace; animato; allegro // a — breeze, una piacevole brezza **2** vivo, intenso, profondo (di emozioni, sentimenti).
to **liven** ['laivn] v.tr. animare // to — up, ravvivare ♦ v.intr. animarsi // to — up, ravvivarsi.
liver ['livə*] s. fegato // — sausage, salciccia di fegato.
liveried ['livərid] agg. in livrea.
liverish ['livəriʃ] agg. (fam.) fegatoso.
liverishness ['livəriʃnis] s. mal di fegato.
Liverpudlian [,livə'pʌdliən] agg. e s. (abitante) di Liverpool.
liverwurst ['livəwə:st] s. (amer.) salsiccia di fegato.
livery ['livəri] s. livrea // — stable, stallaggio.
livestock ['laivstɔk] s. bestiame.
livid ['livid] agg. livido // — with rage, furibondo.
lividity [li'viditi], **lividness** ['lividnis] s. lividezza.
living ['livin] agg. **1** vivo; vivente; esistente: we the —, noi vivi // within — memory, a memoria d'uomo **2** vivo, intenso ♦ s. **1** mezzo di mantenimento, di sostentamento: to earn (o to make) a — as a teacher, guadagnarsi da vivere come insegnante **2** modo di vivere; il vivere **3** (eccl.) beneficio.
living room ['livinrum] s. soggiorno.
living space ['livinspeis] s. spazio vitale.
Livy ['livi] no.pr. (st.lett.) Tito Livio.
lizard ['lizəd] s. lucertola.
'll contr. di **shall, will**.
llama ['lɑ:mə] s. (zool.) lama.
lo [lou] inter. (arc. e scherz.): — and behold!, ecco! guarda!
load [loud] s. **1** carico, peso (anche fig.): to get a — off one's chest, (fam.) togliersi un peso dallo stomaco // loads of..., (fam.) un sacco di..., una gran quantità di... **2** (mecc.) carico, pressione **3** (elettr.) carica, tensione **4** (informatica) carico; carico di lavoro // — and go, caricamento e lancio; (IBM) caricamento ed esecuzione.
to **load** v.tr. **1** caricare; colmare (anche fig.): to — a gun, caricare un fucile; to — a ship, fare il carico di una nave **2** zavorrare (con piombo): to — the dice, truccare i dadi **3** alterare, adulterare (vino) ♦ v.intr. caricare; caricarsi.
loaded ['loudid] agg. **1** carico **2** (di dado) truccato **3** impiombato **4** (sl. amer.) ubriaco.
loader ['loudə*] s. caricatore.
load-line ['loudlain] s. linea a pieno carico.
loadstar s. → **lodestar**.
loadstone ['loudstoun] s. (min.) magnetite.
loaf[1] [louf], pl. **loaves** [louvz] s. pagnotta // meat —, polpettone.
to **loaf**[2] v.intr. oziare.
loafer ['loufə*] s. **1** (fam.) poltrone, fannullone **2** pl. mocassini.
loame [loum] s. **1** terra fertile e argillosa **2** argilla per mattoni.
loan [loun] s. prestito, mutuo: on —, a, in prestito; to put out on —, prestare // war —, prestito di guerra.
to **loan** v.tr. (amer.) prestare.
loanword ['lounwə:d] s. (ling.) prestito.
loath [louθ] agg. riluttante, restio // nothing —, molto volentieri.
to **loathe** [louð] v.tr. detestare, aborrire: to — doing sthg., avere ripugnanza a fare qlco.
loathing ['louðin] s. disgusto; ripugnanza.
loathsome ['louðsəm] agg. **1** odioso **2** nauseante.
lob [lɔb] s. (tennis) pallonetto.

to lob *v.tr.* e *intr.* (*tennis*) fare un pallonetto.

lobate ['loubeit] *agg.* (*bot.*) lobato.

lobby ['lɔbi] *s.* **1** anticamera; corridoio **2** (*teatr.*) ridotto **3** (*pol.*) gruppo di persone che fa manovre di corridoio prima del passaggio di una legge.

to lobby *v.tr.* (*pol.*) far passare (un progetto di legge) facendo manovre di corridoio: *to — a bill through*, far passare un progetto di legge per mezzo di intrighi ♦ *v.intr.* fare manovre di corridoio.

lobe [loub] *s.* lobo.

lobster ['lɔbstə*] *s.* aragosta.

lobsterpot ['lɔbstəpɔt] *s.* nassa per aragoste.

lobule ['lɔbju:l] *s.* lobulo.

local ['loukəl] *agg.* locale // *Local*, Città (negli indirizzi) ♦ *s.* **1** abitante del luogo **2** (treno, autobus) locale **3** *the —*, (*fam.*) l'osteria del posto.

localism ['loukəlizəm] *s.* **1** idiotismo; usanza locale **2** campanilismo; provincialismo.

locality [lou'kæliti] *s.* località; luogo, posizione // *a good bump of —*, (*fam.*) un forte senso dell'orientamento.

to localize ['loukəlaiz] *v.tr.* **1** localizzare **2** circoscrivere **3** rivestire delle caratteristiche di un luogo.

location [lou'keiʃən] *s.* **1** posizione, sito **2** (*cinem.*) esterni (*pl.*).

loch [lɔk] *s.* **1** (*scoz.*) lago **2** braccio di mare.

lock¹ [lɔk] *s.* **1** ciocca, ricciolo **2** fiocco, bioccolo **3** *pl.* capelli.

lock² *s.* **1** serratura // *double —*, serratura a doppia mandata // *—, stock and barrel*, completamente // *under — and key*, sotto chiave **2** diga; chiusa // *— keeper*, guardiano delle chiuse // *— gate*, chiusa **3** otturatore di fucile **4** (*mecc.*) blocco; fermo (di ruota).

to lock² *v.tr.* **1** chiudere a chiave; serrare // *to — in*, rinchiudere // *to — out*, chiudere fuori; fare una serrata // *to — up*, mettere al sicuro; chiudere a chiave; rinchiudere **2** stringere: *to — a person in one's arms*, stringere una persona tra le braccia **3** imprigionare **4** (*mecc.*) bloccare ♦ *v.intr.* **1** chiudersi a chiave **2** (*mecc.*) bloccarsi, incepparsi.

locker ['lɔkə*] *s.* armadietto a chiave // *Davy Jones's —*, il fondo del mare.

locket ['lɔkit] *s.* medaglione.

lockjaw ['lɔkdʒɔ:] *s.* (*med.*) trisma.

lockout ['lɔkaut] *s.* serrata.

locksmith ['lɔksmiθ] *s.* fabbro.

lockup ['lɔkʌp] *s.* camera di sicurezza.

locomotion [,loukə'mouʃən] *s.* locomozione.

locomotive ['loukə,moutiv] *agg.* locomotivo; locomotore ♦ *s.* locomotiva.

locomotor [,loukə'moutə*] *agg.* locomotore.

locum ['loukəm] *s.* sostituto.

locus ['loukəs], *pl.* **loci** ['lousai] *s.* **1** località, posizione **2** (*mat.*) luogo **3** (*lett.*) passo (di libro ecc.).

locust ['loukəst] *s.* locusta, cavalletta // *— bean*, carruba // *— tree*, carrubo.

locution [lou'kju:ʃən] *s.* locuzione.

locutory ['lɔkjutəri] *s.* parlatorio.

lode [loud] *s.* (*min.*) vena, filone.

lodestar ['loudsta:*] *s.* **1** stella polare **2** (*fig.*) principio ispiratore.

lodestone *s.* → **loadstone**.

lodge [lɔdʒ] *s.* **1** portineria; guardiola **2** loggia **3** (*amer.*) capanno (per cacciatori ecc.); padiglione di caccia.

to lodge *v.tr.* **1** alloggiare, ospitare **2** far entrare; piantare **3** depositare (*anche fig.*); mettere al sicuro; affidare **4** (*dir.*) sporgere // *to — a complaint*, presentare un reclamo ♦ *v.intr.* **1** alloggiare; essere alloggiato, ospitato **2** entrare; piantarsi, conficcarsi.

lodgement *s.* → **lodgment**.

lodger ['lɔdʒə*] *s.* pigionante.

lodging ['lɔdʒiŋ] *s.* **1** alloggio, dimora **2** *pl.* camere in affitto // *board and —*, vitto e alloggio.

lodgment ['lɔdʒmənt] *s.* **1** deposito, intoppo (di un tubo ecc.) **2** (*comm.*) versamento, deposito **3** (*mil.*) posizione stabile.

loft [lɔft] *s.* **1** soffitta **2** piccionaia **3** fienile.

to loft *v.tr.* (*golf*) colpire (la palla) in modo da mandarla in alto.

loftiness ['lɔftinis] *s.* **1** altezza, elevatezza; (*fig.*) nobiltà, grandezza **2** superbia.

lofty ['lɔfti] *agg.* **1** alto, elevato; (*fig.*) nobile **2** orgoglioso, altezzoso.

log [lɔg] *s.* **1** ceppo, ciocco // *to fall like a —*, cadere pesantemente **2** (*mar.*) solcometro // *— cabin*, capanna di legno.

to log *v.tr.* **1** tagliare (tronchi) in grossi pezzi **2** (*mar.*) registrare sul giornale di bordo.

log(arithm) ['lɔg(əriθəm)] *s.* (*mat.*) logaritmo.

logarithmic(al) [,lɔgə'riθmik(əl)] *agg.* logaritmico.

logbook ['lɔgbuk] *s.* **1** giornale di bordo **2** (*aut.*) libretto di circolazione.

logging ['lɔgiŋ] *s.* (*informatica*) registrazione; raccolta dati; (IBM) registrazione cronologica.

logic ['lɔdʒik] *s.* logica // *operating —*, (*informatica*) ricerca operativa.

logical ['lɔdʒikəl] *agg.* logico.

logician [lou'dʒiʃən] *s.* logico.

logistics [lou'dʒistiks] *s.* (*mil.*) logistica.

logjam ['lɔgdʒæm] *s.* massa di tronchi galleggianti; (*amer. fig.*) punto morto.

to logroll ['lɔgroul] *v.intr.* (*fig.*) allearsi, sostenersi politicamente (di due partiti).

loin [lɔin] *s.* **1** (*cuc.*) lonza, lombata **2** *pl.* (*poet.*) fianchi, lombi: *sprung from the loins of*, discendente da // *to gird up one's loins*, (*fig.*) accingersi.

loir ['lɔiə*] *s.* ghiro.

to loiter ['lɔitə*] *v.intr.* indugiare; bighellonare; gironzolare.

loiterer ['lɔitərə*] *s.* ozioso; bighellone.

to loll [lɔl] *v.tr.* (far) ciondolare ♦ *v.intr.* **1** pendere; penzolare, ciondolare **2** sedere, adagiarsi pigramente: *to — about*, oziare.

Lollard ['lɔləd] *s.* (*st. relig.*) lollardo.

lollipop ['lɔlipɔp] *s.* (*fam.*) lecca-lecca // *— man* (o *woman*), persona incaricata di controllare il traffico vicino alle scuole.

to lollop ['lɔləp] *v.intr.* (*fam.*) camminare goffamente dondolandosi.

lolly ['lɔli] *s.* **1** (*fam.*) lecca-lecca **2** (*sl.*) denaro.

Lombard ['lɔmbəd] *agg.* e *s.* lombardo.

Lombardy ['lɔmbədi] *no.pr.* Lombardia.

London ['lʌndən] *no.pr.* Londra.

Londoner ['lʌndənə*] *s.* londinese.

Londonese [,lʌndə'ni:z] *s.* dialetto londinese.

lone [loun] *agg.* (*letter.*) solitario; solo; isolato // *to play a — hand*, (*fig.*) agire da solo // *— wolf*, (*fig.*) orso.

loneliness ['lounlinis] *s.* solitudine; isolamento.

lonely ['lounli] *agg.* solo; solitario; isolato.

lonesome ['lounsəm] *agg.* solo; solitario; abbandonato.

long¹ [lɒŋ] *agg.* lungo: — *in the arm*, di braccia lunghe; *a — time ago*, molto tempo fa; *to make sthg. longer*, allungare qlco.; *to take the longest way round*, fare la strada più lunga // — *memory*, memoria tenace // *at the longest*, al massimo // *by a — way* (*fam.*) *by a — chalk*, di gran lunga // *to pull a — face*, fare il viso lungo, imbronciato // *face as — as a fiddle*, faccia da funerale // *friend of — standing*, amico di lunga data // *three — miles*, tre buone miglia // *it will be a — day before...*, ce ne vorrà prima che... // *to be — in the tooth*, (*fam.*) non esser più tanto giovane // *to make a — nose at s.o.*, fare marameo a qlcu. // *to take a — chance*, rischiare avendo poche probabilità di riuscita ♦ *s.* molto tempo: *he will not be away for* —, non starà via molto tempo // *before* (o *ere*) —, fra breve // *he knows the — and the short of it*, ne conosce tutti i particolari.

long¹ *avv.* a lungo; (per) molto tempo // *how —?*, (da) quanto tempo?; — *ago*, molto tempo fa // *he no longer lives* (o *he does not live any longer*) *with us*, non abita più con noi // *as* (o *so*) — *as*, purché // *so —!*, arrivederci! // *she will not be — coming*, non tarderà a venire.

to **long**² *v.intr.* desiderare fortemente; non vedere l'ora: *to — for home*, avere molta nostalgia di casa propria.

longboat [ˈlɒŋbout] *s.* (*mar.*) lancia.

longbow [ˈlɒŋbou] *s.* arco // *to draw the —*, (*fam.*) esagerare.

long-distance call [ˌlɒŋˈdistənskɔːl] *s.* interurbana.

long-distance runner [ˌlɒŋˈdistəns ˈrʌnə*] *s.* maratoneta.

longevity [lɒnˈdʒeviti] *s.* longevità.

long-haired [ˌlɒŋˈhɛəd] *agg.* capellone: — *youth*, capellone.

longhand [ˈlɒŋhænd] *s.* scrittura ordinaria.

longheaded [ˌlɒŋˈhedid] *agg.* dolicocefalo; (*fig.*) perspicace.

longing [ˈlɒŋiŋ] *agg.* bramoso, desideroso ♦ *s.* brama, vivo desiderio.

longitude [ˈlɒndʒitjuːd] *s.* longitudine.

longitudinal [ˌlɒndʒiˈtjuːdinl] *agg.* longitudinale.

long johns [ˌlɒŋ ˈdʒɒnz] *s.pl.* mutande lunghe da uomo.

long-life [ˈlɒŋˈlaif] *agg.attr.* a lunga durata: — *battery*, batteria a lunga durata; — *milk*, latte a lunga conservazione.

Longobard [ˈlɒŋɡəbɑːd] *s.* (*st.*) longobardo.

long-pass [ˈlɒŋpɑːs] *s.* (*sport*) allungo.

long-playing record [ˈlɒŋpleiiŋˈrekɔːd] *s.* microsolco.

longshoreman, *pl.* **longshoremen** [ˈlɒŋʃɔːmən] *s.* scaricatore di porto.

long shot [ˈlɒŋʃɒt] *s.* **1** (*cinem.*) campo lungo **2** (*fig.*) tentativo azzardato.

longsighted [ˌlɒŋˈsaitid] *agg.* **1** che vede da lontano; presbite **2** (*fig.*) prudente, oculato.

longstanding [ˌlɒŋˈstændiŋ] *agg.* di vecchia data.

longsuffering [ˌlɒŋˈsʌfəriŋ] *agg.* paziente.

long-term [ˈlɒŋtɜːm] *agg.* a lunga scadenza.

longways [ˈlɒŋweiz] *avv.* per il lungo.

longwearing [ˌlɒŋˈwɛəriŋ] *agg.* resistente.

longwinded [ˌlɒŋˈwindid] *agg.* **1** che ha fiato **2** prolisso.

longwise [ˈlɒŋwaiz] *avv.* → **longways**.

look [luk] *s.* **1** sguardo, occhiata, colpo d'occhio: *to have a good — at sthg.*, esaminare attentamente qlco.; *let me have a — at him*, lascia che lo guardi **2** espressione: *a — of happiness*, un'espressione di felicità **3** *pl.* aspetto (*sing.*): *to judge by looks*, giudicare dalle apparenze // *good looks*, bellezza.

to **look** *v.intr.* e *tr.* **1** guardare; osservare: *I looked at him*, lo guardai; — *where you are going*, guarda dove vai; — *who is here!*, guarda chi c'è!; *to — s.o. in the face*, guardare qlcu. in viso **2** sembrare, aver l'aria di, apparire: *he looked fine in that suit*, quel vestito gli donava; *he looks as if* (o *as though*) *he wanted to...*, ha l'aria di volere... // *to — ill*, *well*, avere una brutta, bella cera // *to — one's age*, dimostrare la propria età // *to — black*, apparire accigliato; *to — blue*, essere triste, di cattivo umore // *to — like*, assomigliare a; promettere; aver l'aria di: *it looks like rain*, sembra che voglia piovere; *what does he — like?*, che tipo è? // *to — one's best*, essere in gran forma // *to make s.o. — small*, mortificare qlcu. **3** guardare, essere esposto: *which way does the house —?*, come è esposta la casa? ♦ *seguito da prep.* **1** *to — about*, *around*, guardarsi in giro, cercare di orientarsi **2** *to — after*, badare a, sorvegliare; occuparsi di; seguire con lo sguardo **3** *to — for*, cercare; aspettarsi: *who(m) are you looking for?*, chi cerchi? **4** *to — into*, esaminare a fondo **5** *to — on*, considerare; stimare: *I — on him as my heir*, lo considero mio erede // *to — on(to)*, essere prospiciente a, dare su **6** *to — over*, dare una scorsa a; esaminare **7** *to — through*, scorrere, sfogliare **8** *to — to*, aver cura di; occuparsi di **9** *to — towards*, essere esposto a, guardare verso **10** *to — upon*, considerare; stimare ♦ *seguito da avv.* **1** *to — about*, guardare attorno **2** *to — ahead*, (*fig.*) guardare al futuro **3** *to — back*, (*fig.*) ricordare; (*fam.*) cessare di progredire **4** *to — down*, soggiogare con un'occhiata // *to — down (up)on s.o.*, guardare dall'alto in basso qlcu. **5** *to — forward to*, non veder l'ora di; attendere con ansia che **6** *to — in*, fare una visitina (a) **7** *to — on*, essere, fare da spettatore **8** *to — out*, stare in guardia, in attesa: — *out!*, sta' attento! **9** *to — over*, esaminare, verificare **10** *to — round*, guardare in giro; dare un'occhiata **11** *to — through*, consultare; sfogliare **12** *to — up*, alzare gli occhi; consultare (orario, dizionario ecc.); fare una breve visita; migliorare // *to — s.o. up and down*, squadrare qlcu. // *to — up to*, rispettare, venerare.

looker-on [ˈlukərˈɒn] *s.* astante.

look-in [ˈlukˈin] *s.* (*fam.*) **1** possibilità (di prender parte a qlco.) **2** occhiata **3** capatina.

looking glass [ˈlukiŋɡlɑːs] *s.* specchio.

lookout [ˈlukˈaut] *s.* **1** vigilanza, guardia: *to keep a — (for)*, stare in guardia (per) **2** sentinella **3** posto di guardia **4** (*fig.*) prospettiva, probabilità.

look-see [ˈlukˈsiː] *s.* (*sl.*) occhiatina.

loom¹ [luːm] *s.* telaio per tessitura.

loom² *s.* (*zool.*) uria.

to **loom**³ *v.intr.* **1** mostrarsi indistintamente **2** (*fig.*) profilarsi.

loon [luːn] *s.* **1** (*fam.*) sciocco **2** (*zool.*) tuffolo.

loony [ˈluːni] *agg. e s.* (*fam.*) pazzo // —*bin*, manicomio.

loop [luːp] *s.* **1** cappio; nodo scorsoio **2** occhiello metallico; gancio **3** punto a maglia, all'uncinetto **4** passante **5** (*informatica*) ciclo; ciclo di programma; sequenza di istruzione; anello; (*IBM*) iterazione; maglia chiusa // *control* (o *paper tape*) —, banda, nastro pilota; nastro di comando del carrello.

to **loop** *v.intr.* fare un cappio ♦ *v.tr.* annodare // *to — the loop*, (*aer.*) fare il cerchio della morte.

looper [ˈluːpə*] *s.* **1** dispositivo per asole (in macchine da cucire) **2** (*zool.*) geometrino.

loophole [ˈluːphoul] *s.* **1** (*mil.*) feritoia **2** (*fig.*) scappatoia.

loop-line ['lu:plain] *s.* linea di diramazione.

loose [lu:s] *agg.* **1** sciolto, libero, staccato, slegato // *with a — rein*, con le redini lente; *(fig.)* con indulgenza // *to break —*, evadere **2** ampio, largo (di abiti) **3** vago, non ben definito: *a — translation*, una traduzione approssimativa **4** *(fig.)* licenzioso, dissoluto **5** allentato, dondolante: *a — screw*, una vite allentata // *to have a screw —*, *(fam.)* essere svitato ♦ *s.* libero sfogo // *on the —*, senza freni.

loose *avv.*: *to come —*, slacciarsi libero.

to loose *v.tr.* **1** sciogliere, slegare; liberare *(anche fig.)*: *to — one's hold*, lasciare, lasciarsi andare **2** scoccare, lanciare (frecce ecc.).

loose-leaf ['lu:sli:f] *agg.* a fogli intercambiabili ♦ *s.* quaderno a fogli intercambiabili.

loosely ['lu:sli] *avv.* **1** scioltamente; in modo allentato **2** vagamente **3** dissolutamente **4** inesattamente.

to loosen ['lu:sn] *v.tr.* slegare; allentare; *(fig.)* rilassare ♦ *v.intr.* slegarsi; allentarsi; *(fig.)* rilassarsi, lasciarsi andare.

looseness ['lu:snis] *s.* **1** scioltezza; ampiezza (di abiti ecc.) **2** dissolutezza **3** imprecisione.

loot [lu:t] *s.* bottino.

to loot *v.tr.* saccheggiare.

lop¹ [lɔp] *s.* potatura.

to lop¹ *v.tr.* potare; mozzare.

to lop² *v.intr.* pendere, penzolare; saltellare.

lope [loup] *s.* andatura a salti e balzi.

to lope *v.intr.* correre a salti e balzi.

lop-eared ['lɔpiəd] *agg.* con le orecchie penzoloni.

lop-sided ['lɔp'saidid] *agg.* ineguale; sbilanciato.

loquacious [lou'kweiʃəs] *agg.* loquace.

loquacity [lou'kwæsiti] *s.* loquacità.

loquat ['loukwæt] *s.* **1** nespola **2** nespolo del Giappone.

lord [lɔ:d] *s.* **1** signore; sovrano // *the Lord*, Iddio: *our Lord*, nostro Signore // *the Lord's Prayer*, il Paternostro // *good —!*, santi numi! **2** *Lord*, «Lord» (titolo): *the House of Lords*, la Camera dei Lords; *Lord Chancellor*, ministro della giustizia (in Gran Bretagna) // *Lord Chamberlain*, Gran Ciambellano // *Lord -in-waiting*, gentiluomo di Corte // *as drunk as a —*, ubriaco fradicio // *to live like a —*, vivere come un pascià.

to lord *v.intr.* dominare: *to — it over s.o.*, tiranneggiare qlcu.

lordling ['lɔ:dliŋ] *s.* signorotto.

lordly ['lɔ:dli] *agg.* **1** fastoso; imponente **2** altero, disdegnoso.

lordship ['lɔ:dʃip] *s.* **1** rango di nobiluomo // *his*, *your Lordship*, Sua, Vostra Eccellenza **2** *(st.)* giurisdizione di un Lord.

lore [lɔ:*] *s.* credenza; conoscenza, saggezza.

lorgnette [lɔ:'njet] *s.* occhialino.

lorn [lɔ:n] *agg.* derelitto; abbandonato.

lorry ['lɔri] *s.* autocarro, camion // *—-driver*, camionista.

to lose [lu:z], *pass.* e *p.pass.* **lost** [lɔst] *v.tr.* **1** perdere; smarrire: *to — one's head*, *(anche fig.)* perdere la testa; *to — one's temper*, perdere la pazienza; *to — one's way*, smarrirsi // *to — weight*, dimagrire **2** liberarsi (da); perdere **3** far perdere: *his insolence lost him his job*, la sua insolenza gli fece perdere l'impiego **4** perdere; sprecare: *his eloquence was lost upon his audience*, la sua eloquenza era sprecata per quel pubblico **5** ritardare, rimanere indietro (di orologio) ♦ *v.intr.* **1** perdere **2** *to — by*, perdere (denaro ecc.) a causa di: *he lost his money by gambling*, perse il suo denaro al gioco.

loser ['lu:zə*] *s.* chi perde, perdente // *he is a bad —*, non sa perdere.

losing ['lu:ziŋ] *agg.* perdente; destinato a perdere.

loss [lɔs] *s.* perdita: *— of appetite*, inappetenza // *it's a dead —*, non c'è niente da fare // *to be at a —*, essere imbarazzato, non saper che fare; *to be at a — for words*, non trovar parole.

loss leader ['lɔs,li:də*] *s.* articolo venduto a bassissimo prezzo per attirare i clienti.

lost *pass.* e *p.pass.* di **to lose** ♦ *agg.* **1** perduto; smarrito; dannato: *— property office*, ufficio oggetti smarriti // *— in*, assorto in // *— on*, sprecato per // *to look —*, aver un'aria spaesata **2** *— to*, mancante di, privo di; incapace di **3** *to be lost to*, essere insensibile a; essere dimentico di.

lot [lɔt] *s.* **1** quantità (di persone, cose ecc.); lotto (di terreno ecc.); pezzo; parte: *a — of good*, molto bene; *lots of friends*, *(fam.)* moltissimi amici // *parking —*, *(amer.)* parcheggio per auto; *a vacant —*, area fabbricabile **2** destino, fato, sorte: *by —*, a sorte, a caso; *to cast* (o *to draw*) *lots*, tirare, estrarre a sorte **3** *(fam.)* persona, soggetto.

loth *agg.* → **loath**.

Lothario [lou'θɑ:riou] *no.pr.m.* **1** *(st.)* Lotario **2** rubacuori.

lotion ['louʃən] *s.* lozione.

lottery ['lɔtəri] *s.* lotteria.

lotto ['lɔtou] *s.* tombola.

lotus ['loutəs] *s.* *(bot.)* loto // *— -eater*, *(mit.)* lotofago; *(fig.)* sognatore.

loud [laud] *agg.* **1** forte, alto (di suono) **2** *(fig.)* sgargiante (di colori, vestiti); volgare; rumoroso.

loud *avv.* ad alta voce; rumorosamente.

loudhailer ['laud'heilə*] *s.* megafono.

loudly ['laudli] *avv.* → **loud**.

loudness ['laudnis] *s.* **1** sonorità; fragore **2** *(fig.)* vistosità; volgarità.

loudspeaker ['laud'spi:kə*] *s.* altoparlante.

lough [lɔk] *s.* *(irl.)* **1** lago **2** braccio di mare.

Louis ['lu:(:)i] *no.pr.m.* Luigi.

lounge [laundʒ] *s.* **1** il poltrire; il bighellonare // *— -lizard*, gigolo // *— suit*, abito maschile da passeggio **2** salone, soggiorno; salotto.

to lounge *v.intr.* poltrire, stare in panciolle; bighellonare: *to — about*, andare a zonzo // *to — one's time away*, passare il tempo oziando.

lounger ['laundʒə*] *s.* fannullone.

to lour ['lauə*] *v.intr.* **1** aggrottare le sopracciglia **2** oscurarsi (di cielo).

louring ['lauəriŋ] *agg.* accigliato; minaccioso.

louse [laus], *pl.* **lice** [lais] *s.* **1** pidocchio **2** *(sl. fig.)* verme.

lousiness ['lauzinis] *s.* schifo; bruttura; noia; pidocchieria.

lousy ['lauzi] *agg.* **1** pidocchioso **2** *(sl.)* orrendo, disgustoso, schifoso // *— with (sthg.)*, pieno fino alla nausea (di qlco.).

lout [laut] *s.* zoticone.

loutish ['lautiʃ] *agg.* zotico, grossolano.

louver, louvre ['lu:və*] *s.* feritoia per aerazione.

lovable ['lʌvəbl] *agg.* amabile; attraente.

lovableness ['lʌvəblnis] *s.* amabilità.

love [lʌv] *s.* **1** amore, affetto; passione: *for the — of*, per amore di, in nome di; *out of —*, per amore; *in — with*, innamorato di; *to fall in — with*, innamorarsi di; *to make — to*, corteggiare, amoreggiare con // *to give* (o *to send*) *one's — to*, mandare saluti affettuosi a // *there is no — lost between the two*, quei due si detestano // *not for — nor money*, né per amore né per forza // *my —!*, (*fam.*) amor mio!, mia cara! // *she is an old —*, è una cara persona // *Love*, (*mit.*) Amore, Cupido **2** (*sport*) zero: *— all*, zero a zero // *— -game*, cappotto.

to **love** *v.tr.* e *intr.* **1** amare // *— me, — my dog*, (*prov.*) prendi l'amico tuo col difetto suo **2** (*fam.*) piacere; dilettarsi (di); adorare.

love affair [ˈlʌvəˌfɛə*] relazione amorosa.

lovebird [ˈlʌvbəːd] *s.* cocorita.

lovechild [ˈlʌvtʃaild] *s.* figlio naturale.

loveless [ˈlʌvlis] *agg.* senza amore; che non ama; che non è amato.

loveliness [ˈlʌvlinis] *s.* avvenenza; bellezza.

lovelock [ˈlʌvlɔk] *s.* tirabaci.

lovelorn [ˈlʌvlɔːn] *agg.* abbandonato; che si strugge d'amore.

lovely [ˈlʌvli] *agg.* **1** bello; attraente **2** piacevole: *to have a — time*, divertirsi un mondo ♦ *s.* (*fam.*) (*di ragazza*) amore.

lover [ˈlʌvə*] *s.* amante (*anche fig.*); innamorato // *— of music*, appassionato di musica.

loverlike [ˈlʌvəlaik] *agg.* di, da amante.

lovesick [ˈlʌvsik] *agg.* malato d'amore.

loving [ˈlʌviŋ] *agg.* affezionato; amoroso; affettuoso.

loving cup [ˈlʌviŋˈkʌp] *s.* grande coppa da cui nei conviti tutti bevono a turno in segno di amicizia.

loving-kindness [ˈlʌviŋˈkaindnis] *s.* affettuosa sollecitudine; carità.

lovingly [ˈlʌviŋli] *avv.* amorosamente; affettuosamente.

lovingness [ˈlʌviŋnis] *s.* amorevolezza; affettuosità.

low[1] [lou] *agg.* **1** basso: *in a — voice*, sottovoce; *— tide, — water*, bassa marea // *Low Countries*, Paesi Bassi // *in — water*, (*fig.*) al verde // *to keep a — profile*, non attirare l'attenzione **2** umile; inferiore; poco civilizzato **3** volgare, triviale **4** debole; abbattuto: *in — spirits*, giù di morale **5** sfavorevole.

low[1] *avv.* **1** in basso: *to bow —*, fare un profondo inchino; *to fall —*, cadere in basso, decadere; *to lie —*, tenersi nascosto // *to lay —*, uccidere; mettere al tappeto // *to run —*, (*di rifornimenti*) esaurirsi, scarseggiare **2** a voce bassa **3** a basso prezzo.

low[2] *s.* muggito.

to **low**[2] *v.intr.* muggire.

low-born [ˈlouˈbɔːn] *agg.* di umili natali.

low-bred [ˈlouˈbred] *agg.* educato male.

lowbrow [ˈloubrau] *s.* e *agg.* (persona) terra terra.

low-budget [ˈloubʌdʒit] *agg.* a buon mercato.

low-down [ˈloudaun] *agg.* (*fam.*) abietto.

lowdown *s.* (*sl.*) la verità nuda e cruda.

lower[1] [ˈlouə*] *agg.* inferiore // *— case*, (*tip.*) le minuscole // *the — regions*, l'inferno // *Lower Chamber* (*House*), Camera dei Comuni.

to **lower**[1] *v.tr.* **1** abbassare; calare **2** (*fig.*) umiliare: *to — oneself*, umiliarsi ♦ *v.intr.* **1** abbassarsi, scendere **2** calare, diminuire.

to **lower**[2] *v.intr.* → to **lour.**

lowering [ˈlouəriŋ] *agg.* degradante; (*di dieta*) a basso contenuto calorico.

lowermost [ˈlouəmoust] *agg.* (*superl.irr.* di *low*) il più basso.

lowest [ˈlouist] *agg.* il più basso; infimo.

lowland [ˈloulənd] *s.* pianura.

lowlander [ˈlouləndə*] *s.* **1** abitante della pianura **2** *Lowlander*, abitante della Scozia meridionale.

Lowlands [ˈloulændz] *no.pr.pl.* Scozia meridionale.

lowliness [ˈloulinis] *s.* (*fig.*) umiltà; modestia.

lowly [ˈlouli] *agg.* basso; (*fig.*) umile; modesto ♦ *avv.* umilmente; modestamente.

low-necked [ˈlouˈnekt] *agg.* scollato.

lowness [ˈlounis] *s.* **1** bassezza, depressione (*anche fig.*) **2** gravità, debolezza (di suono, di voce) **3** modicità (di prezzo).

low-pitched [ˈloupitʃt] *agg.* (*di suono*) basso.

loyal [ˈlɔiəl] *agg.* leale, fedele.

loyalist [ˈlɔiəlist] *s.* lealista.

loyalty [ˈlɔiəlti] *s.* lealtà, fedeltà.

lozenge [ˈlɔzindʒ] *s.* **1** (*geom.*) rombo **2** pastiglia.

lubber [ˈlʌbə*] *s.* villanzone, zotico.

lubberly [ˈlʌbəli] *agg.* goffo; grossolano, villano ♦ *avv.* goffamente; grossolanamente.

lubricant [ˈluːbrikənt] *agg.* e *s.* lubrificante.

to **lubricate** [ˈluːbrikeit] *v.tr.* lubrificare; (*fig.*) corrompere.

lubrication [ˌluːbriˈkeiʃən] *s.* lubrificazione.

lubricator [ˈluːbrikeitə*] *s.* lubrificatore.

lubricity [luːˈbrisiti] *s.* **1** scivolosità **2** (*fig.*) ambiguità; lubricità.

lubricous [ˈluːbrikəs] *agg.* **1** scivoloso **2** (*fig.*) lubrico.

lucarne [luːˈkɑːn] *s.* lucernario.

luce [ljuːs] *s.* (*zool.*) luccio.

lucent [ˈluːsnt] *agg.* lucente, luminoso.

lucern(e) [luːˈsɔːn] *s.* erba medica.

Lucerne *no.pr.* Lucerna.

lucid [ˈluːsid] *agg.* chiaro; lucido (di mente): *a — interval*, intervallo di lucidità.

lucidity [luːˈsiditi] *s.* chiarezza, lucidità (di mente).

Lucifer [ˈluːsifə*] *no.pr.f.* Lucifero.

luck [lʌk] *s.* **1** ventura; sorte: *bad* (o *ill*) *—*, sfortuna; *good —*, buona fortuna // *worse —!*, sfortunatamente! // *he is down on his —*, (*fam.*) è scalognato **2** fortuna; buona sorte: *a run of —*, una serie di successi; *I'm doing it for —*, lo faccio perché mi porti fortuna // *to be in —, out of —*, essere fortunato, sfortunato.

luckily [ˈlʌkili] *avv.* fortunatamente, per buona sorte.

luckless [ˈlʌklis] *agg.* sfortunato.

lucklessly [ˈlʌklisli] *avv.* sfortunatamente.

lucky [ˈlʌki] *agg.* fortunato: *a — chance*, un'occasione favorevole; *a — stone*, una pietra portafortuna; *how —!*, che fortuna!; *— dog!*, fortunato! // *— dip*, pozzo di san Patrizio; (*fig.*) lotteria.

lucrative [ˈluːkrətiv] *agg.* lucrativo; profittevole.

lucre [ˈluːkə*] *s.* (*spreg.*) lucro, guadagno.

to **lucubrate** [ˈluːkjuˈ(ː)breit] *v.intr.* fare delle elucubrazioni.

lucubration [ˌluːkjuˈ(ː)ˈbreiʃən] *s.* elucubrazione.

Lucy [ˈluːsi] *no.pr.f.* Lucia.

ludicrous [ˈluːdikrəs] *agg.* ridicolo; comico.

ludicrousness [ˈluːdikrəsnis] *s.* ridicolezza; comicità.

lues [ˈluːiːz] *s.* (*med.*) lue.

luetic [luˈetik] *agg.* luetico.

lug[1] [lʌg] *s.* **1** (*dial.*) orecchio **2** manico (di pentola).

lug[2] *s.* strappata, tirata.

to **lug**[2] *v.tr.* **1** tirare, trascinare **2** *to — in*, intervenire a sproposito in.

luggage [ˈlʌgidʒ] *s.* (*solo sing.*) bagaglio.

luggage rack [ˈlʌgidʒræk] *s.* reticella portabagagli.

lugger [ˈlʌgə*] *s.* (*mar.*) trabaccolo.

lugubrious [luːˈgjuːbriəs] *agg.* lugubre.

Luke [luːk] *no.pr.m.* Luca.

lukewarm [ˈluːkwɔːm] *agg.* tiepido (*anche fig.*).

lull [lʌl] *s.* bonaccia; momento di tregua.

to lull *v.tr.* **1** cullare **2** calmare, placare ♦ *v.intr.* calmarsi.

lullaby ['lʌləbai] *s.* ninna-nanna.

lumbago [lʌm'beigou] *s.* lombaggine.

lumbar ['lʌmbə*] *agg.* lombare.

lumber[1] ['lʌmbə*] *s.* **1** oggetti, mobili vecchi (*pl.*); cianfrusaglie (*pl.*) **2** legname.

to lumber[1] *v.tr. e intr.* **1** ingombrare (con cianfrusaglie) **2** tagliare (legname).

to lumber[2] *v.intr.* avanzare pesantemente e rumorosamente.

lumberjack ['lʌmbədʒæk] *s.* taglialegna, boscaiolo.

lumberman, *pl.* **lumbermen** ['lʌmbəmən] *s.* boscaiolo, taglialegna.

lumber-room ['lʌmbərum] *s.* ripostiglio.

luminary ['lu:minəri] *s.* **1** astro, corpo luminoso **2** (*fig.*) luminare.

luminescent [,lu:mi'nesnt] *agg.* luminescente.

luminosity [,lu:mi'nɔsiti] *s.* luminosità.

luminous ['lu:minəs] *agg.* **1** luminoso **2** (*fig.*) chiaro.

lump[1] [lʌmp] *s.* **1** pezzo; zolla; grumo: *a — of sugar*, una zolletta di zucchero // *a — in the throat*, (*fig.*) un nodo in gola **2** protuberanza; bernoccolo **3** (*comm.*) blocco: *in the —*, in blocco // *— sum*, somma forfettaria **4** (*fam.*) gonzo.

to lump[1] *v.intr.* **1** raggrumarsi **2** *to — along*, muoversi pesantemente, arrancare ♦ *v.tr.* ammassare; raggruppare.

to lump[2] *v.tr.* (*fam.*) sopportare controvoglia: *you will have to — it*, dovrai rassegnarti.

lumpish ['lʌmpiʃ] *agg.* **1** grosso; informe **2** goffo; ottuso.

lumpy ['lʌmpi] *agg.* **1** grumoso; gibboso **2** informe.

lunacy ['lu:nəsi] *s.* pazzia; demenza.

lunar ['lu:nə*] *agg.* lunare.

lunatic ['lu:nətik] *agg. e s.* pazzo, demente: *— asylum*, manicomio // *— fringe*, gruppo di estremisti fanatici.

lunation [lu:'neiʃən] *s.* (*astr.*) lunazione.

lunch [lʌntʃ] *s.* pranzo, seconda colazione // *— counter*, tavola calda // *packed, picnic —*, colazione al sacco.

to lunch *v.intr.* pranzare ♦ *v.tr.* invitare a pranzo.

lunch-hour ['lʌntʃ,auə*] *s.* intervallo per il pranzo.

lunchtime ['lʌntʃtaim] *s.* ora di colazione.

lung [lʌŋ] *s.* **1** polmone **2** (*fig.*) zona verde, parco.

lunge[1] [lʌndʒ] *s.* **1** scatto in avanti **2** (*scherma*) affondo.

to lunge[1] *v.intr.* **1** gettarsi avanti, avventarsi: *to — at s.o.*, scagliarsi contro qlcu. **2** (*scherma*) fare un affondo.

lunge[2] *s.* lunga fune per allenare i cavalli.

lungwort ['lʌŋwə:t] *s.* (*bot.*) polmonaria.

lunule ['lu:nju:l] *s.* (*anat.*) lunula.

lupin, (*amer.*) **lupine** ['lu:pin] *s.* (*bot.*) lupino.

lurch[1] [lə:tʃ] *s.* **1** (*mar.*) guizzata **2** barcollamento.

to lurch[1] *v.intr.* **1** (*mar.*) guizzare **2** barcollare.

lurch[2] *s.*: *to leave s.o. in the —*, lasciare qlcu. nelle peste.

lure [ljuə*] *s.* esca (*anche fig.*).

to lure *v.tr.* adescare, attirare; allettare: *to — s.o. into doing sthg.*, indurre qlcu. a fare qlco.

lurid ['ljuərid] *agg.* **1** sinistro; (*di colori*) livido; violaceo **2** (*fig.*) impressionante; piccante.

luridness ['ljuəridnis] *s.* **1** lividezza; aspetto sinistro **2** (*fig.*) effetto, impressione.

to lurk [lə:k] *v.intr.* nascondersi, celarsi; stare in agguato.

luscious ['lʌʃəs] *agg.* **1** succulento, ghiotto **2** troppo dolce; stucchevole **3** ridondante; lussureggiante.

lush [lʌʃ] *agg.* **1** ricco, lussureggiante (di vegetazione) **2** (*fam.*) eccellente, formidabile ♦ *s.* **1** (*sl.*) bevuta; alcolico **2** (*sl. amer.*) ubriacone, beone.

lust [lʌst] *s.* lussuria; brama, cupidigia.

to lust *v.intr.* concupire, bramare.

lustful ['lʌstful] *agg.* libidinoso; bramoso.

lustfulness ['lʌstfulnis] *s.* sensualità; bramosia.

lustily ['lʌstili] *avv.* energicamente, con forza.

lustral ['lʌstrəl] *agg.* lustrale.

lustre ['lʌstə*] *s.* **1** lucentezza; splendore **2** (*fig.*) lustro, fama, gloria.

lustrous ['lʌstrəs] *agg.* lucente, splendente.

lusty ['lʌsti] *agg.* vigoroso, robusto.

lutanist ['lju:tənist] *s.* liutista.

lute ['lu:t] *s.* liuto.

Luther ['lu:θə*] *no.pr.* (*st. relig.*) Lutero.

Lutheran ['lu:θərən] *agg. e s.* luterano.

Lutheranism ['lu:θərənizəm] *s.* luteranesimo.

to luxate ['lʌkseit] *v.tr.* (*med.*) lussare.

luxation [lʌk'seiʃən] *s.* (*med.*) lussazione.

luxe [luks] *s.* lusso // *de —*, di lusso, lussuoso.

Luxemburg ['lʌksəmbə:g] *no.pr.* Lussemburgo.

luxuriance [lʌg'zjuəriəns] *s.* rigoglio, esuberanza.

luxuriant [lʌg'zjuəriənt] *agg.* lussureggiante, rigoglioso.

to luxuriate [lʌg'zjuərieit] *v.intr.* **1** lussureggiare **2** (*fig.*) deliziarsi, crogiolarsi.

luxurious [lʌg'zjuəriəs] *agg.* **1** lussuoso, sontuoso **2** amante del lusso.

luxuriousness [lʌg'zjuəriəsnis] *s.* **1** sfarzo, lusso **2** amore per il lusso.

luxury ['lʌkʃəri] *s.* **1** lusso **2** piacere.

lycée ['li:sei, (*amer.*) li:'sei] *s.* liceo.

lyceum [lai'siəm] *s.* (*amer.*) circolo culturale.

Lycurgus [lai'kə:gəs] *no.pr.m.* (*st.*) Licurgo.

lye [lai] *s.* lisciva.

lying[1] ['laiiŋ] *agg.* menzognero, bugiardo.

lying[2] *agg.* giacente, disteso.

lying-in ['laiiŋ'in] *s.* parto.

lymph [limf] *s.* **1** linfa **2** vaccino.

lymphatic [lim'fætik] *agg.* linfatico ♦ *s.* vaso linfatico.

lyncean [lin'si:ən] *agg.* **1** di lince **2** dagli occhi di lince.

to lynch [lintʃ] *v.tr.* linciare.

lynching ['lintʃiŋ], **lynch law** ['lintʃlɔ:] *s.* linciaggio.

lynx [liŋks] *s.* lince.

lyophilised [lai'ɔfəlaizd] *agg.* liofilizzato.

lyre ['laiə*] *s.* (*mus.*) lira // *— bird*, uccello lira.

lyric ['lirik] *agg.* lirico ♦ *s.* **1** (poesia) lirica **2** *pl.* parole (di canzone).

lyrical ['lirikəl] *agg.* lirico.

lyricism ['lirisizəm], **lyrism** ['lirizəm] *s.* lirismo.

lyrist ['laiərist, *nel senso* 2 'lirist] *s.* **1** suonatore di lira **2** paroliere.

M

m [em], *pl.* **ms, m's** [emz] *s.* m // — *for Mary*, (*tel.*) m come Milano.

'm (*in unione a* I) *contr.* di **am**.

ma [mɑ:] *s. abbr.* di **mamma**¹.

ma'am [mæm] *s.* (*contr.* di *madam*) signora.

Mac [mæk] *pref.* «Mac» (*nei cognomi significa figlio di*) ♦ *s.* (*fam.*) tipo: *hey, —!*, ehi, amico!

mac *s.* (*abbr.* di mackintosh) (*fam.*) impermeabile.

macabre [mə'kɑ:br] *agg.* macabro.

macadam [mə'kædəm] *s.* macadam.

to macadamize [mə'kædəmaiz] *v.tr.* macadamizzare.

macaroni [,mækə'rouni] *s.* **1** (*solo sing.*) maccheroni (*pl.*) **2** (*sl.*) italiano.

macaronic [,mækə'rɔnik] *agg.* maccheronico.

macaroon [,mækə'ru:n] *s.* amaretto.

Maccabees ['mækəbi:z] *no.pr.pl.* (*Bibbia*) Maccabei.

mace [meis] *s.* mazza.

macebearer ['meisbeərə*] *s.* mazziere.

Macedonian [,mæsi'dounjən] *agg. e s.* macedone.

to macerate ['mæsəreit] *v.tr.* macerare (*anche fig.*).

Machiavel [,mækiə'vel] *no.pr.* Machiavelli.

Machiavellian [,mækiə'veliən] *agg.* machiavellico.

Machiavellism [,mækiə'velizəm] *s.* machiavellismo.

to machinate ['mækineit] *v.intr.* fare complotti; macchinare (contro).

machination [,mæki'neiʃən] *s.* macchinazione; complotto.

machine [mə'ʃi:n] *s.* macchina (*anche fig.*): *to be a mere —*, essere un automa // *the party —*, (*pol.*) l'esecutivo, la struttura del partito // *— -made*, fatto a macchina // *— failure*, (*informatica*) guasto macchina; (*IBM*) malfunzionamento macchina; *— learning*, apprendimento automatico, artificiale.

to machine *v.tr.* fare a macchina ♦ *v.intr.* lavorare alla macchina; cucire a macchina.

machine-gun [mə'ʃi:ŋgʌn] *s.* mitragliatrice.

to machine-gun *v.tr.* mitragliare.

machine-gunner [mə'ʃi:n,gʌnə*] *s.* mitragliere.

machinery [mə'ʃi:nəri] *s.* **1** macchinario; congegno, meccanismo (*anche fig.*) **2** (*lett.*) intervento delle potenze soprannaturali.

machinist [mə'ʃi:nist] *s.* **1** macchinista **2** meccanico.

mack *s.* → **mac** *s.*

mackerel ['mækrəl] *s.* (*zool.*) scombro, maccarello // *— sky*, cielo a pecorelle.

mackintosh ['mækintɔʃ] *s.* **1** impermeabile **2** tessuto gommato, impermeabilizzato.

macro- ['mækrou] *pref.* macro-.

macrobiotics [,mækroubai'ɔtiks] *s.* macrobiotica.

macrocephalic [,mækrouse'fælik] *agg.* macrocefalo.

macrocosm ['mækrəkɔzəm] *s.* macrocosmo.

to maculate ['mækjuleit] *v.tr.* macolare.

mad [mæd] *agg.* **1** pazzo, matto, folle: *— with joy*, pazzo di gioia; *to become* (o *to go* o *to run*) *—*, diventar matto // *— like —*, (*fam.*) da pazzi, moltissimo; *to run like —*, correre come un fulmine **2** (*fam.*) (*amer.*) arrabbiato, furente: *a — dog*, cane idrofobo; *to be — about sthg.*, essere furente per qlco.; *to be — with* (o *at*) *s.o.*, essere arrabbiato con qlcu. **3** (*fig.*) appassionato, fanatico: *I'm — about jazz*, adoro il jazz.

madam ['mædəm] *s.* signora (al vocativo).

madcap ['mædkæp] *agg. e s.* scervellato.

to madden ['mædn] *v.tr.* **1** far impazzire **2** (*fig.*) irritare; far disperare.

madding ['mædiŋ] *agg.* folle; pazzo; furioso.

maddingly ['mædiŋli] *avv.* follemente; furiosamente.

made *pass. e p.pass.* di **to make** ♦ *agg.* fatto, lavorato, confezionato; composto // *— over*, (*amer.*) rimesso a nuovo, rinnovato // *— -to-order*, fatto su misura // *— -up*, artificiale, artefatto; truccato // *custom— —*, fatto su misura.

Madeira [mə'diərə] *no.pr.* Madera ♦ *s.* (vino di) Madera.

madhouse ['mædhaus] *s.* manicomio.

madman, *pl.* **madmen** ['mædmən] *s.* pazzo.

madness ['mædnis] *s.* pazzia, demenza, follia.

madrepore [,mædri'pɔ:*] *s.* (*zool.*) madrepora.

madrigal ['mædrigəl] *s.* madrigale.

Maecenas [mi(:)'si:næs] *no.pr.m.* (*st.*) Mecenate ♦ **maecenas** *s.* mecenate.

maelstrom ['meilstroum] *s.* vortice (*anche fig.*).

Mae West ['mei'west] *s.* giubbotto di salvataggio (per aviatori).

to maffick ['mæfik] *v.intr.* darsi ad entusiastiche manifestazioni di giubilo.

magazine [,mægə'zi:n, (*amer.*) 'mægəzi:n] *s.* **1** periodico, rivista **2** deposito (di armi); (*mil.*) polveriera; (*mar.*) santabarbara **3** caricatore (di arma).

Magdalen ['mægdəlin], **Magdalene** [,mægdə'li:ni] *no.pr.f.* Maddalena.

Magellan [mə'gelən] *no.pr.* (*st.*) Magellano.

maggot ['mægət] *s.* **1** (*zool.*) larva **2** (*fig. fam.*) idea fissa, ubbia.

maggoty ['mægəti] *agg.* guasto, bacato.

Magi ['meidʒai] *s.pl.* Magi.

magic ['mædʒik] *agg.* magico; fatato // *— eye*, cellula fotoelettrica // *— lantern*, lanterna magica ♦ *s.* magia; incantesimo // *like —*, come per incanto.

magical ['mædʒikəl] *agg.* magico.

magician [mə'dʒiʃən] *s.* mago; stregone.

magisterial [,mædʒis'tiəriəl] *agg.* **1** di magistrato **2** autoritario; autorevole.

magistracy ['mædʒistrəsi] *s.* magistratura.

magistrate ['mædʒistrit] *s.* magistrato; pretore // *Police Court Magistrate*, giudice conciliatore.

magma ['mægmə] *s.* (*geol.*) magma.

magnanimity [,mægnə'nimiti] *s.* magnanimità.

magnanimous [mæg'næniməs] *agg.* magnanimo.

magnate ['mægneit] *s.* magnate.

magnesia [mæg'ni:ʃə] *s.* (*farm.*) magnesia.

magnesium [mæg'ni:zjəm] *s.* (*chim.*) magnesio.

magnet ['mægnit] *s.* magnete, calamita (*anche fig.*).

magnetic [mæg'netik] *agg.* magnetico (*anche fig.*); (*fig.*) affascinante: *— field, pole*, campo, polo magnetico; *— mine, storm*, mina, burrasca magnetica; *a — glance*, uno sguardo magnetico; *a — personality*, una personalità affascinante.

magnetism ['mægnitizəm] *s.* magnetismo; (*fig.*) attrazione, fascino // *animal —*, mesmerismo.

magnetization [,mægnitai'zeiʃən] *s.* (*elettr. fis.*) magnetizzazione; forza d'attrazione (*anche fig.*).

to **magnetize** [ˈmægnitaiz] *v.tr.* magnetizzare (*anche fig.*).

magneto [mægˈniːtou] *s.* (*elettr.*) magnete.

magnetophone [mægˈniːtoufoun] *s.* microfono magnetico.

magnetosphere [mægˈniːtouˌsfiə*] *s.* magnetosfera.

magnification [ˌmægnifiˈkeiʃən] *s.* (*ott.*) ingrandimento.

magnificence [mægˈnifisns] *s.* magnificenza.

magnificent [mægˈnifisnt] *agg.* magnifico; splendido.

magnifier [ˈmægnifaiə*] *s.* **1** ingranditore **2** (*ott.*) lente d'ingrandimento.

to **magnify** [ˈmægnifai] *v.tr.* (*ott.*) ingrandire // *magnifying glass*, lente d'ingrandimento.

magniloquence [mægˈniləkwəns] *s.* magniloquenza.

magnitude [ˈmægnitjuːd] *s.* **1** importanza **2** (*astr.*) magnitudine.

magnolia [mægˈnouljə] *s.* magnolia.

magnum [ˈmægnəm] *s.* bottiglione.

magpie [ˈmægpai] *s.* **1** gazza **2** (*fig.*) chiacchierone.

magus [ˈmeigəs], *pl.* **magi** [ˈmeidʒai] *s.* **1** mago **2** stregone.

Magyar [ˈmægjaː*] *agg.* e *s.* magiaro.

maharani [ˌmaːhəˈraːni] *s.* maharani.

mahogany [məˈhɔgəni] *s.* **1** mogano **2** acagiù.

maid [meid] *s.* **1** domestica: — *of all work*, donna tuttofare **2** (*poet.*) ragazza, fanciulla; vergine: *maid of honour*, damigella d'onore // — *in waiting*, ancella; dama di compagnia // *old* —, zitella.

maiden [ˈmeidn] *agg.* **1** virgineo, verginale **2** nubile: — *name*, cognome da nubile **3** (*fig.*) fresco, puro **4** inaugurale: — *speech*, discorso inaugurale ♦ *s.* (*letter.*) fanciulla, giovinetta; vergine.

maidenhair [ˈmeidnheə*] *s.* (*bot.*) capelvenere.

maidenhead [ˈmeidnhed] *s.* **1** verginità **2** (*anat.*) imene.

maidenhood [ˈmeidnhud] *s.* stato di ragazza nubile.

maidenly [ˈmeidnli] *agg.* **1** verginale, casto **2** modesto.

maidservant [ˈmeidˌsəːvənt] *s.* cameriera.

mail[1] [meil] *s.* posta: *air* —, posta aerea ♦ *agg.* postale // — *boat*, — *train*, (battello) postale, treno postale.

to **mail**[1] *v.tr.* (*amer.* per *to post*) mandare per posta; impostare // *mailing list*, elenco di indirizzi per invio di materiale pubblicitario // *mailing-card*, (*amer.* per *postcard*) cartolina; cartolina postale.

mail[2] *s.* cotta, maglia di ferro.

mailbag [ˈmeilbæg] *s.* sacco per la posta.

mailbox [ˈmeilbɔks] *s.* (*amer.* per *letterbox*) cassetta delle lettere; cassetta postale.

maillot [maiˈou] *s.* **1** costume intero **2** calzamaglia.

mailman, *pl.* **mailmen** [ˈmeilmən] *s.* (*amer.* per *postman*) portalettere.

mail order [ˈmeilˈɔːdə*] *s.* vendita per corrispondenza.

to **maim** [meim] *v.tr.* mutilare; storpiare.

main[1] [mein] *agg.* principale; essenziale; capitale // *the — body*, (*mil.*) il grosso dell'esercito // *to have an eye to the — chance*, cercare di cogliere ogni buona occasione.

main[1] *s.* **1** conduttura principale // *power mains*, elettrodotto **2** (*poet.*) mare; oceano // *the Spanish Main*, (*st.*) il Mar delle Antille **3** *in the* —, principalmente; in complesso **4** *with might and* —, con tutte le forze.

main[2] *s.* combattimento tra galli.

main deck [ˈmeindek] *s.* (*mar.*) ponte di coperta.

main entry [ˈmeinˈentri] *s.* lemma principale.

mainframe [ˈmeinfreim] *s.* (*informatica*) elaboratore centrale; unità centrale.

mainland [ˈmeinlənd] *s.* terraferma; continente.

mainly [ˈmeinli] *avv.* **1** principalmente, soprattutto **2** in gran parte.

mainmast [ˈmeinmaːst] *s.* (*mar.*) albero maestro.

mainsail [ˈmeinseil] *s.* (*mar.*) vela maestra.

mainspring [ˈmeinspriŋ] *s.* **1** spirale (di orologio) **2** (*fig.*) movente principale.

to **maintain** [menˈtein] *v.tr.* **1** mantenere **2** pretendere; asserire, affermare.

maintenance [ˈmeintinəns] *s.* **1** mantenimento, sostentamento; assistenza **2** (*mecc.*) manutenzione **3** (*informatica*) aggiornamento: — *of a data base*, aggiornamento della base di dati.

maisonnette [ˌmeizəˈnet] *s.* **1** appartamento **2** casetta.

maize [meiz] *s.* granoturco, mais.

majestic(al) [məˈdʒestik(əl)] *agg.* maestoso.

majesty [ˈmædʒisti] *s.* maestà // *Her, His Majesty*, Sua Maestà.

majolica [məˈjɔlikə] *s.* maiolica.

major[1] [ˈmeidʒə*] *agg.* **1** principale; più importante: — *operation*, intervento chirurgico grave **2** (*mus.*) maggiore ♦ *s.* **1** (*dir.*) maggiorenne **2** (*amer.*) materia di specializzazione // *a history* —, un laureando in storia.

to **major**[1] *v.intr.* (*amer.*) laurearsi.

major[2] *s.* (*mil.*) maggiore.

Majorca [məˈdʒɔːkə] *no.pr.* Maiorca.

Majorcan [məˈdʒɔːkən] *agg.* maiorchino ♦ *s.* abitante di Maiorca.

majordomo [ˈmeidʒəˈdoumou] *s.* maggiordomo.

majority [məˈdʒɔriti] *s.* **1** maggioranza **2** maggiore età.

make [meik] *s.* **1** fattura; struttura; fabbricazione; marca // *to be on the* —, (*fam.*) cercare di far denaro, carriera **2** costituzione; carattere.

to **make**, *pass.* e *p.pass.* **made** [meid] *v.tr.* **1** fare; formare; creare; comporre; fabbricare, produrre: *a box made of wood*, una scatola (fatta) di legno; *flour is made from wheat*, la farina è fatta con il grano // *we made the distance in two hours*, coprimmo la distanza in due ore // *to — sthg. do* (o — *do with sthg.*), arrangiarsi con qlco. // *to — trouble*, crear dei fastidi // *I made it!*, ce l'ho fatta!; *he only just made it*, ce l'ha fatta per un pelo // *to — a go of sthg.*, portare qlco. al successo // *to — a habit of*, abituarsi a // *to — little* (o *light*) *of sthg.*, dare poca importanza a qlco.; *to — nothing of sthg.*, non capire qlco.; non dare importanza a qlco. // *to — shift*, cavarsela alla meno peggio; arrangiarsi // *to — good*, mantenere, tener fede a; compensare, riuscire, cavarsela **2** far divenire, rendere: *to — sthg. clear*, chiarire, mettere in chiaro qlco. **3** (*causativo*) fare: *I made him speak*, lo feci parlare; *to — oneself understood*, farsi capire; *to — s.o. feel guilty*, colpevolizzare qlcu. **4** raggiungere, arrivare (a) **5** *to — out*, distinguere; decifrare; (riuscire a) capire; far credere; fingere; (*comm.*) riempire, rilasciare (un assegno) **6** *to — over*, trasferire, passare a **7** *to — up*, fare, preparare; appianare, comporre; inventare; truccare, truccarsi; (*tip.*) impaginare // *to — up one's mind*, decidere // *to — (it) up*, riconciliarsi ♦ *v.intr.* **1** (*di marea*) alzarsi **2** *to — as if*, fare il gesto di; stare per, essere sul punto di **3** *to — away with*, ammazzare; abolire; rubare **4** *to — back*, ritornare **5** *to — for*, essere diretto verso **6** _to — off_, darsela a gambe; _to — off with_, rubare **7** _to — out_, cavarsela, riuscire: _how did you — out at the exams?_, come ti è andata agli esami? **8** _to — towards_, avviarsi verso **9** _to — up for_, compensare per: _to — up for lost time_, riguadagnare il tempo perduto **10** _to — up to_, cercare di ingraziarsi.

make-believe [′meikbi,li:v] _s._ finzione.

maker [′meika*] _s._ costruttore; fabbricante; creatore // _our Maker_, il Creatore.

makeshift [′meikʃift] _agg._ improvvisato, di ripiego ♦ _s._ espediente, ripiego.

make-up [′meikʌp] _s._ **1** trucco **2** composizione; confezione; formazione **3** (_tip._) impaginazione.

make-up man [′meikʌp′mæn] _s._ **1** truccatore **2** (_tip._) impaginatore.

makeweight [′meikweit] _s._ peso complementare; aggiunta // _as a —_, (_fam._) tanto per far numero.

making [′meikiŋ] _s._ **1** fattura; confezione: _all my own —_, fatto tutto da me; _things that go into the — of it_, cose occorrenti per farlo **2** sviluppo, formazione: _to be the — of s.o._, servire alla formazione di qlcu. **3** _pl._ guadagni.

malachite [′mæləkait] _s._ (_min._) malachite.

maladjusted [′mælə′dʒʌstid] _agg._ disadattato.

maladjustment [′mælə′dʒʌstmənt] _s._ **1** inadattabilità **2** (_mecc._) regolazione difettosa.

maladministration [′mæləd,minis′treiʃən] _s._ cattiva amministrazione; malgoverno.

maladroit [′mælə′drɔit] _agg._ maldestro.

malady [′mælədi] _s._ malattia.

Malagasy [,mælə′gæsi] _agg._ e _s._ malgascio.

malaise [mæ′leiz] _s._ malessere.

malapropism [′mæləprɔpizəm] _s._ strafalcione.

malapropos [′mæl′æprəpou] _agg._ inopportuno ♦ _avv._ inopportunamente.

malaria [mə′lɛəriə] _s._ malaria.

malarial [mə′lɛəriəl] _agg._ malarico.

Malay [mə′lei] _agg._ e _s._ malese.

Malaya [mə′leiə] _no.pr._ Malesia.

Malayan [mə′leiən] _agg._ e _s._ malese.

malcontent [′mælkən,tent] _agg._ e _s._ malcontento.

male [meil] _agg._ maschile; di sesso maschile // _— screw_, (_mecc._) vite maschia ♦ _s._ maschio.

male chauvinism [meil′ʃouvinizəm] _s._ maschilismo.

male chauvinist [meil′ʃouvinist] _agg._ e _s._ maschilista.

malediction [,mæli′dikʃən] _s._ maledizione.

maledictory [,mæli′diktəri] _agg._ maledicente.

malefactor [′mælifæktə*] _s._ malfattore.

malefic [mə′lefik] _agg._ malefico.

maleficent [mə′lefisnt] _agg._ malefico.

malevolence [mə′levələns] _s._ malevolenza.

malevolent [mə′levələnt] _agg._ malevolo.

malfeasance [mæl′fi:zəns] _s._ (_dir._) trasgressione.

malformation [′mælfɔ:′meiʃən] _s._ malformazione.

malice [′mælis] _s._ **1** malizia; malignità; astio: _out of —_, per cattiveria; _to bear — to_ (o _towards_), covare astio, rancore per, verso **2** (_dir._) dolo // _— aforethought_, premeditazione.

malicious [mə′liʃəs] _agg._ **1** maligno; malevolo **2** (_dir._) doloso.

malign [mə′lain] _agg._ malefico, maligno.

to **malign** _v.tr._ malignare (su); diffamare.

malignancy [mə′lignənsi] _s._ **1** malignità, malvagità **2** natura maligna (di malattia).

malignant [mə′lignənt] _agg._ **1** pieno d'odio **2** maligno.

malignity [mə′ligniti] _s._ **1** odio **2** malignità.

to **malinger** [mə′liŋgə*] _v.intr._ (_mil._) marcare visita (pur non essendo ammalato).

malingerer [mə′liŋgərə*] _s._ (_mil._) chi marca visita (pur non essendo ammalato).

mall [mɔ:l] _s._ viale.

malleability [,mæliə′biliti] _s._ malleabilità.

malleable [′mæliəbl] _agg._ malleabile.

malleolus [mə′li:ələs], _pl._ **malleoli** [mə′li:əlai] _s._ malleolo.

mallet [′mælit] _s._ **1** mazzuolo **2** (_sport_) mazza.

mallow [′mælou] _s._ malva.

malmsey [′mɑ:mzi] _s._ malvasia.

malnutrition [′mælnju:(:)′triʃən] _s._ malnutrizione.

malodorous [mæ′loudərəs] _agg._ puzzolente.

malpractice [′mæl′præktis] _s._ **1** prevaricazione **2** irregolarità professionale.

malt [mɔ:lt] _s._ malto.

to **malt** _v.tr._ far germinare (l'orzo).

Malta [′mɔ:ltə] _no.pr._ Malta.

Maltese [′mɔ:l′ti:z] _agg._ maltese // _— cross_, croce di Malta ♦ _s._ **1** (_pl. invar._) maltese **2** lingua maltese.

maltha [′mælθə] _s._ **1** malta **2** bitume viscoso.

malt-house [′mɔ:lthaus] _s._ malteria.

maltose [′mɔ:ltous] _s._ (_chim._) maltosio.

to **maltreat** [mæl′tri:t] _v.tr._ maltrattare.

maltreatment [mæl′tri:tmənt] _s._ maltrattamento.

malversation [,mælvə:′seiʃən] _s._ (_dir._) malversazione.

mamilla [mæ′milə], _pl._ **mamillae** [mæ′mili:] _s._ capezzolo.

mamma[1] [mə′mɑ:, (_amer._) ′mɑ:mə] _s._ (_fam._) mamma.

mamma[2] [′mæmə], _pl._ **mammae** [′mæmi:] _s._ mammella.

mammal [′mæməl] _s._ mammifero.

mammalian [mæ′meiljən] _agg._ e _s._ mammifero.

mammary [′mæməri] _agg._ mammario.

mammography [məm′ɔgrəfi] _s._ mammografia.

mammoth [′mæməθ] _agg._ enorme, mastodontico ♦ _s._ mammut.

mammy [′mæmi] _s._ **1** (_fam._) mammina **2** (_amer._) bambinaia negra.

man [mæn], _pl._ **men** [men] _s._ **1** uomo // _the — in the street_, l'uomo della strada, l'uomo medio // _— of the world_, uomo di mondo // _men say that_, si dice che // _old —_, (_fam._) babbo; vecchio mio // _small —_, piccolo commerciante // _to a —_, tutti, all'unanimità // _he has found his —_, ha trovato la persona che fa al caso suo, la persona adatta // _every — for himself!_, si salvi chi può! **2** servo, domestico; fattorino; operaio; impiegato; (_st._) vassallo **3** marito **4** (_sport_) giocatore **5** studente; laureato **6** _pl._ soldati **7** pedina.

to **man** _v.tr._ **1** fornire (di uomini); (_mil._) presidiare; (_mar._) equipaggiare **2** fare coraggio (a).

manacle [′mænəkl] _s._ (_gener. pl._) manette (_pl._).

to **manacle** _v.tr._ ammanettare.

to **manage** [′mænidʒ] _v.tr._ **1** controllare; dirigere, amministrare **2** manovrare **3** _cannot — (sthg.)_, non potersi permettere qlco. ♦ _v.intr._ riuscire, cavarsela; farcela: _we'll — without it_, ne faremo a meno.

manageable [′mænidʒəbl] _agg._ **1** malleabile, docile **2** maneggevole (di cosa) **3** fattibile.

management [′mænidʒmənt] _s._ **1** direzione; gestione; amministrazione: _business —_, gestione aziendale; _personnel —_, gestione del personale // _middle —_, quadri intermedi; _top —_, quadri superiori **2** governo, cura **3** astuzia, abilità **4** maneggio, intrigo.

manager [ˈmænidʒə*] s. **1** dirigente; direttore; gestore; procuratore; amministratore; (dir.) curatore di fallimento: financial —, direttore finanziario // general —, direttore generale // personnel —, direttore del personale // sales —, direttore commerciale // she is a good —, è una brava massaia **2** (teatr.) impresario; direttore: production —, direttore di produzione **3** (informatica) responsabile, gestore; programma per la gestione.

managerial [ˌmænəˈdʒiəriəl] agg. direttivo: — class, classe dirigente.

managership [ˈmænidʒəʃip] s. direzione; gerenza; amministrazione.

managing [ˈmænidʒiŋ] agg. dirigente; che amministra // — director, consigliere delegato.

man-at-arms [ˈmænət'ɑ:mz] s. armigero.

manatee [ˌmænə'ti:] s. (zool.) lamantino.

Manchu [mænˈtʃu:] agg. mancese.

Manchuria [mænˈtʃuəriə] no.pr. Manciuria.

manciple [ˈmænsipl] s. economo.

Mancunian [mæŋˈkjuːniən] agg. e s. (abitante) di Manchester.

mandarin[1] [ˈmændərin] s. **1** mandarino (in Cina) **2** cinese letterario.

mandarin[2] s. (bot.) mandarino.

mandatary [ˈmændətəri] s. (dir.) mandatario.

mandate [ˈmændeit] s. **1** ordine **2** mandato.

to mandate v.tr. affidare il mandato (di): mandated colonies, colonie sotto mandato.

mandator [ˈmændeitə*] s. (dir.) mandante.

mandatory [ˈmændətəri, (amer.) ˈmændətɔ:ri] agg. (dir.) ingiuntivo.

mandible [ˈmændibl] s. mandibola.

mandolin [ˈmændəlin] s. mandolino.

mandrel [ˈmændrəl] s. (mecc.) mandrino.

mandrill [ˈmændril] s. (zool.) mandrillo.

mane [mein] s. criniera.

man-eater [ˈmænˌi:tə*] s. **1** cannibale **2** animale che mangia carne umana.

(to) maneuver (amer.) per **to manoeuvre**.

manful [ˈmænful] agg. audace; risoluto.

manfulness [ˈmænfulnis] s. ardire; decisione.

manganese [ˌmæŋgə'ni:z] s. (min.) manganese.

mange [meindʒ] s. rogna (di animali).

manger [ˈmeindʒə*] s. mangiatoia.

mangle[1] [ˈmæŋgl] s. (ind. tessile) mangano.

to mangle[1] v.tr. (ind. tessile) manganare.

to mangle[2] v.tr. **1** lacerare; maciullare; mutilare **2** (fig.) storpiare.

mango [ˈmæŋgou], pl. **mangoes** [ˈmæŋgouz] s. (bot.) mango.

mangrove [ˈmæŋgrouv] s. (bot.) mangrovia.

mangy [ˈmeindʒi] agg. **1** rognoso **2** cencioso **3** miserabile.

to manhandle [ˈmænˌhændl] v.tr. **1** maltrattare **2** azionare a mano.

manhole [ˈmænhoul] s. bocca di accesso (di tombino ecc.).

manhood [ˈmænhud] s. **1** virilità **2** la popolazione maschile (di una nazione).

manhour [ˈmænˈauə*] s. ora lavorativa.

manhunt [ˈmænhʌnt] s. caccia all'uomo.

mania [ˈmeinjə] s. **1** pazzia **2** mania.

maniac [ˈmeiniæk] agg. e s. **1** pazzo **2** maniaco.

manicure [ˈmænikjuə*] s. manicure.

to manicure v.tr. fare, farsi la manicure.

manicurist [ˈmænikjuərist] s. manicure.

manifest [ˈmænifest] agg. chiaro, evidente, ovvio ♦ s. (comm. mar.) nota di carico.

to manifest v.tr. manifestare, rivelare ♦ v.intr. apparire.

manifestation [ˌmænifes'teiʃən] s. manifestazione.

manifestly [ˈmænifestli] avv. chiaramente, ovviamente.

manifesto [ˌmæni'festou], pl. **manifesto(e)s** [ˌmæni'festouz] s. manifesto.

manifold [ˈmænifould] agg. **1** molteplice **2** multiforme.

to manifold v.tr. poligrafare.

manikin [ˈmænikin] s. **1** omiciattolo **2** manichino.

manioc [ˈmæniɔk] s. (bot.) manioca.

maniple [ˈmænipl] s. manipolo.

to manipulate [mə'nipjuleit] v.tr. **1** maneggiare **2** manovrare (anche fig.).

manipulation [məˌnipju'leiʃən] s. manipolazione (anche fig.).

mankind [mæn'kaind] s. umanità.

manlike [ˈmænlaik] agg. da uomo, virile.

manliness [ˈmænlinis] s. virilità, mascolinità.

manly [ˈmænli] agg. maschio, virile.

man-made [ˈmænmeid] agg. **1** fatto, costruito dall'uomo **2** artificiale.

manna [ˈmænə] s. manna // — ash, (bot.) ornello.

mannequin [ˈmænikin] s. **1** indossatrice **2** manichino.

manner [ˈmænə*] s. **1** maniera: after the — of, (lett. pitt.) secondo lo stile di // by no — of means, in nessun modo // in a — of speaking, per così dire // in like —, similmente // he skis as (if) to the — born, scia come se non avesse fatto altro dalla nascita **2** contegno, atteggiamento; pl. modi, maniere // he has no manners, non ha educazione // road-manners, cortesia stradale **3** pl. usanze, abitudini.

mannered [ˈmænəd] agg. manierato, ricercato.

mannerism [ˈmænərizəm] s. manierismo.

mannerist [ˈmænərist] s. manierista ♦ agg. di maniera.

mannerless [ˈmænəlis] agg. maleducato.

mannerly [ˈmænəli] agg. cortese, educato.

mannish [ˈmæniʃ] agg. maschile; poco femminile.

manoeuvre [mə'nu:və*] s. manovra (anche fig.).

to manoeuvre v.tr. **1** manovrare (anche fig.) **2** (mil.) far fare le manovre (a) ♦ v.intr. far manovra // he manoeuvred to get out before the end, (fig.) con abili manovre riuscì ad uscire prima della fine.

manoeuvrer [mə'nu:vrə*] s. (politicante) maneggione.

man-of-war [ˈmænəv'wɔ:*] s. (antiq.) nave da guerra.

manometer [mə'nɔmitə*] s. manometro.

manor [ˈmænə*] s. grande proprietà terriera.

manor house [ˈmænəhaus] s. maniero; residenza signorile di campagna.

manorial [mə'nɔ:riəl] agg. feudale.

manpower [ˈmænˌpauə*] s. manodopera.

mansard [ˈmænsəd] s. mansarda.

manse [mæns] s. residenza (di pastore presbiteriano o metodista).

manservant [ˈmænˌsə:vənt] s. servitore.

mansion [ˈmænʃən] s. **1** residenza; palazzo **2** pl. palazzo signorile ad appartamenti.

mansion-house [ˈmænʃənhaus] s. villa // the Mansion House, la residenza del sindaco di Londra.

manslaughter [ˈmænˌslɔ:tə*] s. (dir.) omicidio preterintenzionale.

mantel(piece) [ˈmæntl(pi:s)] s. mensola, cappa di caminetto.

mantelshelf [ˈmæntlʃelf] *s.* mensola di camino.

mantic [ˈmæntik] *agg.* profetico.

mantilla [mænˈtilə] *s.* mantiglia.

mantis [ˈmæntis] *s.* (*zool.*) mantide.

mantle [ˈmæntl] *s.* **1** mantello (*anche zool.*); cappa; (*fig.*) manto **2** reticella Auer (per lampade a gas).

to **mantle** *v.tr.* ammantare; avviluppare, coprire (*anche fig.*) ♦ *v.intr.* ammantarsi; avvilupparsi, coprirsi; soffondersi.

mantrap [ˈmæntræp] *s.* trabocchetto, trappola.

Mantua [ˈmæntjuə] *no.pr.* Mantova.

Mantuan [ˈmæntjuən] *agg.* e *s.* mantovano.

manual [ˈmænjuəl] *agg.* manuale; fatto a mano; azionato a mano ♦ *s.* **1** manuale **2** tastiera d'organo.

manufactory [ˌmænjuˈfæktəri] *s.* fabbrica.

manufacture [ˌmænjuˈfæktʃə*] *s.* **1** manifattura; lavorazione; fabbricazione **2** manufatto.

to **manufacture** *v.tr.* fabbricare; confezionare; (*fig.*) inventare.

manufacturer [ˌmæniuˈfæktʃərə*] *s.* fabbricante; industriale.

manumission [ˌmænjuˈmiʃən] *s.* (*st. dir.*) manomissione, affrancamento.

to **manumit** [ˌmænjuˈmit] *v.tr.* (*st. dir.*) manomettere.

manure [məˈnjuə*] *s.* concime, letame // green —, (*agr.*) sovescio.

to **manure** *v.tr.* concimare.

manurial [məˈnjuəriəl] *agg.* concimante.

manuscript [ˈmænjuskript] *agg.* e *s.* manoscritto.

Manx [mæŋks] *agg.* dell'isola di Man ♦ *s.* lingua dell'isola di Man.

Manxman, *pl.* **Manxmen** [ˌmæŋksmən] *s.* abitante dell'isola di Man.

many [ˈmeni] *compar.* **more** [mɔː*], *superl.* **most** [moust] *agg.* e *pron.* molti // — a time, molte volte // a good — books, un buon numero di libri; a great — people, moltissima gente // how — ?, quanti?; too —, troppi; one too —, uno di troppo; as —, altrettanti; as (o so) — as, tanti quanti ♦ *s.* molti, molte persone // the —, la maggioranza; la folla.

many-coloured [ˈmeniˈkʌləd] *agg.* multicolore.

many-sided [ˈmeniˈsaidid] *agg.* multilaterale; (*fig.*) versatile.

Maoism [ˈmauizəm] *s.* maoismo.

Maoist [ˈmauist] *agg.* e *s.* maoista.

map [mæp] *s.* carta geografica; mappa // air —, carta per la navigazione aerea // off the —, inaccessibile; (*fam.*) non importante // to put on the —, (*fig.*) rendere famoso.

to **map** *v.tr.* **1** disegnare, tracciare una carta geografica di **2** to — out, progettare.

maple [ˈmeipl] *s.* (*bot.*) acero.

to **mar** [mɑː*] *v.tr.* **1** guastare; rovinare **2** alterare, sfigurare.

Marathon [ˈmærəθən] *no.pr.* Maratona // **marathon** *s.* maratona (*anche fig.*).

to **maraud** [məˈrɔːd] *v.intr.* fare scorrerie.

marble [ˈmɑːbl] *s.* **1** marmo // — -cutter, marmista **2** biglia **3** scultura in marmo.

marbled [ˈmɑːbld] *agg.* marmorizzato.

marcasite [ˈmɑːkəsait] *s.* (*min.*) marcassite.

March [mɑːtʃ] *s.* marzo.

march¹ *s.* **1** frontiera, confine **2** *pl.* (*st.*) regione di confine (tra Inghilterra e Galles).

march² *s.* **1** marcia: a day's —, una giornata di marcia; on the —, in marcia // to steal a — on, (*fig.*) scaval-

care **2** (*fig.*) progresso, cammino: — of events, lo svolgersi degli eventi.

to **march²** *v.intr.* **1** marciare; mettersi in marcia // quick —!, avanti, march! // to — on a town, marciare su una città **2** (*fig.*) avanzare, progredire **3** to — away, partire **4** to — in, entrare (marciando); presentarsi **5** to — off, mettersi in marcia ♦ *v.tr.* far marciare.

marching orders [ˈmɑːtʃiŋˌɔːdəz] *s.pl.* (*mil.*) ordine di marcia.

marchioness [ˈmɑːʃənis] *s.* marchesa.

march-past [ˈmɑːtʃˈpɑːst] *s.* (*mil.*) sfilata.

marconigram [mɑːˈkouniɡræm] *s.* marconigramma.

mare [mɛə*] *s.* cavalla, giumenta, puledra // a — 's nest, una scoperta deludente // Shanks' —, (*fig.*) il cavallo di san Francesco.

Margaret [ˈmɑːɡərit] *no.pr.f.* Margherita.

margarine [ˌmɑːdʒəˈriːn, (*amer.*) ˈmɑːrdʒərin] *s.* (*cuc.*) margarina.

marge [mɑːdʒ] *s.* (*cuc. fam.*) margarina.

margin [ˈmɑːdʒin] *s.* margine: profit —, margine di profitto.

to **margin** *v.tr.* marginare.

marginal [ˈmɑːdʒinl] *agg.* marginale; di confine // — stop, marginatore.

marginalia [ˌmɑːdʒiˈneiljə] *s.pl.* note marginali.

marginally [ˈmɑːdʒinəli] *avv.* in margine.

marguerite [ˌmɑːɡəˈriːt] *s.* margherita.

Marian¹ [ˈmɛəriən] *agg.* mariano.

Marian² *no.pr.f.* Marianna.

Marie [ˈmɑːri] *no.pr.f.* Maria.

marigold [ˈmæriɡould] *s.* (*bot.*) calendola.

marinade [ˌmæriˈneid] *s.* (*cuc.*) salsa di aceto e spezie.

to **marinade** *v.tr.* marinare.

marine [məˈriːn] *agg.* **1** marino; marittimo **2** navale; di marina ♦ *s.* **1** marina **2** (*mil.*) «marine», fuciliere di marina // tell that to the (horse) marines, raccontalo a un altro.

mariner [ˈmærinə*] *s.* (*arc.*) marinaio.

marionette [ˌmæriəˈnet] *s.* marionetta.

marital [ˈmærit] *agg.* maritale.

maritime [ˈmæritaim] *agg.* marittimo, marino.

marjoram [ˈmɑːdʒərəm] *s.* (*bot.*) maggiorana.

mark¹ [mɑːk] *s.* **1** marchio, segno; macchia: to leave one's —, lasciare traccia di sé // to make one's —, acquistare fama **2** bersaglio (*anche fig.*): off the —, fuori bersaglio; to hit the —, far centro // up to the —, ottimo, bellissimo; corrispondente all'aspettativa **3** segno di interpunzione **4** (*scuola*) voto **5** (*sport*) segnale, linea di partenza: on your marks, get set, go!, ai vostri posti, pronti, via! **6** (*fig.*) importanza, distinzione **7** (*st.*) marca.

to **mark¹** *v.tr.* **1** marcare, segnare; contrassegnare; indicare (prezzi): to — (points in) a game, marcare i punti in un gioco // to — time, (*anche fig.*) segnare il passo; (*fam.*) batter la fiacca **2** (*scuola*) dare i voti (a) **3** macchiare **4** scegliere, designare, destinare **5** osservare, notare, fare attenzione (a): — my words!, bada alle mie parole! **6** to — down, svalorizzare (merci); prendere nota di **7** to — off, out, delimitare, separare; distinguere (*anche fig.*).

mark² *s.* marco (moneta tedesca).

Mark *no.pr.m.* Marco.

marked [mɑːkt] *agg.* **1** segnato **2** marcato, notevole.

markedly [ˈmɑːkidli] *avv.* notevolmente.

market [ˈmɑːkit] *s.* **1** mercato; luogo di vendita // — town, città sede di mercato **2** (*comm.*) mercato; compravendita: — *appraisal*, valutazione di mercato; — *forecast*, previsioni di mercato; — *price*, prezzo di mercato; *on the* —, in vendita // *black* —, borsa nera; *to play the* —, speculare in borsa.

to **market** *v.tr.* introdurre sul mercato ♦ *v.intr.* comperare, vendere al mercato.

market garden ['mɑːkit,gɑːdn] *s.* grande area tenuta a orto per scopi commerciali.

marketing ['mɑːkitiŋ] *s.* 1 compravendita 2 (*econ.*) «marketing», ricerche di mercato (*pl.*).

market place ['mɑːkitpleis] *s.* piazza del mercato.

marking ['mɑːkiŋ] *s.* marchio, segno.

marksman, *pl.* **marksmen** ['mɑːksmən] *s.* tiratore scelto.

marksmanship ['mɑːksmənʃip] *s.* abilità nel tiro.

marl [mɑːl] *s.* (*geol.*) marna.

marmalade ['mɑːməleid] *s.* marmellata d'arance.

marmoreal [mɑːˈmɔːriəl] *agg.* marmoreo.

marmot ['mɑːmət] *s.* marmotta.

maroon[1] [məˈruːn] *agg.* castano rossiccio ♦ *s.* 1 il colore castano rossiccio 2 petardo.

maroon[2] *s.* 1 negro delle Indie Occidentali 2 chi è abbandonato in luogo deserto.

to **maroon**[2] *v.tr.* abbandonare in luogo deserto.

marquee [mɑːˈkiː] *s.* padiglione.

marquess *s.* → **marquis**.

marquetry ['mɑːkitri] *s.* intarsio.

marquis ['mɑːkwis] *s.* marchese.

marquisate ['mɑːkwizit] *s.* marchesato.

marquise [mɑːˈkiːz] *s.* 1 marchesa (non inglese) 2 pensilina, tettoia.

marriage ['mæridʒ] *s.* 1 matrimonio // — *-licence*, dispensa matrimoniale 2 (*fig.*) legame, unione, fusione.

marriageable ['mæridʒəbl] *agg.* 1 in età da matrimonio 2 nubile, celibe.

married ['mærid] *agg.* 1 sposato: *to get* —, sposarsi 2 coniugale: — *life*, vita coniugale.

marrow ['mærou] *s.* 1 midollo // *frozen to the* —, gelato fino alle ossa 2 (*fig.*) essenza; quintessenza 3 (*vegetable*) —, zucca.

marrowbone ['mærouboun] *s.* ossobuco.

marrowfat ['mæroufæt] *s.* pisello gigante.

to **marry** ['mæri] *v.tr.* 1 sposare: *to* — *off*, accasare 2 (*fig.*) unire, congiungere ♦ *v.intr.* 1 sposarsi 2 (*fig.*) unirsi, congiungersi.

Mars [mɑːz] *no.pr.* (*mit. astr.*) Marte.

marsh [mɑːʃ] *s.* palude, acquitrino.

marshal ['mɑːʃəl] *s.* 1 maestro di cerimonie 2 maresciallo 3 (*amer.*) sceriffo, capo di un dipartimento di polizia; capo di un dipartimento di vigili del fuoco.

to **marshal** *v.tr.* 1 disporre in ordine; (*mil.*) schierare 2 scortare, precedere: *to* — *into a room*, introdurre in una stanza.

marshalling yard ['mɑːʃəliŋ,jɑːd] *s.* (*ferr.*) stazione di smistamento.

marsh gas ['mɑːʃgæs] *s.* metano.

marshmallow ['mɑːʃˈmælou] *s.* 1 malva 2 caramella gommosa e gelatinosa.

marsh marigold ['mɑːʃˈmærigould] *s.* (*bot.*) calta palustre; (*fam.*) farfarugine.

marshy ['mɑːʃi] *agg.* paludoso, acquitrinoso.

marsupial [mɑːˈsjuːpjəl] *agg.* di marsupiale ♦ *s.* marsupiale.

mart [mɑːt] *s.* 1 sala delle aste 2 mercato.

marten ['mɑːtin] *s.* martora.

Martha ['mɑːθə] *no.pr.f.* Marta.

martial ['mɑːʃəl] *agg.* marziale, guerresco.

Martian ['mɑːʃjən] *agg. e s.* marziano.

martin ['mɑːtin] *s.* balestruccio.

Martin *no.pr.m.* Martino.

martinet [,mɑːtiˈnet, (*amer.*) ,mɑːtnˈet] *s.* 1 fanatico della disciplina 2 rigorista.

Martini [mɑːˈtiːni] *s.* Martini cocktail.

Martinique [,mɑːtiˈniːk] *no.pr.* Martinica.

Martinmas ['mɑːtinməs] *s.* festa di San Martino.

martlet ['mɑːtlit] *s.* rondone.

martyr ['mɑːtə*] *s.* martire (*anche fig.*).

to **martyr** *v.tr.* martirizzare; torturare.

martyrdom ['mɑːtədəm] *s.* martirio.

martyrology [,mɑːtiˈrɔlədʒi] *s.* martirologio.

marvel ['mɑːvəl] *s.* meraviglia.

to **marvel** *v.intr.* meravigliarsi, essere sorpresi.

marvellous ['mɑːvələs], (*amer.*) **marvelous** ['mɑːvələs] *agg.* meraviglioso; incredibile; stupefacente.

Marxism ['mɑːksizəm] *s.* marxismo.

Marxist ['mɑːksist] *agg. e s.* marxista.

Mary ['mɛəri] *no.pr.f.* Maria.

marzipan [,mɑːziˈpæn] *s.* marzapane.

mascara [mæsˈkɑːrə] *s.* mascara.

mascot ['mæskət] *s.* mascotte.

masculine ['mɑːskjulin] *agg.* 1 (*gramm.*) maschile 2 maschio; virile ♦ *s.* genere maschile; parola di genere maschile.

masculinity [,mæskjuˈliniti] *s.* mascolinità.

mash [mæʃ] *s.* passato, purè.

to **mash** *v.tr.* 1 schiacciare, ridurre in pasta 2 mescolare, mischiare.

masher[1] ['mæʃə*] *s.* schiacciapatate.

masher[2] *s.* pappagallo (della strada).

mask [mɑːsk] *s.* 1 maschera // *with the* — *off*, a viso scoperto // *gas* —, maschera antigas 2 (*arch.*) mascherone.

to **mask** *v.tr.* mascherare (*anche fig.*) ♦ *v.intr.* mascherarsi.

masked [mɑːskt] *agg.* mascherato: — *ball*, ballo in maschera.

masker ['mɑːskə*] *s.* maschera.

masochism ['mæzəkizəm] *s.* masochismo.

masochist ['mæzəkist] *s.* masochista.

mason ['meisn] *s.* 1 muratore 2 massone.

masonic [məˈsɔnik] *agg.* massonico.

masonry ['meisnri] *s.* 1 professione del muratore 2 muratura 3 massoneria.

masquerade [,mæskəˈreid] *s.* mascherata.

to **masquerade** *v.intr.* mascherarsi.

mass [mæs] *s.* massa // — *meeting*, adunata popolare, comizio // — *observation*, studio dei fenomeni di massa.

Mass *s.* messa: *high, low* —, messa solenne, bassa.

massacre ['mæsəkə*] *s.* massacro, strage.

to **massacre** *v.tr.* massacrare, trucidare.

massage ['mæsɑːʒ, (*amer.*) məˈsɑːʒ] *s.* massaggio.

to **massage** *v.tr.* massaggiare.

masseter [mæˈsiːtə*] *s.* (*anat.*) massetere.

masseur [mæˈsəː*] *s.* massaggiatore.

masseuse [mæˈsəːz] *s.* massaggiatrice.

massif ['mæsiːf] *s.* massiccio (montagnoso).

massive ['mæsiv] *agg.* 1 massiccio; forte (*anche fig.*) 2 (*farm.*) massivo 3 (*geol.*) compatto.

mass media [,mæsˈmiːdiə] *s.pl.* «mass media», mezzi di comunicazione di massa.

to **mass-produce** ['mæsprəˌdjuːs] *v.tr.* produrre in serie.

mass production ['mæsprə,dʌkʃən] s. produzione in serie.

massy ['mæsi] agg. compatto, massiccio.

mast[1] [maːst] s. **1** (mar.) albero: to be at the —, essere di guardia in coffa // lower —, (mar.) albero maggiore // topgallant —, (mar.) alberetto **2** antenna **3** pl. alberatura (sing.).

mast[2] s. ghianda, bacca.

masted ['maːstid] agg. (mar.) alberato.

master ['maːstə*] s. **1** padrone; signore // to be one's own —, essere indipendente // — switch, (elettr.) interruttore generale // —mode, (tel.) stato padrone (in multiprogrammazione dati) **2** maestro (anche fig.): he is a — of irony, è maestro nell'ironia // — of ceremonies, maestro di cerimonie; presentatore // the old masters, i grandi maestri della pittura europea **3** direttore di collegio universitario **4** padroncino, signorino **5** (mar.) capitano (di nave mercantile) **6** titolo accademico (superiore a «Bachelor»): Master of Arts, laureato in lettere.

to **master** v.tr. **1** approfondire (studi ecc.); conoscere a fondo; acquistare padronanza (in, su) **2** vincere; dominare: to — one's temper, dominare la propria ira.

master builder ['maːstə'bildə*] s. capomastro.

masterful ['maːstəful] agg. autoritario, imperioso.

masterfulness ['maːstəfulnis] s. imperiosità.

master key ['maːstəkiː] s. passe-partout; chiave universale.

masterliness ['maːstəlinis] s. maestria.

masterly ['maːstəli] agg. magistrale, da maestro.

master mariner ['maːstə'mærinə*] s. capitano di nave mercantile.

mastermind ['maːstəmaind] s. genio; mente direttrice.

to **mastermind** v.tr. progettare; dirigere.

masterpiece ['maːstəpiːs] s. capolavoro.

mastership ['maːstəʃip] s. **1** magistero, professione di maestro **2** autorità; dominio.

masterstroke ['maːstəstrouk] s. colpo magistrale.

mastertouch ['maːstətʌtʃ] s. tocco da maestro.

mastery ['maːstəri] s. **1** maestria; conoscenza profonda; padronanza **2** supremazia; signoria.

masthead ['maːsthed] s. (mar.) testa d'albero.

mastic ['mæstik] s. mastice.

to **masticate** ['mæstikeit] v.tr. masticare.

mastication [,mæsti'keiʃən] s. masticazione.

masticatory ['mæstikətəri] agg. masticatorio.

mastiff ['mæstif] s. mastino.

mastitis [mæs'taitis] s. (med.) mastite.

mastodon ['mæstədɔn] s. mastodonte.

mastoid ['mæstɔid] agg. mastoideo ♦ s. **1** (anat.) mastoide **2** (fam. med.) mastoidite.

to **masturbate** ['mæstəbeit] v.intr. masturbarsi.

masturbation [,mæstə'beiʃən] s. masturbazione.

mat[1] [mæt] s. **1** stuoia; stoino // on the —, (fam.) nei guai **2** sottopiatto; sottovaso **3** nodo, intrico (di capelli, vegetazione ecc.).

to **mat**[1] v.tr. **1** coprire con stuoie **2** ingarbugliare ♦ v.intr. ingarbugliarsi.

mat[2] agg. opaco ♦ s. superficie opaca.

to **mat**[2] v.tr. rendere opaco.

match[1] [mætʃ] s. **1** uguale; compagno **2** combinazione; accostamento **3** matrimonio **4** avversario, competitore: he is no — for her, non può competere con lei // to meet one's —, trovare pane per i propri denti **5** (sport) gara; partita; incontro.

to **match**[1] v.tr. **1** opporre, mettere di fronte: to — one

person against another, opporre una persona a un'altra **2** pareggiare, uguagliare (un avversario) **3** sposare **4** combinare con; accoppiare // a well-matched couple, una coppia ben assortita ♦ v.intr. essere identico (a); accordarsi; armonizzarsi.

match[2] s. fiammifero.

matchbox ['mætʃbɔks] s. scatola di fiammiferi.

matchless ['mætʃlis] agg. impareggiabile.

matchlock ['mætʃlɔk] s. fucile a miccia.

matchmaker ['mætʃ,meikə*] s. chi combina matrimoni.

matchwood ['mætʃwud] s. schegge di legno.

mate[1] [meit] s. **1** compagno **2** uno dei due componenti di una coppia (spec. di animali) **3** aiuto, assistente **4** (mar.) ufficiale in seconda **5** (pop.) amico.

to **mate**[1] v.tr. **1** accoppiare (animali) **2** unire in matrimonio ♦ v.intr. **1** accoppiarsi (di animali) **2** unirsi in matrimonio.

mate[2] s. scacco matto.

to **mate**[2] v.tr. dare scacco matto (a).

mater ['meitə*] s. (spec. anat.) madre.

material [mə'tiəriəl] agg. **1** materiale; tangibile **2** sostanziale; essenziale, principale // — evidence, (dir.) prova importante, pertinente ♦ s. **1** materiale; materia; raw materials, materie prime **2** stoffa, tessuto **3** pl. occorrente (sing.): writing —, l'occorrente per scrivere.

materialism [mə'tiəriəlizəm] s. materialismo.

materialist [mə'tiəriəlist] s. e agg. materialista.

to **materialize** [mə'tiəriəlaiz] v.tr. materializzare ♦ v.intr. **1** materializzarsi **2** (fig.) realizzarsi.

materially [mə'tiəriəli] avv. **1** materialmente; fisicamente **2** sostanzialmente, essenzialmente.

maternal [mə'təːnl] agg. materno.

maternity [mə'təːniti] s. maternità ♦ agg. di gestante: — clothes, (abiti) premaman.

matey ['meiti] agg. (fam.) amichevole; socievole.

math [mæθ] s. (amer.) → **maths**.

mathematic(al) [,mæθi'mætik(əl)] agg. matematico.

mathematician [,mæθimə'tiʃən] s. matematico.

mathematics [,mæθi'mætiks] s. matematica.

maths [mæθs] s. (fam.) contr. di **mathematics**.

matinée ['mætinei, (amer.) ,mætn'ei] s. (teatr.) mattinata.

matins ['mætinz] s.pl. (eccl.) mattutino (sing.).

matriarchy ['meitriaːki] s. matriarcato.

matricide ['meitrisaid] s. **1** matricida **2** matricidio.

to **matriculate** [mə'trikjuleit] v.tr. immatricolare (all'università) ♦ v.intr. immatricolarsi (all'università).

matriculation [mə,trikju'leiʃən] s. **1** immatricolazione (all'università) **2** esame di ammissione all'università.

matrimonial [,mætri'mounjəl] agg. matrimoniale.

matrimony ['mætriməni] s. matrimonio.

matrix ['meitriks] pl. **matrices** ['mætrisiːz] s. matrice.

matron ['meitrən] s. **1** signora anziana **2** capo infermiera; direttrice; sovraintendente.

matronly ['meitrənli] agg. matronale.

matt agg. → **mat**[2].

matter ['mætə*] s. **1** faccenda, affare; argomento // a — of course, una cosa ovvia, d'ordinaria amministrazione // as a — of fact, in realtà // for that —, per quanto riguarda ciò; se è per questo... // no —, non importa: no — how, where, comunque, dovunque // what is the — with you?, che cos'hai?; there is nothing the (o nothing is the) — with me, non ho nulla **2** materia; contenuto; sostanza (*anche fig.*) // *mind and* —, spirito e materia **3** (*med.*) pus.

to **matter** *v.intr.* **1** importare: *it does not* —, non importa; *it will* — *to him, if not to you*, importerà a lui, se non a te **2** (*med.*) suppurare.

Matterhorn, the [ˈmætəhɔːn] *no.pr.* il (Monte) Cervino.

matter-of-fact [ˈmætərəvˈfækt] *agg.* pratico, positivo (di persona).

matter-of-factness [ˈmætərəvˈfæktnis] *s.* spirito pratico.

Matthew [ˈmæθjuː] *no.pr.m.* Matteo.

matting [ˈmætiŋ] *s.* stuoia.

mattock [ˈmætək] *s.* zappa, zappone.

mattress [ˈmætris] *s.* materasso.

maturation [ˌmætjuˈreiʃən] *s.* maturazione.

mature [məˈtjuə*] *agg.* **1** maturo (*anche fig.*) **2** (*comm.*) scaduto.

to **mature** *v.tr.* maturare (*anche fig.*) ♦ *v.intr.* **1** maturare **2** scadere.

maturity [məˈtjuəriti] *s.* **1** maturità (*anche fig.*) **2** (*comm.*) scadenza.

matutinal [məˈtjuːtinl, (*amer.*) məˈtuːtnl] *agg.* mattutino.

maudlin [ˈmɔːdlin] *agg.* **1** ubriaco e piagnucoloso **2** sentimentale all'eccesso **3** pieno di autocommiserazione.

maul [mɔːl] *s.* mazza, maglio.

to **maul** *v.tr.* **1** dilaniare **2** malmenare, maltrattare.

to **maunder** [ˈmɔːndə*] *v.intr.* **1** straparlare **2** mormorare **3** muoversi, agire con la testa tra le nuvole.

Maundy [ˈmɔːndi] *s.* (*eccl.*) lavanda dei piedi (che si effettua il Giovedì Santo) // — *Thursday*, Giovedì Santo.

Mauresque *s.* → **Moresque**.

Maurice [ˈmɔris] *no.pr.m.* Maurizio.

mausoleum [ˌmɔːsəˈliəm] *s.* mausoleo.

mauve [mouv] *agg.* e *s.* (color) malva.

maverick [ˈmævərik] *s.* (*amer.*) **1** capo di bestiame non marchiato **2** (*fam.*) individualista.

maw [mɔː] *s.* **1** rumine **2** gozzo (di uccello) **3** (*fig.*) abisso.

mawkish [ˈmɔːkiʃ] *agg.* **1** sdolcinato, sentimentale **2** dal sapore nauseante.

maxillary [mækˈsiləri] *agg.* mascellare.

maxim [ˈmæksim] *s.* massima; norma.

maximal [ˈmæksiməl] *agg.* massimo.

to **maximize** [ˈmæksimaiz] *v.tr.* elevare, portare al massimo grado.

maximum [ˈmæksiməm] *agg.* massimo.

maximum, *pl.* **maxima** [ˈmæksimə] *s.* il massimo, la maggior quantità.

May [mei] *s.* **1** maggio // — *Day*, primo maggio // *in the* — *of life*, nel fiore della vita **2** biancospino.

may, *pass* e *cond.* **might** [mait] *v.dif.* **1** potere: — *I come in?*, posso entrare?; *he* — *arrive tomorrow*, può arrivare, può darsi che arrivi domani; *it* —, *might be that...*, può, potrebbe darsi che; *he might have phoned*, potrebbe aver telefonato // — *he be happy*, che egli possa essere felice // *be that as it* —, sia come sia **2** (*esprimere scopo, desiderio, timore*): *so that you* — *know*, affinché tu sappia.

Mayan [ˈmɑːjən] *agg.* e *s.* maya.

maybe [ˈmeibiː] *avv.* può darsi (che), forse.

maybug [ˈmeibʌg] *s.* maggiolino.

Mayday [ˈmeidei] *s.* primo di maggio; (*st.*) calendimaggio.

mayday *s.* segnale internazionale di S.O.S. per radio.

mayhem [ˈmeihem] *s.* **1** (*dir.*) (*amer.*) grave danno fisico (gener. che provoca menomazione a un arto) **2** confusione.

mayn't [meint] *contr.* di **may not**.

mayonnaise [ˌmeiəˈneiz, (*amer.*) ˈmeiəneiz] *s.* maionese.

mayor [mɛə*] *s.* sindaco.

mayoralty [ˈmɛərəlti] *s.* carica di sindaco.

maypole [ˈmeipoul] *s.* palo ornato con ghirlande di fiori intorno a cui i giovani danzavano il primo di maggio.

maze [meiz] *s.* labirinto; (*fig.*) perplessità.

mazy [ˈmeizi] *agg.* intricato; confuso.

me [miː (*forma forte*), mi (*forma debole*)] *pron.pers. compl.* *1ª pers.sing.* me, mi: *come with* —, vieni con me; *he told* —, mi ha detto // *it's* —, (*fam.*) sono io.

mead[1] [miːd] *s.* idromele.

mead[2], **meadow** [ˈmedou] *s.* prato // — *mushroom*, prataiolo.

meagre [ˈmiːgə*] *agg.* **1** magro, scarno **2** scarso, insufficiente; povero.

meal[1] [miːl] *s.* farina (di cereali) (spesso integrale).

meal[2] *s.* pasto // *a square* —, un pasto sostanzioso.

mealie [ˈmiːli] *s.* pannocchia di granoturco.

mealy [ˈmiːli] *agg.* **1** infarinato; farinoso **2** pallido **3** pezzato (di cavallo).

mealy-mouthed [ˈmiːliˌmauðd] *agg.* mellifluo, insincero, ipocrita.

mean[1] [miːn] *agg.* **1** vile, basso, spregevole; volgare **2** mediocre, dappoco: *no* —, non dappoco **3** meschino, gretto, spilorcio **4** cattivo, antipatico, villano **5** (*amer.*) malvagio; senza scrupoli: *a* — *guy*, un tipaccio.

mean[2] *agg.* medio, intermedio ♦ *s.* **1** media; mezzo, punto medio // *the happy* —, il giusto mezzo **2** *pl.* (*gener. costr. sing.*) mezzo (*sing.*); strumento (*sing.*) // *by all means*, ad ogni costo; ma certo! // *by no means*, affatto, in nessun modo; mai al mondo // *by some means or other*, in qualche modo // *by fair means or foul*, con le buone o con le cattive **3** *pl.* mezzi economici, risorse finanziarie: *a man of means*, un uomo agiato; *to live beyond one's means*, vivere al di sopra dei propri mezzi // *means test*, indagine sul reddito.

to **mean**[3], *pass.* e *p.pass.* **meant** [ment] *v.tr.* **1** intendere; significare, voler dire: *what do you* — *by that?*, che cosa intendi dire con ciò? **2** proporsi, aver l'intenzione (di): *they meant no harm*, non volevano fare del male // *to* — *business*, far sul serio **3** destinare; assegnare ♦ *v.intr.* **1** proporsi, aver l'intenzione **2** intendere.

meander [miˈændə*] *s.* meandro (*anche fig.*).

to **meander** *v.intr.* serpeggiare; vagare; (*fig.*) divagare.

meaning [ˈmiːniŋ] *agg.* significativo ♦ *s.* **1** senso, significato **2** pensiero, idea.

meaningful [ˈmiːninful] *agg.* significativo.

meaningless [ˈmiːniŋlis] *agg.* insignificante; senza senso; senza motivo.

meaningly [ˈmiːniŋli] *avv.* in modo significativo.

meanly [ˈmiːnli] *avv.* **1** meschinamente; avaramente **2** umilmente; poveramente.

meant *pass.* e *p.pass.* di **to mean**.

meantime [ˈmiːnˈtaim], **meanwhile** [ˈmiːnˈwail] *s.* frattempo: *in the* —, nel frattempo ♦ *avv.* intanto.

measles [ˈmiːzlz] *s.* morbillo.

measly [ˈmiːzli] *agg.* (*fam.*) miserabile; meschino; tirchio.

measurable [ˈmeʒərəbl] *agg.* misurabile.

measure [ˈmeʒə*] *s.* **1** misura, dimensione; quantità; peso; (*fig.*) capacità, portata, limite: *the — of an agreement*, la portata di un accordo; *beyond* (o *out of*) —, oltre misura; *made to* —, fatto su misura; *full, short* —, misura completa, scarsa; *in great* (o *large*) —, in gran parte; *in some* —, in parte, fino a un certo punto // *to take s.o.'s* —, (*fig.*) giudicare il carattere, l'abilità di qlcu. **2** misura (strumento per misurare, unità, sistema di misura) // *folding* —, metro snodato // *liquid* —, misura di capacità **3** provvedimento: *to take legal measures*, adire le vie legali **4** (*mat.*) divisore: *greatest common* —, (*mat.*) massimo comun divisore **5** (*poesia*) metro; ritmo **6** (*mus.*) ▸battuta; tempo; (*arc.*) danza **7** (*geol.*) strato.

to measure *v.tr.* **1** misurare; prendere le misure (di) // *to — one's length*, cadere lungo disteso **2** *to — out*, distribuire; versare ♦ *v.intr.* **1** misurarsi: *to — with s.o., sthg.*, misurarsi con qlcu., qlco. **2** *to — up to* (*s.o., sthg.*), essere all'altezza di (qlcu., qlco.).

measured [ˈmeʒəd] *agg.* misurato; esatto; moderato, controllato.

measureless [ˈmeʒəlis] *agg.* incommensurabile.

measurement [ˈmeʒəmənt] *s.* **1** misura; grandezza; volume; dimensione // *hip, waist* —, circonferenza (dei) fianchi, (della) vita **2** *pl.* misure.

measuring [ˈmeʒəriŋ] *s.* misurazione; (*chim.*) dosatura, dosaggio // *— range*, campo di misura // *— stick*, asta di misurazione // *— tape*, nastro metrico.

meat [mi:t] *s.* **1** carne // *— pestle*, batticarne **2** (*arc.*) cibo; nutrimento (*anche fig.*): *— and drink*, cibo e bevanda.

meat ball [ˈmi:tˈbɔ:l] *s.* polpetta di carne.

meaty [ˈmi:ti] *agg.* **1** polposo, carnoso **2** (*fig.*) denso, sostanzioso.

mechanic [miˈkænik] *s.* meccanico.

mechanical [miˈkænikəl] *agg.* meccanico.

mechanician [ˌmekəˈniʃən] *s.* meccanico specializzato.

mechanics [miˈkæniks] *s.* meccanica.

mechanism [ˈmekənizəm] *s.* meccanismo.

mechanization [ˌmekənaiˈzeiʃən] *s.* meccanizzazione.

to mechanize [ˈmekənaiz] *v.tr.* **1** meccanizzare **2** (*mil.*) fornire di mezzi corazzati e di armi automatiche.

medal [ˈmedl] *s.* medaglia.

medalled [ˈmedld] *agg.* decorato.

medallion [miˈdæljən] *s.* medaglione.

medallist [ˈmedlist] *s.* **1** medaglista **2** decorato.

to meddle [ˈmedl] *v.intr.* **1** immischiarsi, intromettersi **2** maneggiare (qlco.).

meddlesome [ˈmedlsəm] *agg.* importuno, indiscreto.

media [ˈmi:diə] *s.pl.* mezzi di comunicazione (radio, tv ecc.): *mass* —, mezzi di comunicazione di massa.

medi(a)eval *agg.* → **medieval**.

medial [ˈmi:djəl] *agg.* medio; mediano.

median [ˈmi:djən] *agg.* mediano ♦ *s.* **1** (*anat.*) nervo mediano; vena mediana **2** (*geom.*) mediana.

mediate [ˈmi:diit] *agg.* mediato; indiretto.

to mediate [ˈmi:dieit] *v.tr.* fare da intermediario; conseguire con la mediazione ♦ *v.intr.* fare da intermediario; interporsi.

mediation [ˌmi:diˈeiʃən] *s.* mediazione; intercessione.

mediator [ˈmi:dieitə*] *s.* mediatore; intercessore.

medical [ˈmedikəl] *agg.* di, della medicina; medico // *— student*, studente in medicina ♦ *s.* (*fam.*) studente in medicina.

medically [ˈmedikəli] *avv.* **1** dal punto di vista medico **2** per mezzo di medicine.

medicament [meˈdikəmənt] *s.* medicamento.

Medicare [ˈmedikeə(r)] *s.* (*amer.*) programma governativo di assistenza medica (agli anziani).

to medicate [ˈmedikeit] *v.tr.* medicare; mescolare con, impregnare di sostanza medicinale.

medication [ˌmediˈkeiʃən] *s.* medicazione; cura.

medicative [ˈmedikətiv] *agg.* medicamentoso; medicinale.

medicinal [meˈdisinl] *agg.* e *s.* medicinale.

medicine [ˈmedsn, (*amer.*) ˈmedisn] *s.* medicina // *industrial* —, medicina del lavoro // *Socialized* —, (*amer.*) servizio sanitario governativo // *— chest*, armadietto, cassetta farmaceutica // *to give s.o. a taste of his own* —, ripagare qlcu. con la stessa moneta.

medicine man [ˈmedsnmæn] *s.* stregone.

medico [ˈmedikou] *s.* (*sl.*) medico; studente in medicina.

medieval [ˌmediˈi:vl, (*amer.*) ˌmiˈdi:vl] *agg.* medievale.

mediocre [ˈmi:dioukə*] *agg.* mediocre.

mediocrity [ˌmi:diˈɔkriti] *s.* mediocrità.

to meditate [ˈmediteit] *v.tr.* e *intr.* meditare.

meditation [ˌmediˈteiʃən] *s.* meditazione; riflessione.

meditative [ˈmeditətiv] *agg.* meditativo; pensoso.

Mediterranean [ˌmeditəˈreinjən] *agg.* e *s.* mediterraneo.

medium [ˈmi:djəm], *pl.* **mediums** [ˈmi:djəmz], **media** [ˈmi:djə] *s.* **1** mezzo, strumento: *through the — of*, per mezzo di **2** elemento: *natural* —, elemento naturale **3** mezzo; punto, termine medio // *— of exchange*, (*pol. finanziaria*) media dei cambi // *to stick to a happy* —, serbare il giusto mezzo **4** (*informatica*) supporto **5** (*spiritismo*) medium **6** (*pitt.*) solvente.

mediumistic [ˌmi:djəˈmistik] *agg.* medianico.

medlar [ˈmedlə*] *s.* nespola.

medley [ˈmedli] *s.* **1** miscuglio; guazzabuglio **2** (*mus.*) pot-pourri.

medulla [meˈdʌlə] *s.* midollo.

medullary [miˈdʌləri] *agg.* midollare.

medusa [miˈdju:zə], *pl.* **medusae** [miˈdju:zi:] *s.* medusa.

meek [mi:k] *agg.* docile, mansueto; mite.

meerschaum [ˈmiəʃəm] *s.* schiuma (per pipe ecc.).

meet [mi:t] *s.* **1** (*caccia*) raduno **2** (*amer.*) (*spec. sport*) incontro; raduno.

to meet, *pass.* e *p.pass.* **met** [met] *v.tr.* **1** incontrare; andare, venire incontro (a): *to — s.o. at the station*, andare a prendere qlcu. alla stazione // *we shall try to — your requests*, tenteremo di venire incontro alle vostre richieste // *there is more to it than meets the eye*, c'è sotto più di quel che sembra // *to — s.o.'s eye*, incontrare lo sguardo di qlcu.; attirare l'attenzione di qlcu. // *to — s.o. half-way*, venire ad un compromesso **2** fare la conoscenza di: *we knew him by sight, but had never met him*, lo conoscevamo di vista, ma non ci era mai stato presentato **3** far onore a (impegni); far fronte a (a); soddisfare; rispondere (a): *to — a draft*, (*comm.*) pagare una tratta ♦ *v.intr.* **1** convergere; incontrarsi // *to make both ends* —, sbarcare il lunario // *to — with* (*s.o., sthg.*), imbattersi in; essere colto da; subire: *he has met with an accident*, gli è capitata una disgrazia **2** fare la conoscenza, conoscersi **3** (*amer.*) avere un incontro con.

meeting [ˈmi:tiŋ] *s.* **1** incontro: *— place*, luogo di incontro **2** riunione, convegno, raduno; assemblea, seduta: *Statutory Meeting*, assemblea costitutiva; *to ad-*

dress the —, prender la parola; *to put a resolution to the* —, sottoporre una mozione all'approvazione dell'assemblea // *political* —, comizio.

megalith ['megəliθ] *s.* (*archeol.*) megalite.

megalithic [,megə'liθik] *agg.* (*archeol.*) megalitico.

megalomania ['megəlou'meinjə] *s.* megalomania.

megalomaniac ['megəlou'meiniæk] *s.* megalomane.

megaphone ['megəfəun] *s.* megafono.

melancholia [,mələn'kouljə] *s.* depressione psichica.

melancholic [,melən'kɔlik] *agg.* malinconico; psichicamente depresso.

melancholy ['melənkəli] *agg.* malinconico, triste ♦ *s.* malinconia; depressione; tristezza.

mellifluous [me'lifluəs] *agg.* mellifluo.

mellow ['melou] *agg.* **1** succoso, maturo; amabile (di vino) **2** pastoso, pieno, caldo (di luce, suono, colore) **3** ricco, fertile (di terreno) **4** sereno, pacato, comprensivo **5** (*sl.*) allegro; un po' brillo.

to **mellow** *v.tr.* maturare, far maturare; stagionare ♦ *v.intr.* **1** (*fig.*) maturare, maturarsi; addolcirsi (di persona) **2** diventare ricco, dolce, pastoso (di luce, suono, colore).

mellowness ['melounis] *s.* **1** succosità, maturità **2** ricchezza, pastosità (di luce, suono, colore) **3** ricchezza, fertilità (di terreno) **4** dolcezza; comprensione **5** (*sl.*) giovialità; leggera ebbrezza.

melodic [mi'lɔdik] *agg.* melodico.

melodious [mi'loudjəs] *agg.* melodioso.

melodiousness [mi'loudjəsnis] *s.* melodia.

melodrama ['melə,drɑ:mə] *s.* melodramma.

melodramatic [,meloudrə'mætik] *agg.* melodrammatico.

melodramatist [,melou'dræmətist] *s.* autore di melodrammi.

melody ['melədi] *s.* melodia.

melon ['melən] *s.* melone.

melt [melt] *s.* metallo fuso.

to **melt**, *pass.* **melted** ['meltid], *p.pass.* **melted**, (*arc.*) **molten** ['moultən] *v.tr.* **1** liquefare // *to — down*, fondere **2** (*fig.*) intenerire ♦ *v.intr.* **1** liquefarsi; sciogliersi // *to — away*, sciogliersi; sciogliersi (di neve); svanire **2** (*fig.*) sciogliersi; intenerirsi.

melting ['meltiŋ] *agg.* tenero; struggente; commovente.

melting pot ['meltiŋpɔt] *s.* crogiolo.

member ['membə*] *s.* **1** (*anat.*) membro **2** parte, pezzo, elemento **3** socio, membro // *— of Congress*, membro del Congresso americano // *— of Parliament*, deputato (al Parlamento britannico).

membership ['membəʃip] *s.* **1** l'essere membro // *— card*, tessera di associazione **2** l'insieme dei membri (di una associazione).

membrane ['membrein] *s.* membrana.

membraneous [mem'breinjəs], **membranous** [mem'breinəs] *agg.* membranoso.

memento [mi'mentou], *pl.* **memento(e)s** [mi'm entouz] *s.* ricordo.

memo ['mi:mou] *s.* (*fam.*) promemoria.

memoir ['memwa:*] *s.* **1** biografia; saggio **2** *pl.* memorie, ricordi.

memorable ['memərəbl] *agg.* memorabile.

memorandum [,memə'rændəm], *pl.* **memoranda** [,memə'rændə], **memorandums** [,memə'rændəmz] *s.* memorandum, appunto // *— of association*, atto costitutivo di una società.

memorial [mi'mɔ:riəl] *agg.* commemorativo: *— tablet*, targa commemorativa // *Memorial Day*, (*amer.*) giornata della Rimembranza (30 maggio) ♦ *s.* **1** monumento commemorativo **2** memoriale, supplica **3** (*gener. pl.*) memoriale, raccolta di documenti.

to **memorize** ['meməraiz] *v.tr.* imparare a memoria; memorizzare.

memory ['meməri] *s.* **1** memoria // *speaking from* (*to the best of my*) —, per quanto mi ricordo // *of blessed* —, di buona memoria **2** (*informatica*) memoria: *drum* —, memoria a tamburo; *— location*, indirizzo di memoria; *mass* —, memoria di massa; *— size*, *— capacity*, capacità di memoria; *— space*, spazio in memoria; *— printout*, stampa del contenuto della memoria; *— requirement*, occupazione di memoria di un programma.

men, *pl.* di **man**.

menace ['menəs] *s.* minaccia.

to **menace** *v.tr.* minacciare.

menacing ['menəsiŋ] *agg.* minaccioso, torvo.

menagerie [mi'nædʒəri] *s.* serraglio.

Menander [mi'nændə*] *no.pr.m.* (*st. lett.*) Menandro.

mend [mend] *s.* rattoppo, rammendo // *to be on the* —, migliorare (di salute ecc.).

to **mend** *v.tr.* **1** riparare; aggiustare; rammendare // *to — the fire*, alimentare il fuoco **2** (*fig.*) correggere; emendare; migliorare ♦ *v.intr.* correggersi; emendarsi; migliorare: *things will* —, le cose si aggiusteranno.

mendacious [men'deiʃəs] *agg.* mendace, menzognero.

mendacity [men'dæsiti] *s.* **1** mendacità **2** bugia, menzogna.

mendicant ['mendikənt] *agg. e s.* mendicante.

mendicity [men'disiti] *s.* mendicità.

menial ['mi:njəl] *agg.* **1** servile (di lavoro) **2** che fa lavori servili ♦ *s.* servo.

meningitis [,menin'dʒaitis] *s.* (*med.*) meningite.

meninx ['mi:niŋks], *pl.* **meninges** [mi'nindʒi:z] *s.* (*anat.*) meninge.

meniscus [mi'niskəs], *pl.* **menisci** [mi'niskai] *s.* menisco.

menopause ['menoupɔ:z] *s.* (*med.*) menopausa.

menses ['mensi:z] *s.pl.* mestruazioni.

menstrual ['menstruəl] *agg.* mestruale.

menstruation [,menstru'eiʃən] *s.* mestruazione.

mensuration [,mensjuə'reiʃən] *s.* misurazione.

mental ['mentl] *agg.* **1** mentale, intellettuale: *— arithmetic*, calcolo mentale; *— a case* (o *— patient*), un malato di mente // *— defective*, deficiente // *— hospital*, manicomio // *— specialist*, alienista **2** (*fam.*) picchiatello.

mentality [men'tæliti] *s.* **1** capacità intellettuale **2** mentalità.

mentally ['mentəli] *avv.* mentalmente // *— deficient*, minorato psichico.

menthol ['menθɔl] *s.* (*farm.*) mentolo.

mention ['menʃən] *s.* menzione.

to **mention** *v.tr.* accennare (a), nominare, far menzione (di): *above-mentioned*, suddetto; *not to* — (o *without mentioning*), senza contare, senza dire nulla di // *don't — it*, prego, non c'è di che.

mentionable ['menʃənəbl] *agg.* che si può menzionare.

mentor ['mentɔ:*] *s.* mentore, consigliere.

menu ['menju:] *s.* **1** menu **2** (*informatica*) «menu», lista di opzioni proposte all'operatore.

Mephistophelean [,mefistə'fi:liən] *agg.* mefistofelico.

Mephistopheles [,mefis'tɔfili:z] *no.pr.m.* Mefistofele.

mercantile ['mə:kəntail] *agg.* mercantile; commerciale.

mercenary ['mə:sinəri] *agg. e s.* mercenario.

mercerized [ˈmɔːsəraizd] *agg.* mercerizzato.

merchandise [ˈmɔːtʃəndaiz] *s.* merce, mercanzia.

merchant [ˈmɔːtʃənt] *s.* **1** mercante, commerciante, grossista **2** (*amer.*) negoziante ♦ *agg.* mercantile: — *ship,* nave mercantile; — *navy,* (*spec. amer.*) — *marine,* marina mercantile.

merchantman, *pl.* **merchantmen** [ˈmɔːtʃəntmən] *s.* nave mercantile.

merchant venturer [ˈmɔːtʃənt ˈvəntʃərə*] *s.* (*st.*) mercante.

merciful [ˈmɔːsiful] *agg.* pietoso, misericordioso.

merciless [ˈmɔːsilis] *agg.* spietato, crudele.

mercurial [mɔːˈkjuəriəl] *agg.* **1** (*fig.*) vivace, attivo; mutevole **2** (*farm.*) mercuriale.

Mercury [ˈmɔːkjuri] *no.pr.* (*mit. astr.*) Mercurio ♦ **mercury** *s.* **1** (*chim.*) mercurio // *the — is rising,* la temperatura sale; (*fig.*) le cose vanno meglio **2** (*fam.*) messaggero.

mercy [ˈmɔːsi] *s.* **1** misericordia, pietà // — *on us!,* misericordia! **2** grazia, fortuna; mercé: *to be at s.o.'s* —, essere alla mercé di qlcu.

mercy killing [ˈmɔːsiˈkiliŋ] *s.* eutanasia.

mere[1] [miə*] *agg.* mero, puro; solo.

mere[2] *s.* laghetto; stagno.

merely [ˈmiəli] *avv.* meramente; soltanto.

meretricious [ˌmeriˈtriʃəs] *agg.* falso, ingannevole; vistoso.

to merge [mɔːdʒ] *v.tr.* assorbire; fondere; incorporare ♦ *v.intr.* essere assorbito; fondersi; incorporarsi.

merger [ˈmɔːdʒə*] *s.* fusione, incorporamento.

meridian [məˈridiən] *agg.* **1** meridiano **2** (*fig.*) culminante ♦ *s.* **1** (*geogr.*) meridiano; antimeridiano **2** (*fig.*) culmine.

meridional [məˈridiənl] *agg.* **1** meridionale **2** (*geogr.mar.*) di meridiano ♦ *s.* meridionale.

meringue [məˈræŋ] *s.* meringa.

merit [ˈmerit] *s.* **1** merito; pregio; valore **2** (*dir.*) merito; aspetto sostanziale // *to go into the merits of a case,* entrare nel merito di una faccenda // *to decide the question on its merits,* decidere la questione valutandone i pro e i contro.

to merit *v.tr.* meritare.

meritocracy [ˌmeritɔkrəsi] *s.* meritocrazia.

meritorious [ˌmeriˈtɔːriəs] *agg.* meritorio, meritevole.

merlin [ˈmɔːlin] *s.* (*zool.*) smeriglio.

Merlin *no.pr.m.* (*lett.*) Merlino.

merlon [ˈmɔːlən] *s.* (*edil.mil.*) merlo.

Merovingian [ˌmeroʊˈvindʒiən] *agg.* e *s.* merovingio.

merrily [ˈmerili] *avv.* gaiamente, allegramente.

merriment [ˈmerimənt] *s.* gaiezza, allegria.

merry[1] [ˈmeri] *agg.* allegro, gaio, giocondo: — *as a lark,* allegro come un fringuello // — *Christmas!,* buon Natale! // *to make* —, far festa, stare allegri.

merry[2] *s.* (*bot.*) amarena.

merry-go-round [ˈmerigoʊˌraund] *s.* giostra.

merrymaking [ˈmeriˌmeikiŋ] *s.* festa, divertimento.

mesh [meʃ] *s.* maglia; (*pl.*) rete (*sing.*) (*anche fig.*) // *in* —, (*mecc.*) ingranato.

to mesh *v.tr.* (*mecc.*) ingranare ♦ *v.intr.* ingranarsi.

mesmeric [mezˈmerik] *agg.* ipnotico.

mesne [miːn] *agg.* (*dir.*) intermedio.

mess [mes] *s.* **1** confusione, disordine; (*fig.*) pasticcio: *what a* —!, che pasticcio!; *to clear up the* —, rimettere in ordine // *to make a* — *of sthg.,* rovinare, buttare all'aria qlco. **2** (*mil.*) mensa; compagni di mensa (*pl.*)

// — *-tin,* gavetta **3** (*arc.*) cibo, piatto: — *of pottage,* (*Bibbia*) piatto di lenticchie.

to mess *v.tr.* mettere in disordine; sporcare; fare confusione: *to* — *up,* creare un gran disordine; (*fig.*) mandare a monte; ingarbugliare ♦ *v.intr.* **1** mangiare abitualmente con altri **2** *to* — *about,* (*fam.*) perder tempo, perdersi in cose inutili.

message [ˈmesidʒ] *s.* **1** messaggio; commissione: *to run messages,* fare commissioni // *I got the* —, (*fam.*) ho capito (l'allusione ecc.) **2** (*informatica, tel.*) messaggio: — *switching,* smistamento dei messaggi; (*tel.*) centro smistamento dei messaggi; — *traffic,* traffico, flusso dei messaggi in rete.

messenger [ˈmesindʒə*] *s.* messaggero // — (*boy*), fattorino.

Messiah [məˈsaiə] *s.* Messia.

Messianic [ˌmesiˈænik] *agg.* messianico.

messmate [ˈmesmeit] *s.* compagno di mensa.

messuage [ˈmeswidʒ] *s.* (*dir.*) masseria; podere.

messy [ˈmesi] *agg.* confuso; in disordine; sporco.

mestizo [mesˈtiːzoʊ] *s.* meticcio.

met *pass.* e *p.pass.* di *to* **meet.**

metabolism [meˈtæbəlizəm] *s.* metabolismo.

metacarpus [ˌmetəˈkaːpəs] *s.* (*anat.*) metacarpo.

metal [ˈmetl] *s.* **1** metallo **2** brecciame, pietrisco **3** vetro fuso.

to metal *v.tr.* **1** rivestire di metallo **2** macadamizzare.

metallic [miˈtælik] *agg.* metallico.

metalliferous [ˌmetəˈlifərəs] *agg.* metallifero.

metalloid [ˈmetəlɔid] *s.* (*chim.*) metalloide.

metallurgic [ˌmetəˈlɔːdʒik] *agg.* metallurgico.

metallurgist [məˈtælədʒist] *s.* metallurgico.

metallurgy [miˈtælədʒi, (*amer.*) ˈmetələːrdʒi] *s.* metallurgia.

metamorphic [ˌmetəˈmɔːfik] *agg.* metamorfico.

metamorphosis [ˌmetəˈmɔːfəsis], *pl.* **metamorphoses** [ˌmetəˈmɔːfəsiːz] *s.* metamorfosi.

metaphor [ˈmetəfə*] *s.* metafora.

metaphoric(al) [ˌmetəˈfɔrik(əl)] *agg.* metaforico.

metaphysical [ˌmetəˈfizikəl] *agg.* **1** metafisico **2** astruso; cavilloso; astratto.

metaphysician [ˌmetəfiˈziʃən] *s.* metafisico.

metaphysics [ˌmetəˈfiziks] *s.* (*fil.*) metafisica.

metastasis [meˈtæstəsis] *s.* (*med.*) metastasi.

metatarsus [ˌmetəˈtaːsəs] *s.* (*anat.*) metatarso.

metathesis [meˈtæθəsis], *pl.* **metatheses** [meˈtæθəsiːz] *s.* metatesi.

mete [miːt] *s.* (*dir.*) confine.

metempsychosis [ˌmetempsiˈkousis], *pl.* **metempsychoses** [ˌmetempsiˈkousiːz] *s.* metempsicosi.

meteor [ˈmiːtjə*] *s.* meteora (*anche fig.*).

meteoric [ˌmiːtiˈɔrik] *agg.* meteorico.

meteorism [ˈmiːtiərizəm] *s.* (*med.*) meteorismo.

meteorite [ˈmiːtjərait] *s.* meteorite.

meteorological [ˌmiːtjərəˈlɔdʒikəl] *agg.* meteorologico.

meteorologist [ˌmiːtjəˈrɔlədʒist] *s.* meteorologo.

meteorology [ˌmiːtjəˈrɔlədʒi] *s.* meteorologia.

meteoropathy [ˌmiːtiəˈrɔpəθi] *s.* (*med.*) meteoropatia.

meter [ˈmiːtə*] *s.* **1** contatore, misuratore **2** (*amer.*) → **metre**[1], **metre**[2].

meter-maid [ˈmiːtəmeid] *s.* vigile donna, vigilessa.

methadone [ˈmeθədoun] *s.* (*chim.*) metadone.

methane [ˈmeθein] *s.* (*chim.*) metano // — *pipeline,* metanodotto.

method [ˈmeθəd] *s.* metodo; prassi; modalità.

methodical [mi'θɔdikəl] *agg.* metodico.
Methodism ['meθədizəm] *s.* (*relig.*) metodismo.
Methodist ['meθədist] *s.* (*relig.*) metodista.
to **methodize** ['meθədaiz] *v.tr.* ordinare.
methodology [,məθə'dɔlədʒi] *s.* metodologia.
Methusalem [mə'θju:zələm], **Methuselah** [mə'θu:zələ] *no.pr.m.* (*Bibbia*) Matusalemme.
methyl ['meθil] *s.* (*chim.*) metile.
to **methylate** ['meθileit] *v.tr.* (*chim.*) mescolare con metile // *methylated spirits*, alcool denaturato.
meticulous [mə'tikjuləs] *agg.* meticoloso.
metope ['metoup] *s.* (*arch.*) metopa.
metre[1] ['mi:tə*] *s.* metrica.
metre[2] *s.* (*unità di misura*) metro.
metric ['metrik] *agg.* metrico (di misura lineare): — *system*, sistema metrico decimale.
metrical ['metrikəl] *agg.* (*metrica*) metrico.
metrics ['metriks] *s.* metrica, prosodia.
metrology [me'trɔlədʒi] *s.* metrologia.
metronome ['metrənoum] *s.* (*mus.*) metronomo.
metropolis [mi'trɔpəlis] *s.* metropoli.
metropolitan [,metrə'pɔlitən] *agg.* metropolitano ♦ *s.* **1** (*eccl.*) metropolita **2** abitante di una metropoli.
mettle ['metl] *s.* tempra; carattere; ardore // *to be on one's* —, impegnarsi a fondo.
mettlesome ['metlsəm] *agg.* coraggioso; ardente.
mew[1] [mju:] *s.* gabbiano.
mew[2] *s.* miagolio.
to **mew**[2] *v.intr.* miagolare.
mew[3] *s.* gabbia per falchi.
to **mew**[3] *v.tr.* **1** rinchiudere (falchi) in gabbia **2** rinchiudere, segregare.
to **mewl** [mju:l] *v.intr.* miagolare.
mews [mju:z] *s.* (*pl. invar.*) casa ricavata da una scuderia.
Mexican ['meksikən] *agg.* e *s.* messicano.
Mexico ['meksikou] *no.pr.* Messico.
mezzanine ['mezəni:n] *s.* **1** mezzanino **2** (*teatr.*) sottopalco.
mi [mi:] *s.* mi (nota musicale).
miaow [mi(:)'au] *onom.* e *s.* miao.
to **miaow** *v.intr.* miagolare.
miasma [mi'æzmə], *pl.* **miasmas** [mi'æzməz], **miasmata** [mi'æzmətə] *s.* miasma.
mica ['maikə] *s.* (*min.*) mica.
mice *pl.* di **mouse**.
Michael ['maikl] *no.pr.m.* Michele.
Michaelmas ['miklməs] *s.* festa di San Michele // — *term*, trimestre autunnale (nelle scuole).
Michigander [,miʃi'gændə*] *s.* abitante del Michigan.
Mickey Mouse ['miki'maus] *no.pr.m.* Topolino.
micro- ['maikrou] *pref.* micro-.
microbe ['maikroub] *s.* microbio, microbo.
microbiology [,maikroubai'ɔlədʒi] *s.* microbiologia.
microcephalic ['maikrouke'fælik] *agg.* microcefalo.
microcircuit ['maikrou,sə:kit] *s.* microcircuito.
microcosm ['maikroukɔzəm] *s.* microcosmo.
microfilm ['maikrou,film] *s.* microfilm.
to **microfilm** *v.tr.* microfilmare.
microgroove ['maikrougru:v] *s.* microsolco.
micrometer [mai'krɔmitə*] *s.* micrometro.
micron ['maikrɔn] *s.* micron.
microorganism ['maikrou'ɔ:gənizəm] *s.* microrganismo.
microphone ['maikrəfoun] *s.* microfono.
microprocessor [,maikrou'prousesə*, (*amer.*) ,mai krou'prɑ:sesə*] *s.* microprocessore.

microscope ['maikrəskoup] *s.* microscopio.
microscopic(al) [,maikrəs'kɔpik(əl)] *agg.* microscopico.
microscopy [mai'krɔskəpi] *s.* microscopia.
microsurgery [,maikrou'sə:dʒəri] *s.* (*med.*) microchirurgia.
microwave ['maikrəweiv] *s.* (*fis.*) microonde: — *oven*, forno a microonde.
micturition [,miktju'riʃən] *s.* (*med.*) minzione.
mid [mid] *agg.* medio, in mezzo: — *-October*, metà di ottobre; — *-Lent*, mezza quaresima.
mid *prep.* (*poet.*) → **amid**.
midair [,mid'eə*] *agg.* tra cielo e terra; a mezz'aria.
midday ['middei] *s.* mezzogiorno.
midden ['midn] *s.* mucchio di letame.
middle ['midl] *agg.* medio; intermedio // *Middle Ages*, Medioevo // *Middle East*, Medio Oriente // — *finger*, (dito) medio // — *name*, secondo nome ♦ *s.* **1** mezzo, centro **2** cintola, vita: *to grow fat around the* —, ingrassare in vita.
to **middle** *v.tr.* **1** porre nel mezzo **2** (*calcio*) rimandare (il pallone) al centro.
middle age [,midl'eidʒ] *s.* mezz'età.
middle-aged ['midl'eidʒd] *agg.* di mezz'età // — *spread*, aumento di circonferenza (dovuto all'età).
middlebrow ['midlbrau] *s.* e *agg.* (persona) di medi interessi culturali.
middle class [,midl'klɑ:s] *s.* borghesia.
middleman ['midlmæn], *pl.* **middlemen** ['midlmən] *s.* **1** intermediario, mediatore **2** (*comm.*) grossista.
middlemost ['midlmoust] *agg.* → **midmost**.
middleweight ['midlweit] *s.* (*pugilato*) peso medio.
middling ['midliŋ] *agg.* **1** passabile; discreto // *to feel only* —, sentirsi così così **2** medio (di grandezza, qualità, grado ecc.) **3** ordinario, mediocre ♦ *s.pl.* merci di qualità corrente ♦ *avv.* discretamente.
mid-field player ['midfi:ld'pleiə*] *s.* (*sport*) centrocampista.
midge [midʒ] *s.* moscerino.
midget ['midʒit] *agg.* e *s.* nano.
midland ['midlənd] *agg.* centrale; interno.
Midlands, the ['midlədz] *no.pr.pl.* le contee dell'Inghilterra centrale.
midmost ['midmoust] *agg.* il più vicino al centro ♦ *avv.* nel bel mezzo.
midnight ['midnait] *s.* mezzanotte; notte fonda // *to burn the* — *oil*, lavorare fino a tarda notte.
midriff ['midrif] *s.* (*anat.*) diaframma; (*fam.*) stomaco.
midship ['midʃip] *s.* (*mar.*) parte centrale della nave.
midshipman, *pl.* **midshipmen** ['midʃipmən] *s.* **1** (*mar.*) guardiamarina **2** (*amer.*) allievo dell'Accademia Navale.
midships ['midʃips] *avv.* nel mezzo della nave.
midst [midst] *s.* mezzo, centro: *in the* — *of*, nel mezzo di; in mezzo a.
midsummer ['mid,sʌmə*] *s.* il solstizio d'estate; il pieno, il cuore dell'estate // *Midsummer Day*, il giorno di S. Giovanni (24 giugno) // — *madness*, pazzia completa.
midway ['mid'wei] *agg.* posto a mezza via ♦ *avv.* a mezza strada; a metà distanza: — *up the hill*, a mezza costa.
Midwest ['mid'west] *s.* lo stesso che Middle West.
midwife ['midwaif], *pl.* **midwives** ['midwaivz] *s.* levatrice, ostetrica.
midwifery ['midwifəri] *s.* professione di levatrice; ostetricia.

midwinter [ˈmidˌwintə*] *s.* il solstizio d'inverno; il pieno, il cuore dell'inverno.

mien [mi:n] *s.* aspetto, portamento, aria.

miffed [mift] *agg.* seccato.

might [mait] *s.* potere, potenza; forza: *with all one's —* (*and main*), con tutte le forze.

might *pass.* e *cond.* di **may**.

mightily [ˈmaitili] *avv.* **1** potentemente; fortemente **2** (*fam.*) estremamente; molto.

mightiness [ˈmaitinis] *s.* potenza, potere.

mightn't [ˈmaitnt] *contr. di* might not.

mighty [ˈmaiti] *agg.* **1** potente; forte **2** (*fam.*) grande; imponente ♦ *avv.* (*fam.*) molto, estremamente.

mignonette [ˌminjəˈnet] *s.* (*bot.*) reseda.

migraine [ˈmi:grein] *s.* emicrania.

migrant [ˈmaigrənt] *agg.* e *s.* migratore; emigrante.

to migrate [maiˈgreit, (*amer.*) ˈmaigreit] *v.intr.* emigrare; trasmigrare.

migration [maiˈgreiʃən] *s.* **1** migrazione; emigrazione **2** (*informatica*) trasferimento dati; passaggio da un'apparecchiatura a un'altra.

migratory [ˈmaigrətəri] *agg.* migratore; migratorio.

mike [maik] *s.* (*sl.*) microfono.

milady [miˈleidi] *s.* «milady», signora.

Milan [miˈlæn] *no.pr.* Milano.

Milanese [ˌmiləˈni:z] *agg.* e *s.* milanese.

milch [miltʃ] *agg.* da latte // *— cow*, mucca da latte; (*fig.*) fonte di denaro, di guadagno.

mild [maild] *agg.*: dolce; leggero; moderato.

mildew [ˈmildju:] *s.* muffa; ruggine (del grano).

mildness [ˈmaildnis] *s.* dolcezza; mitezza.

mile [mail] *s.* miglio: *nautical —*, miglio marittimo // *to be miles from thinking that...*, essere a mille miglia dal pensare che... // *he's miles better today*, sta molto meglio oggi.

mileage [ˈmailidʒ] *s.* **1** distanza in miglia // *— indicator*, contachilometri **2** *— allowance*, rimborso spese di viaggio, di trasporto per miglio.

milestone [ˈmailstoun] *s.* pietra miliare.

milieu [ˈmi:ljə, (*amer.*) ˌmi:ˈljə:] *s.* ambiente, cerchia.

militancy [ˈmilitənsi] *s.* **1** militanza **2** inclinazione alla lotta; aggressività.

militant [ˈmilitənt] *agg.* e *s.* militante.

militarism [ˈmilitərizəm] *s.* militarismo.

militarist [ˈmilitərist] *s.* militarista.

to militarize [ˈmilitəraiz] *v.tr.* militarizzare.

military [ˈmilitəri] *agg.* militare ♦ *s.* esercito, truppa.

to militate [ˈmiliteit] *v.intr.*: *to — against*, congiurare contro; operare; agire contro.

militia [miˈliʃə] *s.* milizia.

militiaman, *pl.* **militiamen** [miˈliʃəmən] *s.* milite.

milk [milk] *s.* latte // *new —*, latte appena munto; *skim —*, latte scremato; *whole —*, latte intero; *long life —*, latte a lunga conservazione; *— shake*, frullato (al latte) // *— float*, furgone del latte // *land of — and honey*, paese della cuccagna // *to come home with the —*, fare le ore piccole // *it is no use crying over spilt —*, (*prov.*) è inutile piangere sul latte versato.

to milk *v.tr.* mungere; (*fig.*) sfruttare // *to — the bull* (o *the ram*), cavar sangue da una rapa ♦ *v.intr.* produrre latte.

milk-and-water [ˈmilkəndˈwɔːtə*] *agg.* insignificante; privo di mordente.

milker [ˈmilkə*] *s.* **1** mucca produttrice di latte **2** mungitore.

milkiness [ˈmilkinis] *s.* lattescenza.

milking [ˈmilkiŋ] *s.* mungitura.

milkmaid [ˈmilkmeid] *s.* (donna) mungitrice.

milkman, *pl.* **milkmen** [ˈmilkmən] *s.* lattaio.

milk run [ˈmilkrʌn] *s.* (*fam.*) percorso abituale, giro abituale.

milksop [ˈmilksɔp] *s.* donnicciola (riferito a uomo effeminato).

milk teeth [ˈmilkti:θ] *s.pl.* denti da latte.

milky [ˈmilki] *agg.* latteo; lattiginoso // *the Milky Way*, (*astr.*) la Via Lattea.

mill [mil] *s.* **1** mulino // *to go through the —*, (*fig.*) essere messo a dura prova **2** macinino **3** fabbrica, stabilimento **4** (*mecc.*) fresa **5** (*sl.*) scazzottata.

to mill *v.tr.* **1** macinare; tritare; frantumare **2** (*mecc.*) fresare; coniare (monete) **3** sbattere, frullare ♦ *v.intr.* **1** (*sl.*) fare a pugni **2** muoversi disordinatamente, in circolo (di folla, bestiame).

millboard [ˈmilbɔːd] *s.* cartone pressato.

milldam [ˈmildæm] *s.* chiusa di mulino.

millenary [miˈlenəri] *agg.* millenario ♦ *s.* millennio.

millennium [miˈleniəm] *s.* millennio.

millepede [ˈmilipi:d] *s.* (*zool.*) millepiedi.

miller [ˈmilə*] *s.* mugnaio.

millesimal [miˈlesiməl] *agg.* e *s.* millesimo.

millet [ˈmilit] *s.* (*bot.*) miglio.

millhand [ˈmilhænd] *s.* operaio (di fabbrica).

milliard [ˈmiljɑːd] *s.* miliardo.

milligram(me) [ˈmiligræm] *s.* milligrammo.

millimetre [ˈmiliˌmi:tə*] *s.* millimetro.

milliner [ˈmilinə*] *s.* modista.

millinery [ˈmilinəri] *s.* **1** articoli di modisteria (*pl.*) **2** modisteria.

million [ˈmiljən] *s.* milione: *a* (o *one*) *— men*, un milione di uomini.

millionaire [ˌmiljəˈnɛə*] *s.* milionario.

millionairess [ˌmiljəˈnɛəris] *s.* milionaria.

millipede [ˈmilipi:d] *s.* → **millepede**.

millpond [ˈmilpɔnd] *s.* riserva d'acqua per mulino // *calm as a —*, liscio come l'olio.

millrace [ˈmilreis] *s.* gora (di mulino).

millstone [ˈmilstoun] *s.* **1** mola, macina **2** (*fig.*) peso: *to hang like a — round s.o.'s neck*, essere una palla al piede per qlcu.

milord [miˈlɔː*] *s.* milord, signore.

milt [milt] *s.* **1** sperma di pesce **2** (*arc.*) milza.

to milt *v.tr.* fecondare (di pesce).

Miltonian [milˈtouniən] *agg.* miltoniano.

mime [maim] *s.* **1** (*teatr.*) mimo; mimica **2** imitatore.

to mime *v.intr.* fare il mimo ♦ *v.tr.* mimare; imitare.

mimeograph® [ˈmimiəgrɑːf] *s.* ciclostile.

to mimeograph *v.tr.* ciclostilare.

mimetic [miˈmetik] *agg.* imitativo; mimetico.

mimic [ˈmimik] *agg.* **1** imitativo; mimetico **2** finto, contraffatto ♦ *s.* mimo; imitatore.

to mimic, *pass.* e *p.pass.* **mimicked** [ˈmimikt] *v.tr.* imitare.

mimicry [ˈmimikri] *s.* **1** mimica, imitazione **2** (*biol.*) mimetismo.

mimosa [miˈmouzə, (*amer.*) miˈmousə] *s.* mimosa.

minacious [miˈneiʃəs] *agg.* minaccioso.

minaret [ˈminəret] *s.* minareto.

minatory [ˈminətəri] *agg.* minatorio; minaccioso.

mince [mins] *s.* carne tritata.

to mince *v.tr.* **1** tritare, tagliuzzare **2** (*fig.*) attenuare; mitigare: *not to — matters* (o *one's words*), parlare con franchezza ♦ *v.intr.* parlare, muoversi con affettazione.

mincemeat ['minsmi:t] *s.* misto di frutta secca, mele ecc. // *to make — of sthg.*, *s.o.*, metter fuori combattimento, demolire qlco., qlcu.

mincepie ['mins'pai] *s.* pasticcino a base di frutta secca, mele ecc.

mincer ['minsə*] *s.* tritatutto.

mincing ['minsiŋ] *agg.* affettato; smorfioso.

mind [maind] *s.* **1** memoria, facoltà di ricordare // *to bear* (o *to keep*) *in* —, tenere a mente, ricordare; *to go out of one's* —, dimenticarsi, uscire di mente; *to put s.o. in* — *of sthg.*, far ricordare qlco. a qlcu. **2** mente, intelletto; spirito; animo // *turn of* —, mentalità, modo di vedere le cose // *he keeps his* — *on it*, ci pensa continuamente // *she has sthg. on her* —, ha qlco. che la preoccupa **3** opinione, parere, idea; intenzione // *to my* —, secondo me // *not to know one's own* —, essere indeciso // *to be of a* (o *one*) — *with s.o.*, essere dello stesso parere di qlcu. // *to change one's* —, cambiare opinione // *to give* (*s.o.*) *a piece of one's* —, esprimere chiaramente (a qlcu.) che cosa si pensa (di lui) // *to have a good* — *to*, avere una mezza idea di **4** senno, giudizio, ragione // *to be out of one's* —, essere sconvolto; essere pazzo.

to mind *v.tr.* e *intr.* **1** badare (a); aver cura (di), sorvegliare: — *the baby for me*, bada al bambino; — *your own business*, pensa ai fatti tuoi **2** fare attenzione (a): —!, attenzione!; — *the step*, attenzione allo scalino; — *you!*, bada! // — *your eye!*, (*sl.*) attenti!, badate! **3** (*interr. o negativo*) importare; spiacere: *do you* — *my smoking?*, le spiace se fumo? // *never* —!, non importa **4** obbedire (a); seguire i consigli (di).

mind-bending ['maind,bendiŋ] *agg.* **1** difficilissimo (da capire) **2** allucinogeno, che provoca allucinazioni.

mind-boggling ['maind,bogliŋ] *agg.* da capogiro.

minded ['maindid] *agg.* incline, disposto; del parere: *do it if you are so* —, fallo, se sei di quel parere.

mindful ['maindful] *agg.* attento; memore.

mindless ['maindlis] *agg.* **1** disattento, noncurante **2** stupido **3** vuoto, senza senso.

mine¹ [main] *pron.poss.* (il) mio: *this bag is* —, questa borsetta è mia // *a friend of* —, un mio amico.

mine² *s.* **1** miniera (*anche fig.*) **2** (*mil.*) mina.

to mine² *v.tr.* **1** scavare **2** estrarre **3** minare (*anche fig.*) ♦ *v.intr.* **1** collocare una mina **2** estrarre carbone ecc. da una miniera.

minefield ['mainfi:ld] *s.* (*mil.*) zona minata, campo minato.

minelayer ['main,leiə*] *s.* posamine.

miner ['mainə*] *s.* minatore.

mineral ['minərəl] *agg.* e *s.* minerale.

to mineralize ['minərəlaiz] *v.tr.* mineralizzare ♦ *v.intr.* (andare a) cercare minerali.

mineralogy [,minə'rælədʒi] *s.* mineralogia.

minesweeper ['main,swi:pə*] *s.* dragamine.

to mingle ['miŋgl] *v.tr.* mescolare, unire // *mingled feelings*, sentimenti contrastanti ♦ *v.intr.* mescolarsi; confondersi.

mingy ['mindʒi] *s.* (*fam.*) avaro, tirchio; meschino.

miniature ['minitʃə*] *agg.* in miniatura, in scala ridotta ♦ *s.* miniatura: *to paint in* —, miniare // *in* —, in miniatura, in scala ridotta.

miniaturist ['minitʃuərist] *s.* miniatore, miniaturista.

to miniaturize ['minitʃə,raiz] *v.tr.* miniaturizzare.

minicab ['mini,kæb] *s.* radiotaxi.

minim ['minim] *s.* **1** (*mus.*) minima **2** (*farm.*) goccia.

minimal ['miniml] *agg.* minimo.

to minimize ['minimaiz] *v.tr.* **1** ridurre al minimo **2** (*fig.*) minimizzare; sminuire.

minimum ['miniməm], *pl.* **minima** ['minimə] *agg.* e *s.* minimo.

minion ['minjən] *s.* **1** favorito, beniamino **2** (*fig.*) scagnozzo, dipendente prezzolato.

mini-skirt ['miniskə:t] *s.* minigonna.

minister ['ministə*] *s.* **1** (*pol.*) ministro **2** (*eccl.*) pastore protestante **3** agente, esecutore.

to minister *v.intr.* **1** servire; assistere: *to* — *to s.o.'s needs*, aver cura di qlcu. **2** (*eccl.*) officiare.

ministerial [,minis'tiəriəl] *agg.* **1** ministeriale; amministrativo **2** subordinato **3** sacerdotale.

ministration [,minis'treiʃən] *s.* **1** servizio; assistenza **2** (*eccl.*) ufficiatura.

ministry ['ministri] *s.* **1** ministero **2** sacerdozio **3** clero.

minium ['miniəm] *s.* (*chim.*) minio.

miniver ['minivə*] *s.* ermellino (bianco).

mink [miŋk] *s.* visone.

minnow ['minou] *s.* pesciolino, leucisco.

minor ['mainə*] *agg.* minore; secondario // — *injury*, ferita di lieve entità // *in a* — *key*, (*anche fig.*) in tono minore ♦ *s.* **1** (*dir.*) minore, minorenne **2** (*eccl.*) frate minore.

minority [mai'nɔriti] *s.* **1** (*dir.*) età minore **2** minoranza.

Minotaur ['mainətɔ:*] *no.pr.m.* (*mit.*) Minotauro.

minster ['minstə*] *s.* **1** chiesa (di una abbazia, di un monastero) **2** cattedrale.

minstrel ['minstrəl] *s.* **1** menestrello **2** *pl.* suonatori girovaghi di jazz (truccati da negri).

mint¹ [mint] *s.* **1** zecca // *a* — *of money*, un mucchio di denaro **2** (*fig.*) fonte.

to mint¹ *v.tr.* coniare (*anche fig.*).

mint² *s.* (*bot.*) menta // — *sauce*, salsa alla menta.

mintage ['mintidʒ] *s.* coniatura.

minuend ['minjuend] *s.* (*mat.*) minuendo.

minuet [,minju'et] *s.* minuetto.

minus ['mainəs] *agg.* negativo: — *charge*, (*elettr.*) carica negativa; — *sign*, segno del meno ♦ *prep.* senza ♦ *s.* meno.

minuscule [mi'nʌskju:l] *s.* (lettera) minuscola; (*tip.*) (carattere) minuscolo.

minute¹ [mai'nju:t] *agg.* **1** minuto, minuscolo **2** minuzioso, preciso.

minute² ['minit] *s.* **1** minuto: *I'll be back in a* —, ritorno subito // *the* — (*that*), non appena // *to the* —, in punto **2** (*geom.*) primo **3** nota, appunto; *pl.* verbale (*sing.*).

to minute² *v.tr.* **1** stendere (un verbale) **2** cronometrare.

minute book ['minitbuk] *s.* verbale.

minute hand ['minithænd] *s.* lancetta dei minuti.

minutely [mai'nju:tli] *avv.* minuziosamente.

minutia [mai'nju:ʃiə, (*amer.*) mi'nu:ʃiə], *pl.* **minutiae** [mai'nju:ʃii:, (*amer*) mi'nu:ʃii:] *s.* dettaglio, particolare minimo.

minx [miŋks] *s.* sfacciatella, sfrontata.

miracle ['mirəkl] *s.* **1** miracolo: *to work a* —, fare un miracolo **2** (*play*), (*teatr.*) miracolo.

miraculous [mi'rækjuləs] *agg.* miracoloso.

mirage ['mirɑ:ʒ, (*amer.*) mi'rɑ:ʒ] *s.* miraggio (*anche fig.*).

mire ['maiə*] *s.* pantano; fango (*anche fig.*).

to mire *v.tr.* infangare, coprire di fango ♦ *v.intr.* affondare nel fango.

mirror ['mirə*] *s.* specchio // *rearview* —, *(aut.)* specchietto retrovisore.

to **mirror** *v.tr.* rispecchiare *(anche fig.).*

mirth [mə:θ] *s.* allegria, letizia; ilarità.

mirthful ['mə:θful] *agg.* allegro, gaio.

mirthless ['mə:θlis] *agg.* triste, tetro.

miry ['maiəri] *agg.* fangoso.

mis- [mis] *pref.* dis-, mal-, mis-.

misadventure ['misəd'ventʃə*] *s.* disavventura, incidente; sventura // *death by* —, morte per cause accidentali.

misalliance ['misə'laiəns] *s.* matrimonio con persona di classe sociale inferiore.

misanthrope ['mizənθroup] *s.* misantropo.

misanthropy [mi'zænθrəpi] *s.* misantropia.

to **misapprehend** ['mis,æpri'hend] *v.tr.* fraintendere.

to **misappropriate** ['misə'prouprieit] *v.tr.* **1** fare uso illecito (di) **2** appropriarsi indebitamente.

misappropriation ['misə,proupri'eiʃən] *s.* appropriazione indebita.

misbegotten ['misbi'gɔtn] *agg.* illegittimo.

to **misbehave** ['misbi'heiv] *v.intr.* comportarsi male.

misbehaviour ['misbi'heivjə*] *s.* cattivo comportamento.

misbelief ['misbi'li:f] *s.* falsa credenza.

misbeliever ['misbi'li:və*] *s.* miscredente.

to **miscalculate** ['mis'kælkjuleit] *v.tr.* calcolare male ♦ *v.intr.* sbagliare un calcolo.

miscarriage ['mis'kæridʒ] *s.* **1** aborto **2** disguido; errore // — *of justice*, errore giudiziario **3** fallimento.

to **miscarry** ['mis'kæri] *v.intr.* **1** abortire **2** smarrirsi (di merce, lettera ecc.) **3** fallire.

miscegenation [,misidʒi'neiʃən] *s.* incrocio di razze.

miscellaneous [,misi'leinjəs] *agg.* eterogeneo.

miscellany [mi'seləni, *(amer.)* 'misəleini] *s.* **1** miscellanea **2** mescolanza.

mischance [mis'tʃɑːns] *s.* disavventura, sventura.

mischief ['mistʃif] *s.* **1** birichinata, marachella: *he is up to some* —, ne sta combinando una delle sue **2** danno; guaio // *to do* —, far del male // *to make* —, seminare zizzania **3** malizia, cattiveria: *out of pure* —, per pura cattiveria **4** *(fam.)* birichino.

mischievous ['mistʃivəs] *agg.* **1** nocivo; cattivo **2** birichino; dispettoso **3** maliziosetto.

mischievousness ['mistʃivəsnis] *s.* **1** dannosità **2** birbanteria; molestia **3** malizia.

to **misconceive** ['miskən'siːv] *v.tr. e intr.* farsi un'idea sbagliata (su), sbagliarsi (su).

misconception ['miskən'sepʃən] *s.* idea sbagliata.

misconduct [mis'kɔndəkt] *s.* cattiva condotta; comportamento sconveniente.

to **misconduct** ['miskən'dʌkt] *v.tr.* **1** gestire, dirigere male **2** *to* — *oneself*, comportarsi male, in modo sconveniente.

misconstruction ['miskəns'trʌkʃən] *s.* interpretazione errata.

to **misconstrue** ['miskən'stru:] *v.tr.* interpretare male; fraintendere.

miscount ['mis'kaunt] *s.* errore di calcolo.

miscreant ['miskriənt] *s.* furfante.

to **misdate** ['mis'deit] *v.tr.* datare erroneamente.

to **misdeal** ['mis'di:l], *pass. e p.pass.* **misdealt** ['mis'delt] *v.tr.* sbagliare nel distribuire (le carte).

misdeed ['mis'di:d] *s.* misfatto.

misdemeanour [,misdi'mi:nə*] *s.* **1** cattiva azione **2** *(dir.)* contravvenzione.

to **misdirect** ['misdi'rekt] *v.tr.* dare indicazioni sbagliate (a); indirizzare male *(anche fig.).*

misdirection ['misdi'rekʃən] *s.* indicazione sbagliata; indirizzo sbagliato *(anche fig.).*

miser ['maizə*] *s.* avaro.

miserable ['mizərəbl] *agg.* **1** triste, infelice: *to feel* —, sentirsi giù, infelice **2** misero, meschino: — *salary*, salario irrisorio; *a* — *performance*, una prestazione pietosa **miserly** ['maizəli] *agg.* avaro, taccagno.

misery ['mizəri] *s.* **1** sofferenza; infelicità **2** indigenza, miseria.

to **misfire** [mis'faiə*] *s.* **1** mancata esplosione **2** *(aut.)* accensione difettosa.

to **misfire** *v.intr.* **1** far cilecca (di mina o arma da fuoco) *(anche fig.)* **2** *(aut.)* perder colpi.

misfit ['misfit] *s.* **1** spostato **2** indumento che non si adatta bene.

misfortune [mis'fɔ:tʃən] *s.* sfortuna; disgrazia.

to **misgive** [mis'giv], *pass.* **misgave** [mis'geiv], *p.pass.* **misgiven** [mis'givn] *v.tr.* far sospettare, far presentire disgrazie (a).

misgiving [mis'givin] *s.* timore; sospetto; apprensione; presentimento.

to **misgovern** ['mis'gʌvən] *v.tr.* governare, amministrare male.

misgovernment ['mis'gʌvənmənt] *s.* malgoverno.

misguided ['mis'gaidid] *agg.* ingannato; sviato; male applicato, male indirizzato.

to **mishandle** ['mis'hændl] *v.tr.* trattare male; *(fig.)* condurre male.

mishap ['mishæp] *s.* infortunio; disgrazia.

to **mishear** ['mis'hiə*], *pass. e p.pass.* **misheard** ['mis'hə:d] *v.tr.* udire male, fraintendere.

to **misinform** ['misin'fɔ:m] *v.tr.* informare male.

to **misinterpret** ['misin'tə:prit] *v.tr.* interpretare male.

to **misjudge** ['mis'dʒʌdʒ] *v.tr.* giudicare male; farsi un'opinione sbagliata (di).

misjudgement ['mis'dʒʌdʒmənt] *s.* giudizio erroneo.

to **mislay** [mis'lei], *pass. e p.pass.* **mislaid** [mis'leid] *v.tr.* smarrire.

to **mislead** [mis'li:d], *pass. e p.pass.* **misled** [mis'led] *v.tr.* **1** ingannare **2** sviare; traviare.

to **mismanage** ['mis'mænidʒ] *v.tr.* dirigere male, amministrare male.

misnomer ['mis'noumə*] *s.* uso sbagliato di un nome; termine non appropriato.

misogynist [mai'sɔdʒinist] *s.* misogino.

misogyny [mai'sɔdʒini] *s.* misoginia.

to **misplace** [mis'pleis] *v.tr.* **1** collocare fuori posto **2** riporre male (affetto, fiducia ecc.).

misprint ['mis'print] *s.* refuso, errore di stampa.

to **misprint** *v.tr.* stampare con errori.

to **mispronounce** ['misprə'nauns] *v.tr.* pronunciare in modo erroneo.

to **misquote** ['mis'kwout] *v.tr.* citare erroneamente.

to **misread** ['mis'ri:d], *pass. e p.pass.* **misread** ['mis'red] *v.tr.* **1** leggere erroneamente **2** interpretare erroneamente.

to **misrepresent** ['mis,repri'zent] *v.tr.* rappresentare erroneamente; dare un'idea sbagliata (di).

misrepresentation ['mis,reprizen'teiʃən] *s.* **1** esposizione erronea **2** *(dir.)* falsa dichiarazione.

misrule ['mis'ru:l] *s.* malgoverno; disordine.

to **misrule** *v.tr.* governare male.

miss[1] [mis] *s.* colpo mancato; perdita // *a lucky* —, uno scampato pericolo // *to give sthg. a* —, *(fam.)* evitare qlco.; *(fig.)* saltare qlco. // *a — is as good as a mile,* *(prov.)* per un punto Martin perse la cappa.

to **miss**[1] *v.tr.* **1** mancare (il colpo), fallire: *to — the target,* (anche *fig.)* mancare il bersaglio // *to — the point, (fig.)* non afferrare il punto, l'essenziale // *he missed his footing,* mise il piede in fallo // *we just missed the prize,* per poco non ottenemmo il premio // *we narrowly missed having a nasty accident,* ci è mancato poco che avessimo un brutto incidente **2** perdere; non trovare; perdere di vista (una persona): *to — the bus,* perdere l'autobus; *(fig.)* perdere l'occasione **3** notare l'assenza (di); sentire la mancanza (di): *I miss you,* sento la tua mancanza, mi manchi **4** *to — out,* omettere, tralasciare ♦ *v.intr.* fallire *(anche fig.).*

miss[2] *s.* **1** signorina: *Miss Jane,* la signorina Giovanna // *good evening, —!,* *(pop.)* buona sera, signorina! **2** *Miss,* «Miss»: *Miss Europe,* Miss Europa **3** *(spreg.)* ragazza.

missal ['misəl] *s.* messale.

missel-thrush ['mizəlθrʌʃ] *s. (zool.)* tordella.

misshapen ['mis'ʃeipən] *agg.* deforme; sformato.

missile ['misail, *(amer.)* 'misl] *s.* missile, proiettile: *guided —,* missile telecomandato // *European-based missile,* euromissile.

missing ['misiŋ] *agg.* smarrito, mancante.

mission ['miʃən] *s.* missione: *on a —,* in missione // *Foreign Missions,* le Missioni.

missionary ['miʃnəri] *agg. e s.* missionario.

missis ['misiz] *s. (fam.)* **1** signora, padrona **2** *(scherz.)* moglie.

missive ['misiv] *s.* lettera (ufficiale).

to **misspell** ['mis'pel], *pass. e p.pass.* **misspelled, misspelt** ['mis'pelt] *v.tr.* sbagliare l'ortografia (di).

to **misspend** ['mis'spend], *pass. e p.pass.* **misspent** ['mis'spent] *v.tr.* sprecare.

missus ['misəs] *s.* → **missis**.

missy ['misi] *s. (fam.)* signorinella.

mist [mist] *s.* **1** bruma, foschia **2** velo (davanti agli occhi).

to **mist** *v.tr.* appannare, offuscare, velare ♦ *v.intr.* appannarsi, offuscarsi, velarsi: *the window-panes were misted,* i vetri erano appannati.

mistakable [mis'teikəbl] *agg.* suscettibile d'errore; confondibile // *twins are easily — for each other,* è facile scambiare un gemello per l'altro.

mistake [mis'teik] *s.* sbaglio, errore; svista: *no —,* senza dubbio; *by —,* per sbaglio.

to **mistake,** *pass.* **mistook** [mis'tuk], *p.pass.* **mistaken** [mis'teikən] *v.tr.* **1** confondere, scambiare **2** non comprendere ♦ *v.intr.* sbagliare.

mistaken *p.pass.* di to **mistake** ♦ **1** in errore: *to be —,* sbagliare, sbagliarsi **2** sbagliato; male interpretato // *— identity,* errore di persona.

mister ['mistə*] *s.* **1** *(abbr. Mr.)* signore: *Mr. Jones,* il signor Jones // *Mr. Chairman,* Signor Presidente **2** *(pop.)* signore.

mistily ['mistili] *avv.* nebbiosamente; nebulosamente.

mistiness ['mistinis] *s.* **1** nebbiosità, foschia; appannamento **2** *(fig.)* oscurità.

mistletoe ['misltou] *s.* vischio.

mistook *pass.* di to **mistake**.

mistral ['mistrəl] *s.* maestrale.

mistress ['mistris] *s.* **1** *(abbr. Mrs.)* signora: *Mrs. Smith,* la signora Smith **2** padrona *(anche fig.):* *— of the house,* padrona di casa **3** maestra // *school —,* insegnante **4** amante.

mistrust ['mis'trʌst] *s.* sospetto; sfiducia.

to **mistrust** *v.tr.* dubitare (di), sospettare (di).

mistrustful ['mis'trʌstful] *agg.* sospettoso.

misty ['misti] *agg.* **1** nebbioso **2** *(fig.)* oscuro; vago.

to **misunderstand** ˙['misʌndə'stænd], *pass. e p.pass.* **misunderstood** ['misʌndə'stud] *v.tr.* capir male, fraintendere // *to feel misunderstood,* sentirsi incompreso.

misunderstanding ['misʌndə'stændiŋ] *s.* **1** malinteso, equivoco **2** dissapore, disaccordo.

misunderstood *pass. e p.pass.* di to **misunderstand**.

misusage ['mis'ju:zidʒ] *s.* **1** uso errato **2** il trattar male.

misuse ['mis'ju:s] *s.* **1** uso errato **2** abuso.

to **misuse** ['mis'ju:z] *v.tr.* **1** usar male; abusare (di) **2** maltrattare.

mite [mait] *s.* **1** oggetto piccino; piccola quantità; briciola **2** bambino piccino.

mithridatism ['miθrideitizəm] *s. (med.)* mitridatismo.

to **mitigate** ['mitigeit] *v.tr.* mitigare.

mitigation [,miti'geiʃən] *s.* alleviamento; attenuazione.

mitre[1] ['maitə*] *s. (eccl.)* mitra.

mitre[2] *s. (tecn.)* giunto ad angolo.

mitt [mit], **mitten** ['mitn] *s.* **1** manopola; mezzo guanto **2** *(sl.)* zampa, mano.

to **mix** [miks] *v.tr.* mescolare // *to — up,* mescolare completamente; confondere: *he is mixing everything up,* sta facendo una gran confusione; *to be mixed up,* essere confuso; *to be mixed up in,* essere coinvolto in ♦ *v.intr.* **1** mescolarsi **2** unirsi; fondersi **3** armonizzare, armonizzarsi (di colori).

mixed [mikst] *agg.* **1** misto **2** *— up, (fam.)* confuso // *a — -up kid, (fam.)* uno spostato.

mixer ['miksə*] *s. (mecc.)* mescolatore; *(cuc.)* frullatore // *a good —, (fam.)* una persona socievole.

mixture ['mikstʃə*] *s.* **1** mescolanza; miscuglio **2** *(farm.)* mistura; *(chim.)* miscela.

mix-up ['miks'ʌp] *s. (fam.)* confusione.

miz(z)en ['mizn] *s. (mar.)* mezzana.

mizzenmast ['mizənma:st] *s. (mar.)* albero di mezzana.

mizzle ['mizl] *e deriv.* → **drizzle** *e deriv.*

mnemonic [ni(:)'mɔnik] *agg.* mnemonico.

moan [moun] *s.* gemito; lamento.

to **moan** *v.intr.* gemere (anche del vento); lamentarsi ♦ *v.tr.* piangere; lamentarsi (di).

moat [mout] *s.* fosso, fossato.

mob [mɔb] *s.* **1** plebaglia; folla // *— law,* legge imposta dalla plebaglia // *— oratory,* oratoria da comizio // *— psychology,* psicologia delle masse **2** *(sl.)* banda.

to **mob** *v.tr.* **1** accalcarsi (intorno a) **2** assalire, malmenare.

mobile ['moubail, *(amer.)* 'moubl] *agg.* mobile, versatile: *— blood-bank,* autoemoteca ♦ *s.* scultura cinetica.

mobility [mou'biliti] *s.* mobilità: *staff, labour —,* mobilità del personale.

mobilization [,moubilai'zeiʃən] *s.* mobilitazione; *(mil.)* precettazione.

to **mobilize** ['moubilaiz] *v.tr.* mobilitare.

mobster ['mɔbstə*] *s. (sl.)* bandito.

moccasin ['mɔkasin] *s.* mocassino.

mocha ['mɔkə, *(amer.)* 'moukə] *s.* moca.

mock [mɔk] *agg.* finto: *a — exam,* una prova generale d'esame ♦ *s.* zimbello.

to **mock** *v.tr.* **1** deridere; schernire; rifare il verso (a) **2** deludere; rendere vano **3** *to — up, (fam.)* improvvisare ♦ *v.intr.: to — at,* burlarsi di.

mockery ['mɔkeri] *s.* **1** derisione, ironia; scherno; beffa **2** contraffazione.

mock-heroic ['mɔkhi'rouk] *agg.* eroicomico.

mocking ['mɔkiŋ] *agg.* beffardo ♦ *s.* lo scherzare: — *is catching*, lo scherzo può essere pericoloso.

mockingbird ['mɔkiŋbə:d] *s.* (*zool.*) mimo.

mockingly ['mɔkiŋli] *avv.* in modo beffardo.

mock-up ['mɔk'ʌp] *s.* **1** riproduzione **2** (*fam.*) improvvisazione.

modal ['moudl] *agg.* modale.

modality [mou'dæliti] *s.* modalità.

mode [moud] *s.* modo.

model ['mɔdl] *s.* **1** modello // *to be taken as a* —, essere preso ad esempio // *current* —, (*aut.*) modello di serie **2** modella, indossatrice ♦ *agg.* che serve da modello.

to model *v.tr.* **1** modellare // *to* — *after*, rifarsi a, imitare // *to* — *oneself on*, (*fig.*) imitare **2** indossare (vestiti) ♦ *v.intr.* **1** disegnare modelli **2** fare l'indossatrice; posare.

modeller ['mɔdlə*] *s.* modellatore.

MODEM ['mɔdem] (*modulator/demodulator*) *s.* MODEM.

moderate ['mɔdərit] *agg.* moderato; modico; mediocre ♦ *s.* (*pol.*) moderato.

to moderate ['mɔdəreit] *v.tr.* moderare ♦ *v.intr.* **1** moderarsi **2** fare il moderatore.

moderation [,mɔdə'reiʃən] *s.* moderazione.

moderator ['mɔdəreitə*] *s.* **1** moderatore **2** capo di una assemblea presbiteriana **3** commissario d'esame.

modern ['mɔdən] *agg.* moderno ♦ *s.* **1** persona moderna **2** moderno.

modernism ['mɔdə(:)nizəm] *s.* **1** usanza moderna; vedute moderne (*pl.*) **2** (*teol.*) modernismo.

modernity [mɔ'də:niti] *s.* modernità.

to modernize ['mɔdə(:)naiz] *v.tr.* modernizzare, rimodernare ♦ *v.intr.* adottare sistemi moderni.

modest ['mɔdist] *agg.* modesto.

modesty ['mɔdisti] *s.* modestia.

modification [,mɔdifi'keiʃən] *s.* modificazione; modifica.

modificatory ['mɔdifikeitəri] *agg.* modificativo.

to modify ['mɔdifai] *v.tr.* **1** modificare; mutare, cambiare **2** addolcire; attenuare, mitigare.

modish ['moudiʃ] *agg.* alla moda.

modiste [mou'di:st] *s.* **1** sarta **2** modista.

to modulate ['mɔdjuleit], (*amer.*) 'mɔdʒuleit] *v.tr. e intr.* modulare.

modulation [,mɔdju'leiʃən, (*amer.*) ,mɔdʒu'leiʃn] *s.* modulazione.

modulator ['mɔdjuleitə*] *s.* modulatore.

module ['mɔdju:l, (*amer.*) 'mɔdʒu:l] *s.* (*arch.*) modulo.

Mogul [mou'gʌl] *agg.* e *s.* mongolo.

mohair ['mouheə*] *s.* mohair.

Mohammed [mou'hæmed] *no.pr.m.* Maometto.

Mohammedan [mou'hæmidən] *agg.* e *s.* maomettano.

Mohican ['mouikən] *agg.* e *s.* moicano.

moiety ['mɔiəti] *s.* metà, mezzo; parte.

moiré ['mwɑ:rei] *s.* seta marezzata.

moist [mɔist] *agg.* umido, bagnato: *his eyes grew* —, gli si riempirono gli occhi di lacrime.

to moisten ['mɔisn] *v.tr.* umettare, inumidire.

moisture ['mɔistʃə*] *s.* umidità.

to moisturize ['mɔistʃəraiz] *v.tr.* (*cosmesi*) idratare.

moisturizing ['mɔistʃəraiziŋ] *agg.* idratante.

molar ['moulə*] *agg.* e *s.* (dente) molare.

molasses [mə'læsiz] *s.* melassa.

mold e *deriv.* (*amer.*) → **mould** e *deriv.*

Moldavian [mɔl'deivjən] *agg.* e *s.* moldavo.

mole[1] [moul] *s.* neo.

mole[2] *s.* talpa (*anche fig.*).

mole[3] *s.* molo; diga frangiflutti.

mole-cricket ['moul'krikit] *s.* (*zool.*) grillo-talpa.

molecular [mou'lekjulə*] *agg.* molecolare.

molecule ['mɔlikju:l] *s.* molecola.

molehill ['moulhil] *s.* cumulo di terra sopra la tana della talpa // *to make a mountain out of a* —, (*prov.*) fare d'una mosca un elefante.

moleskin ['moulskin] *s.* **1** pelle, pelliccia di talpa **2** fustagno **3** *pl.* pantaloni di fustagno.

to molest [mou'lest] *v.tr.* molestare; infastidire.

molestation [,moules'teiʃən] *s.* molestia.

moll [mɔl] *s.* (*sl.*) amica, donna di un bandito.

to mollify ['mɔlifai] *v.tr.* raddolcire; placare.

mollusc, (*amer.*) **mollusk** ['mɔləsk] *s.* mollusco.

to mollycoddle ['mɔlikɔdl] *v.tr.* viziare, coccolare.

molt *s.* (*amer.* per *moult*) muda.

molten ['moultən] *agg.* liquefatto, fuso.

molybdenum [mɔ'libdinəm] *s.* molibdeno.

moment ['moumənt] *s.* **1** momento, istante, attimo: *at any* —, da un momento all'altro; *in a* —, tra un momento **2** importanza, peso **3** (*fis. mecc.*) momento.

momentary ['moumən[t]əri] *agg.* momentaneo.

momentous [mou'mentəs] *agg.* importante.

momentousness [mou'mentəsnis] *s.* importanza.

momentum [mou'mentəm], *pl.* **momenta** [mou'mentə] *s.* **1** (*mecc. fis.*) momento d'inerzia **2** (*pop.*) impeto **3** (*fig.*) aumento.

monad ['mɔnæd] *s.* monade.

monarch ['mɔnək] *s.* monarca, sovrano.

monarchic(al) [mɔ'nɑ:kik(əl)] *agg.* monarchico.

monarchist ['mɔnəkist] *s.* monarchico.

monarchy ['mɔnəki] *s.* monarchia.

monastery ['mɔnəstəri, (*amer.*) 'mɔnəsteri] *s.* monastero.

monastic(al) [mə'næstik(əl)] *agg.* monastico.

monatomic [,mɔnə'tɔmik] *agg.* **1** monoatomico **2** monovalente.

monaural [,mɔn'ɔ:rəl] *agg.* monoaurale.

Monday ['mʌndi] *s.* lunedì // *on Mondays*, il, di lunedì // *Easter* —, il lunedì dell'Angelo.

Mondayish ['mʌndiiʃ] *agg.* (*fam.*) svogliato.

monetary ['mʌnitəri, (*amer.*) 'mʌniteri] *s.* monetario.

monetization [,mʌnitai'zeiʃən] *s.* monetazione.

to monetize ['mʌnitaiz] *v.tr.* monetizzare; fissare il valore monetario (di).

money ['mʌni], *pl.* **monies** ['mʌniz] *s.* denaro, moneta, valuta: *short of* —, a corto di denaro; *out of* —, senza denaro; *to get in* —, incassare denaro // *paper* —, carta moneta // *ready* —, denaro contante; — *down*, (*comm.*) pronta cassa, in contanti // *your* — *or your life!*, o la borsa o la vita! // *there is* — *in it*, è un buon affare // *to marry* —, fare un matrimonio d'interesse // *to come into* —, ereditare // *to be rolling in* —, nuotare nell'oro // *to get one's* —'*s worth*, spendere bene il proprio denaro; *I didn't get my* —'*s worth*, è stato denaro buttato via; *I got my* —'*s worth*, è stato denaro ben speso.

moneybox ['mʌnibɔks] *s.* salvadanaio.

moneyed ['mʌnid] *agg.* danaroso, ricco.

money-grubber ['mʌni,grʌbə*] *s.* avaro; persona avida di ricchezze.

moneylender ['mʌni,lendə*] s. usuraio.
money order ['mʌni,ɔ:də*] s. vaglia postale.
money-spinner ['mʌni,spinə*] s. grossa fonte di guadagno.
monger ['mʌŋgə*] s. commerciante.
Mongol ['mɔŋgɔl], **Mongolian** [mɔŋ'gouliən] agg. e s. mongolo.
Mongolism ['mɔŋgəlizəm] s. mongolismo.
Mongoloid ['mɔŋgələid] agg. mongoloide.
mongoose ['mɔŋgu:s] s. (zool.) mangusta.
mongrel ['mʌngrəl] agg. e s. (cane) bastardo.
monism ['mɔnizəm] s. (fil.) monismo.
monition [mou'niʃən] s. (dir.) ammonizione.
monitor ['mɔnitə*] s. 1 consigliere, ammonitore 2 studente con funzioni disciplinari 3 intercettatore 4 (tecn.) monitore.
to monitor v.tr. (rad. tv) controllare; intercettare.
monk [mʌŋk] s. monaco.
monkey ['mʌŋki] s. 1 scimmia, scimmiotto // — business, tricks, imbroglio, pasticcio // to get one's — up, (sl.) arrabbiarsi 2 (tecn.) mazza battente 3 (sl.) 500 sterline o dollari.
to monkey v.intr. 1 fare scherzi di cattivo genere 2 to — (about) with (sthg.), maneggiare maldestramente (qlco.). ♦ v.tr. scimmiottare.
monkey-jacket ['mʌŋki,dʒækit] s. (mar.) giubba.
monkey nut ['mʌŋkinʌt] s. (bot.) arachide.
monkey-puzzle ['mʌŋki,pʌzl] s. (bot.) araucaria.
monkfish ['mʌŋkfiʃ] s. pesce angelo.
monkish ['mʌŋkiʃ] agg. monacale.
monkshood ['mʌŋkshud] s. (bot.) aconito.
mono- ['mɔnou] pref. mono-.
monochromatic [,mɔnəkrə'mætik] agg. monocromatico, monocromo.
monochrome ['mɔnəkroum] s. monocromia.
monocle ['mɔnɔkl] s. monocolo.
monody ['mɔnədi] s. (mus.) monodia.
monogamous [mɔ'nɔgəməs] agg. monogamo.
monogamy [mɔ'nɔgəmi] s. monogamia.
monogram ['mɔnəgræm] s. monogramma.
monograph ['mɔnəgra:f] s. monografia.
monolith ['mɔnouliθ] s. monolito.
monolithic [,mɔnou'liθik] s. monolitico.
monologue ['mɔnəlɔg] s. monologo.
monomania [,mɔnou'meinjə] s. monomania.
monomaniac ['mɔnou'meiniæk] s. monomane.
monoplane ['mɔnouplein] s. monoplano.
monopolistic [mə,nɔpə'listik] agg. monopolistico.
to monopolize [mə'nɔpəlaiz] v.tr. monopolizzare.
monopolizer [mə'nɔpəlaizə*] s. monopolizzatore.
monopoly [mə'nɔpəli] s. monopolio.
monorail ['mɔnoureil] s. monorotaia.
monoscope ['mɔnəskoup] s. monoscopio.
monosyllabic ['mɔnəsi'læbik] agg. monosillabico.
monosyllable ['mɔnə,siləbl] s. monosillabo.
monotheism ['mɔnouθi:,izəm] s. monoteismo.
monotint ['mɔnətint] s. monocromia.
monotone ['mɔnətoun] s. monotonia.
monotonous [mə'nɔtənəs] agg. monotono.
monotype® ['mɔnətaip] s. (tip.) monotype®, monotipo.
monotypist [,mɔnə'taipist] s. monotipista.
monsoon [mɔn'su:n] s. monsone.
monster ['mɔnstə*] agg. gigantesco, colossale ♦ s. mostro (anche fig.).
monstrance ['mɔnstrəns] s. (eccl.) ostensorio.
monstrosity [mɔns'trɔsiti] s. mostruosità.

monstrous ['mɔnstrəs] agg. 1 mostruoso 2 (fam.) assurdo, incredibile.
montage ['mɔntɑ:ʒ, (amer.) mɔn'tɑ:ʒ] s. (cinem. fot.) montaggio.
Mont Blanc [mɔn'blɔ:ŋ] no.pr. Monte Bianco.
month [mʌnθ] s. mese: bill at three months, (comm.) cambiale a tre mesi; this day —, fra un mese; this day last —, un mese fa // calendar —, mese civile // —'s pay, mensile, paga // a — of Sundays, un'eternità.
monthly ['mʌnθli] agg. mensile ♦ s. rivista mensile ♦ avv. mensilmente.
monument ['mɔnjumənt] s. monumento (anche fig.).
monumental [,mɔnju'mentl] agg. monumentale.
moo [mu:] s. muggito, mugghio.
to moo v.intr. muggire, mugghiare.
to mooch [mu:tʃ] v.intr. (fam.): to — about (o along o around), vagabondare, gironzolare.
mood¹ [mu:d] s. (gramm.) modo.
mood² s. umore, stato d'animo: to be in a good, in a bad —, essere di buono, di cattivo umore; to be in the —, aver voglia // he is in one of his moods, ha la luna.
moodiness ['mu:dinis] s. umore nero; malinconia; tendenza al cattivo umore.
moody ['mu:di] agg. di malumore; depresso.
moon [mu:n] s. 1 luna: by the light of the —, al chiaro di luna; full —, luna piena // once in a blue —, ad ogni morte di vescovo // to cry for the —, desiderare l'impossibile 2 (astr.) satellite 3 mese.
to moon v.intr. 1 gironzolare con aria trasognata 2 to — about, bighellonare.
moonbeam ['mu:nbi:m] s. raggio di luna.
moonlight ['mu:nlait] s. chiaro di luna: by —, al chiaro di luna ♦ agg. illuminato dalla luna.
to moonlight v.intr. avere un secondo lavoro.
moonlit ['mu:nlit] agg. illuminato dalla luna.
moonshine ['mu:nʃain] s. 1 chiaro di luna 2 sciocchezze (pl.) 3 (amer.) alcool di contrabbando o distillato clandestinamente.
moony ['mu:ni] agg. 1 lunare 2 svagato, sognante.
moor¹ [muə*] s. brughiera, landa.
to moor² v.tr. e intr. (mar.) ormeggiare; ancorare.
Moor s. moro.
moorage ['muəridʒ] s. (mar.) ormeggio.
moorhen ['muəhen] s. gallinella d'acqua.
mooring ['muəriŋ] s. (mar.) ormeggio.
Moorish ['muəriʃ] agg. moro, moresco.
moorland ['muələnd] s. landa, brughiera.
moose ['mu:s] s. (zool.) alce.
moot [mu:t] agg. discutibile; dubbio ♦ s. (st.) assemblea popolare.
to moot v.tr. avanzare (una proposta) perché venga discussa.
mop [mɔp] s. 1 scopa di stracci, di filacce 2 zazzera: — of hair, capigliatura arruffata.
to mop v.tr. 1 pulire (un pavimento) // to — the floor with s.o., (sl.) schiacciare, distruggere qlcu. 2 asciugare 3 to — up, ripulire; portare a termine; (sl.) assorbire (guadagni ecc.); (mil.) rastrellare.
to mope [moup] v.intr. 1 essere depresso 2 to — about, trascinarsi tristemente.
moped [moupt] s. ciclomotore; (fam.) motorino.
moppet ['mɔpit] s. bambola, bambolina.
mopping up ['mɔpiŋ'ʌp] s. (mil.) rastrellamento.
moraine [mɔ'rein] s. (geol.) morena.
moral ['mɔrəl] agg. morale ♦ s. 1 morale 2 pl. moralità (sing.); costumi.

morale [mɔ'rɑːl] *s.* morale, stato d'animo.
moralist ['mɔrəlist] *s.* moralista.
moralistic [,mɔrə'listik] *agg.* moralistico.
morality [mɔ'ræliti] *s.* moralità (*anche teatr.*).
to **moralize** ['mɔrəlaiz] *v.tr.* **1** moralizzare **2** trarre la morale (da) ♦ *v.intr.* moraleggiare.
morally ['mɔrəli] *avv.* **1** moralmente **2** virtualmente.
morass [mɔ'ræs] *s.* **1** palude; pantano **2** (*fig.*) situazione difficile **3** (*fig.*) abiezione.
moratorium [,mɔrə'tɔːriəm] *s.* moratoria.
morbid ['mɔːbid] *agg.* **1** morboso (*anche fig.*): ~ *fear*, fobia **2** orribile, raccapricciante.
morbidity [mɔː'biditi] *s.* morbosità.
mordant ['mɔːdənt] *agg.* **1** pungente, sarcastico **2** (*chim.*) corrosivo ♦ *s.* (*chim.*) mordente.
more [mɔː*] *agg. e pron. e s.* **1** più; di più: *he has ~ money than I* (*have*), ha più denaro di me; *what ~ do you want?*, cosa volete di più?; *it's ~ than enough*, è più che sufficiente // *a little ~*, un po' (di) più // *he is fifty and ~*, ha cinquant'anni e passa // *and what's ~ ~...*, e per di più // *the ~ one has the ~ one wants*, l'appetito vien mangiando **2** ancora: *many ~*, ancora molti; *some ~ tea*, ancora un po' di tè // *a little ~*, ancora un po' // *to hear ~ of s.o.*, avere altre notizie di qlcu. ♦ *avv.* **1** (di) più: ~ *than interesting*, più che interessante; *to study ~*, studiare di più // ~ *and ~*, sempre più // *the ~... the ~...*, più... più... // ~ *or less*, più o meno // *all the ~ amazed as...*, tanto più stupito in quanto... **2** (*per formare il comp. di agg. e avv.*) più: ~ *difficult*, più difficile // ~ *quickly*, più velocemente **3** ancora: *once ~*, ancora una volta **4** (*in frasi negative*) più: *never ~*, mai più; *no* (o *not any*) ~, non... più // *if you see her any ~*, se mai la rivedessi.
morello [mə'relou] *s.* (*bot.*) marasca.
moreover [mɔː'rouvə*] *avv.* **1** oltre a ciò, inoltre **2** d'altronde, d'altra parte.
Moresque [mɔ'resk] *agg.* moresco.
morganatic [,mɔːgə'nætik] *agg.* morganatico.
morgue [mɔːg] *s.* obitorio.
moribund ['mɔribʌnd] *agg.* morente, moribondo.
Mormon ['mɔːmən] *s.* (*relig.*) mormone.
morn [mɔːn] *s.* (*poet.*) mattino.
morning ['mɔːniŋ] *s.* mattino, mattinata; (*poet.*) alba: *in the ~*, di mattina; *this ~*, stamane // ~ *coat*, tight.
Moroccan ['mɔ'rɔkən] *agg. e s.* marocchino.
Morocco [mə'rɔkou] *n.pr.* Marocco ♦ *s.*: ~ (*-leather*), (cuoio) marocchino.
moron ['mɔːrɔn] *s.* deficiente, minorato psichico.
moronic ['mɔ'rɔnik] *agg.* deficiente, minorato psichico.
morose [mə'rous] *agg.* **1** imbronciato **2** depresso **3** non socievole.
Morpheus ['mɔːfjuːs] *no.pr.m.* (*mit.*) Morfeo.
morphia ['mɔːfiə](*pop.*), **morphine** ['mɔːfiːn]*s.* morfina.
morphological [,mɔːfə'lɔdʒik(əl)] *agg.* morfologico.
morphology [mɔː'fɔlədʒi] *s.* morfologia.
morris dance ['mɔris'dɑːns] *s.* danza folcloristica inglese.
morrow ['mɔrou] *s.* (*poet.*) domani.
morse [mɔːs] *s.* (*zool.*) tricheco.
Morse *no.pr.*: ~ *alphabet*, ~ *code*, alfabeto Morse.
morsel ['mɔːsəl] *s.* pezzetto; boccone.
mortal ['mɔːtl] *agg.* **1** mortale **2** (*fam.*) interminabile; barboso **3** (*fam.*) terribile ♦ *s.* mortale.
mortality [mɔː'tæliti] *s.* mortalità.
mortar[1] ['mɔːtə*] *s.* mortaio.
mortar[2] *s.* malta, calcina.

to **mortar**[2] *v.tr.* coprire e fissare con malta.
mortarboard ['mɔːtəbɔːd] *s.* **1** (*arnese*) frattazzo **2** (*fam.*) tocco accademico.
mortgage ['mɔːgidʒ] *s.* ipoteca: *first ~*, ipoteca di primo grado.
to **mortgage** *v.tr.* **1** ipotecare **2** (*fig.*) impegnare.
mortgagee [,mɔːgə'dʒiː] *s.* creditore ipotecario.
mortician [mɔː'tiʃən] *s.* (*amer.* per *undertaker*) imprenditore di pompe funebri.
mortification [,mɔːtifi'keiʃən] *s.* **1** mortificazione (*anche fig.*) **2** (*med.*) necrosi, cancrena.
to **mortify** ['mɔːtifai] *v.tr.* mortificare ♦ *v.intr.* (*med.*) incancrenire.
mortmain ['mɔːtmein] *s.* (*dir.*) manomorta.
mortuary ['mɔːtjuəri] *agg.* mortuario ♦ *s.* camera mortuaria.
mosaic [mə'zeiik] *agg.* musivo ♦ *s.* mosaico.
to **mosaic** *v.tr.* adornare di mosaici; comporre a mosaico.
Mosaic *agg.* di Mosè, mosaico.
mosaicist [mə'zeiisist] *s.* mosaicista.
Moscow ['mɔskou] *no.pr.* Mosca.
Moses ['mouziz] *no.pr.m.* (*Bibbia*) Mosè.
Moslem ['mɔzlem] *agg. e s.* musulmano.
mosque [mɔsk] *s.* moschea.
mosquito [məs'kiːtou], *pl.* **mosquitoes** [məs'kiːtouz] *s.* zanzara.
mosquito net [məs'kiːtou net] *s.* zanzariera.
moss [mɔs] *s.* muschio.
mossgrown ['mɔsgroun], **mossy** ['mɔsi] *agg.* muscoso.
most [moust] *agg.* **1** la maggior parte di; la maggior quantità di: ~ *men*, la maggior parte degli uomini; *who has* (*the*) ~ *money?*, chi ha più denaro (di tutti)?; *in ~ cases*, nella maggior parte, nella maggioranza dei casi **2** massimo; maggiore: *the ~ influence*, la massima influenza; *for the ~ part*, in massima parte, per la maggior parte; *quasi sempre* ♦ *pron. e s.* **1** la maggior parte: ~ *of them*, la maggior parte di loro **2** massimo: *at* (*the*) ~, al massimo, tutt'al più // ~ *of all*, soprattutto // *to make the ~ of*, fare il miglior uso di, saper sfruttare; far valere ♦ *avv.* **1** (di) più: *those who study* (*the*) ~, chi studia di più; *what I liked ~*, ciò che più mi piacque **2** (*per formare il superl. rel. di agg. e avv.*) più: *the ~ difficult*, il più difficile **3** (*per formare il superl. assoluto di agg. e avv.*) molto; estremamente: ~ *interesting*, molto, estremamente interessante.
'**most** *contr. amer. di* **almost**.
mostly ['moustli] *avv.* per lo più; generalmente.
mote [mout] *s.* granellino di polvere.
motel [mou'tel] *s.* autostello, motel.
moth [mɔθ] *s.* **1** falena // *like a ~ round a candle flame*, come una mosca attirata dal miele **2** tarma.
moth-ball ['mɔθbɔːl] *s.* pallina antitarmica // *to put in ~*, (*fig.*) scartare.
moth-eaten ['mɔθ,iːtn] *agg.* **1** tarlato **2** (*fig.*) retrivo; trito.
mother ['mʌðə*] *s.* madre, mamma // *Mother's Day*, la giornata, la festa della mamma // ~*'s help*, ragazza alla pari che accudisce ai bambini // *Mother Church*, la Chiesa Madre; cattedrale // ~ *country*, madrepatria // ~ *wit*, buon senso // ~ *of vinegar*, madre dell'aceto.
to **mother** *v.tr.* **1** partorire **2** fare la madre o da madre (a) **3** curare come una madre.
mothercraft ['mʌðəkrɑːft] *s.* puericultura.
motherhood ['mʌðəhud] *s.* maternità.

mother-in-law [ˈmʌðərinlɔː], *pl.* **mothers-in-law** [ˈmʌðəzinlɔː] *s.* suocera.

motherly [ˈmʌðəli] *agg.* materno.

mother-of-pearl [ˈmʌðərəvˈpəːl] *s.* madreperla.

mothproof [ˈmɔθˌpruːf] *agg.* inattaccabile dalle tarme; che è stato sottoposto a trattamento antitarmico.

moth-repellent [ˈmɔθriˌpelənt] *agg.* antitarmico.

motif [mouˈtiːf] *s.* tema, motivo.

motion [ˈmouʃən] *s.* 1 moto, movimento // — *sickness*, chinetosi 2 gesto, atto 3 mozione, proposta: — *down for today*, mozione portata all'ordine del giorno 4 (*med.*) scarica (di feci).

to motion *v.tr.* far segno (a); far cenno (a): *he motioned them away*, fece loro cenno di allontanarsi ♦ *v.intr.* far segno.

motionless [ˈmouʃənlis] *agg.* immobile.

motion picture [ˈmouʃənˌpiktʃə*] *s.* film.

to motivate [ˈmoutiveit] *v.tr.* 1 motivare, dare un motivo (a) 2 stimolare, spronare.

motivation [ˌmoutiˈveiʃən] *s.* 1 motivazione 2 stimolo.

motive [ˈmoutiv] *agg.* motore.

motive *s.* motivo, movente.

to motive *v.tr.* → **to motivate**.

motivity [mouˈtiviti] *s.* (*fis.*) energia cinetica.

motley [ˈmɔtli] *agg.* 1 screziato; variopinto 2 eterogeneo ♦ *s.* (*st.*) abito variopinto (dei buffoni di corte) // *to wear the —*, (*fig.*) fare il buffone.

motor [ˈmoutə*] *agg.* e *s.* motore.

to motor *v.intr.* andare in automobile ♦ *v.tr.* accompagnare in automobile.

motorbike [ˈmoutəˈbaik] *s.* (*fam.*) motocicletta.

motorboat [ˈmoutəbout] *s.* motoscafo.

motorcade [ˈmoutəkeid] *s.* (*amer.*) corteo di automobili.

motorcar [ˈmoutəkaː*] *s.* automobile.

motorcoach [ˈmoutəˌkoutʃ] *s.* pullman.

motorcycle [ˈmoutəˌsaikl] *s.* motocicletta.

motoring [ˈmoutəriŋ] *s.* automobilismo.

motorist [ˈmoutərist] *s.* automobilista.

to motorize, **to motorise** [ˈmoutəraiz] *v.tr.* motorizzare.

motor scooter [ˈmoutəˌskuːtə*] *s.* motoretta, scooter.

motorway [ˈmoutəwei] *s.* autostrada.

mottle [ˈmɔtl] *s.* chiazza; screziatura.

to mottle *v.tr.* chiazzare, screziare.

motto [ˈmɔtou], *pl.* **mottoes** [ˈmɔtouz] *s.* motto.

mould[1] [mould] *s.* terriccio.

to mould[1] *v.tr.* coprire di terriccio.

mould[2] *s.* forma; stampo; modello (*anche fig.*).

to mould[2] *v.tr.* formare, foggiare; plasmare (*anche fig.*): *to — a statue in* (o *out of*) *clay*, modellare una statua in argilla.

mould[3] *s.* muffa.

to moulder [ˈmouldə*] *v.intr.* sgretolarsi, cadere in rovina.

mouldiness [ˈmouldinis] *s.* l'essere ammuffito.

moulding [ˈmouldiŋ] *s.* 1 modellatura 2 (*metall.*) getto; fusione 3 (*arch.*) cornice; cornicione; modanatura; zoccolo.

mouldy [ˈmouldi] *agg.* 1 ammuffito 2 (*fam.*) schifoso.

moult [moult] *s.* muda.

mound [maund] *s.* mucchio; collinetta; terrapieno.

to mound *v.tr.* ammucchiare.

mount[1] [maunt] *s.* monte.

mount[2] *s.* 1 cavalcatura 2 intelaiatura; cornice; montatura; supporto 3 affusto (di cannone).

to mount[2] *v.intr.* salire, montare: *his blood mounted*, arrossì ♦ *v.tr.* 1 salire, montare: *to — a hill*, salire su una collina // *to — guard over*, montare la guardia a 2 montare; incastonare; incorniciare 3 (*teatr.*) produrre, mettere in scena 4 (*mil.*) mettere in posizione: *to — a gun*, mettere un cannone in posizione.

mountain [ˈmauntin, (*amer.*) ˈmauntn] *s.* montagna, monte // — *pass*, valico ♦ *agg.* montano.

mountaineer [ˌmauntiˈniə*, (*amer.*) ˌmauntnˈiar] *s.* 1 montanaro 2 alpinista.

to mountaineer *v.intr.* fare dell'alpinismo.

mountainous [ˈmauntinəs, (*amer.*) ˈmauntnəs] *agg.* 1 montuoso 2 (*fig.*) enorme.

mountebank [ˈmauntibæŋk] *s.* 1 saltimbanco 2 impostore, ciarlatano.

mounted [ˈmauntid] *agg.* a cavallo.

mounting [ˈmauntiŋ] *s.* 1 montatura 2 (*tecn.*) supporto; montaggio 3 (*teatr.*) allestimento 4 ascensione, salita.

Mounty [ˈmaunti] *s.* poliziotto canadese a cavallo.

to mourn [mɔːn] *v.intr.* 1 piangere: *to — over s.o.'s death*, piangere la morte di qlcu. 2 vestire a lutto; portare il lutto ♦ *v.tr.* piangere.

mournful [ˈmɔːnful] *agg.* lugubre, triste.

mournfulness [ˈmɔːnfulnis] *s.* tristezza, malinconia.

mourning [ˈmɔːniŋ] *s.* 1 cordoglio, afflizione 2 lutto: *to go into, out of —*, mettere, smettere il lutto; *to wear — for s.o.*, portare il lutto per qlcu. // *deep —*, lutto stretto.

mouse [maus], *pl.* **mice** [mais] *s.* 1 sorcio, topo // *he is as poor as a church —*, è povero in canna // *field —*, arvicola; topo di campagna 2 (*fig.*) persona timida, ritrosa.

mouse-colour [ˈmausˈkʌlə*] *s.* color grigio topo.

mousetrap [ˈmaustræp] *s.* trappola // — *cheese*, (*fam.*) formaggio stagionato.

moustache [məsˈtɑːʃ] *s.* (*solo sing.*) baffi (*pl.*).

moustached [məsˈtɑːʃt] *agg.* baffuto.

mousy [ˈmausi] *agg.* 1 (colore) grigio topo 2 (*fig.*) timido.

mouth [mauθ] *s.* 1 bocca // *down in the —*, (*fig.*) depresso, abbattuto // *useless —*, mangiapane a ufo // *to laugh on the wrong side of one's —*, ridere verde // *to make s.o.'s — water*, far venire l'acquolina in bocca a qlcu. // *straight from the horse's —*, (*fam.*) da fonti sicure // — *-filling*, altisonante, enfatico 2 sbocco, foce.

to mouth [mauð] *v.tr.* 1 pronunciare con tono enfatico, declamare 2 masticare muovendo molto la bocca ♦ *v.intr.* 1 abituare (un cavallo) al morso 2 fare le boccacce.

mouthful [ˈmauθful] *s.* 1 boccone 2 (*fam.*) parola, frase difficile da pronunciare 3 (*sl.*) osservazione giusta.

mouthorgan [ˈmauθˌɔːgən] *s.* armonica a bocca.

mouthpiece [ˈmauθpiːs] *s.* 1 bocchino (di pipa) 2 imboccatura (di strumento a fiato) 3 (*fig.*) portavoce 4 (*tecn.*) portavoce, ricevitore (di telefono ecc.).

mouthwash [ˈmauθwɔʃ] *s.* (*farm.*) preparato per sciacqui alla bocca.

movable [ˈmuːvəbl] *agg.* mobile.

movables [ˈmuːvəblz] *s.pl.* (*dir.*) beni mobili.

move [muːv] *s.* 1 movimento // *to be on the —*, essere in movimento // *to get a — on*, spicciarsi 2 (*fig.*) mossa 3 trasloco.

to move *v.tr.* 1 muovere; spostare // *to be moved to act*, essere spinto ad agire 2 traslocare 3 commuovere 4 proporre, chiedere 5 *to — on*, fare circolare ♦

v.intr. **1** muoversi; spostarsi; procedere: *keep moving!*, circolate! // *to — along, on*, spostarsi // *to — away*, allontanarsi **2** trasferirsi, traslocare // *to— in*, traslocare in un nuovo alloggio **3** far ricorso: *to — for a new trial*, far ricorso per un nuovo processo **4** *to— about*, muoversi in continuazione, traslocare in continuazione **5** *to — out*, uscire; traslocare.

movement [ˈmuːvmənt] *s.* **1** movimento, moto (*anche fig.*); gesto **2** meccanismo **3** oscillazione (del mercato) **4** (*mus.*) tempo.

movie [ˈmuːvi] *s.* **1** (*fam.*) film **2** *pl.* cinema (*sing.*).

moving [ˈmuːviŋ] *agg.* **1** commovente; patetico **2** mobile; in movimento, in marcia // *—-day*, giorno di trasloco // *— staircase* (o *— stairs*), scala mobile.

mow[1] [mou] *s.* **1** mucchio di fieno, di paglia **2** covone di grano.

to mow[2] , *pass.* **mowed** [moud], *p.pass.* **mown** [moun] *v.tr.* **1** falciare (*anche fig.*); mietere **2** *to— down*, sterminare, far strage.

mower [ˈmouə*] *s.* (*mecc.*) falciatrice.

mown *p.pass.* di to **mow**.

much [mʌtʃ], *compar.* **more** [mɔː*], *superl.* **most** [moust] *agg.* e *pron.* e *s.* molto // *how —?*, quanto? // *too —*, troppo: *it is too — for me*, è troppo (grave, difficile ecc.) per me // *too — is as bad as none at all*, (*prov.*) il troppo stroppia // *as —*, altrettanto; *as* (o *so*) *— as*, tanto... quanto // *so —*, tanto: *so — per cent*, (un) tanto per cento; *so — for that*, chiudiamo l'argomento, non parliamone più; *so — to the good*, tanto di guadagnato // *the skirt was that — too long*, la gonna era troppo lunga di tanto // *he is not — of an artist*, non è un grande artista // *I don't see — of her in these days*, non la vedo molto in questi giorni // *I can say this* (o *so*) *— for him*, posso dire questo a suo favore // *to make — of s.o.*, far festa a qlcu.; stimare qlcu.; adulare qlcu.; *to make — of sthg.*, attribuire grande importanza a qlco., trarre gran vantaggio da qlco. // *to think — of*, avere una grande opinione di ♦ *avv.* **1** molto; di gran lunga: *— better*, molto meglio; ancora meglio; *— the best*, di gran lunga il migliore // *— as*, per quanto // *— to my regret*, con mio grande dispiacere // *how —?*, quanto?; *too —*, troppo; *as —*, altrettanto; *as* (o *so*) *— as*, tanto quanto // *so —*, tanto; *ever so — more beautiful*, infinitamente più bello **2** pressappoco.

muchness [ˈmʌtʃnis] *s.*: *it is much of a —*, è più o meno la stessa cosa.

mucilage [ˈmjuːsilidʒ] *s.* mucillagine.

muck [mʌk] *s.* **1** letame, concime **2** sudiciume, sporcizia; fango **3** (*fam.*) porcheria // *to make a — of sthg.*, fare un pasticcio, creare confusione in qlco.

to muck *v.tr.* **1** concimare **2** insudiciare **3** *to — up*, (*fam.*) abborracciare (un lavoro) ♦ *v.intr.* **1** *to — about*, (*fam.*) bighellonare; gingillarsi **2** *to — in*, (*fam.*) dividere la stessa camera.

muckheap [ˈmʌkhiːp] *s.* letamaio.

muckraking [ˈmʌkˌreikiŋ] *s.* il sollevare vecchi scandali.

mucky [ˈmʌki] *agg.* sudicio; imbrattato; fangoso.

mucous [ˈmjuːkəs] *agg.* mucoso; viscoso // *— membrane*, (*anat.*) mucosa.

mucus [ˈmjuːkəs] *s.* muco.

mud [mʌd] *s.* fango (*anche fig.*); melma // *— in your eye!*, cincin! // *— pie*, formina di terra.

muddle [ˈmʌdl] *s.* confusione; disordine; pasticcio.

to muddle *v.tr.* confondere, imbrogliare ♦ *v.intr.*: *to — through*, (*fam.*) cavarsela alla meno peggio, arrabattarsi.

muddle-headed [ˈmʌdlˌhedid] *agg.* dalle idee confuse; confusionario.

muddling [ˈmʌdliŋ] *agg.* **1** confusionario **2** che rende perplesso.

muddy [ˈmʌdi] *agg.* **1** fangoso; infangato, imbrattato **2** torbido (*anche fig.*).

to muddy *v.tr.* infangare (*anche fig.*); infangarsi; intorbidare.

mudguard [ˈmʌdgɑːd] *s.* parafango.

mudlark [ˈmʌdlɑːk] *s.* monello.

mudslinging [ˈmʌdsliŋiŋ] *s.* calunnia; insulto.

muff[1] [mʌf] *s.* manicotto.

to muff[2] *v.tr.* fallire (il colpo); far fallire // *— one's lines*, fare una papera.

muffin [ˈmʌfin] *s.* «muffin» (tartina da tè).

to muffle [ˈmʌfl] *v.tr.* **1** avvolgere; imbacuccare **2** smorzare; soffocare (suoni, rumori).

muffler [ˈmʌflə*] *s.* **1** sciarpa pesante **2** feltro **3** (*amer.*) (*tecn.*) silenziatore; marmitta.

mufti [ˈmʌfti] *s.* abito civile: *in —*, in borghese.

mug [mʌg] *s.* **1** boccale **2** (*sl.*) muso; ceffo **3** babbeo, gonzo: *a — 's game*, un gioco da stupidi.

to mug *v.tr.* aggredire a scopo di rapina.

mugger [ˈmʌgə*] *s.* aggressore, rapinatore.

mugging [ˈmʌgiŋ] *s.* aggressione, rapina.

muggins [ˈmʌginz] *s.* → **mug** nel senso 3.

muggy [ˈmʌgi] *agg.* afoso; opprimente.

mugwump [ˈmʌgwʌmp] *s.* (*amer.*) **1** persona indecisa (spec. in politica) **2** (*pol.*) indipendente.

mulatto [mjuː(ˈ)lætou], *pl.* **mulattoes** [mjuː(ˈ)lætouz] *agg.* e *s.* mulatto.

mulberry [ˈmʌlbəri] *s.* gelso.

to mulct [mʌlkt] *v.tr.* **1** multare **2** defraudare.

mule[1] [mjuːl] *s.* **1** mulo (*anche fig.*) **2** ibrido.

mule[2] *s.* pianella.

muleteer [ˌmjuːliˈtiə*] *s.* mulattiere.

mulish [ˈmjuːliʃ] *agg.* **1** di, da mulo **2** ostinato, testardo.

to mull[1] [mʌl] *v.tr.* **1** (*fam.*) far fiasco; fallire **2** *to — over*, (*fam.*) rimuginare.

to mull[2] *v.tr.* scaldare e aromatizzare (vino, birra).

muller [ˈmʌlə*] *s.* **1** pietra, pestello (del mortaio) **2** (*tecn.*) mescolatore a molazza, molazza.

mullet [ˈmʌlit] *s.* (*zool.*) **1** cefalo **1** (*red*) *—*, triglia.

mullion [ˈmʌliən] *s.* (*arch.*) montante.

multi- [ˈmʌlti] *pref.* multi-.

multifarious [ˌmʌltiˈfɛəriəs] *agg.* vario; variato.

multiform [ˈmʌltifɔːm] *agg.* multiforme.

multilateral [ˌmʌltiˈlætərəl] *agg.* multilaterale.

multimillionaire [ˈmʌltimiljəˈnɛə*] *s.* multimilionario.

multinational [ˌmʌltiˈnæʃnl] *agg.* e *s.* multinazionale.

multiple [ˈmʌltipl] *agg.* multiplo; molteplice // *— shop* (o *— store*), negozio (facente parte di una catena di negozi) ♦ *s.* (*mat.*) multiplo.

multiplex [ˈmʌltipleks] *agg.* molteplice.

multiplexor [ˌmʌltiˈpleksə*] *s.* (*informatica*) multiplatore, multiplexor: *— channel*, canale multiplatore.

multiplication [ˌmʌltipliˈkeiʃən] *s.* (*mat.*) moltiplicazione.

multiplicity [ˌmʌltiˈplisiti] *s.* molteplicità.

multiplier [ˈmʌltiplaiə*] *s.* moltiplicatore.

to multiply [ˈmʌltiplai] *v.tr.* moltiplicare ♦ *v.intr.* moltiplicarsi; riprodursi.

multiprocessor [ˌmʌltiˈprousesə*], (*amer.*) ˈmʌlti ˈprɑːsesər] *s.* (*informatica*) sistema con più unità centrali.

multipurpose [ˌmʌlti'pə:pəs] *agg.* universale, pluriuso: — *computer*, elaboratore universale.

multistorey car park [ˌmʌlti'stɔ:ri'kɑ:pɑ:k] *s.* autosilo.

multitude ['mʌltitju:d] *s.* moltitudine, massa, folla; gran numero.

multitudinous [ˌmʌlti'tju:dinəs] *agg.* numeroso.

mum[1] [mʌm] *agg.* zitto: *to keep* —, tacere ♦ *inter.* zitto!, silenzio! // —'*s the word!*, acqua in bocca!

to mum[2] *v.tr.* e *intr.* mimare.

mum[3] *s.* (*fam.*) mammina.

mumble ['mʌmbl] *s.* borbottio; mormorio.

to mumble *v.tr.* e *intr.* mormorare; borbottare; biascicare.

mumbo-jumbo ['mʌmbou'dʒʌmbou] *s.* **1** (oggetto di) feticismo **2** gergo.

mummer ['mʌmə*] *s.* mimo; (*fam.*) attore.

to mummify ['mʌmifai] *v.tr.* mummificare.

mummy[1] ['mʌmi] *s.* mummia.

mummy[2] *s.* (*fam.*) mammina.

mumps [mʌmps] *s.* (*med.*) orecchioni (*pl.*).

to munch [mʌntʃ] *v.tr* e *intr.* sgranocchiare.

Munich ['mju:nik] *no.pr.* Monaco (di Baviera) ♦ *agg.* di Monaco.

municipal [mju(:)'nisipəl] *agg.* municipale.

municipality [mju(:)ˌnisi'pæliti] *s.* municipalità.

to municipalize [mju(:)'nisipəlaiz] *v.tr.* municipalizzare.

munificence [mju(:)'nifisns] *s.* munificenza.

munificent [mju(:)'nifisnt] *agg.* munifico.

munition [mju(:)'niʃən] *s.* (*gener. pl.*) munizioni (*pl.*).

to munition *v.tr.* fornire di munizioni, armare.

munnion ['mʌnjən] *s.* → **mullion**.

mural ['mjuərəl] *agg.* e *s.* (decorazione) murale.

murder ['mə:də*] *s.* assassinio; omicidio // *wilful* —, omicidio premeditato // *the exam was sheer* — !, (*fam.*) l'esame fu un vero macello! // *he gets away with* —, se la cava sempre // — *will out*, (*prov.*) tutti i nodi vengono al pettine.

to murder *v.tr.* assassinare.

murderer ['mə:dərə*] *s.* assassino, omicida: *contract* —, killer (a pagamento).

murderess ['mə:dəris] *s.* assassina.

murderous ['mə:dərəs] *agg.* omicida; feroce; sanguinario.

murex ['mjuəreks], *pl.* **murices** ['mjuərisi:z], **murexes** ['mjuəreksiz] *s.* (*zool.*) murice.

murk ['mə:k], **murkiness** ['mə:kinis] *s.* oscurità, tenebre.

murky ['mə:ki] *agg.* oscuro, tenebroso (*anche fig.*).

murmur ['mə:mə*] *s.* **1** mormorio, sussurro **2** borbottio **3** (*med.*) soffio al cuore.

to murmur *v.tr.* mormorare, sussurrare ♦ *v.intr.* borbottare.

muscat ['mʌskət] *s.* uva moscata.

muscatel [ˌmʌskə'tel] *s.* moscato.

muscle ['mʌsl] *s.* muscolo; (*fig.*) forza.

to muscle *v.intr.*: *to* — *in on*, (*fam.*) entrare a forza (in); (*fig.*) rubare.

muscle-bound ['mʌslbaund] *agg.* con i muscoli induriti dalla fatica.

Muscovite ['mʌskəvait] *agg.* e *s.* **1** moscovita **2** russo.

muscular ['mʌskjulə*] *agg.* muscolare; muscoloso.

musculature ['mʌskjulətʃə*] *s.* muscolatura.

to muse *v.intr.* riflettere, meditare.

Muse [mju:z] *s.* (*mit.*) musa.

museum [mju(:)'ziəm] *s.* museo // — *piece*, pezzo da museo.

mush [mʌʃ] *s.* **1** pappa, poltiglia **2** (*fam.*) sdolcinatura, svenevolezza.

mushroom ['mʌʃrum] *s.* fungo // — *city*, città cresciuta in fretta.

to mushroom *v.intr.* **1** raccogliere funghi **2** crescere in fretta.

mushy ['mʌʃi] *agg.* **1** spappolato (di cibo ecc.); molle **2** (*fam.*) sdolcinato.

music ['mju:zik] *s.* musica: *academy* (o *college*) *of* —, conservatorio; *to set to* —, mettere in musica // *to face the* —, affrontare le conseguenze.

musical ['mju:zikəl] *agg.* **1** musicale **2** appassionato di musica ♦ *s.* commedia musicale.

musical box ['mju:zikəlbɔks] *s.* scatola armonica, carillon.

musicality [ˌmju:zi'kæliti] *s.* musicalità.

music-box ['mju:zikbɔks] *s.* (*amer.* per *musical box*) scatola armonica, carillon.

music-cassette ['mju:zikkə,set] *s.* musicassetta.

musician [mju(:)'ziʃən] *s.* musicista.

musicologist [ˌmju:zi'kɔlədʒist] *s.* musicologo.

musicology [ˌmju:zi'kɔlədʒi] *s.* musicologia.

musicstand ['mju:zikstænd] *s.* leggio.

musicstool ['mju:zikstu:l] *s.* sgabello del pianoforte.

musk [mʌsk] *s.* muschio.

musket ['mʌskit] *s.* moschetto.

musketeer [ˌmʌski'tiə*] *s.* moschettiere.

musk-rat ['mʌskræt] *s.* **1** (*zool.*) topo muschiato **2** (*pellicceria*) rat-musqué.

musk rose ['mʌskrouz] *s.* rosa muschiata.

musky ['mʌski] *agg.* muschiato.

Muslim ['muzlim, (*amer.*)'mʌzləm] *agg.* e *s.* → **Moslem**.

muslin ['mʌzlin] *s.* mussola.

musquash ['mʌskwɔʃ] *s.* → **muskrat**.

muss [mʌs] *s.* (*amer.*) disordine; confusione.

to muss *v.tr.* (*amer.*): *to* — (*up*), mettere in disordine.

mussel ['mʌsl] *s.* (*zool.*) mitilo, cozza.

Mussulman ['mʌslmən] *agg.* e *s.* musulmano.

must[1] [mʌst] *s.* mosto.

must[2] *s.* muffa.

to must[2] *v.intr.* ammuffire ♦ *v.tr.* fare ammuffire.

must[3] [mʌst (*forma forte*), məst, məs (*forme deboli*)] *v.dif.* dovere: *you* — *do it*, devi farlo; *you* — *not do it*, non devi, ti è vietato farlo; *she* — *be in the garden*, deve essere, suppongo che sia in giardino; *he* — *have come*, deve essere venuto; *you* — *be hungry*, devi avere fame, avrai fame; *you* — *know*, non puoi non saperlo // *you* — *understand that*..., capirai che... // *this window* — *not be opened*, è vietato aprire questa finestra.

must[3] *s.* (*fam.*) cosa che deve essere assolutamente fatta.

mustache ['mʌstæʃ] *s.* (*solo sing.*) (*amer.* per *moustache*) baffi (*pl.*).

mustard ['mʌstəd] *s.* senape // *keen as* —, entusiasta.

muster ['mʌstə*] *s.* **1** (*mil.*) adunata; rivista // *to pass* —, essere considerato all'altezza **2** riunione; assembramento.

to muster *v.tr.* **1** (*mil.*) passare in rivista; fare l'appello di **2** radunare // *to* — (*up*) *one's courage*, prendere il coraggio a due mani ♦ *v.intr.* radunarsi.

muster-roll ['mʌstəroul] *s.* ruolo; appello.

mustn't ['mʌsnt] *contr. di* must not.

musty ['mʌsti] *agg.* ammuffito (*anche fig.*).

mutability [ˌmju:tə'biliti] *s.* mutabilità.

mutable ['mju:təbl] *agg.* mutabile; mutevole.

mutant ['mju:tənt] *agg.* (*biol.*) mutante.
mutation [mju:(')teiʃən] *s.* mutamento, mutazione.
mute [mju:t] *agg.* muto ♦ *s.* **1** muto **2** (*fonetica*) lettera muta **3** (*mus.*) sordina.
to mute *v.tr.* (*mus.*) mettere la sordina (a).
to mutilate ['mju:tileit] *v.tr.* mutilare (*anche fig.*).
mutilation [,mju:ti'leiʃən] *s.* mutilazione.
mutineer [,mju:ti'niə*] *s.* ammutinato.
mutinous [mju:tinəs] *agg.* **1** ammutinato **2** (*fig.*) ribelle.
mutiny ['mju:tini] *s.* ammutinamento, rivolta.
to mutiny *v.intr.* ammutinarsi.
mutism ['mju:tizəm] *s.* mutismo.
mutt [mʌt] *s.* (*fam.*) stupido.
mutter ['mʌtə*] *s.* mormorio; brontolamento.
to mutter *v.tr.* e *intr.* mormorare; brontolare.
mutton ['mʌtn] *s.* carne di montone // *dead as* —, morto stecchito.
muttonchops [,mʌtn'tʃɔps] *s.pl.* fedine, favoriti.
mutual ['mju:tjuəl] *agg.* **1** mutuo, reciproco **2** comune: *our* — *friends*, i nostri comuni amici.
mutual fund ['mju:tjuəlfʌnd] *s.* (*amer.* per *unit trust*) (*fin.*) fondo d'investimento.
muzzle ['mʌzl] *s.* **1** muso **2** museruola **3** bocca (di armi da fuoco ecc.).
to muzzle *v.tr.* mettere la museruola (a) (*anche fig.*).
muzzy ['mʌzi] *agg.* **1** istupidito **2** brillo.
my [mai] *agg. poss. 1ª pers. sing.* mio.
my *inter.* acciderba!, accipicchia!
myelitis [,maiə'laitis] *s.* (*med.*) mielite.

myopia [mai'oupjə] *s.* miopia.
myopic [mai'ɔpik] *agg.* miope.
myriad ['miriəd] *agg.* innumerevole ♦ *s.* miriade.
myrrh [mə:*] *s.* mirra.
myrtle ['mə:tl] *s.* mirto.
myself [mai'self] *pron. 1ª pers. sing.* **1** *r.* mi; me, me stesso: *I cut* —, mi sono tagliato // *I was thinking to* —, pensavo tra me (e me) // *by* —, da solo **2** (*enfatico*) io stesso; (*proprio*) io: *I did it* —, l'ho fatto proprio io ♦ *s.* io stesso // *I was not* (*quite*) —, non mi sentivo bene.
mysterious [mis'tiariəs] *agg.* misterioso; segreto.
mystery ['mistəri] *s.* **1** mistero **2** *pl.* (*st.*) misteri, riti religiosi // — *play*, (*st. teatr.*) sacra rappresentazione.
mystic ['mistik] *agg.* **1** mistico **2** misterioso; occulto; magico ♦ *s.* mistico.
mystical ['mistikəl] *agg.* → **mystic**.
mysticism ['mistisizəm] *s.* misticismo.
mystification [,mistifi'keiʃən] *s.* **1** mistificazione, inganno **2** confusione di idee.
to mystify ['mistifai] *v.tr.* **1** disorientare, sconcertare **2** avvolgere nel mistero.
mystique [mis'ti:k] *s.* atmosfera misteriosa, da iniziati; alone di mistero; fascino misterioso.
myth [miθ] *s.* mito.
mythic(al) ['miθik(əl)] *agg.* mitico.
to mythicize ['miθisaiz] *v.tr.* mitizzare.
mythicizing ['miθisaizin] *s.* mitizzazione.
mythological [,miθə'lɔdʒikəl] *agg.* mitologico.
mythology [mi'θɔlədʒi] *s.* mitologia.

N

n [en], *pl.* **ns**, **n's** [enz] *s.* **1** n // — *for Nellie*, (*tel.*) n come Napoli **2** *nth* (*power*), (*mat.*) ennesima potenza.
to nab [næb] *v.tr.* (*sl.*) **1** afferrare; arraffare **2** catturare, arrestare.
nabob ['neibɔb] *s.* nababbo.
nacelle [nə'sel] *s.* **1** (*aer.*) carlinga **2** navicella (di dirigibile).
nacre ['neikə*] *s.* madreperla.
nadir ['neidiə*] *s.* **1** (*astr.*) nadir **2** (*fig.*) punto più basso.
nag[1] [næg] *s.* cavallino; (*spreg.*) ronzino.
nag[2] *s.* brontolio, brontolamento.
to nag[2] *v.tr.* infastidire, tormentare ♦ *v.intr.* **1** brontolare **2** *to* — *at*, tormentare.
nail [neil] *s.* **1** unghia; artiglio // *nails in mourning*, (*scherz.*) unghie listate a lutto // *on the* —, subito **2** chiodo // *hard as nails*, durissimo; spietato; *to hit the* — *on the head*, colpire nel segno.
to nail *v.tr.* **1** inchiodare (*anche fig.*) // *to* — *one's colours to the mast*, (*fig.*) irrigidirsi sulle proprie posizioni // *to* — *s.o. down to*, mettere qlcu. con le spalle al muro **2** (*sl.*) acciuffare **3** (*sl.*) scoprire.
nailbrush ['neilbrʌʃ] *s.* spazzolino per unghie.
nail file ['neilfail] *s.* lima per unghie.
nailpolish ['neil,pɔliʃ], **nail varnish** ['neil,va:niʃ] *s.* smalto (per unghie).

naive, **naïve** [na:'i:v] *agg.* ingenuo; semplice.
naivety, **naïvety** [na:'i:vti] *s.* ingenuità.
naked ['neikid] *agg.* nudo (*anche fig.*) // *to the* — *eye*, a occhio nudo // *the* — *truth*, la verità pura e semplice // — *sword*, spada sguainata.
nakedness ['neikidnis] *s.* nudità.
namby-pamby ['næmbi'pæmbi] *agg.* scioccamente sentimentale; sdolcinato (di persona o di scritto).
name [neim] *s.* nome: *Christian* (*o first o given*) —, nome di battesimo; *full* —, nome e cognome; *last* —, cognome // — *day*, onomastico; *under the* — *of*, con il nome di; *to be known by the* — *of*, essere conosciuto con, sotto il nome di // *to have nothing to one's* —, non possedere nulla // *to call s.o. names*, insultare qlcu. // *to put one's* — *down for*, porre la propria candidatura a // *to make a* — *for oneself*, farsi un nome.
to name *v.tr.* **1** dare un nome a: *to* — *after s.o.*, (*amer.*) *to* — *for s.o.*, dare il nome di qlcu. **2** nominare, designare **3** fissare: — *your price*, dite la vostra cifra; *to* — *the day*, fissare la data del matrimonio.
to namedrop ['neimdrɔp] *v.intr.* citare nomi importanti nella conversazione.
nameless ['neimlis] *agg.* **1** senza nome; anonimo **2** innominabile, indescrivibile.
namely ['neimli] *avv.* cioè, vale a dire.
nameplate ['neimpleit] *s.* targhetta (sulla porta).

namesake ['neimseik] *s.* omonimo.

nancy-boy ['nænsiboi] *s.* (*sl.*) giovane effeminato; giovane omosessuale.

nanny ['næni] *s.* bambinaia, balia.

nanny goat ['nænigout] *s.* capra.

nap[1] [næp] *s.* siesta, sonnellino: *to take a* —, schiacciare un pisolino.

to nap[1] *v.intr.* fare un sonnellino; sonnecchiare // *to be caught napping*, essere preso alla sprovvista.

nap[2] *s.* pelo (di tessuto).

nape [neip] *s.* nuca.

naphtha ['næfθə] *s.* nafta.

naphthalene ['næfθəli:n] *s.* naftalina.

napkin ['næpkin] *s.* 1 tovagliolo // — *ring*, portatovagliolo ad anello 2 pannolino.

Naples ['neiplz] *no.pr.* Napoli.

Napoleon [nə'pouljən] *no.pr.m.* Napoleone.

Napoleonic [nə,pouli'ɔnik] *agg.* napoleonico.

nappy ['næpi] *s.* → **napkin** 2.

narcissism [nɑ:'sisizəm] *s.* narcisismo.

narcissus [nɑ:'sisəs], *pl.* **narcissi** [nɑ:'sisai], **narcissuses** [nɑ:'sisəsiz] *s.* narciso.

narcosis [nɑ:'kousis] *s.* narcosi.

narcotic [nɑ:'kɔtik] *agg.* e *s.* narcotico.

to narcotize ['nɑ:kətaiz] *v.tr.* narcotizzare.

nard [nɑ:d] *s.* (*bot.*) nardo.

nares [neəz] *s.pl.* nari, narici.

narghile, nargileh ['nɑ:gili] *s.* narghilè.

nark [nɑ:k] *s.* (*sl.*) informatore.

to nark *v.tr.* e *intr.* (*sl.*) 1 irritare, seccare: *he was narked at* (o *by*) *her remark*, si seccò per la sua osservazione 2 lamentarsi: *stop narking*, smettila di lamentarti.

to narrate [næ'reit] *v.tr.* narrare.

narration [næ'reiʃən] *s.* narrazione, racconto.

narrative ['nærətiv] *agg.* narrativo ♦ *s.* racconto.

narrator [næ'reitə*] *s.* narratore.

narrow ['nærou] *agg.* 1 stretto; limitato, ristretto (*anche fig.*): — *resources*, risorse limitate; *in a — sense*, in senso ristretto; — *circumstances*, ristrettezze; *to have a — mind*, essere di idee ristrette // *a — victory*, una vittoria ottenuta per il rotto della cuffia // *to have a — escape*, scamparla bella 2 (*fig.*) restrittivo; letterale ♦ *s.pl.* stretto (*sing.*); stretta (*sing.*).

to narrow *v.tr.* stringere, restringere ♦ *v.intr.* stringersi, restringersi.

narrowly ['nærouli] *avv.* 1 a malapena 2 da vicino; attentamente.

narthex ['nɑ:θeks] *s.* (*arch.*) nartece.

nasal ['neizəl] *agg.* e *s.* nasale.

nasalization [,neizəlai'zeiʃən] *s.* nasalizzazione.

to nasalize ['neizəlaiz] *v.tr.* nasalizzare.

nascent ['næsnt] *agg.* nascente.

nasturtium [nəs'tə:ʃəm] *s.* (*bot.*) nasturzio.

nasty ['nɑ:sti] *agg.* 1 sgradevole; brutto; cattivo, disgustoso: *a — smell*, un cattivo odore; *a — job*, un compito sgradevole; *a — illness, fall*, una brutta malattia, caduta 2 cattivo: *a — trick*, uno scherzo cattivo // *to turn* —, diventare cattivo 3 osceno 4 difficile, pericoloso.

natal ['neitl] *agg.* natale.

natality [nə'tæliti] *s.* natalità.

natation ['nei'teiʃən] *s.* nuoto.

nation ['neiʃən] *s.* nazione.

national ['næʃənl] *agg.* nazionale // — *debt*, debito pubblico // — *service*, servizio militare ♦ *s.* cittadino.

nationalism ['næʃnəlizəm] *s.* nazionalismo.

nationalist ['næʃnəlist] *s.* nazionalista.

nationality [,næʃə'næliti] *s.* nazionalità.

nationalization [,næʃnəlai'zeiʃən] *s.* nazionalizzazione.

to nationalize ['næʃnəlaiz] *v.tr.* nazionalizzare.

native ['neitiv] *agg.* 1 nativo, natio; indigeno: — *land*, terra natia; — *language*, lingua madre; — *troops*, truppe indigene // *to go* —, assimilare il sistema di vita degli indigeni 2 innato; naturale; originario 3 nativo, puro (di metallo) ♦ *s.* nativo; indigeno.

nativity [nə'tiviti] *s.* 1 nascita; natività // *the Nativity*, il Natale 2 oroscopo.

to natter ['nætə*] *v.intr.* (*fam.*) chiacchierare; brontolare.

natty ['næti] *agg.* azzimato, lindo; elegante.

natural ['nætʃrəl] *agg.* naturale: — *child*, figlio naturale; — *gift*, dono innato; — *law*, diritto naturale ♦ *s.* 1 scemo 2 (*mus.*) bequadro.

naturalism ['nætʃrəlizəm] *s.* naturalismo.

naturalist ['nætʃrəlist] *agg.* naturalistico ♦ *s.* naturalista.

naturalization [,nætʃrəlai'zeiʃən] *s.* naturalizzazione.

to naturalize ['nætʃrəlaiz] *v.tr.* 1 naturalizzare 2 adottare (costumi, espressioni ecc. stranieri).

nature ['neitʃə*] *s.* 1 natura: *by* —, per natura; *good, ill* —, bontà, cattiveria 2 specie, genere.

naturism ['neitʃərizəm] *s.* naturismo.

naturist ['neitʃərist] *s.* naturista.

naught [nɔ:t] *s.* (*arc.*) niente; zero.

naughtiness ['nɔ:tinis] *s.* 1 cattiveria; disubbidienza 2 salacità.

naughty ['nɔ:ti] *agg.* 1 cattivello, birichino, disubbidiente 2 spinto; sconveniente.

nausea ['nɔ:sjə] *s.* nausea.

to nauseate ['nɔ:sieit] *v.tr.* nauseare; disgustare.

nauseating ['nɔ:sieitiŋ], **nauseous** ['nɔ:sjəs] *agg.* nauseante; nauseabondo.

nautical ['nɔ:tikəl] *agg.* nautico, navale.

nautilus ['nɔ:tiləs], *pl.* **nautiluses** ['nɔ:tiləsiz], **nautili** ['nɔ:tilai] *s.* (*zool.*) nautilo.

naval ['neivəl] *agg.* navale, marittimo: — *forces*, forze navali.

nave[1] [neiv] *s.* mozzo (di ruota).

nave[2] *s.* (*arch.*) navata.

navel ['neivəl] *s.* ombelico // — *string*, cordone ombelicale.

navigability [,nævigə'biliti] *s.* navigabilità.

navigable ['nævigəbl] *agg.* navigabile; atto a navigare.

to navigate ['nævigeit] *v.tr.* 1 navigare 2 pilotare (nave, aeroplano).

navigation [,nævi'geiʃən] *s.* navigazione // — *officer*, ufficiale di rotta.

navigator ['nævigeitə*] *s.* navigatore, ufficiale di rotta.

navvy ['nævi] *s.* sterratore // *to work like a* —, lavorare come un negro.

navy ['neivi] *s.* 1 (*mil.*) marina: *the Royal Navy*, la marina inglese; *to be in the* —, essere in marina 2 flotta // — *yard*, (*amer.*) arsenale.

navy blue ['neiviblu:] *agg.* blu scuro.

nay [nei] *avv.* e *s.* (*arc.*) no.

Nazarene [,næzə'ri:n] *agg.* e *s.* nazareno.

Nazareth ['næzəriθ] *no.pr.* Nazaret.

Nazarite ['næzərait] *s.* asceta ebreo.

Nazi ['nɑ:tsi] *agg.* e *s.* nazista.

Nazism ['nɑ:tsizəm] *s.* nazismo.

neap [ni:p] *agg.* e *s.*: — (*tide*), piccola marea.

Neapolitan [niə'pɔlitən] *agg.* e *s.* napoletano // — *ice*, gelato misto alla frutta.

near [niə*] *agg.* **1** vicino; prossimo // *the — side*, il lato destro (di strada, veicoli); *(nei paesi in cui si guida tenendo la sinistra)* il lato sinistro // *a — miss*, un colpo mancato per un pelo // *it was a — thing*, l'ha scampata bella **2** intimo; stretto: *— relations*, parenti stretti // *our nearest and dearest*, i nostri cari **3** breve: *the nearest way*, la via più breve.

near *avv.* **1** vicino, presso // *it was very — to Christmas*, si era sotto Natale // *to draw* (o *to come*) —, avvicinarsi // *— and far*, ovunque; in ogni direzione // *— at hand*, a portata di mano **2** quasi ♦ *prep.* vicino a, presso a: *a house — the lake*, una casa vicino al lago.

to near *v.tr.* avvicinare ♦ *v.intr.* avvicinarsi (a).

nearby ['niəbai] *agg.* e *avv.* (assai) vicino.

nearly ['niəli] *avv.* **1** quasi **2** strettamente; da vicino: *— related to*, stretto parente di.

nearness ['niənis] *s.* vicinanza.

nearsighted ['niə'saitid] *agg.* miope.

neat[1] [ni:t] *agg.* **1** pulito, lindo; ordinato **2** grazioso, carino **3** chiaro, netto, preciso: *a — job*, un buon lavoro **4** non diluito, liscio (di liquori) **5** abile, valido.

neat[2] *s.* (*pl. invar.*) bovino.

neat-handed ['ni:t,hændid] *agg.* destro, abile.

neatness ['ni:tnis] *s.* **1** pulizia, ordine **2** semplicità; grazia **3** chiarezza, nitidezza **4** destrezza, abilità.

nebula ['nebjulə], *pl.* **nebulae** ['nebjuli:] *s.* (*astr.*) nebulosa.

nebulizer ['nebjulaizə*] *s.* nebulizzatore.

nebulosity [,nebju'lɔsiti] *s.* nebulosità.

nebulous ['nebjuləs] *agg.* **1** (*astr.*) nebulare **2** nebuloso (*anche fig.*).

necessary ['nesisəri] *agg.* **1** necessario; indispensabile: *it is — for him to* (o *that he should*) *come*, è necessario che egli venga **2** inevitabile ♦ *s.* (il) necessario // *to do the —*, fare il necessario (*sl.*) pagare il conto.

necessitarianism [ni,sesi'tɛəriənizəm] *s.* (*fil.*) determinismo.

to necessitate [ni'sesiteit] *v.tr.* richiedere; rendere necessario.

necessitous [ni'sesitəs] *agg.* povero, bisognoso.

necessity [ni'sesiti] *s.* necessità: *the bare necessities*, lo stretto necessario; *the necessities of life*, il necessario per vivere; *there is no — for you to go*, non è necessario che tu vada; *to be in —*, essere in necessità, in miseria // *of —*, necessariamente, inevitabilmente.

neck [nek] *s.* **1** collo: *to win by a —*, (*ippica*) vincere per un'incollatura // *— and —*, pari (in una gara) // *— or nothing*, tutto per tutto // *— and crop*, completamente // *to be up to one's — in work*, essere immerso fino al collo nel lavoro **2** istmo; lingua (di terra); gola (di montagna); braccio (di mare).

to neck *v.intr.* (*fam.*) limonare.

neckband ['nekbænd] *s.* collarino.

neckerchief ['nekətʃif] *s.* fazzoletto da collo.

necking ['nekiŋ] *s.* (*fam.*) (il) limonare.

necklace ['neklis] *s.* collana.

necklet ['neklit] *s.* **1** colletto di pelliccia **2** collanina.

neckline ['neklain] *s.* scollatura.

necktie ['nektai] *s.* cravatta.

neckwear ['nekweə*] *s.* (*solo sing.*) sciarpe, colletti, cravatte ecc. (*pl.*).

necrology [ne'krɔlədʒi] *s.* necrologio.

necromancer ['nekroumænsə*] *s.* negromante.

necromancy ['nekroumænsi] *s.* negromanzia.

necropolis [ne'krɔpəlis] *s.* necropoli.

nectar ['nektə*] *s.* nettare.

nectarine ['nektərin] *s.* (*bot.*) pescanoce.

née [nei] *agg.* nata.

need [ni:d] *s.* **1** necessità, bisogno: *to be in — of help*, aver bisogno di aiuto // *if — be*, se c'è bisogno // *a friend in — is a friend indeed*, (*prov.*) il vero amico si riconosce nel bisogno **2** il necessario; esigenza **3** miseria, povertà.

to need *v.intr.* (*costr. pers.*) occorrere, essere necessario: *he — not go*, non occorre che vada; *— he go?*, occorre che vada?; *he — not have gone*, non occorreva che andasse (ed è andato); *he didn't — to go*, non occorreva che andasse (e non è andato) ♦ *v.tr.* (*costr. pers.*) occorrere; aver bisogno di: *he needs that book*, gli occorre quel libro; *this dress needs cleaning* (o *to be cleaned*), questo vestito ha bisogno di una pulita.

needful ['ni:dful] *agg.* necessario, indispensabile.

needle ['ni:dl] *s.* **1** ago // *to be on pins and needles*, essere sulle spine // *to get the —*, arrabbiarsi **2** puntina di grammofono **3** obelisco; picco roccioso.

to needle *v.tr.* **1** cucire; pungere (con ago) **2** punzecchiare, prendere in giro.

needle-book ['ni:dlbuk] *s.*, **needle-case** ['ni:dlkeis] *s.* agoraio.

needless ['ni:dlis] *agg.* inutile, superfluo: *— to say...*, è inutile dirlo...

needlewoman ['ni:dl,wumən], **needlewomen** ['ni:dl,wimin] *s.* cucitrice; sarta.

needlework ['ni:dlwə:k] *s.* lavoro ad ago; ricamo.

needn't ['ni:dnt] *contr.* di **need not**.

needs [ni:dz] *avv.* necessariamente; assolutamente.

needy ['ni:di] *agg.* povero, bisognoso.

ne'er [nɛə*] *contr.poet.* di **never**.

ne'er-do-well ['nɛə*du(:),wel] *s.* buono a nulla.

nefarious [ni'fɛəriəs] *agg.* nefasto, scellerato.

to negate [ni'geit] *v.tr.* **1** negare **2** annullare.

negation [ni'geiʃən] *s.* negazione.

negative ['negətiv] *agg.* negativo ♦ *s.* **1** negazione **2** (*fot.*) negativa.

to negative *v.tr.* **1** rifiutare, negare; respingere **2** smentire **3** neutralizzare.

neglect [ni'glekt] *s.* trascuratezza, negligenza.

to neglect *v.tr.* trascurare; disdegnare; tralasciare.

negligence ['neglidʒəns] *s.* negligenza (*anche dir.*); trascuratezza.

negligent ['neglidʒənt] *agg.* negligente; trascurato.

negligible ['neglidʒəbl] *agg.* trascurabile.

negotiable [ni'gouʃjəbl] *agg.* **1** negoziabile **2** transitabile (di strada) **3** trasferibile: *— instrument*, (*econ.*) cambiale.

to negotiate [ni'gouʃieit] *v.tr.* **1** negoziare, trattare; commerciare **2** superare, passare ♦ *v.intr.* trattare.

negotiation [ni,gouʃi'eiʃən] *s.* trattativa.

negotiator [ni'gouʃieitə*] *s.* negoziatore.

Negress ['ni:gris] *s.* negra.

Negro ['ni:grou], *pl.* **Negroes** ['ni:grouz] *agg.* e *s.* negro.

negroid ['ni:grɔid] *agg.* negroide.

negus ['ni:gəs] *s.* bevanda calda di acqua, vino e zucchero.

neigh [nei] *s.* nitrito.

to neigh *v.intr.* nitrire.

neighbour ['neibə*] *s.* vicino; prossimo.

to neighbour *v.tr.* essere contiguo (a); confinare (con).

neighbourhood ['neibəhud] *s.* **1** vicini (*pl.*); vicinato **2** paraggi (*pl.*), dintorni (*pl.*) // *in the — of*, (*fam.*) circa **3** vicinanza, prossimità.

neighbouring ['neibəriŋ] *agg.* vicino, contiguo.

neighbourliness ['neibəlinis] s. socievolezza, cortesia, cordialità.

neighbourly ['neibəli] agg. da buon vicino; cordiale, gentile.

neither ['naiðə*, (amer.) 'ni:ðe*] agg. e pron. né l'uno né l'altro; nessuno dei due.

neither avv. né: — she nor he is American, né lei né lui sono americani ♦ cong. neppure, nemmeno: "I didn't know" "Neither did I", «Non lo sapevo» «Neppure io».

nem con [,nem'kɔn] locus.avv. (lat.) all'unanimità.

Nemesis ['nemisis] no.pr.f. (mit.) Nemesi.

neo- ['ni(:)ou] pref. neo-.

neoclassic(al) [,ni(:)ou'klæsik(əl)] agg. neoclassico.

neoclassicism [,ni(:)ou'klæsisizəm] s. neoclassicismo.

neolithic [,ni(:)ou'liθik] agg. (geol.) neolitico.

neologism [ni(:)'ɔlədʒizəm] s. neologismo.

to neologize [ni(:)'ɔlədʒaiz] v.intr. coniare, usare neologismi.

neon ['ni:ɔn] s. (chim.) neon // — light, lampada al neon.

neo-Nazi [,ni(:)ou'nɑ:tsi] s. e agg. neonazista.

neo-Nazism [,ni(:)ou'nɑ:tsizəm] s. neonazismo.

neophyte ['ni(:)oufait] s. neofito.

Nepalese [,nepɔ'li:z] agg. e s. nepalese.

nephew ['nevju(:), (amer.) 'nefju:] s. nipote (di zio).

nephritic [ne'fritik] agg. nefritico.

nephritis [ne'fraitis] s. (med.) nefrite.

nepotism ['nepətizəm] s. nepotismo.

Neptune ['neptju:n] no.pr.m. (mit. astr.) Nettuno.

Nero ['niərou] no.pr.m. (st.) Nerone.

nervation [nə:'veiʃən] s. (bot.) nervatura.

nerve [nə:v] s. 1 nervo: to get on s.o.'s nerves, dare sui nervi a qlcu. // war of nerves, guerra psicologica 2 (bot. zool.) nervatura 3 forza, energia; sangue freddo: to lose one's —, perdersi di coraggio 4 (fam.) sfrontatezza, audacia: what a —!, che faccia tosta!

to nerve v.tr. 1 rafforzare, rinvigorire (anche fig.) 2 (fig.) incoraggiare.

nerveless ['nə:vlis] agg. 1 snervato, inerte, fiacco 2 debole, timido; vile 3 (bot.) senza nervature 4 (anat. zool.) senza nervi.

nerve-racking ['nə:v,rækiŋ] agg. irritante, esasperante; estenuante.

nerve-strain ['nə:vstrein] s. tensione nervosa.

nervine ['nə:vi:n] agg. e s. (farm.) nervino.

nervosism ['nə:vəsizəm] s. nervosismo.

nervous ['nə:vəs] agg. 1 trepidante, apprensivo; timido 2 nervoso; agitato // — breakdown, (fam.) esaurimento nervoso 3 nerboruto, forte; (fig.) vigoroso.

nervure ['nə:vjuə*] s. (bot. zool.) nervatura.

nervy ['nə:vi] agg. (fam.) apprensivo; agitato; nervoso.

ness [nes] s. promontorio; capo.

nest [nest] s. 1 nido; tana; covo (anche fig.): a — of spies, un covo di spie 2 colonia di uccelli, insetti ecc. 3 serie di oggetti in scala di grandezza che possono essere contenuti uno nell'altro: — of tables, servitorelli (pl.) 4 (mecc.) gruppo compatto 5 (min. geol.) tasca.

to nest v.intr. fare il nido, nidificare.

nest egg ['nesteg] s. gruzzolo.

to nestle ['nesl] v.intr. rannicchiarsi, accoccolarsi // a cottage nestling in the hills, una casetta in mezzo alle colline ♦ v.tr. appoggiare (il viso, la testa).

nestling ['nesliŋ] s. uccellino di nido.

net¹ [net] agg. netto.

net² s. rete: to spread a —, tendere la rete.

to net² v.tr. 1 coprire, cintare con reti 2 catturare, pescare (con la rete) 3 mandar (la palla) in rete ♦ v.intr. fare reti.

nether ['neðə*] agg. più basso, inferiore // the — world, l'inferno.

Netherlander ['neðələndə*] s. olandese.

Netherlands ['neðələndz] no.pr.pl. Olanda.

nethermost ['neðəmoust] agg. il più basso.

netting ['netiŋ] s. reticella; reticolato.

nettle ['netl] s. ortica.

to nettle v.tr. pungere, irritare (anche fig.).

nettlerash ['netlræʃ] s. (med.) orticaria.

network ['netwə:k] s. rete // — control processor, (informatica) elaboratore che gestisce la rete // multipoint —, (tel.) rete a derivazione multipla.

neuralgia [njuə'rældʒə] s. nevralgia.

neuralgic [njuə'rældʒik] agg. nevralgico.

neurological [,njuərə'lɔdʒikəl] agg. neurologico.

neurologist [njuə'rɔlədʒist] s. neurologo.

neurology [njuə'rɔlədʒi] s. neurologia.

neuropath ['njuərəpæθ] s. neuropatico.

neuropathy [njuə'rɔpəθi] s. (med.) neuropatia.

neurosis [njuə'rousis] s. (med.) neurosi.

neurosurgeon ['njuərə,sə:dʒən] s. neurochirurgo.

neurotic [njuə'rɔtik] agg. e s. neurotico; neuropatico.

neuter ['nju:tə*] agg. (gramm.) neutro; intransitivo (di verbo) ♦ s. parola neutra; neutro.

neutral ['nju:trəl] agg. 1 neutrale 2 neutro // — equilibrium, (fis.) equilibrio indifferente ♦ s. 1 stato, persona neutrale 2 (mecc.) folle.

neutralism ['nju:trəlizəm] s. neutralismo.

neutrality [nju:(')træliti] s. neutralità.

neutralization [,nju:trəlai'zeiʃən] s. neutralizzazione.

to neutralize ['nju:trəlaiz] v.tr. neutralizzare.

neutron ['nju:trɔn] s. (fis.) neutrone.

never ['nevə*] avv. 1 mai // — again (o more), mai più // now or —, adesso o mai più // well, I —!, non l'avrei mai immaginato! 2 (enfatico negativo) non: — mind!, non importa! // — a, neppure uno.

nevermore ['nevə'mɔ:*] avv. mai più.

never-never ['nevə'nevə*] agg. 1 Never-never Land, (fam.) mondo dei sogni 2 on the —, (fam.) a rate.

nevertheless [,nevəðə'les] avv. tuttavia, ciò nonostante, nondimeno.

new [nju:] agg. nuovo: — potatoes, cheese, patate novelle, formaggio fresco // brand —, nuovo di zecca ♦ avv. recentemente; appena; or ora.

newborn ['nju:bɔ:n] s. neonato.

New Caledonia ['nju:,kæli'dounjə] no.pr. Nuova Caledonia.

newcomer ['nju:'kʌmə*] s. nuovo venuto.

New England ['nju:'iŋglənd] no.pr. Nuova Inghilterra.

newfangled ['nju:,fæŋgld] agg. di nuovo conio.

Newfoundland [,nju:fənd'lænd] no.pr. Terranova ♦ s. (cane) terranova.

New Guinea ['nju:'gini] no.pr. Nuova Guinea.

new-laid ['nju:leid] agg. (di uovo) fresco.

newly ['nju:li] avv. recentemente, da poco.

newlyweds ['nju:li,wedz] s.pl. sposini.

news [nju:z] s.pl. notizie; novità (sing.): latest —, ultimissime; a piece of —, una notizia; what is the —?, che notizie ci sono? // — editor, cronista.

newsagent ['nju:z,eidʒənt] s. giornalaio, edicolante.

newscast ['nju:zkɑ:st] s. (rad.) notiziario.

newscaster ['nju:zkɑ:stə*] s. speaker (radiofonico, televisivo).

newsdealer [′nu:zdi:lər] *s.* (*amer.* per *newsagent*) giornalaio, edicolante.

newsletter [′nju:z′letə*] *s.* notiziario.

newsmonger [′nju:z,mʌŋgə*] *s.* persona pettegola e curiosa: *he is a regular* —, è un vero gazzettino.

newspaper [′nju:s,peipə*] *s.* giornale // — *-man*, giornalista // *to be on a* —, far parte della redazione di un giornale // *official party* —, organo ufficiale del partito.

newsprint [′nju:zprint] *s.* carta da giornale.

newsreader [′nju:zri:də*] *s.* speaker (radiofonico, televisivo).

newsreel [′nju:zri:l] *s.* cinegiornale.

newsstand [′nu:zstænd] *s.* edicola; bancarella.

newsvendor [′nju:z,vendə*] *s.* giornalaio.

newsy [′nju:zi] *agg.* ricco di notizie.

New York [′nju:′jɔ:k] *no.pr.* Nuova York.

New Yorker [niu:′jɔ:kə*] *s.* nuovaiorchese.

New Zealand [nju:′zi:lənd] *no.pr.* Nuova Zelanda.

New Zealander [nju:′zi:ləndə*] *s.* neozelandese.

next [nekst] *agg.* **1** prossimo, più vicino; contiguo, attiguo // *the — best thing is...*, in mancanza di ciò, il meglio è... // — *to*, vicino a, accanto a; (*fig.*) dopo; quasi: — *to me*, accanto a me; *he is* — *to none*, non è secondo a nessuno; — *to nothing*, quasi niente **2** (*di tempo*) prossimo, venturo, seguente: — *month*, il mese venturo; *the* — *month*, il mese dopo // *ask the* — *person you meet*, chiedilo alla prima persona che incontri // — *before, after*, immediatamente prima, dopo // *what* —*!*, è il colmo! ♦ *s.* seguente, prossimo // — *please!*, avanti il primo!; *who is* — *?*, a chi tocca? ♦ *avv.* poi, dopo; la prossima volta: *what will you do* —*?*, poi, che farai?; *when she comes* —, la prossima volta che viene.

next of kin [′nekstev′kin] *s.* parente stretto.

nexus [′neksəs] *s.* nesso; legame.

Niagara [nai′ægərə] *no.pr.* Niagara // — *Falls*, Cascate del Niagara.

nib [nib] *s.* **1** pennino **2** *pl.* grani di cacao pestati.

nibble [′nibl] *s.* piccolo morso.

to nibble *v.tr.* mordicchiare, sgranocchiare, rosicchiare ♦ *v.intr.* **1** abboccare **2** *to* — *at*, rosicchiare; (*fig.*) esitare, tentennare.

nice [nais] *agg.* **1** piacevole; bello; simpatico **2** buono, gustoso **3** minuzioso; sottile; esatto **4** delicato; schizzinoso.

Nice [ni:s] *no.pr.* Nizza.

nicely [′naisli] *avv.* **1** esattamente; bene **2** piacevolmente; delicatamente; amabilmente; elegantemente.

niceness [′naisnis] *s.* **1** esattezza, scrupolosità, sottigliezza **2** delicatezza; piacevolezza; fascino.

nicety [′naisiti] *s.* **1** finezza, sottigliezza; precisione, accuratezza // *to a* —, alla perfezione **2** *pl.* minuzie.

niche [nitʃ] *s.* nicchia.

Nicholas [′nikələs] *no.pr.m.* Nicola, Niccolò.

nick [nik] *s.* **1** tacca; intaglio **2** (*dadi*) colpo decisivo **3** *in the* — *of time*, al momento giusto.

to nick *v.tr.* **1** intaccare; intagliare **2** (*fam.*) rubare **3** (*fam.*) arrestare, «pizzicare».

nickel [′nikl] *s.* **1** (*min.*) nichel **2** (*amer.*) moneta da cinque «cents».

nickelodeon [′nikəl′oudiən] *s.* (*amer. fam.*) jukebox.

nicknack *s.* → **knick-knack.**

nickname [′nikneim] *s.* soprannome; vezzeggiativo.

to nickname *v.tr.* soprannominare.

nicotine [′nikəti:n] *s.* nicotina.

niece [ni:s] *s.* nipote (femmina) (di zio).

to niello [ni′elou] *v.tr.* niellare.

nifty [′nifti] *agg.* (*fam.*) **1** altero **2** puzzolente.

Niger [′naidʒə*] *no.pr.* Niger.

Nigeria [nai′dʒiəriə] *no.pr.* Nigeria.

Nigerian [nai′dʒiəriən] *agg. e s.* nigeriano.

niggard [′nigəd] *agg. e s.* avaro, spilorcio.

nigger [′nigə*] *s.* (*fam. spreg.*) negro // — *in the woodpile*, difficoltà, problema; (*fam.*) inghippo.

nigger-driver [′nigə,draivə*] *s.* (*fam.*) negriero.

to niggle [′nigl] *v.intr.* fare delle storie.

niggling [′nigliŋ] *agg.* pignolo, minuzioso; ricercato.

nigh [nai] *agg. e avv.* vicino ♦ *prep.* vicino a.

night [nait] *s.* **1** notte, sera: *at* —, di notte; *by* —, *in the* —, di notte, durante la notte; *to have a good, bad* —, passare una buona, cattiva notte // *good-* —, buona notte // *the* — *before last*, l'altra sera; *last* —, ieri sera // *to make a* — *of it*, passare la notte facendo baldoria // — *bird*, uccello notturno; (*fig.*) nottambulo // — *-out*, serata di permesso (di domestici ecc.) **2** buio, oscurità; (*fig.*) morte.

nightcap [′naitkæp] *s.* **1** berretto da notte **2** l'ultimo bicchiere della giornata.

nightclub [′naitklʌb] *s.* locale notturno.

nightdress [′naitdres] *s.* camicia da notte.

nightfall [′naitfɔ:l] *s.* il calar della notte.

nightgown [′naitgaun] *s.* camicia da notte.

nightingale [′naitiŋgeil], (*amer.*) [′naitŋgeil] *s.* usignolo.

nightlife [′naitlaif] *s.* vita notturna.

nightlight [′naitlait] *s.* luce velata per la notte.

nightlong [′naitlɔn] *agg.* che dura tutta la notte ♦ *avv.* durante tutta la notte.

nightly [′naitli] *agg.* di ogni notte: — *performance*, rappresentazione che si replica tutte le sere ♦ *avv.* ogni notte.

nightmare [′naitmeə*] *s.* incubo.

nights [naits] *avv.* di notte.

night school [′naitsku:l] *s.* scuola serale.

night shift [′naitʃift] *s.* squadra di operai che lavorano di notte; turno di notte.

nightshirt [′naitʃə:t] *s.* camicia da notte (per uomo).

nightwalker [′nait,wɔ:kə*] *s.* prostituta.

night watch [′nait′wɔtʃ] *s.* turno di guardia (di notte).

night watchman, *pl.* **nightwatchmen** [′nait′wɔtʃmən] *s.* guardiano notturno.

nighty [′naiti] *s.* (*fam.*) camicia da notte.

nihilism [′naiilizəm] *s.* (*fil. pol.*) nichilismo.

nihilist [′naiilist] *s.* (*fil. pol.*) nichilista.

nil [nil] *s.* **1** nulla **2** (*sport*) zero.

Nile [nail] *no.pr.* Nilo.

nimble [′nimbl] *agg.* **1** agile; svelto **2** sveglio, intelligente, pronto.

nimbleness [′nimblnis] *s.* **1** agilità; sveltezza **2** prontezza, agilità (di mente).

nimbus [′nimbəs], *pl.* **nimbi** [′nimbai], **nimbuses** [′nimbəsiz] *s.* **1** nembo, nuvolone **2** aureola.

nincompoop [′ninkəmpu:p] *s.* (*fam.*) deficiente.

nine [nain] *agg.num.card. e s.* nove // *the Nine*, le Muse // *dressed up to the nines*, vestito di tutto punto // — *days' wonder*, fuoco di paglia.

ninefold [′nainfould] *agg. e avv.* nove volte tanto.

ninepins [′nainpinz] *s.pl.* birilli.

nineteen [′nain′ti:n] *agg.num.card. e s.* diciannove // — *to the dozen*, moltissimo.

nineteenth [′nain′ti:nθ] *agg.num.ord. e s.* diciannovesimo.

ninetieth [′naintiiθ] *agg.num.ord. e s.* novantesimo.

ninety [′nainti] *agg.num.card.* e *s.* novanta // *the Nineties*, gli anni tra il ′90 e il ′99; i gradi del termometro tra il 90 e il 99 // *say — -nine!*, dica trentatré!

ninny [′nini] *s.* sciocco, sempliciotto.

ninth [nainθ] *agg.num.ord.* nono ♦ *s.* **1** nono **2** (*mus.*) nona.

nip¹ [nip] *s.* **1** pizzicotto; stretta **2** morso (*anche fig.*): *the early morning —*, il freddo pungente del primo mattino.

to nip¹ *v.tr.* **1** pizzicare **2** pungere; mordere (*anche fig.*) **3** stroncare, distruggere (*anche fig.*) // *to — in the bud*, stroncare sul nascere // *to — off*, tagliare via ♦ *v.intr.* **1** *to — along*, affrettarsi **2** *to — in*, inserirsi; (*fig.*) interrompere una conversazione **3** *to — off*, squagliarsela **4** *to — out*, andarsene in fretta.

nip² *s.* sorso.

to nip² *v.tr.* e *intr.* bere a piccoli sorsi.

nipper [′nipə*] *s.* **1** chele (di animali) **2** (*sl.*) ragazzo **3** *pl.* pinze.

nipping [′nipiŋ] *agg.* pungente (*anche fig.*).

nipple [′nipl] *s.* **1** capezzolo **2** tettarella.

Nipponese [′nipəni:z] *s.* e *agg.* nipponico.

Nipponic [ni′pɔnik] *agg.* nipponico.

nippy [′nipi] *agg.* **1** agile, svelto **2** (*di freddo*) pungente.

nitrate [′naitreit] *s.* (*chim.*) nitrato.

nitric [′naitrik] *agg.* nitrico.

nitrogen [′naitridʒən] *s.* (*chim.*) azoto.

nitrogenous [nai′trɔdʒinəs] *agg.* azotato.

nitroglycerin(e) [,naitrou′glisəri:n, (*amer.*) ,naitrou′glisərin] *s.* nitroglicerina.

nitrous [′naitrəs] *agg.* (*chim.*) nitroso // *— oxide*, protossido d'azoto, gas esilarante.

nitwit [′nitwit] *s.* (*sl.*) stupido, sciocco.

nix¹ [niks] *s.* (*sl.*) nulla; no.

nix², nixie [′niksi] *s.* (*mit.*) spiritello (delle acque).

no [nou] *agg.* nessuno // *I have — time*, non ho tempo // *— one*, nessuno // *he is — fool*, non è affatto stupido // *it was — joke*, non era uno scherzo // *— can do!*, (*sl.*) impossibile! // *there was — denying that...*, non si poteva negare che... ♦ *s.pl.* **noes** [nouz] **1** no // *to take — for an answer*, accettare un rifiuto **2** *pl.* no, voti contrari // *the noes have it*, la maggioranza è contraria ♦ *avv.* **1** no // *you have to sign, whether or —*, devi firmare, ti piaccia o no **2** (*con un compar.*) non: *— less than*, non meno di; *— sooner*, non appena; *— longer*, *— more*, non più // *— more*, neppure, nemmeno.

Noah [′nouə] *no.pr.m.* Noè.

nob¹ [nɔb] *s.* (*sl.*) testa.

to nob¹ *v.tr.* (*sl.*) colpire al capo.

nob² *s.* aristocratico.

to nobble [′nɔbl] *v.tr.* (*sl.*) **1** drogare, danneggiare (un cavallo) (per impedirgli di vincere) **2** corrompere (con denaro) **3** impadronirsi disonestamente (di) **4** ingannare **5** rapire.

nobby [′nɔbi] *agg.* (*sl.*) elegante.

nobiliary [nou′biljəri] *agg.* nobiliare.

nobility [nou′biliti] *s.* nobiltà.

noble [′noubl] *agg.* e *s.* nobile.

nobleman, *pl.* **noblemen** [′noublmən] *s.* nobiluomo.

nobleness [′noublnis] *s.* nobiltà.

noblesse [nou′bles] *s.* nobiltà, nobili (*pl.*).

noblewoman [′noubl,wumən], *pl.* **noblewomen** [′noubl,wimin] *s.* nobildonna.

nobly [′noubli] *avv.* nobilmente.

nobody [′noubədi] *pron.indef.* nessuno ♦ *s.* persona senza importanza; zero.

nock [nɔk] *s.* cocca (di freccia).

to nock *v.tr.* incoccare.

noctule [′nɔktju:l] *s.* (*zool.*) nottola.

nocturnal [nɔk′tə:nl] *agg.* notturno.

nocturn(e) [′nɔktə:n] *s.* notturno.

nod [nɔd] *s.* **1** cenno del capo (di assenso, di saluto ecc.); *to give a little —*, fare un piccolo cenno col capo // *on the —*, (*amer.*) a credito **2** il ciondolare del capo nel sonno.

to nod *v.intr.* **1** fare un cenno col capo // *nodding acquaintance*, conoscenza superficiale **2** ciondolare il capo nel sonno; sonnecchiare ♦ *v.tr.* chinare (il capo).

nodal [′noudl] *agg.* nodale.

noddle [′nɔdl] *s.* (*fam.*) testa.

node [noud] *s.* **1** nodo **2** (*med.*) nodulo.

nodose [′noudous] *agg.* nodoso.

nodosity [nou′dɔsiti] *s.* nodosità; protuberanza.

nodular [′nɔdjulə*] *agg.* nodoso.

nodule [′nɔdju:l, (*amer.*) ′nɔdʒu:l] *s.* nodulo.

nodus [′noudəs], *pl.* **nodi** [′noudai] *s.* intoppo, difficoltà, complicazione.

Noel [′nouəl] *no.pr.m.* Natale.

nog [nɔg] *s.* tassello.

noggin [′nɔgin] *s.* boccale.

no-good [′nougud] *agg.* e *s.* (un) poco di buono.

nohow [′nouhau] *avv.* (*fam.*) in nessun modo.

noise [nɔiz] *s.* **1** rumore; fragore; chiasso; schiamazzo // *a big —*, (*sl.*) un pezzo grosso **2** (*informatica*) disturbo; rumore.

to noise *v.tr.* divulgare, rendere pubblico.

noiseless [′nɔizlis] *agg.* senza rumore, silenzioso.

noisiness [′nɔizinis] *s.* chiasso, rumore.

noisome [′nɔisəm] *agg.* **1** nocivo; malsano **2** disgustoso.

noisomeness [′nɔisəmnis] *s.* **1** l'essere nocivo **2** miasma; fetore.

noisy [′nɔizi] *agg.* **1** rumoroso, fragoroso; turbolento **2** (*fig.*) vistoso, chiassoso.

nomad [′nouməd] *agg.* e *s.* nomade.

nomadism [′nɔmədizəm] *s.* nomadismo.

no-man's-land [′noumænzlænd] *s.* terra di nessuno.

nomenclature [nə′menklətʃə*, (*amer.*) ′noumən kleitʃə] *s.* nomenclatura, terminologia; elenco, catalogo.

nominal [′nɔminl] *agg.* nominale.

to nominate [′nɔmineit] *v.tr.* nominare; designare, proporre per elezione.

nomination [,nɔmi′neiʃən] *s.* nomina, designazione.

nominative [′nɔminətiv] *agg.* e *s.* (*gramm.*) nominativo.

nominee [,nɔmi′ni:] *s.* persona nominata; candidato proposto, presentato.

nonage [′nounidʒ] *s.* minorità.

nonagenarian [,nounədʒi′neəriən] *agg.* e *s.* nonagenario.

non-aligned [′nɔnə′laind] *agg.* (*pol.*) neutrale, non allineato.

nonce [nɔns] *s.*: *for the —*, per l'occasione // *— word*, hapax legomenon.

nonchalance [′nɔnʃələns] *s.* disinvoltura.

nonchalant [′nɔnʃələnt] *agg.* disinvolto.

nonchalantly [′nɔnʃələntli] *avv.* con disinvoltura.

noncommissioned officer [′nɔnkə′miʃənd′ɔfisə*] *s.* sottufficiale.

noncommittal [′nɔnkə′mitl] *agg.* non impegnativo, vago.

nonconductor [′nɔnkən,dʌktə*] *s.* (*fis.*) isolante.

nonconformist [ˈnɒnkənˈfɔːmist] *agg.* e *s.* **1** (*relig.*) dissidente **2** anticonformista.

nondescript [ˈnɒndiskript] *agg.* e *s.* (persona, cosa) non classificabile, qualunque, insignificante.

none [nʌn] *pron.indef.* nessuno; niente: — *of them*, nessuno di loro; — *of that*, niente di ciò // — *but*, nessuno tranne, soltanto ♦ *avv.* (*con compar. e con* too) non... affatto, non... certo: *she is — the wiser*, non ne sa certo di più di prima; *it was — too warm*, non faceva certo caldo.

noneffective [ˈnɒniˈfektiv] *agg.* **1** inefficace **2** (*mil.*) inabile.

nonentity [nɒˈnentiti] *s.* **1** persona, cosa insignificante **2** inesistenza.

non(e)such [ˈnʌnsʌtʃ] *agg.* senza pari ♦ *s.* cosa, persona senza pari.

non-event [ˌnɒniˈvent] *s.* fatto, avvenimento meno importante del previsto.

nonflammable [nɒnˈflæməbl] *agg.* ininfiammabile.

nonpareil [ˌnɒnpəˈreil, (*amer.*), ˌnɒnpəˈrel] *agg.* impareggiabile ♦ *s.* persona, cosa impareggiabile.

nonpayment [ˌnɒnˈpeimənt] *s.* mancato pagamento.

nonplus [ˈnɒnˈplʌs] *s.* perplessità, imbarazzo.

to **nonplus** *v.tr.* rendere perplessi; imbarazzare.

nonsense [ˈnɒnsəns] *s.* assurdità; sciocchezza // — *rhymes*, filastrocca in versi.

nonsensical [nɒnˈsensikəl] *agg.* bislacco; sciocco.

nonskid [ˈnɒnˈskid] *agg.* antisdrucciolevole.

nonstop [ˈnɒnˈstɒp] *agg.* continuo; ininterrotto // — (*train*), rapido (che non ferma a stazioni intermedie) ♦ *avv.* di continuo; ininterrottamente.

nonsuit [ˈnɒnˈsjuːt] *s.* (*dir.*) non luogo a procedere.

to **nonsuit** *v.tr.* (*dir.*) mettere fuori ruolo.

nontoxic [ˈnɒnˈtɒksik] *agg.* atossico.

non-U [ˌnɒnˈjuː] *agg.* poco elegante, che le persone «bene» non dicono o fanno.

nonunion [ˈnɒnˈjuːnjən] *agg.* extrasindacale.

nonviolence [ˌnɒnˈvaiələns] *s.* nonviolenza.

noodle¹ [ˈnuːdl] *s.* sciocco.

noodle² *s.* (*cuc.*) pastina.

nook [nuk] *s.* cantuccio; angolo.

noon [nuːn], **noonday** [ˈnuːndei] *s.* **1** mezzogiorno **2** (*fig.*) apogeo.

noontide [ˈnuːntaid] *s.* mezzogiorno.

noose [nuːs] *s.* **1** nodo scorsoio, cappio **2** (*fig.*) forca.

to **noose** *v.tr.* accalappiare (*anche fig.*).

nopal [ˈnoupəl] *s.* (*bot.*) cactus; fico d'India.

nope [noup] *avv.* (*fam.*) no.

nor [nɔː*] *cong.* **1** neppure, nemmeno: *he can't swim*, — *can I*, non sa nuotare, e neppure io **2** *corr.* né: *I have no time — inclination to go*, non ho né tempo né voglia di andare.

nor' *abbr.* di **north**.

Nordic [ˈnɔːdik] *agg.* nordico, germanico.

norm [nɔːm] *s.* norma; tipo, modello.

normal [ˈnɔːməl] *agg.* **1** normale, regolare **2** (*geom.*) perpendicolare ♦ *s.* **1** norma **2** (*geom.*) normale, perpendicolare.

normalcy [ˈnɔːməlsi], **normality** [nɔːˈmæliti] *s.* normalità.

to **normalize** [ˈnɔːməlaiz] *v.tr.* normalizzare.

Norman [ˈnɔːmən] *agg.* e *s.* normanno.

Normandy [ˈnɔːməndi] *no.pr.* Normandia.

normative [ˈnɔːmətiv] *agg.* normativo.

Norse [nɔːs] *agg.* e *s.* (lingua) norvegese.

Norseman, *pl.* **Norsemen** [ˈnɔːsmən] *s.* norvegese.

north [nɔːθ] *agg.* a, del, dal nord, settentrionale // *North America*, America del Nord // *North Sea*, Mare del Nord // — *wind*, vento di tramontana ♦ *s.* nord, settentrione ♦ *avv.* a, verso nord: — *of*, a nord di.

northbound [ˈnɔːθbaund] *agg.* diretto verso nord.

northeast [ˈnɔːθˈiːst] *agg.* e *s.* (di) nord-est ♦ *avv.* verso nord-est.

northeaster [nɔːθˈiːstə*] *s.* grecale.

northeasterly [nɔːθˈiːstəli] *agg.* di nord-est ♦ *avv.* verso nord-est.

northeastern [nɔːθˈiːstən] *agg.* di nord-est.

northeastward [nɔːθˈiːstwəd] *agg.* e *s.* (a, di) nord-est ♦ *avv.* verso nord-est.

northerly [ˈnɔːðəli] *agg.* proveniente da, diretto a nord ♦ *avv.* dal, verso nord.

northern [ˈnɔːðən] *agg.* nordico, settentrionale; artico // — *lights*, aurora boreale.

northerner [ˈnɔːðənə*] *s.* abitante del nord.

northernmost [ˈnɔːðənmoust] *agg.* il più a nord.

northing [ˈnɔːθiŋ] *s.* (*mar.*) differenza di latitudine dall'ultimo rilevamento (nella navigazione verso nord).

Northman [ˈnɔːθmən] *s.* → **Norseman**.

Northumbrian [nɔːˈθʌmbriən] *agg.* dell'antica Northumbria, del Northumberland ♦ *s.* abitante, dialetto dell'antica Northumbria, del Northumberland.

northward [ˈnɔːθwəd] *agg.* e *s.* (a, verso) nord ♦ *avv.* verso nord.

northwards [ˈnɔːθwədz] *avv.* verso nord.

northwest [ˈnɔːθˈwest] *s.* nord-ovest ♦ *agg.* di nord-ovest ♦ *avv.* verso nord-ovest.

northwester [ˈnɔːθˈwestə*] *s.* vento forte di nord-ovest.

northwesterly [ˈnɔːθˈwestəli] *agg.* proveniente da, diretto a nord-ovest ♦ *avv.* da nord-ovest; verso nord-ovest.

northwestern [ˈnɔːθˈwestən] *agg.* di nord-ovest.

northwestward [ˈnɔːθˈwestwəd] *agg.* e *s.* (a, verso) nord-ovest ♦ *avv.* verso nord-ovest.

Norway [ˈnɔːwei] *no.pr.* Norvegia.

Norwegian [nɔːˈwiːdʒən] *agg.* e *s.* norvegese.

nose [nouz] *s.* **1** naso // *to pay through the —*, pagare un occhio della testa // *to turn up one's —* (*at sthg.*), arricciare il naso (davanti a qlco.); *to follow one's —*, andare diritto (davanti a sé) **2** fiuto (*anche fig.*): *to have a good —*, avere buon fiuto **3** prua (di nave); muso (di aeroplano); becco (di storta); volata (di cannone); apertura (di tubo).

to **nose** *v.tr.* e *intr.* odorare, fiutare (*anche fig.*): *to — out sthg.*, scoprire, fiutare qlco.; *to — at sthg.*, annusare qlco.; *to — after, for sthg.*, cercare qlco.; *to — into sthg.*, ficcare il naso in qlco. // *to — (one's way)*, procedere, avanzare con cautela // *to — around the shops*, curiosare per i negozi.

nosebag [ˈnouzbæg] *s.* sacchetto per il foraggio.

noseband [ˈnouzbænd] *s.* tirante (della briglia).

nosebleed [ˈnouzbliːd] *s.* emorragia dal naso.

nosedive [ˈnouzdaiv] *s.* (*aer.*) picchiata.

nosegay [ˈnouzgei] *s.* mazzolino di fiori.

nosey [ˈnouzi] *agg.* (*fam.*) indiscreto // — *parker*, (*fam.*) ficcanaso.

nosh [nɒʃ] *s.* (*fam.*) cibo.

nosh-up [ˈnɒʃʌp] *s.* (*fam.*) pranzo super.

nostalgia [nɒsˈtældʒiə] *s.* nostalgia.

nostalgic [nɒsˈtældʒik] *agg.* nostalgico.

nostril [ˈnɒstril] *s.* narice.

nostrum [ˈnɒstrəm] *s.* (*spreg.*) panacea (*anche fig.*).

nosy *agg.* → **nosey**.

not [nɒt] *avv.* non: — *everybody*, non tutti; *I have —* (o

I haven't) *that book*, non ho quel libro; *did you* — (o *didn't you*) *go?*, non sei andato?; — *to say more*, per non dire di più // — *at all* (o — *in the least*), niente affatto, no davvero // *why* —?, perché no? // — *but*, non è che non.

notable ['noutəbl] *agg.* e *s.* notabile.

to notarize ['noutəraiz] *v.tr.* far autenticare da un notaio.

notary ['noutəri] *s.* notaio // — *public*, notaio.

notation [nou'teiʃən] *s.* notazione.

notch [nɔtʃ] *s.* **1** incavo **2** tacca, dentellatura a V **3** (*amer.*) passo fra monti.

to notch *v.tr.* **1** intagliare **2** fare delle tacche; dentellare.

note [nout] *s.* nota: — *of exclamation*, punto esclamativo // — *of infamy*, marchio d'infamia // *to speak from notes*, parlare seguendo gli appunti // *contract notes*, fissati bollati // — *of hand*, *promissory* —, (*comm.*) pagherò cambiario // — *demand* —, effetto a vista // *men of* —, uomini importanti // *whole* —, *half* —, *quarter* —, *eighth* —, *sixteenth* —, *thirty-second* —, (*mus.*) semibreve, minima, semiminima, croma, semicroma, biscroma.

to note *v.tr.* notare.

notebook ['noutbuk] *s.* taccuino.

noted ['noutid] *agg.* illustre; noto.

notepaper ['nout,peipə*] *s.* carta da lettere.

noteworthy ['nout,wə:ði] *agg.* ragguardevole.

nothing ['nʌθiŋ] *pron.indef.* niente, nulla: *I saw* —, non ho visto niente; *there is* — *doing*, non c'è niente da fare; *I have* — *to do*, non ho niente da fare; *I have* — *to do with...*, non ho niente a che fare con... // — *new*, niente di nuovo; — *more*, niente (di) più // — *but*, nient'altro che // *there is* — *for it but*, non c'è altro da fare che // *there is* — *in it*, non c'è niente di vero // *there is* — *to it*, non ci vuol niente a farlo // *for* —, gratis; *all for* —, tutto inutile; tutto gratis ♦ *s.* **1** zero **2** niente; bagattella, cosa da nulla ♦ *avv.* niente affatto, per nulla.

nothingness ['nʌθiŋnis] *s.* **1** inesistenza; il nulla **2** nullità.

notice ['noutis] *s.* **1** avviso; preavviso; notifica: *at short* —, con breve preavviso; *till further* —, fino a nuovo avviso; *to give* —, dare le dimissioni; mandar via; *to give a servant* —, dare gli otto giorni (a cameriera ecc.) // — *board*, albo **2** attenzione; osservazione: *take* —!, fa' attenzione! **3** recensione.

to notice *v.tr.* osservare; fare attenzione (a), notare.

noticeable ['noutisəbl] *agg.* notevole, rilevante.

notification [,noutifi'keiʃən] *s.* notificazione.

to notify ['noutifai] *v.tr.* notificare, far sapere.

notion ['nouʃən] *s.* **1** nozione, concetto **2** idea, opinione; teoria **3** *pl.* (*amer.*) piccoli oggetti utili: *notions' counter*, banco di vendita di aghi, filo ecc.

notional ['nouʃnl] *agg.* **1** nozionale **2** speculativo, teoretico.

notoriety [,noutə'raiəti] *s.* notorietà.

notorious [nou'tɔ:riəs] *agg.* famigerato.

notwithstanding [,nɔtwiθ'stændiŋ] *avv.* nondimeno ♦ *cong.* benché ♦ *prep.* nonostante.

nougat ['nu:gɑ:, (*amer.*) 'nu:gət] *s.* torrone.

nought [nɔ:t] *s.* nulla; (*mat.*) zero // *to set at* —, ignorare.

noun [naun] *s.* (*gramm.*) sostantivo, nome.

to nourish ['nʌriʃ] *v.tr.* alimentare, nutrire (*anche fig.*).

nourishing ['nʌriʃiŋ] *agg.* nutriente, nutritivo.

nourishment ['nʌriʃmənt] *s.* nutrimento.

nous [naus] *s.* intelletto; buonsenso.

nouveau riche ['nu:vou ri:ʃ] *s.* arricchito.

Nova Scotia ['nouvə 'skouʃə] *no.pr.* Nuova Scozia.

novel[1] ['nɔvəl] *agg.* nuovo; insolito.

novel[2] *s.* romanzo.

novelette [,nɔvə'let] *s.* romanzetto.

novelist ['nɔvəlist] *s.* romanziere.

to novelize ['nɔvəlaiz] *v.tr.* romanzare.

novelty ['nɔvəlti] *s.* novità.

November [nou'vembə*] *s.* novembre.

novice ['nɔvis] *s.* novizio.

noviciate, novitiate [nou'viʃiit] *s.* noviziato.

novocaine® ['nouvəkein] *s.* (*farm.*) novocaina®.

now [nau] *avv.* **1** ora, adesso; al presente // —...—..., ora... ora...: — *here* — *there*, ora qui ora lì // *every* — *and then*, ogni tanto // *by* —, a quest'ora; oramai // *just* —, proprio adesso // *from* — *on*, d'ora in poi // *till* (o *until* o *up to*) —, finora // — *it chanced that...*, ora accadde che... **2** subito, immediatamente **3** (*fraseologia*): — *then!*, via, dunque!; *come* —!, suvvia, ma via!; —, *what happened?*, ebbene, cos'è successo? ♦ *s.* il presente.

nowadays ['nauədeiz] *avv.* al giorno d'oggi, oggigiorno.

nowhere ['nouweə*] *avv.* luogo inesistente: *he came out of* —, apparve misteriosamente ♦ *avv.* in nessun luogo // *to get* —, non riuscire, fallire.

nowise ['nouwaiz] *avv.* in nessun modo.

noxious ['nɔkʃəs] *agg.* nocivo, dannoso.

nozzle ['nɔzl] *s.* becco, beccuccio; boccaglio.

n't *contr.* di *not.*

nuance [nju(:)'ɔ:ns] *s.* sfumatura (*anche fig.*).

nub [nʌb] *s.* **1** pezzettino **2** protuberanza **3** (*fig.*) nocciolo (di una questione ecc.).

nubile ['nju:bail, (*amer.*) 'nu:bl] *agg.* **1** nubile **2** (*fam.*) attraente, ben fatto.

nuclear ['nju:kliə*] *agg.* (*fis.*) nucleare // — *warfare*, guerra atomica.

nucleus ['nju:kliəs], *pl.* **nuclei** ['nju:kliai] *s.* nucleo.

nude [nju:d] *agg.* **1** nudo **2** (*dir.*) nullo ♦ *s.* nudo: *a study from the* —, un nudo dal vero // *in the* —, svestito.

nudge [nʌdʒ] *s.* gomitata.

to nudge *v.tr.* dare di gomito.

nudism ['nju:dizəm] *s.* nudismo.

nudist ['nju:dist] *agg.* e *s.* nudista.

nudity ['nju:diti] *s.* nudità.

nugatory ['nju:gətəri] *agg.* futile, vano; nullo.

nugget ['nʌgit] *s.* pepita (d'oro).

nuisance ['nju:sns] *s.* noia, seccatura; fastidio; (*fig.*) impiastro // — *value*, possibilità di creare disturbo.

nuke [nju:k] *s.* (*fam.*) arma nucleare, missile.

null [nʌl] *agg.* nullo (*anche dir.*).

nullification [,nʌlifi'keiʃən] *s.* annullamento.

to nullify ['nʌlifai] *v.tr.* annullare; (*dir.*) privare di validità.

nullity ['nʌliti] *s.* nullità.

numb [nʌm] *agg.* **1** intorpidito, intirizzito **2** (*fig.*) insensibile; intontito.

to numb *v.tr.* **1** intorpidire, intirizzire **2** (*fig.*) paralizzare; istupidire.

number ['nʌmbə*] *s.* **1** numero, cifra: *to be twenty in* —, ammontare a venti // — *one*, (*fam.*) se stesso // *his* — *is up*, è rovinato; sta per morire **2** numero, quantità: *a large* —, un gran numero; *two numbers of a newspaper*, due numeri di un giornale **3** *pl.* (*metrica*) versi.

to number *v.tr.* **1** contare; numerare; calcolare // *to* — *among*, annoverare **2** ammontare (a).

numberless ['nʌmbəlis] *agg.* innumerevole.

numberplate [ˈnʌmbəpleit] *s.* targa.
numbly [ˈnʌmli] *avv.* come intirizzito, intorpidito.
numbness [ˈnʌmnis] *s.* torpore, intorpidimento.
numerable [ˈnjuːmərəbl] *agg.* calcolabile; numerabile.
numeral [ˈnjuːmərəl] *agg. e s.* (*gramm.*) numerale.
numeration [ˌnjuːməˈreiʃən] *s.* numerazione.
numerator [ˈnjuːməreitə*] *s.* (*mat.*) numeratore.
numerical [njuː(ː)ˈmerikəl] *agg.* numerico, numerale.
numerics [njuːˈmeriks] *s.pl.* (*informatica*) cifre, caratteri numerici.
numerous [ˈnjuːmərəs] *agg.* numeroso.
numerously [ˈnjuːmərəsli] *avv.* in gran numero.
numismatic [ˌnjuːmizˈmætik] *agg.* numismatico.
numismatics [ˌnjuːmizˈmætiks] *s.* numismatica.
numismatist [njuː(ː)ˈmizmətist] *s.* numismatico.
numskull [ˈnʌmskʌl] *s.* testa dura, stupido.
nun [nʌn] *s.* monaca, suora.
nunciature [ˈnʌnʃiətʃə*] *s.* (*eccl.*) nunziatura.
nuncio [ˈnʌnʃiou] *s.* (*eccl.*) nunzio.
nunnery [ˈnʌnəri] *s.* convento (di monache).
nuphar [ˈnjuːfə*] *s.* (*bot.*) nenufaro, ninfea.
nuptial [ˈnʌpʃəl] *agg.* nuziale.
nuptials [ˈnʌpʃəlz] *s.pl.* nozze, sponsali.
Nuremberg [ˈnjuərəmbəːg] *no.pr.* Norimberga.
nurse [nəːs] *s.* **1** infermiera: *trained —*, infermiera diplomata **2** (*children's*) —, bambinaia; *wet —*, nutrice, balia; *to put out to —*, mettere a balia; *dry —*, bambinaia, balia asciutta.
to nurse *v.tr.* **1** curare; prendersi cura (di) **2** allattare; nutrire (*anche fig.*) **3** cullare; coccolare.
nurseling *s.* → **nursling**.
nursemaid [ˈnəːsmeid] *s.* bambinaia.
nursery [ˈnəːsri] *s.* **1** camera dei bambini // *— school*, asilo; nido; scuola materna // *— rhyme*, filastrocca **2** vivaio.
nurseryman, *pl.* **nurserymen** [ˈnəːsrimən] *s.* orticoltore.
nursing [ˈnəːsiŋ] *agg.* **1** che allatta **2** che cura ♦ *s.* **1** allattamento **2** il curare, il nutrire (*anche fig.*) **3** professione di infermiera.

nursing home [ˈnəːsiŋhoum] *s.* casa di cura.
nursling [ˈnəːsliŋ] *s.* bimbo a balia.
nurture [ˈnəːtʃə*] *s.* **1** vitto, nutrimento **2** (*fig.*) educazione.
to nurture *v.tr.* **1** nutrire, allevare **2** (*fig.*) educare.
nut [nʌt] *s.* **1** noce; nocciola // *oh, nuts!*, storie! // *a hard — to crack*, un osso duro, una gatta da pelare **2** (*mecc.*) dado **3** (*mus.*) bischero **4** (*sl.*) testa: *to go off one's —*, impazzire.
to nut *v.intr.* raccogliere noci.
nut-brown [ˈnʌtbraun] *agg.* color nocciola.
nutcase [ˈnʌtkeis] *s.* (*sl.*) matto.
nutcracker [ˈnʌtˌkrækə*] *s.* **1** *pl.* schiaccianoci (*sing.*) **2**(*zool.*) ghiandaia.
nuthouse [ˈnʌthaus] *s.* (*sl.*) manicomio.
nutmeg [ˈnʌtmeg] *s.* noce moscata.
nutria [ˈnjuːtriə] *s.* castorino.
nutrient [ˈnjuːtriənt] *agg.* nutriente.
nutriment [ˈnjuːtrimənt] *s.* nutrimento, cibo.
nutrition [njuː(ː)ˈtriʃən] *s.* alimentazione.
nutritious [njuː(ː)ˈtriʃəs] *agg.* nutriente, nutritivo.
nuts [nʌts] *agg.* (*sl.*) matto; fanatico: *to be — on, over s.o.*, esser pazzo per qlcu.; *to go —*, impazzire // *not for —*, per niente.
nuts and bolts [ˈnʌtsənˈboults] *s.pl.* **1** bulloneria **2** (*fam.*) i primi elementi, i rudimenti (di).
nutshell [ˈnʌtʃel] *s.* guscio di noce // *in a —*, in poche parole.
nutty [ˈnʌti] *agg.* **1** che sa di noce **2** (*sl.*) entusiasta; innamorato **3** (*sl.*) pazzo.
to nuzzle [ˈnʌzl] *v.intr. e tr.* (*di animali*) strofinare il muso (contro).
Nyasa [ˈnjæsə] *no.pr.* (lago) Niassa ♦ *agg. e s.* (abitante) del Niassa.
Nyasaland [ˈnjæsəlænd] *no.pr.* Niassa.
nylon® [ˈnailən] *s.* **1** nailon® **2** *pl.* calze di nailon.
nymph [nimf] *s.* ninfa.
nymphet [nimˈfet] *s.* ninfetta.
nymphomania [ˌnimfəˈmeinjə] *s.* ninfomania.
nymphomaniac [ˌnimfəˈmeiniæk] *s.* ninfomane.

O

o¹ [ou], *pl.* **os, oes, o's** [ouz] *s.* **1** o // *— for Oliver*, (*tel.*) o come Otranto **2** *O*, zero: *my phone number is three one O two*, il mio numero telefonico è tre, uno, zero, due.
o² *inter.* oh!: *— (dear) me!*, ahimè, povero me!
o' [ə] *prep.* (*abbr.* di *of*): *three — clock*, le tre.
oaf [ouf], *pl.* **oafs** [oufs], **oaves** [ouvz] *s.* **1** sempliciotto, zoticone **2** stupido.
oafish [ˈoufiʃ] *agg.* **1** goffo, zotico **2** stupido.
oak [ouk] *s.* **1** quercia **2** porta esterna.
oak apple [ˈoukˌæpl] *s.* galla (di quercia).
oaken [ˈoukn] *agg.* di quercia.
oakum [ˈoukəm] *s.* stoppa.
oar [ɔː*] *s.* remo // *to put one's — in*, intromettersi.
oarlock [ˈɔːlɔk] *s.* scalmo.
oarsman, *pl.* **oarsmen** [ˈɔːzmən] *s.* rematore.

oasis [ouˈeisis], *pl.* **oases** [ouˈeisiːz] *s.* oasi.
oast [oust] *s.* forno per asciugare il luppolo.
oat [out] *s.* (*gener. pl.*) avena // *to be off one's oats*, aver perso l'appetito // *to sow one's wild oats*, (*fig.*) correre la cavallina.
oatcake [ˈoutˈkeik] *s.* focaccia di farina d'avena.
oath [ouθ] *s.* **1** giuramento: *on* (o *under*) —, sotto giuramento // *I'd take my — on it*, ci giurerei **2** bestemmia; imprecazione.
oatmeal [ˈoutmiːl] *s.* farina d'avena.
oaves *pl.* di **oaf**.
obdurate [ˈɔbdjurit] *agg.* **1** duro **2** ostinato.
obedience [əˈbiːdjəns] *s.* **1** ubbidienza **2** (*eccl.*) giurisdizione.
obedient [əˈbiːdjənt] *agg.* ubbidiente.
obeisance [ouˈbeisəns] *s.* **1** inchino **2** omaggio.

obelisk [ˈɔbilisk] s. 1 obelisco 2 (tip.) rimando.

to **obelize** [ˈɔbilaiz] v.tr. contrassegnare con rimandi.

obese [ouˈbiːs] agg. obeso.

obesity [ouˈbiːsiti] s. obesità.

to **obey** [əˈbei] v.tr. e intr. ubbidire (a).

to **obfuscate** [ˈɔbfʌskeit] v.tr. 1 offuscare 2 confondere.

obituarist [əˈbitjuərist] s. necrologista.

obituary [əˈbitjuəri] s. necrologio.

object [ˈɔbdʒekt] s. 1 oggetto // direct —, (gramm.) oggetto diretto // — lesson, (fig.) forte ammonimento 2 scopo, obiettivo 3 (fam.) tipo; coso, aggeggio.

to **object** [əbˈdʒekt] v.intr. opporsi: do you — to walking home?, hai qualcosa in contrario ad andare a casa a piedi? ♦ v.tr. obiettare.

object glass [ˈɔbdʒikɾglɑːs] s. obiettivo.

to **objectify** [ɔbˈdʒektifai] v.tr. oggettivare.

objection [əbˈdʒekʃən] s. 1 obiezione 2 avversione: he has a strong — to getting up early, sente una forte avversione ad alzarsi presto 3 inconveniente; ostacolo: the chief — to the book is its length, il maggiore inconveniente del libro è la sua prolissità.

objectionable [əbˈdʒekʃnəbl] agg. 1 criticabile 2 sgradevole.

objective [əbˈdʒektiv] agg. oggettivo ♦ s. 1 obiettivo 2 (gramm.) caso oggettivo.

objectivity [ˌɔbdʒekˈtiviti] s. oggettività.

objector [əbˈdʒektə*] s. obiettore, oppositore.

oblate [ˈɔbleit] agg. (geom.) schiacciato ai poli.

oblation [ouˈbleiʃən] s. (eccl.) oblazione.

to **obligate** [ˈɔbligeit] v.tr. obbligare.

obligation [ˌɔbliˈgeiʃən] s. 1 obbligo; dovere; impegno: to be under an — to s.o., aver un obbligo verso qlcu.; to meet one's obligations, tener fede ai propri impegni; to repay an —, ricambiare un favore // holiday of —, festa di precetto 2 (dir.) obbligazione.

obligatory [ɔˈbligətəri] agg. obbligatorio.

to **oblige** [əˈblaidʒ] v.tr. 1 obbligare, costringere // I am much obliged to you, le sono molto grato // I should be much obliged if..., le sarei molto grato se... 2 fare un favore (a): please — me by closing the door, fammi il favore di chiudere la porta.

obliging [əˈblaidʒiŋ] agg. cortese; compiacente.

oblique [əˈbliːk] agg. 1 inclinato, obliquo 2 indiretto (anche fig.): — ways, metodi tortuosi.

to **obliterate** [əˈblitəreit] v.tr. cancellare; distruggere.

obliteration [ə,blitəˈreiʃən] s. cancellatura; distruzione.

oblivion [əˈbliviən] s. oblio, dimenticanza.

oblivious [əˈbliviəs] agg. dimentico, immemore.

oblong [ˈɔblɔŋ] agg. oblungo; rettangolare ♦ s. rettangolo.

obloquy [ˈɔbləkwi] s. 1 calunnia, ingiuria; diffamazione 2 disonore.

obnoxious [əbˈnɔkʃəs] agg. odioso; sgradevole.

obnoxiousness [əbˈnɔkʃəsnis] s. odiosità; sgradevolezza.

oboe [ˈoubou] s. (mus.) oboe.

obscene [ɔbˈsiːn] agg. osceno.

obscenity [ɔbˈseniti] s. oscenità.

obscurantism [ˈɔbskjuəˈræntizəm] s. oscurantismo.

obscurantist [ˌɔbskjuəˈræntist] agg. e s. oscurantista.

obscuration [ˌɔbskjuəˈreiʃən] s. 1 oscuramento 2 (astr.) eclissi.

obscure [əbˈskjuə*] agg. oscuro.

to **obscure** v.tr. oscurare; offuscare.

obscurity [əbˈskjuəriti] s. oscurità.

obsequies [ˈɔbsikwiz] s.pl. esequie.

obsequious [əbˈsiːkwiəs] agg. ossequioso.

obsequiousness [əbˈsiːkwiəsnis] s. ossequiosità.

observable [əbˈzəːvəbl] agg. 1 visibile; percettibile 2 notevole.

observance [əbˈzəːvəns] s. 1 osservanza; pratica (di abitudini, riti ecc.) 2 (eccl.) regola.

observant [əbˈzəːvənt] agg. 1 osservante 2 attento.

observation [ˌɔbzəˈ(ː)veiʃən] s. osservazione.

observatory [əbˈzəːvətri] s. osservatorio.

to **observe** [əbˈzəːv] v.tr. e intr. osservare: he observes his religion scrupulously, pratica la religione con scrupolo.

observer [əbˈzəːvə*] s. osservatore.

to **obsess** [əbˈses] v.tr. ossessionare.

obsession [əbˈseʃən] s. ossessione.

obsessive [əbˈsesiv] agg. ossessivo.

obsolescent [ˌɔbsəˈlesnt] agg. che sta cadendo in disuso.

obsolete [ˈɔbsəlit] agg. antiquato.

obstacle [ˈɔbstəkl] s. ostacolo.

obstetric(al) [ɔbˈstetrik(əl)] agg. ostetrico.

obstetrician [ˌɔbsteˈtriʃən] s. ostetrico.

obstetrics [ɔbˈstetriks] s. ostetricia.

obstinacy [ˈɔbstinəsi] s. ostinazione.

obstinate [ˈɔbstinit] agg. ostinato.

obstreperous [əbˈstrepərəs] agg. rumoroso; turbolento.

to **obstruct** [əbˈstrʌkt] v.tr. 1 ostruire, ingorgare 2 ritardare, impedire 3 opporsi (a) ♦ v.intr. essere d'ostacolo, essere d'impiccio.

obstruction [əbˈstrʌkʃən] s. ostruzione.

obstructionism [əbˈstrʌkʃənizəm] s. (pol.) ostruzionismo.

obstructionist [əbˈstrʌkʃənist] s. struzionista ♦ agg. ostruzionistico.

to **obtain** [əbˈtein] v.tr. ottenere; raggiungere, conseguire ♦ v.intr. prevalere; diffondersi; essere in voga.

obtainable [əbˈteinəbl] agg. ottenibile.

to **obtrude** [əbˈtruːd] v.tr. imporre ♦ v.intr. imporsi; intromettersi.

obtrusion [əbˈtruːʒən] s. imposizione; intrusione.

obtrusive [əbˈtruːsiv] agg. intrigante; importuno.

obtuse [əbˈtjuːs] agg. ottuso.

obtuseness [əbˈtjuːsnis] s. ottusità.

obverse [ˈɔbvəːs] agg. complementare ♦ s. 1 diritto (di medaglia) 2 complemento: the — of the truth, l'altro aspetto della verità.

to **obviate** [ˈɔbvieit] v.tr. ovviare a; impedire.

obvious [ˈɔbviəs] agg. 1 ovvio; chiaro, evidente 2 facile; banale.

obviousness [ˈɔbviəsnis] s. 1 evidenza 2 facilità; banalità.

occasion [əˈkeiʒən] s. 1 occasione; occorrenza; opportunità: on —, all'occorrenza // to rise to the —, mostrarsi all'altezza della situazione 2 causa, motivo, ragione.

to **occasion** v.tr. cagionare, causare, occasionare.

occasional [əˈkeiʒənl] agg. 1 raro; saltuario 2 occasionale; d'occasione.

Occident [ˈɔksidənt] s. Occidente.

Occidental [ˌɔksiˈdentl] agg. e s. occidentale.

Occidentalism [ˌɔksiˈdentəlizəm] s. occidentalismo.

Occidentalist [ˌɔksiˈdentəlist] agg. e s. occidentalista.

to **Occidentalize** [ˌɔksiˈdentəlaiz] v.tr. occidentalizzare.

occipital [ɔkˈsipitl] agg. occipitale.

occiput [ˈɔksipət] s. (anat.) occipite.

to **occlude** [ɔ'klu:d] *v.tr.* **1** ostruire; occludere **2** (*chim.*) assorbire.

occlusion [ɔ'klu:ʒən] *s.* occlusione.

occult [ɔ'kʌlt] *agg.* occulto ♦ *s.* scienza occulta.

to **occult** *v.tr.* occultare ♦ *v.intr.* occultarsi.

occultation [ˌɔkəl'teiʃən] *s.* occultamento.

occultism ['ɔkəltizəm] *s.* occultismo.

occultist ['ɔkəltist] *s.* occultista.

occupancy ['ɔkjupənsi] *s.* occupazione.

occupant ['ɔkjupənt] *s.* occupante.

occupation [ˌɔkju'peiʃən] *s.* **1** occupazione, presa di possesso **2** impiego; mestiere.

occupational [ˌɔkju(:)'peiʃənəl] *agg.* professionale: — *disease*, malattia professionale // — *therapy*, ergoterapia // — *hazard*, rischio del mestiere.

to **occupy** ['ɔkjupai] *v.tr.* occupare; prendere possesso di.

to **occur** [ə'kə:*] *v.intr.* **1** accadere, capitare, succedere **2** ricorrere **3** venire in mente.

occurrence [ə'kʌrəns] *s.* evento, avvenimento: *an e-vent of rare —*, un avvenimento raro.

ocean ['ouʃən] *s.* oceano.

Oceania [ˌouʃi'enjə] *no.pr.* Oceania.

Oceanian [ˌouʃi'enjən] *agg.* e *s.* (nativo) dell'Oceania.

oceanography [ˌouʃjə'nɔgrəfi] *s.* oceanografia.

ocelot ['ousilɔt] *s.* (*zool.*) ocelot.

ochre ['oukə*] *s.* ocra.

octad ['ɔktæd] *s.* (*chim.*) elemento ottovalente.

octagon ['ɔktəgən] *s.* (*geom.*) ottagono.

octagonal [ɔk'tægənl] *agg.* ottagonale.

octane ['ɔktein] *s.* (*chim.*) ottano.

octave ['ɔktiv] *s.* ottava // — *flute*, (*mus.*) ottavino.

octavo [ɔk'teivou] *s.* (*tip.*) (volume) in ottavo.

octennial [ɔk'tenjəl] *agg.* **1** che si ripete ogni otto anni **2** che dura otto anni.

octet [ɔk'tet] *s.* ottetto.

October [ɔk'toubə*] *s.* ottobre.

octogenarian [ˌɔktoudʒi'neəriən] *agg.* e *s.* ottuagenario, ottantenne.

octonarian [ˌɔktou'neəriən] *agg.* e *s.* ottonario.

octopus ['ɔktəpəs], *pl.* **octopodes** [ɔk'toupədi:z], **octopuses** ['ɔktəpəsiz] *s.* polpo, piovra.

ocular ['ɔkjulə*] *agg.* e *s.* oculare.

oculist ['ɔkjulist] *s.* oculista.

odalisque ['ɔdəlisk] *s.* odalisca.

odd [ɔd] *agg.* **1** originale, strano, eccentrico // -*looking*, strano // -*shaped*, di forma strana **2** inaspettato, impensato **3** occasionale, saltuario: — *job*, lavoro saltuario **4** dispari **5** spaiato, scompagnato **6** in soprappiù, in soprannumero // *ten pounds —*, dieci sterline e rotti // — *man out*, chi viene eliminato, chi è in soprannumero.

oddity ['ɔditi] *s.* **1** persona originale **2** stranezza; originalità.

oddly ['ɔdli] *avv.* stranamente.

oddment ['ɔdmənt] *s.* **1** rimanenza, avanzo **2** (*pl.*) cianfrusaglie.

oddness ['ɔdnis] *s.* stranezza; bizzarria.

odds [ɔdz] *s.pl.* (*talvolta con costr. sing.*) **1** differenza; disuguaglianza // *what's the —?*, che importa? // *it makes no —*, non importa, fa lo stesso **2** disaccordo, contrasto: *at —*, in disaccordo **3** pronostico, probabilità **4** vantaggio iniziale (concesso per uguagliare le parti in gara) **5** posta (nelle scommesse).

odds and ends ['ɔdzənd'endz] *s.pl.* oggetti vari, rimasugli, avanzi.

odds-on ['ɔdzɔn] *agg.* che ha moltissime probabilità di vincere.

ode [oud] *s.* ode.

Odin ['oudin] *no.pr.m.* (*mit. nordica*) Odino.

odious ['oudjəs] *agg.* odioso, detestabile.

odiousness ['oudjəsnis] *s.* odiosità.

odium ['oudjəm] *s.* odio; biasimo generale.

odoriferous ['oudə'rifərəs] *agg.* profumato.

odorous ['oudərəs] *agg.* odoroso, fragrante; (*fam.*) puzzolente.

odour ['oudə*] *s.* odore (*anche fig.*); profumo // — *of sanctity*, odore di santità.

odourless ['oudəlis] *agg.* inodore.

Odysseus [ə'disju:s] *no.pr.m.* (*lett.*) Odisseo.

odyssey ['ɔdisi] *s.* odissea; serie di peripezie.

oecology *s.* → **ecology**.

oecumenical *agg.* → **ecumenical**.

oedema [i(:)'di:mə] *s.* (*med.*) edema.

Oedipus ['i:dipəs, (*amer.*) 'edipəs] *no.pr.m.* (*mit.*) Edipo.

oeil-de-boeuf, *pl.* **oeils-de-boeuf** ['ə:idə'bə:f] *s.* (*arch.*) occhio.

oenologist [i:'nɔlədʒist] *s.* enologo.

oesophagus [i:'sɔfəgəs] *s.* (*anat.*) esofago.

oestrogen ['i:strodʒin] *s.* estrogeno.

oestrus ['i:strəs] *s.* calore (negli animali).

of [ɔv (*forma forte*), əv (*forma debole*)] *prep.* **1** di: *the key — the door*, la chiave della porta; *a man — thirty*, un uomo di trent'anni // *a fool — a man*, uno sciocco // *Doctor — Medicine*, dottore in medicina // — *late years*, in questi ultimi anni **2** da parte di: *very kind — you*, molto gentile da parte tua **3** (*amer. per* to): *ten — five*, le cinque meno dieci.

off [ɔ:f] *avv.* lontano; via: *far —*, lontano; in distanza; *further —*, più lontano; *a long way —*, molto lontano // — *with you!*, vattene! // — *and on*, di tanto in tanto // *the light was —*, la luce era spenta; *the performance is —*, la rappresentazione è sospesa; *the match is —*, la partita è rinviata; *they're —*, (*alle corse*) (sono) partiti! // — *of*, (*amer.*) via da (*prep.*) ♦ *prep.* via da; giù da: *he cut a slice — it*, ne tagliò via una fetta; *he fell — the ladder*, cadde giù dalla scala // *50 p — the price*, una riduzione di 50 pence sul prezzo // *the ship is 5 miles — the cape*, la nave è a 5 miglia al largo del capo ♦ *agg.* **1** esterno: *the — wheel*, la ruota esterna **2** lontano; improbabile **3** secondario **4** libero **5** non fresco (di cibi ecc.) // *to feel rather —*, non sentirsi in forma ♦ *s.* (*sport*) fuori gioco.

offal ['ɔfəl] *s.* **1** frattaglie (*pl.*). **2** avanzi (*pl.*).

offbeat ['ɔ:fbi:t] *agg.* (*fam.*) insolito.

off chance ['ɔ:ftʃɑ:ns] *s.* possibilità minima: *I'll ask him, on the — that he knows*, glielo chiederò, ma sono quasi certo che non lo sa.

off colour ['ɔ:f,kʌlə*] *agg.* indisposto; (*sl.*) osceno.

off-day ['ɔ:fdei] *s.* giornata nera; giornataccia.

offence [ə'fens] *s.* **1** (*dir.*) delitto; infrazione **2** offesa; ingiuria: *no — meant*, sia detto senza offesa; *to take — at*, offendersi di, per **3** (*mil.*) attacco.

to **offend** [ə'fend] *v.tr.* offendere, oltraggiare ♦ *v.intr.* (*dir.*) commettere infrazioni.

offender [ə'fendə*] *s.* **1** offensore **2** (*dir.*) delinquente; criminale: *first —*, incensurato; *previous —*, pregiudicato.

offense [ə'fens] *s.* (*amer.*) → **offence**.

offensive [ə'fensiv] *agg.* **1** offensivo **2** ripugnante; sgradevole ♦ *s.* (*mil.*) offensiva.

offer ['ɔfə*] s. offerta; proposta.

to **offer** v.tr. offrire ♦ v.intr. offrirsi, presentarsi.

offering ['ɔfəriŋ] s. offerta; oblazione.

offertory ['ɔfətəri] s. 1 (eccl.) offertorio 2 offerte raccolte in chiesa durante un servizio religioso.

offhand ['ɔ:f'hænd] agg. 1 improvvisato, estemporaneo 2 sbrigativo, brusco ♦ avv. lì per lì; all'improvviso.

offhanded ['ɔ:f'hændid] agg. → **offhand**.

offhandedly ['ɔ:f'hændidli] avv. → **offhand**.

office ['ɔfis] s. 1 ufficio; carica // by the good offices of, coi buoni uffici di // — boy, fattorino // — worker, impiegato // last offices, estreme onoranze 2 Office, Ministero // Foreign, Home Office, Ministero degli Esteri, dell'Interno 3 pl. office (sing.), dispensa (sing.) 4 (amer.) studio medico.

officer ['ɔfisə*] s. ufficiale: commissioned —, (mil.) ufficiale; non commissioned —, (mil.) sottufficiale; ranking —, (amer.) il più alto ufficiale in grado presente // police —, agente (di polizia).

to **officer** v.tr. provvedere di ufficiali // to be officered by, essere comandato da.

official [ə'fiʃəl] agg. ufficiale ♦ s. 1 ufficiale (civile), funzionario 2 giudice, alto funzionario della Corte Episcopale Anglicana.

officialdom [ə'fiʃəldəm] s. burocrazia.

officialese [ə,fiʃə'li:z] s. gergo burocratico.

officialism [ə'fiʃəlizəm] s. → **officialdom**.

officially [ə'fiʃəli] avv. ufficialmente.

officiant [ə'fiʃənt] s. officiante.

to **officiate** [ə'fiʃieit] v.intr. 1 esercitare funzioni: to — as host, esercitare le funzioni di ospite // to — for, sostituire temporaneamente 2 (eccl.) officiare.

officious [ə'fiʃəs] agg. 1 intrigante, invadente 2 ufficioso.

officiousness [ə'fiʃəsnis] s. 1 invadenza; intromissione; inframmettenza 2 ufficiosità.

offing ['ɔfiŋ] s. (mar.) largo // in the —, (fig.) vicino, in vista.

offish ['ɔfiʃ] agg. (fam.) riservato, distante.

off-line ['ɔflain] agg. (informatica) fuori linea.

offprint ['ɔfprint] s. estratto (di rivista ecc.).

off-putting ['ɔf,putiŋ] agg. (fam.) sconcertante.

offscourings ['ɔf,skauəriŋz] s.pl. rifiuti; scarti.

offset ['ɔfset] s. 1 inizio 2 (bot.) germoglio, pollone 3 (tip.) «offset», fotolito 4 (arch.) risega.

to **offset**, pass. e p.pass. **offset** v.tr. 1 controbilanciare, contrapporre 2 (mecc.) decentrare, deviare 3 (tip.) stampare a «offset», a fotolito.

offshoot ['ɔfʃu:t] s. 1 germoglio; ramo 2 (fig.) rampollo; ramo cadetto (di una famiglia).

offshore ['ɔfʃɔ:*] agg. 1 di terra: — wind, vento di terra 2 lontano dalla costa ♦ avv. al largo.

off side ['ɔf'said] agg. e avv. e s. (sport) fuori gioco.

offspring ['ɔfspriŋ] s. prole; (fig.) prodotto.

offstage ['ɔfsteidʒ] agg. 1 (teatr.) fuori scena; lontano dalle scene 2 (fig.) dietro le quinte.

off-white ['ɔfwait] agg. e s. (color) bianco ghiaccio; (color) bianco avorio.

oft [ɔft] avv. (poet.) spesso.

often ['ɔfn, 'ɔftən] avv. spesso, sovente: once too —, una volta di troppo.

ogee ['oudʒi:] s. (arch.) modanatura a S.

ogival [ou'dʒaivəl] agg. (arch.) ogivale.

ogive ['oudʒaiv] s. (arch.) ogiva, sesto acuto.

ogle ['ougl] s. occhiata, sguardo amoroso.

to **ogle** v.tr. e intr. lanciare sguardi amorosi (a).

ogre ['ougə*] s. orco.

oho [ou'hou] inter. oh!

oil [ɔil] s. 1 olio // Holy Oil, olio santo // lamp —, olio da ardere // to pour — on troubled waters, (fig.) gettar acqua sul fuoco 2 petrolio: to strike —, trovare il petrolio; (fig.) arricchire improvvisamente 3 (gener. pl.) colori a olio (pl.).

to **oil** v.tr. ungere; lubrificare // to — the wheels, agevolare la strada // to — s.o.'s palm, corrompere qlcu.

oilcake ['ɔilkeik] s. panello di sansa.

oilcloth ['ɔilklɔθ] s. tela cerata.

oil colour ['ɔil,kʌlə*] s. colore a olio.

oiled [ɔild] agg. 1 oliato 2 (sl.) sbronzo.

oilfield ['ɔilfi:ld] s. campo petrolifero.

oiliness ['ɔilinis] s. untuosità (anche fig.).

oil painting ['ɔil'peintiŋ] s. pittura, dipinto a olio.

oil press ['ɔilpres] s. frantoio.

oilsilk ['ɔilsilk] s. seta impermeabilizzata.

oilskin ['ɔilskin] s. 1 tela impermeabile 2 indumento di tela impermeabile.

oil tanker ['ɔil,tænkə*] s. nave, auto cisterna.

oily ['ɔili] agg. 1 oleoso 2 (fig.) untuoso.

ointment ['ɔintmənt] s. unguento; pomata.

to **okay** ['ou'kei] v.tr. (fam.) approvare.

okay agg. (fam.) esatto ♦ avv. (fam.) bene, benissimo ♦ s. (fam.) approvazione.

old [ould], compar. **older** ['ouldə*], **elder** ['eldə*], superl. **oldest** ['ouldist], **eldest** ['eldist] agg. 1 vecchio; antico: an — family, un'antica famiglia; an — man, woman, un vecchio, una vecchia; the good — times, i vecchi tempi; he's an — friend of mine, è un mio vecchio amico // — maid, zitella // Old World, il vecchio mondo // days of —, tempi antichi // — country, madrepatria // — hand, esperto // — hat, (fam.) non è una novità 2 (in espressioni di età): a baby three months —, un bambino di tre mesi; a four-year- — child, un bambino di quattro anni; how — are you?, quanti anni hai?; she is twenty (years —), ha vent'anni; she is (twenty years) older than me, è più vecchia di me (di vent'anni) // to be as — as the hills, essere vecchio come Matusalemme 3 (fam.) (rafforzativo pleon.): any — thing will do, qualunque cosa basterà, andrà bene; come at any — time, vieni quando vuoi; to have a great — time, spassarsela.

old Bill ['ould'bil] s. (fam.) la polizia.

olden ['ouldən] agg. (letter.) vecchio, antico.

old-fashioned ['ouldfæʃənd] agg. antiquato, fuori moda; all'antica ♦ s. (amer.) cocktail a base di whisky.

old fogy, **old fogey** ['ould'fougi] s. matusa.

oldster ['ouldstə*] s. (fam.) persona anzianotta.

old-time ['ouldtaim] agg. (fam.) vecchiotto; d'altri tempi.

old-world ['ouldwə:ld] agg. 1 d'altri tempi 2 del vecchio mondo.

oleander [,ouli'ændə*] s. (bot.) oleandro.

oleograph ['ouliougra:f] s. oleografia.

olfactory [ɔl'fæktəri] agg. olfattivo.

olid ['ɔlid] agg. fetido.

oligarchic [,ɔli'ga:kik] agg. oligarchico.

oligarchy ['ɔliga:ki] s. oligarchia.

olive ['ɔliv] agg. d'oliva; d'olivo; olivastro ♦ s. 1 olivo // — yard, — grove, uliveto 2 oliva.

olive green ['ɔlivgri:n] s. e agg. verde oliva.

olive oil ['ɔliv'ɔil] s. olio d'oliva.

Oliver ['ɔlivə*], **Olivier** [ɔ'liviə*] no.pr.m. Oliviero.

olivine [,ɔli'vi:n] s. (min.) olivina.

Olympia [ou'limpiə] *no.pr.* Olimpia.
Olympiad [ou'limpiæd] *s.* Olimpiade.
Olympian [ou'limpiən] *agg.* olimpico, dell'Olimpo ♦ *s.* divinità dell'Olimpo.
Olympic [ou'limpik] *agg.* olimpico, di Olimpia.
Olympus [ou'limpəs] *no.pr.* Olimpo (*anche fig.*).
omega ['oumigə, (amer.) ou'megə] *s.* omega (*anche fig.*).
omelet(te) ['omlit] *s.* omelette, frittata.
omen ['oumen] *s.* auspicio, augurio, presagio.
ominous ['ominəs] *agg.* sinistro, di cattivo augurio.
ominousness ['ominəsnis] *s.* aspetto sinistro.
omissible [ou'misibl] *agg.* trascurabile.
omission [ou'miʃən] *s.* omissione; dimenticanza.
to omit [ou'mit] *v.tr.* omettere, dimenticare.
omnibus ['omnibəs] *agg.* che include tutto // — *volume*, raccolta completa ♦ *s.* (*pl.* **omnibuses** ['omini bəsiz]) autobus, omnibus.
omnifarious [,omni'feəriəs] *agg.* d'ogni genere.
omnipotence [om'nipətəns] *s.* onnipotenza.
omnipotent [om'nipətənt] *agg.* onnipotente.
omnipresence ['omni'prezəns] *s.* onnipresenza.
omnipresent [,omni'preznt] *agg.* onnipresente.
omniscience [om'nisiəns] *s.* onniscienza.
omniscient [om'nisiənt] *agg.* onnisciente.
omnivorous [om'nivərəs] *agg.* onnivoro.
on [on (*forma forte*), ən (*forma debole*)] *prep.* 1 su; sopra: — *the table*, sul tavolo; *a house* — *the sea*, una casa sul mare; *to throw sthg.* — *the floor*, gettare qlco. sul pavimento; *an essay* — *Wilde*, un saggio su Wilde; — *foot*, a piedi; — *horseback*, a cavallo; — *the train*, in treno // — *the radio*, alla radio // — *page three*, a pagina tre // *it is* — *you*, (*fam.*) tocca a te 2 (*di tempo*): — *Monday*, lunedì; — *that day*, quel giorno; — *Christmas morning*, la mattina di Natale; — *his arrival*, al suo arrivo // — *and after the tenth*, a partire dal dieci; — *or about the tenth*, verso il dieci ♦ *avv.* 1 su; sopra: *to put* — *a dress*, metter su, indossare un vestito // *to have something* —, avere un impegno 2 avanti: *to go* —, andare avanti, continuare; *to read* —, continuare a leggere // *and so* —, e così via // — *and* —, senza fermarsi 3 (*di tempo*): *from now* —, d'ora in poi; *further* —, più avanti; *later* —, più tardi; *time is getting* —, il tempo passa // — *and off*, di tanto in tanto // *to be* —, essere acceso; essere in funzione // *what's* — *at the cinema?*, cosa danno, fanno al cinema?
on *agg.* (*cricket*) a sinistra (del campo) ♦ *s.* (*cricket*) lato sinistro (del campo).
onager ['onəgə*], *pl.* **onagers** ['onəgəz], **onagri** ['onəgrai] *s.* (*zool.*) onagro.
once [wʌns] *avv.* 1 una volta: — *and for all*, una volta per sempre; — *in a while*, una volta ogni tanto; — *a year*, una volta all'anno; — *more* (o *again*), ancora una volta; — *in a way*, ogni tanto 2 una volta; un tempo // — *upon a time there was*, c'era una volta 3 *at* —, subito, all'istante; *all at* —, nello stesso tempo // *all at* —, improvvisamente ♦ *cong.* appena ♦ *s.* una sola volta.
once-over ['wʌns,ouvə*] *s.* (*fam.*) occhiata.
oncologic [onkə'lodʒik] *agg.* oncologico.
oncologist [onkə'lodʒist] *s.* oncologo.
oncoming ['on,kʌmiŋ] *agg.* imminente; prossimo ♦ *s.* l'avvicinarsi; prossimità.
one [wʌn] *agg.num.card.* uno // — *week out of two*, una settimana su due; — *act* —, primo atto ♦ *agg.indef.* uno: — *night*, una notte ♦ *agg.* solo, unico; stesso: *the* — *and only man who*, l'unico uomo che; *in* — *direction*, nella stessa direzione // *to be* — *with*, essere dello stes-

so parere di ♦ *s.* uno // — *o'clock*, la una, le ore tredici // — *and six*, uno scellino e sei pence // *to be* — *up on*, (*fam.*) avere un vantaggio su.
one *pron.dimostr.* quello: *the red* —, quello rosso; *the worst* —, il peggiore; *the* — *with a hat*, quello col cappello ♦ *pron.indef.* 1 uno: — *of you*, uno di voi; — *by* —, a uno a uno // — *another*, l'un l'altro (fra molti) // — *and all*, tutti quanti // *any* —, *every* — *etc.*, → *anyone*, *everyone* etc. // — *Mr. Brown*, un certo Sig. Brown // *he's not (the)* — *to do that*, non è tipo da farlo // *he is a* —, è un bel tipo; *he is (a)* — *for*, è appassionato di; è molto abile in 2 (*costr. impers.*): — *must know how to behave*, si deve sapere come comportarsi // *one's agg.* proprio: — *must do one's duty*, si deve fare il proprio dovere; *to put on one's gloves*, mettersi i guanti.
one-armed ['wʌn'ɑ:md] *agg.* con un braccio solo.
one-eyed ['wʌn'aid] *agg.* con un occhio solo.
oneirology [,ounai'rolədʒi] *s.* onirologia.
oneness ['wʌnnis] *s.* unicità; unione, identità.
oner ['wʌnə*] *s.* 1 persona o cosa unica nel suo genere; asso 2 colpo forte.
onerous ['onərəs] *agg.* oneroso, gravoso.
oneself [wʌn'self] *pron.rifl.* si, sé, sé stesso: *to enjoy* —, divertirsi // *by* —, da sé, da solo.
one-sided ['wʌn'saidid] *agg.* unilaterale; parziale; prevenuto.
one-sidedness ['wʌn'saididnis] *s.* unilateralità; parzialità; prevenzione.
one-track ['wʌntræk] *agg.* (*fig.*) unilaterale; ristretto: *he has got a* — *mind*, non pensa ad altro.
one-way ['wʌnwei] *agg.* a senso unico, unidirezionale // — *ticket*, (biglietto di) sola andata (o ritorno).
ongoings ['on,gouinz] *s.pl.* 1 avvenimenti 2 comportamento inspiegabile (*sing.*).
onion ['ʌnjən] *s.* (*bot.*) cipolla // *he knows his onions*, sa quello che fa.
on-line [on'lain] *agg.* (*informatica*) in linea, collegato: — *processing*, elaborazione in diretta con l'elaboratore.
onlooker ['on,lukə*] *s.* spettatore.
only ['ounli] *agg.* solo; unico: — *child*, figlio unico ♦ *avv.* solo, soltanto; unicamente // — *just in time*, appena in tempo // — *too pleased*, contentissimo, soddisfattissimo // *Ladies* —, riservato alle signore ♦ *cong.* ma, però.
onomatopoeia [,onoumætou'pi(:)ə] *s.* (*ret.*) onomatopea.
onomatopoeic [,onoumætou'pi:ik], **onomatopoetic** ['onou,mætoupou'etik] *agg.* onomatopeico.
onrush ['onrʌʃ] *s.* assalto, avanzata.
onset ['onset] *s.* 1 attacco 2 inizio.
onslaught ['onslɔ:t] *s.* attacco.
onto ['ontu] *prep.* su; verso: *room looking* — *the street*, stanza che dà sulla strada.
ontological [,ontə'lodʒikəl] *agg.* (*fil.*) ontologico.
onus ['ounəs] *s.* onere.
onward ['onwəd] *agg.* avanzato; progressivo.
onward(s) ['onwəd(z)] *avv.* (in) avanti; oltre.
onyx ['oniks] *s.* (*min.*) onice.
oodles ['u:dlz] *s.pl.* (*fam.*) un sacco (di) (*sing.*).
oof [u:f] *s.* (*sl.*) grana.
to ooze [u:z] *v.intr.* fluire, colare lentamente; gocciolare, stillare; filtrare // *to* — *with*, trasudare // *the secret oozed out*, il segreto trapelò // *his courage oozed away*, il suo coraggio scemò ♦ *v.tr.* colare; grondare; sprizzare (*anche fig.*).

oozy ['u:zi] *agg.* **1** melmoso **2** viscoso.

opacity [ou'pæsiti] *s.* **1** opacità **2** (*fig.*) oscurità; ottusità.

opal ['oupəl] *s.* (*min.*) opale.

opalescence [,oupə'lesns] *s.* opalescenza.

opalescent [,oupə'lesnt] *agg.* opalescente.

opaline ['oupəlain] *agg.* opalino.

opaque [ou'peik] *agg.* **1** opaco **2** (*fig.*) oscuro; ottuso.

to **ope** [oup] *v.tr.* (*poet.*) aprire ♦ *v.intr.* (*poet.*) aprirsi.

open ['oupən] *agg.* aperto // — *an* — *competition*, una gara aperta a tutti // *the job is still* —, l'impiego è ancora vacante // *to have an* — *mind on sthg.*, non avere preconcetti su qlco. // *to lay oneself* — *to criticism*, lasciare il fianco scoperto alle critiche // — *secret*, segreto di Pulcinella.

to **open** *v.tr.* **1** aprire; schiudere // *the Queen opened Parliament*, la regina inaugurò la sessione del Parlamento // *to* — *out*, stendere, spiegare ♦ *v.intr.* aprirsi; schiudersi: *the two rooms* — *into each other*, le due camere sono comunicanti; *the windows* — *on to the sea*, le finestre danno sul mare.

open-air ['oupn'εə*] *agg.* all'aria aperta.

open-and-shut [,oupənənd'ʃʌt] *agg.* chiaro.

opencast ['oupənka:st] *s.* scavo a cielo aperto.

opener ['oupnə*] *s.* apritore.

open-eyed ['oupn'aid] *agg.* e *avv.* a occhi aperti; a occhi sbarrati.

open-handed ['oupn'hændid] *agg.* generoso.

open-hearted ['oupən,ha:tid] *agg.* franco; sincero.

opening ['oupnin] *agg.* **1** che si apre **2** che inizia ♦ *s.* **1** apertura; inaugurazione: — *night*, serata inagurale; prima (teatrale, cinematografica); — *time*, orario di apertura **2** principio; esordio **3** radura; schiarita (nel cielo) **4** breccia; foro **5** occasione favorevole.

open-minded ['oupn'maindid] *agg.* di larghe vedute.

open-mouthed ['oupn'mauðd] *agg.* a bocca aperta.

open-mouthedly ['oupn'mauðdli] *avv.* a bocca aperta.

openness ['oupnnis] *s.* franchezza; apertura (mentale).

open shop [,oupən'ʃɔp] *s.* ditta che assume anche i non iscritti al sindacato.

openwork ['oupnwə:k] *agg.* traforato; (*di scavi*) a giorno ♦ *s.* traforo.

opera ['ɔpərə] *s.* (*teatr.*) opera.

opera cloak ['ɔpərəklouk] *s.* mantello da sera.

opera glasses ['ɔpərəgla:siz] *s.pl.* binocolo da teatro (*sing.*).

opera hat ['ɔpərəhæt] *s.* gibus, cilindro pieghevole.

opera house ['ɔpərəhaus] *s.* teatro d'opera.

to **operate** ['ɔpəreit] *v.intr.* **1** funzionare, essere in funzione; agire **2** (*med.*) operare: *to* — *on a limb*, operare un arto **3** (*mil. comm.*) fare delle operazioni ♦ *v.tr.* far funzionare.

operatic [,ɔpə'rætik] *agg.* di opera, lirico.

operation [,ɔpə'reiʃən] *s.* **1** funzionamento; attività: *to come into* —, entrare in vigore; entrare in funzionamento **2** operazione **3** (*informatica*) funzionamento; operazione; comando operativo: — *queue*, coda di operazioni; — *routing*, ciclo di lavorazione; — *time*, tempi di esecuzione.

operational [,ɔpə'reiʃənl] *agg.* (*mil.*) di, relativo a operazioni.

operative ['ɔpərətiv, (*amer.*) 'ɔpəreitiv] *agg.* attivo; efficace; valido: *the law will be* —, la legge entrerà in vigore ♦ *s.* operaio.

operator ['ɔpəreitə*] *s.* **1** persona che fa funzionare un apparecchio; operatore; (*tel.*) centralinista; (*rad.*) marconista // — *-assisted call*, (*tel.*) chiamata attraverso il centralino **2** agente di cambio.

Ophelia [ɔ'fi:ljə] *no.pr.f.* (*lett.*) Ofelia.

ophthalmic [ɔf'θælmik] *agg.* oftalmico.

ophthalmology [,ɔfθæl'mɔlədʒi] *s.* oftalmologia.

opiate ['oupieit] *agg.* e *s.* narcotico; sonnifero.

to **opine** [ou'pain] *v.tr.* opinare, pensare, ritenere.

opinion [ə'pinjən] *s.* **1** opinione, parere, giudizio: *in my* —, secondo me; *a matter of* —, una cosa discutibile **2** stima.

opinionated [ə'pinjəneitid], **opinionative** [ə'pinjən ətiv, (*amer.*) ə'pinjəneitiv] *agg.* ostinato; dogmatico.

opium ['oupjəm] *s.* oppio.

opiumism ['oupjəmizəm] *s.* oppiomania.

opponency [ə'pounənsi] *s.* opposizione.

opponent [ə'pounənt] *agg.* contrario, opposto ♦ *s.* avversario; antagonista.

opportune [ə'pɔtju:n] *agg.* opportuno.

opportunism ['ɔpətju:nizəm] *s.* opportunismo.

opportunist ['ɔpətju:nist] *s.* opportunista.

opportunity [,ɔpə'tju:niti] *s.* occasione; possibilità; opportunità.

to **oppose** [ə'pouz] *v.tr.* opporre, opporsi (a).

opposer [ə'pouzə*] *s.* oppositore; avversario.

opposite ['ɔpəzit] *agg.* opposto: *the* — *sex*, l'altro sesso // — *number*, collega; persona che svolge la stessa attività ♦ *s.* opposto ♦ *avv.* dirimpetto, di fronte ♦ *prep.* di fronte a, dirimpetto a.

opposition [,ɔpə'ziʃən] *s.* opposizione.

to **oppress** [ə'pres] *v.tr.* opprimere.

oppression [ə'preʃən] *s.* oppressione.

oppressive [ə'presiv] *agg.* oppressivo, opprimente.

oppressor [ə'presə*] *s.* oppressore.

opprobrious [ə'proubriəs] *agg.* obbrobrioso.

opprobrium [ə'proubriəm] *s.* **1** ingiuria; rimprovero **2** disonore.

to **opt** [ɔpt] *v.intr.* optare: *to* — *out* (*of sthg.*), scegliere di non partecipare (a qlco.).

optative ['ɔptətiv] *agg.* e *s.* (*gramm.*) ottativo.

optic ['ɔptik] *agg.* ottico ♦ *s.* (*fam.*) occhio.

optical ['ɔptikəl] *agg.* ottico.

optician [ɔp'tiʃən] *s.* ottico.

optics ['ɔptiks] *s.* (*fis.*) ottica.

optimism ['ɔptimizəm] *s.* ottimismo.

optimist ['ɔptimist] *s.* ottimista.

to **optimize** ['ɔptimaiz] *v.tr.* ottimare.

optimum ['ɔptiməm] *s.* optimum, la condizione migliore ♦ *agg.* migliore, ottimale.

option ['ɔpʃən] *s.* **1** opzione; scelta **2** *pl.* accessori (di auto).

optional ['ɔpʃənl] *agg.* facoltativo; opzionale.

opulence ['ɔpjuləns] *s.* abbondanza; ricchezza, opulenza.

opulent ['ɔpjulənt] *agg.* abbondante; ricco, opulento.

or [ɔ:*] *cong.* **1** o; oppure: *white* — *black*, bianco o nero // *a century* — *so*, un secolo circa **2** — (*else*), altrimenti **3** (*con negazione*) né: *without money* — *luggage*, senza denaro né bagagli.

oracle ['ɔrəkl] *s.* oracolo // *to work the* —, (*fig.*) ottenere qlco. (con intrighi).

oracular [ɔ'rækjulə*] *agg.* **1** di oracolo; profetico **2** ambiguo, oscuro.

oral ['ɔ:rəl] *agg.* orale.

orange ['ɔrindʒ] *agg.* arancione ♦ *s.* arancia; arancio

// — juice, succo d'arancia *// — squash*, spremuta d'arancia.

orangeade [ˈɔrindʒˈeid] *s.* aranciata.

orange blossom [ˈɔrindʒˌblɔsəm] *s.* fiore d'arancio.

orange peel [ˈɔrindʒpiːl] *s.* scorza d'arancia.

orang(o)utang, orangutan [ɔːˌræŋuːˈtæŋ, *(amer.)* əˌræŋəˈtæŋ] *s. (zool.)* orangutan.

to **orate** [ɔːˈreit] *v.intr. (fam.)* fare uno sproloquio.

oration [ɔːˈreiʃən] *s.* discorso.

orator [ˈɔrətə*] *s.* oratore.

oratorical [ˌɔrəˈtɔrikəl] *agg.* oratorio.

oratory[1] [ˈɔrətəri] *s.* oratorio *// Oratory*, Oratorio (di san Filippo Neri).

oratory[2] *s.* oratoria; eloquenza.

orb [ɔːb] *s.* **1** globo, sfera **2** *(relig.)* globo imperiale **3** occhio.

orbit [ˈɔːbit] *s.* orbita.

orc [ɔːk] *s. (zool.)* orca marina.

orchard [ˈɔːtʃəd] *s.* frutteto.

orchestra [ˈɔːkistrə] *s.* orchestra *// — pit*, golfo mistico; *(—) stalls*, le prime file di poltrone.

orchestral [ɔːˈkestrəl] *agg.* orchestrale.

to **orchestrate** [ˈɔːkistreit] *v.tr. (mus.)* orchestrare.

orchid [ˈɔːkid] *s.* orchidea.

to **ordain** [ɔːˈdein] *v.tr.* ordinare.

ordeal [ɔːˈdiːl] *s.* dura prova; cimento.

order [ˈɔːdə*] *s.* **1** ordine; ordinanza: *in working —*, in funzione, in efficienza; *out of —*, guasto *// — to view*, permesso di visitare una casa (prima di comprarla) **2** classe, categoria (di persone, animali) **3** *pl. (eccl.)* sacramento dell'ordine *(sing.)* **4** *(comm.)* ordinazione, commissione: *made to —*, eseguito su ordinazione **5** scopo, fine: *in — that*, affinché; *in — to do sthg.*, allo scopo di fare qlco.

to **order** *v.tr.* ordinare *// to — away*, mandar via *// to — about*, comandare a bacchetta.

ordering [ˈɔːdəriŋ] *s.* disposizione.

orderly [ˈɔːdəli] *agg.* **1** ordinato; disciplinato **2** *(mil.)* in servizio ♦ *s. (mil.)* attendente.

ordinal [ˈɔːdinl, *(amer.)* ˈɔːdənl] *agg. e s. (mat.)* ordinale.

ordinance [ˈɔːdinəns] *s.* **1** ordinanza **2** rito.

ordinary [ˈɔːdnri] *agg.* **1** ordinario, consueto, solito **2** comune, mediocre ♦ *s.* **1** condizione ordinaria, normale **2** magistrato ordinario; vescovo ordinario **3** *(eccl.)* ordinale (della messa).

ordination [ˌɔːdiˈneiʃən, *(amer.)* ˌɔːdnˈeiʃən] *s. (eccl.)* ordinazione.

ordnance [ˈɔːdnəns] *s.* **1** artiglieria **2** *— (survey) map*, carta topografica **2** *(mil.)* servizi logistici *(pl.) // Ordnance Corps*, *(amer.)* la Sussistenza.

ordure [ˈɔːdjuə*] *s.* **1** sporcizia; immondizia **2** oscenità.

ore [ɔː*] *s.* minerale, metallo (grezzo).

organ [ˈɔːgən] *s.* organo *// barrel —*, organetto; *mouth —*, armonica a bocca.

organdie, organdy [ˈɔːgəndi] *s.* organza.

organ grinder [ˈɔːgənˌgraində*] *s.* suonatore ambulante d'organetto.

organic [ɔːˈgænik] *agg.* organico.

organism [ˈɔːgənizəm] *s.* organismo.

organist [ˈɔːgənist] *s.* organista.

organization [ˌɔːgənaiˈzeiʃən] *s.* organizzazione: *— chart*, organigramma (di azienda, di ufficio).

to **organize** [ˈɔːgənaiz] *v.tr.* organizzare ♦ *v.intr.* organizzarsi.

organizer [ˈɔːgənaizə*] *s.* organizzatore.

orgasm [ˈɔːgæzəm] *s.* orgasmo.

orgiastic [ˌɔːdʒiˈæstik] *agg.* orgiastico.

orgy [ˈɔːdʒi], *pl.* **orgies** [ˈɔːdʒiz] *s.* orgia.

oriel [ˈɔːriəl] *s. (arch.)* bovindo.

orient [ˈɔːriənt] *agg. (poet.)* orientale *// Orient s.* oriente.

to **orient** [ˈɔːrient] *v.tr. e intr.* → to **orientate**.

Oriental [ˌɔːriˈentl] *agg. e s.* orientale.

Orientalism [ˌɔːriˈentəlizəm] *s.* orientalismo.

Orientalist [ˌɔːriˈentəlist] *s.* orientalista.

to **Orientalize** [ˌɔːriˈentəlaiz] *v.tr.* orientalizzare.

to **orientate** [ˈɔːrienteit] *v.tr.* orientare *// to — oneself*, orientarsi *(anche fig.)* ♦ *v.intr.* essere orientato, volto ad oriente.

orientation [ˌɔːrienˈteiʃən] *s.* orientamento.

orifice [ˈɔrifis] *s.* orifizio.

oriflamme [ˈɔriflæm] *s.* orifiamma.

origin [ˈɔridʒin, *(amer.)* ˈɔːrədʒin] *s.* origine.

original [əˈridʒənl] *agg. e s.* originale.

originality [əˌridʒiˈnæliti] *s.* originalità.

originally [əˈridʒnəli] *avv.* **1** originariamente, in origine **2** in modo originale.

to **originate** [əˈridʒineit] *v.tr. e intr.* originare.

origination [əˌridʒiˈneiʃən] *s.* origine; creazione.

oriole [ˈɔːrioul] *s. (zool.)* rigogolo.

Orion [əˈraiən] *no.pr. (astr.)* Orione.

orison [ˈɔrizən] *s. (poet.)* orazione.

Orkney Islands (the) [ˈɔːkniˈailəndz] *no.pr.pl.* le Isole Orcadi.

ormolu [ˈɔːməluː] *s.* bronzo dorato, similoro; mobile decorato con bronzi dorati ecc.

ornament [ˈɔːnəmənt] *s.* **1** ornamento; *(fig.)* lustro: *to be an — to one's profession*, onorare la propria professione **2** ninnolo **3** *(gener. pl.) (eccl.)* paramenti *(pl.)*.

to **ornament** [ˈɔːnəmənt] *v.tr.* ornare, decorare.

ornamental [ˌɔːnəˈmentl] *agg.* ornamentale.

ornamentation [ˌɔːnəmənˈteiʃən] *s.* ornamentazione, decorazione.

ornate [ɔːˈneit] *agg.* ornato; elaborato, ricercato.

ornateness [ɔːˈneitnis] *s.* decorazione esagerata; ricercatezza.

ornery [ˈɔːnəri] *agg. (amer.)* di cattivo carattere; irritabile e testardo.

ornithology [ˌɔːniˈθɔlədʒi] *s.* ornitologia.

orography [ɔˈrɔgrəfi] *s.* orografia.

orotund [ˈɔroutʌnd] *agg.* altisonante.

orphan [ˈɔːfən] *agg. e s.* orfano.

to **orphan** *v.tr.* rendere orfano.

orphanage [ˈɔːfənidʒ] *s.* **1** orfanotrofio **2** l'essere orfano.

Orpheus [ˈɔːfjuːs] *no.pr.m. (mit.)* Orfeo.

orrery [ˈɔrəri] *s.* planetario.

orris [ˈɔris] *s.* pizzo, ricamo in oro, argento.

orthocenter [ˌɔːθouˈsentə*] *s. (geom.)* ortocentro.

orthodox [ˈɔːθədɔks] *agg.* ortodosso.

orthodoxy [ˈɔːθədɔksi] *s.* ortodossia.

orthography [ɔːˈθɔgrəfi] *s.* **1** *(gramm.)* ortografia **2** *(geom.)* proiezione ortogonale.

orthopaedic [ˌɔːθouˈpiːdik] *agg.* ortopedico.

orthopaedics [ˌɔːθouˈpiːdiks] *s.* ortopedia.

orthopaedist [ˌɔːθouˈpiːdist] *s.* ortopedico.

to **oscillate** [ˈɔsileit] *v.tr. e intr.* (far) oscillare *(anche fig.)*.

oscillation [ˌɔsiˈleiʃən] *s.* oscillazione.

oscillator [ˈɔsileitə*] *s. (elettr.)* oscillatore.

oscillatory [ˈɔsilətəri] *agg.* oscillatorio.

to **osculate** [ˈɔskjuleit] *v.tr.* baciare ♦ *v.intr. (geom.)* essere tangente.

osculation [ˌɔskjuˈleiʃən] *s.* **1** bacio **2** (*geom.*) tangenza.

osculatory [ˈɔskjulətəri] *agg.* **1** che bacia **2** (*geom.*) tangente.

osier [ˈouʒə*] *s.* vimine.

osmosis [ɔzˈmousis], *pl.* **osmoses** [ɔzˈmousiz] *s.* (*fis.*) osmosi.

osprey [ˈɔspri] *s.* asprì.

to **ossify** [ˈɔsifai] *v.tr.* ossificare ♦ *v.intr.* ossificarsi.

ossuary [ˈɔsjuəri] *s.* ossario; urna funebre.

Ostend [ɔsˈtend] *no.pr.* Ostenda.

ostensible [ɔsˈtensəbl] *agg.* apparente.

ostensory [ɔsˈtensəri] *s.* (*eccl.*) ostensorio.

ostentation [ˌɔstenˈteiʃən] *s.* ostentazione.

ostentatious [ˌɔstenˈteiʃəs] *agg.* ostentato.

osteology [ˌɔstiˈɔlədʒi] *s.* (*med.*) osteologia.

osteoporosis [ˌɔstiəupəˈrousis] *s.* (*med.*) osteoporosi.

ostler [ˈɔslə*] *s.* stalliere.

to **ostracize** [ˈɔstrəsaiz] *v.tr.* dare l'ostracismo (a).

ostrich [ˈɔstritʃ] *s.* struzzo // *the digestion of an* —, uno stomaco di struzzo // *to pursue an* — *policy*, fare lo struzzo.

Ostrogoth [ˈɔstrəgɔθ] *s.* (*st.*) ostrogoto.

Ostrogothic [ˌɔstrəˈgɔθik] *agg.* (*st.*) ostrogoto.

otary [ˈoutəri] *s.* (*zool.*) otaria.

Othello [ouˈθelou] *no.pr.m.* (*lett.*) Otello.

other [ˈʌðə*] *agg.* altro; diverso: *the* — *side of the street*, l'altro lato della strada; *sthg.* — *than*, qlco. di diverso da // *every* — *day*, un giorno sì e un giorno no // *none* — *than*, non altri che ♦ *pron.* altro: *the others*, gli altri; *some day or* —, un giorno o l'altro; *no* —, nessun altro; *two others*, altri due // *this day of all others*, proprio questo giorno ♦ *avv.* altrimenti, diversamente.

otherwise [ˈʌðəwaiz] *avv.* **1** altrimenti: *it couldn't be* —, non poteva essere altrimenti; *obey,* — *you'll be punished*, obbedisci, altrimenti sarai punito // *Samuel Clemens* — *Mark Twain*, Samuel Clemens alias Mark Twain // *except where* — *stated*, salvo indicazione contraria **2** a parte ciò; per il resto.

otherworld [ˈʌðəwə:ld] *s.* aldilà.

otherworldly [ˈʌðə,wə:ldli] *agg.* mistico.

otiose [ˈoufious] *agg.* futile; inutile.

otitis [ouˈtaitis] *s.* (*med.*) otite.

otter [ˈɔtə*] *s.* lontra.

ottoman [ˈɔtəmən] *s.* ottomana.

Ottoman *agg.* e *s.* ottomano, turco.

ought [ɔ:t] *v.dif.* dovere (al *cond.*): *you* — *to go*, dovresti andare; *you* — *to have gone*, saresti dovuto andare.

oughtn't [ˈɔtnt] *contr.* di **ought not**.

ounce[1] [auns] *s.* oncia.

ounce[2] *s.* (*poet.*) lince.

our [ˈauə*] *agg.poss.* nostro.

ours [ˈauəz] *pron.poss.* il nostro // *that friend of* —, quel nostro amico.

ourself [ˌauəˈself] *pron.rifl.* 1ᵃ *pers.pl.* (*di maestà*) ci, noi stessi.

ourselves [ˌauəˈselvz] *pron. 1ᵃ pers.pl.* **1** *rifl.* ci, noi stessi **2** (*enfatico*) noi stessi // *by* —, da soli ♦ *s.* noi stessi: *we were not* —, non eravamo in forma.

ousel [ˈu:zl] *s.* merlo.

to **oust** [aust] *v.tr.* espellere; estromettere.

out [aut] *avv.* **1** fuori; in fuori: *to dine* —, pranzare fuori; *to lean* —, sporgersi (in fuori) // — *with you!*, fuori! // — *with it!*, dillo! **2** *to be* —, esser fuori; essere in sciopero; (*di fiore*) essere sbocciato; (*di fonte luminosa*) essere spento; (*di libro*) essere pubblicato // *before the month is* —, prima della fine del mese // *you were not far* —, non ti sbagliavi di molto **3** (*fraseologia*): — *and* —, completamente; — *and away*, di gran lunga; — *there*, laggiù; *all* —, a tutta velocità // **out of** *prep.* **1** fuori di, fuori da: — *of the window*, fuori dalla finestra // *to be* — *of money*, essere a corto di soldi // *to get money* — *of s.o.*, spillare denaro a qlcu. // *to drink straight* — *of the bottle*, bere dalla bottiglia **2** tra, fra: *to choose* — *of many things*, scegliere fra molte cose **3** per: — *of curiosity*, per curiosità **4** fuori; senza: — *of action*, fuori combattimento; — *of breath*, senza fiato.

out *agg.* **1** esterno **2** insolito **3** fuori moda ♦ *s.* **1** sporgenza **2** *pl.* (*pol.*) partito non al potere.

to **out** *v.tr.* **1** (*pugilato*) metter fuori combattimento **2** mandar fuori.

to **outbalance** [autˈbæləns] *v.tr.* superare (in peso, valore).

to **outbargain** [autˈba:gin] *v.tr.* avere la meglio su (in affari, contratti ecc.).

to **outbid** [autˈbid], *pass.* e *p.pass.* **outbid** *v.tr.* offrire di più; rilanciare (all'asta, alle carte).

outboard [ˈautbɔ:d] *agg.* fuoribordo // — *motor*, motore fuoribordo.

outbound [ˈautbaund] *agg.* uscente, in partenza.

to **outbrave** [autˈbreiv] *v.tr.* sfidare.

outbreak [ˈautbreik] *s.* scoppio (*anche fig.*).

outbuilding [ˈaut,bildiŋ] *s.* edificio annesso (spec. stalla ecc.).

outburst [ˈautbə:st] *s.* esplosione, scoppio (*anche fig.*).

outcast [ˈautka:st] *s.* reprobo, reietto.

outcaste [ˈautka:st] *s.* paria.

to **outclass** [autˈkla:s] *v.tr.* superare, surclassare.

outcome [ˈautkʌm] *s.* risultato, conseguenza.

outcrop [ˈautkrɔp] *s.* (*geol.*) affioramento.

outcry [ˈautkrai] *s.* scalpore; grido; chiasso.

outdated [ˈaut,deitid] *agg.* fuori moda.

to **outdistance** [autˈdistəns] *v.tr.* distanziare; sorpassare.

to **outdo** [autˈdu:], *pass.* **outdid** [autˈdid], *p.pass.* **outdone** [autˈdʌn] *v.tr.* superare // *not to be outdone*, per non essere da meno.

outdoor [autdɔ:*] *agg.* esterno; all'aperto.

outdoors [ˈautdɔ:z] *avv.* all'aperto.

outer [ˈautə*] *agg.* **1** esterno // *the* — *garments*, gli abiti **2** esteriore // *the* — *man*, l'aspetto esteriore dell'uomo ♦ *s.* parte del bersaglio lontana dal centro.

outermost [ˈautəmoust] *agg.* esterno; il più in fuori; il più remoto.

to **outface** [autˈfeis] *v.tr.* tener testa (a); sfidare.

outfall [ˈautfɔ:l] *s.* **1** foce **2** bocca di scarico.

outfield [ˈautfi:ld] *s.* (*cricket, baseball*) parte del campo più lontana dai battitori.

to **outfight** [autˈfait], *pass.* e *p.pass.* **outfought** [autˈfɔ:t] *v.tr.* superare (in combattimento).

outfit [ˈautfit] *s.* **1** completo; equipaggiamento; l'occorrente (per qlco.) **2** (*sl.*) compagnia, gruppo.

outfitter [ˈaut,fitə*] *s.* **1** fornitore **2** chi vende confezioni per uomo.

to **outflank** [autˈflæŋk] *v.tr.* **1** (*mil.*) aggirare (il nemico) **2** (*fig.*) raggirare.

outflow [ˈautflou] *s.* uscita, efflusso (*anche fig.*).

outfought *pass.* e *p.pass.* di to **outfight**.

to **outfox** [autˈfɔks] *v.tr.* superare in astuzia.

outgo [ˈautgou], *pl.* **outgoes** [ˈautgouz] *s.* spesa.

to **outgo** [aut'gou], *pass.* **outwent** [aut'went], *p.pass.*
outgone [aut'gɔn] *v.tr.* sorpassare; superare.

outgoing ['aut,gouŋ] *agg.* **1** uscente; in partenza **2** espansivo ♦ *s.pl.* spese; uscite.

outgone *p.pass.* di to **outgo**.

to **outgrow** [aut'grou], *pass.* **outgrew** [aut'gru:],
p.pass. **outgrown** [aut'groun] *v.tr.* **1** diventare troppo grande per: *I have outgrown my dress*, il vestito non mi va più bene **2** sorpassare (in statura, quantità ecc.) **3** perdere, disfarsi di (abitudine ecc.).

outgrowth ['autgrouθ] *s.* **1** risultato, conseguenza **2** escrescenza.

outhouse ['authaus] *s.* edificio annesso (spec. stalla ecc.).

outing ['autiŋ] *s.* passeggiata; scampagnata.

outlandish [aut'lændiʃ] *agg.* **1** dall'aspetto straniero **2** strano, bizzarro **3** fuori mano, lontano.

to **outlast** [aut'lɑ:st] *v.tr.* sopravvivere (a); durare più a lungo (di).

outlaw ['autlɔ:] *s.* fuorilegge, criminale, bandito.

to **outlaw** *v.tr.* **1** bandire **2** dichiarare illegale; dare l'ostracismo a.

outlawry ['aut'lɔ:ri] *s.* condizione di fuorilegge; proscrizione; illegalità; infrazione alle leggi.

outlay ['autlei] *s.* spesa; aggravio.

outlet ['autlet] *s.* sbocco, sfogo, via d'uscita (*anche fig.*).

outlier ['aut,laiə*] *s.* persona, cosa isolata, staccata.

outline ['autlain] *s.* **1** contorno, profilo **2** abbozzo, schema **3** sommario: *an — of American literature*, lineamenti di letteratura americana.

to **outline** *v.tr.* **1** tracciare i contorni di, delineare **2** fare un sommario di.

to **outlive** [aut'liv] *v.tr.* sopravvivere a.

outlook ['autluk] *s.* **1** vista **2** prospettiva **3** veduta, modo di vedere: *a narrow —*, vedute limitate.

outlying ['aut,laiiŋ] *agg.* fuori mano.

outmoded ['aut,moudid] *agg.* antiquato, fuori moda.

outmost ['autmoust] *agg.* → **outermost**.

to **outnumber** [aut'nʌmbə*] *v.tr.* superare in numero.

out-of-date ['autəv'deit] *agg.* fuori moda.

out-of-door ['autəv'dɔ:*] *agg.* → **outdoor**.

out-of-the-way ['autəvðə'wei] *agg.* fuori mano.

to **outplay** [aut'plei] *v.tr.* battere.

outpost ['autpoust] *s.* avamposto.

outpouring ['aut,pɔ:riŋ] *s.* sfogo, effusione.

output ['autput] *s.* **1** produzione; rendimento **2** (*informatica*) (*IBM*) emissione, uscita; estrazione: *— drive*, unità di uscita; *— file*, file di emissione.

to **output** *v.intr.* (*informatica*) estrarre dati.

outrage ['autreidʒ] *s.* oltraggio, offesa.

to **outrage** *v.tr.* **1** oltraggiare; violare (legge ecc.) **2** violentare.

outrageous [aut'reidʒəs] *agg.* oltraggioso; atroce.

outran *pass.* di to **outrun**.

to **outride** [aut'raid], *pass.* **outrode** [aut'roud], *p.pass.*
outridden [aut'ridn] *v.tr.* superare (a cavallo).

outrider ['aut,raidə*] *s.* battistrada, lacchè.

outrigger ['aut,rigə*] *s.* **1** sporgenza esterna **2** (*mar.*) buttafuori; scalmiera.

outright ['autrait] *agg.* **1** completo, intero **2** diretto, franco ♦ *avv.* **1** completamente; tutto in una volta **2** subito; al primo colpo **3** apertamente, francamente: *he laughed at us —*, ci scoppiò a ridere in faccia.

outrode *pass.* di to **outride**.

to **outrun** [aut'rʌn], *pass.* **outran** [aut'ræn], *p.pass.*
outrun *v.tr.* **1** correre più presto di **2** (*fig.*) superare.

to **outsail** [aut'seil] *v.tr.* (*mar.*) oltrepassare.

outset ['autset] *s.* principio, inizio; esordio.

outside ['aut'said] *agg.* **1** esterno; esteriore // *— worker*, operaio a domicilio // *to sell to — parties*, vendere a terzi **2** estremo, massimo; inverosimile ♦ *s.* **1** esterno **2** aspetto esteriore **3** il (limite) massimo: *at the very —*, al massimo.

outside *avv.* (di) fuori; all'aperto ♦ *prep.* **1** fuori di, all'esterno di: *— the door*, fuori della porta **2** eccetto, all'infuori di.

outsider ['aut'saidə*] *s.* **1** estraneo **2** (*ippica*) cavallo non favorito **3** (*fam.*) cafone.

to **outsit** [aut'sit], *pass. e p.pass.* **outsat** [aut'sæt] *v.tr.*
rimanere, trattenersi a sedere più a lungo di.

outsize ['autsaiz] *agg.* di taglia, misura superiore alla media ♦ *s.* articolo di vestiario di taglia superiore alla media.

outskirts ['autskə:ts] *s.pl.* sobborghi; periferia (*sing.*).

to **outsmart** [aut'smɑ:t] *v.tr.* → to **outwit**.

outspoken [aut'spoukən] *agg.* franco, schietto.

to **outspread** ['aut'spred] *v.tr.* spiegare; distendere ♦ *v.intr.* spiegarsi; distendersi.

outstanding [aut'stændiŋ] *agg.* **1** rilevante; fuori del comune; eminente **2** in sospeso; non pagato; scoperto.

to **outstay** [aut'stei] *v.tr.* trattenersi più a lungo di: *to — one's welcome*, prolungare troppo una visita.

outstretched ['autstretʃt] *agg.* disteso; spiegato.

to **outstrip** [aut'strip], *pass. e p.pass.* **outstripped** [aut'stript] *v.tr.* sorpassare; distanziare.

to **outtalk** [aut'tɔ:k] *v.tr.* sopraffare la voce di; mettere a tacere.

to **outvote** [aut'vout] *v.tr.* sconfiggere riportando la maggioranza dei voti.

outward ['autwəd] *agg.* **1** esterno; esteriore **2** verso l'esterno ♦ *s.* aspetto esteriore.

outwardly ['autwədli] *avv.* esternamente; fuori.

outward(s) ['autwəd(z)] *avv.* fuori; esternamente.

to **outwear** [aut'wɛə*], *pass.* **outwore** [aut'wɔ:*], *p.pass.* **outworn** [aut'wɔ:n] *v.tr.* **1** durare più a lungo di **2** consumare, sciupare (indumenti).

to **outweigh** [aut'wei] *v.tr.* pesare di più (di), aver maggior peso (di); (*fig.*) essere più importante (di).

outwent *pass.* di to **outgo**.

to **outwit** [aut'wit] *v.tr.* superare in astuzia; (*fam.*) mettere nel sacco.

outwore *pass.* di to **outwear**.

outwork ['autwə:k] *s.* **1** (*mil.*) fortificazione esterna **2** lavoro a domicilio.

to **outwork** [aut'wə:k] *v.tr.* lavorare più in fretta di.

outworn [aut'wɔ:n] *agg.* **1** logoro **2** trito e ritrito; sorpassato.

ouzel *s.* → **ousel**.

oval ['ouvəl] *agg. e s.* ovale.

ovary ['ouvəri] *s.* (*anat.*) ovaia; (*bot.*) ovario.

ovation [ou'veiʃən] *s.* ovazione.

oven ['ʌvn] *s.* forno: *in a quick —*, a forno caldo.

over- ['ouvə*] *pref.* sopra-, su-.

over *avv.* **1** di sopra; al di là, dall'altra parte: *to jump —*, saltare al di là // *— here*, qui; *— there*, là // *to be — the worst*, aver superato il peggio **2** interamente: *to do it all — again*, rifarlo interamente; *to read a letter —*, leggere tutta una lettera **3** in più: *children of six and —*, bambini di sei anni e più; *to have a card —*, avere una carta in più // *— and above*, inoltre, del resto **4** (*unito ad agg. e avv.*) troppo, eccessivamente **5** (*con to be*) finito: *it's all — with us*, è finita per noi **6** (*indica ripetizione*): *to think sthg.* —, riflettere su qlco. // — *and* — (*again*), più e più volte.

over *prep.* **1** su; sopra; al di sopra di: *with one's hat* — *one's eyes*, col cappello sugli occhi; *to watch* — *s.o.*, vegliare su qlcu.; *to fly* — *the ocean*, sorvolare l'oceano // *to have no control* — *oneself*, non sapersi controllare // *to do sthg.* — *s.o.'s head*, fare qlco. all'insaputa di qlcu. **2** dall'altra parte di: *it's just* — *the street*, è dall'altra parte della strada **3** più di: *to be* — *forty*, avere più di quarant'anni // — *and above*, oltre a **4** durante: — *Easter*, durante l'intero periodo pasquale.

over *s.* (*cricket*) «over» (serie di palle lanciate da una squadra in una ripresa).

to **overact** ['ouvər'ækt] *v.tr.* (*teatr.*) caricare (una parte) ♦ *v.intr.* (*teatr.*) fare il gigione.

overall ['ouvərɔ:l] *agg.* globale, totale ♦ *s.* **1** grembiule; copriabito **2** *pl.* tuta da lavoro (*sing.*) ♦ *avv.* complessivamente.

overarm ['ouvərɑ:m] *agg.* — *service*, (*tennis*) servizio dall'alto; — *stroke*, (*nuoto*) bracciata a spalla ♦ *avv.* a braccia levate.

to **overawe** [,ouvər'ɔ:] *v.tr.* impaurire; intimidire.

to **overbalance** [,ouvə'bæləns] *v.tr.* **1** pesare più di **2** far perdere l'equilibrio (a) ♦ *v.intr.* perdere l'equilibrio.

to **overbear** [,ouvə'beə*], *pass.* **overbore** [,ouvə'bɔ:*], *p.pass.* **overborne** [,ouvə'bɔ:n] *v.tr.* sopraffare; dominare.

overbearing [,ouvə'beəriŋ] *agg.* prepotente; autoritario.

overblown [,ouvə'bloun] *agg.* spampanato.

overboard [,ouvə'buk] *avv.* fuori bordo, in mare // *to throw* —, (*fig.*) abbandonare.

to **overbook** ['ouvəbuk] *v.intr.* vendere, prenotare più posti di quanti siano disponibili.

overbore *pass.* di to **overbear**.

overborne *p.pass.* di to **overbear**.

to **overbrim** ['ouvə'brim]*v.tr.* e *intr.* traboccare (da).

to **overburden** [,ouvə'bə:dn] *v.tr.* sovraccaricare.

overcame *pass.* di to **overcome**.

to **overcast** ['ouvəkɑ:st], *pass.* e *p.pass.* **overcast** *v.tr.* **1** rannuvolare; offuscare **2** cucire a sopraggitto ♦ *v.intr.* rannuvolarsi; offuscarsi.

to **overcharge** ['ouvə'tʃɑ:dʒ] *s.* sovrapprezzo; prezzo eccessivo.

to **overcharge** *v.tr.* **1** far pagare troppo caro; far pagare di più **2** sovraccaricare.

to **overcloud** [,ouvə'klaud] *v.tr.* coprire di nubi ♦ *v.intr.* rannuvolarsi (*anche fig.*).

overcoat ['ouvəkout] *s.* soprabito; cappotto.

to **overcome** [,ouvə'kʌm], *pass.* **overcame** [,ouvə'keim], *p.pass.* **overcome** *v.tr.* vincere; sopraffare: *he was* — *by sleep*, era sopraffatto dal sonno ♦ *v.intr.* vincere.

overconfident ['ouvə'kɔnfidənt] *agg.* troppo sicuro di sé.

overcooked ['ouvə'kukt] *agg.* stracotto.

to **overcrop** [,ouvə'krɔp] *v.tr.* sfruttare eccessivamente il terreno.

to **overdo** [,ouvə'du:], *pass.* **overdid** [,ouvə'did], *p.pass.* **overdone** [,ouvə'dʌn] *v.tr.* **1** esagerare: *to* — *one's apology*, scusarsi esageratamente // *to* — *it*, strafare **2** affaticare troppo **3** cuocere troppo.

overdone *p.pass.* di to **overdo** ♦ *agg.* **1** esagerato **2** stracotto.

overdose ['ouvədous] *s.* dose eccessiva.

overdraft ['ouvədrɑ:ft] *s.* (*comm.*) scoperto (di conto corrente).

to **overdraw** [ouvə'drɔ:], *pass.* **overdrew** ['ouvə'dru:], *p.pass.* **overdrawn** ['ouvə'drɔ:n] *v.tr.* **1** esagerare **2** (*comm.*) prelevare (somme) in eccedenza ♦ *v.intr.* emettere assegni a vuoto.

to **overdress** ['ouvə'dres] *v.tr.* e *intr.* vestire con lusso eccessivo.

overdrew *pass.* di to **overdraw**.

overdrive ['ouvədraiv] *s.* (*aut.*) overdrive, moltiplicatore di velocità.

to **overdrive**, *pass.* **overdrove** ['ouvə'drouv], *p.pass.* **overdriven** ['ouvə'drivn] *v.tr.* sfruttare troppo; esaurire.

overdue ['ouvə'dju:] *agg.* scaduto; in ritardo.

to **overestimate** ['ouvər'estimeit] *v.tr.* sopravvalutare.

to **overexpose** ['ouvərik'spouz] *v.tr.* (*fot.*) sovraesporre.

overexposure ['ouvərik'spouʒə*] *s.* (*fot.*) sovraesposizione.

overfall ['ouvə'fɔ:l] *s.* tratto di mare, di fiume agitato da correnti.

to **overfeed** [,ouvə'fi:d] *v.tr.* alimentare eccessivamente, sovralimentare.

overfeeding [,ouvə'fi:diŋ] *s.* sovralimentazione.

overflow ['ouvəflou] *s.* **1** inondazione; straripamento **2** (*fig.*) sovrabbondanza; profusione **3** (*informatica*) (*IBM*) eccedenza; superamento di capacità; fine pagina: — *test*, (*COBOL*) condizione di eccedenza **4** scarico.

to **overflow** [,ouvə'flou] *v.tr.* inondare; far straripare ♦ *v.intr.* traboccare (*anche fig.*); straripare: *to* — *with wealth*, essere stracicco.

overflowing [,ouvə'flouiŋ] *agg.* **1** traboccante; straripante **2** (*fig.*) sovrabbondante.

to **overgrow** ['ouvə'grou], *pass.* **overgrew** ['ouvə'gru:], *p.pass.* **overgrown** ['ouvə'groun] *v.tr.* coprire (di vegetazione) ♦ *v.intr.* crescere eccessivamente.

overgrown *p.pass.* di to **overgrow** ♦ *agg.* **1** cresciuto troppo **2** coperto (di vegetazione).

overgrowth ['ouvə'grouθ] *s.* **1** crescita eccessiva **2** vegetazione sovrabbondante.

overhand ['ouvəhænd] *agg.* e *avv.* → **overarm**.

overhang ['ouvəhæŋ] *s.* sporgenza; aggetto.

to **overhang** [,ouvə'hæŋ], *pass.* e *p.pass.* **overhung** ['ouvə'hʌŋ] *v.tr.* **1** sovrastare **2** (*fig.*) minacciare ♦ *v.intr.* pendere; incombere; sovrastare.

overhaul ['ouvəhɔ:l] *s.* esame minuzioso; controllo.

to **overhaul** [,ouvə'hɔ:l] *v.tr.* **1** esaminare accuratamente; revisionare **2** raggiungere; sorpassare.

overhead ['ouvəhed] *agg.* **1** sopra la testa; alto; aereo: — *wires*, fili aerei **2** — *charges*, (*comm.*) spese generali ♦ *avv.* in alto, di sopra.

to **overhear** [,ouvə'hiə*], *pass.* e *p.pass.* **overheard** [,ouvə'hə:d] *v.tr.* udire per caso, di nascosto.

to **overheat** ['ouvə'hi:t] *v.tr.* surriscaldare (*anche fig.*).

overheat(ing) ['ouvə'hi:t(iŋ)] *s.* surriscaldamento.

overhung *pass.* e *p.pass.* di to **overhang**.

overjoyed [,ouvə'dʒɔid] *agg.* felicissimo.

overladen [,ouvə'leidn] *agg.* stracarico, sovraccarico.

overlaid *pass.* e *p.pass.* di to **overlay**.

overland [,ouvə'lænd] *agg.* e *avv.* via terra.

overlap ['ouvəlæp] *s.* sovrapposizione.

overlapping [,ouvə'læpiŋ] *s.* sovrapposizione.

to **overlap** [,ouvə'læp] *v.tr.* coprire; sovrapporre ♦ *v.intr.* **1** sovrapporsi **2** (*fig.*) coincidere.

to **overlay** [,ouvə'lei], *pass.* e *p.pass.* **overlaid** [,ouvə'leid] *v.tr.* **1** ricoprire **2** (*fig.*) opprimere.

overlay [ˈouvəlei] *s.* (*fig.*) velo, sfumatura.

overleaf [ˈouvəˈli:f] *avv.* sul retro della pagina.

overload [ˈouvəloud] *s.* sovraccarico.

to **overload** [ˈouvəˈloud] *v.tr.* sovraccaricare.

to **overlook** [ˌouvəˈluk] *v.tr.* **1** guardare, dominare dall'alto **2** lasciarsi sfuggire; trascurare **3** tollerare **4** sorvegliare.

overlord [ˈouvəlɔ:d] *s.* signore (feudale).

overly [ˈouvəli] *avv.* troppo.

overmuch [ˈouvəˈmʌtʃ] *agg.* eccessivo; soverchio ♦ *s.* eccesso ♦ *avv.* troppo, eccessivamente.

overnight [ˈouvəˈnait] *agg.* **1** compiuto durante la notte: *an — solution*, una soluzione trovata durante la notte **2** per una notte // *an — bag*, ventiquattrore ♦ *avv.* **1** durante la notte **2** (*fig.*) dall'oggi al domani.

overpass [ˈouvəpæs] *s.* (*amer.*) cavalcavia.

to **overplay** [ˌouvəˈplei] *v.tr.* esagerare // *to — one's hand*, rischiare troppo ♦ *v.intr.* strafare.

overplus [ˈouvəplʌs] *s.* soprappiù.

overpopulated [ˈouvəˈpɔpjuleitid] *agg.* sovrappopolato.

to **overpower** [ˌouvəˈpauə*] *v.tr.* sopraffare.

overpowering [ˌouvəˈpauəriŋ] *agg.* troppo forte, prepotente; schiacciante.

to **overprint** [ˈouvəˈprint] *v.tr.* sovrastampare.

overproduction [ˈouvəprəˈdʌkʃən] *s.* sovrapproduzione.

overran *pass.* di to **overrun**.

to **overrate** [ˌouvəˈreit] *v.tr.* sopravvalutare.

to **overreach** [ˌouvəˈri:tʃ] *v.tr.* avere la meglio (su) // *to — oneself*, fare il passo più lungo della gamba ♦ *v.intr.* fare il passo più lungo della gamba.

to **override** [ˌouvəˈraid], *pass.* **overrode** [ˌouvəˈroud], *p.pass.* **overridden** [ˌouvəˈridn] *v.tr.* **1** passare sopra a, calpestare (*anche fig.*): *decision that overrides a former decision*, decisione che annulla la precedente // *to — one's commission*, commettere un abuso di potere **2** stancare (un cavallo).

overrode *pass.* di to **override**.

to **overrule** [ˌouvəˈru:l] *v.tr.* **1** scartare, respingere; (*dir.*) annullare **2** dominare, essere più forte (di).

to **overrun** [ˌouvəˈrʌn], *pass.* **overran** [ˌouvəˈræn], *p.pass.* **overrun** *v.tr.* **1** invadere; infestare; devastare: *house — with mice*, casa infestata dai topi **2** inondare **3** oltrepassare; protrarsi oltre **4** (*tip.*) trasportare (caratteri) ♦ *v.intr.* protrarsi.

oversaw *pass.* di to **oversee**.

oversea [ˈouvəˈsi:], **overseas** [ˈouvəˈsi:z] *agg.* d'oltremare; straniero ♦ *avv.* oltremare, d'oltremare.

to **oversee** [ˌouvəˈsi:], *pass.* **oversaw** [ˈouvəˈsɔ:], *p.pass.* **overseen** [ˈouvəˈsi:n] *v.tr.* sorvegliare; ispezionare; soprintendere a.

overseer [ˈouvəsiə*] *s.* ispettore, soprintendente.

to **oversell** [ˌouvəˈsel], *pass.* e *p.pass.* **oversold** [ouvəˈsould] *v.tr.* vendere più (merce) di quella che si ha in magazzino.

to **overset** [ˈouvəˈset], *pass.* e *p.pass.* **overset** *v.tr.* **1** rovesciare **2** sconvolgere (*anche fig.*).

to **oversew** [ˈouvəˈsou], *pass.* **oversewed** [ˈouvəˈsoud], *p.pass.* **oversewn** [ˈouvəˈsoun] *v.tr.* fare il sopraggitto a; unire con sopraggitto.

to **overshadow** [ˌouvəˈʃædou] *v.tr.* **1** proiettare ombra (su) **2** (*fig.*) mettere in ombra; offuscare.

overshoe [ˈouvəˈʃu:] *s.* soprascarpa.

to **overshoot** [ˌouvəˈʃu:t], *pass.* e *p.pass.* **overshot** [ˈouvəʃɔt] *v.tr.* tirare al di là del bersaglio: *to — the*

mark, passare i limiti // *to — oneself*, fare il passo più lungo della gamba.

oversight [ˈouvəsait] *s.* **1** svista, sbaglio // *through* (o *by*) *an —*, per distrazione **2** sorveglianza; tutela.

to **oversleep** [ˈouvəˈsli:p], *pass.* e *p.pass.* **overslept** [ˈouvəˈslept] *v.intr.* dormire oltre (l'ora fissata) ♦ *v.tr.: to — oneself*, non svegliarsi all'ora stabilita.

oversold *pass.* e *p.pass.* di to **oversell**.

to **overspend** [ˈouvəˈspend], *pass.* e *p.pass.* **overspent** [ˈouvəˈspent] *v.tr.* spendere troppo ♦ *v.intr.* spendere oltre le proprie possibilità.

overspill [ˈouvəspil] *s.* sovrappopolazione.

to **overspread** [ˌouvəˈspred], *pass.* e *p.pass.* **overspread** *v.tr.* **1** coprire **2** spargere.

to **overstate** [ˈouvəˈsteit] *v.tr.* esagerare.

overstatement [ˈouvəˈsteitmənt] *s.* esagerazione.

to **overstay** [ˈouvəˈstei] *v.tr.* protrarre; prolungare eccessivamente ♦ *v.intr.* trattenersi troppo.

to **overstep** [ˈouvəˈstep] *v.tr.* oltrepassare; eccedere.

overstrung [ˈouvəˈstrʌn] *agg.* sovreccitato.

overt [ˈouvə:t, (*amer.*) ouˈvə:rt] *agg.* evidente.

to **overtake** [ˌouvəˈteik], *pass.* **overtook** [ˌouvəˈtuk], *p.pass.* **overtaken** [ˌouvəˈteikən] *v.tr.* **1** cogliere; sorprendere **2** sorpassare // *no overtaking*, (*aut.*) divieto di sorpasso.

to **overtask** [ˈouvəˈtɑ:sk], to **overtax** [ˈouvəˈtæks] *v.tr.* **1** abusare (di) **2** tassare eccessivamente.

overthrew *pass.* di to **overthrow**.

overthrow [ˈouvəθrou] *s.* **1** rovesciamento **2** (*fig.*) disfatta; rovina.

to **overthrow** [ˌouvəˈθrou], *pass.* **overthrew** [ˌouvəˈθru:], *p.pass.* **overthrown** [ˌouvəˈθroun] *v.tr.* **1** rovesciare, capovolgere **2** (*fig.*) sconfiggere; abbattere.

overtime [ˈouvətaim] *agg.* eseguito oltre l'ora fissata ♦ *avv.* oltre l'ora fissata // *to work —*, fare degli straordinari ♦ *s.* (lavoro) straordinario.

overtone [ˈouvətoun] *s.* **1** (*acustica mus.*) armonica **2** (*fig.*) implicazione; sottinteso.

overtook *pass.* di to **overtake**.

to **overtop** [ˈouvəˈtɔp] *v.tr.* sovrastare.

to **overtrump** [ˈouvəˈtrʌmp] *v.intr.* (*a carte*) caricare.

overture [ˈouvətjuə*] *s.* **1** (*mus.*) ouverture **2** (*pl.*) approccio (*sing.*).

to **overturn** [ˌouvəˈtə:n] *v.tr.* rovesciare ♦ *v.intr.* rovesciarsi.

overview [ˈouvəvju:] *s.* (*amer.*) visione d'insieme.

overweening [ˌouvəˈwi:niŋ] *agg.* arrogante.

overweight [ˈouvəweit] *agg.* e *s.* sovrappeso: *I hope I won't have to pay —*, spero di non dover pagare per eccesso di bagaglio // *he is a bit —*, è un po' grasso.

to **overwhelm** [ˌouvəˈwelm] *v.tr.* **1** sommergere **2** (*fig.*) sopraffare.

overwhelming [ˌouvəˈwelmiŋ] *agg.* opprimente; schiacciante; travolgente.

overwork [ˈouvəˈwə:k] *s.* superlavoro.

to **overwork** *v.tr.* fare lavorare eccessivamente ♦ *v.intr.* lavorare eccessivamente.

overwrought [ˈouvəˈrɔ:t] *agg.* **1** nervoso; sovreccitato **2** ricercato.

Ovid [ˈɔvid] *no.pr.m.* (*st. lett.*) Ovidio.

ovine [ˈouvain] *agg.* ovino.

oviparous [ouˈvipərəs] *agg.* oviparo.

ovulation [ˌouvjuˈleiʃən] *s.* ovulazione.

ovule [ˈouvju:l] *s.* (*bot.*) ovulo.

ovum [ˈouvəm], *pl.* **ova** [ˈouvə] *s.* (*genetica*) uovo.

to **owe** [ou] *v.tr.* dovere (*anche fig.*): *to* — *s.o. sthg.*, dover qlco. a qlcu. ♦ *v.intr.* essere in debito.

owing [ˈouiŋ] *agg.pred.* dovuto.

owing to [ˈouiŋtu] *prep.* a causa di.

owl [aul] *s.* (*zool.*) gufo; civetta; allocco (*anche fig.*).

owlet [ˈaulit] *s.* gufo giovane.

owlish [ˈauliʃ] *agg.* **1** da gufo **2** (*fig.*) tonto.

own [oun] *agg.* proprio: *with one's* — *eyes*, coi propri occhi // *it is entirely his* — *work*, è tutta opera sua ♦ *s.*: *an idea of his* —, una sua idea personale // *on one's* —, (da) solo; di propria iniziativa // *to come into one's* —, entrare in possesso di quanto spetta; ottenere una fama, una posizione meritata // *to hold one's* —, mantenere le proprie posizioni.

to **own** *v.tr.* **1** possedere **2** ammettere; riconoscere ♦ *v.intr.*: *to* — *up to*, confessare; ammettere.

owner [ˈounə*] *s.* proprietario // *part* —, comproprietario.

ownership [ˈounəʃip] *s.* proprietà, possesso.

owngoal [ˈounˈgoul] *s.* (*sport*) autorete.

ox [ɔks], *pl.* **oxen** [ˈɔksən] *s.* **1** bue, bove **2** *pl.* i bovini.

oxalic [ɔkˈsælik] *agg.* (*chim.*) ossalico.

oxbow [ˈɔksbou] *s.* **1** giogo (per buoi) **2** ansa di fiume.

Oxbridge [ˈɔksbridʒ] *agg. e s.* (delle) università di Oxford e Cambridge.

oxen *pl.* di **ox**.

oxeye [ˈɔksai] *s.* (*bot.*) occhio di bove.

ox-eyed [ˈɔksaid] *agg.* dagli occhi bovini.

oxidation [ˌɔksiˈdeiʃən] *s.* (*chim.*) ossidazione.

oxide [ˈɔksaid] *s.* (*chim.*) ossido.

to **oxidize** [ˈɔksidaiz] *v.tr.* ossidare ♦ *v.intr.* ossidarsi.

oxlip [ˈɔkslip] *s.* (*bot.*) primula.

Oxonian [ɔkˈsounjən] *agg. e s.* **1** (abitante) di Oxford **2** (membro) dell'università di Oxford.

oxygen [ˈɔksidʒən] *s.* ossigeno.

to **oxygenate** [ɔkˈsidʒineit], to **oxygenize** [ɔkˈsidʒinaiz] *v.tr.* **1** ossigenare **2** ossidare.

oxygen tent [ˈɔksidʒən,tent] *s.* tenda a ossigeno.

oyer [ˈɔiə*] *s.* (*dir.*) Corte d'Assise.

oyez [ouˈjes] *inter.* udite!

oyster [ˈɔistə*] *s.* ostrica.

oyster bed [ˈɔistəbed] *s.* allevamento di ostriche.

oystercatcher [ˈɔistə,kætʃə*] *s.* (*zool.*) ostricaio.

ozone [ˈouzoun] *s.* (*chim.*) ozono.

P

p [piː], *pl.* **ps**, **p's** [piːz] *s.* p // — *for Peter*, (*tel.*) p come Palermo // *to mind one's p's and q's*, controllarsi; fare molta attenzione.

pa [pɑː] *s.* (*abbr. fam.* di *papa*) papà.

pace [peis] *s.* passo; andatura: *to keep* — *with s.o., sthg.*, tenersi al passo con qlcu., qlco. // *to set the* — *for s.o.*, (*fig.*) servire di modello a qlcu. // *to put s.o. through his paces*, (*fam.*) mettere qlcu. alla prova // *to show one's paces*, far vedere le proprie capacità.

to **pace** *v.tr.* **1** percorrere, misurare (a passi) // *to* — *out*, misurare (a passi) **2** dare l'andatura (a) ♦ *v.intr.* andare al passo; camminare.

pacemaker [ˈpeis,meikə*] *s.* **1** (*sport*) chi fa l'andatura; battistrada **2** (*fig.*) esempio, modello **3** (*med.*) pacemaker.

pachyderm [ˈpækidəːm] *s.* pachiderma (*anche fig.*).

pacific [pəˈsifik] *agg.* pacifico, quieto, tranquillo // *Pacific (Ocean)*, (Oceano) Pacifico.

to **pacificate** [pəˈsifikeit] *v.tr.* pacificare.

pacification [ˌpæsifiˈkeiʃən] *s.* pacificazione.

pacifier [ˈpæsifaiə*] *s.* (*amer.*) succhiotto.

pacifism [ˈpæsifizəm] *s.* pacifismo.

pacifist [ˈpæsifist] *s.* pacifista.

to **pacify** [ˈpæsifai] *v.tr.* **1** placare **2** pacificare.

pack [pæk] *s.* **1** pacco, fagotto; mucchio; (*amer.*) pacchetto **2** carico; basto; zaino **3** imballaggio **4** muta (di cani ecc.); (*fig.*) banda **5** mazzo di carte **6** (*med.*) impacco **7** banchisa polare **8** (*rugby, calcio*) gli avanti (*pl.*); gli attaccanti (*pl.*).

to **pack** *v.tr.* **1** imballare; impacchettare; inscatolare: *to* — (*up*) *things*, fare i bagagli // *to* — *off* (o *to send packing*), licenziare in tronco; mandare (via) **2** stipare; raggruppare **3** (*fam.*) fare un impacco (a) **4** mettere la soma (a) ♦ *v.intr.* **1** fare i bagagli // *to* — *up*,

fare i bagagli; (*fig. fam.*) far fagotto **2** stiparsi; raggrupparsi **3** radunarsi in una muta.

package [ˈpækidʒ] *s.* **1** imballaggio **2** pacco; involto; balla // — *deal*, accordo globale // — *tour*, (*di viaggio*) «inclusive tour» **3** (*informatica*) insieme di programmi pronti per l'uso; pacchetto di software.

to **package** *v.tr.* imballare; impacchettare; inscatolare.

pack animal [ˈpæk,æniməl] *s.* animale da soma.

packed-out [ˌpæktˈaut] *agg.* pieno zeppo, affollato.

packet [ˈpækit] *s.* pacchetto // — *switching network*, (*tel.*) rete di commutazione a pacchetto.

to **packet** *v.tr.* impacchettare.

packet boat [ˈpækitbout] *s.* (*mar.*) postale.

packhorse [ˈpækhɔːs] *s.* cavallo da carico.

packing [ˈpækiŋ] *s.* **1** imballaggio // *to do one's* —, fare le valigie **2** (*mecc. mar.*) guarnizione.

packing case [ˈpækiŋkeis] *s.* cassa d'imballaggio.

packman, *pl.* **packmen** [ˈpækmən] *s.* venditore ambulante.

packsaddle [ˈpæk,sædl] *s.* basto.

pact [pækt] *s.* patto; convenzione.

pad [pæd] *s.* **1** imbottitura; cuscinetto imbottito; sella imbottita **2** (*aer.*) piattaforma di lancio **3** (impronta di) zampa **4** gambale **5** (*med.*) tampone **6** blocco: *writing* —, blocco, notes **7** (*sl.*) appartamentino, alloggio.

to **pad** *v.tr.* imbottire (*anche fig.*).

padding [ˈpædiŋ] *s.* **1** imbottitura **2** (*fig.*) riempitivo (di discorso, opera letteraria).

paddle[1] [ˈpædl] *s.* **1** pagaia; pala (di elica, ruota ecc.) **2** (*ind.*) spatola.

to **paddle**[1] *v.tr. e intr.* remare con la pagaia; remare lentamente // *to* — *one's own canoe*, (*fam.*) fare da sé.

to **paddle**[2] *v.intr.* sguazzare nell'acqua.

paddle wheel ['pædlwi:l] *s.* (*mar.*) ruota.
paddock ['pædək] *s.* recinto (per i cavalli).
paddy[1] ['pædi] *s.* accesso di collera, ira.
paddy[2] (**field**) *s.* risaia.
paddy wagon ['pædi,wægən] *s.* (*amer.*) cellulare.
padlock ['pædlɔk] *s.* lucchetto.
to **padlock** *v.tr.* chiudere con lucchetto.
padre ['pɑ:dri] *s.* **1** (*mil.*) cappellano militare **2** (*fam.*) padre.
Padua ['pædjuə] *no.pr.* Padova.
Paduan ['pædjuən] *agg. e s.* padovano.
paederast ['pedəræst] *s.* pederasta.
paediatric [,pi:di'ætrik] *agg.* pediatrico.
paediatrician [,pi:diə'triʃən] *s.* pediatra.
paediatrics [,pi:di'ætriks] *s.* pediatria.
paeony *s.* → **peony**.
pagan ['peigən] *agg. e s.* pagano.
paganism ['peigənizəm] *s.* paganesimo.
page[1] [peidʒ] *s.* **1** fattorino **2** paggio.
to **page**[1] *v.tr.* cercare una persona (chiamandone il nome a voce alta).
page[2] *s.* pagina (*anche fig.*).
to **page**[2] *v.tr.* **1** numerare le pagine (di) **2** (*informatica*) paginare // *to — backward*, sfogliare all'indietro; *to — forward*, sfogliare in avanti.
pageant ['pædʒənt] *s.* **1** (*teatr.*) scena **2** parata, corteo storico **3** (*fig.*) pompa, fasto.
pageantry ['pædʒəntri] *s.* cerimoniale fastoso; pompa.
page-in [,peidʒ'in] *s.* (*informatica*) caricamento di una pagina in memoria centrale.
pagination [,pædʒi'neiʃən] *s.* **1** paginatura **2** impaginazione.
pah [pɑ:] *inter.* puah!
paid *pass. e p.pass.* di to **pay**.
pail [peil] *s.* secchia, secchio.
pailful ['peilful] *s.* secchio, secchiata.
paillasse ['pæliæs, (*amer.*) ,pæli'æs] *s.* pagliericcio.
pain [pein] *s.* **1** dolore; sofferenza: *a shooting —*, un dolore lancinante // *a — in the neck*, (*fam.*) uno scocciatore; una scocciatura **2** pena **3** *pl.* doglie del parto **4** *pl.* fatica (*sing.*), sforzo (*sing.*); cura (*sing.*): *to be at great pains to do sthg.*, sforzarsi di fare qlco.; *to take pains over sthg.*, fare qlco. con cura.
to **pain** *v.tr.* causare dolore (a); fare male; far soffrire: *it pains me to say so*, mi è penoso dirlo // *v.intr.* dolere.
painful ['peinful] *agg.* **1** doloroso; penoso **2** gravoso; arduo.
painfulness ['peinfulnis] *s.* dolore; pena.
painkiller ['pein,kilə*] *s.* calmante.
painless ['peinlis] *agg.* indolore.
painstaking ['peinz,teikiŋ] *agg.* diligente, attento; industrioso.
paint [peint] *s.* **1** vernice; colore **2** verniciatura **3** belletto, rossetto.
to **paint** *v.tr.* dipingere (*anche fig.*); pitturare; verniciare: *to — sthg. red*, dipingere qlco. di rosso // *to — the town red*, (*fam.*) fare baldoria ♦ *v.intr.* **1** dipingere **2** dipingersi; imbellettarsi.
paint box ['peintbɔks] *s.* scatola di colori.
paintbrush ['peintbrʌʃ] *s.* pennello.
painter ['peintə*] *s.* **1** pittore **2** imbianchino; verniciatore.
painting ['peintiŋ] *s.* **1** dipinto, quadro **2** pittura, verniciatura, tinteggiatura.
pair [pɛə*] *s.* paio; coppia: *a — of horses*, una pariglia di cavalli // *— -royal*, tris (a carte, dadi).

to **pair** *v.tr.* appaiare; accoppiare // *to — off*, mettere a due per due, in coppia ♦ *v.intr.* appaiarsi; accoppiarsi; sposarsi // *to — off*, mettersi a due a due, in coppia.
pajamas [pə'dʒɑ:məz] *s.pl.* (*amer.* per *pyjamas*) pigiama (*sing.*).
Pakistan [,pɑ:kis'tɑ:n] *no.pr.* Pakistan.
Pakistani [,pɑ:kis'tɑ:ni] *agg. e s.* pachistano.
pal [pæl] *s.* (*fam.*) compagno; amico.
to **pal** *v.intr.* (*fam.*) fare amicizia: *to — up with s.o.*, fare amicizia con qlcu.
palace ['pælis] *s.* palazzo.
paladin ['pælədin] *s.* paladino.
palaeo-, (*amer.*) **paleo-** ['pæliou] *pref.* paleo-.
palankeen, (*amer.*) **palanquin** [,pælən'ki:n] *s.* palanchino.
palatable ['pælətəbl] *agg.* **1** gustoso **2** (*fig.*) gradevole; accettabile.
palatal ['pælətl] *agg.* palatale.
palate ['pælit] *s.* **1** palato **2** gusto.
palatial [pə'leiʃəl] *agg.* da palazzo; sontuoso.
palatine ['pælətain] *agg.* (*anat.*) palatale ♦ *s.pl.* ossa palatali.
palaver [pə'lɑ:və*] *s.* **1** discussione; abboccamento **2** chiacchiere (*pl.*).
to **palaver** *v.intr.* **1** discutere **2** chiacchierare.
pale[1] [peil] *agg.* pallido.
to **pale**[1] *v.intr.* impallidire ♦ *v.tr.* far impallidire (*anche fig.*).
pale[2] *s.* **1** palo **2** palizzata // *beyond the —*, (*fig.*) oltre i limiti del lecito.
paleface ['peilfeis] *s.* viso pallido.
paleness ['peilnis] *s.* pallore.
paleo-, **palaeo-** ['pæliou, (*amer.*) ,peiliou] *pref.* paleo-.
paleolithic [,pæliou'liθik] *agg.* paleolitico.
paleontologist [,pælion'tɔlədʒist] *s.* paleontologo.
paleontology [,pælion'tɔlədʒi] *s.* paleontologia.
Palestine ['pælistain] *no.pr.* Palestina.
Palestinian [,pæles'tiniən] *agg. e s.* palestinese.
palette ['pælit] *s.* tavolozza.
palette-knife ['pælitnaif] *s.* spatola.
paling ['peiliŋ], **palisade** [,pæli'seid] *s.* palizzata.
pall[1] [pɔ:l] *s.* **1** drappo funebre **2** manto (*anche fig.*) **3** (*eccl.*) pallio.
to **pall**[2] *v.intr.* saziare; nauseare; stancare: *that music soon palls*, questa musica stanca presto.
Palladian [pə'leidjən] *agg.* (*arch.*) palladiano.
pallbearer [pɔ:l,bɛərə*] *s.* chi regge i cordoni (a un funerale); (*amer.*) chi porta la bara.
pallet[1] ['pælit] *s.* giaciglio; pagliericcio.
pallet[2] *s.* **1** paletta **2** tavolozza **3** (*mecc.*) nottolino.
palliasse ['pæliæs, (*amer.*),pæli'æs] *s.* pagliericcio.
palliative ['pælətiv] *agg. e s.* palliativo.
pallid ['pælid] *agg.* pallido, smunto.
pall-mall ['pel'mel] *s.* (*gioco*) pallamaglio.
pallor ['pælə*] *s.* pallore.
palm[1] [pɑ:m] *s.* palma (*anche fig.*).
palm[2] *s.* palmo // *to grease* (o *to oil*) *s.o.'s —*, (*sl.*) corrompere qlcu. con denaro.
to **palm**[2] *v.tr.* **1** nascondere in mano **2** *to — off*, rifilare; appioppare.
palmary ['pælməri] *agg.* eccellente; eminente.
palmiped ['pælmiped] *agg. e s.* palmipede.
palmist ['pɑ:mist] *s.* chiromante.
palmistry ['pɑ:mistri] *s.* chiromanzia.
palm oil ['pɑ:mɔil] *s.* olio di palma.

palmy ['pɑ:mi] *agg.* **1** vittorioso, glorioso **2** coperto, ricco di palme.

palpable ['pælpəbl] *agg.* palpabile (*anche fig.*).

palpation [pæl'peiʃən] *s.* palpazione.

to palpitate ['pælpiteit] *v.intr.* palpitare.

palpitation [,pælpi'teiʃən] *s.* palpitazione.

palsy ['pɔ:lzi] *s.* paralisi (*anche fig.*).

to palsy *v.tr.* paralizzare (*anche fig.*).

paltriness ['pɔ:ltrinis] *s.* meschinità; grettezza.

paltry ['pɔ:ltri] *agg.* meschino; gretto; insignificante: *a — price,* un prezzo irrisorio.

to pamper ['pæmpə*] *v.tr.* coccolare, viziare.

pamphlet ['pæmflit] *s.* opuscolo.

pamphleteer [,pæmfli'tiə*] *s.* autore di opuscoli.

pan¹ [pæn] *s.* **1** padella, tegame; pentola, casseruola **2** (*geol.*) depressione, bacino **3** (*mecc.*) (*amer.*) carter, coppa dell'olio **4** (*sl.*) faccia.

to pan¹ *v.tr.:* *to — out* (o *off*), lavare (sabbie aurifere); (*fam.*) criticare aspramente ♦ *v.intr.:* *to — out*, produrre oro; (*fig.*) riuscire, risultare.

to pan² *v.intr.* (*cinem.*) fare una carrellata.

panacea [,pænə'siə] *s.* panacea.

panache [pə'næʃ] *s.* **1** pennacchio **2** (*fig.*) ostentazione; boria.

pancake ['pænkeik] *s.* **1** frittella // *Pancake Day,* martedì grasso // *as flat as a —,* completamente piatto **2** (*aer.*) atterraggio verticale.

to pancake *v.intr.* (*aer.*) atterrare in verticale.

pancreas ['pæŋkriəs] *s.* pancreas.

Panda car ['pændəka:*] *s.* auto della polizia.

Panda crossing ['pændə'krɔsiŋ] *s.* attraversamento pedonale con comando del semaforo a richiesta.

pandemonium [,pændi'mounjəm] *s.* pandemonio.

pander ['pændə*] *s.* mezzano, ruffiano.

to pander *v.intr.* fare il mezzano.

pane [pein] *s.* **1** vetro (di finestra) **2** riquadro (di tessuto ecc.).

paned [peind] *agg.* a riquadri (di tessuto, finestra ecc.).

panegyric [,pæni'dʒirik] *s.* panegirico.

panel ['pænl] *s.* **1** pannello, lastra, formella // *— heating,* riscaldamento a pannelli **2** (*dir.*) lista dei giurati **3** lista dei medici della mutua // *— doctor,* medico della mutua **4** gruppo di esperti che prende parte a un dibattito **5** (*rad. tv*) gruppo di concorrenti a un quiz.

to panel *v.tr.* rivestire, ornare con pannelli.

panelist ['pænəlist] *s.* **1** chi prende parte a un dibattito **2** (*rad. tv*) concorrente a un quiz.

pang [pæŋ] *s.* dolore fortissimo; fitta.

panhandle ['pæn,hændl] *s.* (*amer.*) lingua di territorio.

to panhandle *v.intr.* (*amer. fam.*) mendicare (spec. per la strada).

panic ['pænik] *agg.* e *s.* panico.

to panic, *pass.* e *p.pass.* **panicked** ['pænikt] *v.tr.* creare panico (tra) ♦ *v.intr.* essere preso dal panico.

panicky ['pæniki] *agg.* in preda al panico; che si spaventa facilmente.

panic-stricken ['pænik,strikən] *agg.* preso dal panico.

panjandrum [pən'dʒændrəm] *s.* pezzo grosso, personaggio importante.

panne [pæn] *s.* felpa.

pannier ['pæniə*] *s.* paniere; gerla.

pannikin ['pænikin] *s.* piccolo boccale (di metallo).

panorama [,pænə'rɑ:mə] *s.* **1** panorama **2** (*cinem., fot.*) panoramica.

panoramic [,pænə'ræmik] *agg.* panoramico.

panpipes ['pænpaips] *s.pl.* (*mus.*) flauto di Pan.

pansy ['pænzi] *s.* **1** viola del pensiero **2** (*sl.*) finocchio, giovane omosessuale.

pant [pænt] *s.* ansito, respiro affannoso.

to pant *v.intr.* **1** ansimare, ansare **2** agognare, bramare: *to — for sthg.,* desiderare ardentemente ♦ *v.tr.:* *to — out,* dire ansimando, con voce rotta.

Pantaloon [,pæntə'lu:n] *no.pr.m.* (*st. teatr.*) Pantalone.

panther ['pænθə*] *s.* pantera; (*amer.*) puma.

panties ['pæntiz] *s.pl.* (*fam.*) mutandine.

pantograph ['pæntəgrɑ:f] *s.* pantografo.

pantomime ['pæntəmaim] *s.* pantomima.

pantry ['pæntri] *s.* dispensa.

pants [pænts] *s.pl.* **1** mutande (da uomo) **2** (*amer.*) pantaloni, calzoni **3** mutandine.

pap [pæp] *s.* pappa; passato, purè.

papa [pə'pɑ:, (*amer.*) 'pɑ:pə] *s.* (*fam.*) papà.

papacy ['peipəsi] *s.* papato.

papal ['peipəl] *agg.* papale.

papalism ['peipəlizəm] *s.* **1** papato **2** papismo.

to papalize ['peipəlaiz] *v.tr.* convertire al cattolicesimo ♦ *v.intr.* convertirsi al cattolicesimo.

papau, pawpaw [pə'pɔ:, (*amer.*) 'pɔ:pɔ:], **papaya** [pə'paiə] *s.* (*bot.*) papaia.

paper ['peipə*] *s.* **1** carta: *on —,* secondo le statistiche; in teoria, sulla carta // *graph —,* carta millimetrata **2** *pl.* incartamenti, documenti **3** prova scritta, compito (d'esame) **4** studio, saggio: *to read* (o *to deliver*) *a —,* fare una relazione (a un congresso) **5** giornale **6** *pl.* cambiali; assegni; documenti (d'identità) **7** (*informatica*) memoria, relazione, prolusione; carta; banda, nastro perforato: *chadded — tape,* banda a perforazione completa; *chadless — tape,* banda a perforazione incompleta; *— stacker,* serbatoio di ricezione carta; *fanfold —,* carta in continuo, piegata a ventaglio.

to paper *v.tr.* **1** incartare **2** tappezzare.

paperback ['peipəbæk] *s.* libro in brossura // *— edition,* edizione in brossura.

paper chase ['peipətʃeis] *s.* gioco a rimpiattino (con una traccia di pezzetti di carta).

paper clip ['peipəklip] *s.* graffa.

paperhanger ['peipə,hæŋə*] *s.* tappezziere.

paper knife ['peipənaif] *s.* tagliacarte.

papermill ['peipəmil] *s.* cartiera.

paper nautilus ['peipə'nɔ:tiləs] *s.* (*zool.*) argonauta.

paperweight ['peipəweit] *s.* fermacarte.

papery ['peipəri] *agg.* cartaceo; simile a carta.

papier-mâché [,pæpjei'mɑ:ʃei, (*amer.*) ,peipərmə'ʃei] *s.* cartapesta.

papist ['peipist] *s.* (*spreg.*) cattolico.

papoose [pə'pu:s] *s.* bimbo pellerossa.

paprika ['pæprikə; (*amer.*) pə'pri:kə] *s.* paprica.

papyrus [pə'paiərəs], *pl.* **papyri** [pə'paiərai] *s.* papiro.

par¹ [pɑ:*] *s.* **1** (*gener.comm.*) pari, parità: *on a — with,* alla pari con // *to be below —,* (*fam.*) non essere in forma **2** (*golf*) norma.

par² *abbr. fam.* di **paragraph**.

parable ['pærəbl] *s.* parabola.

parabolic(al) [,pærə'bolik(əl)] *agg.* parabolico.

parachute ['pærəʃu:t] *s.* paracadute.

to parachute *v.tr.* paracadutare ♦ *v.intr.* paracadutarsi.

parachutist ['pærəʃu:tist] *s.* paracadutista.

parade [pə'reid] *s.* **1** mostra: *to make a — of,* fare sfoggio di **2** corteo, sfilata **3** (*mil.*) parata // *— (ground),* (*mil.*) piazza d'armi **4** lungomare.

to parade *v.tr.* **1** schierare in parata **2** (*fig.*) fare sfoggio (di) ♦ *v.intr.* sfilare.

paradise ['pærədais] *s.* paradiso: *to live in a fool's —,* vivere in un mondo di illusioni.

paradisiac [,pærə'disiæk], **paradisial** [,pærə'disiəl] *agg.* paradisiaco.

parados ['pærədɔs] *s.* (*edil. mil.*) spalletta.

paradox ['pærədɔks] *s.* paradosso.

paradoxical [,pærə'dɔksikəl] *agg.* paradossale.

paraffin ['pærəfin] *s.*: — (*oil*), (*chim.*) cherosene; — *wax*, paraffina.

paragon ['pærəgən] *s.* modello (di perfezione).

paragraph ['pærəgrɑ:f] *s.* **1** paragrafo **2** capoverso // *new —,* a capo **3** trafiletto (di giornale).

to paragraph *v.tr.* **1** dividere in paragrafi **2** scrivere un trafiletto (su).

Paraguayan [,pærə'gwaiən] *agg.* e *s.* paraguaiano.

parakeet ['pærəki:t] *s.* (*zool.*) cocorita.

parallel ['pærəlel] *agg.* parallelo: *to be — with* (o *to*) *sthg.*, essere parallelo a qlco. ♦ *s.* **1** parallelo, confronto: *without —,* senza pari **2** (*geogr.*) parallelo **3** (*geom.*) parallela.

to parallel *v.tr.* **1** confrontare **2** essere paragonabile.

parallelogram [,pærə'leləgræm] *s.* (*geom.*) parallelogramma.

to paralyse ['pærəlaiz] *v.tr.* paralizzare: *paralysed with fear,* paralizzato dalla paura.

paralysis [pə'rælisis] *s.* paralisi (*anche fig.*).

paralytic [,pærə'litik] *agg.* e *s.* **1** paralitico **2** (*sl.*) ubriaco.

parameter [pə'ræmitə*] *s.* (*mat.*) parametro.

paramount ['pærəmaunt] *agg.* supremo, sommo.

paramour ['pærəmuə*] *s.* amante.

paranoiac [,pærə'nɔjək] *agg.* e *s.* (*med.*) paranoico.

parapet ['pærəpit] *s.* parapetto.

paraphernalia [,pærəfə'neiljə] *s.pl.* **1** arnesi, armamentario (*sing.*), accessori **2** (*dir.*) beni parafernali.

paraphrase ['pærəfreiz] *s.* parafrasi.

to paraphrase *v.tr.* e *intr.* parafrasare.

parapsychology [,pærəsai'kɔlədʒi] *s.* parapsicologia.

parasite ['pærəsait] *s.* parassita.

parasitic(al) [,pærə'sitik(əl)] *agg.* parassitico.

parasol [,pærə'sɔl] *s.* parasole.

paratroops ['pærətru:ps] *s.pl.* (*mil.*) truppe paracadutate; (*fam.*) parà.

paratyphoid ['pærə'taifɔid] *agg.* (*med.*) paratifoideo ♦ *s.* paratifo.

to parboil ['pɑ:bɔil] *v.tr.* **1** bollire parzialmente **2** (*fig.*) surriscaldare.

parcel ['pɑ:sl] *s.* **1** pacco, pacchetto // — *post,* servizio spedizione pacchi // *part and — of sthg.,* una parte essenziale di qlco. **2** appezzamento di terreno, lotto.

to parcel *v.tr.* **1** dividere in più parti; spartire: *to — out,* distribuire **2** *to — up,* impacchettare **3** (*mar.*) bendare.

parcelgilt ['pɑ:slgilt] *agg.* parzialmente dorato.

parcener ['pɑ:sənə*] *s.* (*dir.*) coerede.

to parch [pɑ:tʃ] *v.tr.* **1** disseccare **2** bruciare; inaridire ♦ *v.intr.* disseccarsi; bruciarsi; inaridirsi.

parchment ['pɑ:tʃmənt] *s.* pergamena.

pardon ['pɑ:dn] *s.* **1** perdono; grazia; scusa // *I beg your —?,* come ha detto?; prego? **2** (*eccl.*) indulgenza **3** (*dir.*) amnistia.

to pardon *v.tr.* **1** perdonare **2** amnistiare.

pardonable ['pɑ:dnəbl] *agg.* scusabile.

to pare [peə*] *v.tr.* **1** tagliare; temperare (una matita): *to — one's nails,* tagliarsi le unghie **2** ridurre gradualmente.

parent ['peərənt] *s.* **1** genitore, genitrice **2** (*fig.*) causa, origine.

parentage ['peərəntidʒ] *s.* **1** discendenza // — *unknown,* di ignoti **2** nascita, origine.

parenthesis [pə'renθisis], *pl.* **parentheses** [pə'renθisi:z] *s.* parentesi (*anche fig.*).

parenthetic(al) [,pærən'θetik(əl)] *agg.* parentetico.

parget ['pɑ:dʒit] *s.* intonaco.

to parget *v.tr.* intonacare; decorare a stucco.

parhelion [pɑ:'hi:liən] *s.* (*astr.*) parelio.

pariah ['pæriə] *s.* paria (*anche fig.*).

paring ['peəriŋ] *s.* truciolo; rifilatura.

Paris¹ ['pæris] *no.pr.m.* (*lett.*) Paride.

Paris² *no.pr.* Parigi.

parish ['pæriʃ] *s.* **1** parrocchia // — -*pump politics,* politica locale **2** *civil* —, distretto (di contea).

parishioner [pə'riʃənə*] *s.* parrocchiano.

Parisian [pə'rizjən] *agg.* e *s.* parigino.

parisyllabic ['pærisi'læbik] *agg.* parasillabo.

parity ['pæriti] *s.* **1** parità; uguaglianza // *exchange at —,* (*comm.*) cambio alla pari **2** analogia **3** (*informatica*) parità: — *bit,* bit di parità; *odd —,* controllo di parità.

park [pɑ:k] *s.* **1** parco; giardino pubblico: — *keeper,* guardiano del parco; *ball —,* (*amer.*) campo sportivo **2** (*aut.*) posteggio.

to park *v.tr.* **1** parcheggiare **2** depositare, posare // — *yourself here,* (*fam.*) sistemati qui // *I parked him,* (*amer. fam.*) l'ho piantato (in asso).

parka ['pɑ:rkə] *s.* (*amer. per anorak*) giacca a vento.

parkin ['pɑ:kin] *s.* (*scoz.*) torta con zenzero.

parking ['pɑ:kiŋ] *s.* parcheggio: *double —,* parcheggio in doppia, seconda fila; *no —,* divieto di parcheggio // — *lot,* (*amer.*) (area di) parcheggio // — *lights,* (*aut.*) luci di posizione.

parking meter ['pɑ:kiŋ,mi:tə*] *s.* parchimetro.

parky ['pɑ:ki] *agg.* (*fam.*) fresco, freddino.

parlance ['pɑ:ləns] *s.* linguaggio; gergo.

parley ['pɑ:li] *s.* colloquio, abboccamento.

to parley *v.intr.* parlamentare, conferire ♦ *v.tr.* (*fam.*) parlare (una lingua straniera).

parliament ['pɑ:ləmənt] *s.* parlamento.

parliamentarian [,pɑ:ləmən'teəriən] *agg.* e *s.* parlamentare.

parliamentary [,pɑ:lə'mentəri] *agg.* parlamentare.

parlour ['pɑ:lə*] *s.* **1** parlatorio; saletta, sala privata (di locali pubblici, negozi ecc.): *beauty —,* salone di bellezza **2** *salotto* // — *games,* giochi di società.

parlour maid ['pɑ:ləmeid] *s.* cameriera (che serve a tavola).

parlous ['pɑ:ləs] *agg.* critico, difficile, precario.

Parmesan [,pɑ:mi'zæn] *s.* (formaggio) parmigiano.

Parnassus [pɑ:'næsəs] *no.pr.* Parnaso (*anche fig.*).

parochial [pə'roukjəl] *agg.* **1** parrocchiale **2** (*fig.*) ristretto, limitato.

parodist ['pærədist] *s.* parodista.

parody ['pærədi] *s.* parodia.

to parody *v.tr.* parodiare.

parole [pə'roul] *s.* **1** parola (d'onore) **2** (*dir.*) libertà vigilata: *to be out on —,* essere in libertà vigilata.

paroquet ['pærəket] *s.* → **parakeet**.

paroxysm ['pærəksizəm] *s.* parossismo.

paroxysmal [,pærək'sizməl] *agg.* parossistico.

parquet ['pɑ:kei, (*amer.*) pɑ:r'kei] *s.* **1** parquet, pavimento di legno **2** (*amer.*) platea.

parricidal [,pæri'saidl] *agg.* parricida.

parricide ['pærisaid] s. **1** parricida **2** parricidio.

parrot ['pærət] s. pappagallo // to be as sick a —, (fig. fam.) rimaner da cani.

to **parrot** v.tr. ripetere pappagallescamente.

parry ['pæri] s. parata.

to **parry** v.tr. parare; schivare, eludere.

to **parse** [pa:z, (amer.) pa:rs] v.tr. fare l'analisi grammaticale o logica (di).

parsimonious [ˌpa:si'mounjəs] agg. parsimonioso; avaro.

parsley ['pa:sli] s. prezzemolo.

parsnip ['pa:snip] s. (bot.) pastinaca.

parson ['pa:sn] s. parroco; pastore // —'s nose, (fam.) bocconcino del prete.

parsonage ['pa:snidʒ] s. canonica.

part [pa:t] s. **1** parte: to take — in, prendere parte a; to take the — of, prendere le parti di, parteggiare per; to play a —, (anche fig.) recitare una parte; to play a — in, far parte di // for the most —, in massima parte // for my —, quanto a, per me // on the — of, da parte di // to take (sthg.) in good —, prenderla bene **2** pl. parti, luoghi: in these parts, da queste parti **3** pl. abilità (sing.), doti naturali: a man of parts, un uomo di talento **4** (mus.) parte ♦ avv. parzialmente, in parte.

to **part** v.tr. dividere, separare // to — one's hair, farsi la scriminatura ♦ v.intr. dividersi, separarsi: to — friends, lasciarsi da amici; to — from s.o., lasciare qlcu.; to — with sthg., separarsi da, rinunciare a qlco.

to **partake** [pa:'teik], pass. **partook** [pa:'tuk], p.pass. **partaken** [pa:'teikən] v.intr. (rar.) **1** prendere parte **2** to — of, servirsi di (cibo, bevande): I partook of his dinner, ha diviso con me la sua cena.

parterre [pa:'tɛə*] s. **1** parterre **2** (teatr.) platea.

partial ['pa:ʃəl] agg. parziale.

partiality [ˌpa:ʃi'æliti] s. parzialità.

participant [pa:'tisipənt] s. partecipante.

to **participate** [pa:'tisipeit] v.intr. partecipare, prendere parte: to — in s.o.'s joy, condividere la gioia di qlcu.

participation [pa:ˌtisi'peiʃən] s. partecipazione.

participle ['pa:tsipl] s. (gramm.) participio.

particle ['pa:tikl] s. particella.

parti-coloured ['pa:ti,kʌləd] agg. variopinto.

particular [pə'tikjulə*] agg. **1** particolare: for no — reason, per nessuna ragione in particolare **2** dettagliato, minuzioso **3** esigente, schizzinoso, difficile; pignolo // I am not — about it, non ho preferenze ♦ s. **1** particolare **2** pl. informazioni dettagliate.

particularity [pəˌtikju'læriti] s. **1** particolarità **2** meticolosità, pignoleria.

to **particularize** [pə'tikjuləraiz] v.tr. particolareggiare; specificare.

particularly [pə'tikjuləli] avv. particolarmente.

parting ['pa:tiŋ] agg. di congedo: — kiss, bacio d'addio ♦ s. **1** separazione; congedo // — of the ways, (anche fig.) bivio **2** scriminatura.

partisan [ˌpa:ti'zæn, (amer.) 'pa:rtizn] agg. e s. partigiano.

partisanship [ˌpa:ti'zænʃip] s. partigianeria.

partition [pa:'tiʃən] s. **1** divisione **2** divisorio, tramezzo **3** parte, sezione.

to **partition** v.tr. dividere // to — off, separare con un tramezzo.

partitive ['pa:titiv] agg. (gramm.) partitivo.

partly ['pa:tli] avv. in parte.

partner ['pa:tnə*] s. **1** (comm.) socio: sleeping —, socio accomandatario **2** partner, compagno **3** coniuge.

to **partner** v.tr. **1** associare, associarsi (a) **2** fare da partner, da compagno (a).

partnership ['pa:tnəʃip] s. **1** associazione **2** (comm.) società, associazione // general (o unlimited) —, società in nome collettivo // limited —, società in accomandita semplice.

partook pass. di to **partake**.

part owner ['pa:t'ounə*] s. comproprietario, socio.

partridge ['pa:tridʒ] s. pernice.

part-song ['pa:tsɔŋ] s. canto a più voci.

part-time ['pa:t,taim] agg. a orario ridotto; a mezza giornata.

parturition [ˌpa:tjuə'riʃən] s. parto.

party ['pa:ti] s. **1** parte, fazione; partito politico // — line, (tel.) duplex; called —, (tel.) abbonato richiesto; calling —, richiedente **2** brigata, comitiva: will you join our —?, vuoi essere dei nostri? **3** trattenimento, festa: to give (o to throw) a —, dare una festa // dinner —, pranzo (di gala) // — pooper, (amer.) guastafeste **4** (mil.) squadra, plotone **5** (dir. comm.) parte, parte in causa: for account of a third —, per conto terzi; to become a — to an agreement, firmare un contratto **6** (fam.) individuo, tipo.

party leader ['pa:ti'li:də*] s. capo di un partito.

parvenu ['pa:vənju:] s. nuovo ricco.

parvis ['pa:vis] s. sagrato.

paschal ['pa:skəl] agg. pasquale.

pasha ['pa:ʃə] s. pascià.

pass¹ [pa:s] s. passo, gola; strettoia.

pass² [pa:s] s. **1** passaggio // to get a —, (fam.) passare (un esame) **2** crisi, punto critico: things have come to a strange —, le cose hanno preso una strana piega // a pretty —, (iron.) un bel pasticcio **3** lasciapassare, permesso: free —, biglietto gratuito **4** (fam.) profferte (pl.), avances (pl.): to make a —, fare delle avances **5** (scherma) affondo.

to **pass²** v.intr. **1** passare: let me —, fammi passare // to — by the name of, essere conosciuto col nome di // to — for, passare per // to — across (o through) sthg., passare attraverso qlco.; to be passing through, essere di passaggio // to — by, passare oltre; passare da, vicino a: when you are passing by come and see us, quando passi di qui vieni a trovarci // to — (on) to a new subject, passare a un altro argomento **2** essere approvato (di legge, proposta) **3** accadere // to bring to —, provocare **4** (sport) fare un passaggio **5** (a carte) passare **6** to — away, morire **7** to — off, passare, svanire **8** to — out, perdere i sensi **9** to — over, passare sopra a, sorvolare su ♦ v.tr. **1** passare, far passare; superare: to — a rope round sthg., far passare una corda intorno a qlco.; take these photos and — them on (o along), — them round, prendi queste foto e falle passare, falle girare // to — a candidate, promuovere un candidato // to — a bill, a resolution, approvare un progetto di legge, una decisione // to — forged notes, spacciare banconote false **2** emettere, pronunciare (giudizi, sentenze) // to — a remark, fare un commento **3** to — (s.o., sthg.) by, over, (fig.) ignorare, trascurare, non badare a **4** to — down, tramandare **5** to — off, spacciare: to — oneself off as, spacciarsi per.

passage¹ ['pæsidʒ] s. **1** passaggio; passo; traversata: bird of —, uccello migratore // — of arms, conflitto (anche fig.) **2** (anat.) condotto, canale.

to **passage²** v.intr. avanzare di fianco (di cavallo) ♦ v.tr. far avanzare (il cavallo) di fianco.

passageway ['pæsidʒwei] s. vicolo; corridoio.

passbook ['pɑ:sbuk] *s.* **1** libretto di deposito **2** (*in Sudafrica*) lasciapassare (per gente di colore).

passé ['pɑ:sei, (*amer.*) pæ'sei] *agg.* **1** fuori moda **2** appassito.

passenger ['pæsɪndʒə*] *s.* viaggiatore, passeggero.

passerby, passersby [,pɑ:sə'bai] *s.* passante.

passerine ['pæsərain] *agg.* di, simile a passero.

passing ['pɑ:sɪŋ] *agg.* **1** effimero, passeggero **2** casuale; incidentale ♦ *s.* passaggio, transito; (*fig.*) morte // — *bell*, campana a morto.

passion ['pæʃən] *s.* **1** passione: *to put s.o., to fly into a —*, fare andare qlcu., andare su tutte le furie **2** *the Passion*, (*relig.*) la Passione: *Passion Play*, rappresentazione del mistero della Passione; *Passion Sunday*, Domenica di Passione; *Passion Week*, Settimana di Passione.

passionate ['pæʃənit] *agg.* **1** appassionato; passionale **2** irascibile **3** veemente, intenso.

passionflower ['pæʃən,flauə*] *s.* (*bot.*) passiflora.

passive ['pæsiv] *agg.* e *s.* passivo.

passivity [pæ'siviti] *s.* passività.

passkey ['pɑ:ski:] *s.* passe-partout.

Passover ['pɑ:səuvə*] *s.* Pasqua ebraica.

passport ['pɑ:spɔ:t] *s.* passaporto.

password ['pɑ:swɜ:d] *s.* **1** (*mil.*) parola d'ordine **2** (*informatica*) chiave di identificazione.

past [pɑ:st] *agg.* passato, trascorso ♦ *s.* passato: *in the far —*, in un lontano passato.

past *avv.*: *to speed —*, passare a forte velocità; *to run —*, passare di corsa ♦ *prep.* oltre; al di là di: *an old man — ninety*, un vecchio di oltre novant'anni; *— hope*, al di là di ogni speranza // *half — two*, le due e mezzo // *I wouldn't put it — him to be late*, non mi sorprenderei se egli fosse in ritardo.

paste [peist] *s.* **1** pasta **2** colla (di farina).

to paste *v.tr.* **1** incollare, appiccicare **2** (*sl.*) battere.

pasteboard ['peistbɔ:d] *s.* **1** cartone **2** (*sl.*) biglietto da visita; carta da gioco.

pastel [pæs'tel, (*amer.*) pæ'stel] *s.* pastello.

pasteurization [,pæstərai'zeiʃən] *s.* pastorizzazione.

to pasteurize ['pæstəraiz] *v.tr.* pastorizzare.

pastiche [pæs'ti:ʃ] *s.* pastiche.

pastille ['pæstil, (*amer.*) pæ'sti:l] *s.* pasticca.

pastime ['pɑ:staim] *s.* passatempo.

pastor ['pɑ:stə*] *s.* (*eccl.*) pastore.

pastoral ['pɑ:stərəl] *agg.* e *s.* pastorale // *-staff*, pastorale (bastone vescovile).

pastry ['peistri] *s.* **1** pasticceria **2** pasta (da dolci) // *— board*, asse per la pasta.

pastrycook ['peistrikuk] *s.* pasticciere.

pasture ['pɑ:stʃə*] *s.* pascolo, pastura.

to pasture *v.tr.* e *intr.* pascolare.

pasty ['peisti] *agg.* **1** di pasta, pastoso **2** smorto, scialbo // *-faced*, dal viso pallido **3** (*di colore*) pastoso ♦ *s.* ['pæstii] (*cuc.*) pasticcio.

pat [pæt] *agg.* opportuno, adatto: *he always had an excuse —*, aveva sempre una scusa pronta ♦ *avv.* a proposito; esattamente: *to know sthg. off —*, sapere qlco. a menadito ♦ *s.* **1** buffetto, colpetto **2** pane(tto) (di burro ecc.) **3** scalpiccio.

to pat *v.tr.* e *intr.* dare un buffetto, un colpetto (a): *to — on the back*, battere affettuosamente la mano sulla spalla.

patch [pætʃ] *s.* **1** pezza, toppa // *in patches*, qua e là // *to hit a bad —*, incappare in un periodo nero, di sfortuna // *not a — on*, (*fam.*) molto inferiore a **2**

benda **3** macchia; chiazza; placca **4** appezzamento: *a potato —*, un pezzo di terra coltivato a patate **5** (*informatica*) connessione elettrica; correzione fuori sequenza.

to patch *v.tr.* **1** aggiustare; mettere una pezza (a) // *to — up*, accomodare, rappezzare **2** (*informatica*) modificare da tastiera; correggere un programma.

patch pocket ['pætʃpɔkit] *s.* tasca applicata.

patchwork ['pætʃwɜ:k] *s.* **1** mescolanza di cose eterogenee, confuse **2** lavoro di cucito formato da pezze di diversi colori **3** raffazzonatura.

patchy ['pætʃi] *agg.* **1** rappezzato **2** a macchie, a chiazze **3** (*fig.*) irregolare; vario; ineguale.

pate [peit] *s.* (*fam.*) testa, zucca.

paten ['pætən] *s.* (*eccl.*) patena.

patent ['peitənt, (*amer.*) 'pætənt] *agg.* **1** manifesto, evidente, chiaro // *— leather*, vernice (pelle) **2** brevettato // *letters —*, lettere patenti **3** (*fam.*) originale, ingegnoso ♦ *s.* **1** brevetto; cosa brevettata: *to take out a —*, brevettare // *Patent Office*, ufficio brevetti **2** privilegio ufficiale.

to patent *v.tr.* brevettare.

patently ['peitntli] *avv.* evidentemente, palesemente.

paternal [pə'tɜ:nl] *agg.* paterno.

paternity [pə'tɜ:niti] *s.* paternità (*anche fig.*).

path [pɑ:θ] *s.* **1** sentiero, viottolo **2** corsia riservata ai pedoni **3** traiettoria **4** (*fig.*) linea, via **5** (*informatica*) percorso; cammino (in uno schema a blocchi).

pathetic [pə'θetik] *agg.* patetico; commovente.

pathfinder ['pɑ:θ,faində*] *s.* **1** esploratore **2** (*aer.*) ricognitore.

pathologic(al) [pæθə'lɔdʒik(əl)] *agg.* patologico.

pathologist [pə'θɔlədʒist] *s.* patologo.

pathology [pə'θɔlədʒi] *s.* patologia.

pathway ['pɑ:θwei] *s.* sentiero.

patience ['peiʃəns] *s.* **1** pazienza; sopportazione **2** perseveranza, costanza **3** (*carte*) solitario.

patient ['peiʃənt] *agg.* **1** paziente; tollerante **2** diligente, perseverante ♦ *s.* paziente.

Patras [pə'træs] *no.pr.* Patrasso.

patriarch ['peitriɑ:k, (*amer.*) 'pætriɑ:k] *s.* patriarca.

patriarchal [,peitri'ɑ:kəl, (*amer.*) ,pætri'ɑ:kəl] *agg.* patriarcale.

patriarchy ['peitriɑ:ki, (*amer.*) 'pætriɑ:ki] *s.* patriarcato.

Patricia [pə'triʃə] *no.pr.f.* Patrizia.

patrician [pə'triʃən] *agg.* e *s.* patrizio.

Patrick ['pætrik] *no.pr.m.* Patrizio.

patrimony ['pætriməni, (*amer.*) 'pætrimouni] *s.* patrimonio.

patriot ['pætriət, (*amer.*) 'peitriət] *s.* patriota.

patriotic [,pætri'ɔtik, (*amer.*) ,peitri'ɔtik] *agg.* patriottico.

patriotism ['pætriətizəm, (*amer.*) 'peitriətizəm] *s.* patriottismo.

patrol [pə'troul] *s.* **1** pattuglia; ronda: *on —*, di ronda **2** (*aer.*) volo di ricognizione.

to patrol *v.intr.* fare la ronda ♦ *v.tr.* pattugliare; perlustrare; girare (per).

patrol car [pə'troulkɑ:*] *s.* autopattuglia, auto di ronda; (*sl.*) pantera.

patrolman [pə'troulmæn], *pl.* **patrolmen** [pə'troulmen] *s.* (*amer.* per *policeman*) poliziotto.

patrol wagon [pə'troulwægən] *s.* (*amer.*) cellulare.

patron ['peitrən] *s.* **1** protettore; mecenate **2** cliente abituale **3** patrono.

patronage ['pætrənɪdʒ, (*amer.*) 'peɪtrənɪdʒ] *s.* **1** patronato; mecenatismo **2** facoltà di assegnare uffici od onori **3** atteggiamento protettivo; condiscendenza **4** preferenza (data a un negozio).

patroness ['peɪtrənɪs] *s.* patronessa.

to patronize ['pætrənaɪz, (*amer.*) 'peɪtrənaɪz] *v.tr.* **1** patrocinare; incoraggiare **2** trattare con condiscendenza **3** essere cliente abituale (di).

patronymic [,pætrə'nɪmɪk] *agg.* e *s.* patronimico.

patter[1] ['pætə*] *s.* **1** gergo **2** filastrocca; tiritera.

to patter[1] *v.tr.* recitare meccanicamente ♦ *v.intr.* parlare in fretta e meccanicamente.

patter[2] *s.* picchiettio; ticchettio.

to patter[2] *v.intr.* picchiettare.

pattern ['pætən] *s.* **1** modello, esempio; campione **2** disegno (di stoffa ecc.).

to pattern *v.tr.* **1** fare, disegnare, tagliare secondo un modello **2** usare come modello; imitare **3** decorare con disegni.

patty ['pæti] *s.* (*cuc.*) (tipo di) vol-au-vent.

paucity ['pɔːsɪti] *s.* scarsità; insufficienza.

Paul [pɔːl] *no.pr.m.* Paolo.

Paula ['pɔːlə] *no.pr.f.* Paola.

Pauline ['pɔːlaɪn] *agg.* paolino, di S. Paolo.

paunch [pɔːntʃ] *s.* **1** pancia; ventre **2** rumine.

paunchy ['pɔːntʃi] *agg.* panciuto.

pauper ['pɔːpə*] *s.* povero; indigente.

to pauperize ['pɔːpəraɪz] *v.tr.* impoverire.

pause [pɔːz] *s.* pausa.

to pause *v.intr.* fare una pausa.

to pave [peɪv] *v.tr.* pavimentare; lastricare // *to — the way for,* (*fig.*) preparare il terreno per, a.

pavement ['peɪvmənt] *s.* **1** marciapiede // *— artist,* pittore di marciapiede **2** pavimentazione; selciato, lastricato.

pavilion [pə'vɪljən] *s.* padiglione.

paw [pɔː] *s.* **1** zampa **2** (*fam.*) mano.

to paw *v.tr.* **1** toccare, battere con la zampa **2** (*fam.*) toccare, maneggiare goffamente ♦ *v.intr.* scalpitare (di cavalli).

pawn[1] [pɔːn] *s.* pegno, garanzia.

to pawn[1] *v.tr.* impegnare; dare in pegno, in garanzia.

pawn[2] *s.* pedina (*anche fig.*).

pawnbroker ['pɔːn,broʊkə*] *s.* chi presta su pegno.

pawnshop ['pɔːnʃɒp] *s.* monte di pietà; banco dei pegni.

pawn ticket ['pɔːn,tɪkɪt] *s.* ricevuta di pegno.

pay[1] [peɪ] *s.* paga; salario: *equal —,* parità salariale; *rate of —,* livello salariale; *— packet,* busta paga; *take -home —,* paga netta, stipendio netto // *in the — of,* al servizio di; (*spreg.*) al soldo di.

to pay[1], *pass.* e *p.pass.* **paid** [peɪd] *v.tr.* e *intr.* **1** pagare // *to — s.o. in kind,* pagare qlcu. in natura // *to succeed in paying one's way,* riuscire a tirare avanti senza fare debiti // *poorly paid job,* lavoro mal pagato // *to — away,* pagare; (*mar.*) mollare // *to — back,* ripagare; restituire (denaro) // *to — s.o. back in his own coin,* (*fig.*) ripagare qlcu. della stessa moneta // *to — down,* pagare in contanti // *to — in,* pagare; versare // *to — off,* liquidare // *to — out,* vendicarsi di; pagare; (*mar.*) mollare // *to — up,* pagare completamente (debiti ecc.) **2** rendere; fruttare **3** valere la pena: *it pays me to go,* vale la pena ch'io vada **4** fare: *to — attention, a compliment, a visit,* fare attenzione, un complimento, una visita // *to — homage,* render omaggio.

to pay[2], *pass.* e *p.pass.* **payed, paid** [peɪd] *v.tr.* (*mar.*) catramare, impeciare.

payable ['peɪəbl] *agg.* **1** pagabile **2** redditizio.

payday ['peɪdeɪ] *s.* giorno di paga.

PAYE [,piːeɪwaɪ'iː] (*abbr.* di *pay as you earn*) ritenuta d'imposta alla fonte.

payee [peɪ'iː] *s.* (*comm.*) creditore; beneficiario.

payload ['peɪloʊd] *s.* (*aer.*) carico utile.

paymaster ['peɪ,mɑːstə*] *s.* (*mil.*) ufficiale pagatore.

payment ['peɪmənt] *s.* **1** pagamento; versamento // *documents against —,* documenti contro pagamento **2** (*fig.*) ricompensa.

payoff ['peɪɒːf] *s.* liquidazione; (*fig.*) resa dei conti.

payola [peɪ'oʊlə] *s.* (*fam.*) bustarella.

pay-phone ['peɪfoʊn] *s.* telefono a gettoni.

payroll ['peɪroʊl] *s.* libro paga.

pea [piː] *s.* pisello.

peace [piːs] *s.* **1** pace: *— of mind,* pace dello spirito; *to be at —,* essere in pace // *to hold one's —,* stare zitto **2** ordine pubblico: *breach of the —,* violazione dell'ordine pubblico.

peaceable ['piːsəbl] *agg.* pacifico, tranquillo.

peaceful ['piːsfʊl] *agg.* pacifico; sereno.

peacefulness ['piːsfʊlnɪs] *s.* pace; serenità.

peaceless ['piːslɪs] *agg.* agitato, inquieto.

peacemaker ['piːs,meɪkə*] *s.* **1** pacificatore **2** (*scherz.*) arma mortale.

peace offering ['piːs,ɒfərɪŋ] *s.* dono propiziatorio.

peach[1] [piːtʃ] *s.* **1** (*bot.*) pesca **2** pesco **3** (*fam.*) amore: *she is a —,* è un amore.

to peach[2] *v.intr.* (*fam.*) fornire informazioni.

peacock ['piːkɒk] *s.* pavone.

to peacock *v.intr.* pavoneggiarsi.

peahen ['piːˈhen] *s.* femmina del pavone.

pea-jacket ['piː,dʒækɪt] *s.* giaccotto da marinaio.

peak[1] [piːk] *s.* **1** picco, cima, pizzo; cuspide **2** visiera (di cappello) **3** (*fig.*) massimo // *— -load,* massimo (di consumo di energia elettrica ecc.).

to peak[2] *v.tr.* **1** rizzare la coda (di cetaceo) **2** (*mar.*) drizzare ♦ *v.intr.* rizzare la coda immergendosi (di cetaceo).

to peak[3] *v.intr.* deperire; languire.

peaky ['piːki] *agg.* **1** dai (molti) picchi **2** appuntito, a forma di picco **3** mingherlino // *to feel —,* sentirsi giù, non in forma.

peal [piːl] *s.* **1** scampanio **2** fragore; scroscio.

to peal *v.tr.* far risonare ♦ *v.intr.* scampanare; risonare.

peanut ['piːnʌt] *s.* (*bot.*) **1** arachide // *— butter,* burro d'arachidi **2** *pl.* quattro soldi.

pear [peə*] *s.* **1** pera **2** pero.

pearl [pɜːl] *s.* **1** perla (*anche fig.*) // *— grey,* grigio perla // *— -oyster,* ostrica perlifera **2** madreperla // *— button,* bottone di madreperla.

to pearl *v.tr.* **1** imperlare; ornare di perle **2** rendere perlaceo ♦ *v.intr.* **1** pescar perle **2** trasformarsi in piccole gocce.

pearl diver ['pɜːl,daɪvə*] *s.* pescatore di perle.

pearly ['pɜːli] *agg.* perlaceo.

peasant ['pezənt] *s.* contadino.

peasantlike ['pezəntˌlaɪk] *agg.* rozzo, contadinesco.

peasantry ['pezəntri] *s.* i contadini (*pl.*).

peashooter ['piː,ʃuːtə*] *s.* cerbottana.

pea-soup ['piːsuːp] *s.* passato di piselli // *— fog* (o *pea souper*), nebbione.

peat [piːt] *s.* torba.

peat bog ['piːtˈbɒg] *s.* torbiera.

peat moss ['piːtˈmɒs] *s.* torbiera.

pebble ['pebl] *s.* **1** ciottolo **2** cristallo di rocca.

pebbly ['pebli] *agg.* ciottoloso.

pecan [pi'kæn, (*amer.*) pi'ka:n] *s.* **1** noce americano **2** noce americana.

peccadillo [,pekə'dilou] *s.* peccatuccio.

peccary ['pekəri] *s.* pecari.

peck[1] [pek] *s.* «peck» (misura di capacità per cereali) // *a — of troubles*, un mare di guai.

peck[2] *s.* beccata; (*scherz.*) bacetto.

to peck[2] *v.tr.* **1** beccare **2** (*fam.*) dare un bacio frettoloso (a) ♦ *v.intr.: to — at*, beccare; (*fig.*) tormentare; (*fam.*) mangiucchiare.

pecker ['pekə*] *s.* **1** (*zool.*) picchio **2** piccone // *keep your — up!*, non perderti d'animo!

peckish ['pekiʃ] *agg.* (*fam.*) affamato.

pectoral ['pektərəl] *agg.* e *s.* pettorale.

peculiar [pi'kju:ljə*] *agg.* **1** particolare; speciale; personale; tipico: *— to children*, tipico dei bambini **2** strano, bizzarro, originale.

peculiarity [pi,kju:li'æriti] *s.* **1** particolarità, caratteristica, singolarità **2** bizzarria, eccentricità.

pecuniary [pi'kju:njəri] *agg.* pecuniario.

pedagogic [,pedə'gɔdʒik] *agg.* pedagogico.

pedagogics [,pedə'gɔdʒiks], **pedagogy** ['pedəgɔdʒi] *s.* pedagogia.

pedal ['pedl] *agg.* di piede ♦ *s.* pedale.

to pedal *v.tr.* pedalare ♦ *v.intr.* **1** pedalare **2** (*mus.*) usare i pedali.

pedant ['pedənt] *s.* pedante.

pedantic [pi'dæntik] *agg.* pedantesco, pedante.

pedantry ['pedəntri] *s.* pedanteria.

to peddle ['pedl] *v.intr.* fare il venditore ambulante ♦ *v.tr.* vendere al minuto.

peddler *s.* → **pedlar**.

peddling ['pedliŋ] *agg.* futile, insignificante.

pederast *s.* → **paederast**.

pedestal ['pedistl] *s.* piedistallo, basamento.

pedestrian [pi'destriən] *agg.* **1** pedonale: *— precinct*, isola pedonale **2** (*fig.*) pedestre; prosaico ♦ *s.* **1** pedone **2** podista.

pedestrian crossing [pi,destriən'krɔsiŋ] *s.* passaggio pedonale.

pedestrianism [pi'destriənizəm] *s.* podismo.

pediatrics e *deriv.* → **paediatrics** e *deriv.*

pedicure ['pedikjuə*] *s.* pedicure.

pedigree ['pedigri:] *s.* **1** stirpe, lignaggio // *— dog*, cane di razza **2** albero genealogico.

pediment ['pedimənt] *s.* (*arch.*) frontone.

pedlar ['pedlə*] *s.* venditore ambulante.

peduncle [pi'dʌŋkl] *s.* peduncolo.

pee [pi:] *s.* pipì.

peek [pi:k] e *deriv.* → **peep**[1] e *deriv.*

peel[1] [pi:l] *s.* buccia.

to peel[1] *v.tr.* **1** sbucciare; scortecciare **2** *to — off*, (*sl.*) togliersi ♦ *v.intr.* **1** *to —(off)*, spellarsi, squamarsi; scorticarsi; scrostarsi **2** (*sl.*) spogliarsi.

peel[2] *s.* pala (di fornaio).

peen [pi:n] *s.* penna (di martello).

peep[1] [pi:p] *s.* **1** sguardo, sbirciata: *to have* (o *to take) a — at sthg.*, gettare uno sguardo furtivo su qlco. **2** scorcio **3** *— (of dawn, of day)*, l'alba, lo spuntare del giorno.

to peep[1] *v.intr.* **1** sbirciare; spiare: *to — at sthg.*, at *s.o.*, guardare furtivamente qlco., qlcu. // *Peeping Tom*, «voyeur» **2** far capolino, spuntare; apparire.

peep[2] *s.* pigolio; squittio.

to peep[2] *v.intr.* pigolare; squittire.

peephole ['pi:phoul] *s.* spiraglio.

peep show ['pi:pʃou] *s.* visore.

peer[1] [piə*] *s.* **1** uguale, pari **2** Pari, membro della Camera dei Lord // *— of the realm*, Pari del regno // *life —*, Pari a vita // *spiritual —*, vescovo appartenente alla Camera dei Lord.

to peer[2] *v.intr.: to — at*, guardare attentamente, scrutare.

peerage ['piəridʒ] *s.* **1** paria **2** almanacco dei pari.

peeress ['piəris] *s.* **1** Pari donna **2** consorte di un Pari.

peerless ['piəlis] *agg.* senza pari, impareggiabile.

to peeve [pi:v] *v.tr.* (*fam.*) irritare ♦ *v.intr.* (*fam.*) irritarsi.

peevish ['pi:viʃ] *agg.* irritabile, stizzoso.

peewit ['pi:wit] *s.* (*zool.*) pavoncella.

peg [peg] *s.* **1** piolo // *to be a square — in a round hole*, (*fam.*) non essere adatto al proprio posto // *a dress off the —*, un abito già confezionato // *to take s.o. down a — or two*, fare abbassare la cresta a qlcu. **2** molletta **3** (*mus.*) bischero.

to peg *v.tr.* **1** fissare con picchetti, mollette ecc. **2** stabilizzare i prezzi (di) **3** *to — out*, segnare il limite (di) ♦ *v.intr.* **1** *to — away at*, perseverare in **2** *to — out*, (*fam.*) morire.

pejorative [pi'dʒɔrətiv, (*amer.*) pi'dʒɔ:rətiv] *agg.* e *s.* peggiorativo.

Pekinese [,pi:ki'ni:z] *agg.* e *s.* pechinese.

Peking [pi:'kiŋ] *no.pr.* Pechino.

Pekingese [,pi:kiŋ'i:z] *agg.* e *s.* → **Pekinese**.

pelf [pelf] *s.* (*spreg.*) denaro, ricchezza.

pelican ['pelikən] *s.* pellicano.

pellet ['pelit] *s.* **1** pallottolina **2** pillola **3** (*di arma da fuoco*) cartuccia, pallottola.

pellicle ['pelikl] *s.* pellicola, membrana.

pell-mell ['pel'mel] *s.* confusione, accozzaglia ♦ *avv.* **1** precipitosamente **2** confusamente, alla rinfusa.

pellucid [pe'lju:sid] *agg.* trasparente; chiaro (*anche fig.*).

pelmet ['pelmit] *s.* mantovana (di tendaggio).

Peloponnese ['peləpəni:s], **Peloponnesus** [,peləpə'ni:səs] *no.pr.* Peloponneso.

pelt[1] [pelt] *s.* **1** colpo **2** scroscio **3** *at full —*, a tutta velocità.

to pelt[1] *v.tr.* **1** colpire (con proiettili, sassi ecc.) **2** tirare, lanciare **3** (*fig.*) assalire ♦ *v.intr.* cadere violentemente: *it was pelting with rain*, pioveva a catinelle.

pelt[2] *s.* pelle grezza // *in one's —*, (*fam.*) nudo.

pelvic ['pelvik] *agg.* pelvico.

pelvis ['pelvis] *s.* (*anat.*) pelvi, bacino.

pen [pen] *s.* penna: *ballpoint —*, penna a sfera; *fountain —*, penna stilografica; *felt-tip —*, pennarello // *he lives by his —*, vive della sua professione di scrittore.

to pen[1] *v.tr.* scrivere.

pen[2] *s.* recinto per animali domestici.

to pen[3] *v.tr.* rinchiudere (animali) in un recinto.

penal ['pi:nl] *agg.* penale.

to penalize [pi'nəlaiz] *v.tr.* punire; (*sport*) penalizzare.

penalty ['penlti] *s.* pena; penalità // *— kick*, (*calcio*) calcio di rigore.

penance ['penəns] *s.* (*eccl.*) penitenza.

Penates [pe'neiti:z] *s.pl.* Penati.

pence *pl.* di **penny**.

pencil ['pensl] *s.* **1** matita **2** (*ott.*) fascio omocentrico **3** (*geom.*) fascio proprio.

to pencil *v.tr.* scrivere, disegnare a matita.

pendant, pendent ['pendənt] *agg.* **1** pendente, pendulo **2** indeciso, in sospeso **3** incompleto ♦ *s.* **1** ciondolo **2** (*mar.*) pennone **3** pendant.

pendentive [pen'dentiv] *s.* (*arch.*) pennacchio.

pending ['pendiŋ] *agg.* indefinito, in sospeso ♦ *prep.* **1** durante **2** fino a.

pendulum ['pendjuləm] *s.* pendolo // — *motion*, moto pendolare.

Penelope [pi'neləpi] *no.pr.f.* (*letter.*) Penelope.

penetrable ['penitrəbl] *agg.* penetrabile.

to penetrate ['penitreit] *v.tr.* penetrare (*anche fig.*): *to be penetrated with*, essere permeato, pieno di // *to — s.o.'s disguise*, (*fig.*) riconoscere chi c'è dietro la maschera ♦ *v.intr.* diffondersi.

penetrating ['penitreitiŋ] *agg.* penetrante; acuto.

penetration [ˌpeni'treiʃən] *s.* penetrazione.

pen friend ['penfrend] *s.* corrispondente.

penguin ['peŋgwin] *s.* pinguino.

penicillin [ˌpeni'silin] *s.* (*farm.*) penicillina.

peninsula [pi'ninsjulə, (*amer.*) pi'ninsələ] *s.* penisola.

peninsular [pi'ninsjulə*] *agg.* peninsulare.

penis ['pi:nis], *pl.* **penes** ['pi:ni:z] *s.* (*anat.*) pene.

penitence ['penitəns] *s.* penitenza.

penitent ['penitənt] *agg.* e *s.* penitente.

penitential [ˌpeni'tenʃəl] *agg.* penitenziale.

penitentiary [ˌpeni'tenʃəri] *agg.* penitenziale ♦ *s.* (*amer.*) penitenziario.

penknife ['pennaif], *pl.* **penknives** ['pennaivz] *s.* temperino.

penmanship ['penmənʃip] *s.* calligrafia.

pen name ['penneim] *s.* pseudonimo di scrittore.

pennant ['penənt] *s.* (*mar.*) pennone, stendardo.

penniless ['penilis] *agg.* senza un soldo.

pennon ['penən] *s.* pennone.

penny ['peni], *pl.* **pennies** ['peniz] (per indicare il numero), **pence** [pens] (per indicare il valore) *s.* **1** penny (nel vecchio sistema monetario inglese, dodicesima parte di uno scellino) // *to the last —*, fino all'ultimo centesimo // *a — four your thoughts*, pagherei per sapere a che cosa pensi // *a pretty —*, una bella sommetta // *to take care of the pence*, badare al centesimo // *to spend a —*, fare la pipì // *the — dropped*, l'allusione è andata a segno // *in for a —, in for a pound*, (*prov.*) chi è in ballo deve ballare **2** (*amer.*) centesimo (di dollaro).

penny-a-liner ['peniə'lainə*] *s.* giornalista da strapazzo.

penny-farthing ['peni'fɑ:ðiŋ] *s.* biciclo.

penny-wise ['peniwaiz] *agg.* attento alle più piccole spese: *— and pound-foolish*, taccagno nelle piccole spese, prodigo nelle grandi.

pennyworth ['penəθ] *s.* **1** un soldo; inezia **2** un penny di: *a — of sweets*, un penny di caramelle.

pensile ['pensail] *agg.* pensile.

pension ['penʃən; *nel senso* 2 'pɑ:ŋsio:ŋ] *s.* **1** pensione; vitalizio: *old age —*, pensione di vecchiaia; *disability —*, pensione di invalidità; *— reform*, riforma pensionistica **2** pensione.

to pension *v.tr.* assegnare, pagare una pensione a // *to — off*, mettere in pensione.

pensionable ['penʃənəbl] *agg.* pensionabile.

pensionary ['penʃənəri] *agg.* e *s.* pensionato.

pensioner ['penʃənə*] *s.* pensionato.

pensive ['pensiv] *agg.* pensoso.

pent [pent] *agg.* rinchiuso.

pentagon ['pentəgən] *s.* **1** (*geom.*) pentagono **2** *the Pentagon*, il Pentagono (Ministero della Difesa negli USA).

pentagonal [pen'tægənl] *agg.* (*geom.*) pentagonale.

pentagram ['pentəgræm] *s.* pentacolo.

pentameter [pen'tæmitə*] *s.* (*metrica*) pentametro.

Pentecost ['pentikɔst] *s.* Pentecoste.

penthouse ['penthaus] *s.* **1** attico **2** — *roof*, tetto ad uno spiovente.

Pentothal® ['pentouθəl] *s.* (*farm.*) pentotal®.

penultimate [pi'nʌltimit] *agg.* penultimo ♦ *s.* penultima sillaba.

penumbra [pe'nʌmbrə] *s.* penombra.

penurious [pe'njuəriəs] *agg.* **1** povero, misero **2** meschino, avaro.

penury ['penjuri] *s.* penuria.

peony ['piəni] *s.* peonia.

people ['pi:pl] *s.* **1** popolo: *the peoples of Europe*, i popoli europei **2** (*costr.pl.*) gente, persone: *most —*, la maggior parte della gente; *old —, young —*, i vecchi, i giovani; *— say*, la gente dice, si dice; *some hundred —*, circa cento persone **3** (*costr.pl.*) genitori (*pl.*), famiglia // *my —*, i miei.

to people *v.tr.* popolare.

pep [pep] *s.* (*fam.*) forza, mordente; vivacità: *full of —*, tutto pepe.

to pep *v.tr.: to —(up)*, (*fam.*) stimolare, incitare, spronare.

pepper ['pepə*] *s.* pepe: *ground —, whole —*, pepe in polvere, pepe in grani.

to pepper *v.tr.* **1** pepare **2** (*mil.*) tempestare di colpi; (*fig.*) tempestare (di domande).

pepper-and-salt ['pepərən(d)'sɔ:lt] *agg.* e *s.* (color) pepe e sale.

pepperbox ['pepəbɔks] *s.* pepaiola.

peppercorn ['pepəkɔ:n] *s.* grano di pepe // — *rent*, (*dir.*) affitto nominale.

peppermint ['pepəmint] *s.* **1** (*bot.*) menta peperita **2** caramella di menta peperita.

pepper pot ['pepəpɔt] *s.* **1** pepaiola **2** (*fig.*) persona focosa.

peppery ['pepəri] *agg.* **1** pepato **2** collerico, focoso.

pep pill ['peppil] *s.* (*fam.*) (pillola) stimolante.

peppy ['pepi] *agg.* (*fam.*) pieno di energia.

pep talk ['pepto:k] *s.* (*fam.*) fervorino.

per [pə:*] *prep.* per: — *annum*, per anno; — *head*, a testa; — *rail*, per ferrovia // *— as —*, come da.

to perambulate [pə'ræmbjuleit] *v.tr.* ispezionare (un territorio) ♦ *v.intr.* gironzolare.

perambulator [pə'ræmbjuleitə*] *s.* carrozzella per bambini.

percale [pə'keil] *s.* (*tessuto*) percalle.

perceivable [pə'si:vəbl] *agg.* percettibile.

to perceive [pə'si:v] *v.tr.* **1** percepire; accorgersi di **2** scorgere.

percentage [pə'sentidʒ] *s.* percentuale ♦ *agg.attr.* (di sport) giocato bene ma senza correre rischi eccessivi.

perceptible [pə'septəbl] *agg.* percettibile.

perception [pə'sepʃən] *s.* percezione; intuizione.

perceptive [pə'septiv] *agg.* **1** percettivo **2** intelligente **3** perspicace.

perch[1] [pə:tʃ] *s.* **1** posatoio, gruccia (per uccelli) // *come off your —*, (*fam.*) non darti tante arie **2** alta carica, alta posizione **3** pertica (misura di lunghezza).

to perch[1] *v.tr.* posare, collocare // *to — oneself*, appollaiarsi ♦ *v.intr.* stare appollaiato.

perch[2] *s.pl.* pesce persico (*sing.*).

perchance [pə'tʃɑ:ns] *avv.* (*antiq.*) per caso; forse.

to percolate ['pə:kəleit] *v.tr.* e *intr.* filtrare (*anche fig.*).

percolation [ˌpə:kə'leiʃən] *s.* filtrazione; infiltrazione (*anche fig.*).

percolator ['pə:kəleitə*] *s.* caffettiera a filtro.
percussion [pə:'kʌʃən] *s.* percussione // — *band*, orchestrina di strumenti a percussione // — *cap*, detonatore.
percussive [pə:'kʌsiv] *agg.* che percuote; di percussione.
perdition [pə:'diʃən] *s.* perdizione, dannazione.
peregrination [,perigri'neiʃən] *s.* peregrinazione.
peremptory [pə'remptəri, (*amer.*) 'perəmptɔ:ri] *agg.* perentorio; autoritario, imperioso // — *writ*, mandato di comparizione.
perennial [pə'renjəl] *agg.* e *s.* (pianta) perenne // *hardy* —, (*fig.*) problema ricorrente.
perfect ['pə:fikt] *agg.* perfetto: *a — stranger*, un perfetto sconosciuto; *it's a — shame*, è una vera vergogna.
to **perfect** [pə'fekt] *v.tr.* perfezionare; completare.
perfection [pə'fekʃən] *s.* perfezione: *to* —, alla perfezione.
perfectionism [pə'fekʃənizəm] *s.* perfezionismo.
perfectionist [pə'fekʃənist] *agg.* e *s.* perfezionista.
perfectly ['pə:fiktli] *avv.* completamente; perfettamente.
perfectness ['pə:fiktnis] *s.* perfezione.
perfidious [pə:'fidiəs] *agg.* perfido, sleale.
perfidy ['pə:fidi] *s.* perfidia, slealtà.
to **perforate** ['pə:fəreit] *v.tr.* perforare; forare.
perforation [,pə:fə'reiʃən] *s.* **1** perforazione **2** foro.
perforce [pə'fɔ:s] *avv.* per forza.
to **perform** [pə'fɔ:m] *v.tr.* **1** eseguire; compiere, adempiere: *to — an operation on s.o.*, (*chir.*) operare qlcu. **2** (*teatr.*) rappresentare; recitare ♦ *v.intr.* **1** dare una rappresentazione **2** (*di animali ammaestrati*) eseguire numeri.
performance [pə:'fɔ:məns] *s.* **1** adempimento, esecuzione // *high* —, (*informatica*) ad elevate prestazioni **2** atto, gesto **3** rappresentazione, spettacolo teatrale; interpretazione // — *rights*, diritti di rappresentazione // *subsequent* —, (*teatr.*) replica.
performer [pə':fɔ:mə*] *s.* **1** esecutore **2** attore; interprete.
perfume ['pə:fju:m] *s.* profumo.
to **perfume** [pə'fju:m] *v.tr.* profumare.
perfumer [pə'fju:mə*] *s.* profumiere.
perfumery [pə'fju:məri] *s.* profumeria.
perfunctory [pə'fʌŋktəri] *agg.* superficiale, privo di interesse; affrettato.
perhaps [pə'hæps] *avv.* forse, probabilmente.
Pericles ['perikli:z] *no.pr.m.* (*st.*) Pericle.
perigee ['peridʒi:] *s.* (*astr.*) perigeo.
peril ['peril] *s.* pericolo, rischio: *in — of*, col rischio di; *at your* —, a vostro rischio.
perilous ['periləs] *agg.* pericoloso.
perimeter [pə'rimitə*] *s.* (*geom.*) perimetro.
period ['piəriəd] *s.* **1** periodo: *probationary* —, periodo di prova **2** stadio, fase; epoca, era // — *furniture*, mobili d'epoca **3** (*med.*) mestruazione **4** punto (segno ortografico).
periodic [,piəri'ɔdik] *agg.* periodico.
periodical [,piəri'ɔdikəl] *agg.* periodico ♦ *s.* periodico, rivista.
peripheral [pə'rifərəl] *agg.* periferico.
periphery [pə'rifəri] *s.* **1** circonferenza, perimetro **2** superficie **3** periferia.
periphrase ['perifreiz], **periphrasis** [pə'rifrəsis] *s.* perifrasi.
periphrastic [,pəri'fræstik] *agg.* perifrastico.
periscope ['periskoup] *s.* periscopio.
to **perish** ['periʃ] *v.tr.* distruggere; rovinare // *perish the thought!*, per carità, tocca ferro! ♦ *v.intr.* perire, morire: *to — with*, morire di // *I'm perished*, (*fam.*) sono gelato.
perishable ['periʃəbl] *agg.* **1** mortale **2** deperibile.
perishables ['periʃəblz] *s.pl.* merci, cibi deperibili.
peritonitis [,peritə'naitis] *s.* (*med.*) peritonite.
periwig ['periwig] *s.* parrucca.
periwinkle ['peri,wiŋkl] *s.* pervinca.
to **perjure** ['pə:dʒə*] *v.rifl.*: *to — oneself*, spergiurare.
perjured ['pə:dʒəd] *agg.* spergiuro.
perjurer ['pə:dʒərə*] *s.* spergiuro.
perjury ['pə:dʒəri] *s.* spergiuro.
perk[1] [pə:k] *s.* (*sl.*) → **perquisite**.
to **perk**[2] *v.tr.* **1** rizzare, drizzare: *to — up one's ears*, rizzare le orecchie **2** rianimare // *to — oneself up*, rianimarsi, riaversi; agghindarsi ♦ *v.intr.* **1** rizzarsi **2** rianimarsi, riaversi // *he perked up at the news*, (*fam.*) la notizia lo rallegrò.
perky ['pə:ki] *agg.* **1** vivace **2** impertinente.
perm [pə:m] *s.* (*fam.*) permanente.
permanence ['pə:mənəns], **permanency** ['pə:mənənsi] *s.* permanenza; stabilità; durata.
permanent ['pə:mənənt] *agg.* permanente, fisso: — *situation*, occupazione fissa // — *wave*, permanente (ondulazione dei capelli).
permeable ['pə:mjəbl] *agg.* permeabile.
to **permeate** ['pə:mieit] *v.tr.* e *intr.* permeare, penetrare.
permissible [pə'misəbl] *agg.* ammissibile, tollerabile.
permission [pə'miʃən] *s.* permesso, autorizzazione: *planning* —, licenza edilizia.
permissive [pə'misiv] *agg.* **1** permesso; lecito; facoltativo **2** permissivo; lassista.
permissiveness [pə'misivnis] *s.* **1** permissività **2** permissivismo; lassismo.
permit ['pə:mit] *s.* permesso, autorizzazione.
to **permit** [pə'mit] *v.tr.* e *intr.* permettere, tollerare; concedere, autorizzare: *this permits* (*of*) *no delay*, questo non ammette indugio.
permutation [,pə:mju(:)'teiʃən] *s.* (*mat.*) permutazione.
to **permute** [pə'mju:t] *v.tr.* cambiare l'ordine (di).
pernicious [pə:'niʃəs] *agg.* pernicioso, nocivo.
pernickety [pə'nikiti] *agg.* (*fam.*) pignolo, difficile.
to **perorate** ['perəreit] *v.intr.* perorare.
peroration [,perə'reiʃən] *s.* perorazione.
peroxide [pə'rɔksaid] *s.* (*chim.*) perossido // *hydrogen* —, acqua ossigenata // — *blonde*, (*fam.*) bionda ossigenata.
perpendicular [,pə:pən'dikjulə*] *agg.* perpendicolare ♦ *s.* **1** (*geom.*) perpendicolare **2** filo a piombo.
to **perpetrate** ['pə:pitreit] *v.tr.* perpetrare.
perpetration [,pə:pi'treiʃən] *s.* perpetrazione.
perpetual [pə'petjuəl] *agg.* perpetuo.
to **perpetuate** [pə'petjueit] *v.tr.* perpetuare.
perpetuation [pə,petju'eiʃən] *s.* perpetuazione.
perpetuity [,pə:pi'tju(:)iti] *s.* perpetuità, eternità // *in* —, in perpetuo, per sempre.
to **perplex** [pə'pleks] *v.tr.* **1** rendere perplesso; mettere in imbarazzo **2** complicare, imbrogliare.
perplexity [pə'pleksiti] *s.* **1** perplessità; imbarazzo **2** complicazione, confusione.
perquisite ['pə:kwizit] *s.* guadagno extra.
perry ['peri] *s.* sidro di pere.
to **persecute** ['pə:sikju:t] *v.tr.* perseguitare; importunare, molestare.

persecution [ˌpəːsiˈkjuːʃən] *s.* persecuzione.

perseverance [ˌpəːsiˈviərəns] *s.* perseveranza.

to **persevere** [ˌpəːsiˈviə*] *v.intr.* perseverare, persistere.

Persia [ˈpəːʃə] *no.pr.* Persia.

Persian [ˈpəːʃən] *agg.* e *s.* persiano // — *lamb*, agnellino di Persia.

persimmon [pəːˈsimən] *s.* (*bot.*) cachi.

to **persist** [pəˈsist] *v.intr.* **1** persistere; durare **2** ostinarsi; perseverare: *to — in doing sthg.*, ostinarsi a fare qlco.

persistence [pəˈsistəns], **persistency** [pəˈsistənsi] *s.* **1** persistenza; durata **2** perseveranza; ostinazione.

persistent [pəˈsistənt] *agg.* **1** persistente; duraturo **2** perseverante; ostinato.

person [ˈpəːsn] *s.* **1** persona; (*pl.*) persone, gente (*sing.*): *in* —, di persona, personalmente; *verb in the first* —, verbo alla prima persona **2** corpo, figura.

personable [ˈpəːsnəbl] *agg.* bello, di bell'aspetto.

personage [ˈpəːsnidʒ] *s.* personaggio.

personal [ˈpəːsnl] *agg.* personale: — *business* (o — *matter*), affare privato // — *column*, avvisi personali nella piccola pubblicità.

personality [ˌpəːsəˈnæliti] *s.* **1** personalità // *bubbling* —, personalità effervescente **2** *pl.* critica malevola (*sing.*).

to **personalize** [ˈpəːsənəlaiz] *v.tr.* **1** personificare **2** personalizzare.

personally [ˈpəːsnəli] *avv.* personalmente.

personalty [ˈpəːsnəlti] *s.* (*dir.*) beni mobili (*pl.*).

to **personate** [ˈpəːsəneit] *v.tr.* **1** (*teatr.*) impersonare; fare la parte di **2** (*dir.*) farsi passare, spacciarsi (per).

personification [pəːˌsɔnifiˈkeiʃən] *s.* personificazione.

to **personify** [pəːˈsɔnifai] *v.tr.* personificare.

personnel [ˌpəːsəˈnel] *s.* personale // — *manager*, direttore del personale.

perspective [pəˈspektiv] *s.* prospettiva (*anche fig.*).

perspicacious [ˌpəːspiˈkeiʃəs] *agg.* perspicace, sagace.

perspicacity [ˌpəːspiˈkæsiti] *s.* perspicacia, sagacità.

perspicuity [ˌpəːspiˈkjuː)iti] *s.* perspicuità, chiarezza.

perspicuous [pəˈspikjuəs] *agg.* perspicuo, chiaro.

perspiration [ˌpəːspəˈreiʃən] *s.* **1** traspirazione **2** sudore.

perspiratory [pəsˈpaiərətəri] *agg.* sudorifero.

to **perspire** [pəsˈpaiə*] *v.intr.* e *tr.* traspirare, sudare.

to **persuade** [pəˈsweid] *v.tr.* persuadere, convincere: *to — s.o. into doing sthg.*, persuadere qlcu. a fare qlco. // *to — oneself*, persuadersi.

persuasion [pəˈsweiʒən] *s.* **1** persuasione, convinzione **2** credenza, fede: *he is of Roman Catholic —*, è cattolico.

persuasive [pəˈsweisiv] *agg.* persuasivo ♦ *s.* allettamento.

persuasiveness [pəˈsweisivnis] *s.* forza di persuasione.

pert [pəːt] *agg.* **1** sfacciato; impertinente **2** (*amer.*) vivace, sprizzante.

to **pertain** [pəːˈtein] *v.intr.* appartenere; riferirsi, concernere (qlcu., qlco.): *the enthusiasm pertaining to youth*, l'entusiasmo proprio della gioventù.

pertinacious [ˌpəːtiˈneiʃəs] *agg.* tenace; ostinato.

pertinacity [ˌpəːtiˈnæsiti] *s.* tenacia; ostinazione.

pertinence [ˈpəːtinəns], **pertinency** [ˈpəːtinənsi] *s.* pertinenza; attinenza.

pertinent [ˈpəːtinənt] *agg.* pertinente; attinente.

pertness [ˈpəːtnis] *s.* sfacciataggine; petulanza.

to **perturb** [pəˈtəːb] *v.tr.* turbare; sconvolgere.

perturbation [ˌpəːtəːˈbeiʃən] *s.* turbamento.

peruke [pəˈruːk] *s.* parrucca.

perusal [pəˈruːzəl] *s.* lettura (attenta).

to **peruse** [pəˈruːz] *v.tr.* leggere (attentamente).

Peruvian [pəˈruːvjən] *agg.* e *s.* peruviano.

to **pervade** [pəːˈveid] *v.tr.* pervadere; permeare: *to become pervaded with*, compenetrarsi di.

pervasion [pəːˈveiʒən] *s.* penetrazione.

pervasive [pəːˈveisiv] *agg.* penetrante; diffuso.

perverse [pəˈvəːs] *agg.* **1** perverso **2** difficile, irritabile **3** ingiusto (di verdetto).

perversion [pəˈvəːʃən] *s.* perversione; pervertimento.

pervert [ˈpəːvəːt] *s.* pervertito.

to **pervert** [pəˈvəːt] *v.tr.* pervertire; corrompere; falsare (discorsi, fatti ecc.).

pesky [ˈpeski] *agg.* (*amer. fam.*) scocciante.

pessimism [ˈpesimizəm] *s.* pessimismo.

pessimist [ˈpesimist] *s.* pessimista.

pest [pest] *s.* (*fig.*) peste, flagello.

to **pester** [ˈpestə*] *v.tr.* importunare, seccare.

pesticide [ˈpestisaid] *s.* insetticida, pesticida.

pestiferous [pesˈtifərəs] *agg.* pestifero, pestilenziale.

pestilence [ˈpestiləns] *s.* pestilenza.

pestilent [ˈpestilənt] *agg.* nocivo; (*fam.*) noioso.

pestilential [ˌpestiˈlenʃəl] *agg.* **1** pestilenziale, pestifero **2** (*fam.*) detestabile; noioso.

pestle [ˈpesl] *s.* pestello.

to **pestle** *v.tr.* pestare, polverizzare (con pestello) ♦ *v.intr.* usare il pestello.

pet[1] [pet] *agg.* prediletto // *one's — hate*, la cosa che uno ha più in antipatia ♦ *s.* **1** animale favorito // — *shop*, negozio dove si vendono cani, gatti, uccelli ecc. **2** beniamino, coccolo // — *name*, vezzeggiativo.

to **pet**[1] *v.tr.* vezzeggiare; coccolare ♦ *v.intr.* (*fam.*) abbandonarsi a effusioni amorose.

pet[2] *s.* cattivo umore: *to be in a —*, tenere il broncio.

petal [ˈpetl] *s.* petalo.

to **peter** [ˈpiːtə*] *v.intr.*: *to — out*, (*fam.*) esaurirsi.

Peter *no.pr.m.* Pietro // *blue —*, (*mar.*) segnale di partenza // *to rob — to pay Paul*, fare un debito nuovo per pagarne uno vecchio // *—'s-penny* (o *—'s-pence*), obolo di S. Pietro.

petersham [ˈpiːtəʃəm] *s.* nastro gros-grain.

petiole [ˈpetioul] *s.* picciolo.

petite [pəˈtiːt] *agg.* minuta, graziosa (di donna).

petition [piˈtiʃən] *s.* petizione, supplica; ricorso.

to **petition** *v.tr.* presentare una supplica, una petizione (a) ♦ *v.intr.* chiedere umilmente (qlco.): *to — for sthg.*, chiedere qlco.

petitioner [piˈtiʃnə*] *s.* supplicante, postulante.

Petrarch [ˈpetraːk] *no.pr.* (*st. letter.*) Petrarca.

petrel [ˈpetrəl] *s.* (*zool.*) procellaria.

to **petrify** [ˈpetrifai] *v.tr.* pietrificare ♦ *v.intr.* pietrificarsi (*anche fig.*).

petrodollar [ˌpetrouˈdɔlə*] *s.* petrodollaro.

petrol [ˈpetrəl] *s.* benzina (per automobili).

petroleum [piˈtrouljəm] *s.* petrolio grezzo.

petroliferous [ˌpetrouˈlifərəs] *agg.* petrolifero.

petrol station [ˈpetrəlˌsteiʃən] *s.* distributore, stazione di servizio.

petticoat [ˈpetikout] *s.* **1** sottoveste; sottogonna **2** (*fam.*) donna, gonnella // — *government*, (*scherz.*) matriarcato.

pettifogger [ˈpetifɔgə*] *s.* leguleio.

pettifogging [ˈpetifɔgin] *agg.* cavilloso; imbroglione.

pettily [ˈpetili] *avv.* meschinamente.

pettiness [ˈpetinis] *s.* piccolezza; meschinità.

pettish ['petiʃ] *agg.* irritabile; stizzoso.

pettitoes ['petitouz] *s.pl.* (*cuc.*) piedini di maiale.

petty ['peti] *agg.* **1** piccolo; trascurabile; insignificante // — *cash,* piccola cassa // — *officer,* (*mar.*) sottufficiale **2** meschino; gretto.

petulance ['petjulǝns] *s.* irritabilità.

petulant ['petjulǝnt] *agg.* irritabile.

petunia [pi'tju:njǝ] *s.* (*bot.*) petunia.

pew [pju:] *s.* banco (di chiesa) // *take a* —, (*fam.*) siediti.

pewit ['pi:wit] *s.* (*zool.*) pavoncella.

pewter ['pju:tǝ*] *s.* peltro.

Phaedrus ['fi:drǝs] *no.pr.m.* (*st.letter.*) Fedro.

phagocyte ['fægǝsait] *s.* (*biol.*) fagocita.

phalanx ['fælæŋks], *pl.* **phalanxes** ['fælæŋksiz], **phalanges** ['fæ'lændʒi:z] *s.* falange.

phallic ['fælik] *agg.* fallico.

phallus ['fælǝs] *s.* fallo.

phantasm ['fæntæzǝm] *s.* **1** fantasma **2** (*fig.*) illusione (ottica).

phantasmagoria [ˌfæntæzmǝ'gɔriǝ] *s.* fantasmagoria.

phantasmal [fæn'tæzmǝl] *agg.* spettrale.

phantasy *s.* → **fantasy.**

phantom ['fæntǝm] *s.* **1** fantasma, spettro **2** (*fig.*) illusione; apparizione.

Pharaoh ['feǝrou] *s.* faraone.

Pharisee ['færisi:] *s.* fariseo (*anche fig.*).

pharmaceutical [ˌfɑ:mǝ'sju:tikǝl] *agg.* farmaceutico.

pharmacist ['fɑ:mǝsist] *s.* farmacista.

pharmacology [ˌfɑ:mǝ'kɔlǝdʒi] *s.* farmacologia.

pharmacy ['fɑ:mǝsi] *s.* farmacia.

pharyngitis ['færin'dʒaitis] *s.* faringite.

pharynx ['færiŋks] *s.* faringe.

phase [feiz] *s.* fase, periodo.

to **phase** *v.tr.* **1** progettare, sistemare in fasi **2** *to* — *out,* (di modello, prodotto) andare a esaurimento.

pheasant ['feznt] *s.* fagiano.

phenol ['fi:nɔl] *s.* (*chim.*) fenolo, acido fenico.

phenomenal [fi'nɔminl] *agg.* fenomenale.

phenomenon [fi'nɔminǝn], *pl.* **phenomena** [fi'nɔm inǝ] *s.* fenomeno.

phew [fju:] *inter.* pfuiii!

phial ['faiǝl] *s.* fiala; ampolla.

Philadelphia [ˌfilǝ'delfjǝ] *no.pr.* Filadelfia.

to **philander** [fi'lændǝ*] *v.intr.* flirtare, amoreggiare.

philanderer [fi'lændǝrǝ*] *s.* cascamorto.

philanthrope ['filǝnθroup] *s.* filantropo.

philanthropic [ˌfilǝn'θrɔpik] *agg.* filantropico.

philanthropist [fi'lænθrǝpist] *s.* filantropo.

philatelist [fi'lætǝlist] *s.* filatelico.

philately [fi'lætǝli] *s.* filatelia.

philharmonic [ˌfilɑ:'mɔnik] *agg.* filarmonico.

Philip ['filip] *no.pr.m.* Filippo.

philippic [fi'lipik] *s.* filippica.

Philippine ['filipi:n] *agg.* filippino // *the Philippines,* le Filippine.

Philistine ['filistain, (*amer.*) 'filisti:n] *agg.* e *s.m.* filisteo (*anche spreg.*).

Philistinism ['filistinizǝm] *s.* filisteismo.

philological [ˌfilǝ'lɔdʒikǝl] *agg.* filologico.

philologist [fi'lɔlǝdʒist] *s.* filologo.

philology [fi'lɔlǝdʒi] *s.* filologia.

philosopher [fi'lɔsǝfǝ*] *s.* filosofo // —'*s stone,* pietra filosofale.

philosophic(al) [ˌfilǝ'sɔfik(ǝl)] *agg.* filosofico.

to **philosophize** [fi'lɔsǝfaiz] *v.intr.* filosofare.

philosophy [fi'lɔsǝfi] *s.* filosofia.

philtre, (*amer.*) **philter** ['filtǝ*] *s.* filtro, pozione.

phlebitis [fli'baitis] *s.* (*med.*) flebite.

phlegm [flem] *s.* flemma.

phlegmatic [fleg'mætik] *agg.* flemmatico.

phobia ['foubjǝ] *s.* fobia.

phocomelia [ˌfoukǝ'mi:liǝ] *s.* (*med.*) focomelia.

Phoenician [fi'niʃiǝn] *agg.* e *s.* fenicio.

phoenix ['fi:niks] *s.* (*mit.*) fenice.

phon [fɔn] *s.* (*fis.*) fon.

phonation [fou'neiʃǝn] *s.* fonazione.

phone [foun] *s.* (*fam.*) telefono.

to **phone** *v.tr.* e *intr.* (*fam.*) telefonare.

phone-in ['founin] *s.* programma radiofonico basato su interviste telefoniche agli ascoltatori.

phoneme ['founi:m] *s.* fonema.

phonetic [fou'netik] *agg.* fonetico.

phonetics [fou'netiks] *s.* fonetica.

phoney ['founi] *agg.* (*sl.*) falso, finto ♦ *s.* (*sl.*) bugiardo, impostore.

phonic ['founik] *agg.* fonico.

phonogram ['founǝgræm] *s.* fonogramma.

phonograph ['founǝgrɑ:f] *s.* (*amer.* per *record player*) grammofono®, fonografo.

phonology [fou'nɔlǝdʒi] *s.* fonologia.

phony *agg.* e *s.* → **phoney.**

phosphate ['fɔsfeit] *s.* (*chim.*) fosfato.

phosphite ['fɔsfait] *s.* (*chim.*) fosfito.

to **phosphorate** ['fɔsfǝreit] *v.tr.* combinare con fosforo; rendere fosforescente.

phosphorescence [ˌfɔsfǝ'resns] *s.* fosforescenza.

phosphorescent [ˌfɔsfǝ'resnt] *agg.* fosforescente.

phosphorus ['fɔsfǝrǝs] *s.* (*chim.*) fosforo.

photo ['foutou] *s.* (*fam.*) foto, fotografia.

photocell ['foutousel] *s.* fotocellula.

photocomposition ['foutouˌkɔmpǝ'ziʃǝn] *s.* fotocomposizione.

photocopier ['foutouˌkɔpiǝ*] *s.* fotocopiatrice.

photocopy ['foutou'kɔpi] *s.* fotocopia.

to **photocopy** *v.tr.* fotocopiare.

photoelectric [ˌfoutai'lektrik] *agg.* fotoelettrico // — *cell,* cellula fotoelettrica.

photo finish [ˌfoutou'finiʃ] *s.* (*sport*) arrivo con fotografia, arrivo simultaneo.

photogenic [ˌfoutǝ'dʒenik] *agg.* fotogenico.

photograph ['foutǝgrɑ:f] *s.* fotografia: *to take a* — *of,* fare una fotografia a.

to **photograph** *v.tr.* fotografare ♦ *v.intr.* riuscire (bene, male) in fotografia: *to* — *well,* essere fotogenico.

photographer [fǝ'tɔgrǝfǝ*] *s.* fotografo.

photographic [ˌfoutǝ'græfik] *agg.* fotografico: — *reproduction,* fotoriproduzione.

photography [fǝ'tɔgrǝfi] *s.* fotografia.

photogravure [ˌfoutǝgrǝ'vjuǝ*] *s.* fotoincisione.

photomontage [ˌfoutouˌmɔn'tɑ:ʒ] *s.* fotomontaggio.

photon ['foutɔn] *s.* (*fis.*) fotone.

photostat® ['foutoustæt] *s.* **1** copia fotostatica **2** apparecchio per copie fotostatiche.

photostatic [ˌfoutou'stætik] *agg.* fotostatico.

phototypesetting ['fǝutǝutaip'setiŋ] *s.* fotocomposizione.

phrase [freiz] *s.* **1** frase; locuzione; espressione; aforisma: *an adverbial* —, una locuzione avverbiale; *graceful* —, espressione elegante **2** (*mus.*) frase.

to **phrase** *v.tr.* **1** esprimere, formulare **2** (*mus.*) fraseggiare.

phraseogram ['freiziəgræm] *s.* simbolo stenografico che rappresenta un'intera frase.

phraseology [,freizi'ɔlədʒi] *s.* fraseologia.

phrenetic [fri'netik] *agg.* frenetico; sfrenato.

phrenic ['frenik] *agg.* (*anat.*) frenico.

phrenologist [fri'nɔlədʒist] *s.* frenologo.

Phrygian ['fridʒiən] *agg.* e *s.* frigio // — *cap*, berretto frigio.

phthisis ['θaisis] *s.* (*med.*) tisi.

phut [fʌt] *avv.*: *to go* —, (*fam.*) guastarsi, scassarsi; (*fig.*) andare in fumo.

phylloxera [,filɔk'siərə] *s.* (*zool.*) fillossera.

physic ['fizik] *s.* medicina (scienza medica) // *a dose of* —, (*fam.*) una purga.

physical ['fizikəl] *agg.* fisico: — *education* (o *training*), educazione fisica.

physician [fi'ziʃən] *s.* medico.

physicist ['fizisist] *s.* fisico.

physics ['fiziks] *s.* fisica.

physiognomist [,fizi'ɔnəmist, (*amer.*) ,fizi'ɔgnəmist] *s.* fisionomista.

physiognomy [,fizi'ɔnəmi, (*amer.*) ,fizi'ɔgnəmi] *s.* 1 fisionomia 2 (*sl.*) faccia.

physiological [,fiziə'lɔdʒikəl] *agg.* fisiologico.

physiology [,fisi'ɔlədʒi] *s.* fisiologia.

physiotherapy [,fiziou'θerəpi] *s.* fisioterapia.

physique [fi'zi:k] *s.* fisico, aspetto fisico.

pi[1] [pai] *agg.* (*sl.*) pio.

pi[2] *s.* (*geom.*) p greca, p greco (π).

pianist ['pjænist] *s.* pianista.

piano ['pjænou], **pianoforte** [,pjænou'fɔːti, (*amer.*) pi'ænəfɔːrt] *s.* (*mus.*) piano, pianoforte: *to play (on) the* —, suonare il pianoforte // — *tuner*, accordatore.

piano accordion [,pjænouə'kɔːdjən] *s.* fisarmonica.

piano stool ['piænoustuːl] *s.* sgabello (per piano).

piastre, (*amer.*) **piaster** [pi'æstə*] *s.* piastra.

piazza [pi'ætsə] *s.* (*amer.*) veranda.

picaresque [,pikə'resk] *agg.* picaresco.

picayune [,pikə'juːn] *agg.* (*amer.*) di nessun valore; indegno.

piccalilli ['pikəlili] *s.* sottaceti drogati (*pl.*).

piccaninny [,pikə'nini, (*amer.*) 'pikənini] *s.* negretto; bambinetto.

piccolo ['pikəlou] *s.* (*mus.*) ottavino.

pick[1] [pik] *s.* piccone.

to **pick**[1] *v.tr.* 1 scavare, perforare; rompere, lavorare col piccone // — *holes in sthg., s.o.*, trovare da ridire su, criticare qlco., qlcu. // — *to pieces*, fare a pezzi; (*fig.*) analizzare, criticare con malevolenza 2 pulire, mondare; spennare: *to* — *a bone*, spolpare un osso; *to* — *one's nose, teeth*, mettersi le dita nel naso, stuzzicarsi i denti 3 cogliere, raccogliere (fiori, frutti) 4 beccare (di uccelli) 5 scegliere con cura // *to* — *a quarrel*, attaccar briga 6 rubare: *to* — *s.o.'s pocket*, borseggiare qlcu.; *to* — *a lock*, forzare una serratura 7 *to* — *off*, bersagliare, abbattere (i nemici) uno dopo l'altro 8 *to* — *out*, scegliere; distinguere; accennare un motivo (al piano); mettere in risalto (con un colore vivace) 9 *to* — *up*, prendere, raccogliere; rialzare; imparare; trovare, scovare; (*rad.*) captare: *he picked me up at six*, venne a prendermi alle sei; *to* — *up a little German*, imparare un po' di tedesco; *to* — *oneself up*, rialzarsi; (*fig.*) rianimarsi; *to* — *up speed*, prendere velocità ♦ *v.intr.* 1 rubare 2 mangiucchiare: *he picked at his food*, mangiava di malavoglia 3 *to* — *on* (*s.o.*), punzecchiare, seccare (qlcu.) 4 *to* — *up*, ristabilirsi; rianimarsi.

pick[2] *s.* scelta; il meglio, il fior fiore.

pickaback ['pikəbæk] *avv.* (*di persona*) sul dorso, sulle spalle (di qlcu.).

pickax(e) ['pikæks] *s.* piccone.

picked [pikt] *agg.* scelto; estratto.

picker ['pikə*] *s.* chi raccoglie (frutta, patate ecc.) // *pickers and stealers*, ladruncoli.

picket ['pikit] *s.* picchetto.

to **picket** *v.tr.* picchettare ♦ *v.intr.* essere di picchetto.

picking ['pikiŋ] *s.* 1 furterello 2 *pl.* rimanenze, avanzi 3 *pl.* refurtiva.

pickle ['pikl] *s.* 1 salamoia // *to have a rod in* — *for s.o.*, avere in serbo un castigo per qlcu. 2 *pl.* sottaceti 3 (*fam.*) guaio, pasticcio.

to **pickle** *v.tr.* conservare in salamoia; mettere sotto aceto.

picklock ['piklɔk] *s.* 1 scassinatore 2 grimaldello.

pick-me-up ['pikmi(:)ʌp] *s.* (*fam.*) tonico.

pickpocket ['pik,pɔkit] *s.* borsaiolo.

pick-up ['pikʌp] *s.* 1 fonorivelatore, pick-up 2 (*mecc.*) accelerazione; (*aut.*) ripresa 3 (*fam.*) donna di facili costumi 4 (*fam.*) guarigione; ripresa 5 stimolante 6 passaggio (in automobile).

picnic ['piknik] *s.* 1 picnic, scampagnata 2 (*fam.*) cosa facile, piacevole.

to **picnic**, *pass.* e *p.pass.* **picnicked** ['piknikt] *v.intr.* fare un picnic, una scampagnata.

picot ['piːkou] *s.* festoncino.

picquet ['pikit] *s.* (*mil.*) picchetto, sentinella.

Pict [pikt] *s.* (*st.*) membro della tribù dei Pitti.

Pictish ['piktiʃ] *s.* e *agg.* (*st.*) (lingua) dei Pitti.

pictorial [pik'tɔːriəl] *agg.* e *s.* (giornale) illustrato.

picture ['piktʃə*] *s.* 1 quadro; ritratto; immagine; disegno; illustrazione; fotografia // *she's a real* —, è molto bella // *to put s.o. in the* —, mettere qlcu. al corrente // *to be in, out of the* —, essere, non essere al corrente, aggiornato; ricevere, non ricevere attenzione // *to get the* —, capire // — *gallery*, pinacoteca // — *house*, cinematografo 2 *pl.* film (*sing.*), pellicola cinematografica (*sing.*).

to **picture** *v.tr.* 1 dipingere; disegnare; illustrare 2 descrivere (a parole) 3 immaginare // *to* — *oneself*, figurarsi, immaginarsi.

picture book ['piktʃəbuk] *s.* libro illustrato.

picturesque [,piktʃə'resk] *agg.* pittoresco.

picture-writing ['piktʃə,raitiŋ] *s.* scrittura ideografica.

to **piddle** ['pidl] *v.intr.* (*fam.*) fare pipì.

piddling ['pidliŋ] *agg.* (*fam.*) insignificante; meschino.

piddock ['pidək] *s.* (*zool.*) folade.

pidgin ['pidʒin] *s.* (*fam.*) affare: *that's my* —, è affar mio // — *English*, gergo anglo-cinese parlato in Oriente.

pie[1] [pai] *s.* (*zool.*) pica, gazza.

pie[2] *s.* torta; pasticcio // *as easy as* —, facilissimo // *a* — *in the sky*, progetto, proposta con poche probabilità di successo // *to eat humble* —, umiliarsi, andare a Canossa // *to have a finger in the* —, avere le mani in pasta.

pie[3] *s.* 1 (*tip.*) refuso 2 (*fig.*) confusione.

piebald ['paibɔːld] *agg.* e *s.* (cavallo) pezzato.

piece [piːs] *s.* 1 pezzo: *a* — *of land*, un appezzamento di terreno; *a* — *of music*, un brano musicale; *to go to pieces*, andare a pezzi; *to take to pieces*, smontare, disfare // *a* —, cadauno, ciascuno // *by* —, pezzo per pezzo // *all of a* —, tutto d'un pezzo, uniforme; coerente // *by the* —, (*comm.*) a cottimo // *a* — *of*, un, uno, una; *a* — *of advice*, un consiglio; *a* — *of furniture*, un mobile; *a* — *of news*, una notizia // *a nasty* — *of* *goods*, un brutto ceffo // *to say one's* —, dire come la pensavo **2** pezza (di tessuto); barile (di vino); rotolo (di carta da parati) // — *goods*, tessuti in pezza **3** moneta **4** (*mil.*) pezzo d'artiglieria; fucile **5** (*scacchi*) figura **6** (*sl.*) pezzo, tocco (di ragazza).

to piece *v.tr.* **1** rappezzare, raggiustare // *to — together*, raggiustare; mettere insieme **2** unire; connettere **3** *to — up*, raccomodare; rabberciare **4** *to — out*, completare (con pezzi mancanti).

piecemeal ['pi:smi:l] *agg.* frammentario; fatto pezzo per pezzo ♦ *avv.* un pezzo per volta.

piecework ['pi:swə:k] *s.* (lavoro a) cottimo.

pied [paid] *agg.* variegato; screziato.

Piedmont ['pi:dmənt] *no.pr.* Piemonte.

Piedmontese [,pi:dmən'ti:z] *agg.* e *s.* piemontese.

pier [piə*] *s.* **1** frangiflutti **2** molo; banchina, pontile **3** (*arch.*) stipite, pilastro; pilone (di ponte).

pierage ['piəridʒ] *s.* diritti di banchina (*pl.*).

to pierce [piəs] *v.tr.* **1** forare; penetrare (*anche fig.*) **2** (*fig.*) trafiggere; commuovere ♦ *v.intr.* penetrare.

piercing ['piəsiŋ] *agg.* penetrante; pungente; acuto: *a — whistle*, un fischio lacerante.

pier glass ['piəglɑ:s] *s.* specchiera.

pierhead ['piəhed] *s.* parte estrema del molo.

pietism ['paiətizəm] *s.* pietismo.

pietist ['paiətist] *s.* pietista.

piety ['paiəti] *s.* **1** religiosità, devozione **2** rispetto filiale.

piffle ['pifl] *s.* sciocchezze (*pl.*); chiacchiere incoerenti.

piffling ['pifliŋ] *agg.* futile; ridicolo, sciocco.

pig [pig] *s.* **1** maiale, porco // *...pigs might fly*, ...e gli asini voleranno // *to buy a — in a poke*, comprare a scatola chiusa **2** (*fig.*) persona ghiotta // *to make a — of oneself*, mangiare come un porco **3** (*metall.*) lingotto, pane; colata **4** (*sl. spreg.*) poliziotto, piedipiatti.

to pig *v.intr.* **1** figliare (di maiali) **2** (*sl.*) vivere come porci // *to — it*, vivere come porci.

pigboat ['pigbout] *s.* (*sl.amer.*) sottomarino.

pigeon[1] ['pidʒin] *s.* **1** piccione, colombo: *young —*, piccioncino // *-house*, colombaia, piccionaia // *-post*, l'inviare messaggi per mezzo di piccioni // *homing —*, piccione viaggiatore // (*clay*) —, (*sport*) piattello // *that's my —*, (*fam.*) è affar mio **2** (*sl.*) sempliciotto, sciocco.

pigeon[2] *s.* → **pidgin**.

pigeon-chested [,pidʒin'tʃestid] *agg.* che ha il torace carenato.

pigeonhole ['pidʒinhoul] *s.* **1** nicchia di colombaia **2** casella // *pigeon-holes*, casellario.

to pigeonhole *v.tr.* **1** incasellare; archiviare **2** classificare.

pigeon-toed ['pidʒintoud] *agg.* dal piede varo.

piggery ['pigəri] *s.* porcile.

piggish ['pigiʃ] *agg.* **1** goloso **2** ostinato **3** sudicio.

piggishness ['pigiʃnis] *s.* **1** golosità **2** ostinatezza **3** sudiciume.

piggy ['pigi], **piggywig(gy)** ['pigiwig(i)] *s.* (*fam.*) maialino, porcellino // *— bank*, salvadanaio a forma di porcellino.

piggyback ['pigibæk] *avv.* → **pickaback**.

pigheaded ['pig'hedid] *agg.* ostinato, testardo.

pigheadedness ['pig'hedidnis] *s.* ostinazione, testardaggine.

pig iron ['pig,aiən] *s.* ghisa d'altoforno.

piglet ['piglit], **pigling** ['pigliŋ] *s.* maialino, porcellino.

pigment ['pigmənt] *s.* pigmento; colore.

pigmentation [,pigmən'teiʃən] *s.* pigmentazione.

pigmy *agg.* e *s.* → **pygmy**.

pigskin ['pigskin] *s.* pelle di cinghiale.

pigsticking ['pig,stikiŋ] *s.* caccia al cinghiale con la lancia (da cavallo).

pigsty ['pigstai] *s.* porcile.

pigtail ['pigteil] *s.* treccia; codino.

pigwash ['pigwɔʃ], **pigswill** ['pig,swil] *s.* **1** rifiuti di cucina (*pl.*) **2** cibo cattivo.

pi-jaw ['paidʒɔ:] *s.* (*sl.*) predica.

pike[1] [paik], *pl.* **pike**, **pikes** [paiks] *s.* (*zool.*) luccio.

pike[2] *s.* (*st.*) picca, asta.

pikestaff ['paikstɑ:f] *s.* asta di lancia // *as plain as a —*, chiaro come il sole.

pilaster [pi'læstə*] *s.* (*arch.*) pilastro.

Pilate ['pailət] *no.pr.m.* (*st.*) Pilato.

pilch [piltʃ] *s.* triangolo di stoffa per neonati (che si mette sopra il pannolino).

pilchard ['piltʃəd] *s.* (*zool.*) sardella.

pile[1] [pail] *s.* **1** mucchio, massa; catasta (di legna); fascio (d'armi) // *funeral —*, rogo, pira // *to make a —*, far fortuna, far molto denaro **2** fabbricato, edificio **3** (*elettr.*) pila.

to pile[1] *v.tr.* ammucchiare; ammassare; accatastare: *the crowd piled round him*, la folla si accalcava attorno a lui; *to — on* (o *up*) *the expenses*, far salire le spese; *to — up money*, ammassare denaro // *to — it on*, esagerare ♦ *v.intr.*: *to — up*, accumularsi.

pile[2] *s.* (*edil.*) palo di fondazione, palafitta // *— -bridge*, ponte su palafitte // *foundation- —*, palo di fondazione.

to pile[2] *v.tr.* conficcare pali (in); sostenere con pali.

pile[3] *s.* pelo, peluria.

pile driver ['pail,draivə*] *s.* **1** battipalo **2** (*fam.*) sventola.

pile-dwelling ['pail,dweliŋ] *s.* palafitta.

piles [pailz] *s.pl.* (*med.*) emorroidi.

pileup ['pailʌp] *s.* (*fam.*) tamponamento a catena.

to pilfer ['pilfə*] *v.tr.* rubacchiare.

pilferage ['pilfəridʒ] *s.* furterello.

pilferer ['pilfərə*] *s.* ladruncolo.

pilgrim ['pilgrim] *s.* pellegrino // *Pilgrim Fathers*, (*st.amer.*) Padri Pellegrini.

pilgrimage ['pilgrimidʒ] *s.* pellegrinaggio.

pill [pil] *s.* **1** pillola // *to gild the —*, indorare la pillola // *the —*, la pillola (anticoncezionale): *to go on the —*, cominciare a prendere la pillola **2** (*sl.*) palla (spec. di biliardo).

pillage ['pilidʒ] *s.* **1** saccheggio **2** bottino.

to pillage *v.tr.* saccheggiare, depredare.

pillar ['pilə*] *s.* pilastro; sostegno; colonna (*anche fig.*) // *to drive s.o. from — to post*, mandare qlcu. da Erode a Pilato.

to pillar *v.tr.* sostenere con pilastri; ornare di pilastri.

pillar-box ['piləbɔks] *s.* cassetta delle lettere.

pillbox ['pilbɔks] *s.* scatoletta per pillole.

pillion ['piljən] *s.* sellino posteriore // *to ride —*, viaggiare, cavalcare sul sellino posteriore.

pillory ['piləri] *s.* berlina, gogna.

to pillory *v.tr.* mettere alla berlina.

pillow ['pilou] *s.* **1** guanciale, cuscino **2** (*mecc.*) cuscinetto; cuscino di supporto.

to pillow *v.tr.* posare, riposare su un guanciale; servire da guanciale (a) ♦ *v.intr.* posarsi.

pillowcase ['piloukeis], **pillow slip** ['pilouslip] *s.* federa.

piper

pilot [′pailət] *s.* **1** pilota **2** (*fig.*) consigliere; guida.

to pilot *v.tr.* pilotare (*anche fig.*).

pilotage [′pailətidʒ] *s.* pilotaggio.

pilot balloon [′pailətbə′lu:n] *s.* pallone sonda.

pilot boat [′pailətbout] *s.* battello pilota.

pilot fish [′pailətfiʃ] *s.* pesce pilota.

pilot light [′pailətlait] *s.* (lampadina) spia.

pilous [′pailəs] *agg.* peloso.

pimp [pimp] *s.* ruffiano, magnaccia.

to pimp *v.intr.* fare il ruffiano.

pimpernel [′pimpənel] *s.* (*bot.*) anagallide.

pimple [′pimpl] *s.* foruncolo.

pimply [′pimpli] *agg.* foruncoloso.

pin [pin] *s.* **1** spillo // *to — one's hopes on s.o.*, riporre le proprie speranze in qlcu. **2** non gliene importa un bel niente // *for two pins*, anche gratis; molto volentieri // *you could have heard a — drop*, si sarebbe sentito volare una mosca // *pins and needles*, formicolio **2** cavicchio; piolo; perno **3** (*informatica*) ago di stampante a punti; spina; perno trascinatore **4** *pl.* (*fam.*) gambe.

to pin *v.tr.* **1** puntare (con spilli) // *to — one's hopes on s.o.*, riporre le proprie speranze in qlcu. **2** inchiodare (*anche fig.*): *to — s.o. (down) to a bargain*, costringere qlcu. a concludere un affare **3** *to — on*, appuntare (con uno spillo) **4** *to — up*, puntare (capelli ecc.).

pinafore [′pinəfɔ:*] *s.* **1** grembiule **2** — (*dress*), scamiciato.

pinaster [pai′næstə*] *s.* (*bot.*) pinastro.

pincers [′pinsəz] *s.pl.* **1** tenaglia // *pincer movement*, (*mil.*) attacco a tenaglia **2** (*zool.*) chele.

pinch [pintʃ] *s.* **1** pizzicotto; (*fig.*) morso: *the — of hunger*, i morsi della fame **2** pizzico, presa (di tabacco ecc.) **3** (*fig.*) momento critico, emergenza: *when it comes to the —*, al punto critico // *at a —*, in caso di emergenza.

to pinch *v.tr.* **1** pizzicare; stringere **2** (*fam.*) rubare **3** (*sl.*) pizzicare ♦ *v.intr.* lesinare.

pinchbeck [′pintʃbek] *agg.* falso ♦ *s.* similoro.

pinched [pintʃt] *agg.* emaciato; tirato (di lineamenti).

pincushion [′pin,kuʃiən] *s.* puntaspilli.

Pindar [′pində*] *no.pr.m.* (*st.letter.*) Pindaro.

Pindaric [pin′dærik] *agg. e s.* (ode, verso, metro) pindarico.

pine¹ [pain] *s.* **1** pino **2** legno di pino **3** ananas.

to pine² *v.intr.* **1** languire // *to — for s.o.*, struggersi per qlcu. **2** anelare; desiderare ardentemente: *to — for sthg.*, bramare qlco. **3** *to — away*, struggersi, consumarsi lentamente.

pineal [′piniəl] *agg. (anat.*) pineale.

pineapple [′pain,æpl] *s.* ananas.

pinecone [′painkoun] *s.* pigna.

pine needle [′pain,ni:dl] *s.* ago di pino.

piney *agg.* → **piny**.

pinfold [′pinfould] *s.* recinto per animali.

pinguid [′piŋgwid] *agg.* pingue.

pinhead [′pinhed] *s.* capocchia di spillo.

pinhole [′pinhoul] *s.* foro di spillo.

pinion¹ [′pinjən] *s.* penna remigante.

to pinion¹ *v.tr.* **1** tarpare le ali (a) **2** legare strettamente.

pinion² *s.* (*mecc.*) pignone.

pink¹ [piŋk] *agg.* rosa ♦ *s.* **1** colore rosa **2** (*bot.*) garofano **3** (*fig.*) quintessenza // *in the —*, (*fam.*) in perfetta forma **4** giacca rossa (usata per partite di caccia).

to pink² *v.tr.* **1** traforare **2** (*fig.*) trafiggere.

to pink³ *v.intr.* battere in testa (di motore).

pinkish [′piŋkiʃ] *agg.* roseo.

pinky [′piŋki] *agg.* **1** roseo **2** di tendenza moderatamente socialista.

pin money [′pin,mʌni] *s.* «argent de poche», denaro che si può spendere per sé.

pinnace [′pinis] *s.* (*mar.*) scialuppa.

pinnacle [′pinəkl] *s.* **1** (*arch.*) pinnacolo **2** picco **3** (*fig.*) culmine.

pinniped [′piniped] *agg. e s.* (*zool.*) pinnipede.

pinpoint [′pinpoint] *s.* **1** punta·di spillo **2** cosa piccolissima; inezia **3** indicazione esatta del bersaglio (su una mappa).

to pinpoint *v.tr.* **1** definire con precisione **2** bombardare con precisione.

pinprick [′pinprik] *s.* **1** puntura di spillo **2** scocciatura, piccolo fastidio.

pinstripe [′pinstraip] *agg.* a strisce sottilissime.

pint [paint] *s.* pinta.

pintable [′pinteibl] *s.* flipper, biliardino.

pintle [′pintl] *s.* perno.

pinup [′pinʌp] *s.* (*fam.*) fotografia di bella ragazza provocante (da appendere).

pinwheel [′pinwi:l] *s.* (*pirotecnia*) girandola.

piny [′paini] *agg.* **1** ricco di pini **2** simile a pino.

pioneer [,paiə′niə*] *s.* pioniere // *to do — work*, fare un lavoro sperimentale.

to pioneer *v.tr.* essere il primo (a fare qlco.); fare da pioniere (a) ♦ *v.intr.* fare il pioniere.

pious [′paiəs] *agg.* pio, devoto // *a — fraud*, un pietoso inganno // *a — hope*, una pia illusione.

piousness [′paiəsnis] *s.* pietà, devozione; religiosità.

pip¹ [pip] *s.* **1** (*vet.*) pipita **2** (*sl.*) cattivo umore: *to get the —*, essere di cattivo umore.

pip² *s.* **1** puntino (sul domino, sui dadi ecc.) **2** (*fam.*) stelletta (di ufficiale).

to pip³ *v.tr.* (*sl.*) **1** bocciare; sconfiggere // *pipped at the post*, battuto sul traguardo **2** colpire con un colpo d'arma da fuoco.

pip⁴ *s.* seme di mela, pera ecc.

pip⁵ *s.* **1** suono breve (generalmente meccanico); (*tel.*) segnale che indica lo scadere del tempo concesso **2** (*tel. mil.*) la lettera «p» nelle segnalazioni.

pipe¹ [paip] *s.* **1** condotto, tubo; canna; cannuccia **2** (*mus.*) strumento a fiato (piffero, flauto, zampogna ecc.) **3** pipa: *to smoke a —*, fumare la pipa **4** (*geol.*) camino di vulcano; vena di minerale **5** fischietto di nostromo.

to pipe¹ *v.tr.* **1** suonare (con il piffero, il flauto, la zampogna) **2** emettere suoni acuti; cinguettare // *— down!*, taci!, smettila! **3** (*mar.*) richiamare con fischio (la ciurma) **4** fornire di tubature; convogliare per mezzo di tubazioni **5** (*agr.*) riprodurre per talea **6** profilare (abiti); ornare (dolci) ♦ *v.intr.* **1** suonare **2** *to — up*, (*sl.*) cantare.

pipe² *s.* grosso barile.

pipe clay [′paipklei] *s.* terra (bianca) da pipe.

to pipeclay *v.tr.* imbiancare con gesso.

piped music [,paipt′mjuzik] *s.* musica di fondo, sottofondo musicale (nei ristoranti, bar ecc.).

pipe dream [′paipdri:m] *s.* sogno ad occhi aperti; pia illusione.

pipeful [′paipful] *s.* pipa (di tabacco); pipata.

pipeline [′paiplain] *s.* **1** oleodotto **2** (*fig.*) linea di comunicazione diretta.

piper [′paipə*] *s.* pifferaio // *he who pays the — calls the tune*, chi paga ha il diritto di scelta.

pipe rack [ˈpaipræk] *s.* portapipe a rastrelliera.
pipette [piˈpet] *s.* (*chim.*) pipetta.
piping [ˈpaipiŋ] *agg.* acuto, penetrante // — *hot*, bollente.
piping *s.* **1** installazione di tubature **2** tubature (*pl.*), tubazioni (*pl.*) **3** cordoncino, profilo (per abiti) **4** voce, suono acuto, penetrante.
pipistrel [ˌpipisˈtrel] *s.* pipistrello.
pipit [ˈpipit] *s.* (*zool.*) calandro, pispola.
pipkin [ˈpipkin] *s.* vaso, tegame di terracotta.
pippin [ˈpipin] *s.* mela renetta.
pipsqueak [ˈpipskwiːk] *s.* persona, cosa insignificante.
piquancy [ˈpiːkənsi] *s.* gusto piccante.
piquant [ˈpiːkənt] *agg.* piccante; (*fig.*) arguto.
pique¹ [piːk] *s.* ripicco; animosità, risentimento // *in a fit of* —, per ripicco.
to pique¹ *v.tr.* **1** ferire l'orgoglio di; irritare **2** *to* — *oneself on*, piccarsi di.
pique² *s.* vincita di trenta punti al picchetto.
piqué [ˈpiːkei] *s.* (*tessuto*) picchè.
piquet [piˈket] *s.* (*gioco*) picchetto.
piracy [ˈpaiərəsi] *s.* pirateria: *air* —, pirateria aerea.
Piraeus [paiˈri(ː)əs] *no.pr.* Pireo.
piragua [piˈrægwə] *s.* piroga.
pirate [ˈpaiərit] *s.* **1** pirata **2** radio pirata **3** editore pirata.
to pirate *v.tr.* **1** commettere atti di pirateria (contro) **2** stampare (un'edizione pirata) ♦ *v.intr.* pirateggiare.
piratic [paiˈrætik], **piratical** [paiˈrætikəl] *agg.* pirata, piratesco: *piratical edition*, edizione pirata.
pirogue [piˈroug] *s.* piroga.
pirouette [ˌpiruˈet] *s.* piroetta.
to pirouette *v.intr.* piroettare.
piscatory [ˈpiskətəri] *agg.* piscatorio.
Pisces [ˈpaisiːz] *s.pl.* (*astr.*) Pesci.
pisciculture [ˈpisikʌltʃə*] *s.* piscicoltura.
piss [pis] *s.* (*volg.*) piscia, orina.
to piss *v.intr.* (*volg.*) pisciare.
pissed off [ˈpistɔf] *agg.* (*volg.*) incavolato, incazzato.
pistachio [pisˈtɑːʃiou], (*amer.*) pisˈtæʃiou] *s.* pistacchio.
pistil [ˈpistil] *s.* (*bot.*) pistillo.
pistol [ˈpistl] *s.* pistola.
piston [ˈpistən] *s.* pistone, stantuffo // — *pin*, spinotto // — *rod*, biella.
pit¹ [pit] *s.* **1** voragine, abisso, burrone // *the bottomless* —, l'inferno **2** fossa; buca; trappola // *to dig a* — *for s.o.*, (*fig.*) tendere un tranello a qlcu. **3** (*min.*) cava; pozzo **4** cavo, cavità // — *of the stomach*, bocca dello stomaco **5** buttero (del vaiolo) **6** (*teatr.*) platea; cavea **7** (*cock-*) —, arena (per combattimento di galli).
to pit¹ *v.tr.* **1** bucare **2** butterare: *pitted with smallpox*, butterato dal vaiolo **3** *to* — *against*, mettere in gara contro; opporre a.
pit² *s.* (*amer. per stone*) nocciolo; seme.
to pit² *v.tr.* (*amer.*) snocciolare.
pit-a-pat [ˈpitəˈpæt] *s.* battito; ticchettio ♦ *avv.* con leggero ticchettio // *to go* —, palpitare (del cuore).
pitch¹ [pitʃ] *s.* **1** lancio, tiro **2** (*aer. mar.*) beccheggio **3** (*mecc. elettr.*) passo; distanza **4** posteggio (di venditore ambulante) **5** grado di elevazione, altezza (*anche fig.*): *to bring to a high* — *of excitement*, portare a un alto grado di eccitazione **6** (*mus.*) tono; altezza (di suono); timbro (di voce) **7** (*arch.*) altezza di arco, volta **8** inclinazione, pendenza; falda (di tetto) **9** parlantina.

to pitch¹ *v.tr.* **1** gettare, scagliare, lanciare: *to be pitched off one's horse*, essere disarcionato **2** (*cricket, baseball*) servire **3** rizzare; piantare (tende ecc.) // *to* — *one's tent*, (*fig.*) piantare le tende **4** (*mus.*) intonare, dare il tono a (*anche fig.*) **5** (*mecc.*) innestare ♦ *v.intr.* **1** cadere, abbattersi; (*aer.*) picchiare **2** (*mar. aer.*) beccheggiare **3** *to* — *into*, (*fam.*) assalire; dare addosso a **4** *to* — (*up*)*on*, scegliere.
pitch² *s.* pece, bitume.
to pitch² *v.tr.* impeciare.
pitch-black [ˈpitʃˈblæk] *agg.* nero come la pece.
pitchblende [ˈpitʃblend] *s.* (*min.*) pechblenda.
pitch-dark [ˈpitʃˈdɑːk] *agg.* nerissimo.
pitched [pitʃt] *agg.*: — *battle*, battaglia studiata sulla carta.
pitcher¹ [ˈpitʃə*] *s.* (*baseball*) lanciatore.
pitcher² *s.* brocca (di terracotta).
pitchfork [ˈpitʃfɔːk] *s.* forcone (per il fieno).
to pitchfork *v.tr.* **1** rimuovere (fieno ecc.) con il forcone **2** (*fig.*) spingere, costringere ad accettare: *to be pitchforked into sthg.*, essere costretto, volente o nolente, ad accettare, a fare qlco.
pitching [ˈpitʃiŋ] *s.* **1** lancio **2** (*mar. aer.*) beccheggio **3** selciato.
pitchy [ˈpitʃi] *agg.* **1** impeciato **2** (*fig.*) nero come la pece.
piteous [ˈpitiəs] *agg.* pietoso; meschino.
pitfall [ˈpitfɔːl] *s.* trappola; trabocchetto.
pith [piθ] *s.* **1** midollo; parte bianca (della buccia d'arancia) **2** (*fig.*) essenza, quintessenza **3** forza, vigore, nerbo.
pithead [ˈpithed] *s.* bocca di un pozzo minerario.
pithecanthrope [ˌpiθiˈkænθroup] *s.* pitecantropo.
pithiness [ˈpiθinis] *s.* concisione; efficacia.
pithy [ˈpiθi] *agg.* **1** conciso; efficace **2** midolloso.
pitiable [ˈpitiəbl] *agg.* **1** pietoso **2** deplorevole.
pitiful [ˈpitiful] *agg.* **1** compassionevole, pietoso **2** meschino.
pitiless [ˈpitilis] *agg.* spietato, crudele.
pitman, *pl.* **pitmen** [ˈpitmən] *s.* minatore.
pittance [ˈpitəns] *s.* magra rendita; compenso, stipendio esiguo: *a mere* —, una miseria.
pitter-patter [ˈpitəˈpætə*] *s.* picchiettio.
pituitary [piˈtju(ː)itəri] *agg.* (*anat.*) pituitario.
pity [ˈpiti] *s.* **1** compassione, pietà: *to have* (o *to take*) — *on s.o.*, aver compassione di qlcu.; *for pity's sake*, per l'amor di Dio; per pietà, di grazia **2** peccato (espressione di rimpianto): *such a* — *they didn't come*, è proprio un peccato che non siano venuti.
to pity *v.tr.* compatire; avere pietà (di).
Pius [ˈpaiəs] *no.pr.m.* Pio.
pivot [ˈpivət] *s.* cardine, perno (*anche fig.*).
to pivot *v.intr.* **1** girare su un perno **2** (*fig.*) imperniarsi ♦ *v.tr.* imperniare.
pixie *s.* → **pixy**.
pixilated [ˈpiksileitid] *agg.* **1** (*amer.*) picchiatello **2** (*sl.amer.*) ubriaco.
pixy [ˈpiksi] *s.* fata; folletto.
placable [ˈplækəbl] *agg.* placabile.
placard [ˈplækɑːd] *s.* manifesto, affisso.
to placard *v.tr.* **1** affiggere manifesti (su) **2** annunciare con manifesti.
to placate [pləˈkeit], (*amer.*) ˈpleikeit] *v.tr.* placare; conciliare.
placatory [ˈpləkətəri] *agg.* conciliante.
place [pleis] *s.* **1** posto; luogo: *a* — *of amusement*, un

luogo di divertimento; — *of worship*, luogo di culto; *to add a* —, aggiungere un coperto (a tavola) // *in the first* —, in primo luogo // *in the next* —, in seguito // *in place of*, invece di // *high places*, alte sfere // *to give* —, cedere il posto // *to put s.o. in his* —, mettere a posto qlcu. // *to go places*, (*fam.*) aver successo // *to know one's* —, saper stare al proprio posto // *to take* —, aver luogo, accadere // *to take first, second* —, risultare primo, secondo // *all over the* —, dappertutto 2 casa, dimora 3 compito, dovere 4 segno 5 (*ippica*) piazzamento.

to **place** *v.tr.* 1 collocare, mettere, porre: *to — a big order with...*, (*comm.*) collocare un grosso ordine presso...; *to — s.o. in a good position*, procurare un buon posto a qlcu.; *to — oneself*, mettersi; *to — one's hopes on sthg.*, riporre le proprie speranze in qlco. // *to be placed*, (*sport*) piazzarsi 2 identificare, collocare in un dato ambiente: *to — a person*, (*fam.*) ricordarsi chi sia una persona, dove la si sia conosciuta 3 investire (denaro).

place card ['pleiskɑ:d] *s.* segnaposto.
placenta [pləˈsentə] *s.* (*anat.*) placenta.
placer ['pleisə*] *s.* (*geol.*) giacimento alluvionale.
placid ['plæsid] *agg.* placido; sereno.
placidity [plæˈsiditi] *s.* placidità; serenità.
placket ['plækit] *s.* apertura, tasca (in una gonna).
plagiarism ['pleidʒjərizəm] *s.* plagio.
plagiarist ['pleidʒjərist] *s.* plagiario.
to plagiarize ['pleidʒjəraiz] *v.tr.* plagiare.
plague [pleig] *s.* peste (*anche fig.*) // *— on it!*, accidenti!
to plague *v.tr.* affliggere, tormentare: *plagued with*, afflitto da.
plaguey ['pleigi] *agg.* (*fam.*) seccante, scocciante.
plaid [plæd] *s.* sciarpone di lana a quadri indossato dagli scozzesi; tessuto scozzese.
plain [plein] *agg.* 1 chiaro, evidente // *as — as can be* (o *as — as daylight*), chiaro come il sole 2 semplice // *— -clothes man*, poliziotto in borghese // *it is all — sailing*, (*fig.*) va tutto liscio 3 comune; insignificante, scialbo 4 sincero, schietto: *— truth*, pura verità // *to use — language*, per parlare chiaramente ♦ *s.* pianura ♦ *avv.* chiaramente.
plainchant ['pleintʃɑ:nt] *s.* → plainsong.
plain dealing [ˌpleinˈdi:liŋ] *s.* onestà, serietà professionale.
plainness ['pleinnis] *s.* 1 chiarezza 2 semplicità 3 aspetto insignificante, scialbo.
plainsman, *pl.* plainsmen ['pleinzmən] *s.* abitante della pianura.
plainsong ['pleinsoŋ] *s.* (*mus.*) canto gregoriano.
plainspoken ['pleinˈspoukən] *agg.* franco, che non ha peli sulla lingua.
plaint [pleint] *s.* 1 (*dir.*) querela 2 (*poet.*) lamento.
plaintiff ['pleintif] *s.* (*dir.*) querelante.
plaintive ['pleintiv] *agg.* lamentoso; triste.
plait [plæt] *s.* treccia.
to plait *v.tr.* intrecciare.
plan [plæn] *s.* 1 piano, progetto // *this would be a good* —!, (*fam.*) questa sarebbe una buona idea! // *according to* —, secondo il previsto 2 pianta (di una città).
to plan *v.tr.* progettare; pianificare.
planch [plɑ:nʃ] *s.* lastra.
plane¹ [plein] *agg.* piano (*anche geom.*) // *it is all — sailing*, (*fig.*) va tutto liscio ♦ *s.* 1 piano 2 (*fig.*) livello, grado 3 (*aer.*) piano alare 4 (*fam.*) aereo: *four-engined* —, quadrimotore.

to plane¹ *v.intr.* planare.
plane² *s.* (*strum.*) pialla.
to plane² *v.tr.* piallare.
plane³ (tree) *s.* (*bot.*) platano.
planet ['plænit] *s.* (*astr.*) pianeta.
planetarium [ˌplæniˈtɛəriəm] *s.* planetario.
planetary ['plænitəri] *agg.* planetario.
plangent ['plændʒənt] *agg.* 1 risonante 2 intenso e malinconico.
planimetry [plæˈnimitri] *s.* (*geom.*) planimetria.
to planish ['plæniʃ] *v.tr.* martellare.
planisphere ['plænisfiə*] *s.* planisfero.
plank [plæŋk] *s.* 1 asse 2 (*pol.*) punto programmatico.
to plank *v.tr.* 1 coprire con tavole 2 *to — down*, (*sl.*) sbattere giù (denaro).
plank bed ['plæŋkbed] *s.* tavolaccio.
planking ['plæŋkiŋ] *s.* 1 tavolato 2 (*mar.*) fasciame.
plankton ['plæŋktən] *s.* (*biol.*) plancton.
planned [plænd] *agg.* pianificato: *— economy*, economia pianificata.
planning [plæniŋ] *s.* pianificazione: *company* (o *corporate*) —, pianificazione aziendale.
plant [plɑ:nt] *s.* 1 pianta 2 apparato; impianto 3 (*spec. amer.*) fabbrica, stabilimento; centrale 4 (*fam.*) trappola, inganno.
to plant *v.tr.* 1 piantare: *to — a field with corn*, seminare un campo a grano 2 (*sl.*) nascondere (refurtiva ecc.) 3 (*fam.*) piantare in asso.
Plantagenet [plænˈtædʒinit] *agg. e s.* (*st.*) Plantageneto.
plantation [plænˈteiʃən] *s.* piantagione.
planter ['plɑ:ntə*] *s.* 1 piantatore 2 (*mecc.*) piantatrice.
plantigrade ['plæntigreid] *agg. e s.* plantigrado.
plaque [plɑ:k] *s.* placca.
plash *s.* sciabordio, sciacquio.
to plash *v.tr.* 1 frangere la superficie dell'acqua 2 spruzzare ♦ *v.intr.* sciabordare.
plashy ['plæʃi] *agg.* fangoso; acquitrinoso.
plasm ['plæzəm] *s.* (*biol.*) protoplasma.
plasma ['plæzmə] *s.* plasma.
plasmic ['plæzmik] *agg.* protoplasmatico.
plaster ['plɑ:stə*] *s.* 1 gesso; calcina; intonaco // *— of Paris*, scagliola 2 ingessatura: *to be in* —, essere ingessato 3 cerotto; impiastro.
to plaster *v.tr.* 1 intonacare 2 stuccare 3 (*med.*) ingessare; applicare un cerotto (a) 4 *to — with*, ricoprire di 5 incollare, affiggere 6 bombardare pesantemente.
plastered ['plɑ:stəd] *agg.* (*sl.*) ubriaco.
plasterer ['plɑ:stərə*] *s.* stuccatore.
plastic ['plæstik] *agg.* 1 plastico // *— bomb*, bomba al plastico 2 (*fig.*) plasmabile, malleabile ♦ *s.* plastica.
plasticine® ['plæstisi:n] *s.* plastilina®.
plasticity [plæsˈtisiti] *s.* plasticità.
to plasticize ['plæstisaiz] *v.tr.* plastificare.
plastics ['plæstiks] *s.pl.* materie plastiche.
platan ['plætən] *s.* platano.
plate [pleit] *s.* 1 piatto: *— rack*, scolapiatti 2 lamina; lamiera; lastra; piastra 3 targa 4 incisione 5 illustrazione; tavola fuori testo 6 vasellame placcato, posate placcate (*pl.*) 7 (*sport*) coppa 8 (*amer.*) (*elettr.*) anodo.
to plate *v.tr.* 1 placcare 2 rivestire di lamiere.
plate-armour ['pleitˌɑ:mə*] *s.* 1 (*mar.*) fasciame metallico 2 (*st.mil.*) armatura.
plateau ['plætou, (*amer.*) plæˈtou], *pl.* plateaux, plateaus ['plætouz] *s.* altipiano, acrocoro.

platelayer [ˈpleit,leiə*] s. operaio che posa o ripara i binari.

platen [ˈplætən] s. 1 (tip.) platina 2 rullo di macchina per scrivere.

platform [ˈplætfɔ:m] s. 1 piattaforma 2 (ferr.) marciapiede, banchina 3 palco 4 (pol.) piattaforma; programma elettorale; punti programmatici.

plating [pleitiŋ] s. placcatura.

to **platinize** [ˈplætinaiz] v.tr. platinare.

platinum [ˈplætinəm] s. platino // — blonde, (fam.) bionda platinata.

platitude [ˈplætitju:d] s. banalità.

Plato [ˈpleitou] no.pr.m. (st.fil.) Platone.

Platonic [pləˈtɔnik] agg. platonico.

Platonism [ˈpleitənizəm] s. (fil.) platonismo.

platoon [pləˈtu:n] s. plotone.

platter [ˈplætə*] s. grande piatto fondo.

platypus [ˈplætipəs] s. (zool.) ornitorinco.

plaudit [ˈplɔ:dit] s. applauso, plauso.

plausibility [,plɔ:zəˈbiliti] s. plausibilità.

plausible [ˈplɔ:zəbl] agg. plausibile, credibile.

play [plei] s. 1 gioco: — on words, gioco di parole; to give full — to one's fancy, dare libero corso alla propria fantasia 2 rappresentazione teatrale; commedia.

to **play** v.tr. e intr. 1 giocare: to — ball, tennis, giocare a palla, a tennis // to — away, giocare fuori casa // to — a joke on s.o., fare uno scherzo a qlcu. // to — with an idea, trastullarsi con un'idea; to — on words, giocare con le parole; to — with fire, giocare col fuoco // to — the game, (anche fig.) giocare lealmente 2 (di attore) recitare, interpretare 3 suonare: he can play the piano very well, suona il piano molto bene; who is playing the piano?, chi sta suonando il piano? 4 far giocare: the captain has decided to — Connors at left wing, il capitano ha deciso di far giocare Connors nel ruolo di ala sinistra 5 (mecc.) aver gioco 6 (pesca) stancare (un pesce) dandogli lenza 7 to — (s.o.) along, tenere in sospeso (qlcu.) 8 to — at (sthg.), fare (qlco.) non molto bene, poco seriamente // what are you playing at?, a che gioco giochiamo? 9 to — down, far sembrare di poca importanza, sminuire (qlco.) 10 to — s.o. off against s.o., mettere una persona contro l'altra 11 to — up, far sembrare qlco. importante; valorizzare; mettere in rilievo; causare disturbo o sofferenza: his old wound has been playing him up recently, la sua vecchia ferita si è fatta sentire in questi ultimi tempi 12 to — up to, agire in modo da guadagnarsi il favore di qlcu. 13 (fraseologia): to — the fool, comportarsi da sciocco // to — hell with sthg., mettere sottosopra qlco. // to — a waiting game, aspettare il momento buono // to — (it) safe, per non sbagliare // to — it one's own way, fare di testa propria // to — for time, tirare in lungo // to — into s.o.'s hand, fare il gioco di qlcu.

to **play-act** [ˈpleiækt] v.intr. (spreg.) 1 fingere, recitare 2 gigioneggiare.

playbill [ˈpleibil] s. (teatr.) 1 locandina 2 programma.

player [ˈpleiə*] s. 1 giocatore 2 sonatore 3 attore.

player piano [ˈpleiəˈpjænou] s. pianola.

playfellow [ˈplei,felou] s. compagno di giochi.

playful [ˈpleiful] agg. scherzoso, scherzoso, gaio.

playgoer [ˈplei,gouə*] s. assiduo frequentatore di teatro.

playground [ˈpleigraund] s. parco giochi; cortile (di scuola).

playhouse [ˈpleihaus] s. teatro.

playing card [ˈpleiiŋka:d] s. carta da gioco.

playing field [ˈpleiiŋfi:ld] s. campo di gioco.

playmate [ˈpleimeit] s. compagno di giochi.

play-off [ˈpleiɔ:f] s. (sport) spareggio.

playpen [ˈpleipen] s. recinto per bambini.

plaything [ˈpleiθiŋ] s. giocattolo, balocco.

playtime [ˈpleitaim] s. ricreazione.

playwright [ˈpleirait] s. commediografo; drammaturgo.

plea [pli:] s. 1 istanza, supplica 2 scusa 3 (dir.) (argomento di) difesa.

to **plead** [pli:d], (amer.) pass. e p.pass. **pled** [pled] v.intr. 1 appellarsi, supplicare: to — for mercy, implorare pietà; to — with s.o. for sthg., appellarsi a qlcu. in favore di qlco., qlcu. 2 (dir.) fare il difensore; difendersi: to — for s.o., perorare a favore di qlcu. // to — guilty, not guilty, dichiararsi colpevole, innocente ♦ v.tr. 1 (dir.) patrocinare (una causa) 2 addurre a pretesto.

pleading [ˈpli:diŋ] agg. supplichevole ♦ s. (dir.) 1 difesa (di causa) 2 arringa.

pleasant [ˈpleznt] agg. piacevole, simpatico.

pleasantry [ˈplezntri] s. facezia, scherzo.

please [pli:z] avv. e inter. per favore // yes, —, sì, grazie.

to **please** v.tr. e intr. piacere (a), far piacere (a); compiacere: it pleased him to do so, insistette a, volle fare così; to — oneself, (fam.) fare il proprio comodo.

pleased [pli:zd] agg. lieto, soddisfatto: — to meet you, lieto di fare la sua conoscenza; to be anything but —, essere tutt'altro che soddisfatto // as — as Punch, contento come una pasqua.

pleasing [ˈpli:ziŋ] agg. piacevole; piacente.

pleasurable [ˈpleʒərəbl] agg. piacevole; divertente.

pleasure [ˈpleʒə*] s. piacere: to travel for —, viaggiare per diporto.

pleat [pli:t] s. piega.

to **pleat** v.tr. pieghettare.

pleb [pleb] s. e s. (sl.) plebeo.

plebeian [pliˈbi(:)ən] s. e agg. plebeo.

plebiscite [ˈplebisit, (amer.) ˈplebisait] s. plebiscito.

pledge [pledʒ] s. 1 pegno, garanzia: to put sthg. in —, impegnare qlco. 2 promessa, impegno // to take the —, promettere di astenersi dall'alcool.

to **pledge** v.tr. 1 impegnare, dare in pegno; garantire 2 impegnarsi (a) 3 brindare alla salute (di).

pledget [ˈpledʒit] s. tampone di garza e d'ovatta.

plenary [ˈpli:nəri] agg. plenario.

plenipotentiary [,plenipəˈtenʃəri] agg. e s. plenipotenziario.

plenteous [ˈplentjəs], **plentiful** [ˈplentiful] agg. copioso, abbondante.

plenty [ˈplenti] s. abbondanza: there is — of time, c'è ancora molto tempo ♦ avv. (fam.) abbondantemente: there are — more, ce ne sono ancora in abbondanza.

plenum [ˈpli:nəm] s. 1 assemblea plenaria 2 (fis.) pieno.

pleonasm [ˈpli(:)ənæzəm] s. (gramm.) pleonasmo.

pleonastic [pliəˈnæstik] agg. pleonastico.

plethora [ˈpleθərə] s. pletora (anche fig.).

pleura [ˈpluərə], pl. **pleurae** [ˈpluəri:] s. (anat.) pleura.

pleurisy [ˈpluərisi] s. (med.) pleurite.

pleuritic [pluəˈritik] agg. pleuritico.

plexus [ˈpleksəs] s. plesso.

pliable [ˈplaiəbl] agg. 1 pieghevole, flessibile 2 (fig.) docile, arrendevole.

pliancy [ˈplaiənsi] s. 1 pieghevolezza, flessibilità 2 (fig.) adattabilità, arrendevolezza; l'essere influenzabile.

pliant [ˈplaiənt] agg. 1 pieghevole, flessibile 2 (fig.) arrendevole; influenzabile.

pliers ['plaiəz] *s.pl.* pinze.

plight[1] [plait] *s.* situazione difficile o penosa // *a sorry* —, una situazione disperata.

to plight[2] *v.tr.* (*antiq.*) impegnare; promettere: *to — one's troth*, fare una proposta di matrimonio.

Plimsoll line ['plimsəl'lain], **Plimsoll mark** ['plimsəl'ma:k] *s.* (*mar.*) marca di bordo libero.

plimsolls ['plimsəlz] *s.pl.* scarpe di tela (con suola di gomma).

plinth [plinθ] *s.* (*arch.*) plinto; basamento.

plod [plɔd] *s.* 1 il camminare con fatica 2 lavoro lungo e faticoso.

to plod *v.intr.* 1 camminare lentamente e faticosamente 2 lavorare assiduamente; sgobbare ♦ *v.tr.* percorrere faticosamente.

plodder ['plɔdə*] *s.* sgobbone.

plonk [plɔŋk] *s.* suono cupo.

to plonk *v.tr.* buttare giù in malo modo ♦ *v.intr.* cadere pesantemente.

plop [plɔp] *s.* tonfo.

to plop *v.intr.* cadere nell'acqua (con un tonfo) ♦ *v.tr.* gettare nell'acqua (con un tonfo).

plot [plɔt] *s.* 1 complotto, congiura: *to hatch* (o *to lay*) *a* —, ordire una congiura 2 trama, intreccio 3 appezzamento.

to plot *v.tr.* 1 macchinare 2 fare la pianta (di); fare il rilievo (di un terreno ecc.); tracciare ♦ *v.intr.* cospirare.

plotter ['plɔtə*] *s.* 1 cospiratore 2 (*informatica*) plotter.

plough[1] [plau] *s.* aratro // *to set one's hand to the* —, (*letter.*) por mano all'opera // *the Plough*, (*astr.*) il Gran Carro; l'Orsa Maggiore.

to plough[1] *v.tr.* arare; fendere; solcare // *this land ploughs hard*, questa terra è difficile da arare // *to — one's way*, aprirsi un varco ♦ *v.intr.*: *to — through sthg.*, procedere faticosamente in qlco.

to plough[2] *v.tr.* (*fam.*) bocciare ♦ *v.intr.* (*fam.*) essere bocciato.

ploughboy ['plauboi] *s.* contadinello.

ploughman, *pl.* **ploughmen** ['plaumən] *s.* aratore.

ploughshare ['plaufɛə*] *s.* vomere.

plover ['plʌvə*] *s.* (*zool.*) piviere.

plow e *deriv.* (*amer.*) → **plough**[1] e *deriv.*

pluck [plʌk] *s.* 1 strappo; lo spennare; il tirare: *he gave my sleeve a* —, mi tirò la manica 2 (*fam.*) coraggio 3 frattaglie (*pl.*) 4 (*fam.*) bocciatura.

to pluck *v.tr.* 1 cogliere 2 strappare; spennare (*anche fig.*) // *to — a chicken*, (*fig.*) spennare un pollo 3 tirare: *to — s.o.'s sleeve*, tirare qlcu. per la manica 4 pizzicare (strumento a corde) 5 (*fam.*) bocciare 6 *to — up*, sradicare: *to — up* (*one's*) *courage*, (*fig.*) prendere il coraggio a due mani ♦ *v.intr.*: *to — at*, tirare, strappare.

plucky ['plʌki] *agg.* coraggioso.

plug [plʌg] *s.* 1 tappo 2 sciacquone 3 (*elettr.*) spina 4 tabacco da masticare 5 (*fam.*) pubblicità insistente 6 (*sl.*) pallottola.

to plug *v.tr.* 1 tappare, turare 2 (*sl.*) sparare 3 (*fam.*) rendere popolare con pubblicità insistente 4 *to — in*, (*elettr.*) innestare (con spina): *— the iron in*, attacca il ferro da stiro ♦ *v.intr.* 1 otturarsi 2 *to — away at work*, (*fam.*) sgobbare.

plughole ['plʌghoul] *s.* buco di scarico.

plug-in ['plʌgin] *agg.* (*elettr.*) innestato (con spina).

plug-ugly ['plʌg'ʌgli] *s.* (*amer.*) teppista.

plum [plʌm] *s.* 1 prugna // *damask* —, susina dama-

scena 2 uva passa 3 (*fig.*) il meglio (di qlco.) 4 (*fam.*) lavoro ben pagato.

plumage ['plu:midʒ] *s.* piumaggio.

plumb[1] [plʌm] *agg.* a piombo, verticale ♦ *s.* 1 piombo: *out of* —, non verticale 2 (*mar.*) scandaglio ♦ *avv.* 1 a piombo, verticalmente 2 esattamente 3 (*spec. amer.*) del tutto, completamente: *he is — stupid*, è proprio scemo.

to plumb[1] *v.tr.* 1 scandagliare // *to — the depths*, (*fig.*) toccare il fondo 2 verificare la verticalità (di) 3 penetrare (in) 4 (*fig.*) comprendere.

to plumb[2] *v.intr.* (*fam.*) fare l'idraulico.

plumber ['plʌmə*] *s.* idraulico.

plumbing ['plʌmin] *s.* 1 lavoro di idraulico 2 (*fam.*) impianto idraulico.

plumb-line ['plʌmlain] *s.* filo a piombo.

plum cake ['plʌm'keik] *s.* plumcake, panfrutto®.

plume [plu:m] *s.* 1 piuma, penna; piumaggio // *wearing borrowed plumes*, (*letter.*) indossando abiti eleganti prestati da qualcun altro 2 pennacchio.

to plume *v.tr.* 1 ripulirsi (le penne) 2 guarnire di penne // *to — oneself on sthg.*, vantarsi di qlco.

plummet ['plʌmit] *s.* piombino.

to plummet *v.intr.* precipitare.

plummy ['plʌmi] *agg.* 1 pieno di uvetta 2 (*fam.*) (*di lavoro*) piacevole; ben remunerato.

plump[1] [plʌmp] *agg.* paffuto, pienotto; grasso.

to plump[1] *v.tr.* e *intr.* ingrassare.

plump[2] *agg.* netto; brusco; chiaro ♦ *s.* tonfo; caduta (pesante) ♦ *avv.* 1 di colpo 2 bruscamente; chiaramente.

to plump[2] *v.tr.* e *intr.* (*far*) cadere di colpo, pesantemente // *to — for*, scegliere; propendere per.

plumpness ['plʌmpnis] *s.* rotondità.

plum pudding ['plʌm'pudiŋ] *s.* budino natalizio con uvetta.

plumy ['plu:mi] *agg.* piumoso.

plunder ['plʌndə*] *s.* 1 bottino 2 saccheggio.

to plunder *v.tr.* saccheggiare.

plunderer ['plʌndərə*] *s.* saccheggiatore, razziatore.

plunge [plʌndʒ] *s.* immersione; tuffo // *to take the* —, (*fig.*) saltare il fosso.

to plunge *v.tr.* tuffare; immergere (*anche fig.*): *to — the country into war*, trascinare il paese in una guerra ♦ *v.intr.* 1 tuffarsi; immergersi (*anche fig.*): *the city plunged into darkness*, la città piombò nell'oscurità 2 gettarsi, precipitarsi (*anche fig.*) 3 (*mar.*) beccheggiare 4 slanciarsi in avanti (*di cavallo*).

plunger ['plʌndʒə*] *s.* 1 tuffatore 2 (*mecc.*) stantuffo, pistone 3 sturalavandini 4 (*fam.*) giocatore d'azzardo.

plunging ['plʌndʒiŋ] *agg.* profondo // *a — neckline*, una scollatura vertiginosa.

plunk [plʌŋk] *s.* vibrazione.

to plunk *v.tr.* gettare violentemente ♦ *v.intr.* cadere pesantemente.

plunk *avv.* con suono metallico.

pluperfect ['plu:'pə:fikt] *agg.* e *s.* piuccheperfetto, trapassato.

plural ['pluərəl] *agg.* e *s.* plurale.

pluralism ['pluərəlizəm] *s.* pluralismo.

plurality [pluə'ræliti] *s.* pluralità.

plus [plʌs] *agg.* 1 addizionale, in più 2 (*elettr. mat.*) positivo ♦ *s., pl.* **plu(s)ses** ['plʌsiz] 1 più (segno di addizione) 2 quantità addizionale 3 quantità positiva ♦ *prep.* più.

plus fours [ˈplʌsˈfɔːz] *s.pl.* calzoni alla zuava.
plush [plʌʃ] *agg.* (*sl.*) lussuoso ♦ *s.* peluche, felpa.
plushy [ˈplʌʃi] *agg.* **1** felpato **2** (*sl.*) lussuoso.
Plutarch [ˈpluːtɑːk] *no.pr.m.* (*st.letter.*) Plutarco.
plutarchy [ˈpluːtɑːki] *s.* plutocrazia.
plutocracy [pluːˈtɔkrəsi] *s.* plutocrazia.
plutocrat [ˈpluːtəkræt] *s.* plutocrate.
plutocratic [ˌpluːtəˈkrætik] *agg.* plutocratico.
Plutonic [pluːˈtɔnik] *agg.* **1** infernale **2** (*geol.*) plutoniano.
plutonium [pluːˈtounjəm] *s.* (*chim.*) plutonio.
pluviometer [ˌpluːviˈɔmitə*] *s.* pluviometro.
ply [plai] *s.* **1** piega **2** strato (di compensato, cartone) **3** capo, filo (di tela, lana).
to **ply** *v.tr.* **1** maneggiare; usare: *to — the oars*, remare **2** applicarsi (a un compito, un lavoro): *to — a trade*, esercitare un mestiere **3** offrire con insistenza: *to — s.o. with drinks*, offrire insistentemente da bere a qlcu. ♦ *v.intr.* **1** fare un percorso, una linea (di veicoli, navi ecc.) **2** (*mar.*) orzare; bordeggiare **3** stare in attesa (di clienti): *car plying for hire*, automobile privata che fa servizio di autopubblica.
plywood [ˈplaiwud] *s.* compensato.
pneumatic [njuː(ː)ˈmætik] *agg.* pneumatico // — (*tire*), pneumatico.
pneumonia [njuː(ː)ˈmounjə] *s.* polmonite.
pneumonic [njuː(ː)ˈmɔnik] *agg.* polmonare.
pneumothorax [ˌnjuːməˈθɔːræks] *s.* (*med.*) pneumotorace.
to **poach**[1] [poutʃ] *v.tr.* preparare (le uova) in camicia // *poached egg*, uovo in camicia, affogato.
to **poach**[2] *v.tr.* **1** cacciare, pescare di frodo **2** calpestare; infangare ♦ *v.intr.* **1** cacciare, pescare di frodo; (*fig.*) violare i diritti altrui **2** infangarsi.
pochard [ˈpoutʃəd] *s.* (*zool.*) moretta.
pochette [pɔˈʃət] *s.* (borsetta a) busta.
pock [pɔk] *s.* pustola vaiolosa; buttero.
pocket [ˈpɔkit] *s.* **1** tasca: *he paid out of his own —*, ha pagato di tasca sua // *to be in, out of —*, guadagnarci, rimetterci // *to live in s.o.'s —*, star sempre appiccicato a qlcu. // *to have s.o. in one's —*, fare di qlcu. ciò che si vuole // *to line one's pockets*, fare i soldi, arricchirsi (spec. in modo disonesto) **2** buca **3** (*informatica*) casella di raccolta **4** (*anat.*) sacco, sacca **5** (*mil.geol.*) sacca **6** — *edition*, edizione tascabile.
to **pocket** *v.tr.* **1** intascare; appropriarsi (di) **2** incassare, sopportare // *to — one's pride*, metter da parte il proprio orgoglio.
pocketbook [ˈpɔkitbuk] *s.* **1** taccuino **2** (*amer.* per *wallet*) portafogli **3** (*amer.*) bustina (borsa femminile).
pocketknife [ˈpɔkitnaif] *s.* temperino.
pocket money [ˈpɔkitˌmʌni] *s.* denaro per le piccole spese.
pockmarked [ˈpɔkmɑːkt] *agg.* butterato.
pod[1] [pɔd] *s.* **1** baccello **2** bozzolo **3** (*volg.*) pancia // *in —*, (*sl.volg.*) incinta.
to **pod**[1] *v.tr.* sgusciare.
pod[2] *s.* piccolo gruppo (di foche, balene).
podagra [pɔˈdægrə] *s.* (*med.*) podagra.
podgy [ˈpɔdʒi] *agg.* tozzo, piccolo e grasso.
podiatrist [pɔˈdaiətrist] *s.* (*amer.*) → **chiropodist**.
podium [ˈpoudjəm] *pl.* **podia** [ˈpoudjə] *s.* podio.
poem [ˈpouim] *s.* poesia.
poesy [ˈpouizi] *s.* (*arc. poet.*) poesia.
poet [ˈpouit] *s.* poeta.
poetaster [ˌpouiˈtæstə*] *s.* poetastro.

poetess [ˈpouitis] *s.* poetessa.
poetic(al) [pouˈetik(əl)] *agg.* poetico.
poeticism [pouˈetisizəm] *s.* parola poetica.
to **poeticize** [pouˈetisaiz] *v.intr.* (*spreg.*) comporre versi.
poetics [pouˈetiks] *s.* poetica.
to **poetize** [ˈpouitaiz] *v.tr.* e *intr.* → to **poeticize**.
poetry [ˈpouitri] *s.* poesia.
pogo stick [ˈpougoustik] *s.* canguro, trampolo a molla (giocattolo).
poignancy [ˈpɔinənsi] *s.* acutezza.
poignant [ˈpɔinənt] *agg.* **1** acuto, vivo; doloroso **2** sarcastico, mordace.
poinsettia [pɔinˈsetiə] *s.* (*bot.*) poinsezia.
point [pɔint] *s.* **1** punto, virgola: *to beat s.o. on points*, (*pugilato*) battere qlcu. ai punti // *three — five* (3.5), tre virgola cinque (3,5) // *point-to-point*, (*informatica*) punto a punto **2** grado; quarta (di bussola) **3** argomento; questione; opinione // *beside* (o *off*) *the —*, fuori proposito // *from all points of view*, sotto tutti gli aspetti, da ogni punto di vista // *in — of fact*, in realtà // *to the —*, a proposito, pertinente, calzante // *to stick to the —*, (*fam.*) non divagare **4** caratteristica, aspetto essenziale: *his strong —*, il suo forte // *at all points*, completamente // *to come to the —*, venire al nocciolo **5** scopo: *what's the —?*, a che scopo? **6** punta, estremità; *pl.* (*balletto*) punte **7** capo, promontorio **8** (*elettr.*) puntina, presa di corrente **9** (*gener.pl.*) (*ferr.*) scambio.
to **point** *v.tr.* **1** mettere una punta (a), fare la punta (a); aguzzare; accentuare; indicare // *this points a moral*, questo serve di lezione **2** punteggiare **3** riempire di calcina (lo spazio fra i mattoni) **4** puntare, orientare **5** *to — out*, indicare, porre in rilievo, far notare ♦ *v.intr.* **1** indicare, segnare: *to — at s.o.*, puntare qlcu. (col dito) // *to — out*, far notare // *the house points to the east*, la casa è rivolta verso est **2** puntare (di cane).
point-blank [ˈpɔintˈblæŋk] *agg.* **1** a distanza ravvicinata **2** (*fig.*) franco, schietto; sicuro ♦ *avv.* **1** direttamente **2** chiaro e tondo.
point duty [ˈpɔintˌdjuːti] *s.* servizio (di poliziotto addetto alla circolazione).
pointed [ˈpɔintid] *agg.* **1** appuntito **2** (*fig.*) arguto, mordace; critico **3** chiaro, evidente; preciso.
pointer [ˈpɔintə*] *s.* **1** indicatore; indice; lancetta **2** indicazione, accenno; suggerimento **3** pointer (cane da punta).
pointillism [ˈpwæntilizəm] *s.* (*pitt.*) divisionismo.
pointless [ˈpɔintlis] *agg.* **1** spuntato; smussato **2** inutile, gratuito, senza scopo **3** (*sport*) che non ha segnato punti; (*di partita*) terminata 0 a 0.
pointsman, *pl.* **pointsmen** [ˈpɔintsmən] *s.* **1** (*ferr.*) deviatore **2** poliziotto che regola il traffico.
poise [pɔiz] *s.* **1** equilibrio (*anche fig.*), dignità, controllo; serenità **2** bel portamento.
to **poise** *v.tr.* bilanciare, equilibrare ♦ *v.intr.* **1** essere in equilibrio **2** essere sospeso; volteggiare.
poised [pɔizd] *agg.* **1** (*fig.*) sospeso, in bilico **2** controllato, equilibrato **3** immobile **4** pronto all'azione.
poison [ˈpɔizn] *s.* veleno // *— gas*, gas tossico, asfissiante // *— pen*, autore di lettere anonime.
to **poison** *v.tr.* avvelenare (*anche fig.*).
poisonous [ˈpɔiznəs] *agg.* **1** velenoso **2** (*fig.*) pernicioso, dannoso **3** (*fam.*) spiacevole, odioso.
poisonousness [ˈpɔiznəsnis] *s.* velenosità.
poke[1] [pouk] *s.* borsa, sacco.
poke[2] *s.* spinta; gomitata; colpetto.

to **poke**[2] *v.tr.* **1** spingere, cacciare innanzi; urtare leggermente: *to — s.o. in the ribs*, dare una gomitata amichevole a qlcu. // *to — fun at s.o.*, prendere in giro qlcu. **2** frugare: *to — one's nose into other people's business*, (*fam.*) ficcare il naso negli affari altrui **3** attizzare (il fuoco) ♦ *v.intr.* brancolare // *to — about*, (*fam.*) curiosare.

poke bonnet [′pouk′bɔnit] *s.* cappellino a cuffia.

poker[1] [′poukə*] *s.* attizzatoio // *as stiff as a —*, rigido come un manico di scopa.

poker[2] *s.* (*carte*) poker // *— face*, viso impassibile, senza espressione.

pokerwork [′poukəwə:k] *s.* pirografia.

poky [′pouki] *agg.* piccolo e stretto; misero.

Poland [′poulənd] *no.pr.* Polonia.

polar [′poulə*] *agg.* **1** polare **2** (*elettr.*) magnetico, di polo magnetico **3** (*fig.*) antitetico: *— characters*, caratteri opposti.

polarity [pou′læriti] *s.* polarità.

polarization [‚poulərai′zeiʃən] *s.* (*fig.*) polarizzazione.

to **polarize** [′pouləraiz] *v.tr.* polarizzare (*anche fig.*).

polatouche [‚polə′tu:ʃ] *s.* scoiattolo volante.

pole[1] [poul] *s.* **1** palo, asta // *up the —*, (*sl.*) nei guai; fuori di sé **2** (*misura di lunghezza*) pertica **3** timone.

to **pole**[1] *v.tr.* spingere (una barca) con un palo.

pole[2] *s.* polo // *North, South Pole*, polo nord, sud // *to be poles apart*, (*fig.*) essere agli antipodi.

Pole *s.* polacco.

poleaxe [′poulæks] *s.* **1** ascia; scure **2** alabarda.

to **poleaxe** *v.tr.* macellare (con scure).

polecat [′poulkæt] *s.* puzzola.

pole jump [′pouldʒʌmp] *s.* salto con l'asta.

polemic [po′lemik] *agg.* polemico ♦ *s.* polemica.

polemical [po′lemikəl] *agg.* polemico.

polemist [′polimist] *s.* polemista.

to **polemize** [′polimaiz] *v.intr.* polemizzare.

Pole star [′poulstɑ:*] *s.* stella polare.

pole vault [′poulvɔ:lt] *s.* salto con l'asta.

police [pə′li:s] *s.* polizia: *the — are on his tracks*, la polizia è sulle sue tracce // *— court*, pretura // *— dog*, cane poliziotto // *— state*, Stato di polizia // *— constable*, poliziotto // *— station*, posto di polizia.

to **police** *v.tr.* **1** mantenere l'ordine pubblico (con poliziotti); pattugliare **2** (*fig.*) vigilare.

policeman, *pl.* **policemen** [pə′li:smən] *s.* poliziotto, agente; vigile.

policewoman [pə′li:s‚wumən], *pl.* **policewomen** [pə′li:s‚wimin] *s.* donna poliziotto.

policy[1] [′polisi] *s.* politica, linea di condotta: *government —*, la politica del governo; *company —*, politica aziendale; *investment —*, politica degli investimenti.

policy[2] *s.* polizza: *life assurance —*, (*amer.*) *life insurance —*, polizza di assicurazione sulla vita.

polio [′pouliou], (*t. scient.*) **poliomyelitis** [′pouliou‚maiə′laitis] *s.* poliomielite.

polish [′poliʃ] *s.* **1** lucentezza, brillantezza **2** lucido **3** (*fig.*) raffinatezza; belle maniere.

to **polish** *v.tr.* **1** lucidare; lisciare **2** rendere elegante; ingentilire; dirozzare; civilizzare: *polished manners*, modi distinti; *polished style*, stile raffinato **3** *to — off*, (*fam.*) finire; sbrigare; (*sl.*) far fuori, uccidere // *he polished off his lunch in no time*, ha fatto fuori, ha spazzato via il pranzo in un baleno ♦ *v.intr.* divenire lucido; brillare.

Polish [′pouliʃ] *agg.* polacco.

polisher [′poliʃə*] *s.* lucidatrice.

polite [pə′lait] *agg.* **1** educato, gentile, garbato **2** raffinato, colto, elegante.

politeness [pə′laitnis] *s.* buona educazione, gentilezza, belle maniere.

Politian [pə′liʃən] *no.pr.* (*st.lett.*) Poliziano.

politic [′politik] *agg.* **1** prudente; abile, accorto **2** astuto **3** *the body —*, la Nazione.

political [pə′litikəl] *agg.* politico, relativo alla politica, al governo: *— patronage*, clientelismo; *— strife*, conflittualità politica // *— science*, scienze politiche (*pl.*) // *— fantasy*, fantapolitica.

politically [pə′litikəli] *avv.* politicamente.

politician [‚poli′tiʃən] *s.* uomo politico.

politicking [′politikin] *s.* attivismo politico (spesso interessato).

politics [′politiks] *s.* politica: *to go into —*, darsi alla politica // *what are your —?*, quali sono le tue idee politiche?

polity [′politi] *s.* **1** forma, sistema di governo **2** Stato.

polka [′polkə, (*amer.*) ′poulkə] *s.* (*mus.*) polca // *— dot*, pois.

poll [poul] *s.* **1** scrutinio; lista elettorale; voti; seggio elettorale // *to go to the poll(s)*, andare alle urne // *— opinion —*, sondaggio di opinione **2** sondaggio; inchiesta di mercato.

to **poll** *v.tr.* raccogliere (voti); registrare (voti) // *polling clerk*, scrutatore ♦ *v.intr.* votare; dare il proprio voto // *polling booth*, cabina elettorale.

Poll [pol] *s.* **1** (*fam.*) pappagallo **2** (*sl.*) prostituta.

pollard [′poləd] *s.* **1** (*agr.*) cimatura **2** animale senza corna.

to **pollard** *v.tr.* (*agr.*) cimare.

polled [pould] *agg.* **1** (*agr.*) cimato **2** senza corna.

pollen [′polin] *s.* polline.

pollex [′poleks], *pl.* **pollices** [′polisi:z] *s.* (*anat.*) pollice.

to **pollinate** [′polineit] *v.tr.* impollinare.

pollination [‚poli′neiʃən] *s.* impollinazione.

pollster [′poulstə*] *s.* (*fam.*) raccoglitore di dati statistici.

poll tax [′poultæks] *s.* testatico.

pollutant [pə′lu:tənt] *s.* (*sostanza*) inquinante.

to **pollute** [pə′lu:t] *v.tr.* **1** sporcare, inquinare **2** contaminare, profanare **3** (*fig.*) corrompere.

pollution [pə′lu:ʃən] *s.* **1** inquinamento **2** contaminazione, profanazione **3** (*fig.*) corruzione.

pollutive [pə′lu:tiv] *agg.* inquinante.

polo [′poulou] *s.* (*sport*) polo // *water —*, pallanuoto.

polo neck [′poulounek] *agg.* con collo alla ciclista.

Polonius [pə′lounjəs] *no.pr.m.* (*lett.*) Polonio.

poltergeist [′poltəgaist] *s.* fantasma (che si manifesta con cupi rumori).

poltroon [pol′tru:n] *s.* codardo, vigliacco.

poly- [′poli] *pref.* poli-.

polyandry [′poliændri] *s.* poliandria.

polychrome [′polikroum] *agg.* policromo ♦ *s.* **1** opera d'arte policroma **2** policromia.

polyclinic [‚poli′klinik] *s.* policlinico.

polygamist [po′ligəmist] *s.* poligamo.

polygamous [po′ligəməs] *agg.* poligamo.

polygamy [po′ligəmi] *s.* poligamia.

polyglot [′poliglot] *agg.* e *s.* poliglotta.

polygon [′poligən] *s.* poligono.

polyhedral [′poli′hedrəl] *agg.* (*geom.*) poliedrico.

polyhedron [′poli′hedrən] *s.* poliedro.

polymath [′polimæθ] *s.* persona eclettica.

polymer [′polimə*] *s.* (*chim.*) polimero.

polymerization [ˌpɔˌliməraiˈzeiʃən] s. (chim.) polimerizzazione.

polymorphism [ˌpɔliˈmɔːfizəm] s. polimorfismo.

polymorphous [ˌpɔliˈmɔːfəs] agg. polimorfo.

Polynesia [ˌpɔliˈniːzjə] no.pr. Polinesia.

Polynesian [ˌpɔliˈniːzjən] agg. e s. polinesiano.

polynomial [ˌpɔliˈnoumjəl] s. (mat.) polinomio ♦ agg. di polinomio.

polyp [ˈpɔlip] s. (zool.) polipo.

Polypheme [ˈpɔlifiːm] no.pr.m. (lett.) Polifemo.

polyphonic [ˌpɔliˈfɔnik] agg. polifonico.

polyphony [pəˈlifəni] s. polifonia.

polypod [ˈpɔlipɔd] agg. che ha molti piedi ♦ s. (zool.) millepiedi.

polypus [ˈpɔlipəs], pl. **polypuses** [ˈpɔlipəsiz], **polypi** [ˈpɔlipai] s. (med.) polipo.

polysyllabic [ˈpɔlisiˈlæbik] agg. polisillabo.

polysyllable [ˈpɔliˌsiləbl] s. polisillabo.

polytechnic [ˌpɔliˈteknik] agg. e s. politecnico.

polytheism [ˈpɔliθiˈizəm] s. politeismo.

polytheist [ˈpɔliθiˈ(ː)ist] s. politeista.

polythene [ˈpɔliθiːn] s. (chim.) politene.

polyvalence [ˌpɔliˈveiləns] s. polivalenza.

polyvinyl [ˌpɔliˈvainil] s. (chim.) polivinile // — chloride, vipla®.

pom [pɔm] s. e agg. (fam.) (australiano) inglese.

pomace [ˈpʌmis] s. 1 polpa di mele nella preparazione del sidro 2 residui (pl.), scorie (pl.) (dopo l'estrazione dell'olio o del succo).

pomade [pəˈmaːd, (amer.) pouˈmeid] s. brillantina.

pomander [pouˈmændə*] s. (st.) sfera d'oro, d'argento contenente sostanze aromatiche che si riteneva preservassero dalle infezioni.

pome [poum] s. pomo, mela.

pomegranate [ˈpɔmˌgrænit] s. (bot.) melagrana.

Pomeranian [ˌpɔməˈreinjən] s. cane della Pomerania.

pommel [ˈpʌml] s. pomo (della spada, della sella).

to **pommel** v.tr. battere; picchiare con pugni.

pommy [ˈpɔmi] → **pom**.

pomp [pɔmp] s. pompa; fasto.

pompadour [ˈpɔmpəduə*] s. 1 pettinatura alla Pompadour 2 color rosa.

Pompeian [pɔmˈpi(ː)ən] agg. pompeiano.

Pompeii [pɔmˈpeiːi] no.pr. Pompei.

Pompey [ˈpɔmpi] no.pr.m. (st.) Pompeo.

pompom [ˈpɔmpɔm], **pompon** [ˈpɔːmpɔːŋ] s. pompon.

pomposity [pɔmˈpɔsiti] s. pomposità.

pompous [ˈpɔmpəs] agg. pomposo.

ponce [pɔns] s. (sl.) 1 magnaccia 2 uomo effeminato.

pond [pɔnd] s. stagno, laghetto.

to **pond** v.tr. far stagnare ♦ v.intr. stagnare.

to **ponder** [ˈpɔndə*] v.tr. ponderare ♦ v.intr. riflettere.

ponderability [ˌpɔndərəˈbiliti] s. ponderabilità.

ponderable [ˈpɔndərəbl] agg. ponderabile.

ponderous [ˈpɔndərəs] agg. ponderoso.

ponderousness [ˈpɔndərəsnis] s. ponderosità.

pong [pɔŋ] s. (fam.) puzzo.

to **pong** v.intr. (fam.) puzzare.

pongee [pɔnˈdʒiː] s. varietà di seta cinese.

poniard [ˈpɔnjəd] s. pugnale.

pontiff [ˈpɔntif] s. pontefice.

pontifical [pɔnˈtifikəl] agg. e s. pontificale.

pontificate [pɔnˈtifikeit] s. pontificato.

to **pontificate** [pɔnˈtifikeit], to **pontify** [ˈpɔntifai] v.intr. pontificare.

Pontine [ˈpɔntain] agg. pontino.

Pontius Pilate [ˈpɔntjəsˈpailət] no.pr.m. (st.) Ponzio Pilato.

pontoon¹ [pɔnˈtuːn] s. pontone; chiatta // — bridge, (mil.) ponte di barche.

to **pontoon¹** v.tr. attraversare (un fiume) con un ponte di barche ♦ v.intr. costruire un ponte di barche.

pontoon² s. ventuno (gioco di carte).

pony [ˈpouni] s. 1 (zool.) pony 2 (fam.) venticinque sterline 3 (fam.) bicchierino di liquore 4 (amer.) bigino.

ponytail [ˈpouniteil] s. (pettinatura a) coda di cavallo.

pony-trekking [ˈpouniˌtrekiŋ] s. trekking a cavallo.

poodle [ˈpuːdl] s. barboncino.

poof [puːf] s. (spreg.) checca.

pooh [puː] inter. puah!, poh!

to **pooh-pooh** [puːˈpuː] v.tr. disdegnare.

pool¹ [puːl] s. 1 specchio d'acqua; stagno; pozza; pozzanghera 2 acqua profonda.

pool² s. 1 (a carte) puglia, pozzo 2 pl. totocalcio (sing.) // football —, totocalcio 3 (amer.) (tipo di) gioco del biliardo 4 (comm.) fondo comune; sindacato 5 gruppo (di persone disponibili per un lavoro).

to **pool²** v.tr. unire; mettere in un fondo comune; raggruppare.

poop [puːp] s. (mar.) cassero di poppa.

to **poop** v.tr. infrangersi contro la poppa (di).

pooped [puːpt] agg. (fam. amer.) stanco morto.

poor [puə*] agg. 1 povero // the —, i poveri // — fellow!, poveretto! // to be as — as a church-mouse, essere povero in canna 2 insufficiente; inferiore: — quality, qualità scadente; in my — opinion, secondo il mio modesto parere // to cut a — figure, fare una magra figura 3 disprezzabile.

poor box [ˈpuəbɔks] s. cassetta per l'elemosina.

poorhouse [ˈpuəhaus] s. ospizio per i poveri.

Poor Law [ˈpuəlɔː] s. legge per l'assistenza ai poveri.

poorly [ˈpuəli] agg.pred. (fam.) indisposto: he feels rather — today, oggi non si sente tanto bene ♦ avv. (fam.) male; scarsamente.

poorness [ˈpuənis] s. 1 povertà; insufficienza 2 meschinità; mediocrità.

poor-spirited [ˈpuəˌspiritid] agg. pusillanime.

pop¹ [pɔp] s. 1 botto, scoppio 2 bevanda effervescente 3 (fam.) colpo di arma da fuoco 4 pegno: — , in pegno.

to **pop¹** v.intr. 1 scoppiare; saltare: the cork popped off, il tappo saltò via 2 to — at, sparare a 3 to — in, into, entrare in, fare una capatina da 4 to — out, uscire precipitosamente; fare un salto fuori; estinguersi 5 to — off, detonare; andarsene in fretta e furia; (fam.) morire 6 to — up, capitare all'improvviso ♦ v.tr. 1 far scoppiare, far saltare // to — the question, (fam.) fare una domanda di matrimonio 2 infilare, infilarsi, ficcare, ficcarsi 3 (fam.) impegnare 4 soffiare (il granoturco).

pop¹ avv. con un botto; di botto // to go —, scoppiare.

pop² agg. (abbr. di popular) popolare; di musica leggera ♦ s. (fam.) musica pop // to be top of the pops, essere il primo disco nella graduatoria di musica pop.

pop³ s. (fam.) papà, babbo.

popcorn [ˈpɔpkɔːn] s. «popcorn», granoturco soffiato.

pope¹ [poup] s. 1 papa 2 (fig.) padreterno.

pope² s. pope.

popery [ˈpoupəri] s. (spreg.) cattolicesimo.

pop-eyed [ˈpɔpaid] agg. con gli occhi spalancati (per la sorpresa).

popgun ['pɒpɡʌn] s. rivoltella ad aria compressa; (*spreg.*) rivoltella da poco.

popish ['poupiʃ] agg. (*spreg.*) cattolico.

poplar ['pɒplə*] s. pioppo.

poplin ['pɒplin] s. (*tessuto*) popeline.

popper ['pɒpə*] s. bottone a pressione.

poppet ['pɒpit] s. (*fam.*) tesoro, amore // *she's a —*, è un tesoro.

poppy ['pɒpi] s. 1 papavero 2 oppio 3 sbadataggine.

poppycock ['pɒpikɒk] s. (*fam.*) sciocchezze (*pl.*).

pop singer ['pɒp'siŋə*] s. cantante di musica leggera.

popsy ['pɒpsi] s. (*fam.*) bambolina.

populace ['pɒpjuləs] s. popolo, volgo.

popular ['pɒpjulə*] agg. popolare: — *song*, canzone in voga; *that girl is very —*, quella ragazza è simpatica a tutti; *to make oneself —*, farsi benvolere // *Popular Front*, Fronte Popolare.

popularity [,pɒpju'læriti] s. popolarità.

popularization [,pɒpjulərai'zeiʃən] s. popolarizzazione.

to popularize ['pɒpjuləraiz] v.tr. popolarizzare.

to populate ['pɒpjuleit] v.tr. popolare.

population [,pɒpju'leiʃən] s. popolazione.

populism ['pɒpjulizəm] s. populismo.

populous ['pɒpjuləs] agg. popoloso.

porcelain ['pɔːslin] s. porcellana.

porch [pɔːtʃ] s. 1 portico 2 (*amer.* per *veranda*) veranda.

porcupine ['pɔːkjupain] s. porcospino.

pore¹ [pɔː:*] s. poro.

to pore² v.intr. fissare lo sguardo // *to — over sthg.*, studiare attentamente qlco.

to porge [pɔːdʒ] v.tr. (*relig. ebraica*) purificare (le carni).

pork [pɔːk] s. (carne di) maiale // — *chop*, braciola di maiale // — *fat*, sugna.

porker ['pɔːkə*] s. maiale da ingrasso.

pork pie ['pɔːkpai] s. pasticcio di carne di maiale // — *hat*, cappello con cupola bassa e rotonda.

porn [pɔːn] s. abbr. di **pornography**.

pornographic [,pɔːnə'ɡræfik] agg. pornografico.

pornography [pɔː'nɒɡrəfi] s. pornografia.

porosity [pɔː'rɒsiti] s. (*fis.*) porosità.

porous ['pɔːrəs] agg. (*fis.*) poroso.

porphyry ['pɔːfiri] s. (*min.*) porfido.

porridge ['pɒridʒ] s. porridge, pappa d'avena.

porringer ['pɒrindʒə*] s. scodella per porridge.

port¹ [pɔːt] s. porto (*anche fig.*) // *duty free —*, porto franco // *any — in a storm*, ogni porto è buono nella tempesta.

port² s. (*mar.*) 1 portello; oblò 2 (*mecc.*) apertura, foro.

port³ s. (*mar.*) babordo.

to port³ v.tr. (*mar.*) girare (il timone) a babordo.

port⁴ s. (*vino*) porto.

portable ['pɔːtəbl] agg. e s. portatile.

portage ['pɔːtidʒ] s. 1 trasporto 2 spese di trasporto, porto.

portal ['pɔːtl] s. (*letter.*) 1 portale; entrata 2 (*fig.*) soglia.

port arms ['pɔːtɑːmz] s. tracoll'arm.

portcullis [pɔːt'kʌlis] s. saracinesca (di fortezza).

to portend [pɔː'tend] v.tr. presagire, preannunciare.

portent ['pɔːtent] s. 1 presagio, pronostico 2 portento, prodigio.

portentous [pɔː'tentəs] agg. 1 fatidico 2 portentoso, prodigioso 3 solenne, pomposo.

porter¹ ['pɔːtə*] s. facchino.

porter² s. 1 custode, portiere, portinaio // — *'s lodge*, alloggio del custode, portineria, guardiola 2 (*amer.*) addetto alla vettura letto.

porter³ s. birra scura.

porterage ['pɔːtəridʒ] s. facchinaggio.

porterhouse ['pɔːtəhaus] s. (*amer.*) birreria; osteria // — *steak*, costata di manzo.

portfolio [pɔːt'fouljou] s. 1 cartella, busta 2 (*econ. pol.*) portafoglio: *diversified —*, (*econ.*) «giardinetto», portafoglio diversificato; *Minister without —*, ministro senza portafoglio.

portico ['pɔːtikou] s. portico; colonnato.

portion ['pɔːʃən] s. 1 parte; porzione 2 (*fig.*) destino, fato.

to portion v.tr. dividere, ripartire; assegnare.

portionless ['pɔːʃənlis] agg. senza dote.

portliness ['pɔːtlinis] s. corpulenza.

portly ['pɔːtli] agg. corpulento.

portmanteau [pɔːt'mæntou], pl. **portmanteaux** [pɔːt'mæntouz] s. baule armadio // — *word*, parola composta.

portrait ['pɔːtrit] s. ritratto; descrizione.

portraiture ['pɔːtritʃə*] s. 1 ritrattistica 2 ritratto.

to portray [pɔː'trei] v.tr. dipingere, ritrarre; descrivere.

portrayal [pɔː'treiəl] s. ritratto; descrizione.

portress ['pɔːtris] s. portinaia.

Portugal ['pɔːtjugəl] no.pr. Portogallo.

Portuguese [,pɔːtju'giːz] agg. e s. portoghese.

pose¹ [pouz] s. 1 posa, atteggiamento (del corpo) 2 affettazione.

to pose¹ v.tr. 1 addurre (prova); avanzare (reclamo); proporre (quesito) 2 ritrarre ♦ v.intr. 1 mettersi in posa, posare 2 atteggiarsi: *to — as a hero*, atteggiarsi a eroe.

to pose² v.tr. imbarazzare con un quesito, problema.

poser ['pouzə*] s. quesito, domanda imbarazzante.

poseur [pou'zə:*] s. persona affettata.

posh [pɒʃ] agg. (*fam.*) elegante, di lusso.

position [pə'ziʃən] s. 1 posizione, posa (del corpo): *in a comfortable —*, in una posizione comoda 2 atteggiamento, punto di vista 3 posto, posizione; condizione: *in —*, a posto; *out of —*, fuori posto 4 condizione, rango sociale: *a person of —*, una persona altolocata 5 posizione, impiego, ufficio 6 (*mil.*) posizione; punto.

to position v.tr. 1 mettere in posizione 2 (*mil.*) piazzare 3 determinare la posizione (di).

positional [pə'ziʃənl] agg. di posizione.

positive ['pɒzətiv] agg. 1 positivo // *he is a — nuisance*, è un vero seccatore 2 convinto; sicuro di sé ♦ s. 1 (*fot.*) positiva.

positively ['pɒzətivli] avv. 1 positivamente 2 realmente, effettivamente; sicuramente.

positiveness ['pɒzətivnis] s. 1 positività 2 certezza.

positivism ['pɒzitivizəm] s. (*fil.*) positivismo.

positivist ['pɒzitivist] s. (*fil.*) positivista.

posology [pou'sɒlədʒi] s. posologia.

posse ['pɒsi] s. (*amer.*) gruppo di uomini armati (con autorità legale).

to possess [pə'zes] v.tr. possedere: *that's all I —*, questo è tutto quello che ho; *to be possessed of*, essere in possesso di; *to — oneself of sthg.*, impadronirsi di qlco. // *possessed by* (o *with*) *an idea, by a devil*, ossessionato da un'idea, invasato.

possessed [pə'zest] agg. posseduto, invasato.

possession [pə'zeʃən] s. 1 possesso 2 pl. beni, possedimenti, proprietà.

possessive [pə'zesiv] *agg.* possessivo ♦ *s.* aggettivo, pronome possessivo.

possessor [pə'zesə*] *s.* possessore.

possibility [ˌpɒsə'biliti] *s.* **1** possibilità, eventualità **2** *pl.* possibilità di successo.

possible ['pɒsəbl] *agg.* possibile ♦ *s.* **1** possibilità **2** (*fam.*) persona frequentabile.

possibly ['pɒsəbli] *avv.* forse, può darsi.

possum ['pɒsəm] *s.* (*fam.*) opossum // *to play —*, (*fam.*) fingersi ammalato, morto.

post[1] [pəust] *s.* posta, corrispondenza; servizio postale: *by —*, per posta; *by return of —*, a giro di posta; *when is the next — due?*, quando avrà luogo la prossima distribuzione della posta? // *Post Exchange*, (*amer.*) spaccio in una base militare.

to post[1] *v.tr.* **1** impostare; inviare per posta **2** (*comm.*) registrare sul libro mastro; aggiornare (i libri contabili) // *to keep s.o. posted (up)*, tenere qlcu. al corrente.

post[2] *s.* **1** palo; sostegno; puntello // *between you and me and the (door) post*, (*fam.*) detto in gran segreto **2** (*mar.*) diritto di poppa.

to post[2] *v.tr.* **1** affiggere: *to — up a notice on the board*, esporre un avviso sull'albo // *— no bills*, divieto d'affissione **2** annunciare (mediante affissi).

post[3] *s.* **1** (*mil.*) posto; postazione // *to remain at one's —*, (*fig.*) rimanere al proprio posto **2** ufficio, carica **3** (*mil.*) suono di tromba: *last —*, (segnale dell') ammainabandiera.

to post[3] *v.tr.* (*mil.*) postare; assegnare a qlcu. un posto, una mansione; mettere al comando (di): *to — a sentinel at the gate*, mettere una sentinella al cancello.

postage ['pəustidʒ] *s.* tariffa postale // *— paid*, porto pagato // *additional —*, soprattassa (postale).

postal ['pəustəl] *agg.* postale: *— order*, vaglia postale.

postbox ['pəustbɒks] *s.* cassetta delle lèttere.

postcard ['pəustˈkɑ:d] *s.* cartolina; cartolina postale.

post chaise [ˌpəust'ʃeiz] *s.* (*st.*) diligenza.

postcode ['pəustkoud] *s.* codice postale.

to postdate ['pəust'deit] *v.tr.* postdatare.

poster ['pəustə*] *s.* **1** attacchino **2** cartellone, manifesto.

poste restante [ˌpəust'restɒnt] *s.* fermo posta.

posterior [pɒs'tiəriə*] *agg.* e *s.* posteriore.

posteriority [pɒsˌtəri'ɔriti] *s.* posteriorità.

posterity [pɒs'teriti] *s.* posterità.

postern ['pɒstə:n] *s.* porta posteriore.

post-free ['pəust'fri:] *agg.* e *avv.* che non richiede affrancatura; porto affrancato.

postgraduate ['pəust'grædjuit] *s.* laureato che segue un corso di perfezionamento // *— courses*, corsi di perfezionamento per laureati.

posthaste ['pəust'heist] *avv.* in gran fretta.

posthumous ['pɒstjuməs] *agg.* postumo.

postiche [pɒs'ti:ʃ] *agg.* e *s.* posticcio.

postil(l)ion [pɒs'tiljən] *s.* postiglione.

Post-Impressionism ['pəustim'preʃnizəm] *s.* (*pitt.*) post-impressionismo.

postman, *pl.* **postmen** ['pəustmən] *s.* portalettere.

postmark ['pəustˈmɑ:k] *s.* timbro postale.

postmaster ['pəustˌmɑ:stə*] *s.* direttore di ufficio postale // *Postmaster General*, ministro delle Poste e Telecomunicazioni.

postmeridian ['pəustˌmə'ridiən] *agg.* pomeridiano.

postmistress ['pəustˌmistris] *s.* direttrice di ufficio postale.

postmortem ['pəustˈmɔ:tem] *s.* autopsia; (*fig.*) riesame degli avvenimenti.

post office ['pəustˌɔfis] *s.* ufficio postale.

postpaid ['pəustpeid] *agg.* e *avv.* (*amer.*) → **post-free**.

to postpone ['pəust'pəun] *v.tr.* e *intr.* posporre, rimandare.

postponement ['pəust'pəunmənt] *s.* rinvio, differimento.

postprandial ['pəust'prændiəl] *agg.* dopo pranzo; dopo cena.

postscript ['pəusskript] *s.* poscritto.

postulant ['pɒstjulənt] *s.* postulante.

postulate ['pɒstjulit] *s.* postulato (*anche geom.*).

to postulate ['pɒstjuleit] *v.tr.* postulare.

posture ['pɒstʃə*] *s.* **1** posizione; posa **2** situazione.

to posture *v.intr.* mettersi in posa; (*fig.*) assumere un atteggiamento, posare ♦ *v.tr.* mettere in posa.

postwar ['pəust'wɔ:*] *agg.* del dopoguerra.

posy ['pəuzi] *s.* mazzolino di fiori.

pot [pɒt] *s.* **1** recipiente; barattolo; pentola; boccale // *pots and pans*, batteria da cucina // *the — calling the kettle black*, da che pulpito viene la predica // *to go to —*, (*pop.*) andare in rovina // *to keep the — boiling*, sbarcare il lunario **2** contenuto di pentola, recipiente **3** vaso da notte **4** (*metall.*) crogiuolo metallico **5** (*sport fam.*) coppa; premio **6** (*fam.*) persona importante: *a big —*, un pezzo grosso **7** *pl.* (*fam.*) mucchio (*sing.*): *pots of money*, un mucchio di soldi **8** (*sl.*) marijuana.

to pot *v.tr.* **1** fare conserva (di frutta) **2** piantare (in vaso) **3** (*biliardo*) far biglia (con la palla) **4** *to — at* (*sthg.*), sparare a casaccio a qlco.

potable ['pəutəbl] *agg.* potabile.

potash ['pɒtæʃ] *s.* (*chim.*) potassa.

potassium [pə'tæsjəm] *s.* (*chim.*) potassio.

potato [pə'teitəu], *pl.* **potatoes** [pə'teitəuz] *s.* patata // *mashed potatoes*, purè di patate.

potbellied ['pɒtˌbelid] *agg.* panciuto.

potbelly ['pɒtˌbeli] *s.* pancione.

potboiler ['pɒtˌbɔilə*] *s.* opera d'arte o letteraria prodotta frettolosamente con fini esclusivamente commerciali.

potbound ['pɒtbaund] *agg.* **1** soffocato in vaso piccolo (di pianta) **2** (*fig.*) impacciato.

poteen [pɔ:'ti:n], **potheen** [pɔ'tʃi:n] *s.* (*irl.*) whisky distillato abusivamente.

potence ['pəutəns], **potency** ['pəutənsi] *s.* potenza; forza.

potent ['pəutənt] *agg.* potente; efficace.

potentate ['pəutənteit] *s.* potentato.

potential [pə'tenʃəl] *agg.* e *s.* potenziale.

potentiality [pəˌtenʃi'æliti] *s.* potenzialità.

to potentiate [pəu'tenʃieit] *v.tr.* **1** potenziare **2** rendere possibile.

pother ['pɒðə*] *s.* (*fam.*) chiasso, rumore.

potherb ['pɒthə:b] *s.* ortaggio.

pothole ['pɒthəul] *s.* **1** (*geol.*) marmitta **2** buca (in una strada).

potholing ['pɒtˌhəuliŋ] *s.* speleologia.

pothouse ['pɒthaus] *s.* osteria.

potion ['pəuʃən] *s.* (*med.*) pozione.

potluck ['pɒt'lʌk] *s.* pasto alla buona // *to take —*, (*fig.*) scegliere a casaccio.

potroast ['pɒtrəust] *s.* (*cuc.*) brasato.

potsherd ['pɒtʃə:d] *s.* coccio, frammento.

potshot ['pɒt'ʃɔt] *s.* colpo sparato a casaccio.

potted ['pɒtid] *agg.* **1** conservato (di cibo) **2** (*fam.*) riassunto brevemente e male.

potter[1] ['pɒtə*] *s.* vasaio.

to potter[2] *v.intr.* lavoricchiare; gingillarsi // *to — away in the garden*, lavoricchiare in giardino.

pottery ['pɒtəri] *s.* **1** terraglie (*pl.*), stoviglie (*pl.*): *piece of —*, oggetto in ceramica **2** fabbrica di ceramiche **3** arte della ceramica.

potting shed ['pɒtiŋʃed] *s.* capanno, ripostiglio degli attrezzi (in un giardino).

potty ['pɒti] *agg.* (*fam.*) **1** facile **2** mezzo pazzo; fissato **3** insignificante.

pouch [pautʃ] *s.* **1** borsa // *tobacco- —*, borsa per il tabacco **2** (*mil.*) giberna **3** (*zool.*) marsupio **4** (*amer.*) valigia diplomatica.

pouched [pautʃt] *agg.* che ha borsa.

pouchy ['pautʃi] *agg.* **1** a forma di borsa **2** gonfio, gonfiato // *— eyes*, occhi con le borse.

pouf(fe) [pu:f] *s.* «pouf».

poult [poult] *s.* giovane gallinaceo.

poulterer ['poultərə*] *s.* pollivendolo.

poultice ['poultis] *s.* impiastro, cataplasma.

to poultice *v.tr.* applicare un impiastro (a).

poultry ['poultri] *s.* pollame; gallinacei domestici (*pl.*).

pounce[1] [pauns] *s.* balzo; lo scagliarsi (su una preda).

to pounce[1] *v.intr.* e *tr.* avventarsi (su, contro), piombare improvvisamente (su): *he pounced on his prey*, piombò sulla sua preda // *to — on a mistake*, cogliere al volo un errore.

pounce[2] *s.* (*disegno*) spolvero.

to pounce[2] *v.tr.* (*disegno*) spolverare.

pound[1] [paund] *s.* **1** libbra **2** lira sterlina.

to pound[1] *v.intr.* controllare il peso delle monete.

pound[2] *s.* chiuso, recinto per animali dispersi.

to pound[2] *v.tr.* chiudere in un recinto (animali).

pound[3] *s.* botta, colpo; tonfo.

to pound[3] *v.tr.* **1** fare a pezzi, polverizzare **2** colpire, battere, pestare; (*mil.*) martellare ♦ *v.intr.* correre, camminare pesantemente.

poundage ['paundidʒ] *s.* **1** provvigione, percentuale **2** tassa sul peso.

pounder ['paundə*] *s.* oggetto che pesa una libbra // *thirty- —*, (*mil.*) pezzo da trenta.

pour [pɔ:*] *s.* colata (di metallo fuso).

to pour *v.tr.* versare; riversare: *to — (out) tea*, versare il tè // *to — cold water on s.o.*, (*fig.*) scoraggiare qlcu. // *to — oil upon troubled waters*, (*fig.*) placare le acque // *to — forth, riversare, esprimere // *to — out*, versare; elargire ♦ *v.intr.* **1** riversarsi **2** scrosciare // *it never rains but it pours*, o troppo o niente // *to — down*, diluviare, piovere a dirotto // *to — in*, entrare a fiotti; arrivare in massa // *to — out*, scorrere; riversarsi fuori **3** (*metall.*) colare.

pout [paut] *s.* broncio.

to pout *v.intr.* sporgere le labbra; fare il broncio.

poutingly ['pautiŋli] *avv.* col broncio.

poverty ['pɒvəti] *s.* povertà; miseria (*anche fig.*) // *— -stricken*, caduto in miseria; d'aspetto miserabile.

powder ['paudə*] *s.* **1** polvere // *it is not worth — and shot*, (*fam.*) non ne vale la pena // *to keep one's — dry*, essere pronto ad ogni evenienza **2** cipria, talco **3** (*fam.*) polvere, polverina.

to powder *v.tr.* **1** polverizzare, ridurre in polvere: *powdered sugar*, zucchero a velo **2** spolverizzare, cospargere di polvere **3** incipriare ♦ *v.intr.* **1** polverizzarsi; andare in polvere **2** incipriarsi.

powder magazine ['paudəmægə,zi:n] *s.* polveriera; santabarbara.

powder puff ['paudəpʌf] *s.* piumino (per la cipria).

powder room ['paudəru:m] *s.* toilette per signore.

powdery ['paudəri] *agg.* polveroso.

power ['pauə*] *s.* **1** potenza, capacità; facoltà **2** forza, vigore // *bargaining —*, potere, forza di contrattazione // *purchasing —*, potere d'acquisto // *more — to your elbow!*, (*fam.*) forza!, buona fortuna! **3** potere, autorità: *— of attorney*, procura **4** (*pol.*) potenza, governo // *the Allied Powers*, gli Alleati // *the powers that be*, (*fam.*) l'autorità costituita // *to come into —*, giungere al potere **5** (*fam.*) un sacco, gran quantità: *the holiday did me a — of good*, la vacanza mi ha fatto un sacco di bene **6** (*mecc.elettr.*) energia: *— supply*, alimentazione elettrica **7** potenza, rendimento **8** (*mat.*) potenza: *4 is the second — of 2*, 4 è 2 alla seconda (potenza).

to power *v.tr.* motorizzare, fornire di motore.

power-driven ['pauə,drivn] *agg.* azionato meccanicamente, elettricamente.

powerful ['pauəful] *agg.* potente, efficace.

powerhouse ['pauəhaus] *s.* centrale elettrica.

powerless ['pauəlis] *agg.* impotente, fiacco; inefficace.

power station ['pauə,steiʃən] *s.* centrale elettrica.

powwow ['pauwau] *s.* (*amer.*) **1** consiglio di pellirosse **2** (*fam.*) discussione; conversazione; riunione.

to powwow *v.intr.* tenere una discussione; fare una chiacchierata.

pox [pɒks] *s.* (*med. fam.*) sifilide.

practicability [,præktikə'biliti] *s.* praticabilità.

practicable ['præktikəbl] *agg.* praticabile.

practical ['præktikəl] *agg.* **1** pratico, funzionale; comodo: *a — handbag*, una borsa molto pratica **2** pratico, che concerne la pratica, non teoretico: *he needs some — experience*, ha bisogno di fare un po' di pratica // *for all — purposes*, in effetti, in realtà **3** pratico, realistico ♦ *s.* esercitazione pratica.

practicality [,prækti'kæliti] *s.* praticità.

practical joke [,præktikəl'dʒouk] *s.* burla.

practically ['præktikəli] *avv.* **1** praticamente **2** virtualmente; quasi.

practice ['præktis] *s.* **1** pratica: *to put into —*, mettere in pratica **2** abitudine, regola, norma **3** esercizio; (*sport*) allenamento; (*mil.*) esercizio di tiro: *— makes perfect*, con l'esercizio si raggiunge la perfezione; *in, out of —*, in, fuori esercizio **4** attività professionale: *Dr. Brown has retired from —*, il Dr. Brown si è ritirato dalla professione **5** clientela (di medico, avvocato) **6** *pl.* (*fam.*) intrighi, trucchi.

to practice *v.tr.* e *intr.* (*amer.*) → **to practise**.

practician [præk'tiʃən] *s.* **1** professionista **2** persona esperta (in un lavoro).

to practise ['præktis] *v.tr.* **1** praticare, mettere in pratica **2** esercitare, fare esercizio **3** praticare, esercitare (una professione) ♦ *v.intr.* **1** esercitarsi: *she spends hours practising*, passa delle ore a esercitarsi **2** *to — on*, approfittare di.

practised ['præktist] *agg.* esperto; abile; perito.

practising ['præktisiŋ] *agg.* **1** che esercita la professione **2** (*eccl.*) praticante.

practitioner [præk'tiʃnə*] *s.* professionista (spec. medico) // *medical —*, medico // *general —*, medico generico.

praetor ['pri:tə*] *s.* (*st.*) pretore.

praetorian [pri(:)'tɔ:riən] *agg.* e *s.* (*st.*) pretoriano.

pragmatic(al) [præg'mætik(əl)] *agg.* **1** prammatico **2** (*fil.*) pragmatistico **3** intrigante **4** dogmatico.

pragmatism ['prægmətizəm] *s.* (*fil.*) pragmatismo.

pragmatist ['prægmətist] *s.* (*fil.*) pragmatista.

prairie ['prɛəri] *s.* prateria // - *-schooner*, (*amer.*) carro dei pionieri.

praise [preiz] *s.* **1** lode; elogio; encomio **2** adorazione; glorificazione.

to **praise** *v.tr.* **1** lodare; elogiare; encomiare **2** adorare; glorificare.

praiseworthiness ['preiz,wə:ðinis] *s.* lodevolezza.

praiseworthy ['preiz,wə:ði] *agg.* lodevole.

pram [præm] *s.* (*fam.*) carrozzina (per bambini).

prance [prɑ:ns] *s.* impennata; salto; balzo.

to **prance** *v.intr.* **1** impennarsi (dei cavalli) **2** (*fig.*) camminare pavoneggiandosi.

to **prang** [præŋ] *v.tr.* (*sl.*) fracassare (aeroplano, automobile).

prank[1] [præŋk] *s.* tiro, burla.

to **prank**[2] *v.tr.* adornare ♦ *v.intr.* vestire in modo vistoso.

to **prate** [preit] *v.intr.* chiacchierare ♦ *v.tr.* spifferare.

to **prattle** ['prætl] *v.intr.* **1** balbettare (di bambini ecc.) **2** chiacchierare.

prattler ['prætlə*] *s.* chiacchierone.

prawn [prɔ:n] *s.* (*zool.*) gamberone.

to **prawn** *v.intr.* pescare gamberoni.

praxis ['præksis] *s.* prassi.

to **pray** [prei] *v.tr.* pregare; supplicare ♦ *v.intr.* pregare.

pray *avv.* e *inter.* di grazia, per favore.

prayer[1] [prɛə*] *s.* **1** preghiera // *Prayer Book*, rituale della Chiesa Anglicana // — *rug*, (tappeto) preghiera **2** desiderio; petizione.

prayer[2] ['preiə*] *s.* **1** fedele **2** chi prega, chiede.

prayerful ['prɛəful] *agg.* pio, devoto.

pre- [pri:] *pref.* pre-.

to **preach** [pri:tʃ] *v.tr.* predicare ♦ *v.intr.* **1** predicare; pronunciare un sermone **2** (*fig. fam.*) fare la predica.

preacher ['pri:tʃə*] *s.* **1** predicatore **2** (*eccl.*) pastore.

preaching ['pri:tʃiŋ] *s.* predicazione; predica.

preachy ['pri:tʃi] *agg.* (*fam.*) incline a far prediche.

preamble [pri:'æmbl] *s.* preambolo, preliminare.

to **preamble** *v.intr.* fare un preambolo.

prebend ['prebənd] *s.* (*eccl.*) prebenda.

precarious [pri'kɛəriəs] *agg.* precario; insicuro; rischioso.

precariousness [pri'kɛəriəsnis] *s.* precarietà.

precaution [pri'kɔ:ʃən] *s.* precauzione.

precautionary [pri'kɔ:ʃnəri] *agg.* precauzionale.

to **precede** [pri(:)'si:d] *v.tr.* precedere.

precedence [pri(:)'si:dəns] *s.* precedenza: *to take — over s.o.*, prendere la precedenza su qlcu.

precedent ['presidənt] *s.* precedente: *without —*, senza precedenti.

precept ['pri:sept] *s.* **1** precetto **2** (*dir.*) mandato.

preceptive [pri'septiv] *agg.* didattico.

preceptor [pri'septə*] *s.* precettore.

preceptress [pri'septris] *s.* istitutrice.

precinct ['pri:siŋkt] *s.* **1** luogo recinto, luogo delimitato: *within the precincts of the monastery*, entro le mura del monastero // *shopping —*, area con negozi // *pedestrian —*, zona pedonale **2** *pl.* vicinanze **3** (*amer.*) sezione elettorale; distretto di polizia.

preciosity [,preʃi'ɔsiti] *s.* preziosità.

precious ['preʃəs] *agg.* prezioso (*anche fig.*) // *a — friend you've been!*, bell'amico che sei stato! ♦ *s.: you, —!*, (*fam.*) tu, stellina, tesoro! ♦ *avv.* (*fam.*) molto, eccezionalmente: *there is — little left of it*, ce n'è rimasto ben poco.

preciousness ['preʃəsnis] *s.* preziosità.

precipice ['presipis] *s.* precipizio, burrone: *to fall over a —*, cadere in un precipizio.

precipitance [pri'sipitəns], **precipitancy** [pri'sipitənsi] *s.* precipitazione.

precipitate [pri'sipitit] *agg.* precipitoso ♦ *s.* (*chim.*) precipitato.

to **precipitate** [pri'sipiteit] *v.tr.* e *intr.* precipitare (*anche fig.*): *to — s.o.'s ruin*, accelerare la rovina di qlcu.

precipitation [pri,sipi'teiʃən] *s.* precipitazione.

precipitous [pri'sipitəs] *agg.* ripido.

precipitously [pri'sipitəsli] *avv.* a picco.

précis ['preisi, (*amer.*) prei'si:], *pl.* **précis** ['preisi:z; (*amer.*) prei'si:z] *s.* riassunto; sommario.

to **précis** *v.tr.* fare un riassunto, un sommario (di).

precise [pri'sais] *agg.* preciso; meticoloso.

preciseness [pri'saisnis] *s.* precisione.

precision [pri'siʒən] *s.* precisione; meticolosità.

to **preclude** [pri'klu:d] *v.tr.* precludere; escludere; rendere impossibile.

preclusive [pri'klu:siv] *agg.* che preclude, esclude.

precocious [pri'kouʃəs] *agg.* precoce.

to **preconceive** ['pri:kən'si:v] *v.tr.* pensare, concepire anticipatamente.

preconception ['pri:kən'sepʃən] *s.* preconcetto.

pre-cooked [,pri:'kukt] *agg.* precotto: — *food*, precotti.

precursor [pri(:)'kə:sə*] *s.* precursore.

precursory [pri(:)'kə:səri] *agg.* premonitore; preliminare.

to **predate** [pri:'deit] *v.tr.* antidatare.

predatory ['predətəri] *agg.* predatorio; rapace.

to **predecease** ['pri:di'si:s] *v.tr.* premorire (a).

predecessor ['pri:disesə*, (*amer.*) 'predisesə*] *s.* predecessore.

predestinarian ['pri(:),desti'nɛəriən] *agg.* che riguarda la predestinazione ♦ *s.* chi crede nella predestinazione.

to **predestinate** [pri(:)'destineit] *v.tr.* predestinare.

predestination [pri(:),desti'neiʃən] *s.* predestinazione.

to **predestine** [pri(:)'destin] *v.tr.* predestinare.

to **predetermine** ['pri:di'tə:min] *v.tr.* predeterminare.

predicament [pri'dikəmənt] *s.* situazione difficile; impiccio.

predicate ['predikit] *s.* predicato.

to **predicate** ['predikeit] *v.tr.* **1** asserire, affermare **2** basare, fondare.

predication [,predi'keiʃən] *s.* affermazione.

predicative [pri'dikətiv, (*amer.*) 'predikeitiv] *agg.* **1** predicativo **2** affermativo.

to **predict** [pri'dikt] *v.tr.* predire; profetizzare.

prediction [pri'dikʃən] *s.* predizione; profezia.

predilection [,pri:di'lekʃən] *s.* predilezione.

to **predispose** ['pri:dis'pouz] *v.tr.* predisporre.

predisposition ['pri:,dispə'ziʃən] *s.* predisposizione.

predominant [pri'dɔminənt] *agg.* predominante.

to **predominate** [pri'dɔmineit] *v.intr.* predominare; preponderare.

preeminent [pri(:)'eminənt] *agg.* preminente.

preemption [pri(:)'empʃən] *s.* (*dir.*) prelazione: *right of —*, diritto di prelazione.

to **preempt** [,pri:'empt] *v.tr.* **1** ottenere mediante prelazione **2** rendere nullo, vanificare **3** sostituire **4** diventar preda (di).

preemptive [pri:'emptiv] *agg.* **1** di prelazione **2** preventivo, che previene // — *bid*, (*bridge*) surlicitazione.

to **preen** [pri:n] *v.tr.*: *to — (oneself)*, lisciarsi (le penne) col becco; *(fig.)* pavoneggiarsi.

to **preexist** [ˈpri:igˈzist] *v.intr.* preesistere.

prefab [ˈpri:ˈfæb] *s. (fam.)* casa prefabbricata.

to **prefabricate** [ˈpri:ˈfæbrikeit] *v.tr.* prefabbricare.

preface [ˈprefis] *s.* **1** prefazione **2** *(eccl.)* prefazio.

to **preface** *v.tr.* **1** iniziare **2** fare una prefazione (a).

prefatorial [ˌprefəˈtɔːriəl], **prefatory** [ˈprefətəri] *agg.* introduttivo, preliminare.

prefect [ˈpri:fekt] *s.* **1** prefetto **2** *(nelle scuole inglesi)* allievo anziano a cui vengono affidate mansioni di responsabilità.

prefectorial [ˌpri:fekˈtɔːriəl] *agg.* prefettizio.

prefecture [ˈpri:fektjuə*] *s.* prefettura.

to **prefer** [priˈfəː*] *v.tr.* **1** preferire **2** promuovere **3** *(dir.)* presentare: *to — a charge against s.o.*, citare qlcu. in giudizio.

preferable [ˈprefərəbl] *agg.* preferibile.

preference [ˈprefərəns] *s.* preferenza // *— stock*, *(comm.)* titoli previlegiati.

preferential [ˌprefəˈrenʃəl] *agg.* preferenziale.

preferment [priˈfəːmənt] *s.* promozione.

prefix [ˈpri:fiks] *s. (gramm.)* prefisso.

to **prefix** [pri:ˈfiks] *v.tr.* premettere, far precedere.

pregnancy [ˈpregnənsi] *s.* **1** gestazione, gravidanza **2** *(fig.)* significato; importanza.

pregnant [ˈpregnənt] *agg.* **1** incinta: *two months —*, incinta di due mesi **2** significativo, pregnante **3** ricco (di idee).

prehensile [pri:ˈhensail, *(amer.)* pri:ˈhensl] *agg.* prensile.

prehistoric [ˈpri:hisˈtɔrik] *agg.* preistorico.

prehistory [ˈpri:ˈhistəri] *s.* preistoria.

to **prejudge** [ˈpri:ˈdʒʌdʒ] *v.tr.* giudicare affrettatamente.

prejudice [ˈpredʒudis] *s.* pregiudizio.

to **prejudice** *v.tr.* **1** ispirare pregiudizi (a) **2** pregiudicare, danneggiare.

prejudicial [ˌpredʒuˈdiʃəl] *agg.* pregiudizievole.

prelacy [ˈpreləsi] *s.* **1** prelatura **2** episcopato.

prelate [ˈprelit] *s.* prelato, presule.

prelatical [priˈlætikəl] *agg.* prelatizio.

preliminary [priˈlimɪnəri] *agg.* preliminare ♦ *s.pl.* preliminari.

preliterate [ˈpri:ˈlitərit] *agg.* preletterario.

prelude [ˈprelju:d] *s.* preludio *(anche fig.)*.

to **prelude** *v.tr.* preludere, preannunziare.

premarital [ˌpri:ˈmæritl] *agg.* prematrimoniale.

premature [ˌpreməˈtjuə*] *agg.* prematuro.

to **premeditate** [pri:(ˈ)ˈmediteit] *v.tr.* premeditare.

premeditation [pri:(ˈ)mediˈteiʃən] *s.* premeditazione.

premier [ˈpremjə*, *(amer.)* ˈprimiə*] *agg.* primo ♦ *s.* primo ministro.

premiership [ˈpremjəʃip] *s.* incarico di primo ministro.

premise [ˈpremis] *s.* **1** premessa **2** *pl.* edificio *(sing.)*; stabile con terreni annessi; locali: *off the premises*, fuori dello stabile, dell'edificio // *to be consumed on the premises*, da bersi sul posto.

to **premise** [pri:ˈmaiz] *v.tr.* premettere.

premiss *s.* → **premise**.

premium [ˈpri:mjəm] *s.* **1** premio, ricompensa **2** premio (d'assicurazione) **3** aggio // *at a —*, *(fig.)* molto ricercato; rarità // *to sell shares at a —*, vendere azioni sopra la pari.

premolar [pri:ˈmoulə*] *agg.* e *s.* premolare.

premonition [ˌpri:məˈniʃən] *s.* premonizione.

prenatal [ˈpri:ˈneitl] *agg.* prenatale.

preoccupation [pri(:)ˌɔkjuˈpeiʃən] *s.* preoccupazione: *— about sthg.*, preoccupazione per qlco.

to **preoccupy** [pri(:)ˈɔkjupai] *v.tr.* preoccupare: *to be preoccupied about sthg., by sthg.*, preoccuparsi di qlco., per qlco.

to **preordain** [ˈpri:ɔːˈdein] *v.tr.* preordinare.

prep [prep] *agg. (fam.)* → **preparatory** ♦ *s. (fam.)* compito a casa.

preparation [ˌprepəˈreiʃən] *s.* **1** preparazione, preparativo **2** preparato **3** compito a casa.

preparative [priˈpærətiv] *agg.* preparatorio.

preparatory [priˈpærətəri] *agg.* preparatorio // *— coat*, *(pitt.)* imprimitura // *— school*, scuola che prepara alla «public-school» (in Gran Bretagna), al «college» (negli Stati Uniti).

to **prepare** [priˈpɛə*] *v.tr.* preparare, allestire; predisporre ♦ *I am quite prepared to leave*, sono dispostissimo a partire.

preparedness [priˈpɛədnis] *s.* l'esser pronto.

prepense [priˈpens] *agg.* deliberato, premeditato, intenzionale.

preponderance [priˈpɔndərəns] *s.* preponderanza.

preponderant [priˈpɔndərənt] *agg.* preponderante.

to **preponderate** [priˈpɔndəreit] *v.intr.* preponderare.

preposition [ˌprepəˈziʃən] *s.* preposizione.

to **prepossess** [ˌpri:pəˈzes] *v.tr.* predisporre; impressionare favorevolmente.

prepossessing [ˌpri:pəˈzesin] *agg.* simpatico; attraente.

prepossession [ˌpri:pəˈzeʃən] *s.* **1** propensione, inclinazione **2** idea preconcetta (gener. favorevole).

preposterous [priˈpɔstərəs] *agg.* assurdo; sciocco, ridicolo.

prepotence [priˈpoutəns], **prepotency** [priˈpoutənsi] *s.* **1** predominio **2** *(biol.)* predominanza.

prepotent [priˈpoutənt] *agg.* **1** (stra)potente **2** *(biol.)* predominante.

Pre-Raphaelite [ˈpri:ˈræfəlait] *agg.* e *s. (lett. pitt.)* preraffaellita.

prerealease [ˈpri:ri'li:s] *s.* anteprima ♦ *agg.* in anteprima.

prerequisite [ˈpri:ˈrekwizit] *agg.* indispensabile ♦ *s.* requisito primo.

prerogative [priˈrɔgətiv] *s.* prerogativa.

presage [ˈpresidʒ] *s.* presagio.

to **presage** *v.tr.* presagire.

presbyopia [ˌprezbiˈoupjə] *s. (med.)* presbiopia.

presbyter [ˈprezbitə*] *s. (eccl.)* **1** presbitero **2** anziano (nella Chiesa Presbiteriana).

Presbyterian [ˌprezbiˈtiəriən] *agg.* e *s. (relig.)* presbiteriano.

Presbyterianism [ˌprezbiˈtiəriənizəm] *s. (relig.)* presbiterianesimo.

presbytery [ˈprezbitəri] *s.* presbiterio.

preschool [ˈpri:ˈsku:l] *agg.* prescolare.

to **prescind** [priˈsind] *v.tr.* e *intr.* prescindere.

to **prescribe** [prisˈkraib] *v.tr.* prescrivere, ordinare.

prescript [ˈpri:skript] *s.* ordinanza, legge.

prescription [prisˈkripʃən] *s.* prescrizione; *(med.)* ricetta // *— book*, ricettario.

presence [ˈprezns] *s.* presenza // *— of mind*, presenza di spirito.

present[1] [ˈpreznt] *agg.* presente: *in the — case*, in questo caso; *its — value*, il suo valore attuale; *up to the — day*, fino ad oggi // *the — month*, il corrente mese.

present[1] *s.* **1** presente: *at —*, attualmente; *this will do* *for the* —, questo basterà per il momento; *up to the* —, fino ad oggi 2 *pl.* documento (*sing.*).

present[2] *s.* dono, regalo: *as a* — *to*, in dono a; *to make s.o. a* — *of sthg.*, far dono a qlcu. di qlco.

to present[2] [pri'zent] *v.tr.* 1 regalare: *to* — *s.o. with sthg.*, regalare qlco. a qlcu. 2 presentare: *to* — *oneself at (o for) an examination*, presentarsi ad un esame; *she was presented last year*, fu presentata a Corte l'anno scorso; *to* — *arms*, (*mil.*) presentare le armi; *to* — *a plea*, (*dir.*) presentare un'istanza.

present[3] *s.* (*mil.*) presentatarm.

presentable [pri'zentəbl] *agg.* presentabile.

presentation [,prezen'teiʃən, (*amer.*) ,pri:zen'tei ʃən] *s.* 1 presentazione (spec. a Corte) // — *copy*, libro offerto in omaggio dall'autore 2 donazione 3 (*med.*) presentazione (del feto).

presentiment [pri'zentimənt] *s.* presentimento.

presently ['prezntli] *avv.* 1 tra poco, presto, quanto prima 2 (*amer.*) al presente; ora.

presentment [pri'zentmənt] *s.* 1 presentazione 2 (*fil. teatr.*) rappresentazione 3 (*dir.*) atto di accusa formulato dalla giuria.

preservation [,prezə(:)'veiʃən] *s.* preservazione; mantenimento; difesa.

preservative [pri'zə:vətiv] *agg. e s.* conservante.

preserve [pri'zə:v] *s.* 1 (*gener. pl.*) marmellata; conserva di frutta 2 riserva (di caccia, pesca) 3 (*fig.*) campo riservato.

to preserve *v.tr.* 1 preservare, proteggere 2 conservare; mantenere; riservare: *a well preserved old man*, un vecchio benportante // *to* — *a river*, riservare il diritto di pesca in un fiume 3 mettere in conserva.

to preset [,pri:'set] *v.tr.* 1 predisporre 2 (*informatica*) preposizionare; assegnare un valore (a un calcolatore).

presetting [,pri:'setiŋ] *s.* predisposizione.

to preside [pri'zaid] *v.intr.* presiedere.

presidency ['prezidənsi] *s.* presidenza.

president ['prezidənt] *s.* 1 presidente // *President of the Board of Trade*, ministro del Commecio (in Inghilterra) // — *of a trade union*, segretario generale di un sindacato 2 (*amer.*) rettore (di università).

presidential [,prezi'denʃəl] *agg.* presidenziale // — *year*, (*negli Stati Uniti*) «anno presidenziale», anno dell'elezione del presidente.

presidiary [pri'sidjəri] *agg.* presidiario.

press[1] [pres] *s.* 1 pressione, stretta: *a* — *of the hand*, una stretta di mano // — *button*, pulsante 2 pressa; strettoio; torchio 3 macchina per stampare; stamperia; (*fig.*) stampa: *freedom of the* —, libertà di stampa; *it is in the* —, è in corso di stampa // *to get a good* —, ottenere delle buone recensioni // — *release*, comunicato stampa // — *conference*, conferenza stampa 4 ressa, folla, mischia 5 armadio.

to press[1] *v.tr.* 1 premere, schiacciare; stringere; spremere: *to* — *a button*, premere un bottone; (*fig.*) fare un passo decisivo // *to* — *a record*, stampare un disco (da una matrice) // *to* — *sthg. home*, spingere qlco. al suo posto; (*fig.*) chiarire l'importanza di qlco. // *to* — *back*, ricacciare, respingere // *to* — *down*, schiacciare, comprimere 2 stirare 3 costringere; mettere alle strette; incalzare // *to* — *advice, a gift on s.o.*, offrire con insistenza un consiglio, un dono a qlcu. // *to be pressed for money*, essere a corto di denaro ♦ *v.intr.* 1 esercitare pressione; far pressione: *to* — *for an answer*, insistere per avere una risposta 2 forzare 3 premere, essere

urgente // *time presses*, il tempo stringe 4 *to* — *forward* (o *on*), affrettarsi; avanzare 5 *to* — *up*, affollarsi.

to press[2] *v.tr.* (*mil.*) arruolare forzatamente.

press agency ['pres,eidʒənsi] *s.* 1 agenzia di stampa 2 ufficio stampa.

press agent ['pres,eidʒənt] *s.* agente pubblicitario.

press box ['presbɔks] *s.* tribuna della stampa.

press clipping ['pres,klipiŋ] *s.* ritaglio di giornale.

press cutting ['pres,kʌtiŋ] *s.* ritaglio di giornale.

pressing ['presiŋ] *agg.* insistente, pressante; urgente; incalzante.

pressman, *pl.* **pressmen** ['presmən] *s.* 1 giornalista; cronista 2 (*tip.*) stampatore.

pressmark ['presma:k] *s.* segnatura.

press room ['presrum] *s.* sala stampa.

press-stud ['prestʌd] *s.* (bottone) automatico.

press-up ['pres,ʌp] *s.* flessioni sulle braccia.

pressure ['preʃə*] *s.* 1 pressione: *the* — *of circumstances*, l'incalzare degli avvenimenti; *to be under* —, essere sotto pressione 2 (*elettr.*) forza elettromotrice.

pressure cabin ['preʃə,kæbin] *s.* cabina pressurizzata.

pressure cooker ['preʃə,kukə*] *s.* pentola a pressione.

pressure gauge ['preʃəgeidʒ] *s.* manometro.

to pressurize ['preʃəraiz] *v.tr.* pressurizzare.

presswork ['preswə:k] *s.* stampa; (*tecn.*) stampaggio.

prestige [pres'ti:ʒ] *s.* prestigio.

to presume [pri'zju:m] *v.tr.* presumere ♦ *v.intr.*: *to* — (*up*) *on s.o., sthg.*, abusare, approfittare di qlcu., di qlco.

presumedly [pri'zju:midli] *avv.* presumibilmente.

presuming [pri'zju:miŋ] *agg.* presuntuoso.

presumption [pri'zʌmpʃən] *s.* presunzione.

presumptive [pri'zʌmptiv] *agg.* presuntivo.

presumptuous [pri'zʌmptjuəs] *agg.* presuntuoso.

to presuppose [,pri:sə'pouz] *v.tr.* presupporre.

presupposition [,pri:sʌpə'ziʃən] *s.* 1 presupposizione 2 presupposto.

pretence [pri'tens] *s.* 1 pretesa: *to make no* — *to style*, non avere pretese di stile 2 simulazione; pretesto: *under the* — *of religion*, con il pretesto della religione // *under false pretences*, (*dir.*) con frode.

to pretend [pri'tend] *v.tr.* fingere, simulare; prendere a pretesto ♦ *v.intr.* 1 pretendere 2 pretendere; vantarsi (di).

pretended [pri'tendid] *agg.* falso, simulato.

pretender [pri'tendə*] *s.* 1 pretendente 2 simulatore.

pretense *s.* (*amer.*) → **pretence**.

pretension [pri'tenʃən] *s.* 1 simulazione 2 pretesa: *he has pretensions to taste*, pretende di aver buon gusto 3 presunzione, arroganza.

pretentious [pri'tenʃəs] *agg.* pretenzioso.

preterite ['pretərit] *s.* (*gramm.*) preterito.

pretext [pri'tekst] *s.* pretesto, scusa: *on the* — *of*, col pretesto di.

to prettify ['pritifai] *v.tr.* (*fam.*) rendere grazioso.

prettily ['pritili] *avv.* in modo grazioso.

prettiness ['pritinis] *s.* grazia, leggiadria.

pretty ['priti] *agg.* 1 grazioso, carino // *a* — *mess*, (*iron.*) un bel pasticcio 2 (*fam.*) considerevole (in estensione, valore): *a* — *penny*, una discreta cifra ♦ *s.* 1 persona, cosa graziosa 2 ninnolo ♦ *avv.* abbastanza, piuttosto; parecchio: — *good!*, bene! // *sitting* —, (*fam.*) ben piazzato; comodo, a proprio agio.

pretty-pretty ['priti,priti] *agg.* (*fam.*) lezioso.

to prevail [pri'veil] *v.intr.* predominare; prevalere, essere in maggioranza // *to* — *over s.o.*, trionfare su qlcu. // *to* — *on s.o. to do sthg.*, persuadere qlcu. a fare qlco.

prevalence ['prevələns] *s.* prevalenza.

prevalent ['prevələnt] *agg.* prevalente.

to **prevaricate** [pri'værikeit] *v.intr.* tergiversare.

prevarication [pri,væri'keiʃən] *s.* tergiversazione.

to **prevent** [pri'vent] *v.tr.* impedire; ostacolare: *she was prevented from leaving*, le si impedì di partire; *to — war*, evitare la guerra.

prevention [pri'venʃən] *s.* prevenzione; misura preventiva: *— of disease*, profilassi // *Society for Prevention of Cruelty to Animals*, Società per la protezione degli animali.

preventive [pri'ventiv] *agg.* preventivo ♦ *s.* 1 misura preventiva 2 medicina profilattica.

preview ['pri:vju:] *s.* 1 anteprima 2 (*fig.*) assaggio.

previous ['pri:vjəs] *agg.* precedente, antecedente, anteriore ♦ *avv.*: *— to*, prima di.

prevision [pri(:)'viʒən] *s.* previsione.

prevue ['pri:'vju:] *s.* (*amer.*) provino, presentazione (di un film).

prewar ['pri:'wɔ:*] *agg.* prebellico.

prey [prei] *s.* preda (*anche fig.*): *bird of —*, uccello rapace.

to **prey** *v.intr.*: *to — (up)on*: predare; derubare; vivere alle spalle di; cacciare (di animali); (*fig.*) opprimere.

price [prais] *s.* 1 prezzo: *high, low —*, prezzo alto, basso; *fixed* (o *set*) —, prezzo fisso; *fancy —*, prezzo d'affezione; *lump-sum —*, prezzo tutto compreso; *to name* (o *to quote*) *a —*, fare un prezzo 2 *they are all of a —*, costano tutti più o meno lo stesso // *to put a — to sthg.*, valutare, dare un prezzo a qlco. // *at a —*, ad alto prezzo // *not at any —*, a nessun costo // *What — John's latest song —— awful, isn't it?*, Cosa ne dici dell'ultima canzone di John? Orribile, non ti pare? 2 ricompensa; taglia 3 (*ippica*) quotazione.

to **price** *v.tr.* stabilire il prezzo (di); valutare // *to — oneself out*, farsi escludere per i prezzi troppo alti.

priceless ['praislis] *agg.* 1 inestimabile; impagabile 2 (*fam.*) formidabile, straordinario.

price list ['praislist] *s.* listino (dei prezzi).

prick [prik] *s.* 1 puntura 2 *pricks of conscience*, rimorsi di coscienza // *to kick against the pricks*, lamentarsi per qlco. di inevitabile 2 punta; spina.

to **prick** *v.tr.* 1 pungere; punzecchiare // *my conscience pricked me*, mi rimordeva la coscienza 2 forare: *to — holes*, fare dei buchi 3 *to — one's ears up*, (*anche fig.*) rizzare le orecchie ♦ *v.intr.* pungere.

pricket ['prikit] *s.* (punta del) torciera.

prickle ['prikl] *s.* 1 spina, aculeo 2 formicolio.

to **prickle** *v.tr.* pungere ♦ *v.intr.* formicolare.

prickly ['prikli] *agg.* spinoso; pungente // *a — feeling*, un brivido.

prickly pear [,prikli'pɛə*] *s.* fico d'India.

pride [praid] *s.* 1 orgoglio; amor proprio; superbia, presunzione: *to take — in doing sthg.*, gloriarsi di fare qlco. 2 splendore 3 branco.

to **pride** *v.tr.*: *to — oneself* (*up*)*on sthg., doing sthg.*, essere orgoglioso di qlco., di fare qlco.

prie-dieu ['pri:'djə:] *s.* inginocchiatoio.

priest [pri:st] *s.* sacerdote, prete.

priestess ['pri:stis] *s.* sacerdotessa.

priesthood ['pri:sthud] *s.* 1 sacerdozio 2 clero.

priestly ['pri:stli] *agg.* sacerdotale.

priest-ridden ['pri:st,ridn] *agg.* dominato dai preti; clericale.

prig [prig] *s.* presuntuoso; pedante.

priggery ['prigəri] *s.* presunzione; pedanteria.

priggish ['prigiʃ] *agg.* presuntuoso; pedantesco.

prim [prim] *agg.* compassato, pieno di sussiego; formalista, affettato.

to **prim** *v.intr.* assumere un'aria di sussiego ♦ *v.tr.* 1 *to — one's lips* (o *one's mouth*) fare il bocchino, stringere le labbra (in segno di disapprovazione) 2 *to — up*, agghindare; rassettare: *to — oneself up*, agghindarsi.

primacy ['praiməsi] *s.* 1 primato; supremazia 2 (*eccl.*) primazia.

primaeval *agg.* → **primeval**.

primal ['praiməl] *agg.* 1 originario, primitivo 2 primario, principale.

primarily ['praimərili, (*amer.*) prai'merəli] *avv.* 1 in primo luogo; originariamente 2 principalmente.

primary ['praiməri] *agg.* primario; primitivo, originario; principale: *— school*, scuola primaria // *— store*, (*informatica*) memoria centrale ♦ *s.* 1 (*zool.*) penna maestra 2 *pl.* (*amer.*) (*pol.*) primarie.

primate ['praimit] *s.* (*eccl.*) primate.

primates [prai'meitz] *s.pl.* (*zool.*) primati.

prime[1] [praim] *agg.* 1 primo, primario; principale // *the Prime Minister*, il primo ministro 2 eccellente, di prima scelta ♦ *s.* 1 primordio 2 rigoglio; splendore: *— of perfection*, colmo della perfezione; *in the — of life* (o *in one's —*), nel fiore degli anni 3 (*eccl.*) prima.

to **prime**[2] *v.tr.* 1 caricare (armi); innescare 2 (*fam.*) riempire, ingozzare 3 (*fig.*) mettere al corrente; imbeccare 4 (*pitt.*) campire.

primer[1] ['praimə*] *s.* sillabario; manuale: *Latin —*, testo elementare di latino.

primeval [prai'mi:vəl] *agg.* primitivo; primordiale.

primitive ['primitiv] *agg. e s.* primitivo.

primogenitor [,praimou'dʒenitə*] *s.* progenitore.

primogeniture [,praimou'dʒenitʃə*] *s.* primogenitura.

primordial [prai'mɔ:djəl] *agg.* primordiale.

to **primp** [primp] *v.tr.* agghindare ♦ *v.intr.* agghindarsi.

primrose ['primrouz] *s.* primula // *the — path*, la via della perdizione.

primus ® ['praiməs] *s.* fornello «primus».

prince [prins] *s.* principe (*anche fig.*).

princedom ['prinsdəm] *s.* principato.

princely ['prinsli] *agg.* principesco.

princess [prin'ses] *s.* principessa.

principal ['prinsəpəl] *agg.* principale // *— boy*, ruolo di protagonista di una pantomima (sostenuto da una donna in vesti maschili) ♦ *s.* 1 direttore (di fabbrica, scuola ecc.) 2 (*comm.*) capitale.

principality [,prinsi'pæliti] *s.* 1 principato 2 *pl.* (*teol.*) principati.

principle ['prinsəpl] *s.* principio: *man of no principles*, uomo senza principi; *on —*, per principio.

to **prink** [prink] *v.tr.* agghindare ♦ *v.intr.* agghindarsi.

print [print] *s.* 1 (*tip.*) stampa; carattere: *small, large —*, caratteri piccoli, grandi // *book in, out of —*, libro in corso di stampa, esaurito 2 stampa, riproduzione: *colour —*, stampa a colori // tessuto stampato 4 stampo, matrice 5 impronta; marchio 6 (*fot.*) copia.

to **print** *v.tr. e intr.* 1 stampare // *printed matter*, stampe, stampati 2 imprimere (*anche fig.*) 3 scrivere in stampatello.

printable ['printəbl] *agg.* stampabile; imprimibile.

printer ['printə*] *s.* 1 tipografo; stampatore // *—'s devil*, apprendista tipografo 2 (*informatica*) stampante: *dot —*, stampante a punti; (*daisy*) *wheel —*, stampante a margherita.

printing ['printiŋ] *s.* 1 stampa 2 tipografia 3 stampatello.

printout [ˈprintˌaut] *s.* (*informatica*) tabulato.

prior[1] [ˈpraiə*] *agg.* precedente; prioritario ♦ *avv.*: — *to*, prima di.

prior[2] *s.* (*eccl.*) priore.

priorate [ˈpraiərit] *s.* priorato; prioria.

prioress [ˈpraiəris] *s.* (*eccl.*) priora, superiora.

priority [praiˈoriti] *s.* priorità; ordine di precedenza.

to **prise** *v.tr.* → to **prize**[3].

prism [ˈprizəm] *s.* prisma.

prismatic [prizˈmætik] *agg.* prismatico.

prison [ˈprizn] *s.* prigione, carcere.

prison camp [ˈprizn,kæmp] *s.* campo di concentramento.

prisoner [ˈprizənə*] *s.* prigioniero (*anche fig.*); detenuto.

prissy [ˈprisi] *agg.* (*fam.*) formalista; affettato; lezioso; smorfioso.

pristine [ˈpristi:n] *agg.* antico; primitivo.

prithee [ˈpriði(:)] *inter.* (*arc.poet.*) di grazia.

privacy [ˈprivəsi, (*amer.*) ˈpraivəsi] *s.* 1 intimità; vita privata // *in* —, in forma privata; in privato 2 segretezza.

private [ˈpraivit] *agg.* 1 privato // *in* —, in privato // — *eye*, investigatore privato // — *member*, deputato (che non fa parte del governo) // — *law*, diritto privato 2 riservato, segreto; personale // — *parts*, parti intime 3 semplice (di soldato) ♦ *s.* 1 (*mil.*) soldato semplice 2 *pl.* genitali.

privateer [ˌpraivəˈtiə*] *s.* 1 nave corsara 2 corsaro.

privation [praiˈveiʃən] *s.* privazione; stento.

privatisation [ˌpraivitaiˈzeiʃən] *s.* privatizzazione.

privilege [ˈprivilidʒ] *s.* privilegio; prerogativa: *breach of* —, infrazione di privilegio parlamentare; *by way of* —, per privilegio.

to **privilege** *v.tr.* accordare privilegi (a).

privily [ˈprivili] *avv.* di nascosto; segretamente.

privity [ˈpriviti] *s.* (*dir.*) vincolo; obbligazione.

privy [ˈprivi] *agg.* 1 al corrente (di un segreto): *to be — to sthg.*, essere a conoscenza di qlco. 2 nascosto; segreto; privato // *Privy Council*, consiglio privato (di sovrano) // *privy purse*, appannaggio reale ♦ *s.* 1 (*dir.*) parte interessata 2 (*antiq.*) latrina.

prize[1] [praiz] *s.* 1 premio: trofeo // — *fight*, incontro di pugilato tra professionisti // — *money*, montepremi 2 (*fig.*) dono (del cielo) ♦ *agg.* 1 da concorso, da premio 2 che ha vinto un premio.

to **prize**[1] *v.tr.* valutare; apprezzare, stimare.

prize[2] *s.* (*mar.*) bottino; preda.

to **prize**[3] *v.tr.* 1 far leva (su); aprire (facendo leva) 2 *to — out*, estorcere.

pro- [prou] *pref.* filo-: — *-communist*, filocomunista.

pro[1] *agg.* e *s.* (*fam.*) (giocatore, sportivo) professionista.

pro[2] *s.* pro: *the pros and cons*, il pro e il contro, le ragioni in favore e in sfavore.

probability [ˌprobəˈbiliti] *s.* probabilità, possibilità: *in all* —, con tutta probabilità.

probable [ˈprobəbl] *agg.* probabile; verosimile ♦ *s.* un candidato, una scelta ecc. probabile.

probate [ˈproubit] *s.* (*dir.*) 1 omologazione 2 copia autenticata di testamento.

probation [prəˈbeiʃən; (*amer.*) prouˈbeiʃən] *s.* 1 esame; prova: *on* —, in prova 2 noviziato 3 (*dir.*) libertà condizionata.

probationer [prəˈbeiʃnə*] *s.* 1 apprendista 2 (*eccl.*) novizio 3 (*dir.*) chi beneficia di libertà condizionata.

probe [proub] *s.* 1 (*med.*) sonda 2 (*fam.*) ricerca; indagine.

to **probe** *v.tr.* 1 (*med.*) sondare 2 (*fig.*) investigare; sondare.

probity [ˈproubiti] *s.* probità.

problem [ˈprobləm] *s.* problema // — *child*, bambino difficile // — *play*, lavoro teatrale a tesi.

problematic(al) [ˌprobliˈmætik(əl)] *agg.* problematico.

proboscis [prəˈbosis] *s.* proboscide.

procedural [prəˈsi:dʒərəl] *agg.* procedurale.

procedure [prəˈsi:dʒə*] *s.* procedura.

to **proceed** [prəˈsi:d] *v.intr.* 1 procedere; proseguire; continuare // *to — against s.o.*, (*dir.*) procedere contro qlcu. 2 derivare, provenire: *sounds proceeding from a room*, suoni provenienti da una stanza.

proceeding [prəˈsi:din] *s.* 1 procedimento; comportamento; linea di condotta 2 *pl.* atti // *criminal proceedings*, procedura penale (*sing.*) 3 *pl.* azione legale (*sing.*).

proceeds [ˈprousi:dz] *s.pl.* profitto (*sing.*), incassi, ricavato (*sing.*).

process[1] [ˈprouses, (*amer.*) ˈpra:ses] *s.* 1 andamento, corso, svolgimento: *in — of this operation*, nello svolgimento di questa operazione; *we are in the — of moving house*, abbiamo in corso un trasloco 2 metodo, processo, procedimento: *it is made by a new* —, è fatto con un nuovo procedimento 3 (*dir.*) processo.

to **process**[1] *v.tr.* 1 (*dir.*) citare; chiamare in giudizio 2 (*ind.chim.*) sottoporre a processo; trattare: *to — sulphur*, raffinare lo zolfo 3 (*informatica*) elaborare.

to **process**[2] [prəˈses] *v.intr.* andare, camminare in processione.

processing [ˈprousesin] *s.* (*informatica*) elaborazione: — *program*, programma elaborativo.

procession [prəˈseʃən] *s.* processione, corteo.

to **procession** *v.intr.* andare in processione ♦ *v.tr.* camminare in processione (per una strada ecc.).

processor [ˈprousesə*] *s.* (*informatica*) unità centrale, unità di elaborazione, processore; programma traduttore; compilatore // *host* —, (*tel.*) elaboratore principale, elaboratore centrale.

to **proclaim** [prəˈkleim] *v.tr.* 1 proclamare; promulgare 2 dichiarare; rivelare.

proclamation [ˌprokləˈmeiʃən] *s.* 1 proclamazione 2 proclama, bando.

to **procrastinate** [prouˈkræstineit] *v.tr.* e *intr.* procrastinare.

to **procreate** [ˈproukrieit] *v.tr.* procreare.

procreation [ˌproukriˈeiʃən] *s.* procreazione.

proctor [ˈproktə*] *s.* (a Oxford e Cambridge) professore incaricato di far osservare le regole dell'università.

procuration [ˌprokjuəˈreiʃən] *s.* 1 (*dir.*) procura 2 lenocinio.

procurator [ˈprokjuəreitə*] *s.* (*dir.*) procuratore.

to **procure** [prəˈkjuə*] *v.tr.* 1 procurare, procurarsi 2 adescare a scopo di prostituzione ♦ *v.intr.* favorire la prostituzione.

procurer [prəˈkjurə*] *s.* 1 chi procura 2 ruffiano.

prod [prod] *s.* colpetto, puntata; (*fig.*) stimolo, incitamento.

to **prod** *v.tr.* e *intr.*: *to* — (*at*), pungolare; (*fig.*) stimolare, incitare; *to — s.o. on*, stimolare qlcu.

prodigal [ˈprodigəl] *agg.* prodigo.

prodigious [prəˈdidʒəs] *agg.* prodigioso.

prodigy [ˈprodidʒi] *s.* prodigio.

produce [ˈprodju:s] *s.* 1 prodotto 2 derrate (*pl.*).

to **produce** [prəˈdju:s] *v.tr.* 1 presentare, esibire; estrarre; (*dir.*) produrre: *to — a book from a drawer*, tirar fuori un libro da un cassetto; *to — witnesses*, produrre testimoni **2** produrre **3** (*geom.*) prolungare (una linea) **4** (*cinem.teatr.*) produrre; mettere in scena.

producer [prə'dju:sə*] *s.* produttore; direttore di produzione; (*antiq.*) regista.

product ['prɔdəkt] *s.* prodotto; (*fig.*) frutto; effetto.

production [prə'dʌkʃən] *s.* **1** produzione: *— bonus*, premio di produzione; *continuous flow —*, produzione a ciclo continuo; *mass —*, fabbricazione in serie **2** esibizione **3** (*cinem.teatr.*) spettacolo; film; lavoro (teatrale, cinematografico ecc.).

productive [prə'dʌktiv] *agg.* produttivo; fecondo.

productivity [ˌprɔdʌk'tiviti] *s.* produttività; rendimento.

profanation [ˌprɔfə'neiʃən] *s.* profanazione.

profane [prə'fein, (*amer.*) prou'fein] *agg.* **1** profano **2** pagano **3** blasfemo.

to profane *v.tr.* profanare.

profanity [prə'fænəti, (*amer.*) prou'fænəti] *s.* **1** profanità; irriverenza **2** bestemmia.

to profess [prə'fes] *v.tr.* **1** professare: *to — one's deep regret*, esprimere il proprio profondo rammarico **2** ostentare; pretendere ♦ *v.intr.* **1** professare una religione **2** (*eccl.*) prendere i voti.

professed [prə'fest] *agg.* **1** dichiarato: *a — atheist*, un ateo dichiarato **2** preteso, sedicente **3** (*eccl.*) professo: *a — nun*, una suora professa.

profession [prə'feʃən] *s.* **1** professione // *by —*, di professione **2** dichiarazione; professione.

professional [prə'feʃənl] *agg.* professionistico, professionale ♦ *s.* professionista.

professionalism [prə'feʃnəlizəm] *s.* professionalità.

professor [prə'fəsə*] *s.* cattedratico; professore universitario.

professorial [ˌprɔfe'sɔ:riəl] *agg.* professorale.

professorship [prə'fesəʃip] *s.* professorato.

proffer ['prɔfə*] *s.* offerta, profferta.

to proffer *v.tr.* offrire, profferire.

proficiency [prə'fiʃənsi] *s.* abilità, competenza; buona conoscenza.

proficient [prə'fiʃənt] *agg.* e *s.* esperto, competente.

profile ['proufi:l] *s.* profilo.

to profile *v.tr.* profilare.

profit ['prɔfit] *s.* **1** profitto, vantaggio: *to my great —*, con mio grande profitto **2** (*comm.*) guadagno, utile; *gross —*, ricavo lordo; *net —*, utile netto.

to profit *v.tr.* giovare (a), essere utile (a) ♦ *v.intr.* trarre vantaggio (da): *to — by sthg.*, (*anche fig.*) trarre guadagno, profitto da qlco.

profitability [ˌprɔfitə'biliti] *s.* redditività.

profitable ['prɔfitəbl] *agg.* vantaggioso; lucroso.

profiteer [ˌprɔfi'tiə*] *s.* profittatore.

to profiteer *v.intr.* guadagnare illecitamente.

profitless ['prɔfitlis] *agg.* senza profitto; inutile.

profit sharing ['prɔfitˌʃeəriŋ] *s.* compartecipazione agli utili.

profligacy ['prɔfligəsi] *s.* **1** sregolatezza; depravazione **2** sperpero.

profligate ['prɔfligit] *agg.* dissoluto; depravato ♦ *s.* persona dissoluta.

profound [prə'faund] *agg.* profondo.

profundity [prə'fʌnditi] *s.* profondità.

profuse [prə'fju:s] *agg.* abbondante; prodigo.

profusion [prə'fju:ʒən] *s.* **1** abbondanza, profusione: *in —*, a profusione **2** prodigalità; spreco.

progenitor [prou'dʒenitə*] *s.* progenitore.

progeny ['prɔdʒini] *s.* progenie, discendenza.

prognosis [prɔg'nousis], *pl.* **prognoses** [prɔg'nou si:z] *s.* (*med.*) prognosi.

prognostic [prɔg'nɔstik] *s.* pronostico; sintomo.

to prognosticate [prɔg'nɔstikeit] *v.tr.* pronosticare.

prognostication [prɔgˌnɔsti'keiʃən] *s.* pronostico.

program(me) ['prougræm] *s.* programma: *— supporting —*, fuoriprogramma // *— checkout*, (*informatica*) prova del programma; *— load*, caricamento di un programma; *— storage*, area di programma.

to program(me) *v.tr.* programmare.

programmer ['prougræmə*] *s.* (*informatica*) programmatore.

programming ['prougræmiŋ] *s.* (*informatica*) programmazione: *— language*, linguaggio di programmazione.

progress ['prougres, (*amer.*) 'prɑ:gres] *s.* (*solo sing.*) **1** avanzata; avanzamento: *to make slow —*, avanzare lentamente **2** andamento, corso: *an inquiry is now in —*, è in corso un'inchiesta **3** sviluppo; progresso; miglioramento.

to progress [prə'gres] *v.intr.* avanzare, progredire; migliorare: *to — with one's work*, avanzare nel proprio lavoro.

progression [prə'greʃən] *s.* **1** avanzamento **2** (*mat.mus.*) progressione.

progressist [prə'gresist] *s.* progressista.

progressive [prə'gresiv] *agg.* **1** progressivo **2** progressista ♦ *s.* progressista.

to prohibit [prə'hibit] *v.tr.* proibire, impedire: *smoking is prohibited*, è vietato fumare.

prohibition [ˌproui'biʃən] *s.* **1** proibizione, veto **2** proibizionismo.

prohibitionism [ˌproui'biʃnizəm] *s.* proibizionismo.

prohibitive [prə'hibitiv] *agg.* proibitivo.

project ['prɔdʒekt] *s.* progetto; schema, piano.

to project [prə'dʒekt] *v.tr.* **1** progettare **2** proiettare (*anche fig.*): *to — a line*, (*geom.*) proiettare una linea // *to — oneself into a person's feelings*, (*fig.*) identificarsi con una persona ♦ *v.intr.* sporgere.

projectile [prə'dʒektail, (*amer.*) prə'dʒektl] *s.* proiettile; missile.

projection [prə'dʒekʃən] *s.* **1** proiezione **2** sporgenza.

projector [prə'dʒektə*] *s.* **1** progettista **2** (*mecc. elettr.*) proiettore.

prole [proul] *s.* (*fam.*) proletario.

proletarian [ˌproule'teəriən] *agg.* e *s.* proletario.

proletariat [ˌproule'teəriət], **proletariate** [ˌproule 'teəriit] *s.* proletariato.

to proliferate [prou'lifəreit] *v.tr.* riprodurre ♦ *v.intr.* prolificare; moltiplicarsi.

proliferation [prouˌlifə'reiʃən] *s.* proliferazione.

prolific [prə'lifik] *agg.* prolifico; fecondo; produttivo.

prolix ['prouliks, (*amer.*) prou'liks] *agg.* prolisso.

prologue ['proulɔg] *s.* prologo; introduzione.

to prologue *v.tr.* introdurre con un prologo.

to prolong [prə'lɔŋ] *v.tr.* prolungare.

prolongation [ˌproulɔŋ'geiʃən] *s.* prolungamento; proroga.

prolusion [prou'lu:ʒən] *s.* prolusione.

prom [prɔm] *s.* **1** (*fam.*) *abbr. di* promenade concert **2** (*amer.*) ballo studentesco.

promenade [ˌprɔmi'nɑ:d] *s.* **1** passeggiata // *— concert*, concerto a cui molti assistono stando in piedi o passeggiando **2** (*amer.*) ballo studentesco.

to **promenade** *v.tr.* e *intr.* passeggiare (per).

Prometheus [prə'mi:θju:s] *no.pr.m.* (*mit.*) Prometeo.

prominence ['prɒminəns] *s.* prominenza; protuberanza; (*fig.*) rilievo.

prominent ['prɒminənt] *agg.* prominente; (*fig.*) rilevante, notevole.

promiscuity [,prɒmis'kju(:)iti] *s.* **1** promiscuità; unione, mescolanza eterogenea **2** l'avere rapporti sessuali con molte persone; libertinaggio.

promiscuous [prə'miskjuəs] *agg.* **1** promiscuo; indiscriminato; che non va tanto per il sottile **2** sregolato.

promise ['prɒmis] *s.* promessa // *breach of —*, rottura di promessa di matrimonio.

to **promise** *v.tr.* promettere, assicurare: *to — s.o. sthg.*, promettere qlco. a qlcu. // *to — oneself sthg.*, ripromettersi qlco. // *Promised Land*, la Terra Promessa ♦ *v.intr.* promettere; fare una promessa.

promising ['prɒmisiŋ] *agg.* promettente.

promissory ['prɒmisəri] *agg.* che promette // *— note*, (*comm.*) pagherò cambiario.

promontory ['prɒməntri] *s.* promontorio.

to **promote** [prə'mout] *v.tr.* promuovere: *to — learning*, dare impulso alla cultura.

promoter [prə'moutə*] *s.* promotore; fondatore.

promotion [prə'mouʃən] *s.* promozione.

promotive [prə'moutiv] *agg.* promotore.

prompt [prɒmpt] *agg.* pronto, sollecito: *for — cash*, in contanti ♦ *s.* **1** suggerimento **2** (*comm.*) termine di pagamento.

to **prompt** *v.tr.* **1** suggerire **2** spingere, indurre.

prompt box ['prɒmpt,bɒks] *s.* (*teatr.*) buca del suggeritore.

prompt-copy ['prɒmpt,kɒpi] *s.* (*teatr.*) copione.

prompter ['prɒmptə*] *s.* **1** (*teatr.*) suggeritore **2** (*informatica*) programma di chiamata del compilatore, programma guida.

promptitude ['prɒmptitju:d] *s.* prontezza.

promptness ['prɒmptnis] *s.* prontezza.

to **promulgate** ['prɒmʌlgeit] *v.tr.* promulgare.

promulgation [,prɒmʌl'geiʃən] *s.* promulgazione.

prone [proun] *agg.* prono; (*fig.*) incline, propenso.

prong [prɒŋ] *s.* **1** forca **2** dente (di forca ecc.).

to **prong** *v.tr.* **1** sollevare, infilzare con la forca **2** munire di denti // *three-pronged fork*, forchetta con tre denti.

pronominal [prə'nɒminl] *agg.* pronominale.

pronoun ['prounaun] *s.* pronome.

to **pronounce** [prə'nauns] *v.tr.* **1** dire, pronunciare **2** dichiarare ♦ *v.intr.*: *to — (on)*, pronunciarsi (su).

pronounced [prə'naunst] *agg.* pronunciato; forte; marcato: *a — success*, un gran successo.

pronouncement [prə'naunsmənt] *s.* dichiarazione solenne.

pronto ['prɒntou] *avv.* (*fam.*) subito.

pronunciation [prə,nʌnsi'eiʃən] *s.* pronuncia.

proof [pru:f] *agg.* **1** — (*against*), a prova di, resistente a **2** di gradazione alcolica regolare ♦ *s.* **1** prova, dimostrazione **2** (*tip.*) bozza di stampa **3** gradazione alcolica.

to **proof** *v.tr.* impermeabilizzare; rendere resistente.

proofreader ['pru:f,ri:də*] *s.* correttore di bozze.

prop[1] [prɒp] *s.* **1** puntello **2** (*fig.*) sostegno, appoggio: *he is the — and stay of the home*, è il sostegno e l'appoggio della casa.

to **prop**[1] *v.tr.* **1** appoggiare **2** puntellare; sostenere (*anche fig.*): *to —(up) a wall*, puntellare una parete.

prop[2] [prɒp] *s.* (*teatr.fam.*) materiale scenico.

propaganda [,prɒpə'gændə] *s.* propaganda.

propagandism [,prɒpə'gændizəm] *s.* propaganda.

propagandist [,prɒpə'gændist] *s.* propagandista.

to **propagate** ['prɒpəgeit] *v.tr.* **1** riprodurre **2** trasmettere; propagare; diffondere ♦ *v.intr.* **1** riprodursi **2** trasmettersi; propagarsi; diffondersi.

propagation [,prɒpə'geiʃən] *s.* **1** riproduzione **2** propagazione, trasmissione, diffusione.

propane ['proupein] *s.* (*chim.*) propano.

to **propel** [prə'pel] *v.tr.* spingere innanzi; muovere: *propelled by steam*, azionato a vapore.

propellant [prə'pelənt] *s.* propulsore.

propeller [prə'pelə*] *s.* **1** propulsore, propellente **2** elica.

propensity [prə'pensiti] *s.* tendenza, inclinazione, propensione.

proper ['prɒpə*] *agg.* **1** proprio, tipico, particolare: *— name*, nome proprio // *a — fraction*, (*mat.*) una frazione propria **2** adatto, conveniente; giusto: *— behaviour*, un contegno decoroso; *a — person*, una persona per bene; *— tool*, arnese adatto **3** propriamente detto **4** (*fam.*) vero e proprio: *he was in a — rage*, era veramente infuriato.

properly ['prɒpəli] *avv.* **1** a modo, bene; correttamente; propriamente **2** (*fam.*) completamente.

propertied ['prɒpətid] *agg.* possidente.

property ['prɒpəti] *s.* **1** proprietà: *a man of —*, un possidente // *personal —*, beni mobili; *real —*, beni immobili **2** (*teatr.*) materiale scenico // *— man*, trovarobe.

prophecy ['prɒfisi] *s.* profezia, predizione.

to **prophesy** ['prɒfisai] *v.tr.* profetizzare, predire ♦ *v.intr.* profetizzare, fare profezie.

prophet ['prɒfit] *s.* profeta; indovino.

prophetess ['prɒfitis] *s.* profetessa.

prophetic(al) [prə'fetik(əl)] *agg.* profetico.

prophylactic [,prɒfi'læktik] *agg.* (*med.*) profilattico ♦ *s.* medicina, misura profilattica.

propinquity [prə'piŋkwiti] *s.* vicinanza; prossimità.

to **propitiate** [prə'piʃieit] *v.tr.* **1** propiziare, propiziarsi **2** calmare, rabbonire.

propitiation [prə,piʃi'eiʃən] *s.* **1** propiziazione **2** espiazione.

propitious [prə'piʃəs] *agg.* propizio, favorevole.

proportion [prə'pɔ:ʃən] *s.* **1** proporzione (*anche mat.*): *out of —*, sproporzionato **2** *pl.* misure, dimensioni **3** parte.

to **proportion** *v.tr.* **1** proporzionare **2** distribuire proporzionalmente.

proportional [prə'pɔ:ʃənl] *agg.* proporzionale.

proportionate [prə'pɔ:ʃnit] *agg.* proporzionato.

to **proportionate** *v.tr.* proporzionare.

proposal [prə'pouzəl] *s.* **1** proposta; progetto **2** proposta di matrimonio.

to **propose** [prə'pouz] *v.tr.* **1** proporre **2** fare un brindisi (a): *to — the health of s.o.*, bere alla salute di qlcu. ♦ *v.intr.* **1** proporre; proporsi: *I — to do it soon*, mi propongo di farlo presto **2** fare una proposta di matrimonio.

proposition [,prɒpə'ziʃən] *s.* **1** asserzione **2** proposta, progetto; (*fam.*) affare; (*sl.*) proposta illecita // *a tough —*, un osso duro **3** (*gramm.*) proposizione **4** (*mat.*) teorema, problema.

to **proposition** *v.tr.* fare delle proposte illecite (a), fare delle avances (a).

to **propound** [prəˈpaund] *v.tr.* **1** proporre; offrire **2** (*dir.*) far omologare (un testamento).

proprietary [prəˈpraiətəri] *agg.* di proprietà, di proprietario // — *medicine*, specialità farmaceutica // — *brand*, marchio depositato.

proprietor [prəˈpraiətə*] *s.* proprietario.

proprietress [prəˈpraiətris] *s.* proprietaria.

propriety [prəˈpraiəti] *s.* **1** proprietà **2** correttezza, decoro // *the proprieties*, le regole di buona creanza **3** opportunità: *I doubt the — of calling him*, non mi sembra opportuno chiamarlo.

props [prɔps] *s.* (*teatr.*) **1** *pl.* materiale scenico (*sing.*) **2** (*fam.*) trovarobe.

propulsion [prəˈpʌlʃən] *s.* propulsione; spinta.

propulsive [prəˈpʌlsiv] *agg.* propulsivo.

prorogation [ˌprourəˈgeiʃən] *s.* sospensione, aggiornamento (spec. di seduta parlamentare).

to **prorogue** [prəˈroug] *v.tr.* sospendere, aggiornare (spec. sedute parlamentari).

prosaic [prouˈzeik] *agg.* prosaico; comune, banale.

prosaicism [prouˈzeisizəm] *s.* prosaicità.

to **proscribe** [prouˈskraib] *v.tr.* **1** proscrivere; bandire (*anche fig.*) **2** condannare; vietare.

proscription [prouˈskripʃən] *s.* **1** proscrizione **2** proibizione.

prose [prouz] *s.* **1** prosa // — *writer*, prosatore **2** prosaicità.

to **prosecute** [ˈprɔsikju:t] *v.tr.* e *intr.* **1** proseguire, continuare: *to — an inquiry*, condurre un'inchiesta **2** (*dir.*) perseguire (un'azione legale); intentare giudizio: *trespassers will be prosecuted*, i contravventori verranno puniti a norma di legge; *to — the charge*, sostenere l'accusa.

prosecution [ˌprɔsiˈkju:ʃən] *s.* **1** proseguimento // *in the — of his duties*, nell'esercizio dei suoi doveri **2** (*dir.*) accusa; processo: *to start a — against*, intentare un processo contro // *witness for the —*, testimone d'accusa.

prosecutor [ˈprɔsikju:tə*] *s.* (*dir.*) accusatore // *Public Prosecutor*, Pubblico Ministero.

proselyte [ˈprɔsilait] *s.* proselito.

to **proselytize** [ˈprɔsilitaiz] *v.tr.* fare proseliti; convertire.

Proserpine [ˈprɔsəpain] *no.pr.f.* (*mit.*) Proserpina.

prosit [ˈprousit] *inter.* prosit!, salute!

prosody [ˈprɔsədi] *s.* prosodia, metrica.

prospect [ˈprɔspekt] *s.* **1** prospettiva; speranza, aspettativa: *he has brilliant prospects*, ha un brillante avvenire; *there are slim — of success*, vi sono poche speranze di successo **2** panorama, vista **3** zona con possibilità di sfruttamento minerario.

to **prospect** [prəˈspekt, (*amer.*) ˈprɑ:spekt] *v.tr.* esplorare (spec. in cerca di giacimenti): *to — the country*, esplorare la regione ♦ *v.intr.* **1** esplorare, fare ricerche (spec. minerarie) // *to — for gold*, andare in cerca d'oro **2** promettere (bene, male): *that mine prospects well*, quella miniera pare ricca (di minerali).

prospective [prɔsˈpektiv] *agg.* **1** (concernente il) futuro: *my — mother-in-law*, la mia futura suocera; — *benefits*, benefici futuri **2** probabile, eventuale.

prospector [prɔsˈpektə*] *s.* cercatore (d'oro ecc.).

prospectus [prɔsˈpektəs] *s.* prospetto, programma.

to **prosper** [ˈprɔspə*] *v.tr.* e *intr.* (far) prosperare; rendere prospero.

prosperity [prɔsˈperiti] *s.* prosperità.

prosperous [ˈprɔspərəs] *agg.* prospero; propizio.

prostate [ˈprɔsteit] *s.* (*anat.*) prostata.

prostitute [ˈprɔstitju:t] *s.* prostituta.

to **prostitute** *v.tr.* prostituire.

prostitution [ˌprɔstiˈtju:ʃən] *s.* prostituzione.

prostrate [ˈprɔstreit] *agg.* **1** prosternato **2** (*fig.*) prostrato; sopraffatto.

to **prostrate** [prɔˈstreit, (*amer.*) ˈprɑ:streit] *v.tr.* **1** prosternare // *to — oneself*, prosternarsi **2** (*fig.*) prostrare; sopraffare.

prostration [prɔsˈtreiʃən] *s.* **1** prosternazione **2** (*fig.*) prostrazione; avvilimento; sopraffazione.

prosy [ˈprouzi] *agg.* prosaico; monotono, banale.

protagonist [prouˈtægənist] *s.* protagonista.

protean [prouˈti:ən] *agg.* proteiforme; versatile.

to **protect** [prəˈtekt] *v.tr.* **1** proteggere, tutelare **2** (*econ.*) seguire una politica protezionista in favore di **3** (*comm.*) onorare: *to — a bill*, garantire il pagamento di una cambiale.

protection [prəˈtekʃən] *s.* **1** protezione, difesa, tutela **2** (*econ.*) protezionismo **3** salvacondotto.

protectionism [prəˈtekʃənizəm] *s.* (*econ.*) protezionismo.

protectionist [prəˈtekʃənist] *agg.* e *s.* (*econ.*) protezionista.

protective [prəˈtektiv] *agg.* protettivo, difensivo // — *colouring*, mimetismo.

protector [prəˈtektə*] *s.* protettore.

protectorate [prəˈtektərit] *s.* protettorato.

protectress [prəˈtektris] *s.* protettrice; patrona.

protégé [ˈprɔtiʒei, (*amer.*) ˌproutiˈʒei] *s.* protetto.

protein [ˈprouti:n], *s.* proteina.

proteinic [ˌproutiˈinik], **proteinous** [prouˈti:inəs] *agg.* proteico.

protest [ˈproutest] *s.* **1** protesta (*comm.*) protesto.

to **protest** [prəˈtest] *v.tr.* e *intr.* **1** protestare **2** (*amer.*) contestare.

Protestant [ˈprɔtistənt] *agg.* e *s.* (*relig.*) protestante.

Protestantism [ˈprɔtistəntizəm] *s.* (*relig.*) protestantesimo.

protestation [ˌproutesˈteiʃən] *s.* affermazione solenne, dichiarazione.

protester [prəˈtestə*] *s.* contestatore.

protocol [ˈproutəkɔl] *s.* protocollo.

to **protocol** *v.tr.* protocollare ♦ *v.intr.* redigere protocolli.

proton [ˈprouton] *s.* (*fis.*) protone.

protoplasm [ˈproutəplæzəm] *s.* (*biol.*) protoplasma.

protoplasmic [ˌproutəˈplæzmik] *agg.* (*biol.*) protoplasmatico.

prototype [ˈproutətaip] *s.* prototipo.

to **protract** [prəˈtrækt] *v.tr.* protrarre, prolungare.

protractile [prəˈtræktail] *agg.* protrattile.

protraction [prəˈtrækʃən] *s.* **1** protrazione **2** rilievo; disegno in scala (di un terreno).

protractive [prəˈtræktiv] *agg.* dilatorio.

protractor [prəˈtræktə*] *s.* **1** (*geom.*) goniometro **2** (*anat.*) muscolo estensore.

to **protrude** [prəˈtru:d] *v.tr.* tirar fuori; far uscire ♦ *v.intr.* **1** sporgere, sporgersi **2** (*fig.*) intromettersi; imporsi.

protrusion [prəˈtru:ʒən] *s.* **1** l'avanzare, lo sporgere, il far sporgere in fuori **2** sporgenza, protuberanza **3** (*med.*) protrusione.

protuberance [prəˈtju:bərəns] *s.* protuberanza, prominenza.

protuberant [prəˈtju:bərənt] *agg.* protuberante.

proud [praud] *agg.* **1** orgoglioso; superbo; presuntuoso **2** imponente, magnifico ♦ *avv.* (*fam.*): *to do s.o.* —, trattare con qlcu. con gran riguardo.

to **prove** [pru:v] *v.tr.* **1** provare; verificare; mettere alla prova **2** provare; dimostrare // *the exception proves the rule*, l'eccezione conferma la regola **3** convalidare ♦ *v.intr.* risultare; dimostrarsi.

proven ['pru:vən] *agg.* (*dir. scoz.*) provato: *not* —, assoluzione per insufficienza di prove.

provenance ['provinəns] *s.* provenienza, origine.

Provençal [ˌprɔvɔːn'sɑːl] *agg.* e *s.* provenzale.

provender ['provində*] *s.* foraggio, biada.

provenience [prə'viːnjəns] *s.* provenienza, origine.

proverb ['provəːb] *s.* proverbio, detto, massima.

proverbial [prə'vəːbjəl] *agg.* proverbiale.

to **provide** [prə'vaid] *v.tr.* fornire; procurare: *to — a boy with a good education*, dare ad un ragazzo una buona educazione ♦ *v.intr.* **1** provvedere: *God will* —, Dio provvederà **2** *to — for*, provvedere a; contemplare, prevedere **3** *to — against*, prendere provvedimenti contro.

provided [prə'vaidid] *cong.* purché.

providence ['providəns] *s.* **1** previdenza; economia **2** provvidenza.

provident ['providənt] *agg.* previdente; economo; provvido // *— fund*, cassa di previdenza.

providential [ˌprɔvi'denʃəl] *agg.* provvidenziale.

providing [prə'vaidiŋ] *cong.* (*fam.*) → **provided**.

province ['provins] *s.* **1** provincia **2** (*eccl.*) diocesi **3** (*fig.*) campo (d'attività); competenza: *it doesn't fall within my* —, non è di mia competenza; *the — of science*, il dominio della scienza.

provincial [prə'vinʃəl] *agg.* e *s.* provinciale.

provincialism [prə'vinʃəlizəm] *s.* provincialismo.

provision [prə'viʒən] *s.* **1** provvedimento: *to make — against sthg.*, premunirsi contro qlco. **2** *pl.* provviste, viveri **3** (*dir.*) clausola, condizione.

to **provision** *v.tr.* approvvigionare.

provisional [prə'viʒənl] *agg.* provvisorio.

proviso [prə'vaizou], *pl.* **provisoes** [prə'vaizouz] *s.* clausola.

provisory [prə'vaizəri] *agg.* condizionale.

provocation [ˌprɔvə'keiʃən] *s.* provocazione.

provocative [prə'vɔkətiv] *agg.* provocante; provocatorio.

to **provoke** [prə'vouk] *v.tr.* provocare: *to — s.o.'s fury*, fare infuriare qlcu.

provoking [prə'voukiŋ] *agg.* provocatorio; esasperante.

provost ['provəst] *s.* **1** rettore (di alcuni collegi universitari) **2** (*scoz.*) sindaco.

provost marshal [prə'vou'maːʃəl] *s.* capo della polizia militare.

prow [prau] *s.* (*mar.*) prua, prora.

prowess ['prauis] *s.* prodezza, valore; abilità.

prowl [praul] *s.* il vagare in cerca di preda: *on the* —, in cerca di preda.

to **prowl** *v.intr.* vagare in cerca di bottino, di preda ♦ *v.tr.* attraversare furtivamente.

prowl car ['praulkɔːr] *s.* (*amer.* per *patrol car*) auto pattuglia.

proximate ['prɔksimit] *agg.* vicino; immediato: *— cause*, causa diretta.

proximity [prɔk'simiti] *s.* prossimità.

proximo ['prɔksimou] *avv.* (del mese) prossimo.

proxy ['prɔksi] *s.* **1** procuratore **2** procura: *by* —, per procura.

prude [pru:d] *s.* persona eccessivamente pudica.

prudence ['pru:dəns] *s.* prudenza.

prudent ['pru:dənt] *agg.* prudente.

prudery ['pru:dəri] *s.* eccessiva pudicizia.

prudish ['pru:diʃ] *agg.* pudibondo; ritroso.

prune[1] [pru:n] *s.* **1** prugna secca **2** color prugna.

to **prune**[2] *v.tr.* **1** potare **2** (*fig.*) sfrondare; snellire.

pruning ['pru:niŋ] *s.* potatura // *— hook*, potatoio.

prurience ['pruəriəns], **pruriency** ['pruəriənsi] *s.* lascivia.

prurient ['pruəriənt] *agg.* lascivo.

prurigo [pru'raigou] *s.* (*med.*) prurigine.

pruritus [pru'raitəs] *s.* (*med.*) prurito.

Prussian ['prʌʃən] *agg.* e *s.* prussiano // *— blue*, blu di Prussia.

prussic ['prʌsik] *agg.* (*chim.*) prussico.

to **pry**[1] [prai] *v.intr.* indagare; spiare.

to **pry**[2] *v.tr.* **1** forzare (con una leva) **2** aprire sollevando; aprire con difficoltà **3** (*fig.*) estorcere: *to — military information out of a prisoner*, estorcere informazioni militari ad un prigioniero.

psalm [sɑːm] *s.* salmo.

psalmist ['sɑːmist] *s.* salmista.

psalmodist ['sælmədist] *s.* salmista.

psalmody ['sælmədi] *s.* salmodia.

Psalter ['sɔːltə*] *s.* (*Bibbia*) Salterio.

psaltery ['sɔːltəri] *s.* (*mus.*) salterio.

psephologist [se'fɔlədʒist], (*amer.*) si:'fɑːlədʒist] *s.* psefologo.

psephology [se'fɔlədʒi, (*amer.*) si:'fɑːlədʒi] *s.* psefologia.

pseud [sju:d] *s.* (*fam.*) pseudo-intellettuale; pseudoesperto.

pseudo- ['psju:dou] *pref.* pseudo-.

pseudo *agg.* (*fam.*) falso.

pseudonym ['psju:dənim] *s.* pseudonimo.

pshaw [pʃɔː] *inter.* puah; uff.

Psyche ['saiki(ː)] *no.pr.f.* (*mit.*) Psiche // **psyche** *s.* psiche, specchiera.

psychedelic [ˌsaiki'delik] *agg.* psichedelico.

psychiatric [ˌsaiki'ætrik] *agg.* psichiatrico.

psychiatrist [sai'kaiətrist] *s.* psichiatra.

psychiatry [sai'kaiətri, (*amer.*) si'kaiətri] *s.* psichiatria.

psychic ['saikik] *agg.* **1** psichico **2** medianico ♦ *s.* **1** medium **2** *pl.* psicologia (*sing.*).

psychical ['saikikəl] *agg.* psichico.

psycho- ['saikou] *pref.* psico-.

to **psychoanalyse** [ˌsaikou'ænəlaiz] *v.tr.* psicanalizzare.

psychoanalysis [ˌsaikouə'næləsis] *s.* psicanalisi.

psychoanalyst [ˌsaikou'ænəlist] *s.* psicanalista.

psychologic(al) [ˌsaikə'lɔdʒik(əl)] *agg.* psicologico.

psychologist [sai'kɔlədʒist] *s.* psicologo.

psychology [sai'kɔlədʒi] *s.* psicologia.

psychopath ['saikoupæθ] *s.* psicopatico.

psychopathic [ˌsaikou'pæθik] *agg.* piscopatico.

psychopathology [ˌsaikoupə'θɔlədʒi] *s.* psicopatologia.

psychosis [sai'kousis] *s.* psicosi.

psychosomatic [ˌsaikousə'mætik] *agg.* psicosomatico.

psychotechnics ['saikou'tekniks] *s.* psicotecnica.

psychotherapy ['saikou'θerəpi] *s.* psicoterapia.

psychotic [sai'kɔtik] *agg.* psicotico.

psychotropic drug [ˌsaikou'trɔpik'drʌg] *s.* (*farm.*) psicofarmaco.

to **psych (out)** ['saik'aut] *v.tr.* (*sl.*) intuire.

ptarmigan ['tɑːmigən] *s.* (*zool.*) pernice delle nevi.

Ptolemaic [ˌtɔli'meiik] *agg.* (*str. astr.*) tolemaico.

Ptolemy [′tɔlimi] *no.pr.m.* (*st.*) Tolomeo.

ptyalin [′ptaiəlin] *s.* ptialina.

pub [pʌb] *s.* (*fam.*) bar.

pub-crawl [′pʌb,krɔ:l] *s.* (*sl.*) il giro dei bar.

to **pub-crawl** *v.intr.* (*sl.*) fare il giro dei bar.

puberty [′pju:bəti] *s.* pubertà.

pubes [′pju:bi:z] *s.* (*anat.*) regione pubica.

pubic [′pju:bik] *agg.* (*anat.*) pubico.

pubis [′pju:bis] *s.* (*anat.*) pube (osso della pelvi).

public [′pʌblik] *agg.* e *s.* pubblico // — *school*, scuola statale; (*in Inghilterra*) collegio e scuola privata // — *ownership*, nazionalizzazione.

publican [′pʌblikən] *s.* oste.

publication [,pʌbli′keiʃən] *s.* pubblicazione.

public house [′pʌblik′haus] *s.* bar, «pub».

publicist [′pʌblisist] *s.* 1 pubblicista 2 giornalista politico.

publicity [pʌb′lisiti] *s.* pubblicità.

to **publicize** [′pʌblisaiz] *v.tr.* fare pubblicità (a).

public-spirited [′pʌblik′spiritid] *agg.* dotato di senso civico.

to **publish** [′pʌbliʃ] *v.tr.* 1 render noto, divulgare 2 pubblicare (libri, riviste ecc.): *the book is now publishing*, il libro è in corso di pubblicazione.

publisher [′pʌbliʃə*] *s.* editore.

puce [pju:s] *agg.* e *s.* (di) color pulce.

puck[1] [pʌk] *s.* folletto.

puck[2] *s.* (*sport*) disco di gomma usato per il gioco dell'hockey su ghiaccio.

pucker [′pʌkə*] *s.* ruga; grinza; piega.

to **pucker** *v.tr.* corrugare; raggrinzare ♦ *v.intr.* corrugarsi; raggrinzirsi.

puckish [′pʌkiʃ] *agg.* da folletto.

puddening [′pudəniŋ] *s.* (*mar.*) fasciatura di protezione.

pudding [′pudiŋ] *s.* budino; pasticcio, sformato // — *face*, (*fam.*) faccia di luna piena // — *the proof of the — is in the eating*, (*prov.*) vedremo alla prova dei fatti, sono i fatti che contano.

puddle [′pʌdl] *s.* 1 pozzanghera 2 malta.

to **puddle** *v.tr.* 1 fare la malta; rendere impermeabile spalmando di malta 2 (*metall.*) puddellare ♦ *v.intr.* sguazzare nel fango.

pudenda [pju′dendə] *s.pl.* regione pudenda (*sing.*).

pudgy [′pʌdʒi] *agg.* tozzo.

pudicity [pju′disiti] *s.* pudicizia.

puerile [′pjuərail, (*amer.*) ′pjuərəl] *agg.* puerile.

puerility [pjuə′riliti] *s.* puerilità.

puerperal [pju(:)′ə:pərəl] *agg.* puerperale.

Puerto Rican [′pwə:tou′ri:kən] *agg.* e *s.* portoricano.

Puerto Rico [′pwə:tou′ri:kou] *no.pr.* Portorico.

puff [pʌf] *s.* 1 soffio, sbuffo // *short of* —, (*fam.*) senza fiato 2 sbuffo (di manica, veste) 3 (*cuc.*) bignè 4 (*fam.*) (*giornalismo*) soffietto; réclame, gonfiatura 5 piumino della cipria.

to **puff** *v.tr.* 1 soffiare 2 fare pubblicità esagerata (a), esaltare; gonfiare 3 *to* — *out*, gonfiare; spegnere (soffiando): *to* — *a candle out*, spegnere una candela // *to be puffed* (*out*), essere senza fiato // *to* —, (*fig.*) insuperbire, far insuperbire ♦ *v.intr.* 1 sbuffare; ansare 2 *to* — *away*, sbuffare: *the engine puffed away*, la locomotiva si mosse sbuffando // *he was puffing away at his pipe*, tirava boccate di fumo dalla pipa 3 *to* — *out*, gonfiarsi.

puffball [′pʌfbɔ:l] *s.* (*bot.*) vescia.

puffiness [′pʌfinis] *s.* gonfiezza.

puff pastry [′pʌfpeistri] *s.* pasta sfoglia.

puffy [′pʌfi] *agg.* 1 gonfio 2 ansimante, senza fiato.

pug [pʌg] *s.* (*edil.*) impasto di argilla.

to **pug** *v.tr.* 1 impastare (argilla) 2 riempire (interstizi ecc.) con materiali isolanti.

pugilism [′pju:dʒilizəm] *s.* pugilato.

pugilist [′pju:dʒilist] *s.* pugile.

pug mill [′pʌgmil] *s.* impastatoio per argilla.

pugnacious [pʌg′neiʃəs] *agg.* pugnace; litigioso.

pug nose [′pʌgnouz] *s.* naso rincagnato.

puisne [′pju:ni] *agg.* (*dir.*) subalterno, più giovane (in carica).

puissance [′pju(:)isns] *s.* (*letter.*) potenza, possanza.

to **puke** [pju:k] *v.tr.* e *intr.* vomitare.

to **pule** [pju:l] *v.intr.* gemere; piagnucolare.

pull [pul] *s.* 1 tirata, strappo 2 (*fam.*) influenza; ascendente // *to have the* — *of* (o *over*) *s.o.*, essere avvantaggiati rispetto a qlcu. 3 sorsata; boccata 4 (*tip.*) prima bozza.

to **pull** *v.tr.* 1 tirare; strappare; cogliere (fiori, frutti): *he had two teeth pulled*, si fece togliere due denti; *he pulled a muscle during the game*, ebbe uno strappo muscolare durante la partita // *to* — *to pieces*, fare a pezzi; (*fig.*) criticare aspramente // *to* — *a gun on s.o.*, puntare una pistola contro qlcu. // *to* — *a fast one on s.o.*, (*fig.*) dare una fregatura a qlcu. 2 trascinare: *I pulled him into the room*, lo trascinai nella stanza 3 trattenere (un cavallo) 4 (*cricket, golf*) battere (la palla) mandandola a sinistra 5 (*tip.*) tirare, stampare 6 *to* — *apart*, separare; fare a pezzi 7 *to* — *back*, tirare indietro 8 *to* — *down*, tirare giù; abbattere, demolire (*anche fig.*) 9 *to* — *in*, far entrare; ridurre (spese); (*sl.*) arrestare 10 *to* — *off*, levare; portare a buon fine: *to* — *off a speculation*, portare a buon fine una speculazione 11 *to* — *on*, calzare, infilare 12 *to* — *out*, far uscire; estrarre; dilungare (un racconto) 13 *to* — *round*, guarire; rianimare 14 *to* — *through*, far uscire da una difficoltà; rimettere in salute 15 *to* — *oneself together*, riprendere animo 16 *to* — *up*, sollevare; sradicare; fermare (bruscamente) ♦ *v.intr.* 1 tirare: *the pipe pulls well*, la pipa tira bene 2 *to* — *at*, tirare una boccata (di fumo ecc.) da 3 *to* — *back*, ritirarsi 4 *to* — *in*, accostarsi 5 *to* — *off*, allontanarsi 6 *to* — *out*, uscire 7 *to* — *round*, guarire; rianimarsi 8 *to* — *together*, agire in armonia 9 *to* — *through*, uscire da una difficoltà; rimettersi in salute 10 *to* — *up*, fermarsi (bruscamente).

pullet [′pulit] *s.* pollastrella.

pulley [′puli] *s.* (*mecc.*) puleggia, carrucola.

pull-in [′pulin] *s.* luogo di ristoro (lungo le strade e autostrade).

pulling [′puliŋ] *s.* (*informatica*) estrazione manuale di schede da un archivio.

Pullman ® [′pulmən] *s.* (*ferr.*) carrozza di lusso.

pull-off [′pulɔ(:)f] *s.* (*amer. per layby*) piazzola (di sosta).

pullover [′pul,ouvə*] *s.* pullover.

to **pullulate** [′pʌljuleit] *v.intr.* germogliare; diffondersi.

pullulation [,pʌlju′leiʃən] *s.* il germogliare; diffusione.

pull-up [′pulʌp] *s.* → **pull-in**.

pulmonary [′pʌlmənəri] *agg.* polmonare.

pulmonic [pʌl′mɔnik] *agg.* polmonare.

pulp [pʌlp] *s.* 1 pasta (di cellulosa per fare la carta) // — *magazine*, (*fam.*) giornale scandalistico 2 polpa // *reduced to a* —, ridotto uno straccio.

to **pulp**, to **pulpify** [′pʌlpifai] *v.tr.* spappolare.

pulpit [′pulpit] *s.* pulpito.

pulpy [′pʌlpi] *agg.* polposo.

to **pulsate** [pʌl'seit, (amer.) 'pʌlseit] v.intr. pulsare; vibrare.

pulsation [pʌl'seiʃən] s. pulsazione, vibrazione.

pulsatory ['pʌlsətəri] agg. pulsante.

pulse[1] [pʌls] s. 1 polso (anche fig.): to feel (o take) s.o.'s —, (anche fig.) tastare il polso a qlcu. 2 (informatica) impulso: inhibit —, impulso di inibizione.

to **pulse**[1] v.intr. pulsare; battere.

pulse[2] s. 1 legumi (pl.) 2 (amer.) leguminacea.

pulser ['pʌlsə*] s. (rad.) generatore d'impulsi.

pulverization [,pʌlvərai'zeiʃən] s. polverizzazione.

to **pulverize** ['pʌlvəraiz] v.tr. polverizzare; vaporizzare ♦ v.intr. polverizzarsi; vaporizzarsi.

puma ['pju:mə] s. (zool.) puma.

pumice (stone) ['pʌmisstoun] s. pietra pomice.

to **pummel** ['pʌml] v.tr. prendere a pugni.

pump[1] [pʌmp] s. pompa; idrante; (aut.) distributore.

to **pump**[1] v.tr. 1 pompare: to — a well dry, asciugare un pozzo // to — a person's hand, (fam.) stringere la mano a qlcu. con calore // to — out, vuotare, esaurire // to — up, gonfiare 2 (fig.) strappare (notizie, informazioni ecc.) a forza ♦ v.intr. azionare una pompa.

pump[2] s. 1 scarpa da ballo (da uomo) 2 (amer.) scarpa scollata (da donna).

pumpernickel ['pumpənikl] s. pane di segala.

pumpkin ['pʌmpkin] s. zucca.

pun [pʌn] s. gioco di parole.

to **pun** v.intr. fare giochi di parole.

punch[1] [pʌntʃ] v.tr. 1 perforare; forare // punched card, (informatica) scheda perforata; punched tape, nastro perforato, banda perforata 2 dare un pugno a.

punch[1] s. 1 pugno 2 (fig.) energia: style with — in it, stile incisivo 3 punzone 4 (informatica) perforazione.

punch[2] s. ponce // — bowl, coppa da ponce.

Punch no.pr.m.: — and Judy (show), (teatrino di) burattini // I am as pleased as —, sono contento come una pasqua.

punch-drunk ['pʌntʃ,drʌnk] agg. tramortito, stordito.

puncheon ['pʌntʃən] s. bietta; palo di sostegno.

Punchinello [,pʌntʃi'nelou] no.pr.m. (st. teatr.) Pulcinella.

punch line ['pʌntʃ,lain] s. battuta finale; momento culminante.

punctilio [pʌŋk'tiliou] s. formalismo; meticolosità.

punctilious [pʌŋk'tiliəs] agg. formalista; meticoloso.

punctual ['pʌŋktjuəl] agg. puntuale.

punctuality [,pʌŋktju'æliti] s. puntualità.

to **punctuate** ['pʌŋktjueit] v.tr. 1 punteggiare 2 (fig.) sottolineare.

punctuation [,pʌŋktju'eiʃən] s. punteggiatura.

puncture ['pʌŋktʃə*] s. puntura; foratura (di pneumatico).

to **puncture** v.tr. pungere; forare (un pneumatico) ♦ v.intr. forarsi (di pneumatico).

pungency ['pʌndʒənsi] s. 1 gusto piccante; odore forte 2 (fig.) acutezza; asprezza.

pungent ['pʌndʒənt] agg. 1 pungente; piccante 2 acuto; mordace.

Punic ['pju:nik] agg. e s. punico.

puniness ['pju:ninis] s. piccolezza; debolezza.

to **punish** ['pʌniʃ] v.tr. 1 punire 2 danneggiare gravemente 3 (scherz.) dar fondo (a), far fuori.

punishment ['pʌniʃmənt] s. 1 punizione 2 (fam.) batosta.

punitive ['pju:nitiv] agg. punitivo.

punk [pʌŋk] agg. 1 marcio 2 (sl.) senza valore ♦ s.

(amer.) 1 «punk» 2 legno o funghi secchi usati come esca per il fuoco 3 cosa di nessun valore.

punnet ['pʌnit] s. cestello (per frutta).

punster ['pʌnstə*] s. chi fa giochi di parole; freddurista.

punt[1] [pʌnt] s. barchino, barca a fondo piatto // — -pole, pertica (usata per spingere un barchino).

to **punt**[1] v.tr. 1 spingere (un barchino) con una pertica 2 trasportare con un barchino ♦ v.intr. andare con un barchino.

punt[2] s. (rugby) calcio a seguire.

to **punt**[2] v.tr. (rugby) calciare a seguire.

to **punt**[3] v.intr. puntare contro il banco; scommettere.

punter ['pʌntə*] s. scommettitore.

puny ['pju:ni] agg. piccino; debole.

pup [pʌp] s. cucciolo: to be in —, essere pregna (di cagna).

to **pup** v.tr. e intr. partorire (di cagna).

pupa ['pju:pə], pl. **pupae** ['pju:pi:] s. crisalide.

to **pupate** ['pju:peit] v.intr. diventare una crisalide.

pupil[1] ['pju:pl] s. 1 allievo; scolaro 2 (dir.) pupillo.

pupil[2] s. (anat.) pupilla.

pupil(l)age ['pju:pilidʒ] s. (dir.) minorità.

puppet ['pʌpit] s. burattino (anche fig.) // — government, governo fantoccio.

puppet show ['pʌpit,ʃou] s. spettacolo di burattini.

puppy ['pʌpi] s. 1 cucciolo; cagnolino 2 (fig.) giovane presuntuoso.

puppyish ['pʌpiiʃ] agg. presuntuoso.

purblind ['pə:blaind] agg. 1 miope, mezzo cieco 2 (fig.) ottuso.

purchase ['pə:tʃəs] s. 1 acquisto; compera 2 rendita annua di proprietà 3 (mecc.) paranco 4 presa, punto d'appoggio.

to **purchase** v.tr. 1 comperare; acquistare (anche fig.) 2 (mar.) sollevare con argano.

purchaser ['pə:tʃəsə*] s. acquirente.

pure [pjuə*] agg. puro.

purée ['pjuərei, (amer.) pjuə'rei] s. (cuc.) passato.

pureness ['pjuənis] s. purezza.

purgation [pə:'geiʃən] s. 1 purga 2 (fig.) purificazione.

purgative ['pə:gətiv] agg. e s. purgante.

purgatorial [,pə:gə'tɔ:riəl] agg. 1 di purgatorio 2 purificante.

purgatory ['pə:gətəri] s. purgatorio.

purge [pə:dʒ] s. 1 purga 2 (pol.) epurazione.

to **purge** v.tr. 1 purificare; espiare 2 purgare 3 (pol.) epurare.

purification [,pjuərifi'keiʃən] s. purificazione.

purificatory ['pjuərifikeitəri] agg. purificatore.

to **purify** ['pjuərifai] v.tr. purificare.

purism ['pjuərizəm] s. purismo.

purist ['pjuərist] s. purista.

Puritan ['pjuəritən] agg. e s. puritano.

puritanical [,pjuəri'tænikəl] agg. puritano.

Puritanism ['pjuəritənizəm] s. puritanesimo.

purity ['pjuəriti] s. purezza, purità.

purl[1] [pə:l] s. 1 smerlo 2 punto rovescio (a maglia).

to **purl**[1] v.tr. orlare con smerli ecc. ♦ v.intr. lavorare (a maglia) a punto rovescio.

to **purl**[2] v.intr. gorgogliare (di acqua).

to **purl**[3] v.intr. (fam.) capitombolare.

purler ['pə:lə*] s. (fam.) ruzzolone.

purlieu ['pə:lju:] s.pl. dintorni; quartieri poveri periferici.

to **purloin** [pə:'lɔin] v.tr. sottrarre, rubare.

purple ['pə:pl] agg. viola, paonazzo ♦ s. porpora // to

be raised to the —, essere innalzato alla porpora // *Purple Heart*, (*amer.*) medaglia conferita al soldato ferito durante un'azione di guerra // — *hearts*, (*sl.*) amfetamine.

to **purple** *v.tr.* imporporare ♦ *v.intr.* imporporarsi.

purport [ˈpɔːpət] *s.* significato, valore.

to **purport** *v.tr.* **1** significare; mostrare; implicare **2** avere la pretesa di.

purpose [ˈpɔːpəs] *s.* **1** scopo, fine; intenzione // *on* —, apposta // *to the* —, rilevante; a proposito // *of set* —, deliberatamente **2** fermezza, decisione.

to **purpose** *v.tr.* proporsi (di); avere intenzione (di).

purpose-built [ˌpɔːpəsˈbilt] *agg.* costruito espressamente.

purposeful [ˈpɔːpəsfʊl] *agg.* **1** risoluto, deciso **2** pieno di significato.

purposeless [ˈpɔːpəslis] *agg.* **1** irresoluto, indeciso **2** senza scopo.

purposely [ˈpɔːpəsli] *avv.* di proposito.

purposive [ˈpɔːpəsiv] *agg.* **1** premeditato, intenzionale **2** finalistico.

purr [pɔː*] *s.* fusa (*pl.*).

to **purr** *v.intr.* **1** fare le fusa **2** (*fig.*) rallegrarsi, gioire.

purse [pɔːs] *s.* **1** borsellino **2** (*amer.* per *handbag*) borsetta.

to **purse** *v.tr.* increspare (le labbra).

purser [ˈpɔːsə*] *s.* (*mar.*) commissario di bordo.

purse strings [ˈpɔːsstrinz] *s.pl.* i cordoni della borsa: *to hold the* —, (*fig.*) tenere i soldi.

pursuance [pəˈsjuːəns] *s.* perseguimento.

pursuant [pəˈsjuː)ənt] *agg.* conforme.

to **pursue** [pəˈsjuː] *v.tr.* **1** inseguire **2** perseguire **3** continuare, proseguire ♦ *v.intr.* andare all'inseguimento; dare la caccia.

pursuit [pəˈsjuːt] *s.* **1** inseguimento; caccia **2** occupazione, impiego, esercizio (di una professione).

pursuivant [ˈpɔːsivənt] *s.* (*poet.*) seguace.

purulent [ˈpjuərulənt] *agg.* purulento.

to **purvey** [pɔːˈvei] *v.tr.* provvedere, fornire.

purveyance [pɔːˈveiəns] *s.* approvvigionamento.

purveyor [pɔːˈveiə*] *s.* approvvigionatore; (*mil.*) ufficiale di sussistenza di un'unità.

purview [ˈpɔːvjuː] *s.* limite; scopo; sfera.

pus [pʌs] *s.* pus.

push [puʃ] *s.* **1** spinta, impulso; urto // *to get the* —, (*sl.*) essere licenziato **2** sforzo: *to make a* —, fare uno sforzo **3** operosità; iniziativa **4** bisogno, momento critico: *at a* —, in caso di emergenza.

to **push** *v.tr.* **1** spingere: *to* — (*one's way*) *through the crowd*, aprirsi un varco tra la folla // *to* — *forward*, far avanzare // *to* — *over*, far cadere // *to* — *through*, condurre a termine; far accettare (progetto di legge ecc.) **2** (*fig.*) incalzare; fare pressioni (su) // *he was pushed for time*, gli mancava il tempo // *to* — *s.o. on*, incitare qlcu. // *to* — *a proposal*, caldeggiare una proposta // *she is pushing fifty*, (*fam.*) ha quasi cinquant'anni // *to* — *one's luck*, rischiare grosso, forzare la fortuna **3** perseguire: *to* — *one's advantage*, perseguire il proprio vantaggio // *to* — *one's claims*, rivendicare i propri diritti **4** (*fam.*) spacciare (droga) ♦ *v.intr.* spingere // *to* — *forward*, aprirsi una strada // *to* — *off*, (*mar.*) spingersi al largo; (*sl.*) andarsene // *to* — *on*, farsi strada // *to* — *out*, (*di imbarcazione*) allontanarsi dalla riva // *to* — *through*, aprirsi un varco; spuntare (di piante).

pushbike [ˈpuʃbaik] *s.* (*fam.*) bicicletta.

pushcart [ˈpuʃkaːt] *s.* **1** carretto a mano; (*amer.*) bancarella; carrello (da supermercato) **2** carrozzina.

pushchair [ˈpuʃtʃeə*] *s.* passeggino.

pusher [ˈpuʃə*] *s.* **1** chi spinge; (*fig.*) chi cerca di farsi strada nel mondo **2** (*fam.*) spacciatore (di stupefacenti).

pushful [ˈpuʃful] *agg.* (*fam.*) troppo intraprendente.

pushing [ˈpuʃiŋ] *agg.* **1** operoso, energico, intraprendente **2** invadente **3** presuntuoso.

pushover [ˈpuʃˌouvə*] *s.* (*fam.*) **1** facile vittima; facile conquista **2** cosa facilissima; gioco.

pusillanimity [ˌpjuːsiləˈnimiti] *s.* pusillanimità.

pusillanimous [ˌpjuːsiˈlæniməs] *agg.* pusillanime.

puss [pus] *s.* (*fam.*) **1** micio, micino // — *in the corner*, (*gioco*) i quattro cantoni **2** lepre **3** bambina birichina.

pussy(cat) [ˈpusi(kæt)] *s.* (*fam.*) micino.

pussyfoot [ˈpusifut] *s.* (*sl.*) proibizionista.

to **pussyfoot** *v.intr.* **1** (*amer.*) agire subdolamente **2** (*sl. amer.*) camminare con passo felpato.

pustular [ˈpʌstjulə*] *agg.* pustoloso.

to **pustulate** [ˈpʌstjuleit] *v.tr.* coprire di pustole ♦ *v.intr.* coprirsi di pustole.

pustule [ˈpʌstjuːl] *s.* **1** pustola **2** (*bot.*) escrescenza **3** (*zool.*) porro.

put [put] *s.* **1** (*sport*) lancio del peso **2** diritto di opzione; opzione // — *and call*, opzione doppia (per acquisto, vendita, a scelta).

to **put**, *pass* e *p.pass.* **put** *v.tr.* **1** mettere, porre: *to* — *s.o. through an examination*, sottoporre qlcu. a un esame // *to* — *a question to s.o.* (o *to* — *s.o. a question*), rivolgere una domanda a qlcu. // *I* — *it to you whether...*, io vi chiedo se... // *to* — *s.o. right*, mettere qlcu. sulla retta via // *to be hard* — *to it*, essere messo in imbarazzo // *to* — *about*, diffondere (notizie ecc.) // *to* — *aside*, mettere da parte; accantonare // *to* — *across*, (*fam.*) far comprendere: *you can't* — *that across me*, (*sl.*) non riesci a farmela // *to* — *away*, mettere da parte; (*fam.*) imprigionare, segregare; (*fam.*) far fuori // *to* — *back*, rimettere a posto; ostacolare; rallentare // *to* — *by*, mettere da parte // *to* — *down*, deporre; reprimere; sopprimere (un animale); mettere per iscritto; stendere, schiacciare (con una critica tagliente): *to* — *s.o. down* (*as*), considerare qlcu. (come); *to* — *sthg. down (to)*, attribuire qlco. (a) // *to* — *forth*, metter fuori; buttare (di piante ecc.); mettere in circolazione (libro ecc.) // *to* — *forward*, proporre; mettere avanti // *to* — *in*, introdurre, interporre (parola); inoltrare (reclamo, richiesta) // *to* — *off*, rimandare; togliere (abiti ecc.); sconcertare; dissuadere, scoraggiare // *to* — *on*, indossare; assumere (carattere, aspetto); fingere; aumentare; puntare (al gioco); mettere in scena; mettere in azione, in servizio; (*fam.*) prendersi gioco di // *to* — *out*, mostrare; spegnere (luce, fuoco ecc.); mettere in imbarazzo; infastidire; slogarsi, lussarsi: *to be* — *out*, essere imbronciato // *to* — *through*, portare a termine (affare ecc.); mettere in comunicazione telefonica: — *me through to the police*, datemi la polizia // *to* — *s.o. through it*, (*sl. fam.*) far sudare qlcu. // *to* — *together*, mettere insieme; montare (macchina) // *to* — *two and two together*, arrivare ad una conclusione // *to* — *up*, alzare; presentare (come candidato); mettere in vendita, all'asta ecc.); (*caccia*) stanare, snidare; offrire alloggio (temporaneo); far crescere i prezzi // *to* — *s.o. up to doing sthg.*, suggerire a qlcu. di fare qlco. // *to* — *upon*, imporsi **2** (*sport*) lanciare **3** calcolare: *they* — *his income at £15,000 a year*, calcolarono che avesse un reddito di 15000 sterline all'anno **4** indirizzare (a una professione) **5** investire (denaro); puntare, scommettere ♦ *v.intr.* **1** *to — back*, (*mar.*) rientrare in porto **2** *to — about*, invertire la rotta, la direzione di marcia **3** *to — in* (o *in at*), fermarsi, fare scalo a **4** *to — in for*, far domanda; presentare la propria candidatura per **5** *to — out* (*mar.*) salpare **6** *to — up*, alloggiare, abitare **7** *to — up with*, sopportare.

putative ['pju:tətiv] *agg.* putativo, apparente.

putlog ['pʌtlɒg] *s.* (*edil.*) trave, traversa di legno.

putrefaction [,pju:tri'fækʃən] *s.* putrefazione; marciume.

to putrefy ['pju:trifai] *v.intr.* putrefarsi.

putrescent [pju:'tresnt] *agg.* putrescente.

putrid ['pju:trid] *agg.* **1** putrido **2** (*sl.*) schifoso.

putridity [pju:'triditi] *s.* putridità.

putsch [putʃ] *s.* colpo di mano.

putt [pʌt] *s.* (*golf*) «put(t)» (leggero colpo dato alla palla per farla entrare in buca).

to putt *v.tr.* (*golf*) battere leggermente (la palla per farla entrare in buca) ♦ *v.intr.* (*golf*) eseguire un «putt».

puttee ['pʌti] *s.* mollettiera.

to putter ['pʌtə*] *v.intr.* (*amer.*) → **potter**[2].

putting green ['pʌtiŋgri:n] *s.* (*golf*) spazio erboso intorno alla buca.

putty ['pʌti] *s.* mastice; stucco.

to putty *v.tr.* stuccare.

puzzle ['pʌzl] *s.* **1** imbarazzo; perplessità **2** problema; intrigo **3** enigma; gioco di pazienza.

to puzzle *v.tr.* imbarazzare, confondere; rendere perplesso // *to — out*, risolvere, chiarire ♦ *v.intr.* essere perplesso, imbarazzato // *to — over*, lambiccarsi il cervello su, scervellarsi su.

puzzlement ['pʌzlmənt] *s.* perplessità.

puzzling ['pʌzliŋ] *agg.* imbarazzante; che rende perplessi.

Pygmalion [pig'meiljən] *no.pr.m.* Pigmalione.

pygmean [pig'mi:ən] *agg.* pigmeo.

pygmy ['pigmi] *agg.* e *s.* pigmeo.

pyjamas [pə'dʒɑ:məz] *s.pl.* pigiama (*sing.*).

pylon ['pailən] *s.* pilone // *steel —*, (*edil.*) traliccio.

pylorus [pai'lɔ:rəs], *pl.* **pylori** [pai'lɔ:rai] *s.* (*anat.*) piloro.

pyorrhoea [,paiə'riə] *s.* (*med.*) piorrea.

pyramid ['pirəmid] *s.* piramide.

pyramidal [pi'ræmidl] *agg.* piramidale.

pyre ['paiə*] *s.* pira, rogo.

Pyrenees, the [,pirə'ni:z] *no.pr.pl.* i Pirenei.

pyrites [,paiə'raiti:z, (*amer.*) pi'raiti:z] *s.* (*min.*) pirite.

pyromaniac [,pairou'meiniæk] *s.* piromane.

pyrope ['pairoup] *s.* (*min.*) piropo.

pyrotechnic [,pairou'teknik] *agg.* pirotecnico.

pyrotechnics [,pairou'tekniks] *s.pl.* fuochi di artificio.

pyrotechny [,pairou'tekni] *s.* pirotecnica.

Pythagoras [pai'θægəræs] *no.pr.m.* (*st.fil.*) Pitagora.

Pythagorean [pai,θægə'ri(:)ən] *agg.* e *s.* (*fil.*) pitagorico.

python ['paiθən] *s.* pitone.

pythoness ['paiθənes] *s.* (*mit.*) pitonessa.

pyx [piks] *s.* (*eccl.*) pisside.

Q

q [kju:], *pl.* **qs**, **q's** [kju:z] *s.* q // *— for Queen*, (*tel.*) q come Quarto; *Q*, (*carte*) queen, regina.

qua [kwei] *cong.* come; in qualità di.

quack[1] [kwæk] *s.* ciarlatano; medicone.

quack[2] *s.* qua! qua!

to quack[2] *v.intr.* schiamazzare (di anitra).

quackery ['kwækəri] *s.* ciarlataneria.

quad [kwɒd] *s.* (*fam.*) → **quadrangle**.

quadrangle ['kwɒ,dræŋgl] *s.* **1** (*geom.*) quadrangolo **2** corte quadrangolare interna.

quadrant ['kwɒdrənt] *s.* quadrante.

quadrate ['kwɒdrit] *s.* e *agg.* quadrato.

to quadrate *v.tr.* e *v.intr.* quadrare.

quadratic [kwɒ'drætik] *agg.* (*mat.*) quadratico.

quadrature ['kwɒdrətʃə*] *s.* quadratura.

quadrennial [kwɒ'drenjəl] *agg.* quadriennale.

quadrilateral [,kwɒdri'lætərəl] *agg.* e *s.* quadrilatero.

quadrille [kwə'dril] *s.* quadriglia.

quadrillion [kwɒ'driljən] *s.* quadrilione (10^{24}); (*amer.*) un milione di miliardi (10^{15}).

quadripartite [,kwɒdri'pɑ:tait] *agg.* quadripartito.

quadroon [kwɒ'dru:n] *s.* persona che ha un nonno negro.

quadruped ['kwɒdruped] *agg.* e *s.* quadrupede.

quadruple ['kwɒdru:pl, (*amer.*) kwɒ'dru:pl] *agg.* e *s.* quadruplo.

to quadruple *v.tr.* quadruplicare ♦ *v.intr.* quadruplicarsi.

quadruplet ['kwɒdru:plet, (*amer.*) kwɒ'dru:plet] *s.* **1** ciascuno dei gemelli di un parto quadrigemino **2** ogni combinazione di quattro cose.

quadruplex ['kwɒdrupleks] *agg.* quadruplice.

quadruplicate [kwɒ'dru:plikit] *agg.* **1** quadruplice **2** quadruplo ♦ *s.* **1** *in —*, in quattro copie **2** *pl.* quattro esemplari.

to quadruplicate [kwɒ'dru:plikeit] *v.tr.* **1** quadruplicare **2** fare quattro copie (di).

to quaff [kwɒf, (*amer.*) kwæf] *v.tr.* e *intr.* tracannare.

quagmire ['kwægmaiə*] *s.* pantano, palude.

quail[1] [kweil] *s.* (*zool.*) quaglia.

to quail[2] *v.intr.* aver paura; sgomentarsi.

quaint [kweint] *agg.* bizzarro, curioso; antiquato.

quaintness ['kweintnis] *s.* bizzarria, singolarità.

quake [kweik] *s.* tremito; (*fam.*) terremoto.

to quake *v.intr.* tremare.

Quaker ['kweikə*] *s.* (*relig.*) quacchero.

qualifiable ['kwɒlifaiəbl] *agg.* qualificabile.

qualification [,kwɒlifi'keiʃən] *s.* **1** condizione, restrizione: *to accept an offer without —*, accettare un'offerta senza riserva **2** qualificazione; capacità; requisito; titolo **3** qualifica.

qualified ['kwɒlifaid] *agg.* qualificato; competente; idoneo; abilitato.

to qualify ['kwɒlifai] *v.tr.* **1** qualificare; (*dir.*) autorizzare **2** avanzare riserve (su); modificare; limitare ♦

v.intr. **1** avere tutti i requisiti; essere qualificato **2** laurearsi; specializzarsi; abilitarsi.

qualitative ['kwɔlitətiv, (*amer.*) 'kwɔliteitiv] *agg.* qualitativo.

quality ['kwɔliti] *s.* **1** qualità: *to have* —, essere di qualità **2** caratteristica.

qualm [kwɔːm] *s.* **1** nausea; malessere **2** rimorso; scrupolo **3** preoccupazione.

quandary ['kwɔndəri] *s.* perplessità, imbarazzo.

quant [kwɔnt] *s.* pertica per spingere una barca.

to quantify ['kwɔntifai] *v.tr.* quantificare.

quantity ['kwɔntiti] *s.* quantità // *he is a negligible* —, è una nullità // *unknown* —, (*anche fig.*) incognita.

quantum ['kwɔntəm], *pl.* **quanta** ['kwɔntə] *s.* **1** (*fis.*) quantum di energia // — *theory*, (*fis.*) teoria dei quanti **2** quantità sufficiente; quantità richiesta.

quarantine ['kwɔrəntiːn] *s.* quarantena.

to quarantine *v.tr.* mettere in quarantena.

quark [kwɑːk] *s.* (*fis.*) quark.

quarrel[1] ['kwɔrəl] *s.* lite, disputa, contesa: *to pick a* — *with s.o.*, attaccar briga con qlcu.

to quarrel[1] *v.intr.* litigare; attaccar briga; azzuffarsi.

quarrel[2] *s.* **1** quadrello, freccia **2** quadretto; losanga.

quarrelsome ['kwɔrəlsəm] *agg.* litigioso; irascibile.

quarry[1] ['kwɔri] *s.* **1** cava **2** (*fig.*) fonte (di informazioni).

to quarry[1] *v.tr.* estrarre da una cava.

quarry[2] *s.* preda (*anche fig.*).

quarry[3] *s.* losanga di vetro piombato.

quart[1] [kwɔːt] *s.* **1** «quart» (misura di capacità = 1,13 litri) **2** boccale di due pinte di capacità.

quart[2] [kɑːt] *s.* **1** (*scherma*) quarta **2** (*carte*) scala.

quartan ['kwɔːtn] *agg.* e *s.* (*med.*) quartana.

quarter ['kwɔːtə*] *s.* **1** quarto: *a* — *of an hour*, un quarto d'ora; *it is a* — *to five*, sono le cinque meno un quarto; *the moon is in its last* —, la luna è all'ultimo quarto // — *binding*, rilegatura con dorso in pelle **2** (*mar.*) (quartiere di) poppa: *wind on the* —, vento al largo (di poppa) **3** «quarter» (misura di peso = 12,70 kg; (*amer.*) = 11,34 kg; misura di capacità per cereali = 2,91 hl) **4** (*amer.*) moneta da 25 centesimi, quarto di dollaro **5** direzione, parte, regione (*anche fig.*) // *this is told in high quarters*, questo si dice nelle alte sfere **6** quartiere, rione **7** *pl.* alloggio (*sing.*); quartiere (*sing.*); stanze d'abitazione; (*mil.*) acquartieramento (*sing.*); posto di combattimento (*sing.*).

to quarter *v.tr.* **1** dividere in quattro parti: *to* — *an apple*, dividere una mela in quattro **2** alloggiare; (*mil.*) acquartierare.

quarterage ['kwɔːtəridʒ] *s.* **1** pagamento, affitto, pensione trimestrale **2** (*mil.*) acquartieramento.

quarter day ['kwɔːtədei] *s.* giorno di scadenza trimestrale.

quarterdeck ['kwɔːtədek] *s.* (*mar.*) cassero.

quarterly ['kwɔːtəli] *agg.* trimestrale ♦ *s.* pubblicazione trimestrale ♦ *avv.* trimestralmente.

quartermaster ['kwɔːtə,mɑːstə*] *s.* **1** (*mil.*) commissario; furiere **2** (*mar.*) capo timoniere.

quarter sessions ['kwɔːtə'seʃənz] *s.pl.* assise trimestrali.

quartet [kwɔː'tet] *s.* (*mus.*) quartetto.

quarto ['kwɔːtou] *s.* (volume) in quarto.

quartz [kwɔːts] *s.* (*min.*) quarzo.

quartzite ['kwɔːtsait] *s.* (*min.*) quarzite.

to quash [kwɔʃ] *v.tr.* **1** schiacciare; soffocare **2** (*dir.*) annullare, invalidare.

quaternary [kwə'tɜːnəri] *agg.* quaternario ♦ *s.* **1** gruppo di quattro **2** il numero quattro **3** (*geol.*) quaternario.

quatrain ['kwɔtrein] *s.* quartina.

quatrefoil ['kætrəfɔil] *s.* quadrifoglio.

quaver ['kweivə*] *s.* **1** trillo; tremolio (di voce) **2** (*mus.*) croma.

to quaver *v.tr.* **1** vibrare, tremare (di voce) **2** cantare ♦ *v.tr.* pronunciare con voce tremula.

quavery ['kweivəri] *agg.* **1** trillante; vibrante **2** tremolante.

quay [kiː] *s.* banchina, molo.

quean [kwiːn] *s.* (*sl.*) prostituta.

queasy ['kwiːzi] *agg.* **1** nauseabondo **2** (*di stomaco*) delicato che ha la nausea **4** (*fig.*) schifiltoso; pignolo.

queen [kwiːn] *s.* regina // — *of hearts*, (*a carte*) regina di cuori; *to go to* —, (*scacchi*) andare a regina, chiedere regina // — *dowager*, regina, vedova di re // *to take the* —*'s shilling*, arruolarsi.

to queen (*scacchi*) andare a, chiedere regina // *to* — *it over s.o.*, comportarsi da persona superiore (nei confronti di qlcu).

queenly ['kwiːnli] *agg.* regale; degno di una regina.

queer [kwiə*] *agg.* **1** strano, bizzarro **2** (*fam.*) omosessuale **3** (*fam.*) svitato // — *street*, difficoltà finanziarie; traffici poco onesti ♦ *s.* omosessuale // *in* —, (*sl.*) nelle peste.

to queer *v.tr.* (*sl.*) rovinare: *to* — *s.o.'s pitch*, rompere le uova nel paniere a qlcu.

to quell [kwel] *v.tr.* **1** reprimere; domare **2** calmare.

to quench [kwenʃ] *v.tr.* **1** spegnere, estinguere; (*fig.*) soffocare; calmare **2** raffreddare; temperare (metalli).

querulous ['kweruləs] *agg.* querulo, lamentevole.

query ['kwiəri] *s.* **1** domanda, quesito; interrogazione **2** punto interrogativo.

to query *v.tr.* **1** chiedere; indagare **2** metter in dubbio; esprimere un dubbio (su) **3** mettere un punto interrogativo (dopo).

quest [kwest] *s.* ricerca.

to quest *v.intr.* **1** cercare selvaggina (di cani) **2** andare alla ricerca ♦ *v.tr.* cercare.

question ['kwestʃən] *s.* **1** domanda **2** problema, questione; discussione: *to call in* —, sollevare obiezioni su; dubitare // *this is out of the* —, ciò è fuori discussione // *to put the* —, mettere ai voti.

to question *v.tr.* **1** interrogare: *to be questioned by the police*, essere interrogato dalla polizia **2** dubitare (di), mettere in dubbio.

questionable ['kwestʃənəbl] *agg.* **1** contestabile, discutibile **2** ambiguo, equivoco.

questioner ['kwestʃənə*] *s.* interrogatore; esaminatore.

questioning ['kwestʃəniŋ] *agg.* interrogativo ♦ *s.* inchiesta, domanda.

question mark ['kwestʃənmɑːk] *s.* punto di domanda.

questionnaire [,kwestʃə'neə*] *s.* questionario.

queue [kjuː] *s.* coda, fila: *to stand in a* —, fare la coda // — *jumper*, (*fam.*) persona che non aspetta il suo turno (in una fila).

to queue *v.intr.*: *to* — *up*, fare la coda, mettersi in coda; aspettare in coda.

quibble ['kwibl] *s.* scappatoia; cavillo; gioco di parole.

to quibble *v.intr.* cavillare, sofisticare; giocare sulle parole.

quibbling ['kwibliŋ] *s.* sofisticheria, cavillo.

quick [kwik] *agg.* **1** rapido, veloce, svelto: *be —!*, sbrigati! // *to be — to take offence*, offendersi facilmente // *— march!*, (*mil.*) al passo! **2** vivace; pronto; intelligente ♦ *s.* **1** carne viva **2** (*fig.*) punto vivo: *that stung* (o *cut*) *him to the —*, ciò lo punse sul vivo.

to **quicken** ['kwikən] *v.tr.* **1** animare, stimolare **2** affrettare, accelerare ♦ *v.intr.* **1** animarsi: *his anger quickened*, la sua ira si risvegliò **2** accelerare.

quickie ['kwiki] *s.* (*fam.*) faccenda molto sbrigativa.

quicklime ['kwiklaim] *s.* calce viva.

quick-lunch counter [‚kwik'lʌntʃkauntə*] *s.* tavola calda.

quickness ['kwiknis] *s.* rapidità, celerità; (*fig.*) prontezza; acutezza.

quicksand ['kwiksænd] *s.* sabbia mobile.

quickset ['kwikset] *agg.* di piante vive // *— hedge*, siepe viva (spec. di biancospino).

quick-sightedness ['kwik'saitidnis] *s.* vista acuta; (*fig.*) perspicacia.

quicksilver ['kwik‚silvə*] *s.* mercurio.

quick-tempered ['kwik'tempəd] *agg.* collerico.

quick-witted ['kwik'witid] *agg.* dall'intelligenza pronta.

quid[1] [kwid] *s.* (*pl.invar.*) (*fam.*) sterlina.

quid[2] *s.* cicca (di tabacco da masticare).

quiddity ['kwiditi] *s.* **1** essenza **2** cavillo.

quiescent [kwai'esnt] *agg.* quiescente.

quiet ['kwaiət] *agg.* **1** quieto, calmo, pacifico; silenzioso: *keep —!*, sta' buono! // *on the —*, di nascosto // *to keep sthg. —*, tener qlco. segreto **2** sobrio ♦ *s.* quiete, pace; riposo.

to **quiet**, to **quieten** ['kwaiətn] *v.tr.* acquietare, calmare ♦ *v.intr.* acquietarsi, calmarsi.

quietism ['kwaiitizəm] *s.* (*relig.*) quietismo.

quiff [kwif] *s.* ricciolo di capelli (sulla fronte).

quill [kwil] *s.* **1** penna **2** aculeo (di riccio) **3** penna d'oca (per scrivere) **4** bobina; fuso.

to **quill** *v.tr.* **1** pieghettare **2** avvolgere su fusi.

quilt [kwilt] *s.* trapunta // *continental —*, piumone®.

to **quilt** *v.tr.* trapuntare, imbottire.

quilting ['kwiltiŋ] *s.* imbottitura a trapunta.

quince [kwins] *s.* mela cotogna.

quinine [kwi'ni:n, (*amer.*) 'kwainain] *s.* chinino.

quinquennial [kwin'kweniəl] *agg.* quinquennale.

quinsy ['kwinzi] *s.* (*med.*) angina.

quint [kwint] *s.* **1** (*mus.*) quinta **2** sequenza di cinque carte; (*poker*) scala.

quintain ['kwintin] *s.* (*st.*) quintana: *to tilt at the —*, correr la quintana.

quintessence [kwin'tesns] *s.* quintessenza.

quintet [kwin'tet] *s.* (*mus.*) quintetto.

quintuple ['kwintjupl] *agg.* e *s.* quintuplo.

to **quintuple** *v.tr.* quintuplicare ♦ *v.intr.* quintuplicarsi.

quintuplet ['kwintju:plet, (*amer.*) kwin'tu:plit] *s.* gemello (di parto quintuplo).

quip [kwip] *s.* frizzo; battuta arguta.

to **quip** *v.intr.* dire battute argute.

quire ['kwaiə*] *s.* ventiquattro fogli di carta.

Quirinal ['kwirinəl] *no.pr.* Quirinale.

quirk [kwə:k] *s.* stranezza; mania; (*mus.*) svolazzo.

quisling ['kwizliŋ] *s.* collaborazionista.

quit [kwit] *agg.* liberato; libero.

to **quit** *v.tr.* lasciare, abbandonare // *to — hold*, mollare la presa ♦ *v.intr.* **1** andarsene // *he gave me notice to —*, mi diede la disdetta **2** (*fam.*) smettere: *— laughing!*, smettila di ridere!

quitclaim ['kwitkleim] *s.* (*dir.*) rinuncia.

quite [kwait] *avv.* **1** completamente, del tutto; affatto; proprio: *— so!*, proprio così!; *you are — wrong*, hai torto marcio **2** piuttosto, abbastanza: *— a few people*, abbastanza gente; *it's — warm this morning*, fa piuttosto caldo stamattina.

quits [kwits] *agg.* pari: *to be —*, essere pari // *to cry —*, rinunciare a competere // *double or —*, testa o croce (sottointendendo che, se si vince, il debito è annullato; se si perde, si paga il doppio).

quittance ['kwitəns] *s.* **1** ricevuta, quietanza **2** ricompensa.

quitter ['kwitə*] *s.* vigliacco, disertore.

quiver[1] ['kwivə*] *s.* faretra.

quiver[2] brivido; tremito.

to **quiver**[2] *v.tr.* tremare; avere i brividi ♦ *v.tr.* battere; agitare.

Quixote ['kwiksət] *no.pr.m.* (*lett.*) (don) Chisciotte.

quixotic [kwik'sɔtik] *agg.* donchisciottesco.

quixotry ['kwiksətri] *s.* donchisciottismo.

quiz [kwiz], *pl.* **quizzes** ['kwiziz] *s.* **1** quiz, quesito; indovinello; serie di quesiti **2** (*amer.*) prova d'esame.

to **quiz** *v.tr.* **1** porre quesiti (a) **2** (*amer.*) esaminare.

quizzical ['kwizikəl] *agg.* canzonatorio; beffardo.

quod [kwɔd] *s.* (*sl.*) prigione.

quoin [kɔin] *s.* angolo esterno di un muro; pietra, mattone d'angolo.

quoit [kɔit, (*amer.*) kwɔit] *s.* **1** anello di metallo piatto usato per giocare **2** *pl.* gioco consistente nell'infilare un anello in un piolo nel terreno.

quondam ['kwɔndæm] *agg.* di un tempo.

quorum ['kwɔ:rəm] *s.* quorum.

quota ['kwoutə] *s.* quota; contributo; contingente; rata.

quotation [kwou'teiʃən] *s.* **1** citazione // *— marks*, virgolette **2** (*comm.*) quotazione.

quote [kwout] *s.* **1** (*fam.*) citazione **2** *pl.* virgolette.

to **quote** *v.tr.* **1** citare; fare riferimento (a) **2** (*comm.*) quotare **3** (*tip.*) virgolettare.

quotidian [kwɔ'tidiən] *agg.* quotidiano ♦ *s.* febbre ricorrente (ogni giorno).

quotient ['kwouʃənt] *s.* (*mat.*) quoziente.

R

r [ɑː*], *pl.* **rs**, **r's** [ɑːz] *s.* r // — *for Robert*, (*tel.*) r come Roma // *to roll one's r's*, arrotare la erre // *the three R's* (*reading*, (*w*)*riting*, (*a*)*rithmetic*), le tre erre (leggere, scrivere e far di conto, come base della istruzione elementare).

rabbet ['ræbit] *s.* incastro.

Rabbi ['ræbai] *s.* rabbino.

rabbinic(al) [ræ'binik(əl)] *agg.* rabbinico, di rabbino.

rabbit ['ræbit] *s.* **1** coniglio (*anche fig.*) // — *punch*, (*fam.*) colpo del coniglio **2** (*fam.*) giocatore inesperto, pollo **3** (*fam.*) chiacchierone.

to rabbit *v.intr.* andare a caccia di conigli // (*fam.*) blaterare, parlare a vanvera.

rabbit hutch ['ræbithʌtʃ] *s.* conigliera.

rabbit warren ['ræbit,wɔrin] *s.* tana di coniglio; (*fig.*) dedalo.

rabbity ['ræbiti] *agg.* **1** ricco di conigli; simile a coniglio **2** (*fig. fam.*) dappoco.

rabble ['ræbl] *s.* folla, calca; (*spreg.*) plebaglia.

rabble-rousing ['ræbl,rauziŋ] *agg.* **1** di eloquenza esaltante, infocata **2** eccitante; sedizioso, sovversivo.

rabid ['ræbid] *agg.* **1** rabbioso, violento; fanatico **2** idrofobo.

rabidness ['ræbidnis] *s.* **1** rabbia; furia; fanatismo **2** l'essere idrofobo.

rabies ['reibiːz] *s.* (*med.*) idrofobia, rabbia.

raccoon [rə'kuːn] *s.* (*zool.*) procione.

race[1] [reis] *s.* **1** corsa, gara // *the Races*, le corse di cavalli // — *meeting*, concorso ippico // — *track*, (*amer.*) ippodromo **2** corrente (di mare, fiume ecc.) **3** canale **4** (*aer.*) flusso **5** (*mecc.*) gola di scorrimento.

to race[1] *v.intr.* **1** correre; gareggiare; prender parte a una corsa // *racing colours*, colori di scuderia **2** allevare, far correre cavalli da corsa **3** (*fam.*) giocare ai cavalli **4** (*mecc.*) imballarsi (di motori) ♦ *v.tr.* **1** gareggiare con (in una corsa) **2** far prendere parte a una corsa **3** trasportare a tutta velocità.

race[2] *s.* **1** razza: *a* — *of flowers*, una varietà, un tipo di fiori; *the* — *of poets*, la stirpe dei poeti; *a man of noble* —, un uomo di nobile schiatta **2** fragranza, gusto; caratteristica.

race card ['reiskɑːd] *s.* programma delle corse.

racecourse ['reiskɔːs] *s.* ippodromo.

racehorse ['reishɔːs] *s.* cavallo da corsa.

raceme [ræ'siːm, (*amer.*) rei'siːm] *s.* (*bot.*) racemo.

racer ['reisə*] *s.* **1** corridore **2** cavallo da corsa **3** (*aer. aut. mar.*) mezzo da corsa.

Rachel ['reitʃəl] *no.pr.f.* Rachele.

rachitic [ræ'kitik] *agg.* rachitico.

racial ['reiʃəl] *agg.* razziale.

racialism ['reiʃəlizəm] *s.* razzismo.

racialist ['reiʃəlist] *s.* razzista.

racily ['reisili] *avv.* in modo piccante; vigorosamente.

racism ['reisizəm] *s.* razzismo.

racist ['reisist] *s.* razzista.

rack[1] [ræk] *s.* **1** cirri (*pl.*); cirrocumuli (*pl.*) **2** relitti (*pl.*) **3** rovina, distruzione: *to go to* — *and ruin*, andare in rovina.

to rack[1] *v.intr.* fuggire, correre (di nubi).

rack[2] *s.* **1** ruota (strumento di tortura); tortura (*anche* *fig.*): *to be on the* —, essere alla tortura; (*fig.*) essere angosciato, angustiato; stare sui carboni accesi **2** rastrelliera **3** attaccapanni; portabagagli **4** (*mecc.*) cremagliera.

to rack[2] *v.tr.* **1** mettere alla tortura, torturare (*anche* *fig.*): *to be racked with pain*, essere torturato dal dolore // *to* — *one's brains*, scervellarsi **2** esigere troppo (spec. per affitti); sfruttare **3** *to* — *up*, mettere a segno, segnare punti.

racket[1] ['rækit] *s.* racchetta.

racket[2] *s.* **1** fracasso, schiamazzo; tumulto: *to kick up* (o *to make*) *a* —, far schiamazzo // *to stand the* — *of*, essere responsabile di; fare le spese di **2** baldoria: *to go on the* —, abbandonarsi ai piaceri **3** (*fam.*) «racket», attività illegale; affare, organizzazione losca; intrallazzo **4** (*scherz.*) lavoro, attività.

racketeer [,ræki'tiə*] *s.* (*fam.*) chi ottiene denaro con mezzi illeciti; intrallazzatore.

to racketeer *v.intr.* ottenere guadagni con mezzi illeciti.

racketeering [,ræki'tiəriŋ] *s.* ricatto organizzato; metodi illeciti per ottenere denaro.

racoon [rə'kuːn] *s.* → **raccoon**.

ractio ['ræʃio] *s.* (*informatica*) rapporto.

racy ['reisi] *agg.* **1** caratteristico (di odori, sapori) **2** (*fig.*) piccante; vigoroso.

radar ['reidɑː*] *s.* radar // — *operator*, radarista.

raddle ['rædl] *s.* ocra rossa.

to raddle *v.tr.* imbellettare (con ocra rossa).

radial ['reidjəl] *agg.* radiale.

radian ['reidjən] *s.* (*geom.*) radiante.

radiance ['reidjəns], **radiancy** ['reidjənsi] *s.* radiosità, splendore.

radiant ['reidjənt] *agg.* **1** raggiante; radioso **2** (*fis.*) radiante ♦ *s.* (*fis. astr.*) (punto) radiante.

radiate ['reidiit] *agg.* radiato, a raggi.

to radiate ['reidieit] *v.tr. e intr.* raggiare; irradiare.

radiation [,reidi'eiʃən] *s.* radiazione; radioattività.

radiator ['reidieitə*] *s.* radiatore.

radical ['rædikəl] *agg. e s.* radicale.

radicalism ['rædikəlizəm] *s.* (*pol.*) radicalismo.

radicle ['rædikl] *s.* **1** (*bot.*) radicetta **2** (*chim.*) radicale.

radio- ['reidiou] *pref.* radio-.

radio *s.* radio, apparecchio radiofonico // — *link*, collegamento radiofonico // *C.B. Radio* (= *citizen's band* —), banda cittadina.

to radio *v.tr. e intr.* radiotelegrafare; diramare per radio.

radioactive ['reidiou'æktiv] *agg.* radioattivo.

radioactivity ['reidiouæk'tiviti] *s.* radioattività.

radiogoniometer ['reidiou,gouni'ɔmitə*] *s.* radiogoniometro.

radiogram[1] ['reidiougræm] *s.* (*abbr. di radiogramophone*) radiogrammofono.

radiogram[2] *s.* radiogramma.

radiograph ['reidiougrɑːf] *s.* radiografia.

radiography [,reidi'ɔgrəfi] *s.* radiografia.

radiology [,reidi'ɔlədʒi] *s.* radiologia.

radiosonde ['reidiousɔnd] *s.* radiosonda.

radiotherapy ['reidiou'θerəpi] *s.* radioterapia.

radish ['rædiʃ] *s.* ravanello.

radium ['reidjəm] *s.* (*chim.*) radio.

radius ['reidjəs], *pl.* **radii** ['reidiai] *s.* **1** raggio **2** (*fam.*) campo, sfera **3** (*anat.*) radio.

radix ['reidiks], *pl.* **radices** ['reidisi:z] *s.* radice.

raffia ['ræfiə] *s.* rafia.

raffish ['ræfiʃ] *agg.* dissipato; spregevole.

raffle ['ræfl] *s.* riffa, lotteria.

to **raffle** *v.tr.* vendere per mezzo di una lotteria.

raft [rɑ:ft] *s.* zattera.

to **raft** *v.tr.* trasportare con zattera.

rafter ['rɑ:ftə*] *s.* (*edil.*) trave inclinata del tetto.

rag[1] [ræg] *s.* **1** cencio, straccio; avanzo di stoffa: *in rags*, a brandelli // *to feel like a wet —*, (*fam.*) essere stanco morto **2** *pl.* vecchi abiti: *to go about in rags*, andare in giro vestito di stracci // *glad rags*, (*fam.*) abiti eleganti **3** (*fam.*) giornale da quattro soldi.

rag[2] *s.* festa goliardica; tiro, beffa.

to **rag**[2] *v.tr.* stuzzicare; fare scherzi (a) ♦ *v.intr.* essere rumoroso; fare scherzi.

ragamuffin ['rægə,mʌfin] *s.* pezzente, straccione.

rage [reidʒ] *s.* **1** rabbia; collera; furia: *to be in a —*, essere in collera; *to fly* (o *to get*) *into a —*, andare in collera **2** passione **3** *to be* (*all*) *the —*, furoreggiare, essere in voga.

to **rage** *v.intr.* **1** infuriare, infierire **2** infuriarsi, andare in collera: *to — at* (o *against*) *s.o.*, andare in collera con qlcu.

ragged ['rægid] *agg.* **1** stracciato; cencioso: *a — coat*, una giacca a brandelli **2** frastagliato; ispido: *a — edge*, un orlo frastagliato.

raging ['reidʒiŋ] *s.* furia; violenza ♦ *agg.* furioso; impetuoso; violento.

raglan ['ræglən] *s.*: *— sleeve*, manica a raglan.

ragman, *pl.* **ragmen** ['rægmən] *s.* straccivendolo.

ragout ['rægu:, (*amer.*) ræ'gu:] *s.* (*cuc.*) ragù.

ragtag ['rægtæg] *s.*: *— (and bobtail)*, gentaglia.

rag trade ['rægtreid] *s.* (*fam.*) industria dell'abbigliamento.

rah [rɑ:] *inter.* urrà.

raid [reid] *s.* scorreria; incursione; irruzione della polizia.

to **raid** *v.intr.* fare una scorreria, un'incursione ♦ *v.tr.* assalire; attaccare.

raider ['reidə*] *s.* razziatore; predone.

rail[1] [reil] *s.* **1** sbarra **2** (*ferr.*) rotaia, binario // *by —*, per ferrovia // *to run off the rails*, deragliare; (*fig.*) sviarsi **3** *pl.* cancellata (*sing.*); stecconata (*sing.*); ringhiera (*sing.*).

to **rail**[1] *v.tr.* **1** spedire, trasportare per ferrovia **2** fornire di cancellata, di sbarre // *to — in*, delimitare, rinchiudere con cancellata.

to **rail**[2] *v.intr.* inveire: *to — against* (o *at*) *s.o.*, *sthg.*, prendersela con qlcu., qlco.

railhead ['reilhed] *s.* (*ferr.*) stazione terminale.

railing[1] ['reiliŋ] *s.* cancellata; ringhiera.

railing[2] *agg.* degno di scherno; ingiurioso ♦ *s.* scherno; ingiuria.

raillery ['reiləri] *s.* scherno; motteggio.

railroad ['reilroud] *s.* (*amer.* per *railway*) ferrovia.

to **railroad** *v.tr.* **1** far spicciare (qlcu.) // *to — a bill*, far approvare in fretta un progetto di legge **2** (*amer.*) mandare in prigione ingiustamente.

railway ['reilwei] *s.* ferrovia: *— terminus*, capolinea.

raiment ['reimənt] *s.* vestito; abbigliamento.

rain [rein] *s.* **1** pioggia (*anche fig.*): *in the —*, sotto la pioggia; *to be caught in the —*, essere sorpreso dalla

pioggia // *— or shine*, con il brutto o con il bel tempo **2** *pl.* stagione delle piogge (*sing.*).

to **rain** *v.intr.* **1** *impers.* piovere // *to — like anything*, piovere a più non posso **2** (*fig.*) piovere: *invitations rained upon us*, ci piovvero inviti ♦ *v.tr.* far piovere (*anche fig.*): *to — benefits upon*, far piovere benefici su.

rainbow ['reinbou] *s.* arcobaleno; iride.

rain check ['reintʃek] *s.* (*amer.*) (*di partite, spettacoli all'aperto ecc.*) buono che in caso di maltempo dà diritto all'ingresso in altra data // *to take a —*, rifiutare un invito ma conservare la possibilità di avvalersene in altra data: "*Can I take a — on that? I'm expected back at the office right now*", «Possiamo fare un'altra volta? Adesso devo proprio ritornare in ufficio».

raincoat ['reinkout] *s.* impermeabile.

raindrop ['reindrɒp] *s.* goccia di pioggia.

rainfall ['reinfɔ:l] *s.* piovosità; precipitazione.

rain gauge ['reingeidʒ] *s.* pluviometro.

rainproof ['reinpru:f] *agg.* impermeabile.

rainwater ['rein,wɔ:tə*] *s.* acqua piovana.

rainy ['reini] *agg.* piovoso: *— day*, giorno piovoso; (*fig.*) momento difficile.

raise [reiz] *s.* (*amer.*) aumento (di stipendio).

to **raise** *v.tr.* **1** alzare; rialzare: *to — one's glass to*, brindare alla salute di // *to — s.o. from the dead*, fare resuscitare qlcu. **2** (*fig.*) sollevare; suscitare; provocare: *to — a claim*, avanzare una pretesa // *to — Cain*, fare una sfuriata // *to — hell*, fare un putiferio // *to — a ghost*, evocare uno spirito **3** costruire; erigere **4** allevare; coltivare **5** procurarsi (denaro); riscuotere (tasse) // *to — the wind*, (*fam.*) ottenere un prestito **6** far salire, aumentare (prezzo, valore ecc.) **7** togliere (assedio, proibizione ecc.) **8** (*mil.*) raccogliere (un esercito); arruolare **9** *to — land*, (*mar.*) scorgere la terra.

raisin ['reizn] *s.* uva passa.

rake[1] [reik] *s.* rastrello.

to **rake**[1] *v.tr.* **1** rastrellare **2** (*fig.*) frugare (tra, in); esaminare a fondo **3** (*mil.*) mitragliare da un capo all'altro **4** far scorrere lo sguardo (su); (*fig.*) dominare **5** *to — up*, raccogliere; (*fig.*) riesumare, tirar fuori.

rake[2] *s.* debosciato; libertino.

rake-off ['reikɒf] *s.* provvigione (del mediatore).

rakish[1] ['reikiʃ] *agg.* debosciato, dissoluto.

rakish[2] *agg.* **1** aerodinamico **2** elegante, ardito.

rally ['ræli] *s.* **1** raduno; adunata; (*sport*) rally **2** ricupero di forze (fisiche) **3** (*tennis*) veloce scambio di tiri.

to **rally** *v.tr.* raccogliere, chiamare a raccolta ♦ *v.intr.* **1** riunirsi; radunarsi **2** rianimarsi; riprendersi **3** scherzare, prendere in giro.

ram [ræm] *s.* **1** ariete, montone // *the Ram*, (*astr.*) l'Ariete **2** (*st. mil.*) ariete **3** (*st. mar.*) rostro.

to **ram** *v.tr.* **1** cacciare, ficcare (*anche fig.*); conficcare **2** spingere; (*fam.*) pigiare; comprimere **3** andare addosso (a), andare contro.

ramble ['ræmbl] *s.* **1** passeggiata **2** (*fig.*) divagazione.

to **ramble** *v.intr.* **1** gironzolare; vagare **2** divagare **3** vaneggiare.

rambler ['ræmblə*] *s.* **1** vagabondo; girovago **2** (*bot.*) rosa rampicante.

ramification [,ræmifi'keiʃən] *s.* ramificazione.

to **ramify** ['ræmifai] *v.tr.* ramificare ♦ *v.intr.* ramificarsi.

ramjet ['ræmdʒet] *s.* (*aer.*) statoreattore.

ramp[1] [ræmp] *s.* (*sl.*) truffa, inganno.

to **ramp**[1] *v.tr.* (*sl.*) truffare.

ramp[2] *s.* rampa.

to ramp[2] *v.intr.* **1** (*bot.*) arrampicarsi **2** (*fam.*) infuriare, imperversare; smaniare **3** digradare, elevarsi (di muro).

rampage [ræm'peidʒ] *s.* furia.

to rampage *v.intr.* infuriare; smaniare.

rampageous [ræm'peidʒəs] *agg.* violento; furioso.

rampant ['ræmpənt] *agg.* **1** aggressivo; sfrenato **2** predominante, diffuso: *the plague was — in the city*, la peste imperversava nella città **3** rigoglioso, lussureggiante **4** (*arald.arch.*) rampante.

rampart ['ræmpɑːt] *s.* bastione (*anche fig.*).

to rampart *v.tr.* circondare di bastioni, fortificare.

ramrod ['ræmrɔd] *s.* bacchetta (di fucile).

ramshackle ['ræm,ʃækl] *agg.* sgangherato.

ran *pass.* di to **run**.

ranch [rɑːntʃ, (*amer.*) ræntʃ] *s.* ranch.

rancher ['rɑːntʃə*] *s.* chi possiede, chi dirige un ranch.

rancid ['rænsid] *agg.* rancido; stantio.

rancidity [ræn'siditi] *s.* rancidezza.

rancorous ['ræŋkərəs] *agg.* acrimonioso.

rancour ['ræŋkə*] *s.* rancore, acrimonia.

rand [rænd] *s.* **1** orlo, bordo **2** soletta (di scarpa) **3** catena montuosa.

randan ['rændæn] *s.* (*sl.*) baldoria.

Randolph ['rændɔlf] *no.pr.m.* Rodolfo.

random ['rændəm] *agg.* **1** fatto a caso, a casaccio, casuale // *— access memory*, (*informatica*) memoria ad accesso casuale **2** con pietre di diversa forma (di costruzione) ♦ *s.*: *at —*, a caso, a casaccio.

rang *pass.* di to **ring**.

range [reindʒ] *s.* **1** serie, fila; catena (di montagne) **2** gamma, portata, ventaglio: *the — of greens*, la gamma dei verdi **3** distesa, estensione; (*amer.*) pascolo **4** campo, sfera // *within his —*, alla sua portata **5** tiro, portata; distanza, raggio: *intermediate —*, (*di missile*) a medio raggio **6** poligono di tiro; rampa di lancio (di missile) **7** variazione, oscillazione; (*mus.*) estensione **8** fornello; cucina economica.

to range *v.tr.* allineare; classificare; annoverare: *to — oneself with, against s.o.*, schierarsi con, contro qlcu. ♦ *v.intr.* **1** estendersi **2** *to — over* (o *through*), (*anche fig.*) errare per, vagare per **3** (*mil.*) avere una portata di **4** variare, oscillare.

range finder ['reindʒ,faində*] *s.* telemetro.

ranger ['reindʒə*] *s.* **1** vagabondo **2** guardia forestale **3** *pl.* polizia a cavallo (*sing.*) **4** (*amer.*) commando.

rangy ['reindʒi] *agg.* **1** capace di, che tende a coprire lunghe distanze **2** dalle gambe lunghe; longilineo.

rank[1] [ræŋk] *agg.* **1** lussureggiante; fitto; grasso (di terreno) **2** puzzolente; rancido **3** ripugnante, odioso **4** eccessivo, estremo.

rank[2] *s.* rango: *to break ranks*, rompere le file; *to rise from the —*, diventare ufficiale; (*in particolare*) venire dalla gavetta // *the ranks* (o *the — and file*), la truppa; (*fig.*) la gran massa // *of the first —*, di valore.

to rank[2] *v.tr.* **1** classificare **2** schierare ♦ *v.intr.* classificarsi; essere annoverato **2** *to — above*, essere di grado superiore a, essere al di sopra di.

ranker ['ræŋkə*] *s.* (*mil.*) **1** soldato semplice **2** ufficiale proveniente dalla gavetta.

to rankle ['ræŋkl] *v.intr.* (*fig.*) bruciare.

to ransack ['rænsæk, (*amer.*) ræn'sæk] *v.tr.* **1** frugare, rovistare **2** saccheggiare.

ransom ['rænsəm] *s.* riscatto; prezzo del riscatto: *to hold s.o. to —*, tenere qlcu. prigioniero fino al pagamento del riscatto // *to be worth a king's —*, (*fam.*) valere un patrimonio.

to ransom *v.tr.* **1** riscattare **2** (*fig.*) redimere.

rant [rænt] *s.* **1** declamazione **2** linguaggio esaltato.

to rant *v.intr.* **1** declamare **2** parlare in modo esaltato ♦ *v.tr.* declamare.

rap[1] [ræp] *s.* **1** colpo **2** (*fam.*) colpa; accusa; condanna // *to take the —*, venire accusato (di) **3** (*sl. amer.*) discussione.

to rap[1] *v.tr.* battere // *to — out a message*, comunicare un messaggio per mezzo di colpi // *to — s.o. over the knuckles*, (*fig.*) rimproverare, sgridare qlcu. // *to — out*, dire bruscamente: *to — out an order*, dare un ordine secco ♦ *v.intr.* **1** battere **2** (*sl. amer.*) discutere.

rap[2] *s.* (*st. irl.*) moneta falsa da mezzo penny // *I don't care a —*, non me ne importa niente.

rapacious [rə'peiʃəs] *agg.* rapace; vorace.

rapacity [rə'pæsiti] *s.* rapacità; voracità.

rape[1] [reip] *s.* **1** violenza carnale **2** (*poet.*) ratto, rapimento.

to rape[1] *v.tr.* **1** violentare **2** (*poet.*) rapire.

rape[2] *s.* (*bot.*) ravizzone.

Raphael ['ræfeiəl] *no.pr.m.* **1** Raffaele **2** (*st. pitt.*) Raffaello (Sanzio).

rapid ['ræpid] *agg.* rapido, celere ♦ *s.* (*gener. pl.*) rapida (di fiume).

rapidity [rə'piditi] *s.* rapidità, celerità.

rapier ['reipjə*] *s.* stocco // *-thrust*, stoccata (*anche fig.*).

rapist ['reipist] *s.* violentatore.

rapport [ræ'pɔː*, (*amer.*) ræ'pɔːrt] *s.* rapporto, relazione.

rapscallion [ræp'skæliən] *s.* furfante.

rapt [ræpt] *agg.* rapito, estatico, assorto.

raptor ['ræptə*] *s.* (*zool.*) rapace.

rapture ['ræptʃə*] *s.* **1** estasi, rapimento.

rapturous ['ræptʃərəs] *agg.* estatico, rapito.

rare[1] [reə*] *agg.* **1** raro **2** rado; rarefatto.

rare[2] *agg.* al sangue.

rarebit ['reəbit] *s.* crostino di formaggio fuso.

rarefaction [,reəri'fækʃən] *s.* rarefazione.

to rarefy ['reərifai] *v.tr.* **1** rarefare **2** raffinare.

rareness ['reənis], **rarity** ['reəriti] *s.* **1** rarità **2** radezza.

rascal ['rɑːskəl] *s.* **1** furfante; mascalzone **2** (*di bambino*) birichino.

rash[1] [ræʃ] *agg.* avventato; imprudente.

rash[2] *s.* **1** eruzione cutanea **2** pioggia (di richieste, lamentele ecc.).

rasher ['ræʃə*] *s.* fetta sottile di prosciutto, pancetta.

rasp [rɑːsp] *s.* **1** raspa **2** cigolio, stridio.

to rasp[1] *v.tr.* **1** raspare; raschiare **2** (*fig.*) irritare, innervosire **3** far stridere.

rasp[2] *s.* → **raspberry**.

raspberry ['rɑːzbəri, (*amer.*) 'ræzberi] *s.* **1** lampone **2** (*sl.*) peto **3** (*sl.*) pernacchia **4** (*sl.*) brusco congedo.

rat [ræt] *s.* **1** topo, ratto // *rats!*, (*sl.*) sciocchezze! // *he looked like a drowned —*, sembrava un pulcino bagnato // *to smell a —*, subodorare un inganno **2** (*fig.*) disertore, traditore.

to rat *v.intr.* **1** andare a caccia di topi **2** cambiar bandiera **3** *to — on*, (*sl.*) fare la spia a.

ratable ['reitəbl] *agg.* imponibile.

ratch [rætʃ] *s.* → **ratchet wheel**.

ratchet ['rætʃit] *s.* (*mecc.*) nottolino di arresto.

ratchet wheel ['rætʃitwiːl] *s.* ruota a denti di sega con nottolino d'arresto.

rate[1] [reit] *s.* **1** corso, tasso // *interest* —, tasso d'interesse // *official discount* —, tasso ufficiale di sconto **2** prezzo; tariffa; aliquota // *at any* —, in ogni caso, comunque; *at that* —, se è così; così **3** imposta: *rates and taxes*, imposte e tasse **4** andamento, passo, ritmo; velocità.

to **rate**[1] *v.tr.* **1** stimare, valutare (*anche fig.*) **2** tassare **3** (*fam.*) annoverare; considerare ♦ *v.intr.* essere classificato.

to **rate**[2] *v.tr.* sgridare, rimproverare.

rateable *agg.* → **ratable**.

ratepayer ['reit,peiə*] *s.* contribuente.

rather ['rɑːðə*] *avv.* piuttosto: — *than*, piuttosto che // *I would* (o *had*) — *go*, preferirei andare ♦ *inter.* certamente, altroché.

ratification [,rætifi'keiʃən] *s.* ratifica, sanzione.

to **ratify** ['rætifai] *v.tr.* ratificare.

rating[1] ['reitiŋ] *s.* **1** stima, valutazione **2** contributo (fissato da un municipio) **3** (*mar.*) marinaio.

rating[2] *s.* sgridata.

ratio ['reiʃiou] *s.* (*mat.*) rapporto.

to **ratiocinate** [,ræti'osineit, (*amer.*) ,ræʃti'osineit] *v.intr.* raziocinare.

ratiocination [,rætiosi'neiʃən, (*amer.*) ,ræʃiosi'neiʃən] *s.* raziocinio.

ration ['ræʃən] *s.* razione // — *book*, tessera annonaria.

to **ration** *v.tr.* razionare.

rational ['ræʃənl] *agg.* razionale.

rationale [,ræʃiə'nɑːli] *s.* **1** ragione logica **2** spiegazione razionale.

rationalism ['ræʃnəlizəm] *s.* razionalismo.

rationalist ['ræʃnəlist] *s.* razionalista.

rationality [,ræʃə'næliti] *s.* razionalità.

rationalization [,ræʃnəlai'zeiʃən] *s.* razionalizzazione.

to **rationalize** ['ræʃnəlaiz] *v.tr.* e *intr.* razionalizzare.

rat race ['rætreis] *s.* lotta, contesa (per il primo posto).

rattan [rə'tæn] *s.* **1** malacca **2** bastone di malacca.

rat-tat ['ræt'tæt] *s.* toc-toc.

rattle ['rætl] *s.* **1** tintinnio; crepitio **2** sonaglio **3** rantolo **4** chiacchierio; chiacchierone **5** (*mus.*) raganella.

to **rattle** *v.intr.* **1** tintinnare; sferragliare; sbattere; crepitare **2** rantolare **3** sfrecciare: *the car rattled along the road at a fast rate*, l'auto sfrecciò lungo la strada a grande velocità **4** (*fam.*) blaterare: *he rattled through his speech*, sciorinò in tutta fretta il suo discorso ♦ *v.tr.* **1** far risonare; far tintinnare; (far) sbattere **2** agitare, scuotere: — *dice in a box*, agitare dei dadi in una scatola **3** *to* — *off*, sciorinare (in fretta) **4** (*fig.*) sconcertare; innervosire; allarmare.

rattler ['rætlə*] *s.* **1** (*fam.*) serpente a sonagli **2** (*sl.*) persona, cosa eccezionale.

rattlesnake ['rætlsneik] *s.* serpente a sonagli.

rattletrap ['rætltræp] *s.* **1** carabattola, catorcio **2** (*fam.*) vecchia carretta.

rattling ['rætliŋ] *agg.* **1** tintinnante, sferragliante **2** (*fam.*) vivace, gagliardo **3** (*sl.*) formidabile.

rattrap ['rættræp] *s.* trappola per topi.

ratty ['ræti] *agg.* **1** infestato da topi; di topi **2** (*fam.*) arrabbiato; irascibile.

raucous ['rɔːkəs] *agg.* rauco.

ravage ['rævidʒ] *s.* devastazione; danno.

to **ravage** *v.tr.* devastare (*anche fig.*); saccheggiare.

rave [reiv] *s.* **1** (*fam.*) meraviglia **2** (*sl.*) ammirazione, entusiasmo sfrenato.

to **rave** *v.intr.* **1** delirare; inveire **2** esaltarsi; andare in estasi: *to* — *about sthg.*, andare pazzo per qlco. **3** (*fig.*) infuriare.

to **ravel** ['rævəl] *v.tr.* **1** ingarbugliare **2** *to* — *out*, districare ♦ *v.intr.* **1** ingarbugliarsi **2** sfilarsi, sfilacciarsi (di stoffa).

ravelling ['rævəliŋ] *s.* filaccia.

raven ['reivn] *agg.* corvino ♦ *s.* corvo.

ravening ['rævniŋ] *agg.* vorace, famelico.

ravenous ['rævinəs] *agg.* vorace, famelico.

rave-up ['reivʌp] *s.* (*fam.*) festa scatenata.

ravine [rə'viːn] *s.* burrone; gola.

to **ravish** ['ræviʃ] *v.tr.* **1** estasiare, deliziare **2** violentare **3** rapire.

ravishing ['ræviʃiŋ] *agg.* affascinante, incantevole.

raw [rɔː] *agg.* **1** crudo **2** greggio, grezzo: — *silk*, seta greggia **3** (*fig.*) inesperto: *a* — *lad*, uno sbarbatello **4** scorticato, spellato **5** freddo: *a* — *wind*, un vento freddo ♦ *s.* piaga, spellatura // *to touch on the* —, toccare nel vivo // *in the* —, allo stato naturale, grezzo; (*sl.*) nudo.

raw-boned ['rɔːbound] *agg.* ossuto, scarno.

rawhide ['rɔːhaid] *s.* **1** cuoio greggio **2** frusta, correggia.

ray[1] [rei] *s.* raggio; (*fig.*) lampo, barlume.

to **ray**[1] *v.tr.* irradiare ♦ *v.intr.* irradiarsi.

ray[2] *s.* (*zool.*) razza, raia.

Raymond ['reimənd] *no.pr.m.* Raimondo.

rayon ['reiən] *s.* rayon.

to **raze** [reiz] *v.tr.* **1** distruggere, radere al suolo **2** (*fig.*) cancellare.

razor ['reizə*] *s.* rasoio // *on the* —'*s edge*, sul filo del rasoio.

to **razor** **1** radere **2** ferire con un rasoio.

razorbill ['reizəbill] *s.* (*zool.*) alca.

razor('s) edge ['reizə(z)'edʒ] *agg.* filo (di rasoio).

razz ['ræz] *s.* (*sl.*) pernacchia.

to **razz** *v.tr.* e *intr.* (*sl.*) prendere in giro.

razzle-dazzle ['ræzl,dæzl] *s.* (*sl.*) **1** baldoria **2** manovra diversiva.

re- [riː] *pref.* re-.

re[1] *s.* (*mus.*) re.

re[2] *prep.* (*dir.*) con riferimento a, riguardo a.

're *contr.* di **are**.

reach[1] [riːtʃ] *s.* **1** portata (*anche fig.*): *within* — *of*, alla portata di; *within easy* — *of*, a breve distanza da; *out of* (o *beyond*) —, fuori della portata di; al sicuro da // *this is beyond my* —, questo va oltre le mie possibilità, oltre la mia capacità di comprensione **2** tratto diritto (di corso d'acqua).

to **reach**[1] *v.tr.* **1** raggiungere, arrivare (a): *your letter never reached me*, la tua lettera non mi è mai pervenuta **2** stendere, allungare: *to* — (*out*) *a hand for sthg.*, stendere la mano per prendere qlco. **3** porgere, passare ♦ *v.intr.* **1** allungare (braccio, mano ecc.): *to* — (*out*) *for one's hat*, allungare il braccio per prendere il cappello // *to* — *after* (o *for*) *sthg.*, cercare di afferrare qlco.; (*fig.*) aspirare a qlco. **2** estendersi; arrivare (a).

to **reach**[2] *v.intr.* → to **retch**.

reach-me-down ['riːtʃmi,daun] *agg.* e *s.* (*fam.*) (abito) già confezionato.

to **react** [riː'ækt] *v.intr.* reagire: *two substances that* — *on each other*, due sostanze che reagiscono tra di loro.

reaction [riː'ækʃən] *s.* reazione.

reactionary [ri(:)'ækʃnəri] agg. e s. reazionario.

reactionist [ri(:)'ækʃənist] s. reazionario.

reactive [ri(:)'æktiv] agg. reattivo, reagente.

reactivity [‚ri(:)æk'tiviti] s. reattività.

reactor [ri(:)'æktə*] s. reattore.

read [red] agg. colto, istruito.

read [ri:d] s. lettura.

to **read**, pass. e p.pass. **read** [red] v.tr. leggere (anche fig.): to — s.o.'s thoughts, leggere nel pensiero di qlcu. // it may be — in many ways, si può interpretare in molti modi // to — a riddle, risolvere un indovinello // to — up a subject, studiare a fondo una materia // to — a compliment into a rebuke, (voler) vedere un complimento in un rimprovero // to take sthg. as —, accettare, dare qlco. per scontato ♦ v.intr. **1** leggere: to — out (o aloud), leggere ad alta voce; to — to oneself, leggere sottovoce, a mente // children like to be — to, ai bambini piace che si legga loro (qlco.). // this sentence reads oddly, questa frase suona strana // the passage reads as follows, nel brano si legge quanto segue **2** studiare: to — for the Bar, studiare per diventare avvocato **3** segnare (di strumenti).

readable ['ri:dəbl] agg. leggibile; di piacevole lettura.

to **readdress** ['ri:ə'dres] v.tr. cambiare l'indirizzo (di), rispedire.

reader ['ri:də*] s. **1** lettore **2** correttore di bozze; lettore di manoscritti **3** studioso **4** docente universitario **5** libro di lettura.

readily ['redili] avv. prontamente.

readiness ['redinis] s. prontezza // everything was in — for the journey, tutto era pronto per il viaggio.

reading ['ri:diŋ] s. **1** lettura // — brushes, (informatica) spazzole di lettura; — track, pista di lettura **2** lezione, versione (di manoscritto, testo) **3** interpretazione: what is your — of the facts?, qual è la tua interpretazione dei fatti? **4** pl. misurazioni.

reading book ['ri:diŋbuk] s. libro di lettura.

reading desk ['ri:diŋdesk] s. leggio.

reading lamp ['ri:diŋlæmp] s. lampada da tavolo.

reading room ['ri:diŋrum] s. sala di lettura, di consultazione.

readmission ['ri:əd'miʃən] s. riammissione.

ready ['redi] agg. pronto: a — answer, una risposta pronta; a writer who has a — pen, uno scrittore dalla penna facile // are you —? go!, pronti? via! // to make, to get —, preparare, prepararsi // — money, denaro contante ♦ s. **1** (sl.) denaro contante, contanti (pl.) **2** at the —, (mil.) col fucile puntato.

to **ready** v.tr. (amer.) preparare.

ready-made ['redi'meid] agg. pronto (per l'uso); (fig.) vecchio, sfruttato // — clothes, abiti fatti.

ready reckoner ['redi'rekənə*] s. prontuario per calcoli.

ready-witted ['redi'witid] agg. (fig.) sveglio.

to **reafforest** ['ri:æ'fɔrist] v.tr. rimboscare.

reagent [ri(:)'eidʒənt] s. (chim.) reagente, reattivo.

real [riəl] agg. **1** reale; vero **2** (dir.) immobiliare: — estate (o property), beni immobili; — -estate man, agente immobiliare **3** (amer. fam.) → **really 4** s. reale.

realism ['riəlizəm] s. realismo.

realist ['riəlist] s. realista.

realistic [riə'listik] agg. realistico.

reality [ri(:)'æliti] s. **1** realtà **2** realismo; verosimiglianza.

realization [‚riəlai'zeiʃən] s. **1** percezione **2** realizzazione, attuazione **3** (comm.) realizzo.

to **realize** ['riəlaiz] v.tr. **1** capire; accorgersi (di), rendersi conto (di) **2** realizzare, effettuare, attuare **3** (comm.) realizzare: to — securities, convertire titoli in denaro contante.

really ['riəli] avv. e inter. veramente; davvero.

realm [relm] s. regno (anche fig.).

realtor ['riəltə*] s. (amer. per estate agent) agente immobiliare.

realty ['riəlti] s. (dir.) proprietà immobiliare.

ream[1] [ri:m] s. **1** risma **2** pl. (fig.) enorme quantità (sing.): he wrote reams and reams to me, mi scrisse pagine su pagine.

to **ream**[2] v.tr. (tecn.) alesare.

reamer ['ri:mə*] s. (mecc.) alesatore.

to **reanimate** ['ri:'ænimeit] v.tr. rianimare.

to **reap** [ri:p] v.tr. e intr. mietere; raccogliere (anche fig.).

reaper ['ri:pə*] s. **1** mietitore **2** (mecc.) mietitrice.

reaping hook ['ri:piŋhuk] s. falce.

rear[1] [riə*] agg. posteriore; ultimo // — lights, (aut.) luci posteriori // — sight, alzo (di arma da fuoco) ♦ s. **1** (mil.) retroguardia; retrovia: to bring up the —, venire per ultimo **2** parte posteriore, retro.

to **rear**[2] v.tr. **1** innalzare, erigere; alzare, sollevare **2** allevare, educare; coltivare ♦ v.intr. impennarsi (di cavallo).

rear admiral ['riə'ædmərəl] s. contrammiraglio.

rearguard ['riəga:d] s. retroguardia.

to **rearm** ['ri:'a:m] v.tr. riarmare.

rearmament ['ri:'a:məmənt] s. riarmo.

rearmost ['riəmoust] agg. il più arretrato, l'ultimo.

to **rearrange** ['ri:ə'reindʒ] v.tr. riordinare.

rearward ['riəwəd] agg. **1** all'indietro **2** (mil.) situato nella retroguardia ♦ s. (mil.) retroguardia.

rearward(s) ['riəwəd(z)] avv. **1** indietro **2** (mil.) verso la retroguardia.

reason ['ri:zn] s. **1** causa, motivo, ragione: by — of, a causa di; the — why, il perché, la ragione per cui **2** ragione; raziocinio; buon senso: within —, ragionevole; it stands to — that..., è evidente che... // to have neither rhyme nor —, non avere né capo né coda.

to **reason** v.intr. ragionare; discorrere ♦ v.tr. **1** esaminare **2** persuadere: I reasoned him into accepting, lo persuasi ad accettare.

reasonable ['ri:znəbl] agg. **1** ragionevole **2** discreto; abbastanza buono.

reasoning ['ri:zniŋ] s. ragionamento.

reassurance [‚ri:ə'ʃuərəns] s. rassicurazione.

to **reassure** [‚ri:ə'ʃuə*] v.tr. rassicurare, tranquillizzare.

rebate ['ri:beit] s. (comm.) **1** riduzione, sconto; abbuono **2** rimborso.

rebec(k) ['ri:bek] s. (mus.) ribeca.

rebel ['rebl] agg. e s. ribelle.

to **rebel** [ri'bel] v.intr. ribellarsi.

rebellion [ri'beljən] s. ribellione.

rebellious [ri'beljəs] agg. ribelle.

to **rebind** [‚ri:'baind], pass. e p.pass. **rebound** [‚ri:'baund] v.tr. rilegare.

rebirth ['ri:'bə:θ] s. rinascita.

rebound [ri'baund] s. rimbalzo; (fig.) ripercussione // on the —, (fig.) di rimbalzo.

to **rebound** [ri'baund] v.intr. rimbalzare; (fig.) ricadere, ripercuotersi.

rebuff [ri'bʌf] s. rifiuto, diniego.

to **rebuff** v.tr. respingere, rifiutare.

to **rebuild** [‚ri:'bild], pass. e p.pass. **rebuilt** [‚ri:'bilt] v.tr. ricostruire.

rebuke [ri'bju:k] s. sgridata, rimprovero; biasimo.

to **rebuke** v.tr. sgridare, rimproverare; biasimare.

to **rebut** [ri'bʌt] v.tr. **1** respingere; rifiutare **2** (dir.) confutare.

rebuttal [ri'bʌtl] s. **1** rifiuto **2** (dir.) confutazione.

recalcitrant [ri'kælsitrənt] agg. ricalcitrante.

recall [ri'kɔ:l] s. **1** richiamo **2** revoca: beyond —, irrevocabile; dimenticato **3** (mil.) segnale di ritirata: to sound the —, suonare la ritirata.

to **recall** v.tr. **1** richiamare, far ritornare **2** ricordare; far ricordare **3** annullare; revocare; ritrattare.

to **recant** [ri'kænt] v.tr. ritrattare, ripudiare (idea, opinione) ♦ v.intr. fare una pubblica sconfessione.

recantation [ˌri:kæn'teiʃən] s. ritrattazione.

recap[1] [ri:kæp] s. (amer.) pneumatico rigenerato.

to **recap**[1] v.tr. (amer. per to retread[2]) rigenerare (uno pneumatico).

to **recapitulate** [ˌri:kə'pitjuleit], (fam.) to **recap**[2] ['rikæp] v.tr. riepilogare.

recapitulation ['ri:kəˌpitju'leiʃən], (fam.) **recap**[2] s. riepilogo.

to **recapture** ['ri:'kæptʃə*] v.tr. riprendere.

to **recast** [ri'sɑ:st], pass. e p.pass. **recast** v.tr. **1** (metall.) rifondere **2** rimaneggiare, ricomporre **3** (teatr.) scritturare nuovi attori (per).

recce ['reki]s. perlustrazione, ricognizione, sopralluogo.

to **recede** [ri(:)'si:d] v.tr. **1** recedere; allontanarsi: to — from sthg., ritirarsi da, rinunciare a qlco. // receding chin, mento sfuggente; receding hair, stempiatura **2** diminuire; declinare: to — in importance, perdere importanza.

receipt [ri'si:t] s. **1** (comm.) ricezione: we are in — of your letter, abbiamo ricevuto la vostra (lettera) **2** ricevuta, quietanza // to acknowledge — of, accusare ricevuta di **3** pl. introiti.

to **receipt** v.tr. (comm.) quietanzare.

to **receive** [ri'si:v] v.tr. **1** ricevere // to — stolen goods, ricettare merce rubata // to — thirty days, essere condannati a un mese di prigione **2** contenere **3** sopportare, sostenere: the arch receives the weight of the roof, l'arco sostiene il peso del tetto **4** riconoscere ♦ v.intr. ricevere: he receives on Mondays, riceve il lunedì.

receiver [ri'si:və*] s. **1** ricevente; destinatario **2** (tecn.) ricevitore **3** (rad.) apparecchio radioricevente **4** ricettatore **5** (dir.) curatore fallimentare; liquidatore.

recension [ri'senʃən] s. **1** revisione **2** testo riveduto.

recent ['ri:snt] agg. recente.

receptacle [ri'septəkl] s. ricettacolo.

reception [ri'sepʃən] s. **1** il ricevere // — room, sala di ricevimento // — bureau, ricezione (di albergo) // — clerk, (amer.) impiegato addetto alla ricezione **2** ricevimento: to give a —, dare un ricevimento **3** accoglienza **4** (rad.) ricezione.

receptionist [ri'sepʃənist] s. impiegato addetto alla ricezione (in un albergo); segretaria (di ufficio professionale).

receptive [ri'septiv] agg. ricettivo.

recess [ri'ses] s. **1** rientranza; nicchia **2** recesso (anche fig.) **3** intervallo; (amer.) vacanza: parliamentary —, vacanza parlamentare.

to **recess** v.tr. **1** aprire una nicchia, una rientranza (in) **2** recludere ♦ v.intr. aggiornarsi (spec. di Parlamento).

recession [ri'seʃən] s. **1** ritiro; arretramento **2** (econ.) recessione.

recessive [ri'sesiv] agg. recessivo.

recidivism [ri'sidivizəm] s. recidività.

recidivist [ri'sidivist] agg. e s. recidivo.

recipe ['resipi] s. (cuc.) ricetta.

recipient [ri'sipiənt] agg. ricevente; ricettivo ♦ s. **1** ricevente; destinatario **2** (comm.) beneficiario.

reciprocal [ri'siprəkəl] agg. reciproco ♦ s. (mat.) numero reciproco.

to **reciprocate** [ri'siprəkeit] v.tr. ricambiare ♦ v.intr. muoversi alternativamente.

reciprocation [riˌsiprə'keiʃən] s. **1** scambio; contraccambio **2** (mecc.) moto alterno.

reciprocity [ˌresi'prɔsiti] s. reciprocità.

recital [ri'saitl] s. **1** racconto; relazione **2** (dir.) esposto **3** recital.

recitation [ˌresi'teiʃən] s. recitazione; (amer.) ripetizione (all'insegnante) della lezione del giorno.

to **recite** [ri'sait] v.tr. **1** recitare, declamare **2** raccontare; enumerare; esporre.

to **reck** [rek] v.tr. e intr. **1** (poet.) preoccuparsi, curarsi: to — but little of sthg., curarsi poco di qlco. **2** impers. importare: what recks it (me) that?, che cosa (m')importa?

reckless ['reklis] agg. noncurante; temerario, avventato // — driving, guida spericolata, pericolosa.

recklessness ['reklisnis] s. noncuranza; temerarietà, avventatezza.

to **reckon** ['rekən] v.tr. **1** contare, calcolare **2** considerare, stimare **3** (fam.) credere **4** (amer. fam.) supporre ♦ v.intr. **1** fare di conto **2** to — on (s.o., sthg.), fare assegnamento, contare su (qlcu., qlco.).

reckoning ['rekniŋ] s. **1** conto, calcolo: to be out in one's —, ingannarsi nei propri calcoli **2** conto (da pagare); (fig.) scotto, fio // day of —, giorno della resa dei conti, del Giudizio **3** (mar. aer.) determinazione della posizione.

reclaim [ri'kleim] s.: beyond —, incorreggibile, irrecuperabile.

to **reclaim** v.tr. **1** correggere, redimere **2** incivilire; domare, addomesticare **3** bonificare **4** (ind.) ricuperare **5** rivendicare.

to **recline** [ri'klain] v.tr. reclinare; appoggiare; distendere ♦ v.intr. appoggiarsi; distendersi; giacere.

recluse [ri'klu:s] s. recluso; eremita.

recognition [ˌrekəg'niʃən] s. riconoscimento.

recognizable ['rekəgnaizəbl] agg. riconoscibile.

recognizance [ri'kɔgnizəns] s. (dir.) cauzione.

to **recognize** ['rekəgnaiz] v.tr. riconoscere.

recoil [ri'kɔil] s. **1** arretramento; rimbalzo **2** rinculo **3** (fig.) ripercussione **4** disgusto, orrore.

to **recoil** v.intr. **1** indietreggiare, retrocedere; avere, sentire ripugnanza **2** (fig.) ricadere, ritornare: the evil will — on the evildoer, il male ricadrà su chi lo ha fatto **3** rinculare.

to **re-collect** ['ri:kə'lekt] v.tr. raccogliere, radunare (di nuovo) // to — one's thoughts, riprendersi // to — oneself, riaversi.

to **recollect** [ˌrekə'lekt] v.tr. ricordare: I — saying..., ricordo d'aver detto... ♦ v.intr. ricordarsi: as far as I —, se (mi) ricordo bene.

recollection [ˌrekə'lekʃən] s. memoria; reminiscenza; ricordo // to the best of my —, se ben ricordo // within my —, per quanto io ricordi.

to **recommence** [ri:kə'mens] v.tr. e intr. ricominciare.

to **recommend** [ˌrekə'mend] v.tr. raccomandare.

recommendation [ˌrekəmen'deiʃən] s. raccomandazione.

recompense ['rekəmpens] *s.* ricompensa; risarcimento.

to **recompense** *v.tr.* ricompensare; risarcire.

to **recompose** ['ri:kəm'pouz] *v.tr.* ricomporre; riordinare // *to — one's feelings*, ricomporsi.

to **reconcile** ['rekənsail] *v.tr.* **1** riconciliare; conciliare: *to — a person to* (o *with*) *another*, riconciliare due persone; *to — differences*, comporre dissidi **2** *to — oneself*, rassegnarsi; *to — oneself to doing sthg.*, rassegnarsi a fare qlco.

reconciliation [,rekənsili'eiʃən] *s.* (ri)conciliazione.

recondite ['rɔndait] *agg.* recondito; oscuro.

to **recondition** ['ri:kən'diʃən] *v.tr.* ripristinare; rimettere in efficienza.

reconnaissance [ri'kɔnisəns] *s.* (*mil.*) ricognizione.

to **reconnoitre** [,rekə'nɔitə*] *v.tr.* perlustrare; esplorare ♦ *v.intr.* fare una ricognizione.

to **reconsider** ['ri:kən'sidə*] *v.tr.* riconsiderare.

to **reconstitute** ['ri:'kɔnstitju:t] *v.tr.* ricostituire.

to **reconstruct** ['ri:kəns'trʌkt] *v.tr.* ricostruire.

reconstruction ['ri:kəns'trʌkʃən] *s.* ricostruzione.

record ['rekɔ:d, (*amer.*) 'rekərd] *s.* **1** nota; documento; documentazione; testimonianza: *of a deed*, registrazione di un atto; *to keep a — of sthg.*, tenere una documentazione di qlco. // *off the —*, (*fam.*) ufficioso, non ufficiale // *to be on —*, essere registrato // *Record Office*, Archivio di Stato **2** stato di servizio; fedina penale: *he has a good —*, il suo stato di servizio è buono; *to have a clean —*, avere la fedina pulita **3** primato: *to beat the —*, battere il primato **4** disco fonografico **5** (*informatica*) record, registrazione: *— block*, blocco dei record; *— definition*, delimitazione di registrazione; *— key*, chiave di record.

to **record** [ri'kɔ:d] *v.tr.* **1** registrare, mettere per iscritto; verbalizzare; allibrare; mettere agli atti: *to have a deed recorded*, protocollare un atto; *the temperature recorded was 7 °C below zero*, la temperatura registrata era di 7 °C sotto lo zero; *the result is worth recording*, il risultato merita di essere segnalato **2** registrare (musica, spettacoli ecc.).

record-breaking ['rekɔ:d,breikiŋ] *agg.* da primato, da record.

recorder [ri'kɔ:də] *s.* **1** (*dir.*) consigliere civile e giudiziario (di una città) **2** registratore **3** (*mus.*) tipo di flauto.

record-holder ['rekɔ:d,houldə*] *s.* detentore di un primato.

recording [ri'kɔ:diŋ] *s.* registrazione; incisione fonografica.

record player ['rekɔ:d,pleiə*] *s.* giradischi; mangiadischi.

to **recount**[1] [ri'kaunt] *v.tr.* raccontare.

recount[2] ['ri:'kaunt] *s.* nuovo computo, conteggio.

to **recount**[2] *v.tr.* ricontare.

to **recoup** [ri'ku:p] *v.tr.* **1** risarcire, indennizzare **2** (*dir.*) dedurre, trattenere.

recourse [ri'kɔ:s] *s.* ricorso: *to have — to arms*, ricorrere alle armi.

to **recover** [ri'kʌvə*] *v.tr.* **1** riprendere; riacquistare; ricuperare; ritrovare: *to — s.o.'s esteem*, riacquistare la stima di qlco.; *to — consciousness*, riprendere conoscenza // *to — oneself*, riaversi, riprendersi **2** (*dir.*) ottenere (risarcimenti, riparazioni) ♦ *v.intr.* **1** riaversi, riprendersi, guarire **2** (*dir.*) vincere una causa.

to **re-cover** ['ri:'kʌvə*] *v.tr.* ricoprire.

recovery [ri'kʌvəri] *s.* **1** ricupero, ritrovamento **2** ripresa; guarigione // *past —*, incurabile **3** (*comm. dir.*) risarcimento // *— of a credit*, ricupero di un credito **4** (*informatica*) recupero; correzione; ripristino.

recreant ['rekriənt] *agg.* e *s.* **1** vile, codardo **2** rinnegato.

recreation [,rekri'eiʃən] *s.* svago, divertimento.

recreational [,rekri'eiʃənl] *agg.* ricreativo.

to **recriminate** [ri'krimineit] *v.intr.* recriminare.

recrimination [ri,krimi'neiʃən] *s.* recriminazione.

recrudescence [,ri:kru:'desns] *s.* recrudescenza.

recruit [ri'kru:t] *s.* **1** (*mil.*) recluta **2** principiante; novellino.

to **recruit** *v.tr.* **1** (*mil.*) reclutare **2** rinforzare; rinvigorire ♦ *v.intr.* **1** reclutare soldati **2** ristabilirsi.

recruitment [ri'kru:tmənt] *s.* reclutamento.

rectal ['rektəl] *agg.* rettale.

rectangle ['rek,tæŋgl] *s.* rettangolo.

rectangular [rek'tæŋgjulə*] *agg.* rettangolare.

rectification [,rektifi'keiʃən] *s.* rettificazione.

rectifier ['rektifaiə*] *s.* **1** rettificatore **2** (*elettr.*) raddrizzatore **3** (*rad.*) rivelatore.

to **rectify** ['rektifai] *v.tr.* **1** rettificare **2** (*elettr. rad.*) raddrizzare.

rectilineal [,rekti'liniəl], **rectilinear** [,rekti'liniə*] *agg.* rettilineo.

rectitude ['rektitju:d] *s.* rettitudine, dirittura.

rector ['rektə*] *s.* **1** rettore (di parrocchia anglicana); superiore (di istituto religioso) **2** rettore; direttore, preside (di scuola, collegio).

rectum ['rektəm] *s.* (*anat.*) retto.

recumbent [ri'kʌmbənt] *agg.* appoggiato; supino, adagiato.

to **recuperate** [ri'kju:pəreit] *v.tr.* ristabilire; ricuperare ♦ *v.intr.* ristabilirsi.

recuperation [ri,kju:pəreiʃən] *s.* ricupero; ripresa.

to **recur** [ri'kə:*] *v.intr.* ricorrere; riaccadere; ripresentarsi.

recurrence [ri'kʌrəns] *s.* ricorso; ricorrenza.

recurrent [ri'kʌrənt] *agg.* ricorrente; periodico.

recusancy ['rekjuzənsi] *s.* ricusa; rifiuto; ripulsa.

recusant ['rekjuzənt] *agg.* e *s.* dissidente.

to **recycle** [,ri:'saikl] *v.tr.* riciclare.

recycling [,ri:'saikliŋ] *s.* riciclaggio.

red [red] *agg.* **1** rosso: *— with anger*, rosso di collera; *to see —*, arrabbiarsi; *to turn —*, arrossire; arrossare, diventar rosso; imporporarsi // *Red Ensign*, bandiera della Marina Mercantile Britannica // *— light*, segnale rosso di pericolo // *to see the — light*, rendersi conto di un pericolo // *it is not worth a — cent*, non vale un soldo bucato // *to paint the town —*, far baldoria // *—-light district*, quartiere frequentato da prostitute // *a — rag*, cosa che rende furioso, che fa vedere rosso **2** (*pol.*) «rosso»; comunista; sovietico ♦ *s.* **1** color rosso // *blood —*, rosso sangue // *to be in the —*, (*fam.*) avere il conto scoperto, essere passivo **2** (*pol.*) «rosso»; comunista; sovietico.

to **redact** [ri'dækt] *v.tr.* redigere; sistemare per la pubblicazione.

red-blooded [,red'blʌdid] *agg.* forte, virile.

redbreast [red'brest] *s.* (*zool.*) pettirosso.

redbrick ['redbrik] *agg.* di università inglese.

redcap ['redkæp] *s.* **1** (*mil.*) soldato della polizia militare inglese **2** (*amer. per porter*) portabagagli, facchino.

red-coat ['redkout] *s.* (*st.*) soldato inglese.

redcurrant [,red'kʌrənt] *s.* (*bot.*) ribes.

to **redden** ['redn] *v.tr.* **1** arrossare; rendere rosso **2** fare arrossire ♦ *v.intr.* arrossire.

reddish ['rediʃ] *agg.* rossiccio.

to **redeem** [ri'di:m] *v.tr.* **1** riscattare, svincolare: *to — a mortgage*, estinguere un'ipoteca **2** mantenere (una promessa) **3** liberare; redimere; salvare **4** compensare; controbilanciare.

redeemer [ri'di:mə*] *s.* redentore // *the Redeemer*, il Redentore.

redemption [ri'dempʃən] *s.* **1** redenzione; liberazione; riscatto; salvezza // *beyond —*, irrecuperabile **2** (*comm.*) rimborso; estinzione; ammortamento.

red-handed ['red'hændid] *agg.: to be caught —*, essere preso con le mani nel sacco.

red-hot [,red'hɔt] *agg.* incandescente.

to **redintegrate** [re'dintigreit] *v.tr.* reintegrare.

to **redirect** ['ri:di'rekt] *v.tr.* **1** indicare di nuovo la direzione (a) **2** cambiare indirizzo a (una lettera).

red lead ['redled] *s.* minio.

to **redo** ['ri:'du:], *pass.* **redid** ['ri:'did], *p. pass.* **redone** ['ri:'dʌn] *v.tr.* **1** rifare **2** ridecorare.

redolence ['redouləns] *s.* profumo, fragranza.

redolent ['redoulənt] *agg.* profumato, fragrante // *— of ancient times*, che riecheggia il passato.

to **redouble** [ri'dʌbl] *v.tr. e intr.* raddoppiare.

redoubtable [ri'dautəbl] *agg.* formidabile; temibile.

to **redound** [ri'daund] *v.intr.* **1** tornare (a vantaggio); risultare **2** ricadere: *to — upon*, ricadere su.

redress [ri'dres] *s.* riparazione (di un torto); soddisfazione: *injury beyond —*, torto irreparabile.

to **redress** *v.tr.* **1** riparare; rimediare **2** correggere; raddrizzare.

redskin ['redskin] *s.* pellerossa.

red tape ['redteip] *s.* burocrazia.

to **reduce** [ri'dju:s] *v.tr.* **1** ridurre // *in reduced circumstances*, in strettezze **2** (*chir.*) ridurre **3** (*mil.*) degradare ♦ *v.intr.* dimagrire.

reduction [ri'dʌkʃən] *s.* **1** riduzione **2** (*fam.*) dimagrimento **3** (*mil.*) degradazione.

redundancy [ri'dʌndənsi] *s.* **1** sovrabbondanza; ridondanza **2** esuberanza (di manodopera) // *— pay*, cassa integrazione (salario).

redundant [ri'dʌndənt] *agg.* sovrabbondante; ridondante.

to **reduplicate** [ri'dju:plikeit] *v.tr.* raddoppiare; ripetere.

redwood ['redwud] *s.* (*bot.*) sequoia.

to **reecho** [ri(:)'ekou] *v.tr. e intr.* (far) riecheggiare.

reed [ri:d] *s.* **1** canna, giunco // *broken —*, persona infida **2** (*poet.*) dardo, strale **3** (*poet.*) zampogna; (*fig.*) poesia pastorale **4** (*mus.*) ancia **5** (*ind. tessile*) pettine.

to **reed** *v.tr.* **1** ricoprire (un tetto) con cannicci **2** fornire di ancia.

to **reedit** ['ri:'edit] *v.tr.* ripubblicare, apprestare una nuova edizione (di).

to **reeducate** [ri:'edju(:)keit] *v.tr.* rieducare, riabilitare.

reedy ['ri:di] *agg.* **1** folto di canne; (*fig.*) sottile, esile; debole **2** acuto (di suono).

reef[1] [ri:f] *s.* (*mar.*) terzarolo // *to take in a —*, (*fig.*) agire con cautela.

to **reef**[1] *v.tr.* (*mar.*) terzarolare.

reef[2] *s.* **1** frangente; secca, banco **2** (*min.*) filone.

reefer[1] ['ri:fə*] *s.* giacchetta a doppio petto.

reefer[2] *s.* (*sl.*) sigaretta alla marijuana.

reef knot ['ri:fnɔt] *s.* nodo piano.

reek [ri:k] *s.* **1** puzzo, fetore **2** (*scoz.*) vapore; fumo.

to **reek** *v.intr.* **1** puzzare **2** emettere fumo, vapore **3** (*fig.*) trasudare.

reel[1] [ri:l] *s.* **1** rocchetto; bobina; aspo; mulinello (di canna da pesca) // *off the —*, tutto d'un fiato **2** (*cinem.*) rotolo, bobina.

to **reel**[1] *v.tr.* **1** avvolgere **2** *to — off*, srotolare; (*fig*) snocciolare.

to **reel**[2] *v.intr.* vacillare; oscillare (*anche fig.*).

reeler [ri:lə*] *s.* bobinatrice.

to **re-enact** ['ri:i'nækt] *v.tr.* **1** rimettere in vigore (una legge) **2** riprodurre (una scena).

to **reenforce** *v.tr.* → to **reinforce**.

reeve[1] [ri:v] *s.* (*st.*) alto magistrato.

to **reeve**[2], *pass. e p.pass.* **rove** [rouv], **reeved** [ri:vd] *v.tr.* (*mar.*) passare una corda attraverso (a).

ref[1] [ref] *s.* (*fam.*) arbitro.

to **ref**[1] *v.tr. e intr.* (*fam.*) arbitrare.

ref[2] *s.* (*fam.*) referenza, benservito.

to **reface** ['ri:'feis] *v.tr.* rinnovare la facciata (di edificio ecc.).

to **refashion** ['ri:'fæʃən] *v.tr.* rimodernare.

refection [ri'fekʃən] *s.* refezione.

refectory [ri'fektəri] *s.* refettorio.

to **refer** [ri'fə:*] *v.tr.* **1** attribuire; assegnare **2** rimettere, affidare: *his application was referred to the manager*, la sua domanda fu rimessa al direttore **3** rimandare (per informazioni): *to — the reader to a foot note*, rimandare il lettore a una nota in calce ♦ *v.intr.* alludere; ricorrere; riferirsi; rivolgersi: *if you are referring to me...*, se alludi a me...; *for further information — to the management*, per ulteriori informazioni rivolgersi alla direzione.

referee [,refə'ri:] *s.* arbitro; giudice.

to **referee** *v.tr.* (*sport*) arbitrare ♦ *v.intr.* fare da arbitro.

reference ['refrəns] *s.* **1** riferimento; relazione, rapporto: *with — to*, con riferimento a **2** consultazione // *— book*, libro di consultazione **3** attestato, benservito; referenza.

referendum [,refə'rendəm], *pl.* **referenda** [,refə'rendə] *s.* referendum: *to call a —*, indire un referendum.

refill ['ri:'fil] *s.* ricambio.

to **refill** *v.tr.* riempire di nuovo; ricaricare.

to **refine** [ri'fain] *v.tr.* raffinare (*anche fig.*) ♦ *v.intr.* **1** raffinarsi (*anche fig.*) **2** sottilizzare.

refined [ri'faind] *agg.* **1** raffinato, purificato **2** (*fig.*) colto; fine.

refinement [ri'fainmənt] *s.* **1** (*ind.*) raffinazione **2** raffinatezza; eleganza **3** (*fig.*) finezza, sottigliezza.

refinery [ri'fainəri] *s.* raffineria.

refit ['ri:'fit] *s.* (*mar.*) raddobbo.

to **refit** *v.tr.* (*mar.*) riattare; raddobbare.

reflation [ri:'fleiʃn] *s.* (*econ.*) reflazione.

to **reflect** [ri'flekt] *v.tr.* **1** riflettere **2** (*fig.*) rispecchiare: *to — credit on s.o.*, tornare a credito di qlcu. **3** *to — (up) on*, mettere in dubbio, insinuare su; meditare, pensare.

reflection [ri'flekʃən] *s.* **1** riflessione; riflesso, immagine riflessa **2** pensiero **3** meditazione; *pl.* pensieri, considerazioni: *on —*, riflettendovi // *to cast reflections on s.o.*, sparlare di qlcu., calunniare qlcu.

reflective [ri'flektiv] *agg.* **1** (*fis.*) riflettente **2** riflessivo.

reflector [ri'flektə*] *s.* **1** riflettore **2** (*fig.*) specchio.

reflex ['ri:fleks] *agg. e s.* riflesso (*anche fig.*).

reflexion *s.* → **reflection**.

reflexive [ri'fleksiv] *agg.* e *s.* (*gramm.*) riflessivo.

to refloat ['ri:'flout] *v.tr.* rimettere a galla.

reflux ['ri:flʌks] *s.* riflusso.

to reforest ['ri:'fɔrist] *v.tr.* (*amer.*) → **to reafforest**.

reform [ri'fɔ:m] *s.* riforma: miglioramento // *school*, (*amer.*) riformatorio.

to reform *v.tr.* emendare ♦ *v.intr.* emendarsi.

to re-form ['ri:'fɔ:m] *v.tr.* formare di nuovo ♦ *v.intr.* formarsi di nuovo.

reformation [,refə'meiʃən] *s.* riforma; emendamento // *the Reformation*, (*st. relig.*) la Riforma.

reformatory [ri'fɔ:mətəri] *agg.* riformativo; riformatore ♦ *s.* (*amer.* per *approved school*) riformatorio, casa di correzione.

reformed [ri'fɔ:md] *agg.* **1** riformato; corretto; emendato // *Reformed Churches*, Chiese riformate **2** (*di delinquente*) che si è pentito, che ha cambiato modo di vivere e di pensare.

reformer [ri'fɔ:mə*] *s.* riformatore.

to refract [ri'frækt] *v.tr.* (*fis.*) rifrangere.

refraction [ri'frækʃən] *s.* (*fis.*) rifrazione.

refractor [ri'fræktə*] *s.* rifrattore.

refractory [ri'fræktəri] *agg.* refrattario ♦ *s.* sostanza refrattaria.

refrain¹ [ri'frein] *s.* ritornello.

to refrain² *v.intr.* trattenersi, astenersi.

refrangible [ri'frændʒibl] *agg.* (*fis.*) rifrangibile.

to refresh [ri'freʃ] *v.tr.* **1** rinvigorire; rianimare; ristorare: *to — the eye, the mind*, riposare lo sguardo, la mente; *to — oneself*, ristorarsi **2** rinfrescare (la memoria) **3** rifornire; riempire **4** (*fam.*) dare da bere (a) ♦ *v.intr.* ristorarsi.

refresher [ri'freʃə*] *s.* **1** chi, cosa che rinfresca // *— course*, corso di aggiornamento **2** onorario supplementare **3** (*fam.*) bibita.

refreshing [ri'freʃiŋ] *agg.* rinfrescante; ristoratore; piacevole.

refreshment [ri'freʃmənt] *s.* **1** ristoro; sollievo **2** *pl.* rinfreschi.

refrigerant [ri'fridʒərənt] *agg.* e *s.* refrigerante.

to refrigerate [ri'fridʒəreit] *v.tr.* refrigerare.

refrigeration [ri,fridʒə'reiʃən] *s.* refrigerazione

refrigerator [ri'fridʒəreitə*] *s.* frigorifero; cella frigorifera; (*amer.* per *icebox*) ghiacciaia.

reft [reft] *agg.* privo, spoglio.

to refuel ['ri:'fjuəl] *v.tr.* rifornire (di carburante) ♦ *v.intr.* rifornirsi (di carburante).

refuge ['refju:dʒ] *s.* **1** rifugio (*anche fig.*); asilo: *to take — in*, rifugiarsi in **2** salvagente (stradale).

refugee [,refju(:)'dʒi:, (*amer.*) 'refju(:)dʒi:] *s.* rifugiato, profugo.

refulgence [ri'fʌldʒəns] *s.* fulgore, splendore.

refulgent [ri'fʌldʒənt] *agg.* fulgido, risplendente.

refund ['ri:'fʌnd] *s.* rimborso.

to refund [ri:'fʌnd] *v.tr.* rifondere; rimborsare ♦ *v.intr.* effettuare un rimborso.

to refurbish [,ri:'fɔ:biʃ] *v.tr.* ristrutturare (edifici).

refurbishment [,ri:fɔ:biʃmənt] *s.* ristrutturazione (di edifici).

refusal [ri'fju:zəl] *s.* rifiuto // *first —*, diritto di opzione.

refuse¹ ['refju:s] *agg.* e *s.* (di) rifiuto, (di) scarto.

to refuse¹ [ri'fju:z] *v.tr.* rifiutare ♦ *v.intr.* **1** rifiutarsi **2** (*a carte*) passare.

to refuse² ['ri:'fju:z] *v.tr.* fondere di nuovo.

refutation [,refju(:)'teiʃən] *s.* confutazione.

to refute [ri'fju:t] *v.tr.* confutare.

to regain [ri'gein] *v.tr.* **1** riguadagnare, ricuperare: *to — one's footing*, riprendere l'equilibrio; (*fig.*) riguadagnare la propria posizione **2** ritornare (a, in).

regal ['ri:gəl] *agg.* regale, reale, regio.

to regale [ri'geil] *v.tr.* **1** intrattenere piacevolmente (*anche iron.*) **2** rallegrare; deliziare ♦ *v.intr.* rallegrarsi.

regalia [ri'geiljə] *s.pl.* insegne reali; (*st.*) regalie.

regality [ri'gæliti] *s.* regalità, sovranità.

Regan ['ri:gən] *no.pr.f.* (*lett.*) Regana.

regard [ri'gɑ:d] *s.* **1** considerazione; stima; riguardo **2** *pl.* saluti, ossequi: *with kind regards*, con cordiali saluti **3** *with — to*, riguardo a, in merito a; *in this —*, a questo proposito **4** (*letter.*) sguardo.

to regard *v.tr.* **1** considerare; stimare; tener conto di **2** riguardare, concernere: *as regards* (o *regarding*)..., per quanto riguarda... **3** guardare (fissamente); osservare; prestare attenzione (a) ♦ *v.intr.* guardare.

regardless [ri'gɑ:dlis] *agg.* incurante, noncurante; indifferente ♦ *avv.* **1** *— of*, senza badare a **2** (*fam.*) ciononostante: *I told him not to do it, but he did it —*, gli dissi di non farlo, ma lo fece lo stesso.

regatta [ri'gætə] *s.* regata.

regency ['ri:dʒənsi] *s.* reggenza.

to regenerate [ri'dʒenəreit] *v.tr.* rigenerare ♦ *v.intr.* rigenerarsi.

regeneration [ri,dʒenə'reiʃən] *s.* rigenerazione.

regent ['ri:dʒənt] *agg.* e *s.* reggente.

regicidal [,redʒi'saidl] *agg.* regicida.

regicide ['redʒisaid] *s.* **1** regicida **2** regicidio.

regime, régime [rei'ʒi:m] *s.* (*spec. pol.*) regime.

regimen ['redʒimen] *s.* dieta, regime.

regiment ['redʒimənt] *s.* reggimento (*anche fig.*).

to regiment ['redʒiment] *v.tr.* irreggimentare.

regimental [,redʒi'mentl] *agg.* di reggimento.

regimentals [,redʒi'mentlz] *s.pl.* uniforme militare (*sing.*) // *in full —*, in alta uniforme.

Regina [ri'dʒainə] *s.* regina regnante.

region ['ri:dʒən] *s.* **1** regione, zona **2** (*fig.*) campo, sfera.

regional ['ri:dʒənl] *agg.* regionale.

register ['redʒistə*] *s.* **1** registro (*anche mus.*) **2** valvola **3** (*informatica*) registro.

to register *v.tr.* **1** registrare; iscrivere; immatricolare: *to — a trade-mark*, depositare un marchio di fabbrica // *to — oneself*, (*pol.*) iscriversi nella lista dei votanti **2** raccomandare, assicurare (alla posta): *to — a letter*, fare una raccomandata; *to — luggage*, assicurare il bagaglio **3** (*fig.*) imprimere nella mente **4** indicare, segnare; mostrare ♦ *v.intr.* **1** iscriversi **2** (*fig.*) andare a vuoto.

registrar [,redʒis'trɑ:*] *s.* segretario; cancelliere.

registration [,redʒis'treiʃən] *s.* registrazione: *— book*, libretto di circolazione; *— number*, numero di targa (dell'automobile).

registry ['redʒistri] *s.* **1** registrazione **2** ufficio di stato civile.

registry office ['redʒistri'ɔfis] *s.* ufficio di stato civile.

regnal ['regnl] *agg.* di regno.

regress ['ri:gres] *s.* retrocessione, regresso.

to regress [ri'gres] *v.intr.* retrocedere, regredire.

regression [ri'greʃən] *s.* regresso, regressione.

regret [ri'gret] *s.* rimpianto, rincrescimento: *to my —*, con mio dispiacere, rincrescimento.

to regret *v.tr.* **1** rimpiangere **2** rammaricarsi (di); pentirsi (di) // *we — to inform you...*, ci duole informarla...

regretful [ri'gretful] *agg.* pieno di rimpianto, di rincrescimento.

regrettable [ri'gretəbl] *agg.* spiacevole, deplorevole.

regular ['regjulə*] *agg.* **1** regolare: *a — introduction*, una presentazione formale; *a — life*, una vita regolata **2** (*fam.*) vero e proprio; perfetto: *he is a — rascal*, è un briccone matricolato ♦ *s.* **1** soldato regolare **2** cliente, frequentatore abituale.

regularity [ˌregju'læriti] *s.* regolarità.

to regularize ['regjuləraiz] *v.tr.* regolarizzare.

to regulate ['regjuleit] *v.tr.* regolare.

regulation [ˌregju'leiʃən] *s.* regolamento // *— speed*, velocità regolamentare.

regulator ['regjuleitə*] *s.* regolatore.

to regurgitate [ri'gə:dʒiteit] *v.tr.* e *intr.* rigurgitare; rigettare.

regurgitation [ri,gə:dʒi'teiʃən] *s.* rigurgito.

to rehabilitate [ˌri:ə'biliteit] *v.tr.* **1** riabilitare **2** ripristinare.

rehabilitation ['ri:ə,bili'teiʃən] *s.* **1** riabilitazione **2** ripristino.

to rehandle ['ri:'hændl] *v.tr.* rimaneggiare.

rehash ['ri:'hæʃ] *s.* rimaneggiamento, rifacimento.

to rehash *v.tr.* rimaneggiare.

rehearsal [ri'hə:səl] *s.* prova.

to rehearse [ri'hə:s] *v.tr.* **1** provare **2** ripetere, raccontare.

reign [rein] *s.* regno.

to reign *v.intr.* regnare.

to reimburse [ˌri:im'bə:s] *v.tr.* rimborsare.

reimport ['ri:im'pɔ:t] *s.* (*gener. pl.*) articoli reimportati (*pl.*).

to reimport *v.tr.* reimportare.

rein [rein] *s.* redine, briglia (*anche fig.*) // *to give — to*, dar libero corso a // *to keep a tight — on*, tenere sotto una rigida disciplina; contenere, limitare.

to rein *v.tr.* mettere le redini (a) // *to — in*, (*fig.*) controllare, trattenere.

to reincarnate [ˌri:'inkɑ:neit] *v.tr.* reincarnare.

reincarnation ['ri:inkɑ:'neiʃən] *s.* reincarnazione.

reindeer ['reindiə*] *s.* renna.

to reinforce [ˌri:in'fɔ:s] *s.* rinforzo.

to reinforce *v.tr.* rinforzare, consolidare // *reinforced concrete*, (*edil.*) cemento armato.

reinforcement [ˌri:in'fɔ:smənt] *s.* **1** rinforzo **2** *pl.* (*mil.*) rinforzi.

to reinstate ['ri:in'steit] *v.tr.* ristabilire, ripristinare, reintegrare.

reinstatement ['ri:in'steitmənt] *s.* ristabilimento, ripristino, reintegrazione.

to reinsure ['ri:in'ʃuə*] *v.tr.* riassicurare.

reissue ['ri:'isju:] *s.* ristampa.

to reiterate [ri:'itəreit] *v.tr.* ripetere, reiterare.

reject ['ri:dʒəkt] *s.* **1** scarto, rifiuto **2** (*mil.*) riformato.

to reject [ri'dʒekt] *v.tr.* **1** rifiutare; respingere **2** vomitare.

rejection [ri'dʒekʃən] *s.* rifiuto: *—slip*, biglietto, modulo di rifiuto (che accompagna un manoscritto respinto) **2** (*dir.*) reiezione.

to rejoice [ri'dʒɔis] *v.intr.* **1** rallegrarsi, gioire **2** far festa, celebrare un evento ♦ *v.tr.* rallegrare.

rejoicing [ri'dʒɔisin] *s.* (*gener. pl.*) **1** allegria, gioia, esultanza **2** feste pubbliche (*pl.*), festeggiamenti (*pl.*).

to rejoin ['ri:'dʒɔin] *v.tr.* **1** ricongiungere, ricongiungersi (a) // rientrare a far parte (di) **2** replicare, rispondere ♦ *v.intr.* ricongiungersi.

rejoinder [ri'dʒɔində*] *s.* risposta, replica.

to rejuvenate [ri'dʒu:vineit] *v.tr.* e *intr.* ringiovanire.

rejuvenation [ri,dʒu:vi'neiʃən] *s.* ringiovanimento.

rejuvenescence [ˌri:dʒu:vi'nesns] *s.* ringiovanimento.

to rekindle ['ri:'kindl] *v.tr.* riaccendere ♦ *v.intr.* riaccendersi.

relapse [ri'læps] *s.* ricaduta.

to relapse *v.intr.* ricadere; (*med.*) avere una ricaduta.

to relate [ri'leit] *v.tr.* **1** narrare; riferire **2** mettere in relazione: *to — sthg. to* (o *with*), mettere qlco. in relazione con // *to be related to*, essere imparentato con ♦ *v.intr.* **1** aver rapporto, aver attinenza **2** riferirsi.

relation [ri'leiʃən] *s.* **1** narrazione, racconto **2** relazione, rapporto // *in — to*, in relazione a // *— test*, (*informatica*) (*cobol*) analisi di relazione **3** parente, congiunto; parentela: *is he any — to you?*, è imparentato con voi?

relational [ri'leiʃənl] *agg.* relativo, affine // *— data base*, (*informatica*) base di dati relazionale.

relationship [ri'leiʃənʃip] *s.* **1** relazione, rapporto **2** parentela.

relative ['relətiv] *agg.* relativo // *— to*, in relazione a ♦ *s.* **1** parente **2** (*gramm.*) (pronome) relativo.

relatively ['relətivli] *avv.* relativamente.

relativism ['relətivizəm] *s.* (*fil.*) relativismo.

relativity [ˌrelə'tiviti] *s.* relatività.

to relax [ri'læks] *v.tr.* **1** rilassare **2** allentare; mitigare; ridurre ♦ *v.intr.* **1** rilassarsi **2** allentarsi, mitigarsi.

relaxation [ˌri:læk'seiʃən] *s.* **1** rilassamento, distensione; relax **2** svago; divertimento.

relaxing [ri'læksin] *agg.* rilassante, distensivo.

relay [ri'lei] *s.* **1** squadra di operai che dà il cambio; turno **2** (*sport*): *— race*, corsa a staffetta // *cycle — race*, (*ciclismo*) americana **3** cavalli di ricambio (*pl.*); muta di ricambio di cani da caccia **4** (*elettr.*) relais, relè **5** (*rad.*) collegamento.

to relay *v.tr.* **1** fornire cavalli, uomini, materiale di ricambio **2** (*elettr.*) controllare a mezzo di relè **3** (*rad.*) trasmettere per collegamento ♦ *v.intr.* rifornirsi di cavalli, uomini, materiale di ricambio.

release [ri'li:s] *s.* **1** liberazione **2** remissione (di debito ecc.); esenzione (da tasse) **3** distribuzione; pubblicazione **4** (*mecc.*) scatto; rilascio **5** (*dir.*) cessione.

to release *v.tr.* **1** liberare **2** rimettere (debiti); esentare (da tasse) **3** (*dir.*) cedere (proprietà ecc.) **4** mettere in commercio, in vendita **5** (*mecc.*) sganciare; far scattare; disinserire: *to — the brake*, allentare il freno.

to relegate ['religeit] *v.tr.* **1** retrocedere; relegare **2** rimettere, rimandare.

to relent [ri'lent] *v.intr.* **1** addolcirsi; placarsi **2** intenerirsi.

relentless [ri'lentlis] *agg.* **1** inflessibile **2** implacabile.

relevance ['relivəns], **relevancy** ['relivənsi] *s.* pertinenza; attinenza.

relevant ['relivənt] *agg.* pertinente, attinente.

reliability [ri,laiə'biliti] *s.* attendibilità; affidabilità.

reliable [ri'laiəbl] *agg.* degno di fiducia; attendibile.

reliance [ri'laiəns] *s.* fiducia, fede.

reliant [ri'laiənt] *agg.* fiducioso.

relic ['relik] *s.* reliquia.

relief[1] [ri'li:f] *s.* **1** sollievo, conforto; ristoro // *much to my —*, con mio grande sollievo **2** soccorso, aiuto: *— fund*, fondo di assistenza **3** esenzione: *income tax —*, esenzione dall'imposta sul reddito **4** cambio: *the — of a sentry*, il cambio della sentinella.

relief[2] *s.* **1** rilievo // *— map*, (*geogr.*) plastico **2** (*pitt.*) prospettiva.

to relieve [ri'li:v] *v.tr.* **1** alleviare, sollevare // *to —*

s.o. of sthg., (iron.) alleggerire qlcu. di qlco. (derubarlo) **2** aiutare, soccorrere **3** liberare **4** (mil.) dare il cambio (a): to — the watch, cambiare il quarto di guardia **5** dimettere, esonerare.

religion [ri'lidʒən] s. religione.

religiosity [ri,lidʒi'ɔsiti] s. religiosità; fanatismo religioso.

religious [ri'lidʒəs] agg. religioso, devoto; (fig.) coscienzioso ♦ s. religioso, monaco,

to **relinquish** [ri'liŋkwiʃ] v.tr. abbandonare, lasciare, rinunciare (a).

reliquary ['relikwəri] s. reliquiario.

relish ['reliʃ] s. **1** gusto (anche fig.): the — of novelty, l'attrattiva della novità **2** sapore; profumo, aroma **3** salsa piccante; spezia.

to **relish** v.tr. **1** gustare **2** essere attratto (da): I don't — the idea, l'idea non mi attira **3** dar sapore (a), rendere saporito ♦ v.intr. sapere, aver sapore.

to **relive** ['ri:'liv] v.tr. e intr. rivivere.

relocable [ri'loukəbl] agg. (informatica) rilocabile.

to **relocate** [,ri:lou'keit, (amer.) ,ri:'loukeit] v.tr. **1** sistemare altrove **2** (informatica) spiazzare.

relocation [,ri:lou'keiʃən] s. **1** spostare (in altro luogo) **2** (informatica) rilocazione.

reluctance [ri'lʌktəns] s. riluttanza.

reluctant [ri'lʌktənt] agg. **1** riluttante **2** difficile da trattare.

to **rely** [ri'lai] v.intr fare assegnamento (su); fidarsi (di): you can — on him, puoi fidarti di lui; you can — on his going, andrà, puoi contarci.

remade pass e p.pass. di to **remake**.

to **remain** [ri'mein] v.intr. rimanere, restare.

remainder [ri'meində*] s. **1** resto, avanzo; rimanenza **2** persone rimanenti (pl.) **3** (comm.) giacenze librarie a prezzo ridotto.

to **remainder** v.tr. liquidare (un'edizione).

remains [ri'meinz] s.pl. **1** resti, avanzi; vestigia (sing.) **2** reliquie; spoglie mortali **3** opere postume **4** superstiti.

remake ['ri:'meik] s. (cinem.) riedizione.

to **remake**, pass. e p.pass. **remade** ['ri:'meid] v.tr. rifare.

remand [ri'ma:nd] s. (dir.) rinvio (di imputato) in carcere: to be on —, essere trattenuto a disposizione della legge // — home, riformatorio.

to **remand** v.tr. **1** (dir.) rinviare (un imputato) in carcere per un supplemento d'istruttoria.

remark [ri'ma:k] s. **1** osservazione; commento **2** nota, attenzione.

to **remark** v.tr. osservare; notare ♦ v.intr. fare osservazioni, fare commenti: don't — (up)on it, non fare commenti su ciò.

remarkable [ri'ma:kəbl] agg. notevole.

remarriage ['ri:'mæridʒ] s. seconde nozze.

to **remarry** ['ri:'mæri] v.tr. risposare ♦ v.intr. risposarsi.

remediable [ri'mi:djəbl] agg. rimediabile; curabile.

remedial [ri'mi:djəl] agg. **1** atto a rimediare **2** correttivo // — exercises, ginnastica correttiva.

remedy ['remidi] s. **1** rimedio; medicina; cura // past —, irrimediabile; incurabile **2** (dir.) atto di riparazione.

to **remedy** v.tr. porre rimedio (a); rimediare (a).

to **remember** [ri'membə*] v.tr. **1** ricordare; ricordarsi (di): — me to your parents, (fam.) salutami i tuoi genitori; — to tell him, ricordati di dirglielo; I — telling him about it, ricordo di avergliene parlato // — to tip the porter, non dimenticare la mancia al facchino ♦ v.intr. ricordarsi.

remembrance [ri'membrəns] s. ricordo, memoria: in — of, in ricordo di, alla memoria di; within my —, per quanto io ricordi; I have no — of it, non me ne ricordo affatto.

to **remind** [ri'maind] v.tr. (far) ricordare: you — me of your father, mi ricordi tuo padre.

reminder [ri'maində*] s. promemoria.

reminiscence [,remi'nisns] s. **1** reminiscenza; ricordo **2** pl. memorie.

reminiscent [,remi'nisnt] agg. che richiama alla mente; somigliante: — of, somigliante a // he was in a — frame of mind, era in uno stato d'animo nostalgico.

remiss [ri'mis] agg. negligente; fiacco, svogliato.

remissible [ri'misibl] agg. remissibile; perdonabile.

remission [ri'miʃən] s. **1** remissione, perdono; (dir.) condono **2** annullamento; esonero **3** diminuzione **4** (med.) stasi; leggero miglioramento.

to **remit** [ri'mit] v.tr. **1** rimettere; (dir.) condonare **2** diminuire; mitigare **3** rimandare, differire; (dir.) rinviare (a giudizio in altra sede) ♦ v.intr. **1** mitigarsi; sbollire **2** (comm.) rimettere, effettuare un pagamento.

remittal [ri'mitl] s. **1** remissione **2** (dir.) rinvio di processo (ad altro tribunale).

remittance [ri'mitəns] s. (comm.) rimessa.

remnant ['remnənt] s. avanzo, resto; rimanenza; scampolo.

remonstrance [ri'mɔnstrəns] s. rimostranza.

remonstrant [ri'mɔnstrənt] agg. che protesta ♦ s. chi protesta.

to **remonstrate** [ri'mɔnstreit] v.intr. fare rimostranze; protestare.

remonstrator [ri'mɔnstreitə*] s. chi protesta.

remorse [ri'mɔ:s] s. rimorso.

remorseful [ri'mɔ:sful] agg. tormentato dal rimorso.

remorseless [ri'mɔ:slis] agg. spietato.

remote [ri'mout] agg. remoto; distante, lontano: a — resemblance, una vaga rassomiglianza // — control, telecomando // — console, (informatica) console periferica.

remount ['ri:maunt] s. (mil.) cavallo fresco.

to **remount** [ri:'maunt] v.tr. **1** rimontare, risalire **2** (mil.) rifornire di cavalli freschi ♦ v.intr. rimontare, risalire.

removal [ri'mu:vəl] s. **1** rimozione; allontanamento **2** trasferimento; trasloco **3** destituzione.

remove [ri'mu:v] s. grado.

to **remove** v.tr. **1** rimuovere; togliere: to — all doubts, togliere ogni dubbio **2** destituire, congedare, licenziare ♦ v.intr. traslocare, trasferirsi.

removed [ri'mu:vd] agg. lontano; estraneo // first cousin once, twice —, cugino di secondo, terzo grado.

remover [ri'mu:və*] s. **1** chi per mestiere effettua traslochi **2** solvente // stain- —, smacchiatore // hair —, depilatorio.

to **remunerate** [ri'mju:nəreit] v.tr. rimunerare.

remuneration [ri,mju:nə'reiʃən] s. rimunerazione.

remunerative [ri'mju:nərətiv] agg. rimunerativo.

Remus ['ri:məs] no.pr.m. Remo.

renaissance [rə'neisəns, (amer.) 'renəsɑ:ns] s. rinascimento; rinascita // the Renaissance, il Rinascimento.

renal ['ri:nəl] agg. renale.

to **rend** [rend], pass. e p.pass. **rent** [rent] v.tr. strappare; lacerare (anche fig.) // to — sthg. apart (o asunder), strappare in due qlco. // to — sthg. off (o away), strappar via qlco. ♦ v.intr. strapparsi; lacerarsi.

render ['rendə*] s. (edil.) rinzaffo.

to **render** *v.tr.* **1** rendere: *to — s.o. speechless*, ridurre qlcu. al silenzio; *to — an account of*, render conto di **2** sciogliere (grasso); raffinare (olio) **3** (*edil.*) rinzaffare.

rendering [ˈrendərɪŋ] *s.* **1** interpretazione; traduzione; riproduzione; resa **2** (*edil.*) rinzaffo.

rendezvous [ˈrɔndivuː] *s.* (*pl.invar.*) (luogo, punto di) incontro, appuntamento.

to **rendezvous** *v.intr.* riunirsi; incontrarsi.

rendition [renˈdiʃən] *s.* interpretazione.

renegade [ˈrenigeid] *s.* rinnegato; traditore.

to **renege, renegue** [rɪˈniːg] *v.intr.* venir meno a una promessa.

to **renew** [rɪˈnjuː] *v.tr.* **1** rinnovare; rinvigorire, rinforzare: *to — one's efforts*, (*fam.*) ritornare alla carica **2** sostituire.

renewable [rɪˈnjuː(ː)əbl] *agg.* rinnovabile.

renewal [rɪˈnjuː(ː)əl] *s.* **1** rinnovamento; sostituzione **2** ripresa.

rennet[1] [ˈrenit] *s.* caglio.

rennet[2] *s.* mela renetta.

to **renounce** [rɪˈnauns] *v.tr.* **1** rinunciare (a) **2** rinnegare, ripudiare ♦ *v.intr.* (*alle carte*) rifiutare.

to **renovate** [ˈrenouveit] *v.tr.* rinnovare.

renovation [ˌrenouˈveiʃən] *s.* rinnovamento.

renovator [ˈrenouveitə*] *s.* rinnovatore.

renown [rɪˈnaun] *s.* rinomanza, celebrità, fama.

renowned [rɪˈnaund] *agg.* rinomato, celebre, famoso.

rent[1] [rent] *s.* pigione, affitto; nolo // *for —*, affittasi // *— restriction*, blocco degli affitti.

to **rent**[1] *v.tr.* affittare, prendere in affitto; dare in affitto ♦ *v.intr.* affittarsi, essere dato in affitto.

rent[2] *s.* **1** strappo; squarcio **2** spaccatura, fessura.

rent[2] *pass.* e *p.pass.* di to **rend**.

rental [ˈrentl] *s.* affitto.

renter [ˈrentə*] *s.* **1** locatore **2** affittuario.

rent-free [ˈrentˈfriː] *agg.* esente da affitto ♦ *avv.* gratis.

rentier [ˈrɔntiei] *s.* chi vive di rendita.

rent roll [ˈrentroul] *s.* censimento dei redditi da beni immobili.

renunciation [rɪˌnʌnsiˈeiʃən] *s.* rinuncia; abbandono; rinnegamento.

to **reopen** [ˈriːˈoupən] *v.tr.* riaprire ♦ *v.intr.* riaprirsi.

reorganisation [riːˌɔːgənaiˈzeiʃən] *s.* riorganizzazione; ristrutturazione.

to **reorganize** [ˈriːˈɔːgənaiz] *v.tr.* riorganizzare; ristrutturare (società, ditta) ♦ *v.intr.* riorganizzarsi.

rep[1] [rep] *s.* (*tessuto*) reps.

rep[2] *agg.* (*teatr.*) di repertorio ♦ *s.* repertorio.

repaid *pass.* e *p.pass.* di **repay**.

to **repair**[1] [rɪˈpeə*] *v.intr.* ripararsi; rifugiarsi.

repair[2] *s.* **1** riparazione; restauro: *under —*, in riparazione **2** stato: *in good —*, in buono stato **3** (*mar.*) raddobbo.

to **repair**[2] *v.tr.* riparare, far riparazioni (a).

to **repaper** [ˈriːˈpeipə*] *v.tr.* ritappezzare (con carta).

reparation [ˌrepəˈreiʃən] *s.* riparazione; risarcimento.

repartee [ˌrepɑːˈtiː] *s.* **1** risposta pronta e spiritosa **2** scambio (di battute) pronto e spiritoso.

repartition [ˌrepɑːˈtiʃən] *s.* ripartizione; suddivisione.

repast [rɪˈpɑːst] *s.* pasto.

to **repatriate** [riːˈpætrieit, (*amer.*) riːˈpeitrieit] *v.tr.* rimpatriare.

repatriation [ˈriːpætriˈeiʃən, (*amer.*) ˌriːpeitriˈeiʃən] *s.* rimpatrio.

to **repay** [riːˈpei] *pass.* e *p.pass.* **repaid** [riːˈpeid] *v.tr.* ripagare; ricompensare.

repayable [riːˈpeiəbl] *agg.* rimborsabile; ricompensabile.

repayment [riːˈpeimənt] *s.* rimborso; ricompensa.

repeal [rɪˈpiːl] *s.* revoca; abrogazione.

to **repeal** *v.tr.* revocare; annullare; abrogare.

repeat [rɪˈpiːt] *s.* ripetizione.

to **repeat** *v.tr.* ripetere; recitare a memoria: *to — oneself*, ripetersi ♦ *v.intr.* **1** ricorrere **2** (*volg.*) tornare alla gola (di cibo).

repeatedly [rɪˈpiːtidli] *avv.* ripetutamente.

repeater [rɪˈpiːtə*] *s.* **1** ripetitore **2** arma (da fuoco) a ripetizione **3** (*mat.*) decimale periodico.

repeating [rɪˈpiːtiŋ] *agg.* a ripetizione.

to **repel** [rɪˈpel] *v.tr.* **1** respingere **2** ripugnare, ispirare ripugnanza (a): *such things — me*, queste cose mi ripugnano.

repellent [rɪˈpelənt] *agg.* ripugnante ♦ *s.* (*mosquito*) —, insettifugo.

to **repent** [rɪˈpent] *v.tr. e intr.* pentirsi (di).

repentance [rɪˈpentəns] *s.* pentimento.

repentant [rɪˈpentənt] *agg.* pentito; contrito.

to **repeople** [ˈriːˈpiːpl] *v.tr.* ripopolare.

repercussion [ˌriːpɜːˈkʌʃən] *s.* ripercussione.

repertoire [ˈrepətwɑː*] *s.* (*teatr.*) repertorio.

repertory [ˈrepətəri] *s.* **1** repertorio **2** compagnia stabile ♦ *agg.* di repertorio.

repetend [ˈrepitend] *s.* **1** (*mat.*) periodo (di frazione periodica) **2** motivo ricorrente.

repetition [ˌrepiˈtiʃən] *s.* **1** ripetizione **2** recitazione.

repetitious [ˌrepiˈtiʃəs], **repetitive** [rɪˈpetitiv] *agg.* che si ripete; noioso.

to **repine** [rɪˈpain] *v.intr.* lamentarsi.

to **replace** [rɪˈpleis] *v.tr.* **1** ricollocare **2** sostituire; rimpiazzare.

replacement [rɪˈpleismənt] *s.* **1** ricollocamento **2** sostituzione; sostituto.

to **replant** [ˈriːˈplɑːnt] *v.tr.* ripiantare; trapiantare.

replantation [ˈriːplænˈteiʃən] *s.* nuova piantagione; trapianto.

replay [ˈriːˈplei] *s.* partita ripetuta; spareggio.

to **replay** [ˈriːˈplei] *v.tr.* rigiocare (una partita); fare lo spareggio.

to **replenish** [rɪˈpleniʃ] *v.tr.* riempire; rifornire.

replete [rɪˈpliːt] *agg.* pieno; sazio.

repletion [rɪˈpliːʃən] *s.* pienezza; sazietà.

replica [ˈreplikə] *s.* copia, riproduzione.

reply [rɪˈplai] *s.* risposta; replica: *to speak in —*, rispondere.

to **reply** *v.tr. e intr.* rispondere, replicare.

report [rɪˈpɔːt] *s.* **1** rapporto; referto; servizio (giornalistico); bollettino **2** voce pubblica, diceria **3** reputazione **4** detonazione.

to **report** *v.tr.* **1** riferire, raccontare: *to — missing*, dare per disperso **2** fare la relazione (di); render conto (di): *to — a trial*, fare la cronaca di un processo **3** denunciare **4** *to — sthg. out*, (*amer.*) restituire con le dovute osservazioni, emendamenti, proposte ecc. ♦ *v.intr.* **1** fare il corrispondente **2** presentarsi.

reportage [ˌrepɔːˈtɑːʒ] *s.* servizio (giornalistico).

reporter [rɪˈpɔːtə*] *s.* **1** cronista (di giornale): *crime —*, cronista di cronaca nera **2** (*court*) —, stenografo di tribunale.

repose[1] [rɪˈpouz] *s.* **1** riposo; sonno **2** calma; serenità.

to **repose**[1] *v.tr.* posare; riposare: *to — oneself*, riposarsi ♦ *v.intr.* **1** riposarsi **2** basarsi, fondarsi.

to **repose**[2] *v.tr.* porre, riporre.

repository [ri'pozitǝrl] *s.* 1 deposito; magazzino 2 (*fig.*) confidente.

repp *s.* → **rep**[1].

to **reprehend** [,repri'hend] *v.tr.* rimproverare; biasimare.

reprehensible [,repri'hensǝbl] *agg.* biasimevole.

to **represent** [,repri'zent] *v.tr.* 1 rappresentare; descrivere, dipingere 2 simboleggiare, raffigurare, rappresentare 3 far notare, dichiarare.

representation [,reprizen'teiʃǝn] *s.* 1 rappresentazione; raffigurazione 2 rappresentanza 3 istanza; rimostranza.

representative [,repri'zentǝtiv] *agg.* 1 rappresentativo 2 che rappresenta: *allegory — of charity*, allegoria che rappresenta la carità 3 tipico ♦ *s.* 1 rappresentante; deputato, delegato 2 esempio tipico; campione.

to **repress** [ri'pres] *v.tr.* reprimere; frenare.

repressed [ri'prest] *agg.* represso, contenuto.

repression [ri'preʃǝn] *s.* repressione.

reprieve [ri'pri:v] *s.* (ordine di) sospensione, commutazione di pena capitale.

to **reprieve** *v.tr.* 1 sospendere l'esecuzione (di); commutare la pena capitale (a un condannato) 2 accordare una dilazione, una tregua (a).

reprimand ['reprima:nd] *s.* rimbrotto.

to **reprimand** *v.tr.* rimbrottare.

reprint ['ri:'print] *s.* ristampa.

to **reprint** *v.tr.* ristampare.

reprisal [ri'praizǝl] *s.* rappresaglia.

reproach [ri'proutʃ] *s.* 1 rimprovero, biasimo: *to be above —*, essere irreprensibile 2 disgrazia; disonore.

to **reproach** *v.tr.* rimproverare, biasimare, censurare: *to — s.o. with sthg.*, rimproverare qlcu. di qlco.

reproachful [ri'proutʃfυl] *agg.* 1 di rimprovero 2 vergognoso.

reprobate ['reproυbeit] *agg. e s.* depravato.

to **reprobate** *v.tr.* riprovare; biasimare; condannare.

to **reproduce** [,ri:prǝ'dju:s] *v.tr.* riprodurre ♦ *v.intr.* riprodursi: *design that will — well*, disegno che ben si presta alla riproduzione.

reproduction [,ri:prǝ'dʌkʃǝn] *s.* riproduzione.

reproof[1] [ri'pru:f] *s.* rimprovero, biasimo.

to **reproof**[2] [ri'pru:f] *v.tr.* rendere nuovamente impermeabile.

to **reprove** [ri'pru:v] *v.tr.* rimproverare; biasimare.

reptile ['reptail; (*amer.*) 'reptl] *agg.* 1 strisciante 2 (*fig.*) servile ♦ *s.* 1 rettile 2 (*fig.*) serpe.

republic [ri'pʌblik] *s.* repubblica.

republican [ri'pʌblikǝn] *agg. e s.* repubblicano.

Republican *s. e agg.* (*pol. amer.*) repubblicano.

to **republish** ['ri:'pʌbliʃ] *v.tr.* ripubblicare.

to **repudiate** [ri'pju:dieit] *v.tr.* 1 ripudiare 2 ribellarsi (a); rifiutarsi (di).

repudiation [ri,pju:di'eiʃǝn] *s.* 1 ripudio 2 rifiuto.

repugnance [ri'pʌgnǝns] *s.* 1 ripugnanza; avversione 2 incompatibilità.

repugnant [ri'pʌgnǝnt] *agg.* 1 ripugnante 2 incompatibile.

repulse [ri'pʌls] *s.* ripulsa; rifiuto: *to meet with a —*, ricevere un rifiuto.

to **repulse** *v.tr.* respingere (*anche fig.*).

repulsion [ri'pʌlʃǝn] *s.* repulsione; ripugnanza.

repulsive [ri'pʌlsiv] *agg.* ripulsivo; repellente.

reputable ['repjutǝbl] *agg.* rispettabile, onorato.

reputation [,repju(:)'teiʃǝn] *s.* reputazione; rispettabilità; fama: *to make a — for oneself*, farsi un nome.

repute [ri'pju:t] *s.* reputazione; fama.

to **repute** *v.tr.* (*gener. al passivo*) reputare, stimare: *to be reputed wealthy*, aver fama di essere ricco.

reputed [ri'pju:tid] *agg.* supposto, presunto.

request [ri'kwest] *s.* domanda, richiesta; preghiera; petizione: *at the — of s.o.*, su richiesta di qlcu.; *by —*, su richiesta, a richiesta; *article in great —*, (*comm.*) articolo molto richiesto.

to **request** *v.tr.* richiedere; domandare; sollecitare.

to **require** [ri'kwaiǝ*] *v.tr.* 1 richiedere; esigere; pretendere // *this verb requires the infinitive*, questo verbo regge l'infinito 2 avere bisogno, essere necessario 3 ordinare, obbligare // *you are required to be punctual*, dovete essere puntuali ♦ *v.intr.* essere necessario, abbisognare.

requirement [ri'kwaiǝmǝnt] *s.* 1 richiesta, esigenza; bisogno 2 requisito.

requisite ['rekwizit] *agg.* richiesto; necessario; indispensabile ♦ *s.* requisito.

requisition [,rekwi'ziʃǝn] *s.* 1 richiesta, istanza; ordine 2 (*mil.*) requisizione: *to call into* (o *to put in*) —, requisire 3 (*amer. dir.*) domanda di estradizione.

to **requisition** *v.tr.* fare richiesta (di); requisire (*spec. mil.*).

requital [ri'kwaitl] *s.* 1 ricompensa; ricambio, contraccambio: *as a — for*, in contraccambio di 2 vendetta, rappresaglia: *in — for*, per vendicarsi di.

to **requite** [ri'kwait] *v.tr.* 1 ricompensare; ripagare 2 contraccambiare 3 vendicare; punire.

rerun ['ri:'rʌn] *s.* seconda visione (di film).

to **rescind** [ri'sind] *v.tr.* rescindere; abrogare.

rescue ['reskju:] *s.* liberazione; salvezza: *to go, to come to the —*, andare, venire in soccorso // *— squad*, squadra di salvataggio.

to **rescue** *v.tr.* liberare; salvare.

rescuer ['reskjuǝ*] *s.* liberatore; salvatore.

research [ri'sǝ:tʃ, (*amer.*) 'ri:sǝ:tʃ] *s.* ricerca; indagine.

to **research** *v.intr.* fare ricerche.

researcher [ri'sǝ:tʃǝ*] *s.* ricercatore.

resemblance [ri'zemblǝns] *s.* rassomiglianza, somiglianza: *to bear a strong, near — to*, avere una forte, notevole rassomiglianza con.

to **resemble** [ri'zembl] *v.tr.* assomigliare (a).

to **resent** [ri'zent] *v.tr.* risentirsi (di); irritarsi (per): *to — s.o.'s behaviour*, offendersi per il comportamento di qlcu.

resentful [ri'zentfυl] *agg.* 1 risentito 2 permaloso.

resentment [ri'zentmǝnt] *s.* risentimento; rancore: *to bear —*, serbare rancore.

reservation [,rezǝ'veiʃǝn] *s.* 1 riserva // *Indian —*, (*amer.*) riserva di indiani pellerossa 2 prenotazione.

reserve [ri'zǝ:v] *s.* 1 riserva: *in —*, di scorta; *under —*, (*comm.*) salvo buon fine; *to send the reserves into action*, (*sport*) mettere in azione le riserve // *reserves*, (*econ.*) fondi di riserva; *cash —*, riserve liquide 2 riserbo.

to **reserve** *v.tr.* riservare, riservarsi; prenotare: *the court will — judgment*, la corte si riserverà di dare un giudizio.

reservist [ri'zǝ:vist] *s.* (*mil.*) soldato della riserva.

reservoir ['rezǝvwa:*] *s.* 1 serbatoio, cisterna; bacino di riserva 2 (*anat.*) cavità; sacco 3 (*fig.*) riserva, raccolta.

reset ['ri:'set] *s.* (*tip.*) ricomposizione.

to **reset**, *pass. e p.pass.* **reset** *v.tr.* 1 rimettere a posto:

to — a watch, regolare l'orologio **2** riaffilare **3** rincastonare (pietre ecc.) **4** *(tip.)* ricomporre.

reshuffle ['riː'ʃʌfl] *s.* **1** il rimescolare (carte) **2** *(fig.)* rimaneggiamento.

to reshuffle *v.tr.* **1** rimescolare (le carte) **2** *(fig.)* rimaneggiare, riordinare.

to reside [rɪ'zaid] *v.intr.* risiedere *(anche fig.)*: *power resides in the people*, il potere appartiene di diritto al popolo.

residence ['rezidəns] *s.* **1** residenza: *to take up one's —*, prendere residenza **2** palazzo, casa signorile.

residency ['rezidənsi] *s.* residenza ufficiale di rappresentante del governo inglese.

resident ['rezidənt] *agg.* **1** residente: *non-residents*, non residenti **2** localizzato; *(fig.)* inerente **3** stazionario (di uccello) ♦ *s.* residente.

residential [ˌrezi'denʃəl] *agg.* residenziale.

residual [rɪ'zidjuəl] *agg.* residuo; restante ♦ *s.* **1** residuo **2** *(mat.)* resto.

residuary [rɪ'zidjuəri] *agg.* rimanente, residuo; residuale // *— legatee*, legatario universale.

residue ['rezidjuː] *s.* residuo; resto.

to resign [rɪ'zain] *v.intr.* **1** rinunciare (a), dimettersi (da) **2** affidare **3** *to — oneself to*, rassegnarsi a, accettare ♦ *v.intr.* dare le dimissioni.

resignation [ˌrezig'neiʃən] *s.* **1** dimissioni *(pl.)*: *to hand in one's —*, presentare le proprie dimissioni **2** rassegnazione.

resigned [rɪ'zaind] *agg.* rassegnato.

to resit [rɪ'zail] *v.intr.* riprendere la forma primitiva.

resilience [rɪ'ziliəns], **resiliency** [rɪ'ziliənsi] *s.* **1** elasticità **2** risorsa; capacità di ricupero.

resilient [rɪ'ziliənt] *agg.* elastico *(anche fig.)*.

resin ['rezin] *s.* resina.

to resin *v.tr.* trattare con resina; applicare resina (a).

resinous ['rezinəs] *agg.* resinoso.

to resist [rɪ'zist] *v.tr.* e *intr.* resistere (a); opporre resistenza (a) // *he can never — making a joke*, non sa resistere alla tentazione di fare scherzi.

resistance [rɪ'zistəns] *s.* resistenza // *to take the line of least —*, *(fig.)* prendere la via più facile.

resistance coil [rɪ'zistəns,kɔil] *s.* *(elettr.)* (bobina di) resistenza.

resistible [rɪ'zistibl] *agg.* a cui si può resistere.

resistor [rɪ'zistə*] *s.* *(elettr.)* resistore.

to resit [riː'sit] *v.tr.* ridare (un esame).

resoluble [rɪ'zɔljubl] *agg.* **1** risolubile, risolvibile **2** scomponibile, analizzabile.

resolute ['rezəluːt] *agg.* risoluto, deciso.

resoluteness ['rezəluːtnis] *s.* risolutezza, fermezza.

resolution [ˌrezə'luːʃən] *s.* **1** risolutezza, fermezza **2** risoluzione, deliberazione, decisione: *to make a —*, prendere una decisione // *a New Year —*, un saggio proponimento per l'anno nuovo **3** soluzione: *the — of the problem*, la soluzione del problema **4** scomposizione, analisi.

resolve [rɪ'zɔlv] *s.* (fermo) proposito; fermezza.

to resolve *v.tr.* **1** scomporre; analizzare; ridurre, semplificare • *to — sthg. into its elements*, scomporre qlco. nei suoi elementi **2** risolvere **3** indurre, determinare ♦ *v.intr.* decidere (di), risolversi (a).

resolved [rɪ'zɔlvd] *agg.* risoluto, deciso.

resolvent [rɪ'zɔlvənt] *agg.* e *s.* solvente; risolvente.

resonance ['rezənəns] *s.* risonanza; rimbombo.

resonant ['rezənənt] *agg.* risonante.

resonator ['rezəneitə*] *s.* *(fis.)* risonatore.

resorption [rɪ'sɔːpʃən] *s.* riassorbimento.

resort [rɪ'zɔːt] *s.* **1** ricorso: *to have — to*, far ricorso a **2** risorsa: *in the last —*, come ultima risorsa **3** ritrovo; luogo di soggiorno, stazione (climatica).

to resort *v.intr.* **1** ricorrere, far ricorso **2** recarsi, andare: *to — to a place*, frequentare un luogo.

to resound [rɪ'zaund] *v.intr.* risonare; riecheggiare; *(fig.)* spargersi ♦ *v.tr.* riecheggiare; *(fig.)* celebrare.

resource [rɪ'sɔːs, *(amer.)* 'riːsɔːrs] *s.* risorsa.

resourceful [rɪ'sɔːsful] *agg.* pieno di risorse.

resourceless [rɪ'sɔːslis] *agg.* senza risorse.

respect [rɪs'pekt] *s.* **1** rispetto, stima, riguardo: *out of — for*, per riguardo verso **2** aspetto; rapporto; riferimento: *in — of* (o *with — to*), riguardo a **3** *pl.* saluti; ossequi: *to pay one's respects to s.o.*, ossequiare qlcu.

to respect *v.tr.* rispettare; stimare; avere riguardo (per): *to — the law, s.o.'s sorrow*, rispettare la legge, il dolore di qlcu.

respectability [rɪs,pektə'biliti] *s.* **1** rispettabilità; perbenismo **2** persona rispettabile.

respectable [rɪs'pektəbl] *agg.* **1** rispettabile; decoroso, decente **2** considerevole; discreto.

respecter [rɪs'pektə*] *s.* persona rispettosa: *— of persons*, snob.

respectful [rɪs'pektful] *agg.* rispettoso.

respecting [rɪs'pektiŋ] *prep.* rispetto a, riguardo a: *legislation — property*, legislazione relativa alla proprietà.

respective [rɪs'pektiv] *agg.* rispettivo.

respiration [ˌrespə'reiʃən] *s.* **1** respirazione **2** respiro.

respirator ['respəreitə*] *s.* **1** maschera (antigas) **2** *(med.)* respiratore.

respiratory [res'paiərətəri] *agg.* respiratorio.

to respire [rɪs'paiə*] *v.tr.* e *intr.* respirare *(anche fig.)*.

respite ['respait, *(amer.)* 'respit] *s.* respiro, tregua, pausa.

to respite *v.tr.* concedere una dilazione, una pausa: *to — a condemned man*, sospendere l'esecuzione di un condannato.

resplendence [rɪs'plendəns], **resplendency** [rɪs'plendənsi] *s.* splendore, fulgore.

resplendent [rɪs'plendənt] *agg.* splendente, fulgido; splendido.

to respond [rɪs'pɔnd] *v.intr.* rispondere *(anche fig.)*; essere sensibile.

respondent [rɪs'pɔndənt] *agg.* di risposta; rispondente; sensibile ♦ *s.* *(dir.)* convenuto.

response [rɪs'pɔns] *s.* risposta; reazione: *in — to*, in risposta a.

responsibility [rɪs,pɔnsə'biliti] *s.* responsabilità.

responsible [rɪs'pɔnsəbl] *agg.* **1** responsabile: *— for*, responsabile di **2** di, che comporta responsabilità.

responsibly [rɪs'pɔnsəbli] *avv.* in modo responsabile.

responsive [rɪs'pɔnsiv] *agg.* **1** che risponde; che segue: *a — pupil*, un allievo sveglio **2** sensibile; comprensivo.

responsory [rɪs'pɔnsəri] *s.* *(eccl.)* responsorio.

rest[1] [rest] *s.* **1** riposo: *to have* (o *to take*) *a —*, riposare, riposarsi // *to come to —*, fermarsi // *to set s.o.'s mind at —*, tranquillizzare qlcu. // *to lay to —*, seppellire **2** ricovero **3** supporto, sostegno **4** *(mus.)* pausa.

to rest[1] *v.intr.* **1** riposare, riposarsi // *to — on one's laurels*, riposare sugli allori **2** arrestarsi, posarsi; poggiare ♦ *v.tr.* **1** (far) riposare **2** appoggiare; *(fig.)* basare.

rest[2] *s.* **1** resto // *and (all) the — of it*, eccetera, e così via **2** i rimanenti *(pl.)*, gli altri *(pl.)*: *the — were busy*, gli altri erano occupati.

to rest[2] *v.intr.* **1** restare, rimanere: *you may — as-*

sured, puoi stare sicuro **2** *to — with*, dipendere da: *it rests with you*, dipende da te.

to **restate** ['ri:'steit] *v.tr.* ripetere; riesporre, enunciare di nuovo.

restaurant ['restərɔnt] *s.* ristorante.

restaurateur [ˌrestɔ(:)rə'tə:*] *s.* gestore di un ristorante.

rest cure ['resrkjuə*] *s.* cura del sonno.

restful ['restful] *agg.* riposante; tranquillo.

resting-place ['restiŋpleis] *s.* luogo di riposo; *(fig.)* tomba.

restitution [ˌresti'tju:ʃən] *s.* restituzione.

restive ['restiv] *agg.* recalcitrante; restio; indocile; irre-quieto.

restless ['restlis] *agg.* **1** irrequieto; agitato, inquie-to **2** incessante.

restlessness ['restlisnis] *s.* irrequietezza; agitazione.

restoration [ˌrestə'reiʃən] *s.* restaurazione; restauro // *the Restoration*, la Restaurazione.

to **restore** [ris'tɔ:*] *v.tr.* **1** restaurare, riparare; rico-struire **2** reintegrare; ripristinare; ristabilire; resti-tuire **3** rimettere; riporre **4** ristorare, rinvigorire.

restorer [ri'stɔ:rə*] *s.* restauratore.

to **restrain** [ris'trein] *v.tr.* reprimere, limitare; contene-re, trattenere: *to — oneself*, trattenersi // *restrained style*, stile misurato.

restraint [ris'treint] *s.* freno; limitazione; misura; rite-gno; vincolo: *without —*, liberamente; smodatamente.

to **restrict** [ris'trikt] *v.tr.* restringere, limitare // *re-stricted area*, zona con divieto d'accesso.

restriction [ris'trikʃən] *s.* restrizione, limitazione.

restrictive [ris'triktiv] *agg.* restrittivo.

rest room ['restru:m] *s.* *(amer.* per *public lavatory)* toi-lette.

to **restructure** [ˌri:'strʌktʃə*] *v.tr.* ristrutturare.

result [ri'zʌlt] *s.* **1** risultato **2** conseguenza.

to **result** *v.intr.* **1** derivare, risultare **2** risolversi, con-cludersi, finire.

resultant [ri'zʌltənt] *agg.* risultante.

to **resume** [ri'zju:m] *v.tr.* ricominciare; ripren-dere **2** riassumere, ricapitolare.

résumé ['rezju(:)mei, *(amer.)* ˌrezu'mei] *s.* *(franc.)* rias-sunto.

resumption [ri'zʌmpʃən] *s.* ripresa.

resurgence [ri'sə:dʒəns] *s.* rinascita; risurrezione.

resurgent ['ri'sə:dʒənt] *agg.* risorgente.

to **resurrect** [ˌrezə'rekt] *v.tr.* **1** risuscitare; far rivi-vere **2** riesumare ♦ *v.intr.* risuscitare.

resurrection [ˌrezə'rekʃən] *s.* **1** risurrezione; rinasci-ta *(anche fig.)* **2** esumazione.

resurvey ['ri:'sə:vei] *s.* riesame.

to **resurvey** ['ri:sə:'vei] *v.tr.* riesaminare.

to **resuscitate** [ri'sʌsiteit] *v.tr.* e *intr.* risuscitare.

resuscitation [riˌsʌsi'teiʃən] *s.* il risuscitare.

to **ret** [ret] *v.tr.* *(ind. tessile)* macerare ♦ *v.intr.* macerarsi.

retail ['ri:teil] *s.* vendita al dettaglio, vendita al minuto // *— dealer*, dettagliante.

to **retail** [ri:'teil] *v.tr.* **1** vendere al minuto **2** raccon-tare dettagliatamente ♦ *v.intr.* essere venduto al minuto.

retailer [ri:'teilə*] *s.* dettagliante.

to **retain** [ri'tein] *v.tr.* **1** ritenere, trattenere; conser-vare **2** assicurarsi i servigi (di) // *retaining fee*, *(dir.)* anticipo (dato a un avvocato).

retainer[1] [ri'teinə*] *s.* *(dir.)* **1** l'assicurarsi i servigi di un avvocato **2** anticipo (dato a un avvocato) **3** *(mecc.)* fermo; gabbia.

retainer[2] *s.* *(st.)* dipendente, impiegato; servitore.

to **retaliate** [ri'tælieit] *v.tr.* ricambiare (insulto, offesa) ♦ *v.intr.* far rappresaglie; rendere la pariglia.

retaliation [riˌtæli'eiʃən] *s.* pariglia; rappresaglia; *(dir.)* ritorsione // *law of —*, legge del taglione.

to **retard** [ri'tɑ:d] *v.tr.* ritardare; rallentare; tardare.

retardation [ˌri:tɑ:'deiʃən] *s.* ritardo.

retch [ri:tʃ] *s.* conato di vomito.

to **retch** *v.intr.* avere conati di vomito.

retention [ri'tenʃən] *s.* ritentiva; *(med.)* ritenzione.

to **rethink** [ˌri:'θiŋk] *v.tr.* rivedere, riprendere in consi-derazione.

reticence ['retisəns] *s.* reticenza, riservatezza.

reticent ['retisənt] *agg.* reticente; riservato.

reticle ['retikl] *s.* reticolo.

reticular [ri'tikjulə*] *agg.* reticolare.

reticulate [ri'tikjulit] *agg.* reticolato; retiforme.

retina ['retinə, *(amer.)* 'retənə], *pl.* **retinae** ['reti:ni:] *s.* retina.

retinue ['retinju, *(amer.)* 'retənu:] *s.* seguito; corteo.

to **retire** [ri'taiə*] *v.tr.* (far) ritirare ♦ *v.intr.* ritirarsi; an-dare in pensione.

retired [ri'taiəd] *agg.* **1** ritirato; appartato, solita-rio **2** a riposo, in pensione.

retirement [ri'taiəmənt] *s.* **1** ritiro; solitudine; luogo appartato **2** collocamento a riposo; pensionamento: *early —*, pensionamento anticipato **3** *(mil.)* ritirata **4** *(comm.)* ritiro dalla circolazione.

retiring [ri'taiəriŋ] *agg.* riservato; discreto; schivo.

to **retool** [ˌri:tu:l] *v.tr.* rinnovare gli impianti.

retort[1] [ri'tɔ:t] *s.* risposta; rimbeccata.

to **retort**[1] *v.tr.* ritorcere (accusa); ribattere (argomen-to); ricambiare (insulto) ♦ *v.intr.* replicare, ribattere.

retort[2] *s.* *(chim.)* storta.

to **retort**[2] *v.tr.* *(chim.)* distillare in una storta.

to **retouch** ['ri:'tʌtʃ] *v.tr.* ritoccare.

to **retrace** [ri'treis] *v.tr.* ripercorrere, rifare il cam-mino: *to — one's steps*, ritornare sui propri passi; *to — one's way*, ripercorrere all'indietro la strada percor-sa **2** rievocare.

to **retract**[1] [ri'trækt] *v.tr.* ritrarre ♦ *v.intr.* ritrarsi.

to **retract**[2] *v.tr.* ritrattare.

retractile [ri'træktail, *(amer.)* ri'træktl] *agg.* retrattile.

retraction [ri'trækʃən] *s.* **1** ritrazione, contrazione **2** ritrattazione, revoca.

to **retrain** [ˌri:'trein] *v.tr.* riqualificare (di manodopera).

retraining [ˌri:'treiniŋ] *s.* riqualificazione.

to **retread**[1] ['ri:'tred], *pass.* **retrod** ['ri:'trɔd], *p.pass.* **re-trodden** ['ri:'trɔdn] *v.tr.* ripercorrere.

to **retread**[2] *v.tr.* cambiare il battistrada, rigenerare (un pneumatico).

retreat [ri'tri:t] *s.* **1** *(mil.)* ritirata **2** ritiro; luogo ap-partato.

to **retreat** *v.tr.* ritirare ♦ *v.intr.* ritirarsi.

to **retrench** [ri'trentʃ] *v.tr.* ridurre; diminuire ♦ *v.intr.* ridurre le spese.

retrial [ˌri:'traiəl] *s.* nuovo processo.

retribution [ˌretri'bju:ʃən] *s.* castigo, punizione.

retributive [ri'tribjutiv] *agg.* punitivo.

retrievable [ri'tri:vəbl] *agg.* **1** ricuperabile **2** ripara-bile.

retrieval [ri'tri:vl] *s.* **1** recupero: *beyond —*, irrecupe-rabile **2** *(informatica)* reperimento; recupero; ricerca.

to **retrieve** [ri'tri:v] *v.tr.* **1** ricuperare; ripristinare: *to — freedom*, ricuperare la libertà **2** riparare: *to — one's errors*, riparare le proprie colpe **3** salvare ♦ *v.tr.* e *intr.* riportare (di cani da caccia).

retriever [ri′tri:və*] *s.* cane da riporto.

retro- [′retrou] *pref.* retro-.

retroaction [,retrou′ækʃən] *s.* **1** reazione **2** effetto retroattivo.

retroactive [,retrou′æktiv] *agg.* retroattivo.

to **retrocede** [,retrou′si:d] *v.intr.* retrocedere, tornare indietro ♦ *v.tr.* restituire (territorio).

retrocession [,retrou′seʃən] *s.* retrocessione.

retrogradation [,retrougrə′deiʃən] *s.* **1** regressione **2** deterioramento **3** (*astr.*) retrogradazione.

retrograde [′retrougreid] *agg.* **1** retrogrado **2** inverso; contrario.

to **retrograde** *v.intr.* **1** regredire **2** deteriorarsi **3** (*astr.*) retrogradare.

to **retrogress** [,retrou′gres] *v.intr.* **1** retrocedere **2** deteriorarsi.

retrogressive [,retrou′gresiv] *agg.* **1** retrogrado **2** regressivo.

retro-rocket [′retrou,rɔkit] *s.* retrorazzo.

retrospect [′retrouspekt] *s.* esame, sguardo retrospettivo.

retrospective [,retrou′spektiv] *agg.* **1** retrospettivo **2** retroattivo ♦ *s.* (mostra) retrospettiva.

retroversion [,retrou′və:ʃən] *s.* retroversione.

to **retry** [′ri:′trai] *v.tr.* rifare (un processo); processare di nuovo.

return [ri′tə:n] *s.* **1** ritorno: *on my —*, al mio ritorno; *— match*, partita di ritorno // *by — post*, (*comm.*) a giro di posta // *many happy returns!*, cento di questi giorni! **2** restituzione **3** guadagno; profitto; ricompensa // *in — for*, in cambio di **4** (*gener.pl.*) risultato; rendiconto; dichiarazione: *election returns*, risultati elettorali; *tax return(s)*, dichiarazione dei redditi **5** (*sport*) risposta, rimando **6** — (*ticket*), biglietto di andata e ritorno.

to **return** *v.intr.* ritornare ♦ *v.tr.* **1** restituire; rimettere; rimandare **2** ricambiare, contraccambiare; replicare **3** produrre, rendere **4** riportare, comunicare ufficialmente **5** (*dir.*) dichiarare: *to be returned guilty*, essere dichiarato colpevole **6** (*pol.*) eleggere: *to — members to Parliament*, eleggere deputati al Parlamento.

returnable [ri′tə:nəbl] *agg.* **1** restituibile; da restituirsi: *— bottles*, vuoti a rendere **2** (*dir.*) da rimandare.

returning officer [ri′tə:niŋ,ɔfisə*] *s.* scrutatore.

reunion [′ri:′ju:njən] *s.* riunione.

to **reunite** [′ri:ju:′nait] *v.tr.* riunire ♦ *v. intr.* riunirsi.

rev [rev] *s.* (*aut.*) giro (del motore).

to **rev** *v.tr.* e *intr.*: *to — up*, (*aut.*) imballare, imballarsi.

revaluation [′ri:vælju′eiʃən] *s.* rivalutazione.

to **revalue** [′ri:′vælju:] *v.tr.* rivalutare.

to **reveal** [ri′vi:l] *v.tr.* rivelare.

reveille [ri′væli, (*amer.*)′′revəli] *s.* (*mil.*) sveglia.

revel [′revl] *s.* **1** baldoria; gozzoviglia **2** *pl.* festeggiamenti.

to **revel** *v.intr.* **1** far baldoria; gozzovigliare **2** trovare diletto, piacere.

revelation [,revi′leiʃən] *s.* rivelazione // *the Revelation*, l'Apocalisse.

revelationist [,revi′leiʃənist] *s.* credente nella rivelazione divina.

revelry [′revlri] *s.* baldoria.

revendication [ri,vendi′keiʃən] *s.* rivendicazione.

revenge [ri′vendʒ] *s.* **1** (spirito di) vendetta: *out of —*, per vendetta **2** rivincita (al gioco).

to **revenge** *v.tr.* vendicare, trarre vendetta.

revengeful [ri′vendʒful] *agg.* vendicativo.

revenue [′revinju:] *s.* **1** entrata, entrate (*pl.*); reddito // *— stamp*, marca da bollo **2** fisco; erario.

to **reverberate** [ri′və:bəreit] *v.tr.* e *intr.* **1** riecheggiare **2** riverberare.

reverberation [ri,və:bə′reiʃən] *s.* **1** risonanza **2** riverbero.

reverberator [ri′və:bəreitə*] *s.* riflettore; lampada a riverbero.

to **revere** [ri′viə*] *v.tr.* riverire; venerare.

reverence [′revərəns] *s.* venerazione; riverenza, rispetto.

to **reverence** *v.tr.* venerare; riverire.

reverend [′revərənd] *agg.* venerando; (*eccl.*) reverendo.

reverent [′revərənt] *agg.* riverente; rispettoso.

reverie [′revəri] *s.* sogno a occhi aperti; fantasticheria.

revers [ri′viə*], *pl.* **revers** [ri′viəz] *s.* risvolto.

reverse [ri′və:s] *agg.* rovescio, inverso; opposto ♦ *s.* **1** rovescio, inverso; opposto **2** rovescio finanziario; disfatta **3** (*aut.*) retromarcia.

to **reverse** *v.tr.* **1** rovesciare; invertire **2** far muovere in senso contrario; (*aut.*) far marcia indietro **3** (*dir.*) revocare ♦ *v.intr.* muoversi, girare in senso contrario.

reversible [ri′və:səbl] *agg.* **1** reversibile; rovesciabile **2** (*dir.*) revocabile **3** (*mecc.*) a inversione di marcia **4** (*di tessuto*) double-face.

reversion [ri′və:ʃən] *s.* **1** ritorno (a stato precedente) **2** (*dir. biol.*) reversione.

to **revert** [ri′və:t] *v.intr.* **1** tornare indietro // *to — to a topic*, ritornare su un argomento **2** (*dir.*) spettare (per riversione).

to **revet** [ri′vet] *v.tr.* rivestire.

revetment [ri′vetmənt] *s.* rivestimento.

review [ri′vju:] *s.* **1** esame; analisi **2** recensione: *— copy*, copia inviata per recensione **3** rivista.

to **review** *v.tr.* **1** rivedere; riesaminare **2** recensire **3** (*mil.*) passare in rivista **4** (*dir.*) sottoporre a revisione.

reviewer [ri′vju:(:)ə*] *s.* recensore.

to **revile** [ri′vail] *v.tr.* e *intr.* ingiuriare, insultare.

revisal [ri′vaizəl] *s.* revisione.

to **revise** [ri′vaiz] *v.tr.* rivedere; riesaminare.

revision [ri′viʒən] *s.* revisione.

revisory [ri′vaizəri] *agg.* di, a scopo di revisione.

to **revitalize** [′ri:′vaitəlaiz] *v.tr.* dare nuova vita (a).

revival [ri′vaivəl] *s.* rinascita; ripresa; rifioritura // *the Revival of Learning*, il Rinascimento.

to **revive** [ri′vaiv] *v.intr.* rinascere, rivivere, rianimarsi (*anche fig.*) ♦ *v.tr.* **1** far rinascere, far rivivere, rianimare // *to — a play*, riprendere un lavoro teatrale **2** (*chim.*) riportare (un metallo) allo stato naturale.

to **revivify** [ri(:)′vivifai] *v.tr.* **1** rivivificare; rianimare **2** → to **revive** nel senso 1

revocable [′revəkəbl] *agg.* revocabile.

revocation [,revə′keiʃən] *s.* revoca; annullamento; ritiro.

to **revoke** [ri′vouk] *s.* (*a carte*) rifiuto.

to **revoke** *v.tr.* e *intr.* **1** revocare; annullare; ritirare **2** (*a carte*) rifiutare.

revolt [ri′voult] *s.* **1** rivolta; ribellione **2** disgusto.

to **revolt** *v.intr.* ribellarsi ♦ *v.tr.* disgustare.

revolting [ri′voultiŋ] *agg.* disgustoso.

revolution [,revə′lu:ʃən] *s.* **1** rivoluzione; ribellione **2** giro, rotazione; (*astr.*) rivoluzione.

revolutionary [,revə′lu:ʃnəri] *agg.* **1** rivoluzionario **2** (*mecc.*) rotatorio ♦ *s.* rivoluzionario.

to **revoluzionize** [,revə′li:ʃnaiz] *v.tr.* rivoluzionare.

to **revolve** [ri'vɔlv] *v.intr.* rotare, girare ♦ *v.tr.* 1 far rotare, far girare 2 meditare, ponderare.

revolver [ri'vɔlvə*] *s.* rivoltella.

revolving [ri'vɔlviɳ] *agg.* rotante; girevole; (*comm.*) rotativo.

revue [ri'vju:] *s.* (*teatr.*) rivista.

revulsion [ri'vʌlʃən] *s.* 1 mutamento improvviso;
reazione 2 (*med.*) revulsione.

reward [ri'wɔ:d] *s.* ricompensa.

to **reward** *v.tr.* ricompensare.

rewarding [ri'wɔ:diɳ] *agg.* gratificante.

to **reword** [ri:'wɔ:d] *v.tr.* formulare, ripetere con parole nuove.

to **rewrite** ['ri:'rait], *pass.* **rewrote** ['ri:'rout], *p.pass.*
rewritten ['ri:'ritn] *v.tr.* 1 riscrivere 2 rimaneggiare
(uno scritto).

Rex [reks] *s.* sovrano.

rhabdomancy ['ræbdou,mænsi] *s.* rabdomanzia.

rhapsode ['ræpsoud] *s.* rapsodo.

rhapsodic(al) [ræp'sɔdik(əl)] *agg.* 1 rapsodico 2
entusiastico.

rhapsodist ['ræpsədist] *s.* 1 rapsodo 2 (*mus.*) compositore di rapsodie.

to **rhapsodize** ['ræpsədaiz] *v.tr. e intr.* comporre, recitare rapsodie.

rhapsody ['ræpsədi] *s.* 1 rapsodia 2 entusiasmo.

rheostat ['ri:əstæt] *s.* (*elettr.*) reostato.

rhesus ['ri:səs] *s.* (*zool.*) reso // *Rhesus factor*, (*med.*)
fattore Rh.

rhetoric ['retərik] *s.* retorica.

rhetorical [ri'tɔrikəl] *agg.* retorico.

rheumatic [ru(:)'mætik] *agg.* reumatico ♦ *s.* 1 chi è
affetto da reumatismi 2 *pl.* (*fam.*) reumatismi.

rheumaticky [ru(:)'mætiki] *agg.* (*fam.*) 1 affetto da
reumatismi 2 reumatico.

rheumatism ['ru:mətizəm] *s.* reumatismo.

rhinal ['rainl] *agg.* nasale.

Rhine [rain] *no.pr.* Reno.

Rhineland ['rainlænd] *no.pr.* Renania.

rhinestone [rainstoun] *s.* 1 varietà di cristallo di rocca 2 strass.

rhinoceros [rai'nɔsərəs] (*fam.*) **rhino** ['rainou]
s. rinoceronte.

rhizome ['raizoum] *s.* (*bot.*) rizoma.

Rhodes [roudz] *no.pr.* Rodi.

Rhodesian [rou'di:zjən] *agg. e s.* rodesiano.

Rhodian ['roudjən] *agg.* rodio.

rhododendron [,roudə'dendrən] *s.* rododendro.

rhomb [rɔm] *s.* (*geom.*) rombo.

rhombic ['rɔmbik] *agg.* 1 (*geom.*) rombico 2 rom-
boedrico.

rhomboid ['rɔmbɔid] *agg. e s.* romboide.

rhombus ['rɔmbəs], *pl.* **rhombuses** ['rɔmbəsiz],
rhombi ['rɔmbai] *s.* (*geom.*) rombo.

Rhone [roun] *no.pr.* Rodano.

rhubarb ['ru:bɑ:b] *s.* 1 rabarbaro 2 (*fam.*) vocio,
parlottio 3 (*amer.*) litigio, discussione.

rhyme [raim] *s.* 1 rima // *without — or reason*, senza
senso, assurdo 2 verso; poesia.

to **rhyme** *v.tr.* mettere in rima; far rimare ♦ *v.intr.* 1
comporre versi, rime 2 rimare.

rhymer ['raimə*], **rhymester** ['raimstə*] *s.* 1 rima-
tore 2 poetastro.

rhythm ['riðəm] *s.* ritmo.

rhythmic(al) ['riðmik(əl)] *agg.* ritmico.

rib [rib] *s.* 1 (*anat.*) costola: *— cage*, gabbia toraci-

ca 2 costa 3 stecca (di ombrello) 4 (*aer.*) centina
(alare) 5 (*arch.*) costolone, nervatura.

to **rib** *v.tr.* 1 munire (di), rinforzare con coste, costoloni 2 (*amer. fam.*) prendere in giro.

ribald ['ribəld] *agg.* osceno, licenzioso.

ribaldry ['ribəldri] *s.* oscenità.

ribbon ['ribən] *s.* 1 nastro, nastrino // *— loop*, (*informatica*) anello del nastro 2 *pl.* (*fam.*) redini.

rice [rais] *s.* (*bot.*) riso.

rice-field ['raisfi:ld] *s.* risaia.

rice paper ['rais,peipə*] *s.* carta di riso.

rich [ritʃ] *agg.* 1 ricco: *— in*, ricco di // *a — crop*, un
raccolto abbondante 2 fertile (di terreno) 3 nutriente; molto condito; ingrassante (di cibo) 4 intenso (di
colore) 5 pieno (di voce) 6 (*fam.*) divertente, comico
♦ *s.* 1 persona ricca 2 *pl.* ricchezza (*sing.*), ricchezze.

Richard ['ritʃəd] *no.pr.m.* Riccardo.

richly ['ritʃli] *avv.* 1 riccamente, sontuosamente 2
pienamente.

richness ['ritʃnis] *s.* 1 ricchezza 2 abbondanza 3
fertilità (di terreno) 4 ricchezza nutritiva (di alimenti) 5 intensità (di colore) 6 pienezza (di voce).

rick[1] [rik] *s.* bica, mucchio.

to **rick**[1] *v.tr.* formare biche, mucchi (di grano, fieno ecc.).

rick[2] *s.* storta, distorsione.

rick[2] *v.tr.* storcere, lussare.

rickets ['rikits] *s.* (*med.*) rachitismo.

rickety ['rikiti] *agg.* 1 (*med.*) rachitico 2 traballante,
malsicuro.

rickshaw ['rikʃɔ:] *s.* risciò.

ricochet ['rikəʃet, (*amer.*) ,rikə'ʃei] *s.* rimbalzo.

to **ricochet** *v.intr.* rimbalzare ♦ *v.intr.* fare rimbalzare.

to **rid** [rid], *pass.* **ridd**, **ridded** ['ridid], *p.pass.* **rid** *v.tr.* liberare, sbarazzare: *to — of*, liberare da; *to get — of*,
liberarsi da, di.

riddance ['ridəns] *s.* liberazione: *good —!*, che sollievo!

ridden *p.pass.* di to **ride**.

riddle[1] ['ridl] *s.* indovinello, enigma (*anche fig.*).

to **riddle**[1] *v.intr.* parlare per enigmi, indovinelli; proporre enigmi, indovinelli ♦ *v.tr.* risolvere (indovinello,
enigma).

riddle[2] *s.* vaglio, crivello.

to **riddle**[2] *v.tr.* 1 vagliare (*anche fig.*) 2 crivellare.

ride [raid] *s.* 1 cavalcata; corsa (su un veicolo): *to take
a — in a car*, fare un giro in macchina // *to take s.o. for
a —*, (*sl.*) prelevare qlcu. col proposito di ucciderlo;
prendere in giro qlcu.; imbrogliare qlcu. 2 tragitto,
percorso 3 sentiero.

to **ride**, *pass.* **rode** [roud], (*arc.*) **rid** [rid], *p.pass.* **ridden**
['ridn], (*arc.*) **rid** *v.tr.* 1 cavalcare: *to — a horse, a bicycle*, andare a cavallo, in bicicletta; *to — a horse to death*,
sfiancare un cavallo // *to — a race*, partecipare a una
corsa // *to — a story to death*, ripetere una storia fino
alla noia 2 (*fig.*): *to be ridden*, essere oppresso, dominato 3 pesare (di fantino) 4 (*mar.*) galleggiare (su)
// *to — the storm*, sostenere la tempesta (*anche fig.*) 5
to — down, travolgere; sorpassare (a cavallo) ♦
v.intr. 1 andare, correre (su veicoli); cavalcare 2 andare, correre (di veicoli) // *let it —!*, (*fam.*) lascia perdere! 3 *to — up: this skirt rides up*, questa gonna sale.

rider ['raidə*] *s.* 1 cavallerizzo; fantino 2 codicillo;
clausola addizionale 3 (*mat.*) corollario 4 *pl.* (*mar.*)
ordinate supplementari.

ridge [ridʒ] *s.* 1 spigolo 2 (*edil.*) colmo (del tetto) 3
cresta (di monti), crinale; catena (di montagne) 4
(*agr.*) porca.

to **ridge** *v.tr.* (*agr.*) solcare ♦ *v.intr.* corrugarsi; incresparsi.

ridgeway [ˈridʒwei] *s.* strada lungo il crinale.

ridicule [ˈridikjuːl] *s.* scherno.

to **ridicule** *v.tr.* mettere in ridicolo, beffare.

ridiculous [riˈdikjuləs] *agg.* ridicolo.

riding [ˈraidiŋ] *s.* **1** equitazione **2** cavalcata **3** ancoraggio.

riding crop [ˈraidiŋkrɔp] *s.* frustino da cavallerizzo.

riding habit [ˈraidiŋˌhæbit] *s.* amazzone (abito).

riding light [ˈraidiŋˈlait] *s.* (*mar.*) lanterna di nave all'ancora.

rife [raif] *agg.* dominante, prevalente; diffuso.

to **riffle** [ˈrifl] *v.tr.* sfogliare (un libro, delle banconote ecc.).

riffler [ˈriflə*] *s.* lima tonda.

riffraff [ˈrifræf] *s.* plebaglia.

rifle[1] [ˈraifl] *s.* **1** fucile **2** *pl.* fucilieri.

to **rifle**[1] *v.tr.* rigare (armi da fuoco).

to **rifle**[2] *v.tr.* saccheggiare; rapinare.

rifleman, *pl.* **riflemen** [ˈraiflmən] *s.* fuciliere.

rifle range [ˈraiflreindʒ] *s.* **1** poligono di tiro **2** portata di fucile **3** colpo di fucile.

rifle shot [ˈraiflʃɔt] *s.* **1** portata di fucile **2** colpo di fucile.

rifling [ˈraifliŋ] *s.* rigatura (di armi da fuoco).

rift [rift] *s.* crepa; spaccatura; fenditura // *a — in the lute*, (*fig.*) incrinatura, rottura in un'amicizia, in un rapporto.

to **rift** *v.tr.* spaccare, fendere.

rig[1] [rig] *s.* imbroglio.

to **rig**[1] *v.tr.* imbrogliare; truccare.

rig[2] *s.* **1** (*mar.*) attrezzatura **2** (*fam.*) abbigliamento: *to be in full — -out*, essere in ghingheri.

to **rig**[2] *v.tr.*: *to — out*, equipaggiare, attrezzare; abbigliare; *to — oneself up* (o *out*), mettersi in ghingheri; *to — up sthg.*, mettere insieme qlco.

rigging [ˈrigiŋ] *s.* (*mar.*) attrezzatura.

right [rait] *agg.* **1** giusto: *he is the — man in the — place*, è proprio l'uomo che ci vuole; *to put* (o *to set*) *sthg. —*, mettere a posto qlco. // *that's —*, va bene; d'accordo // *the — side of a fabric*, il diritto di un tessuto // *to be —*, avere ragione // *to get on the — side of s.o.*, (*fam.*) insinuarsi nelle buone grazie di qlcu. **2** (*geom.*) retto: *— -angled triangle*, triangolo rettangolo **3** destro **4** sano, in buone condizioni: *he is not — in his head*, non ha la testa a posto; *he is not in his — mind* (o *senses*), non è in possesso delle sue facoltà mentali; *this will put you — again*, questo ti rimetterà in forze // *as — as rain*, benissimo, in perfetta forma **5** (*pol.*) conservatore.

right *s.* **1** il giusto, il bene: *in the —*, dalla parte della ragione // *to do a person —*, rendere giustizia ad una persona // *to put to rights*, mettere in ordine // *on the — side of 50*, sotto i 50 anni **2** diritto; facoltà: *— and might*, il diritto e la forza // *by* (o *of*) *right(s)*, di, per diritto **3** destra; mano destra; lato destro: *on your —*, alla vostra destra; *to the —*, a destra **4** diritto (di tessuto ecc.) **5** *the Right*, (*pol.*) la destra; i conservatori (*pl.*).

right *avv.* **1** bene; esattamente: *—!*, bene!; *it serves him —!*, gli sta bene!; *to do* (o *to act*) *—*, agire rettamente // *all —!*, benissimo!; *he's all —*, sta benone **2** convenientemente: *hold your pen —*, tieni la penna come si deve **3** in linea retta; direttamente: *go — on*, prosegui diritto **4** proprio; completamente: *— in the middle*, proprio nel mezzo **5** a destra: *turn —*,

voltate a destra **6** immediatamente // *— away* (o *off*), subito, immediatamente ♦ *inter.*: *— oh!*, *— you are!*, va bene!, bene!

to **right** *v.tr.* **1** raddrizzare // *to — oneself*, raddrizzarsi, ricuperare l'equilibrio **2** rendere giustizia (a); riparare; vendicare: *your wrongs will be righted*, vi sarà fatta giustizia.

right-about [ˈraitəbaut] *s.* direzione opposta // *to send to the —*, mandar via sui due piedi ♦ *agg.* e *avv.* in direzione opposta.

righteous [ˈraitʃəs] *agg.* **1** retto; virtuoso **2** giusto, giustificato.

rightful [ˈraitful] *agg.* **1** legittimo **2** giusto, retto.

right-hand [ˈraithænd] *agg.* destro; situato a destra // *he is my — man*, è il mio braccio destro, il mio uomo di fiducia.

right-handed [ˈraitˈhændid] *agg.* che usa di preferenza la destra; di destra.

rightist [ˈraitist] *agg.* (*pol.*) di destra ♦ *s.* (*pol.*) membro della destra.

rightly [ˈraitli] *avv.* **1** rettamente, onestamente **2** correttamente.

right-minded [ˈraitmaindid] *agg.* **1** onesto; retto **2** normale.

right of way [ˈraitəvˈwei] *s.* **1** precedenza **2** diritto di transito **3** passaggio (per il pubblico su proprietà privata).

right wing [ˈraitwiŋ] *agg.* (*pol.*) di destra.

rigid [ˈridʒid] *agg.* rigido (*anche fig.*).

rigidity [nˈdʒiditi] *s.* rigidità (*anche fig.*).

rigmarole [ˈrigməroul] *s.* (*fam.*) tiritera; discorso senza capo né coda.

rigor [ˈraigɔ:*] *s.* **1** (*med.*) brivido **2** rigidità.

rigorism [ˈrigərizəm] *s.* rigorismo; austerità.

rigorous [ˈrigərəs] *agg.* **1** rigoroso **2** rigido.

rigour [ˈrigə*] *s.* rigore.

to **rile** [rail] *v.tr.* (*fam.*) irritare.

rill [ril] *s.* rigagnolo, ruscello.

rim [rim] *s.* **1** bordo, orlo; margine **2** (*aut.*) cerchio; cerchione **3** (*poet.*) linea dell'orizzonte.

to **rim** *v.tr.* bordare; cerchiare.

rime[1] [raim] *s.* e *deriv.* (*amer.*) → **rhyme** e *deriv.*

rime[2] *s.* brina.

to **rime**[2] *v.tr.* ricoprire di brina.

rind [raind] *s.* scorza; buccia; crosta (di formaggio, di pane); cotenna (di lardo); corteccia.

to **rind** *v.tr.* scortecciare.

ring[1] [riŋ] *s.* **1** anello; cerchio; bordo; catena chiusa (di atomi); disco, rotella (di racchetta da sci); collare (di uccelli): *smoke rings*, anelli di fumo; *to dance in a —*, fare il girotondo // *to run rings round s.o.*, (*fig.*) superare di molto qlcu., essere molto superiore a qlcu. **2** (*sport*) pista; recinto degli allibratori; (*pugilato*) «ring», quadrato; recinto per esposizione dei cavalli **3** (*comm.*) sindacato **4** (*Borsa*) corbeille.

to **ring**[1] *v.tr.* **1** accerchiare, circondare // *to — about* (o in o *round*), fare cerchio intorno a **2** mettere un anello (a): *to — a bull*, mettere l'anello al naso di un toro **3** tagliare a fette rotonde (frutta ecc.) ♦ *v.intr.* levarsi in volo a spirale.

ring[2] *s.* **1** scampanio; scampanellata; squillo **2** timbro (di voce); (*fig.*) accento, nota: *a — of happiness*, un accento di felicità **3** tintinnio (di vetri, monete ecc.) **4** (*fam.*) telefonata: *give him a —*, dagli un colpo di telefono.

to **ring**[2], *pass.* **rang** [ræŋ], *p.pass.* **rung** [rʌŋ] *v.intr.* **1** suonare; risuonare (*anche fig.*): *to — true, false*, suonar vero, falso; *a voice ringing in my ears*, una voce che risuona nelle mie orecchie; *the hall rang with laughter*, il salone risuonava di risa // *to — for coffee*, suonare per il caffè; *to — for the maid*, chiamare la cameriera **2** tintinnare **3** fischiare (di orecchie) **4** *to — off*, riattaccare (al telefono) ♦ *v.tr.* **1** suonare: *to — the alarm*, suonare l'allarme // *to — the changes*, cambiare i particolari; fare tutte le possibili combinazioni: *she is clever at ringing the changes with her limited wardrobe*, è molto abile nel combinare i pochi pezzi del suo guardaroba // *to — the knell of*, segnare la fine di **2** far tintinnare **3** *to — down* (*sthg.*), dare il segnale di abbassare (qlco.) **4** *to — up*, dare il segnale di alzare; dare un colpo di telefono (a) **5** *to — in, out*, salutare (a suon di campane): *to — in the New Year*, salutare l'Anno Nuovo (a suon di campane).

ringer[1] ['riŋə*] *s.* **1** campanaro **2** corda (di campana).

ringer[2] *s.* (*fig.*) sosia, copia esatta.

ring finger ['riŋ'fiŋgə*] *s.* anulare.

ringing ['riŋiŋ] *agg.* risonante; sonoro.

ringleader ['riŋ,li:də*] *s.* capo; capobanda.

ringlet ['riŋlit] *s.* **1** boccolo, ricciolo **2** anellino; cerchietto.

ringmaster ['riŋ,mɑ:stə*] *s.* direttore di circo.

ring road ['riŋroud] *s.* tangenziale.

ringside ['riŋsaid] *agg.* **1** (*pugilato*) di parterre: *— seat*, poltrona, posto di parterre **2** (*fig.*) di prima fila; ottimo: *a — view*, un'ottima visuale.

ringworm ['riŋwə:m] *s.* (*med.*) tricofizia.

rink [riŋk] *s.* pista per pattinaggio sul ghiaccio.

rinse [rins] *s.* **1** risciacquata **2** cachet (per capelli).

to rinse *v.tr.* **1** risciacquare **2** applicare un cachet (ai capelli).

riot ['raiət] *s.* **1** rivolta; tumulto // *to read the Riot Act*, (*fig.*) ammonire severamente qlcu.; (*scherz.*) fare una paternale a qlcu. **2** stravizio; intemperanza: *to run —*, abbandonarsi a eccessi, perdere ogni freno; (*di piante*) crescere eccessivamente.

to riot *v.intr.* **1** tumultuare **2** far chiasso; gozzovigliare **3** perdere ogni freno.

riotous ['raiətəs] *agg.* **1** tumultuante; rissoso **2** sregolato, dissoluto.

rip[1] [rip] *s.* lacerazione; strappo; scucitura.

to rip[1] *v.tr.* **1** strappare; lacerare; scucire: *to — a sack open*, aprire un sacco scucendolo; *to — one's coat up the back*, strapparsi la giacca sulla schiena // *to — up forgotten scandals*, rivangare vecchi scandali // *to — off*, strappar via **2** segare per il lungo ♦ *v.intr.* strapparsi; lacerarsi; scucirsi // *to let it* (o *her*) —, spingere al massimo (una macchina ecc.) // *let things —*, lascia perdere.

rip[2] *s.* **1** maretta **2** il ribollire delle acque.

rip[3] *s.* **1** ronzino **2** libertino.

riparian [rai'pɛəriən] *agg.* e *s.* rivierasco.

ripe [raip] *agg.* **1** maturo **2** stagionato: *— wine*, vino stagionato.

to ripen ['raipən] *v.intr.* maturare, stagionare ♦ *v.tr.* far maturare; far stagionare.

ripeness ['raipnis] *s.* maturità.

rip-off ['ripɔf] *s.* (*fam. amer.*) rapina, salasso, richiesta di denaro eccessiva e ingiusta.

to rip off *v.tr.* (*fam. amer.*) pelare.

riposte [ri'poust] *s.* (*scherma*) replica (*anche fig.*).

ripping ['ripiŋ] *agg.* (*sl.*) fantastico, straordinario.

ripple ['ripl] *s.* **1** increspamento (di acque) **2** gorgoglio, mormorio.

to ripple *v.intr.* **1** incresparsi **2** mormorare ♦ *v.tr.* increspare.

ripply ['ripli] *agg.* **1** increspato **2** mormorante.

rip-roaring ['rip,rɔ:riŋ] *agg.* (*fam.*) chiassoso.

riptide ['riptaid] *s.* forte marea.

rise [raiz] *s.* **1** levata (del sole ecc.); alzata; (*aer.*) ascensione; ascesa; progresso; avanzamento: *the — of the curtain*, l'alzarsi del sipario; *the — of day*, l'alba // *to be on the —*, abboccare (di pesce) // *to take a — out of s.o.*, provocare qlcu. **2** salita; rampa; altura: *a steep —*, una salita ripida **3** aumento; crescita: *prices are on the —*, i prezzi sono in rialzo **4** sorgente; origine, principio: *to give — to sthg.*, dare origine a qlco.

to rise, *pass.* **rose** [rouz], *p.pass.* **risen** ['rizn] *v.intr.* **1** sorgere, levarsi, alzarsi (*anche fig.*): *to — from table*, alzarsi da tavola; *to — to one's feet*, alzarsi in piedi; *to — to greatness*, assurgere a grandezza // *to — above sthg.*, essere superiore a qlco. // *Christ is risen*, Cristo è risorto // *to — to the occasion*, mostrarsi all'altezza della situazione **2** crescere, aumentare; gonfiarsi; lievitare: *prices are rising*, i prezzi aumentano; *the sea is rising*, il mare si alza, s'ingrossa; *the tide, the barometer is rising*, la marea, il barometro sale **3** sollevarsi, insorgere: *to — in arms*, sollevarsi in armi **4** aver origine, nascere, provenire: *where does the Thames —?*, dove nasce il Tamigi? **5** (*di pesci*) affiorare.

risen *p.pass.* di **to rise**.

riser ['raizə*] *s.* **1** chi si alza: *to be an early —*, essere mattiniero **2** (*edil.*) montante.

risible ['rizibl] *agg.* **1** incline al riso **2** risibile.

rising ['raiziŋ] *agg.* **1** sorgente: *the — generation*, la nuova generazione **2** ascendente; in salita: *— ground*, terreno in salita **3** crescente, in aumento **4** che si avvicina a: *— twenty*, sui vent'anni ♦ *s.* **1** il sorgere; l'alzarsi **2** salita; ascesa **3** crescita; aumento **4** sollevamento, insurrezione, rivolta.

risk [risk] *s.* rischio: *at one's own —*, a proprio rischio e pericolo; *to take risks*, rischiare // *— asessment*, valutazione del rischio // *— spread*, ripartizione dei rischi.

to risk *v.tr.* rischiare; arrischiare; mettere a repentaglio: *let's — it!*, tentiamo!

riskiness ['riskinis] *s.* natura rischiosa.

risky ['riski] *agg.* **1** rischioso, arrischiato **2** audace, scabroso.

risqué [,ri:s'kei] (*amer.*) ri'skei) *agg.* audace, scabroso.

rissole ['risoul] *s.* (*cuc.*) polpetta.

rite [rait] *s.* rito; cerimonia.

ritual ['ritjuəl] *agg.* e *s.* rituale.

ritualism ['ritjuəlizəm] *s.* ritualismo.

ritualist ['ritjuəlist] *s.* ritualista.

ritzy ['ritsi] *agg.* (*fam.*) lussuoso, elegante.

rival ['raivəl] *agg.* e *s.* rivale.

to rival *v.tr.* rivaleggiare (con).

rivalry ['raivəlri] *s.* rivalità; concorrenza; emulazione.

to rive [raiv], *pass.* **rived** [raivd], *p.pass.* **rived**, **riven** ['rivən] *v.tr.* spaccare; strappare (*anche fig.*) ♦ *v.intr.* spaccarsi.

river ['rivə*] *s.* fiume (*anche fig.*): *down (the) —*, a valle; *up (the) —*, a monte // *to sell s.o. down the —*, tradire qlcu.

river basin ['rivə,beisn] *s.* bacino idrografico.

riverbed ['rivə'bed] *s.* alveo.

river horse ['rivə'hɔ:s] *s.* ippopotamo.

riverside ['rivəsaid] *agg.* lungo il fiume, rivierasco ♦ *s.* lungofiume; sponda (di fiume).

rivet ['rivit] *s.* ribattino.

to rivet *v.tr.* **1** inchiodare, ribadire **2** (*fig.*) fissare, concentrare.

rivulet ['rivjulit] *s.* fiumicello, ruscelletto.

roach[1] [routʃ] *s.* (*zool.*) lasca.

roach[2] *s.* scarafaggio.

road [roud] *s.* **1** strada; via; percorso; cammino: *across the* —, dall'altra parte della strada; — *up*, strada interrotta; *on the* —, per strada; *to be on the* —, (*comm.*) fare il viaggiatore // *to be on the* — *to*, (*anche fig.*) essere sulla via di // *to take to the* —, mettersi in strada; (*fig.*) darsi al vagabondaggio // — *sense*, educazione stradale // — *sweeper*, scopino, spazzino **2** (*gener. pl.*) (*mar.*) rada: *to leave the roads*, andare al largo **3** (*amer.*) ferrovia.

roadbed ['roudbed] *s.* massicciata.

roadblock ['roudblɔk] *s.* blocco stradale.

road hog ['roudhɔg] *s.* guidatore incosciente, guidatore spericolato.

roadhouse ['roudhaus] *s.* locanda, osteria.

roadman, *pl.* **roadmen** ['roudmən] *s.* stradino.

road manager ['roud,mænidʒə*] *s.* capogruppo (di un viaggio).

roadmanship ['roudmənʃip] *s.* abilità, sicurezza di guida.

road map ['roudmæp] *s.* carta stradale.

road metal ['roud,metl] *s.* pietrisco.

roadside ['roudsaid] *agg.* sul bordo della strada ♦ *s.* bordo della strada.

roadster ['roudstə*] *s.* automobile sportiva.

roadway ['roudwei] *s.* piano stradale.

roadworthy ['roudwə:ði] *agg.* (*di auto*) in condizioni di viaggiare.

to roam [roum] *v.intr.* vagare: *to* — *about the world*, vagabondare per il mondo ♦ *v.tr.* percorrere; solcare.

roamer ['roumə*] *s.* nomade; vagabondo.

roan[1] [roun] *agg.* e *s.* roano.

roan[2] *s.* pelle (di pecora) uso marocchino.

roar [rɔ:*] *s.* **1** boato; rombo (di cannone, di tuono); strepito; il mugghiare (di vento, mare); scoppio (di risa) **2** ruggito; muggito **3** urlo (di dolore, di rabbia).

to roar *v.intr.* **1** rimbombare; tuonare; muggire (di vento, di mare) **2** ruggire; muggire **3** urlare; strepitare: *to* — *with pain*, urlare di dolore // *to* — *off in anger*, uscire urlando di rabbia; *to* — *with laughter*, scoppiare dalle risa **4** respirare rumorosamente (di cavallo bolso) ♦ *v.tr.* urlare.

roarer ['rɔ:rə*] *s.* cavallo bolso.

roaring ['rɔ:riŋ] *agg.* **1** rumoroso; scrosciante; tumultuoso // *the* — *forties*, area tempestosa dell'Atlantico (40° nord dell'equatore) // *to do a* — *trade*, andare molto bene (negli affari) **2** ruggente; mugghiante **3** urlante ♦ *s.* **1** strepito; baccano **2** rombo **3** bolsaggine.

roast [roust] *agg.* arrostito ♦ *s.* **1** arrosto **2** arrostimento; tostatura.

to roast *v.tr.* **1** arrostire: *to* — *on a spit*, arrostire allo spiedo **2** tostare (caffè ecc.) **3** calcinare (metalli) ♦ *v.intr.* arrostirsi.

roaster ['rousta*] *s.* **1** rosticciere **2** girarrosto; forno per arrostire; tostino **3** animale per arrosto.

roasting-jack ['roustindʒæk] *s.* girarrosto.

to rob [rɔb] *v.tr.* **1** derubare; saccheggiare; svaligiare **2** privare; spogliare ♦ *v.intr.* commettere un furto.

robber ['rɔbə*] *s.* ladro; rapinatore; predone.

robbery ['rɔbəri] *s.* furto; rapina; estorsione.

robe [roub] *s.* **1** tunica; toga **2** *pl.* vestiti.

to robe *v.tr.* vestire; coprire ♦ *v.intr.* vestirsi.

Robert ['rɔbət] *no.pr.m.* Roberto.

robin ['rɔbin] *s.*: — (*redbreast*), pettirosso.

robot ['roubɔt] *s.* robot (*anche fig.*), automa (*anche fig.*).

robotics [rou'bɔtiks] *s.* robotica.

robust [rə'bʌst] *agg.* robusto.

robustness [rə'bʌstnis] *s.* robustezza.

rock[1] [rɔk] *s.* **1** roccia; macigno; scoglio: *on the rocks*, (*fam.*) in malora; al verde // *whisky on the rocks*, (*amer.*) whisky con ghiaccio **2** (*amer.*) pietra **3** rocca **4** zucchero candito **5** (*sl.*) diamante.

rock[2] *s.* dondolio; oscillazione.

to rock[2] *v.tr.* **1** dondolare; scuotere; far oscillare: *to* — *a baby to sleep* (o *asleep*), far addormentare un bimbo cullandolo // *to* — *the boat*, (*fam.*) combinar guai **2** vagliare (minerali) ♦ *v.intr.* **1** oscillare; dondolare, dondolarsi **2** ballare il «rock and roll».

rock-bottom ['rɔk'bɔtəm] *agg.* bassissimo (di prezzi).

rock bottom *s.* livello più basso (*anche fig.*).

rock-climber ['rɔk,klaimə*] *s.* rocciatore.

rock crystal [rɔk'kristl] *s.* cristallo di rocca.

rock-drill ['rɔkdril] *s.* trapano per roccia, perforatrice per roccia.

rocker ['rɑ:kər] *s.* **1** (*amer.* per *rocking chair*) dondolo; sedia a dondolo // *to be off one's* —, (*sl.*) essere tocco **2** vaglio per sabbie aurifere.

rockery ['rɔkəri] *s.* giardino «rocaille» (con pietre, rocce ecc. disposte ad arte).

rocket ['rɔkit] *s.* **1** razzo; missile **2** (*fig.*) ramanzina.

to rocket *v.tr.* bombardare con razzi ♦ *v.intr.* **1** fare un balzo in avanti (di cavallo) **2** salire vertiginosamente.

rocketeer [,rɔki'tiə*] *s.* esperto in missilistica.

rocketer ['rɔkitə*] *s.* uccello (fagiano ecc.) che si leva in verticale.

rocket-range ['rɔkitreindʒ] *s.* base di lancio.

rocketry ['rɔkitri] *s.* missilistica.

rockiness ['rɔkinis] *s.* rocciosità.

rocking ['rɔkiŋ] *agg.* a dondolo; vacillante; oscillante.

rocking chair ['rɔkintʃeə*] *s.* sedia a dondolo.

rocking horse ['rɔkiŋhɔ:s] *s.* cavallo a dondolo.

rocky[1] ['rɔki] *agg.* **1** roccioso **2** (*fig.*) saldo, duro come roccia.

rocky[2] *agg.* (*fam.*) debole; traballante.

Rocky Mountains, the ['rɔki'mauntinz] *no.pr.* le Montagne Rocciose.

rococo [rə'koukou] *agg.* e *s.* (*st. dell'arte*) rococò.

rod [rɔd] *s.* **1** bastone; bacchetta; barra: (*fishing-*) —, canna da pesca // *to make a* — *for one's own back*, scavarsi la fossa sotto i piedi, impiccarsi con le proprie mani **2** asta **3** pertica (misura di lunghezza) **4** (*sl. amer.*) pistola.

rode *pass.* di to **ride**.

rodent ['roudənt] *agg.* e *s.* (*zool.*) roditore.

rodeo [rou'deiou, (*amer.*) 'roudiou] *s.* rodeo (spettacolo di abilità dei cow-boys).

roe[1] [rou] *s.* capriolo.

roe[2] *s.* uova di pesci (*pl.*).

roebuck ['roubʌk] *s.* capriolo maschio.

Roger ['rɔdʒə*] *no.pr.m.* Ruggero.

rogue [roug] *s.* briccone, furfante; (*scherz.*) bricconcello // *rogues' gallery*, schedario criminale fotografico.

roguery ['rougəri] *s.* bricconeria, furfanteria; disonestà.

to roister ['rɔistə*] *v.intr.* far baldoria.

rope

roisterer ['rɔistərə*] *s.* chiassone.
Roland ['roulənd] *no.pr.m.* Rolando, Orlando.
role [roul] *s.* 1 (*teatr.*) ruolo 2 funzione, ufficio.
roll [roul] *s.* 1 rotolo: *a — of paper*, un rotolo di carta 2 elenco, lista; albo; matricola: *to strike off the —*, radiare dall'albo // *— of honour*, elenco dei caduti in guerra 3 rullo; cilindro 4 rullo (di tamburo); rombo (di cannone, tuono) 5 rotolamento 6 ondeggiamento (di andatura ecc.); (*mar.*) rollio.
to roll *v.intr.* 1 rotolare, rotolarsi // *to — in money*, guazzare nell'oro // *to set the ball rolling*, (*fig.*) dare il via (a) 2 roteare (di occhi) 3 dondolare (nell'andatura); (*mar.*) rollare 4 rullare (di tamburo); rimbombare 5 *to — by*, passare; scorrere (di tempo) 6 *to — in*, entrare; arrivare in gran quantità 7 *to — on*, scorrere 8 *to —over*, rigirarsi 9 *to — up*, avvolgersi; (*fam.*) arrivare ♦ *v.tr.* 1 far rotolare 2 arrotolare; avvolgere: *to — oneself into a ball*, raggomitolarsi a palla 3 roteare, strabuzzare 4 rullare, spianare: *to — out pastry*, (*cuc.*) stendere la pasta 5 (*metall.*) laminare 6 *to — over*, rovesciare 7 *to — up*, arrotolare.
roll call ['roulkɔ:l] *s.* appello, adunata.
roller ['roulə*] *s.* 1 rullo; rullo compressore 2 cilindro, rotella 3 maroso, cavallone 4 bigodino.
roller coaster ['roulə'koustə*] *s.* (*amer.*) montagne russe (*pl.*).
roller skate ['roulə,skeit] *s.* pattino a rotelle.
to roller-skate *v.intr.* schettinare.
roller towel ['roulə'tauəl] *s.* bandinella.
rollicking ['rɔlikiŋ] *agg.* gioviale, allegro oltre misura.
rolling ['rouliŋ] *agg.* 1 rotolante; roteante: *— eyes*, occhi stralunati; *— stone*, (*fig.*) vagabondo 2 ondulato 3 oscillante, barcollante: *a — gait*, un'andatura traballante ♦ *s.* 1 rotolamento 2 arrotolamento.
rolling mill ['rouliŋmil] *s.* laminatoio.
rolling pin ['rouliŋpin] *s.* matterello.
rolling stock ['rouliŋstɔk] *s.* materiale rotabile.
roly-poly ['rouli'pouli] *agg.* grassoccio ♦ *s.* 1 (*cuc.*) strudel 2 (*gioco*) misirizzi.
Roman ['roumən] *agg.* e *s.* romano // *— Catholic*, cattolico (romano) // *— candle*, girandola // *— nose*, naso aquilino.
romance [rə'mæns] *s.* 1 romanzo cavalleresco; racconto fantastico, sentimentale 2 avventura (sentimentale); romanticheria; idillio 3 attrattiva; atmosfera fantasiosa 4 (*mus.*) romanza.
to romance *v.tr.* 1 romanzare 2 (*fam.*) corteggiare ♦ *v.intr.* alterare la verità.
Romance *agg.* romanzo, neolatino ♦ *s.* lingua romanza.
Romanesque [,roumə'nesk] *agg.* e *s.* (*arch.*) (stile) romanico.
Romanic [rou'mænik] *agg.* → **Romance**.
Romanist ['roumənist] *s.* cattolico.
to Romanize ['roumənaiz] *v.tr.* 1 romanizzare; latinizzare 2 convertire alla religione cattolica ♦ *v.intr.* 1 romanizzarsi; latinizzarsi 2 convertirsi alla religione cattolica.
Romansh [rou'mænʃ] *agg.* e *s.* ladino.
romantic [rə'mæntik] *agg.* 1 romantico 2 romanzesco; fantastico ♦ *s.* persona romantica; scrittore romantico.
romanticism [rə'mæntisizəm] *s.* romanticismo.
Romany ['rɔməni] *agg.* zingaresco ♦ *s.* zingaro.
Rome [roum] *no.pr.* Roma.
Romeo ['roumiou] *no.pr.m.* Romeo.

Romish ['roumiʃ] *agg.* (*spreg.*) papista.
romp [rɔmp] *s.* 1 bambino chiassoso; ragazza rumorosa, maschiaccio 2 gioco rumoroso.
to romp *v.intr.* 1 giocare in modo rumoroso 2 correre con scioltezza // *to — home*, (*fam.*) vincere facilmente // *to — through sthg.*, fare, finire in fretta.
rompers ['rɔmpəz] *s.pl.* pagliaccetto (da bambino) (*sing.*).
Ronald ['rɔnld] *no.pr.m.* Ronaldo.
rood [ru:d] *s.* 1 croce; crocifisso // *— of the mouth*, palato // *to be under s.o.'s —*, essere ospite di qlcu. // *to raise the —*, (*fig. fam.*) far crollare la casa (dal rumore) 2 imperiale (di veicolo).
to roof *v.tr.* ricoprire con tetto.
roof garden ['ru:f,gɑ:dn] *s.* giardino pensile.
roofing ['ru:fiŋ] *s.* materiale da costruzione per tetti.
roofless ['ru:flis] *agg.* senza tetto (*anche fig.*).
roof rack ['ru:fræk] *s.* (*aut.*) portabagagli (sul tetto).
rook[1] [ruk] *s.* 1 cornacchia 2 (*fig.*) imbroglione.
to rook[1] *v.tr.* 1 (*fam.*) imbrogliare 2 far pagare prezzi esorbitanti (a).
rook[2] *s.* (*scacchi*) torre.
rookery ['rukəri] *s.* 1 gruppo d'alberi su cui vive una colonia di cornacchie 2 colonia di cornacchie, pinguini, foche 3 casermone, casa popolare, agglomerato di case popolari.
rookie ['ruki] *s.* (*sl.*) recluta, novellino.
room [ru:m] *s.* 1 spazio, posto: *to leave* (o *to make*) *— for*, far posto a 2 camera, stanza; *pl.* appartamento (*sing.*): *I have rooms in town*, ho un appartamento in città // *— and board*, vitto e alloggio // *— temperature*, temperatura ambiente 3 occasione, possibilità: *there is no — for doubt*, non c'è possibilità di dubbio.
to room *v.intr.* (*amer.*) abitare, alloggiare // *rooming house*, (*amer.*) pensione.
roomer ['ru:mə*] *s.* (*amer. per lodger*) pigionante.
roomful ['rumful] *s.* camera piena.
roominess ['ruminis] *s.* spaziosità.
roommate ['rummeit] *s.* compagno di camera.
roomy ['rumi] *agg.* spazioso, ampio.
roost [ru:st] *s.* posatoio; (*fig.*) giaciglio, letto // *to rule the —*, (*fig.*) dettar legge.
to roost *v.intr.* 1 appollaiarsi 2 (*fig.*) andare a dormire.
rooster ['ru:stə*] *s.* gallo; maschio di uccelli.
root[1] [ru:t] *s.* 1 radice (*anche fig.*): *to get at the — of things*, andare a fondo nelle cose; *to take —*, (*anche fig.*) mettere radice // *— beer*, (*amer.*) genere di birra analcolica // *— -sign*, (*mat.*) segno della radice 2 (*mus.*) nota fondamentale.
to root[1] *v.tr.* 1 piantare 2 (*fig.*) fissare: *fear rooted him to the ground*, il timore lo inchiodò al suolo 3 *to — out* (o *up*), (*anche fig.*) sradicare, distruggere; tirar fuori ♦ *v.intr.* 1 attecchire 2 (*fig.*) fissarsi, radicarsi.
to root[2] *v.intr.* 1 grufolare; razzolare 2 (*fig.*) frugare 3 *to — for s.o.*, (*amer.*) sostenere qlcu.; fare il tifo per qlcu.
rooted ['ru:tid] *agg.* radicato.
rootstock ['ru:tstɔk] *s.* rizoma; (*fig.*) radice, origine.
rope [roup] *s.* 1 fune; corda; (*mar.*) gomena // *the —*, il capestro // *money for old —*, denaro facile, guadagno facile // *to give s.o. —*, dar corda a qlcu., lasciar-

lo fare // *to know the ropes*, essere pratico (di qlco.) 2
filza, filo 3 filamento (di liquido viscoso).

to **rope** *v.tr.* 1 legare 2 (*sport*) mettere, mettersi in
cordata 3 (*amer.*) prendere al «lazo» 4 *to — in*, (*fig.*)
accalappiare (qlcu.); associare (qlcu.) ad un progetto
ecc.).

rope dancer ['roup,dɑ:nsə*] *s.* funambolo.

rope ladder ['roup'lædə*] *s.* scala a corda.

ropewalk ['roupwɔ:k] *s.* corderia.

ropey ['roupi] *agg.* (*fam.*) scadente.

ropy ['roupi] *agg.* viscoso; fibroso.

rosary ['rouzəri] *s.* 1 rosario 2 roseto.

rose[1] [rouz] *agg.* rosa, di color rosa ♦ *s.* 1 rosa // —
-*bush*, rosaio // *life is not a bed of roses*, (*fig.*) la vita non
è tutta rose e fiori // *under the —*, in segreto, confiden-
zialmente 2 color rosa 3 rosetta, coccarda.

rose *pass.* di to **rise**.

Rose *no.pr.f.* Rosa.

rosebud ['rouzbʌd] *s.* bocciolo di rosa (*anche fig.*).

rose-garden ['rouz,gɑ:dn] *s.* roseto.

rosemary ['rouzməri] *s.* rosmarino.

Rosemary *no.pr.f.* Rosamaria.

roseola [rou'zi:ələ] *s.* (*med.*) roseola.

rosette [rou'zet] *s.* rosetta, coccarda.

rosewater ['rouz,wɔ:tə*] *s.* acqua di rose.

rose window ['rouz,windou] *s.* (*arch.*) rosone.

rosewood ['rouzwud] *s.* palissandro.

Rosicrucian [,rouzi'kru:ʃjən] *agg. e s.* (di) Rosacroce.

rosin ['rɔzin; (*amer.*) 'rɔzn] *s.* resina; colofonia.

to **rosin** *v.tr.* cospargere di resina, colofonia.

rosiness ['rouzinis] *s.* color roseo.

rosiny ['rɔzini] *agg.* resinoso.

roster ['roustə*] *s.* orario dei turni di servizio.

rostrum ['rɔstrəm], *pl.* **rostra** ['rɔstrə] *s.*
1 rostro 2 *pl.* (*st. romana*) rostri.

rosy ['rouzi] *agg.* roseo, rosato (*anche fig.*).

rot [rɔt] *s.* 1 putrefazione; corruzione 2 (*fam.*) stupidaggine.

to **rot** *v.intr.* imputridire, marcire; corrompersi (*anche
fig.*) ♦ *v.tr.* far marcire; corrompere (*anche fig.*).

rota ['routə] *s.* 1 orario dei turni di servizio 2 *the
Rota*, (*dir. eccl.*) la Sacra Rota.

Rotarian [rou'teəriən] *agg. e s.* rotariano.

rotary ['routəri] *agg.* rotante, a rotazione ♦ *s.* (*amer.*)
rondò.

to **rotate** [rou'teit, (*amer.*) 'routeit] *v.intr.* 1 rotare 2
avvicendarsi ♦ *v.tr.* rotare.

rotation [rou'teiʃən] *s.* rotazione: *in —*, a rotazione.

rotative ['routətiv], **rotatory** ['routətəri] *agg.* rotatorio.

rote [rout] *s.*: *by —*, meccanicamente.

rotgut ['rɔtgʌt] *s.* (*sl.*) torcibudella (liquore di pessima
qualità).

rotogravure [,routəgrə'vjuə*] *s.* (*tip.*) rotocalco.

rotor ['routə*] *s.* 1 (*mecc.*) girante, ruota 2 (*aer.
elettr.*) rotore.

rotten ['rɔtn] *agg.* 1 marcio; corrotto (*anche fig.*) 2
(*fam.*) cattivo, pessimo.

rottenly ['rɔtnli] *avv.* (*fam.*) malissimo.

rottenstone ['rɔtnstoun] *s.* farina fossile, tripoli.

rotter ['rɔtə*] *s.* (*sl.*) farabutto, mascalzone.

rotund [rou'tʌnd] *agg.* 1 paffuto, rotondetto 2 sonoro, pieno (di voce).

rotunda [rou'tʌndə] *s.* (*arch.*) rotonda.

rotundity [rou'tʌnditi] *s.* rotondità.

rouble ['ru:bl] *s.* rublo.

rouge [ru:ʒ] *s.* rossetto per le guance.

to **rouge** *v.tr.* imbellettare ♦ *v.intr.* imbellettarsi; mettersi il rossetto.

rouge-et-noir ['ru:ʒei'nwɑ:*] *s.* (*franc.*) (*gioco*) trenta
e quaranta.

rough [rʌf] *agg.* 1 irregolare; ruvido, scabro: — *road*,
strada accidentata 2 tempestoso; violento, impetuoso: — *sea*, mare grosso 3 rudimentale, approssimativo: *a — translation*, una traduzione approssimativa 4
rude, sgarbato; brusco; rozzo: — *manners*, modi bru-
schi 5 aspro, acre 6 disagevole, difficile ♦ *s.* 1 terreno accidentato; (*golf*) erba lunga 2 teppista 3 stato
grezzo // *in the —*, abbozzato 4 avversità // *to take
the — with the smooth*, prendere il buono insieme al
cattivo (di qlco.).

to **rough** *v.tr.* 1 rendere ruvido; arruffare // *to — it*,
(*fam.*) vivere primitivamente 2 (*mecc.*) sgrossare 3 *to
— in, out*, abbozzare; schizzare.

rough *avv.* → **roughly** // *to cut up —*, arrabbiarsi // *to
sleep —*, dormire all'aperto (per povertà).

roughage ['rʌfidʒ] *s.* 1 qualsiasi alimento stimola-
tore delle funzioni intestinali 2 pastone (per animali).

rough-and-ready ['rʌfən'redi] *agg.* fatto alla carlona;
grossolano.

rough-and-tumble ['rʌfən'tʌmbl] *agg.* violento, rumoroso ♦ *s.* zuffa, mischia.

roughcast ['rʌfkɑ:st] *s.* intonaco rustico.

to **roughen** ['rʌfən] *v.tr.* irruvidire ♦ *v.intr.* 1 irruvi-
dirsi 2 diventare grossolano.

rough-hewn ['rʌf'hju:n] *agg.* sbozzato; grossolano
(*anche fig.*).

roughhouse ['rʌfhaus] *s.* rissa.

roughly ['rʌfli] *avv.* 1 rudemente, bruscamente 2
grossolanamente 3 approssimativamente.

roughneck ['rʌfnek] *s.* (*sl. amer.*) teppista.

roughness ['rʌfnis] *s.* 1 irregolarità; scabrosità (di
terreno) 2 violenza; rigidità (di tempo) 3 stato rudimentale, grezzo 4 rudezza, sgarbatezza; asprezza.

roughrider ['rʌfraidə*] *s.* domatore di cavalli selvaggi.

roughshod ['rʌfʃɔd] *agg.* ferrato a ramponi // *to ride
— over s.o.'s sentiments*, calpestare i sentimenti di
qlcu.

roulade [ru:'lɑ:d] *s.* (*mus.*) gorgheggio.

roulette [ru(:)'let] *s.* roulette (*gioco*) // *Russian —*,
roulette russa.

Roumania [ru(:)'meinjə] *no. pr.* Romania.

Roumanian [ru(:)'meinjən] *agg. e s.* rumeno.

round [raund] *agg.* 1 rotondo, tondo: *in — figures*, in
cifre tonde 2 franco, chiaro, esplicito 3 pieno, sonoro (di voce).

round *s.* 1 cerchio; sfera, globo: *in a —*, in cerchio 2
corso, ciclo 3 giro; ronda: *to do one's round(s)*, fare il
solito giro di visite (di dottore); andare di ronda (di poliziotto); *to go the rounds*, diffondersi (di notizia) // *to
stand a — of drinks*, pagare da bere a tutti // *the same
old daily —*, il solito trantran 4 ambito, cerchia 5
(*scult.*) tutto tondo 6 (*carte*) mano; (*pugilato*) round,
ripresa; (*golf*) giro 7 (*mus.*) canone 8 scoppio, scroscio (di risa, applausi) 9 (*mil.*) colpo.

to **round** *v.tr.* 1 arrotondare 2 girare; (*mar.*) doppiare 3 *to — off*, completare; perfezionare 4 *to — up*,
radunare, raccogliere; arrotondare: *to — up to the
nearest thousand*, arrotondare alle mille lire superiori o
inferiori ♦ *v.intr.* 1 arrotondarsi 2 *to — on*, rivoltarsi
contro.

round *avv.* intorno; in giro; all'intorno // *for five miles
—*, nel raggio di cinque miglia // *all the year —*, tutto

l'anno // — *the clock*, per dodici o ventiquattro ore // *the other way* —, in senso inverso // *taken all* —, (*fam.*) nell'insieme // *to turn* — *and* —, continuare a girare, girare su se stessi ♦ *prep.* 1 intorno a: — *the neck*, intorno al collo // — *and* —, intorno a // — *the corner*, voltato l'angolo // *to go* — *an obstacle*, aggirare un ostacolo // *to go* — *the bend*, (*sl.*) comportarsi da pazzo // *to get* — *s.o.*, persuadere qlcu.; girare al largo da qlcu.; *to get* — *a difficulty*, superare una difficoltà 2 circa.

roundabout ['raundəbaut] *agg.* indiretto; tortuoso ♦ *s.* 1 rondò 2 giostra 3 circuito.

roundel ['raundl] *s.* 1 tondo, medaglione decorativo 2 (*mus. poesia*) rondò.

roundelay ['raundilei] *s.* canzonetta.

rounders ['raundəz] *s.pl.* gioco simile al baseball.

Roundhead ['raundhed] *s.* (*st.*) «testa rotonda» (detto degli aderenti al partito parlamentare durante la guerra civile inglese).

roundness ['raundnis] *s.* 1 rotondità, sfericità 2 armonia; levigatezza (di stile) 3 franchezza.

round robin ['raund'rɔbin] *s.* 1 petizione sottoscritta da un vasto numero di persone 2 torneo sportivo che combina girone all'italiana ed eliminazione diretta.

roundsman, *pl.* **roundsmen** ['raundzmən] *s.* 1 fattorino 2 (*amer.*) poliziotto di ronda.

round trip ['raund'trip] *s.* viaggio circolare; (*amer.*) viaggio di andata e ritorno.

roundup ['raundʌp] *s.* 1 il radunare (bestiame) 2 retata.

to rouse [rauz] *v.tr.* 1 svegliare 2 scuotere, stimolare, risvegliare ♦ *v.intr.* risvegliarsi, scuotersi.

rouser ['rauzə*] *s.* 1 chi stimola, risveglia, provoca 2 (*sl.*) frottola.

rousing ['rauziŋ] *agg.* entusiasmante; eccitante, stimolante.

roustabout ['raustəbaut] *s.* (*amer.*) scaricatore di porto.

rout[1] [raut] *s.* 1 folla tumultuante; plebaglia 2 (*dir.*) associazione a delinquere.

rout[2] *s.* (*mil.*) sconfitta, disfatta; rotta: *to put to* —, mettere in rotta.

to rout[2] *v.tr.* mettere in rotta, sconfiggere.

to rout[3] *v.tr.* 1 scavare 2 *to* — *out*, tirar fuori; snidare.

route [ru:t] *s.* 1 strada; rotta; itinerario: *en* —, in cammino, per strada 2 (*mil.*) ordini di marcia (*pl.*).

to route *v.tr.* dirigere, guidare.

routine [ru:'ti:n] *s.* routine, trantran.

rove [rouv] *s.* vagabondaggio: *to be on the* —, vagabondare.

to rove *v.tr.* e *intr.* errare, vagare; vagabondare.

rover ['rouvə*] *s.* vagabondo.

roving ['rouviŋ] *agg.* errante ♦ *s.* vagabondaggio.

row[1] [rou] *s.* fila; filare: *a* — *of plants*, un filare di piante; *in a* —, in fila; *in the first* —, in prima fila // *a hard* — *to hoe*, una gatta da pelare.

row[2] [rau] *s.* (*fam.*) litigio; rissa, zuffa; schiamazzo // *to kick up a* —, attaccare un putiferio.

to row[2] *v.intr.* litigare, altercare.

row[3] [rou] *s.* giro in barca; remata.

to row[3] *v.intr.* remare; vogare ♦ *v.tr.* trasportare in barca; spingere a remi // *to* — *a race*, prender parte a una gara di canottaggio.

rowan ['rouən, (*amer.*) 'rauən] *s.* (*bot.*) sorbo selvatico.

rowboat ['roubout] *s.* (*amer.* per *rowing boat*) barca a remi.

rowdy ['raudi] *agg.* turbolento; scalmanato ♦ *s.* attaccabrighe; teppista.

rowdyism ['raudiizəm] *s.* turbolenza; teppismo.

rowing boat ['rouiŋbout] *s.* barca a remi.

rowlock ['rɔlək, (*amer.*) 'roulɔk] *s.* (*mar.*) scalmo.

royal ['rɔiəl] *agg.* reale, regio; regale (*anche fig.*): *a* — *princess*, una principessa di sangue reale // *in* — *spirits*, essere di ottimo umore ♦ *s.* 1 cervo reale 2 (*mar.*) controvelaccio 3 (*fam.*) membro di famiglia reale.

royalist ['rɔiəlist] *agg.* e *s.* monarchico, realista.

royalty ['rɔiəlti] *s.* 1 regalità 2 membro di famiglia reale; i reali (*pl.*) 3 (*gener.pl.*) diritti d'autore (*pl.*); «royalties», percentuale sugli utili (di brevetti, miniere ecc.).

rub [rʌb] *s.* 1 sfregatura, strofinata; frizione 2 ostacolo; difficoltà.

to rub *v.tr.* fregare, sfregare; strofinare; frizionare: *this shoe has rubbed my heel*, questa scarpa mi ha spellato il tallone; *to* — *sthg. dry*, asciugare qlco. strofinandola // *to* — (*up*) *s.o. the wrong way*, (*fig.*) prendere qlcu. contropelo // *to* — *down*, strofinare (per asciugare o pulire) // *to* — *in*, far penetrare frizionando; (*fig.*) insistere (su) // *to* — *off*, cancellare; togliere strofinando // *to* — *out*, cancellare; (*amer.*) uccidere, far fuori // *to* — *up*, lucidare; (*fig.*) rispolverare ♦ *v.intr.* 1 strofinare, strofinarsi; sfregare, sfregarsi 2 *to* — *along*, (*fam.*) arrangiarsi, tirare avanti.

rubber[1] ['rʌbə*] *s.* 1 gomma, caucciù: — *band*, elastico; — *stamp*, timbro; — *dinghy*, canotto, gommone 2 gomma da cancellare; cancellino 3 *pl.* soprascarpe di gomma.

rubber[2] *s.* (*bridge*) «rubber», partita.

to rubberize ['rʌbəraiz] *v.tr.* gommare.

rubberneck ['rʌbə,nek] *s.* (*amer.*) curioso; (*scherz.*) turista.

rubbish ['rʌbiʃ] *s.* (*solo sing.*) 1 immondizie (*pl.*), rifiuti (*pl.*) 2 (*fig.*) roba di poco conto, robaccia; (*fam.*) sciocchezze (*pl.*).

rubbishing ['rʌbiʃiŋ], **rubbishy** ['rʌbiʃi] *agg.* 1 di scarto; senza valore 2 (*fam.*) sciocco.

rubble ['rʌbl] *s.* macerie (*pl.*); pietrisco.

rubdown ['rʌbdaun] *s.* frizione; massaggio.

rubella [ru:'belə] *s.* (*med.*) rosolia.

rubeola [ru:'bi:ələ] *s.* (*med.*) morbillo.

rubicund ['ru:bikənd] *agg.* rubicondo.

rubric ['ru:brik] *s.* rubrica.

ruby ['ru:bi] *agg.* e *s.* (di color) rubino.

ruck[1] [rʌk] *s.* 1 (*ippica*) gruppo (lasciato indietro dai vincenti) 2 (*fig.*) massa; mucchio.

to ruck[2] *v.tr.* spiegazzare ♦ *v.intr.* spiegazzarsi.

rucksack ['ruksæk] *s.* zaino.

ruction ['rʌkʃən] *s.* (*gener. pl.*) (*fam.*) schiamazzi (*pl.*); tumulto, disordine.

rudder ['rʌdə*] *s.* timone (*anche fig.*).

rudderless ['rʌdəlis] *agg.* senza timone; senza guida (*anche fig.*).

ruddiness ['rʌdinis] *s.* aspetto rubicondo; colorito acceso.

ruddle ['rʌdl] *s.* sinopia, ocra rossa.

to ruddle *v.tr.* marcare, colorare con ocra rossa.

ruddy ['rʌdi] *agg.* 1 rubicondo; rosso 2 (*sl.*) maledetto.

to ruddy *v.tr.* rendere rubicondo ♦ *v.intr.* diventare rubicondo.

rude [ru:d] *agg.* 1 maleducato, sgarbato; villano; rozzo, grossolano: *don't be* —, non essere scortese 2 grezzo; **rudimentale:** *a — tool,* un utensile rudimentale **3** violento; brusco **4** vigoroso.

rudiment [ˈruːdɪmənt] *s.* rudimento.

rue[1] [ruː] *s.* pentimento; rammarico.

to rue[1] *v.tr.* rimpiangere ♦ *v.intr.* rammaricarsi.

rue[2] *s.* (*bot.*) ruta.

rueful [ˈruːfʊl] *agg.* contrito; dispiaciuto.

ruff[1] [rʌf] *s.* **1** gorgiera **2** collare (di uccello).

ruff[2] *s.* (*alle carte*) taglio (con briscola).

ruffian [ˈrʌfjən] *s.* mascalzone, furfante.

ruffianly [ˈrʌfjənli] *agg.* furfantesco; brutale; rissoso.

ruffle [ˈrʌfl] *s.* **1** gala, «ruche» **2** increspatura (di acqua, superficie) **3** (*fig.*) turbamento.

to ruffle *v.tr.* **1** increspare; arruffare: *the wind ruffled the water,* il vento increspò la superficie dell'acqua **2** (*fig.*) turbare ♦ *v.intr.* **1** incresparsi; arruffarsi **2** (*fig.*) scomporsi.

rug [rʌg] *s.* **1** coperta **2** tappeto.

rugby [ˈrʌgbi] *s.* rugby.

rugged [ˈrʌgid] *agg.* **1** ruvido, rugoso; scabro: *a — coast,* una costa irta di scogli **2** (*fig.*) rude, ruvido; rozzo: *— features,* lineamenti irregolari **3** (*fam.*) disagevole **4** (*amer.*) robusto, vigoroso.

rugger [ˈrʌgə*] *s.* (*fam.*) rugby.

ruin [ruin] *s.* rovina.

to ruin *v.tr.* rovinare (*anche fig.*); distruggere ♦ *v.intr.* cadere, andare in rovina.

ruination [ruiˈneiʃən] *s.* rovina.

ruinous [ˈruinəs] *agg.* **1** rovinoso **2** in rovina.

rule [ruːl] *s.* **1** regola; norma: *as a —,* di regola, generalmente; *by —,* secondo le regole; *rules and regulations,* normativa // *golden —,* regola d'oro // *— of thumb,* regola empirica // *to work to —,* fare dell'ostruzionismo (applicando alla lettera il regolamento) **2** governo, dominio **3** (*dir.*) ordinanza, decreto **4** riga graduata // *slide —,* regolo calcolatore.

to rule *v.tr.* **1** regolare; controllare; dominare; governare: *to — a country,* governare una nazione **2** (*dir.*) decretare **3** tracciare (linee), rigare **4** *to — out,* scartare, escludere ♦ *v.intr.* governare: *to — with a rod of iron,* governare col pugno di ferro.

ruler [ˈruːlə*] *s.* **1** governatore; sovrano **2** regolo.

ruling [ˈruːliŋ] *agg.* dirigente; dominante: *the — class,* la classe dirigente // *— prices,* prezzi correnti ♦ *s.* (*dir.*) decisione, decreto.

rum[1] [rʌm] *s.* rum.

rum[2] *agg.* (*fam.*) strano, strambo, originale.

Rumania e *deriv.* → **Roumania** e *deriv.*

rumble [ˈrʌmbl] *s.* **1** rombo; rumore sordo **2** sedile posteriore (di carrozza) **3** (*sl.*) rissa.

to rumble *v.intr.* rombare; rimbombare; rumoreggiare ♦ *v.tr.* (*sl.*) capire, accorgersi (di).

rumbling [ˈrʌmbliŋ] *agg.* rumoreggiante; brontolante ♦ *s.* rumoreggiamento; brontolio.

rumbustious [rʌmˈbʌstʃəs] *agg.* turbolento.

ruminant [ˈruːminənt] *agg.* **1** ruminante **2** meditabondo ♦ *s.* ruminante.

to ruminate [ˈruːmineit] *v.tr.* ruminare (*anche fig.*) ♦ *v.intr.* rimuginare, meditare.

rumination [ˌruːmiˈneiʃən] *s.* ruminazione.

ruminative [ˈruːminətiv] *agg.* **1** ruminante **2** (*fig.*) meditativo.

rummage [ˈrʌmidʒ] *s.* **1** ricerca, rovistio **2** cianfrusaglie (*pl.*).

to rummage *v.tr.* cercare, trovare buttando all'aria // *to — out,* scovare ♦ *v.intr.* frugare.

rummage sale [ˈrʌmidʒˌseil] *s.* vendita di beneficenza.

rummy[1] [ˈrʌmi] *agg.* (*fam.*) strano, strambo.

rummy[2] *s.* (*gioco di carte*) ramino.

rumour [ˈruːmə*] *s.* chiacchiera, diceria, voce.

to rumour *v.tr.: it is rumoured that...,* corre voce che...

rump [rʌmp] *s.* natiche (*pl.*).

to rumple [ˈrʌmpl] *v.tr.* **1** spiegazzare; sgualcire **2** scompigliare (capelli).

rumpsteak [ˈrʌmpsteik] *s.* bistecca di girello.

rumpus [ˈrʌmpəs] *s.* (*fam.*) chiasso; tumulto // *— room,* (*amer.*) stanza da gioco.

rumrunner [ˈrʌmrʌnə*] *s.* (*amer.*) chi contrabbanda liquori; nave che contrabbanda liquori.

run [rʌn] *s.* **1** il correre; corsa: *to go for a —,* fare una corsa // *at a —,* di corsa // *on the —,* in fuga; indaffarato // *to break into a —,* mettersi a correre // *to have a — for one's money,* ottenere qualche risultato // *— -off,* (*sport*) corsa decisiva; finale // *— -up,* rincorsa **2** percorso; giro **3** corso, andamento: *the — of events,* il corso degli avvenimenti **4** serie, sequela; periodo: *a — of bad weather,* un periodo di brutto tempo; *a — of luck,* una serie di colpi di fortuna; *that play had a — of three months,* quella commedia tenne il cartellone per tre mesi // *in the long —,* a lungo andare; tutto considerato; nel complesso **5** richiesta: *a great — on a book,* una forte richiesta di un libro **6** categoria, classe: *the average — of students,* il tipo medio di studente **7** recinto; pollaio; pista (di animali) **8** branco, gregge **9** libero accesso: *to have the — of,* avere libero accesso a **10** rampa (di scale) **11** smagliatura (di calza) **12** (*mus.*) gorgheggio **13** (*informatica*) fase di elaborazione **14** *pl.* (*fam.*) diarrea.

to run, *pass.* **ran** [ræn], *p.pass.* **run** *v.intr.* **1** correre: *his horse ran first,* il suo cavallo arrivò primo; *to — past s.o.,* sorpassare qlcu. correndo // *now let's — for it,* (*fam.*) e ora battiamocela // *the story runs that...,* si dice che... // *to — in the family,* essere una caratteristica ereditaria **2** (*spec. amer.*) presentarsi (come candidato); partecipare (a una gara ecc.): *to — for Parliament,* presentarsi come candidato al Parlamento **3** andare; dirigersi; funzionare; far servizio: *buses — every two minutes,* gli autobus passano ogni due minuti; *trains running between Rome and Milan,* treni che fanno servizio tra Roma e Milano **4** scorrere; liquefarsi: *the river runs quickly,* il fiume sta asciugandosi; *to — high,* ingrossarsi (del mare); eccitarsi, accendersi (di sentimento ecc.) **5** diventare, trasformarsi (in): *the river is running dry,* il fiume sta asciugandosi; *his nose was running,* gli gocciolava il naso // *the wound was running,* la ferita suppurava **5** diventare, trasformarsi (in): *the river is running dry,* il fiume sta asciugandosi; *to — high,* ingrossarsi (del mare); eccitarsi, accendersi (di sentimento ecc.) **6** estendersi; diffondersi (di notizie); spandersi, stingere (di colore) **7** essere in vigore; durare: *that play will — for several weeks,* quella commedia terrà il cartellone per molte settimane **8** smagliarsi (di calze) ♦ *v.tr.* **1** correre: *to — a risk,* correre un rischio // *to — a chance,* avere buone probabilità **2** far andare; far funzionare; dirigere, amministrare; gestire: *to — the car into the garage,* portare l'automobile in garage; *to — a business,* dirigere un'azienda; *to — a country,* governare un paese // *to — the show,* (*sl.*) essere il capo; tenere le fila **3** scorrere, far scorrere: *to — one's eyes over sthg.,* scorrere qlco. con lo sguardo; *he ran his fingers through his hair,* si passò le dita fra i capelli **4** seguire; inseguire // *to — to earth,* inseguire (un animale) fino alla tana; (*fig.*) scoprire dopo lunghe ricerche ♦ *seguito da prep.* **1** *to — across,* imbattersi in, incontrarsi con **2** *to — after,* correr dietro a **3** *to — against,* andare contro, urtare: *to* — (*up*) *against s.o.*, incontrarsi con, imbattersi in qlcu. **4** *to* — *at*, precipitarsi contro, assalire **5** *to* — *into*, incorrere in; imbattersi in; entrare in collisione con; raggiungere: *to* — *into debt*, indebitarsi **6** *to* — *on*, soffermarsi su (pensieri); *to* — *over*, investire; dare una scorsa a; ricapitolare: *he was* — *over by a car*, fu investito da una automobile **7** *to* — *through*, sperperare; esaminare rapidamente; sfogliare ♦ *seguito da avv.* **1** *to* — *about*, correre qua e là **2** *to* — *away with*, fuggire con; prender la mano (di cavallo) **3** *to* — *by*, passare correndo **4** *to* — *down*: investire; catturare (dopo ricerca e inseguimento); gettare il discredito (su), parlar male (di); esaurirsi (di batteria); diminuire gradualmente (fino a cessare): *to* — *down a ship*, colare a picco una nave **5** *to* — *in*, (*aut.*) rodare; (*sl.*) arrestare // *running in*, in rodaggio **6** *to* — *off*, fuggire; (*tip.*) tirare (copie) **7** *to* — *on*, parlare ininterrottamente; passare (di tempo) **8** *to* — *out*, esaurirsi; venire a mancare; scadere (di tempo); colare, spandersi (di liquido) // *to* — *out of sthg.*, rimanere senza qlco. **9** *to* — *over*, traboccare **10** *to* — *through*, trapassare (con la spada ecc.) **11** *to* — *up*, alzare (la bandiera); far salire (prezzi ecc.); accumulare (debiti); costruire, fare rapidamente.

runabout ['rʌnəbaut] *s.* (*aut.*) «spider».

run-around ['rʌnəˌraund] *s.* (*sl.*) scuse (*pl.*), pretesti (*pl.*): *to give s.o. the* —, menare per il naso qlcu.

runaway ['rʌnəwei] *agg.* fuggiasco, fuggitivo; evaso ♦ *s.* **1** fuggitivo, disertore; evaso **2** cavallo che ha preso la mano.

run-down ['rʌndaun] *agg.* esaurito, debilitato ♦ *s.* **1** riduzione **2** (*fam.*) resoconto dettagliato.

rune ['ru:n] *s.* **1** runa, carattere runico **2** simbolo misterioso, magico.

rung[1] [rʌŋ] *s.* piolo.

rung[2] *p.pass.* di to **ring**.

runic ['ru:nik] *agg.* runico.

run-in ['rʌnin] *s.* (*fam.*) tratto finale (di corsa).

runnel ['rʌnl] *s.* **1** ruscello **2** scolatoio; rigagnolo.

runner ['rʌnə*] *s.* **1** corridore; (*sport*) podista // *long-distance* —, maratoneta **2** fattorino; (*mil.*) staffetta; (*st.*) ufficiale di polizia **3** contrabbandiere **4** passatoia, guida **5** (lama di) pattino **6** (*mecc.*) guida di scorrimento; carrello **7** macina, mola **8** (*bot.*) viticcio.

runner-up ['rʌnər'ʌp] *s.* secondo in classifica.

running ['rʌniŋ] *agg.* **1** che corre, in corsa; (*mecc.*) in marcia // — *board*, predellino // — *hand*, scrittura corsiva // — *fire*, scambio di colpi fra inseguitore e inseguito // — *commentary*, radiocronaca **2** corrente (di acqua ecc.); scorrevole (di stile) // — *nose*, naso che cola **3** continuo; consecutivo: *he won three times* —, vinse per tre volte consecutive **4** purulento ♦ *s.* **1** il correre; corsa; (*sport*) podismo; (*mecc.*) marcia // *to be in, out of the* —, avere, non avere probabilità di vittoria // *to make the* —, (*anche fig.*) dare l'andatura **2** direzione, amministrazione (di albergo ecc.) **3** flusso, scorrimento **4** suppurazione.

running jump ['rʌniŋˌdʒʌmp] *s.* salto con rincorsa.

runny [rʌni] *agg.* semiliquido; fuso.

run-off ['rʌnɔf] *s.* (*sport*) (partita di) spareggio, «bella».

run-of-the-mill ['rʌnəvðə'mil] *agg.* ordinario, mediocre.

runt [rʌnt] *s.* persona o animale più piccolo del normale.

runway ['rʌnwei] *s.* pista.

rupee [ru:'pi:] *s.* rupia.

rupture ['rʌptʃə*] *s.* **1** rottura (*anche fig.*) **2** (*med.*) ernia.

to **rupture** *v.tr.* **1** rompere (*anche fig.*); far scoppiare **2** (*med.*) provocare ernia o rottura (in) ♦ *v.intr.* rompersi; scoppiare.

rural ['ruərəl] *agg.* rurale; rustico.

ruse [ru:z] *s.* astuzia, trucco.

rush[1] [rʌʃ] *s.* **1** giunco **2** (*fig.*) inezia; cosa di nessun valore.

rush[2] *s.* **1** assalto; corsa precipitosa; impeto // *gold* —, la febbre dell'oro **2** affanno, ritmo impetuoso: *the* — *of modern life*, il ritmo frenetico della vita moderna // — *hour*, ora di punta **3** afflusso; grande richiesta: *a* — *of work*, una valanga di lavoro; *a* — *for novels*, gran richiesta di romanzi.

to **rush**[2] *v.intr.* **1** precipitarsi; scagliarsi // balzare: *to* — *to a conclusion*, (*fig.*) giungere a una conclusione affrettata **2** scorrere impetuosamente, affluire ♦ *v.tr.* **1** far muovere, spostare velocemente **2** forzare, trascinare: *I refuse to be rushed*, non voglio che mi si faccia premura **3** (*mil.*) irrompere in.

rushlight ['rʌʃlait] *s.* lumicino, luce debole.

rushy ['rʌʃi] *agg.* **1** fatto di giunchi **2** folto di giunchi.

rusk [rʌsk] *s.* (fetta di) pane dolce biscottato.

russet ['rʌsit] *agg.* ruggine; rosso-bruno ♦ *s.* **1** color ruggine **2** mela ruggine **3** tessuto grezzo di color bruno.

Russia ['rʌʃə] *no.pr.* Russia // — *leather*, cuoio di Russia.

Russian ['rʌʃən] *agg. e s.* russo.

Russophil ['rʌsouˌfil] *agg. e s.* russofilo.

rust [rʌst] *s.* **1** ruggine **2** (*fig.*) torpore della mente, inattività.

to **rust** *v.tr.* arrugginire (*anche fig.*) ♦ *v.intr.* **1** arrugginirsi (*anche fig.*) **2** diventare color ruggine **3** (*bot.*) essere affetto da ruggine.

rustic ['rʌstik] *agg.* **1** rustico, campestre **2** semplice; rozzo, grossolano **3** grezzo, non rifinito ♦ *s.* campagnolo.

to **rusticate** ['rʌstikeit] *v.intr.* vivere in campagna ♦ *v.intr.* **1** rendere rustico **2** (*arch.*) costruire a rustico.

rustication [ˌrʌsti'keiʃən] *s.* (*arch.*) rustico.

rustle ['rʌsl] *s.* fruscio (di carta, seta ecc.); stormire (di foglie).

to **rustle** *v.intr.* **1** frusciare (di carta); stormire (di foglie) **2** (*sl. amer.*) darsi da fare; sbrigarsi **3** (*sl. amer.*) rubare bestiame ♦ *v.tr.* **1** far frusciare (carta); far stormire (foglie) **2** (*fam.*) ottenere dandosi da fare **3** (*sl. amer.*) rubare (bestiame).

rustler ['rʌslə*] *s.* (*sl. amer.*) ladro di bestiame.

rustless ['rʌstlis] *agg.* **1** inossidabile **2** senza ruggine.

rustproof ['rʌstpruːf] *agg.* inossidabile.

rusty ['rʌsti] *agg.* **1** rugginoso, arrugginito (*anche fig.*) **2** antiquato; vecchio **3** rauco (di voce) **4** scolorito (di tessuti neri).

rut[1] [rʌt] *s.* fregola (di animali).

to **rut**[1] *v.tr.* (*di animali*) coprire ♦ *v.intr.* essere in fregola.

rut[2] [rʌt] *s.* **1** rotaia, carreggiata, solco **2** (*fig.*) abitudine inveterata // *to get into a* —, cadere nella solita routine.

to **rut**[2] *v.tr.* solcare.

ruthless ['ru:θlis] *agg.* spietato, crudele, duro.

ruttish ['rʌtiʃ] *agg.* in fregola; lascivo.

rutty ['rʌti] *agg.* pieno di solchi (di strada).

rye [rai] *s.* segale: — *bread*, pane di segale // — *whisky*, whisky ottenuto dalla segale.

ryegrass ['raigrɑ:s] *s.* (*bot.*) loglio.

S

s [es], *pl.* **ss**, **s's** [′esiz] *s. // — for sugar*, (*tel.*) s come Savona // *S: S - shaped*, (fatto) a S.

's **1** (*per formare il caso poss.*): *the girl's books*, i libri della ragazza; *children's clothes*, abiti per bambini; *to go to the dentist's*, andare dal dentista **2** (*per indicare il pl. di numeri, lettere*): *2's, i's*, i2, le i **3** *contr.* di is, has, us.

Sabbath [′sæbəθ] *s.* il giorno della settimana dedicato al riposo (sabato per gli ebrei, domenica per i cristiani): *to keep, to break the —*, osservare, non osservare il sabato // *sabbath*, sabba.

sabbatical [sə′bætikəl] *agg.* sabatico: *— year*, anno sabatico; (*fig.*) anno di vacanza concesso, ogni sette anni, agli insegnanti di talune università.

Sabine [′sæbain] *agg. e s.* (*st.*) sabino.

sable [′seibl] *agg.* **1** di zibellino **2** (*poet.*) oscuro; nero ♦ *s.* **1** (pelliccia di) zibellino **2** pennello **3** colore nero **4** *pl.* abiti da lutto.

sabotage [′sæbətɑ:ʒ] *s.* sabotaggio.

to **sabotage** *v.tr.* sabotare.

saboteur [,sæbə′tə:*] *s.* sabotatore.

sabre [′seibə*] *s.* sciabola // *— rattling*, minacce (di guerra).

sac [sæk] *s.* (*scient.*) sacco.

saccharin(e) [′sækəri(:)n] *agg.* **1** saccarinico **2** (*fig.*) sdolcinato, zuccheroso ♦ *s.* **1** saccarina **2** (*fig.*) sdolcinatura.

saccharoid [′sækərɔid] *agg. e s.* saccaroide.

saccharose [′sækərous] *s.* (*chim.*) saccarosio.

sacerdotal [,sæsə′doutl] *agg.* sacerdotale.

sachet [′sæʃei] *s.* sacchetto profumato (per biancheria).

sack¹ [sæk] *s.* **1** sacco **2** (*fam.*) licenziamento; congedo: *to get the —*, essere licenziato, congedato; *to give s.o. the —*, licenziare qlcu. **3** (*amer.*) letto: *to hit the —*, andare a letto **4** abito, soprabito a sacco.

to **sack¹** *v.tr.* **1** insaccare **2** (*fam.*) licenziare.

sack² *s.* vino bianco secco.

sack³ *s.* sacco, saccheggio: *to put to the —*, saccheggiare.

to **sack³** *v.tr.* saccheggiare.

sackcloth [′sækklɔθ] *s.* (tela di) sacco.

sacrament [′sækrəmənt] *s.* **1** sacramento **2** simbolo sacro.

sacramental [,sækrə′mentl] *agg.* sacramentale ♦ *s.pl.* sacramentali.

sacred [′seikrid] *agg.* sacro.

sacrifice [′sækrifais] *s.* sacrificio: *as a —*, in sacrificio // *to sell sthg. at a —*, svendere qlco.

to **sacrifice** *v.tr.* sacrificare, immolare; (*fam.*) svendere ♦ *v.intr.* sacrificare.

sacrificial [,sækri′fiʃəl] *agg.* di sacrificio, sacrificale; propiziatorio.

sacrilege [′sækrilidʒ] *s.* sacrilegio.

sacrilegious [,sækri′lidʒəs] *agg.* sacrilego.

sacristan [′sækristən] *s.* sagrestano.

sacristy [′sækristi] *s.* (*eccl.*) sagrestia.

sacrosanct [′sækrousæŋkt] *agg.* sacrosanto.

sacrum [′seikrəm], *pl.* **sacra** [′seikrə] *s.* (*anat.*) osso sacro.

sad [sæd] *agg.* **1** triste: *to grow —*, rattristarsi; *to make s.o. —*, rattristare qlcu. // *-eyed*, dallo sguardo triste **2** deplorevole **3** di cattiva qualità.

to **sadden** [′sædn] *v.tr.* rattristare ♦ *v.intr.* rattristarsi.

saddle [′sædl] *s.* sella: *in the —*, in sella; (*fig.*) al comando // *to put the — on the wrong horse*, criticare o biasimare una persona ingiustamente.

to **saddle** *v.tr.* **1** sellare **2** (*fig.*) addossare, scaricare addosso (a): *to — s.o. with sthg.*, gravare qlcu. di qlco.

saddleback [′sædlbæk] *s.* **1** (*edil.*) tetto a due spioventi **2** (*geogr.*) sella **3** (*zool.*) animale, insetto dal dorso ricurvo.

saddlebag [′sædlbæg] *s.* bisaccia da sella.

saddler [′sædlə*] *s.* sellaio.

saddlery [′sædləri] *s.* **1** selleria **2** oggetti di selleria (*pl.*).

sadism [′sædizəm] *s.* sadismo.

sadist [′sædist] *s.* sadico.

sadistic [sæ′distik] *agg.* sadico.

sadly [′sædli] *avv.* **1** tristemente **2** deplorevolmente; malamente **3** molto, estremamente.

safe [seif] *agg.* **1** sicuro, al sicuro // *as — as houses*, sicuro come l'oro // *to be on the — side*, (per) non correre rischi // *to play it —*, non rischiare **2** salvo; intatto // *— and sound*, sano e salvo **3** prudente **4** fidato **5** certo ♦ *s.* **1** cassaforte **2** moscaiola.

safe-conduct [′seif′kɔndəkt] *s.* salvacondotto.

safe-deposit [′seifdi′pɔzit] *s.* deposito di sicurezza // *— box*, cassetta di sicurezza (nelle banche).

safeguard [′seifgɑ:d] *s.* salvaguardia.

to **safeguard** *v.tr.* salvaguardare, proteggere.

safekeeping [′seif′ki:piŋ] *s.* custodia.

safety [′seifti] *s.* sicurezza; salvezza: *for —'s sake*, per maggior sicurezza; *to seek — in flight*, cercar scampo nella fuga // *— first!*, prudenza innanzitutto! // *— belt*, cintura di sicurezza // *— catch*, sicura (di arma da fuoco) // *— code*, norme di sicurezza (*pl.*) // *— glass*, vetro di sicurezza // *— lamp*, lampada di sicurezza // *— lock*, chiusura, serratura di sicurezza // *— match*, fiammifero di sicurezza, fiammifero svedese // *— pin*, spilla di sicurezza, spilla da balia // *— razor*, rasoio di sicurezza // *— valve*, valvola di sicurezza.

saffron [′sæfrən] *agg.* color zafferano ♦ *s.* zafferano.

sag [sæg] *s.* abbassamento; cedimento.

to **sag** *v.intr.* **1** piegarsi, incurvarsi; cedere sotto il peso; (*di vestito*) sformarsi; pendere **2** abbattersi, avvilirsi **3** (*di libro, spettacolo ecc.*) perdere di interesse, calare di tono; (*comm.*) abbassarsi (di prezzi) **4** *to — leeward to*, (*mar.*) scarrocciare.

saga [′sɑ:gə] *s.* saga.

sagacious [sə′geiʃəs] *agg.* sagace, perspicace.

sagacity [sə′gæsiti] *s.* sagacia.

sage¹ [seidʒ] *s.* (*bot.*) salvia.

sage² *agg.* **1** saggio **2** solenne ♦ *s.* saggio.

sage-green [′seidʒgri:n] *s.* color grigioverde, color salvia.

Sagittarius [,sædʒi′teəriəs] *s.* (*astr.*) Sagittario.

said *pass. e p.pass.* di to **say**.

sail [seil] *s.* **1** vela: *in full —*, a vele spiegate; *to hoist, to set —*, issare, spiegare le vele; salpare // *to lower* (o *to strike*) *—*, ammainare le vele // *under —*, a vela // *to take the wind out of s.o.'s sails*, (*fam.*) far abbassare le arie a qlcu. **2** imbarcazione a vela; (*fam.*) velieri (*pl.*) // *— ho!*, nave in vista! **3** pala (di mulino) **4** gita su imbarcazione a vela **5** durata di traversata (per mare): *it's an hour's — from Dover to Calais*, la traversata da Dover a Calais dura un'ora.

to **sail** *v.intr.* **1** veleggiare; navigare: *to — against the wind*, navigare contro vento; *to — before the wind*, *(anche fig.)* avere il vento in poppa // *to — near the wind*, *(fig.)* rasentare l'illegale, l'immorale ecc. **2** scivolare sull'acqua **3** salpare **4** *to — in*, avanzare con aria solenne; intervenire con energia ♦ *v.tr.* **1** navigare su; solcare **2** manovrare (un'imbarcazione a vela).

sailboat ['seilbout] *s.* (*amer.* per *sailing boat*) barca a vela.

sailcloth ['seilklɔθ] *s.* tela per vele.

sailer ['seilə*] *s.* veliero.

sailing ['seiliŋ] *s.* **1** navigazione // *plain —*, compito facile **2** partenza (di navi).

sailing boat ['seiliŋbout] *s.* barca a vela.

sailing cruiser ['seiliŋkru:zə*] *s.* cabinato a vela.

sailor ['seilə*] *s.* marinaio // *—'s knot*, nodo da marinaio // *to be a good —*, non soffrire il mal di mare.

sailor hat ['seiləhæt] *s.* cappello alla marinara.

sailor suit ['seiləsju:t] *s.* vestito alla marinara.

sailplane ['seilplein] *s.* (*aer.*) aliante.

sainfoin ['sænfɔin] *s.* (*bot.*) lupinella.

saint [seint (*forma forte*), sənt, sint (*forme deboli*), (*amer.*) ,seint] *agg.* San, Santo: *St. Paul's*, la cattedrale di S. Paolo a Londra // *—'s day*, onomastico // *St. Bernard*, cane San Bernardo ♦ *s.* santo // *to try the patience of a —*, (*fam.*) far scappare la pazienza a un santo.

sainted ['seintid] *agg.* santo; beato; celeste.

saintliness ['seintlinis] *s.* santità.

saintly ['seintli] *agg.* santo; di, da santo: *to live a — life*, vivere da santo.

sake [seik] *s.* amore; interesse; causa; riguardo: *for the — of*, nell'interesse di, per il bene di // *art for art's —*, l'arte per l'arte // *for God's —*, per l'amor di Dio.

salaam [sə'lɑ:m] *s.* salamelecco.

salable ['seiləbl] *agg.* (*amer.*) → **saleable**.

salacious [sə'leiʃəs] *agg.* lascivo, scurrile.

salacity [sə'læsiti] *s.* salacità.

salad ['sæləd] *s.* insalata // *— bowl*, insalatiera // *— dressing*, condimento per l'insalata // *— fruit —*, macedonia di frutta // *— days*, (*fam.*) tempo della gioventù e della spensieratezza.

salamander ['sælə,mændə*] *s.* salamandra.

salaried ['sælərid] *agg.* stipendiato.

salary ['sæləri] *s.* stipendio.

sale [seil] *s.* **1** vendita: *bill of —*, fattura; *sales are up, down this year*, l'indice delle vendite è alto, basso quest'anno // *for —*, in vendita // *— of work*, vendita di beneficenza // *sales turnover, sales volume*, (*comm.*) fatturato // *on — or return*, (*comm.*) in conto deposito // *salesclerk*, (*amer.*) commesso // *sales tax*, (*amer.*) tassa sulla vendita al dettaglio **2** asta: (*auction*) (o — by auction), vendita all'asta; *to put up for —*, offrire all'asta **3** liquidazione, saldo: *— price*, prezzo di liquidazione.

saleable ['seiləbl] *agg.* vendibile.

saleroom ['seilru:m] *s.* sala d'asta.

salesgirl ['seilzgə:l], **saleslady** ['seilz,leidi] *s.* commessa.

salesman, *pl.* **salesmen** ['seilzmən] *s.* **1** commesso **2** commesso viaggiatore.

salesmanship ['seilzmənʃip] *s.* abilità nel vendere.

sales talk ['seilztɔ:k] *s.* imbonimento.

saleswoman ['seilz,wumən], *pl.* **saleswomen** ['seilz,wimin] *s.* commessa.

Salic ['sælik] *agg.* (*st.*) salico.

salience ['seiljəns] *s.* **1** prominenza **2** cospicuità, importanza.

salient ['seiljənt] *agg.* saliente ♦ *s.* (*mil.*) saliente.

saline ['seilain, (*amer.*) 'seili:n] *agg.* salino; salato ♦ *s.* [sə'lain] salina.

salinity [sə'liniti] *s.* salinità.

saliva [sə'laivə] *s.* saliva.

salivary ['sælivəri] *agg.* salivare.

to salivate ['sæliveit] *v.intr.* salivare abbondantemente.

salivation [,sæli'veiʃən] *s.* abbondante salivazione.

sallow[1] ['sælou] *agg.* giallastro, olivastro.

to sallow[1] *v.tr.* rendere giallastro, olivastro.

sallow[2] *s.* (*bot.*) salice.

Sallust ['sæləst] *no.pr.* (*st.letter.*) Sallustio.

sally ['sæli] *s.* **1** uscita precipitosa **2** (*fig.*) motto di spirito; facezia **3** (*mil.*) sortita.

to sally *v.intr.*: *to — (forth)*, precipitarsi fuori; partire; (*mil.*) fare una sortita.

Sally Lunn ['sæli'lʌn] *s.* focaccina imburrata (servita calda).

salmagundi [,sælmə'gʌndi] *s.* **1** insalata (con carne, uova, acciughe ecc.) **2** (*fig.*) miscuglio.

salmon ['sæmən] *agg.* di color salmone ♦ *s.* (*pl. invar.*) **1** salmone **2** color salmone.

salmon trout ['sæməntraut] *s.* trota salmonata.

salon ['sælɒn, (*amer.*) sə'lɒn] *s.* **1** salone; salotto **2** salotto letterario **3** mostra, esposizione di quadri.

saloon [sə'lu:n] *s.* **1** salone, sala da ricevimento (specialmente di luogo pubblico) // *hair-dressing —*, parrucchiere per signora **2** (*mar.*) cabina di lusso; salone, sala (per passeggeri) **3** (*amer.*) bar.

saloon car [sə'lu:nkɑ:*] *s.* (*aut.*) berlina.

salt [sɔ:lt] *agg.* salato: *to weep — tears*, versare lacrime amare ♦ *s.* **1** sale: *a pinch of —*, un pizzico di sale // *to take sthg. with a grain of —*, (*fig.*) prendere qlco. con le dovute riserve // *table —*, sale da tavola // *rock —*, salgemma // *old —*, (*fam.*) lupo di mare **2** (*fig.*) mordacità; spirito // *not worth one's —*, inutile, senza valore **3** *pl.* (*farm. med.*) sali.

to salt *v.tr.* **1** salare: *to — one's conversation with wit*, condire la propria conversazione con delle arguzie // *to — away*, (*fam.*) risparmiare per il futuro // *to — down*, (*fam.*) mettere, conservare sotto sale **2** (*comm.*) alterare (conti ecc.): *to — a mine*, far apparire una miniera più ricca (apportandovi minerale greggio).

saltcellar ['sɔ:lt,selə*] *s.* saliera.

saltern ['sɔ:ltən] *s.* saline (*pl.*).

saltlick ['sɔ:ltlik] *s.* terreno salato, roccia salata (per bestiame).

salt marsh ['sɔ:ltmɑ:ʃ] *s.* palude costiera.

saltmine ['sɔ:ltmain] *s.* miniera di sale.

saltpan ['sɔ:ltpæn] *s.* salina.

saltpetre ['sɔ:ltpi:tə*] *s.* salnitro.

saltwater ['sɔ:lt,wɔ:tə*] *agg.* di mare, di acqua di mare.

salty ['sɔ:lti] *agg.* **1** salato **2** (*fig.*) piccante.

salubrious [sə'lu:briəs] *agg.* salubre, sano.

salubrity [sə'lu:briti] *s.* salubrità.

salutary ['sæljutəri] *agg.* salutare.

salutation [,sælju:(')teiʃən] *s.* saluto.

salute [sə'lu:t] *s.* saluto (*anche mil.*): *to fire a —*, salutare a salva.

to salute *v.tr.* e *intr.* **1** salutare // *to — s.o. as king*, acclamare qlcu. re **2** (*mil.*) fare il saluto; salutare.

salvable ['sælvəbl] *agg.* salvabile, ricuperabile.

salvage ['sælvidʒ] *s.* **1** ricupero (di merci danneggiate in naufragio, incendio ecc.) **2** materiale di ricupero che verrà riutilizzato **3** indennità di ricupero **4** ricupero di una nave.

to **salvage** *v.tr.* salvare; ricuperare.

salvation [sæl′veiʃən] *s.* **1** salvezza // *Salvation Army*, Esercito della Salvezza **2** redenzione.

Salvationist [sæl′veiʃənist] *s.* membro dell'Esercito della Salvezza.

salve[1] [sælv, (*amer.*) sæv] *s.* balsamo, rimedio.

to **salve**[1] [sælv] *v.tr.* **1** lenire **2** rimediare **3** (ri)conciliare.

to **salve**[2][sælv]*v.tr.* salvare (da naufragio, incendio ecc.).

salver [′sælvə*] *s.* vassoio (per lettere, carte ecc.).

salvo[1] [′sælvou], *pl.* **salvo(e)s** [′sælvouz] *s.* **1** (*mil.*) salva **2** scroscio, salva.

salvo[2] *s.* (*dir.*) riserva.

Sam [sæm] *no.pr.m. abbr.* di **Samuel**.

Samaritan [sə′mæritən] *agg.* e *s.* samaritano.

sambo [′sæmbou] *s.* (*fam.*) negro.

same [seim] *agg.* stesso, medesimo, uguale: *your book is the — as mine*, il tuo libro è uguale al mio // *it's all the —*, fa lo stesso // *at that — moment*, in quello stesso momento // *he's not the — as he used to be*, non è più lo stesso ♦ *pron.* lo stesso; la stessa cosa // *the — to you*, altrettanto // *much the —*, più o meno lo stesso; *the — as before*, immutato ♦ *avv.* nello stesso modo // *all* (o *just*) *the —*, dopo tutto, malgrado tutto, ciò nonostante.

sameness [′seimnis] *s.* **1** identità; somiglianza **2** monotonia.

sample[′sɑ:mpl] *s.* campione; saggio: (*set of*) *samples*, campionario; *up to —*, conforme a campione; *to give a — of one's knowledge*, (*fig.*) dare un saggio della propria cultura.

to **sample** *v.tr.* **1** prendere un campione (di) **2** assaggiare, saggiare.

sampler [′sɑ:mplə*] *s.* imparaticcio (modello di ricamo).

sampling [′sɑ:mpliŋ] *s.* campionatura.

Sam(p)son [′sæmpsn] *no.pr.m.* (*Bibbia*) Sansone.

Samuel [′sæmjuəl] *no.pr.m.* Samuele.

sanative [′sænətiv] *agg.* sanativo, curativo.

sanatorium [,sænə′tɔ:riəm], *pl.* **sanatoria** [,sænə′tɔ:riə] *s.* **1** casa di cura **2** sanatorio.

sanatory [′sænətəri] *agg.* sanativo, curativo.

sanctification [,sæŋktifi′keiʃən] *s.* santificazione.

to **sanctify** [′sæŋktifai] *v.tr.* santificare; consacrare.

sanctimonious [,sæŋkti′mounjəs] *agg.* che affetta devozione; ipocrita.

sanctimony [′sæŋkti,məni] *s.* bigottismo, bigotteria.

sanction [′sæŋkʃən] *s.* **1** autorizzazione, approvazione; (*dir.*) ratifica: *with the — of the author*, con l'autorizzazione dell'autore // *sanzione: punitive —*, sanzione punitiva.

to **sanction** *v.tr.* autorizzare, approvare; (*dir.*) ratificare.

sanctity [′sæŋktiti] *s.* **1** santità, religiosità **2** carattere sacro; inviolabilità.

sanctuary [′sæŋktjuəri] *s.* **1** santuario, tempio **2** asilo, rifugio: *right of —*, diritto d'asilo **3** riserva (di uccelli e animali selvatici).

sanctum [′sæŋktəm] *s.* luogo di ritiro; studio privato // *Sanctum Sanctorum*, Sancta Sanctorum.

sand [sænd] *s.* **1** sabbia // *— box*, recinto sabbioso per bambini // *the sands of life are running out*, il tempo della vita scorre rapido **2** *pl.* spiaggia (*sing.*); banco di sabbia (*sing.*) **3** (*fam. amer.*) coraggio, fegato.

to **sand** *v.tr.* **1** sabbiare **2** insabbiare, riempire di sabbia **3** cospargere di sabbia.

sandal[1] [′sændl] *s.* sandalo.

sandal[2], **sandalwood** [′sændlwud] *s.* legno di sandalo.

sandbag [′sændbæg] *s.* sacchetto di sabbia.

to **sandbag** *v.tr.* rinforzare con sacchetti di sabbia.

sandbank [′sændbæŋk] *s.* banco di sabbia.

sandbar [′sændbɑ:*] *s.* secca; banco (trasversale) di sabbia.

sandblast[′sændblɑ:st] *s.* (*mecc.metall.*) sabbiatura.

sand dune [′sænddju:n] *s.* duna.

sandglass [′sændglɑ:s] *s.* clessidra.

sandman [′sændmæn], *pl.* **sandmen** [′sændmən] *s.* l'omino che porta il sonno (tradizione nordica).

sandpaper [′sænd,peipə*] *s.* carta vetrata.

sandstone [′sændstoun] *s.* (*min.*) arenaria.

sandstorm [′sændstɔ:m] *s.* tempesta di sabbia.

sandwich [′sænwidʒ, (*amer.*) ′sænwitʃ] *s.* **1** «sandwich», tramezzino // *open —*, tartina **2** torta farcita di marmellata o crema.

to **sandwich** *v.tr.* infilare; ficcare (fra due cose o persone).

sandwichman, *pl.* **sandwichmen** [′sænwidʒmən] *s.* uomo sandwich.

sandy [′sændi] *agg.* **1** sabbioso, arenoso **2** color castano chiaro (di capelli).

sane [sein] *agg.* sano di mente; sensato.

sanforized ® [′sænfəraizd] *agg.* sanforizzato ®.

sang *pass.* di **sing**.

sangfroid [′sɔŋ′frwa:] *s.* sangue freddo.

Sangraal, Sangrail [sæŋ′greil] *s.* (*letter.*) Santo Graal.

sanguinary [′sæŋgwinəri] *agg.* sanguinario.

sanguine [′sæŋgwin] *agg.* **1** ottimistico, fiducioso **2** sanguigno ♦ *s.* (*arte*) sanguigna.

Sanhedrim [′sænidrim], **Sanhedrin** [′sænidrin] *s.* (*st. ebraica*) Sinedrio.

sanitarian [,sæni′teəriən] *s.* igienista.

sanitarium [,sæni′teəriəm], *pl.* **sanitaria** [,sæni′teəriə] *s.* (*amer.*) → **sanatorium**.

sanitary [′sænitəri] *agg.* igienico; sanitario: *— fittings*, apparecchi igienici // *— napkin* (o *towel*), assorbente (igienico).

sanitation [,sæni′teiʃən] *s.* **1** misure igieniche (*pl.*) **2** igiene pubblica.

sanity [′sæniti] *s.* sanità di mente; equilibrio, buon senso.

sank *pass.* di **sink**.

Sanscrit, Sanskrit [′sænskrit] *agg.* e *s.* sanscrito.

Santa Claus [,sæntə′klɔ:z] *no.pr.* Babbo Natale.

sap[1] [sæp] *s.* **1** (*bot.*) linfa; succo **2** (*fig.*) vigore.

to **sap**[1] *v.tr.* fiaccare, svigorire.

sap[2] *s.* **1** (*mil.*) camminamento **2** (*fig.*) attacco indiretto e subdolo.

to **sap**[2] *v.tr.* **1** minare; insidiare **2** (*fig.*) indebolire.

sap[3], **saphead** [′sæphed] *s.* (*fam.*) scimunito.

sapience [′seipjəns] *s.* sapienza (*spesso iron.*); saggezza.

sapient [′seipjənt] *agg.* **1** sapientone **2** sapiente, savio.

sapless [′sæpləs] *agg.* rinsecchito.

sapling [′sæpliŋ] *s.* **1** alberello **2** (*fig.*) giovincello.

saponification [sə,pɔnifi′keiʃən] *s.* (*chim.*) saponificazione.

to **saponify** [sə′pɔnifai] *v.tr.* saponificare.

Sapphic [′sæfik] *agg.* saffico.

sapphire [′sæfaiə*] *agg.* di colore blu zaffiro; di zaffiri ♦ *s.* **1** (*min.*) zaffiro **2** colore blu zaffiro.

sawmill

Sappho [ˈsæfou] *no.pr.f.* (*st.letter.*) Saffo.
sappy [ˈsæpi] *agg.* **1** (*bot.*) pieno di linfa **2** (*fig.*) energico; vigoroso **3** (*amer. fam.*) debole, sciocco.
Saracen [ˈsærəsn] *agg.* e *s.* saraceno.
Sarah [ˈsɛərə] *no.pr.f.* Sara.
sarcasm [ˈsɑːkæzəm] *s.* sarcasmo.
sarcastic [sɑːˈkæstik] *agg.* sarcastico.
sarcoma [sɑːˈkoumə], *pl.* **sarcomata** [sɑːˈkoumə təl] *s.* (*med.*) sarcoma.
sarcophagus [sɑːˈkɔfəgəs], *pl.* **sarcophagi** [sɑː ˈkɔfəgai, sɑːˈkɔfəgij] *s.* sarcofago.
sardine [sɑːˈdiːn] *s.* sardina, sarda // *packed like sar- dines*, pigiati come sardine.
Sardinia [sɑːˈdinjə] *no.pr.* Sardegna.
Sardinian [sɑːˈdinjən] *agg.* e *s.* sardo.
sardonic [sɑːˈdɔnik] *agg.* sardonico.
sarge [sɑːdʒ] *s.* (*fam.*) sergente.
sarsenet [ˈsɑːsnit] *s.* tessuto sottile di seta.
sartorial [sɑːˈtɔːriəl] *agg.* di, da sarto.
sash[1] [sæʃ] *s.* cintura, sciarpa, fusciacca.
sash[2] *s.* telaio scorrevole (di finestra) // *— cord* (o *— line*), corda del contrappeso (nelle finestre a ghigliottina).
sash window [ˈsæʃˈwindou] *s.* finestra a ghigliottina.
Sassenach [ˈsæsənæk] *agg.* e *s.* (*scoz.*) inglese.
sat *pass.* e *p.pass.* di *to* **sit**.
Satan [ˈseitən] *no.pr.* Satana.
satanic [səˈtænik, (*amer.*) sei ˈtænik] *agg.* satanico.
satanism [ˈseitənizəm] *s.* satanismo.
satchel [ˈsætʃəl] *s.* cartella.
to sate [seit] *v.tr.* saziare: *to — oneself with sthg.*, saziar- si di qlco.
sateen [sæˈtiːn] *s.* (*tessuto*) rasatello di cotone.
satellite [ˈsætəlait] *s.* satellite (*anche fig.*).
to satiate [ˈseiʃieit] *v.tr.* saziare, appagare.
satiation [ˌseiʃiˈeiʃən], **satiety** [səˈtaiəti] *s.* sazietà; appagamento.
satin [ˈsætin] *agg.* di raso, simile a raso // *— finish*, (*metall.*) finitura satinata ♦ *s.* raso.
satin-paper [ˈsætin,peipə*] *s.* carta satinata.
satin stitch [ˈsætin,stitʃ] *s.* punto raso.
satinwood [ˈsætin,wud] *s.* legno seta.
satire [ˈsætaiə*] *s.* satira.
satiric(al) [səˈtirik(əl)] *agg.* satirico.
satirist [ˈsætərist] *s.* satirico.
to satirize [ˈsætəraiz] *v.tr.* satireggiare.
satisfaction [ˌsætisˈfækʃən] *s.* soddisfazione: *to de- mand —*, domandare riparazione; *to make full —*, con- cedere piena soddisfazione.
satisfactory [ˌsætisˈfæktəri] *agg.* soddisfacente.
satisfied [ˈsætisfaid] *agg.* soddisfatto: *to be — with*, es- sere soddisfatto di.
to satisfy [ˈsætisfai] *v.tr.* **1** soddisfare // *to — a debt*, pagare un debito // *to — an obligation*, adempiere a un obbligo // *to — a claim*, accogliere un reclamo // *to — the examiners*, superare un esame (universitario) **2** convincere, persuadere **3** calmare (dubbi, ansietà) ♦ *v.intr.* dar soddisfazione.
satisfying [ˈsætisfaiiŋ] *agg.* soddisfacente.
to saturate [ˈsætʃəreit] *v.tr.* saturare.
saturation [ˌsætʃəˈreiʃən] *s.* saturazione.
Saturday [ˈsætədi] *s.* sabato // *Holy —*, sabato santo.
Saturn [ˈsætən] *no.pr.* Saturno.
Saturnalia [ˌsætəːˈneiljə] *s.pl.* **1** (*st.*) Saturnali **2** orge.
Saturnian [sæˈtəːnjən] *agg.* **1** (*astr.mit.*) di Saturno **2** saturnio.
saturnine [ˈsætəːnain] *agg.* triste, mesto.

satyr [ˈsætə*] *s.* satiro.
sauce [sɔːs] *s.* **1** salsa; condimento // *what's — for the goose (is — for the gander)*, (*prov.*) se è lecito per lui... (è lecito anche per me) **2** (*fam.*) impudenza, sfac- ciataggine.
to sauce *v.tr.* (*amer.*) (*fam.*) dire impertinenze (a), esse- re impertinente (verso).
sauce boat [ˈsɔːsbout] *s.* salsiera.
saucepan [ˈsɔːspən] *s.* pentola.
saucer [ˈsɔːsə*] *s.* piattino.
saucy [ˈsɔːsi] *agg.* **1** sfacciato; impertinente **2** (*sl.*) alla moda, elegante.
Saudi [ˈsaudi] *agg.* saudita: *— Arabia*, Arabia Saudita.
sauerkraut [ˈsauəkraut] *s.* (*cuc.*) crauti (*pl.*).
saunter [ˈsɔːntə*] *s.* passeggiatina, giretto.
to saunter *v.intr.* andare a zonzo.
sausage [ˈsɔsidʒ] *s.* **1** salsiccia **2** oggetto a forma di salsiccia // *— dog*, (*fam.*) bassotto.
sausage roll [ˈsɔsidʒˈroul] *s.* salatino di pasta arrotola- ta ripiena di carne.
sauté [ˈsoutei, (*amer.*) souˈtei] *agg.* (*cuc.*) «sauté», fritto in padella.
savable [ˈseivəbl] *agg.* salvabile.
savage [ˈsævidʒ] *agg.* e *s.* selvaggio.
to savage *v.tr.* **1** mordere o graffiare selvaggia- mente **2** maltrattare; brutalizzare.
savagery [ˈsævidʒəri] *s.* **1** stato selvaggio; selvati- chezza **2** ferocia, crudeltà.
savannah [səˈvænə] *s.* savana.
savant [ˈsævənt, (*amer.*) sæˈvɑːnt] *s.* dotto, erudito.
save [seiv] *s.* (*sport*) parata.
to save *v.tr.* e *intr.* **1** salvare, difendere, proteggere: *to — one's skin* (o *neck*), salvare la pelle **2** mettere in ser- bo, risparmiare, fare risparmi // *to — up*, risparmia- re **3** (*sport*) parare **4** (*informatica*) (*PERT, IBM*) me- morizzare.
save *prep., cong.* e *avv.* salvo, eccetto, tranne.
saver [ˈseivə*] *s.* **1** salvatore **2** risparmiatore.
saving [ˈseiviŋ] *agg.* **1** che salva, che redime **2** di ri- serva **3** economo ♦ *s.* **1** liberazione; salvezza **2** eco- nomia, risparmio // *forced —*, risparmio forzoso ♦ *prep.* e *cong.* tranne, salvo, eccetto.
savings bank [ˈseiviŋzbæŋk] *s.* cassa di risparmio.
saviour [ˈseivjə*] *s.* salvatore; redentore // *the Sa- viour*, il Redentore.
savor e *deriv.* (*amer.*) → **savour** e *deriv.*
savory [ˈseivəri] *s.* (*bot.cuc.*) santoreggia.
savour [ˈseivə*] *s.* sapore, gusto.
to savour *v.intr.* aver sapore; sapere (*anche fig.*) ♦ *v.tr.* gustare, assaporare, sentire il sapore (di).
savoury [ˈseivəri] *agg.* saporito; appetitoso, piccante // *— herbs*, piante aromatiche ♦ *s.* stuzzichino piccante.
Savoy [səˈvɔi] *no.pr.* Savoia.
savoy *s.* cavolo cappuccio.
Savoyard [səˈvɔiɑːd] *agg.* e *s.* savoiardo.
savvy [ˈsævi] *s.* (*sl.*) buon senso.
to savvy *v.tr.* e *intr.* (*sl.*) capire (qlco.).
saw[1] [sɔː] *s.* sega // *— -toothed*, dentato.
to saw[1] *pass.* **sawed** [sɔːd], *p.pass.* **sawn** [sɔːn], (*amer.*) **sawed** *v.tr.* e *intr.* segare: *wood that saws well*, legno che si sega facilmente.
saw[2] *pass.* di *to* **see**.
sawbones [ˈsɔːbounz] *s.* (*sl.*) chirurgo.
sawdust [ˈsɔːdʌst] *s.* segatura.
sawfish [ˈsɔːfiʃ] *s.* pesce sega.
sawmill [ˈsɔːmil] *s.* segheria.

sawn *p.pass.* di to **saw**.
sawyer [ˈsɔːjəˣ] *s.* segantino.
sax [sæks] *s.* (*fam.*) sassofono.
Saxe [sæks] *agg.* di Sassonia.
Saxon [ˈsæksn] *agg.* e *s.* sassone.
saxophone [ˈsæksəfoun] *s.* (*mus.*) sassofono.
to **say** [sei] *s.* il dire; parola: *to have no — in the matter,* non avere voce in capitolo.
to **say,** *pass.* e *p.pass.* **said** [sed] (*3ª persona sing. pres. indic.* **says** [sez]) *v.tr.* e *intr.* **1** dire, affermare; esprimere un'opinione: *I —!,* senti!, scusa!; caspita!; *says you!,* (questo) lo dici tu!; *they —,* si dice // *it goes without saying,* è ovvio, è evidente // *let's — five,* facciamo cinque // *so to —,* per così dire // *that is to —,* vale a dire; cioè // *you don't — so?,* davvero?, mi sembra impossibile! // (*it is*) *easier said than done,* è più facile dirlo che farlo // *no sooner said than done,* detto fatto **2** pronunciare, recitare; ripetere: *Mass will be said at 9 a.m.,* la Messa sarà celebrata alle 9.
saying [ˈseiiŋ] *s.* proverbio, detto, massima: *as the — goes,* come dice il proverbio.
scab [skæb] *s.* **1** crosta (di piaga ecc.) **2** rogna, scabbia **3** (*fam.*) crumiro.
to **scab** *v.intr.* **1** formare una crosta **2** (*fam.*) fare il crumiro.
scabbard [ˈskæbəd] *s.* fodero, guaina.
scabby [ˈskæbi] *agg.* **1** coperto di croste **2** rognoso, scabbioso **3** (*fam.*) meschino.
scabies [ˈskeibiiːz] *s.* (*med.*) scabbia.
scabrous [ˈskeibrəs, (*amer.*) ˈskæbrəs] *agg.* scabroso.
scaffold [ˈskæfəld] *s.* **1** (*edil.*) ponteggio, impalcatura **2** patibolo, forca (*anche fig.*).
to **scaffold** *v.tr.* (*edil.*) erigere impalcature, ponteggi.
scaffolding [ˈskæfəldiŋ] *s.* (*edil.*) impalcatura, ponteggio.
scalawag [ˈskæləwæg] *s.* (*amer.* per *scallywag*) birbante, briccone.
scald [skɔːld] *s.* scottatura (da liquido, vapore).
to **scald** *v.tr.* **1** scottare (con liquido, vapore) // *to — oneself,* scottarsi **2** portare a un grado di calore vicino all'ebollizione **3** sterilizzare con acqua bollente.
scalding [ˈskɔːldiŋ] *agg.* bruciante, scottante (*anche fig.*).
scale[1] [skeil] *s.* piatto (di bilancia); (*gener. pl.*) bilancia: *to turn the —,* (*anche fig.*) far pendere la bilancia.
to **scale**[1] *v.tr.* e *intr.* pesare.
scale[2] *s.* **1** scaglia, squama // *the scales fell from my eyes,* (*fig.*) ho aperto gli occhi **2** incrostazione.
to **scale**[2] *v.tr.* **1** squamare; scrostare **2** incrostare (pentole, caldaie ecc.) ♦ *v.intr.* **1** squamarsi; scrostarsi **2** incrostarsi (di pentole, caldaie ecc.).
scale[3] *s.* **1** scala: *on a large —,* su larga scala // *sliding —,* (*econ.*) scala mobile **2** gamma; grado.
to **scale**[3] *v.tr.* **1** scalare **2** graduare, regolare; ridurre a data scala // *to — down,* diminuire // *to — up,* aumentare.
scalene [ˈskeiliːn] *agg.* e *s.* (*geom.*) scaleno.
scaliness [ˈskeilinis] *s.* squamosità.
scallion [ˈskæljən] *s.* (*bot.*) scalogno.
scallop [ˈskɔləp] *s.* **1** (*zool.*) pettine **2** festone, smerlo (su stoffa).
to **scallop** *v.tr.* **1** tagliare a festone **2** (*cuc.*) cuocere in una salsa.
scallywag [ˈskaliwæg] *s.* birbante, briccone.
scalp [skælp] *s.* **1** cuoio capelluto **2** scalpo; (*fig.*) trofeo.

to **scalp** *v.tr.* scotennare.
scalpel [ˈskælpəl] *s.* bisturi.
scalper [ˈskælpəˣ] *s.* **1** scotennatore **2** (*chir.*) scalpello **3** (*sl. amer.*) bagarino.
scaly [ˈskeili] *agg.* squamoso; fatto a squame.
scamp[1] [skæmp] *s.* **1** farabutto, mascalzone **2** birichino.
to **scamp**[2] *v.tr.* abborracciare.
to **scamper** [ˈskæmpəˣ] *v.intr.* **1** sgambettare, scorazzare **2** *to — away,* darsela a gambe.
to **scan** [skæn] *v.tr.* e *intr.* **1** esaminare, scrutare; leggere punto per punto **2** (*fam.*) scorrere in fretta con gli occhi **3** scandire (versi): *this line won't —,* questo verso non si può scandire **4** (*tv*) esplorare (l'immagine) **5** (*informatica*) (*IBM*) eseguire una scansione; esplorare.
scandal [ˈskændl] *s.* **1** scandalo: *to create* (o *to give rise to*) *a —,* suscitare uno scandalo **2** maldicenza **3** (*dir.*) diffamazione.
to **scandalize**[1] [ˈskændəlaiz] *v.tr.* **1** scandalizzare, disgustare **2** diffamare, sparlare (di) **3** (*relig.*) dare scandalo (a).
to **scandalize**[2] *v.tr.* ridurre la superficie (di una vela).
scandalmonger [ˈskændl,mʌŋgəˣ] *s.* seminatore di scandali; maldicente.
scandalous [ˈskændələs] *agg.* **1** scandaloso, vergognoso **2** (*dir.*) diffamatorio, calunnioso.
Scandinavia [,skændiˈneivjə] *no.pr.* Scandinavia.
Scandinavian [,skændiˈneivjən] *agg.* e *s.* scandinavo.
scanner [ˈskænəˣ] *s.* scanner.
scanning [ˈskæniŋ] *s.* **1** scansione **2** (*scient.*) scansione, scanning **3** (*informatica*) scansione, lettura a scansione.
scansion [ˈskænʃən] *s.* scansione.
scant [skænt] *agg.* scarso; povero; insufficiente.
scant(i)ly [ˈskænt(i)li] *avv.* scarsamente // *scantily dressed,* poco vestito.
scanty [ˈskænti] *agg.* scarso, insufficiente: *in — attire,* in tenuta succinta.
scapegoat [ˈskeipgout] *s.* capro espiatorio.
scapegrace [ˈskeipgreis] *s.* scapestrato, cattivo soggetto.
scapula [ˈskæpjulə], *pl.* **scapulae** [ˈskæpjuliː] *s.* (*anat.*) scapola.
scapular [ˈskæpjuləˣ] *s.* **1** (*eccl. anat.*) scapolare (*); sfregio.
scar [skaː*] *s.* cicatrice (*anche fig.*).
to **scar** *v.tr.* sfregiare, (*fig.*) segnare ♦ *v.intr.* cicatrizzarsi.
scarab [ˈskærəb] *s.* scarabeo.
scarce [skɛəs] *agg.* scarso; raro // *to make oneself —,* (*fam.*) tagliare la corda ♦ *avv.* appena, a fatica.
scarcely [ˈskɛəsli] *avv.* appena; a fatica, a malapena: *— anyone,* quasi nessuno; *— ever,* quasi mai.
scarcity [ˈskɛəsiti] *s.* scarsezza, penuria, rarità.
scare [skɛəˣ] *s.* sgomento, panico // *he did give me a —!,* che paura mi ha fatto!
to **scare** *v.tr.* spaventare, sgomentare // *to be scared to death,* avere una paura da morire // *to — away,* far fuggire spaventando.
scarecrow [ˈskɛəkrou] *s.* spaventapasseri (*anche fig.*).
scarehead(ing) [skɛəˈhed(iŋ)] *s.* (*giornalismo*) titolo allarmistico.
scaremonger [ˈskɛə,mʌŋgəˣ] *s.* allarmista.
scarey [ˈskɛəri] *agg.* **1** (*fam.*) terrificante, allarmante **2** timoroso.
scarf[1] [skaːf], *pl.* **scarfs** [skaːfs], **scarves** [skaːvz] *s.* sciarpa; fascia; cravattone.

scarf[2] *s.* (*tecn.*) giunto.

to **scarify** [ˈskɛərifai] *v.tr.* **1** (*chir.*) scarificare **2** (*fig.*) criticare severamente.

scarlet [ˈskɑːlit] *agg.* scarlatto // — *hat*, cappello cardinalizio // — *fever*, (*med.*) scarlattina // — *woman*, prostituta ♦ *s.* **1** colore scarlatto **2** uniforme, toga, veste scarlatta.

scarp [skɑːp] *s.* scarpata.

to **scarper** [ˈskɑːpə*] *v.tr.* (*fam.*) scappar via.

scary [ˈskɛəri] *agg.* → **scarey**.

scat[1] [skæt] *inter.* (*fam.*) vattene!, va' via!

scat[2] *s.* (*jazz*) canto ritmico.

scathing [ˈskeiðiŋ] *agg.* sarcastico, mordace.

scatology [skæˈtɔlədʒi] *s.* scatologia.

to **scatter** [ˈskætə*] *v.tr.* spargere; sparpagliare; disperdere ♦ *v.intr.* disperdersi.

scatterbrain [ˈskætəbrein] *s.* (*fam.*) persona scervellata, sventata.

scatterbrained [ˈskætəbreind] *agg.* scervellato, sventato.

scattered [ˈskætəd] *agg.* sparso; sparpagliato.

scatty [ˈskæti] *agg.* (*fam.*) svitato, scervellato.

to **scavenge** [ˈskævindʒ] *v.tr.* e *intr.* **1** cercare tra i rifiuti **2** (*di animali*) cercare il cibo tra i rifiuti.

scavenger [ˈskævindʒə*] *s.* **1** animale che si nutre o scava tra i rifiuti **2** persona che cerca, fruga fra i rifiuti, le cose vecchie.

scenario [siˈnɑːriou] *s.* **1** sceneggiatura **2** simulazione.

scene [siːn] *s.* **1** scena; scenario; quinta: *behind the scenes*, (*anche fig.*) dietro le quinte; *to appear on the —*, entrare in scena **2** veduta, panorama **3** (*fam.*) scenata.

scenery [ˈsiːnəri] *s.* scenario.

sceneshifter [ˈsiːnʃiftə*] *s.* (*teatr.*) macchinista.

scenic [ˈsiːnik] *agg.* **1** teatrale; drammatico **2** panoramico: — *road*, strada panoramica // — *railway*, ferrovia in miniatura.

scent [sent] *s.* **1** profumo, odore **2** (*di animali*) usta // *on the —*, (*anche fig.*) sulla traccia.

to **scent** *v.tr.* **1** fiutare; subodorare **2** profumare.

scented [ˈsentid] *agg.* profumato, odoroso.

sceptic [ˈskeptik] *s.* scettico.

sceptical [ˈskeptikəl] *agg.* scettico.

scepticism [ˈskeptisizəm] *s.* scetticismo.

sceptre [ˈseptə*] *s.* **1** scettro **2** (*fig.*) sovranità.

schedule [ˈʃedjuːl, (*amer.*) ˈskedʒuːl] *s.* **1** programma (di lavoro ecc.): *production —*, programma di produzione; *behind —*, in ritardo rispetto al programma // *up to —*, secondo il previsto **2** (*spec. amer.*) orario (di treni ecc.) **3** catalogo; listino; tabella.

to **schedule** *v.tr.* **1** stendere un orario (per); mettere in un orario // *scheduled flight*, volo di linea **2** fare una lista (di); catalogare **3** (*informatica*) (*IBM*) schedulare; programmare.

scheduling [ˈʃedjuːliŋ] *s.* (*informatica*) avvicendamento.

schematic [skiˈmætik] *agg.* schematico.

to **schematize** [ˈskiːmətaiz] *v.tr.* schematizzare.

scheme [skiːm] *s.* **1** schema, progetto **2** complotto.

to **scheme** *v.tr.* **1** macchinare **2** progettare ♦ *v.intr.* complottare.

schemer [ˈskiːmə*] *s.* intrigante; calcolatore.

scheming [ˈskiːmiŋ] *agg.* intrigante.

schism [ˈsizəm] *s.* scisma.

schist [ʃist] *s.* (*geol.*) scisto.

schizoid [ˈskitsɔid] *agg.* e *s.* (*med.*) schizoide.

schizophrenia [ˌskitsouˈfriːnjə] *s.* (*med.*) schizofrenia.

schizophrenic [ˌskitsouˈfrenik] *agg.* schizofrenico.

schmalz [ʃmælts] *s.* sdolcinatezza.

schnorkel [ʃnɔːkl] *s.* boccaglio.

scholar [ˈskɔlə*] *s.* **1** letterato; studioso **2** scolaro **3** chi usufruisce di borse di studio.

scholarly [ˈskɔləli] *agg.* dotto, studioso.

scholarship [ˈskɔləʃip] *s.* **1** cultura; erudizione **2** borsa di studio.

scholastic [skəˈlæstik] *agg.* scolastico ♦ *s.* seguace della dottrina scolastica.

scholasticism [skəˈlæstisizəm] *s.* **1** (*fil. teol.*) (dottrina) scolastica **2** sofisticheria; sottigliezza.

school[1] [skuːl] *s.* **1** scuola // *comprehensive —*, (in Inghilterra) scuola (media o superiore) unificata // *primary —*, scuola elementare // *prep(aratory) —*, scuola che prepara alla «public-school» (in Inghilterra), al «college» (negli Stati Uniti) // *public —*, scuola statale (negli Stati Uniti); scuola privata, collegio per l'insegnamento secondario (in Inghilterra) // *grammar —*, *secondary modern —*, *technical —*, tre tipi di scuola secondaria statale in Gran Bretagna // *vocational —*, scuola d'arte e mestieri // *boarding —*, collegio; convitto // *approved —*, riformatorio // — *board*, comitato scolastico // — *report*, pagella **2** (*amer.*) college, università **3** lezione; ora di lezione **4** istituto, accademia **5** scuola; indirizzo, corrente: *the Aristotelian —*, (*fil.*) la scuola aristotelica.

to **school**[1] *v.tr.* **1** istruire; addestrare **2** controllare.

school[2] *s.* banco (di pesci).

schoolbook [ˈskuːlbuk] *s.* libro di testo.

schoolboy [ˈskuːlbɔi] *s.* scolaro, alunno.

schooldays [ˈskuːldeiz] *s.pl.* anni di scuola: *in my —...*, quando ero studente...

schoolfellow [ˈskuːlˌfelou] *s.* compagno di scuola.

schoolgirl [ˈskuːlgəːl] *s.* scolara, alunna.

schoolhouse [ˈskuːlhaus] *s.* edificio scolastico, scuola.

schooling [ˈskuːliŋ] *s.* istruzione, educazione.

schoolmaster [ˈskuːlˌmɑːstə*] *s.* **1** maestro, insegnante **2** direttore (di scuola).

schoolmistress [ˈskuːlˌmistris] *s.* maestra, insegnante.

schoolroom [ˈskuːlrum] *s.* aula scolastica.

schoolteacher [ˈskuːlˌtiːtʃə*] *s.* insegnante.

schoolteaching [ˈskuːlˌtiːtʃiŋ] *s.* insegnamento.

schooltime [ˈskuːltaim] *s.* ora, ore di lezione; periodo scolastico.

schooner [ˈskuːnə*] *s.* (*mar.*) goletta.

sciatic [saiˈætik] *agg.* sciatico.

sciatica [saiˈætikə] *s.* (*med.*) sciatica.

science [ˈsaiəns] *s.* **1** scienza // *applied sciences*, scienze applicate **2** tecnica, abilità (in uno sport).

science fiction [ˌsaiəns ˈfikʃən] *s.* fantascienza.

scientific [ˌsaiənˈtifik] *agg.* scientifico.

scientifically [ˌsaiənˈtifikəli] *avv.* scientificamente; sistematicamente.

scientist [ˈsaiəntist] *s.* scienziato.

sci-fi [ˌsaiˈfai] *s.* → **science fiction**.

scimitar [ˈsimitə*] *s.* scimitarra.

scintigraphy [sinˈtigrəfi] *s.* (*med.*) scintigrafia.

to **scintillate** [ˈsintileit] *v.intr.* **1** scintillare, sfavillare **2** parlare brillantemente.

scintillation [ˌsintiˈleiʃən] *s.* scintillio.

scintillography [sintiˈlɔgrəfi] *s.* (*med.*) scintigrafia.

scion [ˈsaiən] *s.* **1** (*agr.*) innesto **2** rampollo.

scission [ˈsiʒən] *s.* scissione.

to **scissor** [ˈsizə*] *v.tr.* (*fam.*) tagliare con le forbici.

scissoring [ˈsizəriŋ] s. forbiciata.

scissors [ˈsizəz] s.pl.: (a pair of) —, forbici; cesoie // — movement (o — kick), (sport) sforbiciata.

sclerosis [skliəˈrousis] s. (med.) sclerosi.

sclerotic [skliəˈrɔtik] agg. sclerotico ♦ s. 1 (anat.) sclera 2 (farm.) preparato sclerosante.

scoff¹ [skɔf] s. decisione; scherno.

to scoff¹ v.intr. deridere, schernire: to — at s.o., deridere qlcu.

scoff² s. (fam.) cibo.

to scoff² v.tr. e intr. (fam.) abboffarsi (di).

scoffer [ˈskɔfə*] s. schernitore.

scoffing [ˈskɔfiŋ] agg. beffardo; di scherno ♦ s. derisione; scherno.

scold [skould] s. virago.

to scold v.tr. sgridare ♦ v.intr. parlare in tono adirato.

scolding [ˈskouldiŋ] s. sgridata; rimprovero.

sconce [skɔns] s. candeliere; applique.

scone [skɔn] s. focaccina.

scoop [sku:p] s. 1 paletta; ramaiolo, mestolo 2 palettata, mescolata 3 (fam.) notizia in esclusiva; colpo 4 (fam.) colpo di fortuna (spec. finanziario).

to scoop v.tr. 1 vuotare (con paletta, ramaiolo ecc.): to — a boat dry, togliere l'acqua da una barca // to — up, raccogliere con la pala 2 scavare 3 (sl. giornalistico) procacciarsi una notizia in esclusiva 4 (fam.) appropriarsi.

to scoot v.intr. (fam.) correre via.

scooter [ˈsku:tə*] s. 1 monopattino 2 motoretta.

scope [skoup] s. 1 portata; possibilità; capacità di comprensione 2 area, campo; estensione: the — of this book, il periodo trattato da questo libro 3 fine, scopo 4 (mar.) lunghezza del cavo di ormeggio.

scorch [skɔ:tʃ] s. 1 scottatura superficiale 2 (fam.) volata (in automobile, bicicletta).

to scorch v.tr. 1 scottare (anche fig.); inaridire (di sole, gelo ecc); bruciacchiare 2 (mil.) devastare con il fuoco ♦ v.intr. 1 bruciacchiarsi 2 (fam.) correre all'impazzata (di automobilista ecc.).

scorcher [ˈskɔ:tʃə*] s. 1 persona o cosa che brucia 2 (fam.) automobilista, ciclista che va a pazza velocità 3 (fam.) cannonata.

score [skɔ:*] s. 1 punti (pl.); punteggio; vantaggio: to keep the —, segnare il punteggio // — board, tabellone 2 tacca; taglio; sfregio 3 conto, debito: he settled his old scores, (fig.) regolò i vecchi conti 4 (mus.) partitura; musica (di film ecc.): full —, partitura d'orchestra 5 (pl.invar.) venti, ventina: half a —, una decina 6 (fig.) colpo 7 ragione, motivo: on this, that —, per questo; on the — of, per quanto riguarda.

to score v.tr. 1 segnare (punti ecc.) // to — up, tenere il conto (di) 2 intaccare, incidere; segnare (anche fig.) 3 orchestrare ♦ v.intr. 1 tenere il punteggio 2 segnare, fare punti // to — a success, riportare un successo 3 to — off, avere la meglio su.

scorn [skɔ:n] s. disprezzo; scherno: to laugh to —, deridere, schernire.

to scorn v.tr. disprezzare; disdegnare.

scornful [ˈskɔ:nful] agg. sprezzante; sdegnoso.

Scorpio [ˈskɔ:piou] no.pr. (astr.) Scorpione.

scorpion [ˈskɔ:pjən] s. scorpione.

Scot [skɔt] s. scozzese.

Scotch [skɔtʃ] agg. scozzese ♦ s. 1 whisky scozzese 2 the —, gli scozzesi.

to scotch v.tr. rendere innocuo; uccidere; porre fine (a).

Scotchman, pl. **Scotchmen** [ˈskɔtʃmən] s. scozzese (uomo).

scot-free [ˈskɔtˈfri:] agg. esente da pagamento o penalità.

Scotland [ˈskɔtlənd] no.pr. (geogr.) Scozia // — Yard, «Scotland Yard» (la polizia metropolitana di Londra).

Scots [skɔts] agg. scozzese ♦ s. (dialetto) scozzese.

Scottish [ˈskɔtiʃ] agg. scozzese // the —, gli scozzesi.

scoundrel [ˈskaundrəl] s. farabutto; ribaldo.

to scour¹ v.tr. 1 sfregare; strofinare; pulire // to — off, sfregar via: to — dirt off a pot, sfregar via lo sporco da una pentola 2 ripulire, spazzar via (di acqua); scavare (di acqua) 3 purgare 4 (fig.) liberare ♦ v.intr. sfregare.

to scour² v.tr. percorrere, perlustrare: to — the woods for a thief, perlustrare i boschi alla caccia di un ladro ♦ v.intr. girare, andare, correre in giro (in cerca di qlcu., qlco.).

scourge [skə:dʒ] s. sferza, flagello (anche fig.).

to scourge v.tr. sferzare, flagellare.

scouse [skaus] agg. di Liverpool ♦ s. il dialetto di Liverpool.

scout¹ [skaut] s. esploratore // boy —, boy scout, giovane esploratore; girl —, (amer.) giovane esploratrice // good —, tipo bonario.

to scout¹ v.intr. andare in esplorazione; perlustrare // to — about, andare in cerca di informazioni ecc.

to scout² v.tr. respingere con disprezzo; considerare ridicolo.

scow [skau] s. zattera, chiatta.

scowl [skaul] s. cipiglio.

to scowl v.intr. aggrottare la fronte: to — at s.o., guardare qlcu. con cipiglio.

to scrabble [ˈskræbl] v.intr. 1 raspare; frugare 2 scarabocchiare 3 cercare a tentoni.

scrag [skræg] s. 1 collottola di montone 2 persona, animale, pianta scheletrica.

to scrag v.tr. afferrare, stringere per il collo.

scraggy [ˈskrægi] agg. ossuto; scarno; scheletrico.

to scram [skræm] v.intr. (fam.) (gener. all'imperat.) andarsene: —!, fila!

scramble [ˈskræmbl] s. 1 arrampicata; marcia difficile 2 mischia, zuffa; (fig.) lotta.

to scramble v.intr. 1 arrampicarsi; arrancare; andare carponi: to — up the hill, arrampicarsi su per la collina 2 to — for (sthg.), accapigliarsi, lottare per prendere qlco. ♦ v.tr. 1 rimestare // scrambled eggs, (cuc.) uova strapazzate 2 disturbare (un messaggio per impedire che sia intercettato).

scrap¹ [skræp] s. 1 pezzetto, frammento: a — of paper, un pezzo di carta 2 pl. avanzi; rottami; scarti 3 pl. ritagli (di giornale).

to scrap¹ v.tr. scavare, gettare via; distruggere.

scrap² s. (fam.) lite; zuffa.

to scrap² v.intr. (fam.) litigare; azzuffarsi.

scrapbook [ˈskræpbuk] s. album dei ritagli (di giornale ecc.).

scrape [skreip] s. 1 graffio, scalfittura 2 suono prodotto da un raschietto; stridio 3 (fig.) pasticcio, guaio.

to scrape v.tr. 1 raschiare; grattare; scrostare: to — paint off a wall, scrostare la vernice da una parete 2 sfregare; strisciare: to — one's knee, sbucciarsi un ginocchio 3 to — up, raccogliere; (fig.) racimolare, raggranellare // to — a living, sbarcare il lunario ♦ v.intr. 1 raschiare; grattare 2 sfregare; strisciare; rasentare: to — along the wall, passare rasente al muro

// *to bow and* —, (*fig.*) strisciare, umiliarsi // *to* — *through*, passare a fatica attraverso; (*fig.*) cavarsela // *to* — *through an examination*, passare un esame per il rotto della cuffia.

scraper [′skreipə*] *s.* raschietto.

scrap heap [′skræphi:p]*s.* mucchio di rifiuti, di rottami.

scrappiness [′skræpinis] *s.* frammentarietà.

scrappy [′skræpi] *agg.* frammentario.

scratch [skrætʃ] *agg.* improvvisato; messo insieme in fretta: *a* — *dinner*, una cena improvvisata ♦ *s.* 1 graffio; scalfittura 2 grattata, grattatina 3 (rumore di) sfregamento; stridio 4 (*sport*) linea di partenza: *to start from* —, partire tutti alla stessa distanza; (*fig.*) cominciare dal nulla // *to come up to* —, (*fig.*) essere all'altezza della situazione.

to **scratch** *v.tr.* 1 graffiare; scalfire; (*fig.*) intaccare // *to* — *the surface of a subject*, sfiorare un argomento // *to* — *out*, cancellare 2 grattare 3 ritirare da una gara 4 *to* — *up*, racimolare ♦ *v.intr.* 1 graffiarsi; grattarsi 2 razzolare 3 ritirarsi (da una gara, un'impresa).

scratchy [′skrætʃi] *agg.* 1 scarabocchiato; che sembra uno scarabocchio 2 stridente: *a* — *record*, un disco che gratta 3 che irrita, che prude: *a* — *cloth*, un tessuto ruvido.

scrawl [skrɔ:l] *s.* scarabocchio.

to **scrawl** *v.tr.* e *intr.* scarabocchiare: *to* — (*all*) *over a wall*, scarabocchiare su un muro.

scrawny [′skrɔ:ni] *agg.* magro, stecchito.

scream [skri:m] *s.* 1 strillo, urlo // *screams of laughter*, scoppi di risa 2 (*fam.*) cosa, persona spassosa: *he is a* — *!*, è uno spasso!

to **scream** *v.intr.* 1 strillare, urlare 2 (*fam.*) ridere a crepapelle ♦ *v.tr.* strillare.

screech [skri:tʃ] *s.* strillo, strido; stridio.

to **screech** *v.intr.* strillare; stridere ♦ *v.tr.* dire con voce stridula.

screech owl [′skri:tʃaul] *s.* (*zool.*) barbagianni.

screechy [′skri:tʃi] *agg.* stridulo; acuto.

screen [skri:n] *s.* 1 schermo (*anche fig.*); paravento; transenna, tramezzo // *under the* — *of night*, col favore della notte 2 (*aut.*) parabrezza 3 (*tecn.*) crivello 4 (*mil.*) (truppe di) copertura 5 (*cinem. tv*) schermo.

to **screen** *v.tr.* 1 schermare; riparare, proteggere; nascondere // *to* — *off*, separare (con paravento, tramezza ecc.) 2 vagliare, setacciare (*anche fig.*) 3 (*cinem.*) proiettare (sullo schermo); adattare per lo schermo.

screenplay [′skri:n,plei] *s.* (*cinem.*) sceneggiatura.

screenwriter [′skri:n,raitə*] *s.* (*cinem.*) sceneggiatore.

screw [skru:] *s.* 1 vite; giro di vite // *to put the screws* (*on s.o.*), (*fig.*) dare un giro di vite (a qlcu.) // *to have a* — *loose*, (*fam.*) avere una rotella fuori posto 2 elica 3 (*fam.*) paga, compenso 4 (*sl.*) secondino.

to **screw** *v.tr.* 1 avvitare: *to* — (*on*) *a knob*, avvitare una manopola // *to have one's head well screwed on*, (*fig.*) avere la testa sulle spalle // *to* — *down*, avvitare; serrare con una vita // *to* — *in*, stringere una vite // *to* — *off*, *out*, svitare // *to* — *up*, avvitare; serrare con viti; storcere: *to* — *up one's mouth*, storcere la bocca; *to* — *up a piece of paper*, accartocciare un pezzo di carta; *to* — *up one's courage*, (*fig.*) prendere il coraggio a due mani 2 torcere, storcere: *to* — *one's head* (*round*) *to speak to s.o.*, voltare la testa per parlare a qlcu. 3 spremere (*anche fig.*): *to* — *money out of s.o.*, spremere denari a qlcu.

screwball [′skru:bɔ:l] *agg.* e *s.* (*fam. amer.*) svitato, pazzoide.

screwdriver [′skru:,draivə*] *s.* cacciavite.

screw propeller [′skru: prə′pelə*] *s.* elica.

screw top [,skru:′tɔp] *s.* 1 coperchio a vite 2 apertura a vite.

screwy [′skru:i] *agg.* e *s.* (*fam.*) matto, svitato; (*amer.*) ridicolo; assurdo.

scribal [′skraibəl] *agg.* di copista // *a* — *error*, un errore di copiatura.

scribble [′skribl] *s.* sgorbio, scarabocchio.

to **scribble** *v.tr.* e *intr.* scarabocchiare; scribacchiare.

scribe [skraib] *s.* 1 copista, amanuense; scrivano 2 (*st.*) scriba.

scrimmage [′skrimidʒ] *s.* 1 zuffa 2 (*football amer.*) mischia.

to **scrimp** [skrimp] *v.tr.* e *intr.* → to **skimp**.

scrimpy [′skrimpi] *agg.* 1 scarso 2 tirchio, meschino.

scrip [skrip] *s.* 1 cedola; polizza 2 azione, titolo di credito.

script [skript] *s.* 1 scrittura (a mano); manoscritto 2 (*tip.*) corsivo 3 copione, sceneggiatura 4 originale (di un documento) 5 compito scritto (di esaminando).

to **script** *v.tr.* sceneggiare.

scriptural [′skriptʃərəl] *agg.* scritturale; biblico.

Scripture [′skriptʃə*] *s.* Santa Scrittura, Bibbia; testo sacro.

scriptwriter [′skript,raitə*] *s.m.* soggettista, sceneggiatore.

scrivener [′skrivnə*] *s.* 1 agente d'affari 2 scrivano pubblico; notaio.

scrofula [′skrɔfjulə] *s.* (*med.*) scrofolosi.

scroll [skroul] *s.* 1 rotolo di pergamena, di carta 2 (*arch.*) decorazione a spirale, voluta; cartiglio 3 chiocciola (di violino).

scrolling [skroulin] *s.* (*informatica*) spostamento: — *down*, spostamento verso il basso; — *key*, comando di spostamento; — *up*, spostamento verso l'alto.

scrotum [′skroutəm], *pl.* **scrota** [′skroutə] *s.* (*anat.*) scroto.

to **scrounge** [skraundʒ] *v.tr.* e *intr.* (*sl.*) scroccare; rubacchiare.

scrounger [′skraundʒə*] *s.* (*sl.*) scroccone; ladruncolo.

scrub[1] [skrʌb] *s.* 1 sottobosco; boscaglia 2 arbusto, cespuglio 3 (*spreg.*) nanerottolo.

to **scrub**[2] *v.tr.* e *intr.* fregare, sfregare; strofinare; pulire sfregando: *to* — *one's nails*, pulirsi le unghie con lo spazzolino; *to* — *the floor*, fregare il pavimento.

scrubbing [′skrʌbin] *s.* fregamento, lavaggio energico.

scrubbing brush [′skrʌbinbrʌʃ] *s.* bruschino.

scrubby [′skrʌbi] *agg.* 1 mingherlino 2 coperto di boscaglia.

scruff [skrʌf] *s.* nuca.

scruffy [′skrʌfi] *agg.* trasandato.

scrum(mage) [′skrʌm(idʒ)] *s.* → **scrimmage**.

to **scrump** [′skrʌmp] *v.intr.* (*fam.*) rubare frutta dagli alberi.

scrumptious [′skrʌmpʃəs] *agg.* (*fam.*) delizioso.

scrumpy [′skrʌmpi] *s.* sidro.

scrunch [skrʌnʃ] *s.* scricciolio.

scruple [′skru:pl] *s.* scrupolo.

to **scruple** *v.intr.* avere scrupoli; farsi scrupolo.

scrupulous [′skru:pjuləs] *agg.* scrupoloso; meticoloso.

to **scrutinize** [′skru:tinaiz] *v.tr.* scrutare.

scrutiny [′skru:tini] *s.* 1 esame minuzioso 2 (*pol.*) scrutinio.

scuba [′skju:bə] *s.* apparato per la respirazione subacquea.

to **scud** [skʌd] *v.intr.* correre, passare velocemente: *clouds — across the sky*, le nuvole passano rapidamente nel cielo.

to **scuff** [skʌf] *v.intr.* camminare strascicando i piedi.

scuffle [ˈskʌfl] *s.* zuffa; rissa; mischia.

to **scuffle** *v.intr.* azzuffarsi.

scull [skʌl] *s. (mar.)* pailella, bratto.

to **scull** *v.tr.* e *intr.* vogare, spingere (un'imbarcazione) con palelle, col bratto.

scullery [ˈskʌləri] *s.* retrocucina.

scullion [ˈskʌljən] *s.* sguattero.

to **sculp(t)** [skʌlp(t)] *v.tr.* e *intr.* *(fam.)* → to **sculpture**.

sculptor [ˈskʌlptə*] *s.* scultore.

sculptress [ˈskʌlptris] *s.* scultrice.

sculpture [ˈskʌlptʃə*] *s.* scultura.

to **sculpture** *v.tr.* e *intr.* scolpire.

scum [skʌm] *s.* 1 schiuma 2 feccia: *the — of society*, la feccia della società.

scummy [ˈskʌmi] *agg.* 1 schiumoso; di, simile a schiuma 2 disprezzabile; basso; meschino.

to **scupper** [ˈskʌpə*] *v.tr.* far affondare (la propria nave); (fig.) mettere in difficoltà.

scurf [skə:f] *s.* 1 forfora 2 crosta; squama; scaglia.

scurrility [skʌˈriliti] *s.* scurrilità, volgarità.

scurrilous [ˈskʌriləs] *agg.* volgare, triviale; volgarmente ingiurioso.

scurry [ˈskʌri] *s.* tramestio.

to **scurry** *v.intr.* affrettarsi; correre velocemente.

scurvy [ˈskə:vi] *agg.* spregevole, meschino ♦ *s.* *(med.)* scorbuto.

scutage [ˈskjuːtidʒ] *s.* *(st.)* tassa pagata dal vassallo invece di servizi militari.

scutcheon [ˈskʌtʃən] *s.* → **escutcheon**.

to **scuttle**[1] [ˈskʌtl] *v.tr.* affondare (una nave) producendo falle.

to **scuttle**[2] *v.intr.*: *to — (away, off)*, correre velocemente, fuggire; svignarsela; *(sl.)* eclissarsi.

scythe [saið] *s.* falce.

to **scythe** *v.tr.* falciare.

sea [si:] *s.* mare: *by —*, per mare; *by the —*, (vicino) al mare; *Naples is on the —*, Napoli è sul mare // *at —*, in mare; (fig.) smarrito // *on the high seas*, in alto mare; *to be at —*, (anche fig.) essere in alto mare // *inland —*, mare interno // *to go to —*, fare il marinaio.

sea anemone [ˈsi:əˈneməni] *s.* *(zool.)* attinia.

seaboard [ˈsi:bɔ:d] *s.* costa, litorale.

sea breeze [ˈsi:briːz] *s.* vento di mare.

sea captain [ˈsi:ˈkæptin] *s.* comandante.

seacoast [ˈsi:ˈkoust] *s.* costa, riva del mare.

sea dog [ˈsi:dɔg] *s.* 1 (fig.) lupo di mare 2 *(zool.)* foca.

seafarer [ˈsi:ˌfeərə*] *s.* navigante; navigatore.

seafaring [ˈsi:ˌfeəriŋ] *agg.* marinaro.

seafront [ˈsi:frʌnt] *s.* lungomare.

seagirt [ˈsi:gə:t] *agg.* circondato dal mare.

seagoing [ˈsi:ˌgouiŋ] *agg.* d'alto mare.

sea green, **sea-green** [ˈsi:ˈgriːn] *s.* e *agg.* (color) verde mare.

seagull [ˈsi:gʌl] *s.* gabbiano.

seahorse [ˈsi:hɔ:s] *s.* *(zool.mit.)* ippocampo.

seal[1] [si:l] *s.* 1 foca 2 pelle, pelliccia di foca.

seal[2] *s.* sigillo; timbro; (fig.) prova; pegno // *to set one's — on sthg.*, concludere.

to **seal**[2] *v.tr.* 1 sigillare; chiudere ermeticamente; (fig.) suggellare: *to — a bargain*, suggellare un patto 2 ratificare, confermare; determinare: *to — one's fate*, decidere la propria sorte.

sea legs [ˈsi:legz] *s.pl.* *(fam.)* il saper stare in equilibrio su una nave che oscilla: *to have —*, avere piede marino.

sealer [ˈsi:lə*] *s.* 1 cacciatore di foche 2 imbarcazione per la caccia alla foca.

sea level [ˈsi:levl] *s.* livello del mare: *above, below —*, sopra, sotto il livello del mare.

sealing wax [ˈsi:liŋwæks] *s.* ceralacca.

sea lion [ˈsi:ˈlaiən] *s.* *(zool.)* otaria.

sealskin [ˈsi:lskin] *s.* pelle di foca.

seam [si:m] *s.* 1 cucitura, giuntura 2 linea di giuntura 3 sutura; cicatrice 4 *(min. geol.)* strato; filone.

to **seam** *v.tr.* unire con cucitura // *her face was seamed with sorrow*, il suo viso era segnato dal dolore ♦ *v.intr.* fendersi.

seaman, *pl.* **seamen** [ˈsi:mən] *s.* marinaio.

seamanship [ˈsi:mənʃip] *s.* arte della navigazione; nautica.

sea mile [ˈsi:mail] *s.* miglio marittimo.

seamless [ˈsi:mlis] *agg.* senza giunzioni, senza cuciture // *— stockings*, calze senza cucitura.

seamstress [ˈsemstris] *s.* cucitrice.

seamy [ˈsi:mi] *agg.* sgradevole; squallido.

séance [ˈseiɔːns] *s.* seduta spiritica.

seaplane [ˈsi:plein] *s.* idrovolante.

seaport [ˈsi:pɔ:t] *s.* porto marittimo.

sea power [ˈsi:ˌpauə*] *s.* potenza navale.

seaquake [ˈsi:kweik] *s.* maremoto.

to **sear** [siə*] *v.tr.* 1 bruciare; cauterizzare 2 disseccare; far appassire 3 indurire.

search [sə:tʃ] *s.* 1 ricerca: *to be in — of sthg., s.o.*, essere in cerca di qlco., di qlcu. 2 perquisizione.

to **search** *v.tr.* e *intr.* 1 perquisire; frugare 2 (fig.) esaminare; esplorare; investigare; cercare 3 sondare, scandagliare // *to — for — for s.o., sthg.*, cercare qlco., qlcu. // *to — out*, scoprire, scovare.

searching [ˈsə:tʃiŋ] *agg.* 1 indagatore, penetrante 2 rigoroso; completo.

searchlight [ˈsə:tʃlait] *s.* riflettore.

search party [ˈsə:tʃˌpɑ:ti] *s.* squadra di ricerca.

search warrant [ˈsə:tʃˌwɔrənt] *s.* *(dir.)* mandato di perquisizione.

seared [siəd] *agg.* 1 appassito 2 cauterizzato 3 incallito, indurito.

seascape [ˈsi:skeip] *s.* *(pitt.)* marina.

sea serpent [ˈsi:ˈsə:pənt] *s.* serpente di mare.

seashell [ˈsi:ʃel] *s.* conchiglia.

seashore [ˈsi:ʃɔ:*] *s.* spiaggia; litorale.

seasickness [ˈsi:siknis] *s.* mal di mare.

seaside [ˈsi:ˈsaid] *s.* spiaggia; riva del mare // *to go to the —*, andare al mare.

season [ˈsi:zn] *s.* 1 stagione: *in —*, di stagione; *off —*, bassa stagione; fuori stagione; *cherries are in —*, è la stagione delle ciliegie; *in — and out of —*, in tutte le stagioni, sempre 2 tempo, momento opportuno.

to **season** *v.tr.* 1 stagionare; far maturare; far invecchiare 2 condire *(anche fig.)*: *highly-seasoned food*, cibo assai piccante, saporito ♦ *v.intr.* stagionare; maturare; invecchiare.

seasonable [ˈsi:znəbl] *agg.* 1 di stagione 2 opportuno, tempestivo.

seasonal [ˈsi:zənl] *agg.* stagionale, di stagione.

seasoning [ˈsi:zniŋ] *s.* condimento *(anche fig.)*.

season ticket [ˈsi:znˈtikit] *s.* tessera, biglietto in abbonamento.

seat [si:t] *s.* **1** sedile; posto (a sedere); sedia // *keep your seats*, rimanete seduti, state al vostro posto // *won't you take a —?*, non vuole accomodarsi? // *ejection —*, (*aer.*) seggiolino eiettabile // *emergency* (o *folding*) *—*, strapuntino // *to take a back —* (*to s.o.*), (*fig.*) cedere il passo (a qlcu.), mettersi in disparte **2** sedere, deretano **3** fondo di sedia, di pantaloni **4** seggio; diritto a un seggio **5** residenza, villa (di campagna) **6** modo di stare in sella (a cavallo, in bicicletta ecc.) **7** sede, centro.

to seat *v.tr.* **1** mettere a sedere; far sedere: *please be seated*, prego, si accomodi **2** insediare; installare **3** fornire, essere fornito di posti a sedere: *this cinema can — two thousand people*, questo cinema ha duemila posti a sedere **4** riparare il fondo (di sedie, pantaloni ecc.) ♦ *v.intr.* adattarsi.

seat belt [ˈsiːtbelt] *s.* cintura di sicurezza.

seater [ˈsiːtə*] *s.*: *two- —*, aeroplano, automobile a due posti.

sea urchin [siːˈɜːtʃin] *s.* riccio di mare.

seawall [ˈsiːwɔːl] *s.* argine.

seaward [ˈsiːwəd] *agg. e avv.* verso il mare.

seaway [ˈsiːwei] *s.* l'avanzare di una nave nel mare; rotta // *he took the — to India*, andò in India per mare // *by —*, per, via mare.

seaweed [ˈsiːwiːd] *s.* alga marina.

seaworthy [ˈsiːˌwɜːði] *agg.* atto a tenere il mare.

sec [sek] *s.* (*fam.*) (minuto) secondo.

secant [ˈsiːkənt] *agg. e s.* (*geom.*) secante.

to secede [siˈsiːd] *v.intr.* separarsi, ritirarsi.

secession [siˈseʃən] *s.* secessione; separazione.

to seclude [siˈkluːd] *v.tr.* appartare; isolare.

secluded [siˈkluːdid] *agg.* appartato; isolato.

seclusion [siˈkluːʒən] *s.* **1** isolamento; solitudine **2** intimità.

second[1] [ˈsekənd] *agg.num.ord.* secondo: *— floor*, secondo piano; (*amer.*) primo piano; *the — largest theatre in the world*, il secondo teatro (per grandezza) del mondo; *the — day of the month*, il secondo giorno del mese // *every — day*, ogni due giorni // *on — thoughts*, ripensandoci meglio // *George the Second*, Giorgio II // *— ballot*, ballottaggio // *— sight*, chiaroveggenza // *-in-command*, (*mil.*) vicecomandante ♦ *avv.* al secondo posto ♦ *s.* **1** secondo: *the — of May* (o *2nd May*), il due di maggio **2** (*mus.*) seconda **3** *pl.* merce di seconda scelta.

to second[1] *v.tr.* favorire, appoggiare: *to — a motion*, appoggiare una mozione.

second[2] *s.* (minuto) secondo; (*fig.*) istante.

to second[3] [siˈkɒnd], (*amer.*) ˈsekənd] *v.tr.* distaccare (per funzioni speciali).

secondary [ˈsekəndəri] *agg.* secondario // *— school*, scuola secondaria // *— storage*, (*informatica*) memoria ausiliaria ♦ *s.* subalterno; delegato.

second best [ˈsekəndˈbest] *agg.* di seconda scelta // *to come off —*, avere la peggio.

second-class [ˈsekəndˈklɑːs] *agg.* di seconda qualità, categoria.

second-hand[1] [ˈsekəndˈhænd] *agg.* di seconda mano.

second hand[2] *s.* lancetta dei secondi.

second-rate [ˈsekəndˈreit] *agg.* di qualità inferiore; di seconda categoria.

secrecy [ˈsiːkrisi] *s.* segretezza; segreto: *to bind s.o. to —*, impegnare qlcu. al segreto // *banking —*, segreto bancario.

secret [ˈsiːkrit] *agg.* **1** segreto; riservato **2** remoto, appartato (di luogo) ♦ *s.* segreto; mistero: *to let s.o. into the —*, mettere qlcu. a parte del segreto; *top —*, segreto di Stato; *top- —*, segretissimo, riservatissimo.

secretarial [ˌsekrəˈtɛəriəl] *agg.* segretariale.

secretariat [ˌsekrəˈtɛəriət] *s.* **1** segretariato **2** segreteria.

secretary [ˈsekrətri] *s.* **1** segretario **2** ministro preposto a un dicastero // *Secretary of State*, Ministro Segretario di Stato (in Gran Bretagna); Ministro degli Esteri (negli Stati Uniti) // *home Secretary*, Ministro degli Interni (in Gran Bretagna) **3** scrivania, scrittoio.

to secrete[1] [siˈkriːt] *v.tr.* secernere.

to secrete[2] *v.tr.* occultare, nascondere.

secretion[1] [siˈkriːʃən] *s.* secrezione.

secretion[2] *s.* occultamento.

secretive [siˈkriːtiv] *agg.* riservato; reticente; furtivo.

secretory [siˈkriːtəri] *agg.* secretore.

sect [sekt] *s.* setta.

sectarian [sekˈtɛəriən] *agg. e s.* settario.

sectary [ˈsektəri] *s.* settario; affiliato a una setta.

section [ˈsekʃən] *s.* **1** sezione; divisione; paragrafo // *vertical —*, spaccato // *rail —*, (*ferr.*) tronco di binario // *Cesarian —*, (*med.*) taglio cesareo **2** fetta; porzione **3** pezzo **4** gruppo, nucleo.

to section *v.tr.* sezionare; suddividere; presentare in sezione.

sectional [ˈsekʃənl] *agg.* **1** di parte, di classe: *— interests*, interessi di classe **2** di, in, a sezioni; a pezzi: *a — building*, una costruzione prefabbricata // *— furniture*, mobili componibili.

sectionalism [ˈsekʃnəlizəm] *s.* spirito di parte.

sector [ˈsektə*] *s.* settore.

secular [ˈsekjulə*] *agg.* **1** mondano; temporale **2** profano; laico **3** secolare.

secularism [ˈsekjulərizm] *s.* laicismo.

secularist [ˈsekjylərist] *agg.* laico ♦ *s.* fautore del laicismo.

to secularize [ˈsekjuləraiz] *v.tr.* secolarizzare.

secure [siˈkjuə*] *agg.* sicuro.

to secure *v.tr.* **1** assicurare; proteggere, mettere al sicuro **2** (*mil.*) fortificare **3** (*dir. comm.*) garantire **4** chiudere saldamente (porte, finestre) **5** assicurarsi; procurarsi: *to — a majority*, riportare la maggioranza.

security [siˈkjuəriti] *s.* **1** sicurezza // *— device*, dispositivo di sicurezza // *— forces*, forze preposte alla sicurezza // *the Security Council*, il Consiglio di Sicurezza (dell'O.N.U.) // *— officer*, agente di controspionaggio // *— risk*, persona pericolosa alla sicurezza nazionale; chi potrebbe fare dello spionaggio contro il proprio paese **2** garanzia; cauzione: *in — for*, a garanzia di; *to give —*, versare cauzione **3** *spec. pl.* (*comm.*) titoli, valori // *gilt-edged securities*, titoli a reddito fisso // *registered —*, titolo nominativo // *listed securities*, titoli non quotati // *— holding*, *securities portfolio*, portafoglio titoli.

sedan [siˈdæn] *s.* **1** *— (chair)*, (*st.*) portantina **2** (*aut.*) (*amer.*) berlina.

sedate [siˈdeit] *agg.* posato.

sedation [siˈdeiʃən] *s.* somministrazione di sedativo // *under —*, sotto (l'effetto di un) sedativo.

sedative [ˈsedətiv] *agg. e s.* sedativo.

sedentary [ˈsedntəri] *agg.* **1** sedentario **2** non migratore (di uccello).

sedge [sedʒ] *s.* (*bot.*) carice.

sediment [ˈsedimənt] *s.* sedimento.

sedimentary [ˌsediˈmentəri] *agg.* sedimentario.

sedimentation [ˌsedimənˈteiʃən] *s.* sedimentazione.
sedition [siˈdiʃən] *s.* sedizione.
seditious [siˈdiʃəs] *agg.* sedizioso.
to **seduce** [siˈdjuːs] *v.tr.* sedurre; corrompere; tentare.
seduction [siˈdʌkʃən] *s.* seduzione; tentazione.
seductive [siˈdʌktiv] *agg.* seducente; allettante.
to **see**[1] [siː], *pass.* **saw** [sɔː], *p.pass.* **seen** [siːn] *v.tr.* 1 vedere: *I saw him fall*, l'ho visto cadere; *we saw the children playing*, abbiamo visto i bambini che giocavano // — *you on Monday*, (arrivederci) a lunedì; — *you soon!*, a tra poco, a presto // *I shall come and* — *you tomorrow*, verrò a trovarti domani // *you should go to* — *the doctor*, dovresti andare dal dottore // *I am not fit to be seen to-day*, oggi non sono presentabile // *she will never* — *forty again*, ha quarant'anni suonati // *to* — *the last of s.o.*, vedere qlcu. per l'ultima volta; liberarsi di qlcu. // *to* — *differently from*, pensare diversamente da, non essere dello stesso parere di // *to* — *stars*, (*fig.*) vedere le stelle // *to* — *things*, avere delle allucinazioni // *to* — *ones's way to doing sthg.*, intravedere la possibilità di fare qlco. // *to* — *fit to do sthg.*, ritenere adatto, giusto fare qlco. 2 capire; rendersi conto (di); accorgersi (di): *do you* — *(what I mean)?*, capisci quel che voglio dire? 3 fare in modo che, assicurarsi che 4 accompagnare: *to* — *s.o. home*, accompagnare qlcu. a casa; *to* — *s.o. to the station*, accompagnare qlcu. alla stazione; *to* — *s.o. in*, fare entrare qlcu.; *to* — *s.o. off*, accompagnare qlcu. (alla partenza); *to* — *out*, accompagnare (all'uscita); vedere sino alla fine; portare a termine ♦ *v.intr.* 1 vedere 2 *to* — *about, to*, occuparsi di 3 *to* — *into*, esaminare, studiare 4 *to* — *over*, ispezionare 5 *to* — *through*, vedere attraverso; penetrare, scoprire; aiutare sino in fondo; portare a termine: *I haven't enough money to* — *me through the month*, non ho abbastanza denaro per arrivare a fine mese.
see[2] *s.* diocesi; vescovato; arcivescovato.
seed [siːd] *s.* 1 seme (*anche fig.*) // *to run* (o *to go*) *to* —, far semenza (di pianta); (*fig.*) inaridirsi, indebolirsi 2 sperma 3 stirpe, discendenza.
to **seed** *v.tr.* 1 seminare 2 togliere i semi (da), sgranare 3 (*sport*) selezionare ♦ *v.intr.* far semenza.
seedbed [ˈsiːdbed] *s.* semenzaio, vivaio (*anche fig.*).
seedling [ˈsiːdliŋ] *s.* semenzale.
seed pearl [ˈsiːdˈpəːl] *s.* perlina.
seedtime [ˈsiːdtaim] *s.* (tempo della) semina.
seed vessel [ˈsiːdˌvesl] *s.* (*bot.*) pericarpo.
seedy [ˈsiːdi] *agg.* 1 pieno di semi 2 (*fam.*) logoro (di abiti); trascurato (di persona) 3 (*fam.*) indisposto: *I feel* —, non mi sento in forma.
to **seek** [siːk], *pass.* e *p.pass.* **sought** [sɔːt] *v.tr.* 1 cercare // *the reason is not far to* —, il motivo è facile da scoprire 2 domandare; ricorrere (a) ♦ *v.intr.* 1 tentare; cercare 2 *to* — *after*, aspirare a // *she is much sought after*, è molto corteggiata 3 *to* — *out*, scovare.
to **seem** [siːm] *v.intr.* 1 (*costr. pers*) sembrare; apparire, mostrarsi; aver l'aria di: *how does it* — *to you?*, che te ne sembra?; *he seems to know me*, sembra che mi conosca 2 *impers.* sembrare: *it seemed as though* (ó *as if*)..., sembrava che...; *it would* — *not*, sembrerebbe di no.
seeming [ˈsiːmiŋ] *agg.* apparente.
seemliness [ˈsiːmlinis] *s.* decoro; convenienza.
seemly [ˈsiːmli] *agg.* decoroso; che si addice.
seen *p.pass.* di to **see**.
to **seep** [siːp] *v.intr.* gocciolare; colare; filtrare.

seepage [ˈsiːpidʒ] *s.* gocciolamento; infiltrazione.
seer [ˈsiː(ˌ)ə*] *s.* 1 veggente 2 profeta.
seersucker [ˈsiəˌsʌkə*] *s.* tessuto cloqué.
seesaw [ˈsiːsɔː] *s.* altalena ♦ *avv.* in modo fluttuante; su e giù.
to **seesaw** *v.intr.* 1 fare l'altalena 2 andare su e giù; muoversi con moto alternativo; (*fig.*) vacillare, fluttuare.
to **seethe** [siːð], *pass.* e *p.pass* **seethed** [siːðd], (*arc.*) *pass.* **sod** [sɔd], *p.pass.* **sodden** [ˈsɔdn] *v.intr.* ribollire; essere in subbuglio; agitarsi: *the whole country was seething with discontent*, il malcontento ribolliva nella popolazione.
see-through [ˈsiːθruː] *agg.* (di tessuto) trasparente.
segment [ˈsegmənt] *s.* segmento; sezione; spicchio.
to **segment** *v.tr.* dividere in segmenti ♦ *v.intr.* dividersi in segmenti.
segmental [segˈmentl], **segmentary** [segˈmentəri] *agg.* a segmenti; segmentale.
segmentation [ˌsegmənˈteiʃən] *s.* 1 segmentazione 2 (*biol.*) riproduzione per scissione.
to **segregate** [ˈsegrigeit] *v.tr.* segregare; separare; scindere ♦ *v.intr.* scindersi.
segregation [ˌsegriˈgeiʃən] *s.* segregazione; separazione; scissione.
segregationist [ˌsegriˈgeiʃnist] *s.* segregazionista.
seigneur [ˈseinjə:*] *s.* (*st.*) feudatario, signore.
Seine [sein] *no.pr.* Senna.
seismic [ˈsaizmik] *agg.* sismico // — *focus*, ipocentro.
seismograph [ˈsaizmɡɡrɑ:f] *s.* sismografo.
seismological [ˌsaizmɡˈlɔdʒikəl] *agg.* sismologico.
seismology [saizˈmɔlədʒi] *s.* sismologia.
to **seize** [siːz] *v.tr.* 1 prendere, impadronirsi (di); afferrare (*anche fig.*): *to be seized with panic*, esser colto dal panico 2 confiscare, sequestrare 3 *to* — *(up)on*, impadronirsi di; prendere al volo ♦ *v.intr.* (*mecc.*) grippare.
seizure [ˈsiːʒə*] *s.* 1 confisca, sequestro 2 (*med.*) attacco, colpo (apoplettico) 3 conquista, cattura.
seldom [ˈseldəm] *avv.* raramente // — *seen, soon forgotten*, (*prov.*) lontan dagli occhi, lontan dal cuore.
select [siˈlekt] *agg.* 1 scelto; selezionato // — *committee*, commissione d'inchiesta (in Parlamento) 2 esigente, difficile.
to **select** *v.tr.* 1 scegliere; selezionare 2 (*informatica*) estrarre; selezionare; scegliere tra alternative.
selection [siˈlekʃən] *s.* scelta; selezione // — *card*, (*informatica*) scheda selezione.
selective [siˈlektiv] *agg.* selettivo.
selector [siˈlektə*] *s.* 1 scelgitore 2 (*tecn.*) selettore.
-self [self] *suffisso usato nella formazione dei pron.r.*: *oneself*, se stesso; *myself*, io, me stesso.
self- *pref.* auto-: — *appointed*, autonominatosi; — *contradictory*, che si contraddice da sé; — *inflicted wound*, autolesione; — *preservation*, istinto di conservazione; — *reproach*, autoaccusa; rimorso; — *taught*, autodidatta.
self, *pl.* **selves** [selvz] *s.* l'io, l'individuo; se stesso: *my* —, il mio stesso io; *my better* —, la parte migliore di me stesso // *payable to* —, (*comm.*) pagabile al firmatario.
self-absorbed [ˈselfəbˈsɔːbd] *agg.* compreso di sé.
self-acting [ˌselfˈæktiŋ] *agg.* automatico.
self-adjusting [ˈselfəˈdʒʌstiŋ] *agg.* autoregolabile.
self-assertion [ˌselfəˈsɔːʃn] *s.* l'imporsi; prepotenza.
self-assertive [ˈselfəˈsɔːtiv] *agg.* aggressivo.
self-assurance [ˌselfəˈʃuərəns] *s.* fiducia in sé, sicurezza.

self-assured ['selfə'ʃuəd] *agg.* sicuro di sé.

self-centred, (*amer.*) **self-centered** ['self'sentəd] *agg.* egocentrico.

self-coloured [‚self'kʌləd] *agg.* di un unico colore, a tinta unita.

self-command [‚selfkə'mɑ:nd] *s.* autocontrollo.

self-complacent ['selfkəm'pleisənt] *agg.* contento di sé.

self-conceit ['selfkən'si:t] *s.* presunzione.

self-confessed [‚selfkən'fest] *agg.* dichiarato, riconosciuto: — *criminal*, reo confesso.

self-confidence ['self'kɔnfidəns] *s.* fiducia in se stessi.

self-confident ['self'kɔnfidənt] *agg.* sicuro di sé.

self-conscious ['self'kɔnʃəs] *agg.* imbarazzato, timido.

self-contained [‚selfkən'teind] *agg.* autosufficiente, indipendente; autonomo.

self-control ['selfkən'troul] *s.* autocontrollo.

self-deception ['selfdi'sepʃən] *s.* l'illudere se stessi.

self-defence ['selfdi'fens] *s.* autodifesa // *the art of* —, il pugilato.

self-denial ['selfdi'naiəl] *s.* abnegazione.

self-denunciation [‚selfdi'nʌnsieiʃən] *s.* autodenuncia.

self-determination ['selfdi‚tə:mi'neiʃən] *s.* autodeterminazione; autodecisione.

self-discipline [‚self'disiplin] *s.* autodisciplina.

self-educated ['self'edju(:)keitid] *agg.* autodidatta.

self-effacement ['selfi'feismənt] *s.* il tenersi in disparte; modestia.

self-employed ['selfim'plɔid] *agg.* che lavora in proprio.

self-esteem ['selfis'ti:m] *s.* stima di sé; (*a volte anche*) presunzione.

self-examination ['selfig‚zæmi'neiʃən] *s.* introspezione.

self-explanatory ['selfiks'plænətəri] *agg.* che si spiega da sé; ovvio.

self-expression ['selfiks'preʃən] *s.* espressione di sé, della propria personalità.

self-feeding ['self'fi:diŋ] *agg.* ad alimentazione automatica continua.

self-financed ['selfai'nænst], **self-financing** ['selfai'nænsiŋ], **self-funding** ['sel'fʌndiŋ] *agg.* autofinanziato.

self-financing *s.* autofinanziamento.

self-governing ['self'gʌvəniŋ] *agg.* indipendente, autonomo.

self-government ['self'gʌvnmənt] *s.* indipendenza, autonomia.

self-help ['self'help] *s.* il fare da sé.

self-importance ['selfim'pɔ:təns] *s.* presunzione, prosopopea.

self-induction ['selfin'dʌkʃən] *s.* (*elettr.*) autoinduzione.

self-indulgence ['selfin'dʌldʒəns] *s.* l'essere accondiscendente con se stesso.

self-interest ['self'intrist] *s.* interesse personale.

selfish ['selfiʃ] *agg.* egoistico; interessato.

selfishness ['selfiʃnis] *s.* egoismo.

selfless ['selflis] *agg.* disinteressato, altruistico.

selflessness ['selflisnis] *s.* altruismo.

self-love ['self'lʌv] *s.* egoismo; narcisismo.

self-made ['self'meid] *agg.* che si è fatto da sé.

self-opinionated [‚selfə'pinjə‚neitid] *agg.* prepotente; testardo; vanitoso.

self-pity ['self'piti] *s.* autocommiserazione.

self-portrait ['self'pɔ:trit] *s.* autoritratto.

self-possessed ['selfpə'zest] *agg.* padrone di sé; calmo.

self-reliance ['selfri'laiəns] *s.* fiducia in se stesso.

self-reliant ['selfri'laiənt] *agg.* fiducioso in se stesso.

self-respect ['self'ris'pekt] *s.* dignità, rispetto di se stessi.

self-righteous ['self'raitʃəs] *agg.* che si considera migliore degli altri; farisaico.

self-sacrifice ['self'sækrifais] *s.* altruismo.

selfsame ['selfseim] *agg.* esattamente lo stesso.

self-satisfied ['self'sætisfaid] *agg.* troppo compiaciuto di sé.

self-seeking ['self'si:kiŋ] *agg.* **1** egoista **2** (*di radio*) con ricerca automatica; (*di missile*) con puntamento automatico.

self-starter [‚self'stɑ:tə*] *s.* motorino d'avviamento.

self-styled ['self'staild] *agg.* sedicente.

self-sufficiency ['selfsə'fiʃənsi] *s.* autosufficienza.

self-sufficient ['selfsə'fiʃənt] *agg.* autosufficiente.

self-supporting ['selfsə'pɔ:tiŋ] *agg.* che si mantiene da sé; indipendente.

self-willed ['self'wild] *agg.* ostinato, caparbio.

self-winding ['self'waindiŋ] *agg.* a carica automatica (di orologio).

sell[1] [sel] *s.* delusione; imbroglio: *what a* —!, (*sl.*) che bidone!

to sell[2], *pass.* e *p.pass.* **sold** [sould] *v.tr.* **1** vendere (*anche fig.*); far vendere // *to* — (*from*) *door-to-door*, vendere porta a porta // *to* — *like hot cakes*, andare a ruba // *to be sold on the idea*, (*fam. amer.*) essere convinto della bontà dell'idea // *to* — *one's country*, tradire il proprio paese // *to* — *off*, (*comm.*) liquidare, svendere // *to* — *out*, (*comm.*) vendere tutte le scorte // *to* — *s.o.*, *sthg. short*, (*fam.*) sottovalutare qlcu., qlco. **2** (*fam.*) ingannare; giocare un brutto tiro (a): *you can't* — *me that*, non me la dai ad intendere ♦ *v.intr.* avere smercio; avere successo.

seller ['selə*] *s.* venditore.

selling [seliŋ] *s.* vendita: *direct* —, vendita diretta; — *point*, punto di vendita.

sellotape ® ['seləteip] *s.* scotch®, nastro adesivo.

to sellotape *v.tr.* usare il nastro adesivo; chiudere col nastro adesivo.

seltzer ['seltsə*] *s.* seltz.

selvedge ['selvidʒ] *s.* cimosa.

selves *pl.* di **self**.

semantic [si'mæntik] *agg.* semantico.

semantics [si'mæntiks] *s.* semantica.

semaphore ['seməfɔ:*] *s.* (*ferr.*) semaforo; (*mar.*) semaforo a braccia.

to semaphore *v.tr.* e *intr.* segnalare, trasmettere (una comunicazione) per mezzo di semaforo.

semblance ['sembləns] *s.* **1** aspetto, apparenza: *in* —, apparentemente; *without the* — *of an excuse*, senza un minimo gesto di scusa **2** somiglianza.

semen ['si:men], *pl.* **semina** ['seminə] *s.* sperma.

semester [si'mestə*] *s.* ciascuno dei due periodi di 18 settimane in cui è diviso l'anno accademico, spec. in America.

semi- ['semi] *pref.* semi-; quasi // — *-annual*, — *-darkness*, penombra, semioscurità; — *-literate*, semianalfabeta // — *-formal*, (*amer.*) abito da mezza sera.

semibreve ['semibri:v] *s.* (*mus.*) semibreve.

semicircle ['semi‚sə:kl] *s.* semicerchio.

semicircular ['semi'sə:kjulə*] *agg.* semicircolare.

semicolon ['semi'koulən] *s.* punto e virgola.

semiconscious ['semi'kɔnʃəs] *agg.* semicosciente; che sta per perdere, riprendere conoscenza.

semifinal ['semi'fainl] *agg.* e *s.* semifinale.
semifinalist [,semi'fainlist] *s.* semifinalista.
seminal ['si:minl] *agg.* **1** seminale; riproduttivo **2** *(fig.)* fecondo, fertile.
seminar ['semina:*] *s.* seminario (di università).
seminarist ['seminarist] *s.* *(eccl.)* seminarista.
seminary ['seminari] *s.* **1** scuola, collegio **2** *(eccl.)* seminario.
semination [,semi'neiʃən] *s.* semina; disseminazione.
semiofficial [,semiə'fiʃəl] *agg.* semiufficiale, ufficioso.
semiologist, semeiologist [,semi'ɔlədʒist] *s.* semiologo.
semiology, semeiology [,semi'ɔlədʒi] *s.* semiologia.
semiotics [,semi'ɔtiks] *s.* *(sing.* o *pl.)* semiotica.
semiprecious ['semi'preʃəs] *agg.* *(di pietra)* semiprezioso; duro.
semiprivate ['semi'praivit] *agg.* semiprivato (specificatamente di camera d'ospedale a due, tre letti).
semiquaver ['semi,kweivə*] *s.* *(mus.)* semicroma.
Semite ['si:mait] *agg.* semitico ♦ *s.* semita.
Semitic [si'mitik] *agg.* semitico.
semitone ['semitoun] *s.* *(mus.)* semitono.
semitropical ['semi'trɔpikəl] *agg.* subtropicale.
semivowel ['semi'vauəl] *s.* semivocale.
semolina [,semə'li:nə] *s.* semolino.
senate ['senit] *s.* senato.
senate-house ['senithaus] *s.* palazzo del Senato.
senator ['senətə*] *s.* senatore.
senatorial [,senə'tɔ:riəl] *agg.* senatoriale; senatorio // *a — district,* *(amer.)* distretto che può eleggere un senatore.
to send [send] *pass.* e *p.pass.* **sent** [sent] *v.tr.* **1** mandare, spedire // *to — s.o. mad,* far impazzire qlcu. // *this record sends me,* *(fam.)* questo disco mi fa andare in estasi // *to — s.o. packing,* far fare fagotto a qlcu. // *to — for,* mandare a chiamare, a prendere // *to — along,* inviare (da qlcu.) // *to — away,* congedare; mandar via // *to — back,* rinviare; riflettere (luce ecc.) // *to — down,* espellere (dall'università); *(fam.)* mandare in prigione // *to — forth,* esalare; lanciare; emettere; germogliare // *to — in,* introdurre; presentare; far pervenire // *to — off,* inviare (in missione ecc.); spedire (lettera ecc.); *(sport)* espellere (dal campo) // *to — on,* spedire, mandare avanti (bagagli); inoltrare (lettere ecc.); trasmettere // *to — out,* mandar fuori; emettere; inviare (un messaggio) per radio // *to — round,* far circolare; *(fam.)* inviare // *to — through,* trasmettere // *to — up,* lanciare; *(sl.)* mettere in ridicolo; *(amer.)* mandare in prigione **2** accordare, concedere ♦ *v.intr.* mandare un messaggio; mandare a dire.
sender ['sendə*] *s.* **1** mittente: *returned to —,* respinto al mittente **2** *(rad. tel.)* trasmettitore, emittente.
send-off ['send'ɔ(:)f] *s.* **1** saluti *(pl.)* (per chi parte) **2** auguri *(pl.)* (per inizio di un'attività).
send-up ['sendʌp] *s.* parodia.
Senegalese [,senigə'li:z] *agg.* e *s.* senegalese.
senescent [si'nesnt] *agg.* senescente.
seneschal ['seniʃəl] *s.* *(st.)* siniscalco.
senile ['si:nail] *agg.* senile.
senility [si'niliti] *s.* senilità.
senior ['si:njə*] *agg.* **1** più vecchio: *she is three years — to me,* ha tre anni più di me // *— citizen,* donna al di sopra dei 60 anni; uomo al di sopra dei 65 anni **2** più ragguardevole: *— partner,* socio più anziano // *the — service,* la Marina // *my — officer,* il mio ufficiale superiore **3** che ha più anzianità (di ufficio) ♦ *s.* **1** anziano: *he is my — by two years,* ha anni più di

me **2** persona più ragguardevole **3** *(amer.)* studente dell'ultimo anno.
seniority [,si:ni'ɔriti] *s.* anzianità (d'anni, di grado).
sensation [sen'seiʃən] *s.* **1** senso, sensazione **2** colpo, effetto sensazionale, impressione: *to create a —,* far colpo, impressionare.
sensational [sen'seiʃənl] *agg.* sensazionale; a sensazione.
sensationalism [sen'seiʃnəlizəm] *s.* ricerca del sensazionale.
sense [sens] *s.* **1** senso: *the five senses,* i cinque sensi // *the sixth —,* il sesto senso // *common —,* buon senso // *it doesn't make —,* non ha senso // *he has more — than to do that,* è troppo avveduto per fare ciò // *to take the — of the meeting,* sentire l'opinione dell'assemblea // *to talk —,* parlare saggiamente // *to come to one's senses,* rinvenire; *(fig.)* rinsavire **2** *pl.* sensi, appetiti carnali **3** *pl.* facoltà mentali: *are you in your right senses?,* sei nelle tue piene facoltà mentali?; *are you out of your senses?,* hai perso la testa?
to sense *v.tr.* **1** intuire, avere la sensazione (di); rendersi conto (di) **2** percepire attraverso i sensi **3** *(informatica)* sondare, rilevare.
senseless ['senslis] *agg.* **1** insensato; sciocco; insulso **2** inanimato, privo di sensi.
sensibility [,sensi'biliti] *s.* **1** sensibilità **2** *(spec. pl.)* suscettibilità.
sensible ['sensəbl] *agg.* **1** sensato; pratico; ragionevole: *be —,* sii ragionevole; *— shoes,* scarpe pratiche **2** sensibile: *he was — to her influence,* si lasciava molto influenzare da lei // *— heat,* calore notevole **3** consapevole **4** cosciente.
sensibly ['sensəbli] *avv.* **1** sensatamente; in modo pratico: *— dressed,* vestito in modo pratico **2** sensibilmente.
sensitive ['sensitiv] *agg.* **1** sensibile; sensorio // *— plant,* sensitiva **2** suscettibile, sensibile ♦ *s.* sensitivo; persona sensibile.
sensitivity [,sensi'tiviti] *s.* **1** sensibilità **2** suscettibilità.
to sensitize ['sensitaiz] *v.tr.* *(fot.)* sensibilizzare.
sensor ['sensə*] *s.* *(tecn.)* sensore.
sensorial [sen'sɔ:riəl] *agg.* sensoriale.
sensorium [sen'sɔ:riəm], *pl.* **sensoria** [sen'sɔ:riə] **sensoriums** [sen'sɔ:riəmz] *s.* *(anat. biol.)* sensorio.
sensory ['sensəri] *agg.* sensoriale.
sensual ['sensjuəl] *agg.* sensuale.
sensuality [,sensju'æliti] *s.* sensualità.
sensuous ['sensjuəs] *agg.* dei sensi, sensuale.
sensuousness ['sensjuəsnis] *s.* sensualità.
sent *pass.* e *p.pass.* di **to send.**
sentence ['sentəns] *s.* **1** sentenza; condanna; pena: *to pass — on s.o.,* pronunciare una condanna contro qlcu. // *life —,* ergastolo; *death —,* condanna a morte **2** *(gramm.)* frase.
to sentence *v.tr.* pronunciare una sentenza, una condanna (contro).
sententious [sen'tenʃəs] *agg.* sentenzioso.
sentient ['senʃənt] *agg.* senziente, sensibile.
sentiment ['sentimənt] *s.* **1** sentimento **2** sentimentalismo **3** opinione, parere: *these are my sentiments,* ecco come la penso.
sentimental [,senti'mentl] *agg.* **1** sentimentale **2** *(spreg.)* sentimentale, lacrimoso.
sentimentalism [,senti'mentəlizəm] *s.* sentimentalismo.

sentimentalist [ˌsenti'mentəlist] *s.* persona sentimentale.

sentimentality [ˌsentimen'tæliti] *s.* sentimentalismo.

to **sentimentalize** [ˌsenti'mentəlaiz] *v.intr.* fare il sentimentale ♦ *v.tr.* rendere sentimentale.

sentinel ['sentinl] *s.* sentinella; guardia.

sentry ['sentri] *s.* sentinella; guardia.

sentry box ['sentriboks] *s.* garitta.

separability [ˌsepərə'biliti] *s.* separabilità.

separate ['seprit] *agg.* separato; isolato; distinto; indipendente.

to **separate** ['sepəreit] *v.tr.* separare; dividere // *to — milk*, scremare, centrifugare il latte ♦ *v.intr.* separarsi; dividersi.

separately ['sepritli] *avv.* separatamente, a parte.

separation [ˌsepə'reiʃən] *s.* 1 separazione; divisione; rottura (*anche fig.*) 2 (*dir.*) separazione.

sepia ['si:pjə] *s.* 1 inchiostro di seppia 2 (*pitt.*) nero di seppia // *— drawing*, disegno a nero di seppia.

sepsis ['sepsis] *s.* (*med.*) sepsi.

September [səp'tembə*] *s.* settembre.

septenary ['septinəri] *agg.* 1 settenario 2 settennale.

septennial [sep'tenjəl] *agg.* settennale.

septet [sep'tet] *s.* 1 gruppo di sette persone 2 (*mus.*) settimino.

septic ['septik] *agg.* (*med.*) settico.

septicaemia [ˌsepti'si:miə] *s.* (*med.*) setticemia.

septuagenarian [ˌseptjuədʒi'neəriən] *agg.* e *s.* settuagenario.

Septuagint ['septjuədʒint] *s.* versione dei Settanta (versione greca del Vecchio Testamento).

sepulchral [si'pʌlkrəl] *agg.* sepolcrale; funereo.

sepulchre ['sepəlkə*] *s.* sepolcro // *whited —*, (*fig.*) sepolcro imbiancato.

sequel ['si:kwəl] *s.* 1 conseguenza; risultato // *in the —*, alla prova dei fatti 2 seguito, continuazione.

sequence ['si:kwəns] *s.* 1 sequenza, successione 2 serie 3 (*cinem.*) sequenza 4 (*informatica*) sequenza, ordine: — *check*, controllo di sequenza; — *number*, numero d'ordine.

to **sequence** *v.tr.* sistemare, ordinare in una sequenza.

sequent ['si:kwənt] *agg.* seguente, successivo; conseguente.

sequential [si'kwenʃəl] *agg.* (*informatica*) sequenziale: — *access*, accesso sequenziale; — *computer*, computer, elaboratore sequenziale; — *operation*, funzionamento sequenziale; — *scheduling*, avvicendamento sequenziale; (*IBM*) schedulazione sequenziale.

to **sequester** [si'kwestə*] *v.tr.* 1 isolare, appartare 2 sequestrare.

to **sequestrate** [si'kwestreit] *v.tr.* (*dir.*) sequestrare, confiscare.

sequestration [ˌsi:kwes'treiʃən] *s.* (*dir.*) sequestro, confisca.

sequin ['si:kwin] *s.* 1 lustrino 2 zecchino (moneta).

seraglio [se'rɑ:liou] *s.* serraglio; harem.

seraph ['serəf] *pl.* **seraphim** ['serəfim] *s.* (*relig.*) serafino.

Serbian ['sə:bjən] *agg.* e *s.* serbo.

Serbo-Croat [ˌsə:bou'krouæt], **Serbo-Croatian** [ˌsə:boukrow'eiʃən] *agg.* e *s.* serbo-croato.

sere [siə*] *agg.* disseccato; avvizzito.

serenade [ˌseri'neid] *s.* serenata.

to **serenade** *v.tr.* e *intr.* fare una serenata (a).

serendipity [ˌserən'dipiti] *s.* capacità innata di trovare cose belle o di valore senza cercarle.

serene [si'ri:n] *agg.* sereno; limpido; calmo.

serenity [si'reniti] *s.* serenità; calma.

serf [sə:f] *s.* servo della gleba; (*fig.*) servo.

serfdom ['sə:fdəm] *s.* servitù della gleba; (*fig.*) schiavitù.

serge [sə:dʒ] *s.* «serge», saia (tessuto).

sergeant ['sɑ:dʒənt] *s.* 1 (*mil.*) sergente 2 (*polizia*) brigadiere.

sergeant-at-arms ['sɑ:dʒəntət'ɑ:mz] *s.* funzionario addetto alle cerimonie della Corte, del Parlamento.

sergeant major ['sɑ:dʒənt'meidʒə*] *s.* sergente maggiore.

serial ['siəriəl] *agg.* 1 periodico; a puntate 2 di serie; seriale: — *access*, (*informatica*) accesso seriale; — *addition*, addizione seriale; — *computer*, elaboratore, computer seriale ♦ *s.* romanzo a puntate; pubblicazione periodica.

to **serialize** ['siəriəlaiz] *v.tr.* pubblicare a puntate.

sericulture ['seri,kʌltʃə*] *s.* sericoltura.

series ['siəri:z] *s.* (*pl.invar.*) serie.

serious ['siəriəs] *agg.* 1 serio 2 grave; importante 3 pericoloso.

seriously ['siəriəsli] *avv.* 1 sul serio, seriamente 2 gravemente.

serjeant *s.* → **sergeant**.

sermon ['sə:mən] *s.* sermone; predica (*anche fig.*).

serosity [siə'rositi] *s.* sierosità.

serpent ['sə:pənt] *s.* serpente (*anche fig.*).

serpentine ['sə:pəntain], (*amer.*) ['sə:pənti:n] *agg.* 1 serpentino; (*fig.*) subdolo; infido 2 tortuoso.

serrate ['serit], **serrated** [se'reitid, (*amer.*) 'sereitid] *agg.* dentellato, seghettato.

serration [se'reiʃən] *s.* dentellatura, seghettatura.

serried ['serid] *agg.* serrato, compatto.

serum ['siərəm], *pl.* **sera** ['siərə], **serums** ['siərəmz] *s.* (*med.*) siero.

servant ['sə:vənt] *s.* 1 servitore, domestico 2 funzionario // *civil —*, impiegato statale 3 (*fig.*) seguace.

serve [sə:v] *s.* (*sport*) servizio.

to **serve** *v.tr.* 1 servire: *are your being served?*, La stanno servendo?; *to — s.o. with soup*, servire la minestra a qlcu. // *to — one's apprenticeship*, fare tirocinio // *to — up*, servire // *to — out*, distribuire (cibi) 2 prestare fedeltà (a) 3 scontare, espiare // *to — time*, essere in prigione 4 trattare, comportarsi (con) 5 (*dir.*) notificare; *to — a summons on s.o.*, notificare una citazione a qlcu. ♦ *v.intr.* 1 servire // *to — in the army*, prestare servizio militare // *to — as*, servire da, fare da 2 bastare: *it will — to do what I want*, basterà per fare ciò che voglio.

server ['sə:və*] *s.* 1 chi serve 2 (*eccl.*) chierico.

service ['sə:vis] *s.* 1 servizio: *whose — is it?*, (*tennis*) a chi tocca servire?; *active —*, servizio attivo // *civil —*, pubblica amministrazione; *they are in the civil —*, sono funzionari statali // *to have seen —*, essere veterano (spec. di soldato, marinaio) // *— area*, (*tv*) zona utile; (*aut.*) area di servizio // *— call*, (*tel.*) chiamata di servizio, chiamata di controllo // *— charge*, (*al ristorante, albergo*) servizio // *— dress*, uniforme d'ordinanza // *— flat*, appartamento in un residence (dove certi servizi sono inclusi nell'affitto) // *— hatch*, passavivande 2 servizio, favore, piacere; utilità 3 funzione (religiosa) 4 *pl.* forze armate 5 (*dir.*) notificazione 6 (*comm.*) assistenza.

to **service** *v.tr.* controllare, revisionare (automobili ecc.).

serviceable ['sə:visəbl] *agg.* pratico (di cosa); durevole.

serviceman, *pl.* **servicemen** [ˈsəːvismən] *s.* militare: *ex- —*, ex combattente.

service station [ˈsəːvis,steiʃən] *s.* (*aut.*) stazione di servizio.

serviette [,səːviˈet] *s.* tovagliolo.

servile [ˈsəːvail, (*amer.*) ˈsəːvl] *agg.* servile.

servility [səːˈviliti] *s.* servilità; servilismo.

servitude [ˈsəːvitjuːd] *s.* servitù; schiavitù // *penal —*, lavori forzati.

servomechanism [ˈsəːvou,mekənizəm] *s.* servomeccanismo.

servomotor [ˈsəːvou,moutə*] *s.* servomotore.

sesame [ˈsesəmi] *s.* (*bot.*) sesamo // *open —!*, (*anche fig.*) apriti, sesamo!

session [ˈseʃən] *s.* **1** sessione; seduta; assemblea **2** *pl.* (*dir.*) assise (*sing.*); udienza (*sing.*) // *petty sessions*, corte che discute di reati minori, pretura **3** (*amer.*) sessione universitaria.

sestet [sesˈtet] *s.* (*mus.*) sestetto.

set¹ [set] *agg.* **1** situato, collocato **2** fermo, immobile; rigido: *— stare*, sguardo fisso **3** prestabilito; fissato; convenzionale // *in — phrases*, con frasi fatte **4** ostinato; deciso **5** pronto: *are you all —?*, siete tutti pronti?

set² *s.* **1** serie completa, insieme; servizio: *a — of diamonds*, una parure di diamanti; *a — of teeth*, una dentiera // *radio —*, apparecchio radio // *television —*, televisore **2** gruppo (di persone); circolo // *the smart —*, il bel mondo // *— theory*, (*mat.*) insiemistica **3** (*hair*) *—*, messa in piega **4** (*informatica*) posizionamento, serie: *— pulse*, impulso di posizionamento **5** posizione, atteggiamento // *to make a dead — at s.o.*, coalizzarsi contro **6** direzione; corso; tendenza **7** puntata (di cane da caccia) **8** (*tip.*) spessore (della lettera); fusione (di carattere) **9** (*tennis*) set, partita **10** (*teatr. cinem. tv*) set, scena; scenario.

to set¹ *, pass. e p.pass.* **set** *v.tr.* **1** mettere, porre, collocare // *I had never — eyes on him before*, non l'avevo mai visto prima // *to — free*, liberare // *to — going*, mettere in moto // *to — on fire*, appiccare fuoco a // *to — one's mind at rest*, togliersi una preoccupazione // *to — one's mind* (o *one's heart*) *on*, fissarsi sull'idea di // *to — s.o. at ease*, mettere qlcu. a proprio agio // *to — s.o. on his feet*, aiutare qlcu. a sistemarsi, a ristabilirsi // *to — s.o. right*, correggere qlcu. // *to — the table*, apparecchiare la tavola // *to — type*, (*tip.*) comporre **2** sistemare; mettere a punto: *to — the sails*, (*mar.*) spiegare le vele; *to — a trap*, tendere una trappola // *to — one's hair*, mettersi in piega i capelli **3** assegnare; presentare; dare // *to — the fashion*, lanciare la moda // *to — the pace*, (*fig.*) servire da modello **4** solidificare **5** irrigidire, contrarre: *to — one's lips*, serrare le labbra **6** fissare, assicurare: *to — a diamond*, incastonare un diamante **7** dirigere; muovere **8** (*informatica*) posizionare; impostare; mettere a valore logico: *to — to zero*, azzerare **9** *to — about* (*s.o.*, *sthg.*), cominciare; (*fam.*) colpire, assalire **10** *to — apart*, mettere da parte; separare **11** *to — aside*, mettere da parte; respingere **12** *to — back*, mettere indietro; impedire; ritardare; (*sl.*) costare **13** *to — by*, mettere da parte (denaro ecc.) **14** *to — down*, metter giù; far scendere (da una vettura); mettere per iscritto; considerare; fissare **15** *to — forth*, (*letter.*) esporre **16** *to — forward*, favorire; enunciare **17** *to — off*, far esplodere; far cominciare; mettere in risalto **18** *to — on*, istigare, mettere sulla traccia di; assalire **19** *to — out*, esporre **20** *to — to*, incominciare **21** *to — up*, innalzare, fondare, costituire; avviare (una carriera ecc.); mettere al potere; esaltare; proporre; fornire (di); emettere (grido ecc.); equipaggiare; esercitare; stimolare; far ristabilire; (*tip.*) comporre // *to — oneself up as*, farsi passare per; avviarsi (a una carriera) ♦ *v.intr.* **1** tramontare (*anche fig.*) **2** solidificarsi **3** svilupparsi; assumere forma definitiva **4** dirigersi; muoversi **5** puntare (di cane da caccia) **6** *to — off*, (*letter.*) *forth*, intraprendere, iniziare un viaggio; avviarsi, partire **7** *to — in*, incominciare; stabilizzarsi; dirigersi **8** *to — out*, partire; avere l'intenzione di, decidere.

setback [ˈsetbæk] *s.* contrattempo; regresso; ricaduta.

set-designer [ˈsetdiˌzainə*] *s.* scenografo.

settee [seˈtiː] *s.* divano.

setter [ˈsetə*] *s.* **1** installatore; chi mette in opera **2** «setter», cane da ferma.

setting [ˈsetiŋ] *s.* **1** messa in opera, montaggio **2** presa (di cemento); coagulazione; solidificazione **3** montatura, incastonatura (di gioiello) **4** ambiente; (*teatr.*) messa in scena, scenario **5** (*mus.*) messa in musica; arrangiamento.

setting lotion [ˈsetiŋˌlouʃən] *s.* fissatore (per capelli).

to settle [ˈsetl] *v.tr.* **1** fissare; posare; accomodare: *to — oneself in an armchair*, accomodarsi in una poltrona **2** decidere, fissare, determinare // *to — upon* (*s.o.*, *sthg.*), decidere, decidersi per; assalire **3** calmare; stabilizzare (il tempo) **4** saldare, regolare (conti, questioni ecc.): *to — one's affairs*, sistemare i propri affari // *to — with* (*s.o.*), pagare; discutere, raggiungere un accordo con // *to — up*, completare, concludere (affari); saldare, liquidare (conti) **5** (*dir.*) legare, lasciare per legge: *to — one's property on s.o.*, legare i propri beni a qlcu. ♦ *v.intr.* **1** *to — (down)*, stabilirsi (in un luogo); sistemarsi; fermarsi; stabilizzarsi **2** scendere; posarsi **3** depositarsi (di polvere, sedimenti ecc.) **4** abbassarsi; affondare; cedere.

settlement [ˈsetlmənt] *s.* **1** determinazione; risoluzione **2** saldo, liquidazione **3** sistemazione; (*dir.*) transazione, accordo: *— of an annuity on*, costituzione di un vitalizio a beneficio di **4** lo stabilirsi (in un luogo); colonizzazione **5** colonia // *penal —*, colonia penale **6** (*edil.*) cedimento di assestamento.

settler [ˈsetlə*] *s.* colono; colonizzatore.

settling day [ˈsetliŋˌdei] *s.* (*Borsa*, *comm.*) giorno di liquidazione.

set-up [ˈsetʌp] *s.* (*fam.*) **1** sistemazione **2** organizzazione.

seven [ˈsevn] *agg.num.card. e s.* sette // *in sevens*, a sette a sette // *-eighth(s) length coat*, (*moda*) sette-ottavi.

sevenfold [ˈsevnfould] *agg.* settuplo ♦ *avv.* sette volte tanto.

seventeen [ˈsevnˈtiːn] *agg.num.card. e s.* diciassette.

seventeenth [ˈsevnˈtiːnθ] *agg.num.ord. e s.* diciassettesimo.

seventh [ˈsevnθ] *agg.num.ord.* settimo // *to be in one's — heaven*, essere al settimo cielo ♦ *s.* **1** settimo // *the — of June* (o *7th June*), il sette giugno **2** (*mus.*) settima.

seventieth [ˈsevntiiθ] *agg.num.ord. e s.* settantesimo.

seventy [ˈsevnti] *agg.num.card. e s.* settanta.

to sever [ˈsevə*] *v.tr.* staccare; recidere; troncare (*anche fig.*); separare (*anche fig.*) ♦ *v.intr.* staccarsi; separarsi (*anche fig.*).

several [ˈsevrəl] *agg.* **1** diversi, alcuni: *— friends*, diversi, alcuni amici; *— times*, diverse volte **2** diverso;

rispettivo: *they went their — ways,* se ne andarono ognuno per la propria strada   **3** *(dir.)* individuale // *joint and — bond, (dir.)* obbligazione solidale ♦ *pron.* parecchi, alcuni: *— of them,* alcuni di loro.

severally [´sevrəli] *avv.* separatamente; individualmente.

severance [´sevərəns] *s.* **1** rottura **2** separazione; distacco: *— pay,* liquidazione; indennità di licenziamento.

severe [si´viə*] *agg.* **1** severo; rigoroso **2** violento **3** grave **4** rigido (di clima) **5** difficile, arduo **6** sobrio, disadorno.

severely [si´viəli] *avv.* **1** severamente **2** violentemente; gravemente **3** sobriamente.

severity [si´veriti] *s.* severità; rigore.

to sew [sou] *pass.* **sewed** [soud], *p.pass.* **sewed, sewn** [soun] *v.tr.* e *intr.* cucire // *to — on,* attaccare (bottoni ecc.) // *to — up,* cucire, ricucire; *(fam.)* completare, finire.

sewage [´sju(:)idʒ] *s.* acque di scarico *(pl.).*

sewer[1] [´souə*] *s.* chi cuce; cucitrice.

sewer[2] [´sjuə*] *s.* fogna, cloaca // *— gas,* gas mefitico // *— rat,* topo di chiavica.

to sewer[2] *v.tr.* fornire di fogne.

sewerage [´sjuəridʒ] *s.* scarico, fognatura.

sewing [´souiŋ] *s.* **1** il cucire **2** cucito; lavoro di cucito.

sewing machine [´souiŋmə‚ʃi:n] *s.* macchina per cucire.

sewn *p.pass.* di to **sew.**

sex [seks] *s.* sesso; vita sessuale // *the fair* (o *gentle*) —, il bel sesso // *the weaker —,* il sesso debole // *— cell, (biol.)* sperma.

sexagenarian [‚seksədʒi´nɛəriən] *agg.* e *s.* sessagenario.

sex appeal [´seksə‚pi:l] *s.* attrattiva fisica, fascino.

sex kitten [´seks‚kitn] *s. (fam.)* ninfetta.

sexless [´sekslis] *agg.* asessuale; frigido; impotente.

sex-linked [´seksliŋkt] *agg.:* *— inheritance,* eredità legata al sesso, che viene trasmessa con il gene che determina il sesso.

sexologist [seks´ɔlədʒist] *s.* sessuologo.

sexology [seks´ɔlədʒi] *s.* sessuologia.

sextant [´sekstənt] *s.* sestante.

sextet [seks´tet] *s. (mus.)* sestetto.

sexton [´sekstən] *s.* sagrestano.

sexual [´seksjuəl] *agg.* sessuale.

sexuality [‚seksju´æliti] *s.* sessualità.

sexually [´seksjuəli] *avv.* sessualmente.

sexy [´seksi] *agg. (sl.)* «sexy», provocante.

S.F. [es´ef] *(abbr.* di *science fiction) s.* fantascienza.

shabbiness [´ʃæbinis] *s.* **1** trasandatezza **2** *(fig.)* meschinità; grettezza.

shabby [´ʃæbi] *agg.* **1** trasandato; cencioso; logoro; squallido // *— -genteel,* che tenta di salvare le apparenze **2** *(fig.)* spregevole; meschino, gretto.

shack [ʃæk] *s.* capanna.

shackle [´ʃækl] *s.* **1** *pl.* manette; catene; ceppi **2** *(fig.)* legame; restrizione **3** *(mecc.)* anello di trazione; anello portagancio; biscottino.

to shackle *v.tr.* **1** mettere in catene; ammanettare **2** *(fig.)* ostacolare, impedire.

to shack up [´ʃæk´ʌp] *v.intr. (fam.)* abitare insieme, dividere un appartamento, coabitare.

shade [ʃeid] *s.* **1** ombra *(anche fig.):* *in the —, (anche fig.)* all'ombra, nell'ombra // *he is a — better,* sta un pochino meglio // *to throw* (o *put*) *s.o. in the —, (fig.)* mettere in ombra qlcu., eclissare qlcu. **2** sfumatura (di

colore, significato ecc.) **3** schermo, riparo; tendina **4** *pl. (fam. amer.)* occhiali da sole.

to shade *v.tr.* **1** ombreggiare; riparare (da luce, calore) **2** velare, oscurare *(anche fig.)* **3** *(pitt.)* ombreggiare ♦ *v.intr.: to — off, away,* sfumare; *green shading off into yellow,* verde che sfuma nel giallo.

shadiness [´ʃeidinis] *s.* **1** ombrosità **2** dubbia reputazione; aspetto losco.

shading [´ʃeidiŋ] *s. (pitt.)* ombreggiatura.

shadow [´ʃædou] *s.* **1** ombra *(anche fig.)* // *worn to a —,* esausto // *— boxing,* il boxare con l'ombra // *— cabinet,* gabinetto ombra **2** *(gener. pl.)* oscurità; tenebre *(pl.)* **3** ansia, timore.

to shadow *v.tr.* **1** pedinare; seguire come un'ombra **2** oscurare, far ombra (a) **3** *to — (forth),* indicare; simboleggiare.

shadowy [´ʃædoui] *agg.* **1** ombroso, ombreggiato **2** indistinto, vago **3** inconsistente // *a — hope,* una speranza illusoria.

shady [´ʃeidi] *agg.* **1** ombreggiato, all'ombra **2** dubbio, losco; ambiguo.

shaft [ʃɑ:ft] *s.* **1** asta; bastone; manico; *pl.* stanghe (di carri ecc.) **2** colonnina; obelisco **3** fusto; gambo, stelo **4** raggio **5** freccia, strale *(anche fig.)* **6** *(mecc.)* albero **7** sfiatatoio; condotto; pozzo (minerario) // *lift —,* pozzo dell'ascensore // *air —,* pozzo d'areazione // *ventilation —,* condotto di ventilazione.

shafting [´ʃɑ:ftiŋ] *s. (mecc.)* sistema di trasmissione ad alberi.

shaggy [´ʃægi] *agg.* **1** irsuto; peloso // *— dog story,* freddura **2** arruffato; disordinato.

shagreen [ʃæ´gri:n] *s.* zigrino.

to shagreen *v.tr.* zigrinare.

Shah [ʃɑ:] *s.* scià.

shake [ʃeik] *s.* **1** scossa: *to give a person a good —,* scuotere violentemente una persona // *a — of the hand,* una stretta di mano; *a — of the head,* una scrollata di capo // *he is no great shakes,* non è un gran che **2** tremito // *to have the shakes,* avere la tremarella // *milk —,* frappé, frullato al latte **3** *(mus.)* trillo **4** *(fam.)* istante: *in a —,* in un batter d'occhio.

to shake, *pass.* **shook** [ʃuk], *p.pass.* **shaken** [´ʃeikən] *v.tr.* **1** scuotere *(anche fig.)*, scrollare; agitare // *to — hands with s.o.,* stringere la mano a qlcu. // *to — one's finger at s.o.,* minacciare qlcu. col dito // *to — down,* scuotere, far cadere scuotendo, scuotere per assestare; sottoporre al collaudo finale; stendere // *to — off, (anche fig.)* scuotere, scuotersi da, liberarsi di // *to — out,* spiegare, stendere; sprimacciare; vuotare scuotendo // *to — up,* mescolare scuotendo (liquidi ecc.); sprimacciare; *(fig.)* scuotere (dall'indolenza ecc.) **2** sbattere; far tremare; far ondeggiare **3** turbare, sconcertare **4** indebolire, infirmare ♦ *v.intr.* **1** scuotersi, agitarsi **2** tremare, rabbrividire // *to — in one's shoes,* tremar di paura **3** *(mus.)* trillare **4** *to — down,* raggiungere compattezza; assestarsi; *(fam.)* andare a letto.

shakedown [´ʃeik´daun] *s.* letto di fortuna.

shaken *p.pass.* di to **shake.**

Shakespearian [ʃeiks´piəriən] *agg.* scespiriano.

shake-up [´ʃeik´ʌp] *s.* rimaneggiamento; riorganizzazione.

shakiness [´ʃeikinis] *s.* instabilità, vacillamento; tremore.

shaky [´ʃeiki] *agg.* **1** instabile, tremolante; vacillante; precario (di salute) **2** *(fig.)* non attendibile.

shale [ʃeil] *s. (min.)* scisto.

shall [ʃæl (*forma forte*), ʃəl (*forma debole*)] *v.dif.* **1** (*ausiliare per la 1ª pers. sing. e pl. del futuro*): *I — go*, andrò; *we — have gone*, saremo andati **2** (*ausiliare per la 2ª e 3ª pers. sing. e pl. del futuro volitivo*): *you — not go out*, non uscirai; *applications — be accompanied by the following documents*, le domande saranno, devono essere corredate dai seguenti documenti **3** (*in forme interrogative, nelle espressioni di cortesia per la 1ª pers. sing. e pl.*): *— I open the window?*, vuoi che apra la finestra?

shallot [ʃəˈlɔt] *s.* (*bot.*) scalogno.

shallow [ˈʃælou] *agg.* **1** poco profondo **2** (*fig.*) leggero, superficiale.

shallow-brained [ˈʃælouˌbreind] *agg.* sciocco; superficiale.

shalt [ʃælt (*forma forte*), ʃəlt (*forma debole*)] *2ª pers. sing. pres.* (*arc.*) di **shall**.

sham [ʃæm] *agg.* finto, falso, simulato ♦ *s.* **1** finta; inganno **2** imitazione.

to sham *v.tr.* fingere; simulare ♦ *v.intr.* fingersi.

shaman [ˈʃæmən] *s.* (*st. relig.*) sciamano.

to shamble [ˈʃæmbl] *v.intr.* camminare con passo strascicato.

shambles [ˈʃæmblz] *s.pl.* **1** mattatoio (*sing.*) **2** massacro (*sing.*), carneficina (*sing.*) **3** (*fig.*) confusione (*sing.*), disordine (*sing.*), macello (*sing.*).

shame [ʃeim] *s.* **1** vergogna *// — on you!*, vergognati!; *for —!*, vergogna! **2** (*fam.*) sfortuna: *what a —!*, che peccato!

to shame *v.tr.* **1** far vergognare **2** disonorare **3** indurre a fare qlco. per vergogna: *he was shamed into apologizing*, fu indotto a chiedere scusa.

shamefaced [ˈʃeimfeist] *agg.* vergognoso; confuso; timido.

shameful [ˈʃeimful] *agg.* vergognoso.

shameless [ˈʃeimlis] *agg.* svergognato; sfacciato, impudico.

shammy [ˈʃæmi] *agg.* scamosciato ♦ *s.*: *— (leather)*, pelle di camoscio.

shampoo [ʃæmˈpuː] *s.* shampoo.

to shampoo *v.tr.* **1** lavare (i capelli) **2** pulire con preparati schiumosi (tappeti ecc.).

shamrock [ˈʃæmrɔk] *s.* trifoglio.

to shanghai [ʃæŋˈhai] *v.tr.* (*sl.*) imbarcare a viva forza come marinaio (persone ubriache o drogate) *// to — s.o. into a job*, costringere qlcu. a svolgere un lavoro non gradito.

shank [ʃæŋk] *s.* **1** stinco *// —'s pony*, (*scherz.*) le gambe **2** fusto (di colonna); fuso (di ancora).

shan't [ʃɑnt] *contr.* di shall not.

shanty [ˈʃænti] *s.* capanna, baracca.

shantytown [ˈʃæntitaun] *s.* bidonville.

shape [ʃeip] *s.* **1** forma, sagoma: *in the — of*, sotto forma di; *out of —*, sformato *// in poor —*, in cattive condizioni; *in good —*, in gran forma *// to take —*, delinearsi; concretizzarsi **2** ombra, apparizione **3** incarnazione, espressione **4** stampo.

to shape *v.tr.* formare; modellare; sagomare ♦ *v.intr.* **1** prendere forma **2** svilupparsi, riuscire *// to — well*, promettere bene *// to — up to*, prepararsi a combattere contro.

shapeless [ˈʃeiplis] *agg.* informe; confuso.

shapely [ˈʃeipli] *agg.* ben fatto; proporzionato.

share [ʃeə*] *s.* **1** parte; quota *// to go shares*, dividere (una spesa) *// lion's —*, la parte del leone **2** (*comm.*) azione, titolo.

to share *v.tr.* dividere; condividere *// to — out*, distri-

buire ♦ *v.intr.* partecipare: *to — in sthg.*, partecipare a qlco. *// to — and — alike*, partecipare in egual misura.

sharecropper [ˈʃeəˌkrɔpə*] *s.* mezzadro.

sharecropping [ˈʃeəˌkrɔpiŋ] *s.* (*amer.*) mezzadria.

shareholder [ˈʃeəˌhouldə*] *s.* azionista.

shark [ʃɑːk] *s.* **1** squalo **2** (*fig.*) truffatore.

sharkskin [ˈʃɑːkskin] *s.* raso di rayon.

sharp [ʃɑːp] *agg.* **1** tagliente (*anche fig.*) **2** appuntito; ad angolo acuto; angoloso **3** ripido **4** improvviso **5** intenso, acuto, penetrante, pungente **6** severo; violento: *a — struggle*, una lotta accanita **7** netto, distinto **8** rapido **9** intelligente, sveglio; astuto; scaltro *// as — as a needle*, molto sveglio *// to keep a — look out*, star bene in guardia **10** disonesto **11** (*mus.*) diesis **12** (*fam. amer.*) elegante, raffinato ♦ *s.* **1** (*mus.*) diesis **2** (*sl.*) truffatore; baro.

sharp *avv.* **1** rapidamente; bruscamente *// look —!*, svelto!, fa' presto! **2** puntualmente: *at nine o' clock —*, alle nove in punto.

to sharp *v.tr.* e *intr.* (*sl.*) imbrogliare.

to sharpen [ˈʃɑːpən] *v.tr.* affilare; fare la punta (a); aguzzare (*anche fig.*); (*fig.*) stimolare ♦ *v.intr.* diventare affilato; (*fig.*) acuirsi.

sharpener [ˈʃɑːpnə*] *s.* affilatoio; affilatrice *// pencil —*, temperamatite.

sharpening machine [ˈʃɑːpəniŋməˈʃiːn] *s.* (*mecc.*) affilatrice.

sharper [ˈʃɑːpə*] *s.* imbroglione; baro.

sharp-eyed [ˈʃɑːpaid] *agg.* dalla vista acuta; penetrante.

sharpness [ˈʃɑːpnis] *s.* **1** filo, affilatura; punta **2** acutezza; asprezza; mordacità; incisività.

sharpshooter [ˈʃɑːpˌʃuːtə*] *s.* tiratore scelto.

sharp-sighted [ˈʃɑːpˈsaitid] *agg.* dalla vista acuta.

sharp-witted [ˈʃɑːpˈwitid] *agg.* dall'intelligenza acuta; perspicace.

to shatter [ˈʃætə*] *v.tr.* **1** frantumare **2** (*fig.*) infrangere, distruggere **3** indebolire, rovinare *// shattered nerves*, nervi a pezzi ♦ *v.intr.* frantumarsi, infrangersi.

shave [ʃeiv] *s.* rasatura *// a close —*, uno scampato pericolo.

to shave *v.tr.* **1** radere **2** tagliare a lamine **3** sfiorare, rasentare ♦ *v.intr.* radersi.

shaven [ˈʃeivn] *agg.* rasato; (*eccl.*) tonsurato.

shaver [ˈʃeivə*] *s.* **1** chi si rade **2** barbiere **3** rasoio **4** (*fam.*) ragazzino.

shaving [ˈʃeiviŋ] *s.* **1** il radersi **2** truciolo.

shaving brush [ˈʃeiviŋbrʌʃ] *s.* pennello da barba.

shaving cream [ˈʃeiviŋkriːm] *s.* crema da barba.

shawl [ʃɔːl] *s.* scialle.

she [ʃiː] *pron.pers.sogg.* *3ª pers.f.sing.* **1** ella; lei; essa: *it was —*, era lei **2** (*antecedente di pron.rel.*) colei: *— who spoke*, colei che parlò ♦ *s.* femmina; donna.

sheaf [ʃiːf], *pl.* **sheaves** [ʃiːvz] *s.* covone; fascio.

shear¹ [ʃiə*] *s.* (*spec.pl.*) cesoie (*pl.*), grosse forbici (*pl.*).

to shear¹, *pass.* **sheared** [ʃiəd], **shore** [ʃɔː*] *p.pass.* **sheared**, **shorn** [ʃɔːn] *v.tr.* tagliare con le cesoie, tosare; tagliare (capelli).

shear² *s.* (*fis. mecc.*) forza elastica trasversale.

shearing [ˈʃiəriŋ] *s.* taglio, tosatura.

sheath [ʃiːθ] *s.* guaina *// — knife*, coltello da caccia con fodero.

to sheathe [ʃiːð] *v.tr.* **1** rinfoderare **2** rivestire (di).

sheaves *pl.* di sheaf.

to shed¹ [ʃed], *pass.* e *p.pass.* **shed** *v.tr.* **1** lasciar cadere, perdere **2** disfarsi (di) **3** versare; diffondere *//*

to — blood, (*fig.*) uccidere // *to — light on a matter,* far luce su una questione.

shed[2] *s.* tettòia, capannone; riparo (per il bestiame).

sheen [ʃi:n] *s.* splendore, lucentezza.

sheep [ʃi:p] *s.* (*pl. invar.*) **1** pecora (*anche fig.*) // *a wolf in —'s clothing,* un lupo in veste d'agnello // *—'s eyes,* occhio di triglia **2** pergamena; bazzana.

sheepdog [ʃi:pdɔg] *s.* (cane) pastore.

sheepfold [ʃi:pfould] *s.* ovile.

sheepish [ʃi:piʃ] *agg.* colpevole; vergognoso: *you look —: what have you been up to?,* hai l'aria colpevole, che cosa hai combinato?

sheep run [ʃi:prʌn] *s.* pascolo.

sheep-shearing [ʃi:pˌʃiəriŋ] *s.* tosatura.

sheepskin [ʃi:pskin] *s.* **1** pelle di pecora **2** pergamena; (*amer.*) diploma.

sheer[1] [ʃiə*] *agg.* **1** puro, semplice, mero **2** perpendicolare, a piombo, a picco **3** sottile, leggero, trasparente (di tessuto) ♦ *avv.* **1** del tutto, assolutamente, completamente **2** a piombo, a picco.

to sheer[2] *v.intr.* deviare // *to — off,* (*fam.*) svignarsela, prendere il largo.

sheet [ʃi:t] *s.* **1** lenzuolo // *winding —,* sudario **2** foglio, pagina // *blank —,* (*fig.*) tabula rasa // *clean —,* fedina pulita **3** (*fam.*) giornale: *scandal —,* giornale scandalistico **4** lastra; lamiera.

to sheet *v.tr.* coprire, rivestire.

sheet anchor [ʃi:tˌæŋkə*] *s.* **1** ancora di speranza **2** (*fig.*) ancora di salvezza.

sheet lightning [ʃi:tˌlaitniŋ] *s.* serie di lampi.

sheikh [ʃeik, (*amer.*) ʃi:k] *s.* sceicco.

sheila [ʃi:lə] *s.* (*fam. australiano*) ragazza, giovane donna.

shekel [ʃekl] *s.* **1** (*moneta antica*) siclo **2** (*fam.*) denaro.

shelf[1] [ʃelf], *pl.* **shelves** [ʃelvz] *s.* **1** scaffale, ripiano // *on the —,* (di donna) che non trova marito; (*fam.*) zitella **2** sporgenza (di roccia); (*geol.*) piattaforma.

shelf[2] *s.* secca (di mare, di fiume).

shell [ʃel] *s.* **1** conchiglia; guscio; scorza // *to come out of one's —,* (*fig.*) uscire dal proprio guscio **2** carcassa; ossatura (di nave, edificio) **3** (*fig.*) apparenza, parvenza **4** (*mil.*) proiettile; granata; cartuccia; bossolo **5** (*mar.*) scafo **6** guardamano (di spada) **7** (*fis. atomica*) strato elettronico.

to shell *v.tr.* **1** sgusciare; sgranare **2** *to — out,* (*sl.*) pagare, sborsare ♦ *v.intr.* **1** uscire dal guscio **2** (*mil.*) bombardare, cannoneggiare.

she'll [ʃi:l] *contr. di* she will, she shall.

shellac [ʃəˈlæk] *s.* (*chim.*) gomma lacca.

to shellac, *pass. e p.pass.* **shellacked** [ʃəˈlækt] *v.tr.* **1** verniciare con gomma lacca **2** (*sl. amer.*) sconfiggere.

shellfire [ʃelˌfaiə*] *s.* bombardamento.

shellfish [ʃelfiʃ] *s.* crostaceo.

shellshock [ʃelʃɔk] *s.* (*med.*) trauma dovuto a bombardamento.

shelter [ʃeltə*] *s.* **1** riparo; rifugio; (*fig.*) difesa, protezione: *under —,* al riparo // *to take —,* ripararsi **2** pensilina.

to shelter *v.tr.* **1** riparare **2** dar asilo (a); proteggere ♦ *v.intr.* ripararsi; rifugiarsi.

to shelve[1] [ʃelv] *v.tr.* **1** mettere negli scaffali **2** (*fig.*) differire, rinviare **3** fornire di scaffali.

to shelve[2] *v.intr.* digradare (di declivio).

shelves *pl. di* **shelf**.

Shem [ʃem] *no.pr.m.* (*Bibbia*) Sem.

shemozzle [ʃiˈmɔzl] *s.* chiasso, rissa.

shepherd [ʃepəd] *s.* pastore (*anche fig.*) // *—'s pie,* pietanza composta di carne trita e purè di patate, cotta nel forno.

to shepherd *v.tr.* **1** guardare, custodire (pecore) **2** (*fig.*) guidare; aver cura di.

shepherdess [ʃepədes] *s.* pastora, pastorella.

sherbet [ʃəˈbət] *s.* **1** bevanda a base di succo di frutta **2** (*amer.*) ghiacciolo; sorbetto.

sheriff [ʃerif] *s.* sceriffo.

sherry [ʃeri] *s.* «sherry» (vino di Xeres).

she's [ʃi:z] *contr. di* she is, she has.

to shew *v.tr.* → *to* **show**.

shibboleth [ʃibəleθ] *s.* parola d'ordine; parola, attitudine comprovanti l'appartenenza a una particolare classe, partito, setta.

shield [ʃi:ld] *s.* **1** scudo **2** (*fig.*) protezione, difesa **3** (*mecc.*) schermo protettivo **4** (*sport*) scudetto.

to shield *v.tr.* **1** fare scudo (a); proteggere **2** (*rad.*) schermare.

shift [ʃift] *s.* **1** cambiamento; avvicendamento; (*agr.*) rotazione **2** squadra (di lavoro); turno: *to work in shifts,* lavorare a squadre **3** (*informatica*) spostamento, scorrimento; (*IBM*) scambio; gruppo di lavoro // *— register,* registro traslatore, registro a scorrimento **4** (*fam.*) risorsa, espediente // *to make —,* arrangiarsi.

to shift *v.tr.* spostare; rimuovere; trasferire; cambiare: *to — responsibility on to s.o. else,* riversare la responsabilità su qlcu. altro // *to — one's ground,* prendere un nuovo atteggiamento (in una discussione ecc.) ♦ *v.intr.* **1** spostarsi; cambiare direzione // *to — about,* spostarsi **2** (*aut.*) cambiare la marcia **3** *to — for oneself,* arrangiarsi, cavarsela da soli.

shift key [ʃiftki:] *s.* tasto delle maiuscole (di una macchina per scrivere).

shiftless [ʃiftlis] *agg.* senza risorse, incapace.

shift lock [ʃiftlɔk] *s.* tasto fissa maiuscole (di una macchina per scrivere).

shifty [ʃifti] *agg.* malfido, ambiguo; sfuggente.

shilling [ʃiliŋ] *s.* scellino (nel vecchio sistema monetario inglese) // *to cut s.o. off with a —,* diseredare qlcu.

shilly-shally [ʃiliˌʃæli] *s.* esitazione.

to shilly-shally *v.intr.* esitare, tentennare.

shimmer [ʃimə*] *s.* luccichìo.

to shimmer *v.intr.* luccicare.

to shimmy [ʃimi] *v.intr.* (*fam.*) vibrare.

shin [ʃin] *s.* stinco // *— -guard* (o *— -pad*), parastinchi.

to shin *v.intr.* arrampicarsi ♦ *v.tr.* dare un calcio negli stinchi (a).

shin-bone [ʃinboun] *s.* tibia.

shindig [ʃindig] *s.* (*fam.*) **1** baldoria **2** chiasso, baccano.

shindy [ʃindi] *s.* (*fam.*) chiasso, baccano: *to kick up a —,* fare un gran baccano.

shine[1] [ʃain] *s.* **1** splendore; luminosità, lucentezza // *rain or —,* qualunque sia il tempo **2** lucidatura, lucidata (di scarpe).

to shine[1], *pass. e p.pass.* **shone** [ʃɔn] *v.intr.* splendere; brillare (*anche fig.*) // *to — at,* eccellere in ♦ *v.tr.* lucidare.

shine[2] *v.tr.* (*amer.*) cotta.

shiner [ʃainə*] *s.* **1** cosa che splende **2** (*sl.*) occhio nero.

shingle[1] [ʃiŋgl] *s.* **1** (*edil.*) assicella di copertura **2** (*fam. amer.*) targa professionale: *to put up one's —,* (di professionista) mettere la targa; aprire uno studio.

to **shingle**[1] *v.tr.* (*edil.*) coprire con assicelle.

shingle[2] *s.* **1** ciottoli (*pl.*) **2** greto ciottoloso.

shingles [ˈʃɪŋglz] *s.pl.* (*med.*) fuoco di Sant'Antonio (*sing.*).

shiny [ˈʃaini] *agg.* splendente; lucido.

ship [ʃip] *s.* **1** nave; bastimento; vascello: *to take —,* imbarcarsi; — *'s papers,* documenti di bordo // *when my — comes home,* quando farò fortuna // *sailing —,* veliero // *sister —,* nave gemella // *convoy- —,* nave scorta // *—'s-boy,* (*mar.*) mozzo // *— canal,* canale navigabile **2** (*fam.*) astronave; (*amer.*) velivolo, aereo.

to **ship** *v.tr.* **1** trasportare, spedire per nave // *to — off,* mandare via **2** imbarcare, caricare // *to — water,* imbarcare acqua // *to — oars,* disarmare i remi **3** ingaggiare ♦ *v.intr.* imbarcarsi.

shipboard [ˈʃipbɔːd] *s.* (*mar.*) bordo: *on —,* a bordo.

ship broker [ˈʃip͵broukə*] *s.* agente di navigazione; agente di assicurazione marittima.

shipbuilder [ˈʃip͵bildə*] *s.* costruttore navale.

shipload [ˈʃiploud] *s.* carico di una nave.

shipmaster [ˈʃip͵mɑːstə*] *s.* capitano di nave mercantile.

shipmate [ˈʃipmeit] *s.* compagno di bordo.

shipment [ˈʃipmənt] *s.* **1** imbarco, spedizione (di merci) **2** carico.

shipowner [ˈʃip͵ounə*] *s.* armatore.

shipper [ˈʃipə*] *s.* spedizioniere marittimo.

shipping [ˈʃipiŋ] *s.* **1** flotta; navi (*pl.*) **2** spedizione // *— agent,* agente di navigazione; (*comm.*) spedizioniere // *— trade,* commercio marittimo.

shipshape [ˈʃipʃeip] *agg.* ordinato ♦ *avv.* in ordine.

ship's-husband [ˈʃips͵hʌzbənd] *s.* (*mar.*) raccomandatario.

shipwreck [ˈʃiprek] *s.* **1** naufragio (*anche fig.*) **2** relitto di nave naufragata.

to **shipwreck** *v.tr.* far naufragare (*anche fig.*) ♦ *v.intr.* naufragare (*anche fig.*).

shipwright [ˈʃiprait] *s.* (*mar.*) **1** costruttore navale **2** maestro d'ascia.

shipyard [ˈʃipjɑːd] *s.* cantiere navale.

shire [ˈʃaiə*, *come suffisso* ʃiə*, ʃə*] *s.* contea.

to **shirk** [ʃəːk] *v.intr.* sottrarsi al proprio dovere ♦ *v.tr.* schivare, evitare.

shirker [ˈʃəːkə*] *s.* scansafatiche.

shirt [ʃəːt] *s.* **1** camicia // *in one's sleeves,* in maniche di camicia // *keep your — on!,* (*sl.*) mantieniti calmo! // *to lose one's —,* rimetterci anche la camicia; *to put one's — (up)on,* (*sl.*) scommettere fino all'ultimo soldo su // *night- —,* camicia da notte (da uomo) **2** camicetta di foggia maschile.

shirtfront [ˈʃəːtfrʌnt] *s.* sparato (di camicia).

shirtwaist (dress) [ˈʃəːtweist('dres)] *s.* **1** (*abbigl.*) «chemisier» **2** (*amer.*) blusa, camicetta.

shirty [ˈʃəːti] *agg.* (*sl.*) irascibile; incollerito.

shit [ʃit] *s.* (*volg.*) merda.

to **shit** *v.intr.* (*volg.*) cacare.

shiver[1] [ˈʃivə*] *s.* scheggia, frammento.

to **shiver**[1] *v.tr.* frantumare ♦ *v.intr.* frantumarsi.

shiver[2] *s.* **1** brivido **2** *pl.* (*fam.*) tremarella (*sing.*) **3** brivido di raccapriccio.

to **shiver**[2] *v.intr.* rabbrividire.

shivery [ˈʃivəri] *agg.* in preda ai brividi.

shoal[1] [ˈʃoul] *s.* **1** secca **2** (*fig.*) (*gener.pl.*) pericoli nascosti (*pl.*).

to **shoal**[1] *v.intr.* diminuire di profondità.

shoal[2] *s.* **1** banco (di pesci) **2** (*fig.*) folla.

to **shoal**[2] *v.intr.* riunirsi in banchi, formare banchi (di pesci).

shock[1] [ʃɔk] *s.* **1** collisione; cozzo; urto // *— troops,* truppe d'assalto **2** «choc», colpo, violenta emozione; (*med.*) collasso // *— treatment,* elettrochoc **3** (*geol.*) sisma **4** (*elettr.*) scossa.

to **shock**[1] *v.tr.* **1** colpire; dare un'emozione violenta (a) **2** disgustare; scandalizzare **3** dare una scossa elettrica (a) ♦ *v.intr.* collidere, scontrarsi.

shock[2] *s.* folta chioma.

shock absorber [ˈʃɔkəbˌsɔːbə] *s.* (*aut.*) ammortizzatore.

shocker [ˈʃɔkə*] *s.* **1** chi, ciò che colpisce **2** romanzo a sensazione.

shocking [ˈʃɔkiŋ] *agg.* **1** sorprendente; indecente; disgustoso **2** orribile: *— weather,* un tempo infame.

shockproof [ˈʃɔkpruːf], **shock-resistant** [ˈʃɔkriˈzis tənt] *agg.* antiurto.

shod *pass.* e *p.pass.* di to **shoe**.

shoddy [ˈʃɔdi] *agg.* **1** scadente (di cosa) **2** falso (di persona) ♦ *s.* **1** lana rigenerata **2** roba scadente.

shoe [ʃuː] *s.* **1** scarpa, calzatura // *that's another pair of shoes,* è un altro paio di maniche // *to be in s.o.'s shoes,* essere nei panni di qlcu. // *to put the — on the right foot,* biasimare con ragione // *to shake in one's shoes,* tremare di paura // *to — up,* salire di colpo (di prezzi); crescere in fretta **5** (*calcio*) sparare in rete.

to **shoe**, *pass.* e *p.pass.* **shod** [ʃɔd] *v.tr.* **1** calzare **2** ferrare (cavalli) **3** coprire, rivestire.

shoeblack [ˈʃuːblæk] *s.* lustrascarpe.

shoehorn [ˈʃuːhɔːn] *s.* calzascarpe.

shoelace [ˈʃuːleis] *s.* stringa.

shoemaker [ˈʃuːˌmeikə*] *s.* calzolaio.

shoepolish [ˈʃuːˌpɔliʃ] *s.* lucido da scarpe.

shoestring [ˈʃuːstriŋ] *s.* **1** (*amer. per* shoelace) stringa **2** (*fig.*) misera somma di denaro // *to live on a —,* vivere con poco.

shoetree [ˈʃuːtriː] *s.* forma da scarpe.

shone *pass.* e *p.pass.* di to **shine**.

shoo [ʃuː] *inter.* sciò!

to **shoo** *v.tr.* cacciar via gridando sciò-sciò.

shook *pass.* di to **shake**.

shoot [ʃuːt] *s.* **1** lancio **2** germoglio, virgulto.

to **shoot**, *pass* e *p.pass.* **shot** [ʃɔt] *v.tr.* **1** lanciare; gettare **2** sparare, tirare // *to — one's bolt,* sparare le proprie cartucce // *to — down an aircraft,* abbattere un aereo // *— !,* (*fam.*) spara!, parla! // *to — an arrow,* scoccare una freccia // *to — one's mouth off,* (*fam. amer.*) avere la lingua lunga // *to — a place up,* terrorizzare (una città, un quartiere) con atti di violenza **3** colpire, uccidere sparando; fucilare // *to — s.o. dead,* colpire a morte qlcu. **4** cacciare **5** passare rapidamente: *he shot the rapids in his canoe,* attraversò velocemente le rapide nella sua canoa **6** (*fot.*) fare un'istantanea (a); (*cinem.*) girare ♦ *v.intr.* **1** sfrecciare // *to — off,* sfrecciare via **2** sparare // *to — at s.o.,* far fuoco su qlcu. **3** cacciare: *I fish but I don't —,* pratico la pesca ma non la caccia **4** muoversi rapidamente: *he shot past us,* passò come un lampo accanto a noi // *to — ahead of s.o.,* superare qlcu. d'un balzo // *shooting pains in the legs,* fitte alle gambe // *to — up,* salire di colpo (di prezzi); crescere in fretta **5** (*calcio*) sparare in rete.

shooter [ˈʃuːtə*] *s.* tiratore // *six —,* rivoltella a sei colpi.

shooting gallery [ˈʃuːtiŋˌgæləri] *s.* sala di tiro al bersaglio.

shooting star [′ʃuːtiŋstɑː*] s. stella cadente.
shoot-out [′ʃuːtaut] s. (fam.) scambio di colpi di arma da fuoco.
shop [ʃɔp] s. **1** bottega, negozio, magazzino // — window, vetrina // all over the —, dappertutto; in disordine // the right, wrong —, la persona giusta, sbagliata **2** officina **3** (fig.) professione, mestiere // to shut up —, (fig.) chiudere bottega // to talk —, parlare di affari.
to **shop** v.intr. far compere: to go shopping, andare a far la spesa, a far compere.
shop assistant [′ʃɔpəˌsistənt] s. commesso, commessa.
shopgirl [′ʃɔpɡəːl] s. commessa.
shopkeeper [′ʃɔpˌkiːpə*] s. negoziante.
shopkeeping [′ʃɔpˌkiːpiŋ] s. commercio al minuto.
to **shoplift** [′ʃɔpˌlift] v.tr. e intr. taccheggiare.
shoplifter [′ʃɔpˌliftə*] s. taccheggiatore, taccheggiatrice.
shopman, pl. **shopmen** [′ʃɔpmən] s. **1** negoziante **2** commesso di negozio.
shopper [′ʃɔpə*] s. chi fa compere; acquirente.
shopping [′ʃɔpiŋ] s. compere (pl.), acquisti (pl.) // — bag (o basket), borsa per la spesa.
shop steward [′ʃɔpstjuəd] s. capo della commissione interna (di una ditta).
shopwalker [′ʃɔpˌwɔːkə*] s. direttore di reparto (nei grandi magazzini).
shopworn [′ʃɔpwɔːn] agg. sciupato per essere stato esposto in vetrina.
shore[1] [ʃɔː*] s. **1** costa // in —, vicino alla costa // off —, al largo // on —, a terra **2** spiaggia; lido, riva, sponda.
to **shore**[2] v.tr. puntellare.
shoreward [′ʃɔːwəd] agg. e avv. verso la spiaggia.
shoring [′ʃɔːriŋ] s. (edil.) puntellamento.
shorn [ʃɔːn] p.pass. di to **shear**[1].
short [ʃɔːt] agg. **1** corto; breve; basso (di statura) // — time ago, poco tempo fa // a — way off, poco lontano // in —, in breve // Bob is — for Robert, Bob è il diminutivo di Robert // to make — work of, liquidare in fretta // to give — shrift to, dare poco ascolto a; to get — shrift from, essere poco ascoltato da **2** scarso; mancante: — of money, a corto di denaro **3** brusco; rude, sgarbato **4** friabile; fragile **5** non diluito, liscio (di liquore).
short s. **1** ciò che è breve // for —, come abbreviazione // the long and the — of it, il tutto, detto in poche parole **2** (cinem.) cortometraggio.
short avv. bruscamente; improvvisamente // — of, eccetto, fuorché // to cut —, tagliar corto; interrompere // to fall — of, non raggiungere; essere inadeguato a // to run — of, restare a corto di.
to **short** v.tr. provocare corto circuito (a) ♦ v.intr. svilupparsi (di corto circuito).
shortage [′ʃɔːtidʒ] s. carenza, mancanza.
shortbread [′ʃɔːtbred], **shortcake** [′ʃɔːtkeik] s. «shortbread» (tipo di biscotti).
short-change [ˌʃɔːt′tʃeindʒ] v.tr. resto sbagliato (in meno).
short circuit [′ʃɔːt′səːkit] s. (elettr.) corto circuito.
to **short-circuit** v.tr. **1** provocare un corto circuito (in) **2** (fig.) abbreviare, sveltire.
shortcoming [ʃɔːt′kʌmiŋ] s. difetto; insufficienza.
short-dated [′ʃɔːt′deitid] agg. a breve scadenza.
to **shorten** [′ʃɔːtn] v.tr. accorciare; diminuire; abbreviare ♦ v.intr. accorciarsi.
shorthand [′ʃɔːthænd] s. stenografia // — typist, stenodattilografo.

shorthanded [′ʃɔːt′hændid] agg. scarso di mano d'opera.
shorthorn [′ʃɔːthɔːn] s. bestiame con corna corte.
short list [′ʃɔːtlist] s. elenco ristretto (di candidati ecc.).
to **short-list** v.tr. includere, mettere in un elenco ristretto, selezionare: I know I've been short-listed but I don't know whether I'll get the job, so di essere fra i candidati selezionati, ma non so se avrò il posto.
short-lived [′ʃɔːt′livd, (amer.) ′ʃɔːt′laivd] agg. di breve durata.
shortly [′ʃɔːtli] avv. **1** presto, fra breve **2** concisamente; brevemente **3** bruscamente.
shortness [′ʃɔːtnis] s. **1** brevità, cortezza **2** asprezza (di carattere) **3** mancanza, insufficienza **4** friabilità; fragilità.
short-range [ˌʃɔːt′reindʒ] agg. a breve scadenza.
shorts [ʃɔːts] s.pl. **1** calzoncini corti **2** (spec.amer.) mutande da uomo a calzoncino.
shortsighted [′ʃɔːt′saitid] agg. miope; (fig.) imprevidente.
short-spoken [′ʃɔːt′spoukən] agg. di poche parole; brusco.
short-term [ˌʃɔːt′təːm] agg. a breve scadenza: — loan, prestito a breve scadenza.
short time [ˌʃɔːt′taim] s. orario ridotto (di lavoro).
short-waisted [′ʃɔːt′tweistid] agg. **1** corto di vita **2** (di abiti) dalla vita alta.
short-winded [′ʃɔːt′windid] agg. che ha poco fiato.
shot[1] [ʃɔt] s. **1** sparo; colpo; tiro // without firing a —, senza colpo ferire // I'll have a — (at it), tenterò // I took a — in the dark, tirai a indovinare // to have a — at the goal, (sport) tirare in porta **2** proiettile; palla di cannone; (gener.pl.invar.) pallini di piombo (pl.) // a big —, (sl.fig.) un pezzo grosso // to be off like a —, (fig.) partire come una palla di schioppo **3** (fam.) (spec.amer.) iniezione, dose di droga; sorso (di liquore) // a — in the arm, (fig.fam.) incitamento, incentivo **4** tiratore // dead —, tiratore infallibile **5** (cinem.fot.) ripresa; inquadratura // long —, (cinem.) campo lungo; close —, primo piano; outdoor (o exterior) —, esterno, ripresa esterna; panning —, panoramica.
shot[2] pass. e p.pass. di to **shoot**.
shotgun [′ʃɔtɡʌn] s. fucile da caccia // — wedding, matrimonio coatto.
should [ʃud (forma forte), ʃəd (forma debole)] v.dif. **1** (ausiliare per la 1ª pers.sing. e pl. del cond.): I — go, andrei; we — have gone, saremmo andati **2** dovere (al cond. e imperf. cong.): he — be here, dovrebbe essere qui; he — have come, sarebbe dovuto venire; if he — come, se dovesse venire **3** (letter.) (ausiliare dell'imperf. cong.): so that he — know, affinché sapesse.
shoulder [′ʃouldə*] s. **1** spalla: — to —, spalla a spalla; (fig.) in stretta collaborazione; across the —, a tracolla // straight from the —, (fig.) direttamente, francamente // to give the cold — to s.o., trattare qlcu. freddamente // to have a head on one's shoulders, avere la testa sulle spalle // to put one's — to the wheel, mettersi all'opera, darci dentro **2** bordo, margine (di strada); banchina.
to **shoulder** v.tr. e intr. **1** spingere con le spalle // to — one's way, farsi largo con le spalle **2** portare sulle spalle; (fig.) addossarsi.
shoulder blade [′ʃouldəbleid] s. (anat.) scapola.
shoulder strap [′ʃouldəstræp] s. **1** tracolla **2** spallina.
shouldn't [′ʃudnt] contr. di should not.

shout [ʃaut] *s.* grido.

to **shout** *v.tr.* gridare; urlare // *to — down*, far tacere a forza di grida ♦ *v.intr.* gridare; parlare ad alta voce // *to — at s.o.*, rivolgersi a qlcu. gridando; *to — for s.o.*, chiamare qlcu. ad alta voce.

shouting [ʃautin] *s.* rumore, urla (*pl.*) // *within — distance*, a portata di grida // *it's all over bar the —*, è finita la parte più interessante, più emozionante.

shove [ʃʌv] *s.* spinta; urto.

to **shove** *v.tr.* **1** spingere; far avanzare // *to — off*, spingere **2** (*fam.*) ficcare ♦ *v.intr.* **1** spingersi *to — off*, allontanarsi; (*fam.*) andarsene.

shovel [ˈʃʌvl] *s.* pala // *power —*, (*mecc.*) escavatore a cucchiaia.

to **shovel** *v.tr.* spalare; prendere con la pala ♦ *v.intr.* spalare.

shovelboard [ˈʃʌvlbɔːd] *s.* gioco delle piastrelle.

show [ʃou] *s.* **1** mostra; esposizione // *to make a fine —*, fare un bell'effetto // *to vote by — of hands*, votare per alzata di mano // *— place*, luogo di interesse turistico **2** spettacolo // *— business*, industria dello spettacolo // *to steal the —*, attirare tutta l'attenzione // *to give the whole — away*, rivelare, lasciarsi sfuggire (piani, segreti ecc.) **3** apparenza: *to make a — of...*, far finta di... **4** pompa, ostentazione // *for —*, per figura.

to **show**, *pass.* **showed** [ʃoud], *p.pass.* **shown** [ʃoun] *v.tr.* mostrare; rappresentare // *what can I — you, madam?*, la signora desidera? (nei negozi) // *to — s.o. the door*, mostrare qlcu. alla porta // *to — the white feather*, mostrarsi codardo **2** dimostrare; rivelare // *it just goes to —*, e questo dimostra che... // *time will —*, (*prov.*) il tempo vedrà **3** condurre; accompagnare: *to — s.o. round*, accompagnare qlcu. in giro **4** *to — in*, far entrare **5** *to — off*, mettere in mostra **6** *to — out*, far uscire, accompagnare alla porta **7** *to — up*, svelare, smascherare ♦ *v.intr.* **1** mostrarsi; apparire **2** *to — off*, mettersi in mostra; darsi delle arie **3** *to — up*, risaltare; (*fam.*) comparire, farsi vivo.

show biz [ˈʃoubiz] *s.* il mondo, l'industria dello spettacolo.

showboat [ˈʃoubout] *s.* (*spec.amer.*) battello fluviale sul quale vengono allestiti spettacoli.

showcase [ˈʃoukeis] *s.* vetrinetta.

showdown [ˈʃoudaun] *s.* (*fam.*) carte in tavola; confronto.

shower [ˈʃauə*] *s.* **1** acquazzone, rovescio, scroscio **2** spruzzatina **3** scarica di proiettili **4** gran quantità: *a — of reproaches*, una valanga di rimproveri **5** doccia: *to take a —*, fare la doccia **6** (*amer.*) ricevimento in cui ognuno porta un dono all'ospite d'onore.

to **shower** *v.tr.* **1** bagnare **2** (*fig.*) dare in grande quantità: *to — blows on s.o.*, (*fam.*) far grandinare colpi su qlcu.; *to — s.o. with gifts*, coprire qlcu. di regali ♦ *v.intr.* **1** piovere **2** fare, farsi la doccia.

showery [ˈʃauəri] *agg.* piovoso.

showgirl [ˈʃougəːl] *s.* artista di varietà.

showiness [ˈʃouinis] *s.* fasto; vistosità.

showing [ˈʃouiŋ] *s.* presentazione, mostra: *first —*, (*cinem.*) prima.

showman, *pl.* **showmen** [ˈʃoumən] *s.* presentatore; organizzatore (di spettacoli); (*cinem.*) produttore di supercolossi.

showmanship [ˈʃoumənʃip] *s.* arte di presentare.

shown *p.pass.* di to **show**.

show-off [ˈʃouɔf] *s.* (*fam.*) esibizionista.

showroom [ˈʃourum] *s.* salone per esposizione.

showy [ˈʃoui] *agg.* fastoso; appariscente; vistoso.

shrank *pass.* di to **shrink**.

shrapnel [ˈʃræpnl] *s.* **1** «shrapnel» **2** schegge di granata (*pl.*).

shred [ʃred] *s.* brandello; striscia; frammento // *to tear s.o.'s reputation to shreds*, rovinare la reputazione di qlcu.

to **shred** *v.tr.* stracciare, fare a brandelli; tagliuzzare ♦ *v.intr.* sfilacciarsi.

shrew [ʃruː] *s.* **1** bisbetica **2** (*zool.*) toporagno.

shrewd [ʃruːd] *agg.* furbo, astuto; perspicace.

shrewdness [ˈʃruːdnis] *s.* perspicacia, sagacia; astuzia.

shrewish [ˈʃruːiʃ] *agg.* petulante; bisbetico.

shriek [ʃriːk] *s.* grido; strillo.

to **shriek** *v.tr.* e *intr.* gridare; strillare // *to — with laughter*, ridere in modo isterico.

shrill [ʃril] *agg.* **1** acuto; penetrante **2** petulante.

to **shrill** *v.tr.* e *intr.* emettere (suono acuto).

shrimp [ʃrimp] *s.* **1** (*zool.*) gamberetto (di mare) **2** (*fig.*) omino.

to **shrimp** *v.intr.* pescare gamberetti.

shrine [ʃrain] *s.* **1** reliquiario **2** altare; tempio (*anche fig.*); santuario.

to **shrink** [ʃriŋk], *pass.* **shrank** [ʃræŋk], *p.pass.* **shrunk** [ʃrʌŋk] *v.intr.* **1** restringersi; contrarsi; ritirarsi (*fig.*) **2** indietreggiare, allontanarsi; (*fig.*) evitare (qlco.): *to — from*, indietreggiare (di fronte a); rifuggire (da) ♦ *v.tr.* (far) restringere, diminuire.

shrink *s.* (*fam.*) psichiatra, «strizzacervelli».

shrinkage [ˈʃriŋkidʒ] *s.* restringimento; diminuzione; contrazione.

shrinking [ˈʃriŋkiŋ] *agg.* timido; riluttante.

shrinkproof [ˈʃriŋkpruːf] *agg.* irrestringibile.

to **shrivel** [ˈʃrivl] *v.tr.* accartocciare; aggrinzare; far avvizzire ♦ *v.intr.* accartocciarsi; aggrinzarsi; avvizzire.

shroud [ʃraud] *s.* **1** sudario **2** (*fig.*) velo; schermo.

to **shroud** *v.tr.* **1** avvolgere nel sudario **2** nascondere, velare: *shrouded in mystery*, avvolto nel mistero.

Shrovetide [ˈʃrouvtaid] *s.* settimana grassa.

Shrove Tuesday [ˈʃrouvˈtjuːzdi] *s.* martedì grasso.

shrub [ʃrʌb] *s.* arbusto, cespuglio.

shrubbery [ˈʃrʌbəri] *s.* boschetto di arbusti.

shrug [ʃrʌg] *s.* spallucciata, alzata di spalle.

to **shrug** *v.tr.* alzare, scrollare (le spalle): *he shrugged his shoulders*, fece spallucce ♦ *v.intr.* stringersi nelle spalle.

shrunk *p.pass.* di to **shrink**.

shuck [ʃʌk] *s.* **1** guscio **2** (*amer.*) buccia; involucro esterno; (*fig.*) cosa di poco valore.

to **shuck** *v.tr.* sgusciare, sgranare.

shucks [ʃʌks] *inter.* (*amer.*) sciocchezze!

shudder [ˈʃʌdə*] *s.* brivido; tremito.

to **shudder** *v.intr.* rabbrividire; tremare.

shuffle [ˈʃʌfl] *s.* **1** scompiglio, confusione **2** il mescolare (le carte da gioco) **3** passo strascicato **4** sotterfugio; equivoco.

to **shuffle** *v.tr.* **1** spostare **2** mescolare (le carte) **3** scompigliare **4** trascinare // *to — one's feet*, strascicare i piedi **5** *to — off*, liberarsi di ♦ *v.intr.* **1** mescolare le carte **2** parlare in modo ambiguo **3** trascinarsi.

shuffleboard [ˈʃʌfəlbɔːd] *s.* gioco delle tavolette.

to **shun** [ʃʌn] *v.tr.* sfuggire, evitare, schivare.

shunt [ʃʌnt] *s.* (*elettr.*) circuito shuntato.

to **shunt** *v.tr.* **1** far deviare **2** (*fig.*) sbarazzarsi (di); estromettere ♦ *v.intr.* deviare.

shut [ʃʌt] *agg.* chiuso.

to **shut**, *pass.* e *p.pass.* **shut** *v.tr.* **1** chiudere // *to —*

one's mouth, tacere // *to — the door on proposals*, rifiutare delle proposte **2** *to — down*, sospendere l'attività (di fabbrica ecc.) **3** *to — in*, rinchiudere; circondare **4** *to — off*, chiudere (l'acqua, il gas); tener separato, isolare **5** *to — out*, escludere **6** *to — up*, sbarrare; rinchiudere; far tacere // *to — up shop*, chiudere bottega ♦ *v.intr.* **1** chiudersi **2** *to — down*, sospendere l'attività // *— up!*, (*fam.*) zitto!, chiudi il becco!

shutdown ['ʃʌtdaun] *s.* chiusura.

shut-eye ['ʃʌtai] *s.* (*sl.*) pisolino.

shutter ['ʃʌtə*] *s.* **1** imposta; persiana; serranda **2** (*fot.*) otturatore.

to **shutter** *v.tr.* **1** provvedere di imposte **2** chiudere le imposte (di) // *to put up the shutters*, (*fig.*) chiuder bottega.

shuttle ['ʃʌtl] *s.* spola, navetta // *— train*, treno che fa la spola (tra luoghi vicini).

to **shuttle** *v.intr.* fare la spola.

shuttlecock ['ʃʌtlkɔk] *s.* **1** volano **2** (*fig.*) canna al vento.

shy[1] [ʃai] *agg.* riservato, timido, schivo; timoroso; riluttante; diffidente: *he makes me —*, mi intimidisce // *to fight — of s.o., sthg.*, tenersi alla larga da qlcu., qlco. // *to be — of*, esitare a; (*fam.amer.*) essere a corto di.

to **shy**[1] *v.intr.* fare uno scarto (di cavallo).

shy[2] *s.* (*fam.*) getto, lancio // *to have a — at*, tentare (di).

to **shy**[2] *v.tr.* e intr. (*fam.*) gettare, lanciare.

shyness ['ʃainis] *s.* **1** timidezza, riservatezza **2** ritrosia; diffidenza.

shyster ['ʃaistə*] *s.* (*amer.*) avvocato senza scrupoli.

Siberia [sai'biəriə] *no.pr.* Siberia.

Siberian [sai'biəriən] *agg.* e *s.* Siberiano.

sibilance ['sibiləns] *s.* sibilo.

sibilant ['sibilənt] *agg.* e *s.* sibilante.

sibling ['sibliŋ] *s.* fratello, sorella; fratellastro, sorellastra.

Sibyl ['sibil] *no.pr.* Sibilla • **sibyl** *s.* sibilla; fattucchiera.

sibylline ['sibilain] *agg.* sibillino.

Sicilian [si'siljən] *agg.* e *s.* siciliano.

Sicily ['sisili] *no.pr.* Sicilia.

sick [sik] *agg.* **1** malato; indisposto, sofferente // *the —*, i malati // *to fall, to take —*, ammalarsi // *to report —*, darsi ammalato **2** nauseato; (*fig.*) disgustato; stanco; depresso: *it makes me —*, mi dà la nausea // *to be (o to get) —*, vomitare // *to be — and tired of sthg.*, essere stufo di qlco. // *to be — at heart*, essere abbattuto **3** morboso: *a — joke*, freddura, barzelletta macabra.

sickbay ['sikbei] *s.* infermeria (spec. di bordo).

sickbed ['sikbed] *s.* letto da ammalato.

sick call ['sikkɔ:l] *s.* chiamata (per medico o sacerdote da parte di un malato).

to **sicken** ['sikn] *v.intr.* **1** ammalarsi **2** sentir nausea; disgustarsi **3** stancarsi ♦ *v.tr.* disgustare; nauseare.

sickening ['sikəniŋ] *agg.* nauseante; orribile.

sickle ['sikl] *s.* falcetto.

sick leave ['sikli:v] *s.* licenza per malattia.

sickliness ['siklinis] *s.* salute delicata; pallore.

sick list ['siklist] *s.* elenco degli ammalati.

sickly ['sikli] *agg.* **1** malaticcio; debole, delicato **2** nauseante **3** insalubre **4** sdolcinato.

sickness ['siknis] *s.* **1** malattia, male: *— benefit*, indennità di malattia **2** nausea.

sick pay ['sikpei] *s.* indennità di malattia (da parte del datore di lavoro).

side [said] *s.* **1** lato, fianco; parte; (*fig.*) aspetto: *— by*

—, fianco a fianco; *this — up*, non capovolgere, alto; *on the other —*, d'altra parte; *the other — of the picture*, (*fig.*) il rovescio della medaglia; *the right, wrong —*, il diritto, rovescio (di stoffe); *to put on one —*, mettere da parte; *she is his cousin on his mother's —*, è sua cugina da parte di madre // *— issue*, questione secondaria // *on the wrong — of the blanket*, illegittimamente // *to be on the right, wrong — of forty*, essere al di sotto, al di sopra dei quarant'anni // *to split one's sides with laughter*, ridere a crepapelle // *on the —*, da parte, sottomano **2** versante; sponda, riva; margine: *by the — of the road*, sul margine della strada // *to be born on the wrong — of the street*, essere nato in quartieri poveri; venire dal niente // *this — of Rome*, da qui a Roma, fra qui e Roma // *the other —*, (*amer.*) l'altra sponda dell'Atlantico **3** partito; squadra: *he is on our —*, è dei nostri; *to pick sides*, (*nei giochi*) fare le squadre; *to hear both sides*, sentire le due parti; sentire tutt'e due le campane; *to take sides (with)*, prender partito (per); *to change sides*, cambiar partito.

side *agg.* laterale, secondario: *— door*, porta secondaria; *— effects*, effetti secondari; *— street*, strada laterale.

to **side** *v.tr.* e intr. essere dalla parte; parteggiare: *to — with s.o.*, parteggiare per qlcu.

sidearms ['saidɑ:mz] *s.pl.* armi personali.

sideboard ['saidbɔ:d] *s.* credenza, buffet.

sideburns ['saidbə:nz] *s.pl.* (*amer.*) basette.

sidecar ['saidkɑ:*] *s.* side-car, motocarrozzetta.

side dish ['saiddiʃ] *s.* (*cuc.*) contorno.

side-glance ['saidglɑ:ns] *s.* occhiata in tralice.

sidelight ['saidlait] *s.* **1** luce laterale; (*fig.*) spiegazione, informazione, notizia casuale **2** fanale laterale.

sideline ['saidlain] *s.* **1** attività secondaria **2** (*comm.*) articolo secondario **3** *pl.* (*sport*) linee laterali.

sidelong ['saidlɔŋ] *agg.* laterale, obliquo: *to cast a — glance at s.o.*, guardare qlcu. con la coda dell'occhio ♦ *avv.* lateralmente; obliquamente; con la coda dell'occhio.

siderite ['saidərait] *s.* (*min.*) siderite.

sides [saidz] *s.pl.* (*fam.*) basette.

sidesaddle ['said,sædl] *s.* sella da amazzone ♦ *avv.: to ride —*, cavalcare all'amazzone.

sideshow ['saidʃou] *s.* **1** mostra secondaria **2** attrazione (di luna-park).

sideslip ['saidslip] *s.* slittamento; (*aer.*) scivolata; (*aut.*) sbandata.

sidesplitting ['said,splitiŋ] *agg.* che fa ridere a crepapelle.

to **sidestep** ['saidstep] *v.intr.* fare un passo da parte ♦ *v.tr.* scansare.

sidestroke ['saidstrouk] *s.* nuoto a spalla.

sidetrack ['saidtræk] *s.* binario morto.

to **sidetrack** *v.tr.* **1** deviare su binario morto **2** dirottare il discorso su un terreno meno pericoloso.

sidewalk ['saidwɔ:k] *s.* (*amer. per pavement*) marciapiede.

sideward ['saidwəd] *agg.* laterale.

sidewards ['saidwədz] *avv.* lateralmente.

sideways ['saidweiz] *agg.* laterale; obliquo // *— feed*, (*informatica*) alimentazione per riga ♦ *avv.* lateralmente; obliquamente.

siding ['saidiŋ] *s.* binario morto.

to **sidle** ['saidl] *v.intr.* andare a sghembo // *to — along the wall*, camminare rasente il muro // *to — up to*, avvicinarsi furtivamente a.

siege [si:dʒ] *s.* assedio: *to lay — to a town*, assediare, cingere d'assedio una città.

sienna [si'enə] *s.* (*pitt.*) terra di Siena.

Siennese [,sie'ni:z] *agg.* e *s.* senese.

sieve [siv] *s.* setaccio, crivello // *to have a head like a* —, non ricordare dal naso alla bocca.

to **sieve** *v.tr.* setacciare, crivellare.

to **sift** [sift] *v.tr.* e *intr.* setacciare; vagliare (*anche fig.*) ♦ *v.intr.* filtrare; infiltrarsi.

sifter ['siftə*] *s.* **1** spargizucchero, spargisale ecc. **2** buratto.

sigh [sai] *s.* sospiro.

to **sigh** *v.intr.* **1** sospirare: *to* — *with relief*, respirare di sollievo **2** sibilare **3** *to* — *for* (*sthg.*), desiderare, bramare; rimpiangere; affliggersi per, deplorare ♦ *v.tr.* (*rar.*) pronunciare con un sospiro.

sight [sait] *s.* **1** vista: *at first* (*o on*) —, a prima vista; *to know s.o. by* —, conoscere qlcu. di vista; *to catch* — *of sthg.*, intravedere qlco. // *a* — *for sore eyes*, un piacere a vedersi // *out of* — *out of mind*, (*prov.*) lontano dagli occhi, lontano dal cuore **2** panorama; spettacolo // *to make a* — *of oneself*, rendersi ridicolo **3** mirino **4** *pl.* cose notevoli (da vedere): *to see the sights*, visitare i luoghi ecc. di interesse **5** (*fam.*) sacco, grande quantità: *he is a far* — *worse than you think*, sta molto peggio di quanto credi.

to **sight** *v.tr.* **1** avvistare, (riuscire a) vedere **2** mirare ♦ *v.intr.* prendere la mira.

sightless ['saitlis] *agg.* cieco.

sightliness ['saitlinis] *s.* bellezza, avvenenza; grazia.

sightly ['saitli] *agg.* carino, grazioso.

to **sight-read** ['saitri:d] *v.tr.* leggere a prima vista.

sightseeing ['sait,si:iŋ] *s.* visita turistica.

sightseer ['sait,si:ə*] *s.* turista.

sigma ['sigmə] *s.* sigma (lettera dell'alfabeto greco).

sign [sain] *s.* **1** segno // — *language*, linguaggio dei sordomuti **2** insegna; segnale // *traffic* —, segnale stradale.

to **sign** *v.tr.* **1** firmare: *to* — *one's name*, fare la propria firma **2** segnare **3** indicare a segni **4** *to* — *away*, cedere (diritti ecc.) per iscritto **5** *to* — *on*, assumere (un operaio ecc.) ♦ *v.intr.* **1** firmare **2** *to* — *off*, (*fam.*) concludere **3** *to* — *on*, firmare un contratto di lavoro **4** *to* — *up*, iscriversi.

signal ['signl] *agg.* notevole; cospicuo ♦ *s.* segnale, segno.

to **signal** *v.tr.* segnalare ♦ *v.intr.* far segnali.

signal box ['signlbɔks] *s.* (*ferr.*) cabina di segnalazione.

to **signalize** ['signəlaiz] *v.tr.* segnalare.

signalman, *pl.* **signalmen** ['signlmən] *s.* (*ferr.*) segnalatore.

signatory ['signətəri] *s.* firmatario.

signature ['signitʃə*] *s.* **1** firma **2** (*tip.*) segnatura **3** (*mus.*) indicazione (del tono, del tempo) // — (*tune*), sigla musicale.

signboard ['sainbɔ:d] *s.* insegna.

signet ['signit] *s.* sigillo.

signet ring ['signitriŋ] *s.* anello con sigillo.

significance [sig'nifikəns] *s.* **1** espressione **2** significato, senso **3** importanza.

significant [sig'nifikənt] *agg.* **1** espressivo **2** significativo, importante.

signification [,signifi'keiʃən] *s.* significato, senso.

significative [sig'nifikətiv, (*amer.*) sig'nifikeitiv] *agg.*: — (*of*), indicativo (di).

to **signify** ['signifai] *v.tr.* **1** voler dire, significare; indicare **2** far conoscere, far sapere ♦ *v.intr.* importare, essere importante.

signpost ['sainpoust] *s.* indicatore stradale.

silage ['sailidʒ] *s.* foraggio conservato in silos.

silence ['sailəns] *s.* silenzio: *dead* —, silenzio di tomba // *conspiracy of* —, (*fig.*) congiura del silenzio.

to **silence** *v.tr.* far tacere, ridurre al silenzio // *to* — *the enemy's guns*, far cessare il fuoco del nemico; *to pass over sthg. in* —, passare qlco. sotto silenzio; *to put to* —, ridurre al silenzio.

silencer ['sailənsə*] *s.* silenziatore.

silent ['sailənt] *agg.* **1** silenzioso; taciturno; zitto // *history is* — *on these things*, la storia tace questi fatti **2** (*fonetica*) muto.

silently ['sailəntli] *avv.* in silenzio, silenziosamente.

silent partner [,sailənt'pɑ:tnə*] *s.* (*amer.* per *sleeping partner*) (*fin.*) socio occulto.

silex ['saileks] *s.* (*min.*) silice.

silhouette [,silu(:)'et] *s.* profilo, contorno; silhouette.

to **silhouette** *v.tr.* disegnare il profilo (di); ritrarre di profilo.

silica ['silikə] *s.* (*min.*) silice.

silicate ['silikit] *s.* (*chim.*) silicato.

silicon ['silikən] *s.* (*chim.*) silicio.

silicone ['silikoun] *s.* (*chim.*) silicone.

silk [silk] *agg.* di seta ♦ *s.* seta // — *hat*, cilindro.

silken ['silkən] *agg.* **1** di seta **2** serico; morbido; delicato.

silkworm ['silkwə:m] *s.* baco da seta.

silky ['silki] *agg.* serico; morbido; lucente; delicato.

sill [sil] *s.* **1** soglia; davanzale **2** (*geol.*) filone; strato.

silliness ['silinis] *s.* stupidità.

silly ['sili] *agg.* sciocco, stupido.

silo ['sailou] *s.* **1** silo **2** base sotterranea di lancio per missili.

silt [silt] *s.* melma.

to **silt** *v.tr.* riempire di melma ♦ *v.intr.* riempirsi di melma.

silvan ['silvən] *agg.* silvano, silvestre.

silver ['silvə*] *agg.* **1** d'argento; argenteo // — *paper*, — *foil*, foglio di alluminio **2** argentino ♦ *s.* argento; argenteria; moneta d'argento // — *gilt*, argento dorato // *quick* —, mercurio.

to **silver** *v.tr.* inargentare.

silver fox ['silvəfɔks] *s.* volpe argentata.

silver-haired ['silvəhead] *agg.* dai capelli d'argento.

silver plating ['silvə'pleitiŋ] *s.* argentatura.

silversmith ['silvəsmiθ] *s.* argentiere.

silverware ['silvəweə*] *s.* argenteria.

silvery ['silvəri] *agg.* **1** argenteo **2** argentino.

simian ['simiən] *agg.* scimmiesco ♦ *s.* scimmia.

similar ['similə*] *agg.* e *s.* simile.

similarity [,simi'læriti] *s.* somiglianza.

simile ['simili] *s.* similitudine.

similitude [si'militju:d] *s.* **1** immagine; somiglianza **2** (*ret.*) similitudine.

to **simmer** ['simə*] *v.tr.* far bollire lentamente ♦ *v.intr.* **1** incominciare a bollire; bollire lentamente **2** (*fig.*) essere sul punto di scoppiare (per ira ecc.): *to* — *with rage*, ribollire d'ira // *to* — *down*, (*fam.*) calmarsi.

simoniacal [,saimə'naiəkəl] *agg.* simoniaco.

simony ['saiməni] *s.* simonia.

simper ['simpə*] *s.* sorriso affettato.

to **simper** *v.intr.* sorridere in modo affettato.

simple ['simpl] *agg.* **1** semplice **2** sincero, schietto **3** puro, autentico // *pure and* —, puro e semplice, assoluto **4** ingenuo; credulone; sciocco **5** umile; di basso rango.

simple-hearted [,simpl'hɑ:tid] *agg.* semplice; ingenuo.

simple-minded ['simpl͵maindid] *agg.* **1** semplice **2** sprovveduto; credulone; sciocco.

simpleton ['simpltən] *s.* sempliciotto.

simplicity [sim'plisiti] *s.* semplicità; ingenuità.

to simplify ['simplifai] *v.tr.* semplificare.

simply ['simpli] *avv.* semplicemente; assolutamente.

to simulate ['simjuleit] *v.tr.* simulare, imitare.

simulation [͵simju'leiʃən] *s.* simulazione.

simultaneity [͵simɔltə'niɔti, *(amer.)* ͵saimɔltə niɔti] *s.* simultaneità.

simultaneous [͵simɔl'teinjəs, *(amer.)* ͵saimɔl'tei njəs] *agg.* simultaneo.

sin [sin] *s.* **1** peccato *//* *to live in —,* convivere more uxorio **2** malvagità **3** immoralità **4** offesa.

to sin *v.intr.* peccare *//* *to — against propriety,* trasgredire le convenienze.

Sinai ['sainiai] *no.pr.* Sinai.

since [sins] *avv.* da allora: *I haven't heard from him —,* da allora non ho più saputo nulla di lui *//* *long —,* molto tempo fa; *da molto tempo; many months —,* molti mesi fa ♦ *cong.* **1** da quando: *— I have known him,* da quando lo conosco; *— I last saw her,* da quando la vidi per l'ultima volta **2** poiché, dal momento che: *— I'm tired I won't go,* poiché sono stanco non ci andrò ♦ *prep.* da; da quando: *— that time* (o *— then),* da allora; *— his going to America,* da quando è andato in America.

sincere [sin'siə*] *agg.* sincero; onesto; schietto.

sincerely [sin'siəli] *avv.* sinceramente *//* *yours —,* cordialmente vostro (nelle lettere).

sincerity [sin'seriti] *s.* sincerità; onestà; verità.

sine [sain] *s.* (*mat.*) seno.

sinecure ['sainikjuə*] *s.* sinecura.

sinew ['sinju:] *s.* **1** (*anat.*) tendine **2** *pl.* muscoli **3** (*fig.*) forza; sostegno.

sinewy ['sinju(:)i] *agg.* **1** tendinoso, fibroso **2** forte, nerboruto.

sinful ['sinful] *agg.* peccaminoso; corrotto.

sinfulness ['sinfulnis] *s.* iniquità.

to sing [siŋ], *pass.* **sang** [sæŋ], *p.pass.* **sung** [sʌŋ] *v.tr.* **1** cantare; intonare (una canzone): *to — s.o. to sleep,* far addormentare cantando *//* *to — a different tune,* (*fig.*) cambiare musica, tono *//* *to — out,* (*fam.*) gridare, urlare **2** celebrare in versi ♦ *v.intr.* **1** cantare: *he sings in, out of tune,* è intonato, stonato *//* *to — for one's supper,* (*fig.*) guadagnarsi la cena *//* *to — out,* (*fam.*) gridare, urlare **2** mormorare; ronzare: *the wind sings through the trees,* il vento mormora tra gli alberi; *my ears are singing,* mi ronzano le orecchie **3** (*fig.*) esultare **4** (*letter.*) comporre versi.

singe [sindʒ] *s.* bruciacchiatura; strinatura.

to singe *v.tr.* bruciacchiare, strinare *//* *to — one's wings,* bruciarsi le ali ♦ *v.intr.* bruciacchiarsi.

singer ['siŋə*] *s.* cantante.

single ['siŋgl] *agg.* **1** solo, unico; singolo: *he did not know a — soul,* non conosceva anima viva *//* *every — day,* tutti i santi giorni *//* *— ticket,* biglietto di sola andata *//* *(in) — file,* in fila indiana *//* *— engine,* (*aer.*) monomotore **2** celibe, nubile **3** sincero, semplice ♦ *s.* **1** (*sport*) singolo **2** (camera) singola **3** (*amer.*) celibe; nubile.

to single *v.tr.: to — out,* scegliere; distinguere.

single-breasted ['siŋgl͵brestid] *agg.* (*di abito*) monopetto.

single-handed ['siŋgl'hændid] *agg.* con una mano sola; (*fig.*) da solo, senza aiuto.

single-hearted ['siŋgl͵hɑ:tid] *agg.* semplice, sincero.

single-minded ['siŋgl'maindid] *agg.* **1** semplice, sincero **2** assoluto; determinato.

singleness ['siŋglnis] *s.* **1** sincerità; onestà **2** dedizione.

singlet ['siŋglit] *s.* camiciola, maglia.

singly ['siŋgli] *avv.* **1** separatamente, a uno a uno **2** da solo; senza aiuto.

singsong ['siŋsɔŋ] *agg.* (in tono) monotono ♦ *s.* **1** canto monotono; cantilena **2** concerto improvvisato.

singular ['siŋgjulə*] *agg.* e *s.* singolare.

singularity [͵siŋgju'læriti] *s.* singolarità.

sinister ['sinistə*] *agg.* sinistro; funesto.

sink [siŋk] *s.* **1** lavandino, acquaio **2** scolo; fogna **3** (*fig.*) sentina.

to sink, *pass.* **sank** [sæŋk], **sunk** [sʌŋk] *p.pass.* **sunk** *v.intr.* **1** affondare: *to — like a stone,* colare a picco **2** sprofondare; penetrare; immergersi: *her words sank into my mind,* le sue parole mi si impressero nella mente; *to — into decay,* andare in rovina; *to — into a deep sleep,* sprofondare in un sonno pesante **3** discendere; abbassarsi (*anche fig.*); calare: *his voice sank,* la sua voce si abbassò; *the sun is sinking,* il sole sta calando, tramonta **4** cadere; cedere; abbattersi: *his legs sank under him,* gli cedettero le gambe; *my heart sank,* mi sentii mancare; *to — into one's chair,* lasciarsi cadere su una sedia **5** *to — in,* (*fig. fam.*) essere interamente compreso, capito ♦ *v.tr.* **1** mandare a fondo; sprofondare **2** abbassare; degradare; ridurre **3** investire (denaro) *//* *sinking fund,* fondo di ammortamento **4** scavare (pozzo ecc.) **5** (*fig.*) passare sotto silenzio; lasciar cadere.

sinker ['siŋkə*] *s.* piombino, peso (per lenza) *//* *hook, line and —,* interamente, completamente.

sinless ['sinlis] *agg.* senza peccato, innocente.

sinner ['sinə*] *s.* peccatore.

sino- ['sinou] *pref.* sino-.

sinology [si'nɔlɔdʒi] *s.* sinologia.

sinuosity [͵sinju'ɔsiti] *s.* sinuosità.

sinuous ['sinjuəs] *agg.* sinuoso.

sinus ['sainəs] *s.* **1** (*anat.*) seno, cavità; seno frontale **2** (*med.*) fistola.

sinusitis [͵sainə'saitis] *s.* (*med.*) sinusite.

sip [sip] *s.* sorso.

to sip *v.tr.* e *intr.* sorseggiare.

siphon ['saifən] *s.* sifone.

to siphon *v.tr.* travasare (con un sifone) ♦ *v.intr.* fluire attraverso un sifone.

sir [sə:*] *s.* **1** signore *//* *Dear Sir, Dear Sirs,* Egregio Signore, Spettabile Ditta **2** *Sir,* «Sir» (titolo di un cavaliere o di un baronetto).

sire ['saiə*] *s.* **1** *Sire,* (*arc.*) Sire, Maestà **2** (*poet.*) padre; antenato **3** genitore (di animali); stallone.

to sire *v.tr.* generare (spec. di stalloni).

siren ['saiərin] *s.* sirena.

Sirius ['siriəs] *no.pr.* (*astr.*) Sirio.

sirloin ['sə:lɔin] *s.* lombo di manzo.

sissy ['sisi] *s.* (*sl.*) ragazzo o uomo effeminato.

sister ['sistə*] *s.* **1** sorella **2** suora **3** infermiera caporeparto.

sisterhood ['sistəhud] *s.* sorellanza; congregazione religiosa.

sister-in-law ['sistərinlɔ:] *s.* cognata.

sisterly ['sistəli] *agg.* di sorella; amorevole ♦ *avv.* da sorella; amorevolmente.

sistrum ['sistrəm], *pl.* **sistra** ['sistrə] *s.* (*mus.*) sistro.

to sit [sit], *pass.* e *p.pass.* **sat** [sæt] *v.tr.* **1** far sedere, mettere a sedere // *to — oneself*, sedersi **2** *to — out*, non prendere parte (a danza ecc.); rimanere fino alla fine ♦ *v.intr.* **1** sedere, essere seduto: *to — in Parliament*, sedere in Parlamento // *the Court sits on Mondays*, il Tribunale tiene seduta il lunedì // *to — at home*, rimanere a casa; essere disoccupato // *to — (a horse) well*, *badly*, stare bene, male in sella; cavalcare bene, male // *to — for an examination*, dare un esame // *to — over a book*, immergersi nella lettura di un libro // *to — tight*, tenersi saldo; non muoversi; *(fig.)* tener duro, non cedere **2** gravare, pesare: *that food sits heavy on my stomach*, quel cibo mi è rimasto sullo stomaco; *his losses — lightly upon him*, le sue perdite non gli pesano molto **3** appollaiarsi, stare appollaiato; accovacciarsi; posare **4** covare **5** stare, cadere (di abiti) **6** *to — back*, adagiarsi *(anche fig.)* **7** *to — down*, mettersi a sedere; prender posto // *to — down under*, incassare, subire **8** *to — for*, rappresentare in Parlamento **9** *to — in*, accudire a, sorvegliare i bambini; prender parte a un «sit-in» **10** *to — in for*, sostituire, prendere il posto di // *to — in at*, presenziare a **11** *to — (up)on*, essere membro di, far parte di; esaminare; condurre un'inchiesta su: *to — on a case*, esaminare un caso giudiziario; *to — on a jury*, far parte di una giuria // *to — on s.o.*, *(fam.)* ignorare qlcu.; far tacere qlcu. **12** *to — up*, stare eretto; mettersi in posizione eretta; rizzarsi (sul letto); rimanere alzato: *to — up late for s.o.*, aspettare qlcu. alzato fino a tardi; *that will make him — up*, *(fig.)* questo lo sveglierà // *to — up and take notice*, *(fam.)* drizzare le orecchie.

sit-down ['sitdaun] *s.: — (strike)*, occupazione (per protesta) della propria sede di lavoro.

site [sait] *s.* terreno; area fabbricabile; posizione.

to **site** *v.tr.* porre; situare.

sith [siθ] *(arc.)* per **since**.

sit-in ['sitin] *s.* «sit-in», occupazione (per protesta) di luogo pubblico da parte di gruppi di dimostranti.

sitter ['sitə*] *s.* **1** *(pitt. scult.)* modello, modella **2** chioccia.

sitting ['sitin] *s.* **1** posa; seduta; breve periodo di tempo **2** adunanza, riunione **3** covata.

sitting room ['sitinru:m] *s.* (stanza di) soggiorno; salotto.

situate ['sitjueit] *agg.* situato, posto.

to **situate** *v.tr.* situare; collocare.

situated ['sitjueitid] *agg.* situato, collocato // *this is how I am —*, questa è la mia situazione.

situation [,sitju'eiʃən] *s.* **1** posizione **2** situazione **3** posto, impiego.

six [siks] *agg.num. card.* e *s.* sei // *— of one and half a dozen of the other*, se non è zuppa è pan bagnato.

sixfold ['siksfould] *agg.* sei volte tanto.

sixfooter ['siks'futə*] *s.* *(fam.)* persona alta sei piedi.

sixpence ['sikspəns] *s.* moneta da sei «pennies».

sixpenny ['sikspəni] *agg.* da sei «pennies».

six-shooter ['siks'ʃu:tə*] *s.* *(fam.)* rivoltella a sei colpi.

sixte [sikst] *s.* *(scherma)* posizione di sesta.

sixteen ['siks'ti:n] *agg.num. card.* e *s.* sedici.

sixteenth ['siks'ti:nθ] *agg. num. ord.* e *s.* sedicesimo // *the — of January* (o *16th January*), il sedici gennaio.

sixth [siksθ] *agg. num. ord.* e *s.* **1** sesto // *the — of March* (o *6th March*), il sei marzo **2** *(mus.)* sesta.

sixty ['siksti] *agg. num. card* e *s.* sessanta: *in the Sixties*, negli anni Sessanta; *tra i 60 e i 69 anni* // *to be in one's early*, *late sixties*, aver poco più di sessanta, poco meno di settanta anni.

sizable ['saizəbl] *agg.* piuttosto grande.

size[1] [saiz] *s.* grandezza; misura, dimensione; formato; taglia; statura; *(fig.)* valore, capacità: *what is your — ?*, che taglia hai?

to **size**[1] *v.tr.* **1** mettere in ordine di grandezza **2** *to — up*, misurare la capacità di; valutare.

size[2] *s.* **1** *(ind.)* appretto **2** *(pitt.)* colla.

sizing [saizin] *s.* apprettatura.

sizzle ['sizl] *s.* sfrigolio.

to **sizzle** *v.intr.* sfrigolare.

skate[1] [skeit] *s.* pattino.

to **skate**[1] *v.intr.* pattinare // *to — on thin ice*, cercare di destreggiarsi in una situazione difficile.

skate[2] *s.* *(zool.)* razza, occhiata.

skating ['skeitin] *s.* pattinaggio: *— rink*, pista di pattinaggio.

to **skedaddle** [ski'dædl] *v.intr.* *(fam.)* scappare; svignarsela.

skeet (shooting) ['ski:t(ʃu:tin)] *s.* tiro al piattello.

skein [skein] *s.* **1** matassa **2** stormo (di oche selvatiche).

skeletal ['skelitl] *agg.* scheletrico.

skeleton ['skelitn] *s.* **1** scheletro' // *a — at a feast*, un guastafeste // *a — in the cupboard* (o *the family —*), qlco. di disonorevole che si vuol celare // *— crew*, *(mil.)* equipaggio ridotto **2** *(arch.)* ossatura; intelaiatura; struttura **3** canovaccio; schema.

skeleton key ['skelitn'ki:] *s.* chiave madre; grimaldello.

skeptic ['skeptik] *agg.* e *s.* *(amer.)* scettico.

skeptical ['skeptikəl] *agg.* *(amer.)* scettico.

skepticism ['skeptisizəm] *s.* *(amer.)* scetticismo.

sketch [sketʃ] *s.* **1** schizzo; abbozzo; profilo; schema **2** *(teatr.)* «sketch», scenetta; *(mus.)* breve composizione.

to **sketch** *v.tr.* e *intr.* abbozzare; schizzare; fare uno schizzo // *to — out*, impostare, abbozzare il canovaccio di (un romanzo ecc.); delineare (un progetto).

sketchbook ['sketʃbu:k] *s.* album per schizzi.

sketchiness ['sketʃinis] *s.* imprecisione; incompletezza.

sketchy ['sketʃi] *agg.* abbozzato; impreciso; incompleto.

skewer ['skjuə*] *s.* **1** piccolo spiedo **2** *(scherz.)* spada.

to **skewer** *v.tr.* infilare sullo spiedo.

ski [ski:] *s.* sci // *— boots*, scarponi da sci // *— fastener*, attacco degli sci // *— stick*, racchette da sci.

to **ski** *v.intr.* sciare.

skid [skid] *s.* **1** slittamento (di ruota) **2** freno **3** scivolo **4** *(mecc.)* pattino: *— tail*, *(aer.)* pattino di coda.

to **skid** *v.intr.* scivolare; *(aut.)* slittare.

skid row [,skid'rou] *s.* *(amer.)* bassifondi *(pl.)*.

skier ['ski:ə*] *s.* sciatore.

skiff [skif] *s.* *(mar.)* barca a remi.

skiing ['ski:in] *s.* *(sport)* lo sci.

skilful ['skilful] *agg.* abile, esperto.

skilfully ['skilfuli] *avv.* abilmente.

ski lift ['ski:lift] *s.* sciovia.

skill [skil] *s.* abilità, destrezza.

skilled [skild] *agg.* esperto, versato, abile.

skilled worker ['skildwə:kə*] *s.* operaio specializzato.

skillet ['skilit] *s.* **1** casseruola con lungo manico **2** *(amer.)* padella.

skillful ['skilfl] *s.* *(amer.)* → **skilful**.

to **skim** [skim] *v.tr.* e *intr.* **1** schiumare; scremare: *to — the cream off*, scremare; *(fig.)* prendere il meglio di **2** sfiorare, rasentare: *to — (over) the ground*, volare raso terra; *to — a subject*, trattare un argomento superficialmente **3** scorrere, sfogliare: *to — (over, through) a novel*, scorrere un romanzo.

skim milk [ˈskimˈmilk] *s.* latte scremato.

skimming [ˈskimiŋ] *s.* scrematura.

to skimp [skimp] *v.tr.* e *intr.* lesinare; limitare; risparmiare: *to — on food*, lesinare sul cibo.

skimpiness [ˈskimpinis] *s.* **1** ristrettezza; razionamento **2** spilorceria.

skimpy [ˈskimpi] *agg.* **1** scarso; tirato; striminzito **2** tirchio, meschino.

skin [skin] *s.* **1** pelle: *— diseases*, malattie della pelle // *— reaction*, cutireazione // *to be only — and bone*, essere pelle e ossa // *to have a thin, thick —*, essere sensibile, insensibile // *to escape by the — of one's teeth*, cavarsela per il rotto della cuffia // *to save one's —*, salvare la pelle **2** pelle (di animale); pellame: *tanned skins*, pelli conciate, cuoio **3** otre **4** buccia, scorza **5** pellicola (del latte ecc.).

to skin *v.tr.* **1** scuoiare, scorticare; sbucciare // *to — a flint*, (*fam.*) essere spilorcio // *to keep one's eyes skinned*, (*sl.*) tenere gli occhi bene aperti **2** (*fam.*) truffare, frodare, pelare ♦ *v.intr.*: *to — (over)*, (*med.*) cicatrizzarsi, rimarginarsi.

skin-deep [ˈskinˈdiːp] *agg.* superficiale.

skin diver [ˈskinˌdaivə*] *s.* nuotatore subacqueo.

skin diving [ˈskinˌdaiviŋ] *s.* pesca subacquea (senza muta).

skin flick [ˈskinflik] *s.* (*sl.*) film pornografico.

skinflint [ˈskinflint] *s.* taccagno, spilorcio.

skin grafting [ˈskinˈgrɑːftiŋ] *s.* (*chir.*) innesto epidermico.

skinny [ˈskini] *agg.* magro; macilento.

skint [skint] *agg.* (*sl.*) al verde.

skin-tight [ˈskintait] *agg.* (*di abito*) molto aderente.

skip [skip] *s.* salto, balzo.

to skip *v.intr.* **1** saltare; saltare alla corda **2** (*fam.*) svignarsela ♦ *v.tr.*: *to — (over) sthg.*, scavalcare qlco. // *— it!*, lascia perdere! // *to — a few pages*, saltare qualche pagina.

skipper[1] [ˈskipə*] *s.* chi salta.

skipper[2] *s.* (*fam.*) capitano.

skipping-rope [ˈskipiŋroup], (*amer.*) **skip rope** [ˈskiproup] *s.* corda per saltare.

skirmish [ˈskəːmiʃ] *s.* scaramuccia; schermaglia.

to skirmish *v.intr.* scaramucciare.

skirt [skəːt] *s.* **1** sottana, gonna // *box-pleated —*, gonna a cannoni // *divided —*, gonna pantaloni // *knife-pleated —*, gonna pieghettata **2** orlo, lembo **3** (*sl.*) donna **4** *pl.* estremità, confini.

to skirt *v.tr.* orlare; circondare; costeggiare ♦ *v.intr.*: *to — along the coast*, andare lungo la costa.

skirting board [ˈskəːtiŋbɔːd] *s.* zoccolo (di parete); battiscopa.

skit [skit] *s.* parodia; satira.

skittish [ˈskitiʃ] *agg.* **1** vivace, allegro **2** focoso (di cavallo) **3** frivolo.

skittishness [ˈskitiʃnis] *s.* **1** vivacità **2** volubilità **3** focosità (di cavallo).

skittles [ˈskitlz] *s.pl.* **1** (gioco dei) birilli **2** (*fam.*) sciocchezze // *life is not all beer and —*, la vita non è fatta tutta di divertimenti.

skivvy [ˈskivi] *s.* (*sl.*) serva.

ski wax [skiːwæks] *s.* sciolina.

skulduggery [ˌskʌlˈdʌgəri] *s.* manovre sporche.

to skulk [skʌlk] *v.intr.* **1** stare nascosti; imboscarsi **2** muoversi furtivamente.

skull [skʌl] *s.* cranio, teschio // *— and crossbones*, teschio e tibie incrociate.

skullcap [ˈskʌlkæp] *s.* zucchetto.

skunk [skʌŋk] *s.* **1** (*zool.*) moffetta **2** (*fam.*) persona ignobile; farabutto.

sky [skai] *s.* cielo (*anche fig.*); volta celeste, firmamento // *out of a clear —*, inaspettatamente // *to praise s.o. to the skies*, portare qlcu. alle stelle // *to sleep under the open —*, dormire all'addiaccio.

sky blue [ˈskaiˈbluː] *agg.* azzurro cielo.

sky-high [ˈskaiˈhai] *agg.* altissimo ♦ *avv.* molto in alto.

skylark [ˈskailɑːk] *s.* allodola.

to skylark *v.intr.* (*sl.*) far chiasso, baldoria.

skylight [ˈskailait] *s.* lucernario.

skyline [ˈskailain] *s.* **1** orizzonte **2** linea, profilo (di monti ecc.) contro il cielo.

skyrocket [ˈskaiˌrɔkit] *s.* razzo.

to skyrocket *v.intr.* salire, andare alle stelle.

skyscraper [ˈskaiˌskreipə*] *s.* grattacielo.

skyward [ˈskaiwəd] *agg.* e *avv.* verso il cielo.

skywards [ˈskaiwədz] *avv.* verso il cielo.

skywriting [ˈskaiˌraitiŋ] *s.* scrittura aerea (per pubblicità).

slab [slæb] *s.* **1** lastra; piastra **2** fetta, pezzo **3** sciavero (di albero) **4** tavolo (di obitorio).

slack[1] [slæk] *agg.* lento; fiacco: *business is —*, gli affari languono ♦ *s.* **1** l'essere floscio **2** — (*water*), periodo di stasi fra le due maree **3** *pl.* calzoni sportivi o da donna.

to slack[1] *v.tr.* allentare; rallentare // *to — off*, allentare ♦ *v.intr.* essere pigro, indolente // *to — off*, rallentare; rilassarsi // *to — up*, rallentare.

slack[2] *s.* polvere di carbone.

to slacken [ˈslækən] *v.tr.* **1** allentare **2** diminuire ♦ *v.intr.* diventare pigro; diventare meno attivo.

slacker [ˈslækə*] *s.* fannullone; scansafatiche.

slag [slæg] *s.* (*metall.*) scoria, loppa.

slain *p.pass.* di to **slay.**

to slake [sleik] *v.tr.* **1** estinguere, spegnere **2** (*fig.*) appagare, soddisfare **3** spegnere (la calce).

slam[1] [slæm] *s.* sbatacchiamento.

to slam[1] *v.tr.* **1** sbattere; chiudere violentemente **2** premere con forza **3** criticare, attaccare a parole ♦ *v.intr.* sbattere; chiudersi violentemente.

slam[2] *s.* (*bridge*) «slam»: *grand —*, grande «slam», cappotto; *little —*, piccolo «slam», stramazzo.

slander [ˈslɑːndə*] *s.* calunnia, maldicenza; (*dir.*) diffamazione.

to slander *v.tr.* calunniare; (*dir.*) diffamare.

slanderous [ˈslɑːndərəs] *agg.* calunnioso, maldicente; (*dir.*) diffamatorio.

slang [slæŋ] *s.* gergo.

to slang *v.tr.* insultare // *slanging match*, scambio di insulti.

slangy [ˈslæŋi] *agg.* **1** di gergo **2** che usa gergo.

slant [slɑːnt] *s.* **1** inclinazione; china **2** (*fam.*) punto di vista.

to slant *v.tr.* **1** far inclinare **2** (*fam.*) presentare (notizie ecc.) in modo tendenzioso o insolito ♦ *v.intr.* essere in pendenza; inclinarsi.

slanting [ˈslɑːntiŋ] *agg.* inclinato; obliquo; sghembo: *— eyes*, occhi a mandorla.

slap [slæp] *s.* **1** schiaffo **2** insulto; rabbuffo.

to slap *v.tr.* **1** schiaffeggiare **2** *to — down*, sbattere, buttar giù con forza; (*sl.*) sgridare.

slap *avv.* (*fam.*) in pieno: *the car ran — into the wall*, l'automobile finì dritta contro il muro.

slap-bang ['slæp'bæŋ] *avv.* (*fam.*) **1** improvvisamente **2** violentemente.

slapdash ['slæpdæʃ] *agg.* **1** noncurante **2** impetuoso **3** fatto senza cura ♦ *avv.* **1** a casaccio **2** senza cura.

slaphappy ['slæp,hæpi] *agg.* (*fam.*) rumorosamente allegro; spensierato.

slapstick ['slæpstik] *s.* farsa grossolana.

slash [slæʃ] *s.* **1** colpo di taglio **2** taglio, apertura.

to **slash** *v.tr.* **1** tagliare; fendere **2** frustare, sferzare ♦ *v.intr.*: to — at, colpire violentemente.

slashing ['slæʃiŋ] *agg.* mordace, spietato.

slat [slæt] *s.* assicella (di legno); stecca (di persiana).

slate [sleit] *s.* **1** (tegola di) ardesia **2** lavagna // clean —, (*fig.*) passato ineccepibile **3** color ardesia **4** (*amer.*) lista di candidati.

to **slate**[1] *v.tr.* **1** coprire con tegole d'ardesia **2** (*amer.*) proporre come candidato, candidare.

to **slate**[2] *v.tr.* (*fam.*) **1** sgridare; punire aspramente **2** criticare severamente (libri ecc.).

slating[1] *s.* **1** copertura con tegole d'ardesia **2** tegole d'ardesia (*pl.*).

slating[2] *s.* rimprovero; biasimo; critica severa.

slattern ['slætə(:)n] *s.* sudiciona; sciattona.

slatternly ['slætə(:)nli] *agg.* sudicio; sciatto.

slaughter ['slɔːtə*] *s.* macello; carneficina, strage.

to **slaughter** *v.tr.* macellare; massacrare; far strage (di) (*anche fig.*).

slaughterhouse ['slɔːtəhaus] *s.* mattatoio; (*fig.*) macello.

Slav [slɑːv] *agg.* e *s.* slavo.

slave [sleiv] *s.* schiavo (*anche fig.*) // — computer, elaboratore, computer asservito; — memory, memoria secondaria.

to **slave** *v.intr.* lavorare come uno schiavo; sgobbare.

slave driver ['sleiv,draivə*] *s.* negriero (*anche fig.*).

slave labour ['sleiv,leibə*] *s.* lavoro da schiavo.

to **slaver**[1] ['sleivə*] *v.intr.* **1** far bava, sbavare **2** (*fig.*) avere la bava alla bocca, essere irato.

slaver[2] *s.* **1** schiavista; negriero **2** nave negriera.

slavery ['sleivəri] *s.* **1** schiavitù **2** lavoro faticoso.

slave trade ['sleivtreid] *s.* tratta degli schiavi // white —, tratta delle bianche.

slavey ['slævi] *s.* (*fam.*) serva.

Slavic ['slævik] *agg.* slavo ♦ *s.* lingua slava.

slavish ['sleiviʃ] *agg.* **1** di schiavo; servile: a — imitation, una imitazione servile **2** pedissequo.

Slavonic [slə'vɔnik] *agg.* e *s.* slavo.

to **slay** [slei], *pass.* **slew** [sluː], *p.pass.* **slain** [slein] *v.tr.* ammazzare; assassinare.

slayer ['sleiə*] *s.* assassino.

sleazy ['sliːzi] *agg.* **1** inconsistente; leggero (di stoffe) **2** (*fam.*) sordido, sporco.

sled [sled], **sledge** [sledʒ] *s.* slitta.

to **sled**, to **sledge** *v.tr.* trasportare con slitta ♦ *v.intr.* andare in slitta.

sledgehammer ['sledʒ,hæmə*] *s.* martello da fabbro; maglio.

sleek [sliːk] *agg.* liscio; lustro; accurato.

to **sleek** *v.tr.* lisciare; lustrare.

sleep [sliːp] *s.* **1** sonno; (*fig.*) quiete, riposo: broken —, sonno interrotto; to put a child to —, fare addormentare un bambino; to go to —, addormentarsi; to have a good —, fare una buona dormita **2** morte.

to **sleep**, *pass.* e *p.pass.* **slept** [slept] *v.intr.* **1** dormire // — on it, dormici sopra // to — the clock round, dormire dodici ore filate // to — like a log, (*fam.*) dormir

sodo, come un ghiro **2** passare la notte: to — out, dormire fuori di casa ♦ *v.tr.* **1** dormire // to — off sthg., smaltire qlco. dormendo **2** (*fam.*) dare da dormire a: this hotel sleeps 100 people, questo albergo ha 100 letti.

sleeper ['sliːpə*] *s.* **1** dormiente; dormiglione **2** (*ferr.*) traversina **3** (*ferr.*) vagone letto.

sleepily ['sliːpili] *avv.* con aria assonnata.

sleeping ['sliːpiŋ] *agg.* addormentato; inattivo // — pill, (pillola di) sonnifero // — partner, (*fin.*) socio occulto.

sleeping bag ['sliːpiŋbæg] *s.* sacco a pelo.

sleeping car ['sliːpiŋkɑː*] *s.* vagone letto.

sleepless ['sliːplis] *agg.* **1** insonne; agitato: a — night, una notte bianca **2** (*fig.*) attivo.

sleepwalker ['sliːp,wɔːkə*] *s.* sonnambulo.

sleepy ['sliːpi] *agg.* assonnato; sonnolento; (*fig.*) apatico, indolente // to be —, aver sonno.

sleepyhead ['sliːpihed] *s.* (*fam.*) dormiglione.

sleet [sliːt] *s.* nevischio; (*amer.*) grandine.

to **sleet** *v.intr.* cadere neve mista ad acqua; (*amer.*) grandinare.

sleeve [sliːv] *s.* **1** manica // -board, stiramaniche // to have a plan up one's —, (*fig.*) avere un asso nella manica // to laugh in one's —, ridere sotto i baffi // to wear one's heart on one's —, avere il cuore in mano **2** (*mecc.*) manicotto **3** copertina (di disco); custodia (di libro).

sleigh [slei] *s.* slitta.

to **sleigh** *v.tr.* trasportare con slitta ♦ *v.intr.* andare in slitta.

sleigh bell ['sleibel] *s.* campanello della slitta.

sleight [slait] *s.* gioco di abilità.

sleight of hand ['slaitəv'hænd] *s.* gioco di prestigio.

slender ['slendə*] *agg.* snello, sottile; magro (*anche fig.*): — means, mezzi insufficienti.

to **slenderize** ['slendəraiz] *v.intr.* (*amer.*) mantenersi snello, mantenere la linea.

slept *pass.* e *p.pass.* di **sleep**.

sleuth [sluːθ] *s.* investigatore.

to **sleuth** *v.tr.* e *intr.* fiutare una pista; investigare.

sleuthhound ['sluːθhaund] *s.* **1** segugio **2** (*fam.*) investigatore.

slew *pass.* di **slay**.

to **slew** [sluː] *v.tr.* e *intr.*: to — (round, around), ruotare; sbandare.

slice [slais] *s.* **1** fetta; porzione, parte **2** paletta (da cucina) **3** campione **4** (*tennis ecc.*) colpo, palla tagliata.

to **slice** *v.tr.* **1** tagliare a fette, in parti; dividere **2** (*tennis ecc.*) tagliare (una palla).

slicer ['slaisə*] *s.* affettatrice.

slick [slik] *agg.* **1** liscio, levigato; scorrevole **2** (*fam.*) abile; svelto **3** bello ma di poca sostanza.

to **slick** *v.tr.* impomatare.

slicker ['slikə*] *s.* (*amer.*) **1** impermeabile lungo e ampio **2** imbroglione, dritto.

slide [slaid] *s.* **1** scivolata **2** smottamento; valanga **3** scivolo; piano inclinato; (*mecc.*) superficie di scorrimento **4** slitta; carrello **5** vetrino (per microscopio) **6** (*fot.*) diapositiva **7** fermaglio per capelli.

to **slide**, *pass.* e *p.pass.* **slid** [slid] *v.intr.* scivolare; scorrere: to — off one's knee, scivolare dalle ginocchia // to — out of a room, sgusciare fuori da una stanza // to — over a delicate subject, sorvolare su un argomento delicato // to let things —, lasciar correre (le cose) ♦ *v.tr.* far scivolare; far scorrere.

slide rule ['slaidru:l] *s.* regolo calcolatore.

sliding ['slaidiŋ] *agg.* scorrevole; mobile.

sliding scale ['slaidiŋskeil] *s.* scala mobile (di salari).

slight [slait] *agg.* **1** lieve, leggero // *not the slightest doubt,* non il minimo dubbio **2** esile; fragile **3** superficiale; insignificante ♦ *s.* disprezzo; offesa.

to slight *v.tr.* mancare di riguardo (a); insultare; umiliare; sminuire.

slightly ['slaitli] *avv.* leggermente; scarsamente; in modo insignificante.

slim [slim] *agg.* **1** snello; smilzo **2** debole; leggero; scarso **3** (*sl.*) astuto; scaltro.

to slim *v.tr.* fare dimagrire (con dieta, ginnastica ecc.) ♦ *v.intr.* dimagrire.

slime [slaim] *s.* **1** melma; fanghiglia **2** bava; umore viscoso.

to slime *v.tr.* e *intr.* ricoprire di melma, bava.

sliminess ['slaiminis] *s.* **1** viscosità; melmosità **2** (*fam.*) servilità; untuosità.

slimy ['slaimi] *agg.* **1** viscoso; melmoso; limaccioso **2** (*fig.*) servile; untuoso.

sling[1] [sliŋ] *s.* fionda.

to sling[1] , *pass.* e *p.pass.* **slung** [slʌŋ] *v.tr.* lanciare; scagliare (con la fionda) // *to — one's hook,* (*fam.*) andarsene.

sling[2] *s.* **1** cinghia; imbracatura **2** (*med.*) bendaggio a fionda: *to have one's arm in a —,* portare un braccio al collo.

to sling[2] *v.tr.* **1** sospendere; appendere // *to — over one's shoulder,* portare ad armacollo **2** issare; imbracare.

to slink [sliŋk], *pass.* **slunk** [slʌŋk], *p.pass.* **slunk** [slæŋk], *v.intr.* **1** muoversi furtivamente **2** ancheggiare ♦ *v.tr.* abortire (di animali).

slip [slip] *s.* **1** scivolata // *to give s.o. the —,* evitare qlcu. **2** lapsus; passo falso; papera **3** sottoveste **4** federa (di guanciale) **5** guinzaglio **6** (*mar.*) scalo **7** innesto.

to slip *v.intr.* **1** scivolare; scorrere; smottare // *to — into bed,* infilarsi a letto // *to be slipping,* (*fam.*) indebolirsi; perdere la calma // *to — down,* scivolar giù; cadere **2** sciogliersi **3** sgattaiolare // *to let —,* (*fig.*) lasciar scappare; lasciar perdere **4** sfuggire; scorrere: *to — away,* scorrere (di tempo); eclissarsi **5** *to — up,* sbagliare; fare una gaffe ♦ *v.tr.* **1** far scivolare; far scorrere // *to — s.o's shoes off,* togliersi le scarpe // *to — over,* infilarsi (un vestito) per la testa **2** slegare; lasciar andare **3** sfuggire: *it slips my memory,* (*fam.*) mi sfugge **4** sfilarsi; liberarsi (di) **5** (*di animali*) abortire, partorire prematuramente.

slipcover [slip,kʌvə*] *s.* fodera (di poltrona ecc.).

slipknot ['slipnɔt] *s.* nodo scorsoio.

slip-on ['slipɔn] *s.* **1** indumento facile da indossare **2** fascetta elastica **3** scarpa non stringata.

slipover ['slipouvə*] *s.* (*fam.*) pullover senza maniche.

slipper ['slipə*] *s.* **1** pantofola; pianella **2** scarpetta da ballo.

slippered ['slipəd] *agg.* in pantofole.

slippery ['slipəri] *agg.* **1** sdrucciolevole; viscido; scivoloso **2** (*fig.*) sfuggente; astuto, infido.

slippy ['slipi] *agg.* **1** scivoloso **2** (*fig.*) sveglio.

slip road ['sliproud] *s.* strada secondaria; svincolo.

slipshod ['slipʃɔd] *agg.* sciatto; disordinato; trasandato, trascurato.

slipstream ['slipstri:m] *s.* (*aer.*) getto.

slip-up ['slipʌp] *s.* (*fam.*) papera; gaffe, errore.

slipway ['slipwei] *s.* (*mar.*) scivolo.

slit [slit] *s.* fessura; fenditura; spacco // *— pocket,* tasca tagliata.

to slit, *pass.* e *p.pass.* **slit** *v.tr.* fendere, spaccare ♦ *v.intr.* fendersi.

to slither ['sliðə*] *v.intr.* **1** incespicare **2** strisciare.

sliver ['slivə*] *s.* scheggia; frammento.

slob [slɔb] *s.* (*sl.*) sciocco.

slobber ['slɔbə*] *s.* **1** bava **2** sdolcinatura.

to slobber *v.intr.* **1** sbavare **2** *to — over s.o.,* (*fig.*) andare in solluchero per qlcu. ♦ *v.tr.* bagnare con la saliva.

sloe [slou] *s.* (*bot.*) prugnola // *— -eyed,* con gli occhi a mandorla.

slog [slɔg] *s.* (*fam.*) **1** colpo violento **2** lavoro faticoso, sgobbata.

to slog *v.intr.* **1** colpire fortemente **2** sgobbare ♦ *v.tr.* colpire fortemente.

slogan ['slougən] *s.* motto; slogan, motto pubblicitario.

sloop [slu:p] *s.* (*mar.*) veliero molto simile al cutter.

slop [slɔp] *s.* **1** risciacquatura (di piatti) (*anche fig.*) **2** cibi liquidi (*pl.*).

to slop *v.tr.* versare (un liquido) facendolo schizzare ♦ *v.intr.* traboccare; versarsi.

slope [sloup] *s.* **1** pendenza; inclinazione **2** pendio; declivio.

to slope *v.intr.* **1** essere in pendenza, pendere; declinare **2** *to — off,* (*sl.*) svignarsela ♦ *v.tr.* inclinare, dare pendenza (a).

sloppy ['slɔpi] *agg.* **1** molle; acquoso; bagnato; fangoso **2** sciatto; trascurato **3** (*fig.*) sdolcinato.

to slosh [slɔʃ] *v.tr.* (*sl.*) colpire.

slot [slɔt] *s.* fessura; scanalatura.

sloth [slouθ] *s.* pigrizia, indolenza.

slothful ['slouθful] *agg.* pigro, indolente.

slot machine ['slɔtmə'ʃi:n] *s.* «slot-machine», macchina a gettoni.

slouch [slautʃ] *s.* curvatura della schiena, delle spalle; andatura goffa e strascicata.

to slouch *v.intr.* muoversi goffamente; camminare pesantemente, con le spalle curve.

slouch hat ['slautʃ'hæt] *s.* cappello a cencio.

to slough [slʌf] *v.tr.* **1** (*di serpenti*) lasciar cadere, cambiare (la pelle) **2** espellere, liberarsi **3** *to — off,* (*fig.*) liberarsi di (abitudini, vizi ecc.) ♦ *v.intr.* (*di pelle morta*) cadere, venir via; squamarsi.

Slovak ['slouvæk] *agg.* e *s.* slovacco.

sloven ['slʌvn] *s.* sudiciume; sciattone; pigrone.

Slovene ['slouvi:n] *s.* sloveno.

slovenliness ['slʌvnlinis] *s.* sciatteria; trascuratezza; sporcizia.

slovenly ['slʌvnli] *agg.* sciatto; sudicio; trascurato.

slow [slou] *agg.* **1** lento // *goods of — sale,* merci che si vendono poco // *plants of — growth,* piante tardive // *to cook in a — oven,* cuocere a fuoco lento // *she is — to anger,* non si arrabbia facilmente // *to be — off the mark,* essere lento a capire // *— and steady wins the race,* (*prov.*) chi va piano va sano e va lontano **2** tardo, tardivo; ottuso **3** noioso **4** in ritardo, indietro: *my watch is always ten minutes —,* il mio orologio è sempre indietro dieci minuti **5** inattivo, fiacco (di stagione, di mercato ecc.) ♦ *avv.* lentamente, adagio // *go —,* (*fig.*) sii cauto.

to slow *v.tr.* e *intr.* (far) rallentare: *to — up* (o *down*), rallentare (pian piano).

slowcoach ['sloukoutʃ] *s.* (*fig.*) **1** lumaca, posapiano **2** persona retrograda.

slow-down ['sloudaun] *s.* rallentamento.

slowly ['slouli] *avv.* lentamente; adagio.

slow motion ['slou'mouʃən] *s.* (*cinem.*) rallentatore // *to do sthg. in* —, (*fig.*) fare qlco. col rallentatore.

slowness ['slounis] *s.* **1** lentezza; pigrizia **2** ottusità mentale **3** ritardo (d'orologio).

sludge [slʌdʒ] *s.* **1** melma; morchia **2** neve sciolta, poltiglia.

to **slue** [slu:] *v.tr.* e *intr.* (*amer.*) → to **slew**.

slug[1] [slʌg] *s.* lumaca.

slug[2] *s.* **1** pallottola **2** (*tip.*) lingotto.

to **slug**[2] *v.tr.* (*fam. amer.*) colpire con forza, stordire // *to* — *it out*, decidere a pugni.

sluggard ['slʌgəd] *s.* pigrone, fannullone.

sluggish ['slʌgiʃ] *agg.* pigro, indolente; torpido; lento // — *market*, (*econ.*) mercato stanco.

sluice [slu:s] *s.* chiusa.

to **sluice** *v.tr.* **1** far scorrere, far sgorgare **2** lavare con molta acqua: *to* — *one's face*, sciacquarsi la faccia ♦ *v.intr.* sgorgare; scrosciare.

slum [slʌm] *s.* **1** catapecchia, topaia **2** *pl.* quartieri poveri, bassifondi.

to **slum** *v.intr.*: *to go slumming*, visitare i quartieri poveri di una città (a scopo turistico o caritativo): *to* — *it*, fare economia all'osso.

slumber ['slʌmbə*] *s.* sonno.

to **slumber** *v.intr.* dormire; essere addormentato.

slumberous ['slʌmbərəs] *agg.* assonnato.

slump [slʌmp] *s.* **1** (*econ.*) recessione **2** (*fig.*) declino, crollo.

to **slump** *v.intr.* **1** accasciarsi; sprofondare **2** crollare (dei prezzi).

slung *pass.* e *p.pass.* di to **sling**.

slunk *pass.* e *p.pass.* di to **slink**.

slur [slə:*] *s.* **1** (*fig.*) macchia; discredito **2** (*mus.*) legatura.

to **slur** *v.tr.* **1** biascicare; pronunciare indistintamente **2** (*fig.*) sorvolare: *to* — *a person's faults*, sorvolare sulle colpe di una persona **3** (*mus.*) legare **4** (*fig.*) macchiare; screditare ♦ *v.intr.* **1** farfugliare **2** *to* — *over*, (*fig.*) sorvolare (su): *to* — *over details*, sorvolare sui particolari.

slush [slʌʃ] *s.* **1** neve sciolta; fanghiglia **2** (*fam.*) sentimentalismo.

slush fund ['slʌʃfʌnd] *s.* fondi neri.

slushy ['slʌʃi] *agg.* **1** melmoso; molliccio **2** (*fam.*) sdolcinato.

slut [slʌt] *s.* **1** sciattona **2** sgualdrina.

sluttish ['slʌtiʃ] *agg.* sporco, sudicio; trascurato.

sly [slai] *agg.* scaltro, astuto; subdolo; furtivo // *a* — *dog*, (*sl.*) un sornione // *on the* —, furtivamente, di soppiatto.

slyboots ['slaibu:ts] *s.* furbacchione, imbroglione; birbante.

smack[1] [smæk] *s.* traccia, punta (*anche fig.*): *a* — *of garlic*, una punta di aglio.

to **smack**[1] *v.intr.* sapere (*anche fig.*).

smack[2] [smæk] *s.* **1** schiocco **2** bacio con lo schiocco **3** schiaffo // *a* — *in the face*, uno schiaffo morale // *a* — *in the eye*, uno smacco.

smack[2] *avv.* (*fam.*) direttamente; in pieno: *to run* — *into a tree*, andare a sbattere diritto contro un albero; — *in the middle of*, nel bel mezzo di.

to **smack**[2] *v.tr.* **1** schioccare (labbra, frusta) **2** schiaffeggiare; colpire (con la mano aperta) **3** buttare rumorosamente ♦ *v.intr.* schioccare.

smacker ['smækə*] *s.* (*fam.*) **1** schiaffo sonoro **2** bacio con lo schiocco **3** (*fam.*) banconota (sterlina).

small [smɔ:l] *agg.* **1** piccolo; scarso, esiguo: — *boy*, *bird*, ragazzino, uccellino; *a* — *voice*, un vocino; — *income*, reddito esiguo // — *hours*, ore piccole // *to feel* —, (*fig.*) farsi piccolo piccolo (dalla vergogna) **2** (*fig.*) meschino, piccino ♦ *s.* **1** parte più sottile // *the* — *of the back*, le reni **2** *pl.* (*fam.*) indumenti intimi ♦ *avv.*: *to sing* —, (*fig.*) abbassare la cresta.

small arms ['smɔ:lmz] *s.pl.* armi a canna corta.

small-minded [,smɔ:l'maindid] *agg.* di mentalità ristretta.

smallpox ['smɔ:lpɔks] *s.* (*med.*) vaiolo.

small talk ['smɔ:ltɔ:k] *s.* discorsi da salotto (*pl.*).

small-time ['smɔ:ltaim] *agg.* limitato; poco importante; insignificante.

small-timer [,smɔ:l'taimə*] *s.* tipo da poco; omuncolo.

smarmy ['smɑ:mi] *agg.* (*fam. fig.*) untuoso, strisciante.

smart [smɑ:t] *agg.* **1** acuto, pungente; forte: *a* — *pain*, una fitta; *a* — *blow*, un colpo secco **2** vivace; svelto (*anche fig.*); celere: *at a* — *pace*, con passo spedito; *a* — *job*, un lavoretto ben fatto **3** (*fig.*) sveglio, intelligente; spiritoso: *a* — *answer*, una risposta spiritosa // *he thinks he is* —, (*fam.*) crede di essere un dritto **4** lindo, in ordine; elegante, alla moda: *a* — *woman*, una donna elegante, chic // *the* — *set*, il bel mondo ♦ *s.* dolore acuto; bruciore.

to **smart** *v.intr.* **1** bruciare, dolere: *his eyes smarted with smoke*, gli bruciavano gli occhi per il fumo **2** (*fig.*) soffrire.

smart aleck [,smɑ:t'ælik] *s.* (*fam. iron.*) sapientone.

to **smarten** ['smɑ:tn] *v.tr.* rassettare; rinfrescare (abiti ecc.): *to* — (*up*) *one's house*, rassettare la casa // *to* — (*up*) *oneself*, farsi bello ♦ *v.intr.*: *to* — *up*, mettersi in ordine; (*fig.*) scaltrirsi, svegliarsi.

smash [smæʃ] *s.* **1** fragore; schianto; scontro // —*and-grab* (*raid*), spaccata, furto compiuto infrangendo la vetrina **2** (*fig.*) disastro, crollo; bancarotta.

to **smash** *v.tr.* **1** frantumare; sfasciare: *to* — *sthg. to pieces*, ridurre in frantumi qlco. // *to* — *in a door*, abbattere una porta **2** colpire violentemente; (*fig.*) schiacciare **3** mandare in rovina **4** *to* — *up*, fracassare ♦ *v.intr.* **1** frantumarsi; schiantarsi **2** *to* — (*up*), (*fig.*) andare in rovina; fallire.

smasher ['smæʃə*] *s.* (*fam.*) schianto.

smash hit ['smæʃhit] *s.* (*fam.*) successo (editoriale, cinematografico ecc.).

smashing ['smæʃiŋ] *agg.* **1** schiacciante (*anche fig.*) **2** (*fam.*) formidabile, da sballo.

smash-up ['smæʃʌp] *s.* **1** scontro **2** (*fig.*) disastro, rovina.

smattering ['smætəriŋ] *s.* (*fig.*) infarinatura, conoscenza superficiale.

smear [smiə*] *s.* **1** macchia (d'unto), patacca **2** (*fig.*) calunnia.

to **smear** *v.tr.* **1** ungere; macchiare, imbrattare **2** (*fig.*) calunniare ♦ *v.intr.* macchiare; sbavare.

smear test ['smiətest] *s.* pap test.

smear word ['smiəwɔ:d] *s.* insinuazione.

smell [smel] *s.* **1** olfatto **2** odore **3** atto dell'annusare, del fiutare.

to **smell**, *pass.* e *p.pass.* **smelt** [smelt] *v.tr.* **1** sentire odore di; annusare, fiutare (*anche fig.*): *to* — *sthg. burning*, sentire odore di bruciato; *to* — *treason*, subodorare un tradimento **2** *to* — *out*, scovare; (*fig.*) scoprire ♦ *v.intr.* **1** odorare: *this flower doesn't* —, questo fiore non ha odore; *to — good, bad,* avere un buon, cattivo odore **2** puzzare **3** *to — of,* avere odore di.

smelling salts ['smeliŋsɔːlts] *s.pl.* sali (per rianimare).

smelly ['smeli] *agg.* puzzolente.

to **smelt**[1] [smelt] *v.tr.* **1** fondere (minerale) **2** affinare (il metallo) mediante fusione.

smelt[2] *pass.* e *p.pass.* di to **smell**.

smile [smail] *s.* sorriso (*anche fig.*).

to **smile** *v.intr.* sorridere (*anche fig.*): *fortune smiled on us,* la fortuna ci arrise; *to — at sthg.,* sorridere di qlco. ♦ *v.tr.* esprimere con un sorriso.

smiling ['smailiŋ] *agg.* sorridente; sereno.

smirch [sməːtʃ] *s.* macchia (*anche fig.*).

to **smirch** *v.tr.* e *intr.* macchiare (*anche fig.*).

smirk [sməːk] *s.* sogghigno.

to **smirk** *v.intr.* sogghignare in modo compiaciuto.

to **smite** [smait], *pass.* **smote** [smout], *p.pass.* **smitten** ['smitn] *v.tr.* **1** colpire (*anche fig.*): *to be smitten with remorse,* essere roso dal rimorso // *to be smitten (by a girl),* (*scherz.*) essere cotto (di una ragazza) **2** sconfiggere, sgominare ♦ *v.intr.* colpire.

smith [smiθ] *s.* fabbro.

smithereens ['smiðə'riːnz] *s.pl.* (*fam.*) pezzetti, briciole.

smithy ['smiði] *s.* fucina.

smitten *p.pass.* di to **smite**.

smock [smɔk] *s.* **1** grembiule **2** casacca (tipo pittore o premaman).

smog [smɔg] *s.* smog.

smoke [smouk] *s.* **1** fumo // *to go up in —,* andare in fumo // *there is no — without fire,* (*prov.*) non c'è fumo senza arrosto **2** fumata; sigaro, sigaretta: *let's have a —,* facciamoci una fumatina.

to **smoke** *v.tr.* **1** fumare // *put it in your pipe and — it!,* (*fam.*) prendi e porta a casa! **2** affumicare **3** *to — out,* disinfestare (luoghi) col fumo; scacciare (animali) col fumo ♦ *v.intr.* fumare: *to — like a chimney,* fumare come un turco // *no smoking,* vietato fumare.

smoke black ['smoukblæk] *s.* nero fumo.

smoke bomb ['smoukbɔm] *s.* bomba fumogena.

smokeless ['smouklis] *agg.* che non produce fumo.

smoker ['smoukə*] *s.* **1** fumatore **2** (*fam.*) scompartimento, carrozza per fumatori.

smokescreen ['smoukskriːn] *s.* (*mil.*) cortina fumogena.

smokestack ['smoukstæk] *s.* ciminiera; (*amer.*) fumaiolo.

smoking ['smoukiŋ] *s.* **1** il fumare // *no —,* vietato fumare **2** affumicatura.

smoking jacket ['smoukiŋ,dʒækit] *s.* (*antiq.*) giacca da casa.

smoky ['smouki] *agg.* **1** che fa molto fumo **2** pieno di fumo, fumoso **3** annerito dal fumo **4** che sa di fumo.

to **smooch** [smuːtʃ] *v.intr.* (*fam.*) limonare, pomiciare.

smooth [smuːð] *agg.* **1** liscio; piano; calmo // *to be in — waters,* (*fig.*) essere al sicuro **2** ben amalgamato, omogeneo **3** fluente, scorrevole **4** armonioso (di suono ecc.); gradevole (di sapore) **5** dolce; affabile; mellifluo ♦ *s.* superficie liscia; terreno uniforme // *to take the rough with the —,* accettare gli alti e i bassi della vita.

to **smooth** *v.tr.* lisciare; appianare (*anche fig.*): *to — away differences,* attenuare le differenze; *to — the way for s.o.,* appianare la strada a qlcu. // *to — down,* calmare // *to — over,* minimizzare ♦ *v.intr.: to — down,* calmarsi.

smoothbore ['smuːðbɔː*] *s.* fucile a canna liscia.

smooth-faced ['smuːðfeist] *agg.* **1** imberbe **2** (*fig.*) dall'espressione melliflua.

smoothie, smoothy ['smuːði] *s.* persona di modi suadenti.

smooth-tongued ['smuːðtʌŋd] *agg.* **1** dalla parola facile; convincente **2** complimentoso.

smote *pass.* di to **smite**.

smother ['smʌðə*] *s.* fumo soffocante; nuvola (di fumo, vapore ecc.).

to **smother** *v.tr.* **1** soffocare (*anche fig.*) **2** ricoprire ♦ *v.intr.* soffocare.

smoulder ['smouldə*] *s.* **1** brace **2** fumo denso.

to **smoulder** *v.intr.* bruciare senza fiamma; (*fig.*) covare.

smudge [smʌdʒ] *s.* **1** macchia; sgorbio **2** (*amer.*) fuoco all'aperto per tenere lontani gli insetti.

to **smudge** *v.tr.* macchiare; scarabocchiare; imbrattare ♦ *v.intr.* macchiarsi.

smudgy ['smʌdʒi] *agg.* macchiato, imbrattato.

smug [smʌg] *agg.* tronfio, presuntuoso.

to **smuggle** ['smʌgl] *v.tr.* contrabbandare ♦ *v.intr.* fare il contrabbando.

smuggler ['smʌglə*] *s.* contrabbandiere.

smuggling ['smʌgliŋ] *s.* contrabbando.

smugly ['smʌgli] *avv.* con aria di sufficienza.

smut [smʌt] *s.* **1** fuliggine; macchia di fuliggine **2** linguaggio osceno; libri osceni (*pl.*).

to **smut** *v.tr.* macchiare di fuliggine, di nero; imbrattare (*anche fig.*).

smutty ['smʌti] *agg.* **1** sporco; fuligginoso **2** osceno.

snack [snæk] *s.* **1** spuntino **2** pietanza che si prepara in fretta.

snack bar ['snækbɑː*] *s.* tavola calda.

snaffle ['snæfl] *s.* morso snodato (del cavallo).

snag [snæg] *s.* **1** ostacolo (*anche fig.*) **2** tronco, ramo conficcato nel fondo di un fiume **3** filo tirato (di calza).

to **snag** *v.tr.* **1** (*mar.*) urtare (una barca) contro un ostacolo **2** strappare (una calza).

snail [sneil] *s.* chiocciola; lumaca (*anche fig.*).

snake [sneik] *s.* serpente (*anche fig.*); serpe; biscia // *hooded —,* cobra // *rattle —,* serpente a sonagli // *a — in the grass,* (*fig.*) un pericolo, nemico nascosto // *to see snakes,* (*fam.*) avere il delirium tremens.

to **snake** *v.intr.* serpeggiare.

snake charmer ['sneik,tʃɑː'mə*] *s.* incantatore di serpenti.

snakiness ['sneikinis] *s.* tortuosità, sinuosità; (*fig.*) carattere infido.

snaky ['sneiki] *agg.* **1** serpentino **2** serpeggiante, sinuoso **3** (*fig.*) tortuoso, infido, crudele.

snap [snæp] *s.* **1** morso **2** colpo secco, schiocco // *cold —,* ondata di freddo **3** (*fot.*) istantanea **4** chiusura a molla; bottone automatico **5** biscotto croccante **6** gioco di carte **7** (*fam.*) energia; vivacità.

snap *agg.* affrettato; con breve preavviso: *a — decision,* una decisione affrettata.

to **snap** *v.tr.* **1** mordere, addentare, azzannare // *to — up,* afferrare, cogliere // *to — off,* staccare con un morso // *to — off s.o.'s head* (o *nose*), (*fam.*) chiudere la bocca a qlcu. in malo modo **2** chiudere di colpo, di scatto **3** spezzare con un colpo secco **4** far schioccare // *to — one's fingers at,* infischiarsi di **5** scattare una istantanea (a) ♦ *v.intr.* **1** chiudersi di scatto **2** spezzarsi; saltare (*anche fig.*): *my nerves snapped,* mi sono saltati i nervi **3** schioccare **4** *to — at,* azzannare; ghermire, afferrare; rispondere bruscamente **5** *to — out of,* (*fig.*) scuotersi da.

snapdragon ['snæp,drægən] *s.* (*bot.*) bocca di leone.

snappish ['snæpiʃ] *agg.* **1** mordace, caustico **2** irritabile **3** ringhioso.

snappy ['snæpi] *agg.* **1** irritabile **2** aspro, brusco **3** vivace, brillante // *look —*, (*fam.*) sbrigati **4** (*fam.*) elegante.

snapshot ['snæpʃɔt] *s.* istantanea: *to take a —*,scattare un'istantanea.

snare [snɛə*] *s.* trappola (*anche fig.*).

to **snare** *v.tr.* prendere in trappola (*anche fig.*).

snarl[1] [snɑːl] *s.* intrico; imbroglio (*anche fig.*).

to **snarl**[1] *v.tr.* aggrovigliare (*anche fig.*) // *snarled up*, (*fam.*) bloccato (di traffico) ♦ *v.intr.* aggrovigliarsi.

snarl[2] *s.* ringhio.

to **snarl**[2] *v.intr.* ringhiare (*anche fig.*).

snatch [snætʃ] *s.* **1** strappo, presa: *to make a — at sthg.*, ghermire qlco. **2** frammento; brano **3** breve periodo: *in snatches*, a periodi.

to **snatch** *v.tr.* **1** afferrare // *to — up*, raccogliere in fretta // *to — the opportunity*, cogliere l'occasione **2** strappare a viva forza; depredare: *to — s.o.'s handbag*, scippare qlcu. // *to — away*, portar via, rapire ♦ *v.intr.*: *to — at*, (tentare di) strappare; (*fig.*) cogliere.

snatchy ['snætʃi] *agg.* frammentario; discontinuo.

snazzy ['snæzi] *agg.* (*fam.*) bellissimo, da sballo.

sneak [sniːk] *s.* **1** persona vile, abietta **2** (*sl.*) spia **3** (*cricket*) palla lanciata raso terra.

to **sneak** *v.intr.* **1** muoversi furtivamente; strisciare; insinuarsi // *to — in, out*, entrare, uscire furtivamente // *to — away*, andar via di soppiatto **2** (*sl.*) fare la spia **3** agire da codardo ♦ *v.tr.* (*fam.*) rubare; soffiare.

sneakers ['sniːkəz] *s.pl.* (*fam. amer.*) scarpe da ginnastica.

sneaking ['sniːkiŋ] *agg.* furtivo; nascosto.

sneak thief ['sniːkθiːf] *s.* ladruncolo.

sneer [sniə*] *s.* **1** sogghigno beffardo **2** scherno; frecciata.

to **sneer** *v.intr.* **1** mostrar disprezzo **2** sogghignare **3** *to — at*, schernire.

sneeze [sniːz] *s.* starnuto.

to **sneeze** *v.intr.* starnutire // *not to be sneezed at*, non disprezzabile.

snell [snel] *s.* pezzetto di crine, di budello che unisce l'amo alla lenza.

snick [snik] *s.* tacca, piccola incisione.

(to) **snicker** ['snikə*] → (to) **snigger**.

snide [snaid] *agg.* **1** beffardo **2** falso.

sniff [snif] *s.* **1** annusata **2** smorfia.

(to) **sniff** *v.intr.* aspirare rumorosamente col naso // *to — at*, annusare; (*fig.*) arricciare il naso davanti a ♦ *v.tr.* **1** aspirare **2** fiutare (*anche fig.*).

sniffle ['snifl] *s.* il tirar su col naso.

to **sniffle** *v.intr.* tirar su col naso.

sniffy ['snifi] *agg.* **1** (*fam.*) sprezzante, sdegnoso **2** maleodorante.

snifter ['sniftə*] *s.* **1** (*amer.*) napoleone, bicchiere da cognac **2** (*fam.*) cicchetto.

snigger ['snigə*] *s.* risolino malizioso.

to **snigger** *v.intr.* ridere sotto i baffi; ridacchiare.

snip [snip] *s.* **1** forbiciata **2** (*fam.*) sarto **3** ritaglio di stoffa **4** (*fam.*) affare.

to **snip** *v.tr.* tagliare (con le forbici) ♦ *v.intr.* fare tagli (con le forbici).

snipe [snaip] *s.* (*zool.*) beccaccino.

to **snipe** *v.intr.* **1** andare a caccia di beccaccini **2** fare il franco tiratore ♦ *v.tr.* sparare (a) stando appostato.

sniper [snaipə*] *s.* cecchino; tiratore scelto.

to **snitch** [snitʃ] *v.intr.* (*sl.*) fare la spia ♦ *v.tr.* rubare.

snivel ['snivl] *s.* **1** moccio **2** piagnucolio; lamento.

to **snivel** *v.intr.* **1** moccicare **2** frignare.

snob [snɔb] *s.* snob.

snobbery ['snɔbəri] *s.* snobismo.

snobbish ['snɔbiʃ] *agg.* snob, snobistico.

to **snog** [snɔg] *v.intr.* (*fam.*) pomiciare.

snook [snuːk] *s.* marameo: *to cock a —*, fare marameo.

to **snoop** [snuːp] *v.intr.* (*fam.*) ficcare il naso.

snooper [snuːpə*] *s.* **1** (*fam.*) ficcanaso, spione **2** (*sl.*) ispettore.

snooty ['snuːti] *agg.* (*fam.*) borioso.

snooze [snuːz] *s.* pisolino.

to **snooze** *v.intr.* fare un pisolino; sonnecchiare.

snore [snɔː*] *s.* il russare.

to **snore** *v.intr.* russare.

snorkel ['snɔːkəl] *s.* **1** «snorkel» (presa d'aria per sommergibili) **2** respiratore (per pesca subacquea), boccaglio.

snort [snɔːt] *s.* **1** sbuffo; sbuffata **2** (*amer.*) sorsata di liquore.

to **snort** *v.intr.* sbuffare.

snorter ['snɔːtə*] *s.* **1** chi sbuffa **2** cosa, persona violenta, volgare // *his letter was a regular —*, la sua lettera fu davvero violenta **3** (*fam.*) cosa, persona eccezionale.

snot [snɔt] *s.* (*fam.*) moccio.

snotty ['snɔti] *agg.* (*fam.*) moccioso.

snout [snaut] *s.* muso, grugno.

snow [snou] *s.* **1** neve: *powdery —*, neve farinosa // *untracked —*, (*sci*) fuori pista **2** (*fig.*) bianchezza, candore **3** (*sl.*) «neve», cocaina in polvere.

to **snow** *v.intr.* **1** *impers.* nevicare: *it was snowing yesterday*, ieri nevicava **2** (*fig.*) venir giù in gran numero; piovere: *complaints came snowing in*, piovvero i reclami ♦ *v.tr.* (*fig.*) far cadere in gran numero, far piovere // *snowed under*, sovrastato // *snowed up*, bloccato dalla neve.

snowball ['snoubɔːl] *s.* **1** palla di neve **2** (*fig.*) valanga.

to **snowball** *v.tr.* lanciare palle di neve (a) ♦ *v.intr.* **1** fare a palle di neve **2** aumentare; ingrandirsi.

snow-blind ['snoublaind] *agg.* accecato dal riverbero della neve.

snowbound ['snoubaund] *agg.* bloccato dalla neve.

snow-capped ['snoukæpt] *agg.* incappucciato di neve.

snowdrift ['snoudrift] *s.* cumulo di neve ammassato dal vento.

snowdrop ['snoudrɔp] *s.* (*bot.*) bucaneve.

snowfall ['snoufɔːl] *s.* nevicata.

snowfield ['snoufiːld] *s.* zona delle nevi perenni.

snowflake ['snoufleik] *s.* fiocco di neve.

snowline ['snoulain] *s.* limite delle nevi perenni.

snowman ['snoumæn], *pl.* **snowmen** ['snoumən] *s.* pupazzo di neve // *the Abominable Snowman*, l'(abominevole) uomo delle nevi.

snowmobile ['snoumoubail] *s.* gatto delle nevi; motoslitta.

snowplough, (*amer.*) **snowplow** ['snou'plau] *s.* spazzaneve.

snowshoe ['snouʃuː] *s.* racchetta per la neve.

snowslide ['snou,slaid], **snowlip** ['snou,slip] *s.* slavina; valanga.

snowstorm ['snoustɔːm] *s.* bufera di neve.

snow-white ['snou,wait] *agg.* bianco come la neve.

Snow White *no.pr.f.* Biancaneve.

snowy [ˈsnoui] *agg.* **1** nevoso **2** niveo.

snub [snʌb] *s.* rimprovero, rabbuffo umiliante.

to **snub** *v.tr.* rimproverare; umiliare; trattare con disprezzo.

snub-nosed [ˈsnʌbnouz] *s.* naso camuso.

snuff[1] [snʌf] *s.* **1** tabacco da fiuto: *to take* —, fiutare tabacco **2** aspirazione, l'aspirare col naso.

to **snuff**[1] *v.tr.* annusare, aspirare col naso ♦ *v.intr.* fiutare tabacco.

to **snuff**[2] *v.tr.* smoccolare (una candela) **2** *to* — *out*, spegnere; (*fig.*) soffocare; (*fam.*) uccidere ♦ *v.intr.*: *to* — *out*, (*fam.*) morire.

snuffbox [ˈsnʌfbɔks] *s.* tabacchiera.

snuffers [ˈsnʌfəz] *s.pl.* smoccolatoio (*sing.*).

to **snuffle** [ˈsnʌfl] *v.intr.* respirare rumorosamente col naso; parlare col naso.

snug [snʌg] *agg.* **1** comodo; caldo; tranquillo: *it is very* — *in here*, si sta bene qui // *as* — *as a bug in a rug*, (*fam.*) pacifico e beato **2** confortevole; adatto; ben fatto **3** nascosto **4** aderente, stretto: *too* — *for comfort*, troppo stretto per essere comodo.

to **snug** *v.intr.* rannicchiarsi; stare comodo e al caldo.

to **snuggle**[2] [ˈsnʌgl] *v.intr.* rannicchiarsi ♦ *v.tr.* coccolare.

so [sou] *avv.* **1** così: — *I went away*, così me ne andai; — *kind a person*, una persona così gentile; *he was* — *kind as to help me*, fu così gentile da aiutarmi; *he was* — *tired that he fell asleep*, era così stanco che si addormentò; *she is* — *polite*, è così, tanto educata // — *that*, così che, cosicché; affinché // — *as to*, così, in modo tale da // — *long as*, purché // — *much*, — *many*, tanto, tanti; — *much that*, a tal punto che // — *far*, fino ad ora; *in* — *far as*, per quanto // *if* —, in tal caso; *that being* —, stando così le cose // *is that* — ?, davvero? // — *what?*, e allora? // *or* —, circa, pressappoco // — *to say*, per così dire // *and* — *on* (o *forth*), eccetera, e così via // *I think* —, — *long!*, ciao! **2** anche, pure: "*I saw a good film*" "*So did I*", «Ho visto un bel film» «Anch'io»; "*I am sleepy*" "*So am I*", «Ho sonno» «Anche io» ♦ *cong.* **1** perciò, così, dunque: — *you haven's seen him?*, così non l'hai visto?

to **soak** [souk] *v.tr.* **1** inzuppare; bagnare: *the heavy rain soaked us to the skin*, la pioggia violenta ci bagnò fino alle ossa // *to* — *oneself in sthg.*, (*fig.*) imbeversi di qlco. **2** mettere a bagno **3** *to* — *up*, assorbire ♦ *v.intr.* **1** stare a bagno **2** (*fam.*) bere come una spugna **3** *to* — *through* (o *into*), penetrare in, infiltrarsi in.

soakage [ˈsoukidʒ] *s.* liquido assorbito; acqua d'infiltrazione.

soaking [ˈsoukiŋ] *agg.* **1** bagnato, inzuppato: — *wet*, bagnato fradicio **2** che bagna, inzuppa.

so-and-so [ˈsouənsou] *s.* persona, cosa non specificata: *Mr.* —, il signor Tal dei Tali // *he called me a* —, mi ha dato del...

soap [soup] *s.* **1** sapone: *cake of* —, pezzo di sapone // — *dish*, portasapone // *castile* —, sapone Marsiglia // *pure* —, sapone neutro // *no* —!, niente da fare! **2** (*fam.*) adulazione.

to **soap** *v.tr.* insaponare.

soapbox [ˈsoupbɔks] *s.* podio, piattaforma improvvisata.

soap bubble [ˈsoup,bʌbl] *s.* bolla di sapone.

soap flakes [ˈsoupfleiks] *s.pl.* sapone in scaglie (*sing.*).

soap opera [ˈsoup,ɔp(ə)rə] *s.* (*fam. amer.*) trasmissione (radiofonica o televisiva) a puntate a carattere sentimentale.

soapstone [ˈsoupstoun] *s.* (*min.*) steatite.

soapsuds [ˈsoupsʌdz] *s.pl.* saponata (*sing.*).

soapy [ˈsoupi] *agg.* **1** saponoso; impregnato di sapone; insaponato **2** (*fig.*) adulatorio; untuoso.

to **soar** [sɔː*] *v.intr.* **1** levarsi in volo (di uccelli) **2** elevarsi (*anche fig.*) **3** aumentare **4** sfrecciare.

sob [sɔb] *s.* singhiozzo // — *sister*, (*amer.*) scrittrice di storie strappalacrime.

to **sob** *v.intr.* singhiozzare ♦ *v.tr.*: *to* — *out*, esprimere singhiozzando // *to* — *one's heart out*, piangere a calde lacrime.

sober [ˈsoubə*] *agg.* sobrio; assennato.

to **sober** (*up*) *v.tr.* render sobrio ♦ *v.intr.* diventar sobrio, riprendersi da una sbornia.

sober-minded [ˈsoubə,maindid] *agg.* saggio, serio.

soberness [ˈsoubənis] *s.* sobrietà.

sobriety [souˈbraiti] *s.* → **soberness**.

sobriquet [ˈsoubrikei] *s.* soprannome.

sob story [ˈsɔb,stɔːri] *s.* (*fam.*) racconto strappalacrime.

so-called [ˈsouˈkɔːld] *agg.* cosiddetto.

soccer [ˈsɔkə*] *s.* (*fam.*) football, calcio.

sociability [ˌsouʃəˈbiliti] *s.* socievolezza.

sociable [ˈsouʃəbl] *agg.* socievole; affabile ♦ *s.* (*fam.*) riunione, festa amichevole.

social [ˈsouʃəl] *agg.* **1** sociale: — *problems*, problemi di ordine sociale; — *services*, servizi sociali // — *club*, circolo sociale // — *evening*, serata mondana // — *register*, (*amer.*) elenco di persone dell'alta società // — *security*, previdenza sociale // — *strife*, conflittualità sociale // — *worker*, assistente sociale **2** socievole ♦ *s.* (*fam.*) riunione, festa.

socialism [ˈsouʃəlizəm] *s.* socialismo.

socialist [ˈsouʃəlist] *agg. e s.* socialista.

socialistic [ˌsouʃəˈlistik] *agg.* socialista.

socialite [ˈsouʃəlait] *s.* persona dell'alta società.

sociality [ˌsouʃiˈæliti] *s.* sociabilità; socievolezza.

to **socialize** [ˈsouʃəlaiz] *v.tr.* socializzare.

socially [ˈsouʃəli] *avv.* socialmente: — *contentious*, conflittuale.

social science [ˌsouʃəlˈsaiəns] *s.* sociologia.

society [səˈsaiəti] *s.* società: *they live on the fringe of* —, vivono ai margini della società // *fashionable* —, il bel mondo // — *column*, rubrica, cronaca mondana // — *life*, vita di società // *Society of Jesus*, Compagnia di Gesù.

sociological [ˌsousjəˈlɔdʒikəl] *agg.* sociologico.

sociologist [ˌsousiˈɔlədʒist] *s.* sociologo.

sociology [ˌsousiˈɔlədʒi] *s.* sociologia.

sock[1] [sɔk] *s.* **1** calzino; calzerotto // *to pull up one's socks*, (*fam.*) darsi da fare **2** soletta.

sock[2] *s.* (*sl.*) pugno, colpo (*anche fig.*).

to **sock**[2] *v.tr.* (*sl.*) colpire violentemente; picchiare.

socket [ˈsɔkit] *s.* **1** cavità // *eye* —, orbita (dell'occhio) **2** (*elettr.*) presa di corrente.

Socrates [ˈsɔkrətiːz] *no.pr.m.* (*st.fil.*) Socrate.

Socratic [sɔˈkrætik] *agg. e s.* socratico.

sod [sɔd] *s.* zolla erbosa; tappeto erboso; cotica // *the old* —, (*fam.*) la campagna.

soda [ˈsoudə] *s.* **1** (*chim.*) soda, carbonato di sodio **2** (*fam. amer.*) (acqua di) soda.

soda fountain [ˈsoudə,fauntin] *s.* **1** sifone (per acqua di selz) **2** (*amer.*) bar dove si servono bibite analcoliche.

sodality [souˈdæliti] *s.* sodalizio.

soda water [ˈsoudə,wɔːtə*] *s.* (acqua di) selz.

sodden [ˈsɔdn] *agg.* **1** inzuppato d'acqua; fradicio **2** mal cotto; molle **3** (*fig.*) istupidito per il troppo bere.

sodium ['soudjəm] s. (chim.) sodio.

sodomite ['sɔdəmait] s. sodomita.

sodomy ['sɔdəmi] s. sodomia.

sofa ['soufə] s. divano, sofà: — bed, divano letto.

soft [sɔft] agg. **1** molle; tenero; liscio; soffice: — skin, pelle liscia; — wool, lana morbida // -boiled, «à la coque» (di uovo) // to be — on s.o., (amer.) avere un debole per qlcu. **2** dolce, mite; amabile; gentile **3** tenue, attenuato (di colore, suono ecc.): — music, musica in sordina **4** debole **5** effeminato **6** (fam.) semplice, sciocco **7** indistinto; indeciso **8** (di bevanda) analcolico **9** (di denaro) non convertibile in dollari **10** (fam.) facile, agevole: he has a — job, ha un lavoro facile **11** (chim.) (di acqua) dolce; privo di sali **12** floscio ♦ avv. dolcemente; tranquillamente.

to soften ['sɔfn] v.tr. **1** ammorbidire **2** calmare; attenuare // to — up, logorare la resistenza (di) **3** (acqua) addolcire ♦ v.intr. **1** ammorbidirsi **2** calmarsi // to — at the sight of sthg., commuoversi alla vista di qlco.

softener ['sɔfnə*] s. **1** (chim.) depuratore, addolcitore d'acqua **2** ammorbidente.

softening ['sɔfniŋ] s. ammorbidimento (anche fig.); rammollimento // — of the brain, (med.) rammollimento cerebrale.

softhearted ['sɔft'hɑ:tid] agg. dal cuore tenero.

softly ['sɔftli] avv. teneramente; dolcemente, delicatamente.

softness ['sɔftnis] s. **1** morbidezza, delicatezza **2** dolcezza, mitezza **3** debolezza.

soft pedal ['sɔft'pedl] s. sordina (di pianoforte).

to soft-pedal v.tr. (fam.) sminuire; attenuare; mascherare.

soft soap ['sɔft'soup] s. sapone liquido; (fig.) adulazione.

to soft-soap v.tr. adulare, lisciare.

soft-spoken ['sɔft,spoukən] agg. gentile; piacevole (di voce).

software ['sɔftwɛə*] s. (informatica) software, (IBM) componenti di programmazione.

softwood ['sɔftwud] s. legno dolce.

softy ['sɔfti] s. (sl.) persona debole, sciocca.

soggy ['sɔgi] agg. umido; bagnato fradicio; saturo d'umidità.

soil[1] [sɔil] s. suolo, terra, terreno.

soil[2] s. macchia (anche fig.); sporco.

to soil[2] v.tr. macchiare; sporcare ♦ v.intr. macchiarsi; sporcarsi.

sojourn ['sɔdʒən], (amer.) sou'dʒə:rn] s. soggiorno.

to sojourn v.intr. soggiornare.

sol [sɔl] s. (mus.) sol.

solace ['sɔləs] s. sollievo, conforto.

to solace v.tr. confortare, alleviare.

solar ['soulə*] agg. solare; di, del sole: — panel, pannello solare.

solarium [sou'lɛəriəm] s. solario.

to solarize ['souləraiz] v.tr. e intr. (fot.) rovinare, rovinarsi per sovraesposizione.

sold pass. e p.pass. di to **sell**.

solder ['sɔldə*] s. (mecc.) lega per saldatura; (fig.) legame.

to solder v.tr. (mecc.) saldare.

soldering iron ['sɔldəriŋ,aiən] s. saldatoio.

soldier ['souldʒə*] s. **1** soldato; militare // fellow —, commilitone // foot —, soldato di fanteria // horse —, soldato di cavalleria // old —, veterano; (fig.) uomo dalle molte risorse; (fam.) bottiglia vuota **2** militante.

to soldier v.intr. **1** fare il soldato **2** to — on, (fig.) tenere duro.

soldierly ['souldʒəli] agg. militaresco.

soldiery ['souldʒəri] s. (pl.invar.) soldati (pl.), truppa.

sole[1] [soul] agg. solo; unico; esclusivo.

sole[2] s. **1** pianta (del piede) **2** suola // — leather, cuoio per risolatura **3** fondo.

to sole[2] v.tr. risolare.

sole[3] s. (zool.) sogliola.

solely ['soulli] avv. solamente; unicamente.

solemn ['sɔləm] agg. solenne; grave.

solemnity [sə'lemniti] s. **1** solennità; gravità **2** rito; festa solenne.

to solemnize ['sɔləmnaiz] v.tr. **1** celebrare con solennità **2** solennizzare.

to sol-fa [sɔl'fa:] v.tr. e intr. (mus.) solfeggiare.

to solicit [sə'lisit] v.tr. **1** sollecitare; richiedere (con insistenza) **2** adescare ♦ v.intr. adescare.

solicitation [sə,lisi'teiʃən] s. **1** sollecitazione; richiesta insistente **2** invito, adescamento.

solicitor [sə'lisitə*] s. **1** (dir.) (in Gran Bretagna) procuratore legale; avvocato **2** (amer.) chi sollecita (una vendita, un pagamento); sollecitatore; galoppino elettorale.

solicitous [sə'lisitəs] agg. desideroso; ansioso.

solicitude [sə'lisitju:d] s. preoccupazione.

solid ['sɔlid] agg. **1** solido // — argument, argomento fondato // — colour, tinta unita **2** solidale; unanime: a — vote, un voto unanime; to be — for, essere solidale con **3** degno di fiducia: a — man, un uomo serio **4** (mat.) a tre dimensioni, cubico ♦ s. **1** corpo solido; (geom.) solido **2** pl. cibi solidi.

solidarity [,sɔli'dæriti] s. solidarietà.

to solidify [sə'lidifai] v.tr. solidificare ♦ v.intr. solidificarsi.

solidity [sə'liditi] s. **1** solidità **2** solidarietà.

to soliloquize [sə'liləkwaiz] v.intr. fare un soliloquio; recitare monologhi.

soliloquy [sə'liləkwi] s. soliloquio; monologo.

solitary ['sɔlitəri] agg. **1** solitario; isolato; appartato // — confinement, detenzione, isolamento speciale **2** solo, unico // not a — one, nemmeno uno.

solitude ['sɔlitju:d] s. **1** solitudine, isolamento **2** luogo solitario, isolato.

solo ['soulou] agg. sonato come assolo ♦ s. (pl. **solos** ['soulouz], **soli** ['souli:]) **1** (mus.) assolo (anche fig.): to play —, sonare un assolo **2** gioco di carte: to go —, giocare a «solo» **3** (aer.) volo solitario.

soloist ['soulouist] s. (mus.) solista.

Solomon ['sɔləmən] no.pr.m. (Bibbia) Salomone.

Solomonian [,sɔlə'mouniən], **Solomonic** [,sɔlə'mɔnik] agg. salomonico.

Solon ['soulən] no.pr.m. (st.) Solone.

so long [,sou'lɔŋ] inter. (fam.) ciao, arrivederci.

solstice ['sɔlstis] s. (astr.) solstizio.

solubility ['sɔlju'biliti] s. solubilità.

soluble ['sɔljubl] agg. solubile: — in water, idrosolubile.

solute ['sɔlu:t] s. (chim.) soluto.

solution [sə'lu:ʃən] s. **1** soluzione; risoluzione **2** (chim.) soluzione.

to solve [sɔlv] v.tr. risolvere; chiarire.

solvency ['sɔlvənsi] s. (comm.) solvibilità.

solvent ['sɔlvənt] agg. **1** (comm.) solvibile **2** (chim.) solvente ♦ s. (chim.) solvente.

Somali [sou'mɑ:li], pl. **Somalis** [sou'mɑ:liz], **Somali** s. somalo.

Somaliland [sou′ma:lilænd] *no.pr.* Somalia.

somatic [sou′mætik] *agg.* somatico.

sombre [′sɔmbə*] *agg.* fosco; scuro; *(fig.)* tetro; triste.

sombreness [′sɔmbənis] *s.* oscurità, tenebra; *(fig.)* tetraggine; tristezza.

sombrero [sɔm′brɛərou] *s.* sombrero.

some [sʌm *(forma forte)*, səm *(forma debole)*] *agg.* **1** alcuni; qualche; un certo: — *books*, alcuni libri, qualche libro; — *time*, un certo, qualche tempo // — ... — ..., alcuni... alcuni...; alcuni... altri... **2** *(partitivo)* del, un po′ di: — *people*, della gente; — *wine*, del, un po′ di vino // — *more*, ancora un po′ di **3** un, qualche: — *day*, qualche giorno, un giorno o l′altro // — *other*, qualche altro // — ... *or other*, uno... o l′altro **4** *(sl.)*: *that was* — *battle!*, quella sì che fu una battaglia! ♦ *pron.* **1** alcuni: — *of us*, alcuni di noi // — ... —, alcuni... altri; gli uni... gli altri; chi... chi **2** un po′: ne: — *of that money*, un po′ di quel denaro; *if I have* —, se ne ho ♦ *avv.* **1** circa: — *ten minutes*, circa dieci minuti **2** alquanto.

somebody [′sʌmbədi] *pron.indef.* qualcuno: — *else*, qualcun altro ♦ *s.* qualcuno, persona importante.

somehow [′sʌmhau] *avv.* in qualche modo, in un modo o nell′altro // — *or other*, per una ragione o per l′altra; in un modo o nell′altro.

someone [′sʌmwʌn] *pron.indef.* qualcuno.

someplace [′sʌmpleis] *avv.* *(fam.amer.)* → **somewhere.**

somersault [′sʌməsɔ:lt] *s.* capriola; salto mortale: *to turn a* —, fare un salto mortale.

to somersault, to somerset [′sʌməsit] *v.intr.* far capriole; far salti mortali.

something [′sʌmθiŋ] *pron.indef.* qualche cosa: — *to drink*, qualcosa da bere; — *strange*, qualcosa di strano; — *else*, qualcosa d′altro // *I′ve known plenty of pretty girls, but she′s* — *else*, ho conosciuto molte ragazze carine, ma lei è fuori del comune // *he is a manager or* —, è un direttore o qualcosa di simile // *there was* — *in what he said*, c′era qualcosa di vero in quello che ha detto // — *of an improvement*, un certo miglioramento ♦ *avv.* pressappoco // — *like*, circa: *that′s* — *like it!*, adesso sì siamo!; *that′s* — *like a picture!*, questo sì che è un quadro!

sometime [′sʌmtaim] *agg.* di un tempo, precedente: *her* — *teacher*, il suo antico, ex insegnante ♦ *avv.* **1** un tempo **2** un giorno o l′altro // — *soon*, uno di questi giorni.

sometimes [′sʌmtaimz] *avv.* qualche volta, di quando in quando.

someway [′sʌmwai] *avv.* *(amer.)* → **somehow.**

somewhat [′sʌmwɔt] *pron.indef.* piuttosto: *she is* — *of a miser*, è piuttosto avara ♦ *avv.* piuttosto: — *hastily*, piuttosto in fretta.

somewhere [′sʌmwɛə*] *avv.* in qualche luogo, da qualche parte: — *else*, altrove.

somnambulism [sɔm′næmbjulizəm] *s.* sonnambulismo.

somnambulist [sɔm′næmbjulist] *s.* sonnambulo.

somnolence [′sɔmnələns] *s.* sonnolenza.

somnolent [′sɔmnələnt] *agg.* **1** sonnolento **2** soporifero.

son [sʌn] *s.* figlio, figliolo: *he is his father′s* —, è degno di suo padre, è come suo padre.

sonant [′sounənt] *agg.* risonante, sonoro ♦ *s.* *(fonetica)* consonante sonora.

sonar [′souna:*] *s.* ecogoniometro.

song [sɔŋ] *s.* canto, canzone: *to burst into* —, mettersi a cantare // *the Song of Songs*, il Cantico dei Cantici // *to buy, to sell sthg. for a* —, *(fam.)* comperare, vendere qlco. per una sciocchezza // *nothing to make a* — *about*, *(fam.)* niente d′importante.

songbird [′sɔŋbə:d] *s.* uccello canterino.

songbook [′sɔŋbuk] *s.* canzoniere.

songster [′sɔŋstə*] *s.* **1** cantante **2** uccello canterino.

sonic [′sɔnik] *agg.* sonico // — *barrier*, muro del suono // — *bang*, scoppio sonico, esplosione sonica.

son-in-law [′sʌninlɔ:] *s.* genero.

sonnet [′sɔnit] *s.* sonetto.

sonneteer [ˌsɔni′tiə*] *s.* sonettista.

sonny [′sʌni] *s.* *(fam.)* figliolo, ragazzo mio.

sonority [sə′nɔriti] *s.* sonorità, risonanza.

sonorous [sə′nɔrəs] *agg.* **1** sonoro **2** *(fig.)* altisonante, retorico.

sonship [′sʌnʃip] *s.* stato, condizione di figlio.

soon [su:n] *avv.* presto, tra poco: — *after*, poco dopo, subito dopo; *very* —, ben presto, quanto prima; *how* —?, tra quanto tempo? // *as* — *as*, (non) appena che, tosto che: *as* — *as possible*, il più presto possibile // *the sooner the better*, prima è meglio è // *sooner or later*, presto o tardi, prima o poi // *no sooner... than*, non appena... // *I had sooner go*, preferirei andare; *I would as* — *go there*, ci andrei volentieri; *I would sooner die than do it*, preferirei morire piuttosto che fare ciò.

soot [sut] *s.* fuliggine.

to soot *v.tr.* sporcare, coprire di fuliggine.

to soothe [su:ð] *v.tr.* calmare, placare; blandire, addolcire.

soothing [′su:ðiŋ] *agg.* lenitivo, calmante.

soothingly [′su:ðiŋli] *avv.* dolcemente.

soothsayer [′su:θ,seiə*] *s.* indovino.

soothsaying [′su:θ,seiiŋ] *s.* divinazione, predizione.

sooty [′suti] *agg.* fuligginoso.

sop [sɔp] *s.* **1** pezzo di pane, biscotto inzuppato **2** *(fig.)* offa, dono propiziatorio **3** *(fam.)* donnicciola.

to sop *v.tr.* intingere; inzuppare // *to* — *up*, assorbire, tirar su (con una spugna) ♦ *v.intr.* inzupparsi.

sophism [′sɔfizəm] *s.* sofisma; cavillo.

sophist [′sɔfist] *s.* sofista; cavillatore.

sophistic(al) [sə′fistik(əl)] *agg.* sofistico.

to sophisticate [sə′fistikeit] *v.tr.* sofisticare; alterare ♦ *v.intr.* sofisticare, fare il sofistico.

sophisticated [sə′fistikeitid] *agg.* sofisticato.

sophistication [sə,fisti′keiʃən] *s.* sofisticazione.

sophistry [′sɔfistri] *s.* sofisma; cavillo.

Sophocles [′sɔfəkli:z] *no.pr.m.* *(st. letter.)* Sofocle.

sophomore [′sɔfəmɔ:*] *s.* *(amer.)* fagiolo (studente universitario del secondo anno).

soporific [ˌsoupə′rifik] *agg.* soporifero ♦ *s.* narcotico.

sopping [′sɔpiŋ] *agg.* fradicio, zuppo.

soppy [′sɔpi] *agg.* **1** inzuppato **2** *(fam.)* sentimentale, svenevole.

soprano [sə′pra:nou] *s.* soprano.

sorcerer [′sɔ:sərə*] *s.* stregone, mago.

sorceress [′sɔ:səris] *s.* strega, maga.

sorcery [′sɔ:səri] *s.* stregoneria, malia, incantesimo.

sordid [′sɔ:did] *agg.* **1** sordido; squallido **2** meschino; ignobile.

sordine [′sɔ:di:n] *s.* *(mus.)* sordina.

sore [sɔ:*] *agg.* **1** dolorante; doloroso: *to be* — *all over*, essere tutto indolenzito; *to have a* — *arm*, avere male a un braccio // *like a bear with a* — *head*, di umor nero // — *point*, *(anche fig.)* punto dolente **2**

estremo, grande, intenso: *to be in — need of money*, avere estremo bisogno di denaro **3** irritato; risentito; offeso: *I feel — about what she said*, mi sento offeso per ciò che ha detto // *to be — at s.o.*, (*amer. fam.*) avercela con qlcu. // *to get —*, (*amer. fam.*) prendersela; seccarsi ♦ *s.* piaga; ferita (*anche fig.*).

sorehead ['sɔːhed] *s.* (*sl.*) scontento.

sorely ['sɔːli] *avv.* gravemente; estremamente; duramente: *to be — in need of money*, avere un bisogno estremo di denaro.

soreness ['sɔːnis] *s.* **1** dolore, male; indolenzimento **2** rancore; irritazione.

sorghum ['sɔːgəm] *s.* (*bot.*) sorgo.

sorority [sə'rɔriti] *s.* **1** sorellanza **2** (*amer.*) associazione femminile universitaria.

sorrel[1] ['sɔrəl] *agg.* e *s.* sauro.

sorrel[2] *s.* (*bot.*) acetosa.

sorrow ['sɔrou] *s.* **1** dispiacere, dolore, pena: *to my great —*, con mio grande dolore **2** rincrescimento; pentimento.

to **sorrow** *v.intr.* affliggersi, lamentarsi.

sorrowful ['sɔrəful] *agg.* **1** infelice; addolorato; afflitto **2** penoso; doloroso.

sorry ['sɔri] *agg.* **1** spiacente, dolente, addolorato: *I am — to say that...*, mi rincresce, mi dispiace dire che...; *I am very —*, mi dispiace molto; *to be — about sthg.*, essere spiacente per qlco. **2** meschino; indegno // *to cut a — figure*, fare una magra figura ♦ *inter.* scusi!, scusate!

sort [sɔːt] *s.* **1** sorta, genere, specie: *all sorts of men*, uomini di tutti i generi // *— of*, in un certo senso; più o meno; una specie di // *he is a good —*, (*fam.*) è una brava persona **2** modo, maniera: *to be out of sorts*, (*fam.*) essere giù di giri.

to **sort** *v.tr.* classificare; scegliere; selezionare: *to — letters*, smistare le lettere ♦ *v.intr.* accordarsi.

sortable ['sɔːtəbl] *agg.* classificabile; selezionabile.

sortie ['sɔːti(ː)] *s.* (*mil.*) sortita.

so-so ['sousou] *agg.* (*fam.*) mediocre, passabile ♦ *avv.* così così.

sot [sɔt] *s.* ubriacone.

sottish ['sɔtiʃ] *agg.* da ubriacone.

sou [suː] *s.* soldo: *he hasn't a —*, (*fam.*) non ha il becco di un quattrino.

soufflé ['suːflei, (*amer.*) suː'flei] *s.* (*cuc.*) «soufflé», sformato.

sough [sʌf, (*amer.*) sau] *s.* mormorio, sussurro (spec. di vento).

to **sough** *v.tr.* mormorare, sussurrare.

sought *pass.* e *p.pass.* di to **seek**.

soul [soul] *s.* **1** anima, animo, spirito // *— -searching*, che va in fondo all'anima // *— -stirring*, commovente **2** creatura, persona **3** personificazione, essenza: *to be the — of discretion*, essere la discrezione in persona.

soulful ['soulful] *agg.* pieno di sentimento; sentimentale.

soulless ['soullis] *agg.* **1** senz'anima **2** inumano.

sound[1] [saund] *agg.* **1** sano; intero; in buono stato // *as — as a bell*, sano come un pesce **2** buono; solido // *— views*, vedute equilibrate // *a — sleep*, un sonno profondo ♦ *avv.* profondamente: *she was — asleep*, dormiva profondamente.

sound[2] *s.* **1** suono; rumore // *he didn't like the — of it*, non ne ebbe una buona impressione **2** raggio di propagazione di un suono.

to **sound**[2] *v.intr.* **1** sonare; echeggiare; risonare **2** sembrare, dare l'impressione di: *this may — very strange to you*, ciò può sembrarti molto strano ♦ *v.tr.* sonare; far risonare; dare (un segnale sonoro): *to — an alarm*, dare l'allarme // *to — s.o.'s praises*, cantare le lodi di qlcu.

sound[3] *s.* sonda.

to **sound**[3] *v.tr.* **1** sondare (*anche fig.*), scandagliare **2** (*med.*) sondare.

sound[4] *s.* braccio di mare; stretto.

sound barrier ['saund'bæriə*] *s.* (*aer.*) barriera del suono.

sound box ['saund'bɔks] *s.* cassa di risonanza, cassa armonica.

sound effects ['saundi,fekts] *s.pl.* effetti sonori.

sounding[1] ['saundiŋ] *agg.* sonante; altisonante.

sounding[2] *s.* **1** sondaggio (*anche fig.*) // *— -balloon*, pallone sonda **2** (*mar.*) scandaglio: *to take soundings*, fare scandagli.

sounding board ['saundiŋ,bɔːd] *s.* cassa di risonanza (*anche fig.*).

soundless ['saundlis] *agg.* silenzioso, senza rumore.

soundly ['saundli] *avv.* sanamente; giudiziosamente; solidamente.

soundness ['saundnis] *s.* **1** vigore, buona condizione, buono stato **2** solidità; logicità; validità.

sound picture ['saundpiktʃə*] *s.* film sonoro.

soundpost ['saund,poust] *s.* anima di violino.

soundproof ['saundpruːf] *agg.* **1** isolato acusticamente, insonorizzato **2** fonoassorbente.

soundtrack ['saundtræk] *s.* (*cinem.*) colonna sonora.

sound waves ['saundweivz] *s.pl.* onde sonore.

soup [suːp] *s.* zuppa, minestra // *to be in the —*, (*sl.*) trovarsi nei pasticci.

to **soup** *v.tr.*: *to — up*, (*sl.*) truccare (un motore).

soup kitchen ['suːp,kitʃin] *s.* **1** mensa gratuita per i poveri **2** (*mil.*) mensa da campo.

soup plate ['suːppleit] *s.* piatto fondo.

soupspoon ['suːpspuːn] *s.* cucchiaio (per minestra).

soupy ['suːpi] *agg.* simile a zuppa o brodo.

sour [sauə*] *agg.* **1** agro, aspro // *— grapes*, (*fam.*) rancore **2** acido, fermentato: *— milk*, latte acido; *to go —*, inacidirsi (*anche fig.*) **3** bisbetico; amaro **4** fangoso; improduttivo (di terreno) ♦ *s.* sostanza, soluzione acida // *whisky- —*, (*amer.*) cocktail a base di whisky.

to **sour** *v.tr.* **1** rendere agro; inacidire **2** (*fig.*) esacerbare, inasprire ♦ *v.intr.* inacidirsi (*anche fig.*).

source [sɔːs] *s.* sorgente; fonte (*anche fig.*).

sourpuss ['sauəpus] *s.* (*fam.*) brontolone.

souse [saus] *s.* **1** salamoia; vivande in salamoia (*pl.*) (spec. piedini ed orecchie di maiale) **2** bagno **3** ubriacone.

to **souse** *v.tr.* **1** mettere in salamoia, marinare **2** inzuppare ♦ *v.intr.* **1** inzupparsi **2** (*sl.*) ubriacarsi.

soused [saust] *agg.* (*sl.*) ubriaco.

soutane [suː'tɑːn] *s.* tonaca.

South [sauθ] *agg.* a, del, dal sud; meridionale ♦ *s.* sud, meridione ♦ *avv.* a, verso sud: *— of*, a sud di.

southeast [sauθ'iːst] *agg.* a, da, di sud-est ♦ *s.* sud-est ♦ *avv.* a, verso sud-est.

southeaster [sauθ'iːstə*] *s.* vento di sud-est.

southeasterly [sauθ'iːstəli] *agg.* di sud-est ♦ *avv.* verso sud-est.

southeastern [sauθ'iːstən] *agg.* di sud-est.

southeastward [sauθ'iːstwəd] *agg.* a, di sud-est ♦ *s.* sud-est ♦ *avv.* dal, verso sud-est.

southerly [ˈsʌðəli] *agg.* proveniente da, diretto a sud; del sud ♦ *avv.* verso sud; dal sud.

southern [ˈsʌðən] *agg.* del sud; meridionale // *Southern Cross*, (*astr.*) Croce del Sud.

southerner [ˈsʌðənə*] *s.* meridionale.

southernmost [ˈsʌðnmoust] *agg.* il più a sud.

southpaw [ˈsauθpɔ:] *agg.* e *s.* (*sl. sport*) mancino.

southward [ˈsauθwəd] *agg.* e *avv.* verso sud.

southwards [ˈsauθwədz] *avv.* verso sud.

southwest [ˈsauθˈwest] *agg.* a, da, di sud-ovest ♦ *s.* sud-ovest ♦ *avv.* a, verso sud-ovest.

southwester [sauθˈwestə*] *s.* vento di sud-ovest.

southwesterly [sauθˈwestəli] *agg.* di sud-ovest ♦ *avv.* verso sud-ovest.

southwestern [sauθˈwestən] *agg.* di sud-ovest.

southwestward [sauθˈwestwəd] *agg.* a, verso sud -ovest ♦ *s.* sud-ovest ♦ *avv.* verso sud-ovest.

souvenir [ˌsu:vəˈniə*, (*amer.*) ˈsu:vəniər] *s.* «souvenir», ricordo.

sovereign [ˈsɔvrin] *agg.* sovrano, sommo ♦ *s.* **1** sovrano **2** sovrana, sterlina (d'oro).

sovereignty [ˈsɔvrənti] *s.* sovranità.

soviet [ˈsouviet] *s.* «soviet», consiglio // *the Union of — Socialist Republics* (*U.S.S.R.*), U.R.S.S.

to sovietize [ˈsouvietaiz] *v.tr.* sovietizzare.

sow[1] [sau] *s.* scrofa // *to get the wrong — by the ear*, prendere un granchio.

to sow[2] [sou], *pass.* **sowed** [soud], *p.pass.* **sowed**, **sown** [soun] *v.tr.* seminare (*anche fig.*): *to — the seeds of discord*, seminare la zizzania.

sowing [ˈsouiŋ] *s.* seminagione.

sown *p.pass.* di to **sow**.

soya (bean) [ˈsɔiə(bi:n)], **soy(bean)** [ˈsɔi(bi:n)] *s.* (*bot.*) soia.

sozzled [ˈsɔzəld] *agg.* (*sl.*) ubriaco fradicio.

spa [spɑ:] *s.* **1** sorgente d'acqua minerale **2** stazione termale.

space [speis] *s.* spazio // *after a short —*, dopo breve tempo // *outer —*, (*astr.*) lo spazio.

to space *v.tr.* **1** spaziare **2** *to — out*, (*tip.*) allargare gli spazi.

space bar [ˈspeisbɑ:*] *s.* barra spaziatrice (di macchina per scrivere).

spacecabin [ˈspeisˈkæbin] *s.* cabina spaziale.

spacecraft [ˈspeiskrɑ:ft] *s.* veicolo spaziale.

spaceflight [ˈspeisflait] *s.* volo spaziale.

space heater [ˈspeisˌhi:tə*] *s.* termosifone, calorifero portatile (gener. elettrico).

spaceman, *pl.* **spacemen** [ˈspeismən] *s.* astronauta.

spacer [ˈspeisə*] *s.* spaziatore (di macchina per scrivere).

space-saving [ˈspeisˈseivin] *agg.* non ingombrante.

spaceship [ˈspeisʃip] *s.* astronave.

spacesuit [ˈspeisˌsju:t] *s.* tuta spaziale.

space travel [ˈspeisˌtrævl] *s.* il viaggiare nello spazio; viaggi spaziali (*pl.*).

spacing [ˈspeisiŋ] *s.* **1** interlinea; spaziatura **2** suddivisione.

spacious [ˈspeiʃəs] *agg.* spazioso.

spade[1] [speid] *s.* vanga, badile // *to call a — a —*, (*fam.*) dire pane al pane (e vino al vino).

to spade[1] *v.tr.* vangare.

spade[2] *s.* **1** (*nelle carte*) picche **2** (*sl.amer.*) negro.

spadework [ˈspeidwə:k] *s.* (*fig.*) lavoro preliminare, preparatorio.

Spain [spein] *no.pr.* Spagna.

spake *pass.* (*arc.*) di to **speak**.

spam [spæm] *s.* (*amer. contr.* di *spiced ham*) carne suina in scatola.

span [spæn] *s.* **1** larghezza, apertura // *(wing-) —*, apertura alare **2** periodo, lasso di tempo: *the — of life*, il corso della vita **3** (*arch.*) campata **4** spanna.

to span *v.tr.* **1** attraversare, estendersi (sopra) **2** misurare a spanne **3** determinare l'ampiezza (di).

spandrel [ˈspændrəl] *s.* (*arch.*) pennacchio.

spangle [ˈspæŋgl] *s.* **1** lustrino **2** piccolo oggetto scintillante.

to spangle *v.tr.* **1** ornare di lustrini **2** coprire di piccoli oggetti scintillanti.

Spaniard [ˈspænjəd] *s.* spagnolo.

spaniel [ˈspænjəl] *s.* (*cane*) spaniel // *(tame) —*, persona servile; leccapiedi.

Spanish [ˈspæniʃ] *agg.* e *s.* spagnolo // *— fly*, (*zool.*) cantaride.

spank[1] [spæŋk] *s.* sculacciata.

to spank[1] *v.tr.* sculacciare.

to spank[2] *v.intr.* **1** muoversi agilmente, velocemente **2** trottare serrato (di cavalli).

spanking[1] [ˈspæŋkiŋ] *agg.* (*fam.*) **1** svelto, veloce; forte: *— breeze*, forte brezza **2** di prim'ordine, eccezionale ♦ *avv.* molto: *a — clean room*, una stanza molto pulita.

spanking[2] *s.* sculacciata.

spanner [ˈspænə*] *s.* (*mecc.*) chiave.

spar[1] [spɑ:*] *s.* **1** (*mar.*) alberatura **2** (*aer.*): *(wing) —*, longherone.

spar[2] *s.* (*min.*) spato.

spar[3] *s.* **1** incontro di pugilato **2** battibecco.

to spar[2] *v.intr.* **1** esercitarsi al pugilato **2** venire a parole.

spare [spɛə*] *agg.* **1** di scorta, di ricambio: *— parts*, pezzi di ricambio; *— wheel*, (*aut.*) ruota di scorta **2** in più, in avanzo: *— time*, tempo libero; *— room*, camera per gli ospiti // *to go —*, rimanere, avanzare; (*sl.*) inquietarsi **3** magro, sparuto **4** scarso, parco ♦ *s.* pezzo di ricambio.

to spare *v.tr.* **1** risparmiare (*anche fig.*): *to — no expense*, non badare a spese; *to have nothing to —*, avere lo stretto necessario; *to have enough and to —*, avere più che a sufficienza // *to have no time to —*, non aver tempo libero // *— the rod and spoil the child*, (*prov.*) il medico pietoso fa la piaga cancrenosa **2** fare a meno di ♦ *v.intr.* essere economo.

sparely [ˈspɛəli] *avv.* parcamente, frugalmente.

spareness [ˈspɛənis] *s.* magrezza, sparutezza.

sparerib [ˈspɛərib] *s.* costoletta di maiale.

sparing [ˈspɛəriŋ] *agg* **1** limitato, moderato, ristretto **2** parco, economo: *to be — with sthg.*, lesinare su qlco.

sparingly [ˈspɛəriŋli] *avv.* **1** frugalmente; sobriamente; economicamente **2** moderatamente, limitatamente.

spark [spɑ:k] *s.* **1** scintilla, favilla: *a bright —*, persona sveglia, brillante **2** (*fig.*) lampo; barlume **3** *pl.* (*sl.*) radiotelegrafista (*sing.*).

to spark *v.intr.* emettere scintille; scintillare ♦ *v.tr.* incitare, stimolare, animare.

sparking [ˈspɑ:kiŋ] *s.* (*elettr.*) emissione di scintille.

sparking plug [ˈspɑ:kiŋplʌg] *s.* (*aut.*) candela.

sparkle [ˈspɑ:kl] *s.* **1** scintilla, favilla **2** scintillio; splendore **3** vivacità.

to sparkle *v.intr.* **1** scintillare, brillare (*anche fig.*), risplendere (*anche fig.*): *to — with*, risplendere di **2** spumeggiare // *sparkling wine*, (vino) spumante.

sparkler [ˈspɑːklə*] *s.* **1** (*pirotecnica*) stella **2** (*sl.*) diamante.

sparkling [ˈspɑːkliŋ] *agg.* **1** scintillante, brillante (*anche fig.*) **2** spumante (di vino).

sparrow [ˈspærou] *s.* passero.

sparrow hawk [ˈspærouhɔːk] *s.* sparviero.

sparse [spɑːs] *agg.* rado, poco denso.

Sparta [ˈspɑːtə] *no.pr.* Sparta.

Spartan [ˈspɑːtən] *agg.* e *s.* Spartano.

spasm [ˈspæzəm] *s.* **1** spasmo **2** accesso.

spasmodic [spæzˈmɔdik] *agg.* **1** spasmodico **2** intermittente, discontinuo.

spastic [ˈspæstik] *agg.* e *s.* spastico.

spat¹ [spæt] *s.* uovo di mollusco.

spat² *s.* ghetta.

spat³ *pass.* e *p.pass.* di to **spit**.

spat⁴ *s.* (*amer.*) battibecco.

to **spat**⁴ *v.intr.* e *tr.* (*amer.*) **1** avere un battibecco **2** dare un piccolo schiaffo a.

spate [speit] *s.* piena.

spatial [ˈspeiʃəl] *agg.* spaziale.

spatter [ˈspætə*] *s.* **1** schizzo; spruzzo **2** gocciolio.

to **spatter** *v.tr.* spruzzare; schizzare ♦ *v.intr.* gocciolare.

spatula [ˈspætjulə] *s.* spatola.

spatular [ˈspætjulə*], **spatulate** [ˈspætjulit] *agg.* a forma di spatola.

spawn [spɔːn] *s.* **1** uova (di pesce, mollusco ecc.) **2** (*spreg.*) progenie **3** (*bot.*) micelio.

to **spawn** *v.tr.* **1** (*di pesci, molluschi ecc.*) deporre (uova) **2** (*spreg.*) generare, produrre ♦ *v.intr.* deporre uova.

to **spay** [spei] *v.tr.* (*vet.*) asportare le ovaie (a).

to **speak** [spiːk], *pass.* **spoke** [spouk], (*arc.*) **spake** [speik], *p.pass.* **spoken** [ˈspoukən] *v.tr.* **1** parlare **2** dire, esprimere: *to — (out) one's mind*, dire francamente la propria opinione ♦ *v.intr.* **1** parlare: *to — to*, parlare con // *honestly speaking*, (per parlare) francamente // *roughly speaking*, approssimativamente // *so to —*, per così dire // *nothing to — of*, niente di importante // *speaking of...*, a proposito di... // *— up!*, parla più forte!, alza la voce! **2** produrre suoni: *the trumpets spoke*, le trombe suonarono **3** *to — for*, testimoniare per // *to — well for*, parlare in favore di; far onore a, deporre a favore di // *to — (o speaking) for myself*, per quel che mi riguarda.

speakeasy [ˈspiːkˌiːzi] *s.* (*fam. amer.*) bar clandestino.

speaker [ˈspiːkə*] *s.* **1** parlatore; oratore **2** (*rad. tv*) annunciatore **3** altoparlante **4** presidente (di una seduta).

speaking [ˈspiːkiŋ] *agg.* parlante (*anche fig.*); espressivo: *— likeness*, somiglianza parlante; *to be on — terms with s.o.*, conoscere qlcu. di vista // *we are no longer on — terms*, non ci rivolgiamo più la parola.

speaking tube [ˈspiːkiŋtjuːb] *s.* portavoce.

spear¹ [spiə*] *s.* **1** lancia; giavellotto **2** fiocina.

to **spear**¹ *v.tr.* **1** trafiggere con lancia **2** fiocinare.

to **spear**² *v.intr.* germogliare, germinare.

spearhead [ˈspiəhed] *s.* **1** punta di lancia **2** avanguardia **3** uomo di punta.

spearmint [ˈspiəmint] *s.* menta romana.

special [ˈspeʃəl] *agg.* speciale, particolare: *— mission*, missione straordinaria; *to make a — study of*, specializzarsi in // *my — friend*, il mio amico intimo // *on — offer*, offerta speciale // *TV —*, programma speciale (alla televisione) ♦ *s.* **1** *— (correspondent)*, inviato spe-

ciale **2** cittadino giurato facente funzione di poliziotto **3** edizione straordinaria (di giornale) **4** treno speciale.

special delivery [ˈspeʃdiˈlivəri] *s.* e *agg.* espresso.

specialist [ˈspeʃəlist] *s.* specialista.

speciality [ˌspeʃiˈæliti] *s.* specialità.

specialization [ˌspeʃəlaiˈzeiʃən] *s.* specializzazione.

to **specialize** [ˈspeʃəlaiz] *v.tr.* specializzare ♦ *v.intr.* **1** specializzarsi **2** (*biol.*) modificarsi.

specialty [ˈspeʃəlti] *s.* (*amer.*) per **speciality**.

specie [ˈspiːʃiː] *s.* (*solo sing.*) denaro contante.

species, *pl.* **species** [ˈspiːʃiːz] *s.* specie.

specifiable [ˈspesifaiəbl] *agg.* determinabile, specificabile.

specific [spiˈsifik] *agg.* specifico // *— gravity*, (*fis.*) peso specifico // *— address*, (*informatica*) indirizzo assoluto ♦ *s.* (*farm.*) rimedio specifico.

specification [ˌspesifiˈkeiʃən] *s.* **1** specificazione **2** descrizione dettagliata.

specificity [ˌspesiˈfisiti] *s.* specificità.

to **specify** [ˈspesifai] *v.tr.* specificare, precisare.

specimen [ˈspesimin] *s.* **1** modello, esemplare; saggio; campione **2** (*fam.*) tipo eccentrico.

specious [ˈspiːʃəs] *agg.* specioso.

speck [spek] *s.* **1** macchiolina, punto **2** granello.

to **speck** *v.tr.* macchiare, chiazzare.

speckie [ˈspekl] *s.* macchiolina.

to **speckle** *v.tr.* macchiare; screziare.

specs [speks] *s.pl.* (*fam.*) occhiali.

spectacle [ˈspektəkl] *s.* **1** spettacolo; vista **2** *pl.* occhiali.

spectacled [ˈspektəkld] *agg.* che porta gli occhiali, occhialuto.

spectacular [spekˈtækjulə*] *agg.* spettacolare, grandioso.

spectator [spekˈteitə*, (*amer.*) ˈspekteitər] *s.* spettatore.

spectral [ˈspektrəl] *agg.* spettrale.

spectre [ˈspektə*] *s.* spettro (*anche fig.*); apparizione.

spectrograph [ˈspektrougrɑːf] *s.* (*fis.*) spettrografo.

spectrographic [ˌspektrouˈgræfik] *agg.* spettrografico.

spectrometer [spekˈtrɔmitə*] *s.* (*fis.*) spettrometro.

spectroscope [ˈspektrəskoup] *s.* (*fis.*) spettroscopio.

spectroscopic [ˌspektrəsˈkɔpik] *agg.* spettroscopico.

spectroscopy [spekˈtrɔskəpi] *s.* (*fis.*) spettroscopia.

spectrum [ˈspektrəm], *pl.* **spectra** [ˈspektrə] *s.* **1** (*fis.*) spettro: *solar —*, spettro solare // *-analysis*, analisi spettroscopica **2** (*fig.*) gamma.

to **speculate** [ˈspekjuleit] *v.tr.* e *intr.* speculare.

speculation [ˌspekjuˈleiʃən] *s.* speculazione.

speculative [ˈspekjulətiv] *agg.* speculativo.

speculator [ˈspekjuleitə*] *s.* speculatore.

speculum [ˈspekjuləm], *pl.* **specula** [ˈspekjulə] *s.* **1** (*med.*) specolo **2** specchio (di telescopio ecc.) **3** ocello (di uccello).

sped *pass.* e *p.pass.* di to **speed**.

speech [spiːtʃ] *s.* **1** parola; modo di parlare: *he is slow of —*, egli è lento nel parlare **2** discorso // *-day*, giorno della premiazione (nelle scuole) // *-maker*, oratore // *maiden —*, (*pol.*) primo discorso (di un membro del Parlamento) **3** lingua, linguaggio.

to **speechify** [ˈspiːtʃifai] *v.intr.* fare un lungo discorso in pubblico.

speechless [ˈspiːtʃlis] *agg.* **1** senza parole, muto (*anche fig.*) **2** (*fam.*) stupito.

speech therapy [ˈspiːtʃˌθerəpi] *s.* foniatria.

speed [spiːd] *s.* **1** velocità, rapidità: *at full —*, a tutta velocità // *full* —, *half* — *ahead*, (*mar.*) avanti tutta, avanti a mezza forza 2 marcia: *5-* —, a cinque marce 3 (*sl.*) droga stimolante, eccitante.

to **speed**, *pass.* e *p.pass.* **sped** [sped], nel senso 2 **speeded** [′spi:did] *v.intr.* 1 andare in fretta 2 (*aut.*) andare a velocità eccessiva // *he got a ticket for speeding*, (*amer.*) fu multato per eccesso di velocità // *to — off*, partire a grande velocità ♦ *v.tr.* 1 accelerare, far muovere velocemente // *to — up*, accelerare, affrettare: *to — up the works*, affrettare i lavori 2 far prosperare; aiutare: *God — you!*, che Dio ti aiuti!

speedboat [′spi:dbout] *s.* motoscafo veloce.

speed-cop [′spi:dkɔp] *s.* (*sl.*) agente della polizia stradale.

speeder [′spi:də*] *s.* 1 chi guida a velocità eccessiva 2 (*tecn.*) regolatore di velocità.

speedily [′spi:dili] *avv.* rapidamente, prontamente.

speeding [′spi:diŋ] *agg.* che supera i limiti di velocità ♦ *s.* eccesso di velocità.

speed limit [′spi:d,limit] *s.* limite di velocità.

speedometer [spi′dɔmitə*] *s.* (*aut.*) tachimetro.

speed-up [′spi:dʌp] *s.* (*fam.*) accelerazione; aumento.

speedway [′spi:dwei] *s.* 1 pista, circuito (di autodromo) 2 (*amer.*) strada a traffico veloce; autostrada.

speedy [′spi:di] *agg.* rapido, pronto, veloce.

speleologist [,spi:li′ɔlədʒist] *s.* speleologo.

speleology [,spi:li′ɔlədʒi] *s.* speleologia.

spell[1] [spel] *s.* 1 formula magica; incantesimo: *to cast a — over s.o.*, gettare un incantesimo su qlcu.; (*fig.*) affascinare qlcu. 2 (*fig.*) fascino, seduzione: *to be under s.o.'s —*, subire il fascino di qlcu.

spell[2] *s.* breve periodo; turno (di lavoro, di servizio): *stay here for a —*, stai qui un po'.

to **spell**[2], *pass.* e *p.pass.* **spelt**, **spelled** [spelt] *v.tr.* 1 compitare, scrivere le lettere di una parola: *how do you — it, please?*, come si scrive, per piacere? // *to — out*, compitare, decifrare a stento 2 (*fig.*) significare, implicare 3 formare (parole) con lettere: *o.n.e. spells "one"*, o.n.e. forma la parola «one» ♦ *v.intr.* scrivere, conoscere l'esatta grafia delle parole // *to — badly*, fare errori d'ortografia.

spellbinder [′spel,baində*] *s.* (*fam.*) oratore affascinante.

spellbound [′spelbaund] *agg.* affascinato, incantato.

speller [′spelə*] *s.* 1 chi compita 2 sillabario.

spelling [′speliŋ] *s.* 1 compitazione 2 ortografia.

spelling bee [′speliŋbi:] *s.* gara di ortografia.

spelling-book [′speliŋbuk] *s.* abbecedario.

spelt *pass.* e *p.pass.* di to **spell**.

spelter [′speltə*] *s.* zinco commerciale.

to **spend** [spend], *pass.* e *p.pass.* **spent** [spent] *v.tr.* 1 spendere: *to — money on s.o., on sthg.*, spendere denaro per qlcu., per qlco. 2 consumare; consumarsi; esaurire; esaurirsi 3 passare, trascorrere ♦ *v.intr.* spendere.

spendthrift [′spendθrift] *agg.* e *s.* sprecone.

spent *pass.* e *p.pass.* di to **spend** ♦ *agg.* consumato; esaurito; esausto // *— cartridge*, cartuccia vuota.

sperm [spə:m] *s.* (*biol.*) sperma.

spermaceti [,spə:mə′seti] *s.* spermaceti.

spermary [′spə:məri] *s.* (*anat.*) ghiandola spermatica.

spermatic [spə′mætik] *agg.* spermatico.

spermatozoon [,spə:mətou′zouɔn], *pl.* **spermatozoa** [,spə:mətou′zouə] *s.* (*biol.*) spermatozoo.

sperm whale [′spə:mweil] *s.* (*zool.*) capodoglio // *— oil*, olio di balena.

spew [spju:] *s.* vomito.

to **spew** *v.tr.* e *intr.* vomitare.

sphere [sfiə*] *s.* globo; sfera (*anche fig.*); (*poet.*) cieli (*pl.*); cielo (nell'astronomia tolemaica).

spheric(al) [′sferik(əl)] *agg.* sferico.

spheroid [′sfiərɔid] *s.* (*geom.*) sferoide.

sphincter [′sfiŋktə*] *s.* (*anat.*) sfintere.

Sphinx [sfiŋks] *no.pr.f.* (*mit.*) Sfinge // **sphinx** *s.* sfinge (*anche fig.*).

spice [spais] *s.* 1 spezie (*pl.*), aroma 2 (*fig.*) pizzico; sfumatura.

to **spice** *v.tr.* 1 condire con spezie, aromatizzare 2 rendere interessante, piccante.

spick-and-span [′spikən′spæn] *agg.* pulitissimo, in perfetto ordine: *her flat is always —*, la sua casa è sempre lucida come uno specchio.

spicy [′spaisi] *agg.* 1 aromatico 2 (*fig.*) piccante.

spider [′spaidə*] *s.* ragno.

spidery [′spaidəri] *agg.* simile a ragno // *— handwriting*, calligrafia sottile.

spiel [spi:l] *s.* (*sl.*) discorso, chiacchierata.

spieler [′spi:lə*] *s.* (*sl.*) baro; truffatore.

spiffing [′spifiŋ] *agg.* (*sl.*) meraviglioso.

to **spif(f)licate** [′spiflikeit] *v.tr.* (*sl.*) 1 sopraffare 2 sconcertare.

spigot [′spigət] *s.* 1 zipolo 2 rubinetto.

spike [spaik] *s.* 1 punta, aculeo 2 (*ferr.*) arpione 3 *pl.* chiodi (di scarpe sportive).

to **spike** *v.tr.* 1 inchiodare; munire di aculei 2 (*mil.*) rendere inservibile (un cannone) // *to — s.o.'s guns*, (*fig.*) rovinare i piani di qlcu.

spiked [spaikt] *agg.* fornito di punte, aculei.

spiky [′spaiki] *agg.* aguzzo; irto; (*fig.*) permaloso.

spill[1] [spil] *s.* caduta, capitombolo.

to **spill**[1], *pass.* e *p.pass.* **spilt** [spilt], **spilled** [spild] *v.tr.* 1 versare, rovesciare // *to — the beans*, (*fam.*) svelare un segreto // *it is no use crying over spilt milk*, (*prov.*) è inutile piangere sul latte versato 2 (*mar.*) sventare 3 (*fam.*) far cadere.

spill[2] *s.* legnetto, carta arrotolata per accendere pipe, ecc.

spilt *pass.* e *p.pass.* di to **spill**.

spin [spin] *s.* 1 movimento rotatorio // *to go into a —*, farsi prendere dal panico 2 (*aer.*) avvitamento 3 (*fam.*) breve corsa (in auto, ecc.).

to **spin**, *pass.* **span** [spæn], **spun** [spʌn], *p.pass.* **spun** *v.tr.* 1 filare // *to — a yarn*, (*fam.*) raccontare una storia // *to — out*, prolungare, tirare in lungo (un discorso, una discussione) 2 tessere (di insetti, ragni ecc.) 3 far girare; far ruotare // *to — a coin*, fare a testa o croce ♦ *v.intr.* girare; ruotare.

spinach [′spinidʒ, (*amer.*) ′spinitʃ] *s.* spinacio.

spinal [′spainl] *agg.* (*anat.*) spinale, vertebrale: *— cord*, midollo spinale // *— column*, colonna vertebrale.

spindle [′spindl] *s.* 1 fuso, fusello // *— -shanks*, persona dalle gambe lunghe e magre 2 (*mecc.*) perno; asse; mandrino.

to **spindle** *v.intr.* crescere in forma lunga, affusolata.

spindly [′spindli] *agg.* sottile, affusolato.

spin drier [′spin′draiə*] *s.* centrifuga.

spindrift [′spindrift] *s.* spruzzi di onde (*pl.*).

spine [spain] *s.* 1 spina dorsale 2 spina, aculeo 3 dorso (di libro).

spineless [′spainlis] *agg.* 1 senza spina dorsale (*anche fig.*) 2 senza spine.

spinet [spi′net] *s.* (*mus.*) spinetta.

spininess [′spaininis] *s.* spinosità.

spinnaker [ˈspinəkə*] s. larga vela triangolare.

spinner [ˈspinə*] s. **1** filatore **2** (ind. tessile) filatoio.

spinney [ˈspini] s. boschetto.

spinning [ˈspiniŋ] s. filatura.

spinning jenny [ˈspininˈdʒeni] s. (ind. tessile) giannetta.

spinning wheel [ˈspininŋwi:l] s. filatoio.

spinster [ˈspinstə*] s. donna nubile; zitella.

spiny [ˈspaini] agg. spinoso (anche fig.).

spiral [ˈspaiərəl] agg. (a) spirale ♦ s. **1** spirale **2** (fig.) movimento a spirale di ascesa, discesa.

to **spiral** v.intr. formare una spirale ♦ v.tr. dar forma di spirale a.

spire¹ [ˈspaiə*] s. guglia; punta; cima (di albero ecc.).

spire² s. spira; spirale.

spirit [ˈspirit] s. **1** spirito, anima // in —, spiritualmente **2** spirito; folletto; fantasma: to raise a —, evocare uno spirito **3** spirito, genio, intelletto **4** pl. umore (sing.), stato d'animo (sing.): to be in high spirits, avere il morale alto; to be out of spirits (o in low spirits), essere depresso; to keep up one's spirits, tenersi su di morale **5** coraggio; vigore; brio: a man of —, un uomo pieno di energia **6** intendimento, significato: to take sthg. in the wrong —, prendere qlco. in mala parte **7** spirito, alcool **8** pl. liquori.

to **spirit** v.tr. **1** animare; incoraggiare **2** to — away (o off), far sparire misteriosamente.

spirited [ˈspiritid] agg. vivace; animato; focoso // mean- —, meschino // public- —, dotato di senso di civismo.

spiritedness [ˈspiritidnis] s. coraggio, energia.

spiritism [ˈspiritizəm] s. spiritismo.

spiritless [ˈspiritlis] agg. **1** privo di energia, vigore **2** privo di vivacità, iniziativa **3** avvilito, depresso.

spirit level [ˈspiritˈlevl] s. livella a bolla d'aria.

spiritual [ˈspiritjuəl] agg. spirituale, dello spirito ♦ s. canto religioso dei negri americani.

spiritualism [ˈspiritjuəlizəm] s. spiritismo.

spiritualist [ˈspiritjuəlist] s. spiritista.

spiritualistic [ˌspiritjuəˈlistik] agg. **1** spiritualistico **2** spiritistico.

spirituality [ˌspiritjuˈæliti] s. spiritualità.

to **spiritualize** [ˈspiritjuəlaiz] v.tr. spiritualizzare.

spirituous [ˈspiritjuəs] agg. alcolico.

to **spirt** [spə:t] v.tr. schizzare ♦ v.intr. zampillare; schizzare.

spiry [ˈspaiəri] agg. a punta; simile a guglia.

spit¹ [spit] s. spiedo.

to **spit**¹ v.tr. **1** mettere allo spiedo **2** trafiggere.

spit² s. sputo; saliva // he's the dead — of his father, (fam.) è suo padre sputato.

to **spit**², pass. e p.pass. **spat** [spæt], (arc. amer.) **spit** v.intr. **1** sputare; sputacchiare // to — at (o upon) (s.o., sthg.), trattare con disprezzo (qlcu., qlco.) **2** mandare faville **3** (di penna) spruzzare inchiostro ♦ v.tr. sputare; sputacchiare // to — and polish, pulire a fondo // to — out, sputare fuori (anche fig.); (fig.) pronunciare con violenza: — it out!, (sl.) sputa fuori!

spite [spait] s. dispetto; rancore: out of —, per dispetto; in — of, nonostante, malgrado, a dispetto di.

to **spite** v.tr. far dispetto a, contrariare.

spiteful [ˈspaitful] agg. dispettoso; malevolo.

spitefulness [ˈspaitfulnis] s. dispetto; rancore.

spitfire [ˈspitfaiə*] s. persona irascibile.

spittle [ˈspitl] s. sputo; saliva.

spittoon [spiˈtu:n] s. sputacchiera.

spiv [spiv] s. (sl.) persona che vive di espedienti.

splash [splæʃ] s. **1** schizzo, spruzzo; (fam.) spruzzo di seltz // to make a —, (fig.) far colpo **2** tonfo nell'acqua: to fall with a —, cadere con un tonfo **3** macchia, chiazza.

to **splash** v.tr. **1** schizzare, spruzzare; far cadere (un liquido): to — water about, spruzzare acqua tutt'intorno // to — money about, scialacquare **2** imbrattare: to — ink on to one's fingers, macchiarsi le mani d'inchiostro; to — mud over s.o., inzaccherare qlcu. **3** (fam.) dare rilievo a ♦ v.intr. **1** sguazzare: to — about in the bath, sguazzare nel bagno **2** cadere con un tonfo.

to **splatter** [ˈsplætə*] v.tr. schizzare, spruzzare ♦ v.intr. schizzare.

splay [splei] agg. **1** obliquo; volto verso l'esterno // — -foot, piede piatto **2** (arch.) strombato.

to **splay** v.tr. (arch.) strombare.

spleen [spli:n] s. **1** (anat.) milza **2** (fig.) «spleen», malinconia, umore nero: to vent one's — (up)on s.o., sfogare la propria stizza su qlcu.

spleenwort [ˈspli:nwə:t] s. (bot.) asplenio.

splendid [ˈsplendid] agg. splendido, magnifico.

splendiferous [splenˈdifərəs] agg. (fam.) splendido, magnifico, stupendo.

splendour [ˈsplendə*] s. splendore, magnificenza; pompa; imponenza, grandezza.

splenetic [spliˈnetik] agg. e s. **1** (med.) splenetico **2** (persona) di cattivo umore; (persona) irascibile.

splice [splais] s. giuntura.

to **splice** v.tr. **1** congiungere **2** (fam.) unire in matrimonio **3** to — the main-brace, (mar.) distribuire una razione di rum; bere.

splint [splint] s. **1** stecca **2** (vet.) soprosso.

to **splint** v.tr. steccare.

splinter [ˈsplintə*] s. scheggia // — group, (pol.) gruppo dissidente.

to **splinter** v.tr. scheggiare ♦ v.intr. scheggiarsi.

splinterproof [ˈsplintəpru:f] agg. antischegge.

splintery [ˈsplintəri] agg. scheggioso.

split [split] s. **1** spaccatura, crepa **2** (fig.) rottura; scissione **3** frazionamento **4** pl. (ginnastica) spaccata (sing.).

to **split**, pass. e p.pass. **split** v.tr. **1** spaccare; strappare // to — one's sides with laughter, ridere a crepapelle // to — off, distaccare **2** dividere; scindere; separare // to — up, frazionare; parcellizzare // to — the difference, venire ad un accordo ♦ v.intr. **1** spaccarsi; strapparsi // my head is splitting, mi scoppia la testa **2** dividersi; scindersi **3** to — off, distaccarsi **4** to — on, (sl.) fare la spia **5** to — up, frazionarsi.

split peas(e) [ˈsplitpi:z] s. piselli secchi divisi a metà.

split-second [ˌsplitˈsekənd] agg. **1** calcolato al secondo **2** istantaneo.

split second s. frazione di secondo.

splitting [ˈsplitiŋ] agg. **1** che si fende **2** che fende **3** (fig.) acuto: a — headache, un terribile mal di testa.

splodge [splɔdʒ] s. macchia, chiazza.

splotch [splɔtʃ] s. macchia, chiazza.

to **splurge** [splə:dʒ] v.tr. e intr. (fam.) sfoggiare.

(to) **splutter** [ˈsplʌtə*] → (to) **sputter**.

spoil [spɔil] s. (gener. pl.) **1** bottino **2** (fig.) profitto.

to **spoil**, pass. e p.pass. **spoiled**, **spoilt** [spɔilt] v.tr. **1** rovinare, sciupare **2** viziare ♦ v.intr. **1** rovinarsi, sciuparsi, guastarsi **2** to be spoiling for, essere in cerca di.

spoilsport [ˈspɔilspɔ:t] s. guastafeste.

spoke¹ [spouk] *s.* **1** raggio (di ruota) **2** piolo (di scala) **3** (*mar.*) impugnatura del timone.

spoke² *pass.* di to **speak**.

spoken *p.pass.* di to **speak**.

spokesman, *pl.* **spokesmen** [ˈspouksmən] *s.* portavoce.

spoliation [ˌspouliˈeiʃən] *s.* **1** saccheggio **2** (*dir.*) manomissione (di documenti).

spondee [ˈspɔndi:] *s.* (*prosodia*) spondeo.

sponge [spʌndʒ] *s.* **1** spugna // — -*bath*, spugnatura **2** (*cuc.*) pan di Spagna **3** (*fam.*) scroccone.

to sponge *v.tr.* **1** pulire (con la spugna) **2** *to — up*, (*fig.*) assorbire ♦ *v.intr.* **1** pescare spugne **2** *to — on*, scroccare, vivere alle spalle di: *to — on s.o. for drinks*, scroccare da bere a qlcu.

sponge bag [ˈspʌndʒbæg] *s.* borsa da toilette.

sponge cake [ˈspʌndʒkeik] *s.* (*cuc.*) pan di Spagna.

sponger [ˈspʌndʒə*] *s.* (*fam.*) scroccone.

sponginess [ˈspʌndʒinis] *s.* spugnosità.

spongy [ˈspʌndʒi] *agg.* **1** spugnoso **2** assorbente.

sponsor [ˈspɔnsə*] *s.* **1** garante, mallevadore **2** padrino; madrina: *to stand — to a child*, tenere a battesimo un bambino **3** ditta che finanzia un programma radiofonico, televisivo (a scopo pubblicitario).

to sponsor *v.tr.* **1** essere garante (di) **2** tenere a battesimo **3** (*rad. tv*) finanziare (un programma) a scopo pubblicitario.

sponsorship [ˈspɔnsəʃip] *s.* **1** garanzia **2** qualità di padrino, di madrina **3** (*rad. tv*) finanziamento di programma a scopo pubblicitario.

spontaneity [ˌspɔntəˈni:iti] *s.* spontaneità.

spontaneous [spɔnˈteinjəs] *agg.* spontaneo.

spoof [spu:f] *s.* burla; tiro birbone.

to spoof *v.tr.* giocare un tiro birbone (a).

spook [spu:k] *s.* (*fam.*) spettro, apparizione.

spool [spu:l] *s.* rocchetto, bobina.

to spool *v.tr.* avvolgere su rocchetto, bobina.

spoon [spu:n] *s.* **1** cucchiaio **2** (*golf*) mazza.

to spoon *v.tr.* **1** prendere con un cucchiaio: *to — (out) the cream*, servire la crema (con cucchiaio) **2** (*sport*) battere (la palla) debolmente **3** (*fam.*) fare la corte (a) ♦ *v.intr.* **1** (*sport*) colpire la palla debolmente **2** (*fam.*) amoreggiare.

to spoon-feed [ˈspu:nfi:d] *v.tr.* **1** nutrire col cucchiaio; imboccare **2** semplificare l'insegnamento (a).

spoonful [ˈspu:nful] *s.* cucchiaiata, cucchiaio.

spoony [ˈspu:ni] *agg.* (*fam.*) **1** stupido **2** svenevole: — *eyes*, occhi da triglia.

sporadic [spəˈrædik] *agg.* sporadico.

sporation [spɔˈreiʃən] *s.* (*bot.*) sporulazione.

spore [spɔ:*] *s.* (*biol. bot.*) spora.

sporran [ˈspɔrən] *s.* borsa coperta di pelo (accessorio del costume scozzese).

sport [spɔ:t] *s.* **1** sport **2** divertimento; passatempo **3** scherzo, burla: *in —*, per burla **4** *pl.* gara (*sing.*); incontro (*sing.*) **5** (*fig. fam.*) persona di spirito sportivo **6** (*biol.*) specie anomala (di piante, animali).

to sport *v.tr.* ostentare, sfoggiare ♦ *v.intr.* **1** scherzare **2** (*biol.*) mostrare caratteri anomali (di animali, di piante).

sporting [ˈspɔ:tiŋ] *agg.* sportivo // *to have a — chance to*, avere una buona probabilità di // — *daily*, quotidiano sportivo.

sportive [ˈspɔ:tiv] *agg.* gioviale.

sports car [spɔ:tska:*] *s.* spider.

sports jacket [ˈspɔ:tsˈdʒækit] *s.* giacca sportiva.

sportsman, *pl.* **sportsmen** [ˈspɔ:tsmən] *s.* **1** sportivo **2** (*fig.*) persona di spirito sportivo.

sportsmanlike [ˈspɔ:tsmənlaik] *agg.* caratteristico di uno sportivo.

sportsmanship [ˈspɔ:tsmənʃip] *s.* **1** abilità sportiva **2** spirito sportivo.

sportswear [ˈspɔ:tswɛə*] *s.* abiti sportivi (*pl.*).

sporule [ˈspɔrju:l] *s.* (*biol.*) spora, sporula.

spot [spɔt] *s.* **1** luogo, posto // *in a —*, (*fam.*) nei guai // *on the —*, sul luogo; immediatamente; (*sl.*) in difficoltà; in pericolo // *to have a soft — for*, avere un debole per // — *cash*, (*comm.*) denaro contante // — *on*, (*uso avv.*) esattamente, proprio: — *on time*, spaccando il minuto **2** macchia (*anche fig.*) // — *remover*, smacchiatore **3** pustola **4** pezzetto, boccone; goccio.

to spot *v.tr.* **1** macchiare (*anche fig.*) **2** punteggiare **3** (*fam.*) individuare, riconoscere; localizzare ♦ *v.intr.* macchiarsi.

spot-check [ˌspɔtˈtʃek] *s.* controllo casuale.

spotless [ˈspɔtlis] *agg.* senza macchia.

spotlight [ˈspɔtlait] *s.* **1** fascio di luce // *to be in the —*, essere al centro dell'attenzione **2** riflettore.

to spotlight *v.tr.* **1** puntare le luci (su) **2** (*fig. fam.*) mettere in luce.

spotted [ˈspɔtid] *agg.* macchiato, chiazzato.

spotter [ˈspɔtə*] *s.* ricognitore.

spottiness [ˈspɔtinis] *s.* **1** l'essere macchiato, non uniforme **2** l'essere pustoloso.

spotty [ˈspɔti] *agg.* **1** macchiato **2** pustoloso **3** a chiazze.

spouse [spauz] *s.* coniuge.

spout [spaut] *s.* **1** tubo di scarico // *any chance I had is now down the —*, tutte le occasioni che avevo sono ormai sfumate **2** grondaia **3** beccuccio **4** getto.

to spout *v.tr.* **1** gettare **2** (*fam.*) declamare ♦ *v.intr.* **1** sgorgare **2** (*fam.*) parlare a getto continuo.

sprain [sprein] *s.* **1** distorsione **2** strappo muscolare.

to sprain *v.tr.* distorcere; storcere; slogarsi: *he sprained his ankle*, si è slogato la caviglia.

sprang *pass.* di to **spring**.

sprat [spræt] *s.* (*zool.*) spratto // *to set a — to catch a mackerel*, dare poco per aver molto.

sprawl [sprɔ:l] *s.* lo sdraiarsi in modo scomposto.

to sprawl *v.intr.* **1** sdraiarsi, adagiarsi in modo scomposto: *to — on the bed*, sdraiarsi sul letto; *to send s.o. sprawling*, mandar qlcu. a gambe all'aria **2** allargarsi; estendersi.

spray¹ [sprei] *s.* **1** spruzzo // — *paint*, vernice a spruzzo **2** liquido per vaporizzazioni **3** vaporizzatore, spruzzatore.

to spray¹ *v.tr.* spargere; spruzzare; innaffiare.

spray² *s.* rametto, frasca.

spray gun [ˈspreigʌn] *s.* pistola a spruzzo.

spread [spred] *s.* **1** crescita; espansione; diffusione: *the — of that disease*, la diffusione di quella malattia // *double —*, avviso pubblicitario che occupa due pagine // *middle-aged —*, appesantimento fisico della gente di mezza età **2** estensione; apertura (di compasso ecc.): — *of wings*, apertura d'ali **3** coperta; tappeto (da tavola) **4** pasta morbida, burrosa **5** pasto abbondante.

to spread, *pass.* e *p.pass.* **spread** *v.tr.* **1** spargere; stendere; spiegare: *to — (out) the tablecloth*, spiegare la tovaglia; *to — jam on bread*, spalmare la marmellata sul pane **2** propagare; diffondere ♦ *v.intr.* **1** spargersi; stendersi; (*di acqua*) dilagare: *a cornfield — out before us*, un campo di grano si stendeva davanti a noi //

a course of study spreading over two years, un corso di studi che si svolge in due anni **2** diffondersi; propagarsi: *the news — over the country*, la notizia si diffuse nel paese.

to **spread-eagle** ['spred,i:gl] *v.tr.* legare con le braccia e le gambe divaricate ♦ *v.intr.* cadere o allungarsi con le gambe e le braccia divaricate.

spree [spri:] *s.* **1** baldoria; bisboccia: *to be on a —*, far baldoria // *spending —*, febbre di acquisti stravaganti **2** allegria; divertimento.

sprig [sprig] *s.* **1** ramoscello **2** giovincello.

sprightly [spraitli] *agg.* allegro, brioso, vivace.

spring [sprin] *s.* **1** salto; balzo; slancio **2** sorgente, fonte; *pl.* (*fig.*) origine (*sing.*) **3** primavera (*anche fig.*): *the — of one's life*, gli anni verdi // *— chicken*, pollastrello; (*fig.*) persona giovane e inesperta **4** elasticità (*anche fig.*) **5** molla.

to **spring**, *pass.* **sprang** [spræŋ], *p.pass.* **sprung** [sprʌŋ] *v.tr.* **1** far saltare; far scattare **2** fendere; far incrinare // *to — a leak*, far acqua (da una falla) **3** (*fig. fam.*) far esplodere; rivelare all'improvviso: *when will you — the news of your marriage?*, quando ci annuncerai il tuo matrimonio?; *to — a surprise on s.o.*, fare una sorpresa a qlcu. ♦ *v.intr.* **1** saltare; balzare: *the door sprang open*, la porta si spalancò di scatto; *to — at the enemy*, balzare sul nemico; *to — into the saddle*, balzare in sella; *to — to one's feet*, scattare in piedi // *to — into existence*, nascere // *to — into fame*, arrivare di colpo alla notorietà **2** (*fig.*) scaturire; derivare: *his difficulties — from his ignorance*, le sue difficoltà nascono dall'ignoranza **3** *to — up*, saltare su; spuntare, crescere.

spring-balance ['sprin'bælans] *s.* bilancia a molla.

springboard ['sprinbɔ:d] *s.* **1** pedana, trampolino **2** (*fig.*) trampolino, pedana di lancio.

springiness ['sprininis] *s.* elasticità.

spring lamb ['sprin'læm] *s.* agnellino; (*cuc.*) abbacchio.

springless ['sprinlis] *agg.* senza molla.

springlike ['sprinlaik] *agg.* primaverile.

spring tide ['sprintaid] *s.* marea sizigiale.

springtime ['sprintaim] *s.* **1** stagione, tempo primaverile **2** (*fig.*) inizio; anni verdi (*pl.*).

springy ['sprini] *agg.* elastico.

sprinkle ['sprinkl] *s.* **1** pioggerella **2** spruzzatina.

to **sprinkle** *v.tr.* **1** far cadere a piccole gocce **2** spargere; spruzzare; aspergere: *the meadow was sprinkled with dew*, il prato era irrorato di rugiada ♦ *v.intr.* cadere a piccole gocce; spargersi.

sprinkler ['sprinklə*] *s.* spruzzatore; innaffiatoio.

sprinkling ['sprinklin] *s.* **1** aspersione; spruzzatina // *to have a — of history*, avere un'infarinatura di storia **2** piccolo numero; piccola quantità sparsa.

sprint [sprint] *s.* (*sport*) breve corsa veloce.

to **sprint** *v.tr.* e *intr.* percorrere (una breve distanza) alla massima velocità.

sprinter ['sprintə*] *s.* velocista.

sprite [sprait] *s.* folletto, elfo, spirito.

sprocket ['sprɔkit] *s.* **1** dente di ruota per trasmissione a catena // *— wheel*, (*mecc.*) ruota dentata **2** (*mecc.*) rocchetto dentato; pignone.

sprout [spraut] *s.* **1** germoglio; tallo **2** *pl.*: (*Brussels*) *sprouts*, cavolini di Bruxelles.

to **sprout** *v.intr.* germogliare ♦ *v.tr.* buttare.

spruce[1] [spru:s] *agg.* elegante, azzimato.

to **spruce**[1] *v.tr.* azzimare, agghindare: *to — oneself up*, agghindarsi.

spruce[2] *s.* abete.

sprung *p.pass.* di to **spring**.

spry [sprai] *agg.* vivace, agile.

spud [spʌd] *s.* **1** (*agr.*) sarchio **2** (*fam.*) patata.

spume [spju:m] *s.* spuma, schiuma.

spumescent [spju'mesənt] *agg.* spumoso.

spun *pass.* e *p.pass.* di to **spin**.

spunk [spʌŋk] *s.* **1** esca (per accendere il fuoco); favilla **2** (*fam.*) coraggio; fegato.

spunky ['spʌŋki] *agg.* coraggioso.

spur [spə:*] *s.* **1** sperone, sprone // *on the — of the moment*, di impulso **2** (*fig.*) impulso, incentivo; sprone, (*st.*) essere investito cavaliere; (*fig.*) dimostrare il proprio valore; farsi un nome.

to **spur** *v.tr.* **1** spronare; (*fig.*) stimolare **2** fornire di speroni ♦ *v.intr.*: *to — (on)*, cavalcare a spron battuto.

spurious ['spjuərəs] *agg.* spurio, falso.

to **spurn** [spə:n] *v.tr.* **1** respingere (con sdegno) **2** disprezzare **3** dare un calcio (a).

spurt [spə:t] *s.* scatto // *we'll have to put a — on*, (*fam.*) dobbiamo sbrigarci.

to **spurt** *v.intr.* **1** scattare (in velocità) **2** scaturire.

sputnik ['sputnik] *s.* sputnik (satellite artificiale).

sputter ['spʌtə*] *s.* **1** barbugliamento; discorso rapido e confuso **2** scoppiettio.

to **sputter** *v.tr.* barbugliare; pronunciare in modo rapido e confuso ♦ *v.intr.* **1** spruzzare (di penna) **2** scoppiettare **3** parlare in modo rapido e confuso.

sputum ['spju:təm], *pl.* **sputa** ['spju:tə] *s.* sputo; espettorato.

spy [spai] *s.* spia.

to **spy** *v.intr.* spiare; fare la spia: *he was spying upon us*, spiava i nostri movimenti; *she spied into his secret*, cercò di scoprire il suo segreto ♦ *v.tr.* osservare; spiare; scrutare: *to — s.o.'s faults*, notare i difetti di qlcu. // *— out*, esplorare segretamente; scoprire.

spyglass ['spaiglɑ:s] *s.* cannocchiale.

squabble ['skwɔbl] *s.* battibecco; alterco.

to **squabble** *v.intr.* venire a parole; altercare.

squad [skwɔd] *s.* **1** (*mil.*) squadra; drappello // *the Flying Squad*, la (Squadra) Volante // *bomb disposal —*, squadra di artificieri **2** gruppo di persone.

squad car ['skwɔdkɑ:*] *s.* (*amer.* per *patrol car*) autopattuglia, auto di ronda.

squadron ['skwɔdrən] *s.* **1** (*mar. aer.*) squadra, squadriglia; divisione; (*mil.*) squadrone (di cavalleria) **2** gruppo organizzato.

squadron leader ['skwɔdrən'li:də*] *s.* comandante di squadriglia.

squails [skweilz] *s.pl.* gioco delle pulci (*sing.*).

squalid ['skwɔlid] *agg.* squallido; sordido.

squall[1] [skwɔ:l] *s.* urlo; schiamazzo; strepito.

to **squall**[1] *v.intr.* schiamazzare; strepitare ♦ *v.tr.* gridare; urlare.

squall[2] *s.* bufera; raffica; (*fig.*) litigio, burrasca.

squalor ['skwɔlə*] *s.* squallore; sordidezza.

squamous ['skweiməs] *agg.* squamoso; scaglioso.

to **squander** ['skwɔndə*] *v.tr.* sprecare; sperperare; scialacquare.

square [skwɛə*] *agg.* **1** quadro, quadrato // *— number*, numero al quadrato // *a — meal*, un pasto sostanzioso **2** ad angolo retto, perpendicolare **3** chiaro; esplicito; preciso: *give me a — answer*, dammi una risposta precisa **4** onesto, leale: *his behaviour was not quite —*, il suo comportamento non fu del tutto onesto **5** pari; pareggiato // *all —*, pari // *to get — with s.o.*, (*fig.*) fare i conti con qlcu. **6** (*sl.*) retrogrado; con-

formista ♦ *avv.* **1** ad angolo retto; di forma quadrata **2** lealmente, onestamente: *play* —, agisci lealmente.

square *s.* **1** quadrato // *the* — *of a number*, il quadrato di un numero // *to be back to* — *one*, ricominciare da capo **2** oggetto di forma quadrata; (*mil.*) disposizione a quadrato **3** piazza **4** squadra (per disegno) // *on the* —, (*fam.*) onestamente **5** (*metall.*) barra quadra **6** (*sl.*) persona stupida, retrograda, conformista.

to square *v.tr.* **1** squadrare // *to* — *the circle*, trovare la quadratura del cerchio **2** corrompere, ingannare **3** soddisfare: *to* — *one's creditors*, soddisfare i propri creditori **4** far quadrare; conciliare: *to* — *one's theories with ascertained facts*, conciliare le proprie teorie con fatti accertati // *to* — *accounts*, far quadrare i conti **5** (*mat.*) elevare al quadrato ♦ *v.intr.* **1** essere ad angolo retto; formare un angolo retto **2** *to* — *up to*, affrontare (bellicosamente) // *to* — *up with s.o.*, (*fig.*) regolare i conti con qlcu. **3** quadrare, armonizzare: *these theories don't* — *with facts*, queste teorie non quadrano con i fatti.

square dance [ˈskwɛəˈdɑ:ns] *s.* (tipo di) quadriglia.

squarely [ˈskwɛəli] *avv.* **1** a forma di quadrato **2** direttamente: *to face sthg.* —, affrontare qlco. con coraggio **3** lealmente, onestamente.

square-shouldered [ˈskwɛəˌʃouldəd] *agg.* dalle spalle quadrate.

squash[1] [skwɔʃ] *s.* **1** cosa schiacciata; schiacciamento **2** spremuta (di frutta) **3** ressa, calca.

to squash[1] *v.tr.* **1** schiacciare; spremere **2** (*fam.*) stroncare; ridurre al silenzio ♦ *v.intr.* **1** schiacciarsi **2** accalcarsi; pigiarsi.

squash[2] *s.* «squash» (gioco consistente nel lanciare velocemente con una racchetta una pallina contro il muro).

squash court [ˈskwɔʃˈkɔ:t] *s.* palestra in cui si gioca lo «squash».

squashiness [ˈskwɔʃinis] *s.* mollezza.

squashy [ˈskwɔʃi] *agg.* **1** molle, molliccio **2** acquitrinoso; pantanoso.

squat [skwɔt] *agg.* tozzo; tarchiato.

to squat *v.intr.* **1** accovacciarsi, accoccolarsi; acquattarsi **2** occupare abusivamente.

squatter [ˈskwɔtə*] *s.* chi occupa abusivamente un terreno.

squaw [skwɔ:] *s.* «squaw» (donna pellerossa).

squawk [skwɔ:k] *s.* grido rauco e aspro.

to squawk *v.intr.* emettere un grido rauco, aspro; gridare raucamente.

squeak [skwi:k] *s.* grido acuto, strillo; pigolio, squittio (di animali); scricchiolio // *to have a narrow* —, (*fam.*) scamparla bella.

to squeak *v.intr.* strillare in tono acuto; pigolare, squittire (di animali); stridere, cigolare ♦ *v.tr.* (*sl.*) cantare, confessare.

squeaker [ˈskwi:kə*] *s.* **1** chi, ciò che emette un grido, un pigolio, uno squittio, uno scricchiolio **2** (*sl.*) informatore, spia.

squeaky [ˈskwi:ki] *agg.* che strilla con voce acuta (di persona); che pigola, squittisce (di animale); cigolante, stridente (di cosa).

squeal [skwi:l] *s.* grido forte e acuto, strillo.

to squeal *v.intr.* **1** strillare; lanciare dei gridolini **2** lamentarsi **3** (*sl.*) fare la spia, tradire ♦ *v.tr.* esprimere con gridolini.

squeamish [ˈskwi:miʃ] *agg.* **1** soggetto a nausea **2** schizzinoso; delicato.

squeegee [ˈskwi:ˈdʒi:] *s.* striscia di gomma (applicata ad uno spazzolone).

squeezable [ˈskwi:zəbl] *agg.* schiacciabile, comprimibile; spremibile.

squeeze [skwi:z] *s.* **1** compressione, pressione; stretta: *to give s.o. a* —, abbracciare qlcu. stretto stretto // *credit* —, restrizioni di credito **2** (*fig.*) pressione; estorsione **3** calca, affollamento: *it was a tight* —, si era pigiati come sardine.

to squeeze *v.tr.* **1** comprimere; schiacciare; stringere; serrare: *to* — *s.o.'s hand*, stringere la mano di qlcu.; *to* — *clothes into a suit case*, schiacciare vestiti in una valigia **2** spremere: *to* — *a lemon dry*, spremere un limone fino all'ultima goccia **3** (*fig.*) estorcere; spremere ♦ *v.intr.* stringersi; comprimersi; accalcarsi: *I squeezed into the crowded cinema*, entrai con difficoltà nel cinema affollato.

squeezed [skwi:zd] *agg.* spremuto (*anche fig.*).

squelch [skwelʃ] *s.* cic ciac.

to squelch *v.intr.* fare cic ciac ♦ *v.tr.* (*fam.*) sopprimere; soffocare; (*fig.*) ridurre al silenzio.

squib [skwib] *s.* **1** petardo; razzo; miccia // *a damp* —, un fiasco **2** satira.

squid [skwid] *s.* (*zool.*) calamaro, seppia.

squiffy [ˈskwifi] *agg.* (*sl.*) brillo, alticcio.

squint [skwint] *s.* **1** strabismo **2** sguardo furtivo; occhiata furtiva **3** (*arch.*) apertura, finestrella obliqua.

to squint *v.intr.* **1** essere strabico **2** (*fig.*) guardare furtivamente; dare un'occhiata.

squint-eyed [ˈskwintaid] *agg.* strabico.

squire [ˈskwaiə*] *s.* **1** (*st.*) scudiero **2** nobiluomo di campagna **3** cavaliere (servente) **4** (*amer.*) Giudice di Pace; giudice locale.

to squire *v.tr.* scortare (una donna).

squirearchy [ˈskwaiərɑ:ki] *s.* **1** i proprietari terrieri (*pl.*) **2** potere politico dei proprietari terrieri.

squirm [skwə:m] *s.* contorsione, contorcimento.

to squirm *v.intr.* **1** contorcersi; dimenarsi **2** (*fig.*) mostrare imbarazzo; essere sulle spine.

squirrel [ˈskwirəl] *s.* scoiattolo.

squirt [skwə:t] *s.* **1** siringa **2** zampillo, schizzo **3** (*sl.*) saputello; presuntuoso.

to squirt *v.tr.* e *intr.* schizzare.

stab [stæb] *s.* **1** pugnalata **2** dolore acuto.

to stab *v.tr.* **1** pugnalare; ferire **2** conficcare: *to* — *a knife into s.o.'s back*, conficcare un pugnale nella schiena di qlcu. **3** martellare (una parete) ♦ *v.intr.* **1** *to* — *at*, pugnalare (qlcu.) **2** produrre fitte (detto di ferite ecc.).

stability [stəˈbiliti] *s.* stabilità; fermezza.

stabilization [ˌsteibilaiˈzeiʃən] *s.* stabilizzazione.

to stabilize [ˈsteibilaiz] *v.tr.* stabilizzare.

stabilizer [ˈsteibilaizə*] *s.* stabilizzatore.

stable[1] [ˈsteibl] *agg.* stabile, fermo, saldo; permanente.

stable[2] *s.* **1** scuderia; stalla **2** allevamento di cavalli.

to stable[2] *v.tr.* mettere, tenere in stalla, scuderia ♦ *v.intr.* stare, alloggiare (in una stalla).

stable boy [ˈsteiblbɔi] *s.* mozzo di stalla.

stably [ˈsteibli] *avv.* stabilmente.

stack [stæk] *s.* **1** mucchio, ammasso, catasta; pagliaio // *stacks of money*, (*fam.*) soldi a palate **2** gruppo di camini **3** fumaiolo.

to stack *v.tr.* ammucchiare, accatastare // *to* — *the cards*, (*amer.*) barare; *the cards are stacked against him*, è molto svantaggiato.

stacker [ˈstækə*] *s.* (*informatica*) casella di raccolta.

stadium [ˈsteidjəm], *pl.* **stadiums** [ˈsteidjəmz], **stadia** [ˈsteidjə] *s.* stadio.

staff [stɑːf], *pl.* **staffs** [stɑːfs], *nel senso 4* **staves** [steivz] *s.* **1** bastone; sostegno // *to have the — in one's own hand*, avere il coltello per il manico **2** (*mil.*) stato maggiore **3** personale (di servizio, ufficio ecc.) // *nursing —*, corpo infermiere // *teaching —*, corpo insegnante **4** (*mus.*) rigo musicale.

to **staff** *v.tr.* fornire di personale; far parte del personale (di) // *over-staffed*, con eccedenza di personale.

staff college [ˈstɑfˌkɔlidʒ] *s.* scuola militare.

staff officer [ˈstɑːfˌɔfisə*] *s.* ufficiale di stato maggiore.

staff room [ˈstɑːfruːm] *s.* sala per il personale.

staff work [ˈstɑːfwəːk] *s.* lavoro organizzato ed amministrativo.

stag [stæg] *s.* **1** cervo // *— party*, festa per soli uomini **2** (*sl. comm.*) speculatore di Borsa.

stage [steidʒ] *s.* **1** palcoscenico; teatro: *revolving —*, palcoscenico girevole // *to go on the —*, darsi al teatro // *off —*, dietro le quinte // *up —*, verso il fondo della scena // *— designer*, scenografo // *— name*, nome d'arte // *the Italian —*, il teatro italiano // *the political —*, la scena politica **2** stadio, grado, momento: *we reached a critical —*, raggiungemmo un momento critico **3** tappa; distanza fra due tappe // *by easy stages*, a tappe poco pesanti; *to clear out the house by easy stages*, ripulire la casa poco per volta **4** piattaforma; ponte pensile.

to **stage** *v.tr.* **1** mettere in scena, rappresentare // *to — a comeback*, (*fig.*) organizzare un rientro **2** inscenare (*anche fig.*): *their indignation was staged*, la loro indignazione era tutta una messa in scena.

stagecoach [ˈsteidʒkoutʃ] *s.* diligenza.

stagecraft [ˈsteidʒkrɑːft] *s.* scenotecnica.

stage direction [ˈsteidʒdiˌrekʃən] *s.* (*teatr.*) didascalia.

stage door [ˈsteidʒdɔː*] *s.* (*teatr.*) porta di servizio.

stage effect [ˈsteidʒiˌfekt] *s.* effetto scenico.

stage fright [ˈsteidʒfrait] *s.* (*teatr.*) nervosismo (degli attori sulla scena).

stagehand [ˈsteidʒhænd] *s.* (*teatr.*) macchinista.

stage manager [ˈsteidʒˈmænidʒə*] *s.* (*teatr.*) direttore di scena.

stagestruck [ˈsteidʒstrʌk] *agg.* che aspira a calcare le scene; (*fam.*) che ha la «malattia» del palcoscenico.

stage whisper [ˈsteidʒˈwispə*] *s.* (*teatr.*) a parte // *in a —*, a mezza voce.

stagger [ˈstægə*] *s.* barcollamento: *the — of a drunken man*, il barcollare di un ubriaco.

to **stagger** *v.intr.* barcollare; vacillare (*anche fig.*): *to — forward*, avanzare barcollando ♦ *v.tr.* **1** far vacillare, far barcollare **2** (*fig.*) sconcertare; impressionare; sbalordire **3** scaglionare; distribuire in turni **4** (*mecc.*) sfalsare.

staginess [ˈsteidʒinis] *s.* teatralità; artificiosità.

staging [ˈsteidʒiŋ] *s.* (*edil.*) impalcatura, ponteggio **2** (*teatr.*) messa in scena, allestimento scenico.

staging area [ˈsteidʒiŋˌɛəriə] *s.* (*mil.*) base di addestramento.

stagnancy [ˈstægnənsi] *s.* ristagno, stasi.

stagnant [ˈstægnənt] *agg.* stagnante, fermo; (*fig.*) inattivo: *business is —*, c'è un ristagno negli affari.

to **stagnate** [stægˈneit, (*amer.*) ˈstægneit] *v.intr.* ristagnare (*anche fig.*).

stagnation [stægˈneiʃən] *s.* **1** ristagno **2** (*fig.*) stasi, inattività.

stagy [ˈsteidʒi] *agg.* **1** teatrale; melodrammatico **2** artificioso.

staid [steid] *agg.* posato, serio; sobrio.

stain [stein] *s.* **1** scolorimento **2** macchia (*anche fig.*).

to **stain** *v.tr.* **1** macchiare (*anche fig.*); stingere **2** tingere; colorare ♦ *v.intr.* **1** scolorire, scolorirsi; stingere, stingersi **2** macchiare, macchiarsi.

stained glass [ˈsteindglɑːs] *s.* vetro istoriato; vetrata a colori (di chiese ecc.).

stainless [ˈsteinlis] *agg.* **1** senza macchia, immacolato (*anche fig.*) **2** che non arruginisce, inossidabile.

stair [stɛə*] *s.* **1** scalino, gradino **2** (*gener. pl.*) scala: *at the foot, the head of the stairs*, ai piedi delle, in cima alle scale // *below stairs*, nel seminterrato // *— -carpet*, passatoia // *winding stairs*, scala a chiocciola.

staircase [ˈstɛəkeis] *s.* scala; scalone // *spiral* (o *keghole*) *—*, scala a chiocciola.

stairway [ˈstɛəwei] *s.* scala, scalone.

stairwell [ˈstɛəwel] *s.* tromba delle scale.

stake [steik] *s.* **1** posta, scommessa, puntata: *to lay the stakes*, giocare, puntare; *to sweep the stakes*, vincere tutte le poste // *at —*, in gioco // *put down your stakes!*, (*anche fig.*) fate il vostro gioco! // *to play one's last —*, (*fig.*) giocare l'ultima carta // *to have a — in sthg.*, avere degli interessi in qlco. **2** *pl.* (*ippica*) premio (*sing.*); corsa (*sing.*) **3** palo; paletto; piolo, picchetto; biffa **4** (palo del) rogo **5** piccola incudine.

to **stake** *v.tr.* **1** mettere in gioco; scommettere; giocare, rischiare // *I'd — my life on it*, ci scommetterei l'osso del collo; *to — one's all*, mettere tutto in gioco, rischiare il tutto per tutto **2** sostenere con, legare a un palo, a un piolo **3** trafiggere; impalare **4** *to — out*, cintare con una palizzata; delimitare con picchetti ecc.; (*sl.*) sorvegliare, porre sotto sorveglianza (un edificio) // *to — out a claim*, rivendicare la proprietà di un terreno delimitandone i confini; (*fig.*) reclamare, rivendicare.

stakeholder [ˈsteikˌhouldə*] *s.* chi tiene i soldi delle poste (in una scommessa).

Stakhanovite [stɑˈkænouvait] *s.* stacanovista.

stalactic [stɑˈlæktik] *agg.* stalattitico.

stalactite [ˈstælɔktait, (*amer.*) stɑˈlæktait] *s.* stalattite.

stalagmite [ˈstælɔgmait, (*amer.*) stɑˈlægmait] *s.* stalagmite.

stale [steil] *agg.* **1** vecchio; stantio; raffermo // *— air*, aria viziata **2** (*fig.*) trito; esaurito.

stalemate [ˈsteilˈmeit] *s.* **1** (*scacchi*) stallo **2** (*fig.*) punto morto; vicolo cieco.

to **stalemate** *v.tr.* **1** (*scacchi*) fare stallo (a) **2** (*fig.*) portare a un punto morto.

staleness [ˈsteilnis] *s.* **1** l'essere rafferno (di pane) **2** l'odorar di stantio, di chiuso **3** scipitezza, banalità.

stalk¹ [stɔːk] *s.* **1** stelo; gambo; peduncolo // *grape —*, graspo **2** alta ciminiera.

stalk² *s.* **1** andatura rigida e maestosa **2** caccia furtiva alla preda.

to **stalk²** *v.tr.* camminare con andatura rigida e maestosa ♦ *v.tr.* inseguire furtivamente (la selvaggina).

stalked [stɔːkt] *agg.* (*bot.*) fornito di gambo.

stall¹ [stɔːl] *s.* **1** bancarella; chiosco; «stand»; banco di vendita **2** (*teatr.*) poltrona (di platea) **3** «box» di stalla **4** (*eccl.*) stallo.

to **stall¹** *v.tr.* **1** mettere, tenere (bestiame) in stalla **2** far fermare ♦ *v.intr.* (*mecc.*) fermarsi; (*aer.*) stallare.

to **stall²** *v.intr.* parlare, agire evasivamente (per eludere, ritardare un'azione): *stop stalling!*, smettila di menare il can per l'aia! ♦ *v.tr.* **1** ritardare (un'azione) con espedienti elusivi **2** *to — off*, tenere a bada.

stallion [ˈstæljən] *s.* stallone.

stallman, *pl.* **stallmen** [ˈstɔːlmən] *s.* bancarellista; chi vende merce su una bancarella.

stalwart [ˈstɔːlwət] *agg.* **1** robusto, forte, gagliardo **2** fidato; leale **3** impavido ♦ *s.* (*pol.*) sostenitore, uomo di parte.

stamen [ˈsteimen] *s.* (*bot.*) stame.

stamina [ˈstæminə] *s.* capacità di resistenza; forza vitale, vigore.

stammer [ˈstæmə*] *s.* balbettamento; balbuzie.

to **stammer** *v.tr.* e *intr.* **1** tartagliare; balbettare **2** farfugliare.

stammering [ˈstæmərɪŋ] *agg.* **1** balbettante; balbuziente **2** incerto, esitante.

stamp [stæmp] *s.* **1** timbro, marchio; bollo; francobollo: *tenpenny —*, francobollo da dieci penny; *— -album*, album per francobolli // *postage —*, affrancatura **2** segno, impronta (*anche fig.*): *the — of genius*, l'impronta del genio **3** colpo (di piede): *with a — of the foot*, battendo il piede **4** (*mecc.*) stampo **5** (*fig.*) sorta, stampo.

to **stamp** *v.tr.* **1** timbrare, stampigliare; incidere; stampare: *stamped with the maker's name*, con il marchio di fabbrica **2** (*fig.*) imprimere, imprimersi (nella mente ecc.) **3** (*fig.*) caratterizzare; *face stamped with melancholy*, viso dall'espressione malinconica; *that alone stamps the story as an invention*, basta questo a dimostrare che è tutta una frottola; *that stamps him*, da questo si può capire che tipo è ♦ bollare; affrancare **5** pestare, battere (i piedi) // *to — the snow from one's feet*, scuotere la neve dalle scarpe // *he stamped upstairs*, salì le scale pestando i piedi // *to — down*, calpestare (con violenza) **7** *to — out*, estinguere (calpestando); (*fig.*) soffocare ♦ *v.intr.* pestare i piedi.

stamp-collecting [ˈstæmpkəˌlektɪŋ] *s.* filatelia.

stamp-collector [ˈstæmpkəˌlektə*] *s.* filatelico.

stamp duty [ˈstæmpˌdjuːti] *s.* tassa di bollo.

stampede [stæmˈpiːd] *s.* fuga precipitosa (causata dal panico); fuggi-fuggi: *there was a — for the door*, si precipitarono tutti verso la porta.

to **stampede** *v.tr.* far fuggire in disordine; causare panico(fra) ♦ *v.intr.* fuggire in disordine o in preda al panico.

stamper [ˈstæmpə*] *s.* **1** stampatore **2** (*mecc.*) timbratrice; frantumatrice.

stamping ground [ˈstæmpɪŋˌɡraʊnd] *s.* (*fam.*) ritrovo: *it is his —*, è il luogo che frequenta abitualmente.

stance [stæns] *s.* (*spec. golf, cricket*) posizione (di gioco); (*fig.*) atteggiamento.

stanchion [ˈstɑːnʃən] *s.* **1** sostegno, puntello **2** stanga (per legarvi il bestiame).

stand [stænd] *s.* **1** pausa, arresto, sosta: *to come to a —*, fermarsi **2** (*fig.*) resistenza: *to make a —*, opporre resistenza **3** posto; posizione (*anche fig.*): *to take one's — on*, prender posto su; (*fig.*) prender posizione su **4** palco, tribuna, piattaforma; (*amer.*) banco dei testimoni // *to take the —*, (*amer.*) deporre in tribunale **5** posteggio **6** bancarella; chiosco **7** sostegno, supporto.

to **stand**, *pass. p.pass.* **stood** [stud] *v.intr.* **1** essere, stare in piedi; rizzarsi: *everyone stood as he entered*, tutti si alzarono quando egli entrò; *he was left standing in a corner*, lo lasciarono in piedi in un angolo; *I could hardly —*, mi reggevo a stento // *to — on one's own legs*, far da sé, essere indipendente **2** stare; trovarsi, essere (in

determinate condizioni): *the balance of the account stands at £ 10*, il saldo del conto è di 10 sterline; *don't — on the platform*, non fermatevi sulla piattaforma; *gold stands higher than ever*, il prezzo dell'oro è più alto che mai; *the thermometer stands at 80°*, il termometro segna 80°; *to — as a candidate*, presentarsi come candidato // *to — to reason*, essere ovvio // *to — convicted of sthg.*, essere dichiarato colpevole di qlco. // *I — corrected*, accetto l'osservazione, il rimprovero // *to — alone*, essere senza pari, distinguersi; essere solo // *to — fast* (o *firm*), tener duro // *to — well with s.o.*, essere in buoni rapporti con qlcu. **3** resistere, durare; rimaner valido: *he stood by his friends*, rimase fedele ai suoi impegni // *to — for*, significare, voler dire; sostenere (una causa); (*pol.*) essere candidato a; sopportare, tollerare ♦ *seguito da avv.* **1** *to — aside*, (*anche fig.*) farsi da parte **2** *to — back*, farsi indietro // *to — by*, assistere; restare in disparte; tenersi pronto **4** *to — down*, lasciare il banco dei testimoni; (*mil.*) smontare la guardia; (*pol.*) ritirare la propria candidatura **5** *to — in*, associarsi // *to — in for s.o.*, sostituire qlcu. **6** *to — off*, starsene lontano; (*fig.*) mantenere le distanze **7** *to — out*, spiccare, delinearsi; resistere, tener duro **8** *to — up*, alzarsi in piedi; rizzarsi; star ritto // *to — up for s.o.*, prendere le difese di qlcu. // *to — up to s.o.*, affrontare coraggiosamente qlcu.

stand-alone [stændəˈloun] *agg.* indipendente.

standard [ˈstændəd] *s.* **1** standard, modello, campione, tipo; misura, norma **2** livello, qualità, tenore, standard **3** supporto, base, piedistallo **4** (*bot.*) arbusto tagliato ad alberello **5** stendardo, bandiera, insegna // *to march under the — of s.o.*, (*fig.*) essere seguace di qlcu. // *to raise the — of revolt*, (*fig.*) iniziare una rivolta ♦ *agg.* standard.

standard-bearer [ˈstændədbɛərə*] *s.* portabandiera.

standardization [ˌstændədaiˈzeiʃən] *s.* standardizzazione; massificazione.

to **standardize** [ˈstændədaiz] *v.tr.* standardizzare; massificare.

standard lamp [ˈstændədˌlæmp] *s.* lampada a stelo.

standby [ˈstændbai] *s.* scorta, riserva: *— machinery*, macchinari di riserva // *to be on —*, essere pronti (a intervenire).

stand-in [ˈstændˌin] *s.* sostituto; controfigura.

standing [ˈstændɪŋ] *agg.* **1** che sta in piedi; eretto **2** fermo; stagnante **3** fisso; immutabile; permanente; sempre valido: *a — invitation*, un invito sempre valido; *a — rule*, una regola fissa // *— room only!*, solo posti in piedi! ♦ *s.* importanza; rango; reputazione: *man of good —*, persona stimata; *man of no —*, persona che non gode di stima **2** durata: *a dispute of long —*, una controversia che data da molto tempo; *officer of six months' —*, ufficiale in servizio da sei mesi.

standoffish [stændˈɔːfiʃ] *agg.* riservato; altezzoso.

standpoint [ˈstændpoint] *s.* punto di vista.

standstill [ˈstændstil] *s.* arresto, fermata, pausa; punto morto: *trade is at a —*, gli affari sono stagnanti.

stand-up [´stændʌp] *agg.* rialzato; eretto // *a — meal*, un pasto in piedi // *a — fight*, combattimento molto violento.

stank *pass.* di to **stink**.

stannic [´stænik] *agg.* (*chim.*) stannico.

stanza [´stænzə], *pl.* **stanzas** [´stænzəz] *s.* (*prosodia*) stanza; strofa.

staphylococcus [ˌstæfiləu´kɔkəs] *s.* (*biol.*) strafilococco.

staple¹ [steipl] *agg.* principale: — *commodities*, principali generi di consumo ♦ *s.* 1 prodotto, articolo principale (di commercio, industria) 2 (*fig.*) elemento, fattore principale 3 materia prima, materiale grezzo 4 (*ind. tessile*) fibra; fiocco.

staple² *s.* 1 (*strum.*) chiodo ad U 2 (*mecc.*) ponticello 3 (*tip.*) graffetta, punto metallico.

to staple² *v.tr.* cucire con graffette.

to staple³ *v.tr.* classificare i fiocchi di (lana, cotone ecc.).

stapler [´steiplə*] *s.* aggraffatrice; cucitrice.

stapling machine [´steipliŋməˌʃi:n] *s.* (*ind.*) macchina cucitrice.

star [sta:*] *s.* 1 stella (*anche fig.*) // *the Stars and Stripes*, la bandiera degli Stati Uniti d'America // *the Star-Spangled Banner*, la bandiera degli Stati Uniti; l'inno nazionale americano // — *drift*, movimento proprio delle stelle // *north —*, stella polare // *to see stars*, vedere le stelle 2 (*tip.*) asterisco 3 «star», diva, divo, celebrità // — *system*, divismo // — *turn*, ruolo principale; personaggio.

to star *v.tr.* 1 adornare di stelle; costellare 2 (*tip.*) segnare con asterisco ♦ *v.intr.* (*cinem. teatr.*) avere il ruolo di protagonista.

starboard [´sta:bəd] *agg. e s.* (*mar.*) (di) tribordo, dritta, destra.

starch [sta:tʃ] *s.* 1 amido // *to take the — out of s.o.*, smontare qlcu. 2 (*fig.*) formalismo.

to starch *v.tr.* inamidare.

starchy [´sta:tʃi] *agg.* 1 (*chim.*) amidaceo: — *foods*, cibi ricchi d'amido 2 (*fig.*) sostenuto; formale.

stardom [´sta:dəm] *s.* (*teatr. cinem.*) divismo, celebrità.

stardust [´sta:dʌst] *s.* polvere di stelle.

stare [stɛə*] *s.* sguardo fisso: *glassy —*, sguardo vitreo.

to stare *v.intr.* sgranare, spalancare gli occhi: *he stared into the room*, lanciò uno sguardo inquisitore nella stanza; *she is not accustomed to being stared at*, non è abituata a essere squadrata ♦ *v.tr.* fissare, squadrare: *to — s.o. into silence*, imporre silenzio a qlcu. con uno sguardo; *to — s.o. out of countenance*, fissare qlcu. fino a confonderlo // *it's staring you in the face*, salta agli occhi, è evidente.

starfish [´sta:fiʃ] *s.* stella di mare.

stargazer [´sta:ˌgeizə*] *s.* 1 (*scherz.*) astronomo 2 sognatore.

stargazing [´sta:ˌgeiziŋ] *s.* 1 (*scherz.*) astronomia 2 l'essere un sognatore.

staring [´stɛəriŋ] *agg.* 1 fisso (di sguardo); spalancato, sbarrato (di occhio) 2 chiassoso, sgargiante (di colore).

stark [sta:k] *agg.* 1 rigido, duro 2 completo, vero e proprio: — *madness*, pura follia 3 desolato, sinistro ♦ *avv.* completamente, interamente: — *mad*, matto da legare; — *naked*, completamente nudo.

starkers [´sta:kəz] *agg.pred.* nudo.

starlet [´sta:lit] *s.* (*cinem.*) stellina.

starlight [´sta:lait] *s.* luce, chiarore stellare.

starlike [´sta:laik] *agg.* simile a stella; lucente.

starling [´sta:liŋ] *s.* (*zool.*) storno.

starlit [´sta:lit] *agg.* illuminato dalle stelle.

starred [sta:d] *agg.* 1 stellato, adorno di stelle 2 influenzato dalle stelle // *ill- —*, nato sotto una cattiva stella, sfortunato 3 (*tip.*) segnato con asterisco.

starry [´sta:ri] *agg.* 1 stellato, trapunto di stelle 2 brillante, lucente come stella.

starry-eyed [´sta:riaid] *agg.* 1 con occhi scintillanti 2 (*fam.*) entusiasta; ingenuo.

star-spangled [´sta:ˌspæŋgld] *agg.* stellato // *Star-Spangled Banner*, bandiera stellata (degli Stati Uniti).

start [sta:t] *s.* 1 inizio, partenza; luogo di partenza: *at the —*, all'inizio // *to give s.o. a good —*, aiutare molto qlcu. agli inizi (di una carriera, attività ecc.) // *to make an early —*, cominciare, partire di buon'ora // *for a —*, tanto per cominciare 2 sobbalzo, soprassalto: *to give s.o. a —*, far trasalire qlcu. // *by fits and starts*, a sbalzi 3 posizione vantaggiosa; vantaggio (dato all'inizio di una corsa) 4 (*mecc.*) avviamento 5 (*informatica*) avvio: — *mode*, modo iniziale.

to start *v.intr.* 1 partire; mettersi in moto; avviarsi, dirigersi: *I'll — for Rome today*, partirò per Roma oggi; *to — (off o out) on a journey*, partire per un viaggio; *to — (off)*, (*aut.*) partire // *he started back the next day*, il giorno dopo riprese la via del ritorno 2 cominciare; dare, avere inizio a: — *afresh* (o *again*), ricominciare; (*fig.*) rifarsi una vita; *to — at the beginning*, cominciare dall'inizio; *to — by doing sthg.*, cominciare col fare qlco.; *to — (up) on sthg.*, mettersi a fare qlco. // *to — with*, tanto per cominciare 3 trasalire; sobbalzare: *to — with surprise*, avere un moto di sorpresa 4 *to — in*, cominciare 5 *to — up*, alzarsi bruscamente; nascere, spuntare ♦ *v.tr.* 1 mettere in moto: *to — (up) an engine*, mettere in moto una macchina 2 iniziare: *to — s.o. on a career*, lanciare qlcu. in una carriera; *to — a fire*, provocare un incendio; *to — a race*, dare inizio a una corsa 3 far trasalire; far sobbalzare 4 stanare (selvaggina).

starter [´sta:tə*] *s.* 1 iniziatore 2 (*sport*) partente 3 (*sport*) «starter» 4 (*aut.*) motorino d'avviamento.

starters [´sta:təz] *s.pl.* antipasti.

starting point [´sta:tiŋpoint] *s.* punto di partenza.

starting post [´sta:tiŋpoust] *s.* linea di partenza.

to startle [´sta:tl] *v.tr.* spaventare; far trasalire; allarmare // *to — s.o. out of his sleep*, svegliare qlcu. di soprassalto ♦ *v.intr.* spaventarsi; trasalire; allarmarsi.

startling [´sta:tliŋ] *agg.* allarmante; sorprendente.

starvation [sta:´veiʃən] *s.* inedia, fame // — *wages*, salario da fame // — *diet*, dieta di fame.

to starve [sta:v] *v.tr.* 1 far morire di fame; far soffrire la fame (a) // *to — the town into surrender*, costringere la città ad arrendersi per fame 2 *to — out*, prendere per fame ♦ *v.intr.* 1 morire di fame; soffrire la fame // *I'm simply starving*, muoio di fame 2 *to — for*, bramare.

starveling [´sta:vliŋ] *agg. e s.* (*letter.*) affamato.

to stash [stæʃ] *v.tr. e intr.* (*fam.*) 1 tener nascosto 2 smettere, cessare.

stasis [´steisis], *pl.* **stases** [´steisi:z] *s.* (*med.*) stasi; ristagno.

state [steit] *s.* 1 stato, condizione, situazione: *the — of the case*, i fatti e le circostanze relative al caso; — *of mind*, disposizione d'animo; *just look what a — I am in*, guarda in che stato mi trovo // *to lie in —*, essere esposto (di morto) 2 Stato, (*pol.*) Stato: *police —*, stato poliziotto // *the States of the Church* (o *the Papal States*), gli Stati Pontifici // *the States*, gli Stati Uniti // —

-*aided*, sovvenzionato dallo stato // — *-controlled*, sotto il controllo dello stato // — *visit*, visita di stato // *the State Department*, (*amer.*) Dipartimento degli Affari Esteri // —'*s evidence*, (*amer.*) testimone d'accusa // *State's rights*, (*amer.*) diritti che competono ai singoli stati **3** rango, pompa: *to live in* —, vivere in grande.

to state *v.tr.* **1** affermare; dichiarare; stabilire: *as stated above*, come espresso sopra: *it should also be stated that...*, si deve aggiungere che...; *to* — *one's case*, (*dir.*) esporre i fatti; *to* — *sthg. definitely*, specificare qlco. **2** (*mat.*) esprimere con formule.

state-carriage ['steit'kærɪdʒ], **state-coach** ['steit koutʃ] *s.* carrozza di gala.

statecraft ['steitkrɑːft] *s.* abilità politica; la scienza della diplomazia.

stated ['steitid] *agg.* dichiarato; stabilito; fisso.

Statehouse [steithauz] *s.* sede dell'Assemblea Legislativa.

stateless ['steitlis] *agg.* apolide.

stateliness ['steitlinis] *s.* grandiosità, imponenza, maestosità.

stately ['steitli] *agg.* signorile; maestoso.

statement ['steitmənt] *s.* **1** esposto; esposizione; rapporto; dichiarazione, affermazione: *official* —, comunicato ufficiale; *to make* (o *to publish*) *a* —, fare una dichiarazione // — *of account*, *bank* —, (*comm.*) estratto conto // — *of expenses*, (*comm.*) conto spese // *monthly* —, (*comm.*) bilancio mensile **2** (*informatica*) frase; istruzione.

stateowned ['steit'ound] *agg.* di proprietà dello stato.

state paper ['steit,peipə*] *s.* documento di stato.

stateroom ['steitrum] *s.* **1** salone per ricevimenti **2** cabina di lusso (su una nave); (*amer.*) cabina di vagone letto.

statesman, *pl.* **statesmen** ['steitsmən] *s.* **1** uomo di stato; statista **2** piccolo proprietario terriero.

statesmanlike ['steitsmənlaik] *agg.* da uomo di stato, da statista.

statesmanship ['steitsmənʃip] *s.* abilità politica.

State-trial ['steit'traiəl] *s.* processo per offesa contro lo Stato.

static ['stætik] *agg.* statico ♦ *s.* elettricità statica.

statics ['stætiks] *s.* **1** (*fis.*) statica **2** (*rad.*) disturbi atmosferici (*pl.*).

station ['steiʃən] *s.* **1** posto, luogo **2** stazione: *to reach the* —, arrivare in stazione; entrare in stazione; *air* —, aeroscalo; *pirate radio* —, radio pirata; *radio clandestina* // *sending* —, (*informatica*) stazione trasmittente // *petrol* (o *filling*) —, stazione di rifornimento // *polling* —, sezione elettorale **3** base, posto di operazione: *naval* —, porto militare; *to be on* — *in India*, (*mil.*) essere di guarnigione in India **4** posizione, condizione sociale, rango.

to station *v.tr.* assegnare un posto (a), collocare: *to* — *troops*, postare truppe; *to be stationed at...*, (*mil.*) essere di guarnigione a...

stationary ['steiʃnəri] *agg.* **1** stazionario, fermo; fisso **2** (*mil.*) di stanza.

stationer ['steiʃnə*] *s.* cartolaio.

stationery ['steiʃnəri] *s.* articoli di cancelleria (*pl.*).

stationmaster ['steiʃən,mɑ:stə*] *s.* capostazione.

station wagon ['steiʃən,wægən] (*amer.* per *estate car*) auto modello familiare.

statism ['steitizəm] *s.* statalismo.

statistic(al) [stə'tistik(əl)] *agg.* statistico.

statistician [,stætis'tiʃən] *s.* esperto di statistica.

statistics [stə'tistiks] *s.* **1** (scienza della) statistica **2** *pl.* statistiche // *vital* —, statistiche demografiche; (*fam.*) misure vitali.

statuary ['stætjuəri] *agg.* statuario, scultoreo ♦ *s.* **1** scultura **2** scultore **3** (insieme di) statue.

statue ['stætju:] *s.* statua.

statuesque [,stætju'esk] *agg.* statuario, scultoreo.

statuette [,stætju'et] *s.* statuetta, statuina.

stature ['stætʃə*] *s.* statura (*anche fig.*).

status ['steitəs] *s.* stato (*anche dir.*); condizione sociale; posizione // — *seeker*, chi cerca di affermarsi socialmente // — *symbol*, oggetto il cui possesso denota un alto livello sociale // *civil* —, stato civile; *legal* —, condizione giuridica; *social* —, posizione sociale.

statute ['stætju:t] *s.* statuto, regolamento; legge // — *law*, legge statutaria.

statute book ['stætju:tbuk] *s.* raccolta di statuti.

statutory ['stætjutəri] *agg.* statutario.

staunch [stɔ:nʃ] *agg.* fedele, leale.

to staunch *v.tr.* arrestare, fermare l'uscita di (generalmente sangue); tamponare.

stave [steiv] *s.* **1** doga **2** piolo (di scala) **3** strofa; verso **4** (*mus.*) pentagramma.

to stave, *pass.* e *p.pass.* **staved** [steivd], **stove** [stouv] *v.tr.* **1** dogare **2** *to* — *in*, fare un foro in; sfondare; sformare **3** *to* — *off*, evitare; ritardare.

stay¹ [stei] *s.* **1** soggiorno: *a fortnight's* —, un soggiorno di due settimane **2** pausa; (*dir.*) sospensione **3** (*letter.*) controllo, freno.

to stay¹ *v.intr.* **1** fermarsi, sostare; soggiornare, rimanere: *shall I* — *with you?*, vuoi che rimanga con te?; *to* — *at a hotel*, alloggiare in albergo; *to* — *in bed*, stare a letto // — *put!*, fermo come sei! // *to come to* —, stabilizzarsi **2** *to* — *in*, stare in casa **3** *to* — *up*, stare alzato; *to* — *up late*, stare alzato fino a tardi ♦ *v.tr.* **1** fermare; trattenersi; frenare; calmare // *to* — *one's hand*, (*fig.*) non muoversi **2** resistere; sopportare **3** (*dir.*) differire, sospendere.

stay² *s.* **1** sostegno (*anche fig.*); supporto: *the* — *of his old age*, il bastone della sua vecchiaia **2** *pl.* busto (*sing.*).

to stay² *v.tr.* puntellare; sostenere.

stay-at-home ['steiəthoum] *agg.* casalingo, pacifico ♦ *s.* persona casalinga, pacifica.

stayer ['steiə*] *s.* cavallo o persona che regge bene sulla distanza.

staying power ['steiɪŋ,pauə*] *s.* resistenza.

stead [sted] *s.* vece, luogo // *to stand s.o. in good* —, essere utile a qlcu.

steadfast ['stedfəst] *agg.* fermo; risoluto; costante.

steadily ['stedili] *avv.* **1** saldamente; fermamente **2** costantemente; assiduamente.

steading ['stedin] *s.* tenuta agricola.

steady ['stedi] *agg.* **1** fermo, saldo: *as* — *as a rock*, saldo come una roccia **2** controllato; serio: — *horse*, cavallo calmo **3** continuo, regolare, costante: *a* — *boyfriend*, (*fam.*) un ragazzo, un innamorato fisso; — *breeze*, brezza persistente; — *market*, mercato sostenuto; — *worker*, lavoratore assiduo ♦ *s.* (*fam.*) ragazzo fisso, ragazza fissa ♦ *avv.* **1** *to go* —, (*fam.*) uscire con un ragazzo fisso (o una ragazza fissa) **2** *to grow* —, stabilizzarsi ♦ *inter.* fermo!, calma!

to steady *v.tr.* rinforzare; stabilizzare: *to* — *the nerves*, rafforzare, distendere i nervi ♦ *v.intr.* **1** rinforzarsi; ritrovare l'equilibrio **2** divenire serio, disciplinato **3** *to* — *down*, calmarsi.

steak [steik] *s.* **1** fetta (di carne, di pesce) **2** bistecca.

steal [sti:l] *s.* (*amer.*) furto (*anche fig.*).

to **steal**, *pass.* **stole** [stoul], *p.pass.* **stolen** ['stou lən] *v.tr.* rubare, sottrarre // *to — a glance at s.o.*, lanciare uno sguardo furtivo a qlcu. // *to — a march on s.o.*, prevenire qlcu. ♦ *v.intr.* muoversi furtivamente // *to — over* (*s.o.*, *sthg.*), impossessarsi di // *to — upon* (*s.o.*), avvicinarsi pian piano a // *to — along*, camminare furtivamente // *to — away*, svignarsela quatto quatto // *to — in, out*, entrare, uscire di soppiatto.

stealth [stelθ] *s.* procedimento segreto; maneggio // *by —*, segretamente, furtivamente.

stealthy ['stelθi] *agg.* furtivo.

steam [sti:m] *s.* vapore: *— iron*, ferro a vapore; *at full —*, a tutto vapore; *full — ahead!*, (*mar.*) avanti a tutto vapore!; *to get up —*, aumentare la pressione; (*fam.*) raccogliere le proprie forze; *under one's own —*, da solo, con le proprie forze; *to let off —*, lasciar andare il vapore; (*fig.*) sfogarsi // *— boiler*, caldaia a vapore.

to **steam** *v.tr.* cuocere a vapore; esporre al vapore; trattare con vapore: *to — open an envelope*, aprire una busta al vapore ♦ *v.intr.* **1** emettere vapore; fumare: *horses steaming with sweat*, cavalli fumanti di sudore // *to — up*, appannarsi // *to get steamed up*, (*fam.*) eccitarsi; adirarsi **2** andare a vapore (di treni, navi ecc.) // *to — away*, partire // *to — ahead*, avanzare (di macchine a vapore); (*fig. fam.*) fare grandi progressi.

steamboat ['sti:mbout] *s.* battello a vapore.

steam engine ['sti:m,endʒin] *s.* **1** macchina a vapore **2** locomotiva.

steamer ['sti:mə*] *s.* **1** piroscafo, vapore **2** pentola per cucinare a vapore.

steam power ['sti:m,pauə*] *s.* forza a vapore.

steamroller ['sti:m,roulə*] *s.* **1** compressore stradale a vapore **2** (*fig.*) forza irresistibile.

steamship ['sti:mʃip] *s.* piroscafo, vapore.

steamy ['sti:mi] *agg.* **1** pieno di vapore **2** appannato.

stearic [sti'ærik] *agg.* stearico.

steed [sti:d] *s.* (*poet.*) corsiero.

steel [sti:l] *s.* **1** acciaio // *— wool*, paglietta d'acciaio, lana d'acciaio // *grip of —*, (*fig.*) morsa d'acciaio // *--hearted*, (*fig.*) dal cuore di ghiaccio **2** lama, arma bianca: *to fight with cold —*, battersi all'arma bianca **3** acciarino; cote.

to **steel** *v.tr.* **1** coprire d'acciaio **2** (*fig.*) rendere duro come l'acciaio; indurire: *to — oneself against sthg.*, corazzarsi contro qlco.; *to — oneself to (do) sthg.*, armarsi di coraggio per (fare) qlco.

steeliness ['sti:linis] *s.* **1** l'essere d'acciaio **2** (*fig.*) inflessibilità.

steel-plated ['sti:l'pleitid] *agg.* corazzato di acciaio.

steelworker ['sti:l,wə:kə*] *s.* siderurgico.

steelworks ['sti:lwə:ks] *s.pl.* acciaieria (*sing.*).

steely ['sti:li] *agg.* **1** di acciaio; simile ad acciaio **2** (*fig.*) inflessibile.

steelyard ['stilja:d] *s.* stadera.

steep¹ [sti:p] *agg.* **1** ripido, erto **2** (*fig. fam.*) esorbitante, irragionevole; incredibile.

steep² *s.* macerazione; l'impregnare (qlco. con un liquido).

to **steep²** *v.tr.* immergere (*anche fig.*); impregnare; macerare: *steeped in ignorance*, imbevuto di ignoranza.

to **steepen** ['sti:pən] *v.tr.* rendere scosceso, erto ♦ *v.intr.* diventare scosceso.

steeple ['sti:pl] *s.* guglia, campanile.

steeplechase ['sti:pltʃeis] *s.* (*ippica*) «steeplechase», corsa a ostacoli.

steeplejack ['sti:pldʒæk] *s.* chi compie riparazioni su campanili ecc.

steepness ['sti:pnis] *s.* **1** ripidezza; inclinazione: *— of a curve*, (*geom.*) grado d'inclinazione d'una curva **2** (*fig. fam.*) l'essere esagerato, esorbitante (di prezzi ecc.).

steer¹ [stiə*] *s.* bue giovane, manzo.

to **steer²** *v.tr.* sterzare (automobile, nave ecc.): *to — one's way to...*, dirigersi verso... ♦ *v.intr.* **1** sterzare: *his car steers hard*, lo sterzo della sua macchina è duro **2** dirigersi // *to — clear of sthg.*, (*fig.*), evitare qlco., qlcu.

steerage ['stiəridʒ] *s.* (*mar.*) **1** governo del timone **2** alloggio comune dei passeggeri della classe più economica.

steering ['stiəriŋ] *s.* guida (di navi, automobili ecc.) ♦ *agg.* che guida; di guida // *— committee*, comitato organizzatore.

steering lock ['stiəriŋlɔk] *s.* bloccasterzo.

steering wheel ['stiəriŋwi:l] *s.* volante.

steersman, *pl.* **steersmen** ['stiəzmən] *s.* timoniere.

to **steeve** [sti:v] *v.tr.* (*mar.*) stivare.

stein [stain] *s.* boccale da birra in ceramica.

stele ['sti:li(:)], *pl.* **stelae** ['sti:li:], **steles** ['sti:li:z] *s.* (*archeol.*) stele.

stellar ['stelə*] *agg.* stellare, astrale.

stem¹ [stem] *s.* **1** (*bot.*) fusto; gambo; picciolo **2** stelo (di bicchiere); cannello (di pipa); gamba (di nota musicale) **3** (*gramm.*) radice (di parola).

to **stem¹** *v.tr.* togliere il gambo (a fiori ecc.) ♦ *v.intr.*: *to — from*, derivare da.

stem² *s.* (*mar.*) dritto di prua: *from — to stern*, da prua a poppa.

to **stem³** *v.tr.* arrestare; arginare (*anche fig.*).

stem stitch ['stem stitʃ] *s.* punto erba.

stench [stentʃ] *s.* puzzo, puzza.

stencil ['stensl] *s.* **1** stampino **2** matrice (di ciclostile).

to **stencil** *v.tr.* **1** stampinare **2** ciclostilare.

Sten gun ['stengʌn] *s.* sten (pistola mitragliatrice).

stenograph ['stenəgra:f] *s.* **1** segno stenografico **2** macchina per stenografare.

stenographer [ste'nɔgrəfə*] *s.* (*amer.* per *shorthand typist*) stenodattilografo.

stenography [ste'nɔgrəfi] *s.* (*amer.* per *shorthand*) stenografia.

stenotypist ['stenə,taipist] *s.* stenotipista.

stentorian [sten'tɔ:riən] *agg.* stentoreo (di voce).

step [step] *s.* **1** passo; andatura; cadenza: *a — back, forward*, un passo indietro, avanti; *do not move a —*, non muoverti; *it is a good* (o *long*) *—*, c'è un buon tratto di strada; *watch your — !*, fa' attenzione, guarda dove metti i piedi!; *to be in, out of — with s.o.*, tenere, non tenere il passo con qlcu.; *to keep —*, tenere il tempo, stare al passo; *to take a —*, fare un passo; *to turn one's steps towards...*, dirigersi verso... // *a false —*, un passo falso // *— by —*, gradualmente, un poco alla volta // *to take steps*, prendere provvedimenti **2** orma, impronta: *in his steps*, sulle sue orme; (*fig.*) seguendo il suo esempio **3** gradino, piolo (di scala); *pl.* scaletta (*sing.*) // *flight of steps*, scalinata **4** (*fig.*) fase; grado; avanzamento **5** (*mus.*) intervallo **6** (*informatica*) fase; passo di elaborazione; (*fig.*) —, passo passo.

to **step** *v.intr.* camminare; andare; venire; portarsi; recarsi: *— a little closer!*, portatevi più vicini!; *— lively!*, sbrigatevi! // *to — high*, andare di buon trotto // *to — across*, attraversare // *to — aside*, farsi da parte // *to — back*, indietreggiare // *to — down*, discendere // *to — in*, entrare; salire su (un veicolo); (*fig.*) intervenire, intromettersi // to — into (sthg.), entrare in; (fig.) ottenere: to — into a boat, salire in barca // to — on (sthg.), salire su: to — on board, salire a bordo // — on it!, (fam.) spicciati!; (sl.aut.) accelera! // to — off, iniziare; scendere (da vettura ecc.) // to — out, uscire; scendere (da vettura); (fam.) andare a spassarsela // to — over, saltare // to — up, salire; aumentare ♦ v.tr. misurare a passi: to — (off, out) a distance, misurare a passi una distanza.

stepbrother ['step,brʌðə*] s. fratellastro.

stepchild ['steptʃaild], pl. **stepchildren** ['step,tʃildrən] s. figliastro, figliastra.

stepdaughter ['step,dɔ:tə*] s. figliastra.

stepfather ['step,fɑ:ðə*] s. patrigno.

Stephen ['sti:vn] no.pr.m. Stefano.

step-ins ['stepinz] s.pl. capi di vestiario senza allacciatura.

stepladder ['step,lædə*] s. scala a libretto.

stepmother ['step,mʌðə*] s. matrigna.

steppe ['step] s. steppa.

stepping-stone ['stepiŋstoun] s. pietra per guadare; (fig.) trampolino.

stepsister ['step,sistə*] s. sorellastra.

stepson ['stepsʌn] s. figliastro.

stereo- ['steriou] pref. stereo-.

stereo abbr. di **stereoscopic, stereophonic, stereotype**.

stereo ['steriou], **stereo set** ['steriouset] s. giradischi stereofonico.

stereochemistry [,steriou'kemistri] s. stereochimica.

stereophonic [,steriə'fɔnik] agg. stereofonico.

stereophony [,steri'ɔfəni] s. stereofonia.

stereoscope ['steriəskoup] s. stereoscopio.

stereoscopic [,steriəs'kɔpik] agg. stereoscopico.

stereotype ['steriətaip] s. 1 (tip.) stereo 2 (fig.) concezione stereotipata.

to stereotype v.tr. 1 rendere in modo convenzionale 2 (tip.) stereotipare.

sterile ['sterail, (amer.)'sterəl] agg. sterile.

sterility [ste'riliti] s. sterilità.

sterilization [,sterilai'zeiʃən] s. sterilizzazione.

to sterilize ['sterilaiz] v.tr. sterilizzare.

sterilizer ['sterilaizə*] s. sterilizzatore.

sterling ['stə:liŋ] agg. 1 di buona lega, genuino (di monete, metalli preziosi): — silver, argento puro 2 (fig.) schietto ♦ s. (moneta) sterlina // — area, (econ.) area della sterlina.

stern[1] [stə:n] agg. severo; austero; rigido; rigoroso.

stern[2] s. 1 (mar.) poppa 2 (aer.) coda 3 parte posteriore (di animale).

sternness ['stə:nnis] s. severità; austerità; rigidezza; rigorosità.

sternum ['stə:nəm], pl. **sternums** ['stə:nəmz], **sterna** ['stə:nə] s. (anat.) sterno.

steroid ['steroid] s. (chim.) steroide.

sterol ['sterɔl] s. (chim.) sterolo.

stet [stet] s. (nella correzione di bozze) vive.

stethoscope ['steθəskoup] s. (med.) stetoscopio.

stethoscopy [ste'θɔskəpi] s. (med.) stetoscopia.

stetson® ['stetsʌn] s. cappello alla cowboy.

stevedore ['sti:vidɔ:*] s. stivatore.

stew [stju:] s. 1 (cuc.) stufato, umido // Irish —, spezzatino di montone 2 (sl.) agitazione; preoccupazione: to be in a —, (fam.) essere nei guai.

to stew v.tr. e intr. cuocere a fuoco lento: the beef is stewing, lo stufato sta cuocendo // stewed fruit, frutta

cotta // to let s.o. — in his own juice, (fam.) lasciar cuocere qlcu. nel proprio brodo.

steward [stjuəd] s. 1 dispensiere 2 (aer. mar.) cameriere di bordo 3 sovrintendente incaricato; commissario di gara ecc. // shop —, membro della commissione interna 4 amministratore, intendente, castaldo.

stewardess ['stjuədis] s. (mar. aer.) cameriera di bordo.

stewardship ['stjuədʃip] s. 1 carica di gerente, di amministratore 2 (fig.) doveri (pl.).

stick [stik] s. 1 bastone // any — is good to beat a dog, ogni mezzo è buono per colpire il nemico // to be in a cleft —, non sapere che pesci prendere // to get the dirty end of the —, rimanere con il compito più ingrato; to get the wrong end of the —, capire una cosa per un'altra, capire Roma per toma // to give s.o. some —, (fam.) picchiare qlcu. 2 bastoncino; bacchetta: a — of shaving soap, uno «stick» di sapone da barba; a — of celery, un gambo di sedano // sticks of furniture, (fam.) un po' di mobili 3 (fam.) persona barbosa 4 (mil.) grappolo di bombe.

to stick, pass. e p.pass. **stuck** [stʌk] v.tr. 1 ficcare; conficcare // to — out, tirare fuori // to — up, rizzare; innalzare // — 'em up!, (sl.) mani in alto! // to — up a bank, (sl.) assaltare una banca 2 pugnalare 3 incollare; attaccare (anche fig.) 4 sopportare // — it out!, tieni duro! ♦ v.intr. 1 ficcarsi; conficcarsi // it sticks in my throat, (fam.) non mi va giù // to — out, (fam.) persistere; sporgere: — to — out for sthg., non cedere nelle proprie richieste per qlco. // to — up, rizzarsi; innalzarsi // to — up for s.o., prendere le difese di qlcu. 2 incollarsi; attaccarsi (anche fig.): that nickname will — to him, quel soprannome gli resterà per sempre; to — to one's opinions, to the text, rimanere fedele alle proprie idee, al testo; to — to one's word, mantenere la parola // to — at nothing, non avere scrupoli // to — at a task, impegnarsi con zelo in un lavoro // — to it, (fam.) non mollare // to get stuck in the mud, impantanarsi.

sticker ['stikə*] s. 1 autoadesivo; etichetta autoadesiva 2 (fig.) persona appiccicaticcia.

stick-in-the-mud ['stikinðəmʌd] agg. retrogrado; senza iniziativa ♦ s. persona retrograda, senza iniziativa.

stickleback ['stiklbæk] s. (zool.) spinarello.

stickler ['stiklə*] s. pignolo: he's a — for punctuality, è un maniaco della puntualità.

stick-up ['stikʌp] s. (sl.) rapina a mano armata.

sticky ['stiki] agg. 1 appiccicaticcio; adesivo, autoadesivo: — fingers, dita appiccicaticce; — label, etichetta autoadesiva // — weather, tempo umido 2 (fam.) difficile, poco accomodante // — customer, bastian contrario 3 (fam.) sgradevole; difficoltoso // to come to a — end, finire male.

stiff [stif] agg. 1 rigido; inflessibile // — neck, torcicollo // frozen —, (fam.) rigido come un pezzo di ghiaccio // bored —, (fam.) annoiato a morte 2 indolenzito; irrigidito 3 freddo; riservato; affettato 4 che funziona male: a — door, una porta non scorrevole 5 difficile; faticoso: a — examination, un esame difficile 6 forte (di vento) 7 (fam.) alto (di prezzo); forte (di bevanda): a — bill, un conto salato; a — glass of rum, un bicchiere di rum forte.

stiff s. (sl.) cadavere.

to stiffen ['stifn] v.tr. indurire; irrigidire (anche fig.) ♦ v.intr. 1 indurirsi; irrigidirsi 2 aumentare, rafforzarsi: the breeze stiffened, il vento aumentò.

stiffening ['stifəniŋ] s. (sartoria) teletta.

stiff-necked ['stif'nekt] *agg.* (*fig.*) ostinato.

stiffness ['stifnis] *s.* **1** rigidezza; inflessibilità **2** indolenzimento **3** consistenza; solidità **4** difficoltà.

to **stifle** ['staifl] *v.tr.* **1** soffocare **2** reprimere; trattenere ♦ *v.intr.* soffocare.

stifling ['staifliŋ] *agg.* soffocante: *it's — here!*, qui si soffoca!

stigma ['stigmə], *pl.* **stigmas** ['stigmɔz *nei sensi* 1, 2, 4], **stigmata** ['stigmətə *nel senso* 3] *s.* **1** (*fig.*) marchio d'infamia **2** (*med.*) stigmata emorragica **3** *pl.* stimmate **4** (*bot.*) stimma.

stigmatist ['stigmətist] *s.* persona che porta le stimmate.

to **stigmatize** ['stigmətaiz] *v.tr.* **1** stigmatizzare **2** (*eccl.*) produrre stimmate (su).

stile [stail] *s.* scaletta (per scavalcare muri ecc.).

stiletto [sti'letou], *pl.* **stilettos**, **stilettoes** [sti'le touz] *s.* stiletto.

still[1] [stil] *agg.* **1** calmo; immobile; silenzioso: *stand —*, non muoverti ♦ *— waters run deep*, (*prov.*) le acque chete rovinano i ponti **2** non frizzante (di vino).

still[1] *s.* **1** (*poet.*) silenzio, quiete **2** (*fot. cinem.*) posa.

to **still**[1] *v.tr.* calmare; placare ♦ *v.intr.* calmarsi; placarsi.

still[1] *avv.* **1** ancora, tuttora ♦ *— more*, ancor più **2** tuttavia, nondimeno.

still[2] *s.* alambicco.

to **still**[2] *v.tr.* distillare, stillare.

stillborn ['stilbɔ:n] *agg.* nato morto.

still life ['stillaif], *pl.* **still-lifes** ['stillaifs] *s.* (*st. pitt.*) natura morta.

stilt [stilt] *s.* trampolo.

stilted ['stiltid] *agg.* pomposo, artificioso (di stile).

stimulant ['stimjulənt] *agg.* stimolante, eccitante ♦ *s.* **1** droga; bevanda eccitante **2** stimolo; incitamento.

to **stimulate** [stimjuleit] *v.tr.* **1** stimolare; incitare **2** rinvigorire.

stimulation [,stimju'leiʃən] *s.* **1** lo stimolare **2** l'essere stimolato.

stimulus ['stimjuləs], *pl.* **stimuli** ['stimjulai] *s.* stimolo; incentivo; impulso.

to **stimy** *v.tr.* → to **stymie.**

sting [stiŋ] *s.* **1** pungiglione, aculeo **2** puntura d'insetto **3** dolore acuto (*anche fig.*) **4** pungolo; morso // *a joke with a — in it*, uno scherzo maligno.

to **sting**, *pass.* e *p.pass.* **stung** [stʌŋ] *v.tr.* **1** pungere (*anche fig.*) **2** incitare; provocare **3** (*sl.*) spremere (denaro), salassare: *I was stung for 1000 dollars*, mi hanno spremuto 1000 dollari ♦ *v.intr.* bruciare; far sentire delle fitte.

stingray ['stiŋrei] *s.* (*zool.*) razza.

stingy ['stindʒi] *agg.* avaro, spilorcio.

stink [stiŋk] *s.* puzzo, puzza, fetore // *to raise a —*, (*sl.*) piantar grane.

to **stink**, *pass.* **stank** [stæŋk], *p.pass.* **stunk** [stʌŋk] *v.intr.* **1** puzzare // *they — with money*, (*sl.*) sono schifosamente ricchi **2** (*fig.*) essere ripugnante, odioso; (*sl.*) essere pessimo, schifoso ♦ *v.tr.*: *to — out*, riempire di puzzo; fare uscire, fare scappare col cattivo odore.

stinkbomb ['stiŋkbɔm] *s.* bomba puzzolente.

stinker ['stiŋkə*] *s.* **1** persona, animale che emana cattivo odore **2** (*sl.*) fetente **3** (*sl.*) prova, compito molto difficile.

stinking ['stiŋkiŋ] *agg.* puzzolente, fetido.

stint [stint] *s.* **1** limite, restrizione: *to work without —*, lavorare indefessamente **2** quantità di lavoro assegnato; compito.

to **stint** *v.tr.* limitare; lesinare, razionare: *to — s.o. of*

sthg., razionare, misurare qlco. a qlcu. // *to — oneself*, sottoporsi a privazioni.

stipend ['staipend] *s.* congrua; stipendio.

stipendiary [stai'pendjəri] *agg.* e *s.* stipendiato.

to **stipple** ['stipl] *v.tr.* (*pitt.*) punteggiare.

to **stipulate** ['stipjuleit] *v.tr.* stipulare ♦ *v.intr.* accordarsi: *to — for sthg.*, accordarsi su qlco.

stipulation [,stipju'leiʃən] *s.* **1** stipulazione; accordo **2** condizione, clausola.

stir [stə:*] *s.* **1** rimescolio **2** movimento; animazione; tumulto; sensazione: *to be in a —*, essere in tumulto; *to cause a —*, mettere in subbuglio; *to make a —*, far sensazione; *full of — and movement*, pieno di vita e movimento; *there isn't a — in the air*, non vi è un alito di vento **3** (*sl.*) prigione.

to **stir** *v.tr.* **1** muovere; agitare: *the wind stirs the leaves*, il vento agita le foglie // *not to — a finger to help s.o.*, non muovere un dito per aiutare qlcu. **2** mescolare; agitare: *to — a cream*, rimescolare una crema // *to — up*, agitare; mescolare; (*fig.*) stimolare; eccitare: *to — up s.o.'s courage*, stimolare il coraggio di qlcu.; *to — up hatred*, fomentare l'odio **3** commuovere, appassionare; eccitare: *to — up s.o.'s wrath*, fare andare qlcu. su tutte le furie; *to be stirred*, essere emozionato ♦ *to — the blood*, entusiasmare, eccitare.

stirrer ['stə:rə*] *s.* fomentatore, agitatore.

stirring ['stə:riŋ] *agg.* emozionante.

stirrup ['stirəp] *s.* staffa // *— (bone)*, (*anat.*) staffa // *— cup*, (*fig.*) bicchiere della staffa // *— leather*, staffile.

stitch [stitʃ] *s.* **1** punto: *to put stitches in a wound*, (*chir.*) suturare una ferita // *he has not a — (of clothing) on*, non ha neanche un panno addosso // *he has not a dry — on him*, (*fam.*) è bagnato fradicio // *a — in time saves nine*, (*prov.*) un punto a tempo ne risparmia cento **2** maglia: *to drop a —*, lasciar cadere una maglia // *cable —*, maglia a trecce **3** fitta, trafitta // *I've run so fast that I've got a —*, ho corso tanto che mi fa male la milza.

to **stitch** *v.tr.* e *intr.* **1** cucire; (*chir.*) suturare **2** *to — up*, rammendare; (*chir.*) suturare.

stoat [stout] *s.* donnola.

stock [stɔk] *s.* **1** tronco, ceppo; (*fig.*) razza, stirpe; famiglia: *he comes of a good —*, viene da una buona famiglia **2** base, sostegno; calcio (di fucile); ceppo (di aratro ecc.) **3** rifornimento, provvista; (*comm.*) stock, riserva, scorta (di merci) // *in —*, in magazzino; *dead —*, fondi, avanzi di magazzino // *to be out of —*, essere sprovvisto // *to lay in a — of sthg.*, far provvista di qlco. // *to take —*, far l'inventario // *to take — of a situation*, (*fig.*) valutare la situazione // *— in hand*, merce in magazzino // *lock, — and barrel*, completamente **4** titoli (*pl.*), azioni (*pl.*), obbligazioni (*pl.*): *the stocks*, titoli di Stato; *stocks and shares*, valori di Borsa, titoli // *— company*, società per azioni // *common —*, azioni ordinarie; *preference- —*, azioni privilegiate **5** materia prima **6** brodo per minestra **7** *pl.* (*st.*) gogna (*sing.*), berlina (*sing.*) **8** *pl.* (*mar.*) taccate: *on the stocks*, (*anche fig.*) in cantiere, in lavorazione **9** (*bot.*) violacciocca.

to **stock** *v.tr.* **1** approvvigionare, fornire, rifornire: *to — a warehouse with goods*, rifornire un magazzino **2** tenere in magazzino (merci): *we do not — this article*, non teniamo quest'articolo **3** (*st.*) mettere alla gogna.

stockade [stɔ'keid] *s.* palizzata.

stockbreeder ['stɔk,bri:də*] *s.* allevatore di bestiame.

stockbroker ['stɔkbroukə*] *s.* agente di cambio.

stockcar [ˈstɔkkɑ:*] s. **1** «stockcar», auto di serie adattata per poter partecipare a gare particolari **2** (amer.) (ferr.) carro bestiame.

stock cube [ˈstɔkkju:b] s. (cuc.) dado per brodo.

Stock-Exchange [ˈstɔkiksˈtʃeindʒ] s. (comm.) Borsa Valori.

stockfish [ˈstɔkfiʃ] s. stoccafisso.

stockholder [ˈstɔkˌhouldə*] s. (amer. per shareholder) (comm.) azionista.

Stockholm [ˈstɔkhoum] no.pr. Stoccolma.

stocking [ˈstɔkiŋ] s. calza (lunga): a pair of stockings, un paio di calze; body —, calzamaglia // blue —, (spreg.) donna intellettualoide // in one's — feet, senza scarpe.

stock-in-trade [ˈstɔkinˈtreid] s. ferri del mestiere (pl.) (anche fig.); (fig.) risorse (pl.).

stockist [ˈstɔkist] s. **1** fornitore **2** grossista.

stockjobber [ˈstɔkˌdʒɔbə*] s. speculatore di Borsa.

stock list [ˈstɔklist] s. (comm.) listino di Borsa.

stockman, pl. **stockmen** [ˈstɔkmən] s. uomo che si occupa del bestiame.

stockmarket [ˈstɔkˌmɑ:kit] s. Borsa Valori.

stockpile [ˈstɔkpail] s. riserva di materiali, armi, viveri ecc.

to **stockpile** v.tr. e intr. accumulare riserve (di).

stocktaking [ˈstɔkˌteikiŋ] s. (comm.) inventario.

stocky [ˈstɔki] agg. tarchiato.

stockyard [ˈstɔkjɑ:d] s. recinto (per bestiame).

stodge [stɔdʒ] s. (fam.) cibo, pasto indigesto, pesante.

stodgy [ˈstɔdʒi] agg. pesante (anche fig.); indigesto.

stoic [ˈstouik] agg. e s. stoico.

stoical [ˈstouikəl] agg. stoico.

stoicism [ˈstouisizəm] s. stoicismo.

to **stoke** [stouk] v.tr. caricare, alimentare (fornello di caldaia ecc.) ♦ v.intr.: to — up, (sl.) rimpinzarsi.

stokehold [ˈstoukhould] s. (mar.) sala caldaie.

stokehole [ˈstoukhoul] s. bocca del forno.

stoker [ˈstoukə*] s. fuochista.

stole[1] [stoul] s. stola.

stole[2] pass. di to **steal**.

stolen p.pass. di to **steal**.

stolid [ˈstɔlid] agg. imperturbabile; flemmatico.

stolidity [stɔˈliditi] s. flemma; imperturbabilità.

stomach [ˈstʌmək] s. **1** stomaco; ventre: on a full, empty —, a stomaco pieno, vuoto // such a thing turns my —, (fig.) una cosa simile mi rivolta lo stomaco // to eat with a good —, mangiare di buon appetito // — ache, mal di stomaco, di pancia **2** desiderio, inclinazione; coraggio.

to **stomach** v.tr. digerire; (fig.) sopportare, mandare giù.

stomach pump [ˈstʌmək.pʌmp] s. sonda per lavanda gastrica.

to **stomp** [stɔmp] v.intr. camminare, ballare con passo pesante.

stone [stoun] agg. di, in pietra ♦ s. (nel senso 4 pl. invar.) **1** pietra, roccia; sasso, ciottolo; pietra preziosa: to cast (o to throw) stones at s.o., lanciare sassi contro qlcu.; (fig.) denigrare qlcu. // Stone Age, età della pietra // — quarry, cava di pietra // at a —'s throw, a un tiro di schioppo // a rolling — gathers no moss, (prov.) pietra mossa non fa musco // to leave no — unturned, tentare ogni mezzo // to kill two birds with one —, (prov.) prendere due piccioni con una fava **2** nocciolo (di frutta): to remove the stones from, togliere i noccioli a // grape- —, vinacciolo **3** (med.) calcolo: to undergo

an operation for stones, essere operato di calcoli **4** «stone» (misura di peso = 6,35 kg).

to **stone** v.tr. **1** lapidare, colpire a sassate **2** rivestire, pavimentare con pietre, ciottoli **3** togliere il nocciolo (a frutta).

stone-blind [ˈstounˈblaind] agg. completamente cieco.

stone-cold [ˈstounˈkould] agg. gelido.

stonecutter [ˈstounˌkʌtə*] s. scalpellino.

stone-dead [ˈstounˈded] agg. morto stecchito.

stone-deaf [ˈstounˈdef] agg. sordo come una campana.

stonemason [ˈstounˌmeisn] s. scalpellino.

to **stone wall** [ˈstounˈwɔ:l] v.intr. **1** (sport) chiudersi in difesa **2** (pol.) fare dell'ostruzionismo parlamentare ♦ v.tr. (pol.) ostacolare accanitamente (un progetto ecc.).

stoneware [ˈstounwɛə*] s. vasellame di gres.

stonework [ˈstounwə:k] s. lavoro in muratura.

stony [ˈstouni] agg. pietroso, sassoso; di pietra; (fig.) duro, freddo // a — stare, uno sguardo gelido // — broke, (sl.) in bolletta.

stony-hearted [ˈstouniˌhɑ:tid] agg. dal cuore di pietra.

stood pass. e p.pass. di to **stand**.

stooge [stu:dʒ] s. **1** (teatr.) spalla **2** (fam.) tirapiedi.

to **stooge** v.intr. **1** (teatr.) fare da spalla **2** (fam.) fare il tirapiedi // to — around, vagabondare; girellare; andare qua e là.

stool [stu:l] s. **1** sgabello; seggiolino; scanno; sedietta // to fall between two stools, lasciarsi sfuggire ambedue le occasioni per indecisione **2** (bot.) radice, tronco da cui spuntano polloni **3** (fisiol.) feci (pl.).

stoolpigeon [ˈstu:lpidʒin] s. piccione da richiamo; (fig.) persona che fa da esca.

stoop[1] [stu:p] s. curvatura, inclinazione del corpo in avanti: he has a shocking —, è paurosamente curvo.

to **stoop**[1] v.intr. **1** chinarsi; curvarsi, piegarsi **2** (fig.) abbassarsi; umiliarsi ♦ v.tr. chinare; curvare.

stoop[2] s. (amer.) veranda.

stop[1] [stɔp] s. **1** sosta, arresto; fermata // to put a — to sthg., porre termine a qlco. **2** segno di punteggiatura // full —, punto **3** registro (d'organo) **4** (mecc.) dispositivo di bloccaggio, d'arresto **5** (ott. fot.) diaframma.

to **stop** v.tr. **1** chiudere; turare, otturare; tamponare: to — one's ears, chiudersi le orecchie; to — s.o.'s mouth, (fam.) tappare la bocca a qlcu. **2** fermare, arrestare, trattenere; far cessare; (mecc.) bloccare: to — the game, porre fine al gioco **3** interrompere; smettere: — talking!, smettete di parlare! **4** sospendere; (comm.) cessare; (fam.) tagliare // to — sthg. out of s.o.'s salary, trattenere una certa somma dallo stipendio di qlcu. **5** (mus.) cambiare il tono (di uno strumento): to — a string, premere una corda con le dita (per mutarne le vibrazioni) **6** to — up, ostruire; turare; riempire ♦ v.intr. **1** fermarsi; trattenersi; arrestarsi: to — at a port, at an airport, fare scalo a un porto, a un aeroporto; to — short (o dead), fermarsi di botto // he wouldn't — short of murder, non esiterebbe a uccidere **2** to — by, (fam. amer.) fare una visitina **3** to — off, (fam.) interrompere un viaggio.

stopcock [ˈstɔpkɔk] s. rubinetto.

stopgap [ˈstɔpgæp] s. palliativo.

stoplight [ˈstɔplait] s. **1** (aut.) stop, luce rossa **2** (amer.) semaforo.

stoppage [ˈstɔpidʒ] s. **1** fermata; sosta, pausa; interruzione; cessazione **2** ostruzione, intasatura **3** detrazione.

stopper [ˈstɔpə*] s. **1** chi arresta, ferma // to put the *stoppers on sthg.*, (*fig.*) sbloccare qlco. **2** tappo, turacciolo; (*amer.*) tappo del lavandino.

to **stopper** *v.tr.* tappare, turare; tamponare.

stopping ['stɔpiŋ] *s.* **1** intoppo; ostacolo **2** otturazione **3** arresto; il fermare.

stopwatch ['stɔpwɔtʃ] *s.* cronometro.

storage ['stɔ:ridʒ] *s.* **1** immagazzinamento // *to put in cold —*, conservare a freddo; (*fig.*) bloccare; sospendere **2** (*comm.*) magazzinaggio **3** magazzino // *— bin*, (*agr.*) recipiente per conservare grano, foraggi ecc. **4** (*informatica*) memoria, memoria esterna; (*IBM*) memorizzazione: *main —*, memoria centrale; *— acquisition*, acquisizione memoria; *— block*, blocco di memoria; *— capacity*, capacità di memoria; *— location*, posizione di memoria.

store [stɔ:*] *s.* **1** provvista, riserva; scorta // *that was in — for me!*, (*fig.*) questo mi era riservato dalla sorte! // *in —*, in serbo // *to set (great) — by s.o.*, tenere in gran conto qlcu. **2** (*spec. amer.*) magazzino, deposito; negozio: *chain, multiple stores*, catena di negozi **3** (*mil.*) approvvigionamento.

to **store** *v.tr.* **1** fornire, rifornire **2** immagazzinare; depositare; riporre; mettere da parte (*anche fig.*): *to — (up) sthg.*, accantonare, immagazzinare qlco.; (*fig.*) far tesoro di qlco. **3** contenere **4** (*informatica*) memorizzare; immagazzinare.

storehouse ['stɔ:haus] *s.* magazzino, deposito.

storekeeper ['stɔ:ki:pə*] *s.* magazziniere; cambusiere; negoziante.

storeroom ['stɔ:rum] *s.* ripostiglio; dispensa; cambusa.

storey ['stɔ:ri], *pl.* **stories** ['stɔ:riz] *s.* piano (di edificio).

storeyed ['stɔ:rid] *agg.* a piani.

storied ['stɔ:rid] *agg.* **1** istoriato **2** celebrato in storie, leggende.

stork [stɔ:k] *s.* cicogna.

storm [stɔ:m] *s.* **1** temporale; burrasca; tempesta (*anche fig.*): *a — in a teacup*, una tempesta in un bicchier d'acqua // *— cloud*, nuvola temporalesca // *— window*, controfinestra **2** tumulto (*anche fig.*); clamore: *a period of — and stress*, un periodo di fermento e di agitazione // *a — of applause*, (*fig.*) uno scroscio di applausi **3** (*mil.*) assalto: *to take by —*, prendere d'assalto; (*fig.*) conquistare // *— troops*, truppe d'assalto.

to **storm** *v.tr.* (*mil.*) prendere d'assalto ♦ *v.intr.* infuriare (*anche fig.*): *it is storming outside*, fuori infuria il temporale.

storm-belt ['stɔ:mbelt] *s.* zona delle tempeste.

stormbound ['stɔ:mbaund] *agg.* trattenuto, immobilizzato dalla tempesta.

storm centre ['stɔ:m,sentə*] *s.* centro dell'uragano; (*fig.*) fomentatore (di rivolta, malcontento).

storming-party ['stɔ:miŋ'pɑ:ti] *s.* truppe d'assalto (*pl.*).

storm lantern ['stɔ:m,læntən] *s.* lampada, lanterna antivento.

stormproof ['stɔ:mpru:f] *agg.* resistente agli uragani.

storm signal ['stɔ:m'signl] *s.* segnale di pericolo, per l'avvicinarsi di temporale ecc.

storm-tossed ['stɔ:mtɔst] *agg.* sballottato dalla tempesta; (*fig.*) provato dalle difficoltà.

stormy ['stɔ:mi] *agg.* burrascoso, tempestoso (*anche fig.*) // *it is —*, fa tempo di burrasca.

story[1] ['stɔ:ri] *s.* **1** storia, racconto: *according to her —*, stando a quel che dice; *good (o funny) —*, storiella, aneddoto // *short —*, novella // *it is quite another —*, (*fam.*) è un altro paio di maniche // *the — goes...*, si dice che... // *to make (o to cut) a long — short*, per farla

breve **2** storia, intreccio: *— line*, soggetto (di film ecc.) **3** (*fam.*) menzogna: *to tell stories*, contar frottole.

story[2] *s.* (*amer.*) **storey**.

storyteller ['stɔ:ri,telə*] *s.* narratore; (*fig.*) bugiardo.

stoup [stu:p] *s.* acquasantiera.

stout[1] [staut] *agg.* **1** grosso; tozzo, corpulento **2** forte, robusto **3** risoluto; coraggioso: *to make (o to put up) a — resistance*, resistere risolutamente.

stout[2] *s.* birra scura fortissima.

stouthearted ['staut'hɑ:tid] *agg.* intrepido; risoluto.

stove[1] [stouv] *s.* fornello; stufa; cucina.

stove[2] *pass. e p.pass.* di to **stave**.

stovepipe ['stouvpaip] *s.* **1** tubo di stufa **2** (*fam.*) cappello a cilindro.

to **stow** [stou] *v.tr.* riporre; stipare; stivare; riempire // *to — sthg. away*, mettere via qlco.; (*fam.*) mangiare qlco. // *— it*, (*sl.*) chiudi il becco.

stowage ['stouidʒ] *s.* **1** stivaggio **2** stiva **3** (*mar. comm.*) spese di stivaggio (*pl.*).

stowaway ['stouəwei] *s.* passeggero clandestino (su nave, aereo).

straddle ['strædl] *s.* **1** lo stare, il mettersi a cavalcioni; posizione a gambe divaricate **2** (*Borsa*) opzione **3** (*fig.*) incertezza, indecisione di scelta (fra due linee di condotta).

to **straddle** *v.tr.* **1** stare, sedere a cavalcioni (di) **2** mancare il bersaglio (colpendo o da una o dall'altra parte di esso) ♦ *v.intr.* **1** divaricare; stare, camminare a gambe divaricate **2** (*fig.*) esitare, vacillare (fra due linee di condotta).

Stradivarius [,strædi'vɑ:riəs] *no.pr.* (*st. mus.*) Stradivari // **stradivarius** *s.* (*mus.*) stradivario.

strafe [strɑ:f, (*amer.*) streif] *s.* **1** (*mil.*) bombardamento pesante **2** punizione; sgridata.

to **strafe** *v.tr.* **1** (*sl.*) bombardare (con artiglieria di grosso calibro) **2** (*fam.*) sgridare; punire.

to **straggle** ['strægl] *v.intr.* disperdersi, sparpagliarsi; sbandarsi; rimanere indietro: *the crowd straggled slowly away*, la folla si disperse lentamente; *the schoolboys off*, gli scolari se ne vanno a piccoli gruppi.

straggling ['strægliŋ] *agg.* sparso, disperso; isolato: *— beard*, barba rada.

straggly ['strægli] *agg.* sparso, sparpagliato.

straight [streit] *agg.* **1** diritto (*anche fig.*); liscio // *he needs a thousand pounds to get —*, (*fig.*) ha bisogno di un migliaio di sterline per rimettersi in sesto **2** onesto; leale, franco: *— thinking*, un logico modo di pensare // *a — face*, un'espressione severa // *to keep —*, (*fig.*) rigare diritto **3** ordinato; accurato: *— definition*, definizione chiara; *the accounts are —*, i conti sono in ordine; *to put everything —*, riordinare ogni cosa **4** autorevole, attendibile: *— tip*, informazione esatta **5** non diluito, non mescolato: *a — whisky*, un whisky liscio **6** eterosessuale.

straight *s.* **1** posizione diritta **2** rettilineo **3** eterosessuale.

straight *avv.* **1** diritto, in linea retta; in modo eretto: *to stand —*, stare eretto // *to go — on*, proseguire diritto // *to read a book — through*, leggere un libro dal principio alla fine **2** bene, correttamente; onestamente // *to go —*, mettersi sulla retta via **3** direttamente // *— out*, chiaro e tondo // *to drink — from the bottle*, bere dalla bottiglia // *— off (o away)*, immediatamente.

straightaway ['streitəwei] *avv.* immediatamente.

to **straighten** ['streitn] *v.tr.* **1** drizzare; raddrizzare **2** mettere in ordine, rassettare; (*fig.*) regolare: *to — (out)* *a business*, regolare una faccenda ♦ *v.intr.* drizzarsi; raddrizzarsi.

straightforth ['streitfɔ:θ] *avv.* immediatamente, direttamente.

straightforward [streit'fɔ:wəd] *agg.* schietto, franco, leale; lineare.

strain[1] [strein] *s.* 1 tensione: *the — of modern life*, la tensione della vita moderna 2 sforzo, fatica: *it was a great — on him*, fu un grave sforzo per lui 3 distorsione, strappo muscolare 4 tono; stile 5 *pl.* melodia (*sing.*).

to **strain**[1] *v.tr.* 1 tendere (fino al limite): *to — a rope to breaking-point*, tirare una corda al massimo // *to — one's authority*, oltrepassare i limiti della propria autorità // *to — one's ear*, tendere l'orecchio 2 sforzare; affaticare: *this light strains my eyes*, questa luce mi affatica gli occhi 3 danneggiare; slogarsi (un arto) 4 filtrare, scolare: *to — wine*, filtrare il vino 5 stringere forte: *to — s.o. to one's bosom*, stringersi qlco. al petto 6 *to — off*, scolare ♦ *v.intr.* 1 sforzarsi // *to — after (sthg.)*, lottare per (qlco.): *that writer strains after effect*, quello scrittore cerca di fare effetto // *to — at (sthg.)*, tirare con forza (qlco.) 2 tendersi 3 filtrare.

strain[2] *s.* 1 stirpe, lignaggio; razza; famiglia 2 tendenza: *a — of melancholy*, una vena di malinconia.

strained [streind] *agg.* 1 teso: *— nerves*, nervi tesi; *— relations*, rapporti tesi 2 forzato, non spontaneo 3 poco amichevole.

strainer ['streinə*] *s.* colino, filtro.

strait [streit] *s.* 1 (*gener. pl.*) (*geogr.*) stretto: *the Straits of Dover*, lo stretto di Dover 2 *pl.* posizione difficile (*sing.*), critica (*sing.*); ristrettezze: *to be in dire straits*, essere in grande difficoltà.

straitened ['streitnd] *agg.* difficile; precario.

straitjacket ['streit'dʒækit] *s.* camicia di forza.

straitlaced ['streitleist] *agg.* arcigno; puritano.

strand[1] [strænd] *s.* 1 trefolo; fune, cavo 2 ricciolo.

to **strand**[1] *v.tr.* intrecciare (corda).

strand[2] *s.* sponda; spiaggia.

to **strand**[2] *v.tr.* arenare ♦ *v.intr.* arenarsi.

stranded ['strændid] *agg.* 1 arenato // *to be —*, essere in difficoltà, trovarsi nei pasticci 2 appiedato.

strange [streindʒ] *agg.* 1 strano, bizzarro, singolare: *she wore — clothes*, era vestita in modo eccentrico 2 estraneo, sconosciuto; nuovo: *in a — land*, in terra straniera; *I am — to this job*, sono nuovo a questo lavoro; *I heard a — voice*, udii una voce che non conoscevo.

strangeness ['streindʒnis] *s.* stranezza; singolarità.

stranger ['streindʒə*] *s.* estraneo; sconosciuto; forestiero: *he is no — to me*, lo conosco bene; *she was a — to their intrigues*, era estranea ai loro intrighi.

to **strangle** ['stræŋgl] *v.tr.* strangolare; soffocare; (*fig.*) reprimere.

stranglehold ['stræŋglhould] *s.* stretta mortale, (*fig.*) morsa, stretta.

strangler ['stræŋglə*] *s.* strangolatore.

strangling ['stræŋgliŋ] *s.* strangolamento.

to **strangulate** ['stræŋgjuleit] *v.tr.* strangolare; strozzare // *strangulated hernia*, (*med.*) ernia strozzata.

strangulation [,stræŋgju'leiʃən] *s.* strangolamento, strozzatura.

strap [stræp] *s.* 1 cinghia, correggia // *shoulder- —*, spallina // *watch —*, cinturino da orologio // *the —*, sferzata (per punizione) 2 maniglia a pendaglio (su tram, autobus ecc.) 3 (*mecc.*) moietta.

to **strap** *v.tr.* 1 legare con cinghie 2 percuotere con

una cinghia, frustare 3 affilare 4 coprire (una ferita) con un cerotto.

to **strap-hang** ['stræphæŋ], *pass.* e *p.pass.* **strap -hung** ['stræphʌŋ] *v.intr.* viaggiare in piedi (in tram, autobus ecc.) sostenendosi a una maniglia.

straphanger ['stræp,hæŋə*] *s.* (*sl.*) passeggero che si regge alla maniglia (in tram ecc.).

strapping ['stræpiŋ] *agg.* alto, forte e vigoroso.

Strasbourg ['stræzbə:g] *no.pr.* Strasburgo.

strata *pl.* di **stratum**.

stratagem ['strætidʒəm] *s.* stratagemma.

strategic [strə'ti:dʒik] *agg.* strategico.

strategist ['strætidʒist] *s.* stratega.

strategy ['strætidʒi] *s.* strategia.

stratification [,strætifi'keiʃən] *s.* stratificazione.

to **stratify** ['strætifai] *v.tr.* disporre a strati, stratificare.

stratigraphy [strə'tigrəfi] *s.* (*geol.*) stratigrafia.

stratocumulus [,strætou'kju:mjuləs] *s.* stratocumulo.

stratosphere ['strætousfiə*] *s.* stratosfera.

stratum ['stra:təm], (*amer.*) 'streitəm] *pl.* **strata** ['stra:tə; (*amer.*) 'streitə] *s.* 1 (*geol.*) strato, falda; giacimento 2 strato sociale, classe.

straw [strɔ:] *agg.* di paglia ♦ *s.* 1 paglia // *— hat*, paglietta // *— vote*, votazione esplorativa // *man of —*, uomo di paglia 2 fuscello, festuca, cannuccia; (*fig.*) cosa da nulla // *a — in the wind*, segno premonitore, indizio // *to catch at a —*, (*fig.*) attaccarsi a una pagliuzza // *it's the last straw*, è il colmo; *it is the last — that breaks the camel's back*, (*prov.*) è l'ultima goccia che fa traboccare il vaso.

strawberry ['strɔ:bəri] *s.* fragola // *— blond*, biondo tiziano // *— mark*, neo angiomatoso, voglia // *— tree*, corbezzolo.

strawy ['strɔ:i] *agg.* di, simile a paglia; contenente paglia.

stray [strei] *agg.* 1 smarrito; randagio; errante: *a — dog*, un cane randagio 2 sporadico; isolato; occasionale: *— thoughts*, pensieri vaganti, isolati.

stray *s.* 1 persona, animale (domestico) smarritosi 2 trovatello.

to **stray** *v.intr.* 1 vagare; vagabondare 2 deviare; smarrirsi (*anche fig.*): *to — from the right path*, deviare dalla retta via.

streak [stri:k] *s.* 1 linea, striscia, striatura: *a — of light*, un raggio di luce // *like a —*, come lampo, come un fulmine 2 (*fig.*) leggera tendenza; vena: *there was a — of yellow in him*, c'era un che di vile in lui.

to **streak** *v.tr.* 1 striare; rigare: *blood streaked his face*, il sangue gli rigava il viso 2 venare: *white marble streaked with red*, marmo bianco venato di rosso ♦ *v.intr.* (*fam.*) muoversi velocemente, andare svelto come un lampo.

streaky ['stri:ki] *agg.* striato, screziato.

stream [stri:m] *s.* corrente, corso; corso d'acqua; flusso: *a — of blood*, un fiotto di sangue; *a — of people*, una fiumana di gente; *against* (o *up*) *the —*, controcorrente // *to go with the —*, (*fig.*) seguire la corrente, essere facilmente influenzabile.

to **stream** *v.intr.* 1 scorrere; fluire; sgorgare; colare: *tears streamed down her cheeks*, le lacrime le scorrevano sulle guance 2 ondeggiare, fluttuare 3 *to — forth*, uscire a fiotti 4 *to — in*, penetrare, entrare 5 *to — out*, effondersi, riversarsi (fuori) ♦ *v.tr.* 1 far sgorgare; far fluire; far scorrere 2 dividere gli allievi (in classi) secondo i livelli di capacità.

streamer ['stri:mə*] *s.* 1 bandiera (spec. lunga e stretta) // *— headline*, (*amer.*) titolo a caratteri cubitali **2** nastro, festone di carta (per decorazioni) **3** raggio di sole; *pl.* aurora boreale (*sing.*).

streamlet ['stri:mlit] *s.* ruscelletto; rivolo d'acqua.

streamline ['stri:mlain] *s.* linea aerodinamica.

to streamline *v.tr.* **1** dare forma, linea aerodinamica (a) **2** (*fig.*) semplificare; organizzare: *a streamlined office*, un ufficio ben organizzato.

streamlined ['stri:mlaind] *agg.* aerodinamico: *a streamlined car*, un'automobile dalla carrozzeria aerodinamica.

street [stri:t] *s.* via, strada: *to go across the —*, attraversare la strada // *one-way —*, strada a senso unico // *side —*, traversa // *through —*, strada con diritto di precedenza // *the man in the —*, l'uomo della strada // *not in the same — as s.o.*, (*fam.*) di molto inferiore a qlcu. // *she is streets ahead of me*, (*fam.*) è di gran lunga superiore a me // *to turn s.o. into the streets*, buttare qlcu. sul lastrico // *to walk the streets*, vivere una vita randagia; battere il marciapiede.

streetcar ['stri:tka:*] *s.* (*amer.* per *tramcar*) tram.

street door ['stri:tdɔ:*] *s.* portone.

streetwalker ['stri:t,wɔ:kə*] *s.* passeggiatrice.

strength [streŋθ] *s.* **1** forza (*anche fig.*); vigore: *— of mind*, forza di volontà // *by sheer —*, a viva forza // *on the — of*, basandosi, contando su **2** solidità; (*fis.*) resistenza **3** efficacia; intensità (*anche fis.*): *— of a wine*, grado alcolico di un vino **4** quantità, numero: *to be present in great —*, esser presenti in gran numero **5** (*mil.*) truppe (*pl.*), forze effettive (*pl.*): *to be on the —*, figurare nei ruoli; *to bring a regiment up to —*, completare i ranghi di un reggimento.

to strengthen ['streŋθən] *v.tr.* dar forza (a); fortificare; rafforzare; sviluppare ♦ *v.intr.* rafforzarsi.

strenuous ['strenjuəs] *agg.* strenuo; attivo; accanito: *— life*, vita intensa; *— opposition*, opposizione accanita.

streptococcus [,streptou'kɔkəs], *pl.* **streptococci** [,streptou'kɔkai] *s.* streptococco.

streptomycin [,streptou'maisin] *s.* (*farm.*) streptomicina.

stress [stres] *s.* **1** spinta; pressione; costrizione: *in times of —*, in periodi di difficoltà **2** enfasi, importanza: *to lay — on sthg.*, porre in rilievo qlco. **3** (*gramm.*) accento tonico **4** (*mecc.*) sforzo, tensione: *this beam is under —*, questa trave è soggetta a sforzo // *maximum —*, carico di rottura.

to stress *v.tr.* **1** porre in rilievo, sottolineare, accentuare: *he stressed the fact that...*, mise in risalto il fatto che... **2** (*gramm.*) accentare **3** (*mecc.*) forzare, sottoporre a tensione.

stressful ['stresfəl] *agg.* stressante.

stretch [stretʃ] *s.* **1** stiramento, tensione; sforzo; (*fig.*) abuso: *by a — of the imagination*, facendo uno sforzo d'immaginazione **2** estensione massima **3** periodo di tempo; (*sl.*) periodo di detenzione // *at a* (o *one*) *—*, tutto d'un fiato, tutto di seguito **4** distesa, estensione: *a wide — of water*, un'ampia distesa d'acqua **5** rettilineo d'ippodromo: *the final —*, la dirittura d'arrivo.

to stretch *v.tr.* tirare; tendere, stendere: *to — a wire across a room*, tirare una corda attraverso una stanza // *to — oneself*, stirarsi // *to — one's legs*, sgranchirsi le gambe // *to — a point*, fare concessioni // *to — out*, allungare // *to — the law*, abusare della legge ♦ *v.intr.* **1** essere estensibile, allungarsi, tendersi // *to — out*, allungarsi **2** estendersi.

stretcher ['stretʃə*] *s.* **1** tenditore, stenditore **2** letti-

ga, barella **3** (*mar.*) pedagna **4** (*edil.*) mattone per piano.

stretcher-bearer ['stretʃə,beərə*] *s.* barelliere.

stretcher party ['stretʃə pɑ:ti] *s.* gruppo di soccorritori.

to strew [stru:], *pass.* **strewed** [stru:d], *p.pass.* **strewn** [stru:n], **strewed** *v.tr.* spargere, sparpagliare; cospargere, coprire.

strewn *p.pass.* di to **strew**.

striated ['straiitid, (*amer.*) 'straieitid] *agg.* (*anat. bot. geol.*) striato.

striation [strai'eiʃən] *s.* striatura.

stricken *p.pass.* (*arc.*) di to **strike** ♦ *agg.* colpito; angustiato: *— with paralysis*, colpito da paralisi.

strict [strikt] *agg.* **1** stretto; preciso, esatto **2** (*fig.*) severo, rigido, rigoroso.

stricture ['striktʃə*] *s.* **1** critica, biasimo: *to pass strictures on* (o *upon*) *sthg.*, *s.o.*, far delle critiche a qlco., qlcu. **2** (*med.*) stenosi.

stridden *p.pass.* di to **stride**.

stride [straid] *s.* passo lungo; andatura // *to make great strides*, (*fig.*) fare grandi progressi // *to take in one's —*, (*fig.*) superare facilmente.

to stride, *pass.* **strode** [stroud], *p.pass.* **stridden** ['stridn] *v.intr.* camminare a grandi passi ♦ *v.tr.* **1** scavalcare con un passo **2** inforcare; stare a cavalcioni (di).

stridency ['straidnsi] *s.* l'essere stridente, stridulo.

strident ['straidnt] *agg.* stridente, stridulo.

stridulant ['stridjulənt] *agg.* stridulo.

strife [straif] *s.* contesa, lotta, conflitto: *to be at — with s.o.*, essere in lotta con qlcu.

strike [straik] *s.* **1** sciopero: *to be out on —*, essere in sciopero; *to go on —*, scioperare; *go-slow —*, sciopero bianco; *sit-down —*, sciopero con occupazione del posto di lavoro; *sympathy —*, sciopero di solidarietà; *wildcat —*, sciopero selvaggio **2** scoperta (di giacimento) // *lucky —*, (*fig.*) colpo fortunato **3** attacco aereo.

to strike, *pass.* **struck** [strʌk], *p.pass.* **struck** *v.tr.* **1** battere, percuotere; urtare; (*fig.*) colpire, impressionare: *how does it — you?*, che impressione ti fa?; *this idea struck me*, mi venne questa idea // *— me dead!*, mi venga un accidente! // *to — all of a heap*, (*fam.*) sbigottire // *to — an attitude*, assumere un atteggiamento // *to — an average*, stabilire una media // *to — a bargain*, concludere un affare // *to — home*, (*fam.*) colpire nel segno // *to be struck dead*, morire improvvisamente // *to — down*, abbattere; colpire **2** produrre (mediante sfregamento): *to — a light* (o *a match*), accendere un fiammifero **3** produrre (un suono); far risonare: *to — a chord*, suonare un accordo **4** far penetrare; infiggere; conficcare: *the tree strikes its roots into the soil*, la pianta affonda le radici nella terra // *to — fear into s.o.*, suscitar paura in qlcu. **5** scoprire, imbattersi in // *to — oil*, (*fig.*) avere un colpo di fortuna **6** (*mar. mil.*) ammainare: *to — camp*, levare il campo **7** *to — work*, scioperare **8** *to — off*, cancellare; radiare; stampare **9** *to — out*, cancellare **10** *to — through*, cancellare con un tratto di penna **11** *to — up*, intonare (un canto); cominciare // *to — up an acquaintance with s.o.*, fare la conoscenza di qlcu. ♦ *v.intr.* **1** battere; (*di orologio*) suonare: *to — against* (o *on*), urtare contro // *to — upon a brilliant idea*, avere un'idea brillante // *to — back*, rispondere all'attacco (di) **2** attecchire (di pianta) **3** scioperare // *to — out*, allungare un pugno // *to — out in*, incominciare // *to — out for*, nuotare, camminare verso **5** *to — up*, attaccare (un canto, un brano musicale).

strikebound [′straikbaund] *agg.* paralizzato da uno sciopero industriale.

strikebreaker [′straik‚breikə*] *s.* crumiro.

strike pay [′straikpei] *s.* indennità di sciopero.

striker [′straikə*] *s.* **1** scioperante **2** (*mecc.*) percussore.

striking [′straikiŋ] *agg.* sorprendente, singolare, impressionante: *— news*, notizie sensazionali // *within — distance*, molto vicino.

string [striŋ] *s.* **1** spago; corda; (*amer.*) laccio, stringa: *the strings of a violin*, le corde di un violino // *to have two strings to one's bow*, (*fig.*) avere due corde al proprio arco // *to harp on the same —*, (*fig.*) insistere sullo stesso tasto // *to pull strings*, (*fig.*) agire dietro le quinte in favore di qlcu. // *— bean*, (*amer.*) fagiolino **2** filamento, fibra **3** (*anat.*) tendine **4** fila, filza: *a — of pearls*, un filo di perle **5** scuderia di cavalli da corsa; (*fig.*) squadra: *second —*, squadra, giocatore di riserva **6** (*gener. pl.*) strumenti a corda: *— orchestra*, orchestra d'archi // *to play second —*, prendere il secondo posto, avere un ruolo secondario **7** (*informatica*) stringa; sequenza; ordinamento: *— generation*, ordinamento interno; *— merging*, ordinamento esterno.

to string, *pass. e p.pass.* **strung** [strʌŋ] *v.tr.* **1** munire di, legare con corde // *to — beads*, infilare perline // *— s.o. along*, menare per il naso qlcu. **2** togliere i fili a (fagiolini) **3** *to — out*, disporre in fila **4** *to — up*, accordare (uno strumento); (*fig.*) tendere; (*fam.*) impiccare: *nerves strung up to the highest pitch*, nervi tesi al massimo ♦ *v.intr.*: *to — along with*, (*fam.*) accompagnare.

stringency [′strindʒənsi] *s.* rigore, severità.

stringent [′strindʒənt] *agg.* rigoroso, severo; incontestabile; impellente.

stringy [′striŋi] *agg.* **1** fibroso; filoso; filamentoso **2** viscoso, spesso.

strip[1] [strip] *s.* striscia, nastro: *a — of land*, una lingua di terra // *to tear (s.o.) off a —*, (*fam.*) rimproverare severamente, spellare vivo (qlcu.).

to strip[2] *v.tr.* **1** spogliare; togliere, strappare: *stripped to the skin*, completamente spogliato; *to — a tree of its bark*, scortecciare un albero; *to be stripped of all authority*, (*fig.*) essere privato di ogni autorità **2** (*mecc.*) spanare, spanarsi; smontare ♦ *v.intr.* spogliarsi.

stripe [straip] *s.* **1** striscia; riga: *black with white stripes*, nero a righe bianche // *to be of the same political —*, (*amer. fam.*) essere dello stesso colore politico **2** (*mil.*) gallone: *to lose, to get one's stripes*, (*mil.*) essere degradato, essere promosso **3** colpo di frusta.

to stripe *v.tr.* striare, rigare.

striped [straipt] *agg.* a strisce, a righe; striato.

stripling [′stripliŋ] *s.* giovanetto, adolescente.

stripper [′stripə*] *s.* spogliarellista.

striptease [′strip‚ti:z] *s.* spogliarello.

to strive [straiv], *pass.* **strove** [strouv], *p.pass.* **striven** [′strivn] *v.intr.* sforzarsi: *to — to succeed*, fare ogni sforzo per riuscire // *to — against*, combattere contro.

strode *pass.* di to **stride**.

stroke[1] [strouk] *s.* **1** colpo (*anche fig.*): *the finishing —*, (*anche fig.*) il colpo di grazia; *at a —*, d'un sol colpo; *a — of genius*, un lampo di genio; *a — of good luck*, un colpo di fortuna // *not to do a — of work*, non far nulla // *little strokes fell great oaks*, (*prov.*) a goccia a goccia si incava la pietra **2** colpo apoplettico **3** brac-

ciata (al nuoto); vogata, remata (al canottaggio); battuta (al tennis ecc.); tiro **4** tratto (di penna, di matita); tocco **5** rintocco (d'orologio): *on the — of six*, alle sei in punto **6** (*sport*) primo rematore: *to row —*, dare il tempo ai rematori.

to stroke[1] *v.tr.* (*mar.*): *to — a boat*, fare da primo rematore; *to — the crew*, dare il tempo ai rematori.

stroke[2] *s.* carezza.

to stroke[2] *v.tr.* accarezzare; lisciare.

stroll [stroul] *s.* passeggiatina, quattro passi (*pl.*): *to go for a —*, andare a fare quattro passi; *to take a —*, fare quattro passi.

to stroll *v.intr.* passeggiare; andare a zonzo.

strolling [′strouliŋ] *agg.* errante, ambulante // *— player*, attore girovago.

strong [strɔŋ] *agg.* **1** forte, robusto; energico; efficace: *— cloth*, stoffa resistente; *— measures*, misure energiche; *— passion*, passione violenta; *— tea*, tè carico, forte; *his — point*, il suo forte; *— town*, città ben difesa; *are you quite — again?*, (*fam.*) ti sei rimesso del tutto?; *to have a — hold on s.o.*, avere un forte ascendente su qlcu. // *— candidate*, (*pol.*) candidato con molte probabilità di successo // *as — as a horse*, forte come un toro // *— drink*, bevanda alcolica // *— language*, imprecazione // *— -headed*, cocciuto **2** forte, numeroso: *an army 500,000 —*, un esercito di 500.000 uomini; *how — are they?*, in quanti sono? **3** (*comm.*) in rialzo ♦ *avv.* (*fam.*) forte // *going —*, che va forte, che ha successo.

strongarm [′strɔŋɑ:m] *agg.* duro.

strongbox [′strɔŋbɔks] *s.* cassaforte.

stronghold [′strɔŋhould] *s.* roccaforte, fortezza (*anche fig.*).

strong-minded [′strɔŋ′[strɔp] *s.* coramella.

to strop *v.tr.* affilare (un rasoio) sulla coramella.

strophe [′stroufi] *s.* strofa.

strove *pass.* di to **strive**.

struck *pass. e p.pass.* di to **strike** ♦ *agg.* colpito; impressionato; affascinato, stregato.

structural [′strʌkt∫ərəl] *agg.* strutturale.

structure [′strʌkt∫ə*] *s.* **1** struttura **2** costruzione; edificio.

struggle [′strʌgl] *s.* sforzo; lotta: *the — for existence*, lotta per l'esistenza; *to give in without a —*, non opporre alcuna resistenza // *hand-to-hand —*, lotta corpo a corpo.

to struggle *v.intr.* **1** lottare; sforzarsi; cercare di liberarsi; dibattersi: *to — to control oneself*, sforzarsi di controllarsi **2** *to — in* (o *out* o *through*), (*anche fig.*) aprirsi un varco, penetrare a fatica; *we succeeded in struggling through*, ce l'abbiamo fatta.

to strum [strʌm] *v.tr. e intr.* strimpellare.

strumpet [′strʌmpit] *s.* sgualdrina.

strung *pass. e p.pass.* di to **string** ♦ *agg.*: *high(ly) —*, teso; dai nervi tesi.

strut[1] [strʌt] *s.* andatura solenne.

to strut[1] *v.intr.* camminare impettito, con aria di importanza.

strut[2] *s.* **1** (*edil.*) puntone; contropalo **2** (*aer.*) montante.

to strut[2] *v.tr.* (*edil.*) puntellare, sostenere con puntoni; armare.

strychnine [′strikni:n] *s.* stricnina.

stub [stʌb] *s.* **1** mozzicone (di sigaro, sigaretta, matita ecc.); rimanenza **2** matrice (di registro, libretto d'assegni) **3** ceppo, troncone.

to **stub** *v.tr.* **1** inciampare; urtare (con il piede) **2** sradicare **3** liberare (il terreno) da radici, ceppi **4** *to — out*, spegnere (sigaretta).

stubble ['stʌbl] *s.* **1** stoppia **2** barba ispida.

stubborn ['stʌbən] *agg.* testardo; ostinato, caparbio.

stubby ['stʌbi] *agg.* **1** tozzo; tarchiato **2** ispido (di capelli).

stucco ['stʌkou], *pl.* **stucco(e)s** ['stʌkouz] *s.* stucco.

to **stucco** *v.tr.* decorare con stucco.

stuck *pass.* e *p.pass.* di to **stick** ♦ *agg.* (*fam.*) nei pasticci; (*sl. fig.*) cotto.

stuck-up ['stʌk'ʌp] *agg.* (*fam.*) borioso.

stud[1] [stʌd] *s.* **1** chiodo a capocchia larga; borchia **2** bottoncino (da camicia).

to **stud**[1] *v.tr.* **1** guarnire di borchie; imbullettare **2** costellare, ornare: *crown studded with diamonds*, corona tempestata di diamanti.

stud[2] *s.* **1** scuderia, allevamento (di animali da corsa) **2** monta.

studbook ['stʌdbuk] *s.* registro della genealogia dei purosangue.

student ['stju:dənt] *s.* **1** studente: *medical —*, studente in medicina **2** (*amer.*) scolaro **3** studioso: *he is a — of astrology*, è uno studioso di astrologia.

stud farm ['stʌdfɑ:m] *s.* allevamento di cavalli.

studhorse ['stʌdhɔ:s] *s.* stallone.

studied ['stʌdid] *agg.* **1** studiato, ricercato **2** premeditato, intenzionale.

studio ['stju:diou] *s.* **1** studio (d'artista, di fotografo) // *— apartment*, (*amer.*) monolocale **2** (*rad.*) auditorio **3** (*cinem.*) teatro di posa; *pl.* studi.

studious ['stju:diəs] *agg.* **1** studioso **2** attento; scrupoloso **3** deliberato.

study ['stʌdi] *s.* **1** studio: *the — of mathematics*, lo studio della matematica; *he played a —*, of Beethoven, ha suonato uno studio di Beethoven; *to make a — of sthg.*, indagare su qlco. **2** oggetto degno d'attenzione, d'interesse: *his face was a perfect —*, il suo volto era veramente degno d'attenzione **3** riflessione, meditazione // *to be in a brown —*, essere immerso nei propri pensieri.

to **study** *v.tr.* studiare // *to — out*, escogitare, studiare ♦ *v.intr.* **1** sforzarsi, studiarsi **2** studiare: *to — at University*, studiare all'Università // *to — for*, studiare per; seguire dei corsi speciali di.

stuff [stʌf] *s.* **1** sostanza; materia prima; essenza: *she has good — in her*, ha buone qualità **2** cosa, roba: *funny —*, roba da ridere, cosa buffa; *he writes nasty —*, scrive porcherie // *that's the —*, è ciò che ci vuole // *he knows his —*, se ne intende **3** stoffa, tessuto (spec. di lana) **4** sciocchezza, cosa di nessun valore.

to **stuff** *v.tr.* **1** riempire, imbottire, rimpinzare; (*cuc.*) farcire // *stuffed shirt*, rigido formalista **2** impagliare, imbalsamare **3** stipare, stivare ♦ *v.intr.* rimpinzarsi.

stuffiness ['stʌfinis] *s.* **1** mancanza d'aria; odore di chiuso, di stantio **2** (*fam.*) l'essere noioso, antiquato.

stuffing ['stʌfiŋ] *s.* **1** imbottitura **2** impagliatura; imbalsamazione // *to knock the — out of s.o.*, (*fam.*) sgonfiare qlcu. **3** (*cuc.*) ripieno.

stuffy ['stʌfi] *agg.* **1** afoso, senz'aria; mal ventilato: *— air*, aria viziata; *it is very — in here*, si soffoca qui **2** (*fam.*) di idee ristrette.

to **stultify** ['stʌltifai] *v.tr.* far apparire, rendere assurdo, ridicolo.

stumble ['stʌmbl] *s.* **1** l'inciampare: *I had a —*, ho inciampato **2** (*fig.*) esitazione.

to **stumble** *v.intr.* **1** inciampare; incespicare (*anche fig.*): *to — against sthg.*, inciampare contro qlco.; *he stumbled along*, avanzava inciampando continuamente // *to — through a poem*, recitare una poesia incespicando ad ogni parola // *to — across*, (*up*)*on* (*s.o.*, *sthg.*), imbattersi in, trovare per caso **2** (*fig.*) fare un passo falso, fare errori.

stumbling-block ['stʌmbliŋblɔk] *s.* ostacolo.

stump[1] [stʌmp] *s.* **1** ceppo, tronco (di albero) **2** radice (di dente); moncherino, moncone (di membro) **3** mozzicone (di matita, sigaretta ecc.) **4** matrice (di assegno) **5** piattaforma, podio (spec. per comizi): *to go on the —*, tenere un comizio **6** *pl.* (*scherz.*) gambe // *stir your stumps!*, muoviti!, spicciati **7** (*cricket*) paletto.

to **stump**[2] *v.tr.* **1** (*cricket*) mettere fuori gara (un battitore) **2** fare un giro di propaganda elettorale **3** meravigliare; sconcertare **4** *to — up*, (*fam.*) pagare ♦ *v.intr.* camminare con passo pesante // *to — along*, andare avanti pesantemente.

stumpy ['stʌmpi] *agg.* tarchiato, tozzo.

to **stun** [stʌn] *v.tr.* **1** far perdere i sensi (a); tramortire **2** stordire; assordare **3** sbalordire.

stung *pass.* e *p.pass.* di to **sting**.

stunk *pass.* e *p.pass.* di to **stink**.

stunner ['stʌnə*] *s.* **1** chi, cosa che stordisce, assorda **2** (*fam.*) cannonata.

stunning ['stʌniŋ] *agg.* **1** che stordisce, assorda **2** sbalorditivo; formidabile.

stunt[1] [stʌnt] *s.* **1** bravata **2** trovata (pubblicitaria) **3** acrobazia.

to **stunt**[2] *v.tr.* impedire la crescita, lo sviluppo (di).

stunted ['stʌntid] *agg.* **1** nano **2** ritardato; subnormale.

stunt man ['stʌnt,mæn] *s.* controfigura.

stupefaction [stju:pi'fækʃən] *s.* **1** torpore provocato da stupefacenti **2** stupore.

to **stupefy** ['stju:pifai] *v.tr.* **1** istupidire **2** sbalordire, stupire.

stupendous [stju(:)'pendəs] *agg.* stupendo.

stupid ['stju:pid] *agg.* **1** stupido; sciocco **2** istupidito, intontito: *to drive s.o. —*, intontire qlcu. ♦ *s.* stupido.

stupidity [stju(:)'piditi] *s.* stupidità, ottusità; stolidità.

stupor ['stju:pə*] *s.* **1** stupore, meraviglia **2** torpore, incoscienza.

sturdy ['stə:di] *agg.* **1** vigoroso, forte, robusto **2** risoluto, fermo.

sturgeon ['stə:dʒən] *s.* (*zool.*) storione.

stutter ['stʌtə*] *s.* balbuzie; tartagliamento.

to **stutter** *v.tr.* balbettare: *to — (out) sthg.*, balbettare qlco. ♦ *v.intr.* balbettare; tartagliare.

stuttering ['stʌtəriŋ] *agg.* balbuziente ♦ *s.* balbuzie.

sty[1] [stai] *s.* **1** porcile **2** (*fig.*) luogo sudicio; luogo malfamato.

sty[2], **stye** *s.* orzaiolo.

Stygian ['stidʒiən] *agg.* **1** stigio **2** (*fig.*) tetro.

style [stail] *s.* **1** stile: *business —*, stile commerciale; *Gothic —*, stile gotico; *a gentleman of the old —*, un gentiluomo di vecchio stampo; *in good —*, in perfetto stile; *our — of living*, il nostro tenore di vita; *a person of considerable —*, una persona di grande distinzione; *there is no — about her*, è una ragazza che manca di classe // *in —*, in grande // *old —*, (*abbr. O.S.*) vecchio sistema (secondo il calendario Giuliano); *new —*, (*abbr. N.S.*) sistema nuovo (secondo il calendario Gregoriano) **2** moda: *in the latest —*, all'ultima moda **3** titolo, nome: *to be entitled to the — of*, avere diritto al titolo di   **4** stilo (per incidere); stilo (di meridiana) **5** (*bot.*) stilo   **6** (*comm.*) ragione sociale.

to **style** *v.tr.* chiamare; denominare; designare.

stylish ['staili∫] *agg.* di classe; elegante.

stylishness ['staili∫nis] *s.* classe; eleganza.

stylist ['stailist] *s.* stilista.

stylistic [stai'listik] *agg.* stilistico.

stylization [,staili'zei∫ən] *s.* stilizzazione.

to **stylize** ['stailaiz] *v.tr.* stilizzare.

stylus ['stailəs] *s.* **1** stilo (per incidere); stilo (di meridiana) **2** puntina per grammofono **3** (*bot.*) stilo.

styptic ['stiptik] *agg. e s.* (*med.*) **1** astringente **2** emostatico.

suave [swɑ:v] *agg.* **1** dolce; affabile, cortese **2** amabile (di vino ecc.).

suavity ['swæviti] *s.* **1** dolcezza; affabilità, cortesia **2** amabilità (di vino ecc.).

sub- [sʌb] *pref.* sub-, sotto-.

sub *s.* (*fam.*) **1** subalterno **2** sottomarino **3** sottoscrizione **4** sostituto.

to **sub** *v.intr.* fare da sostituto // *to — for s.o.*, sostituire qlcu.

subalpine ['sʌb'ælpain] *agg.* subalpino.

subaltern ['sʌbltən, (*amer.*) sə'bo:ltərn] *agg.* inferiore, sottoposto ♦ *s.* subalterno.

subaquatic [,sʌbə'kwætik], **subaqueous** ['sʌb'eik wiəs] *agg.* subacqueo.

subarctic ['sʌb'ɑ:ktik] *agg.* subartico.

subaxillary ['sʌb'æksiləri] *agg.* subascellare.

subclass ['sʌbklɑ:s] *s.* sottoclasse.

subcommission ['sʌbkə'mi∫ən] *s.* sottocommissione.

subcommissioner ['sʌbkə'mi∫nə*] *s.* vicecommissario.

subcommittee ['sʌbkə,miti] *s.* sottocomitato.

subconscious ['sʌb'kɔn∫əs] *agg.* subcosciente ♦ *s.* subconscio.

subcontinent ['sʌb'kɔntinənt] *s.* subcontinente.

subcontract ['sʌb'kɔntrækt] *s.* subappalto.

subcutaneous ['sʌbkju:(')teinjəs] *agg.* sottocutaneo.

to **subdivide** ['sʌbdi'vaid] *v.tr.* suddividere ♦ *v.intr.* suddividersi.

subdivision ['sʌbdi,viʒən] *s.* **1** suddivisione **2** (*informatica*) frazionamento.

subdominant ['sʌb'dɔminənt] *s.* (*mus.*) sottodominante.

subdual [səb'dju(:)əl] *s.* **1** soggiogamento **2** attenuazione (di voce, luce ecc.).

subdue [səb'dju:] *v.tr.* **1** soggiogare; reprimere; domare: *to — one's enemies*, soggiogare i propri nemici   **2** attenuare; mitigare.

to **subedit** ['sʌb'edit] *v.tr.* redigere.

subeditor ['sʌb'editə*] *s.* redattore.

subgroup ['sʌbgru:p] *s.* sottogruppo.

subheading ['sʌb,hediŋ] *s.* sottotitolo.

subhuman ['sʌb'hju:mən] *agg.* **1** al di sotto del livello umano **2** quasi umano.

subjacent ['sʌb'dʒeisənt] *agg.* inferiore, che giace sotto, al di sotto.

subject ['sʌbdʒikt] *agg.* soggetto: *a country held — by another*, un paese assoggettato ad un altro; *prices — to 10% discount*, prezzi suscettibili di uno sconto del 10% // *— to*, subordinatamente a.

subject *s.* **1** argomento, soggetto, tema; materia (di studio): *a — for discussion*, un argomento di discussio-

ne; *— of meditation*, oggetto di meditazione; *let's drop the —*, lasciamo cadere l'argomento; *to lead s.o. on to the — of...*, portare qlcu. sull'argomento di...   **2** soggetto: *the — of a sentence*, (*gramm.*) il soggetto d'una proposizione; *hysterical —*, (*med.*) soggetto isterico **3** suddito: *British —*, cittadino britannico.

to **subject** [səb'dʒekt] *v.tr.* **1** assoggettare, sottomettere, soggiogare **2** esporre, sottoporre.

subject-heading ['sʌbdʒikt,hediŋ] *s.* titolo.

subjection [səb'dʒek∫ən] *s.* sottomissione: *to bring s.o. into —*, assoggettare qlcu.

subjective [sʌb'dʒektiv] *agg.* **1** soggettivo, individuale **2** (*gramm.*) soggettivo: *the — case*, nominativo.

subjectivism [səb'dʒektivizəm] *s.* (*fil.*) soggettivismo.

subject matter ['sʌbdʒikt,mætə*] *s.* soggetto (di libro, discussione).

to **subjoin** ['sʌb'dʒɔin] *v.tr.* aggiungere; soggiungere.

to **subjugate** ['sʌbdʒugeit] *v.tr.* soggiogare; asservire; domare.

subjugation [,sʌbdʒu'gei∫ən] *s.* soggiogamento; asservimento; conquista.

subjunctive [səb'dʒʌŋktiv] *agg. e s.* (*gramm.*) (modo) congiuntivo.

sublease ['sʌb'li:s] *s.* subaffitto.

to **sublease** *v.tr.* subaffittare.

sublet ['sʌb'let] *s.* subaffitto.

to **sublet**, *pass. e p.pass.* **sublet** *v.tr.* subaffittare.

sublieutenant ['sʌbləf'tenənt] *s.* (*mil.*) sottotenente; (*mar.*) sottotenente di vascello.

sublimate ['sʌblimit] *agg. e s.* (*chim.*) sublimato.

to **sublimate** ['sʌblimeit] *v.tr.* sublimare; (*fig.*) idealizzare.

sublimation [,sʌbli'mei∫ən] *s.* sublimazione; (*fig.*) idealizzazione.

sublime [sə'blaim] *agg.* **1** sublime; supremo **2** altezzoso, orgoglioso **3** (*anat.*) superficiale, a fior di pelle.

to **sublime** *v.tr.* sublimare (*anche chim.*); rendere sublime; elevare; idealizzare ♦ *v.intr.* **1** (*chim.*) sublimare **2** sublimarsi; elevarsi.

subliminal [sʌb'liminl] *agg. e s.* (*psic.*) subliminale // *— advertising*, pubblicità subliminale.

sublimity [sə'blimiti] *s.* **1** sublimità **2** (*anat.*) superficialità (di muscoli ecc.).

submachine gun ['sʌbmə'∫i:ngʌn] *s.* fucile mitragliatore, mitra.

submarine ['sʌbmə'ri:n, (*amer.*) 'sʌbməri:n] *agg.* subacqueo, sottomarino ♦ *s.* sommergibile // *midget —*, sottomarino «tascabile».

submariner [sʌb'mærinə*] *s.* sommergibilista.

submaxillary ['sʌbmæk'siləri] *agg.* sottomascellare.

to **submerge** [səb'mə:dʒ] *v.tr.* **1** immergere; affondare; inondare // *the submerged tenth*, (*fig.*) gli strati più poveri della popolazione **2** (*fig.*) coprire; sommergere ♦ *v.intr.* immergersi.

submersible [səb'mə:səbl] *agg.* sommergibile.

submersion [səb'mə:∫ən] *s.* sommersione.

submission [səb'mi∫ən] *s.* **1** sottomissione; rassegnazione; docilità **2** presentazione (di tesi ecc., a una giuria ecc.) **3** proposta.

submissive [səb'misiv] *agg.* remissivo; docile; sottomesso.

to **submit** [səb'mit] *v.intr.* sottomettersi, sottoporsi; piegarsi; rassegnarsi: *to — to God's will*, rassegnarsi al volere di Dio ♦ *v.tr.* sottoporre, rimettere (a giudizio, approvazione).

subnormal [ˈsʌbˈnɔːməl] *agg.* al di sotto della norma; subnormale.

suborder [ˈsʌbˈɔːdə*] *s.* (*bot. zool.*) sottordine.

subordinate [səˈbɔːdnit] *agg.* 1 subordinato; secondario: — *clause*, (*gramm.*) proposizione subordinata 2 di ordine inferiore; in sott'ordine ♦ *s.* subalterno, inferiore.

to **subordinate** [səˈbɔːdineit] *v.tr.* subordinare.

subordination [sə,bɔːdiˈneiʃən] *s.* subordinazione.

to **suborn** [sʌˈbɔːn] *v.tr.* subornare; sobillare.

subplot [ˈsʌbˌplɔt] *s.* (*letter.*) intreccio secondario.

subpoena [səbˈpiːnə] *s.* (*dir.*) citazione, mandato di comparizione.

to **subpoena** *v.tr.* (*dir.*) citare (un testimone): *to — s.o.*, notificare l'ordine di comparizione in tribunale a qlcu.

subpolar [ˈsʌbˈpoulə*] *agg.* sottopolare.

subprefect [ˈsʌbˈpriːfekt] *s.* viceprefetto.

subroutine [ˈsʌbruːˈtiːn] *s.* (*informatica*) sottoprogramma.

to **subscribe** [səbˈskraib] *v.intr.* 1 sottoscrivere 2 abbonarsi ♦ *v.tr.* approvare; sottoscrivere.

subscriber [səbˈskraibə*] *s.* 1 chi sottoscrive; (*comm.*) contraente 2 abbonato.

subscript [ˈsʌbskript] *s.* (*informatica*) indice posto in basso; subscritto.

subscription [səbˈskripʃən] *s.* 1 sottoscrizione; contributo: *to raise a —*, aprire una sottoscrizione 2 abbonamento.

subsection [ˈsʌbˌsekʃən] *s.* sottosezione.

subsequent [ˈsʌbsikwənt] *agg.* successivo; ulteriore; seguente.

subsequently [ˈsʌbsikwəntli] *avv.* successivamente; in seguito; posteriormente.

subservience [səbˈsəːvjəns] *s.* subordinazione; remissività; servilismo.

subservient [səbˈsəːvjənt] *agg.* 1 ossequente; servile 2 che serve a promuovere, utile.

subset [ˈsʌbset] *s.* (*informatica*) sottoinsieme; (*tel.*) posto telefonico abbonato.

to **subside** [səbˈsaid] *v.intr.* 1 calare, decrescere, abbassarsi; sprofondare, sprofondarsi: *the ground has subsided*, il terreno ha ceduto; *she subsided into an armchair*, (*fam.*) si lasciò cadere in una poltrona 2 (*fig.*) quietarsi, calmarsi 3 depositare (di liquidi); precipitare (di una soluzione).

subsidence [səbˈsaidəns] *s.* 1 abbassamento; cedimento 2 (*fig.*) il calmarsi.

subsidiary [səbˈsidjəri] *agg.* 1 sussidiario; supplementare; ausiliario; secondario: — *company*, (*comm.*) società consociata 2 sussidiato ♦ *s.* (*comm.*) persona, cosa ausiliaria.

to **subsidize** [ˈsʌbsidaiz] *v.tr.* sussidiare; sovvenzionare.

subsidy [ˈsʌbsidi] *s.* sussidio; sovvenzione.

to **subsist** [səbˈsist] *v.intr.* sussistere: *to — on charity*, vivere d'elemosina ♦ *v.tr.* mantenere.

subsistence [səbˈsistəns] *s.* esistenza, sussistenza; mantenimento // — *level*, livello di vita appena sufficiente per vivere.

subsoil [ˈsʌbsɔil] *s.* sottosuolo.

subsonic [sʌbˈsɔnik] *agg.* (*aer.*) subsonico.

subspecies [ˈsʌbˌspiːʃiːz] *s.* (*pl. invar.*) sottospecie.

substance [ˈsʌbstəns] *s.* 1 sostanza, essenza; materia 2 significato, valore 3 solidità; consistenza: *there is no — in him*, non ha nerbo 4 sostanze (*pl.*), ricchezze (*pl.*): *a man of —*, un uomo di larghi mezzi.

substandard [ˈsʌbˈstændəd] *agg.* di un livello inferiore alla media.

substantial [səbˈstænʃəl] *agg.* 1 sostanzioso; solido; resistente 2 importante; notevole; effettivo: *a — proof*, una prova schiacciante 3 ricco; benestante 4 sostanziale; reale.

substantiality [səb,stænʃiˈæliti] *s.* 1 sostanzialità; esistenza reale 2 concretezza; solidità; corporeità.

substantially [əbˈstænʃəli] *avv.* 1 solidamente; sostanziosamente 2 fortemente; notevolmente 3 sostanzialmente; realmente, effettivamente.

to **substantiate** [səbˈstænʃieit] *v.tr.* 1 dimostrare la verità (di); convalidare 2 dare sostanza (a).

substantive [ˈsʌbstəntiv] *agg.* 1 reale; essenziale 2 autonomo, indipendente ♦ *s.* (*gramm.*) sostantivo.

substitute [ˈsʌbstitjuːt] *s.* 1 sostituto; rappresentante; delegato; supplente: *as a — for*, al posto di 2 surrogato; imitazione.

to **substitute** *v.tr.* e *intr.* sostituire: *he is substituting (for) me*, mi sostituisce; *to — sulphur for oxygen*, sostituire lo zolfo all'ossigeno.

substitution [ˌsʌbstiˈtjuːʃən] *s.* sostituzione.

substratum [ˈsʌbˈstrɑːtəm, (*amer.*) ˈsʌbˈstreitəm], *pl.* **substrata** [ˈsʌbˈstrɑːtə, (*amer.*) ˈsʌbˈstreitə], **substratums** [ˈsʌbˈstrɑːtəmz, (*amer.*) ˈsʌbˈstreitəmz] *s.* sostrato (*anche fig.*): *a — of truth*, un fondo di verità.

substructure [ˈsʌbˌstrʌktʃə*] *s.* base, fondamento (*anche fig.*).

to **subsume** [səbˈsjuːm] *v.tr.* classificare; comprendere in una regola.

subtenant [ˈsʌbˈtenənt] *s.* subaffittuario.

to **subtend** [səbˈtend] *v.tr.* (*geom.*) sottendere.

subterfuge [ˈsʌbtəfjuːdʒ] *s.* sotterfugio; raggiro.

subterranean [ˌsʌbtəˈreinjən] *agg.* sotterraneo.

subtitle [ˈsʌbˌtaitl] *s.* sottotitolo.

subtle [ˈsʌtl] *agg.* 1 sottile 2 astuto, scaltro.

subtlety [ˈsʌtlti] *s.* 1 sottigliezza, carattere sottile 2 astuzia.

subtly [ˈsʌtli] *avv.* 1 sottilmente 2 astutamente.

subtonic [ˈsʌbˌtɔnik] *s.* (*mus.*) sotto-tonica.

to **subtract** [səbˈtrækt] *v.tr.* detrarre, defalcare; (*mat.*) sottrarre.

subtraction [səbˈtrækʃən] *s.* sottrazione.

subtropical [ˈsʌbˈtrɔpikəl] *agg.* subtropicale.

suburb [ˈsʌbəːb] *s.* 1 sobborgo 2 (*spec. pl.*) quartieri residenziali (fuori città).

suburban [səˈbəːbən] *agg.* 1 suburbano; extraurbano 2 tipico dei quartieri residenziali (fuori città).

suburbanite [səˈbəːbənait] *s.* chi abita in un quartiere residenziale (fuori città).

suburbia [səˈbəːbiə] *s.pl.* quartieri residenziali (fuori città).

subversion [sʌbˈvəːʃən] *s.* sovversione.

subversive [sʌbˈvəːsiv] *agg.* sovversivo.

to **subvert** [sʌbˈvəːt] *v.tr.* sovvertire.

subway [ˈsʌbwei] *s.* 1 sottopassaggio 2 (*amer.*) metropolitana.

to **succeed** [səkˈsiːd] *v.intr.* 1 riuscire; aver successo; raggiungere la fama: *to — in life as...*, affermarsi nella vita come... 2 succedere: *to — to an estate*, ereditare una proprietà ♦ *v.tr.* succedere (a).

success [səkˈses] *s.* successo: *she was a great — as Ophelia*, fu una grande Ofelia.

successful [səkˈsesful] *agg.* che ha successo; che è riuscito: — *candidates*, candidati eletti; allievi promossi.

succession [səkˈseʃən] *s.* 1 successione; serie: *a —*

of losses, una serie di perdite; *in close —*, a brevi intervalli **2** eredi (*pl.*); discendenza.

successional [sək'seʃənl] *agg.* **1** di successione **2** consecutivo.

successive [sək'sesiv] *agg.* successivo; consecutivo.

successor [sək'sesə*] *s.* successore.

succinct [sək'siŋkt] *agg.* succinto.

succose ['sʌkouz] *agg.* succoso; pieno di linfa.

succour ['sʌkə*] *s.* soccorso, assistenza.

to **succour** *v.tr.* soccorrere, assistere.

succulence ['sʌkjuləns] *s.* succulenza.

succulent ['sʌkjulənt] *agg.* succulento.

to **succumb** [sə'kʌm] *v.intr.* soccombere: *to — to pneumonia*, morire di polmonite; *to — to temptation*, cedere alla tentazione.

such [sʌtʃ (*forma forte*), sətʃ (*forma debole*)] *agg.* **1** tale, simile: *— a person*, una persona simile, del genere; *in — cases*, in casi del genere; *in — weather*, con un tempo simile *// ... as, — as*, come: *— people as you*, gente come te; *— as it is*, così com'è *// — that, — as to*, tale che, tale da **2** (*intensivo*) così, tale, tanto: *— a silly girl*, una ragazza così sciocca; *it was — a pity!*, fu un tal peccato! ♦ *pron.* tale; questo; quello: *— is life*, così è la vita; *— is not my plan*, questo non è il mio progetto *// and —*, e simili *// as —*, come tale *// — as*, coloro che, quelli che.

such and such ['sʌtʃənsʌtʃ] *agg.* tale, così e così.

suchlike ['sʌtʃlaik] *agg.* simile, di tal genere ♦ *pron.* (*gener.pl.*) (*fam.*) cose, persone simili (*pl.*): *beggars, tramps and —*, mendicanti, vagabondi e gente di tal fatta.

suck [sʌk] *s.* **1** succhiata, poppata: *to give — to*, allattare **2** risucchio **3** (*fam.*) sorso.

to **suck** *v.tr.* succhiare; poppare; (*fig.*) assorbire: *to — dry*, succhiare completamente *// to — in*, assorbire; inghiottire; aspirare (di pompa); (*sl.*) imbrogliare *// to — up*, assorbire, risucchiare ♦ *v.intr.* **1** succhiare; poppare **2** *to — up*, (*sl.*) fare il leccapiedi.

sucker ['sʌkə*] *s.* **1** chi succhia **2** (*fam.*) credulone, sempliciotto **3** ventosa **4** (*mecc.*) pistone **5** (*bot.*) pollone.

sucking pig ['sʌkiŋpig] *s.* porcellino da latte.

to **suckle** ['sʌkl] *v.tr.* allattare.

suckling ['sʌkliŋ] *s.* lattante; lattonzolo.

sucrose ['sju:krous] *s.* zucchero di canna.

suction ['sʌkʃən] *s.* succhiamento; risucchio; (*tecn.*) aspirazione: *to adhere by —*, aderire a ventosa.

suction pump ['sʌkʃənpʌmp] *s.* pompa aspirante.

sudarium [sju(:)'deəriəm], *pl.* **sudaria** [sju(:)'deəriə] *s.* sudario.

sudden ['sʌdn] *agg.* improvviso, repentino *// all of a —*, all'improvviso.

suddenly ['sʌdnli] *avv.* improvvisamente, bruscamente.

sudorific [,sju:də'rifik] *agg.* e *s.* sudorifero.

suds [sʌdz] *s.pl.* schiuma di sapone (*sing.*), saponata (*sing.*).

to **sue** [sju:] *v.tr.* **1** citare in giudizio: *liable to be sued*, perseguibile; *to — s.o. for damages*, far causa a qlcu. per danni **2** supplicare ♦ *v.intr.* **1** ricorrere in giudizio **2** presentare suppliche, richiedere.

suède [sweid] *s.* pelle scamosciata.

suet [sjuit] *s.* strutto.

suety ['sjuiti] *agg.* sugnoso, grasso.

to **suffer** ['sʌfə*] *v.tr.* **1** soffrire; subire; patire **2** permettere; tollerare ♦ *v.intr.* soffrire *// to — from*, essere afflitto da; risentire di: *my business is suffering from the*

crisis, i miei affari risentono della crisi *// to — for*, essere punito per, scontare.

sufferable ['sʌfərəbl] *agg.* sopportabile.

sufferance ['sʌfərəns] *s.* tacito assenso, accettazione; tolleranza: *on —*, appena tollerabile.

suffering ['sʌfəriŋ] *s.* **1** sofferenza; dolore **2** sopportazione; tolleranza.

to **suffice** [sə'fais] *v.intr.* bastare, essere sufficiente, adeguato ♦ *v.tr.* soddisfare (i bisogni di).

sufficiency [sə'fiʃənsi] *s.* sufficienza, l'essere sufficiente; quantità sufficiente.

sufficient [sə'fiʃənt] *agg.* sufficiente, bastevole.

suffix ['sʌfiks] *s.* (*gramm.*) suffisso.

to **suffix** *v.tr.* (*gramm.*) aggiungere un suffisso (a).

to **suffocate** ['sʌfəkeit] *v.tr.* e *intr.* soffocare.

suffocation [,sʌfə'keiʃən] *s.* soffocamento.

suffrage ['sʌfridʒ] *s.* suffragio.

suffragette [,sʌfrə'dʒet] *s.* suffragetta.

to **suffuse** [sə'fju:z] *v.tr.* soffondere; coprire; cospargere; inondare.

sugar ['ʃugə*] *s.* **1** zucchero *// — almond*, confetto *// castor —*, zucchero in polvere *// granulated —*, zucchero semolato *// — lump —*, zucchero in zollette **2** (*fig.*) lusinghe (*pl.*); adulazione **3** (*fam.*) amore.

to **sugar** *v.tr.* inzuccherare; addolcire (*anche fig.*) *// to — the pill*, indorare la pillola.

sugar beet ['ʃugə,bi:t] *s.* barbabietola da zucchero.

sugar bowl ['ʃugəboul] *s.* zuccheriera.

sugar candy ['ʃugə'kændi] *s.* zucchero filato, zuccherino.

sugarcane ['ʃugəkein] *s.* canna da zucchero.

sugarcoated ['ʃugə,koutid] *agg.* **1** ricoperto di zucchero; glassato *// — almond*, confetto **2** (*fig.*): *a — girl*, una piccola ipocrita; *a — speech*, un discorso melato; *a — expression for*, un gentile eufemismo per; *a — remedy*, un palliativo.

sugar daddy ['ʃugə'dædi] *s.* (*amer.*) maturo accompagnatore.

sugariness ['ʃugərinis] *s.* **1** dolcezza **2** (*fig.*) mellifluità.

sugarloaf ['ʃugəlouf] *s.* pan di zucchero.

sugarplum ['ʃugəplʌm] *s.* fondente.

sugary ['ʃugəri] *agg.* zuccherino, zuccheroso; (*fig.*) mellifluo; adulatorio.

to **suggest** [sə'dʒest, (*amer.*) səg'dʒest] *v.tr.* **1** suggerire; proporre **2** insinuare; alludere; far pensare (a).

suggestibility [sə,dʒesti'biliti, (*amer.*) səg,dʒesti'biliti] *s.* suggestionabilità.

suggestible [sə'dʒestibl, (*amer.*) səg'dʒestibl] *agg.* **1** suggeribile **2** suggestionabile.

suggestion [sə'dʒestʃən, (*amer.*) səg'dʒestʃən] *s.* **1** suggerimento; consiglio; proposta **2** allusione; insinuazione **3** lieve traccia; una punta **4** suggestione.

suggestive [sə'dʒestiv, (*amer.*) səg'dʒestiv] *agg.* **1** stimolante, che richiama alla mente **2** allusivo.

suggestiveness [sə'dʒestivnis, (*amer.*) səg'dʒestivnis] *s.* carattere allusivo, indicativo.

suicidal [sjui'saidl] *agg.* **1** suicida; che ha tendenze al suicidio **2** (*fig.*) fatale, rovinoso.

suicide ['sjuisaid] *s.* **1** suicidio (*anche fig.*): *to commit —*, suicidarsi **2** suicida.

suit [su:t; sju:t] *s.* **1** abito completo (da uomo); tailleur (da donna) *// bathing —*, costume da bagno *// space —*, tuta spaziale **2** (*dir.*) causa: *to bring a — against s.o.*, intentar causa a qlcu. **3** (*ant.*) richiesta; domanda (di matrimonio) **4** *— of armour*, armatura completa **5** (*di carte*) seme // *to follow* —, (*fig.*) seguire l'esempio, fare altrettanto.

to **suit** *v.tr.* **1** soddisfare, andar bene (a, per); addirsi (a) // *to* — *oneself*, agire secondo i propri desideri: — *yourself*, fa' come ti pare **2** adattare; essere adatto (a), appropriato (a) ♦ *v.intr.* andar bene; soddisfare.

suitability [ˌsjuːtəˈbiliti] *s.* **1** adattabilità **2** convenienza; opportunità.

suitable [ˈsjuːtəbl] *agg.* **1** adatto; adeguato, appropriato **2** opportuno; conveniente // *wherever you think* —, dove meglio credi.

suitcase [ˈsjuːtkeis] *s.* valigia.

suite [swiːt] *s.* **1** *a* — *of rooms*, un appartamento; — *of furniture*, mobilia per una stanza **2** seguito, corteo **3** (*mus.*) suite.

suitor [ˈsjuːtə*] *s.* corteggiatore.

sulfa [ˈsʌlfə] *agg.* e *s.* (*amer.*): — (*drug*), (*farm.*) sulfamidico.

sulfate, sulfide, sulfite (*amer.*) → **sulphate, sulphide, sulphite**.

sulfur e *deriv.* (*amer.*) → **sulphur** e *deriv.*

to **sulk** [sʌlk] *v.intr.* tenere il broncio.

sulkiness [ˈsʌlkinis] *s.* malumore.

sulks [sʌlks] *s.pl.* malumore (*sing.*), broncio (*sing.*): *to have the* —, avere il broncio.

sulky [ˈsʌlki] *agg.* imbronciato; scontroso.

sullen [ˈsʌlən] *agg.* **1** accigliato, imbronciato **2** tetro, cupo.

to **sully** [ˈsʌli] *v.tr.* macchiare (*anche fig.*).

sulpha *agg.* e *s.*: — (*drug*), (*farm.*) sulfamidico.

sulphate [ˈsʌlfeit] *s.* (*chim.*) solfato.

sulphide [ˈsʌlfaid] *s.* (*chim.*) solfuro.

sulphite [ˈsʌlfait] *s.* (*chim.*) solfito.

sulphonamide [ˌsʌlˈfonəmaid] *s.* (*chim. farm.*) sulfamidico.

sulphur [ˈsʌlfə*] *s.* **1** (*chim.*) zolfo // — *mine*, solfatara // — *spring*, sorgente solforosa **2** farfalla gialla.

to **sulphurate** [ˈsʌlfjureit] *v.tr.* (*ind. chim.*) solforare.

sulphureous [sʌlˈfjuriəs] *agg.* **1** sulfureo **2** del colore dello zolfo.

sulphuretted [ˈsʌlfjuretid] *agg.* (*chim.*) solforato.

sulphuric [sʌlˈfjuərik] *agg.* (*chim.*) solforico.

sulphurous [ˈsʌlfjurəs] *agg.* **1** (*chim.*) solforoso **2** che puzza di zolfo; diabolico **3** giallo pallido.

sultan [ˈsʌltən] *s.* sultano.

sultana [sʌlˈtɑːnə] *s.* **1** sultana **2** uva sultanina.

sultanate [ˈsʌltənit] *s.* sultanato.

sultriness [ˈsʌltrinis] *s.* afa, caldo soffocante.

sultry [ˈsʌltri] *agg.* **1** afoso, soffocante **2** (*fig.*) provocante, sexy **3** violento.

sum [sʌm] *s.* **1** somma **2** (*mat.*) addizione; operazione aritmetica: *to do sums*, far calcoli.

to **sum** *v.tr.*: *to* — *up*, addizionare; fare una somma; riassumere, ricapitolare ♦ *v.intr.*: *to* — *up*, ricapitolare i fatti.

summarily [ˈsʌmərili] *avv.* sommariamente.

to **summarize** [ˈsʌməraiz] *v.tr.* riassumere.

summary [ˈsʌməri] *agg.* e *s.* sommario.

summation [sʌˈmeiʃən] *s.* **1** addizione, somma **2** riassunto (di un discorso).

summer [ˈsʌmə*] *s.* **1** estate // *Indian* —, estate di San Martino // *one swallow does not make a* —, (*prov.*) una rondine non fa primavera **2** *pl.* (*fig.*) anni: *a child of three summers*, un bambino di tre anni ♦ *agg.* estivo; d'estate.

to **summer** *v.intr.* **1** trascorrere l'estate **2** estivare.

summerhouse [ˈsʌməhaus] *s.* chiosco, padiglione (in un giardino).

summer school [ˈsʌmə'skuːl] *s.* corso estivo.

summertime [ˈsʌmətaim] *s.* stagione estiva, estate.

summer time *s.* ora legale, ora estiva.

summery [ˈsʌməri] *agg.* estivo.

summing-up [ˈsʌmiŋˈʌp] *s.* ricapitolazione dei fatti.

summit [ˈsʌmit] *s.* cima; (*fig.*) culmine, apice.

summit meeting [ˈsʌmitˌmiːtiŋ] *s.* (*fam.*) incontro al vertice.

to **summon** [ˈsʌmən] *v.tr.* **1** convocare; mandare a chiamare; fare appello (a): *to* — *up all one's courage*, (*fig.*) raccogliere tutto il proprio coraggio **2** intimare.

summons [ˈsʌmənz] *s.* convocazione; chiamata; (*dir.*) citazione.

to **summons** *v.tr.* citare in giudizio.

sump [sʌmp] *s.* **1** (*mecc.*) coppa dell'olio **2** (*min.*) bacino di pompaggio.

sumptuary [ˈsʌmptjuəri] *agg.* suntuario.

sumptuous [ˈsʌmptjuəs] *agg.* sontuoso, fastoso.

sun [sʌn] *s.* **1** sole; (*fig.*) astro: *the* — *is down*, il sole è tramontato; *the* — *is up*, il sole è sorto; *to sit in the* —, sedersi al sole; *full in the* —, in pieno sole // *his* — *is set*, (*fig.*) il suo astro è tramontato // *a place in the* —, (*fig.*) un posto al sole **2** (*astr.*) stella fissa.

to **sun** *v.tr.* esporre al sole ♦ *v.intr.* prendere il sole.

to **sunbathe** [ˈsʌnbeiθ] *v.intr.* prendere il sole.

sunbathing [ˈsʌnˌbeiθiŋ] *s.* bagno di sole.

sunbeam [ˈsʌnbiːm] *s.* raggio di sole.

sunblind [ˈsʌnblaind] *s.* tenda parasole.

sunbonnet [ˈsʌnˌbonit] *s.* cappellino da sole.

sunburn [ˈsʌnbəːn] *s.* abbronzatura; scottatura (solare).

sunburnt [ˈsʌnbəːnt] *agg.* abbronzato; scottato (dal sole).

sunburst [ˈsʌnbəːst] *s.* sprazzo di sole.

sundae [ˈsʌndei, (*amer.*) 'sʌndiː] *s.* gelato con sciroppo e frutta.

Sunday [ˈsʌndi] *s.* domenica // *Palm* —, Domenica delle Palme // *Low* —, Domenica in Albis // *Easter* —, Domenica di Pasqua // *in a month of Sundays*, (*fam.*) alle calende greche // *for a month of Sundays*, (*fam.*) da secoli.

Sunday school [ˈsʌndiˈskuːl] *s.* scuola domenicale (di istruzione religiosa).

to **sunder** [ˈsʌndə*] *v.tr.* separare ♦ *v.intr.* separarsi.

sundial [ˈsʌndaiəl] *s.* meridiana.

sundown [ˈsʌndaun] *s.* tramonto.

sundries [ˈsʌndriz] *s.pl.* generi diversi; cianfrusaglie.

sundry [ˈsʌndri] *agg.* parecchi, vari: *all and* —, ciascuno e tutti.

sunflower [ˈsʌnˌflauə*] *s.* (*bot.*) girasole.

sung *p.pass.* di to **sing**.

sunglasses [ˈsʌnˌglɑːsiz] *s.pl.* occhiali da, per il sole.

sun god [ˈsʌngod] *s.* dio Sole.

sun hat [ˈsʌnhæt] *s.* cappello per il sole.

sun helmet [ˈsʌnˌhelmit] *s.* casco (coloniale).

sunk *p.pass.* di to **sink** ♦ *agg.* rovinato, perduto.

sunken [ˈsʌŋkən] *agg.* **1** affondato; sprofondato; sommerso **2** cavo, incavato.

sunlamp [ˈsʌnlæmp] *s.* lampada a raggi ultravioletti.

sun light [ˈsʌnlait] *s.* luce del sole.

sunlit [ˈsʌnlit] *agg.* illuminato dal sole, soleggiato.

sun lounge [ˈsʌnlaundʒ] *s.* solarium.

sunny [ˈsʌni] *agg.* **1** luminoso; soleggiato // — *-side up*, all'occhio di bue (di uovo) **2** (*fig.*) ridente, allegro: *the* — *side of the matter*, il lato buono della faccenda.

sun-parlour [ˈsʌnˌpɑːlə*] *s.* (*amer.* per *sun lounge*) solarium.

sunproof [ˈsʌnpruːf] *agg.* inalterabile al sole.

sunray lamp [ˈsʌnreilæmp] *s.* lampada a raggi ultravioletti.

sunrise [ˈsʌnraiz] *s.* alba.

sunroof [ˈsʌnˈruːf] *s.* (*aut.*) tettuccio apribile.

sunset [ˈsʌnset] *s.* tramonto (*anche fig.*).

sunshade [ˈsʌnʃeid] *s.* 1 parasole 2 visiera.

sunshine [ˈsʌnʃain] *s.* 1 luce del sole; bel tempo: *in the —*, al sole 2 (*fig.*) gioia.

sunspot [ˈsʌnspɔt] *s.* 1 macchia solare 2 (*fam.*) località molto soleggiata.

sunstroke [ˈsʌnstrouk] *s.* colpo di sole.

sunsuit [ˈsʌnsjuːt] *s.* prendisole.

suntan [ˈsʌntæn] *s.* abbronzatura ♦ *agg.* abbronzante: *— lotion oil*, lozione, olio abbronzante.

suntrap [ˈsʌntræp] *s.* luogo soleggiato e protetto.

sun up [ˈsʌnʌp] *s.* (*fam.*) alba.

sunward [ˈsʌnwəd] *agg.* e *avv.* verso il sole.

sup[1] [sʌp] *s.* sorso.

to sup[1] *v.tr.* e *intr.* sorseggiare, bere (qlco.).

to sup[2] *v.intr.* cenare: *to — on fruit*, fare una cena a base di frutta ♦ *v.tr.* procurare la cena (a).

super- [ˈsuːpə*] *pref.* super-, sovra-.

super *agg.* (*fam.*) sopraffino; eccellente ♦ *s.* (*fam.*) 1 (*teatr.*) comparsa 2 sovrintendente, ispettore (di polizia).

superable [ˈsuːpərəbl] *agg.* superabile.

superabundance [ˌsuːpərəˈbʌndəns] *s.* sovrabbondanza.

superabundant [ˌsuːpərəˈbʌndənt] *agg.* sovrabbondante, copioso.

to superannuate [ˌsuːpəˈrænjueit] *v.tr.* collocare a riposo per limiti di età; mandare in pensione.

superannuated [ˌsuːpəˈrænjueitid] *agg.* 1 inabile per età; che ha raggiunto il limite di età 2 passato di moda, sorpassato.

superannuation [ˌsuːpəˌrænjuˈeiʃən] *s.* 1 inabilità per vecchiaia 2 collocamento a riposo 3 pensione per vecchiaia.

superb [sju(ː)ˈpəːb] *agg.* superbo, eccellente.

supercharged [ˈsuːpətʃɑːdʒd] *agg.* (*mecc.*) 1 sovralimentato 2 (*fig.*) dinamico.

supercharger [ˈsuːpəˌtʃɑːdʒə*] *s.* (*mecc.*) compressore.

supercharging [ˈsuːpəˌtʃɑːdʒiŋ] *s.* (*mecc.*) sovralimentazione.

supercilious [ˌsuːpəˈsiliəs] *agg.* arrogante.

superdominant [ˌsuːpəˈdɔminənt] *s.* (*mus.*) sopradominante.

superduper [ˌsuːpəˈdjuːpə*] *agg.* (*sl.*) formidabile, fantastico.

superego [ˈsuːpərˈegou, (*amer.*) ˈsuːpərˈiːgou] *s.* (*psic.*) super-io.

supereminent [ˌsuːpərˈeminənt] *agg.* preminente.

superficial [ˌsuːpəˈfiʃəl] *agg.* 1 di superficie 2 superficiale, poco profondo.

superficiality [ˌsuːpəˌfiʃiˈæliti] *s.* superficialità.

superficies [ˌsuːpəˈfiʃiːz] *s.* (*pl. invar.*) superficie.

superfine [ˈsuːpəˈfain] *agg.* sopraffino.

superfluity [ˌsuːpəˈfluˑ(ː)iti] *s.* superfluo; eccesso.

superfluous [suːpəˈfluəs] *agg.* superfluo; eccessivo.

super-grass [ˌsuːpəˈgrɑːs] *s.* (*sl.*) superinformatore.

to superheat [ˈsuːpəˈhiːt] *v.tr.* surriscaldare (liquidi).

superhuman [ˌsuːpəˈhjuːmən] *agg.* sovrumano.

to superimpose [ˈsuːpərimˈpouz] *v.tr.* sovrapporre.

to superintend [ˌsuːprinˈtend] *v.tr.* sovrintendere (a) ♦ *v.intr.* fare il sovrintendente.

superintendent [ˌsuːprinˈtendənt] *s.* sovrintendente.

superior [suːˈpiəriə*] *agg.* 1 superiore: *to be overcome by — numbers*, essere sopraffatto da forze superiori // *— to*, superiore a, migliore di // *don't put on — airs*, non darti tante arie! 2 altezzoso, di superiorità: *with a — smile*, con un sorriso di superiorità ♦ *s.* 1 superiore: *he has no — in courage*, nessuno lo supera in coraggio 2 *Superior*, Superiore, Superiora (di monastero ecc.): *Mother Superior*, Madre Superiora.

superiority [suːˌpiəriˈɔriti] *s.* superiorità.

superlative [suːˈpəːlətiv] *agg.* e *s.* superlativo // *to speak in superlatives*, lodare esageratamente.

superman [ˈsuːpəmæn], *pl.* **supermen** [ˈsuːpəmən] *s.* superuomo.

supermarket [ˈsuːpəˌmɑːkit] *s.* supermercato.

supernational [ˈsuːpəˈnæʃənl] *agg.* supernazionale.

supernatural [ˌsuːpəˈnætʃrəl] *agg.* soprannaturale, straordinario; miracoloso.

supernumerary [ˌsuːpəˈnjuːmərəri] *agg.* in soprannumero ♦ *s.* 1 persona, cosa in soprannumero 2 (*cinem. teatr.*) comparsa.

superphosphate [ˌsuːpəˈfɔsfeit] *s.* (*chim.*) perfosfato.

supersaturation [ˈsuːpəˌsætʃəˈreiʃən] *s.* soprassaturazione.

to superscribe [ˈsuːpəˈskraib] *v.tr.* fare una iscrizione, una soprascritta (su).

superscription [ˌsuːpəˈskripʃən] *s.* soprascritta; iscrizione, intestazione.

to supersede [ˌsuːpəˈsiːd] *v.tr.* rimpiazzare, sostituire; prendere il posto (di).

supersensitive [ˌsuːpəˈsensitiv] *agg.* ipersensibile.

supersession [ˌsuːpəˈseʃən] *s.* sostituzione.

supersonic [ˌsuːpəˈsɔnik] *agg.* 1 ultrasonico 2 (*aer.*) supersonico: *— bang*, rumore prodotto da un aereo quando passa la barriera del suono.

superstition [ˌsuːpəˈstiʃən] *s.* superstizione.

superstitious [ˌsuːpəˈstiʃəs] *agg.* superstizioso.

superstructure [ˈsuːpəˌstrʌktʃə*] *s.* sovrastruttura.

to supervise [ˈsuːpəvaiz] *v.tr.* sorvegliare; sovrintendere (a).

supervision [ˌsuːpəˈviʒən] *s.* sorveglianza; sovrintendenza.

supervisor [ˈsuːpəˌvaizə*] *s.* 1 sovrintendente; sorvegliante; ispettore 2 (*informatica*) programma supervisore.

supervisory [ˈsuːpəvaizəri] *agg.* di sorveglianza, di controllo.

supine [suːˈpain] *agg.* 1 supino, sdraiato 2 passivo; indolente.

supper [ˈsʌpə*] *s.* cena: *to have —*, cenare.

suppertime [ˈsʌpətaim] *s.* ora di cena.

to supplant [səˈplɑːnt] *v.tr.* soppiantare.

supple [ˈsʌpl] *agg.* 1 pieghevole, flessibile; elastico 2 (*fig.*) arrendevole; ossequioso.

to supple *v.tr.* rendere flessibile, docile ♦ *v.intr.* divenire flessibile, docile.

supplement [ˈsʌplimənt] *s.* supplemento; appendice.

to supplement [ˈsʌpliment] *v.tr.* completare, integrare.

supplemental [ˌsʌpliˈmentl], **supplementary** [ˌsʌpliˈmentəri] *agg.* supplementare.

suppleness [ˈsʌplnis] *s.* 1 flessibilità; elasticità 2 compiacenza, arrendevolezza.

suppliant [ˈsʌpliənt] *agg.* supplichevole ♦ *s.* supplicante.

supplicant [ˈsʌplikənt] *s.* supplice, supplicante.

to **supplicate** ['sʌplikeit] *v.tr.* supplicare.

supplication [,sʌpli'keiʃən] *s.* supplica.

supplier [sə'plaiə*] *s.* fornitore.

supply [sə'plai] *s.* **1** rifornimento, approvvigionamento; scorta: *fresh —*, rinforzi (di truppe ecc.); *that shop has a large — of hats*, quel negozio ha una grande scelta di cappelli; *to cut off the enemy's supplies*, tagliare i viveri al nemico // *food supplies*, vettovaglie // *— lines*, retrovie **2** (*comm.*) fornitura; offerta: *demand and —*, domanda e offerta **3** sostituto; supplente: *— teacher*, supplente.

to **supply** *v.tr.* **1** fornire, provvedere, rifornire: *I shall — him with the necessary equipment*, gli fornirò l'equipaggiamento necessario **2** soddisfare: *to — the demand*, (*comm.*) soddisfare la richiesta di merci.

support [sə'pɔ:t] *s.* sostegno, appoggio: *to give — to a roof*, puntellare un tetto // *in — of*, in favore di // *price supports*, (*amer.*) sussidi governativi agli agricoltori.

to **support** *v.tr.* **1** sostenere (*anche fig.*) // *to — one's children*, mantenere i propri figli **2** tollerare; sopportare.

supportable [sə'pɔ:təbl] *agg.* sopportabile.

supporter [sə'pɔ:tə*] *s.* sostenitore; sostegno.

supposal [sə'pouzl] *s.* supposizione.

to **suppose** [sə'pouz] *v.tr.* supporre, presumere; presupporre: *— we leave at once?*, e se partissimo subito?; *I — so*, credo di sì; *I am not supposed to do it*, non ci si aspetta che io lo faccia.

supposed [sə'pouzd] *agg.* presunto, supposto.

supposedly [sə'pouzidli] *avv.* per supposizione.

supposition [,sʌpə'ziʃən] *s.* supposizione, congettura: *on the —*, per supposizione.

supposititious [sə,pɒzi'tiʃəs] *agg.* falso, spurio.

suppository [sə'pɒzitəri] *s.* (*farm.*) supposta.

to **suppress** [sə'pres] *v.tr.* **1** sopprimere, reprimere: *to — a revolt*, sedare una rivolta; *to — a yawn*, soffocare uno sbadiglio **2** nascondere, tener nascosto.

suppression [sə'preʃən] *s.* soppressione.

to **suppurate** ['sʌpjuəreit] *v.intr.* suppurare.

suppuration ['sʌpju:,reiʃn] *s.* suppurazione.

supranational ['su:prə'næʃənl] *agg.* supernazionale.

supremacy [su:'preməsi] *s.* supremazia.

supreme [su:'pri:m] *agg.* sommo, supremo; massimo.

surcharge ['sə:tʃɑ:dʒ] *s.* **1** sovrapprezzo **2** carico eccessivo **3** soprattassa; penale.

to **surcharge** [sə:'tʃɑ:dʒ] *v.tr.* **1** sovraccaricare **2** applicare un sovrapprezzo.

surcingle ['sə:siŋgl] *s.* **1** sottopancia **2** cintura (di veste talare).

surd [sə:d] *agg.* (*mat.*) irrazionale ♦ *s.* (*mat.*) numero irrazionale.

sure [ʃuə*] *agg.* **1** sicuro, certo; inevitabile; fidato: *he's — he will come*, è sicuro di venire // *as — as can be*, indubbiamente // *be — to come tomorrow!*, non mancare di venire domani! // *to be —*, (*fam.*) senza dubbio, d'accordo // *to make —*, essere sicuro; accertarsi; *to make — of*, assicurarsi di **2** saldo.

sure *avv.* e *inter.* (*fam.*) certamente, davvero // *— enough*, certamente, effettivamente.

surefire ['ʃuəfaiə*] *agg.* (*fam.*) sicuro.

surefooted ['ʃuə'futid] *agg.* dal piede fermo; (*fig.*) che non fa passi falsi.

surely ['ʃuəli] *avv.* **1** con sicurezza; bene **2** certamente; senza dubbio.

sureness ['ʃuənis] *s.* sicurezza; certezza.

surety ['ʃuərəti, (*amer.*) 'ʃuərti] *s.* **1** certezza

2 garante: *to stand* (o *to go*) *— for s.o.*, farsi garante per qlcu. **3** garanzia, pegno.

surf [sə:f] *s.* **1** schiuma (dell'onda) **2** (*sport*) «surf».

surface ['sə:fis] *s.* superficie; (*fig.*) apparenza: *on the —*, in superficie // *— noise*, fruscio di disco rovinato ♦ *agg. attr.* superficiale: *— wound*, ferita superficiale.

to **surface** *v.tr.* rifinire, spianare la superficie (di) ♦ *v.intr.* affiorare.

surfboard ['sə:fbɔ:d] *s.* tavola per praticare il «surf».

surfeit ['sə:fit] *s.* eccesso; sazietà.

to **surfeit** *v.tr.* rimpinzare; saziare (*anche fig.*) ♦ *v.intr.* rimpinzarsi; saziarsi (*anche fig.*).

surfing ['sə:fiŋ], **surf-riding** ['sə:f,raidiŋ] *s.* **1** (*sport*) «surf» **2** il praticare il «surf».

to **surfride** ['sə:fraid] *v.intr.* fare del «surf».

surge [sə:dʒ] *s.* **1** maroso, flutto **2** (*fig.*) impeto.

to **surge** *v.intr.* gonfiarsi; montare, sollevarsi (come un'ondata).

surgeon ['sə:dʒən] *s.* chirurgo; (*mil.*) ufficiale medico.

surgery ['sə:dʒəri] *s.* **1** chirurgia **2** ambulatorio; studio medico; ore di visita **3** (*amer.*) reparto chirurgico.

surgical ['sə:dʒikəl] *agg.* chirurgico // *— boot*, scarpa correttiva, ortopedica.

surly ['sə:li] *agg.* arcigno; scontroso; sgarbato // *he is as — as a bear*, è proprio un orso.

surmise ['sə:maiz] *s.* supposizione.

to **surmise** [sə'maiz] *v.tr.* supporre; sospettare ♦ *v.intr.* fare supposizioni.

to **surmount** [sə:'maunt] *v.tr.* sormontare: *to — a difficulty*, superare una difficoltà.

surname ['sə:neim] *s.* cognome.

to **surname** *v.tr.* **1** dare il cognome (a): *he is surnamed Smith*, il suo cognome è Smith **2** soprannominare.

to **surpass** [sə:'pɑ:s] *v.tr.* superare.

surpassing [sə:'pɑ:siŋ] *agg.* incomparabile.

surplice ['sə:pləs] *s.* (*eccl.*) cotta.

surplus ['sə:pləs] *s.* sovrappiù, eccedenza, avanzo: *— of assets over liabilities*, (*comm.*) eccedenza dell'attivo sul passivo; *to have a — of sthg.*, avere qlco. in sovrappiù // *— population*, eccesso di popolazione // *— value*, plusvalore.

surprise [sə'praiz] *s.* sorpresa: *much to my —* (o *to my great —*), con mia grande meraviglia; *to watch s.o. in —*, guardare qlcu. con stupore; *to give s.o. a —*, fare una sorpresa a qlcu. // *— attack*, attacco di sorpresa // *— visit*, visita inaspettata.

to **surprise** *v.tr.* sorprendere: *I am surprised at you!*, mi stupisco di te!; *I should not be surprised if...*, non mi stupirei se, che...

surprising [sə'praiziŋ] *agg.* sorprendente.

surrealism [sə'riəlizəm] *s.* surrealismo.

surrealist [sə'riəlist] *agg.* e *s.* surrealista.

surrender [sə'rendə*] *s.* abbandono; resa.

to **surrender** *v.tr.* cedere; abbandonare; arrendersi (*anche fig.*): *to — all hopes*, abbandonare ogni speranza; *to — oneself to justice*, consegnarsi alla giustizia ♦ *v.intr.* arrendersi: *to — to the enemy*, arrendersi al nemico.

surreptitious [,sʌrəp'tiʃəs] *agg.* clandestino; furtivo; segreto.

surrogate ['sʌrəgit] *s.* sostituto; delegato.

to **surround** [sə'raund] *v.tr.* circondare, cingere, attorniare; accerchiare.

surrounding [sə'raundiŋ] *agg.* circostante, vicino.

surroundings [sə'raundiŋz] *s.pl.* **1** dintorni; vicinanze **2** ambiente (*sing.*), condizioni ambientali (*anche fig.*).

surtax [ˈsəːtæks] *s.* tassa addizionale sui redditi alti.

to **surtax** [səːˈtæks] *v.tr.* imporre una soprattassa (a).

surveillance [səːˈveiləns] *s.* sorveglianza; osservazione.

survey [ˈsəːvei] *s.* **1** esame, indagine; panoramica: *a — of American literature*, un panorama della letteratura americana; *to take a — of*, esaminare (una questione) **2** rapporto; perizia: *to make a —*, fare una perizia **3** rilievo topografico // *air —*, rilievo aereo.

to **survey** [səːˈvei] *v.tr.* **1** contemplare; guardare **2** esaminare; ispezionare **3** misurare, rilevare.

surveyor [səˈ(ː)ˈveiə*] *s.* **1** agrimensore; topografo **2** ispettore; sovrintendente.

survival [səˈvaivəl] *s.* **1** sopravvivenza // *— rate*, percentuale di sopravvivenza **2** avanzo, reliquia: *a — of times past*, un vestigio dei tempi andati.

to **survive** [səˈvaiv] *v.tr.* e *intr.* sopravvivere (a), vivere più a lungo (di).

survivor [səˈvaivə*] *s.* superstite.

Susan [ˈsuːzn] *no.pr.f.* Susanna.

susceptibility [səˌseptəˈbiliti] *s.* **1** suscettibilità **2** *pl.* sensibilità (*sing.*) **3** predisposizione.

susceptible [səˈseptəbl] *agg.* **1** suscettibile: *a very — child*, un bimbo molto permaloso // *— of*, suscettibile di **2** sensibile: *— to*, sensibile a **3** soggetto, predisposto.

susceptive [səˈseptiv] *agg.* suscettivo.

suspect [ˈsʌspekt] *agg.* sospetto: *to hold s.o. —*, sospettare di qlcu. ♦ *s.* persona sospetta.

to **suspect** [səsˈpekt] *v.tr.* **1** sospettare (di); dubitare (di) **2** credere; aver l'impressione ♦ *v.intr.* essere sospettoso.

to **suspend** [səsˈpend] *v.tr.* **1** appendere, tenere sospeso **2** sospendere; differire: *to — a licence*, ritirare una licenza (patente ecc.); *to — a sentence*, (*dir.*) accordare la condizionale.

suspender belt [səsˈpendəˌbelt] *s.* reggicalze.

suspenders [səsˈpendəz] *s.pl.* **1** giarrettiere (*amer.* per *braces*) bretelle.

suspense [səsˈpens] *s.* **1** «suspense»; ansia **2** (*dir.*) sospensione.

suspension [səsˈpenʃən] *s.* sospensione // *— bridge*, ponte sospeso // *front-wheel —*, (*aut.*) sospensione anteriore.

suspensory [səsˈpensəri] *agg.* sospensorio.

suspicion [səsˈpiʃən] *s.* **1** sospetto, dubbio: *he was right in his suspicions*, i suoi sospetti erano fondati; *he is above —*, è al di sopra di ogni sospetto; *to arrest* (o *to detain*) *s.o. on —*, (*dir.*) arrestare, trattenere qlcu. come sospetto; *to cast — on s.o.'s integrity*, sospettare dell'onestà di qlcu.; *to hold s.o. in —*, diffidare di qlcu. **2** pizzico (*anche fig.*), ombra.

suspicious [səsˈpiʃəs] *agg.* **1** sospettoso, diffidente **2** sospetto, losco.

suspiciousness [səsˈpiʃəsnis] *s.* **1** diffidenza, carattere sospettoso **2** natura sospetta.

suss *abbr.* di **suspicion**, (to) **suspect** // *on —*, come sospetto // *to — out*, (*fam.*) carpire, scoprire // *to be sussed*, essere fermato, e interrogato, come sospetto.

to **sustain** [səsˈtein] *v.tr.* **1** sostenere; sopportare: *a sustained effort*, uno sforzo prolungato **2** subire, soffrire.

sustenance [ˈsʌstinəns] *s.* mezzi di sussistenza (*pl.*); vitto; sostentamento.

sutler [ˈsʌtlə*] *s.* vivandiere.

suture [ˈsuːtʃə*] *s.* **1** (*anat. chir.*) sutura **2** filo, punto per le suture.

to **suture** *v.tr.* (*chir.*) suturare.

suzerain [ˈsuːzərein] *s.* **1** signore feudatario **2** Stato avente diritto di sovranità su un altro Stato.

suzerainty [ˈsuːzəreinti] *s.* sovranità.

svelte [svelt] *agg.* snello, flessuoso.

swab [swɔb] *s.* **1** strofinaccio; spugna (per pavimenti); (*mar.*) radazza **2** (*med.*) tampone **3** (*med.*) campione (di sangue, muco ecc.) assorbito dal tampone; striscio **4** (*sl.*) persona maldestra.

to **swab** *v.tr.* passare lo strofinaccio (su); (*mar.*) ramazzare // *to — up*, assorbire.

swabber [ˈswɔbə*] *s.* (*mar.*) mozzo.

Swabia [ˈsweibjə] *no.pr.* Svevia.

Swabian [ˈsweibjən] *agg.* e *s.* svevo.

to **swaddle** [ˈswɔdl] *v.tr.* **1** fasciare **2** infagottare.

swaddling clothes [ˈswɔdliŋklouðz] *s.pl.* fasce per bambini.

swag [swæg] *s.* (*sl.*) bottino ladresco; guadagni illegali (*pl.*).

swagger [ˈswægə*] *agg.* (*fam.*) vistoso; elegante ♦ *s.* andatura spavalda; boria; spavalderia.

to **swagger** *v.intr.* **1** muoversi, camminare con boria **2** vantarsi, gloriarsi.

swain [swein] *s.* **1** (*poet.*) pastorello **2** (*scherz.*) innamorato, corteggiatore.

swallow¹ [ˈswɔlou] *s.* rondine; rondone // *one — does not make a summer*, (*prov.*) una rondine non fa primavera.

swallow² *s.* **1** deglutizione; capacità d'inghiottire **2** boccone; sorso **3** gola, esofago.

to **swallow**² *v.tr.* **1** inghiottire (*anche fig.*) // *to — the bait*, (*fig.*) abboccare, lasciarsi prendere all'amo // *to — one's words*, rittrattare ciò che si è detto // *to — up*, inghiottire; sommergere; assorbire: *her expenses swallowed up my savings*, le sue spese esaurirono i miei risparmi **2** (*fig.*) assorbire; esaurire; divorare **3** accettare, credere facilmente.

swallow dive [ˈswɔloudaiv] *s.* tuffo ad angelo.

swallowtail [ˈswɔlouˌteil] *s.* **1** coda di rondine **2** marsina, frac.

swam *pass.* di to **swim**.

swamp [swɔmp] *s.* palude; acquitrino.

to **swamp** *v.tr.* inondare; sommergere (*anche fig.*).

swampy [ˈswɔmpi] *agg.* paludoso, acquitrinoso.

swan [swɔn] *s.* cigno.

swan dive [ˈswɔndaiv] *s.* (*amer.* per *swallow dive*) tuffo ad angelo.

swank [swæŋk] *s.* (*fam.*) **1** eleganza vistosa **2** spocchia, boria.

to **swank** *v.intr.* darsi delle arie.

swanky [ˈswæŋki] *agg.* (*fam.*) **1** sfarzoso **2** arrogante, borioso.

swansdown [ˈswɔnzdaun] *s.* piumino di cigno.

swansong [ˈswɔnsɔŋ] *s.* (*fig.*) canto del cigno.

swap [swɔp] *s.* baratto; scambio.

to **swap** *v.tr.* barattare; scambiare ♦ *v.intr.* fare un baratto, uno scambio.

swapping [ˈswɔpiŋ] *s.* (*informatica*) sostituzione di un programma con un altro // *— routine*, sottoprogramma di trasferimento.

sward [swɔːd] *s.* zolla erbosa; terreno erboso.

swarm¹ [swɔːm] *s.* **1** sciame; folla, frotta.

to **swarm**¹ *v.intr.* **1** sciamare **2** pullulare, brulicare; essere affollato: *to — with*, brulicare di.

to **swarm**[2] *v.tr.* e *intr.* arrampicarsi: *to — (up) a pole*, arrampicarsi su un palo.

swarthy [ˈswɔːði] *agg.* dalla carnagione scura.

swash [swɔʃ] *s.* sciabordio; risacca.

to **swash** [swɔʃ] *v.tr.* schizzare (acqua) ♦ *v.intr.* sciabordare, battere rumorosamente (di acqua).

swashbuckler [ˈswɔʃˌbʌklə*] *s.* fanfarone.

swastika [ˈswɔstikə] *s.* svastica, croce uncinata.

swat [swɔt] *s.* acchiappamosche.

to **swat** *v.tr.* colpire, schiacciare d'un colpo (una mosca, una zanzara ecc.).

swathe [sweið] *s.* benda, fascia.

to **swathe** *v.tr.* fasciare, bendare.

sway [swei] *s.* 1 oscillazione 2 influenza, preponderanza; dominio: *to hold — over a people*, esercitare potere su un popolo.

to **sway** *v.intr.* oscillare; inclinarsi; piegarsi ♦ *v.tr.* 1 far oscillare; inclinare 2 impugnare (una spada, lo scettro ecc.) 3 governare; influenzare // *to refuse to be swayed*, essere inflessibile.

to **swear** [swɛə*], *pass.* **swore** [swɔː*], *p.pass.* **sworn** [swɔːn] *v.tr.* (far) giurare; (far) promettere solennemente: *to — in*, insediare in una carica facendo prestare giuramento ♦ *v.intr.* 1 bestemmiare; imprecare 2 *to — at* (*s.o.*, *sthg.*), maledire, ingiuriare 3 *to — by* (*s.o.*, *sthg.*), giurare (su); credere ciecamente in 4 *to — to* (*sthg.*), attestare, certificare sotto giuramento: *would you — to it?*, giuraresti che è vero?

swearing [ˈswɛəˈriŋ] *s.* 1 imprecazione 2 il giurare 3 l'imprecare.

swearword [ˈswɛəwɔːd] *s.* bestemmia.

sweat [swet] *s.* 1 sudore: *dripping with —*, grondante di sudore // *to be in a cold —*, (*fam.*) avere i sudori freddi // *— shirt*, (*amer.*) maglietta sportiva 2 (*fam.*) sudata; lavoro duro, fatica.

to **sweat** *v.intr.* 1 sudare, traspirare; trasudare 2 bagnare di sudore 3 penare, affaticarsi; sfacchinare ♦ *v.tr.* 1 (far) sudare; trasudare // *to — out*, (far) trasudare: *he is sweating out his cold*, cura il raffreddore con una sudata // *to — it out*, darci dentro per finire (qlco.) 2 sfruttare (dipendenti).

sweatband [ˈswetbænd] *s.* inceratino.

sweated [ˈswetid] *agg.* sfruttato (di dipendente).

sweater [ˈswetə*] *s.* 1 maglione di lana 2 chi suda 3 sfruttatore (di dipendenti).

sweat gland [ˈswetglænd] *s.* ghiandola sudorifera.

sweaty [ˈsweti] *agg.* 1 sudato, coperto di sudore; accaldato 2 che puzza di sudore.

Swede [swiːd] *s.* svedese.

Sweden [ˈswiːdn] *no.pr.* Svezia.

Swedish [ˈswiːdiʃ] *agg.* e *s.* (lingua) svedese.

sweep [swiːp] *s.* 1 spazzata, ramazzata, scopata // *to make a clean —*, sbarazzarsi (di); (*fig.*) vincere tutto // *at one —*, d'un colpo solo 2 movimento circolare; curva; (*fig.*) portata: *with a wide — of his arm*, con un largo gesto del braccio 3 movimento rapido in avanti, scatto; attacco 4 (*fam.*) spazzacamino 5 *abbr.* di **sweepstake**.

to **sweep**, *pass.* e *p.pass.* **swept** [swept] *v.tr.* 1 spazzare, scopare // *to — the board*, (*fam.*) stravincere // *to — the seas*, battere i mari // *to be swept off one's feet*, (*fam.*) essere conquistato // *to — the horizon*, percorrere l'orizzonte con lo sguardo 2 sfiorare, toccare leggermente 3 (*mar.*) dragare 4 *to — along*, trasportare (*anche fig.*) 5 *to — away*, spazzare via: *the bridge was swept away by the flood*, il ponte fu spazzato via dalla

piena 6 *to — up*, raccogliere scopando ♦ *v.intr.* 1 scopare 2 incedere maestosamente 3 muoversi rapidamente; dilagare; sporgersi 4 estendersi in linea continua, curva 5 *to — on*, avanzare regolarmente.

sweeping [ˈswiːpiŋ] *agg.* 1 ampio, vasto 2 radicale; assoluto; indiscriminato: *— statement*, generalizzazione.

sweepingly [ˈswiːpiŋli] *avv.* 1 completamente; in modo assoluto 2 rapidamente.

sweepings [ˈswiːpiŋz] *s.pl.* spazzatura (*sing.*), pattume (*sing.*).

sweepstake [ˈswiːpsteik] *s.* lotteria.

sweet [swiːt] *agg.* 1 dolce; amabile: *to taste —*, avere un sapore dolce // *to have a — tooth*, avere un debole per i dolci 2 fresco, non alterato; non rancido 3 profumato 4 piacevole; gentile, caro // *to be — on s.o.*, (*fam.*) avere una cotta per qlcu. ♦ *s.* 1 dolcezza // *my —!*, tesoro! 2 *pl.* piaceri, delizie 3 dolce; caramella ♦ *avv.* dolcemente.

sweetbread [ˈswiːtbred] *s.* (*cuc.*) animella.

sweetbrier [ˈswiːtˈbraiə*] *s.* rosa selvatica.

to **sweeten** [ˈswiːtn] *v.tr.* 1 zuccherare; addolcire 2 depurare (aria, acqua ecc.) ♦ *v.intr.* addolcirsi.

sweetener [ˈswiːtnə*] *s.* 1 dolcificante artificiale 2 mancia.

sweetening [ˈswiːtniŋ] *s.* 1 sostanza che addolcisce 2 addolcimento; alleviamento.

sweetheart [ˈswiːthɑːt] *s.* innamorato.

sweetie [ˈswiːti] *s.* 1 (*fam.*) innamorato 2 dolce; caramella // *— pie*, (*fam. amer.*) tesoro.

sweetmeat [ˈswiːtmiːt] *s.* pasticcino, dolce (spec. di zucchero o cioccolato).

sweetness [ˈswiːtnis] *s.* 1 dolcezza; amabilità 2 fragranza (di aria ecc.).

sweet pea [ˈswiːtpiː] *s.* pisello odoroso.

sweet potato [ˈswiːtpəˈteitou] *s.* batata, patata americana.

sweet william [ˈswiːtˈwiljəm] *s.* pianta di garofanino a mazzetti.

sweety *s.* → **sweetie**.

swell [swel] *agg.* 1 (*amer. fam.*) elegante; alla moda: *a — place*, ritrovo alla moda 2 eccellente // *that's —!*, è magnifico! ♦ *s.* 1 rigonfiamento; gonfiore 2 il gonfiarsi di massa d'acqua; moto ondoso; mare lungo; risacca 3 (*mus.*) crescendo seguito da diminuendo 4 (*amer.*) persona importante, pezzo grosso.

to **swell**, *pass.* **swelled** [sweld], *p.pass.* **swollen** [ˈswoulən], **swelled** *v.tr.* 1 gonfiare 2 (far) aumentare 3 far aumentare di intensità (un suono) ♦ *v.intr.* 1 gonfiarsi (*anche fig.*): *to — with pride*, gonfiarsi d'orgoglio 2 crescere, aumentare.

swelling [ˈsweliŋ] *s.* rigonfiamento; gonfiore; ponfo; tumefazione, infiammazione.

to **swelter** [ˈsweltə*] *v.intr.* soffocare per il caldo.

swept *pass.* e *p.pass.* di to **sweep**.

swerve [swɔːv] *s.* deviazione; scarto improvviso.

to **swerve** *v.intr.* e *tr.* (far) deviare (*anche fig.*).

swift [swift] *agg.* 1 rapido; agile 2 svelto, pronto: *he is — to anger*, è irascibile ♦ *avv.* rapidamente, prontamente ♦ *s.* rondone.

swift-footed [ˈswiftˈfutid] *agg.* dal piede veloce.

swift-handed [ˈswiftˈhændid] *agg.* dalle mani abili.

swiftness [ˈswiftnis] *s.* rapidità; prontezza.

swift-winged [ˈswiftwiŋd] *agg.* dal volo rapido.

swig [swig] *s.* lunga sorsata; bevuta.

to **swig** *v.tr.* e *intr.* (*sl.*) tracannare; bere a lunghi sorsi.

swill [swil] *s.* **1** risciacquatura **2** (*sl.*) bevuta abbondante.

to swill *v.tr.* e *intr.* **1** risciacquare (con molta acqua) **2** (*sl.*) tracannare, bere abbondantemente.

swiller ['swilə*] *s.* (*fam.*) ubriacone.

swillings ['swiliŋz] *s.pl.* acque di scarico; acqua sporca (*sing.*); risciacquatura (*sing.*).

swim [swim] *s.* nuotata: *to have* (o *to take*) *a* —, fare una nuotata, fare un bagno // *to be in the* —, (*fig.*) essere aggiornato.

to swim, *pass.* **swam** [swæm], *p.pass.* **swum** [swʌm] *v.intr.* **1** nuotare: *to* — *across a river*, attraversare un fiume a nuoto // *he is swimming in money*, nuota nell'oro // *to* — *with the tide*, (*fig.*) seguire la corrente **2** galleggiare **3** essere inondato, traboccare: *his eyes swam with tears*, aveva gli occhi pieni di lacrime **4** (*di testa*) girare: *it makes my head* —, mi fa girare la testa ♦ *v.tr.* (far) percorrere a nuoto: *to* — *a river*, attraversare un fiume a nuoto // *to* — *a race*, partecipare a una gara di nuoto.

swimmer ['swimə*] *s.* nuotatore.

swimming ['swimiŋ] *s.* nuoto.

swimming bath ['swimiŋˌbaθ] *s.* piscina pubblica (gener. coperta).

swim(ming) bladder ['swim,blædə*] *s.* vescica natatoria.

swimmingly ['swimiŋli] *avv.* agevolmente: *it is going* —, procede a meraviglia.

swimming pool ['swimiŋpu:l] *s.* piscina.

swimsuit ['swim,sju:t] *s.* costume da bagno.

swindle ['swindl] *s.* frode; intrallazzo.

to swindle *v.tr.* frodare; truffare: *to* — *money out of s.o.*, truffare del denaro a qlcu.

swindler ['swindlə*] *s.* truffatore; intrallazzatore.

swine [swain] *s.* (*pl. invar.*) maiale, porco.

swineherd ['swainhə:d] *s.* porcaro, porcara.

swing [swiŋ] *s.* **1** oscillazione; dondolio: *to give a hammock a* —, far dondolare un'amaca // *the* — *of the pendulum*, (*fig.*) l'alternarsi (di vicende, idee ecc.) // *to walk with a* —, camminare ondeggiando; ancheggiare // *to be in full* —, fervere (di attività); essere al culmine **2** colpo vibrato **3** altalena **4** ritmo (cadenzato) // *to go with a* —, avere un ritmo scorrevole; (*fig.*) (*di feste ecc.*) procedere benissimo **5** (*mus.*) «swing» (tipo di jazz).

to swing, *pass.* e *p.pass.* **swung** [swʌŋ] *v.intr.* **1** dondolare; oscillare; penzolare **2** dondolarsi sull'altalena **3** ruotare, girare: *the car swung left*, l'auto svoltò bruscamente a sinistra // *to* — *open*, spalancarsi (di porta) **4** (*fam.*) essere impiccato ♦ *v.tr.* **1** (far) dondolare; far oscillare; far penzolare // *to* — *the lead*, marcare visita **2** sterzare **3** agitare, brandire: *to* — *a sword*, brandire una spada **4** alzare, sollevare di scatto **5** *to* — *weight*, (*sl.*) avere influenza.

swinging ['swiŋiŋ] *agg.* **1** oscillante, dondolante **2** rapido; ritmico: — *stride*, passo sciolto, elastico **3** (*fam.*) in gamba; vigoroso; vivace.

swingle ['swiŋgl] *s.* (*ind. tessile*) gramola.

to swingle *v.tr.* gramolare, battere (lino ecc.).

swinish ['swainiʃ] *agg.* bestiale; sozzo.

swipe [swaip] *s.* colpo violento.

to swipe *v.tr.* **1** dare un colpo violento (a) **2** (*fam.*) sgraffignare; soffiare ♦ *v.intr.* colpire con forza.

swirl [swə:l] *s.* **1** turbinio; turbine, vortice **2** cordoncino.

to swirl *v.intr.* turbinare ♦ *v.tr.* far girare vorticosamente.

swish [swiʃ] *s.* **1** sibilo **2** sferzata.

to swish *v.intr.* **1** fischiare, sibilare **2** fendere l'aria (con un sibilo) **3** frusciare ♦ *v.tr.* **1** far sibilare: *the horse was swishing its tail*, il cavallo sferzava l'aria con la coda **2** (*fam.*) frustare.

Swiss [swis] *agg.* e *s.* svizzero.

switch [switʃ] *s.* **1** interruttore **2** (*ferr.*) scambio **3** capelli posticci (*pl.*); treccia falsa **4** verga **5** (*fig.*) svolta, mutamento improvviso, cambiamento **6** (*informatica*) programma supervisore.

to switch *v.tr.* **1** (*ferr.*) far deviare **2** (*fig.*) mutare bruscamente; spostare, deviare: *to* — *the conversation to another subject*, cambiare discorso **3** *to* — *off*, (*elettr.*) chiudere (un circuito); togliere (la corrente); spegnere **4** *to* — *on*, (*elettr.*) aprire (un circuito); innestare (la corrente); accendere **5** *to* — *over*, (*elettr.*) commutare; (*fig.*) passare a: *to* — *over to another party*, cambiar partito **6** agitare con forza: *to* — *a cane*, sferzare l'aria con una canna ♦ *v.intr.* **1** spostarsi; mutare direzione **2** *to* — *off*, (*elettr.*) spegnere la luce; staccare la corrente; (*tel.*) togliere la comunicazione **3** *to* — *on*, (*elettr.*) accendere la luce; innestare la corrente **4** *to* — *over*, trasferirsi, passare.

switchback ['switʃbæk] *s.* montagne russe (*pol.*).

switchblade ['switʃbleid] *s.* (*amer.* per *flick knife*) coltello a serramanico.

switchboard ['switʃbɔ:d] *s.* **1** quadro dei comandi **2** (*tel.*) tavolo di commutazione, centralino.

switched-on [,switʃt'ɔn] *agg.* (*fam.*) **1** sveglio **2** moderno **3** (*sl.*) drogato.

switchman, *pl.* **switchmen** ['switʃmən] *s.* (*ferr.*) scambista.

switch-over ['switʃouvə*] *s.* mutamento radicale.

Switzerland ['switsələnd] *no.pr.* Svizzera.

swivel ['swivl] *s.* (*mecc.*) perno; snodo // — *chair*, sedia girevole.

to swivel *v.tr.* e *intr.* (far) ruotare su un perno.

swivel-gun ['swivlgʌn] *s.* cannoncino (su piattaforma) girevole.

swiz [swiz], **swizzle** ['swizl] *s.* (*sl.*) bidone.

swizzle ['swizl] *s.* cocktail.

swizzle stick ['swizlstik] *s.* bastoncino per mescolare (bibite ecc.).

(to) swob ['swɔb] → (to) **swab**.

swollen *p.pass.* di to **swell** ♦ *agg.* gonfio; rigonfio.

swollen-headed ['swoulənhedid] *agg.* tronfio; presuntuoso.

swoon [swu:n] *s.* svenimento.

to swoon *v.intr.* svenire, perdere i sensi.

swoop [swu:p] *s.* picchiata; assalto, attacco improvviso // *at one fell* —, in un sol colpo.

to swoop *v.intr.* abbattersi; piombare; assalire ♦ *v.tr.*: *to* — *up*, (*fam.*) afferrare; impadronirsi (di).

(to) swop → (to) **swap**.

sword [sɔ:d] *s.* spada // *to draw the* —, sguainare la spada; *to cross swords* (o *to draw the* —), (*fig.*) dare inizio alle ostilità // *to put to the* —, passare a fil di spada // *to measure swords with s.o.*, battersi, misurarsi con qlcu.

sword dance ['sɔ:ddɑ:ns] *s.* danza delle spade.

swordfish ['sɔ:dfiʃ] *s.* pesce spada.

sword knot ['sɔ:dnɔt] *s.* dragona.

swordplay ['sɔ:dplei] *s.* scherma.

swordsman, *pl.* **swordsmen** ['sɔ:dzmən] *s.* spadaccino.

swordsmanship ['sɔ:dzmənʃip] *s.* maestria nel maneggiare la spada.

swore *pass.* di to **swear**.

sworn *p.pass.* di to **swear** ♦ *agg.* giurato: *a — friend,* un amico fidato.

swot [swɔt] *s.* (*fam.*) secchione, sgobbone.

to **swot** *v.tr.* (*fam.*) sgobbare: *to — (up) a subject,* studiare con accanimento una materia ♦ *v.intr.* secchiare, sgobbare.

swum *p.pass.* di to **swim**.

swung *pass.* e *p.pass.* di to **swing**.

sybarite [ˈsibərait] *s.* sibarita ♦ *agg.* sibaritico.

sybaritic [ˌsibəˈritik] *agg.* sibaritico.

sybil [sibl] *s.* → **sibyl**.

Sybil *no.pr.f.* Sibilla.

sycamore [ˈsikəmɔ:*] *s.* (*bot.*) sicomoro.

sycophant [ˈsikəfənt] *s.* adulatore servile.

sycophantic [ˌsikəˈfæntik] *agg.* adulatorio; servile.

syllabary [ˈsiləbəri] *s.* sillabario.

syllabic [siˈlæbik] *agg.* sillabico.

syllable [ˈsiləbl] *s.* sillaba.

to **syllable** *v.tr.* sillabare.

syllabus [ˈsiləbəs] *s.* 1 programma; prospetto (dei corsi, delle materie) 2 (*eccl.*) sillabo.

syllogism [ˈsilədʒizəm] *s.* sillogismo.

to **syllogize** [ˈsilədʒaiz] *v.tr.* e *intr.* sillogizzare.

sylph [silf] *s.* silfo; silfide (*anche fig.*).

sylvan [ˈsilvən] *agg.* silvano, silvestre.

Sylvia [ˈsilviə] *no.pr.f.* Silvia.

symbiosis [ˌsimbiˈousis] *s.* simbiosi.

symbiotic(al) [ˌsimbiˈɔtik(əl)] *agg.* simbiotico.

symbol [ˈsimbəl] *s.* simbolo.

symbolic(al) [simˈbɔlik(əl)] *agg.* simbolico.

symbolism [ˈsimbəlizəm] *s.* simbolismo.

symbolist [ˈsimbəlist] *s.* e *agg.* simbolista.

to **symbolize** [ˈsimbəlaiz] *v.tr.* simboleggiare.

symmetric(al) [siˈmetrik(əl)] *agg.* simmetrico.

to **symmetrize** [ˈsimitraiz] *v.tr.* rendere simmetrico.

symmetry [ˈsimitri] *s.* simmetria.

sympathetic [ˌsimpəˈθetik] *agg.* 1 comprensivo; che dimostra simpatia; compassionevole: *a — look,* un'occhiata di simpatia; *— words,* parole di cordoglio, di solidarietà // *— ink,* inchiostro simpatico 2 congeniale, adatto 3 (*anat.*) simpatico.

to **sympathize** [ˈsimpəθaiz] *v.intr.* 1 capire, condividere i sentimenti di; commiserare: *to — with a friend in trouble,* essere vicino a un amico in difficoltà; *I — with you in your grief,* partecipo al tuo dolore 2 essere in armonia; essere solidale; simpatizzare.

sympathizer [ˈsimpəθaizə*] *s.* 1 chi è solidale, compassionevole, vicino (a qlcu.) 2 simpatizzante.

sympathy [ˈsimpəθi] *s.* 1 comprensione; simpatia; accordo, armonia: *he has little — for the idle,* gli vanno poco a genio gli oziosi // *in — with,* in armonia, in accordo con; (*fig.*) in sintonia con 2 compassione; solidarietà: *to have — for the poor,* avere compassione per i poveri 3 cordoglio, condoglianze (*pl.*): *a letter of —,* una lettera di condoglianze 4 (*med. scient.*) simpatia.

symphonic [simˈfɔnik] *agg.* (*mus.*) sinfonico.

symphony [ˈsimfəni] *s.* (*mus.*) sinfonia // *— orchestra,* orchestra sinfonica.

symphysis [ˈsimfisis] *s.* (*anat.*) sinfisi.

symposium [simˈpouzjəm] *pl.* **symposia** [simˈpouzjə] *s.* simposio.

symptom [ˈsimptəm] *s.* sintomo; indizio.

symptomatic(al) [ˌsimptəˈmætik(əl)] *agg.* sintomatico.

synagogue [ˈsinəgɔg] *s.* sinagoga.

synchromesh [ˈsiŋkrouˈmeʃ] *s.* (*aut.*) cambio sincronizzato.

synchronism [ˈsiŋkrənizəm] *s.* sincronismo.

synchronization [ˌsiŋkrənaiˈzeifən] *s.* sincronizzazione.

to **synchronize** [ˈsiŋkrənaiz] *v.tr.* sincronizzare ♦ *v.intr.* 1 muoversi sincronicamente 2 accadere nello stesso tempo (di eventi).

synchronous [ˈsiŋkrənəs] *agg.* sincrono, simultaneo; contemporaneo (di eventi) // *— computer,* computer sincrono.

synchrotron [ˈsiŋkroutron] *s.* (*fis. nucleare*) sincrotrone.

to **syncopate** [ˈsiŋkəpeit] *v.tr.* sincopare.

syncope [ˈsiŋkəpi] *s.* sincope.

syncretism [ˈsiŋkritizəm] *s.* sincretismo.

syndic [ˈsindik] *s.* 1 funzionario civile 2 delegato di un'azienda 3 membro di un comitato universitario.

syndicalism [ˈsindikəlizəm] *s.* sindacalismo.

syndicate [ˈsindikit] *s.* 1 sindacato 2 (*giornalismo*) agenzia di stampa 3 corpo di magistrati.

to **syndicate** [ˈsindikeit] *v.tr.* 1 riunire in sindacato 2 pubblicare contemporaneamente su più giornali.

syndrome [ˈsindrəmi] *s.* (*med.*) sindrome.

synod [ˈsinəd] *s.* 1 (*eccl.*) sinodo 2 convegno.

synonym [ˈsinənim] *s.* sinonimo.

synonymity [ˌsinəˈnimiti] *s.* sinonimia.

synonymous [siˈnɔniməs] *agg.* sinonimo: *to be — with,* essere sinonimo di.

synonymy [siˈnɔnimi] *s.* sinonimia.

synopsis [siˈnɔpsis] *pl.* **synopses** [siˈnɔpsiːz] *s.* sinossi.

synoptic [siˈnɔptik] *agg.* sinottico.

synovia [siˈnouviə] *s.* sinovia.

synovitis [ˌsinəˈvaitis] *s.* (*med.*) sinovite.

syntactic [sinˈtæktik] *agg.* (*gramm.*) sintattico.

syntax [ˈsintæks] *s.* sintassi.

synthesis [ˈsinθisis] *pl.* **syntheses** [ˈsinθisiːz] *s.* sintesi.

to **synthesize** [ˈsinθisaiz] *v.tr.* e *intr.* sintetizzare.

synthetic(al) [sinˈθetik(əl)] *agg.* sintetico ♦ *s.* prodotto sintetico.

to **synthetize** [ˈsinθitaiz] *v.tr.* e *intr.* sintetizzare.

syphilis [ˈsifilis] *s.* (*med.*) sifilide.

syphilitic [ˌsifiˈlitik] *agg.* e *s.* (*med.*) sifilitico.

syphon *s.* → **siphon**.

Syracuse [ˈsaiərəkjuːz; *amer.* ˈsirəkjuːs] *no.pr.* Siracusa.

Syria [ˈsiriə] *no.pr.* Siria.

Syrian [ˈsiriən] *agg.* e *s.* siriano.

syringe [ˈsirindʒ] *s.* siringa.

syrup [ˈsirəp] *s.* sciroppo // *golden —,* melassa.

syrupy [ˈsirəpi] *agg.* sciropposo (*anche fig.*).

systaltic [sisˈtæltik] *agg.* sistaltico.

system [ˈsistim] *s.* 1 sistema // *nervous —,* sistema nervoso // *public-address —,* sistema di diffusione sonora // *solar power —,* impianto a energia solare 2 metodo, piano, schema 3 organismo umano // *to get sth. out of one's —,* cercare di dimenticare qlco. 4 (*informatica*) sistema: *— console,* console del comando (di sistema); *— flowchart,* diagramma di flusso; *— imput,* dati di immissione; *— output,* dati di emissione; *— software,* software di base // *total —,* sistema integrato // *— informativo,* sistema informativo globale.

systematic [ˌsistiˈmætik] *agg.* sistematico.

systematization [ˈsistimətaiˈzeifən] *s.* sistemazione.

to **systematize** [ˈsistimətaiz] *v.tr.* ridurre a sistema.

systemic [sisˈtemik] *agg.* dell'organismo, di tutto il corpo // *— circulation,* (*med.*) grande circolazione.

systole [ˈsistəli] *s.* (*med.*) sistole.

T

t [tiː], *pl.* **ts**, **t's** [tiːz] *s.* t // — *for Tommy*, (*tel.*) t come Torino // *to a* —, alla perfezione; a pennello. **'t** *contr.* di **it**.

ta [tɑː] *s.* (*fam.*) *abbr.* di **thank you**.

tab [tæb] *s.* **1** linguetta; passante **2** cartellino, etichetta // *to keep tabs on s.o., on sthg.*, (*fam.*) controllare, non perdere di vista qlcu., qlco.
to tab *v.tr.* etichettare.

tabby ['tæbi] *agg.* marezzato, tigrato ♦ *s.* **1** gatto soriano, tigrato; gatta **2** moerro **3** vecchia zitella; pettegola.

tabernacle ['tæbə(ː)nækl] *s.* tabernacolo.

table ['teibl] *s.* **1** tavola: *to lay, to clear the* —, apparecchiare, sparecchiare la tavola; *to wait at* —, servire a tavola // — *linen*, biancheria da tavola // *under the* —, (*fam.*) sottobanco // *the Round Table*, la Tavola Rotonda // *to lay on the* —, portare (una questione) sul tappeto // *to turn the tables on s.o.*, capovolgere la situazione **2** indice, catalogo, tabella; classifica: — *of contents*, indice (di libro) **3** tavolata: *the* — *was young and gay*, i commensali erano giovani e allegri **4** (*geogr.*) tavolato; altopiano.
to table *v.tr.* **1** proporre (un progetto di legge); (*amer.*) rinviare indefinitamente (un progetto di legge) **2** classificare.

tableau ['tæblou], *pl.* **tableaux** ['tæblouz] *s.* **1** quadro vivente **2** (*fig.*) situazione, scena drammatica.

tablecloth ['teiblklɔθ] *s.* tovaglia.

table-d'hôte ['tɑːblˈdout] *s.* (pasto) a prezzo fisso.

tableland ['teibllænd] *s.* altopiano.

table manners ['teiblˈmænəz] *s.pl.* modo di comportarsi a tavola // *he hasn't got any* —, non sa stare a tavola.

tablemat ['teiblmæt] *s.* tovaglietta all'americana; sottopiatto.

tablespoon ['teiblspuːn] *s.* cucchiaio da tavola.

tablet ['tæblit] *s.* **1** tavoletta; lapide **2** pastiglia.

table talk ['teibltɔːk] *s.* conversazione familiare.

table tennis ['teiblˈtenis] *s.* ping-pong.

tableware ['teiblwɛə*] *s.* vasellame da tavola, stoviglie (*pl.*).

tabloid ['tæblɔid] *agg.* conciso, succinto ♦ *s.* giornale popolare che presenta le notizie in forma semplice e succinta.

taboo [təˈbuː] *agg.* e *s.* tabù.

tabor ['teibə*] *s.* (*mus.*) tamburello.

tabouret ['tæbərit] *s.* sgabello.

tabular ['tæbjulə*] *agg.* **1** catalogato, classificato **2** piatto, piano.
to tabulate ['tæbjuleit] *v.tr.* disporre in tabelle; catalogare.

tabulator ['tæbjuleitə*] *s.* incolonnatore.

tachometer [tæˈkɔmitə*] *s.* tachimetro, contagiri.

tacit ['tæsit] *agg.* tacito, implicito, sottinteso.

taciturn ['tæsitəːn] *agg.* taciturno.

tack¹ [tæk] *s.* **1** puntina, bulletta // *thumb-* —, (*amer.* per *drawing pin*) puntina da disegno // *let's get down to brass tacks*, (*fam.*) veniamo ai fatti **2** (*cucito*) punto lungo **3** (*mar.*) cavo per orientare la vela, mura **4** (*mar.*) rotta; cambiamento di rotta; (*fig.*) linea di condotta.

to tack¹ *v.tr.* **1** attaccare (con puntine, bullette) **2** imbastire **3** *to* — *on*, aggiungere a ♦ *v.intr.* (*mar.*) virare; (*fig.*) cambiare condotta, tattica.

tack² *s.* (*sl.*) cibo, alimento, provviste (*pl.*) // *hard* —, galletta.

tackiness ['tækinis] *s.* viscosità, adesività.

tacking ['tækiŋ] *s.* **1** l'attaccare con puntine, bullette **2** imbastitura // — *thread*, cotone da imbastire.

tackle ['tækl] *s.* **1** (*mar.*) paranco **2** attrezzatura, attrezzi (*pl.*) **3** (*rugby*) placcaggio.
to tackle *v.tr.* **1** afferrare, abbrancare; (*rugby*) placcare **2** affrontare (difficoltà, argomento ecc.); mettersi sotto (a fare qlco.); sfidare.

tackling ['tækliŋ] *s.* **1** (*mar.*) paranco **2** (*rugby*) placcaggio.

tacky ['tæki] *agg.* **1** appiccicaticcio **2** (*amer.* per *tatty*) in disordine.

tact [tækt] *s.* tatto.

tactful ['tæktful] *agg.* pieno di tatto.

tactical ['tæktikəl] *agg.* tattico.

tactician [tækˈtiʃən] *s.* tattico.

tactics ['tæktiks] *s.* tattica.

tactile ['tæktail, (*amer.*) 'tæktəl] *agg.* **1** tattile **2** tangibile.

tactual ['tæktjuəl] *agg.* tattile.

tadpole ['tædpoul] *s.* (*zool.*) girino.

taffeta ['tæfitə] *s.* (*tessuto*) taffettà.

taffrail ['tæfreil] *s.* (*mar.*) ringhiera di poppa.

taffy ['tæfi] *s.* (*amer.* per *toffee*) caramella.

Taffy *s.* (*fam.*) gallese.

tag¹ [tæg] *s.* **1** cartellino, etichetta // — *bit*, (*informatica*) bit di contrassegno **2** puntale (di stringa) **3** linguetta (di stivale) **4** frase fatta: *moral* —, massima moraleggiante.

to tag¹ *v.tr.* **1** mettere il puntale (a) **2** attaccare cartellini, etichette (a) **3** *to* — (*on*), soggiungere; aggiungere (parole, versi ecc.) // *to* — *along with s.o.*, (*fam.*) accordarsi a qlcu. // *he always has some girl tagging around with him*, ha sempre qualche ragazza intorno **4** (*fam.*) seguire da vicino, pedinare.

tag² *s.* (*gioco*) il rincorrersi.

to tag² *v.tr.* toccare (giocando a rincorrersi).

Tahitian [tɑːˈhiːʃn] *agg.* e *s.* tahitiano.

tail¹ [teil] *s.* **1** coda; parte terminale; estremità // *to turn* —, (*fam.*) darsela a gambe **2** *pl.* (*fam.*) frac (*sing.*), marsina (*sing.*) **3** *pl.* (*di moneta*) rovescio (*sing.*) // *heads or tails?*, testa o croce?

to tail¹ *v.tr.* **1** pedinare, seguire da vicino **2** munire di coda ♦ *v.intr.*: *to* — *away, off*, assottigliarsi; affievolirsi.

tail² *s.* (*dir.*) → **entail**.

tailback ['teilbæk] *s.* coda di auto.

tailboard ['teilbɔːd] *s.* ribalta di un carro.

tailcoat ['teilˈkout] *s.* (*fam.*) frac, marsina.

tail end ['teilˈend] *s.* fine, coda.

to tailgate ['teilgeit] *v.intr.* guidare senza tenere la distanza di sicurezza, incollato all'auto che precede.

tailing ['teiliŋ] *s.* **1** pedinamento **2** (*edil.*) parte incastrata di pietra, mattone.

taillight ['teilˈlait] *s.* (*aut.*) fanalino di coda.

tailor ['teilə*] *s.* **1** sarto **2** negozio di confezioni maschili.

to **tailor** *v.tr.* 1 confezionare (un abito) 2 vestire (un cliente) 3 (*fig.*) adattare, regolare ♦ *v.intr.* fare il sarto.

tailoring [ˈteilərin] *s.* mestiere, arte del sarto.

tailor-made [ˈteiləmeid] *agg.* (fatto) su misura.

tailpiece [ˈteilpiːs] *s.* 1 (*tip.*) finalino 2 (*fig.*) epilogo.

tailspin [ˈteilspin] *s.* 1 (*aer.*) avvitamento 2 (*fig.*) panico: *to be in a* —, essere sopraffatto dalla paura.

taint [teint] *s.* (traccia di) contaminazione, infezione, corruzione.

to **taint** *v.tr.* corrompere; infettare, inquinare; guastare ♦ *v.intr.* corrompersi; inquinarsi.

take [teik] *s.* 1 caccia; pesca 2 incasso // *to be on the* —, accettare bustarelle 3 (*cinem. tv*) ripresa.

to **take**, *pass.* **took** [tuk], *p.pass.* **taken** [ˈteikən] *v.tr.* 1 prendere // *I do not* — *sugar with coffee*, non metto zucchero nel caffè // *to* — *hold of*, afferrare // *to* — *it upon oneself*, incaricarsi di, impegnarsi // *to* — *away*, portar via; *to* — *back*, riportare; ritirare, ritrattare // *she has taken the child for a walk*, ha accompagnato il bambino a fare una passeggiata 3 fare: *to* — *an exam*, fare un esame; *to* — *a walk*, fare una passeggiata; *to* — *a photo*, fare una foto 4 occorrere: *I will* — *two hours to finish this work*, mi ci vorranno due ore per terminare questo lavoro; *it will* — *a lot of money*, ci vorrà un mucchio di soldi 5 piacere (a), attrarre 6 *to* — *down*, abbassare; demolire; scrivere, prender nota di // *to* — *s.o. down a peg or two*, far abbassare la cresta a qlcu. 7 *to* — *in*, ricevere, ospitare; accettare (lavori) a domicilio; stringere (abiti); serrare (vele); capire, afferrare; ingannare: *she takes in typing*, fa lavori di ribattitura (a casa propria) // *I knew he hadn't taken a word so I repeated my request*, sapevo che non aveva capito una parola così ho ripetuto la domanda 8 *to* — *off*, togliere da, levare da; condurre via; fare il verso a, mimare 9 *to* — *on*, intraprendere; accettare come avversario; assumere 10 *to* — *out*, portar fuori, togliere; accompagnare; ottenere (brevetto, licenza ecc.) // *this work has taken it out of me*, (*fam.*) questo lavoro mi ha spossato // *to* — *it out on s.o.*, prendersela con qlcu. 11 *to* — *over*, rilevare; succedere (a qlcu.) 12 *to* — *round*, portare in giro: — *the tray round*, fa' passare il vassoio 13 *to* — *up*, raccogliere; assorbire; occupare (tempo, spazio ecc.); intraprendere, dedicarsi a; continuare, riprendere; occuparsi di: *I have taken up German*, ho incominciato a studiare il tedesco // *to be taken up with*, essere occupato in ♦ *v.intr.* 1 attecchire, attaccare 2 *to* — *after*, assomigliare a 3 *to* — *off*, decollare // — *off!*, (*fam.*) vattene! 4 *to* — *on*, (*fam.*) agitarsi; prendersela 5 *to* — *to*, mettersi a, darsi a; provare simpatia per 6 *to* — *up with*, legarsi (in amicizia, d'amore) con.

takeaway [ˈteikəwei] *agg.* da asportare ♦ *s.* rosticceria, negozio che vende cibi cotti da asportare.

take-in [ˈteikˈin] *s.* frode, inganno.

takeoff [ˈteikɔ(ː)f] *s.* 1 caricatura; parodia 2 (*aer.*) decollo 3 (*sport*) linea di partenza.

takeover [ˈteikˌouvə*] *s.* rilevamento (di una ditta).

take-up [ˈteikʌp] *s.* 1 (*mecc.*) tenditore 2 (*fot. cinem.*) avvolgitore.

taking [ˈteikin] *agg.* attraente ♦ *s.* 1 cattura 2 (*fam.*) agitazione, turbamento 3 *pl.* (*comm.*) incassi, introiti.

takingly [ˈteikinli] *avv.* in modo attraente.

talc [tælk], **talcum** [ˈtælkəm] *s.* talco.

tale [teil] *s.* 1 racconto, storia; favola; novella 2 chiacchiera, maldicenza; diceria // *to tell tales*, fare della maldicenza; svelare un segreto.

talebearer [ˈteilˌbeərə*] *s.* maldicente.

talent [ˈtælənt] *s.* talento; ingegno.

talented [ˈtæləntid] *agg.* dotato.

taleteller [ˈteilˌtelə*] *s.* 1 maldicente 2 narratore di favole.

talisman [ˈtælizmən] *s.* talismano.

talk [tɔːk] *s.* 1 conversazione, discorso 2 chiacchierata; chiacchiere (*pl.*): *it's the* — *of the town*, tutta la città ne parla.

to **talk** *v.intr.* 1 parlare; discorrere: *to* — *about*, parlare di; *to* — *to*, parlare con; *to* — *oneself*, parlare tra sé e sé // *talking of...*, a proposito di... // *to* — *big*, vantarsi // *to* — *round a subject*, girare intorno a un argomento 2 chiacchierare; far pettegolezzi 3 *to* — *over*, discutere su ♦ *v.tr.* 1 parlare (di): *to* — *shop*, parlare di lavoro; *to* — *sense, nonsense*, parlare assennatamente, dire sciocchezze // *to* — *oneself hoarse*, parlare sino a diventare rauco // *to* — *s.o. into doing sthg.*, persuadere qlcu. a fare qlco. 2 *to* — *back*, replicare 3 *to* — *(s.o.) down*, ridurre al silenzio 4 *to* — *(s.o.) round*, persuadere.

talkative [ˈtɔːkətiv] *agg.* loquace, chiacchierone.

talkativeness [ˈtɔːkətivnis] *s.* loquacità.

talker [ˈtɔːkə*] *s.* 1 oratore; parlatore 2 chiacchierone.

talkie [ˈtɔːki] *s.* (*fam.*) film sonoro.

talking [ˈtɔːkin] *agg.* parlante ♦ *s.* 1 conversazione, discorso 2 chiacchiere (*pl.*).

talking point [ˈtɔːkinpoint] *s.* argomento in discussione.

talking-to [ˈtɔːkintuː] *s.* (*fam.*) rimprovero, ramanzina.

tall [tɔːl] *agg.* 1 alto 2 (*fam.*) straordinario, incredibile, impossibile: *a* — *order*, una richiesta inattuabile; *a* — *story*, una fandonia ♦ *avv.* (*sl.*) in modo esagerato, eccessivo.

tallboy [ˈtɔːlbɔi] *s.* cassettone, cassettiera.

tallness [ˈtɔːlnis] *s.* altezza; statura.

tallow [ˈtælou] *s.* sego.

to **tallow** *v.tr.* 1 ungere con sego 2 ingrassare.

tallow-faced [ˈtæloufeist] *agg.* dal viso terreo.

tally [ˈtæli] *s.* 1 calcolo, conteggio 2 etichetta, cartellino 3 (*sport*) punteggio.

to **tally** *v.intr.*: *to* — *with*, concordare con, corrispondere a ♦ *v.tr.* 1 calcolare 2 registrare (su cartellino ecc.).

tallyman, *pl.* **tallymen** [ˈtælimən] *s.* negoziante che vende a rate.

tally-shop [ˈtæliʃɔp] *s.* negozio dove si vende a rate.

talon [ˈtælən] *s.* 1 artiglio 2 (*arch.*) modanatura a S.

tamable [ˈteiməbl] *agg.* domabile.

tamarisk [ˈtæmərisk] *s.* tamerice, tamarisco.

tambour [ˈtæmbuə*] *s.* tamburo.

tambourine [ˌtæmbəˈriːn] *s.* tamburello.

tame [teim] *agg.* 1 domestico, addomesticato 2 sottomesso, docile // *to be a* — *cat*, (*fam.*) essere un tipo sottomesso, servizievole 3 banale, monotono.

to **tame** *v.tr.* addomesticare; domare (*anche fig.*).

tameness [ˈteimnis] *s.* docilità, mansuetudine.

tam-o'-shanter [ˌtæməˈʃæntə*], (*fam.*) **tammy** [ˈtæmi] *s.* berretto scozzese.

to **tamp** [tæmp] *v.tr.* (*edil.*) pigiare, calcare, comprimere.

to **tamper** [ˈtæmpə*] *v.intr.*: *to* — *with*, manomettere, alterare (documenti); corrompere; immischiarsi: *to* — *with a witness*, tentare di corrompere un testimone.

tampon [ˈtæmpən] *s.* tampone; assorbente interno.

tan [tæn] *agg.* marrone rossiccio ♦ *s.* 1 abbronzatura 2 color marrone rossiccio 3 concia; corteccia di quercia.

o tan *v.tr.* **1** conciare (pelli) **2** abbronzare **3** (*sl.*) conciare per le feste ♦ *v.intr.* abbronzarsi.

an *s. abbr.* di **tangent**.

andem ['tændəm] *s.* tandem ♦ *avv.* uno dietro l'altro.

ang[1] [tæŋ] *s.* **1** sapore caratteristico; odore penetrante: — *of the sea*, odore di salsedine **2** (*fig.*) punta, raccia **3** codolo.

ang[2] *s.* suono acuto; vibrazione sonora; tintinnio.

Tanganyika [,tæŋgə'nji:kə] *no.pr.* Tanganica.

angency ['tændʒənsi] *s.* (*geom.*) tangenza.

angent ['tændʒənt] *agg. e s.* (*geom.*) tangente // *to go off at a —*, (*fig.*) cambiare bruscamente argomento, atteggiamento ecc.

Tangerine [,tændʒə'ri:n, (*amer.*) 'tændʒəri:n] *agg. e s.* (abitante) di Tangeri // **tangerine** *s.* (*bot.*) mandarino.

tangibility [,tændʒi'biliti] *s.* tangibilità.

tangible ['tændʒəbl] *agg.* **1** tangibile **2** (*fig.*) chiaro; definito; manifesto; sensibile.

tangle ['tæŋgl] *s.* **1** groviglio; garbuglio **2** (*fam.*) litigio.

to tangle *v.tr.* aggrovigliare; ingarbugliare ♦ *v.intr.* aggrovigliarsi; ingarbugliarsi.

tangy ['tæŋi] *agg.* piccante (di sapore); penetrante (di odore).

tank [tæŋk] *s.* **1** vasca; cisterna; serbatoio **2** tanica **3** (*mil.*) carro armato.

to tank *v.tr.* mettere in un serbatoio, in una cisterna ♦ *v.intr.*: *to — up*, fare il pieno (di automobile, cisterna ecc.).

tankage ['tæŋkidʒ] *s.* **1** riempimento di serbatoio, di cisterna **2** capacità di un serbatoio **3** prezzo di noleggio in un serbatoio.

tankard ['tæŋkəd] *s.* boccale.

tanker ['tæŋkə*] *s.* **1** nave cisterna **2** autobotte.

tannage ['tænidʒ] *s.* conciatura, concia.

tanner[1] ['tænə*] *s.* conciatore.

tanner[2] *s.* (*fam.*) moneta da sei penny.

tannery ['tænəri] *s.* conceria; concia.

tannic ['tænik] *agg.* tannico.

tannin ['tænin] *s.* (*chim.*) tannino.

tanning ['tæniŋ] *s.* conciatura, concia.

to tantalize ['tæntəlaiz] *v.tr.* tentare; tormentare.

tantalizing ['tæntəlaiziŋ] *agg.* allettante.

tantamount ['tæntəmaunt] *agg.* equivalente.

tantrum ['tæntrəm] *s.* accesso d'ira; bizze (*pl.*), capricci (*pl.*).

tanyard ['tænja:d] *s.* conceria.

tap[1] [tæp] *s.* **1** rubinetto, chiavetta; zipolo: *to turn on the —*, aprire il rubinetto // *on —*, pronto, a disposizione; (*di birra*) alla spina // *— water*, acqua di rubinetto **2** (*mecc.*) maschio (per filettare).

to tap[1] *v.tr.* **1** munire di rubinetto; spillare **2** (*elettr.*) stabilire comunicazioni (con); (*tel.*) intercettare **3** (*fam.*) attingere; rifornire // *to — s.o. for money*, (*sl.*) spillare quattrini a qlcu.

tap[2] *s.* **1** colpo leggero, colpetto **2** ferretto; rinforzo di cuoio per riparare scarpe **3** (*pl. amer.*) (*mil.*) segnale del silenzio.

to tap[2] *v.tr.* colpire, toccare lievemente // *to — out one's pipe*, svuotare la pipa battendola ♦ *v.intr.* battere leggermente; bussare: *to — on the door*, bussare piano alla porta.

tap-dance ['tæpda:ns], **tap dancing** [tæp'da:nsiŋ] *s.* tip tap.

tape [teip] *s.* **1** fettuccia; nastro **2** (*sport*) nastro del traguardo: *to breast the —*, tagliare il traguardo col pet-

to **3** (*informatica*) nastro, banda: — *library*, nastroteca; — *mode*, metodo di registrazione su nastro; — *-out device*, dispositivo di fine nastro; — *path*, percorso di nastro; — *punch*, perforazione di nastro; — *threading*, alimentazione del nastro; — *track*, pista di nastro.

to tape *v.tr.* **1** legare con un nastro; applicare una fettuccia (a) **2** incidere su nastro magnetico // *to have (got) sthg. taped*, aver capito a fondo (un processo ecc.); essere padrone (di una tecnica ecc.).

tape measure ['teip,meʒə*] *s.* metro a nastro.

taper ['teipə*] *s.* candela sottile.

to taper *v.tr.* assottigliare; (*arch.*) rastremare ♦ *v.intr.* assottigliarsi; (*arch.*) rastremarsi // *to — off*, assottigliarsi.

tape recorder ['teipri,kɔ:də*] *s.* registratore.

tapering ['teipəriŋ] *agg.* affusolato.

tapestry ['tæpistri] *s.* arazzo; tappezzeria.

tapeworm ['teipwə:m] *s.* tenia, verme solitario.

tapir ['teipə*] *s.* tapiro.

tappet ['tæpit] *s.* (*aut.*) punteria.

tapping ['tæpiŋ] *s.* **1** spillatura (di botte) **2** (*chir.*) drenaggio **3** (*elettr.*) presa **4** (*mecc.*) maschiatura.

taproom ['tæprum] *s.* birreria; bar.

taproot ['tæpru:t] *s.* (*bot.*) fittone.

tar [tɑ:*] *s.* catrame.

to tar *v.tr.* incatramare, impeciare // *to be tarred with the same brush*, avere gli stessi difetti.

taradiddle ['tærədidl], (*amer.*) ,tærə'didl] *s.* frottola.

tarantula [tə'ræntjulə] *s.* tarantola.

tar-brush ['tɑ:brʌʃ] *s.* spazzola per catramare.

tardy ['tɑ:di] *agg.* **1** tardo, lento, pigro **2** (*amer. per late*) in ritardo.

tare[1] [teə*] *s.* (*bot.*) veccia.

tare[2] *s.* (*comm.*) tara.

target ['tɑ:git] *s.* bersaglio (*anche fig.*).

tariff ['tærif] *s.* tariffa.

tarmac ['tɑ:mæk] *s.* **1** macadam al catrame **2** pista di decollo, di atterraggio.

tarn [tɑ:n] *s.* laghetto (montano).

tarnish ['tɑ:niʃ] *s.* appannamento; annerimento; ossidazione (di metalli).

to tarnish *v.tr.* **1** appannare; annerire; ossidare (metallo) **2** (*fig.*) macchiare ♦ *v.intr.* **1** appannarsi; annerirsi; ossidarsi (di metallo) **2** (*fig.*) macchiarsi.

tarot ['tærou] *s.* (*a carte*) tarocco; gioco dei tarocchi.

tarpaulin [tɑ:'pɔ:lin] *s.* **1** incerata; telone impermeabile **2** *pl.* abiti di tela incerata.

tarradiddle *s.* → **taradiddle**.

tarragon ['tærəgən] *s.* (*bot.*) dragoncello // — *vinegar*, (*cuc.*) aceto aromatico.

tarry[1] ['tɑ:ri] *agg.* (in)catramato.

to tarry[2] ['tæri] *v.intr.* indugiare; tardare; sostare.

tarsus ['tɑ:səs], *pl.* **tarsi** ['tɑ:sai] *s.* (*anat.*) tarso.

tart[1] [tɑ:t] *agg.* agro, aspro (*anche fig.*); sarcastico, mordace.

tart[2] *s.* crostata.

tart[3] *s.* (*sl.*) sgualdrina.

tartan ['tɑ:tən] *s.* tessuto scozzese.

tartar ['tɑ:tə*] *s.* (*incrostazione*) tartaro.

Tartar *agg.* tartaro ♦ *s.* **1** tartaro **2** (*fig.*) persona violenta, intrattabile.

Tartarus ['tɑ:tərəs] *no.pr.* (*mit.*) Tartaro.

tartlet ['tɑ:tlit] *s.* pasticcino.

tartly ['tɑ:tli] *avv.* in modo brusco, aspro.

tartness ['tɑ:tnis] *s.* asprezza; (*fig.*) mordacità.

task [tɑ:sk] *s.* **1** dovere; incarico; lavoro, compito //

to take to —, rimproverare // *— force*, (*mil.*) «task force», unità per missioni speciali **2** (*informatica*) compito.

to task *v.tr.* **1** assegnare un compito (a) **2** mettere a dura prova.

taskmaster ['tɑːsk,mɑːstə*] *s.* chi assegna compiti (in genere gravosi).

taskmistress ['tɑːsk,mistris] *s.f.* di **taskmaster**.

Tasmanian [tæz'meinjən] *agg.* e *s.* tasmaniano.

tassel ['tæsəl] *s.* nappa; nappina.

to tassel *v.tr.* e *intr.* guarnire di fiocchi, nappine.

taste [teist] *s.* **1** gusto; sapore: *the sense of —*, il senso del gusto // *it leaves a bad — in the mouth*, (*fig.*) lascia la bocca amara **2** assaggio (*anche fig.*): *give me just a — of cake*, dammi un pezzettino di torta **3** gusto, inclinazione, predilezione: *it is not to my —*, non è di mio gusto **4** buon gusto, raffinatezza: *a man of —*, un uomo raffinato; *in bad —*, di cattivo gusto.

to taste *v.tr.* **1** gustare; assaggiare: *to — food*, assaggiare del cibo **2** sentire il sapore (di): *I can — lemon in this pudding*, c'è sapore di limone in questo budino ♦ *v.intr.* **1** gustare; avere il senso del gusto **2** sapere: *this wine tastes of vinegar*, questo vino è acido; *to — good*, avere un buon sapore; *it tastes like honey*, sa di miele.

taste bud ['teistbʌd] *s.* papilla gustativa.

tasteful ['teistful] *agg.* fine, raffinato, di buon gusto.

tasteless ['teistlis] *agg.* **1** insipido **2** di cattivo gusto.

taster ['teistə*] *s.* **1** assaggiatore **2** provino per formaggi.

tasty ['teisti] *agg.* **1** saporito, gustoso **2** di buon gusto.

tat [tæt] *s.* → **tit²**.

ta-ta [tæ'tɑː] *inter.* (*fam.*) ciao.

tatter ['tætə*] *s.* cencio, brandello.

tattered ['tætəd] *agg.* stracciato, cencioso, a brandelli.

tattle ['tætl] *s.* chiacchiera; pettegolezzo.

to tattle *v.intr.* chiacchierare; spettegolare.

tattler ['tætlə*] *s.* chiacchierone; pettegolo.

tattoo¹ [tə'tuː] *s.* **1** carosello militare **2** (*mil.*) (suono della) ritirata **3** (*fig.*) il tamburellare // *the devil's —*, il tamburellare con le dita.

tattoo² *s.* tatuaggio.

to tattoo² *v.tr.* tatuare.

tatty ['tæti] *agg.* in disordine.

taught *pass.* e *p.pass.* di to **teach**.

taunt [tɔːnt] *s.* sarcasmo; frecciata, allusione maligna.

to taunt *v.tr.* **1** rimproverare con sarcasmo **2** schernire.

taunting ['tɔːntiŋ] *agg.* beffardo, sarcastico.

Taurus ['tɔːrəs] *no.pr.* (*astr.*) Toro.

taut [tɔːt] *agg.* teso, tirato.

to tauten ['tɔːtn] *v.tr.* tendere ♦ *v.intr.* tendersi.

tautness ['tɔːtnis] *s.* tensione, rigidità.

tautological [,tɔːtə'lɔdʒikəl] *agg.* tautologico.

tavern ['tævən] *s.* taverna.

taw¹ [tɔː] *s.* **1** pallina, bilia **2** gioco delle bilie.

to taw² *v.tr.* conciare (pelli).

tawdry ['tɔːdri] *agg.* **1** meschino **2** vistoso e di poco prezzo.

tawny ['tɔːni] *agg.* fulvo; ambrato; bruno.

tax [tæks] *s.* **1** tassa, imposta: *— at source*, imposta alla fonte; *witholding —*, ritenuta fiscale; *— return*, dichiarazione dei redditi; *corporation —*, un'imposta su società; *to levy a — on sthg.*, mettere un'imposta su qlco. **2** (*fig.*) peso, onere.

to tax *v.tr.* **1** tassare // *to — s.o. with sthg.*, accusare qlcu. di qlco. **2** mettere alla prova.

taxability [,tæksə'biliti] *s.* tassabilità, imponibilità.

taxable ['tæksəbl] *agg.* tassabile, imponibile.

taxation [tæk'seiʃən] *s.* tassazione; imposte.

tax collector ['tækskə,lektə*] *s.* esattore delle tasse.

tax-exempt [,tæksig'zempt] *agg.* → **tax-free**.

tax-free ['tæks'friː] *agg.* esentasse, esente da tasse, con esenzione fiscale ♦ *avv.* senza pagar tasse.

taxi ['tæksi] *s.* tassì.

to taxi *v.intr.* **1** andare in tassì **2** (*aer.*) rullare; flottare (di idrovolante).

taxicab ['tæksikæb] *s.* tassì.

taxidermist ['tæksidə:mist] *s.* tassidermista.

taxi driver ['tæksi,draivə*], **taximan**, *pl.* **taximen** ['tæksimən] *s.* tassista.

taximeter ['tæksi,miːtə*] *s.* tassametro.

taxi rank ['tæksiræŋk] *s.* posteggio di tassì.

taxpayer ['tæks,peiə*] *s.* contribuente.

T-bar lift ['tiː:bɑː'lift] **T-bar tow** ['tiː:bɑː'tou] *s.* sciovia ad ancora.

tea [tiː] *s.* tè: *to ask s.o. to —*, invitare qlcu. a prendere il tè.

teabag ['tiːbæg] *s.* sacchetto, bustina di tè.

tea break ['tiːbreik] *s.* intervallo per il tè.

tea caddy ['tiː,kædi] *s.* barattolo, contenitore per il tè.

teacake ['tiːkeik] *s.* pasticcino da tè.

to teach [tiːtʃ], *pass.* e *p.pass.* **taught** [tɔːt] *v.tr.* insegnare: *I will — myself German*, imparerò il tedesco da solo // *I will — him a lesson*, gli darò una lezione // *that will — him!*, così imparerà!

teacher ['tiːtʃə*] *s.* insegnante; maestro; professore.

teaching ['tiːtʃiŋ] *agg.* che insegna ♦ *s.* insegnamento: *to go in for —*, dedicarsi all'insegnamento.

tea cloth ['tiːklɔθ] *s.* **1** tovaglietta da tè **2** (*fam.*) canovaccio per stoviglie.

tea cosy ['tiː'kouzi] *s.* copriteiera.

teacup ['tiːkʌp] *s.* tazza da tè.

teak [tiːk] *s.* tek.

teal, *pl.* **teal(s)** [tiːl(z)] *s.* (*zool.*) alzavola.

team [tiːm] *s.* **1** attacco, pariglia (di cavalli ecc.); muta (di cani da tiro) **2** (*sport*) squadra.

to team *v.tr.* **1** attaccare (bestie) **2** trasportare con un tiro di bestie **3** assortire (colori) ♦ *v.intr.* **1** condurre, guidare un tiro, una camionetta **2** *to — (together)*, formare una squadra **3** *to — up*, (*fam.*) unirsi.

teamster ['tiːmstə*] *s.* carrettiere; (*amer.*) camionista.

teamwork ['tiːmwəːk] *s.* lavoro di squadra, di équipe.

teapot ['tiːpɔt] *s.* teiera.

tear¹ [tiə*] *s.* **1** lacrima: *moved to tears*, commosso fino alle lacrime **2** goccia.

tear² [tɛə*] *s.* strappo; lacerazione.

to tear², *pass.* **tore** [tɔː*], *p.pass.* **torn** [tɔːn] *v.tr.* **1** stracciare, strappare: *to — (out) one's hair*, strapparsi i capelli // *to — open*, aprire lacerando **2** dividere; straziare, lacerare **3** *to — up*, fare a pezzi; sradicare; distruggere ♦ *v.intr.* **1** stracciàrsi, strapparsi **2** (*fam.*) correre, andare di gran carriera: *I saw him tearing along the road*, l'ho visto correre all'impazzata per la strada.

teardrop ['tiədrɔp] *s.* lacrima.

tearful ['tiəful] *agg.* **1** lacrimoso **2** triste.

tearing ['tɛəriŋ] *agg.* furioso; violento.

tearjerker ['tiə,dʒəːkə*] *s.* (*fam.*) film, romanzo ecc. lacrimevole.

tea rose [ˈtiːrouz] s. rosa tea.

tease [tiːz] s. burlone.

to tease v.tr. 1 stuzzicare; burlare 2 (ind. tessile) cardare; garzare 3 cotonare (capelli).

teaser [ˈtiːzə*] s. 1 burlone; canzonatore 2 (ind. tessile) cardatore 3 (fam.) rompicapo.

tea set [ˈtiːset] s. servizio da tè.

teaspoon [ˈtiːspuːn] s. cucchiaino da tè.

tea strainer [ˈtiːˌstreinə*] s. colino per il tè.

teat [tiːt] s. 1 capezzolo 2 tettarella.

tea trolley [ˈtiːˌtrɔli], (amer.) **tea wagon** [ˈtiːˌwægən] s. carrello del tè.

teazel [ˈtiːzl] s. 1 (bot.) cardo 2 (ind. tessile) cardatrice; garzatrice.

technical [ˈteknikəl] agg. tecnico.

technicality [ˌtekniˈkæliti] s. 1 tecnicismo 2 formalità.

technician [tekˈniʃən], **technicist** [ˈteknisist] s. tecnico.

technique [tekˈniːk] s. tecnica.

technological [ˌteknəˈlɔdʒikəl] agg. tecnologico.

technology [tekˈnɔlədʒi] s. tecnologia.

techy agg. → **tetchy**.

tectonic [tekˈtɔnik] agg. 1 strutturale 2 (geol.) tettonico.

tectonics [tekˈtɔniks] s. 1 architettura 2 (geol.) tettonica.

teddy bear [ˈtedibeə*] s. orsacchiotto.

tedious [ˈtiːdjəs] agg. tedioso.

tediousness [ˈtiːdjəsnis] s. tedio.

tee[1] [tiː] s. 1 oggetto a forma di T // to a —, a puntino 2 bersaglio (al gioco delle bocce ecc.).

tee[2] s. (golf) «tee» (supporto su cui si poggia la palla).

to tee[2] v.tr. (golf) collocare (la palla) sul «tee» ♦ v.intr.: to — off, dare la mazzata iniziale; (fig.) iniziare.

to teem[1] [tiːm] v.intr. abbondare, formicolare, brulicare.

to teem[2] v.tr. 1 versare 2 (metall.) colare.

teenage [ˈtiːneidʒ] agg. di, per «teenager».

teenager [ˈtiːnˌeidʒə*] s. adolescente.

teens [tiːnz] s. adolescenza: in one's —, sotto i vent'anni.

teeny [ˈtiːni] agg. (fam.) piccolo, minuto // — weeny, piccolissimo.

teeth pl. di **tooth**.

to teethe [tiːð] v.intr. mettere i denti.

teether [ˈtiːðə*] s. dentaruolo.

teething [ˈtiːðiŋ] s. dentizione // — troubles, (fig.) difficoltà iniziali.

teetotal [tiːˈtoutl], (amer.) ˈtiːtoutl] agg. astemio.

teetotalism [tiːˈtoutəlizəm] s. l'essere astemio.

teetota(l)ler [tiːˈtoutlə*] s. astemio.

tehee [tiːˈhiː] s. risatina.

tele- [ˈteli] pref. tele-.

telecast [ˈtelikɑːst] s. teletrasmissione.

telecommunications [ˌtelikəˌmjuːniˈkeiʃnz] s.pl. telecomunicazioni.

telegenic [ˌteliˈdʒenik] agg. telegenico.

telegram [ˈteligræm] s. telegramma.

telegraph [ˈteligrɑːf] s. telegrafo // — operator, telegrafista; — printer, telescrittore // bush —, il trasmettere messaggi a distanza con fumo o tam-tam.

to telegraph v.tr. e intr. telegrafare.

telegraphese [ˌteligrɑˈfiːz] s. stile telegrafico.

telegraphic [ˌteliˈgræfik] agg. telegrafico.

telegraphist [tiˈlegrəfist] s. telegrafista.

telegraphy [tiˈlegrəfi] s. telegrafia.

teleological [ˌteliouˈlɔdʒikəl] agg. teleologico.

telepathic [ˌteliˈpæθik] agg. telepatico.

telepathy [tiˈlepəθi] s. telepatia.

telephone [ˈtelifoun] s. telefono: to be on the —, essere al telefono; essere abbonato al telefono // — box (o — booth), cabina telefonica; — exchange, centrale telefonica; — operator, telefonista.

to telephone v.tr. e intr. telefonare.

telephonist [tiˈlefənist] s. telefonista; centralinista.

telephoto [ˌteliˈfoutou] s. telefoto.

teleprinter [ˈteliˌprintə*] s. telescrivente.

teleprocessing [ˌteliˈprousesiŋ] s. (tel.) teleelaborazione, elaborazione a distanza dei dati.

telescope [ˈteliskoup] s. telescopio; cannocchiale.

to telescope v.tr. incastrare; far rientrare ♦ v.intr. rientrare; incastrarsi; ripiegarsi.

telescopic [ˌtelisˈkɔpik] agg. telescopico.

telescreen [ˈteliskriːn] s. video, schermo.

teletype® [ˈtelitaip] s. 1 telescrivente 2 messaggio trasmesso per telescrivente.

to teletype v.tr. e intr. telescrivere.

teletypewriter [ˈteliˈtaipˌraitə*] s. (amer. per teleprinter) telescrivente.

televiewer [ˈteliˌvjuːə*] s. telespettatore.

to televise [ˈtelivaiz] v.tr. teletrasmettere.

television [ˈteliˌviʒən] s. televisione: closed-circuit —, televisione a circuito chiuso // — set, televisore.

telfer s. → **telpher**.

to tell [tel], pass. e p.pass. **told** [tould] v.tr. 1 dire: I told him so!, glielo avevo detto!; I was told that..., venni a sapere che... // I'll — you what!, senti!, ascolta! // all told, in tutto // to — s.o. off, fare una ramanzina a qlcu // you're telling me!, a chi lo dici! 2 divulgare; manifestare: to — tales about s.o., spargere chiacchiere sul conto di qlcu. 3 distinguere, riconoscere: I can't — one from the other, non riesco a distinguere uno dall'altro ♦ v.intr. 1 rivelarsi, manifestarsi 2 to — on, lasciare i segni su (di); (fam.) fare la spia: age tells on him, dimostra la sua età.

teller [ˈtelə*] s. 1 chi riferisce, racconta 2 (pol.) scrutatore 3 (comm.) cassiere.

telling [ˈteliŋ] agg. efficace; espressivo.

telltale [ˈtelteil] s. chiacchierone; pettegolo; spione ♦ agg. rivelatore.

telly [ˈteli] s. (fam.) televisione.

telpher [ˈtelfə*] agg. teleferico ♦ s. cabina di funivia // — line, teleferica, funivia.

to telpher v.tr. trasportare per mezzo di funivia.

temerarious [ˌteməˈreəriəs] agg. temerario.

temerity [tiˈmeriti] s. temerità.

temper [ˈtempə*] s. 1 indole, carattere: to lose one's —, andare in collera // to keep one's —, controllarsi 2 umore: to be in a bad, in a good —, essere di cattivo, di buon umore 3 stizza, collera: a fit of —, un impeto di collera; to get into a —, andare in collera 4 calma, sangue freddo 5 (ind.) tempra.

to temper v.tr. 1 moderare; temperare 2 (ind.) temperare (vetro); rinvenire (acciaio) ♦ v.intr. temperarsi.

temperament [ˈtempərəmənt] s. indole, carattere; temperamento.

temperamental [ˌtempərəˈmentl] agg. capriccioso; instabile.

temperance [ˈtempərəns] s. 1 temperanza; moderazione 2 astinenza (dall'alcool).

temperate [ˈtempərit] agg. 1 temperato 2 moderato, sobrio.

temperature [ˈtempritʃə*; (amer.) ˈtempətʃuər] s.

temperatura // to have a —, avere la febbre // to take one's —, misurarsi la febbre.

tempest ['tempist] s. **1** tempesta, burrasca **2** (fig.) tempesta, agitazione **3** scroscio.

tempestuous [tem'pestjuəs] agg. **1** tempestoso, burrascoso **2** (fig.) tempestoso, agitato, inquieto.

template ['templit] s. **1** sagoma **2** (edil.) cuscino d'appoggio.

temple[1] ['templ] s. tempio.

temple[2] s. (anat.) tempia.

templet s. → **template**.

tempo ['tempou] pl. **tempi** ['tempi:], **tempos** ['tempouz] s. (mus.) tempo, ritmo (anche fig.).

temporal[1] ['tempərəl] agg. temporale.

temporal[2] agg. (anat.) temporale.

temporality [,tempə'ræliti] s. (gener. pl.) (eccl.) beni temporali (pl.); reddito di un beneficio.

temporariness ['tempərərinis] s. temporaneità.

temporary ['tempərəri] agg. temporaneo.

to **temporize** ['tempəraiz] v.intr. temporeggiare.

to **tempt** [tempt] v.tr. tentare: to — s.o. to evil, indurre qlcu. al male.

temptation [temp'teiʃən] s. tentazione.

tempter ['temptə*] s. tentatore.

tempting ['temptiŋ] agg. tentatore; seducente, allettante.

temptress ['temptris] s. tentatrice.

ten [ten] agg.num.card. e s. dieci: in tens, a dieci a dieci, a gruppi di dieci; one out of —, uno su dieci.

tenable ['tenəbl] agg. **1** logico, ragionevole **2** sostenibile, difendibile.

tenacious [ti'neiʃəs] agg. **1** tenace; ostinato **2** molto adesivo.

tenacity [ti'næsiti] s. tenacia; ostinazione.

tenancy ['tenənsi] s. **1** locazione; affitto; durata della locazione, dell'affitto **2** casa, terreno in affitto.

tenant ['tenənt] s. **1** inquilino, affittuario **2** abitante.

to **tenant** v.tr. affittare.

tenantry ['tenəntri] s. inquilini (pl.); (agr.) fittavoli (pl.).

tench [tenʃ] s. (zool.) tinca.

to **tend**[1] [tend] v.tr. curare, badare (a); aver cura (di); custodire // to — the store, (amer.) servire i clienti.

to **tend**[2] v.intr. tendere; avere tendenza (a).

tendency ['tendənsi] s. tendenza, inclinazione.

tendentious [ten'denʃəs] agg. tendenzioso.

tender[1] ['tendə*] agg. **1** affettuoso; tenero **2** delicato, sensibile; suscettibile: a — spot, (anche fig.) un punto delicato.

tender[2] s. **1** (ferr.) «tender», carro scorta **2** (mar.) lancia **3** guardiano, custode.

tender[3] s. **1** (dir.) offerta, proposta; offerta reale **2** (comm. dir.) offerta; contratto; capitolato (di appalto): to make (o to put in o to send in) a — for, fare un'offerta per avere (un appalto) **3** legal —, (comm. dir.) valuta legale.

to **tender**[3] v.tr. **1** offrire, presentare: to — one's resignation, dare le dimissioni **2** (dir.) offrire; fare un'offerta ♦ v.intr. concorrere, fare offerte (per un appalto).

tenderfoot ['tendəfut] pl. **tenderfoots** ['tendəfuts] s. novizio, novellino.

tenderloin ['tendələin] s. (cuc.) filetto.

tenderness ['tendənis] s. **1** l'esser tenero (di cibo ecc.) **2** tenerezza; delicatezza; sensibilità; fragilità.

tending ['tendiŋ] s. cure (pl.); sorveglianza.

tendon ['tendən] s. tendine.

tendril ['tendril] s. (bot.) viticcio.

tenebrous ['tenibrəs] agg. tenebroso, oscuro.

tenement ['tenimənt] s. **1** abitazione, appartamento (d'affitto) // — house, casamento **2** (dir.) podere, tenuta (in affitto).

tenfold ['tenfould] agg. decuplo ♦ avv. dieci volte tanto.

tennis ['tenis] s. tennis.

tennis court ['teniskɔ:t] s. campo da tennis.

tenon ['tenən] s. tenone.

tenor ['tenə*] s. **1** tenore (di vita ecc.) **2** (mus.): — voice, voce tenorile.

tense[1] [tens] agg. teso; tirato (anche fig.).

to **tense**[1] v.tr. innervosire, agitare // to — oneself, irrigidirsi.

tense[2] s. (gramm.) tempo.

tensile ['tensail, (amer.) 'tensl] agg. **1** estensibile, elastico; duttile (di metallo) **2** (mecc.fis.) relativo alla tensione, alla trazione.

tension ['tenʃən] s. tensione.

tent [tent] s. tenda, padiglione // oxygen —, tenda a ossigeno.

to **tent** v.intr. attendarsi; vivere sotto una tenda.

tentacle ['tentəkl] s. tentacolo.

tentative ['tentətiv] agg. **1** provvisorio **2** esitante.

tenterhook ['tentəhuk] s. uncino // to be on tenterhooks, (fig.) essere sulle spine.

tenth [tenθ] agg.num.ord. decimo // the — of April (o 10th April), il dieci aprile.

tent peg ['tent,peg] s. picchetto (per tenda).

tenuity [te'nju(:)iti] s. **1** tenuità, sottigliezza **2** semplicità di stile.

tenuous ['tenjuəs] agg. **1** tenue, sottile **2** fluido, rarefatto **3** inconsistente.

tenure ['tenjuə*] s. **1** (dir.) (diritto di) possesso, godimento **2** periodo di possesso, godimento.

tepee ['ti:pi:] s. tenda dei pellirosse.

tepid ['tepid] agg. tiepido.

tercentenary [,tə:sen'ti:nəri, (amer.) tə:'sentənəri], **tercentennial** [,tə:sen'tenjəl] s. trecentenario.

tercet ['tə:sit] s. (metrica) terzina.

tergal ['tə:gəl] agg. dorsale.

term [tə:m] s. **1** termine; periodo di tempo; divisione dell'anno scolastico; semestre; trimestre; (dir.) sessione: — of office, periodo di carica **2** termine; parola: to use the proper —, usare la parola giusta, parlare propriamente // to be on good, bad terms with s.o., essere in buoni, cattivi rapporti con qlcu.; to keep on good terms with, mantenersi in buoni rapporti con; not to be on speaking terms with s.o., essere in rotta con qlcu. // a contradiction in terms, una contraddizione in termini **3** pl. termini; condizioni (di pagamento); prezzi: under the terms, secondo le clausole del contratto; name your own terms, stabilite voi le condizioni; easy terms, facilitazioni (di vendita); inclusive terms, tutto compreso; to come to (o to make) terms with, venire a patti con, accordarsi con; terms for private lessons are so much an hour, i prezzi, le tariffe delle lezioni private sono tanto all'ora.

to **term** v.tr. chiamare, definire.

termagant ['tə:məgənt] s. strega; bisbetica; brontolona.

terminable ['tə:mɪnəbl] agg. terminabile.

terminal ['tə:mɪnl] agg. terminale; estremo, finale ♦ s. **1** stazione terminale; capolinea // air —, (aer.) «terminal» **2** (arch.) pinnacolo **3** (elettr.) morsetto **4** (informatica) terminale: high rate —, terminale ad alta velocità; — oriented, interattivo; — session, (tel.) collegamento via terminale.

to terminate ['tə:mineit] *v.tr.* **1** terminare, finire **2** limitare ♦ *v.intr.* terminare.

termination [,tə:mi'neiʃən] *s.* **1** fine, cessazione; conclusione **2** (*gramm.*) terminazione.

terminology [,tə:mi'nɔlədʒi] *s.* terminologia.

terminus ['tə:mnəs], *pl.* **termini** ['tə:minai], **terminuses** ['tə:minəsiz] *s.* **1** capolinea; (*ferr.*) stazione di testa **2** (*dir.*) termine, confine.

termitary ['tə:mitəri] *s.* termitaio.

termite ['tə:mait] *s.* (*zool.*) termite.

tern¹ [tə:n] *s.* terna; terno.

tern² *s.* (*zool.*) rondine marina.

terrace ['terəs] *s.* **1** terrazzo, terrazza **2** case a schiera (*pl.*).

to terrace *v.tr.* terrazzare.

terrain ['terein] *s.* (*geogr. mil.*) terreno.

terramycin® [,terə'maisin] *s.* (*farm.*) terramicina.

terrapin ['terəpin] *s.* tartaruga d'acqua dolce.

terrene [tə'ri:n] *agg.* terrestre; terreno.

terrestrial [ti'restriəl] *agg.* terrestre.

terrible ['terəbl] *agg.* terribile.

terribly ['terəbli] *avv.* **1** terribilmente **2** (*fam.*) estremamente.

terrier ['teriə*] *s.* (*zool.*) terrier.

terrific [tə'rifik] *agg.* **1** spaventoso, terrificante **2** (*fam.*) straordinario, magnifico.

to terrify ['terifai] *v.tr.* atterrire.

territorial [,teri'tɔ:riəl] *agg.* territoriale // *Territorial Army*, milizia territoriale // **Territorial** *s.* membro della milizia territoriale.

territory ['teritəri] *s.* **1** territorio **2** (*fig.*) campo; zona.

terror ['terə*] *s.* **1** terrore **2** (*fam.*) peste; diavolo.

terrorist ['terərist] *s.* terrorista.

to terrorize ['terəraiz] *v.tr.* atterrire, terrorizzare.

terry(cloth) ['teri(klɔθ)] *s.* (tessuto a) spugna.

terse [tə:s] *agg.* **1** terso **2** conciso, incisivo.

tertian ['tə:ʃən] *agg.* e *s.* (*med.*) (febbre) terzana.

tertiary ['tə:ʃəri] *agg.* terziario.

to tessellate ['tesileit] *v.tr.* decorare a mosaico.

tessera ['tesərə], *pl.* **tesserae** ['tesəri:] *s.* tessera (di mosaico).

test¹ [test] *s.* **1** prova; esperimento; esame: *aptitude* —, test attitudinale; *to put s.o. to* (o *through*) *a* —, mettere qlcu. alla prova // — *case*, (*dir.*) precedente di giurisprudenza **2** (*psicologia*) reattivo mentale, psicologico **3** (*ind.*) prova, collaudo **4** (*chim.*) analisi, saggio; reagente **5** (*screen*) —, (*cinem.*) provino **6** (*informatica*) analisi // — *mode*, stato testo.

to test¹ *v.tr.* **1** esaminare; saggiare; collaudare; mettere alla prova **2** (*chim.*) analizzare **3** (*informatica*) sondare; provare.

test² *s.* guscio, conchiglia.

testaceous [tes'teiʃəs] *agg.* testaceo.

testament ['testəmənt] *s.* testamento.

testate ['testit], **testator** [tes'teitə*, (*amer.*) 'testeitə*] *s.* (*dir.*) testatore.

testatrix [tes'teitriks], *pl.* **testatrices** [tes'teitrisi:z] *s.* (*dir.*) testatrice.

test ban ['testbæn] *s.* accordo per la sospensione degli esperimenti nucleari.

test driver ['test,draivə*] *s.* collaudatore.

testicle ['testikl] *s.* (*anat.*) testicolo.

to testify ['testifai] *v.tr.* **1** attestare; affermare; dimostrare; dar prova di **2** (*dir.*) testimoniare; deporre ♦ *v.intr.* **1** *to* — *to*, attestare **2** *to* — *against*, (*dir.*) deporre contro.

testimonial [,testi'mounjəl] *s.* **1** benservito, certificato di servizio **2** testimonianza di stima, di gratitudine; dono.

testimony ['testiməni; (*amer.*) 'testimouni] *s.* **1** testimonianza; attestato // *to give* —, (*relig.*) testimoniare la propria fede **2** (*dir.*) deposizione.

testiness ['testinis] *s.* irritabilità, suscettibilità.

test pilot ['test,pailət] *s.* pilota collaudatore.

test tube ['testtju:b] *s.* (*chim.*) provetta // *test-tube baby*, figlio della provetta.

testudo [tes'tju:dou] *s.* (*zool.* e *st.mil.*) testuggine.

testy ['testi] *agg.* irascibile, suscettibile.

tetanic [ti'tænik] *agg.* tetanico.

tetanus ['tetənəs] *s.* (*med.*) tetano.

tetchy ['tetʃi] *agg.* irritabile, stizzoso.

tether ['teðə*] *s.* pastoia // *to be at the end of one's* —, essere all'estremo delle proprie forze, risorse.

to tether *v.tr.* impastoiare (*anche fig.*).

tetra- ['tetrə] *pref.* quadri-, tetra-.

tetrahedron ['tetrə'hedrən] *s.* (*geom.*) tetraedro.

Teuton ['tju:tən] *s.* teutone.

Teutonic [tju:(:)'tɔnik] *agg.* teutonico ♦ *s.* teutone.

Texan ['teksən] *agg.* e *s.* texano.

text [tekst] *s.* **1** testo // — *processing*, (*informatica*) elaborazione automatica dei testi **2** argomento **3** verso, passo delle Sacre Scritture.

textile ['tekstail] *agg.* e *s.* (fibra) tessile.

textual ['tekstjuəl] *agg.* testuale.

texture ['tekstʃə*] *s.* **1** trama (di tessuti) **2** struttura (*anche fig.*).

Thai [tai] *agg.* e *s.* tailandese.

Thailand ['tailænd] *no.pr.* Tailandia.

Thales ['θeili:z] *no.pr.m.* (*st. fil.*) Talete.

thalidomide [θə'lidə,maid] *s.* talidomide.

Thames [temz] *no.pr.* Tamigi.

than [ðæn (*forma forte*), ðən (*forma debole*)] *cong.* **1** (introduce il 2° termine di paragone) di; che; di quanto, di quello che: *finer* —, più bello di; *more* — *doubled*, più che raddoppiato; *it is easier* — *I thought*, è più facile di quanto pensassi; *my book is less interesting* — *my brother's*, il mio libro è meno interessante di quello di mio fratello // *rather* —, piuttosto che **2** (dopo other, else e loro composti) che: *nobody other* — *she*, nessun altro che lei.

thane [θein] *s.* (*st.*) nobile, signore.

to thank [θæŋk] *v.tr.* ringraziare; essere grato (a): — *you!*, grazie!; — *you for coming*, ti ringrazio di esser venuto; — *you for your book*, grazie del libro // *he has only himself to* —, è solo colpa sua.

thankful ['θæŋkful] *agg.* riconoscente, grato.

thankless ['θæŋklis] *agg.* ingrato.

thanks [θæŋks] *s.pl.* grazie; ringraziamenti: *I owe her many* —, le devo molta riconoscenza // — *to me*, grazie a me.

thanksgiving ['θæŋks,giviŋ] *s.* ringraziamento // *Thanksgiving Day*, (*amer.*) giorno del ringraziamento.

thankyou ['θæŋkjə] *agg.* di ringraziamento; di riconoscenza.

that [ðæt], *pl.* **those** [ðouz] *agg.dimostr.* quello: — *man*, quell'uomo; *those books*, quei libri; *I don't like this tie, give me* — *one*, non mi piace questa cravatta, mi dia quella // — *crazy brother of yours*, quel matto di tuo fratello ♦ *pron.dimostr.* **1** quello: *these and those*, questi e quelli; *who's* —?, chi è quello?; —*'s my cousin*, è mio cugino **2** questo; ciò; quello: *after* —, dopo questo, ciò; *with* —, con ciò, dopodiché; —*'s not what I* *meant*, non intendevo questo // — *is*, cioè // —'*s* —, è tutto, non c'è più niente da dire // —'*s all*, ecco tutto; —'*s why*, ecco perché // *and all* —, eccetera // —'*s right*, —'*s it*, ecco, è proprio così // *at* —, al che; per di più // *but for* —, se non fosse per quello // *is* — *you?*, sei tu? // "*Will you wait for me?*" "*That I will*", «Mi aspetti?» «Volentieri».

that *avv.* così, tanto; talmente: — *far*, così lontano; *she is* — *silly*, è talmente sciocca.

that *pron.rel.* **1** che; il quale: *the glasses* — *are on the table*, gli occhiali che sono sul tavolo; *the people* — *live in town*, la gente che abita in città; *the best make* — *you can find*, la miglior marca che si possa trovare **2** (*in espressioni di tempo*) in cui, nel quale: *the day* — *you arrived*, il giorno in cui sei arrivato.

that *cong.* che: *he said* — *he would come*, disse che sarebbe venuto; *it was here* — *I saw her*, fu qui che la vidi; *I'm sure* — *this is true*, sono sicuro che è vero; *now* — *you are here*, ora che sei qui // *but* —, se non fosse per il fatto che // *in* —, per il fatto che; in quanto che.

thatch [θætʃ] *s.* **1** copertura di paglia, stoppie, ramaglia ecc. (per tetti) **2** (*fam.*) massa di capelli.

to thatch *v.tr.* coprire (un tetto) con paglia ecc.

thatching ['θætʃiŋ] *s.* **1** il coprire un tetto con paglia ecc. **2** paglia ecc. (per coprire tetti).

thaumaturgy ['θɔːmətəːdʒi] *s.* taumaturgia.

thaw [θɔː] *s.* sgelo, disgelo.

to thaw *v.tr.* disgelare; sciogliere ♦ *v.intr.* disgelarsi; sciogliersi; (*fig.*) sgelarsi.

the [ðe (*davanti a consonante*), ði (*davanti a vocale e h muta*), ðiː (*forma enfatica*)] *art.det.* **1** il, lo, la; i, gli, le: *he'll come on* — *25th*, arriverà il 25; — *rich*, i ricchi // — *Browns*, i (signori) Brown // *Henry* — *Eighth*, Enrico VIII // *so much* — *yard*, tanto (al)la iarda **2** (*con valore dimostr.*): *at* — *time I didn't understand*, a quel tempo non capivo; *I'll go to the seaside in* — *summer*, quest'estate andrò al mare **3** (*enfatico*): *it's the whisky*, è l'unico whisky (degno di questo nome) ♦ *avv.* (*davanti a compar.*): *all* — *better*, tanto meglio.

theatre, (*amer.*) **theater** ['θiətə*] *s.* teatro (*anche fig.*): *to go to the* —, andare a teatro // *movie* —, (*amer.*) sala cinematografica // *operating* —, sala operatoria.

theatrical [θiˈætrikəl] *agg.* **1** teatrale **2** affettato, ostentato.

theatricality [θiˌætriˈkæliti] *s.* teatralità.

theatricals [θiˈætrikəlz] *s.pl.* rappresentazioni filodrammatiche.

Theban ['θiːbən] *agg. e s.* tebano

thee [ðiː] *pron.pers.compl. 2ª pers.sing.* (*arc. poet.*) te, ti.

theft [θeft] *s.* furto.

their [ðeə*] *agg.poss.* **1** loro **2** (*riferito a pron. indef.*) proprio: *everyone should mind* — *own business*, ognuno dovrebbe badare ai fatti propri.

theirs [ðeəz] *pron.poss.* il loro // *that friend of* —, quel loro amico.

theism ['θiːizəm] *s.* teismo.

theist ['θiːist] *s.* teista.

them [ðem] *pron.pers.compl. 3ª pers.pl.* **1** li; loro; sé: *I saw* —, li ho visti; *I told* — *that*, dissi loro che; *they took the child with* —, presero il bambino con sé // *it was* —, erano loro **2** (*dopo pron. indef. sing.*): *if anyone comes tell* —..., se viene qualcuno digli...

thematic [θiˈmætik] *agg.* (*gramm. mus.*) tematico.

theme [θiːm] *s.* tema.

themselves [θəmˈselvz] *pron. 3ª pers.pl.* **1** *rifl.* si; sé; sé stessi: *they enjoyed* — *a lot*, si sono divertiti molto **2** (*enfatico*) essi stessi: *they did it* —, l'hanno fatto proprio loro; l'hanno fatto da soli // *by* —, da soli ♦ *s.* essi stessi: *they were not* —, non erano in forma.

then [ðen] *avv.* **1** allora; a quel tempo: *she was very young* —, era molto giovane allora // *there and* —, subito **2** poi, dopo: — *he went away*, poi se ne andò // *what* —?, e poi?, e allora? **3** poi, inoltre: *and* — *I don't like it*, e poi non mi piace // *but* —, ma del resto, ma d'altra parte: (*but*) — *why did you do it?*, ma allora, perché l'hai fatto? ♦ *agg.* di allora: *the* — *Prime Minister*, il Primo Ministro di allora ♦ *s.* allora: *between now and* —, di qui a quel allora.

thence [ðens] *avv.* **1** di là **2** quindi, pertanto.

thenceforth ['ðensˈfɔːθ], **thenceforward** ['ðensˈfɔːwəd] *avv.* da allora in poi.

theo- [θiˈɔ;θiə] *pref.* teo-.

theocracy [θiˈɔkrəsi] *s.* teocrazia.

theodolite [θiˈɔdəlait] *s.* (*topografia*) teodolite.

Theodore ['θiədɔː*] *no.pr.m.* Teodoro.

theologian [θiəˈloudʒiən] *s.* teologo.

theological [θiəˈlɔdʒikəl] *agg.* teologico; teologale.

theology [θiˈɔlədʒi] *s.* teologia.

theorem ['θiərəm] *s.* (*mat.*) teorema.

theoretical [θiəˈretikəl] *agg.* teorico; teoretico.

theorist ['θiərist] *s.* teorico.

to theorize ['θiəraiz] *v.intr.* teorizzare.

theory ['θiəri] *s.* teoria; (*fam.*) idea.

theosophy [θiˈɔsəfi] *s.* (*fil.*) teosofia.

therapeutic(al) [ˌθerəˈpjuːtik(əl)] *agg.* terapeutico.

therapist ['θerəpist] *s.* terapista // *speech* —, ortofonista.

therapy ['θerəpi] *s.* terapia.

there [ðeə*] *avv.* **1** là, lì: *who is* —?, chi è (là)? // — *and then*, subito // — *and back*, andata e ritorno // *hey, you* —!, ehi, voi (laggiù)! **2** (*in unione con* to be) ci, vi: — *was nobody*, non c'era nessuno // *shut the door*, —'*s a dear*, da bravo, chiudi la porta **3** (*fraseologia*): *he is not all* —, è un tipo sveglio; *he is not all* —, gli manca un venerdì // — *he goes again*, eccolo che ricomincia // — *she is*, eccola (là) // — *you are!*, ecco fatto; ecco (quello che volevi, che dicevo) // *so* —, ecco tutto // — *now*, ecco // —, —, don't cry, su, su, non piangere.

thereabouts ['ðeərəbauts] *avv.* **1** nei dintorni; nelle vicinanze **2** circa, pressappoco.

thereafter [ðeərˈɑːftə*] *avv.* dopo (di che).

thereat [ðeərˈæt] *avv.* (*letter.*) perciò; con ciò.

thereby ['ðeəˈbai] *avv.* in tal modo.

there'd [ðeəd] *contr. di* there had, there would.

therefore ['ðeəfɔː*] *avv.* quindi, perciò.

therein [ðeərˈin] *avv.* **1** qui; là **2** ora; allora **3** a questo riguardo.

thereinafter [ˌðeərinˈɑːftə*] *avv.* più oltre, più avanti.

there'll [ðeəl] *contr. di* there will.

there's [ðeəz] *contr. di* there is, there has.

Theresa [tiˈriːzə] *no.pr.f.* Teresa.

thereto [ðeəˈtuː], **thereunto** [ðeərˈʌntu(ː)] *avv.* (*arc.*) **1** a ciò **2** inoltre.

thereupon ['ðeərəˈpɔn] *avv.* **1** subito **2** perciò.

therewith [ðeəˈwið] *avv.* **1** con ciò **2** subito.

therm [θəːm] *s.* (*fis.*) caloria.

thermal ['θəːməl] *agg.* **1** termico: (*British*) — *unit*, caloria (inglese) **2** termale.

thermic ['θəːmik] *agg.* termico.

thermionics [ˌθəːmiˈɔniks] *s.* (*fis.*) termoionica.

thermo- [ˈθəːmou] *pref.* termo-.

thermodynamics [ˈθəːmoudaiˈnæmiks] *s.* termodinamica.

thermometer [θəˈmɔmitə*] *s.* termometro.

thermonuclear [ˈθəːmouˈnjuːkliə*] *agg.* termonucleare.

thermoplastic [ˌθəːmouˈplæstik] *agg.* termoplastico ♦ *s.* sostanza termoplastica.

thermos® [ˈθəːmɔs] *s.* t(h)ermos.

thermosetting [ˈθəːmouˌsetiŋ] *agg.* termoindurente.

thermosiphon [ˈθəːmouˈsaifən] *s.* (*aut.*) sistema di raffreddamento ad acqua.

thermostat [ˈθəːmɔstæt] *s.* termostato.

thermostatic [ˌθəːmɔˈstætik] *agg.* (*fis.*) termostatico.

thesaurus [θi(ː)ˈsɔːrəs], *pl.* **thesauri** [θi(ː)ˈsɔːrai] *s.* dizionario di sinonimi; raccolta; florilegio.

these *pl.* di **this**.

thesis [ˈθiːsis], *pl.* **theses** [ˈθiːsiːz] *s.* tesi.

Thespian [ˈθespiən] *agg.* di Tespi; (*fig.*) drammatico ♦ *s.* attore, attrice.

thews [θjuːz] *s.pl.* muscoli; forza (*sing.*).

they [ðei] *pron.pers.sogg. 3ª pers.pl.* **1** essi; loro: *— are leaving,* stanno per partire; *— said so, not us,* l'hanno detto loro, non noi // *it was —,* erano loro **2** si: *— say that,* si dice che **3** (*riferito a nomi collettivi sing. e dopo pron. indef. sing.*): *the family was against him, but — publicly supported him,* la famiglia era contro di lui, ma pubblicamente ne teneva le parti **4** (*antecedente di pron. rel.*) coloro: *— who will come,* coloro che verranno.

they'd [ðeid] *contr. di* they had, they would.

they'll [ðeil] *contr. di* they will.

they're [ðɛə*] *contr. di* they are.

thick [θik] *agg.* **1** spesso; grosso; folto; (*fig.*) ottuso: *a — volume,* un grosso volume; *a carpet one inch —,* un tappeto dello spessore di un pollice // *to be a bit —,* (*fam.*) essere un po' ottuso // *it's a bit —,* (*fam.*) è il colmo // *to give s.o. a — ear,* (*fam.*) dare a qlcu. un ceffone **2** denso; torbido; melmoso: *— soup, sauce, minestra,* salsa densa // *— voice,* voce roca; voce impastata // *to have a — head,* (*fam.*) avere la testa pesante **3** fitto, folto **4** (*fam.*) intimo, molto unito // *to be as — as thieves,* essere amici per la pelle ♦ *s.* fitto, folto: *in the — of the fight,* nel folto della mischia // *to go through — and thin together,* essere insieme nella buona e nella cattiva sorte; *a friend through — and thin,* un amico a tutta prova ♦ *avv.* **1** a strati spessi: *to cut the bread —,* tagliare il pane a fette grosse // *to lay it on —,* (*fam.*) esagerare; avere la mano pesante **2** fittamente: *snow fell —,* la neve cadeva fitta fitta.

to thicken [ˈθikən] *v.tr.* **1** ispessire; infittire; rendere più consistente (*anche fig.*): *to — gravy with flour,* rendere più denso il sugo con la farina **2** ingrossare ♦ *v.intr.* **1** ispessirsi; infittirsi; diventare più denso **2** ingrossarsi **3** addensarsi; aumentare: *the crowd was thickening,* la folla si faceva sempre più fitta **4** (*fig.*) intensificarsi; diventare più complesso: *the plot thickens,* la storia si complica.

thickening [ˈθikniŋ] *s.* **1** ispessimento **2** sostanza che serve a ispessire.

thicket [ˈθikit] *s.* boschetto; macchia, boscaglia.

thickhead [ˈθikhed] *s.* (*fam.*) tonto, stupido.

thickness [ˈθiknis] *s.* **1** spessore; grossezza **2** consistenza; densità **3** (*fig.*) ottusità **4** strato.

thickset [ˈθikˈset] *agg.* **1** fitto; folto **2** tarchiato.

thick-skinned [ˈθikˈskind] *agg.* coriaceo; insensibile.

thief [θiːf], *pl.* **thieves** [θiːvz] *s.* ladro // *stop —!,* al ladro!

to thieve [θiːv] *v.tr. e intr.* rubare.

thievery [ˈθiːvəri] *s.* furto.

thievish [ˈθiːviʃ] *agg.* ladresco; furtivo.

thigh [θai] *s.* coscia.

thigh-bone [ˈθaiboun] *s.* femore.

thimble [ˈθimbl] *s.* **1** ditale **2** (*mecc.*) manicotto; flangia; ghiera.

thimbleful [ˈθimblful] *s.* quantità minima: *a — of wine,* un dito di vino.

thimblerigging [ˈθimblˌrigiŋ] *s.* gioco di bussolotti (*anche fig.*).

thin [θin] *agg.* **1** sottile; fine; esile: *a — slice,* una fetta sottile; *a — wall,* una parete sottile; *— voice,* voce esile; *a — blanket,* una coperta leggera // *to have a — time,* (*fam.*) passarsela male; **2** fluido; diluito **3** magro: *you look thinner,* mi sembri dimagrito **4** rado; scarso; esiguo // *to go — on top,* (*fam.*) diventare calvo **5** (*fig.*) debole, poco convincente: *a — excuse,* una magra scusa.

to thin *v.tr.* **1** assottigliare **2** diluire, allungare (liquidi) **3** diradare; sfoltire; sfrondare: *the population was thinned by the earthquake,* il terremoto decimò la popolazione; *to — (out) a wood,* sfoltire un bosco.

thine [ðain] *agg.poss.* (*arc. poet.*) tuo ♦ *pron.poss.* (*arc. poet.*) il tuo.

thing [θiŋ] *s.* **1** cosa: *the very same —,* proprio la stessa cosa; *it comes to the same —,* fa lo stesso; *that's just the —, that's the very —,* è proprio quello che ci vuole; *things are not too good,* le cose non vanno troppo bene; *I'll do no such —,* non farò niente di simile; *the (best) — is to keep quiet,* la cosa migliore è stare zitti // *it is just one of those things,* sono cose che capitano // *the — is not to win but to play well,* l'essenziale non è vincere ma giocare bene // *I'd like to come but the — is...,* vorrei venire ma il fatto è che... // *quite the —,* alla moda; *this is the latest — in...,* è l'ultimo grido in fatto di... // *it is not the — to stare at people,* non sta bene fissare la gente // *— for one —,* in primo luogo; fra l'altro // *that's too much of a good —!,* questo poi è troppo! // *of all things!,* chi l'avrebbe mai detto! // *to see things,* (*fam.*) avere le allucinazioni **2** *pl.* cose personali, roba (*sing.*): *take your things and go,* prendi la tua roba e vattene **3** (*fam.*) creatura: *poor little —!,* povera creatura! **4** (*fam.*) simpatia; antipatia: *I have got a — about the telephone,* ho antipatia per il telefono.

to think [θiŋk], *pass. e p.pass.* **thought** [θɔːt] *v.tr. e intr.* **1** pensare, riflettere: *— twice (o again),* pensaci bene, due volte; *to — aloud,* pensare a voce alta; *to — hard,* lambiccarsi il cervello // *to — of,* pensare a, di: *to — of s.o.,* pensare a qlcu.; *what do you — of it?,* che cosa ne pensi?; *I can't — of the right word,* non mi viene in mente la parola esatta; *when you least — of it,* quando meno te l'aspetti; *to — of a solution,* trovare una soluzione // *to — about,* pensar sopra, ponderare: *that is worth thinking about,* vale la pena di pensarci; *did you — about my offer?,* hai pensato alla mia offerta? // *to — over,* riflettere su, ponderare; ripensare a **2** credere, pensare, ritenere: *he thinks he knows everything,* crede di sapere tutto; *to — s.o., sth. interesting,* ritenere qlcu., qlco. interessante; *he thinks he is clever,* crede di essere furbo // *I — so,* penso di sì; *I don't — so,* penso di no; *I don't —!,* (*fam.*) non credo!; *I should hardly— so,* non direi; *I should —so!,* credo bene! // *to — little, much of,* stimare poco, molto; *to — too much of oneself,* presumere troppo di sé // *to* — *well, badly* (o *ill*) *of*, avere una buona, cattiva opinione di // *to* — *nothing of sthg.*, non tenere in nessun conto qlco. // *to* — *better of*, ripensare a; ritornare su (decisione ecc.) // *I thought of him as being older*, lo credevo più vecchio **3** credere, immaginare: *you can't* — *how sorry I am*, non puoi immaginare quanto mi dispiaccia; *I little thought to see him again*, non pensavo certo che l'avrei rivisto; *who'd have thought it!*, chi l'avrebbe detto!; *I thought I heard him*, mi era parso di sentirlo **4** *to* — *out*, escogitare, trovare; elaborare.

thinkable [ˈθiŋkəbl] *agg.* concepibile; immaginabile.

thinker [ˈθiŋkə*] *s.* pensatore.

thinking [ˈθiŋkiŋ] *agg.* pensante, ragionevole ♦ *s.* pensiero; riflessione; meditazione.

thinking cap [ˈθiŋkiŋkæp] *s.*: *to put one's* — *on*, (*fam.*) mettersi a pensare.

think tank [ˈθiŋktænk] *s.* gruppo di esperti, trust di cervelli.

thinly [ˈθinli] *avv.* leggermente; scarsamente, appena.

thin-skinned [ˈθinˈskind] *agg.* **1** dalla pelle sottile **2** (*fig.*) ipersensibile; sensibile; suscettibile.

third [θə:d] *agg.num.ord.* terzo // *every* — *day*, ogni tre giorni // *Henry the Third*, Enrico III // — *party insurance*, (*dir. comm.*) assicurazione per danni contro terzi ♦ *s.* **1** terzo: *two thirds*, due terzi // *the* — *of May* (o *3rd May*), il tre maggio **2** (*mus.*) terza **3** *pl.* (*comm.*) articoli, merce di qualità scadente (*sing.*).

third degree [ˈθə:ddiˈgri:] *s.* (interrogatorio di) terzo grado // *third-degree burn*, ustione di terzo grado.

thirdly [ˈθə:dli] *avv.* in terzo luogo.

third party [ˈθə:dˈpɑ:ti] *s.* (*dir. comm.*) terzi (*pl.*).

third-rate [ˈθə:dˈreit] *agg.* di terz'ordine; scadente.

thirst [θə:st] *s.* sete (*anche fig.*): *his* — *for glory*, la sua sete di gloria.

to thirst *v.intr.* soffrire la sete // *to* — *for*, bramare, desiderare.

thirsty [ˈθə:sti] *agg.* **1** assetato: *to be* (o *to feel*) —, aver sete // *to be* — *for*, essere bramoso, assetato di **2** arido, secco.

thirteen [ˈθə:ˈti:n] *agg.num.card. e s.* tredici.

thirteenth [ˈθə:ˈti:nθ] *agg.num.ord. e s.* tredicesimo.

thirtieth [ˈθə:tiiəθ] *agg.num.ord. e s.* trentesimo // *the* — *of June* (o *30th June*), il trenta giugno.

thirty [ˈθə:ti] *agg.num.card. e s.* trenta // *in the thirties*, negli anni Trenta; fra i 30 e i 39 anni (di età) // *to be in one's early, late thirties*, avere poco più di trenta, poco meno di quarant'anni // *the* —*first of May* (o *31st May*), il trentun maggio.

this [ðis], *pl.* **these** [ði:z] *agg.dimostr.* questo: — *man*, quest'uomo; *these books*, questi libri; *that wine is good, but I prefer* — *one*, quel vino è buono ma preferisco questo // — *agreement*, (*dir. comm.*) il presente contratto ♦ *pron.dimostr.* questo: *what is* —?, cos'è (questo)?; — *is my pen*, questa è la mia penna; questa penna è mia // *like* —, così // *to speak of* — *and that*, parlare del più e del meno.

this *avv.* (*fam.*) così; tanto: — *far*, fin qui; — *much*, tanto così.

thistle [ˈθisl] *s.* (*bot.*) cardo selvatico // *Thistle*, (*arald.*) Cardo (emblema della Scozia).

thistledown [ˈθisldaun] *s.* lanugine (del cardo).

thither [ˈðiðə*] *avv.* (*letter.*) là, colà, in quella direzione: *to run hither and* —, correr qua e là.

tho' *abbr.* di **though**.

Thomas [ˈtɔməs] *no.pr.m.* Tommaso // *St.* — *Aqui-*

nas, S. Tommaso d'Aquino // *a doubting* —, un san Tommaso.

Thomism [ˈtoumizəm] *s.* (*fil.*) tomismo.

thong [θɔŋ] *s.* correggia; cinghia.

thorax [ˈθɔ:ræks], *pl.* **thoraxes** [ˈθɔ:ræksiz] *s.* (*anat.*) torace.

thorn [θɔ:n] *s.* **1** spina (*anche fig.*): *a* — *in one's side*, una spina nel cuore **2** biancospino; rovo.

thorny [ˈθɔ:ni] *agg.* spinoso (*anche fig.*); arduo, difficile.

thorough¹ [ˈθʌrə, (*amer.*) ˈθʌrou] *agg.* compiuto, perfetto, completo: *a* — *investigation*, un'indagine approfondita; *a* — *clean*, una pulita a fondo.

thorough² *prep. e avv.* (*arc.*) per **through**.

thoroughbred [ˈθʌrəbred] *agg. e s.* **1** purosangue **2** aristocratico.

thoroughfare [ˈθʌrəfɛə*] *s.* strada transitabile; arteria di grande traffico // *no* —, divieto di transito.

thoroughgoing [ˈθʌrəˌgouiŋ] *agg.* intransigente; (*di riforma ecc.*) completo, radicale.

thoroughly [ˈθʌrəli] *avv.* interamente, pienamente, completamente: *to know a thing* —, conoscere una cosa a fondo.

those *pl.* di **that**.

thou [ðau] *pron.pers.sogg. 2ᵃ pers.sing.* (*arc. poet.*) tu.

though [ðou] *cong.* sebbene, benché: — (*he was*) *tired*, benché (fosse) stanco // *as* —, come se; *as* — *to say*, come per dire; *it looks as* —, sembra che // *even* —, anche se // *what* —, (*letter.*) che importa se // *strange* — *it may seem*, per quanto strano sembri ♦ *avv.* tuttavia, però: *I wish I had seen him* —, però, mi sarebbe piaciuto vederlo.

thought¹ [θɔ:t] *s.* **1** pensiero; riflessione, meditazione: *have you ever given it a* —?, ci hai mai pensato? // *on second thoughts*, ripensandoci // *lost in* —, meditabondo **2** idea; concezione; opinione; punto di vista: *what are your thoughts on the matter?*, qual è il vostro parere sulla faccenda? // *to have thoughts of...*, avere una mezza intenzione di... **3** preoccupazione; cura: *with no* — *for the consequences*, senza preoccuparsi delle conseguenze.

thought² *pass. e p.pass.* di to **think**.

thoughtful [ˈθɔ:tful] *agg.* **1** riflessivo; pensieroso; meditabondo **2** sollecito, premuroso, riguardoso: *it was very* — *of you to...*, fu molto gentile da parte vostra di...

thoughtless [ˈθɔ:tlis] *agg.* sconsiderato; sventato; imprudente; incurante.

thought-reading [ˈθɔ:tˌri:diŋ] *s.* lettura del pensiero.

thousand [ˈθauzənd] *agg.num.card.* mille // *a* — *and one*, (*fam.*) moltissimi ♦ *s.* migliaio; mille: *by the* — (o *by thousands*), a migliaia; *one* — *a*, uno su mille.

thousandfold [ˈθauzəndˈfould] *agg. e avv.* mille volte tanto.

thousandth [ˈθauzɔntθ] *agg.num.ord. e s.* millesimo // *for the* — *time*, per l'ennesima volta.

Thrace [θreis] *no.pr.* Tracia.

Thracian [ˈθreiʃən] *agg. e s.* tracio.

thrall [θrɔ:l] *s.* schiavitù; servaggio // *to hold s.o. in* —, assorbire completamente l'attenzione di qlcu.

to thrash [θræʃ] *v.tr.* **1** battere, sferzare: *to* — *s.o. soundly*, darle a qlcu. di santa ragione **2** sconfiggere **3** trebbiare **4** *to* — *out*, (*fig.*) discutere a fondo ♦ *v.intr.* trebbiare il grano.

thrashing [ˈθræʃiŋ] *s.* **1** bastonatura **2** sconfitta **3** trebbiatura.

thread [θred] *s.* **1** filo (*anche fig.*) // *to hang by a* —, essere appeso a un filo **2** (*mecc.*) filettatura, filetto, impanatura (di vite) **3** (*ind. tessile*) fibra; filo.

to thread *v.tr.* **1** infilare // *threaded with*, striato di **2** passare attraverso, penetrare **3** (*fot. cinem.*) caricare (una pellicola) **4** (*mecc.*) filettare (una vite).

threadbare ['θredbɛə*] *agg.* **1** consumato, liso, logoro **2** (*fig.*) trito, banale.

threadlike ['θredlaik] *agg.* filiforme.

threat [θret] *s.* minaccia: *to carry out a* —, mettere in atto una minaccia.

to threaten ['θretn] *v.tr.* e *intr.* minacciare.

threatening ['θretniŋ] *agg.* minaccioso.

three [θri:] *agg.num.card.* e *s.* tre // *in* (o *by*) *threes* (o — *by* —), a gruppi di tre.

three-cornered ['θri:'kɔ:nəd] *agg.* a tre punte.

three-D, 3-D [,θri:'di:] *abbr.* di **three-dimensional**.

three-decker [,θri:'dekə*] *s.* tramezzino.

three-dimensional [,θri:dai'menʃənəl] *agg.* tridimensionale.

threefold ['θri:fould] *agg.* triplo, triplice ♦ *avv.* tre volte.

threepence ['θrepəns] *s.* tre penny.

threepenny ['θrepəni] *agg.* da tre penny: — *bit*, moneta da tre penny.

three-quarter ['θri:'kwɔ:tə*] *agg.* (a) tre quarti: — *length coat*, (giacca a) tre quarti.

threescore ['θri:'skɔ:*] *s.* sessanta.

threesome ['θri:səm] *s.* (*golf*) partita a tre.

to thresh [θreʃ] *v.tr.* e *intr.* **1** trebbiare **2** → *to thrash* nel senso 1.

thresher ['θreʃə*] *s.* trebbiatore.

threshing ['θreʃiŋ] *s.* trebbiatura.

threshing-floor ['θreʃiŋflɔ:*] *s.* aia.

threshing machine ['θreʃiŋmə'ʃi:n] *s.* trebbiatrice.

threshold ['θreʃhould] *s.* soglia; (*fig.*) orlo // *tax thresholds*, fasce di reddito.

threw *pass.* di *to* **throw**.

thrice [θrais] *avv.* tre volte; molto.

thrift [θrift] *s.* economia, frugalità.

thrifty ['θrifti] *agg.* **1** frugale, economo **2** (*amer.*) prospero, fiorente.

thrill [θril] *s.* fremito; brivido: *what a* —!, che emozione!, che gioia!

to thrill *v.tr.* eccitare; far fremere ♦ *v.intr.* essere eccitato; fremere: *his voice thrilled with emotion*, gli tremava la voce per l'emozione.

thriller ['θrilə*] *s.* giallo (racconto, libro, film).

thrilling ['θriliŋ] *agg.* eccitante, emozionante, elettrizzante.

to thrive [θraiv], *pass.* **throve** [θrouv], **thrived** [θraivd], *p.pass.* **thriven** ['θrivn], **thrived** *v.intr.* prosperare // *to* — *on*, trarre profitto da.

thriving ['θraiviŋ] *agg.* **1** prospero **2** rigoglioso.

throat [θrout] *s.* gola: *sore* —, mal di gola // *to jump down s.o.'s* —, assalire, aggredire qlcu. (con parole) // *to ram* (*sthg.*) *down s.o.'s* —, imporre a qlcu. il proprio parere, le proprie idee ecc.

throaty ['θrouti] *agg.* gutturale.

throb [θrɔb] *s.* **1** battito, pulsazione **2** (*fig.*) palpito, fremito.

to throb *v.intr.* **1** battere, pulsare **2** (*fig.*) palpitare, fremere: *to* — *with*, fremere di.

throe [θrou] *s.* spasimo // *to be in the throes of*, essere nel pieno di, alle prese con // *throes of childbirth*, doglie.

thrombosis [θrɔm'bousis] *s.* (*med.*) trombosi.

throne [θroun] *s.* trono: *to come to the* —, salire al trono // *the Thrones*, (*relig.*) i Troni.

throng [θrɔŋ] *s.* calca, ressa.

to throng *v.intr.* affollarsi, accalcarsi ♦ *v.tr.* affollare, stipare.

throttle ['θrɔtl] *s.* **1** — (*valve*), (*mecc.*) valvola a farfalla **2** (*fam.*) gola.

to throttle *v.tr.* **1** strozzare, strangolare; soffocare (*anche fig.*) **2** (*mecc.*) regolare (flusso di vapore, gas), a mezzo di valvola **3** *to* — *down* (o *back*), rallentare, ridurre la velocità (di un motore).

through [θru:] *avv.* **1** attraverso, da una parte all'altra: *the policeman wouldn't let us* —, il poliziotto non volle farci entrare; *did you get* —?, ce l'hai fatta? (a un esame ecc.) **2** da cima a fondo, completamente: *to sleep the night* —, dormire tutta la notte; *to read the paper* —, leggere il giornale da cima a fondo // — *and* —, completamente, interamente // *all* —, per tutto il tempo **3** direttamente: *this train doesn't go* — *to London, you've got to change at Winchester*, questo treno non va fino a Londra, dovete cambiare a Winchester // *a* — *train to Paris*, un treno diretto per Parigi // *no* — *road*, strada senza uscita **4** *to be* —, (*al telefono*) essere in linea, collegato; (*amer.*) aver finito di parlare: *you are* —, siete in linea; *I'll put you* — *to the manager*, le passo il direttore **5** *to be* — *with sthg.*, finire, terminare; non poterne più; essere stufo: *he is almost* — *with his studies*, ha quasi finito i suoi studi; *he said he was* — *with boxing*, disse di aver dato un taglio con la boxe; *I'm* — *with my job*, sono stufo del mio lavoro; *to go* — *with sthg.*, portare qlco. alla fine, finire qlco.; *to see sthg.* —, seguire qlco. fino alla fine ♦ *prep.* **1** attraverso; per; da: — *the woods*, attraverso i boschi; *to pass* — *a gate*, passare per, da un cancello; — *the window*, dalla finestra // *he has been* — *it*, (*fam.*) ne ha passate di tutti i colori **2** durante, per tutta la durata di: (*all*) — *the month*, per tutto il mese; *he won't live* — *the night*, non passerà la notte **3** (*amer.*) fino a (incluso): *I'll be in Rome from Sunday* — *Thursday*, sarò a Roma da domenica a giovedì incluso **4** per, a causa di: *it happened* — *no fault of yours*, non fu per colpa tua; *absent* — *illness*, assente per malattia **5** per mezzo di: *to speak* — *an interpreter*, parlare per mezzo di un interprete; — *the post*, per, a mezzo posta.

throughout [θru(:)'aut] *avv.* completamente; dal principio alla fine; da un capo all'altro // *he is wrong* —, ha torto su tutta la linea ♦ *prep.* da un capo all'altro di; dal principio alla fine di; durante tutto: — *the country*, da un capo all'altro del paese: *he lived here* — *the year*, visse qui un anno intero; — *one's life*, (per) tutta la vita.

throughput ['θru:put] *s.* (*informatica*) capacità di trattamento; smaltimento.

through road ['θru:roud] *s.* superstrada.

throughway ['θru:wei] *s.* autostrada, superstrada.

throve *pass.* di *to* **thrive**.

throw [θrou] *s.* lancio; colpo; tiro **2** (*lotta libera*) atterramento dell'avversario.

to throw, *pass.* **threw** [θru:], *p.pass.* **thrown** [θroun] *v.tr.* **1** gettare; lanciare: *to* — *sthg. at s.o.*, scagliare qlco. contro qlcu. // *to* — *oneself into sthg.*, intraprendere qlco. con entusiasmo // *to* — *oneself on*, affidarsi a: *to be thrown on s.o.'s mercy*, dover ricorrere all'aiuto di qlcu. // *to* — *the door open*, spalancare la porta // *to* — *a party*, (*fam.*) dare una festicciola // *to* — *them together*, (*fam.*) trovarsi, incontrarsi per caso **2** proiettare: *to* — *a shadow*, gettare un'ombra // *to* — *light on* *sthg.*, *(fig.)* far luce su qlco. **3** atterrare (un avversario); disarcionare **4** *(ind. tessile)* torcere, avvolgere **5** tornire (vasi) **6** *(fam.)* perdere intenzionalmente (una competizione sportiva) **7** *to — about*, disseminare, gettare qua e là: *to — one's money about*, spendere a piene mani; *to — one's arms about*, agitare le braccia; *to be thrown about*, essere sballottato **8** *to — away*, buttar via, sprecare **9** *to — back*, ributtare, buttare di nuovo; riflettere (di specchio) **10** *to — in*, buttar dentro; aggiungere; dare in aggiunta, in più *// to — in one's hand*, *(anche fig.)* dare partita vinta *// to — in one's lot in with s.o.*, unire la propria sorte a quella di un altro **11** *to — off*, buttar fuori, emettere; togliere; liberarsi (di); improvvisare **12** *to — out*, buttar fuori; respingere; espellere **13** *to — over*, abbandonare; respingere **14** *to — up*, lanciare; *(fam.)* vomitare; abbandonare; rinunciare a ♦ *v.intr.* fare un lancio.

throwaway ['θrouǝwei] *agg.* da buttare, a perdere ♦ *s.* volantino.

throwback ['θroubæk] *s.* *(biol.)* regressione.

thrown *p.pass.* di to **throw**.

thru *prep.* e *avv.* *(amer. fam.)* → **through**.

thrush [θrʌʃ] *s.* tordo.

thrust [θrʌst] *s.* **1** spinta **2** *(mil.)* attacco, assalto **3** frecciata, frecciatina *// — and parry*, botta e risposta **4** dinamismo.

to thrust, *pass.* e *p.pass.* **thrust** *v.tr.* spingere; cacciare; ficcare: *he — the letter into his pocket*, cacciò la lettera in tasca; *to — way through the crowd*, farsi strada fra la folla *// to — aside, away, back*, respingere, allontanare, cacciare indietro *// to — down, forward, out, up*, spingere giù, avanti, fuori, in alto; *to — oneself forward*, farsi avanti, mettersi in vista *// to — oneself into sthg.*, *(fig.)* intromettersi in qlco. *// to — sthg. upon s.o.*, imporre qlco. a qlcu. ♦ *v.intr.* **1** spingersi, cacciarsi: *they — past me*, mi spinsero da parte per passare **2** *to — at*, attaccare, lanciarsi su.

thud [θʌd] *s.* colpo, rumore sordo; tonfo.

to thud *v.intr.* fare un rumore sordo; cadere con un tonfo.

thug [θʌg] *s.* assassino, delinquente.

thumb [θʌm] *s.* pollice *// thumbs down*, pollice verso *// thumbs up!*, evviva!; benone! *// his fingers are all thumbs*, è goffo, maldestro *// to be under s.o.'s —*, essere sotto il potere, l'influenza di qlcu.

to thumb *v.tr.* **1** lasciare ditate (su un libro ecc.); sporcare, sciupare *// to — one's nose at s.o.*, far marameo a qlcu. *// to — through (a book)*, sfogliare rapidamente (un libro) **2** fare l'autostop.

thumb index ['θʌm,indeks] *s.* indice a rubrica.

thumbnail ['θʌmneil] *s.* unghia del pollice *// a — sketch*, schizzo in miniatura; descrizione concisa.

thumbscrew ['θʌmskru:] *s.* **1** *(st.)* strumento di tortura con cui venivano schiacciati i pollici dei condannato **2** vite con testa zigrinata, ad alette.

thumbtack ['θʌmtæk] *s.* *(amer. per drawing pin)* puntina da disegno.

thump [θʌmp] *s.* colpo; rumore sordo.

to thump *v.tr.* **1** battere, percuotere, colpire (producendo un suono sordo); dar pugni a): *he thumps (on) the table when he speaks*, batte i pugni sul tavolo quando parla **2** *to — (out)*, strimpellare ♦ *v.intr.* **1** battere: *my heart is thumping*, il mio cuore batte forte **2** cadere con un tonfo **3** camminare pesantemente.

thumping ['θʌmpin] *agg.* *(fam.)* grosso, enorme.

thunder ['θʌndǝ*] *s.* **1** tuono, tuoni *(pl.)*: *a peal of —*, un rimbombo di tuono **2** scoppio, rombo *// to*

steal s.o.'s —, prendersi le lodi che spetterebbero ad altri **3** fulmine *(anche fig.)*; minaccia.

to thunder *v.intr.* **1** tuonare **2** rumoreggiare, rimbombare: *his words thundered in my ears*, le sue parole mi rimbombavano nelle orecchie **3** pronunciare con voce tonante.

thunderbolt ['θʌndǝboult] *s.* fulmine, saetta *(anche fig.)*.

thunderclap ['θʌndǝklæp] *s.* improvviso scoppio di tuono.

thunderous ['θʌndǝrǝs] *agg.* **1** temporalesco, minaccioso (di tempo) **2** tonante; fragoroso.

thunderstorm ['θʌndǝstɔ:m] *s.* temporale.

thunderstruck ['θʌndǝstrʌk] *agg.* **1** fulminato **2** *(fig.)* meravigliato, attonito.

Thursday ['θǝ:zdi] *s.* giovedì *// Maundy —*, giovedì santo *// Holy —*, giovedì santo (per gli anglicani anche il giorno dell'Ascensione).

thus [ðʌs] *avv.* **1** così **2** così, talmente: *— far*, sin qui, fino a tal punto.

(to) thwack ['θwæk] *→* (to) **whack**.

to thwart [θwɔ:t] *v.tr.* contrastare; frustrare.

thy [ðai] *agg.poss.* *(arc. poet.)* tuo.

thyme [taim] *s.* *(bot.)* timo.

thyroid ['θairoid] *agg.* tiroideo ♦ *s.* *(anat.)* tiroide.

thyself [ðai'self] *pron.* 2ª *pers.sing.* *(arc. poet.)* **1** *rifl.* ti; te, te stesso **2** *(enfatico)* tu stesso, te stesso.

tiara [ti'ɑ:rǝ] *s.* **1** diadema, tiara: *a — of pearls*, un diadema di perle **2** *(eccl.)* triregno.

Tiber ['taibǝ*] *no.pr.* Tevere.

tibia ['tibiǝ], *pl.* **tibiae** ['tibii:] *s.* tibia.

tic [tik] *s.* tic (nervoso).

tick¹ [tik] *s.* **1** tic tac, ticchettio (di orologio); battito; scatto (di contatore) **2** segno, visto.

to tick¹ *v.intr.* **1** ticchettare, far tic tac (di orologio); scattare (di contatore) *// I would like to know what makes him —*, vorrei sapere che cosa lo anima **2** *to — out*, trasmettere per telescrivente **3** *to — over*, *(aut.)* tenere il minimo; *(fig.)* tirare avanti ♦ *v.tr.:* *to — (off)*, spuntare, contrassegnare; *(sl.)* rimproverare.

tick² *s.* *(zool.)* acaro, zecca.

tick³ *s.* traliccio; fodera di materasso.

tick⁴ *s.* *(fam.)* credito: *on —*, a credito.

ticker ['tikǝ*] *s.* **1** telescrivente **2** *(sl.)* cuore.

tickertape ['tikǝteip] *s.* nastro di telescrivente *// — parade*, *(amer.)* parata in onore di una celebrità (a New York).

ticket ['tikit] *s.* **1** biglietto; scontrino, tagliando; etichetta *// single —* (o *one-way —*), biglietto di andata *// return —* (o amer. *round trip —*), biglietto di andata e ritorno *// — inspector*, controllore *// — collector*, bigliettaio *// —-of-leave*, permesso di libertà provvisoria *// that's the —!*, *(sl.)* ben fatto! **2** multa **3** *(amer.)* lista dei candidati di un partito *// to vote the straight —*, votare seguendo la linea del partito **4** programma elettorale **5** *(mil.)* congedo.

to ticket *v.tr.* **1** etichettare; *(fig.)* definire **2** multare.

tickle ['tikl] *s.* solletico.

to tickle *v.tr.* **1** solleticare, fare il solletico (a) **2** stuzzicare; eccitare; divertire *// to — one pink*, *(sl.)* compiacere molto qlcu. ♦ *v.intr.* far solletico: *my nose tickles*, mi prude il naso.

ticklish ['tikliʃ] *agg.* **1** sensibile al solletico **2** difficile, delicato; suscettibile, permaloso.

tick-tack ['tik'tæk] *s.* segni convenzionali per trasmettere le quotazioni agli allibratori *// —-man*, chi segnala le quotazioni a un allibratore.

tidal [ˈtaidl] *agg.* della marea, dipendente dalla marea // — *wave*, onda di marea; cavallone; *(fig.)* impulso travolgente; impeto di entusiasmo, indignazione popolare.

tidbit [ˈtidbit] *s.* *(amer.* per *titbit)* boccconcino, leccornia; *(fig.)* notizia piccante.

tiddledywinks [ˈtidldiwiŋks], **tiddlywinks** [ˈtidliwiŋks] *s.* gioco della pulce.

tide [taid] *s.* **1** marea: *the — is out*, la marea è bassa; *high, low —*, alta, bassa marea **2** *(fig.)* ondata; corrente; colmo, apice.

to tide *v.intr.* **1** *(mar.)* entrare, uscire (da porto, fiume) con l'aiuto della marea **2** *to — over*, superare, sormontare // *their help tided us over through the winter*, il loro aiuto ci permise di superare l'inverno.

tidings [ˈtaidiŋz] *s.pl.* notizia *(sing.)*, notizie.

tidy [ˈtaidi] *agg.* **1** ordinato; pulito **2** *(fam.)* considerevole.

to tidy *v.tr.: to — (up)*, mettere in ordine.

tie [tai] *s.* **1** cravatta; laccio, legaccio // —*clip*, fermacravatta // *bow-* —, cravatta a farfalla **2** *(fig.)* legame, vincolo **3** *(mus.)* legatura **4** *(amer.) (ferr.)* traversina **5** *(sport)* spareggio; partita eliminatoria: *to play off a* —, giocare una partita di spareggio **6** pareggio.

to tie *v.tr.* **1** legare; attaccare, congiungere *(anche fig.)* // *to — s.o.'s tongue*, costringere qlcu. al silenzio **2** allacciare, annodare: *to — one's shoes*, allacciarsi le scarpe **3** obbligare; vincolare **4** *to — up*, legare sicuramente; bloccare; vincolare; collegare: *the will tied up the estate*, il testamento vincolava la proprietà; *to — up one's hair*, annodarsi i capelli // *to — up to* (o *with)*, *(amer.)* far legga con; unirsi a, collegarsi a ♦ *v.intr. (sport)* avere lo stesso punteggio, pareggiare: *to — for first place (with s.o.)*, essere primo ex aequo (con qlcu.).

tie-on [ˈtaiɔn] *agg.* (di etichetta, cartellino) che si lega con lo spago.

tiepin [ˈtaipin] *s.* spillo per cravatta.

tier [tiə*] *s.* fila, serie, ordine (in struttura a più piani): *a —* (*of seats)*, una fila (di posti di gradinata); *two tiers of arches*, *(arch.)* due ordini di archi.

tiercet [ˈtɔːset] *s.* *(prosodia)* terzina.

tie-up [ˈtaiʌp] *s.* legame; connessione.

tiff [tif] *s.* diverbio.

tiffany [ˈtifəni] *s.* garza, mussola finissima.

tiger [ˈtaigə*] *s.* **1** tigre **2** *(fig.)* persona feroce e crudele; avversario temibile **3** *(amer.)* grido di incitamento.

tight [tait] *agg.* **1** stretto **2** teso, tirato // *to keep a — hand on s.o.*, trattare qlcu. severamente **3** impermeabile; a perfetta tenuta: *a — drawer*, un cassetto che chiude bene **4** rigido, severo **5** *(fam.)* scarso; tirato, tirchio **6** *(sl.)* ubriaco.

tight *avv.* **1** ermeticamente; a perfetta tenuta: *close the window —*, chiudi bene la finestra **2** in maniera tesa **3** strettamente; in modo aderente, attillato: *to hold —*, stringere, tenere stretto // *to sit —*, sedere immobile; *(fig.)* non darla vinta, non mollare.

to tighten [ˈtaitn] *v.tr.* **1** serrare; stringere **2** tendere; tirare ♦ *v.intr.* **1** serrarsi; stringersi **2** tendersi.

tightrope [ˈtaitroup] *s.* corda tesa per funamboli // — *walker*, funambolo.

tights [taits] *s.pl.* **1** calzamaglia *(sing.)* **2** collant.

tigress [ˈtaigris] *s.* tigre (femmina).

tike [taik] *s.* **1** cane bastardo **2** cafone.

tile [tail] *s.* tegola; mattonella; piastrella.

to tile *v.tr.* coprire di tegole (un tetto); pavimentare; rivestire con piastrelle.

till[1] [til] *prep.* fino a: *— now*, *— then*, fino ad ora, fino allora // *not... —*, non... prima di ♦ *cong.* finché non, fino a che (non), fintanto che.

till[2] *s.* cassetto in cui riporre il denaro (in negozio, ufficio).

to till[3] *v.tr.* dissodare; coltivare.

tillage [ˈtilidʒ] *s.* **1** coltivazione: *in —*, in coltivazione **2** terreno coltivato.

tiller [ˈtilə*] *s.* barra (del timone).

tilt[1] [tilt] *s.* tenda, tendone, copertura.

tilt[2] *s.* **1** torneo, giostra; scontro, attacco *(anche fig.)* // *at full —*, a tutta velocità, forza **2** atto di inclinare: inclinazione: *at a —*, inclinato, ad angolo.

to tilt[2] *v.intr.* **1** inclinare, inclinarsi **2** giostrare, torneare; lottare // *to — at windmills*, *(fig.)* combattere contro mulini a vento **3** disputare, fare un dibattito ♦ *v.tr.* rovesciare; scaricare.

timber [ˈtimbə*] *s.* **1** legname da costruzione **2** alberi da legname *(pl.)* **3** trave, tavola, asse **4** *(fig.)* tempra, carattere.

to timber *v.tr.* rivestire, armare di legno; coprire di alberi.

timbre [ˈtæmbrə, *(amer.)* ˈtimbər] *s.* *(di suono)* timbro.

time [taim] *s.* **1** tempo: *for a short —*, per poco tempo; *for a long — to come*, per molto tempo ancora; *in a week's —*, fra una settimana; *in less than no —*, in men che non si dica; *from — to —*, di tanto in tanto; *as — goes on*, col passare del tempo; *in good —*, per tempo; *on —*, puntualmente; *(amer.)* a rate; *behind —*, in ritardo; *ahead of —*, in anticipo; *to keep good —*, essere esatto (di orologio); *(sport)* tenere un buon tempo; *in — in —*, in tempo; *(mus.)* a tempo; *(mil.)* al passo; *out of —*, *(mus.)* fuori tempo // *between times*, negli intervalli // *for the — being*, per il momento // *to race against —*, gareggiare col tempo // *to have — on one's hands*, aver tempo da perdere // *my — is my own*, sono padrone del mio tempo // *take your —!*, fa' con comodo! // *to have a good —*, *the — of one's life*, divertirsi molto, moltissimo; *to have a bad —*, passarsela male // *she is in for a good, bad —*, se la passerà bene, male // *— slicing*, *(informatica)* assegnazione di tempo **2** *(gener. pl.)* tempo, epoca: *behind the times*, in arretrato coi tempi; *this — next year*, l'anno prossimo, di questi giorni; *down to recent times*, fino ai giorni nostri; *in times to come*, per l'avvenire // *at no —*, mai // *once upon a — there was...*, c'era una volta... // *— was when*, ci fu un tempo in cui // *lost in the mists of —*, perso nella notte dei tempi **3** volta: *— after — (*o *— and again)*, ripetutamente; *many a —*, molte volte; *ever so many times*, un'infinità di volte; *two at a — *, due alla volta; *three times three makes nine*, tre volte tre fa nove **4** ora; momento: *what — is it?*, che ore sono?; *the — was midnight*, era mezzanotte; *to look at the —*, guardare l'ora; *it is — he went*, è ora che vada; *it is high — to go*, è proprio l'ora di andare // *— is up!*, è l'ora! // *we must bide our —*, dobbiamo aspettare il nostro momento // *to take — by the forelock*, cogliere il momento giusto // *to play for —*, guadagnare tempo **5** orario: *the times of the buses*, gli orari degli autobus; *our office is on short —*, il nostro ufficio fa l'orario ridotto.

to time *v.tr.* **1** fissare l'ora (di); scegliere il momento giusto (per); regolare: *our arrival was timed for two o'clock*, il nostro arrivo fu fissato per le due **2** misurare la durata (di); cronometrare.

time bomb [ˈtaimbɔm] *s.* bomba a orologeria.

time card [ˈtaimkɑːd] *s.* cartellino delle presenze.

time clock ['taimklɔk] *s.* orologio per il controllo delle presenze.

time exposure ['taimiks,pouʒə*] *s.* (*fot.*) tempo di posa.

time fuse ['taimfju:z] *s.* spoletta a tempo.

time-honoured ['taim,ɔnəd] *agg.* consacrato dal tempo.

timekeeper ['taim,ki:pə*] *s.* **1** cronometro **2** chi tiene calcolo del tempo (spec. delle ore di lavoro degli operai); (*sport*) cronometrista.

time lag ['taimlæg] *s.* intervallo di tempo; ritardo.

timely ['taimli] *agg.* opportuno, tempestivo.

time-out ['taimaut] *s.* (*informatica*) periodo di attesa; (*tel.*) pausa.

timepiece ['taimpi:s] *s.* orologio.

timer ['taimə*] *s.* **1** cronometrista **2** cronometro // old- —, vecchio del mestiere, veterano **3** temporizzatore.

timesaving ['taim,seiviŋ] *agg.* che fa risparmiare tempo.

timeserver ['taim,sə:və*] *s.* opportunista.

time signal ['taim,signl] *s.* segnale orario.

time switch ['taimswitʃ] *s.* interruttore a tempo.

timetable ['təim,teibl] *s.* orario.

timework ['taimwə:k] *s.* lavoro retribuito a ore.

timeworn ['taimwɔ:n] *agg.* logorato dal tempo.

timid ['timid] *agg.* timido; timoroso.

timidity [ti'miditi] *s.* timidezza; timore.

timing ['taimiŋ] *s.* **1** calcolo del tempo (di posa fotografica ecc.) // the — of her arrival was perfect, colse il momento migliore per arrivare **2** (*mecc.*) messa in fase; regolazione // — advance, anticipo **3** (*informatica*) temporizzazione; durata; sincronizzazione **4** (*sport*) cronometraggio.

timorous ['timərəs] *agg.* timoroso; timido.

Timothy ['timəθi] *no.pr.m.* Timoteo.

tin [tin] *s.* **1** stagno; latta // — hat, (*sl.*) elmetto **2** recipiente di latta: a — of sweets, una scatola di caramelle **3** (*sl.*) denaro.

to **tin** *v.tr.* **1** stagnare **2** conservare in scatola; inscatolare.

tin can ['tinkæn] *s.* (scatola di) latta.

tincture ['tiŋktʃə*] *s.* **1** colore, tinta; sfumatura; (*fig.*) infarinatura **2** (*chim.*) tintura; soluzione alcolica.

to **tincture** *v.tr.* tingere, colorare; dare aroma a.

tinder ['tində*] *s.* esca (per fuoco).

tinderbox ['tindəbɔks] *s.* scatola contenente l'esca e l'acciarino; (*fig.*) polveriera.

tinfoil ['tin'fɔil] *s.* stagnola.

ting [tiŋ] *s.* tintinnio; trillo.

to **ting** *v.tr.* e *intr.* (far) tintinnare.

tinge [tindʒ] *s.* sfumatura; pizzico; tocco.

to **tinge** *v.tr.* dare una sfumatura a // flattery tinged with envy, adulazione mista a invidia.

tingle ['tiŋgl] *s.* **1** formicolio; pizzicore **2** eccitazione.

to **tingle** *v.tr.* e *intr.* **1** (far) formicolare; (far) pizzicare **2** (far) vibrare, (far) fremere: the girl was tingling with excitement, la ragazza era tutta eccitata.

tinhorn ['tinhɔ:n] *agg.* e *s.* (*sl. amer.*) (individuo) che ostenta ricchezza, ordinario e vistoso.

tinker ['tiŋkə*] *s.* **1** calderaio (ambulante); stagnino **2** rabberciatore, guastamestieri **3** rabberciatura, rappezzatura.

to **tinker** *v.tr.* riparare, rabberciare ♦ *v.intr.*: to — with sthg., armeggiare con qlco.

tinkle ['tiŋkl] *s.* tintinnio.

to **tinkle** *v.tr.* e *intr.* (far) tintinnare.

tinny ['tini] *agg.* **1** di stagno; simile a stagno **2** metallico (di suono).

tin opener ['tin,oupənə*] *s.* apriscatole.

tin pan alley [,tinpæn'æli] *s.* editori, musicisti, compositori di musica popolare.

tinplate ['tinpleit] *s.* lamiera stagnata.

tinsel ['tinsəl] *agg.* vistoso, sgargiante ♦ *s.* **1** festone di stagnola **2** (*fig.*) orpello.

tinsmith ['tinsmiθ] *s.* lattoniere, stagnaio.

tint [tint] *s.* tinta; sfumatura.

to **tint** *v.tr.* colorire, tinteggiare.

tinware ['tinwɛə*] *s.* utensili, articoli di latta.

tiny ['taini] *agg.* piccino, minuscolo: a — bit, un pochettino.

tip¹ [tip] *s.* **1** punta; cima // on the — of one's tongue, sulla punta della lingua **2** puntale, ghiera.

to **tip¹** *v.tr.* mettere un puntale (a); coprire, ornare la punta (di): a staff tipped with gold, un bastone con il puntale d'oro.

tip² *s.* **1** deposito di rifiuti **2** inclinazione.

to **tip²** *v.tr.* **1** rovesciare; capovolgere // to — over, capovolgere // to — up, inclinare; piegare // to — the scales (at a hundred pounds), pesare (cento libbre) **2** vuotare, scaricare ♦ *v.intr.* rovesciarsi; capovolgersi // to — over, capovolgersi // to — up, inclinarsi.

tip³ *s.* (*fam.*) informazione (di Borsa, cavalli); avvertimento; suggerimento.

to **tip³** *v.tr.* e *intr.* (*fam.*) dare informazioni (di Borsa, cavalli); avvisare // to — s.o. off, mettere sull'avviso qlcu. // to — a winner, prevedere il vincitore di una competizione.

tip⁴ *s.* tocco; (*spec. baseball*) colpo di striscio.

to **tip⁴** *v.tr.* toccare, battere leggermente; sfiorare.

tip⁵ *s.* mancia.

to **tip⁵** *v.tr.* **1** dare la mancia (a), ricompensare **2** (*sl.*) dare; sganciare; passare ♦ *v.intr.* dare mance.

tipcat ['tipkæt] *s.* (*gioco*) lippa.

tip-off ['tipɔ(:)f] *s.* (*sl.*) informazione (di Borsa, cavalli).

tippet ['tipit] *s.* mantellina; cappa.

to **tipple** ['tipl] *v.intr.* alzare il gomito.

tipster ['tipstə*] *s.* informatore; delatore.

tipsy ['tipsi] *agg.* brillo, alticcio; ubriaco.

tiptoe ['tiptou] *avv.* e *s.* (in, sulla) punta dei piedi // on —, in punta di piedi; (*fig.*) elettrizzato, impaziente.

to **tiptoe** *v.intr.* camminare in punta di piedi.

tip-top ['tip'tɔp] *agg.* (*fam.*) superlativo, eccellente.

tirade [tai'reid] *s.* tirata, diatriba, filippica.

to **tire¹** ['taiə*] *v.tr.* **1** stancare **2** consumare, esaurire (anche fig.) // to — out, esaurire, consumare completamente ♦ *v.intr.* stancarsi.

tire² *s.* (*amer.*) → **tyre.**

tired ['taiəd] *agg.* stanco; esausto.

tiredness ['taiədnis] *s.* stanchezza.

tireless ['taiəlis] *agg.* instancabile, inesauribile.

tiresome ['taiəsəm] *agg.* noioso, fastidioso; seccante.

'tis [tiz] *contr.* di it is.

tissue ['tisju:] *s.* **1** carta velina **2** tessuto; (*fig.*) tessuto, rete **3** fazzoletto di carta.

tissue paper ['tisju:'peipə*] *s.* carta velina.

tit¹ [tit] *s.*: — for tat, pan per focaccia.

tit² *s.* (*volg.*) petto.

Titan ['taitən] *s.* (*mit.*) Titano (*anche fig.*).

titanic [tai'tænik] *agg.* titanico.

titanium [tai'teinjəm] *s.* (*chim.*) titanio.

titbit ['titbit] *s.* bocconcino, leccornia; (*fig.*) notizia piccante.

tithe [taið] *s.* **1** un decimo **2** (*st. eccl.*) decima.

Titian [´tiſiən] *no.pr.m.* (*st. pitt.*) Tiziano ♦ *s.* dipinto di Tiziano // **titian** *agg.* e *s.* (color) rosso Tiziano.

to titillate [´titileit] *v.tr.* titillare (*anche fig.*).

title [´taitl] *s.* **1** titolo **2** (*dir.*) diritto di proprietà; diritto: *a clear — to an estate*, diritto incontestabile a una proprietà.

title deed [´taitldi:d] *s.* atto di proprietà.

titleholder [´taitl,houldə*] *s.* (*sport*) detentore di un primato.

title page [´taitlpeidʒ] *s.* frontespizio.

title role [´taitlroul] *s.* (*teatr.*) ruolo del personaggio che dà il titolo all'opera.

titration [ti´treiʃən] *s.* (*chim.*) titolazione.

titter [´titə*] *s.* risolino, riso soffocato.

to titter *v.intr.* ridacchiare, ridere in modo sciocco.

tittle [´titl] *s.* un niente; quantità minima // *not one jot or —*, niente affatto.

tittle-tattle [´titl,tætl] *s.* pettegolezzo; ciarla.

titular [´titjulə*] *agg.* e *s.* titolare // *— sovereignty*, sovranità nominale.

Titus [´taitəs] *no.pr.* (*st.*) Tito.

tizzy [´tizi] *s.* (*fam.*) confusione, baraonda: *to be in a —*, essere confuso.

to [tu: (*forma forte*), tu, tə (*forme deboli*)] *prep.* **1** (*termine, paragone*) a: *give it — me*, dammelo, dallo a me; *compared — that*, paragonato a quello; *that's nothing — what I expected*, non è niente in confronto a quello che mi aspettavo // *that's all there is — it*, questo è tutto // *what did he say — my suggestion?*, che cosa ha detto della mia proposta? **2** (*moto a luogo, direzione*) a; in; da; verso: *to go — the station, — France*, andare alla stazione, in Francia; *I'll come — you tomorrow*, verrò da te domani; *the east*, a, verso est **3** (*distanza*) a; fino a: *from side — side*, da un lato all'altro; *come with me — the station*, accompagnami (fino) alla stazione; *to count up — three*, contare fino a tre // *it is ten miles — the next town*, ci sono dieci miglia da qui alla prossima città **4** (*proporzione, rapporto*) a; contro; per: *two goals — nil*, due reti a zero; *three is — six as five is — ten*, tre sta a sei come cinque sta a dieci; *it is a hundred — one that...*, scommetto cento contro uno che...; *ten inhabitants — the square mile*, dieci abitanti per miglio quadrato **5** (*relazione*) con, verso; per: *to be kind — s.o.*, essere gentile con, verso qlcu.; *he was like a father — me*, fu (come) un padre per me // *what's that — him?*, cosa gliene importa?

to *avv.* **1** (*verso la, nella posizione o condizione abituale o desiderata*): *to leave the door —*, lasciare la porta accostata; *he pushed the door —*, chiuse la porta (spingendola); *to get the lid of a suitcase —*, chiudere completamente una valigia // *to come —*, riaversi **2** *— and fro*, avanti e indietro.

to *segno* d'inf.: *— go*, andare; *I ought — study, but I don't want —*, dovrei studiare, ma non ne ho voglia; *I'm glad — tell you*, ho il piacere di dirle; *she has a lot of work — do*, ha molto lavoro da fare; *he did it — avoid (making) a mistake*, l'ha fatto per evitare un errore.

toad [toud] *s.* rospo (*anche fig.*).

toadstool [´toudstu:l] *s.* fungo velenoso.

toady [´toudi] *s.* leccapiedi.

to toady *v.tr.* adulare; leccare i piedi (a).

toast[1] [toust] *s.* pane abbrustolito, crostino // *to be as warm as —*, avere un bel caldino.

to toast[1] *v.tr.* **1** abbrustolire, tostare: *toasted sandwich*, toast **2** riscaldare (al fuoco) ♦ *v.intr.* abbrustolirsi; riscaldarsi.

toast[2] *s.* **1** brindisi: *to drink a —*, fare un brindisi, brindare **2** persona, cosa a cui si brinda.

to toast[2] *v.tr.* bere alla salute (di) ♦ *v.intr.* fare un brindisi.

toaster [´toustə*] *s.* **1** chi tosta **2** utensile per tostare; tostapane.

toastmaster [´toust,mɑ:stə*] *s.* chi inizia i brindisi (in un banchetto ecc.).

tobacco [tə´bækou] *s.* tabacco // *-box*, tabacchiera // *cut —*, trinciato.

tobacconist [tə´bækənist] *s.* tabaccaio: *—'s (shop)*, tabaccheria.

tobacco-pouch [tə´bækoupautʃ] *s.* borsa per il tabacco.

toboggan [tə´bogən] *s.* toboga.

to toboggan *v.intr.* andare in toboga.

toby-jug [´toubidʒʌg] *s.* caratteristico boccale per la birra (a forma di testa di uomo con tricorno).

tocsin [´toksin] *s.* campanello d'allarme.

today [tə´dei] *s.* oggi: *—'s news*, le notizie odierne ♦ *avv.* oggi; oggigiorno, al giorno d'oggi // *— week*, oggi otto // *as from —*, (*comm.*) a datare da oggi.

toddle [´todl] *s.* **1** andatura incerta, vacillante **2** (*fam.*) breve passeggiata, giretto.

to toddle *v.intr.* **1** camminare a passi incerti, trotterellare **2** (*fam.*) andare a zonzo.

toddler [´todlə*] *s.* bambino ai primi passi.

toddy [´todi] *s.* **1** ponce, grog **2** succo estratto da alcune palme.

to-do [tə´du:] *s.* trambusto; scompiglio.

toe [tou] *s.* **1** dito del piede // *on one's toes*, (*fam.*) attivo; pieno di vita; sveglio // *from top to —*, dalla testa ai piedi // *to tread on s.o.'s toes*, (*fig.*) pestare i piedi a qlcu. // *big —*, alluce; *little —*, mignolo (di piede) **2** parte anteriore dello zoccolo equino **3** punta (di scarpa, calza).

to toe *v.tr.* mettere, fare la punta (a) // *to — the line* (o *the mark*), (*fig.*) conformarsi alle regole.

toehold [´touhould] *s.* (*fam.*) piccolo (punto d') appoggio (*anche fig.*).

toenail [´touneil] *s.* unghia di dito del piede.

toffee, toffy [´tofi] *s.* caramella.

toffee-nosed [´tofinouzd] *agg.* (*sl.*) che ha la puzza sotto il naso, snob.

together [tə´geðə*] *avv.* **1** insieme: *we went —*, ci andammo insieme // *they were speaking all —*, parlavano tutti insieme, contemporaneamente // *— with*, insieme con; come pure, ed anche // *all —*, tutto insieme, complessivamente **2** l'un contro l'altro: *to strike two flints —*, sfregare due pietrine l'una contro l'altra **3** consecutivamente, di seguito: *to work for ten hours —*, lavorare per dieci ore consecutive.

togetherness [tə´geðənis] *s.* **1** l'esser insieme **2** comunione, affiatamento.

toggle [´togl] *s.* **1** caviglia (per fissare funi o catene) **2** *— (-joint)*, (*mecc.*) giunto a ginocchiera **3** bottone di legno (per alamari).

togs [togz] *s.pl.* (*fam.*) abiti, abbigliamento (*sing.*).

toil [toil] *s.* fatica, duro lavoro.

to toil *v.intr.* **1** faticare, lavorare duramente // *to — on*, continuare la propria fatica **2** muoversi con fatica.

toiler [´toilə*] *s.* lavoratore indefesso.

toilet [´toilit] *s.* **1** toletta **2** abbigliamento; toletta, abito elegante **3** (*med.*) pulizia e medicazione di una ferita.

toilet paper [´toilit,peipə*] *s.* carta igienica.

toilet powder [´toilit,paudə*] *s.* borotalco®.

toilet roll [´toilitroul] *s.* rotolo di carta igienica.

toils [tɔilz] *s.pl.* reti.

toilsome [ˈtɔilsəm] *agg.* laborioso, faticoso, penoso.

token [ˈtoukən] *s.* **1** segno, simbolo: *in — of peace*, in segno di pace // *by this* (o *the same*) —, allo stesso modo, per la stessa ragione **2** pegno; contrassegno ♦ *agg.* simbolico; nominale: *— payment*, pagamento simbolico.

Tokyo [ˈtoukjou] *no.pr.* Tokio.

told *pass.* e *p.pass.* di to **tell**.

tolerable [ˈtɔlərəbl] *agg.* **1** tollerabile, sopportabile **2** discreto, passabile.

tolerance [ˈtɔlərəns] *s.* tolleranza; indulgenza.

tolerant [ˈtɔlərənt] *agg.* tollerante; indulgente.

to **tolerate** [ˈtɔləreit] *v.tr.* tollerare (*anche fig.*); sopportare; permettere: *I cannot — him*, non lo posso soffrire.

toleration [ˌtɔləˈreiʃən] *s.* tolleranza.

toll[1] [toul] *s.* **1** pedaggio; dazio; tassa // *— call*, (*amer.* per *trunk call*) telefonata interurbana // *road death* —, mortalità per incidenti stradali // *to take — of*, esigere il pagamento da; (*fig.*) infliggere perdite a **2** molenda.

toll[2] *s.* rintocco (di campana).

to **toll**[2] *v.tr.* suonare; battere: *to — s.o.'s death*, suonare a morto per qlcu. ♦ *v.intr.* rintoccare; suonare.

tollage [ˈtoulidʒ] *s.* pedaggio, dazio.

tollbooth [ˈtɔlbu:θ] *s.* **1** casello (del dazio, della dogana ecc.) **2** (*amer.*) casello d'autostrada.

tollgate [ˈtoulgeit] *s.* barriera di pedaggio.

tollhouse [ˈtoulhaus] *s.* casello d'autostrada.

Tom [tɔm] *no.pr.m. dim.* di **Thomas** // —, *Dick and Harry*, Tizio, Caio e Sempronio; *every* —, *Dick and Harry*, chiunque, qualsiasi persona // **tom** *s.* **1** animale maschio **2** gatto.

tomahawk [ˈtɔməhɔ:k] *s.* tomahawk (ascia di guerra dei pellirosse).

tomato [təˈmɑ:tou, (*amer.*) təˈmeitou], *pl.* **tomatoes** [təˈmɑ:touz, (*amer.*) təˈmeitouz] *s.* pomodoro // *— juice*, succo di pomodoro // *— sauce*, conserva di pomodoro; sugo di pomodoro.

tomb [tu:m] *s.* tomba, sepolcro; (*fig.*) morte.

tomboy [ˈtɔmbɔi] *s.* (*di ragazza*) maschiaccio.

tombstone [ˈtu:mstoun] *s.* pietra tombale.

tomcat [ˈtɔmˈkæt] *s.* gatto (maschio).

tome [toum] *s.* tomo, volume.

tomfool [ˈtɔmˈfu:l] *s.* sciocco, stupido, buffone.

tomfoolery [tɔmˈfu:ləri] *s.* scemenza, stupidaggine.

Tommy [ˈtɔmi] *no.pr.m. dim.* di **Thomas** // **tommy** *s.* (*fam.*) soldato semplice inglese.

tommy gun [ˈtɔmigʌn] *s.* fucile mitragliatore; mitra.

tommyrot [ˈtɔmirɔt] *s.* (*fam.*) sciocchezze (*pl.*).

tomorrow [təˈmɔrou] *s.* e *avv.* domani: —*'s paper*, il giornale di domani // *the day after* —, dopodomani.

tom-tom [ˈtɔmtɔm] *s.* tam-tam.

ton [tʌn] *s.* **1** (*long* o *gross* o *shipper's*) —, tonnellata (1016 kg); (*short*) —, tonnellata (= 907,18 kg, usata negli Stati Uniti, nel Canada, in Sud Africa); *metric* —, tonnellata metrica **2** *pl.* (*fam.*) gran quantità (*sing.*) **3** (*mar.*) tonnellata di stazza **4** (*sl.*): *a* —, 100 miglia all'ora.

tonal [ˈtounl] *agg.* tonale.

tonality [touˈnæliti] *s.* (*mus.*) tonalità.

tone [toun] *s.* tono // *— poem*, (*mus.*) poema sinfonico.

to **tone** *v.tr.* **1** intonare **2** armonizzare **3** (*fot.*) far virare **4** *to — down*, addolcire; attenuare; sfumare **5** *to — up*, intensificare; accentuare ♦ *v.intr.* **1** *to — in*

(with), accordarsi, intonarsi con **2** *to — down*, attenuarsi; addolcirsi.

tone-deaf [ˌtounˈdef] *agg.* chi non ha orecchio, stonato.

toneless [ˈtounləs] *agg.* senza tono; inespressivo.

tongs [tɔŋz] *s.pl.* pinze; molle; tenaglie: *a pair of* —, un paio di molle, di tenaglie.

tongue [tʌŋ] *s.* **1** lingua: *to have a sharp* —, avere la lingua tagliente; *to have a smooth* —, avere la parola facile; *to put out one's* —, tirar fuori, mostrare la lingua // *slip of the* —, lapsus linguae // *to find, to lose one's* —, ritrovare, perdere la favella // *to hold one's* —, mantenere il silenzio // *to keep a civil — in one's head*, tenere un linguaggio educato // *with one's — in one's cheek*, ironicamente **2** linguaggio, idioma: *the English* —, la lingua inglese **3** lingua (di terra, di fuoco); battaglio (di campana); (*mecc.*) aletta, flangia; (*mus.*) ancia.

tongue-tied [ˈtʌŋtaid] *agg.* **1** bleso **2** muto; ammutolito **3** taciturno, reticente.

tongue twister [ˈtʌn twistə*] *s.* scioglilingua.

tonic [ˈtɔnik] *agg.* tonico // *— water*, acqua tonica, acqua brillante ♦ *s.* **1** (*med.*) tonico, ricostituente **2** (*fig.*) stimolante **3** (*mus.*) tonica.

tonight, to-night [təˈnait] *s.* questa sera; questa notte ♦ *avv.* stasera; stanotte.

tonnage [ˈtʌnidʒ] *s.* (*mar.*) tonnellaggio.

tonsil [ˈtɔnsl] *s.* tonsilla.

tonsillitis [ˌtɔnsiˈlaitis] *s.* tonsillite.

tonsorial [tɔnˈsɔ:riəl] *agg.* di barbiere.

tonsure [ˈtɔnʃə*] *s.* tonsura; chierica.

to **tonsure** *v.tr.* tonsurare.

too [tu:] *avv.* **1** troppo: *— fat*, troppo grasso; *— much*, troppo; *— much money*, troppo denaro; *— many ideas*, troppe idee; *one — many*, uno di troppo // *— bad!*, che peccato! // *I am only — glad*, sono più che contento **2** anche, pure: *he told me* —, lo disse anche a me **3** inoltre, per di più: *he is unpleasant* —, per di più è antipatico.

took *pass.* di to **take**.

tool [tu:l] *s.* **1** arnese, utensile, strumento: *the tools of one's trade*, i ferri del mestiere // *to down tools*, (*fig.*) incrociare le braccia, smettere di lavorare **2** rullo, bulino per decorazione (del rilegatore) **3** (*fig.*) strumento; burattino, fantoccio: *to make a — of s.o.*, servirsi di qlcu.

to **tool** *v.tr.* lavorare con un arnese; decorare (una rilegatura) // *to — up*, attrezzare ♦ *v.intr.*: *to — along*, andare senza fretta (di veicolo, con un veicolo).

toolbox [ˈtu:lbɔks] *s.* cassetta degli attrezzi.

toot [tu:t] *s.* suono di corno, cornetta, tromba, clacson.

to **toot** *v.intr.* emettere un suono simile a quello di un corno.

tooth [tu:θ], *pl.* **teeth** [ti:θ] *s.* **1** dente; zanna: *cutting of teeth*, dentizione; *to cut one's teeth*, mettere i denti; *to have a* — *out*, (*amer.*) *to have a* — *pulled*, farsi togliere un dente; *set of false teeth*, dentiera; *you have a fine set of teeth*, hai una bella dentatura // *canine* — (o *eye* —), (dente) canino; *wisdom* —, dente del giudizio // *long in the* —, (*fam.*) vecchio // *in the teeth of*, a dispetto di; in opposizione a; in faccia a // *to throw sthg. in s.o.'s teeth*, rinfacciare qlco. a qlcu. // *to escape by the skin of one's teeth*, cavarsela per il rotto della cuffia // *to fight — and nail*, combattere con accanimento // *to have a sweet* —, essere ghiotto di dolci // *to set s.o.'s teeth on edge*, far rabbrividire qlcu. // *to take the bit between one's teeth*, mettersi sotto **2** dente (di pettine, rastrello ecc.); (*mecc.*) dente d'ingranaggio 3 (*tecn.*) grana (di carta ecc.).

to **tooth** *v.tr.* fornire di denti; dentellare ♦ *v.intr.* ingranare.

toothache ['tu:θeik] *s.* mal di denti.

toothbrush ['tu:θbrʌʃ] *s.* spazzolino da denti.

toothcomb ['tu:θkoum] *s.* pettine molto fitto // *to go through with a —*, (*fig.*) setacciare.

toothpaste ['tu:θpeist] *s.* dentifricio.

toothpick ['tu:θpik] *s.* stuzzicadenti.

toots [tu:ts], **tootsy** ['tutsi] *s.* (*amer. fam.*) tesoro.

top[1] [tɔp] *agg.* massimo; (*amer.*) il più alto // *— dog*, (*sl.*) capo, dittatore ♦ *s.* 1 cima, sommità; (*fig.*) apice, apogeo: *he was at the — of his profession*, era all'apice della sua carriera // *from — to bottom*, da cima a fondo, completamente // *on — of that*, inoltre // *to blow one's —*, (*fam.*) andare fuori dai gangheri // *to come to the —*, ottenere fama, successo // *to shout at the — of one's voice*, gridare a squarciagola 2 superficie; piano, parte superiore; «capote» (di automobile); tappo // *big —*, tendone di circo.

to **top**[1] *v.tr.* 1 coprire: *he topped the bottle*, mise il tappo alla bottiglia 2 raggiungere la sommità (di); essere sulla cima (di); (*fig.*) essere all'apice (di) 3 essere a capo (di); superare; essere più alto, più importante (di) // *to — the bill*, (*teatr.*) avere il ruolo più importante 4 tagliare la cima (di alberi ecc.) 5 *to — off* (o *up*), riempire fino all'orlo; terminare, concludere; dare il tocco finale a.

top[2] *s.* trottola // *to sleep like a —*, dormire come un ghiro.

topaz ['toupæz] *s.* topazio.

topcoat ['tɔp'kout] *s.* soprabito.

top drawer [,tɔp'drɔ:ə*] *agg.* (*fam.*) di elevato rango sociale.

toper ['toupə*] *s.* beone, ubriacone.

top flight ['tɔpflait] *agg.* (*fam.*) di prima qualità, importanza.

top hat ['tɔp'hæt] *s.* cappello a cilindro.

top-heavy ['tɔp'hevi] *agg.* sovraccarico.

topiary ['toupjəri] *s.* arte di tosare le piante.

topic ['tɔpik] *s.* argomento, soggetto.

topical ['tɔpikəl] *agg.* 1 d'attualità 2 (*med.*) locale.

topicality [,tɔpi'kæliti] *s.* attualità.

topmast ['tɔpmɑ:st] *s.* (*mar.*) albero di gabbia.

topmost ['tɔpmoust] *agg.* il più alto, il più elevato.

top-notch ['tɔp'nɔtʃ] *agg.* (*fam.*) formidabile, eccellente.

topographer [tə'pɔgrəfə*] *s.* topografo.

topography [tə'pɔgrəfi] *s.* topografia.

topping ['tɔpiŋ] *agg.* (*sl.*) eccellente; di prima qualità.

to **topple** ['tɔpl] *v.tr.* far vacillare; far traballare // *to — over*, far cadere ♦ *v.intr.* barcollare; vacillare, traballare // *to — over*, cadere.

tops [tɔps] *s.* (*fam.*) cosa, persona di prim'ordine.

topsail ['tɔpsl] *s.* (*mar.*) vela di gabbia.

top-secret ['tɔp'si:krit] *agg.* segretissimo.

topside ['tɔpsaid] *s.* 1 parte superiore 2 *pl.* (*mar.*) opere morte.

topsy-turvy ['tɔpsi'tə:vi] *agg.* capovolto; sottosopra, scompigliato ♦ *avv.* sottosopra.

torch [tɔ:tʃ] *s.* 1 torcia, fiaccola; pila // *to carry a — for*, (*fam. amer.*) essere innamorato di 2 (*amer.*) becco a gas.

torchlight ['tɔ:tʃlait] *s.* luce di fiaccole, torce.

torch song ['tɔ:tʃsɔŋ] *s.* (*fam. amer.*) canto per un amore non corrisposto.

tore *pass.* di to **tear**.

toreador ['tɔriədɔ:*] *s.* torero.

torment ['tɔ:mənt] *s.* 1 tormento; tortura; strazio: *he suffered torments*, soffrì terribilmente 2 fonte di dispiaceri; tormento.

to **torment** [tɔ:'ment] *v.tr.* tormentare; torturare: *to be tormented with remorse*, essere tormentato dal rimorso.

torn *p.pass.* di to **tear**.

tornado [tɔ:'neidou] *s.* 1 tornado 2 (*fig.*) uragano.

torpedo [tɔ:'pi:dou], *pl.* **torpedoes** [tɔ:'pi:douz] *s.* 1 (*zool.*) torpedine 2 siluro.

to **torpedo** *v.tr.* silurare (*anche fig.*).

torpedo boat [tɔ:'pidoubout] *s.* torpediniera; mas // *motor —*, motosilurante.

torpid ['tɔ:pid] *agg.* torpido; intorpidito.

torpor ['tɔ:pə*] *s.* torpore.

torquate ['tɔ:kweit] *agg.* con, dal collare (di animale).

torque [tɔ:k] *s.* forza di torsione, di rotazione.

torrent ['tɔrənt] *s.* torrente (*anche fig.*).

torrential [tɔ'renʃəl] *agg.* torrenziale.

torrid ['tɔrid] *agg.* torrido.

torsion ['tɔ:ʃən] *s.* torsione.

torso ['tɔ:sou] *s.* (*anat. scult.*) torso.

tort [tɔ:t] *s.* (*dir.*) reato; atto dannoso, nocivo.

tortoise ['tɔ:təs] *s.* tartaruga.

tortuosity [,tɔ:tju'ɔsiti] *s.* tortuosità.

tortuous ['tɔ:tjuəs] *agg.* tortuoso.

torture ['tɔ:tʃə*] *s.* 1 tortura; tormento.

to **torture** *v.tr.* 1 torturare; tormentare 2 distorcere; (*fig.*) travisare il senso (di).

Tory ['tɔ:ri] *agg.* e *s.* (*pol.*) conservatore.

Toryism ['tɔ:riizəm] *s.* (*pol.*) conservatorismo.

tosh [tɔʃ] *s.* (*sl.*) sciocchezza, stupidaggine.

toss [tɔs] *s.* 1 lancio // *to win the —*, vincere a testa e croce // *to take a —*, essere sbalzato di sella 2 movimento del capo: *a — of the head*, una scrollata del capo.

to **toss** *v.tr.* 1 gettare, lanciare (in aria); (di cavallo) sbalzare di sella // *to — one's money about*, sperperare il proprio denaro 2 agitare; sballottare // *to — one's head*, scuotere la testa 3 *to — off*, bere avidamente; fare affrettatamente ♦ *v.intr.* 1 muoversi incessantemente // *to turn and — in bed*, rivoltarsi nel letto // *to pitch and —*, (*mar.*) beccheggiare 2 *to — (up) for*, fare a testa e croce; tirare a sorte.

toss-up ['tɔsʌp] *s.* 1 il fare a testa e croce 2 situazione incerta.

tot[1] [tɔt] *s.* 1 bimbetto 2 sorso (di liquore).

to **tot**[2] *v.tr.*: *to — (up)*, (*fam.*) sommare ♦ *v.intr.*: *to — up*, (*fam.*) ammontare.

total ['toutl] *agg.* totale, completo; assoluto ♦ *s.* totale.

to **total** *v.tr.* sommare; ammontare (a) ♦ *v.intr.* ammontare.

totalitarian [,toutæli'teəriən] *agg.* totalitario.

totality [tou'tæliti] *s.* totalità.

to **totalize** ['toutəlaiz] *v.tr.* totalizzare ♦ *v.intr.* usare il totalizzatore (nelle scommesse).

totalizer ['toutəlaizə*] *s.* totalizzatore.

tote [tout] *s.* (*sl.*) *abbr.* di **totalizer**.

to **tote** *v.tr.* (*fam.*) portare, trasportare.

totem ['toutəm] *s.* totem.

to **totter** ['tɔtə*] *v.intr.* barcollare; essere vacillante (*anche fig.*): *to — in*, entrare barcollando.

tottery ['tɔtəri] *agg.* barcollante; malfermo.

touch [tʌtʃ] *s.* 1 tocco: *to put the finishing touches*, dare gli ultimi tocchi 2 tatto 3 contatto; rapporto: *in — with*, in contatto con; *to get in — with s.o.*, mettersi in contatto con qlcu. **4** piccola quantità; pizzico; leggero attacco (di malattia): *a — of irony*, una punta d'ironia; *a — of flu*, una leggera influenza.

to touch *v.tr.* **1** toccare (*anche fig.*): *to — a subject*, sfiorare un argomento; *she was touched by his kindness*, fu commossa dalla sua gentilezza; *the law can't — him*, la legge non può nulla contro di lui; *the thermometer touched 40° yesterday*, ieri il termometro ha raggiunto i 40° // *to — bottom*, (*fig.*) toccare il fondo // *to — s.o. to the quick*, (*fig.*) toccare qlcu. sul vivo **2** confinare con **3** concernere, riguardare **4** uguagliare; essere buono come: *nobody can — him for generosity*, nessuno può uguagliarlo in generosità **5** (*fam.*) chiedere denaro in prestito (a): *to — s.o. for a pound*, chiedere una sterlina in prestito a qlcu. **6** *to — off*, iniziare, far esplodere **7** *to — up*, correggere, ritoccare ♦ *v.intr.* **1** essere in contatto; toccarsi **2** *to — down*, (*aer.*) atterrare.

touch-and-go ['tʌtʃən'gou] *agg.* estremamente incerto; rischioso.

touchdown ['tʌtʃdaun] *s.* **1** (*rugby*) il segnare tre punti **2** (*aer.*) il toccare terra.

touché [tu:'ʃei] *inter.* toccato!

touched [tʌtʃt] *agg.* **1** commosso **2** (*fam.*) tocco.

touchiness ['tʌtʃinis] *s.* suscettibilità; irascibilità.

touching[1] ['tʌtʃiŋ] *prep.* circa, riguardo a.

touching[2] *agg.* commovente, patetico.

touchstone ['tʌtʃstoun] *s.* pietra di paragone (*anche fig.*).

to touch-type ['tʌtʃtaip] *v.tr.* e *intr.* scrivere a macchina senza guardare i tasti.

touchy ['tʌtʃi] *agg.* permaloso; irascibile.

tough [tʌf] *agg.* **1** duro; coriaceo **2** forte, robusto **3** (*fig.*) ostinato, tenace **4** difficile: *this is a — job*, questo è un lavoro difficile // *a — fight*, una lotta violenta // *— luck!*, che sfortuna! ♦ *s.* (*fam.*) duro; malvivente, delinquente.

to toughen ['tʌfn] *v.tr.* indurire ♦ *v.intr.* indurirsi.

toupee ['tu:pei, (*amer.*) tu:'pei] *s.* toupet.

tour [tuə*] *s.* **1** giro; viaggio; escursione **2** (*mil.*) turno.

to tour *v.intr.* viaggiare, fare un viaggio ♦ *v.tr.* visitare come turista.

tourism ['tuərizəm] *s.* turismo.

tourist ['tuərist] *s.* turista // *— office*, agenzia turistica, di viaggi // *— class*, classe turistica.

tournament ['tuənəmənt, (*amer.*) 'tə:rnəmənt] *s.* torneo; carosello.

tourney ['tuəni] *s.* (*st.*) torneo.

tourniquet ['tuənikei, (*amer.*) 'tə:nikit] *s.* (*chir.*) laccio, pinza emostatica.

to tousle ['tauzl] *v.tr.* scompigliare, arruffare.

tout [taut] *s.* **1** (*ippica*) (*fam.*) portaquote **2** bagarino.

to tout *v.intr.* **1** sollecitare ordinazion♦ commerciali; cercare clienti **2** *to — round*, (*ippica*) (*fam.*) fare il portaquote **3** fare del bagarinaggio.

tow [tou] *s.* rimorchio // *to have s.o. in —*, (*fig. fam.*) rimorchiare qlcu.; *to take s.o. in —*, (*fig.fam.*) guidare qlcu.

to tow *v.tr.* rimorchiare; trainare; alare.

toward(s) [tə'wɔ:d(z), (*amer.*) tɔ:rd(z)] *prep.* **1** verso, in direzione di: *— the sea*, verso il mare **2** verso, riguardo a: *her attitude — me*, il suo atteggiamento verso di me **3** (*tempo*) verso, circa: *— the end of the month*, verso la fine del mese.

towel ['tauəl] *s.* asciugamano // *to throw in the —*, (*anche fig.*) gettare la spugna.

tower ['tauə*] *s.* torre // *— of strength*, (*fig.*) sostegno; persona di cui ci si può fidare // *church —*, campanile.

to tower *v.intr.* torreggiare: *to — above* (o *over*), torreggiare su; (*fig.*) eccellere su, tra.

towering ['tauəriŋ] *agg.* **1** altissimo **2** violento.

towline ['toulain] *s.* cavo da rimorchio.

town [taun] *s.* città: *to go into* (o *up to*) *—*, andare in città // *to go to — on sthg.*, metterci l'anima, fare qlco. bene, con entusiasmo; eccedere in qlco. // *to go on the —*, (*fam.*) fare baldoria // *a man about —*, un uomo di mondo.

town clerk ['taunklɑ:k] *s.* segretario comunale.

town council ['taun'kaunsl] *s.* consiglio comunale.

town crier ['taun'kraiə*] *s.* banditore municipale.

town hall ['taunhɔ:l] *s.* municipio.

town house ['taunhaus] *s.* residenza di città.

town-planning ['taun'plæniŋ] *s.* urbanistica.

township ['taunʃip] *s.* (*negli Stati Uniti e in Canada*) territorio, giurisdizione di una contea.

townsman, *pl.* **townsmen** ['taunzmən] *s.* cittadino.

townspeople ['taunz,pi:pl] *s.* cittadinanza.

towrope ['touroup] *s.* cavo di rimorchio.

toxic ['tɔksik] *agg.* tossico.

toxicity [tɔk'sisiti] *s.* tossicità.

toy [tɔi] *s.* **1** giocattolo; balocco **2** inezia, nonnulla.

to toy *v.intr.*: *to — with*, giocherellare, trastullarsi con.

toyshop ['tɔiʃɔp] *s.* negozio di giocattoli.

trace[1] [treis] *s.* traccia.

to trace[1] *v.tr.* **1** tracciare **2** seguire le tracce (di) **3** trovare; scoprire; rintracciare **4** ricalcare.

trace[2] *s.* tirella // *to kick over the traces*, (*fig.*) ribellarsi.

traceable ['treisəbl] *agg.* **1** che si può tracciare **2** ricalcabile **3** rintracciabile.

tracer bullet ['treisə,bulit], **tracer shell** ['treisəʃel] *s.* (*mil.*) (proiettile) tracciante.

tracery ['treisəri] *s.* **1** disegno, arabesco **2** (*arch.*) decorazione a intaglio.

trachea [trə'kiə, (*amer.*) 'treikiə], *pl.* **tracheae** [trə'kii:] *s.* trachea.

tracing ['treisiŋ] *s.* calco; ricalco // *— paper*, carta per ricalco.

track [træk] *s.* **1** traccia, impronta (*anche fig.*); scia: *to lose — of s.o.*, (*fig.*) perdere di vista qlco.; *to keep — of s.o.*, non perdere di vista qlcu.; *to keep — of sthg.*, seguire (il corso di) qlco. // *to make tracks*, (*fam.*) svignarsela // *to make tracks for a place*, (*fam.*) dirigersi verso un luogo **2** sentiero (*anche fig.*); via, corso; carreggiata: *off the —*, fuori strada; *on the right —*, (*fig.*) sulla buona strada // *off the beaten —*, insolito, originale; fuori mano **3** (*sport*) pista **4** (*ferr.*) binario // *on the wrong side of the tracks*, (*amer.*) nella zona povera della città **5** (*aer.*) rotta effettiva **6** (*mecc.*) cingolo **7** (*informatica*) pista (di nastro magnetico).

to track *v.tr.* **1** seguire le tracce (di), inseguire **2** tracciare (un sentiero, una via) **3** *to — down*, raggiungere, catturare.

tracker ['trækə*] *s.* battitore, perlustratore // *— dog*, cane da pista.

tracking station ['trækiŋ,steiʃən] *s.* stazione di controllo di rotta dei veicoli spaziali.

trackless ['træklis] *agg.* **1** senza traccia **2** che non lascia tracce.

track-record ['træk,rekɔ:d] *s.* precedenti (*pl.*): *I think he'd make a good M.P.; he's got a good — in local government*, penso che potrebbe essere un buon deputato; ha buoni precedenti nel governo locale.

tranquillizing

tracksuit ['træksu:t] *s.* tuta (da ginnastica).

trackwalker ['træk'wɔ:kə*] *s.* operaio addetto al controllo delle rotaie.

tract[1] [trækt] *s.* opuscolo (spec. religioso).

tract[2] *s.* **1** periodo **2** zona; regione, distesa **3** (*anat.*) apparato.

tractability [,træktə'biliti] *s.* trattabilità; docilità.

tractable ['træktəbl] *agg.* trattabile; docile.

traction ['trækʃən] *s.* **1** trazione **2** contrazione.

traction engine ['trækʃən'endʒin] *s.* trattore.

tractive ['træktiv] *agg.* di trazione.

tractor ['træktə*] *s.* (*agr.*) trattore.

trad [træd] *agg. abbr.* di **traditional**.

trade [treid] *s.* **1** mestiere, occupazione: *everyone to his —*, a ciascuno il suo mestiere **2** commercio; traffico; affari (*pl.*): *Board of Trade*, Ministero dell'Industria e Commercio **3** commercianti (*pl.*); esercenti (*pl.*) **4** *the trades*, i venti alisei.

to trade *v.intr.* **1** commerciare; negoziare; trafficare **2** (*amer.*) far compere: *which store do you — at?*, in quale negozio ti servi? ♦ *v.tr.* **1** negoziare; trafficare **2** *to — in*, cedere (un oggetto usato) a parziale pagamento nell'acquisto di uno nuovo **3** *to — off*, barattare **4** *to — on*, approfittare di; speculare su.

trade gap ['treidgæp] *s.* disavanzo della bilancia commerciale.

trade-in ['treidin] *s.* (*fam.*) articolo usato dato a parziale pagamento nell'acquisto di uno nuovo.

trademark ['treidma:k] *s.* marchio di fabbrica.

trade name ['treidneim] *s.* nome depositato; ragione sociale.

trade price ['treidprais] *s.* prezzo al rivenditore.

trader ['treidə*] *s.* **1** commerciante; negoziante; mercante **2** nave mercantile.

tradesman, *pl.* **tradesmen** ['treidzmən] *s.* commerciante; negoziante; esercente.

trade union ['treid'ju:njən] *s.* sindacato operaio.

trade unionism ['treid'ju:njənizəm] *s.* sindacalismo.

trade unionist ['treid'ju:njənist] *s.* sindacalista.

trade wind ['treidwind] *s.* (*gener. pl.*) aliseo.

tradition [trə'diʃən] *s.* **1** tradizione **2** (*dir.*) trapasso.

traditional [trə'diʃənl] *agg.* tradizionale.

traditionalism [trə'diʃnəlizəm] *s.* tradizionalismo.

traditionalist [trə'diʃnəlist] *s.* tradizionalista.

to traduce [trə'dju:s] *v.tr.* **1** calunniare, diffamare **2** travisare deliberatamente.

traffic ['træfik] *s.* **1** traffico, negozio, commercio: *— in arms*, commercio d'armi **2** traffico, movimento, circolazione: *— control*, regolazione del traffico // *— message*, (*informatica*) traffico.

to traffic, *pass.* e *p.pass.* **trafficked** ['træfikt] *v.intr.* trafficare, commerciare.

trafficator ['træfikeitə*] *s.* (*aut.*) indicatore di direzione.

traffic circle ['træfik,sə:kl] *s.* (*amer.* per *roundabout*) rondò.

trafficker ['træfikə*] *s.* trafficante.

traffic lights ['træfiklaits] *s.pl.* semaforo (*sing.*).

traffic warden ['træfik,wɔ:dn] *s.* vigile addetto a far rispettare i divieti di sosta o le soste limitate.

tragedian [trə'dʒi:djən] *s.* **1** tragediografo **2** attore tragico.

tragedienne [trə,dʒi:di'en] *s.* attrice tragica.

tragedy ['trædʒidi] *s.* tragedia.

tragic ['trædʒik] *agg.* tragico.

tragi comedy ['trædʒi'kɔmidi] *s.* tragicommedia.

trail [treil] *s.* **1** traccia; orma: *the — of a meteor*, la traccia di una meteora **2** pista; sentiero **3** (*artiglieria*) coda d'affusto.

to trail *v.tr.* **1** trascinare; strascicare: *to — sthg.* (*along*), trascinarsi dietro qlco. **2** inseguire; seguire le tracce (di) **3** *to — arms*, (*mil.*) bilanciare i fucili ♦ *v.intr.* strisciare, arrampicarsi (di piante).

trailer ['treilə*] *s.* **1** chi insegue **2** rimorchio: «roulotte» **3** pianta rampicante **4** (*cinem.*) provino, presentazione (di film di prossima programmazione).

train [trein] *s.* **1** treno, convoglio: *to go by —*, andare in treno **2** strascico; coda **3** seguito, corteo, accompagnamento **4** serie, successione, fila **5** corso, svolgimento, sviluppo **6** sistema d'ingranaggi **7** miccia.

to train *v.tr.* **1** allevare, educare; istruire **2** esercitare; allenare; addestrare: *they were training for the match*, si allenavano per l'incontro **3** far crescere, far arrampicare **4** (*artiglieria*) puntare, orientare: *to — guns on a fort*, puntare i cannoni contro un forte ♦ *v.intr.* esercitarsi; allenarsi.

trainbearer ['trein,beərə*] *s.* paggio.

trainee [trei'ni:] *s.* **1** chi viene ammaestrato, allenato **2** (*amer. mil.*) recluta.

trainer ['treinə*] *s.* istruttore; allenatore.

train ferry ['trein'feri] *s.* nave-traghetto (per il trasporto di treni).

training ['treiniŋ] *s.* **1** educazione; addestramento; allenamento, esercitazione; tirocinio // *vocational —*, formazione professionale.

training college ['treiniŋ'kɔlidʒ] *s.* scuola di tirocinio per insegnanti.

training ship ['treiniŋʃip] *s.* nave scuola.

trainman, *pl.* **trainmen** ['treinmən] *s.* (*amer.*) (*ferr.*) membro del personale viaggiante.

train oil ['treinɔil] *s.* olio di balena.

to traipse [treips] *v.intr.* gironzolare.

trait [treit] *s.* tratto; tocco; caratteristica.

traitor ['treitə*] *s.* traditore.

traitress ['treitris] *s.* traditrice.

Trajan ['treidʒən] *no.pr.* (*st.*) Traiano.

trajectory ['trædʒiktəri] *s.* traiettoria.

tram [træm] *s.* **1** tram, vettura tranviaria **2** carrello, vagoncino di miniera.

tram car ['træm(ka:*)] *s.* vettura tranviaria.

trammel ['træməl] *s.* **1** tramaglio **2** intoppo, ostacolo **3** (*geom.*) ellissografo.

to trammel *v.tr.* **1** irretire **2** impedire, ostacolare.

tramp [træmp] *s.* **1** calpestio, scalpiccio **2** viaggio a piedi // *to be on the —*, vagabondare **3** vagabondo; barbone **4** (*mar.*) carretta **5** (*amer.*) sgualdrina.

to tramp *v.intr.* **1** camminare pesantemente **2** viaggiare a piedi **3** vagabondare ♦ *v.tr.* percorrere camminando.

trample ['træmpl] *s.* calpestio.

to trample *v.tr.* calpestare; (*fig.*) offendere; trattare con disprezzo ♦ *v.intr.* camminare pesantemente.

trampoline ['træmpouli:n] *s.* trampolino.

tramway ['træmwei] *s.* linea tranviaria.

trance [tra:ns] *s.* trance.

tranny ['træni] *s.* (*fam.*) radio a transistor.

tranquil ['træŋkwil] *agg.* tranquillo, quieto, calmo.

tranquillity [træŋ'kwiliti] *s.* tranquillità.

to tranquillize ['træŋkwilaiz] *v.tr.* tranquillizzare.

tranquillizer ['træŋkwilaizə*] *s.* (*farm.*) tranquillante; ansiolitico.

tranquillizing ['træŋkwilaiziŋ] *agg.* ansiolitico.

to **transact** [træn'zækt] *v.tr.* negoziare, trattare (affari) ♦ *v.intr.* fare, trattare un affare.

transaction [træn'zækʃən] *s.* **1** affare, operazione; condotta, trattativa (di un affare) **2** (*dir.*) transazione **3** *pl.* atti, memorie, verbali (di una società) **4** (*informatica*): — *code*, codice di movimento, codice di transazione; — *file*, «file» di movimenti; — *tape*, banda (di) movimenti.

transalpine ['trænz'ælpain] *agg.* e *s.* transalpino.

transatlantic ['trænzət'læntik] *agg.* transatlantico.

to **transcend** [træn'send] *v.tr.* **1** trascendere **2** superare, oltrepassare.

transcendent [træn'sendənt] *agg.* **1** superiore, preminente, straordinario **2** trascendente.

transcendentalism [,trænsen'dentəlizəm] *s.* (*fil.*) trascendentalismo.

to **transcode** [trænz'koud] *v.tr.* transcodificare.

transcoding [trænz'koudiŋ] *s.* transcodifica.

transcontinental ['trænz,kɔnti'nentl] *agg.* transcontinentale.

to **transcribe** [trænz'kraib] *v.tr.* **1** trascrivere **2** (*mus.*) adattare, arrangiare.

transcript ['trænskript] *s.* copia.

transcription [trænz'kripʃən] *s.* **1** trascrizione; copia **2** (*mus.*) adattamento, arrangiamento.

transept ['trænsept] *s.* (*arch.*) transetto.

transfer ['trænsfə(:)*] *s.* **1** trasferimento; trasporto, traslazione; (*dir.*) cessione; trapasso; (*comm.*) storno // — *ticket*, biglietto cumulativo **2** decalcomania **3** (*mil.*) soldato trasferito in un altro reggimento **4** (*t. bancario*) bancogiro // — *account*, giroconto // (*credit*) —, bonifico.

to **transfer** [træns'fə:*] *v.tr.* **1** trasferire; (*dir.*) cedere; eseguire il trapasso (di); (*comm.*) stornare **2** decalcare; ricalcare.

transferable [træns'fə:rəbl] *agg.* trasferibile.

transference ['trænsfərəns, (*amer.*) træns'fə:rəns] *s.* **1** trasferimento **2** (*psic.*) transfert.

transfiguration [,trænsfigju'reiʃən] *s.* trasfigurazione.

to **transfigure** [træns'figə*] *v.tr.* trasfigurare.

to **transfix** [træns'fiks] *v.tr.* **1** trafiggere, trapassare **2** (*fig.*) paralizzare, inchiodare.

to **transform** [træns'fɔ:m] *v.tr.* trasformare ♦ *v.intr.* trasformarsi.

transformation [,trænsfə'meiʃən] *s.* trasformazione.

transformer [træns'fɔ:mə*] *s.* trasformatore.

to **transfuse** [træns'fju:z] *v.tr.* **1** travasare; (*fig.*) trasfondere **2** (*med.*) fare una trasfusione (a).

transfusion [træns'fju:ʒən] *s.* trasfusione.

to **transgress** [træns'gres] *v.tr.* **1** trasgredire; infrangere **2** oltrepassare ♦ *v.intr.* **1** infrangere la legge **2** peccare.

transgression [træns'greʃən] *s.* trasgressione; infrazione; colpa.

to **tranship** [træn'ʃip] *v.tr.* e *intr.* (*mar.*) trasbordare.

transhipment [træn'ʃipmənt] *s.* (*mar.*) trasbordo.

transience ['trænziəns] *s.* transitorietà.

transient ['trænziənt, (*amer.*) 'trænʃnt] *agg.* transitorio ♦ *s.* (*amer.*) ospite temporaneo (di hotel ecc.).

transistor [træn'sistə*] *s.* (*elettr.*) transistor(e).

transit ['trænsit] *s.* transito; passaggio.

transition [træn'siʒən] *s.* transizione; passaggio; cambiamento.

transitional [træn'siʒənl] *agg.* di transizione.

transitive ['trænsitiv] *agg.* e *s.* (*gramm.*) (verbo) transitivo.

transitory ['trænsitəri] *agg.* transitorio.

translatable [træns'leitəbl] *agg.* traducibile.

to **translate** [træns'leit] *v.tr.* **1** tradurre, tradursi: *to — a passage from Italian into English*, tradurre un brano dall'italiano in inglese **2** convertire, far passare da uno stato a un altro: *to — sounds into phonetic symbols*, rendere dei suoni con simboli fonetici **3** trasferire, rimuovere; fare assurgere al cielo ♦ *v.intr.* tradurre.

translation [træns'leiʃən] *s.* **1** traduzione **2** (*informatica*) conversione.

translator [træns'leitə*] *s.* **1** traduttore **2** (*informatica*) traduttore; assemblatore.

to **transliterate** [trænz'litəreit] *v.tr.* traslitterare.

translucence [trænz'lu:sns] *s.* traslucidità.

translucent [trænz'lu:snt], **translucid** [trænz'lu:sid] *agg.* traslucido.

to **transmigrate** [,trænzmai'greit] *v.intr.* trasmigrare.

transmigration [,trænzmai'greiʃən] *s.* trasmigrazione; metempsicosi.

transmission [trænz'miʃən] *s.* trasmissione // — *hookup*, (*tel.*) circuito di trasferimento.

to **transmit** [trænz'mit] *v.tr.* trasmettere.

to **transmogrify** [trænz'mɔgrifai] *v.tr.* (*fam.*) trasformare.

to **transmute** [trænz'mju:t] *v.tr.* trasmutare.

transom ['trænsəm] *s.* **1** (*arch.*) traversa **2** (*mar.*) specchio di poppa.

transom window ['trænsəm'windou] *s.* **1** sopraffinestra **2** (*amer.* per *fanlight*) (*arch.*) lunetta.

transparence [træns'peərəns] *s.* trasparenza.

transparency [træns'peərənsi] *s.* **1** trasparenza **2** trasparente **3** (*fot.*) diapositiva.

transparent [træns'peərənt] *agg.* **1** trasparente; limpido **2** (*fig.*) chiaro, evidente; franco.

to **transpire** [træns'paiə*] *v.intr.* **1** traspirare; esalare **2** (*fig.*) trapelare **3** (*fam.*) risultare; accadere ♦ *v.tr.* traspirare; esalare.

to **transplant** [træns'pla:nt] *v.tr.* **1** trapiantare **2** (*chir.*) innestare.

transport ['trænspɔ:t] *s.* **1** trasporto // *Minister of Transport*, ministro dei trasporti **2** mezzo di trasporto **3** (*fig.*) trasporto, slancio, rapimento.

to **transport** [træns'pɔ:t] *v.tr.* **1** trasportare **2** (*fig.*) trasportare, rapire **3** deportare.

transportation [,trænspɔ:'teiʃən] *s.* **1** trasportazione, trasporto **2** deportazione **3** (*amer.*) mezzo di trasporto.

transposal [træns'pouzəl] *s.* trasposizione.

to **transpose** [træns'pouz] *v.tr.* trasporre; trasportare.

transposition [,trænspə'ziʃən] *s.* **1** trasposizione; spostamento; (*elettr.*) permutazione **2** (*med.*) trasposizione, inversione.

transsexual [træns'sekʃuəl] *s.* transessuale.

to **tranship** [træns'ʃip] *v.tr.* e *deriv.* → **tranship** e *deriv.*

transubstantiation ['trænsəb,stænʃi'eiʃən] *s.* transustanziazione.

transversal [trænz'və:səl] *agg.* e *s.* trasversale.

transverse ['trænzvə:s] *agg.* trasverso; trasversale ♦ *s.* oggetto posto per traverso.

transvestite [trænz'vestait] *s.* travestito.

transvesti(ti)sm [trænz'vest(it)izm] *s.* tendenza a travestirsi con abiti dell'altro sesso.

trap [træp] *s.* **1** trappola: *his question was a —*, la sua domanda era una trappola **2** sifone, chiusino (a tenuta d'acqua) **3** (*sport*) lanciapiattelli (al tiro al piattello); colombaia (al tiro al piccione) **4** calesse **5** (*sl.*) bocca.

to trap *v.tr.* **1** intrappolare, accalappiare **2** bloccare **3** munire di sifone ♦ *v.intr.* tendere delle trappole.

trapdoor ['træp'dɔ:*] *s.* botola.

trapeze [trə'pi:z] *s.* (*ginnastica*) trapezio // — *artist*, trapezista.

trapezium [trə'pi:zjəm] *s.* (*geom.*) trapezio.

trapezoid ['træpizɔid] *s.* (*geom.*) **1** trapezoide **2** (*amer.* per *trapezium*) (*geom.*) trapezio.

trapper ['træpə*] *s.* chi tende trappole (spec. ad animali da pelliccia); cacciatore.

trappings ['træpiŋz] *s.pl.* **1** bardatura (*sing.*) **2** ornamenti, decorazioni.

traps [træps] *s.pl.* (*fam.*) oggetti, effetti personali.

trash [træʃ] *s.* **1** cosa di poco conto, ciarpame **2** (*amer.* per *rubbish*) immondizia, rifiuti (*pl.*) **3** (*amer.*) persona di nessun valore.

trashcan ['træʃkæn] *s.* (*amer.* per *dustbin*) pattumiera.

trashy ['træʃi] *agg.* senza valore; di scarto; spregevole.

trauma ['trɔ:mə, (*amer.*) 'traumə] *s.* (*med.*) trauma.

traumatic [trɔ:'mætik, (*amer.*) trau'mætik] *agg.* traumatico.

travail ['træveil, (*amer.*) trə'veil] *s.* doglie del parto (*pl.*), travaglio.

to travail *v.intr.* **1** soffrire le doglie del parto **2** travagliare, travagliarsi.

travel ['trævl] *s.* (*gener. pl.*) viaggio.

to travel *v.intr.* **1** viaggiare, essere in viaggio: *he travels on business*, viaggia per affari; *to — by plane*, viaggiare in aereo // *to — light*, viaggiare con pochi bagagli **2** (*comm.*) fare il commesso viaggiatore: *he travels in furs*, fa il rappresentante di pellicce ♦ *v.tr.* attraversare, percorrere.

travel agency ['trævl,eidʒənsi], **travel bureau** ['trævl,bjurou] *s.* agenzia di viaggi.

travelator ['trævleitə*] *s.* tapis roulant, nastro trasportatapersone.

travelled, (*amer.*) **traveled** ['trævld] *agg.* che ha viaggiato molto.

traveller, (*amer.*) **traveler** ['trævlə*] *s.* viaggiatore; commesso viaggiatore // —*'s cheque*, (*amer.*) *traveler's check*, assegno turistico, traveller's cheque.

travelogue ['trævəloug] *s.* conferenza su un viaggio (illustrata da proiezioni); documentario scenico.

traverse ['trævə:s, (*amer.*) trə'və:s] *agg.* trasversale, obliquo ♦ *s.* **1** (*arch.*) traversa **2** (*mecc.*) spostamento laterale **3** (*mil.*) riparo trasversale **4** (*geom.*) linea trasversale **5** (*fig.*) ostacolo, contrattempo.

to traverse *v.intr.* **1** traversare, attraversare **2** trattare, discutere **3** spostare lateralmente **4** (*mil.*) brandeggiare ♦ *v.intr.* **1** girare, ruotare su perno **2** spostarsi lateralmente.

travertine ['trævə:tin] *s.* (*min.*) travertino.

travesty ['trævisti] *s.* parodia; travisamento.

to travesty *v.tr.* parodiare; travisare.

trawl [trɔ:l] *s.* (*mar.*) rete a strascico, sciabica // — *line*, (*amer.*) palamito.

to trawl *v.tr.* e *intr.* pescare con rete a strascico.

trawler ['trɔ:lə*] *s.* motopeschereccio (per pesca a strascico).

tray [trei] *s.* vassoio.

treacherous ['tretʃərəs] *agg.* traditore; sleale; perfido.

treachery ['tretʃəri] *s.* tradimento; slealtà; perfidia.

treacle ['tri:kl] *s.* melassa.

treacly ['tri:kli] *agg.* di melassa, simile a melassa; (*fig.*) melato.

tread [tred] *s.* **1** passo, andatura **2** battistrada **3** pedata (di scalino) **4** suola.

to tread, *pass.* **trod** [trɔd], *p.pass.* **trodden** ['trɔdn] *v.tr.* **1** calpestare; schiacciare: *to — grapes*, pigiare l'uva // *to — water*, stare a galla muovendo solo le gambe e tenendo il busto eretto // *to — down*, calpestare; (*fig.*) opprimere, schiacciare, annientare **2** percorrere ♦ *v.intr.* **1** camminare: *to — lightly*, camminare con passo leggero; (*fig.*) trattare con prudenza argomenti delicati **2** *to — (up)on*, calpestare; schiacciare: *to — on s.o.'s toes*, (*anche fig.*) pestare i piedi a qlcu. // *to — on air*, essere al settimo cielo.

treadle ['tredl] *s.* pedale.

to treadle *v.intr.* azionare un pedale.

treadmill ['tredmil] *s.* **1** (*st.*) macina di mulino (azionata da carcerati, schiavi ecc.) **2** (*fig.*) lavoro monotono, ingrato.

treason ['tri:zn] *s.* tradimento.

treasonable ['tri:znəbl] *agg.* proditorio, ingannevole; infido.

treasure ['treʒə*] *s.* tesoro // — *-hunt*, caccia al tesoro.

to treasure *v.tr.* **1** ammassare, accumulare **2** (*fig.*) custodire gelosamente, aver caro; far tesoro (di); attribuire alto valore (a).

treasure house ['treʒəhaus] *s.* tesoreria; (*fig.*) miniera.

treasurer ['treʒərə*] *s.* tesoriere.

treasure trove ['treʒə'trouv] *s.* tesoro trovato.

treasury ['treʒəri] *s.* **1** tesoreria, erario; fisco **2** *Treasury*, Ministero del Tesoro // *Secretary of the Treasury*, (*amer.*) ministro del Tesoro // *Treasury Bench*, banchi ministeriali // — *bill*, buono del Tesoro.

treat [tri:t] *s.* festa, trattenimento // *this is my —!*, pago io!

to treat *v.tr.* **1** trattare, comportarsi (con) // *to — (sthg.) as a crime*, criminalizzare qlco.; *to — (s.o.) as a criminal*, criminalizzare (qlcu.) **2** trattare, discutere **3** (*chim.*) trattare; (*med.*) curare: *he treated me for pneumonia*, mi curò la polmonite **4** pagare, offrire: *to — s.o. to sthg.*, offrire qlco. a qlcu. // *to — oneself to sthg.*, concedersi, offrirsi qlco. ♦ *v.intr.* **1** *to — of*, trattare di, vertere su **2** *to — with*, trattare con **3** offrire, pagare.

treatise ['tri:tiz, (*amer.*) 'tri:tis] *s.* trattato, dissertazione.

treatment ['tri:tmənt] *s.* **1** trattamento **2** (*med.*) cura: *to undergo — for*, sottoporsi a una cura per.

treaty ['tri:ti] *s.* **1** trattato; patto, convenzione **2** contratto; trattativa.

treble ['trebl] *agg.* **1** triplo, triplice **2** (*mus.*) di soprano ♦ *s.* **1** triplo **2** (*mus.*) soprano.

to treble *v.tr.* triplicare ♦ *v.intr.* triplicarsi.

to treddle *v.intr.* → **to treadle**.

tree [tri:] *s.* **1** albero // *family —*, albero genealogico // *to be at the top of the —*, essere al culmine della carriera // *to be up a —*, essere perplesso, nell'imbarazzo **2** trave; puntello.

tree frog ['tri:frɔg] *s.* (*zool.*) raganella.

trefoil ['trefoil] *s.* **1** trifoglio **2** (*arch.*) trilobo.

trek [trek] *s.* **1** migrazione; spedizione organizzata **2** viaggio lungo e disagiato.

to trek *v.intr.* **1** viaggiare su carri trainati da buoi **2** emigrare **3** fare un viaggio lungo e disagiato.

trellis ['trelis] *s.* grata; graticcio.

trelliswork ['treliswɔ:k] *s.* graticciata.

tremble ['trembl] *s.* tremito; tremolio; fremito // *to be all of a —*, (*fam.*) tremare come una foglia.

to tremble *v.intr.* tremare; tremolare; oscillare: *to — with fear, rage, cold*, tremare di paura, rabbia, freddo.

trembly ['trembli] *agg.* tremante; tremulo.

tremendous [tri'mendəs] *agg.* **1** tremendo; terribile **2** (*fam.*) enorme; straordinario.

tremor ['tremə*] *s.* tremore; brivido: *an earth —*, una scossa di terremoto.

tremulous ['tremjuləs] *agg.* **1** tremante; tremulo **2** (*fig.*) timido.

trench [trentʃ] *s.* fosso; (*mil.*) trincea // *— warfare*, guerra di trincea // *water —*, canale d'irrigazione.

to trench *v.tr.* **1** scavare fossi, solchi, trincee **2** aprirsi un varco in, fra.

trenchancy ['trentʃənsi] *s.* acutezza; mordacità; incisività.

trenchant ['trentʃənt] *agg.* tagliente; incisivo.

trench coat ['trentʃkout] *s.* trench, impermeabile sportivo.

trencher ['trentʃə*] *s.* tagliere.

trencherman ['trentʃəmən] *s.* mangiatore: *a good —*, una buona forchetta.

trend [trend] *s.* direzione, linea, orientamento, tendenza // *to set the —*, instaurare o rendere popolare una moda.

to trend *v.intr.* tendere.

trendy ['trendi] *agg.* (*spreg.*) all'ultima moda (in senso negativo) ♦ *s.* nuova moda.

Trent [trent] *no.pr.* Trento.

Trentine ['trentain] *agg.* trentino.

to trepan [tri'pæn] *v.tr.* (*chir.*) trapanare.

trepidation [,trepi'deiʃən] *s.* **1** trepidazione **2** tremito.

trespass ['trespəs] *s.* **1** trasgressione; (*dir.*) violazione di proprietà: *— of frontier*, violazione di frontiera **2** (*relig.*) peccato; offesa.

to trespass *v.intr.* **1** violare la proprietà; oltrepassare i confini: *to — (up)on s.o.'s rights*, violare i diritti di qlcu. // *to — on s.o.'s preserves*, (*fig.*) invadere il campo d'attività di qlcu. **2** (*fam.*) abusare **3** *to — against*, (*letter. relig.*) violare; offendere.

trespasser ['trespəsə*] *s.* trasgressore // *trespassers will be prosecuted*, vietato entrare, i trasgressori saranno puniti a termine di legge.

tress [tres] *s.* **1** treccia; ricciolo **2** *pl.* capelli.

trestle ['tresl] *s.* cavalletto, trespolo.

trews [truːz] *s.pl.* calzoni di stoffa scozzese (portati dai soldati dei reggimenti scozzesi).

trey [trei] *s.* tre, tris.

tri- [trai] *pref.* tri-.

triable ['traiəbl] *agg.* **1** tentabile **2** (*dir.*) processabile; giudicabile.

triad ['traiəd] *s.* **1** triade **2** (*chim.*) elemento trivalente.

trial ['traiəl] *s.* **1** (*dir.*) giudizio; processo: *to be sent for —*, essere rinviato a giudizio; *to bring s.o. to —*, portare qlcu. in giudizio; *to be on —*, essere sotto processo; *to stand —*, essere processato **2** prova (*anche fig.*): *on —*, in prova; *— run*, (*aut.*) giro di prova; (*fig.*) periodo di prova; *to be put to —*, esser messo alla prova; *to stand the —*, reggere alla prova // *the trials of life*, le traversie della vita // *by — and error*, prova e riprova // *to be a real — to s.o.*, essere una vera croce per qlcu.

trial court ['traiəlkɔːt] *s.* tribunale di prima istanza.

trial judge ['traiəldʒʌdʒ] *s.* giudice di prima istanza.

triangle ['traiæŋgl] *s.* **1** triangolo (*anche mus.*) **2** squadra (da disegno).

triangular [trai'æŋgjulə*] *agg.* triangolare.

tribal ['traibəl] *agg.* tribale, di tribù.

tribalism ['traibəlizəm] *s.* organizzazione tribale.

tribe [traib] *s.* tribù.

tribesman, *pl.* **tribesmen** ['traibzmən] *s.* membro di tribù.

tribulation [,tribju'leiʃən] *s.* tribolazione.

tribunal [trai'bjuːnl] *s.* tribunale.

tribune[1] ['tribjuːn] *s.* **1** tribuno; demagogo: *— of the people*, (*st. romana*) tribuno della plebe.

tribune[2] *s.* **1** tribuna; arengario **2** trono episcopale; pulpito.

tributary ['tribjutəri] *agg. e s.* tributario.

tribute ['tribjuːt] *s.* **1** tributo **2** (*fig.*) tributo, omaggio: *to pay a — to s.o.*, rendere omaggio a qlcu.

tricar ['traikɑ:*] *s.* automobile a tre ruote.

trice [trais] *s.*: *in a —*, in un batter d'occhio.

tricentenary [trai'sentinəri] *agg. e s.* trecentenario.

triceps ['traiseps] *agg. e s.* (*anat.*) tricipite.

trichotomy [trai'kɔtəmi] *s.* tricotomia.

trick [trik] *s.* **1** trucco; espediente; artificio: *to do the —*, fare al caso, servire **2** tiro; imbroglio, inganno: *to play a — on s.o.*, giocare un tiro a qlcu. **3** gioco di abilità, di prestigio **4** vezzo; mania; abitudine **5** (*carte*) mano.

to trick *v.tr.* **1** ingannare, gabbare: *to — s.o. into doing sthg.*, indurre qlcu. con l'inganno a fare qlco. // *to — s.o. out of sthg.*, scroccare qlco. a qlcu. **2** *to — out*, decorare, ornare.

trickery ['trikəri] *s.* **1** inganno, frode **2** stratagemma.

trickily ['trikili] *avv.* **1** astutamente; ingannevolmente **2** (*fam.*) in modo complicato; ingegnosamente.

trickiness ['trikinis] *s.* **1** astuzia; malizia **2** natura complicata; ingegnosità.

trickle ['trikl] *s.* rivolo.

to trickle *v.tr. e intr.* (far) gocciolare, (far) colare.

trickster ['trikstə*] *s.* briccone, imbroglione.

tricksy ['triksi] *agg.* dispettoso, birichino.

tricky ['triki] *agg.* **1** scaltro; infido **2** complicato; delicato.

tricolour ['trikələ*, (*amer.*) 'traikʌlər] *s.* (bandiera) tricolore.

tricorn ['traikɔːn] *agg.* tricorne, a tre punte ♦ *s.* tricorno.

tricot ['trikou] *s.* lavoro, tessuto a maglia.

tricycle ['traisikl] *s.* triciclo.

trident ['traidənt] *s.* tridente.

Tridentine ['tridəntain] *agg.* trentino; tridentino.

tried [traid] *agg.* sicuro, fidato: *— and true*, fidatissimo.

triennial [trai'enjəl] *agg.* triennale.

trier ['traiə*] *s.* **1** chi persevera **2** sperimentatore; saggiatore.

Triestine [tri:'esti:n] *agg.* triestino.

trifle ['traifl] *s.* **1** sciocchezza, inezia // *a —*, (*fam.*) un po' **2** (*cuc.*) sorta di zuppa inglese.

to trifle *v.intr.* baloccarsi, gingillarsi; scherzare ♦ *v.tr.*: *to — away*, buttar via, sprecare.

trifler ['traiflə*] *s.* **1** persona frivola, leggera **2** perditempo.

trifling ['traifliŋ] *agg.* **1** insignificante, trascurabile **2** frivolo, leggero (di persona).

trig [trig] *s.* (*fam.*) trigonometria.

trigeminal [trai'dʒeminl] *agg. e s.* (*anat.*) trigemino.

trigger ['trigə*] *s.* **1** grilletto (di arma da fuoco): *to pull the —*, premere il grilletto **2** (*mecc.*) scatto.

trigger-happy ['trigə,hæpi] *agg.* (*fam.*) (*di bandito*) dal grilletto facile; (*di uomo di Stato*) propenso alla guerra.

trigonometrical [,trigənə'metrikəl] *agg.* trigonometrico.

trigonometry [,trigə'nɔmitri] *s.* trigonometria.

trike [traik] *s.* (*fam.*) triciclo.

trilateral ['trai'lætərəl] *agg.* trilatero ♦ *s.* triangolo.

trilby ['trilbi] *s.* cappello floscio di feltro.

trilingual ['trai'liŋgwəl] *agg.* trilingue.

trill [tril] *s.* trillo.

to **trill** *v.intr.* trillare.

trillion ['triljən] *s.* **1** miliardo di miliardi **2** (*amer.*) mille miliardi, trilione.

trilogy ['trilədʒi] *s.* trilogia.

trim [trim] *agg.* ordinato; lindo; ben tenuto ♦ *s.* ordine; disposizione; stato // *in good* —, in forma.

to **trim** *v.tr.* **1** ordinare, assettare **2** tagliare; spuntare; potare **3** ornare (con frange, nastri ecc.) **4** (*mar.*) equilibrare; assettare: *to — the sails*, orientare le vele ♦ *v.intr.* agire da opportunista.

trimester [trai'mestə*] *s.* trimestre.

trimmer ['trimə*] *s.* **1** decoratore **2** opportunista.

trimming ['trimiŋ] *s.* **1** guarnizione; passamaneria; accessori (*pl.*) **2** *pl.* contorno (*sing.*).

tringle ['triŋgl] *s.* **1** bacchetta per tendaggi **2** (*arch.*) listello.

Trinitarian [,trini'teəriən] *agg.* e *s.* (*teol.*) trinitario.

Trinitarianism [,trini'teəriənizəm] *s.* (*teol.*) (fede nel) dogma della Trinità.

trinity ['triniti] *s.* **1** triade **2** *the Trinity*, (*teol.*) la SS. Trinità.

trinket ['triŋkit] *s.* gingillo; ciondolo.

trinomial [trai'noumjəl] *agg.* (*mat.*) trinomio.

trio ['tri(:)ou] *s.* trio.

trip [trip] *s.* **1** gita; viaggio **2** passo agile, veloce **3** passo falso **4** sgambetto **5** (*mecc.*) disinnesto; scatto.

to **trip** *v.intr.* **1** camminare con passo agile e leggero; saltellare **2** incespicare; fare lo sgambetto: *to — over a step*, inciampare in un gradino **3** (*fig.*) fare un passo falso; sbagliare ♦ *v.tr.* **1** fare lo sgambetto (a); fare inciampare **2** (*mecc.*) disinnestare; far scattare **3** (*mar.*) spedare **4** *to — up*, cogliere in fallo.

tripartite ['trai'pɑ:tait] *agg.* tripartito.

tripe [traip] *s.* **1** (*cuc.*) trippa **2** (*fam.*) robaccia; scritto scadente.

trip-hammer ['trip,hæmə*] *s.* maglio meccanico (a leva).

triplane ['traiplein] *s.* (*aer.*) triplano.

triple ['tripl] *agg.* triplo, triplice // — *crown*, triregno.

to **triple** *v.tr.* triplicare ♦ *v.intr.* triplicarsi.

triplet ['triplit] *s.* **1** bambino nato da un parto trigemino **2** (*metrica mus.*) terzina.

triplex ['tripleks] *agg.* triplice.

triplicate ['triplikit] *agg.* triplice ♦ *s.* esemplare di cui esistono altre due copie: *in* —, in triplice copia.

to **triplicate** ['triplikeit] *v.tr.* triplicare; fare tre copie (di).

tripod ['traipɔd] *s.* **1** treppiedi **2** tavolo, seggiolino con tre gambe **3** (*archeol.*) tripode.

tripos [traipɔs] *s.* esami di laurea (*fig.*) (all'università di Cambridge).

tripper ['tripə*] *s.* gitante.

tripping ['tripiŋ] *agg.* agile, leggero; saltellante.

triptych ['triptik] *s.* (*arte*) trittico.

tripwire ['tripwaiə*] *s.* dispositivo d'allarme.

trireme ['trairi:m] *s.* trireme.

to **trisect** [trai'sekt] *v.tr.* tripartire.

Tristan ['tristæn] *no.pr.m.* (*lett.*) Tristano.

trisyllabic ['traisi'læbik] *agg.* trisillabo.

trite [trait] *agg.* trito, comune, banale.

Triton ['traitn] *no.pr.m.* (*mit.*) Tritone.

triumph ['traiəmf] *s.* trionfo.

to **triumph** *v.intr.* trionfare.

triumphal [trai'ʌmfəl] *agg.* trionfale.

triumphant [trai'ʌmfənt] *agg.* trionfante.

triumvir [trai'ʌmvə(:)*], *pl.* **triumvirs** [trai'ʌmvə(:)z], **triumviri** [trai'ʌmvirai] *s.* (*st.*) triumviro.

triumvirate [trai'ʌmvirit] *s.* (*st.*) triumvirato.

trivet ['trivit] *s.* treppiedi.

trivial ['triviəl] *agg.* **1** insignificante, banale; lieve, da poco **2** popolare.

trivium ['triviəm] *s.* (*st. lett.*) trivio.

trochee ['trouki:] *s.* (*metrica*) trocheo.

trod *pass.* di *to* **tread**.

trodden *p.pass.* di *to* **tread**.

troglodyte ['trɔglədait] *s.* troglodita.

troika ['trɔikə] *s.* **1** troica **2** (*fig.*) governo a tre.

Troilus ['trɔuiləs] *no.pr.m.* (*lett.*) Troilo.

Trojan ['troudʒən] *agg.* e *s.* troiano // *to work like a* —, sgobbare come un negro.

to **troll**[1] [troul] *v.intr.* e *tr.* **1** pescare con il cucchiaino **2** canterellare.

troll[2] *s.* (*mit. scandinava*) gigante; gnomo.

trolley ['trɔli] *s.* **1** carretto, carrello **2** carrello portavivande **3** (*elettr.*) trolley, asta di presa // — *car*, (*amer.* per *tram*) vettura tranviaria.

trolleybus ['trɔlibʌs] *s.* filobus.

trollop ['trɔləp] *s.* donnaccia, donna di strada.

trombone [trɔm'boun] *s.* (*mus.*) trombone.

troop [tru:p] *s.* **1** torma, frotta; branco: *in troops*, a frotte **2** *pl.* (*mil.*) truppa (*sing.*), soldati **3** (*mil.*) reparto (di un squadrone) di cavalleria.

to **troop** *v.intr.* assembrarsi, accalcarsi: *people came trooping out of the theatre*, la gente usciva a frotte dal teatro ♦ *v.tr.*: *to — the colour*, sfilare portando la bandiera.

trooper ['tru:pə*] *s.* **1** cavalleggero, soldato di cavalleria // *to swear like a* —, bestemmiare come un turco **2** (*amer.*) poliziotto motorizzato.

troopship ['tru:pʃip] *s.* nave per trasporto di truppe.

trooptrain ['tru:ptrein] *s.* tradotta.

trope [troup] *s.* (*retorica*) tropo.

trophy ['troufi] *s.* trofeo.

tropic ['trɔpik] *s.* tropico // *Tropic of Cancer*, Tropico del Cancro.

tropical ['trɔpikəl] *agg.* tropicale.

trot [trɔt] *s.* **1** trotto; trottata: *to break into a* —, mettersi al trotto; *to go at a slow* —, andare di piccolo trotto // *to keep s.o. on the* —, tenere qlcu. in movimento; far sgobbare qlcu. **2** (*sl.*) prostituta.

to **trot** *v.intr.* **1** trottare; andare di trotto **2** *to — along*, trotterellare, correre ♦ *v.tr.* **1** far trottare; mettere al trotto **2** *to — out*, (*fig.*) esibire, far bella mostra (di) // *to — out excuses*, tirar fuori scuse.

troth [trouθ] *s.* (*arc.*) promessa, pegno.

trotter ['trɔtə*] *s.* **1** trottatore **2** (*cuc.*) piedino // *stuffed pig's* —, zampone.

troubadour ['tru:bəduə*] *s.* (*st.lett.*) trovatore.

trouble ['trʌbl] *s.* **1** tribolazione; dispiacere; preoccupazione; guaio, pasticcio: *money troubles*, preoccupazioni finanziarie; *to be in* —, essere nei guai; *to get into trouble*, cacciarsi nei pasticci; *to look (to ask) for* —, andare in cerca di guai; *they're in for* —, si cacceranno in un guaio // *the — is that...*, il guaio è che... **2** disturbo; fastidio; fatica: *to put s.o. to* —, arrecare disturbo a qlcu.; *it takes* — *to do it*, costa fatica farlo // *it is not worth the* —, non ne vale la pena **3** disordine, conflitto **4** (*med.*) disturbo, turba: *mental* —, turbe psichiche **5** (*mecc.*) guasto: *engine* —, guasto al motore **6** (*informatica*) guasto, anomalia di funzionamento // — *hunting*, ricerca di guasto.

to trouble *v.tr.* **1** turbare; preoccupare **2** disturbare, importunare **3** agitare, turbare: *the wind troubled the waters*, il vento ha turbato le acque **4** affliggere: *his wound troubles him*, la ferita lo fa soffrire ♦ *v.intr.* **1** disturbarsi; preoccuparsi: *don't* — *to write*, non disturbarti a scrivere **2** affliggersi.

troublemaker ['trʌbl,meikə*] *s.* **1** sobillatore; sedizioso **2** piantagrane; attaccabrighe.

troubleshooter ['trʌbl,ʃu:tə*] *s.* **1** addetto alle riparazioni **2** (*fig.*) chi cerca di prevenire o di comporre vertenze (di ordine politico, sindacale ecc.).

troubleshooting ['trʌbl,ʃu:tiŋ] *s.* ricerca e correzione di un guasto.

troublesome ['trʌblsəm] *agg.* **1** fastidioso; seccante **2** turbolento, irrequieto **3** preoccupante, che desta preoccupazioni.

trough [trɔf] *s.* **1** trogolo; tinozza, mastello **2** madia (per fare il pane) **3** grondaia; canale (per lo scolo delle acque) **4** cavo dell'onda.

to trounce [trauns] *v.tr.* **1** sconfiggere, schiacciare **2** bastonare, picchiare **3** sgridare, rimproverare.

troupe [tru:p] *s.* troupe, compagnia.

trouper ['tru:pə*] *s.* membro di una troupe; attore.

trousers ['trauzəz] *s.pl.* calzoni, pantaloni // *overall* —, salopette.

trousseau ['tru:sou], *pl.* **trousseaus, trousseaux** ['tru:souz] *s.* corredo (da sposa).

trout [traut] *s.* (*pl. invar.*) **1** trota **2** (*sl. scherz.*) vecchia cornacchia, vecchia strega.

trouvère [tru:'vɛə*] *s.* (*st. lett.*) troviero.

trowel ['trauəl] *s.* **1** cazzuola // *to lay it on with a* —, (*fig.*) adulare grossolanamente; esagerare **2** paletta (da giardiniere); trapiantatoio.

troy [trɔi] *s.* «troy» (unità di misura usata in Gran Bretagna e negli Stati Uniti per pietre, metalli preziosi e medicinali).

Troy *no.pr.* Troia.

truancy ['tru:(:)ənsi] *s.* il marinare la scuola.

truant ['tru:(:)ənt] *s.* **1** scansafatiche **2** ragazzo che marina la scuola: *to play* —, marinare la scuola.

truce [tru:s] *s.* tregua // *flag of* —, bandiera bianca.

truck[1] [trʌk] *s.* **1** baratto, scambio // *to have no* — *with*, non avere nulla a che fare con **2** (*amer.*): *garden* —, frutta e ortaggi freschi destinati ai mercati **3** pagamento in natura **4** cianfrusaglie (*pl.*), paccottiglia.

to truck[1] *v.tr.* e *intr.* barattare.

truck[2] *s.* **1** carro; carrello; (*spec. amer.*) autocarro **2** (*ferr.*) pianale; carrello **3** (*mar.*) pomo, galletta.

to truck[2] *v.tr.* trasportare (su carrello, autocarro ecc.).

truck driver ['trʌk,draivə*] *s.* camionista.

to truckle ['trʌkl] *v.intr.* abbassarsi, strisciare: *to* — *to s.o.*, strisciare di fronte a qlcu.

truckle bed ['trʌklbed] *s.* letto basso con rotelle; brandina.

truck trailer ['trʌk,treilə*] *s.* rimorchio.

truckway ['trʌkwei] *s.* autocamionale, camionabile.

truculence ['trʌkjuləns] *s.* prepotenza; ferocia.

truculent ['trʌkjulənt] *agg.* prepotente; feroce; violento.

to trudge *v.intr.* arrancare.

true [tru:] *agg.* **1** vero, reale; genuino; giusto, preciso: *a* — *reproduction*, una riproduzione fedele // — *copy*, (*comm.*) copia conforme // — *to life*, realistico // *to come* —, realizzarsi, avverarsi **2** fedele; leale: *to be* — *to s.o.*, essere fedele a qlcu.

to true *v.tr.* rettificare; allineare (superfici); centrare (ruote): *to* — (*up*) *a machine*, rettificare una macchina.

true-blue ['tru:'blu:] *agg.* fedele, devoto: *a* — *Conservative*, un conservatore tenace.

trueborn ['tru:bɔ:n] *agg.* **1** legittimo **2** autentico, genuino.

true-bred ['tru:bred] *agg.* di razza, purosangue.

truelove ['tru:lʌv] *s.* innamorato; amato.

truffle ['trʌfl] *s.* tartufo.

truism ['tru(:)izəm] *s.* truismo, verità lapalissiana.

truly ['tru:li] *avv.* **1** veramente, sinceramente; davvero // *yours (very)* —, cordiali saluti (nella chiusa di una lettera) **2** fedelmente; lealmente.

trump[1] [trʌmp] *s.* **1** (*carte*) briscola // *to turn up trumps*, (*fig.*) rivelarsi utile, rispondere ai desideri (di qlcu.) **2** (*fam.*) anima buona.

to trump[1] *v.tr.* **1** vincere, tagliare (una carta) con una briscola **2** *to* — *up*, (*fig.*) inventare (scuse, pretesti) ♦ *v.intr.* giocare una briscola.

trump[2] *s.* (*arc. poet.*) (suono di) tromba.

trump card ['trʌmp'ka:d] *s.* briscola // *to play one's* —, (*fig.*) giocare il proprio asso.

trumpery ['trʌmpəri] *agg.* senza valore, scadente; da poco.

trumpet ['trʌmpit] *s.* tromba; squillo di tromba // *to blow one's own* —, tessere le proprie lodi.

to trumpet *v.tr.* proclamare a suon di tromba; (*fig.*) strombazzare; acclamare ♦ *v.intr.* **1** sonare la tromba **2** barrire.

trumpet-call ['trʌmpitkɔ:l] *s.* squillo di tromba; (*fig.*) segnale di adunata.

trumpeter ['trʌmpitə*] *s.* sonatore di tromba; (*mil.*) trombettiere.

to truncate [trʌŋ'keit, (*amer.*) 'trʌŋkeit] *v.tr.* troncare, mozzare.

truncheon ['trʌntʃən] *s.* **1** manganello; sfollagente **2** mazza.

trundle ['trʌndl] *s.* rotella (orientabile).

to trundle *v.tr.* (far) rotolare; far correre; spingere ♦ *v.intr.* **1** rotolare **2** scorrere (su rotelle).

trunk [trʌŋk] *s.* **1** tronco; fusto **2** baule; (*mar.*) cassa **3** proboscide **4** *pl.* calzoni corti; calzoncini (da bagno, da tennis ecc.) **5** (*tel. ferr.*) linea principale **6** (*informatica*) canale **7** (*amer.*) baule (di auto) → **boot**.

trunk call ['trʌŋk'kɔ:l] *s.* (telefonata) interurbana.

trunk line ['trʌŋklain] *s.* (*ferr. tel.*) linea principale di collegamento fra due capoluoghi.

trunk road ['trʌŋkroud] *s.* strada maestra.

truss [trʌs] *s.* **1** (*edil.*) traliccio; capriata **2** (*med.*) cinto erniario **3** fastello; balla.

to truss *v.tr.* **1** (*edil.*) puntellare **2** legare le ali (alla selvaggina ecc. prima di cuocerla); legare lungo il corpo (le braccia di una persona).

trust [trʌst] *s.* **1** fiducia, fede: *to take on* —, fidarsi ciecamente di **2** compito, dovere; responsabilità **3** (*dir.*) patrimonio amministrato per conto di terzi // — *deed*, atto di fidecommisso // — *money*, deposito fiduciario **4** «trust», società finanziaria // *closed-end investment* —, fondo d'investimento a capitale fisso.

to trust *v.tr.* **1** aver fiducia (in), confidare (in), fidarsi (di): *he cannot be trusted with this job*, non gli si può affidare questo lavoro; *to — in one's luck*, fidarsi della propria fortuna 2 sperare: *I — you will soon be better*, spero che presto starete meglio ♦ *v.intr.* aver fiducia; fidarsi.

trustee [trʌs'ti:] *s.* 1 (*dir.*) fiduciario; curatore 2 amministratore // *board of trustees*, collegio sindacale.

trusteeship [trʌs'ti:ʃip] *s.* 1 (*dir.*) carica di fiduciario 2 amministrazione fiduciaria // *— territory*, territorio sottoposto ad amministrazione fiduciaria.

trustful [trʌstful] *agg.* fiducioso, confidente.

trustiness ['trʌstinis] *s.* l'essere fiducioso.

trustworthiness ['trʌst,wə:ðinis] *s.* 1 credibilità, veracità; esattezza (di testimonianza ecc.) 2 lealtà, onestà; fedeltà.

trustworthy ['trʌst,wə:ði] *agg.* 1 fidato; sicuro, attendibile 2 meritevole, degno di fiducia.

trusty ['trʌsti] *agg.* fidato, leale.

truth [tru:θ] *s.* verità, vero.

truthful ['tru:θful] *agg.* vero, veritiero; sincero.

try [trai] *s.* prova, tentativo: *to have a — at sthg.*, fare un tentativo, provare a fare qlco. // *give it a —!*, prova!

to try *v.tr.* 1 provare, tentare; cercare: *to — one's best* (*o hardest*) *to do sthg.*, fare il possibile per fare qlco. // *to — one's hand at sthg.*, tentare di fare qlco. // *to — one's strength*, misurare le proprie forze 2 provare, mettere alla prova: *to — s.o.'s patience*, mettere alla prova la pazienza di qlcu. 3 verificare 4 assaggiare 5 (*dir.*) processare, giudicare 6 *to — on*, provare (abiti) 7 *to — out*, sottoporre a prova ♦ *v.intr.* provare // *to — for sthg.*, cercare di ottenere qlco.; concorrere a qlco.

trying ['traiiŋ] *agg.* 1 difficile, duro; penoso 2 che mette a dura prova; insopportabile.

try-on ['trai'ɔn] *s.* (*fam.*) tentativo.

try-out ['trai'aut] *s.* (*fam.*) prova (generale).

trysail ['traisl] *s.* vela aurica.

tryst [traist] *s.* appuntamento.

tsar e *deriv.* → **czar**

tsetse fly ['tsetsiflai] *s.* mosca tse-tse.

T-shirt ['ti:ʃə:t] *s.* maglietta a maniche corte con collo a giro.

T-square ['ti:skwɛə*] *s.* riga a T.

tub [tʌb] *s.* 1 tino, tinozza; mastello; botte 2 (*fam.*) vasca da bagno 3 (*fam.*) vecchia barca: *an old —*, una vecchia carcassa.

tuba ['tju:bə] *s.* (*mus.*) tuba.

tube [tju:b] *s.* 1 tubo // *inner —*, camera d'aria // *to go down the tubes*, (*fam. amer.*) andar sprecato 2 tubetto: *a — of toothpaste*, un tubetto di dentifricio 3 anima (di fucile) 4 (*chim.*) provetta 5 (*amer.*) valvola termoionica; tubo a raggi catodici 6 metropolitana 7 (*anat.*) tuba, tromba.

tuber ['tju:bə*] *s.* (*bot.*) tubero.

tubercle ['tju:bə:kl] *s.* (*bot. med.*) tubercolo.

tubercular [tju(:)'bə:kjulə*] *agg.* (*bot.med.*) a tubercoli, tubercolare; tubercolotico.

tuberculosis [tju(:),bə:kju'lousis] *s.* tubercolosi.

tuberose ['tju:bərouz] *s.* (*bot.*) tuberosa.

tube train ['tju:btrein] *s.* treno della metropolitana.

tubing ['tju:biŋ] *s.* tubo, tubazione.

tub-thumper ['tʌbθʌmpə*] *s.* oratore ampolloso.

tub-thumping ['tʌbθʌmpiŋ] *s.* e *agg.* (dall') oratoria ampollosa.

tubular ['tju:bjulə*] *agg.* tubolare.

tuck [tʌk] *s.* 1 piega 2 (*fam.*) dolci (*pl.*), ghiottonerie (*pl.*).

to tuck *v.tr.* e *intr.* 1 mettere, riporre (in luogo sicuro) 2 mettere a posto; infilare: *to — one's shirt into one's trousers*, infilarsi la camicia nei pantaloni 3 fare pieghe (a un abito) 4 *to — away*, nascondere; costruire in un luogo riparato, nascosto: *a house tucked away in the hills*, una casa nascosta tra le colline 5 *to — up, to — in*, rimboccare: *to — s.o. up in bed*, rimboccare le coltri a qlcu. 6 *to — in(to)*, (*fam.*) mangiare con golosità, voracemente.

tucker¹ ['tʌkə*] *s.* fisciù // *best bib and —*, (*fam.*) gli abiti migliori.

to tucker² *v.tr.* (*fam. amer.*) affaticare: *tuckered out*, esausto.

tucket ['tʌkit] *s.* squillo di tromba.

tuck-in ['tʌk'in] *s.* (*fam.*) scorpacciata.

tuck shop ['tʌkʃɔp] *s.* pasticceria (vicino a una scuola).

Tuesday ['tju:zdi] *s.* martedì // *Shrove —*, martedì grasso.

tufa ['tju:fə] *s.* tufo.

tuffet ['tʌfit] *s.* pouf.

tuft [tʌft] *s.* ciuffo.

to tuft *v.tr.* fornire di ciuffi ecc. ♦ *v.intr.* crescere in ciuffi.

tug [tʌg] *s.* 1 strappo, tirata 2 (*mar.*) rimorchiatore.

to tug *v.tr.* 1 tirare; strappare; trascinare 2 (*mar.*) rimorchiare ♦ *v.intr.* dare strattoni.

tug-of-war ['tʌgəv'wɔ:*] *s.* 1 tiro alla fune 2 (*fig.*) braccio di ferro.

tuition [tju(:)'iʃən] *s.* istruzione, insegnamento.

tulip ['tju:lip] *s.* tulipano.

tulle [tju:l] *s.* tulle, velo.

tumble ['tʌmbl] *s.* 1 caduta; capitombolo; capriola; salto mortale 2 disordine.

to tumble *v.intr.* 1 cadere; ruzzolare 2 agitarsi: *to toss and — in bed*, rigirarsi nel letto 3 precipitarsi, gettarsi: *to — into, out of bed*, gettarsi sul, giù dal letto 4 fare un salto mortale 5 *to — on* (*sthg.*), imbattersi in 6 *to — to* (*sthg.*), (*fam.*) afferrare il significato di, rendersi conto di ♦ *v.tr.* 1 far cadere; far ruzzolare 2 mettere in disordine, scompigliare; rovesciare.

tumbledown ['tʌmbldaun] *agg.* cadente; in rovina.

tumble-drier ['tʌmbl'draiə*] *s.* asciugabiancheria.

tumbler ['tʌmblə*] *s.* 1 acrobata; saltimbanco 2 bicchiere (senza stelo) 3 (*zool.*) piccione tomboliere.

tumbleweed ['tʌmblwi:d] *s.* (*amer.*) (nelle zone desertiche) arbusti secchi fatti rotolare dal vento.

tumbrel ['tʌmbrəl], **tumbril** ['tʌmbril] *s.* 1 (*st.*) carretta per il trasporto dei condannati a morte 2 carro per trasporto di letame 3 (*mil.*) carretta.

tumefaction [,tju:mi'fækʃən] *s.* tumefazione.

to tumefy ['tju:mifai] *v.tr.* tumefare ♦ *v.intr.* tumefarsi.

tumid ['tju:mid] *agg.* tumido, gonfio.

tummy ['tʌmi] *s.* (*fam.*) stomaco; pancia.

tummy ache ['tʌmieik] *s.* (*fam.*) mal di pancia, di stomaco.

tumour, (*amer.*) **tumor** ['tju:mə*] *s.* tumore.

tumult ['tju:mʌlt] *s.* tumulto, agitazione.

tumultuous [tju(:)'mʌltjuəs] *agg.* tumultuoso.

tumulus ['tju:mjuləs], *pl.* **tumuli** ['tju:mjulai] *s.* tumulo.

tun [tʌn] *s.* botte; barile.

tuna ['tju:nə] *s.* tonno.

tunable ['tju:nəbl] *agg.* armonioso, musicale.

tundra ['tʌndrə] *s.* tundra.

tune [tju:n] *s.* 1 (*mus.*) aria, motivo // *to the — of*, al prezzo (esorbitante) di 2 (*mus.*) tono; accordo (*anche fig.*): *in —*, intonato; *out of —*, stonato // *to call the —*, comandare, essere il capo // *to change one's* —, (*fig.*) cambiar musica.

to tune *v.tr.* **1** accordare // *to* — *oneself to*, mettersi in armonia con **2** sintonizzare **3** *to* — *up*, (*mecc.*) mettere a punto ♦ *v.intr.* **1** *to* — *in*, sintonizzarsi **2** *to* — *up*, (*mus.*) accordarsi.

tuneful [ˈtjuːnfʊl] *agg.* armonioso, melodioso.

tuneless [ˈtjuːnlɪs] *agg.* disarmonico; stonato.

tuner [ˈtjuːnə*] *s.* sintonizzatore.

tungsten [ˈtʌŋstən] *s.* (*chim.*) tungsteno.

tunic [ˈtjuːnɪk] *s.* tunica.

tuning [ˈtjuːnɪŋ] *s.* **1** (*mus.*) accordatura **2** (*rad.*) sintonia **3** (*mecc.*) messa a punto (di motore).

tuning fork [ˈtjuːnɪŋfɔːk] *s.* (*mus.*) diapason.

Tunis [ˈtjuːnɪs] *no.pr.* Tunisi.

Tunisian [tjuː(ˈ)nɪzɪən] *agg.* e *s.* tunisino.

tunnel [ˈtʌnl] *s.* tunnel, galleria; traforo.

to tunnel *v.intr.* scavare una galleria; traforare.

tunny [ˈtʌnɪ] *s.* tonno.

tup [tʌp] *s.* **1** montone **2** (*mecc.*) mazza battente.

tuppence *s.* → **twopence**.

tuppenny *agg.* → **twopenny**.

turban [ˈtɜːbən] *s.* turbante.

turbid [ˈtɜːbɪd] *agg.* torbido; (*fig.*) agitato, confuso.

turbidity [tɜːˈbɪdɪtɪ] *s.* torbidità; (*fig.*) agitazione, confusione.

turbine [ˈtɜːbɪn] *s.* (*mecc.*) turbina.

turbojet [ˈtɜːbəʊdʒet] *s.* (*aer.*) turbogetto // — *engine*, turboreattore.

turboprop [ˈtɜːbəʊprɒp] *s.* (*aer.*) turboelica.

turbot [ˈtɜːbət] *s.* (*zool.*) rombo.

turbulence [ˈtɜːbjʊləns] *s.* turbolenza, agitazione.

turbulent [ˈtɜːbjʊlənt] *agg.* turbolento.

turd [tɜːd] *s.* sterco.

tureen [təˈriːn] *s.* zuppiera.

turf [tɜːf], *pl.* **turfs** [tɜːfs], **turves** [tɜːvz] *s.* **1** piota, zolla erbosa; tappeto erboso **2** torba **3** *the* —, le corse (*pl.*); il mondo delle corse.

to turf *v.tr.* **1** coprire di zolle erbose **2** *to* — *out*, (*fam.*) buttare fuori.

turf accountant [ˈtɜːfəˌkaʊntənt] *s.* allibratore.

turfy [ˈtɜːfɪ] *agg.* erboso, coperto d'erba; simile ad erba.

turgid [ˈtɜːdʒɪd] *agg.* **1** turgido **2** (*fig.*) ampolloso.

turgidity [tɜːˈdʒɪdɪtɪ] *s.* **1** turgidezza **2** (*fig.*) pomposità, ampollosità.

Turin [tjuˈrɪn] *no.pr.* Torino.

Turinese [ˌtjʊrɪˈniːz] *agg.* e *s.* torinese.

Turk [tɜːk] *s.* **1** turco (abitante) **2** (*fam.*) birbante // —*'s head*, scopa di piume per spolverare soffitti.

Turkey [ˈtɜːkɪ] *no.pr.* Turchia.

turkey *s.* **1** tacchino **2** (*amer.*) parlare schiettamente // *cold* —, (*sl.*) astinenza completa dalla droga; la cruda verità; *to go cold* —, astenersi del tutto dalla droga **2** (*amer. teatr.*) fiasco.

turkey-cock [ˈtɜːkɪkɒk] *s.* **1** tacchino **2** (*fig.*) pallone gonfiato.

Turkish [ˈtɜːkɪʃ] *agg.* e *s.* (*lingua*) turco.

turmoil [ˈtɜːmɔɪl] *s.* agitazione; tumulto; scompiglio.

turn [tɜːn] *s.* **1** giro; curva, svolta; (*fig.*) piega; (*mar. aer.*) virata: *the car took a* — *to the right*, l'auto svoltò a destra; *things are taking a* — *for the better*, la situazione volge al meglio // *the* — *of the tide*, il mutare della marea; (*fig.*) il mutare della fortuna // *your cake is done to a* —, la tua torta è cotta a puntino **2** disposizione, inclinazione; forma mentale **3** volta, turno: *in* —, a turno; *it's my* —, *your* — *etc.*, tocca a me, a te ecc.; *don't*

speak out of your —, non parlare quando non tocca a te // — *and* — *about*, a turno // *to take turns*, fare i turni **4** azione: *a bad* —, un brutto scherzo; *a good* —, un favore, un servigio **5** giretto, passeggiata **6** (*fam.*) scossa, colpo: *the news gave me quite a* —, la notizia mi ha molto scosso **7** (*teatr.*) numero.

to turn *v.tr.* **1** (far) girare, far ruotare; voltare; dirigere; volgere (*anche fig.*): *to* — *one's back on*, volgere le spalle a // *to* — *the corner*, girare l'angolo, (*fig.*) superare una crisi **2** cambiare, mutare; trasformare: *to* — *love to hate*, mutar l'amore in odio; *to* — *water into wine*, cambiar l'acqua in vino **3** far diventare, rendere; fare andare a male, alterare (il cibo): *your success turned him green with envy*, il tuo successo l'ha fatto diventare verde di invidia; *hot weather turns milk sour*, il caldo fa inacidire il latte **4** foggiare, modellare; tornire (*anche fig.*): *to* — *a phrase*, tornire una frase **5** sconvolgere; rivoltare (*anche fig.*): *the sight of food turns my stomach*, la vista del cibo mi rivolta lo stomaco (*o* mi nausea); *to* — *s.o.'s brain*, sconvolgere la mente di qlcu.; *to* — *sthg. inside out*, rivoltar qlco.; *to* — *sthg. upside down*, capovolgere qlco.; *flattery has turned his head*, l'adulazione l'ha fatto montare in superbia **6** passare, oltrepassare; superare: *it has just turned four*, sono appena passate le quattro; *he has not yet turned sixty*, non ha ancora sessant'anni **7** (*mil.*) aggirare (*anche fig.*) **8** *to* — *about*, girare **9** *to* — *against*, istigare, aizzare, mettere contro **10** *to* — *aside*, respingere **11** *to* — *away*, cacciare, scacciare; mandar via **12** *to* — *back*, far tornare (sui propri passi); mandare indietro **13** *to* — *down*, voltare, ripiegare in giù; abbassare (luce, gas ecc.); (*fig.*) respingere, bocciare (proposta): *his request was turned down*, la sua richiesta è respinta **14** *to* — *in*, consegnare (alla polizia) **15** *to* — *off*, spegnere (luce, gas ecc.); chiudere (rubinetti) **16** *to* — *on*, accendere (luce, gas ecc.); aprire (rubinetti) **17** *to* — *out*, mettere alla porta, scacciare; licenziare; lasciare in libertà (il bestiame); produrre, fabbricare; spegnere (gas, luce) **18** *to* — *over*, rovesciare, capovolgere; voltare; trasferire, cedere; rimuginare: *to* — *over a new leaf*, (*fig.*) voltar pagina, cambiar vita **19** *to* — *round*, girare, voltare **20** *to* — *up*, voltare all'insù; rimboccare // *to* — *up one's nose at*, arricciare il naso di fronte a ♦ *v.intr.* **1** girare, girarsi; voltare, voltarsi; tornare indietro; rigirarsi, volgersi (*anche fig.*): *he turned to painting*, si diede alla pittura; *to* — *upside down*, capovolgersi // *the worm will turn*, anche i santi perdono la pazienza // *to* — *from*, distogliersi // *not to know which way to* —, non sapere a che santo votarsi **2** mutare, cambiare (direzione): *the wind is turning*, il vento cambia direzione; *the tide has turned*, (*fig.*) il vento è cambiato **3** diventare; cambiarsi, trasformarsi; (*di cibo*) alterarsi: *to* — *Catholic*, farsi cattolico; *to* — *pale*, impallidire; *the milk has turned* (*sour*), il latte è inacidito **4** rotare; girare; (*fig.*) imperniarsi **5** tornire, usare un tornio **6** *to* — *about*, girarsi o rigirarsi; agitarsi **7** *to* — *against*, opporsi, rivoltarsi contro **8** *to* — *away*, *to* — *aside*, girarsi, distogliere lo sguardo; (*fig.*) mostrare disprezzo, disapprovazione: *to* — *away*, *aside from*, allontanarsi da **9** *to* — *back*, ritornare **10** *to* — *in*, girare, voltarsi in dentro; (*fam.*) andare a letto; *his feet* — *in*, ha i piedi vari **11** *to* — *off*, uscire da una strada; (*di strada*) biforcarsi, dividersi **12** *to* — *out*, girare, voltarsi all'infuori; uscire; mostrarsi, rivelarsi; risultare; riuscire: *the news turned out to be false*, la notizia risultò falsa; *let's* *hope this cake will — out well*, speriamo che la torta riesca bene; *his feet — out*, ha i piedi valghi; *that business turned out badly*, quell'affare andò male **13** *to — over*, rigirarsi **14** *to — on s.o.*, assalire improvvisamente qlcu. **15** *to — round*, voltarsi **16** *to — to*, rivolgersi, ricorrere a; darsi a, applicarsi a; mettersi a lavorare **17** *to — up*, girare, voltarsi all'insù; accadere; apparire, comparire all'improvviso; (*di cose*) saltar fuori: *to wait for sthg. to — up*, (*fig.*) aspettare che salti fuori qlco., che accada qlco. **18** *to — upon*, dipendere da.

turncoat ['təːnkout] *s.* voltagabbana, girella.

turncock ['təːnkɔk] *s.* valvola di regolazione della portata.

turndown['təːndaun]*agg.* ripiegato all'ingiù; risvoltato.

turner ['təːnə*] *s.* tornitore.

turnery ['təːnəri] *s.* **1** tornitura **2** officina di tornitore.

turning ['təːniŋ] *s.* **1** svolta, curva **2** incrocio **3** tornitura.

turning point ['təːniŋpoint] *s.* (*fig.*) svolta decisiva; momento critico, crisi.

turnip ['təːnip] *s.* (*bot.*) rapa.

turnip greens ['təːnipgriːnz], **turnip tops** ['təːnip tɔps] *s. pl.* cime di rapa.

turnkey ['təːnkiː] *s.* carceriere, secondino.

turn-off ['təːnɔ(ː)f] *s.* uscita (dall'autostrada ecc.).

turnout ['təːn'aut] *s.* **1** gruppo; numero di persone: *there was quite a good — at the lecture*, c'era un bel numero di persone alla conferenza **2** insieme, completo **3** equipaggio **4** tenuta.

turnover ['təːn,ouvə*] *s.* **1** rovesciamento; capovolgimento **2** (*comm.*) giro, movimento d'affari; incasso totale (di un periodo) **3** torta, pasticcio **4** frequenza di rotazione del personale (di una ditta ecc.); durata dei rifornimenti, delle scorte ecc.

turnpike ['təːnpaik] *s.* **1** barriera **2** strada a pedaggio; (*amer.*) autostrada.

turnstile ['təːnstail] *s.* cancelletto girevole (spesso azionato a gettone).

turntable ['təːn,teibl] *s.* **1** piatto del grammofono **2** (*ferr.*) piattaforma girevole.

turn-up ['təːn'ʌp] *s.* risvolto (dei calzoni).

turpentine ['təːpəntain] *s.* (*chim.*) trementina.

turpitude ['təːpitjuːd] *s.* turpitudine.

turps [təːps] *s.* (*fam.*) (*chim.*) trementina.

turquoise ['təːkwɑːz] *agg. e s.* turchese.

turret ['tʌrit] *s.* torretta (*anche mil.*).

turtle ['təːtl] *s.* tartaruga (di mare) // *— neck*, collo alla ciclista // *to turn —*, capovolgersi.

turtledove ['təːtldʌv] *s.* **1** tortora **2** (*fam.*) amore.

turves *pl.* di **turf**.

Tuscan ['tʌskən] *agg. e s.* toscano.

Tuscany ['tʌskəni] *no.pr.* Toscana.

tush [tʌʃ] *inter.* (*arc.*) suvvia!

tusk [tʌsk] *s.* zanna.

tussle ['tʌsl] *s.* zuffa, rissa; lotta.

to tussle *v.intr.* azzuffarsi; lottare.

tussock ['tʌsək] *s.* ciuffo d'erba.

tut [tʌt] *inter.* suvvia!

to tut *v.intr.* esprimere impazienza, disapprovazione.

tutelage ['tjuːtilidʒ] *s.* (*dir.*) tutela.

tutelar ['tjuːtilə*, *], 'tuːtilə*], **tutelary** ['tjuːtiləri, (*amer.*) 'tuːtəlri] *agg.* tutelare.

tutor ['tjuːtə*] *s.* **1** (*dir.*) tutore **2** precettore; insegnante privato **3** (*nelle università*) professore responsabile della disciplina e condotta morale dei singoli studenti; (*amer.*) assistente incaricato.

to tutor *v.tr.* istruire, ammaestrare ♦ *v.intr.* fare il precettore, il tutore, il professore.

tutorial [tjuː(ː)'tɔːrəl] *agg.* **1** (*dir.*) tutorio **2** di precettore ♦ *s.* esercitazione; lezione privata.

tutti frutti ['tuːti'fruːti] *s.* **1** macedonia di frutta **2** gelato di frutta con gusti diversi.

tutu ['tuːtuː] *s.* tutù.

tu-whit [tu'wit], **tu-whoo** [tu'wuː] *s.* squittio (della civetta).

tuxedo [tʌk'siːdou] *s.* (*amer.* per *dinner jacket*) «smoking».

twaddle ['twɔdl] *s.* ciarla, chiacchiera.

to twaddle *v.intr.* dire sciocchezze; parlare a vanvera.

twain [twein] *agg.* (*ant.*) due ♦ *s.* (*ant.*) coppia; paio.

twang [twæŋ] *s.* **1** stridore; suono acuto (di strumento a corde); vibrazioni **2** suono nasale.

to twang *v.intr.* **1** vibrare; risuonare; stridere **2** parlare con voce nasale **3** tendersi (di muscolo) **4** *to — away at*, strimpellare ♦ *v.tr.* **1** far vibrare; far risuonare; far stridere; pizzicare le corde (di) **2** pronunciare, esporre con voce nasale **3** scoccare (una freccia).

to twangle ['twæŋgl] *v.intr.* tintinnare ♦ *v.tr.* strimpellare (strumento a corde).

'twas [twɔz] *contr. di* it was.

tweak [twiːk] *s.* pizzicotto.

to tweak *v.tr.* pizzicare.

twee [twiː] *agg.* lezioso.

tweed [twiːd] *s.* **1** «tweed» (tessuto) **2** *pl.* abito di «tweed» (*sing.*).

tweedy ['twiːdi] *agg.* **1** simile a «tweed» **2** informale; campagnolo; rustico.

'tween [twiːn] *contr. di* **between**.

tweet [twiːt] *s.* cinguettio.

tweezers ['twiːzəz] *s.pl.* pinzette.

twelfth [twelfθ] *agg. num. ord.* dodicesimo // *the — of August*, il dodici agosto // *— night*, la notte dell'Epifania.

twelve [twelv] *agg. num. card. e s.* dodici.

twelvemonth ['twelvmʌnθ] *s.* anno: *this day —*, un anno fa; fra un anno.

twelve-tone ['twelv'toun] *agg.* (*mus.*) dodecafonico.

twentieth ['twentiiθ] *agg. num.ord. e s.* ventesimo // *the — of June*, il venti giugno.

twenty ['twenti] *agg. num. card. e s.* venti: *about —*, una ventina // *the — -second of April*, il ventidue aprile // *in the twenties*, negli anni venti; tra i 20 ed i 29 anni (di età) // *to be in one's early, late twenties*, avere poco più di venti, poco meno di trenta anni.

'twere [twɛə*] *contr. di* it were.

twerp [twəːp] *s.* (*fam.*) idiota.

twice [twais] *avv.* due volte: *— as big as*, due volte più grande di.

twice-told ['twaistould] *agg.* detto due volte; (*fig.*) spesso ripetuto, famoso.

to twiddle ['twidl] *v.tr.* (far) girare, giocherellare (con) // *to — one's thumbs*, gingillarsi, girare i pollici.

twig[1] [twig] *s.* **1** ramoscello; verga.

to twig[2] *v.tr.* (*fam.*) comprendere, afferrare.

twilight ['twailait] *s.* **1** crepuscolo **2** luce fioca, soffusa.

twill [twil] *contr. di* it will.

twin [twin] *agg. e s.* gemello // *the Twins*, (*astr.*) i Gemelli.

to twin *v.tr.* accoppiare; abbinare.

twine [twain] *s.* **1** spago, corda **2** intreccio; spira **3** groviglio, garbuglio.

to twine *v.tr.* torcere; attorcigliare; intrecciare ♦

v.intr. **1** torcersi; attorcigliarsi **2** serpeggiare, procedere tortuosamente.

twinge [twinʤ] *s.* fitta.

twinkle ['twiŋkl] *s.* **1** scintillio, balenio **2** ammicco **3** guizzo; scatto.

to **twinkle** *v.intr.* **1** scintillare; brillare; balenare **2** ammiccare **3** muoversi rapidamente, a scatti ♦ *v.tr.* **1** far brillare **2** far guizzare; far scattare; muovere rapidamente.

twinkling ['twiŋkliŋ] *s.* **1** scintillio; balenio // *in the — of an eye*, in un batter d'occhio **2** guizzo; scatto.

twin set ['twinset] *s.* completo (di due golf).

twirl [twə:l] *s.* **1** giro; piroetta; mulinello **2** spirale; svolazzo, ghirigoro.

to **twirl** *v.tr.* far girare; far roteare; attorcigliare ♦ *v.intr.* girare; roteare; attorcigliarsi.

twist [twist] *s.* **1** filo ritorto; cordoncino; treccia (di pane, tabacco ecc.) **2** torsione // *to give a — to a ball*, (*sport*) dare l'effetto a una palla // *by some strange — of fate*, per uno strano gioco del destino **3** curva, svolta **4** tendenza (di carattere).

to **twist** *v.tr.* **1** intrecciare; attorcigliare; (*ind. tessile*) ritorcere // *she twists him round her little finger*, se lo fa su come vuole **2** torcere: *I've twisted my ankle*, mi sono slogato una caviglia **3** alterare, travisare: *he twisted what I had said*, travisò ciò che avevo detto **4** *to — off*, strappar via (attorcigliando) ♦ *v.intr.* **1** intrecciarsi; attorcigliarsi **2** torcersi **3** serpeggiare; deviare.

twister ['twistə*] *s.* **1** chi torce **2** truffatore **3** compito difficile, scabroso.

twisty ['twisti] *agg.* tortuoso, serpeggiante; (*fig.*) disonesto.

to **twit**[1] [twit] *v.tr.* rimproverare; biasimare.

twit[2] *s.* (*sl.*) sciocco.

twitch [twitʃ] *s.* **1** contrazione involontaria, spasmodica; tic **2** tirata; strattone.

to **twitch** *v.tr.* **1** contrarre **2** tirare, dare uno strattone a; strappare via: *to — s.o.'s sleeve*, tirare qlcu. per la manica ♦ *v.intr.* contrarsi; contorcersi: *her face twitched*, fece una smorfia.

twitter ['twitə*] *s.* **1** cinguettio; pigolio **2** cicaleccio // *in a —*, in uno stato di grande eccitazione o ansia.

to **twitter** *v.intr.* **1** cinguettare; pigolare **2** cicalare.

'twixt [twikst] *contr.* di **betwixt**.

two [tu:] *agg.num.card.* e *s.* due: *in twos* (o — *and* — o — *by* —), a due a due // *to put* — *and* — *together*, tirare le somme.

two-edged ['tu:'edʒd] *agg.* a due tagli; (*fig.*) a doppio taglio.

twofaced ['tu:'feist] *agg.* con due facce; falso, doppio.

two-fisted ['tu:'fistid] *agg.* (*fam.*) robusto, virile.

twofold ['tu:fould] *agg.* doppio ♦ *avv.* doppiamente.

two-handed ['tu:'hændid] *agg.* con due manici.

twopence ['tʌpəns] *s.* (valore di) due pennies // *not to care —*, (*fam.*) infischiarsene.

twopenny ['tʌpni] *agg.* **1** del valore di due pennies **2** di poco valore: *a — bracelet*, un braccialetto da quattro soldi.

twopenny-halfpenny ['tʌpni'heipni] *agg.* da due pennies e mezzo; (*fig.*) senza valore, insignificante.

two-piece ['tu:'pi:s] *s.* (costume, abito a) due pezzi.

two-ply ['tu:'plai] *agg.* a due fili.

two-seater ['tu:'si:tə*] *s.* (automobile a) due posti.

twosome ['tu:səm] *s.* **1** gioco in coppia **2** coppia (di amici ecc.).

two-step ['tu:step] *s.* musica, ballo in due tempi.

to **two-time** ['tu:'taim] *v.tr.* (*sl. amer.*) fare il doppio gioco a.

'twould [twud] *contr. di* it would.

two-way ['tu:'wei] *agg.* **1** bidirezionale: — *traffic*, traffico a doppio senso // — *ticket*, (*amer.*) biglietto di andata e ritorno // — *radio*, ricetrasmittente **2** reciproco, mutuo.

tycoon [tai'ku:n] *s.* (*fam.*) capitalista; magnate, re.

tying-up machine [taiiŋʌpmə'ʃi:n] *s.* fascettatrice.

tyke *s.* → **tike**.

tympanitis [,timpə'naitis] *s.* (*med.*) otite media.

tympanum ['timpənəm], *pl.* **tympana** ['timpənə] *s.* timpano.

type [taip] *s.* **1** tipo; genere **2** simbolo **3** (*tip.*) carattere tipografico: *to set up in —*, comporre.

to **type** *v.tr.* **1** dattilografare **2** rappresentare, simboleggiare ♦ *v.intr.* dattilografare.

to **typecast** ['taip'ka:st], *pass.* e *p.pass.* **typecast** *v.tr.* caratterizzare, personificare: *she is — as the dumb blonde*, è il prototipo della bionda svampita.

typescript ['taipskript] *s.* dattiloscritto.

typesetter ['taip,setə*] *s.* (*tip.*) compositore.

to **typewrite** ['taiprait], *pass.* **typewrote** ['taiprout], *p.pass.* **typewritten** ['taip,ritn] *v.tr.* e *intr.* dattilografare, scrivere a macchina.

typewriter ['taip,raitə*] *s.* macchina per scrivere.

typewriting ['taip,raitiŋ] *s.* dattilografia.

typewritten *p.pass.* di **typewrite**.

typewrote *pass.* di to **typewrite**.

typhoid ['taifɔid] *agg.* (*med.*) tifoideo ♦ *s.*: — (*fever*), febbre tifoidea.

typhoon [tai'fu:n] *s.* tifone.

typhus ['taifəs] *s.* (*med.*) tifo.

typical ['tipikəl] *agg.* tipico; caratteristico.

to **typify** ['tipifai] *v.tr.* simbolizzare; caratterizzare.

typing ['taipiŋ] *s.* dattilografia.

typist ['taipist] *s.* dattilografo.

typographer [tai'pɔgrəfə*] *s.* tipografo.

typography [tai'pɔgrəfi] *s.* tipografia.

typology [tai'pɔlədʒi] *s.* tipologia.

tyrannical [ti'rænikəl] *agg.* tirannico.

tyrannicide [ti'rænisaid] *s.* **1** tirannicida **2** tirannicidio.

to **tyrannize** ['tirənaiz] *v.tr.* e *intr.* tiranneggiare.

tyrannous ['tirənəs] *agg.* tirannico.

tyranny ['tirəni] *s.* tirannia; tirannide.

tyrant ['taiərənt] *s.* tiranno: *to play the —*, fare il tiranno.

tyre ['taiə*] *s.* (*aut.*) pneumatico, gomma; copertone: *flat —*, gomma a terra // — *gauge*, manometro per pneumatici // — *rim*, cerchione per pneumatico // — *-tread*, battistrada.

tyre-dealer [taiə'di:lə*] *s.* gommista.

Tyrian ['tiriən] *agg.* e *s.* porpora.

tyro ['taiərou] *s.* principiante, apprendista.

Tyrol ['tirəl] *no.pr.* Tirolo.

Tyrolean [ti'rouliən] *agg.* e *s.* tirolese.

Tyrrhene [ti'ri:n], **Tyrrhenian** [ti'ri:njən] *agg.* e *s.* Tirreno // *the Tyrrhenian Sea*, il Mar Tirreno.

tzar e *deriv.* → **czar** e *deriv.*

Tzigane [tsi'gɑ:n] *agg.* e *s.* tzigano.

U

u [ju:], *pl.* **us, u's** [ju:z] *s.* u // — *for uncle*, (*tel.*) u come Udine ♦ *agg.* U, a forma di U // *U-turn*, inversione di marcia.

ubiquitous [ju(:)'bikwitəs] *agg.* onnipresente.

U-boat ['ju:bout] *s.* sottomarino tedesco.

udder ['ʌdə*] *s.* mammella (di animali da latte).

ugh [uh] *inter.* uffa!, puah!

ugliness ['ʌglinis] *s.* bruttezza.

ugly ['ʌgli] *agg.* brutto; sgradevole; turpe: *an — character*, un brutto tipo // *as — as sin*, brutto come il peccato // *the — duckling*, il brutto anatroccolo.

uhlan ['u:la:n] *s.* (*st.*) ulano.

Ukraine [ju(:)'krein] *no.pr.* Ucraina.

Ukrainian [ju(:)'kreinjən] *agg. e s.* ucraino.

ulcer ['ʌlsə*] *s.* piaga; ulcera.

to ulcerate ['ʌlsəreit] *v.tr.* 1 ulcerare 2 (*fig.*) corrompere ♦ *v.intr.* ulcerarsi.

ulcerous ['ʌlsərəs] *agg.* ulceroso.

ulna ['ʌlnə], *pl.* **ulnae** ['ʌlni:] *s.* (*anat.*) ulna.

ulterior [ʌl'tiəriə*] *agg.* 1 ulteriore; più remoto, più lontano 2 segreto; nascosto.

ultima ['ʌltimə] *agg.* ultimo, finale.

ultimate ['ʌltimit] *agg.* 1 estremo; più lontano 2 ultimo; definitivo 3 basilare, fondamentale: — *cause*, causa prima.

ultimately ['ʌltimitli] *avv.* alla fine; in definitiva.

ultimatum [ʌlti'meitəm] *s.* ultimatum.

ultimo ['ʌltimou] *agg.* dello scorso mese, ultimo scorso.

ultra- ['ʌltrə] *pref.* ultra-.

ultra *agg.* ultra; estremo; eccessivo ♦ *s.* estremista, oltranzista.

ultramarine [ʌltrəmə'ri:n] *agg.* 1 oltremarino, d'oltremare 2 azzurro oltremare ♦ *s.* (colore) azzurro oltremare.

ultra-short ['ʌltrə'ʃɔ:t] *agg.* (*fis.*) ultracorto.

ultrasonic ['ʌltrə'sɔnik] *agg.* ultrasonico.

ultrasonics ['ʌltrə'sɔniks] *s.* (*fis.*) scienza degli ultrasuoni.

ultraviolet ['ʌltrə'vaiəlit] *agg.* (*fis.*) ultravioletto: — *lamp*, lampada a raggi ultravioletti.

to ululate ['ju:ljuleit, (*amer.*) 'ʌljuleit] *v.intr.* ululare.

ululation [,ju:lju'leiʃən] *s.* ululato.

Ulysses [,ju(:)'lisi:z] *no.pr.m.* (*lett.*) Ulisse.

umber ['ʌmbə*] *agg.* di color terra d'ombra; scuro ♦ *s.* (*pitt.*) terra d'ombra.

umbilical [ʌmbi'laikəl] *agg.* ombelicale: — *cord*, cordone ombelicale.

umbra ['ʌmbrə], *pl.* **umbrae** ['ʌmbri:] *s.* 1 ombra 2 (*astr.*) cono d'ombra.

umbrage ['ʌmbridʒ] *s.* (*arc. e poet.*) ombra // *to take — at sthg.*, adombrarsi per qlco.

umbrella [ʌm'brelə] *s.* 1 ombrello 2 (*fig.*) protezione, riparo.

umbrella stand [ʌm'brelǝstænd] *s.* portaombrelli.

Umbrian ['ʌmbriən] *agg. e s.* umbro.

umpire ['ʌmpaiə*] *s.* arbitro.

to umpire *v.tr. e intr.* arbitrare.

umpteen ['ʌmpti:n] *agg.* innumerevole: *to have — reasons for*, aver mille ragioni per.

umpteenth ['ʌmpti:nθ] *agg.* (*fam.*) ennesimo.

un- [ʌn] *pref.* non; dis-; in-.

'un [ən] *pron.* (*fam.*) per **one**.

unabashed ['ʌnə'bæʃt] *agg.* sfrontato; impassibile.

unabated ['ʌnə'beitid] *agg.* non diminuito.

unable ['ʌn'eibl] *agg.* incapace, inabile.

unabridged ['ʌnə'bridʒd] *agg.* non abbreviato; intero // — *edition*, edizione integrale.

unaccompanied ['ʌnə'kʌmpənid] *agg.* 1 non accompagnato, solo 2 (*mus.*) senza accompagnamento.

unaccountable ['ʌnə'kauntəbl] *agg.* 1 inesplicabile; strano 2 irresponsabile.

unacknowledged ['ʌnək'nɔlidʒd] *agg.* 1 non riconosciuto; non confessato 2 senza risposta (di lettere ecc.).

unacquainted ['ʌnə'kweintid] *agg.* non al corrente; che non conosce: *I am — with him*, non ho fatto la sua conoscenza.

unadmitted ['ʌnəd'mitid] *agg.* non ammesso; non confessato.

unadulterated [,ʌnə'dʌltəreitid] *agg.* non adulterato, non sofisticato; puro, sincero.

unaffected [,ʌnə'fektid] *agg.* 1 senza affettazione, semplice; sincero 2 insensibile 3 inalterato.

unafraid ['ʌnə'freid] *agg.* impavido.

unaided ['ʌn'eidid] *agg.* senza aiuto; senza assistenza.

unalloyed ['ʌnə'bid] *agg.* puro.

unambiguous ['ʌnæm'bigjuəs] *agg.* non ambiguo: — *answer*, risposta chiara, precisa.

unamended ['ʌnə'mendid] *agg.* non emendato, non corretto.

un-American ['ʌnə'merikən] *agg.* contrario ad usi, costumi e interessi americani.

unamiable ['ʌn'eimjəbl] *agg.* poco amabile; burbero.

unanimity [,ju:nə'nimiti] *s.* unanimità.

unanimous [ju(:)'næniməs] *agg.* unanime.

unannounced ['ʌnə'naunst] *agg.* non annunciato; imprevisto.

unanswerable [ʌn'a:nsərəbl] *agg.* 1 a cui non si può rispondere 2 irrefutabile, incontestabile 3 irresponsabile: *to be — for one's acts*, essere irresponsabile delle proprie azioni.

unanswered [ʌn'a:nsəd] *agg.* 1 senza risposta; non corrisposto 2 non confutato.

unappealable [ʌnə'pi:ləbl] *agg.* inappellabile.

unappetizing ['ʌn'æpitaizin] *agg.* poco appetitoso.

unapproachable [ʌnə'proutʃəbl] *agg.* 1 inaccessibile 2 impareggiabile.

unapt ['ʌn'æpt] *agg.* 1 non adatto, non appropriato 2 inetto; poco portato; incapace.

unargued ['ʌn'a:gju:d] *agg.* indiscusso.

to unarm ['ʌn'a:m] *v.tr. e intr.* disarmare.

unashamed ['ʌnə'ʃeimd] *agg.* sfacciato.

unasked [ʌn'a:skt] *agg.* non richiesto, gratuito: — (*for*) *advice*, consiglio non richiesto.

unassisted ['ʌnə'sistid] *agg.* non aiutato; da solo.

unassuming ['ʌnə'sju:min] *agg.* modesto; senza pretese.

unattached ['ʌnə'tætʃt] *agg.* indipendente, libero; celibe.

unattainable ['ʌnə'teinəbl] *agg.* irraggiungibile.

unattended ['ʌnə'tendid] *agg.* 1 non seguito, solo 2 incustodito.

unattractive [ˌʌnəˈtræktiv] *agg.* poco attraente.

unauthorized [ˈʌnˈɔːθəraizd] *agg.* non autorizzato; abusivo.

unavailing [ˈʌnəˈveiliŋ] *agg.*inefficace; inutile.

unavoidable [ˌʌnəˈvɔidəbl] *agg.* inevitabile.

unaware [ˈʌnəˈwɛə*] *agg.* inconsapevole; ignaro ♦ *avv.* **1** inconsapevolmente **2** inaspettatamente.

unawareness [ˈʌnəˈwɛənis] *s.* inconsapevolezza.

unawares [ˈʌnəˈwɛəz] *avv.* **1** inconsapevolmente, inavvertitamente **2** inaspettatamente, di sorpresa: *to take s.o.* —, sorprendere qlcu.

to unbalance [ˈʌnˈbæləns] *v.tr.* **1** sbilanciare **2** sconvolgere.

unbalanced [ˈʌnˈbælənst] *agg.* **1** instabile **2** squilibrato **3** (*comm.*) in deficit.

to unbar [ˈʌnˈbɑː*] *v.tr.* levare le sbarre (a); disserrare, aprire.

unbearable [ʌnˈbɛərəbl] *agg.* insopportabile, intollerabile.

unbeaten [ˈʌnˈbiːtn] *agg.* **1** insuperato; non battuto **2** non frequentato; inesplorato.

unbecoming [ˈʌnbiˈkʌmiŋ] *agg.* **1** inadatto; disdicevole; sconveniente **2** che non sta bene.

unbeknown [ˈʌnbiˈnoun] *agg.* sconosciuto ♦ *avv.* (*fam.*) all'insaputa: — *to me*, a mia insaputa.

unbelief [ˈʌnbiˈliːf] *s.* incredulità; miscredenza.

unbelievable [ˌʌnbiˈliːvəbl] *agg.* incredibile.

unbeliever [ˈʌnbiˈliːvə*] *s.* miscredente.

unbelieving [ˈʌnbiˈliːviŋ] *agg.* incredulo; miscredente.

to unbend [ˈʌnˈbend], *pass.* e *p.pass.* **unbent** [ˈʌnˈbent] *v.tr.* **1** raddrizzare **2** allentare; slegare; (*mar.*) sciogliere, allentare (vele, gomene) **3** (*fig.*) rilassare ♦ *v.intr.* **1** raddrizzarsi **2** rilassarsi **3** (*fig.*) essere, diventare affabile.

unbending [ˈʌnˈbendiŋ] *agg.* **1** rigido, non pieghevole **2** (*fig.*) risoluto; inflessibile.

unbiased [ˈʌnˈbaiəst] *agg.* imparziale.

to unbind [ˈʌnˈbaind], *pass.* e *p.pass.* **unbound** [ˈʌnˈbaund] *v.tr.* sciogliere, slegare.

unblemished [ʌnˈblemiʃt] *agg.* senza difetti; senza macchia.

to unblock [ʌnˈblɔk] *v.tr.* (*informatica*) separare (articoli).

unblushing [ʌnˈblʌʃiŋ] *agg.* sfacciato, senza vergogna.

to unbolt [ˈʌnˈboult] *v.tr.* **1** aprire; togliere il chiavistello (a) **2** (*mecc.*) sbullonare.

unborn [ʌnˈbɔːn] *agg.* non ancora nato; (*fig.*) futuro.

to unbosom [ʌnˈbuzəm] *v.tr.* confidare; sfogare: *to — oneself*, sfogarsi, aprirsi con qlcu.

unbound *pass.* e *p.pass.* di **to unbind**.

unbounded [ʌnˈbaundid] *agg.* sconfinato, smisurato: — *ambition*, ambizione smisurata.

unbowed [ˈʌnˈbaud] *agg.* **1** non curvato; non piegato **2** (*fig.*) indomito; invitto.

unbreakable [ˈʌnˈbreikəbl] *agg.* infrangibile.

unbreathable [ˈʌnˈbriːðəbl] *agg.* irrespirabile.

unbridled [ʌnˈbraidld] *agg.* (*fig.*) sfrenato, scatenato, violento.

unbroken [ˈʌnˈbroukən] *agg.* **1** intatto, intero **2** inviolato **3** incessante, ininterrotto, continuo **4** indomito, invitto // *a record still* —, un record imbattuto.

to unbuckle [ˈʌnˈbʌkl] *v.tr.* sfibbiare; slacciare.

to unburden [ʌnˈbɔːdn] *v.tr.* scaricare; alleggerire: *to — one's heart to s.o.*, confidarsi sfogarsi con qlcu.

unbusinesslike [ʌnˈbiznislaik] *agg.* **1** poco pratico, senza metodo **2** non portato per gli affari **3** non commerciale.

to unbutton [ˈʌnˈbʌtn] *v.tr.* sbottonare ♦ *v.intr.* sbottonarsi.

uncalled-for [ˌʌnˈkɔːldfɔː*] *agg.* superfluo; gratuito, non richiesto.

uncanniness [ʌnˈkæninis] *s.* mistero.

uncanny [ʌnˈkæni] *agg.* misterioso, irreale.

uncared-for [ˈʌnˈkɛədfɔː*] *agg.* trascurato.

unceasing [ʌnˈsiːsiŋ] *agg.* incessante.

uncensured [ˈʌnˈsenʃəd] *agg.* incensurato.

unceremonious [ˈʌnˌseriˈmounjəs] *agg.* non cerimonioso; semplice, alla buona.

uncertain [ʌnˈsəːtn] *agg.* incerto; dubbio.

uncertainty [ʌnˈsəːtnti] *s.* incertezza.

to unchain [ˈʌnˈtʃein] *v.tr.* sciogliere da catene; liberare.

unchallengeable [ˈʌnˈtʃælindʒəbl] *agg.* **1** inattaccabile **2** imbattibile, insuperabile **3** indiscusso; indiscutibile.

unchangeable [ʌnˈtʃeindʒəbl] *agg.* immutabile.

unchangeableness [ˈʌnˈtʃeindʒəblnis] *s.* immutabilità.

unchanging [ʌnˈtʃeindʒiŋ] *agg.* immutabile.

uncharitable [ʌnˈtʃæritəbl] *agg.* poco gentile, poco benevolo.

uncharted [ˈʌnˈtʃɑːtid] *agg.* **1** inesplorato **2** non segnato su carta geografica, marittima.

unchristian [ˈʌnˈkristjən] *agg.* poco gentile, poco caritatevole.

uncinate [ˈʌnsinit] *agg.* uncinato.

uncivil [ˈʌnˈsivil] *agg.* incivile; scortese.

to unclasp [ˈʌnˈklɑːsp] *v.tr.* **1** slacciare; aprire **2** lasciare la presa (di).

uncle [ˈʌŋkl] *s.* **1** zio // *Uncle Sam*, (*scherz.*) Zio Sam (gli Stati Uniti) // *to talk like a Dutch* —, rimproverare aspramente **2** (*sl.*) chi presta su pegno.

unclean [ˈʌnˈkliːn] *agg.* **1** sporco; sudicio **2** impuro.

to unclose [ˈʌnˈklouz] *v.tr.* **1** schiudere **2** (*fig.*) rivelare ♦ *v.intr.* schiudersi.

to unclothe [ˈʌnˈklouð] *v.tr.* svestire.

unclouded [ˈʌnklaudid] *agg.* senza nubi; sereno.

uncodified [ˈʌnˈkɔdifaid] *agg.* non codificato.

to uncoil [ˈʌnˈkɔil] *v.tr.* srotolare ♦ *v.intr.* srotolarsi.

uncomfortable [ʌnˈkʌmfətəbl] *agg.* **1** scomodo; a disagio: *to be* (o *to feel*) —, essere scomodo; sentirsi a disagio **2** spiacevole, fastidioso: *to make things — for s.o.*, procurare delle noie a qlcu.

uncomfortableness [ʌnˈkʌmfətəblnis] *s.* **1** scomodità; disagio **2** inquietudine.

uncomfortably [ʌnˈkʌmfətəbli] *avv.* **1** senza comodità; a disagio, in ansia **2** spiacevolmente.

uncommitted [ˈʌnkəˈmitid] *agg.* **1** non rimessa alla commissione (di legge) **2** non impegnato **3** non commesso (di delitto ecc.).

uncommon [ʌnˈkɔmən] *agg.* insolito; raro, eccezionale.

uncommonly [ʌnˈkɔmənli] *avv.* insolitamente.

uncompared [ˈʌnkəmˈpɛəd] *agg.* incomparabile, senza pari.

uncompromising [ʌnˈkɔmprəmaiziŋ] *agg.* intransigente; che non scende a compromessi.

unconcerned [ˈʌnkənˈsəːnd] *agg.* indifferente, noncurante; estraneo.

unconditional [ˈʌnkənˈdiʃənl] *agg.* **1** incondizionato, assoluto **2** (*informatica*) incondizionato; sistematico.

unconditioned [ˈʌnkənˈdiʃənd] *agg.* **1** incondizionato, assoluto **2** in cattiva salute.

uncongenial [ˈʌnkənˈdʒi:niəl] *agg.* **1** non congeniale **2** antipatico; spiacevole.

unconquerable [ʌnˈkɔŋkərəbl] *agg.* invincibile; indomabile.

unconquered [ˈʌnˈkɔŋkəd] *agg.* invitto; indomito.

unconscious [ʌnˈkɔnʃəs] *agg.* **1** inconscio, ignaro; inconsapevole; involontario **2** privo di sensi ♦ *s.: the* —, (*psic.*) l'inconscio.

unconsciousness [ʌnˈkɔnʃəsnis] *s.* **1** inconsapevolezza **2** stato di incoscienza.

unconsidered [ˈʌnkənˈsidəd] *agg.* **1** sconsiderato, avventato **2** non preso in considerazione; trascurabile.

unconstitutional [ˈʌn͵kɔnstiˈtju:ʃənl] *agg.* (*dir.*) anticostituzionale.

unconstrained [ˈʌnkənˈstreind] *agg.* **1** senza costrizione, libero; spontaneo **2** disinvolto.

uncontainable [ˈʌnkənˈteinəbl] *agg.* incontenibile; irrefrenabile.

uncontrollable [ʌnˈkənˈtroul əbl] *agg.* incontrollabile, ingovernabile.

unconventional [ˈʌnkənˈvenʃənl] *agg.* non convenzionale, anticonformista.

unconventionality [ˈʌnkən͵venʃəˈnæliti] *s.* anticonformismo.

unconvincing [ˈʌnkənˈvinsiŋ] *agg.* non convincente.

uncooperative [ˈʌnkouˈɔpərətiv] *agg.* che non coopera.

to uncork [ʌnˈkɔ:k] *v.tr.* sturare, stappare.

to uncouple [ˈʌnˈkʌpl] *v.tr.* **1** sganciare, disgiungere **2** sciogliere dal guinzaglio.

uncouth [ʌnˈku:θ] *agg.* ordinario, rozzo; goffo.

uncouthness [ʌnˈku:θnis] *s.* rozzezza; goffaggine.

to uncover [ʌnˈkʌvə*] *v.tr.* **1** scoprire; (*fig.*) rivelare: *to* — *one's face*, scoprirsi il volto **2** (*mil.*) esporre, mettere allo scoperto ♦ *v.intr.* scappellarsi, togliersi il cappello.

uncreated [ˈʌnkri(:)ˈeitid] *agg.* **1** non creato; eterno **2** che non esiste ancora.

uncrowned [ˈʌnˈkraund] *agg.* senza corona, sovrano di fatto (*anche fig.*).

uncrushable [ˈʌnˈkrʌʃəbl] *agg.* **1** che non si può schiacciare; rigido **2** ingualcibile.

unction [ˈʌŋkʃən] *s.* **1** unzione **2** unguento; balsamo **3** mellifluità; blandizia (*pl.*); falso compiacimento.

unctuous [ˈʌŋktjuəs] *agg.* untuoso (*anche fig.*).

uncultivated [ˈʌnˈkʌltiveitid] *agg.* incolto.

uncustomary [ˈʌnˈkʌstəməri] *agg.* insolito, inconsueto.

uncut [ˈʌnˈkʌt] *agg.* non tagliato; (*di film*) in edizione integrale.

undamaged [ˈʌnˈdæmidʒd] *agg.* in buone condizioni; intatto.

undated [ˈʌnˈdeitid] *agg.* non datato, senza data.

undaunted [ʌnˈdɔ:ntid] *agg.* che non si lascia scoraggiare, abbattere.

undebugged [ˈʌndibʌgd] *agg.* (*informatica*) non corretto, non messo a punto (di programma).

undecided [ˈʌndiˈsaidid] *agg.* indeciso; incerto.

undecipherable [ˈʌndiˈsaifərəbl] *agg.* indecifrabile.

undeclinable [ˈʌndiˈklainəbl] *agg.* indeclinabile.

undefeated [ˈʌndiˈfi:tid] *agg.* invitto.

undemonstrative [ˈʌndiˈmɔnstrətiv] *agg.* poco espansivo; riservato.

undeniable [͵ʌndiˈnaiəbl] *agg.* innegabile.

under- [ˈʌndə*] *pref.* sotto-.

under *prep.* **1** sotto; al di sotto di: — *one's feet*, sotto i piedi // *to be* — *forty*, aver meno di quarant'anni // *to be* — *age*, essere minorenne // *in* — *three hours*, in meno di tre ore // — *certain conditions*, a certe condizioni // *field* — *corn*, campo messo a grano **2** in; in via di: — *construction*, in costruzione; — *treatment*, in cura ♦ *avv.* sotto; al di sotto: *to go* —, affondare; *to stay* —, rimanere sott'acqua // *children of six years and* —, bimbi da sei anni in giù.

to underact [ˈʌndərˈækt] *v.tr.* (*teatr.*) interpretare senza calore, passione.

underarm[1] [ˈʌndərˈɑ:m] *agg.* e *avv.* (*tennis, cricket*) dal basso.

underarm[2] *agg.* ascellare.

underbelly [ˈʌndəˈbeli] *s.* **1** basso ventre **2** (*fig.*) punto debole.

to underbid [ˈʌndəˈbid], *pass.* e *p.pass.* **underbid** *v.tr.* (*comm.*) offrire meno del giusto valore (per) ♦ *v.intr.* (*bridge*) star sotto, star basso (nella dichiarazione).

underbrush [ˈʌndəbrʌʃ] *s.* sottobosco.

undercarriage [ˈʌndəˌkæridʒ] *s.* (*aer.*) carrello d'atterraggio.

to undercharge [ˈʌndəˈtʃɑ:dʒ] *v.tr.* **1** far pagare troppo poco (a) **2** caricare (arma da fuoco) in modo insufficiente.

underclothes [ˈʌndəklouðz] *s.pl.*, **underclothing** [ˈʌndə͵klouðiŋ] *s.* biancheria intima (*sing.*).

undercoat [ˈʌndəkout] *s.* prima mano di vernice.

undercover [ˈʌndə͵kʌvə*] *agg.* segreto.

undercroft [ˈʌndəkrɔft] *s.* (*arch.*) cripta.

undercurrent [ˈʌndə͵kʌrənt] *s.* **1** corrente sottomarina **2** (*fig.*) forza, tendenza nascosta.

undercut [ˈʌndəkʌt] *s.* filetto di manzo; (*amer.*) arrosto disossato.

to undercut [ˈʌndəˈkʌt], *pass.* e *p.pass.* **undercut** *v.tr.* **1** colpire, tagliare dal basso verso l'alto; tagliare da sotto **2** (*comm.*) offrire a minor prezzo (di); lavorare per salari più bassi (di) **3** (*sport*) tagliare (la palla).

underdeveloped [ˈʌndədiˈveləpt] *agg.* **1** poco sviluppato **2** (*econ.*) sottosviluppato.

underdog [ˈʌndədɔg] *s.* chi ha sempre la peggio, vittima predestinata; perdente.

underdone [ˈʌndədʌn] *agg.* poco cotto; al dente; al sangue.

to underdress [ˈʌndəˈdres] *v.intr.* vestirsi in modo inadeguato.

underemployed [ˈʌndərimˈplɔid] *agg.* sottoccupato.

underestimate [ˈʌndərˈestimit] *s.* sottovalutazione.

to underestimate [ˈʌndərˈestimeit] *v.tr.* sottovalutare.

to underexpose [ˈʌndəriksˈpouz] *v.tr.* (*fot.*) sottoesporre.

underfelt [ˈʌndəfelt] *s.* sottotappeto.

underflow [ˈʌndəflou] *s.* (*informatica*) superamento negativo.

underfoot [͵ʌndəˈfut] *avv.* sotto i piedi.

undergarment [ˈʌndə͵gɑ:mənt] *s.* indumento intimo.

to undergo [͵ʌndəˈgou], *pass.* **underwent** [͵ʌndə ˈwent], *p.pass.* **undergone** [͵ʌndəˈgɔn] *v.tr.* subire; essere sottoposto (a); sopportare.

undergraduate [͵ʌndəˈgrædjuit], (*fam.*) **undergrad** [ˈʌndəgræd] *s.* studente universitario.

underground [ˈʌndəgraund] *agg.* **1** sotterraneo **2** segreto; clandestino; partigiano ♦ *s.* **1** sottosuolo **2** (*ferr.*) metropolitana **3** (*pol.*) movimento clandestino ♦ *avv.* **1** sottoterra **2** segretamente; clandestinamente.

undergrowth [ˈʌndəgrouθ] *s.* sottobosco.

underhand [ˈʌndəhænd] *agg.* clandestino; segreto ♦

avv. **1** clandestinamente; segretamente **2** (*sport*) dal basso.

underhung [ˈʌndəˈhʌŋ] *agg.* sporgente.

underlaid *pass.* e *p.pass.* di to **underlay**.

underlain *p.pass.* di to **underlie**.

underlay[1] [ˈʌndəlei] *s.* mollettone; feltro.

to **underlay**[1] [ʌndəˈlei], *pass.* e *p.pass.* **underlaid** [ʌndəˈleid] *v.tr.* metter sotto.

underlay[2] *pass.* di to **underlie**.

to **underlie** [ʌndəˈlai], *pass.* **underlay** [ʌndəˈlei] *p.pass.* **underlain** [ʌndəˈlein] *v.tr.* **1** giacere sotto, essere al di sotto (di) **2** essere alla base.

to **underline** [ʌndəˈlain] *v.tr.* sottolineare.

underling [ˈʌndəliŋ] *s.* subalterno; (*spreg.*) tirapiedi.

underlip [ˈʌndəlip] *s.* labbro inferiore.

to **underman** [ˈʌndəˈmæn] *v.tr.* fornire di mano d'opera insufficiente; (*mar.*) equipaggiare scarsamente.

undermentioned [ˈʌndəˈmenʃənd] *agg.* menzionato in calce, in seguito.

to **undermine** [ʌndəˈmain] *v.tr.* minare; scalzare (*anche fig.*).

undermost [ˈʌndəmoust] *agg.* infimo.

underneath [ʌndəˈniːθ] *s.* la parte inferiore ♦ *avv.* (di) sotto, al di sotto ♦ *prep.* sotto, al di sotto di.

undernourished [ˈʌndəˈnʌriʃt] *agg.* denutrito.

underpaid *pass.* e *p.pass.* di to **underpay** ♦ *agg.* mal pagato.

underpants [ˈʌndəˈpænts] *s.pl.* mutande.

underpass [ˈʌndəpaːs] *s.* (*amer.*) sottopassaggio.

to **underpay** [ʌndəˈpei], *pass.* e *p.pass.* **underpaid** [ˈʌndəˈpeid] *v.tr.* pagare inadeguatamente.

underpeopled [ˈʌndəˈpipld] *agg.* poco popolato.

to **underpin** [ʌndəˈpin] *v.tr.* puntellare.

to **underplay** [ʌndəˈplei] *v.tr.* **1** sottoestimare **2** recitare in tono minore // *to — one's hand*, (*anche fig.*) giocare una mano prudente.

underproduction [ˈʌndəprəˈdʌkʃən] *s.* sottoproduzione.

underran *pass.* di to **underrun**.

to **underrate** [ʌndəˈreit] *v.tr.* sottovalutare.

undersecretary [ˈʌndəˈsekrətəri] *s.* sottosegretario.

to **undersell** [ˈʌndəˈsel], *pass.* e *p.pass.* **undersold** [ˈʌndəˈsould] *v.tr.* svendere.

undershirt [ˈʌndəʃəːt] *s.* maglia, camiciola; (*amer.* per *vest*) maglietta intima.

undersigned [ʌndəˈsaind] *s.* sottoscritto; sottoscrittore: *I, the — ...*, io sottoscritto...

undersized [ˈʌndəˈsaizd] *agg.* di misura inferiore al normale.

undersold *pass.* e *p.pass.* di to **undersell**.

to **understand** [ʌndəˈstænd], *pass.* e *p.pass.* **understood** [ʌndəˈstud] *v.tr.* **1** capire, comprendere // *to make oneself understood*, farsi capire **2** supporre **3** sentir dire // *I — he will leave at five*, mi risulta che partirà alle cinque // *to give s.o. to —*, far credere a qlcu. **4** sottintendere ♦ *v.intr.* avere la capacità di comprendere; essere dotato di intelligenza.

understandable [ʌndəˈstændəbl] *agg.* comprensibile; intelligibile.

understanding [ʌndəˈstændiŋ] *agg.* comprensivo; intelligente ♦ *s.* **1** comprensione; conoscenza: *lacking in —*, poco comprensivo **2** accordo // *on the — that*, a condizione che.

to **understate** [ʌndəˈsteit] *v.tr.* minimizzare.

understatement [ʌndəˈsteitmənt] *s.* affermazione inadeguata.

understood *pass.* e *p.pass.* di to **understand** ♦ *agg.* sottinteso.

understudy [ˈʌndəˌstʌdi] *s.* (*teatr.*) sostituto.

to **understudy** [id.] *v.tr.* **1** studiare (una parte) per sostituire un attore **2** sostituire (un attore).

to **undertake** [ʌndəˈteik], *pass.* **undertook** [ʌndəˈtuk], *p.pass.* **undertaken** [ʌndəˈteikən] *v.tr.* **1** intraprendere **2** impegnarsi (a); assumersi (una responsabilità) ♦ *v.intr.* **1** garantire **2** (*fam.*) fare l'impresario di pompe funebri.

undertaker [ʌndəˈteikə*; *nel senso* 1 ˈʌndəˌteikə*] *s.* **1** imprenditore di pompe funebri **2** chi intraprende un affare ecc.

undertaking [ʌndəˈteikiŋ; *nel senso* 2 ˈʌndəˌteikiŋ] *s.* **1** impresa, iniziativa **2** impresa di pompe funebri **3** impegno.

under-the-counter [ˈʌndəðəˈkauntə*] *agg.* (*fam.*) sottobanco.

undertone [ˈʌndətoun] *s.* **1** tono sommesso, bisbiglio: *in undertones*, a voce bassa **2** colore smorzato, spento.

undertook *pass.* di to **undertake**.

undertow [ˈʌndətou] *s.* risacca.

underwater [ˈʌndəˈwɔːtə*] *agg.* subacqueo.

underwear [ˈʌndəwɛə*] *s.* biancheria intima.

underweight [ˈʌndəˈweit] *agg.* sotto peso.

underwent *pass.* di to **undergo**.

underwood [ˈʌndəwud] *s.* sottobosco.

to **underwork** [ˈʌndəˈwəːk] *v.tr.* **1** far lavorare in modo inadeguato **2** lavorare a prezzi di concorrenza nei confronti di ♦ *v.intr.* lavorare in modo inadeguato.

underworld [ˈʌndəwəːld] *s.* **1** malavita **2** oltretomba.

to **underwrite** [ˈʌndərait], *pass.* **underwrote** [ˈʌndəraut], *p.pass.* **underwritten** [ˈʌndəˌritn] *v.tr.* **1** (*Borsa*) sottoscrivere // *to — an issue*, garantire un'emissione **2** (*comm.*) assicurare ♦ *v.intr.* fare l'assicuratore.

underwriter [ˈʌndəˌraitə*] *s.* **1** (*comm.*) assicuratore **2** sottoscrittore (di titoli).

underwritten *p.pass.* di to **underwrite**.

underwrote *pass.* di to **underwrite**.

undescribable [ˈʌndisˈkraibəbl] *agg.* indescrivibile.

undeserved [ˈʌndiˈzəːvd] *agg.* immeritato.

undesigning [ˈʌndiˈzainiŋ] *agg.* sincero, leale.

undesirable [ˈʌndiˈzaiərəbl] *agg.* e *s.* indesiderabile.

undetected [ˈʌndiˈtektid] *agg.* non scoperto.

undetermined [ˈʌndiˈtəːmind] *agg.* **1** indeterminato; indefinito; insoluto **2** indeciso; irresoluto.

undeveloped [ˈʌndiˈveləpt] *agg.* **1** non sviluppato **2** (*di terreno*) non fabbricato.

undid *pass.* di to **undo**.

undies [ˈʌndiz] *s.pl.* (*fam.*) biancheria intima per signora (*sing.*).

undignified [ʌnˈdignifaid] *agg.* poco dignitoso; senza dignità.

undine [ˈʌndiːn] *s.* (*mit.*) ondina.

undischarged [ˈʌndisˈtʃɑːdʒd] *agg.* **1** non scaricato **2** incompiuto **3** (*comm.*) non pagato.

undisciplined [ʌnˈdisiplind] *agg.* indisciplinato.

undisclosed [ˈʌndisˈklouzd] *agg.* segreto, nascosto.

undistinguished [ˈʌndisˈtiŋwiʃt] *agg.* **1** indistinto, confuso **2** mediocre, comune.

undivided [ˈʌndiˈvaidid] *agg.* indiviso, intero: *he had their — attention*, ebbe la loro completa attenzione.

to **undo** [ʌnˈduː], *pass.* **undid** [ʌnˈdid], *p.pass.* **undone** [ʌnˈdʌn] *v.tr.* **1** disfare, sciogliere, slacciare **2** cancellare, annullare **3** rovinare, distruggere.

undoing [ˈʌnˈdu(:)iŋ] *s.* **1** scioglimento, disfacimento **2** rovina; distruzione; sfacelo: *his ambition was his* —, l'ambizione fu la sua rovina.

undone *p.pass.* di to **undo ♦** *agg.* **1** disfatto, slacciato **2** rovinato **3** incompiuto, non fatto: *to leave nothing* —, non tralasciare nulla.

undoubted [ʌnˈdautid] *agg.* indubitato, indubbio; certo, incontestato.

undreamed(-of), undreamt(-of) [ʌnˈdremt(ɔv)] *agg.* non sognato, impensato.

undress [ʼʌnˈdres] *s.* **1** (*mil.*) uniforme, divisa ordinaria **2** veste da camera.

to **undress** *v.tr.* spogliare ♦ *v.intr.* spogliarsi.

undrinkable [ʼʌnˈdriŋkəbl] *agg.* imbevibile; non potabile.

undue [ʼʌnˈdju:] *agg.* **1** non dovuto, indebito; ingiusto; illegale **2** inadatto; sproporzionato, eccessivo **3** (*comm.*) non scaduto.

undulate [ʼʌndjulit] *agg.* ondulato.

to **undulate** [ʼʌndjuleit] *v.intr.* **1** ondeggiare **2** essere ondulato.

undulation [ˌʌndjuˈleiʃən] *s.* **1** ondulazione **2** (*fis.*) movimento ondulatorio.

unduly [ʼʌnˈdju:li] *avv.* **1** indebitamente; ingiustamente **2** eccessivamente.

undying [ʌnˈdaiiŋ] *agg.* imperituro, immortale.

to **unearth** [ʼʌnˈə:θ] *v.tr.* **1** dissotterrare **2** scoprire; scovare.

unearthly [ʌnˈə:θli] *agg.* **1** ultraterreno; soprannaturale **2** lugubre, sinistro **3** (*fam.*) impossibile, assurdo: — *hour*, ora impossibile.

uneasy [ʌnˈi:zi] *agg.* **1** a disagio; scomodo; impacciato **2** inquieto, ansioso.

uneconomic(al) [ʼʌnˌi:kəˈnɔmikəl] *agg.* **1** antieconomico **2** non economo; poco economo.

unedifying [ʼʌnˈedifaiiŋ] *agg.* non edificante, poco edificante.

unedited [ʼʌnˈeditid] *agg.* inedito.

uneducated [ʼʌnˈedjukeitid] *agg.* ignorante.

unemotional [ʼʌniˈmouʃənl] *agg.* calmo, freddo, imperturbabile.

unemployable [ʼʌnimˈplɔiəbl] *agg.* **1** non adatto ad assumere un impiego **2** non impiegabile.

unemployed [ʼʌnimˈplɔid] *agg.* **1** disoccupato **2** non impiegato: — *capital*, capitale giacente, infruttifero.

unemployment [ʼʌnimˈplɔimənt] *s.* disoccupazione // — *benefit*, sussidio di disoccupazione.

unending [ʌnˈendiŋ] *agg.* eterno, senza fine.

unenviable [ʼʌnˈenviəbl] *agg.* non invidiabile.

unequal [ʼʌnˈi:kwəl] *agg.* **1** ineguale, disuguale **2** inadeguato; incapace: — *to the task*, non all'altezza del compito **3** impari; non equo.

unequivocal [ʼʌniˈkwivəkəl] *agg.* non equivoco; inequivocabile.

unerring [ʼʌnˈə:riŋ] *agg.* infallibile.

unethical [ʌnˈeθikəl] *agg.* contro la morale; immorale.

uneven [ʼʌnˈi:vən] *agg.* **1** ineguale, irregolare, non uniforme // *an* — *road*, una strada dissestata **2** (*fig.*) mutevole **3** (*mat.*) dispari.

uneventful [ʼʌniˈventful] *agg.* tranquillo.

unexampled [ʼʌnigˈza:mpld] *agg.* senza precedenti; unico.

unexceptionable [ˌʌnikˈsepʃnəbl] *agg.* ineccepibile; irreprensibile; perfetto, eccellente.

unexceptional [ʼʌnikˈsepʃənl] *agg.* **1** senza eccezioni **2** normale, ordinario.

unexpected [ʼʌniksˈpektid] *agg.* inatteso, imprevisto.

unexpectedly [ʼʌniksˈpektidli] *avv.* inaspettatamente; improvvisamente.

unexpressed [ʼʌniksˈprest] *agg.* inespresso.

unfading [ʌnˈfeidiŋ] *agg.* imperituro; inesauribile.

unfailing [ʌnˈfeiliŋ] *agg.* **1** infallibile; sicuro **2** immancabile **3** inesauribile.

unfair [ʼʌnˈfeə*] *agg.* non equo, ingiusto; sleale; disonesto.

unfairness [ʼʌnˈfeənis] *s.* ingiustizia; slealtà; disonestà.

unfaithful [ʼʌnˈfeiθful] *agg.* **1** infedele; sleale **2** inesatto, impreciso.

unfaltering [ʌnˈfɔ:ltəriŋ] *agg.* saldo, fermo; non esitante.

unfamiliar [ʼʌnfəˈmiljə*] *agg.* **1** poco conosciuto, sconosciuto **2** che non conosce: *to be* — *with sthg.*, non conoscere qlco.

to **unfasten** [ʼʌnˈfa:sn] *v.tr.* slacciare; slegare; sciogliere ♦ *v.intr.* slacciarsi; slegarsi; sciogliersi.

unfathomable [ʌnˈfæðəməbl] *agg.* insondabile (*anche fig.*).

unfathomed [ʼʌnˈfæðəmd] *agg.* insondabile, inesplorabile.

unfavourable [ʼʌnˈfeivərəbl] *agg.* sfavorevole.

unfeeling [ʼʌnˈfi:liŋ] *agg.* freddo, insensibile; apatico; duro di cuore.

unfettered [ʼʌnˈfetəd] *agg.* libero, senza ceppi; (*fig.*) senza restrizioni, senza impacci.

unfinished [ʼʌnˈfiniʃt] *agg.* incompiuto, non terminato; incompleto; non rifinito // — *products*, (*ind.*) semilavorati.

unfit [ʼʌnˈfit] *agg.* **1** inadatto (*anche fig.*); incapace: *houses classified as* —, case classificate come inabitabili **2** di debole costituzione; inabile.

to **unfit** [ʌnˈfit] *v.tr.* rendere incapace, inadatto.

unfitting [ʼʌnˈfitiŋ] *agg.* inadatto; sconveniente.

to **unfix** [ʼʌnˈfiks] *v.tr.* staccare; slegare **2** (*fig.*) sconvolgere.

unflagging [ʌnˈflægiŋ] *agg.* che non cede, costante; instancabile.

unflappable [ʌnˈflæpəbl] *agg.* imperturbabile.

unfledged [ʼʌnˈfledʒd] *agg.* implume; (*fig.*) immaturo.

unflinching [ʌnˈflintʃiŋ] *agg.* coraggioso; fermo, incrollabile.

to **unfold** [ʼʌnˈfould] *v.tr.* **1** aprire; schiudere; spiegare **2** rivelare; svelare ♦ *v.intr.* aprirsi; schiudersi; spiegarsi.

unforeseen [ʼʌnfɔ:ˈsi:n] *agg.* imprevisto.

unforgettable [ʼʌnfəˈgetəbl] *agg.* indimenticabile.

unforgivable [ʼʌnfəˈgivəbl] *agg.* imperdonabile.

unforgiving [ʼʌnfəˈgiviŋ] *agg.* senza misericordia, inesorabile, implacabile.

unfortunate [ʌnˈfɔ:tʃnit] *agg.* **1** sfortunato; disgraziato **2** sfavorevole, poco propizio **3** infelice, poco appropriato, inopportuno ♦ *s.* infelice.

unfortunately [ʌnˈfɔ:tʃnitli] *avv.* purtroppo; sfortunatamente, per disgrazia.

unfounded [ʼʌnˈfaundid] *agg.* infondato.

to **unfreeze** [ʼʌnˈfri:z], *pass.* **unfroze** [ʼʌnˈfrouz], *p.pass.* **unfrozen** [ʼʌnˈfrouzn] *v.tr.* **1** disgelare **2** (*comm.*) sbloccare (prezzi ecc.) ♦ *v.intr.* disgelarsi.

unfrequent [ʌnˈfri:kwənt] *agg.* infrequente, raro.

unfrequented [ʼʌnfriˈkwentid] *agg.* poco frequentato; solitario.

unfriendliness [ʼʌnˈfrendlinis] *s.* freddezza.

unfriendly [ʼʌnˈfrendli] *agg.* scortese, poco socievole.

to **unfrock** [ˌʌnˈfrɔk] *v.tr.* spretare, sfratare.

unfroze *pass.* di to **unfreeze**.

unfrozen *p.pass.* di to **unfreeze**.

unfruitful [ˈʌnˈfruːtful] *agg.* infruttuoso, infruttifero; infecondo, sterile.

to **unfurl** [ʌnˈfɜːl] *v.tr.* spiegare (vele, bandiere ecc.) ♦ *v.intr.* spiegarsi (di vele, bandiere ecc.).

unfurnished [ˈʌnˈfɜːniʃt] *agg.* 1 non ammobiliato, senza mobili 2 sfornito, sprovvisto.

ungainly [ʌnˈgeinli] *agg.* goffo, sgraziato.

ungenerous [ʌnˈdʒenərəs] *agg.* 1 ingeneroso; meschino; gretto 2 sterile (di terreno).

ungetatable [ˈʌngetˈætəbl] *agg.* difficile da raggiungere; inaccessibile.

ungodly [ʌnˈgɔdli] *agg.* 1 empio; irreligioso 2 *(fam.)* impossibile, indecente: *at an — hour*, a un'ora indecente 3 *(fam.)* d'inferno, infernale: *what an — noise!*, che rumore d'inferno!

ungracious [ˈʌnˈgreiʃəs] *agg.* 1 sgraziato, goffo 2 poco gentile, offensivo.

ungrateful [ʌnˈgreitful] *agg.* ingrato.

ungrounded [ˈʌnˈgraundid] *agg.* 1 infondato 2 falso; ingiustificato.

ungual [ˈʌngwəl] *agg.* di unghia, artiglio.

unguarded [ˈʌnˈgɑːdid] *agg.* 1 senza difesa // *in an — moment*, in un momento di debolezza 2 *(fig.)* imprudente, sconsiderato.

unguent [ˈʌngwənt] *s.* unguento.

unhackneyed [ˈʌnˈhæknid] *agg.* originale, nuovo.

to **unhand** [ʌnˈhænd] *v.tr.* togliere le mani (da).

unhandy [ˈʌnˈhændi] *agg.* 1 maldestro, goffo 2 non a portata di mano, scomodo.

unhappiness [ʌnˈhæpinis] *s.* infelicità.

unhappy [ʌnˈhæpi] *agg.* 1 infelice // *to look —*, aver l'aria triste 2 poco opportuno.

unharmed [ˈʌnˈhɑːmd] *agg.* intatto; illeso.

to **unharness** [ˈʌnˈhɑːnis] *v.tr.* togliere i finimenti (a); togliere l'armatura (a).

unhealthy [ʌnˈhelθi] *agg.* 1 malsano, insalubre; *(fig.)* dannoso 2 malaticcio.

unheard [ˈʌnˈhɜːd] *agg.* 1 non udito 2 non ascoltato.

unheard-of [ˈʌnˈhɜːdɔv] *agg.* inaudito; senza precedenti.

unheeded [ˈʌnˈhiːdid] *agg.* non curato, negletto.

unheeding [ˈʌnˈhiːdiŋ] *agg.* distratto; noncurante.

unhelpful [ˈʌnˈhelpful] *agg.* vano, inutile.

to **unhinge** [ʌnˈhindʒ] *v.tr.* scardinare; *(fig.)* sconvolgere.

to **unhitch** [ˈʌnˈhitʃ] *v.tr.* staccare, slegare.

unholy [ʌnˈhouli] *agg.* 1 profano; empio 2 *(fam.)* terribile, spaventoso.

to **unhook** [ʌnˈhuk] *v.tr.* sganciare; slacciare: *to — the receiver*, staccare il ricevitore.

unhoped-for [ʌnˈhouptfɔː*] *agg.* insperato.

to **unhorse** [ˈʌnˈhɔːs] *v.tr.* disarcionare.

unhospitable [ˈʌnˈhɔspitəbl] *agg.* inospitale.

unhurt [ˈʌnˈhɜːt] *agg.* illeso.

uni- [ˈjuːni] *pref.* uni-, mono-.

uniaxial [ˈjuːniˈæksiəl] *agg.* *(ott.)* monoassiale.

unicameral [ˈjuːniˈkæmərəl] *agg.* unicamerale.

unicellular [ˈjuːniˈseljulə*] *agg.* unicellulare.

unicorn [ˈjuːnikɔːn] *s.* unicorno; liocorno.

unidentified [ˈʌnaiˈdentifaid] *agg.* non identificato.

unification [ˌjuːnifiˈkeiʃən] *s.* unificazione.

uniform [ˈjuːnifɔːm] *agg.* uniforme; costante ♦ *s.* uniforme, divisa: *out of —*, in borghese.

uniformed [ˈjuːnifɔːmd] *agg.* in divisa.

uniformity [ˌjuːniˈfɔːmiti] *s.* uniformità.

to **unify** [ˈjuːnifai] *v.tr.* unificare.

unilateral [ˈjuːniˈlætərəl] *s.* unilaterale: — *disarmament*, disarmo unilaterale.

unimaginative [ˈʌniˈmædʒinətiv] *agg.* privo di immaginazione.

unimpaired [ˈʌnimˈpɛəd] *agg.* non danneggiato; intatto; inalterato // *with faculties —*, in pieno possesso delle proprie facoltà.

unimpassioned [ˈʌnimˈpæʃənd] *agg.* calmo; freddo, distaccato.

unimpeachable [ˌʌnimˈpiːtʃəbl] *agg.* irreprensibile: — *reputation*, reputazione irreprensibile.

unimportant [ˈʌnimˈpɔːtənt] *agg.* privo d'importanza; futile; irrilevante.

unimpressed [ˈʌnimˈprest] *agg.* imperturbato.

unimpressive [ˈʌnimˈpresiv] *agg.* che non colpisce; fiacco; scialbo.

uninformed [ˈʌninˈfɔːmd] *agg.* 1 inconsapevole, ignaro 2 ignorante.

uninhabitable [ˌʌninˈhæbitəbəl] *agg.* inabitabile.

uninhibited [ˌʌninˈhibitid] *agg.* disinibito.

uninsured [ˈʌninˈʃuəd] *agg.* non assicurato.

unintelligible [ˈʌninˈtelidʒəbl] *agg.* inintelligibile.

unintended [ˈʌninˈtendid] *agg.* involontario; non prestabilito.

unintentional [ˈʌninˈtenʃənl] *agg.* non intenzionale, involontario.

uninterested [ʌnˈintrestid] *agg.* non interessato.

uninterrupted [ˈʌnˌintəˈrʌptid] *agg.* ininterrotto.

uninvited [ˈʌninˈvaitid] *agg.* non invitato.

union [ˈjuːnjən] *s.* 1 unione: *the — between two parties*, l'unione di due partiti; *in perfect —*, in perfetta armonia 2 sindacato 3 *(tecn.)* raccordo; giunto.

unionism [ˈjuːnjənizəm] *s.* 1 *(st. ingl.)* movimento unionista 2 sindacalismo.

unionist [ˈjuːnjənist] *agg. e s.* 1 *(st.)* unionista 2 sindacalista.

Union Jack [ˈjuːnjənˈdʒæk] *s.* Union Jack (bandiera nazionale britannica).

union suit [ˈjuːnjənsuːt] *s.* *(amer.* per *leotard)* calzamaglia intere.

uniprogramming [juːniˈprougræmiŋ] *s.* *(informatica)* monoprogrammazione.

unique [juːˈniːk] *agg.* 1 unico 2 singolare.

uniqueness [juːˈniːknis] *s.* unicità; l'essere eccezionale.

unison [ˈjuːnizn] *s.* unisono *(anche fig.)*.

unit [ˈjuːnit] *s.* 1 unità; unità di misura: — *of area*, unità di superficie 2 complesso, insieme, gruppo 3 *(mil.)* unità, reparto 4 *(di mobile)* modulo componibile: *kitchen —*, modulo componibile per cucina 5 *(informatica)* unità: *low-speed —*, apparecchiatura lenta; *master —*, unità pilota principale; *operating —*, unità di trattamento; — *string*, stringa unitaria; — *record*, registrazione unitaria.

Unitarian [ˌjuːniˈtɛəriən] *agg. e s.* *(st. relig.)* unitariano.

Unitarianism [ˌjuːniˈtɛəriənizəm] *s.* *(st. relig.)* unitarismo.

unitary [ˈjuːnitəri] *agg.* unitario.

to **unite** [juːˈnait] *v.tr.* unire; combinare; congiungere ♦ *v.intr.* unirsi; combinarsi; congiungersi.

United Kingdom, the [juːˈnaitidˈkiŋdəm] *no.pr.* il Regno Unito.

United States, the [juːˈnaitidˈsteits] *no.pr.pl.* gli Stati Uniti (d'America).

unit trust [ˌjuːnitˈtrʌst] *s.* *(fin.)* fondo d'investimento.

unity ['ju:niti] *s.* **1** unità **2** armonia, accordo; concordia.

univalent [ju:('nivələnt] *agg.* (*chim.*) monovalente.

univalve ['ju:nivælv] *agg.* e *s.* (*zool.*) mollusco univalve.

universal [,ju:ni'və:səl] *agg.* e *s.* universale.

universality [,ju:nivə:'sæliti] *s.* universalità.

to universalize [,ju:ni'və:səlaiz] *v.tr.* universalizzare.

universe ['ju:nivə:s] *s.* universo.

university [,ju:ni'və:siti] *s.* **1** università // — *degree*, laurea // — *professor*, *teacher*, docente universitario **2** corpo universitario **3** squadra dell'università.

univocal ['ju:ni'voukəl] *agg.* univoco, non ambiguo; unanime; unisono.

unjust ['ʌn'dʒʌst] *agg.* ingiusto.

unjustness ['ʌn'dʒʌstnis] *s.* ingiustizia.

unkempt ['ʌn'kəmpt] *agg.* spettinato; trascurato; sciatto.

unkind [ʌn'kaind], **unkindly** [ʌn'kaindli] *agg.* **1** sgarbato, scortese **2** inclemente, crudele.

unkindly *avv.* **1** sgarbatamente, scortesemente **2** crudelmente, duramente.

unkindness [ʌn'kaindnis] *s.* **1** scortesia **2** inclemenza, crudeltà.

to unknit ['ʌn'nit] *v.tr.* disfare, sciogliere; indebolire.

unknowing [,ʌn'nouiŋ] *agg.* inconsapevole, ignaro.

unknown ['ʌn'noun] *agg.* sconosciuto; ignoto // — *to me*, a mia insaputa // *the Unknown Soldier* (o *Warrior*), il Milite Ignoto ♦ *s.* **1** ignoto **2** (*mat.*) incognita.

to unlade ['ʌn'leid], *pass.* **unladed** ['ʌn'leidid], *p.pass.* **unladen** ['ʌn'leidn] *v.tr.* scaricare.

unladen *p.pass.* di to **unlade**.

unlawful ['ʌn'lɔ:ful] *agg.* illegale; illecito; illegittimo.

to unlearn ['ʌn'lə:n], *pass.* e *p.pass.* **unlearnt**, **unlearned** ['ʌn'lə:nt] *v.tr.* disimparare, dimenticare.

unlearnt *pass.* e *p.pass.* di to **unlearn**.

to unleash ['ʌn'li:ʃ] *v.tr.* sguinzagliare.

unleavened ['ʌn'levnd] *agg.* non lievitato // —*bread*, pane azzimo.

unless [ʌn'les] *cong.* a meno che non, se non: — *I am mistaken*, se non mi sbaglio // — *otherwise stated*, salvo avviso contrario, salvo contrordine.

unlettered ['ʌn'letəd] *agg.* illetterato, analfabeta.

unlike ['ʌn'laik] *agg.* dissimile; diverso; poco somigliante // *it's — him to arrive late*, non è da lui arrivare in ritardo.

unlike *prep.* diversamente da; a differenza di: — *his predecessor*, a differenza del suo predecessore ♦ *agg.* diverso da; non somigliante a: *you are — your mother*, non assomigli a tua madre // *it is — you to do such a thing!*, non è da te fare una cosa simile!

unlikelihood [ʌn'laiklihud], **unlikeliness** [ʌn'laik linis] *s.* inverosimiglianza, improbabilità.

unlikely [ʌn'laikli] *agg.* inverosimile, improbabile: *an — story*, una storia inverosimile, poco credibile; *the plan is — to succeed*, il progetto ha poche probabilità di successo ♦ *avv.* improbabilmente.

unlimited [ʌn'limitid] *agg.* illimitato.

unlined [ʌn'laind] *agg.* **1** senza fodera **2** non rigato (di foglio di carta) **3** senza rughe.

unlisted ['ʌn'listid] *agg.* (*Borsa*) non quotato.

to unload ['ʌn'loud] *v.tr.* **1** scaricare: *to — a gun*, scaricare un fucile **2** (*Borsa*) liberarsi di (un pacchetto azionario) **3** (*informatica*) svuotare; memorizzare il contenuto di un accumulatore; scaricare (dischi).

to unlock ['ʌn'lɔk] *v.tr.* **1** aprire (con chiave); far

scattare (la serratura) **2** (*fig.*) rivelare (un segreto) **3** (*informatica*) (*IBM*) sbloccare una tastiera.

unlooked-for [ʌn'luktfɔ:*] *agg.* imprevisto.

to unloose ['ʌn'lu:s], **to unloosen** [ʌn'lu:sn] *v.tr.* slegare, sciogliere, slacciare.

unlovable ['ʌn'lʌvəbl] *agg.* poco amabile; spiacevole, antipatico.

unlovely ['ʌn'lʌvli] *agg.* poco attraente, brutto.

unluckily [ʌn'lʌkili] *avv.* sfortunatamente.

unlucky [ʌn'lʌki] *agg.* **1** sfortunato, sventurato **2** di cattivo augurio, malaugurato.

unmade *pass.* e *p.pass.* di to **unmake**.

to unmake ['ʌn'meik], *pass.* e *p.pass.* **unmade** ['ʌn'meid] *v.tr.* disfare; distruggere; annullare.

to unman ['ʌn'mæn] *v.tr.* togliere forza, coraggio (a); effeminare; evirare.

unmanageable [ʌn'mænidʒəbl] *agg.* **1** incontrollabile; intrattabile; indomabile **2** poco maneggevole.

unmanly ['ʌn'mænli] *agg.* **1** pusillanime **2** non virile.

unmanned ['ʌn'mænd] *agg.* **1** pusillanime **2** senza equipaggio // — *rocket*, razzo a controllo automatico.

unmannerly [ʌn'mænəli] *agg.* scortese, villano ♦ *avv.* scortesemente.

unmarked ['ʌn'mɑ:kt] *agg.* **1** non contrassegnato **2** inosservato.

unmarketable ['ʌn'mɑ:kitəbl] *agg.* invendibile.

unmarred ['ʌn'mɑ:d] *agg.* non sciupato.

unmarried [,ʌn'mærid] *agg.* non sposato; celibe; nubile.

to unmask ['ʌn'mɑ:sk] *v.tr.* togliere la maschera a (*anche fig.*) ♦ *v.intr.* togliersi la maschera (*anche fig.*).

unmeaning [ʌn'mi:niŋ] *agg.* senza senso.

unmeant ['ʌn'ment] *agg.* involontario.

unmentionable [ʌn'menʃnəbl] *agg.* innominabile.

unmerciful [ʌn'mə:siful] *agg.* spietato.

unmerited ['ʌn'meritid] *agg.* immeritato.

unmindful [ʌn'maindful] *agg.* immemore, dimentico; incurante.

unmistakable ['ʌnmis'teikəbl] *agg.* chiaro; indubbio; inequivocabile.

unmitigated ['ʌn'mitigeitid] *agg.* **1** non mitigato **2** vero, assoluto.

unmolested ['ʌnmou'lestid] *agg.* indisturbato.

to unmoor ['ʌn'muə*] *v.tr.* (*mar.*) disormeggiare, togliere gli ormeggi a.

unmoved ['ʌn'mu:vd] *agg.* **1** fisso, immobile **2** (*fig.*) impassibile, insensibile.

to unmuzzle ['ʌn'mʌzl] *v.tr.* **1** togliere la museruola a **2** (*fig.*) dare libertà di parola, di opinioni a.

unnamed ['ʌn'neimd] *agg.* anonimo, non specificato.

unnatural [ʌn'nætʃrəl] *agg.* **1** innaturale **2** contro natura.

unnecessary [ʌn'nesisəri] *agg.* non necessario, inutile; superfluo.

unneighbourly ['ʌn'neibəli] *agg.* non amichevole; poco socievole.

unnerve ['ʌn'nə:v] *v.tr.* snervare; svigorire.

unnoticed ['ʌn'noutist] *agg.* inosservato.

unobjectionable ['ʌnəb'dʒekʃnəbl] *agg.* ineccepibile, irreprensibile.

unobservant ['ʌnəb'zə:vənt] *agg.* poco osservante; poco osservatore: *an — child*, un bambino con poco spirito di osservazione.

unobtainable ['ʌnəb'teinəbl] *agg.* non ottenibile; irraggiungibile.

unobtrusive ['ʌnəb'tru:siv] *agg.* discreto; riservato.

unoffending [ˈʌnəˈfendiŋ] *agg.* inoffensivo.
unofficial [ˈʌnəˈfiʃəl] *agg.* **1** non ufficiale **2** ufficioso.
unopened [ˈʌnˈoupənd] *agg.* chiuso, non aperto.
unopposed [ˈʌnəˈpouzd] *agg.* incontrastato; incontestato.
unorthodox [ˈʌnˈɔːθədɔks] *agg.* non ortodosso.
unostentatious [ˈʌnˌɔstenˈteiʃəs] *agg.* modesto.
to **unpack** [ˈʌnˈpæk] *v.intr.* disfare le valigie ♦ *v.tr.* **1** disfare (valigie) **2** togliere (indumenti) da una valigia.
unpalatable [ʌnˈpælətəbl] *agg.* **1** di gusto sgradevole **2** (*fig.*) spiacevole.
unparalleled [ʌnˈpærəleld] *agg.* **1** impareggiabile **2** senza precedenti.
unpardonable [ʌnˈpɑːdnəbl] *agg.* imperdonabile.
unparliamentary [ˈʌnˌpɑːləˈmentəri] *agg.* non parlamentare.
unpaved [ˈʌnˈpeivd] *agg.* non lastricato.
to **unpeople** [ˈʌnˈpiːpl] *v.tr.* spopolare.
unperson [ˈʌnˈpəːsən] *s.* (*fam.*) persona volutamente ignorata.
to **unpick** [ˈʌnˈpik] *v.tr.* scucire; disfare.
unplaced [ˈʌnˈpleist] *agg.* **1** privo di posto, non messo a posto **2** (*sport*) non piazzato.
unplanned [ˈʌnˈplænd] *agg.* non predisposto; accidentale.
unpleasant [ʌnˈpleznt] *agg.* spiacevole; sgradevole; antipatico.
unpleasantness [ʌnˈplezntnis] *s.* **1** spiacevolezza; carattere sgradevole; antipatia **2** dissenso, disaccordo.
to **unplug** [ˈʌnˈplʌg] *v.tr.* togliere il tappo da; staccare la spina di.
unplumbed [ˈʌnˈplʌmd] *agg.* non scandagliato; inesplorato (*anche fig.*).
unpopular [ˈʌnˈpɔpjulæ*] *agg.* impopolare.
unpopularity [ˈʌnˌpɔpjuˈlæriti] *s.* impopolarità.
unpractised [ˈʌnˈpræktist] *agg.* non esperto.
unprecedented [ʌnˈpresidəntid] *agg.* senza precedenti.
unprejudiced [ʌnˈpredʒudist] *agg.* senza pregiudizi; imparziale.
unprepared [ˈʌnpriˈpɛəd] *agg.* **1** impreparato; improvvisato **2** non disposto.
unpresentable [ˈʌnpriˈzentəbl] *agg.* impresentabile.
unpresuming [ˈʌnpriˈzjuːmiŋ] *agg.* modesto, senza presunzione.
unpretending [ˈʌnpriˈtendiŋ], **unpretentious** [ˈʌnpriˈtenʃəs] *agg.* modesto, senza pretese.
unprintable [ˈʌnˈprintəbl] *agg.* non pubblicabile, non stampabile.
unprocessed [ˈʌnˈprousest] *agg.* (*informatica*) non elaborato.
unproductive [ˈʌnprəˈdʌktiv] *agg.* improduttivo; sterile; (*comm.*) infruttifero.
unprofessional [ˈʌnprəˈfeʃənl] *agg.* **1** non professionale **2** non professionista; (*sport*) dilettante.
unprofitable [ʌnˈprɔfitəbl] *agg.* poco vantaggioso; inutile.
unprogrammed [ˈʌnˈprougræmd] *agg.* (*informatica*) non programmato.
unprompted [ˈʌnˈprɔmptəd] *agg.* spontaneo, non richiesto.
unprovided [ˈʌnprəˈvaidid] *agg.* **1** sfornito, sprovvisto: *to be — with*, essere sprovvisto di **2** impreparato **3** *— -for*, imprevisto; senza mezzi.
unprovoked [ˈʌnprəˈvoukt] *agg.* non provocato // *— abuse*, insulti ingiustificati.
unpublished [ˈʌnˈpʌbliʃt] *agg.* inedito, non pubblicato.

unpunished [ˈʌnˈpʌniʃt] *agg.* impunito.
unqualified [ˈʌnˈkwɔlifaid] *agg.* **1** non qualificato; non abilitato; non autorizzato; incompetente: *— to vote*, privo del diritto di voto **2** (*fam.*) assoluto, categorico.
unquenchable [ʌnˈkwentʃəbl] *agg.* inestinguibile.
unquestionable [ʌnˈkwestʃənəbl] *agg.* incontestabile, indiscutibile; indubitabile; certo.
unquestioned [ʌnˈkwestʃənd] *agg.* **1** indiscusso; incontestato **2** non esaminato.
unquestioning [ʌnˈkwestʃəniŋ] *agg.* fiducioso.
unquiet [ˈʌnˈkwaiət] *agg.* inquieto, agitato, irrequieto ♦ *s.* inquietudine, irrequietezza.
to **unquote** [ˈʌnˈkwout] *v.intr.* finire una citazione; chiudere le virgolette.
to **unravel** [ʌnˈrævəl] *v.tr. e intr.* **1** districare, districarsi; sbrogliare, sbrogliarsi **2** (*fig.*) chiarire, chiarirsi.
unready [ˈʌnˈredi] *agg.* **1** impreparato **2** tardo, lento; irresoluto.
unreal [ˈʌnˈriəl] *agg.* irreale, immaginario.
unreality [ˈʌnriˈæliti] *s.* irrealtà.
unreasonable [ʌnˈriːznəbl] *agg.* irragionevole; assurdo.
unreasoning [ʌnˈriːzniŋ] *agg.* irragionevole.
unrecognizable [ˈʌnˈrekəgnaizəbl] *agg.* irriconoscibile.
unreconcilable [ˈʌnˈrekənsailəbl] *agg.* inconciliabile.
to **unreel** [ˈʌnˈriːl] *v.tr. e intr.* svolgere, svolgersi.
unrefined [ˈʌnriˈfaind] *agg.* non raffinato; (*fig.*) grossolano, rozzo.
unreflecting [ˈʌnriˈflektiŋ] *agg.* irriflessivo.
unregarded [ˈʌnriˈgɑːdid] *agg.* trascurato.
unrehearsed [ˈʌnriˈhəːst] *agg.* improvvisato; non preparato; (*teatr.*) non provato.
unrelated [ˈʌnriˈleitid] *agg.* **1** senza rapporti; senza legami **2** non raccontato.
unreliability [ˈʌnriˌlaiəˈbiliti] *s.* mancanza di attendibilità, di fiducia.
unreliable [ˈʌnriˈlaiəbl] *agg.* su cui non si può fare affidamento; inattendibile.
unrelieved [ˈʌnriˈliːvd] *agg.* **1** non soccorso; non confortato **2** invariato; monotono.
unremarkable [ˈʌnriˈmɑːkəbl] *agg.* irrilevante.
unrepeatable [ˈʌnriˈpiːtəbl] *agg.* irripetibile.
unrequired [ˈʌnriˈkwaiəd] *agg.* non richiesto.
unrequited [ˈʌnriˈkwaitid] *agg.* **1** non ricambiato: *— love*, amore non corrisposto **2** non ricompensato **3** invendicato, impunito.
unreserved [ˌʌnriˈzəːvd] *agg.* **1** pieno, completo; senza riserve **2** sincero, franco.
unresponsive [ˈʌnrisˈpɔnsiv] *agg.* non rispondente; insensibile; non impressionabile.
unrest [ˈʌnˈrest] *s.* inquietudine, agitazione; fermento.
unrestful [ˈʌnˈrestful] *agg.* inquieto, irrequieto.
unrestrained [ˈʌnrisˈtreind] *agg.* non represso; sfrenato; senza ritegno.
to **unriddle** [ˈʌnˈridl] *v.tr.* risolvere; spiegare.
to **unrig** [ˈʌnˈrig] *v.tr.* (*mar.*) disarmare.
to **unrip** [ˈʌnˈrip] *v.tr.* scucire; lacerare.
unripe [ˈʌnˈraip] *agg.* immaturo, acerbo.
to **unroll** [ˈʌnˈroul] *v.tr.* srotolare ♦ *v.intr.* srotolarsi.
unruffled [ˈʌnˈrʌfld] *agg.* non agitato, calmo; sereno.
unruliness [ʌnˈruːlinis] *s.* sregolatezza; indisciplinatezza.
unruly [ʌnˈruːli] *agg.* sregolato; indisciplinato.
to **unsaddle** [ˈʌnˈsædl] *v.tr.* **1** levare la sella a **2** disarcionare.

unsafe ['ʌn'seif] *agg.* malsicuro; pericoloso.

unsaid *pass.* e *p.pass.* di to **unsay** ♦ *agg.* non detto, taciuto.

unsal(e)able ['ʌn'seiləbl] *agg.* invendibile.

unsatisfactory ['ʌn,sætis'fæktəri] *agg.* non soddisfacente.

unsavoury ['ʌn'seivəri] *agg.* 1 insipido, scipito 2 disgustoso; (*fig.*) losco.

to **unsay** ['ʌn'sei], *pass.* e *p.pass.* **unsaid** ['ʌn'sed] *v.tr.* disdire, ritrattare; negare.

unscathed ['ʌn'skeiðd] *agg.* illeso, indenne.

unscheduled ['ʌn'ʃedju:ld, (*amer.*) 'ʌn'skedju:ld] *agg.* 1 non schedato 2 imprevisto; che non era in programma.

unschooled ['ʌn'sku:ld] *agg.* 1 senza istruzione 2 indisciplinato 3 non avvezzo; inesperto: — *to patience*, non avvezzo a pazientare.

to **unscramble** ['ʌn'skræmbl] *v.tr.* decifrare.

to **unscrew** ['ʌn'skru:] *v.tr.* svitare ♦ *v.intr.* svitarsi.

unscrupulous [ʌn'skru:pjuləs] *agg.* senza scrupoli.

to **unseal** ['ʌn'si:l] *v.tr.* dissigillare, aprire.

unseasonable [ʌn'si:znəbl] *agg.* fuori stagione; (*fig.*) inopportuno.

unseasoned ['ʌn'si:znd] *agg.* 1 (*cuc.*) non condito 2 non stagionato.

to **unseat** ['ʌn'si:t] *v.tr.* 1 disarcionare 2 (*pol.*) defenestrare; privare del seggio.

unsecured ['ʌnsi'kjuəd] *agg.* (*comm.*) scoperto; non garantito.

unseeing ['ʌn'si:iŋ] *agg.* cieco; che non vede.

unseemly [ʌn'si:mli] *agg.* indecente, sconveniente.

unseen [,ʌn'si:n] *s.* traduzione a prima vista.

unselfish ['ʌn'selfiʃ] *agg.* altruista.

unselfishness ['ʌn'selfiʃnis] *s.* altruismo.

unserviceable ['ʌn'sə:visəbl] *agg.* inservibile, inutilizzabile; poco pratico (di abito ecc.).

to **unsettle** ['ʌn'setl] *v.tr.* mettere fuori posto; (*fig.*) sconvolgere.

unsettled ['ʌn'setld] *agg.* 1 non sistemato, fuori posto 2 sconvolto, agitato 3 instabile; incerto: — *weather*, tempo instabile 4 non pagato, non saldato (di debito ecc.).

to **unsex** ['ʌn'seks] *v.tr.* 1 rendere impotente; sterilizzare 2 mascolinizzare.

unshaded ['ʌn'ʃeidid] *agg.* senz'ombra; senza ombreggiatura (di disegno ecc.).

unshadowed ['ʌn'ʃædoud] *agg.* non ombreggiato; (*fig.*) non offuscato, non rattristato.

unshak(e)able [ʌn'ʃeikəbl] *agg.* incrollabile, fermo.

unshapely ['ʌn'ʃeipli] *agg.* deforme, malfatto.

to **unsheathe** ['ʌn'ʃi:ð] *v.tr.* sguainare.

unshod ['ʌn'ʃɒd] *agg.* 1 senza scarpe, scalzo 2 non ferrato (di cavalli).

unshrinkable ['ʌn'ʃriŋkəbl] *agg.* irrestringibile.

unsifted ['ʌn'siftid] *agg.* non setacciato; (*fig.*) non vagliato, non esaminato a fondo.

unsightly [ʌn'saitli] *agg.* brutto, spiacevole a vedersi.

unsigned ['ʌn'saind] *agg.* non firmato.

unskilful ['ʌn'skilful] *agg.* inetto; inabile, inesperto; maldestro.

unskilled ['ʌn'skild] *agg.* inesperto; inabile // — *worker*, operaio non specializzato.

unsociability ['ʌnsouʃə'biliti] *s.* mancanza di socievolezza; scontrosità.

unsociable [ʌn'souʃəbl] *agg.* poco socievole.

unsocial ['ʌn'souʃəl] *agg.* 1 non socievole 2 asociale.

unsophisticated ['ʌnsə'fistikeitid] *agg.* genuino; semplice; naturale.

unsound [,ʌn'saund] *agg.* 1 poco sano, malato // *of* — *mind*, instabile di mente 2 instabile, malfermo, precario.

unsparing [ʌn'spɛəriŋ] *agg.* 1 duro, severo; spietato 2 prodigo, generoso.

unspeakable [ʌn'spi:kəbl] *agg.* indescrivibile; inqualificabile.

unspoilt ['ʌn'spoilt] *agg.* 1 non deteriorato; non rovinato 2 non viziato, ben allevato.

unsporting ['ʌn'spɔ:tiŋ] *agg.* non sportivo; sleale.

unsportsmanlike ['ʌn'spɔ:tsmənlaik] *agg.* antisportivo; sleale.

unstable ['ʌn'steibl] *agg.* instabile; (*fig.*) mutevole.

unstarched ['ʌn'sta:tʃt] *agg.* 1 non inamidato 2 (*fig.*) cordiale, non rigido (di maniere ecc.).

unsteadiness ['ʌn'stedinis] *s.* 1 instabilità; incostanza; variabilità 2 indecisione, irrisolutezza.

unsteady ['ʌn'stedi] *agg.* 1 vacillante; instabile; incostante; variabile 2 indeciso, irrisoluto.

to **unstick** ['ʌn'stik], *pass.* e *p.pass.* **unstuck** ['ʌn 'stʌk] *v.tr.* staccare; scollare // *to come unstuck*, staccarsi; (*fig.*) fallire.

unstinted [ʌn'stintid] *agg.* abbondante; generoso; illimitato.

to **unstitch** ['ʌn'stitʃ] *v.tr.* scucire; togliere i punti a.

to **unstop** ['ʌn'stɒp] *v.tr.* sturare, liberare // *to* — *a bottle*, stappare una bottiglia.

to **unstrap** ['ʌn'stræp] *v.tr.* slacciare.

unstressed ['ʌn'strest] *agg.* 1 non posto in rilievo 2 (*gramm.*) atono.

unstuck *pass.* e *p.pass.* di to **unstick**.

unstudied [,ʌn'stʌdid] *agg.* naturale, spontaneo, senza affettazione.

unsubstantial ['ʌnsəb'stænʃəl] *agg.* 1 non sostanziale; inconsistente 2 leggero: — *food*, cibo poco sostanzioso 3 irreale, immaginario.

unsubstantiated ['ʌnsəb'stænʃieitid] *agg.* infondato.

unsuccessful ['ʌnsək'sesful] *agg.* che non ha successo; sfortunato; fallito: *to be* —, non riuscire // *the* — *party*, (*dir.*) la parte soccombente.

unsuitable ['ʌn'sju:təbl] *agg.* inadatto, inappropriato; sconveniente.

unsuited ['ʌn'sju:tid] *agg.* inadatto; inappropriato.

unsullied ['ʌn'sʌlid] *agg.* pulito; senza macchia.

unsung [,ʌn'sʌŋ] *agg.* non cantato, non celebrato, non famoso.

unsupported ['ʌnsə'pɔ:tid] *agg.* non appoggiato, non sostenuto.

unsure ['ʌn'ʃuə*] *agg.* 1 malsicuro; poco solido; precario 2 incerto.

unsurpassable ['ʌnsə(:)'pa:səbl] *agg.* insorpassabile.

unsuspicious ['ʌnsəs'piʃəs] *agg.* 1 non sospettoso 2 che non desta sospetto.

unswerving [ʌn'swə:viŋ] *agg.* 1 diritto, rettilineo 2 costante, fermo.

unsympathetic ['ʌn,simpə'θetik] *agg.* indifferente; non comprensivo.

to **untack** ['ʌn'tæk] *v.tr.* 1 staccare, disgiungere 2 sbastire.

untamed ['ʌn'teimd] *agg.* selvaggio, non addomesticato; ribelle, indomito.

to **untangle** ['ʌn'tæŋgl] *v.tr.* districare.

untaught ['ʌn'tɔ:t] *agg.* 1 poco istruito 2 appreso senza insegnamento, spontaneo, innato.

untaxed[ˈʌnˈtækst]*agg.* non tassato; esente da imposte.

untenable [ˈʌnˈtenəbl] *agg.* non tenibile; indifendibile.

unthinkable [ʌnˈθiŋkəbl] *agg.* inimmaginabile, inconcepibile; inammissibile.

unthought-of [ˈʌnˈθɔːtɔv] *agg.* impensato; inatteso; imprevisto.

to unthread [ˈʌnˈθred] *v.tr.* **1** sfilare, togliere il filo a **2** sciogliere, sbrogliare (*anche fig.*): *to — a maze,* trovare l'uscita di un labirinto.

untidy [ʌnˈtaidi] *agg.* disordinato; trasandato, sciatto.

to untie [ˈʌnˈtai] *v.tr.* sciogliere; slegare ♦ *v.intr.* sciogliersi; slegarsi.

until [ənˈtil] *prep.* e *cong.* → **till**.

untimely [ʌnˈtaimli] *agg.* **1** prematuro **2** inopportuno, intempestivo ♦ *avv.* **1** prematuramente **2** inopportunamente, intempestivamente.

untinged [ˈʌnˈtindʒd] *agg.* non tinto, non colorato; (*fig.*) senz'ombra, senza traccia.

unto [ˈʌntu] *prep.* (*arc. letter. spec. biblica*) **1** a: *and I say — you...*, e io vi dico... **2** a, verso: *suffer the little children to come — me,* lasciate che i pargoli vengano a me **3** fino a.

untouchable [ʌnˈtʌtʃəbl] *agg.* e *s.* intoccabile.

untouched [ˈʌnˈtʌtʃt] *agg.* **1** non toccato, intatto, inviolato **2** senza uguale, ineguagliato.

untoward [ʌntəˈwɔːd, (*amer.*) ʌnˈtɔːrd] *agg.* **1** infausto, sfortunato; spiacevole **2** (*ant.*) indecente, inadatto; testardo.

untrained [ˈʌnˈtreind] *agg.* **1** inesperto, impreparato **2** non allenato; non istruito.

untranslatable [ˈʌntrænsˈleitəbl] *agg.* intraducibile.

untrodden [ˈʌnˈtrɔdn] *agg.* non calpestato; non battuto, non frequentato.

untrue [ˈʌnˈtruː] *agg.* **1** falso; erroneo **2** infedele; sleale **3** (*mecc.*) non centrato.

untrustworthy [ˈʌnˈtrʌstˌwəːði] *agg.* **1** indegno di fiducia, falso, sleale **2** poco sicuro, poco attendibile.

untruth [ˈʌnˈtruːθ] *s.* falsità, menzogna.

untruthful [ˈʌnˈtruːθful] *agg.* falso, menzognero.

unturned [ˈʌnˈtəːnd] *agg.* non rovesciato, non rivoltato // *to leave no stone —,* non lasciare nulla di intentato; fare l'impossibile.

untutored [ˈʌnˈtjuːtəd] *agg.* senza istruzione; ignorante; rozzo.

unused [ˈʌnˈjuːzd; *nel senso* 2 ˈʌnˈjuːst] *agg.* **1** non usato, non utilizzato **2** non abituato.

unusual [ʌnˈjuːʒuəl] *agg.* insolito, raro; eccezionale.

unutterable [ʌnˈʌtərəbl] *agg.* **1** indicibile **2** impronunciabile.

unvanquished [ˈʌnˈvæŋkwiʃt] *agg.* invitto.

unvarnished [ˈʌnˈvɑːniʃt; *nel senso* 2 ʌnˈvɑːniʃt] *agg.* **1** non verniciato **2** (*fig.*) semplice; senza abbellimenti.

to unveil [ʌnˈveil] *v.tr.* **1** togliere il velo a; scoprire **2** (*fig.*) rivelare; svelare ♦ *v.intr.* **1** togliersi il velo **2** (*fig.*) rivelarsi.

unvoiced [ˈʌnˈvɔist] *agg.* **1** non espresso, non pronunciato **2** (*fonetica*) sordo.

unwarily [ʌnˈwɛərili] *avv.* imprudentemente; sconsideratamente.

unwariness [ʌnˈwɛərinis] *s.* imprudenza; sconsideratezza.

unwarlike [ˈʌnˈwɔːlaik] *agg.* pacifico.

unwarranted [ˈʌnˈwɔrəntəd] *agg.* ingiustificato.

unwary [ʌnˈwɛəri] *agg.* incauto; sconsiderato.

unwashed [ˈʌnˈwɔʃt] *agg.* non lavato; sudicio.

unwavering [ʌnˈweivəriŋ] *agg.* che non vacilla; incrollabile, fermo.

unweeded [ˈʌnˈwiːdid] *agg.* non sarchiato; non liberato dalle erbacce.

unwelcome [ʌnˈwelkəm] *agg.* male accolto; sgradito.

unwell [ˈʌnˈwel] *agg.* ammalato; indisposto.

unwholesome [ˈʌnˈhoulsəm] *agg.* **1** malsano; insalubre **2** nocivo; corrotto.

unwieldy [ʌnˈwiːldi] *agg.* **1** pesante; lento; impacciato **2** ingombrante; poco maneggevole.

unwilling [ˈʌnˈwiliŋ] *agg.* **1** riluttante, poco propenso **2** fatto contro voglia.

unwillingly [ʌnˈwiliŋli] *avv.* malvolentieri; controvoglia.

unwillingness [ʌnˈwiliŋnis] *s.* **1** riluttanza; avversione **2** cattiva volontà, malavoglia.

to unwind [ˈʌnˈwaind], *pass.* e *p.pass.* **unwound** [ˈʌnˈwaund] *v.tr.* srotolare; svolgere; dipanare; districare; liberare ♦ *v.intr.* srotolarsi; svolgersi; dipanarsi; districarsi; liberarsi.

unwise [ˈʌnˈwaiz] *agg.* malaccorto; imprudente.

unwomanly [ʌnˈwumənli] *agg.* poco femminile.

unwonted [ʌnˈwountid] *agg.* non abituale, insolito.

unworthiness [ʌnˈwəːðinis] *s.* indegnità.

unworthy [ʌnˈwəːði] *agg.* indegno.

unwound *pass.* e *p.pass.* di to **unwind**.

unwounded [ˈʌnˈwuːndid] *agg.* illeso, incolume.

to unwrap [ˈʌnˈræp] *v.tr.* disfare, svolgere; scoprire.

unwritten [ˈʌnˈritn] *agg.* non scritto; orale; tradizionale // *the — law,* diritto naturale.

unwrought [ˈʌnˈrɔːt] *agg.* **1** non lavorato; non operato **2** grezzo.

unyielding [ʌnˈjiːldiŋ] *agg.* rigido; (*fig.*) inflessibile.

to unzip [ˈʌnˈzip] *v.tr.* aprire la cerniera lampo di.

up [ʌp] *avv.* **1** su; in su; in piedi: *to look —,* guardare in su; *from ten pounds —,* da dieci sterline in su // *the price of sugar is going —,* il prezzo dello zucchero è in aumento // *— above,* su (in alto); *— here,* quassù; *— there,* lassù // *— and down,* su e giù; avanti e indietro; (*fig.*) dall'alto in basso; *to stay — all night,* star su, in piedi tutta la notte **2** a, verso città, luogo importante: *to come — from the country,* venire in città dalla campagna; *to go — north,* dirigersi a, verso nord **3** *to be —:* *he is not — yet,* non si è ancora alzato; *let's be — and doing,* mettiamoci all'opera // *to be well — in it,* intendersene; *to be — against sthg.,* essere alle prese con qlco.; *what's —?,* che cosa succede?; *it's all — with him,* per lui è finita; *the game is —,* tutto è perduto; *to be one — on s.o.,* essere in vantaggio su qlcu.; *her blood is —,* le ribolle il sangue; *the case is — before the High Court,* il caso è in esame presso la Corte Suprema // *up to locuz.prep.* **1** a; fino a: *— to now,* fino a ora; *to go straight — to the door,* andare dritto alla porta // *he walked — to me and stopped,* si avvicinò a me e si fermò // *to feel — to it,* sentirsela **2** *to be — to:* *to be — to it,* esserne all'altezza; *to be — to sthg.,* tramare qlco.; *it's — to you,* tocca a te.

up *prep.* **1** su; in cima a: *— the ladder,* in cima alla scala **2** verso la sorgente (di fiume); controcorrente: *— the river,* risalendo il fiume; a monte del fiume.

up *agg.* **1** ascendente; diretto verso il capoluogo: *— line,* linea ascendente (di tram, autobus ecc.); *— train,* treno per il capoluogo **2** in rialzo, in aumento // *on the — grade,* in fase di miglioramento ♦ *s.* miglioramento; rialzo: *on the — and —,* in fase di miglioramento // *the ups and downs of life,* gli alti e bassi della vita.

to **up** *v.intr.* (*fam.*) cominciare; balzar su: *he ups and shouts...*, salta su a gridare...

up-and-coming [ˌʌpənˈkʌmiŋ] *agg.* sulla strada del successo; che promette bene.

upas [ˈjuːpəs] *s.* **1** (*bot. farm.*) upas **2** (*fig.*) influsso malefico, deleterio.

upbeat [ˈʌpbiːt] *s.* (*mus.*) battuta in levare.

to **upbraid** [ʌpˈbreid] *v.tr.* sgridare, rimproverare.

upbringing [ˈʌpˌbriŋiŋ] *s.* educazione.

upcast [ˈʌpkɑːst] *agg.* rivolto verso l'alto; all'insù ♦ *s.* **1** (*geol.*) sollevamento **2** pozzo di ventilazione (di miniera).

up-country [ˈʌpˈkʌntri] *agg. e avv.* dell'interno; all'interno di una regione ♦ *s.* regione interna, lontana dalla costa.

to **update** [ʌpˈdeit] *v.tr.* (*amer.*) attualizzare.

update, updating [ʌpˈdeitiŋ] *s.* aggiornamento // — *routine*, (*informatica*) sottoprogramma di aggiornamento.

to **upend** [ʌpˈend] *v.tr.* raddrizzare; capovolgere; mandare a gambe all'aria.

upgrade [ˈʌpgreid] *avv.* in salita ♦ *s.* salita // *on the* —, in aumento; in fase di miglioramento.

to **upgrade** [ʌpˈgreid] *v.tr.* **1** promuovere (un impiegato ecc.) **2** alzare (prezzi); migliorare la qualità (di prodotti).

upheaval [ʌpˈhiːvəl] *s.* **1** (*geol.*) sollevamento **2** (*fig.*) sconvolgimento, rivolgimento.

to **upheave** [ʌpˈhiːv] *v.tr.* (*geol.*) sollevare.

upheld *pass. e p.pass.* di to **uphold**.

uphill [ˈʌpˈhil] *agg.* **1** in salita **2** (*fig.*) arduo ♦ *avv.* in salita, in su.

to **uphold** [ʌpˈhould], *pass. e p.pass.* **upheld** [ʌpˈheld] *v.tr.* **1** sostenere (*anche fig.*) **2** approvare **3** confermare.

to **upholster** [ʌpˈhoulstə*] *v.tr.* tappezzare; ricoprire; imbottire // *well upholstered*, (*fam.*) ben piazzato, prosperoso.

upholsterer [ʌpˈhoulstərə*] *s.* tappezziere.

upholstery [ʌpˈhoulstəri] *s.* **1** tappezzeria; imbottitura **2** arredi (*pl.*).

upkeep [ˈʌpkiːp] *s.* manutenzione.

upland [ˈʌplənd] *agg.* alto, elevato; montano ♦ *s.* (*gener. pl.*) altopiano.

uplift [ˈʌplift] *s.* sollevamento (*anche fig.*): *to give s.o. an* —, sollevare (il morale di) qlcu.

to **uplift** [ʌpˈlift] *v.tr.* sollevare (*anche fig.*); alzare: *the good news uplifted me*, la buona notizia mi ha sollevato il morale.

up-market [ʌpˈmɑːkit] *agg. e avv.* d'élite (di prodotto), esclusivo.

upmost [ˈʌpmoust] *agg.* → **uppermost**.

upon [əˈpɒn] *prep.* → **on**.

upper [ˈʌpə*] *agg.* **1** superiore, più elevato: — *storey*, piano superiore (di una casa); (*fam.*) il cervello // *the Upper House*, la Camera dei Lord, la Camera Alta // — *hand*, predominio, prevalenza // — *dog*, vincitore **2** più lontano (dall'ingresso, dalla foce ecc.): *the* — *end of a church*, il fondo di una chiesa // *Upper Egypt*, Alto Egitto ♦ *s.* **1** tomaia; gambale // *to be* (*down*) *on one's uppers*, (*fam.*) essere al verde **2** (*sl.*) stimolante.

upper-bracket [ˈʌpəˌbrækit] *agg.* (*fam.*) elevato: — *incomes*, i redditi più alti.

upper class [ˈʌpəklɑːs] *agg.* dei ceti superiori; signorile, di lusso.

upper crust [ˈʌpəkrʌst] *agg.* (*fam.*) di lusso ♦ *s.* (*fam.*) alta società.

uppercut [ˈʌpəkʌt] *s.* (*pugilato*) «uppercut», montante.

uppermost [ˈʌpəmoust] *agg.* **1** il più alto **2** il più importante; predominante ♦ *avv.* più in alto di tutto.

uppish [ˈʌpiʃ] *agg.* (*fam.*) presuntuoso; arrogante; superbo.

uppity [ˈʌpiti] *agg.* (*amer. fam.*) arrogante; pretenzioso; altezzoso.

upright [ˈʌprait] *agg.* **1** ritto, eretto; verticale; perpendicolare **2** (*fig.*) retto, integro ♦ *s.* **1** (*edil.*) montante **2** pianoforte verticale.

uprising [ʌpˈraiziŋ] *s.* rivolta, insurrezione.

uproar [ˈʌpˌrɔː*] *s.* tumulto; clamore; chiasso.

uproarious [ʌpˈrɔːriəs] *agg.* tumultuoso; chiassoso: — *applause*, applausi fragorosi.

to **uproot** [ʌpˈruːt] *v.tr.* sradicare (*anche fig.*), estirpare (*anche fig.*).

to **upset** [ʌpˈset], *pass. e p.pass.* **upset** *v.tr.* **1** rovesciare; capovolgere **2** (*fig.*) sconvolgere, scombussolare; scombinare; turbare **3** irritare ♦ *v.intr.* rovesciarsi; capovolgersi.

upset *pass. e p.pass.* di to **upset** ♦ *agg.* **1** sconvolto, turbato **2** disturbato, indisposto.

upset [ˈʌpset] *s.* **1** sconvolgimento **2** (*fam.*) litigio **3** disturbo, indisposizione.

upshot [ˈʌpʃɔt] *s.* esito, conclusione, risultato.

upside [ˈʌpsaid] *s.* lato, parte superiore.

upside down [ˈʌpsaiˈdaun] *avv.* sottosopra: *to turn* —, capovolgere; (*fig.*) mettere sottosopra.

upsides [ˈʌpsaidz] *avv.* (*fam.*) pari.

upstage [ˈʌpsteidʒ] *avv.* (*teatr.*) al fondo (del palcoscenico) ♦ *agg.* (*sl.*) altezzoso, borioso.

upstair [ˈʌpˈstɛə*], **upstairs** [ˈʌpˈstɛəz] *agg.* (situato) al piano superiore.

upstairs *avv.* (al piano) di sopra: *to go* —, andare di sopra ♦ *s.* piano superiore.

upstanding [ˈʌpˈstændiŋ] *agg.* **1** eretto, diritto **2** (*fig.*) retto, onesto; leale.

upstart [ˈʌpstɑːt] *agg.* arrogante, pretenzioso ♦ *s.* «parvenu», villano rifatto.

upstream [ˈʌpˈstriːm] *agg. e avv.* (che va) controcorrente.

upsurge [ˈʌpsɜːdʒ] *s.* afflusso; (*fig.*) aumento improvviso.

upswept [ˈʌpswept] *agg.* (*di capelli, ciglia ecc.*) spazzolato, girato all'insù.

upsy-daisy [ˈʌpsiˌdeizi] *inter.* (*fam.*) op là!

uptake [ˈʌpteik] *s.* comprensione: *to be slow on the* —, (*fam.*) essere duro di comprendonio.

uptight [ˈʌptait] *agg.* (*fam.*) teso, preoccupato.

up to date [ˈʌptəˈdeit] *agg.* aggiornato; attuale, moderno: *to bring s.o.* —, aggiornare, mettere qlcu. al corrente.

uptown [ˈʌpˈtaun] *agg.* (*amer.*) dei, nei quartieri residenziali.

to **upturn** [ʌpˈtəːn] *v.tr.* rivoltare, volgere all'insù ♦ *v.intr.* rivoltarsi, volgersi all'insù.

upturn *s.* miglioramento.

upward [ˈʌpwəd] *agg.* ascendente; (rivolto) verso l'alto.

upward *avv.* in alto; in su; verso l'alto: *face* —, con viso all'insù; (*di libro ecc.*) dalla parte diritta ♦ *agg.* in rialzo, in aumento.

upwardly [ˈʌpwədli] *avv.* verso l'alto.

upwards [ˈʌpwədz] *avv.* → **upward** // *— of*, più di, al di sopra di // *and* —, e più.

uranian [juəˈreinjən] *agg.* **1** (*poet.*) uranico; platonico **2** *Uranian,* (*astr.*) uraniano, di Urano.

uranium [juəˈreinjəm] *s.* (*chim.*) uranio.

Uranus [ˈjuərənəs] *no.pr.m.* (*mit. astr.*) Urano.

urban [ˈəːbən] *agg.* urbano, della città.

urbane [əːˈbein] *agg.* urbano, cortese.

urbanist [ˈəːbənist] *s.* urbanista.

urbanistic [ˌəːbəˈnistik] *agg.* urbanistico.

urbanity [əːˈbæniti] *s.* urbanità, cortesia.

urbanization [ˌəːbənaiˈzeiʃən] *s.* urbanizzazione.

to urbanize [ˈəːbənaiz] *v.tr.* urbanizzare.

urchin [ˈəːtʃin] *s.* **1** monello **2** (*zool.*) riccio.

ureter [juəˈriːtə*] *s.* (*anat.*) uretere.

uretic [juəˈretik] *agg.* (*med.*) diuretico.

urge [əːdʒ] *s.* impulso; sprone, incentivo.

to urge *v.tr.* **1** spronare; sollecitare, esortare: *he was urged to leave,* fu sollecitato a partire **2** (*fig.*) spingere avanti con insistenza; insistere su: *to — the necessity for an election,* insistere sulla necessità di elezioni.

urgency [ˈəːdʒənsi] *s.* **1** urgenza; assoluta necessità **2** insistenza.

urgent [ˈəːdʒənt] *agg.* **1** urgente; incalzante **2** insistente.

uric [ˈjuərik] *agg.* urico.

urinal [ˈjuərinl] *s.* orinale; orinatoio.

urinary [ˈjuərinəri] *agg.* urinario.

to urinate [ˈjuərineit] *v.intr.* orinare.

urination [ˌjuəriˈneiʃən] *s.* minzione.

urine [ˈjuərin] *s.* orina, urina.

urn [əːn] *s.* **1** samovar **2** urna (cineraria).

urologist [juəˈrɔlədʒist] *s.* urologo.

Ursuline [ˈəːsjulain] *agg.* (*eccl.*) delle Orsoline ♦ *s.* (*eccl.*) Orsolina.

us [ʌs] *pron.pers.compl.* *1ᵃ pers.pl.* noi; ci: *they were speaking of —,* parlavano di noi; *he told —,* ce lo disse // *let —* (o *let's*) *go!,* andiamo! // *it was —,* (*fam.*) eravamo noi.

usable [ˈjuːzəbl] *agg.* usabile; utilizzabile.

usage [ˈjuːzidʒ] *s.* **1** uso; impiego; trattamento **2** usanza, uso.

usance [ˈjuːzəns] *s.* usanza // *bill at —,* cambiale pagabile secondo l'uso della piazza.

use [juːs] *s.* **1** uso: *to show s.o. the — of sthg.,* fare vedere a qlcu. come si usa qlco.; *to put sthg. to a good —,* impiegare bene qlco. **2** utilità, vantaggio: *it is no —,* è inutile; *what is the — of it?,* a che serve? // *I have no — for it,* (*fam.*) non so che farmene **3** (*eccl.*) rito; liturgia **4** (*dir.*) uso, usufrutto.

to use [juːz] *v.tr.* **1** usare, adoperare, servirsi di **2** trattare **3** *to — up,* consumare, esaurire ♦ *v.intr.* (*solo al pass. seguito da inf. nel senso di* solere, usare, *equivale all'imperfetto indic.*): *I used to see him often,* lo vedevo spesso; *it used to be said that...,* si soleva dire che...

used [juːzd; *nel senso* 2 juːst] *agg.* **1** usato; di seconda mano // *hardly —,* quasi nuovo // *-up,* (*fam.*) esaurito; consumato; stanco, snervato **2** abituato: *to get — to* (*doing*) *sthg.,* abituarsi a (fare) qlco.

useful [ˈjuːsful] *agg.* utile; pratico; vantaggioso // *it will come in very —,* (*fam.*) ciò sarà di grande utilità // *he is pretty — with his fists,* sa servirsi dei pugni // *to make oneself —,* rendersi utile // *— load,* (*aer.*) carico utile.

usefully [ˈjuːsfuli] *avv.* utilmente; vantaggiosamente.

usefulness [ˈjuːsfulnis] *s.* utilità; vantaggio.

useless [ˈjuːslis] *agg.* inutile, vano.

uselessness [ˈjuːslisnis] *s.* inutilità.

user[1] [ˈjuːzə*] *s.* chi usa; utente; utilizzatore.

user[2] *s.* (*dir.*) diritto di uso continuato; godimento di diritto: *right of —,* diritto di uso.

user-friendly [ˈjuːzəˈfrendli] *agg.* accessibile, facile da usare (spec. riferito a computer).

usher [ˈʌʃə*] *s.* **1** usciere **2** cerimoniere **3** maschera (di cinema).

to usher *v.tr.* **1** precedere (in qualità di usciere); introdurre **2** *to — in,* annunciare; inaugurare.

usherette [ˌʌʃəˈret] *s.f.* maschera (di cinema).

usual [ˈjuːʒuəl] *agg.* usuale, consueto, abituale: *the — things,* le solite cose; *earlier than —,* prima del solito; *as —,* come al solito.

usually [ˈjuːʒuəli] *avv.* di solito, abitualmente.

usufruct [ˈjuːsjuː(ː)frʌkt] *s.* (*dir.*) usufrutto.

usurer [ˈjuːʒərə*] *s.* usuraio.

usurious [juːˈzjuəriəs] *agg.* da usuraio.

to usurp [juːˈzəːp] *v.tr.* usurpare.

usurpation [ˌjuːzəːˈpeiʃən] *s.* usurpazione.

usurpatory [juːˈzəːpətəri] *agg.* usurpatorio.

usurper [juːˈzəːpə*] *s.* usurpatore.

usury [ˈjuːʒuri] *s.* usura // *with —,* (*fig.*) a usura.

utensil [juː(ː)ˈtensl] *s.* utensile; arnese.

uterine [ˈjuːtərain] *agg.* uterino.

uterus [ˈjuːtərəs], *pl.* **uteri** [ˈjuːtərai] *s.* utero.

utilitarian [ˌjuːtiliˈtɛəriən] *agg.* utilitario ♦ *s.* utilitarista.

utilitarianism [ˌjuːtiliˈtɛəriənizəm] *s.* utilitarismo.

utility [juː(ː)ˈtiliti] *s.* **1** utilità; vantaggio, profitto // *— program,* (*informatica*) programma di utilità **2** (*public*) *utilities,* enti erogatori di gas, luce e acqua // *rent inclusive of all utilities,* affitto che comprende le spese di acqua, luce e gas ♦ *agg.* utilitario; funzionale.

utilizable [ˈjuːtilaizəbl] *agg.* utilizzabile.

to utilize [ˈjuːtilaiz] *v.tₗ.* utilizzare.

utmost [ˈʌtmoust] *agg.* estremo; ultimo: *the — ends of the earth,* gli estremi confini della Terra; *with the — care,* con la massima cura; *with the — pleasure,* con sommo piacere; *to live in — poverty,* vivere nella più nera miseria ♦ *s.* il massimo, il limite estremo; il possibile: *to try one's — to succeed,* fare tutto il possibile per riuscire; *to trust s.o. to the —,* avere la massima fiducia in qlcu.

Utopia [juːˈtoupjə] *no.pr.* (*lett.*) Utopia // *utopia* [juːˈtoupjə] *s.* utopia.

Utopian [juːˈtoupjən] *agg. e s.* **1** (*lett.*) (abitante) di Utopia **2** (*fig.*) (di, da) utopista.

utter[1] [ˈʌtə*] *agg.* completo, totale; assoluto // *to my — horror,* con mio grande orrore.

to utter[2] *v.tr.* **1** emettere: *he did not — a sound,* non articolò suono **2** mettere in circolazione.

utterance [ˈʌtərəns] *s.* **1** espressione; sfogo: *to give — to,* esprimere **2** pronuncia, modo di parlare **3** emissione.

utterly [ˈʌtəli] *avv.* completamente, totalmente // *to be — exhausted,* essere stanco morto.

uttermost [ˈʌtəmoust] *agg.* estremo; ultimo ♦ *s.* il massimo, il limite estremo; il possibile.

uvula [ˈjuːvjulə], *pl.* **uvulae** [ˈjuːvjuliː], **uvulas** [ˈjuːvjuləz] *s.* (*anat.*) ugola.

uxoricide [ʌkˈsɔːrisaid] *s.* **1** uxoricida **2** uxoricidio.

uxorious [ʌkˈsɔːriəs] *agg.* eccessivamente innamorato della moglie; dominato dalla moglie.

V

v [vi:], *pl.* **vs**, **v's** [vi:z] *s.* v // — *for Victor*, (*tel.*) v come Venezia.

vacancy ['veikənsi] *s.* **1** vacanza, l'essere vacante **2** posto vacante: *no vacancies*, completo (di alberghi ecc.); *to fill a* —, coprire un posto vacante **3** vuoto; (*fig.*) lacuna.

vacant ['veikənt] *agg.* **1** vacante, vuoto, non occupato, libero **2** vacuo; distratto, indifferente: *with a* — *stare*, con uno sguardo vacuo.

to vacate [və'keit, (*amer.*) 'veikeit] *v.tr.* **1** lasciare vuoto, vacante; evacuare; sgomberare: *to* — *a flat*, lasciare libero un appartamento; *to* — *a seat*, dare le dimissioni, ritirarsi da un posto **2** (*amer.*) (*at, in*) passare una vacanza (a, in).

vacation [və'keiʃən, (*amer.*) vei'keiʃən] *s.* **1** il lasciare vacante, libero (un posto, una casa) **2** (*spec. amer.*) vacanza, vacanze (*pl.*): — *with pay*, vacanza pagata.

to vaccinate ['væksineit] *v.tr.* e *intr.* vaccinare.

vaccination [,væksi'neiʃən] *s.* vaccinazione.

vaccinator ['væksineitə*] *s.* vaccinatore.

vaccine ['væksi:n, (*amer*) væk'si:n] *agg.* **1** di vacca **2** vaccinico ♦ *s.* vaccino.

to vacillate ['væsileit] *v.intr.* vacillare; (*fig.*) esitare.

vacillation [,væsi'leiʃən] *s.* vacillamento; (*fig.*) esitazione.

vacuity [væ'kju(:)iti] *s.* vuoto; (*fig.*) vacuità, mancanza di idee.

vacuous ['vækjuəs] *agg.* vacuo, vuoto; (*fig.*) insignificante; ozioso // — *stare*, sguardo privo di espressione.

vacuum ['vækjuəm], *pl.* **vacuums** ['vækjuəmz], **vacua** ['vækjuə] *s.* (*fis.*) vuoto, vuoto pneumatico; (*fig.*) lacuna // — *brake*, (*ferr.*) freno a depressione // — *flask* (o *bottle*), thermos // — *pump*, (*aer.*) depressore.

to vacuum-clean ['vækjuəm,kli:n] *v.tr.* e *intr.* pulire con l'aspirapolvere.

vacuum cleaner ['vækjuəm'kli:nə*] *s.* aspirapolvere.

vagabond ['vægəbɔnd] *agg.* vagabondo; (*fig.*) instabile ♦ *s.* vagabondo; (*fig.*) perdigiorno.

to vagabond *v.intr.* vagabondare.

vagary ['veigəri] *s.* **1** passeggiata senza meta **2** fantasticheria; capriccio; bizzarria.

vagina [və'dʒainə], *pl.* **vaginae** [və'dʒaini:], **vaginas** [və'dʒainəz] *s.* **1** (*anat.*) vagina **2** (*bot.*) guaina.

vagrancy ['veigrənsi] *s.* vagabondaggio.

vagrant ['veigrənt] *agg.* vagabondo, nomade ♦ *s.* vagabondo.

vague [veig] *agg.* **1** vago; indistinto; indeterminato; ambiguo: *I haven't got the vaguest idea*, non ne ho la minima idea **2** distratto.

vagueness ['veignis] *s.* indeterminatezza; ambiguità.

vagus ['veigəs], *pl.* **vagi** ['veidʒai] *s.* (*anat.*) vago.

vain [vein] *agg.* **1** vano, inutile // *in* —, invano: *to take God's name in* —, nominare il nome di Dio invano **2** vanitoso; orgoglioso.

vainglorious [vein'glɔ:riəs] *agg.* vanaglorioso.

vainglory [vein'glɔ:ri] *s.* vanagloria.

valance ['væləns] *s.* **1** mantovana (di finestra) **2** balza, «volant».

vale [veil] *s.* (*poet.*) valle.

valediction [,væli'dikʃən] *s.* (parole, discorso di) commiato.

valedictory [,væli'diktəri] *agg.* di saluto; d'addio ♦ *s.* (*amer.*) discorso di commiato (di studente nel giorno della laurea o diploma).

valence ['veiləns] *s.* (*chim.*) valenza.

valency ['veilənsi] *s.* (*chim.*) valenza.

Valentine ['væləntain] *no.pr.m.* Valentino // *St.* —*'s day*, giorno di San Valentino (14 febbraio) // **valentine** *s.* **1** innamorato, innamorata **2** biglietto che si invia il giorno di S. Valentino.

valerian [və'liəriən] *s.* (*bot. farm.*) valeriana.

valet ['vælit] *s.* valletto, cameriere.

to valet *v.tr.* **1** tenere in ordine (il guardaroba) **2** servire come valletto, cameriere.

valetudinarian ['væli,tju:di'nεəriən] *agg.* **1** valetudinario, malaticcio **2** eccessivamente preoccupato per la propria salute ♦ *s.* malato immaginario.

valiant ['væljənt] *agg.* valoroso, prode.

valid ['vælid] *agg.* valido.

to validate ['vælideit] *v.tr.* **1** rendere valido; convalidare **2** (*informatica*) abilitare.

validation [,væli'deiʃən] *s.* convalidazione.

validity [və'liditi] *s.* validità.

valise [və'li:z, (*amer.*) və'li:s] *s.* **1** valigia; borsa da viaggio **2** zaino, sacco militare.

Valkyrie ['vælkiri] *s.* (*mit. nordica*) valchiria.

valley ['væli] *s.* valle, vallata.

to valorize ['væləraiz] *v.tr.* (*comm.*) valorizzare.

valorous ['vælərəs] *agg.* valoroso, prode.

valour ['vælə*] *s.* valore, prodezza, coraggio.

valuable ['væljuəbl] *agg.* **1** costoso; prezioso, di gran valore **2** valutabile **3** utile, prezioso ♦ *s.* (*gener. pl.*) oggetti di valore, preziosi (*pl.*).

valuation [,vælju'eiʃən] *s.* **1** valutazione, stima **2** stima, considerazione.

valuator ['væljueitə*] *s.* perito, stimatore.

value ['vælju:] *s.* **1** valore: *it is nothing of any* —, è una cosa di nessun valore; *this book is quite good* — *for five pounds*, questo libro vale certamente cinque sterline; *the values of modern society*, i valori della società moderna; *to lose* (o *to fall in*) —, svalutarsi; *to rise in* —, aumentare di valore; *to pay the* — *of sthg.*, rimborsare il prezzo di qlco.; pagare qlco. per quello che vale // *face* —, *par* —, (*comm.*) valore nominale // *inventory* —, valore d'inventario // *real* —, valore reale **2** utilità, importanza **3** (*pitt.*) armonia di luci e ombre.

to value *v.tr.* **1** valutare; stimare: *he valued the house* (*at*) £ 5,000, stimò la casa 5000 sterline **2** dare importanza a; stimare, apprezzare: *to* — *one's life*, aver cara la propria vita.

valued ['vælju:d] *agg.* **1** valutato; apprezzato **2** stimato; prezioso.

valueless ['væljulis] *agg.* di nessun valore.

valuer ['væljuə*] *s.* stimatore, perito.

valve [vælv] *s.* **1** (*anat. mecc.*) valvola **2** (*bot. zool.*) valva **3** battente (di porta).

valved [vælvd] *agg.* **1** (*anat. mecc.*) munito di valvola **2** (*bot. zool.*) munito di valva.

valvular ['vælvjulə*] *agg.* **1** (*anat. mecc.*) valvolare **2** (*bot. zool.*) di valva.

to vamoose [və'mu:s], **to vamose** [və'mous] *v.intr.* (*sl.*) andarsene, filarsela.

vamp[1] [væmp] *s.* **1** tomaia (di scarpa) **2** rabberciamento, rappezzamento **3** (*mus.*) accompagnamento improvvisato.

to vamp[1] *v.tr.* **1** rappezzare, mettere la tomaia (a scarpe) **2** raffazzonare, rabberciare // *to — up sthg.*, mettere insieme qlco. ♦ *v.intr.* (*mus.*) improvvisare.

vamp[2] *s.* vamp, donna fatale.

to vamp[2] *v.tr.* adescare, sedurre.

vampire ['væmpaiə*] *s.* vampiro.

van[1] [væn] *s.* **1** furgone, carrozzone // *prison —*, cellulare **2** (*ferr.*) bagagliaio.

van[2] *s.* avanguardia // *to lead the —*, essere in testa // *in the — of*, a capo di, alla testa di.

van[3] *s.* (*sport*) vantaggio.

Vandal ['vændəl] *s.* (*st.*) vandalo // **vandal** *s.* vandalo ♦ *agg.* barbaro, vandalico.

vandalism ['vændəlizəm] *s.* vandalismo.

Vandyke [væn'daik] *no.pr.* (*st. pitt.*) Van Dyck // *— beard*, pizzo alla Van Dyck ♦ *s.* (quadro di) Van Dyck.

vane [vein] *s.* **1** banderuola; manica a vento **2** (*mecc.*) pala (di mulino a vento, turbina) **3** mirino (di strumento per rilievi topografici).

vanguard ['vænga:d] *s.* avanguardia.

vanilla [və'nilə] *s.* vaniglia.

to vanish ['væniʃ] *v.intr.* **1** svanire, sparire // *vanishing cream*, crema evanescente **2** (*mat.*) diventar zero, annullarsi.

vanity ['væniti] *s.* vanità.

vanity bag ['væniti,bæg] *s.* beauty-case; bustina portatrucco.

to vanquish ['væŋkwiʃ] *v.tr.* vincere, conquistare.

vanquisher ['væŋkwiʃə*] *s.* conquistatore, vincitore.

vantage ['va:ntidʒ] *s.* vantaggio // *— ground*, (*mil.*) terreno favorevole // *— in, out*, (*tennis*) vantaggio alla battuta, alla rimessa.

vapid ['væpid] *agg.* insignificante, insulso.

vapidity [væ'piditi] *s.* insulsaggine.

vaporization [,veipərai'zeiʃən] *s.* evaporazione; vaporizzazione.

to vaporize ['veipəraiz] *v.tr.* far evaporare; vaporizzare ♦ *v.intr.* evaporare; volatilizzarsi (*anche fig.*).

vaporizer ['veipəraizə*] *s.* spruzzatore; vaporizzatore.

vaporous ['veipərəs] *agg.* **1** nebbioso **2** leggero, vaporoso **3** (*fig.*) fantasioso.

vapour ['veipə*] *s.* **1** vapore; esalazione; nebbia **2** (*fig.*) fantasia, fantasticheria.

to vapour *v.intr.* **1** trasformarsi in vapore; evaporare **2** vantarsi, gloriarsi; dir sciocchezze.

vapoury ['veipəri] *agg.* pieno di vapori; caliginoso.

variability [,veəriə'biliti] *s.* variabilità, mutevolezza; incostanza.

variable ['veəriəbl] *agg.* variabile, mutevole; incostante // *— block*, (*informatica*) blocco a lunghezza variabile; *— length record*, registrazione di lunghezza variabile ♦ *s.* **1** (*mat.*) quantità variabile **2** (*mar.*) vento variabile.

variableness ['veəriəblnis] *s.* variabilità.

variance ['veəriəns] *s.* **1** variazione; mutamento **2** disaccordo, disputa // *at —*, in disaccordo **3** (*dir.*) discordanza.

variant ['veəriənt] *agg.* variante; differente ♦ *s.* variante.

variation [,veəri'eiʃən] *s.* variazione.

varicoloured ['veəri,kʌləd] *agg.* variopinto; variegato.

varicose ['værikous] *agg.* varicoso.

varied ['veərid] *agg.* vario, variato; svariato; mutevole.

to variegate ['veərigeit] *v.tr.* **1** modificare, diversificare **2** variegare, screziare.

variegated ['veərigeitid] *agg.* variegato; screziato; (*fig.*) vario, multiforme.

variegation [,veəri'geiʃən] *s.* screziatura, varietà di colori.

variety [və'raiəti] *s.* varietà; assortimento // *— show*, spettacolo di varietà.

variform ['veərifɔ:m] *agg.* multiforme.

variorum [,veəri'ɔ:rəm] *agg.* con note di vari commentatori.

various ['veəriəs] *agg.* **1** variopinto **2** vario; diverso, dissimile **3** vari, parecchi.

variously ['veəriəsli] *avv.* variamente.

varmint ['va:mint] *s.* **1** animale nocivo (p.e. coyote) **2** (*sl. caccia*) la volpe **3** (*fam.*) furfante.

varnish ['va:niʃ] *s.* vernice (*anche fig.*); lacca: *nail —*, smalto per unghie // *oil —*, vernice ad olio.

to varnish *v.tr.* **1** verniciare; laccare **2** (*fig.*) mascherare, velare (colpe ecc.).

varnisher ['va:niʃə*] *s.* verniciatore.

varsity ['va:siti] *s.* (*fam.*) università // *— team*, squadra universitaria.

to vary ['veəri] *v.intr.* **1** variare, cambiare; ̈mutare, mutarsi; modificarsi **2** differire, essere differente: *to — from*, differire da ♦ *v.tr.* variare, cambiare, mutare; modificare.

vascular ['væskjulə*] *agg.* vascolare.

vase [va:z, (*amer.*) veis] *s.* vaso.

vaseline® ['væsili:n] *s.* vaselina.

vasoconstrictor ['veizoukən'striktə*] *s.* vasocostrittore.

vasodilator ['veizoudai'leitə*] *s.* vasodilatatore.

vassal ['væsəl] *s.* **1** (*st.*) vassallo **2** servo.

vassalage ['væsəlidʒ] *s.* **1** (*st.*) vassallaggio **2** servitù.

vast [va:st] *agg.* vasto; immenso; esteso; ampio; enorme; (*fam.*) grande.

vastly ['va:stli] *avv.* vastamente; ampiamente; immensamente, enormemente; molto: *you are — mistaken*, ti sbagli di molto, di grosso.

vastness ['va:stnis] *s.* vastità; immensità.

vat [væt] *s.* tino.

Vatican ['vætikən] *no.pr.* Vaticano: *the — City*, la Città del Vaticano.

vaudeville ['voudəvil] *s.* (*amer.* per *variety show*) spettacolo di varietà.

vault[1] [vɔ:lt] *s.* **1** cantina; sotterraneo a volte **2** sepolcro: *family —*, cripta di famiglia **3** (*arch.*) volta; soffitto a volta: *barrel-, cross- —*, volta a botte, a crociera **4** cassaforte: *safety —*, camera di sicurezza (di banca).

to vault[1] *v.tr.* coprire con una volta; curvare a volta ♦ *v.intr.* curvarsi a volta.

vault[2] *s.* salto, volteggio.

to vault[2] *v.tr. e intr.* saltare (appoggiandosi sulle mani); volteggiare: *to — over a fence*, saltare uno steccato.

vaulted ['vɔ:ltid] *agg.* (*arch.*) a volta.

vaulting[1] ['vɔ:ltiŋ] *s.* **1** il costruire volte **2** costruzione a volta **3** volte (*pl.*).

vaulting[2] *agg.* che salta; che supera gli ostacoli (*anche fig.*): *— ambition*, ambizione che non conosce ostacoli ♦ *s.* salto; volteggio.

vaulting horse ['vɔ:ltiŋhɔ:s] *s.* (*ginnastica*) cavallo.

vaunt [vɔ:nt] *s.* vanto, vanteria.

to vaunt *v.tr.* vantare; lodare, decantare ♦ *v.intr.* vantarsi.

've [v] *contr.* di **have**.

veal [vi:l] *s.* (*cuc.*) vitello.

vector [ˈvektə*] s.   **1** vettore   **2** (med.) veicolo (di infezioni, malattie).

vectorial [vekˈtɔːriəl] agg. vettoriale.

vedette [viˈdet] s.   **1** «vedette»   **2** (mil.) vedetta // — boat, (mar.) vedetta.

veer[1] [viə*] s.   **1** cambiamento di direzione; (mar.) virata   **2** (fig.) cambiamento di opinione, condotta.

to **veer**[1] v.intr. cambiar direzione; (mar.) virare (anche fig.); cambiare rotta ♦ v.tr. mutare, cambiare il corso (di).

to **veer**[2] v.tr. (mar.) filare, mollare (gomena, cavo ecc.).

vegetable [ˈvedʒitəbl] agg. vegetale: — diet, dieta vegetariana // — marrow, zucca ♦ s.   **1** vegetale, pianta   **2** ortaggio; pl. verdura (sing.), verdure.

vegetal [ˈvedʒitl] agg.   **1** vegetale   **2** vegetativo.

vegetarian [ˌvedʒiˈteəriən] agg. e s. vegetariano.

to **vegetate** [ˈvedʒiteit] v.intr. vegetare.

vegetation [ˌvedʒiˈteiʃən] s.   **1** vegetazione   **2** il vegetare.

vegetative [ˈvedʒitətiv] agg. vegetativo.

vehemence [ˈviːiməns] s. veemenza.

vehement [ˈviːimənt] agg. veemente; impetuoso; ardente; appassionato.

vehicle [ˈviːikl] s. veicolo (anche fig.): off-road —, fuoristrada; air is the — of sound, l'aria è il mezzo di propagazione del suono.

veil [veil] s. velo (anche fig.) // to take the —, prendere il velo // eye (o hat-) —, veletta.

to **veil** v.tr. velare; nascondere // to — one's face with one's hand, coprirsi il volto con la mano.

veiling [ˈveiliŋ] s. velo.

vein [vein] s.   **1** vena; (bot. min. zool.) venatura   **2** filone   **3** (fig.) vena; disposizione, umore.

to **vein** v.tr. venare; coprire di vene, venature.

veined [veind] agg. venato.

veining [ˈveiniŋ] s. venatura.

velar [ˈviːlə*] agg. velare ♦ s. consonante velare.

velite [ˈviːlait] s. (st. romana) velite.

velleity [veˈliːiti] s. velleità.

vellum [ˈveləm] s. pergamena.

velocipede [viˈlɔsipiːd] s.   **1** velocipede   **2** (amer.) triciclo (per bambini).

velocity [viˈlɔsiti] s. velocità.

velour(s) [vəˈluə(z)] s. (tessuto) velours.

velure [viˈljuə*] s. → **velour(s)**.

velvet [ˈvelvit] agg. di velluto; vellutato // an iron hand in a — glove, (fig.) pugno di ferro in guanto di velluto // with — tread, con passo felpato ♦ s. velluto // to be on —, (fig.) camminare sul velluto; dormire fra due guanciali.

velveteen [ˌvelviˈtiːn] s. velluto di cotone.

velveting [ˈvelvitiŋ] s. articoli di velluto.

velvety [ˈvelviti] agg. vellutato, morbido.

venal[1] [ˈviːnl] agg. venale, corruttibile; sordido.

venal[2] agg. venoso.

venality [viːˈnæliti] s. venalità, corruttibilità.

venation [viˈneiʃən] s. (bot. zool.) nervatura.

to **vend** [vend] v.tr. vendere; andare in giro a vendere.

vendee [venˈdiː] s. (dir.) acquirente.

vender [ˈvendə*] s. venditore.

vendetta [venˈdetə] s. faida.

vending machine [ˈvendiŋməˈʃiːn] s. distributore automatico (di merce).

vendor [ˈvendɔː*] s. (dir.) venditore.

veneer [viˈniə*] s.   **1** impiallacciatura   **2** (fig.) vernice; maschera.

to **veneer** v.tr.   **1** impiallacciare   **2** (fig.) mascherare.

veneering [viˈniəriŋ] s. impiallacciatura.

venerability [ˌvenərəˈbiliti] s. venerabilità.

venerable [ˈvenərəbl] agg. venerabile; venerando.

to **venerate** [ˈvenəreit] v.tr. venerare; riverire.

veneration [ˌvenəˈreiʃən] s. venerazione; riverenza: to have (o to hold) in —, venerare.

venereal [viˈniəriəl] agg. venereo.

Venetian [viˈniːʃən] agg. e s. veneziano.

venetian blind [viˈniːʃənˈblaind] s. veneziana.

vengeance [ˈvendʒəns] s. vendetta: to take — on s.o., vendicarsi di qlcu. // with a —, (fam.) abbondantemente: the rain came down with a —, la pioggia cadeva a più non posso.

vengeful [ˈvendʒful] agg. vendicativo.

venial [ˈviːnjəl] agg. veniale.

veniality [ˌviːniˈæliti] s. venialità.

Venice [ˈvenis] no.pr. Venezia.

venison [ˈvenzn] s. carne di cervo, di daino.

venom [ˈvenəm] s.   **1** veleno (di serpenti, di insetti)   **2** (fig.) cattiveria, malignità.

venomed [ˈvenəmd], **venomous** [ˈvenəməs] agg. velenoso (anche fig.).

venomousness [ˈvenəməsnis] s.   **1** velenosità   **2** (fig.) malignità.

venose [ˈviːnous] agg. venato.

venous [ˈviːnəs] agg. (anat.) venoso.

vent[1] [vent] s. spacco (di giacca).

vent[2] s.   **1** foro; apertura di sfogo: the — of a chimney, la conduttura di un camino   **2** (fig.) sfogo: to give — to one's indignation, sfogare la propria indignazione.

to **vent**[2] v.tr.   **1** praticare un'apertura di sfogo (in); scaricare   **2** (fig.) sfogare ♦ v.intr. venire alla superficie per respirare (di lontra, castoro).

ventage [ˈventidʒ] s.   **1** (apertura di) sfogo   **2** (mus.) foro (di strumento a fiato).

venter [ˈventə*] s. cavità addominale.

venthole [ˈventhoul] s. apertura di sfogo.

to **ventilate** [ˈventileit] v.tr.   **1** ventilare; far circolare l'aria (in); ossigenare (il sangue)   **2** (fig.) discutere; rendere manifesto.

ventilation [ˌventiˈleiʃən] s.   **1** (sistema di) ventilazione, aerazione   **2** (fig.) discussione.

ventilator [ˈventileitə*] s. ventilatore.

ventral [ˈventrəl] agg. ventrale, addominale.

ventricle [ˈventrikl] s. (anat.) ventricolo.

ventricular [venˈtrikjulə*] agg. ventricolare.

ventriloquism [venˈtriləkwizəm] s. ventriloquio.

ventriloquist [venˈtriləkwist] s. ventriloquo.

venture [ˈventʃə*] s.   **1** tentativo rischioso; azzardo   **2** (comm.) speculazione.

to **venture** v.tr. avventurare; arrischiare; osare: he ventured a few words, si arrischiò a dire alcune parole ♦ v.intr. avventurarsi; arrischiarsi.

venturer [ˈventʃərə*] s. avventuriero // merchant —, (st.) mercante.

venturesome [ˈventʃəsəm], **venturous** [ˈventʃərəs] agg.   **1** ardito; temerario   **2** rischioso.

venue [ˈvenjuː] s.   **1** (dir.) sede di un processo: to change the —, rinviare la causa a un'altra corte   **2** (fig.) luogo di ritrovo.

Venus [ˈviːnəs] no.pr.f. (mit. astr.) Venere // —'s-fly-trap, (bot.) dionea ♦ s. venere, donna molto bella.

venusian [viˈnjuːsiən] agg. e s. venusiano.

veracious [veˈreiʃəs] agg. verace; veritiero.

veracity [veˈræsiti] s. veracità.

veranda [vəˈrændə] *s.* veranda.

verb [vəːb] *s.* (*gramm.*) verbo.

verbal [ˈvəːbəl] *agg.* **1** orale; a parole **2** verbale; testuale; letterale **3** (*gramm.*) verbale; deverbale.

to **verbalize** [ˈvəːbəlaiz] *v.tr.* **1** trasformare (un nome) in verbo **2** esprimere (con parole).

verbatim [vəːˈbeitim] *agg.* letterale ♦ *avv.* parola per parola.

verbiage [ˈvəːbiidʒ] *s.* verbosità; prolissità.

verbose [vəːˈbous] *agg.* verboso; prolisso.

verbosity [vəːˈbɔsiti] *s.* verbosità; prolissità.

verdancy [ˈvəːdənsi] *s.* **1** il verde; il verdeggiare **2** (*fig.*) inesperienza; immaturità; ingenuità.

verdant [ˈvəːdənt] *agg.* **1** verdeggiante; verde **2** (*fig.*) inesperto; immaturo; ingenuo.

verdict [ˈvəːdikt] *s.* **1** (*dir.*) verdetto: *a — of not guilty*, un verdetto di non colpevolezza **2** giudizio; parere, opinione.

verdigris [ˈvəːdigris] *s.* (*chim.*) verderame.

verdure [ˈvəːdʒə*] *s.* **1** verzura; vegetazione **2** il verde **3** (*fig.*) freschezza; giovinezza.

verge[1] [vəːdʒ] *s.* **1** orlo; limite; margine; sponda (di fiume); bordo (di strada, aiola) // *on the — of*, sull'orlo di, sul punto di, lì lì per **2** verga; mazza **3** area di giurisdizione **4** (*mecc.*) asse del bilanciere **5** (*arch.*) gronda.

to **verge**[1] *v.intr.* **1** rasentare: *to — on sthg.*, rasentare qlco. **2** essere vicino ♦ *v.tr.* costeggiare.

to **verge**[2] *v.intr.* tendere, volgere; declinare: *to — towards old age*, avvicinarsi alla vecchiaia.

verger [ˈvəːdʒə*] *s.* sagrestano.

Vergil [ˈvəːdʒil] *no.pr.m.* Virgilio.

Vergilian [vəːˈdʒiliən] *agg.* virgiliano.

veriest [ˈveriist] *agg.* il più perfetto (esempio di).

verifiable [ˈverifaiəbl] *agg.* verificabile.

verification [ˌverifiˈkeiʃən] *s.* verifica.

to **verify** [ˈverifai] *v.tr.* **1** verificare **2** confermare **3** (*dir.*) autenticare.

verily [ˈverili] *avv.* (*letter.*) in verità; realmente.

verisimilitude [ˌverisiˈmilitjuːd] *s.* verosimiglianza, verosimile.

veritable [ˈveritəbl] *agg.* vero; genuino.

verity [ˈveriti] *s.* verità.

vermeil [ˈvəːmeil] *agg.* (*poet.*) vermiglio.

vermicide [ˈvəːmisaid] *s.* (*farm.*) vermifugo; (*agr.*) preparato per distruggere i vermi.

vermiculation [vəːˌmikjuˈleiʃən] *s.* (*med.*) movimento peristaltico.

vermifugal [vəˈːmifjugəl] *agg.* vermifugo.

vermifuge [ˈvəːmifjuːdʒ] *s.* (*farm.*) vermifugo.

vermilion [vəˈmiljən] *agg.* vermiglio ♦ *s.* **1** cinabro **2** (*color*) vermiglio.

vermin [ˈvəːmin] *s.* **1** insetti nocivi, parassiti (*pl.*) **2** (*fig.*) feccia della società.

verminous [ˈvəːminəs] *agg.* **1** infestato da parassiti, da insetti nocivi **2** (*med.*) verminoso: — *disease*, malattia causata da parassiti.

vermouth [ˈvəːməθ; (*amer.*) vərˈmuːθ] *s.* vermouth, vermut.

vernacular [vəˈnækjulə*] *agg.* vernacolo; indigeno; popolare ♦ *s.* **1** vernacolo; dialetto **2** gergo **3** (*scherz.*) parolacce (*pl.*).

vernal [ˈvəːnl] *agg.* (*poet.*) primaverile.

verruca [veˈruːkə], *pl.* **verrucae** [veˈruːsi] *s.* verruca.

versatile [ˈvəːsətail; (*amer.*) ˈvəːsətl] *agg.* **1** versatile **2** volubile, incostante **3** (*bot. zool.*) mobile.

versatility [ˌvəːsəˈtiliti] *s.* **1** versatilità **2** volubilità **3** (*bot. zool.*) mobilità **4** (*informatica*) versatilità; polivalenza.

verse [vəːs] *s.* **1** verso: *in —*, in versi **2** strofa **3** versi (*pl.*) **4** versetto (della Bibbia).

to **verse** *v.intr.* comporre versi ♦ *v.tr.* versificare.

versed [vəːst] *agg.* esperto, pratico.

verset [ˈvəːset] *s.* **1** versetto **2** (*mus.*) breve preludio per organo.

versicle [ˈvəːsikl] *s.* versetto (di salmo ecc.).

versification [ˌvəːsifiˈkeiʃən] *s.* versificazione.

versificator [ˈvəːsifikeitə*] *s.* versificatore.

to **versify** [ˈvəːsifai] *v.intr.* e *tr.* versificare.

version [ˈvəːʃən] *s.* versione.

vers libre [ˈveəˈliːbr] *s.* (*metrica*) verso libero.

verso [ˈvəːsou] *s.* verso, rovescio, tergo.

verst [vəːst] *s.* (*unità di misura*) versta.

versus [ˈvəːsəs] *prep.* contro.

vert[1] [vəːt] *s.* verde, vegetazione.

to **vert**[2] *v.intr.* (*sl.*) convertirsi.

vertebra [ˈvəːtibrə], *pl.* **vertebrae** [ˈvəːtibriː] *s.* (*anat.*) vertebra.

vertebral [ˈvəːtibrəl] *agg.* vertebrale.

vertebrate [ˈvəːtibrit] *agg.* e *s.* vertebrato.

vertebration [ˌvəːtiˈbreiʃən] *s.* formazione, divisione in vertebre.

vertex [ˈvəːteks], *pl.* **vertices** [ˈvəːtisiːz] *s.* **1** vertice **2** (*astr.*) zenit **3** (*anat.*) corona.

vertical [ˈvəːtikəl] *agg.* **1** verticale **2** situato al vertice, allo zenit.

verticality [ˌvəːtiˈkæliti] *s.* verticalità.

vertiginous [vəˈtidʒinəs] *agg.* **1** vertiginoso **2** che soffre di vertigini.

vertigo [ˈvəːtigou], *pl.* **vertigoes** [ˈvəːtigouz] *s.* vertigine.

vertu *s.* → **virtu**.

vervain [ˈvəːvein] *s.* verbena selvatica.

verve [veəv] *s.* verve, brio.

vervet [ˈvəːvit] *s.* (*zool.*) cercopiteco.

very [ˈveri] *avv.* **1** molto, assai: — *kind*, molto gentile, gentilissimo; — *well*, molto bene, benissimo; *not — well*, non molto bene // — *good*, ottimo **2** (*uso enfatico, intensivo*): *the — first*, il primissimo; *the — last*, proprio l'ultimo; *the — next week*, la settimana immediatamente successiva; *to do the — best one can*, fare tutto il possibile ♦ *agg.* **1** proprio, esatto; stesso, medesimo: *that — day*, proprio quel giorno; *in this — house*, in questa stessa casa, proprio in questa casa; *the — idea made me shiver*, la sola idea mi faceva rabbrividire // *the — thing*, proprio quello che ci vuole **2** (*letter.*) vero e proprio; perfetto.

vesica [ˈvesikə] *s.* **1** (*anat.*) vescica **2** — *piscis*, (*arch. pitt.*) mandorla mistica.

vesicle [ˈvesikl] *s.* vescichetta, vescicola.

vesicular [viˈsikjulə*] *agg.* vescicolare.

vesiculate [viˈsikjulit], **vesiculated** [viˈsikjuleitid] *agg.* **1** a forma di vescichetta, di vescicola **2** coperto di vescichette.

vesper [ˈvespə*] *s.* **1** (*poet.*) sera, vespro **2** *pl.* (*eccl.*) i Vespri.

vespertine [ˈvespətain] *agg.* **1** vespertino **2** notturno (di animale, fiore).

vessel [ˈvesl] *s.* **1** recipiente; vaso // *a chosen —*, (*Bibbia*) vaso d'elezione **2** (*mar.*) nave, vascello.

vest[1] [vest] *s.* **1** maglia, canottiera **2** (*amer.* per *waistcoat*) gilè, panciotto.

to **vest**[2] *v.tr.* **1** conferire; assegnare, dare in possesso:

to — *authority in s.o.*, conferire autorità a qlcu. **2** (*poet. eccl.*) vestire ♦ *v.intr.* essere nelle mani di: *power vests in the Parliament*, il potere è nelle mani del Parlamento.

Vesta ['vestə] *no.pr.f.* (*mit.*) Vesta // **vesta** *s.* fiammifero; cerino.

vestal ['vestl] *agg.* **1** vestale, di Vesta // — *Virgin*, vestale **2** (*fig.*) verginale, casto ♦ *s.* **1** vestale **2** (*fig.*) donna casta; vergine; suora.

vested ['vestid] *agg.* (*dir.*) assegnato; acquisito.

vestibular [ves'tibjulə*] *agg.* vestibolare.

vestibule ['vestibju:l] *s.* vestibolo.

vestige ['vestidʒ] *s.* **1** vestigio, traccia, orma **2** (*biol.*) residuo (di organo scomparso).

vestigial [ves'tidʒiəl] *agg.* **1** (*biol.*) rudimentale **2** residuale.

vestment ['vestmənt] *s.* (*eccl.*) paramento.

vest-pocket ['vest'pokit] *agg.* (*amer.*) da taschino; (*fig.*) molto piccolo: *a — camera*, una macchina fotografica tascabile.

vestry ['vestri] *s.* **1** sagrestia **2** assemblea parrocchiale.

vestry-book ['vestribuk] *s.* registro parrocchiale.

vestryman, *pl.* **vestrymen** ['vestrimən] *s.* membro di assemblea parrocchiale.

vesture ['vestʃə*] *s.* (*poet.*) veste.

Vesuvian [vi'su:vjən] *agg.* vesuviano.

Vesuvius [vi'su:vjəs] *no.pr.* Vesuvio.

vet [vet] *s.* (*fam.*) veterinario.

to **vet** *v.tr.* (*fam.*) **1** curare, visitare (un animale) **2** esaminare attentamente.

vetch [vetʃ] *s.* (*bot.*) veccia.

veteran ['vetərən] *agg. e s.* **1** veterano // — *car*, automobile d'epoca (costruita prima del 1916) **2** (*amer.*) ex-militare // *Veterans' Day*, (*amer.*) 11 novembre (giorno dell'Armistizio).

veterinarian [,vetəri'neəriən] *s.* veterinario.

veterinary ['vetərinəri] *agg.* veterinario // *a — surgeon*, un veterinario.

veto ['vi:tou], *pl.* **vetoes** ['vi:touz] *s.* **1** diritto di veto **2** veto.

to **veto** *v.tr.* mettere il veto (a); proibire.

to **vex** [veks] *v.tr.* **1** vessare; affliggere **2** irritare.

vexation [vek'seiʃən] *s.* **1** vessazione; afflizione **2** irritazione.

vexatious [vek'seiʃəs] *agg.* **1** irritante, spiacevole, fastidioso **2** (*dir.*) vessatorio.

vexed [vekst] *agg.* **1** dibattuto **2** irritato.

via ['vaiə] *prep.* via, per via.

viability [,vaiə'biliti] *s.* **1** capacità di vivere **2** viabilità.

viable ['vaiəbl] *agg.* **1** vitale **2** praticabile.

viaduct ['vaiədʌkt] *s.* viadotto.

vial ['vaiəl] *s.* fiala.

viand ['vaiənd] *s.* (*gener. pl.*) vivanda, cibo.

viaticum [vai'ætikəm] *s.* viatico.

vibes [vaibz] *s.pl.* **1** vibrafono (*sing.*) **2** (*fig.*) vibrazioni; atmosfera (*sing.*); aria (*sing.*).

vibrancy ['vaibrənsi] *s.* frequenza di vibrazione.

vibrant ['vaibrənt] *agg.* vibrante.

vibraphone ['vaibrəfoun] *s.* (*mus.*) vibrafono.

to **vibrate** [vai'breit, (*amer.*) 'vaibreit] *v.tr.* far vibrare, far oscillare ♦ *v.intr.* vibrare, oscillare.

vibration [vai'breiʃən] *s.* **1** vibrazione **2** oscillazione.

vibrational [vai'breiʃənl] *agg.* vibratorio.

vibrator [vai'breitə*] *s.* (*fis. elettr.*) vibratore.

vic [vik] *s.* (aer.) formazione a V.

vicar ['vikə*] *s.* **1** vicario **2** parroco.

vicarage ['vikəridʒ] *s.* vicariato.

vicar apostolic ['vikə,æpəs'tɔlik] *s.* vicario apostolico.

vicarial [vi'keəriəl, (*amer.*) vai'keəriəl] *agg.* vicariale, di vicario; di parroco.

vicarious [vi'keəriəs, (*amer.*) vai'keəriəs] *agg.* **1** delegato; rappresentante **2** fatto, subìto in sostituzione di un'altra persona **3** vicariante, vicario, sostituto.

vice- ['vais] *pref.* vice-.

vice[1] *s.* **1** vizio; immoralità, depravazione // — *squad*, squadra (del) buoncostume **2** difetto, imperfezione, pecca.

vice[2] *s.* (*mecc.*) morsa.

vice[3] *s.* vice, facente funzione.

vice[4] ['vaisi] *prep.* in luogo di.

vicennial [vai'senjəl] *agg.* ventennale.

viceregal ['vais'ri:gəl] *agg.* vicereale.

viceroy ['vaisrɔi] *s.* viceré.

vice versa ['vaisi'və:sə] *avv.* viceversa.

vicinity [vi'siniti] *s.* **1** vicinanza, prossimità **2** dintorni (*pl.*).

vicious ['viʃəs] *agg.* **1** rabbioso, crudele, dispettoso: *a — look*, uno sguardo rabbioso **2** vizioso, immorale **3** bizzarro, balzano (di cavallo).

viciousness ['viʃəsnis] *s.* **1** malignità, crudeltà **2** viziosità **3** scorrettezza.

vicissitude [vi'sisitju:d] *s.* **1** vicissitudine, vicenda **2** (*arc. poet.*) avvicendamento.

victim ['viktim] *s.* vittima.

to **victimize** ['viktimaiz] *v.tr.* **1** ingannare; truffare **2** tormentare.

victor ['viktə*] *s.* vincitore, conquistatore.

Victor *no.pr.m.* Vittorio.

Victoria [vik'tɔ:riə] *no.pr.f.* Vittoria // **victoria** *s.* vittoria (tipo di carrozza).

Victorian [vik'tɔ:riən] *agg. e s.* vittoriano.

Victorianism [vik'tɔ:riənizəm] *s.* gusto, mentalità vittoriani.

victorious [vik'tɔ:riəs] *agg.* vittorioso.

victory ['viktəri] *s.* vittoria // *Pyrrhic* —, vittoria di Pirro.

to **victual** ['vitl] *v.tr.* vettovagliare; approvvigionare ♦ *v.intr.* approvvigionarsi.

victualler ['vitlə*] *s.* persona che fornisce viveri // *licensed* —, rivenditore autorizzato di alcolici.

victualling ['vitliŋ] *s.* vettovagliamento, approvvigionamento.

victuals ['vitlz] *s.pl.* vettovaglie, viveri.

vicuna, vicuña [vi'kju:nə] *s.* vigogna.

videlicet [vi'di:liset] *avv.* (*e*) cioè.

video ['vidiou] *agg.* televisivo ♦ *s.* (*amer.* per *television*) televisione.

videotape ['vidiouteip] *s.* videonastro.

to **videotape** *v.tr.* registrare (su videonastro).

to **vie** [vai] *v.intr.* gareggiare, rivaleggiare.

Vietnamese [,vjetnə'mi:z] *agg. e s.* vietnamita.

view [vju:] *s.* **1** vista; sguardo; (*fig.*) visione // *at first* —, a prima vista // *in* —, in vista // *on* —, in mostra // *out of* —, fuori di vista **2** panorama **3** opinione, giudizio: *to take a dim* — *of*, disapprovare; *he has always taken a dim* — *of women smoking in the street*, ha sempre disapprovato le donne che fumano per la strada // *in* — *of*, considerato, considerando che // *point of* —, punto di vista **4** intento, scopo, mira // *with the* — *of* (*o with a* — *to*), allo scopo di, col proposito di.

to **view** *v.tr.* vedere; osservare; ispezionare; (*fig.*) considerare.

viewer ['vju:ə*] *s.* **1** chi guarda **2** telespettatore **3** ispettore **4** (*fot.*) mirino.

viewfinder ['vju:ˌfaində*] *s.* mirino (di macchina fotografica).

viewless ['vju:lis] *agg.* **1** (*poet.*) invisibile **2** (*amer.*) privo di opinioni **3** cieco; senza vista (di casa ecc.).

viewpoint ['vju:point] *s.* punto di vista.

vigil ['vidʒil] *s.* **1** veglia: *to keep* —, vegliare **2** (*eccl.*) vigilia.

vigilance ['vidʒiləns] *s.* **1** vigilanza // — *committee*, (*amer.*) comitato di vigilanza **2** (*med.*) insonnia.

vigilant ['vidʒilənt] *agg.* vigilante, vigile.

vigilante [ˌvidʒi'lænti] *s.* (*amer.*) membro di un comitato di vigilanza.

vignette [vi'njet] *s.* vignetta; illustrazione.

to vignette *v.tr.* illustrare (con vignette).

vigorous ['vigərəs] *agg.* vigoroso, forte.

vigour ['vigə*] *s.* vigore, energia, vitalità.

Viking ['vaikiŋ] *s.* (*st.*) vichingo.

vile [vail] *agg.* **1** orribile, pessimo **2** sordido; spregevole; abietto.

vileness ['vailnis] *s.* bassezza; abiezione; indegnità.

to vilify ['vilifai] *v.tr.* diffamare; vilipendere.

villa ['vilə] *s.* villa; casetta.

village ['vilidʒ] *s.* paesino, paese.

villager ['vilidʒə*] *s.* abitante di paesino.

villain ['vilən] *s.* scellerato; furfante: *to play the* —, fare la parte del cattivo.

villainous ['vilənəs] *agg.* scellerato; infame.

villainy ['viləni] *s.* scelleratezza; infamia.

villanelle [ˌvilə'nel] *s.* (*poesia*) villanella.

villein ['vilin] *s.* (*st.*) vassallo; servo feudale.

villeinage ['vilinidʒ] *s.* (*st.*) vassallaggio.

villus ['viləs], *pl.* **villi** ['vilai] *s.* (*anat. bot.*) villo.

vim [vim] *s.* (*fam.*) forza, vigore; energia.

Viminal ['viminl] *no.pr.* Viminale.

vinaigrette [ˌvinei'gret] *s.* boccetta per sali aromatici.

vinaigrette sauce ['vineigret'sɔ:s] *s.* salsa a base di aceto.

Vincent ['vinsənt] *no.pr.m.* Vincenzo.

vinculum ['viŋkjuləm], *pl.* **vincula** ['viŋkjulə] *s.* (*mat.*) linea tracciata sopra due o più termini di una espressione algebrica equivalente a una parentesi.

to vindicate ['vindikeit] *v.tr.* **1** rivendicare; sostenere: *to* — *one's rights*, far valere i propri diritti **2** difendere, giustificare.

vindication [ˌvindi'keiʃən] *s.* **1** rivendicazione; asserzione (di un diritto ecc.) **2** difesa; giustificazione.

vindicative ['vindikətiv] *agg.* **1** rivendicatore **2** difensore.

vindicator ['vindikeitə*] *s.* **1** rivendicatore **2** difensore.

vindicatory ['vindikeitəri] *agg.* **1** che rivendica **2** che punisce.

vindictive [vin'diktiv] *agg.* vendicativo // — *damages*, (*dir.*) risarcimento danni imposto per punizione all'imputato.

vindictiveness [vin'diktivnis] *s.* carattere vendicativo; spirito di vendetta.

vine [vain] *s.* **1** vite **2** (pianta) rampicante.

vine dresser ['vainˌdresə*] *s.* vignaiolo.

vinegar ['vinigə*] *s.* aceto.

vinegary ['vinigəri] *agg.* agro; acido (*anche fig.*).

vinery ['vainəri] *s.* serra per viti.

vineyard ['vinjəd] *s.* vigna, vigneto.

viniculture ['vinikʌltʃə*] *s.* viticoltura.

vinous ['vainəs] *agg.* **1** di vino; vinoso **2** color vino **3** prodotto dal vino // — *eloquence*, l'eloquenza dell'ubriaco.

vintage ['vintidʒ] *s.* **1** vendemmia **2** annata, raccolto: *wine of the* — *1917*, vino del 1917 // — *car*, automobile d'epoca (costruita tra il 1916 e il 1930) // — *year*, buona annata.

vintager ['vintidʒə*] *s.* vendemmiatore.

vintner ['vintnə*] *s.* vinaio; commerciante di vini.

vinyl ['vainil] *s.* (*chim.*) vinile.

viol ['vaiəl] *s.* (*mus.*) viola (da gamba).

viola [vi'oulə] *s.* (*mus.*) viola (da braccio).

violable ['vaiələbl] *agg.* violabile.

violaceous [ˌvaiə'leiʃəs] *agg.* violaceo.

to violate ['vaiəleit] *v.tr.* **1** violentare **2** violare.

violation [ˌvaiə'leiʃən] *s.* **1** violazione **2** violenza.

violator ['vaiəleitə*] *s.* **1** violatore **2** violentatore.

violence ['vaiələns] *s.* violenza // *robbery with* —, (*dir.*) rapina a mano armata.

violent ['vaiələnt] *agg.* violento.

violet ['vaiəlit] *agg.* violetto; di color viola ♦ *s.* **1** (*bot.*) violetta **2** colore viola.

violin [ˌvaiə'lin] *s.* (*mus.*) violino.

violinist ['vaiəlinist] *s.* violinista.

violist [vi'oulist] *s.* suonatore di viola.

violoncellist [ˌvaiələn'tʃelist] *s.* violoncellista.

violoncello [ˌvaiələn'tʃelou] *s.* (*mus.*) violoncello.

viper ['vaipə*] *s.* vipera // *to cherish a* — *in one's bosom*, nutrire una serpe in seno.

viperish ['vaipəriʃ] *agg.* viperino, maligno.

virago [vi'ra:gou] *s.* **1** donna violenta, bisbetica **2** virago.

viral ['vairəl] *agg.* virale.

virgate ['və:git] *agg.* diritto e sottile (di vegetale).

Virgil e *deriv.* → **Vergil** e *deriv.*

virgin ['və:dʒin] *agg.* vergine; verginale; casto; intatto ♦ *s.* vergine // *the Virgin*, la Vergine.

virginal ['və:dʒinl] *agg.* verginale, casto.

virginia creeper [və'dʒinjə'kri:pə*] *s.* (*bot.*) vite vergine, vite del Canada.

Virginian [və'dʒinjən] *agg.* e *s.* virginiano.

virginity [və:'dʒiniti] *s.* verginità.

Virgo ['və:gou] *no.pr.* (*astr.*) Vergine.

viridescent [ˌviri'desnt] *agg.* verde, verdeggiante.

virile ['virail, (*amer.*) 'virəl] *agg.* virile, maschio.

virility [vi'riliti] *s.* virilità.

virology [ˌvaiə'rɔlədʒi] *s.* virologia.

virtu [və:'tu:] *s.* gusto per l'arte, per gli oggetti antichi e d'arte // *objects of* —, oggetti, pezzi d'arte.

virtual ['və:tjuəl] *agg.* virtuale, effettivo // — *memory*, (*informatica*) memoria virtuale.

virtue ['və:tju:] *s.* virtù // *to make a* — *of necessity*, fare di necessità virtù // *by, in* — *of*, in virtù di, in forza di.

virtuosity [ˌvə:tju'ɔsiti] *s.* **1** virtuosismo **2** conoscenza, passione per oggetti antichi e d'arte.

virtuoso [ˌvə:tʃu'ouzou, (*amer.*) ˌvə:tʃu'ousou], *pl.* **virtuosos** [ˌvə:tʃu'ouzouz], **virtuosi** [ˌvə:tʃu'ouzi:, (*amer.*) ˌvə:tʃu'ousi:] *s.* **1** (*mus.*) virtuoso **2** amatore, conoscitore di oggetti antichi e d'arte.

virtuous ['və:tjuəs] *agg.* virtuoso, casto.

virtuousness ['və:tjuəsnis] *s.* virtuosità.

virulence ['viruləns] *s.* virulenza.

virulent ['virulənt] *agg.* virulento.

virus ['vairərəs] *s.* **1** (*med.*) virus **2** (*fig.*) influenza nefanda ♦ *agg.* virale.

visa ['vi:zə] *s.* visto consolare.

to **visa** *v.tr.* **1** vistare (un passaporto) **2** concedere un visto (a).

visage [ˈvizidʒ] *s.* (*letter.*) volto, sembiante.

vis-à-vis [ˈviːzaːviː] *s.* persona che sta di fronte ♦ *avv.* di faccia, dirimpetto, di fronte.

viscera [ˈvisərə] *s.pl.* (*anat.*) visceri, viscere.

visceral [ˈvisərəl] *agg.* viscerale.

viscid [ˈvisid] *agg.* viscido; viscoso.

viscose [ˈviskous] *s.* viscosa (fibra tessile).

viscosity [visˈkɔsiti] *s.* viscosità.

viscount [ˈvaikaunt] *s.* visconte.

viscountess [ˈvaikauntis] *s.* viscontessa.

viscounty [ˈvaikaunti] *s.* viscontado.

viscous [ˈviskəs] *agg.* viscoso.

vise *s.* (*amer.*) → **vice**[2].

Vishnu [ˈviʃnuː] *no.pr.m.* (*relig. indù*) Visnù.

visibility [ˌviziˈbiliti] *s.* visibilità.

visible [ˈvizəbl] *agg.* visibile; evidente.

Visigoth [ˈvizigɔθ] *s.* (*st.*) visigoto.

vision [ˈviʒən] *s.* **1** vista; capacità visiva **2** visione; immagine **3** intuizione, intuito.

visionary [ˈviʒnəri] *agg.* **1** visionario; sognatore **2** immaginario; irreale ♦ *s.* visionario; utopista.

visit [ˈvizit] *s.* visita: *to be on a —*, essere in visita; *to pay s.o. a —*, fare una visita a qlcu.

to **visit** *v.tr.* **1** visitare; fare una visita (a), andare a trovare // *to — with*, (*amer.*) fare una visita (a); parlare con **2** colpire, assalire (di malattia ecc.) **3** (*amer.*) ispezionare, esaminare ♦ *v.intr.* fare una visita.

visitant [ˈvizitənt] *agg.* visitatore ♦ *s.* **1** visitatore **2** uccello di passo **3** apparizione; fantasma.

visitation [ˌviziˈteiʃən] *s.* **1** visita ufficiale; (*eccl.*) visita pastorale **2** castigo divino **3** (*fam.*) visita troppo lunga.

visitatorial [ˌvizitəˈtɔːrjel] *agg.* **1** di visita ufficiale **2** di ispezione // *— board*, commissione di ispezione.

visiting [ˈvizitiŋ] *s.* il far visita: *to be on — terms*, essere in termini di amicizia tali da scambiarsi visite // *— card*, biglietto da visita.

visitor [ˈvizitə*] *s.* **1** visitatore; ospite **2** ispettore, verificatore.

visor [ˈvaizə*] *s.* visiera.

vista [ˈvistə] *s.* **1** prospettiva; scorcio (panoramico) **2** visione (del passato, del futuro): *the vistas of bygone times*, i ricordi dei tempi andati; *new vistas*, nuovi orizzonti.

visual [ˈvizjuəl] *agg.* **1** visuale, visivo // *— aids*, audiovisivi **2** visibile.

visualization [ˌvizjuəlaiˈzeiʃən] *s.* **1** raffigurazione mentale **2** il rendere chiaro, visibile.

to **visualize** [ˈvizjuəlaiz] *v.tr.* raffigurarsi, immaginarsi ♦ *v.intr.* crearsi delle immagini.

vital [ˈvaitl] *agg.* **1** vitale, essenziale: *of — importance*, di importanza capitale // *— statistics*, statistiche anagrafiche; (*fam.*) misure femminili (busto, vita, fianchi) **2** fatale.

vitality [vaiˈtæliti] *s.* vitalità; forza; vigore.

to **vitalize** [ˈvaitəlaiz] *v.tr.* animare.

vitals [ˈvaitlz] *s.pl.* **1** organi vitali **2** (*fig.*) parti essenziali.

vitamin [ˈvitəmin], (*amer.*) [ˈvaitəmin] *s.* vitamina.

to **vitaminize** [ˈv(a)itəminaiz] *v.tr.* vitaminizzare.

to **vitiate** [ˈviʃieit] *v.tr.* viziare (*anche dir.*).

vitiation [ˌviʃiˈeiʃən] *s.* **1** il viziare **2** (*dir.*) vizio.

viticulture [ˈvitikʌltʃə*] *s.* viticoltura.

vitreosity [ˌvitriˈɔsiti] *s.* vetrosità.

vitreous [ˈvitriəs] *agg.* vitreo; vetroso.

vitrifaction [ˌvitriˈfækʃən], **vitrification** [ˌvitrifiˈkei ʃən] *s.* vetrificazione.

to **vitrify** [ˈvitrifai] *v.tr.* vetrificare ♦ *v.intr.* vetrificarsi.

vitriol [ˈvitriəl] *s.* **1** vetriolo **2** (*fig.*) sarcasmo pungente.

vitriolic [ˌvitriˈɔlik] *agg.* **1** di vetriolo **2** sarcastico; violento.

to **vitriolize** [ˈvitriəlaiz] *v.tr.* **1** trasformare in vetriolo **2** vetrioleggiare.

to **vituperate** [viˈtjuːpəreit], (*amer.*) [vaiˈtuːpəreit] *v.tr.* insultare, ingiuriare; maltrattare.

vituperation [viˌtjuːpəˈreiʃn], (*amer.*) [vaiˌtuːpəˈreiʃn] *s.* invettiva, ingiuria.

vituperative [viˈtjuːpərətiv], (*amer.*) [vaiˈtuːpəreitiv] *agg.* ingiurioso.

viva [ˈviːvə] *s.* e *inter.* evviva!

vivacious [viˈveiʃəs] *agg.* vivace, vispo, gaio.

vivacity [viˈvæsiti] *s.* vivacità; brio; animazione.

vivarium [vaiˈvɛəriəm], *pl.* **vivaria** [vaiˈvɛəriə], **vivariums** [vaiˈvɛəriəmz] *s.* vivaio.

viva voce [ˈvaivəˈvousi] *agg.* (esame) orale ♦ *locuz. avv.* oralmente.

vivid [ˈvivid] *agg.* vivido, vivo, vivace.

vividness [ˈvividnis] *s.* vivezza; vivacità.

vivification [ˌvivifiˈkeiʃən] *s.* vivificazione.

to **vivify** [ˈvivifai] *v.tr.* vivificare; animare.

viviparous [viˈvipərəs], (*amer.*) [vaiˈvipərəs] *agg.* viviparo.

to **vivisect** [ˌviviˈsekt] *v.tr.* vivisezionare ♦ *v.intr.* praticare la vivisezione.

vivisection [ˌviviˈsekʃən] *s.* vivisezione.

vixen [ˈviksn] *s.* **1** volpe femmina **2** bisbetica.

vixenish [ˈviksniʃ] *agg.* **1** volpino **2** bisbetico.

viz [viz] *abbr.* di **videlicet**.

vizier [viˈziə*] *s.* visir // *Grand Vizier*, Gran Visir.

v-neck [ˈviːnek] *s.* pullover con scollatura a V.

v-necked [ˈviːnekt] *agg.* con scollatura a V.

vocab [ˈvoukæb] *s.* (*fam.*) vocabolario.

vocabulary [vəˈkæbjuləri] *s.* **1** vocabolario; lessico **2** elenco di voci, nomenclatura; glossario.

vocal [ˈvoukəl] *s.* **1** vocale **2** dotato di voce, parlante: *public opinion has become —*, l'opinione pubblica fa sentire la propria voce.

vocalism [ˈvoukəlizəm] *s.* **1** uso della voce **2** (*linguistica*) vocalismo **3** (*mus.*) vocalizzo.

vocalist [ˈvoukəlist] *s.* cantante.

to **vocalize** [ˈvoukəlaiz] *v.tr.* vocalizzare ♦ *v.intr.* (*fam.*) far vocalizzi, vocalizzare.

vocation [vouˈkeiʃən] *s.* **1** vocazione; inclinazione; attitudine **2** professione, occupazione.

vocational [vouˈkeiʃənl] *agg.* professionale: *— guidance*, orientamento professionale.

vocative [ˈvɔkətiv] *agg.* e *s.* (*gramm.*) vocativo.

to **vociferate** [vouˈsifəreit] *v.intr.* vociferare; vociare ♦ *v.tr.* gridare.

vociferation [vouˌsifəˈreiʃən] *s.* clamore; grida (*pl.*).

vociferous [vouˈsifərəs] *agg.* rumoroso.

vodka [ˈvɔdkə] *s.* vodka.

vogue [voug] *s.* voga, moda.

voice [vɔis] *s.* **1** voce; verso, grido (di animali): *a thin —*, una voce fioca; *at the top of one's —*, a voce molto alta, fortissimo // *to have — in the matter*, aver voce in capitolo **2** opinione, giudizio; voto; appoggio // *with one —*, all'unanimità **3** (*gramm.*) voce (di verbo).

to **voice** *v.tr.* **1** esprimere; essere portavoce (di) **2** (*mus.*) intonare (un organo) **3** (*fonetica*) rendere sonoro.

voiced [vɔist] *agg.* **1** espresso **2** (*fonetica*) sonoro.

voiceless [ˈvɔislis] *agg.* **1** senza voce, muto; silenzioso **2** (*fonetica*) sordo.

voice-over [ˌvɔisˈouvə*] *s.* voce fuori campo.

voice-print [ˈvɔisprint] *s.* sonogramma.

void [vɔid] *agg.* **1** vuoto **2** privo: — *of common sense*, privo di buon senso **3** (*dir.*) non valido, nullo ♦ *s.* vuoto (*anche fig.*).

to **void** *v.tr.* **1** vuotare, liberare (un luogo) **2** (*med.*) evacuare **3** (*dir.*) annullare.

voidable [ˈvɔidəbl] *agg.* (*dir.*) annullabile.

voile [vwɑ:l] *s.* (*tessuto*) voile.

volatile [ˈvɔlətail, (*amer.*) ˈvɔlətl] *agg.* **1** volatile // — *memory*, (*informatica*) memoria volatile, non permanente **2** (*fig.*) volubile.

volatilizable [ˌvɔləti'laizəbl] *agg.* volatile.

to **volatilize** [vɔˈlætilaiz] *v.tr.* (*chim.*) volatizzare ♦ *v.intr.* volatizzarsi.

volcanic [vɔlˈkænik] *agg.* vulcanico (*anche fig.*) // — *glass*, ossidiana.

volcano [vɔlˈkeinou], *pl.* **volcanoes** [vɔlˈkeinouz] *s.* vulcano: *extinct* —, vulcano estinto.

vole[1] [voul] *s.* (*a carte*) cappotto.

to **vole**[1] *v.intr.* (*a carte*) fare, dare cappotto.

vole[2] *s.* (*zool.*) arvicola.

volet [ˈvɔlei] *s.* pannello di trittico.

volition [vouˈliʃən] *s.* volontà.

volitional [vouˈliʃənl] *agg.* volitivo.

volley [ˈvɔli] *s.* **1** scarica, raffica; salva // *a — of curses*, una filza di bestemmie **2** (*tennis*) colpo al volo.

to **volley** *v.tr.* **1** sparare a raffiche **2** (*tennis*) colpire (la palla) al volo ♦ *v.intr.* **1** sparare una salva **2** (*tennis*) colpire la palla al volo.

volleyball [ˈvɔlibɔ:l] *s.* (*sport*) palla a volo.

volt[1] [vɔlt] *s.* → **volte**.

volt[2] [voult] *s.* (*elettr.*) volt.

voltage [ˈvoultidʒ] *s.* (*elettr.*) voltaggio.

voltameter [vɔlˈtæmitə*] *s.* voltametro.

volte [ˈvɔlti] *s.* (*equitazione, scherma*) volta.

volte-face [ˈvɔltˈfɑ:s] *s.* voltafaccia.

voltmeter [ˈvoultˌmi:tə*] *s.* volt(i)metro.

volubility [ˌvɔljuˈbiliti] *s.* loquacità.

voluble [ˈvɔljubl] *agg.* loquace.

volubleness [ˈvɔljubinis] *s.* loquacità.

volume [ˈvɔljum] *s.* volume // *sales* —, fatturato // *to speak volumes for*, dare ampia dimostrazione di, mettere in luce le qualità di.

volumetric [ˌvɔljuˈmetrik] *agg.* volumetrico.

voluminosity [vəˌljuːmiˈnɔsiti] *s.* **1** voluminosità **2** l'avvolgersi in spire.

voluminous [vəˈljuːminəs] *agg.* **1** in molti volumi **2** (*fig.*) fecondo (di scrittore) **3** voluminoso, di grande mole **4** a spirale, a volute.

voluntary [ˈvɔləntəri] *agg.* **1** volontario **2** voluto; fatto di proposito **3** (*di istituti*) sovvenzionato da contributi privati ♦ *s.* (*mus.*) assolo (d'organo).

volunteer [ˌvɔlənˈtiə*] *agg.* volontario // — *plants*, piante spontanee ♦ *s.* **1** volontario **2** (*dir.*) beneficiario di una cessione a titolo gratuito.

to **volunteer** *v.intr.* **1** offrirsi spontaneamente **2** (*mil.*) arruolarsi come volontario ♦ *v.tr.* offrire, dare spontaneamente.

voluptuary [vəˈlʌptjuəri] *agg.* voluttuoso, sensuale ♦ *s.* persona sensuale; epicureo.

voluptuous [vəˈlʌptjuəs] *agg.* voluttuoso, sensuale.

voluptuousness [vəˈlʌptjuəsnis] *s.* voluttà.

volute [vəˈlju:t] *s.* voluta.

voluted [vəˈlju:tid] *agg.* a volute.

vomit [ˈvɔmit] *s.* **1** vomito **2** (*farm.*) emetico.

to **vomit** *v.tr.* e *intr.* **1** vomitare (*anche fig.*) **2** eruttare (di vulcano).

voodoo [ˈvuːduː] *s.* **1** vuduismo **2** stregone.

to **voodoo** *v.tr.* stregare con formule magiche proprie del vuduismo.

voodooism [ˈvuːduːizəm] *s.* vuduismo.

voracious [vəˈreiʃəs] *agg.* ingordo, vorace // *a — reader*, un lettore insaziabile.

vortex [ˈvɔːteks], *pl.* **vortices** [ˈvɔːtisiːz] *s.* vortice (*anche fig.*).

vortical [ˈvɔːtikəl] *agg.* vorticoso, turbinoso.

vorticism [ˈvɔːtisizəm] *s.* (*pitt.*) vorticismo.

votary [ˈvoutəri] *s.* **1** chi è legato da un voto **2** fedele, appassionato, seguace.

vote [vout] *s.* voto, suffragio, votazione: — *of confidence*, voto di fiducia; *a — of censure*, un voto di opposizione; *to put to the* —, mettere ai voti // *to cast a* —, votare // *to take the* —, procedere allo scrutinio.

to **vote** *v.intr.* votare ♦ *v.tr.* **1** votare: *to — a bill through*, approvare un disegno di legge // *to — down a proposal*, respingere una proposta **2** stanziare (una somma) **3** (*fam.*) dichiarare; giudicare **4** (*fam.*) proporre, suggerire.

voter [ˈvoutə*] *s.* elettore.

vote-rigging [ˈvoutˈrigin] *s.* manipolazione dei voti, broglio elettorale.

voting [ˈvoutin] *s.* votazione // — *station*, seggio elettorale.

voting paper [ˈvoutinˌpeipə*] *s.* scheda elettorale.

votive [ˈvoutiv] *agg.* votivo.

to **vouch** [vautʃ] *v.intr.*: *to — for*, garantire per; rispondere di.

voucher [ˈvautʃə*] *s.* **1** garante **2** documento giustificativo; ricevuta.

to **vouchsafe** [vautʃˈseif] *v.tr.* concedere, accordare.

vow [vau] *s.* voto: *to take the vows*, (*eccl.*) pronunciare i voti.

to **vow** *v.tr.* fare voto (di); promettere; giurare.

vowel [ˈvauəl] *s.* vocale.

voyage [ˈvɔidʒ] *s.* viaggio (per via d'acqua).

to **voyage** *v.intr.* e *tr.* navigare.

voyager [ˈvɔiədʒə*] *s.* **1** passeggero (di nave, battello) **2** navigatore.

voyeur [vwʌˈjəː*] *s.* voyeur.

Vulcan [ˈvʌlkən] *no.pr.m.* (*mit.*) Vulcano.

vulcanite [ˈvʌlkənait] *s.* ebanite.

vulcanization [ˌvʌlkənaiˈzeiʃən] *s.* (*ind.*) vulcanizzazione.

to **vulcanize** [ˈvʌlkənaiz] *v.tr.* (*ind.*) vulcanizzare.

vulgar [ˈvʌlgə*] *agg.* **1** volgare, triviale **2** popolare, comune // *the — herd*, il popolino // *the — tongue*, il volgare // — *fraction*, (*mat.*) frazione ordinaria.

vulgarian [vʌlˈgɛəriən] *s.* arricchito.

vulgarism [ˈvʌlgərizəm] *s.* **1** volgarità, trivialità **2** volgarismo.

vulgarity [vʌlˈgæriti] *s.* **1** volgarità **2** cattivo gusto.

vulgarization [ˌvʌlgəraiˈzeiʃən] *s.* **1** volgarizzazione **2** lo svilire.

to **vulgarize** [ˈvʌlgəraiz] *v.tr.* **1** volgarizzare **2** svilire: *the film vulgarizes the book*, il film non rende giustizia al libro.

Vulgate ['vʌlgit] *s.* Volgata.
vulnerability [,vʌlnərə'biliti] *s.* vulnerabilità.
vulnerable ['vʌlnərəbl] *agg.* vulnerabile.
vulpine ['vʌlpain] *agg.* volpino (*anche fig.*).
vulture ['vʌltʃə*] *s.* avvoltoio (*anche fig.*).

vulturine ['vʌltʃurain] *agg.* rapace.
vulva ['vʌlvə] *s.* (*anat.*) vulva.
vulvar ['vʌlvə*] *agg.* (*anat.*) vulvare.
vying ['vaiiŋ] *agg.* che compete, concorrente ♦ *s.* il competere.

W

w ['dʌblju(:)], *pl.* **ws**, **w's** ['dʌblju(:)z] *s.* w // — *for William*, (*tel.*) w come Washington.
wabble e *deriv.* → **wobble** e *deriv.*
wad [wɔd] *s.* **1** tampone **2** rotolo, pacchetto, pila (di fogli, banconote).
to wad *v.tr.* **1** comprimere in batuffolo **2** tappare, tamponare **3** imbottire (un abito).
wadable ['weidəbl] *agg.* guadabile.
wadding ['wɔdiŋ] *s.* bambagia; imbottitura, ovatta, ovattina (per sarti).
waddle ['wɔdl] *s.* andatura ondeggiante.
to waddle *v.intr.* camminare ondeggiando.
waddy ['wɔdi] *s.* clava degli aborigeni dell'Australia.
to wade [weid] *v.tr.* guadare a piedi ♦ *v.intr.* avanzare faticosamente, procedere a stento (*anche fig.*) // *to — in*, avanzare nell'acqua bassa; attaccare vigorosamente; accingersi con energia a.
wader ['weidə*] *s.* **1** chi passa a guado **2** trampoliere **3** *pl.* stivaloni impermeabili.
wadi ['wɔdi] *s.* uadi.
wafer ['weifə*] *s.* **1** cialda; ostia **2** disco adesivo.
to wafer *v.tr.* sigillare (con disco adesivo).
waffle[1] ['wɔfl] *s.* (*cuc.*) cialda.
to waffle[2] *v.intr.* (*fam.*) parlare a vanvera; parlare come una macchinetta.
waft [wɔft, (*amer.*) wæft] *s.* soffio; alito; effluvio.
to waft *v.tr.* sospingere, portare (sull'acqua, attraverso l'aria) // *to — a kiss*, mandare un bacio (sulla punta delle dita) ♦ *v.intr.* alitare; fluttuare; soffiare blandamente (di brezza).
wag[1] [wæg] *s.* bontempone, burlone.
wag[2] *s.* scodinzolio; cenno.
to wag[2] *v.tr.* scuotere; agitare; dimenare: *the dog wagged its tail*, il cane scodinzolava; *he wagged his finger at her*, la ammonì (scherzosamente) col dito ♦ *v.intr.* scuotersi; agitarsi.
wage [weidʒ] *s.* (*gener.pl.*) salario, paga: *basic —*, paga base; *living —*, minimo salariale; *— cut*, riduzione dei salari; *— scale*, tabella salariale; *— ceiling*, tetto salariale; *— level*, livello salariale.
to wage *v.tr.* intraprendere: *to — war*, far guerra, guerreggiare.
wage earner ['weidʒˌəːnə*] *s.* salariato.
wage freeze ['weidʒfriːz] *s.* blocco salariale.
wager ['weidʒə*] *s.* scommessa // *— of battle*, (*st.*) ordalia.
to wager *v.tr.* scommettere; rischiare, mettere in gioco ♦ *v.intr.* fare una scommessa.
waggery ['wægəri] *s.* amenità; comicità; brio.
waggish ['wægiʃ] *agg.* faceto, arguto; comico.
waggle ['wægl] *s.* dondolamento; oscillazione.

to waggle *v.tr.* scuotere; dondolare; oscillare.
waggon, (*amer.*) **wagon** ['wægən] *s.* **1** carro // *to be on the (water) —*, (*amer.*) astenersi dal bere (alcolici) // *to hitch one's — to a star*, (*fig.*) prefiggersi uno scopo ambizioso **2** vagone merci.
waggoner, (*amer.*) **wagoner** ['wægənə*] *s.* carrettiere.
waggonette, (*amer.*) **wagonette** [,wægə'net] *s.* «wagonette» (carrozza con sedili laterali).
wagon-lit ['wægɔːn'li] *s.* vagone letto.
wagtail ['wægteil] *s.* (*zool.*) cutrettola.
waif [weif] *s.* **1** vagabondo // *waifs and strays*, infanzia abbandonata **2** oggetto, animale smarrito **3** (*fig.*) relitto.
wail [weil] *s.* gemito, lamento.
to wail *v.intr.* gemere; lamentarsi; ululare (di vento) ♦ *v.tr.* lamentare.
wainscot ['weinskət] *s.* **1** rivestimento a pannelli di legno **2** zoccolo (di muro).
to wainscot *v.tr.* coprire, rivestire con pannelli di legno.
wainscoting ['weinskətiŋ] *s.* **1** rivestimento in legno (di pareti) **2** legno per rivestimenti.
waist [weist] *s.* **1** cintola, vita: *down to the —*, fino alla cintola; *from the — up*, dalla cintola in su; *a small —*, una vita sottile **2** strozzatura, restringimento **3** (*amer.*) camicetta; corpetto **4** (*mar.*) parte centrale (di nave).
waistband ['weisrbænd] *s.* cintura, fascia.
waistcoat ['weistkout] *s.* panciotto.
waist-deep ['weist'diːp] *agg.* che arriva fino alla cintola.
waisted ['weistid] *agg.* a vita: *— jacket*, giacca segnata in vita // *high- —*, a vita alta.
waist-high ['weist'hai] *agg.* → **waist-deep**.
waistline ['weislain] *s.* (*sartoria*) vita, giro vita.
wait [weit] *s.* **1** attesa **2** agguato, imboscata // *to lie in —*, stare in agguato **3** *pl.* cantori di inni natalizi.
to wait *v.tr.* **1** aspettare, attendere **2** ritardare (un pasto) **3** servire (a tavola) ♦ *v.intr.* **1** aspettare: *— for me*, aspettami // *I won't keep you waiting*, non ti farò aspettare // *— and see!*, aspetta e vedrai! // *we waited up for him*, lo aspettammo alzati **2** servire: *to — at table*, (*amer.*) *to — on table*, servire a tavola **3** *to — (up)on (s.o.)*, servire, essere al servizio di; visitare; accompagnare // *to — on s.o. hand and foot*, essere schiavi di qlcu.
waiter ['weitə*] *s.* **1** cameriere **2** vassoio.
waiting ['weitiŋ] *s.* **1** attesa // *no —*, divieto di sosta **2** servizio // *in —*, al servizio.
waiting list ['weitiŋlist] *s.* lista d'attesa.
waiting room ['weitiŋrum] *s.* sala d'aspetto; anticamera.
waitress ['weitris] *s.* cameriera.

to waive [weiv] *v.tr.* rinunciare (a); desistere (da); tralasciare; derogare (da).

waiver [ˈweivə*] *s.* (*dir.*) rinuncia; sospensione, deroga.

wake[1] [weik] *s.* 1 veglia (funebre) 2 (*region.*) consolo.

to wake[1], *pass.* **waked** [weikt], **woke** [wouk], *p.pass.* **waked, woke, woken** [ˈwoukən] *v.tr.* 1 svegliare (*anche fig.*); risvegliare; animare 2 vegliare ♦ *v.intr.* svegliarsi (*anche fig.*); animarsi: *I woke* (*up*) *with a start*, mi svegliai di soprassalto // *to — up to sthg.*, divenir conscio di qlco.: *at last he woke up to the truth*, finalmente aprì gli occhi e si rese conto della verità // *— up!*, svegliati!; (*fig.*) sta' attento.

wake[2] *s.* scia (*anche fig.*).

wakeful [ˈweikful] *agg.* 1 sveglio, desto; insonne 2 vigile, attento.

to waken [ˈweikən] *v.tr.* svegliare; risvegliare ♦ *v.intr.* svegliarsi; risvegliarsi.

waking [ˈweikiŋ] *agg.* sveglio, desto; insonne: *am I — or sleeping?*, sogno o son desto? // *all one's — hours*, tutto il proprio tempo ♦ *s.* 1 risveglio 2 veglia.

Waldenses [wɔlˈdensi:z] *s.pl.* (*st.relig.*) valdesi.

Waldensian [wɔlˈdensiən] *agg. e s.* (*st. relig.*) valdesi.

wale [weil] *s.* (*amer.* per *weal*) segno (lasciato da sferzata ecc.); cicatrice.

Wales [weilz] *no.pr.* Galles.

walk [wɔːk] *s.* 1 passeggiata; giro; camminata; percorso: *an hour's —*, una passeggiata, un percorso di un'ora; *it is half an hour's — from here*, è a mezz'ora di cammino da qui; *to go for* (*o to take*) *a —*, fare una passeggiata 2 viale, passeggiata; ambulacro 3 andatura, passo: *I knew her by her —*, la riconobbi dall'andatura 4 (*fig.*) sfera; rango: *— of* (*o in*) *life*, livello, condizione sociale.

to walk *v.intr.* camminare, passeggiare; andare a piedi // *please — in*, entrate senza bussare // *to — into* (*s.o.*), (*fam.*) attaccare, rimproverare // *to — into a sum of money*, far piazza pulita di una somma di denaro // *to — about*, passeggiare, bighellonare // *to — away*, andarsene: *to — away from s.o.*, (*sport*) distanziare un avversario // *to — back*, ritornare a piedi // *to — off*, andarsene // *to — off with sthg.*, rubare, portar via qlco. // *to — on*, avanzare; (*teatr.*) fare la comparsa // *to — out*, scioperare // *to — out on*, piantare in asso // *to — out with*, corteggiare // *to — up*, salire: *to — up to s.o.*, avvicinarsi a qlcu. ♦ *v.tr.* 1 far camminare; accompagnare a piedi // *she walked herself tired*, camminò fino a stancarsi // *to — a horse*, mettere un cavallo al passo // *to — a puppy*, addestrare un cucciolo // *to — off one's anger*, far sbollire l'ira camminando 2 percorrere a piedi 3 *to — over*, stravincere; vincere per mancanza di validi concorrenti.

to walkabout [ˈwɔːkəbaut] *s.* passeggiata informale tra la gente (di persone importanti).

walkaway [ˈwɔːkəwei] *s.* vittoria facile.

walker [ˈwɔːkə*] *s.* camminatore; pedone.

walkie-talkie [ˈwɔːkiˌtɔːki] *s.* radiotelefono portatile.

walking [ˈwɔːkiŋ] *s.* il camminare: *it is within — distance*, ci si può andare a piedi // *— pace*, passo d'uomo.

walking papers [ˈwɔːkiŋˈpeipəz] *s.pl.* (*fam.*) licenziamento (*sing.*).

walking stick [ˈwɔːkiŋstik] *s.* bastone da passeggio.

walk-on [ˈwɔːkɔn] *s.* (*teatr. cinem.*) figurante, comparsa.

walkout [ˈwɔːkaut] *s.* sciopero non autorizzato.

walkover [ˈwɔːkˈouvə*] *s.* vittoria facile.

Walkyrie [ˈvælkiri] *s.* (*mit. nordica*) Valchiria.

walky-talky *s.* → **walkie-talkie.**

wall [wɔːl] *s.* 1 muro; parete // *blind —*, muro pieno; *main —*, muro maestro; *party —*, muro comune, divisorio // *Wall Street*, (*fig.*) la Borsa Americana // *to drive to the —*, mettere con le spalle al muro; *to go to the —*, soccombere; fallire // *to run one's head against a —*, (*fig.*) sbattere la testa contro il muro // *to see through a brick —*, avere un grande intuito 2 *pl.* mura 3 (*anat.*) parete.

to wall *v.tr.* 1 circondare di mura 2 *to — up*, murare, ostruire.

wallaby [ˈwɔləbi] *s.* 1 (*zool.*) piccolo canguro australiano 2 (*fam.*) australiano.

wallah [ˈwɔlə] *s.* 1 impiegato; fattorino 2 (*fam.*) uomo.

wallet [ˈwɔlit] *s.* portafogli.

walleye [ˈwɔːlai] *s.* (*med.*) leucoma corneale; strabismo divergente.

wallflower [ˈwɔːlˌflauə*] *s.* 1 (*bot.*) violacciocca 2 (*fam.*) ragazza che fa tappezzeria.

Walloon [wɔˈluːn] *agg. e s.* vallone.

wallop [ˈwɔləp] *s.* 1 (*fam.*) percossa; colpo violento 2 (*sl.*) birra ♦ *avv.* (*fam.*) pesantemente.

to wallop *v.tr.* (*fam.*) percuotere.

walloping [ˈwɔləpiŋ] *agg.* (*fam.*) grande; enorme ♦ *s.* (*fam.*) bastonatura, legnata.

wallow [ˈwɔlou] *s.* 1 il rotolarsi nel fango 2 pantano; fango.

to wallow *v.intr.* 1 rotolarsi, guazzare (nel fango) 2 (*fig.*) sguazzare: *to — in money*, nuotare nell'oro.

wall painting [ˈwɔːlˌpeintiŋ] *s.* affresco.

wallpaper [ˈwɔːlˌpeipə*] *s.* carta da parati.

walnut [ˈwɔːlnət] *s.* noce.

Walpurgis night [vælˈpuəgisˌnait] *s.* notte di S. Valpurga.

walrus [ˈwɔːlrəs] *s.* tricheco.

Walter [ˈwɔːltə*] *no.pr.m.* Walter, Gualtiero.

waltz [wɔːls, (*amer.*) wɔːlts] *s.* (*mus.*) valzer.

to waltz *v.intr.* ballare il valzer ♦ *v.tr.* far ballare il valzer (a).

wampum [ˈwɔmpəm] *s.* «wampum», conchiglie usate dai pellerossa come ornamento e in passato come merce di scambio.

wan [wɔn] *agg.* pallido (*anche fig.*); esangue; smorto.

wand [wɔnd] *s.* bacchetta.

to wander [ˈwɔndə*] *v.intr.* 1 vagare, errare (*anche fig.*); vagabondare: *his thoughts wandered back to the past*, riandava col pensiero al passato // *to — about*, andare alla ventura 2 deviare; smarrirsi (*anche fig.*); andar fuori tema; perdere il filo 3 vaneggiare; delirare: *his mind is wandering*, sta vaneggiando ♦ *v.tr.* percorrere senza meta.

wanderer [ˈwɔndərə*] *s.* vagabondo.

wandering [ˈwɔndəriŋ] *agg.* 1 errante, vagante; vagabondo; nomade 2 distratto 3 che vaneggia, che delira ♦ *s.* 1 vagabondaggio; il vagare (*anche fig.*) 2 deviamento; smarrimento (*anche fig.*) 3 *pl.* viaggi 4 *pl.* vaneggiamento (*sing.*); delirio (*sing.*).

wanderlust [ˈwɔndəlʌst] *s.* amore per i viaggi; spirito vagabondo.

wane [wein] *s.* declino: *on the —*, in declino (*anche fig.*), in fase decrescente.

to wane *v.intr.* 1 decrescere, calare (della luna) 2 declinare; diminuire.

wangle [ˈwæŋgl] *s.* (*sl.*) maneggio, intrigo.

to wangle *v.tr.* (*sl.*) brigare, darsi da fare: *I wangled two* *tickets*, mi sono dato da fare per ottenere due biglietti; *to — out of difficulty*, trarsi d'impaccio.

wanness ['wɒnnis] *s.* pallore.

want [wɒnt] *s.* **1** mancanza **2** bisogno, necessità; esigenza: *in — of repair*, che necessita di riparazione.

to **want** *v.tr. e intr.* **1** volere, desiderare: *I don't — to go there*, non voglio andarci; *I — you to be home at 7*, voglio che tu sia a casa per le sette; *he wants the letter ready by tomorrow*, vuole che la lettera sia pronta per domani; *I don't — you being late again*, non voglio che tu faccia tardi di nuovo // *don't go where you are not wanted*, non andare dove non sei gradito // *he is wanted for murder*, è ricercato per omicidio **2** aver bisogno di, necessitare; richiedere: *he wants rest*, ha bisogno di riposo; *your hair wants cutting*, i tuoi capelli hanno bisogno di essere tagliati; *this work wants to be done with great care*, questo lavoro richiede la massima attenzione // *this job wants some doing*, è un lavoro molto impegnativo // *the dog wants out*, (*amer.*) il cane ha bisogno di essere portato fuori **3** *impers.* mancare: *it wants five minutes to twelve*, mancano cinque minuti alle dodici **4** essere nel bisogno: *he never wanted for anything while his father was alive*, finché visse suo padre non gli mancò mai nulla.

wanted ['wɒntid] *agg.* **1** ricercato **2** richiesto.

wanting ['wɒntiŋ] *agg.* mancante: *to be — in patience*, mancar di pazienza ♦ *prep.* senza, in mancanza di.

wanton ['wɒntən] *agg.* **1** licenzioso, sfrenato; impudico **2** pazzerello; capriccioso; irresponsabile **3** arbitrario; gratuito **4** selvatico ♦ *s.* persona dissoluta (spec. donna).

to **wanton** *v.tr.* scherzare, folleggiare.

wap *v.tr.* → **whop.**

war [wɔː*] *s.* guerra: *to be at —*, essere in guerra // *War Department*, (negli Stati Uniti) Ministero della Guerra; *War Office*, (in Gran Bretagna) Ministero della Guerra; *War Secretary*, (in Gran Bretagna) ministro della Guerra // *the First World War*, la prima guerra mondiale // *you look as if you have been in the wars*, hai l'aria malconcia.

to **war** *v.intr.* guerreggiare; lottare.

warble ['wɔːbl] *s.* trillo, gorgheggio.

to **warble** *v.intr.* trillare, gorgheggiare ♦ *v.tr.* modulare; cantare.

warbler ['wɔːblə*] *s.* (*zool.*) luì.

warbling ['wɔːbliŋ] *agg.* melodioso ♦ *s.* gorgheggio; canto.

war crime ['wɔːkraim] *s.* crimine di guerra.

war cry ['wɔːkrai] *s.* grido di guerra.

ward [wɔːd] *s.* **1** guardia, difesa: *to keep watch and —*, vigilare **2** (*dir.*) tutela **3** (*dir.*) pupillo **4** reparto; corsia (di ospedale); braccio; cella (di prigione) **5** rione, circoscrizione comunale **6** (*scherma*) guardia; parata **7** seghettatura (di serratura, di chiave).

to **ward** *v.tr.* **1** difendere, proteggere; avere la tutela (di) **2** *to — off*, parare; schivare; respingere.

warden ['wɔːdn] *s.* **1** reggente; governatore; direttore (di scuola ecc.) **2** custode, guardiano (*traffic —*, impiegato comunale incaricato del controllo del parcheggio degli automezzi **3** (*amer.*) carceriere.

warder ['wɔːdə*] *s.* carceriere.

wardress ['wɔːdris] *s.* carceriera.

wardrobe ['wɔːdroub] *s.* armadio, guardaroba // *— mistress*, (*teatr.*) guardarobiera.

wardroom ['wɔːdrum] *s.* (*mar.*) quadrato.

wardship ['wɔːdʃip] *s.* (*dir.*) tutela.

ware [wɛə*] *s.* **1** articoli (*pl.*); manufatto; vasellame **2** *pl.* merci, mercanzie (anche *fig.*).

warehouse ['wɛəhaus] *s.* **1** magazzino, deposito **2** negozio.

to **warehouse** *v.tr.* depositare (in magazzino).

warfare ['wɔːfɛə*] *s.* guerra, stato di guerra.

war game ['wɔːgeim] *s.* (*mil.*) **1** esercitazione tattica **2** gioco consistente nel simulare battaglie, spec. nel passato, manovrando pedine che simboleggiano un esercito e il relativo equipaggiamento.

warhead ['wɔːhed] *s.* testata (di missile).

warily ['wɛərili] *avv.* cautamente.

wariness ['wɛərinis] *s.* cautela, avvedutezza.

warlike ['wɔːlaik] *agg.* guerriero, bellicoso; militare.

warlord ['wɔːlɔːd] *s.* comandante supremo.

warm [wɔːm] *agg.* **1** caldo: *to be —*, aver caldo; fare caldo // *they'll make it — for you*, ti renderanno la vita difficile **2** (*fig.*) cordiale, affettuoso, ardente **3** (*fig.*) animato, eccitato, violento: *to grow — in discussions*, infiammarsi nelle discussioni **4** fresco, recente (di traccia di selvaggina) // *you're getting —*, (*fam.*) ci sei vicino; fuoco!; fuochino! ♦ *s.* (*fam.*) scaldata.

to **warm** *v.tr.* **1** scaldare, riscaldare: *to — (up) some milk*, riscaldare del latte **2** eccitare; animare; entusiasmare ♦ *v.intr.* **1** scaldarsi, riscaldarsi **2** *to — (up)*, eccitarsi; animarsi; entusiasmarsi: *to — to one's work*, appassionarsi al proprio lavoro // *to — to s.o.*, aver simpatia per qlcu.

warm-blooded ['wɔːm,blʌdid] *agg.* **1** (*zool.*) a sangue caldo **2** (*fig.*) dal sangue caldo, dal temperamento ardente.

war memorial ['wɔːmi'mɔːriəl] *s.* monumento ai caduti.

warm-hearted ['wɔːm'hɑːtid] *s.* generoso; altruista; compassionevole.

warming pad ['wɔːmiŋpæd] *s.* termoforo.

warming pan ['wɔːmiŋpæn] *s.* scaldino.

warmly ['wɔːmli] *avv.* **1** in modo caldo: *to be — dressed*, essere ben coperto **2** (*fig.*) caldamente, con calore; cordialmente.

warmonger ['wɔː,mʌŋgə*] *s.* guerrafondaio.

warmth [wɔːmθ] *s.* **1** caldo, calore **2** (*fig.*) cordialità; calore; ardore **3** (*fig.*) risentimento **4** (*pitt.*) tono caldo.

warm-up ['wɔːmʌp] *s.* **1** (*sport*) riscaldamento **2** spettacolo introduttivo; pre-concerto.

to **warn** [wɔːn] *v.tr.* **1** avvertire, mettere in guardia; ammonire: *he should — the police*, dovrebbe informare la polizia **2** *to — off*, intimare di allontanarsi (a), invitare a tenersi lontano.

warning ['wɔːniŋ] *agg.* che avverte, che ammonisce: *a — glance*, uno sguardo di avvertimento ♦ *s.* **1** ammonimento, avvertimento; avviso; preavviso **2** preavviso di licenziamento; avviso di scadenza (di un contratto).

warp [wɔːp] *s.* **1** (*ind. tessile*) ordito **2** deformazione; curvatura (di legname) **3** (*fig.*) perversione **4** (*mar.*) (cavo di) tonneggio.

to **warp** *v.tr.* **1** curvare (legname) **2** (*fig.*) pervertire **3** (*mar.*) tonneggiare **4** fertilizzare (terra) coprendola con depositi alluvionali ♦ *v.intr.* **1** curvarsi, imbarcarsi (di legname) **2** (*mar.*) tonneggiarsi.

war paint ['wɔːpeint] *s.* **1** pitture di guerra (dei pellirosse) **2** (*sl.*) trucco.

warpath ['wɔːpɑːθ] *s.* sentiero di guerra.

warrant ['wɔrənt] *s.* **1** garanzia; garante: *he will be your —*, vi sarà garante **2** (*dir.*) mandato, ordine: *a — for arrest*, mandato di cattura; *a search —*, mandato di perquisizione // — *of attachment*, ordine di sequestro // *dividend* —, mandato per la riscossione dei dividendi // (*esercito, aer.*) maresciallo; (*mar. mil.*) capo di prima classe **3** diritto, autorizzazione **4** (*comm.*) certificato, ordine; (*fin.*) opzione (per l'acquisto di azioni); — *for delivery*, ordine di consegna.

to **warrant** *v.tr.* **1** giustificare **2** garantire; attestare: *warrented real silk*, seta pura garantita // *I'll* —, te lo dico io, te lo garantisco **3** scommettere: *I* — *he doesn't know*, scommetto che non lo sa.

warranty ['wɔrənti] *s.* **1** autorizzazione; diritto **2** (*comm.*) garanzia.

warren ['wɔrin] *s.* **1** (*st.*) riserva, diritto di caccia **2** garenna **3** (*fig.*) labirinto.

warrior ['wɔriə*] *s.* guerriero, combattente.

Warsaw ['wɔ:sɔ:] *no.pr.* Varsavia.

warship ['wɔ:ʃip] *s.* nave da guerra.

wart [wɔ:t] *s.* porro, verruca; bitorzolo.

warthog ['wɔ:t'hɔg] *s.* (*zool.*) facocero.

wartime ['wɔ:taim] *s.* tempo di guerra.

warty ['wɔ:ti] *agg.* pieno di escrescenze; verrucoso; bitorzoluto.

wary ['wɛəri] *agg.* prudente, cauto, circospetto // *to keep a* — *eye on*, diffidare di.

was [wɔz (*forma forte*), wəz, wz (*forme deboli*)] *1ᵃ e 3ᵃ pers. sing. pass.* di **to be**.

wash [wɔʃ] *s.* lavatura, lavata: *give it a good* —, dagli una bella lavata **2** bucato: *I looked everywhere for my yellow socks but they were in the wash*, ho cercato dappertutto le mie calze gialle ma erano a lavare **3** sciacquio, sciabordio **4** scia **5** lozione; soluzione medicamentosa **6** brodaglia, risciacquatura di piatti.

to **wash** *v.tr.* **1** lavare (*anche fig.*): *to* — *one's conscience*, mondare la propria coscienza; *to* — *one's hands of*, lavarsi le mani di // *to* — *away* (o *off* o *out*), (*anche fig.*) lavar via; *to* — *away one's sins*, purgarsi dei propri peccati // *to* — *down*, pulire con acqua; spazzar via con acqua; mandar giù (cibo); *to* — *out*, lavar via // *to be washed out*, essere bianco come un cencio lavato // *to* — *up*, lavare (piatti, stoviglie ecc.); (*amer.*) lavarsi il viso e le mani // *to be washed up*, essere rovinato **2** bagnare, lambire **3** scavare (di acqua): *the rain washed channels into the ground*, la pioggia formò dei canaletti nel terreno **4** spazzare, trascinare **5** tinteggiare **6** metallizzare ♦ *v.intr.* **1** lavare; lavarsi **2** essere lavabile: *this dress won't* — *well*, questo vestito non è lavabile // *that theory won't* —, quella teoria è poco convincente **3** infrangersi (di onde ecc.) **4** *to* — *out*, venir via con acqua (di macchie ecc.) **5** *to* — *up*, lavare i piatti, rigovernare.

washable ['wɔʃəbl] *agg.* lavabile.

washbasin ['wɔʃ,beisn] *s.* lavandino.

washboard ['wɔʃbɔ:d] *s.* asse per lavare.

washbowl ['wɔʃboul] *s.* (*amer.* per *washbasin*) lavandino.

washcloth ['wɔʃklɔθ] *s.* (*amer.*per *facecloth*) guanto di spugna (per lavarsi).

washday ['wɔʃdei] *s.* giorno del bucato.

washer ['wɔʃə*] *s.* **1** lavandaio, lavandaia **2** (*mecc.*) lavatrice **2** (*mecc.*) anello.

washerwoman ['wɔʃə,wumən], *pl.* **washerwomen** ['wɔ:ʃə,wimin] *s.* lavandaia.

washhouse ['wɔʃhaus] *s.* lavanderia.

washing ['wɔʃiŋ] *s.* lavatura, lavaggio; bucato.

washing day ['wɔʃiŋ,dei] *s.* → **washday**.

washing machine ['wɔʃiŋmə,ʃi:n] *s.* lavatrice.

washing-up ['wɔʃiŋ'ʌp] *s.* rigovernatura dei piatti.

washout ['wɔʃaut] *s.* **1** (*geol.*) erosione (della terra per le inondazioni) **2** (*fig.*) fiasco **3** (*fig.*) fallito.

washroom ['wɔʃru:m] *s.* (*amer.* per *lavatory*) gabinetto.

washstand ['wɔʃstænd] *s.* lavabo.

washy ['wɔʃi] *agg.* **1** annacquato; leggero; insipido **2** fiacco (di stile) **3** scialbo, smorto (di colore).

wasn't ['wɔznt] *contr.* di *was not*.

wasp [wɔsp] *s.* vespa // — *-waisted*, dal vitino di vespa.

waspish ['wɔspiʃ] *agg.* pungente, bisbetico.

wassail ['wɔseil] *s.* (*ant.*) **1** baldoria, gozzoviglia **2** «wassail» (birra con spezie) ♦ *inter.* (*ant.*) salute!

wastage ['weistidʒ] *s.* sciupio, spreco.

waste [weist] *agg.* **1** deserto, desolato; arido; incolto; sterile (di terreno) // *to lay* —, devastare, saccheggiare **2** inutile, di scarto // — *-book*, (*comm.*) brogliaccio **3** di scarico: — *pipe*, tubazione di scarico // — *water*, acque di scolo ♦ *s.* **1** sciupio, spreco: *to go to* —, essere sprecato, sciupato; inselvatichirsi; deteriorarsi **2** scarto, rifiuto, cascame **3** deserto, distesa sterile; terreno incolto.

to **waste** *v.tr.* **1** sciupare, sprecare, consumare: *to* — *money*, sprecare il denaro // *to* — *one's breath*, sprecare il fiato // *the joke was wasted on him*, non ha capito lo scherzo **2** rovinare; devastare **3** (*dir.*) lasciar deteriorare *an estate*, lasciar deteriorare una proprietà **4** (*sl.*) uccidere, far fuori ♦ *v.intr.* sciuparsi; consumarsi; deperire: *he's wasting away*, sta deperendo lentamente // *to* — *away to skin and bone*, ridursi a pelle e ossa.

wastebasket ['weist,ba:skit], **wastebin** ['weist,bin] *s.* (*amer.* per *waste paper basket*) cestino per la carta straccia.

wasteful ['weistful] *agg.* **1** rovinoso **2** prodigo.

wastefulness ['weistfulnis] *s.* sciupio; spreco.

waste paper [weis'peipə] *s.* carta straccia: — *basket*, cestino per la carta straccia.

waster ['weistə*] *s.* **1** dissipatore; sciupone, sprecone **2** buono a nulla.

wastrel ['weistrəl] *s.* buono a nulla; fannullone.

watch [wɔtʃ] *s.* **1** orologio (da polso, tasca) // — *chain*, catena di orologio **2** veglia: *in the watches of the night*, nelle ore di veglia **3** guardia, sorveglianza, vigilanza // *to be on the* —, stare in guardia, all'erta; essere in attesa // *to keep* —, montare la guardia // *to keep a close* — *on* (o *over*) *s.o.*, sorvegliare qlcu. da vicino // *the constables of the* —, la ronda notturna // — *-fire*, fuoco di bivacco.

to **watch** *v.intr.* **1** osservare; essere spettatore // *to* — *for*, aspettare, attendere // — *out!*, (*fam.*) stai attento! **2** vegliare, vigilare // *to* — *over*, vegliare su, proteggere ♦ *v.tr.* **1** osservare, guardare // — *your step!*, (*fam.*) attento a quel che fai! // *a watched pot never boils*, (*prov.*) il desiderio rende lunga l'attesa **2** curare, aver cura di **3** attendere.

watchdog ['wɔtʃdɔg] *s.* cane da guardia.

watcher ['wɔtʃə*] *s.* **1** chi veglia **2** spettatore, osservatore **3** sorvegliante; sentinella.

watchful ['wɔtʃful] *agg.* **1** vigile, attento: *to keep a eye on sthg.*, *s.o.*, sorvegliare con attenzione qlco., qlcu. **2** cauto, guardingo.

watchmaker ['wɔtʃ,meikə*] *s.* orologiaio.

watchman, *pl.* **watchmen** ['wɔtʃmən] *s.* guardia notturna; guardiano; sorvegliante.

watchtower ['wɔtʃ,tauə*] *s.* torre di guardia.

watchword ['wɔtʃwə:d] *s.* parola d'ordine.

water ['wɔːtə*] s. acqua: *drinking* —, acqua potabile // *by* —, per via d'acqua // *in deep* —, in cattive acque // *in low* —, (*fig.*) a corto di denaro // *in hot* —, (*fam.*) nei guai // *to hold* —, (*fig.*) essere verosimile, essere persuasivo // *to throw cold* — *on s.o.'s enthusiasm*, raffreddare l'entusiasmo di qlcu.

to **water** *v.tr.* **1** annaffiare; irrigare, bagnare **2** annacquare; diluire // *to* — *down*, diluire; (*fig.*) attenuare **3** abbeverare **4** rifornire di acqua (nave ecc.) **5** (*ind. tessile*) marezzare (seta) **6** (*comm.*) annacquare ◆ *v.intr.* **1** (*di animali*) abbeverarsi **2** (*di nave ecc.*) rifornirsi di acqua **3** (*di bocca*) salivare; (*di occhi*) lacrimare // *to make one's mouth* —, far venire l'acquolina in bocca a qlcu.

waterage ['wɔːtərɪdʒ] s. (prezzo di) trasporto via acqua.

water bailiff ['wɔːtə,beɪlɪf] s. guardapesca.

water biscuit ['wɔːtə,bɪskɪt] s. galletta.

waterborne ['wɔːtəbɔːn] agg. trasportato via acqua // — *transport*, trasporto via acqua.

water-chute ['wɔːtəʃuːt] s. scivolo.

water closet ['wɔːtə,klɒzɪt] s. gabinetto.

watercolour ['wɔːtə,kʌlə*] s. acquerello.

watercourse ['wɔːtəkɔːs] s. corso d'acqua.

watercress ['wɔːtəkres] s. (*bot.*) crescione.

water-diviner ['wɒtədɪ,vaɪnə*] s. rabdomante.

watered-down [,wɔːtəd'daʊn] agg. annacquato; (*fig.*) diluito.

waterfall ['wɔːtəfɔːl] s. cascata; cateratta.

waterfront ['wɔːtəfrʌnt] s. lungomare; lungolago.

water ice ['wɔːtəraɪs] s. ghiacciolo; sorbetto.

wateriness ['wɔːtərɪnɪs] s. **1** acquosità **2** scipitezza.

watering ['wɔːtərɪŋ] s. **1** annaffiamento; irrigazione **2** annacquamento (*anche comm.*); diluizione **3** l'abbeverare, l'abbeverarsi **4** rifornimento d'acqua (di navi ecc.) **5** salivazione; lacrimazione **6** (*ind. tessile*) marezzatura.

watering can ['wɔːtərɪŋkæn] s. annaffiatoio.

watering place ['wɔːtərɪŋpleɪs] s. **1** abbeveratoio **2** stazione termale **3** stazione balneare.

water level ['wɔːtə,levl] s. **1** livello dell'acqua **2** percentuale d'acqua.

water lily ['wɔːtəlɪlɪ] s. ninfea.

waterline ['wɔːtəlaɪn] s. (*mar.*) linea di galleggiamento.

to **waterlog** ['wɔːtəlɒg] *v.tr.* **1** rendere ingovernabile (un'imbarcazione, riempiendola d'acqua) **2** sommergere (una barca) **3** (*fig.*) saturare.

waterlogged ['wɔːtəlɒgd] agg. (*di imbarcazione*) ingovernabile.

water main ['wɔːtəmeɪn] s. conduttura dell'acqua; acquedotto.

watermark ['wɔːtəmɑːk] s. **1** filigrana (nella carta) **2** (*mar.*) linea di galleggiamento.

watermelon ['wɔːtə,melən] s. melone.

water nymph ['wɔːtə'nɪmf] s. (*mit.*) naiade.

waterproof ['wɔːtəpruːf] agg. e s. (tessuto) impermeabile.

to **waterproof** *v.tr.* impermeabilizzare.

water rat ['wɔːtəræt] s. topo di fogna.

water rate ['wɔːtəreɪt] s. tariffa per il consumo dell'acqua.

water-repellent ['wɔːtərɪ,pelənt] agg. idrorepellente.

watershed ['wɔːtəʃed] s. spartiacque.

waterside ['wɔːtə,saɪd] s. riva, sponda.

water skiing ['wɔːtə,skiːŋ] s. sci nautico.

watersplash ['wɔːtə,splæʃ] s. guado.

waterspout ['wɔːtəspaʊt] s. tromba marina.

water supply ['wɔːtəsə,plaɪ] s. **1** impianto idrico (di una città); impianto dell'acqua (di una casa) **2** provvista di acqua.

watertight ['wɔːtətaɪt] agg. **1** stagno, a tenuta d'acqua **2** (*fig.*) nettamente separato **3** (*fig.*) inattaccabile, inconfutabile.

water waggon ['wɔːtə,wægən] s. carro cisterna // *on the* —, (*fam.*) astemio.

waterwheel ['wɔːtəwiːl] s. (*mecc.*) turbina idraulica.

waterwings ['wɔːtəwɪŋz] s.pl. salvagente (*sing.*).

waterworks ['wɔːtəwɔːks] s.pl. impianto idrico (*sing.*), acquedotto (*sing.*) // *to turn on the* —, (*sl.*) piangere.

watery ['wɔːtərɪ] agg. **1** acquoso; pieno d'acqua: — *soup*, una minestra acquosa **2** annunciante pioggia **3** lacrimoso.

watt [wɒt] s. (*fis. elettr.*) watt.

wattage ['wɒtɪdʒ] s. (*fis.*) potenza in watt.

wattle ['wɒtl] s. **1** canniccio, graticcio; graticciata **2** bargiglio; barbetta (di pesci).

wattled ['wɒtld] agg. munito di bargigli.

wave [weɪv] s. **1** onda, flutto; ondata (*anche fig.*) **2** ondulazione (di capelli ecc.) **3** cenno, gesto (della mano ecc.) **4** (*fis.*) onda.

to **wave** *v.intr.* **1** ondeggiare, fluttuare **2** far segno (con la mano): *he waved to him to stop*, gli fece segno di fermarsi **3** essere ondulato (di capelli ecc.) ◆ *v.tr.* **1** agitare; brandire **2** indicare, esprimere (con un cenno della mano): *to* — *farewell*, fare un cenno d'addio // *to* — *s.o. aside*, far cenno a qlcu. di scostarsi // *to* — *s.o. on*, far segno a qlcu. di proseguire // *to* — *away a proposal*, (*fig.*) scartare una proposta **3** ondulare (capelli ecc.).

wave band ['weɪvbænd] s. (*rad.*) gamma d'onda.

waved [weɪvd] agg. ondulato.

wavelength ['weɪvleŋθ] s. (*rad.*) lunghezza d'onda.

wavelet ['weɪvlɪt] s. piccola onda.

to **waver** ['weɪvə*] *v.intr.* **1** oscillare; vacillare; guizzare (di fiamma) **2** (*fig.*) titubare.

wavy ['weɪvɪ] agg. **1** ondulato **2** ondeggiante.

wax[1] [wæks] s. **1** cera **2** cera vegetale.

to **wax**[1] *v.tr.* dare la cera a; incerare.

wax[2] s. (*sl.*) collera, scoppio d'ira.

to **wax**[3] *v.intr.* crescere (della luna).

waxcloth ['wæksklɒθ] s. tela cerata.

waxen ['wæksən] agg. di, come cera, cereo.

wax paper ['wæks,peɪpə*] s. carta oleata.

waxwork ['wækswɔːk] s. **1** statua, figura di cera **2** *pl.* museo delle cere (*sing.*).

waxy[1] ['wæksɪ] agg. di cera; simile a cera; cereo.

waxy[2] agg. (*sl.*) in collera, rabbioso.

way [weɪ] s. **1** via, strada, cammino, sentiero (*anche fig.*): *to ask one's* (o *the*) —, chiedere la strada; *to find* (o *to know*) *one's* — *about*, sapersi orientare; (*fig.*) sapersi cavare d'impiccio; *to go one's* —, (*anche fig.*) andare per la propria strada; *to go out of one's* —, allontanarsi dalla propria strada; (*fam.*) farsi in quattro; *to lead the* —, far strada, fare da guida; *to make* —, avanzare, progredire; *to make one's* — *back to*, rifare il cammino verso; *to be on one's* — *through a town*, essere di passaggio in una città; *to run this* — *and that*, correre di qua e di là // *to be in s.o.'s* —, intralciare, ostacolare qlcu. // *to get out of the* —, togliersi di mezzo // *right of* —, passaggio privato; (*aut.*) diritto di precedenza // — *in*, entrata // — *out*, uscita // *on the* —, strada facendo // *out of the* —, fuori mano; (*fig.*) fuori del comune // *under* —, (*di nave*) in moto; (*fig.*) in corso, in preparazione // by the —, incidentalmente, tra parentesi; a (questo) proposito **2** distanza, tragitto, percorso: *he will go a long* —, *(anche fig.)* farà molta strada; *it's a long, short — off*, è molto lontano, vicino // *all the* —, fino in fondo // *by a long* —, di gran lunga **3** lato, direzione: *this* —, per di qua; *he is going your* —, va nella tua stessa direzione; *I didn't know which — to look*, non sapevo da che parte guardare **4** via, maniera; abitudine; linea di condotta: *— of living*, sistema di vita; *in no* —, in nessun modo; affatto; *no —, (amer.)* neanche per sogno; *in such a — that*, in modo che // *either* —, in un modo o nell'altro; in entrambi i modi // *by — of*, a titolo di; come; con l'intenzione di: *by — of example he cited...*, come esempio citò... // *is that the — it strikes you?*, è questa l'impressione che ti fa?? // *that's the — the money goes!*, ecco come se ne va il denaro! // *to get* (o *to fall*) *into the — of doing sthg.*, prendere l'abitudine di, abituarsi a fare qlco. // *to have* (o *to get*) *one's* (*own*) —, ottenere ciò che si vuole; fare a modo proprio, di testa propria // *where there's a will there's a* —, *(prov.)* volere è potere **5** aspetto, punto di vista: *in a* —, in un certo senso; *in many ways*, sotto molti punti di vista **6** stato, condizione: *to be in a bad, in a good* —, essere in cattive, in buone condizioni // *in the family* —, *(fam.)* incinta **7** sfera, campo d'attività: *— of business*, mestiere.

way *avv. (fam.)* là: *— down, — up*, laggiù, lassù // *it was — back in 1870*, risale al 1870.

waybill ['weibil] *s.* lista dei passeggeri e delle merci.

wayfarer ['wei,fɛərə*] *s.* viandante.

to **waylay** [wei'lei], *pass.* e *p.pass.* **waylaid** [wei'leid] *v.tr.* tendere un agguato (a); attendere al varco.

way-out ['weiaut] *agg. (sl.)* insolito; eccentrico.

wayside ['weisaid] *s.* margine della strada.

wayward ['weiwəd] *agg.* **1** indocile, ribelle; ostinato **2** capriccioso.

waywardness ['weiwədnis] *s.* **1** ostinazione, caparbietà **2** carattere capriccioso.

we [wi:] *pron. pers. sogg.* 1ª *pers. pl.* **1** noi **2** (*con valore impers.*) si: *we in Italy say...*, in Italia si dice... **3** (*pl. di maestà*) noi.

weak [wi:k] *agg.* **1** debole // *the weaker sex*, il sesso debole // *a — brother, sister* (*amer.*), una persona che non dà affidamento **2** acquoso, diluito: *— coffee, tea*, caffè lungo, tè leggero.

to **weaken** ['wi:kən] *v.tr.* indebolire; infiacchire; debilitare ♦ *v.intr.* indebolirsi; infiacchirsi; debilitarsi.

weak-kneed ['wi:kni:d] *agg.* timido, irrisoluto.

weakling ['wi:kliŋ] *s.* persona debole.

weakly ['wi:kli] *agg.* debole; gracile, malaticcio ♦ *avv.* debolmente.

weak-minded ['wi:k'maindid] *agg.* deficiente.

weakness ['wi:knis] *s.* **1** debolezza **2** (lato) debole.

weak-spirited ['wi:k,spiritid] *agg.* pusillanime.

weal [wi:l] *s.* segno (lasciato da sferzata ecc.); cicatrice.

Weald [wi:ld] *s.* campagna aperta (nel Sussex, Kent e Surrey).

wealth [welθ] *s.* (*solo sing.*) ricchezza, ricchezze (*pl.*); abbondanza.

wealthy ['welθi] *agg.* ricco; dovizioso.

to **wean** [wi:n] *v.tr.* **1** slattare, svezzare **2** togliere il vizio, l'abitudine (a).

weanling ['wi:nliŋ] *s.* bambino, animale appena svezzato.

weapon ['wepən] *s.* arma // *— cache*, deposito di armi clandestino.

wear[1] [wɛə*] *s.* **1** il portare (abiti ecc.) **2** abbigliamento; articolo di vestiario: *clothes for everyday* —, abiti di tutti i giorni **3** durata, resistenza all'uso: *it will give good* —, farà una buona durata (di abito ecc.) **4** logorio, consumo, usura // *— and tear*, logoramento.

to **wear**[1], *pass.* **wore** [wɔ:*], *p.pass.* **worn** [wɔ:n] *v.tr.* e *intr.* **1** portare; indossare; (*fig.*) avere, mostrare: *to — black*, vestire di nero; *to — one's hair very long*, portare i capelli molto lunghi; *to — a hole in one's trousers*, avere un buco nei pantaloni; *to — a sad look*, avere un'aria triste // *his explanation doesn't —, (fam.)* la sua spiegazione non è accettabile **2** logorare, logorarsi; consumare, consumarsi; stancare; esaurirsi // *to — thin*, diventare logoro, liso; (*fig.*) esaurirsi: *his patience is wearing thin*, la sua pazienza si sta esaurendo **3** durare, resistere: *this cloth will — well for years*, questa stoffa durerà anni **4** *to — away*, consumare, consumarsi; logorare, logorarsi; passare lentamente **5** *to — down*, logorare, logorarsi; (*fig.*) fiaccare: *his heels are worn down*, ha le scarpe scalcagnate **6** *to — off*, consumare, consumarsi; cancellarsi; (*fig.*) svanire **7** *to — on*, passare lentamente **8** *to — out*, logorare, logorarsi; stancare, stancarsi.

to **wear**[2], *pass.* e *p.pass.* **wore** *v.tr.* e *intr.* (*mar.*) (far) virare.

wearable ['wɛərəbl] *agg.* portabile.

wearily ['wiərili] *avv.* **1** stancamente; faticosamente **2** tediosamente.

weariness ['wiərinis] *s.* **1** stanchezza, fatica **2** noia; tedio.

wearing ['wɛəriŋ] *agg.* **1** da indossare **2** logorante ♦ *s.* logorio, usura.

wearisome ['wiərisəm] *agg.* **1** faticoso **2** tedioso.

weary ['wiəri] *agg.* **1** stanco, esaurito // *— of*, annoiato, insofferente di // *a — Willie*, (*fam.*) un fannullone **2** noioso, tedioso.

to **weary** *v.tr.* **1** affaticare; stancare **2** annoiare ♦ *v.intr.* affaticarsi; stancarsi.

weasel ['wi:zl] *s.* (*zool.*) donnola.

weather ['wɛðə*] *s.* tempo (atmosferico): *bad* —, brutto tempo; *what's the — like?*, che tempo fa?, com'è il tempo?; *the — is picking up*, il tempo migliora // *he feels the* —, sente il tempo, soffre di meteoropatia // *to be under the* —, essere giù di corda // *to keep one's — eye open*, stare all'erta // *to make good, bad* —, (*mar.*) trovare bel, brutto tempo // *to make heavy — of*, procedere lentamente a causa di difficoltà.

to **weather** *v.tr.* **1** esporre all'aria **2** alterare; corrodere; sgretolare **3** (*mar.*) doppiare **4** superare, resistere a; (*fig.*) sopravvivere a: *to — a storm*, (*anche fig.*) superare una tempesta ♦ *v.intr.* alterarsi; corrodersi; sgretolarsi.

weather-beaten ['wɛðə,bi:tn] *agg.* rovinato dalle intemperie.

weather-bound ['wɛðəbaund] *agg.* confinato, isolato dal cattivo tempo.

weathercock ['wɛðəkɔk] *s.* banderuola.

weathered ['wɛðəd] *agg.* eroso.

weather forecast ['wɛðə'fɔ:kɑ:st] *s.* previsioni del tempo (*pl.*).

weathering ['wɛðəriŋ] *s.* **1** (*arch.*) pendenza a sgrondo **2** (*geol.*) deterioramento, sgretolamento, erosione.

weatherman, *pl.* **weathermen** ['wɛðəmən] *s.* meteorologo.

weatherproof ['wɛðəpru:f] *agg.* che resiste alle intemperie.

weather report [ˈweðəriˈpɔ:t] s. bollettino meteorologico.

weather satellite [ˈweðəˌsætəlait] s. satellite meteorologico.

weather-side [ˈweðəsaid] s. sopravvento.

weather station [ˈweðəˌsteiʃən] s. osservatorio meteorologico.

weather strip [ˈweðəstrip] s. parafreddo.

weather vane [ˈweðəvein] s. banderuola.

weather-wise [ˈweðəˌwaiz] agg. **1** abile nel prevedere il tempo **2** (fig.) che fiuta i cambiamenti (di tendenza, opinione ecc.)

weave[1] [wi:v] s. (ind. tessile) trama.

to **weave**[1], pass. **wove** [wouv], p.pass. **woven** [ˈwouvən] v.tr. **1** tessere (anche fig.); ordire (anche fig.) **2** intrecciare ♦ v.intr. fare il tessitore.

to **weave**[2] v.intr. muoversi ripetutamente da un punto all'altro; barcollare.

weaver [ˈwi:və*] s. tessitore.

weaving [ˈwi:viŋ] s. il tessere; tessitura; orditura.

weazen agg. → **wizen**.

web [web] s. **1** tela, tessuto; velo; (fig.) trama: a — of lies, un tessuto di menzogne **2** ragnatela **3** membrana connettiva (di palmipede) **4** (tip.) bobina di carta **5** (informatica) nastro di carta continua; rullo di nastro (prima della divisione).

webbed [webd] agg. palmato.

to **wed** [wed], pass. e p.pass. **wedded** [ˈwedid], (rar.) **wed** v.tr. **1** sposare: to — one's daughter to s.o., sposare la figlia a qlcu. **2** unire, combinare ♦ v.intr. sposarsi.

we'd [wi:d] contr. di we had; we would; we should.

wedded [ˈwedid] agg. **1** sposato; unito // my — wife, la mia legittima sposa // — life, vita coniugale **2** attaccato, devoto.

wedding [ˈwediŋ] s. nozze (pl.), sposalizio: silver —, nozze d'argento.

wedding breakfast [ˈwediŋˈbrekfəst] s. rinfresco (per uno sposalizio).

wedding day [ˈwediŋdei] s. giorno, anniversario delle nozze.

wedding dress [ˈwediŋdres] s. abito da sposa.

wedding ring [ˈwediŋriŋ] s. fede, vera.

wedge [wedʒ] s. cuneo; zeppa // — heel, tacco ortopedico // the thin end of the —, (fig.) primo passo; primo anello della catena.

to **wedge** v.tr. **1** incuneare; fissare con un cuneo; rincalzare (un mobile) **2** fendere per mezzo di cunei.

wedgewise [ˈwedʒwaiz] avv. a guisa di cuneo.

wedlock [ˈwedlɔk] s. (dir.) stato coniugale; (arc.) vincolo matrimoniale // born in —, (figlio) legittimo.

Wednesday [ˈwenzdi] s. mercoledì.

wee [wi:] agg. piccolissimo, minuscolo // a — bit, un tantino // the — hours, (amer.) le ore piccole.

weed [wi:d] s. **1** malerba, erbaccia **2** (sl.) sigaro; tabacco **3** persona allampanata e malaticcia.

to **weed** v.tr. **1** sarchiare **2** to — out, eliminare ♦ v.intr. strappare erbacce.

weed-killer [wi:dkilə*] s. erbicida.

weeds [wi:dz] s.pl. gramaglie.

weedy [ˈwi:di] agg. **1** coperto di erbacce **2** (fig.) sparuto, allampanato.

week [wi:k] s. settimana: in the —, durante la settimana; last, next —, la settimana scorsa, prossima: today —, oggi a otto; a — on Monday (o Monday —), lunedì a otto; this day a — ago, una settimana fa come oggi;

twice a —, due volte la settimana; to be paid by the —, essere pagato a settimana // — by —, ogni settimana // — in, — out, una settimana dopo l'altra, continuamente // a — of Sundays, (fam.) un'eternità // Holy Week, la Settimana Santa // to knock s.o. into the middle of next —, suonarle a qlcu. di santa ragione.

weekday [ˈwi:kdai] s. giorno feriale.

weekend [ˈwi:kˈend] s. fine-settimana: over the —, per, durante il fine-settimana.

weekly [ˈwi:kli] agg. e s. settimanale ♦ avv. settimanalmente.

weeny [ˈwi:ni] agg. (fam.) piccolino.

weep [wi:p] s. pianto; sfogo di pianto.

to **weep**, pass. e p.pass. **wept** [wept] v.tr. e intr. **1** piangere: that's nothing to — about, non c'è ragione di piangere // to — oneself sleep, addormentarsi piangendo // to — one's eyes out, piangere tutte le proprie lacrime **2** trasudare.

weeper [ˈwi:pə*] s. **1** prefica **2** velo di crespo delle vedove **3** pl. (sl.) basette.

weeping [ˈwi:piŋ] agg. **1** piangente; (bot.) pendente **2** che trasuda; (med.) essudante ♦ s. **1** pianto, lacrime (pl.): a fit of —, una crisi di pianto **2** trasudamento.

weeping willow [ˈwi:piŋˈwilou] s. (bot.) salice piangente.

weepy [ˈwi:pi] agg. (fam.) lacrimoso.

weft [weft] s. (ind. tessile) trama.

weigh [wei] s. il pesare.

to **weigh** v.tr. **1** pesare (fig.) ponderare; considerare: to — one argument with (o against) the other, confrontare una tesi con l'altra **2** to — (anchor), (mar.) salpare, levare l'ancora **3** to — down, (fig.) opprimere **4** to — out, pesare **5** to — up, (fig.) soppesare ♦ v.intr. **1** pesare; (fig.) aver importanza: titled names don't — with him, i titoli nobiliari non hanno peso per lui // the evidence weighed against him, l'evidenza era contro di lui **2** to — in, pesarsi (di fantini, pugili, prima della competizione) // to — in (with an argument), intervenire in una discussione (con un argomento determinante) **3** to — out, pesarsi (di fantini, pugili, dopo la competizione).

weighbridge [ˈweibridʒ] s. bascula a ponte.

weigh-in [ˈweiin] s. (sport) peso.

weight [weit] s. **1** peso: to be over, under —, avere peso superiore, inferiore (al normale); to gain (o to put on) —, ingrassare // to be worth one's — in gold, valere tanto oro quanto si pesa // to throw one's — about, fare il prepotente **2** (fig.) peso, fardello; responsabilità: that is a great — off my mind!, mi sono levato un bel peso! **3** (fig.) peso, influenza, importanza: his word carries —, la sua parola ha importanza, è importante.

to **weight** v.tr. appesantire (anche fig.); opprimere: the report was heavily weighted in favour of him, il rapporto era pesantemente in suo favore.

weightiness [ˈweitinis] s. **1** pesantezza **2** (fig.) importanza; influenza.

weighting [weitiŋ] s. **1** extra (a salario ecc. p.e. per il caro affitto) **2** pesatura.

weighty [ˈweiti] agg. **1** pesante **2** (fig.) importante.

weir [wiə*] s. sbarramento (di corso d'acqua).

weird [wiəd] agg. **1** misterioso; soprannaturale **2** (fam.) strano, bizzarro.

weirdie [ˈwiədi] s. (sl.) persona eccentrica.

weirdness [ˈwiədnis] s. **1** carattere soprannaturale, misterioso **2** (fam.) stranezza, bizzarria.

Welch *s.* e *agg.* → **Welsh**.

to **welch** *v.tr.* e *intr.* → to **welsh**.

welcome ['welkəm] *agg.* gradito: *to make* (*s.o.*) —, accogliere calorosamente (qlcu.) // *you're* —, prego, non c'è di che // *you are* — *to do what you like*, sei libero di fare ciò che vuoi // *you are* — *to my books*, i miei libri sono a tua disposizione ♦ *s.* buona accoglienza; benvenuto: *to meet with a cold* —, essere male accolto ♦ *inter.* benvenuto.

to **welcome** *v.tr.* dare il benvenuto (a); fare buona accoglienza (a); gradire.

weld [weld] *s.* (*mecc.*) saldatura.

to **weld** *v.tr.* saldare ♦ *v.intr.* saldarsi.

welder ['weldə*] *s.* **1** saldatore **2** (*mecc.*) saldatrice.

welding ['weldiŋ] *s.* (*mecc.*) saldatura // — *torch*, cannello per saldatura autogena.

welfare ['welfɛə*] *s.* **1** benessere, prosperità: *the state's* —, il benessere della nazione **2** (*amer. per social security*) previdenza; assistenza sociale // — *work*, *worker*, servizi di assistenza e previdenza sociale; assistente sociale.

we'll [wi:l] *contr. di* we shall, we will.

well[1] [wel] *s.* **1** pozzo; sorgente, fonte (*anche fig.*) // — *dish*, piatto di portata con incavo per il sugo **2** tromba delle scale; vano dell'ascensore; cavedio.

to **well**[1] *v.intr.*: *to* — *up*, *out*, *forth*, sgorgare, scaturire, zampillare // *to* — *over*, traboccare.

well[2], *compar.* **better** ['betə*], *superl.* **best** [best] *avv.* **1** bene; *to sleep* —, dormire bene // — *and good!*, benissimo!, d'accordo! // *to do* —, far bene; guadagnare bene // *it's* — *worth it*, ne vale certamente la pena // — *over a thousand*, ben più di mille // *you may* — *say so*, puoi ben dirlo **2** *to be* — —: *to be* — *out of sthg.*, cavarsela a buon mercato; *to be* — *up in geography*, essere ferrato in geografia; *to be* — *on in life*, essere avanti con gli anni; *she is* — *past forty*, ha passato i quaranta da un bel po' **3** *as* —, pure, anche // *you may, might as* — *say...*, tanto vale, varrebbe che tu dica, dicessi... **4** oltre che, oltre a: *in the morning as* — *as at night*, sia di mattina che di sera ♦ *agg.* **1** sano, in buona salute: *a* — *person*, una persona sana; *to be* —, star bene; *to be* — *enough*, stare abbastanza bene; cavarsela **2** opportuno, consigliabile, utile // *it was* — *for me that...*, è stata una fortuna per me che... // *that's all very* —, *but...*, sta bene, ma... ♦ *s.* bene: *to wish s.o.* —, augurare del bene a qlcu.

well[2] *inter.* bene; be'; dunque: —! *very* —!, bene!, benone!; —, *I don't know*, be', non lo so; — *then?*, e allora? // — *I never!*, (*fam.*) ma no!, davvero?, chi l'avrebbe mai detto!

well-advised ['weləd'vaizd] *agg..* saggio.

well-appointed ['welə'pɔintid] *agg.* fornito.

well-balanced ['wel'bælənst] *agg.* equilibrato.

well-behaved ['welbi'heivd] *agg.* educato.

wellbeing ['wel'bi:iŋ] *s.* benessere.

well-bred ['wel'bred] *agg.* educato; cortese.

well-built ['welbilt] *agg.* ben costruito.

well-connected ['welkə'nektid] *agg.* ben imparentato.

well deck ['weldek] *s.* (*mar.*) ponte scoperto.

well-disposed ['weldis'pouzd] *agg.* ben disposto.

well-done ['wel'dʌn] *agg.* ben cotto.

well-favoured ['wel'feivəd] *agg.* attraente.

well-founded ['wel'faundid] *agg.* ben fondato.

well-groomed ['wel'grumd] *agg.* azzimato.

well-grounded ['wel'graundid] *agg.* **1** ben fondato **2** competente.

wellhead ['welhed] *s.* sorgente (*anche fig.*).

well-heeled ['wel'hi:ld] *agg.* (*fam.*) ricco.

well-informed ['welin'fɔ:md] *agg.* ben informato.

wellingtons ['weliŋtənz] *s.pl.* stivali.

well-knit ['welnit] *agg.* compatto; robusto.

well-known ['wel'noun] *agg.* noto.

well-lined ['wel'laind] *agg.* (*di portafoglio*) ben fornito.

well-meaning ['wel'mi:niŋ] *agg.* ben intenzionato.

well-meant ['wel'ment] *agg.* detto, fatto a fin di bene.

well-nigh ['welnai] *avv.* quasi.

well-off ['wel'ɔ:f] *agg.* agiato, benestante.

well-oiled ['wel'ɔild] *agg.* (*fam.*) ubriaco.

well-read ['wel'red] *agg.* colto, istruito.

well-spoken ['wel'spoukən] *agg.* che parla bene, che rivela una buona cultura.

wellspring ['wel'spriŋ] *s.* (*poet.*) fonte perenne (*anche fig.*).

well-timed ['wel'taimd] *agg.* opportuno.

well-to-do ['weltə'du:] *agg.* agiato.

well-turned ['wel'tə:nd] *agg.* forbito.

well-wisher ['wel'wiʃə*] *s.* amico, sostenitore.

well-worn ['welwɔ:n] *agg.* comune, trito.

Welsh [welʃ] *agg.* gallese // *the Welsh*, i gallesi ♦ *s.* gallese (lingua) // — *rabbit* (*rarebit*), pane tostato con formaggio fuso.

to **welsh** *v.tr.* truffare ♦ *v.intr.* **1** andarsene senza pagare **2** mancare di parola.

Welshman, *pl.* **Welshmen** ['welʃmən] *s.* gallese.

welt [welt] *s.* **1** (*calzoleria*) guardolo **2** segno (lasciato da sferzata ecc.); cicatrice.

to **welt** *v.tr.* **1** mettere l'orlo a (scarpe); mettere il rinforzo a (calze) **2** (*fam.*) staffilare.

welter ['weltə*] *s.* confusione, tumulto.

to **welter** *v.intr.* **1** avvoltolarsi, guazzare; essere immerso **2** (*di onde*) accavallarsi.

welterweight ['weltəweit] *s.* (*sport*) peso welter.

wen [wen] *s.* (*med.*) cisti sebacea.

wench [wenʃ] *s.* (*scherz.*) ragazza.

went *pass.* di to **go**.

wept *pass.* e *p.pass.* di to **weep**.

were [wə:* (*forma forte*), wə* (*forma debole*)] *2ª pers. sing.* e *1ª, 2ª, 3ª pers.pl.pass.* di to **be**.

we're [wiə*] *contr.* di we are.

weren't [wə:nt] *contr. di* were not.

wer(e)wolf ['wə:wulf], *pl.* **wer(e)wolves** ['wə:wulvz] *s.* lupo mannaro.

wert [wə:t (*forma forte*), wət (*forma debole*)] *2ª pers. sing.pass.* (*arc.*) di to **be**.

Wesleyan ['wezliən] *agg.* e *s.* (*st. relig.*) metodista.

Wesleyanism ['wezliənizəm] *s.* (*st. relig.*) metodismo.

west [west] *agg.* dell'ovest, occidentale // — *wind*, vento dell'ovest, ponente // *West Indies*, le Indie Occidentali ♦ *s.* l'ovest, l'occidente // *the (Far) West*, (*Stati Uniti*) il (Far) West ♦ *avv.* a, verso ovest; a, verso occidente: *to go* —, andare all'ovest; (*fam.*) morire; *to sail due* —, (*mar.*) fare rotta verso ovest.

westerly ['westəli] *agg.* dell'ovest; verso ovest; dall'ovest ♦ *avv.* verso ovest; dall'ovest.

western ['westə] *agg.* dell'ovest, occidentale // *the Western Church*, la Chiesa Romana // *the Western Empire*, (*st.*) l'Impero Romano d'Occidente ♦ *s.* (film, racconto ecc.) western // *spaghetti* —, western all'italiana.

westerner ['westənə*] *s.* occidentale.

to **westernize** ['westənaiz] *v.tr.* occidentalizzare ♦ *v.intr.* occidentalizzarsi.

westernmost ['westnmoust] *agg.* il più occidentale.

Westphalia [west'feiljə] *no.pr.* Vestfalia.

Westralian [wes'treiljən] *agg.* e *s.* (abitante) dell'Australia occidentale.

westward ['westwəd] *avv.* e *agg.* a, verso ovest; a, verso occidente ♦ *s.* ovest, occidente.

westwards ['westwədz] *avv.* verso ovest, verso occidente.

wet [wet] *agg.* **1** umido; bagnato: *— weather,* tempo piovoso, umido // *— paint,* vernice fresca // *to be — through* (o *to the skin*), essere bagnato fradicio // *— dock,* darsena // *— blanket,* guastafeste **2** (*amer.fam.*) antiproibizionista ♦ *s.* **1** umidità; tempo piovoso **2** (*sl.*) bevanda alcolica **3** antiproibizionista **4** uomo politico moderato.

to wet, *pass.* e *p.pass.* **wet, wetted** ['wetid] *v.tr.* bagnare; inumidire; inzuppare // *to — one's whistle,* bagnarsi l'ugola.

wether ['weðə*] *s.* montone castrato.

wet nurse ['wetnə:s] *s.* balia.

wetting ['wetiŋ] *s.* bagnatura; l'essere bagnato.

we've [wi:v] *contr.* di we have.

wey [wei] *s.* «wey» (unità di peso).

whack [wæk] *s.* **1** colpo, percossa, bastonata **2** (*fam.*) parte, porzione.

to whack *v.tr.* **1** percuotere, battere, picchiare **2** (*fam.*) sconfiggere.

whacked [wækt] *agg.* (*fam.*) esausto.

whacker ['wækə*] *s.* (*sl.*) grossa bugia, frottola.

whacking ['wækiŋ] *agg.* (*fam.*) enorme, colossale ♦ *s.* percossa.

whale [weil] *s.* balena // *I had a — of a time,* (*fam.*) mi sono divertito un mondo // *to be a — at maths,* (*fam.*) essere forte in matematica.

to whale *v.intr.* andare a caccia di balene.

whaleboat ['weilbout] *s.* baleniera.

whalebone ['weilboun] *s.* **1** fanone **2** stecca di balena.

whaleman, *pl* **whalemen** ['weilmən] *s.* baleniere.

whaler ['weilə*] *s.* baleniera.

whaling ['weiliŋ] *s.* caccia alla balena.

wharf [wɔ:f], *pl.* **wharves** [wɔ:vz] *s.* (*mar.*) pontile, banchina, molo.

to wharf *v.tr.* **1** attraccare, ormeggiare (una nave) alla banchina **2** scaricare a un molo.

Wharfage ['wɔ:fidʒ] *s.* (*comm.*) diritto di banchina.

what [wɔt] *agg.* **1** *interr.* quale?, che?: *— book are you reading?,* che libro stai leggendo? **2** *rel.* (quello). che: *— little money he had,* quel poco denaro che aveva **3** *esclam.* che!: *— patience!,* che pazienza!; *— a pity!,* che peccato! ♦ *pron.* **1** *interr.* che?, che cosa?: *— is he saying?,* che cosa sta dicendo? // *— about a cup of tea?,* che cosa ne dici di una tazza di tè? // *— else?,* che altro? // *— for?,* perché mai?, a che scopo? // *— if...?,* e se...? // *— next?,* e che altro (mi racconti, può succedere ecc.)? // *— of it?,* e con ciò? // *— though...,* che importa se.. // *so —?,* (*fam.*) e chi se ne infischia? // *pass me that,* — *d'you call it,* (*fam.*) passami quell'affare lì // *— 's the English for...?,* come si dice in inglese...? // *— the knows —* 's, (*fam.*) la sa lunga // *I'll tell you —, let's go,* sai cosa ti dico, andiamo **2** *rel.* ciò che, quello che: *— is more,* quel che più conta // *— with teaching, a sick husband and a large family she had a breakdown,* tra l'insegnare, il marito malato e la famiglia numerosa si prese un esaurimento // *there wasn't a day but — it rained,* non c'era giorno che non piovesse **3** *esclam.* quanto!, come!

whate'er [wɔt'ɛə*] *contr.* di **whatever.**

whatever [wɔt'evə*] *agg.rel.indef.* qualunque, qualsiasi // *there is no doubt —,* non vi è dubbio alcuno ♦ *pron. rel indef.* qualunque cosa, qualsiasi cosa, tutto quello che: *— he does,* qualunque cosa faccia; *they let him do — he likes,* gli lasciano fare tutto quello che vuole.

whatnot ['wɔtnɔt] *s.* **1** scaffaletto, scansia **2** qualcosa.

whatsoever [,wɔtsou'evə*] *agg.* e *pron.* → **whatever.**

wheat [wi:t] *s.* grano, frumento.

wheaten ['wi:tn] *agg.* di grano; fatto con frumento.

to wheedle ['wi:dl] *v.tr.* **1** adulare; persuadere con lusinghe: *to — s.o. into doing sthg.,* persuadere qlcu. a fare qlco. lusingandolo **2** ottenere con lusinghe.

wheel [wi:l] *s.* **1** ruota // *there are wheels within wheels,* (*fam.*) è un affare complicato // *to put a spoke in someone's —,* mettere il bastone tra le ruote a qlcu. **2** (*mecc.*) ingranaggio, ruota dentata **3** ruota del timone; volante **4** rotazione.

to wheel *v.tr.* **1** far ruotare; far girare **2** spingere, tirare (su un veicolo a ruote) **3** (*mil.*) far fare una conversione ♦ *v.intr.* **1** ruotare; girare; roteare **2** (*mil.*) fare una conversione.

wheelbarrow ['wi:l,bærou] *s.* carriola.

wheelbase ['wi:l,beis] *s.* (*aut.*) passo, interasse.

wheelchair ['wi:l'tʃɛə*] *s.* sedia a rotelle.

wheel clamp ['wi:lklæmp] *s.* ceppo (per bloccare le ruote ai veicoli in sosta vietata).

wheeled [wi:ld] *agg.* munito di, con ruote.

wheeler-dealer ['wi:lə'dilə*] *s.* maneggione, trafficone.

wheelhouse ['wi:lhaus] *s.* (*mar.*) timoniera.

wheelwright ['wi:lrait] *s.* carradore.

wheeze [wi:z] *s.* **1** respiro affannoso; sibilo **2** (*fam.*) battuta comica.

to wheeze *v.intr.* ansare, ansimare ♦ *v.tr.* pronunciare, proferire affannosamente.

wheezy ['wi:zi] *agg.* affannoso, ansante.

whelp [welp] *s.* **1** cucciolo **2** (*spreg.*) sbarbatello.

to whelp *v.intr.* figliare ♦ *v.tr.* partorire.

when [wen] *avv.* **1** *interr.* quando: *— will you come?,* quando verrai?; *— are you leaving?,* quando parti?; *I don't know — he will come,* non so quando verrà // *since —?,* da quando? **2** in cui: *the day — he arrived,* il giorno in cui arrivò ♦ *cong.* quando: *— he came I was out,* quando venne fuori ero; *— he meets me he greets me,* quando m'incontra mi saluta.

whence [wens] *avv. interr.* (*arc*) donde?, da dove?: *— do you come?,* donde vieni? ♦ *pron.rel.* da dove, da cui.

whene'er [wen'ɛə*] *contr.* di **whenever.**

whenever [wen'evə*] *avv.* e *cong.* ogniqualvolta.

where [wɛə*] *avv. interr.* dove?: *— is he?,* dov'è?; *I don't know — he is,* non so dove sia ♦ *cong.* dove: *sit — you like,* siediti dove vuoi ♦ *pron.* **1** *interr.* dove: *— do you come from?,* da dove vieni?; di dove sei? **2** *rel.* in cui, dove: *the place — I was born,* il luogo in cui nacqui ♦ *s.* (il) dove.

whereabouts ['wɛərə'bauts] *avv.interr.* (pressappoco) dove, in che luogo ♦ *s.* luogo, zona, paraggi (pl.) // *his present — is unknown,* non si sa dove si trovi attualmente.

whereas [wɛər'æz] *cong.* **1** (*spec. dir.*) poiché, siccome **2** (*con valore avversativo*) mentre, invece.

whereat [wɛər'æt] *avv.* al che.

whereby [wɛə'bai] *avv.* **1** *interr.* come, in che modo **2** *rel.* per cui: *reason —,* ragione per cui.

where'er [wɛər'ɛə*] *avv.* (*poet.*) → **wherever.**

wherefore ['wɛəfɔ:*] avv. **1** interr. perché, per quale ragione **2** rel. perciò, quindi ♦ s. causa, motivo.

wherein [wɛər'in] avv. (letter.) **1** interr. in che cosa; come **2** rel. in cui, nel quale.

whereof [wɛər'ɔv] avv. **1** interr. di che, di che cosa **2** rel. di cui.

whereon [wɛər'ɔn] avv. **1** interr. su che, su che cosa **2** rel. su cui.

whereto [wɛə'tu:] avv. **1** interr. a che scopo; verso dove **2** rel. a cui.

whereunder [wɛər'ʌndə*] avv.rel. sotto cui.

whereupon [,wɛərə'pɔn] avv. **1** interr. su che, su che cosa **2** rel. dopo di che.

wherever [wɛər'evə*] avv.rel.indef. dovunque.

wherewith [wɛə'wiθ] avv. **1** interr. con che, con che cosa **2** rel. con cui.

wherewithal ['wɛəwiðɔ:l] avv.arc. per wherewith ♦ s. (il) necessario; (i) mezzi (pl).

wherry ['weri] s. (mar.) leggera imbarcazione a remi; chiatta.

whet [wet] s. **1** affilatura **2** aperitivo, cicchetto.

to whet v.tr. **1** affilare; appuntare **2** stimolare // to — one's appetite, stimolare l'appetito.

whether ['weðə*] cong. **1** se: I don't know — he will like it, non so se gli piacerà **2** — ... or, o ... o: — he is right or not, abbia egli ragione o no // — or no, in ogni caso.

whetstone ['wetstoun] s. cote.

whew [hwu] inter. accidenti!, caspita!

whey [wei] s. siero (del latte).

whey-faced ['weifeist] agg. pallido, smorto.

which [witʃ] agg. **1** interr. quale: — pencil do you want?, quale matita vuoi?; — one of you?, chi di voi? **2** rel. il quale: he might come, in — case I'll let you know, potrebbe venire, in tal caso te lo farò sapere ♦ pron. **1** chi, quale: — of them?, chi di loro? // to tell — is —, distinguere uno dall'altro **2** che; il quale; il che, la qual cosa: the book of — I'm speaking, il libro di cui sto parlando; he changed his mind, — made me furious, cambiò idea, il che mi irritò moltissimo; — is not true, il che non è vero; after —, dopo di che.

whichever [witʃ'evə*] agg.rel.indef. qualunque, qualsiasi: — way I turn, da qualunque parte mi volti ♦ pron.rel.indef. qualunque cosa: — of these pens, qualunque di queste penne.

whiff [wif] s. **1** soffio; sbuffo (di fumo ecc.); odore: a — of perfume, una zaffata di profumo; to take a —, odorare // to take a — or two, tirare qualche boccata (da una pipa) **2** (fam.) piccolo sigaro.

to whiff v.intr. odorare di; emettere sbuffi.

whiffy ['wifi] agg. puzzolente.

Whig [wig] agg. e s. (st. pol.) liberale.

while [wail] cong. **1** mentre: — he is working, mentre lavora; — he studies hard, his brother is lazy, mentre egli studia molto, suo fratello è pigro **2** sebbene; anche, pure: — admitting it is difficult, anche ammettendo che sia difficile ♦ s. momento, tempo: a (little) —, breve tempo, un momento // once in a —, una volta ogni tanto // the —, nel frattempo.

to while v.tr. far passare piacevolmente: to — away time, ammazzare il tempo.

whilst [wailst] cong. → while.

whim [wim] s. **1** capriccio; fantasia; ghiribizzo **2** (mecc.) apparecchio di sollevamento.

whimper ['wimpə*] s. **1** piagnucolio **2** uggiolio.

to whimper v.intr. **1** piagnucolare **2** uggiolare.

whimsey ['wimzi] s. capriccio; ghiribizzo; fantasia.

whimsical ['wimzikəl] agg. stravagante; bizzarro; capriccioso.

whimsy s. → whimsey.

whin [win] s. (bot.) ginestra spinosa.

whine [wain] s. piagnucolio, lamento.

to whine v.intr. piagnucolare, lamentarsi.

whining ['wainiŋ] agg. **1** che uggiola **2** piagnucolante ♦ s. **1** uggiolio **2** piagnucolio, lamento.

whinny ['wini] s. nitrito.

to whinny v.intr. nitrire.

whinstone ['winstoun] s. (geol.) basalto.

whip [wip] s. **1** frusta, scudiscio, sferza // -stitch, sopraggitto **2** «whip», funzionario che ha il compito di assicurarsi che i parlamentari del suo partito siano presenti in aula per le votazioni e che votino secondo la linea del partito **3** ordine impartito da un «whip» di presenziare a un seduta e di votare: three-line —, convocazione urgente **4** (cuc.) frusta, frullino.

to whip v.tr. **1** frustare; battere; sferzare **2** (cuc.) sbattere; frullare; montare: to — cream, montare la panna **3** (fam.) battere, sconfiggere **4** cucire a sopraggitto **5** to — out, estrarre velocemente; pronunciare con violenza **6** to — off, togliere, portar via bruscamente; trascinare con sé **7** to — up, incitare con la frusta; afferrare; raccogliere; preparare rapidamente; to — up enthusiasm, sollevare l'entusiasmo ♦ v.intr. **1** dare colpi di frusta **2** precipitarsi, slanciarsi **3** to — out, uscire all'improvviso **4** to — off, partire improvvisamente **5** to — round, girarsi bruscamente.

whipcord ['wipkɔ:d] s. corda per fruste.

whip hand ['wip'hænd] s. **1** mano che tiene la frusta **2** (fig.) supremazia; controllo.

whiplash ['wip-læʃ] s. frustata // — injury, «colpo di frusta», lesione alle vertebre cervicali provocata dal contraccolpo.

whipped cream ['wiptkri:m] s. panna montana.

whipper ['wipə*] s. (chi) frusta, sferza.

whipper-in ['wipəe'in] s. bracchiere.

whippersnapper ['wipə,snæpə*] s. ragazzo impertinente.

whippet ['wipit] s. **1** «whippet», cane da corsa **2** (mil.) carro armato leggero e veloce.

whipping ['wipiŋ] s. **1** il frustare; il battere **2** frustata; battuta **3** sconfitta **4** (cuc.) il frullare **5** sopraggitto.

whipping boy ['wipiŋbɔi] s. capro espiatorio.

whipping top ['wipiŋtɔp] s. trottola.

whippoorwill ['wippuə,wil, (amer.) 'hwippər,wil] s. (zool.) caprimulgo.

whippy ['wipi] agg. snello, flessuoso.

whip-round ['wipraund] s. colletta.

whir e deriv. → whirr e deriv.

whirl [wə:l] s. **1** rotazione rapida **2** turbine; vortice; mulinello **3** (fig.) attività frenetica; confusione.

to whirl v.intr. **1** girare rapidamente; roteare; turbinare (anche fig.): it makes my head —, mi fa girar la testa **2** correr via (di veicoli): the car whirled out of sight, l'automobile scomparve rapidamente alla nostra vista ♦ v.tr. **1** far girare rapidamente; far roteare; far turbinare: to — a stick, far roteare un bastone **2** trasportare rapidamente.

whirligig ['wə:ligig] s. trottola; giostra.

whirlpool ['wə:lpu:l] s. vortice (anche fig.).

whirlwind ['wə:lwind] s. turbine, vortice, tromba d'aria ♦ agg. rapidissimo, lampo.

whirr [wɔ:*] *s.* ronzio; frullio (d'ali); rombo (di motore).

to **whirr** *v.intr.* ronzare; frullare (d'ali); rombare (di motore).

whisk [wisk] *s.* **1** movimento rapido: *a — of the tail*, uno scodinzolio **2** (*cuc.*) frusta, frullino **3** piumino per la polvere; scopino.

to **whisk** *v.tr.* **1** spolverare; spazzolare **2** sbattere (uova, crema) **3** agitare; trascinare (via) ♦ *v.intr.* guizzare (via); muoversi rapidamente.

whisker [ˈwiskə*] *s.* **1** basette (*pl.*), favoriti (*pl.*) **2** baffi (*pl.*) (di gatto ecc.).

whiskey [ˈwiski, (*amer.*) ˈhwiski] *s.* whisky (gener. americano o irlandese).

whisky [ˈwiski] *s.* whisky (scozzese).

whisper [ˈwispə*] *s.* **1** bisbiglio, sussurro; mormorio; lo stormire (di foglie): *in a —*, sottovoce, a bassa voce **2** diceria.

to **whisper** *v.tr.* e *intr.* bisbigliare, sussurrare; mormorare (*anche fig.*); stormire (di foglie).

whispering [ˈwispəriŋ] *s.* **1** bisbiglio, sussurro, mormorio; lo stormire **2** (*spec. pl.*) diceria; mormorazione, maldicenza.

whist *s.* «whist» (gioco di carte).

whistle [ˈwisl] *s.* **1** fischio **2** fischietto, zufolo **3** (*fam.*) ugola // *to wet one's —*, (*scherz.*) farsi un cicchetto.

to **whistle** *v.tr.* **1** fischiare, fischiettare: *to — one's time away*, passare il tempo fischiettando **2** *to — (up)*, chiamare con un fischio ♦ *v.intr.* **1** fischiare, zufolare **2** *to — for*, chiamare con un fischio // *you may — for your money!*, (*fam.*) aspetta pure il tuo denaro!

whistle-stop [ˈwislstɔp] *s.* (*amer. fam.*) stazioncina // *— tour*, giro di propaganda elettorale con soste brevi e frequenti (*spec.* nei piccoli centri).

Whit [wit] *agg.* (*eccl.*) di Pentecoste: *— Sunday*, Pentecoste.

white [wai] *agg.* **1** bianco, candido; pallido, smorto: *a — dress*, un abito bianco; *he was — with terror*, era pallido per il terrore // *— corpuscle*, globulo bianco // *— ant*, termite // *— ensign*, (*mar.*) bandiera nazionale britannica // *— feather*, viltà // *— horses*, marosi // *— lie*, bugia a fin di bene // *— -livered*, codardo // *— paper*, relazione governativa **2** di razza bianca ♦ *s.* **1** colore bianco: *she was dressed in —*, era vestita di bianco // *to call — black*, cambiare le carte in tavola **2** uomo di razza bianca **3** albume **4** (*anat.*) sclera // *to turn up the whites of one's eyes*, mostrare il bianco degli occhi.

whitebait [ˈwaitbeit] *s.* (*cuc.*) bianchetti (*pl.*).

white-collar [ˈwaiˌkɔlə*] *agg.* impiegatizio.

Whitehall [ˈwaitˈhɔ:l] *s.* (*fig.*) il governo britannico; la burocrazia.

to **whiten** [ˈwaitn] *v.tr.* **1** imbiancare; sbiancare **2** assolvere da una colpa; fa apparire senza colpa ♦ *v.intr.* sbiancarsi.

whitener [ˈwaitnə*] *s.* candeggiante.

whiteness [ˈwaitnis] *s.* **1** candore (*anche fig.*) **2** pallore.

whitening [ˈwaitniŋ] *s.* **1** candeggio, imbianchimento **2** biacca, gesso (per imbiancare) **3** candeggiante.

whites [waits] *s.pl.* abbigliamento sportivo bianco (*spec.* per tennis, cricket).

white slavery [ˈwaitˈsleivəri] *s.* tratta delle bianche.

whitethorn [ˈwaitθɔ:n] *s.* (*bot.*) biancospino.

whitewash [ˈwaitwɔʃ] *s.* **1** calce (per imbiancare); intonaco **2** (*fig.*) patina, vernice di onestà, di legalità; copertina **3** (*amer.*) cappotto.

to **whitewash** *v.tr.* **1** imbiancare; intonacare **2** (*fig.*) dare una patina, una vernice di onestà, di legalità **3** (*amer.*) dare cappotto a.

whitewasher [ˈwaitˌwɔʃə*] *s.* imbianchino.

whither [ˈwiðə*] *avv.* **1** *interr.* dove, verso che luogo **2** *rel.* dove ♦ *pron. rel.* al quale, verso il quale.

whiting [ˈwaitiŋ] *s.* gesso in polvere (per imbiancare).

whiting [2] *s.* (*zool.*) merlano.

whitish [ˈwaitiʃ] *agg.* biancastro, bianchiccio.

whitlow [ˈwitlou] *s.* (*med.*) patereccio.

Whitsun [ˈwitsn] *agg.* e *s.* (di) Pentecoste.

Whitsuntide [ˈwitsntaid] *agg.* e *s.* (*eccl.*) (della) settimana della Pentecoste.

to **whittle** [ˈwitl] *v.tr.* **1** intagliare; scolpire (legno) **2** *to — away, down*, ridurre, sminuire ♦ *v.intr.* intagliare.

whiz(z) [wiz] *s.* ronzio, sibilo.

to **whiz(z)** *v.intr.* passare sibilando, sfrecciare.

whiz kid [ˈwizkid] *s.* giovane brillante che si fa strada in fretta.

who [hu:] *pron.* **1** *interr.* chi: *— are you?*, chi siete?; *— is it?*, chi è?; *— 's there?*, chi è là?; *I don't know — said so*, non so chi l'abbia detto // *— are you speaking to?* (*fam.*) con chi parli? // *— knows*, chissà // *"Who's Who"*, «Chi è» (annuario delle personalità) // *she knows — 's —*, conosce (vita, morte e miracoli) di tutti **2** *rel.* che, il quale: *the man — lived here*, l'uomo che abitava qui; *he —*, colui che; *anybody — does it*, chiunque lo faccia.

whodunit [hu:ˈdʌnit] *s.* (*fam.*) romanzo giallo.

whoever [hu:(ˈ)evə*] *pron. rel. indef.* chiunque: *— you may be*, chiunque tu sia; *— says this must be mad*, chiunque dica ciò deve essere pazzo // *— you meet will tell you*, (*fam.*) chiunque incontrate ve lo dirà.

whole [houl] *agg.* **1** tutto; intero; completo; totale: *the — day*, tutto il giorno; *his — ambition*, tutta la sua ambizione; *the — town*, l'intera città, tutta la città; *I want to know the — truth*, voglio sapere tutta la verità; *he swallowed it —*, l'ha ingoiato intero; *he was absent for two — weeks*, rimase assente due intere settimane // *— number*, (*mat.*) numero intero **2** intatto; incolume: *there is not a plate left —*, non è rimasto intatto un solo piatto ♦ *s.* tutto; intero; complesso, totale, somma: *the — of my family*, tutta la mia famiglia; *the — amounts to...*, il totale ammonta a... // *as a —*, nell'insieme // *on the —*, nel complesso, tutto considerato.

whole-hearted [ˈhouldˈhɑ:tid] *agg.* generoso, sincero; entusiastico, incondizionato.

whole-hogger [ˈhoulˈhɔgə*] *s.* (*pol.*) fanatico sostenitore.

wholemeal [ˈhoulmi:l] *agg.* e *s.* (farina) integrale.

wholeness [ˈhoulnis] *s.* totalità, interezza.

whole note [ˈhoulnout] *s.* (*amer. mus.*) semibreve.

wholesale [ˈhoulseil] *agg.* all'ingrosso; (*fig.*) su vasta scala: *a — slaughter*, un'uccisione in massa, uno sterminio // *— dealer*, grossista ♦ *s.* vendita all'ingrosso // *— and retail*, (*comm.*) all'ingrosso e al minuto // *to sell by —*, (*amer.*) to sell at —, vendere all'ingrosso ♦ *avv.* all'ingrosso; (*fig.*) su vasta scala.

to **wholesale** *v.tr.* vendere all'ingrosso.

wholesaler [ˈhoulˌseilə*] *s.* grossista.

wholesome [ˈhoulsəm] *agg.* salubre; salutare.

wholetime [ˈhoultaim] *s.* a tempo pieno: *a — job*, un lavoro a tempo pieno.

who'll [hu:l] *contr. di* who will, who shall.

wholly [ˈhoulli] *avv.* totalmente, interamente.

whom [hu:m] *pron. compl.* **1** *interr.* chi: *— did you* *meet?*, chi hai incontrato? **2** *rel.* che, il quale: *the man (whom) I saw*, l'uomo che vidi; *Mr. Smith, — everyone respected...*, Mr. Smith, che tutti rispettavano.

whoop [hu:p] *s.* **1** urlo, grido **2** inspirazione convulsa della pertosse.

to whoop *v.intr.* **1** urlare, gridare; schiamazzare **2** inspirare convulsamente (per la pertosse).

whoopee ['wupi:] *inter.* evviva ♦ *s.* (*fam.*) allegria rumorosa, baldoria.

whooping cough ['hu:piŋkɔf] *s.* (*med.*) pertosse.

to whop [wɔp] *v.tr.* (*sl.*) **1** battere, frustare **2** (*fig.*) sconfiggere; superare.

whopper ['wɔpə*] *s.* (*fam.*) **1** enormità **2** fandonia, bugia enorme.

whopping ['wɔpiŋ] *agg.* (*fam.*) enorme.

who're [huə*] *contr. di* who are.

whore [hɔ:*] *s.* puttana.

to whore *v.intr.* andare a donne.

whorl [wə:l] *s.* spira, giro di spirale.

whortleberry ['wə:tl,beri] *s.* (*bot.*) mirtillo.

who's [hu:z] *contr. di* who is, who has.

whose [hu:z] *pron.* (*poss. di* who) **1** *interr.* di chi: — *pens are these* (o — *are these pens*)?, di chi sono queste penne?; — *are these red pencils?*, di chi sono queste matite rosse? **2** *rel.* di chi, del quale; il cui: *the author — works are well-known*, l'autore le cui opere sono famose.

whosoever [,hu:sou'evə*] *pron.* enfatico per **whoever**.

why [wai] *avv.* **1** *interr.* perché?, per quale ragione?: — *did you say so?*, perché l'hai detto?; *I don't know —*, non so perché // — *not?*, perché no? // — *so?*, perché, per quale ragione? **2** *rel.* per cui: *the reason —*, la ragione per la quale ♦ *s.* perché, causa, motivo // *the — and the wherefore*, il perché e il percome ♦ *inter.* perbacco!, diamine!: —, *it's quite easy!*, ma come, è facile! // —, *it's Mr. Smith!*, guarda un po' chi si vede, Mr. Smith!

wick [wik] *s.* lucignolo, stoppino.

wicked ['wikid] *agg.* **1** malvagio; vizioso; peccaminoso **2** (*fam.*) malizioso.

wickedness ['wikidnis] *s.* malvagità.

wicker ['wikə*] *s.* vimine.

wickerwork ['wikə,wə:k] *s.* oggetto di vimini.

wicket ['wikit] *s.* **1** sportello **2** porta pedonale; cancelletto **3** (*cricket*) porta **4** (*amer.*) (*croquet*) archetto.

wide [waid] *agg.* **1** largo, vasto; ampio (*anche fig.*): *one foot —*, largo un piede // *to give a — berth to*, stare alla larga da **2** alto (di tessuto) ♦ *s.* (*cricket*) palla caduta lontano dal battitore ♦ *avv.* **1** largamente, con ampiezza: *to search far and —*, cercare in lungo e in largo **2** completamente, del tutto: *open your eyes —*, spalanca gli occhi // — *open*, spalancato **3** lontano // *to speak — of the mark*, parlare a sproposito.

wide-awake ['waidə'weik] *agg.* sveglio.

widely ['waidli] *avv.* largamente; molto.

to widen ['waidn] *v.tr.* allargare; ampliare ♦ *v.intr.* allargarsi; ampliarsi.

widespread ['waidspred] *agg.* esteso, diffuso.

widgeon ['widʒən] *s.* (*zool.*) fischione.

widow ['widou] *s.* vedova // *grass —*, donna il cui marito è molto spesso assente per lavoro.

to widow *v.tr.* rendere vedovo, vedova.

widower ['widouə*] *s.* vedovo.

widowhood ['widouhud] *s.* vedovanza.

width [widθ] *s.* **1** larghezza, ampiezza (*anche fig.*) **2** altezza (di stoffa).

to wield [wi:ld] *v.tr.* brandire; impugnare; maneggiare; controllare.

wife [waif], *pl.* **wives** [waivz] *s.* **1** moglie, sposa: *to make a good —*, essere una buona moglie **2** (*arc.*) donna // *old wives' tale*, superstizione.

wifely ['waifli] *agg.* da, di moglie.

wig [wig] *s.* parrucca.

wigging ['wigiŋ] *s.* (*sl.*) sgridata; lavata di capo.

to wiggle ['wigl] *v.tr.* muovere da una parte all'altra; dimenare ♦ *v.intr.* ancheggiare; dimenarsi.

wigwam ['wigwæm, (*amer.*) 'wigwɑ:m] *s.* tenda dei pellirosse.

wild [waild] *agg.* **1** selvaggio; selvatico: *to run —*, selvatichire (di pianta); diventare sfrenato (di persona) **2** tempestoso, agitato **3** sregolato; sfrenato; furibondo, pazzo: *to be — about s.o., sthg.*, essere pazzo di qlcu., qlco.; *to be — with delight*, essere fuori di sé dalla gioia **4** imprudente, avventato; fatto a caso **5** disordinato, confuso: — *hair*, capelli in disordine ♦ *s.* regione selvaggia // *the call of the —*, il richiamo della foresta ♦ *avv.* selvaggiamente.

wildcat ['waildkæt] *agg. attr.* **1** arrischiato, rischioso (di impresa commerciale) **2** non autorizzato; irregolare; illegale: — *strike*, sciopero selvaggio ♦ *s.* gatto selvatico; (*amer.*) lince.

wildebeest ['wildibi:st] *s.* (*zool.*) gnu.

wilderness ['wildənis] *s.* deserto; landa // *in the —*, (*fig.*) (politicamente) in disgrazia.

wild-eyed ['waild,aid] *agg.* con gli occhi sbarrati.

wildfire ['waild,faiə*] *s.* fuoco greco // *the news spread like —*, la notizia si sparse molto rapidamente.

wildly ['waildli] *avv.* **1** selvaggiamente; selvaticamente **2** violentemente.

wildness ['waildnis] *s.* **1** selvatichezza, stato selvaggio **2** furore; impetuosità.

wile [wail] *s.* (*gener. pl.*) astuzia; inganno.

to wile *v.tr.* allettare; ingannare.

wilful ['wilful] *agg.* **1** ostinato, caparbio **2** (*dir.*) intenzionale, premeditato.

wilfulness ['wilfulnis] *s.* **1** ostinazione, caparbietà **2** premeditazione.

wilily ['wailili] *avv.* scaltramente.

wiliness ['wailinis] *s.* astuzia, scaltrezza.

will[1] [wil (*forma forte*), wəl, əl (*forme deboli*)], *pass.* **would** [wud (*forma forte*), wəd, əd (*forme deboli nel significato* 3)] *v.dif.* **1** (*ausiliare della 2ª e 3ª sing. e pl. del futuro*): *he — come tomorrow*, verrà domani **2** (*ausiliare della 1ª pers. sing. e pl. del futuro volitivo*): *I — tell him immediately*, glielo dirò immediatamente **3** volere: *he — not understand*, non vuole capire; *I — have that book*, voglio quel libro; *I — have him do this*, voglio che lo faccia; *do what you —*, fa' quello che vuoi; *it seemed as though he would buy it*, sembrava volesse comprarlo; *I would have told you before*, avrei voluto dirtelo prima // — *you have a cup of coffee?*, vuoi, prendi un caffè? // *he — insist on having his own way*, insiste nel fare quello che gli piace; *he — have it that he is right*, insiste nel volere aver ragione // *he — not have it*, non lo permette // *he would have none of it*, non ne voleva sentir parlare // *would it were not so!*, volesse il cielo che non fosse così! **4** (*esprimente supposizione*): *by now he — have arrived*, a quest'ora sarà arrivato.

will[2] *s.* (*solo sing.*) **1** volontà, volere; desiderio: *strong, weak —*, volontà forte, debole // *free —*, libero arbitrio // *at —*, a volontà, a piacimento **2** energia, entusiasmo: *to work with a —*, lavorare di buona lena **3** testamento: *to make one's —*, fare testamento.

to will[2] *v.tr.* **1** lasciare per testamento **2** desiderare intensamente, volere; disporre **3** costringere ♦ *v.intr.* essere disposto, volere // *you must obey, whether you — or not*, devi ubbidire, che tu voglia o no.

willful ['wilfəl] *agg.* (*amer.*) → **wilful**.

William ['wiljəm] *no.pr.m.* Guglielmo.

willies ['wiliz] *s.pl.* (*sl.*) nervosismo (*sing.*); imbarazzo (*sing.*) // *to give s.o. the* —, far venire i brividi a qlcu.

willing ['wiliŋ] *agg.* **1** volonteroso: *a* — *horse*, un cavallo generoso **2** disposto // *— or not*, volente o nolente **3** spontaneo, volontario.

willingly ['wiliŋli] *avv.* volentieri.

willingness ['wiliŋnis] *s.* **1** buona volontà **2** propensione (ad agire).

will-o'-the-wisp ['wiləðə'wisp] *s.* **1** fuoco fatuo **2** (*fig.*) persona inafferrabile.

willow ['wilou] *s.* **1** salice **2** (*fam.*) bastone per il gioco del cricket.

willowy ['wiloʊi] *agg.* sottile, flessuoso.

willpower ['wil,pauə*] *s.* forza di volontà.

willy-nilly ['wili'nili] *avv.* per amore o per forza.

to wilt [wilt] *v.tr.* far appassire, far avvizzire ♦ *v.intr.* appassire, avvizzire.

wily ['waili] *agg.* astuto, scaltro.

wimple ['wimpl] *s.* soggolo.

win [win] *s.* vittoria, successo.

to win, *pass.* e *p.pass.* **won** [wʌn] *v.tr.* vincere; conquistare (*anche fig.*): *to — back s.o.'s affection*, riconquistare l'affetto di qlcu. // *to — one's spurs*, guadagnarsi gli speroni, essere fatto cavaliere; (*fig.*) ottenere il riconoscimento dei propri meriti // *to — the day*, essere vittorioso // *to — hands down*, (*fam.*) sconfiggere completamente ♦ *v.intr.* essere vittorioso.

wince [wins] *s.* sussulto, trasalimento.

to wince *v.intr.* trasalire, sussultare.

winch [wintʃ] *s.* **1** verricello, argano **2** manovella.

wind[1] [wind] *s.* **1** vento: *fair* —, vento favorevole; *the — is rising, falling*, il vento si sta alzando, sta cessando // *before* (o *down*) *the* —, col vento in poppa // *— cone*, (*aer.*) manica a vento // *in the* —, (*fig.*) nell'aria // *to put s.o.'s* — *up*, (*sl.*) spaventare qlcu. // *to get* — *up*, (*sl.*) spaventarsi // *to sail close to the* —, (*fig.*) sfiorare la disonestà **2** respiro, fiato: *the runner soon lost his* —, al corridore mancò presto il fiato // *to get one's second* —, riprendere fiato; (*fig.*) ritrovare l'energia, la voglia di ritentare // *sound in* — *and limb*, perfettamente sano // *— instruments*, (*mus.*) strumenti a fiato **3** sentore; odore portato dal vento: *to get* — *of a plot*, (*fig.*) aver sentore di un complotto **4** (*fig.*) parole vuote, senza significato.

to wind[1] [wind; *nel senso* 1 waind] *v.tr.* **1** suonare (strumenti a fiato) **2** fiutare **3** sfiatare, far perdere il fiato a: *he was winded by the run*, era rimasto senza fiato per la corsa **4** far riprendere fiato a.

wind[2] [waind] *s.* curva, svolta.

to wind[2], *pass.* e *p.pass.* **wound** [waund] *v.tr.* **1** avvolgere; cingere: *she wound a scarf round her neck*, si avvolse una sciarpa intorno al collo; *to — a bobbin*, avvolgere il filo su una bobina // *to — s.o. round one's little finger*, (*fig.*) far fare a, fare di qlcu. ciò che si vuole **2** caricare (molla, orologio); far girare: *to — a handle*, girare, azionare una manopola // *to — off*, svolgere; dipanare **3** *to — one's way*, dirigersi **4** *to — up*, caricare (molla, orologio); diventar teso, nervoso; finire; (*comm.*) liquidare, chiudere (società, conti): *to — up wool*, aggomitolare la lana; *she gets so wound up before her exams that she can't sleep*, è così tesa prima degli

esami che non riesce a dormire; *he always winds up drunk at parties*, finisce sempre con l'ubriacarsi alle feste ♦ *v.intr.* **1** serpeggiare; salire a spirale, a chiocciola (di scala) **2** avvolgersi // *to — off*, svolgersi; dipanarsi.

windbag ['windbæg] *s.* **1** otre (di cornamusa) **2** (*fig. fam.*) parolaio.

wind bound ['windbaund] *agg.* impedito dai venti contrari.

windbreak ['windbreik] *s.* frangivento.

windcheater ['wind,tʃiːtə*], (*amer.*) **windbreaker** ['wind,breikə*] *s.* giacca a vento.

winder ['waində*] *s.* **1** (*ind. tessile*) incannatoio, rocchettiera **2** gradino di scala a chiocciola **3** chiave per caricare l'orologio.

windfall ['windfɔːl] *s.* **1** frutto fatto cadere dal vento **2** (*fig.*) fortuna inaspettata.

wind gauge ['windgeidʒ] *s.* anemometro.

windiness ['windinis] *s.* **1** clima ventoso **2** verbosità **3** (*fam.*) vigliaccheria.

winding ['waindiŋ] *agg.* tortuoso; a chiocciola (di scala) ♦ *s.* **1** curva, tornante **2** spira **3** tortuosità; sinuosità.

winding sheet ['waindiŋʃiːt] *s.* sudario.

windjammer ['wind,dʒæmə*] *s.* **1** veliero **2** giacca a vento.

windlass ['windləs] *s.* argano, verricello.

windmill ['winmill] *s.* mulino a vento.

window ['windou] *s.* **1** finestra; finestrino // *— shade*, (*amer.*) tendina, cortina **2** vetrina.

window dresser ['windou,dresə*] *s.* vetrinista.

window dressing ['windou,dresiŋ] *s.* allestimento di vetrina.

window shopping ['windou,ʃɔpiŋ] *s.*: *to go* —, passeggiare guardando le vetrine.

windowsill ['windousil] *s.* davanzale.

windpipe ['windpaip] *s.* (*anat.*) trachea.

windscreen ['windskriːn], (*amer.*) **windshield** ['windʃiːld] *s.* (*aut.*) parabrezza // *— wiper*, tergicristallo; spazzola del tergicristallo.

windsock ['windsɔk] *s.* manica a vento.

windswept ['windswept] *agg.* esposto al vento.

wind tunnel ['wind,tʌnl] *s.* galleria aerodinamica.

windup ['waind,ʌp] *s.* fine, conclusione.

wind vane ['windvein] *s.* banderuola.

windward ['windwəd] *agg., s.* e *avv.* sopravvento.

windy ['windi] *agg.* **1** ventoso: *it is very — today*, oggi c'è molto vento **2** verboso; ampolloso **3** (*fam.*) pauroso.

wine [wain] *s.* **1** vino **2** succo fermentato (di frutti, fiori ecc.).

to wine *v.tr.* offrire vino a ♦ *v.intr.* bere vino.

winebibber ['wain,bibə*] *s.* ubriacone, beone.

wineglass ['wainglɑːs] *s.* bicchiere per vino.

winegrower ['wain,grouə*] *s.* viticultore.

winepress ['wainpres] *s.* torchio per vino.

wineshop ['wainʃɔp] *s.* negozio di vini; enoteca.

wineskin ['wainskin] *s.* otre.

wine store ['wainstɔː*] *s.* → **wineshop**.

wing [wiŋ] *s.* **1** ala // *— chair*, poltrona bergère // *— -footed*, con le ali ai piedi // *to take s.o. under one's* —, prendere qlcu. sotto la propria protezione **2** volo: *on the* —, in volo; *to take* —, prendere il volo **3** (*aer.*) squadriglia **4** *pl.* (*teatr.*) quinte // *in the wings*, (*fig.*) dietro le quinte **5** *pl.* aquila (di pilota) (*sing.*).

to wing *v.tr.* **1** ferire alle ali (uccelli); ferire alle braccia (persone) **2** dare ali a (*anche fig.*) ♦ *v.intr.* volare.

wing commander [ˈwiŋkə,maːndə*] *s.* (*aer.*) comandante di squadriglia.

winged [wiŋd] *agg.* alato (*anche fig.*).

wingspan [ˈwiŋspæn] *s.* (*tecn.*) apertura alare.

wink [wiŋk] *s.* **1** lo sbattere delle palpebre; ammicco, strizzatina d'occhi: *to tip s.o. the —*, (*sl.*) far segno con gli occhi a qlcu.; *if I'm not wanted, well, a nod is as good as a — and I'll leave*, se la mia presenza non è gradita, beh..., sarà facile da capire e verrò via **2** (*fig.*) istante: *I have not slept a —*, non ho chiuso occhio // *forty winks*, (*fam.*) un sonnellino.

to wink *v.intr.* **1** battere le palpebre; strizzare l'occhio // *to — at* (*s.o., sthg.*), ammiccare a; fingere di non vedere **2** brillare, scintillare (di luce, stelle ecc.); lampeggiare ♦ *v.tr.* sbattere (le palpebre); strizzare l'occhio.

winkers [ˈwiŋkəz] *s.pl.* (*fam. aut.*) lampeggiatori.

winking [ˈwiŋkiŋ] *s.* il battere le palpebre; l'ammiccare, lo strizzare l'occhio // *as easy as a —*, (*fam.*) facilissimo // *like —*, (*fam.*) in un baleno.

winkle[1] [ˈwiŋkl] *s.* (*zool.*) chiocciola di mare.

to winkle[2] *v.tr.* tirar fuori.

winner [ˈwinə*] *s.* vincitore.

winning [ˈwiniŋ] *agg.* **1** vincente, vincitore: *the — blow*, il colpo della vittoria **2** accattivante ♦ *s.* **1** vittoria **2** *pl.* vincite (al gioco).

winning post [ˈwiniŋpoust] *s.* traguardo.

to winnow [ˈwinou] *v.tr.* vagliare (*anche fig.*).

wino [ˈwainou] *s.* (*sl.*) chi abitualmente si ubriaca con vino scadente.

winsome [ˈwinsəm] *agg.* attraente; amabile; seducente.

winter [ˈwintə*] *agg.* invernale // *— sports*, sport invernali // *— quarters*, (*mil.*) campi invernali // *— garden*, giardino d'inverno ♦ *s.* inverno // *a man of ninety winters*, un uomo di ottanta primavere.

to winter *v.intr.* svernare ♦ *v.tr.* mantenere, nutrire (piante, animali) durante l'inverno.

winter-cherry [ˈwintəˈtʃeri] *s.* (*bot.*) alchechengi.

winter-weight [ˈwintəweit] *agg.* (*di abiti*) pesante, invernale.

wintriness [ˈwintrinis] *s.* rigore invernale.

wintry [ˈwintri] *agg.* invernale; rigido; (*fig.*) freddo.

winy [ˈwaini] *agg.* vinoso.

wipe [waip] *s.* **1** asciugatura; strofinata; spolverata **2** (*fam.*) colpo.

to wipe *v.tr.* asciugare; pulire; strofinare: *to — one's eyes*, asciugarsi gli occhi // *to — the floor with s.o.*, (*sl.*) infliggere una sconfitta a qlcu.; sgridare qlcu. // *to — away, off, out*, togliere strofinando; cancellare; annientare; *to — off a debt*, liquidare un debito; *to — out an insult*, vendicare un insulto.

wiper [ˈwaipə*] *s.*: (*windscreen*) —, (*aut.*) tergicristallo; spazzola del tergicristallo.

wire [ˈwaiə*] *s.* **1** filo metallico // *to pull the wires*, manovrare i fili (di marionette); (*fig.*) tenere le fila (di una situazione) // *live —*, filo ad alta tensione; (*fig.*) persona attiva ed energica **2** (*fam.*) telegramma: *by —*, per telegrafo // *— tapping*, intercettazione telefonica.

to wire *v.tr.* **1** legare, assicurare con filo metallico **2** (*elettr.*) installare fili elettrici in (una casa) **3** (*fam. amer.*) telegrafare.

wired [ˈwaiəd] *agg.* **1** sostenuto, rinforzato con filo metallico; legato con filo metallico **2** munito di, recintato con filo, rete metallica **3** provvisto di impianto elettrico; collegato.

wiredrawn [ˈwaiədrɔːn] *agg.* **1** (*mecc.*) trafilato **2** (*fig.*) bizantino.

wire-haired [ˈwaiəhɛəd] *agg.* (*di cane*) a pelo ruvido.

wireless [ˈwaiəlis] *agg.* senza fili; telegrafico; radiofonico ♦ *s.* **1** telefonia, telegrafia senza fili **2** (*pop.*) radio: *to talk on the —*, parlare alla radio.

to wireless *v.tr.* e *intr.* trasmettere per radio.

wirepuller [ˈwaiə,pulə*] *s.* (*fig.*) maneggione, intrallazzatore.

wire wool [ˈwaiə,wul] *s.* paglietta, lana d'acciaio.

wirily [ˈwaiərili] *avv.* tenacemente.

wiriness [ˈwaiərinis] *s.* tenacia; resistenza.

wiring [ˈwaiəriŋ] *s.* (*tecn.*) cavi di collegamento; impianto.

wiry [ˈwaiəri] *agg.* **1** di, simile a filo metallico // *— hair*, capelli ispidi **2** magro ma forte; resistente; tenace.

wisdom [ˈwizdəm] *s.* saggezza; discernimento.

wisdom tooth [ˈwizdəmtuː θ] *s.* dente del giudizio.

wise[1] [waiz] *agg.* saggio, assennato; prudente // *— guy*, (*sl.*) un dritto // *to be none the wiser*, saperne quanto prima // *to put — to sthg.*, (*sl.*) mettere al corrente di qlco.; mettere in guardia contro qlco.

to wise *v.tr.*: *to — up*, (*sl.*) informare.

wiseacre [ˈwaiz,eikə*] *s.* (*fam.*) sapientone.

wisecrack [ˈwaizkræk] *s.* (*fam.*) spiritosaggine.

to wisecrack *v.intr.* (*fam.*) dire spiritosaggini.

wisely [ˈwaizli] *avv.* saggiamente.

wish [wiʃ] *s.* **1** desiderio; voglia **2** augurio: *my best wishes!*, i miei migliori auguri!

to wish *v.tr.* **1** volere, desiderare: *do you — me to go?*, vuoi che me ne vada? **2** (*ottativo*) volere (*al cond.*): *I — I could go*, vorrei potere (*o* se solo potessi) andare; *I — I had a car*, vorrei avere un'automobile; *I — it were already done*, vorrei che ciò fosse già fatto; *she wishes she were younger*, vorrebbe essere più giovane **3** augurare: *I wished myself dead*, avrei voluto essere morto; *it is to be wished that...*, ci si deve augurare che...; *to — s.o. good-night*, augurare la buona notte a qlcu. ♦ *v.intr.*: *to — for*, desiderare.

wishbone [ˈwiʃboun] *s.* forcella (di pollo).

wishful [ˈwiʃful] *agg.* desideroso // *— thinking*, il credere vero qlco. perché lo si desidera intensamente.

wishy-washy [ˈwiʃi,wɔʃi] *agg.* debole; insignificante.

wisp [wisp] *s.* ciuffo; piccolo fascio; mannello: *a — of hair*, una ciocca di capelli // *a — of smoke*, un filo di fumo.

wistaria [wisˈtɛəriə], **wisteria** [wisˈtiəriə] *s.* glicine.

wistful [ˈwistful] *agg.* **1** pieno di desiderio; bramoso **2** pensoso, meditabondo.

wit [wit] *s.* **1** spirito, brio **2** prontezza di spirito: *he had not the — to see it*, non era abbastanza acuto da capire ciò **3** persona arguta, spiritosa **4** *pl.* ingegno (*sing.*), intelligenza (*sing.*) // *to be at one's wits' end*, non sapere più cosa fare // *to be out of one's wits*, essere pazzo // *he has his wits about him*, ha la testa sulle spalle // *to live by one's wits*, vivere di espedienti.

witan [ˈwitən] *s.pl.* (*st.*) consiglieri del re; consiglio del re (*sing.*).

witch [witʃ] *s.* **1** strega; maga, fattucchiera // *white —*, maga benefica **2** giovane donna affascinante.

to witch *v.tr.* stregare; affascinare.

witchcraft [ˈwitʃkraːft] *s.* stregoneria; arti magiche (*pl.*).

witchdoctor [ˈwitʃ,dɔktə*] *s.* stregone.

witchery [ˈwitʃəri] *s.* malia, incantesimo; (*fig.*) fascino.

witch-hazel *s.* → **wych-hazel**.

witch-hunt [ˈwitʃhʌnt] *s.* caccia alle streghe; persecuzione, diffamazione.

witch-hunter ['witʃˌhʌntə*] s. persecutore di streghe; diffamatore.

witching ['witʃiŋ] agg. affascinante.

witenagemot ['witinəgi'mout] s. → **witan**.

with [wið] prep. **1** (compagnia, unione; mezzo; modo; qualità) con: come — me, vieni con me; I have no matches — me, non ho fiammiferi (con me); to work — a firm, lavorare con, presso una ditta; to draw — a pencil, disegnare con la, a matita; — all his money, he is unhappy, con tutto il suo denaro, è infelice; — great patience, con molta pazienza; a girl — blue eyes, una ragazza con gli, dagli occhi azzurri // it's habit — him, è una sua abitudine // to leave sthg. — s.o., lasciare qlco. a qlco. // to be in —, farsela con, frequentare // — it, (sl.) secondo l'ultimissima moda // I'm not — you, non ti seguo (capisco ecc.) **2** (causa) per; di: bent — age, curvo per gli anni; to shiver — fear, tremare di paura **3** (limitazione) per, quanto a: — him nothing is important, per lui nulla ha importanza **4** (abbondanza) di: filled —, pieno di; endowed — , dotato di.

withal [wið'ɔ:l] avv. (arc.) **1** inoltre; di conseguenza **2** malgrado tutto ♦ prep. (arc.).

to **withdraw** [wið'drɔ:], pass. **withdrew** [wið'dru:], p.pass. **withdrawn** [wið'drɔ:n] v.tr. tirare indietro; ritirare ♦ v.intr. ritirarsi.

withdrawal [wið'drɔ:əl] s. **1** ritirata; ritiro **2** ritrattazione **3** (comm.) prelevamento.

withdrawn p.pass. di to **withdraw** ♦ agg. **1** poco socievole; introverso **2** distratto.

withdrew pass. di to **withdraw**.

withe [wið] s. vimine, vinco.

to **wither** ['wiðə*] v.intr. appassire, avvizzire; disseccare, inaridire ♦ v.tr. **1** far appassire, far sfiorire **2** (fig.) agghiacciare; fulminare; zittire.

withering ['wiðəriŋ] agg. **1** che inaridisce, che appassisce; che fa appassire **2** (fig.) sprezzante; fulminante.

witheringly ['wiðəriŋli] avv. **1** in modo da fare appassire **2** in modo sprezzante.

withers ['wiðəz] s.pl. garrese (sing.).

to **withhold** [wið'hould], pass. e p.pass. **withheld** [wið'held] v.tr. trattenere; rifiutare // to — the truth from s.o., nascondere la verità a qlco.

within [wi'ðin] (antiq.) all'interno, dentro (anche avv. fig.) ♦ prep. **1** dentro a **2** entro: — a week, entro una settimana ♦ s. l'interno: from —, dall'interno.

without [wi'ðaut] prep. **1** senza (di): — doubt, senza dubbio; — me, senza di me; — speaking, senza parlare // it goes — saying, va da sé, è ovvio // to do (o to go) —, fare a meno di **2** (arc. letter.) fuori (di), al di fuori di ♦ cong. (arc.) senza (che), a meno che non ♦ avv. (letter.) fuori, all'esterno (anche fig.): from —, dall'esterno.

to **withstand** [wið'stænd], pass. e p.pass. **withstood** [wið'stud] v.tr. resistere, opporsi a.

withstood pass. e p.pass. di to **withstand**.

withy ['wiði] s. → **withe**.

witless ['witlis] agg. senza spirito; sciocco, stupido.

witness ['witnis] s. **1** testimone, teste **2** testimonianza; prova, dimostrazione: in — of, a testimonianza di; to bear — to (o of) sthg., testimoniare qlco.; to give — on behalf of, testimoniare a favore di.

to **witness** v.tr. **1** testimoniare; essere testimone di: to — an accident, essere presente a un incidente; to — against, for, testimoniare contro, a favore di; to — a document, firmare un documento come testimone **2** mostrare ♦ v.intr. testimoniare.

witness box ['witnisbɒks] s. banco dei testimoni.

witticism ['witisizəm] s. frizzo, arguzia.

wittily ['witili] avv. spiritosamente.

witting ['witiŋ] agg. deliberato, intenzionale.

wittingly ['witiŋli] avv. consapevolmente; di proposito.

witty ['witi] agg. spiritoso; brillante; arguto.

to **wive** [waiv] v.tr. sposare ♦ v.intr. ammogliarsi.

wives pl. di **wife**.

wizard ['wizəd] agg. (sl.) portentoso ♦ s. stregone; mago (anche fig.).

wizardry ['wizədri] s. **1** stregoneria **2** (fig.) abilità, perizia.

wizen ['wizn], **wizened** ['wiznd] agg. avvizzito, raggrinzito; rugoso.

wobble ['wɒbl] s. **1** dondolio, oscillazione **2** (fig.) incertezza, esitazione.

to **wobble** v.tr. **1** dondolare, oscillare, vacillare **2** (fig.) tentennare, esitare.

woe [wou] s. dolore, pena; sventura // — is me!, ahimè!

woebegone ['woubi,gɒn] agg. triste, desolato.

woeful ['wouful] agg. doloroso; triste, afflitto.

wog [wɒg] s. (sl.spreg.) arabo; indiano.

woke pass. e p.pass. di to **wake**.

woken p.pass. di to **wake**.

wold [would] s. radura, pianoro; brughiera.

wolf [wulf], pl. **wolves** [wulvz] s. **1** lupo // to cry —, gridare al lupo; dare falsi allarmi // to keep the — from the door, tener lontano la miseria **2** persona avida, rapace **3** (sl.) donnaiolo **4** (mus.) dissonanza.

to **wolf** v.tr. divorare ingordamente // to — down food, ingozzarsi di cibo.

wolfish ['wulfiʃ] agg. da lupo, simile a un lupo; (fig.) crudele; vorace; (sl.) libidinoso.

wolfram ['wulfrəm] s. (chim.) wolframio, tungsteno.

wolfsbane ['wulfsbein] s. (bot.) aconito.

wolf whistle ['wulf,wisl] s. (fam.) fischio di ammirazione.

wolves pl. di **wolf**.

woman ['wumən], pl. **women** ['wimin] s. **1** donna, femmina; (fam.) moglie: a — of the world, una donna di mondo; born of —, mortale; single —, donna nubile // there's a — in it!, c'è di mezzo una donna! **2** dama di compagnia **3** carattere, qualità femminile: there is little of the — in her, è poco femminile.

woman-hater ['wumən,heitə*] s. misogino.

womanhood ['wumənhud] s. condizione di donna; femminilità; maturità (della donna).

womanish ['wuməniʃ] agg. effeminato.

to **womanize** ['wumənaiz] v.tr. rendere effeminato ♦ v.intr. (fam.) essere un donnaiolo.

womanizer [wumə'naizə*] s. donnaiolo.

womankind ['wumənkaind] s. le donne (pl.).

womanlike ['wumənlaik] agg. femminile; femmineo ♦ avv. da donna.

womanly ['wumənli] agg. femminile.

womb [wu:m] s. utero // in the — of time, (fig.) nel grembo del tempo, nel futuro.

women pl. di **woman**.

womenfolk ['wiminfouk], **womenking** ['wimin kaind] s.pl. le donne.

won pass. e p.pass. di to **win**.

wonder ['wʌndə*] s. **1** meraviglia, stupore; ammirazione: I listened to him in —, lo ascoltavo con stupore **2** prodigio, portento; miracolo: no — (that), non fa meraviglia che; to do (o to work) wonders, far miracoli; fare grandi cose // for a —, strano a dirsi // a nine days' —, un fuoco di paglia.

to **wonder** *v.intr.* essere sorpreso; stupirsi: *I — at you*, mi meraviglio di te; *it is not to be wondered at*, non c'è da meravigliarsi; *I shouldn't — if he never paid*, non mi stupirei se non pagasse mai // *I —*, *(fam.)* dubito ♦ *v.tr.* domandarsi, chiedersi: *I — what the time is*, mi domando che ora sia.

wonder-boy ['wʌndəbɔi] *s.* persona arrivata al successo molto precocemente.

wonder-child ['wʌndətʃaild] *s.* bambino prodigio.

wonderful ['wʌndəful] *agg.* meraviglioso; prodigioso; sorprendente; *(fam.)* superlativo.

wondering ['wʌndəriŋ] *agg.* ammirato; dubbioso.

wonderland ['wʌndəlænd] *s.* paese delle meraviglie.

wonderment ['wʌndəmənt] *s.* meraviglia; stupore.

wonder-struck ['wʌndəstrʌk] *agg.* stupefatto, trasecolato.

wonderwork ['wʌndəwə:k] *s.* lavoro, atto miracoloso.

wonder-worker ['wʌndə,wə:kə*] *s.* taumaturgo.

wondrous ['wʌndrəs] *agg.* meraviglioso, mirabile.

wonky ['wɔŋki] *agg.* *(sl.)* vacillante, traballante.

wont [wount] *agg.* abituato, solito ♦ *s.* uso, abitudine; costume: *use and —*, uso e costume.

won't [wount] *contr.* di will not.

wonted ['wountid] *agg.* solito; abituale.

to **woo** [wu:] *v.tr.* corteggiare, stare dietro a.

wood [wud] *s.* **1** bosco, foresta *(anche fig.)* // *out of the —*, *(amer. woods)*, fuori pericolo, dai guai // *not to see the — for the trees*, perdersi nei dettagli **2** legno; legna // *touch — !*, *(fam.)* tocca ferro! **3** botte, barile: *wine aged in —*, vino invecchiato in fusto **4** *(sport)* boccia.

to **wood** *v.tr.* **1** rifornire di legna **2** piantare ad alberi ♦ *v.intr.* raccogliere legna.

wood alcohol ['wud'ælkəhɔl] *s.* alcool metilico.

woodbind ['wudbaind], **woodbine** ['wudbain] *s.* *(bot.)* caprifoglio.

woodblock ['wudblɔk] *s.* **1** stampo di legno **2** tessera di legno (per pavimenti).

woodcarving ['wud,ka:viŋ] *s.* scultura in legno.

woodchuck ['wudtʃʌk] *s.* *(zool.)* marmotta.

woodcock ['wudkɔk] *s.* *(zool.)* beccaccia.

woodcraft ['wudkra:ft] *s.* **1** conoscenza dei boschi **2** arte di intagliare il legno.

woodcut ['wudkʌt] *s.* silografia.

woodcutter ['wud,kʌtə*] *s.* **1** boscaiolo, legnaiolo **2** silografo.

wooded ['wudid] *agg.* boscoso; boschivo.

wooden ['wudn] *agg.* **1** di legno **2** *(fig.)* stupido; rigido; impacciato; inespressivo: *a — gaze*, sguardo inespressivo **3** *(di suono)* sordo.

wood engraving ['wudin,greiviŋ] *s.* silografia.

woodenheaded ['wudn,hedid] *agg.* stupido, testone.

woodland ['wudlənd] *s.* luogo, terreno boscoso.

woodlark ['wudla:k] *s.* *(zool.)* calandra.

woodman, *pl.* **woodmen** ['wudmən] *s.* **1** taglialegna **2** guardaboschi; guardia forestale.

wood nymph ['wud'nimf] *s.* *(mit.)* ninfa dei boschi.

woodpecker ['wud,pekə*] *s.* *(zool.)* picchio.

wood pulp ['wudpʌlp] *s.* pasta di legno; cellulosa.

woodshed ['wudʃed] *s.* legnaia.

woodsman, *pl.* **woodsmen** ['wudzmən] *s.* *(amer.)* → **woodman**.

wood spirit ['wud'spirit] *s.* alcool metilico.

woodwind ['wudwind] *s.* strumenti a fiato *(pl.)*.

woodwork ['wudwə:k] *s.* parti, rivestiture in legno *(pl.)*.

woodworking ['wud,wə:kiŋ] *s.* ebanisteria.

woodworm ['wudwə:m] *s.* *(zool.)* tarlo.

woody ['wudi] *agg.* **1** boscoso **2** legnoso.

wooer ['wu:ə*] *s.* corteggiatore, spasimante.

woof¹ [wu:f] *s.* *(ind. tessile)* trama.

woof² *onom.* bau-bau (l'abbaiare del cane).

wooing ['wu:iŋ] *s.* corte.

wool [wul] *s.* **1** lana; filato, tessuto di lana // *dyed in the —*, lana tinta (prima della filatura); *(fig.)* completo // *to lose one's —*, *(sl.)* perdere la pazienza // *keep your — on!*, *(sl.)* stai calmo! // *they went for — and came home shorn*, andarono per suonare e furono suonati // *to pull the — over s.o.'s eyes*, gettar fumo negli occhi di qlcu. // *— -carding*, cardatura della lana // *— waste*, cascame di lana // *cotton —*, *(amer.)* cotton-batting, ovatta // *matted- —*, lana infeltrita **2** pelo, peluria (di animale) **3** *(scherz.)* capigliatura.

woolen *agg. e s. (amer.)* **woollen**.

wool-fat ['wulfət] *s.* lanolina.

woolfell ['wulfel] *s.* vello.

woolgathering ['wul,gæðəriŋ] *agg.* distratto, sbadato ♦ *s.* distrazione, sbadataggine.

woollen ['wulin] *agg.* di lana ♦ *s.* **1** stoffa di lana **2** *pl.* indumenti di lana.

woolliness ['wulinis] *s.* **1** lanosità **2** *(fig.)* confusione **3** *(fam.)* villania.

woolly ['wuli] *agg.* **1** di lana, lanoso // *— clouds*, cielo a pecorelle **2** *(fig.)* indistinto; confuso; annebbiato **3** *(fam.)* villano ♦ *s.* indumento di lana; golfino.

woolly-headed ['wuli,hedid] *agg.* con i capelli molto folti.

woolpack ['wulpæk] *s.* balla di lana.

woolsack ['wulsæk] *s.* **1** balla di lana **2** cuscino del seggio del Lord Cancelliere **3** *(fig.)* carica di Lord Cancelliere.

wool stapler ['wul,steiplə*] *s.* commerciante in lana.

wool-winder ['wul,waində*] *s.* arcolaio.

wooly ['wuli] *agg.* *(amer.)* → **woolly**.

woozy ['wu:zi] *agg.* confuso, stordito.

wop [wɔp] *s.* *(sl.spreg.)* (immigrato) italiano.

word [wə:d] *s.* **1** parola // *upon my —*, davvero, parola mia // *he broke his —*, mancò alla parola data // *the Word*, il Verbo // *big words*, parole grosse // *by — of mouth*, oralmente // *beyond words*, che non può essere espresso a parole // *my — !*, accipicchia! // *the last —*, l'ultima novità // *a play upon words*, un gioco di parole // *— came that*, giunse notizia che // *to be as good as one's —*, mantenere quanto si promette // *to be too good for words*, essere buono oltre ogni dire // *to eat one's words*, ritrattare le proprie parole, scusarsi // *to get a — in edgeways*, interloquire // *to have a — with s.o.*, avere un breve colloquio con qlcu. // *to have words (with s.o.)*, litigare (con qlcu.) // *to send s.o. — of sthg.*, far sapere qlco. a qlcu. // *a — to the wise*, *(prov.)* a buon intenditor poche parole **2** ordine, comando; parola d'ordine; motto: *to give the —* (*to do sthg.*), dare ordine (di fare qlco.) **3** *(informatica)* parola (di macchina): *— check*, parola di controllo.

to **word** *v.tr.* esprimere; mettere in parole; formulare.

wordbook ['wə:dbuk] *s.* **1** lessico **2** *(mus.)* libretto.

worded ['wə:did] *agg.* espresso a parole.

word-for-word ['wə:dfə'wə:d] *agg.* letterale.

wordily ['wə:dili] *avv.* verbosamente.

wordiness ['wə:dinis] *s.* verbosità.

wording ['wə:diŋ] *s.* **1** espressione, scelta dei vocaboli: *the meaning would be clearer with a different —*, il significato sarebbe più chiaro con un'altra scelta di vocaboli **2** dicitura.

wordless [ˈwɔːdlis] *agg.* senza parole.

word-painting [ˈwɔːdˌpeintiŋ], **word-picture** [ˈwɔːdˌpiktʃə*] *s.* vivida descrizione.

wordplay [ˈwɔːdplei] *s.* gioco di parole.

wordy [ˈwɔːdi] *agg.* verboso, prolisso.

wore *pass.* di to **wear**.

work [wɔːk] *s.* **1** lavoro: *to be at* —, essere al lavoro; *to set to* —, cominciare a lavorare; *stoppage of* —, interruzione di lavoro // — *to rule*, sciopero bianco // *all in the day's* —, tutto regolare // *a maid of all* —, una domestica tutto fare // *out of* —, disoccupato // — *progress*, (*informatica*) avanzamento lavori // *to make* — *for s.o.*, dar lavoro a qlcu. // *to make short* — *of it*, sbrigarsela in fretta **2** opera **3** *pl.* lavori di costruzione, di ingegneria; (*mil.*) fortificazioni // *the Office of Works*, Ministero dei Lavori Pubblici **4** *pl.* meccanismo (*sing.*) **5** *pl.* officina (*sing.*), stabilimento (*sing.*).

to **work**, *pass. e p.pass.* **worked** [wɔːkt], (*rar.*) **wrought** [rɔːt] *v.intr.* **1** lavorare: *to* — *hard*, lavorar sodo // *his elbow has worked through the sleeve*, il suo gomito ha logorato la manica // *to* — *loose*, allentarsi // *to* — *up stream*, risalire la corrente **2** funzionare: *the wireless doesn't* —, la radio non funziona **3** agitarsi; contrarsi: *his hands worked with excitement*, le sue mani si agitavano per l'emozione **4** fermentare **5** *to* — *in*, adattarsi: *our plan worked in with yours*, il nostro piano si adattò al vostro **6** *to* — *at*, applicarsi a **7** *to* — *out*, riuscire, avere successo; (*di quantità*) ammontare: *the total works out to be less then we had thought*, il totale ammonta a meno di quanto pensassimo ♦ *v.tr.* **1** far lavorare: *to* — *a servant*, far lavorare un servitore // *he worked himself to death*, si ammazzò di lavoro **2** lavorare: *to* — *clay*, modellare l'argilla; *to* — *iron*, forgiare il ferro // *we worked our way through the woods*, ci aprimmo un cammino nel bosco // *to* — *oneself into a rage*, montare in collera // *he worked his passage on the ship*, si pagò il viaggio sulla nave lavorando **3** far funzionare; far muovere: *the machine is worked by electricity*, la macchina funziona elettricamente **4** operare, produrre, causare: *to* — *a change*, operare un cambiamento; *to* — *wonders*, far miracoli **5** ottenere (gener. con sforzo), procurare: *I tried to* — *a free ticket for you*, ho cercato di procurarmi un biglietto gratis per te; *how did you* — *it?*, come l'hai ottenuto?; *he worked his way through to the front*, riuscì a portarsi in prima fila **6** (*mat.*) risolvere; calcolare **7** lavorar (d'ago); ricamare **8** *to* — *in*, introdurre: *to* — *in a joke*, introdurre una frase scherzosa **9** *to* — *off*, liberarsi di; sfogare; (*comm.*) eliminare **10** *to* — *out*, calcolare; progettare; elaborare; esaurire: *to* — *out a mine*, esaurire una miniera **11** *to* — *up*, preparare; costruire; elaborare; eccitare; fomentare.

workable [ˈwɔːkəbl] *agg.* **1** eseguibile; lavorabile; sfruttabile **2** realizzabile (di piano ecc.).

workaday [ˈwɔːkədei] *agg.* di ogni giorno; pratico; comune: — *clothes*, abiti ordinari.

workaholic [wɔːkəˈhɔlik] *s.* maniaco del lavoro.

workbag [ˈwɔːkbæg] *s.* borsa da lavoro.

workbasket [ˈwɔːkˌbɑːskit], **workbox** [ˈwɔːkbɔks] *s.* cestino da lavoro.

workday [ˈwɔːkdei] *s.* giorno lavorativo.

worker [ˈwɔːkə*] *s.* **1** lavoratore; operaio; lavorante; bracciante: *unskilled workers*, manodopera non qualificata // *blue-collar workers*, gli operai; *white-collar*

workers, impiegati; (*fam.*) colletti bianchi // *steel-collar workers*, i robot **2** (*zool.*) (ape, formica) operaia.

workhouse [ˈwɔːkhaus] *s.* **1** ospizio di mendicità **2** (*amer.*) casa di lavoro per condannati per reati minori.

working [ˈwɔːkiŋ] *agg.* **1** che lavora, laborioso; operante, funzionante: *a* — *theory*, una teoria che funziona // — *class*, classe operaia **2** di, del lavoro, che si riferisce al lavoro: — *load*, carico di lavoro; — *capital*, capitale di lavoro; capitale liquido; — *week*, settimana lavorativa; — *register*, (*informatica*) registro di lavoro ♦ *s.* **1** (*mecc.*) funzionamento // *in* — *order*, funzionante **2** galleria (di miniera).

working day [ˈwɔːkiŋdei] *s.* giornata lavorativa.

working-out [ˈwɔːkiŋˈaut] *s.* elaborazione, sviluppo; risoluzione (di problema).

work load [ˈwɔːkloud] *s.* carico di lavoro.

workman, *pl.* **workmen** [ˈwɔːkmən] *s.* operaio, lavoratore.

workmanlike [ˈwɔːkmənlaik] *agg.* ben fatto; abile; competente.

workmanship [ˈwɔːkmənʃip] *s.* **1** abilità; abilità tecnica **2** fattura, lavorazione, lavoro.

workout [ˈwɔːkaut] *s.* (*fam.*) allenamento.

workshop [ˈwɔːkʃɔp] *s.* officina; laboratorio; bottega.

work-to-rule [ˈwɔːktəˈruːl] *s.* applicazione alla lettera del contratto di lavoro, da parte dei lavoratori.

workweek [ˈwɔːkwiːk] *s.* settimana lavorativa.

world [wɔːld] *s.* mondo: *a man of the* —, un uomo di mondo; *to go round the* —, fare il giro del mondo // *a* — *of*, una gran quantità di // *to make a* — *of difference*, fare una grande differenza // *all over the* —, dappertutto, in tutto il mondo // *where, what, how in the* —....?, dove, che cosa, come mai...? // *for the* —, per tutto l'oro del mondo // *dead to the* —, profondamente addormentato; (*sl.*) ubriaco fradicio // *out of this* —, (*fam.*) meraviglioso, sublime // *to think the* — *of s.o.*, tenere qlcu. in altissima considerazione // *the English speaking* —, i popoli di lingua inglese // *to have gone down in the* —, aver conosciuto giorni migliori.

worldliness [ˈwɔːldlinis] *s.* **1** temporalità; condizione terrena **2** mondanità.

worldling [ˈwɔːldliŋ] *s.* materialista.

worldly [ˈwɔːldli] *agg.* **1** di questo mondo, terreno **2** mondano; materialista: — *life*, vita mondana.

worldly-minded [ˈwɔːldliˈmaindid] *agg.* attaccato alle cose terrene.

worldly-wise [ˈwɔːldliˈwaiz] *agg.* che ha esperienza del mondo.

world vision [ˈwɔːldˈviʒən] *s.* mondovisione.

worldwide [ˈwɔːldwaid] *agg.* mondiale; universale.

worm [wɔːm] *s.* **1** verme (*anche fig.*); baco; bruco; larva; tarlo // *even a* — *will turn*, anche la pazienza ha un limite **2** — *screw*, (*mecc.*) vite senza fine.

to **worm** *v.tr.* **1** insinuarsi (*anche fig.*): *he wormed his way through the bushes*, avanzò strisciando tra i cespugli **2** liberare dai vermi **3** carpire (un segreto) ♦ *v.intr.* strisciare.

worm-eaten [ˈwɔːmˌiːtn] *agg.* roso dai vermi; (*fig.*) antiquato.

wormhole [ˈwɔːmhoul] *s.* buco di un verme o di un tarlo.

worm powder [ˈwɔːmˈpaudə*] *s.* vermifugo.

wormwood [ˈwɔːmwud] *s.* **1** (*bot.*) assenzio **2** (*fig.*) mortificazione; amarezza.

wormy [ˈwɔːmi] *agg.* verminoso.

worn [wɔːn] *p.pass.* di to **wear** ♦ *agg.* **1** consumato; sciupato **2** (*fig.*) indebolito; esaurito.

worn-out ['wɔ:n'aut] *agg.* **1** logoro **2** (*fig.*) esausto, sfinito.

worried ['wʌrɪd] *agg.* preoccupato; tormentato.

worry ['wʌri] *s.* **1** ansia; inquietudine **2** (*gener. pl.*) preoccupazioni (*pl.*), fastidi (*pl.*), guai (*pl.*).

to worry *v.tr.* **1** preoccupare; tormentare **2** infastidire, importunare; annoiare: *dont' — him!*, lasciatelo tranquillo! **3** azzannare, dilaniare // *to — out a problem*, affrontare un problema (fino a risolverlo) ♦ *v.intr.* preoccuparsi; stare in ansia: *you needn't —*, non preoccuparti.

worrying ['wʌriɪŋ] *agg.* che preoccupa, tormentoso; molesto; assillante.

worse [wə:s] *agg.* (*compar. di* bad, ill) peggiore; peggio: *to be —*, essere peggiore; stare peggio (di salute); *to be a — player than*, giocare peggio di; *to make things —*, (per) peggiorare la situazione // *— and —*, sempre peggio // *all the —* (o *so much the —*), tanto peggio // *to be the — for*, rimanere danneggiato, menomato da; *to be none the — for*, non risentire minimamente di // dall'uso ♦ *s.* (il) peggio: *— is yet to come*, il peggio deve ancora venire; *to change for the —*, peggiorare, cambiare in peggio // *from bad to —*, di male in peggio.

worse *avv.* (*compar. di* badly, ill) peggio: *— than ever*, peggio che mai; *it was raining — than ever*, pioveva più che mai // *— off*, in situazione peggiore // *none the —*, per nulla meno; ugualmente: *to think none the — of s.o.*, avere sempre stima di qlcu.

to worsen ['wə:sn] *v.tr.* peggiorare; aggravare ♦ *v.intr.* aggravarsi.

worship ['wə:ʃip] *s.* **1** adorazione, venerazione, culto: *place of —*, luogo sacro // *public —*, servizio religioso in una chiesa **2** (*titolo*) eminenza; eccellenza; signoria: *Your Worships*, le Signorie Vostre.

to worship *v.tr.* adorare, venerare; idolatrare ♦ *v.intr.* prender parte a servizi religiosi.

worshipful ['wə:ʃipfʊl] *agg.* onorevole.

worshipper ['wə:ʃipə*] *s.* adoratore // *the worshippers*, i fedeli.

worst [wə:st] *agg.* (*superl. di* bad, ill) peggiore: *her — enemy*, il suo peggior nemico // *his — fear was that...*, la sua più grande paura era che... ♦ *s.* (il) peggio: *the — of it was that...*, il peggio era che... // *at (the) —*, alla peggio // *at one's —*, nel peggior stato possibile // *to do one's —*, agire nel modo peggiore; *let him do his —*, (*fam.*) faccia pure quello che vuole // *to get the — of it*, avere la peggio // *if the — comes to the —*, nel peggiore dei casi.

worst *avv.* (*superl. di* badly) peggio, nel modo peggiore // *the — prepared*, il meno preparato // *what frightened him — of all*, ciò che lo spaventò di più.

to worst *v.tr.* (*antiq.*) sconfiggere, avere la meglio (su).

worsted ['wə:stid] *agg. e s.* (*ind. tessile*) pettinato di lana.

worth [wə:θ] *agg.*: *to be —*, valere; *how much is it —?*, quanto vale?; *it is — trying*, vale bene la pena di tentare; *the book is not — reading*, il libro non merita di essere letto; *it is not — much*, non vale gran che; *it is not — it (o the trouble)*, (*fam.*) non ne vale la pena ♦ *s.* valore: *a ring of great —*, un anello di grande valore // *to buy a pound's — of*, comperare una sterlina di...

worthily ['wə:ðili] *avv.* degnamente.

worthiness ['wə:ðinis] *s.* valore, merito.

worthless ['wə:θlis] *agg.* **1** di nessun valore **2** immeritevole, indegno.

worthlessness ['wə:θlisnis] *s.* **1** mancanza di valore **2** bassezza; indegnità.

worthwhile ['wə:θwail] *agg.* che vale la pena: *is it —?*, ne vale la pena?

worthy ['wə:ði] *agg.* degno: *a — man*, un uomo degno ♦ *s.* persona illustre, celebrità; notabile.

would [wud (*forma forte*) wəd, əd (*forme deboli*)] *v.dif.* **1** (*ausiliare del cond.*) *I — do it if I could*, lo farei se potessi; *he would have gone*, sarebbe andato **2** (*con valore di* solere *nell'imperf. indic.*): *he — come every day*, veniva, soleva venire ogni giorno **3** (*esprimente supposizione*): *it — be last year*, sarà stato, deve essere stato l'anno scorso **4** volere → **will**[1].

would-be ['wudbi:] *agg.* sedicente; aspirante: *a — poet*, un aspirante poeta; *my niece's — husband*, l'aspirante alla mano di mia nipote.

wouldn't ['wudnt] *contr. di* would not.

wound[1] [wu:nd] *s.* ferita (*anche fig.*).

to wound[1] *v.tr.* ferire (*anche fig.*).

wound[2] *pass. e p.pass.* di to **wind**[2].

wove *pass.* di to **weave**.

woven *p.pass.* di to **weave**.

wow [wau] *s.* (*fam.*) successo clamoroso; cosa straordinaria ♦ *inter.* (*fam.*) accipicchia!

wrack [ræk] *s.* alghe (*pl.*), rifiuti di mare (*pl.*).

wrangle ['ræŋgl] *s.* alterco; rissa.

to wrangle *v.intr.* discutere; azzuffarsi.

wrangler ['ræŋglə*] *s.* attaccabrighe.

wrap [ræp] *s.* scialle; mantello; coperta // *under wraps*, nascosto, segreto.

to wrap *v.tr.* **1** avvolgere; coprire (*anche fig.*): *to — in paper*, avvolgere nella carta **2** *to — up*, avvolgere; (*fig.*) mascherare; nascondere // *to be wrapped up in s.o., sthg.*, essere completamente preso da qlcu., qlco.

wrapper ['ræpə*] *s.* **1** imballatore **2** carta da imballo; copertina; fascetta (di giornale) **3** veste da camera; soprabito; scialle.

wrapping ['ræpɪŋ] *s.* carta da imballaggio.

wrath [rɔ:θ, (*amer.*) ræθ] *s.* collera, ira.

wrathful ['rɔ:θful] *agg.* adirato, sdegnato.

to wreak [ri:k] *v.tr.* dar libero corso (a); sfogare; mettere in atto.

wreath [ri:θ] *s.* **1** ghirlanda, corona **2** spirale; raffica (di neve ecc.).

to wreathe [ri:ð] *v.tr.* **1** intrecciare **2** inghirlandare; incoronare **3** attorcigliare; avvolgere ♦ *v.intr.* innalzarsi in spire, in volute.

wreck [rek] *s.* **1** naufragio, rovina (*anche fig.*) **2** nave che ha subìto un naufragio; relitto, rottame, rudere (*anche fig.*) // *to be a nervous —*, avere i nervi a pezzi.

to wreck *v.intr.* naufragare ♦ *v.tr.* rovinare, distruggere (*anche fig.*).

wreckage ['rekidʒ] *s.* **1** naufragio (*anche fig.*) **2** relitti (*pl.*) (*anche fig.*); rottami (*pl.*).

wrecker ['rekə*] *s.* **1** persona che causa naufragi a scopo di saccheggio **2** nave, persona addetta al recupero di relitti **3** (*amer. aut.*) carro attrezzi **4** (*amer.*) demolitore (di case).

wren [ren] *s.* (*zool.*) scricciolo, reattino.

wrench [renʧ] *s.* **1** strappo; torsione; tirata **2** strappo muscolare; storta; slogatura: *to give one's knee a —*, slogarsi un ginocchio **3** (*fig.*) privazione, dolore: *his death was a sad —*, la sua morte fu una grande privazione **4** (*amer.*) (*mecc.*) chiave // *adjustable —*, chiave inglese.

to wrench *v.tr.* **1** strappare; torcere **2** storcere; slogare **3** (*fig.*) alterare, svisare.

wrest [rest] *s.* **1** strappo; tirata; torsione **2** chiave per accordare strumenti musicali a corda.

to wrest *v.tr.* **1** strappare; estorcere: *to — a confession from s.o.*, strappare una confessione a qlcu. **2** svisare, travisare.

wrestle [ˈresl] *s.* (*sport*) (incontro di) lotta libera; lotta.

to wrestle *v.intr.* lottare contro; combattere (*anche fig.*): *to — with a problem*, lottare con un problema ♦ *v.intr.* lottare, fare la lotta.

wrestler [ˈreslə*] *s.* lottatore.

wrestling [ˈreslin] *s.* (*sport*) lotta (libera).

wretch [retʃ] *s.* **1** persona infelice, disgraziata: *poor —*, povero diavolo **2** persona spregevole, indegna.

wretched [ˈretʃid] *agg.* **1** infelice; disgraziato // *a — business*, un brutto affare **2** scadente; squallido: *— food*, cibo di cattiva qualità.

wretchedness [ˈretʃidnis] *s.* **1** infelicità, disgrazia **2** l'essere scadente; squallore.

wrick [rik] *s.* lieve strappo; storta.

to wrick *v.tr.* storcere, slogare leggermente.

wriggle [ˈrigl] *s.* contorsione; contorcimento.

to wriggle *v.intr.* **1** contorcersi; dimenarsi **2** (*fig.*) dare risposte evasive; equivocare **3** *to — out*, (*fig.*) cavarsi d'impaccio ♦ *v.tr.* contorcere; dimenare.

wring [rin] *s.* torsione; stretta.

to wring, *pass.* e *p.pass.* **wrung** [rʌn] *v.tr.* **1** torcere; stringere, serrare (*anche fig.*): *he wrung my hand*, mi strinse forte la mano; *I'll — your neck!*, (*scherz.*) ti torcerò il collo!; *to — one's hands in despair*, torcersi le mani per la disperazione; *to — (out) the linen*, torcere, strizzare la biancheria **2** *to — from*, estorcere, strappare a **3** *to — out*, spremere (torcendo); (*fig.*) strappare, estorcere.

wringer [ˈrinə*] *s.* **1** torcitore **2** strizzatoio.

wringing [ˈrinin] *agg.* bagnato: *— wet*, bagnato fradicio.

wrinkle [ˈrinkl] *s.* **1** ruga; grinza **2** espediente, stratagemma: *to know all the wrinkles*, conoscere tutti i trucchi.

to wrinkle *v.tr.* corrugare; raggrinzire; spiegazzare ♦ *v.intr.* corrugarsi; spiegazzarsi.

wrist [rist] *s.* polso.

wristband [ˈristbænd] *s.* polsino (di camicia).

wristlet [ˈristlit] *s.* braccialetto; fascia per polso; cinturino.

wristwatch [ˈristwotʃ] *s.* orologio da polso.

writ [rit] *s.* (*dir.*) mandato; ordine; mandato esecutivo: *to serve a — on*, consegnare un mandato a // *the Holy Writ*, la Sacra Scrittura.

to write [rait], *pass.* **wrote** [rout], (*arc.*) **writ** [rit], *p.pass.* **written** [ˈritn], (*arc.*) **writ** *v.tr.* e *intr.* **1** scrivere: *to — in pencil*, scrivere a matita; *he wrote asking me to the seaside*, mi ha scritto invitandomi al mare; *he wrote that he'd be coming on Monday*, scrisse che sarebbe venuto lunedì; *surprise was written all over her face*, la sorpresa le si leggeva in viso // *she writes a good hand*, ha una bella calligrafia // *that's nothing to — home about*, (*fam.*) non è niente di straordinario // *written in the dust* (o *in the sand* o *on water*), effimero **2** *to — back*, rispondere (per iscritto) **3** *to — down*, annotare, registrare; stendere, descrivere per iscritto: *to — down as*, qualificare come **4** *to — in*, scrivere a; (*amer.*) inserire (il nome di qlcu.) in una lista elettorale; votare per qlcu.: *we wrote in for a free copy*, abbiamo richiesto una copia omaggio **5** *to — off*, cancellare, annullare: *to — off a debt*, annullare, cancellare un debito **6** *to — out*,

copiare, trascrivere; emettere (un assegno) **7** *to — up*, aggiornare; lodare (attraverso scritti), recensire (gener. in modo positivo); presentare (fatti, notizie).

write *s.* (*informatica*) scrittura: *— head*, testina di scrittura; *— pulse*, impulso di scrittura.

write-off [ˈraitɔf] *s.* perdita.

writer [ˈraitə*] *s.* **1** scrittore; autore: *the — (of this letter)*, lo scrivente **2** copista.

write-up [ˈraitʌp] *s.* **1** critica, recensione favorevole **2** (*informatica*) documentazione sommaria.

writhe [raið] *s.* contorcimento; convulsione.

to writhe *v.intr.* contorcersi; (*fig.*) fremere: *he was writhing with indignation*, fremeva d'indignazione.

writing [ˈraitin] *s.* **1** lo scrivere: *she was busy with her —*, era occupata a scrivere **2** scrittura, calligrafia **3** (documento) scritto; scritta: *a fine piece of —*, un buon pezzo di prosa // *in —*, per iscritto **4** *pl.* scritti, opere letterarie **5** (*informatica*) scrittura; registrazione: *— head*, testina di scrittura.

writing case [ˈraitinkeis] *s.* astuccio con il necessario per scrivere.

writing desk [ˈraitindesk] *s.* scrivania.

writing paper [ˈraitin,peipə*] *s.* carta da lettere.

writing table [ˈraitin,teibl] *s.* scrivania.

written [ˈritn] *p.pass.* di to **write** ♦ *agg.* scritto; messo per iscritto.

wrong [rɔn] *agg.* **1** sbagliato; inesatto; in errore; ingiusto // *— side*, (di tessuto) rovescio // *what's — with you?*, (*fam.*) che cosa hai che non va? // *to be —*, avere torto // *to get out of bed on the — side*, alzarsi di cattivo umore **2** peccaminoso; cattivo; illegale.

wrong *avv.* **1** erroneamente; in modo inesatto; ingiustamente: *all your plans went —*, tutti i tuoi piani andarono a monte; *you have got it —*, vi siete sbagliati, non avete capito bene // *to do —*, fare, agire male // *to get s.o. in — with*, (*amer.*) far diventare antipatico qlcu. a **2** in modo peccaminoso, illegale.

wrong *s.* **1** ingiustizia; torto: *the wrongs of time*, le ingiurie del tempo; *to be in the —*, essere dalla parte del torto; *to do s.o. —*, far torto a qlcu.; *to put s.o. in the —*, fare apparire colpevole qlcu.; (*dir.*) dimostrare la colpevolezza di qlcu. // *the absent are always in the —*, il torto è degli assenti **2** male, peccato: *to know right from —*, distinguere il bene dal male.

to wrong *v.tr.* **1** far torto (a), offendere; trattare ingiustamente; giudicare male **2** imbrogliare; nuocere (a).

wrongdoer [ˈrɔnˌduə*] *s.* peccatore; trasgressore.

wrongdoing [ˈrɔnˈduː)in] *s.* peccato; trasgressione.

wrongful [ˈrɔnful] *agg.* sbagliato; ingiusto; illegale.

wrongfully [ˈrɔnfuli] *avv.* ingiustamente; a torto.

wrongheaded [ˈrɔnˈhedid] *agg.* perverso.

wrongly [ˈrɔnli] *avv.* male, erroneamente; ingiustamente.

wrote *pass.* di to **write**.

wroth [rouθ] *agg.* (*arc. poet.*) irritato; furente.

wrought [rɔːt] *agg.* lavorato // *— iron*, ferro battuto.

wrought-up [ˈrɔːtˈʌp] *agg.* teso, agitato.

wrung *pass.* e *p.pass.* di to **wring**.

wry [rai] *compar.* **wryer, wrier** [ˈraiə*], *superl.* **wryest, wriest** [ˈraiist] *agg.* **1** contrariato **2** storto, contorto.

wryly [ˈraili] *avv.* **1** con disappunto **2** per traverso; di sbieco; obliquamente.

wych-hazel [ˈwitʃˈheizəl] *s.* (*bot.*) amamelide.

wyvern [ˈwaivə(ː)n] *s.* (*mit.* e *arald.*) dragone alato a due zampe.

X

x [eks], *pl.* **xs, x's** ['eksiz] *s.* **1** x // — *for Xmas*, (*tel.*) x come Xanthia // X; X-*shaped*, (fatto) a X **2** (*mat.*) x, prima incognita.

Xanthippe [zæn'θipi] *no.pr.f.* (*st. greca*) Santippe ♦ *s.* Santippe, moglie bisbetica.

xanthophyll ['zænθəfil] *s.* (*chim. biol.*) xantofilla.

xebec ['zi:bek] *s.* (*mar.*) sciabecco.

xenon ['zenɔn] *s.* (*chim.*) xeno.

xenophobe ['zenəfoub] *s.* xenofobo.

xenophobia [,zenə'foubjə] *s.* xenofobia.

Xenophon ['zenəfən] *no.pr.m.* (*st. lett.*) Senofonte.

Xmas *s.* → **Christmas**.

X-ray ['eks'rei] *agg. attr.* a, di raggi X ♦ *s.* radiografia.

to X-ray *v.tr.* sottoporre a raggi X; radiografare.

xylograph ['zailəgra:f] *s.* silografia.

xylography [zai'lɔgrəfi] *s.* silografia.

xylophone ['zailəfoun] *s.* (*mus.*) silofono.

xylophonist [zai'lɔfənist] *s.* silofonista.

xyster ['zistə*] *s.* (*chir.*) raschietto.

Y

y [wai], *pl.* **ys, y's** [waiz] *s.* y // — *for yellow*, (*tel.*) y come York.

yacht [jɔt] *s.* yacht, panfilo.

to yacht *v.intr.* fare crociere su un panfilo.

yachting ['jɔtiŋ] *s.* il far crociere su un panfilo.

yachtsman, *pl.* **yachtsmen** ['jɔtsmən] *s.* proprietario, comandante di panfilo.

yachtsmanship ['jɔtsmənʃip] *s.* abilità nel guidare un panfilo.

yahoo [jə'hu:] *s.* bruto; zoticone.

Yahweh ['ja:vei] *no.pr.* (*Bibbia*) Geova.

yam [jæm] *s.* **1** (*bot.*) igname **2** (*amer.*) batata, patata americana.

to yammer ['jæmə*] *v.intr.* (*amer.*) lamentarsi; gridare.

yank [jæŋk] *s.* (*fam.*) strattone; scossa.

to yank *v.tr.* e *intr.* (*fam.*) dare uno strattone (a).

Yank *agg.* e *s. sl.* per **Yankee**.

Yankee ['jæŋki] *s.* **1** americano **2** (*amer.*) abitante della Nuova Inghilterra; (*st.*) nordista ♦ *agg.* americano.

yap [jæp] *s.* **1** guaito, uggiolio **2** (*fam.*) cicaleccio insulso.

to yap *v.intr.* **1** guaire, abbaiare **2** (*fam.*) parlare a vanvera.

yard¹ [ja:d] *s.* **1** iarda **2** (*mar.*) pennone.

yard² *s.* **1** cortile; recinto; terreno cintato; arsenale; cantiere // *the Yard*, Scotland Yard (la polizia londinese) **2** (*amer.*) giardino intorno a una casa.

to yard² *v.tr.* rinchiudere (bestiame) in un recinto.

yardage¹ ['ja:didʒ] *s.* **1** misurazione in iarde **2** (*edil.*) materiale di sterro in iarde cubiche.

yardage² *s.* (prezzo per) uso di recinto.

yardmaster ['ja:dma:stə*] *s.* (*ferr.*) capomovimento.

yard-measure ['ja:dmeʒə*] *s.* → **yardstick¹**.

yardstick ['ja:dstik] *s.* **1** stecca di una iarda di lunghezza **2** (*fig.*) metro, misura: *is money the only — of success?*, è il denaro il solo metro del successo?

yarn [ja:n] *s.* **1** filo, filato **2** (*fam.*) storia, aneddoto // *to spin a —*, raccontare una storia // — *reel*, aspo.

to yarn *v.intr.* (*fam.*) raccontare storie.

yarrow ['jærou] *s.* (*bot.*) achillea.

yaw [jɔ:] *s.* (*aer.*) imbardata; (*mar.*) straorzata.

to yaw *v.intr.* (*aer.*) imbardare; (*mar.*) straorzare.

yawl [jɔ:l] *s.* (*mar.*) iole; scialuppa.

yawn [jɔ:n] *s.* sbadiglio.

to yawn *v.intr.* **1** sbadigliare **2** (*fig.*) aprirsi.

yawning ['jɔ:niŋ] *agg.* **1** spalancato **2** sonnolento.

ye¹ [ji:] *pron.pers.sogg e compl. 2ᵃ pers.sing. e pl.* → **you**.

ye² *art.* → **the**.

yea [jei] *s.* (*arc.*) affermazione; voto favorevole ♦ *inter.* sì.

yeah [jɛə] *avv.* e *inter.* (*amer. fam.*) sì.

year [jə:*] *s.* **1** anno, annata: *a — in* (o *next*) *March*, sarà un anno a marzo; *a — last March*, è stato un anno a marzo // — *by —*, di anno in anno // — *in — out*, un anno dopo l'altro // *all — round*, per tutto l'anno // *New Year's Day*, Capodanno // *New Year's Eve*, San Silvestro // *leap —*, anno bisestile // *calendar* (o *civil*) —, anno civile; *academic —*, anno accademico; *fiscal —*, anno fiscale; (*comm.*) esercizio finanziario **2** *pl.* anni, età (*sing.*).

yearbook ['jə:buk] *s.* annuario.

yearling ['jə:liŋ] *agg.* di un anno di età ♦ *s.* **1** animale di un anno **2** cavallo da corsa di un anno.

yearlong ['jə:lɔŋ] *agg.* che dura un anno.

yearly ['jə:li] *agg.* annuale ♦ *avv.* annualmente.

to yearn [jə:n] *v.intr.* languire, struggersi dal desiderio: *to — for* (o *after*) *sthg.*, bramare qlco.

yearning ['jə:niŋ] *s.* desiderio ardente, brama; struggimento.

yeast [ji:st] *s.* lievito; fermento.

yeasty ['ji:sti] *agg.* **1** in fermento; lievitato **2** spumoso, spumeggiante **3** superficiale.

yell [jel] *s.* **1** urlo, strillo, grido **2** (*fam.*) goduria, divertimento pazzo.

to yell *v.tr.* urlare, strillare, gridare ♦ *v.intr.* urlare, gridare.

yellow ['jelou] *agg.* **1** giallo // — *flag* (o *jack*), bandiera di quarantena // — *press*, stampa scandalistica **2** di pelle gialla; di razza gialla **3** (*sl.*) vile, codardo ♦ *s.* (colore) giallo.

to yellow *v.tr.* e *intr.* ingiallire.

yellowback [ˈjeloʊbæk] *s.* romanzo economico a sensazione.

yellowish [ˈjeloʊiʃ], **yellowy** [ˈjeloʊi] *agg.* giallastro, giallognolo.

yelp [jelp] *s.* guaito; gridolino.

to yelp *v.intr.* guaire; lanciar gridolini.

yen [jen] *s.* (*sl.*) voglia, desiderio.

to yen *v.intr.* (*sl.*) struggersi dal desiderio.

yeoman, *pl.* **yeomen** [ˈjoʊmən] *s.* (*st.*) piccolo proprietario terriero (che all'occorrenza prestava servizio militare in fanteria) // *Yeoman of the Guard*, (*st.*) guardia del corpo reale // — *service*, (*fig.*) aiuto prezioso.

Yeomanry [ˈjoʊmənri] *s.* (*st.*) **1** classe dei piccoli proprietari terrieri **2** guardia nazionale a cavallo composta di agricoltori.

yep [jep] *amer. dial.* per **yes**.

yes [jes] *avv.* sì: *to answer* — *or no*, rispondere con un sì o con un no; *to say* —, dire di sì // —, *please!*, sì, grazie! // —, *rather!*, ma sì! ♦ *inter.* sì?; davvero? ♦ *s.* sì.

yes-man [ˈjesmæn] *s.* (*fam.*) persona accondiscendente; uomo senza carattere.

yester- [ˈjestə*] *pref.* di ieri.

yesterday [ˈjestədi] *avv.* ieri: — *week*, ieri a otto; *the day before* —, l'altro ieri ♦ *s.* ieri: — *morning*, ieri mattina // *all our yesterdays*, il nostro passato.

yet [jet] *avv.* **1** ancora: *he hasn't come* —, non è ancora venuto; — *finer*, ancora più bello **2** già; ora: *need you go* —?, devi già andare?; *as* —, fino ad ora; *I can't go just* —, non posso andare in questo momento **3** ma, eppure; malgrado tutto: *he is poor* — *honest*, è povero ma onesto; *she will win* —, malgrado tutto vincerà // *nor* —, e neppure ♦ *cong.* ma, però, tuttavia.

yew [ju:] *s.* (*bot.*) tasso.

yield [ji:ld] *s.* **1** prodotto; raccolto **2** (*ind.*) rendimento; produzione **3** (*comm.*) rendita, reddito.

to yield *v.tr.* **1** produrre, fruttare, rendere **2** cedere, concedere, dare ♦ *v.intr.* **1** fruttare **2** cedere, arrendersi.

yielding [ˈji:ldiŋ] *agg.* **1** docile; compiacente; remissivo **2** pieghevole, flessibile.

yob [jɔb], **yobbo** [ˈjɔbou] *s.* giovinastro.

yoga [ˈjougə] *s.* yoga.

yog(h)urt [ˈjɔgət, (*amer.*) ˈjougərt] *s.* yogurt.

Yo-heave-ho [ˈjou'hi:v'hou] *inter.* (*mar.*) issa!

yoke [jouk] *s.* **1** giogo (*anche fig.*): *to throw* (*o to cast*) *off the* —, liberarsi dal giogo **2** giogo da acquaiolo **3** (*sartoria*) sprone **4** (*pl. invar.*) paio, coppia: *two* — *of oxen*, due coppie di buoi **5** (*mar.*) barra del timone.

to yoke *v.tr.* **1** aggiogare, mettere il giogo a **2** (*fig. fam.*) unire.

yokel [ˈjoukəl] *s.* (*spreg.*) cafone, bifolco.

yolk¹ [jouk] *s.* tuorlo, rosso d'uovo.

yolk² *s.* lanolina // *in the* —, (*di lana*) grezza.

yon [jɔn] *agg. e pron.* (*arc. e poet.*) quello laggiù; quello lassù; quello là ♦ *avv.* (*arc. e poet.*) laggiù; lassù; là.

yonder [ˈjɔndə*] *agg.* quello lassù; quello laggiù; quello là ♦ *avv.* laggiù; lassù; là.

yonks [jɔnks] *s.* (*fam.*) un sacco di tempo, un'eternità: *I haven't seen her for* —, non la vedo da un sacco di tempo.

yore [jɔ:*] *s.* tempo antico // *of* —, un tempo.

Yorkist [ˈjɔ:kist] *agg. e s.* (*st.*) partigiano della Casa di York.

you [ju:] *pron.pers.* **2ᵃ pers.** **1** *sing.sogg.* tu; (*nelle formule di cortesia*) Ella; *compl.* te; ti; (*nelle formule di cortesia*) Lei; Le; La: — *and I*, tu ed io; *as* — *know*, *Mr. President*, come Ella sa, Signor Presidente; *I'll tell* —, ti, te lo dirò; *I will inform* —, *Sir*, La terrò informata, Signore // — *sit down*, prego, si accomodi // *it was* —, eri tu **2** *pl. sogg.* voi; (*nelle formule di cortesia*) Loro; *compl.* voi; ve; vi; (*nelle formule di cortesia*) Loro: *all of* —, tutti voi; *I'll tell* —, vi, ve lo dirò; — *know*, *gentlemen*, Lor signori sanno // *it was* —, eravate voi **3** (*esclam.*): — *silly boy!*, sciocco che sei! **4** (*con valore impers.*) *si*: — *never can tell*, non si sa mai.

you'd [ju:d] *contr. di* you would, you had.

you'll [ju:l] *contr. di* you will, you shall.

young [jʌŋ] *agg.* **1** giovane; (*fig.*) inesperto // — *lady*, signorina; — *man*, giovanotto; *the* — *ones*, i piccoli, i giovani // *to be* — *for one's years*, portare bene gli anni **2** recente, iniziato da poco: *the season is still* —, la stagione è iniziata da poco ♦ *s.* piccolo, piccoli (*pl.*), prole // *the* —, i giovani // *with* —, (*di femmina di animale*) gravida.

youngish [ˈjʌniʃ] *agg.* abbastanza giovane.

youngling [ˈjʌnliŋ] *s.* (*poet.*) bimbo; piccolo.

youngster [ˈjʌnstə*] *s.* ragazzo, giovane.

your [jɔ:*, (*amer.*) juər] *agg.poss.* **1** tuo; vostro; (*nelle formule di cortesia*) Suo, Loro **2** (*con valore impers.*) proprio.

you're [juə] *contr. di* you are.

yours *pron.poss.* **1** il tuo; il vostro; (*nelle formule di cortesia*) il Suo; il Loro // *that book of* —, quel tuo, vostro, Suo, Loro libro **2** (*comm.*) la vostra: — *of the 20th inst.*, la stimata vostra del 20 corr. // *Yours truly* (o *faithfully* o *sincerely*), (*nella chiusa delle lettere*), distinti saluti; *I remain*, *Yours truly*, distintamente Vi saluto.

yourself [jɔ:'self, (*amer.*) juər'self] *pron.* **2ᵃ pers.sing.** **1** *rifl.* ti; te, te stesso; (*nelle formule di cortesia*) Lei stesso **2** (*enfatico*) tu stesso; (*nelle formule di cortesia*) Lei stesso // (*all*) *by* —, da solo ♦ *s.* tu stesso; (*nelle formule di cortesia*) Lei stesso // *you were not quite* —, non eri in forma.

yourselves [jɔ:'selvz] *pron.* **2ᵃ pers.pl.** **1** *rifl.* vi; voi stessi; (*nelle formule di cortesia*) Loro stessi **2** (*enfatico*) voi stessi; (*nelle formule di cortesia*) Loro stessi // (*all*) *by* —, (da) soli ♦ *s.* voi stessi; (*nelle formule di cortesia*) Loro stessi // *you are not* —, non siete in forma.

youth [ju:θ] *s.* **1** gioventù, giovinezza, adolescenza // *Youth Hostel*, albergo, ostello della gioventù **2** adolescente, giovane **3** i giovani (*pl.*), gioventù.

youthful [ˈju:θful] *agg.* giovane; giovanile.

you've [ju:v] *contr. di* you have.

yowl [jaul] *s.* ululato; miagolio.

to yowl *v.intr.* ululare; miagolare.

Yo-yo® [ˈjoujou] *s.* jo-jo®.

yucca [ˈjʌkə] *s.* (*bot.*) iucca.

Yugoslav [ˈju:gou'sla:v] *agg. e s.* iugoslavo.

Yugoslavia [ˈju:gou'sla:vjə] *no.pr.* Jugoslavia.

Yule [ju:l] *s.* feste natalizie (*pl.*) // — *log*, ceppo natalizio.

Yuletide [ˈju:ltaid] *s.* periodo natalizio.

Z

z [zɛd, *amer.* zi:], *pl.* **zs**, **z's** [zɛdz, *amer.* zi:z] *s.* z // — *for zebra*, (*tel.*) z come Zara.

Zachariah [ˌzækə'raiə], **Zacharias** [ˌzækə'raiəs], **Zachary** ['zækəri] *no.pr.m.* (*Bibbia*) Zaccaria.

zaffer, zaffre ['zæfə*] *s.* (*min.*) zaffera.

Zagreb ['za:grɛb] *no.pr.* Zagabria.

zany ['zeini] *s.* buffone; (*st.*) zanni ♦ *agg.* divertente, buffo.

Zarathustrian [ˌzærə'θu:striən] *agg. e s.* → **Zoroastrian**.

zeal [zi:l] *s.* zelo, ardore, premura.

Zealand ['zi:lənd] *no.pr.* Zelanda // *New* —, Nuova Zelanda.

Zealander ['zi:ləndə*] *s.* zelandese.

zealot ['zelət] *s.* zelatore; fanatico.

zealous ['zeləs] *agg.* zelante, premuroso, sollecito.

zealousness ['zeləsnis] *s.* zelo, ardore, premura.

zebra ['zi:brə] *s.* (*zool.*) zebra // — *crossing*, passaggio pedonale zebrato.

zenith ['zeniθ, (*amer.*) 'zi:niθ] *s.* **1** (*astr.*) zenit **2** (*fig.*) culmine, apice.

zenithal ['zeniθəl] *agg.* zenitale.

Zep [zɛp] *s.* zeppelin.

zephyr ['zefə*] *s.* zeffiro, favonio.

zero ['ziərou] *s. zero: above, below* —, sopra, sotto zero // *at* —, (*aer.*) sotto i 1000 piedi // — *hour*, ora zero; (*fig.*) momento di crisi.

to zero *v.intr.: to* — *in* (*on sthg.*) mirare a, puntare su (qlco.) (*anche fig.*).

zest [zɛst] *s.* **1** aroma, gusto; sapore piccante **2** (*fig.*) gusto, godimento; entusiasmo.

Zeus [zju:s] *no.pr.m.* (*mit.*) Zeus.

zibeline ['zibəlin] *s.* zibellino.

zibet ['zibit] *s.* (*zool.*) zibetto.

zigzag ['zigzæg] *agg. e avv.* a zigzag ♦ *s.* zigzag: strada a zigzag; (*mil.*) trincea a zigzag.

to zigzag *v.tr.* percorrere a zigzag ♦ *v.intr.* andare a zigzag, zigzagare.

zilch [zilt∫] *s.* (*fam. amer.*) niente di niente.

zinc [zink] *s.* zinco // — -*plated*, zincato.

zincograph ['ziŋkougra:f], **zincography** [ziŋ'kɔgrəfi] *s.* (*tip.*) zincografia.

zinnia ['ziniə] *s.* (*bot.*) zinnia.

Zion ['zaiən] *no.pr.* Sion ♦ *s.* **1** antica teocrazia israelitica **2** Chiesa cristiana **3** regno dei cieli.

Zionism ['zaiənizəm] *s.* (*st.*) sionismo.

Zionist ['zaiənist] *agg. e s.* (*st.*) sionista.

zip [zip] *s.* **1** cerniera, chiusura lampo **2** sibilo, fischio **3** (*fam.*) energia, vigore.

zip code ['zipkoud] *s.* (*amer.* per *postcode*) codice postale.

zip fastener ['zip,fa:snə*], **zipper** ['zipə*] *s.* cerniera, chiusura lampo.

zippy ['zipi] *agg.* (*fam.*) vivace; energico.

zircon ['zə:kən] *s.* (*min.*) zircone.

zither ['ziðə*] *s.* (*mus.*) cetra.

zizz [ziz] *s.* (*fam.*) pisolino.

zodiac ['zoudiæk] *s.* zodiaco.

zoic ['zouik] *agg.* **1** degli animali **2** (*geol.*) contenente fossili.

Zollverein ['tsɔlfərain] *s.* unione doganale.

zombi(e) ['zɔmbi] *s.* **1** pitone (divinità) **2** morto resuscitato (per magia) **3** (*sl.*) fessacchiotto, deficiente **4** (*sl. amer.*) bevanda alcolica.

zonal ['zounl] *agg.* zonale.

zone [zoun] *s.* **1** (*geogr.*) zona **2** distretto postale **3** (*poet.*) fascia, cintura.

to zone *v.tr.* **1** circondare **2** dividere in zone.

zoning ['zounin] *s.* suddivisione in zone (secondo il piano regolatore).

zoo [zu:] *s.* (*fam.*) giardino zoologico, zoo.

zooblast ['zouəblæst] *s.* cellula animale.

zoological [ˌzouə'lɔdʒikəl] *agg.* zoologico.

zoologist [zou'ɔlədʒist] *s.* zoologo.

zoology [zou'ɔlədʒi] *s.* zoologia.

zoom [zu:m] *s.* **1** lo sfrecciare rumoroso **2** (*sl. aer.*) salita in candela **3** (*cinem. tv.*) zumata.

to zoom *v.intr.* **1** sfrecciare rumorosamente **2** (*sl. aer.*) salire in candela **3** (*cinem. tv*) zumare.

zoophile ['zououfail], **zoophilist** [zou'ɔfilist] *s.* zoofilo.

zoophilous [zou'ɔfiləs] *agg.* zoofilo.

zoophobia [ˌzouə'foubiə] *s.* zoofobia.

zoot [zu:t] *agg.* (*sl.*) pacchiano // — *suit*, (*sl.*) abito da uomo con giacca molto lunga e pantaloni a tubo.

zootechnics [ˌzouə'tekniks], **zootechny** ['zouə,tekni] *s.* zootecnia.

Zoroaster [ˌzɔrou'æstə*] *no.pr.m.* (*st. relig.*) Zoroastro.

Zoroastrian [ˌzɔrou'æstriən] *agg. e s.* (*st. relig.*) (seguace) di Zoroastro.

Zouave [zu(:)'a:v] *s.* (*mil.*) zuavo.

zucchini [zu'ki:ni] *s.* (*amer.* per *courgette*) zucchina.

Zulu ['zu:lu:] *agg. e s.* zulù.

Zurich ['zjuərik] *no.pr.* Zurigo.

zygoma [zai'goumə], *pl.* **zygomata** [zai'goumətə] *s.* (*anat.*) zigomo.

zymotic [zai'mɔtik] *agg.* enzimatico; infettivo.

Appendice 2

Sigle e abbreviazioni usate in Italia

Molte sigle sono comunemente scritte sia nella forma con i punti (C.G.I.L.) sia in quella senza punti (CGIL). Anzi quest'ultima si va sempre più diffondendo nell'uso, specialmente attraverso la grafica ufficiale di aziende, associazioni ecc. Il fatto che in questi elenchi si sia preferita, nella maggior parte dei casi, la forma senza punti non significa che l'altra sia da ritenersi errata.

a	*ara*, a, are.	AFI	*Associazione Fonetica Internazionale*, I.P.A., *International Phonetics Association*.
A	*ampere*, A, ampere.		
Å	*ångström*, (*fis.*) Å, Ångström (unit).	Ag	*argento*, (*chim.*) Ag, silver.
A.	**1** *Altezza*, (*titolo*) Highness **2** (*lettera*) *assicurata*, charged letter **3** *atto*, (*teat.*) act **4** *autore*, a., author.	agg.	*aggettivo*, adj, adjective.
		AGIS	*Associazione Generale Italiana dello Spettacolo*, Italian Association for cinematographic, theatrical and other entertainment activities.
AA	**1** *Accademia Aeronautica*, Air Force Academy **2** *Assistenza Automobilistica*, organization for assisting motorists.	ago.	*agosto*, Aug., August.
		Ah	*amperora*, Ah, ampere-hour.
		A.I.	*Aeronautica Italiana*, Italian Air Force.
AAS	*Azienda Autonoma di Soggiorno*, Local Tourist Office.	AIA	*Associazione Italiana Arbitri*, Italian Referees' Association.
AA VV	*Autori vari*, various authors.	AIAS	*Associazione Italiana per l'Assistenza agli Spastici*, Italian Association for Aid to Spastics.
ab.	*abitanti*, pop., population.		
abbr.	**1** *abbreviato*, abbr., abbrev., abbreviated **2** *abbreviazione*, abbr., abbrev., abbreviation.	AIDO	*Associazione Italiana Donatori di Organi*, Italian Organ Donors' Association.
abl.	*ablativo*, abl., ablative.		
a.c.	**1** *a capo*, n.p., new paragraph **2** *anno corrente*, current year **3** *assegno circolare*, banker's cheque.	A.I.E.	*Associazione Italiana degli Editori*, Italian Publishers' Association.
a.C.	*avanti Cristo*, BC, before Christ.	Al	*alluminio*, (*chim.*) Al, aluminium.
Ac	*attinio*, (*chim.*) Ac, actinium.	a.l.	*anno luce*, a.l., light year.
ACC	*Alta Corte costituzionale*, Supreme Constitutional Court.	alg.	*algebra*, alg., algebra.
		all.	*allegato*, encl., enclosure.
acc.	**1** *accidenti!*, d—d, damned! **2** *accusativo*, acc., accusative.	alt.	**1** *altezza*, ht., height **2** *altitudine*, alt., altitude; ht., height.
AC di G	*Alta Corte di Giustizia*, High Court of Justice, (*amer.*) Supreme Court.	a.m.	*antimeridiano*, a.m., before midday.
ACI	**1** *Automobile Club d'Italia*, Italian Automobile Association **2** *Aviazione Civile Italiana*, Italian Civil Aircraft **3** *Azione Cattolica Italiana*, Italian Catholic Action.	Am	*americio*, (*chim.*) Am, americium.
		AM	**1** *Accademia Militare*, Military Academy **2** (*targa aut.*) *Aeronautica Militare*, (Italian) Air Force **3** (*ingl.: Amplitude Modulation*) Modulazione d'Ampiezza.
ACLI	*Associazione Cristiana dei Lavoratori Italiani*, Italian Christian Workers' Society.	AME	*Accordo Monetario Europeo*, EMA, European Monetary Agreement.
ac.to	*acconto*, (*comm.*) partial payment.	amer.	*americano*, Am., Amer., American.
A.D.	(*lat.: Anno Domini*) *dopo Cristo*, AD, in the year of the Lord.	amm.ne	*amministrazione*, adm., admin., administration.
ADVS	*Associazione Donatori Volontari del Sangue*, Blood Donors' Association.	ANAS	*Azienda Nazionale Autonoma* (*delle*) *Strade*, National Road Board.
AF	*Alta Frequenza*, (*elettr.*) HF, High Frequency.	ANFFaS	*Associazione Nazionale Famiglie di Fanciulli Subnormali*, National As-

sociation of Families with Sub-Normal Children.

ANICA   *Associazione Nazionale Industrie Cinematografiche e Affini*, National Association of Cinematographic and Related Industries.

ANL   *Accademia Nazionale dei Lincei*, Lincei Academy.

ANMIG   *Associazione Nazionale Mutilati e Invalidi di Guerra*, Association of Disabled Servicemen.

ANPAC   *Associazione Nazionale Piloti Aviazione Civile*, National Pilots' Association.

ANPI   *Associazione Nazionale Partigiani d'Italia*, National Association of Italian Partisans.

ANSA   *Agenzia Nazionale Stampa Associata*, Italian News Agency.

ant.   *antimeridiano*, a.m., before midday.

AP   *alta pressione*, hp, HP, high pressure.

apr.   *aprile*, Apr., April.

Ar   *argo*, (*chim.*) A, argon.

AR   1 *Altezza Reale*, RH, Royal Highness 2 *andata e ritorno*, (*ferr.*) return ticket.

Arc.   *arcivescovo*, Arch., Archbp., Archbishop.

arch.   *architetto*, arch., archt., architect.

art.   1 *articolo*, (*gramm.*) art., article 2 *artiglieria*, art., artillery.

As   *arsenico*, (*chim.*) As, arsenic.

AS   1 *Altezza Serenissima*, Serene Highness 2 *allievo sottufficiale*, petty officer, cadet.

ASCI   *Associazione Scoutistica Cattolica Italiana*, Catholic Boy Scouts.

Asp   *amperspira*, (*fis.*) AT, ampere-turn.

ass., Ass.   *assegno*, cheque.

at   *atmosfera (metrica)*, at, (metric) atmosphere.

At   *astato*, (*chim.*) At, astatine.

AT   1 *alta tensione*, HV, high voltage 2 *Antico Testamento*, OT, Old Testament.

ATI   *Aereo Trasporti Italiani*, Italian Freight and Passengers Air Lines (dealing mainly with internal and short-home flights).

atm   *atmosfera*, (*fis.*) Atm, (standard) atmosphere.

att.   *attivo*, (*gramm.*) a., act., active.

attr.   *attributo*, (*gramm.*) attrib., attribute.

Au   *oro*, (*chim.*) Au, gold.

AU   *Allievo Ufficiale*, officer cadet.

AUC   *Allievo Ufficiale di Complemento*, reserve officer cadet.

av.   *avverbio*, ad., adv., adverb.

AVIS   *Associazione Volontari Italiani del Sangue*, Association of Voluntary Italian Blood-donors.

avv.   1 *avverbio*, ad., adv., adverb 2 *avvocato*, law., lawyer; Sol., solicitor; bar., barr., barrister.

B   1 *boro*, (*chim.*) B, boron 2 *induzio-*

ne magnetica, B, (*fis.*) magnetic induction.

Beato, Beata, Bl., Blessed.

bario, (*chim.*) Ba, barium.

Belle Arti, Fine Arts.

berillio, (*chim.*) Be, beryllium.

BEI   (*franc.*: *Banque Européenne d'Investissement*) *Banca Europea per gli Investimenti*, EIB, European Investment Bank.

Benelux   *Belgio, Olanda, Lussemburgo*, Benelux, Belgium, Netherlands, Luxemburg (unione economica doganale).

BF   *bassa frequenza*, (*elettr.*) LF, Low Frequency.

Bi   *bismuto*, (*chim.*) Bi, bismuth.

BI   *Banca d'Italia*, Bank of Italy.

bibl.   1 *bibliografia*, bibl., bibliography 2 *biblioteca*, lib., library.

Bk   *berkelio*, (*chim.*) Bk, berkelium.

BOT   *Buono Ordinario del Tesoro*, Ordinary Treasury Bond.

B.P.   *bassa pressione*, l.p., low pressure.

Br   *bromo*, (*chim.*) Br, bromine.

BR   *Brigate Rosse*, Red Brigades.

brev.   *brevetto*, brev., brevet; pat., patent.

bross.   *in brossura*, paperback/paperbound.

b.ssa   *Baronessa*, Baroness.

BT   1 *bassa tensione*, LV, low voltage 2 *Buono del Tesoro*, Treasury Bond.

BTP   *Buono del Tesoro Poliennale*, Pluriannual Treasury Bond.

BU   *Bollettino Ufficiale*, Official Bulletin.

B.V.   *Beata Vergine*, BV, Blessed Virgin (beata virgo).

c.   1 *capitolo*, c., cap., ch., chap., chapter 2 *carta*, (*bibliografia*) fo., fol., folio 3 *circa*, ca., about 4 *codice*, (*dir.*) code 5 *corpo*, (*tip.*) type-size.

C   1 *carbonio*, (*chim.*) C, carbon 2 *Celsius*, C, Celsius 3 *coulomb*, C, coulomb.

c.a.   1 *corrente alternata*, a.c., A.C., alternating current 2 *corrente anno*, this year, current year.

Ca   *calcio*, (*chim.*) Ca, calcium.

cablo   *cablogramma*, cable.

cad.   *cadauno*, ea., each.

Caf   (*ingl.*: *Cost and Freight*, CF) *Costo e Nolo*.

CAI   *Club Alpino Italiano*, Italian Alpine Club.

cal   *piccola caloria*, cal., small calorie.

Cal   *grande caloria*, Cal., large calorie.

CAMBITAL   → UIC.

cap.   1 *caporale*, corp., corporal 2 *capitolo*, c., cap., ch., chap., chapter.

Cap.   *capitano*, Capt., Captain.

CAP   *Codice di Avviamento Postale*, Postcode.

CAR   *Centro Addestramento Reclute*, Recruit Training Centre.

Card.   *Cardinale*, Card., Cardinal.

Cav.   *Cavaliere*.

cc   *centimetro cubico*, cc, cubic centimetre.

c.c.   **1** *conto corrente*, A/C, Ca/C, current account **2** *corrente continua*, d.c., DC, direct current.

c/c   *conto corrente*, A/C, Ca/C, current account.

CC   **1** *Carabinieri*, Carabinieri (Italian gendarmerie) **2** *Carta Costituzionale*, Constitutional Charter **3** *Codice Civile*, C.C., Civil Code **4** *Codice di Commercio*, Commercial Code **5** *Corpo Consolare*, Consular Corps **6** *Corte Costituzionale*, Constitutional Court **7** *Corte di Cassazione*, Supreme Court of Appeal.

C.C.I.   *Camera di Commercio Internazionale*, I.C.C., International Chamber of Commerce.

CCIAA   *Camera di Commercio, Industria, Artigianato e Agricoltura*, Chamber of Commerce, Industry, Crafts and Agriculture.

c.c.p.   *conto corrente postale*, current postal account.

CCT   *Certificato di Credito del Tesoro*, Treasury Certificate of Credit.

cd   *candela*, (*fis.*) cd, candela.

c.d.   *cosiddetto*, so-called.

Cd   *cadmio*, (*chim.*) Cd, cadmium.

CD   **1** *Consigliere Delegato*, Managing Director **2** *Corpo Diplomatico*, C.D., Corps Diplomatique.

C.d'A.   **1** *Corpo d'Armata*, A.C., Army Corps **2** *Corte d'Assise*, Court of Assizes **3** *Corte d'Appello*, AC, Appeal Court **4** *Consiglio d'Amministrazione*, Board of Directors.

c.d.d.   *come dovevasi dimostrare*, q.e.d., which was to be demonstrated (*o* quod erat demonstrandum).

CdF   *Consiglio di Fabbrica*, Factory Committee.

CdI   *Consiglio d'Istituto*, Faculty Committee.

CdL   *Camera del Lavoro*, Trade Union Head Quarters.

CdR   *Cassa di Risparmio*, Savings Bank.

C.d.S.   **1** *Circolo della Stampa*, Press Club **2** *Codice della Strada*, Highway Code **3** *Consiglio di Sicurezza*, Security Council **4** *Consiglio di Stato*, Council of State.

CDU   *Classificazione Decimale Universale*, UDC, Universal Decimal Classification.

Ce   *cerio*, (*chim.*) Ce, cerium.

CE   **1** *Comitato Esecutivo*, Executive Committee **2** *Consiglio d'Europa*, CE, Council of Europe.

CECA   *Comunità Europea per il Carbone e l'Acciaio*, ECSC, European Coal and Steel Community.

CED   **1** *Comunità Europea di Difesa*, EDC, European Defense Community.

CEE   *Comunità Economica Europea*, EEC, European Economic Community.

CEEA   *Comunità Europea dell'Energia Atomica*, European Atomic Energy Community.

CEI   *Conferenza Episcopale Italiana*, Italian Episcopal Conference.

CENSIS   *Centro Studi Investimenti Sociali*, Centre for Social Investment Studies.

cent.   *centesimo*, h., hundredth.

CEPES   (*franc.*: *Comité Européen pour le Progrès Economique et Social*) *Comitato Europeo per il Progresso Economico e Sociale*, European Committee for Economic and Social Development.

CERN   (*franc.*: *Centre Européen des Recherches Nucléaires*) *Consiglio Europeo per le Ricerche Nucleari*, CERN, European Council for Nuclear Research.

CERP   (*franc.*: *Centre Européen des Relations Publiques*) *Centro Europeo di Relazioni Pubbliche*, European Centre of Public Relations.

CES   *Confederazione Europea dei Sindacati*, European Federation of Trade Unions.

CESPE   *Centro Studi di Politica Economica*, Centre for Economic Politics Studies.

cf   *confronta*, cf., compare.

Cf   *californio*, (*chim.*) Cf, californium.

CF   **1** *Codice Fiscale*, Fiscal Code **2** (*ingl.*: Cost of Freight) Costo e nolo.

CFS   *Corpo Forestale dello Stato*, State Forestry Corps.

cg   *centigrammo*, cg, centigram(me).

CG   *Console Generale*, CG, Consul General.

CGIL   *Confederazione Generale Italiana del Lavoro*, Federation of Italian Trade Unions (with left-wing political tendencies).

CGS   (*unità, sistema*) *centimetro-grammo-secondo*, CGS, centimetre-gram(me)-second (unit, system).

CGT   (*franc.*: *Confédération Géneral du Travail*) *Confederazione generale del Lavoro*, General Labour Federation.

Ch   *coseno iperbolico*, cosh, hyperbolic cosine.

chir.   *chirurgia*, surg., surgery.

C.ia   *Compagnia*, Co., Company.

CIA   (*ingl.*: *Central Intelligence Agency*) *Ufficio centrale d'informazione* (*servizi segreti USA*).

CICR   (*franc.*: *Comité International de la Croix Rouge*) *Comitato Internazionale della Croce Rossa*, International Red Cross Committee.

CIF   **1** (*ingl.*: *Cost, Insurance and Freight*)

	Costo, Assicurazione e Nolo **2** *Centro Italiano Femminile*, Italian Women's Centre.
CIO	*Comitato Internazionale Olimpico*, International Olympic Committee.
CIP	*Comitato Interministeriale Prezzi*, Interdepartmental Committee on Prices.
CIPE	*Comitato Interministeriale per la Programmazione Economica*, Interdepartmental Committee for Economic Planning.
Circ.	*circolare*, cir., circ., circular.
Circ. min.	*circolare ministeriale*, ministry circular letter.
CISAL	*Confederazione Italiana Sindacati Autonomi dei Lavoratori*, Italian Federation of Autonomous Trade Unions.
CISL	*Confederazione Italiana Sindacati Lavoratori*, Federation of Italian Trade Unions (officially non party, but with Christian Democrat Trend); CISL, *Confederazione Internazionale Sindacati Liberi*, International Trade Union Federation.
CISNaL	*Confederazione Italiana Sindacati Nazionali Lavoratori*, Federation of Italian Trade Unions (with right-wing tendency).
CIT	*Compagnia Italiana Turismo*, Italian Travel Agency.
cl	*centilitro*, cl, centilitre.
Cl	*cloro*, (*chim.*) Cl, chlorine.
CL	*campo lungo*, (*cine*) distance shot, long shot.
CLN	*Comitato di Liberazione Nazionale*, organizers of Resistance Movement (during World War II).
cm	*centimetro*, cm, centimetre.
c.m.	*corrente mese*, inst., instant, the present month.
Cm	*curio*, (*chim.*) Cm, curium.
CM	**1** *campo medio*, (*cine*) medium-long shot **2** *Circolare Ministeriale*, Ministry circular letter.
cmc	*centimetro cubo*, cc, cubic centimetre.
cmq	*centimetro quadrato*, sq cm, square centimetre.
CNEL	*Consiglio Nazionale dell'Economia e del Lavoro*, National Council for Labour and the Economy.
CNEN	*Comitato Nazionale per l'Energia Nucleare*, National Committee for Nuclear Energy.
CNGEI	*Corpo Nazionale Giovani Esploratori ed Esploratrici Italiani*, Italian National Youth Explorers Corps.
CNR	*Consiglio Nazionale delle Ricerche*, National Research Council.
CNRN	*Comitato Nazionale Ricerche Nucleari*, National Committee for Nuclear Research.
Co	*cobalto*, (*chim.*) Co, cobalt.
c/o	(*ingl.*: *care of*, c/o) *presso* (sulle lettere).
cod.	*codice*, cod., codex.
coeff.	*coefficiente*, coeff., coefficient.
Col.	*Colonnello*, Col., Colonel.
COLDIRETTI	*Confederazione Nazionale coltivatori diretti*, National Federation of Italian Farmers.
coll.	*collettivo*, coll., collective.
com.	*comandante*, Cmdr, Commander.
COMECON	*Consiglio di Mutua Assistenza Economica (fra i paesi dell'Europa orientale)*, COMECON, CMEA, Council for Mutual Economic Aid (in Eastern Bloc countries).
comm.	*commendatore*.
comp.	*comparativo*, comp., compar., comparative.
cond.	*condizionale*, conditional.
CONFAGRI-COLTURA	*Confederazione Generale dell'Agricoltura Italiana*, General Confederation of Italian Agriculture.
CONFAR-TIGIANATO	*Confederazione Generale Italiana dell'Artigianato*, General Confederation of Italian Crafts.
CONFCOM-MERCIO	*Confederazione Generale Italiana del Commercio e del Turismo*, General Confederation of Italian Commerce and Tourism.
CONFEDER-TERRA	*Confederazione Nazionale dei Lavoratori della Terra*, National Confederation of Workers on the Land.
CONFIN-DUSTRIA	*Confederazione Generale dell'Industria Italiana*, General Confederation of Italian Industry.
cong.	**1** *congiuntivo*, subj., subjunctive **2** *congiunzione*, conj., conjunction.
CONI	*Comitato Olimpico Nazionale Italiano*, Italian Olympic Games Committee.
CONSOB	*Commissione per il Controllo delle Società e delle Borse*, Stock Exchange Committee.
contr.	*contrazione*, contr., contraction.
COOP	*Cooperativa*, CO-OP, Co-operative Society.
Cor.	*corollario*, (*mat.*) corol., corollary.
cos	*coseno*, cos, cosine.
cosec	*cosecante*, cosec, cosecant.
cost.	*costante*, (*mat.*) const., constant.
cot.	*cotangente*, (*mat.*) cot, ctn, cotangent.
c.p.	*cartolina postale*, p.c., P.C., postcard.
Cp	*calore specifico a pressione costante*, (*fis.*) specific heat at constant pressure.
CP	**1** *Casella Postale*, Post Box **2** *Codice Penale*, Penal Code **3** *Consiglio Provinciale*, District Council.
CPC	*Codice di Procedura Civile*, CCP, Code of Civil Procedure.
CPM	*Codice Procedura Militare*, Code of Military Procedure (Law).
CPP	*Codice di Procedura Penale*, CCrP, Code of Criminal Procedure.
C.p.r.	*con preghiera di restituzione*, please return.
CPU	(*ingl.*: *Central Processing Unit*) (*in-*

formatica) *Unità Centrale di Elaborazione*.

cpv *capoverso*, paragraph, indentation, beginning of verse, of line, beginning of paragraph, n.p. new paragraph.

Cr *cromo*, (*chim.*) Cr, chromium.

CRAL *Circolo Ricreativo Assistenziale Lavoratori*, Recreational Clubs organized by National Assistance Board.

CRI 1 *Croce Rossa Internazionale*, International Red Cross 2 *Croce Rossa Italiana*, Italian Red Cross.

Criminalpol *Polizia Criminale*, Italian Police concerned with the enforcement of criminal law (as distinct from e.g. the Guardia di Finanza which enforces fiscal law, the Inland Revenue in G.B.).

c.s. *come sopra*, as above.

Cs *cesio*, (*chim.*) Cs, caesium.

CS 1 *Codice della Strada*, Highway Code 2 *Comando Supremo*, Supreme Command 3 *Consiglio di Sicurezza*, Security Council.

CSC *Centro Sperimentale di Cinematografia*, Experimental Film Studios.

CSM *Consiglio Superiore della Magistratura*, Council of Magistrates.

C.so *Corso*, Rd, Road.

CSS *Consiglio Superiore di Sanità*, Health Committee.

CT *Commissario Tecnico*, coach of national football team.

ctg *cotangente*, cot, ctn, cotangent.

c.to *conto*, ac., a/c, account.

Cu *rame*, (*chim.*) Cu, copper.

CU *Commissario Unico*, coach of national football team.

Cv *calore specifico, a volume costante*, (*fis.*) specific heat at constant volume.

CV *cavallo vapore*, HP, horse-power.

c.v.d. *come volevasi dimostrare*, q.e.d., which was to be demonstrated (*o* quod erat demonstrandum).

c.vo *corsivo*, ital., (in) italics.

CVh *cavallo vapore ora*, hp-hr, horse power-hour.

D 1 *Diretto*, (*ferr.*) semi-fast train 2 *induzione elettrica*, (*fis.*) electrical induction 3 *Decreto*, (*dir.*) Decree.

dag *decagrammo*, dkg, decagram(me).

dal *decalitro*, dkl, dal, decalitre.

dam *decametro*, dkm, decametre.

dat. *dativo*, dat., dative.

db *decibel*, (*fis.*) dB, decibel.

d.c. *da capo*, n.p., new paragraph.

d.C. *dopo Cristo*, AD, Anno Domini, in the year of the Lord.

DC *Democrazia Cristiana*, Christian Democrat Party.

DDL *Disegno di Legge*, Parliamentary Bill.

d.d.p. *differenza di potenziale*, (*fis.*) PD, difference in potential.

DDT *diclorodifeniltricloroetano*, (*insetticida*) DDT, dichlorodiphenyltrichloroethane.

dev., dev.mo *devotissimo*, (*nelle lettere*) yours truly.

dg *decigrammo*, dg, decigram(me).

DI *Decreto Interministeriale*, Interdepartmental Decree.

dic. *dicembre*, Dec., December.

DIGOS *Divisione Investigazioni Generali e Operazioni Speciali* (*della Polizia di Stato*), Italian Secret Service (in Italy, a branch of the normal police force).

Dir. *direttore*, manager, executive.

div *divergenza*, (*fis.*) div, divergence.

dl *decilitro*, dl, decilitre.

DL *Decreto Legge*, law by decree.

dm *decimetro*, dec, dm, decimetre.

DM *Decreto Ministeriale*, Minister's Decree.

DNA *acido desossiribonucleico*, (*biol.*) DNA, deoxyribonucleic acid.

D.O.C. *Denominazione d'Origine Controllata*, (*enol.*) AC (*franc: Appellation contrôlée*) Controlled Denomination of Origin (authenticated trademark for wines).

dott. *Dottore*, Dr, Doctor.

DP *Democrazia Proletaria*, Proletarian Democracy (Italian party).

DP *Decreto Presidenziale*, Decree of the President.

DPR *Decreto del Presidente della Repubblica*, Decree by the President of the Republic.

dr. *Dottore*, Dr, Doctor.

dr.ssa *Dottoressa*, Dr, Doctor.

Dy *disprosio*, (*chim.*) Dy, dysprosium.

E 1 *campo elettrico*, (*fis.*) electric field 2 *Est*, E, East.

EA *Ente Autonomo*, Independent Committee.

E/C *Estratto conto*, Statement of Account.

ECA *Ente Comunale di Assistenza*, Municipal Public Assistance Board.

ecc. *eccetera*, etc., &c., and so on.

Ecc. *Eccellenza*, (*per ambasciatore, ministro ecc.*) Exc., Excellency; (*per vescovo*) Ldp, Lp., Lordship.

ECG *elettrocardiogramma*, (*med.*) ECG, electrocardiogram.

ECU (*ingl: European Currency Unit*) *Unità Monetaria Europea*.

Ed. *editore*, pub., publisher.

EE (*targa per automobili straniere provvisoriamente immatricolate in Italia*) *Escursionisti Esteri*.

EEG *elettroencefalogramma*, (*med.*) EEG, electroencephalogram.

EFTA *Associazione Europea di Libero Scambio*, European Free Trade Association.

e.g. *exempli gratia, a titolo d'esempio*, e.g., exempli grazia, for example.

Egr. Sig. *Egregio Signore, (negli indirizzi)* Mr.

E.I. **1** *Enciclopedia Italiana,* Italian Encyclopaedia **2** *Esercito Italiano, (targa aut.)* Italian Army.

Em. *Eminenza,* Eminence.

EMA → AME.

ENAL *Ente Nazionale Assistenza Lavoratori,* National Association for Assistance to Workers.

ENEA **1** *Comitato Nazionale per la Ricerca e lo Sviluppo dell'Energia Nucleare e delle Energie Alternative,* National Committee for Nuclear and Alternative Energy Research and Development **2** *(ingl.: European Nuclear Energy Agency)* Agenzia Europea per l'Energia Nucleare.

ENEL *Ente Nazionale per l'Energia Elettrica,* NEB, National Electricity Board.

ENIC *Ente Nazionale Industrie Cinematografiche,* National Association of Film Producers.

ENIT *Ente Nazionale Italiano per il Turismo,* Italian National Institution for the Promotion of the Tourist Industry.

ENPAS *Ente Nazionale Previdenza e Assistenza per i Dipendenti Statali,* National Insurance and Welfare Board for Civil Servants.

ENPI *Ente Nazionale Prevenzione Infortuni,* National Institution for the Prevention of Accidents.

EPT *Ente Provinciale per il Turismo,* Provincial Board for Promotion of Tourist Industry.

Er *erbio, (chim.)* Er, erbium.

ERP *(ingl.: European Recovery Programme),* Piano di ricostruzione europea.

es. *esempio,* ex., example.

ESA *(ingl.: European Space Agency)* Ente Spaziale Europeo.

ET *Extra Terrestre,* ET, extra terrestrial.

ETA *(basco: Euzkadi Ta Azkatasuna) Patria Basca e Libertà,* ETA, free Basque homeland.

Eu *europio, (chim.)* Eu, europium.

EUR *Esposizione Universale Roma,* Roman Universal Exhibition.

EURATOM *Comunità Europea della Energia Atomica,* European Atomic Energy Organization.

eV *elettronvolt, (fis.)* EV, ev., electron volt.

E.V. **1** *Eccellenza Vostra,* Your Excellency **2** *Era Volgare,* AD, Anno Domini.

exp *esponenziale, (mat.)* exp, exponential.

f. **1** *femminile,* f., fem., feminine **2** *frequenza, (fis.)* f, frequency **3** *foglio, (filol.)* f., folio **4** *forte, (mus.)* f, forte.

F **1** *Fahrenheit,* F, Fahrenheit **2** *fa-*

rad, F, farad **3** *fluoro, (chim.)* F, fluorine **4** *fiume, (nelle carte geografiche),* R, River.

FAO *(ingl.: Food and Agriculture Organization)* Organizzazione per l'Alimentazione e l'Agricoltura.

fasc. *fascicolo,* issue, pamphlet.

fatt. *fattura,* inv., invoice.

FBI *(ingl.: Federal Bureau of Investigation)* Ufficio federale investigativo.

f.co *franco, (comm.)* free.

FD *filodiffusione,* cable radio.

Fe *ferro, (chim.)* Fe, iron.

feb. *febbraio,* Feb., February.

FED *(franc.: Fonds Européen de Développement)* → F.E.S.

FEDERCACCIA *Federazione Italiana della Caccia,* Italian Hunting Federation.

FEDERCALCIO *Federazione Italiana Gioco Calcio* (→ FIGC), Italian Football Association.

FEDERCONSORZI *Federazione Italiana dei Consorzi Agrari,* Italian Federation of Agricultural Unions.

FEDERMECCANICA *Federazione Sindacale dell'Industria Metalmeccanica Italiana,* Italian Federation of Metallurgical and Mechanical Trade Unions.

FEDERTERRA *Federazione dei Lavoratori della Terra,* Federation of Agricultural Labourers.

fem. *femminile,* f., fem., feminine.

fem., FEM *forza elettromotrice, (fis.)* EMF, emf, electromotive force.

ferr. *ferrovia,* Ry., railway.

F.E.R.T. *Fortitudo Eius Rhodum Tenuit, (motto della Casa di Savoia e dell'Ordine dell'Annunziata)* its valour saved the island of Rhodes.

FES *Fondo Europeo di Sviluppo,* EDF, European Development Fund.

ff **1** *fortissimo, (mus.)* ff, fortissimo **2** *facente funzioni,* acting **3** *fogli,* ff, folios.

FF AA *Forze Armate,* Armed Forces.

FI *Frequenza Intermedia, (fis.)* MF, medium frequency.

FIA *Frequenza Intermedia Audio, (fis.)* medium audio frequency.

FIFA *(franc.: Fédération Internationale de Football Association) Federazione Internazionale del Calcio,* FIFA, International Football Association.

FIGC *Federazione Italiana Giuoco Calcio,* Italian Football Association.

FIM **1** *Federazione Italiana Metalmeccanici,* Italian Federation of Mechanical and Metallurgical Workers **2** *Federazione Internazionale Metalmeccanici,* International Federation of Mechanical and Metallurgical Workers.

FIOM **1** *Federazione Impiegati e Operai Metallurgici,* Federation of Metallurgical Workers and Staff **2** *Federazione Internazionale dei Lavora-*

tori Metallurgici, International Federation of Metallurgical Workers.

FIS *Federazione Italiana Scherma*, Italian Fencing Association.

FISI *Federazione Italiana Sport Invernali*, Italian Winter Sports Association.

FIT *Federazione Italiana Tennis*, Italian Lawn Tennis Association.

FIV *frequenza intermedia video*, *(fis.)* medium video frequency.

F.lli *Fratelli*, *(comm.)* Bros., Brothers.

FLM *Federazione Lavoratori Metalmeccanici*, Federation of Mechanical and Metallurgical workers.

FLN *Fronte di Liberazione Nazionale*, NLP, National Liberation Front.

f.m. *fine mese*, month end, end of month.

Fm *fermio*, *(chim.)* Fm, fermium.

FM *(ingl.: Frequency modulation) Modulazione di frequenza.*

FMI 1 *Fondo Monetario Internazionale*, IMF, International Monetary Fund 2 *Federazione Motociclistica Italiana*, Italian Motorcycle Federation.

FMM *forza magnetomotrice*, *(fis.)* magnetomotive force.

FMPA *Federazione Mondiale per la Protezione degli Animali*, World Federation for the Protection of Animals.

f.o.b. *franco a bordo*, f.o.b., free on board.

fonet. *fonetica*, phon., phonet., phonetics.

foto. *fotografia*, phot., photography.

fp *forte-piano*, *(mus.)* fp, forte-piano.

FP *Fermo posta*, poste restante.

FPI *Federazione Pugilistica Italiana*, Italian Boxing Association.

FPL *Fronte Popolare di Liberazione*, Popular Liberation Front.

fr *franco*, Fr, franc.

Fr *francio*, *(chim.)* Fr, francium.

Fr.b. *franco belga*, Belgian franc.

Fr.f. *franco francese*, French franc.

Fr.s. *Franco svizzero*, Swiss franc.

FS, FF SS *Ferrovie dello Stato*, (Italian) State Railways.

FSM *Federazione Sindacale Mondiale*, WFTU, World Federation of Trade Unions.

f.to *firmato*, s., signed.

FUCI *Federazione Universitaria Cattolica Italiana*, Italian Catholic University Association.

FUORI *Fronte Unitario Omosessuale Rivoluzionario Italiano*, Italian Revolutionary Unitary Front for Homosexuals.

fut. *futuro*, *(gramm.)* fut., future.

g 1 *accelerazione di gravità*, g, acceleration of gravity 2 *grammo*, g, gram(me).

g. *giorno*, d., day.

Ga *gallio*, *(chim.)* Ga, gallium.

GA *Giunta Amministrativa*, Municipal Council.

GAP 1 *Gruppo di Azione Patriottica*, Patriotic Action Group 2 *Gruppo di Azione Partigiana*, Resistance Action Group (Italian Partisan Group during World War II).

Gazz. Uff., G.U. *Gazzetta Ufficiale*, Official Gazette.

GB *Gran Bretagna*, GB, Great Britain.

GC *Genio Civile*, CE, Civil Engineer.

Gd *gadolinio*, *(chim.)* Gd, gadolinium.

G.d.F. *Guardia di Finanza*, Revenue Guard.

Ge *germanio*, *(chim.)* Ge, germanium.

GEI *Giovani Esploratori Italiani*, Italian Boy Scouts.

GeV *gigaelettronvolt*, *(fis.)* BeV, (USA) Billion Electronvolt.

GI *Giudice Istruttore*, Investigating Magistrate.

GMT *(ingl.: Greenwich Mean Time) tempo medio di Greenwich.*

gen. 1 *genitivo*, gen., genit., genitive 2 *gennaio*, Jan., January.

Gen. *Generale*, Gen., General.

gener. *generalmente*, gen., generally.

ger. *gerundio*, ger., gerund.

GESCAL *Gestione Case Lavoratori*, Institute for Administration of worker's houses.

Gestapo *(ted.: Geheime Staats Polizei) Polizia segreta di Stato*, Gestapo (Nazi secret police).

GhePeU *(russo: Gosudarstvennoe Politiceskoe Upravlenie) polizia segreta dell'URSS*, Ogpu, Unified State Political Directorate (Russian secret police).

giri/min *giri al minuto*, rpm, revolutions per minute.

giri/sec *giri al secondo*, rps, revolutions per second.

giu. *giugno*, Jun., June.

GP 1 *Gran Premio*, *(sport)* GP, Grand Prix 2 *Giunta Provinciale*, District Council.

GPA *Giunta Provinciale Amministrativa*, County Council.

GPL *Gas di petrolio liquefatto*, LPG, liquefied petroleum gas.

GR *Giornale Radio*, Radio News.

Gr. Uff. *Grande Ufficiale*, high-ranking official title, superior to "cavaliere".

grad *gradiente*, *(fis.)* grad, gradient.

Gs *gauss*, *(fis.)* Gs, Gauss.

GT 1 *Giudice Tutelare*, Judge with legal powers of guardianship over orphans, minor heirs, etc. 2 *Gran Turismo*, *(aut.)* GT, Grand Touring.

GU *Gazzetta Ufficiale*, Official Gazette.

GV *Grande Velocità*, *(ferr.)* express goods service.

h 1 *ora*, hr, hrs, hour 2 *ettogrammo*, hg, hectogram 3 *altezza*, h, ht, height.

H 1 *henry*, *(elettr.)* H, henry 2 *idroge-*

no, (*chim.*) H, hydrogen **3** *campo magnetico,* magnetic field.

hà   *ettaro,* ha, hectare.

He   *elio,* (*chim.*) He, helium.

Hf   *afnio,* (*chim.*) Hf, hafnium.

HF   *alta frequenza,* (*rad.tv.*), HF, high frequency.

hg   *ettogrammo,* hg, hectogram(me).

Hg   *mercurio,* (*chim.*) Hg, mercury.

hi-fi   (*ingl.: High Fidelity*) *alta fedeltà.*

hl   *ettolitro,* hl, hectolitre.

hm   *ettometro,* hm, hectometre.

Hn   *annio,* (*chim.*) Hn, hannium.

Ho   *olmio,* (*chim.*) Ho, holmium.

HP, hp   (*ingl.: HP, hp, Horse Power*) *cavallo vapore.*

Hz   *hertz,* Hz, hertz.

i   *unità immaginaria* $\sqrt{-1}$, i., imaginary unit $\sqrt{-1}$.

I   **1** *iodio,* (*chim.*) I, iodine   **2** *intensità di corrente elettrica,* (*fis.*) I, current.

IACP   *Istituto Autonomo per le Case Popolari,* Institute for Low-Rent Housing.

IAD   *Istituto Accertamento Diffusione,* Broadcasting Monitoring Institute.

ibid.   (*lat., ibidem*) *nello stesso luogo,* ib., ibid., in the same place.

IC   *Inter-city,* (*ferr.*) Inter-city.

ICAO   (*ingl.: International Civil Aviation Organization*) *Organizzazione internazionale dell'aviazione civile.*

ICC   → CCI.

ICE   *Istituto Nazionale per il Commercio Estero,* Institute for the Promotion of Foreign Trade.

ICEPS   *Istituto per la Cooperazione Economica con i Paesi in via di Sviluppo,* Institute for the Promotion of Economic Cooperation with Developing Countries.

id.   (*lat.: idem*) *lo stesso,* id., the same.

IGE   *Imposta Generale sull'Entrata,* turnover tax.

IGM   **1** *Istituto Geografico Militare,* Military Survey Office. **2** *Ispettorato Generale della Motorizzazione,* Vehicle Registry Office.

IIB   *Istituto Internazionale dei Brevetti,* International Patents Institute.

ill.   *illustrazione, illustrato,* ill., illus., illustration, illustrated.

Ill.mo   *illustrissimo,* (negli indirizzi) most distinguished.

ILO   (*ingl.: International Labour Organization*) *Organizzazione internazionale del lavoro.*

ILOR   *Imposta Locale sui Redditi,* Local Tax on Income.

imp., imper.   *imperativo,* imp., imper., impv., imperative.

imperf., impf.   *imperfetto,* (*gramm.*) imp., imperf., impf., imperfect.

IMQ   *Istituto del Marchio di Qualità,* Quality Mark Institute.

In   *indio,* (*chim.*) In, indium.

INA   *Istituto Nazionale Assicurazioni,* National Insurance Service.

INADEL   *Istituto Nazionale per l'Assistenza ai Dipendenti degli Enti Locali,* National Institute for Welfare of Employess of Local Bodies.

INAIL   *Istituto Nazionale per l'Assicurazione contro gli Infortuni sul Lavoro,* National Institute for Insurance against Industrial Injuries.

INCIS   *Istituto Nazionale per le Case degli Impiegati dello Stato,* Institute for providing houses for Civil Servants.

indic.   *indicativo,* ind., indic., indicative.

inf.   *infinito,* inf., infin., infinitive.

in-fol.   *in folio,* fo., fol., folio.

ing.   *Ingegnere,* Eng., Engineer.

INPS   *Istituto Nazionale Previdenza Sociale,* National Institute of Social Insurance.

int.   *interiezione,* interj., interjection.

INT   *Istituto Nazionale Trasporti,* National Transport Institute.

INTELSAT   (*ingl.: International Telecommunications Satellite Consortium*) *Consorzio Internazionale per le Telecomunicazioni via Satellite.*

inter.   *interiezione,* interj., interjection.

INTERPOL   *Polizia Internazionale,* INTERPOL, International Police.

INTERSIND   *Sindacato delle Aziende a Partecipazione statale,* Union of industries in which the state has a share or investment interest.

intr., intrans.   *intransitivo,* i., int., intr., intrans., intransitive.

INVIM   *Imposta Comunale sull'Incremento di Valore degli Immobili,* Tax on Increase in Property Value.

IPS   *Istituto Poligrafico dello Stato,* State printing works and stationery office.

Ir   *iridio,* (*chim.*) Ir, iridium.

IRA   (*ingl.: Irish Republican Army*) *Esercito della Repubblica Irlandese.*

IRI   *Istituto per la Ricostruzione Industriale,* Institute for the Reconstruction of Industry.

IRPEF   *Imposta sul Reddito delle Persone Fisiche,* Personal Income Tax.

IRPEG   *Imposta sul Reddito delle Persone Giuridiche,* Corporation Tax.

ISEF   *Istituto Superiore di Educazione Fisica,* High School of Physical Education.

ISO   (*ingl.: International Organization for Standardisation*) *Organizzazione Internazionale per la Standardizzazione.*

ISPI   *Istituto per gli Studi di Politica Internazionale,* Institute for Studies in International Politics.

ISS   *Istituto Superiore di Sanità,* National Health Institute.

ISTAT   *Istituto Centrale di Statistica,* National Statistics Office.

ISTEL — *Indagine sull'ascolto delle Televisioni in Italia*, Italian Television Viewing Survey.

ITALCABLE — *Servizi Cablografici Radiotelegrafici e Radioelettrici*, Italian Cable Company.

ITC — *Istituto Tecnico Commerciale*, Technical and Commercial Institute.

ITIS — *Istituto Tecnico Industriale Statale*, State Industrial and Technical Institute.

ITSOS — *Istituto Tecnico Statale a ordinamento speciale*, Special State Technical Institute.

IUD, Iud — (*ingl.: Intra-uterine device*) *Dispositivo Anticoncezionale Intrauterino.*

IVA — *Imposta sul Valore Aggiunto*, VAT, Value Added Tax.

J — *joule*, J, joule.

j — *unità immaginarie*, (*elettr.*) j, imaginary unit.

jr — *junior*, Jr., Junior.

k, kilo- — *chilo-*, k, kilo-.

K — **1** *Kelvin*, K, Kelvin **2** *potassio*, (*chim.*) K, potassium.

kal. — (*lat.: kalendae*) *calende* (*nelle iscrizioni latine*), kal., calends.

kc — *chilociclo*, (*rad.*) kc, kilocycle.

kcal — *chilocaloria*, kg-cal, kilogram-calorie.

kc/s — *chilocicli al secondo*, (*rad.*) kcps, kilocycles per second.

keV — *kiloelettronvolt*, (*fis.*) keV, kilo-electronvolt.

kg — *chilogrammo*, kg, kilogram (me).

KGB — (*russo: Komitet Gosudarstvennoi Bezopasnosti*) *Comitato per la sicurezza dello Stato, servizi segreti dell'URSS*, Committee of State Security (Russian secret service).

kgm — *chilogrammetro*, kg-m, kilogram-metre.

kHz — *kilohertz*, (*fis.*) kHz, kilohertz.

kl — *chilolitro*, kl, kilolitre.

km — *chilometro*, km, kilometre.

km/h — *chilometri all'ora*, kmph., kilometres per hour.

kmq — *chilometro quadrato*, sq km, square kilometre.

km/sec — *chilometri al secondo*, kmps, kilometres per second.

k.o. — *fuori combattimento*, KO, knock out.

Kr — *cripto*, (*chim.*) Kr, krypton.

kt — *kiloton*, (*fis.*) kt, kiloton.

KV — *chilovolt*, kv, kilovolt(s).

kVA — *chiloVoltAmpere*, kVA, kilovoltamp.

KW — *chilowatt*, kw, kilowatt.

KWh — *chilowattora*, kwh, kilowatt-hour.

l — *litro*, **1** litre **2** *lira*, lira **3** *lunghezza*, l, length.

L — **1** *coefficiente di autoinduzione*, (*fis.*) L, inductance **2** *lago*, l, L, Lake.

La — *lantanio*, (*chim.*) La, lanthanum.

lat. — *latitudine*, l., lat., latitude.

lb. — *libbra*, lb, pound (weight).

l.c. — *luogo citato*, l.c., loc. cit., in the place cited.

L-C — *Induttanza e capacità*, (*fis.*) L-C, inductance and capacitance.

L/C — (*ingl.: Letter of Credit*) *Lettera di Credito.*

L/C/C — (*ingl.: Letter Commercial Credit*) *Lettera Commerciale di Credito.*

LCD — (*ingl.: Liquid Crystal Display*) (*elettr.*) *Visualizzatore a Cristalli liquidi.*

LEM — (*ingl.: Lunar Excursion Module*) *Modulo per l'Escursione Lunare.*

lett. — **1** *letterario*, lit., literary **2** *letteratura*, lit., literature.

LF — (*ingl.: Low Frequency*) *bassa frequenza.*

lg — **1** *lira sterlina*, pound sterling **2** *logaritmo decimale*, log, logarithm.

Li — *litio*, (*chim.*) Li, lithium.

Lit. — *Lire italiane*, Italian lire.

LL AA — *Loro Altezze*, Their Highnesses.

LL PP — *Lavori Pubblici*, Public Works.

lm — *lumen*, (*fis.*) lm, lumen.

l.m. — *livello del mare*, s.l., sea level.

ln — *logaritmo naturale*, ln, natural logarithm.

LN — *luna nuova*, (*astr.*) new moon.

LOC — *Lega Obiettori di Coscienza*, League of Conscientious Objectors.

loc.cit. — (*lat.: loco citato*) *luogo citato*, loc. cit., l.c., in the place cited.

log — *logaritmo*, log, logarithm.

long. — *longitudine*, lon., long., longitude.

LP — **1** (*ingl.: Long Playing*), (*mus.*) *Lunga esecuzione* **2** *luna piena*, (*astr.*) full moon.

LSD — (*ted.: Lysergsäurediäthylamid*) *Dietilammide dell'Acido Lisergico*, LSD, lysergic acid diethylamide.

L.st. — *lira sterlina*, £, pound (sterling).

lu. — *luglio*, Jul., July.

Lu — *lutezio*, (*chim.*) Lu, lutetium.

lug. — *luglio*, Jul., July.

lux, lx — *lux*, (*fis.*) lx, lux.

Lw — *Laurenzio*, (*chim.*) Lw, lawrencium.

m — **1** *metro*, m., metre **2** *milli-*, m, milli-.

m. — **1** *maschile*, m., masc., masculine **2** *mese*, m., month **3** *morto*, d., dead.

μ — *micron*, μ, micron.

M — *mega-*, M, mega-.

M. — *Monte*, Mt, Mount.

mA — *milliampere*, Ma, MA, milliampere.

μA — *microampere*, μA, microampere.

MAE — *Ministero degli Affari Esteri*, Ministry of Foreign Affairs.

mag. — *maggio*, May.

Magg. — *Maggiore*, Maj, Major.

mar. — *marzo*, Mar., March.

Mar. — *Maresciallo (dei Carabinieri).*

MAS — *motoscafo antisommergibile*, M.T.B., motor torpedo-boat.

max. — *massimo*, max., maximum.

mb — *millibar*, (*meteor.*) mb, millibar.

Mc	*megaciclo*, (*fis.*) Mc, megacycle.	MW	*megawatt*, (*fis.*) MW, megawatt.
MCD	*massimo comun divisore*, hcf, highest common factor.	Mx	*maxwell*, (*fis.*) M, maxwell.
mcm	*minimo comune multiplo*, lcm, lowest (*o* least) common multiple.	n.	**1** *nato*, b., n., born **2** *neutro*, n., neut., neuter.
m.d.	*mano destra*, r.h., right hand.	N	**1** *azoto*, (*chim.*) N, nitrogen **2** *Nord*, N, North **3** *newton*, (*fis.*) N, newton.
Md	*mendelevio*, (*chim.*) Md, Mv, mendelivium.		
ME	**1** *Medio Evo*, Middle Ages **2** *Movimento Europeo*, European Movement.	N°	*numero*, no., No., number.
		Na	*sodio*, (*chim.*) Na, sodium.
MEC	*Mercato Comune Europeo*, E.C.M., European Common Market.	NAS	*Nucleo Antisofisticazioni*, Office for the Prevention of the Adulteration of Beverages and Foodstuffs.
MeV	*megaelettronvolt*, (*fis.*) MeV, megaelectronvolt.	NASA	(*ingl.*: *National Aeronautics and Space Administration*) Ente Nazionale Aeronautico e Spaziale.
mf	*mezzo-forte*, (mus.) mf, mezzo-forte.		
μF	*microfarad*, μF, microfarad.	NATO	(*ingl.*: *North Atlantic Treaty Organization*) Organizzazione del Trattato dell'Atlantico del Nord.
MF	**1** *media frequenza*, (*rad. tv*) MF, medium frequency **2** *modulazione di frequenza*, (*rad.*) FM, frequency modulation.		
		naz.	*nazionale*, nat., national.
		n.b., N.B.	*nota bene*, n.b., N.B. nota bene, note well.
MFE	*Movimento Federalista Europeo*, European Federalist Movement.		
		Nb	*niobio*, (*chim.*) Nb, niobium.
mg	*milligrammo*, mg, milligram(me).	NCEU	*Nuovo Catasto Edilizio Urbano*, City Property Registry Office.
Mg	**1** *magnesio*, (*chim.*) Mg, magnesium **2** *miriagrammo*, myg., myriagram(me).		
		NCT	*Nuovo Catasto Territoriale*, Land Registry Office.
min	*minuto*, m, min, minute.	Nd	*neodimio*, (*chim.*) Nd, neodymium.
min.	*minimo*, min, minim(um).	N.D.	*Nobil Donna*, member of a noble family.
Min.	*Ministro, Ministero*, Min., Ministry, Minister.		
		N.d.A.	*Nota dell'Autore*, author's note.
mitt.	*mittente*, sender.	N.d.E.	*Nota dell'Editore*, publisher's note.
ml	*millilitro*, ml, millilitre.	N.d.R.	*Nota della Redazione*, editor's note.
mm	*millimetro*, mm, millimetre.	N.d.T.	*Nota del Traduttore*, translator's note.
mμ	*millimicron*, mμ, millimicron.		
M.M.	*Marina Militare*, Italian Navy.	Ne	*neo*, (*chim.*) Ne, neon.
m/min	*metri al minuto*, mpm, metres per minute.	NE	*Nord-Est*, NE, North-East.
		NEP	(*russo*: *Nowaja Ekonomiceskaja Politika*) *Nuova Politica Economica*, NEP, New Economic Policy.
Mn	*manganese*, (*chim.*) Mn, manganese.		
M/N	*motonave*, M/S, motorship.		
Mo	*Molibdeno*, (*chim.*) Mo, molybdenum.	nF	*nanofarad*, (*fis.*) nF, nanofarad.
		N H	(*lat.*: *Nobilis Homo*) *Nobil Uomo*, member of a noble family.
Mo.	*Maestro (di musica)*, Maestro.		
MO	*Medio Oriente*, Middle East.	Ni	*nichel*, (*chim.*) Ni, nickel.
mol.	*molecola*, mol., molecule.	nn	*numeri*, nos., numbers.
mons.	*monsignore*, (*eccl.*) Mgr, Monsignor.	n.n.	*non numerate*, not numbered, unnumbered.
mq	*metro quadrato*, sq.m., square metre.		
MR	**1** *Magnifico Rettore*, (*nelle università*) Vice-Chancellor **2** *Molto Reverendo*, (*eccl.*) RR, Right Reverend.	NN	(*lat.*: *Nescio Nomen*) *di paternità ignota*, (*sui certificati di nascita ecc.*) name (of father) unknown.
ms, MS	*manoscritto*, MS, manuscript.	No	*nobelio*, (*chim.*) No, nobelium.
m.s.	*mano sinistra*, l.h., left hand.	No.	*numero*, No., number.
MS	*Mutuo Soccorso*, Mutual Aid.	NO	*Nord-Ovest*, NW, North-West.
m/sec	*metri al secondo*, mps, metres per second.	nom.	*nominativo*, nom., nominative.
		nov.	*novembre*, Nov., November.
MSI	*Movimento Sociale Italiano*, neo-Fascist Party.	Np	*nettunio*, (*chim.*) Np, neptunium.
		ns.	*nostro*, our; ours.
mss	*MSS, manoscritti*, MSS, manuscripts.	NT	**1** *Nuovo Testamento*, NT, New Testament **2** *non trasferibile*, account payee only.
MT	*megaton*, (*fis.*) MT, megaton.		
Mti	*monti (nelle carte geografiche)* Mts, Mountains.	NU	**1** → ONU **2** *Nettezza Urbana*, Municipal service for collecting refuse.
MTM	(*ingl.*: *Methods Time Measurement*) *Misura Tempi e Metodi*.		
mus.	**1** *musica*, mus., music **2** *musicale*, mus., musical.	O	*ossigeno*, (*chim.*) O, oxygen.
		O.	*Ovest*, W., West.

Ω	*ohm,* Ω, ohm.	
obb.mo, obbl.mo	*obbligatissimo,* your obedient servant.	
OCSE	*Organizzazione per la Cooperazione e lo Sviluppo Economico,* OECD, Organisation for Economic Co-operation and Development.	
OdG	*ordine del giorno,* (*comm.*) agenda; (*mil.*) dispatches; (*pol.*) parliamentary motion.	
OECD	(*ingl.: Organisation for Economic Co-operation and Development*) *Organizzazione di Cooperazione e di Sviluppo Economico.*	
OECE	*Organizzazione Europea per la Cooperazione Economica,* Organisation for European Economic Co-operation.	
OFM	*Ordine dei Frati Minori,* OFM, Order of Friars Minor.	
OIL	*Organizzazione Internazionale del Lavoro,* ILO, International Labour Organization.	
OK	*tutto bene,* OK, all correct.	
OLP	*Organizzazione per la Liberazione della Palestina,* PLO, Palestine Liberation Organization.	
OM	*Ordinanza Ministeriale,* Ministerial Ordinance, Decree.	
OMR	*Ordine (cavalleresco) al Merito della Repubblica,* Order of Merit of the Republic.	
OMS	*Organizzazione Mondiale della Sanità,* WHO, World Health Organization.	
on.	*onorevole,* MP, Member of Parliament.	
ONMIC	*Opera Nazionale Mutilati e Invalidi Civili,* National Organization for the Invalid and Disabled persons.	
ONU	*Organizzazione delle Nazioni Unite,* UN, UNO, United Nations Organization.	
OO PP	*Opere Pubbliche,* Public Works.	
op.	*opera,* work, opus.	
O.P.	*Ordine dei Predicatori,* (*Domenicani*) Order of Preachers.	
op. cit.	(*lat.: opere citato*) *opera citata,* op. cit., in the work cited.	
OPEC	(*ingl.: Organization of Petroleum Exporting Countries*) *Organizzazione dei Paesi Esportatori di Petrolio.*	
Os	*osmio,* (*chim.*) Os, osmium.	
OSA	*Organizzazione degli Stati Americani,* O.A.S., Organization of the American States.	
O.S.SS.A.	*Ordine Supremo della Santissima Annunziata,* Supreme Order of the Holy Annunciation.	
ott.	*ottobre,* Oct., October.	
OVRA	*Opera Volontaria per la Repressione dell'Antifascismo,* Fascist Secret Police.	
p	*piano,* (*mus.*) p, piano.	
p.	*pagina* p, page.	

P	**1** *fosforo,* (*chim.*) P, phosphorus **2** *Posteggio,* P, Parking.
p.a.	*per auguri,* with best wishes.
pA	*peso atomico,* aw, atomic weight.
Pa	*protoattinio,* (*chim.*) Pa, protoactinium.
PA	**1** *Pubblica Amministrazione,* Public Administration **2** *Patto Atlantico,* Atlantic Pact.
P/A	*polizza aerea,* AP, Air Policy.
pag.	*pagina,* p, page.
par.	*paragrafo,* par., paragraph.
particio.	*participio,* p, part., participle.
partic.	*particella,* (*gramm.*) particle.
pass.	**1** *passato,* (*gramm.*) p, past **2** (*lat.: passim*) *passim, in diversi luoghi,* (*nelle citazioni*) pass., passim, in every part **3** *passivo,* (*gramm.*) pass., passive.
p/ass.	*porto assegnato,* carriage forward.
Pb	*piombo,* (*chim.*) Pb, lead.
pc	*parsec,* (*fis.*) pc, parsec.
p.c.	*per conoscenza,* for (your) information.
PC	*polizza di carico,* bill of lading.
p.c.c.	*per copia conforme,* certified true copy.
PCI	*Partito Comunista Italiano,* Italian Communist Party.
PCUS	*Partito Comunista dell'Unione Sovietica,* The Communist Party of the Soviet Union.
Pd	*palladio,* (*chim.*) Pd, palladium.
PD	*Partita doppia,* (*amministrazione*) d.e., double entry.
PdA	*Partito d'Azione,* Action Party.
p.e.	*per esempio,* e.g., for instance; f.e., for example.
per/sec	*periodi al secondo,* cps, cycles per second.
p.es.	*per esempio,* e.g., for instance; f.e., for example.
p.f.	*per favore,* please.
pF	*picofarad,* (*fis.*) PF, picofarad.
p/fo	*piroscafo,* SS, steamship.
PG	*Procuratore Generale,* AG, Att. Gen., Attorney General.
p.g.r.	*per grazia ricevuta,* thanks for grace received.
PI	*Pubblica Istruzione,* Public Education.
PIME	*Pontificio Istituto Missioni Estere,* Pontifical Institute for Foreign Missionaries.
pl.	*plurale,* pl., plu., plur., plural.
PL	*Prodotto lordo,* GP, Gross Product.
PLI	*Partito Liberale Italiano,* Italian Liberal Party.
p.m.	*pomeridiano,* p.m., after midday.
pM	*peso molecolare,* mol. wt., molecular weight.
Pm	*prometeo,* (*chim.*) Pm, promethium.
PM	**1** *Polizia Militare,* MP, Military Police **2** *Pubblico Ministero,* Public Prosecutor.

PNL	*Prodotto nazionale lordo*, GNP, Gross National Product.		*Proletaria*, Italian Socialist Party for Proletarian Unity.
PNN	*Prodotto nazionale netto*, NNP, Net National Product.	Pt	*platino*, (*chim.*) Pt, platinum.
Po	*polonio*, (*chim.*) Po, polonium.	PT	**1** *Posta e Telegrafi*, Post and Telegraph Office **2** *Polizia Tributaria*, Fiscal, taxation police (performing the operations of the Tax Inspector in the U.K.) **3** *Posta e Telecomunicazioni*, Post and Telecommunications.
PO	*Posta ordinaria*, Regular Mail.		
POA	*Pontificia Opera di Assistenza*, Pontifical Welfare Organization.		
pol.	**1** *politica*, po., politics **2** *politico*, pol., political.		
POLFER	*Polizia Ferroviaria*, Railway Police.	PTP	*Posto Telefonico Pubblico*, public telephone.
POLSTRADA	*Polizia Stradale*, Highway Police.	Pu	*plutonio*, (*chim.*) Pu, plutonium.
pop.	*popolazione*, p, pop., population.	PU	*Polizia urbana*, Urban Police, City Police.
pp	**1** *pagine*, pp, pages **2** *pianissimo*, (*mus.*) pp, pianissimo.		
p.p.	**1** *pacco postale*, p.p., parcel post **2** *per procura*, p.p.p., by proxy.	p.v.	*prossimo venturo*, prox., next (month).
PP	**1** *porto pagato*, carriage paid **2** *posa piano*, (*sui colli postali*) handle with care **3** *primo piano*, (*cinem.*) close-up **4** *profitti e perdite*, profit and loss.	PV	*Piccola Velocità*, (*ferr.*) ordinary goods service.
		PVC	*Polivinilcloruro*, PVC, polyvinyl chloride.
		P.za	*piazza*, sq, square.
pp.nn.	*pagine non numerate*, unnumbered pages.	q	*quintale*, q., quintal.
ppp	*piano pianissimo*, (*mus.*) ppp, piano pianissimo.	q.	*quadrato*, sq., square.
		q.b.	*quanto basta*, (*nelle ricette*) q.s., a sufficient quantity.
PPSS	*Partecipazioni Statali*, State owned, nationalised industries or concerns.	q.e.d.	(*lat.*: *quod erat demonstrandum*) *come dovevasi dimostrare*, q.e.d., which was to be demonstrated.
PP TT	*Poste e Telecomunicazioni* (*Ministero delle*), (Ministry of) Post and Telecommunications.	QG	*Quartier Generale*, HQ, head quarters.
pr.	**1** *preposizione*, prep., preposition **2** *pronome*, pr., pron., pronoun.	QI	*quoziente d'intelligenza*, IQ, Intelligence Quotient.
p.r.	*per ringraziamento*, with thanks.		
Pr	*praseodimio*, (*chim.*) Pr, praseodymium.	r	*raggio*, (*geom.*) R, radius.
		r.	*recto*, (*bibliografia*) r, recto.
PR	**1** *Procuratore della Repubblica*, Public Prosecutor **2** *Piano Regolatore*, Town Planning Regulations.	R	*resistenza elettrica*, (*fis.*) R, resistance.
		R.	**1** *raccomandata*, registered letter **2** *Re*, R, King **3** *Regina*, R, Queen **4** *Repubblica*, Repub., Republic **5** *Reverendo*, (*eccl.*) Rev., Reverend **6** *regio*, R, Royal **7** *rapido* (*ferr.*) through train.
pred.	*predicato*, pred., predicate.		
pref.	**1** *prefazione*, pref., preface **2** *prefisso*, pref., prefix.		
Preg.	*pregiato/a*, (*nelle lettere*) esteemed.		
Preg.mo	*pregiatissimo*, (*nelle lettere*) most esteemed.	Ra	*radio*, (*chim.*) Ra, radium.
		racc.	*raccomandata*, registered letter.
prep.	*preposizione*, prep., preposition.	rag.	*ragioniere*, certified accountant.
pres.	*presente*, (*gramm.*) pre., pres., present.	RAI	*Radiotelevisione Italiana*, Italian Broadcasting Corporation.
PRI	*Partito Repubblicano Italiano*, Italian Republican Party.	RAU	*Repubblica Araba Unita*, UAR, United Arab Republic.
Proc. Gen.	*Procuratore Generale*, AG, Att. Gen., Attorney General.	Rb	*rubidio*, (*chim.*) Rb, rubidium.
		Rc	*radice cubica*, cubic root.
prof.	*professore*, Prof., Professor.	RC	*Responsabilità Civile*, (civil) liability.
pron.	*pronome*, pr., pron., pronoun.	R.C.	*Rotary Club*.
Prot.	*Protocollo*, protocol.	RCA	*Responsabilità Civile Autoveicoli*, third-party automobile insurance.
Prov.	*Provincia*, prov., province.		
P.S.	**1** *post scriptum*, P.S., postscript **2** *Polizia di Stato*, State Police **3** *Partita semplice*, Single Entry.	R.D.	*Regio Decreto*, Royal Decree.
		RDT	*Repubblica Democratica Tedesca*, DDR, German Democratic Republic.
PSDI	*Partito Socialista Democratico Italiano*, Italian Socialist Democratic Party.	Re	*renio*, (*chim.*) Re, rhenium.
		R/E	*ricavo effetti*, receipts from bills and drafts.
PSI	*Partito Socialista Italiano*, Italian Socialist Party.	Rep.	*repubblica*, rep., republic.
PSIUP	*Partito Socialista Italiano di Unità*	Rev.	*Reverendo*, (*eccl.*) Rev., Reverend.

Rev.mo	*Reverendissimo, (eccl.)* Rt. Rev., Right Reverend.	
RFT	*Repubblica Federale Tedesca,* German Federal Republic.	
Rh	*rodio, (chim.)* Rh, rhodium.	
RI	*Repubblica Italiana,* Italian Republic.	
ric.	*ricevuta,* rec., receipt.	
rifl.	*riflessivo,* refl., reflexive.	
rist.	*ristampa,* repr., reprint.	
Rn	*rado, (chim.)* Rn, radon.	
RP	**1** *relazioni pubbliche,* PR, public relations **2** *riservata personale,* personal and confidential.	
Rq	*radice quadrata,* square root.	
RR	*ricevuta di ritorno,* return receipt.	
Rrr	*raccomandata con ricevuta di ritorno,* registered letter with return receipt.	
RSI	*Repubblica Sociale Italiana,* Italian Social Republic (8-9-1943 / 25-4-1945).	
R.S.V.P.	*(franc.: répondez s'il vous plaît) si prega rispondere,* R.S.V.P., reply if you please.	
RT	*radiotelegrafia,* WT, wireless telegraphy.	
Ru	*rutenio, (chim.)* Ru, ruthenium.	
RVM	*Registrazione Video-magnetica,* Video-magnetic recording.	
s	*secondo,* s, sec, second.	
s.	**1** *sabato,* Sa., Sat., Stdy., Saturday **2** *sostantivo,* n, noun **3** *seguente,* f., following.	
S	**1** *siemens,* S, siemens **2** *solfo, (chim.)* S, sulphur.	
S.	**1** *Santo,* St., Saint **2** *Sud,* S, South.	
s.a.	*senza anno, (di stampa)* n.d., no date, undated.	
S.A.	**1** *Società Anonima,* (joint stock) Company **2** *Sua Altezza,* HH, His, Her Highness.	
S. acc.	*Società in Accomandita,* Limited Partnership.	
S.A.R.	*Sua Altezza Reale,* HRH, His., Her Royal Highness.	
SAUB	*Struttura Amministrativa Unificata di Base,* Unified Administrative Structure (the equivalent of the National Health Service in UK).	
Sb	*antimonio, (chim.)* Sb, antimony.	
s.b.f.	*salvo buon fine, (comm.)* under usual reserve.	
sc.	*scena, (teatr.)* sc., scene.	
Sc	*scandio, (chim.)* Sc, scandium.	
SC	**1** *Sede Centrale,* HO, head office **2** *Suprema Corte,* S.C., Supreme Court **3** *Sacro Cuore,* Sacred Heart.	
S.C.V.	*Stato della Città del Vaticano,* Vatican City.	
s.d.	*senza data, (bibliografia)* n.d., no date.	
s.d.l.	*senza data o luogo, (bibliografia)* n.p. or d., no place or date.	
S.d.N.	*Società delle Nazioni,* League of Nations.	

Se	*selenio, (chim.)* Se, selenium.	
s.e.	*senza editore,* n.p., no publisher.	
SE	**1** *Sua Eccellenza,* HE, His Excellency; *(eccl.)* His Lordship **2** *Sud-Est,* SE, South-East.	
SEAT	*Società Elenchi ufficiali degli Abbonati al Telefono,* Telephone Directory Publishing Company.	
SEATO	*(ingl.: South-East Asia Treaty Organization) Organizzazione del Trattato Asia Sud Orientale.*	
sec	**1** *secante,* sec, secant **2** *secondo,* s, sec, second.	
sec.	*secolo,* c., cent., century.	
SEDI	*Società Editrice Documentari Italiani,* Italian Newsreel Company.	
S.E.&O.	*salvo errori ed omissioni, (comm.)* E.&O.E., errors and omissions excepted.	
seg.	*seguente,* f., fol., following.	
S.Em.	Sua Eminenza, HE, His Eminence.	
sen	*seno,* sin, sine.	
sen.	*senatore,* sen., senator.	
serg.	*sergente,* sergt., sergeant.	
sett.	*settembre,* Sep., Sept., September.	
sez.	*sezione,* sec., section.	
sf	*sforzando, (mus.)* sf, sforzando.	
sfr	*sotto fascia raccomandata, (servizio postale)* registered printed matter.	
sfs	*sotto fascia semplice, (servizio postale)* unregistered printed matter.	
SG	*Sua Grazia,* HG, His, Her Grace.	
Sh	*seno iperbolico,* sinh, hyperbolic sine.	
Si	*silicio, (chim.)* Si, silicon.	
SIAE	*Società Italiana Autori ed Editori,* Italian Authors' and Publishers' Association.	
Sig.	*Signore,* Mr, Mister.	
Sig.a	*Signora,* Mrs, Mistress.	
Sigg.	*Signori,* Messrs, Messieurs.	
Sig.na	*Signorina,* Miss.	
sim.	*simile, simili,* similar.	
sin.	**1** *sinistra,* l, left **2** *seno, (mat.)* sin, sine.	
sing.	*singolare,* s., sing., singular.	
SIP	*Società Italiana per l'esercizio telefonico,* Italian State Telephone Company.	
S.J.	*Societas Jesu, (Compagnia di Gesù)* S.J., Society of Jesus.	
s.l.	**1** *stile libero, (sport.)* free-style **2** *senza luogo, (bibliografia)* n.p., no place.	
s.l.m.	*sul livello del mare,* above sea level.	
s.l.n.d.	*senza luogo né data, (bibliografia)* n.p.n.d., no place no date.	
s.m.	→ s.l.m.	
Sm	*samario, (chim.)* Sm, samarium.	
S.M.	**1** *Stato Maggiore,* Staff **2** *Sua Maestà,* H.M., His, Her Majesty.	
SME	*Sistema Monetario Europeo,* EMS, European Monetary System.	
S.M.G.	*Stato Maggiore Generale,* GS, General Staff.	
SMI	*Sua Maestà Imperiale,* His, Her Imperial Majesty.	

SMOM	*Sovrano Militare Ordine di Malta,* Sovereign Military order of Malta.	t	**1** *tonnellata,* t, ton(s) **2** *tempo, (fis.)* t, time **3** *tomo,* vol., volume.
Sn	*stagno, (chim.)* Sn, tin.	T	**1** *tabaccheria, (nelle insegne),* tobacconist (State monopoly outlet also selling salt, postage stamps, stamp-tax values, stamped paper, football pools etc.) **2** *(fis.) periodo,* period **3** *temperatura assoluta,* T, temperature **4** *tritio, (chim.)* T, tritium.
SNDA	*Società Nazionale Dante Alighieri,* National Dante Alighieri Society.		
s.n.t.	*senza note tipografiche,* without typographical notes.		
SO	*Sud-Ovest,* SW, South-West.		
Soc.	*Società,* Soc., Society.		
SOS	*segnale internazionale di richiesta di soccorso,* SOS, (Save Our Souls) appeal for help or rescue.	Ta	*tantalio, (chim.)* Ta, tantalum.
		TAC	*Tomografia Assiale Computerizzata, (med.)* CAT, Computerized Axial Tomography.
sost.	**1** *sostantivo,* n., noun **2** *sostenuto, (mus.)* sost., sustained/sostenuto.		
Sott.te	*Sottotenente,* Sub-Lieutenant.	tan.	*tangente, (mat.)* tan., tangent.
S.P.	**1** *Santo Padre,* HH, His Holiness **2** *Strada Provinciale,* Provincial Road.	TAR	*Tribunale Amministrativo Regionale,* Regional Prices Commission.
S.p.A.	*Società per Azioni,* Joint Stock Company.	TASS	*(russo: Telegrafnoje Agentstvo Sovietskovo Ssojusa) Agenzia Telegrafica dell'Unione Sovietica,* TASS, Soviet Union Telegraph Agency, the USSR State news agency.
SPA	*Società Protettrice degli Animali,* SPCA, Society for the Prevention of Cruelty to Animals.		
spec.	*specialmente,* esp., espec., especially.	tav.	*tavola,* t., table.
Spett.	*(comm.) Spettabile.*	Tb	*terbio, (chim.)* Tb, terbium.
S.P.M.	*sue proprie mani,* personal for addressee.	tbc, TBC	*tubercolosi,* TB, tuberculosis.
		t/c	*turbocisterna,* oil tanker with turbine engines.
S.P.Q.R.	*(lat.: Senatus Populusque Romanus) Senato e Popolo Romano,* S.P.Q.R., the Senate and People of Rome.	Tc	*tecnezio, (chim.)* Tc, technetium.
		TCI	*Touring Club Italiano,* Italian Touring Club.
S.Q.	*secondo quantità, (sui menù)* (price) according to quantity consumed.	Te	*tellurio, (chim.)* Te, tellurium.
Sr	*stronzio, (chim.)* Sr, strontium.	TE	*trazione elettrica, (ferr.)* Electric Traction.
S.R.	*Sacra Rota,* the Sacred Rota.		
S.R.C.	*Santa Romana Chiesa,* S.R.E., Holy Roman Church.	TEE	*Trans Europe Express, (ferr.)* TEE, Trans Europ Express.
S.r.l.	*Società a responsabilità limitata,* Ltd. (Co.) Limited (Company).	tec.	**1** *tecnica,* techn., technology **2** *tecnico,* techn., technical.
ss.	*seguenti,* ff., the following.	tel.	*telefono,* tel., telephone.
SS	**1** *(ted.: Schutzstaffel) milizia di protezione nazista,* SS., Hitler bodyguard **2** *Santi,* SS, Saints **3** *Santissimo,* SS, Most Holy.	Ten.	*Tenente,* Lt, Lieut., Lieutenant.
		tg	*tangente,* tan, tangent.
		TG	*Telegiornale,* Television (TV) News.
		Th	**1** *tangente iperbolica,* tanh, hyperbolic tangent **2** *torio, (chim.)* Th, thorium.
S.S.	**1** *Santa Sede,* Holy See **2** *Sua Santità,* HH, His Holiness **3** *Strada Statale,* State Road (equivalent of UK Trunk Road).	Ti	*titanio, (chim.)* Ti, titanium.
		TIR	*(franc.: Transports Internationaux Routiers) Trasporti Internazionali su Strada,* TIR, International Road Transport.
SSN	*Servizio Sanitario Nazionale,* NHS, National Health Service.		
SS.PP.	*Santi Padri,* Holy Fathers.	tit.	*titolo, in bibliografia,* tit., title.
S.Ten.	*Sottotenente,* Sub-Lieutenant.	Tl	*tallio, (chim.)* Ti, thalium.
SU	*Stati Uniti,* US, United States.	Tm	*tulio, (chim.)* Tm, thulium.
sup.	**1** *superlativo,* sup., superl., superlative **2** *superiore,* sup., superior.	t.m.	*tempi e metodi* (organizzazione aziendale), time and motion study.
suppl.	*supplemento, in bibliografia,* suppl., supplement.	TMEC	*Tempo Medio dell'Europa Centrale,* CET, Central European Time.
sv.	*sub voce, (lat.)* sub verbo, under a specified word.	TMG	*Tempo Medio di Greenwich,* GMT, Greenwich Mean Time.
SV	*Signoria Vostra,* Your Lordship.	T/N o t/n	*turbonave,* turbine ship.
S.V.I.	*Signoria Vostra Illustrissima,* Your Illustrious (o Esteemed) Lordship.	tom.	*tomo,* (bibliografia) t., tome.
		TOTIP	*Totalizzatore Ippico,* Horse-race Pools.
S.V.P.	**1** *(ted.: Südtiroler Volkspartei) Partito Popolare Sudtirolese,* Party of the German-speaking minority in Alto Adige **2** *(francese: s'il vous plaît) per favore,* S.V.P., please.	TOTOCALCIO	*Totalizzatore Calcistico,* Football Pools.
		tr.	*tratta,* dft., draft.
		trad.	*traduzione,* trans., translation.

trans.	*transitivo*, t., tr., trans., transitive.		*do Internazionale di Emergenza per*
trim.	*trimestre*, term.		*l'Infanzia delle Nazioni Unite.*
TSF	*telegrafo senza fili*, wireless.	UNIDO	*(ingl.: United Nations Industrial De-*
TT	*(ingl.: telegraph transfert)*, *(comm.)*		*velopment Organization) Organizza-*
	trasferimento o bonifico telegrafico.		*zione delle Nazïoni Unite per lo Svi-*
TUS	*Tasso Ufficiale di Sconto,* Official		*luppo Industriale.*
	Bank Rate.	UNIPEDE	*(franc.: Union Internationale des*
TUT	*Tariffa Urbana a Tempo,* (*tel.*) Local		*Producteurs et Distributeurs d'Ener-*
	Dialling Charges.		*gie Electrique) Unione Internaziona-*
TV, tv	*televisione*, TV, tv, television.		*le dei Produttori e Distributori di*
TVC	*televisione a colori,* colour television.		*Energia Elettrica,* UNIPEDE,
			International Union of Producers
U	**1** *uranio,* (*chim.*) U, uranium **2**		and Distributors of Electric Power.
	energia potenziale, (*fis.*) potential	UNRRA	*(ingl.: United Nations Relief and Re-*
	energy.		*habilitation Administration) Soccor-*
u.a.	*unità astronomica,* AU, astronomi-		*so per i territori europei danneggiati*
	cal unit.		*dalla guerra.*
U.C.	**1** *Ufficiale di Complemento,* Territo-	UNUCI	*Unione Nazionale Ufficiali in Con-*
	rial Army Officer **2** *Ufficio di Col-*		*gedo d'Italia,* Italian National Asso-
	locamento, Employment Bureau.		ciation of Ex-Officers.
UCDG	*Unione Cristiana delle Giovani,*	UPA	*Unione Panamericana,* Pan-Ameri-
	YWCA, Young Women's Chri-		can Union.
	stian Association.	UPU	*Unione Postale Universale,* UPU,
UCI	*Unione Ciclistica Internazionale,* In-		Universal Postal Union.
	ternational Cycling Union.	UQ	*ultimo quarto lunare,* (*astr.*) last
UDI	*Unione Donne Italiane,* Association		quarter-moon.
	of Italian Women (with Commu-	URAR-tv	*Ufficio Registro Abbonati Radio e*
	nist trend).		*Televisione,* Radio and Television
UEFA	*(ingl.: Union of European Football*		Licence-Holders Records Office.
	Associations) Unione Europea delle	urg.	*urgente,* urgent.
	Federazioni di Calcio.	URSS	*Unione Repubbliche Socialiste Sovie-*
UEO	*Unione dell'Europa Occidentale,*		*tiche,* USSR, Union of Soviet So-
	WEU, Western European Union.		cialist Republics.
UHF	*(ingl.: Ultrahigh frequency)*, (*rad. tv*)	u.s.	*ultimo scorso,* ult., last (month).
	frequenza ultraelevata.	US	**1** *Ufficio Stampa,* Press Agency **2**
U.I.	**1** *unità internazionali,* (*farm.*) IU,		*Uscita di Sicurezza,* Emergency Exit.
	International unit **2** *uso interno,*	USA	*(ingl.: United States of America)*
	internal use.		*Stati Uniti d'America.*
UIC	**1** *Unione Italiana Ciechi,* Italian	USIS	*(ingl.: United States Information*
	Union of the Blind **2** *Ufficio Ita-*		*Service) Ufficio Informazioni per gli*
	liano Cambi, Italian Foreign Ex-		*Stati Uniti d'America.*
	change Office.	USL	*Unione Sanitaria Locale,* Local
UIL	**1** *Ufficio Internazionale del Lavoro,*		Health Union.
	International Labour Office **2**	UV, Uv	*Ultravioletto,* (*fis.*) UV, ultraviolet.
	Unione Italiana dei Lavoratori, Ita-	UVI	*Unione Velocipedistica Italiana,* Ita-
	lian Federation of Trade Unions		lian Cycling Union.
	(with moderate Socialist and Repu-		
	blican trend).	v.	**1** *vedi,* q.v., which see **2** *venerdì,*
UIT	*(franc.: Union Internationale des*		Fr., Fri., Friday **3** *verbo,* v., vb,
	Télécommunications) Unione Inter-		verb **4** *verso,* (*bibliografia*) v., ver-
	nazionale per le Telecomunicazioni,		so **5** *verso,* (*poesia*) v., verse.
	ITU, International Telecommuni-	V	**1** *vanadio,* (*chim.*) V, vanadium **2**
	cations Union.		*volt,* V, volt **3** *potenziale,* (*fis.*) V,
U.M.	*Unione Militare,* Military Union.		Voltage **4** *volume,* v, volume.
UNESCO	*Organizzazione educativa, scientifica*	V.	*Via,* St., Street.
	e culturale delle Nazioni Unite,	Va	**1** *Vostra Altezza,* Your Highness **2**
	UNESCO, United Nations Educa-		*Voltampere,* VA, Volt Amp.
	tional, Scientific, and Cultural Or-	val.	*valuta,* cur., cy., currency.
	ganization.	Vat.	*Vaticano,* Vat., Vatican.
UNI	*Ente Nazionale per l'Unificazione*	vb.	*verbo,* v, vb, verb.
	nell'Industria (di misure, pezzi, for-	VCR	*(ingl.: Video Cassette Recorder) Vi-*
	mati ecc.), National Association for		*deoregistratore a Cassette.*
	Industrial Uniformity (weights,	V.D.Q.S.	*(franc.: Vin Délimité de Qualité Su-*
	measures etc.).		*périeure) Vino Delimitato di Qualità*
UNICEF	*Ingl.:* United Nations International		*Superiore,* certified fine wine of li-
	Children's Emergency Fund) *Fon-*		mited production.

V.E.	*Vostra Eccellenza*, Your Excellency; (*eccl.*) Your Grace, Your Lordship.	VT	*Vecchio Testamento*, OT, Old Testament.
V.Em.	*Vostra Eminenza*, Your Eminence.	VTR	(*ingl.*: *Video Tape Recorder*) Videoregistratore a nastro.
Ven.	*Venerabile*, Ven., Venerable.		
vers.	*versamento*, payment.	V.U.	*vigile urbano*, a type of police officer (though quite separate from the Police) concerned with traffic, civil order and regulations, residence, document etc.
VES	*velocità di eritrosedimentazione*, (*med.*) eritrosedimentation speed.		
vet.	*veterinario*, vet., veterinary.		
V.F.	(*targa aut.*) *Vigili del Fuoco*, Fire Brigade.	vv	*versi*, vv, verses.
V.G.	*Vostra Grazia*, Your Grace.	V.V.S.O.P.	(*ingl.*: *Very Very Superior Old Pale*) Cognac super stravecchio superiore paglierino.
VHF	(*ingl.*: *Very High Frequency*), (*rad. tv*) altissima frequenza.		
vig.	*vigente*, in force.		
V.le	*Viale*, Blvd, Boul., boulevard; av., Ave., avenue.	W	1 *viva!*, long live! 2 *volframio*, (*chim.*) W, tungsten 3 *watt*, w, watt.
VLF	(*ingl.*: *Very Low Frequency*) (rad. tv) bassissima frequenza.	WC	(*ingl.*: *Water Closet*), gabinetto.
		Wh	*wattora*, wh, whr, watt-hour.
V.M.	1 *Vostra Maestà*, Your Majesty 2 *Valor Militare*, a medal for military valour.	WL	(*franc.*: *Wagons-Lits*), Carrozza-letto, Sleeping-car.
VO	1 *Velocità ordinaria*, ordinary, normal speed 2 (*ingl.*: *Very Old*) (*enol.*) molto vecchio.	WWF	(*ingl.*: *World Wildlife Fund*) Fondo Mondiale per la Natura.
voc.	*vocativo*, voc., vocative.	X	*xeno*, (*chim.*) X, Xe, xenon.
vol.	*volume*, v, V, vol., volume.	X.	*Cristo*, X, Xt., Christ.
V.P.	1 *vicepresidente*, Vicepresident, Deputy Chairman 2 *vaglia postale*, money order.	Y	*ittrio*, (*chim.*) Y, yttrium.
		Yb	*itterbio*, (*chim.*) Yb, ytterbium.
		YCI	*Yacht Club Italia*, Italian Yacht Club.
v.r.	*vedi retro*, p.t.o., please turn over.		
vs.	*vostro*, yrs, yours.		
v.s.	*vedi sopra*, see above.	Z	*numero atomico*, Z, atomic number.
V.S.	1 *Vostra Santità*, Your Holiness 2 *Vostra Signoria*, Your Lordship.	Z	*impedenza*, (*fis.*) Z, impedance.
		Z.d.G.	*Zona di Guerra*, War Zone.
V.S.O.P.	(*ingl.*: *Very Superior Old Pale*) Cognac stravecchio superiore paglierino.	Zn	*zinco*, (*chim.*) Zn, zinc.
		Zr	*zirconio*, (*chim.*) Zr, zirconium.

Sigle e abbreviazioni usate nei paesi di lingua inglese

a   *are*, a, ara.

a.   **1** *acre (s)* **2** *active*, *(gramm.)* att., attivo **3** *adjective*, ag., aggettivo **4** *afternoon*, pomeriggio **5** *anode*, anodo.

A   **1** *adult*, per adulti (di pellicola cinematografica) **2** *ampere*, A, ampere **3** *argon*, *(chim.)* Ar, argo.

Å, A   *angstrom (unit)*, *(fis.)* Å, angstrom.

A1   *In first-rate condition*, di ottima qualità.

A1/2/3 etc.   *classification and number of road*, classificazione delle strade statali.

AA   **1** *Automobile Association*, Automobile Club **2** *Alcoholics Anonymous*, Anonima Alcolisti.

AAA   **1** *Amateur Athletics Association*, Associazione Atleti Dilettanti. **2** *American Automobile Association*, Automobile Club d'America.

AAC   *Agricultural Advisory Council*, ente consultivo per lo sviluppo dell'agricoltura.

AACC   *All Africa Conference of Churches*, Conferenza Panafricana delle Chiese.

AAE   *American Association of Engineers*, Ordine Americano degli Ingegneri.

AAeE   *Associate in Aeronautical Engineering*, iscritto all'albo degli ingegneri aeronautici.

AAM   *Association of Assistant Mistresses*, Sindacato delle Insegnanti.

AAPA   *Advertising Agency Production Association*, Associazione Agenzie Pubblicitarie.

AAR   *against all risks*, *(formula assicurativa)* contro tutti i rischi.

AAS   **1** *American Academy of Arts and Sciences*, Accademia Americana delle Arti e delle Scienze; **2** *American Astronomical Society*, Società Americana di Astronomia; **3** *American Astronautical Society*, Società Americana di Astronautica.

AAU   *Amateur Athletic Union*, Unione Atleti Dilettanti.

AB   *(lat.: Artium Baccalaureus)* Bachelor of Arts → BA.

ABA   **1** *Amateur Boxing Association*, Associazione Pugili Dilettanti **2** *American Bar Association*, Ordine Americano degli Avvocati.

abbr., abbrev.   **1** *abbreviated*, abbreviato **2** *abbreviation*, abbr., abbreviazione.

ABC   **1** *American Broadcasting Company*, Società Radiofonica Americana **2** ABC *Railway Guide*, orario ferroviario per ordine alfabetico.

ABCC   *Association of British Chambers of Commerce*, Associazione delle Camere di Commercio Britanniche.

ABIM   *Associate of the British Institute of Management*, iscritto all'associazione britannica dei dirigenti.

ab init.   *(lat.: ab initio) from the beginning*, dal principio.

abl.   *ablative*, ablativo.

ABM   *Anti-Ballistic Missile*, Missile anti-Balistico.

Abp.   *Archbishop*, Arcivescovo.

abr.   **1** *abridged*, ridotto (di libro) **2** *abridgment*, riduzione (di libro).

abs.   **1** *absolute*, assoluto (di temperatura) **2** *abstract*, astratto.

abt   *about*, circa.

ABTA   *Association of British Travel Agents*, Associazione delle Agenzie di Viaggio Britanniche.

ac.   *account*, c.to, conto.

ac   *alternating current*, c.a., corrente alternata.

a/c   *account*, c.to, conto.

Ac   *actinium*, *(chim.)* Ac, attinio.

AC   **1** *Air Corps*, Forze Aeree **2** *Alpine Club*, Club Alpino **3** *Army Corps*, C. d'A., Corpo d'Armata **4** *Appeal Court*, C.d.A., Corte d'Appello **5** *Ambulance Corps*, corpo di volontari per il servizio ambulanze **6** *Appellation Contrôlée*, DOC, denominazione di origine controllata (di vini).

A/C   *account current*, c.c., c/c, conto corrente.

ACA   *Associate of the Institute of Chartered Accountants*, iscritto all'albo dei revisori dei conti.

Acad.   *Academy*, Accademia.

acc.   **1** *acceptance*, accettazione **2** *accepted*, accettato **3** *account*, conto **4** *accusative*, acc., accusativo.

ACCA   *(amer.) Associate of the Association of Certified Accountants*, iscritto all'albo dei ragionieri riconosciuti dallo stato.

ACE	*Allied Command Europe*, Comando Alleato per l'Europa (NATO).		*Audio Frequency*, (*rad.*) audiofrequenza.
ACEC	*Advisory Council on Energy Conservation*, Ente Consultivo per la Conservazione dell'energia.	AFB	*Air Force Base*, Base Aeronautica.
		AFHQ	*Air Force Head Quarters*, Quartier Generale dell'Aeronautica.
ACGB	*Arts Council of Great Britain*, ente britannico per la promozione delle arti.	AFL	*American Federation of Labor*, Federazione Americana del Lavoro.
		AFM	*Air Force Medal*, medaglia al valore aeronautico.
ACLANT	*Allied Command Atlantic*, Comando Alleato Atlantico (NATO).	Afr.	**1** *Africa*, Africa **2** *African*, africano.
ACML	*Anti-Common Market League*, Lega anti-Mercato Comune.	aft.	*afternoon*, pomeriggio.
ACSEA	*Allied Command South East Asia*, Comando Alleato per il Sud-Est Asiatico.	Ag	*silver*, (*chim.*) Ag, argento.
		AG	*Attorney General*, P. G., Proc. Gen., Procuratore Generale.
act.	*active*, (*gramm.*) att., attivo.	agcy.	*agency*, agenzia.
ACV	*Air Cushion Vehicle*, hovercraft, veicolo a cuscino d'aria.	AGM	**1** *Annual General Meeting*, Riunione Generale Annuale **2** *Air-to-Ground Missile*, Missile Aria-Terra.
ad.	*adverb*, av., avv., avverbio.		
AD	(*lat.*: *Anno Domini*) *in the year of our Lord*, A.D., Anno Domini; d.C., dopo Cristo.	agr., agric.	*agriculture*, agricoltura.
		Ah	*ampere-hour*, Ah, amperora.
		AI	**1** *artificial insemination*, fecondazione artificiale **2** *Amnesty International*, AI, Amnesty International, organizzazione internazionale per la difesa dei diritti dell'uomo.
ADC, A-D-C	*Aide-de-Camp*, aiutante di campo.		
ADC	*Analog Digital Converter*, (*informatica*) convertitore analogico-digitale.		
ADF	*Automatic Direction Finder*, radiogoniometro automatico.	AIPO	*American Institute of Public Opinion*, istituto americano per il sondaggio dell'opinione pubblica.
ad int.	(*lat.*: *ad interim*) *in the meantime*, ad interim.		
		Al	*aluminium*, (*chim.*) al, alluminio.
adj.	*adjective*, agg., aggettivo.	AL	*American Legion*, Legione Americana (associazione di ex-combattenti).
Adj., Adjt.	*Adjutant*, Aiutante.		
ad lib., ad libit.	(*lat.*: *ad libitum*) *at one's pleasure*, ad libitum, a volontà.	Ala	*Alabama*.
Adm.	**1** *Admiral*, Ammiraglio **2** *Admiralty*, Ammiragliato.	Alas.	*Alaska*.
		Alba	*Alberta* (*Canada*).
Admin.	**1** *Administrator*, Amm.re, amministratore **2** *Administration*, amm.ne, amministrazione.	ALBM	*Air-Launched Ballistic Missile*, Missile Balistico lanciato da Aerei.
		alc.	*alcohol*, alcool.
ADP	*Automatic Data Processing*, (*informatica*) elaborazione automatica dei dati.	ALCS	*Authors' Lending and Copyright Society*, società per i diritti d'autore.
		A Level	*Advanced Level* → GCE.
adv.	**1** *adverb*, av., avv., avverbio **2** *advertisement*, annuncio pubblicitario.	alg.	*algebra*, alg., algebra.
		ALGOL	*Algorithmic Language*, (*informatica*) Algol (linguaggio di programmazione).
AE	**1** *Atomic Energy*, Energia Atomica **2** *Aeronautical Engineer*, Ingegnere Aeronautico.		
AEA	*Atomic Energy Authority*, Commissione per l'Energia Atomica (in Gran Bretagna).	ALPA	*Airline Pilots' Association*, Associazione dei Piloti di Linee Aeree (USA).
		alt.	**1** *alternate*, alternato **2** *altitude*, alt., altitudine.
AEB	*Associated Examining Board*, ente di coordinamento per gli esami di istruzione superiore (corrispondenti alla licenza «O level»).	a.m.	(*lat.*: *ante meridiem*) *before midday*, a.m., ant., antimeridiano.
		Am	*americium*, (*chim.*) Am, americio.
AEC	*Atomic Energy Commission*, Commissione per l'Energia Atomica (negli Stati Uniti).	Am.	**1** *America*, America **2** *American*, amer., americano.
AEF	*Amalgamated Union of Engineering and Foundry Workers*, Sindacato dei metalmeccanici e degli operai siderurgici.	AM	**1** *Air Mail*, Posta Aerea **2** *Air Ministry*, Ministero dell'Aeronautica **3** *amplitude modulation*, (*rad.*) modulazione di ampiezza **4** (*lat.*: *Artium Magister*) *Master of Arts* → MA.
AERE	*Atomic Energy Research Establishment (Harwell)*, Istituto di ricerca per l'Energia Atomica (Harwell).	AMA	**1** *American Medical Association*, Ordine Americano dei Medici **2** *Assistant Masters' Association*, Sindacato degli Insegnanti.
AF	**1** *Admiral of the Fleet*, Ammiraglio **2** *Air Force*, Aeronautica **3**		

Amer. | **1** *America*, America **2** *American*, amer., americano.

AMM | *Anti-Missile Missile*, Missile Anti-Missile.

amp | *ampere, amperage*, A, Ampere.

amt | *amount*, ammontare.

ANA | **1** *Australian National Airways*, Linee Aeree Australiane **2** *All Nippon Airways*, Linee Aeree Giapponesi.

Angl. | *Anglican*, anglicano.

Ang.-Sax. | *Anglo-Saxon*, anglosassone.

ANK | *Address Not Known*, Indirizzo Sconosciuto.

anon. | *anonymous*, anonimo.

ap. | *apothecary*, farmacista.

Ap. | *April*, apr., aprile.

AP. | *Associated Press*, Stampa Associata (agenzia di stampa americana).

APEX | *Advance Purchase Excursion (on airlines)*, biglietto di aereo vincolato a una data prefissata.

app. | *appendix*, appendice.

Appro. | *(on) Approval*, per approvazione.

approx. | **1** *approximate*, approssimato **2** *approximately*, approssimativamente.

Apr. | *April*, apr., aprile.

APR | *Annual Percentage Rate (interest)*, Tasso di Interesse Annuale.

Apt | *apartment*, appartamento.

apx | *appendix*, appendice.

ar. | *arrival*, arrivo.

Ar | *Argon*, Ar, argo.

ARA | *Associate of the Royal Academy*, Membro dell'Accademia Reale.

ARC | **1** *American Red Cross*, Croce Rossa Americana **2** *Agricultural Research Council*, Ente di Ricerca per l'Agricoltura.

arch. | *architect*, arch., architetto.

Arch., Archbp. | *Archbishop*, Arc., arcivescovo.

Archd. | **1** *Archdeacon*, arcidiacono **2** *Archduke*, arciduca.

archt. | *architect.*, arch., architetto.

ARELS | *Association of Recognised English Language Schools*, Associazione delle Scuole d'Inglese Riconosciute.

Arg. | *Argentina, Argentine*, Argentina.

Ariz. | *Arizona*.

Ark. | *Arkansas*.

ARM | *Anti-Radar Missile*, Missile anti-Radar.

Arm. | *Armenia*.

arr. | *arrival*, arrivo.

art. | **1** *article, (gramm.)* art., articolo **2** *artillery*, artiglieria.

ARTC | *Air Route Traffic Control*, Controllo delle Rotte Aeree.

As | *arsenic, (chim.)* As, arsenico.

As. | **1** *Asia*, Asia **2** *Asian, Asiatic*, asiatico.

AS | **1** *Academy of Science*, Accademia Scientifica **2** *Anglo-Saxon*, anglosassone **3** *Assistant Secretary*, vice-segretario.

ASAP | *As Soon As Possible*, con la massima urgenza.

ass. | **1** *assistant*, assistente **2** *association*, associazione.

assn., assoc. | *association*, associazione.

Asst | *assistant*, assistente.

at | *(metric) atmosphere*, at, atmosfera (metrica).

at | *atomic*, atomico.

At | *astatine, (chim.)* At, astato.

ATC | *Air Traffic Control*, Controllo del Traffico Aereo.

Atl. | *Atlantic*, Atlantico.

atm | *atmospheric*, atmosferico.

Atm | *(standard) atmosphere*, Atm, atmosfera (fisica).

atm press | *atmospheric pressure*, pressione atmosferica.

at no | *atomic number*, numero atomico.

Att. | *Attorney*, Procuratore Legale.

ATT | *American Telephone and Telegraph*, Società Americana dei Telefoni e dei Telegrafi.

Att.-Gen. | *Attorney-General*, P.G., Proc. Gen., Procuratore Generale; *(negli Stati Uniti)* Ministro della Giustizia.

attrib. | *attribute, (gramm.)* attr., attributo.

Atty | *Attorney*, Procuratore Legale.

at vol | *atomic volume*, volume atomico.

at wt | *atomic weight*, peso atomico.

Au | *gold, (chim.)* Au, oro.

AUEW | *Amalgamated Union of Engineering Workers*, Sindacato Riunito dei Lavoratori Metalmeccanici.

Aug. | *August*, ag., ago., agosto.

Aus. | **1** *Austria*, Austria **2** *Austrian*, austriaco.

Austral. | **1** *Australia*, Australia **2** *Australian*, australiano.

auth. | **1** *author*, A., autore **2** *authorized*, autorizzato.

Auth. Ver. | *Authorized Version*, Versione Autorizzata (traduzione ufficiale, anglicana della Bibbia, 1611).

av. | **1** *avenue*, V.le, viale **2** *average*, medio **3** *avoirdupois*.

AV | *Authorized Version*, Versione Autorizzata (traduzione ufficiale, anglicana della Bibbia, 1611).

avdp. | *avoirdupois*.

ave., Ave. | *avenue*, V.le, viale.

avoir. | *avoirdupois*.

AWARE | *Advanced Warning Radar Equipment*, apparecchio radar per l'avvistamento anticipato (di missili).

AWOL | *(mil.) Absent Without Official Leave*, assente non autorizzato.

AWRE | *Atomic Weapons Research Establishment Aldermaston*, Impianto di Ricerca per le Armi Atomiche (Aldermaston).

b. | **1** *book*, libro **2** *born*, n., nato.

B | **1** *boron, (chim.)* B, boro **2** *Baron*, bar., Barone **3** *Bible*, Bibbia **4** *British*, britannico.

Ba	*barium*, (*chim.*) Ba, bario.
BA	**1** *British Airways*, Linee Aeree Britanniche **2** *Bachelor of Arts*, I° livello di laurea, specie nelle discipline umanistiche (si consegue dopo 3 o 4 anni di università ed è inferiore al → MA). **3** *British Association* (*for the Advancement of Science*), Associazione Britannica (per il Progresso della Scienza).
BAA	*British Airports Authority*, Ente degli Aeroporti Britannici.
BACR	*British Association for Cancer Research*, Associazione Britannica per la Ricerca sul Cancro.
Bah.	*Bahamas*.
BALPA, BAPA	*British Airline Pilots' Association*, Associazione Britannica dei Piloti di Linee Aeree.
b. and b.	*bed and breakfast*, pernottamento e prima colazione.
bap., bapt.	*baptised*, battezzato.
Bap., Bapt.	*Baptist*, (*relig.*) Battista.
bar., barr.	*barrister*, avv., avvocato.
BARB	*Broadcasters' Audience Research Bureau or Board*, ente di ricerca sull'indice di ascolto dei programmi radiotelevisivi.
Bart	*Baronet*, Baronetto.
BASIC	*Beginners All purpose Symbolic Instruction Code*, (*informatica*) BASIC, Codifica di Istruzioni Simbolica Universale per Principianti.
BBA	*British Bankers' Association*, Associazione Britannica dei Dirigenti di Banca.
BBC	*British Broadcasting Corporation*, Ente radiofonico britannico.
bbl.	*barrel(s)*.
BC	**1** *Before Christ*, a.C., avanti Cristo **2** *British Columbia*, Colombia Britannica.
BCT	*Bank Credit Transfer*, Trasferimento a Credito Bancario.
BD	*Baud* (*informatica*) (unità di misura della velocità di trasmissione).
BD	*Bachelor of Divinity*, laurea in Teologia.
B/D	*bank draft*, tratta bancaria.
Be	*beryllium*, Be, berillio.
b.e.	*bill of exchange*, cambiale.
BE	**1** *bill of exchange*, cambiale **2** *Board of Education*, Ministero dell'Istruzione.
BEA	*British European Airways*, Compagnia Britannica delle Linee Europee.
Beds.	*Bedfordshire*.
bef.	*before*, prima.
Bel., Belg.	**1** *Belgian, Belgic*, belga **2** *Belgium*, Belgio.
Benelux	*Belgium, Netherlands, Luxemburg*, Benelux, Belgio, Olanda, Lussemburgo (unione economica doganale).
B Eng	*Bachelor of Engineering*, laurea in ingegneria (I° livello).
Berks.	*Berkshire*.
bet.	*between*, fra.
BFI	*British Film Institute*, Istituto britannico per la Cinematografia.
bhp, BHP	*brake horsepower*, (*mecc.*) potenza al freno.
Bi	*bismuth*, (*chim.*) Bi, bismuto.
Bib.	*Bible*, Bibbia.
BIBA	*British Insurance Brokers' Association*, Associazione Britannica degli Assicuratori.
bibl.	*Bibliography*, bibl., bibliografia.
Bibl.	*Biblical*, biblico.
BIF	*British Industries Fair*, Fiera dell'Industria Britannica.
Bk	*berkelium*, (*chim.*) Bk, berkelio.
b.l.	*bill of lading*, polizza di carico.
Bl.	*Blessed*, B., Beato.
bldg	*building*, edificio.
blvd	*boulevard*, V.le, viale.
BM	*British Museum*.
BMA	*British Medical Association*, Ordine Britannico dei Medici.
BMC	*British Medical Council*, Consiglio Britannico della Sanità.
BMEWS	*Ballistic Missile Early Warning System*, Sistema di Avvistamento Lontano di Missile Balistico.
BMus	*Bachelor of Music*, laurea in musica (I° livello).
bn	*billion*, trilione; (*amer.*) miliardo.
Bn.	*Baron, bar.*, Barone.
BND	(*ted.*) *Bundesnachrichten Dienst*, servizio segreto della Germania Federale.
BNEC	*British Nuclear Energy Conference*, Conferenza Britannica per l'Energia Nucleare.
BO	*Body Odour*, sudore, traspirazione (*fam.*).
b.o.	*branch office*, succursale, filiale.
BOAC	*British Overseas Airways Corporation*, Compagnia Britannica delle Linee Transoceaniche.
Bol.	*Bolivia*.
BOT	**1** *Board of Trade*, Ministero del Commercio **2** *Beginning of Tape*, (*informatica*) inizio di mastro.
Boul.	*Boulevard*, V.le, viale.
bp	*boiling point*, punto di ebollizione.
BP.	*Bishop*, Vescovo.
BP	*British Pharmacopoeia*, Farmacopea Britannica.
BPA	*British Pilots' Association*, Associazione Britannica dei Piloti.
BPC	*British Pharmaceutical Codex*, elenco dei farmaci consentiti dalla Farmacopea Britannica.
BPI	*Bits per inch*, (*informatica*) bit per pollice.
BPO	*Berlin Philharmonic Orchestra*, Orchestra Filarmonica di Berlino.
Br	**1** *bromine*, (*chim.*) Br, bromo **2** *British*, britannico.
BR	*British Railways*, Ferrovie Britanniche.

Braz.	*Brazil*, Brasile.
BRC	*British Research Council*, Ente Britannico per la Ricerca.
BRCS	*British Red Cross Society*, Croce Rossa Britannica.
Brecon	*Brecknockshire*.
brev.	1 *brevet*, brev., brevetto 2 *breveted*, brevettato.
Brig	*Brigadier*, Generale di Brigata.
Brit.	1 *Britain*, (Gran) Bretagna 2 *British*, britannico.
Brit. Mus.	*British Museum*, Museo Britannico.
Bros	*Brothers*, (*comm.*) F.lli, Fratelli.
BRS	*British Road Services*, Servizio di Trasporti Stradali Britannico.
b.s.	1 *balance sheet*, bilancio 2 *bill of sale*, nota di vendita, fattura.
BS	*Boy Scout*, Giovane Esploratore.
BSc	*Bachelor of Science*, I° livello di laurea nelle discipline scientifiche; si consegue dopo 3 o 4 anni di università ed è inferiore al → MSc.
BSI	*British Standards Institution*, Ente Britannico per l'unificazione (di misure, formati ecc.).
BST	*British Summer Time*, Ora Legale Britannica.
Bt	*Baronet*, Baronetto.
BTC	*British Transport Commission*, Commissione Britannica per i Trasporti.
Btu., BTU	*British thermal unit*.
bu.	*bushel(s)*.
Bucks.	*Buckinghamshire*.
bul.	*bulletin*, bollettino.
Bulg.	1 *Bulgaria*, Bulgaria 2 *Bulgarian*, bulgaro.
BUP	*British United Press*, Stampa Associata Britannica.
bur.	*bureau*, ufficio.
bus.	*business*, affari.
BVM	(*lat.*: *Beata virgo Maria*) *Blessed Virgin Mary*, BVM, Beata Vergine Maria.
BW	*Biological Warfare*, Guerra Biologica.
BWB	*British Waterways Board*, Ente Britannico per le Vie d'Acqua.
Byz.	*Byzantine*, Bizantino.
Bz	*Benzene*, Benzene.
c	1 *capacity*, (*elettr.*) capacità 2 *cent.*, centesimo (di moneta) 3 *century*, sec., secolo 4 (*lat.*: *caput*) *chapter*, c., Cap., capitolo 5 *centimetre*, centimetro 6 *carat*, carato 7 (*lat.*: *circa*), *about*, c., circa.
C	1 *carbon*, (*chim.*) C, carbonio 2 *Celsius*, C, grado Celsius 3 *coulomb*, C, coulomb.
ca.	1 (*lat.*: *circa*) about, ca., circa 2 *cathode*, catodo.
Ca	*calcium*, (*chim.*) Ca, calcio.
CA	1 *Central America*, America Centrale 2 *Chartered Accountant*, revisore dei conti 3 *Chief Accountant*,

	capo contabile, direttore del reparto contabilità 4 *Court of Appeal*, CdA, Corte d'Appello 5 *City Attorney*, (*amer.*) procuratore.
C/A	1 *Current Account*, c/c, conto corrente 2 *Credit Account*, conto a credito.
CAB	*Citizens' Advice Bureau*, ufficio di consulenza legale ai cittadini.
CAD	*Computer Aided Design*, (*informatica*) progettazione automatizzata.
cal	*small calorie*, cal. piccola caloria.
Cal.	1 (*geog.*) *California* 2 *large calorie*, Cal, grande caloria.
Calif.	*California*.
Cam., Camb.	*Cambridge*.
Cambs.	*Cambridgeshire*.
can.	1 *canon*, canone 2 *canto*, canto.
Can.	1 *Canada*, Canada 2 *Canadian*, canadese.
C and E	*Customs and Excise*, Dogane e Imposte.
Cant.	*Canterbury*.
Cantab.	(*lat.*: *Cantabrigiensis*) *of Cambridge*, cantabrigense.
Cantuar.	1 (*lat.*: *Cantuaria*) *Canterbury* 2 (*lat.*: *Cantuariensis*) *of Canterbury*, di Canterbury.
cap.	1 *capital*, capitale 2 (*lat.*: *caput*) *chapter*, c., Cap., capitolo.
caps	*capital letters*, lettere maiuscole.
Capt.	*Captain*, Cap., capitano.
Card.	*Cardinal*, Card., Cardinale.
Cardig.	(*geog.*) *Cardiganshire*.
Carmarths.	(*geog.*) *Carmarthenshire*.
Cath.	*Catholic*, cattolico.
CB	1 *Companion of the Order of the Bath*, Compagno dell'Ordine di Bath 2 *Citizien Band*, (*radio*) banda cittadina.
CBC	*Canadian Broadcasting Corporation*, Ente Radiofonico Canadese.
CBE	*Commander (of the Order) of the British Empire*, Comandante dell'Ordine dell'Impero Britannico.
CBI	*Confederation of British Industry*, Confederazione dell'Industria Britannica.
CBS	*Columbia Broadcasting System*, Ente radiofonico americano.
cc.	(*lat.*: *capita*) *chapters*, Capp., capitoli.
CC	1 *Cape Colony*, Colonia del Capo 2 *Civil Code*, CC, Codice Civile 3 *County Council*, Consiglio Municipale 4 *County Court*, tribunale di contea 5 *Chamber of Commerce*, Camera di Commercio.
CCC	*Corpus Christi College*.
CCCP	(*russo*: *Soyuz Sovietskikh Sotsialisticheskikh Respublik*) (*transliteral translation of USSR, Union of Soviet Socialist Republics*), URSS, Unione delle Repubbliche Socialiste Sovietiche.
CCI	(*franc.*: *Chambre de Commerce internationale*) *International Chamber*

	ber of Commerce, CCI, Camera di Commercio Internazionale.	CGH	*Cape of Good Hope*, Capo di Buona Speranza.
CCP	*Code of Civil Procedure*, CPC., Codice di Procedura Civile.	CGT	*Capital Gains Tax*, Tassa sull'incremento di valore del capitale.
CCR	*Commission of Civil rights*, (*amer.*) Commissione per i Diritti Civili.	CGS	*centimetre-gram(me)-second* (*unit, system*), C.G.S., (unità, sistema) centimetro - grammomassa - secondo.
CCrP	*Code of Criminal Procedure*, CPP, Codice di Procedura Penale.		
CCTV	*Closed Circuit Television*, Televisione a Circuito Chiuso.	ch.	**1** *chapter*, c., Cap., capitolo **2** *child*, bambino.
CCUS	*Chamber of Commerce of the United States*, Camera di Commercio degli Stati Uniti.	Ch.	**1** *Chief*, Capo **2** *China*, Cina **3** *Chinese*, cinese **4** *Church*, Chiesa.
c.d.	*cash discount*, sconto cassa.	Chanc.	**1** *Chancellor*, Cancelliere **2** *Chancery*, Cancelleria.
Cd	*cadmium*, (*chim.*) Cd, cadmio.		
CD	**1** *Civil Defence*, Difesa Civile **2** *Corps Diplomatique*, CD, Corpo Diplomatico.	chap.	*chapter*, c., Cap., capitolo.
		Chap.	*Chaplain*, Cappellano.
		Chem.	*Chemistry*, chimica.
Cdr	*Commander*, Comandante.	Ches.	*Cheshire*.
Cdre	*Commodore*, Commodoro.	Ch. J.	*Chief-Justice*, Presidente della Corte.
Ce	*cerium*, (*chim.*) Ce, cerio.	Ch. M.	(*lat.: Chirurgiae Magister*) *Master of Surgery*, Medico Chirurgo.
CE	**1** *Council of Europe*, CE, Consiglio d'Europa **2** *Church of England*, Chiesa d'Inghilterra **3** *Civil Engineer*, Ingegnere Civile.		
		chn.	*chain*.
		Chr.	**1** *Christ*, Cristo **2** *Christian*, cristiano.
CEC	*Commission of the European Communities*, Commissione delle Comunità Europee.	chron.	**1** *chronicle*, cronaca **2** *chronology*, cronologia **3** *chronological*, cronologico.
CED	*Community for European Defense*, CED, Comunità Europea di Difesa.	c.i.	*cost and insurance*, costo e assicurazione.
Celt.	*Celtic*, celtico.	CI	*Channel Islands*, Isole Normanne.
CEM	*Council of European Municipalities*, Consiglio delle Municipalità Europee.	CIA	*Central Intelligence Agency*, (*amer.*) Ufficio Centrale d'Informazione (servizi segreti USA).
cent.	**1** *centigrade*, centigrado **2** *centimetre*, cm, centimetro **3** *central*, centrale **4** *century*, sec., secolo **5** (*lat.: centum*) *a hundred*, cento.	CID	*Criminal Investigation Department*, Dipartimento di Polizia investigativa.
		c.i.f.	*cost, insurance, freight*, c.i.f., costo compreso il nolo e l'assicurazione.
CERD	*Committee for European Research and Development*, Comitato per la Ricerca e lo Sviluppo Europei.	Cin.	*Cincinnati*.
		C-in-C	*Commander-in-Chief*, Comandante in Capo.
CERN	(*franc.: Centre Européen des Recherches Nucléaires*) *European Council for Nuclear Research*, CERN, Consiglio Europeo per le Ricerche Nucleari.	CIO	(*amer.*) *Congress of Industrial Organizations*, sindacato dei lavoratori dell'industria.
		cit.	**1** *citation*, citazione **2** *citizen*, cittadino.
Cert.	*Certificate*, certificato, licenza.	cl	**1** *centilitre*, cl, centilitro **2** *class*, classe **3** *clause*, clausola.
Cert. Ed	*Certificate in Education*, abilitazione all'insegnamento.	Cl	*chlorine*, (*chim.*) Cl, cloro.
CET	*Central European Time*, Ora dell'Europa Centrale.	cm	*centimetre*, cm, centimetro.
		Cm	*curium*, (*chim.*) Cm, curio.
cf.	(*lat.: confer*) *compare*, cfr., confronta.	CMOS	*Complementary MOS*, (*informatica*) MOS complementare.
c.f.	*cost and freight*, costo e nolo.		
Cf	*californium*, (*chim.*) Cf, californio.	CND	*Campaign for Nuclear Disarmament*, Campagna per il Disarmo Nucleare.
CF	*Chaplain to the Forces*, Cappellano Militare.		
CFE	*College of Further Education*, Istituto di Istruzione Superiore (per la preparazione degli insegnanti).	c/o	**1** *care of*, presso (negli indirizzi) **2** *cash order*, tratta a vista.
		Co	*cobalt*, (*chim.*) Co, cobalto.
		Co.	**1** *Company*, C.ia, Compagnia **2** *County*, Contea.
c.f.i.	*cost, freight and insurance*, costo, nolo e assicurazione.		
cg	*centigram(me)*, cg, centigrammo.	CO	**1** *Colonial Office*, Ministero delle Colonie **2** *Commanding Officer*, Ufficiale Comandante **3** *conscientious objector*, obiettore di coscienza.
CG	**1** *Coast Guard*, Guardia Costiera **2** *Consul General*, CG, Console Generale.		

COBOL — *Common Business Oriented Language*, (*informatica*) Cobol (linguaggio di programmazione).

cod. — *codex*, cod., codice.

c.o.d., COD — *cash on delivery*, pagamento alla consegna.

coeff. — *coefficient*, coeff., coefficiente.

C of E — *Church of England*, Chiesa d'Inghilterra.

COI — *Central Office of Information*, Ufficio Centrale di Informazione (ufficio del partito conservatore per le indagini statistiche).

Col. — 1 *Colonel*, Col., Colonnello 2 (*geog.*) *Colorado*.

coll. — 1 *colleague*, collega 2 *collection*, collezione 3 *collective*, coll., collettivo 4 *college*, collegio 5 *colloquial*, colloquiale.

Colo — *Colorado*.

com. — 1 *comedy*, commedia 2 *commerce*, commercio 3 *commission*, commissione 4 *common*, comune 5 *community*, comunità.

Com. — 1 *Commander*, com., Comandante 2 *Committee*, Comitato 3 *Commodore*, Commodoro 4 *Commonwealth*.

COM — *Computer Output Microfilm*, (*informatica*) microfilm prodotto da calcolatore.

comp. — *comparative*, comp., comparativo.

compar. — 1 *comparative*, comp., comparativo 2 *comparison*, paragone.

Con. — *Consul*, Console.

Conf — *Conference*, Conferenza.

Cong — *Congress*, Congresso.

conj. — *conjunction*, cong., congiunzione.

Conn. — *Connecticut*.

Cons. — (*pol.*) *Conservative*, conservatore.

Consols. — *Consolidated Funds*, Fondi Consolidati.

const. — *constant*, (*mat.*) cost., costante.

cont., contd. — *continued*, continua.

contr. — 1 *contracted*, contratto 2 *contraction*, contr., contrazione.

co-op. — *co-operative*, cooperativo.

Corn. — 1 *Cornwall*, Cornovaglia 2 *Cornish*, dialetto, abitante della Cornovaglia.

corp. — 1 *corporal*, cap., caporale 2 *corporation*, ente, corporazione.

corr. — 1 *corrupted*, (*bibliografia*) corrotto 2 *corruption* (*bibliografia*) corruzione.

cos — *cosine*, cos, coseno.

c.o.s. — *cash on shipment*, pagamento alla spedizione.

cosec — *cosecant*, cosec, cosecante.

cosh — *hyperbolic cosine*, Ch, coseno iperbolico.

cot — *cotangent*, ctg., cotangente.

cp. — *compare*, cfr., confronta.

c.p. — *carriage paid*, franco di porto.

CP — 1 *Cape Province*, Provincia del Capo 2 *Code of Procedure*, Codice di Procedura 3 *Communist Party*, Partito Comunista.

Cpl — *Corporal*, caporale.

CPM — *Card per minute*, (*informatica*) schede al minuto.

CPR — *Canadian Pacific Railway*, Ferrovia Canadese del Pacifico.

CPS — (*lat.*: *Custos Privati Sigilli*) *Keeper of the Privy Seal*, Custode del Sigillo Privato.

cr. — 1 *credit*, credito 2 *creditor*, creditore 3 *crown*, corona.

Cr — *chromium*, (*chim.*) Cr, cromo.

Cr. Ct — *Crown Court*, Tribunale Centrale (per processi penali).

CRF — *Cancer Research Fund*, Fondo di Ricerca per il Cancro.

CRT — *Cathode Ray Tube*, (*informatica*) a tubo catodico.

c/s — *cycles per second*, per/sec., periodi al secondo.

Cs — *caesium*, (*chim.*) Cs, cesio.

CS — *Civil Service*, Amministrazione Statale.

CSA — *Confederate States of America*, Stati Confederati Americani (gli undici Stati secessionisti del Sud, nel 1861).

CSC — *Civil Service Commission*, ufficio per la selezione e l'assunzione degli impiegati statali.

CSE — *Certificate of Secondary Education*, diploma di istruzione secondaria.

CSO — *Central Statistical Office*, Ufficio Centrale di Statistica.

ct — *carat*, carato.

CTC — *Cyclists' Touring Club*, Consociazione Turistica dei Ciclisti.

ctf. — *certificate*, certificato.

ctl. — *cental(s)*.

ctr. — *centre*, centro.

cu — *cubic*, cubico, cubo.

Cu — *copper*, (*chim.*) Cu, rame.

Cumb. — *Cumberland*.

CUP — *Cambridge University Press*, Edizioni dell'Università di Cambridge.

cur. — *currency*, val., valuta.

CV — *cheval-vapeur*, CV, cavallo vapore.

CW — *continuous wave*, (*rad.*) onda persistente.

CWO — *Cash With Order*, pagamento in contanti all'atto dell'ordinazione.

cwt. — *hundredweight(s)*.

cy. — 1 *capacity*, capacità 2 *country*, contea 3 *currency*, val., valuta.

Cy. — *Cyprus*, Cipro.

Cyclo. — *Cyclopaedia*, Enciclopedia.

cyl. — *cylinder*, *cylindrical*, cilindro, cilindrico.

CZ — *Canal Zone*, Zona del Canale (di Panama).

Czech. — 1 *Czechoslovakia*, Cecoslovacchia 2 cecoslovacco.

d. — 1 *day*, g., giorno 2 *dead*, m., morto 3 *dollar*, dollaro 4 *duke*, duca **5** (*lat.*: *denarius, denarii*) *penny, pence.*

D **1** *December,* dic., dicembre **2** *Duchess,* d.ssa, duc.sa, Duchessa **3** *Duke,* Duca **4** *Dutch,* olandese.

D/A *Deposit Account,* conto vincolato.

DAB *Dictionary of American Biography,* Dizionario Biografico Americano.

DAF *Department of Agriculture and Fisheries,* Dipartimento dell'Agricoltura e della Pesca.

dal *decalitre,* dal, decalitro.

Dan. *Danish,* danese.

D and D *Drunk and Disorderly,* in stato di ubriachezza molesta.

dat. *dative,* dat., dativo.

dau. *daughter,* figlia.

dB *Decibel,* (*fis.*) db, decibel.

DB **1** *Deutsche Bundesbahn* (*Federal Railway*), Ferrovie della Germania Federale **2** *Deutsche Bundesrepublik* (*German Federal Republic*), RFT, Repubblica Federale Tedesca.

DBMS *data base management system,* sistema di gestione della base di dati.

d.c. *direct current,* c.c., corrente continua.

DC **1** *direct current,* c.c., corrente continua **2** *District of Columbia,* Distretto Federale della Columbia (nel quale si trova la capitale federale degli USA, Washington).

DCL *Doctor of Civil Law,* Dottore in Diritto Civile.

dd., d/d *delivered,* consegnato.

d—d *damned,* dannazione!; acc., accidenti!

DD (*lat.*: *Divinitatis Doctor*) *Doctor of Divinity,* Dottore in Teologia.

DDR *Deutsche Demokratische Republik* (*German Democratic Republic*) RDT, Repubblica Democratica Tedesca.

DDS *Digital Data Service,* (*telematica*) Servizio Trasmissione Dati.

DDT *dichlorodiphenyltrichloroethane,* DDT, diclorodifeniltricloroetano (insettica).

DE **1** *Department of Environment,* Dipartimento dell'Ambiente **2** *Department of Employment,* Dipartimento dell'Occupazione **3** *Department of Education,* Dipartimento dell'Istruzione.

dec *decimetre,* dm, decimetro.

Dec. *December,* dic., dicembre.

decl. **1** *declaration,* dichiarazione **2** *declension,* (*gramm.*) declinazione.

deg. *degree(s),* grado, gradi.

Del. *Delaware.*

Dem. *Democrat, Democratic,* democratico.

Den. *Denmark,* Danimarca.

dep., dept *department,* reparto.

Dep. *Deputy,* vice, aggiunto, sostituto (nella carriera dell'amministrazione pubblica).

Derbys Derbyshire.

DERV *Diesel Engine Road Vehicle,* Automezzo con Motore Diesel.

DES *Department of Education and Science,* Dipartimento dell'Istruzione e della Scienza.

Det *Detective,* investigatore.

Det. Con. *Detective Constable,* agente della polizia investigativa.

Det. Insp. *Detective Inspector,* ispettore della polizia investigativa.

Det. Sgt *Detective Sergeant,* sergente della polizia investigativa.

Dev. *Devonshire.*

DFC *Distinguished Flying Cross,* Croce al Valore Aeronautico.

DFM *Distinguished Flying Medal,* Medaglia al Valore Aeronautico.

dft **1** *defendant,* difensore **2** *draft,* tr., tratta.

dg *decigram(me),* dg, decigrammo.

DHSS *Department of Health & Social Security,* Dipartimento della Sanità e della Previdenza Sociale.

diam *diameter,* diametro.

dict. **1** *dictator,* dittatore **2** *dictionary,* dizionario.

Dir. *Director,* Direttore.

disc. **1** *discount,* sconto **2** *discoverer,* scopritore.

DIY *Do-It-Yourself,* fai-da-te.

DJ *Disc Jockey,* Disc Jockey.

dkg *decagram(me),* dag, decagrammo.

dkl *decalitre,* dal, decalitro.

dkm *decametre,* dam, decametro.

dl *decilitre,* dl, decilitro.

DLH *Deutsche Lufthansa* (*airline*), LH, Luftansa (compagnia aerea).

DLit., DLitt. **1** (*latino*: *Doctor Litterarum*) *Doctor of Letters,* Dottore in Lettere **2** (*latino*: *Doctor Litteraturae*) *Doctor of Literature,* dottore in Letteratura.

dm *decimetre,* dm, decimetro.

Dm *Deutschmark,* marco tedesco.

DMus *Doctor of Music,* dottore in musica (3° livello di laurea).

DNB *Dictionary of National Biography,* Dizionario Biografico Nazionale.

do. *ditto, the same,* suddetto.

DoE **1** *Department of Education,* Dipartimento dell'Istruzione **2** *Department of Energy,* Dipartimento dell'Energia.

DOE *Department of the Environment* → DE.

dol. *dollar,* dollaro.

dols *dollars,* dollari.

Dom. *Dominion.*

Dom. Rep. *Dominican Republic,* Repubblica Dominicana.

DoT **1** *Department Of Overseas Trade,* Dipartimento per il Commercio con i Paesi d'Oltremare **2** *Department of transport,* Dipartimento dei Trasporti.

doz. *dozen,* dozzina, dozzine.

d.p. *documents against payment*, documenti contro pagamento.

DP *Displaced Person*, profugo, rifugiato politico; deportato.

DPh., DPhil. (*lat.: Doctor Philosophiae*) *Doctor of Philosophy*, dottore in Filosofia.

dpt 1 *department*, reparto 2 *deponent*, (*gramm.*) deponente.

DPW *Department of Public Works*, Dipartimento dei Lavori Pubblici.

dr 1 *debtor*, debitore 2 *dram(s)*.

Dr *Doctor*, dott., Dottore; dr.ssa, Dottoressa.

dram. pers. *dramatis personae*, (*teatr.*) personaggi.

DSc. *Doctor of Science*, Dottore in Scienze (3° livello di laurea; corrisponde alla libera docenza).

DSIR *Department of Scientific and Industrial Research*, Reparto per le Ricerche Scientifiche e Industriali.

DST *Daylight Saving Time*, ora legale.

Dub. *Dublin*, Dublino.

dup. *duplicate*, duplicato.

Dur., Durh. *Durham*.

dwt. *pennyweight*.

Dy *dysprosium*, (*chim.*) Dy, disprosio.

E 1 *Earl*, Conte (in Gran Bretagna) 2 *East*, E., Est 3 *Easter*, Pasqua 4 *Eastern*, orientale; (zona) Orientale (di una città) 5 *England*, Inghilterra 6 *English*, inglese.

ea. *each*, ogni; cad., cadauno.

E & OE *errors and omissions excepted*, (*comm.*) SEO, salvo errori ed omissioni.

EB *Encyclopaedia Britannica*, Enciclopedia Britannica.

EBR *experimental breeder reactor*, pila atomica autogeneratrice sperimentale.

EC 1 *East Central*, (zona) Centro-orientale (di una città); 2 *European Community*, Comunità Europea.

ECE *Economic Commission for Europe*, ECE, Commissione Economica per l'Europa.

ECM *European Common Market*, MEC, Mercato Comune Europeo.

ECNR *European Council for Nuclear Research*, CERN, Comitato Europeo di Ricerche Nucleari.

ECSC *European Coal and Steel Community*, CECA, Comunità Europea per il Carbone e l'Acciaio.

ECT *electroconvulsive therapy*, elettroshock.

ECU *European Currency Unit*, ECU, Unità Monetaria Europea.

Ecua. *Ecuador*.

ed. 1 *edited*, pubblicato 2 *edition*, edizione.

Ed. *Editor*, Redattore Capo.

EDC 1 *European Defense Community*, CED, Comunità Europea di Difesa 2 *Economic Development Council*, Ente per lo Sviluppo Economico.

Edin. *Edinburgh*, Edimburgo.

edit. 1 *edited*, pubblicato 2 *edition*, edizione.

EDP *Electronic Data Processing*, (*informatica*) elaborazione elettronica dei dati.

EE 1 *Early English*, (*filologia*) Antico Inglese 2 *Electrical Engineer*, Ingegnere Elettrotecnico 3 *errors excepted*, salvo errori.

EFTA *European Free Trade Association*, Associazione europea di libero scambio.

e.g. (*lat.: exempli gratia*) *for instance*, p.e., p.es., per esempio.

EGM *Extraordinary General Meeting*, Riunione Generale Straordinaria.

EI *East Indies*, Indie Orientali.

em *electromagnetic*, elettromagnetico.

EMA *European Monetary Agreement*, AME, Accordo Monetario Europeo.

emf (*fis.*) *electromotive force*, f.e.m., FEM, forza elettromotrice.

Emp. *Emperor*, Imperatore.

emu *electromagnetic unit*, unità elettromagnetica.

encl. *enclosure*, all., allegato.

Ency., Encyc. *Encyclopaedia*, Enciclopedia.

ENE *East North-East*, Est Nord-Est.

eng. *engineer*, ing., ingegnere.

Eng. 1 *England*, Inghilterra 2 *English*, inglese.

EOC *End of card*; *End of cycle*, (*informatica*) fine scheda, fine ciclo.

e.o.d. *every other day*, un giorno sì e un giorno no.

EP *European Parliament*, Parlamento Europeo.

Epis. *Episcopal*, episcopale.

eq. 1 *equal*, uguale 2 *equation*, equazione.

EQUITY *Union of actors and actresses*, Sindacato degli attori e delle attrici.

Er *erbium*, (*chim.*) Er, erbio.

ER *Elizabetha Regina* (*Queen Elizabeth*), Regina Elisabetta.

erg *unit of energy*, unità di energia.

Es *einsteinium*, Es, einsteinio.

ESA *European Space Agency*, ESA, Ente spaziale europeo.

ESE *East-South-East*, Est Sud-Est.

esp., espec. *especially*, spec., specialmente.

Esq., Esqr. *Esquire* (titolo di cortesia usato negli indirizzi).

Ess. *Essex*.

ETA *Expected Time of Arrival*, ora prevista di arrivo.

ETB *English Tourist Board*, Ente Inglese per il Turismo.

etc. (*lat.: et cetera*) *and so on*, ecc., eccetera.

ETD — *Expected Time of Departure*, ora prevista di partenza.

ETU — *Electrical Trades Union*, Sindacato dei Lavoratori dell'Industria Elettrica.

Eu — *europium*, (*chim.*) Eu, europio.

Eur. — **1** *Europe*, Europa **2** *European*, europeo.

EURATOM — *European Atomic Energy Commission*, EURATOM, Comunità Europea dell'Energia Atomica.

Eurovision — *European Television*, Eurovision, Televisione Europea.

evg — *evening*, sera.

ex. — **1** *example*, es., esempio **2** *exception*, eccezione **3** *export*, esportazione.

exc. — **1** *excellent*, eccellente **2** *excepted*, eccettuato **3** *exception*, eccezione.

Exc. — *Excellency*, Ecc., Eccellenza (per ambasciatore ministro ecc.).

ex div. — *ex dividend* (*without dividend*), senza dividendi.

f. — **1** *farthing* (un quarto di penny) **2** *feminine*, f., fem., femminile **3** *following*, seg., seguente **4** *franc*, franco francese.

F — **1** *Fahrenheit*, F, Fahrenheit **2** *farad*, F, farad **3** *fluorine*, (*chim.*) F, fluoro.

FA — *Football Association*, Associazione Calcistica.

f.a.q. — *free at quay*, franco banchina.

f/b — *full board*, pensione completa.

FBA — *Fellow of the British Academy*, Membro dell'Accademia Britannica.

FBI — **1** *Federal Bureau of Investigation*, Polizia Federale Statunitense **2** *Federation of British Industries*, Federazione Industrie Britanniche.

fcp — *foolscap*, foglio protocollo.

fd — *forward*, inoltrare, per l'inoltro.

FD — (*lat.: Fidei Defensor*) *Defender of the Faith*, Difensore della Fede.

f.e. — *for example*, p.e., p. es., per esempio.

Fe — *iron*, (*chim.*) Fe, ferro.

Feb. — *February*, feb., febbraio.

Fed. — *Federal*, Federale.

fem. — *feminine*, f., fem., femminile.

ff — *following*, seguenti.

FF — *Flip Flop*, (*informatica*).

F I — *Falkland Islands*, Isole Falkland.

Fin. — **1** *Finland*, Finlandia **2** *Finnish*, finlandese.

FIS — *Family Income Supplement*, integrazione reddito familiare (per chi ha un reddito minimo).

fl. — *florin(s)*, fiorino, fiorini.

Fla., Flor. — *Florida*.

fm — *fathom*.

Fm — *fermium*, (*chim.*) Fm, fermio.

FM — **1** *Field Marshal*, Feldmarescial-lo **2** *frequency modulation*, (*rad.*) M.F., modulazione di frequenza.

fo. — *folio*, (*bibliografia*) in-fol., in folio; c., carta.

FO — *Foreign Office*, Ministero degli Affari Esteri.

f.o.b. — *free on board*, f.o.b., franco a bordo.

fol. — **1** *folio*, (*bibliografia*) in-fol., in folio; c., carta **2** *following*, seg., seguente.

f.o.r. — *free on rail*, franco rotaie.

FORTRAN — *Formula Translation*, (*informatica*) *Fortran* (linguaggio di programmazione).

f.p. — *freezing point*, punto di congelamento.

FP — *fire plug*, bocca da incendio.

FPA — *Family Planning Association*, Associazione per la Pianificazione Familiare.

f.p.m. — *feet per minute*, piedi al minuto.

f.p.s. — *feet per second*, piedi al secondo.

Fr — *francium*, (*chim.*) Fr, francio.

Fr. — **1** *Father*, (*eccl.*) P., Padre **2** *France*, Francia **3** *French*, francese **4** *Friar*, Fra, Frate **5** *Friday*, v., ven., venerdì.

FRAM — *Fellow of the Royal Academy of Music*, Membro della Reale Accademia di Musica.

FRCS — *Fellow of the Royal College of Surgeons*, Membro del Reale Collegio dei Chirurghi.

FRED — *Fast Reactor Experiment Dounreay* (*nuclear power experiment*), progetto di ricerca per reattore veloce a Dounreay.

Fri. — *Friday*, v., ven., venerdì.

FRS — *Fellow of the Royal Society*, Membro della «Royal Society».

FSL — *First Sea Lord*, 1° Lord dell'Ammiragliato britannico.

ft — *foot, feet*, piede, piedi.

fur. — *furlong*.

fut. — *future*, (*gramm.*) fut., futuro.

g — **1** *gram(me)*, g, grammo **2** (*acceleration of*) *gravity*, g, (accelerazione di) gravità.

g. — *gender*, (*gramm.*) genere.

Ga — **1** *gallium*, (*chim.*) Ga, gallio **2** *Georgia*.

GA — *General Assembly*, Assemblea Generale.

Gael. — *Gaelic*, gaelico.

GATT — *General Agreement on Tariffs and Trade*, GATT, Accordo Generale sulle Tariffe e il Commercio.

gaz. — *gazette*, gazzetta.

GB — *Great Britain*, GB, Gran Bretagna.

GB and I — *Great Britain and Ireland*, Gran Bretagna e Irlanda.

GBS — *George Bernard Shaw*.

GCA — *Ground Control Approach*, Avvicinamento Controllato da Terra.

GCE — *General Certificate of Education*, certificato di istruzione (comprende sia l'*O level*, a 16 anni, sia l'*A level* a 18 anni).

GCT	*Giro Credit Transfer*, trasferimento bancario, giroconto.	h.	*hour*, h, ora.
GCVO	(*Knight*) *Grand Cross of the* (*Royal*) *Victorian Order*, (Cavaliere) Gran Croce del (Reale) Ordine di Vittoria.	H	**1** *henry*, (*elettr.*) H, henry **2** *horrific*, dell'orrore (di pellicola cinematografica) **3** *hydrogen*, (*chim.*) H, idrogeno.
Gd	*gadolinium*, (*chim.*) Gd, gadolinio.	ha	*hectare*, ha, ettaro.
Gdns	*Gardens*, giardini.	h. & c.	*hot and cold* (*water*), calda e fredda (acqua).
GDP, gdp	*Gross Domestic Product*, gross domestic product, PIL, prodotto interno lordo.	Hants.	*Hampshire*.
Ge	*germanium*, (*chim.*) Ge, germanio.	Harv.	*Harvard*.
gen.	**1** *gender*, (*gramm.*) genere **2** *generally*, gener., generalmente **3** *genitive*, gen., genitivo **4** *genus*, genere.	Haw.	*Hawaii*.
		h/b	*half-board*, mezza pensione.
		HBM	*His*, *Her Britannic Majesty*, Sua Maestà Britannica.
Gen.	*General*, Gen., Generale.	HC	*House of Commons*, Camera dei Comuni.
genit.	*genitive*, gen., genitivo.		
gent.	*gentleman*, signore.	hcf	*highest common factor*, MCD massimo comun divisore.
Geo.	*Georgia*.		
Geog.	*Geography*, geografia.	He	*helium*, (*chim.*) He, elio.
Geol.	*Geology*, Geologia.	HE.	**1** *His Eminence*, S. Em., Sua Eminenza **2** *His Excellency*, SE, Sua Eccellenza.
Geom.	*Geometry*, Geometria.		
ger.	*gerund*, ger., gerundio.		
Ger.	**1** *Germany*, Germania **2** *German*, tedesco.	Heref.	*Herefordshire*.
		Herts.	*Hertfordshire*.
Gestapo	(*ted.*: *Geheime Staats Polizei*) Nazi secret police, Gestapo. (Polizia segreta di stato).	hf.	*half*, mezzo, metà.
		Hf	*hafnium*, (*chim.*) Hf, afnio.
		HF	*high frequency*, (*rad. tv*) HF, alta frequenza.
GGA	*Girl Guides' Association*, Associazione delle Giovani Esploratrici.		
		hg	*hectogram(me)*, hg, ettogrammo.
GHQ	*General Headquarters*, QG, Quartier Generale.	Hg	*mercury*, (*chim.*) Hg, mercurio.
		HG	**1** *High German*, (*filologia*), Alto Tedesco **2** *His*, *Her Grace*, SG, Sua Grazia.
gi.	*gill(s)*.		
GI	*General Issue*, soldato semplice.		
Gib.	*Gibraltar*, Gibilterra.	HGV	*Heavy Goods Vehicle*, automezzo pesante.
Gk.	*Greek*, greco.		
Glam.	*Glamorganshire*.	HH	**1** *His*, *Her Highness*, SA, Sua Altezza **2** *His Holiness*, SS, Sua Santità.
Glas.	*Glasgow*.		
Glos.	*Gloucestershire*.	hhd.	*hogshead*.
GM	**1** *General Manager*, Direttore Generale **2** *General Motors* **3** *Guided Missile*, Missile Guidato.	HI	*Hawaiian Islands*, Isole Hawaii.
		HiFi	*High Fidelity*, Hi Fi, alta fedeltà.
		HIM	*His*, *Her Imperial Majesty*, Sua Maestà Imperiale.
GMT	*Greenwich Mean Time*, Ora di Greenwich.		
		hl	*hectolitre*, hl, ettolitro.
gn.	*guinea(s)*, ghinea, ghinee.	HL	*House of Lords*, Camera dei Lord.
GNP	*Gross National Product*, PNL, Prodotto Nazionale Lordo.	hm	*hectometre*, hm, ettometro.
		HM.	*His*, *Her Majesty*, SM, Sua Maestà.
Gov.	*Governor*, Governatore.	HMC	*Her/His Majesty's Customs*, Dogana di Sua Maestà.
Gov.Gen.	*Governor General*, Governatore generale.		
		HMSO	*His*, *Her Majesty's Stationery Office*, Istituto Poligrafico dello Stato.
GP	*general practitioner*, medico generico.		
		Ho	*holmium*, (*chim.*) Ho, olmio.
GPO	*General Post Office*, Posta Centrale.	HO	**1** *head office*, SC, Sede Centrale **2** *Home Office*, Ministero degli Interni.
gr.	**1** *grain(s)* **2** *grammar*, grammatica **3** *group*, gruppo.		
		H of C	*House of Commons*, Camera dei Comuni.
Gr.	**1** *Greece*, Grecia **2** *Greek*, greco.		
grad.	**1** *graduate*, laureato **2** *graduated*, graduato.	H of L	*House of Lords*, Camera dei Lord.
		hon.	*honorary*, onorario.
GS	*General Staff*, SMG, Stato Maggiore Generale.	Hon.	*Honourable*, Onorevole.
		Hosp.	*Hospital*, H, Ospedale.
Gt. Br., Gt. Brit.	*Great Britain*, Gran Bretagna.	hp, HP	*high pressure*, AP, alta pressione.
gu.	*guinea(s)*, ghinea, ghinee.	HP., HP	*horsepower*, CV, cavallo-vapore.
guar.	*guaranteed*, garantito.	hp-hr	*horsepower-hour*, CVh, horsepower -ora.
GW (R)	*Great Western* (*Railway*), Grande (Ferrovia) Occidentale.		
		HQ	*headquarters*, QG, Quartier Generale.
Gym.	**1** *Gymnasium*, palestra **2** *Gymnastics*, ginnastica.	hr.	*hour*, h, ora.

HR	1 *Home Rule*, autodeterminazione 2 *House of Representatives*, Camera dei Deputati (negli Stati Uniti).	
HRC	*Holy Roman Church*, Santa Romana Chiesa.	
HRH	*His, Her Royal Highness*, SAR, Sua Altezza Reale.	
HSH	*His, Her Serene Highness*, Sua Altezza Serenissima.	
HST	*High Speed Train*, Treno Superveloce.	
ht.	1 *heat*, calore 2 *height*, alt., altezza.	
HT	*High Tension*, AT, Alta Tensione.	
Hun.	1 *Hungary*, Ungheria 2 *Hungarian*, ungherese.	
Hunts.	*Huntingdonshire*.	
HV	*high voltage*, AT, alta tensione.	
HWM	*High Water Mark*, Livello Massimo dell'Alta Marea.	
HWR	*Heavy Water Reactor*, Reattore ad Acqua Pesante.	
Hz.	*hertz*, Hz, hertz.	
i	*intransitive*, intr., intrans., intransitivo.	
I	*iodine*, (*chim.*) I, iodio.	
I	1 *Idaho* 2 *Iowa*.	
Ia.	*Iowa*.	
IAEA	*International Atomic Energy Agency*, Ente Internazionale per l'Energia Atomica.	
IAS	*Institute of Aerospace Sciences*, Istituto di Scienze Aerospaziali (USA).	
IATA	*International Air Transport Association*, IATA, Associazione Internazionale dei Trasporti Aerei.	
ib., ibid.	(*lat.*: *ibidem*) *in the same place*, ibid., nello stesso luogo.	
IBA	1 *Independent Broadcasting Authority*, Ente Radiofonico Indipendente 2 *International Bar Association*, Ordine Internazionale degli Avvocati.	
IBRD	*International Bank for Reconstruction and Development*, BIRS, Banca Internazionale per la Ricostruzione e lo Sviluppo (ONU).	
IC	*Intelligence Corps*, servizio informazioni (dell'esercito).	
i/c	*in charge*, responsabile.	
ICA	*Institute of Chartered Accountants*, associazione dei revisori dei conti.	
ICAO	*International Civil Aviation Organization*, ICAO, Organizzazione internazionale dell'aviazione civile.	
ICBM	*Inter-Continental Ballistic Missile*, Missile Balistico Intercontinentale.	
ICC	*International Chamber of Commerce*, ICC, Camera di Commercio Internazionale.	
Ice.	*Iceland*, Islanda.	
ICE	*Institution of Civil Engineers*, associazione di ingegneri civili.	
ICRC	*International Committee of the Red Cross*, CICR, Comitato Internazionale della Croce Rossa.	

ICST	*Imperial College of Science and Technology*, scuola di scienze e di tecnologia dell'Università di Londra.
id.	(*lat.*: *idem*) *the same*, id., lo stesso.
Id.	*Idaho*.
ID	*Intelligence Department*, Ufficio Informazioni.
Ida.	*Idaho*.
i.e.	(*lat.*: *id est*) *that is*, cioè.
IF	*Intermediate Frequency*, FI, Frequenza Intermedia.
IFAD	*International Fund for Agricultural Development*, Fondo Internazionale per lo Sviluppo dell'Agricoltura (ONU).
IFALPA	*International Federation of Airline Pilots' Association*, IFALPA, Federazione Internazionale delle Associazioni di Piloti di Linee Aeree.
IFR	*Instrument Flight Rules*, regole per il volo strumentale.
IFS	*Irish Free State*, Stato Libero d'Irlanda.
Ill.	*Illinois*.
ILO	*International Labour Organization*, OIL, Organizzazione Internazionale del Lavoro.
ILS	*Instrument Landing System*, sistema di atterraggio strumentale.
ILTF	*International Lawn Tennis Federation*, Federazione Internazionale di Tennis su prato.
IMechE	*Institution of Mechanical Engineers*, associazione di ingegneri meccanici.
IMF	*International Monetary Fund*, FMI, Fondo Monetario Internazionale.
IMinE	*Institution of Mining Engineers*, Associazione di Ingegneri Minerari.
imp.	1 *imperative*, imp., imper., imperativo 2 *imperfect*, imperf., impf., imperfetto.
imper.	*imperative*, imp., imper., imperativo.
imperf., imp.	*imperfect*, imperf., impf., imperfetto.
imp. gal.	*imperial gallon(s)*, gallone imperiale, galloni imperiali.
impv.	*imperative*, imp., imper., imperativo.
in	*inch(es)*, pollice, pollici.
In	*indium*, (*chim.*) In, indio.
inc.	1 *including*, compreso 2 *incorporated*, incorporato.
Ind.	1 *India*, India 2 *Indiana*.
indic.	*indicative*, indic., indicativo.
inf., infin.	*infinitive*, inf., infinito.
Inf.	*Information*, informazioni.
INS	*International News Service*, Agenzia Stampa Internazionale.
inst.	*instant, the present month*, c.m., corrente mese; m.c., mese corrente.
int.	1 *interjection*, int., inter., interiezione 2 *intransitive*, intr., intrans., intransitivo.
INTELSAT	*International Telecommunications Satellite Organisation*, INTELSAT, Consorzio Internazionale per le Comunicazioni via Satellite.

interj.	*interjection*, int., inter., interiezione.
INTERPOL	*International Police*, INTERPOL., Polizia Internazionale.
Intr., intrans.	*intransitive*, intr., intrans., intransitivo.
inv.	*invoice*, fatt., fattura.
Io.	**1** *Iowa* **2** (*chim.*) *Ionium*, Ionio.
I/O	*input/output*, (*informatica*) Ingresso/Uscita.
IOC	*International Olympic Committee*, CIO, Comitato Olimpico Internazionale.
IOM	*Isle of Man*, Isola di Man.
IOU	*I owe you*, (*comm.*) pagherò.
IOW	*Isle of Wight*, Isola di Wight.
IPA	*International Phonetic Association*, Associazione Fonetica Internazionale.
IQ	*intelligence quotient*, coefficiente di intelligenza.
Ir	*iridium*, (*chim.*) Ir, iridio.
Ir.	**1** *Ireland*, Irlanda **2** *Irish*, irlandese.
IR	**1** *Infra-Red*, infra-rosso **2** *Inland Revenue*, gettito fiscale.
IRA	*Irish Republican Army*, Esercito Repubblicano Irlandese.
IRC	*International Red Cross*, CRI, Croce Rossa Internazionale.
Is	*Island(s)*, Isola (e).
ISCC	*International Space Communication Consortium*, Consorzio Internazionale per le Comunicazioni Spaziali.
It.	**1** *Italy*, Italia **2** *Italian*, italiano.
ITB	*Irish Tourist Board*, Ente Irlandese del Turismo.
ITCA	*Independent Television Companies Association*, Associazione delle Società Televisive Indipendenti.
ITU	*International Telecommunication Union*, Unione Internazionale delle Telecomunicazioni.
ITV	*Independent Television*, Televisione Indipendente.
IUD	*Intra-Uterine Device* (*contraceptive*), IUD, dispositivo anticoncezionale intrauterino.
J	*joule*, J, joule.
JAL	*Japan Airlines*, Linee Aeree Giapponesi.
Jam.	*Jamaica*, Giamaica.
Jan.	*January*, gen., gennaio.
JAP	**1** *Japan*, Giappone, **2** *Japanese*, giapponese.
JAT	*Jugoslovenski Aero-Transport*, Linee Aeree Jugoslave.
JC	*Jesus Christ*, GC, Gesù Cristo.
JCR	*Junior Common Room*, sala studenti (nelle università).
.Jct	*Junction*, nodo ferroviario, stradale.
Jnr	*Junior*, jr., junior.
JP	*Justice of the Peace*, Giudice di Pace.
jr.	*junior*.
Jt/Ac	*Joint Account*, conto corrente a più firme.
Jul.	*July*, lu., lug., luglio.
Jun.	*June*, giu., giugno.
k	*knot*, (*mar.*) nodo.
K	**1** *Kelvin*, K, Kelvin **2** (*geog.*) *Kent* **3** *potassium*, (*chim.*) K, potassio.
KAL	*Korea Airlines*, Linee Aeree Coreane.
Kan., Kans., Kas.	*Kansas*.
k. and b.	*kitchen & bathroom*, uso di cucina e bagno.
KB	**1** *Knight of the Bath*, Cavaliere dell'Ordine del Bagno **2** *King's Bench*, Corte Suprema.
KBE	*Knight* (*Commander of the Order*) *of the British Empire*, Cavaliere (Maestro dell'Ordine) dell'Impero Britannico.
kc	(*rad.*) *kilocycle(s)*, kc, chilociclo(i).
KC	*King's Council*, Consiglio della Corona.
kc/s	*kilocycle(s) per second*, chilociclo(i) al secondo.
KCB	*Knight Commander of the Order of the Bath*, Cavaliere (Maestro) dell'Ordine di Bath.
Ken.	*Kentucky*.
KG	*Knight* (*of the Order*) *of the Garter*, Cavaliere (dell'Ordine) della Giarrettiera.
kg	*kilogram(me)*, kg, chilogrammo.
kg-cal	*kilogram-calorie*, Cal, chilocaloria.
kg-m	*kilogram-metre*, kgm, chilogrammetro.
KHz	*kilohertz*, KHz, chilohertz.
Kilo	*kilogram*, chilogrammo.
KKK	*Ku-Klux-Klan*.
kl	*kilolitre*, kl, chilolitro.
KLH	*Knight of the Legion of Honour*, Cavaliere della Legion d'Onore.
km	*kilometre*, km, chilometro.
Km.	*Kingdom*, Regno.
kmph	*kilometres per hour*, km/h, chilometri all'ora.
kmps	*kilometres per second*, km/sec, chilometri al secondo.
Knt	*Knight*, Cavaliere.
KO	*knock out*, k.o., fuori combattimento.
Kr	**1** *krypton*, (*chim.*) Kr, cripto **2** *Krone*, corona (danese, norvegese e svedese).
Kt	*Knight*, Cavaliere.
Kts	*knots*, (*mar.*) nodi.
kv	*kilovolt*, Kv, chilovolt.
kw	*kilowatt*, kW, chilowatt.
kw-h, kw-hr, KWH	*kilowatt-hour*, KWh, chilowattora.
Ky	*Kentucky*.
l	*litre*, l, litro.
l.	**1** *latitude*, lat., latitudine **2** *league*, lega **3** *length*, lunghezza **4** *line(s)*, linea, linee **5** *long*, lungo **6** *left*, sin, sinistra.
L	**1** *Lake*, Lago **2** *Latin*, latino **3** *Liberal*, liberale **4** *Learner driver*, (guidatore) principiante.

£   *pound (sterling)*, L. st., lira sterlina.

La   *lanthanum, (chim.)* La, lantanio.

La.   *Louisiana.*

LA   *Los Angeles.*

Lab.   *(pol.) Labour*, laborista.

Lancs.   *Lancashire.*

lang.   *language*, lingua, linguaggio.

LASER   *Light Amplification by Stimulated Emission of Radiation*, Amplificazione della Luce per mezzo di Emissione Stimolata di Radiazione.

lat.   *latitude*, lat., latitudine.

Lat.   *Latin*, latino.

law.   *Lawyer*, avv., avvocato.

lb   *pound(s)*, libbra, libbre.

l.c.   *(lat.: loco citato) in the place cited*, l.c., loc. cit., luogo citato.

LC   *Lord Chancellor*, Lord Cancelliere.

LCC   *London County Council*, Consiglio della Contea di Londra.

lcd   *lowest common denominator*, minimo comune denominatore.

lcm   *lowest (o least) common multiple*, m.c.m., minimo comune multiplo.

Ld   *Lord.*

Ldp   *Lordship*, Signoria; *(per vescovo)* Ecc., Eccellenza.

lea.   *league.*

LEA   *Local Education Authority*, Ente Locale per l'Istruzione.

leg.   **1** *legal*, legale **2** *legate, (dir.)* legato.

Leics.   *Leicestershire.*

LEM   *Lunar Excursion Module*, Modulo per l'Escursione Lunare.

LF   *low frequency, (rad. tv)* L F, bassa frequenza.

l.h.d.   *left hand drive*, Guida a sinistra (targa posteriore sulle automobili con guida a sinistra circolanti in Gran Bretagna).

Li   *lithium, (chim.)* Li, litio.

Lib.   *(pol.) Liberal*, liberale.

Lieut.   *Lieutenant*, Ten., Tenente.

Lincs.   *(geog.) Lincolnshire.*

lit.   **1** *literally*, letteralmente **2** *literary*, lett., letterario **3** *literature*, lett., letteratura.

LitD/LittD   (Latin) *Literarum, Litterarum Doctor (Doctor of Literature, Doctor of Letters)*, dottore in lettere, in letteratura.

lm.   *lumen, (fis.)* lm, lumen.

LMT   *local mean time*, ora locale.

ln   *natural logarithm*, ln, logaritmo naturale.

loc. cit.   *(lat.: loco citato) in the place cited*, l.c., loc. cit., luogo citato.

log   *logarithm*, log., logaritmo.

lon   *longitude*, long., longitudine.

Lon., Lond.   *London*, Londra.

long.   *longitude*, long., longitudine.

l.p.   *low pressure*, BP, bassa pressione.

LP   **1** *Labour Party*, Partito Laburista **2** *long playing.*

LPI   *Lines per inch, (informatica)* linee per pollice.

LPM   *Lines per minute, (informatica)* linee al minuto.

LPO   *London Philharmonic Orchestra*, Orchestra Filarmonica di Londra.

L'pool   *Liverpool.*

LPTB   *London Passenger Transport Board*, Compagnia Londinese Trasporto Passeggeri.

Lr   *Lawrencium, (chim.)* Lr, laurenzio.

LR   *Lloyd's Register*, Registro dei Lloyd.

LRBM   *Long Range Ballistic Missile*, Missile Balistico a Lunga Gittata.

LRS   *Lloyds Register of Shipping*, Registro delle Navi Assicurate dai Lloyds.

LSD   **1** *(lat.: librae, solidi, denarii) pounds, shillings, pence*, sterline, scellini, pence **2** *Lysergic Acid Diethylamide*, Dietilammide dell'Acido Lisergico.

LSE   *London School of Economics*, Scuola di Economia dell'Università di Londra.

LSO   *London Symphony Orchestra*, Orchestra Sinfonica di Londra.

lt   *long ton.*

Lt   *Lieutenant*, ten., tenente.

LTA   *Lawn Tennis Association*, Associazione di Tennis su Prato.

LtCol.   *Lieutenant Colonel*, Ten.Col., Tenente Colonnello.

Ltd. (Co.)   *Limited (Company)*, S.r.l., Società a responsabilità limitata.

Lu   *lutetium, (chim.)* Lu, lutezio.

Lux.   *Luxemburg*, Lussemburgo.

LV   *low voltage*, BT, bassa tensione.

LW   *Long Wave*, OL, onde lunghe.

LWR   *Light Water Reactor*, Reattore ad Acqua Leggera.

lx.   *lux, (fis.)* lx, lux.

m   *metre*, m, metro.

m.   **1** *male*, maschio **2** *married*, sposato **3** *masculine*, m., maschile **4** *(lat.: meridiem) noon*, mezzogiorno **5** *mile*, miglio **6** *minute*, min., minuto **7** *month*, mese.

M   **1** *(Followed by a number) Motorway*, (seguito da un numero) autostrada **2** *Monsieur* (Mr.), Monsieur.

M 1   *Money Supply Monitoring*, valuta circolante (banconote e monete).

µ   *micron*, µ, micron.

µA   *microampere*, µA, microampere.

Ma   *milliampere*, mA, milliampere.

MA   **1** *Master of Arts*, 2° livello di laurea, specie in discipline umanistiche (superiore al BA) **2** *Military Academy*, Accademia Militare **3** *milliampere*, mA, milliampere.

MAFF   *Minister of Agriculture, Fisheries & Food*, Ministero dell'Agricoltura, della Pesca e dell'Alimentazione.

Maj.   *Major*, Magg., Maggiore.

Maj. Gen   *Major General*, Maggior Generale.

Man.   *Manitoba (Canada).*

Mar.   *March*, mar., marzo.

March. | *Marchioness*, M.sa, Marchesa.
Marq. | *Marquis*, march., M.se, Marchese.
masc. | *masculine*, m., maschile.
MASH | *Military Advanced Service Hospital*, Ospedale Militare in Zona di Operazioni.
Mass. | *Massachusetts.*
Math. | *Mathematics, Mathematical*, Matematica.
Mats | *Matinées*, pomeriggi (per rappresentazioni teatrali).
max. | *maximum*, max., massimo.
mb | *millibar*, mb, millibar.
MC | **1** *Master of Ceremonies*, Cerimoniere **2** *Member of Congress*, Membro del Congresso (negli Stati Uniti) **3** *metric carat*, carato metrico **4** *Military Cross*, Croce di Guerra.
Mc/s | *Megacycles per second*, megacicli al secondo.
Md. | *Maryland.*
MD | **1** (*lat.*: *Medicinae Doctor*) *Doctor of Medicine*, dottore in medicina **2** *Managing Director*, Amministratore Delegato.
Mdx. | *Middlesex.*
Me. | *Maine.*
ME | **1** *Middle East*, Medio Oriente **2** *Middle English* (inglese parlato fra il 1200 e il 1550 circa).
Memo. | *Memorandum*, memorandum.
Messrs. | *Messieurs*, Sigg., Signori.
met. | **1** *metaphor*, metafora **2** *metaphysical*, metafisico **3** *metropolitan*, metropolitano.
Met. | *Meteorological*, meteorologico.
Mex. | **1** *Mexico*, Messico **2** *Mexican*, messicano.
μF | *microfarad*, μF, microfarad.
MF | *medium frequency*, (*rad. tv*) MF, media frequenza.
mfd. | *manufactured*, fabbricato.
mg | *milligram(me)*, mg, milligrammo.
Mg | *magnesium*, (*chim.*) Mg, magnesio.
Mgr. | **1** *Manager*, Direttore **2** *Monseigneur*, Monsignore **3** *Monsignor*, (*eccl.*) mons., monsignore.
mH | *millihenry*, millihenry.
MHF | *Medium High Frequency*, Frequenza Medio Alta.
MHR | (USA) *Member of the House of Representatives*, (*amer.*) Membro del Parlamento.
MHZ | *Megahertz*, megahertz.
MI6 | *Secret Intelligence Service*, Servizio Segreto Britannico.
Mich. | *Michigan.*
Middx | *Middlesex.*
Mil. | *Military*, militare.
min. | **1** *minim(um)*, min., minimo **2** *minute*, min, minuto.
Min. | *Ministry*, ministero.
MIND | *National Association for Mental Health*, associazione nazionale per lo studio delle capacità intellettive.

Minn. | *Minnesota.*
Miss. | *Mississippi.*
MIT | *Massachusetts Institute of Technology*, Istituto Universitario di Tecnologia del Massachusetts.
Mk | *Mark*, (*ted.*) marco tedesco.
MKS | *Meter Kilogram Second*, metro-chilogrammo-secondo.
ml | *millilitre*, ml, millilitro.
MLD | *Minimum Lethal Dose*, dose minima letale.
MLR | *Minimum Lending Rate*, minimo tasso sui prestiti.
mm | *millimetre*, mm, millimetro.
MM | *Military Medal*, Medaglia al Valor Militare.
mμ | *millimicron*, mμ, millimicron.
mmf | *magnetomotive force*, forza magnetomotrice.
Mn | *manganese*, (*chim.*) Mn, manganese.
MN | *Merchant Navy*, Marina Mercantile.
Mo | *molybdenum*, (*chim.*) Mo, molibdeno.
Mo. | *Missouri.*
MO | *Medical Officer*, ufficiale medico.
MoD | *Ministry of Defence*, Ministero della Difesa.
M of A | *Ministry of Agriculture*, Ministero dell'Agricoltura.
M of E | *Ministry of Education* → DES.
MoH | **1** *Ministry of Health* → DHSS **2** *Ministry of Housing*, Ministero dell'Edilizia.
Mol. | *Molecule*, molecola.
Mon. | *Monday*, lun., lunedì.
Mon(s). | *Monmouthshire.*
Mont. | *Montana.*
MOS | *Metal-Oxide Semiconductor*, (*informatica*) logica a semiconduttori a ossido metallo e silicio.
MoT | *Ministry of Transport* (*now Departments of the Environment and Transport*), Ministero dei Trasporti.
m.p. | *melting point*, punto di fusione.
MP | **1** *melting point*, punto di fusione **2** *Member of Parliament*, deputato; on., onorevole **3** *Metropolitan Police*, Polizia Metropolitana **4** *Military Police*, PM, Polizia Militare.
MPBW | *Ministry of Public Buildings and Works*, Ministero dei Lavori Pubblici, ora → DOE.
mpg | *miles per gallon*, miglia per gallone.
mph, MPH | *miles per hour*, miglia all'ora.
mpm | *metres per minute*, m/min, metri al minuto.
mps | *metres per second*, m/sec, metri al secondo.
Mr | *Mister*, Sig., Signore.
MRBM | *Medium Range Ballistic Missile*, Missile Balistico a Media Gittata.
MRC | *Medical Research Council*, Consiglio per la Ricerca Medica.
MRCA | *Multi-Role Combat Aircraft*, Aereo da Combattimento a Impiego Plurimo.

MRCS	*Member of the Royal College of Surgeons*, Membro del Reale Collegio dei Chirurghi.	Nb NB	*niobium*, (*chim.*) Nb, niobio. (*lat.*: *nota bene*) *note well*, NB, nota bene.
MRGS	*Member of the Royal Geographical Society*, Membro della Regia Società Geografica.	NBC	*National Broadcasting Company*, Ente Radiofonico Nazionale (negli Stati Uniti).
MRI	*Member of the Royal Institution*, Membro della Royal Institution.	NC NCB	*North Carolina*. *National Coal Board*, Ente Nazionale per il Carbone.
Mrs ms., MS M/S MSc	*Mistress*, Sig.a, Signora. *manuscript*, ms., MS, manoscritto. *motorship*, M/N, motonave. 2 *Master of Science*, 2° livello di laurea, specie in discipline scientifiche, superiore al BSc.	NCC NCT	*National Consumer Council*, Comitato Nazionale per la Tutela del Consumatore. *National Chamber of Trade*, Camera Nazionale di Commercio.
MSC	*Manpower Services Commission*, Comitato per l'utilizzo delle forze lavorative.	n.d.	*no date, not dated*, (*bibliografia*) s.d., senza data, non datato.
MSJ	*Member of the Society of Jesus*, Membro della Compagnia di Gesù.	Nd ND, NDak.	*neodymium*, (*chim.*) Nd, neodimio. *North Dakota*.
msl, MSL Mt MTB	*mean sea level*, livello medio del mare. *Mount*, M., Monte. *motor torpedo-boat* MAS, motoscafo antisommergibile.	Ne NE	*neon*, (*chim.*) Ne, neo. 1 *Naval Engineer*, ingegnere navale 2 (*geogr.*) *New England*, Nuova Inghilterra 3 *North-East*, NE, Nord-Est 4 *North-Eastern*, (zona) Nord-Orientale (di una città).
MTM	*Methods-Time Measurement*, MTM, Misura Tempi e Metodi.		
MU	1 *Mothers' Union*, Associazione delle Madri 2 *Musicians' Union*, Associazione dei Musicisti 3 *Monetary Unit*, Unità Monetaria.	Neb., Nebr. NEB	*Nebraska*. 1 *National Enterprise Board*, Ente nazionale per la promozione dell'attività imprenditoriale 2 *New English Bible*, Nuova Bibbia Inglese.
mus.	1 *museum*, museo 2 *music*, mus., musica 3 *musical*, mus., musicale.	NEDC	*National Economic Development Council*, Ente Naz. di Sviluppo Economico.
MV	1 *Motor Vessel*, Motonave 2 *Merchant Vessel*, Nave Mercantile.	Neg.	1 *Negative*, negativo 2 *Negotiable*, negoziabile, trattabile.
mW MW	*milliwatt*, milliwatt. 1 *Medium Wave*, OM, Onde Medie 2 *Megawatt*, MW, megawatt.	N Eng. Neth.	*New England*, Nuova Inghilterra. *Netherlands*, Paesi Bassi.
Mx myg myl mym myth.	(*geog.*) *Middlesex*. *myriagram(me)*, Mg, miriagrammo. *myrialitre*, Ml, mirialitro. *myriametre*, Mm, miriametro. *mythological*, mitologico.	neut. Nev. New M NF	*neuter*, n., neutro. *Nevada*. *New Mexico*. 1 (*geogr.*) *Newfoundland*, Terranova 2 *Norman French*, Franco-Normanno 3 *National Front*, Fronte Nazionale (partito politico di estrema destra).
n.	1 (*lat.*: *natus*) *born*, n., nato 2 *neuter*, n., neutro 3 *noun*, s., sost., sostantivo.		
N	*nitrogen*, (*chim.*) N, azoto.	NFT	*National Film Theatre*, rete nazionale di sale cinematografiche per i film d'essai.
N	1 *North*, N, Nord 2 *Northern*, settentrionale; (zona) Settentrionale (di una città).	NFU	*National Farmers' Union*, Sindacato Nazionale degli Agrari.
Na NA	*sodium*, (*chim.*) Na, sodio. 1 *North America*, Nord America 2 *North Atlantic*, Nord Atlantico.	NG	*National Gallery*, National Gallery (pinacoteca di Londra).
NAACP	(*amer.*) *National Association for the Advancement of Colored People*, Associazione Nazionale per il Progresso della Gente di Colore.	NGA	*National Graphical Association*, Associazione Nazionale Grafici.
		NH NHC	*New Hampshire*. *National Hunt Committee*, Comitato Nazionale per la Caccia.
NASA	*National Aeronautics and Space Administration*, NASA, Ente Nazionale Aeronautico e Spaziale.	N Heb. NHI	*New Hebrides*, Nuove Ebridi. *National Health Insurance*, Assicurazione Sanitaria Nazionale.
nat.	1 *national*, naz., nazionale 2 *natural*, naturale.	NHMRC	*National Health and Medical Research Council*, Ente Nazionale per la Sanità e la Ricerca Medica.
NATO	*North Atlantic Treaty Organization*, NATO, Organizzazione del Trattato Nord-Atlantico.	NHS	*National Health Service*, Servizio Sanitario Nazionale.
naut., mi.	*nautical mile(s)*, miglio marittimo, miglia marittime.	Ni NJ.	*nickel*, (*chim.*) Ni, nichelio. *New Jersey*.

NM, N Mex.	*New Mexico.*	NW	**1** *(geogr.) North Wales,* Galles del Nord **2** *North-West,* NO, Nord-Ovest **3** *North-Western,* (zona) Nord-Occidentale (di una città).
NNE	*North North East,* Nord, Nord-Est.		
NNP	*Net National Product,* PNN, prodotto nazionale netto.		
NNW	*North-North-West,* Nord Nord-Ovest.	NY	*New York.*
		NYO	*National Youth Orchestra,* Orchestra Nazionale dei Giovani.
No.	**1** *North,* N., Nord **2** *Northern,* Settentrionale **3** *number,* N°, No., numero **4** *Nobelium,* (*chim.*) No, nobelio.	NYT	*National Youth Theatre,* Teatro Nazionale dei Giovani.
		NZ, N Zeal.	*New Zealand,* Nuova Zelanda.
nom.	*nominative,* (*gramm.*) nom., nominativo.	Ω	*ohm,* Ω, ohm.
NOP	*National Opinion Poll,* sondaggio nazionale d'opinione.	O	*oxygen,* (*chim.*) O, ossigeno.
		O	**1** *Ohio* **2** *Oregon.*
Nor.	**1** *Norway,* Norvegia **2** *Norwegian,* norvegese.	OA	*Office Automation,* (*informatica*) Automazione d'ufficio.
Norf.	*Norfolk.*	OAO	(USA) *Orbiting Astronomical Observatory,* Osservatorio Astronomico Orbitante.
Northants.	*Northamptonshire.*		
Northumb.	*Northumberland.*		
Notts.	*Nottinghamshire.*	OAP	*Old Age Pension,* Pensione di Invalidità e Vecchiaia.
Nov.	*November,* nov., novembre.		
n.p.	*new paragraph,* a.c., a capo; d.c., da capo.	OBE	*Officer (of the Order) of the British Empire,* Ufficiale (dell'Ordine) dell'Impero Britannico.
Np	*neptunium,* (*chim.*) Np, nettunio.		
NP	*North Pole,* Polo Nord.	obs.	**1** *observation,* osservazione **2** *obsolete,* obsoleto, disusato.
n.p.or d.	*no place or date,* (*bibliografia*) s.d.l., senza data o luogo.	Oc.	*Ocean,* Oceano.
NRC	*Nuclear Research Council,* Ente per la Ricerca Nucleare.	o/c	*overcharge,* quota extra, sovrappiù.
		Oct.	*October,* ott., ottobre.
NS	*Nova Scotia,* Nuova Scozia.	OE	*Old English,* (*filologia*) Antico Inglese.
NSPCA	*National Society for the Prevention of Cruelty to Animals,* Società Nazionale per la Protezione degli Animali.		
		OECD	*Organization for Economic Cooperation and Development,* OCSE, Organizzazione per la Cooperazione e lo Sviluppo Economico.
NSPCC	*National Society for the Prevention of Cruelty to Children,* Società Nazionale per la Protezione dell'Infanzia.	OED	*Oxford English Dictionary,* Dizionario Inglese di Oxford.
		OEEC	*Organization for European Economic Cooperation,* OECE, Organizzazione Economica per la Cooperazione Europea.
NSW	*New South Wales,* Nuovo Galles del Sud (Australia).		
NSY	*New Scotland Yard,* Scotland Yard (nuovo edificio).	OFM	*Order of Friars Minor,* OFM, Ordine dei Frati Minori.
NT	**1** *New Testament,* NT, Nuovo Testamento **2** *National Trust,* Trust Nazionale (per la tutela dei monumenti storici e la salvaguardia del territorio).	OG	*Olympic Games,* Giochi Olimpici.
		OGM	*Ordinary General Meeting,* Riunione Generale Ordinaria.
		Ogpu	(*russo: Obedinennoe Gossudarstvennoe Politicheskoe Upravlenie*) *Unified State Political Directorate,* GhePeU, polizia segreta dell'URSS.
NUAAW	*National Union of Agricultural and Allied Workers,* Sindacato Nazionale dei Braccianti.		
NUBE	*National Union of Bank Employees,* Sindacato Nazionale dei Bancari.	OHMS	*On His, Her Majesty's Service,* al servizio di Sua Maestà.
NUJ	*National Union of Journalists,* Sindacato Nazionale dei Giornalisti.	OK	*all correct,* OK, tutto bene.
		Okla	*Oklahoma.*
NUM	*National Union of Mineworkers,* Sindacato Nazionale dei Minatori.	O Level	*Ordinary Level* → GCE.
		OM	*Order of Merit,* Medaglia al Merito.
NUPE	**1** *National Union of Public Employees,* Sindacato Nazionale dei Dipendenti Pubblici **2** *National Union of Post Office Employees,* Sindacato Nazionale degli Impiegati delle Poste.	ONO/ono	*Or Near Offer,* (*comm.*) trattabile.
		Ont.	*Ontario.*
		o.p.	*out of print,* esaurito (di libro).
		OP	(*lat.: Ordinis Praedicatorum*) *of the Order of Preachers,* dell'Ordine dei Predicatori (Domenicani).
NUR	*National Union of Railwaymen,* Sindacato Nazionale dei Ferrovieri.		
NUT	*National Union of Teachers,* Sindacato Nazionale degli Insegnanti.	op. cit.	(*lat.: opere citate*) *in the work cited,* op. cit., opera citata.
		Or., Ore., Oreg.	*Oregon.*

OR   *Official Receiver*, curatore fallimentare.

Orch.   *Orchestra*, orchestra.

Ornith.   *Ornithology*, ornitologia.

Os   *osmium*, (*chim.*) Os, osmio.

OT   *Old Testament*, AT, Antico Testamento.

OU   1 *Oxford University*, Università di Oxford 2 *Open University*, Università aperta (per adulti).

OUP   *Oxford University Press*, Edizioni dell'Università di Oxford.

Ox., Oxf.   *Oxford*.

Oxon.   1 (*geogr.*) (*lat.*: *Oxonia*) *Oxford* 2 (*geogr.*) (*lat.*: *Oxonia*) *Oxfordshire* 3 (*lat.*: *Oxoniensis*) *Oxonian*, *of* . *Oxford*, ossoniano, di Oxford.

oz   *ounce(s)*, oncia, once.

p.   penny.

p.   1 *page*, p., pag., pagina 2 *participle*, part., participio 3 *past.*, (*gramm.*) pass.; passato.

P   1 *Parking*, P, Posteggio 2 *phosphorus*, (*chim.*) P, fosforo 3 *President*, Presidente 4 *Prince*, Principe.

Pa   *protoactinium*, (*chim.*) Pa, protoattinio.

Pa.   *Pennsylvania*.

PA   1 *Press Association*, Associazione della stampa 2 *Public Address*, Sistema di Diffusione Sonora.

PAA   *Pan American Airways*, Linee Aeree Pan-Americane.

Pac., Pacif.   *Pacific*, Pacifico.

Pak.   *Pakistan*.

Pal.   *Palestine*, Palestina.

PALS   *People Against Loneliness*, Associazione contro la Solitudine.

Pan.   *Panama*.

PanAm   *Pan-American World Air Lines*, Linee Aeree Pan-Americane per tutti i Continenti.

Pand L   *Profit and Loss*, PP, profitti e perdite.

p. and p.   *postage and packing*, spese postali e di imballaggio.

par.   1 *paragraph*, par., paragrafo 2 *parallel*, parallelo 3 *parenthesis*, parentesi 4 *parish*, parrocchia.

Para.   *Paraguay*.

Parl.   *Parliament*, *Parliamentary*, parlamento, parlamentare.

part.   *participle*, part., participio.

pass.   1 (*lat.*: *passim*) *passim*, *in every part*, (*nelle citazioni*) pass., passim, in diversi luoghi 2 *passive*, (*gramm.*) pass., passivo.

pat.   1 *patent*, patente; brev., brevetto 2 *patented*, patentato, brevettato.

Pat. Off.   *Patent office*, Ufficio Brevetti.

PAYE   *Pay as you earn*, ritenuta d'imposta alla fonte.

payt   *payment*, ver., versamento.

Pb   *lead*, (*chim.*) Pb, piombo.

PB   *Premium Bond*, titolo di credito (obbligazioni).

p.c.   *postcard*, c.p., cartolina postale.

p/c   1 *per cent*. per cento 2 *petty cash*, piccole spese e piccole entrate 3 *prices current*, prezzi correnti.

PC   1 *Police Constable*, agente di polizia 2 *postcard*, c.p., cartolina postale 3 *Privy Council*, Consiglio Privato (di Sovrano) 4 *Press Council*, Consiglio per l'indipendenza della stampa.

pd.   *paid*, pagato.

Pd   *palladium*, (*chim.*) Pd, palladio.

Pemb.   *Pembrokeshire*, Pembrokeshire.

Penn., Penna   *Pennsylvania*.

per pro.   (*lat.*: *per procurationem*) *by the agency* (*of*), p.p., per procura (di).

Pg.   1 *Portugal*, Portogallo 2 *Portuguese*, portoghese.

PG   *Paying Guest*, Ospite Pagante, Pensionante.

Ph   *hydrogen ion concentration*, Ph, concentrazione degli ioni idrogeno.

PhD   *Doctor of Philosophy*, 3° livello di laurea (per tutte le discipline); equivale alla libera docenza e conferisce il dottorato.

PHI   *Public Health Inspector*, Ufficiale Sanitario.

Phil.   1 *Philharmonic*, Filarmonica 2 *Philosophy*, Filosofia 3 *Philology*, Filologia 4 *Philadelphia*, Filadelfia.

phon., phonet.   *phonetics*, fonet., fonetica.

phot.   *photography*, foto., fotografia.

pl., plu., plur.   *plural*, pl., plurale.

P/L   *Profit and Loss*, PP, Profitti e Perdite.

PLA   1 *Port of London Authority*, Ente di gestione del porto di Londra 2 *Palestine Liberation Army*, Esercito di Liberazione della Palestina.

p.m.   1 (*lat.*: *post meridiem*) *after midday*, p.m., pomeridiano 2 (*lat.*: *post mortem*) *after death*, post mortem.

Pm   *promethium*, (*chim.*) Pm, prometeo.

PM   *Prime Minister*, Primo Ministro.

PMG   *Postmaster General*, Ministero delle Poste.

Po   *polonium*, (*chim.*) po, polonio.

PO   1 *Postal Order*, vaglia postale 2 *Post Office*, Ufficio Postale 3 *Philharmonic Orchestra*, Orchestra Filarmonica.

p.o.b.   *post-office box*, casella postale.

p.o.d.   *pay on delivery*, pagamento alla consegna.

pol.   1 *political*, pol., politico 2 *politics*, pol., politica.

Pol.   1 *Poland*, Polonia 2 *Polish*, polacco.

Poly.   *Polytechnic*, Politecnico.

pop.   *population*, pop., popolazione; ab., abitanti.

Porn.   *Pornography*, pornografia.

POW   *prisoner of war*, prigioniero di guerra.

pp.   *pages*, pp, pagine.

p.p.   1 (*latino*: *per procurationem*) *by*

proxy, p.p., per procura 2 *parcel post*, p.p., pacco postale.

ppd *pre-paid*, pagamento anticipato.

pr. 1 *power*, (*fis.*) potenza 2 *present*, pres., presente 3 *pronoun*, pr., pn., pronome.

Pr *praseodymium*, (*chim.*) Pr, praseodimio.

Pr. 1 *priest*, prete 2 *Prince*, Principe 3 *Provençal*, provenzale.

PR *Public Relations*, RP, Relazioni pubbliche.

PRA *President of the Royal Academy*, Presidente dell'Accademia Reale.

PRB *Pre-Raphaelite Brotherhood*, Confraternita dei Pre-Raffaelliti.

pred. *predicate*, pred., predicato.

pref. 1 *preface*, pref., prefazione 2 *prefix*, pref., prefisso.

prep. 1 *preparation*, preparazione 2 *preposition*, pr., prep., preposizione.

pres. *present*, (*gramm.*) pres., presente.

Pres. *President*, Presidente.

press. *pressure*, pressione.

PRO *Public Relations Officer*, responsabile delle relazioni pubbliche.

Prof. *Professor*, prof., professore.

pron. *pronoun*, pr., pron., pronome.

prox. (*lat.*: *proximo mense*) *next* (*month*), p.v., prossimo venturo.

PS 1 (*lat.*: *post scriptum*) *postscript*, PS, post scriptum 2 *Parliamentary Secretary*, segretario parlamentare.

psf *pounds per square foot*, libbre per piede quadrato.

psi *pounds per square inch*, libbre per pollice quadrato.

PSV *Public Service Vehicle*, automezzo pubblico (autobus).

pt *pint(s)*, pinta, pinte.

Pt *platinum*, (*chim.*) Pt, platino.

PT *Physical Training*, educazione fisica.

PTA *Parent-Teachers' Association*, Associazione Genitori-Insegnanti.

Pte. *Private*, soldato (semplice).

Ptg. 1 *Portugal*, Portogallo 2 *Portuguese*, portoghese.

PTO *please turn over*, t.s.v.p., tournez s'il vous plaît; v.r., vedi retro.

Pu *plutonium*, (*chim.*) Pu, plutonio.

pun. *puncheon*.

PVC *Polyvinyl-chloride* (*plastic*), polivinilcloruro.

p.w. *per week*, a settimana.

q *quintal*, q, quintale.

Q 1 *Quebec* 2 *Queensland* 3 *query*, quesito 4 *question*, domanda 5 *queue*, mettersi in coda.

QB *Queen's Bench*, Corte Suprema.

QC 1 *Queen's Council*, Consiglio della Regina 2 *Queen's College* 3 *Queen's Counsel*, pubblico ministero.

q.e.d. (*lat.*: *quod erat demonstrandum*) *wich was to be demonstrated*, q.e.d., c.d.d., come dovevasi dimostrare.

Qld *Queensland* (*Australia*).

Qly *Quarterly*, trimestrale, ogni tre mesi.

qr. *quarter*.

qrs. *quarters*.

q.s. (*lat.*: *quantum sufficit*) *a sufficient quantity*, qb, quanto basta (nelle ricette).

qt *quart*.

qto. *quarto*, (bibliografia) in quarto.

qts. *quarts*.

qty *quantity*, quantità.

Que. 1 *Quebec* 2 *Queensland*.

q.v. 1 (*lat.*: *quantum vis*) *as much as you will*, a volontà 2 (*lat.*: *quod vide*) *which see*, v., vedi.

r. 1 *recto*, (*bibliografia*) r., recto 2 *river*, fiume 3 *road*, strada.

R 1 *radius*, (*geom.*) r, raggio 2 (*lat.*: *Rex*) *King*, R., Re 3 (*lat.*: *Regina*) *Queen*, R., Regina.

Ra *radium*, (*chim.*) Ra, radio.

RA *Royal Academy*, Accademia Reale.

RAA *Royal Academy of Arts*, Regia Accademia delle Arti.

RAAF *Royal Australian Air Force*, Regia Aeronautica Australiana.

RAC *Royal Automobile Club*, Real Automobile Club.

RADIAC *Radioactivity Detection Identification and Computation*, rivelazione, identificazione e computo della radioattività.

RAF *Royal Air Force*, Regia Aeronautica.

RAM 1 *Royal Academy of Music*, Regia Accademia di Musica 2 *Random Access Memory*, (*informatica*) memoria ad accesso casuale.

R and D *Research and Development*, Ricerca e Sviluppo.

Rb *rubidium*, (*chim.*) Rb, rubidio.

RC 1 *Red Cross*, Croce Rossa 2 *Roman Catholic*, Cattolico Apostolico Romano.

RCA *Radio Corporation of America*, Ente Radiofonico Americano.

RCAF *Royal Canadian Air Force*, Regia Aeronautica Canadese.

RCM *Royal College of Music*, Scuola Regia di Musica.

RCO *Royal College of Organists*, Scuola Regia per Organisti.

rd, Rd *Road*, C.so, Corso.

R/D *Refer to Drawer*, rivolgersi al traente.

Re *rhenium*, (*chim.*) Re, renio.

RE *Royal Engineers*, Regia Arma dei Genieri.

Rear-Adm. *Rear Admiral*, Contrammiraglio.

rec. *receipt*, ric., ricevuta.

ref. *reference*, riferimento.

Ref. Ch. *Reformed Church*, Chiesa Riformata.

refl. *reflexive*, rifl., riflessivo.

reg. 1 *region*, regione 2 *register*, registro 3 *registered*, registrato.

Reg. Prof.	*Regius Professor*, Professore (universitario) titolare.
Regt	*Regiment*, reggimento.
rel.	**1** *relating*, riferentesi (a) **2** *relations*, relazione **3** *religion*, religione.
rem.	*remittance*, ver., versamento.
rep.	*republic*, Rep., repubblica.
Rep.	**1** *report*, rapporto **2** *reporter*, cronista, corrispondente (di giornale) **3** *representative*, rappresentante.
Repub.	*Republic*, R., Repubblica.
retd	**1** *retired*, in pensione **2** *returned*, restituito.
Rev.	**1** *Revelation*, Rivelazione **2** *Reverend*, *(eccl.)* R., Rev., Reverendo **3** *revision*, revisione.
RFH	*Royal Festival Hall*, Royal Festival Hall (auditorium per concerti).
Rgd, rgd	*Registered*, iscritto, registrato.
RGS	*Royal Geographical Society*, Regia Società Geografica.
Rgt	*Regiment*, reggimento.
Rh	*rhodium*, *(chim.)* Rh, rodio.
RH	*Royal Highness*, AR, Altezza Reale.
RHA	*Royal Horse Artillery*, Regia Artiglieria a Cavallo.
RHB	*Regional Hospitals Board*, Ente Regionale Ospedaliero.
r.h.d.	*right hand drive*, guida destra.
RHistS	*Royal Historical Society*, Regia Società di Storia.
RI	*Rhode Island*.
RIBA	*Royal Institute of British Architects*, Regio Collegio Britannico degli Architetti.
rms	*rooms*, camere.
Rn	*radon*, *(chim.)* Rn, radon.
RN	**1** *registered nurse*, infermiera diplomata **2** *Royal Navy*, Regia Marina.
RNO	*Registered Nursing Officer*, infermiere specializzato.
ROM	*Read-only Memory*, *(informatica)* memoria a sola lettura.
ROS	*Read-only Store*, *(informatica)* memoria a sola lettura.
Roum.	**1** *Roumania*, Romania **2** *Roumanian*, rumeno.
RPI	*Retail Price Index*, Indice dei Prezzi al Dettaglio.
rpm	*revolutions per minute*, giri/min., giri al minuto.
rps	*revolutions per second*, giri/sec., giri al secondo.
rpt	*report*, rapporto.
RR	*Right Reverend*, *(eccl.)* M.R., Molto Reverendo.
RRP	*Recommended Retail Price*, prezzo al dettaglio raccomandato.
RS	*Royal Society*, Accademia Reale delle Scienze.
RSC	*Royal Shakespeare Company*, Regia Compagnia Shakespeariana.
RSFSR	*Russian Soviet Federated Socialist Republic*, URSS, Unione Repubbliche Socialiste Sovietiche.
RSL	*Royal Society of Literature*, Regia Società di Letteratura.
RSM	*Royal Schools of Music*, Conservatorio di Musica.
RSPB	*Royal Society for the Protection of Birds*, Regia Società per la Protezione degli Uccelli.
RSPCA	*Royal Society for the Prevention of Cruelty to Animals*, Regia Società per la Protezione degli Animali.
RSVP	*(francese: répondez s'il vous plaît)* *reply if you please*, RSVP, si prega rispondere.
Rt Hon.	*Right Honourable*, Molto Onorevole.
RTPI	*Royal Town Planning Institute*, Regio Collegio di Urbanisti.
Rt Rev.	*Right Reverend*, *(eccl.)* Rev.mo, Reverendissimo.
Ru	*ruthenium*, *(chim.)* Ru, rutenio.
Rutd., Rutl.	*Rutlandshire*.
RV	*Revised Version* (*Bible*), Versione Riveduta della Bibbia Anglicana (1870-84).
Ry	*railway*, ferr., ferrovia.
s.	**1** *second*, s., sec., secondo **2** *shilling*, scellino **3** *signed*, f.to, firmato **4** *singular*, sing., singolare.
S	**1** *siemens*, S, siemens **2** *sulphur*, *(chim.)* S, solfo **3** *Saint*, S., Santo **4** *Shelter*, R., Rifugio (antiaereo) **5** *South*, S., Sud **6** *Southern*, meridionale; (zona) Meridionale (di una città).
Sa.	*Saturday*, s., sab., sabato.
SA	**1** *Salvation Army*, Esercito della Salvezza **2** *South Africa*, Sudafrica.
SAE/sae	*Stamped Addressed Envelope*, busta già affrancata con indirizzo.
Salop	*Shropshire*.
SAM	*Surface to Air Missile*, Missile Terra-Aria.
SAS	*Scandinavian Airlines System*, Linee Aeree Scandinave.
Sask.	*Saskatchewan*.
Sat.	*Saturday*, s., sab., sabato.
SAus.	*South Australia*, Australia Meridionale.
SAYE	*Save-As-You-Earn*, quota di accantonamento per liquidazione.
Sb	*antimony*, *(chim.)* Sb, antimonio.
SB	*Supplementary Benefit*, indennità supplementare.
sc.	*science*, scienza.
Sc	*scandium*, *(chim.)* Sc, scandio.
Sc.	**1** *Scotch*, scozzese **2** *Scots*, gli scozzesi **3** *Scottish*, scozzese.
SC	**1** *South Carolina* **2** *Supreme Court*, SC, Suprema Corte.
sch.	**1** *school*, scuola **2** *schooner*, *(mar.)* goletta.
Scot.	**1** *Scotland*, Scozia **2** *Scottish*, scozzese.
SCR	*Senior Common Room*, sala dei docenti (nelle università).

Script. Scripture, (Sacra) Scrittura.

SCUBA Self-Contained Undersea Breathing Apparatus, respiratore subacqueo.

SCV Vatican City, Città del Vaticano.

SD, SDak. South Dakota.

SDBL Sight Draft Bill of Lading, tratta a vista su polizza di carico.

SDLP Social Democratic Party, Partito Socialdemocratico e Laburista (Irlanda del Nord).

Se selenium, (chim.) Se, selenio.

SE 1 South-East, SE, Sud-Est 2 South-Eastern, (zona) Sud-Orientale (di una città).

SEATO South-East Asia Treaty Organization, SEATO, Organizzazione del Trattato relativo al Sud-Est Asiatico.

sec secant, sec, secante.

sec. 1 second, s, sec., secondo 2 secretary, segretario 3 section, sezione.

sen. senator, sen., senatore.

Sen Senior, senior, anziano.

Sept. September, sett., settembre.

sergt sergeant, serg., sergente.

Sess Session, sessione, trimestre.

SF Science Fiction, fantascienza.

sg specific gravity, peso specifico.

sh. shilling, scellino.

S/H Shorthand, stenografia.

Shak. Shakespeare.

Shrops. Shropshire.

Si silicon, (chim.) Si, silicio.

SI Sandwich Islands, Isole Sandwich.

sin sine, (trigonometria) sen, seno.

sing. singular, sing., singolare.

sinh hyperbolic sine, (trigonometria) Sh, seno iperbolico.

SIS Secret Intelligence Service, Servizio Segreto (→ MI6).

SJ Society of Jesus, CdG, Compagnia di Gesù.

Skt Sanskrit, sanscrito.

sl sea level, l.m., livello del mare.

SLP Scottish Labour Party, Partito Laburista Scozzese.

Sm samarium, (chim.) Sm, samario.

Sn tin, (chim.) Sn, stagno.

SN Belgian Airlines, Linee Aeree Belghe (SABENA).

So. 1 South, S., Sud 2 Southern, meridionale.

SO Symphony Orchestra, Orchestra Sinfonica.

Soc. Society, Soc., Società.

SOGAT Society of Graphical and Allied Trades, Sindacato dei Poligrafici.

Sol. solicitor, avv., avvocato.

Sol. Gen. Solicitor General, avvocato erariale.

Som. Somersetshire.

SONAR Sound Navigation and Ranging (Radar & Electrocoustics), Navigazione e Misurazione per mezzo del Suono.

SOR Sale Or Return, vendita di merce in deposito.

SOS (Save Our Souls) appeal for help or rescue, SOS, segnale internazionale di richiesta di soccorso.

sp. 1 special, speciale 2 species, specie 3 specific, specifico 4 specimen, saggio, campione.

Sp. 1 Spain, Spagna 2 Spaniard, spagnolo 3 Spanish, spagnolo.

SPCA Society for the Prevention of Cruelty to Animals, SPA, Società Protettrice degli Animali.

SPCC Society for the Prevention of Cruelty to Children, Società per la Protezione dell'Infanzia.

SPCK Society for Promoting Christian Knowledge, sigla di una catena di librerie di testi teologici.

sp.gr. specific gravity, peso specifico.

sp.ht specific heat, calore specifico.

SPQR (lat.: Senatus Populusque Romanus) the Senate and People of Rome, SPQR, Senato e Popolo Romano.

sq. square, q., quadrato; P.za, piazza.

Sq Ft Square Foot, Feet, piede quadrato.

Sq In Square Inch, Inches, pollice quadrato.

Sr strontium, (chim.) Sr, stronzio.

Sr senior.

SS 1 (ted.: Schutzstaffel) Hitler bodyguard, SS, milizia di protezione nazista 2 (lat.: Sanctissimus) Most Holy, SS, Santissimo 3 Saints, SS, Santi.

S/S steamship, piroscafo.

SSE South-South-East, Sud Sud-Est.

SSM Surface to Surface Missile, Missile Terra-Terra.

SSW South-South-West, Sud Sud-Ovest.

st. stone.

st short ton.

St. 1 Saint, S., Santo 2 Strait, Stretto 3 Street, strada; V., via.

ST 1 Standard Time, ora ufficiale 2 Summer Time, ora estiva.

Staffs. Staffordshire.

sta. mi. statute mile(s), miglio, miglia.

STD Subscriber Trunk Dialling, teleselezione.

Stdy Saturday, s., sab., sabato.

St. Ex. Stock Exchange, Borsa Valori.

Stir. Stirlingshire.

S to S Ship-to Shore, da Nave a Terra.

Su. Sunday, dom., domenica.

Sub. 1 Substitute, sostituto 2 Subscription, abbonamento.

subj. subjunctive, cong., congiuntivo.

Suff. Suffolk.

Sun., Sund. Sunday, dom., domenica.

sup. superlative, sup., superlativo.

Sup. Ct Supreme Court, Corte Suprema.

Super Superintendent, sovrintendente.

superl. superlative, sup., superlative.

supp. supplement, supplemento.

Sur. Surrey.

surg. 1 surgeon, chirurgo 2 surgery, chir., chirurgia.

Sus. Sussex.

SVP	*(francese: s'il vous plaît) please*, SVP, per favore.	theor.	*theorem*, teorema.
Sw.	**1** *Sweden*, Svezia **2** *Swedish*, svedese.	THES	*Times Higher Education Supplement*, Supplemento del Times per le Università.
SW	**1** *(geogr.) South Wales*, Galles del Sud **2** *South-West*, SO, Sud-Ovest **3** *South-Western*, (zona) Sud-Occidentale (di una città).	3-D	*three-dimension picture*, film a tre dimensioni.
Swit., Swtz.	*Switzerland*, Svizzera.	Thur., Thurs.	*Thursday*, gio., giov., giovedì.
SY	*Steam Yacht*, yacht a motore.	Ti	*titanium*, (*chim.*) Ti, titanio.
Syll	*syllabus*, piano di studi.	Tl	*thalium*, (*chim.*) Tl, tallio.
sym.	*Symmetrical*, simmetrico.	TLS	*Times Literary Supplement*, Supplemento Letterario del Times.
syn.	*Synonymous*, sinonimo.	Tm	*thulium*, (*chim.*) Tm, tulio.
		TNT	*trinitrotoluene*, (*chim.*) trinitrotoluolo.
t	*ton(s)*, t, tonnellata, tonnellate.	t.o.	*turn over*, volta pagina.
t.	**1** *time*, tempo **2** *tome*, (*bibliografia*) tom., tomo **3** *transitive*, trans., transitivo **4** *troy*.	TO	*Telegraph Office*, Ufficio del Telegrafo.
T	**1** *Testament*, Testamento **2** *Tuesday*, mar., mart., martedì **3** *Turkish*, turco.	tr.	**1** *transactions*, transazioni **2** *transitive*, trans., transitivo **3** *translator*, traduttore **4** *trustee*, fiduciario, amministratore.
Ta	*tantalum*, (*chim.*) Ta, tantalio.	trag.	**1** *tragedy*, trag., tragedia **2** *tragic*, tragico.
Tai.	*Taiwan*.		
tan	*tangent*, tg, tangente.	trans.	**1** *transitive*, trans., transitivo **2** *translated*, tradotto **3** *translator*, traduttore **4** *translation*, traduzione **5** *transfer*, trasferimento.
tanh	*hyperbolic tangent*, Th, tangente iperbolica.		
Tb	*terbium*, (*chim.*) Tb, terbio.		
TB	**1** *tuberculosis*, tbc, TBC, tubercolosi **2** *Treasury Bill*, Buono del Tesoro.	treas.	*treasurer*, tesoriere.
		TRH	*Their Royal Highnesses*, Loro Altezze Reali.
TBD	*torpedo-boat destroyer*, cacciatorpediniere.	Trin.	*Trinity*, Trinità.
tbs.	*tablespoon*, cucchiaio da tavola.	TT	**1** *Telegraphic transfer*, versamento telegrafico **2** *teetotal*, astemio.
tc.	*tierce(s)*.	Tu.	*Tuesday*, mar., mart., martedì.
Tc	*technetium*, (*chim.*) Te, tecnezio.	TU	*Trade-Union*, Sindacato.
TCBM	*Trans-Continental Ballistic Missile*, Missile Balistico Transcontinentale.	TUC	**1** *Trades Union Congress*, Congresso dei Sindacati **2** *Trades Union Council*, consiglio dei sindacati.
TCI	*Touring Club Italiano*.		
Te	*tellurium*, (*chim.*) Te, tellurio.	Tues.	*Tuesday*, mar., mart., martedì.
techn.	**1** *technical*, tec., tècnico **2** *technology*, tec., tecnologia, tecnica.	Turk.	**1** *Turkey*, Turchia **2** *Turkish*, turco.
TEE	*Trans-Europe Express*, Trans-Europ-Express.	TV	*television*, TV, televisione.
		TVA	*Tennessee Valley Authority*, Ente per la Vallata del Tennessee.
tel.	**1** *telegram*, telegramma **2** *telegraph*, telegrafo **3** *telephone*, tel., telefono.	TWA	*Trans World Airlines*, Linee Aeree Intercontinentali.
Telecom.	*Telecommunications*, Telecomunicazioni.	U	**1** *uranium*, (*chim.*) U, uranio **2** *Union*, Unione **3** *universal*, per tutti (di pellicola cinematografica) **4** *(geogr.) Utah*.
TELEX	*Teleprinter Exchange*, Trasmissione per Telescrivente.		
Temp.	**1** *Temperature*, temperatura **2** *Temporary*, temporaneo, provvisorio.	UAR	*United Arab Republic*, RAU, Repubblica Araba Unita (federazione fra l'Egitto, la Siria e lo Yemen, 1958-61).
Tenn.	*Tennessee*.		
TES	*Times Educational Supplement*, Supplemento del Times per le Scuole.	UCCA	*Universities Central Council on Admissions*, Ente Centrale di coordinamento per le ammissioni all'Università.
Test.	*Testament*, Testamento.		
Teut.	*Teutonic*, teutonico.	UDF	*Ulster Defence Force*, esercito per la difesa dell'Ulster.
Tex.	*Texas*.		
TGV	*(France) Train de Grande Vitesse* (*high speed train*), Treno superveloce.	UDI	*Unilateral Declaration of Independence*, Dichiarazione Unilaterale di Indipendenza (Rhodesia).
TGWU	*Transport and General Workers' Union*, Sindacato dei Lavoratori dei Trasporti.	UDR	*Ulster Defence Regiment*, Reggimento per la difesa dell'Ulster.
Th	*thorium*, (*chim.*) Th, torio.	UEFA	*Union of European Football Associa-*

tions, Unione delle Associazioni Europee di Football.

UFF *Ulster Freedom Fighters*, combattenti per la libertà dell'Ulster.

UFO *Unidentified Flying Object*, Oggetto Volante non Identificato.

UFWU *United Farm Workers' Union*, (*amer.*) Sindacato dei Braccianti Agricoli.

UGC *University Grants Committee*, Comitato per l'assegnazione di borse di studio universitarie.

UHF *ultrahigh frequency*, (*rad. tv*) UHF, frequenza ultraelevata.

UK *United Kingdom*, RU, Regno Unito (Gran Bretagna e Irlanda del Nord).

UKAEA *United Kingdom Atomic Energy Authority*, Ente Britannico per l'Energia Atomica.

Ukr. *Ukraine*, Ucraina.

ult. (*lat.: ultimo*) *last* (*month*), u.s., ultimo scorso.

UMIST *University of Manchester Institute of Science and Technology*, Istituto di Scienza e di Tecnologia dell'Università di Manchester.

UN *United Nations*, NU, Nazioni Unite.

UNCAST *United Nations Conference on the Applications of Science and Technology*, Conferenza delle Nazioni Unite sulle Applicazioni della Scienza e della Tecnologia.

UNCTAD *United Nations Conference on Trade and Development*, Conferenza delle Nazioni Unite sul Commercio e lo Sviluppo.

UNESCO *United Nations Educational, Scientific & Cultural Organisation*, Organizzazione delle Nazioni Unite per l'Educazione, la Scienza e la Cultura.

UNFAO *United Nations Food and Agricultural Organization*, Organizzazione delle Nazioni Unite per l'alimentazione e l'agricoltura.

UNHQ *United Nations Headquarters*, Sede Centrale dell'ONU (New York).

UNICEF *United Nations International Children's Emergency Fund*, Fondo di emergenza delle Nazioni Unite per l'infanzia.

Univ. **1** *Universalist*, Universalista **2** *University*, Università.

UNO *United Nations Organization*, ONU, Organizzazione delle Nazioni Unite.

UP **1** *United Press*, Stampe Associate **2** *United Provinces*, Province Riunite.

UPU *Universal Postal Union*, UPU, Unione Postale Universale.

UPW *Union of Post Office Workers*, Sindacato dei Dipendenti delle Poste.

US *United States*, SU, Stati Uniti.

USA **1** *United States of America*, SUA, USA, Stati Uniti d'America **2** *United States Army*, Esercito Statunitense.

USAAF *United States Army and Air Forces*, Esercito e Aeronautica Statunitensi.

USAF *United States Air Force*, Aeronautica Statunitense.

USEUCOM *United States European Command*, Comando degli Stati Uniti in Europa.

USIS *United States Information Service*, Ufficio Informazioni per gli Stati Uniti d'America.

USN *United States Navy*, Marina Statunitense.

USSR *Union of Soviet Socialist Republics*, URSS, Unione delle Repubbliche Socialiste Sovietiche.

usu. **1** *usual*, usuale **2** *usually*, usualmente, di solito.

UT *Utah*.

UUUP *United Ulster Unionist Party*, Partito Unionista dell'Ulster.

UV *Ultra-Violet*, Ultra-violetto.

v **1** *volt*, V, volt **2** *volume*, vol., volume.

v. **1** *verb*, v., vb., verbo **2** *verse*, (*poesia*) v., verso **3** *verso*, (*bibliografia*) v., verso **4** *versus*, (*sport dir.*) contro **5** *volume*, vol., volume.

V **1** *vanadium*, (*chim.*) V, vanadio **2** *velocity*, (*fis.*) velocità **3** *volt*, V, volt **4** *volume*, vol., volume **5** *Vicar*, Vicario **6** *Viscount*, Visconte **7** *Vocative*, voc., vocativo.

Va *Virginia*.

VA **1** *Vicar Apostolic*, Vicario Apostolico **2** *Vice Admiral*, Vice-Ammiraglio **3** (*Royal Order of*) *Victoria and Albert*, Reale Ordine di Vittoria e Alberto.

Vac. *Vacant*, affittasi, libero.

V and A *Victoria and Albert (Museum)*, Victoria and Albert Museum.

Vat. *Vatican*, Vat., Vaticano.

VAT *Value Added Tax*, IVA, Imposta sul Valore Aggiunto.

vb *verbo*, v., vb., verbo.

VC **1** *Vice Chancellor*, Vice-Cancelliere **2** *Vice-Consul*, V.C., Vice-Console **3** *Victoria Cross*, Croce della Regina Vittoria **4** *Vice Chairman*, vice presidente.

VCR *Video Cassette Recorder*, registratore di video cassetta.

VD *Venereal Disease*, malattia venerea.

VDT *Video Display Terminal*, terminale video.

VDU *Visual Display Unit*, (*informatica*) unità di visualizzazione.

Veg. *Vegetable*, vegetale.

Ven. *Venerable*, Ven., Venerabile.

Vert. *Vertical*, verticale.

Vet. *Veteran*, veterano.

VET *Veterinary Surgeon*, veterinario.

VHF *Very high frequency*, (*rad. tv*) VHF, altissima frequenza.

vic. **1** *vicar.* vicario **2** *vicarage*, vicariato.

Vict.	*Victoria.*	
VIP	*Very Important Person, (sl.)* pezzo grosso, persona molto importante.	
Virg.	*Virginia.*	
Vis., Visc., Visct	1 *Viscount,* Visconte 2 *Viscountess,* Viscontessa.	
viz.	*(lat.: videlicet) namely,* vale a dire.	
VLF	*very low frequency, (rad. tv)* VLF, bassissima frequenza.	
VO	*Victorian Order,* Ordine della Regina Vittoria.	
voc.	*vocative,* voc., vocativo.	
vol.	1 *volcano,* vulcano 2 *volume,* vol., volume 3 *volunteer,* volontario.	
VP	*Vice President,* Vice-Presidente.	
vs	*versus, (sport dir.)* contro.	
VS	*Veterinary Surgeon,* veterinario.	
Vt	*Vermont.*	
vul., vulg.	*vulgar,* volgare.	
Vul., Vulg.	*Vulgate,* Vulgata.	

w.	1 *watt,* W, watt 2 *week(s),* settimana, settimane 3 *wife,* moglie 4 *with,* con 5 *work, (fis.)* lavoro.	
W.	1 *Washington* 2 *Welsh,* gallese 3 *West,* O., Ovest 4 *Western,* occidentale; (zona) Occidentale (di una città) 5 *tungsten, (chim.)* W, volframio.	
WA	*Western Australia,* Australia occidentale.	
War., Warks	*Warwickshire.*	
Wash.	*Washington.*	
WC	1 *War Correspondent,* Corrispondente di Guerra 2 *water-closet,* W.C., gabinetto di decenza 3 *Western Central,* (zona) Centro-Occidentale (di una città).	
WCA	*Women's Christian Association,* Unione Cristiana Femminile.	
W/Cdr	*Wing Commander,* tenente colonnello (della RAF).	
WD	*War Department,* Ministero della Guerra (negli Stati Uniti).	
We., Wed.	*Wednesday,* mer., merc., mercoledì.	
WEA	*Workers' Educational Association,* Ente per promuovere l'istruzione fra i lavoratori.	
Westm.	*Westmorland.*	
WFP	*World Food Programme,* Programma di Alimentazione Mondiale.	
wh, whr	*watt-hour,* Wh, wattora.	
WI	*West Indies,* Indie Occidentali.	
Wilts.	*Wiltshire.*	
Wis., Wisc.	*Wisconsin.*	
wk	*week,* settimana.	
wkly	*weekly,* settimanalmente.	
wl	*wave length, (fis. rad.)* lunghezza d'onda.	
WL	*water line,* linea di galleggiamento.	
WMo	*World Meteorological Organization,*	

	Organizzazione Meteorologica Mondiale.
WNW	*West-North-West,* Ovest Nord-Ovest.
WO	*War Office,* Ministero della Guerra (in Gran Bretagna).
Worcs.	*Worcestershire.*
WPC	*Woman Police Constable,* Agente di polizia (donna).
wpm	*words per minute,* parole al minuto.
WRAC	*Women's Royal Army Corps,* Corpo Femminile del Regio Esercito.
wt	*weight,* peso.
WT	*wireless telegraphy,* RT, radiotelegrafia.
WVa	*West Virginia.*
WVS	*Women's Voluntary Service,* Servizio Volontario Femminile.
WWF	*World Wildlife Fund,* Fondo Mondiale per la Natura.
Wy., Wyo.	*Wyoming.*

X	1 *excluded,* vietato ai minori di 16 anni (di pellicola cinematografica) 2 *xenon, (chim.)* X, xeno 3 *Christ.,* X, Cristo.
Xe	*xenon, (chim.)* X, xeno.
Xm., Xmas	*Christmas,* Natale.
Xnty	*Christianity,* Cristianità.
Xt	*Christ,* X, Cristo.
Xtian.	*Christian,* Cristiano.

Y	*yttrium, (chim.)* Y, ittrio.
Yb	*ytterbium, (chim.)* Yb, itterbio.
YB	*Yearbook,* Annuario.
YC	*Yachting Club,* Yachting Club.
yd	*yard(s),* iarda, iarde.
YHA	*Youth Hostels Association,* Associazione degli Ostelli della Gioventù.
YMCA	*Young Men's Christian Association,* ACDG, Associazione Cristiana dei Giovani.
Yorks.	*Yorkshire.*
yr	1 *year,* anno 2 *younger,* più giovane 3 *your,* vs., vostro.
yrs	*yours,* vs., vostro.
YWCA	*Young Women's Christian Association,* UCDG, Unione Cristiana delle Giovani.

z.	*zero,* zero.
Z	*atomic number,* z, numero atomico.
ZG	*Zoological Garden(s),* Giardino Zoologico.
Zn	*zinc, (chim.)* Zn, zinco.
Zr	*zirconium, (chim.)* Zr, zirconio.
&	*(lat.: et) and,* &, e.
&c.	*(lat.: et cetera) and so on,* ecc., eccetera.

Nomi propri invariati in entrambe le lingue

Nomi geografici*

Aberdeen [ˌæbəˈdiːn].
Aberystwyth [ˌæbəˈristwiθ].
Adelaide [ˈædəlid].
Agra [ˈɑːgrə].
Airedale [ˈɛədeil].
Akron [ˈækrɔn].
Alabama [ˌæləˈbæmə].
Alaska [əˈlæskə].
Albany [ˈɔːlbəni].
Alberta [ælˈbəːtə].
Albury [ˈɔːlbəri].
Alderney [ˈɔːldəni].
Aldershot [ˈɔːldəʃɔt].
Allentown [ˈælintaun].
Alloa [ˈæloʊə].
Altrincham [ˈɔːltriŋəm].
Anglesey [ˈæŋglsi].
Angus [ˈæŋgəs].
Annapolis [əˈnæpəlis].
Antrim [ˈæntrim].
Appleby [ˈæplbi].
Argyll [ɑːˈgail].
Arizona [ˌæriˈzounə].
Arkansas [ˈɑːkənsɔː].
Armagh [ɑːˈmɑː].
Arran [ˈærən].
Ashb(o)urne [ˈæʃbəːn].
Assam [ˈæsæm].
Athabasca [ˌæθəˈbæskə].
Athlone [æθˈloun].
Atlanta [ətˈlæntə].
Aukland [ˈɔːklənd].
Augusta [ɔːˈgʌstə].
Austin [ˈɔstin].
Avon [ˈeivən].
Ayer [ɛə*].
Aylesbury [ˈeilzbəri].
Ayr [ɛə*].

Banff [bæmf].
Bangor [ˈbæŋgə*].
Banks [bæŋks].
Baroda [bəˈroudə].
Bath [bɑːθ].
Bathurst [ˈbæθə(ː)st].

Baton Rouge [ˈbætənˈruːʒ].
Beaumaris [bouˈmæris].
Bedford(shire) [ˈbedfəd(ʃiə*)].
Belfast [belˈfɑːst].
Belize [beˈliːz].
Benares [biˈnɑːriz].
Ben Nevis [benˈnevis].
Berkeley [bɑːkli, amer.ˈbəːkli].
Berkshire [ˈbɑːkʃiə*].
Berwick [ˈberik].
Beverley [ˈbevəli].
Bhutan [buˈtɑːn].
Birkenhead [ˈbəːkənhed].
Birmingham [ˈbəːmiŋəm].
Bismarck [ˈbizmɑːk].
Blackburn [ˈblækbəːn].
Blackpool [ˈblækpuːl].
Bodmin [ˈbɔdmin].
Boise [ˈbɔizi].
Bolton [ˈboultən].
Bombay [bɔmˈbei].
Boston [ˈbɔstən].
Bougainville [ˈbuːgənvil].
Bournemouth [ˈbɔːnməθ].
Boyne [bɔin].
Bradford [ˈbrædfəd].
Brecknock(shire) [ˈbreknɔk(ʃiə*)].
Brentford [ˈbrentfəd].
Bridgeport [ˈbridʒpout].
Brighton [ˈbraitn].
Brisbane [ˈbrizbən].
Bristol [ˈbristl].
Brunei [bruːˈnai].
Buckinghamshire [ˈbʌkiŋəmʃiə*].
Buffalo [ˈbʌfəlou].
Bute [bjuːt].

Ca(e)rnarvon(shire) [kɑːˈnɑːvən(ʃiə*)].
Caithness [ˈkeiθnes].
Calcutta [kælˈkʌtə].
California [ˌkæliˈfɔːnjə].
Cam [kæm].

Cambridge(shire) [ˈkeimbridʒ(ʃiə*)].
Camden [ˈkæmdən].
Canberra [ˈkænbərə].
Canton [ˈkæntn].
Cardiff [ˈkɑːdif].
Cardiganshire [ˈkɑːdigənʃiə*].
Carlisle [kɑːˈlail].
Carmarthen(shire) [kəˈmɑːðən(ʃiə*)].
Carson City [ˈkɑːsnˈsiti].
Cawnpore [kɔːnˈpɔː*].
Charleston [ˈtʃɑːlstən].
Charlotte [ˈʃɑːlət].
Chattanooga [ˌtʃætəˈnuːgə].
Che(a)sapeake [ˈtʃesəpiːk].
Chelmsford [ˈtʃelmsfəd].
Cheshire [ˈtʃeʃə*].
Chester [ˈtʃestə*].
Cheviot [ˈtʃeviət].
Cheyenne [ʃaiˈæn].
Chicago [ʃiˈkɑːgou].
Chichester [ˈtʃitʃistə*].
Chiltern [ˈtʃiltə(ː)n].
Christchurch [ˈkraistʃəːtʃ].
Cincinnati [ˌsinsiˈnæti].
Cirencester [ˈsaiərənsestə*].
Clackmannan [klækˈmænən].
Cleveland [ˈkliːvlənd].
Clifton [ˈkliftən].
Clyde [klaid].
Colchester [ˌkoultʃistə*].
Colombo [kəˈlʌmbou].
Colorado [ˌkɔləˈrɑːdou].
Columbia [kəˈlʌmbiə].
Columbus [kəˈlʌmbəs].
Concord [ˈkɔnkɔːd].
Connaught [ˈkɔnɔːt].
Connecticut [kəˈnetikət].
Cook [kuk].
Cork [kɔːk].
Cotswold [ˈkɔtswould].
Coventry [ˈkɔvəntri].

Croydon [ˈkrɔidn].
Culloden [kəˈlɔdn].
Cumberland [ˈkʌmbələnd].
Cupar [ˈkuːpə*].

Dalhousie [dælˈhauzi].
Dalkeith [dælˈkiːθ].
Dallas [ˈdæləs].
Dar es Salaam [ˈdɑːressəˈlɑːm].
Dartmoor [ˈdɑːtmuə*].
Darwin [ˈdɑːwin].
Dayton [ˈdeitn].
Delaware [ˈdeləwɛə*].
Delhi [ˈdeli].
Denbigh(shire) [ˈdenbi(ʃiə*)].
Denver [ˈdenvə*].
Derby(shire) [ˈdɑːbi(ʃjə*)].
Derwent [ˈdəːwənt].
Des Moines [diˈmɔin].
Detroit [dəˈtrɔit].
Devonshire [ˈdevnʃiə*].
Dingwall [ˈdiŋwɔːl].
Dolgelley [dɔlˈgəθli].
Donegal [ˈdɔnigɔːl].
Dorchester [ˈdɔːtʃistə*].
Dornoch [ˈdɔːnɔk].
Dorsetshire [ˈdɔːsitʃiə*].
Douglas [ˈdʌgləs].
Dover [ˈdouvə*].
Down [daun].
Downpatrick [daunˈpætrik].
Drogheda [ˈdrɔiidə].
Duluth [djuːˈluːθ].
Dumbarton [dʌmˈbɑːtn].
Dumfries [dʌmˈfriːs].
Dundee [dʌnˈdiː].
Dunedin [dʌˈniːdin].
Dungeness [ˌdʌndʒiˈnes].
Duns [dʌnz].
Durban [dəːbən].
Durham [ˈdʌrəm].

Ealing [ˈiːliŋ].
Ebbw [ˈebuː].

* I nomi compresi in questo elenco appartengono alla geografia delle Isole Britanniche, dei Paesi del Commonwealth Britannico e degli Stati Uniti d'America. Altri nomi geografici andranno eventualmente cercati nel testo del Dizionario.

Eddystone ['edistən].
Edmonton ['edməntən].
Elgin ['elgin].
Elizabeth [i'lizəbəθ].
El Paso [el'pæsou].
Ely ['i:li].
Enniskillen [,enis'kilin].
Erie ['iri].
Essex ['esiks].
Evansville ['evənzvil].
Exeter ['eksətə*].
Eyre [εə*].

Fall River ['fɔ:l'rivə*].
Fenwick ['fenik].
Fermanagh [fə(:)'mænə].
Fife [faif].
Fitzroy ['fitsrɔi].
Flint [flint].
Flintshire ['flintʃiə*].
Florida ['flɔridə].
Folkestone ['foukstən].
Forfar ['fɔ:fə*].
Forres ['fɔris].
Forth [fɔ:θ].
Fort Wayne [fɔ:t'wein].
Fort Worth [fɔ:t'wə:θ].
Frankfort ['fræŋkfət].
Freetown ['fri:taun].
Fresno ['freznou].

Galvestone ['gælvistən].
Galway ['gɔ:lwei].
Gary ['gεəri].
Gateshead ['geitshed].
Georgetown ['dʒɔ:dʒtaun].
Georgia ['dʒɔ:dʒjə].
Glamorgan(shire) [glə'mɔ:gən(ʃiə*)].
Glasgow ['gla:sgou].
Glencoe [glen'kou].
Glenmore [glen'mɔ:*].
Gloucester ['glɔstə*].
Gloucestershire ['glɔstəʃiə*].
Grand Rapids [grænd'ræpidz].
Grasmere [gra:smiə*].
Greenwich ['grinidʒ].
Grimsby ['grimzbi].
Guernsey ['gə:nzi].
Guildford ['gilfəd].

Haddington ['hædiŋtən].
Halifax ['hælifæks].
Ham [hæm].
Hamilton ['hæmʌltən].
Hampshire ['hæmpʃiə*].
Hampton ['hæmptən].
Harrisburg ['hærisbə:g].
Hartford ['ha:tfəd].
Harwell ['ha:wəl].
Harwich ['hæridʒ].

Haverfordwest ['hævəfəd'west].
Hawaii [ha:'waii:].
Hecla ['heklə].
Hekla ['heklə].
Helena ['helinə].
Heligoland ['heligoʊlænd].
Hendon ['hendən].
Hereford(shire) ['herifəd(ʃiə*)].
Hertford(shire) ['ha:fəd(ʃiə*)].
Hobart ['houba:t].
Holland ['hɔlənd].
Hollywood ['hɔliwud].
Honolulu [,hɔnə'lu:lu:].
Houston ['hju:stən].
Huddersfield ['hʌdəzfi:ld].
Hudson ['hʌdsn].
Hull [hʌl].
Humber ['hʌmbə*].
Hunter ['hʌntə*].
Huntingdon(shire) ['hʌntiŋdən(ʃiə*)].
Huron ['hjuərən].
Hyderabad ['haidərəba:d].

Idaho ['aidəhou].
Ilford ['ilfəd].
Illinois [,ili'nɔi].
Indiana [,indi'ænə].
Indianapolis ['indiə'næpəlis].
Inverary [,invə'rεəri].
Inverness [,invə'nes].
Iowa ['aiouə].
Ipswich ['ipswitʃ].
Islington ['izliŋtən].

Jackson ['dʒæksn].
Jacksonville ['dʒæksnvil].
Jamestown ['dʒeimztaun].
Jedburgh ['dʒedbəre].
Jefferson City ['dʒefəsn'siti].
Jersey City ['dʒə:zi'siti].
Jesselton ['dʒesltən].
Johannesburg [dʒoʊ'hænisbɔ:g].
Juneau ['dʒu:nou].

Kalahari [,ka:la:'ha:ri].
Kansas ['kænzəs].
Kansas City ['kænzəs'siti].
Karachi [kə'ra:tʃi].
Katrine (Loch) ['kætrin(lɔk)].
Kendall ['kendl].
Kenilworth ['keni/wə:θ].
Kent [kent].
Kentucky [ken'tʌki].

Kerry ['keri].
Kesteven [kes'ti:vən].
Keswick ['kezik].
Kew [kju:].
Kildare [kil'dεə*].
Kilkenny [kil'keni].
Kilmarnock [kil'ma:nək].
Kimberley ['kimbəli].
Kincardine [kin'ka:din].
Kingston upon Hull ['kiŋstən əpɔn'hʌl].
Kinross [kin'rɔs].
Kirkcudbright [kə:'ku:bri].
Kirkwall ['kə:kwɔ:l].
Knoxville ['nɔksvil].
Kosciusko [,kɔzi'ʌskou].

Labrador ['læbrədɔ:*].
Lahore [lə'hɔ:*].
Lambeth ['læmbəθ].
Lanark ['lænək].
Lancashire ['læŋkəʃiə*].
Lancaster ['læŋkəstə*].
Land's End [,lændz'end].
Lansing ['lænsiŋ].
Launceston ['lɔ:nstən].
Leeds [li:dz].
Leicester ['lestə*].
Leicestershire ['lestəʃiə*].
Leinster ['lenstə*].
Lerwick ['lə:wik].
Lewes ['lu(:)is].
Lewis ['lu(:)is].
Leyton ['leitn].
Liffey ['lifi].
Limpopo [lim'poupou].
Lincoln(shire) ['liŋkən(ʃiə*)].
Lindisfarne ['lindisfa:n].
Lindsey ['lindzi].
Linlithgow [lin'liθgou].
Little Rock ['litl'rɔk].
Liverpool ['livəpu:l].
Llandudno [læn'didnou].
Lomond ['loumənd].
Londonderry [,lʌndən'deri].
Long Beach ['lɔŋ'bi:tʃ].
Longford ['lɔŋfəd].
Los Angeles [lɔs'ændʒili:z].
Lothian ['loudʒən].
Louisiana [lu(:),i:zi'ænə].
Louisville ['lu:ivil].
Louth [lauθ].

Lucknow ['lʌknau].
Ludlow ['lʌdlou].
Lusaka [lu:'sa:kə].
Luton ['lu:tn].

Mackenzie [mə'kenzi].
Madison ['mædisn].
Madras [mə'dra:s].
Mafeking ['mæfikiŋ].
Maidstone ['meidstən].

Maine [mein].
Malmesbury ['ma:mzbəri].
Malvern ['mɔ:lvə(:)n].
Man [mæn].
Manchester
Manitoba [,mæni'toubə].
March [ma:tʃ].
Marlborough ['mɔ:lbərə].
Maryland ['mεərilænd, amer. 'merilənd].
Massachusetts [,mæsə'tʃu:sets].
Mayo ['meiou].
Mbabane [mba:'ba:n].
Meath [mi:ð].
Medway ['medwei].
Melbourne ['melbən].
Melrose ['melrouz].
Memphis ['memfis].
Menai ['menai].
Merioneth(shire) [,meri'ɔniθ(ʃiə*)].
Mersey ['mə:zi].
Miami [mai'æmi].
Michigan ['miʃigən].
Middlesbrough ['midlzbrə].
Middlesex ['midlseks].
Midlothian [mid'loudʒən].
Midway ['midwei].
Milwaukee [mil'wɔ:ki(:)].
Minneapolis [,mini'æpəlis].
Minnesota [,mini'soutə].
Mississippi [,misi'sipi].
Missouri [mi'zuəri].
Mobile [mə'bi:l].
Moffat ['mɔfət].
Mold [mould].
Monaghan ['mɔnəhən].
Monmouth(shire) ['mʌnməθ(ʃiə)].
Montana [mɔn'tænə].
Montgomery(shire) [mən'gʌməri(ʃiə*)].
Montpelier [mɔnt'pi:ljə*].
Montreal [,mɔntri'ɔ:l].
Moray ['mʌri].
Morecambe ['mɔ:kəm].
Munster ['mʌnstə*].
Mysore [mai'sɔ:*].

Nairn [nεən].
Nairobi [,naiə'roubi].
Nantucket [næn'tʌkit].
Naseby ['neizbi].
Nashville ['næʃvil].
Nassau ['næsɔ:].
Natal [nə'tæl].
Neagh [nei].
Nebraska [ni'bræskə].
Nelson ['nelsn].

Nevada [ne'vɑːdə].
Newark ['njuː(ː)ək].
New Bedford
[njuː'bedfəd].
Newbury ['njuːbəri].
Newcastle ['njuːˌkɑːsl].
New Hampshire
[njuː'hæmpʃiə*].
New Haven [njuː(ː)'heivn].
New Jersey [njuː'dʒəːzi].
New Mexico
[njuː'meksikou].
New Orleans
[njuː'ɔːliənz].
Newport ['njuːpɔːt].
New York [njuː'jɔːk].
Norfolk ['nɔːfək].
Northallerton
[nɔː'θælətn].
Northampton(shire)
[nɔː'θæmptən(ʃiə)*].
Northanger [nɔː'θæŋgə*].
North Carolina
['nɔːθˌkærə'lainə].
North Dakota
['nɔːθdə'koutə].
Northumberland
[nɔː'θʌmbələnd].
Norwick ['nɔridʒ, amer.
'nɔːwitʃ].
Nottingham(shire)
['nɔtiŋəm(ʃiə*)].
Nyasa ['njæsə].
Nyasaland ['njæsəlænd].

Oakham ['oukəm].
Oakland ['ouklənd].
Offaly ['ɔfəli].
Ohio [ou'haiou].
Oklahoma
[ˌouklə'houmə].
Oklahoma City
[ˌouklə'houmə'siti].
Oldham ['ouldəm].
Olympia [ou'limpiə].
Omagh ['oumə].
Omaha ['ouməhɑː].
Onslow ['ɔnzlou].
Ontario [ɔn'tɛəriou].
Orange ['ɔrindʒ].
Oregon ['ɔrigən].
Orkney ['ɔːkni].
Otsego [ɔt'siːgou].
Ottawa ['ɔtəwə].
Ouse [uːz].
Oxford(shire)
['ɔksfed(ʃiə*)].

Paddington ['pædiŋtən].
Palomar ['pæləmɑː*].
Pasadena [ˌpæsə'diːnə].
Paterson ['pætəsn].
Peebles ['piːblz].
Pemba ['pembə].
Pembroke(shire)
['pembruk(ʃiə*)].

Pennine ['penain].
Pennsylvania
[ˌpensil'veinjə].
Penrith ['penriθ].
Penzance [pen'zæns].
Peoria [pi'ouriə].
Perth [pəːθ].
Peterborough ['piːtəbrə].
Phoenix ['fiːniks].
Pierre [piə*].
Pitlochry [pit'lɔkri].
Pittsburgh ['pitsbəːg].
Plymouth ['pliməθ].
Poona ['puːnə].
Portland ['pɔːtlənd].
Port Louis [pɔt'luː(ː)i(s)].
Portobello [ˌpɔːtou'belou].
Portsmouth ['pɔːtsməθ].
Potomac [pə'toumæk].
Presteign [pres'tiːn].
Preston ['prestən].
Pretoria [pri'tɔːriə].
Providence ['prɔvidəns].
Punjab [pʌn'dʒɑːb].
Purbeck ['pəːbek].

Quebec [kwi'bek].
Queensland
['kwiːnzlənd].

Radnor ['rædnə*].
Radnorshire ['rædnəʃiə*].
Raleigh ['rɔːli].
Rawalpindi [rɔːl'pindi].
Reading ['rediŋ].
Renfrew ['renfruː].
Rhode Island
[roud'ailənd].
Rhondda ['rɔndə].
Richmond ['ritʃmənd].
Rochester ['rɔtʃistə*].
Roscommon [rɔs'kɔmən].
Ross-Cromarty
[rɔs'krɔməti].
Rothesay ['rɔθsi].
Roxburgh(e) ['rɔksbərə].
Rutland(shire)
['rʌtlənd(ʃiə*)].
Rye [rai].

Sacramento
[ˌsækrə'mentou].
Salem ['seiləm].
Salford ['sɔːlfəd].
Salisbury ['sɔːlzbəri].
Salt Lake City
['sɔːlt'leik'siti].
San Antonio
[ˌsænæn'tounjou].
San Diego [ˌsændi'eigou].
Sandringham
['sændriŋəm].
San Francisco
[ˌsænfrən'siskou].
Santa Fé [ˌsæntə'fei].
Sarawak [sə'rɑːwək].

Saskatchewan
[səs'kætʃiwən].
Savannah [sə'vænə].
Scafell ['skɔː'fel].
Scarb(o)rough ['skɑːbrə].
Scilly ['sili].
Scranton ['skræntn].
Seattle [si'ætl].
Selkirk ['selkəːk].
Severn ['sevə(ː)n].
Shaftesbury ['ʃɑːftsbəri].
Shannon ['ʃænən].
Sheffield ['ʃefiːld].
Shetland ['ʃetlənd].
Shreveport ['ʃriːvpɔːt].
Shrewsbury ['ʃrouzbəri].
Shropshire ['ʃrɔpʃiə*].
Skiddaw ['skidɔː].
Skye [skai].
Sleaford ['sliːfəd].
Sligo ['slaigou].
Snowdon ['snoudn].
Solent ['soulənt].
Solway ['sɔlwei].
Somerset(shire)
['sʌməsit(ʃiə*)].
Somerville ['sʌməvil].
Southampton
[sauθ'æmptən].
South Bend ['sauθ'bend].
South Carolina
['sauθˌkærə'lainə].
South Dakota
['sauθdə'koutə].
Southend on Sea
['sauθendən'siː].
South Shields
['sauθ'ʃiːldz].
Spokane [spə'kæn].
Springfield ['spriŋfiːld].
Stafford(shire)
['stæfəd(ʃiə*)].
St. Albans [snt'ɔːlbənz].
St. Andrews
[snt'ændruːz].
St. George's
[snt'dʒɔːdʒiz].
St. Helens [snt'helinz].
St. John's [snt'dʒɔnz].
St. Lawrence [snt'lɔrəns].
St. Louis [snt'luis].
St. Paul [snt'pɔːl].
Stirling ['stəːliŋ].
Stockport ['stɔkpɔːt].
Stoke on Trent
['stoukən'trent].
Stonehaven [stoun'heivn].
Stranraer [stræn'rɑːə*].
Suffolk ['sʌfək].
Sunderland ['sʌndələnd].
Surrey ['sʌri].
Susquehanna
[ˌsʌskwə'hænə].
Sussex ['sʌsiks].
Sutherland ['sʌðələnd].
Suva ['suːvə].

Swansea ['swɔnzi].
Sydney ['sidni].

Tacoma [tə'koumə].
Tallahassee [ˌtælə'hæsi].
Tampa ['tæmpə].
Tarawa [tə'rɑːwə].
Taunton ['tɔːntən].
Tavistock ['tævistɔk].
Tay [tei].
Tees [tiːz].
Tennessee [ˌtene'siː].
Teviot ['tiːvjət].
Texas ['teksəs].
Toledo [tɔ'leidou].
Topeka [tou'piːkə].
Toronto [tə'rɔntou].
Tottenham ['tɔtnəm].
Trent [trent].
Trenton ['trentn].
Trossachs ['trɔsəks].
Tucson [tuː'sɔn].
Tulsa ['tʌlsə].
Tweed [twiːd].
Tweedsmuir
['twiːdzmjuə*].
Tyne [tain].
Tyrone [ti'roun].

Ullswater ['ʌlz,wɔːtə*].
Utah ['juːtɑː].
Utica ['juːtikə].
Uttar Pradesh
['utəprə'deiʃ].

Vaal [vɑːl].
Valletta [və'letə].
Vancouver [væn'kuːvə*].
Vermont [və'mɔnt].
Victoria [vik'tɔːriə].
Virginia [və'dʒinjə].

Wakefield ['weikfiːld].
Wallasey ['wɔləsi].
Walsall ['wɔːlsɔːl].
Walthamstow
['wɔːlθəmstou].
Wapping ['wɔpiŋ].
Warwick(shire)
['wɔrik(ʃiə*)].
Washington ['wɔʃiŋtən].
Waterbury ['wɔːtəbəri].
Waterford ['wɔːtəfəd].
Waverley ['weivəli].
Wellington ['weliŋtən].
Westmor(e)land
['wesrmələnd].
West Virginia
['westvədzinjə].
Wexford ['weksfəd].
Wichita ['witʃitɔː].
Wick [wik].
Wicklow ['wiklou].
Wight [wait].
Wigtown ['wigtən].
Willesden ['wilzdən].

Wilmington [ˈwilmiŋtən]. Witwatersrand Worcestershire York(shire) [ˈjɔːk(ʃie*)].
Wiltshire [ˈwiltˈʃiə*].   [witˈwɔːtəzrænd].   [ˈwustəʃiə*]. Yosemite [jouˈsemiti].
Wimbledon [ˈwimbldən]. Woburn [ˈwuːbəːn]. Wyoming [waiˈoumiŋ]. Youngstown [ˈjʌŋztaun].
Winchester [ˈwinʧistə*]. Wolverhampton Yukon [ˈjuːkɔn].
Windermere [ˈwindəmiə*].   [ˈwulvəˈhæmptən]. Yarmouth [ˈjaːməθ].
Winnipeg [ˈwinipeg]. Woolwich [ˈwuliʤ]. Yellowstone [ˈjeloustoun]. Zomba [ˈzɔmbə].
Wisconsin [wisˈkɔnsin]. Worcester [ˈwustə*]. Yonkers [ˈjɔŋkəz]. Zululand [ˈzuːlu(ː)lænd].

Cognomi

Babington [ˈbæbiŋtən]. Bentinck [ˈbentiŋk]. Bradford [ˈbrædfəd].
Baden-Powell Bentley [ˈbentli]. Bradlaugh [ˈbrædlɔː].
Abbott [ˈæbət].   [ˈbeidnˈpouel]. Beresford [ˈberizfəd]. Bradley [ˈbrædli].
Abercrombie Bagehot [ˈbædʒət]. Bering [ˈberiŋ]. Bradshaw [ˈbrædʃɔː].
  [ˈæbəkrʌmbi]. Bailey [ˈbeili]. Berkeley Bradstreet [ˈbrædstriːt].
Acheson [ˈæʧiʃon]. Baillie [ˈbeili].   [ˈbaːkli, amer. ˈbəːkli]. Bragg [bræg].
Acton [ˈæktən]. Baker [ˈbeikə*]. Berners [ˈbəːnəz]. Brailsford [ˈbreilsfəd].
Adams [ˈædəmz]. Balch [bɔːltʃ]. Besant [ˈbəsənt]. Braun [brɔːn].
Addison [ˈædisn]. Baldwin [ˈbɔːldwin]. Bessborough [ˈbezbrə]. Brawne [brɔːn].
Aiken [ˈeikin]. Balfour [ˈbælfuə*]. Betterton [ˈbetətən]. Bridges [ˈbridʒiz].
Ainsworth [ˈeinzwəːθ]. Ballantyne [ˈbæləntain]. Bevan [ˈbevən]. Bridg(e)water
Akenside [ˈeikinsaid]. Bal(l)iol [ˈbeiljɔl]. Beveridge [ˈbevəridʒ].   [ˈbridʒwɔːtə*].
Albemarle [ˈælbimaːl]. Bancroft [ˈbænkrɔft]. Bevin [ˈbevin]. Briggs [brigz].
Alcock [ˈælkɔk]. Barbour [ˈbaːbə*]. Bickerstaff [ˈbikəstaːf]. Brinsley [ˈbrinzli].
Alcott [ˈɔːlkət]. Barclay [ˈbaːkli]. Biddle [ˈbidl]. Britten [ˈbritn].
Aldington [ˈɔːldiŋtən]. Baring [ˈbeəriŋ]. Bierce [biəs]. Brixton [ˈbrikstən].
Aldrich [ˈɔːldritʃ]. Barker [ˈbaːkə*]. Bigelow [ˈbigilou]. Brome [bruːm].
Allein(e) [ˈælin]. Barlow [ˈbaːlou]. Billings [ˈbiliŋz]. Bromfield [ˈbrɔmfiːld].
Allen [ˈælin]. Barnes [baːnz]. Binyon [ˈbinjən]. Brontë [ˈbrɔnti].
Allenby [ˈælənbi]. Barnfield [ˈbaːnfiːld]. Birkbeck [ˈbəːkbek]. Brook(e) [bruk].
Alleyn [ˈælin]. Barnum [ˈbaːnəm]. Birrell [ˈbirəl]. Brooks [bruks].
Allingham [ˈæliŋəm]. Barrett [ˈbærət]. Blackmore [ˈblaækmɔː*]. Brougham [brum].
Allsop(p) [ˈɔːlsəp]. Barrie [ˈbæri]. Blackwell [ˈblækwəl]. Broughton [ˈbrautn].
Althorp [ˈɔːlθɔːp]. Barrow [ˈbærou]. Blackwood [ˈblækwud]. Brown(e) [braun].
Amery [ˈeiməri]. Barrymore [ˈbærimɔː*]. Blaine [blein]. Browning [ˈbrauniŋ].
Amory [ˈeiməri]. Bartlett [ˈbaːtlit]. Blair [blɛə*]. Bruce [bruːs].
Ampthill [ˈæmptʰil]. Barton [ˈbaːtn]. Blake [bleik]. Bryant [ˈbraiənt].
Anderson [ˈændəsn]. Baruch [bəˈruːk]. Bligh [blai]. Bryce [brais].
Andrade [ˈændreid]. Baskervill(e) [ˈbæskəvill]. Blo(o)mfield Buchan [ˈbʌkən].
Andrew(e)s [ˈændruːz]. Basset(t) [ˈbæsit].   [ˈbluːmfiːld]. Buchanan [bju(ː)ˈkænən].
Anstey [ˈænsti]. Bates [beits]. Blount [blʌnt]. Buck [bʌk].
Appleby [ˈæplbi]. Bathurst [ˈbæθə(ː)st]. Blunden [blʌndn]. Buckle [ˈbʌkl].
Appleton [ˈæpltən]. Baxter [ˈbækstə*]. Blunt [blʌnt]. Buckley [ˈbʌkli].
Aram [ˈɛərəm]. Beaconsfield Boas [ˈbouæz]. Buell [ˈbjuːəl].
Arbuthnot(t) [aːˈbʌθnət].   [ˈbiːkənzfiːld]. Bodley [ˈbɔdli]. Buick [ˈbju(ː)k].
Archer [ˈaːtʃə*]. Beardsley [ˈbiədzli]. Bolingbroke [ˈbɔliŋbruk]. Bullough [ˈbulou].
Arkwright [ˈaːkrait]. Beattie [ˈbiːti]. Bolinger [ˈboulindʒə*]. Bulwer [ˈbulwə*].
Armitage [ˈaːmitidʒ]. Beauchamp [ˈbiːtʃəm]. Bollinger [ˈbɔlindʒe*]. Bunyan [ˈbʌnjən].
Armstrong [ˈaːmstrɔŋ]. Beaufort [ˈboufət]. Bonar [ˈbɔnə*]. Burbage [ˈbəːbidʒ].
Arnold [aːnld]. Beaumont [ˈboumənt]. Boone [buːn]. Burdett Coutts
Arrowsmith [ˈærousmiθ]. Beauregard [ˈbourəgaːd]. Boots [buːts].   [ˈbəːdetˈkuːts].
Arundel(l) [ˈærəndl]. Beaverbrook Borrow [ˈbɔrou]. Burgess [ˈbəːdʒis].
Asbury [ˈæzbəri].   [ˈbiːvəbruk]. Boswell [ˈbɔzwəl]. Burgh [bəːg, ˈbʌrə].
Ascham [ˈæskəm]. Becket(t) [ˈbekit]. Bosworth [ˈbɔzwə(ː)θ]. Burghley [ˈbəːli].
Asquith [ˈæskwiθ]. Beckford [ˈbekfəd]. Bothwell [ˈbɔθwəl]. Burgoyne [ˈbəːgɔin].
Astor [ˈæstə*]. Beddoes [ˈbedouz]. Bourne [buən]. Burke [bəːk].
Atkins [ˈætkinz]. Beecham [ˈbiːtʃəm]. Bowater [ˈbouˌwɔːtə*]. Burleigh [ˈbəːli].
Atkinson [ˈætkinsn]. Beerbohm [ˈbiəboum]. Bowden [ˈboudn]. Burlington [ˈbəːliŋtən].
Attlee [ˈætli]. Behn [bein]. Bowdler [ˈbaudlə*]. Burnaby [ˈbəːnəbi].
Auchinleck [ˈɔːkinˈlek]. Behrman [ˈbeəmən]. Bowen [ˈbouin]. Burne-Jones
Auden [ˈɔːdn]. Bell [bel]. Bowes [bouz].   [ˈbəːnˈdʒounz].
Austen [ˈɔstin]. Bellamy [ˈbeləmi]. Bowes-Lyon Burnet [ˈbəːnit].
Austin [ˈɔstin]. Belloc [beˈlɔk].   [ˈbouzˈlaiən]. Burney [ˈbəːni].
Avebury [ˈeivbəri]. Benét [beˈnei]. Bowra [ˈbaurə]. Burns [bəːnz].
Aylmer [ˈeilmə*]. Bennet(t) [ˈbenit]. Bowring [ˈbauriŋ]. Burnside [ˈbəːnsaid].
Benson [ˈbensn]. Boyd [bɔid]. Burroughs [ˈbʌrouz].
Babbitt [ˈbæbit]. Bentham [ˈbentəm]. Boyle [bɔil]. Burton [ˈbəːtn].

Bury ['beri].
Butler ['bʌtlə*].
Butterick ['bʌtərik].
Buxton ['bʌkstən].
Byrd [bɔːd].
Byrom ['baiərəm].
Byron ['baiərən].

Cabell ['kæbəl].
Cable ['keibl].
Cabot ['kæbət].
Cadillac ['kædilæk].
Cadogan [kə'dʌgən].
Caird [kɛəd].
Calder ['kɔːldə*].
Caldwell ['kɔːldwəl].
Calhoun [kæl'houn].
Callaghan ['kæləhən].
Calvert ['kælvə(ː)t].
Camden ['kæmdən].
Campbell ['kæmbl].
Campion ['kæmpjən].
Canning ['kæniŋ].
Carew [kə'ruː].
Carey ['kɛəri].
Carl(e)ton ['kaːltən].
Carlyle [kaː'lail].
Carmichael [kaː'maikəl].
Carnegie [kaː'negi].
Carpenter ['kaːpintə*].
Carrington ['kæriŋtən].
Carroll ['kærəl].
Carson ['kaːsn].
Carteret ['kaːtərət].
Cassel(l) ['kæsl].
Castlereagh ['kaːslrei].
Cather ['kæðə*].
Cavendish ['kævəndiʃ].
Caxton ['kækstən].
Chadwick ['tʃædwik].
Chamberlain
    ['tʃeimbəlin].
Chambers ['tʃeimbəz].
Chandler ['tʃaː.ndlə*].
Channing ['tʃæniŋ].
Chantrey ['tʃaː.ntri].
Chaplin ['tʃæplin].
Chapman ['tʃæpmən].
Chappell ['tʃæpəl].
Charrington ['tʃæriŋtən].
Chase [tʃeis].
Chatham ['tʃætəm].
Chatterton ['tʃætətn].
Chatto ['tʃætou].
Chaucer ['tʃɔːsə*].
Cheke [tʃiːk].
Chesterfield ['tʃestəfiːld].
Chesterton ['tʃestətən].
Chettle ['tʃetl].
Cheyne ['tʃeini].
Chillingworth
    ['tʃiliŋwəːθ].
Chorley ['tʃɔːli].
Chrysler ['kraizlə*].
Church [tʃəːtʃ].
Churchill ['tʃəːtʃil].

Churchyard ['tʃəːtʃəd].
Chuzzlewit ['tʃʌzlwit].
Cibber ['sibə*].
Clare [klɛə*].
Claridge ['klærridʒ].
Clark(e) [klaːk].
Claverhouse
    ['kleivəhaus].
Clay [klei].
Clemens ['klemənz].
Clifford ['klifəd].
Clinton ['klintən].
Clive [klaiv].
Clough [klʌf].
Cobb(e) [kɔb].
Cobbett ['kɔbit].
Cobden ['kɔbdən].
Cody ['koudi].
Cohen ['kouin].
Coke [kouk].
Cole [koul].
Col(e)man ['koulmən].
Coleridge ['koulridʒ].
Collier ['kɔliə*].
Collins ['kɔlinz].
Colman ['koulmən].
Colquhoun [kə'huːn].
Combe [kuːm].
Compton ['kʌmptən].
Conant ['kɔnənt].
Congreve ['kɔŋgriːv].
Conrad ['kɔnræd].
Constable ['kʌnstəbl].
Conway ['kɔnwei].
Cook(e) [kuk].
Coolidge ['kuːlidʒ].
Cooper ['kuːpə*].
Cop(e)land
    ['kouplənd].
Cornell [kɔː'nel].
Cornwallis [kɔːn'wɔlis].
Coryate ['kɔriət].
Cotton ['kɔtn].
Coverdale ['kʌvədeil].
Coward ['kauəd].
Cowley ['kauli].
Cowper ['kuːpə*].
Cox [kɔks].
Crabb(e) [kræb].
Craigavon [kreig'ævən].
Crane [krein].
Cranford ['krænfəd].
Cranmer ['krænmə*].
Crashaw ['kræʃɔː].
Crawford ['krɔːfəd].
Creighton ['kraitn].
Crichton ['kraitn].
Crockett ['krɔkit].
Croker ['kroukə*].
Cromwell ['krɔmwəl].
Cronin ['krounin].
Cruickshank
    ['krukʃæŋk].
Crusoe ['kruːsou].
Cudworth ['kʌdwə(ː)θ].
Cummings ['kʌmiŋz].

Cunningham ['kʌniŋəm].
Curtis ['kəːtis].
Curzon ['kəːzn].
Custer ['kʌstə*].

Daimler ['deimlə*].
Dale [deil].
Dalrymple [dæl'rimpl].
Dalton ['dɔːltən].
Daniel ['dænjəl].
D'Arcy, Darcy ['daːsi].
Darnley ['daːnli].
Darwin ['daːwin].
Davenant ['dævinənt].
Davenport ['dævnpɔːt].
Davidson ['deividsn].
Davies ['deivis].
Davis ['deivis].
Day [dei].
Dayton ['deitn].
De Bourgh, De Burgh
    [də'bəːg].
Defoe [də'fou].
Dekker ['dekə*].
De la Mare [,delə'mɛə].
Delany [də'leini].
De Morgan [də'mɔːgən].
Denham ['denəm].
Dennis ['denis].
De Quincey [də'kwinsi].
Deronda [də'rɔndə].
de Selincourt
    [də'selinkɔːt].
De Valera [devə'lɛərə].
De Vere [də'viə*].
Devereux ['devəruː].
Dewey ['djuː)i].
Dickens ['dikinz].
Dickinson ['dikinsn].
Digby ['digbi].
Dilke(s) ['dilk(s)].
Dillon ['dilən].
Disney ['dizni].
Disraeli [diz'reili].
Dix [diks].
Dixon ['diksn].
Dobell [dou'bel].
Dobson ['dɔbsn].
Doddrige ['dɔdridʒ].
Dodge [dɔdʒ].
Dodgson ['dɔdʒsn].
Dombey ['dɔmbi].
Donald(son) ['dɔnld(sn).
Donne [dʌn].
Doolittle ['duːlitl].
Dos Passos [dɔs'pæsəs].
Doughty ['dauti].
Douglas ['dʌgləs].
Dowden ['daudn].
Dowland ['daulənd].
Dowson ['dausn].
Doyle [dɔil].
Drake [dreik].
Drayton ['dreitn].
Dreiser ['draizə*].
Drew [druː].

Dreyfus ['dreifəs].
Drinkwater
    ['driŋk,wɔːtə*].
Drummond ['drʌmənd].
Dryden ['draidn].
Duchesne [djuː'ʃein].
Duckworth ['dʌkwəːθ].
Duff [dʌf].
Duffy ['dʌfi].
Dulles ['dʌlis].
Du Maurier [dju(ː)'mɔriei].
Dunbar ['dʌnbaː*].
Dundas [dʌn'dæs].
Dunsany [dʌn'seini].
Dupont, Du Pont
    ['djuːpɔnt].
Dwight [dwait].
Dyce [dais].
Dyer ['dai-ə*].

Earle [əːl].
Eastman ['iːstmən].
Eaton ['iːtn].
Eccles ['eklz].
Eddington ['edintən].
Eden ['iːdn].
Edgeworth ['edʒwəːθ].
Edison ['edisn].
Edward(e)s ['edwədz].
Eggleston ['eglstən].
Einstein ['ainstain].
Eisenhower
    ['aizn,hauə*].
Elgar ['elgə*].
El(l)iot(t) ['eiljət].
Ellwood ['elwud].
Ellis ['elis].
Elyot ['eljət].
Emerson ['eməsn].
Erskine ['əːskin].
Etherege ['eθəridʒ].
Evans ['evənz].
Everett ['evərit].

Faber ['feibə*].
Fagin ['feigin].
Fahrenheit ['færənhait].
Fairclough ['fɛə'klʌf].
Fairfax ['fɛə'fæks].
Fairle(i)gh ['fɛəli].
Falkenbridge
    ['fɔːkənbridʒ].
Falstaff ['fɔːlstaːf].
Fanshawe ['fænʃɔː].
Faraday ['færədi].
Farjeon ['faːdʒən].
Farquhar ['faːkwə*].
Farrell ['færəl].
Faulkes [fɔːks].
Faulks [fouks].
Faulkner ['fɔːknə*].
Fawcett ['fɔːsit].
Fawkes [fɔːks].
Featherston(e)
    ['feðəstən].
Fenton ['fentən].

Fergus(s)on [ˈfəːgəsn].
Ferrier [ˈferiə*].
Field [fiːld].
Fielding [ˈfiːldiŋ].
Finlay [ˈfinlei].
Finn [fin].
Fisher [ˈfiʃə*].
Fitzgerald [fitsˈdʒerəld].
Fitzherbert [fitsˈhəːbət].
Fitzjames [fitsˈdʒeimz].
Fitzpatrick [fitsˈpætrik].
Fitzroy [fitsˈrɔi].
Flaherty [ˈfleəti].
Flanagan [ˈflænəgən].
Flaxman [ˈflæksmən].
Flecker [ˈflekə*].
Fleming [ˈflemiŋ].
Fletcher [ˈfletʃə*].
Flint [flint].
Florio [ˈflɔːriou].
Foerster [ˈfəːstə*].
Foote [fut].
Forbes [fɔːbz].
Ford [fɔːd].
Forester [ˈfɔristə*].
Forster [ˈfɔːstə*].
Forsyte [ˈfɔːsait].
Forsyth [fɔːˈsaiθ].
Fortescue [ˈfɔːtiskjuː].
Foster [ˈfɔstə*].
Fowler [ˈfaulə*].
Fowles [faulz].
Fox(e) [fɔks].
Foyle [fɔil].
Franklin [ˈfræŋklin].
Fraser [ˈfreizə*].
Freeman [ˈfriːmən].
Fremantle [ˈfriːmæntl].
Frémont [ˈfriːmɔnt].
Freneau [friˈnou].
Frere [friə*].
Frost [frɔst].
Froude [fruːd].
Fry(e) [frai].
Fuller [ˈfulə*].
Fulton [ˈfultən].
Fyfield [ˈfaifiːld].

Gadsby [ˈgædzbi].
Gage [geidʒ].
Gager [ˈgeidʒə*].
Gainsborough [ˈgeinzbərə].
Gaitskell [ˈgeitskəl].
Gallup [ˈgæləp].
Galsworthy [ˈgɔːlzwəːði].
Galt [gɔːlt].
Gandhi [ˈgændiː].
Gard(i)ner [ˈgaːdnə*].
Garland [ˈgaːlənd].
Garner [ˈgaːnə*].
Garnet(t) [ˈgaːnit].
Garrick [ˈgærik].
Garth [gaːθ].
Gascoigne [ˈgæskɔin].

Gascoyne [ˈgæskɔin].
Gaskell [ˈgæskəl].
Gates [geits].
Gatling [ˈgætliŋ].
Gauden [ˈgɔːdn].
Gaunt [gɔːnt].
Gay [gei].
Geddes [ˈgedis].
Geiger [ˈgaigə*].
Geikie [ˈgiːki].
George [dʒɔːdʒ].
Gerould [ˈdʒerəld].
Gershwin [ˈgəːʃwin].
Gibbon(s) [ˈgibən(z)].
Gibbs [gibz].
Gibson [ˈgibsn].
Gielgud [ˈgilgud].
Gifford [ˈgifəd].
Gilder [ˈgildə*].
Gillette [dʒiˈlet].
Gil(l)man [ˈgilmən].
Gilpin [ˈgilpin].
Gissing [ˈgisin].
Gladstone [ˈglædstən].
Glanvill [ˈglænvil].
Glover [ˈglʌvə*].
Glyn [glin].
Goddard [ˈgɔdəd].
Godolphin [gəˈdɔlfin].
Godwin [ˈgɔdwin].
Gogarty [ˈgougəti].
Golding [ˈgouldiŋ].
Goldsmith [ˈgouldsmiθ].
Gollancz [gəˈlænts].
Gooch [guːtʃ].
Googe [gudʒ].
Gosson [ˈgɔsn].
Gough [gɔf].
Gower [ˈgauə*].
Grafton [ˈgraːftən].
Graham(e) [ˈgreiəm].
Grainger [ˈgreindʒə*].
Grand [grænd].
Grandison [ˈgrændisn].
Grant [graːnt].
Granville [ˈgrænvil].
Graves [greivz].
Gray [grei].
Green(e) [griːn].
Greensleeves [ˈgriːnˌsliːvz].
Gregory [ˈgregəri].
Gresham [ˈgreʃəm].
Grey [grei].
Grierson [ˈgriəsn].
Griffin [ˈgrifin].
Grimes [graimz].
Grocyn [ˈgrousin].
Grosvenor [ˈgrouvnə*].
Guedalla [gwiˈdælə].
Guggenheim [ˈgugənhaim].
Guildenstern [ˈgildənstəːn].
Guinness [ˈginis].
Gwyn(ne) [gwin].

Habington [hˈæbiŋtən].
Hadley [ˈhædli].
Haggard [ˈhægəd].
Haig(h) [heig].
Hakluyt [ˈhækluːt].
Haldane [ˈhɔːldein].
Hales [heilz].
Hall [hɔːl].
Hallam [ˈhæləm].
Halleck [ˈhælək].
Hamilton [ˈhæmiltən].
Hammond [ˈhæmənd].
Hannay [ˈhænei].
Harcourt [ˈhaːkət].
Harding(e) [ˈhaːdiŋ].
Hardy [ˈhaːdi].
Harewood [ˈhɛəwud].
Hargreaves [ˈhaːgriːvz].
Harlow(e) [ˈhaːlou].
Harnack [ˈhaːnæk].
Harper [ˈhaːpə*].
Harrap [ˈhærəp].
Har(r)ington [ˈhæriŋtən].
Harris [ˈhæris].
Harrison [ˈhærisn].
Harrow [ˈhærou].
Hart(e) [haːt].
Hartley [ˈhaːtli].
Harvey [ˈhaːvi].
Haslett [ˈheizlit].
Haughton [ˈhɔːtn].
Havelo(c)k [ˈhævlɔk].
Hawes [hɔːz].
Hawkesworth [ˈhɔːkswəθ].
Hawkins [ˈhɔːkinz].
Hawkwood [ˈhɔːkwud].
Hawthorne [ˈhɔːθɔːn].
Hay [hei].
Haydn [ˈhaidn].
Haydon [ˈheidn].
Hayes [heiz].
Haynes [heinz].
Hazlitt [ˈhæzlit].
Heal(e)y [ˈhiːli].
Hearn(e) [həːn].
Hearst [haːst].
Heathfield [ˈhiːθfiːld].
Heinemann [ˈhainəmən].
Hemingway [ˈheminwei].
Henderson [ˈhendəsn].
Henryson [ˈhenrisn].
Henslowe [ˈhenzlou].
Hepburn [ˈhebə(ː)n].
Herbert [ˈhəːbət].
Herrick [ˈherik].
Herschel(l) [ˈhəːʃəl].
Hervey [ˈhaːvi].
Hewlett [ˈhjuːlit].
Heywood [ˈheiwud].
Hichens [ˈhitʃinz].
Higgins [ˈhiginz].
Hill [hil].
Hilliard [ˈhiliəd].
Hillman [ˈhilmæn].
Hillyard [ˈhiljəd].

Hilton [ˈhiltn].
Hitchcock [ˈhitʃkɔk].
Hoare [hɔː*].
Hobbes [hɔbz].
Hobhouse [ˈhɔbhaus].
Hoby [ˈhoubi].
Hoccleve [ˈhɔkliːv].
Hogarth [ˈhougaːθ].
Hogg [hɔg].
Holcroft [ˈhoulkrɔft].
Holinshed [ˈhɔlinʃed].
Holland [ˈhɔlənd].
Holmes [houmz].
Home [houm, hjuːm].
Hood [hud].
Hook [huk].
Hooker [ˈhukə*].
Hoover [ˈhuːvə*].
Hope [houp].
Hopkins [ˈhɔpkinz].
Horne [hɔːn].
Horton [ˈhɔːtn].
Hough [hʌf].
Houghton [ˈhɔːtn].
Housman [ˈhausmən].
Houston [ˈhuːstən].
Howard [ˈhauəd].
Howe [hau].
Howells [ˈhauəlz].
Hubbard [ˈhʌbəd].
Hughes [hjuːz].
Hull [hʌl].
Hume [hjuːm].
Hunt [hʌnt].
Hunter [ˈhʌntə*].
Hurd [həːd].
Hutcheson [ˈhʌtʃisn].
Hutchinson [ˈhʌtʃinsn].
Hutton [ˈhʌtn].
Huxley [ˈhʌksli].
Hyde [haid].

Ingoldsby [ˈiŋgəldzbi].
Irving [ˈəːviŋ].
Irwin [ˈəːwin].
Isaacs [ˈaizəks].
Isherwood [ˈiʃə(ː)wud].

Jackson [ˈdʒæksn].
Jacob(s) [ˈdʒeikəb(z)].
James [dʒeimz].
Jameson [ˈdʒimsn].
Jansen [ˈdʒænsn].
Jefferies [ˈdʒefriz].
Jeffers [ˈdʒefəz].
Jefferson [ˈdʒefəsn].
Jekyll [ˈdʒiːkil].
Jenner [ˈdʒenə*].
Jerome [dʒəˈroum].
Johnson [ˈdʒɔnsn].
Johnston [ˈdʒɔnstən].
Jones [dʒounz].
Jonson [ˈdʒɔnsn].
Jowett [ˈdʒauit].
Jowitt [ˈdʒauit].
Joyce [dʒɔis].

Kay [kei].
Kean [ki:n].
Keats [ki:ts].
Keble ['ki:bl].
Keith [ki:θ].
Kellogg ['kelɔg].
Kemble ['kembl].
Kennan ['kenən].
Kennedy ['kenidi].
Key [ki:].
Keyes [ki:z].
Keynes [keinz].
Kidd [kid].
Killigrew ['kiligru:].
Kinglake ['kiŋleik].
Kingsley ['kinzli].
Kipling ['kipliŋ].
Kirkpatrick [kə:k'pætrik].
Kneller ['nelə*].
Knickerbocker ['nikəbɔkə*].
Knox [nɔks].
Kronin ['krounin].
Kyd [kid].

Lafayette [,la:fai'et].
Landor ['lændɔ:*].
Lang [læŋ].
Langland ['læŋlənd].
Langton ['læŋtən].
Lansdowne ['lænzdaun].
Lascelles ['læsəlz].
Latimer ['lætimə*].
Laughton ['lɔ:tn].
Law [lɔ:].
Lawrence ['lɔrəns].
Lecky ['leki].
Lee [li:].
Legge [leg].
Legros [lə'grou].
Lehmann ['leimən].
Leigh [li:].
Leighton ['leitn].
Lely ['li:li].
Len(n)ox ['lenəks].
L'Estrange [ləs'treindʒ].
Lever ['li:və*].
Leverhulme ['li:vəhju:m].
Leveson ['livisn].
Leveson-Gower
    ['lu:sn'gɔ:*].
Levy ['li:vi].
Lewes ['lu(:)is].
Lewis ['lu(:)is].
Liddel ['lidl].
Liebig ['li:big].
Linacre ['linəkə*].
Lincoln ['liŋkən].
Lindsay ['lindzi].
Linklater ['liŋk,leitə*].
Lipton ['liptən].
Littleton ['litltən].
Livingston(e) ['liviŋstən].
Lloyd [lɔid].
Locke [lɔk].
Lockhart ['lɔkət].

Locksley ['lɔksli].
Lodge [lɔdʒ].
London ['lʌndən].
Longfellow ['lɔŋ,felou].
Longman ['lɔŋmən].
Longstreet ['lɔŋ,stri:t].
Lonsdale ['lɔnzdeil].
Lough [lʌf].
Loughborough ['lʌfbərə].
Loughton ['lautn].
Lovat ['lʌvət].
Lovelace ['lʌvleis].
Lowell ['louəl].
Lowes [louz].
Lubbock ['lʌbək].
Lundy ['lʌndi].
Lydgate ['lidgeit].
Lyly ['lili].
Lynch [lintʃ].
Lyndsay ['lindzi].
Lyons ['laiənz].
Lytton ['litn].

MacArthur [mə'ka:θə*].
Macaulay [mə'kɔ:li].
McCallum [mə'kæləm].
M'Carthy [mə'ka:θi].
McCormack [mə'kɔ:mək].
Macdonald [mək'dɔnəld].
MacDuff [mək'dʌf].
MacFarlane [mək'fa:lin].
Macintosh ['mækintɔʃ].
Mackay [mə'kai].
Mackaye [mə'kai].
McKenna [mə'kenə].
Mackenzie [mə'kenzi].
McKinley [mə'kinli].
Mackintosh ['mækintɔʃ].
Macleane [mə'klein].
MacLeish [mə'kli:ʃ].
Macleod [mə'klaud].
MacManus [mək'mænəs].
Macmillan [mək'milən].
Macmorran [mək'mɔrən].
MacNeice [mək'ni:s].
MacPherson [mək'fə:sn].
Macready [mə'kri:di].
Madison ['mædisn].
Malan ['mælən].
Mal(l)ory ['mæləri].
Malthus ['mælθəs].
Mandeville ['mændəvil].
Manley ['mænli].
Manning ['mæniŋ].
Mansfield ['mænsfi:ld].
Map [mæp].
Markham ['ma:kəm].
Marlow(e) ['ma:lou].
Marquand ['ma:kwənd].
Marryat ['mæriət].
Marshall ['ma:ʃəl].
Marston ['ma:stən].
Martineau ['ma:tinou].
Masefield ['meisfi:ld].
Mason ['meisn].
Massinger ['mæsindʒə*].

Masters ['ma:stəz].
Mather ['meiðə*].
Ma(t)thews ['mæθju:z].
Matthiessen ['mæθisn].
Maturin ['mætjurin].
Maugham [mo:m].
Maxwell ['mækswəl].
Meade [mi:d].
Melville ['melvil].
Mencken ['meŋkən].
Menzies ['menziz].
Meredith ['merədiθ].
Meres [miəz].
Mer(r)ivale ['meriveil].
Merton ['mə:tn].
Methuen ['meθjuin].
Meyer ['maiə*].
Meynell ['menl].
Micawber [mi'kɔ:bə*].
Middleton ['midltən].
Milford ['milfəd].
Millais ['milei].
Millay [mi'lei].
Miller ['milə*].
Mills [milz].
Milne [miln].
Milton ['miltən].
Minot ['mainət].
Minto ['mintou].
Mitchell ['mitʃəl].
Mitford ['mitfəd].
Monro(e) [mən'rou].
Montagu ['mɔntəgju:].
Montaigne [mɔn'tein].
Moody ['mu:di].
Moore [muə*].
Moran ['mɔ:rən].
More [mɔ:*].
Morgan ['mɔ:gən].
Morison ['mɔrisn].
Morrel ['mʌrəl].
Morris ['mɔris].
Morton ['mɔ:tn].
Motley ['mɔtli].
Mountbatten
    [maunt'bætn].
Muir [mjuə*].
Muirhead ['mjuəhed].
Munday ['mʌndi].
Munro [mʌn'rou].
Murphy ['mə:fi].
Murr(a)y ['mʌri].
Myers ['maiəz].

Napier ['neipiə*].
Nash [næʃ].
Nelson ['nelsn].
Newbolt ['nju:boult].
Newman ['nju:mən].
Newton ['nju:tn].
Nichols ['nikəlz].
Nicholson ['nikəlsn].
Nickleby ['niklbi].
Nicolls ['nikəlz].
Nicolson ['nikəlsn].
Nixon ['niksn].

Norris ['nɔris].
Norton ['nɔ:tn].
Noyes [nɔiz].
Nye [nai].

O' Brien [ou'braiən].
O' Callaghan
    [ou'kæləhən].
O' Casey [ou'keisi].
Occam ['ɔkəm].
Occleve ['ɔkli:v].
O' Connell [ou'kɔnl].
O' Con(n)or [ou'kɔnə*].
O' Donnell [ou'dɔnl].
O' Flaherty [ou'flεəti].
Oglivle ['ouglvi].
O' Hara [ou'ha:rə].
O' Kelly [ou'keli].
Oldham ['ouldəm].
O' Neil(l) [ou'ni:l].
Orczy ['ɔ:ksi].
Orwell ['ɔ:wəl].
Osborn(e) ['ɔzbən].
O' Sullivan [ousʌlivən].
Otis ['outis].
Otway ['ɔtwei].
Overbury ['ouvəbəri].

Packard ['pæka:d].
Paget ['pædʒit].
Pain(e) [pein].
Painter ['pintə*].
Palgrave ['pɔ:lgreiv].
Palmer ['pa:mə*].
Palmerston(e)
    ['pa:məstən].
Palsgrave ['pɔ:lzgreiv].
Pankhurst ['pæŋkhə:st].
Parker ['pa:kə*].
Parkinson ['pa:kinsn].
Parnell [pa:'nel].
Parsons ['pa:snz].
Paston ['pæstən].
Pater ['peitə*].
Pat(t)erson ['pætəsn].
Patmore ['pæmɔ:*].
Peabody ['pi:,bɔdi].
Peacock ['pi:kɔk].
Pears [piəz].
Pearson ['piəsn].
Peel(e) [pi:l].
Penn [pen].
Pepys [pi:ps].
Perkins ['pə:kinz].
Pershing ['pə:ʃiŋ].
Peters ['pi:təz].
Pettie ['piti].
Phelps [felps].
Philips ['filips].
Philpotts ['filpɔts].
Phipps [fips].
Pickering ['pikəriŋ].
Pickford ['pikfəd].
Pickwick ['pikwik].
Pierce [piəs].
Pinero [pi'niərou].

Pitman ['pitmən].
Pitt [pit].
Plunket(t) ['plʌŋkit].
Poe [pou].
Polk [pouk].
Pollard ['pɔləd].
Pollock ['pɔlək].
Pomfret ['pʌmfrit].
Ponsonby ['pʌnsnbi].
Poole [pu:l].
Pope [poup].
Pound [paund].
Powell ['pouel].
Praed [preid].
Pratt [præt].
Price [prais].
Priestley ['pri:stli].
Pringle ['pringl].
Prior ['praiə*].
Pritchard ['pritʃəd].
Procter ['prɔktə*].
Prowse [praus].
Prynne [prin].
Pugin ['pju:dʒin].
Pulitzer ['pulitsə*].
Pullman ['pulmən].
Purcell ['pə:sl].
Pusey ['pju:zi].
Putnam ['pʌtnəm].

Quiller-Couch
['kwilə'ku:tʃ].
Quinault ['kwinlt].
Quinc(e)y ['kwinsi].

Radcliffe ['rædklif].
Raeburn ['reibə:n].
Rale(i)gh ['rɔ:li].
Ramsay ['ræmzi].
Ramsey ['ræmzi].
Rank [ræŋk].
Ransom(e) ['rænsəm].
Rathbone ['ræθboun].
Rawlings ['rɔ:liŋz].
Rawlinson ['rɔ:linsn].
Read(e) [ri:d].
Reading ['rediŋ].
Reed [ri:d].
Rees(e) [ri:s].
Reeve [ri:v].
Reid [ri:d].
Remington ['remintən].
Reynolds ['renldz].
Rhodes [roudz].
Ricardo [ri'ka:dou].
Rice [rais].
Rich [ritʃ].
Richardson ['ritʃədsn].
Ridgway ['ridʒwei].
Riley ['raili].
Roberts ['rɔbəts].
Robertson ['rɔbətsn].
Robins ['rɔbinz].
Robinson ['rɔbisn].
Rockefeller ['rɔkifelə*].
Rockingham ['rɔkiŋəm].

Rodgers ['rɔdʒəz].
Rogers ['rɔdʒəz].
Rolle [roul].
Romney ['rɔmni].
Roosevelt ['rouzəvelt].
Roper ['roupə*].
Roscoe ['rɔskou].
Ross [rɔs].
Rossetti [rɔ'seti].
Rothermere ['rɔðəmiə*].
Rothschild ['rɔθtʃaild].
Routledge ['rautlidʒ].
Rowe [rou].
Rowley ['rouli].
Rowse [raus].
Rush [rʌʃ].
Ruskin ['rʌskin].
Russell ['rʌsl].
Rutherford ['rʌðəfəd].
Ryan ['raiən].
Rymer ['raimə*].

Sacheverell [sə'ʃevərəl].
Sackville ['sækvil].
Saintsbury ['seinzbəri].
Sandburg ['sændbə:g].
Sandys [sændz].
Sarge(a)nt ['sa:dʒənt].
Saroyan [sə'rɔiən].
Sassoon [sə'su:n].
Savile ['sævil].
Sawyer ['sɔ:jə*].
Scott [skɔt].
Scribner ['skribnə*].
Sedgwick ['sedʒwik].
Sedley ['sedli].
Selden ['seldən].
Selfridge ['selfridʒ].
Seward ['si:wəd].
Seymour ['si:mɔ:*].
Shackleton ['ʃækltən].
Shadwell ['ʃædwəl].
Shak(e)spear(e)
['ʃeikspiə*].
Shandy ['ʃændi].
Shaw [ʃɔ:].
Shelley ['ʃeli].
Sheridan ['ʃeridn].
Sherman ['ʃə:mən].
Sherwood ['ʃə:wud].
Shirley ['ʃə:li].
Siddons ['sidnz].
Sidgwick ['sidʒwik].
Sidney ['sidni].
Simpson ['simpsn].
Sinclair ['siŋklɛə*].
Singer ['siŋə*].
Singleton ['siŋgltən].
Sitwell ['sitwəl].
Skelton ['skeltn].
Skinner ['skinə*].
Sloan(e) [sloun].
Smith [smiθ].
Smollett ['smɔlit].
Smyth [smiθ].
Soane [soun].

Somerville ['sʌməvil].
Southerne ['sʌðən].
Southey ['sauði].
Southwell ['sauθwəl].
Spencer ['spensə*].
Spender ['spendə*].
Spenser ['spensə*].
Spurgeon ['spə:dʒən].
Stanford ['stænfəd].
Stanhope ['stænəp].
Stanley ['stænli].
Stanyhurst ['stænihə:st].
Steel(e) [sti:l].
Stein [stain].
Steinbeck ['stainbek].
Stephens ['sti:vnz].
Stephenson ['sti: vnsn].
Sterne [stə:n].
Stevens ['sti:vnz].
Stevenson ['sti: vnsn].
Stewart [stjuət].
Stillingfleet ['stiliŋˌfli:t].
Stokes [stouks].
Stowe [stou].
Strachey ['streitʃi].
Stuart ['stjuət].
Studebaker
['stu:dəbeikə*].
Suckling ['sʌkliŋ].
Sullivan ['sʌlivən].
Sumner ['sʌmnə*].
Surtees ['sə:ti:z].
Swift [swift].
Swinburne ['swinbə:n].
Swinnerton ['swinətn].
Sykes [saiks].
Sylvester [sil'vestə*].
Symond ['saimənd].
Symonds ['saiməndz].
Symons ['saimənz].
Synge [sin].

Taft [tæft].
Tagore [tə'gɔ:*].
Talfourd ['tælfəd].
Tanner ['tænə*].
Tarkington ['ta:kiŋtən].
Tate [teit].
Taylor ['teilə*].
Temple ['templ].
Tennyson ['tenisn].
Thackeray ['θækəri].
Thomas ['tɔməs].
Thompson ['tɔmpsn].
Thomson ['tɔmsn].
Thoreau ['θɔ:rou].
Thornhill ['θɔ:nhil].
Thornton ['θɔ:ntən].
Thorp(e) [θɔ:p].
Ticknor ['tiknə*].
Tillotson ['tilətsn].
Tindal(e) ['tindl].
Toland ['toulənd].
Tompkins ['tɔmpkinz].
Tottel ['tɔtl].
Tourneur ['tə:nə*].

Tovey ['tʌvi].
Townsend ['taunzənd].
Toynbee ['tɔinbi].
Traherne [trə'hə:n].
Trelawn(e)y [tri'lɔ:ni].
Trenchard ['trenʃɑ:d].
Trevelyan [tri'viljən].
Trevithick ['treviθik].
Trollope ['trɔləp].
Truman ['tru:mən].
Tucker ['tʌkə*].
Turner ['tə:nə*].
Twain [twein].
Tyler ['tailə*].
Tyndale ['tindl].

Udall ['ju:dəl].
Unwin ['ʌnwin].
Upton ['ʌptən].
Urquhart ['ə:kət].

Valera [və'lɛərə].
Vanbrugh ['vænbrə].
Van Buren [væn'bju:rən].
Vandenberg
['vændənbə:g].
Vanderbilt ['vændəbilt].
Vansittart [væn'sitət].
Vaughan [vɔ:n].
Vere [viə*].
Vickers ['vikəz].
Villiers ['viləz].

Wainwright ['weinrait].
Walford ['wɔ:lfəd].
Walker ['wɔ:kə*].
Wallace ['wɔlis].
Waller ['wɔlə*].
Walpole ['wɔ:lpoul].
Walsh [wɔ:lʃ].
Walsingham ['wɔ:lsiŋəm].
Walton ['wɔ:ltən].
Warbeck ['wɔ:bek].
Warburton ['wɔ:bətn].
Ward [wɔ:d].
Warner ['wɔ:nə*].
Warren ['wɔrin].
Warton ['wɔ:tn].
Watson ['wɔtsn].
Watts [wɔts].
Waugh [wɔ:].
Wavell ['weivəl].
Webb [web].
Webster ['webstə*].
Welle(s) [welz].
Wellesley ['welzli].
Wellington ['weliŋtən].
Wendell ['wendl].
Wesley ['wesli].
West [west].
Wharton ['wɔ:tn].
Wheeler ['wi:lə*].
Whistler ['wislə*].
Whiston ['wistən].
Whit(t)aker ['witikə*].
White [wait].

Whitehead ['waithed].
Whitman ['witmən].
Whittier ['witiə*].
Whittington ['witiŋtən].
Wicklif(fe) ['wiklif].
Wilberforce ['wilbəfɔ:s].
Wilde [waild].
Wilder ['waildə*].
Wilk(e)s [wilks].
Wilkie ['wilki].
Wilkins ['wilkinz].
Wilkinson ['wilkinsn].

Williams ['wiljəmz].
Willoughby ['wiləbi].
Wilmot ['wilmət].
Wilson ['wilsn].
Windsor ['winzə*].
Wiseman ['waizmən].
Wither ['wiðə*].
Wodehouse ['wudhaus].
Wolf [wulf].
Wollstonecraft ['wulstənkra:ft].
Wolsey ['wulzi].

Woods [wudz].
Woodward ['wudwəd].
Woolf [wulf].
Woolner ['wulnə*].
Woolsey ['wulzi].
Woolworth ['wulwə:θ].
Wordsworth ['wə:dzwə(:)θ].
Wotton ['wɔtn].
Wren [ren].
Wright [rait].
Wriothesley ['raiəθsli].

Wyat(t) ['waiət].
Wycherley ['witʃəli].
Wyclif(fe) ['wiklif].
Wyndham ['windəm].
Wythe [wiθ].

Yeat(e)s [jeits].
Yonge [jʌn].
Young [jʌn].

Zangwill ['zæŋgwil].
Zilliacus [zili'ɑ:kəs].

Nomi di persona

Adlai ['ædlei].
Adonais [,ædou'neiis].
Aelfric ['ælfrik].
Aileen ['eili:n].
Alastair ['æləstə*].
Aldred ['ɔ:ldrid].
Algernon ['ældʒənən].
Alison ['ælisn].
Amabel ['æməbəl].
Amy ['eimi].
Amyas ['eimjəs].
Aneurin [ə'naiərin].
Angus ['æŋgəs].
Anth(a)ea [æn'θiə].
Arabella [,ærə'bələ].
Arden ['a:dn].
Asa ['eisə].
Astrophel ['æstrəfel].
Audrey ['ɔ:dri].
Ava ['ɑ:və].
Aylwin ['eilwin].

Bell [bel].
Bella ['belə].
Beowulf ['beiəwulf].
Beryl ['beril].
Bevis ['bi:vis].
Boadicea [,bouədi'siə].
Boris ['bɔris].
Brenda ['brendə:].
Brian ['bri:ən].
Bruce [bru:s].
Bysshe [biʃ].

Caedmon ['kædmən].
Caleb ['keileb].
Cary ['kɛəri].
Cedric ['si:drik].
Celia ['si:ljə].
Chloris ['klɔ:ris].
Christabel ['kristəbel].
Clarence ['klærəns].
Clarissa [klə'risə].
Clifton ['kliftən].
Clive [klaiv].
Comus ['kouməs].
Conan ['kounən].
Connor ['kɔnə*].
Cuthbert ['kʌθbət].
Cynewulf ['kiniwulf].

Deirdre ['diədri].
Derek ['derik].
Derrik ['derik].
Desmond ['dezmənd].
Diggory ['digəri].
Dilys ['dilis].
Donalbain ['dɔnlbein].
Dorcas ['dɔ:kəs].
Dorian ['dɔ:riən].
Dougal ['du:gəl].
Douglas ['dʌgləs].
Dudley ['dʌdli].
Dugald ['dʌ:gəld].
Dulcie ['dʌlsi].
Duncan ['dʌŋkən].
Dunstan ['dʌnstən].
Dwight [dwait].
Dylan ['dilen].

Eamon ['eimən].
Edna ['ednə].
Edwin ['edwin].
Eirene [ai'ri:ni].
Eldred ['eldrid].
Elfrida [el'fri:də].
Eli ['i:lai].
Elspeth ['əlspeθ].
Emmeline ['emili:n].
Enid ['i:nid].
Eric ['erik].
Errol ['erəl].
Erwin ['ə:win].
Esmé ['ezmi].
Ethel ['eθəl].
Ethelbert ['eθəlbə:t].
Ethelred ['eθəlred].
Euphues ['ju:fju(:)i:z].
Evelyn ['i:vlin].
Ewan ['ju(:)in].
Ewen ['ju(:)in].

Farquhar ['fa:kwə*].
Fay [fei].
Fergus ['fə:gəs].
Fidelia [fi'di:ljə].
Fingal ['fiŋgəl].
Fiona [fi'ounə].
Fleance ['fli:əns].
Fulke [fulk].

Gareth ['gærəθ].
Geraint ['geraint].

Godwin ['gɔdwin].
Gorboduc ['gɔ:bədʌk].
Gordon ['gɔ:dn].
Grendel ['grendl].
Griffith ['grifiθ].
Gwyneth ['gwiniθ].

Hamish ['heimiʃ].
Hartley ['ha:tli].
Hazel ['heizl].
Hiawatha [,haiə'wɔθə].
Hiram ['haiərəm].
Hodge [hɔdʒ].
Honor ['ɔnə*].
Huckleberry ['hʌklbəri].
Humphr(e)y ['hʌmfri].

Ifor ['aivə*].
Igor ['i:gɔ:*].
Ina ['ainə].
Inge [iŋ].
Ingram ['iŋgrəm].
Iolanthe [,aiə'lænθi].
Ira ['aiərə].
Ivor ['aivə*].
Ivy ['aivi].
Iza ['aizə].

Jabez ['dʒeibez].
Jan [dʒæn].
Jedidiah [,dʒedi'daiə].
Jemima [dʒi'maimə].
Jennifer ['dʒenifə*].
Jervis ['dʒa:vis].
Jessica ['dʒesikə].
Jill [dʒil].
Joel ['dʒouel].
Joyce [dʒɔis].
June [dʒu:n].

Keith [ki:θ].
Kenelm ['kenelm].
Kenneth ['keniθ].
Kezia [ki'zaiə].
Kynewulf ['kiniwulf].

Lachlan ['læklən].
Lafcadio [læf'ka:diou].
Lance [la:ns].
Laurie ['lɔ:ri].
Layamon ['laiəmən].
Lear [liə*].

Lemuel ['lemjuəl].
Lesley ['lesli].
Leslie ['lezli, amer. 'lesli].
Llewellyn [lu(:)'elin].
Lloyd [bid].
Logan ['lougən].
Lorna ['lɔ:nə].

Mabel ['meibəl].
Macbeth [mək'beθ].
Madoc ['mædək].
Magnus ['mægnəs].
Maida ['meidə].
Malcolm ['mælkəm].
Malvolio [mæl'vouljou].
Marigold ['mærigould].
Marilyn ['mærilin].
Marmaduke ['ma:mədju:k].
Marmion ['ma:mjən].
Maureen [mɔ:'ri:n].
Mavis ['meivis].
Mildred ['mildrid].
Miles [mailz].
Millicent ['milisnt].
Minnie ['mini].
Moira ['mɔiərə].
Mona ['mounə].
Montagu(e) ['mɔntəgju:].
Moreen [mɔ:'ri:n].
Morgan ['mɔ:gən].
Morgana [mɔ:'ga:nə].
Mortimer ['mɔ:timə*].
Murdoch ['mə:dɔk].
Muriel ['mjuəriəl].
Myrtle ['mə:tl].
Mysia ['misiə].

Nahum ['neihəm].
Nigel ['naidʒəl].
Norman ['nɔ:mən].

Odo ['oudou].
Olaf ['oulaf].
Orson ['ɔ:sn].
Osbert ['ɔzbə:t].
Osmund ['ɔzmənd].
Ouida ['wi:də].
Owen ['ouin].

Parnel [pɑ:'nel].
Patience ['peiʃəns].

Perceval [ˈpəːsivəl].
Percival [ˈpəːsivəl].
Percy [ˈpəːsi].
Perry [ˈperi].
Phebe [ˈfiːbi].
Phineas [ˈfiniæs].
Primrose [ˈprimrouz].

Queenie [ˈkwiːni].

Rasselas [ˈræsiləs].
Reuben [ˈruːbin].
Rhoda [ˈroudə].
Rhys [riːs].

Rodney [ˈrɔdni].
Rowena [rouˈiːnə].
Roy [rɔi].
Ruby [ˈruːbi].
Rudyard [ˈrʌdjəd].
Rufus [ˈruːfəs].
Rupert [ˈruːpət].

Sean [ʃɔːn].
Seth [seθ].
Shane [ʃɑːn].
Sheila [ˈʃiːlə].
Shirley [ˈʃəːli].
Shylock [ˈʃailɔk].

Silas [ˈsailəs].
Stanley [ˈstænli].
Sydney [ˈsidni].

Talbot [ˈtɔːlbət].
Thorold [ˈθɔrəld].
Tib [tib].
Tracy [ˈtreisi].
Trevor [ˈtrevə*].

Ughtred [ˈuːtrid].
Ulick [ˈjuːlik].
Una [ˈjuːnə].
Uther [ˈjuːθə*].

Vathek [ˈvæθek].
Vere [viə*].
Vernon [ˈvəːnən].

Wace [weis].
Waldo [ˈwɔːldou].
Wendy [ˈwendi].
Wilfred [ˈwilfrid].
Winifred [ˈwinifrid].
Winnie [ˈwini].
Winston [ˈwinstən].
Woodrow [ˈwudrou].

Yehudi [jeˈhuːdi].

Principali verbi irregolari inglesi

infinito	*passato*	*participio passato*
to **abide** [əˈbaid]	**abode** [əˈboud], **abided** [əˈbaidid]	**abode** [əˈboud], **abided** [əˈbaidid]
to **arise** [əˈraiz]	**arose** [əˈrouz]	**arisen** [əˈrizn]
to **awake** [əˈweik]	**awoke** [əˈwouk]	**awaked** [əˈweikt], **awoke** [əˈwouk], **awoken** [əˈwoukən]
to **backbite** [ˈbækbait]	**backbit** [ˈbækbit]	**backbitten** [ˈbæk,bitn], **backbit** [ˈbækbit]
to **backslide** [ˈbækˈslaid]	**backslid** [ˈbækˈslid]	**backslid** [ˈbækˈslid]
to **be** [biː]	**was** [wɔz]	**been** [biːn]
to **bear** [bɛə*]	**bore** [bɔː*]; (*arc.*) **bare** [bɛə*]	**borne**, **born** [bɔːn]
to **beat** [biːt]	**beat** [biːt]	**beaten** [ˈbiːtn], **beat** [biːt]
to **become** [biˈkʌm]	**became** [biˈkeim]	**become** [biˈkʌm]
to **befall** [biˈfɔːl]	**befell** [biˈfel]	**befallen** [biˈfɔːlən]
to **beget** [biˈget]	**begot** [biˈgɔt]	**begot** [biˈgɔt], **begotten** [biˈgɔtn]
to **begin** [biˈgin]	**began** [biˈgæn]	**begun** [biˈgʌn]
to **behold** [biˈhould]	**beheld** [biˈheld]	**beheld** [biˈheld]
to **bend** [bend]	**bent** [bent]	**bent** [bent]
to **bereave** [biˈriːv]	**bereaved** [biˈriːvd], **bereft** [biˈreft]	**bereaved** [biˈriːvd], **bereft** [biˈreft]
to **beseech** [biˈsiːtʃ]	**besought** [biˈsɔːt]	**besought** [biˈsɔːt]
to **beset** [biˈset]	**beset** [biˈset]	**beset** [biˈset]
to **bespeak** [biˈspiːk]	**bespoke** [biˈspouk]	**bespoken** [biˈspoukən]
to **bestrew** [biˈstruː]	**bestrewed** [biˈstruːd]	**bestrewed** [biˈstruːd], **bestrewn** [biˈstruːn]
to **bestride** [biˈstraid]	**bestrode** [biˈstroud]	**bistridden** [biˈstridn]
to **bet** [bet]	**bet** [bet]	**bet** [bet]
to **betake** [biˈteik]	**betook** [biˈtuk]	**betaken** [biˈteikən]
to **bethink** [biˈθiŋk]	**bethought** [biˈθɔːt]	**bethought** [biˈθɔːt]
to **bid** [bid]	**bade** [beid], **bad** [bæd], **bid** [bid]	**bidden** [ˈbidn], **bid** [bid]
to **bind** [baind]	**bound** [baund]	**bound** [baund]
to **bite** [bait]	**bit** [bit]	**bit** [bit], **bitten** [ˈbitn]
to **bleed** [bliːd]	**bled** [bled]	**bled** [bled]
to **bless** [bles]	**blessed**; (*poet.*) **blest** [blest]	**blessed**; (*poet.*) **blest** [blest]
to **blow** [blou]	**blew** [bluː]	**blown** [bloun]
to **break** [breik]	**broke** [brouk]; (*arc.*) **brake** [breik]	**broken** [ˈbroukən]; (*fam.*) **broke** [brouk]
to **breed** [briːd]	**bred** [bred]	**bred** [bred]
to **bring** [briŋ]	**brought** [brɔːt]	**brought** [brɔːt]
to **broadcast** [ˈbrɔːdkɑːst]	**broadcast** [ˈbrɔːdkɑːst], **broadcasted** [ˈbrɔːd,kɑːstid]	**broadcast** [ˈbrɔːdkɑːst], **broadcasted** [ˈbrɔːd,kɑːstid]

infinito	*passato*	*participio passato*
to **browbeat** ['braubi:t]	browbeat ['braubi:t]	browbeaten ['braubi:tn]
to **build** [bild]	built [bilt]	built [bilt]
to **burn** [bə:n]	burnt [bə:nt], **burned** [bə:nd]	burnt [bə:nt], **burned** [bə:nd]
to **burst** [bə:st]	burst [bə:st]	burst [bə:st]
to **buy** [bai]	bought [bɔ:t]	bought [bɔ:t]
to **cast** [kɑ:st]	cast [kɑ:st]	cast [kɑ:st]
to **catch** [kætʃ]	caught [kɔ:t]	caught [kɔ:t]
to **chide** [tʃaid]	chid [tʃid], **chided** ['tʃaidid]	chidden ['tʃidn], chid [tʃid], **chided** ['tʃaidid]
to **choose** [tʃu:z]	chose [tʃouz]	chosen ['tʃouzn]
to **cleave** [kli:v]	cleaved [kli:vd], **cleft** [kleft]; (*letter.*) **clove** [klouv]	cleaved [kli:vd], **cleft** [kleft]; (*letter.*) **cloven** ['klouvn], **clove** [klouv]
to **climb** [klaim]	climbed [klaimd]; (*arc. dial.*) **clomb** [kloum]	climbed [klaimd], (*arc. dial.*) **clomb** [kloum]
to **cling** [kliŋ]	clung [klʌŋ]	clung [klʌŋ]
to **clothe** [klouð]	clothed [klouðd], **clad** [klæd]	clothed [klouðd], **clad** [klæd]
to **come** [kʌm]	came [keim]	come [kʌm]
to **cost** [kɔst]	cost [kɔst]	cost [kɔst]
to **creep** [kri:p]	crept [krept]	crept [krept]
to **crow** [krou]	crowed [kroud], **crew** [kru:]	crowed [kroud]
to **cut** [kʌt]	cut [kʌt]	cut [kʌt]
to **dare** [deə*]	dared [dɛəd]; (*rar.*) **durst** [də:st]	dared [dɛəd]
to **deal** [di:l]	dealt [delt]	dealt [delt]
to **dig** [dig]	dug [dʌg]	dug [dʌg]
to **do** [du:]	did [did]	done [dʌn]
to **draw** [drɔ:]	drew [dru:]	drawn [drɔ:n]
to **dream** [dri:m]	dreamed [dri:md], **dreamt** [dremt]	dreamed [dri:md], **dreamt** [dremt]
to **drink** [driŋk]	drank [dræŋk]	drunk [drʌŋk]; (*arc.*) **drunken** ['drʌŋkən]
to **drive** [draiv]	drove [drouv]	driven ['drivn]
to **dwell** [dwel]	dwelt [dwelt]; (*amer.*) **dwelled** [dweld]	dwelt [dwelt]; (*amer.*) **dwelled** [dweld]
to **eat** [i:t]	ate [et]; (*arc.*) **eat** [i:t]	eaten ['i:tn]
to **fall** [fɔ:l]	fell [fel]	fallen ['fɔ:lən]
to **feed** [fi:d]	fed [fed]	fed [fed]
to **feel** [fi:l]	felt [felt]	felt [felt]
to **fight** [fait]	fought [fɔ:t]	fought [fɔ:t]
to **find** [faind]	found [faund]	found [faund]
to **flee** [fli:]	fled [fled]	fled [fled]
to **fling** [fliŋ]	flung [flʌŋ]	flung [flʌŋ]
to **fly** [flai]	flew [flu:]	flown [floun]
to **forbear** [fɔ:'bɛə*]	forbore [fɔ:'bɔ:*]	forborne [fɔ:'bɔ:n]
to **forbid** [fə'bid]	forbade [fə'beid]	forbidden [fə'bidn]
to **forecast** ['fɔ:kɑ:st]	forecast ['fɔ:kɑ:st]	forecast ['fɔ:kɑ:st]
to **forego** [fɔ:'gou]	forewent [fɔ:'went]	foregone [fɔ:'gɔn]
to **foreknow** [fɔ:'nou]	foreknew [fɔ:'nju:]	foreknown [fɔ:'noun]
to **foresee** [fɔ:'si:]	foresaw [fɔ:'sɔ:]	foreseen [fɔ:'si:n]
to **foretell** [fɔ:'tel]	foretold [fɔ:'tould]	foretold [fɔ:'tould]
to **forget** [fə'get]	forgot [fə'gɔt]	forgotten [fə'gɔtn]
to **forgive** [fə'giv]	forgave [fə'geiv]	forgiven [fə'givn]
to **forsake** [fə'seik]	forsook [fə'suk]	forsaken [fə'seikən]
to **forswear** [fɔ:'swɛə*]	forswore [fɔ:'swɔ:*]	forsworn [fɔ:'swɔ:n]
to **freeze** [fri:z]	froze [frouz]	frozen ['frouzn]
to **gainsay** [gein'sei]	gainsaid [gein'seid]	gainsaid [gein'seid]
to **get** [get]	got [gɔt]	got [gɔt]; (*arc. o talvolta amer.*) **gotten** ['gɔtn]
to **gird** [gə:d]	girded ['gə:did], **girt** [gə:t]	girded ['gə:did], **girt** [gə:t]
to **give** [giv]	gave [geiv]	given ['givn]
to **go** [gou]	went [went]	gone [gɔn]
to **grave** [greiv]	graved [greivd]	graved [greivd], **graven** ['greivən]
to **grind** [graind]	ground [graund]	ground [graund]
to **grow** [grou]	grew [gru:]	grown [groun]

infinito	*passato*	*participio passato*
to **hang** [hæŋ]	**hung** [hʌŋ], **hanged** [hæŋd]	**hung** [hʌŋ], **hanged** [hæŋd]
to **have** [hæv]	**had** [hæd]	**had** [hæd]
to **hear** [hiə*]	**heard** [hə:d]	**heard** [hə:d]
to **heave** [hi:v]	**heaved** [hi:vd], **hove** [houv]	**heaved** [hi:vd]
to **hew** [hju:]	**hewed** [hju:d]	**hewed** [hju:d], **hewn** [hju:n]
to **hide** [haid]	**hid** [hid]	**hid** [hid], **hidden** ['hidn]
to **hit** [hit]	**hit** [hit]	**hit** [hit]
to **hold** [hould]	**held** [held]	**held** [held]; (*arc.*) **holden** ['houldən]
to **hurt** [hə:t]	**hurt** [hə:t]	**hurt** [hə:t]
to **inlay** ['in'lei]	**inlaid** ['in'leid]	**inlaid** ['in'leid]
to **keep** [ki:p]	**kept** [kept]	**kept** [kept]
to **kneel** [ni:l]	**knelt** [nelt]	**knelt** [nelt]
to **knit** [nit]	**knitted** ['nitid], **knit** [nit]	**knitted** ['nitid], **knit** [nit]
to **know** [nou]	**knew** [nju:]	**known** [noun]
to **lade** [leid]	**laded** ['leidid]	**laden** ['leidn]
to **lay** [lei]	**laid** [leid]	**laid** [leid]
to **lead** [li:d]	**led** [led]	**led** [led]
to **lean** [li:n]	**leaned, leant** [lent]	**leaned, leant** [lent]
to **leap** [li:p]	**leaped, leapt** [lept]	**leaped, leapt** [lept]
to **learn** [lə:n]	**learnt** [lə:nt], **learned** [lə:nd]	**learnt** [lə:nt], **learned** [lə:nd]
to **leave** [li:v]	**left** [left]	**left** [left]
to **lend** [lend]	**lent** [lent]	**lent** [lent]
to **let** [let]	**let** [let]	**let** [let]
to **lie** [lai]	**lay** [lei]	**lain** [lein]
to **light** [lait]	**lighted** [ˌlaitid], **lit** [lit]	**lighted** [ˌlaitid], **lit** [lit]
to **lose** [lu:z]	**lost** [lɔst]	**lost** [lɔst]
to **make** [meik]	**made** [meid]	**made** [meid]
to **mean** [mi:n]	**meant** [ment]	**meant** [ment]
to **meet** [mi:t]	**met** [met]	**met** [met]
to **melt** [melt]	**melted** ['meltid]	**melted** ['meltid]; (*arc.*) **molten** ['moultən]
to **misdeal** ['mis'di:l]	**misdealt** ['mis'delt]	**misdealt** ['mis'delt]
to **misgive** [mis'giv]	**misgave** [mis'geiv]	**misgiven** [mis'givn]
to **mislay** [mis'lei]	**mislaid** [mis'leid]	**mislaid** [mis'leid]
to **mislead** [mis'li:d]	**misled** [mis'led]	**misled** [mis'led]
to **mistake** [mis'teik]	**mistook** [mis'tuk]	**mistaken** [mis'teikən]
to **misunderstand** ['misʌndə'stænd]	**misunderstood** ['misʌndə'stud]	**misunderstood** ['misʌndə'stud]
to **mow** [mou]	**mowed** [moud]	**mown** [moun]
to **outbid** [aut'bid]	**outbade** [aut'beid]	**outbidden** [aut'bidn]
to **outdo** [aut'du:]	**outdid** [aut'did]	**outdone** [aut'dʌn]
to **outgo** [aut'gou]	**outwent** [aut'went]	**outgone** [aut'gɔn]
to **outgrow** [aut'grou]	**outgrew** [aut'gru:]	**outgrown** [aut'groun]
to **outride** [aut'raid]	**outrode** [aut'roud]	**outridden** [aut'ridn]
to **outrun** [aut'rʌn]	**outran** [aut'ræn]	**outrun** [aut'rʌn]
to **outshine** [aut'ʃain]	**outshone** [aut'ʃɔn]	**outshone** [aut'ʃɔn]
to **outspread** [aut'spred]	**outspread** [aut'spred]	**outspread** [aut'spred]
to **outwear** [aut'weə*]	**outwore** [aut'wɔ:*]	**outworn** [aut'wɔ:n]
to **overbear** [ˌouvə'beə*]	**overbore** [ˌouvə'bɔ:r*]	**overborne** [ˌouvə'bɔ:n]
to **overcast** ['ouvəka:st]	**overcast** ['ouvəka:st]	**overcast** ['ouvəka:st]
to **overcome** [ˌouvə'kʌm]	**overcame** [ˌouvə'keim]	**overcome** [ˌouvə'kʌm]
to **overdo** [ˌouvə'du:]	**overdid** [ˌouvə'did]	**overdone** [ˌouvə'dʌn]
to **overdraw** ['ouvə'drɔ:]	**overdrew** ['ouvə'dru:]	**overdrawn** ['ouvə'drɔ:n]
to **overeat** ['ouvər'i:t]	**overate** ['ouvər'et]	**overeaten** ['ouvər'i:tn]
to **overfeed** ['ouvə'fi:d]	**overfed** ['ouvə'fed]	**overfed** ['ouvə'fed]
to **overgrow** ['ouvə'grou]	**overgrew** ['ouvə'gru:]	**overgrown** ['ouvə'groun]
to **overhang** ['ouvəhæŋ]	**overhung** ['ouvəhʌŋ]	**overhung** ['ouvəhʌŋ]
to **overhear** [ˌouvə'hiə*]	**overheard** [ˌouvə'hə:d]	**overheard** [ˌouvə'hə:d]
to **overlay** [ˌouvə'lei]	**overlaid** [ˌouvə'leid]	**overlaid** [ˌouvə'leid]
to **overleap** [ˌouvə'li:p]	**overleaped, overleapt** [ˌouvə'lept]	**overleaped, overleapt** [ˌouvə'lept]
to **overlie** [ˌouvə'lai]	**overlay** [ˌouvə'lei]	**overlain** [ˌouvə'lein]
to **override**]ˌouvə'raid]	**overrode** [ˌouvə'roud]	**overridden** [ˌouvə'ridn]

infinito	*passato*	*participio passato*
to **overrun** [ˌouvəˈrʌn]	**overran** [ˌouvəˈræn]	**overrun** [ˌouvəˈrʌn]
to **oversee** [ˈouvəˈsiː]	**oversaw** [ˈouvəˈsɔː]	**overseen** [ˈouvəˈsiːn]
to **overset** [ˈouvəˈset]	**overset** [ˈouvəˈset]	**overset** [ˈouvəˈset]
to **overshoot** [ˈouvəˈʃuːt]	**overshot** [ˈouvəˈʃɔt]	**overshot** [ˈouvəˈʃɔt]
to **oversleep** [ˈouvəˈsliːp]	**overslept** [ˈouvəˈslept]	**overslept** [ˈouvəˈslept]
to **overspread** [ˌouvəˈspred]	**overspread** [ˌouvəˈspred]	**overspread** [ˌouvəˈspred]
to **overtake** [ˌouvəˈteik]	**overtook** [ˌouvəˈtuk]	**overtaken** [ˌouvəˈteikən]
to **overthrow** [ˌouvəˈθrou]	**overthrew** [ˌouvəˈθruː]	**overthrown** [ˌouvəˈθroun]
to **partake** [pɑːˈteik]	**partook** [pɑːˈtuk]	**partaken** [pɑːˈteikən]
to **pay** [pei]	**paid** [peid]	**paid** [peid]
to **put** [ˈput]	**put** [put]	**put** [put]
to **read** [riːd]	**read** [red]	**read** [red]
to **rebuild** [ˈriːˈbild]	**rebuilt** [ˈriːˈbilt]	**rebuilt** [ˈriːˈbilt]
to **recast** [ˈriːˈkɑːst]	**recast** [ˈriːˈkɑːst]	**recast** [ˈriːˈkɑːst]
to **relay** [ˈriːˈlei]	**relaid** [ˈriːˈleid]	**relaid** [ˈriːˈleid]
to **rend** [rend]	**rent** [rent]	**rent** [rent]
to **repay** [riːˈpei]	**repaid** [riːˈpeid]	**repaid** [riːˈpeid]
to **reset** [ˈriːˈset]	**reset** [ˈriːˈset]	**reset** [ˈriːˈset]
to **retell** [ˈriːˈtel]	**retold** [ˈriːˈtould]	**retold** [ˈriːˈtould]
to **rid** [rid]	**rid** [rid], **ridded** [ˈridid]	**rid** [rid]
to **ride** [raid]	**rode** [roud]; (*arc.*) **rid** [rid]	**ridden** [ˈridn]; (*arc.*) **rid** [rid]
to **ring** [riŋ]	**rang** [ræŋ]	**rung** [rʌŋ]
to **rise** [raiz]	**rose** [rouz]	**risen** [ˈrizn]
to **rive** [raiv]	**rived** [raivd]	**rived** [raivd], **riven** [ˈrivən]
to **run** [rʌn]	**ran** [ræn]	**run** [rʌn]
to **saw** [sɔː]	**sawed** [sɔːd]	**sawn** [sɔːn]; (*rar.*) **sawed** [sɔːd]
to **say** [sei]	**said** [sed]	**said** [sed]
to **see** [siː]	**saw** [sɔː]	**seen** [siːn]
to **seek** [siːk]	**sought** [sɔːt]	**sought** [sɔːt]
to **seethe** [siːð]	**seethed** [siːðd]; (*arc.*) **sod** [sɔd]	**seethed** [siːðd]; (*arc.*) **sodden** [ˈsɔdn]
to **sell** [sel]	**sold** [sould]	**sold** [sould]
to **send** [send]	**sent** [sent]	**sent** [sent]
to **set** [set]	**set** [set]	**set** [set]
to **sew** [sou]	**sewed** [soud]	**sewn** [soun]
to **shake** [ʃeik]	**shook** [ʃuk]	**shaken** [ˈʃeikən]
to **shear** [ʃiə*]	**sheared** [ʃiəd]; (*arc.*) **shore** [ʃɔː*]	**shorn** [ʃɔːn]; (*rar.*) **sheared** [ʃiəd]
to **shed** [ʃed]	**shed** [ʃed]	**shed** [ʃed]
to **shine** [ʃain]	**shone** [ʃɔn], **shined** [ʃaind]	**shone** [ʃɔn], **shined** [ʃaind]
to **shoe** [ʃuː]	**shod** [ʃɔd]; (*rar.*) **shoed** [ʃuːd]	**shod** [ʃɔd]; (*rar.*) **shoed** [ʃuːd]
to **shoot** [ʃuːt]	**shot** [ʃɔt]	**shot** [ʃɔt]
to **show** [ʃou]	**showed** [ʃoud]	**shown** [ʃoun]
to **shrink** [ʃriŋk]	**shrank** [ʃræŋk]	**shrunk** [ʃrʌŋk]
to **shrive** [ʃraiv]	**shrove** [ʃrouv]	**shriven** [ˈʃrivn]
to **shut** [ʃʌt]	**shut** [ʃʌt]	**shut** [ʃʌt]
to **sing** [siŋ]	**sang** [sæŋ]	**sung** [sʌŋ]
to **sink** [siŋk]	**sank** [sæŋk]; (*rar.*) **sunk** [sʌŋk]	**sunk** [sʌŋk]
to **sit** [sit]	**sat** [sæt]	**sat** [sæt]
to **slay** [slei]	**slew** [sluː]	**slain** [slein]
to **sleep** [sliːp]	**slept** [slept]	**slept** [slept]
to **slide** [slaid]	**slid** [slid]	**slid** [slid]
to **slit** [slit]	**slit** [slit]	**slit** [slit]
to **smell** [smel]	**smelt** [smelt]	**smelt** [smelt]
to **smite** [smait]	**smote** [smout]	**smitten** [ˈsmitn]
to **sow** [sou]	**sowed** [soud]	**sowed** [soud], **sown** [soun]
to **speak** [spiːk]	**spoke** [spouk]; (*arc.*) **spake** [speik]	**spoken** [ˈspoukən]
to **speed** [spiːd]	**sped** [sped], **speeded** [ˈspiːdid]	**sped** [sped], **speeded** [ˈspiːdid]
to **spell** [spel]	**spelt** [spelt]	**spelt** [spelt]
to **spend** [spend]	**spent** [spent]	**spent** [spent]
to **spill** [spil]	**spilt** [spilt], **spilled** [spild]	**spilt** [spilt], **spilled** [spild]
to **spin** [spin]	**span** [spæn], **spun** [spʌn]	**spun** [spʌn]
to **spit** [spit]	**spat** [spæt]; (*arc. amer.*) **spit** [spit]	**spat** [spæt]; (*arc. amer.*) **spit** [spit]
to **split** [split]	**split** [split]	**split** [split]
to **spoil** [spɔil]	**spoiled**, **spoilt** [spɔilt]	**spoiled**, **spoilt** [spɔilt]

infinito	*passato*	*participio passato*
to **spread** [spred]	**spread** [spred]	**spread** [spred]
to **spring** [sprin]	**sprang** [spræn]	**sprung** [sprʌn]
to **stand** [stænd]	**stood** [stud]	**stood** [stud]
to **stave** [steiv]	**staved** [steivd], **stove** [stouv]	**staved** [steivd], **stove** [stouv]
to **steal** [sti:l]	**stole** [stoul]	**stolen** ['stoulən]
to **stick** [stik]	**stuck** [stʌk]	**stuck** [stʌk]
to **sting** [stin]	**stung** [stʌn]	**stung** [stʌn]
to **stink** [stink]	**stank** [stænk]	**stunk** [stʌnk]
to **strew** [stru:]	**strewed** [stru:d]	**strewn** [stru:n], **strewed** [stru:d]
to **stride** [straid]	**strode** [stroud]	**stridden** ['stridn]
to **strike** [straik]	**struck** [strʌk]	**struck** [strʌk]; (*arc.*) **stricken** ['strikən]
to **string** [strin]	**strung** [strʌn]	**strung** [strʌn]
to **strive** [straiv]	**strove** [strouv]	**striven** ['strivn]
to **sunburn** ['sʌnbə:n]	**sunburnt** ['sʌnbə:nt]	**sunburnt** ['sʌnbə:nt]
to **swear** [sweə*]	**swore** [swɔ:*]; (*arc.*) **sware** [sweə*]	**sworn** [swɔ:n]
to **sweep** [swi:p]	**swept** [swept]	**swept** [swept]
to **swell** [swel]	**swelled** [sweld]	**swollen** ['swoulən]; (*rar.*) **swelled** [sweld]
to **swim** [swim]	**swam** [swæm]	**swum** [swʌm]
to **swing** [swin]	**swung** [swʌn]; (*rar.*) **swang** [swæn]	**swung** [swʌn]
to **take** [teik]	**took** [tuk]	**taken** ['teikən]
to **teach** [ti:tʃ]	**taught** [tɔ:t]	**taught** [tɔ:t]
to **tear** [teə*]	**tore** [tɔ:*]	**torn** [tɔ:n]
to **tell** [tel]	**told** [tould]	**told** [tould]
to **think** [θink]	**thought** [θɔ:t]	**thought** [θɔ:t]
to **thrive** [θraiv]	**throve** [θrouv]	**thriven** ['θrivn]
to **throw** [θrou]	**threw** [θru:]	**thrown** [θroun]
to **thrust** [θrʌst]	**thrust** [θrʌst]	**thrust** [θrʌst]
to **tread** [tred]	**trod** [trɔd]	**trodden** ['trɔdn]
to **unbend** ['ʌn'bend]	**unbent** ['ʌn'bent]	**unbent** ['ʌn'bent]
to **unbind** ['ʌn'baind]	**unbound** ['ʌn'baund]	**unbound** ['ʌn'baund]
to **underbid** ['ʌndə'bid]	**underbid** ['ʌndə'bid]	**underbid** ['ʌndə'bid]
to **undergo** [ˌʌndə'gou]	**underwent** [ˌʌndə'went]	**undergone** [ˌʌndə'gɔn]
to **undersell** ['ʌndə'sel]	**undersold** ['ʌndə'sould]	**undersold** ['ʌndə'sould]
to **understand** [ˌʌndə'stænd]	**understood** [ˌʌndə'stud]	**understood** [ˌʌndə'stud]
to **undertake** [ˌʌndə'teik]	**undertook** [ˌʌndə'tuk]	**undertaken** [ˌʌndə'teikən]
to **underwrite** ['ʌndərait]	**underwrote** ['ʌndərout]	**underwritten** ['ʌndəˌritn]
to **undo** ['ʌn'du:]	**undid** ['ʌn'did]	**undone** ['ʌn'dʌn]
to **upset** [ʌp'set]	**upset** [ʌp'set]	**upset** [ʌp'set]
to **wake** [weik]	**waked** [weikt], **woke** [wouk]	**waked** [weikt], **woke** [wouk], **woken** ['woukən]
to **waylay** [wei'lei]	**waylaid** [wei'leid]	**waylaid** [wei'leid]
to **wear** [weə*]	**wore** [wɔ:*]	**worn** [wɔ:n]
to **weave** [wi:v]	**wove** [wouv]	**woven** ['wouvən]
to **wed** [wed]	**wedded** ['wedid]; (*rar.*) **wed** [wed]	**wedded** ['wedid]; (*rar.*) **wed** [wed]
to **weep** [wi:p]	**wept** [wept]	**wept** [wept]
to **win** [win]	**won** [wʌn]	**won** [wʌn]
to **wind** [waind]	**wound** [waund]	**wound** [waund]
to **withdraw** [wið'drɔ:]	**withdrew** [wið'dru:]	**withdrawn** [wið'drɔ:n]
to **withhold** [wið'hould]	**withheld** [wið'held]	**withheld** [wið'held]
to **withstand** [wið'stænd]	**withstood** [wið'stud]	**withstood** [wið'stud]
to **work** [wə:k]	**worked** [wə:kt]; (*rar.*) **wrought** [rɔ:t]	**worked** [wɔ:kt]; (*rar.*) **wrought** [rɔ:t]
to **wring** [rin]	**wrung** [rʌn]	**wrung** [rʌn]
to **write** [rait]	**wrote** [rout]; (*arc.*) **writ** [rit]	**written** ['ritn]; (*arc.*) **writ** [rit]

Finito di stampare il 3 aprile 1992 dalla Garzanti Editore s.p.a. - Milano

50433